名詞 2-1

名称

- 化学物質 2-1-8-1
- 科学用語 2-1-8-2
- 薬剤・薬品 2-1-8-3
- 動物・鳥類・魚類・昆虫 2-1-8-4
- 植物 2-1-8-5
- 病気 2-1-8-6
- 民族・住民 2-1-8-7
- 言語 2-1-8-8
- 鉱物 2-1-8-9
- 神話 2-1-8-10
- 商品・商標 2-1-8-11

動詞 2-2

- 動作 変化 2-2-1
- 反復 2-2-2
- 始動 2-2-3
- 単数 現在形 2-2-4
- 過去 過去分詞 2-2-5

形容詞 2-3

- 性質 2-3-1
- 関連 2-3-2
- 所属 2-3-3
- 類似 2-3-4
- …が多い 2-3-5
- 欠如 2-3-6
- 傾向 2-3-7
- 可能 2-3-8
- 数量 2-3-9
- 比較級 最上級 2-3-10

副詞 2-4

- 状態 2-4-1
- 方向・位置 2-4-2

■編　者

國廣　哲彌　東京大学名誉教授

堀内　克明　リセ・ケネディ辞書研究所教授

■執筆・資料作成者

接尾辞・連結形	須永紫乃生	駒沢女子短期大学教授
	竝木　崇康	茨城大学教授
	島村　礼子	津田塾大学教授
	関根紳太郎	東京工業高等専門学校助教授
複合語	水野　修身	防衛大学校教授
音象徴	大森　良子	下北沢成徳高等学校教諭
発　音	東海林宏司	茨城キリスト教大学助教授
	松原　陽介	元東京都立大泉高等学校教諭
語　源	今里　智晃	広島大学教授
	土家　典生	上智大学教授
協　力	Koji Sonoda （園田　幸司）	元ニューヨーク大学教授 元フェアリー・ディキンソン大学教授 元ジョージア工科大学客員教授

■データ編集

表現研究所（鈴木義果）

■版下

アトリエサンク

この辞典の使い方

1 解説図　→のあとの数字は, (6) ページからの解説項目の数字を示す.

1 - 1

● **親見出し**→ 2
代表的な語尾要素8,000を親見出しとして, すべてアルファベット順に配列. 綴りの切れ目 (分綴) は, 中黒 (・) で示した.
〈親見出しの内訳〉
＊複合語の後半要素 5,000
＊接尾辞・連結形　2,000
＊音象徴　200
＊語尾 (語末の音形)　800

● **品詞ラベル**→ 5-1
従来の品詞に加え, 逆引き辞典ならではの品詞ラベルがある.
[接尾辞] [音象徴]
[連結形] [語尾]

-i·a /iə, jə/
[接尾辞] ギリシャ語・ラテン語借用の名詞語尾. **1** 女子の名, ギリシャ神話の女神の名をつくる. **2** 医学用語をつくる. **3** 地名をつくる. **4** ギリシャ・ローマ時代の祭典名をつくる. **5** 動植物名などの生物用語をつくる.
★ 名詞をつくる.
◆ ＜近代ラ, ラ, ギ＝*-i-*(構成辞または連結辞)あるいは *-i-*(ギ *-ei-*)＋*-a*(女性単数形または中性複数形の名詞, または形容詞の語尾). ⇨ -A¹, -A².
[発音] ゆっくりと発音される時は /iə/, 速く発音される時は /jə/ となる. 第 1 強勢は直前の音節.

〈**1**〉 女子の名, ギリシャ神話の女神の名をつくる.
An·to·ni·a [名] 女子の名. ▶古代ローマの姓 *Antonius* より.
Cas·si·o·pe·ia [名] 『ギリシャ神話』カシオペイア.
Ce·ci·li·a [名] 女子の名. ▶字義はラテン語で「目が見えない」.
Cel·ia [名] 女子の名. ▶字義はおそらくラテン語で「天国」.

● **発音記号**→ 4
IPA (国際音声記号) を用いた. 米語・英語で異なる発音は, 米語を優先し, /米語 | 英語/ で示した.

● **語源**→ 8
接尾辞・連結形には, ◆印のあとに語源情報を示した.

● **[発音]**→ 4-5
発音およびストレスの規則性と例外について解説.

● **小区分**→ 3-7
一部で, 親見出しの語義に従って小区分を採用し, 見やすくした.

● **注記**→ 7, 9-7
関連情報は▶印で表示.

1 - 2

● **同綴りの親見出し**
→ 2-3, 2-6
同綴りでも, 語尾要素として語源が異なる場合, あるいは語をつくる働きが異なる場合には, 別見出しとして, 右肩に¹ ² ³などの数字をつけて区別した.

● **語末の同音形**
[語尾] ラベルのある親見出し (語末の音形) には, 同じ発音で異綴りのものを表記した.

● **同綴りの子見出し**
→ 3-3, 3-6
同綴りでも, 語源が異なる場合.

● **スピーチレベル**
→ 6-8

-ane¹ /ein/
[接尾辞] -an¹ の異形.
★ 時に -an¹ がつく語とは別の意味を表す.
◆ 中英 *-ain*, *-en* ＜古仏 *-ain(e)*＜ラ -ānus.
[発音] 第 1 強勢は, 形容詞では -ane に, 名詞では語頭の音節にある. 例外: móntane.

ger·mane [形] (…と)密接な関係のある.
hu·mane [形] 人間味のある, 慈悲深い.
in·hu·mane [形] 非人道的な, 不人情な, 薄情な.
in·ur·bane [形] 《まれ》無作法な; 洗練されない.
mem·brane [名] ☞
mon·tane [形] ☞
mun·dane [形] ☞
ur·bane [形] 都会風の, 優雅な, 洗練された.

-ane² /ein/
[接尾辞] 『化学』メタンまたはパラフィン系の炭化水素の類の名に用いる.
◆ ラテン語 *-ānus*-AN² より: -ine³, -ene¹ からの類推でドイツの化学者 A.W.von Hofmann(1818–92)による造語.

ad·a·man·tane [名] アダマンタン.
al·kane [名] アルカン.

-ane³ /éin/
[語尾] 語末にくる同音形は -AIN², -AIN³, -AINE, -EAN³, -EIGN, -EIN².

ane [形][名][代] 《主にスコット》＝one.
bane¹ [名] ☞
bane² [名] 《スコット》骨(bone).

● **子見出し**→ 3
親見出しからつくられる語群をアルファベット順に配列.

☞は親見出しとして, 立項されていることを示す. → 6-6

語源情報には, 普通の語源的な解説のほか, 短縮や抽出の元となった語また文化的背景を盛り込んだ.→ 8-5

● **関連見出し**
関連している見出しはスモールキャピタルで示す.

＝は同義を示す. → 3-5

(　) は, 言い替え語や短縮語の元になった語などを示す.

1 - 3

★印のあとに,
(1) つくられる品詞
(2) 語法
(3) 語末にくる関連形
(4) 語頭にくる形
(5) 語頭にくる関連形
などを示した.→ 7-1

●複合語の表示
独立した2つ以上の語から成り立っている複合語は,原則として,強勢記号(ストレス)を示した.→ 3-4
また,品詞は省略した.
ただし名詞以外の品詞になる場合は示した.→ 5-3

cul·ture /kʌ́ltʃər/

名 **1** (芸術・学問に対する個人の)教養, 洗練; (社会の)文化, 生活様式, 精神的風土. **2** (土地の)耕作; 栽培; 養殖; 飼育. ►ラテン語起源 *-colere*「～を耕す; ～に住む」より. ⇨ -URE¹.
★ 名詞または形容詞について複合名詞をつくる. **1** はハイフン付き複合名詞を形成する場合が多い.

áer·o·cùl·ture 名 〖農業〗気耕法.
ág·ri·cùl·ture 名 ☞
ál·ien-cùl·ture 名 《主に軽蔑的》異国文化, 外国文化.
á·pi·cùl·ture 名 養蜂(ようほう)(業).
áq·ua·cùl·ture 名 (魚介類・海藻類の)養殖.
áq·ui·cùl·ture 名 水耕法, 水栽培.
ár·bor·i·cùl·ture 名 (観賞・造園材用の)樹木栽培, 育樹.
á·vi·cùl·ture 名 鳥類飼育, (特に)野鳥の飼育.
Báttle-Ax cùlture 〖考古〗(北欧の)闘斧(とうふ)文化.
béauty cùlture 《主に米》美容術.

● 所属 → 7-5, 9-5
⇨のあとに, 所属する親見出しを示す.例えば culture は, -ure¹の項に所属する.

省略あるいは補足的説明は ( ) で示した.→ 9-1

● 専門語ラベル → 6-9

1 - 4

●関連語
◇印のあとには,
参照すべき見出し語を示す.→ 7-4, 9-8

mak·ing /méikiŋ/

名 製作(すること), 製造[形成, 生産](過程). ── 形 《複合語》 **1** 《話》…にする[なる]ような; …を引き起こすような. **2** …をつくる, する. ◇ MAKER. ⇨ -ING¹, -ING².

bríck·màking 名 れんが製造(職). れんが製造人[業者].
cábinet·màking 名 家具製作.
crínge-máking 形 《英話》狼狽(ろうばい)させる.
decísion-màking 名形 意思決定(の).

品詞を2つ以上記述する場合の表記.→ 5-2

語義の言い替えは[ ]で示した.→ 9-2

品詞を2つ以上記述する場合の表記.

1 - 5 新語

最近流行している複合語や接尾辞・連結形も採用.

syn·drome /síndroum, -drəm | -droum/

名 〖病理〗〖精神医学〗症候群. ⇨ -DROME.

ábstinence sỳndrome 離脱[禁断]症候群.
acquíred immúne deficiency sỳndrome エイズ, 後天性免疫不全症侯群 (Aids).
Ádams-Stókes sỳndrome 呼吸窮迫症侯群.
adúlt réspiratory distrèss sỳndrome =Adams-Stokes syndrome.

目次

特集図版記事

2 親見出し

2-1 本辞典は, 親見出しと子見出しとから成り立つ.

親見出しは, 一般の英語単語のほか, 複合語・派生語・固有名詞・外来語・短縮語などを構成する「語末・後半要素」として示した. その内訳は以下の通り,

(1) 複合語の後半要素	5,000語
(2) 語末要素 (ハイフン付きのもの)	3,000語
＊接尾辞・連結形	2,000語
＊音象徴	200語
＊語尾 (語末音形)	800語

2-2 各親見出しは太い線で仕切り, 字体には全てボールド体を用いて, アルファベット順に配列した.

2-3 同綴りでも, 語源または語形成の働きの異なるものは, 語の右肩に[1,2,3]の数字をつけて区別した.

2-4 分綴
綴りの切れ目 (分綴) は中黒 (・) で示し, 発音記号を併記した.

2-5 異綴り
(1) 米国と英国で慣習的に綴り方が異なる場合は, 原則として米式を代表して表示した. ただし, 重要な語に限り, 英式も別見出しとして立てた.

-ize[1] /aiz, àiz/

接尾辞 **1** ギリシャ語起源でラテン語またはフランス語経由の語を動詞にする: bapt*ize*.
★ 米語用法(《英》-ise[1]).

-ise[1] /aiz, àiz/

接尾辞 《主に英》-ize[1] の異形.

(2) 特定の語義・語法によって, 大文字, 小文字に変わる場合, 子見出しでの頻度の高いもので代表させた.

god /gάd | gɔ́d/

名 **1** (一神教, 特にキリスト教の)神, 創造 [造物] 主, 天主 (►固有名詞扱い). **2** (特定の力を持った)神.

áct of Gód 〘法律〙不可抗力.
bélly-gòd 《古》大食家, 美食家.
blínd gód 愛の神.

(3) 異形については, 必要に応じて別見出しとし, そのむね情報として記載した.

-ane[1] /ein/

接尾辞 -an[1] の異形.
★ 時に -an[1] がつく語とは別の意味を表す.

2-6 配列順
(1) 同綴りの場合, まずハイフンのつかないものを先に置き, 次にハイフンのつく接尾辞・連結形, 音象徴, 語尾 (語末音形) の順に配列した.

at /ǽt/

前 **1** 《地点》…に(おいて), …で. **2** 《時点》…の時に; …で, …から.

-at[1] /ət/

接尾辞 …の人.

-at[2] /æt/

音象徴 **1** トントン, ドンドン, パンパン, ポンポン, パタパタ, パラパラ, パチッ, *ダダダダ*, *ガガガガ*; 軽打(時に強打), 連打とその音を表す; また, 太鼓や機関銃の発射音などの連続音を表す.

-at[3] /æt/

音象徴間 音象徴語の重複形に見られる語末要素.

-at[4] /æt/

語尾 語末にくる同音形は -ATT, -ATTE.

(2) 同綴りの音象徴のなかでは, 重複形の語尾要素はあとに置いた.
(3) 同綴りの語尾 (語末の音形) では, 子見出しの多い順に並べた.

3 子見出し

3-1 子見出しはその所属する親見出しを「語末・後半要素」としてもつ語または複合語から成る.

3-2 すべてボールド体を用い, アルファベット順に配列した.

3-3 同綴りでも語源の異なるものは, 語の右肩に[1,2,3]の数字をつけて区別した.

bell[1] 名 ☞
bell[2] 動自他 (さかりのついた雄ジカのように)鳴く.
cell[1] 名 ☞
cell[2] 名 セル(cel): アニメーション映画製作用の透明なセルロイドのシート.
dell[1] 名 (通例, 木立に覆われた)小さな谷.
dell[2] 動自 《英俗》こらしめる.

3-4 分綴
(1) 単語また接辞のついた語は, 原則として綴りの切れ目 (分綴) を中黒 (・) で示した.
(2) 2つ以上の独立した語から成る複合語は, ストレスを付けて示した.

Ágro-bòy 《英俗》はげ頭(の人)(skinhead).
áltar bòy (礼拝儀式で司祭を助ける)侍者.
Ástro Bóy 『鉄腕アトム』.
átta·bòy 間 《主に米俗》いいぞ, やったぞ.

3-5 異綴りと別の言い方
(1) 米国と英国で綴りが異なる場合は, 親見出しに従って米式を優先させた.
(2) 2種類以上の綴り方があり, かつ同じ親見出しに所属する場合は, 別見出し語にして, 頻度の高い方に語義を示し, ＝を使って同義であることを示した.

Èur·a·mér·i·can 形 欧米の, 欧米に共通の.
Éuro-Américan 形 ＝Euramerican.

(3) 大文字, 小文字などの間で2種類以上の綴り方がある場合は, 原則として頻度の高いもののみを示した.

3-6 配列順
(1) 同綴りの場合, ハイフンのつかないものを先にし, また大文字を小文字よりも優先させた.

so·lu·tion 名 ☞
-so·lu·tion 連結形 ☞
sump·tion 名 〖論理〗(三段論法の)大前提.
-sump·tion 連結形 ☞

(2) 複合語の配列は次の順で示した.
1. 結合させず, 2語の形のまま示したもの.
2. ハイフン付きで結合したもの.

Ópen Áir ロンドン野外劇場.
ópen áir 野外, 戸外.
ópen-áir 形 戸外にある, 露天の; 外気の.

(3) 数字は原則として, その数字の英語読みの位置に配列した.

fórmula plán 〖証券〗フォーミュラプラン.
401(k) plán 401kプラン: 米国の退職年金制度の一つ.
Gálveston plàn =commission plan.

3-7 小区分
子見出しの数が多く, 一瞥して全体をつかめない接尾辞などについては, 親見出しの語義に従って子見出しを分類し, そのそれぞれの小区分の中でアルファベット順に配列した.

-ite[1] /ait/

接尾辞 **1** 場所・部族・指導者・主義・組織などに関係する人. **2**〖鉱物〗〖岩石〗…石, …鉱, …岩. **3** …薬. ▶爆薬名. **4**〖化学〗…化合物. ▶特に -ous で終わる酸塩: phosph*ite*, sulf*ite*. **5**〖動物〗手足・体の一部, 器官.

〈1〉 場所・部族・指導者・主義・組織などに関係する人.
Aa·ron·ite 名 〖聖書〗アロンの子孫である祭司.
Ad·am·ite 名 アダムの子孫; 人間.
〈2〉〖鉱物〗〖岩石〗…石, …鉱, …岩.
a·can·thite 名 (斜方晶系の)硫銀鉱.
ach·ro·ite 名 無色電気石.
〈3〉 …薬. ▶爆薬名.
am·ber·ite 名 アンバーライト, 無煙火薬.
chedd·ite 名 チェダイト, シェジット: 爆薬.
〈4〉〖化学〗…化合物. ▶特に -ous で終わる酸塩.
ad·ams·ite 名 〖軍事〗アダムサイト.
ar·se·nite 名 亜ヒ酸塩.

4 発音

4-1 発音記号の表記については,『小学館ランダムハウス英和大辞典 第2版』(1994) に従って, IPA (International Phonetic Alphabet 国際音声記号) を用い, 親見出しに限り, 代表的な発音を/ /内に示した. また, 発音上の規則性と例外について解説を要する接尾辞・連結形などについては, 語義欄の最後に [**発音**] として注記を加えた.

4-2 米音と英音で異なる場合は, 米音を優先させ, /米音 | 英音/の順で示した. また, 米音あるいは英音に2種類以上の発音がある場合は, 音節単位で共通部分を省略して示した.

-i·no /íːnou, ái- | íːnou; *It.* íno/

接尾辞 小さい…; イタリア語の指小辞. ⇨ -o[2].

to·ma·to /təméitou, -máː- | -máː-/

名 トマト.

4-3 接尾辞・音象徴・語尾 (語末音形) などで, 代表的な発音が複数ある場合 (,) で区切って併記した. 複数あげた発音はすべての子見出しで当てはまるとはいえず, あくまで参考としてあげた.

-ice[2] /is, iːs/

接尾辞 女性の行為者, または女性の名前につく名詞接尾辞.

-ough[1] /ɔ́ːf, ʌ́f, áu, ʌ́f | ɔ́f/

音象徴 コホコホ, ザワザワ, ヒューヒュー, カサコソ; 咳の音に似たかすれた音や風の音, または樹木が風に揺れる音.

4-4 外国音は, 英語音のあとに (;) で区切り, 言語名とともに示した.

ca·fé /kæféi, kə- | kǽfei; *Fr.* kafe/

名 カフェ. ▶cafe とも綴る.

4-5 品詞や語義によって発音が異なる場合は, 記号のみ併記し, 語義欄の最後の [**発音**] の欄で一部解説を加えた.

a·buse /əbjúːs, -z/

名 **1** (薬・麻薬などの)乱用. **2** 虐待; 強姦, 暴行.
—— 動他 〈地位・特権・才能などを〉悪用する; 誤用する; 〈信頼を〉裏切る. ⇨ -USE[1].
[**発音**] 語尾の音は名詞では /s/, 動詞では /z/.

4-6 省略できる音はイタリック体で示した.

where /*h*wέə*r* | wέə/

副 (…の)場所; (問題の所在・発生の)場所.

4-7 語末の音形に関して
米音と英音のあいだの同綴り異音のものは, 別見出しにせず, まとめて解説中で説明を加えた.

5 品詞

5-1 親見出し・子見出しともに, 品詞の表示は, 語義の先頭に, 次の略記号を用いて示した.

名……名詞 (noun)
名複……名詞の複数形 (noun, plural form)
代……代名詞 (pronoun)
動……動詞 (verb)
動自……自動詞 (intransitive verb)
動他……他動詞 (transitive verb)
助……助動詞 (auxiliary verb)
形……形容詞 (adjective)
副……副詞 (adverb)
前……前置詞 (preposition)
接……接続詞 (conjunction)
間……間投詞 (interjection)
冠……冠詞 (article)
接尾辞 (suffix)
連結形 (combining form)
音象徴 (sound symbolism)
語尾 (ending form) ……語末の音形

5-2 親見出し・子見出しともに, 同一語で2つ以上の品詞の表記が必要な場合は, —— のあとに品詞ラベルをつけて解説したものもある.

5-3 子見出しについて, 2つ以上の語から成る複合語では, 名詞の場合, 品詞名を省略した. ただし, 名詞以外の品詞になる場合は品詞名を示した.

bláck and whíte 印刷, 文書.
bláck-and-whíte 形 〈絵・写真・映画などが〉白黒の.

6 語義

6-1 原則として, 親見出しには, 子見出しの形成に必要な主要語義を, また子見出しには, 代表的な語義を参考として示した.

6-2 複数の語義がある場合は, **1**, **2**, **3** で区分し, 時に必要な場合は, さらに (1), (2), (3) で細分した.

-ish[1] /iʃ/

接尾辞 **1** 名詞につけて形容詞をつくる. (1)《特に国名や地域名につけて》…に属する: Span*ish*. (2)…のような, …の性質を持つ: boy*ish*. (3)…の傾向がある: freak*ish*. (4)《年齢や時刻を表す数詞につけて》およそ…くらい: forty*ish*. ►通例, 悪い意味で「…の性質を持つ」: child*ish*. 一方, -like は良い意味で「…の性質を持つ」: child*like*. **2**《形容詞につけて形容詞をつくる》…っぽい, …がかった: blu*ish*. **3**《動詞につけて形容詞をつくる》…する傾向がある: snapp*ish*. **4** 不変化詞につけて形容詞をつくる: upp*ish*.

6-3 一つの語義の中で訳語が並ぶ場合は, 同種の訳語を (,) で, 区別すべき訳語を (;) で区切った.

de·fen·sive 形 防御に役立つ, 自衛上の; 防戦の.
de·func·tive 形 死者の; 葬式の; 死にかけている.

6-5 訳語の解説は, 訳語の直後に (:) をつけて示した.

6-5 訳語部分に＝で示してある語は, その同じ親見出しの中にある, 同義の言い替え語を示している.

6-6 ☞印で, 本辞典に親見出しとして出ていることを示している.

6-7 構文上·用法上の指示は, 特に親見出しに関して、訳語に先立つ《　》の中に適宜示した.

foot·ed /fútid/

形《しばしば複合語》足のある; 足が…の, …足の.

6-8 スピーチレベル
単語·語義·発音について, それらが用いられる地域的差異や場面, 文体上の性質が限定されている場合は, 必要に応じて《　》の中に示した. 主なスピーチラベルは, 以下の通り.

《米》	米語用法
《英》	イギリス英語
《豪》	オーストラリア英語
《NZ》	ニュージーランド英語
《スコット》	スコットランド方言
《カナダ》	カナダ英語
《アイル》	アイルランド英語
《話》	話語, 口語
《俗》	俗語
《軽蔑的》	軽蔑的な響きを含む
《発音綴り》	

6-9 専門語ラベル
(1) 専門語には語義の前に〖　〗を用いて,〖医学〗〖電子工学〗のように, その分野を示した.
(2) 親見出しの専門分野が, その子見出しのほとんどを網羅する場合は, 子見出しのラベルは省略した.

6-10 選択制限と補足的説明
意味ごとに, 目的語にくるもの, 主語になるもの (動詞の場合), 何について用いられるか (形容詞の場合) を, 〈　〉内に示した.

com·put·er·ize 動他 〈分類·計算·情報を〉コンピューターで処理 [管理] する.
hands·free 形 〈器具が〉手を用いなくてもよい.

6-11 イタリック体で示したもの
(1) 完全な外国語.

Par·nell 名 パーネル(姓). ►*Petrōnius*(ローマの人名)の指小形から由来.

(2) 書名, 映画のタイトルなどの作品名.

Manchúrian cándidate 洗脳された人, 操り人形. ►米国の小説家 Richard Condon の小説 *The Manchurian Candidate*(1959)にちなむ.

(3) 動植物などの分類名に使われるラテン語名などの一部.
(4) 見出し語が由来してきた語形.

ga·tor·gate 名 San Francisco の池に住みついたワニ(alli*gator*)の騒動.

(5) 親見出しの例示語で, 見出しに該当する綴りの部分.

-ism[1] /izm/

接尾辞 **1**《名詞につけて名詞をつくる》(1)行為: terror*ism*. (2)性質·状態: pauper*ism*. (3)…中毒: alcohol*ism*. (4)…差別: rac*ism*. (5)教義·学説: Darwin*ism*. **2**《形容詞につけて名詞をつくる》(1)主義: real*ism*. (2)…特有の言い方: American*ism*.

(6) 省略語の由来を示す語の一部綴り字.

7 注記

7-1 ハイフンつきの親見出しには, ★印に続けて,

(1) 品詞情報
(2) 語法
(3) 語頭にくる形
(4) 語頭にくる関連形
(5) 語末にくる関連形
(6) 語末にくる同音形
(7) 文化的背景

などの情報を示した. また, 一部の語義にのみ当てはまる注記は, その語義の直後に►印で加えた.

7-2 一般語の親見出しには, ►印に続けて,

(1) 語源情報

air·plane /éərplèin/

名 飛行機. ►aeroplane の転化. ⇨ PLANE.

(2) 用法上の注記
(3) 文化的背景
(4) 言い替え語

などを必要に応じて示した.

7-3 子見出しには, ►印に続けて,

(1) 語源的な解説

(2) 短縮語の元になった語
(3) 人名･地名の字義
(4) 単数形, 複数形

などを必要に応じて示した.

7-4 ◇印を用い, 重要な関連語などを示した.

7-5 親見出しがさらに別の親見出し語に所属している場合, ⇨ 印を用いて示した.

8 語源

8-1 接尾辞および連結形の親見出しには, 語義･解説のあと◆印に続けて, 語源情報を加えた.

8-2 用いた記号
< 「…に由来する (from)」の意. ある言語 (言語群) が, ほかの言語に由来することを表す.
(1) 情報上, 一言語の一語形からしか由来しない場合は, 「…語より」という書式を用いて示した.
(2) 同一言語内で, 歴史的な段階の推移には用いていない.

-grave[1] /greiv/
[連結形] 小さな森(grove).
◆ 古英 *grāf* 小さな森, 雑木林.

= A＝B＋Cで, AはBとCという構成要素に分解されることを表す.
＋ 語の構成要素を結ぶ.

-tion /ʃən/
[接尾辞] **1** 行為･過程を表す: exhaus*tion*.
◆ <ラ *-tiōn-*(*-tiō* の語幹)＝*-t*(*us*)過去分詞接尾辞＋*-iōn-* -ION[1].

＊ *の付いた語は推定に基づく語形であることを示す.

8-3 用いたかっこ
〔 〕( ) ある語形に文法上の解説を加えたこと表す. 解説が二重になる場合は, 外側に〔 〕を用いた.

-ble /bl/
[接尾辞] -able[1] の異形.
◆ 中英<古仏<ラ *-bilem*〔*-bilis*(男性形･女性形)の対格〕, あるいは< *-bile*(中性形)形容詞接尾辞.

( ) かっこは, 語形成上で省略された綴りの一部も表す.

-bate /béit/
[連結形] 打つ.
◆ <仏 *bat*(*t*)*re*「打つ」, 古仏.

8-4 言語名･語形･意味の表示
(1) 語形はイタリック体で示し, 言語名をその前につけた. 解説中では, 下記のような略語を用いた.

英……(近代) 英語 (English)
古英……古期英語 (Old English)
中英……中期英語 (Middle English)
米……米語 (Americanism)
豪……オーストラリア英語 (Australian)
独……ドイツ語 (German)
仏……フランス語 (French)
伊……イタリア語 (Italian)
ギ……ギリシャ語 (Greek)
ラ……ラテン語 (Latin)

(2) ある語形に解説を加える時に, 解説中の語が当該語と同じ言語の場合は, その言語名は省略した.

-phane /fèin/
◆ <ギ *phanḗs*(*phaínein*「見せる」の名詞連結形).

(3) 見出しと語源とのあいだ, また語源の中での新しい語形と古い語形とのあいだで, 語形上また意味上に著しい変化がない場合は, 言語名のみ示し, 語形は省略した.

-go·ni·um /góuniəm/
[連結形] 生殖体.
◆ 近代ラテン語より. ⇨ -IUM.

(4) (3) の場合で, 語形上に変化がある時は, 意味は省略し, 語形のみを示した.

-kar·y·on /kǽriàn | -ɔ̀n, -riən/
[連結形] 〖生物〗核.
◆ ギリシャ語 *káryon* より.

8-5 その他
(1) 単に, 語の構成要素のみを＋で示したもの, 異形, 短縮形, 抽出形を示したものもある.
(2) 普通の語源的な解説のほかに, その語 (語要素) の文化的な事象などを解説したものもある
(3) 一般語の語源解説などは, ►印に続けて示した.
なお, 頭字語 (Acronyms) の場合, 頭字をイタリック体で示した.

9 符号一覧

9-1 ( ) 丸かっこ……省略可能部分または補足的解説を表す.
9-2 [ ] 角かっこ……言い換え可能部分を表す.
9-3 〈 〉山型かっこ……限定される主語または直接目的語, 被修飾語を表す.
9-4 ＝ ……相手先と同義であることを表す.
9-5 ⇨ ……相手先に所属していることを表す.
9-6 ★ ……品詞情報, 語法, 関連形などの解説を表す.
9-7 ► ……付随する関連情報を表す.
9-8 ◇ ……関連語を表す.
9-9 ◆ ……語源解説を表す.
9-10 / / ……発音記号を表す.
9-11 ☞ ……親見出しとして立項されていることを表す.

『英語逆引き辞典』解説

総　論

堀内克明

I　逆引きの配列

逆引き辞典または逆配列辞典は，reverse dictionaryの訳語であるが，それにはいくつかの種類がある．大きく分けると，綴り逆引き，発音逆引き，語尾引きとなる．本書はこのうちの語尾引きである．

ほかに，意味逆引き辞典というのがあって，意味や定義から逆に見出し語を引き当てるようにできている．つまり，the *egg* of a louseからnitが引けるものだが，これは本書とは直接関係がない．

1　綴り字逆引き辞典

逆引きで最もよく知られているのは，綴り字逆配列辞典であり，次のように語尾のほうから，ABC順に配列していく．

a	cicada	Guinea
baa	Armada	pea
ameba	Canada	area
amoeba	idea	Korea
Mecca	flea	sea
America	plea	tea

この方式は，発音とは一致しないが，英語の綴り字の規則と特色を知ることができて，次のような発音のズレも確認できる．

sleigh	/sléi/	plough	/pláu/
weigh	/wéi/	slough[1]	/sláu/
high	/hái/	slough[2]	/slʌ́f/
thigh	/θái/	enough	/inʌ́f/
laugh	/lɑ́:f, lǽf/	rough	/rʌ́f/
clough	/klʌ́f, kláu/	through	/θrú:/
bough	/báu/	borough	/bʌ́rə/
cough	/kɔ́:f/	thorough	/θʌ́rə/
hiccough	/híkʌp/	trough	/trɔ́:f/
dough	/dóu/	tough	/tʌ́f/
though	/ðóu/	sough	/sáu, sʌ́f/
although	/ɔ:lðóu/		

本書では，これは-augh, -eigh, -igh, -oughを引くことによって知ることができる．

この配列の辞典に郡司利男編『英語学習逆引辞典』開文社（1967）がある．これは学習用にも有益な辞典として知られている．

古くは11万語のMartin Lehnert, ***Rückläufiges Wörterbuch der Englischen Gegenwartssprache*** (VEB Verlag Enzyklopädie, Leipzig, 1971) がある．

近刊にGustav Muthmann, ***Reverse English Dictionary*: *A Guidebook to Word Formation and Sound Pattern*** (W. de Gruyter) がある．なお，David Edmonds, *The Oxford Reverse Dictionary* (OUP) は意味から逆に語を引く辞典である．

2　発音逆引き辞典

次に，発音逆引きは，綴りではなく，音を単位にして逆配列するもので，主として音配列の研究用である．

音の配列をABC順にすると，Aのところで，/æ/, /ʌ/, /ə/, /ɑ:/ などA関係の母音を母音の広狭による三角図に従って配列したりする．子音もABC順でなく，発音上の分類表に従って配列することがある．発音逆引きの，例えば，/s/ を逆配列すると，語尾は-ce, -sce, -se, -sse, -ss, となる．次は，/æs/の例である．

ass	en masse	sass
pass	wrasse	Alsace
bass	morasse	lass
Tass	brass	alas
demitasse	crass	class
gas	frass	glass
bagasse	sassafras	
mass	crevasse	

3　語尾引き辞典

本書のような語尾引き辞典は，意味のある語尾［形態素］をABC順に配列して，その前にくる要素をさらにABC順に引くことができるようにしたもので，語尾からその語尾をもつすべての語を逆に引き出せる．

本書は『小学館ランダムハウス英和辞典 第2版（SRHD）』の見出し語をコンピュータで整理して語尾引きとしたものであるが，固有名詞は代表例にとどめた．また，分綴を示した語と，分綴なしに強勢符をつけた複合語とがあるが，これはSRHDの見出しに従ったためである．

ところで，日本語の逆引きは，50音という音節の逆引きになっていて，語尾引きを兼ねている．

例えば，国立国語研究所（西尾寅弥，宮島達夫）『動詞：形容詞問題語用例集』秀英出版（1971）には逆引き一覧がある．田島毓堂，丹羽一彌『日本語尾音索引―現代語篇』笠間書院（1978），風間力三『綴字逆順排列語構成による大言海分類語彙』冨山房（1979），岩波書店辞典編集部編『逆引き広辞苑』（1992）などがある．

漢語の末尾の漢字別に逆引きにして，カタカナ語，ひらがな語の逆引きをつけた三省堂編修所編『漢字引き・逆引き大辞林』（1997）もある．Mark Spahn, Wolfgang Hadamitzky, Kimiko Fujie-Winter『漢英リバース字典』日外アソシエーツ（1989），上野恵司，相原茂『逆引き中国語辞典』日外アソシエーツ（1993），相原茂，韓 秀英『現代中国語ABB型形容詞逆配列用例辞典』くろしお出版（1990）も同様である．

本書のような語尾引きでは，年刊の『現代用語の基礎知識』（自由国民社）の「マルチ·キーワード索引」があり，例えば，ウィルス，運動，衛星，カード，会議，改正，学，現象, シンドローム, カジ(カジュアル), ズム(イズム), ボール, ラー, ロジーのつく語が引き出せる.

複合語の後半要素からの逆引きは, 市川繁治郎『新編英和活用大辞典』研究社(1995)に含まれるが, 形容詞プラス名詞の自由な結合と区別されていない. 簡略なものに, 新冨英雄, 山根一文, 渡辺愼一郎『逆引英語名詞複合語辞典』北星堂書店(1998)がある.

4 押韻辞典

なお, 英米で多種類が出ている押韻辞典も語尾引きの一種である. 押韻辞典(rhyming dictionary)は詩作のために脚韻を選ぶ目的で編集されている. 編者によって様々な工夫がみられるが, 中心は強勢をもつ部分から後の語尾である. 例えば,

axon—flaxen, Jackson, caxon, Klaxon, Anglo-Saxon, Saxon, waxen; tacks on, black sun, black son, etc.

こういう方針なので-lyも直前の音によって, singly, shingly, tingly / wholly, solely / gamely, lamely, namely / seemly, extremely, unseemly / timely, sublimely, untimelyと細分される. この音の逆配列は本書と異なる点である.

II 形態素と接辞

1 形態素の種類

本書は主として, 意味のある語尾の単位をABC順に配列した辞典であるが, そういう意味をもつ単位は形態素(morpheme)と呼ばれる. これには次のような種類がある.

(1) free morpheme 自由形態素 : *sleep*
(2) bound morpheme 拘束形態素 : sleep*less*
(3) bound root 拘束語根 : re*ceive*

まず, (1) は語として自由に独立できる. (2) は-lessという接尾辞で独立できないために「拘束」と呼ばれる. 次のような接辞(affix)はすべて独立できない拘束形態素である.

(2) a 接頭辞(prefix) : *re*fill
　　b 接中辞(infix) : pit*a*pat
　　c 接尾辞(suffix) : kind*ness*

これらのごく一部はanti「反対者」, isms「いろいろな主義」, logy「学問」のように, 語として独立して, (1) になる場合があるが, 通常は独立の語とはならない. こういう接辞よりやや長くて, やや重い意味をもち, 語根に近いものに連結形(combining form)がある.

次に(3)には, 例えば, receive, deceive, conceive, perceiveなどの-ceiveがある. 人によってはその意味がよくわからないが,「受ける」の意味を感じる人もいる. この-ceiveは独立できないが, 接辞ではなく, root「語根」と呼ばれる. 接辞が拘束語根につく例では, friction, longevity, pravity, localなどがある. こういう拘束語根は, ラテン系の語に多く見られるが, 例えば, -berryの前半についても拘束的な要素がある. それはcranberry, huckleberry, boysenberryなどで, cran-, huckle-, boysen-は独立できない. しかし意味はわからなくても何か名詞らしいと感じられるので, これらはcranberry morpheme「クランベリー形態素」というあだ名で呼ばれる一種の準拘束形態素である.

さらに, unkempt「手入れをしていない」, uncouth「粗野な」, inept「能力に欠ける」がun-, in-を省いても独立できないので, やはり一種の準拘束形態素である. しかし, kempt, couth, eptを独立させた例もたまにはある. また, unflappable「動じない」から, flappableが逆成されると自由形態素と認められる.

2 クラスⅠ接辞とクラスⅡ接辞

接辞を大きく分けると, 屈折接辞と派生接辞になる. 屈折接辞は-ed, -s, -'s, -er, -estなどで, 種類も決まっている. これを付加しても品詞を変えることはない. また, すべての接辞の外側につく. 例外はpasser*s*by「通行人」, spoon*s*full「スプーン何杯か」など特別のものである.

派生接辞は品詞を変えたり, 意味も大きく変えるほか, 強勢の位置が変化することもある. しかも, 派生接辞は種類が多く, 新しいものも出てくる. 接頭辞は通例品詞を変えることはないが, 接尾辞は特定の品詞を選んで付加し, しばしば新たに特定の品詞の語をつくり出す.

接辞は, クラスⅠ接辞(Class I affix)とクラスⅡ接辞(Class II affix)に分けられる. クラスⅠ接辞は, 強勢の位置を決定し, 音変化を引き起こす. クラスⅡ接辞は, それが付加された語に音変化を起こさない. クラスⅠ接辞は通例, クラスⅡ接辞より内側につき, その逆にはならない. クラスⅠ接辞は, 語より小さい形態素につくことがあるが, クラスⅡ接辞は, 原則として語につけられる. クラスⅡ接辞は, 複合語につくが, クラスⅠ接辞は通例, 複合語にはつかない.

3 強勢の移動

名詞接尾辞で, 強勢移動を起こすもの.

-ana	Américan → Americána
-ee	emplóy → employée
-eer	móuntain → mountainéer
-ese	Japán → Japanése
-ette	cigár → cigarétte
-ation	explóre → explorátion
-ity	régular → regulárity

動詞接尾辞で, 強勢移動を起こすもの.

-ify	pérson → persónify

形容詞接尾辞で, 強勢移動を起こすもの.

-able	compáre → cómparable
-al	ádverb → advérbial
-esque	pícture → pituresque
-ian	líbrary → librárian
-ic	mágnet → magnétic
-ive	ínstinct → instínctive
-ous	cóurage → courágeous

以上のうち, -ee, -eer, -ette, -esqueはフランス語の強勢を受け継いでいる. なお, -icのあるもの(Árabic, Cátholic, héretic, lúnatic, póliticなど)は, 後尾から3番目の音節が強勢を受けるが, これらは形容詞である前に名詞として, 語頭強勢になっているためとみられる.

4 接辞による音の変化

例えば, -ion, -ityは音変化を起こす.

insert /insə́ːrt/	→	insertion /insə́ːrʃən/
part /pɑ́ːrt/	→	partial /pɑ́ːrʃəl/
divert /daivə́ːrt/	→	diversion /daivə́ːrʒən/
provide /prəváid/	→	provision /prəvíʒən/
public /pʌ́blik/	→	publicity /pəblísəti/
electric /iléktrik/	→	electricity /ilektrísəti/
toxic /tɑ́ksik/	→	toxicity /tɑksísəti/

つまり，これらには /t/→/ʃ/, /t/→/ʒ/, /d/→/ʒ/, /k/→/s/ の変化が見られる．

さらに，次のように-ifyの付加による派生語に /k/ が現れる例がある．

signification, significance, simplification

接辞付加によって，その前の母音が変化する例は-ityに見られる．

divine /diváin/	→	divinity /divínəti/
serene /siríːn/	→	serenity /sərénəti/
sincere /sinsíər/	→	sincerity /sinsérəti/
sane /séin/	→	sanity /sǽnəti/
profane /prəféin/	→	profanity /prəfǽnəti/

つまり，-ityが付加されると，語末から３音節目の母音が短母音の弛み母音（lax vowel）に変化する．

もとの長母音や二重母音がこのように短い弛み母音になるのは，-tyの付加によって音節数が増えて，音律上，語末から３番目の音節に強勢を付するのが安定しているからである．これには /əti/ という縮小的音群全体の引っ張り（影響）があるとみられる．もとの /váin/, /ríːn/, /síər/, /séin/ は語末によく起きる終止的な音形である．それが語中に含まれると，それぞれ関連する短母音に弛められるわけである．

5　クラスⅠ，Ⅱにまたがる接辞

例えば，-ableは2種類があることは，強勢の移動を伴う例と伴わない例があることからわかる．左側はクラスⅠ，右側はクラスⅡである．

cómparable 匹敵する	compárable 比較できる
préferable 望ましい	preférrable 選べる
réfutable 誤った	refútable 反駁できる

次では異形態の-ibleをもつのが，クラスⅠである．

divide	→	divisible / dividable
extend	→	extensible / extendable
perceive	→	perceptible / perceivable

クラスⅠの-ableは基体を切り取って付加するが，クラスⅡの-ableはそのまま付加する．

cultivate	→	cultivable / cultivatable
educate	→	educable / educatable

このほか，クラスⅠの-ableは，possible, palpableのように語以外の基体（poss-, palp-という語は存在しない）にもつく．

6　接辞付加の条件

接辞にはかなり自由につけられるものと，細かい条件をもつものとがある．

例えば，形容詞に-enをつけて起動動詞（inchoative verb）をつくる際に，形容詞は単音節で，1個の妨げ音（obstruent）〔共鳴音の /r//l//m//n//ŋ/ を除く子音〕で終わっていなければならない．

そういうわけで，*bluen, *greenen, *slowen, *dimmen, *dryen, *laxen, *abstractenは存在しない（もちろん，一般の語末音としてはwomen, flaxenなどは可能である）．次のように，妨げ音が2つあると /t/ を削除する．

例: fasten, moisten, softenは /st/→/s/, /ft/→/f/.

ただし，dampenは2子音で許される．また，/rt//rd//rs//rk/ などには-enが付けられる．

形容詞が上の条件を満たさないので，名詞を利用して-enを付加したのがheighten, lengthen, strengthen（*highen, *longen, *strongen）である．こうしてmadden, deaden, blacken, harden, lighten, coarsen, smoothen, toughen, redden, whiten, shorten, darken, widenなどが用いられる．しかし*hotten, *wettenが存在しないのは頻用のheatとwetという動詞に阻止されていると思われる．さらに*largen, はenlargeで表すが，enliven, enlightenのように前後にenをもつものもある．

7　接辞の分布と統語関係

化石化していないで，現在でも生きている生産性の高い接辞の場合は，絶えず新しい語をつくり出すことができるが，その適用範囲のなかには空白域もあって，接尾辞の分布は必ずしも規則的ではない．

例えば，-fulと-lessはuseful—useless, careful—careless, thoughtful—thoughtless, fearful—fearlessなどのペアがいくつかあるが，ペアのないものが多く，例えば，lifelessに対するlifefulは古語であり，通例，full of lifeで表現する．つまり，-fulと-lessが平行的に存在していないのは，意味上と習慣上の理由による．一つには既存の頻用語がある場合に，接辞つきの語をブロック（阻止）することがある．例えば，emotionalは*emotionfulを，noisyは*noisefulをブロックすると考えることができる．一方，emotionless, noiselessは普通である．また，wittyがあれば*witfulは必要ないが，witlessは必要である．

接辞をもつ語が統語と相関する例はいろいろある．例えば，-ousをもつ語で，欲求と意識の意味をもつものは，avaricious of, covetous of, desirous of, solicitous of, conscious of, suspicious of, などとofによる補足を伴うことが多い．これは，-ousとofの連携とみることもできるが，-iveについてもsuggestive of, indicative of, demonstrative of, possessive of, さらに-icにもtypical of, symbolic of, characteristic ofなどの例があるので，独占的関係ではない．しかし，ある種の接辞をもつ語が補足を求めることを示している．もちろん，prior to, posterior to, superior to, inferior toは，ラテン語比較級語尾-orとtoが相関している．

統語的に注意すべき接辞は-lyであって，特に副詞をつくる-lyは，しばしば文や句を完結させる役割をもつほか，文修飾副詞として文全体を修飾したり，文と文をつなぐ働きもする．その力は-lyに含まれているとみることもできる．例えば，the ill boyは普通ではないが，the seriously［critically］ill boyは自然な表現である．このように-lyはしめくくりの機能をもつ．それはShe walked slowly and gracefully. でもIt looks deceptively good. でも同様である．その使用度と造語力からみても文中での役割の重要性がわかる．

接尾辞と連結形

須 永 紫乃生

I 接尾辞と連結形による語形成

この辞典の見出し語で扱う語尾の形態のうち, この解説で扱うものは接尾辞と連結形と屈折語尾の一部である.
語が, 文法的機能に従って語形を変化させる場合, その語形変化には派生と屈折の2種類がある.
語幹あるいは独立語(単語, 複合語など), または接頭辞などに続けて接尾辞, あるいは連結形とよばれる造語要素を付ける造語法を「派生」(derivation)と呼ぶ. できた語を「派生語」(derivative, 表1では, Dと略す)という.

接尾辞(suffix)は, 語幹(stem)に後接する接辞(affix)で, 1字ないし数文字の綴りと1音節あるいは数音節の音声を持つ. 品詞を表すか, または品詞を変える機能を持ち, 意味を添加する. たとえば, 動詞 kickに接尾辞-erを付けて派生語kickerができる. 意味は「蹴る人;(球技の)キッカー」である.
連結形(combining form)は, その多くがギリシャ語やラテン語の独立語の一部が分離独立したもので, 全体または一部の意味を携えて, 他の語または要素と結び付く. 接辞に接頭辞と接尾辞があるように, 連結形にも前置と後置がある. ここでは後置連結形(postpositive combining form)を扱うが, 対比が必要な時以外は, 「後置」を省いてただ「連結形」とする.
連結形による派生の例を挙げれば, aristocratに由来する連結形-cratをmeritと結びつけるとmeritocratとなり, 意味は「実力者」である.
比較的最近生まれた連結形には, 例えばウォーターゲート事件(Watergate)に由来する-gateがある. また, George Orwellの作品*1984*で考案されたNewspeakに由来する-speakもある. これらについての解説は「II メディア英語に特有の造語要素」を参照.
本辞典を編集するにあたって参照した国内外の英語辞典, 英和辞典における造語要素の表示方法で目立つことは, 英国系の辞典, たとえば*Oxford English Dictionary*(OED)系の種々の辞典は, ほとんどが*suf.*(suffix)「接尾辞」のみを用いて表示している.
米国系の辞典, 例えば, *Random House Unabridged Dictionary*および*Webster's Third New International Dictionary*には*comb. form*(combining form)「連結形」と表示されているものでも英国系の辞典は*suf.*と表示する.
しかし, 近年は, *Oxford Dictionary of New English*の2巻(初版1991年; 2版1997年)や*The New Oxford Dictionary of English*(1998年)など, オックスフォード系の辞典も「連結形」を採用しつつある.
最近は, 独立語そのもので, 一見すると複合語の後半(後置造語要素)と思われるが, 接尾辞のように多種の語に接続して派生語を多産するものが出てきた. たとえば, (-)freeや -friendlyである. それらは, 特集図版記事の“free”や“-friendly”を参照. また「II. メディア英語に特有の造語要素」で解説する.
派生による造語の型は,「表1. 接尾辞·連結形による派生の型」に示されている.
この解説中で「接尾辞」とあるときは通例, 後置連結形も含む. また「接頭辞」とあるときは同様に前置連結形も含む.「複合語」については, 別項「複合語」を参照.
「suffixを付ける(suffixate)こと」(suffixation)によってできる派生語の型は, 下記の表のようにD1からD9まで9種ある.

表1. 接尾辞·連結形による派生の型

型	組成	例
D1	語幹+接尾辞	abortion, civilize, refugee
D2	D1+接尾辞	abortionist, civilization
D3	接頭辞+接尾辞	homophobia
D4	複合語+接尾辞	green-carder, pop artist
D5	混交語+接尾辞	econometrician
D6	短縮語+接尾辞	juvie
D7	接頭辞+短縮語+接尾辞	antinuker
D8	省略語+接尾辞	TMer, ufologist
D9	句+接尾辞	do-it-yourselfer

D1 前記kickerの型で, abort+-ionである.
D2 abortion+-istで「中絶支持者」となる.「接尾辞接続」を指すsuffixationもこの型である.
D3 homophobiaは, homosexualの連結形homo-に後置連結形-phobiaを続けた語で「ホモ嫌い」をいう.
D4 複合語green-card+-erで,「労働許可証(green card)を持っている人」になる.
D5 economy+metricsの混交語econometricsの語尾-icsを-ianの異形-icianに置き換えると,「計量経済学(研究)者」という意味のeconometricianが生まれる.
D6 juvenile(delinquency)の短縮語juveに-ieを付けて「未成年者」の意味の語juvieができる.
D7 nuclearの短縮語nukeに接頭辞anti-を付けたanti-nuke「核反対の」にさらに-erを付加して,「反核運動家」の意味のanti-nukerになる.
D8 TMerは, transcendental meditationの省略語TMに-erを付けた「超越瞑想家」の意味の語である.「未確認飛行物体」のunidentified flying objectの頭字語UFO「ユーフォー」を一般名詞化(小文字化)して,「…研究家」の意味の-logistを付けて, ufologistとした.
D9 Do it yourself. を形容詞化したdo-it-yourselfに-erを付け,「自分でやる[作る]人, 日曜大工」となる.

次に, 名詞, 形容詞, 副詞, 動詞の語尾変化を「屈折」(inflection)といい, 屈折語尾(ending)も広い意味で接尾辞といえる. 語尾は人称によるので人称語尾といわれるが, 人称のほか数も態も表し, ギリシャ語やラテン語のように, 言語によっては名詞の屈折は格の変化による格語尾(case ending)もあるが, 現代英語の名詞の場合は, 所有格と複数形, そして動名詞に限られる.
名詞の所有格には-'s, -s', -s'sがある. 複数形語尾には, -s, -es, -enのほかにも, 数字や文字の複数を示す-'s, ギリシャ語からの借用語とラテン語からの借用語の複数語尾の -a, -ae, -i, -ica, -ics, -ides, -ses(-sisの複数形)など, フランス語の-x, ヘブライ語からの借用語尾の-imなどがある(分類目次の「2 意味による分類」の「2-1-7 複数形をつくる」を参照).
形容詞および多数の副詞の屈折語尾では, 比較級の

-er, そして最上級-est, -mostがある. 動詞の屈折語尾には, 現在分詞(-ing形), そして規則変化動詞の過去・過去分詞(-ed形)がある. この辞典には, 両者の形容詞用法および動名詞が独立語と複合語の見出し項目に含まれている.

以下に,「Ⅰ-1. 接尾辞の機能別分類(F1～F4)」と「Ⅰ-2. 接尾辞・後置連結形の意味カテゴリー別分類(C1～C11)」の順で説明する.

Ⅰ-1 接尾辞の機能別分類

接尾辞は, 上述したように, 品詞を示す機能, または品詞を変える機能を持ち, 後者の場合は意味を添加する.

以下に, 主要な型を機能別(function-wiseからFと略す)に原形によって分類し, 異形を併置する.

主要な接尾辞の語源は, ギリシャ語, ラテン語, フランス語である. ラテン語はフランス語経由で入った接尾辞が多く, Latinate (ラテン系接辞)とよばれる. 近年英語に借用されたその他の接尾辞, 連結形の起源は, アラビア語(-i), 中国語, ドイツ語, イタリア語, 日本語, ロシア語(-nik), スペイン語, スワヒリ語, アフリカーンス語(南ア共和国), イディッシュ語(ヘブライ語とヨーロッパ諸語の混合語)などである.

F1 名詞を造る接尾辞

名詞, 形容詞, 動詞に後続して, またはその語尾が置き換わって名詞形を造る接尾辞の型の代表的なものを, 表2にまとめる. 由来の表示が必要な場合は,「<」の印の後に示す. なお, *印は屈折語尾を示す.

ギリシャ語, ラテン語から借用した接尾辞-a/-iaは, ラテン系の言語から英語化した語にみられる. 複数名詞(data<datum), 女性名(Victoria<Victor), 金属名(alumina<aluminum)などである. そのほかに広く多様な言語の語幹に続けて新語を造る新ラテン造語(Neo-Latin coinage)と呼ばれる造語法もある. 新薬をはじめとする新製品や新技術の命名に利用される.

ギリシャ語***légō***「話す, 選ぶ」の名詞***lógos***「理性, ディスコース, 言葉」に由来する-logy「…論,…学」や-logue「…話,…演奏[技],…研究者」の派生語biology, psychology, dialogue, monologue, のように, ギリシャ語源の接尾辞は学問, 芸術, 技術, 医術などの分野の語彙が豊富である.

表2から分かるように,「名詞＋接尾辞」で造る名詞が圧倒的に多い. 接尾辞の数の約70%はこの型である. bondage はbond(古英語で「農奴」)に-age(フランス語からの借用語に見られ,「集合, 状態, 身分」を示す)を付けたものである.

フランス語源の接辞は抽象概念や法律・社会規範, 社交, 芸術の分野の語彙に多く見られる.

アングロサクソン語源の接尾辞をもつ語彙は, 人間と生活に関連するものが多いのは英語の歴史から見てうなずける(例：lambkin, childhood, craftsmanship).

「形容詞＋接尾辞」で名詞を造る例では, freeに-dom(「地位, 範囲, 抽象概念, 集合概念」を表す接尾辞)を接続したfreedomがある. その他アングロサクソン系, すなわち英語(古英語)起源の接尾辞には, -ness, -ship, -ster, -th, -tonなどがあるが, -nessと-shipはときにはラテン語源の前置要素とも接続して, 今でも多くの語を生み出す. たとえばEnglishnessやentrepreneurshipなど.

特に盛んな名詞の造語力を持つ類型には, activeの-ive, actualの-al, exoticの-icなどの接尾辞で終わるラテン系の形容詞に, やはりラテン系の-ism, -istや-ityあるいは-ionなどが結びついた形(activism, activist, actuality, exoticism, publicityなど)が見られる.

また, 表2に見られるように, フランス語借用の形容詞接尾辞-antは-anceに, -entは-encyに, -ableは-abilityにすると名詞になる. すなわち母音あるいは子音または両方を換えて名詞化する例も多い. たとえば, ab*ound*>ab*undance*, dec*ent*>dec*ency*, cap*able*>cap*ability*である.

「動詞＋接尾辞」で名詞を造る例には, arriveに-al(「行為, 動作の結果」を表す)を付けたarrival, createに-ionを接続したcreationなどがある. 上記の-ance/-ence, -ancy/-ency, -ant, -ee, -ingが表2の動詞との結合に見られる.

表2の「接頭辞＋接尾辞」(表1のD3型)の接頭辞は, 前置連結形とみなされるものが多く含まれる.
たとえば, bio-「生…」(<biology), lexico-「言語…」, litho-「石…」, psych-「心理[精神]…」, biblio-「書…」, thermo-「熱…」, acro-「高…」, proto-「原…」である.

F2 形容詞を造る接尾辞

名詞, 動詞に後続して, またはその語尾と置き換えて形容詞を造る接尾辞の典型を表3に紹介する.

形容詞の語尾には, 一見して英語起源のものが多い. またラテン語源と並んでフランス語源の接尾辞も多い. 特に, 英語の-ishに相当する類似, 近似を表す-esqueは, 学術, 芸術, 政治の分野で固有名詞と結びついて多くの語を生み出す.(本文のp.417および解説(p.20)を参照)

前置要素にはやはり名詞が多く, 40種のうち33種に接続する.

-edの動詞の規則活用語尾の例であるlightedは, 動詞の過去分詞形で形容詞として用いられる. もう1つのblue-eyedは "having blue-eyes" と解釈できる.

F3 副詞を造る接尾辞

一番よく知られた副詞語尾は-lyで, 名詞につくもの(partly), 形容詞につくもの(happily), 副詞につくもの(muchly), と3種ある. ほかに3種の結合を持つものは, ward(s)で, eastward(名詞), upward(副詞), toward(s)(前置詞)とある. 副詞をつくるのは, historicallyの-icallyなど少数を除けば, 英語起源の接尾辞で, sooner, manifold, hawklike, topmost, sideways /always, teamwise /likewiseである.(表4参照)

F4 動詞を造る接尾辞

ラテン語源の接尾辞のうち, -ate, -ifyは, 形容詞, 名詞にそのまま接続するか(例：activate), その語尾の一部の音または文字の一部を置き換えて(rarify<rare), 動詞を造る. しかし, -ferと-plyはそれぞれ接頭辞につく.(例：transfer, multiply)

英語起源の-enは形容詞に(sharpen), 名詞に(lengthen)付く屈折語尾の-en, 不規則変化動詞の過去分詞形の語尾(driven)に現われる. また-erと-leは動作の反復を示す. たとえば, flicker「チラチラ光る」, trample「ドシンドシン踏み鳴らす」.

ギリシャ語起源の-izeは, 変化を好む時代の流れにそって, 多くの新語を生んでいる.(「Ⅱ. メディア英語に特有の造語要素」を参照)

動詞の語尾に来る独立できない造語要素となる, reviveやsurviveの -vive, perceiveやreceiveの-ceive, inspectやrespectの -spectなどは, 本辞典の各見出し項目で詳述されているので, この表では省く.

F5 接尾辞の多重付加

名詞luckに接尾辞-yを付けた形容詞luckyにさらに-lyを結びつけると, 語尾の-yが-iに代わって副詞luckilyになる.

次に, civilという形容詞に-izeを付けたcivilizeを名詞にするには, -ionに直接つなげて*civilizionとはできない. 代わりに-ationという異形に結びつけてcivilizationとする.

また, identificationは, 名詞identityの語尾-ityを-ify

表2. 名詞を造る接尾辞・連結形

接尾辞・連結形：原形／異形	語源／由来	前置要素			
		形容詞・数詞	名詞・代名詞	動詞	接頭辞
-a/-ia	ギ, ラ		fuchsia		
-acy	ラ<ギ		diplomacy		
-ade	ラ		lemonade	blockade	
-age	仏<ラ		bondage	coverage	
-aholic/-holic/-oholic	<workaholic		crediholic	spend-aholic	petroholic
-al /-ical	仏<ラ		professional	dismissal	chloral
-an/-ian/-ean	ラ		Alaskan		
-ana/-iana	ラ		Shakespeareana		
-ance/-ence	ラ	abundance		dependence	
-ancy/-ency	ラ	decency		expectancy	
-ant/-ent	仏<ラ	lubricant		attendant	
-arch	ギ		patriarch		
-arian	ラ		librarian		
-ate	ラ	acetate	carbonate		
-burger	<hamburger		fishburger		
-cade	<cavalcade		motorcade		
-cracy/-ocracy	ギ				democracy
-crat/-ocrat	ギ		bureaucrat		technocrat
-dom	古英	freedom	officialdom		
-ee/-ée	仏			divorcée	
-eer	ラ		mountaineer		
-el/-ella	ラ		satchel		
-elle	ラ		rondelle		
-en	古英		oxen		
-ene	ギ		ethylene		
-er	古英	stranger	quarter	rider	
-ery/-ry	仏		slavery	eatery	
-es	古英		studies		
-ese	ラ		Japanese		
-ess	ギ		poetess		
-et/-ette	仏		quartet		
-eteria/-teria/-ateria	<cafeteria		groceteria		
-ful	古英		handful		
-gamy	ギ				monogamy
-gate	<Watergate		Chinagate		
-geny	ギ				monogeny
-gram	ギ				telegram
-grapher/-ographer	ギ				lexicographer
-graphy/-ography	ギ	barehead	oceanography		lithography
-head	古英		blockhead		subhead
-hood	古英		childhood		
-i	ラ/伊/アラビア		graffiti/Iraqi		
-ic/-ac/-iac/-itic	ギ		gothic		psychic
-ics	ギ	dearie	electronics		
-ie/-y	中英/仏		Charlie/Charly		
-ine/-in	ラ		gasoline/Catherine		
-ing*	古英	ambition	roofing	dancing	
-ion/-tion/-ation/-ification	ラ	exoticism		revision	
-ism	ギ	activist	idealism		
-ist	ギ		racist	analyst	
-ite	ギ		Clintonite		phosphite
-itis	ギ	capability	bronchitis		
-ity	ラ		publicity		
-ium/-orium/-torium	ラ	highjack	aluminium/cafetorium	preventorium	auditorium
-jack	<hijack		skyjack		
-kin	中英	steeple	lambkin		
-le/-les	ラ/古英		thimble		
-let/-lette	ラ		booklet		
-ling	古英		underling		
-logist	英		methodologist		
-logue	ギ		travelogue		dialogue
-logy/-ology	ギ		methodology		trilogy
-mancy	ラ<ギ				biblomancy
-mania	ギ		Nomomania		pyromania
-ment	ラ			agreement	
-meter/-ometer	ラ<ギ				thermometer
-naut	<aeronaut	kindness	Reaganaut		astronaut
-ness	古英	neatnik		affectedness	
-nik	露: Sputnik		beatnik	refusenik	
-o	スペイン/伊/ポルトガル		boyo		medico
-or	古仏<ラ				operator
-pathy	ギ				telepathy
-phile	ギ				bibliophile
-philia	ギ				audiophilia
-phobe	ギ				Francophobe
-phobia	ギ		agoraphobia		acrophobia
-phone	ギ		earphone		megaphone
-scape	landscape		seascape		
-scope	ギ	hardship			microscope
-ship	古英		guildship		
-sis/-asis/-esis/-osis	ギ	doublespeak	basis	analysis	
-speak	<Newspeak	oldster	space-speak		cyberspeak
-ster	古英		songster		
-sy	英	warmth	popsy		
-th	古英			growth	
-tomy	ギ	simpleton			phlebotomy
-ton	古英				
-ure	ラ			pleasure	
-ville	ラ	software	Knoxville		
-ware	<software		donorware		

表3. 形容詞を造る接尾辞・連結形

接尾辞・連結形：原形／異形	語源／由来	前置要素			
		形容詞・数詞	名詞・代名詞	動詞	接頭辞
-able/-ble/-ible	仏<ラ<ギ		laudable	agreeable	
-ac	ギ		cardiac		
-al/-ial/-ical/-ual	古仏<ラ		accidental		
-an/-ean/-ian	ラ		American		
-ar	ラ		linear		
-arian/-ian	ラ		grammarian		
-ary	ラ		legendary		
-ate/-icate	ラ		passionate		
-ed[1]	古英		blue-eyed		
-ed[2]*	古英			lighted*	
-en	古英		golden		
-er*	古英	greater			
-ern	古英		eastern		
-ese	伊/ポルトガル<ラ		Chinese		
-esque	仏		Kennedyesque		
-est*	古英	biggest			
-fold	古英	threefold			polyfold
-ful	古英		graceful	forgetful	
-i	アラビア		Kuwaiti		
-ic/-atic/-ific/-itic/-tic	ラ<ギ		Arabic	pacific	chronic
-ine/-in	ラ<ギ		marine		
-ing*	英			singing	
-ior	ラ	senior			superior
-ish	古英	reddish	English		
-ive/-ative/-itive	ラ		active	additive	
-less	古英		homeless		
-like	古英		birdlike		
-ly	古英	kindly	manly		
-most	中英	midmost	leftmost		
-ory/-atory	ラ		sensory	terminatory	
-ous/-os/-eus	ラ	ferrous	nervous		
-ple	ラ				triple
-ply	ラ		three-ply		
-some	古英		playsome		
-ward/-wards	古英		cityward		
-worthy	古英		noteworthy		
-y	古英	whity	fruity	catchy	

表4. 副詞を造る接尾辞・連結形

接尾辞・連結形：原形／異形	語源／由来	前置要素			
		形容詞・数詞	副詞	名詞・代名詞	前置詞
-er*	古英		sooner		
-fold	古英	manifold			
-ically	ラ			historically	
-like	古英			hawklike	
-ly/-ally	古英	happily	muchly	partly	
-most	古英			topmost	
-ward/-wards	古英		upward	eastward	towards
-ways	古英	always		sideways	
-wise	古英	likewise		teamwise	

表5. 動詞を造る接尾辞・連結形

接尾辞・連結形：原形／異形	語源／由来	前置要素			
		形容詞・数詞	名詞・代名詞	動詞	接頭辞
-ate	ラ	activate	hyphenate		
-en[1]	古英	sharpen	lengthen		
-en[2]*	古英			driven*	
-er	古英			flicker	
-fer	ラ	happily			transfer
-ify/-fy	ラ	rarify	personify		
-ish	仏		finish		
-ize	ギ	Americanize	democratize		
-le	古英		sparkle	trample	
-ply	ラ				multiply

に置き換えた動詞identifyに，語尾の-yを-iに換え-icationを付けてできあがる．

ところで，identityからはidenticという形容詞が派生し，さらに形容詞接尾辞-alを付けて形容詞identicalが，それに副詞接尾辞-lyを続けてidenticallyが，または名詞接尾辞-nessを続けてidenticalnessができあがる．他方，identifyからは形容詞接尾辞-ableにつなげてidentifiableが，さらにこれに-nessを添加して，identifiablenessがつくられる．

このように，接尾辞は重ねて付けることができて，品詞転換をしていく．これらの接尾辞の付加には一定の順序がある．

表6. 接尾辞の多重付加

pole	> polar	> polarize	> polarizable	> polarizability
nature	> natural	> naturalize	> naturalization	
		> naturalist	> naturalistic	> naturalistically
diverse	> diversify	> diversifier, diversification		
intent	> intention	> intentional	> intentionally	
collect	> collective	> collectivist	> collectivistic	> collectivistically

Ⅰ-2 接尾辞·後置連結形の意味カテゴリー別分類

接尾辞および連結形がもつ意味のカテゴリーに分布が見られる．たとえば，人，場所，時間，資格·地位，思想·信念，行為·動作，運動·活動，状態，性質·特徴·傾向，医薬，指小辞，女性形などに関連する語彙がグループ化できる．以下にカテゴリー別に（category-wiseから，C1～C11に）分類する．

C-1 人を表す接尾辞·連結形

個人あるいは団体·集団の，所属，性向，信条，職業，文化背景，行動·活動の特徴などをもつ人を表す語とみなされる語彙（本辞典に掲載分）の数を，接尾辞別に見ると，人を表す語の生産性が一番高いのは-erで，2068語と他を大きく引き離している．動詞に付けて動作主を示し（producer），地名や職種などにつけて出身や所属を表す（Icelander, officer）．

次いで語数が多いのはラテン語起源の-ist（727語）で，政治思想や主義主張を示す-ismが付く語彙がどの時代でもたくさん生み出され，それらの派生として-ist語の流行が廃れないからである．第3位の-anおよび-ianで終わる語彙は，掲載総数の40％であるが，同じく思想や理論·学説およびその支持者を表す．両接尾辞ともに「関連」を示す形容詞接辞扱いが多いからである．-icは，ラテン語由来の形容詞接尾辞のため，名詞の比率は3分の1程にすぎない．

第4位の-ie, -yは，愛称辞そしてまた蔑称辞として口語表現から定着している．ほぼ同数の-iteと-eeでは，ギリシャ語由来の-iteは地名に付き，フランス語動詞の過去分詞形に由来する-eeは，おもに行為や行動の影響を受ける人を示す．共通点として，やや軽蔑の感情を込めて用いられる傾向がある．

西アジアから東南アジアにかけて広く分布する-eseが付く国民名（特集図版記事p.416参照）の数は74語である．総数との差の33語は，本文中のリストに見られるように，「業界語」を表し，これは最近の傾向である．（「Ⅱ メディア英語に特有の造語要素」を参照）

-oはスペイン語，イタリア語の男性形語尾に由来し，口語英語で前置要素の内容に関連する人（medico）や性質をもつ人（magnifico）を示す．

ラテン語の*-us*の形容詞や英語の-aryで終わる名詞と形容詞について，理論や学説，思想の支持者を指す-arian（libertarian）と，学問をはじめ種々の専門研究者，および玄人なみの研究者を指す-logistもかなり多くの語をつくる．

職業を示す接尾辞·連結形には，上記の-logistのほか，-er, -ist, -eer, -ician, -or, -sterなどがあるが，-eer（auctioneer）や-logist（garbologist），の-ster（pollster）はやや軽蔑的な響きを込めて用いられる．

何かに「熱中する人」や「溺れる人」「…中毒者」を示すロシア語に由来する接尾辞-nik，連結形-aholicについては，「Ⅱ-2 B 流行の交替」を参照．

C-2 場所，領域，範囲，方向を表す接尾辞

国名など地名に多く見られるのは，ラテン語起源の-a/-iaで，その形容詞接尾辞の-an/-ianも頻繁に用いられる（Canada; Canadian）．為政者の支配地域，領地を示すには-ate（caliphate），-dom（kingdom）などが，行政区分や教区を表すには，-ship（township）などがある．

その他，建物を示す-age（cottage），-torium（auditorium），職務遂行の場所を表す-ery（chancery）がある．

空間，範囲を表す連結形に-sphereがある．独立語sphereには「球体」「領分」「分野」の意味があるが，atmosphereのように天体を取り巻くガス層の命名に用いられる．

方向を示す接尾辞の-ward(s)（eastward），-ways（sideways）は副詞接尾辞である．

C-3 時間，時代を表す接頭辞

時間を表す接辞は，ほとんどが接頭辞で，接尾辞は-hood（childhood）のみ，daytime, summertimeなどは複合語扱いされる．

C-4 資格・地位，任務，任期を表す接尾辞

「…職」に相当するのは，-ate（consulate），-ship（ambassadorship），-y（presidency）などがある．それらはいずれも地位，任務，任期を含む．

C-5 思想・信念，理論，その支持を表す接尾辞

造語力が最大の接尾辞は，-ismと-istである．複合語で表される思想を支持する人には，-er（free schooler）や-istがつく．学説や理論を唱える人に師事する人や政策を支援する人を表す接尾辞は，上記のほか-ian（Keynesian）や，-ite（Clintonite）である．-ianはその主義をさす-ianism（Keynesianism）を派生する．

またeconomicsからできた，-nomics（Reaganomics）も造語が続いている．

C-6 行為・動作，活動・運動を表す接尾辞

行為・動作を表す名詞接尾辞には，-al（arrival），-ance（alliance），-ion（commission），-ment（development）などがある．そして動詞の屈折語尾の-ingが付いた動名詞（shopping）は一回の動作にも，習慣にも用いられる．

目的に向けて継続的に行動すること（activity）や運動（movement）に関しては，政治，経済，社会における「方向」と「変化」の意味を表す接尾辞が多い．例えば，activate, motivateの-ate, civilize/civilizationの-ize/-ization, など．

同じ動作を反復継続する意味の動詞，名詞の語尾には-er（flutter），-le（ripple, sparkle, trample）などがある．

C-7 状態，状況，関係を表す接尾辞

状態を表す接尾辞は多彩で，-age（storage），-y（fluency），-dom（freedom），-ity（fidelity），-ment（employment），-ness（happiness），-tude（solitude），-ure（pleasure）など，種類も多い．

C-8 性質，特徴，傾向，類似を表す接尾辞

国民，民族，市民などに特有の性質，特徴を表す接尾

辞は, C-1の人を表す接尾辞と同じで, 地名の語尾-a/-ia, -o, -t, -y, -l, -m (a), -n (a); -land; -oなどにほぼ対応して, -an/-ian (American, Canadian, Chicagoan, Egyptian, Italian); -ese (Nepalese, Burmese, Chinese), -i (Israeli), -er (Icelander); -ite (Tokyoite) などがある.

人の気質, 性格に関する語彙の接尾辞は, -ate (passionate), -ful (cheerful), -ive (immitative), -less (careless), -ly (manly), -ous (nervous) などが多く用いられる.

人および他の特色, 特質の存在を表す接辞には, 上記のほか, -able/-ible (flexible), -al/-ial/-ical (identical), -ety/-ity/-ty (identity), -some (tiresome) と, いわゆる-ed形の形容詞 (colored), 複合形の派生 (chicken-hearted) とがある.

「ある傾向がある」の意味を持つ接尾辞には, -ary (customary), -ish (stylish), -some (troublesome), -y (trendy) などがある.

「…に似た, 類する」の意味を持たせる接尾辞は, -like (birdlike), -ly (heavenly), -some (firesome), -ic (metallic), -y (fruity) などである.

C-9　病名, 薬品名, 化学物質を表す接尾辞

医学, 医療, 薬学, 生化学の分野における語彙は, ラテン語起源の語彙, および同起源の接尾辞あるいは連結形を利用して構成・造語する傾向が強く, いわゆるneo-Latinの造語法である. もともと, -ia (bulimia), -itis (arthritis 関節炎), -osis (neurosis 神経症, mycosis 真菌症) などが病名に多い接尾辞である. 薬学で, mycotoxinは, mycosisの毒素 (toxin) である.

C-10　指小辞

「小…」「…っ子」「…ちゃん」に相当する接尾辞は, particleの-cle, moleculeの-cule, cigaretteの-ette, lambkinの-kin, bookletの-let, ducklingの-ling, Charlieの-ieなどである. もっとも, 英語の人名には愛称があって, EdwardとTheodoreはTed, ElizabethはLiz, Betty, Betsy, SusanはSueのように「…ちゃん」の気持ちを含めた短縮語が使われる.

C-11　女性形

ギリシャ語起源の女性形は-ess (actressなど) であるが, authoress, poetessなどは今日では避けられる. 英語ではフランス語の女性語尾が借用され, 指小辞-etの女性形-etteがcoquetteにみられる. やや古い感じの-trix (aviatrixなど) はラテン語からきた女性語尾である.

複合語では, -woman, -girlがあるが, いずれも通性の-personに置き換えようとする動きがある.

なお, 形容詞blondに対するフランス語女性形blondeを借用するといった例もある.

Ⅱ　メディア英語に特有の造語要素

接尾辞や複合語の後半は, 時代や流行のカテゴリー化に利用される. マスコミはカテゴリー的名称を好んで造語する. 類別の区分をすることによって, 社会現象を整理して, わかりやすくしようとする意図だけでなく, 命名すると同時にそれを流行らせようする意図もある. こうして例えば, ReaganomicsからClintonomicsがつくられ, その経済政策が名を与えられて, 内容が規定される. 接尾辞に流行があるのは, このような枠づくりの動機が働くためである.

政治・経済を含む社会の流れを知るためには, 接尾辞の計量的な研究が必要である. 例えば, anti-, pro- による造語は, 社会の反対と賛成の動向を明白に示すことになる. 接尾辞でも, -ism, -ize, -fyなどで社会と思想の動きを読み取ることができる. それらのカテゴリー用語の量と変動を測定する方法として, quantitative morphology「計量形態論」が堀内によって提案されている. これは社会学と社会心理学の研究上の手がかりとなる. なお, 科学用語についての計量形態論による研究は, 科学史に有効な資料を提供するはずである.

なお, 以上のような理由で, 『現代用語の基礎知識』の「マルチ・キーワード索引」は社会情勢とその用語を知るのに便利である. 例えば, ブーム, フォーラム, プロジェクト, 療法などのすべてが引き出せるほか, ネットや世代などでは, 語句の中間にあるものまで検索できる.

Ⅱ-1 社会現象の反映

活字メディアと映像メディアがハードとソフトの両面で発達した20世紀後半は, 変貌する社会を反映した新語と新しい造語要素が続々と生まれた.

A　人のアイデンティティー (identity): 個人の証明

民族, 住民の所属を表す接尾辞は, ギリシャ語源の-ite, ラテン語源の-an/-ian, 英語源の-er, ポルトガル語形の-eseのほかに, アラブ・アフリカ語族の-i (Iraqi, Malawi) が民族の主張を映す (本文のp. 563参照).

B　アイデンティティーを示す言語

Japaneseなどの-eseの「語」の用法が, 業界用語や職場言葉に取り入れられた. (journalese, computereseなど, 本文のp.416を参照)

連結形とみなされるようになった-speak, (-)talk, (-)babbleの語彙は, 本文のp.1103およびp.1155, p.132をそれぞれ参照. ほかにはカナダ, ケベック州のFrancophone, Anglophoneなどの-phoneもある.

C　思想の対立と反体制運動

20世紀は民主主義と共産主義の対立が世界政治を色分けした. ほかにも様々な主義の主張と社会運動が見られた. civil rights movementから始まり, women's liberation movement以降, ... movementと称する多くの「解放運動」が生まれた.

他方, 束縛からの解放を呼びかけたfreedom from...「～からの自由」に続いて, 1960, 70年代はヒッピーの "free love" が一時代をなした. こういう流れから現在は(-)free (本文のp.475-476参照) が隆盛である.

D　自然保護・環境問題を表す造語要素

環境問題は,「～汚染」を示す～pollution,「汚染物のない」の意味の (-)freeを持つ造語にもよく表れている.

また, コンピュータのuser-friendlyに由来する「人に優しい」イメージを反映した, -friendly (本文のp.479参照) が, さらに環境問題全般に応用されている.

Ⅱ-2 新志向の若者文化と病的傾向を表す語群

A　サブカルチャーの造語要素

既存の価値基準に反抗し, 自分たちの価値判断の拠り所を求めて若者は「下位文化」(subculture) を模索し, 60年代のヒッピー (hippie) たちは, -freak「…狂」や-junkie「… (ヤク) 中毒」になった.

若者で専門知識を備え, 都市に住むグループをyoung urban professionalといい, yupと略して-ieを付け, yuppieと名付けた. これは, 名門私立高校のprep schoolの学生をpreppieというのにならったものだが, さらにblack yuppie「黒人のヤッピー」からbuppieが作られた.

またbabyboomerやGeneration X (Gen Xer) も登場した.

B　流行の交替——-nikから-aholicへ

特別の趣味や志向を持つ人やグループを表す日本語の接尾辞「…族」「…人間」「…っ子」に相当する-nikがある. これはロシア語で人やものの語尾に来る接辞で, 英語メディアに初登場したのは, 1957年10月4日, 人類最初の人工衛星の名前Sputnikであった. ソ連に先を越されたアメリカ人のいらだちが, ビート世代 (Beat Generation) にbeatnikというあだ名を与えた. その後はbeatnikとは逆の潔癖さを持つ人をneatnikとするなど, 一時期その旺盛な造語力を発揮した. (本文のp.836およびp.38の特集図版記事を参照)

American Dreamを持ち, 成功を夢見てしゃにむに働く人を, アル中になぞらえて, workaholicと名付けた著作のタイトルが発端になって, golfaholicからchocoholicに至る多数の新語が生まれた. この-nikから-aholicへの流行の交替は, 本文p.38を参照.

C　現代人の嗜好, 好悪感を反映する造語要素

人間の本能的好悪感を示す接尾辞も増加しているが,「大好き」(-phile, -philia, -philiac) より「大嫌い」(-phobe, -phobia, -phobic) のほうが多く生まれる.
また, 病的兆候を示す-ac (maniac) や-icのほか, 複合語でsyndrome (症候群) が後置要素になる病名が多い. AIDSのSは, syndromeである.

人間の弱さ, 倫理観の欠如したセックスなどを象徴する連結形として, Watergateから独立した-gate (本文のp.493-4参照) や, schemeからと推測される-scamの派生語も多く生まれている.

Ⅱ-3 技術革新分野の新語

A　技術, 機械・器具を表す接尾辞

技術を指すtechnologyの短縮形-techを後置連結形にして, hightech, gentech, biotech, nanotech, infotech (informationの短縮語に続けて), zai-tech (日本語の「財テク」), ultra-techが作られた. 前置連結形としてのtechno-もtechno-popなど造語が多い.

機械を扱う人には, operatorのように-or形をよく使う. また「自動販売機」のvendorにみるように, 販売者もvenderからvendorへと使用頻度が増した.

また, automaticから短縮されたautomat「自動販売レストラン」から, -matが連結形として独立して, コインランドリーをlaundromatというようになった.

複合語では, 例えばcardが目立つ. 単純なmagnetic [mag-stripe] cardはchip cardに, さらにsmart cardが現れた.

B　サイバースペース用語

コンピュータに関連した用語 (computerese,

コンピュータを利用した新語, 新表現の研究法

関根 紳太郎

英語研究・学習におけるコンピュータ活用の利点は, 短時間で必要とする英語情報を「検索」できることにある.

各種英和・英英辞典のCD-ROM版やインターネット上のオンライン辞典および新聞雑誌等には入力した文字列で始まる語を拾う前方一致検索, 入力した文字列を含む語を拾う中間一致検索, 入力した文字列で終わる語を拾う後方一致検索, 入力した文字列に関連する語を拾うキーワード検索など多様な検索機能が備わっている. この検索機能を活用することにより, それまで大変な手間と英語研究者や学習者の「カン」に頼ってきた手作業の語収集が, わずかな時間で済むようになる.

また, 後方一致検索機能は, 従来の書籍版辞典にあるような語頭から始まる見出し語配列では見落としがちな単語の第2要素を見出し語とする「逆引き」書の編纂を容易にしてくれる.

さらに, インターネット上では書き言葉である英字新聞・雑誌に加えて, 話し言葉であるテレビ・ラジオの放送台本など, 最新の英語情報が盛り込まれた広範囲なテキストを大量に入手することができ, 書籍版やCD-ROM版辞典では収集が困難である新造語も絶えず入手可能となる. 特に, 新造語の入れ替わりが顕著な「ジャーナリズム英語」や「メディア英語」といった分野で大変役立つと思われる.

それでは, インターネットを利用した単語検索の一例として, 本辞典にも収められている接尾辞-esqueを取り上げてみよう.

まず, -esqueの付く語を総検索するには, * (アステリスクマーク) を-esqueの直前に置いて後方一致検索を行うと大変効率よく進む. この* (アステリスクマーク) はワイルドカードとも呼ばれ, 検索対象語の文字列がはっきりしないような場合に用いると便利な検索機能の1つである. この場合, *-esqueと入力して調べると, 接尾辞-esqueから形成される全ての語がその文字数にかかわらず該当することになる. 米国新聞雑誌の検索サイトを利用した-esqueの検索結果 (-esqueの項参照) を見ると, -esqueの前方にくる語は人名がその大半を占めていることが分かる.

次に, その前方にくる語を人名などの固有名詞に限定する場合, アルファベットの大文字に続けて*-esqueを入力して検索することで可能となる. 例えば, C*esqueで検索すると, Capraesque, Caravaggesque, Carlylesque, Carteresque, Cezannesque, Chandleresque, Chaplinesque, Churrigueresque, Clintonesqueの9語が該当する. そこで, Clinton-esque (米国第42代大統領ビル・クリントン) を検索してみると, 1990年以降のClintonesqueを含む記事が100以上も入手可能となる. これまで各種英和・英英辞典においてClintonesqueが見出し語として収められた例はなかったが, この検索結果から, Clintonesqueは新造語として収録される可能性があると言える.

このように, コンピュータ, 特にインターネットを活用することにより, 実例や使用頻度に基づいた英語研究・学習がますます手軽なものとなってきている. そして, インターネット上に「無尽蔵」に広がるテキストファイル化された英語資料から, どのような単語が, どこにどのような形で用いられているかを検索し, その出現頻度を知ることで, 今後逆引き・新造語辞典の編纂, 語法・文体研究, 語彙分析などを飛躍的なものとし, さらに言語と文化の研究において, さまざまな新発見を我々にもたらしてくれることであろう.

computerspeak, computertalk）が増え続けている．

接頭辞では，cyber-やe-（electronic）が大流行しているが，接尾辞でも，hardware, software, wetwareなどの-wareがある．

このほか，Internetからintranet「社内ネット」やOuternet「従来のメディア」などができている．

C　科学用語

たとえば，天文学で，quasar, pulsar, magnetarなどの「星」を指す，-arがよく見られる．

素粒子の-onは，meson, baryon, muon, leptonなど多数を生み出している．

以上見てきた特色から，新語には次のような傾向が見られる．

1　人や物や考えや行動を，接尾辞や連結形の枠にのせて表現するので，連想，対比，選択の心理が働き，連想ゲーム的，ことば遊び的傾向が流行をもたらす．

2　新しい思想，ライフスタイル，行動様式を観察，批判する側が造語するため，揶揄，軽侮を込めた表現が多く，人を表す語は当人が好んで使うことは少ない．

複合語

水野修身

1　複合語とは何か

複合語を英語でcompoundまたcompound wordというが，このcompoundという語の語源は「共に置く」という意味である．では英語の複合語において何を共に置くのかというと，二つの単語以上を置く，つまり結合させる，ということになる．

語は，その成り立ちまたは構造の点から分けると，単純語（simple word）と合成語（complex word）があり，合成語はさらに派生語（derivative word）と複合語に分かれるが，この複合語は2つの，あるいは3つ以上の既存の単純語（自由形態素ともいう）から成り立っているものである．

例: travel agency「旅行代理店」
　　highway「幹線道路」
　　record-breaking「記録破りの」
　　devil-may-care「向こう見ずな」
　　air cushion vehicle「ホバークラフト」

これらの例のように，単純語同士の綴り方は，2語以上分離して書くか，語同士を離さずに続けて書くか，ハイフンで結合するか，の3つの方法が見られるが，いずれにしてもその構成要素（基体という）の一つ一つは独立して現れることができる自由形態素である．この点が，前節で述べた接頭辞や接尾辞というような単独では存在しえない形態素のついた派生語（例: unhappy, happily）とは，基本的に異なるわけである．

なお，複合語の例に挙げたホバークラフトの場合，air cushion自体が「空気ばね」という意味の複合語であり，それがさらにvehicleという語を修飾しており，

air cushion → vehicle

という構造になる．このように複合語自体がさらに大きな複合語の基本になり，多くの語から成る複合語（特に複合名詞）もある．

以上，複合語の構造上の面から述べてきたが，英語の複合語というものは形態的にも意味的にも極めて複雑な様相を有する語形態であり，あらゆる場合を網羅する複合語の定義というのは難しい．

ここでは一般的に複合語の特徴とされるものを以下にまとめておく．

- 複合語は2つ以上の独立した語から成り，それらの語結合は不可分である．

  つまり，語と語の間に他の要素を入れたり，最初の語（第1要素）に修飾語をつけることはできない．

  例えば，darkroom「暗室」のdarkを比較級にして，*darkerroomとか，*very darkroomとすることはできない．

- 意味の点で，複合語は句と異なり一つの意味単位を成す．また，その全体の意味は構成している各単純語の意味の総和から推測できないことがある．

  例えば，darkroomは，dark room「暗い部屋」という句の意味とは違い，「暗室」という写真の現像のための部屋であり，それ自身の固有の意味をもつ訳であり，また，buttercupは，butterとcupを合わせた意味ではなく，植物の「きんぽうげ」という，まったく異なる意味になる．

- 音韻の面では，複合語の第1要素にしばしば最も強い第1強勢（ストレス）がくる．

  例えば，dàrk róomという句では，roomに第1強勢がくるが，dárkròomでは，darkに第1強勢がくる．

- 大多数の2語から成る複合語は，その右側の語（第2要素）がその複合語全体の品詞を決め，かつ意味の中核を形成する．その役割を持つ語を主要語（head word）という．

  例えば，darkroomは，品詞の点でroomと同じ名詞であり，かつroomの一種であるから，roomがその主要語である（このように複合語の品詞を決定する主要語が右側に現れるという原則を，「右側主要部の原則」と呼ぶ）．この場合，左側の第1要素の語は，主要語を修飾する関係にある．複合語全体の意味の中に主要語の意味が含まれるかどうかによって次の2種類に分けられる．

  a. 内心複合語（endocentric compound）
  　主要語の意味が含まれるもの．

  b. 外心複合語（exocentric compound）
  　主要語の意味が含まれないもの．例えば，blockhead「馬鹿，のろま」はheadの一種ではないし，pick-pocket「すり」はpocketの一種ではない．

  英語の複合語は大多数が内心複合語であり，生産性（新造力）が高い．

- spellingの面では，3つの表記法がある．

  darkroomのように1語にするか，dark-hairedのようにハイフンでつなぐか，life boatように2語で示すかである．

  複合語の中には，上の3つの表記法のすべてを持つもの（schoolboy, school-boy, school boy）や，

3つのうち2つの表記法を持つもの(makeup, make-up)がある.

一般的には, 構成要素同士が緊密に融合している場合は1語にするが, 新しい複合語は2語で示される傾向がある. これらの表記法は慣行に従うことが多いが, またハイフンの使用は流動的なものも多く, その取り扱いの厳格な規則は存在しない. はじめのうちはハイフンが用いられ, 慣用が熟してくるに従い1語として綴るようになる傾向がある. しかしながら, ハイフンを用いないと意味があいまいになったり, 1語で綴ると格好のよくないものはハイフンを用いることが多い.

また, 名詞の前にくる限定用法の複合形容詞, 例えば, fund-raising activity「資金調達活動」のように, fund-raisingという複合語が次にくるactivityを修飾するような場合は, 通常ハイフンを用いる. このような複合語の例をさらに挙げるならば, government-owned「国有の」, health-care「健康管理の」, all-time「空前の」, sky-high「法外に高い」, built-in「作りつけの; 本来備わった」などがあり, これらの形は新聞・雑誌の英語で特によく用いられる傾向がある.

また, day-to-day「日々の」, devil-may-care「向こう見ずな」, state-of-the-art「最新技術の」というような3語以上からなる語群複合語にはハイフンを用いる.

2　複合語の結合様式の型

(1) 構造面から見て

複合語を構成する語がいずれも単一語であるものを一次複合語といい(例, bedroom「寝室」), 複合語を構成する語が派生語または複合語であるものを二次複合語という(例, daydreamer「空想家」, breathtaking「わくわくさせる」, far-fetched「こじつけの」, common-place book「備忘録」).

この二次複合語の中で, 1個の複合語が一つの構成要素となって, さらに他の語と結合して新たな複合語をつくっている, commonplace bookのようなものを特に紐状複合語(string-compound)と呼ぶことがある.

また複合語にさらに接尾辞をつけたlion-hearted「勇敢な」, part-timer「非常勤者」のような複合語もあり, これは並置総合複合語(parasynthetic compound)という. lion-heartedは, '(lion-heart) +-ed'の構造であり, lion-heartに接尾辞-ed「…を有する」がついたわけであり, part-timerも '(part-time) +-er'の構造をしており, このように複合が派生とともに行われるような現象を並置総合と呼ぶ.

(2) 語順(統語〈syntax〉) から見て

blue chip「一流株; 優良企業」〈形容詞+名詞〉, cat's paw「手先」〈属格名詞+名詞〉, takeoff「離陸」〈動詞+副詞〉, behind-the-scenes「内密の; 陰の」〈前置詞+冠詞+名詞〉などは, 英語の語順通りになっており, これを統語的複合語(syntactic compound)といい, これに対して, seasick「船酔い」〈名詞+形容詞〉, sea bed「海底」〈名詞+名詞〉, breathtaking〈名詞+動詞〉のような英語の語順通りになっていないものを反統語的複合語(asyntactic compound)という.

また, bye-bye, fifty-fifty「半々」のように同一語を反復してつくられたものを重複複合語という.

(3) 品詞面から見て

複合語は, その語全体の品詞的機能からみて, ほとんどの品詞について見られる(上述のごとく, その品詞は原則として右側の主要語で決まる). その種類は以下のごとくである.

a. 複合名詞(例: bedroom)
b. 複合形容詞(例: seasick, breathtaking)
c. 複合動詞(例: overtake「追いつく」)
d. 複合代名詞(例: anybody, themselves)
e. 複合副詞(例: maybe, nevertheless)
f. 複合前置詞(例: into, out of)
g. 複合接続詞(例: whenever, as if)

これらの複合語の型の中で最も多種多様で数が多いのは複合名詞であり, 次いで多いのが, 複合形容詞である. 以下で, 特にこの2つの複合語の型を中心に取り上げて, その様々なタイプについて説明する.

3　複合名詞のタイプ

I　内心複合語に属するもの

これはさらに, 上述の2の(1)で述べた, 一次複合の型と二次複合の型に分類される.

(1) 一次複合語の型

構成要素間に様々な意味的関係を有する場合が多い. 以下にその意味をパラフレーズした型で分類したものを示す(以下に示したもの以外にも複雑なパラフレーズを要するものもある. N^1は第1要素の名詞, N^2は第2要素の名詞を示す)

a. N^2 [is like] N^1
frogman「潜水工作員」→ the man [is like] a frog
b. N^2 [is] N^1
girl friend → the friend [is] a girl
c. N^2 [is for] N^1
ashtray「灰皿」→ the tray [is for] ash
d. N^1 [has] N^2
doorknob「ドアの取っ手」→ the door [has] a knob
e. N^1 [powers / operates] N^2
windmill「風車」→ the wind [powers] the mill
f. N^1 [produces / yields / causes] N^2
saw-dust「おがくず」→ the saw [produces] the dust
g. N^2 [produces / yields] N^1
toy factory「おもちゃ工場」→ the factory [produces] toys
h. N^2 [consists of] N^1
raindrop「雨滴」→ the drop [consists of] rain
i. N's N / Ns N
devil's advocate「あまのじゃく」, craftsman「職人」
j. AN (A=adjective)
darkroom「暗室」, small talk「世間話」, large-scale「大規模な」
k. PN (P=preposition)
aftereffect「余波; 後遺症」, off-duty「非番の」

(2) 二次複合語の型

構成要素間に何らかの文法的関係が認められるものである. 以下にその文法関係の内容別に分類した型を示す(一部省いたものもある).

a. S + V (Sは主語, Vは動詞)
(a) 名詞+動詞の転換名詞形
sunrise「日の出」→ the sun rises「太陽が昇る」
(b) 名詞+動詞の派生形名詞

heart failure「心臓まひ」
(c) 動詞の転換名詞形＋名詞
driftwood「流木」
(この場合woodがS, driftがVとなり, 英語の語順と逆になるが, これも論理的に見てS + Vの型に含める. 次の (d) も同様)
(d) 動名詞＋名詞
washing machine「洗濯機」
b. V + O (Oは目的語)
(a) 動詞＋名詞
stopwatch「ストップウォッチ」
(b) 動名詞＋名詞
spending money「こづかい (銭)」
(c) 名詞＋動詞の転換名詞形
birth control「産児制限」
(この場合birthがOで, contorolがVであり, 英語の語順と逆になるが, 論理的に見てV + Oの型に入る. 以下 (d) (e) も同様)
(d) 名詞＋動名詞
sightseeing「観光」
(e) 名詞＋動詞の派生名詞形
taxpayer「納税者」, life insurance「生命保険」

Ⅱ 外心複合語に属するもの
複合名詞の構成要素のどちらも主要語として考えられないものであり, これには以下の2種類がある.

a. N/A + N型
これはいわゆるバフブリーヒ複合語 (bahuvrihi compound) [サンスクリット語で*bahu* (much) *vrihi* (rice)] と呼ばれるもので, ある一部の特徴でその人・物全体を示している. 所有の複合語とも言われている.
例: egghead「知識人」, loud-mouth「ほら吹き」
b. Adv. (副詞) + V, V + Adv.
この型は, 句動詞 (phrasal verb) が名詞に転換された型であり, 特にbreakupのように, break upという句動詞がそのまま名詞に転換されたものが数的に多い.
例: outcome「結果」, breakup「分解」, runaway「逃亡者, 家出人」

4 複合形容詞のタイプ

これには, (1) 主要語が動詞の分詞形である場合と, (2) 主要語が本来の形容詞である場合, (3) の並置総合複合語の3つの形態がある.

(1) の型には, eye-catching「人目を引く」のようなN + Ving型, computer-related「コンピュータ関連の」のようなN + Ved型, fast-growing「急成長の」のようなAdv. + Ving型, well-behaved「行儀のよい」のようなAdv. + Ved型, made-up「でっち上げた」のようなVed + Adv.などの型がある.

(2) の型には, まずduty-free「免税の」のような型があるが, これは-freeが一種の接尾辞の役割を果たして様々な名詞と結合するcombining-formと呼ばれるもので, たいへん生産性が高い. ほかに-proof, -friendlyなどたくさんある.
次にbitter-sweetのように2つの形容詞が並列したもので, この中にはsocio-economic「社会経済上の」のように第1要素に-o-という, 近代ラテン語の連結形を持つタイプがあり, 学術的な用語に多く見られるものである.
(3) の型も生産性が高く, 例としてright-handed「右利きの」, soft-headed「ばかな」があり, 体の一部分を表す語を用いたものが多い.
以上, 複合名詞と複合形容詞の大部分のパターンを示してきたが, さらに詳細な分類はここでは省略した.

5 複合語のストレスパターン

これには3つの型がある.
一つは上述したdárkròomのように, 第1要素に第1強勢を持つものが一般的である (これを複合強勢という) が, lády dóctor「女医」, déep-séated「根深い」, Ánglo-Frénch「英仏の」というように両方の要素に第1強勢があるものも少なくなく, これは両要素が同格的か, どちらも意味的に重要である場合に用いられることが多い. さらに3つ目として, 数は少ないがòutstándingのように第2要素に, 第1強勢がくるものもある.

6 本辞典の複合語

(1) 第2要素が名詞で終わるもの
例えば, bookで終わる複合名詞にはどんなものがあるか調べたい時は, まず親見出しにあるかどうかを見て, その見出しの出ている176ページを引くと, bookが見出しとして登場する.
そこにはbookの意味の説明のあと, bookで終わる複合名詞とそのアクセントおよび意味を付したリストが現れ, 160語近い複合語が並んでいる. いかに多くのbookで終わる複合語があるかがわかる. 本辞典はあらゆる分野からできるかぎり多くの複合語を収集し紹介することに努めたつもりである.
これらのbookで終わる複合語を見ると, まずストレスの面ではやはり大部分が第1要素に第1強勢があるものであるが, 両要素に第1強勢を持つものが15語近くあり全体の1割を占める. (例: clósed bóok, dévil's bóok, póp-up bóok, tálking bóok).
両要素間の意味的関係では, N^2 [is for] N^1のものが最も多い (例: cookbook, spelling book). また, 本の内容が何から構成されているか, つまり, N^2 [consists of] N^1の関係を示すものも多い (例: picture book, wordbook).
品詞的に見て, bookの前に名詞がくるものが最も多く, 形容詞がくる型もいくつか見られる (例: black book, green book, open book). また, 数は少ないがoverbookのような複合動詞もある. さらに, closed book「理解できないこと; なぞ」のような主要語のない外心複合語も見られる. このようにbookで終わる複合語一つ取っても, 形態的にも意味的関係においても種々の複合語が存在することが観察される.

(2) 第2要素が形容詞で終わるもの
activeを例にとってこの逆引き辞典を引いてみると (24ページ), 17語がリストアップされており, そのなかで接頭辞がついた派生形と見られるもの (coactive, inactiveなど) を除くと9語の複合語がリストされている. このactiveには-o-のついた結合形が多く (例: cardioactive, neuroactive, psychoactive), 学術的専門語として用いられている.
次に, 第2要素に接尾辞-ed (…を有する) を持ったものとして, headedがくるものを引くと (539ページ), 50以上の複合語が記載されている. これらは, 第1要素に形容詞がくる場合が大多数であり, しかも第1強勢が両方の要素にくるものが多い (例: báreháaded, cóolhéaded, sófthéaded). また意味的に見て, 比喩的なものが多い (例: hot-headed「短気な」).

(3) 第2要素が副詞で終わるもの
upで終わるものを引くと(1232ページ), 約300語もの複合語が記載されている. fix-upのように句動詞がそのまま名詞化した形のものが最も多い(中にはlock-upのような形容詞もある). 次いでgrown-upのような過去分詞が第1要素にくる型が多く, summing-upのような動名詞が第1要素にくる型もいくつか見られ, 中にはpick-me-upのような語群複合語もある. ストレスは大多数が第1要素に第1強勢がくるという型である.

擬音語・擬態語・音象徴

大 森 良 子

一般に, 語を表す音と意味との関係は単なる約束ごとにすぎず, 恣意的(arbitrary)である. しかし, 母語であれ, 外国語であれ, ある語が発せられた時, その語を表す音を頼りに, 意味するものを想定できることがある. それは交通標識や地図記号のような類似記号(icon)と対象物との関係において, 記号を見れば即座に意味するものを視覚的に理解できるという事実に似ている. 音声という聴覚による刺激が対象物との必然的な関係性を感じさせ, 様々な情緒を呼び起こすのである.

例えば, 目の前にいる雄鶏をroosterと言うのは, 慣習的な(conventional)決め事であるが, その鳴き声を'cock-a-doodle-doo'と表すとき, 音声と意味するものとの間に類似特性(iconicity)を認めることができる.

さらに語の中の一部の音や音の繰り返しにも, 対象物との間に象徴的な(symbolic)関係を見い出すことがある. flap「はためく」やflash「ぴかっと光る」の語頭の子音群fl-や, hurry-scurry「あわてふためいて」などは, 音と意味するものとの間にある種の関連性を感じさせる.

1 擬音(語)(onomatopoeia, phonaesthesia)

言語音ではない, 自然界に生じる音を言語音に写したものが擬音語(擬声語)で, echo(ic) wordとも言われる.

次がその例である.

(1) 人間の生理的な発声や動物・鳥の発声
ahchoo ハクション, hic ヒック,
bow-wow ワンワン, meow ニャオ,
chirp チュンチュン, チーチー
(2) 楽器・機械などの音
rub-a-dub ドンドン, toot プーッ,
dingdong キンコン, click カチッ, パチッ,
beep ビーッ, vroom ブロロロ
(3) 爆発・落下・衝突などによる音
bang バン, ガン, boom ドカーン,
dump ドシン, thud ドサッ,
crash ガシャン, kong コツン,

これらはごく一部にすぎず, 自然界に生じた音を区切って言語音に写していけば, 数限りなく擬音語を作り出すことができる. しかし, 擬音語は声帯模写とは違い, 言語という枠組みにはめられてその制約を受けるだけでなく, 社会慣習にも左右される. 例えば, 三光鳥(さんこうちょう)の鳴き声は「ツキヒホシ(月日星)」であるが, これは聞き倣(な)しによる.

一般に, 擬音語は音節が少なく, 一見してそれとわかる語形をしている. また, 単純でリズミカルな響きを持つので, 幼児語や漫画, 児童文学に多く現れる. しかし, 時代とともに音韻変化が起こって擬音語起源であることが忘れられてしまう語もあって, pigeon「ハト」(<後期ラ *pīpio* ひなバト), laugh「笑う」(古英*hlæh(h)an*)などは一般語と区別がつかなくなってしまった例である.

擬音語は, 文法上, 間投詞(interjection)と分類されることが多いが, good-bye「さようなら」やdamn「くそっ」のような間投詞とは区別されなければならない. 従って, 人間の生理的発声や動物の鳴き声に限って, 間投詞として扱うことにする.

擬音語の多くは名詞で, 音を発するものの名称となり, そのままの形でしばしば動詞, 副詞, 形容詞として用いられる.

2 擬態語(onomatomimesis)

擬態語(mimetic word)は, 本来, 音を発しない動作や状態を擬音語に似た効果を持つ言語音で表した語であり, 日本語に多い.「のろのろ歩く」「ゆらゆら揺れる」など.

人間の五感には, ひとつの感覚から別の感覚に渡り歩いて, ある感覚分野を表す語で別の感覚分野の現象を捕らえる働きが備わっている.「黄色い声」なら聴覚が視覚によって, 'harsh voice'なら聴覚が触覚によって捕らえられている. これを共感覚(synaethesia)というが, 擬態語は, まさにその感覚を利用した語である. 聴覚以外の感覚が受けた刺激を, 聴覚によるイメージが作り出せるような言語音に変換するものである.

擬態語には, helter-skelter「あたふたして」, higgledy-piggledy「ごちゃごちゃ」, wiggle-waggle「くねくね」, hoppity-hop「ぴょんぴょん」などの特徴的な重複語や, 漫画などで一般語を用いたsew sew「スイスイ: 裁縫でのスムーズな針の動き」, wipe wipe「ごしごし」のような重複語がある. 後者はすでにある普通の語の音を擬態語として利用している例である.

3 音象徴(sound symbolism, phonaethesia)

音と対象物との関連性を感じるのは, 擬音語や擬態語にだけではなく, ある音の組み合わせを持つ語や, 語の一部の効果的な響きに対しても同様である. 語中の子音や母音が単独で, あるいはそれらの組み合わせで, 意味を帯びた要素になる現象を音象徴という.

音象徴のある語を, 象徴語(symbolic word)というが, 擬音語・擬態語もそのなかに含めてよい.

音象徴が最もよく表れているのは, 子音群(consonant cluster)で, まず語頭にくるものを挙げる.

• fl-「揺れ; 流れ; 飛行」
*fl*ap はためく, *fl*ash ひらめく,

*fl*ow 流れる, *fl*y 飛ぶ
- gl-「光; 輝き; 視覚」
  *gl*are ぎらぎら光る, *gl*immer ちらちら光る,
  *gl*ory 栄光
- st-「直立; 安定; 堅固」
  *st*and 立つ, *st*ate 状態, *st*op 休止,
  *st*able 安定した
- その他に, bl-・b-l ⑴「膨み, 膨張」, cr-「きしみ; 粉砕」, kn-「こぶ, 塊」, sn-「鼻」などがある.

次に, 本辞典で扱う, 語尾の(母音+)子音(群)を挙げる.

- -ump「重量のある物の落下; 衝突」
  b*ump* 衝突, d*ump* ドサッと落とす,
  th*ump* ドサッと倒れる, sl*ump* 低落
- -irl「回転; 渦巻き」
  sw*irl* 渦をまく, tw*irl* くるくる回す,
  wh*irl* ぐるぐる回す
- その他に, -ash「突進; 衝突」, -ounce「弾み; 跳ね返り」, -ong「大きな残響音」, -umble「つまずき, 転倒; 不平不満」などがある.

このように子音(群)の音象徴はある動作や状態を表している.

一方, 母音に関する音象徴は, 積極的な意味を持たず, 大小, 遠近, 明暗のような程度を表している.
次に水の音に関する擬音語を挙げる.

spl-*a*-sh	バシャ
spl-*i*-sh	パシャ
spl-*o*-sh	ザブン
spl-*oo*-sh	サブーン

spl-は水がはねる音を表す語頭の子音群で, -shは勢いよく進んだり, ぶつかったりする動きを表す子音である. splashを基本型とすると, splishがそれより小さな音を, splosh, splooshはそれより大きな音を表している.

もちろん, すべてがこの規則にあてはまるわけではなく, big/smallのような例もある. しかし, 大きいことを強調する時, biiigとiを重ねて綴り, 母音を伸ばして発音するのは示唆的である.

音象徴の有無は個人の感じ方に頼るところが多く, 主観的である. 語源的には全く関係のないいくつかの語が表す対象物に類似性があって, しかもそれらの語の中に共通な音があれば, そこに象徴性を認めて, 後から音象徴が生じる現象が起こる. heel「かかと」, peel「野菜や果物などの皮」, reel「リール, テープ1巻き」, keel「竜骨」, eel「うなぎ」では, 細長い形と-eelを結びつけて, 語尾に音象徴を感じるという人がいる. これには個人差があるが, 潜在的な意識や音感のみでなんとなく連想している人は多い. 例えば, 別語源のclockをclickと結びつける人は珍しくない. 特に詩人や作家は音象徴に敏感であるため, テキスト分析の手がかりとされる.

音象徴による聴覚的効果は, 文学だけでなく, 商品の命名などにも利用することができる. Kodak「コダック(カメラ・フィルム)」には精密さが, Kleenex「クリネックス(ティッシュペーパー)」には清潔さが感じられる. また, これらの発音 /k/ に, kの綴りを用いたことによる視覚的効果も無視できない. 音を変えずに発音に近い綴りを与える発音綴り(eye dialect)の影響もあげておかなければならない. 咳(cough)の音なら, koff, ノック(knock)の小さな音なら, noc nocとなる.

4　重複 (reduplication)

擬音語・擬態語・象徴語の特徴のひとつに, 語の反復が挙げられる. これを重複または加重というが, およそ以下のように分類できる.

(1) 同じ音の反復
　bang-bang バンバン: 撃ち合いによる銃声
　clop-clop パカパカ, コツコツ: 馬のひづめやスパイク靴の音
　tickle tickle こちょこちょ: くすぐる時の発声
(2) 母音の交替による反復
　click-clack カチカチ, コトコト: 機械音
　ding-dong キンコンカン: 鐘やチャイムの音
　heigh-ho おやまあ, やれやれ: 驚き, 落胆の声
　　この形の重複では, /i/ から /æ/, /i/ から /ɔː/, /ei/ から /ou/ などと音の交替が起こる.
(3) 語頭子音の交替による反復
　boohoo おいおい泣く(声)
　hurry-scurry てんやわんや, 慌てふためいて
　wham-bam ドタバタと, 乱暴な[に]
(4) 子音を語頭に付加しての反復
　ubble-gubble わけのわからないおしゃべり
　uh-huh うん, ええ: 肯定・満足・同意の発声
(5) 接中辞 (infix) のある反復
　rub-a-dub ドンドン, ドンドコドン: 太鼓の音
　pitapat ドキドキ, パタパタ: 心臓音, 小走りの音
　bumpety-bump ドシンドシ(と突き当たる)
　tappity-tap タタタン: タップダンスの靴音
(6) その他
　topsy-turvy あべこべで, めちゃくちゃ
　tantara プップーッ: ラッパや角笛の音
　fanfare パンパカパーン: ファンファーレ; 誇示

一般語も反復によって, 音象徴が認められるようになることは擬態語の項で述べた.

5　混成 (blend)

2つの語の断片を合体して作った語を混成語, または, かばん語 (portmanteau word) という. 後者の名称は, ルイス・キャロルLewis Carrollの『鏡の国のアリス』(*Through the Looking-Glass*) による.

一般語では, smog「スモッグ (<smoke+fog)」や, brunch「朝食兼昼食の食事 (<breakfast+lunch)」があり, Lewis Carrollによるものでは, chortle「声高らかに笑う (<chuckle+snort)」や, galumph「意気揚々と歩く (<gallop+triumphant)」などがある.

次に, 擬音語・擬態語・象徴語のなかで, 混成によるものを挙げる.

muzzy 混乱した (<muddle+fuzzy)
smash 粉砕する (<smack+mash)
splatter 〈水や泥を〉はね散らす (<splash+spatter)
squirl 渦巻き形の飾り文字 (<squiggle+twirl or whirl)
whirry 急ぐ (<whir+hurry)

混成の型の多くは, ○○+□□→○□となり, 意味は「○○のような□□」「○○のように□□する」になる. つまり, 意味において, 後半部分に重要な要素が来るように混成される.

6　音象徴素 (phonaestheme) と音楽的要素

音象徴を持つ子音(群)や母音が, 単に, ある印象を与えるだけでなく, 語形成においても積極的な意味を持つ要素になっていることは, 混成による擬音語, 擬態語,

象徴語があることから明かである. これらの事実から, 音象徴を持つ要素—音象徴素 (phonaestheme)—の意義を見い出すことができる.

音象徴においては, 心的イメージを音で表すので, 異言語間でも, かなり類似点が多い. 例えば, i とa では, 前者が「小さい」「近い」ことを, 後者が「大きい」「遠い」ことを表す現象や, 否定語には /n/ の音が含まれることは, 多くの言語で見られ, その普遍性 (universality) はすでに知られているところである.

このような, 音と意味との関連性は, さらに音声意味論 (phonetosemantics) として扱われていくものである.

音象徴素や擬音語の一般語への影響は, 語の意味だけでなく, 語形成に及ぶことである.例えば, beautiful をbeaujeeful (またはbeaugeeful) と言えば, 「醜い」の意になるが, これには間投詞gee (またはjee) の/dʒ/が与える印象と同じものが感じられる. また, nitwit「うすのろ」やhocus pocus「呪文, まじない」のような脚韻語 (riming term) では, 語尾の音をそろえることで, 音象徴的な面白さが表れてくるが, そのような音楽的要素によって, 語形が整えられたり, 押韻複合語が生まれたりする. 例えば, hi-fi「ハイファイ」, walkie-talkie「携帯用無線電話機」のような, 直接には, 音象徴が認められない語にも, 語形上の音楽性は感じられる.

このように, 語形成の過程では, 音楽的要素が作用していることは確かで, 特に, 語尾については, この音楽的で聴覚的なものが, prosody「韻律体系」による語の音配列の整合性を決める大切な要素になっているといってよい.

7 語尾からの日英語の比較

ここでは, 日本語の擬声語・擬態語と, 英語の擬音語・擬態語・象徴語を, 語尾の形から比較してみる.

日本語の擬声語・擬態語の語尾に特徴的な撥音「ン」や, 促音「ッ」「ャ」, そして, 語尾として多い「カ・サ・タ・ラ行」の音が, どのように英語の音に移されるのか, 以下に挙げる.

ーン	bang	ドン, バン	boom	ドカン,ボカン
	buzz	ブンブン	clank	ガン, ガチン
	crash	ガシャン	knock	コンコン
	jingle	チリン	slam	バタン
	tap	トン	thump	ドシン
ーッ	beep	ビーッ	fizz	シュッ
	flash	パッ, ピカッ	puff	プッ, プーッ
	rip	ビリッ	smack	チュッ
	spit	ペッ, ピッ	squirt	ピュッ,シュッ
	thud	ドサッ	whisk	サッ
ーャ	chomp	ムシャムシャ	clatter	カチャカチャ
	crackle	クシャクシャ	munch	ムシャムシャ
	slop	バシャ	slurp	ピチャピチャ
	splash	パシャ	spat	ピシャ
	squiggle	クニャクニャ	yak	ペチャクチャ
ーカ行音	bob	ピョコピョコ	bubble	ブクブク
	flicker	チカチカ	gulp	ゴクゴク
	pitapat	ドキドキ	scrunch	ザクザク
	snip	チョキチョキ	trot	トコトコ
ーサ行音	flutter	バサバサ	giggle	クスクス
	murmur	ボソボソ	rustle	カサカサ
	scrub	ゴシゴシ	sway	ユサユサ
	stamp	ドシドシ	whisper	ヒソヒソ
ータ行音	clap	パチパチ	drip	ポタポタ
	lumber	ゴトゴト	mumble	ブツブツ
	romp	ドタドタ	splutter	プツプツ
	toddle	ヨチヨチ	totter	ヨタヨタ
ーラ行音	barf	ゲロゲロ	crunch	カリカリ
	glare	ギラギラ	rattle	ガラガラ
	scratch	ポリポリ	trickle	チョロチョロ
	twirl	クルクル	wobble	グラグラ

日本語の「ーン」「ーッ」「ーャ」は, 英語では単母音 (時に長母音) ＋子音 (群) で表されていることがわかる. 両者で共通に表れているものが多いが, 残響音を表す「ーン」は-ing, -nkとの対応が見られる。

日英語ともに, 反復の一般的な形は, 同じ語, または音の一部を入れ換えての繰り返しであるが, 英語においては, -erや-leの語尾が特徴的である.

日本語の擬声語・擬態語で, 語尾にエ段の音がくるものが少ないことも特徴のひとつであるが, 良い意味を持たない語, 例えば, 「ズケズケ」「ヨレヨレ」になってしまうことが多い.

語尾・語末音形

堀 内 克 明

1 語尾の範囲

語の終わりの部分を長短に関係なく「語尾」と呼ぶ. 語尾に当たる英語はendingであるが, これはinflected ending「屈折語尾」を指すことが多い. つまり, -s, -es, -'s, -ed, -ing, -er, -estなどである.

広義の語尾は, 一字でも一音でもよい. しかし英語を母国語とする者は, 主としてend syllable「終わりの音節」を語尾と感じるようである. さらに押韻 (rhyme) という意識から, 語末の強勢がある音節 (final accented syllable) を語尾とする捉え方もある. これは押韻辞典 (rhyming dictionary) でまとめられている語尾の中心をなすものである.

本書では, 押韻辞典で扱うような語尾音節, 特に強勢をもつ語尾音節を整理分類するという考え方ではなく, なんらかの意味を共通にもつ語尾 (接尾辞・連結形・語幹など) をその長短にかかわらず取り上げて分類している. しかも語尾だけでなく, 複合語の後半要素も意味をもつ構成単位として語尾の類と同等に並べている.

ただし, 音象徴語では, 語末の一音または子音群だけでも意味に近いものをもっている場合があり, その区切りは音節とも関係がないことがあるので, 一字(一音)でも, 二字でも特徴のある部分を「語末要素」として取り上げている.

さらに, 単音節語尾 (-oon, -oot, -ooz, -otchなど) は, その多くが直接意味とは結びつかないが, 英語として一定の好みと型をもつ音結合であり, しかもしばしば俗語や短縮語をつくるものがあるほか，音象徴的な意味や響きをもつものが少なくない．それで原則として，単音節語尾はすべて取り上げている．

なお，-oodleのような，音節子音（この場合/l/）を含む2音節語も，単音節語に準じて取り上げた．これにも音象徴が含まれることがしばしばあるからである．

3音節以上の語尾で，意味の単位とならないものは，押韻辞典で調べることができるので，紙面の制約もあって，この辞典ではごく少数を掲載するにとどめた．そのため，-oodleの仲間である音象徴語のcaboodle「なにもかも」や，「いちゃつく」や「べたべたする」とやや似たcanoodle「抱きしめてかわいがる」は載せられていないが，機会があれば別の形で補足したい．

2　語末の音とその綴り

どの言語でも音の配列に好みとくせがあって，語頭でも語尾でも，使用できる音に種々の制限がある．例えば，英語では語頭に /ŋg/ がくることはなかったので，アフリカの二，三の言語から借用されて「語頭にng-のつく語」は，/ŋg/ の代わりに/əŋg/や /eŋg/を代用することが多い．山名のNgaliemaは /èŋgɑːliéimə/，通貨単位のngweeは /əŋgwíː/，太鼓のngomaは /əŋgóumə/ となる．

その /ŋg/ は英語の語中の結合では音節にまたがって，English /íŋgliʃ/, mingle /míŋgl/, anger /ǽŋgər/, finger /fíŋgər/, longer /lɔ́ːŋgər/ などいくらでもある．ところが，語尾では /ŋg/ とはならないで，king /kíŋ/, sing /síŋ/, King Kong /kíŋ kɔ́ːŋ/と /ŋ/ になる（ただし，北部イングランドでは /ŋg/ と発音する人が少なくない）．さらにsinging /síŋiŋ/ はくだけると/síŋin/となるが，これは /ŋ/ を /n/ で代用していることになる．

英語の語尾の文字で最も多いのは，-tで，-nがそれに次ぐ．その後は-r, -d, -l, -s, -gの順である．これらは綴り字と発音がほぼ一致しているが，/k/ は，-c, -ck, -k, -q で表される．順序はやや異なるが，語頭でもこれらの子音をもつものが多い．例えばs-は語頭の一位であるが，語尾より語頭にはるかに多いのがp-である．

このような配列が何を意味するかをここで論じることはできないが，今日では，文字や音の配列と頻度はコンピュータで比較的容易に調査することができる．

英語は本来＜子音＋母音＋子音＞という結合を好み，子音を指すconsonantと母音を指すvowelからCVCと呼ばれる．例えば，tip, pit, son, dog, bed, but, lockなどはその典型である．

3　語末の子音群

このCVCはさらに語頭でも語尾でも複数の子音をもつCCVC, CVCC, CCVCCになりやすい．例えば，next /nékst/, strength /stréŋ*k*θ/, breast /brést/ などで，lengths /léŋ*k*θs/, sixths /síksθs/のように語尾がCCCCと4重になるものもある．このような子音群をconsonant clusterと呼び，語頭と語尾でその現れ方も異なる．

もちろん，語尾では不可能な結合もあり，例えば，綴りはlimb, climb, bomb, coulomb, aplomb, thumb, comb, tomb, womb, dumb, numb, crumbであっても /mb/ は語尾では起きない．語中なら音節の切れ目で，tim·ber /m·b/ が起きる．また，語尾で /gd/ はあっても /dg/ はなく，/ft/ はあっても /tf/ はない．さらに，/pz/ /ds//fz//vs/のような閉鎖音の有声と無声の不一致も成立しない．これらは発音できるかどうか，発音しやすいかどうかという発音生理上の理由によるが，可能でも好まれない結合もある．また歴史的な発展で用いられなくなるものもある．

このような音の組み合わせ（sound pattern）は，phonotactics「音素配列論」としてまとめることができる．

4　語末の母音

英語にも日本語のようにCV（子音＋母音）という結合がかなりあるが，CVCに比べれば少ない．ただし，-y/i/で終わるものはきわめて多く，しかもその大部分が，-ly, -ty, -ity, -ary, -ery, -ory, -y（-ie）などの接尾辞である．このほか，-aと-oがいくらかあるが，外来語や短縮語に多く見られる．-i, -uはきわめて少なく，まれに近い．

なお，-eで終わる語はきわめて多いが，これは黙字（silent）であって，直前の母音が長いことを示す．例えば，cap－cape / gap－gape / hat－hate / hop－hope / pin－pine / tap－tape /などの発音の違いを示している．さらにlac－laceは /æk/－/eis/ を，sag－sageは /æg/－/eidʒ/を示す．

ちなみに-eをもつ外来語には，日本語からきたsake, karaoke, kamikaze, shiitakeなどがあるが，この語尾の-eは，/e/ と発音できないので，/i/ で発音する．そのためsake /sɑ́ːki/ を表すsakiという綴りがある．そのほかも/kɑ̀ːrəóuki/ または /kəróuki/, /kɑ̀ːmikɑ́ːzi/, /ʃìːitɑ́ːki/ となる．庄助さんもショースキさんになってしまう．この /i/ を避けると /ei/ と発音するしかない．ショースケイならやっと発音できる．

結局，「接辞指示語尾」ともいえる-yを除けば，CVは英語としては特殊な結合とも言えるが，単音節の基本語にsay, lie, weigh, sigh, know, show, fly, seeなどのCV動詞がある．歴史的にはいずれも語尾に-an, -en, -onなどの動詞語尾がついていたものだから本来はCVC型であった．名詞のboy, toy, bayなどは本来CV型で，古くは語尾として-yの代わりに-yeをもっていた．中英語では屈折語尾の脱落で多くの語が-eで終わるというCV型であった．

現在CV型でも綴りに子音字が残るものは，それがかつて発音されていて，CVC型であったことを示している．例えば，/ai/ で終わるhighとthighはそれぞれ古英語では***hēah*** /heːax/, ***thē(o)h*** /θeːox/というようにghも発音していた．またbough /báu/, ploughまたはplow /pláu/, dough /dóu/ は，***bōg***［***bōh***］, ***plōh***, ***dāg***［***dāh***］でやはりghは発音された．これはthough /ðóu/, through /θrúː/, thorough /θʌ́rə/ でも同じで，それぞれ***thēah***, ***thurh***, ***thuruh***からきている．（改良綴りのtho, thru, thoroを参照）．一般に古英語で /x/（ハッというような音）と強く発音されたものが，中英語でghと綴られ，それが現代英語では黙字となっている．

なお，母音の発音変化は，次のGreat Vowel Shift（大母音推移，GVS）を参照すれば，だいたいのことがわかる．この変化はいっせいに起きたというより，少しずれながら起きたので，条件によっては同じ綴りでも発音が一律に変化していないこともある．

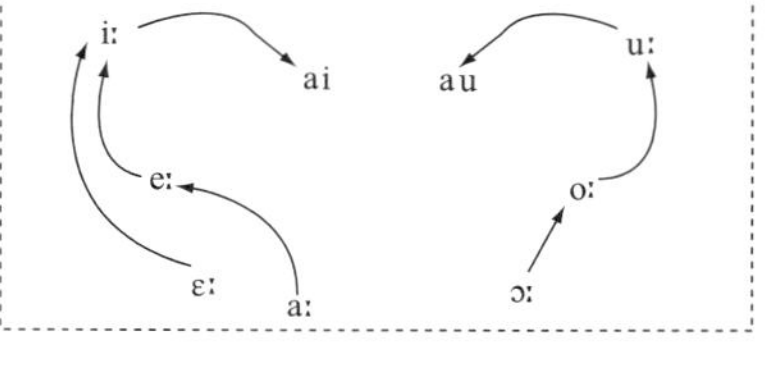

シェイクスピアでは, cleanとlaneはともに/eː/で押韻し, seeとseaおよびmeetとmeatはそれぞれ/iː/と/eː/に区別された.

このような変化の時間差の結果として, 例えば, 同じ-oodでも, (1) mood, foodは/uː/, (2) blood, floodは/ʌ/, (3) good, stoodは/u/となっている. (1)は/oː/→/uː/, (2)は/oː/→/ʌ/, (3)は/oː/→/u/と変化した. このうち(2)(3)はGVSに付随する別の変化である.

5 語尾の収束

ある言語は一定の語尾音を好むために, 語源を異にしていても, しだいにある一定の形にまとまっていく. これを語尾のconvergence「収束, 収斂」と呼ぶ. つまり系統の異なる語尾が音の好みと連想によって一定の相似的グループをつくる現象である. これには音象徴的な要素が働くこともある.

例えば, tintはtinctが元の形であるが, print, mintと合流してtintになっている. ことによるとtaint, paintの連想的な影響があるかもしれない. しかしすでに-ntという動詞語尾の意識が働いたとも考えられる.

動物を指すdog, frog, hog, stag, pig, bug, wig (earwig) があるが, これにmogを加えることもできる. mogはイギリスで猫を指すが, 北イングランドではネズミ, その他のイギリス方言で牛を指す. このうちdogとfrogは古英語から似た語形成であるが, hogはそれにならった可能性がある, これらは音象徴以上に証明しにくいが, 動物を指す-gの共通性はつとに指摘されている.

この辞典では, 言語学の慎重さを重んじて, そこまで憶測して掘り下げていないが, ゲルマン系の言語に共通する語末音形のうち-stや-erを同形の接辞 (人を指す-erなど) と区別するために簡略に取り上げた.

例えば, 音象徴的なthrust, blast, gust, burst, roast, wrest, boastもあるが, 名詞のbreast, fist, waist, frost, thirst, mist, dust, rust, trust, nestなども考慮しなければならない.

一方, この-stにはtest, bust, forestなどラテン語にさかのぼるものもある.

ゲルマン系の名詞語末音形-erはshower, shoulder, finger, winter, waterなどに見られる. これとラテン系のflower, power, butterなどの-erも共存している.

さらに古英語には-thで終わる語 (特に名詞) が多かったが, それが今日でもかなり残っている. 古英語は/ð//θ/の音を好む言語であった.

例えば, health, wealth, truth, oath, tooth, heath, path, faith, uncouthなどである.

全般に英語の語尾は, 音の配列上も自然な平衡状態に落ち着こうとしている. 綴りも, 多種多様ではあるが無法則ではない.

例えば, 屈折語尾の-edや-sと同じ形に受け取られてしまうような綴りはほとんど皆無であって, bed, wed, deed, feed, needなどは-edと混同されないし, gas, class, pass, plusなどは, 屈折語尾の-sとはっきり見分けがつく.

6 語尾の同音形

英語は頭韻を好んで用いるが, それに劣らず語尾の音を反復する表現を好む.

例えば, doom and gloom「暗澹とした希望のない状態」は決まり文句である. また, his name and fame「名声」/King Hussein was known for pluck and luck.「勇気と幸運」/Stanley Kubrick, film maverick, dies at 70.「映画の一匹狼, スタンリー・キューブリック」/《標語》clean and green「清潔で緑豊かに環境保護」というように文章中によく出てくる.

特にジャーナリズムで目立つのは, rhyming term「押韻表現」である.

例えば, name gameは「名前をあれこれつけてみること」をさし, blame gameは「あちこちにまたはお互いに罪をなすりつけること」をさす. また, abuse excuseは「子供のときに受けた虐待が原因で悪事をしたというような言い訳」のことである. 新聞の小見出しにも, Book Nook「小書評欄」とか, Pollution Solution「汚染解消」といった押韻表現が並んでいる.

イディオムでは, pie in the sky「絵に描いた餅」とそれをもじったeye in the sky「偵察衛星」がある.

俗語の押韻表現では, rich bitch「金持ちのいやな女」, toy boy「女性の遊び相手になる男の子」, top cop「警察署長」など多数があるが, Harold Wentworth, Stuart Berg Flexner, *Dictionary of American Slang* (1975²) の付録に俗語の押韻表現の詳しい表がある. 例えば, fat cat, slick chick, culture vulture, even Steven, ptomain domain, double troubleなど多数が載っている.

イギリス英語 (特にコックニー) とオーストラリア英語には, rhyming slang「押韻俗語」というものがあり, 少数はアメリカでも知られている.

例えば, trouble and strifeまたはtroubleでwifeをさすのは, strifeとwifeの押韻を利用したものである. また, apples and pearsと言えば, stairs「階段」のことで, pearsとstairsが押韻するが, なぞ言葉としては, 前半のapplesを「階段」という意味で用いる. さらにgrass「密告者」はgrasshopper「バッタ」を短縮したものだが, その出発点はcopper「おまわり」の押韻表現である.

以上のように押韻は重複語の同音反復とともに, 英語の韻律的なリズムの欠かせない要素となっている.

プログレッシブ英語逆引き辞典

分類目次

＊本辞典に親見出しとして出ている接尾辞, 連結形, 音象徴, 語尾(語末音形)をそれぞれ品詞, 意味, 専門分野, 語源, 発音などに従って分類し, アルファベット順に示した.
＊語義は一部を省略した. 詳細は本文を参照のこと.

Ⅰ 接尾辞

1 つくられる品詞による分類

1-1 名詞をつくる

-a[1] ギリシャ語・ラテン語からの名詞の複数語尾.
-a[2] ギリシャ語・ラテン語の名詞の女性単数語尾.
-a[3] (化学で) 金属の酸化物の名につく.
-a[5] スペイン語の女性形名詞語尾.
-a[6] ポルトガル語の女性形名詞語尾.
-a[7] イタリア語の女性形名詞語尾.
-a[8] ロシア語の名詞語尾.
-a[9] 東欧各国語の名詞語尾.
-a[10] 北米インディアン諸語の語尾.
-a[11] 《俗》…者, …する人.
-abilia …できるもの.
-ability -able[1]と-ityの結合形.
-ac[1] -ic[1]の異形.
-acism …の傾向があること.
-acity -aciousに対応する名詞をつくる.
-acy **1** 状態・性質. **2** 行為. **3** 地位・職.
-ad[1] **1** ある単位数を示す. **2** …に関係のあるもの.
-ad[2] -ade[1]の異形.
-ada スペイン語, ポルトガル語の名詞語尾.
-ade[1] 行動, 過程, 行動中の人［一団］など.
-ades -ad[1]の複数形.
-ado もとイタリア語, スペイン語, ポルトガル語の行為・過程を表す接尾辞.
-ador …する人.
-ae[1] ラテン語の名詞複数形語尾.
-aea -ea[1]の異形.
-age[1] **1** 行為. **2** 行為の結果. **3** 状態. **4** 範囲.
-ago ラテン語の性質や種類を表す名詞接尾辞.
-ah[1] ヘブライ語の名詞をつくる語尾要素.
-ain[1] 形容詞, 名詞をつくるフランス語接尾辞.
-aire …する性格の人, …を持っている人.
-al[1] …の性質を持つもの.
-al[2] フランス語またはラテン語系の動詞につく.
-al[3] **1** (化学で) アルデヒド基の入った化合物. **2** (薬学で) 薬剤.
-alis ラテン語に由来する学術語に用いる.
-an[1] **1** …の土地生まれの人. **2** …に所属する人. **3** …属［科］の動物. **4** …時代の人.
-an[2] (化学, 薬学で) 不飽和炭素化合物, 無水物などの化合物.
-ana …集, 資料集, 文献, 語録.
-ance[1] **1** 性質・状態. **2** 行為. **3** 量・程度.
-ancy -ance[1]と-y[3]との結合形.
-and[1] …されるもの［人］.
-ane[1] -an[1]の異形.
-ane[2] (化学で) メタンまたはパラフィン系の炭化水素の類の名に用いる.
-ant[1] **1** …の行為をする人. **2** …する能力を持つ物.
-anum 主にラテン語起源の学術用語につく.
-anus ラテン語起源の学術用語などにつく.
-ar[1] -al[1]の異形.
-ar[2] -er[2]の異形.
-ar[3] …する人.
-ar[5] アラビア語, ヒンディー語などの名詞語尾.
-ard[1] **1** 特に…する性質がある人. **2** 物の名を表す. **3** 人名を表す.
-ard[2] 職業名語尾として用いられ, 人名に転化.
-aria ラテン語起源の科学用語.
-arian **1** …の (関連の) 人. **2** (主義・説・原理などの) 支持［信奉］者, 唱導者, 実行者.
-aris 科学用語に見られる.
-arium …に関する場所.
-art[1] -ard[1]の異形.
-ary **1** …と関係のある人. **2** 入れ物, 置き場.

-ase[1]　（生化学で）…酵素.
-asis　（病理で）…性の病気, …に起因する病気.
-asm　行為の結果を表す名詞形成接尾辞.
-ast[1]　…に関係のある人, …に従事する人.
-aster[1]　似て非なるもの［人］.
-at[1]　-ate[3]の異形.
-ata　ラテン語からの借用語の複数形をつくる.
-ate[1]　…者, …もの.
-ate[2]　（化学で）…酸塩.
-ate[3]　**1** …職, 任務, 役目. **2** 組織, 制度; 集団, 団体.
-ation　**1** 動作・行為. **2** 状態. **3** 結果・産物.
-ator　**1** …する人. **2** …する存在.
-atorium　…する場所, 施設.
-atrix　-atorの女性形.
-atum　ラテン語の過去分詞語尾*-ātus*の中性形より.
-atus　ラテン語の過去分詞, および形容詞語尾より.
-aud[1]　フランス語の形容詞, 名詞語尾.
-ay[1]　《俗》ピッグラテンで使われる語尾.
-brum　ラテン語の道具・手段を表す名詞接尾辞.
-bulum　ラテン語の道具・手段を表す名詞接尾辞.
-cel[1]　ラテン語に見られる指小辞.
-cel[2]　フランス語に見られる指小辞.
-chik　ロシア語で行為者を表す接尾辞.
-cion　-tionの異形.
-cle[1]　小…, 微粒…, 分（離）….
-cle[2]　…室, …器, …手段, …物.
-crum　もとは道具・手段を表すラテン語の接尾辞.
-cula　ラテン語の指小辞より.
-cule[1]　-cle[1]の異形.
-cule[2]　-cle[2]の異形.
-culum　手段や場所を表す指小辞.
-culus　小….
-cy　**1** 性質・状態. **2** 地位・職務. **3** 行為.
-dom　**1** …の土地, 集団. **2** …の状態, …権.
-dor　行為者, 道具, 場所を表す名詞語尾.
-e[1]　ギリシャ語の女性単数形語尾*-e*より.
-e[2]　ラテン語の中性形の形容詞語尾.
-é　フランス語の男性形過去分詞語尾.
-ea[1]　ラテン語からの借用語に見られる.
-ean[1]　…のもの［人］. ▶特に人名や地名をつくる.
-eau　フランス語の形容詞・名詞男性形語尾.
-edo　ラテン語の名詞接尾辞.
-ee[1]　ある行為をされる人.
-ee[2]　-y[2], -ie[1]の異形.
-ee[3]　-ée[1]の異形.
-ée[1]　フランス語の女性形過去分詞形.
-ée[2]　フランス語の名詞語尾.
-een[1]　《アイル》…のちっちゃなもの.
-eer[1]　（専門的に）…を扱う人, …関係者.
-eh[1]　ヘブライ語の語尾要素.
-ein[1]　（化学で）**1**…化合物. **2** 無水…物.
-el[1]　主にラテン語系の語に用いられる指小辞.
-el[3]　-al[1]の変形したもの.
-ella　ラテン語の指小辞.
-elle[1]　フランス語からの借用語に見られる.
-ello　イタリア語の男性形指小辞.
-ellum　ラテン語の指小辞.
-em[1]　行為の結果を表す接尾辞.
-en[2]　…でできた.
-en[4]　ある種の名詞の複数形をつくる.
-en[5]　指小辞.
-ence[1]　**1** …すること［もの］. **2** …な性質, …なもの.
-ency　…な性質（を持つこと）.
-end[1]　…されるもの［人］.
-enda　ラテン語の動詞状形容詞の中性複数形語尾.
-ene[1]　**1**（化学で）不飽和炭化水素. **2** 合成薬品などの商品名. **3**（地名・国名の語尾につけて）その土地の住人を示す.
-enne　女性の…の人.
-ensis　…に属するもの, …に起源のあるもの.
-ent[1]　…（する）人［もの, こと］.
-er[1]　**1** ある事を（職業として）する人. **2** ある特徴を持っている人［もの］. **3** …の土地の人. **4** …主義者. **5** …するための道具.
-er[2]　…と関係［関連］のある人［もの］.
-er[3]　行動・過程・手順を表す名詞をつくる.
-er[5]　学生俗語をつくる.
-erie　仕事, 製造所, 製品; 性質, 状態.
-erino　《こっけい》ちっぽけな…, 小さな….
-ero　スペイン語, イタリア語に由来する名詞・形容詞接尾辞.
-eroo　名詞について親しさ, こっけいさなどを表す.
-ers　短縮語につけて親しみを込める.
-ery[1]　**1** …業, 仕事, 技術. **2** …（製造・販売）所［店・屋］. **3** 集合物, …類. **4** 性質・状態.
-es[1]　複数形語尾-sの異形.
-es[2]　ギリシャ語からの借用語にみられる複数形語尾.
-es[3]　ラテン語からの借用語にみられる複数形語尾.
-escence　…し始めの［…になりかかりの］状態［過程］.
-ese　…人, …の住民; …語.
-esis　動作, 進行過程.
-ess[1]　**1** 女性の…. **2** …夫人. **3** 雌の….
-et[1]　小さい, 小型の. ▶フランス語より.
-et[2]　女子の名に見られる指小辞. ▶古スペイン語またはイタリア語より.
-ett[1]　字義は「小…」で, 人名をつくる.
-etta　イタリア語の女性形指小辞.
-ette[1]　**1** 小さい…, かわいい…. **2** 女性の…. **3** フランス系の女子の名をつくる.
-etto　イタリア語の男性形指小辞.
-etum　植物の生育場所.
-eur　フランス語に見られる;主に動詞から派生し, 動作主を表す.
-eus　ラテン語の科学名に見られる
-euse　…する女性.
-ev　ロシア系の人名, 地名をつくる接尾辞.
-ey[2]　-y[2]の異形.
-ful[2]　…一杯（の量）.
-fulness　-ful[1]と-nessの結合形.
-head　…の存在, …性, …の状態.
-hood　**1** 性質, 状態. **2** 時期. **3** 特定の人々の集団.
-i[1]　ラテン語の男性名詞, 形容詞の複数形語尾.
-i[2]　ラテン語の男性名詞, 形容詞の属格形語尾.
-i[3]　イタリア語の複数形語尾.
-i[4]　フランス語で過去分詞形語尾.
-i[5]　…人, …族; …派; …語.
-ia　ギリシャ語・ラテン語借用の名詞語尾.
-ial　-al[1]の異形.
-ian　-an[1]の異形.
-iana　-anaの異形.
-iasis　…性の病気.
-ibility　-abilityの異形.
-ic[1]　**1** …部族［語族］の人［もの］. **2** …を示す［にかかった］人［もの］.
-ica[1]　ラテン語形容詞語尾*-icus*の複数形.
-ica[2]　ラテン語形容詞語尾*-icus*の女性形.
-ice[1]　フランス語からの借用語に見られ, 「状態, 性質」などを表す.
-ice[2]　女性の行為者, または女性の名前につく.
-ician　…の専門家. ▶-ic[1]と-ianの結合形.
-ics　…学, …術, …原理, …研究.
-icum　ラテン語の中性形接尾辞.
-id[1]　**1** …の子, …の子孫. **2** …王朝の人. **3** …座流星群. **4** …性発疹.
-id[2]　…類の一員［一片］.
-id[3]　-ide[1]の異形. ▶化合物および生物の細胞・器官を表す名詞をつくる.
-ida[1]　（動物名で）…目, …綱.
-ida[2]　スペイン, ポルトガル語の女性形容詞語尾.
-ide[1]　化合物を表す名詞をつくる.
-ides　学術用語におけるギリシャ語の複数形をつくる.
-idine　（化学, 薬学で）ある化合物の名称につけて,その化合物から誘導された新化合物の名称をつくる.

-idion ギリシャ語からの借用語にみられる指小辞.

-idium -idionに対応する指小辞.

-ie[1] -y[2]の異形.

-ie[2] フランス語から借用の女子の名などに見られる語尾.

-ier[1] -er[1]の異形.

-ier[2] -eerの異形.

-iere -ier[2]の女性形.

-iére -ier[2]の女性形.

-if[1] フランス語に由来する名詞･形容詞接尾辞.

-iff[1] -ive[1]の異形.

-igo (病理名で) もとはラテン語で動詞につく接尾辞.

-il[1] ラテン語, フランス語, イタリア語などのロマンス語の指小辞.

-ile[1] 能力, 感受性, 責任, 適性などを表す形容詞語尾で, そこから派生して名詞をつくる.

-ile[2] …分の 1.

-ility -(i)leと-ityの結合形.

-illa[1] ラテン語に由来する女性形指小辞.

-illa[2] スペイン語の指小辞.

-ille[1] フランス語からの借用語に見られる指小辞.

-illo スペイン語の男性形指小辞.

-illon フランス語由来の指小接尾辞.

-illum ラテン語の指小辞.

-im[1] ヘブライ語からの借用語で複数形をつくる.

-in[1] …に属するもの.

-in[2] 化学･鉱物の学名などに用いられる.

-ina[1] 名詞の女性形をつくる.

-ina[2] イタリア語の女性形接尾辞.

-ina[3] (生物で) …類.

-ine[1] …に関するもの; …の性質のあるもの.

-ine[2] 抽象名詞をつくる名詞語尾.

-ine[3] (化学, 薬学, 鉱物名で) 専門用語をつくる.

-ine[4] 女性名詞･洗礼名･称号を示す.

-ine[5] -ina[1]の異形.

-ing[1] **1** 行為･過程. **2** 行為･過程の一例. **3** 行為･過程の産物.

-ing[3] …に属するもの, と同じもの, に由来するもの.

-ino イタリア語の指小辞.

-io ラテン語及びそこから派生したイタリア語, スペイン語などのロマンス語に見られる名詞接尾辞.

-ion[1] **1** …すること. **2** …(した) 状態. **3** …の結果･産物.

-ion[2] ギリシャ語の中性形指小辞.

-ior[2] -or[2]の異形.

-ique[1] 《古》-ic[1]の異形.

-isation 《主に英》-izationの異形.

-ise[2] …の性質, …の条件, …の機能.

-ism[1] **1** 《名詞につけて》(1) 行為. (2) 教義･学説. **2** 《形容詞につけて》(1) 主義. (2) …特有の言い方.

-ismo スペイン語, イタリア語に由来する「制度, 体系, 主義, 主張」を表す接尾辞.

-ist[1] **1** …の創作家, 演奏家. **2** 学問における研究者. **3** 学説･主義の支持者.

-istics -ist[1]と-icsの結合形.

-it[1] ラテン語動詞の屈折形の一つ.

-ita スペイン語の女性形指小辞.

-ite[1] **1** 場所･部族･指導者･主義･組織などに関係する人. **2** (鉱物, 岩石で) …石, …岩. **3** …薬; 爆薬名. **4** (化学で) …化合物.

-ite[2] 形容詞およびある種の動詞から名詞をつくる.

-ites 病名などに用いるギリシャ語起源の名詞語尾.

-itic -ite[1]と-ic[1]の結合形.

-ition 「動作, 状態」を表す名詞をつくる.

-itis **1** (病理名で) …炎. **2** 《話》…熱, …中毒.

-itive ラテン語起源の名詞･形容詞に見られる.

-ito[1] イタリア語の男性形過去分詞.

-itol (化学で) 水素基1個以上を含むアルコール.

-ito[2] スペイン語の指小辞.

-ity **1** 性質･状態. **2** (ある異常な性質を持っているものの) 例. **3** 程度･量.

-ium **1** ラテン語からの借用語に見られる名詞語尾. **2** (化学で) …イウム. **3** (生物で) 小形…, …塊.

-ive[1] …する人.

-ivo イタリア語, スペイン語の男性形形容詞や名詞をつくる接尾辞.

-ization -izeで終わる動詞の名詞をつくる.

-j 東･西アジアの言語, 特にヒンディー語やアラビア語からの外来語に見られる語尾.

-keit 形容詞について抽象名詞をつくる.

-kin 小….

-kins -kinの異形.

-le[1] **1** 本来小さいことを意味する. **2** 動作主または道具を示す. ▶古英語より.

-le[2] 小…, 小さい…. ▶ラテン語より.

-let **1** 小さい…, 子どもの…. **2** 装身具.

-ling[1] **1** …にかかわり合いのある人[もの]. **2** 指小辞.

-lyn 女子の名前などに見られる接尾辞要素.

-ma もとはギリシャ語で, 行為の結果をあらわす中性形接尾辞.

-men ラテン語に由来する名詞形成接尾辞.

-ment **1** 動作･過程. **2** 行為の結果･産物. **3** 手段. **4** 行為をする場所.

-mentation -mentと-ationの合成.

-mento イタリア語の名詞接尾辞.

-mentum ラテン語の名詞接尾辞.

-ndum ラテン語の動詞状形容詞の中性形名詞用法.

-ness **1** 性質, 状態. …性. **2** 程度, 度合. **3** 事例.

-o[1] **1** 《話》短縮形をつくる. **2** 《俗》…であるもの[人], …なもの[やつ].

-o[2] スペイン語, イタリア語, ポルトガル語などの男性形名詞語尾.

-o[3] ラテン語動詞の一人称単数現在形, 未来形にあらわれる語尾.

-o[4] ラテン語名詞または動名詞の奪格形.

-ock[1] 小さい….

-ode[1] …のような性質[形状]を持つもの.

-oi ギリシャ語の男性名詞複数形語尾.

-oid[1] …に似たもの, …まがいもの, もどき.

-ol[1] アルコール, またはフェノール.

-ol[2] -ole[2]の異形.

-ola イタリア語またはラテン語の指小辞.

-ole[1] 指小辞.

-ole[2] (化学, 薬学で) 不飽和で複素5員環の構造を含む化合物名の語幹.

-olum ラテン語の指小辞.

-ome[1] (植物で) 塊, 群, 部.

-on[1] **1** 素粒子. **2** 量子. **3** 構成要素.

-on[2] 不活性気体元素の命名に用いる.

-on[3] ギリシャ語の中性形単数語尾.

-on[5] もとはギリシャ語の動詞の現在分詞の中性形名詞用法.

-on[7] フランス語の名詞接尾辞.

-one[1] (化学, 薬学で) ケトン化合物; それに類した酸化化合物.

-oon[1] フランス語その他のロマンス語から借用したいくつかの語に見られる接尾辞.

-or[1] 動作･状態･性質などを表す名詞をつくる.

-or[2] 行為者またはある役割を持つ人[もの].

-orium …の場所; …の手段.

-ory[2] 場所, 手段.

-os[1] ギリシャ語名詞の男性形語尾.

-osis **1** …作用, の影響, …状態, 健康状態. **2** (病理名で) 心身機能の障害, 異常状態. **3** 増加, 形成.

-osity …性, の資質.

-ot[1] …の住人, …する人, …な人.

-ota (生物で) 分類を表す語の複数形をつくる.

-ote[1] (生物で)分類を示す複数語尾.
-oth[1] ヘブライ語からの借用語に見られる女性名詞の複数語尾.
-ov ロシア系の人名をつくる接尾辞.
-quin オランダ語の指小辞-*ken*より.
-red 状態を表す名詞をつくる.
-rel 小…, …なもの[やつ].
-ry[1] **1** …業, 仕事. **2** …(製造·販売)所[店·屋]. **3** 集合物, …類. **4** 性質·状態.
-s[2] 名前につけて「息子の分家」の姓を表す.
-'s **1** 所有格を示す. **2** 数字や文字の複数形を示す.
-ses -sisの複数形.
-ship **1** (…の)状態, 性質. **2** 地位, 役職. **3** 能力, 技能. **4** (人間)関係. **5** …集団, 層.
-sie -syの綴り字異形.
-sion ラテン語からの借用語に見られ, 動作, 状態, 結果などを表す.
-sis ギリシャ語からの借用語に見られ, 行為, 過程, 状態, 条件などを表す.
-ski 《米俗》…する人, …屋.
-sky ポーランド語の形容詞語尾; 姓をつくる.
-some[2] …つ[人]組, …重.
-sor -torの異形.
-ster **1** …する人; …屋. **2** …である人, …の人.
-stress 女性名詞をつくる.
-sy **1** 《話》指小辞. **2** …に見せかけるもの[人].
-tec 民族名を表す接尾辞.
-teen 13から19までの基数をつくる.
-terion 場所や手段を表す接尾辞.
-th[1] **1** 性質, 状態. **2** 行為, 過程.
-tic -ic[1]の異形.
-tion **1** 行為·過程. **2** 行為·過程の結果·産物.
-ton[1] …な人[もの].
-tor …する人.
-torium …する場所, 施設.
-tory[2] -ory[2]の異形.
-tress 女…, 女性….
-trice -trixの異形.
-trix ラテン語からの借用語に見られ, 動作主名詞および形容詞の女性形をつくる.
-trum ラテン語の「道具·手段」を表す名詞接尾辞.
-tude ラテン系の形容詞·分詞について「性質, 状態」を示す抽象名詞をつくる.
-tus[1] ラテン語の行為名詞接尾辞.
-tus[2] ラテン語の過去分詞語尾.
-ty[1] 10の倍数.
-ty[2] …な性質[状態, 程度].
-tz 主に俗語の語尾に使われる.
-u[1] フランス語の名詞, 形容詞をつくる語尾要素.
-ula ラテン語の女性形の指小辞, または中性形複数の指小辞.
-ule[1] 小….
-ulet 小….
-ulose …の特色を持つもの.
-ulum ラテン語の指小辞.
-ulus 指小形式辞.
-um[1] ラテン語の中性形名詞・形容詞語尾.
-uncle 小…; 指小辞.
-ura[2] 「動作, 集合」の意を表すイタリア語語尾.
-ure[1] **1** …の行為·過程. **2** …の行為の結果·産物.
-uret 《古》(化学で)…化合物.
-us[1] ラテン語の男性形名詞・形容詞語尾.
-x[1] -uで終わるフランス語由来の名詞につけて複数形をつくる.
-x[2] -ks, -cs, -cksの発音つづり.
-x[3] 商標名などにつく語尾要素.
-xion 《主に英》-tionの異形.
-y[2] **1** …ちゃん, お…. **2** …さん, …もの, …ところ. **3** …な人[もの].
-y[3] **1** 動詞につけて動作名詞をつくる. **2** 状態·性質. **3** 特定の店や品物. **4** 集合体, 集団. **5** 国名の語尾に見られる.
-y[4] フランス語に由来した名詞, 形容詞をつくる.
-y[5] 名前の短縮形について愛称をつくる.
-yer -er[1]の異形.
-yl[1] (化学で)…基, …根.

1-2 動詞(過去形・過去分詞)をつくる

-ate[1] 《名詞·形容詞につけて》…させる, …する.
-d[1] -ed[1]の異形.
-ed[1] 規則変化動詞につけて過去分詞をつくる.
-eer[1] …を専門的に扱う.
-en[1] **1** …(の状態)にする. **2** …(の状態)になる.
-en[3] 多くの不規則変化動詞と少数の規則変化動詞の過去分詞をつくる.
-er[4] …する.
-esce …し始める. …になりかける.
-eth[1] 《古》動詞の三人称単数·直説法現在に用いた.
-fy **1** …にする, …化する. **2** …に似させる.
-ify -fyの異形.
-ise[1] 《主に英》-ize[1]の異形.
-ish[2] フランス語から借用の-irで終わる動詞の語幹につけて動詞をつくる.
-it[1] ラテン語動詞の屈折形の一つ.
-ite[2] 形容詞およびある種の動詞から形容詞·名詞·動詞をつくる.
-ize[1] **1** ギリシャ語起源でラテン語またはフランス語経由の語を動詞にする. **2** 名詞や形容詞につけて他動詞をつくる. **3** 名詞や形容詞につけて自動詞をつくる.
-t[1] ある種の動詞の過去または過去分詞をつくるのに用いる-edの変形.
-th[3] -eth[1]の異形.
-tz 主に俗語の語尾に使われる.

1-3 形容詞をつくる

-able[1] **1** …されうる. **2** …しやすい.
-ac[1] -ic[1]の異形.
-acal -ac[1]と-al[1]の結合形.
-aceous …に似た; …の性質を持つ; …でできた.
-acious -acity, -acyに対応する形容詞をつくる.
-ain[1] 形容詞, 名詞をつくるフランス語接尾辞.
-al[1] …の(ような), …と関係のある, …の性質の.
-an[1] **1** …の土地生まれの. **2** …に属する. **3** …属の, …科の. **4** …時代の.
-ane[1] -an[1]の異形.
-aneous **1** …同時の. **2** …に所属する.
-ant[1] **1** …の行為をする. **2** …する能力を持つ.
-anus ラテン語起源の学術用語などにつく.
-ar[1] -al[1]の異形.
-arian **1** …の(関連の)人の. **2** (主義·説·原理などの)支持[信奉]者の, 唱 導者の, 実行者の.
-arious …に関する, …性の.
-ary …に属する, …に関係のある.
-ate[1] **1** …の特徴のある, …に満ちた. **2** …化した.
-atic …の, …的な.
-ative …する傾向がある.
-ato イタリア語の男性形過去分詞語尾.
-atory …のような, …の性質を持つ.
-atus ラテン語の過去分詞, および形容詞語尾.
-ble -able[1]の異形.
-cular[1] -cule[1]と-ar[1]の合成接尾辞.
-cular[2] -cule[2]と-ar[2]の合成接尾辞.
-cule[1] -cle[1]の異形.
-d[1] -ed[1]の異形.

-d[2] -ed[2]の異形.
-é フランス語の男性形過去分詞語尾.
-ed[1] 規則変化動詞につけて,「(その行為の結果生じる)状態・性質」を表す分詞形容詞をつくる.
-ed[2] …を備えた, …のある.
-ée[1] フランス語の女性形過去分詞形.
-el[3] -al[1]の変形したもの.
-en[2] …でできた.
-en[3] 多くの不規則変化動詞と少数の規則変化動詞の過去分詞をつくる.
-ent[1] …(を)する, …を示す, …の(ある).
-eous …のような, の性質を持つ.
-erly -er[1]と-ly[1]の結合形.
-ern[1] …の方(へ)の[からの].
-eroo 名詞について親しさ, こっけいさなどを表す.
-ers 短縮した語につけて愛着の気持ちを表す.
-ery[2] …する性質がある.
-escent …し始めた, …になりかかった.
-ese …人の, …の住民の; …語の.
-esque …様式の, …風の, …に似た.
-est[1] 形容詞・副詞の最上級をつくる.
-eth[2] -th[2]の異形.
-etic ラテン語からの形容詞語尾.
-etto イタリア語の男性形指小辞.
-ey[1] -y[1]の異形.
-fold **1** …の部分[重なり]を持つ. **2** …倍の.
-ful[1] **1** …に満ちた, …の多い. **2** …しがちな.
-i[2] ラテン語の男性名詞, 形容詞の属格形語尾.
-i[4] フランス語で過去分詞形語尾.
-i[5] …人の, …族の; …派の; …語の.
-ial -al[1]の異形.
-ian -an[1]の異形.
-ible -able[1]の異形.
-ic[1] **1** …の(ような). **2** …風の. **3** …でできた. **4** …部族[語族]の. **5** …を示す[にかかった]. **6** (化学で)…から抽出された.
-ical -ic[1]と-al[1]の結合形.
-id[2] …類に属する.
-id[4] …の状態の.
-ient 行く.
-if[1] フランス語に由来する名詞・形容詞接尾辞.
-iff[1] -ive[1]の異形.
-ile[1] 能力, 感受性, 責任, 適性などを表す.
-ile[2] (統計で)…分の1の.
-ine[1] …に関する; …の性質のある; …から成る; …のような.
-ing[2] **1** 動詞につけて現在分詞または形容詞をつくる. **2** ときに名詞につけて形容詞をつくる.
-ior[1] 形容詞の比較級を表す.
-ious -ousの異形.
-ique[1] 《古》-ic[1]の異形.
-ish[1] **1** (1)…に属する. (2)…のような, …の性質の. (3)…の傾向がある. (4)およそ…くらい. **2** …っぽい.
-issimo もとイタリア語で形容詞の最上級を表す語尾.
-ist[1] 名詞から派生して形容詞をつくる.
-istic おもに-ist[1], -ism[1]に対応する形容詞をつくる.
-istical -isticと-al[1]の結合形.
-it[1] ラテン語動詞の屈折形の一つ.
-ite[1] (場所・部族・指導者・主義・組織など)に関係する人の.
-ite[2] 形容詞およびある種の動詞から形容詞・名詞・動詞をつくる.
-itic -ite[1]と-ic[1]の結合形.
-itious **1** ラテン語起源の形容詞に見られる. **2** -itionに対応する形容詞をつくる.
-itive ラテン語起源の名詞・形容詞に見られる.
-ito[1] イタリア語の男性形過去分詞.
-itous -ityに対応する形容詞をつくる.
-ival -ive[1]と-al[1]の結合形.
-ive[1] **1** …する傾向・性質がある. **2** …と関係のある.
-le[1] …しがちな.
-less **1** …のない. **2** …できない.
-like …に似た, …のような, …にふさわしい.
-ling[2] 「方向, 位置, 状態」などを表す.
-ly[2] **1** …のような, にふさわしい. **2** 《時間の単位につけて》…ごとの.
-most **1** 最も…の, 最…. **2** …に最も近い.
-ndo もとはイタリア語の動詞状形容詞現在形を表す語尾.
-o[1] **1** 《話》短縮形をつくる. **2** 《俗》…である[の性質のある, に関係がある], …な[ぽい].
-oid[1] …に似た, …まがいの, …のような.
-olent -ulentの異形.
-orial …の, …に属する[関する].
-ory[1] …の(特徴を備えた), …に関係のある.
-ose[1] …でいっぱいの, …の多い; …性の; …状の.
-oso スペイン語, イタリア語に由来する形容詞接尾辞.
-otic **1** (行為・過程・状態・状況が)…の,的な. **2** …を(異常に)生み出す.
-ous …の特徴を備えた, …が多い, …がある.
-rel 小さな.
-some[1] …を生じ(させ)る, …しそうな.
-some[2] …つ[人]組の, …重の.
-st[1] -est[1]の異形.
-sy …に見せかける, …の振りをする.
-teric より…の, 比較的…の.
-th[2] 4以上の基数から序数をつくる.
-tic -ic[1]の異形.
-tical -ticと-al[1]の結合形.
-tious …を有する, …の特徴のある.
-tory[1] -ory[1]の異形.
-tual ラテン語行為名詞接尾辞*-tus*に-al[1]がついたもの.
-ty[1] 10の倍数.
-u[1] フランス語の名詞, 形容詞をつくる語尾要素.
-ual ラテン語名詞語尾*-us*に-al[1]がついたもの.
-ular …に関する, …に似た.
-ulent …に富む.
-ulose …の特色を持つ.
-ulous …の傾向のある; …がたくさんある.
-um[1] ラテン語の中性形名詞・形容詞語尾.
-urous …の尾のある.
-us[1] ラテン語の男性形名詞・形容詞語尾.
-ward[1] …(の方向)への.
-wards -ward[1]の異形.
-y[1] **1** …でいっぱいの. **2** …に似ている.
-y[4] フランス語に由来した名詞, 形容詞をつくる.
-yl[1] (化学で)…基を含む, …根を含む.

1-4 副詞をつくる

-ably …が可能な.
-ad[3] (解剖, 動物で)…に向かって.
-ally -al[1]と-ly[1]の結合形.
-arily -ary[1]と-ly[1]の結合形.
-ately -ate[1]と-ly[1]の結合形.
-ce …回.
-dem[2] ラテン語の指示接尾辞.
-edly -ed[2]と-ly[1]の結合形.
-est[1] 最上級をつくる.
-fold …倍に.
-fully -ful[1]と-ly[1]の結合形.
-ially -ialと-ly[1]の結合形.
-ibly -ablyの異形.
-ically -icalと-ly[1]の結合形.
-ily -y[1]と-ly[1]の結合形.
-im[2] ラテン語の副詞接尾辞.
-ingly -ing[2]と-ly[1]の結合形.
-ively -ive[1]と-ly[1]の結合形.
-lessly -lessと-ly[1]の結合形.

-ling[2]　「方向, 位置, 状態」などを表す.

-lings　-ling[2]の異形.

-lins　《スコット》-ling[2]の異形.

-ly[1]　**1** …(なやり方)で, …の様子で. **2** …に関しては.

-most　最上級をつくる.

-o[4]　ラテン語名詞または動名詞の奪格形.

-ously　-ousと-ly[1]の結合形.

-s[1]　英語起源で副詞をつくる接尾辞.

-st[1]　-est[1]の異形.

-ward[1]　…(の方向)へ.

-wardly　…(の方)へ.

-wards　-ward[1]の異形.

1-5 間投詞をつくる(音象徴を含む)

-a[12]　**1** 驚嘆·歓喜. **2** 幼児語の語尾に現れる音.

-a[13]　音象徴語と間投詞の重複語に見られる.

-aa　長く大きい発声.

-ack[1]　アヒルの鳴き声やおしゃべりの声.

-ack[2]　音象徴語の重複形に見られる.

-ah[2]　驚き, 歓喜, 嫌悪, 愚弄, 挑発などの発声.

-ah[3]　音象徴語の重複形に見られる.

-ak[1]　音象徴語の重複形に見られる.

-am[1]　戸や窓を強く閉める音や物をたたきつける音, また, 爆発音のような大きな音.

-ang[2]　音象徴語の重複形に見られる.

-ap[1]　**1** 軽く素早くたたいたり, 打ったりする動作. **2** パチパチはじけるような音や大きな声.

-ap[2]　音象徴語の重複形に見られる.

-arf[1]　鳴き声, さらうような動き; 軽蔑をさす.

-ash[2]　音象徴語の重複形に見られる.

-at[3]　音象徴語の重複形に見られる.

-augh　恐れ, 嫌悪など.

-aw[1]　高笑いや不満·驚嘆·失望; 動物の鳴き声.

-aw[2]　間投詞と音象徴語の重複形に見られる.

-cha[2]　間投詞の重複形に見られる語末[中間]要素

-ck　**1** 鋭く短い打撃音や機械的で乾いた音. **2** 1から連想される突然で瞬時の動作.

-ee[4]　**1** 笛や小鳥の発する高い音[声]. **2** 歓喜·驚嘆·嘲笑など.

-ee[5]　音象徴語の重複形に見られる語末要素.

-eek[1]　金切り声, ネズミ·サルなどの鳴き声.

-eh[2]　擬声語と間投詞の重複形に見られる.

-eh[3]　驚き·疑い, または同意·確認を促す疑問や聞き直り.

-eng　音象徴語の重複形に見られる.

-er[7]　音象徴語の重複形に見られる.

-ew[1]　**1** 口笛の音や驚き·不快などの感情をこめた呼気の音. **2** ネコやカモメの鳴き声.

-ff[1]　**1** 動物がほえる声など空気の強い動き, 息を吸ったり吹いたりするさま, ふわふわするさま. **2** 気炎をあげること, おしゃべり, からかい, はったりなど. **3** 一吹きからちょっとしたもの, つまらないもの. **4** 荒い息づかいから腹立ち. **5** 不気味さ.

-ff[2]　重複形に見られる語末子音.

-ick[2]　**1** 金属的で小さな音, また舌打ちの音. **2** 素早く突いたり, つまみとる動きや, 痙攣のような一瞬の動き.

-ick[3]　音象徴語の重複形に見られる.

-ick[4]　音象徴語の重複形に見られる前半要素.

-ing[5]　**1** 物が勢いよく飛び出したり, 動いていくさま. **2** 金属がぶつかり合って鳴り響く音.

-ing[6]　音象徴語の重複形に見られる.

-ip[1]　鋭く空を切るような瞬時の動作や軽くたたいたり, はじくような動作, 小さく甲高い声.

-it[2]　**1** 打つ, 割る, 切るといった急で短い動作. **2** 鳥の鳴き声. **3** 軽蔑·いらだちなど. **4** 小さなもの.

-it[3]　音象徴語の重複形に見られる.

-ng　衝突·打撃·爆発などの強い反響音や鐘·鈴が鳴り響く音.

-nk　音象徴語の重複形に見られる.

-o[1]　《話》驚き, 感嘆など; 呼び掛けに用いる.

-o[5]　音象徴語の重複形に見られる.

-oc[1]　音象徴語の重複形に見られる.

-ock[2]　打ったり, たたいたりする音や鳴き声.

-ock[3]　音象徴語の重複形に見られる.

-ong[2]　音象徴語の重複形に見られる.

-onk[1]　**1** ガンの鳴き声や警笛の音など. **2** 堅いものがぶつかる音や打撃音.

-oo[1]　**1** ニワトリ·カッコウ·フクロウのような, 伸びのある鳥の鳴き声. **2** くしゃみの音や脅し·興奮·軽蔑·驚き·嫌悪など.

-oo[2]　音象徴語の重複形に見られる.

-ooh　息や空気の出るさま

-oom[1]　大太鼓や飛行機の上昇の際に出る大きな反響音, 爆発や雷鳴の音.

-oomp　かんだり, 食べたりすることとその音.

-oop[1]　**1** 勢いよく直進する比較的長い動きとその音. **2** 興奮や歓喜の叫び声.

-oot[1]　**1** らっぱ·笛の鳴る音やフクロウなどの鳴き声; 叫び声や軽蔑的な発声. **2** 空を切って直進して行く素速い動き.

-op[2]　音象徴語の重複形に見られる.

-osh[1]　液体をはねらす音.

-ow[1]　**1** 強打, 破裂·爆発音, 銃声. **2** 人の驚きなどの発声と叫び. **3** 猫や鳥の鳴き声.

-rr　**1** 素早く勢いのよい動作の反復とそれに伴う振動音, 回転音. **2** 動物のうなり声や虫の音のような低く響く音.

-sh[2]　軽蔑, 反発, 嫌悪, ののしり, 不信, 不賛成.

-ss　蒸気の音や気体·液体が細く勢いよく出る音.

-ty[3]　音象徴語の重複形に見られる.

-ub[1]　音象徴語の重複形に見られる.

-udge[1]　**1** 鈍重さ, また, 鈍重な動作. **2** 汚れ, 不快さ.

-uff[1]　息や風の一吹きや気体の吹き出し, 殴打のような勢いのよい動き, うなり声や気炎など.

-uh　疑念, 驚き, 困惑, 軽蔑など.

-um[3]　くちびるの動きを伴う軽い発声.

-um[4]　音象徴語の重複形に見られる.

-ump[1]　**1** 衝突や大きなものの落下, 転倒. **2** 不快, 不満. **3** かんだり, 食べたりすることとその音. **3** 大きなこぶや塊, 群れ. **4** 軽蔑を表す.

-unk[1]　**1** 衝突や物を突き刺すような重くて鈍い衝撃音. **2** ある程度の大きさを持った塊, ぶつ切り, がらくたなど. **3** やつ, 野郎;(軽蔑的に)人やものをさす. **4** おじけ, 失敗など.

-urr[1]　低い振動音に似た動物のうなり声や虫の音.

-urra　音象徴語の重複形に見られる.

-ush[2]　音象徴語の重複形に見られる.

-ut[1]　音象徴語の重複形に見られる.

-utt[1]　音象徴語の重複形に見られる.

2 意味による分類

2-1 名詞

2-1-1「小さいもの」を表す(指小辞)

■英語起源

-ee[2]　-y[2], -ie[1]の異形.
-en[5]　英語起源の指小辞.
-ey[2]　-y[2]の異形.
-ing[3]　…に属するもの, と同じもの, に由来するもの.
-le[1]　動作または道具を表す; 古英語より.
-ling[1]　子…. ▶ 時に軽蔑の意を含む; 古英語より.
-ock[1]　古英語より.
-y[2]　…ちゃん, お…. ▶ 古英語より.

■ラテン語起源

-cel[1]　ラテン語より.
-cle[1]　微粒…, 分(離)….
-cula　ラテン語より.
-cule[1]　-cle[1]の異形.
-culum　手段や場所を表す.
-culus　ラテン語より.
-el[1]　主にラテン語より.
-ella　…のように小さなもの.
-ellum　ラテン語より.
-idium　動物学, 生物学, 植物学, 解剖学, 化学などの用語に用いる.
-il[1]　ラテン語, フランス語, イタリア語などのロマンス語より.
-illa[1]　ラテン語より.
-illum　ラテン語より.
-ium　(生物学で)小形…, …塊.
-le[2]　ラテン語より.
-let　子どもの…; …に付ける物.
-ola　イタリア語またはラテン語より.
-ole[1]　フランス語またはラテン語より.
-olum　ラテン語より.
-ula　ラテン語より.
-ule[1]　ラテン語より.
-ulet　ラテン語より.
-ulum　ラテン語より.
-ulus　ラテン語より.
-uncle　ラテン語より.

■フランス語起源

-cel[2]　フランス語より.
-eau　フランス語より.
-elle[1]　フランス語より.
-et[1]　フランス語より.
-et[2]　女子の名をつくる.
-ett[1]　人名をつくる.
-ette[1]　女子の名をつくる.
-il[1]　ラテン語, フランス語, イタリア語などのロマンス語より.
-ille[1]　フランス語より.
-illon　フランス語より.
-ole[1]　フランス語またはラテン語より.
-rel　…なもの[やつ].

■イタリア語起源

-ello　イタリア語より.
-erino　《こっけい》ちっぽけな…, …の典型.
-et[1]　小型の.
-etta　イタリア語より.
-etto　イタリア語より.
-il[1]　ラテン語, フランス語, イタリア語などのロマンス語より.
-ina[2]　イタリア語より; 特に楽器を表す.
-ino　イタリア語より.
-ola　イタリア語またはラテン語より.

■スペイン語起源

-et[1]　小型の.
-illa[2]　スペイン語より.
-illo　スペイン語より.
-ita　スペイン語より.
-ito[2]　スペイン語の指小辞.

■ギリシャ語起源

-idion　ギリシャ語より.
-in[1]　ギリシャ語より.
-ion[2]　ギリシャ語より.

■オランダ語起源

-kin　オランダ語より.
-quin　オランダ語*ken*より.

■アイルランド語起源

-een[1]　…のちっちゃなもの, …のちっぽけなやつ.

■起源不明

-sie　-syの綴り字異形.
-sy　主に口語で使われ, 時に軽蔑の意を含む.

2-1-2「人」を表す

2-1-2-1「…する人(行為者)」を表す

-a[11]　俗語用法で, 語尾-erのなまったもの.
-ado　イタリア語, スペイン語, ポルトガル語より.
-ador　スペイン語より.
-aire　…する性格の人, …を持っている人.
-an[1]　…する人, …家[研究者].
-ant[1]　…の行為をする人. ▶ -er[1]より専門的な用語をつくる.
-ar[2]　-er[2]の異形.
-ar[3]　-er[1]の異形.
-ard[1]　特に…する性質がある人. ▶ 侮蔑や非難を表すことが多い.
-arian　(主義・説・原理などの)支持者, 唱導者, 実行者.
-art[1]　-ard[1]の異形.
-ast[1]　…に従事する人.
-ato　イタリア語より.
-ator　…する人.
-chik　ロシア語より.
-dor　スペイン語より.
-ee[1]　…する人.
-ent[1]　…する人.
-er[1]　ある事を(職業として)する人.

-ero	スペイン語, イタリア語より.
-eur	行為者, ある役割を持つ人.
-ier[1]	-er[1]の異形. ▶ 商売, 職業を表す.
-iff[1]	-ive[1]の異形.
-ior[2]	-or[2]の異形.
-ist[1]	**1** …の創作家, 演奏家. **2** 学問·芸術における研究者.
-ive[1]	…する人.
-le[1]	…する人.
-or[2]	行為者, ある役割を持つ人.
-sie	-syの綴り字異形.
-sor	-torの異形.
-ster	…屋. ▶ しばしば軽蔑の意を含む.
-sy	…に見せかける人, …の振りをする人.
-tic	-ic[1]の異形.
-tor	…する人.
-yer	-er[1]の異形.

2-1-2-2「…される人(被行為者)」を表す

-and[1]	ラテン語-*āre*の動詞状形容詞より.
-ee[1]	ある行為をされる人. ▶ 法律用語に使われる.
-end[1]	ラテン語-*ēre*の動詞状形容詞より.
-u[1]	フランス語の名詞, 形容詞をつくる語尾要素.

2-1-2-3「…に関連する人」を表す

-ac[1]	…に取りつかれた人.
-aire	…する性格の人, …を持っている人.
-al[1]	…に関係のある人.
-an[1]	**1** …の土地の生まれの人. **2** …に所属する人. **3** …時代の人. **4** …派の人, …を信奉する人.
-ar[2]	-er[2]の異形.
-arian	**1** …の関連の人. **2** (主義·説·原理などの)支持[信奉]者, 唱導者, 実行者.
-ary	…に属する人, …に関連のある人.
-ast[1]	…に関係のある人.
-aster[1]	似て非なる人, えせ…, 取るに足りない人.
-at[1]	-ate[3]の異形.
-ate[1]	…の特徴をもつ人; …者.
-ate[3]	…の役割を果たす人.
-atic	…の人, …的な人.
-ay[1]	《俗》ピッグラテンで使われる語尾.
-ean[1]	-an[1]の異形.
-ee[1]	**1** あるものを所有している人. **2** ある状態にある人.
-ee[2]	-y[2], -ie[1]の異形.
-eer[1]	**1** (専門的に)…関係者. **2** (軽蔑的に)…と関係を持つ人.
-ene[1]	(地名·国名につけて)…の土地生まれの人.
-ensis	…に属する人, …に起源のある人.
-er[1]	**1** ある特徴を持っている人. **2** …の土地の人. **3** …主義[支持]者.
-er[2]	…と関係[関連]のある人.
-er[6]	学生俗語; おそらく-er[1]にならって.
-ero	…と関係のある人, …に属する人.
-eroo	-er[1]のつく語と結びついて, 親しさ, こっけいさを表す.
-ers	…なやつ. ▶ 主に俗語用法.
-ese	…人, …の住民.
-ey[2]	-y[2]の異形.
-i[5]	…人, …族; …派. ▶ アラビア語などから.
-ian	-an[1]の異形.
-ic[1]	**1** …部族[語族]の人. **2** …を示す[にかかった]人.
-ician	…の専門家, …家; -ic[1]と-ianの結合形.
-id[1]	**1** …の子, …の子孫. **2** …王朝の人.
-ie[1]	-y[2]の異形.
-ier[1]	-er[1]の異形.
-ier[2]	-eer[1]の異形.
-ing[3]	…に属する人, と同じ人, に由来する人.
-ist[1]	**1** 学説·主義の支持者. **2** ある特徴を持っている人.
-ite[1]	場所·部族·指導者·主義·組織などに関係する人.
-ling[1]	…にかかわり合いのある人.
-nik	…に関心の強い人, …狂.
-o[1]	…である[の性質のある, に関係がある]人, …な[ぽい]やつ.
-oid[1]	…に似た人.
-oso	…をもつ人; …にかかわりのある人. ▶ スペイン語, イタリア語より.
-ot[1]	…の住人.
-sie	-syの綴り字異形.
-ster	…の特徴をもつ人; …屋.
-sy	…に見せかける人, …の振りをする人.
-tic	-ic[1]の異形.
-ton[1]	…な人.
-y[2]	**1**《名詞·形容詞につけて》…ちゃん, お…. **2**《やや軽蔑的に》…さん. **3** …な人.
-yer	-er[1]の異形.

2-1-2-4「女性の…(女性形)」を表す

-atrix	-atorの女性形.
-ee[3]	-ée[1]の異形.
-ée[1]	-*er*のつくフランス語動詞の過去分詞の女性形より.
-enne	-*en*のつくフランス語男性名詞の女性形.
-ess[1]	**1** 女性の…. **2** …夫人. **3** 雌の….
-ette[1]	フランス語より.
-euse	-eurの女性形.
-ice[2]	女子の名をつくる. ▶ ラテン語より.
-iere	-ier[2]の女性形.
-ière	-ier[2]の女性形.
-ina[1]	女子の名, 称号, 職名をつくる.
-ine[4]	女性名詞のほか, 女子の洗礼名·称号を表す.
-stress	-sterと-ess[1]の結合形.
-tress	-tor, -terなどで終わる語の女性形.
-trice	-trixの異形で女性名詞をつくる.
-trix	-torの女性形.

2-1-3「物」を表す

-abilia	…できるもの.
-ac[1]	…のような[に関する]もの.
-ad[2]	-ade[1]の異形.
-ade[1]	フランス語, スペイン語より.
-ado	イタリア語, スペイン語, ポルトガル語より.
-al[1]	…のようなもの, …の性質を持つもの.
-ana	…集, 資料集, 文献, 百科, 語録, 逸話集.
-and[1]	(主に数学, 化学用語で)…されるもの.
-ant[1]	**1** …する能力を持つ物. **2** …される物.
-ar[2]	-er[2]の異形.
-ard[1]	多くはフランス語より.
-arium	…を入れるもの.
-ary	入れ物, 置き場.
-ate[1]	(特に化合物名で)…する性質を持ったもの.
-ator	…する物; (特に)機械.
-atrix	-atorの女性形.
-atum	ラテン語の過去分詞語尾-*ātus*の中性形.
-brum	…する道具, 手段.
-bulum	…する道具, 手段.
-cle[2]	…室, …器, …手段, …物.
-crum	…する道具, 手段.
-cule[2]	-cle[2]の異形.
-culum	小さいもの, 小….
-dor	…する道具, 場所.
-ee[2]	-y[2], -ie[1]の異形.

-el^1 小さいもの; 小….
-el^3 -al^{1}の変形したもの.
-ent^1 (特に薬剤, 化合物名で)…する性質を持った物.
-er^1 **1** ある特徴を持っている物. **2** …するための道具. **3** …される(に向いている)物.
-er^2 …と関係[関連]のあるもの.
-erie 仕事, 製造所, 製品.
-ero …に関連したもの.
-ery^1 集合物, …数.
-et^1 **1** 小さいもの, 小型の…. **2** 道具, 場所.
-ette^1 小さい…, かわいい….
-ey^2 -y^{2}の異形.
-iana -anaの異形.
-ic^1 **1** …部族[語族]の関わるもの. **2** …を示すもの. **3** (化学で)…から抽出されたもの.
-ica^1 ラテン語より.
-ie^1 -y^{2}の異形.
-iere -ier^{2}の女性形.
-ière -ier^{2}の女性形.
-ing^1 **1** 行為·過程の産物. **2** 行為·過程において用いられるもの. **3** ある概念と関連のあるもの.
-ing^3 …に属するもの, と同じもの, に由来するもの.
-le^1 **1** 小さいもの. **2** …する道具.
-let **1** 小さいもの, 子どもの…. **2** …に付ける物, 装身具.
-ment **1** 行為の結果, 産物. **2** 手段.
-or^2 ある役割を持つもの.
-ory^2 場所, 手段.
-os^1 (特に古代ギリシャ·ローマの)道具, 建造物.
-sor -torの異形.
-tic -ic^{1}の異形.
-tory^2 -ory^{2}の異形.
-trix ラテン語より.
-trum …する道具, 手段.
-ulum 小…, 小さい.
-ure^1 …の行為の結果, 産物.
-y^2 **1** …ちゃん, お…. **2** …なもの.
-y^3 特定の店や品物.

2-1-4「場所」を表す

-age^1 住むところ.
-arium …に関する場所. **1** ラテン語からの借用語で「…を入れるもの[ところ]」. **2** 動植物の人工的環境を示す.
-ary 入れ物, 置き場.
-ate^3 任務関連の場所.
-atorium …する場所, 施設.
-cle^2 …室, …器, …手段, …物.
-cule^2 -cle^{2}の異形.
-culum …する手段, 場所.
-dor …する場所.
-erie 仕事, 製造所, 状態.
-ery^1 **1** …業, 仕事. **2** …(製造·販売)所[店·屋].
-etum 植物の生育場所.
-ium …の地位, 職; 権利; 集団; 学科.
-ment 行為をする場所.
-orium …の場所; …の手段.
-ory^2 場所, 手段.
-ry^1 **1** …業, 仕事. **2** …(製造·販売)所[店·屋].
-terion …の場所; …の手段.
-torium …の場所; …の手段.
-tory^2 -ory^{2}の異形.
-um^1 建物, 場所, 機関.

2-1-5「行為」「性質」などの抽象名詞をつくる

-ability -able^{1}と-ityの結合形.
-acism …の傾向があること.
-acity -aciousに対応する抽象名詞をつくる.
-acy **1** 状態·性質. **2** 行為. **3** 地位·職.
-age^1 **1** 行為. **2** 行為の結果. **3** 状態. **4** 範囲. **5** 関係·地位.
-al^2 **1** 行為. **2** 行為の結果.
-ance^1 **1** 性質·状態. **2** 行為. **3** 量·程度.
-ancy -ance^{1}と-y^{3}との結合形.
-asm 行為の結果.
-ation **1** 動作·行為. **2** 状態. **3** 結果·産物.
-cion -tionの異形.
-cy **1** 性質·状態. **2** 地位·職務. **3** 行為.
-dom **1** …の地位, 階級. **2** …の状態, …権.
-em^1 行為の結果
-ence^1 **1** 行為. **2** 性質.
-ency -ence^{1}と-y^{3}の合成形.
-er^3 行動·過程·手順.
-erie **1** 仕事, 製品. **2** 性質, 状態.
-ery^1 **1** …業, 仕事, 技術. **2** 性質·状態.
-escence …し始めの[…になりかかりの]状態, 過程.
-esis 動作, 進行過程.
-head …の存在, …性, …の状態.
-hood **1** 性質, 状態. **2** 時期.
-ibility -abilityの異形.
-ice^1 状態, 性質.
-ility -(i)leと-ityの結合形.
-ine^2 ギリシャ語, ラテン語, フランス語より.
-ing^1 **1** 行為·過程. **2** 行為·過程の一例. **3** 行為·過程の産物.
-ion^1 **1** …すること. **2** 状態. **3** 結果·産物.
-isation 《主に英》-izationの異形.
-ise^2 …の性質, …の条件, …の機能.
-ism^1 **1** 行為. **2** 性質·状態. **3** …中毒. **4** …差別. **5** 教義·学説. **6** 主義. **7** …特有の言い方.
-ismo -ism^{1}に相当するスペイン語, イタリア語の接尾辞.
-ition 動作, 状態. ► -ite^{2}と-ion^{1}の結合形.
-ity **1** 性質·状態. **2** (ある異常な性質を持っているものの)例. **3** 程度·量.
-ization -izeと-ationの結合形.
-keit ドイツ語の「性質, 状態」を表す接尾辞.
-ment **1** 動作·過程. **2** 行為の結果·産物. **3** 手段.
-mentation -mentと-ationの結合形.
-mentum ラテン語より; 英語-mentに相当.
-mony **1** 地位, 役割, 機能. **2** 人の特性, 行動の種類.
-ness **1** 性質, 状態. **2** 程度, 度合. **3** 事例.
-or^1 動作·状態·性質.
-osity …性, の資質.
-red 状態を表す.
-ry^1 **1** …業, 仕事. **2** 集合物, …類. **3** 性質·状態.
-ship **1** 状態, 性質. **2** 性質, 状態を備えているもの. **3** 地位, 役職. **4** 能力. **5** 人間関係. **6** …集団.
-sion 動作, 状態, 結果.
-sis **1** 行為, 過程. **2** 状態, 条件.
-th^1 **1** 《形容詞につけて》性質·状態. **2** 《動詞につけて》行為·過程.
-tion **1** 行為·過程. **2** 行為·過程の結果·産物.
-tude 性質, 状態.
-ty^2 …な性質[状態, 程度].
-ure^1 **1** 行為·過程. **2** 行為の結果·産物. **3** 機関, 職務.
-xion 《主に英》-tionの異形.
-y^3 **1** 動作, 行為. **2** 状態·性質.

2-1-6「集団」「組織」などの集合名詞をつくる

-age^1 **1** 関係·地位. **2** 集合(体).
-at^1 -ate^{3}の異形.
-ate^3 **1** 組織, 制度; 集団, 団体. **2** 地位, 職務, 領土.
-dom **1** …の土地, 所領. **2** …界, の集団, 業界. **3** …の地位, 階級.

-erie	仕事; 製造所; 製品; 集団.
-ery[1]	**1** …業, 仕事, 技術. **2** 集合物, …類.
-hood	特定の人々の集団.
-ica[1]	ラテン語より.
-ium	…の地位, 職; 権利; 集団; 学科.
-ry[1]	**1** …業, 仕事. **2** 集合物, …類.
-ship	**1** 地位, 役職. **2** 能力. **3** 人間関係. **4** 集団.
-y[3]	**1** 特定の店や品物. **2** 集合体, 集団.

2-1-7 複数形をつくる

-a[1]	ギリシャ語·ラテン語の名詞の複数語尾.
-ades	-ad[1]の複数形.
-ae[1]	ラテン語の名詞複数形語尾.
-ata	ラテン語-*ātus*の中性複数形.
-en[4]	ある種の名詞の複数形をつくる.
-es[1]	複数形語尾-sの異形.
-es[2]	ギリシャ語からの借用語にみられる複数形語尾.
-es[3]	ラテン語からの借用語にみられる複数形語尾.
-i[1]	ラテン語の男性名詞, または形容詞の複数形語尾.
-i[3]	イタリア語の複数形語尾.
-ica[1]	ラテン語形容詞語尾-*icus*の複数形.
-ics	-ic[1]の複数形.
-ides	ギリシャ語の複数形語尾.
-im[1]	ヘブライ語からの借用語にみられる複数語尾.
-istics	-ist[1]と-icsの結合形.
-oi	ギリシャ語の男性名詞複数形語尾.
-'s	数字や文字の複数形を示す.
-ses	-sisの複数形.
-x[1]	-uで終わるフランス語の名詞の複数形.
-x[2]	-ks, -cs, -cksの発音つづり.

2-1-8 名称(学術用語など)をつくる

2-1-8-1 化学物質名

-a[3]	金属の酸化物.
-al[3]	アルデヒド基の入った化合物.
-an[2]	不飽和炭素化合物, 無水物などの化合物.
-ane[2]	メタンまたはパラフィン系の炭化水素の類.
-ase[1]	…酵素.
-ate[2]	…酸塩.
-ene[1]	(特にエチレン系の)不飽和炭化水素.
-id[3]	-ide[1]の異形.
-ide[1]	化合物を表す.
-idine	ある化合物の名称につけて, その化合物から誘導された新化合物の名称.
-in[2]	特に中性化合物, グリセリン脂肪酸エステル類, 配糖体物質, タンパク質物質の名称.
-ine[3]	特に塩基性物質の名称.
-ite[1]	特に-ousで終わる酸塩.
-itol	水素基1個以上を含むアルコール類.
-ium	主に化学元素名, 化合物名.
-o[1]	…基の.
-oid[1]	…に似たもの.
-ol[1]	アルコール, またはフェノールの類.
-ol[2]	-ole[2]の異形.
-ole[2]	不飽和で複素5員環の構造を含む化合物名.
-on[2]	不活性気体元素の命名.
-one[1]	ケトン化合物; それに類した酸化化合物.
-ose[2]	…糖, 炭水化物.
-um[1]	主に化学元素名.
-uret	《古》…化合物.
-yl[1]	…基, …根.

2-1-8-2 科学用語一般

-alis	ラテン語より.
-anum	主にラテン語より.
-anus	ラテン語より.
-aris	ラテン語より.
-culus	小(さい). ► ラテン語より.
-eus	ラテン語より.
-ics	…学, …術, …原理, …研究.
-ism[1]	**1** 教義·学説. **2** 主張.
-istics	-ist[1]と-icsの結合形.
-oid[1]	…に似たもの, …もどき.
-on[1]	命名に用いる. **1** 素粒子. **2** 量子. **3** 構成要素.
-trum	ラテン語の道具, 手段を表す名詞接尾辞.
-tus[1]	ラテン語の行為名詞接尾辞.
-tus[2]	ラテン語の過去分詞語尾.
-um[1]	ラテン語の中性形名詞·形容詞語尾.
-us[1]	ラテン語の男性形名詞·形容詞語尾.

2-1-8-3 薬剤·薬品名

-an[2]	不飽和炭素化合物, 無水物などの化合物.
-ate[2]	…酸塩.
-ene[1]	合成薬品などの商品名.
-id[3]	-ide[1]の異形.
-ide[1]	化合物を表す名詞をつくる.
-idine	ある化合物の名称につけて, その化合物から誘導された新化合物の名称.
-in[2]	中性化合物, グリセリン脂肪酸エステル類, 配糖体物質, タンパク質物質の名称.
-ine[3]	特に塩基性物質の名称.
-ite[1]	薬品·商品名, また爆薬名.
-ium	薬品名.
-ol[1]	アルコール, またはフェノール類.
-ole[2]	不飽和で複素5員環の構造を含む化合物名.
-one[1]	ケトン化合物; それに類した酸化化合物.
-ose[2]	…糖, 炭水化物.

2-1-8-4 動物·鳥類·魚類·昆虫の分類名

-a[1]	ギリシャ語·ラテン語の名詞の複数語尾.
-a[2]	ギリシャ語·ラテン語の名詞の女性単数語尾.
-a[5]	スペイン語の女性形名詞語尾.
-aea	-ea[1]の異形.
-an[1]	…属, …科.
-ard[1]	多くはフランス語より.
-aria	ラテン語より.
-ata	ラテン語より.
-ate[1]	…の特徴をもったもの.
-ea[1]	ラテン語より.
-ean[1]	…に所属するもの.
-i[1]	ラテン語の男性名詞または形容詞の複数形語尾.
-ia	ギリシャ語·ラテン語より.
-ian	-an[1]の異形.
-id[2]	近代ラテン語より.
-ida[1]	(生物の分類で)…目, …綱.
-ina[3]	(生物の分類で)…類.
-ine[1]	生物の分類名に用いられる.
-ine[5]	-ina[1]の異形.
-ium	小形…, …塊. ► 分類名や器官·組織名.
-ling[1]	…にかかわり合いのあるもの.
-oid[1]	…に似たもの, …もどき.
-ota	生物学の分類上, 特に種族を表す語の複数形をつくる.
-ote[1]	生物学の分類を示す複数語尾; ギリシャ語より.
-ula	ラテン語の女性形, または中性形複数の指小辞.
-um[1]	ラテン語の中性形容詞語尾.

2-1-8-5 植物の分類名

-a[2]	ギリシャ語·ラテン語の名詞の女性単数語尾.
-aea	-ea[1]の異形.
-aria	ラテン語より
-ate[1]	…の特徴をもったもの.
-ea[1]	ラテン語より.
-i[1]	ラテン語の男性名詞または形容詞の複数形語尾.
-i[2]	ラテン語の男性名詞または形容詞の属格形語尾.
-ia	ギリシャ語·ラテン語借用の名詞語尾.
-ica[2]	ラテン語起源より.
-icum	ラテン語の中性形接尾辞.
-id[2]	近代ラテン語より.
-illa[1]	ラテン語の女性形指小辞.
-illo	スペイン語の指小辞.
-ina[3]	(生物の分類で)…類.
-ine[1]	生物の分類名.
-ine[5]	-ina[1]の異形.
-ium	小形…, …塊. ▶ 植物名や器官·組織名.
-oid[1]	…に似たもの, …もどき.
-olum	ラテン語の指小辞.
-ome[1]	(植物学で)塊, 群, 部.
-ula	ラテン語の女性形, または中性形複数の指小辞.
-um[1]	ラテン語の中性形名詞·形容詞語尾.
-us[1]	ラテン語の男性形名詞·形容詞語尾.

2-1-8-6 病名

-a[2]	ギリシャ語·ラテン語の名詞の女性単数語尾.
-ac[1]	…のような[に関する]もの.
-asis	…性の病気, …に起因する病気.
-ia	病名などの医学用語をつくる; ギリシャ語·ラテン語の名詞語尾.
-iasis	…性の病気.
-ic[1]	…を示す[にかかった]人[もの].
-id[1]	…性発疹.
-igo	ラテン語の名詞接尾辞.
-ism[1]	…中毒.
-ites	-itisの複数形.
-itis	**1** 器官の炎症を表す. **2** 《話》…熱, …中毒.
-ma	ギリシャ語の中性形接尾辞.
-oid[1]	…に似たもの, …もどき.
-olum	ラテン語の指小辞.
-oma	(病理学で)腫瘍.
-osis	心身機能の障害, 異常状態.
-sis	ギリシャ語より.

2-1-8-7 民族·住民名

-ac[1]	-ic[1]の異形.
-an[1]	…の土地生まれの[に住む]人.
-ean[1]	…人, …住民.
-ene[1]	(地名·国名の語尾につけて)その土地の住人.
-ese	…人, …の住民.
-i[1]	ラテン語の男性名詞の複数形.
-i[5]	主に中近東や南アジア地域の民族·住民名.
-ian	-an[1]の異形.
-ic[1]	…部族[語族]の人.
-ine[1]	…の住人.
-ish[1]	(特に国名や地域名につけて)…人.
-ite[1]	場所·部族·主義·組織などに関係する人.
-itic	-ite[1]と-ic[1]の結合形.
-ot[1]	…の住人.
-tec	ナワトル語で, 民族名を表す接尾辞.

2-1-8-8 言語名

-ac[1]	-ic[1]の異形.
-an[1]	…語.
-ean[1]	…語(族, 派).
-ese	**1** …語. **2** …に特有の言い方, 言語.
-i[5]	主に中近東や南アジア地域の言語名.
-ian	-an[1]の異形.
-ic[1]	…語族.
-ish[1]	(特に国名や地域名につけて)…語.
-itic	-ite[1]と-ic[1]の結合形.

2-1-8-9 鉱物名

-in[2]	化学·鉱物学の学名などに用いられる.
-ine[3]	鉱物学の専門用語をつくる.
-ite[1]	鉱物学などで「…石, …鉱, …岩」を表す.

2-1-8-10 神話に登場する神[もの]に関する名称

-ades	ギリシャ神話に関する名称をつくる.
-ae[1]	ギリシャ·ローマ神話に関する名称をつくる.
-es[2]	ギリシャ神話に関する名称をつくる.
-i[1]	ギリシャ·ローマ神話に関する名称をつくる.
-ia	ローマ神話の女神の名をつくる.
-ides	ギリシャ神話に関する名称をつくる.

2-1-8-11 商品·商標名

-ene[1]	合成薬品などの商品名.
-in[2]	化合物, 薬品の商標に使われる.
-ite[1]	薬品の商品名.
-ola	商品名をつくる.
-'s	所有格を示し, 商標名などをつくる.
-x[3]	商標名などにつく語尾要素.

2-1-9 その他

-ad[1]	ある単位数や単位年数を示す.
-ate[3]	任務期間, 統治期間を表す.
-est[1]	形容詞·副詞の最上級をつくる.
-ful[2]	…一杯(の量).
-ia	ギリシャ·ローマ時代の祭典名をつくる.
-ile[2]	(統計学で)…分の1.
-it[1]	ラテン語動詞の屈折形.
-ness	程度, 度合を表す.
-ode[1]	…のような性質[形状]を持つもの, に似たもの.
-oid[1]	…に似たもの, まがいもの, もどき.
-'s	所有格を示す.
-some[2]	…つ[人]組のもの, …重のもの.
-teen	13から19までの基数をつくる.
-ty[1]	10の倍数を表す.

2-2 動詞

2-2-1「…する(動作), …になる(変化)」を表す

-ate[1]	…させる, …する.
-eer[1]	…関係の仕事をする.
-en[1]	**1** …(の状態)にする. **2** …(の状態)になる.
-fy	**1** …にする, …化する. **2** 《しばしば軽蔑的》…に似させる, …の特徴を持たせる.
-ify	-fyの異形.

-ise[1]　《主に英》-ize[1]の異形.
-ish[2]　フランス語から借用の-irで終わる動詞の語幹につけて動詞をつくる; またはこれにならって一般的に動詞をつくる.
-ite[2]　形容詞およびある種の動詞から形容詞·名詞·動詞をつくる.
-ize[1]　**1** ギリシャ語起源でラテン語またはフランス語経由の語を動詞にする. **2** 名詞や形容詞につけて他動詞をつくる. **3** 名詞や形容詞につけて自動詞をつくる.

2-2-2 「反復·くり返し」を表す 音象徴的な動詞語尾の例.

-er[6]　頻発·反復を表す.
-le[3]　反復する動作を表す.

2-2-3 「…し始める（始動）」を表す

-esce　…し始める, …になりかける.

2-2-4 単数現在形をつくる

-eth[1]　《古》動詞の三人称単数·直説法現在をつくる.
-th[3]　-eth[1]の異形.

2-2-5 過去形または過去分詞をつくる

-d[1]　-ed[1]の異形.
-ed[1]　規則変化動詞につけて過去分詞をつくる.
-en[3]　多くの不規則変化動詞と少数の規則変化動詞の過去分詞をつくる.
-t[1]　ある種の動詞の過去または過去分詞をつくるのに用いる-ed[1]の変形.

2-3 形容詞

2-3-1 「…のような（性質, 状態）」を表す

-ac[1]　-ic[1]の異形.
-acal　-ac[1]と-al[1]の結合形.
-acious　…の. ▶-acity, -acyに対応する形容詞をつくる.
-al[1]　…の（ような）, …と関係のある, …の性質の.
-an[1]　**1** …の土地生まれの; 語の. **2** …派の. **3** …時代の; …文化の.
-ando　主に音楽用語で, 演奏［歌唱］の特徴を表す.
-ane[1]　-an[1]の異形.
-aneous　ラテン語より.
-ant[1]　**1** …の行為をする. **2** …する能力を持つ.
-anus　ラテン語より.
-ar[1]　-al[1]の異形.
-arious　…に関する, …性の.
-ate[1]　…の（特徴のある）, …を持つ, …に満ちた.
-ative　**1** …する傾向がある. **2** …と関係のある.
-ato　主に音楽用語で, 演奏［歌唱］の特徴を表す.
-atory　…のような, …の性質を持つ.
-cular[1]　-cule[1]と-ar[1]の合成接尾辞.
-d[1]　-ed[1]の異形.
-d[2]　-ed[2]の異形.
-ed[1]　規則変化動詞につけて, その行為の結果生じる状態·性質を表す分詞形容詞をつくる.
-ed[2]　…を備えた, …のある.
-el[3]　-al[1]の変形したもの.
-endo　主に音楽用語で, 演奏［歌唱］の特徴を表す.
-ent[1]　…（を）する, …を示す, …の（ある）.
-eous　…のような, の性質を持つ.
-eroo　名詞について親しさ, こっけいさなどを表す.
-erly　…のような, …らしい.
-ery[2]　…する性質がある.
-escent　…し始めた, …になりかかった.
-ey[1]　-y[1]の異形.
-ful[1]　…に満ちた, …の多い, …の性質の.
-ial　-al[1]の異形.
-ian　-an[1]の異形.
-ic[1]　**1** …の（ような）. **2** …風の. **3** …でできた.
-ical　-ic[1]と-al[1]の結合形.
-id[4]　…の状態の.
-iff[1]　-ive[1]の異形.
-ile[1]　能力, 感受性, 責任, 適性などを表す.
-ine[1]　…のような, …の性質を持つ, …から成る.
-ino　主に音楽用語で, 演奏［歌唱］の特徴を表す.
-ious　-ousの異形.
-ish[1]　…のような,の性質の.
-issimo　主に音楽用語で, 演奏［歌唱］の特徴を表す.
-ist[1]　…的な.
-istic　おもに-ist[1], -ism[1]に対応する形容詞をつくる.
-istical　-isticと-al[1]の結合形.
-ite[2]　形容詞およびある種の動詞から形容詞·名詞·動詞をつくる.
-itious　**1** ラテン語起源の形容詞に見られる. **2** -itionに対応する形容詞をつくる.
-itive　ラテン語より.
-itous　-ityに対応する形容詞をつくる.
-ive[1]　…する傾向·性質がある.
-ivo　主に音楽用語で, 演奏［歌唱］の特徴を表す.
-ling[2]　「方向, 位置, 状態」などを表す.
-ndo　主に音楽用語で, 演奏［歌唱］の特徴を表す.
-oid[1]　…に似た, …まがい, もどき, …のような.
-ory[1]　…の（特徴を備えた）, …に関係のある.
-ose[1]　…でいっぱいの, …の多い; …性の; …状の.
-oso　主に音楽用語で, 演奏［歌唱］の特徴を表す.
-otic　（行為·過程·状態·状況が）…の, …的な.
-ous　…の特徴を備えた, …が多い, …がある.
-rel　小さな.
-some[1]　…を生じ（させ）る, …しそうな.
-tic　-ic[1]の異形.
-tical　-ticと-al[1]の結合形.
-tious　…を有する, …の特徴のある.
-u[1]　フランス語の名詞, 形容詞をつくる語尾要素.
-ual　ラテン語名詞語尾-*us*に-al[1]がついたもの.
-ulose　…の特色を持つ.
-ulous　…の傾向のある, …しやすい; …がたくさんある; …の特色を持つ.
-y[1]　**1** …の特徴を備えた. **2** やや…の, …がかった.

2-3-2 「…に関連のある」を表す

-ac[1]　-ic[1]の異形.
-acal　-ac[1]と-al[1]の結合形.
-al[1]　…の（ような）, …と関係のある, …の性質の.
-ar[1]　-al[1]の異形.
-arian　…の（関連の）人の.
-arious　…に関する, …性の.
-ary　…に属する, …に関係のある
-ate[1]　…の（特徴のある）, …を持つ, …に満ちた.
-atic　…の, …的な.
-ative　**1** …する傾向がある. **2** …と関係のある.
-atory　…のような, …の性質を持つ.
-cular[1]　-cule[1]と-ar[1]の合成接尾辞.
-cular[2]　-cule[2]と-ar[1]の合成接尾辞.
-etic　-ic[1]の異形.
-ial　-al[1]の異形.
-ic[1]　**1** …の（ような）. **2** …風の. **3** …でできた.
-ical　-ic[1]と-al[1]の結合形.

-id[2]	…類に属する.
-ile[1]	能力, 感受性, 責任, 適性などを表す.
-ine[1]	…に関する; …から成る; …のような.
-istic	おもに-ist[1], -ism[1]に対応する形容詞をつくる.
-istical	-isticと-al[1]の結合形.
-itic	-ite[1]と-ic[1]の結合形.
-itive	ラテン語起源の名詞·形容詞に見られる.
-ival	-ive[1]と-al[1]の結合形.
-ive[1]	…の, …と関係のある.
-orial	…の, …に属する[関する].
-ory[1]	…の(特徴を備えた), …に関係のある.
-ose[1]	…でいっぱいの, …の多い; …性の; …状の.
-otic	(行為·過程·状態·状況が)…の, …的な.
-tic	-ic[1]の異形.
-tical	-ticと-al[1]の結合形.
-tory[1]	-ory[1]の異形.
-tual	ラテン語行為名詞接尾辞*-tus*に-al[1]がついたもの.
-ular	…に関する, …に似た.

2-3-3「…に属する」を表す

-an[1]	…の土地生まれの; …語の; …に所属する.
-ary	…に属する, …に関係のある
-ese	…人の, …の住民の; …語の.
-i[5]	…人の, …族の; …派の; …語の.
-ian	-an[1]の異形.
-ic[1]	…部族[語族]の.
-id[2]	…類に属する.
-ine[1]	…に属する.
-ish[1]	(特に国名や地域名につけて)…に属する.
-ite[1]	場所·部族·主義·組織などに属する人の.
-orial	…の, …に属する[関する].

2-3-4「…のような(類似)」を表す

-cular[1]	-cule[1]と-ar[1]の合成接尾辞.
-erly	…のような, …らしい.
-esque	…様式の, …風の, …に似た.
-ey[1]	-y[1]の異形.
-ine[1]	…のような, …に似た.
-ish[1]	**1** …のような. **2** …っぽい, がかった.
-like	…に似た, …のような, …にふさわしい.
-ly[2]	…のような, …にふさわしい.
-o[1]	《俗》…な[ぽい].
-oid[1]	…に似た, …まがい, もどき, …のような.
-sy	…に見せかける, …の振りをする.
-ular	…に関する, …に似た.
-ulose	…の特色を持つ.
-y[1]	**1** …に似ている. **2** やや…の, …がかった.

2-3-5「…が多い, …に満ちた」を表す

-ate[1]	…の(特徴のある), …を持つ, …に満ちた.
-ey[1]	-y[1]の異形.
-ful[1]	…に満ちた, …の多い, …の性質の.
-olent	-ulentの異形.
-ose[1]	…でいっぱいの, …の多い; …性の; …状の.
-ous	…の特徴を備えた, …が多い, …がある.
-ulent	…に富む.
-ulose	…がたくさんある; …の特色を持つ.
-ulous	…しやすい; …がたくさんある; …の特色を持つ.
-y[1]	…の(特徴を備えた), …でいっぱいの.

2-3-6「…がない(欠如)」を表す

-less	**1** …のない. **2** …できない, …しがたい.

2-3-7「…しやすい(傾向)」を表す

-able[1]	…しやすい.
-ative	…する傾向がある.
-ble	-able[1]の異形.
-ful[1]	…しがちな.
-ible	-able[1]の異形.
-ish[1]	…の傾向がある; …する傾向がある.
-ive[1]	…する傾向·性質がある.
-le[1]	…しがちな.
-some[1]	…しそうな, …となりそうな.
-ulous	…の傾向のある, …しやすい.

2-3-8「…できる(可能)」を表す

-able[1]	**1** (1) …されうる. (2) …されるべき(である). (3) …に適した,する価値がある. **2** …しやすい.
-ble	-able[1]の異形.
-ible	-able[1]の異形.
-ile[1]	能力, 感受性, 責任, 適性などを表す.

2-3-9「数量」を表す

-eth[2]	-th[2]の異形.
-fold	**1** …の部分[重なり]を持つ. **2** …倍の.
-ile[2]	(統計学で)…分の1の.
-teen	13から19までの基数をつくる.
-th[2]	4以上の基数から序数をつくる.
-ty[1]	10の倍数.

2-3-10 比較級·最上級をつくる

-est[1]	最上級をつくる.
-ior[1]	比較級をつくる.
-issimo	もとイタリア語で形容詞の最上級を表す語尾.
-most	**1** 最も…の, 最…. **2** …に最も近い.
-st[1]	-est[1]の異形.
-teric	より…, 比較的….

2-4 副詞

2-4-1「…のように(状態)」を表す

-ably	…が可能な.
-ally	-al[1]と-ly[1]の結合形.
-ando	主に音楽用語で, 演奏[歌唱]の特徴を表す.
-arily	-ary[1]と-ly[1]の結合形.
-ately	-ate[1]と-ly[1]の結合形.
-ato	主に音楽用語で, 演奏[歌唱]の特徴を表す.
-edly	-ed[1]と-ly[1]の結合形.
-endo	主に音楽用語で, 演奏[歌唱]の特徴を表す.
-erly	…のように, …らしく.
-est[1]	最上級をつくる.
-fully	-ful[1]と-ly[1]の結合形.
-ially	-ialと-ly[1]の結合形.
-ibly	-ablyの異形.
-ically	-icalと-ly[1]の結合形.
-ily	-y[1]と-ly[1]の結合形.
-im[2]	ラテン語の副詞接尾辞.
-ingly	-ing[2]と-ly[1]の結合形.
-issimo	主に音楽用語で, 演奏[歌唱]の特徴を表す.
-ively	-ive[1]と-ly[1]の結合形.
-lessly	-lessと-ly[1]の結合形.

-ling[2]　「方向, 位置, 状態」などを表す.
-lins　《スコット》-ling[2]の異形.
-ly[1]　**1** …(なやり方)で, の様子で. **2** …に関しては.
-most　最も…に[で].
-ndo　主に音楽用語で, 演奏[歌唱]の特徴を表す.
-ously　-ousと-ly[1]の結合形.
-s[1]　英語起源で副詞をつくる接尾辞.
-st[1]　-est[1]の異形.

2-4-2「…の方向へ, の位置で」を表す

-ad[3]　(解剖, 動物学で)…に向かって.
-dem[2]　ラテン語の指示接尾辞.
-ling[2]　「方向, 位置, 状態」などを表す.
-lings　-ling[2]の異形.
-lins　《スコット》-ling[2]の異形.
-o[4]　ラテン語名詞または動名詞の奪格形.
-ward[1]　…(の方向)へ.
-wardly　-ward[1]と-ly[1]の結合形.
-wards　-ward[1]の異形.

II 接尾辞・連結形

3 専門分野による分類

3-1 医学・病理

-ac[1]　-ic[1]の異形.
-adenia　腺(せん).
-aemia　-emiaの異形.
-algia　…痛.
-algic　…痛の.
-ant[1]　…する薬, …剤.
-arthria　(音・言葉などの)明瞭な発音(に関する異常).
-asis　…性の病気, …に起因する病気.
-capnia　煙; 血中の炭酸ガス.
-cardia　心臓の働き[位置].
-cele　…腫瘍; …ヘルニア.
-cephalic　(頭骨測定で)…の頭を持った.
-cephalus　頭部異常.
-cephaly　…頭[脳](症).
-chezia　排泄, 排便(に関する異常).
-chlorhydria　塩酸…症.
-cholia　胆汁の病気.
-chromat　…色型色覚者.
-clasis　…破壊, 崩壊.
-cnemia　むこうずねの異常.
-cranic　(頭骨測定で)頭蓋(ずがい)の.
-crine　分ける, 分譲する.
-cytoma　細胞腫.
-cytosis　…細胞症.
-dactylia　指の異常.
-derm　皮膚.
-derma　真皮; 特に皮膚疾患.
-dermic　皮膚の.
-dipsia　渇きの感覚の異常.
-dontia　-odontiaの異形.
-dynamia　…力(症).
-ectasis　拡張.
-ectomize　摘出する, 切除する.
-ectomy　(外科で)…切除(術), 摘出(術).
-ella　(細菌で)…菌; (病理で)…疹.
-emia　…血, 血症; 血液の状態.
-ergic　活性化された; …作動性の.
-ergy　活動, 働き.
-facient　…化する, …作用を起こす.
-galactia　乳分泌(に関する異常).
-genesis　発生, 生成, 形成.
-genic　発…性の, …の原因となる.
-geusia　味覚(に関する異常).
-globulinemia　グロブリン血症.
-glossia　舌.
-gnostic　認識の, 知識の; 診察の.
-gram[1]　…図, 記録.
-graph　…造影[撮影]; …計.
-graphia　書くこと(に関する異常).
-graphy　…撮影法.
-hemia　-emiaの異形.
-ia　(病名を表して)…症.
-iasis　…性の病気.
-iatrics　…医学, …病学, …科.
-iatrist　治療する人, …専門医.
-iatry　治療, 医療.
-ic[1]　…の(ような), …性の.
-ics　…学, …術, …研究.
-id[1]　…性発疹.
-iform[1]　…状の, …形の.
-igo　もとはラテン語で, 病名をつくる.
-ism[1]　(病理で)…中毒, …依存症; (医学で)…療法.
-ites　(病名を表して)…症.
-itis　…炎.
-kinesia　運動, 筋(肉)機能(に関する異常).
-lepsy　発作; 癲癇(てんかん).
-leptic　…を取る….
-lexia　話すこと(に関する異常).
-lith　…石.
-logia　話すこと(に関する異常).
-logist　…学[病]専門医.
-lysis　破壊, 緩和, 分解, 溶解.
-ma　(病名を表して)…症; …腫; …疹.
-megaly　部分的拡大, 肥大(症).
-melia　四肢の特定の状態.
-meter　…計量器, …測定器.
-metry　測定(法).
-myelia　脊髄[骨髄]の異常.
-nephros　腎臓, …腎(じん).
-odontia　…歯を持つ; …歯症.
-odyne　痛み.
-odynia　…痛.
-oid[1]　…状の[に似た]症状.
-ology　…(科)学.
-olum　(病名を表して)…腫.
-oma　腫瘍.
-ope[1]　眼が…の人.
-opsy　医学検査.
-orchid　睾丸が…の, …の睾丸を持った.
-orexia　欲望, 食欲(に関する異常).
-osis　心身機能の障害, 異常状態.
-osmia　嗅覚.

-otic …症の［に関する］. ▶ -osisに対応する.
-oxemia 酸素血症.
-pagus …結合, 合体, 癒着.
-para …産婦.
-partum （産科で）分娩（ぶんべん）.
-path **1** …療法を施す人. **2** …病患者.
-pathic -pathyに対応する形容詞をつくる.
-pathy **1** 病気, …病. **2** …療法.
-penia 不足, 欠乏.
-pepsia 消化.
-pexy 固定すること, 固定術.
-phasia 言語障害.
-phonia 音声.
-phoresis …を伝えるもの, 伝達するもの.
-plasia 成長, 細胞増殖.
-plasmosis …プラズマ症.
-plasty 形成手術.
-plegia …麻痺.
-plegic …麻痺の（患者）.
-pnea 呼吸.
-praxia 行動, 行為.
-proteinemia タンパク血症.
-ptysis ものを吐くこと, …吐出.
-rhythmia 鼓動［心臓拍動, 脈］の状態.
-rrhagia 破裂, 流出過多, 異常排出.
-rrhaphy 縫合.
-rrhea 流出, 発射, 放出, 排出.
-scopy …検査（法）.
-sis （病理で）…症; （医学で）…術, …作用.
-soma 体（格）.
-spermia 精子.
-stasis 停止, 安定状態.
-stomia 口（に関する異常）.
-stomy 開口術, …造設術.
-systole 収縮.
-taxia 運動能力（に関する異常）.
-tension[1] …血圧（症）.
-thelioma （乳首のような）…腫.
-therm 熱.
-thermia 熱.
-thermy …熱（療法）; 発熱.
-tic -ic[1]の異形.
-tocia 分娩, 出産.
-tome （外科で）切断［切除］（器具）.
-tomic （外科で）-tomeまたは-tomyと-ic[1]の結合形.
-tomize （外科で）切る, 切開する.
-tomy （外科で, 臓器の）切断（術）, 切除（術）; …摘出.
-tonia …筋（肉）緊張, …神経の緊張.
-tonic …緊張（症）の.
-topia[1] 場所; 部位.
-topic 部位の.
-tripsy こすること, 擦り切れ, 砕石術.
-trophic **1** …で栄養を摂取している, …の栄養を必要とする. **2** …の（腺の）活動に影響を与える. **3** …栄養の.
-trophy **1** 栄養, 摂食. **2** 成長.
-tropic **1** 向…性の. **2** …向性の, 親和性の. **3** …の活動を刺激する.
-tropism …親和性.
-ula （病理で）…腫; （解剖で）器官名を表す.
-um[1] （医学・病理で）…材, …片; （解剖で）器官名を表す.
-uresis 尿の排出.
-uria **1** …が尿中にある. **2** 尿道の状態, 排尿時の状態.
-us[1] （病名を表して）…症; （医学で, 器官の）変動.

3-2 解剖・発生

-a[2] 身体部位を表す
-ad[3] …に向かって.
-al[1] 特定の身体部位を表し, 形容詞・名詞をつくる.
-alis 筋, 動脈, 神経などの用語をつくる.
-ar[1] -al[1]の異形.
-arium 「…に関する場所」の意で, 器官名を表す.
-aster[2] …星, 星状….
-blast 胚, 芽, 形成細胞層.
-blastic …な細胞(層)の, …な発達をした.
-bulum 「…する道具・手段」の意で, 器官名を表す.
-cardial 心臓の.
-cardium 心臓.
-ceps …頭筋.
-cle[1] 「小…」の意で, 器官名を表す.
-coel 腔.
-coele 腔.
-crum 「小…」の意で, 器官名を表す.
-culum 「…する場所・手段」の意で, 器官名を表す.
-culus 「小…」の意で, 器官名を表す.
-cyst …嚢（のう）, 包嚢.
-cyte 細胞.
-derm …胚葉（はいよう）.
-dermis 真皮.
-ductor 導くもの.
-el[1] 「小…」の意で, 器官名を表す.
-ella 「小…, 薄…」の意で, 器官名を表す.
-ellum 「小…」の意で, 器官名を表す.
-es[3] 身体部位, 器官名を表す.
-eus 器官名を表す.
-gastrium 胃, 腹部.
-genesis 発生, 生成.
-genetic …生殖の, …発生の.
-i[1] 動植物の器官名を表す.
-ia 身体部位, 器官名を表す.
-idium 「小…」の意で, 器官名を表す.
-iform[1] …状の, …形の.
-ite[1] 身体部位, 器官名を表す.
-ium 器官・組織名表す.
-ma もとはギリシャ語.
-nema 糸.
-neurium 神経.
-oid[1] …状の（もの）, …に似た（もの）.
-ole[1] 「小…」の意で, 器官名を表す.
-ology 《器官名について》…学.
-ont[1] 細胞; 有機体.
-physis 成長.
-plasm 生体, 細胞, 細胞質, 原形質.
-plast 生体, 細胞小器官, 細胞, 原形質.
-podite 肢節の状態を表す.
-sarc …肉, …組織.
-scope …鏡, 検…器.
-stome 口（に似た）器官を持つ組織, 口に似た器官.
-tene …個［形］の染色体を持つ.
-thelium 表面の層をなす細胞組織, …皮.
-tome 体節, 中胚, 葉節.
-tomize 切る.
-troph 栄養物質.
-ula 「小…」の意で, 器官名を表す.
-ular …のような, …状の.
-ule[1] 「小…」の意で, 器官名を表す.
-ulum 「小…」の意で, 器官名を表す.
-ulus 「小…」の意で, 器官名を表す.
-um[1] 身体部位, 器官名を表す.
-us[1] 身体部位, 器官名を表す.

3-3 生理

-ceptor 受容器官.
-crine 分泌する.
-crotic 鳴る音の, 脈拍の.
-cytosis …細胞活動［作用］.
-dromic 進路の, …方向性の.
-ferent …を運ぶ性質の.
-genic …を作る［生み出す］, …促進性の.
-kinesis 運動（性）.
-poiesis 生成, 形成.
-poietic …を生み出す, …形成の.
-sis …性, 能力.
-stalsis …蠕動（ぜんどう）.
-stasis 停止, 安定状態.
-stole 圧縮, 収縮（期）.
-stolic 圧縮, 収縮（期）の.
-tonic …緊張（症）の.

3-4 生物・動物

-a[1] 動物の分類名・器官名を表す.
-a[2] 動物の分類名, 身体各部位の名称を表す.
-a[5] 動物の分類名を表す.
-acanth とげのある.
-ad[3] …に向かって.
-aea 動物の分類名を表す.
-an[1] …類, …動物.
-ard[1] 動物の分類名を表す.
-aria 動物の分類名を表す.
-ata …類, …動物.
-ate[1] …の特徴を持った（動物）.
-biont …で生きる生物.
-biosis …生活.
-biotic （特定の）生き方をする, …で生きる.
-blastic …な細胞（層）の, …な発達をした.
-blast 胚, 芽, 形成細胞層.
-bok レイヨウ, シカ.
-branch 鰓（えら）.
-cephalous …の頭を持った.
-cercal …尾［尾びれ, 尾翼］の（ある）.
-cercoid 尾虫.
-cerous …の角（触角）をもつ.
-cipital …な頭, …頭部の.
-corn 角（のある）, （特に昆虫が）…の触角を持った.
-dactyl 指が…の, …指の.
-dactylous 指が…の（動物）, …指の（動物）.
-derm …の皮膚を持った動物.
-dermatous 皮膚の, …な皮膚を持った.
-dromous …に［を］走る［動く］; 〈魚が〉…回遊性の.
-ea[1] 動物の分類名を表す.
-ean[1] 動物の分類名を表す.
-ella 動物（特に原生動物）の分類名を表す.
-es[2] 動物の分類名を表す.
-fera …を生み出す生き物.
-ferous …を生じる, 産する, 生む, 含む, 運ぶ.
-fex （分類名で）…を作るもの.
-geneic 血族の, 家系の.
-genesis 発生, 生成, 進化, 生殖.
-genetic …を発生する, …生殖の.
-genic …生成の, …を作る［生み出す］.
-genous …を生じる.
-gnath 顎.
-gnathous …のあごを持つ.
-grade …で歩く［動く］.
-i[1] 動物の分類名, 器官名を表す.
-ia 動物の分類名を表す.
-ian -an[1]の異形.
-ic[1] …性の.
-ics …学, …術, …原理, …研究.
-id[2] …類の一員［一片］; …類に属する.
-ida[1] （生物の分類で）…目, …綱.
-idium 動物の器官名を表す.
-iform[1] …の形をもつ.
-iform[2] …目の, …類の.
-iformes 動物（特に鳥類, 魚類）の分類名を表す.
-ile …する能力がある.
-illo 「小…」の意で, 動物の分類名を表す.
-ina[3] …類.
-ine[1] …の性質をもつ（動物, 類）.
-ite[1] 動物の器官名を表す.
-kin 「小…」の意で, 動物（特に鳥類）の分類名を表す.
-ling[1] 「小…」の意で, 動物（特に鳥類, 魚類）の分類名を表す.
-lobite …虫.
-mere 部分; 体節.
-meric …の部分の.
-mixis 交配, 接合.
-morph …形（態）, …構造（を持つもの）.
-morphic …形態をもつ.
-morphosis …の形態発達, …の形態変化.
-morphy …形態（をしていること）.
-obe[1] 生命; 生物.
-odont …歯類.
-odus …のような歯があるもの.
-oid[1] …に似たもの, …類, 科.
-oidea …綱（こう）.
-ology …（類）学.
-on[6] プランクトン.
-ose[1] …でいっぱいの, …の多い; …性の; …状の.
-ostracan 固い殻をもった（もの）; …甲類動物（の）.
-ota 分類上, 特に種族を表す語.
-ote[1] 動物の分類名を表す.
-ous …の特徴を備えた.
-para ある数の卵［子］を産む動物.
-parous 生み出す, 分泌する, …生殖の, …出産の.
-ped …の足を持つ.
-phagous （動物が）…を食べて生きている.
-phil （組織・細胞が）好…性の.
-phile …が好きなもの; 好…性生物［動物］.
-philic …好きな.
-philous …好きな, …好みの; 好…性の.
-phora[1] 運ぶ物; 類, 門などの用語をつくる.
-phore …を運ぶもの; （主に昆虫の）器官名を表す.
-phorous …を運ぶ性質の.
-phyodont （…の歯を）生じさせる.
-plasm 生体, 細胞, 細胞質, 原形質.
-plast 生体, 細胞小器官, 細胞, 原形質.
-plastic （細胞・原形質などを）形成［促進］する.
-ploid 染色体数が…の.
-pneustic （昆虫が）…呼吸の, …気門式の.
-pod …の種類［数］の足を有するもの.
-poda …の種類［数］の足を有するもの.
-pode 足, 足状の部分.
-podium …足, 足状の部分, 支え.
-podous …本足の, …の足のある［を持つ］.
-proct 肛門.
-pteral （昆虫が）…の翼を持った, …翅（し）類の.
-procta …型の肛門をもつ動物.
-pteran （昆虫が）…の翼を持った, …翅類［目］（の）.
-pteron （昆虫が）…の翼を持つもの, …翅類［目］の昆虫.
-pterous （昆虫が）…の翼［翅］を持った, …翅類［目］（の）.
-pterygian 羽根［鰭（ひれ）］のある; （特に魚類が）…鰭（き）類の.
-pteryx （…な）翼を持った鳥.

-pus …の形態[…本]の足を持ったもの.
-soma …体.
-somic …染色体の[を持つ].
-sperm …種(を持つもの).
-spermy 精子が….
-sporous (ある種·数の)胞子のある.
-tactic 走性のある.
-taxis …走性.
-tely 目標.
-theca 包膜.
-there (絶滅した)…獣[動物].
-therm …温動物.
-toky (単為)生殖.
-trich …毛髪[纖毛]を持つもの.
-troph ある栄養を必要とする生物体.
-trophic …で栄養を摂取している, …の栄養を必要とする.
-tropic 向[屈]…性の, …向[屈]性の, 親和性の.
-tropism 向[屈]…性, …向[屈]性, 親和性.
-ula 「小…」の意で, 動物の器官名を表す.
-ule[1] 「小…」の意で, 動物の器官名を表す.
-ulose …の特色を持つ.
-ulum 「小…」の意で, 動物の器官名を表す.
-um[1] 動物の器官名を表す.
-ura[1] 尾を持つもの.
-urous …の尾のある.
-us[1] 動物の分類名を表す.
-voltine (昆虫が)…化性の; 1年[1シーズン]に…回産卵する.
-vora …食動物目.
-vore …食動物.
-vorous …を食とする, …から栄養を取る.
-zoa …動物, …(有機)体.
-zoan …動物(の); …虫(の).
-zoic[1] 動物の生活が…様式の.
-zoology …動物学.
-zoon …動物, …有機体.
-zygous 接合子[体]的構造を持つ.

3-5 植物

-a[1] 植物の器官名を表す.
-a[2] 植物の分類名·器官名を表す.
-acanth とげのある.
-aceous …に似た; …の性質を持つ; …でできた; (分類名で)…科の.
-adelphous 束状になっている雄蕊(ゆうずい)が…体[束]の.
-aea -ea[1]の異形.
-andra …の形の雄蕊(ゆうずい)ある植物.
-androus (…の)雄蕊(ゆうずい)を持つ.
-andry 男性, 雄.
-anth 花; 花の一部.
-anthemum …の花を持つ植物.
-anthous …の花をつけた.
-arch[2] …に源を持つ.
-aria 植物の分類名を表す.
-aster[2] …星, 星状….
-ate[1] …の特徴を持った(植物).
-biont …で生きる生物.
-biosis …生活(様式).
-biotic (特定の)生き方をする, …で生きる.
-blast 胚, 芽, 形成細胞層.
-carp 果実, 子実体.
-carpic 果実の, 果実をつける.
-carpous 果実をつけた; …な[…個の]果実[子実体]を持つ.
-carpy 結実.
-cephalous …の頭を持った.
-cidal (果実が)…裂開の.
-chore …媒植物, …によって種子·花粉が散布される植物.
-cle[1] 「小…」の意で, 植物の器官名を表す.
-clinous 雄蕊(ゆうずい)と雌蕊(しずい)が…の花にある.
-colous …に住んでいる.
-crum 「…する道具, 手段」の意で, 植物の器官名を表す.
-culum 「小…」の意で, 植物の器官名を表す.
-dendron 樹木.
-dendrum 木.
-derm -dermisの異形.
-dermis 真皮.
-dian 日の.
-dromous …に[を]走る[動く]; …状葉脈の.
-ea[1] 植物の分類名を表す.
-el[1] 「小…」の意で, 植物の器官名を表す.
-ella 「小…」の意で, 植物の器官名を表す.
-ellum 「小…」の意で, 植物の器官名を表す.
-enchyma …組織; 細胞組織.
-etum 植物の生育場所.
-ferous …を産出する, 生む, 含む, 運ぶ.
-fex (分類名で)…を作るもの.
-fid 〈葉が〉分割された, 分裂した.
-florous …の花をつけた, 花を持つ.
-form[1] …の形を持つ, …状の.
-gam ある特定の生殖法をもつ植物.
-gamous …生殖の.
-gamy …婚, …生殖.
-gen …を生む[生じさせる]もの; 生じたもの.
-genous …を生じる.
-geny 発生, 起源.
-gonium 生殖体.
-gony 生産, 起源, 発生.
-gyne 雌, 女.
-gynous 女性の, 雌の; …の雌蕊(しずい)の[を持った].
-i[1] 植物の分類名·器官名を表す.
-i[2] 植物の分類名を表す.
-ia 植物の分類名を表す.
-ic[1] …性の.
-ica[2] 植物の分類名を表す.
-ics …学, …術, …原理, …研究.
-icum 植物の分類名を表す.
-idium 「小…」の意で, 植物の器官名を表す.
-iform[1] …の形をもつ.
-illa[1] 植物の分類名を表す.
-illo 「小…」の意で, 植物の分類名を表す.
-ina[3] 植物の分類名を表す.
-ine[1] …の性質を持つ(植物).
-ium 「小形…, …塊」の意で, 主に植物の器官名を表す.
-men 植物の器官名を表す.
-merous (花が)…の部分から成る.
-mixis 交配, 接合.
-morphic …形態をもつ.
-morphosis …の形態発達, …の形態変化.
-morphy …形態(をしていること).
-nasty 圧力による細胞の成長の不規則性, 傾性運動[生長].
-ode[1] 「…の性質をもつ」の意で植物の器官名を表す.
-oid[1] …に類似の(もの), …科(の), 類(の).
-ole[1] 植物の器官名を表す.
-olum 「小…」の意で, 植物の分類名を表す.
-ome[1] 塊, 群, 部.
-on[6] プランクトン.
-ont[1] 細胞; 有機体.
-opsis (見た目が)…に類似のもの.
-ose[1] …でいっぱいの, …の多い; …性の; …状の.
-ous …の特徴を備えた; (植物の分類名で)…科の.
-petal …を求める, …へ向かう.
-phila 「…を好むもの」の意で植物の分類名を表す.
-phile …を好むもの; 好…性植物.

-philous …好きな, …好みの; 好…性の.
-phore …を運ぶもの, 支えるもの［部分］.
-phorous …を運ぶ性質の.
-phyll 葉, 葉状体, 葉緑素.
-phyllous …状［数］の葉を持った, 葉状の（器官）.
-phyllum 葉が…の植物.
-phyte 「植物」の意で, 植物の分類名を表す.
-plasm 生体, 細胞, 細胞質, 原形質.
-plast 生体, 細胞小器官, 細胞, 原形質.
-podium …足, 足状の部分, 支え.
-podous …本足の, …の足のある［を持つ］.
-quat …柑, …橘.
-rhiza 根.
-sepalous 萼(がく)のある.
-some[3] …体, …ソーム, ゾーム.
-sperm …の種（を持つもの）, …（種）子植物.
-spermal …の種子［精子］を持つ.
-spermous 種子の.
-spermy 種子が….
-spora 胞子.
-spore 胞子, 芽胞.
-sporic -sporousの異形.
-sporous …形胞子の.
-spory …な胞子を有する状態［性質］.
-stichous （葉などが）…列を持った.
-stome 口に似た器官を持つ組織, 口に似た器官.
-stylous …の花柱を持つ.
-taxis …走性.
-taxy …配列.
-theca …殻, …函.
-thecium 小さい被い［容器］.
-troph ある栄養を必要とする生物体.
-tropic 向［屈］…性の, …向［屈］性の, 親和性の.
-tropism 向［屈］…性, …向［屈］性, 親和性.
-tropous …に転回する［した］, …に曲がった; （胚珠が）…生の.
-ula 「小…」の意で, 植物の器官名を表す.
-ule[1] 「小…」の意で, 植物の器官名を表す.
-ulose …の特色を持つ.
-ulum 「小…」の意で, 植物の器官名を表す.
-um[1] 植物の分類名・器官名を表す.
-uncle 「小…」の意で, 植物の器官名を表す.
-us[1] 植物の分類名を表す.
-zygous 接合子［体］的構造を持つ.

3-6 菌類・細菌

-a[2] 菌類の分類名を表す.
-bacter 桿(かん)菌. ▶ 特にバクテリアの属名をつくる.
-biont …で［生きる］生物.
-biosis …生活（様式）.
-biotic （特定の）生き方をする, …で生きる.
-carp 果実, 子実体.
-carpic 果実の, 子実体の.
-carpous 果実をつけた, …な子実体を持つ.
-cidal 抗［殺］…菌の.
-coccus …球菌.
-colous …に住んでいる.
-dian 日の.
-ella 分類学上（特にバクテリア）の属名につける.
-form[1] …の形を持つ.
-gen …を生む［生じさせる］もの; …（細）菌.
-gerous …を生む, 生じる.
-genous …を生じる.
-geny 発生, 起源.
-gonic[2] 生殖の, 性の.
-gonium 生殖体.
-gony 生産, 起源, 発生.
-gyne 雌, 女.
-i[1] 菌類の分類名・器官名を表す.
-ia 菌類の分類名を表す.
-ic[1] …性の.
-ics …学, …術, …原理, …研究.
-idium 「小…」の意で, 菌類の器官名を表す.
-iform[1] …の形をもつ, …状の.
-illum 「小…」の意で, 菌類の分類名を表す.
-ium 「小…」の意で, 菌類の器官名を表す.
-myces 真菌; カビ.
-mycete キノコ, 菌.
-mycetes 菌類, 粘菌類.
-mycin 菌類から得る抗生物質.
-mycota 菌類.
-obe[1] 生命; 生物.
-phage ファージ.
-phile …を愛する, …好き; 好…菌.
-philic …好きな; 好…性の.
-philous …好きな, …好みの.
-podium …足, 足状の部分, 支え.
-sperm …の種（を持つもの）.
-spore 胞子, 芽胞.
-sporic -sporousの異形.
-sporous （ある種・数の）胞子のある.
-thecium 小さい被い［容器］; 子実層.
-topic 部位の.
-troph …栄養生物.
-tropic （特にウイルスが）向…性の, …向性, 親和性の.
-ulum 「小…」の意で, 菌類の器官名を表す.
-um[1] 菌類の分類名を表す.
-us[1] 菌類・細菌上の分類名を表す.
-zoan 原生動物, 菌類の分類名を表す.
-zoite …体.

3-7 細胞生物・遺伝

-allel 相互の, …交配の.
-aster[2] …星, 星状体.
-blast …細胞.
-blastic …な細胞（層）の, …な発達をした.
-cliny （遺伝で）傾…性.
-cyte 細胞.
-gamous …形配偶子の［による］.
-gamy …（結）婚, …生殖.
-genesis 発生, 生成, 形成.
-geny 発生, 起源.
-gonium 生殖体（細胞）.
-gony 生産, 起源, 発生.
-ic[1] …性の.
-id[3] 細胞, 器官. ▶ -ide[1]の異形.
-in[2] タンパク質物質を示す.
-karyon 核.
-kinesis 細胞分裂.
-mere 部分; …割球.
-morph …構造を（もつもの）, …遺伝子.
-on[1] 遺伝で, 遺伝子情報に関する用語をつくる.
-ont[1] 細胞; 有機体.
-phage ファージ.
-phil （組織・細胞）好…性の.
-plasm 生体, 細胞, 細胞質, …原形質.
-plast 生体, 細胞小器官, 細胞, 原形質.
-plastic （細胞・原形質などを）形成［促進］する.
-ploid （染色体の数が）…倍数体の.
-ploidy 染色体数が….
-ptysis …吐出.
-sis （細胞の）…分裂.
-soma -some[3]の異形.
-some[3] …体, …ソーム, ゾーム.
-somic …染色体の［持つ］.
-tene …個［形］の染色体を持つ.

-topic 部位の.
-valent 相同染色体…を持つ.
-zoite …体.

3-8 生態

-arch[2] …に源を持つ.
-andry 男性, 雄.
-bath 深さ.
-bathic 深さの.
-biont …で生きる生物.
-biosis …生活(様式).
-biotic (特定の)生き方をする, …で生きる.
-cole …に住んでいる, …に生えている.
-coline …に生息している, …に住んでいる.
-colous …に住んでいる, …に生息している.
-dian 日の.
-gaea 大地.
-gamy …(結)婚, …生殖.
-genetic …を発生する, …生殖の.
-geny 発生, 起源.
-gony 生産, 起源, 発生.
-ic[1] …性の.
-ine[1] …の性質のある; …から成る; …のような.
-phagous …食(性)の.
-philous …好きな, …好みの, 好…性の, …を媒介にした.
-pneustic 息をする.
-sis 状態, 過程などを表す.
-toky 生殖.
-topic 部位の.
-tropism 向…性の, …向性の.
-vorous …を捕食する, 常食とする, …食性の.

3-9 化学

-a[3] 金属の酸化物.
-al[3] アルデヒド基の入った化合物.
-amine amino-「アミノ」の異形.
-an[2] 不飽和炭素化合物, 無水物などの化合物.
-ane[2] メタンまたはパラフィン系の炭化水素の類.
-ate[2] …酸塩.
-ation …化, …添加.
-basic 塩基の.
-chlor 塩素.
-chrome …色団.
-chromic …色の.
-ein[1] **1** …化合物. **2** 無水…物.
-ene[1] 不飽和炭化水素を示す.
-form[3] クロロホルム.
-gen …を生む[生じさせる]もの; 生じたもの.
-genic **1** …生成の, …を生み出す. **2** …から生まれた[作られた]. **3** …の媒体に適する.
-hydric 水素を含む.
-ia ギリシャ語・ラテン語借用の名詞語尾.
-ic[1] …から抽出された(もの).
-ics …学, …術, …原理, …研究.
-id[3] -ide[1]の異形.
-ide[1] 化合物.
-idine ある化合物の名称につけて, その化合物から誘導された新化合物の名称.
-ify …(性)化する.
-in[2] 主に中性化合物, グリセリン脂肪酸エステル類, 配糖体物質, タンパク質物質.
-ine[3] 特に塩基性物質の名称.
-ite[1] 特に-ousで終わる酸塩.
-itol 水素基1個以上を含むアルコール.
-ium 化学元素名.
-lyse 《特に英》-lyzeの異形.
-lysis 緩和, 分解, 溶解.
-lyte[1] 分解されてできた物.
-lytic **1** 溶解の, 分解の, …で溶ける. **2** 酵素で加水分解される.
-lyze …で分解する.
-mer ある特定の部類に属する化合体.
-meric -merに対応する形容詞をつくる.
-meter …計量器, …測定器.
-metry …測定(法), …滴定(法).
-o[1] …基の.
-oate エステルの(ある), -coo-基の(ある).
-oid[1] …系.
-ol[1] アルコール, またはフェノール.
-ol[2] -ole[2]の異形.
-ole[2] 不飽和で複素5員環の構造を含む化合物名.
-on[2] 不活性気体元素の命名.
-on[8] 炭素から抽出.
-one[1] ケトン化合物; それに類した酸化化合物.
-onium[1] 複合陽イオン.
-ose[2] …糖, 炭水化物.
-ous (化合物が)…の特徴を備えた, …を含む.
-philic 親…性の.
-phoresis …移動, …拡散.
-plast …樹脂.
-protic 陽子の; 塩基の.
-solution …(溶)液.
-tactic (特定の)配列を持つ.
-thion イオウ(硫黄).
-tropin …に向いたもの; …に親和性のもの.
-tropy …方性, 親和性, 属性.
-um[1] 主に化学元素名.
-uret 《古》…と化合[混合]させる; …化合物.
-valent 原子価…を持つ.
-yl[1] …基(を含む), …根(を含む).

3-10 薬学

-agogue 導くもの; …促進剤.
-al[3] 薬剤名.
-amine amino-の異形.
-an[2] 不飽和炭素化合物, 無水物などの化合物を表す.
-ane[2] メタンまたはパラフィン系の炭化水素の類.
-ant[1] …する薬, …剤.
-ase[1] …酵素.
-azepam ジアゼパム.
-caine コカインに似た局所麻酔薬.
-cillin ペニシリン.
-cin マイシン.
-ene[1] 合成薬品などの商品名.
-facient …化する, …作用を起こす.
-genic **1** …生成の, …を生み出す. **2** …から生まれた[作られた]. **3** …の媒体に適する.
-icillin ペニシリン.
-ics …学, …術, …原理, …研究.
-id[3] -ide[1]の異形.
-ide[1] 化合物を表す.
-idine ある化合物の名称につけて, その化合物から誘導された新化合物の名称.
-in[2] 主に中性化合物, グリセリン脂肪酸エステル類, 配糖体物質, タンパク質物質.
-ine[3] 特に塩基性物質の名称.
-ite[1] 薬品の商品名.
-lytic 溶解の, 分解の; 抗…性の.
-mycin 菌類から得た抗生物質.
-odyne 痛み.
-ol[1] アルコール, またはフェノール.
-ol[2] -ole[2]の異形.
-ole[2] 不飽和で複素5員環の構造を含む化合物名.

-one[1]　ケトン化合物; それに類した酸化化合物.
-onium[1]　複合陽イオン.
-ose[2]　…糖, 炭水化物.
-solution　…(溶)液.
-um[1]　化合物などの物質名.

3-11 生化学

-amine　amino-「アミノ」の異形.
-ase[1]　…酵素.
-cal　…カロリーの.
-chrome　…色素.
-ergic　(ある物質･現象によって)活性化された; …作動性の.
-gen　…を生むもの[生じさせる]; 生じたもの.
-genic　**1** …生成の, …を生み出す. **2** …から生まれた[作られた]. **3** …の媒体に適する.
-genin　…から生じるもの.
-ics　…学, …術, …原理, …研究.
-id[3]　-ide[1]の異形.
-ide[1]　(有機)化合物を表す.
-in[3]　主に中性化合物, グリセリン脂肪酸エステル類, 配糖体物質, タンパク質物質.
-lysis　緩和, 分解, 溶解.
-lyte[1]　分解されてできた物.
-lytic　**1** 溶解の, 分解の, …で溶ける. **2** 酵素で加水分解される.
-lyze　…で分解する.
-mer　ある特定の部類に属する化合体.
-mone　ホルモン.
-mycin　菌類から得る抗生物質.
-oid[1]　…に似た物質.
-ol[1]　アルコール, またはフェノール.
-on[2]　イオン.
-oside　「配糖体」, グリコシド.
-phyll　葉, 葉状体; 花弁に含まれる色素.
-plastic　…を形成[促進]する.
-tropic　…刺激性の.
-tropin　…に向いたもの; …に親和性のもの; …刺激ホルモン.
-valent　抗体…を持つ.
-zyme　…酵素.

3-12 鉱物･結晶･岩石

-chroic　(結晶が)…色の.
-clase　…の劈開(へきかい)をする鉱物.
-clinic　…斜晶系の.
-gene　(岩石が)…成の.
-hedral　…の[な]面を持つ, …面像の.
-ide[1]　化合物を表す.
-ine[3]　鉱物名の専門用語をつくる.
-ite[1]　…石, …鉱, …岩.
-lite　…石; …化石; …隕石.
-lith　…石; …盤.
-lithic　石の…; (考古学で)…石器時代の.
-lyte[2]　-liteの異形.
-morph　…形(態), …構造(を持つもの), …鉱物.
-morphic　…の形態をもった.
-morphism　…の形(態)を持っている状態.
-oid[1]　…状の(もの), …に似た(もの).
-phane　…と形[質, 外見]が似た; …石.
-phyre　斑岩(はんがん).

3-13 地質

-an[1]　(地質年代を表して)…紀[系](の).
-cene　新生代に関する地質用語に使われる.
-clastic　砕屑(さいせつ)状の.
-clinal　傾いた, 傾斜した.
-cline　傾いている(もの); …躍層, 褶曲(しゅうきょく).
-ferous　…を生じる, 産出する, 生む, 含む; 運ぶ.
-gene　…形成の地質.
-geny　造…運動[作用].
-ian　-an[1]の異形.
-iform[1]　…状を成す.
-lith　…石; …盤.
-luvium　流れるもの; …積層.
-orium　…の場所.
-sol[1]　…土(壌).
-zoic[2]　(ある特定の)地質時代の[に関する].

3-14 考古学･古生物

-an[1]　…文化(期)(の).
-anthropus　(化石人類の名で)…アントロプス.
-cene　新生代に関する地質用語に使われる.
-ian　-an[1]の異形.
-lite　…石; …化石; …隕石.
-lith　…石器.
-lithic　…石器時代の.
-lyte[2]　-liteの異形.
-odon　古生物で恐竜の名などに使われる.
-odont　…歯類(の).
-ostracan　固い殻ををもったもの.
-pithecus　類人猿, 霊長類.
-pteryx　…の翼をもった鳥.
-saur　(絶滅した爬虫類の名で)…竜, …ザウルス.
-saurus　-saurの異形.
-there　絶滅した哺乳動物の分類名に使われる.
-therium　絶滅した哺乳動物の属名に使う.
-zoic[2]　(ある特定の)地質時代の[に関する].

3-15 精神医学･心理学

-ac[1]　…に取りつかれた人, …症の(患者).
-anthropy　人.
-gnosia　認知すること(に関しての異常).
-gnosis　知識, 認識, 認知.
-graphia　書くこと(に関する異常).
-ia　…不能[喪失]症.
-ient　行く.
-ism[1]　…症.
-lagnia　性欲, 交接.
-lalia　言語障害, 発話の異常.
-mania　…狂, (性)癖, の強迫観念.
-mnesia　記憶(に関する異常).
-morph　…(体)型の人.
-noia　思考(に関する異常).
-path　**1** …療法を施す人. **2** …病患者.
-phagia　食べること(に関する異常).
-phasia　言語障害.
-philia　…への偏愛, …傾向.
-philiac　…の偏愛[偏向]者.
-philism　…嗜好症.
-phobia　…忌避, …を恐れる, …を嫌忌する.
-phoria　運ぶこと, 支えること; 感情の起伏, 快･不快に関する異常.
-phrenia　精神障害.

-taxic 配列の, 走性の.
-thymia (…の) 精神 [意志] 状態, …気質.
-tropic 向…性の, …向性の, 親和性の.
-vert …向性の (人).

3-16 物理

-ergic (…) を放出する.
-escence …発光.
-ium …イウム.
-meter …計量器, …測定器.
-on[2] **1** 素粒子. **2** 量子. **3** 構成要素.
-on[4] 中間子.
-onium[2] ポジトロニウム.
-tron …器具, 電子…装置.
-tropy …方性, 親和性, 属性.

3-17 数学

-and[1] …されるもの, 被…数.
-end[1] …されるもの, 被…数.
-eth[2] -th[2]の異形.
-esimal 序数を表す.
-fold …倍の.
-gon (幾何学で) …角形.
-gonic[1] 角の.
-hedral …の [な] 面を持つ.
-hedron …面体.
-ile[2] (統計で) …分の1 (の).
-illion million「100万」から抽出.
-metric …測定 (法) の.
-morphic …形態を持った.
-morphism 特定の形 (態) を表す性質.
-nomial …項から成る, …項式に関する.
-oid[1] (幾何学で) …状 [形] の (もの).
-ple …倍の (量).
-plement 満たすもの [こと].
-plex …重 [倍] の.
-sect (幾何学で) …等分する.
-th[2] 4以上の基数から序数をつくる.
-trix (幾何学で) …線.
-tuple …の要素から成る, …一組のもの.
-um[1] 「…限, …値」などを表すラテン語の語尾.
-wise **1** …の方向に, 位置に. **2** …に関して言えば.

3-18 電子工学・コンピュータ・通信・放送

-based (主にコンピュータが) …に基づいた; …方式の.
-bot ロボット.
-cast 放送 (をする).
-caster[1] 放送出演者, アナウンサー.
-com …通話 (装置), …コム.
-gram[3] …通信, 通知, 速報, 電報.
-icon (テレビで) アイコノスコープ, 撮影管.
-ics …学, …術, …原理, …研究.
-int[1] …による情報収集.
-istor (電子工学で) 電気抵抗に関する用語をつくる.
-ode[2] 電極, 極管.
-onics … (電子) 工学.
-on-demand …オンデマンド.
-tainment 娯楽; 楽しませるもの.
-tron …器具, 電子…装置.
-vision …テレビ, …ヴィジョン.
-ware 《俗》ソフトウェア.

3-19 音楽・韻律

-a[7] 楽曲形式, 楽器などに見られるイタリア語の名詞語尾.
-ain[2] (韻律用語で) …行詩 [連].
-ando 演奏 [歌唱] 法などに関する音楽用語.
-ato 演奏法あるいは演奏者への指示などに関する音楽用語.
-brach 短い…, (韻律用語で) 短格, 弱格.
-core …系ポップス.
-endo 演奏 [歌唱] 法などに関する音楽用語.
-et[1] 「小…」の意で, 楽曲形式, 楽器など.
-ette[1] 「小…」の意.
-etto 「小…」の意で, 楽曲形式, 楽器など.
-i[3] 音楽用語に関して複数形をつくる.
-ics …学, …術, …原理, …研究.
-ina[2] 「小…」の意で, 楽曲形式, 楽器など.
-ino 「小…」の意で, 音楽用語をつくる.
-io 楽曲形式などを表す.
-issimo 「きわめて…, 最も…」の意で, 音楽用語をつくる.
-ist[1] (楽器の名称につけて) …奏者; … (専門の) 作曲家 [歌手].
-ium …歌.
-ivo 演奏法などに関する音楽用語.
-lude[2] 演奏; 劇.
-mento 曲想, 楽曲形式などに関する音楽用語.
-ndo 演奏 [歌唱] 法などに関する音楽用語.
-odic[2] 歌の [に関する], 詩の [に関する].
-ody …詩, …歌.
-oso 曲想, 楽曲形式, 演奏法などに関する音楽用語.
-phone …音, …音声; …楽器.
-phony …音楽, …旋律.
-pody …脚律, 詩脚.
-sis 拍などに用いられる.
-sonant 響く, 鳴る, 音を出す.
-sonance 音を出すもの [こと].
-ura[2] 特に装飾音, 調律などに関する音楽用語.

3-20 言語・修辞・文法

-acism (ギリシャ語文法などで) …の傾向があること.
-an[1] (言語で) …語族 (の), …語群 (の).
-ative (文法で) …格 (の).
-chronic 時間の [に関する].
-ean[1] …語 (族, 派) (の).
-eme[1] (言語で) …素.
-emic (言語で) …素の.
-epy 言葉, …音学.
-flex 〈音・音声が〉曲げられた, 曲がった
-glot …語の, …か国語ができる [で書かれた]
-graph …文字, …句.
-ia ギリシャ語・ラテン語借用の名詞語尾.
-ian -an[1]の異形.
-ics …学, …術, …原理, …研究.
-ism[1] …論, …説, …風の言い回し.
-ist[1] …語学者 [研究家].
-ival (文法で) … (品) 詞の, …格の, …法の.
-ive[1] (文法で) …格 (の), (言語で, 叙述に関して) …的な (語).
-lative (文法で) …格 (の).
-laut (言語で) 音.
-lect[2] 方言; 専用語.
-lepsis (修辞で) … (用) 法.
-lipsis (言語で) …消失; (文法で) 省略.
-lish 英語 (の).
-logy …語 [話] 法.

-on[3] (特にギリシャ語の修辞で)…語(法).
-onomasia (修辞で)名をつけること.
-onym 言葉, 名前.
-onymy 言葉, 名前, …学.
-phone 音, 音声.
-phony (言語, 文法で)音(声).
-phora[2] (文法で)前方照応.
-phrasis …語法, …な言い方.
-phrastic 言いまわしの.
-phthong …母音.
-poeia …を作る[形成する]こと.
-pose (文法形成・語・句を)…に置く.
-sis (修辞で)…表現法, 言い方; (言語で)…作用; (文法で)…節, 構文.
-tactic (特定の)配列を持つ.

3-21 宗教(ユダヤ教・キリスト教・イスラム教)

-a[2] ギリシャ語・ラテン語からの借用語で, キリスト教関連の語をつくる.
-ah[1] ヘブライ語の名詞形成語尾で, ユダヤ教の儀式, 祭典名などをつくる.
-an[1] …に所属する人.
-and[1] …される人.
-arch[1] (教会制度で)…長
-arian …説[学派]の信者.
-ate[3] …の職, 任務; 組織, 制度.
-eh[1] ヘブライ語の語尾要素.
-grapha (聖書以外の聖典を表して)…文書.
-i[5] (イスラム教で)…派(の).
-ia ギリシャ語・ラテン語からの借用語で, キリスト教関連の語をつくる.
-ian -an[1]の異形.
-im[1] ヘブライ語からの借用語に見られる複数形語尾.
-ism[1] …主義, …教義, …学説, …宗派.
-ist[1] …主義者, …派信者, …教徒.
-ite[1] (聖書で)…人(びと), …族の人; (キリスト教・イスラム教で)…派(信者); (神学で)…論者.
-j アラビア語からの外来語で, イスラム教関連の語をつくる.
-lapsarian (神学で)…堕罪論者(の).
-mas (キリスト教で)…祭, 祝祭日.
-oth[1] ヘブライ語からの借用語で, キリスト教関連の語をつくる.
-phany (特に神の)出現, 顕示.
-teuch (旧約聖書で)…書.
-um[1] ラテン語の中性形名詞・形容詞語尾で,「礼拝所」などを表す.

3-22 天文・宇宙

-a[2] 天文用語をつくる.
-ar[4] …星.
-ades …星団.
-astron 星.
-com …(用)通信衛星.
-cosm 世界, 宇宙.
-graph …グラフ[記録計].
-illion million「100万」から抽出.
-ium (近代以降に発見された)星座名や天体現象を表す.
-lite …隕石.
-lunary 月の.
-naut 航行者, 宇宙飛行士.
-nautic 航行者の.
-sat …(人工)衛星, …サット.
-um[1] …座.
-us[1] …座; …星.

3-23 印刷・美術・写真

-esque (画風が)…風の.
-cento (美術・文学史で)…チェント, 世紀(風).
-chrome (写真で)…クローム.
-gram[1] …文字[線画]図, …写真.
-graph …版画; …写真(機); …版(印刷).
-graphy …版画, …彫刻術; …版(印刷).
-ism[1] (美術で)…派, …主義.
-ist[1] …専門の画家[写真家], …派の画家[写真家], …主義の芸術家.
-mo …折り(判).
-ptych …連作, …部作; …折り祭壇画.
-type 特に写真製版法について用いる.
-typy …製版(術); …写真(法).

3-24 政治・経済・社会

-agog 《主に米》-agogueの異形.
-agogic 指導する; …を促す.
-agogue 導くもの; 指導者.
-agogy …を導くもの.
-aholic …中毒(の人), …におぼれる人.
-aire …に関わりある人, …を持っている人.
-an[1] **1** …の土地の生まれの(人). **2** …に所属する(人). **3** …時代の(人). **4** …派の(人), …を信奉する(人).
-androus 男(性)…の, 雄の.
-andry 男性, 雄.
-anthrope …人間, …家.
-anthropy 人間性.
-arch[1] …長, 先導者, 支配者, 君主.
-archic 指導者の, 政府の.
-archy …支配(体制), …政治, …主権, …王国.
-arian **1** …の(関連の)人(の). **2** (主義・説・原理などの)支持[信奉]者(の), 唱導者(の), 実行者(の).
-ast[1] …に関係のある人, …に従事する人.
-aster[1] 似て非なる人, えせ…, 取るに足りない人.
-ate[3] **1** …職, 任務, 役目. **2** 組織, 制度; 集団, 団体. **3** 役目を果たす人. **4** 任務関連の場所. **5** 任務期間, 統治期間. **6** 地位, 職務, その任務の期間, 領土.
-athon 長時間イベント[番組, 販売], 持久力くらべ.
-ator **1** …する人. **2** …する存在[(特に)機械].
-atrix -atorの女性形.
-bound[1] …に[で]閉ざされた.
-centered …中心の, …本位の.
-centric **1** …の中心を持つ. **2** …を中心にした, に集中した, を重視した.
-centrism **1** …中心主義. **2** …の中心を持つ主義.
-chronism 時, 時代.
-cidal 殺人者の, 殺人の, …を殺せる.
-cide …殺し, 殺人者; …殺人; …破壊; …駆除剤.
-clast …破壊者.
-cracy **1** …(支配)階級, …制(度), …政治. **2** …政体, …行政府.
-crat 支配者; 支配階級の一員; …体制[党派]支持者; …官僚, …行政官.
-cratic …(制)政治の.
-cult …文化.
-demic ある地域の(人々の).
-dom **1** …の土地, 所領; …界, の集団, 業界; …の地位, 階級. **2** …の状態, …権.
-ean[1] -an[1]の異形.

分類目次

-ee[1]　**1** ある行為をされる人. **2** ある行為をする人. **3** あるものを所有している人. **4** ある状態にある人.
-eer[1]　**1**（専門的に）…を扱う人, …関係者, …を仕事にする人. **2**（軽蔑的に）…と関係を持つ人, …を仕事にする人.
-ennial　…年周期, …年目ごとの.
-er[1]　**1** ある事を（職業として）する人. **2** ある特徴を持っている人·物. **3** …の（土地の）人. **4** …主義（支持）者. **5** …する（ための）道具. **6** …される（に向いている）物.
-er[2]　…と関係［関連］のある人［もの］.
-ery[1]　**1** …業, 仕事, 技術. **2** …（製造·販売）所［店·屋］. **3** 集合物, …類.
-ese　…に特有の言い方, …言語, …用語, …言葉.
-esque　…様式の, …風の, …に似た;（特に政治家名につけて）…的な.
-ess[1]　**1** 女性の…. **2** …夫人. **3** 雌の….
-eur　**1** ある事を（職業として）する人. **2** ある特徴を持っている人·物.
-fax　システム手帳の商品名などにつく語尾要素.
-fest　…集会, …大会.
-flation　（経済で）…インフレ.
-friendly　（利用者·消費者などに）親切な;（仕事·機械などに）適した, 詳しい;（環境·動物などに）やさしい, 無害な;（特定の政治家·政策などに）有利な, ひいきの;（テレビ·子供などばかりを）相手にしている.
-fy　**1** …にする, …化する. **2**《しばしば軽蔑的》…に似させる, …の特徴を持たせる.
-gamic　…（制）結婚の.
-gamous　…（結）婚の.
-gamy　…（結）婚, …生殖.
-gate[1]　スキャンダル, 醜聞, …事件.
-genic　**1** …を作る［生み出す］, …を誘発する. **2** …から生まれた［作られた］. **3** …に適した.
-grapher　…学者, …執筆家, …写真家.
-graphy　**1** 書式, 記述法, 表現法, 記録形式. **2** 記録する科学, 記述する学問. **3** 筆記法, 筆法.
-gynic　女子の, 女性の.
-gynous　女性の, 雌の.
-gyny　女性らしさ.
-holic　-aholicの異形.
-hood　**1** 地位, 身分, 職. **2** 時期. **3** 特定の人々の集団.
-ian　-an[1]の異形.
-iatrics　（治療を受ける人を表す要素について）…医学, …科.
-iatrist　…専門医.
-iatry　…治療, 医療.
-ician　…の専門家, …技術者, …学者.
-ics　…学, …術, …原理, …研究.
-ier[1]　…師, …業者. ▶ -er[1]の異形.
-ier[2]　-eer[1]の異形.
-ify　**1** …にする, …化する. **2**《しばしば軽蔑的》…に似させる, …の特徴を持たせる.
-in[3]　…集会, 抗議［支援］デモ.
-int[1]　…（による）情報収集.
-ior[2]　-or[2]の異形.
-ism[1]　**1** …中毒; …差別; 教義·学説. **2** 主義; …特有の言い方.
-ismo　制度, 体系, 主義, 主張.
-ist[1]　**1** …の創作家, 演奏家. **2** …研究者. **3** …（学説·主義の）支持者. **4** ある特徴を持っている人.
-istic　…主義の, …論（者）の, …派の, …党の.
-istics　…学, …研究.
-ite[1]　…主義者, …支持者, …派（の人）, …族.
-itis　《話》…熱, …中毒.
-ity　（ある異常な性質を持っているものの）例, 特質.
-ization　…にする［なる］こと; …化（現象）.
-jack　飛行機などの乗っ取り（をする）, …ジャック.
-later　…崇拝者.
-latry　…崇拝, 礼賛.
-log　-logueの異形.
-logist　…学者, …の研究者.
-logue　**1** 談話, …集, 編集物. **2** …学者, …研究者.
-logy　**1** …学, 学説, 教理. **2** 文章, 談話, 収集.
-lux　LuxemburgまたはBeneluxの短縮形.
-man[1]　…人, …者, …員, …官.
-mancy　…占い.
-mania　**1**（精神医学で）…狂,（性）癖, の強迫観念. **2** …熱, 礼賛, 狂.
-manship　…（技）術.
-metrician　…測定学［計測学］者.
-mony　**1** 地位, 役割, 機能. **2** 人の特性, 行動の種類.
-nap　…誘拐（をする）, …を盗む.
-naping　…誘拐.
-napping　-napingの異形.
-nik　…に関心の強い人, …狂.
-nomics[1]　…学.
-nomics[2]　（特に政治家の名前につけて）…（の）経済政策.
-nomy　…の知識体系, …学.
-ochroi　…色人種.
-ocracy　-cracyの異形.
-ocrat　-cratの異形.
-oholic　-aholicの異形.
-ology　-logyの異形.
-opsony　購売, 需要.
-or[2]　…する人［もの］, …の役割をもつ人［もの］.
-orial　（特定の分野に）属する［関する］.
-oriented　…志向の, …好きの, …本位の.
-ory[2]　…する場所, 施設.
-pathy　**1** 苦痛, …感情, …感. **2**《近代英語で》病気, …病. **3** …療法.
-penny　（値段が）…ペニーする;（釘が）…サイズの.
-person　…人, …者.
-petal　…を求める, …へ向かう.
-phagi　…を食べる人々, …食人［民］.
-phagy　（特に習慣としての）（…を）食べること.
-phile　…愛好家, …信奉者, …崇拝者, …通, 親…家.
-philia　…好き, …びいき, …崇拝.
-philism　…愛好, …嗜好.
-phily　…の収集趣味. ▶ -philiaの異形.
-phobe　…恐怖症の人, …嫌いの人.
-phobia　…恐怖（症）, …嫌い.
-phobic　…を嫌悪する, …恐怖症の.
-plex　共同ビル［住宅］, 団地; …複合施設.
-ploitation　…（の営利的な）利用, 開発.
-polis　…都市.
-politan　…の市民の, 住民の; …都市の.
-poly　独占, 専売.
-proof　**1** 耐…性の, …不透性の. **2**（…に対して）保証つきの, 安全な.
-ry[1]　**1** …業, 仕事. **2** …（製造·販売）所［店·屋］. **3** 集合物, …類.
-ship　**1**（…の）状態, 性質. **2**（…の）性質, 状態を備えているもの. **3** 地位, 役職. **4** 能力, 技能. **5**（人間）関係. **6** …集団, 層. **7** 奨学金, 助成金.
-sophy　…（哲）学, …知識（体系）.
-sor　-torの異形.
-speak　《話》…用語, …言葉, …語録.
-spoken　話しぶり[口先]が…な.
-ster　**1**《しばしば軽蔑的》…屋. **2** …である人, …な人.
-stress　-sterの女性形.
-technics　…技法, …技術, …工学.
-tex　《商標》繊維; 織物.
-theism　…の神［神々］を信ずること.
-theist　…の神［神々］を信じる人.
-thon　-athonの異形.
-thrift　幸福, 繁栄.
-tight　防…の, 耐…性の; …不浸透性の.

-topia[2]　…天国, …郷.

-tor　…する人[もの], …の役割をもつ人[もの].

-tory[1]　-ory[1]の異形.

-tress　-tor, -terで終わる語の女性形.

-trix　-torの女性形.

-uppie　…のヤッピー, あるいはそれに類する人.

-urb[1]　…郊外.

-urgy　**1** …術. **2** …業.

-vert　(性格が)…向性の.

-wide　全…の[に及ぶ]; …全体の.

-woman　女性(の)…, …する女性.

-worthy　**1** …に値する. **2** …に適した.

4 固有名(人名・地名)

4-1 人名をつくる

■姓・男子の名

-ald[1]　字義は「支配」; ゲルマン系.

-ard[1]　姓・男子の名をつくる.

-ard[2]　職業名語尾として用いられ, 人名に転化.

-aud[1]　フランス系.

-ay[2]　-ey[4]の異形.

-bald　字義は「勇敢な」.

-berg　字義は「山」.

-bert　字義は「輝いている, 有能な」.

-bett　字義は「勇敢な」.

-burg　字義は「市, 町」.

-bury　字義は「砦(とりで)」.

-by　字義は「農場, 集落; 砦」.

-cliffe　字義は「崖, 坂, 川岸」.

-cott　字義は「小屋」.

-dale　字義は「(特にイングランド北部の)谷, 広い谷」.

-den[1]　字義は「丘, 山」.

-den[2]　字義は「谷, 渓谷」.

-don　字義は「谷, 丘, 囲い」.

-dorf　字義は「村」.

-el[1]　字義は「小さな…」

-el[2]　字義は「神」; ヘブライ語系.

-ell[1]　-el[1]の異形.

-ev　ロシア系.

-ey[3]　英語化されたアイルランド人の姓に見られる.

-ey[4]　字義は「島」; 地名起源の姓をつくる.

-field　fieldの連結形.

-ford　字義は「浅瀬, 渡り場」.

-grave[1]　字義は「小さな森」.

-ham[1]　字義は「境界; 囲い地; 村; 地所; 荘園」.

-hard　字義は「頑丈な, 勇敢な, 強い」.

-heim　字義は「村」; 地名起源の人名をつくる.

-ie[1]　…ちゃん. ▶愛称, 別称をつくる.

-kins　-kinの異形. ▶姓のほか愛称をつくる.

-ley　字義は「林, 林の空き地」; 地名起源の姓をつくる.

-man[3]　字義は「…の人」.

-mond　字義は「守護者」.

-mund　字義は「守護(者)」.

-old[1]　-ald[1]の異形.

-ov　ロシア系.

-rich[2]　字義は「力(のある); 威力(のある)」.

-ry[2]　字義は「力」.

-s[2]　名前につけて「息子の分家」の姓をつくる.

-sey　字義は「勝利」.

-sky　ポーランド系.

-son　字義は「…の息子」.

-ston　字義は「石」.

-stone　字義は「…石」.

-ton[2]　字義は「囲い, 開拓地」.

-try　字義は「木」; 地名起源の姓をつくる.

-ward[2]　wardの連結形.

-wich　字義は「…の村, 村落」.

-wick　字義は「《英》農場, 酪農場; 村, 部落」.

-win　字義は「友人, 友だち」.

-wood　woodの連結形.

-worth　字義は「中庭, 囲い」.

-wulf　字義は「オオカミ」.

-y[5]　-ie[2]の異形.

■女子の名

-a[2]　ギリシャ・ラテン語系の女子の名をつくる.

-dora　字義は「贈り物」.

-een[1]　指小辞; アイルランド系.

-el[2]　字義は「神」; ヘブライ語系.

-ell[1]　-el[1]の異形; 指小辞.

-et[2]　指小辞.

-ett[1]　指小辞.

-etta　指小辞; 女子の名の愛称をつくる.

-ette[1]　指小辞; フランス系.

-ia　女子の名, ギリシャ神話の女神の名をつくる.

-ice[2]　女性の行為者, 女子の名をつくる.

-ie[1]　…ちゃん. ▶愛称, 別称をつくる.

-ie[2]　フランス系.

-ina[1]　女子の名, 称号, 職名をつくる.

-ine[4]　女子の洗礼名・称号をつくる.

-lyn　英語起源の女子の名をつくる.

-phila　字義は「…の愛するもの」.

-y[5]　-ie[2]の異形.

4-2 地名をつくる

-a[2]　主に国名をつくる.

-a[10]　主に米国中西部の州名および州都名などをつくる.

-abad　字義は「都市」; インドやパキスタンの地名をつくる.

-ay[2]　-ey[4]の異形.

-berg　字義は「山」.

-boro　字義は「町, 城」.

-borough　字義は「町, 村」.

-bourg　字義は「町, 都市, 城下町」.

-burg　字義は「市, 町」.

-burgh　-burgの異形.

-bury　字義は「砦」; 英国の地名などをつくる.

-by　字義は「農場, 集落; 砦」.

-caster[2]　字義は「城塞」; 特にローマの駐屯地であった都市の名をつくる.

-cester　-caster[2]の異形.

-chester　字義は「町; 都市; 城塞都市」.

-dale　字義は「(特にイングランド北部の)谷, 広い谷」.

-don　字義は「谷, 丘, 囲い」.

-dorf　字義は「村」.
-ell[1]　-el[1]の異形; 指小辞.
-ev　ロシア系の地名をつくる.
-ey[4]　字義は「島」.
-ey[5]　字義は「囲い」.
-field　fieldの連結形.
-ford　字義は「浅瀬, 渡り場」.
-gate[2]　字義は「小道, 峠」.
-ham[1]　字義は「境界; 囲い地; 村; 地所; 荘園」.
-ham[2]　字義は「牧草地」.
-heim　字義は「村」.
-ia　地名(国名·都市名)をつくる.
-ing[4]　字義は「場所, 川, 草原」; 英国の地名をつくる.
-ium　古代ギリシャ·ローマの地名, 都市名をつくる.
-ley　字義は「林, 林の空き地」.
-low　字義は「丘, 山」.
-nesia　字義は「島」.
-pol　字義は「町; 都市」; 東欧諸国などの地名をつくる.
-poli　字義は「町」.
-polis　字義は「都市」. ▶ギリシャ語より.
-sex　字義は「サクソン人の土地」.
-stan　字義は「国, 地方」で, 国名, 地名に使われる.
-ston　字義は「石」.
-stone　字義は「…石」.
-ton[2]　字義は「囲い, 開拓地」.
-try　字義は「木」.
-um[1]　古代ギリシャ·ローマの地名をつくる.
-ville　字義は「村」; 町名や都市名をつくる.
-walden　字義は「森, 森林地帯」で, 主にスイスの地名をつくる.
-wich　字義は「…の村, 村落」.
-wick　字義は「《英》農場, 酪農場; 村, 部落」.
-wood　woodの連結形.
-worth　字義は「中庭, 囲い」.
-y[3]　国名の語尾に見られる; ラテン語-*ia*に相当.

5 俗語·口語をつくる

-a[4]　先行する語が, 子音で終わる時に, ofが崩れた形でついたもの.
-a[11]　《俗》語尾-erのなまったもの.
-aholic　…中毒(の人), …におぼれる人.
-athon　長時間イベント[番組, 販売], 持久力くらべ.
-ay[1]　《俗》ピッグラテンで使われる語尾.
-burger　hamburger「ハンバーガー」の短縮形.
-cha[1]　《発音綴り》文中で～ youの短縮形.
-com　communication「交信」などの短縮形.
-copter　《話》ヘリコプター.
-delic　サイケデリックな, 幻覚的な.
-ette[1]　女性の…, …な女性.
-fari　…旅行.
-er[1]　…する人, …な人. ▶口語表現のなかで, 新造語力が高い.
-er[5]　学生俗語をつくる.
-erino　《こっけい》ちっぽけな…, …の典型.
-eroo　名詞について親しさ, こっけいさなどを表す.
-ers　短縮した語につけて愛着の気持ちを込める.
-est[1]　形容詞, 副詞の最上級をつくる.
-ey[1]　-y[1]の異形.
-ey[2]　-y[2]の異形.
-fest　…集会, …大会.
-fu　fuck-up「しくじる」から抽出.
-holic　-aholicの異形.
-ie[1]　-y[2]の異形.
-illion　million「100万」から抽出.
-in[3]　…集会, 抗議[支援]デモ.
-ish[1]　…のような, …っぽい, …風の.
-ist[1]　ある特徴を持っている人.
-itis　《話》…熱, …中毒.
-jack　hijack, highjack「ハイジャック」の短縮形.
-kini　bikini「ビキニ」の短縮形.
-let　**1** 小さい, 子供の…. **2** …に付けるもの, 装身具.
-logist　…学者, …の研究者.
-mas　…祭, 祝祭日.
-meister　《米俗》…が得意な人, …の大家.
-mobile　…用の車[車両].
-naping　誘拐.
-napping　《主に英》-napingの異形.
-nik　…な人, …に関心の強い人, …狂.
-o[1]　**1**《話》短縮形をつくる. **2**《俗》…であるもの[人], …なもの[やつ].
-o[2]　スペイン語, イタリア語, ポルトガル語などの男性形名詞語尾.
-oholic　-aholicの異形.
-ola　**1**《俗》賄賂(わいろ). **2**《米俗》大きいもの.
-rican　プエルトリコ人(の).
-'s　所有格を示す.
-sie　-syの綴り字異形.
-ski　《米俗》…する人, …屋.
-speak　《話》…用語, …言葉, …語録.
-ster　…する人; 《しばしば軽蔑的》…屋.
-sy　**1**《話》指小辞として. **2** …に見せかける, …の振りをする.
-tz　主に俗語の語尾に使われる; 軽蔑の響きがあり, 音象徴的.
-uppie　《米俗》ヤッピー, あるいはそれに類する人.
-vert　…に向く(人).
-ville　**1**《主に米俗》場所·人·物·事の状態や状況を軽蔑的に表す. **2**《米学生俗》同じ形の人がそろっている状態.
-wallah　(特定の仕事をするための)雇われた人, …係.
-ware　《俗》software「ソフト」の短縮形.
-y[1]　**1** …の(特徴を備えた), …でいっぱいの. **2** …に似ている. **3** やや…の, …がかった. **4** …しがちな, …しそうな.
-y[2]　**1** …ちゃん, お…. **2**《やや軽蔑を込めて》…さん, …もの, …ところ. **3** …な人[もの].

6 原語による分類

6-1 英語系

-ar[3] 「…する人」を表す名詞をつくる.
-ard[2] 字義は「島」で, 人名をつくる.
-art[1] 「特に…する性質がある人」を表す名詞をつくる.
-ay[2] -ey[4]の異形.
-bert 字義は「輝いている, 有能な」で, 人名をつくる.
-bett 字義は「勇敢な」で, 人名をつくる.
-boro 字義は「町, 城」で, 地名に用いられる.
-borough 字義は「町, 村」で, おもに地名に使われる.
-bound[1] 「…に[で]閉ざされた」の意の形容詞をつくる.
-burgh -burgの異形.
-bury 字義は「砦」で, 英国の地名, 人名などに用いられる.
-bye by[1]の異形.
-ce 「…倍に, …度に」の意で, 主に副詞をつくる.
-cliffe 字義は「崖, 坂, 川岸」で, 人名に使われる.
-cott 字義は「小屋」で, 人名をつくる.
-d[1] -ed[1]の異形.
-d[2] -ed[2]の異形.
-dale 字義は「谷」で, 地名, 姓などに使われる.
-den[1] 字義は「丘, 山」で, 人名などに用いられる.
-den[2] 字義は「谷」で, 人名などに用いられる.
-dom **1** …の土地, 所領; …界, の集団; …の地位, 階級. **2** …の状態, …権.
-don 字義は「谷, 丘, 囲い」で, 地名, 人名などに使われる.
-ed[1] **1** 過去分詞をつくる. **2** 分詞形容詞をつくる.
-ed[2] 名詞について「…を備えた, …のある」の意の形容詞をつくる.
-ee[2] -y[2], -ie[1]の異形.
-en[1] **1** …(の状態)にする. **2** …(の状態)になる.
-en[2] 物質名詞について「…でできた」の意の形容詞をつくる.
-en[3] 多くの不規則変化動詞と少数の規則変化動詞の過去分詞をつくる.
-en[4] ある種の名詞の複数形をつくる.
-er[1] 「…する人, するための物」などを表す名詞をつくる.
-er[4] …する.
-er[5] 学生俗語をつくる.
-ern[1] 方角を表す名詞について「…の方への[からの]」の意の形容詞をつくる.
-es[1] 複数形語尾-sの異形.
-est[1] 形容詞・副詞の最上級をつくる.
-et[2] 女子の名に見られる指小辞.
-eth[1] 《古》動詞の三人称単数直説法現在をつくる.
-eth[2] -th[2]の異形.
-ey[1] -y[1]の異形.
-ey[2] -y[2]の異形.
-ey[4] 字義は「島」で, 地名, 地名起源の姓につく.
-ey[5] 字義は「囲い」で, 地名に用いられる.
-field -fieldの連結形で, 人名, 地名につく.
-fold 数詞につけて「…の部分を持つ」の意の形容詞・副詞をつくる.
-ford 字義は「浅瀬, 渡り場」で, 地名, 人名などに使われる.
-ful[1] **1** …に満ちた, …の多い, …の性質の. **2** …しがちな.
-ful[2] 「…一杯(の量)」を表す名詞をつくる.
-fully -ful[1]で終わる形容詞に対応する副詞をつくる.
-grave[1] 字義は「小さな森」で, 人名に使われる.
-ham[1] 字義は「境界; 囲い地; 村; 地所; 荘園」で, 人名, 地名に使われる.
-ham[2] 字義は「牧草地」で, 地名に使われる.
-head 「…の存在, …性」を表す名詞をつくる.
-hood **1** 性質, 状態. **2** 時期. **3** 特定の人々の集団.
-ier[1] -er[1]の異形.
-ily -y[1]で終わる形容詞(yをiに変化させて)から副詞をつくる.
-ing[1] **1** 行為・過程. **2** 行為・過程の一例. **3** 行為・過程の産物. **4** 行為・過程において用いられるもの. **5** あるものと関連のある行為・過程. **6** ある概念と関連のあるもの.
-ing[2] **1** 動詞につけて現在分詞または形容詞をつくる. **2** ときに名詞につけて形容詞をつくる.
-ing[3] 「…に属するもの, と同じもの, に由来するもの」を表す名詞をつくる.
-ing[4] 字義は「場所, 川, 草原」で, 英国の地名をつくる.
-ingly 動詞に-ing[2]がついて形容詞化したものから副詞をつくる.
-le[1] **1** 動詞の語幹につけて「…しがちな」の意を表す形容詞をつくる. **2** 本来小さいことを意味する名詞をつくる. **3** 動作主または道具を示す名詞をつくる.
-less **1** …のない. **2** …できない, …しがたい.
-lessly -lessで終わる形容詞に対応する副詞をつくる.
-ley 字義は「林, 林の空き地」で, 地名, 地名起源の姓につく.
-like 「…に似た, …のような, …にふさわしい」の意の形容詞をつくる.
-ling[1] **1** …にかかわり合いのある人[もの]. **2** 小…; 子….
-ling[2] 「方向」,「位置」,「状態」などを表す副詞をつくる.
-lings -ling[2]の異形.
-lins 《スコット》-ling[2]の異形.
-low 字義は「丘, 山」で, 地名などをつくる.
-ly[1] 形容詞につけて副詞をつくる.
-ly[2] **1** …のような,にふさわしい. **2** 《時間の単位につけて》…ごとの.
-man[1] 「…人, 者, 員, 官」を表す名詞をつくる.
-man[2] 「…船」を表す名詞をつくる.
-man[3] 字義は「…の人」で, 人名をつくる.
-manship 「技量, 腕, 手腕」を表す名詞をつくる.
-meal 「一時に一定量ずつ」の意の副詞をつくる.
-mond 字義は「守護者」で, 人名に使われる.
-most 形容詞・名詞・前置詞・副詞について最上級をつくる.
-mund 字義は「守護(者)」で, 人名に使われる.
-ness 形容詞・分詞などにつけて「性質, 状態; 程度」などを表す名詞をつくる.
-ock[1] 指小辞.
-penny (値段が)…ペニーする; …サイズの.
-red 「状態」を表す名詞をつくる.
-rich[2] 字義は「力(のある)」で, 人名をつくる.
-ry[2] 字義は「力」で, 人名をつくる.
-s[1] 副詞をつくる.
-'s 《名詞について》**1** 所有格を示す. **2** 数字や文字の複数形を示す.
-sex 字義は「サクソン人の土地」で, 地名に使われる.
-sey 字義は「勝利」で, 人名をつくる.
-ship **1** (…の)状態, 性質. **2** (…の)性質, 状態を備えているもの. **3** 地位, 役職. **4** 能力, 技能. **5** (人

間) 関係. **6** …集団, 層. **7** 奨学金, 助成金.

-side[1] 「側面, 側」の意の名詞·形容詞·副詞·前置詞をつくる.

-sided 「…の面［辺, 側面］を持つ」の意の形容詞をつくる.

-size 「…サイズの」の意の形容詞をつくる.

-some[1] …を生じさせる, …しそうな.

-some[2] 「…つ［人］組(の), …重(の)」の意で, 名詞, 形容詞をつくる.

-st[1] -est[1]の異形.

-stand 「立つ」の意をもつ語根.

-ster **1** …する人; …屋. **2** …である人, …の人.

-ston 字義は「石」で, 地名などに使われる.

-stone 字義は「石」で, 地名や姓に使われる.

-t[1] ある種の動詞の過去または過去分詞をつくるのに用いる-ed[1]の変形.

-th[1] **1** 形容詞につけて性質や状態を表す名詞をつくる. **2** 動詞につけて行為や過程を表わす名詞をつくる.

-th[2] 4以上の基数から序数をつくる.

-th[3] -eth[1]の異形で, 動詞の直説法三人称単数現在形の語尾.

-ton[2] 字義は「囲い, 開拓地」で, 人名, 地名に使われる.

-try 字義は「木」で, 地名, 地名起源の姓に用いる.

-ty[1] 「10の倍数」を表す名詞をつくる.

-ward[1] (の方向)へ(の).

-ward[2] wardの連結形で, 職業や人名をつくる.

-wards -ward[1]の異形.

-ways 《形容詞·名詞について》「方向, 位置, 様態」を表す副詞をつくる.

-wich 字義は「村」で, 地名·人名に使われる.

-wide 「全…の, …の範囲にわたる」の意の形容詞をつくる.

-wife 「(特定の仕事に従事している)女性」などの意の名詞をつくる.

-win 字義は「友人」で, 人名などに使われる.

-wise 名詞や形容詞につけて「方法·方向·様態」を表す副詞をつくる.

-woman 「女性…」の意の名詞をつくる.

-wood woodの連結形で, 地名, 人名などに用いる.

-worthy 「**1** …に値する. **2** …に適した」の意の形容詞をつくる.

-wulf 字義は「オオカミ」で, 人名などに使われる.

-y[1] **1**《名詞につけて》…の(特徴を備えた), …でいっぱいの. **2**《名詞につけて》…に似ている. **3**《形容詞につけて》やや…の, …がかった. **4**《動詞につけて》…しがちな, …しそうな.

-y[2] 《名詞·形容詞につけて》**1** …ちゃん, お…. **2**《やや軽蔑を込めて》…さん, …もの, …ところ. **3** …な人［もの］.

-yer wの後に続く-er[1]の異形.

6-2 ラテン語系

-a[1] ギリシャ語·ラテン語から借用の名詞の複数語尾.

-a[2] ギリシャ語·ラテン語の名詞の女性単数語尾から借用. **1** 女子の名. **2** 動物の名, 分類名. **3** 植物の名, 分類名. **4** 動物の身体各部位の名称. **5** 病理·疾患名. **6** 天文用語. **7** 地名; (特に)国名.

-abilia 「…できるもの」を表す名詞をつくる.

-ability -able[1]と-ityの結合形.

-able[1] **1**《他動詞につけて》(1)…されうる. (2)…されるべき(である). (3)…に適した, …する価値がある. **2**《自動詞につけて》…しやすい.

-aceous 「…に似た, …の性質を持つ, …でできた」の意で形容詞をつくる.

-acious …の, ►-acity, -acyの語尾を持つ名詞に対応する形容詞をつくる.

-acity -aciousに対応する名詞をつくる.

-act[1] 「行う」の意の語根.

-ad[3] 解剖学, 動物学で, 体の部分を表す名詞につけてその箇所への方向を示す副詞をつくる.

-ae[1] ラテン語の名詞複数形語尾.

-aea -ea[1]の異形.

-age[1] **1** 行為. **2** 行為の結果. **3** 状態. **4** 範囲. **5** 関係·地位. **6** 集合(体). **7** 料金·税. **8** 住むところ.

-ago ラテン語の「性質, 種類」を表す名詞接尾辞.

-ain[2] 数詞について「…個のまとまり」の意の名詞をつくる.

-aire 「…する性格の人, …を持っている人」の意の名詞, 形容詞をつくる.

-al[1] 「…の(ような), …と関係のある」の意の形容詞, またそこから派生して名詞をつくる.

-al[2] フランス語またはラテン語系の動詞について名詞をつくる.

-alis ラテン語に由来する学術語に用いる.

-an[1] **1** …の土地の生まれの. **2** …に所属する.

-an[2] 化学, 薬学で「不飽和炭素化合物, 無水物」などの化合物を表す.

-ana 《主に人名·地名·時代の後につけて》…集, 資料集, 文献, 百科, 語録, 逸話集, 地図帳; 事物, 風物, 文物.

-ance[1] **1** 性質·状態. **2** 行為. **3** 量·程度.

-ancy **1** 性質・状態を表す. **2** 行為を表す. **3** 量・程度を表す.

-and[1] …されるもの［人］.

-ane[1] -an[1]の異形.

-ane[2] 化学で, メタンまたはパラフィン系の炭化水素の類の名に用いる.

-aneous ラテン語系の形容詞語尾.

-ant[1] **1** …の行為をする(人). **2** …する能力を持つ(物). **3** …される物.

-anthemum 花を持つ植物の意味を表す名詞をつくる.

-anum 主にラテン語起源の学術用語につく.

-anus ラテン語起源の学術用語などにつく.

-apt 「位置につける」の意の語根.

-ar[1] -al[1]の異形.

-ar[2] -er[2]の異形.

-aria 科学用語, 特に生物学上の属·群につける.

-arian **1** …の(関連の)人(の). **2** (主義·説·原理などの)支持［信奉］者(の), 唱導者(の), 実行者(の).

-arious 「…に関する, …性の」の意の形容詞をつくる.

-aris 科学用語に見られる.

-arium 「…に関する場所」を表す.

-ary **1** …に属する, …に関係のある. **2** …と関係のある人. **3** 入れ物, 置き場.

-at[1] -ate[3]の異形.

-ata 特に動物学上の分類に用いられる.

-ate[1] **1**《名詞につけて》…の(特徴のある), …を持つ, …に満ちた. **2**《動詞の過去分詞につけて》…化した. ►形容詞をつくる. **3** …させる, …する. ►動詞をつくる. **4** …者. ►名詞をつくる.

-ate[2] (化学で)…酸塩. ►ate[1]の限定用法.

-ate[3] **1** …職, 任務, 役目. **2** 組織, 制度; 集団, 団体. **3** 役目を果たす人. **4** 任務関連の場所. **5** 任務期間, 統治期間. **6** 地位, 職務, その任務の期間, 領土.

-atic 「…の, …的な.」の意で形容詞, またそこから派生して名詞をつくる.

-ation **1** …の動作·行為. **2** …した状態. **3** …の結果·産物.

-ative **1** …する傾向がある. **2** …と関係のある.

-ator **1** …する人. **2** …する存在［(特に)機械］.

-atorium 「…する場所, 施設」の意で, 動詞について名詞をつくる.

-atory …のような, …の性質を持つ.

-atrix -atorの女性形.
-atum ラテン語の過去分詞語尾-*ātus*の中性形.
-atus ラテン語の過去分詞および形容詞語尾.
-ble -able[1]の異形.
-brum ラテン語の道具·手段を表す名詞接尾辞.
-bulum ラテン語の道具·手段を表す名詞接尾辞.
-bund 「…しがちな」の意の形容詞をつくる.
-cardium 心臓と関係する組織, 器官を表す名詞をつくる.
-carnate 「肉にする」の意で, 形容詞をつくる.
-caster[2] 字義は「ローマの駐屯地であった都市」で, 地名をつくる.
-cede 「行く, 進む」の意の語根.
-cedence 行くこと.
-cedent 行く(もの).
-ceed 「行く, 進む」の意の語根.
-ceive 「取る, 捉える」の意の語根.
-cel[1] 指小辞.
-centric **1** …の中心を持つ. **2** …を中心にした, …に集中した.
-ceps 「…の頭を持つもの」の意の語根.
-cept 「取られた(もの)」の意の語根.
-ception 取られたもの[こと].
-ceptive 取る[促える]….
-cern 「ふるいにかける, ふるう; 分ける; 決める」の意の語根.
-cess 「行く」の意の語根.
-cession 行くもの[こと].
-cessive 退く[屈する]….
-cester -caster[2]の異形.
-chester 字義は「町; 都市; 城塞都市」で地名をつくる.
-cidal 殺人者の, 殺人の.
-cide 「…殺し, 殺人者; 殺人」の意の語根.
-cident 「落ちるもの[こと]」の意で, 名詞をつくる.
-cion -tionの異形.
-cipient 「取る」の意で, 形容詞, 名詞をつくる.
-cipital 「頭の」の意で, 形容詞をつくる.
-cise[1] 「切る」の意の語根.
-cision …して切ったもの.
-claim 「(大声で)呼ぶ, 叫ぶ」の意の語根.
-clamation 「呼ばれたもの[こと]」の意で, 名詞をつくる.
-cle[1] 小…, 微粒….
-cle[2] 「…室, …器, …手段, …物」など, 動作の及ぶ場所や行動の手段を示す動詞派生名詞をつくる.
-clinate 「傾く…」の意で, 形容詞をつくる.
-clination 「傾けられたもの[こと]」の意で, 名詞をつくる.
-clivity 「坂」の意で, 名詞をつくる.
-clude 「閉じる」の意の語根.
-clusion 閉じられたもの[こと].
-clusive 閉じる….
-coction 「料理されたもの[こと]」の意で, 名詞をつくる.
-cole 特に植物学で「…に住んでいる, …に生えている」の意の語根.
-coline 生息している.
-colous …に住んでいる.
-cord 「心」の意の語根.
-cordance 心臓, 心.
-corn 「角(のある)」の意の語根.
-course 「走る」の意の語根.
-crescence 「成長するもの[こと]」の意で, 主に名詞をつくる.
-crum もとは道具·手段を表すラテン語の接尾辞.
-cula 指小辞.
-cular[1] -cule[1]と-ar[1]の結合形.
-cular[2] -cule[2]と-ar[1]の結合形
-cule[1] -cle[1]の異形.
-cule[2] -cle[2]の異形.
-culpate 「とがめる」の意で, 動詞をつくる.
-culum 小…, ▶手段や場所を表す指小辞.
-culus 小….
-cumbent 「座る, 横になる」の意で, 形容詞をつくる.
-cund 「…しがちな, …の傾向がある」の意の形容詞をつくる.
-cur 「走る」の意の語根.
-currence 走ること.
-current 走る….
-cursion 走る[走られた]もの[こと].
-cursive 流れる….
-cuse 「理由, 動機」の意の語根.
-cuss 「打つ, ゆさぶる」の意の語根.
-dem[2] 主に副詞をつくる指示接尾辞.
-dendrum 「木」を表す名詞をつくる.
-dian 「日の」の意で, 名詞·形容詞をつくる.
-dict 「話された(こと)」の意の語根.
-diction 話されたこと[もの].
-dictive 決定する…; 言う….
-dition 「与えられたもの[こと]」の意で, 名詞をつくる.
-duce 「導く」の意の語根.
-duct 「導かれた(もの)」の意の語根.
-duction 導かれたもの[こと].
-ductive 導かれた….
-ductor 導く人[もの].
-e[2] ラテン語の中性形の形容詞語尾.
-ea[1] ラテン語からの借用語に見られる名詞接尾辞.
-ean[1] -eaまたは-eで終わる名詞から, 主に人名や地名の形容詞·名詞をつくる.
-edo ラテン語の名詞接尾辞.
-ee[1] **1** ある行為をされる人. **2** ある行為をする人. **3** あるものを所有している人. **4** ある状態にある人.
-eer[1] **1** (専門的に)…を扱う人, …関係者, …を仕事にする人. **2** (軽蔑的に)…と関係を持つ人,を仕事にする人. **3** …関係の仕事をする.
-el[1] 主にラテン語系の語に用いられる指小辞.
-el[3] -al[1]の変形したもの.
-ell[1] -el[1]の異形.
-ella **1** 小…. **2** 分類学で, 特にバクテリアの属名につける.
-elle[1] **1** フランス語からの借用語に見られ, 名詞をつくる(もとは指小辞). **2** 語尾が-*ella*のラテン語を英語化したもの.
-ellum 小….
-emption 「取られたもの[こと]」の意で, 名詞をつくる.
-emptive 「買う…, 得る…」の意で, 形容詞をつくる.
-ence[1] **1** …すること, …するもの, **2** …なもの.
-ency …な性質(を持つこと).
-end[1] …されるもの[人].
-enda ラテン語の動詞状形容詞の中性複数形語尾.
-ennial 「…年ごとの」の意の形容詞をつくる.
-ennium 「年, 年間」の意の名詞をつくる.
-ensis 「…に属するもの, …に起源のあるもの」の意で, 名詞をつくる.
-ent[1] **1**「…(を)する, …を示す, …の(ある)」の意の形容詞をつくる. **2**「…(する)人[もの, こと]」の意の名詞をつくる.
-er[3] 「行動·過程·手順」を表す名詞をつくる.
-es[3] ラテン語からの借用語にみられる複数形語尾.
-esce 「…し始める, …になりかける」の意で, 動詞をつくる.
-escence …し始めの[…になりかかりの]状態[過程].
-escent …し始めた….
-ese **1** …人(の), …の住民(の); …語(の). **2** …に特有の言い方, 言語.
-esimal 序数を表す.
-etum 「植物の生育場所」を表す名詞をつくる.
-eus ラテン語の科学名およびそれに対応する英語の借用語に見られる.
-facient 「…化する, …作用を起こす」の意で, 名詞, 形容詞をつくる.
-fact 「作られた物」の意の語根.
-faction 「…させること, …作用」の意で, 名詞をつくる.
-fect 「つくる(こと); つくられた(こと)」の意の

語根.
-fective なされた….
-fence 「《特に英》打たれたもの[こと]」の意の語根.
-fense 「《特に米》打たれたもの[こと]」の意の語根.
-fend 「払いのける, 守る」の意の語根.
-fer 「…を生み出すもの」の意の語根.
-fera …を生み出す生き物.
-ference …とすること.
-ferent 運ぶ(もの, こと).
-ferous …を生じる[含む, 運ぶ]….
-fess 「認める」の意の語根.
-fex 「作るもの[人]」の意で, 名詞をつくる.
-fic 「…を生み出す, …を起こす, …化する, …的な」の意で, 形容詞をつくる.
-ficate 「…する」の意の動詞, 形容詞をつくる.
-fication …にすること, …化.
-fice 「…するもの[こと]」の意で, 名詞をつくる.
-ficence …すること.
-ficient つくる…, する….
-fid 植物の分類で「〈葉が〉分割された, 分裂した」の意の(主に)形容詞をつくる.
-fident 「信じている」の意で, 形容詞をつくる.
-fine 「終わる, 終える」の意の語根.
-firm 「強い」の意の語根.
-flate 「空気を送る」の意の語根.
-flect 「曲げられた; 曲がった」の意の語根.
-flection 曲げられたもの[こと]; 曲げること.
-flective 曲げられた….
-flex 「曲げられた, 曲がった」の意の語根.
-flict 「打たれた(こと)」の意の語根.
-fliction 打つもの[こと]; 打たれたもの[こと].
-florous 植物の分類で「…の花をつけた, 花を持つ」の意の形容詞をつくる.
-fluence 「流れること」の意で, 名詞をつくる.
-fluent 「流れる」の意で, 形容詞をつくる.
-form[1] 「…の形を持つ」の語根.
-form[2] 「形作る」の意の語根.
-fort 「強い」の意の語根.
-fugal 「逃げる」の意で, 形容詞をつくる.
-fuge 「駆逐[除去]するもの」の意の語根.
-fuse 「注がれる, 溶ける」の意の語根.
-fusion 溶かされた[注がれた]もの[こと].
-fusive 注がれる….
-fy 「…にする, …化する」の意で, 名詞・形容詞につけて動詞をつくる.
-genous 「…を生じる」の意で, 形容詞をつくる.
-gerous 「生む; 生じる」の意で, 形容詞をつくる.
-gest 「運ばれた」の意の語根.
-gestion 運ばれたもの[こと]; なされたもの[こと].
-glutinate 「膠(にかわ)でくっつける」の意で, 動詞をつくる.
-gnate 「…生まれ(の)」の意で, 名詞または形容詞をつくる.
-grade 「…で歩く[動く]」の意の語根.
-gregate 「集められた(もの)」の意で, 形容詞または動詞をつくる.
-gregative 集められた….
-gress 「進む, 歩く, 行く」の意の語根.
-gression 進むこと; 進められたこと.
-gressive 歩く…, 進む….
-here 「くっつく」の意の語根.
-herence くっつくこと.
-herent くっつく….
-hibit 「与えられた, 保たれた」の意の語根.
-hibition 持たれたもの[こと].
-hume 「埋める」の意の語根.
-i[1] ラテン語の男性名詞, または形容詞の複数形語尾.
-i[2] ラテン語の男性名詞, または形容詞の属格形語尾.
-ia ギリシャ語・ラテン語借用の名詞語尾. **1** 女子の名, ギリシャ神話の女神の名. **2** 医学用語. **3** 地名. **4** ギリシャ・ローマ時代の祭典名. **5** 動植物名などの生物用語.
-ial -al[1]の異形.
-ian -an[1]の異形.
-iana -anaの異形.
-iasis 主に病理学分野の名詞をつくる.
-ibility -abilityの異形.
-ible -able[1]の異形.
-ic[1] **1** …の(ような). **2** …風の. **3** …でできた. **4** …部族[語族]の(人, もの). **5** …を示す[にかかった](人, もの). **6** (化学で)…から抽出された(もの).
-ica[1] ラテン語形容詞語尾-*icus*の複数形.
-ica[2] ラテン語形容詞語尾-*icus*の女性形.
-ical -ic[1]と-al[1]の結合形.
-ice[2] 女性の行為者, または女性の名前につく名詞接尾辞.
-ics 「…学, …術, …原理, …研究」の意で, -ic[1], -icalで終わる形容詞に対応する名詞をつくる.
-icum 主に名詞をつくる中性形接尾辞. ▶ 英語-icに相当.
-id[4] しばしば-or[1]で終わる名詞に対応する記述形容詞をつくる.
-ida[1] 生物の分類で「…目, …綱」を表す名詞をつくる.
-idium -idionに対応する指小辞. ▶ 動物学, 生物学, 植物学用語に用いる.
-ient 「行く」の意で, 形容詞をつくる.
-ier[1] -er[1]の異形.
-ier[2] -eer[1]の異形.
-iform[1] 「…の形をもつ」の意で, 主に形容詞をつくる.
-iform[2] (鳥類, 魚類の分類で)…目の, …類の.
-iformes …の形をした. ▶ 動物の分類名, 特に鳥類と魚類の目に用いられる.
-ify **1** …にする, …化する. **2**《しばしば軽蔑的に》…に似させる, …の特徴を持たせる.
-igo 病理名を表す名詞をつくる.
-il[1] ラテン語, フランス語, イタリア語などのロマンス語の指小辞.
-ile[1] 「能力, 感受性, 責任, 適性」などを表す形容詞をつくる.
-ile[2] …分の1(の).
-ility -(i)leと-ityの結合形.
-illa[1] ラテン語に由来する女性形指小辞.
-illum 小…, 小さい….
-im[2] ラテン語の副詞接尾辞.
-in[1] 「…に属する」の意で, ギリシャ語, ラテン語起源の形容詞およびその派生名詞に見られる.
-in[2] 化学・鉱物学の学名などに用いられ, 名詞をつくる.
-ina[1] 名詞の女性形をつくる; 特に女性の名前, 称号, 職名につく.
-ina[3] …類. ▶ 生物の分類に用いられる.
-ine[1] …に関する, …の性質のある.
-ine[2] 抽象名詞をつくる名詞語尾.
-ine[3] 化学, 薬学, 鉱物の専門用語をつくる.
-ine[4] 女性名詞・洗礼名・称号を示す.
-ine[5] -ina[1]の異形.
-io ラテン語及びそこから派生したイタリア語, スペイン語などのロマンス語に見られる名詞接尾辞.
-ion[1] **1** …すること. **2** …(した)状態. **3** …の結果・産物.
-ior[1] より…. ▶ 形容詞の比較級を表す.
-ious -ousの異形.
-istic おもに-ist[1], -ism[1]で終わる名詞の語幹について形容詞をつくる.
-it[1] ラテン語動詞の屈折形の一つ.
-ite[2] 形容詞およびある種の動詞から形容詞・名詞・動詞をつくる.
-ition 「動作, 状態」を表す名詞をつくる.
-itious **1** ラテン語起源の形容詞に見られる. **2** -ition

で終わる名詞に対応する形容詞をつくる.
-itive ラテン語起源の名詞・形容詞に見られる.
-itous -ityで終わる名詞に対応する形容詞をつくる.
-ity **1** 性質・状態. **2** (ある異常な性質を持っているものの) 例. **3** 程度・量.
-ium ラテン語からの借用語に見られる; 特に化学, 生物学の専門用語をつくる.
-ive[1] **1** …する傾向・性質がある. **2** …の.
-jacent 「横たわっている; 置かれている; ある; いる」の意で, 形容詞をつくる.
-ject 「投げられた」の意の語根.
-jection 投げられたもの [こと].
-jective 投げられた….
-journ 「日」の意の語根.
-junct 「つながれた (もの)」の意の語根.
-junctive つながれた….
-jure 「誓う」の語根.
-laboration 「なされたこと [もの]」の意で名詞をつくる.
-lapsarian 堕罪についての考え方を支持する人 (の).
-lapse 「落ちる」の意の語根.
-late 「持ってくる, 運ぶ」の意の語根.
-lative 運ぶ…, 得る….
-le[2] 小…, 小さい….
-lect[1] 「集められた」の意の語根.
-lection 集められたもの [こと], 運ばれたもの [こと].
-lective 選ばれた…, 集められた….
-legate 「代理に命じられた (もの)」の意で, 名詞, 動詞をつくる.
-lege 「盗む; 集める; 読む」の意の語根.
-lent -ulentの異形.
-ligent 「選ぶ」の意で, 形容詞をつくる.
-lision 「打たれたもの [こと], 傷つけられたもの [こと]」の意で, 名詞をつくる.
-locate 「置かれた」の意で, 動詞をつくる.
-locutor 「話す人」の意で, 名詞をつくる.
-loquent 「話す」の意で, 形容詞をつくる.
-loquize 「話す」の意で, 動詞をつくる.
-lude[1] 「欺く, 競技する」の意の語根.
-lude[2] 「劇; 演奏」の意で, 名詞をつくる.
-lunary 「月の」の意で, 形容詞をつくる.
-lusion 「遊ばれたもの [こと], 演じられたもの [こと]」の意で, 名詞をつくる
-lusive 「振る舞う; 遊ぶ」の意で形容詞をつくる.
-luvium 「流れるもの」の意で名詞をつくる.
-mand 「命令 (する); 要求 (する)」の意の語根.
-mas …祭, 祝祭日. ▶ キリスト教の祭日を表す.
-megaly 「部分的拡大, 肥大」の意で, 名詞をつくる.
-mel 「蜂蜜」の意で, 名詞をつくる.
-men 名詞形成接尾辞.
-mend 「命ずる, 委託する」の意の語根.
-ment **1** 動作・過程. **2** 行為の結果・産物. **3** 手段. **4** 行為をする場所.
-mentation -mentと-ationの結合形.
-mentum 名詞接尾辞. ▶ 英語-mentに相当.
-merge 「沈める」の語根.
-merse 「水の中に潜った, 沈んだ」の語根.
-minence 「突き出ているもの [こと]; 盛り上がっているもの [こと]」の意で, 名詞をつくる.
-minent 「突き出す, 立ち上がる」の意で, 形容詞をつくる.
-mise 「送る」の意の語根.
-mission **1** 送られたもの [こと]. **2** 送ること [もの].
-missive 送られた….
-mit 「送る」の意の語根.
-mittance 伝えるもの [こと].
-mony **1** 地位, 役割, 機能. **2** 人の特性, 行動の種類.
-mote 「動く」の意の語根.
-motive motiveの連結形.
-mutative 「取り替えられた」の意で, 形容詞をつくる.
-mute 「取り替える」の意の語根.
-nate 「生れた (もの); 生じた (もの)」の意の語根.
-ndum ラテン語の動詞状形容詞の中性形名詞用法.
-neurium 解剖学で「神経」に関する語をつくる.
-noble 「高貴な」の意で, 形容詞, 動詞をつくる.
-nounce 「知らせること」の意の語根.
-nunciate 「知らせる」の意で, 動詞をつくる.
-nunciation 「知らされたこと [もの]」の意で, 名詞をつくる.
-o[3] ラテン語動詞の一人称単数現在形, 未来形にあらわれる語尾.
-o[4] ラテン語名詞または動名詞の奪格形.
-ol[2] -ole[2]の異形.
-ola **1** 小…. **2** 商品名をつくる. **3** 《俗》 賄賂(わいろ). **4** 《米俗》 大きいもの.
-ole[1] 指小辞.
-ole[2] 化学・薬学の化合物名をつくる.
-olent -ulentの異形.
-olum 小…, 小さい….
-ome[1] 植物学で「塊, 群, 部」を表す名詞をつくる.
-or[1] 動作・状態・性質などを表す名詞をつくる.
-orial …の, …に属する [関する].
-orium 「…の場所; …の手段」を表す名詞をつくる.
-ory[1] 「…の (特徴を備えた), …に関係のある」の意で, 動詞につけて形容詞をつくる.
-ory[2] 「場所, 手段」を表す名詞をつくる.
-ose[1] 「…でいっぱいの, …の多い; …性の; …状の」の意の形容詞をつくる.
-osity …性, …の資質.
-ous 「…の特徴を備えた, …が多い, …がある」の意で, 名詞につけて形容詞をつくる.
-para **1** (医学で) …産婦. **2** (生物学で) ある数の卵 [子] を産む動物.
-pare 「準備する」の意の語根.
-parous 「生み出す, 分泌する」の意で, 形容詞をつくる.
-partum 産科で「分娩(ぶんべん)」に関する語をつくる.
-ped 「(動物学で) …の足を持つ」の意の語根.
-pel 「強いて…させる; 推進する」の意の語根.
-pellation 行かされたもの [こと].
-pend 「ぶらさがる, 重さがある」の意の語根.
-pense 「つるされた; 〈重さが〉計られた; 見なされた」の意の語根.
-person 「…人, …者」で名詞をつくる連結形.
-petal 「…を求める, …へ向かう」の意で, 形容詞をつくる.
-petent 「求める」の意で, 形容詞をつくる.
-phora[1] 「運ぶ物」の意で, 名詞をつくる.
-phyllum 植物学で「葉が…の植物」の意の名詞をつくる.
-ple 「…倍の [に]」の意の形容詞・副詞をつくる.
-plement 「満たすもの [こと]」の意で, 名詞をつくる.
-plete 「満ちている」の意の語根.
-pletion 「満たされたもの [こと]」の意で, 名詞をつくる.
-pletive 「充された [満たされた] (もの)」の意で, 形容詞・名詞をつくる.
-plex **1** …個の部分 [構成単位] を持つ. **2** 共同ビル [住宅], 団地.
-plicate 「折る, 折りたたむ」の意で, 主に動詞をつくる.
-plicative 「折られた, 折りたたまれた」の意で, 形容詞をつくる.
-plicit 「折りたたまれた」の意で, 形容詞をつくる.
-plode 「打つ」の意の語根.
-plore 「泣き叫ぶ」の意の語根.
-ploy 「折り重ねる」の意の語根.
-ply[1] 「たたむ, 巻く」の意の語根.
-ply[2] 「満たす」の意の語根.
-podium 「…足, 足状の部分, 支え」の意で, 名詞をつくる.
-pone 「置く」の意の語根.
-ponent 置く (もの, 人).
-port 「運ぶ」の意の語根.
-pose 「…を置く」の意の語根.
-posit 「置かれた」の意の語根.
-posite 「置かれた」の意で, 形容詞をつくる.
-position 「置かれたこと [もの]」の意で, 名詞をつくる.
-pound 「置く, 据える」の意の語根.

-prehend 「つかむ」の意の語根.
-prehension 「つかまれたこと[もの], とらえられたこと[もの]」の意で, 名詞をつくる.
-prehensive 「つかまれた」の意で, 形容詞をつくる.
-press 「圧する」の意の語根.
-pression 圧せられたもの[こと].
-pressive 圧された.
-prise 「捕らえられた(もの)」の語根.
-proach 「近寄る」の意の語根.
-proof **1** 耐…, 不透性. **2** 保証つきの, 安全な.
-prove 「試す, 調べる」の意の語根.
-pugn 「闘う」の意の語根.
-pulse 「押す; 強いる」の意の語根.
-pulsion 押されたこと; 押すこと.
-pulsive 押す…, 強いる….
-punction 「突かれたもの[こと], さされたもの[こと]」の意で, 名詞をつくる.
-pute 「考える, 計算する」の意の語根.
-quire 「捜す; 得る」の意の語根.
-quisition 「探されたもの[こと], 手に入れられたもの[こと]」の意で, 名詞をつくる.
-rect 「導く」の意の語根.
-rection 案内されたもの[こと].
-rective 導かれた, 支配された.
-reme 「(海事で) 櫂(かい), オール」の意の名詞をつくる.
-rogate 「問われる(もの), 乞われる(もの)」の意の動詞をつくる.
-rogation 「尋ねられたこと[もの]; 請われたこと[もの]」の意で, 名詞をつくる.
-rupt 「破れた, 破裂した」の意の語根.
-ruption ばらばらにされたもの[こと].
-ruptive 壊す….
-scend 「登る, 上がる」の意の語根.
-scendence 登ること.
-scendent 登る(こと).
-scient 「知っている」の意で, 形容詞をつくる.
-scind 「分かつ, 裂く」の意の語根.
-scission 「切られたこと[もの]」の意で, 名詞をつくる.
-scribe 「刻みつける; 書く」の意の語根.
-script 「書かれた」の意の語根.
-scription 書かれたもの[こと].
-scriptive 書く….
-secrate 「神聖にする」の意で, 動詞をつくる.
-sect 「切られた」の意の語根.
-secute 「続く」の意の語根.
-secution 従われたもの[こと].
-semble 「写す, 同じものにする」の意の語根.
-sence 「いること; あること」の意の語根.
-sent[1] 「感じる」の意の語根.
-sent[2] …がある, いる.
-sentient 感じる….
-sepalous 植物の分類で「萼(がく)のある」の意の形容詞をつくる.
-sert 「連結する, 並べる(もの)」の意の語根.
-sertion 並べること[もの].
-serve 「見張る; 守る; 保つ」の意の語根.
-sess 「常に…する」の意の語根.
-session 座られたもの[こと].
-side[2] 「座る, とどまる」の意の語根.
-sident 座っている(人), 存在している(人).
-sign 「印をつける」の意の語根.
-signation 印をつけられたもの[こと].
-silient 「跳ぶ」の意で, 形容詞をつくる.
-sion ラテン語からの借用語に見られ,「動作, 状態, 結果」などを表す抽象名詞をつくる.
-sist 「立つ; 立たせる」の意の語根.
-sistence 立っていること.
-sociate 「結びついた」の意で, 動詞をつくる.
-sociation 「仲間にされたこと[もの]」の意で名詞をつくる.
-sol[1] 地質に関して「…土(壌)」を表す名詞をつくる.
-solution 「解かれたこと[もの]」の意で, 名詞をつくる.
-solve 「解く」の意の語根.
-sonance 「(音を)出すもの[こと]」の意で, 名詞をつくる.
-sonant 「響く, 鳴る, 音を出す」の意で, 形容詞·名詞をつくる.
-sor -torの異形.
-sorb 「吸い込む」の意の語根.
-spect 「見る, 注視する」の意の語根.
-spection 見られたもの[こと].
-spective 見る….
-sperse 「ばらまかれた」の意の語根.
-spicuous 「見ることの」の意で, 形容詞をつくる.
-spiration 息を吹き込まれたもの[こと].
-spire 「呼吸する; 息を吹きかける; 熱望する」の意の語根.
-spond 「誓約する, 約束する」の意の語根.
-stance 「立っているもの[こと]」の意で, 名詞をつくる.
-stant 「立っている…」の意で, 形容詞をつくる.
-stice 「停止」の意の語根.
-stinct 「刺された」の意の語根.
-stitute 「立てる」の意の語根.
-stitution 立てられたもの[こと].
-stitutive 立っている.
-strain 「締める」の意の語根.
-strict 「締めつけられた, 縛りつけられた」の意の語根.
-struction 「建てられたもの[こと]」の意で, 名詞をつくる.
-structive 「組み立てる…, 積み重ねる…, 配置する…」の意で, 形容詞をつくる.
-suade 「助言する」の意の語根.
-sue 「続く」の意の語根.
-sult 「躍る, 跳ねる」の意の語根.
-sume 「取り上げる」の意の語根.
-sumption 受け取られたもの[こと].
-sumptive 取り上げられた.
-surgent 「生じる, 起きる, 立ち上がる」の意で, 形容詞·名詞をつくる.
-tain 「保つ」の意の語根.
-tect 「覆われた」の意の語根.
-teen 13から19までの基数をつくる.
-tend 「張る, 伸ばす」の意の語根.
-tene 細胞生物学で「…個[形]の染色体を持つ」の意の(主に)名詞をつくる.
-tense 「のばす, 張る」の意の語根.
-tension ぴんと張られたこと[もの].
-tention[1] 「つかまれたこと[もの]; 保たれたもの[こと]」の意で, 名詞をつくる.
-tention[2] 伸ばされたこと[もの].
-terranean 「土地の」の意で, 形容詞をつくる.
-test 「証言する, …の証人となる」の意の語根.
-text 「織る」の意の語根.
-theca 「入れ物, 容器」の意で, 名詞をつくる.
-thecium 「小さい被い[容器]」の意で, 名詞をつくる.
-thelium 「表面の層をなす細胞組織」の意で, 名詞をつくる.
-tinent 「つかむ; 保つ(もの)」の意で, 形容詞·名詞をつくる.
-tion ラテン語起源の動詞または動詞と形の異なる語幹について抽象名詞をつくる.
-tious 元来, ラテン語から借用の名詞に対応した形容詞をつくる.
-tonic 生理学で「…緊張(症)の」の意の形容詞をつくる.
-tor ラテン語からの借用語で, 動詞, 時に名詞から行為者を示す名詞をつくる.
-torium 「…する場所, 施設」の意で, 動詞につけて名詞をつくる.
-tort 「ねじ曲げられた」の意の語根.
-tortion ねじられたもの.
-tory[1] -ory[1]の異形. ▶ 主に-torで終わる名詞に対応

する形容詞をつくる.
-tory[2] -ory[2] の異形.
-tour 「回る」の意の語根.
-tract 「引っ張られた」の意の語根.
-traction 引っ張られたもの[こと].
-tractive 引く….
-tribute 「割り当てられた」の意の語根.
-tribution 割り当てられたもの[こと].
-tributive 割り当てられた….
-trice -trixの異形.
-trition 「こすられたもの[こと]」の意で, 名詞をつくる.
-trix 動作主名詞および形容詞の女性形をつくる; 男性形-torに対応.
-trude 「ぐっと強く押す」の意の語根.
-trum 道具·手段を表す名詞接尾辞.
-trusion 突かれたこと[もの].
-trusive 突く, 押す.
-tual -tusと-al[1]の結合形.
-tude 「性質, 状態」を示す抽象名詞をつくる.
-tumescence 「ふくらみ始めること」の意で, 名詞をつくる.
-tus[1] ラテン語の行為名詞接尾辞.
-tus[2] ラテン語の過去分詞語尾.
-tuse 「打つ」の意の語根.
-ty[2] 「性質, 状態, 程度」を表す抽象名詞をつくる.
-ula 小さいもの. ▶ ラテン語の女性形の指小辞, または中性形複数の指小接尾辞.
-ular …に関する, …に似た.
-ule[1] 小….
-ulent 「…に富む」の意で, 形容詞をつくる.
-ulose 「…の特色を持つ」の意で, 形容詞, 名詞をつくる.
-ulous 「…の傾向のある, …しやすい; …がたくさんある; …の特色を持つ」の意で, 形容詞をつくる.
-ulum 小….
-ulus 小….
-um[1] ラテン語の中性形名詞・形容詞語尾.
-uncle 小….
-ura[1] 生物の分類で「尾を持つもの」を表す名詞をつくる.
-ure[1] **1** …の行為·過程. **2** …の行為の結果·産物. **3** 機関, 職務など.
-uret 《古》化学用語で「…化合物」を表す名詞をつくる.
-us[1] ラテン語の男性形名詞·形容詞語尾で, 主に自然科学の専門用語などに使われる.
-use[1] 「使用する, 利用する」の意の語根.
-vade 「行く, 進む」の意の語根.
-vail 「価値がある; 強い」の意の語根.
-valence 「力があるもの[こと]」の意で, 名詞をつくる.
-valent **1** 力がある. **2** (化学で) 原子価…を持つ.
-vection 「運ばれたこと[もの]」の意で, 名詞をつくる.
-vene 「来る」の意の語根.
-vent 「来る(もの)」の意の語根.
-vention 来られたもの[こと].
-ventive 来る….
-verse 「向く」の意の語根.
-version 向けられたもの[こと].
-vert 「…に向く(人)」の意の語根.
-vest 「着る」の意の語根.
-vident 「見ている」の意で, 形容詞をつくる.
-ville **1** 町や都市の名につく. **2** 《主に米俗》場所·人·物·事の状態や状況; 《米学生俗》同じ形の人がそろっている状態.
-vince 「征服する」の意の語根.
-vious 「道の」の意で, 形容詞をつくる.
-vise 「見る」の意の語根.
-vive 「生きる」の意の語根.
-vocation 「呼ばれたもの[こと]」の意で, 名詞をつくる.
-voke 「呼ぶ」の意の語根.
-volution 「回されたこと[もの]」の意で, 名詞をつくる.
-volve 「回転する」の意の語根.
-vora 動物の分類で「…食動物目」を表す名詞をつくる.
-vore 動物の分類で「…食動物」を表す名詞をつくる.
-vorous 「…を食とする, …から栄養を取る」の意の形容詞をつくる.
-voy 「道」の意の語根.
-vulse 「力いっぱい引く」の意の語根.
-vulsion 力ずくで引っぱられたこと[もの].
-wick 字義は「農場, 酪農場; 村, 部落」で, 主に地名に用いられる.
-xion 《主に英》-tionの異形.
-y[3] **1** 動作名詞. **2** 状態·性質を表す抽象名詞. **3** 特定の店や品物. **4** 集合体, 集団. **5** 国名.

6-3 ギリシャ語系

-a[1] ギリシャ語·ラテン語から借用の名詞の複数語尾.
-a[2] ギリシャ語·ラテン語から借用の名詞の女性単数語尾. **1** 女子の名. **2** 動物の名, 分類名. **3** 植物の名, 分類名. **4** 動物の身体各部位の名称. **5** 病理·疾患名. **6** 天文用語. **7** 地名.
-ac[1] -ic[1]の異形.
-acanth 「とげのある」の意で, 生物の分類名をつくる.
-acism 「…の傾向があること」の意で, 主に言語学の用語をつくる.
-acy **1** 状態·性質. **2** 行為. **3** 地位·職.
-ad[1] **1** ある単位数や単位年数を示す. **2** …に起因する, …に関係ある.
-adelphous 植物の分類で「束状になっている雄蕊(ゆうずい)を持つ」の意の形容詞をつくる.
-adenia 医学で「腺(せん)」を表す名詞をつくる.
-ades -ad[1]の複数形.
-aemia -emiaの異形.
-agog 《主に米》-agogueの異形.
-agogic 指導する.
-agogue 導くもの.
-agogy …を導く.
-algia 医学で「…痛」を表す名詞をつくる.
-algic 「…痛の」の意で, 形容詞をつくる.
-allel 「相互の」の意で, 形容詞をつくる.
-ama -oramaの異形.
-andra 「男; 雄」の意で名詞をつくる.
-andric 「雄の, 男性の」の意で, 形容詞をつくる.
-androus 「男(性)…, 雄」の意で, 形容詞をつくる.
-andry -androusに対応する名詞をつくる.
-anth 「花; 花の一部分」の意で, 生物の分類名をつくる.
-anthous …の花をつけた.
-anthrope 「人, 人間」の意の語根.
-anthropus 人類学で「…人」の意の名詞をつくる.
-anthropy 人.
-arama -oramaの異形.
-arch[1] 「長, 先導者, 支配者」の意の語根.
-arch[2] 「…に源を持つ, …原型の」の意の語根.
-archic 指導者の.
-archy …支配(体制).
-arthria 医学で「(音·言葉などの) 明瞭な発音(に関する異常)」を表す名詞をつくる.
-asis 「…性の病気」の意で, 名詞をつくる.
-asm 行為の結果を表す名詞形成接尾辞.
-ast[1] 「…に関係のある人, …に従事する人」を表す名詞をつくる.
-aster[1] 「似て非なるもの[人], えせ…, 取るに足りないもの[人]」の意で, 名詞をつくる.
-aster[2] 主に生物学で「…星, 星状…」を表す名詞をつくる.
-astron 天文学で「星」を表す名詞をつくる.

-athlon 「競技」の意で, 名詞をつくる.
-bacter 主に生物学で「桿(かん)菌」を表し, バクテリアの属名をつくる.
-basic 化学で「塩基の」を表す形容詞をつくる.
-bath 「深さ」の意の語根.
-bathic (生態学で) 深さの.
-batic 「歩く…, 進む…」の意で, 形容詞をつくる.
-biont 「(特殊な) 生き方をする [… で生きる] 生物」を表す名詞をつくる.
-biosis 「…生活 (様式)」の意で, 名詞をつくる.
-biotic **1** 生命に関する. **2** (特定の) 生き方をする, …で生きる.
-blast 「胚, 芽, 形成細胞層」の意の語根.
-blastic …な細胞 (層) の.
-bolic 「投げる」の意で, 形容詞をつくる.
-brach 韻律で「短い…」を表し, 名詞をつくる.
-branch 「鰓(えら)」の意で, 生物の分類名をつくる.
-capnia 「煙; 血中の炭酸ガス」の意で名詞をつくる.
-cardia **1** 心臓の働き [位置]. **2** (…の) 心臓を持つ動物; 心臓の形をした動物 [二枚貝].
-cardial 解剖用語で「心臓の」を表す形容詞をつくる.
-carp 「果実, 子実体」の意の語根.
-carpic 果実の.
-carpous 果実をつけた.
-carpy 結実.
-cele 病理名で「…腫瘍; …ヘルニア」を表す名詞をつくる.
-cene 「新しい, 最近の」の意の語根.
-centrism **1** …中心主義. **2** …の中心を持つ主義.
-cephalic -cephalousの異形.
-cephalous 「…の頭を持った」の意で, 形容詞をつくる.
-cephalus 「頭部異常」を表す名詞をつくる.
-cephaly …頭(とう).
-cercal 「…尾 [尾びれ, 尾翼] の (ある)」の意で, 形容詞をつくる.
-cercoid 「尾虫」を表す名詞をつくる.
-cerous 「角を持つ」の意の形容詞をつくる.
-chezia 医学で「排泄, 排便 (に関する異常)」を表す名詞をつくる.
-chlorhydria 病理名で「塩酸…症」を表す名詞をつくる.
-cholia 「胆汁の病気」を表す名詞をつくる.
-chore 「…によって種子・花粉が散布される」の意の語根.
-chroic 「…(な) 色の」の意の形容詞をつくる.
-chromat 「…色覚者」などの意で, 名詞をつくる.
-chromatism 「色のさま」を表す名詞をつくる.
-chrome 「色」の意の語根.
-chronic 時間の [に関する].
-chronism 「時, 時代」を表す名詞をつくる.
-chroous -chroicの異形.
-clase 「…の劈開(へきかい)をする鉱物」を表す名詞をつくる.
-clasis 「破壊, 崩壊」を表す名詞をつくる.
-clast 「破壊する者」を表す名詞をつくる.
-clastic **1** 破壊する. **2** 曲がった. **3** (地質学で) 砕屑状の.
-clinal 傾いた.
-cline 「傾く」の意の語根.
-clinic 傾いた.
-clinous 植物の分類で「雄蕊(ゆうずい)と雌蕊(しずい)が…の花にある」の意の形容詞をつくる.
-cliny 傾く….
-cnemia 「むこうずねの異常」を表す名詞をつくる.
-coccus 細菌学で「…球菌」を表す名詞をつくる.
-coel coel-「腔」の異形.
-coele coel-「腔」の異形.
-cope 「切ること」の意の語根.
-cosm 「世界, 宇宙」の意の語根.
-cracy **1** 階級, 制 (度), 政治. **2** 支配, 政体, 政治, 行政府.
-cranic 頭骨測定で「頭蓋の」を表す, 生体臨床医学専門用語をつくる.
-crasy 「混じり合うこと」の意で, 名詞をつくる.
-crat 「支配者; 支配階級の一員; 体制 [党派] 支持者」を表す名詞をつくる.
-cratic -cratに対応する形容詞をつくる.
-crine 「分ける, 分譲する」の意の語根.
-crotic 生理学で「鳴る音の」を表す形容詞をつくる.
-cy **1** 性質・状態. **2** 地位・職務. **3** 行為.
-cyst 「…嚢(のう), 包嚢」を表し, 主に名詞をつくる.
-cyte 生物学, 解剖, 細胞生物学で, cyto-「細胞, 細胞質」の異形.
-cytoma (医学で) 細胞腫.
-cytosis …(細胞) 症.
-dactyl 動物の分類で「指」の意を表す名詞, 形容詞をつくる.
-dactylia (医学で) 指の異常.
-dactylous 指が…の.
-dem[1] 「結びつけるもの」を表す名詞をつくる.
-demic 「ある地域の人々の」を表す形容詞をつくる.
-dendron 植物の分類で「樹木」を表す名詞をつくる.
-derm 「皮膚」の意の語根.
-derma 真皮.
-dermatous 「皮膚の, …な皮膚を持った」の意の形容詞をつくる.
-dermic 皮膚の.
-dermis dermis「真皮」の連結形で, 名詞をつくる.
-dipsia 医学で「渇きの感覚の異常」を表す名詞をつくる.
-domos 「家」の意の語根.
-dontia -odontiaの異形.
-dora 字義は「贈り物」で, 女子の名をつくる.
-dox 「意見」の意の語根.
-drome 「走る, 競走路」の意の語根.
-dromic 進路の.
-dromous …に走る.
-dynamia 医学で「…力 (症)」を表す名詞をつくる.
-e[1] ギリシャ語の女性単数形語尾.
-ectasis 病理で「拡張」を表す名詞をつくる.
-ectomize 外科用語で「摘出する, 切除する」を表す動詞をつくる.
-ectomy 「切除 (術)」を表す名詞をつくる.
-em[1] 行為の結果を表す接尾辞.
-emia 医学で「血液の状態」を表す名詞をつくる.
-enchyma 植物学で「…組織; 細胞組織」を表す名詞をつくる.
-ene[1] **1** (化学で) 不飽和炭化水素を示す. **2** 合成薬品などの商品名. **3** (地名・国名の語尾につけて) その土地の住人.
-eous ラテン語やフランス語からの名詞借用語から形容詞をつくる.
-epy 「言葉」の意で, 名詞をつくる.
-ergetic 「働く…」の意で, 形容詞をつくる.
-ergic 「(ある物質・現象によって) 活性化された, (…を) 放出する」などの意で, 形容詞をつくる.
-ergy 「活動, 働き」の意で, 名詞をつくる.
-es[2] ギリシャ語からの借用語にみられる複数形語尾.
-esis 「動作, 進行過程」を表す名詞をつくる.
-ess[1] **1** 女性の…. **2** …夫人. **3** 雌の….
-etic -ic[1]の異形.
-gaea 「大地」の意で, 名詞をつくる.
-galactia 病理名で「乳分泌 (に関する異常)」を表す名詞をつくる.
-gam 「結婚, 生殖」を表す語根.
-gamic …の生殖器官を持つ.
-gamous …(結) 婚の.
-gamy …(結) 婚.
-gastrium 解剖学で「胃, 腹部」に関する名詞をつくる.
-gen 「生む; 形成」の意の語根.
-gene 「…を生むもの; (地質学で) …形成の地質」の語根.
-geneic 「血族の, 家系の」の意で, 形容詞をつくる.

-genesis　「起源, 発生, 生成, 進化」の意で, 名詞をつくる.
-genetic　-genesisに対応する形容詞をつくる.
-genic　…生成の.
-genin　(生化学で)…から生じるもの.
-genize　生じさせる.
-geny　発生, 起源.
-geusia　医学で「味覚(に関する異常)」を表す名詞をつくる.
-glea　「ゼラチン, 膠(にかわ)」の意で, 名詞をつくる.
-glossia　「舌[言葉]の状態を表すもの[こと]」の意で, 名詞をつくる.
-glot　「…語の」の意の語根.
-glyphic　「…を刻んだ」の意で, 形容詞をつくる.
-gnath　「顎(あご)」意で, 生物の分類に使われる.
-gnathous　…のあごを持つ.
-gnomy　「判断術[学], 認識」の意で, 名詞をつくる.
-gnosia　精神医学で「認知すること(に関する異常)」を表す名詞をつくる.
-gnosis　「知識, 認識, 認知」の意で, 名詞をつくる.
-gnostic　-gnosisに対応する形容詞をつくる.
-gon　「角度」の意の語根.
-gonic[1]　角の.
-gonic[2]　「生殖の, 性の」の意で, 形容詞をつくる.
-gony　生産, 起源.
-gram[1]　「書かれた物, …(文)書, …(描写)図, 記録」を表す語根.
-gram[2]　…グラム. ▶メートル法の重さの単位.
-grammatize　「文字にする」の意の動詞をつくる.
-graph　「書かれたもの」の意の語根.
-grapha　書かれているもの.
-graphia　書く…, 書法.
-graphic　…を描く.
-graphical　記述法の.
-graphy　書式, 記述法.
-gyne　「雌, 女」の意の語根.
-gynic　女子の.
-gynous　女性の.
-gyny　女性らしさ.
-hedral　-hedronに対応する形容詞をつくる.
-hedron　「…面体」の意で, 名詞をつくる.
-hemia　-emiaの異形.
-hydric　化学で「水素を含む」の意の形容詞をつくる.
-ia　ギリシャ語・ラテン語借用の名詞語尾. **1** 女子の名, ギリシャ神話の女神の名. **2** 医学用語. **3** 地名. **4** ギリシャ・ローマ時代の祭典名. **5** 動植物名などの生物用語.
-iasis　主に病理学分野の名詞をつくる.
-iatrics　「治療, 診療」を表す名詞をつくる.
-iatrist　さまざまな分野の医者を示す名詞をつくる.
-iatry　医学で「治療, 医療」を表す名詞をつくる.
-ic[1]　**1** …の(ような). **2** …風の. **3** …でできた. **4** …部族[語族]の(人, もの). **5** …を示す[にかかった](人, もの). **6** (化学で)…から抽出された(もの).
-ics　…学, …術, …原理, …研究.
-id[1]　**1** …の子, …の子孫. **2**《王朝始祖名について》…王朝の人. **3**《星座・天体名について》…座流星群. **4** …性発疹.
-id[2]　近代ラテン語の分類名, 特に動物学上の科および綱からの派生で名詞あるいは形容詞をつくる.
-ides　学術用語におけるギリシャ語の複数形をつくる.
-idion　ギリシャ語からの借用語にみられる指小辞. 学術用語に用いる.
-in[1]　「…に属する」の意で, ギリシャ語, ラテン語起源の形容詞およびその派生名詞に見られる.
-ine[1]　「…に関する; …の性質のある」などの意の, 主に形容詞をつくる.
-ine[2]　抽象名詞をつくる名詞語尾.
-ine[3]　化学, 薬学, 鉱物名の専門用語をつくる.
-ine[4]　女性名詞・洗礼名・称号を示す.
-ion[2]　ギリシャ語の指小辞.
-ion[3]　頭骨測定で「…点」を表す名詞をつくる.
-ise[1]　《主に英》-ize[1]の異形.
-ism[1]　**1** (1) 行為. (2) 性質・状態. (3) …中毒. (4) …差別. (5) 教義・学説. **2** (1) 主義. (2) …特有の言い方.
-ist[1]　**1** …の創作家, 演奏家. **2** 学問・芸術における研究者. **3** 学説・主義の支持者. **4** ある特徴を持っている人.
-istic　主に-ist[1], -ism[1]に対応する形容詞をつくる.
-istics　-ist[1]と-icsの結合形.
-ite[1]　**1** 場所・部族・指導者・主義・組織などに関係する人. **2** (鉱物名で)…石, …鉱, …岩. **3** 爆薬名. **4** (化学で)…化合物. **5** (動物学で)手足・体の一部, 器官.
-ites　-itisの複数形.
-itic　-ite[1]と-ic[1]の結合形.
-itis　**1** (病理で)…炎. **2**《話》…熱, …中毒.
-ize[1]　**1** ギリシャ語起源でラテン語またはフランス語経由の語を動詞にする. **2** 名詞や形容詞につけて他動詞をつくる. **3** 名詞や形容詞につけて自動詞をつくる.
-karyon　生物学で「核」を表す名詞をつくる.
-kinesia　医学で「運動, 筋(肉)機能(に関する異常)」を表す名詞をつくる.
-kinesis　**1** 刺激への反応. **2** 物理的原因不明の運動, 念力. **3** 細胞分裂.
-kinetic　-kinesiaや-kinesisに対応する形容詞をつくる.
-lagnia　精神医学で「性欲, 交接」を表す名詞をつくる.
-lalia　精神医学で「言語障害」を表す名詞をつくる.
-later　-latryに対応して「人」を表す名詞をつくる.
-latry　「崇拝, 礼賛」を表す名詞をつくる.
-lepsis　修辞学で「…用法」を表す名詞をつくる.
-lepsy　「発作」を表す名詞をつくる.
-leptic　「…を取る…」の意で, 形容詞をつくる.
-lexia　「話すこと」の意で, 病理関係の名詞をつくる.
-limnion　「小さな池」の意で, 名詞をつくる.
-lipsis　「離れること」の意で, 名詞をつくる.
-lite　「…石」を表す名詞をつくる.
-lith　「…石」の意で, 学術用語をつくる.
-lithic　石の….
-lobite　「…虫」の意で, 名詞をつくる.
-log　-logueの異形.
-logia　話すこと.
-logic　-logyで終わる名詞に対応する形容詞をつくる.
-logical　…学に関する.
-logist　…学者.
-logistic　話法の.
-logue　「言葉」の意の語根.
-logy　学問, 学説.
-lyse　《特に英》-lyzeの異形.
-lysis　「破壊, 緩和, 分解, 溶解」の意で, 名詞をつくる.
-lyte[1]　「分解されてできた物」を表し, -lysisに対応する名詞をつくる.
-lyte[2]　-liteの異形.
-lytic　溶解の.
-lyze　「…で分解する」を表し, -lysisに対応する動詞をつくる.
-ma　もとはギリシャ語で, 行為の結果をあらわす中性形接尾辞.
-machy　「…戦, の戦い」を表す名詞をつくる.
-mancy　「…占い」を表す名詞をつくる.
-mania　**1** (精神医学で)…狂, (性)癖, の強迫観念. **2** …熱, 礼賛, 狂.
-math　「学問をする人」を表す名詞をつくる.
-melia　病理で「四肢の特定の状態」を表す名詞をつくる.
-mer　「ある特定の部類に属する化合体」の意で, 化学, 生化学用語をつくる.
-mere　生物学, 細胞生物学で「部分」の意の語根.
-meric　…の部分の.

-merous …の部分から成る.
-meter 「寸法」を表す語根.
-metric -meterまたは-metryで終わる名詞に対応する形容詞をつくる.
-metrics 測定学.
-metropia 眼科で「眼の異常」を表す名詞をつくる.
-metry 測定法.
-mixis 「交配, 接合」の意で, 名詞をつくる.
-mnesia 「…という状態［型］での記憶」の意の名詞をつくる.
-morph 「…形（態）」の意で, 学術用語をつくる.
-morphic -morphousの異形.
-morphism 特定の形態を持っている状態.
-morphosis 「…の形態発達」を表す名詞をつくる.
-morphous …の形態を持つ.
-morphy …形態.
-myces 「真菌; カビ」を表し, 主に名詞をつくる.
-mycete 「キノコ, 菌」を表す名詞をつくる.
-mycetes 菌類, 粘菌類の分類名に用いる.
-mycin 薬学で「菌類から得た抗生物質」を表す名詞をつくる.
-mycota 「菌類」を表す名詞をつくる.
-myelia 医学で「脊髄の異常」を表す名詞をつくる.
-nasty 植物学で「圧力による細胞の成長の不規則性, 傾性運動［生長］」を表す名詞をつくる.
-nautic 「航行者の」の意で, 形容詞をつくる.
-nema 生物学で「糸」の意の語根.
-nephros 「腎臓, …腎（じん）」を表す名詞をつくる.
-nesia 字義は「島」で, 地名をつくる.
-noia 「思考」の意で, 名詞をつくる.
-nomic 「規則の; 法の」の意で, 形容詞をつくる.
-nomy 「…の知識体系」を表す名詞をつくる.
-obe[1] 「生命; 生物」の意で, 名詞をつくる.
-ochroi 「薄い色, あわい色」を表す名詞をつくる.
-ocracy -cracyの異形.
-ocrat -cratの異形.
-ode[1] 「…のような性質［形状］を持つもの」の意の名詞をつくる.
-ode[2] **1** 道, 道路. **2**（電子工学で）電極.
-odic[1] 道の.
-odic[2] 「歌の［に関する］, 詩の［に関する］」の意で, 形容詞をつくる.
-odon 古生物で「…歯を持つ」の意の語根.
-odont 「**1** …歯を持つ. **2**（動物の分類で）…歯類.」の意の形容詞, 名詞をつくる.
-odontia 「…歯を持つ」を表す名詞をつくる.
-odus -odontの異形.
-ody …詩, …歌.
-odyne 「痛み」を表す名詞, 形容詞をつくる.
-odynia 医学で「…痛」を表す名詞をつくる.
-oi ギリシャ語の男性名詞複数形語尾.
-oid[1] 「…に似た」の意の形容詞, 名詞をつくる.
-oidea 動物や昆虫の分類で「…綱（こう）」を表す名詞をつくる.
-ology -logyの異形.
-oma 医学で「腫瘍」を表す名詞をつくる.
-on[2] 不活性気体元素の命名に用いる.
-on[3] ギリシャ語の中性形単数語尾.
-on[5] もとはギリシャ語の動詞の現在分詞の中性形名詞用法.
-one[1] 化学, 薬学で「ケトン化合物; それに類した酸化化合物」を表す名詞をつくる.
-onomasia 修辞学で「名をつけること」を表す名詞をつくる.
-ont[1] 「細胞; 有機体」の意で, 名詞をつくる.
-onym 「言葉, 名前」の意で, 学術用語をつくる.
-onymy 言葉, 名前.
-ope[1] 眼科で「眼が…の人」を表す名詞をつくる.
-opia 眼科で「…視」を表す名詞をつくる.
-opsia -opiaの異形.
-opsis 「**1** …に類似のもの. **2** …視.」の意で, 名詞をつくる.
-opsony 「購売」の意で, 名詞をつくる.
-opsy 「医学検査」を表す名詞をつくる.
-opter 「視覚（測定）装置」を表す名詞をつくる.
-orama **1** …展, ショー; …館. **2** 盛大なもの.
-orchid 医学で「睾丸が…の」の意の形容詞をつくる.
-orexia 「欲望, 食欲（に関する異常）」を表す名詞をつくる.
-os[1] ギリシャ語名詞の男性形語尾.
-osis **1** …作用, の影響; …状態, 健康状態. **2**（病理名で）心身機能の障害, 異常状態. **3** 増加, 形成.
-osmia 病理で「嗅覚」を表す名詞をつくる.
-ostracan 「固い殻をもったもの」の意で, 形容詞, 名詞をつくる.
-ot[1] 「…の住人」を表す名詞接尾辞.
-ota 生物学の分類上, 特に種族を表す語の複数形をつくる.
-ote[1] 生物の分類を示す複数語尾.
-otic **1** しばしば-osisに対応する形容詞をつくる. **2** …を（異常に）生み出す.
-oxemia 病理名で「酸素血症」を表す名詞をつくる.
-pagus 医学で「…結合, 合体, 癒着」を表し, 主に生育不能に結合した双子を指す.
-path **1** …療法を施す人. **2** …病患者.
-pathic -pathyに対応する形容詞をつくる.
-pathy **1** 苦痛, 感情. **2**《近代英語で》病気, …病. **3** …療法.
-pedia **1** 教育. **2**（百科）事典.
-pedic 「子供の教育の」の意で, 形容詞をつくる.
-penia 医学で「不足, 欠乏」を表す名詞をつくる.
-pepsia 医学で「消化」を表す名詞をつくる.
-pexy 「固定すること」の意で, 名詞をつくる.
-phage 「むさぼり食うもの」の意の語根.
-phagi …を食べる人々.
-phagia -phagyの異形.
-phagous …を食べる.
-phagy 食べること.
-phane 「見えるもの」の意の語根.
-phany 出現.
-phasia 「言語障害」を表す名詞をつくる.
-phasic 「…相の」の意の形容詞をつくる.
-phil -phileの異形.
-phila …を好むもの.
-phile 「…を愛する」の意の語根.
-philia …への偏愛.
-philiac …の偏愛.
-philic …好きな.
-philism …愛.
-philous …好きな.
-phily -philia の異形.
-phobe 「恐怖」の意の語根.
-phobia 恐怖.
-phobic …を嫌悪する.
-phone 「…音, 音声」の意の語根.
-phonia -phonyの異形.
-phony 音（声）.
-phore 「…を運ぶもの, 支えるもの［部分］」の意の語根.
-phoresis …を伝えるもの.
-phoria 運ぶこと.
-phoric 生じる…, 運ぶ….
-phorous …を運ぶ.
-phrasis 「…語法, …な言い方」の意で名詞をつくる.
-phrastic 「言いまわしの」の意で, 形容詞をつくる.
-phrenia 精神医学で「精神障害」を表す名詞をつくる.
-phthong 「声, 音」の意で, 名詞をつくる.
-phyll 「葉」の意の語根.
-phyllous …状の葉を持った.
-phyodont 動物の分類で「（…の歯を）生じさせる」の意の形容詞をつくる.
-phyre 岩石で「斑岩（はんがん）」を表す名詞をつくる.
-physis 「成長」を表す名詞をつくる.

-phyte 「植物」の意の語根.
-pithecus 「類人猿, 霊長類」を表す名詞をつくる.
-plasia 医学で「成長, 細胞増殖」を表す名詞をつくる.
-plasm 生物学で「生体, 細胞, 細胞質」を表す語根.
-plasmosis …プラズマ症.
-plast 主に生物学で「形成されたもの」の意の語根.
-plastic (細胞・原形質などを) 形成する.
-plasty 成形.
-plegia 病理で「…麻痺」を表す名詞をつくる.
-plegic 病理学で「…麻痺の (患者)」の意の形容詞, 名詞をつくる.
-pnea 医学で「呼吸の種類」を表す名詞をつくる.
-pneustic 「息をする」の意で, 形容詞をつくる.
-pod 「足」の意の語根
-poda …の種類の足を有するもの.
-pode -podium「足, 足状の部分」の異形.
-podite (動物学で) 肢節の状態を表わす.
-podous …本足の.
-pody …足を有するもの.
-poeia 「…を作ること」の意で, 名詞をつくる.
-poiesis 「生成, 形成」を表す名詞をつくる.
-poietic -poiesisに対応する名詞の形容詞形.
-pol 字義は「町; 都市」で, 東欧諸国などの地名を表す名詞をつくる.
-poli 字義は「町」で, 地名をつくる.
-polis 字義は「都市」で, ギリシャ語からの借用語や地名に見られる.
-politan -polisに対応して形容詞をつくる.
-poly 「独占」の意で, 名詞をつくる.
-praxia 医学で「行動, 行為」を表す名詞をつくる.
-proct 動物の分類で「肛門」の意の語根.
-procta …型の肛門を持つ動物.
-proteinemia 病理名で「タンパク血症」を表す名詞をつくる.
-protic 化学で「陽子の; 塩基の」の意の形容詞をつくる.
-pter 「翼」の意の語根.
-ptera (昆虫で) 2枚の翼のあるもの.
-pteral 翼のある.
-pteran …の翼を持った.
-pteron …の翼を持つもの.
-pterous …の翼を持った.
-pterygian 「ひれのある」の意で, 形容詞をつくる.
-pteryx 「翼」の意で, 名詞をつくる.
-ptych 「折ってある部分」を表す名詞をつくる.
-ptysis 「ものを吐くこと」の意で, 名詞をつくる.
-pus 「…の形態 […本] の足を持ったもの」の意で, 名詞をつくる.
-rama -oramaの異形.
-rhiza 「根」の意で名詞をつくる.
-rhythmia 医学で「鼓動の状態」を表す名詞をつくる.
-rrhagia 「破裂, 流出過多, 異常排出」を表す病理名をつくる.
-rrhaphy 外科で「縫合」を表す名詞をつくる.
-rrhea 医学で「流出, 発射, 放出, 排出」を表す名詞をつくる.
-rrhine 人類学で「鼻の」を表す形容詞, 名詞をつくる.
-sarc 生物学で「肉」の意の語根.
-saur 「トカゲ」の意の語根で, 絶滅した爬虫類の名に用いる.
-saurus -saurの異形.
-scaph 海事用語で「船」を表す名詞をつくる.
-scope 「鏡」の意の語根.
-scopic …を見る.
-scopy …検査 (法).
-ses -sisの複数形.
-sis ギリシャ語からの借用語に見られ, 「行為, 過程, 状態, 条件」などを表す抽象名詞をつくる.
-soma -some[3]の異形.
-some[3] 細胞生物学, 遺伝学で「体」の意の語根.
-somic (生物学で) …染色体の.
-sophy 「学, …知識 (体系)」の意で, 名詞をつくる.
-sperm 「種」の意の語根.
-spermal (植物学で) …の種子を持つ.
-spermia 精子.
-spermous -spermalの異形.
-spermy 精子が….
-spora 胞子.
-spore 植物, 菌類の分類で「胞子」の意の語根.
-sporous (ある種・数の) 胞子のある.
-spory …な胞子を有する状態.
-stalsis 生理学で「…蠕動(ぜんどう)」を表す名詞をつくる.
-stasis 「停止, 安定状態」を表す名詞をつくる.
-stasize 「止らせる」の意の動詞をつくる.
-stat 「安定 [一定] に保つ装置」を表す名詞をつくる.
-static -stasisに対応する形容詞をつくる.
-stichous 植物, 動物の分類で「(ある種類や数の) 列を持った」の意の形容詞をつくる.
-stole 「置くこと; 圧縮すること」の意の語根.
-stolic 置くものの.
-stome 「口」の意の語根.
-stomia (医学で) 口 (に関する異常).
-stomy (外科で) 開口術.
-stylar …な柱を有する.
-style 建築で「…柱のある」の意の語根.
-stylos …の柱を持つもの.
-stylous …の花柱を持つ.
-systole 病理名で「収縮」を表す名詞をつくる.
-tactic **1** (特定の) 配列を持つ. **2** (生物学で) 走性のある.
-taph 「葬式の, 埋葬の, 墓の」の意で, 名詞をつくる.
-taxia 「整理されたもの [状態] の意で, 名詞をつくる.
-taxic 「分類の; 配列の」の意で, 形容詞をつくる.
-taxis 「…配列, 走性」を表す名詞をつくる.
-taxy -taxisの異形.
-technics 「技法, 技術」を表す名詞をつくる.
-tely 「目標」の意で, 名詞をつくる.
-teric 「より…の, 比較的…の」の意の形容詞をつくる.
-terion 場所や手段を表す接尾辞.
-teuch 「本」の意で, 特に旧約聖書に関する名詞をつくる.
-thanasia 「死」の意で, 名詞をつくる.
-thelioma 「…腫」の意で, 病理関係の名詞をつくる.
-there 「…獣」の意の語根.
-therium 動物, 野獣.
-therm 「熱」の意の語根.
-thermia (病理で) 熱.
-thermy …熱, 発熱.
-thesis 「置くこと, 置かれた物」の意で名詞をつくる.
-thesize 「置く」の意で, 動詞をつくる.
-thetic 「置く…の」の意の形容詞をつくる.
-thion 化学で「イオウ (硫黄)」の意の語根.
-thymia 「…の精神状態」の意で, 名詞をつくる.
-tic -ic[1]の異形.
-tocia 医学で「分娩, 出産」を表す名詞をつくる.
-toky 「出産, 分娩」を表す名詞をつくる.
-tome 「切る; 切れ目」の意の語根.
-tomic -tomeまたは-tomyと-ic[1]の結合形.
-tomize (外科で) 切る.
-tomous 切断された.
-tomy (臓器の) 切断.
-tonia **1** …筋 (肉) 緊張, …神経の緊張. **2** (一般に) 緊張症.
-tope 「場所」の意の語根.
-topia[1] 場所, 地域.
-topic 部位の.
-tribe 「こするもの [こと]」の意の語根.
-trich 分類名で「…毛を持つもの」を表す名詞をつくる.
-trichous …のような毛をした.
-tripsy 「こすること, 擦り切れ」を表す名詞をつくる.
-tron 「…器具, 電子…装置」を表す名詞をつくる.
-trope 「…回転, 変化; 傾向」の意の語根.
-troph **1** 栄養物質. **2** ある栄養を必要とする生物体.

-trophic **1** …で栄養を摂取している, …の栄養を必要とする. **2** …の(腺の)活動に影響を与える. **3** …栄養の.

-trophied 「栄養が与えられた」の意で, 形容詞をつくる.

-trophy 栄養, 摂食.

-tropia (眼科で)転回.

-tropic 向…性の.

-tropin …に向いたもの.

-tropism -tropy の異形.

-tropous (植物学で)…に転回する.

-tropy …方性, 親和性.

-typy -typeと-y[3]の結合形.

-uresis 「尿の排出」に関する名詞をつくる.

-urgy 「**1** …術. **2** …業.」を表す名詞をつくる.

-uria 医学で「**1** …が尿中にある. **2** 尿道の状態, 排尿時の状態.」を表す名詞をつくる.

-urous 「…の尾のある」の意の形容詞をつくる.

-yl[1] 化学で「…基(を含む), …根(を含む)」の意の名詞・形容詞をつくる.

-zoa 「…動物」の意で, 動物の分類名を示す.

-zoan 「…動物(の); …虫(の)」の意で, 名詞, 形容詞をつくる.

-zoic[1] 「動物の生活が…様式の」の意で, 形容詞をつくる.

-zoic[2] 地質学で「(ある特定の)地質時代の[に関する]」の意の形容詞をつくる.

-zoite 生物学で「…体」を表す名詞をつくる.

-zoon 「…動物, …有機体」の意で主に名詞をつくる.

-zygous 「接合子[体]的構造を持つ」の意の形容詞をつくる.

-zyme 生化学で「…酵素」を表す名詞をつくる.

6-4 フランス語系

-ad[2] -ade[1]の異形.

-ain[1] 形容詞, 名詞をつくるフランス語接尾辞.

-ant[1] **1** …する人. **2** …する能力を持つ(物).

-ard[1] **1** 特に…する性質がある人. **2** 物を名を表す. **3** 人名(姓・男子の名)を表す.

-aud[1] フランス語の形容詞, 名詞語尾.

-bate 「打つ」の意の語根.

-bourg 字義は「町, 都市」で, 地名をつくる.

-cel[2] フランス語に見られる指小辞.

-do フランス語*dos*「背」より

-dos 「後ろ; 背中」の意の語根.

-é フランス語の男性形過去分詞語尾.

-eau フランス語の形容詞, 名詞男性形語尾.

-ee[1] ある行為をされる人.

-ee[3] -ée[1]の異形.

-ée[1] フランス語の女性形過去分詞形.

-ée[2] フランス語の名詞語尾.

-eer[1] **1** (専門的に)…を扱う人, …関係者, …を仕事にする人. **2** (軽蔑的に)…と関係を持つ人,を仕事にする人. **3** …関係の仕事をする.

-elle[1] フランス語からの借用語に見られる(もとは指小辞).

-enne 女性の…. ▶ *-en*の語尾を持つフランス語の男性名詞に対応する.

-er[2] 中英期のフランス語からの借用語に見られる名詞接尾辞.

-er[3] 「行動・過程・手順」を表す名詞をつくる.

-erie -ery[1]の異形.

-ery[1] **1** …業, 仕事. **2** …(製造・販売)所[店・屋].

-esque 「…様式の, …風の」の意で, 形容詞をつくる.

-et[1] 小さい…, 小型の.

-ett[1] 字義は「小…」で, 人名をつくる.

-ette[1] **1** 小さい…. **2** 女性の…. **3** フランス系の女子の名をつくる.

-eur 動詞, 時に形容詞から行為者またはある役割をもつ人[もの]を示す名詞をつくる.

-euse …する女性. ▶ -eurの女性形をつくる.

-i[4] フランス語で過去分詞形語尾.

-ice[1] フランス語からの借用語に見られ, 「状態, 性質」などを表す抽象名詞をつくる.

-id[3] -ide[1]の異形.

-ie[1] -y[2]の異形.

-ie[2] フランス系の女子の名などに見られる語尾.

-ier[2] -eer[1]の異形.

-iere -ier[2]の女性形.

-ière -ier[2]の女性形.

-if[1] フランス語に由来する名詞・形容詞接尾辞.

-iff[1] -ive[1]の異形.

-il[1] ラテン語, フランス語, イタリア語などのロマンス語の指小辞.

-ille[1] フランス語からの借用語に見られる指小辞.

-illon フランス語由来の指小接尾辞.

-ique[1] 《古》-ic[1]の異形.

-ise[2] 「…の性質, 条件」の意で, 名詞をつくる.

-ish[2] フランス語から借用の-irで終わる動詞の語幹につけて動詞をつくる.

-ive[1] **1** …する傾向・性質がある. **2** …と関係のある.

-let 名詞につける指小辞.

-log -logueの異形.

-ole[1] 指小辞.

-on[7] フランス語の名詞接尾辞.

-oon[1] フランス語その他のロマンス語から借用した語に見られる接尾辞.

-pede 「…の足を持つ」の意の語根.

-rel 指示辞; 蔑称に用いる.

-ry[1] -ery[1]の異形.

-theism …の神[神々]を信ずること.

-theist …の神[神々]を信じる人.

-theque 「入れ物, 置き物」の意で, 名詞をつくる.

-u[1] フランス語の名詞, 形容詞をつくる語尾要素.

-velop 「包む」の意の語根.

-x[1] -uで終わるフランス語由来の名詞につけて複数形をつくる.

-y[4] フランス語に由来した名詞, 形容詞をつくる.

-y[5] -ie[2]の異形.

6-5 ロマンス諸語系(イタリア語・スペイン語・ポルトガル語)

-a[5] スペイン語の女性形名詞語尾.

-a[6] ポルトガル語の女性形名詞語尾.

-a[7] イタリア語の女性形名詞語尾.

-ada スペイン語, ポルトガル語の名詞語尾.

-ade[1] 行動, 過程, 行動中の人[一団]などを表す名詞をつくる.

-ado もとイタリア語, スペイン語, ポルトガル語の行為, 過程を表す接尾辞.

-ador …する人. ▶ スペイン語, ポルトガル語より.

-ando もとはイタリア語で, 音楽の旋律に関連した語をつくる.

-ato イタリア語の男性形過去分詞語尾.

-cento 100(の); 100番目(の). ▶ イタリア語より.

-dor 「行為者, 道具, 場所」を表す名詞語尾. ▶ スペイン語より.

-ello イタリア語の男性形指小辞.

-endo もとはイタリア語で, 音楽の旋律に関連した語をつくる.

-erino ちっぽけな…, 小さな…. ▶ イタリア語より.

-ero スペイン語, イタリア語に由来する名詞・形容詞接尾辞.

-et[1] 小さい, 小型の. ▶ 古スペイン語またはイタリア語より.

-etta イタリア語の女性形指小辞.

-etto イタリア語の男性形指小辞.

-i[3] イタリア語の複数形語尾.

-ida[2]　スペイン, ポルトガル語の女性形容詞語尾.
-il[1]　ラテン語, フランス語, イタリア語などのロマンス語の指小辞.
-illa[2]　スペイン語の指小辞.
-illo　スペイン語の男性形指小辞.
-ina[2]　イタリア語の女性形接尾辞; 指小辞で特に楽器を表す.
-ino　イタリア語の指小辞.
-io　ラテン語及びそこから派生したイタリア語, スペイン語などのロマンス語に見られる名詞接尾辞.
-ismo　スペイン語, イタリア語に由来する「制度, 体系, 主義, 主張」を表す接尾辞.
-issimo　もとイタリア語で形容詞の最上級を表す語尾.
-ita　スペイン語の女性形指小辞.
-ito[1]　イタリア語の男性形過去分詞.
-ito[2]　スペイン語の指小辞.
-ivo　イタリア語, スペイン語の男性形形容詞や名詞をつくる接尾辞.
-mento　イタリア語の名詞接尾辞.
-ndo　もとはイタリア語で, 音楽の旋律に関連した語をつくる.
-o[1]　**1**《話》短縮形をつくる. **2**《俗》…なもの[やつ]. ▶ スペイン語またはイタリア語より.
-o[2]　スペイン語, イタリア語, ポルトガル語などの男性形名詞語尾.
-ola　**1** 小…. **2** 商品名をつくる. **3**《俗》賄賂(わいろ). ▶ イタリア語の指小接尾辞.
-oso　スペイン語, イタリア語に由来する形容詞接尾辞.
-ura[2]　ラテン語に由来し,「動作, 集合」を表すイタリア語語尾.
-voltine　「(昆虫が)…化性の」の意で, 形容詞をつくる. ▶ イタリア語より.

6-6 ゲルマン語系(ドイツ語・オランダ語・古ノルド語)

-ald[1]　字義は「支配」で, ゲルマン系の男子の名に使われる.
-ard[1]　**1** 特に…する性質がある人. **2** 物の名を表す. **3** 人名(姓・男子の名)を表す.
-bald　字義は「勇敢な」で, 人名に使われる.
-berg　字義は「山」で, 地名, 人名に用いられる. ▶ 中期オランダ語より.
-bound[2]　「…へ向かう」の意で, 形容詞をつくる.
-burg　字義は「市, 町」で, 主に地名につく.
-by　字義は「**1** 農場, 集落. **2** 砦.」で, 地名や地名起源の姓をつくる. ▶ 古期スカンジナビア語より.
-dorf　字義は「村」で, ゲルマン系の地名, 人名につく.
-fest　…集会, …大会. ▶ ドイツ語より.
-gate[2]　字義は「小道, 峠」で, 地名に使われる.
-grave[2]　「伯爵」の意で, 名詞をつくる. ▶ドイツ語より.
-hard　字義は「頑丈な, 勇敢な」で, 人名に使われる.
-hart　字義は「強い, 頑丈な」で, 人名をつくる.
-heim　字義は「村」で, 地名, 人名に使われる. ▶ ドイツ語より.
-ish[1]　名詞・形容詞・動詞などにつけて形容詞をつくる.
-keit　抽象名詞をつくる. ▶ ドイツ語より.
-kin　「小」の意で, 名詞をつくる. ▶ 中期オランダ語より.
-kins　-kinの異形.
-laut　音. ▶ ドイツ語より.
-meister　《米俗》…が得意な人. ▶ドイツ語より.
-path　…療法を施す人. ▶ ドイツ語より.
-pole　「頭」の意で, 名詞をつくる. ▶ 中期オランダ語より.
-quin　オランダ語の指小辞-*ken*より.
-scape　「景色, 景観」の意で, 名詞をつくる.
-schaft　**1** …集団, 層. **2** まとまり, 領域. ▶ ドイツ語より.
-son　「…の息子」の意で, 人名(姓)に使われる. ▶ 古期ノルド語より.
-thrift　幸福, 繁栄. ▶ 古期ノルド語より.
-tight　防…の, 耐…性の. ▶ 古期ノルド語より.
-walden　字義は「森, 森林地帯」で, 地名に使われる.
-worth　字義は「中庭; 囲い」で, 人名, 地名に用いられる.

6-7 セム・西アジア諸語系(ヘブライ語・アラビア語・ヒンディー語など)

-abad　字義は「都市」で, インドやパキスタンの地名に使われる.
-ah[1]　ヘブライ語の名詞をつくる語尾要素.
-ar[5]　アラビア語, ヒンディー語などの名詞語尾.
-eh[1]　ヘブライ語の語尾要素.
-el[2]　字義は「神」で, 特に人名, 地名に使われる. ▶ ヘブライ語より.
-i[5]　…人, …族; …派; …語. ▶ 主に中近東や南アジア地域の民族・住民・言語名に使われる.
-im[1]　ヘブライ語からの借用語にみられる複数語尾.
-j　特にヒンディー語やアラビア語からの外来語に見られる語尾.
-khana　家; 建物; 競技場. ▶ ヒンディー語より.
-oth[1]　ヘブライ語からの借用語に見られる女性名詞の複数語尾.
-stan　字義は「国, 地方」で, 国名, 地名に使われる. ▶ ペルシア語より.
-wallah　(特定の仕事をするための)雇われた人, …係. ▶ ヒンディー語より.

6-8 スラブ語系(ロシア語・ポーランド語など)

-a[8]　ロシア語の名詞語尾.
-a[9]　東欧各国語の名詞語尾.
-chik　小さいもの. ▶ ロシア語より.
-ev　ロシア系の人名, 地名に見られる接尾辞.
-nik　…な人, …に関心の強い人, …狂.
-ov　ロシア系の人名に見られる接尾辞.
-ski　《米俗》…する人. ▶ スラブ語系の語尾より.
-sky　ポーランド語の形容詞語尾で, 姓をつくる.

6-9 その他

-a[10]　北米インディアン諸語の語尾. ▶ 主に米国中西部の州名および州都名などに見られる.
-bok　レイヨウ, シカ. ▶ アフリカーンス語より.
-een[1]　…のちっちゃなもの, …のちっぽけなやつ. ▶ アイルランド語より.
-ey[3]　英語化されたアイルランド人の姓に見られる語尾.
-quat　(植物名で)…柑, …橘. ▶ 中国語より.
-tec　民族名を表す接尾辞. ▶ ナワトル語より.

7 抽出形・短縮形など

-a[3]　おそらくmagneiaの語尾-aの一般化.
-aholic　alcoholic「アルコール中毒」から抽出.
-al[3]　aldehyde「アルデヒド」の短縮形.
-an[2]　-ane[2]の異形, あるいはanhydride「無水物」の短縮形.
-ar[4]　stellar「星の」あるいはstar「星」より.
-ase[1]　diastase「ジアスターゼ」から抽出.
-ateria　-eteriaの異形.
-athlon　decathlon「十種競走」にならって.
-athon　marathon「マラソン競走」から抽出.
-azepam　diazepam「ジアゼパム」の短縮形.
-bot　robot「ロボット」の短縮形.
-burger　hamburger「ハンバーガー」の短縮形.
-cade　cavalcade「騎馬行進」から抽出.
-caine　cocaine「コカイン」から抽出.
-cal　calorie「カロリー」の短縮形.
-cast　broadcast「放送(する)」の短縮形.
-caster[1]　broadcaster「放送出演者」の短縮形.
-ceptor　receptor「受容器官」の短縮形.
-chlor　chlorine「塩素」の短縮形.
-cillin　penicillin「ペニシリン」の短縮形.
-cin　-mycin「…マイシン」の短縮形.
-cise[2]　exercise「体操」の短縮形.
-com　communication「交信」などの短縮形.
-copter　helicopter「ヘリコプター」の短縮形.
-core　hard-core「露骨な」から抽出.
-cult　culture「文化」の短縮形.
-delic　psychedelic「幻覚的な」の短縮形.
-eme[1]　phoneme「音素」から抽出.
-ennium　biennium「二年間」, triennium「三年間」から抽出.
-ercise　exercise「体操」の短縮形.
-eteria　cafeteria「カフェテリア」から抽出.
-fari　safari「旅行」の短縮形.
-fecta　perfecta「連勝単式」の短縮形.
-flation　inflation「インフレ」の短縮形.
-form[3]　chloroform「クロロホルム」の短縮形.
-friendly　user-friendly「使用者重視の」にならって.
-fu　fuck-up「しくじる」から抽出.
-g　-ing[1], -ing[2]の省略形.
-gate[1]　Watergate「ウォーターゲート事件」から抽出.
-gram[3]　telegram「通信」から抽出.
-icillin　penicillin「ペニシリン」の短縮形.
-icon　iconoscope「アイコノスコープ」の短縮形.
-ide[1]　oxide「酸化物」から抽出.
-ile[2]　ラテン語*quartilis*「4分の1の」の語尾より抽出.
-illion　million「100万」から抽出.
-in[3]　sit-in「座り込み」から抽出.
-int[1]　intelligence「情報(収集)」の短縮形.
-ion[3]　inion「イニオン; 外後頭隆起の先端に相当する点」から抽出.
-istor　resistor「抵抗器」の短縮形.
-jack　hijack, highjack「ハイジャック」の短縮形.
-kini　bikini「ビキニ」の短縮形.
-lect[2]　dialect「方言」の短縮形.
-lish　Englishから抽出.
-lux　Luxemburg「ルクセンブルグ」またはBenelux「ベネルックス」の短縮形.
-lyzer　analyzer「分析器」の短縮形.
-mo　duodecimo「12取り判, 12枚折り判」から抽出.
-mobile　automobile「自動車」から抽出.
-mone　hormone「ホルモン」の短縮形.
-nap　kidnap「誘拐する」から抽出.
-naping　kidnaping「誘拐」から抽出.
-napping　《主に英》-napingの異形.
-naut　aeronaut「飛行船操縦者」の短縮形.
-nomial　binomial「2項から成る, 二項式に関する」から.
-nomics[2]　economics「…の経済政策」の省略形.
-obe[1]　microbe「微生物」から抽出.
-ol[1]　alcohol「アルコール」の短縮形.
-oma　おそらくcarcinoma「癌」またはsarcoma「肉腫」から抽出.
-ominium　condominium「コンドミニアム」の短縮形.
-on[1]　おそらくion「イオン」から抽出.
-on[4]　meson「中間子」の短縮形.
-on[6]　plankton「プランクトン」から抽出.
-on[8]　carbon「炭素」から抽出.
-onics　electronics「電子工学」の短縮形.
-onium[1]　ammonium「アンモニウム塩基」から抽出.
-onium[2]　おそらくpositronium「ポジトロニウム」の短縮形.
-orama　一説にはpanorama「パノラマ」, diorama「ジオラマ」またはcyclorama「円形パノラマ」から抽出.
-ose[2]　glucose「グルコース」から抽出.
-phora[2]　anaphora「(文法で)前方照応」の短縮形.
-plex　complex「複合体」にならって.
-ploid　diploid「二倍体の」, haploid「半数体の」から抽出.
-ploitation　exploitation「開発」から抽出.
-preg　impregnated「(…が)染み込んだ」から抽出.
-rican　Puerto Rican「プエルトリコ人」の短縮形.
-sat　satellite「衛星」の短縮形.
-scape　scapeland「景観」から抽出.
-sol[2]　solution「溶液」の短縮形.
-sorption　absorption「吸収」の短縮形.
-speak　《話》G.Orwellが小説*Nineteen Eighthy-Four*(1949)の中で用いた造語oldspeak「標準英語」, newspeak「新英語」などから抽出.
-tainment　entertainment「娯楽」の短縮形
-tel　hotel「ホテル」の短縮形.
-teria　-eteriaの異形.
-tex　texture「繊維; 織物」の短縮形.
-topia[2]　utopia「ユートピア」の短縮形.
-tron　electron「電子装置」から抽出.
-tuple　quintuple「五重の」などから抽出.
-uppie　《米俗》yuppie「ヤッピー」の短縮形.
-urb[1]　suburb「郊外」の短縮形.
-vision　television「テレビ」の短縮形.
-ware　《俗》software「ソフト」の短縮形.
-zine　magazine「雑誌」の短縮形zine, 'zineより.

8 語　根

-act[1] 行う.
-anthrope 人, 人間.
-apt 位置につける.
-arch[1] 長, 先導者, 支配者.
-arch[2] …に源を持つ, (…個の) 起点 [原点] を持つ.
-bate 打つ.
-bath 深さ.
-blast 胚, 芽, 形成細胞層.
-carp 果実, 子実体.
-cede 行く, 進む.
-ceed 行く, 進む.
-ceive 取る, 捉える.
-cene (地質学用語で) 新しい, 最近の.
-ceps …の頭を持つもの.
-cept 取られた (もの).
-cern ふるいにかける, ふるう; 分ける; 決める.
-cess 行く.
-chore (植物の分類で) …によって種子・花粉が散布される.
-chrome 色.
-cide …殺し, 殺人者; 殺人.
-cise 切る.
-claim (大声で) 呼ぶ, 叫ぶ.
-cline 傾く; 傾いている (もの).
-clude 閉じる.
-cole (特に植物の分類で) …に住んでいる.
-cope 切ること.
-cord 心.
-corn 角 (のある).
-cosm 世界, 宇宙.
-course 走る.
-crine (医学用語で) 分ける, 分譲する.
-cur 走る.
-cuse 理由, 動機.
-cuss 打つ, ゆさぶる.
-derm 皮膚.
-dict 話された (こと); 決定された (こと).
-dos 後ろ; 背中.
-dox 意見.
-drome 走る, 競走路.
-duce 導く.
-duct 導かれた (もの).
-fact 作られた (もの).
-fect 作る (こと); 作られた (こと).
-fence 《特に英》打たれたもの [こと].
-fend 払いのける, 守る.
-fense 《特に米》打たれたもの [こと].
-fer …を生み出す [生じる, 含む] もの.
-fess 認める.
-fine 終わる, 終える.
-firm 強い.
-flate 空気を送る.
-flect 曲げる; 曲がる.
-flex 曲げられた; 曲がった.
-flict 打たれた (こと); 打つ (こと).
-form[1] …の形を持つ.
-form[2] 形作る.
-fort 強い.
-fuge 駆逐 [除去] するもの.
-fuse 注がれる, 溶ける.
-gam (植物の分類で) 結婚, 生殖.
-gen (地質学用語で) 生む; 形成.
-gene …を生むもの; (地質学用語で) …形成の地質.
-gest 運ばれた.
-glot …語の, …か国語のできる [で書かれた].
-gon 角度; (幾何学で) …角形.
-grade …で歩く [動く].
-gram[1] 書かれた物, … (文) 書, … (描写) 図, 記録.
-graph 書かれたもの.
-gress 進む, 歩く, 行く.
-gyne 雌, 女.
-here くっつく.
-hibit 与えられた, 保たれた.
-hume 埋める.
-ject 投げられた.
-journ 日.
-junct つながれた (もの).
-jure 誓う.
-lapse 落ちる.
-late 持ってくる, 運ぶ.
-lect[1] 集める, 選ぶ.
-lege 盗む; 集める; 読む.
-log 言葉.
-logue 言葉.
-lude[1] 欺く, 競技する.
-mand 命令 (する); 要求 (する).
-mend 命ずる, 委託する.
-mere (生物学, 細胞生物学で) 部分.
-merge 沈める.
-merse 水の中に潜った, 沈んだ.
-meter 寸法.
-mise 送る.
-mit 送る.
-mote 動く.
-mute 取り替える.
-nate 生まれた (もの); 生じた (もの).
-nema (生物学で) 糸.
-nounce 知らせること.
-odon (古生物で) …歯を持つ.
-pare 準備する.
-path 苦しみ, 病気.
-ped (動物学で) …の足を持つ.
-pede …の足を持つ.
-pel 強いて…させる; 推進する.
-pend ぶらさがる, 重さがある.
-pense つるされた; 〈重さが〉計られた; 見なされた.
-phage (細胞生物学で) むさぼり食うもの.
-phane (鉱物名で) 見えるもの.
-phil …を愛する.
-phile …を愛する.
-phobe …恐怖症の人.
-phone …音, 音声.
-phore …を運ぶもの, 支えるもの [部分].
-phyll (植物学で) 葉.
-phyte (植物の分類で) …植物.
-plasm (生物学で) 生体, 細胞, 細胞質, 原形質.
-plast (主に生物学で) 形成されたもの.
-plete 満ちている.
-plode 打つ.
-plore 泣き叫ぶ.
-ploy 折り重ねる.
-ply[1] たたむ, 巻く.
-ply[2] 満たす.
-pod 足
-polis 都市.
-pone 置く.

-port 運ぶ.
-pose …を置く.
-posit 置かれた.
-pound 置く, 据える.
-prehend つかむ.
-press 圧する.
-prise 捕らえられた(もの).
-proach 近寄る.
-proct (動物の分類で)肛門.
-prove 試す, 調べる.
-pter 翼.
-pugn 闘う.
-pulse 押す; 強いる.
-pute 考える, 計算する.
-quire 捜す; 得る.
-rect 導く.
-rupt 破れた, 破裂した.
-saur (古生物名で)トカゲ.
-scend 登る, 上がる.
-scind 分かつ, 裂く.
-scope 鏡.
-scribe 刻みつける; 書く.
-script 書かれた.
-sect 切られた(もの).
-secute 続く.
-semble 写す, 同じものにする.
-sence いること; あること.
-sent[1] 感じる.
-sert 連結する, 並べる.
-serve 見張る; 守る; 保つ.
-sess 常に…する.
-side[2] 座る, とどまる.
-sign 印をつける.
-sist 立つ; 立たせる.
-solve 解く.
-some[3] (細胞生物学, 遺伝学で)体.
-sorb 吸い込む.
-spect 見る, 注視する, 観察する.
-sperm 種.
-sperse ばらまかれた.
-spire 呼吸する; 息を吹きかける; 熱望する.
-spond 誓約する, 約束する.
-spore (植物, 菌類の分類で)胞子.
-stice 停止.
-stinct 刺された.
-stitute 立てる.
-stole 置くこと; 圧縮すること.
-stome 口.
-strain 締める.
-strict 締めつけられた, 縛りつけられた.
-struct 建てられる.
-style (建築で)…柱のある.
-suade 助言する.
-sue 続く.
-sult 躍る, 跳ねる.
-sume 取り上げる.
-tain 保つ.
-tect 覆われた.
-tend 張る, 伸ばす.
-tense のばす, 張る.
-test 証言する, …の証人となる.
-text 織る.
-there (動物分類で)…獣.
-therm 熱, 熱い.
-thion (化学で)イオウ(硫黄).
-tome 切ること.
-tope 場所.
-tort ねじ曲げられた.
-tour 回る.
-tract 引っ張られた.
-tribe こするもの[こと].
-tribute 割り当てられた.
-trope …回転, 変化.
-trude ぐっと強く押す.
-tuse 打つ.
-use[1] 使用する, 利用する.
-vade 行く, 進む.
-vail 価値がある; 強い.
-velop 包む.
-vene 来る.
-vent 来る(もの).
-verse 向く.
-vert …に向く(人).
-vest 着る.
-vince 征服する.
-vise 見る.
-vive 生きる.
-voke 呼ぶ.
-volve 回転する.
-voy 道.
-vulse 力いっぱい引く.

9 第1強勢(ストレス)の位置による分類

本文中, [発音]欄で解説されているもののみを分類.

9-1 第1強勢が接尾辞・連結形の前にある

9-1-1 接尾辞・連結形の直前の音節にある

-acal[1] -ac[1]に対応する形容詞語尾.
-al[1] …の(ような), …と関係のある, …の性質の.
-ant[1] …の行為をする(人).
-chronism 時, 時代.
-cope 切ること.
-cracy 階級, 制(度), 政治.
-cula 小さいもの.
-culum 小さい, 小….
-culus 小(さい).
-dian 日の.
-ean[1] …の, …のような.
-ent[1] **1** …(を)する. **2** …(する)人.
-eous …のような, の性質を持つ.
-ergy 活動, 働き.
-fera …を生み出す生き物.
-ference …とすること.
-fic …を生み出す, …を起こす, …化する, …的な.
-ficate …する.
-ficence …すること.
-fluent 流れる.
-gamy …(結)婚, …生殖.
-genize 生じさせる.
-geny 発生, 起源.

-gerous 生む, 生じる.
-gnomy 判断術[学], 認識.
-gony 生産, 起源, 発生.
-grapha 書かれているもの.
-grapher 記録する人[もの].
-gyny 女性らしさ.
-ia ギリシャ語·ラテン語借用の名詞語尾.
-ial -al[1]の異形.
-ian -an[1]の異形.
-ible -able[1]の異形.
-ic[1] **1** …の(ような). **2** …風の. **3** …でできた.
-ical -ic[1]と-al[1]の結合形.
-ics …学, …術, …原理, …研究.
-id[4] …の状態の.
-iform[1] …の形をもつ.
-ify …にする, …化する.
-ion[1] **1** …すること. **2** …(した)状態. **3** …の結果.
-ior[1] より….
-ious -ousの異形.
-ish[2] フランス語からの借用で動詞をつくる.
-itous -ityに対応する形容詞をつくる.
-ity ラテン語·フランス語起源で抽象名詞をつくる.
-ium ラテン語からの借用語に見られる.
-ive[1] …する傾向·性質がある.
-later 崇拝者.
-latry 崇拝, 礼賛.
-ligent 選ぶ.
-logist …学者.
-loquent 話す.
-loquize 話す.
-machy …戦, の戦い.
-meter 計量器[装置].
-metry 測定(法).
-nomy …の知識体系, 分類, 配置, 管理, 法則.
-odyne 痛み.
-para (生物学で)ある数の卵[子]を産む.
-pathy **1** 苦痛, 感情. **2** 病気, …病. **3** …療法.
-phagy (ある食物を)食べること.
-phany 出現, 明示.
-phila **1** …を好むもの. **2** …の愛するもの.
-phily -philiaの異形.
-phony 音(声).
-phora[1] 運ぶ物.
-phora[2] anaphora「(文法で)前方照応」の短縮形.
-plicate 折る, 折りたたむ.
-pody …の足[脚]を有するもの.
-poli 町.
-poly 独占.
-pter 翼のあるもの.
-ptera (昆虫の分類で)2枚の翼のあるもの.
-pteral 翼のある.
-rogate 問われる(もの), 乞われる(もの).
-rrhaphy (外科で)縫合.
-scient 知っている.
-scopy …検査(法), …観察.
-sion ラテン語からの借用語で抽象名詞をつくる.
-sophy …学, …知識(体系).
-spora 胞子.
-stasize 止まらせる.
-stole 置くこと; 圧縮すること.
-stomy (外科で)開口術.
-theist …神[神々]を信じる人.
-thesize 置く.
-tion ラテン語起源で抽象名詞をつくる.
-tious …を有する, …の特徴のある.
-toky 出産, 分娩.
-tomy (臓器の)切断, 切除; …摘出.
-trophy **1** 栄養, 摂食. **2** 成長.
-tropy …方性, 親和性, 属性.
-tus[1] ラテン語の行為名詞接尾辞.
-ula 小さいもの.
-verse 向く.
-vora (動物の分類で)…食動物目.

9-1-2 接尾辞·連結形の2つ前の音節にある

-al[1] …の(ような), …と関係のある, …の性質の.
-ant[1] …の行為をする(人).
-ar[1] -al[1]の異形.
-ate[1] …の(特徴のある), …を持つ.
-ator **1** …する人. **2** …する存在[(特に)機械].
-bacter (細菌学で)桿(かん)菌.
-chlor (化学で)…クロル.
-cle[1] 小…, 微粒…, 分(離)….
-cle[2] …室, …器, …手段, …物.
-cline 傾く; 傾いている(もの).
-cule[1] -cle[1]の異形.
-el[2] 《ヘブライ語》神.
-ent[1] **1** …(を)する. **2** …(する)人.
-fer …を生み出す[生じる, 含む]もの.
-ise[1] 《主に英》-ize[1]の異形.
-ive[1] …する傾向·性質がある.
-ize[1] **1** 他動詞をつくる. **2** 自動詞をつくる.
-lepsy 発作.
-there …獣[動物].
-ty[2] …な性質[状態, 程度].

9-1-3 語頭の音節にある

-agogy …を導く.
-ane[1] -an[1]の異形.
-ant[1] …の行為をする(人).
-anthrope 人, 人間.
-ar[1] -al[1]の異形.
-ar[2] -er[2]の異形.
-bert 輝いている, 有能な.
-boro 町, 城.
-bot ロボット.
-bury 砦(とりで).
-carp 果実, 子実体.
-carpy 結実.
-cept 取られた(もの); 取る.
-ceptor (生理学で)受容器官.
-chester 町; 都市; 城塞都市.
-chromat (眼科で)…色型色覚者.
-cident 落ちるもの[こと].
-clast 破壊する者.
-cle[1] 小…, 微粒…, 分(離)….
-cliffe 崖, 坂, 川岸.
-cline 傾く; 傾いている(もの).
-cole …に住んでいる, …に生えている.
-com communicationなどの短縮形.
-cott 小屋.
-cule[1] -cle[1]の異形.
-culpate とがめる.
-cult …文化.
-cyst (動物学で)…嚢(のう).
-dale 谷, (特に)広い谷.
-den[1] 丘, 山.
-dict 話された(こと), 決定された(こと).
-duct 導かれた(もの).
-el[1] 指小辞.
-el[2] 《ヘブライ語》神.
-en[2] …でできた.
-ent[1] **1** …(を)する. **2** …(する)人.
-epy 言葉.
-est[1] 形容詞·副詞の最上級をつくる.
-fect つくる(こと); つくられた(こと).
-fice …するもの[こと].
-ficient つくる, する.

-flect 曲げる; 曲がる.
-flict 打つ.
-fluence 流れること.
-gate[2] 小道, 峠.
-gest 運ぶ.
-gnate …生まれ(の).
-grave[1] 小さな森.
-gregate 集められた(もの).
-gregative 集められた.
-ham[1] 境界; 囲い地; 村; 地所; 荘園.
-ham[2] 牧草地.
-hart 強い, 頑丈な.
-heim 村.
-hood **1** 性質, 状態. **2** 時期. **3** 特定の人々の集団.
-in[3] …集会, 抗議[支援]デモ.
-ing[3] …に属するもの, と同じもの, に由来するもの.
-ion[3] (頭骨測定で)…点.
-ject 投げられた.
-junct つながれたもの.
-le[1] 動作主または道具を示す名詞をつくる.
-lect[2] 方言
-legate 代理に命じられた(もの).
-lege 盗む; 集める; 読む.
-like …に似た, …のような, …にふさわしい.
-locate 置かれた.
-lude[2] 劇; 演奏.
-man[3] …の人.
-manship 技量, 腕, 手腕.
-mel 蜂蜜.
-minence 突き出ているもの[こと].
-minent 突き出す, 立ち上がる.
-mone (生化学で)…ホルモン.
-most 最も…の, 最….
-ody …詩, …歌.
-ope[1] (眼科で)眼が…の人.
-petent 求める.
-pexy 固定すること.
-pliment 満たすもの[こと].
-proct (動物分類で)肛門.
-reme (海事で)櫂(かい), オール.
-rrhine (人類学で)鼻の.
-sat (人工)衛星.
-script 書かれたもの.
-secrate 神聖にする.
-sence いること; あること.
-sident 座っている(人).
-sonance 〈音を〉出すもの[こと].
-spect 観察する(こと).
-spermy 精子が….
-stance 立っているもの[こと].
-stant 立っている(こと).
-ster 《しばしば軽蔑的》…屋.
-stice 停止.
-stinct 刺された; 刺すこと.
-stitute 立てる.
-stitutive 立っている.
-taxy -taxisの異形.
-tely 目標.
-test 証言する(こと).
-theque 入れ物, 置き物.
-tinent つかむ; 保つ(もの).
-tort ねじ曲げられたもの.
-tribe こするもの[こと].
-tripsy こすること, 擦り切れ.
-ty[1] 10の倍数.
-ty[2] …な性質[状態, 程度].
-vent 来る(もの, こと).
-vert …に向く(人).
-vident 見ている.
-walden 森, 森林地帯.
-wick 《英》農場, 酪農場; 村, 部落.
-win 友人, 友だち.
-y[1] **1** …でいっぱいの. **2** …に似ている.
-zyme (生化学で)…酵素.

9-2 第1強勢が接尾辞・連結形にある

9-2-1 接尾辞・連結形の第1音節にある

-ade[1] フランス語, 時にはスペイン語からの借用語に見られる.
-age[1] フランス語からの借用語に見られる.
-andry 男性, 雄.
-ane[1] -an[1]の異形.
-arian (主義・説・原理などの)支持[信奉]者(の).
-atic …の, …的な.
-ation **1** 動作・行為. **2** 状態. **3** 結果・産物.
-ator **1** …する人. **2** …する存在[(特に)機械].
-cept 取る.
-ception 取られたもの[こと].
-ceptor (生理学で)受容器官.
-cession 行くもの[こと]; 引きさがるもの[こと].
-chezia (医学で)排泄, 排便(に関する異常).
-cipient 取る.
-cise[1] 切る.
-cision …して切ったもの.
-cline 傾く; 傾いている(もの).
-clusion 閉じられたもの[こと].
-coction 料理されたもの[こと].
-cumbent 座る, 横になる.
-cursion 走る[走られた]もの[こと].
-cursive 流れる.
-cussion 振り動かされた[打たれた]もの[こと].
-dict 話す, 決定する.
-dition 与えられたもの[こと].
-duct 導く.
-duction 導かれたもの[こと].
-ean[1] …の, …のような.
-ee[1] ある行為をされる人.
-eer[1] (専門的に)…を扱う人, …関係者.
-emption 取られたもの[こと].
-ese …人(の), …の住民(の); …語(の).
-esque …様式の, …風の, …に似た.
-ette[1] **1** 小さい…. **2** 女性の….
-faction …させること, …作用.
-fect つくる.
-fection **1** するもの[こと]. **2** なされたこと, 作られたもの.
-fer …を運ぶ[生み出す].
-ferent 運ぶ(もの, こと).
-fident 信じている.
-flation (経済学で)…インフレ.
-flict 打たれた(こと); 打つ(こと).
-fliction 打つもの[こと]; 打たれたもの[こと].
-form[2] 形作る.
-gest 運ばれた(もの).
-gestion 運ばれたもの[こと]; なされたもの[こと].
-gression 進むこと; 進められたこと.
-hibit 与えられた, 保たれた.
-ician …の専門家, …家.
-ique[1] 《古》-ic[1]の異形.
-istic 主に-ist, -ismに対応する形容詞をつくる.
-ition 「動作」「状態」を表す名詞をつくる.
-ject 投げる.
-jection 投げられたもの[こと].
-jure 誓う.
-lect[1] 集める.
-lection 集められたもの[こと].
-lision 打たれたもの[こと].

-lusion 遊ばれたもの[こと].
-mit 送る.
-oon[1] ロマンス語系の借用語に見られる接尾辞.
-pletion 満たされたもの[こと].
-plicit 折りたたまれた.
-ponent 置く(もの, 人).
-port 運ぶ.
-posit 置かれた.
-pression 圧せられたもの[こと].
-pulse 押す; 強いる.
-punction 突かれたもの[こと], さされたもの[こと].
-rect 導く.
-rupt 破れた, 破裂した.
-ruption ばらばらにされたもの[こと].
-scendent 登る(こと).
-script 書く.
-scription 書かれたもの[こと]; 書くもの[こと].
-sent[1] 感じる.
-sentient 感じる.
-sert 連結された(もの).
-sertion 並べること[もの].
-silient 跳ぶ.
-sist 立つ.
-spect 観察する, 見る.
-spection 見られたもの[こと].
-stinct 刺された; 刺すこと.
-strict 締めつけられた, 縛りつけられた.
-struct 建てられた.
-struction 建てられたもの[こと].
-sult 躍る, 跳ねる.
-surgent 生じる, 起きる, 立ち上がる.
-tainment 娯楽; 楽しませるもの.
-tect 覆われた.
-teen 13から19までの基数をつくる.
-test 証言する, …の証人となる.
-tort ねじ曲げられた.
-tortion ねじられたもの; 曲げられたもの[こと].
-traction 引っ張られたこと[もの].
-trition こすられたもの[こと].
-trusion 突かれたこと[もの], 押されたこと[もの].
-vection 運ばれたこと[もの].
-vent 来る.
-vention 来られたもの[こと].
-vert …に向く.
-vest 着る.
-vince 征服する.
-vulsion 力ずくで引っぱられたこと[もの].

9-2-2 接尾辞・連結形の第2音節にある

-clamation 呼ばれたもの[こと].
-clination 傾けられたもの[こと].
-fication …にすること, …化.
-hibition 持たれたもの[こと].
-isation 《主に英》-izationの異形.
-ization -izeで終わる動詞の名詞をつくる.
-mentation -mentと-ationの結合形.
-pellation 行かされたもの[こと].
-ploitation 利用, 開発, 開拓.
-prehension つかまれたこと[もの].
-quisition 探されたもの[こと].
-secution 従われたもの[こと].
-signation 印をつけられたもの[こと].
-spiration 息を吹き込まれたもの[こと].
-stitution 立てられたもの[こと].
-tribution 割り当てられたもの[こと].
-vocation 呼ばれたもの[こと].

9-2-3 接尾辞・連結形の第3音節にある

-laboration なされたもの[こと].
-nunciation 知らされたこと[もの].
-sociation 仲間にされたこと[もの].

9-2-4 接尾辞・連結形の最後の音節にある

-eroo 名詞について, 親しさ, こっけいさなどを表す.
-zoon …動物, …有機体.

9-3 第1強勢が基語・基体と変わらない(接尾辞のみ)

-able[1] …されうる; …されるべき(である).
-acy **1** 状態・性質. **2** 行為. **3** 地位・職.
-al[2] フランス語またはラテン語系の動詞について名詞をつくる.
-an[1] …の土地生まれの人.
-ance[1] **1** 性質・状態. **2** 行為. **3** 量・程度.
-ancy -ance[1]と-y[1]との結合形.
-ar[2] -er[2]の異形.
-ary **1** …に属する. **2** …と関係のある人. **3** 入れ物.
-cy **1** 性質・状態. **2** 地位・職務. **3** 行為.
-dom **1** …の土地. **2** …界, の集団. **3** …の地位.
-en[1] **1** …(の状態)にする. **2** …(の状態)になる.
-en[2] …でできた.
-ence[1] **1** …すること[もの]. **2** …な性質, …なもの.
-ency -ence[1]と-y[3]の結合形.
-er[1] **1** ある事をする人. **2** ある特徴を持っている人・物.
-er[2] …と関係[関連]のある人[もの].
-er[3] 行動・過程・手順を表す名詞をつくる.
-ery[1] **1** …業, 仕事, 技術. **2** …(製造・販売)所.
-es[1] 複数形語尾-sの異形.
-ess[1] 女性名詞をつくる.
-est[1] 形容詞・副詞の最上級をつくる.
-ful[1] **1** …に満ちた, …の多い. **2** …しがちな.
-ful[2] …一杯(の量).
-fy …にする, …化する.
-hood **1** 性質, 状態. **2** 時期. **3** 特定の人々の集団.
-ible -able[1]の異形.
-ing[1] 行為・過程.
-ing[2] 動詞につけて現在分詞または形容詞をつくる.
-ing[3] …に属するもの, と同じもの, に由来するもの.
-ish[1] …に属する; …のような, …の性質を持つ.
-ism[1] **1** 行為. **2** 性質・状態. **3** …中毒. **4** …差別. **5** 教義・学説. **6** 主義.
-ly[1] **1** …(なやり方)で, …の様子で. **2** …に関しては.
-ment **1** 動作・過程. **2** 行為の結果・産物. **3** 手段.
-most 最も…の, 最….
-ness **1** 性質, 状態. **2** 程度, 度合. **3** 事例.
-or[2] 行為者またはある役割を持つ人[もの]を表す.
-ship **1** 状態, 性質. **2** 地位. **3** 能力, 技能. **4** (人間)関係.
-some[1] …を生じ(させ)る, …しそうな.
-ward[1] …(の方向)へ(の).
-wards -ward[1]の異形.
-y[1] **1** …でいっぱいの. **2** …に似ている.

9-4 第1強勢が基語・基体から移動する(接尾辞のみ)

-al[1] …の(ような), …と関係のある, …の性質の.
-ation **1** 動作・行為. **2** 状態. **3** 結果・産物.
-ator **1** …する人. **2** …する存在[(特に)機械].
-cle[1] 小…, 微粒…, 分(離)….

-cle[2] …室, …器, …手段, …物.
-ean[1] …の, …のような.
-ee[1] ある行為をされる人.
-eer[1] (専門的に)…を扱う人, …関係者.
-el[1] 指小辞.
-eous …のような, の性質を持つ.
-eroo 名詞について, 親しさ, こっけいさなどを表す.
-ese …人(の), …の住民(の); …語(の).
-esque …様式の, …風の, …に似た.
-ette[1] **1** 小さい…, かわいい…. **2** 女性の….
-ia ギリシャ語·ラテン語借用の名詞語尾.
-ial -al[1]の異形.
-ian -an[1]の異形.
-ic[1] …の(ような).
-ics …学, …術, …原理, …研究.
-id[4] …の状態の.
-ion[1] **1** …すること. **2** 状態. **3** 結果·産物.
-ior[1] より….
-ious -ousの異形.
-ique[1] 《古》-ic[1]の異形.
-ity ラテン語·フランス語起源で抽象名詞をつくる.
-ium ラテン語からの借用語に見られる.
-ive[1] …する傾向·性質がある.
-oon[1] ロマンス語からの借用語の接尾辞.
-sion ラテン語からの借用語で抽象名詞をつくる.
-teen 13から19までの基数をつくる.
-tion ラテン語起源で抽象名詞をつくる.
-ty[1] 10の倍数.
-ty[2] …な性質[状態, 程度].
-ula 小さいもの.

Ⅲ 音象徴

Ⅲ 音象徴

1 音象徴

-a[12] **1** 驚嘆·歓喜. **2** 幼児語の語尾.
-aa 長く大きい発声.
-abble **1** 早口で不明瞭なしゃべり方. **2** 水·泥をはねかけること, また, その音.
-ack[1] **1** アヒルの鳴き声; おしゃべりの声. **2** 強打, 破壊·炸裂, 鋭く乾いた機械的な音.
-ackle[1] **1** 甲高い声. **2** 陶器などのひび割れ.
-addle **1** 体を揺らしたり, ぶざまな格好で歩く. **2** 混乱.
-affle[1] つかむ; からむ.
-am[1] 戸·窓を強く閉める; 物をたたきつける, 爆発音.
-amble **1** 足を引きずったり, 体を揺らしながら歩く. **2** ごたごた; 混沌, とりとめのなさ.
-amp[1] **1** 重い足取り; 踏みつけるような音. **2** 締めつけ. **3** 圧迫, 引きつり, 切りつめ.
-ang[1] 打撃·衝突·爆発; また張った弦をはじく.
-ank[1] 堅いものがぶつかり合って響く.
-ap[1] **1** 軽く素早くたたいたり, 打ったりする. **2** はじけるような音; 大きな声.
-ar[6] うなり声; きしる音, 耳障りで低く響く音.
-arf[1] 鳴き声のほか, さらうような動き.
-arl[1] (犬·狼などが)歯をむき出してうなる.
-ash[1] **1** 突進, 衝突, 打撃, 粉砕, 圧搾, 抑圧. **2** 液体がはねる, 言葉·感情がほとばしり出る.
-at[2] **1** 軽打, 連打; また太鼓·機関銃の発射音. **2** 雑談; 小競り合い. **3** 鳥の名.
-atter 連打, 粉砕, 飛散, おしゃべり.
-attle[1] 接触による騒がしい音; しゃべり声.
-awl[1] **1** 苦痛; 怒り; 犬の遠吠え. **2** ぎこちなく, ぶざまに広がっていく, 這う.
-ck 鋭く短い打撃音; 機械的で乾いた音.
-eak[1] **1** 鋭く高い音, きしむ音. **2** 金切り声.
-ee[4] **1** 笛; 小鳥. **2** 歓喜·驚嘆·嘲笑.
-eek[1] =-eak[1].
-eep[1] ブザー·電子装置の音, 鳥, 虫, ネズミなどの鳴き声.
-eer[2] 愚弄, 冷笑.
-er[6] 頻発·反復; 発声にもよく用いる.
-ew[1] **1** 口笛の音; 驚き·不快. **2** ネコとカモメの鳴き声.
-ff[1] **1** 動物がほえる声など空気の強い動き. **2** 短い打撃. **3** 気炎, おしゃべり, からかい, はったり.
-ibble 繰り返しつつく, 小刻みな動き.
-ick[2] **1** 鍵がかかる音; 時計の音; また舌打ちの音. **2** 素早く突いたり, つまみとる, 痙攣.
-iff[2] **1** 風·息などの一吹き. **2** 怒り·腹立ち.
-iffle 細かい動き; こする, 突き払う.
-iggle **1** 忍び笑い. **2** 小刻みに揺れ動く.
-imple ちぢれたもの; 小さくぶつぶつしたもの.
-ing[5] **1** 物が勢いよく飛び出したり, 動いていく. **2** 金属がぶつかり合う時の高い調子.
-inge くぼみ, ひだ, にじみ, 縮み.
-ingle[1] **1** 金属が軽くぶつかりあう. **2** (寒さ, 痛みで)体, 傷が痛んだり, うずいたりすること.
-ink[1] **1** 固いものが触れ合う音. **2** 弦などをつまびく.
-inkle **1** 縮めたり, 細かくまき散らしたり, 小さく巻かれていること. **2** ちかちかする光, ちりんちりんと鳴る音.
-ip[1] 鋭く空を切る, 軽くたたいたり, はじく; 小さな動き; 小さな先端; 小さく甲高い鳴き声.
-ipple **1** 小さい粒, 点々としたもの. **2** ちびちび飲む.
-irl[1] 渦巻き状の動き·回転運動.
-irr **1** 素早く, 勢いのよい動き. **2** 回転音, 振動音, 動物のうなり声, 虫の音.
-irt[1] 一点から飛び出したり, 細い口から噴出するような勢いよい動き.
-isk[1] 素早く勢いのよい動き.
-iss[1] 気体が噴き出す音, ヘビが発する音.
-it[2] **1** 打つ, 割る, 切る. **2** (1) 鳥の鳴き声. (2) 軽蔑·いらだち. **3** 小さなもの·少量.
-itch[1] ひっかける, つなぐ, 引く, 張る, ひねる.
-iver 身震い.
-izz[1] ソーダ水の発泡; 焼くときの肉汁の音.
-izzle ジュージュー, ジャージャーなどの連続的雑音.
-le[3] 反復する動作.
-ng 衝突·打撃·爆発; 鐘·鈴が鳴り響く音.
-oan 苦痛·悲痛のうめき; うなり声.
-ob[1] **1** 動悸; 小さな上下運動. **2** (液体の)小滴, (粘着性のある丸い)塊. **3** 軽蔑的に人を表す.
-obble **1** のどを鳴らす; 飲み込む, がつがつ食べる. **2** よろめく; ひょいひょい.
-ock[2] 打ったり, たたいたりする音; 鳴き声.
-oggle よろめき; ぐらぐら.
-oil[1] 泡立ってぐるぐると渦巻くさま; 汚すこと.
-oing ボーン, ビョーン.
-oll[1] **1** 揺れたり, 転がったりする. **2** 鐘の音; 朗々と歌う声.
-omp[1] **1** 重い足取り; 踏みつけるような動作; 激しい衝撃音. **2** かんだり, 食べたりすることとその音.

-ong[1]	金属製の大きく鳴り響く音.
-onk[1]	**1** 鳴き声·警笛. **2** 堅いものがぶつかる; 打撃音.
-oo[1]	**1** 伸びのある鳥の鳴き声. **2** くしゃみ; 脅し·興奮·軽蔑·驚き·嫌悪などの発声.
-ooh	息·空気の出るさま.
-oom[1]	大太鼓·飛行機の反響音, 爆発·雷鳴.
-oomp	-omp[1]の異形.
-oop[1]	**1** 勢いよく直進する動きとその音. **2** 興奮·歓喜の叫び声. **3** 空気の出る音. **4** ベトベト.
-oosh	液体·気体の噴出.
-oot[1]	**1** (1) らっぱ·笛の鳴る音; フクロウなどの鳴き声. (2) 叫び声; 軽蔑的な発声. **2** 空を切って直進していく素早い動き.
-ooze	**1** 液体·泥のように流れ出るもの. **2** 居眠り·長話など擬態的に象徴する.
-op[1]	上下運動·はね返り; 急に倒れたり, 飛び出す動きとその音.
-osh[1]	液体をはねらす音.
-ouch[1]	うつむいたり, 縮こまる動作や, 不機嫌さ.
-ough[1]	咳の音に似たかすれた音·風の音.
-ounce[1]	跳ねる, 弾むという上下運動や飛びかかる動作.
-ow[1]	**1** 強打, 破裂·爆発音, 銃声. **2** 牛などのうなるような鳴き声. **3** 流れる, 風が吹く, 光を放つ.
-ow[2]	**1** 強打·爆発, 騒がしさ. **2** 人の驚きの叫び. **3** ネコ·鳥の鳴き声.
-owl[1]	犬·狼の遠吠え·雷鳴, うなり声.
-ozzle	液体·気がごぼごぼと通ること.
-p	鳥の鳴き声·信号音; 破裂·発泡·衝撃音.
-rill	**1** ふるえ, ぞくぞく; 小刻みな動き, 急速な回転. **2** 鋭い叫び声を上げたり, 声をふるわせること. **3** 小さなひだ·小溝, 格子·折り目. **4** 軽蔑に用いる.
-rr	**1** 素早く勢いのよい動作の反復とそれに伴う振動音, 回転音. **2** 動物のうなり声; 虫の音.
-sh[1]	突進, 衝突, 殴打, 打撃, 粉砕, 圧搾, 抑圧; また, 液体·言葉·感情が湧き出る.
-ss	蒸気の音·気体·液体が細く勢いよく出ていく音.
-t[2]	**1** 平らな物で鋭く打ったり, 切り込む音. **2** 小さな物·短い物. **3** 鳥の鳴き声·鳥の名.
-ub[1]	太鼓のドンドン, 液体のゴボゴボ, ブクブク, 洗濯のゴシゴシ, 泣き声のオイオイ, 棒のバシッ.
-ubble[1]	**1** 小片·破片. **2** 小さく反復的な動き.
-uck[1]	**1** 雌鶏の鳴き声. **2** 軽く引っ張ったり, 打つこと. **3** ヌルヌル, ベタベタ. **4** 軽蔑, 嫌悪を表す.
-udder	振動, 身震い.
-uddle	ごたごた, めちゃくちゃ.
-udge[1]	鈍重さ, また, 鈍重な動作·押す動き.
-uff[1]	**1** 息·風の一吹き·気体の吹き出し, 殴打, うなり声·気炎, 立腹. **2** ふわふわしたもの.
-uffle	くしゃくしゃ; 乱戦, つかみ合い, 混乱.
-ug[1]	**1** エンジンの爆発音. **2** 音をたてて飲み込む音·液体を注ぐ音. **3** 鳥の鳴き声.
-uggle	すり寄ったり, もみ合ったりするような動き.
-uh	疑念, 驚き, 困惑, 軽蔑.
-um[2]	打楽器·弦楽器の振動音, こま·モーターの回転音.
-umble	蜂の羽音; 不平不満の声; ゴロゴロ, ゴーゴー; ボロボロくだけるさま, ゴタゴタしたさま.
-ump[1]	**1** 衝突·落下, 転倒. **2** 不快, 不満. **3** 大きなこぶ·塊, ずんぐり, 群れ. **4** 軽蔑; とんま.
-unch[1]	**1** かみ砕く; 踏み砕く. **2** 塊, こぶ.
-unk[1]	**1** 衝突·物を突き刺す音. **2** 塊, ぶつ切り.
-urk	潜む感じ, 嫌な感じ
-url[1]	渦を巻く; 波紋を描く; 波·渦のような形.
-urp	のどを通って出る音.
-urr[1]	動物のうなり声·虫の音.
-urry	あわて急ぐ; あわただしく動き回る.
-urt[1]	一点から飛び出したり, 細い口から水が噴出する; また, そのように言葉が出る.
-ush[1]	衝突, 打撃, 粉砕, 圧搾.
-ustle	せわしく動き回ったり, ぶつかり合うこと.
-zazz	派手さ·威勢の良さ.
-zz[1]	機械·ブザー, ハチの羽音.

2 音象徴の重複形をつくる

-a[13]	音象徴語と間投詞の重複語.
-aa	長く大きい発声.
-abble	**1** 早口で不明瞭なしゃべり方. **2** 水·泥をはねかける.
-ack[2]	音象徴語の重複形に見られる.
-addle	**1** 体を揺らしたり, ぶざまな格好で歩く動作. **2** 混乱·騒然.
-aggle	音象徴語の重複形.
-ah[3]	音象徴語の重複形.
-ak[1]	音象徴語の重複形.
-am[2]	音象徴語の重複形.
-amble	**1** 足を引きずったり, 体を揺らしながら歩く. **2** 混沌, とりとめのなさ.
-ang[2]	音象徴語の重複形.
-angle[1]	音象徴語の重複形.
-ap[2]	音象徴語の重複形.
-ar[6]	うなり声·きしる音など, 耳障りで低く響く音.
-arf[1]	鳴き声のほか, さらうような動き.
-ash[2]	音象徴語の重複形.
-ashy	音象徴語の重複形.
-at[3]	音象徴語の重複形.
-attle[1]	接触による騒がしい音·しゃべり声.
-aw[2]	音象徴語の重複形.
-dy	音象徴語の重複形.
-ee[4]	**1** 笛·小鳥の高い音[声]. **2** 歓喜·驚嘆·嘲笑.
-ee[5]	音象徴語の重複形.
-eng	音象徴語の重複形.
-er[7]	音象徴語の重複形.
-ff[2]	重複形語末子音.
-ick[3]	音象徴語の重複形.
-ick[4]	音象徴語の重複形前半要素の語尾.
-ing[6]	音象徴語の重複形.
-ingle[2]	音象徴語の重複形中間要素.
-ip[1]	鋭く空を切る; 軽くたたいたり, はじく; 小さな動き; 小さな先端; 小さく甲高い鳴き声.
-it[3]	音象徴語の重複形.
-ly[3]	音象徴語の重複形.
-nk	音象徴語の重複形.
-ny	音象徴語の重複形.
-o[5]	音象徴語と間投詞の重複形.
-oc[1]	音象徴語の重複形.
-ock[3]	音象徴語の重複形.
-om[1]	音象徴語の重複形.
-ong[2]	音象徴語の重複形.
-oo[1]	**1** 伸びのある鳥の鳴き声. **2** くしゃみ; 脅し·興奮·軽蔑·驚き·嫌悪などの発声.
-oo[2]	音象徴語の重複形.
-op[2]	音象徴語の重複形.
-osh[1]	液体をはねらす.
-ow[2]	**1** 強打·爆発, 騒がしさ. **2** 人の驚きなどの発声と叫び. **3** ネコ·鳥の鳴き声.
-ry[3]	音象徴語の重複形.
-tsy	音象徴語の重複形; こっけいさや軽蔑を表す.
-ty[3]	音象徴語の重複形; 軽蔑の響きがある.
-ub[2]	音象徴語の重複形.
-ubble[2]	音象徴語の重複形.
-uck[1]	**1** 雌鶏の鳴き声. **2** 軽く引っ張ったり, 打つこと, またその音. **3** ヌルヌル, ベタベタ. **4** 軽蔑, 嫌悪.
-uh	疑念, 驚き, 困惑, 軽蔑などの発声.
-um[4]	音象徴語の重複形.
-urra	音象徴語の重複形.
-urry	あわて急ぐ; あわただしく動き回る.
-ush[2]	音象徴語の重複形.
-ustle	せわしく動き回ったり, ぶつかり合うこと.
-ut[1]	音象徴語の重複形.
-utt[1]	音象徴語の重複形.

Ⅳ 語末音形（語尾）

発音による分類

/iː/

/iː/	-ea[2]	-ee[6]	-ey[7]	-i[7]
/iːp/	-eap	-eep[2]		
/iːb/	-ebe	-eeb		
/iːt/	-eat[1]	-eet	-ete	-ite[4]
/iːd/	-ead[1]	-ede	-eed	
/iːf/	-eaf[2]	-eef	-eif[1]	-ief
/iːv/	-eave	-eeve	-ieve	
/iːk/	-eak[2]	-eek[2]	-eke	-ique[2]
/iːɡ/	-eag			
/iːθ/	-eath[1]			
/iːð/	-eathe			
/iːs/	-ease[1]			
/iːz/	-ease[2]	-eaze	-eez	-es[4]
	-ise[3]			
/iːʃ/	-eesh			
/iːtʃ/	-each	-eech		
/iːm/	-eam	-eem	-eme[2]	
/iːn/	-ean[2]	-een[2]	ene[2]	-ine[7]
/iːl/	-eal	-eel	-eil	-iel
/iːdl/	-eedle			
/iːtn/	-eaten			
/iːɡl/	-eagle			
/iːst/	-east			
/iːzn/	-eason			
/iːnl/	-enal			
/iːld/	-ield			

/i/

/i/	-y[7]			
/ip/	-ip[2]	-yp		
/ib/	-ib			
/it/	-it[4]	-itt		
/id/	-id[5]			
/if/	-if[2]	-iff[3]	-iffe	-yph
/iv/	-iv	-ive[3]		
/ik/	-ic[2]	-ich[2]	-ick[5]	-ik
/iɡ/	-ig	-igg		
/ið/	-ith			
/is/	-ess[3]	-is[1]	-iss[2]	
/iz/	-is[2]	-iz	-izz[2]	
/iʃ/	-ish[3]			
/idʒ/	-age[3]	-idge		
/itʃ/	-ich[1]	-itch[2]		
/im/	-im[3]			
/in/	-in[4]	-inn		
/iŋ/	-ing[7]			
/il/	-il[2]	-ill	-ille[2]	-yl[2]
/ibl/	-ibble			
/its/	-its			
/itn/	-itten			
/itl/	-ittle			
/idn/	-idden			
/ift/	-ift			
/ikt/	-ict			
/iks/	-ix			
/ikl/	-ickle			
/isp/	-isp			
/ist/	-ist[2]	-yst		
/isk/	-isk[2]			
/isn/	-isten			
/isl/	-istle			
/izm/	-ism[2]			
/izn/	-ison			
/imf/	-ymph			
/imp/	-imp			
/int/	-int[2]			
/ind/	-ind[2]			
/inθ/	-inth			
/ins/	-ince			
/intʃ/	-inch			
/iŋk/	-ink[2]			
/ilt/	-ilt			
/ild/	-ild[1]			
/ilk/	-ilk			
/ilθ/	-ilth			
/ixt/	-icht			
/impl/	-imple			
/indl/	-indle			
/iŋks/	-inx			
/iŋkl/	-inkle			
/iltʃ/	-ilch			

/e/

/ep/	-ep			
/eb/	-eb			
/et/	-eat[3]	-et[3]	-ett[2]	-ette[2]
/ed/	-ead[2]	-ed[3]		
/ef/	-eaf[1]	-ef[1]		
/ek/	-ec	-ech[1]	-eck	-ek
/eɡ/	-eg			
/eθ/	-eath[2]			
/es/	-ess[2]			
/ez/	-ez			
/eʃ/	-esh			
/etʃ/	-etch			
/edʒ/	-edge			
/em/	-em[2]			
/en/	-en[6]			
/el/	-el[4]	-ell[2]	-elle[2]	
/ex/	-ech[2]			
/ept/	-ept			
/etl/	-ettle			
/edl/	-eddle			
/eft/	-eft			
/ekt/	-ect			
/eks/	-ex			
/ekl/	-eckle			
/est/	-est[2]			
/esl/	-estle			
/emp/	-emp			
/end/	-end[2]			
/ent/	-eant	-ent[2]		
/entʃ/	-ench			
/endʒ/	-enge			
/ens/	-ence[2]	-ense		

/enz/	-ens			
/enl/	-ennel			
/elp/	-elp			
/elt/	-elt			
/eld/	-eld			
/elf/	-elf			
/elv/	-elve			
/elk/	-elk			
/elθ/	-ealth			
/eltʃ/	-elch			
/elm/	-elm			
/ekst/	-ext			
/empl/	-emple			

/æ/

/æp/	-ap[3]	-appe		
/æb/	-ab[1]			
/æt/	-at[4]	-att	-atte	
/æd/	-ad[4]			
/æf/	-aff[1]	-aph		
/æv/	-alve	-av		
/æk/	-ac[2]	-ach	-ack[3]	-ak[2]
	-aque			
/æɡ/	-ag			
/æθ/	-ath			
/æs/	-as[2]	-ass[1]	-asse	
/æz/	-as[3]	-azz		
/æʃ/	-ache[1]	-ash[3]		
/æts/	-atch[1]			
/ædʒ/	-adge			
/æm/	-am[3]	-amb		
/æn/	-an[3]			
/æŋ/	-ang[3]			
/æl/	-al[5]	-all[2]		
/æps/	-apse			
/æpl/	-apple			
/æts/	-ats			
/ætn/	-atin	-atten		
/ædn/	-adden			
/æft/	-aft			
/ækt/	-act[2]			
/æks/	-ax			
/ækl/	-ackle[2]			
/æsp/	-asp			
/æst/	-ast[2]			
/æsk/	-ask	-asque		
/æzl/	-azzle			
/æmp/	-amp[2]			
/æns/	-ance[2]			
/æntʃ/	-anch			
/ænd/	-and[2]			
/ænl/	-annel			
/ænt/	-ant[2]			
/æntl/	-antle			
/ælp/	-alp			
/æmpl/	-ample			
/ændl/	-andal	-andle		
/æŋk/	-anc	-ank[2]		
/æŋks/	-anx			
/æŋkl/	-ankle			
/æŋɡl/	-angle[2]			

/ʌ/

/ʌp/	-up			
/ʌb/	-ub[3]			
/ʌk/	-uck[2]			
/ʌt/	-ut[2]	-utt[2]		
/ʌd/	-ood[3]	-ud[1]		
/ʌf/	-ough[3]	-uff[2]		
/ʌv/	-ove[2]			
/ʌɡ/	-ug[2]			
/ʌs/	-us[2]	-uss[1]		
/ʌʃ/	-ush[3]			
/ʌtʃ/	-uch	-utch		
/ʌdʒ/	-udge[2]			
/ʌm/	-ome[3]	-um[5]	-umb	
/ʌn/	-on[10]	-one[4]	-un	
/ʌŋ/	-ung			
/ʌl/	-ull[2]			
/ʌtn/	-utton			
/ʌtl/	-uttle			
/ʌks/	-ux			
/ʌkl/	-uckle			
/ʌst/	-ust			
/ʌsk/	-usk			
/ʌzl/	-uzzle			
/ʌmp/	-ump[2]			
/ʌmf/	-umph			
/ʌnt/	-unt			
/ʌnd/	-und			
/ʌns/	-unce			
/ʌntʃ/	-unch[2]			
/ʌndʒ/	-unge			
/ʌnl/	-unnel			
/ʌŋk/	-onk[3]	-unk[2]		
/ʌŋɡl/	-ungle			
/ʌlp/	-ulp			
/ʌlt/	-ult			
/ʌlk/	-ulk			
/ʌls/	-ulse			
/ʌltʃ/	-ulch			
/ʌndl/	-undle			

/ɑː/

/ɑː/	-a[14]	-ah[4]	-ar[7]	-arr
/ɑːr/	-ar[7]	-arr		
/ɑːrp/	-arp			
/ɑːrb/	-arb			
/ɑːt/	-at[5]	-art[2]		
/ɑːrt/	-art[2]			
/ɑːrd/	-ard[3]			
/ɑːf/	-aff[2]	-alf	-aph	
/ɑːrv/	-arve			
/ɑːrɡ/	-arg			
/ɑːθ/	-ath			
/ɑːs/	-aas	-as[1]	-ass[2]	-arse
/ɑːrs/	-arse			
/ɑːʃ/	-ache[2]			
/ɑːtʃ/	-arch[3]	-atch[2]		
/ɑːrtʃ/	-arch[3]			
/ɑːrk/	-arc	-ark	-arque	
/ɑːrdʒ/	-arge			
/ɑːm/	-alm	-am[4]	-arm[1]	
/ɑːrm/	-arm[1]			
/ɑːn/	-arn[1]	-an[4]		
/ɑːrn/	-arn[1]			
/ɑːl/	-aal	-al[4]	-arl[2]	
/ɑːrl/	-arl[2]			
/ɑːft/	-aft			
/ɑːsp/	-asp			
/ɑːst/	-ast[2]			
/ɑːsk/	-ask			
/ɑːnt/	-ant[2]	-aunt		
/ɑːns/	-ance[2]			
/ɑːntʃ/	-anch	-aunch		

/ə:/

/ə:r/	-er[9]	-ir[1]	-ur[1]	-urr[2]
/ə:rp/	-erp	-irp	-urp	
/ə:rb/	-erb	-urb[2]		
/ə:rt/	-ert	-irt[2]	-urt[2]	
/ə:rd/	-erd	-ird	-urd	
/ə:rf/	-erf	-urf		
/ə:rv/	-erv	-erve		
/ə:rk/	-erk	-irk	-ork[2]	
/ə:rθ/	-irth	-orth		
/ə:rs/	-erse	-urse		
/ə:rtʃ/	-erch	-irch	-urch	
/ə:rdʒ/	-erge	-urge		
/ə:rm/	-erm	-irm		
/ə:rn/	-earn	-ern[2]	-erne	-irn
	-urn			
/ə:rl/	-earl	-erle	-irl[2]	-url[2]
/ə:rtl/	-urtle			
/ə:rst/	-irst	-urst		

/ə/

/ə/	-a[15]	-er[8]	-er[11]	-or[4]
/ər/	-er[8]	-er[11]	-or[4]	
/ərd/	-ard[4]	-ord[2]		
/əm/	-am[5]	-um[6]		
/ən/	-an[6]	-ean[4]	-en[7]	-on[11]
/ənt/	-ent[3]			

/ɑ/

/ɑp/	-ap[4]	-op[3]		
/ɑb/	-ab[2]	-ob[2]		
/ɑt/	-at[6]	-ot[2]	-ott	-otte
/ɑd/	-ad[5]	-od		
/ɑf/	-off[2]			
/ɑk/	-oc[2]	-ock[4]	-ok	-ough[5]
/ɑθ/	-oth[2]			
/ɑs/	-os[2]	-oss[1]		
/ɑz/	-oz			
/ɑʃ/	-osh[2]			
/ɑtʃ/	-otch			
/ɑm/	-om[2]	-omb[3]		
/ɑn/	-an[5]	-on[9]		
/ɑŋ/	-ong[3]			
/ɑl/	-ol[3]	-oll[3]		
/ɑx/	-ough[4]			
/ɑpt/	-opt			
/ɑbl/	-obble			
/ɑtn/	-otten			
/ɑtl/	-ottle			
/ɑdn/	-odden			
/ɑdl/	-oddle			
/ɑft/	-oft			
/ɑfl/	-affle[2]			
/ɑks/	-ox			
/ɑkl/	-ockle			
/ɑɡl/	-oggle			
/ɑst/	-ost[2]			
/ɑzl/	-ozzle			
/ɑmp/	-omp[2]			
/ɑnt/	-ant[3]			
/ɑnd/	-ond	-onde		
/ɑns/	-once			
/ɑŋk/	-onk[2]			
/ɑlf/	-olf[1]			

/ɔ/

/ɔp/	-ap[4]	-op[3]		
/ɔb/	-ab[2]	-ob[2]		
/ɔt/	-at[6]	-ot[2]	-ott	-otte
/ɔd/	-ad[5]	-od		
/ɔf/	-of	-off[2]	-oph	
/ɔk/	-oc[2]	-ock[4]	-ok	-ough[5]
/ɔθ/	-oth[2]			
/ɔs/	-os[2]	-oss[1]		
/ɔz/	-oz			
/ɔʃ/	-osh[2]			
/ɔtʃ/	-otch			
/ɔn/	-an[5]	-one[3]		
/ɔŋ/	-ong[3]			
/ɔl/	-ol[3]	-oll[3]		
/ɔx/	-och	-ough[4]		
/ɔpt/	-opt			
/ɔbl/	-obble			
/ɔft/	-oft			
/ɔfl/	-affle[2]			
/ɔtn/	-otten			
/ɔtl/	-ottle			
/ɔdn/	-odden			
/ɔdl/	-oddle			
/ɔks/	-ox			
/ɔkl/	-ockle			
/ɔɡl/	-oggle			
/ɔst/	-ost[2]			
/ɔzl/	-ozzle			
/ɔmp/	-omp[2]			
/ɔnt/	-ant[3]			
/ɔnd/	-ond	-onde		
/ɔns/	-once			
/ɔnz/	-ons			
/ɔnk/	-onk[2]			
/ɔlf/	-olf[1]			

/ɔ:/

/ɔ:/	-aur	-aw[3]	-oar	-oor[2]
	-or[3]	-ore[3]	-our[3]	
/ɔ:r/	-aur	-oar	-oor[2]	-or[3]
	-ore	-our[3]		
/ɔ:p/	-aup	-awp	-orp	
/ɔ:rp/	-orp			
/ɔ:rb/	-orb			
/ɔ:t/	-aught[1]	-ought[1]		
/ɔ:rt/	-art[3]	-ort		
/ɔ:d/	-ard[5]	-aud[2]	-oard	-ord[1]
/ɔ:rd/	-ard[5]	-oard	-ord[1]	
/ɔ:rf/	-arf[3]	-orf	-orph	
/ɔ:k/	-alk	-auk	-aulk	-awk
	-orc	-ork[1]		
/ɔ:rk/	-orc	-ork[1]		
/ɔ:ɡ/	-og[2]	-org		
/ɔ:rɡ/	-org			
/ɔ:θ/	-oth[2]			
/ɔ:s/	-orce	-orse	-os[3]	-ourse
/ɔ:rs/	-orce	-orse	-ourse	
/ɔ:z/	-ause			
/ɔ:rtʃ/	-orch			
/ɔ:rdʒ/	-orge			
/ɔ:m/	-arm[2]	-aum	-orm	
/ɔ:rm/	-arm[2]	-orm		
/ɔ:n/	-arn[2]	-aun	-awn	-orn
	-ourn			
/ɔ:rn/	-orn	-ourn		
/ɔ:ŋ/	-ong[3]			

/ɔːrtl/	-ortal			
/ɔːft/	-oft			
/ɔːst/	-ost[2]			
/ɔːntʃ/	-aunch			
/ɔːŋk/	-onk[2]			
/ɔːxt/	-aught[2]			
/ɔːrn/	-arn[2]	-orn	-ourn	
/ɔːl/	-all[1]	-aul	-awl[2]	
/ɔːlt/	-alt	-ault[1]		
/ɔːld/	-ald[2]	-auld		

/uː/

/uː/	-ault[2]	-ew[3]	-o[7]	-oe[2]
	-oo[3]	-ou[1]	-ough[7]	-u[2]
	-ue[2]			
/uːp/	-oop[2]	-oup[1]	-oupe	-upe[1]
/uːb/	-oob	-ube[1]		
/uːt/	-oot[2]	-uit	-ute[2]	
/uːd/	-ood[1]	-ude[1]		
/uːf/	-oof[1]			
/uːv/	-oove	-ove[3]		
/uːk/	-ook[1]	-ouk	-uke[1]	
/uːɡ/	-oog			
/uːθ/	-ooth[1]	-outh[1]	-uth	
/uːð/	-ooth[2]			
/uːs/	-oose[1]	-uce	-us[3]	
/uːz/	-oose[2]	-ouse[3]	-use[3]	
/uːʃ/	-ouche			
/uːʒ/	-ouge			
/uːtʃ/	-ooch			
/uːdʒ/	-ooge			
/uːm/	-omb[2]	-oom[2]	-ume[1]	
/uːn/	-oon[2]	-oun[1]	-une[1]	
/uːl/	-ool	-oule	-ul	
/uːx/	-eugh			
/uːdl/	-oodle			
/uːst/	-oost			
/uːnd/	-ound[2]			

/u/

/up/	-oop[3]		
/ut/	-oot[3]	-ut[3]	
/ud/	-ood[2]	-ould	-ud[2]
/uf/	-oof[2]		
/uk/	-ook[2]		
/us/	-uss[2]		
/uʃ/	-ush[4]		
/ump/	-ump[2]		
/ulf/	-olf[2]		
/udst/	-ouldst		

/ei/

/ei/	-ae[2]	-ay[3]	-ea[3]	-ei[1]
	-eigh	-ey[6]		
/eit/	-ait	-ate[4]	-eat[2]	-eight[1]
/eip/	-ape			
/eib/	-abe			
/eid/	-ade[2]	-aid		
/eif/	-afe	-ef[2]	-eif[2]	
/eiv/	-ave			
/eik/	-aik	-ake	-eak[3]	
/eiθ/	-aith			
/eið/	-athe			
/eis/	-ace	-ase[2]		
/eiz/	-aise	-ase[3]	-aze	
/eidʒ/	-age[2]			
/eim/	-aim	-ame		
/ein/	-ain[3]	-aine	-ane[3]	-ean[3]
	-eign	-ein[2]		
/eil/	-ail[1]	-ail[2]	-ale	
/eix/	-aigh			
/eipl/	-aple			
/eibl/	-able[2]			
/eitl/	-atal			
/eist/	-aist	-aste		
/eisn/	-ason			
/eint/	-aint			
/eindʒ/	-ange			

/ou/

/ou/	-ew[4]	-o[6]	-oa	-oe[1]
	-oh	-ough[6]	-ow[4]	-owe[2]
/oup/	-ope[2]	-oup[3]		
/oub/	-obe[2]			
/out/	-oat	-ote[2]		
/oud/	-oad	-ode[3]		
/ouf/	-oaf			
/ouv/	-ove[1]			
/ouk/	-oak	-oke	-olk	
/ouɡ/	-ogue			
/ouθ/	-oth[3]			
/ous/	-os[4]	-ose[4]	-oss[2]	
/ouz/	-ose[3]	-oze		
/ouʃ/	-osh[3]			
/outʃ/	-oach			
/oum/	-oam	-omb[1]	-ome[2]	
/oun/	-one[2]	-own[1]		
/oul/	-oal	-ol[4]	-ole[3]	-oll[2]
	-owl[3]			
/oubl/	-oble			
/ouɡl/	-ogle			
/oust/	-oast	-ost[1]		
/ounl/	-onal			
/oult/	-olt	-oult		
/ould/	-old[2]			

/ai/

/ai/	-ai	-ay[4]	-ei[2]	-i[6]
	-ie[3]	-igh	-uy	-y[6]
	-ye			
/aip/	-ipe	-ype		
/aib/	-ibe			
/ait/	-eight[2]	-ight	-ite[3]	-yte
/aid/	-ide[2]			
/aif/	-ife			
/aiv/	-ive[2]			
/aik/	-ike	-yke		
/aið/	-ithe	-ythe		
/ais/	-ice[3]	-yce		
/aiz/	-ise[4]	-ize[2]		
/aim/	-ime	-yme		
/ain/	-ine[6]	-yne		
/ail/	-ile[3]	-yle		
/aitn/	-ighten			
/aidl/	-idal	-idle		
/aifl/	-ifle			
/aist/	-eist			
/aisn/	-ison[2]			
/aint/	-int[3]			
/aind/	-ind[1]	-ynd		
/ainl/	-inal			
/aild/	-ild[2]			

/au/

/au/	-ou[2]	-ough[2]	-ow[3]	-owe[1]
/aup/	-oup[2]			
/aut/	-ought[2]	-out		
/auk/	-owk			
/aud/	-oud	-owd		
/auθ/	-outh[2]			
/aus/	-ouse[1]	-owse[2]		
/auz/	-ouse[2]	-owse[1]		
/autʃ/	-ouch[2]			
/aun/	-oun[2]	-own[2]		
/aul/	-owl[2]			
/aust/	-oust			
/aunt/	-ount			
/aund/	-ound[1]			
/auns/	-ounce[2]			

/ɔi/

/ɔi/	-oy
/ɔit/	-oit
/ɔid/	-oid
/ɔik/	-oick
/ɔiz/	-oise
/ɔin/	-oin
/ɔil/	-oil
/ɔist/	-oist
/ɔint/	-oint
/ɔiŋk/	-oink

/juː/

/juː/	-eu	-ew[2]	-ue
/juːp/	-upe[2]		
/juːb/	-ube[2]		
/juːt/	-ute[1]		
/juːd/	-eud	-ude[2]	
/juːk/	-uke[2]		
/juːz/	-use[2]		
/juːm/	-ume[2]		
/juːn/	-une[2]		
/juːl/	-ule[2]		
/juːɡl/	-ugle		

その他の二重母音

/aiər/	-ire	-yre		
/iər/	-ear[1]	-eer[3]	-eir[2]	-ere[2]
	-ier[3]	-ir[2]		
/iərs/	-ierce			
/ɛər/	-air	-are	-ear[2]	-eir[1]
	-er[10]	-ere[1]		
/ɛərd/	-aird			
/uər/	-our[2]	-ur[2]	-ure[3]	-oor[1]
/juər/	-ure[2]			
/auər/	-our[1]			

子音

/z/	-zz[2]
/st/	-st[3]

A

-a[1] /ə/

接尾辞 ギリシャ語・ラテン語から借用の名詞の複数語尾.
★ 単数形はギリシャ語で *-on*, ラテン語で *-um* など.

ac·ta 名複 (法令・証書・議事などの)公式記録. ►単数形はラテン語で *actum.*
ad·nex·a 名複 〖解剖〗付属器. ►単数形はラテン語で *adnexum.*
Ag·na·tha 名 〖動物〗無顎(むがく)綱.
an·ti·le·gom·e·na 名複 アンティレゴメナ, 被疑書. ►単数形はギリシャ語で *antilegómenon.*
A·poc·ry·pha 名複 聖書外典, 経外典, アポクリファ. ►単数形はギリシャ語で *apócryphon.*
ar·ca·na 名 arcanum「秘密」の複数形.
-a·ta 接尾辞 ☞
au·tom·a·ta 名 automaton「ロボット」の複数形.
can·de·la·bra 名 candelabrum「枝付き燭台(しょくだい)」の複数形.
ca·pi·ta 名 caput「頭」の複数形. 「形.
ce·ca 名 cecum「〖解剖〗盲嚢(もうのう)」の複数
cen·tra 名 centrum「中心」の複数形.
ce·re·bra 名 cerebrum「大脳」の複数形.
co·la 名 colon「結腸」の複数形.
con·tin·u·a 名 continuum「連続」の複数形.
cor·po·ra 名 corpus「(文書, 法典などの)集成」の複数形.
cri·te·ri·a 名複 criterion「判断・評価などの規準」の複数形.
cru·ra 名 crus「脚」の複数形.
-cu·la 接尾辞 ☞
cu·ri·o·sa 名複 珍書, 珍本. ►単数形はラテン語で *cūriōsum.*
dam·na 名 damnum「損害」の複数形.
da·ta 名複 ☞
de·jec·ta 名複 排泄(はいせつ)物, 糞便(ふんべん)(excrements). ►単数形はラテン語で *dējectum.*
den·dra 名 dendron「(神経細胞の)樹皮状突起」の複数形. 「形.
dic·ta 名 dictum「(権威のある)断言」の複数
dor·sa 名 dorsum「背; 背中」の複数形.
-e·a 接尾辞 ☞ -EA[1]
e·ges·ta 名複 排泄(はいせつ)物. ►単数形はラテン語で *ēgestum.*
e·jec·ta 名複 (火山などからの)噴出物, 排出物. ►単数形はラテン語で *ējectum.*
e·lek·tra 名 エレクトラ: 船や飛行機の位置測定法. ►単数形はギリシャ語で *ēlektron.*
-el·la 接尾辞 ☞
el·y·tra 名 elytron, elytrum「(甲虫などの)翅鞘(ししょう)」の複数形.
en·ceph·a·la 名 encephalon「脳」の複数形.
-en·da 接尾辞 ☞
en·ter·a 名 enteron「腸管」の複数形.
ex·cerp·ta 名複 抄本, 抜粋集; (特に長編の)抄録. ►単数形はラテン語で *excerptum.*
ex·cre·ta 名複 排出[排泄]物, 老廃物. ►単数形はラテン語で *excrētum.*
ex·em·pla 名 exemplum「範例」の複数形.
ex·tre·ma 名 extremum「〖数学〗極値」の複数形.
fac·ta 名 factum「行為」の複数形. 「形.
fem·o·ra 名 〖解剖〗femur「大腿(だいたい)骨」の複数
-fer·a 連結形 ☞
fi·la 名 filum「糸状組織」の複数形.
fo·ra 名 forum「公共広場」の複数形.
fre·na 名 frenum「〖解剖〗繋帯(けいたい)」の複数形.
gen·er·a 名 genus「〖生物〗属」の複数形.
gra·na 名 (処方箋で)granum「1 グレーン(grain)」の複数形.
-gra·pha 連結形 ☞
hi·la 名 hilum「〖植物〗へそ」の複数形.
-i·a 接尾辞 ☞
-i·ca 接尾辞 ☞ -ICA[1] 「の複数形.
i·do·la 名 idolum「〖論理〗先入的謬見(びゅうけん)」
il·e·a 名 ileum「回腸」の複数形.
im·ped·i·men·ta 名複 (行動を妨げる)邪魔物. ►単数形はラテン語で *impedīmentum.*
-i·na 連結形 ☞ -INA[3]
in·cu·nab·u·la 名複 インキュナブラ, 初期刊本, 揺籃(ようらん)期本. ►単数形はラテン語で *incunabulum.*
in·ges·ta 名複 (体内に)取り入れた栄養物. ►単数形はラテン語で *ingestum.*
In·sec·ta 名 昆虫綱. ►単数形はラテン語で *īnsectum.* 「形.
ju·ga 名 jugum「〖昆虫〗翅垂(しすい)」の複数
ju·ra 名 jus「権利, 機能」の複数形.
la·bra 名 labrum「唇」の複数形.
Lag·o·mor·pha 名 〖動物〗ウサギ目.
lep·ta 名 lepton「レプトン(現代ギリシャの貨幣単位)」の複数形.
lim·i·na 名 limen「〖心理〗閾(いき)」の複数形.
lo·ca 名 locus「場所」の複数形.
lus·tra 名 lustrum「5 年間」の複数形.
max·i·ma 名 maximum「最大量」の複数形.
men·ta 名 mentum「〖昆虫〗下唇基部」の複数形.
min·i·ma 名 minimum「最小の量」の複数形.
Mol·lus·ca 名 軟体動物門. ►単数形はラテン語で *molluscum.*
mo·men·ta 名 momentum「速力」の複数形.
Mo·ne·ra 名 〖生物〗モネラ界. ►単数形はラテン語で *moneron.*
nom·i·na 名 nomen「(古代ローマ人の)第二名, 族名」の複数形.
no·ta 名 notum「胸背板」の複数形.
nu·mi·na 名 numen「霊」の複数形.
-oi·de·a 連結形 ☞
op·er·a 名 ☞
o·ra 名 os「口」(ラテン語で *ōs*)の複数形.
or·ga·na[1] 名 organon「(思考の)手段」の複数形. 「形.
or·ga·na[2] 名 organum「(思考の)手段」の複数
os·sa 名 os「骨」の複数形.
-o·ta 接尾辞 ☞
o·va 名 ovum「卵子; 卵」の複数形.
par·a·li·pom·e·na 名複 付加事項, 付録項目.
pet·a·la 名 petalon「ペタロン(ユダヤ教の高僧の法冠前部につける純金の板)」の複数形.

A

phe·nom·e·na 名 phenomenon「現象」の複数形.
-phi·la 連結形 ☞
-pho·ra 連結形 ☞ -PHORA[1]
pho·to·graph·i·ca 名 骨董写真器具, アンチークカメラ.
phy·la[1] 名 phylon「族」の複数形.
phy·la[2] 名 phylum「〘生物〙門」の複数形.
ple·na 名 plenum「(外気と比べて)高圧(状態)」の複数形.
-po·da 連結形 ☞
-proc·ta 連結形 ☞
Pro·tis·ta 名複 〘生物〙原生生物界. ►単数形はギリシャ語で *Prṓtiston*.
-p·ter·a 連結形 ☞
punc·ta 名 punctum「〘生物〙点」の複数形.
rec·ta 名 rectum「直腸」の複数形.
re·jec·ta·men·ta 名複 廃棄物, 廃物, くず. ►単数形はラテン語で *rējectāmentum*.
re·la·ta 名 relatum「〘論理〙関係項」の複数形.
rep·la 名 replum「レプルム(果実の弁を分ける薄い隔壁)」の複数形.
re·sid·u·a 名 residuum「残り」の複数形.
Re·spon·sa 名 ユダヤ教の律法に関した質問に対して, 有名なラビ(rabbi)やユダヤ学者が寄せた回答から成る, 手紙形式の後期ヘブライ文学の一部門. ►単数形は responsum.
re·tic·u·la 名 reticulum「網」の複数形.
rhy·ta 名 rhyton「リュトン(古代ギリシャの角杯(さかずき))」の複数形.
ros·tra 名 rostrum「(一般に)演壇」の複数形.
ru·be·o·la 名 〘病理〙はしか(measles). ►単数形はラテン語で *rūbeolum*.
sac·ra 名 sacrum「〘解剖〙仙骨」の複数形.
scu·ta 名 scutum「〘動物〙鱗甲(りんこう)」の複数形.
se·cre·ta 名複 分泌物. ►単数形はラテン語で *sēcrētum*.
sem·i·na 名 semen「精液」の複数形.
sen·sa 名 sensum「感覚単位」の複数形.
sep·ta 名 septum「〘生物〙隔膜」の複数形.
se·ra 名 serum「血清」の複数形.
so·la 名 solum「土壌体」の複数形.
spec·tra 名 spectrum「〘物理〙スペクトル」の複数形.
spec·u·la 名 speculum「鏡」の複数形.
-s·po·ra 連結形 ☞
stam·i·na[1] 名 スタミナ, 精力, 持久力. ►単数形はラテン語で *stāmen*.
stam·i·na[2] 名 stamen「〘植物〙雄蕊(ゆうずい)」の複数形.
ster·na 名 sternum「胸骨」の複数形.
su·dam·i·na 名複 〘医学〙汗疹(かんしん)(miliaria). ►単数形は sudamen.
Trem·a·to·da 名 吸虫綱.
triv·i·a 名複 ささいな事柄.
-u·la 接尾辞 ☞
-u·ra 連結形 ☞ -URA[1]
vac·u·a 名 vacuum「真空空間」の複数形.
va·sa 名 vas「〘解剖〙〘植物〙管」の複数形.
Ve·la 名 〘天文〙ほ(帆)座. ►単数形はラテン語で *vēlum*.
ve·la 名 velum「(ヒドロクラゲの)傘の縁膜(えんまく)」の複数形.
vis·cer·a 名複 〘解剖〙〘動物〙内臓; (特に)腹腔(ふくこう)内の臓物. ►単数形は viscus.
-vo·ra 連結形 ☞
zo·a 名 zoon「(群体動物の)個虫」の複数形.
-zo·a 連結形 ☞

-a[2] /ə/

接尾辞 ギリシャ語・ラテン語の名詞の女性単数語尾から借用. **1** 女子の名をつくる. **2** 動物の名, 分類名をつくる. **3** 植物の名, 分類名をつくる. **4** 動物の身体各部位の名称をつくる. **5** 病理・疾患名をつくる. **6** 天文用語をつくる. **7** 地名をつくる.
★ ギリシャ語の女性語尾(-ē)のラテン語代用.
★ 語末にくる関連形は -AE[1].

〈**1**〉女子の名をつくる.
A·man·da 名 女子の名. ►字義はラテン語で「最愛の」.
An·gel·i·ca 名 女子の名. ►字義はラテン語で「天使のような」.
An·na 名 女子の名. ►字義はヘブライ語で「優雅」.
Au·ro·ra 名 女子の名. ►字義はラテン語で「夜明け」.
Bar·ba·ra 名 女子の名. ►字義はギリシャ語で「異国の」.
Bar·bra 名 ＝Barbara.
Ca·mil·la 名 女子の名. ►古代ローマの姓 *Camillus* の女性形.
Can·di·da 名 女子の名. ►字義はラテン語で「白い」.
Clar·a 名 女子の名. ►字義はラテン語で「明るい」.
Cla·ris·sa 名 女子の名. ►字義はラテン語で「名声」.
Con·sue·la 名 女子の名. ►字義はラテン語で「慰め」.
Cris·ti·na 名 女子の名. ►字義はラテン語で「キリストに従う者」.
Di·an·a 名 女子の名. ►ローマ神話の月と狩の女神の名より.
Do·ra 名 女子の名. ►字義はギリシャ語で「贈り物」.
-do·ra 連結形 ☞
Ed·mun·da 名 女子の名. ►男子の名 Edmond, Edmund より.
Ed·wi·na 名 女子の名. ►男子の名 Edwin より.
Er·i·ca 名 女子の名. ►男子の名 Eric より.
E·va 名 女子の名. ►Eve のラテン語形.
Ev·e·li·na 名 女子の名. ►Evelyn のラテン語形.
Fi·o·na 名 女子の名. ►スコットランドのケルト系ゲール語 *fionn*「白い, 色白の」のラテン語形.
Flo·ra 名 女子の名. ►字義はラテン語で「古代ローマの花の女神フローラ」.
Fred·e·ri·ca 名 女子の名. ►男子の名 Frederick より.
Geor·gi·na 名 女子の名. ►男子の名 George より.
Jo·han·na 名 女子の名. ►ラテン語 *Johannes* より.
Lau·ra 名 女子の名. ►字義はラテン語で「月桂樹」.
Le·o·na 名 女子の名. ►男子の名 Leon より.
Lo·re·na 名 女子の名. ►男子の名 Loren より.
Lou·i·sa 名 女子の名.
Mar·i·an·na 名 女子の名. ►Marian(Mary＋Ann)の異形 Marianne より.
Mar·ti·na 名 女子の名. ►ローマ神話の軍神 Mars に由来するラテン語の男子名 *Martīnus* の女性形.
Mi·ran·da 名 女子の名.
No·na 名 女子の名. ►字義はラテン語で「九番目」.
Pau·la 名 女子の名. ►男子の名 Paul より.
Phi·lip·pa 名 女子の名. ►男子の名 Philip より.
Re·bec·ca 名 女子の名. ►字義はヘブライ語で「結び付ける」.
Re·na·ta 名 女子の名. ►字義はラテン語で「生まれ変わった」.
Ro·ber·ta 名 女子の名. ►男子の名 Robert より.
Ro·we·na 名 女子の名. ►サクソン起源の女子の名で「名声, 喜び」.
Rox·an·a 名 女子の名. ►もとはペルシア語で「あ

かつき」の意.
Se·re·na 名 女子の名. ► 字義はラテン語で「静かな」.
Ta·tia·na 名 女子の名. ► ロシア語の名. もとはラテン語 *Tatiānus* の女性形.
The·oph·i·la 名 女子の名. ► もとはギリシャ語で「神に愛された」の意.
U·na 名 女子の名. ► 字義はラテン語で「ひとつ」.
Ve·ron·i·ca 名 女子の名. ► ギリシャ語 *Berenícē* 「勝利をもたらすもの」より.
Vi·o·la 名 女子の名. ► 字義はラテン語で「スミレ」.
Vi·ta 名 女子の名. ► 字義はラテン語で「命」.
Zo·ran·a 名 女子の名.

〈**2**〉動物の名, 分類名などをつくる.
a·me·ba 名 アメーバ.
a·moe·ba 名 ＝ameba.
am·phis·bae·na 名 ミミズトカゲ.
bi·o·ta 名 〖生態〗生物(種類)相.
bo·a 名 ボア: ボア科のヘビの総称.
ci·ca·da 名 セミ; cicala ともいう.
col·po·da 名 原生動物門繊毛虫綱毛口目の属の原生動物の総称.
e·phem·er·a 名 〖昆虫〗カゲロウ(may fly).
Eu·gle·na 名 ミドリムシ属, ユーグレナ属の各種鞭毛虫.
fau·na 名 ☞
hy·e·na 名 ☞
-i·na 連結形 ☞ -INA[3]
lar·va 名 〖昆虫〗幼虫.
me·du·sa 名 クラゲ, ヒドラ.
Mi·cro·ci·on·a 名 ミクロキオナ属: 海綿動物の一種.
mo·la 名 マンボウ.
noc·ti·lu·ca 名 ヤコウチュウ(夜光虫).
or·ca 名 シャチ, サカマタ.
Pan·ther·a 名 ヒョウ属.
pha·i·no·pep·la 名 〖鳥類〗レンジャクモドキ.
phyl·lox·e·ra 名 〖昆虫〗ネアブラムシ(根蚜虫).
pu·pa 名 〖昆虫〗さなぎ.
qua·dru·ma·na 名 四手(しゅ)類.
rem·o·ra 名 コバンザメ.
sal·pa 名 サルパ: 海産浮遊動物の一種.
scol·o·pen·dra 名 ムカデ(ゲジゲジを含む).
squil·la 名 シャコ類(mantis shrimp).
ta·ran·tu·la 名 タランチュラ.
tet·ra·hy·me·na 名 テトラヒメナ.
ti·ty·ra 名 〖鳥類〗ハグロドリ.
Tri·dac·na 名 シャコガイ属.

〈**3**〉植物の名, 分類名などをつくる.
a·ca·cia 名 ☞
ac·i·dan·the·ra 名 アシダンテラ.
aech·me·a 名 エクメア.
a·ju·ga 名 シソ科キランソウ属の植物の総称.
al·la·man·da 名 アラマンダ.
al·the·a 名 ムクゲ(rose of Sharon).
an·a·bae·na 名 アナベナ: 淡水藻の一種.
an·chu·sa 名 ウシノシタグサ(牛の舌草).
-an·dra 連結形 ☞
ar·e·thu·sa 名 アレツーサ.
ar·gu·ta 名 サルナシの実.
a·ris·ta 名 (小穂(しょうすい)花の)芒(のぎ).
au·brie·ta 名 オーブリエチア.
a·zal·ea 名 ☞
bac·ca 名 漿果, 液果.
bou·gain·vil·le·a 名 ブーゲンビリア.
bras·si·ca 名 アブラナ科アブラナ属の植物の総称.
ca·lyp·tra 名 (花や実の)かさ, 蘚帽(せんぼう).
can·na 名 カンナ.
catt·ley·a 名 カトレア.
cin·cho·na 名 キナノキ.
con·fer·va 名 糸状藻類.
co·pros·ma 名 コプロスマ.
co·rol·la 名 花冠.
cyp·se·la 名 菊果, 下位瘦果(そうか).
di·cen·tra 名 コマクサ(駒草).
di·chon·dra 名 ヒルガオ科アオイゴケ属の匍匐(ほふく)性の熱帯産蔓(つる)草の総称.
dra·ba 名 イヌナズナ.
dra·cae·na 名 ドラセナ, リュウケツジュ(竜血樹).
dud·ley·a 名 ダドレーア.
e·phed·ra 名 マオウ科マオウ属の植物の総称.
er·i·ca 名 エリカ.
fes·tu·ca 名 イネ科ウシノケグサ属の植物の総称.
flo·ra 名 ☞
ga·le·a 名 かぶと, かぶと状体 [突起].
gem·ma 名 無性芽, 胞芽, 芽体.
ge·nis·ta 名 マメ科ヒトツバエニシダ属の植物の総称.
ger·ber·a 名 ガーベラ.
gle·ba 名 〖菌類〗グレバ, 基本体.
grev·il·lea 名 グレビレア, シノブノキ.
heu·cher·a 名 ユキノシタ科ツボサンゴ(ホイヘラ)属の植物の総称.
hos·ta 名 ユリ科ギボウシ属の総称.
hoy·a 名 ガガイモ科サクララン属の蔓(つる)性低木の総称.
hy·dran·gea 名 ☞
it·e·a 名 ユキノシタ科ズイナ属の植物の総称.
leu·cae·na 名 マメ科ギンゴウカン属の常緑低木または高木の総称.
lo·cus·ta 名 (草の)小穂(しょうすい).
mel·a·leu·ca 名 フトモモ科メラレウカ属の木の総称.
mi·mo·sa 名 ミモザ, オジギソウ.
mi·tra 名 (キノコの)司教冠状のかさ.
mon·ster·a 名 ホウライショウ(鳳来蕉).
my·ri·ca 名 ミリカ.
nan·di·na 名 ナンテン(南天).
nep·e·ta 名 チクマハッカ, イヌハッカ.
och·re·a 名 ＝ocrea.
oc·re·a 名 はかま, 葉鞘(ようしょう).
pach·y·san·dra 名 フッキソウ(富貴草).
pa·le·a 名 花穎(かえい).
pi·le·a 名 イラクサ科ミズ属の植物の総称.
pin·na 名 (羽状葉の)羽片.
poin·ci·an·a 名 ホウオウボク(鳳凰木).
po·lyg·a·la 名 ヒメハギ.
por·tu·lac·a 名 スベリヒユ(マツバボタンを含む).
py·ra·can·tha 名 ピラカンサ.
rho·do·ra 名 ツツジ科ツツジ属の小低木.
sam·a·ra 名 翼果.
sca·bi·o·sa 名 マツムシソウ(松虫草).
schef·fler·a 名 フカノキ類.
scil·la 名 ユリ科ツルボ属の植物の総称.
sen·na 名 センナ.
sil·va 名 (特定地域の)森林の樹木, 樹林.
spi·rae·a 名 シモツケ類(spirea).
syl·va 名 ＝silva.
sy·rin·ga 名 バイカウツギ(梅花空木)類.
tes·ta 名 (外)種皮.
tra·ma 名 〖菌類〗トラマ: 子実床の菌糸組織.
trit·o·ma 名 トリトマ, シャグマユリ(赤熊百合).
ver·be·na 名 バーベナ.
vi·o·la 名 スミレ.
vit·ta 名 (セリ科植物の果実の中の)油管, 油道.
vol·va 名 〖菌類〗(キノコの)つぼ, 菌包.
wei·ge·la 名 スイカズラ科タニウツギ属の低木の総称.

〈**4**〉動物の身体各部位の名称をつくる.
al·bu·gin·e·a 名 (眼球などの)白膜.
am·pul·la 名 (管状器官の)膨大部.
a·myg·da·la 名 扁桃(へんとう)状部, 扁桃体.
a·or·ta 名 大動脈.
bar·ba 名 あごひげ, 須毛(しゅもう)(beard).
bur·sa 名 (一般に)嚢(のう), 包.
ca·ri·na 名 〖動物〗竜骨, 胸峰.
cau·da 名 尾; 尾状付属器官.
chae·ta 名 (特に毛足類の)剛毛.
che·la 名 (エビ・カニ類の)はさみ.
che·lic·er·a 名 (クモ・サソリなどの)鋏角(きょうかく).

cis·ter·na 【名】 腔(くう)(cistern).
cla·va 【名】 〘昆虫〙(触角の)球桿(きゅうかん)部.
clo·a·ca 【名】 (総)排出腔(くう).
cni·da 【名】 刺胞, 刺糸胞.
coch·le·a 【名】 (内耳の)蝸牛(かぎゅう), 蝸牛殻.
con·junc·ti·va 【名】 (目の)結膜.
cos·ta 【名】 肋骨(ろっこつ)(rib).
cox·a 【名】 無名骨, 寛骨.
cris·ta 【名】 稜(りょう), 櫛(せつ).
de·cid·u·a 【名】 〘発生〙脱落膜.
fe·nes·tra 【名】 (骨などの小さい)窓, 穿孔(せんこう).
fib·u·la 【名】 腓骨(ひこつ).
fos·sa 【名】 (骨などの)窩(か), 穴, くぼみ.
fo·ve·a 【名】 〘生物〙窩(か).
ge·na 【名】 ほお(cheek).
gu·la 【名】 〘動物〙のど.
in·su·la 【名】 〘解剖〙島.
in·ti·ma 【名】 (特に動脈・静脈・リンパ管の)内膜, 脈管内膜.
la·ge·na 【名】 〘動物〙つぼ.
lin·gua 【名】 舌; 舌状の部分.
lo·ri·ca 【名】 被甲, 被殻, ロリカ.
lyt·ta 【名】 縦行筋繊維.
mam·ma 【名】 哺乳(ほにゅう)器官, 乳房.
me·dul·la 【名】 髄, 骨髄; 脊髄(せきずい).
mu·co·sa 【名】 粘膜.
nym·pha 【名】 小陰唇.
pal·pe·bra 【名】 眼瞼(がんけん), まぶた.
pen·na 【名】 〘鳥類〙大羽.
pla·cen·ta 【名】 胎盤.
pleu·ra 【名】 肋膜(ろくまく), 胸膜.
Por·ta 【名】 〘解剖〙門(もん).
pter·y·la 【名】 〘鳥類〙羽域, 翼区(しく).
ru·ga 【名】 (特に胃壁・膣(ちつ)などの粘膜の)襞(ひだ), しわ.
sca·la 【名】 〘解剖〙階(かい).
scap·u·la 【名】 肩甲骨.
sco·pa 【名】 (昆虫の脚や腹部の)花粉ブラシ.
ser·ra 【名】 鋸歯(きょし)状部 [器官].
se·ta 【名】 剛毛.
spi·na 【名】 脊椎, 背骨.
squa·ma 【名】 (動植物の)鱗(うろこ), 鱗片(りんぺん)(scale).
stro·bi·la 【名】 〘動物〙横(よこ)分体, ストロビラ.
tab·u·la 【名】 (化石サンゴ類やヒドロ虫類のポリプ腔(くう)の)床板(とこいた).
teg·u·la 【名】 〘昆虫〙肩板, 瓦(かわら)状片.
te·la 【名】 〘解剖〙組織.
te·re·bra 【名】 〘昆虫〙穿孔(せんこう)器.
tra·che·a 【名】 気管.
troch·le·a 【名】 〘解剖〙滑車.
tu·ni·ca 【名】 (器官, 組織の表面を包む)膜.
ul·na 【名】 尺骨.
u·re·thra 【名】 尿道.
u·ve·a 【名】 ぶどう膜.
va·gi·na 【名】 膣(ちつ).
ve·na 【名】 静脈(vein).
ver·te·bra 【名】 脊椎骨.
ve·si·ca 【名】 嚢(のう); (特に)膀胱(ぼうこう).
vi·bris·sa 【名】 触毛, 震毛.
vul·va 【名】 陰門, (女性の)外陰部.

〈**5**〉病理・疾患名をつくる.

an·gi·na 【名】 アンギナ: 咽喉(いんこう)痛.
aph·tha 【名】 アフタ.
chol·er·a 【名】 ☞
cho·re·a 【名】 舞踏病, ヒョレア.
co·ry·za 【名】 鼻感冒, 鼻風邪, コリーザ.
hy·phe·ma 【名】 前房出血.
lep·ra 【名】 ハンセン氏病.
lys·sa 【名】 狂犬病, 恐水病.
me·le·na 【名】 下血(げけつ), メレナ.
no·ma 【名】 水癌(すいがん), 壊疽(えそ)性口内炎.
phag·e·de·na 【名】 侵食(性)潰瘍(かいよう).
phlyc·te·na 【名】 フリクテン, 小水疱(すいほう).
po·dag·ra 【名】 足趾(そくし)の痛風.
pso·ra 【名】 乾き.
pur·pu·ra 【名】 紫斑(しはん)病.
py·o·me·tra 【名】 子宮膿腫, 子宮溜膿症.
sa·bur·ra 【名】 (胃・口中などの食物の)残渣.
se·que·la 【名】 後遺症, 続発症, 余病.
stru·ma 【名】 るいれき(scrofula).
tin·e·a 【名】 たむし, 輪癬(りんせん), 白癬.
var·i·cel·la 【名】 水疱瘡, 水痘.
ver·ru·ca 【名】 いぼ, 疣贅(ゆうぜい).

〈**6**〉天文用語をつくる.

A·ra 【名】 さいだん(祭壇)座.
Ca·ri·na 【名】 りゅうこつ(竜骨)座.
co·ma 【名】 コマ: 彗星の核の周りにできる大気.
co·ro·na 【名】 光輪, 光環, 光冠, 暈(かさ).
Li·bra 【名】 てんびん(天秤)座.
lu·ci·da 【名】 (一星座中で)最も明るい星.
Ly·ra 【名】 こと(琴)座.
Mus·ca 【名】 はえ(蠅)座.
neb·u·la 【名】 ☞
Nor·ma 【名】 じょうぎ(定規)座.
no·va 【名】 ☞

〈**7**〉地名をつくる.

Af·ri·ca 【名】 アフリカ.
A·mer·i·ca 【名】 ☞

〈**8**〉その他.

a·bol·la 【名】 アボラ: 古代ローマの男子用ケープ型羊毛製外套.
ab·scis·sa 【名】 〘数学〙横座標.
al·ba·ta 【名】 〘冶金〙洋白.
al·ge·bra 【名】 ☞
a·mur·ca 【名】 オリーブ油のおり [かす].
-an·a 【接尾辞】 ☞
an·i·ma 【名】 魂, 精神(soul); 生命(life).
an·sa 【名】 〘考古〙(花瓶などの)輪形の取っ手.
an·ten·na 【名】 ☞
aq·ua 【名】 〘主に薬学〙水.
ar·e·a 【名】 ☞
a·re·na 【名】 アリーナ, 円形闘技場.
as·a·fet·i·da 【名】 〘化学〙阿魏(あぎ).
as·fet·i·da 【名】 ＝asafetida.
as·pi·ra·ta 【名】 (ギリシャ語で)無声帯気閉鎖音.
au·ra 【名】 (辺りに漂う)独特の趣; 雰囲気.
bal·lis·ta 【名】 (古代の攻城用)投石機, 弾弓, 石弓.
bi·ro·ta 【名】 〘古代ローマ〙ビロタ: 二輪馬車.
bul·la 【名】 (公文書用の)印章(seal).
cab·a·la 【名】 カバラ, ユダヤ教神秘思想.
cae·su·ra 【名】 〘韻律〙中間休止.
cam·er·a 【名】 ☞
can·de·la 【名】 〘光学〙カンデラ.
can·di·da 【名】 〘菌類〙カンジダ.
ca·te·na 【名】 (特に古代キリスト教会の教父たちの著作からの)連鎖式抜粋.
ca·the·dra 【名】 (教会の)司教座.
cel·la 【名】 〘建築〙セラ, ケルラ: (小アジアの古代の神殿の)内陣, 神像安置室.
ce·ra 【名】 (処方箋(せん)で)蝋(ろう), 蜜蝋(みつろう).
char·ta 【名】 〘薬学〙薬紙.
chi·me·ra 【名】 キメラ: 伝説上の火を吐く怪獣.
chrys·o·col·la 【名】 珪孔雀石(けいくじゃくせき).
clar·a·bel·la 【名】 〘音楽〙クララベラ音栓.
clep·sy·dra 【名】 クレプシドラ; 水時計.
-cu·la 【接尾辞】 ☞
cul·pa 【名】 〘ローマ法〙〘大陸法〙過失, 過誤.
dul·ci·an·a 【名】 ダルシアーナ: オルガン音栓の一種.
-e·a 【接尾辞】 ☞ -EA[1]
-el·la 【接尾辞】 ☞
e·mer·i·ta 【形】 名誉退職した, 名誉….
fa·ri·na 【名】 ファリーナ, 穀粉.
fi·gu·ra 【名】 〘神学〙予型, 類型.
Gae·a 【名】 〘ギリシャ神話〙ガイア: 地の女神; Gaia ともいう.
-gae·a 【連結形】 ☞
ga·le·na 【名】 方鉛鉱.
grav·i·da 【名】 〘産科〙**1** 妊娠回数. **2** 妊婦.

gut·ta 名 滴, したたり(drop); 滴状のもの.
hy·dra 名 〘ギリシャ神話〙ヒュドラ, ヒドラ.
hy·per·bo·la 名 〘数学〙双曲線.
-i·a 接尾辞 ☞
-i·ca 接尾辞 ☞ -ICA[2]
i·de·a 名 ☞
-il·la 接尾辞 ☞
in·fu·la 名 司教冠垂れ飾り.
kab·a·la 名 =cabala.
la·cu·na 名 (原稿などの)脱落, 脱文, 欠文.
lau·ra 名 〘ギリシャ正教〙ラウラ, 独居修道院.
li·bra 名 リーブラ: 古代ローマの重量単位.
lon·ga 名 〘音楽〙ロンガ.
mal·tha 名 〘建築〙マルサ: 古代にモルタルや防水剤に使った液状アスファルト.
man·tis·sa 名 〘数学〙仮数.
men·sa 名 祭台: 祭壇上部の平板石.
me·ta 名 〘ローマカトリック〙(古代ローマで)標柱.
mi·ca 名 〘鉱物〙雲母, きらら.
mi·na 名 ミナ: ギリシャの重量単位.
mis·o·cai·ne·a 名 新しい物[新思想]嫌い.
mo·ra 名 〘韻律〙モーラ, 拍.
mur·ra 名 〘鉱物〙ムラ石.
naph·tha 名 ナフサ: 無色, 揮発性の石油蒸留物.
nau·se·a 名 吐き気, むかつき; 船酔い.
no·ve·na 名 〘ローマカトリック〙九日間の祈り.
or·ches·tra 名 ☞
pae·nu·la 名 ペヌラ: 頭巾つき外套.
pa·laes·tra 名 〘古代ギリシャ〙=palestra.
pa·les·tra 名 〘古代ギリシャ〙体育館, 体育訓練場.
pan·a·ce·a 名 万能薬(cureall).
-pa·ra 連結形 ☞
pa·rab·o·la 名 〘幾何〙放物線.
pat·er·a 名 (古代ローマの)飲用の陶製の皿.
pat·i·na[1] 名 緑青.
pat·i·na[2] 名 (古代ローマの)広くて浅い皿.
pel·ta 名 (古代ギリシャで使われた)小盾(たて).
per·so·na 名 人(person).
-phi·la 連結形 ☞
-pho·ra 連結形 ☞ -PHORA[1]
phy·toph·tho·ra 名 エキビョウキン(疫病菌).
pi·ca 名 〘印刷〙パイカ活字.
pleth·o·ra 名 (…の)過多, 過剰, 極めて多量.
poe·na 名 《英学童俗》罰課題.
prae·tex·ta 名 〘古代ローマ〙幅広の紫のへりがついた白いトーガ(toga).
pre·tex·ta 名 =praetexta.
pu·er·per·a 名 〘産科〙(産)褥(じょく)婦.
quad·ra 名 〘建築〙(2つの刳形(くりがた)の間の)小さい飾り線.
re·gi·na 名 女帝, 女王.
rhe·da 名 (古代ローマの)大型四輪馬車.
ro·ta 名 《主に英》輪番, 当番; 当番の期間.
sa·li·va 名 唾液(だえき), つば.
sam·bu·ca 名 サンブカ: 古代の角型ハープ.
sep·ti·ma·na 名 (処方箋(せん)で)1週間, 7日間.
Sep·tu·a·ges·i·ma 名 〘ローマカトリック〙七旬節(の主日).
Sex·a·ges·i·ma 名 〘ローマカトリック〙六旬節(の主日).
sil·i·ca 名 〘化学〙シリカ, 無水ケイ酸, 二酸化ケイ素.
sil·i·qua 名 (ローマ帝国後期の)シリクァ銀貨.
sit·u·la 名 (古代の, バケツ形の)底の深いかめ.
so·da 名 ☞
spi·ra 名 〘建築〙古典式円柱の下部にある一連の刳形(くりがた).
ste·la 名 〘建築〙石柱, 石碑.
sto·la 名 ストラ: 古代ローマの女性の服.
suc·cu·ba 名 魔女, 女の悪魔(succubus).
sum·ma 名 (ある分野・主題に関する)総合研究書, 全集, 叢書(そうしょ), 大系, 大全.
syn·a·loe·pha 名 (母音前の)語尾母音消失.
ter·ra 名 土; 地, 大地, 陸地; 地球.
tes·ser·a 名 テッセラ: モザイク用はめ石.
-the·ca 連結形 ☞
tri·que·tra 名 3点を持つ幾何学模様.
tu·ba 名 〘音楽〙テューバ.
-u·la 接尾辞 ☞
ul·ti·ma 名 (語の)最後[末尾]の音節, 尾音節.
um·bra 名 陰, 影.
u·re·a 名 ☞
vim·pa 名 〘ローマカトリック〙肩掛けベール.
vi·sa 名 ☞

-a[3] /ə/

接尾辞 〘化学〙金属の酸化物の名につく.
◆ おそらく magnesia の語尾 -a の一般化.

a·lu·mi·na 名 アルミナ, 礬土(ばんど).
ce·ri·a 名 セリア, 酸化セリウム.
lan·tha·na 名 ランタン.
lith·i·a 名 酸化リチウム.
stron·ti·a 名 ストロンチア, 酸化ストロンチウム.
tho·ri·a 名 トリア, 酸化トリウム.
thu·li·a 名 ツリア, 酸化ツリウム.
ti·ta·ni·a 名 チタニア, 酸化チタニウム.

-a[4] /ə/

口語で, 先行する語が子音で終わる時に of が崩れた形で付いたもの; 俗語的な感じを与える; 数量に関係した語に多い.

bun·cha =bunch of.
cou·pla =couple of.
cup·pa =cup of (tea).
kind·a =kind of.
kinds·a =kinds of.
lots·a =lots of.
lot·ta =lot of.
out·a =out of.
out·ta =outa.
pin·ta =pint of.
sort·a =sort of.

-a[5] /ə/

接尾辞 スペイン語の女性形名詞語尾.

ac·er·o·la 名 〘植物〙バルバドスサクラ, アセロラ.
-a·da 接尾辞 ☞
bar·ra·cu·da 名 〘魚類〙カマス, バラクーダ.
ba·zoo·ka 名 〘軍事〙バズーカ砲.
ca·sa 名 《米南西部》家, 家屋.
do·ña 名 スペインの(貴)婦人.
fa·ja 名 ファハ: スペインの男子用飾り帯.
hon·da 名 投げ縄(lariat)の一端の目.
i·gua·na 名 〘動物〙イグアナ.
la·ma 名 〘動物〙=llama.
lla·ma 名 〘動物〙ラマ.
ma·ri·jua·na 名 マリファナ.
ma·ri·na 名 (モーターボート, ヨットなどの)港.
mas·car·a 名 マスカラ.
pa·el·la 名 パエーリャ, パエージャ.
plat·i·na 名 プラチナ.
pla·za 名 (町・都市の)広場.
pu·ma 名 〘動物〙ピューマ.
re·mu·da 名 《主に米南西部》(牧童がその中からその日の乗馬を選ぶ乗用馬の)群れ.
rum·ba 名 ルンバ.
sal·sa 名 サルサ.
sa·van·na 名 サバンナ.
si·er·ra 名 シエラ: (鋸歯状の)連山, 山脈.
te·qui·la 名 テキーラ: メキシコ産の蒸留酒.
tu·na 名 〘魚類〙マグロ.
vi·cu·na 名 〘動物〙ビクーナ.

A

-a[6] /ə/

接尾辞 ポルトガル語の女性形名詞語尾.

-a·da 接尾辞 ☞
do·na 名 ポルトガルの(貴)婦人.
ma·rim·ba 名 マリンバ: アフリカ起源の木琴.
sam·ba 名 サンバ.
se·nho·ri·ta 名 …嬢; お嬢様.
ze·bra 名 【動物】シマウマ, ゼブラ.

-a[7] /ə/

接尾辞 イタリア語の女性形名詞語尾.

bel·la·don·na 名 【植物】ベラドンナ.
can·ta·ta 名 【音楽】カンタータ.
cia·bat·ta 名 チャバータ: ぱさぱさしたイタリアパン.
cu·po·la 名 【建築】小丸屋根, 頂塔, クーポラ.
don·na 名 イタリアの(貴)婦人.
fes·ta 名 祭り, 祝祭, 祭日, 休日.
gon·do·la 名 ゴンドラ.
Gor·gon·zo·la 名 ゴルゴンゾラ: イタリア産ブルーチーズ.
in·flu·en·za 名 【病理】流行性感冒, インフルエンザ.
pas·ta 名 パスタ.
per·go·la 名 パーゴラ, 蔓(つる)棚.
piz·za 名 ピッツァ, ピザ(パイ).
re·gat·ta 名 レガッタ, ボートレース, 競艇, 競漕.
sin·fo·ni·a 名 【音楽】シンフォニア; 交響曲.
so·na·ta 名 【音楽】ソナタ, 奏鳴曲.
ul·tra 名 急進的な人; 過激論者.
vi·o·la 名 ビオラ.

-a[8] /ə/

接尾辞 ロシア語の名詞語尾.

bal·a·lai·ka 名 バラライカ: ロシアの楽器.
da·cha 名 田舎の邸宅, 別荘.
in·tel·li·gen·tsi·a 名 インテリ, 知識階級.
ma·tryo·shka 名 マトリョーシカ人形.
par·ka 名 【服飾】パーカー.
pe·res·troi·ka 名 ペレストロイカ.
Pe·trush·ka 名 ペトルーシュカ: Stravinski 作曲の同名のバレエ曲の主人公の道化.
ru·bash·ka 名 ルバシカ: ロシアの男子用上着の一種.
troi·ka 名 トロイカ: ロシアの三頭立て馬車.
vod·ka 名 ウオッカ.

-a[9] /ə/

接尾辞 東欧各国語の名詞語尾.

ma·zur·ka 名 マズルカ: ポーランドの民俗舞踊. ►もとポーランド語.
pap·ri·ka 名 【植物】パプリカ. ►もとハンガリー語.
pol·ka 名 ポルカ: ボヘミア起源の円舞. ►もとチェコ語.

-a[10] /ə/

接尾辞 北米インディアン諸語の語尾.
★ 主に米国中西部の州名および州都名などに見られる.

Al·a·bam·a 名 アラバマ州. ►字義はマスコギ語族チョクトー語で「雑木林を開拓する者たち」または「植物を収集する者たち」.
Ar·i·zo·na 名 アリゾナ州. ►字義はパパゴ・インディアン語で「小さな泉」.
I·o·wa 名 アイオワ州. ►字義はスー語族のインディアン語で「美しい地」「この場所だ」または「眠りに就く人」.
Min·ne·so·ta 名 ミネソタ州. ►字義はスー語族ダコタ語で「空を映した水」.
Ne·bras·ka 名 ネブラスカ州. ►字義はオト・インディアン語で「平らに広がる水」.
Da·ko·ta 名 南［北］ダコタ州. ►字義はスー・インディアン語で「盟友」.
O·kla·ho·ma 名 オクラホマ州. ►字義はマスコギ語族チョクトー語で「赤い人々」.
To·pe·ka 名 トピーカ: 米国カンサス州の州都. ►字義はスー語族カンサ語で「我々(インディアン)のうまいジャガイモを掘れ」.

-a[11] /ə/

接尾辞 《俗》…者, …する人.
◆ 語尾 -er /ə/ の発音つづり.

fel·la 名 《話》男, 少年; やつ(feller).
gang·sta 名 ギャングスタ: 米国西海岸発のラップ音楽(gangster).
good·fel·la 名 (マフィアの)仲間(goodfeller).
nig·ga 名 《黒人俗》黒人(の一人)(nigger).

-a[12] /ɑː/

間 **1** アー, オー; 驚嘆・歓喜の発声を表す: h*a*, l*a*. ◇ -AH[2].
2 幼児語の語尾に現れる音を表す: m*a*, p*a*.

da 名間 (赤ん坊の発声)ダーダー.
ha 間 《驚き・悲しみ・喜び・得意・疑い・ためらいなどを表して》まあ, おや, はあ, ああ. ━━動自 ha と言う.
la 間 《古・方言》《驚き・強調を表して》おや, あら, まあ; 全く, 本当に.

-a[13] /ɑː/

音象徴間 音象徴語と間投詞の重複語に見られる語末要素.

blá blá 間 《おしゃべりの声を表して》ペラペラ.
cá-cá-cá 間 《インコの鳴き声を表して》カーカーカー.
gá·gà 形 《話》夢中の, のぼせ上がった. ━━名 もうろくした人, 老いぼれ.
hà-há 間 はは, あはは. ►おかしさ, 愚弄(ぐろう)などを表す叫び声や笑い声. ━━名 《話》冗談; 笑い声.
rúsha-rúsha 間 《歯ブラシで磨く音を表して》シュッシュッ.
tíka-tíka 間 《小走りする音を表して》タッタッタッ, トコトコトコ.
úffa-úffa 間 《消しゴムで消す音を表して》ゴシゴシ.
wá-wà 形 (トランペットの開口部を手でふさいだりあけたりして出す)「ホアホア」という音の［を出す］(wah-wah). ━━名「ホアホア」音.

-a[14] /ɑː/

語尾 語末にくる同音形は -A[12], -A[13], -AA, -AH[4].

bra 名 ブラジャー(brassiere); (自動車の)カバー.
cha 名 《英俗》(乾燥・加工した)茶の葉.
-cha 音象徴 ☞ -CHA[2]
ma 名 《話》《幼児語》母ちゃん; おばあちゃん.
na 副 《主にスコット》いいえ(no).
pa 名 《話・幼児語》父ちゃん.
schwa 名 【音声】シュワー, あいまい母音.

shwa 名 =schwa.
spa 名 鉱泉; 鉱泉地, 温泉地.
ta 間 《英・豪話 / 主に幼児語》あんがとう.
twa 名 《スコット》(基数の)2(two).
ya 名 《英》スローンレンジャー, ヤッピー.
za 名 《米俗》ピッツァ, ピザ(pizza).

-a[15] /ə/

語尾 語末にくる同音形は -A[1], -A[2], -A[3], -A[4], -A[5], -A[6], -A[7], -A[8], -A[9], -A[10], -A[11].

-cha 接尾辞 ☞ -CHA[1]
na 副 《主にスコット》いいえ(no).
ya 代 =you.

-aa /ɑː, æː/

音象徴間 長く大きい発声を表す.
★ -a とも綴る.

baa 動自 〈羊が〉メーと鳴く. ━━名 (羊の)メーと鳴く声.
báa-báa 名 《話・小児》メーメー, 羊.
blaa 動自 《米俗》〈羊などが〉メーと鳴く. ━━名 (羊などの)メーと鳴く声.
gaa 間 《驚き・苦痛の発声を表して》ギャー, ヒャー.

-aal /ɑːl/

語尾 aa など同一母音の重複綴りはアフリカーンスなどオランダ語系の借入語に特有の語形.
★ 語末にくる同音形は -AL[4].

baal 副 《豪俗》=no; not.
craal 名 =kraal.
dwaal 名 《南アフリカ》泥酔状態.
kraal 名 (南アフリカで)家畜を入れる囲い.
paal 名 《カリブ英語》地面に打ち込まれた杭.
vaal 名 〔動物〕リーボック.

-aas /ɑːs/

語尾 語末にくる同音形は -AS[1], -ASS[2].

baas 名 《南アフリカ》(特に黒人が白人に対して)主人, だんな様(master).
maas 名 《南アフリカ》マース: 濃厚な酸乳.
plaas 名 《南アフリカ》農場.
raas 間 《ジャマイカ俗》畜生, ぺっ.
yaas 間 えっ, 何でしょうか(yes).

-ab[1] /æb/

語尾 blab, flab, gab などは, 音象徴語. また短小なものや少量をさし, 軽蔑の響きをもつものがある.

ab[1] 前 …から(from).
ab[2] 名 《米俗》(麻薬注射の後の)膿瘍(のうよう).
bab 名 ミミズに羊毛を通した餌(えさ)(bob).
blab 動他 《話》〈秘密を〉べらべらしゃべる.
cab[1] 名 ☞
cab[2] 名 《主に英》再生用の端切れ.
crab[1] 名 ☞
crab[2] 名 小粒で酸味が強い野生リンゴ.
crab[3] 名 《話》不機嫌な人, 気難し屋.
dab 名 マコガレイ.
drab[1] 形 さえない; 単調な, 活気のない(dull).
drab[2] 名 だらしない女.
drab[3] 名 少量, 少額(drib).
flab 名 ぜい肉.
gab[1] 動自 《話》無駄話をする.
gab[2] 名 〔機械〕引っかけ.
gab[3] 名 《スコット》《俗》口(gob).
grab 名 グラブ船.
lab[1] 名 ☞
lab[2] 名 ラブラドル・レトリーバー(Labrador retriever).
lab[3] 名 低アルコールビール.
nab 名 ノンアルコールビール, ナブ.
rab 名 しっくいをかき混ぜる木製の棒.
sab 名 《英話》急進的動物愛護主義者.
scab 名 (傷の)かさぶた, 痂皮(かひ).
slab[1] 名 ☞
slab[2] 形 《スコット・北イング》どろどろの.
tab[1] 名 ☞
tab[2] 名 《話》タブロイド紙(tabloid).
tab[3] 動自 《英軍俗》〈特に兵隊が〉(重い装備で歩きにくい場所を)苦労して歩く.

-ab[2] /ɑb | ɔb/

語尾 近代の借入語, または音象徴語.
★ 語末にくる同音形は -OB[1], -OB[2].

squab[1] 名 ひな鳥, (特に)ひなバト.
squab[2] 副 ドシンと(plump).
swab 名 (甲板用)モップ(mop).

-a·bad /əbɑ́ːd, əbǽd, ɑbɑ́ːd/

連結形 都市.
★ インドやパキスタンの地名の第 2 要素となる.
◆ ペルシア語 *abad*「集落, 都市」より.

Ah·med·a·bad 名 アーメダバード(インドの都市名).
Fai·sa·la·bad 名 ファイサラバード(パキスタンの都市名).
Fa·ri·da·bad 名 ファリダバード(インドの都市名).
Hai·dar·a·bad 名 =Hyderabad.
Hy·der·a·bad 名 ハイデラバード(インドの都市名).
Is·lam·a·bad 名 イスラマバード(パキスタンの都市名).
Le·ni·na·bad 名 レニナバード(タジギスタンの都市名): Khodzhent の旧称.
Mo·ra·da·bad 名 モラダバード(インドの都市名).
Se·cun·der·a·bad 名 セクンデラバード(インドの都市名).
Si·kan·dar·a·bad 名 =Secunderabad.
Sta·li·na·bad 名 スタリナバード(タジキスタン都市名): Dushanbe の旧称.
Wa·zir·a·bad 名 ワジラバード(アフガニスタンの都市名).

-ab·ble /ǽbl/

音象徴 **1** ペチャクチャ, ペラペラ, ムニャムニャ; 早口で不明瞭なしゃべり方, また, その声. **2** パチャパチャ, ポチャンポチャン; 水や泥をはねかけること, また, その音. ◇ -LE[3].

bab·ble 動自 不明瞭(ふめいりょう)な音を出す, 〈幼児などが〉片言を言う, むにゃむにゃ言う.
brab·ble 動自 《方言》つまらないことで頑固に口論する, 言い争う(squabble).
gab·ble 動自 (訳の分からないことを)早口にしゃべる; (…について)ぺちゃくちゃしゃべる, おしゃべりをする.
gib·ble-gab·ble 名 たわいのないおしゃべり. ━━動自 ぺちゃくちゃとおしゃべりをする.
rab·ble 動他自 《英方言》ぺちゃくちゃ早口に言う [読む].
rib·ble-rab·ble 名 《古》混乱した話 [音].
squab·ble 動自 (…のことで)つまらないけんかをする, 言い争う, 口論する.
wab·ble 動自 〈車輪・コマなどが〉よろめく, 交互に傾く,〈物が〉ぐらぐら[がたがた]する.

-abe /eib/

語尾

babe 名 ☞
mabe 名 マベ・パール, 半球真珠.
nabe 名 《米俗》地元の映画館[劇場].

-a·bi·li·a /əbíliə, -ljə/

接尾辞 …できるもの.
★ 名詞をつくる.
★ 語末にくる関連形は -ABLE[1].
◆ ラテン語 *-abilis*「できるもの」の中性複数形. ⇨ -IA.

im·pon·der·a·bil·i·a 名複 はっきり計れない[評価できない]もの.
mem·o·ra·bil·i·a 名複 記念品.
mi·ra·bi·li·a 名複 驚くべきこと[もの].
no·ta·bil·i·a 名複 注目に値すること[出来事].

a·bil·i·ty /əbíləti/

名 (…)できること; 能力; (…の)技量, 力量. ⇨ -TY[2].

dis·a·bil·i·ty 名 (病気・事故などによる)無力, 無能.
in·a·bil·i·ty 名 無能, 不能, 無力.

-a·bil·i·ty /əbíləti/

接尾辞 -able[1] と -ity の結合形.
★ -able で終わる形容詞に対応する名詞をつくる.
◆ ラテン語 *-ābilitās* より. ⇨ -ITY.

ac·cept·a·bil·i·ty 名 容認[受諾]できること, 受容性.
ac·count·a·bil·i·ty 名 責任, 責務; 釈明義務.
ad·just·a·bil·i·ty 名 調節[調整]できること, 調節能力.
ad·vis·a·bil·i·ty 名 勧めてよいこと, 得策(であること).
af·fa·bil·i·ty 名 愛想のよさ, 温和(な物腰), 丁寧.
a·mi·a·bil·i·ty 名 人好きのする性質, 優しさ; 社交性.
a·vail·a·bil·i·ty 名 役に立つ[利用できる]こと, 有用性.
bird·a·bil·i·ty 名 (ニュースなどの)衛星中継価値.
brows·a·bil·i·ty 名 (インターネットで)閲覧できること.
ca·pa·bil·i·ty 名 能力, 才能, 手腕.
change·a·bil·i·ty 名 変わりやすい性質, 可変性.
clean·a·bil·i·ty 名 洗濯[掃除]しやすさ.
cut·a·bil·i·ty 名 牛の枝肉の等級を示す価.
de·ni·a·bil·i·ty 名 否認権.
draw·a·bil·i·ty 名 【金工】絞り性.
driv·a·bil·i·ty 名 (自動車の)運転しやすさ, 操縦性.
ex·cit·a·bil·i·ty 名 興奮しやすい性質; 敏感.
ex·tra·po·la·bil·i·ty 名 予測[推測]可能性, 外挿可能性.
form·a·bil·i·ty 名 【金属加工】成形性.
ger·mi·na·bil·i·ty 名 【植物】発芽力.
grad·a·bil·i·ty 名 【交通】登攀(とうはん)能力.
grade·a·bil·i·ty 名 【交通】＝gradability.
hard·en·a·bil·i·ty 名 【冶金】焼入性, 焼入硬化能.
hyp·no·tiz·a·bil·i·ty 名 被催眠性: 催眠術にかかりやすいこと.
im·pen·e·tra·bil·i·ty 名 貫き通せない[入り込めない]こと.
ir·ri·ta·bil·i·ty 名 怒りやすいこと, かんしゃく.
li·a·bil·i·ty 名 ☞
no·ta·bil·i·ty 名 注目に値すること; 《主に英》名士.
ob·du·ra·bil·i·ty 名 (身体的)強さ, 頑強さ.
per·me·a·bil·i·ty 名 浸透性; 【電気】導磁性, 誘磁率.
port·a·bil·i·ty 名 携帯性.
prob·a·bil·i·ty 名 ☞
read·a·bil·i·ty 名 読みやすさ; 面白く読めること.
re·spect·a·bil·i·ty 名 尊敬すべきこと, 立派な態度.
road·a·bil·i·ty 名 自動車の走行能力.
so·cia·bil·i·ty 名 親しい交際, 社交, 親睦(しんぼく).
sus·tain·a·bil·i·ty 名 継続性.
traf·fic·a·bil·i·ty 名 (地形・地質上の)通行許容度.
up·grad·a·bil·i·ty 名 【コンピュータ】アップグレードが可能であること.
us·a·bil·i·ty 名 使用できること.
vi·a·bil·i·ty 名 生存能力, (特に胎児の母体外での)生存可能性.
wear·a·bil·i·ty 名 (衣類の)耐久性, 持ちのよさ.
weath·er·a·bil·i·ty 名 風雨[風化]に耐える力, 耐候性.
wet·ta·bil·i·ty 名 ぬれていること, 湿潤.
yield·a·bil·i·ty 名 (土地・物の)生産性, 収益力.

a·ble /éibl/

形 〈人が〉(…することが)できる, (十分な)能力[才能, 資力, 資格など]を持った.

dis·a·ble 動他 無力[無能]にする; 〈人を〉身体障害者にする; 能力を奪う.
en·a·ble 動他 (…)できるようにする; 力を与える.
un·a·ble 形 (…することが)できない.

-a·ble[1] /əbl/

接尾辞 **1** 他動詞につけて形容詞をつくる. (1) …されうる: govern*able*, understand*able*. (2) …されるべき(である): blam*able*, detest*able*. (3) …に適した, …する価値がある: quot*able*, read*able*. **2** …しやすい: chang*able*, perish*able*. ► 自動詞につけて形容詞をつくる; 前置詞を伴う自動詞の場合, 3 種類の形がある. (1)前置詞を省略: depend*able*, reli*able*. (2)動詞＋前置詞の後につく: come-at-*able*, get-at-*able*. (3)動詞と前置詞の間に入る: account*able* for～, live*able* with～. **3** …に適した, …の価値のある: marriage*able*. ► 名詞につけて形容詞をつくる: まれに複合語につく: copyright*able*.
★ -ability の形で規則的に名詞化される.
★ 語末にくる関連形は -ABILIA, -ABILITY, -ABLY, -BLE, -IBLE.
◆ 中英＜ラ *-ābilis*.
[発音] 第 1 強勢は基語と同じ. 例外: ádmirable, compénsable, explícable, préferable, remédiable, réputable.

ab·hom·i·na·ble 形 《廃》＝abominable.
a·bom·i·na·ble 形 嫌悪すべき, 忌まわしい, 言語道断な.
ac·cept·a·ble 形 受け入れられる.
ac·count·a·ble 形 責任がある, 報告する義務がある.
ac·cus·a·ble 形 告発されるべき; 非難されて当然の.
a·chiev·a·ble 形 達成されうる.
act·a·ble 形 〈劇が〉上演に適した, 上演可能な.
ac·tion·a·ble 形 訴訟を提起できる, 訴訟できる.
a·dapt·a·ble 形 (条件・環境に)適合できる.
ad·dress·a·ble 形 【コンピュータ】アドレスできる.
ad·just·a·ble 形 適応できる; 加減できる; 補正できる.
ad·min·is·tra·ble 形 管理[処理]されうる.
ad·mi·ra·ble 形 賞賛すべき, 感心な, 素晴らしい.
ad·mit·ta·ble 形 はいる資格のある; 容認できる.
a·dopt·a·ble 形 採用[採択]できる.
a·dor·a·ble 形 崇拝できる; 《話》かわいらしい.
ad·vis·a·ble 形 勧めてよい, 当を得た; 望ましい.
af·fa·ble 形 話しやすい, 気さくな; 友好的な.
af·fil·i·a·ble 形 養子にできる; 加入できる.
af·firm·a·ble 形 断言[確言]できる; 肯定できる.
af·ford·a·ble 形 〈値段などが〉手ごろな.
age·a·ble 形 《米南部》年を取った.
a·gree·a·ble 形 (…の)好みに合った; 合意できる.
a·larm·a·ble 形 驚きやすい; 興奮しやすい.
al·ien·a·ble 形 【法律】譲渡[移転, 売却]可能な.
al·lo·ca·ble 形 配分[配置]できる, 振り当てられる.
al·low·a·ble 形 許される; 正当な, 合法の.
al·ter·a·ble 形 変えられる, 改められる, 変更できる.
a·me·na·ble 形 従順な, 素直な; 扱いやすい.
a·mi·a·ble 形 気立てのよい; 愛想のよい.

am·i·ca·ble 形 好意的な, 友好的な; 平和的な.
an·a·lyz·a·ble 形 分析［分解］可能な.
an·ni·hi·la·ble 形 全滅［絶滅］できる.
an·swer·a·ble 形 責めを負うべき, 責任のある.
ap·peal·a·ble 形 上訴することができる.
ap·peas·a·ble 形 鎮められる.
ap·plaud·a·ble 形 賞賛される, 褒めて当然の, 立派な.
ap·pli·ca·ble 形 適用［応用］できる; 適切な, 適当な.
ap·pre·ci·a·ble 形 容易に評価［判断］できる.
ap·proach·a·ble 形 近づきやすい, 近寄れる.
ap·pro·pri·a·ble 形 専用［私用］できる; 充当できる.
ap·prov·a·ble 形 是認［承認］できる.
ar·a·ble 形 作物を産する, 耕作に適した.
ar·bi·tra·ble 形 調停［仲裁］できる.
ar·gu·a·ble 形 論議の対象となる.
ar·rest·a·ble 形 〘法律〙令状なしに犯人を逮捕できる.
as·cer·tain·a·ble 形 突き止めることのできる.
a·scrib·a·ble 形 (…に)起因する.
as·sail·a·ble 形 攻撃できる, 弱点のある.
as·sess·a·ble 形 (…と)評価されうる.
as·sign·a·ble 形 特定できる; 割り当て得る.
as·sim·i·la·ble 形 同化できる, 吸収できる.
as·so·ci·a·ble 形 連合できる; 関連づけられる.
as·sum·a·ble 形 仮定できる, 推定できる.
a·ton·a·ble 形 贖(あがな)われる, 償い得る.
a·tone·a·ble 形 ＝atonable.
at·tach·a·ble 形 取りつけられる; 差し押さえできる.
at·tack·a·ble 形 非難［攻撃］できる.
at·tain·a·ble 形 達成［獲得, 到達］できる.
at·tract·a·ble 形 引きつけられる, 引かれる.
at·trib·ut·a·ble 形 (…に)起因する, (…の)せいである.
au·di·ble 形 聞こえる, 聞き取れる, 可聴の.
a·vail·a·ble 形 (…に)利用［使用］できる.
a·void·a·ble 形 避けられる, 免れられる.
bail·a·ble 形 〘法律〙保釈を許される.
bal·ance·a·ble 形 均衡［釣り合い］を保つことができる.
bank·a·ble 形 銀行で受け付けられる; 担保にできる.
bar·gain·a·ble 形 交渉の余地がある.
bear·a·ble 形 我慢できる, 耐えられる.
beat·a·ble 形 (打ち)負かすことのできる.
bed·da·ble 形 《俗》〈女性が〉すぐに男と寝る.
be·liev·a·ble 形 信じられる, 信用できる.
bend·a·ble 形 曲げられる; 融通の利く.
bid·da·ble 形 〘トランプ〙ビッドをするに足る.
bil·la·ble 形 起訴されるべき; 起訴できる.
blam·a·ble 形 非難すべき, とがめるべき.
blame·a·ble 形 ＝blamable.
boat·a·ble 形 川船で航行できる.
boil·a·ble 形 〈食料品が〉煮ることができる.
book·a·ble 形 予約できる.
boot·a·ble 形 〘コンピュータ〙稼働可能な.
breach·a·ble 形 破棄できる.
break·a·ble 形 壊すことができる; 壊れやすい.
breath·a·ble 形 呼吸できる, 呼吸に適した.
bridge·a·ble 形 架橋できる; (隔たりが)埋められる.
brows·a·ble 形 拾い読みできる.
burn·a·ble 名 可燃物.
cal·cu·la·ble 形 計算できる; 当てにできる.
call·a·ble 形 呼ぶことのできる.
cam·paign·a·ble 形 宣伝活動の目玉にするのに適した.
can·cel·a·ble 形 解約できる, 取り消しの利く.
can·cel·la·ble 形 《特に英》＝cancelable.
ca·pa·ble 形 ☞
car·riage·a·ble 形 馬車で通れる.
cash·a·ble 形 現金に換えられる.
catch·a·ble 形 捕らえることのできる.
caus·a·ble 形 引き起こされる.
cen·sor·a·ble 形 検閲される; 検閲に引っかかるような.
cen·sur·a·ble 形 非難すべき, とがめられるべき.
cer·ti·fi·a·ble 形 証明［保証］できる.
chang·a·ble 形 ＝changeable.
change·a·ble 形 変わりやすい, 不順な; 変えられる.
charge·a·ble 形 負わなければならない; 課せられる.
char·i·ta·ble 形 惜しみなく施す, 慈悲深い.
check·a·ble 形 検証可能な, 確認できる.
chew·a·ble 形 (歯で)かみ砕ける.
class·a·ble 形 分類［組分け］できる.
clas·si·fi·a·ble 形 分類できる.
cleav·a·ble 形 割る［裂く］ことができる.
clos·a·ble 形 (開封後)密封できる.
club·a·ble 形 ＝clubbable.
club·ba·ble 形 社交クラブ会員となるのに適した.
co·ag·u·la·ble 形 凝固可能の, 凝固性の.
cog·i·ta·ble 形 《まれ》考えられる, あり得る.
cog·ni·za·ble 形 認識［認知］できる.
col·laps·a·ble 形 折りたためる, 組み立て式の.
col·lect·a·ble 形 収集［集金］できる. ―名 収集品.
col·or·a·ble 形 着色［彩色］できる.
col·our·a·ble 形 《英》＝colorable.
com·bin·a·ble 形 結合できる; 併合［合同］できる.
come-at-a·ble 形 《話》近づき［手に入れ］やすい.
com·fort·a·ble 形 快適な, 落ち着ける; 着心地のよい.
com·mend·a·ble 形 推賞に値する, 立派な, 感心な.
com·men·su·ra·ble 形 同じ単位で計ることができる.
com·mis·er·a·ble 形 同情すべき, 哀れな.
com·mit·ta·ble 形 委託し得る; 関わりやすい; 公判に付すべき; 投獄に値する.
com·mon·a·ble 形 共有の; 共同使用の.
com·mu·ni·ca·ble 形 ☞
com·mut·a·ble 形 交換可能な; 通勤可能な.
com·pan·ion·a·ble 形 親しみやすい, 気さくな; 気の合った.
com·pa·ra·ble 形 比較できる; 共通点のある.
com·pass·a·ble 形 達成可能な; 入手できる.
com·pen·sa·ble 形 《主に米》〈特に身体の傷害が〉補償される, 補償の対象になる.
com·pli·a·ble 形 《古》従順な, 素直な.
com·prom·is·a·ble 形 妥協できる.
com·put·a·ble 形 計算できる.
con·ceiv·a·ble 形 想像できる, 考えられる.
con·dem·na·ble 形 非難すべき, とがめるべき.
con·den·sa·ble 形 凝縮［圧縮, 濃縮］できる.
con·fig·u·ra·ble 形 〘コンピュータ〙適合性のある.
con·fis·ca·ble 形 没収［押収］できる.
con·form·a·ble 形 似ている, 相似の; 合致［適合］した.
con·fus·a·ble 形 混乱しやすい. ―名 まぎらわしい語.
con·jec·tur·a·ble 形 推測［憶測］できる.
con·quer·a·ble 形 征服できる.
con·scion·a·ble 形 《廃》良心に従う, 良心的な.
con·serv·a·ble 形 保存可能な.
con·sid·er·a·ble 形 かなりの; 多数の, 多量の; 重要な.
con·sol·a·ble 形 慰めを与えることができる.
con·stru·a·ble 形 解釈できる.
con·sum·a·ble 形 消費できる, 消耗し得る.
con·tact·able 形 連絡可能な.
con·tain·a·ble 形 収容できる.
con·tem·pla·ble 形 予想し得る, 予想しやすい.
con·tin·u·a·ble 形 継続できる, 続けられる.
con·tract·able 形 〈病気などが〉かかりやすい.
con·trol·la·ble 形 支配［管理］できる; 統制できる.
con·vers·a·ble 形 〈人が〉気のおけない, 話しやすい.
co·pi·a·ble 形 コピーできる.
copy·right·a·ble 形 著作権を取得できる.
cor·rect·a·ble 形 修正可能な; 回復できる.
count·a·ble 形 《文語》数えられる.
cred·it·a·ble 形 名誉となる; 尊敬に値する, 立派な.
cross·a·ble 形 〈川などが〉渡れる.
crush·a·ble 形 押しつぶすことができる.
cul·pa·ble 形 非難される, 不埒な; 《古》有罪の.
cul·ti·va·ble 形 耕作に適する; 栽培できる.
cul·tur·a·ble 形 耕作に適する; 栽培できる.
cur·a·ble 形 〈病気などが〉治療できる, 治る.
cus·tom·a·ble 形 関税を課し得る, 関税のかかる.
cut·ta·ble 形 切れる, カットできる; 切りやすい.
cy·cla·ble 形 自転車走行用の.

dam·na·ble 形 地獄に落ちるべき, 非難に値する.
dance·a·ble 形 ダンスに適した, ダンス向きの.
dat·a·ble 形 年代 [時期] を推定 [特定] できる.
date·a·ble 形 =datable.
de·bat·a·ble 形 議論するに足る, 議論の余地のある.
de·ceiv·a·ble 形 だまされやすい, 詐欺にかかりやすい.
de·cid·a·ble 形 決定できる.
de·ci·pher·a·ble 形 〈暗号などが〉解読 [判読] できる.
de·clin·a·ble 形 〘文法〙語形変化 [格変化] する.
de·com·pos·a·ble 形 分解 [分析] できる.
de·fer·a·ble 形 =deferrable.
de·fer·ra·ble 形 延期できる, 繰り延べられる.
de·fin·a·ble 形 定義 [説明] できる; はっきりとした.
de·grad·a·ble 形 ☞
de·lec·ta·ble 形 喜ばしい, 楽しい, 愉快な; おいしい.
del·e·ga·ble 形 代理人に委託 [委任] できる.
de·liv·er·a·ble 形 引き渡す [配送する] ことができる.
de·mon·stra·ble 形 論証 [証明, 実証] できる; 明らかな.
de·mur·ra·ble 形 〘法律〙異議を申し立てられる.
de·ni·a·ble 形 否認 [否定] できる; 拒否できる.
de·pend·a·ble 形 信頼できる, 頼りになる, 頼もしい.
de·plor·a·ble 形 悲しむべき.
de·pre·ci·a·ble 形 値下がりする(可能性のある).
de·riv·a·ble 形 導き出せる, 引き出せる; 推論できる.
de·scend·a·ble 形 (子孫に)伝えられる, 継承される.
de·scrib·a·ble 形 記述 [描写, 形容] できる.
des·ig·na·ble 形 《古・まれ》(はっきり)示される.
de·sir·a·ble 形 望ましい, 好ましい; 素晴らしい.
des·pi·ca·ble 形 軽蔑に値する, 卑しむべき.
de·tach·a·ble 形 分離できる, 取り外せる.
de·tect·a·ble 形 見つけられる, 検知 [探知] できる.
de·ter·mi·na·ble 形 決定 [確定] できる.
de·ter·ra·ble 形 思いとどまらせることのできる.
de·test·a·ble 形 憎悪すべき, ひどく嫌な.
det·o·na·ble 形 爆発させられる.
de·vis·a·ble 形 工夫 [発明, 考案] できる.
dif·fer·en·ti·a·ble 形 区別できる; 〘数学〙微分可能な.
dis·ci·plin·a·ble 形 懲戒に付すべき, 訓戒に値する.
dis·cov·er·a·ble 形 発見できる.
dis·crim·i·na·ble 形 区別 [識別] できる.
dis·lik·a·ble 形 嫌いな, 嫌な, 好きになれない.
dis·pen·sa·ble 形 なしでも済ませられる, 重要でない.
dis·pos·a·ble 形 使い捨てにできる; 始末の簡単な.
dis·put·a·ble 形 議論 [論争] の余地のある; 疑わしい.
dis·so·ci·a·ble 形 分離できる; 社交的でない.
dis·tin·guish·a·ble 形 区別できる; 見分けられる.
dis·tri·but·a·ble 形 分配できる.
ditch·a·ble 形 《話》捨てることができる.
di·vid·a·ble 形 分けられる, 可分の, 割り切れる.
do·a·ble 形 する [行う] ことのできる.
do·na·ble 形 無料で供出される.
doubt·a·ble 形 疑う余地のある.
dow·a·ble 形 〘法律〙寡婦産権に従う [を負った].
down·load·able 形 〘コンピュータ〙ダウンロード可能な.
draft·a·ble 形 引っ張ることのできる; 徴兵に適格な.
drink·a·ble 形 飲める, 飲むのに適した, 飲料用の.
du·bi·ta·ble 形 疑わしい, はっきりしない.
du·pli·ca·ble 形 複製 [複写] 可能な.
du·ra·ble 形 耐久力のある; 永続性のある.
du·ti·a·ble 形 関税を課せられる.
eat·a·ble 形 (調理されて)食べられる(状態の).
ed·u·ca·ble 形 〈人が〉教育を受けられる.
ef·fa·ble 形 言い得る, 陳述し得る; 説明できる.
e·lect·a·ble 形 選出される見込みがある.
e·lim·i·na·ble 形 除去できる, 排除 [削除] できる.
em·ploy·a·ble 形 〈人が〉雇用できる [使える].
en·dur·a·ble 形 耐えられる, 我慢できる.
en·joy·a·ble 形 楽しい, 楽しめる, 愉快な, 面白い.
en·ter·a·ble 形 入学 [入会] できる, 参加資格のある.
e·nu·mer·a·ble 形 〘数学〙(集合数が)加算の.
en·vi·a·ble 形 うらやましがられる.
eq·ua·ble 形 変化のない, 一様な, 均等な.
eq·ui·ta·ble 形 公正な, 公平な.
e·rad·i·ca·ble 形 根絶 [絶滅] できる.
er·ra·ble 形 誤りうる.
es·cap·a·ble 形 逃げられる, 回避できる.
es·tab·lish·a·ble 形 立証できる; (論理的に)正しい.
es·ti·ma·ble 形 尊敬 [尊重] に値する.
e·vap·o·ra·ble 形 蒸発する, 蒸発しやすい, 蒸発性の.
ev·i·ta·ble 形 避けられる.
ev·o·ca·ble 形 呼び起こせる, 喚起できる.
ex·cep·tion·a·ble 形 反対されそうな; 非難すべき.
ex·change·a·ble 形 交換できる; 交易できる.
ex·cis·a·ble 形 消費 [物品] 税の対象となる.
ex·cit·a·ble 形 興奮しやすい, 激しやすい.
ex·clud·a·ble 形 排除 [除外] できる.
ex·cus·a·ble 形 言い訳の立つ, 弁解できる.
ex·e·cra·ble 形 嫌悪すべき, 忌まわしい, 憎むべき.
ex·e·cut·a·ble 形 実行 [実施] できる.
ex·er·cis·a·ble 形 行使 [実行] できる, 働かせ得る.
ex·o·ra·ble 形 《古風》嘆願 [説得] で動かされる.
ex·pend·a·ble 形 消費できる, 費やし得る, 消耗的な.
ex·pi·a·ble 形 〈罪などが〉償える, あがなえる.
ex·plain·a·ble 形 説明できる.
ex·pli·ca·ble 形 説明 [解明] できる.
ex·pugn·a·ble 形 打ち負かされやすい, 征服されやすい.
ex·tin·guish·a·ble 形 〈火が〉消すことのできる.
ex·tir·pa·ble 形 駆除すべき; 全滅できる.
ex·tra·dit·a·ble 形 〈逃亡犯人などが〉引き渡されるべき.
ex·tri·ca·ble 形 救出 [解放] できる; 遊離できる.
eye·a·ble 形 《古》目に見える.
face·able 形 直視 [対決] できる.
fan·ci·a·ble 形 夢に描くような.
fash·ion·a·ble 形 流行の, はやりの.
fath·om·a·ble 形 測深できる.
fat·i·ga·ble 形 疲れやすい, すぐ疲労する.
fa·vor·a·ble 形 好意的な, 賛意を表す; 承諾の.
fell·a·ble 形 打ち倒すことのできる; 切り倒せる.
fer·ti·liz·a·ble 形 〈土地が〉肥沃(ひよく)にできる.
film·a·ble 形 映画化に適した.
fil·ter·a·ble 形 濾過(ろか)できる.
fil·tra·ble 形 =filterable.
fin·a·ble[1] 形 罰金を課せられる.
fin·a·ble[2] 形 清くできる, 洗練可能な.
find·a·ble 形 見いだせる, 発見できる.
fine·a·ble 形 =finable[1].
fish·a·ble 形 〈川などが〉魚の捕れる [釣れる].
fis·sion·a·ble 形 〘物理〙核分裂性の, 核分裂する.
flam·ma·ble 形 燃えやすい, 引火 [可燃] 性の.
flap·pa·ble 形 《話》動揺しやすい.
flirt·a·ble 形 〈特に女性が〉浮気な.
float·a·ble 形 浮くことのできる, 浮揚性の.
fly·a·ble 形 飛行できる.
force·a·ble 形 力 [腕] ずくの, 強制的な, 強引な.
ford·a·ble 形 〈川などが〉歩いて渡れる.
fore·see·a·ble 形 予測可能な, 予知できる.
for·get·ta·ble 形 忘れられやすい.
for·giv·a·ble 形 容赦できる, 許される.
for·mi·da·ble 形 恐ろしい; 威嚇的な; 驚異の.
fri·a·ble 形 砕けやすい, 粉になりやすい.
FTP·able 形 〘コンピュータ〙ファイル転送プロトコル(File Transfer Protocol)可能の.
fuck·a·ble 形 《俗》性交できる [したがっている].
func·tion·a·ble 形 実用意図にかなう, 実用的 [便利] な.
gen·er·a·ble 形 産み出され得る, 発生 [生成] 可能の.
get·a·ble 形 =gettable.
get·at·a·ble 形 《話》到達できる; 得られる.
get·ta·ble 形 得られる, 手に入れられる.
gift·a·ble 形 贈り物向きの. ── 名 贈り物.
gov·ern·a·ble 形 統治 [支配, 抑制] されうる, 従順な.
grad·a·ble 形 等級付けができる.
grasp·a·ble 形 理解 [把握] できる.
guess·a·ble 形 推測できる.
guid·a·ble 形 導くことができる; 案内できる.

A

hab·it·a·ble 形 住める, 住むのに適した.
hat·a·ble 形 =hateable.
hate·a·ble 形 憎むべき, 憎らしい; いやらしい.
he·red·i·ta·ble 形 =heritable.
her·it·a·ble 形 譲り伝えられる, 相続され得る.
hir·a·ble 形 雇うことができる, 賃借りできる.
hon·or·a·ble 形 高潔な, あっぱれな; 立派な.
hos·pi·ta·ble 形 温かくもてなす, もてなしのよい.
hug·ga·ble 形 抱き締めたくなる, 抱き締めたい.
hum·ma·ble 形 〈曲が〉口ずさみやすい.
il·lu·mi·na·ble 形 照らすことができる; 啓蒙できる.
im·ag·i·na·ble 形 想像できる, 考えられる; 可能な.
im·i·ta·ble 形 模倣できる, まねられる; 見習うべき.
im·peach·a·ble 形 〈不法行為などが〉弾劾されるべき.
im·plant·a·ble 形 移植可能な.
im·pres·sion·a·ble 形 感じやすい, 感受性の強い, 多感な.
im·put·a·ble 形 帰することができる, 転嫁できる.
in·clin·a·ble 形 (…の)傾向がある.
in·cog·ni·za·ble 形 認識 [知覚, 識別] できない.
in·cor·po·ra·ble 形 合併 [合体, 合同, 編入] できる.
in·de·fin·a·ble 形 定義できない, 説明しがたい.
in·dict·a·ble 形 告訴に値する, 起訴されるべき.
in·dom·i·ta·ble 形 不屈の, 屈服しない; 頑強な.
in·ef·fa·ble 形 言葉で表現できない.
in·ex·pli·ca·ble 形 説明がつかない, 不可解な.
in·flat·a·ble 形 膨らませることが可能な.
in·hab·it·a·ble[1] 形 居住に適した.
in·hab·it·a·ble[2] 形 《廃》住むことができない.
in·ject·a·ble 形 〈医薬品が〉注入可能な.
in·oc·u·la·ble 形 〈病原菌などが〉接種感受性の.
in·spir·a·ble 形 霊感を受けることができる.
in·sur·a·ble 形 保険がかけられる, 保険に適した.
in·te·gra·ble 形 〖数学〗積分可能な, 可積分の.
in·tes·ta·ble 形 〖法律〗遺言をする法的資格のない.
in·vag·i·na·ble 形 鞘(さや)に収められる.
in·vest·a·ble 形 投資可能な.
in·ves·ti·ga·ble 形 調査 [研究] できる.
ir·rad·i·ca·ble 形 根絶できない, 完全に除去できない.
ir·re·cu·sa·ble 形 拒めない, 拒絶 [反対] できない.
ir·ref·ra·ga·ble 形 論争の余地のない, 論駁し得ない.
ir·rem·e·a·ble 形 《文語》戻ることのできない.
ir·ri·ga·ble 形 〈土地が〉灌漑(かんがい)できる.
ir·ri·ta·ble 形 怒りっぽい, 腹を立てやすい.
i·so·la·ble 形 分離できる; 孤立させることができる.
i·so·lat·a·ble 形 =isolable.
is·su·a·ble 形 発行 [発布] される [できる].
ju·di·ca·ble 形 裁くことのできる; 審理されるべき.
ju·di·ci·a·ble 形 《古》=judicable.
jus·ti·ci·a·ble 形 〖法律〗司法判断に適合する.
jus·ti·fi·a·ble 形 正当と認められる; 弁護できる.
kill·a·ble 形 殺すことのできる; 撃破できる.
kiss·a·ble 形 キスしたくなるような.
know·a·ble 形 知り得る, 理解できる.
knowl·edg·a·ble 形 知性のある, 博識の; 聡明な.
knowl·edge·a·ble 形 =knowledgable.
lam·en·ta·ble 形 悲しむべき, 残念な, 嘆かわしい.
lam·i·na·ble 形 薄板 [薄片] にすることができる.
laps·a·ble 形 変わりやすい; 堕落しやすい.
laud·a·ble 形 《文語》賞賛に値する, 見上げた.
laugh·a·ble 形 おかしい, こっけいな; 面白い.
lend·a·ble 形 貸せる, 貸与できる, 用立てられる.
let·ta·ble 形 《主に英》貸せる, 貸すのに適した.
lev·i·able 形 徴税できる;〈物が〉課税対象となる.
li·a·ble 形 (法律上)責任がある.
lik·a·ble 形 好感の持てる; 好ましい.
like·a·ble 形 =likable.
lis·ten·a·ble 形 聴いて楽しい, 耳に快い.
lit·i·ga·ble 形 訴訟し得る.
liv·a·ble 形 住むことのできる, 住みよい.
live·a·ble 形 =livable.
loan·a·ble 形 貸し付け可能な.
lock·a·ble 形 鍵(かぎ)のかかる [ついている].
los·a·ble 形 失われやすい, 失いやすい.
lov·a·ble 形 愛らしい, 愛すべき; 魅力的な.
love·a·ble 形 =lovable.
lust·a·ble 形 性的魅力のある.
ma·chin·a·ble 形 工作機械で切削 [成形] できる.
mag·net·iz·a·ble 形 〈金属などが〉磁化できる.
mail·a·ble 形 《米》郵送できる.
mal·le·a·ble 形 〈金属が〉可鍛性の; 適応性のある.
man·age·a·ble 形 操作 [管理] できる; 処理しやすい.
ma·nip·u·la·ble 形 扱うことができる, 操作可能な.
mar·ket·a·ble 形 よく売れる; 市場向きの.
mar·riage·a·ble 形 結婚に適する, 結婚したくなるような.
match·a·ble 形 敵対できる; 対戦相手にふさわしい.
meas·ur·a·ble 形 測 [計] れる, 測定できる.
med·i·ca·ble 形 医療が可能な, 治療できる, 治せる.
me·dic·i·na·ble 形 《古》薬の, 医薬の; 薬効のある.
mem·o·ra·ble 形 記憶すべき, 注目すべき, 忘れられない; 忘れもしない, 印象的な.
men·sur·a·ble 形 測 [計] れる, 測定できる.
mer·chant·a·ble 形 〖主に法律〗市場向きの, 売れる.
mer·it·a·ble 形 賞に値する.
mill·a·ble 形 製粉できる.
min·a·ble 形 〈鉱石などが〉採掘できる.
mine·a·ble 形 =minable.
mis·er·a·ble 形 惨めな, 悲しい; (…で)苦しむ.
mis·tak·a·ble 形 誤り [間違い] やすい, 紛らわしい.
mis·take·a·ble 形 =mistakable.
mit·i·ga·ble 形 緩和できる, 軽減できる.
mod·i·fi·a·ble 形 (部分的に)変更 [修正] できる.
mo·tor·a·ble 形 《主に英》自動車で行ける.
mov·a·ble 形 動かせる, 移動できる, 可動の.
move·a·ble 形名 =movable.
mul·ti·pli·a·ble 形 増加できる; 倍にできる.
munch·a·ble 形 《米話》おやつに適した.
mu·ta·ble 形 変わりやすい.
nam·a·ble 形 =nameable.
name·a·ble 形 名前が言える, それと分かる.
nav·i·ga·ble 形 船舶が通れる; 操縦 [誘導] できる.
ne·go·ti·a·ble 形 交渉できる, 協定できる.
non·sed·i·ment·a·ble 形 沈殿作用を受けない.
no·ta·ble 形 注目に値する, 顕著な, 特筆すべき.
no·tice·a·ble 形 人目を引く, 目立つ, 顕著な.
no·ti·fi·a·ble 形 通知すべき.
nu·mer·a·ble 形 数えられる, 計算し得る.
ob·jec·tion·a·ble 形 反対を招く, 異議のある; 不埒な.
ob·serv·a·ble 形 観察できる [しやすい]; 目につく.
obtain·a·ble 形 入手 [獲得] できる.
o·pen·a·ble 形 開くことができる, 開閉できる.
op·er·a·ble 形 〈病気が〉手術可能の.
op·pos·a·ble 形 反対 [抵抗, 敵対] できる.
ov·en·a·ble 形 〈料理道具などが〉オーブンで使える.
ox·i·diz·a·ble 形 〖化学〗酸化可能な.
pac·i·fi·a·ble 形 なだめられる, 静められる.
pack·a·ble 形 荷造りしやすい, 梱包(こんぽう)できる.
pal·at·a·ble 形 口に合う, 美味な; 快い, 気に入る.
pal·pa·ble 形 容易に知覚できる; はっきりした.
par·tic·i·pa·ble 形 共にできる, 参加できる.
pass·a·ble 形 通行できる; 通行用の; 渡れる.
pas·tur·a·ble 形 〈土地が〉牧場に適した.
pay·a·ble 形 支払う [返済す] べき.
peace·a·ble 形 平和を好む, おとなしい, 温和な.
pec·ca·ble 形 罪を犯しやすい, 誤りやすい.
pen·e·tra·ble 形 突破 [貫通, 侵入] され得る.
pen·sion·a·ble 形 年金受給資格のある.
per·ceiv·a·ble 形 知覚 [感知, 認知] できる.
per·dur·a·ble 形 《まれ》長持ちする, 永続する.
per·ish·a·ble 形 腐りやすい, 壊れやすい.
per·me·a·ble 形 浸透され得る, 透過性の(ある).
per·son·a·ble 形 容姿の整った, 品のある.
per·turb·a·ble 形 〈心などが〉かき乱されやすい.
pit·i·a·ble 形 哀れみ [同情心] を誘う, 哀れな.
plac·a·ble 形 なだめられる, なだめやすい.
play·a·ble 形 上演に適した; 演奏できる.
plead·a·ble 形 弁解 [申し開き, 抗弁] できる.

A

pleas·ur·a·ble 形 人を楽しませる, 愉快な.
pli·a·ble 形 曲げやすい, 柔軟な, しなやかな.
pock·et·a·ble 形 ポケットに入れて持ち運びできる.
pon·der·a·ble 形 一考の価値がある, 熟考に値する.
port·a·ble 形 運搬［移動］できる；携帯用の.
po·ta·ble 形 〈水が〉飲むのに適した.
prac·ti·ca·ble 形 実施できる, 実行可能な.
prais·a·ble 形 賞賛に値する.
pre·cip·i·ta·ble 形 『化学』〈溶質が〉沈殿性の.
pred·i·ca·ble 形 (…の)属性であると断定できる.
pre·dict·a·ble 形 予言［予報, 予知, 予測］できる.
pref·er·a·ble 形 (…より)好ましい, いっそう望ましい.
preg·na·ble 形 攻略できる, 占領しやすい.
pre·sent·a·ble 形 贈り物に適した；推薦できる.
pre·sum·a·ble 形 もっともらしい, ありそうな.
pre·vent·a·ble 形 妨げられる, 防げる, 避けられる.
print·a·ble 形 印刷可能な.
priz·a·ble 形 評価に値する.
prob·a·ble 形 ☞
proc·ess·a·ble 形 加工できる, 処理できる.
pro·cur·a·ble 形 入手できる.
prof·it·a·ble 形 儲(もう)かる, 利益になる；有利な.
pro·gram·ma·ble 形 プログラムできる.
prop·a·ga·ble 形 普及［宣伝］できる；繁殖できる.
pro·por·tion·a·ble 形 比例した, 釣り合った.
pul·ver·a·ble 形 粉にできる, 砕ける.
pun·ish·a·ble 形 (…の)処罰に値する.
pur·chas·a·ble 形 買える, 購入できる.
quad·ra·ble 形 平方［二乗］できる.
qual·i·fi·a·ble 形 適格とされ得る；資格が与えられる.
quan·ti·fi·a·ble 形 計量可能な.
ques·tion·a·ble 形 問題の, 疑わしい, いかがわしい.
quot·a·ble 形 引用できる；引用する価値のある.
rat·a·ble 形 見積もり［評価］できる.
rate·a·ble 形 ＝ratable.
reach·a·ble 形 到達できる.
read·a·ble 形 読みやすい, 読んで面白い.
re·al·is·a·ble 形 《特に英》＝realizable.
re·al·iz·a·ble 形 実現可能の.
rea·son·a·ble 形 理にかなった；論理の通った.
re·bid·da·ble 形 『トランプ』リビッドできる.
re·ceiv·a·ble 形 受領し得る, 受諾し得る.
re·claim·a·ble 形 〈土地が〉開墾［埋め立て］できる.
rec·og·niz·a·ble 形 承認［認知］できる；認識できる.
rec·on·cil·a·ble 形 和解［調停］できる；調和させられる.
re·cov·er·a·ble 形 取り返しのつく；回復の見込みある.
rec·ti·fi·a·ble 形 修正［改正］できる；訂正できる.
re·deem·a·ble 形 買い戻しできる, 償還できる.
re·doubt·a·ble 形 恐るべき, 手に負えない, 強力な.
re·form·a·ble 形 矯正できる.
re·fund·a·ble 形 返済できる, 払い戻しの利く.
re·fus·a·ble 形 断ることができる, 拒否できる.
re·fut·a·ble 形 反駁できる, 論破する余地のある.
re·gen·er·a·ble 形 再生できる；更生できる；刷新できる.
re·gret·ta·ble 形 《婉曲的》遺憾な；悲しむべき.
reg·u·la·ble 形 調整［規定, 管理, 規制］できる.
re·li·a·ble 形 頼りになる, 確かな, 信頼できる.
re·liev·ab·le 形 解放できる, 救済［救援］できる.
re·lo·cat·able 形 〈建築物などが〉移動可能な.
re·mark·a·ble 形 注目に値する；驚くべき；非凡な.
re·me·di·a·ble 形 治療できる；矯正できる；救済できる.
re·mem·ber·a·ble 形 思い出せる；記憶に残る.
re·mov·a·ble 形 取り外しの利く；免職させられる.
re·new·a·ble 形 継続［延長, 更新］できる.
rent·a·ble 形 賃貸［貸借］できる.
re·pair·a·ble 形 修理［修繕］できる, 直せる.
rep·a·ra·ble 形 修理できる；賠償［補償］できる.
re·peal·a·ble 形 〈法律などが〉廃止［廃棄］できる.
re·peat·a·ble 形 くりかえし可能な.
re·place·a·ble 形 置き換えられる.
re·plev·i·a·ble 形 ＝replevisable.
re·plev·i·sa·ble 形 『法律』〈動産が〉占有回復可能な.
rep·li·ca·ble 形 反復［複写, 追試］可能な.
re·port·a·ble 形 報告［報道］できる；報道価値がある.
re·prov·a·ble 形 しかられて当然の, 非難に値する.
rep·u·ta·ble 形 評判のよい, 尊敬すべき.
re·sist·a·ble 形 抵抗［反抗］できる, 阻止し得る.
re·solv·a·ble 形 分析［解決］できる；溶解性の.
re·spect·a·ble 形 尊敬に値する, 立派な.
res·pi·ra·ble 形 呼吸に適した.
re·trace·a·ble 形 跡をたどれる.
re·tract·a·ble 形 伸縮自在の, 格納式の.
re·triev·a·ble 形 取り戻すことができる, 回復できる.
re·turn·a·ble 形 返却［返品］できる.
rev·o·ca·ble 形 廃止できる, 無効にできる.
rid·a·ble 形 〈馬・乗り物が〉乗ることができる.
ride·a·ble 形 ＝ridable.
right·a·ble 形 正す［直す］ことができる.
road·a·ble 形 路上運転できる.
rop·a·ble 形 (ロープで)縛ることができる.
rope·a·ble 形 ＝ropable.
rul·a·ble 形 規則にかなう, 規則上許される.
run·na·ble 形 〈獲物が〉狩りに適した.
sal·a·ble 形 売りに出せる；すぐ売れる.
sale·a·ble 形 ＝salable.
salv·a·ble 形 救える；救出可能な.
sa·tia·ble 形 満足［堪能］させられる.
sat·u·ra·ble 形 飽和できる.
say·a·ble 形 口に出して言える；発音できる.
scal·a·ble 形 登れる；(秤で)量れる.
scroll·a·ble 形 『コンピュータ』〈画面が〉スクロール可能な.
scru·ta·ble 形 《まれ》理解［判読］可能な.
search·a·ble 形 捜し出せる.
sea·son·a·ble 形 季節にふさわしい；ある時節特有の.
see·a·ble 形 見ることのできる；理解できる.
sep·a·ra·ble 形 分離［区別］できる, 分けられる.
serv·ice·a·ble 形 役に立つ, 便利な, 重宝な.
sev·er·a·ble 形 切断できる, 切り離せる.
shift·a·ble 形 移動のできる.
ship·pa·ble 形 船に積みやすい, 船荷に適した.
shock·a·ble 形 驚くべき, 嫌悪すべき, 悲しむべき.
sign·a·ble 形 〈法案などが〉署名すべき.
sink·a·ble 形 沈められる；沈没の恐れのある.
siz·a·ble 形 相当な大きさの, かなり大きな.
size·a·ble 形 ＝sizable.
sketch·a·ble 形 スケッチ［写生］に適する.
skip·pa·ble 形 飛ばしてもよい, 省略できる.
smok·a·ble 形 〈タバコが〉吸える.
so·cia·ble 形 社交［交際］好きな, 社交的な.
solv·a·ble 形 解くことができる, 解答［解決］できる.
sort·a·ble 形 分類［区分け］できる.
speak·a·ble 形 口で言える；発音できる.
spec·i·fi·a·ble 形 明記［特定］できる；区別できる.
spend·a·ble 形 消費し得る, 支出できる.
spot·ta·ble 形 染み［よごれ］のつきやすい.
spread·a·ble 形 塗り広げられる, 延ばせる.
squeez·a·ble 形 圧搾できる, 絞れる, 絞り取れる.
sta·ble 形 ☞
stack·a·ble 形 積み重ねできる.
stain·a·ble 形 〈衣服などが〉よごすことができる.
stat·u·ta·ble 形 法律上罰せられる.
steer·a·ble 形 操縦できる, 舵(かじ)が取れる.
stop·pa·ble 形 止められる, 中止されうる.
stor·a·ble 形 貯蔵の利く. ―― 名 貯蔵できる物.
strik·a·ble 形 ストライキの原因となる.
strip·pa·ble 形 〈鉱石が〉露天掘りできる.
su·a·ble 形 訴訟の対象となり得る.
suf·fer·a·ble 形 我慢［辛抱］できる, 耐えられる.
suit·a·ble 形 適当な, ふさわしい；都合がよい.
sum·ma·ble 形 『数学』加法可能な.
su·per·a·ble 形 打破できる, 打ち勝てる, 克服できる.
sup·port·a·ble 形 扶養できる；支持できる；維持できる；耐えられる.
sup·pos·a·ble 形 想像［推定］できる, ありそうな.
surf·a·ble 形 サーフィンに適した.

sur·mount·a·ble 形 越えられる, 克服できる.
sur·pass·a·ble 形 越えることができる.
sur·viv·a·ble 形 生き残れる, 生存可能な.
sus·tain·able 形 維持 [継続] できる, 支持できる.
tai·lor·a·ble 形 (服に)仕立てられる.
tam·a·ble 形 飼いならす [従わせる] ことのできる.
tame·a·ble 形 ＝tamable.
tar·get·a·ble 形 攻撃目標設定可能な [になり得る].
tax·a·ble 形 課税の対象となる, 課税できる.
teach·a·ble 形 よく教えをきく, 学習意欲がある.
tear·a·ble 形 引き裂く [破る] ことができる.
tell·a·ble 形 語り得る, 話せる; 話す価値がある.
ten·a·ble 形 防御し得る; 支持できる.
ten·ant·a·ble 形 〈土地・家屋が〉借用に適する.
ten·der·a·ble 形 支払い [弁済] に提供され得る.
ten·u·ra·ble 形 《主に米》〈特に大学教授が〉終身在職権を与えられる [に適任の].
ter·mi·na·ble 形 終わらせることのできる.
test·a·ble[1] 形 試験 [検査, 分析] できる.
test·a·ble[2] 形 〘法律〙遺言作成能力がある.
think·a·ble 形 想像できる, 考えられる.
throt·tle·a·ble 形 〘ロケット〙可変推力式の.
till·a·ble 形 耕作できる [に適する].
tith·a·ble 形 十分の一税がかかる.
tol·er·a·ble 形 耐えられる, 我慢できる; 許容できる.
tot·a·ble 形 (持ち)運べる.
touch·a·ble 形 触知できる.
trace·a·ble 形 (起源・跡を)たどることができる.
trac·ta·ble 形 扱いやすい, 御しやすい; 素直な.
traf·fic·a·ble 形 通れる, 踏破し得る, 通行できる.
trail·a·ble 形 跡をたどることができる.
trail·er·a·ble 形 トレーラーで運べる.
train·a·ble 形 教育 [訓練] できる.
trans·fer·a·ble 形 移すことができる.
tran·sit·a·ble 形 通過 [横断] できる.
trans·lat·a·ble 形 翻訳できる.
trans·port·a·ble 形 輸送できる.
trav·el·a·ble 形 通行できる, 旅行に適した.
tra·vers·a·ble 形 横断できる, 越えられる.
trea·son·a·ble 形 反逆の, 不信の; 反逆を起こす.
treat·a·ble 形 (医学的に)治療できる, 処理できる.
tri·a·ble 形 公判 [審問] に付すべき.
trit·u·ra·ble 形 ひくことができる, 粉末にできる.
tun·a·ble 形 〈楽器などが〉調音できる.
tune·a·ble 形 ＝tunable.
un·budge·a·ble 形 不変の, 不動の; 確固たる, 頑固な.
un·der·stand·a·ble 形 理解されうる, 分かりやすい.
u·ni·fi·a·ble 形 統一できる, 単一化できる.
u·ni·t·a·ble 形 結合 [連合] され得る.
u·ni·ver·sal·iz·a·ble 形 〘哲学〙一般 [普遍] 化可能な.
us·a·ble 形 使用に向く [適した], 使用できる.
use·a·ble 形 ＝usable.
ut·ter·a·ble 形 言葉で言い表すことができる.
val·u·a·ble 形 金銭的価値のある, 有価の; 高価な.
var·i·a·ble 形 ☞
veg·e·ta·ble 名 野菜.
ven·er·a·ble 形 尊敬すべき, 尊敬に値する, 尊い.
ver·i·fi·a·ble 形 証明 [立証] できる.
ver·i·ta·ble 形 本当の, 真実の; 《強意》全くの.
vi·a·ble 形 ☞
view·a·ble 形 目に見える; 観測 [検証] 可能な.
vin·di·ca·ble 形 正当化できる, 弁護 [擁護] できる.
vi·o·la·ble 形 犯す [破る, 汚す] ことができる.
vis·it·a·ble 形 訪問 [見物] できる [に値する].
vi·ti·a·ble 形 よごされ得る, 損なわれ得る.
void·a·ble 形 無 [無効] にできる, 取り消し得る.
vot·a·ble 形 票決に付される; 投票権を有する.
vote·a·ble 形 ＝votable.
vul·ner·a·ble 形 傷つきやすい.
wad·a·ble 形 〈川が〉歩いて渡れる [行ける].
wade·a·ble 形 ＝wadable.
walk·a·ble 形 歩いて行ける, 横断できる, 歩ける.
want·a·ble 形 好ましい; 魅力のある.
war·rant·a·ble 形 保証できる; 正当と認められる.
wash·a·ble 形 洗っても縮んだり色あせたりしない.
watch·a·ble 形 見破れる; 明白な.
wear·a·ble 形 着用に適する, 着心地のよい.
wet·ta·ble 形 湿らせ得る, ぬらすことができる.
wife·a·ble 形 主婦好み [向き] の.
will·a·ble 形 望むことができる, 意志で決められる.
wind·a·ble 形 巻くことのできる.
win·na·ble 形 勝てる, 勝ち目 [勝算] のある.
work·a·ble 形 実行可能な, 実現できる; 実用的な.
writ·a·ble 形 書き表すことができる.
yield·a·ble 形 収穫を生む; 収益を上げる.

-a·ble[2] /eibl/

語尾 cable, stable はラテン語語尾 *-bulum* より. fable, table はラテン語語尾 *-bula* より.

a·ble 形 ☞
ca·ble 名 ☞
fa·ble 名 寓話(ぐう).
ga·ble 名 〘建築〙切妻, 破風.
sa·ble 名 〘動物〙クロテン(黒貂).
sta·ble[1] 名 馬 [牛, 家畜] 小屋; 畜舎.
sta·ble[2] 形 ☞ STABLE
ta·ble 名 ☞

a·bled /éibld/

形 〈人が〉健常である, ある身体能力をもった. ⇨ -D[1].
★ *印のある語は「身体に障害がある」とも言い換えられる.

dífferently ábled 形 別の [異なる] 能力をもつ*.
fúlly ábled 形 まったく健常である.
héaring-ábled 形 聴覚能力のある.
ótherly ábled 形 他の能力をもった*.
temporárily ábled 形 (いつもではないが)一時的に健常な.
uníquely ábled 形 独自の能力をもった*.

-a·bly /əbli/

接尾辞 …が可能な.
★ -able で終わる形容詞に対応する副詞をつくる.
◆ 中英 *-abli.* ⇨ -LY[1].

ad·vis·a·bly 副 当を得たことに, 賢明に.
a·gree·a·bly 副 気持ちよく, 心地よく, 愉快に.
ar·gu·a·bly 副 十分論証できることだが.
as·sum·a·bly 副 ＝presumably.
com·fort·a·bly 副 気楽 [安楽] に, 快適に; 具合よく.
con·sid·er·a·bly 副 相当に, かなり.
fa·vor·a·bly 副 好意的に, 好意から, 好意を持って.
in·ex·pli·ca·bly 副 不可解にも, 説明できないほどに.
in·var·i·a·bly 副 変わることなく, 一定不変に.
mis·er·a·bly 副 惨めに, 不幸に, 哀れに, 悲惨に.
pass·a·bly 副 かなり, 相当に; まずまず, 一応.
pre·sum·a·bly 副 思うに, おそらく, たぶん.
prob·a·bly 副 たぶん, おそらく, たいてい.
re·mark·a·bly 副 際立って, 著しく, 異常に.
sus·tain·a·bly 副 継続的に.
un·der·stand·a·bly 副 当然(言ってよいことだが).

a·bor·tion /əbɔ́ːrʃən/

名 妊娠中絶, 堕胎. ⇨ -TION.

àn·ti·a·bór·tion 形 (妊娠)中絶反対の.
contágious abórtion 〘獣病理〙接触感染性流産.
Frénch abórtion 《米俗》嫌悪すべきやつ.
jústifiable abórtion 合法的流産.
lúnchtime abòrtion 《話》(真空吸引式の)お手軽妊娠中絶.
prò·a·bór·tion 形 人工妊娠中絶を認める [支持の].
spontáneous abórtion 流産(特に自然流産).

- **therapéutic abórtion** 治療的流産.
- **vóluntary abórtion** 妊娠中絶.

a·bout /əbáut/

名 …について(の), 関して, 関する. ── 副 約, およそ; 周りに.

★ 動詞に伴って句動詞を形成することが多い; またその名詞化も見られる: turn about → turnabout.

- **bang-about** 形 〈人が〉騒々しい, 荒っぽい.
- **change·about** 名 (位置・方向などの)反転, 転換.
- **east·about** 副 東の方(向)に.
- **gad·about** 名 《話》(社交場を)うろつき回る人.
- **here·about** 副 この辺りに, この辺で, この近くで.
- **jet·about** 形名 ジェット機を多く利用する(人).
- **knock·about** 名 〘海事〙ノッカバウ.
- **lay·about** 名 《主に英》怠け者.
- **out-and-about** 形 外を出歩く, 外で活動する.
- **punt·about** 名 フットボールのキック練習.
- **race·about** 名 競走用ヨット.
- **right·about** 名 反対方向.
- **round·about** 形 回り道の; 曲がりくねった; 婉曲な.
- **rouse·about** 名 《豪・NZ》=roustabout.
- **roust·about** 名 《米》波止場人足, 仲仕, 甲板員.
- **run·about** 名 〘自動車〙ロードスター.
- **stir·about** 名 《英》オートミール粥の一種.
- **talked-about** 形 話題の.
- **there·about** 副 その辺りに, その辺に, その近くに.
- **turn·about** 名 方向転換, 逆転.
- **walk·about** 名 《主に英》徒歩旅行.
- **west·about** 副 西の方に.
- **whirl·about** 名 回転, 旋回; てんてこ舞い.

ab·so·lute /ǽbsəlùːt, ⸗‐⸗/

形 完全な, 完全無欠の; 絶対の, 絶対的な.

- **áblative ábsolute** 〘ラテン文法〙絶対奪格.
- **decrée ábsolute** 〘法律〙離婚確定判決.
- **nóminative ábsolute** 〘文法〙絶対主格, 独立主格.
- **rúle ábsolute** 〘法律〙絶対命令, 確定的決定.

ab·sorp·tion /æbsɔ́ːrpʃən, -zɔ́ːrp- | əb-/

名 **1** 吸収. **2** 没頭. ⇨ -TION.

- **mal·ab·sorp·tion** 名 〘病理〙(腸の)吸収不良.
- **re·ab·sorp·tion** 名 再吸収.
- **sélf-absórption** 名 自己陶酔, 自我没頭.
- **sóund absòrption** 〘音響〙吸音.

a·buse /əbjúːs, -z/

名 **1** (薬・麻薬などの)乱用. **2** 虐待; 強姦, 暴行. ── 動他 〈地位・特権・才能などを〉悪用する; 誤用する; 〈信頼を〉裏切る. ⇨ -USE[1].

[発音] 語尾の音は名詞では /s/, 動詞では /z/.

- **áerosol abùse** (フロンガスを出す)エアゾールの使用過多.
- **álcohol abùse** アルコールの乱用.
- **cár abùse** (環境汚染を起こす)車の使いすぎ.
- **cárnal abúse** 〘法律〙(子供に対する)強制猥褻(わいせつ)行為.
- **chárt abùse** (現実を曲解させる)グラフ使用.
- **chémical abùse** 薬物 [アルコール] の乱用.
- **chíld abùse** 児童虐待.
- **cocáine abùse** コカインの乱用.
- **cohábitational abùse** 同居 [同棲] 者への虐待.
- **compúter abùse** コンピュータ(システム)の不正利用.
- **cráck abùse** クラック(精製結晶コカイン)の乱用.
- **dìs·a·búse** 動他 (迷い・誤解を)解く, 正す.
- **drúg abùse** 麻薬常用癖, 麻薬中毒.
- **élder abùse** 老人虐待, 年寄りいじめ.
- **emótional abùse** 感情によるいたぶり, 精神的な虐待.
- **hórmone abùse** (スポーツ選手などの)ホルモン剤乱用.
- **hórse abùse** 馬の酷使.
- **incéstuous abùse** (両)親による子供への近親相姦的な虐待.
- **láxative abùse** (拒食[過食]症者の)緩下剤の乱用.
- **máth abùse** (数理規則を無視した)数学の乱用.
- **máths abùse** =math abuse.
- **mércury abùse** (乾電池など)水銀含有製品の使用.
- **narcótics abùse** 麻薬・催眠剤の乱用.
- **óld àge abùse** **1** 年配者 [年長者] への虐待. **2** 年配者による看護者へのいじめ.
- **phýsical abùse** 身体的な虐待, 体罰.
- **psychológical abùse** 精神的・心理的虐待 [いじめ].
- **rácket abùse** (テニスで)ラケットを乱暴に扱うこと.
- **rítual abùse** 魔術儀式の中で行われる児童虐待.
- **ríver abùse** 河川の乱開発 [汚染].
- **sáfety abùse** (安全保障のための)安全装置の設置.
- **satànic abúse** =ritual abuse.
- **sélf-abúse** 自己叱責(しっせき), 自己非難.
- **séx abùse** =sexual abuse.
- **séxual abúse** 暴行, 強姦; 性犯罪, 痴漢行為.
- **síbling abùse** 兄弟姉妹への虐待 [いじめ].
- **snáck abùse** スナック菓子の過食.
- **sólvent ábuse** 溶剤 [シンナー] 乱用.
- **spóusal abùse** 夫 [妻] による配偶者への虐待 [暴行].
- **spóuse abùse** 伴侶(りょ)虐待.
- **stéroid abùse** (スポーツ選手などの)ステロイド剤乱用.
- **súbstance abùse** 〘病理〙物質乱用.
- **véhicle abùse** =car abuse.
- **wífe abùse** 妻への虐待.

-ac[1] /æk, ək/

接尾辞 …のような [に関する](もの); …に取りつかれた人.

★ -ic[1] の異形; ギリシャ語の -*i* で終わる名詞語幹について, 形容詞, 名詞をつくる.

★ 語末にくる関連形は -ACAL, -ACISM.

◆ ギリシャ語 -*akos* より.

- **am·mo·ni·ac** 名 アンモニアゴム.
- **am·ne·si·ac** 名 記憶喪失 [健忘] 症患者.
- **aph·ro·dis·i·ac** 形名 催淫(さいいん)性の(薬).
- **au·to·chon·dri·ac** 形名 《英話》自動車神経症の(人).
- **car·di·ac** 形 心臓(性)の; 心臓病の.
- **ce·ler·i·ac** 名 セルリアク, コンヨウ(根用)セロリ.
- **ce·li·ac** 形 《米》〘解剖〙腹の, 腹腔(ふくこう)の.
- **Clu·ni·ac** 名形 クリュニー修道院の修道士(の).
- **coe·li·ac** 形 =celiac.
- **de·mo·ni·ac** 形 鬼神の(ような)(demonic).
- **Di·o·nys·i·ac** 形 ディオニュソス祭の.
- **E·gyp·ti·ac** 形 古代エジプトの.
- **el·e·gi·ac** 形 哀歌 [挽歌(ばんか)] に用いる.
- **ge·neth·li·ac** 形 〘占星〙誕生日の.
- **hy·po·chon·dri·ac** 形 〘精神医学〙心気症の [にかかった].
- **il·e·ac[1]** 形 回腸(ileum)の.
- **il·e·ac[2]** 形 〘病理〙腸閉塞(へいそく)(ileus)(性)の.
- **il·i·ac** 形 腸骨(ilium)の; 腸骨の近くにある.
- **in·som·ni·ac** 名 不眠症患者; 徹夜をよくする人.
- **Is·i·ac** 形 (エジプトの女神である)イシスの.
- **ma·ni·ac** 名 ☞
- **mel·an·cho·li·ac** 形 鬱(うつ)病の. ── 名 鬱病患者.
- **-phil·i·ac** 連結形 ☞
- **si·mo·ni·ac** 名 聖職売買者, 沽聖(こせい)者.
- **sym·po·si·ac** 形 討論会の [に適した].
- **Syr·i·ac** 名 シリア語.
- **the·ri·ac** 名 糖蜜(とうみつ).
- **zo·di·ac** 名 黄道帯, 獣帯.

-ac² /æk/

語尾 しばしば短縮語の語尾.
★ 語末にくる同音形は -AC¹, -ACH, -ACK³, -AK², -AQUE.

jac 名 《話》(スポーツ)ジャケット(jacket).
lac¹ 名 ラック: 天然樹脂の一種.
lac² 名 《ラテン語》(処方箋で)ミルク.
mac¹ 名 《米・カナダ話》きみ(fellow).
mac² 名 **1** 《米話》マッキノー(mackinaw): 厚手の毛織地. **2** 《英》レインコート(mack, mackintosh).
mac³ 名 《俗》ポン引き.
pac¹ 名 (持ち運びに便利な)包み(pack).
pac² 名 パック: ブーツの内に履く柔らかい靴.
sac 名 ☞
tac¹ 名 《米俗》テトラヒドロカナビノール: マリファナの活性成分の一種.
tac² 形 戦術の(tactical).
tlac 名 《米俗》金(money).
vac 名 《英話》休暇(vacation).
zac 名 6ペンス貨; わずかな金(zack).

a·ca·cia /əkéiʃə/

名 【植物】アカシア. ⇨ -A².

bláck acácia メラノキシロン・アカシア.
fálse acácia ハリエンジュ, ニセアカシア.
kangaróo acácia ハリアカシア.
knífe acàcia サンカクバ(三角葉)アカシア.
róse acàcia ハナエンジュ(花槐).
thrée-thòrned acácia アメリカサイカチ(honey locust).

a·cad·e·my /əkǽdəmi/

名 **1** (小学校以上の)学園, 学院. **2** 《米》(私立の)高等学校. **3** (特殊な教育や訓練をする主に大学より下級の)学校, 専門学校. ⇨ -Y³.

ácorn acàdemy 《米俗》精神科病院.
Áir Fòrce Acádemy 【米軍事】空軍士官学校.
Brítish Acádemy 大英学士院.
Defénse Acádemy (日本の)防衛大学校.
Édinburgh Acádemy エディンバラ・アカデミー: 市立の中学校でイングランドのパブリックスクールに相当.
Frénch Acádemy アカデミーフランセーズ.
Japán Acádemy 学士院.
Japán Árt Acádemy 日本芸術院.
láughing acádemy 《俗》=acorn academy.
mílitary acàdemy 陸軍士官学校; 軍隊式中・高等学校・大学; 現在は女子も入れる.
nával acàdemy 海軍兵学校(naval college).
nút acàdemy 《米俗》=acorn academy.
polìce acàdemy 《米》警察学校.
Róyal Acádemy ロイヤルアカデミー, 英国王立美術院.
stréet acàdemy 《米》ストリートアカデミー: 高校中退者が続けて教育を受けられるように, 都市の低所得者居住区域に設けられた学校.

-a·cal /əkəl/

接尾辞 名詞 [形容詞] 語尾 -ac¹ に対応する形容詞語尾. ⇨ -AL¹.
[発音] 直前の音節に第1強勢.

am·mo·ni·a·cal 形 アンモニア(性)の.
he·li·a·cal 形 【天文】太陽に近い.
ma·ni·a·cal 形 熱狂的な; 狂気の.
mon·o·ma·ni·a·cal 形 偏執狂の, 偏執的な; 凝り性の.
par·a·di·si·a·cal 形 天国 [楽園] の(ような); 至福の.
par·he·li·a·cal 形 幻日(げんじつ)の; 幻日を構成する.
phar·ma·cal 形 薬学の, 薬局の; 薬剤師の.
si·mo·ni·a·cal 形 聖職売買の.

-a·canth /əkæ̀nθ/

連結形 とげのある.
★ 名詞をつくる.
★ 語頭にくる形は acanth(o)-: *acantho*cephalan「鉤頭(こうとう)虫」, *acantho*dian「棘魚(きょくぎょ)類」.
◆ ギリシャ語 *ácantha*「とげ」より.

coe·la·canth 名 【魚類】シーラカンス.
trag·a·canth 名 【植物】アジア産マメ科ゲンゲ属のとげの多い低木の総称.

ac·cel·er·a·tor /æksélərèitər, ək-/

名 加速するもの; 促進する人 [もの]. ⇨ -ATOR.

car·di·o·ac·cel·er·a·tor 名 【薬学】心機能促進剤.
línear accélerator 【物理】線形加速器, ライナック.
párticle accèlerator 【物理】粒子加速器.
sérum prothrómbin accèlerator 【生化学】血清プロトロンビン活性化促進因子.

ac·cent /ǽksent/

名 【音声】アクセント, 強勢, 訛り.

gráphic áccent 【文法】強勢符号.
gráve áccent 【音声】低アクセント.
hóvering áccent 【韻律】ためらい強勢.
Móckney áccent モックニー訛り, 偽ロンドン訛り.
Óxford áccent オックスフォード訛り.
pítch àccent 【音声】高低アクセント.
prímary áccent 【言語】第一強勢.
sécondary áccent 【言語】第二強勢.
stréss àccent 【音声】強勢アクセント.
tóne àccent 【音声】音調アクセント.
tónic áccent 【音声】高さアクセント.
wórd àccent 【音声】語強勢(word stress).

ac·cept·ance /ækséptəns, ək-/

名 **1** (提供されたものを)受け取ること. **2** 【商業】(手形・小切手などの)引き受け. ⇨ -ANCE¹.

bánk accèptance 銀行引受手形.
bánker's accèptance =bank acceptance.
non·ac·cept·ance 名 不承知, 不承諾; (手形の)引受拒絶.
tráde accèptance 貿易引受手形, 商業引受手形.

ac·cess /ǽkses/

名 **1** (場所などへ)近づく権利, (物を)利用 [入手] する機会; (マスメディア・情報への)アクセス(権). **2** (…に)近づく方法 [手段]. **3** 【コンピュータ】アクセス. ⇨ -CESS.

déck-accéss 形 バルコニーに玄関が並ぶ; 各階の屋内バルコニー通路から各戸に入れる.
diréct-áccess 形 【コンピュータ】直接アクセスできる.
dírect mémory àccess 【コンピュータ】直接メモリーアクセス.
équal áccess 【通信】平等アクセス: 長距離電話利用者が AT&T とそのライバル長距離会社いずれにも平等にアクセスできること.
múlti-àccess 形 【コンピュータ】マルチアクセスの.
múltiple-áccess 形 =multi-access.
non·áccess 名 【法律】(夫婦間の)性交渉がないこと.

A

ópen-áccess 形 《英》〘図書館〙開架式の.
públic àccess パブリックアクセス・テレビ: 視聴者の団体が安い費用でチャンネルを利用し, 番組を放送する非商業放送.
rándom áccess 〘コンピュータ〙ランダムアクセス.
rándom-áccess 形 〘コンピュータ〙ランダムアクセスの.
remóte áccess 〘コンピュータ〙リモートアクセス.
sequéntial-áccess 形 〘コンピュータ〙順次アクセスの, 逐次呼び出しの.
sérial-áccess 形 〘コンピュータ〙=sequential-access.

ac·ces·si·ble /æksésəbl, ək-/

形 (…(の手段・経路)で)接近可能な. ⇨ -IBLE.

in·ac·ces·si·ble 形 近づきがたい, 到達しがたい.
un·ac·ces·si·ble 形 =inaccessible.
whéelchair-accéssible 形 車椅子で入ることができる.

ac·count /əkáunt/

名 **1** (事件・状況などの)記述; 話, 談話; 記事, 報道. **2** 預金(高). **3** (金銭処理に関する)報告書. **4** 〘簿記〙(金銭の)貸借勘定. **5** 〘商業〙信用取引. **6** 重要性. ⇨ COUNT.

ádvertising accòunt (広告代理店業者への)委託業務.
bánk accòunt 銀行預金口座.
bánking accòunt 《英》=bank account.
búdget accòunt 月賦クレジット; 自動引落し口座.
cápital accóunt 資本(金)勘定.
cásh accòunt 現金勘定.
chárge accòunt 《米》(特に小売りの)掛け売り.
chécking accòunt 《米・カナダ》=current account.
contról accòunt 統括勘定, 統制勘定.
contrólling accòunt =control account.
cóst-accòunt 動他 …の原価計算をする.
crédit accòunt 《英》=charge account.
cúrrent accòunt 当座[経常]勘定.
defíciency accòunt 欠損金勘定, 欠損金計算書.
depósit accòunt 預金勘定[口座].
discrétionary accóunt 売買一任勘定.
dráwing accòunt 引出金勘定.
expénse accòunt 経費勘定, 必要経費.
íncome accòunt 収益[利益]勘定.
jóint accóunt 共同(預金)口座.
kéy accòunt (会社などの)上得意先, 上顧客.
lóng accóunt 顧客の買い勘定.
lóro accóunt 《英》第三者勘定(their account).
márgin accòunt (信用取引の)証拠金勘定.
nó-accòunt 形 《米話》つまらない, 無益な.
nóstro accóunt 《英》当方勘定(our account).
Nów accòunt 《米》ナウ方式貯蓄預金口座.
númbered accóunt 番号勘定, 番号口座.
ópen accóunt =current account.
prófit and lóss accòunt 損益計算書.
rúnning accóunt 交互計算勘定, 継続勘定.
sávings accòunt 《米》(普通)預金口座.
sháre accòunt 《米》信用組合の貯蓄勘定.
shórt accòunt 空(から)売り勘定.
stóck accòunt 《英》貯蔵品勘定; 株式勘定.
súper-NÓW accòunt スーパーナウ預金口座.
suspénse accòunt 仮勘定, 未決算勘定.
swéep accòunt スイープ預金勘定.
thríft accòunt 《米》=deposit account.
trúst accòunt 信託勘定.
vóstro accóunt 《英》貴方勘定(your account).

ac·count·ant /əkáuntənt/

名 〘法律〙〘商業〙会計士. ⇨ -ANT[1].

cértified accóuntant 《英》公認会計士.
cértified públic accóuntant 《米》公認会計士(略 CPA).
chártered accóuntant 《英》=certified accountant.
cóst accòuntant 原価計算係, 原価会計士.
públic accóuntant 公共会計士.
túrf accòuntant 《英》競馬の胴元(bookmaker).

ac·count·ing /əkáuntiŋ/

名 会計学; 会計, 経理; 決算, 精算; 計算(法). ⇨ -ING[1].

cóst accòunting 〘会計〙原価計算(方式), 原価会計.
creàtive accóunting 〘会計〙創作的会計(操作). 「算.
énergy accòunting (あるシステムに必要な)エネルギー計
fináncial accóunting 財務会計.
mánagement accòunting 〘会計〙管理会計, 経営管理会計.
nátional accóunting =social accounting.
sócial accóunting 社会会計.

ace /éis/

名 (トランプの)1(の札), ポイント, エース, (さいころの)1(の目).

ámbs·àce 名 《古》ぴんぞろ(double ace).
ámes·àce 名 =ambsace.
Chínese áce 《米軍俗》片側の翼を下げたまま着陸をするパイロット.
déuce-àce (2個のさいを投げて出た)2と1の目(最も悪い目).
sérvice àce (テニスなどで)サービスエース.

-ace /eis/

語尾 主にラテン語由来のフランス語の語尾から.
★ 語末にくる同音形は -ASE[2].

ace 名 ☞
brace 名 ☞
chace 動他 《古》…を追いかける, 追跡する.
dace 名 〘魚類〙ウグイ.
face 名 ☞
grace 名 ☞
lace 名 ☞
mace[1] 名 戦棍(せんこん), 鎚矛(つちほこ).
mace[2] 名 ニクズク花, メース: 香味料の一種.
mace[3] 名 《俗》詐欺, ぺてん; 詐欺師.
pace 名 ☞
place 名 ☞
race[1] 名 ☞
race[2] 名 ☞
race[3] 名 (食用にもなる)ショウガの根.
space 名 ☞
tace 名 〘甲冑〙草摺(くさずり)(tasset).
trace[1] 名 ☞
trace[2] 名 (牛・馬などを荷車・馬車などにつなぐ)引き革, 引き綱, 引き鎖.

-a·ceous /éiʃəs/

連結形 …に似た; …の性質を持つ; …でできた.
★ (1) ラテン語から借用の形容詞をつくる: cret*aceous*, herb*aceous*. (2) -acea, -aceae の語尾のつく生物分類学上の名称に対応する形容詞をつくる: cer*aceous*, ro*saceous*.
◆ ラテン語 *-āceus*「…の性質の」より. ⇨ -OUS.

ac·an·tha·ceous 形 とげのある.
ac·i·na·ceous 形 〘植物〙(ブドウのように)種の多い.
a·gar·i·ca·ceous 形 〘植物〙ハラタケ科の.
al·li·a·ceous 形 〘植物〙ネギ属の.
am·a·ran·tha·ceous 形 〘植物〙アカザ目ヒユ科の.
am·a·ryl·li·da·ceous 形 〘植物〙ヒガンバナ科の.
am·en·ta·ceous 形 〘植物〙尾状花序から成る.
am·pul·la·ceous 形 壺(つぼ)状の, 瓶の形をした.

a·myg·da·la·ceous 形 【植物】アーモンド科の.

am·y·la·ceous 形 澱粉(でんぷん)性［状, 質］の.

an·a·car·di·a·ceous 形 【植物】ウルシ科の.

an·no·na·ceous 形 【植物】バンレイシ科に属する.

ano·na·ceous 形 ＝annonaceous.

a·pi·a·ceous 形 【植物】(パセリなど)セリ科の.

a·poc·y·na·ceous 形 【植物】キョウチクトウ科の.

a·ra·ceous 形 【植物】サトイモ科の.

a·ra·li·a·ceous 形 【植物】ウコギ科の.

ar·e·na·ceous 形 【地質】【岩石】砂質の, 砂状の.

ar·gil·la·ceous 形 【地質】【岩石】粘土質の.

a·ris·to·lo·chi·a·ceous 形 【植物】ウマノスズクサ科の.

a·run·di·na·ceous 形 【植物】アシ(葦)の, トウの.

as·cle·pi·a·da·ceous 形 【植物】ガガイモ科の.

as·ter·a·ceous 形 【植物】キク科の.

av·e·na·ceous 形 【植物】カラスムギの.

bal·sa·mi·na·ceous 形 【植物】ツリフネソウ科の.

ber·ber·i·da·ceous 形 【植物】メギ科の.

bet·u·la·ceous 形 【植物】カバノキ科の.

big·no·ni·a·ceous 形 【植物】ノウゼンカズラ科の.

bom·ba·ca·ceous 形 【植物】パンヤ［キワタ］科の.

bo·rag·i·na·ceous 形 【植物】ムラサキ科の.

bras·si·ca·ceous 形 【植物】アブラナ科に属する.

bul·ba·ceous 形 【植物】球根の(ような); 球根性の.

bu·tyr·a·ceous 形 バター性の; バターを含んだ.

cac·ta·ceous 形 【植物】サボテン科の.

caes·al·pin·i·a·ceous 形 【植物】ジャケツイバラ科の.

cam·pan·u·la·ceous 形 【植物】キキョウ科の.

cap·il·la·ceous 形 毛のような, 毛状の.

car·bo·na·ceous 形 炭素の; 炭素を含む

car·du·a·ceous 形 【植物】ヤハズアザミ科の.

car·y·o·phyl·la·ceous 形 【植物】ナデシコ科の.

ce·pha·ceous 形 【植物】タマネギのような匂いの.

ce·ra·ceous 形 蝋(ろう)のような; 蝋質の.

char·ta·ceous 形 紙の; 紙のような, 紙質の(papery).

chy·la·ceous 形 乳糜(にゅうび)の; 乳糜性の.

cis·ta·ceous 形 【植物】ハンニチバナ科の.

con·vol·vu·la·ceous 形 【植物】ヒルガオ科の.

co·ri·a·ceous 形 皮革の; 皮のような.

cor·na·ceous 形 【植物】ミズキ科の.

cor·ol·la·ceous 形 花冠の; 花冠に似た, 花冠状の.

cras·su·la·ceous 形 【植物】ベンケイソウ科の.

cre·ta·ceous 形 白亜質の, 白亜に似た［を含む］.

crus·ta·ceous 形 甲殻［皮殻］の; 甲殻［皮殻］質の.

cu·cur·bi·ta·ceous 形 【植物】ウリ科の.

cur·va·ceous 形 《話》〈女性が〉曲線美の.

cy·ca·da·ceous 形 【植物】ソテツ目の.

cyl·in·dra·ceous 形 円柱［円筒］に似た.

cy·per·a·ceous 形 【植物】カヤツリグサ科の.

di·a·pen·si·aceous 形 【植物】イワウメ科の.

di·a·to·ma·ceous 形 珪藻(けいそう)類の.

dip·sa·ca·ceous 形 【植物】マツムシソウ科の.

dru·pa·ceous 形 【植物】核果［石果］(状)の.

er·i·ca·ceous 形 【植物】ツツジ科の.

er·i·na·ceous 形 【植物】ハリネズミ属の.

eu·phor·bi·a·ceous 形 【植物】トウダイグサ科の.

fa·ba·ceous 形 【植物】マメ科の.

fa·ga·ceous 形 【植物】ブナ科の.

far·i·na·ceous 形 〈食べ物が〉穀粉でできた［作った］.

fer·u·la·ceous 形 アシの; アシのような茎のある.

fo·li·a·ceous 形 葉の; 葉に似た, 葉状の; 葉質の.

fru·men·ta·ceous 形 小麦［穀物］に似た; 小麦［穀物］で作った.

fu·mar·i·a·ceous 形 【植物】ケマンソウ類の.

fur·fu·ra·ceous 形 ぬかの, ぬかを含む; ぬかに似た.

gal·li·na·ceous 形 家禽(かきん)の［に似た］.

gem·ma·ceous 形 芽［無性芽］の; 芽［無性芽］に似た.

gen·ti·a·na·ceous 形 【植物】リンドウ科の.

ge·ra·ni·a·ceous 形 【植物】ゼラニウム［フウロソウ］科の.

glu·ma·ceous 形 【植物】包頴(ほうえい)状の.

ham·a·mel·i·da·ceous 形 【植物】マンサク科の.

her·ba·ceous 形 草の, 草本の; 草のような.

hy·dro·phyl·la·ceous 形 【植物】ハゼリソウ科の.

i·cac·i·na·ceous 形 【植物】クロタキカズラ科の.

ir·i·da·ceous 形 【植物】アヤメ科の.

ju·glan·da·ceous 形 【植物】クルミ科の.

jun·ca·ceous 形 【植物】イグサ科の.

lar·da·ceous 形 ラードのような, 脂肪質の.

lau·ra·ceous 形 【植物】クスノキ科の.

lil·i·a·ceous 形 【植物】ユリの; ユリのような.

lo·ga·ni·a·ceous 形 【植物】フジウツギ科の.

lyth·ra·ceous 形 【植物】ミソハギ科の.

mag·no·li·a·ceous 形 【植物】モクレン科の.

mal·pigh·i·a·ceous 形 【植物】(熱帯アメリカ産の)キントラノオ科の.

mal·va·ceous 形 【植物】アオイ科の; ゼニアオイ属の.

mar·ga·ri·ta·ceous 形 真珠母に似た; 真珠のような.

me·li·a·ceous 形 【植物】センダン科の.

mem·bra·na·ceous 形 膜質［状］の.

men·i·sper·ma·ceous 形 【植物】ツヅラフジ科の.

men·tha·ceous 形 【植物】ハッカ科の.

mi·ca·ceous 形 雲母から成る; 雲母のような.

mim·o·sa·ceous 形 【植物】ネムノキ科に属する.

mo·ra·ceous 形 【植物】クワ科の.

mu·sa·ceous 形 【植物】バショウ科の.

myr·i·ca·ceous 形 【植物】ヤマモモ科の.

myr·si·na·ceous 形 【植物】ヤブコウジ科の.

myr·ta·ceous 形 【植物】フトモモ科の.

nyc·ta·gi·na·ceous 形 【植物】オシロイバナ科の.

nym·phae·a·ceous 形 【植物】スイレン科の［に属する］.

o·le·a·ceous 形 【植物】モクセイ科植物の.

ol·i·va·ceous 形 暗緑色の, オリーブ色の.

on·a·gra·ceous 形 【植物】アカバナ科の.

or·chi·da·ceous 形 【植物】ラン科の; ランに関する.

or·o·ban·cha·ceous 形 【植物】ハマウツボ科の.

pa·le·a·ceous 形 【植物】もみ殻に似た［覆われた］.

pal·ma·ceous 形 【植物】ヤシ科の木の.

pan·da·na·ceous 形 【植物】タコノキ科の.

pa·pav·er·a·ceous 形 【植物】ケシ科の.

pa·pil·i·o·na·ceous 形 【植物】ちょう形(花冠)の.

pap·y·ra·ceous 形 紙のような; 薄くて弱い.

pen·na·ceous 形 大羽のようにできた, 綿毛のようでない.

pi·na·ceous 形 【植物】マツ科の.

pip·er·a·ceous 形 【植物】コショウ科の.

plum·bag·i·na·ceous 形 【植物】イソマツ科の(草の).

plu·mu·la·ceous 形 柔毛性の, 綿毛質の, 幼芽(状)の.

po·a·ceous 形 【植物】イネ科の.

pol·e·mo·ni·a·ceous 形 【植物】ハナシノブ科の.

pol·y·go·na·ceous 形 【植物】タデ科の.

po·ma·ceous 形 【植物】梨果(pome)の; リンゴ類の.

por·ra·ceous 形 薄く青みがかった緑色の.

por·tu·la·ca·ceous 形 【植物】スベリヒユ科の.

prim·u·la·ceous 形 【植物】サクラソウ科の.

pul·ta·ceous 形 お粥(かゆ)のような.

raf·fle·si·a·ceous 形 【植物】ヤッコソウ科の.

ram·en·ta·ceous 形 【植物】鱗片で覆われた; 鱗片状の.

ra·nun·cu·la·ceous 形 【植物】キンポウゲ科の.

res·e·da·ceous 形 【植物】モクセイソウ科の.

rham·na·ceous 形 【植物】クロウメモドキ科の.

ro·sa·ceous 形 【植物】バラ科の.

ru·bi·a·ceous 形 【植物】アカネ科の.

ru·da·ceous 形 【地質】【岩石】礫質(れきしつ)の.

ru·ta·ceous 形 【植物】ヘンルーダ(rue)の.

sal·i·ca·ceous 形 【植物】ヤナギ科の.

san·ta·la·ceous 形 【植物】ビャクダン科の.

sap·in·da·ceous 形 【植物】ムクロジ(無患子)科の.

sap·o·na·ceous 形 せっけん質の, せっけんのような.

sap·o·ta·ceous 形 【植物】アカテツ科の.

sar·ra·ce·ni·a·ceous 形 【植物】サラセニア科の.

sau·ru·ra·ceous 形 【植物】ドクダミ科の.

sax·i·fra·ga·ceous 形 【植物】ユキノシタ科の.

scroph·u·lar·i·a·ceous 形 【植物】ゴマノハグサ科の.

se·ba·ceous 形 【生理】脂肪質［状］の, 脂肪の多い.

se·ta·ceous 形 剛毛状［質］の; 剛毛のような.

sim·a·rou·ba·ceous 形 【植物】ニガキ科の.

smi·la·ca·ceous 形 【植物】サルトリイバラ科の.

sol·a·na·ceous 形 【植物】ナス科に属する.

spa·tha·ceous 形 【植物】仏炎苞(spathe)の.

spi·na·ceous 形 【植物】ホウレンソウの(ような).

A

ster·co·ra·ceous 形 『生理』糞便(ふんべん)(状)の.
ster·cu·li·a·ceous 形 『植物』アオギリ科の.
strob·i·la·ceous 形 球果状の, 球花をつけた.
sty·ra·ca·ceous 形 『植物』エゴノキ科の.
tax·a·ceous 形 『植物』イチイ科の.
tes·ta·ceous 形 甲[外殻]の, 甲[外殻]に属する.
the·a·ceous 形 『植物』ツバキ科の.
thym·e·lae·a·ceous 形 『植物』ジンチョウゲ科の.
til·i·a·ceous 形 『植物』シナノキ科の.
ul·ma·ceous 形 『植物』ニレ科の.
ur·ti·ca·ceous 形 『植物』イラクサ科に属する.
vac·cin·i·a·ceous 形 『植物』コケモモ科の.
va·le·ri·a·na·ceous 形 『植物』オミナエシ科の.
val·lis·ne·ri·a·ceous 形 『植物』セキショウモ類の.
ver·be·na·ceous 形 『植物』クマツヅラ科の.
vi·na·ceous 形 ブドウ[ワイン]の(ような).
vi·o·la·ceous 形 『植物』スミレ科の[に属する].
vi·ta·ceous 形 『植物』(ツタを含む)ブドウ科の.
xyr·i·da·ceous 形 『植物』トウエンソウ科の.
zin·gi·ber·a·ceous 形 『植物』ショウガ科の[に属する].
zin·zi·ber·a·ceous 形 ＝zingiberaceous.
zy·go·phyl·la·ceous 形 『植物』ハマビシ科に属する.

ac·e·tate /ǽsətèit/

名 『化学』酢酸塩, 酢酸エステル. ⇨ -ATE[2].

alúminum ácetate 酢酸アルミニウム.
ammónium ácetate 酢酸アンモニウム.
ámyl ácetate 酢酸アミル.
ánisyl ácetate 酢酸アニシル.
bénzyl ácetate 酢酸ベンジル.
bórnyl ácetate 酢酸ボルニル.
bútyl ácetate 酢酸ブチル.
céllulose ácetate アセチル[酢酸]セルロース.
chrómic ácetate 酢酸第二クロム.
chrómium ácetate ＝chromic acetate.
cinnámyl ácetate 酢酸シンナミル.
Cypróterone ácetate 酢酸プロテロン.
desmopréssin ácetate 『薬学』酢酸デスモプレシン.
éthyl ácetate 酢酸エチル.
glýceryl mòno·ácetate ＝acetin.
isoámyl ácetate 酢酸イソアミル.
léad ácetate 酢酸鉛(なまり), 鉛糖.
línalyl ácetate 酢酸リナリル.
méthyl ácetate 酢酸メチル.
mèthylbénzyl ácetate ＝methylphenylcarbinyl acetate.
mèthylphènylcárbinyl ácetate メチルフェニルカービニル・アセタート: クチナシとユリの香水用.
níckel ácetate 酢酸ニッケル水溶性の緑色結晶.
péntyl ácetate 酢酸ペンチル.
phényl ácetate 酢酸フェニル.
phènylmèthylcárbinyl ácetate ＝methylphenylcarbinyl acetate.
phènylprópyl ácetate 酢酸フェニルプロピル.
polyvínyl ácetate ポリ酢酸ビニル, 酢酸ビニル樹脂.
potássium ácetate 酢酸カリウム.
stýralyl ácetate ＝methylphenylcarbinyl acetate.
sub·ác·e·tàte 名 塩基性酢酸塩.
tri·ác·e·tàte 名 トリアセタート.
vínyl ácetate 酢酸ビニル.

acétic ácid /əsíːtikæsid, əsétik-/

名 『化学』酢酸. ⇨ ACID.

acètoacétic ácid アセト酢酸.
amìnoacétic ácid アミノ酢酸, グリシン.
chloracétic ácid ＝chloroacetic acid.
chloroacétic ácid クロロ酢酸.
diacétic ácid ＝acetoacetic acid.
ethylenediaminetetraacétic ácid 『薬学』エチレンジアミン四酢酸.
glácial acétic ácid 氷酢酸, 純酢酸.
hydròxyacétic ácid グリコール酸.
indoleacétic ácid 『生化学』インドール酢酸.
méthylacétic ácid プロピオン酸.
oxalacétic ácid ＝oxaloacetic acid.
oxaloacétic ácid 『生化学』オキサロ酢酸.
oxydiacétic ácid ジグリコール酸.
phenylacétic ácid フェニル酢酸.
thiacétic ácid ＝thioacetic acid.
thioacétic ácid チオ酢酸.

ac·e·tone /ǽsətòun/

名 『化学』アセトン. ⇨ -ONE[1].

a·ce·tyl·ac·e·tone 名 アセチルアセトン.
ben·zal·ac·e·tone 名 ＝benzylidene acetone.
benzýlidene ácetone ベンジリデンアセトン.
bro·mo·ac·e·tone 名 ブロモアセトン, 臭素化アセトン.
chlo·ro·ac·e·tone 名 クロロアセトン.
di·hy·drox·y·ac·e·tone 名 『薬学』ジヒドロキシアセトン.
i·so·pro·pyl·i·dene·ac·e·tone 名 メシチルオキシド.

a·cet·y·lene /əsétəlìːn, -lin | -lìːn/

名 『化学』アセチレン. ⇨ -ENE[1].

cy·a·no·a·cet·y·lene 名 『天文』シアノアセチレン.
di·phen·yl·a·cet·y·lene 名 トラン(tolan).
ox·y·a·cet·y·lene 形 酸素アセチレンの.
vi·nyl·a·cet·y·lene 名 ビニルアセチレン.

-ach /æk/

語尾 Bach, mach の -ch は原語音では /x/.
★語末にくる同音形は -AC[1], -AC[2], -ACK[3], -AK[2], -AQUE.

Bach 名 バッハ(人名).
-brach 連結形 ☞
mach 名 マッハ(数)(mach number).
tach 名 《米話》タコメータ(tachometer).

ache /éik/

動自 〈人・体が〉(…で)(絶えず, 鈍く)痛む, うずく. ―― 名 (…の)痛み; 《複合語》…痛.

báck·àche 背中の痛み; (特に)腰痛.
bálls-áche 動自 《英》小言を言う, ―― 名 退屈な⌈物.
bélly·àche 《話》腹痛, 胃痛.
bóttle·àche 《米俗》二日酔い.
éar·àche 耳の痛み.
fáce-àche 顔面神経痛.
héad·àche ☞
héart·àche 心臓の痛み; 胸の痛み, 心痛, 悲嘆.
stómach·àche 胃痛, 腹痛, 疝痛(せんつう).
tóoth·àche 歯痛.
túmmy·àche 腹痛, はらいた.

-ache[1] /æʃ/

語尾 語末にくる同音形は -ASH[3].

cache 名 隠し場; 安全な貯蔵所.
stache 動他 《話》隠しておく(stash).
tache[1] 名 《古》留め金, 締め金.
tache[2] 名 《話》口ひげ(髭)(mustache).

-ache[2] /ɑːʃ/

語尾

mache 名 〘植物〙コーンサラダ.
tache[1] 名 《古》留め金, 締め金.
tache[2] 名 《話》口ひげ(髭).

a·chieve /ətʃíːv/

動他 〈仕事・目的などを〉成就する, 成し遂げる, 達成する.

out·a·chieve 動他 (能力などで)しのぐ, 追い越す.
o·ver·a·chieve 動自 能力以上の成績を上げる.
un·der·a·chieve 動自 能力より低い成績を収める.

ac·id /ǽsid/

名 〘化学〙酸.

abiétic ácid アビエチン酸.
abscísic ácid 〘生化学〙アブシジン酸.
acétic ácid ☞
acètylsalicýlic ácid 〘薬学〙アセチルサリチル酸.
acrýlic ácid アクリル酸.
adenýlic ácid 〘生化学〙アデニル酸.
adípic ácid アジピン酸.
ágaric ácid アガリシン酸.
algínic ácid アルギン酸, 海藻酸.
amíno ácid 〘生化学〙アミノ酸.
amìnosalicýlic ácid 〘薬学〙アミノサリチル酸.
amìnosuccínic ácid 〘生化学〙＝aspartic acid.
amygdálic ácid アミグダリン酸.
ant·ácid 形 (胃酸など)酸を中和する, 制酸性の.
anthranílic ácid アントラニル酸.
antimónic ácid 五酸化二アンチモン, アンチモン酸.
arachídic ácid アラキン酸.
arachidónic ácid 〘生化学〙アラキドン酸.
arsanílic ácid アルサニル酸.
arsénic ácid ヒ酸.
arsénious ácid 亜ヒ酸.
ársenous ácid 亜ヒ酸.
ascórbic ácid 〘生化学〙アスコルビン酸.
asparagínic ácid 〘生化学〙＝aspartic acid.
aspártic ácid 〘生化学〙アスパラギン酸.
barbitúric ácid 〘生化学〙バルビツール酸.
báttery àcid 《米軍俗》コーヒー.
behénic ácid ベヘン酸.
benzóic ácid 〘薬学〙安息香酸.
bíle àcid 〘生理〙胆汁酸.
bolétic ácid ＝fumaric acid.
bóric ácid ☞
bòrosilícic ácid ホウケイ酸.
brómic ácid 臭素酸.
Brönsted ácid ブレンステッド酸.
butýric ácid 酪酸.
cacodýlic ácid カコジル酸.
cápric ácid カプリン酸, デカン酸.
capróic ácid カプロン酸.
caprýlic ácid カプリル酸, オクタン酸.
carbámic ácid 〘生化学〙カルバミン酸, アミノギ酸.
carbazótic ácid ＝picric acid.
carbólic ácid 石炭酸(phenol).
carbónic ácid 炭酸.
carboxýlic ácid カルボキシル酸, カルボン酸.
carmínic ácid カルミン酸.
Cáro's ácid ペルオキソ硫酸.
cerínic ácid ＝cerotic acid.
cerótic ácid セロチン酸, ヘキサコサン酸.
cetýlic ácid ＝palmitic acid.
cevitámic ácid 〘生化学〙＝ascorbic acid.
chínic ácid ＝quinic acid.
chlóric ácid 塩素酸.
chloróauric àcid 金塩化水素酸.
chlòrogénic ácid 〘生化学〙クロロゲン酸.
chloroplatínic ácid クロロ白金酸.
chlórous ácid 亜塩素酸.
chólic ácid 〘生化学〙コール酸.
chrómic ácid クロム酸.
cinnámic ácid 桂皮(けいひ)酸.
cisaconític ácid 〘生化学〙シスアコニチン酸.
cítric ácid 〘生化学〙クエン酸.
crotónic ácid クロトン酸.
cyánic ácid シアン酸, 青酸.
cyanúric ácid シアヌル酸.
cýclamic ácid シクラミン酸.
cyclohexylsulfámic ácid シクロヘキシルスルファミン酸.
decanóic ácid ☞
decóic ácid デコイン酸.
decýlic ácid デシル酸.
deòxychólic ácid 〘生化学〙デオキシコール酸.
deòxyribonucléic ácid 〘遺伝〙デオキシリボ核酸(DNA).
di·ácid 形 二塩基(性)酸の, 二酸(性)の.
dichrómic ácid 重クロム酸, 二クロム酸.
diglycólic ácid ジグリコール酸.
dithiónic ácid ジチオン酸.
dithíonous ácid 亜ジチオン酸.
docosahexaenóic ácid 〘生化学〙ドコサヘキサエン酸.
docosanóic ácid ドコサン酸.
dodecanóic ácid ＝lauric acid.
decanedióic ácid デカン二酸.
eicosapentaenóic ácid 〘生化学〙エイコペンタエン酸.
ellágic ácid 〘薬学〙エラグ酸.
enánthic ácid エナント酸.
erúcic ácid エルカ酸.
erythórbic ácid エリトルビン酸.
ethacrýnic ácid 〘薬学〙エタクリン酸.
fátty ácid 〘生化学〙脂肪酸.
fèrricyánic ácid フェリシアン酸.
fèrrocyánic ácid フェロシアン酸.
ferúlic ácid フェルラ酸.
flùosilícic ácid (ヘキサ)フルオロケイ酸.
fólic ácid 〘生化学〙葉酸.
folínic ácid 〘生化学〙〘薬学〙フォリニン酸.
fórmic ácid 〘薬学〙ギ(蟻)酸.
fulmínic ácid 雷酸.
fumáric ácid 〘生化学〙フマル酸.
galacturónic ácid 〘生化学〙ガラクツロン酸.
gállic ácid 没食子(もっしょくし)酸.
gámma ácid ガンマ酸.
gentiánic ácid 〘薬学〙ゲンチシン(gentisin).
gentísic ácid 〘薬学〙ゲンチシン酸.
gibberéllic ácid 〘生化学〙ジベレリン酸.
glucáric ácid ＝saccharic acid.
glucónic ácid 〘生化学〙グルコン酸.
glucurónic ácid 〘生化学〙グルクロン酸.
glutámic ácid 〘生化学〙グルタミン酸.
glutáric ácid グルタル酸.
glycéric ácid 〘生化学〙グリセリン酸.
glycochólic ácid 〘生化学〙グリココール酸.
glycogénic ácid ＝gluconic acid.
glycólic ácid グリコール酸.
glycónic ácid 〘生化学〙＝gluconic acid.
glycurónic ácid 〘生化学〙＝glucuronic acid.
glyoxýlic ácid 〘生化学〙グリオキシル酸.
gréen ácid グリーン酸.
guanýlic ácid 〘生化学〙グアノシン 5′－一リン酸.
héptanedioic ácid ヘプタン二酸.
héptanoic àcid ヘプタン酸.
hexacosanóic ácid ＝cerotic acid.
hexanedióic ácid オクタン二酸.
hèxanóic ácid ＝caproic acid.
hiochic ácid ＝mevalonic acid.
hippúric ácid 馬尿酸.
hòmovaníllic ácid 〘生化学〙ホモバニリン酸.
húmic ácid フミン酸, 腐植酸.
hyalurónic ácid 〘生化学〙ヒアルロン酸.
hydnocárpic ácid 〘薬学〙ヒドノカルピン酸.
hy·drác·id 水素酸, 酸性塩.
hydrazóic ácid 〘生化学〙ヒドラゾ酸.

A

hydriódic ácid ヨウ化水素酸.
hydrobrómic ácid 臭化水素酸.
hỳdrocinnámic ácid ヒドロ桂皮(けいひ)酸.
hydrocyánic ácid 青酸, シアン化水素酸.
hydroflúoric ácid フッ化水素酸.
hỳper·ácid 形 酸過多の; 胃酸過多の.
icosanóic ácid イコサン酸.
inosínic ácid 〖生化学〗イノシン酸.
iódic ácid ヨウ素酸.
isocyánic ácid イソシアン酸.
ìsonicotínic ácid イソニコチン酸.
ìsophthálic ácid イソフタル酸.
itacónic ácid イタコン酸.
káinic ácid 〖薬学〗カイニン酸.
láctic ácid 〖生化学〗乳酸.
larixínic ácid マルトール(maltol).
láuric ácid ラウリン酸.
levulínic ácid レブリン酸.
Léwis ácid ルイス酸.
lichénic ácid =fumaric acid.
linoléic ácid リノール酸.
linolénic ácid リノレン酸.
lipóic ácid 〖生化学〗リポ酸, チオクト酸.
lysérgic ácid リゼルギン酸, リセルグ酸.
maléic ácid マレイン酸.
málic ácid リンゴ酸.
malónic ácid マロン酸.
mandélic ácid マンデル酸.
mangánic ácid マンガン酸.
margáric ácid マルガリン酸.
mecónic ácid メコン酸.
mefenámic ácid 〖薬学〗メフェナム酸.
methacrýlic ácid メタクリル酸.
methanóic ácid =formic acid.
mevalónic ácid メバロン酸, 火落(ひおち)酸.
míneral ácid 鉱酸, 無機酸.
míxed ácid 混酸.
mon·ácid 名形 =monoacid.
mòno·ácid 名形 一酸(の).
múcic ácid 粘液酸, ガラクト糖酸.
mucónic ácid 〖生化学〗ムコン酸.
murámic ácid 〖生化学〗ムラミン酸.
muriátic ácid 《俗》塩酸, 塩化水素酸.
myrístic ácid ミリスチン酸.
nalidíxic ácid 〖薬学〗ナリジクス酸.
naphthálic ácid ナフタル酸.
neuramínic ácid 〖生化学〗ノイラミン酸.
nicotínic ácid 〖生化学〗ニコチン酸.
nióbic ácid ニオブ酸.
nítric ácid 硝酸.
nìtro·ácid ニトロ酸.
nítrous ácid 亜硝酸.
nìtroxánthic ácid =picric acid.
nonanóic ácid =pelargonic acid.
nucléic ácid 〖生化学〗核酸.
octanedióic ácid オクタン二酸.
oléic ácid オレイン酸.
òrthophthálic ácid オルトフタル酸.
oxálic ácid シュウ酸.
oxalosuccínic ácid 〖生化学〗オキサロコハク酸.
óxo àcid =oxyacid.
óxy·àcid 酸素酸, オキソ酸, オキシ酸.
óxygen ácid =oxyacid.
palmític ácid パルミチン酸.
palmitoléic ácid パルミトレイン酸.
pantothénic ácid 〖生化学〗パントテン酸.
páper àcid 《俗》液状 LSD に浸して乾かした紙.
pára-aminosalicýlic ácid 〖薬学〗パラアミノサリチル酸.
péctic ácid ペクチン酸.
pelargónic ácid ペラルゴン酸.
pentanóic ácid ペンタン酸.
per·ácid 過酸.
perbrómic ácid 過臭素酸.
perchrómic ácid 過クロム酸.
periódic ácid 過ヨウ素酸.
permangánic ácid 過マンガン酸.
peròxy·ácid 過酸.
phenýlic ácid フェノール(phenol), 石炭酸.
phòsphoènolpyrúvic ácid ホスホエノールピルビン酸.
phosphónic ácid =phosphorous acid.
phosphóric ácid ☞
phósphorous ácid ホスホン酸, 《俗に》亜リン酸.
phthálic ácid フタル酸.
phýtic ácid フィチン酸.
picrámic ácid ピクラミン酸.
pícric ácid ピクリン酸.
pimélic ácid ピメリン酸.
platínic ácid 白金酸, 水酸化白金.
platinocyánic ácid シアン化白金酸.
pòly·ácid 形 ポリ酸の, 多重酸の.
pòlyacrýlic ácid ポリアクリル酸.
pòlyadenýlic ácid 〖生化学〗ポリアデニル酸, ポリ A.
pòlycytidýlic ácid 〖生化学〗ポリシチジル酸.
pòlyinosínic ácid 〖生化学〗ポリイノシン酸.
pòlyuridýlic ácid 〖生化学〗ポリウリジル酸.
propanóic ácid =propionic acid.
propiónic ácid 〖薬学〗プロピオン酸.
prússic ácid =hydrocyanic acid.
pséudo ácid 擬似酸, 擬酸.
pteróic ácid プテロイン酸.
pteroylglutámic ácid 〖生化学〗=folic acid.
purpúric ácid プルプル酸.
pỳro·ácid ピロ酸.
pyrolígneous ácid 木酢(もくさく)液(wood vinegar).
pỳroracémic ácid =pyruvic acid.
pyrúvic ácid 〖生化学〗ピルビン酸.
quínic ácid キナ酸.
racémic ácid ラセミ酸, ブドウ酸, dl- 酒石酸.
rìbonucléic ácid 〖生化学〗リボ核酸(RNA).
ricinoléic ácid リシノール酸.
saccháric ácid 糖酸.
salicýlic ácid 〖薬学〗サリチル酸.
sebácic ácid セバシン [セバチン] 酸.
selénic ácid セレン酸.
selénious ácid 亜セレン酸.
siálic ácid 〖生化学〗シアル [シアリン] 酸.
silícic ácid ケイ酸.
sórbic ácid ソルビン酸.
stánnic ácid 錫(すず)酸.
steáric ácid ステアリン酸, オクタデカン酸.
stýphnic ácid スチフニン酸.
sùb·ácid 形 いくらか酸っぱい, 弱酸性の.
subéric ácid スベリン酸, コルク酸.
succínic ácid 琥珀(こはく)酸.
sulfámic ácid スルファミン酸.
sulfanílic ácid スルファニル酸.
sulfónic ácid スルホン酸.
sulfúric ácid ☞
súlfurous ácid 亜硫酸.
súper·àcid 超(強)酸.
sýlvic ácid =abietic acid.
tánnic ácid タンニン(酸)(tannin).
tantálic ácid タンタル酸.
tartáric ácid 酒石酸.
taurochólic ácid タウロコール酸.
teichóic ácid 〖生化学〗テイコイン酸, テイコ酸.
tellúric ácid (オルト)テルル酸.
terébic ácid テレビン酸.
terephthálic ácid テレフタル酸.
te·trác·id 名 四酸.
tetracosanóic ácid テトラコサン酸.
thío ácid チオ酸.
thióctic ácid 〖生化学〗チオクト酸.
thiocyánic ácid チオシアン酸.
thiónic ácid チオン酸.
thymidýlic ácid 〖生化学〗チミジル酸.
thỳmonucléic ácid 〖生化学〗胸腺核酸.
tíglic ácid チグリン酸.

titánic ácid 二酸化チタン.
tolúic ácid トルイル酸, メチル安息香酸.
tráns-fatty àcid 〘生化学〙不飽和脂肪酸.
tri·ácid 形 三酸の.
tríc àcid 《米麻薬俗》上質の LSD.
tricyánic ácid =cyanuric acid.
túngstic ácid タングステン酸, ウォルフラム酸.
undecylénic ácid ウンデシレン酸.
úric ácid 〘生化学〙尿酸.
uridýlic ácid 〘生化学〙ウリジル酸.
urocánic ácid ウロカニン酸.
urónic ácid 〘生化学〙ウロン酸.
úsnic ácid 〘薬学〙ウスニン酸.
valéric ácid 吉草(きっそう)酸, バレリアン酸.
valpróic ácid 〘薬学〙バルプロ酸.
vanádic ácid バナジン酸.
verátric ácid ベラトルム酸.
vitriólic ácid 《古》硫酸.
wóod àcid 木酢酸.
xánthic ácid キサントゲン酸.
xanthoprotéic ácid キサントプロテイン酸.
xénic ácid キセノン酸.
xýlic ácid キシリル酸.

a·cid·i·ty /əsídəti/

名〘化学〙酸性度, 酸度. ⇨ -ITY.

an·a·cid·i·ty 名 〘医学〙胃酸欠乏症, 無酸症.
hy·per·a·cid·i·ty 名 〘病理〙酸過多(症); 胃酸過多(症).
hy·po·a·cid·i·ty 名 〘病理〙(胃液などの)低酸(症).
sub·a·cid·i·ty 名 弱酸性.

-a·cious /éiʃəs/

接尾辞 …の.
★ -acity, -acy の語尾を持つ名詞に対応する形容詞をつくる.
◆ <ラ *-āci-*(形容詞接尾辞 *-āx* の語幹)+-OUS.

au·da·cious 形 大胆な, 豪胆な; 向こう見ずな.
con·tu·ma·cious 形 〈人が〉強情な, 反抗的な.
e·da·cious 形 むさぼり食う; 大食いの.
ef·fi·ca·cious 形 〈治療・措置などが〉有効な, 効能のある.
fal·la·cious 形 誤りのある, 論理的に正しくない.
fu·ga·cious 形 《文語》はかない, 逃げやすい.
lo·qua·cious 形 話好きの, おしゃべりな, 多弁な.
men·da·cious 形 (特に, 悪気はなく)よくうそをつく.
mi·na·cious 形 《文語》脅しの, 威嚇[脅迫]的な.
mor·da·cious 形 かみつく, かみつき癖のある.
per·ti·na·cious 形 《文語》根気強い, 粘り強い.
pre·da·cious 形 〈動物が〉捕食性の, 肉食性の.
pug·na·cious 形 けんか早い, 好戦的な, 戦闘的な.
ra·pa·cious 形 略奪を欲しいままにする.
sa·ga·cious 形 賢明な, 利口な; 抜け目のない.
sa·la·cious 形 〈人が〉好色な, 淫乱(いんらん)な.
se·qua·cious 形 筋道の通った, 論理の一貫した.
te·na·cious 形 固持する, 固執する.
ve·ra·cious 形 いつも真実を語る, 正直な, 誠実な.
vi·va·cious 形 活発な, 元気な, 快活な, 陽気な.
vo·ra·cious 形 大食の, がつがつ食べる.

-a·cism /əsìzm/

接尾辞 …の傾向があること. ⇨ -ISM[1].
★ 名詞をつくる.
★ 主に言語学で使われる.

i·o·ta·cism 名 〘ギリシャ文法〙イオタ化.
i·ta·cism 名 〘ギリシャ文法〙母音字 η(eta)を /iː/ と発音すること.
lamb·da·cism 名 〘音声〙/l/ 音の使用過多, /l/ 音の発音の誤り, /l/ 音を他の音(/r/ など)の代わりに使うこと.
rho·ta·cism 名 〘歴史言語〙r 音化.

-ac·i·ty /ǽsəti/

接尾辞 -acious に対応する名詞をつくる.
★ 語末にくる関連形は -ACY.
◆ ラテン語 *-ācitās* より. ⇨ -ITY.

ca·pac·i·ty 名 ☞
e·dac·i·ty 名 むさぼり食うこと; 過食, 大食.
ef·fi·cac·i·ty 名 効能, 効験; 有効性(efficacy).
fe·rac·i·ty 名 《まれ》多産, 肥沃(ひよく).
lo·quac·i·ty 名 おしゃべり, 饒舌(じょうぜつ).
men·dac·i·ty 名 うそつきであること; 虚言癖.
mor·dac·i·ty 名 かみつき癖.
nu·gac·i·ty 名 無意味(なもの), 無価値(なもの).
per·spi·cac·i·ty 名 明敏, 眼識, 洞察力.
per·ti·nac·i·ty 名 根気強さ, 粘り強さ, 頑固, 不屈.
sa·gac·i·ty 名 賢明, 利口; 明敏, 機敏.
te·nac·i·ty 名 固執; 頑固; 粘り強さ.
ve·rac·i·ty 名 いつも真実を語ること, 正直さ.
vi·vac·i·ty 名 活発[元気, 快活]な性質[状態].
vo·rac·i·ty 名 大食; 食欲旺盛(おうせい)なこと.

-ack[1] /ǽk, æ̀k/

音象徴間 **1** ガーガー, ペチャクチャ; アヒルの鳴き声やおしゃべりの声などやかましい音を表す. **2** パチッ, ピシャッ, パーン, カチッ; (平手・棒などによる)強打, 破壊・炸裂の音, 鋭く乾いた機械的な音を表す.
★ -ac, -ak ともつづる. ◇ -AK[2].

ack 間 《米俗》ありゃ, うはっ.
clack 動自 〈織機・タイプライターなどが〉短く鋭い(連続)音をたてる, カタン[パチッ, カタカタ, パタパタ, パチパチ, ガチャリ]と音をたてる.
crack 動自 ピッ, バリッとひび割れる, (急に)鋭い音を出す, 衝撃[破裂]音を立てる; 〈むちなどが〉ピシッと鳴る; 〈銃・砲弾などが〉パーンと炸裂(さくれつ)する. ━━名 きず; 割れ目.
flack 名 (戦闘機隊が受ける)対空砲火(flak). ►擬声的に感じられる.
hack 名 短い空咳.
kack 動自 《米話》吐く, 戻す.
mi·cro·crack 名 (ガラスなどの)微小ひび割れ; 〘地質〙微小亀裂. ━━動自他 微小ひび割れが入る.
quack 名 (アヒルなどの)ガーガーいう鳴き声; (ラジオなどの)騒音.
rack[1] 名 (馬の)軽駆け, ラック.
rack[2] 名 飛び[ちぎれ]雲(cloud rack).
rim·rack 動他 《ニューイングランド》〈岩礁などが〉〈船を〉こわす, 〈網を〉破る.
smack 動他 (特に平手・平たい物で)強打する, ピシャッと打つ; (特に)〈子供を〉たたいてしかる; …にチュッと音をたててキスをする. ━━名 平手打ち; (音をたててする)キス. ►smak とも綴(つづ)る; 長く吸うようにキスする音は smooch.
thwack 動他 …を(平たいもので)ひっぱたく, ピシャリと打つ(whack). ━━名 (平たいもので)ひっぱたく[ピシャリと打つ]こと[音].
wack 動他 =whack.
whack 動他 **1** (杖などで)激しく[ピシッと]打つ, ひっぱたく, 殴る. **2** 《米俗》〈男性が〉自慰をする(masturbate). **3** 《俗》勢いよく作り出す, 素早く[いい加減に]仕上げる.
whip·crack 名 むち打つこと; ピシッという音.
wise·crack 名 《話》気の利いた言葉, ぴりっとした冗談, 警句; 生意気な言いぐさ.
yack[1] 動他自《俗》だらだら［べらべら］としゃべくる, だべる(yak, yack-yack).
yack[2] 名《米俗》大笑い(yuk).

-ack[2] /ǽk, æ̀k/

音象徴間 音象徴語の重複形に見られる語尾要素. しばしば i と a の母音交替がある. また, 前半とのつなぎに -ety- という接中辞が入るものがある.

clíck-cláck 間名 カチカチ, カタカタ, カタコト.
clíckety-cláck 間 カタカタ, カタコト, ガタンゴトン. ――動自 カタカタ［ガタンゴトン］音をたてる.
quáck-quáck 名 ガーガー(アヒルの鳴き声); アヒル.
tíck-tàck 名 (時計などの)カチカチ［チクタク, コツコツ, カチッカチッ, カチリカチリ］(という音); 心臓のどきどき(という音), 鼓動. ――動自 カチカチ［チクタク, コツコツなど］と音をたてる. ――他《米》〈戸や窓を〉いたずら鳴子でコツコツ鳴らす. ▼ tictac とも綴(つづ)る.
yáck(ety)-yáck 動他自《俗》だらだら［べらべら］としゃべくる, だべる(yak).
yéck-yéck-yáck 間《クロハサミアジサシ(black skimmer)の鳴き声で》ギャギャギャッ.

-ack[3] /ǽk/

語尾 語末にくる同音形は -AC[1], -AC[2], -ACH, -AK[2], -AQUE.

ack[1] 名《英》A を表す通信用語.
ack[2] 動他《英俗》認める(acknowledge).
back[1] 名 ☞
back[2] 副 ☞
back[3] 名 (染色・醸造・蒸留などに使う)大桶.
black 形 ☞
brack 名《アイル》乾燥した果物入りのケーキ［パン］.
cack[1] 名 カック: 幼児用の底の柔らかい, かかとのない靴.
cack[2] 名《俗》糞(ふん).
cack[3] 名《米俗》美女(cake).
crack 名 ☞
drack 形《豪俗》〈特に女性が〉魅力のない, 美しくない.
fack 動自《米黒人俗》本当のことを言う.
flack 名《主に米》(劇場・俳優などの)報道係(press agent).
hack[1] 名 (金もうけ主義の)通俗的な芸術家.
hack[2] 名 (魚・チーズなどの)干し台, 乾燥台.
jack[1] 名 ☞
jack[2] 名 パラミツ(jackfruit).
jack[3] 名《古》(中世の, 歩兵などが着た通例革製の)防御用上衣.
kack 名 ＝cack[2].
knack 名 (…の)要領, こつ, 才覚.
lack 名 (…の)不足; 欠乏, 欠如.
mack[1] 名《米俗》ぽん引き, ひも(pimp).
mack[2] 名《話》マッキノー(mackinaw): 厚手の毛織地.
pack[1] 名 ☞
pack[2] 動他〈委員(会)・トランプ札などを〉自分に有利なように選ぶ.
pack[3] 形《スコット》ごく親しい間柄の.
-pack 連結形 ☞
plack 名 プラック銅貨.
quack 名《米麻薬俗》クエイルード.
rack[1] 名 ☞
rack[2] 動他〈果実酒などを〉おりから搾り取る.
rack[3] 名 (羊・豚・子牛などの)首肉.
sack[1] 名 ☞
sack[2] 動他〈占領地・都市などを〉略奪する.
sack[3] 名《古》サック酒.
schlack 名《米俗》安物の, くずの.
schmack 名《米麻薬俗》ヘロイン; 麻薬.
shack[1] 名 丸太小屋; 掘っ建て小屋.
shack[2] 動他《話》取り戻す; 捜して連れ戻す.
slack[1] 形〈結び目などが〉緩んだ, たるんだ.
slack[2] 名 (径 3 mm 以下の低級)粉炭; くず炭.
smack[1] 名 (…の)味, 風味, 香り.
smack[2] 名《米東部》生け簀(す)のある漁船.
smack[3] 名《俗》ヘロイン.
smack[4] 名《米話》地獄(hell).
snack 名 一口, 少量; 簡単な食事, スナック.
stack 名 ☞
strack 形《米軍俗》身なりを厳格に守る.
tack[1] 名 ☞
tack[2] 名《俗》食料, 食べ物.
tack[3] 名《スコット》(特に農地の)賃貸借.
tack[4] 名《米話》自記回転速度計(tachograph).
tack[5] 名 むさくるしさ, 汚らしさ, 乱雑さ.
track[1] 名 ☞
track[2] 動他〈船を〉(ロープなどで)引く.
wack 名《米俗》変なやつ(wacko).
whack 名 ＝wack.
wrack[1] 名 ☞
wrack[2] 名 ＝rack[4].
zack 名《豪俗》《廃》6 ペンス貨.

-ack·le[1] /ǽkl/

音象徴 **1** コッコッ, クワックワッ; (雌鶏などが)甲高い声で鳴くこと, また, その鳴き声を表す. **2** パリパリ, パキパキ, パチパチ; 陶器などがひび割れることや薪が音をたてて燃えること, また, それらの音を表す. ◇ -LE[3].

cack·le 動自〈雌鶏が〉(甲高く)クワックワッ［コッコッ］と鳴く.
crack·le 動自〈火が〉パチパチ音をたてる; 細かいひびができる. ――他 …をパチパチ［パリパリ］音をたてさせる, 細かくひびを入れる. ――名 パチパチ［パリパリ］.

-ack·le[2] /ǽkl/

語尾

mack·le 名【印刷】二重刷り; ずれ.
rack·le 形《主にスコット》強情な.
shack·le 名《英俗》シチュー; スープ.

a·cous·tic /əkúːstik/

形 聴覚の, 聴官の; 音の, 音響の; 音響学(上)の. ⇨ -TIC.

an·a·cous·tic 形 無音響の, 音波非伝導層の.
e·lec·tro·a·cous·tic 形 電気音響(学)の.
hy·dro·a·cous·tic 形 流体［水中］音波の; 水中音響学の.
is·a·cous·tic 形〈2 つの音が〉等音響の.
op·to·a·cous·tic 形 音響光学の.

a·cous·tics /əkúːstiks/

名複《単数扱い》【物理】音響学. ⇨ -ICS.
★ 語頭にくる関連形は acousto-: *acousto*phonetics「音響音声学」.

aer·o·a·cous·tics 名複 航空音響学.
bi·o·a·cous·tics 名複 生聴音学, 生体音響学.
e·lec·tro·a·cous·tics 名複 電気音響学.
hy·dro·a·cous·tics 名複 水中音響学.
psy·cho·a·cous·tics 名複 心理音響学, 精神聴覚学.
ra·di·o·a·cous·tics 名複 電波学, 電波技術, 無線音響学.

a·cre /éikər/

名 エーカー: 地積の単位.

bláck·àcre 〘法律〙甲地; 仮定の土地.
fórage àcre 〘畜産〙飼草エーカー.
fórty-àcre 《米·NZ》40 エーカーの土地.
God's Little Acre 墓地,「神の小さな地」: E.Caldwell の小説の題.
whíte·àcre 〘法律〙(特に blackacre と区別して)仮定の土地.

act /ǽkt/

名 **1** 行為, 所業, 行い; 動き, 動向. **2** 法令. **3** 幕, 段. ——動自 **1** 行動を起こす; 振る舞う. **2** 演じる.

ármy àct 陸軍刑法.
báby àct 〘米法〙未成年者の行為.
bálancing àct (危ない)綱渡り.
Báttle Áct 〘米史〙バトル法.
Blánd-Állison Áct 〘米史〙ブランド=アリソン法.
Bútler Áct 《英》バトラー法.
Cánada Áct (英国議会の法令で)カナダ法.
Cát and Móuse Áct 《英》「ネコとネズミ法」: 不健康による囚人の一時釈放法の通称.
Cátholic Emancipátion Áct 〘英史〙カトリック(教徒)解放令.
cláss àct 《話》一流の [傑出した] もの [人].
co·áct 動他自 (…と)ともに働く, 協力する.
cód-àct 動自 《アイル話》かつぐ, 馬鹿にする.
Corporátion Áct 〘英史〙地方自治体法.
corrúpt práctices àct 〘米法〙不正選挙防止法.
còunt·er·áct 動他 …に反対に作用する, 対抗する.
Disábled Pérsons Emplòyment Áct 《英》心身障害者雇用法.
dónkey àct 《米俗》ばかな行為 [まね].
Dútch àct 自殺.
enclósure àct 〘英史〙囲い込み条令 [法].
Équal Crédit Opportùnity Áct 《米》信用機金均等法(1976).
Éxport Tráding Cómpany Áct 《米》輸出商社法.
Féderal Bánkruptcy Áct 《米》連邦破産法.
Fúlbright Áct 《米》フルブライト法.
gáme àct 狩猟法.
Gláss-Stéagall Áct 《米》グラス・スチーガル法(1933).
Gróup Áreas Áct 《南アフリカ》集団地域法(1950).
Gún Contról Áct 《米》鉄砲規制法.
Hábeas Córpus Áct 〘英史〙人身保護法.
Hátch Áct 《米》ハッチ法.
Hómestead Áct 〘米史〙ホームステッド法.
hóvering àct 〘国際法〙(領海内)違法航行制限 [禁止] 法.
Immigrátion and Nationálity Áct =McCarran-Walter Act.
ìn·ter·áct[1] 動自 相互に作用する.
ín·ter·àct[2] 名 幕間(まく).
Kánsas-Nebráska Áct 〘米史〙カンザス=ネブラスカ法.
Kinkáid Áct 〘米史〙キンケード法.
Lábor-Mánagement Relátions Áct =Taft-Hartley Act.
Lándrum-Gríffin Áct 《米》ランドラム=グリフィン法.
Líndbergh Áct 《米》リンドバーグ法.
Lóbbying Regulátion Áct 〘米政治〙ロビー活動規制法(1946).
Mánn Áct 《米》マン法.
McCárran-Wálter Áct 《米》マッカラン=ウォールター法.
Mórrill Áct 〘米史〙モリル法.
Múskie Áct 《米》マスキー法.
Nátional Assístance Áct 《英》国家扶助法.
Nátional Indústrial Recóvery Áct 《米》全国産業復興法(1933).
Nátional Lábor Relátions Áct 《米》全国労働関係法(1935).
Navigátion Áct 〘英史〙航海法, 航海条例.
Nonìntercourse Áct 〘米史〙通商禁止法.
Offícal Sécrets Áct 《英》国家機密保護法(1911).
Óld Páls Áct 《英》親友法: 友人同士は助け合うべきという信条をおどけて表現したもの.
òut·áct 動他 …のうわ手に出る, しのぐ, 勝る.
ò·ver·áct 動他 大げさに演じる.
Párliament Áct 《英》国会法(1911).
pláy·àct 動自 〈子供が〉ごっこ遊びをする.
prívate áct 〘法律〙個別的法律.
públic áct 一般法律.
Púre Fóod and Drúg Áct 〘米史〙純正食品薬事法.
re-áct 動他 やり直す, 繰り返す; 再演する.
Refórm Áct 〘英史〙選挙法改正案.
rét·ro·àct 動自 逆に働く, 反対に作用する.
Ríot Áct 《英》騒擾(そうじょう)取締法(1715).
rúsh àct 《俗》猛進撃; 女性への猛烈アタック.
séx àct 性的交渉 [行為], 交接, 性交.
síster àct 《米俗》同性愛者間の性的関係.
Smíth Áct 《米》スミス法(1940).
Smíth-Cónnally Áct 《米》スミス=コナリー法(1943).
Sócial Secúrity Áct 〘米政府〙社会保障法.
spécial áct 特別法.
spéech àct 〘哲学〙〘言語〙発話行為.
Stámp Áct 〘米史〙印紙税法 [条令].
Súgar Áct 〘米史〙砂糖条例, 砂糖法.
Táft-Hártley Áct 《米》タフト=ハートレー法.
Téa Áct 〘米史〙茶税法.
tést àct (公務に就く条件として国教への信仰を要求する)宣誓令.
Tolerátion Áct 〘英史〙寛容令.
Tráde Descríptions Áct 《英》商業表示法.
ùn·der·áct 動他自 〈役を〉抑えて演じる.
Unifórmity Áct 〘英史〙統一令, 礼拝統一法.
Vólstead Áct 《米》ボルステッド禁酒法(1919).
Vóting Ríght Áct 《米》投票権法(1965).
Wágner Áct 《米》ワグナー法.
Whíte Sláve Áct =Mann Act.

-act[1] /ǽkt/

連結形 行う.
★ 語頭にくる形は act-: *act*ive「活動的な」, *act*or「俳優」.
◆ 中英 *-acten* <ラ *-āctus*(*agere*「駆る」の過去分詞より).

en·act 動他 〈法律・条令を〉制定する.
ex·act 形 〈描写・記憶などが〉正確な, 的確な.
re·act 動自 ☞
trans·act 動他 〈業務・交渉などを〉行う, 処理する; 「〈事を〉運ぶ.

-act[2] /ǽkt/

語尾 ラテン語動詞の過去分詞形 *-āctus* に由来するもの(act), 名詞の *-actum* からきたもの(fact, pact)など.

act 名 ☞
bract 名 〘植物〙苞葉(ほうよう), 苞.
fact 名 ☞
-fact 連結形 ☞
pact 名 ☞
tact 名 如才なさ, 臨機応変の才, 機転.
tract[1] 名 ☞
tract[2] 名 (通例, 宗教・政治問題の)小冊子.
-tract 連結形 ☞

act·ing /ǽktiŋ/

形 **1** 代理 [代行, 臨時] の; 事務取り扱いの. **2** 行う, 実行する. **3** 作用する, 効く. ——名 演技. ⇨ -ING[2], -ING[1].

diréct-àcting 形 〈蒸気ポンプが〉直動の.
dóuble-ácting 形 〈往復機関・ポンプなどが〉複動の.

A

ensémble àcting アンサンブル演技［演出］.
fást-ácting 形 〈肥料・薬品が〉速効性の.
intermédiate-ácting 形 【薬学】中程度作用形の.
lóng-ácting 形 【薬学】長時間作用型の.
sélf-ácting 形 〈機械が〉自動(式)の.
shórt-ácting 形 【薬学】短時間作用形の.
síngle-ácting 形 〈エンジン・ポンプなどが〉単動(式)の.

ac·tion /ǽkʃən/

名 **1** 行動, 活動. **2** 行為. **3** 作用. **4**【法律】訴訟. ⇨ -TION.

affírmative áction 《米》差別撤廃措置.
bólt-àction 形 〈ライフル銃が〉手で操作する遊底を備えた.
Chrístian Áction クリスチャン・アクション: 1946 年英国で始まった, 広くキリスト教の理想を広めようとする超宗派の運動.
cláss áction 集合代表訴訟.
co·ác·tion 名 共同動作, 協力.
còunt·er·ác·tion 名 反作用, 逆作用; 拮抗(きっこう)作用.
cóvert áction 政府・警察による秘密諜報活動.
cróss-àction 名 【法律】反対訴訟, 対抗訴訟.
deláyed-áction 形 (一般的に)作動［反応］が遅れる.
deláying àction 【軍事】遅滞行動.
derívative àction 《米》派生訴訟, 株主代表訴訟.
diréct áction 直接行動.
disengáging áction 【軍事】自発的撤退, 転進, 退却.
dóuble-áction 形 〈火器が〉複動作用［式］の.
en·ác·tion 名 法律の制定, 立法(化); 法案の成立.
fálling áction 【文学】筋の収束.
fríendly áction 【法律】友誼(ゆうぎ)的訴訟.
in·ác·tion 名 何もしないこと, 不活動; 無為.
indústrial áction 《英》(労働者の経営側に対する公務員などの)抗議行動(ストライキ, 順法闘争など).
ìn·ter·ác·tion 名 (…との)相互作用［影響］, 交流.
jób àction (労働組合の)争議行為.
knée àction 【自動車】前輪独立懸架機構.
léver àction レバーアクション: 手でレバーを動かして行うライフル銃の操作.
líve-áction 形 《話》〈観衆が〉目の前にいる.
lócal áction 【電気】局部作用.
máss àction 【化学】質量作用.
patérnity àction 【米法】実父確定訴訟.
pérsonal áction 【法律】人的訴訟, 対人訴訟.
políce àction 軍隊の治安［警察］活動.
pro·lónged-áction 形 【化学】【薬学】持続性の.
púmp-àction 形 ＝slide-action.
re·ác·tion 名 ☞
réal áction 【法律】物的訴訟.
rè·tro·ác·tion 名 反動, 反作用, 反応.
rísing áction 【文学】筋の上昇.
sélf-áction 名 他者に強制されない行動, 独立行動.
shóck àction 【軍事】衝撃戦法, 急襲.
síngle-áction 形 〈銃が〉単発式の.
slíde-àction 形 〈銃が〉スライドアクションの.
sócial áction 社会的行為.
tránsitory áction 【法律】地域性のない訴訟.

ac·ti·vate /ǽktəvèit/

動他 〈人を〉活動的にする, 活動［行動］させる. ⇨ -ATE[1].

de·ac·ti·vate 動他 不活発にする, 効果を取り除く.
in·ac·ti·vate 動他 不活発にする.
ra·di·o·ac·ti·vate 動他 【物理】〈物質を〉放射性にする.
re·ac·ti·vate 動他 復活させる; 現役に戻す; 再開する.
trans·ac·ti·vate 動他 〈細胞を〉転写促進させる.

ac·ti·va·tion /æ̀ktivéiʃən/

名 活動的にすること. ⇨ -ATION.

pho·to·ac·ti·va·tion 名 【化学】光活性化.
trans·ac·ti·va·tion 名 転写促進.

ac·tive /ǽktiv/

形 〈人・生活などが〉活動的な, 活気のある; 活躍している. ⇨ -IVE[1].

au·di·o·ac·tive 形 マイク付きヘッドホンを使って受け答えができる.
car·di·o·ac·tive 形 【薬学】〈薬などが〉心臓作用性の.
co·ac·tive 形 共同で働く, 共同動作を取る.
count·er·ac·tive 形 反対の作用をする. ── 名 中和剤.
hy·per·ac·tive 形 異常に活動的な.
in·ac·tive 形 活動しない, 不活発な.
in·ter·ac·tive 形 相互に作用する, 互いに影響し合う.
neu·ro·ac·tive 形 【生理】神経刺激性の.
o·ver·ac·tive 形 あまりに活動的な, 活動しすぎる.
pro·ac·tive 形 【心理】順向の.
psy·cho·ac·tive 形 【薬学】〈薬物が〉精神活性の.
ra·di·o·ac·tive 形 【物理】【化学】放射性の.
ret·ro·ac·tive 形 以前にさかのぼって効力を有する.
self-ac·tive 形 自発的に動く.
sur·face-ac·tive 形 【化学】表面［界面］活性の.
un·der·ac·tive 形 活気が不十分な, 働きのにぶい.
vas·o·ac·tive 形 【生理】【薬学】血管作動性の.

ac·tiv·i·ty /æktívəti/

名 活動状態; 活動, 行動, 働き. ⇨ -ITY.

bì·o·ac·tív·i·ty 名 生物活性.
convéctive actívity 【気象】対流活動.
displácement actívity 【動物行動】転位活動［行動］.
extracurrícular actívity (学校などの)課外活動.
hỳ·per·ac·tív·i·ty 名 異常に活発であること; 運動過剰.
ìn·ter·ac·tív·i·ty 名 【通信】(テレビへの)双方向参加.
óptical actívity 【物理化学】光学活性.
rà·di·o·ac·tív·i·ty 名 【物理】【化学】放射能.
rè·ac·tív·i·ty 名 反作用.
sélf-actívity 自発的な活動［運動］.
sólar actívity 【天文】太陽活動.

-a·cy /əsi/

接尾辞 **1** 状態・性質を表す: adequ*acy*. **2** 行為を表す: diplom*acy*. **3** 地位・職を表す: candid*acy*.
★ 多くは -acious で終わる形容詞や -ate で終わる名詞または形容詞につけて名詞をつくる.
★ 語末にくる関連形は -ACIOUS, -ACITY.
◆ 中英 *-acie* ＜ラ *-ācia* ＜ギ *-ateiā*. ⇨ -Y[3].
［発音］第 1 強勢は基語, 基体と同じ.

ac·cu·ra·cy 名 間違い［欠陥］のないこと; 正確.
ad·e·qua·cy 名 適当, 妥当性; 十分であること.
ad·vo·ca·cy 名 (…の)弁護; 支持, 擁護; 推薦.
ap·pro·pri·a·cy 名 (語・表現の文脈上での)適切さ.
can·di·da·cy 名 立候補; 立候補資格.
cel·i·ba·cy 名 禁欲(生活), 貞潔, 肉体的純潔.
com·pli·ca·cy 名 複雑さ, 錯綜; 面倒な事態［問題］.
com·put·er·a·cy 名 コンピュータ操作能力.
con·fed·er·a·cy 名 (個人・政党・国家などの)連合, 連盟, 同盟.
con·spir·a·cy 名 (反逆・殺人などの)共謀, 陰謀
con·tu·ma·cy 名 しぶとい頑固さ; 命令不服従.
cu·ra·cy 名 curate「牧師補」の職.
de·gen·er·a·cy 名 堕落, 退歩, 衰退, 退化, 退廃.
del·e·ga·cy 名 代表の地位［任務］; 代表権.
del·i·ca·cy 名 (感触・形状・色・容姿などの)繊細さ.
de·ter·mi·na·cy 名 決定性, 確定性; 決定された状態.
di·plo·ma·cy 名 ☞
ef·fi·ca·cy 名 効能, 効験, 効力, 有効性.
e·pis·co·pa·cy 名 (教会の)監督［主教, 司教］制度.
fal·la·cy 名 ☞
fed·er·a·cy 名 連邦, 同盟(confederacy).

fem·i·na·cy 名 女性らしい性質, 女らしさ.
graph·i·ca·cy 名 グラフィックアートの才能[技術].
im·por·tu·na·cy 名 しつこさ.
in·ad·e·qua·cy 名 不適当, 不適切; 不十分, 不足.
in·or·di·na·cy 名 過度[法外, 極端]な行為.
in·ter·me·di·a·cy 名 中間にあること, 中間性; 仲介.
in·tes·ta·cy 名 遺言を残さずに死ぬこと.
in·ti·ma·cy 名 密接な関係を持つこと; 親密.
in·tri·ca·cy 名 複雑さ; 込み入った事柄[行為].
in·vet·er·a·cy 名 (習癖などの)根深さ; 頑固さ.
leg·a·cy 名 〖法律〗遺贈; 遺産.
le·git·i·ma·cy 名 合法, 適法; 正当性.
lit·er·a·cy 名 識字能力, 読み書きの能力.
lu·na·cy 名 間欠性精神病; 精神異常, 狂気.
mag·is·tra·cy 名 magistrate「執政官」の職.
me·di·a·cy 名 介在, 媒介; 仲介, 調停; 霊媒.
mod·er·a·cy 名 (特に政治的な)中道主義.
nu·mer·a·cy 名 数量的思考能力, 基本的計算力.
ob·du·ra·cy 名 頑固, 強情.
ob·sti·na·cy 名 頑固さ, 強情; 執拗な粘り, 頑張り.
pa·pa·cy 名 〖ローマカトリック〗教皇の職位.
pi·ra·cy 名 海賊行為.
pri·ma·cy 名 (順位・地位・重要性などの)首位; 優越.
pri·va·cy 名 私生活, プライバシー(の権利).
proc·u·ra·cy 名 《古》proctor または procurator「(皇帝の)代官」の職[任務].
prof·li·ga·cy 名 不品行, 不身持ち; 放蕩(ほうとう).
re·gen·er·a·cy 名 再生, 改心, 更生; 革新, 刷新.
Sun·nog·a·cy 名 代理母系.
su·prem·a·cy 名 至高, 至上, 最高; 優位, 優越.
sur·ro·ga·cy 名 代理母[父]を務めること.
tes·ta·cy 名 遺言あり.
ul·ti·ma·cy 名 最後の状態, 極限状態; 究極性.

ad /æd/

名 《話》広告. ►advertisement の短縮形.

chéckerboard àd チェッカー盤広告: 記事と広告とを交互に配した広告.
clássified ád 案内広告.
displáy àd ディスプレー広告.
éuro-àd ユーロ広告: EC 諸国向けの広告.
pérsonal ád (新聞・雑誌の)個人公告.
prínt àd (新聞・雑誌などに)印刷された広告.
smáll ád 《英》=classified ad.
téle-àd (電話で申し込む)新聞広告.
wánt àd 《米話》=classified ad.

-ad[1] /æd, əd/

接尾辞 **1** ある単位数や単位年数を示す. **2** …に起因する, …に関係ある. ►ギリシャ語からの借用語に用いる; またギリシャ語の範にならって用いられることもある.
★ 名詞をつくる.
★ 語末にくる関連形は -ADES.
◆ <ギ *-ad-*(*-as* の語幹)「…に起因[関係]すること」.

〈**1**〉 ある単位数や単位年数を示す.
chil·i·ad 名 千; 千個の集まり; 千年間.
de·cad 名 10; 10 個一組の物, 十人組.
de·cen·ni·ad 名 10 年間(decennium).
di·ad 名 =dyad.
du·ad 名 =dyad.
dy·ad 名 2 個一組, 一対, カップル.
en·ne·ad 名 9 つ一組の物, 九人組み.
heb·do·mad 名 7; 7 つ一組の物, 七人組; 一週間
hep·tad 名 7; 7 つ一組の物, 七人組.
hex·ad 名 6; 6 つ一組の物, 六人組.
mon·ad 名 ☞
myr·i·ad 名 無数(の物・人); 一万.
oc·tad 名 8 つ一組の物, 八人組.
og·do·ad 名 8; 8 つ一組の物, 八人組.
O·lym·pi·ad 名 オリンピアード, オリンピア紀.
pen·tad 名 5; 5 つ一組の物, 五人組.
Pyth·i·ad 名 ピュティア競技と次のピュティア競技との間の 4 年間.
quad·ri·ad 名 4 つ一組の物, 四人組.
quin·quen·ni·ad 名 5 年間(quinquennium).
tet·rad 名 4; 4 つ一組の物, 四人組.
tri·ad 名 3 つ一組の物, 三人組.

〈**2**〉 …に起因する, …に関係ある.
bro·me·li·ad 名 〖植物〗アナナス類.
e·cad 名 〖生態〗エケード, 適応型.
go·nad 名 〖解剖〗性腺(せいせん), 生殖腺.
gwyn·i·ad 名 北ウェールズ Bala 湖に生息するサケ科コクチマス属の淡水魚.
jer·e·mi·ad 名 (長く続く)嘆き, 悲嘆; 泣き言.
Ple·iad 名 〖ギリシャ神話〗プレイアデスの一人.
Spar·ta·ki·ad 名 (旧ソ連・東欧で行われた)スパルタキアード.

-ad[2] /əd/

接尾辞 -ade[1] の異形.
◆ フランス語 *-ade* より.

bal·lad 名 バラッド: 素朴な民間伝承の物語詩.

-ad[3] /æd, əd/

接尾辞 〖解剖〗〖動物〗…に向かって.
★ 体の部分を表す名詞につけてその箇所への方向を示す副詞をつくる.
◆ <ラ *-ad* …の方へ; 1803 年スコットランドの解剖学者 John Barclay(1758–1826)が採用.

ba·sad 副 器官基部(base)の方へ.
ce·pha·lad 副 頭部[腹側]に向かって.
di·stad 副 遠位に, 末梢(まっしょう)部へ[に].
dor·sad 副 背部へ[に]; 背側に[で].
ec·tad 副 外方へ, 外面へ.
front·ad 副 前頭に向かって, 額の方へ.
lat·er·ad 副 外側に.
me·di·ad 副 正中線[面]の方向へ.
me·si·ad 形 中央[中心]の.
o·rad 副 口の方へ, 口[吻(ふん)]部へ.
pe·riph·er·ad 副 末梢(まっしょう)方向へ.
pos·te·ri·ad 副 (体の)後方へ.
sin·is·trad 副 左の方へ.
ul·nad 副 尺骨の方に[に向いて].
ven·trad 副 腹側の方へ(ventrally).

-ad[4] /ǽd/

語尾 代表的な語尾. 特に形容詞 sad, glad, mad, bad の同韻の連想が働くことがある. また, cad, fad, rad などは本来短縮語で, 軽蔑的な響きがある.
★ 語末にくる同音形は -AD[1], -AD[3].

ad[1] 名 ☞
ad[2] 名 〖テニス〗アドバンテージ(advantage).
ad[3] 前 (処方箋(せん)で)…に(加えよ).
bad[1] 形 (一般に)悪い, よくない, 駄目な.
bad[2] 動 《古》bid「命令する」の過去形.
brad 名 さっぱ釘, 無頭釘, かい折れ釘.
cad 名 《英俗》礼儀知らずな男.
chad 名 〖コンピュータ〗チャド, 穿孔くず.
clad[1] 動 ☞
clad[2] 動他 〈金属を〉(他の金属で)被覆する.
dad[1] 名 ☞
dad[2] 間 《話》神, 創造主, 天主(God).
dad[3] 名 《スコット》したたかな一撃, 強打.
fad 名 一時的流行[熱中]; 流行のもの.
gad[1] 動自 (あちこち)うろつき回る.
gad[2] 名 (家畜を追うための)突き棒.

glad[1] 形 《叙述的》うれしい, 満足して.
glad[2] 名 【植物】グラジオラス.
grad[1] 名 《話》卒業生; 大学院生.
grad[2] 名 グラード: 直角の 100 分の 1 の角度.
had 動 have の過去・過去分詞形.
lad 名 少年, 若者; 息子.
mad 形 ☞
pad[1] 名 ☞
pad[2] 名 (足音などの)鈍い音, 重い音.
pad[3] 名 (魚・果物などの計量用の)小かご.
prad 名 《豪話》ウマ(horse).
rad[1] 名 ☞
rad[2] 名 《俗》過激論者(radical).
sad 形 〈人が〉悲しむ, 悲しい.
scad[1] 名 【魚類】ムロアジ(室鯵).
scad[2] 名 《米俗》多数, 多量.
shad 名 【魚類】シャッド.
skad 名 《米俗》=scad[2].
spad 名 スパッド: 下げ振り [おもり] をつり下げるための金具.
splad 名 【家具】薄板(splat).
tad 名 《主に米・カナダ話》小さい子供.
trad 名 《主に英話》トラディショナルジャズ.

-ad[5] /ǽd | ɔ́d/

語尾 quad は大部分が短縮語.
★ 語末にくる同音形は -OD.

quad[1] 名 《話》方庭, 中庭(quadrangle).
quad[2] 名 ☞
quad[3] 名 《主に英俗》刑務所.
quad[4] 名 《話》四つ子(の一人)(quadruplet).
quad[5] 形 《話》〈録音・再生が〉4 チャンネル方式の(quadraphonic).
quad[6] 形 4 人の, 4 個の; 4 人部屋の; 4 人乗りリフト.
quad[7] 名 《話》四肢が麻痺した患者(quadriplegic).
quad[8] 名 クワド: エネルギー量の単位.
quad[9] 名 《俗》クエイルード: 鎮静剤.
quad[10] 名 四輪駆動オフロード車.
squad 名 ☞
wad[1] 名 ☞
wad[2] 名 マンガン土.
wad[3] 助 《英方言・スコット》=would.
wad[4] 名 担保, 抵当.

-a·da /ɑ́:dɑ | ɑ́:də/

接尾辞 スペイン語, ポルトガル語の名詞語尾. ⇨ -A[5], -A[6].

a·fi·cio·na·da 名 (女性の)熱狂者, マニア; 闘牛ファン.
Ar·ma·da 名 (スペインの)アルマダ, 無敵艦隊.
ba·ja·da 名 沖積層平野.
bar·ri·a·da 名 (ラテンアメリカで)スラム街.
ca·ña·da 名 《主に米西部》干上がった川床.
char·rad·a 名 チャラーダ: メキシコのロデオ.
co·la·da 名 ピーニャコラーダ: カクテルの一種.
em·pa·na·da 名 【中南米料理】エンパナーダ.
en·chi·la·da 名 【メキシコ料理】エンチラーダ.
es·to·ca·da 名 エストカーダ: マタドール(matador)が闘牛の最後の段階で牛を殺すために首から心臓に向けて剣を突くこと.
fa·ba·da 名 【スペイン料理】ファバーダ.
fa·ne·ga·da 名 ファネガーダ: スペイン語圏での土地面積の単位.
fei·jo·a·da 名 【ブラジル料理】フェジョアーダ.
Gra·na·da 名 グラナダ(スペインの地名).
jor·na·da 名 《米南西部》ホルナーダ: 水も飲まずに砂漠などを丸一日進む旅.
lam·ba·da 名 ランバダ: ブラジル生まれの舞踏.
ma·na·da 名 《米南西部》馬の群れ, 一群の馬.
pa·na·da 名 パナーダ: ソースの一種.
po·sa·da 名 《スペイン語》宿屋.
pou·sa·da 名 ポサーダ: ポルトガルの政府直営ホテル.
que·bra·da 名 《米南西部》小峡谷, 谷間, 小川.
ra·ma·da 名 (浜辺・公園・ピクニック場などの)カヤ [わら, シュロ] ぶきの東屋(あずまや).
tos·ta·da 名 【メキシコ料理】トスターダ.

a·dapt /ədǽpt/

動他 …を(必要・状況などに)適合 [適応] させる; (…用に)適合させる. ── 自 (環境などに)適応する. ⇨ -APT.

dis·a·dapt 動他 適応不能にする.
mal·a·dapt 動他 〈科学上の発見などを〉悪用する.
pre·a·dapt 動自 【生物】前適応する.
re·a·dapt 動自他 再び適合する [させる].

ad·ap·ta·tion /ædəptéiʃən, ædæp-/

名 (…への)適合, 適応, 順応. ⇨ -ATION.

cò·ad·ap·tá·tion 名 【生物】共適応, 共進化, 相互適応.
dárk adaptàtion 【眼科】暗順応.
dys·àdaptátion 名 【眼科】(虹彩や網膜の)調節障害.
ìdio·adaptátion 名 【生物】個別適応.
líght adaptàtion 【眼科】明順応.
màl·ad·ap·tá·tion 名 順応不良, 不適合, 不適応.
prè·adaptátion 名 【生物】前適応.

-ad·den /ǽdn/

語尾 -en は形容詞や名詞につけて動詞をつくる.

glad·den 動他 …を喜ばせる, うれしがらせる.
mad·den 動他 〈人を〉(…で)発狂させる.
sad·den 動他 悲しませる; 憂鬱にする.

ad·der /ǽdər/

名 【動物】 **1** ヨーロッパクサリヘビ. **2** アダー: 北米産無毒ヘビ.

chícken àdder 《ニューイング》=milk adder.
déath àdder デスアダー.
hórned àdder 猛毒のクサリヘビの一種.
mílk àdder ミルクヘビ(milk snake).
púff àdder パフアダー.
púffing àdder ブタハナヘビ(hognose snake).
spótted àdder =milk adder.
spréading àdder =puffing adder.

ad·dict /ǽdikt/

名 (麻薬などの)常用者, 中毒者; 《話》(ある習慣に)ふける人, 耽溺(たんでき)者. ⇨ -DICT.

bóne àddict 《米俗》セックス好きの女.
dópe àddict 《俗》=drug addict.
drúg àddict 麻薬常用者.
hóspital àddict 《米俗》病院を渡り歩く患者.
íllness àddict 病気の人.
non·ád·dict 名 (中毒にかかっていない)麻薬使用者.
pre·ád·dict 名 《米》麻薬常習経験のある人.

ad·di·tive /ǽdətiv/

名 (物質の性質を改良するための)添加物, 付加物, 混和剤. ⇨ -ITIVE.

fóod àdditive 食品添加物.
nòn·ád·di·tive 形 加えられない, 非加算的な.

-ad·dle /ǽdl/

音象徴 **1** よたよた, もたもた; 体を揺らしたり, ぶざまな格好で歩く動作を表す. **2** ゴチャゴチャ, グチャグチャ; 混乱や騒然としたさまを表す. ◇ -LE³.

fid·dle-fad·dle 名 ばかばかしいこと. ── 形 取るに足りない, くだらない. ── 間 《いらだち・腹立たしさを表して》 ばかばかしい.
pad·dle 動自 (浅瀬, ぬかるみなどで)手足をパチャパチャ動かす, 水遊びをする; パチャパチャ水をはねる.
twad·dle 名 たわ言, 無駄口, 無駄話, 駄文.
wad·dle 動自 〈アヒル・太った人などが〉よたよた[よちよち]歩く.

ad·dress /ədrés, ǽdres | ədrés/

名 **1** (公式の)演説, 式辞. **2** 呼称. **3** あて名; 住所. **4** 手際のよさ, (処理の)早さ. **5** 〘コンピュータ〙アドレス.
── 動他 **1** 〈人に〉話しかける, 呼びかける. **2** 〈手紙などを〉(…に)あてる; あて名を書く.

ábsolute áddress 〘コンピュータ〙絶対アドレス.
accommodátion addrèss 《英》便宜上の住所.
búsiness addrèss 勤務先の住所.
cáble addrèss 〘通信〙ケーブルアドレス.
diréct addréss 〘文法〙直接的呼びかけ.
Farewéll Addréss 〘米史〙初代大統領 G. Washington の退任声明.
Géttysburg Addréss ゲティスバーグの演説.
índirect addréss 〘コンピュータ〙間接アドレス.
ínside addréss (ビジネスレターで)インサイドアドレス.
kéynote addréss (党大会などでの)基調演説.
màl·addréss 名 不器用さ; 気転の利かないこと.
mìs·addréss 動他 〈人に〉間違って呼びかける; 〈手紙の〉あて名を書き間違える.
rè·addréss 動他 〈手紙に〉あて名を書き直す.
retúrn addrèss 形 返却[返品]可能の; 〈空き瓶などが〉買い取ってもらえる.
sélf-addrèss 名 〘言語〙自称.

-ade[1] /éid, ɑ́ːd, ǽd/

接尾辞 **1** 行動, 過程, 行動中の人[一団]などを表す. ►フランス語, 時にはスペイン語からの借用語に見られる: cannon*ade*, fusill*ade*, reneg*ade*; また変則的に用いられることも多い: block*ade*, escap*ade*, masquer*ade*. **2** 特定の果物, 特に柑橘(かんきつ)類からできる飲料を表す: lemon*ade*, orange*ade*.
★ 名詞をつくる.
★ 語末にくる関連形は -AD².
◆ 中英＜古仏＜スペインまたは高地伊 *-ada* ＜ラ *-āta* (*-atus* -ATE¹ の女性形).
[発音] -ade に第1強勢がある. 例外として語頭の音節に第1強勢が移ることもある語: áccolade, ámbuscade, bálustrade, ésplanade. 語頭の音節にのみ第1強勢が認められる語: cómrade, rénegade.

ac·co·lade 名 褒賞, 栄誉, 賞賛.
am·bus·cade 名 伏兵; 待ち伏せ; 待ち伏せ場所.
ar·cade 名 ☞
au·bade 名 〘音楽〙オーバード, 朝の歌[曲].
bal·lade 名 バラード, 物語詩, 譚詩(たんし).
bal·lo·tade 名 〘調教〙バロタード.
bal·us·trade 名 〘建築〙(バラスターのついた)手すり.
bas·ti·nade 名動他 棒たたきの刑(bastinado).
bi·ga·rade 名 ダイダイ(橙).
block·ade 名 封鎖, 包囲.
bou·tade 名 (感情の)噴出, 爆発.
bri·gade 名 ☞
bro·cade 名 ブロケード, 錦(にしき), 紋織り.
-cade 連結形 ☞
can·non·ade 名 連続砲撃.
car·bo·nade 名 ＝carbonnade.
car·bon·nade 名 〘ベルギー料理〙カルボナード.
car·ron·ade 名 〘軍事〙カロネード砲.
cas·cade 名 滝.
cav·al·cade 名 騎馬行進, 馬車行列, 車の行進.
cha·rade 名 言葉当て遊び, ジェスチャー遊び.
chif·fo·nade 名 〘料理〙シッフォナード.
col·on·nade 名 〘建築〙コロネード, 柱廊.
com·rade 名 同輩, 同僚, 仲間.
cot·ton·ade 名 コットネード: 綿または混合繊維で織った重くて目の粗い織物.
cou·vade 名 擬娩(ぎべん), 男子産褥(さんじょく).
crou·pade 名 〘馬術〙クルーパード.
crous·tade 名 〘料理〙クルースタード.
cru·sade 名 〘歴史〙十字軍.
dec·ade 名 10年間.
def·i·lade 名 〘軍事〙防護, 遮蔽(しゃへい).
drag·on·nade 名 〘仏史〙(新教徒に対する)竜騎兵の迫害.
en·fi·lade 名 《米》〘軍事〙縦射にさらされる位置.
es·ca·lade 名 (特に城壁攻撃時の)はしご登り.
es·ca·pade 名 型破りな行動, 向こう見ずな冒険.
es·pla·nade 名 開けた平地, 遊歩場, 散歩道.
fa·cade 名 〘建築〙(建物の装飾的な)正面.
fan·fa·ron·ade 名 《まれ》大ぼら, 強がり.
fu·sil·lade 名 (火器の)一斉[連続]射撃.
ga·bi·on·ade 名 堡籃墻(ほうらんしょう), 堡塁.
gal·lo·pade 名 ギャロップ: 19世紀の輪になって踊る2拍子の軽快な踊り.
gas·con·ade 名 大ぼら, 自慢話.
gre·nade 名 ☞
gril·lade 名 焼き肉, 網焼き肉(料理).
har·le·quin·ade 名 ハーレキンが主役を演じる芝居.
lem·on·ade 名 《米》レモネード.
lime·ade 名 ライムエード.
mar·i·nade 名 〘料理〙マリネード, マリネ.
mar·ma·lade 名 マーマレード.
mas·quer·ade 名 仮装パーティー, 仮面舞踏会.
no·yade 名 溺死(できし)刑.
or·ange·ade 名 オレンジエード.
pal·i·sade 名 (囲い用・防御用の)とがり杭の柵.
pa·rade 名 ☞
pas·quin·ade 名 風刺文, 落書, 落首.
pas·sade 名 〘馬術〙回転歩.
pe·sade 名 〘調教〙プサード.
pi·pe·rade 名 〘料理〙ピペラード.
po·made 名 ポマード.
prom·e·nade 名 遊歩, 散歩, 漫歩, 行進; 乗馬.
ren·e·gade 名 宗旨を変える人, 転向者, 変節者.
rhod·o·mon·tade 名 《廃》＝rodomontade.
rod·o·mon·tade 名 大ぼら, 大言壮語; 自慢話; ほらふき.
sac·cade 名 〘馬術〙馬を急に止めること.
sa·lade 名 〘甲冑〙サレット.
ser·e·nade 名 セレナード: 男が夜, 恋人の家の窓の下でその恋人をたたえる歌または演奏.
sex·ca·pade 名 セックスの冒険[乱行](sex escapade).
stock·ade 名 〘築城〙砦柵(さいさく), 矢来.
suc·cade 名 果物の砂糖漬け[煮].
tam·pon·ade 名 〘医学〙タンポン法.
ti·rade 名 長く手厳しい非難, 長い攻撃演説.
tor·sade 名 撚(よ)ったひも[房].
trib·ade 名 同性愛の女性.

-ade[2] /éid/

語尾 語末にくる同音形は -AID.

bade 動 bid の過去形.
blade 名 ☞
cade[1] 名 〘植物〙カデ.
cade[2] 形 《ニューイング東部・英》〈動物の子が〉母親に捨てられて人間が育てた.

A

-cade 連結形 ☞
clade 名 『生物』分岐群, 系統分岐.
fade 動自 ☞
glade 名 林間の空き地; 《米》湿地, 沼池.
grade 名 ☞
-grade 連結形 ☞
hade 名 『地質』倒角, 偃角(えんかく).
jade[1] 名 ☞
jade[2] 名 衰弱した馬, 駄馬, やせ馬.
lade[1] 動他 〈荷物などを〉積む, 載せる.
lade[2] 名 《スコット》水路, 運河.
made 動 ☞
shade 名 ☞
spade[1] 名 (シャベル状の)鋤(すき).
spade[2] 名 『トランプ』スペード(の札).
spade[3] 動他 『獣医学』卵巣を除去する.
stade 名 『地質』亜氷期.
-suade 連結形 ☞
trade 名 ☞
-vade 連結形 ☞
wade 動自 (半分水につかって)水中を歩く.

-a·del·phous /ədélfəs/

連結形 『植物』束状になっている雄蕊(ゆうずい)(stamen)を持つ.
★ 形容詞をつくる.
◆ <近代ラ *-adelphus* <ギ *adelphós* 兄弟. ⇨ -OUS.

di·a·del·phous 形 〈雄蕊が〉二体 [両体] の.
mon·a·del·phous 形 〈雄蕊が〉単体の, 一束の.
pol·y·a·del·phous 形 〈雄蕊が〉多体の.
tri·a·del·phous 形 〈雄蕊が〉三体の.

-a·de·ni·a /ədíːniə, ədíj-/

連結形 『医学』腺(せん).
★ 名詞をつくる.
★ 語頭にくる関連形は aden(o)-: *aden*algia「腺痛(せんつう)」, *adeno*carcinoma「腺癌(せんがん)」.
◆ ギリシャ語 *adḗn*「腺」より. ⇨ -IA.

an·a·de·ni·a 名 腺機能欠如.
hy·po·a·de·ni·a 名 腺分泌減弱(症).

ad·e·no·ma /ædnóumə/

名 『医学』腺腫, アデノーマ. ⇨ -OMA.
★ 語頭にくる関連形は aden(o)-: *aden*algia「腺痛(せんつう)」, *adeno*carcinoma「腺癌(せんがん)」.

fibro·adenóma 名 線維腺腫.
íslet cèll adenóma インスリノーマ, 機能性膵(すい)島腫瘍.
lỳmph·adenóma 名 リンパ腫.
lỳmpho·adenóma 名 リンパ腺腫.
sàrco·adenóma 名 腺肉腫(adenosarcma).

-a·des /ədìːz/

接尾辞 -ad[1] の複数形.
◆ ギリシャ語 *-ades* より. ⇨ -ES[2].

He·li·a·des 名複 『ギリシャ神話』ヘリアデス.
Hy·a·des 名複 『天文』ヒヤデス星団.
Mi·ny·a·des 名複 『ギリシャ神話』ミニュアデス.
Ple·ia·des 名複 『ギリシャ神話』プレイアデス.
Sym·pleg·a·des 名複 『ギリシャ神話』シュムプレガデス岩.

-adge /ǽdʒ/

語尾

badge 名 ☞
cadge[1] 動他 せびる.
cadge[2] 名 『タカ狩り』タカを載せて運ぶ枠.
fadge 動自 《英俗》うまく合う, 役に立つ.
fladge 名 《特に英俗》むち打ち.
smadge 名 《米軍俗》上級曹長.

ad·jec·tive /ǽdʒiktiv/

名 『文法』形容詞. ―形 形容詞の; 形容詞的な. ⇨ -JECTIVE.

límiting ádjective 制限(的)形容詞.
prédicate ádjective 叙述 [述部] 形容詞.
próper ádjective 固有形容詞.
rélative ádjective 関係形容詞.
vérbal ádjective 動詞的形容詞.

ad·just·ed /ədʒʌ́stid/

形 調節 [調整] された; 補正された. ⇨ -ED[1].

ill-ad·just·ed 形 不適応の; 《婉曲的》問題児の.
mal·ad·just·ed 形 調整の悪い, 調節不十分な.
un·ad·just·ed 形 調整していない; おさまっていない.
well-ad·just·ed 形 よく順応した.

ad·just·ment /ədʒʌ́stmənt/

名 調節, 調整, 調和, 整合, 修正, 補正. ⇨ -MENT.

áverage adjústment 共同海損分担の精算.
dównward adjústment 下方修正; 値下がり, 不況.
màl·ad·júst·ment 名 調整不十分; 不均衡; 不適応.
príce adjùstment 価格変更, 値上げ.
rè·ad·júst·ment 名 再整理 [調整] (期間).
sélf-adjústment 名 自己適応: (環境への)適応.

ad·min·is·tra·tion /ædmìnəstréiʃən, əd- | əd-/

名 **1** 管理, 経営. **2**《米》行政機関. ⇨ -ATION.

búsiness administràtion 経営学.
Commúnity Sérvices Administràtion 『米政府』低所得者の経済的自立を援助する旧独立機関; 1981 年廃止.
Drúg Enfórcement Administràtion 麻薬取締局.
Económic Cooperátion Administràtion 経済協力局.
Féderal Aviátion Administrátion 『米行政』連邦航空局(FAA).
Féderal Híghway Administràtion 《米》連邦道路管理局.
Féderal Hóusing Administràtion 《米》連邦住宅局.
Fóod and Drúg Administràtion 『米政府』食品医薬品局.
Géneral Sérvices Administràtion 『米政府』共通役務庁.
Láw Enfòrcement Assístance Administràtion 《米》法執行援助局 [庁].
Nátional Aeronáutics and Spáce Administràtion 米航空宇宙局, ナサ(NASA).
Nátional Oceánic and Atmosphéric Adiministràtion 『米政府』海洋気象局.
Nátional Recóvery Administràtion 米国復興局(NRA).
Occupátional Sáfety and Héalth Administràtion 『米政府』職業安全衛生管理局.
públic administrátion 公共行政.
Públic Wórks Administràtion (米国の)公共事業局(1933–44).
Smáll Búsiness Administràtion 『米政府』中小企業庁.
Sócial Secúrity Administràtion

A

〖米政府〗社会保障庁.

Véterans Administràtion (米国の)退役軍人管理局.

Wórk Prójects Administràtion 《米》雇用促進局(1935–43)(WPA).

Wórks Prógress Administràtion 《米》雇用促進局の旧称(WPA).

ad·mi·ral /ǽdmərəl/

名〖海軍〗**1** 艦隊司令長官. **2** 海軍大将.

fléet àdmiral 〖米海軍〗元帥.
Lòrd Ádmiral =Lord High Admiral.
Lòrd Hígh Ádmiral 〖英史〗海事大臣.
pórt ádmiral 〖英海軍〗海軍基地司令官.
réar ádmiral 〖米海軍〗〖沿岸警備隊〗少将, 准将.
réd ádmiral 〖昆虫〗オウシュウアカタテハ.
více ádmiral 〖海軍〗中将.
whíte ádmiral 〖昆虫〗タテハチョウ科のチョウ.

-a·do /ɑ́ːdou, éi-/

接尾辞 もとイタリア語, スペイン語, ポルトガル語の行為や過程を表す接尾辞.
★ 主に名詞をつくる.
◆ <スペイン, ポルトガル, 伊 *-ado*, *-ada*; 英語の -ADE[1] に相当. ⇨ -O[2].

a·de·lan·ta·do 名 〖歴史〗(スペイン本国で)県の長官; (スペイン植民地で)総督.
af·fi·cio·na·do 名 =aficionado.
a·fi·cio·na·do 名 熱愛者, 愛好者, マニア.
am·bus·ca·do 名 伏兵(ambuscade).
a·mon·til·la·do 名 アモンティラード酒.
bar·ri·ca·do 名 《古》バリケード, 防塞, 防柵(barricade).
bas·ti·na·do 名 棒たたきの刑.
bra·va·do 名 空威張り, 強がり, 虚勢.
cam·i·sa·do 名 《古》夜襲.
car·bo·na·do[1] 名 カーボネード, 黒色ダイヤ(モンド).
car·bo·na·do[2] 名 カルボナード: 焼き肉[魚]の一種.
cer·ra·do 名 〖生態〗セラード.
col·o·rad·o 名 コロラドシガー: 葉巻の一種.
cru·sa·do 名 クルザード: 昔のポルトガル貨幣.
cru·za·do 名 =crusado.
des·ca·mi·sa·do 名 (一般に)急進的革命家, 過激派.
des·per·a·do 名 命知らずの無法者(desperade).
do·ra·do 名 イルカ(dolphin).
fa·ve·la·do 名 (特にブラジルで)スラム街の住人.
gam·ba·do[1] 名 鐙(あぶみ)代わり.
gam·ba·do[2] 名 (馬の)跳躍, クルベット(curvet).
ha·cen·da·do 名 大農場, 大牧場の所有者.
in·com·mu·ni·ca·do 形 他との連絡を断たれて.
in·co·mu·ni·ca·do 形 =incommunicado.
ju·ra·men·ta·do 名 《もと》フラメンタード: 異教徒との戦いに命をかける狂信的なイスラム教徒.
mer·ca·do 名 《スペイン語》市場(market).
mus·ca·va·do 名 =muscovado.
mus·co·va·do 名 マスコバド: 未精製の砂糖.
pal·i·sa·do 名 とがり杭(くい)の柵, 矢来(やらい).
pas·sa·do 名 〖フェンシング〗突き.
pin·ta·do 名 サバ科サワラ属の釣り魚(cero).
ren·e·ga·do 名 宗旨を変える人, 転向者, 裏切り者.
re·tor·na·do 名 外国での出稼ぎから帰国したスペイン人.
stoc·ca·do 名 《古》一突き, 一刺し, 突き刺し.
strap·pa·do 名 つるし刑.
tor·na·do 名 (局地的・破壊的な)竜巻; 雷雨.
tur·bi·na·do 名 (糖蜜の大部分を取り除いた)中白糖.
za·pa·te·a·do 名 サパテアード: スペインのソロダンス.

-a·dor /ədɔ̀ːr, ədər/

接尾辞 …する人.
★ 名詞をつくる.
★ 語末にくる関連形は -TOR.
◆ スペイン語, ポルトガル語より.

ca·pe·a·dor 名 カペアドール: 闘牛士の助手.
con·quis·ta·dor 名 コンキスタドール: 16 世紀にメキシコを征服してインカ, アンデス文明を破壊したスペイン人.
pa·ra·dor 名 (歴史的建造物を改装した)国営ホテル.
pi·ca·dor 名 ピカドール, 副闘牛士, 突き手.
tor·e·a·dor 名 闘牛士(torero).

a·dult /ədʌ́lt, ǽdʌlt/

形 成人した, 大人になった; 〈動植物などが〉成熟[成長, 生長]した. ──名 成人, 大人.

conspenting adúlt 《英》(同性愛行為に)同意する成人.
pre·a·dult 形 前成人期の.
sub·a·dult 形 半ば大人の.
yóung adúlt 十代後半の青少年, ヤングアダルト.

ad·van·tage /ædvǽntidʒ, əd-｜ədvɑ́ːn-/

名 有利(な点), 利点, 強み. ⇨ -AGE[1].

dìs·ad·ván·tage 名 不利, 不都合, 不便.
mechánical advántage 〖力学〗機械的利益[倍率], 力比.
pecúniary advántage 〖法律〗(不正行為による)金銭的利益.

ad·ven·ture /ædvéntʃər, əd-｜ədvéntʃə/

名 予期せぬ体験, 珍しい経験, 意外な出来事; 冒険. ──動自 危険を冒す. ⇨ -URE[1].

co·ad·ven·ture 名 共同冒険. ──動自 冒険に加わる.
mis·ad·ven·ture 名 災厄, 災難; 不運, 不幸.
per·ad·ven·ture 名 偶然; 疑念, 不安, 不確定性.

ad·verb /ǽdvəːrb/

名〖文法〗副詞. ⇨ -VERB.

derívative ádverb 派生副詞.
prédicate ádverb 述部的副詞.
prepositional ádverb 前置詞的副詞.
prímary ádverb 一次的副詞.
rélative ádverb 関係副詞.
sécondary ádverb 二次的副詞.
séntence àdverb 文副詞.
séntence-mòdifying ádverb 文修飾副詞.

ad·ver·tis·ing /ǽdvərtàiziŋ/

名 広告[公告]すること. ⇨ -ING[1].

clássified ádvertising 案内広告(欄)(classified ads).
compárative ádvertising (他社商品を比較に挙げる)比較広告.
cóunter·ádvertising 名 《米》他の広告に反論する広告.
displáy àdvertising ディスプレー広告(display ads).
genéric ádvertising (羊毛・牛乳などで商標名のない)一般の物産[製品]広告.
imáge àdvertising 〖広告〗イメージ広告.
trúth-in-ádvertising 形 〖商業〗公正広告内容の.

ad·vised /ædváizd, əd-｜əd-/

A

形《複合語》よく考えた上での, 慎重な. ⇨ -D1.

ill-ad·vised 形 思慮のない, あさはかな.
un·ad·vised 形 忠告を受けていない; 軽率な.
well-ad·vised 形 用心深い, 賢明な.

ad·vo·cate /ǽdvəkèit/

動他 …を弁護[支持, 擁護]する;〈…することを〉主張[唱道]する;推薦する. ━━名 支持者;主張者. ⇨ -ATE1.

consúmer ádvocate 消費者(保護)運動家.
dévil's ádvocate 故意に反対の立場を取る人; 中傷家.
júdge ádvocate 〖軍事〗法務官.
Kíng's ádvocate 国王顧問弁護士.
Lòrd Ádvocate (スコットランドの)法務総裁.

-ae1 /iː/

接尾辞 ラテン語の名詞複数形語尾. **1** 種族, 動植物の種(しゅ)を表す: alg*ae*. **2** -a で終わる外来語の複数語尾: larv*ae*.
◆ <ラ -*ae*(-A2 の複数形).

a·lae 名 ala「翼」の複数形.
al·gae 名複 ☞
Ca·me·nae 名複〖ローマ神話〗カメナたち.
cos·tae 名 costa「肋骨」の複数形.
Di·rae 名複〖ローマ神話〗ディラエ.
Do·ce·tae 名複 キリスト仮現論者.
Em·pu·sae 名複〖ギリシャ神話〗エムプサイ.
ex·u·vi·ae 名複 (ヘビ・昆虫などの)抜け殻, 脱皮殻.
fa·ce·ti·ae 名複 こっけいな文[本, 物語].
Fu·ri·ae 名複〖ギリシャ神話〗復讐の女神たち.
Gles·sa·ri·ae 名複 琥珀(こはく)諸島.
Grae·ae 名複〖ギリシャ神話〗グライアイ.
Gra·ti·ae 名複〖ギリシャ神話〗美の女神たち.
Ho·rae 名複〖ギリシャ神話〗ホーラたち.
lar·vae 名 larva「幼虫」の複数形.
Me·li·ae 名複〖ギリシャ神話〗メリアイ.
Moe·rae 名複〖ギリシャ神話〗運命の三女神.
My·ce·nae 名 ミケーネ, ミュケナイ(古代ギリシャの地名).
Na·pae·ae 名複〖ローマ伝説〗ナパイアエ.
nu·gae 名複 冗談; ささいなこと.
Plan·tae 名複〖生物〗植物界.
re·liq·ui·ae 名複 遺物; 遺骨, 遺体; 化石.
Ta·phi·ae 名複 (古代地理で)イオニア海の一群の島.
Ten·e·brae 名複〖ローマカトリック〗暗闇の朝課.
ter·rae 名 terra「土, 大地」の複数形.
ther·mae 名複 温泉, 温浴場.
Thes·pi·ae 名 テスピアイ(古代ギリシャの地名).
ty·poth·e·tae 名複 印刷工.

-ae2 /éi/

語尾 スコットランド方言の特徴.
★ 語末にくる同音形は -AY3, -EA3, -EH3, -EI1, -EIGH, -EY6.

ae 形 =one.
blae 形 鉛色の, 青灰色の.
brae 名 斜面; 下り勾配(こうばい).
frae 前 =from.
gae1 動自 =go.
gae2 動 give の過去形(gave).
hae 動他助 =have.
mae 形名副 =more.
nae 副 =no; not.
sae 副 =so.
spae 動他 預言する; 予報[予示]する.
tae1 前副 =to.
tae2 副 =too.
tae3 名 (ヒトの)足指; つま先(toe).
thae 代形 =those.
wae 名 悲痛, 苦悩, 悲嘆(woe).
whae 代 =who.

-ae·a /iːə/

接尾辞 -ea1 の異形.

co·bae·a 名〖植物〗コベア.
di·o·nae·a 名〖植物〗ハエジゴク.
gas·traea 名〖動物〗腸祖動物.
mo·rae·a 名〖植物〗アヤメ科 *Moraea* 属および *Dietes* 属の植物の総称.
spi·rae·a 名〖植物〗シモツケ類(spirea).
zo·ae·a 名〖動物〗ゾエア(zoea).

-ae·mi·a /íːmiə/

連結形〖病理〗-emia の異形.
★ 語頭にくる関連形は hem(o)-, haem(o)-: *hemo*dialysis「血液透析」, *hemo*globin「ヘモグロビン」.

a·nae·mi·a 名《英》貧血(症)(anemia).
ar·gi·nae·mia 名 アルギニン血(症).
az·o·tae·mia 名 (高)窒素血(症)(azotemia).
hy·drae·mi·a 名 水血症(hydremia).
hy·per·ae·mi·a 名 充血(hyperemia).
li·pae·mia 名 高脂肪血(症)(lipemia).
py·ae·mi·a 名《英》膿血(のうけつ)症, 膿毒症(pyemia).
u·rae·mi·a 名 尿毒症(uremia).

aer·i·al /ɛ́əriəl, eiíəriəl | ɛ́ər-/

形 **1** 空気の; 気体の. **2** 空中の. ⇨ -IAL.

dísh áerial (衛星放送, マイクロウエーブ電波の送受信用)椀形アンテナ.
férrite-ròd áerial 〖電子工学〗フェライトロッドアンテナ.
fráme àerial フレームアンテナ(frame antenna).
sùb·áerial 形 地上の, 地表にある[生じる, 適した].

aer·o·bics /ɛəróubiks/

名複 エアロビクス.

àq·uae·ró·bics 名複 アクアビクス: プールの中で音楽に合わせて行う運動.
hỳ·dro·aer·ó·bics 名複 水中エアロビクス.
stép àerobics 踏み台を用いたエアロビクス.

-afe /éif/

語尾 語末にくる同音形は -EF2, -EIF2.

chafe 動他 すり減らす, 擦り切らす.
kafe 名 カフェ(cafe).
safe 形 ☞
strafe 動他 機銃[地上]掃射する.

-aff1 /ǽf/

語尾 その多くに音象徴的な響きがある. 急な動き, 打つこと, からかい, おしゃべりなどを表し, 軽蔑的につまらないものをさす.

aff 前副《スコット》=off.
baff 動自他〖ゴルフ〗(ボールを)バッフする.
blaff 名 ブラフ: にんにく入り魚シチュー.
caff 名《英俗》カフェ(café).
chaff1 名 もみ殻.
chaff2 動他〈人を〉からかう, 冷やかす.
daff1 動自《スコット・北イング》ふざける.
daff2 動他《古》…をわきへそらす.
daff3 名《話》ラッパスイセン(daffodil).

draff 名 (食べ物の)くず, ビールかす.
faff 動自 《英話》おろおろ [おたおた] する.
gaff[1] 名 魚鉤(ぎ), ギャフ.
gaff[2] 名 虐待, 酷使; 厳しい非難, 酷評.
gaff[3] 動他 《俗》…をだます.
gaff[4] 名 《英俗》おしゃべり, (特に)くだらぬ話.
laff 名 《発音綴り》=laugh.
naff 動自 《英俗》急いで去る.
nyaff 名 《スコット》(小柄な)役立たず者.
raff 名 下層民, やくざ者, 有象無象.
sclaff 動他 【ゴルフ】(ボールを打つ直前に)〈地面を〉クラブの先でこすって打つ.
staff[1] 名 ☞
staff[2] 名 苆石膏(すさいりせっこう), つた入り石膏.
taff 形 《俗》太った.
waff[1] 名 《スコット》(空気・風などの)一吹き.
waff[2] 形 《スコット》つまらない.
yaff 動自 《スコット》〈犬などが〉ほえる.

-aff[2] /áːf/

語尾 語末にくる同音形は -ALF, -APH.

chaff[1] 名 もみ殻.
chaff[2] 動他 〈人を〉からかう, 冷やかす.
quaff 動自 《文語》〈酒などを〉がぶ飲みする.
staff[1] 名 ☞
staff[2] 名 苆石膏(すさいりせっこう), つた入り石膏.
waff 名 《スコット》(空気・風などの)一吹き.

af·fairs /əféərz/

名複 (諸)事, 事柄; 仕事, 事務; 事件, 出来事. ►affair の複数形.

cívil affáirs (外国(軍)の占領下にある政府 [地域] の)民政.
commúnity affàirs 道徳, 宗教, 文化, 政治, 言語の面で衝突する可能性のある集団がいっしょに住んでいる特殊な状態; (特に白人と黒人間の)人種関係(community relations).
fóreign affáirs 外交問題, 外務(行政).
intérnal affáirs (旧ソ連などの)内務.
públic affáirs 公共の事柄, 公事.

af·fect·ed /əféktid/

形 **1** 気取った, きざな. **2** 愛好されて. ⇨ -ED[1].

dìs·affécted 形 不満を抱いている, 不忠実な.
sélf-affécted 形 うぬぼれた, 気取り屋の.
ùn·affécted 形 見せかけでない, 心からの, 真実の.
wéll-affécted 形 (…に)好感を持っている.

af·firm·a·tive /əfə́ːrmətiv/

形 〈真実性・有効性・事実が〉確言的な, 断定 [断言] 的な. ——名 肯定, 賛成. ⇨ -ATIVE.

partícular affírmative 【論理】特殊肯定.
univérsal affírmative 【論理】全称肯定.

-af·fle[1] /ǽfl/

音象徴 gaffle, snaffle[2], raffle[1], raffle[2] に「つかむ」「からむ」というような音象徴がある. 富くじの raffle もつかむことからきている.

gaf·fle 動他 《ニューイング》つかむ, 盗む.
raf·fle[1] 名 ラッフル [富くじ] 販売.
raf·fle[2] 名 くず, ごみ, がらくた物.
scaf·fle 名 《米俗》エンジェルダスト: 麻薬の一種.
snaf·fle[1] 名 (手綱などを結びつける)馬銜(はみ).
snaf·fle[2] 動他 《英話》盗む; つかむ, ひったくる.
yaf·fle 名 《ニューファンドランド》一抱え.

-af·fle[2] /áfl | ɔ́fl/

語尾

waf·fle[1] 名 ワッフル: パンケーキの一種.
waf·fle[2] 動他 《米俗》踏みつける, 踏みにじる.

-aft /ǽft, áːft/

語尾

a·baft 副 船尾に.
aft[1] 副 【海事】【航空】船尾 [尾翼] で.
aft[2] 副 (…の)後 [後部] で.
aft[3] 副 《スコット》しばしば(oft).
craft 名 ☞
daft 形 《主に英俗》精神異常の.
draft 名 ☞
graft[1] 名 ☞
graft[2] 名 《米俗》不正利得, 収賄, 汚職.
graft[3] 名 《英方言》一鋤で掘れる土の深さ.
haft[1] 名 (特に小刀・短剣・剣の)柄(え).
haft[2] 名 《スコット・北イング》定住地.
kraft 名 クラフト紙.
raft[1] 名 (水面に固定した)浮き台.
raft[2] 名 《主に米・カナダ話》たくさん.
shaft 名 ☞
waft 動他 (空中・水上を)軽やかに運ぶ.

af·ter /ǽftər, áːf- | áːftə/

前 …の後に [から]. ——副 後に [で].

hère·áfter 副 以後, 将来; この後に.
hèrein·áfter 副 (文書などで)以下に, 下記に.
mórning áfter 《主に米話》二日酔い.
sóught-àfter 形 需要のある; 人気のある.
thère·áfter 副 その後, それ以来.
thèrein·áfter 副 (公式文書などで)後文に, 以下.
whère·áfter 副 《文語》その後, それ以来.

-ag /ǽg/

語尾 snag, swag, wag, zag などに短い動きをさす音象徴がある. また, gag は息のつまり, nag はぶつぶつという発声を表す. flag[1], flag[3], も擬声語起源である. さらに crag, jag[1], knag などはぎざぎざしたもの, 出っ張りを表し, ぶらさげる(もの)をさす tag やたわみをさす sag も音象徴的である.

bag[1] 名 ☞
bag[2] 動他 〈麦・草などを〉鎌(かま)で刈り取る.
blag 名 《英俗》強盗, 強奪.
brag 動自 (…を)自慢する.
cag[1] 名 カグール: 軽量防水性のアノラックの一種.
cag[2] 名 《英海事俗》議論.
clag 名 《俗》こびりついたよごれ [泥].
crag[1] 名 《英》そそり立つごつごつした岩.
crag[2] 名 《スコット・北イング》首; のど.
dag[1] 名 波形 [木の葉] 模様の縁取り.
dag[2] 名 《豪話》変わり者, 変人, 奇人.
dag[3] 名 旧式の大型ピストルの一種.
drag 動他 ☞
fag[1] 動他 〈人を〉(仕事などで)疲れさせる.
fag[2] 名 《米俗》男の同性愛者, ホモ(faggot).
flag[1] 名 ☞
flag[2] 名 ☞
flag[3] 動自 〈活力・活動・興味などが〉衰える.
flag[4] 名 (敷石用の)板石, 敷石.

A

frag 動他《米軍俗》〈気に食わない上官を〉(手投げ弾で)殺傷する.
gag[1] 動他〈人の〉口に(声が出せないように)物を詰め込む, 猿ぐつわをはめる.
gag[2] 名《話》ギャグ, こっけいなせりふ.
gag[3] 名 小形のハタ科の釣り魚.
hag[1] 名 ☞
hag[2] 名《英方言》沼地, 湿地.
jag[1] 名 (岩などの)とがった突出部.
jag[2] 名《話》ひとしきりふけること; 興奮.
knag 名 木の節(ふし); 枝の付け根.
lag[1] 名 ☞
lag[2] 動他《主に英俗》投獄する.
lag[3] 名 桶(おけ)板, 樽(たる)板.
mag[1] 名《話》雑誌(magazine).
mag[2] 名《英方言・豪話》カササギ(magpie).
mag[3] 形【コンピュータ】磁気の.
mag[4] 名《英俗》(英国の)半ペニー青銅貨.
nag[1] 動他 しつこく小言[文句]を言って悩ます.
nag[2] 名 老いぼれ馬, 駄馬.
quag 名 (踏むと足がはまり込む)沼地, 湿地.
rag[1] 名 ☞
rag[2] 動他《米話》〈人を〉しかる, とがめる.
rag[3] 動他〈鉱石の塊を〉(分類するために)砕く.
rag[4] 名【音楽】ラグタイム曲.
sag 動自 たわむ, たるむ, 落ち込む.
scag 名《米俗》質の悪いヘロイン.
scrag 名 やせこけた人[動物].
shag[1] 名 もじゃもじゃの粗い毛, 粗毛.
shag[2] 名【鳥類】ヨーロッパヒメウ(姫鵜).
shag[3] 動自 シャグを踊る.
shag[4] 動他 追いかける, 後を追う, 追跡する.
skag 名《俗》=scag.
skrag 動他《米暗黒街俗》殺す.
slag[1] 名 スラグ, 鉱滓(こうさい), のろ.
slag[2] 名《英俗》時計の鎖, 飾りの鎖.
snag 名《主に米・カナダ》(川底・湖底などに沈んでいて船の運行を妨害する)沈み木, 倒れ木. ── 動自 引っかかる, もつれる.
spag[1] 動他《南ウェールズ》〈猫が〉ひっかく.
spag[2] 名《豪俗》イタリア人.
sprag[1] 名 輪止め.
sprag[2] 名 タラの稚魚.
stag 名 成熟した雄ジカ.
swag[1] 名 ぶらり垂れ下がって揺れるさま.
swag[2] 名《俗》略奪品, 分捕り品, 戦利品.
tag[1] 名 ☞
tag[2] 名 鬼ごっこ.
vag 名《話》浮浪者, 失業者(vagrant).
wag 動他〈動物が〉〈尾などを〉振る, 揺する.
zag 動自 (ジグザグな動きの)一方へ動く.

ag·ate /ǽgət/

名【鉱物】瑪瑙(めのう).

fortificátion àgate フォーティフィケーション・アゲート: 宝石用瑪瑙.
Íceland ágate 黒曜石, 黒曜岩.
móss àgate 苔瑪瑙(こけめのう).
trée àgate 木瑪瑙(もくめのう).

age /éidʒ/

名 **1** 年齢, 年, 年数; 月齢. **2** 時代, 時期; 世代.

achíevement àge 【心理】成就[教育]年齢.
Aquárian Àge 水瓶(みずがめ)座の時代.
Augústan Àge アウグストゥス帝時代.
áwkward àge 思春期.
Brónze Àge 青銅器時代.
canónical áge 【教会】(教会法上の)年齢, 適齢.
chronológical áge 【心理】暦年齢, 生活年齢.
cóon's àge 《米話》長い間, 久しい間.
Cópper Àge 銅器時代.
dángerous áge 危険な年齢: 不倫などを起こす可能性のある 40 才とされる.
dóg's àge 《米北部》長い間.
educátional áge 【教育】教育年齢.
expósure àge 【天文】照射年代.
fúll áge 成年, 丁年.
Gílded Áge 【米史】金ぴか時代.
gólden áge 最盛期, 黄金時代.
heróic áge 【ギリシャ・ローマ文学】英雄時代.
íce àge 【地質】氷河時代.
informátion àge 情報化時代.
Íron Àge 鉄器時代.
Jázz Àge ジャズエイジ[世代].
jét àge ジェット機時代.
K-Ar àge 【地質】K−Ar 年代.
légal áge 成人年齢, 成年.
méntal áge 【心理】精神年齢, 知能年齢.
míddle áge 中年, 初老.
Nèw Áge ニューエイジ世代.
Néw Stóne Àge 新石器時代.
nón·áge 名 (法律上の)未成年.
óld áge 老齢(期), 老年, 晩年.
ó·ver·áge 形 制限年齢[適齢]を越えた.
radioáctive áge 【物理】放射性年代.
réading àge 【教育】読書年齢.
retírement àge 定年, 停年.
retíring àge 退職年齢.
schóol àge 学齢, 就学年齢.
Spáce Àge 宇宙時代.
spáce-àge 形 宇宙時代の.
stéam àge 蒸気機関車が走っていた時代.
Stóne Àge 石器時代.
téen·àge 名形 13 歳から 19 歳の年齢(の).
thírd àge 第三年代, 高老年世代.
ùn·der·áge 形 (飲酒・選挙権などについて)必要な年齢に達しない.
vóting àge 選挙権取得年齢, 投票年齢.

-age[1] /idʒ, ɑ́:ʒ/

接尾辞 **1** 行為: block*age*. **2** 行為の結果: break*age*. **3** 状態: vagabond*age*. **4** 範囲: short*age*. **5** 関係・地位: berth*age*. **6** 集合(体): sewer*age*. **7** 料金・税: post*age*. **8** 住むところ: orphan*age*.
★ 動詞・名詞・形容詞につけて主に名詞をつくる.
★ フランス語からの借用語に見られる.
◆ 中英＜古仏＜ラ *-āticum*(形容詞接尾辞 *-āticus* の中性形).
[発音] 第 1 強勢は基語, 基体と同じ; /ɑ́:ʒ/ と発音するものは最後の音節 -age に第 1 強勢. 例外: équipage.

ab·at·tage 名 (特に伝染を防ぐための)畜殺.
a·board·age 名【海事】接舷(せつげん).
a·bus·age 名 誤用, 乱用.
ac·i·er·age 名 鉄めっき, 鋼化.
a·cre·age 名 エーカー数で測った面積[地積].
ad·van·tage 名 ☞
ag·i·o·tage 名 外国為替業, 両替業.
al·ien·age 名 外国人[在留外国人]であること.
al·tar·age 名【キリスト教会】供物; 寄進.
am·per·age 名【電気】アンペア数.
an·chor·age 名 停泊(地), 投錨(地), 係留(地).
an·ec·dot·age 名 逸話; 逸話集.
ap·a·nage 名 =appanage.
ap·pa·nage 名 (王室の家族に対する)給与資財.
ap·pend·age 名 添加物, 付加物; 従属物.
ar·bi·trage 名【金融】裁定取引, さや取り売買.
ar·rear·age 名 遅滞, 滞り, 遅れ.
as·sem·blage 名 **1** 会合, 集会; 集団; 物の集まり. **2** 【美術】アッサンブラージュ.

av·er·age 名 ☞
bad·i·nage 名 軽い冗談, からかい, ひやかし.
bag·gage 名 ☞
bal·i·sage 名 〖軍事〗バリセイジ.
bal·lo·tage 名 (以前フランスで行われた)決選投票.
band·age 名 包帯, 眼帯, 巻き布.
bar·on·age 名 (英国の)貴族, 貴族階級.
bar·on·et·age 名 准男爵.
bar·rage 名 ☞
bar·rel·age 名 樽(たる)全部の総容量.
bea·con·age 名 〖海事〗立標式.
beer·age 名 《英俗》 **1** (特に貴族に叙せられた)醸造者. **2** 英国貴族(階級).
berth·age 名 〖海事〗停泊区域; 停泊設備.
bev·er·age 名 (水以外の)飲料, 飲み物.
blind·age 名 〖軍事〗(塹壕内の)防弾壁.
block·age 名 封鎖, 妨害, 遮断.
boat·age 名 〖海事〗はしけ運送. 「役.
bond·age 名 奴隷[農奴]の境遇; 苦役, 強制労
bos·cage 名 《詩語》森, 茂み, やぶ.
bos·kage 名 =boscage.
bos·sage 名 〖石工〗後で削って仕上げるため, 建造中はモルタル目地より突き出しておく石積み.
brake·age 名 制動作用.
brass·age 名 貨幣鋳造費, 鋳造手数料.
break·age 名 破損, 破壊.
brew·age 名 醸造酒, ビール.
brock·age 名 (鋳造中についた)硬貨の傷.
bro·kage 名 《古》=brokerage.
bro·ker·age 名 仲買[仲介]業務, ブローカー業務.
bulk·age 名 膨張性食品. 「と.
bunk·er·age 名 自船用の石炭[石油]を積み込むこ
bu·oy·age 名 〖海事〗浮標, ブイ標識.
bur·gage 名 〖古英法〗自治邑(ゆう)土地保有態様.
bush·el·age 名 ブッシェル量.
but·ler·age 名 〖古英法〗輸入ぶどう酒税.
cab·o·tage 名 沿海航行, 沿岸貿易.
cam·ou·flage 名 カムフラージュ, 偽装.
car·nage 名 大量殺人[殺戮(さつりく)], 大虐殺.
car·riage 名 ☞
cart·age 名 荷車運送(料).
car·ti·lage 名 ☞
car·ton·nage 名 古代エジプトのミイラ棺; その材.
cel·lar·age 名 地下室の面積[収容力].
cent·age 名 《芸能俗》歩合, (劇場の)取り前.
chain·age 名 測鎖または巻尺で測った長さ.
char·ter·age 名 賃貸借契約; チャーター料.
chip·page 名 破損.
chum·mage 名 《話》同室, 同宿.
clear·age 名 取り片づけ; 空き地; 通関手続き.
cleav·age 名 ☞
cli·ent·age 名 依頼人, 顧客.
cloud·age 名 〖気象〗クラウドカバー.
coin·age 名 硬貨鋳造(法, 権); 硬貨制度.
col·lage 名 〖美術〗コラージュ.
col·por·tage 名 書物行商.
com·mon·age 名 共同使用.
con·cu·bi·nage 名 内縁関係, 同棲(どうせい).
con·sul·age 名 領事に支払う課税金.
coop·er·age 名 桶屋(おけや)仕事, 桶職. 「品.
co·quil·lage 名 コキヤージュ: 貝殻でつくった装飾
cord·age 名 綱, 縄, 索類.
cork·age 名 コケージ, 持ち込み料, 栓抜き料.
cor·sage 名 〖服飾〗コサージュ.
cot·tage 名 ☞
cour·age 名 ☞
cov·er·age 名 ☞
coz·en·age 名 だますこと, 詐欺(行為), ぺてん.
cran·age 名 起重機[クレーン]使用(料).
crib·bage 名 〖トランプ〗クリベッジ.
cub·age 名 体積, 容積.
cu·ret·tage 名 〖外科〗搔爬(そうは).
cu·ri·age 名 〖理学〗キュリー数.
cur·ti·lage 名 〖法律〗(家宅周辺の)庭地, 宅地.
cut·tage 名 挿し木.
dam·age 名 ☞
deb·it·age 名 〖考古〗削片群.
de·colle·tage 名 〖服飾〗デコルテ, デコルタージュ.
de·cou·page 名 デクパージュ: 紙などの切り抜きを張る装飾法.
de·mur·rage 名 〖商業〗滞船, 超過停泊.
dis·par·age 動他 けなす, 軽んじる, 見くびる.
dock·age[1] 名 ドック[船渠(せんきょ)]使用料.
dock·age[2] 名 切り詰め, 縮減, 削減.
dos·age 名 〖医学〗〖薬学〗投薬(量); (放射線などの)投与(量).
dot·age 名 老いぼれ, もうろく, 認知症.
drain·age 名 排水, 放水; 流出; しずく.
dray·age 名 《主に米》荷(馬)車による運搬.
dres·sage 名 馬術.
drift·age 名 漂流(作用); 漂流量.
drip·page 名 したたり, 滴下; 雨垂れ.
driv·age 名 〖採鉱〗延先(のびさき), 掘進坑道.
drop·page 名 (使用中・作業中などの)損失量.
ef·fleu·rage 名 (マッサージで)軽擦法.
em·bas·sage 名 《古》大使(一行); 大使館.
en·fleu·rage 名 冷浸法, アンフルラージュ.
en·tou·rage 名 側近, 取り巻き連.
eq·ui·page 名 (従者付きの)馬車.
es·cheat·age 名 不動産復帰権.
es·cu·age 名 =scutage.
es·pi·o·nage 名 スパイ行為, 偵察; スパイ活動.
es·top·page 名 禁反言による阻止.
ex·ploit·age 名 利用, 開発.
ex·press·age 名 《主に米》速達便(業).
fac·tor·age 名 代理業, 問屋業.
fer·ri·age 名 渡船業, 船渡し(便).
fer·ry·age 名 =ferriage.
feu·age 名 〖古英法〗=fumage.
flam·age 名 《俗》(パソコン通信で)意図的な攻撃的罵倒[批判]のメッセージ.
fleur·age 名 花のコラージュ.
float·age 名 =flotage.
floor·age 名 床面積.
flo·tage 名 浮遊, 浮揚(している状態).
flow·age 名 流動, 流出; 氾濫(はんらん).
flow·er·age 名 開花(状態). 「二番草.
fog·gage 名 《主にスコット》(刈った後に生える)
foot·age 名 フート単位の長さ[体積].
for·est·age 名 〖英史〗山林税.
fos·ter·age 名 里子を預かること; 里子に出すこと.
freight·age 名 貨物輸送, 運送.
frond·age 名 (シダヤシ類の)葉; 群葉.
front·age 名 (建物・地所の)正面, 前面.
frot·tage 名 〖美術〗フロッタージュ.
fruit·age 名 結実, 結果; 結実の季節.
fu·age 名 〖古英法〗=fumage.
fu·mage 名 〖古英法〗煙突税.
fund·age 名 《俗》資金; 所持金.
fu·se·lage 名 〖航空〗(飛行機の)胴体, 機体.
gal·lon·age 名 使用ガロン数[量].
ga·rage 名 車庫, ガレージ; (屋内)駐車場.
ga·vage 名 (病人への)胃管による栄養補給.
graft·age 名 接ぎ木(術, 法).
gril·lage 名 格子枠組み, 捨て枠地形(じぎょう).
ground·age 名 《英》(船の)停泊税, 停泊料.
har·bor·age 名 (港の)停泊設備, 避難施設; 港.
haul·age 名 引くこと, 引っ張り; 運搬(作業).
herb·age 名 草本類, 草本植物.
her·it·age 名 ☞
her·mit·age 名 隠者のいおり, 草庵(そうあん).
hid·age 名 〖古英法〗ハイド税.
hom·age 名 尊敬, 敬意.
hos·tage 名 人質.
hus·band·age 名 (船舶管理人に支払う)船舶管理料.
inn·age 名 残留荷量.
keel·age 名 (商船の)入港税, 停泊税.

ki·lo·met·rage 名 (走行距離の)総キロ数.
knight·age 名 ナイト爵団, 勲爵士団.
lair·age 名 牛を途中で休ませること [小屋].
lan·guage 名 ☞
lap·page 名 〖法律〗権原競合地.
la·vage 名 洗うこと, 洗浄.
leaf·age 名 (1本の草木の)全部の葉.
leak·age 名 漏れること.
lev·er·age 名 梃子(てこ)の作用; 梃子装置.
light·er·age 名 はしけ運搬.
lin·age 名 (雑誌記事・新聞広告などの)行数.
lin·e·age 名 ☞
link·age 名 ☞
lit·er·age 名 (容積 [総])リットル数.
lock·age 名 水門の構築 [使用, 操作].
lug·gage 名 《主に英》=baggage.
ma·quil·lage 名 メーキャップ.
ma·rou·flage 名 鉛白を練った接着剤でカンバスをしっくい壁に固定する方法.
mar·riage 名 ☞
mas·sage 名 マッサージ, もみ療治, あんま [術].
ma·tron·age 名 既婚女性であること.
meg·a·ton·nage 名 (核兵器の)メガトン単位で計る総破壊力.
melt·age 名 溶融量; 溶融物; 溶融(すること).
mes·sage 名 ☞
met·age 名 (公の機関による荷の)検量, 計量.
me·ter·age 名 計量, 計ること.
mil·age 名 =mileage.
mile·age 名 総マイル数.
mill·age 名 1ドル当たり1000分の1の課税.
mint·age 名 貨幣鋳造, 造幣; 造幣権.
mi·rage 名 蜃気楼(しんきろう).
mon·tage 名 〖映画〗モンタージュ.
moor·age 名 (船などの)係留所, 係船所.
mou·lage 名 型取り.
mu·rage 名 〖英法〗城壁税.
oar·age 名 《古・詩語》こぎ方, こぐ動作.
ohm·age 名 〖電気〗オーム数.
or·phan·age 名 孤児院.
out·age 名 (電力・ガス・水などの)供給停止.
o·ver·age 名 〖商業〗過剰生産 [供給].
pack·age 名 ☞
pan·nage 名 〖英法〗(森林での)豚の放牧(権).
par·ent·age 名 生まれ, 出身, 血統, 家柄.
par·son·age 名 牧師 [司祭] 館.
pas·sage 名 ☞
pas·tor·age 名 牧師の職務.
pas·tur·age 名 牧草地.
pa·tron·age 名 (顧客の)ひいき; 取引, 商売; 後援.
pav·age 名 舗装税.
pawn·age 名 質入れ, 入質.
pay·sage 名 景色, 風景; 風景画.
peer·age 名 貴族(階級).
pel·age 名 (四足動物の)毛, 毛皮.
pe·on·age 名 (中南米の)日雇労働者の身分.
per·cent·age 名 百分率 [比], パーセンテージ.
per·si·flage 名 軽口, 冗談, ひやかし, 揶揄(やゆ).
per·son·age 名 《文語》著名人, 名士, 有力者.
pew·age 名 聖堂座席料.
pil·fer·age 名 こそ泥(を働くこと), ちょろまかし.
pil·lage 動他 略奪する.
pi·lot·age 名 水先案内; 操縦術; 案内, 指導.
pip·age 名 パイプ輸送.
plac·age 名 (建物表面の)薄い仕上げ化粧.
plot·tage 名 小地所の敷地.
plum·age 名 ☞
plun·der·age 名 略奪, 強奪, 略取.
plus·sage 名 余分の量 [額], プラス分.
pond·age 名 貯水量.
pon·tage 名 〖英法〗橋梁(きょうりょう)税.
por·tage 名 輸送, 運搬, 持ち運び.
por·ter·age 名 運搬, 荷物運び; 運送業.
post·age 名 郵送料, 郵便代.
po·tage 名 〖フランス料理〗ポタージュ.
pot·tage 名 《古》=potage.
pound·age[1] 名 重量1ポンド当たりに支払う金額.
pound·age[2] 名 (家畜などの)収容すること; 留置.
pri·sage 名 〖古英法〗輸入ぶどう酒税.
pu·pil·age 名 生徒 [弟子, 被後見者] の身分 [期間].
quar·ter·age 名 (部隊の)宿舎用意, 宿舎割当て.
quay·age 名 岸壁, 波止場.
ra·ci·nage 名 木根模様.
ra·con·tage 名 うわさ話; 物語, 逸話; 逸話集.
rail·age 名 鉄道貨物運賃.
ram·age 名 〖人類〗ラメージ, 選系的出自集団.
ram·page 名 狂暴な行動; 激怒 [興奮] の状態.
rav·age 動他 …を破壊する; 略奪する; 損なう.
re·port·age 名 報道活動 [技術], 取材活動 [技術].
re·pous·sage 名 打ち出し加工 [細工].
ret·rous·sage 名 〖美術〗ルトルサージュ.
riv·age 名 《古》川岸, 海岸, 岸辺.
roof·age 名 屋根ふき材料.
root·age 名 根づくこと, 定着; 根.
rough·age 名 (目・きめなどの)粗い物 [材料].
rum·mage 動他 (…を求めて)くまなく捜す.
sab·o·tage 名 〖労働〗サボタージュ.
sal·vage 名 海難救助(作業); 沈没船の引き揚げ.
scaf·fold·age 名 足場.
scal·age 名 《米》(品物の値段の)差し引き率.
scrap·page 名 廃棄物.
scu·tage 名 (封建制度における)軍役免除金.
seign·eur·age 名 =seigniorage.
seign·ior·age 名 貨幣鋳造料, 鋳貨税.
sept·age 名 汚水処理タンクの汚物.
sew·age 名 (下水管を流れる)汚水, 下水.
sew·er·age 名 下水処理.
short·age 名 不足, 欠乏.
sign·age 名 図形, 記号, 文字.
sink·age 名 《まれ》低下, 沈下; 減少; 沈下度.
si·phon·age 名 〖物理〗サイフォン作用.
slip·page 名 滑ること; 滑りの程度, ずれの量.
soak·age 名 浸すこと; 染みること.
soc·age 名 〖中世英法〗領主に対して貨幣地代など特定の義務を負担する土地保有.
soil·age[1] 名 (飼料用に栽培される)草類.
soil·age[2] 名 よごすこと.
son·dage 名 〖考古〗試掘.
spill·age 名 こぼすこと, こぼれ.
spin·dle·age 名 (ある地域における)全紡錘数.
spoil·age 名 駄目にする [損なう] こと, 損傷.
stall·age 名 〖英法〗屋台営業権.
steal·age 名 盗み, 窃盗.
steer·age 名 船の一区画.
stil·lage 名 物置き台.
stop·page 名 中止, 休止, 停止; 停止させるもの.
stor·age 名 ☞
stow·age 名 積み込み(作業); 積み方.
stump·age 名 《米・カナダ》(価格を問題にした場合の)立木(りゅうぼく).
suf·frage 名 ☞
sur·plus·age 名 残り, 余り; 余分の量 [額].
tal·lage 名 〖中世史〗貢納, 小作税.
tank·age 名 タンクの容量 [貯蔵量].
tan·nage 名 皮なめし.
teach·er·age 名 教員用住居を併設した学校.
tel·pher·age 名 テルハー運搬機構.
tent·age 名 天幕, テント; 天幕 [テント] 設備.
than·age 名 〖古英史〗セインの持つ土地保有権.
till·age 名 ☞
toll·age 名 使用料 [税] の支払い.
ton·nage 名 ☞
tow·age 名 (船・自動車などの)牽引(けんいん).
track·age[1] 名 《米》鉄道の総路線, (総)軌道延長.
track·age[2] 名 (土手から)船を引くこと, 曳航(えいこう).
treil·lage 名 格子細工 [作り].
tri·age 名 〖医学〗トリアージ: 負傷程度による

治療優先順位の決定方式.

truck·age [名] 《米》運送, 輸送.
tun·nage [名] =tonnage.
tu·te·lage [名] 後見, 保護, 監督; 後見人の責務.
tu·tor·age [名] 家庭 [個人] 教師の職 [権威, 監督].
ul·lage [名] (容器内のワインの蒸発・漏出などによる)不足量.
um·brage [名] 不快(感), 立腹; 迷惑, 困惑.
um·pir·age [名] 仲裁者 [審判員] の職 [地位, 権威].
un·der·age [名] 不足(高).
u·nit·age [名] 単位規定; 1単位当たりの数 [量].
us·age [名] 慣習, 慣例, 習わし, しきたり.
vag·a·bond·age [名] 放浪; 放浪状態 [生活]; 放浪癖.
vas·sal·age [名] 封臣 [家臣] の地位または身分.
vent·age [名] (フルートの指穴などの)小穴, 小孔.
ver·bi·age [名] 多言, 冗漫, 冗長.
ver·nis·sage [名] ベルニサージュ: 絵画展の開催前日.
vic·ar·age [名] 《英》司祭館, 牧師館.
vic·i·nage [名] 近所, 近辺, 付近.
vict·ual·age [名] 《まれ》食物, 食糧, 糧食.
vil·lage [名] ☞
vil·lain·age [名] =villeinage.
vil·lan·age [名] =villeinage.
vil·lein·age [名] 農奴制.
vin·tage [名] (ある収穫期にできる)ワイン.
vis·age [名] 顔, 顔だち, 容貌(ようぼう).
volt·age [名] ☞
waft·age [名] ふわりと運ぶこと; (船による)輸送.
wag·on·age [名] 《古》荷車による輸送 [運搬].
want·age [名] 不足物; 不足高, 必要額; 不足.
wast·age [名] (使用・腐朽などによる)損耗, 消耗.
wa·ter·age [名] 《英》(貨物の)水上輸送(料金).
watt·age [名] ワット数: ワット単位で測った電力.
wharf·age [名] 波止場 [埠頭(ふとう)] の使用.
wind·age [名] 【軍事】偏流.
word·age [名] 言葉.
wrap·page [名] 包み(紙), 包装紙 [材料].
wreck·age [名] 難破, 難船; 破壊, 破滅.
yard·age[1] [名] ヤード数.
yard·age[2] [名] 駅構内使用(権).

-age[2] /éidʒ/

[語尾]

age [名] ☞
cage [名] ☞
gage[1] [名] ☞
gage[2] [名] ☞
gage[3] [名] グリーンゲージ: 淡緑色の西洋スモモ.
gage[4] [名] 《米俗》ウイスキー, (安)酒.
mage [名] 《古》魔法使い, 魔術師(magician).
page[1] [名] ☞
page[2] [名] ☞
phage [名] ファージ: ウイルスの一種.
-phage [連結形] ☞
rage [名] ☞
sage[1] [名] 賢者, 知恵にたけた人.
sage[2] [名] ☞
stage [名] ☞
swage [名] スエージ: 金属材料を成形する道具.
wage [名] ☞

-age[3] /idʒ/

[語尾] 語末にくる同音形は -IDGE.

cab·bage [名] ☞
im·age [名] ☞
man·age [動][他] ☞
sau·sage [名] ☞

a·gen·cy /éidʒənsi/

[名] サービス提供機関 [会社, 事務所]. ⇨ -ENCY.

ádvertising àgency 広告代理店.
Child Suppórt Àency 《英》児童養育費徴収局(CSA).
co·á·gen·cy [名] 共同作用 [作業], 協力(行動).
colléction àgency 債権取り立て会社, 集金代行業者.
commércial àgency 商業興信所.
crédit-rèference àgency 信用格付け照会所.
dáting àgency 同好の士を紹介する斡旋業者.
Defénse Intélligence Àgency (米国の)国防情報局.
emplóyment àgency (民間の)職業紹介所.
Environméntal Protéction Àgency 米国環境保護庁.
fúll-sérvice àgency 【広告】フルサービス代理店.
Índian àgency インディアン保護事務所.
inquíry àgency 《英》私立探偵社.
intélligence àgency (政府の)情報局, 諜報(ちょうほう)部.
ìn·ter·á·gen·cy [名] 中間的 [仲介] (政府)機関. ——[形] 関係省庁間の.
Jéwish Agéncy ユダヤ機関.
láw enfórcement àgency 《米》法執行機関, 警察機関.
mércantile àgency =commercial agency.
Nátional Secúrity Àgency 【米政府】国家安全保障局.
néws àgency =press agency.
personnél àgency 職業安定所.
préss àgency 通信社.
re·á·gen·cy [名] 反応(力); 反作用.
subscríption àgency 【出版】予想購読販売代理店.
súper·àgency [名] (特に出先機関などを監督する)中央の政府機関.
tálent àgency (スカウト目的の)タレント事務所.
tícket àgency (特に劇場切符の)切符取扱所.
tíme-bùying àgency 【広告】放送媒体のコマーシャル時間購入を専門とする代理店.
Tráining Ágency 《英》職業訓練局.
trável àgency 旅行代理店, 旅行社.
wíre àgency =press agency.

a·gent /éidʒənt/

[名] **1** 代理人, 代理権者; 斡旋(あっせん)人. **2** (公共機関の)職員; 法の執行官; (政府などの)情報要員, スパイ. **3** 行為者. **4** 外交員. **5** 化学薬品, …剤; 【薬学】作動 [作用] 薬. **6** 【コンピュータ】エージェント: (ユーザーの意を汲んで仕事をする)仮想代理人ソフト. ⇨ -ENT[1].

advánce àgent 《話》宣伝; 宣伝要員, 販売促進員.
agricúltural àgent =county agent.
alkyláting àgent 【薬学】アルキル化剤.
autónomous ágent 【コンピュータ】自律的エージェント.
bóok àgent 書籍の外交販売員.
bóoking àgent (ホテル・切符などの)予約係 [代理業].
bríck àgent 《米俗》下っ端の FBI 特別捜査官.
bríghtening àgent (洗剤に配合する)蛍光増白剤.
búsiness àgent (労働組合の)交渉委員.
chánge àgent 社会変革の仕掛け人 [主導者].
chélating àgent 【化学】キレート剤, キレート試薬.
co·á·gent [名] 協力者; 共同作用する力.
commíssion àgent 仲買人, 問屋, ブローカー.
compléxing àgent 【化学】独立して立体的に配位した非金属の分子またはイオン.
cónsular àgent 領事代理.
cóunt·er·à·gent [名] 反対に作用するもの; 反作用剤.
cóunty ágent 《米》郡農事顧問.
Crówn Ágent (英国の)直轄植民地の総督.
dispérsing àgent 【物理化学】分散剤.
dóuble ágent 二重スパイ.
Éaton àgent 【生物】イートン因子.
estáte àgent 《英》土地管理人, 不動産管理人.
exténsion àgent 農業相談員.
físcal àgent 財務代理人, 財務代理機関.
fórwarding àgent 貨物(発送)取扱人, 運送業者.
frée ágent 自由行為者.

A

fréight àgent 貨物取扱人.
géneral ágent 総代理人.
hóuse àgent 《英》家屋周旋[不動産]業者.
Índian àgent アメリカインディアン管理官.
inquíry àgent 《英》私立探偵.
intélligent ágent 【コンピュータ】知的エージェント.
ínterface ágent 【コンピュータ】インターフェースエージェント.
lánd àgent 土地売買周旋業者, 不動産会社.
láw àgent 【スコット法】事務弁護士.
líterary ágent 著作権代理人[業者].
manufácturer's àgent 製造業者[メーカー]代理店.
nérve àgent 【化学】神経ガス.
néws·àgent 《主に英》新聞[雑誌]販売業者.
Nórwalk àgent 【医学】ノーウォーク因子.
núcleating ágent 【気象】人工降雨剤.
óxidizing àgent 【化学】酸化剤.
parliaméntary ágent 《英》(政党の)顧問弁護士.
pátent àgent (特許などの手続きを扱う)弁理士.
pláy àgent 劇作家の代理人.
polítical ágent 【英史】インド駐在官.
préss àgent (劇場などの)報道[宣伝]係.
publícity àgent 広告代理業者.
púrchasing àgent (会社の)購買[仕入れ]係.
re·á·gent 名 ☞
réal estàte àgent 《米》不動産仲介人.
redúcing àgent 【化学】還元剤.
révenue àgent 歳入徴収役(人).
róad àgent 《もと》(特に米西部の駅馬車道に出現した)追いはぎ.
sécret ágent 諜報部員.
sélling àgent 【マーケティング】販売代理商.
shípping àgent 船会社, 船荷取扱店, 回漕(かいそう)業者.
sléeper àgent 《俗》(敵国に潜伏している)スパイ.
sóftware ágent 【コンピュータ】ソフトウェアエージェント.
spécial ágent (法律執行関係の)特別捜査官.
státion àgent 《米》(鉄道の)駅長.
stóck-àgent 名 《豪·NZ》家畜売買業者.
sub·á·gent 名 代理人代行.
súlfiting àgent 【化学】亜硫酸塩化合物.
súrface-àctive ágent 【化学】界面活性剤.
tícket àgent (劇場などの)切符取扱人[店].
tránsfer àgent 証券名義書き換え代理人.
trável àgent 旅行案内業者, 旅行社社員.
tréble ágent 三重スパイ.
tríple ágent =treble agent.
undercóver agent 覆面捜査官, おとり捜査官.
univérsal ágent 総代理人.
V́-àgent 名 【薬学】V 剤.
wétting àgent 【化学】湿潤剤.

-ag·gle /ægl/

音象徴 音象徴語の重複形に見られる語末要素. ◇ -LE[3].

rág·gle-tág·gle 形 雑多の, ごたまぜの.
wíg·gle-wàg·gle 動自他 《米俗》あちらこちらへと揺り動かす[動く]. ── 形 優柔不断な.
wrág·gle-tàg·gle 形 =raggle-taggle.

ag·gre·gate /ǽgrigət, -gèit/

形 集合した, 集団の; 総計[集計]した, 総計[集計]の. ── 名 骨材. ⇨ -GREGATE.

cóarse ággregate 【土木】粗骨材.
dis·ág·gre·gàte 動他自 〈集合物を[が]〉構成要素に分解する. ── 形 分解した.
fíne ággregate 【土木】細骨材.
mónetary ággregate 貨幣供給総量, 金融総量.
re·ág·gre·gàte 動他自 【化学】(分子などを[が])再結合させる[する].

ag·gres·sive /əgrésiv/

形 侵略的な, 攻撃的な, けんか腰の; 攻勢. ⇨ -GRESSIVE.

au·to·ag·gres·sive 形 自己免疫の(autoimmune).
hy·per·ag·gres·sive 形 非常に攻撃的な[けんか腰の].
un·ag·gres·sive 形 攻撃的でない, 非侵略的な.

-a·go /ɑ́:gou, éi-/

接尾辞 ラテン語の性質や種類を表す名詞接尾辞.
◆ ラテン語 *-āgō* より.

far·ra·go 名 寄せ集め, ごたまぜ.
i·ma·go 名 【昆虫】成虫; 【動物】成体.
lum·ba·go 名 【病理】腰痛, 腰疝痛(せんつう), 疝気.
plum·ba·go 名 黒鉛, 石墨; (耐火物として)自然黒鉛.
vi·ra·go 名 がみがみ女, 口やかましい女.

-a·gog /əgɔ̀:g, əgɑ̀g | əgɔ̀g/

連結形 《主に米》-agogue の異形.
◆ <仏 *-agogue* <後期ラ *-agōgus* <ギ *agōgós*.

dem·a·gog 名 民衆扇動者(demagogue).
ped·a·gog 名 教育者, 教師, 先生(pedagogue).
secre·ta·gog 名 【生理】分泌促進剤.
syn·a·gog 名 シナゴーグ: ユダヤ教の礼拝堂.

-a·gog·ic /əgɑ́dʒik | əgɔ́dʒ-/

連結形 指導する; …を促す.
★ 形容詞をつくる.
★ 語末にくる関連形は -AGOGUE.
◆ -AGOG+-IC[1].

an·a·gog·ic 形 (聖書などの語句の)神秘的解釈.
dem·a·gog·ic 形 民衆扇動の, デマの, 扇動的な.
hyp·na·gog·ic 形 入眠(時)の, うとうとしている.
i·sa·gog·ic 形 (特に聖書注解の)手引きの, 入門の.
ped·a·gog·ic 形 教育者の, 教師の; 学者ぶった.
si·al·a·gog·ic 形 【医学】唾液(だえき)分泌を促進する.

-a·gogue /əgɔ̀:g, əgɑ̀g | əgɔ̀g/

連結形 導くもの.
★ 名詞をつくる.
★ 語末にくる関連形は -AGOG, -AGOGIC, -AGOGY.
◆ ギリシャ語 *-agōgos, -ē, -on*(*ágein*「導く」と同根)より.

cho·la·gogue 名 胆汁排出促進剤.
cho·le·cys·ta·gogue 名 胆汁排出促進剤.
dem·a·gogue 名 民衆扇動者; 扇動演説家, デマゴーグ.
em·men·a·gogue 名 通経薬, 月経促進薬.
ga·lac·ta·gogue 名 催乳剤.
hy·dra·gogue 名 駆水薬(利尿剤, 発汗剤など).
mys·ta·gogue 名 秘義伝教者.
ped·a·gogue 名 教育者, 教師, 先生.
si·al·a·gogue 名 催唾剤, 唾液分泌促進剤.
syn·a·gogue 名 シナゴーグ: ユダヤ教の礼拝堂.

-a·go·gy /əgòudʒi, -gɑ̀- | -gɔ̀-/

連結形 …を導く.
★ 名詞をつくる.
◆ -AGOGUE+-Y[3].
[発音] すべて 4 音節の語で, 語頭の音節に第 1 強勢; ただし, anagógy となることもある.

an·a·go·gy 名 (聖書などの語句の)神秘的解釈.
dem·a·go·gy 名 《主に英》(政治的)扇動, デマ.
ped·a·go·gy 名 教育, 教授, 教師の職務.

ag·o·nist /ǽgənist/

名 競技者; (特に文学作品の)主役, 主人公. ⇨ -IST[1].

an·tag·o·nist 名 敵対者, 反対者, 反抗者, 競争相手.
deu·ter·ag·o·nist 名 (ギリシャ古典劇の)脇役.
pro·tag·o·nist 名 主人公; (ギリシャ劇の)主役.
tri·tag·o·nist 名 (古代ギリシャ劇の)第三俳優.

a·gree·ment /əgríːmənt/

名 **1** 合意, 了解, 同意. **2** 協定, 協約. ⇨ -MENT.

Ánglo-Írish agréement 《英》英国=アイルランド協定.
Beirút Agréement 〖出版〗ベイルート条約.
colléctive agréement (労使間の)団体協約.
exécutive agréement 〖米行政〗行政協定.
fáir-tráde agrèement 《米》公正取引協定.
géntleman's agréement =gentlemen's agreement.
géntlemen's agréement 紳士協定.
Internátional Whéat Agrèement 国際小麦協定(1868).
knóck-for-knóck agréement 《英》ノックフォアノック協定: 自動車損害保険会社間の取り決め.
nátional agréement (雇用条件に関する国家間)産別協定.
Nét Bóok Agrèement 《英》書籍値引き禁止協定.
órderly márketing agrèement 市場秩序維持協定.
plánt agréement 工場レベルでの労働協約.
prè-a·grée·ment 名 事前合意.
prenúptial agrèement 結婚前の取り決め.
procédural agréement (経営者と労働組合の)団体交渉の諸条件に関する同意事項.
repúrchase agrèement 《米》〖金融〗買い戻し約定.
síngle-ùnion agréement 〖経済〗単一労働組合協定.
Smithsónian Agréement スミソニアン協定(1971).
stándstill agrèement 〖金融〗(債務返済の)据え置き協定.
Súnningdale Agréement (北アイルランドの)サニングデール協定(1974).
swáp agrèement 〖経済〗スワップ協定.
tráde agrèement 国際貿易協約.
Vladivóstok agrèement ウラジオストク協約: 戦略核兵器抑制に関する米ソ間の暫定協約.

ag·ri·cul·ture /ǽgrikʌ̀ltʃər/

名 農業; 農耕, 農法, 農芸. ⇨ CULTURE.

fíre àgriculture 焼き畑農業.
múltiple ágriculture 多角式農業.
tráy àgriculture 水耕法, 水栽培.
vocátional ágriculture 《米》(高等学校科目としての)農業.
wét-ríce àgriculture 水稲耕作.

-ah[1] /ə, ɑ̀ː/

接尾辞 ヘブライ語の名詞をつくる語尾要素.

A·dah 名 アダ: Lamech の妻の一人.
a·li·yah 名 〖ユダヤ教〗アリヤー: 礼拝でトーラー(Torah)を朗読するために会堂の小卓へ進み寄ること.
bra·chah 名 食前 [食後] の祈り(blessing).
Cha·nu·kah 名 〖ユダヤ教〗=Hanukkah.
cha·vu·rah 名 =havurah.
chup·pah 名 =huppah. 「Judah の総督.
Ged·a·li·ah 名 ゲダルヤ: バビロンに征服された後の
ge·ni·zah 名 ユダヤ教礼拝堂の倉庫 [書庫].
Hab·da·lah 名 〖ユダヤ教〗=Havdalah.
Haf·ta·rah 名 〖ユダヤ教〗安息日や祭日にシナゴーグ(synagogue)で Parashah に続けて詠唱または朗読される旧約預言書の一部.
Hag·ga·dah 名 〖ユダヤ教〗ハガダー: 過越(すぎこし)の祭り(Passover)の第一, 二夜の祝宴(Seder meal)に用いられる典礼書.
Ha·nuk·kah 名 〖ユダヤ教〗ハヌカー: ユダヤ暦 Kislev の月の 25 日から 8 日間行われるユダヤ教徒の祭.
Haph·ta·rah 名 〖ユダヤ教〗=Haftarah.
Hav·da·lah 名 〖ユダヤ教〗ハブダラ: 安息日や祭日の締めくくりに行なう宗教儀式.
ha·vu·rah 名 ハブーラ: 米国のユダヤ人親睦(しんぼく)団体.
hup·pah 名 フッパー, (その下でユダヤ人が結婚式を執り行う)天蓋(てんがい).
I·sa·iah 名 イザヤ: 紀元前 8 世紀の旧約聖書中の大預言者の一人.
Jed·e·di·ah 名 男子の名. ►字義はヘブライ語で「ヤハウェ(旧約聖書の神の名)の友人」.
Je·ho·vah 名 エホバ: 旧約聖書の唯一神ヤハウェ(Yahweh)の誤読された呼称.
kap·pa·rah 名 〖ユダヤ教〗カパラー: 儀式の一つ.
Ke·du·shah 名 〖ユダヤ教〗三聖唱.
ke·hil·lah 名 ユダヤ人の慈善・社会事業団体.
ke·tu·bah 名 〖ユダヤ教〗ケトゥバー: 正式な結婚契
mash·gi·ah 名 食品査察官. し約書.
me·chi·tzah 名 =mehitzah.
me·gil·lah 名 《俗》長ったらしい説明; 面倒.
me·hi·tzah 名 〖ユダヤ教〗メヒツァー: synagogue で, 女子席と男子席を分けるカーテンや間仕切り. 「記の聖句.
me·zu·zah 名 〖ユダヤ教〗メズーザ: 旧約聖書申命
mik·vah 名 ミクバー, 水浴場.
mi·lah 名 〈男子の〉割礼(circumcision).
Min·chah 名 〖ユダヤ教〗=Minhah.
Min·hah 名 《ヘブライ語》〖ユダヤ教〗ミンハー: 午後の礼拝.
Mish·nah 名 〖ユダヤ教〗ミシュナ.
mits·vah 名 =mitzvah.
mitz·vah 名 ミツバー: 旧約聖書にある戒律.
miz·rah 名 飾り絵. 「礼拝.
Nei·lah 名 〖ユダヤ教〗贖罪(しょくざい)の日の最後の
pru·tah 名 プルーター: イスラエルの旧貨幣単位.
Rab·bah 名 〖聖書〗ラバ: ヨルダン川の東, アンモン人(びと)の王国の首都.
Se·drah 名 =Sidrah.
she·chi·tah 名 =shehitah.
she·hi·tah 名 (ユダヤ教の律法に従った)畜殺.
shi·bah 名 〖ユダヤ教〗=shivah.
shi·vah 名 〖ユダヤ教〗シバ.
Si·drah 名 〖ユダヤ教〗シドラ: 安息日に詠唱または朗読する律法の一部分.
suc·cah 名 〖ユダヤ教〗=sukkah.
suk·kah 名 〖ユダヤ教〗仮庵(かりいお).
te·re·fah 形 〖ユダヤ教〗(ユダヤ教の律法から見て)食べるに適さない; 不浄な(tref).
To·rah 名 トーラー, モーセ五書(the Pentateuch).
tze·da·kah 名 慈悲, 慈善, 施し(charity).
ze·da·kah 名 =tzedakah.

-ah[2] /ɑ́ː/

間 アー, ウォー, ヘー, ワー; 驚き, 歓喜, 嫌悪, 愚弄, 挑発などさまざまな感情の発声を表す.

ah 間 《苦痛・驚き・嫌悪・喜び・悲しみ・嘆息などを表して》ああ, おお.
a·lan·nah 間 《アイル》ね, ねーえ; わが子よ.
ar·rah 間 《アイル》《驚き・興奮を表して》あら, おや, まあ.
bah 間 《軽蔑・迷惑などを表して》けっ, ふん, へん, ベー.
blah 名 《俗》ばかげたこと, たわ言.

dah 名間 《赤ん坊の発声》ダー(da).
gah 間 《驚き・苦痛の発声を表して》ギャー, ヒャー(gaa).
hah 間 《驚き・悲しみ・喜び・得意・疑い・ためらいなどを表して》まあ, はあ, ああ.
hoo·rah 間 =hurrah.
hur·rah 間 《歓喜・激励・承認などの叫び声》フレー, 万歳(hooray). ━━名 フレーという叫び声, 歓呼の声, 万歳.
huz·zah 間 《古》=hurrah.
hy·ah 間 《呼びかけ》やあ.
mor·yah 間 《アイル》《不快・不信などを表して》まあ, へん, ふん.
nah 副 《非標準》=no.
nyah 間 べーッ, アッカンベー.
pah 間 《嫌悪・不信を表して》へっ, ふうん, ちぇっ.
rah 間 《米話》=hurrah.
shah 間 《静かにさせるときに》しー, しっ.
sir·rah 名 《古》おい, こら. ►目下の者, 子供に向かってじれったさ, 軽蔑を表す.
wah 間 《泣き声など》ワーッ(waugh).
yaah 間 うわーっ, あーっ.
yah[1] 間 《いらだち・あざけりを表して》やあい.
yah[2] 副 《話》はい, そうです(yes).

-ah[3] /ɑ́ː/

音象徴 間 音象徴語の重複形に見られる語末要素.

bláh bláh 名 ばかげたこと, たわ言. ━━動自 ばかげた口をきく, たわ言を言う.
cáckle-kàh-káh 間 《ワシの鳴き声で》キーカカカ.
wáh-wáh 名 (トランペットの開口部を手でふさいだりあけたりして出す)「ホアホア」.

-ah[4] /ɑ́ː/

語尾 語末にくる同音形は -A[12], -A[13], -A[14], -AA.

ah 代 《米南部・北イング・スコット》おれ.
glah 名 《英俗》ペンキ(glar).
pah 名 《NZ》(防御柵(さく)や堀を張り巡らしたマオリ族の)丘の上の集落(pa).
shah 名 (もとイランで)シャー, 王, 君主.

a·head /əhéd/

副 前方に, 行く手[前途]に; 先頭に立って, 先んじて.

fix-ahead 形 〈サラダなどが〉前もって作っておく.
go-ahead 名 前進; 進行命令, 青信号.
look-ahead 名 【コンピュータ】予見能力, 先取り.
make-ahead 形 前もって用意[調理]できる.
straight-ahead 形 《米》普通の, 型にはまった; 正直な.

-aholic: -nikから-aholicへの流行交替を示す新語の初出年表

-nikは「…に関心のある人, …狂」, **-aholic**(**-holic**, **-oholic**)は「…中毒, …におぼれる人」をそれぞれ表し, 1960-70年代に多くの新語をつくった. 表はその新語を初出年別に並べたもの. **-nik**の造語力は, 1960年代後半をピークに, 70年代に入ると弱まり, 入れ替わりに**-aholic**が続出している. (+はロシア語)

(資料作成:須永紫乃生, 関根紳太郎)

登場年	-nik	-aholic, -holic, -oholic
1957	Sputnik+ Muttnik	
58	beatnik	
59	neatnik	
60		
61		
62	spacenik	
63	peacenik	
64	protestnik draftnik	
65		
66	dopenik cinenik computernik filmnik folknik Vietnik	
67		
68		
69	Freudnik no-goodnik sicknik	
70		
71	citynik goodwillnik jobnik druzhinnik+	workaholic golfaholic
72		hashaholic
73		beefaholic wheataholic
74		colaholic footballaholic
75	refusenik	foodoholic
76		bloodoholic carboholic
77	gatenik	bookholic computerholic crediholic sweetaholic
78	nukenik	Cokeoholic mariholic spend-aholic wordaholic
79		chocoholic petroholic
80		
98		netaholic sportsaholic

参照辞書:Polyglot's Lexicon 1943-1966(1973)/The Second Barnhart Dictionary of New English(1980)
A Supplement to The Oxford English Dictionary, vol. 1&2(1972&1976)
A Dictionary of New English(1973)/Dictionary of American Slang, 2nd supplement ed.(1975)
参照検索サイト:UAS Today [http://www. usatoday. com]

-a·hol·ic /əhɔ́ːlik, əhál- | əhɔ́l-/

連結形 …中毒(の人), …におぼれる人.
★ 名詞につけて名詞をつくる.
★ しばしば侮辱的に用いられたり, ユーモアに富む新語をつくったりする.
★ alcoholic「アル中」の連想で, workaholic「仕事中毒」以後一般化した. 1971 年米国の Wayne Oates がその著 *Confession of a Workaholic* で造語.
★ 語末にくる関連形は -HOLIC, -OHOLIC.
◆ alcoholic の抽出形; 無強勢母音の綴(つづ)り字として o を a に置き換えた.

beef·a·hol·ic 名 牛肉好きの人, 牛肉中毒者.
book·a·hol·ic 名 読書狂.
card·a·hol·ic 名 クレジットカード中毒者.
charge·a·hol·ic 名 =cardaholic
choc·a·hol·ic 名 《話》チョコレート好きの人(chocoholic).
coke·a·hol·ic 名 《米麻薬俗》コカイン中毒者.
food·a·hol·ic 名 過食症の人; 大食漢.
foot·ball·a·hol·ic 名 フットボール狂.
golf·a·hol·ic 名 ゴルフ中毒者.
hash·a·hol·ic 名 《麻薬俗》ハシシ中毒者.
shop·a·hol·ic 名 買い物狂, 買い物中毒者.
speed·a·hol·ic 名 スピード狂.
spend-a·hol·ic 名 金使いの荒い人, 浪費癖のある人.
sweet·a·hol·ic 名 甘い物好き.
vid·a·hol·ic 名 《米俗》テレビを見てばかりいる人.
wheat·a·hol·ic 名 麦製(食)品(ウイスキー, パンなど)が好きな人.
word·a·hol·ic 名 言葉にうるさい人, 言葉好き.
work·a·hol·ic 名 《話》仕事中毒の人, 仕事の虫.

-ai /ái/

語尾 語末にくる同音形は -AY[4], -EI[2], -I[6], -IE[3], -IGH, -UY, -Y[6], -YE.

ai 間 《古風》《悲哀などを表して》ああ.
bai 名 黄砂.
jai 名 《インド英語》勝利.
kai 名 《NZ 話》食べ物.

aid /éid/

名 援助活動; 補助物; 慈善公演.
★ 《米》では aide とつづることもある.

Bánd Àid バンド・エイド: エチオピア飢饉(きん)救済資金をつくるために, 全英のトップ・ミュージシャンが集まって臨時に結成されたバンド.
déaf-àid 《英》=hearing aid.
Fárm Àid ファーム・エイド: 米国農民援助コンサート.
fírst áid 応急手当, 救急療法.
fírst-áid 形 応急 [救急] の.
fóreign áid (経済・技術・軍事的な)対外援助.
gránt-in-áid (公共事業に対する)国庫補助金.
héalth àid 家庭保健士.
héaring àid 補聴器.
hóme áid 《NZ》家政婦, ホームヘルパー.
home-health aid =health aid.
ímpact àid 《米》(国家公務員の子弟が通学する学区へ支払われる)政府補助金.
Ládies Áid 所属教会の募金運動をする婦人団体.
légal áid 法律扶助.
mútual áid 〔社会〕相互扶助.
náv·àid 〔航空〕航法支援装置, ナブエイド.
núrse áid 看護助手(nurse's aide).
paróchi·àid 《米》教区学校に対する政府の補助金.
penetrátion àid 〔軍事〕突入補助(手段).
státe áid 州政府補助.
téaching àid 教具, 補助教材.
tráining àid (トレーニング用の)補助装置.
vísual áid 視覚教材.

-aid /éid/

語尾 語末にくる同音形は -ADE[2].

aid 名 ☞
braid[1] 動他 ☞
braid[2] 形 《スコット》露骨な.
fraid 形 《話・視覚方言》(…を)恐れて.
laid 動 lay の過去・過去分詞形.
maid 名 ☞
paid 動 ☞
raid 名 ☞
staid 形 落ち着いた, もの静かな, まじめな.

AIDS /éidz/

名 エイズ, 後天性免疫不全症候群(aquired deficiency syndrome). ► 《英》ではしばしば Aids とする.

ànti-ÁIDS 形 エイズ防止の.
fúll-blòwn ÁIDS 完全に発症したエイズ.
pòst-ÁIDS エイズ以後(の社会).
prè-ÁIDS エイズ以前(の社会).

-aigh /éix/

語尾 スコットランド方言で用いる.

laigh 形副 《スコット》低い; 低く(low).
quaigh 名 《スコット》木製の酒杯(quaich).

-aik /éik/

語尾 語末にくる同音形は -AKE, -EAK[3].

haik 名 ハイク: アラビア人が頭と体にまとう通例白色の長方形の布.
laik 動自 《スコット》ゲームなどをする.
paik 名 《スコット》強打, 強い一撃, 痛打.
spaik 動 《スコット》speak の過去形.
traik 動自 《スコット》病気になる.

-ail[1] /éil/

語尾 しばしば長く伸ばしたり, 引きずる動きや長く響く音を表す; これは流音の l の働きであるが, さまざまな語源の語が二次的に -ail という語尾を持つようになり, しばしば音象徴的と感じられる; -ail[2] の他の語にもこのような語感が認められるものがある.

ail 動他 《古》《非人称構文で》〈人を〉苦しめる, 悩ます.
flail 名 (穀物を打つ)殻ざお.
quail 名 **1**〔鳥類〕ウズラ: 東半球に生息するキジ科の小さな渡り鳥. **2**《米俗》(魅力的な)若い女性, 女の子.
rail[1] 名 レール.
rail[2] 動自 (…を)ののしる, 毒づく.
sail 名 (船の)帆. ──動他 …を航行する. ──自 出帆する.
tail 名 (四つ足動物・鳥・魚などの)尾, しっぽ.
trail 動他 〈すそ・足などを〉引きずる; 〈物を〉引っ張って進む.
vail 名 《廃》ベール(veil).
wail 動自 長く悲しげに叫ぶ, 泣き叫ぶ, 嘆き悲しむ.

-ail[2] /éil/

語尾 音象徴に近い -ail[2] は -ail[1] と似て, 細長いもの, 伸びたり引くような動き, 弱く垂れるような動きを暗示する；さらに, hail[2], grail[3], nail は丸く小さく堅い物という連想がある；水を汲む容器をさす bail[3], pail, また, frail[2], grail[1] などは容器の丸い形状を表し, 取っ手の bail[2] も同様の半円形を示すと感じられる；以上は, 別語源でも二次的にこの語尾に形を合わせてきた例である.
★ 語末にくる同音形は -AIL[1], -ALE.

bail[1] 名 〔法律〕保釈金.
bail[2] 名 半円形の取っ手, つる.
bail[3] 動他名〈船から〉水をくみ出す(容器).
bail[4] 名 〔クリケット〕ベイル.
brail 名 〔海事〕絞り綱.
drail 名 〔釣り〕おもり針.
fail 動自〈人が〉(事業・計画などに)失敗する.
frail[1] 形 〈人・体が〉虚弱な, ひ弱な.
frail[2] 名 イグサ(製の)かご.
grail[1] 名 〔キリスト教〕グラール, 聖杯.
grail[2] 名 《古》〔キリスト教〕昇階唱.
grail[3] 名 小石, 砂利, 礫(れき), 砂礫.
hail[1] 動他 …にあいさつする；歓迎する, 祝う.
hail[2] 名 あられ, ひょう(hailstone).
hail[3] 名 《米》漁獲量(hailing).
jail 名 刑務所；拘置所, 留置所.
kail 名 〔植物〕ケール, ハゴロモカンラン.
mail[1] 名 ☞
mail[2] 名 メール, 鎖帷子(かたびら).
mail[3] 名 《古・スコット》(小作料・家賃・税などの)金銭による支払い, 金納.
mail[4] 名 《豪話》うわさ, (特に)競馬情報.
nail 名 ☞
pail 名 ☞
quail 動自〈人・勇気・目などが〉(…に)ひるむ.
rail[1] 名 (スピードが出るようにしたドラッグレース用)改造自動車.
rail[2] 名 ☞ RAIL[2]
squail 名 《英》〔遊戯〕スクェールズ.
tail 名 ☞
vail[1] 動他 《古》下げる, 落とす(lower).
vail[2] 動自他 《古》役立つ, 利する(avail).
-vail 連結形 ☞

-aim /éim/

語尾 語末にくる同音形は -AME.

aim 動他 (…に)向ける, 照準を定める.
claim 動他 ☞
-claim 連結形 ☞
maim 動他〈人を〉身体障害者にする.

-ain[1] /éin, èin, ən/

接尾辞 形容詞, 名詞をつくるフランス語接尾辞. ◇ -AN[1].
◆ ラテン語 *-ānus*, *-āneus* より.

cap·tain 名 ☞
cer·tain 形 〈人が〉(…を)確信して, 確かな.
chat·e·lain 名 城主(castellan).
por·ce·lain 名 ☞
ter·rain 名 一帯の土地, 地形, 地勢；環境.
vil·lain 名 悪党, 悪者, 悪漢, ならず者.

-ain[2] /éin, èin, ən/

連結形 …個のまとまり.
★ 数詞について名詞をつくる.
◆ ＜仏＜ラ(配分数詞語尾)*-ēnī*.

cin·quain 名 5個［人］から成る集団.
di·zain 名 〔韻律〕十行詩.
qua·tor·zain 名 〔韻律〕十四行詩.
quat·rain 名 〔韻律〕四行連.
sex·tain 名 〔韻律〕六行連.
six·ain 名 ＝sextain.

-ain[3] /éin/

語尾 語末にくる同音形は -AIN[2], -AINE, -ANE[3], -EAN[3], -EIGN, -EIN[2].

ain 形 《スコット》自分［それ］自身の.
blain 名 〔病理〕膿疱(のうほう), 水疱, まめ.
brain 名 ☞
cain 名 《スコット・アイル》借地料.
chain 名 ☞
drain 動他 ☞
fain[1] 副 喜んで, 進んで, 快く.
fain[2] 間 《英俗》「たんま」.
gain[1] 動他 ☞
gain[2] 名 〔木工〕溝, しゃくり, 切欠(きりかき).
grain 名 ☞
kain 名 《スコット》＝cain.
lain 動 lie「横たわる」の過去分詞形.
main[1] 形 ☞
main[2] 名 闘鶏(試合).
pain 名 ☞
plain 形 ☞
rain 名 ☞
sain 動他 《古・英方言》…に十字を切る.
slain 動 slay の過去分詞形.
sprain 動他〈足首・手首・膝などを〉くじく.
stain 名 ☞
strain[1] 動他 ☞
strain[2] 名 (祖先を共有する)子孫群, 同系統.
strain[3] 名 《米俗》淋病(りんびょう).
-strain 連結形 ☞
swain 名 《詩語・古》《おどけて》(男の)恋人.
tain 名 薄い錫(すず)板.
-tain 連結形 ☞
train[1] 名 ☞
train[2] 名 《廃》策略, 奸計(かんけい).
twain 形 《古》2の, 2人［個, 歳］の.
vain 形 うぬぼれ［虚栄心］の強い.
wain 名 農業用荷車.

-aine /éin/

語尾 語末にくる同音形は -AIN[2], -AIN[3], -ANE[3], -EAN[3], -EIGN, -EIN[2].

-caine 連結形 ☞
gaine 名 (彫像などを置く下細りの)台座.
laine 形 《米俗》適性のない, 不器用な.
mo·raine 名 ☞

-aint /éint/

語尾

paint 名 ☞
plaint 名 不平, 不満, 苦情(complaint).
quaint 形 古風な趣のある.
saint 名 ☞
taint 名 よごれ, 染み；きず.

air /ɛ́ər/

名 **1**〔気象〕空気, 大気, 外気. **2** そよ風；微風. **3**〔無線〕(放送)電波；ラジオ［テレビ］放送. **4** …航空, エア…, エール….

áir-to-áir 形 空対空の, 航空機間の.
àn·ti·áir 形 《話》対航空機用の(antiaircraft).

compréssed áir 圧縮［圧搾］空気.
Dán-Áir 名 ダンエアー: 英国の国内線民間航空会社.
déad áir 放送中断, 映像［音声］中断.
Égypt Àir エジプト航空(国営).
Fínn·àir 名 フィンランド航空.
frée áir 〖気象〗自由大気.
frésh-áir 形 (空気の新鮮な)戸外の, 野外の.
gróund-to-áir 形副 ＝surface-to-air.
héavier-than-áir 形 〈航空機が〉空気より大きい比重を持った.
hót áir 《話》たわ言, でたらめ; ほら.
Íceland·àir 名 アイスランド航空.
Irán Àir イラン航空.
líght áir 〖気象〗至軽風.
líghter-than-áir 形 〖航空〗〈航空機が〉空気より軽い気体の浮力から揚力を得る.
líquid áir 液体空気.
míd·áir 名 空中, 中空, 宙天.
óff-áir 形 有線放送の［による］.
ón-áir 形 オン・エアの, 放送(中)の.
Ópen Áir ロンドン野外劇場.
ópen áir 野外, 戸外.
ópen-áir 形 戸外にある, 露天の; 外気の.
óver-the-áir 形 〖ラジオ〗〖テレビ〗放送による.
phlogísticated áir 〖古化学〗フロギストン空気.
pléin áir 戸外; (特に)戸外の日光.
plein-áir 形 〖美術〗外光派の, 戸外主義の.
séa áir 海気, 海辺の空気.
státionary áir 〖医学〗(機能的)残気.
súrface-to-áir 形 地［艦］対空の.
Swíft·àir 名 《英》スイフトエア: 英国の海外航空速達便.
Swíss·àir 名 スイス航空, スイスエア.
tídal àir 〖生理〗一回呼吸量, 一回換気量.
úpper áir 〖気象〗(超)高層大気.
ÚSÁir ユー・エス・エアー: 米国の民間航空会社.

-air /ɛ́ər/

語尾 語末にくる同音形は -ARE, -EAR², -EIR¹, -ER¹⁰, -ERE¹.

air¹ 名 ☞
air² 形 《スコット》早い(early).
chair 名 ☞
fair¹ 形 公正な, フェアな, 公平な.
fair² 名 ☞
flair 名 (…の)(生まれながらの)能力, 才能.
glair 名 卵の白身, 卵白.
hair 名 ☞
lair¹ 名 (野獣の)ねぐら, 巣.
lair² 名 《主にスコット》伝承, 教え, 知識.
lair³ 名 《豪俗》ならず者; きざな若者.
mair 形 《スコット・北イング》＝more.
pair 名 ☞
stair 名 ☞
vair 名 ベア, ベール: 13–14 世紀に王侯・貴族が用いた, リスの毛皮.

air·craft /ɛ́ərkræ̀ft, -krɑ̀ːft | ɛ́əkrɑ̀ːft/

名 航空機(ヘリコプター, グライダー, 気球などを含む). ⇨ CRAFT.

àn·ti·áir·craft 形 〖軍事〗対航空機用の, 対空の.
búsiness àircraft (企業所有の)業務用航空機.
cómbat àircraft 〖軍事〗戦闘用機.
commúter áircraft コミューター機.
flátbed aircraft 平底型輸送機械.
gréen áircraft 〖航空〗グリーンエアクラフト.
júmbo jèt áircraft ジャンボジェット機.
knéecap àircraft (米国の)国家緊急時指令機.
régistered áircraft 〖航空〗登録航空機.
ríng wíng àircraft 環状翼型航空機.
rótary-wíng áircraft 回転翼機(ヘリコプターなど).
rótating-wìng áircraft ＝rotary-wing aircraft.
stéalth àircraft 〖軍事〗ステルスエアクラフト.
wíng-in-gróund-efféct àircraft 地表効果型主翼航空機.

-aird /ɛ́ərd/

語尾 スコットランド方言特有の綴り.

braird 名 《主にスコット》新芽, 発芽.
caird 名 《スコット》《廃》(特にジプシーの)渡り鋳掛け屋.
laird 名 《スコット》地主, 土地所有者.

-aire /ɛ́ər/

接尾辞 …する性格の人, …を持っている人.
★ 名詞, 形容詞をつくる.
★ フランス語からの借用語に多い.
◆ ＜仏＜ラ *-ārius-* -ARY.

ad·jud·i·ca·taire 名 《カナダ》(競売の)買受人.
bil·lion·aire 名 億万長者.
com·mis·sion·aire 名 《英》守衛, 案内人.
con·ces·sion·aire 名 特権を付与された個人［集団］.
dis·caire 名 ディスコのレコード係.
doc·tri·naire 名 純粋理論家, 机上の空論家.
le·gion·naire 名 米国在郷軍人会の会員.
mil·lion·aire 名 百万長者.
mous·que·taire 名 マスケット銃兵.
oil·lion·aire 名 《カナダ話》石油成金.
ret·ro·ces·sion·aire 名 〖保険〗再々保険者［引受会社］.
squil·lio·naire 名 《俗》大金持ち.
zil·lion·aire 名 《話》途方もない大金持ち.

air·plane /ɛ́ərplèin/

名 飛行機. ►aeroplane の転化. ⇨ PLANE.

commúter àirplane エアタクシー(air taxi).
hy·dro·áir·plane 名 水上飛行機(hydroplane).
jét áirplane ジェット機(jet plane).
líght áirplane 軽飛行機(lightplane).
rócket àirplane ロケット機.
táilless áirplane 無尾翼機; 全翼機(flying wing).

-aise /éiz/

語尾 fraise¹ と raise 以外はフランス語に由来する.
★ 語末にくる同音形は -ASE³, -AZE.

braise 動他 …を油でいためて蒸し煮にする.
chaise 名 2 人乗り 1 頭引き軽装二輪馬車.
fraise¹ 名 〖築城〗乱柵(らんさく), 臥柵(がさく).
fraise² 名 《フランス語》イチゴ; いちご色.
praise 名 ☞
raise 動他 ☞

-aist /éist/

語尾 語末にくる同音形は -ASTE.

maist 形 《スコット》最大［最高］の(most).
waist 名 ☞

-ait /éit/

語尾 plait は /plæt/ とも発音.
★ 語末にくる同音形は -ATE⁴, -EAT², -EIGHT¹.

ait 名 《スコット》オートムギ(oat).

bait[1] 名 ☞
bait[2] 動自 〈タカが〉翼をばたばたさせて逃げようとする(bate).
gait[1] 名 足取り, 走り方.
gait[2] 名 レース織機の2つの隣接したキャリッジ間の距離.
plait 名 ☞
spait 名 (感情などの)ほとばしり(spate).
strait 名 海峡, 瀬戸.
trait 名 ☞
wait 動自 ☞

-aith /éiθ/

語尾 faith が代表で, 古英語に由来する.

baith 形代 《スコット・北イング》=both.
faith 名 ☞
laith 形 《スコット》嫌で(loath).
wraith 名 (死の前兆とされる, 生霊(いきりょう)).

-ak[1] /ǽk/

音象徴間 音象徴語の重複形に見られる語尾要素. 中間に接中辞の -ety-, -ity- をはさむことがある.

ták-a-ták 間 《機関銃の発射音で》ダッダッ, ダダダ, ダララ.
ták-ták 間 =tak-a-tak.
yáckety-yák 動自他 =yakety-yak. ── 間 ペチャクチャ! ►相手のしゃべりすぎに対する不快感を表す.
yákety-yák 動自他 《俗》だらだら [べらべら] としゃべくる, だべる. ── 名 無駄話, おしゃべり; 冗談.
yákitty-yák 動自他名 =yakety-yak.
yákity-yák 動自他名 =yakety-yak.
yák-yák 動自他名 =yakety-yak.

-ak[2] /ǽk/

語尾 gak, kak, yak[2], yak[3] はのどを閉止する音を表す. ◇ -ACK[1].
★ 語末にくる同音形は -AC[1], -AC[2], -ACH, -ACK[3], -AQUE.

ak 名 《米俗》【経済】10月(October).
brak 名形 《南アフリカ》塩気(のある).
flak[1] 名 (戦闘機隊が受ける)対空砲火.
flak[2] 名 《主に米》(劇場・俳優などの)報道係.
gak 間 ギャー. ►驚きで息が詰まる音.
jak 名 【植物】パラミツ(jackfruit).
kak 動自 《米話》糞(ふん)(kack).
mak 動他自 《スコット》=make.
pak 名 =pack.
smak 名 《俗》ヘロイン.
yak[1] 名 ヤク: チベット高地産の野牛.
yak[2] 動自他 《俗》だらだらとしゃべる.
yak[3] 名 《米俗》大笑い(yuk).
yak[4] 名 《俗》時計(watch).

-ake /éik/

語尾 語末にくる同音形は -AIK, -EAK[3].

ake 動自 《廃》(絶えず, 鈍く)痛む(ache).
bake 動他 ☞
brake[1] 名 ☞
brake[2] 名 (低木・イバラなどの)やぶ, 茂み.
brake[3] 名 大きなシダ類; ワラビ.
brake[4] 動 《古》break の過去形.
brake[5] 名 《英》大型馬車(break).
cake 名 ☞
crake 名 くちばしの短いクイナの総称.
drake[1] 名 雄カモ [アヒル].
drake[2] 名 (17, 18 世紀の)ドレーク砲.
fake[1] 動他 捏造(ねつぞう)する, でっち上げる.
fake[2] 動他 【海事】〈ロープを〉巻き重ねる.
flake[1] 名 薄片, 破片, 断片.
flake[2] 名 魚干し棚, 魚干しすのこ.
flake[3] 名 【海事】ロープの一巻き.
flake[4] 動自 眠り込む; くたばる.
flake[5] 名 《英》ツノザメ(の肉).
hake[1] 名 【魚類】メルルーサ.
hake[2] 動自 《主にスコット》ぶらぶら歩き回る.
hake[3] 名 (チーズ・魚などの)木製の干し台.
jake[1] 形 《俗》申し分ない, 満足な, 結構な.
jake[2] 名 《俗》ジェーク: 特に米国の禁酒法時代に作られた密造酒.
jake[3] 名 《米話》田舎者, うすのろ.
lake[1] 名 ☞
lake[2] 名 ☞
make 動他 ☞
quake 動自 ☞
rake[1] 名 ☞
rake[2] 名 《古》放蕩者; 道楽者.
rake[3] 動自他 後方に傾斜する [させる].
rake[4] 動自 【狩猟】〈タカが〉獲物を追う.
sake 名 ☞
shake 動自 ☞
slake 動他 〈渇き・飢えなどを〉いやす, 満たす.
snake 名 ☞
spake 動 《古》《方言》speak の過去形.
splake 名 湖水産のマスと河川産のマスの雑種.
stake[1] 名 ☞
stake[2] 名 ☞
strake 名 ☞
take 動他 ☞
wake[1] 動自 目が覚める, 起きる.
wake[2] 名 波の跡, 航跡.

-al[1] /əl/

接尾辞 **1** …の(ような), …と関係のある, …の性質の: accident*al*, creatur*al*, structur*al*. **2** 形容詞語尾が, 名詞的用法の発達に伴って名詞語尾となったもの: annu*al*, nation*al*.
★ 名詞につけて形容詞・名詞をつくる.
★ -ality の形で規則的に名詞化される; また -alize の形で動詞化されるものが多い.
★ 語末にくる関連形は -ALIS, -ALLY, -AR[1], -EL[3], -IAL.
◆ <古仏 *-al* <ラ *-ālis*.
[発音] 第1強勢は, ⑴ 2音節の語では語頭の音節に付く, ⑵ 3音節以上の語の場合, (ア) -al の前の音節が短音節(「短母音+1つの子音字」この子音字はなくてもよく, また子音字にもう一つの子音 /r/ か /w/ が付いてもよい)ならば2つ前の音節に, (イ) -al の前の音節が長音節(「長母音(または2重母音)+子音字(この子音はなくてもよい)」または「短母音+2つの子音字(後ろの子音が /r/, /w/ である場合は除く)」)ならば直前の音節に付く. 例外: sínistral.

ab·ac·ti·nal 形 【動物】反口側の(aboral).
ab·o·rig·i·nal 形 もとからある [いる]; 土着の.
a·bys·mal 形 深淵の, 奈落の, 底知れぬ深さの.
a·byss·al 形 深淵の; 計り知れない.
-a·cal 接尾辞 ☞
ac·ci·den·tal 形 偶然の; 不慮の, 思いがけない.
ac·cip·i·tral 形 ワシタカ科の.
ac·ron·i·cal 形 日没時に起こる.
ac·ti·nal 形 【動物】(イソギンチャクなどで放射状触手のある)口側の, 口(部)の.
ac·tion·al 形 動作の, 活動の.
ac·u·punc·tur·al 形 鍼(はり)(療法)による.
ad·di·tion·al 形 付加された, 付加的な; 補足的な.
ad·e·noi·dal 形 【病理】アデノイドの.
ad·um·bral 形 影の多い, (薄)暗い; 陰をつくる.

aes·ti·val 形 =estival.
af·fec·tion·al 形 愛情の, 情愛の, 感情の.
af·fec·tu·al 形 〖社会〗〖心理〗愛情の.
af·fi·nal 形 姻戚関係にある, 姻戚の.
ag·o·nal 形 (死ぬほど)苦しい; 激痛の.
a·gres·tal 形 〈雑草などが〉野生する.
ag·ri·cul·tur·al 形 農業[農耕]の; 農芸の; 農学(上)の.
a·hem·er·al 形 1日が24時間に満たない.
al·i·men·tal 形 栄養になる, 滋養のある.
al·ka·loi·dal 形 アルカロイド(性)の.
al·ti·tu·di·nal 形 高度の; 標高の.
a·mo·ti·va·tion·al 形 動機のない.
a·myg·da·loi·dal 形 (岩石が)杏仁孔を含む.
a·nal 形 肛門(anus)(部)の.
an·a·lyt·i·cal 形 分析の, 分析的な, 分析に基づく.
an·ces·tral 形 先祖の, 祖先の, 先祖代々の.
an·ec·do·tal 形 逸話の; 逸話的な; 逸話の多い.
an·gi·nal 形 アンギナの, (特に)狭心症の.
an·i·mal 名 ☞
an·nu·al 形 ☞
an·o·rec·tal 形 肛門と直腸の[に関する].
an·ti·mo·ni·al 形 アンチモンの[を含む].
an·ti·pa·thet·i·cal 形 〈人が〉(…に)反感を持っている.
an·tiph·o·nal 形 応答歌唱の; 交唱(聖歌)の.
an·tip·o·dal 形 〖地理〗対蹠(たいせき)地(点)の.
an·ti·thet·i·cal 形 対照(法)の.
ap·i·cal 形 頂点(apex)の; 頂端の.
a·poc·ry·phal 形 著作者[典拠]の疑わしい.
ap·o·dal 形 〖動物〗無足の, 無肢の.
ap·o·stat·i·cal 形 背教の, 背教的な; 変節の; 背徳の.
ap·pen·di·ceal 形 〖解剖〗虫垂の.
ap·si·dal 形 〖建築〗アプスの.
ar·bi·tral 形 仲裁の; 仲裁者の.
ar·bo·re·al 形 樹木の, 樹木に関する; 高木性の.
ar·che·typ·al 形 原型的な; 手本の, 典型的な.
ar·chi·e·pis·co·pal 形 archbishop「(ローマカトリックで)大司教, (ギリシャ正教で)大主教, (英国国教会で)大主教」の.
ar·chi·tec·tur·al 形 建築の, 建築術[学]の; 建築用の.
ar·chi·val 形 古記録類の; 記録保管(所)の.
ar·e·al 形 地域の, 地域的, 地方の; 面積の.
ar·gen·tal 形 銀の; 銀を含む; 銀に似た.
ar·ith·met·i·cal 形 算数の, 計算の; 算術書の.
as·cen·sion·al 形 上昇の, 上昇的; 昇騰の.
as·so·ci·a·tion·al 形 協会の, 団体の.
as·tral 形 星の, 星の世界の; 星から発する.
at·lan·tal 形 〖解剖〗環椎(かんつい)の.
au·gu·ral 形 占いの, 占い師の.
au·ral[1] 形 霊気の, 発気の.
au·ral[2] 形 耳の; 聴覚の.
au·ro·ral 形 夜明けの, 曙(あけぼの)の(ような).
aus·tral 形 《まれ》南(方)の.
au·tum·nal 形 《文語》秋の; 秋咲きの.
ax·al 形 軸(性)の; 軸を成す(ような).
az·i·muth·al 形 方位角の.
bal·ne·al 形 浴室の; 入浴の; 湯治の.
ba·nal 形 新鮮味のない, 独創性のない.
bap·tis·mal 形 洗礼の, 浸礼の.
Bar·me·cid·al 形 見かけ倒しの, 失望させる.
ba·ro·ni·al 形 男爵(階級, 領)の.
ba·sal 形 基底の, 土台となる.
ba·sif·u·gal 形 〖植物〗〈花序などが〉求頂的な.
bath·y·al 形 〖海洋〗半深海の, 漸深海の.
be·hav·ior·al 形 行動の; 態度の.
ben·e·dic·tion·al 形 祝福の; 祝祷の; 感謝の祈りの.
bi·cam·er·al 形 〖政治〗上下両院から成る, 二院制の.
bi·gem·i·nal 形 二重の, 対を成す.
bi·nal 形 二重の, 二倍の.
bi·ot·i·cal 形 生命に関する; 生物の.
bo·re·al 形 北風の.
bot·ry·oi·dal 形 〖鉱物〗ブドウの房の形をした.
brac·te·al 形 〖植物〗苞葉(ほうよう)の.
bran·chi·os·te·gal 形 〖魚類〗鰓条(さいじょう)骨の.
brid·al 形 花嫁の; 婚礼の, 新婚の.
bru·mal 形 冬の(ような).
bru·tal 形 残酷な, 野蛮な, 非人間的な.
buc·cal 形 〖解剖〗ほおの.
buc·ci·nal 形 トランペット形の.
bul·bo·u·re·thral 形 〖解剖〗〖動物〗尿道球部の.
cac·tal 形 サボテン(cactus)の.
ca·cu·mi·nal 形 〖音声〗反り舌(音)の, 反転(音)の.
ca·das·tral 形 〖測量〗地籍についての.
ca·len·dal 形 calends「(古代ローマ暦の)月の第一日, 一日」の[に関する].
cal·lo·sal 形 〖解剖〗〖動物〗脳梁の.
cal·y·ce·al 形 〖植物〗萼(がく)(calyx)の.
cam·er·al 形 判事[議員]の私室の.
cam·pes·tral 形 野原の; 田園の.
ca·nal 名 ☞
can·ni·bal 名 人肉を食う人, 人食い人.
ca·non·i·cal 形 宗規にかなった.
cap·i·tal[1] 形 ☞
cap·i·tal[2] 名 〖建築〗柱頭, キャピタル.
car·di·nal 形 きわめて重要な, 主要な, 基本的な.
car·nal 形 肉体の; 肉欲的な, 官能的な.
car·nas·si·al 形 〖動物〗〈歯が〉裂肉性の.
car·pal 形 〖解剖〗手根(しゅこん)(骨)の.
cas·al 形 〖文法〗格(case)の.
cat·a·cly·nal 形 〈川・谷などが〉地層傾斜と同方向に向かう.
ca·tarrh·al 形 〖病理〗カタルの.
cat·e·chet·i·cal 形 教理教授(catechesis)の.
ca·the·dral 名 司教座聖堂, 大聖堂.
cau·dal 形 〖解剖〗〖動物〗尾にある, 尾に近い.
caus·al 形 原因の; 原因となる; 因果関係の.
ce·cal 形 〖解剖〗盲腸(cecum)(状)の.
cen·tral 形 中心の.
cen·trif·u·gal 形 遠心性の, 中心から離れる.
cer·cal 形 〖動物〗尾の; 尾角の.
-cer·cal 連結形 ☞
ce·re·al 形 穀物の; 穀草の; 穀物で作った.
cer·e·bral 形 〖解剖〗〖動物〗大脳の, 脳の.
cer·e·mo·ni·al 形 儀式の; 正式[公式]の.
cer·vi·cal 形 〖解剖〗(歯・子宮・膀胱などの)頸部の.
chi·ral 形 〖化学〗〈分子構造などが〉対掌性の.
chon·dral 形 〖解剖〗〖動物〗軟骨(cartilage)の.
cho·ral 形 合唱団の, 聖歌隊の.
chord·al 形 和音の, 和音的な.
chro·mo·so·mal 形 〖遺伝〗染色体の.
-ci·dal 連結形 ☞
-cip·i·tal 連結形 ☞
claus·tral 形 修道院の; 修道院風の.
cler·i·cal 形 事務員[書記]の.
-cli·nal 連結形 ☞
clith·ral 形 〈神殿などが〉屋根で覆われた.
clois·tral 形 修道院の; 修道院に住む.
clon·al 形 〖生物〗クローンの, 栄養形の.
coast·al 形 海岸沿いの, 海辺の; 近海の.
coc·cal 形 球菌の[に関する].
coc·cyg·e·al 形 〖解剖〗尾骨(coccyx)の.
co·e·val 形 同年齢の; (…と)同様に古い.
co·in·ci·den·tal 形 偶然の, (偶然に)符合[一致]した.
co·i·tal 形 性交[交尾]の.
col·loi·dal 形 〖物理化学〗膠質(こうしつ)の.
col·lo·qui·al 形 〈語・句・表現などが〉口語の.
co·lo·ni·al 形 ☞
col·o·rec·tal 形 結腸[直腸]の.
co·los·sal 形 巨大な.
com·i·cal 形 笑わせる; こっけいな.
com·mu·nal 形 共同で使用する; 公共の.
com·mu·tu·al 形 《古》相互の.
com·part·men·tal 形 〈部屋・土地などが〉仕切りのある.
com·ple·men·tal 形 補足的な; 相補の.
con·cep·tion·al 形 概念の[に関する].
con·ces·sion·al 形 (公共支出による)無料の.
con·choi·dal 形 〖鉱物〗貝殻状断面の.

A

con·di·tion·al 形 条件付きの, 暫定的な, 仮定的な.
con·fed·er·al 形 2か国以上にまたがる, 多国間の.
con·fes·sion·al 形 告白の, 自白に基づく.
con·fron·ta·tion·al 形 対立的な, 対決する覚悟の.
con·gen·ial 形 (人に)適した, 性分に合った.
con·gre·ga·tion·al 形 集合の, 集会の; 会衆の.
con·gres·sion·al 形 会議の, 集会の, 大会の.
con·jec·tur·al 形 推測的な, 憶測上の; 確定的でない.
con·ju·gal 形 結婚の, 婚姻(上)の.
con·sen·tu·al 形 〖法律〗同意の上での, 合意の.
con·se·quen·tial 形 結果として起こる, (…に)続く.
con·so·nan·tal 形 ☞
con·sti·tu·tion·al 形 憲法の; 定款の; 規約の.
con·ti·nen·tal 形 ☞
con·tin·u·al 形 しきりに起こる, 頻繁な.
con·trac·tu·ral 形 〖病理〗攣縮(れんしゅく)の.
con·tra·pun·tal 形 〖音楽〗対位法(counterpoint)の.
con·ven·tion·al 形 〈行動・趣味が〉規格どおりの.
con·ver·sa·tion·al 形 会話の, 談話の; 会話風の.
cor·o·nal 形 王冠の; 花冠の, 栄冠の.
cor·po·ral 形 人体の; 身体(上)の.
cor·po·re·al 形 ☞
cor·rec·tion·al 形 訂正の, 修正の.
cor·ti·cal 形 〖解剖〗皮質の; 皮質性の.
co·seis·mal 形 等発震時の. ── 名 等発震時線.
cos·tal 形 ☞
crea·tur·al 形 被造物の; 生物の; 人間 [動物] 的な.
cred·al 形 教義 [信条] の(creedal).
crim·i·nal 形 犯罪的な, 犯罪を構成する.
cris·sal 形 〖鳥類〗下尾筒(crissum)の.
cru·ral 形 脚の; 後脚の.
crus·tal 形 外殻 [甲殻] (crust)の; 地殻の.
cu·bi·cal 形 立方体の, 正六面体の.
cu·bi·tal 形 〖解剖〗〖動物〗ひじの; 前腕の.
cul·tur·al 形 ☞
cu·ne·al 形 楔(くさび)に似た, 楔形の.
cur·tal 形 《古》短い修道服を着た.
cus·pi·dal 形 犬歯の; 先のとがった, 尖頭の.
cus·tu·mal 名 慣習法集(customary).
cy·clo·nal 形 サイクロン [低気圧] の.
dae·dal 形 《詩語》巧妙な, 巧みな.
dan·di·a·cal 形 しゃれ男らしい, しゃれた.
da·sy·pae·dal 形 〈雛が〉産毛で覆われた.
dat·al 形 日付 [年月日] の; 日付順の.
dea·con·al 形 ＝diaconal.
dec·a·dal 形 10の; 10から成る; 10年間の.
dec·a·nal 形 dean「(大学の)学部長」の.
dec·i·mal 形 ☞
de·clen·sion·al 形 語形変化の, 屈折の, 格変化を持つ.
de·cre·tal 形 法令の(性格を持った).
de·dal 形 《古》＝daedal.
del·toi·dal 形 三角州の.
de·mer·sal 形 〈生物が〉海底に棲(す)む, 底生の.
de·nom·i·na·tion·al 形 名称上の.
den·tal 形 ☞
de·part·men·tal 形 部門の, 各部門ごとの.
der·mal 形 ☞
det·ri·men·tal 形 (…に)有害な, 不利益な.
de·vel·op·men·tal 形 発育の; 開発的な; 発生の.
de·vo·tion·al 形 信心の厚い, 敬虔な; 礼拝 [祈祷] の.
dex·tral 形 右側の, 右にある.
di·ac·o·nal 形 deacon「(ローマカトリックで)助祭」の.
di·ag·o·nal 形 〖数学〗対角線 [面] の.
di·al 名 ☞
di·a·lec·tal 形 方言の, 通語の.
di·am·e·tral 形 直径の, 径の; 直径を成す.
di·ar·i·al 形 日記の; 日誌形式の.
dig·it·al 形 **1** 指の. **2** デジタルの.
di·men·sion·al 形 ☞
di·rec·tion·al 形 ☞
dis·cal 形 円盤状の.
dis·cre·tion·al 形 任意に決定できる, 任意の.
dis·mal 形 陰鬱な; 荒涼とした, わびしい.
dis·pro·por·tion·al 形 不釣り合いな, 不均衡な.
dis·tal 形 〈手足・骨などが〉遠位の, 末梢の.
di·ur·nal 形 一日の, 日ごとの, 毎日の.
di·ver·sion·al 形 気晴らしになる.
di·vid·u·al 形 《古》分けられる, 分割できる.
di·vi·sion·al 形 分割の, 分ける.
doc·tor·al 形 博士(号)の; 権威的な.
doc·tri·nal 形 主義の, 主義に関する.
doc·u·men·tal 形 文書 [書類, 証書] の; 記録による.
dor·sal 形 ☞
do·tal 形 持参金(dowry)の.
droi·tu·ral 形 〖法律〗所有権に関する.
du·al 形 2の; 2を表す.
du·cal 形 公爵の; 公爵領の.
du·o·de·nal 形 十二指腸の [に関する].
du·ral 形 〖解剖〗硬膜(dura mater)の.
ec·tal 形 〖生物〗外面の, 表面の.
ed·u·ca·tion·al 形 教育(上)の; 教育分野の.
e·lec·tor·al 形 選挙人の, 有権者の; 選挙の.
el·e·men·tal 形 要素の, 要素的な, 単元的な.
el·lip·soi·dal 形 楕円の, 長円の.
el·y·tral 形 〖昆虫〗さやばねの [に関する].
e·mo·tion·al 形 感情の [を伴う]; 情緒の [的な].
em·pyr·e·al 形 (古代・中世の宇宙論で)最高天の.
en·ter·al 形 腸の(enteric, intedtinal).
en·vi·ron·men·tal 形 周囲の, 環境上の, 環境に関する.
e·phem·er·al 形 束の間の, はかない; 短命の.
ep·i·ge·al 形 〖昆虫〗地表に生息する, 地上の.
ep·i·phloe·dal 形 〖菌類〗〈地衣類などが〉樹皮生の.
e·pis·co·pal 形 監督 [主教, 司教] の.
ep·och·al 形 新時代 [新紀元] の.
e·qual 形 (…と)相等しい, 同一の; 相当の.
e·qua·tion·al 形 方程式の, 方程式を用いる [含む].
e·qui·ro·tal 形 (車などで)同じ大きさの車輪のついた, 前輪と後輪が同じ大きさの.
e·quiv·o·cal 形 幾とおりにも解釈できる.
-e·si·mal 連結形 ☞
es·ti·val 形 《米》夏の; 夏季特有の.
es·tral 形 発情期の; 〈雌が〉さかりのついた.
e·ter·nal 形 永遠の, 永久の; 不滅の.
e·the·re·al 形 空気のような; 軽やかな, 希薄な.
ex·cep·tion·al 形 例外的な, 特別な, 尋常でない.
ex·per·i·men·tal 形 実験の; 実験から得られた.
ex·ten·sion·al 形 伸長の, 拡張の, 拡大の; 延長の.
ex·ter·nal 形 外の, 外部の, 外側の.
ex·tra·lim·it·al 形 〈生物が〉その地域では見られない.
ex·tre·mal 形 〖数学〗極値の; 極値計算の.
fac·tion·al 形 党派の, 派閥の.
fa·tal 形 死をもたらした; 致命的な.
fau·cal 形 口峡(fauces)の; 咽喉の入り口の.
fe·cal 形 おりの, おりを含む; 糞便の.
fed·er·al 形 連邦の, 連邦国家の, 米国国家の.
fem·i·nal 形 女性らしい, 女性的な.
fem·o·ral 形 大腿骨の, 大腿部の, ももの.
fe·ral[1] 形 〈動植物が〉自然のままの, 野生の.
fe·ral[2] 形 死を招く, 命にかかわる, 致命的な.
fes·tal 形 祝祭の, 祭日の; 祭日にふさわしい.
fes·ti·val 名 ☞
fe·tal 形 〖発生〗胎児の, 胎児の状態の.
feu·dal[1] 形 封建制度の, 封建制度的な.
feu·dal[2] 形 不和の, 確執の.
fic·tion·al 形 〈物語・話が〉作り事の; 小説的な.
fig·ur·al 形 (特に人間・動物の)像から成る.
fi·nal 形名 ☞
fis·cal 形 国庫の, 国家歳入の.
flex·ur·al 形 曲げの, 屈曲の.
flo·ral 形 花の(ような); 花模様の.
fo·cal 形 ☞
font·al 形 泉の, 泉から出てくる.
for·est·al 形 森林(地帯)の; 森林を成す.
for·mal 形 ☞
foun·da·tion·al 形 基礎をなす; 基礎的な, 基本の.
frac·tion·al 形 〖数学〗分数の.

frag·men·tal 形 断片的な; ばらばらの, 半端な.
fra·ter·nal 形 兄弟の; 兄弟のような, 友愛の.
fric·tion·al 形 摩擦(性)の.
fron·tal 形 正面の, 前面の.
fru·gal 形 つましい; (…を)倹約 [節約] する
fu·gal 形 〘音楽〙フーガの; フーガ風の.
-fu·gal 連結形 ☞
func·tion·al 形 ☞
fun·da·men·tal 形 基本となる; 基礎の, 土台を成す.
fu·ne·ral 形 葬式の, 葬列の.
fu·ne·re·al 形 葬式の [にふさわしい], 葬送の.
fun·gal 形 菌(類)の; (真)菌による(fungous).
fu·tur·al 形 未来の.
gas·tral 形 胃の, 消化管の.
gem·i·nal 形 〘化学〙分子中で一つの原子に同一の原子 [基] が二つ結合した.
gen·er·al 形名 ☞
gen·er·a·tion·al 形 世代の.
ge·ni·al 形 〘解剖〙〘動物〙あごの.
gen·i·tal 形 生殖の.
ger·mi·nal 形 発達の初期の段階にある, 未発達の.
ges·ta·tion·al 形 懐胎(期間)の.
gin·gi·val 形 歯肉の, 歯茎の.
glob·al 形 全世界の, 地球上の, 世界的な.
glos·sal 形 舌の [に関する].
glot·tal 形 声門の.
glu·te·al 形 〘解剖〙臀部の; 臀筋の.
gov·ern·men·tal 形 政治の, 統治の; 行政機関の.
gut·tur·al 形 のどの. ━━名〘音声〙喉声.
gy·ral 形 輪を描いて動く, 旋回運動する.
gy·roi·dal 形 らせん配列の.
ha·dal 形 超深海帯の, 海溝帯の.
hal·lu·cal 形 母趾(hallux)の, 足の親指の.
heb·dom·a·dal 形 7 日目ごとに行われる.
-he·dral 連結形 ☞
hel·i·cal 形 らせんの, らせん形 [状] の.
he·mal 形 血液の; 血管の.
hem·a·tal 形 =hemal.
he·ma·to·cry·al 形 冷血の; 変温の.
hem·or·rhoi·dal 形 〘病理〙痔(核)の.
hep·tag·o·nal 形 七角形の, 七辺形の.
herb·al 形 草の, 草本の; 薬草の.
hex·ag·o·nal 形 六角形の.
hex·am·er·al 形 6 基数の(hexamerous).
hi·ber·nal 形 《文語》冬の; 冬のような; 寒冷の.
hi·e·mal 形 冬の [に関する].
hip·po·cam·pal 形 〘解剖〙海馬回(かいばかい)の.
ho·di·er·nal 形 今日の, 現在の.
ho·ral 形 《古》時間の, 時間に関係する.
hor·i·zon·tal 形 水平の. ━━名 水平なもの.
hor·mo·nal 形 〘生化学〙ホルモンの.
hu·mer·al 形 〘解剖〙〘動物〙上腕(骨)の.
hu·mor·al 形 〘免疫〙体液性の.
hy·e·tal 形 雨の, 降雨の; 降雨地帯の.
hy·me·ne·al 形 《文語》結婚の, 婚姻の.
hym·nal 形 賛美歌の, 聖歌の(hymnic).
hy·pae·thral 形 =hypethral.
hy·pe·thral 形 〈古典建築が〉屋根のない, 青天井の.
hyp·noi·dal 形 〘心理〙軽い催眠状態の, 半醒半睡の.
hy·po·ge·al 形 地下の.
hy·po·glos·sal 形 〘解剖〙舌下の. ━━名 舌下神経.
hy·po·phloe·o·dal 形 〈幼虫などが〉樹皮の下で生活する.
-i·cal 接尾辞 ☞
i·de·al 名形 ☞
i·de·a·tion·al 形 観念の, 心像形成の, 表象的な.
il·lus·tra·tion·al 形 挿し絵の, 図解の, 挿し絵的な.
i·ma·gi·nal 形 想像上の; 心象の; 比喩的な.
in·au·gu·ral 形 就任の; 就任式に行われる.
in·ci·den·tal 形 偶然の, 偶発の; 副次的な.
in·di·vid·u·al 名 個人. ━━形 単一の; 個々の.
in·dus·tri·al 形 ☞
in·fer·nal 形 極悪非道の, 悪魔のような.
in·fin·i·tes·i·mal 形 微小の, 極微の, 非常に小さい.
in·flec·tion·al 形 〘言語〙屈折の, 語形変化の.
in·gui·nal 形 鼠径(そけい)(部)の.
in·im·i·cal 形 (…に)不利な, 反している, 有害な.
in·spi·ra·tion·al 形 霊感を与える, 鼓舞する.
in·sti·tu·tion·al 形 制度(上)の; 制度化した.
in·struc·tion·al 形 教育(のため)の.
in·stru·men·tal 形 手段 [道具] となる; 動機となる.
in·te·gral 形名 ☞
in·ten·tion·al 形 意図して行われた, 故意の, 計画的な.
in·ter·cen·sal 形 国勢調査と国勢調査との間の.
in·ter·gen·er·a·tion·al 形 世代間の, 異なる年齢層間の.
in·ter·nal 形 内部にある, 内の, 内部の.
in·ter·par·ox·ys·mal 形 〘病理〙発作間の.
in·ter·pop·u·la·tion·al 形 異なるグループ間に生じる.
in·ter·trib·al 形 種族間の, 部族間に生じる.
in·tes·ti·nal 形 腸に起こる, 腸を冒す.
in·tra·per·i·to·ne·al 形 〘解剖〙腹腔内の, 腹膜(組織)内の.
in·tra·re·gion·al 形 地域内の.
in·tu·i·tion·al 形 直観の, 直覚の.
in·vi·ta·tion·al 形 招待選手 [チーム] に限られた.
in·vo·lu·tion·al 形 〘精神医学〙退行の; 退行期鬱病の.
i·soch·ro·nal 形 等時性の; 時間が平均している.
i·sog·o·nal 形 等角の; 等偏角の(isogonic).
-i·val 接尾辞 ☞
jour·nal 名 日記, 日誌; 新聞.
judg·men·tal 形 判断の.
ju·gal 形 ほお(骨)の. ━━名 ほお骨.
junc·tur·al 形 〘音声〙連接(juncture)の.
ju·ral 形 法律(上)の.
ju·ve·nal 形 《特に米》〘鳥類〙幼形の.
lach·ry·mal 形 《文語》涙の; 涙を分泌する.
lac·ri·mal 形 =lachrymal.
lac·ry·mal 形 =lachrymal.
lac·te·al 形 乳の; 乳からできている.
la·cu·nal 形 空隙(くうげき)の.
lam·i·nal[1] 形 〘音声〙舌端音の. ━━名 舌端音.
lam·i·nal[2] 形 薄板 [薄片] でできている; 薄層状の.
lar·val 形 幼虫の, 幼生期の; 未熟な.
la·ryn·ge·al 形 喉頭の [にある]. ━━名 喉頭音.
lat·er·al 形 ☞
lat·i·tu·di·nal 形 緯度の; 緯度の方向の.
lec·i·thal 形 ☞
le·gal 形 ☞
le·thal 形 命取りの, 致死の.
lex·i·cal 形 〘言語〙語彙(ごい)の, (単)語の.
lib·er·al 形 ☞
lim·i·nal 形 〘心理〙閾(いき)(limen)の; 閾にある.
lin·e·al 形 ☞
lin·gual 形 ☞
lit·er·al 形 ☞
lit·to·ral 形 (海・湖などの)沿岸の, 海岸の.
lo·cal 形 ☞
lon·gae·val 形 =longeval.
lon·ge·val 形 《古》長く続く; 長命の.
lon·gi·tu·di·nal 形 経度の, 経線の, 黄経の.
lo·ral[1] 形 伝承的知識の.
lo·ral[2] 形 〘動物〙目先の.
loy·al 形 (君主・政府・国家に)忠誠な, 忠義な.
lum·bri·cal 名 〘解剖〙虫様筋(lumbrical muscle).
lus·tral 形 祓(はら)い清め(lustrum)の.
lu·te·al 形 (卵巣の)黄体の [を含む].
mag·is·tral 形 〘薬学〙医師処方の; 特別調合の.
ma·lar·i·al 形 マラリアの; マラリア性の.
man·u·al 形 手製の, 手工の, 手細工の.
mar·gin·al 形 へりの, へりを成す.
mar·i·tal 形 結婚の, 結婚生活の; 夫婦(間)の.
mar·mo·re·al 形 大理石の [でできた].
ma·ter·nal 形 母の; 母にふさわしい, 母らしい.
ma·tu·ti·nal 形 朝の [に起こる], 早朝の.
max·i·mal 形 最大限の, 最高の; 完璧に近い.
me·di·ae·val 形 =medieval.
me·di·a·to·ri·al 形 仲介 [調停] 者の.

me·dic·i·nal 形 薬の; 薬効のある, 治癒力のある.
me·di·e·val 形 中世の; 中世的な, 中世風の.
me·ni·al 形 〈仕事などが〉卑しい, 下賤な.
me·nin·ge·al 形 【解剖】(脳脊(せき))髄膜の.
men·sal¹ 形 《まれ》月ごとの, 毎月の.
men·sal² 形 《まれ》食卓の; 食卓用の.
men·stru·al 形 月経の.
men·su·ral 形 度量(measure)に関する.
men·tal¹ 形 心の, 精神の, 心的な, 内的な.
men·tal² 形 あごの [に関する].
me·rid·i·o·nal 形 子午線の(ような). ── 名 南方人.
met·al·loi·dal 形 非金属の.
min·er·al 名形 ☞
min·i·mal 形 最小量 [数] の.
mi·tral 形 司教冠(miter)の; 司教冠に似た.
mod·al 形 ☞
mo·lal 形 【化学】グラム分子の, モルの.
mon·a·chal 形 修道士の; 修道生活の; 修道院の.
mo·nar·chal 形 君主の; 君主らしい, 君主に特有の.
mon·o·ton·al 形 【印刷】全体が同じような調子の.
mon·u·men·tal 形 記念碑のような; 大きく重々しい.
mor·al 形 ☞
mor·tal 形 死を免れない, 死すべき運命の.
mo·tion·al 形 運動の, 運動を起こす.
mul·ti·gen·er·a·tion·al 形 〈家族・社会が〉数世代も.
mu·nic·i·pal 形 市の; 市政の, 地方自治の.
mu·ral 名形 ☞
mu·tu·al 形 (2者以上で)相互の, 互いの.
na·sal 形 ☞
na·tal 形 ☞
na·tion·al 形 ☞
nat·u·ral 形 ☞
na·val 形 軍艦の.
nerv·al 形 ＝neural.
neu·ral 形 ☞
neu·tral 形 ☞
ni·da·men·tal 形 (軟体動物などの)卵嚢(のう)の.
ni·val 形 雪の; 雪の多い; 雪中に生える.
noc·tur·nal 形 夜の, 夜間の.
nod·al 形 節の; 中心点の; 結節点の.
nom·i·nal 形 ☞
nor·mal 形名 ☞
no·tar·i·al 形 公証人(notary)の.
no·tion·al 形 概念の, 概念を表す.
nou·me·nal 形 【哲学】存在にかかわる.
no·ver·cal 形 《まれ》継母の, 継母らしい.
nu·mer·al 形 数字の [から成る].
ob·li·ga·tion·al 形 義務的な; 義務に関する.
ob·ser·va·tion·al 形 観察の, 観察に関する, 監視の.
ob·ses·sion·al 形 つきまとって離れない, 取りついた.
oc·ca·sion·al 形 時折の, たまの.
oc·ci·den·tal 形 西洋の, 欧米の; 西洋人の.
oc·cu·pa·tion·al 形 職業(上)の, 生業の; 職業的な.
oc·tag·o·nal 形 八角形の, 八辺形の.
oc·tal 形 八進(法)の. ── 名 八行連.
oed·i·pal 形 エディプス・コンプレックスの.
of·fic·i·nal 形 〈薬が〉薬局常備の.
on·tal 形 【哲学】存在にかかわる.
op·er·a·tion·al 形 機能を果たす, 使用できる.
op·ti·mal 形 最高の, 最適の, 最も望ましい.
op·tion·al 形 随意の, 任意の, 自由意志による.
o·ral 形 ☞
or·bit·al 形名 ☞
or·ches·tral 形 オーケストラの(ような).
or·di·nal 形 (動植物分類上の)目(もく)の.
-o·ri·al 接尾辞 ☞
o·ri·en·tal 形 東洋の; 東洋産の; 東洋風の.
o·rig·i·nal 形 原始の, 始原の, 根源の; 初めの.
or·na·men·tal 形 装飾 [観賞] 用の. ── 名 装飾物.
or·thog·o·nal 形 【数学】直交の; 直角の.
os·te·al 形 骨から成る; 骨を含む; 骨に似た.
o·val 形 卵形の. ── 名 卵形のもの.
o·voi·dal 形名 ＝oval.
pa·cif·i·cal 形 《古》和解 [融和, 妥協] 的な.
pag·i·nal 形 ページの.
pal·a·tal 形 【解剖】口蓋の.
pal·pal 形 【動物】口肢(palpus)の [に関する].
pal·pe·bral 形 眼瞼(がんけん)の, まぶたの.
pa·lu·dal 形 《まれ》沼地の, 湿地の.
pa·pal 形 ローマ教皇の; 教皇制度の.
par·a·di·sa·i·cal 形 天国の; 至福の.
par·a·dis·al 形 ＝paradisaical.
pa·ren·tal 形 ☞
par·en·ter·al 形 【解剖】【医学】【生理】〈投与・感染などが〉腸管外の, 非経口的な.
pa·ri·e·tal 形 ☞
par·ox·ys·mal 形 【病理】発作の.
pas·chal 形 復活祭(Easter)の; 過越(すぎこし)の祭りの.
pas·sion·al 形 熱情の, 熱情的な; 熱烈な.
pas·to·ral 形 田園(生活)の; 田舎風の; 純朴な.
pa·ter·nal 形 父の, 父にふさわしい, 父親らしい.
pa·tri·ar·chal 形 家長らしい, 家長ぶった; 家長制の.
pec·to·ral 形 胸の, 胸部の, 胸部にある; 胸筋の.
ped·al 名動自形 ☞
pe·nal 形 (犯罪・違反に対する)刑の, 刑罰の.
Pen·te·cos·tal 形 【キリスト教】ペンテコステ(派)の.
per·i·o·don·tal 形 【歯科】歯根膜の, 歯周(組織)の.
pe·riph·er·al 形 周囲の, 外縁を構成する.
per·i·to·ne·al 形 【解剖】腹膜の.
per·o·ne·al 形 【解剖】腓骨(ひこつ)の.
per·pet·u·al 形 永久の, 永遠に続く.
per·son·al 形 ☞
pes·si·mal 形 《米ハッカー俗》最低 [最悪] の.
-pe·tal 連結形 ☞
pe·tro·sal 形 【解剖】錐体(すいたい)(部)の.
pha·lan·gal 形 ＝phalangeal.
pha·lan·ge·al 形 ファランクス(phalanx)の.
phan·tas·mal 形 幻の, 幽霊の, 非実在の, 空想の.
pha·ryn·ge·al 形 ☞
phe·nom·e·nal 形 並でない, 異常な, 驚くべき.
phras·al 形 句の; 句から成る.
pi·al 形 【解剖】軟膜の [に関する].
pi·lo·ni·dal 形 【病理】毛巣の.
pin·e·al 形 松かさの形の.
piv·ot·al 形 旋回心軸の(働きをする).
pla·cen·tal 形 【解剖】【動物】胎盤の.
pla·gal 形 【音楽】変格の.
plas·tral 形 【動物】腹甲の [に関する].
pleu·ral 形 【解剖】肋膜の.
plex·al 形 神経 [血管] 叢(そう)(plexus)の.
plu·ral 形 複数の, 二人 [二つ] 以上から成る.
pon·tif·i·cal 形 大神官の, 教皇の.
pop·lit·e·al 形 【解剖】膝窩(しっか)(ham)の.
pop·u·la·tion·al 形 人口の.
por·tal 形 【解剖】肝門(部)の; 門静脈の.
po·si·tion·al 形 位置の, 場所の; 地位の.
post·al 形 郵便局の; 郵便の.
post·ci·bal 形 【医学】食後(性)の.
po·tes·tal 形 (ローマ法で)家長権の.
pres·by·te·ri·al 形 長老会の.
pres·en·ta·tion·al 形 表象的な.
pri·mal 形 第一の, 最初の; 原始の, 最初期の.
pri·ma·ve·ral 形 《まれ》早春の, 初春の.
pri·me·val 形 原始(時代)の; 古代の.
prin·ci·pal 形 首位の, 第一の; 主な, 主要な.
pro·ba·tion·al 形 試験の, 見習い期間の.
pro·ce·dur·al 形 手続き(上)の; (特に)議事手続きの.
pro·ces·sion·al 形 行列の, 行列を成す.
prod·ro·mal 形 【病理】前駆症状(prodrome)の.
pro·fes·sion·al 形 ☞
pro·por·tion·al 形 (…に)比例する, 対応する.
pro·to·zo·al 形 原生動物の [に関する].
pro·vi·sion·al 形 仮の, 一時の, 間に合わせの.
prox·i·mal 形 (手・足・骨などの)基部の [に近い].
-pter·al 連結形 ☞
pu·ber·tal 形 思春期の, 成熟期の.
pu·er·per·al 形 産婦の, 産褥婦の.
pulp·al 形 【歯科】歯髄の, 髄質の.

py·gal 形 臀部の, 尾部の.
py·ram·i·dal 形 角錐(かくすい)［錐体］の.
Quad·ra·ges·i·mal 形 四旬節の.
quan·tal 形 〖物理〗量子の, 量子力学の.
qua·qua·ver·sal 形 〖地質〗(地層が)ドーム状の.
rad·i·cal 形名 ☞
ra·mal 形 枝(ramus)の; 枝状の.
rat·al 名 《英》課税標準(価額).
ra·tion·al 形 ☞
re·al 形 ☞ ┌の.
re·ces·sion·al 形 (礼拝式後の)牧師・聖歌隊の退場
re·cip·ro·cal 形 相互の, 双方の; 互恵的な.
rec·re·a·tion·al 形 レクリエーション［休養］の(ための).
rec·tal 形 直腸(rectum)の.
re·gal 形 王［帝王］の.
reg·i·men·tal 形 連隊の; 型にはめる, 統制的な.
re·gion·al 形 (かなり広い)地方の.
reg·nal 形 王の, 王権の; 御代の, 治世の.
re·la·tion·al 形 親類の［としての］.
re·nal 形 ☞
rep·re·sen·ta·tion·al 形 描写的な; 実象主義の.
re·sid·u·al 形 残りの, 残された, 残余の.
ret·i·nal 形 (目の)網膜の［に関する］.
re·tral 形 後部の, 後方の, 後［背］部にある.
ret·ro·len·tal 形 (目の)水晶体後方の.
ret·ro·per·i·to·ne·al 形 〖解剖〗腹膜後の.
rhi·nal 形 鼻の, 鼻腔の.
rit·u·al 名 儀式; 典礼. ―― 形 儀式的な.
ri·val 名 相手, 対抗者, 敵手. ―― 形 競争している.
ro·ral 形 《古》〈物が〉露にぬれた(ような).
ros·tral 形 ☞
ro·ta·tion·al 形 回転の.
roy·al 形名 ☞
ru·bri·cal 形 赤色の, 赤みがかった; 朱書きの.
ru·der·al 形 〖植物〗荒廃地に生える, 荒れ地生の.
ru·ral 形 (よい意味で)田舎の; 地方の生活の.
sac·er·do·tal 形 聖職者の, 聖職者にふさわしい.
sa·cral[1] 形 聖式の, 聖礼の; 聖式用の.
sa·cral[2] 形 仙骨(せんこつ)(sacrum)の.
sac·ra·men·tal 形 聖礼典の, 秘跡の, 機密の.
sag·it·tal 形 〖解剖〗矢状の.
scle·ral 形 〖解剖〗強膜の［に関する］.
scrib·al 形 書記の［による］.
scrip·tur·al 形 神聖な書き物の; (特に)聖書の.
scu·tal 形 〖動物〗scutum「鱗甲(りんこう)」の.
sea·son·al 形 ある季節に限った, 季節の.
sec·re·tar·i·al 形 書記の; 秘書養成の.
sec·tion·al 形 《しばしばけなして》特定区域に関する［限られた］, 局地［地方］的な.
seg·e·tal 形 穀物畑に育つ.
seg·men·tal 形 分節の.
seis·mal 形 地震の［による］.
sem·i·nal 形 精液の; 発生［生殖］の.
sem·pi·ter·nal 形 《文語》永遠の, とこしえの.
sen·sa·tion·al 形 大評判の, 世間を沸かせる.
sen·ti·men·tal 形 〈物が〉優しい感情を表す.
sep·tal 形 〖生物〗隔膜(septum)の.
sep·tem·vi·ral 形 七人委員会の構成員の.
sep·tif·ra·gal 形 〖植物〗〈果物が〉胞軸裂開の.
sep·ti·mal 形 7の; 7を基にした.
se·pul·chral 形 墓の, 墓所の, 墓所になっている.
ser·al 形 〖生態〗遷移途中の, 遷移過程の.
se·rot·i·nal 形 夏の終わりの, 晩夏の; 遅咲きの.
ses·qui·al·ter·al 形 1.5倍の, 1.5対1の.
sev·er·al 形 いくつかの, いくらかの, 数個の.
sex·a·ges·i·mal 形 60単位の, 60分の, 60進法の.
sex·u·al 形 ☞
shriev·al 形 sheriff「保安官, シェリフ」の.
si·de·re·al 形 〖天文〗恒星の運動をもとに測定された.
sig·nal 形名 ☞
sil·vi·cal 形 森林生態学の.
si·nal 形 sinus「曲がり, 湾曲」の.
sin·is·tral 形 左側の［にある］, 左の.
si·nus·oi·dal 形 〖数学〗シヌソイドの［に関する］.
skel·e·tal 形 骨格の; 骸骨の; 骸骨のような.
so·ci·e·tal 形 社会の; 社会活動［慣習］の.
so·ci·o·fu·gal 形 〖社会〗(椅子の配列が)離れ離れで話がしにくい.
so·le·noi·dal 形 〖電気〗筒形コイルの.
so·nal 形 音の, 音波の, 音速の.
so·ro·ral 形 姉妹の, 姉妹のような.
spec·tral 形 幽霊の, 妖怪の.
sper·ma·to·zo·al 形 精子の.
spher·al 形 球の［に関する］; 球形［球状］の.
sphe·roi·dal 形 回転楕円面［体］の.
spi·nal 形 とげ状構造の; 〖解剖〗背骨の.
spi·ral[1] 名形 ☞
spi·ral[2] 形 細く［鋭く］とがった.
squa·mo·sal 形 〖解剖〗〖動物〗側頭鱗(りん)の.
stam·i·nal[1] 形 〖植物〗雄蕊(ゆうずい)の.
stam·i·nal[2] 形 スタミナ［耐久力］の.
stat·al 形 (米国などの)州の［に関する］.
ster·co·ral 形 糞便の.
ster·nal 形 ☞
stom·ach·al 形 胃の.
sto·mal 形 ＝stomatal.
stom·a·tal 形 気孔(stoma)の.
stra·tal 形 層［地層］(stratum, strata)の.
struc·tur·al 形 構造(上)の, 構成(上)の; 構造物の.
suc·ces·sion·al 形 連続の, 連続した, 引き続く.
suc·cur·sal 形 従属的な, 傘下の.
su·per·lu·mi·nal 形 〖天文〗超光速の. ┌の.
su·per·nal 形 《文語》神々の住む天にある; 天上
sup·ple·men·tal 形 補足の. ―― 名 追加されたもの.
sup·po·si·tion·al 形 仮定に基づく, 想像上の.
su·ral 形 〖解剖〗ふくらはぎの, 腓腹(ひふく)の.
sus·pi·cion·al 形 (特に病的に)疑い深い.
syl·ves·tral 形 森林の［に生えている］.
syn·chro·nal 形 (…と)同時に起こる; 同時(性)の.
syn·di·cal 形 職業組合の.
syn·e·dri·al 形 Sanhedrin「(大)サンヘドリン」の.
sy·rin·ge·al 形 〖鳥類〗鳴管(syrinx)の.
tar·sal 形 〖解剖〗〖動物〗足根(骨)の.
tem·per·a·men·tal 形 気性のはっきりした, 個性の強い.
tem·po·ral[1] 形 ☞
tem·po·ral[2] 形 〖解剖〗〖動物〗側頭の.
ter·gal 形 背板(tergite)の［に関する］.
ter·mi·nal 形名 ☞
tes·ser·al 形 切りばめ細工の, モザイクの.
tes·ta·men·tal 形 遺言(書)の.
tes·ti·mo·ni·al 名 (人格・長所などの)証明書; 推薦状. ―― 形 証拠の.
tes·tu·di·nal 形 カメ(の甲羅)の［に似た］.
tet·a·nal 形 〖病理〗tetanus「破傷風」の.
te·trag·o·nal 形 四角形の, 四辺形の.
tet·ram·er·al 形 4つの部分から成る［に分かれた］.
ther·mal 形 ☞
-ti·cal 形 ☞
tid·al 形 ☞
ton·al 形 ☞
to·roi·dal 形 〖幾何〗ドーナツ形の, 環状体［面］(toroid)の.
to·tal 形名 ☞
tra·che·al 形 〖解剖〗〖動物〗気管の.
tra·di·tion·al 形 伝統の; 伝説の.
tran·scen·den·tal 形 〈能力・特性などが〉卓越した.
tran·scrip·tion·al 形 筆写［転写・模写］の.
trans·la·tion·al 形 翻訳の.
trans·ver·sal 形 横の, (斜めに)横切る, 横断の.
tra·pe·zi·al 形 trapezium「トラペジウム」の.
trib·al 形 部族の［に独特の］; 部族［種族］的な.
tri·cam·er·al 形 〖政治〗三院制から成る, 三院制の.
tri·gem·i·nal 形 〖解剖〗三叉(さんさ)神経の.
trig·o·nal 形 3つの角を持つ, 三角の, 三角形の.
tri·nal 形 3部分から成る, 三重の.
trip·o·dal 形 三脚の; 三脚台の.

tri·um·phal 形 (古代ローマの)凱旋(式)の.
tri·um·vi·ral 形 三頭政治の, 三執政官の.
tro·chal 形 〘動物〙車輪状の, 輪のような.
trun·cal 形 幹の; 胴体の.
-tu·al 接尾辞 ☞
tub·al 形 管(状)の; 〘解剖〙輸卵管の.
tur·bi·nal 形 倒円錐形をした, 渦巻き形の.
tus·sal 形 〘病理〙咳の.
typ·al 形 型の, 類型 [模型] の.
ty·phoi·dal 形 〘病理〙疑似チフスの, 腸チフスの.
-u·al 接尾辞 ☞
um·bo·nal 形 〘動物〙〘解剖〙殻頂状の.
un·ci·nal 形 鉤(かぎ)状の, 鉤形の(uncinate).
un·gual 形 爪(つめ)の(ある, ような).
u·ni·cur·sal 形 〘数学〙一筆書きできる.
u·ni·ver·sal 形名 ☞
vac·ci·nal 形 ワクチンの; 種痘の.
va·gal 形 迷走神経(vagus nerve)の.
vag·i·nal 形 〘解剖〙膣(ちつ)の; 鞘(しょう)の.
val·val 形 弁状の; 弁のある; 弁の働きをする.
va·ri·e·tal 形 変種(variety)の.
va·sal 形 〘解剖〙〘生物〙(脈)管の, 導管の.
va·tic·i·nal 形 予言の, 予言的な.
veg·e·tal 形 植物 [野菜] (性)の.
ve·nal[1] 形 買収されやすい, 賄賂で自由になる.
ve·nal[2] 形 《古》静脈の, 静脈性の; 葉脈の.
ve·ne·re·al 形 〈病気が〉性交から起こる.
ven·tri·lo·qui·al 形 腹話術の(ような); 腹話術を使う.
ver·bal 形 ☞
ve·rid·i·cal 形 真実を告げる, 真実の.
ver·nal 形 春の.
ver·te·bral 形 脊椎(骨)の [に関する].
ver·ti·cal 形 直立した, 垂直の, 鉛直の.
ves·i·cal 形 嚢(のう)の; (特に)膀胱(ぼうこう)の.
ves·per·al 名 〘教会〙晩課集.
ves·tal 形 女神ウェスタ(Vesta)の.
vice·ge·ral 形 代官の, 代理者の.
vic·i·nal 形 近所の, 付近の.
vid·u·al 形 《廃》未亡人の, やもめの.
vi·nal 形 ワインの.
vin·e·al 形 ブドウ(の木)の [に関する].
vi·ral 形 ウィルスの, ウィルスが原因の.
vir·gin·al 形 処女 [乙女] の.
vir·tu·al 形 実質上の, 事実上の, 実際(上)の.
vis·cer·al 形 内臓の, はらわたの.
vi·sion·al 形 幻覚の; 幻の, 幻影の, 幻像の.
vi·tal 形 生命の, 生命に関する.
vo·cal 形 ☞
vo·ca·tion·al 形 職業(上)の; 職務上の.
vo·lu·mi·nal 形 容積 [体積] の.
vor·ti·cal 形 渦(巻き)の.
xyr·i·dal 形 〘植物〙トウエンソウ(桃園草)類の.
ze·nith·al 形 天頂の; 天頂(の近く)にある.
zon·al 形 ☞
zy·gal 形 H 字形の, 軛(くびき)状の.

-al[2] /əl/

接尾辞 フランス語またはラテン語系の動詞について名詞をつくる.
◆ ラテン語 *-āle*(単数形), *-ālia*(複数形)(*-ālis* -AL[1] の名詞化された中性形)より.
[発音] 第 1 強勢は基語と同じ.

a·but·tal 名 (隣接地との)境界(地).
ac·cru·al 名 〘会計〙(収益・利子・権利などの)発生, 増加; 増加部分, 増数額.
ac·cus·al 名 告発, 告訴, 起訴; 非難.
ac·quit·tal 名 〘法律〙無罪.
ap·prais·al 名 評価, 品定め, 査定.
ap·prov·al 名 是認, 承認, 賛成, 賛同; 称賛.
a·rous·al 名 覚醒(かくせい); 喚起; 激励.
ar·ray·al 名 配列, 並べること; 集めること.
ar·ri·val 名 (…への)到着, 来着, 入港; 登場.
a·vow·al 名 公言, 言明; 率直な承認, 白状.
be·stow·al 名 贈与, 授与; 贈り物.
be·tray·al 名 裏切り(行為), 背信.
be·troth·al 名 婚約.
bur·i·al 名 ☞
cap·i·tal 名 ☞
ca·rous·al 名 にぎやかな [派手な] 宴会 [懇親会].
com·mit·tal 名 委託, 付託行為; 委員会付託.
con·fer·ral 名 《特に米》授与, 贈呈, 叙勲.
de·cri·al 名 (口汚い)非難, 罵倒.
de·fer·ral 名 延期, 繰り延べ, 据え置き.
de·fray·al 名 支払い, 支出.
de·mur·ral 名 異議申し立て; 異議(demur).
de·ni·al 名 (…の)否定.
de·pos·al 名 (高官の)免職, 罷免; (王の)廃位.
de·priv·al 名 奪うこと, 剥奪(deprivation).
de·vis·al 名 工夫(すること), 考案.
dis·a·vow·al 名 否認, 否定, 拒否.
dis·miss·al 名 退去, 解散; 放免, 解放; 解雇.
dis·per·sal 名 分散させること; 離散; 散布; 流布.
dis·pos·al 名 ☞
dis·prov·al 名 反証(すること), 反駁(はんばく), 論駁(disproof).
es·pi·al 名 探偵 [スパイ] 行為, 探索; 探知.
es·pous·al 名 《主に文語》(主義・説などの)採用, 支持, 擁護, 信奉.
ex·pos·al 名 さらすこと, あらわにすること(exposure).
frac·tal 名 〘数学〙〘物理〙フラクタル.
hos·pi·tal 名 ☞
hym·nal 名 (礼拝で使う)賛美歌集, 聖歌集.
in·au·gu·ral 名 (大統領などの)就任演説.
mac·er·al 名 〘地質〙マセラル.
mam·mal 名 哺乳動物.
man·u·al 名 小型本, 小冊子; (特に)入門書.
mis·sal 名 〘ローマカトリック〙ミサ典書.
na·sal 名 〘甲冑〙ナザル.
or·di·nal 名 〘ローマカトリック〙聖務案内.
o·rig·i·nal 名 原型, 原物; 原作, オリジナル.
pas·sion·al 名 聖者 [殉教者] 受難物語集.
pec·to·ral 名 〘解剖〙胸部, 胸部器官; 胸筋.
pe·rus·al 名 読むこと, 通読; 熟読, 精読, 閲読.
plu·vi·al 名 コープ, 大外套.
por·tal 名 (宮殿などの)表玄関, 入り口.
por·tray·al 名 描写(すること); 記述.
pound·al 名 〘物理〙ポンダル: 力の単位.
pro·ces·sion·al 名 行進聖歌; 行列行進曲.
pro·cur·al 名 入手, 獲得(procurement).
pro·pos·al 名 提案, 提議, 発起; 企画, 計画.
re·but·tal 名 反駁, 論駁; 反証(を挙げること).
re·cit·al 名 リサイタル, 独奏会, 独唱会.
re·count·al 名 詳述, 詳説.
re·cus·al 名 〘法律〙忌避, 回避.
re·fer·ral 名 参照, 照会; 紹介, 推薦; 委託.
re·fus·al 名 拒絶, 拒否, 辞退, 謝絶.
re·hears·al 名 ☞
re·mit·tal 名 許すこと; 軽減すること.
re·mov·al 名 除去, 取り片づけ, 切除.
re·new·al 名 新しくすること; 再建; 再生.
rent·al 名 賃貸 [賃借] 料, 家賃; 地代, 小作料.
re·pos·al 名 (信頼・信用などを)おくこと; 委託.
re·priev·al 名 (死刑)執行猶予(期間).
re·pris·al 名 報復, 仕返し.
re·prov·al 名 たしなめること, 叱責, 非難.
re·quit·al 名 報いること.
re·stor·al 名 (秩序・状態などの)回復; 復活.
re·triev·al 名 回復, 挽回; 回収; 埋め合わせ.
re·ver·sal 名 逆にすること [された状態], 逆転.
re·view·al 名 批評, 評論; 再吟味, 再調査; 検閲.
re·vis·al 名 校訂, 改訂, 修正, 補訂.
re·viv·al 名 ☞
sig·nal 名 ☞
sub·du·al 名 征服; 抑圧, 抑制.
sup·pos·al 名 想像すること, 仮定 [推定] すること.

sur·pris·al 名 奇襲, 不意打ち.
sur·viv·al 名 生き残ること; 残存, 存続.
trans·fer·al 名 転移, 移動, 転勤.
trans·fer·ral 名 =transferal.
trans·mit·tal 名 送ること, 伝達, 伝送, 伝播(でんぱ).
trans·pos·al 名 運ぶこと, 運ばれること, 運送, 輸送.
tren·tal 名 〖ローマカトリック〗30 日間連続慰霊ミサ.
tri·al 名 ☞
tri·bu·nal 名 裁判所, 裁決機関.
up·heav·al 名 大変動, 激変, 大変革, 大動乱.
u·ri·nal 名 (男性用の)小便用の便器.
vict·ual 名 食糧, 糧食.
with·draw·al 名 引っ込める [引き下がる] こと.

-al³ /æl, ɔ:l, ɑl, əl | æl, ɔl, əl/

接尾辞 **1**〖化学〗アルデヒド基(aldehyde group)の入った化合物: chlor*al*. **2**〖薬学〗薬剤: hormon*al*.
★ 名詞をつくる.
◆ aldehyde「アルデヒド」の短縮形.

ac·e·tal 名 アセタール.
ben·zal 名 ベンザル基.
bro·mal 名 〖薬学〗ブロマール.
bu·tyr·al 名 ブチラール.
chlo·ral 名 クロラール.
cit·ral 名 シトラール.
cit·ron·el·lal 名 シトロネラール.
do·dec·a·nal 名 ラウリンアルデヒド.
eth·al 名 セチルアルコール.
eth·a·nal 名 エタナール.
for·mal 名 =methylal.
fur·fur·al 名 フルフラール.
ge·ra·ni·al 名 シトラールの 2 種の異性体の一つ.
meth·a·nal 名 ホルムアルデヒド, エタノール.
meth·yl·al 名 メチラール, ホルマール.
ne·ral 名 ネラール: citral の一種.
pi·per·o·nal 名 ピペロナール.
pyr·i·dox·al 名 ピリドキサール.
ret·i·nal 名 〖生化学〗レチナール.
rho·di·nal 名 =citronellal.

-al⁴ /ɑ́:l/

語尾 -al で /ɑ:l/ はサンスクリットあるいはヒンディー語に由来する語に多い.
★ 語末にくる同音形は -AAL.

al 名 〖植物〗ヤエヤマアオキ.
dal 名 〖インド料理〗レンズ豆のカレー.
dhal 名 =dal.
sal 名 〖植物〗サラノキ(sal tree).

-al⁵ /ǽl/

語尾 押韻語に gal pal「ガールフレンド」がある.
★ 語末にくる同音形は -ALL².

bal 名 バルモラル(balmoral): 編み上げになった足首までの短靴.
gal¹ 名 《話》少女, 女の子, 娘; 女.
gal² 名 ガル: 加速度の cgs 単位.
pal 名 《話》(男の)仲間, 仲よし, 友人.
ral 名 《米俗》梅毒.
sal 名 〖薬学〗塩(えん), 塩化ナトリウム.

a·larm /əlɑ́:rm/

名 **1**(危険を察知して突然に感じる)驚き; 心配, 不安; 恐れ, 恐慌. **2**(危険を知らせる)音; 警報. 警報器.

áu·to-a·làrm 名 自動警報器, 自動警報受信器.
blínk alàrm 点滅警報.
búrglar alàrm 盗難予防用自動警報器.
cáll alàrm 緊急呼び出し装置.
fálse alárm (消防署への)誤った火災通報.
fíre alàrm 火災警報; 火災報知器.
fíve-alárm 名 (火事が)5 警報の.
shríek alárm 痴漢撃退用警報器. 「難警報器.
sílent alárm サイレントアラーム: 音を出さない盗(現場で音の警報を出さずに, 電話などで信号を送る)盗難予防用自動警報, 火災警報.
stíll alàrm

al·ba·tross /ǽlbətrɔ̀:s, -trɑ̀s | -trɔ̀s/

名 〖鳥類〗アホウドリ(信天翁): アホウドリ科の巨大な海鳥の総称.

bláck-footed álbatross クロアシアホウドリ.
shórt-tàiled álbatross アホウドリ.
sóoty álbatross ハイイロアホウドリ属の灰色のアホウドリの総称.
wándering álbatross ワタリアホウドリ.

al·bu·min /ælbjú:mən | ǽlbju-/

名 〖生化学〗アルブミン. ⇨ -IN².

lac·tal·bu·min 名 ラクトアルブミン.
ov·al·bu·min 名 オボ [卵白] アルブミン.
parv·al·bu·min 名 パルブアルブミン.
sérum albúmin 血清アルブミン.
tòx·albúmin 名 毒性アルブミン.

al·co·hol /ǽlkəhɔ̀:l, -hɑ̀l | -hɔ̀l/

名 アルコール, 酒精. ◇ -OL¹.
★ なお, gasohol「ガソホール」はアルコール 10 %入りのガソリンで gasorine＋alcohol から.

ábsolute álcohol 無水アルコール, 精製アルコール.
állyl álcohol アリルアルコール.
ámyl álcohol ペンタノール(pentanol).
anísic álcohol =anisyl alcohol.
ánisyl álcohol アニスアルコール.
bénzyl álcohol ベンジルアルコール.
bórnyl álcohol ボルネオール, 竜脳(borneol).
bútyl álcohol ブチルアルコール.
cáustic álcohol ナトリウムエチラート.
cétyl álcohol セチルアルコール.
cinnámic álcohol 桂皮(けいひ)アルコール.
décatyl álcohol デカチルアルコール.
décyl álcohol =decatyl alcohol.
denátured álcohol 変性アルコール.
diácetone álcohol ジアセトンアルコール.
éthyl álcohol (エチル)アルコール, 酒精.
éthylene álcohol グリコール, エチレングリコール.
fermentátion àlcohol (エチル)アルコール, 酒精.
gráin àlcohol (エチル)アルコール, 酒精.
isoprópyl álcohol イソプロピルアルコール.
láuryl álcohol ラウリルアルコール.
méthyl álcohol メチルアルコール, 木精.
mýricyl álcohol ミリシルアルコール.
nónyl álcohol ノニルアルコール.
óctyl álcohol オクチルアルコール.
oléyl álcohol オレイルアルコール.
péntyl álcohol ペンタノール(pentanol).
phenéthyl álcohol フェネチアルコール.
phènyléthyl álcohol =phenethyl alcohol.
pòly·álcohol 名 ポリオール(polyol).
polyvínyl álcohol ポリビニルアルコール, ポバール.
própenyl álcohol =allyl alcohol.
própyl álcohol プロピルアルコール, プロパノール.
pyrolígneous álcohol =methyl alcohol.
rúbbing àlcohol 《米》消毒アルコール.
stéaryl álcohol ステアリルアルコール.

A

thìo·álcohol 名 チオアルコール.
vínyl álcohol ビニルアルコール.
wóod álcohol =methyl alcohol.

-ald[1] /əld/

連結形 支配.
★ ゲルマン系の男子の名に使われる.
★ 語末にくる関連形は -AUD[1], -OLD[1].
◆ ゲルマン祖語**walden*「支配する」より.

Ger·ald 名 ジェラルド(男子の名).►字義はゲルマン語で「槍(ﾔﾘ)による支配」.
Har·ald 名 ハーラル(男子の名).
Reg·i·nald 名 レジナルド(男子の名).►字義は古英語で「助言・勧言による支配」.
Ron·ald 名 ロナルド(男子の名).►字義はスカンジナビア語で「助言・勧言による支配」.

-ald[2] /ɔ́:ld/

語尾 語末にくる同音形は -AULD.

bald 形 ☞
-bald 連結形 ☞
scald[1] 動他 (熱湯・湯気で)…をやけどさせる.
scald[2] 名 =skald.
scald[3] 形 《古》かさぶただらけの; 卑劣な.
skald 名 スカルド: 古代スカンジナビアの吟遊詩人.

al·de·hyde /ǽldəhàid/

名 〖化学〗アルデヒド.

àc·et·ál·de·hy·de 名 アセトアルデヒド.
a·crál·de·hỳde 名 アクロレイン.
àc·ryl·ál·de·hỳde 名 =acraldehyde.
àn·is·ál·de·hỳde 名 アニスアルデヒド.
anísic áldehyde =anisaldehyde.
benz·ál·de·hỳ·de 名 ベンズアルデヒド.
benzóic áldehyde =benzaldehyde.
bútyl áldehyde =butyraldehyde.
bù·tyr·ál·de·hỳde ブチルアルデヒド.
cinnámic áldehyde 桂皮(ｹｲﾋ)アルデヒド.
crò·ton·ál·de·hỳde 名 クロトンアルデヒド.
cýclamen áldehyde シクラメンアルデヒド.
dódecyl áldehyde =lauric aldehyde.
form·ál·de·hỳde 名 ホルムアルデヒド, メタナール.
fur·ál·de·hỳde 名 フルフラール(furfural).
glu·tar·al·de·hyde 名 〖生化学〗グルタルアルデヒド.
glỳc·er·ál·de·hỳde 名 〖生化学〗グリセル・アルデヒド.
hydrocinnámic áldehyde ヒドロシンナムアルデヒド.
laur·àldehýde 名 =lauric aldehyde.
láuric áldehyde ラウリンアルデヒド.
met·ál·de·hỳde 名 メタアルデヒド.
òx·y·ál·de·hyde 名 オキシアルデヒド.
par·ál·de·hỳde 名 〖薬学〗パラアルデヒド.
phènyl·acétic áldehyde フェニルアセトアルデヒド.
pròpi·on·ál·de·hỳde 名 プロピオンアルデヒド.
própyl áldehyde =propionaldehyde.
pỳro·múcic áldehyde フルフラール(furfural).
pyrúvic áldehyde ピルビンアルデヒド.
sàl·i·cyl·ál·de·hyde 名 サリチルアルデヒド.
thì·o·ál·de·hyde 名 チオアルデヒド.
vítamin Á àldehyde 〖生化学〗レチナール(retinal).

al·der /ɔ́:ldər/

名 ハンノキ(榛の木).

bláck álder クロミモチノキ.
réd álder オレゴンハンノキ.
whíte álder アメリカリョウブ.
wítch àlder ハンノキモドキ.
wých-àlder =witch alder.

ale /éil/

名 エール: 上面発酵法によるビールの一種.

Ádam's ále 《おどけて》水.
áudit ále 《英》オーディットエール.
brówn ále ブラウンエール.
gínger ále ジンジャーエール.
héather àle ヘザーエール.
líght ále 《英》ライトエール.
pále ále 《英》弱いエール.
pót àle (ウイスキーなどの)蒸留かす.
réal ále 《英》英国の伝統的手法によるエール.
smáll ále スモールエール.

-ale /éil/

語尾 語末にくる同音形は -AIL[1], -AIL[2].

ale 名 ☞
bale[1] 名 梱(ｺﾘ), 俵, ベイル貨物.
bale[2] 名 《古・詩》災い, 害悪, 不幸.
bale[3] 名 (やかんなどの)つる
bale[4] 動他自 〈船から〉水をくみ出す.
bale[5] 名 《古》大たき火, 大かがり火.
bale[6] 副間 =no; not.
dale 名 《文語》(特にイングランド北部の)谷.
-dale 連結形 ☞
dwale 名 ベラドンナ: ナス科の多年草.
gale[1] 名 ☞
gale[2] 名 〖植物〗ヤチヤナギ(sweet gale).
gale[3] 名 《英》(家賃・地代などの)支払い.
hale[1] 形 《文語》かくしゃくとした, 強健な.
hale[2] 動他 (…に)引っ張り[引きずり]出す.
kale 名 ☞
male 名 ☞
pale[1] 形 血の気のない, 青白い, 青ざめた.
pale[2] 名 ☞
sale 名 ☞
scale[1] 名 ☞
scale[2] 名 ☞
scale[3] 名 ☞
shale 名 頁岩(ｹﾂｶﾞﾝ), 泥板岩.
stale[1] 形 〈食べ物などが〉新鮮でない.
stale[2] 動自 〈家畜, 特に馬が〉放尿する.
stale[3] 名 《古》おとり(decoy).
swale 名 《主に米北東部》低湿地, くぼ地.
tale 名 ☞
vale 名 《文語》谷, 谷間(valley).
wale[1] 名 ☞
wale[2] 名 《スコット・北イング》極上のもの.
whale[1] 名 ☞
whale[2] 動他 《米話》バシッとたたく, むち打つ.

a·lert /əlɔ́:rt/

名 (特に空襲などに対する)警戒態勢, 警戒待機(指令).

áir alèrt 警戒飛行, 空中待機.
áirborne alért (戦闘機の)空中待機.
blúe alért 青色警戒警報.
gróund alèrt (戦闘機の)地上待機.
ózone alèrt オゾン発生警報.
réd alért 空襲警報, 赤(色防空)警報.
whíte alért 空襲警報解除報.
yéllow alért 警戒警報, 黄[防空]警報.

-alf /ɑ́:f/

[語尾] 語末にくる同音形は -AFF², -APH.

calf¹	[名]	☞
calf²	[名]	こむら, ふくらはぎ.
half	[名]	☞

al·gae /ǽldʒiː/

[名複] 藻, 藻類. ► 単数形は alga となる. ⇨ -AE¹.

blúe-grèen álgae	ランソウ(藍藻).
gólden-brówn álgae	黄藻(おうそう)植物.
gréen álgae	緑藻.
mì·cro·ál·gae [名]	(肉眼では見えない)微小藻類.
réd álgae	紅藻.
yéllow-grèen álgae	黄緑藻類.

al·ge·bra /ǽldʒəbrə/

[名] 〖数学〗代数学. ⇨ -A².

ábstract álgebra	抽象代数学.
Bóolean álgebra	ブール代数.
divísion àlgebra	多元体.
Líe álgebra	リー代数, リー環.
línear álgebra	線形代数.
mátrix álgebra	行列代数.

al·ge·si·a /ældʒíːziə, -siə/

[名] 〖医学〗痛覚; 感覚過敏(症). ⇨ -IA.
★ 語頭にくる関連形は alg(o)-: *algo*lagnia「嗜痛愛」, *algo*phobia「疼痛(とうつう)恐怖(症)」.

an·al·ge·si·a	[名]	無痛覚(症), 痛覚欠如; 無痛法.
hyp·al·ge·si·a	[名]	痛覚鈍麻, 痛覚減退症.
hy·per·al·ge·si·a	[名]	痛覚過敏(症).
therm·al·ge·si·a	[名]	温熱性痛覚過敏.

-al·gi·a /ǽldʒiə, -dʒə/

[連結形] 〖医学〗…痛.
★ 名詞をつくる.
★ 語末にくる関連形は -ALGIC.
★ 語頭にくる関連形は alg(o)-: *algo*lagnia「嗜痛愛」, *algo*phobia「疼痛(とうつう)恐怖(症)」.
◆ ＜近代ラ＜ギ *álg(os)* 痛み ＋*-ia* -IA.

ad·e·nal·gi·a	[名]	腺痛.
ar·thral·gi·a	[名]	関節痛.
bra·chi·al·gi·a	[名]	上腕(神経)痛.
car·di·al·gi·a	[名]	胸やけ.
cau·sal·gi·a	[名]	カウザルギー, 灼熱(しゃくねつ)痛.
ceph·a·lal·gi·a	[名]	頭痛(headache).
cox·al·gi·a	[名]	股関節痛; 腰痛.
en·ceph·a·lal·gi·a	[名]	頭痛(headache).
en·ter·al·gi·a	[名]	腸痛, 腸疝痛(せんつう), 腸管神経痛.
e·ryth·ro·mel·al·gi·a	[名]	肢端 [先端] 紅痛症.
gas·tral·gi·a	[名]	胃神経痛.
hem·i·al·gi·a	[名]	半側神経痛.
ker·a·tal·gi·a	[名]	角膜痛.
me·tral·gi·a	[名]	子宮痛.
my·al·gi·a	[名]	筋痛症, 筋(肉)痛; 筋肉リウマチ.
ne·phral·gi·a	[名]	腎臓痛, 腎疼(じんとう)痛.
neu·ral·gia	[名]	☞
nos·tal·gia	[名]	(…への)郷愁, 懐旧の情.
nyc·tal·gia	[名]	夜間痛, 睡眠痛.
o·don·tal·gia	[名]	歯の痛み, 歯痛.
o·tal·gi·a	[名]	耳痛.
pho·tal·gia	[名]	光痛(症).
po·dal·gia	[名]	足痛.
syn·al·gia	[名]	関連痛, 異所痛.
to·pal·gi·a	[名]	局所疼痛.
u·ter·al·gia	[名]	子宮痛.

-al·gic /ǽldʒik/

[連結形] …痛の.
★ 形容詞をつくる.
★ 語頭にくる関連形は alg(o)-: *algo*lagnia「嗜痛愛」, *algo*phobia「疼痛(とうつう)恐怖(症)」.
◆ -ALG(IA) ＋-IC¹.

an·ti·don·tal·gic	[形][名]	〖歯科〗歯痛止めの(薬).
neu·ral·gic	[形]	〖医学〗神経痛の.
o·don·tal·gic	[形]	〖歯科〗歯痛の.

al·go·rithm /ǽlgərìðm/

[名] 〖数学〗アルゴリズム: 最大約数を求めるための互除法など.

divísion àlgorithm	〖数学〗除法定理, 連除法.
encrýption àlgorithm	〖コンピュータ〗暗号化アルゴリズム.
Euclídean álgorithm	〖数学〗(ユークリッドの)互除法.
Éuclid's álgorithm	＝Euclidean algorithm.

al·ien /éiljən, -liən/

[名] 外国人, 異邦人; よそ者.

égo-álien	[形]	〖精神医学〗自我非親和性の.
énemy álien		敵性外国人, 敵国籍居留外人.
illégal álien		不法入国 [滞在] 者, 密入国者.
résident álien		(合法的)居住外国人.

a·like /əláik/

[副] 一様に, 同様に, 等しく. ── [形] 《叙述的》似ている, 一様な, 同等な. ⇨ LIKE¹.

líck-alìke	[形]	《アイル話》瓜(うり)二つの.
lóok-alìke	[名]	よく似た人 [物]; 類似品.
sóund-alìke	[名]	よく似た名前のもの [人].
spéak-alìke	[名]	(話し方が)よく似た人.
ùn·a·líke	[形]	似ていない; 異なる.
wórk-alìke	[名]	そっくりな製品, 類似品.

-al·is /ǽlis, éi-/

[接尾辞] ラテン語に由来する学術語に用いる.
★ 主に名詞をつくる.
★ 語末にくる関連形は -AL¹.
◆ ラテン語 *-ālis* より.

Ca·mel·o·par·da·lis	[名]	〖天文〗きりん(麒麟)座.
cit·ro·na·lis	[名]	コウスイボク(香水木).
dig·i·tal·is	[名]	〖植物〗ジギタリス.
dor·sal·is	[名]	〖解剖〗背動脈, 背神経.
lum·bri·ca·lis	[名]	〖解剖〗虫様筋(lumbrical).
pec·to·ral·is	[名]	〖解剖〗胸筋.

a·live /əláiv/

[形] 生きて, 生きた状態で. ⇨ LIVE.

déad-alíve	[形]	面白くない; 不景気な; 元気のない.
un·a·live	[形]	元気 [活気] がない.

-alk /ɔ́ːk/

[語尾] 押韻表現に walk the talk「言うことを実行する」がある.
★ 語末にくる同音形は -AUK, -AULK, -AWK.

balk	[動][自]	(…を)しりごみする, ためらう.
calk¹	[動][他]	すき間をふさいで空気漏れを防ぐ.
calk²	[名]	(蹄鉄(ていてつ)の)滑り止めの釘.

A

calk[3] 動他 引き写す, 写し取る.
chalk 名 ☞
stalk[1] 名 ☞
stalk[2] 動自 (獲物などに)忍び寄る.
talk 動自名 ☞
walk 動自 ☞

all /ɔ́ːl/

形 すべての…. ──代 すべて.

áll-plày-áll 名 《特に英》総当たり戦.
bé-àll 名 =be-all and end-all.
bé-all and énd-all 最も重要なもの, 第一義.
bóots-and-áll 形 《豪話》全力を尽くした.
búgger-áll 名 《主に英俗》全くないこと, 無.
cárry·àll 名 《米・カナダ》(特に軽い素材の, 旅行用)大型バッグ [バスケットなど].
cátch·àll 名 雑品入れ, 合切袋; がらくた倉庫.
cóver·àll 名 《米》カバーオール.
cúre-àll 名 万能薬, 万病薬.
dó-àll 名 雑働き, 雑役夫, 雑役係.
énd-àll 名 =be-all and end-all.
éx áll 全権利落ち.
frée-for-àll 名 誰もが飛び入り参加できる競技.
fúck-àll 名 《特に英俗》何も…ない.
gét-àway-fróm-it-àll 形 気晴らしの, 気分転換のための.
héal-àll 名 万病草.
hóld·àll 名 《英》大きなかばん [ケース].
knów-àll 名 《話》=know-it-all.
knów-it-àll 名 《話》知ったかぶりをする人.
óver·àll 形 (物の)一端から一端までの.
sáve-àll 名 (無駄・損失を防ぐための)節約装置.
sód-áll 名 =fuck-all.
spénd-àll 名 浪費家.
táke-àll 名 【植物病理】立ち枯れ病.
tell-all 形 洗いざらい話してしまう.
tell-it-all 形 =tell-all.
ya all 代 =you-all.
y'all 代 =you-all.
you-áll 代 《主に米方言》君たち, あなた方.

-all[1] /ɔ́ːl/

語尾 押韻表現に tall and small がある.
★ 語末にくる同音形は -AUL, -AWL[1], -AWL[2], -OL[3].

all 形 ☞
ball[1] 名 ☞
ball[2] 名 ☞
call 動他 ☞
fall 動自 ☞
gall[1] 名 《話》厚かましさ, ずうずうしさ.
gall[2] 動他 …をこすってひりひりさせる.
gall[3] 名 【植物病理】こぶ, 虫こぶ, 菌こぶ.
hall[1] 名 ☞
hall[2] 名 《米俗》酒(alcohol).
mall 名 モール, プロムナード風商店街.
pall[1] 名 棺 [墓など] に掛ける布.
pall[2] 動自 《文語》つまらなくなる.
rall 名 《米俗》結核患者.
scall 名 (頭皮の炎症で出る)ふけ.
small 形 (形・体積などが)小さい, 小型の.
spall 名 かけら, 小片, 破片.
squall[1] 名 ☞
squall[2] 動自 大声で叫ぶ, 金切り声でわめく.
stall[1] 名 ☞
stall[2] 動自 《話》時間稼ぎをする; ごまかす.
tall 形 〈人が〉背の高い.
thrall 名 奴隷.
wall[1] 名 ☞
wall[2] 動他自 《今は米》〈目を [が]〉(オーバーに)くるくる動かす [動く].

-all[2] /ǽl/

語尾 Pall Mall(ロンドンのペルメル街; 英国陸軍省)はもと /pélmél/ と発音した. タバコの名では /pɔ́ːlmɔ́ːl/ とも発音.
★ 語末にくる同音形は -AL[5].

lall 動自 【音声】/l/ や /r/ 音を不完全に発音する.
mall 名 モール, プロムナード風商店街.
shall 助 《一人称主語の平叙文》…でしょう, だろう.

-al·lel /əlèl/

連結形 相互の.
★ 語頭にくる形は allelo-; *allelo*morph「対立遺伝子」, *allelo*pathy「他感作用」.
◆ ギリシャ語 *állēlos*「相互の」より.

di·al·lel 形 【遺伝】総当たり交配の, 二面交配の.
par·al·lel 形 (…に)平行の, 並行した.

al·ley /ǽli/

名 横道, 路地, 小路.

Automátion Álley 米国ロボット産業の中心エリアの俗称(アンナーバーからデトロイトまで).
báck álley 《米俗》スラム(街), いかがわしい地区.
báck-álley 形 いかがわしい雰囲気の.
bédpan álley 《米俗》(病院の)便器消毒室; 病棟.
blínd álley 行き止まり(の道), 袋小路.
bówling àlley ボウリングのレーン, アレー.
Clówn Álley 《俗》サーカス生活.
crázy àlley 《米刑務所俗》精神障害者収容棟.
sháft àlley 【海事】軸路.
Sílicon Álley NewYork の Manhattan 南部のコンピュータ開発中心街.
Tín Pàn Álley ティンパン・アレイ: 音楽関係の業者が密集している, 特に米国 New York 市の地区.

al·li·ance /əláiəns/

名 **1** 連合, 結合, 提携. **2** (国家間の)同盟, 協定. **3** 結婚, 姻戚関係. ⇨ -ANCE[1].

Dúal Allíance 二国同盟(1891).
Fármers' Allíance 【米史】農民同盟.
Gránd Allíance アウグスブルグ同盟戦争(1689–97).
Hóly Allíance 神聖同盟.
Lìberal-ŚDṖ Allíance 《英》自由・社会民主党連合(1986).
Líttle Allíance 【ヨーロッパ史】小協商.
mé·sal·li·ance 名 =misalliance.
mìs·al·lí·ance 名 不相応な [身分違いの] 縁組.
Quadrúple Allíance 四国同盟(1815).
Tríple Allíance 三国同盟.

al·low·ance /əláuəns/

名 **1** 割当量, 支給量. **2** (特定の目的のための)支給額, 手当; 費用. ⇨ -ANCE[1].

atténdance allòwance 《英》(2歳以上の児童・身障者に適用される)付添い看護手当.
compássionate allòwance 《英》酌量手当.
déarness allòwance (インドの)目減り補償手当.
deplétion allòwance 減耗控除.
depreciátion allówance 【会計】原価償却積立金.
fámily allówance 《英》児童手当.
frée bággage allòwance 無料手荷物許容重量.

méss allòwance 〘軍事〙食費手当.
óne-chíld allòwance (中国で)一人っ子手当.
pérsonal allówance 《英》(個人の)所得税控除.
slótting allòwance 〘商業〙商品陳列場所特設料金.
subsístence allòwance 《主に英》入隊[入社]手当.

al·loy /ǽlɔi, əlɔ́i/

名 合金.

antifríction álloy 〘冶金〙減摩合金.
brázing àlloy 硬鑞(ろう), 硬質はんだ.
fèrro·álloy 名 〘冶金〙合金鉄, フェロアロイ.
glássy álloy 〘冶金〙ガラス状合金, 非晶質合金.
gráph·allòy 〘冶金〙グラファロイ.
Héusler álloy 〘冶金〙ホイスラー合金.
líght álloy 〘冶金〙軽合金.
máster álloy 〘冶金〙マスターアロイ, 母合金.
ó·ral·lòy 名 〘軍事〙オーラロイ.
óxide-dispèrsion-stréngthened àlloy 〘冶金〙酸化物分散強化合金.
súper·àlloy 名 〘冶金〙超合金.
túb·allòy 〘冶金〙チューバロイ.

-al·ly /əli/

接尾辞 -ic の語幹を有し -ical の形を持たない形容詞について副詞をつくる.
◆ -AL[1] と -LY[1] の合成接尾辞.

ac·ci·den·tal·ly 副 偶然(に), ふと, 図らずも.
ac·tu·al·ly 副 現実に, 現に, 実際に, 本当に.
an·nu·al·ly 副 毎年, 年々, 年1度.
bi·me·di·al·ly 副 同時に二種類のマスメディアで.
cap·i·tal·ly 副 《英》素晴らしく, 見事に; 上手に.
cha·ot·ic·al·ly 副 無秩序に; カオス理論で.
col·lat·er·al·ly 副 側線に沿って, 並んで, 並行して.
con·sti·tu·tion·al·ly 副 体質的に, 体格上.
con·tin·u·al·ly 副 頻繁に, しきりに, たびたび.
crim·i·nal·ly 副 犯罪的に; 有罪に.
du·cal·ly 副 公爵らしく.
e·qual·ly 副 平等に, 等しく.
e·ven·tu·al·ly 副 結局, いつかは.
fa·tal·ly 副 致命的に.
fi·nal·ly 副 最後に, 終わりに当たって.
for·mal·ly 副 正式に.
gen·er·al·ly 副 通例, たいてい.
in·ci·den·tal·ly 副 ところで, ちなみに.
in·di·vid·u·al·ly 副 個別(的)に, めいめいに.
in·ten·tion·al·ly 副 意図して, 故意に.
in·ter·nal·ly 副 内部に.
le·gal·ly 副 法的[合法的]に, 法律上.
lib·er·al·ly 副 自由に, 寛大に; 気前よく.
lit·er·al·ly 副 文字どおりには, 厳密な意味で.
men·tal·ly 副 心(の中)で; 知的に.
mor·tal·ly 副 死ぬほどに, 致命的に.
nom·i·nal·ly 副 名は, 名に関して; 名目上(は).
nor·mal·ly 副 普通に, 常態では.
oc·ca·sion·al·ly 副 ときどき, 時折, 折々, 折にふれて.
o·rig·i·nal·ly 副 発生[由来, 起こり]は, 元をたどれば, 出身は, 生まれは.
per·son·al·ly 副 自ら, 直接に(会って).
re·sid·u·al·ly 副 残り[残余分, 残留物]として.
sev·er·al·ly 副 別々に, 個別的に, 単独に.
sig·nal·ly 副 《文語》目立って, 際立って.
to·tal·ly 副 全く, すべて, すっかり, 完全に.
tra·di·tion·al·ly 副 伝統的に.
trans·gen·ic·al·ly 副 〘生物〙移植遺伝子によって.
u·su·al·ly 副 普通は, たいてい, 通例.
vir·tu·al·ly 副 ほぼ; 実質的には, 事実上.
vis·u·al·ly 副 目に見えるように, 視覚的に.

-alm /ɑ́:m/

語尾 語末にくる同音形は -AM[4].

alm 名 施し(物). ► alms からの逆成.
balm 名 ☞
calm 形 〈海・天候などが〉穏やかな, 静かな.
halm 名 (家畜用の敷きわらや屋根ふき用の)穀類・豆類などの茎, (特に)麦わら.
malm 名 (れんがの原料としての)白亜と粘土との混合物, 白色粘土.
palm[1] 名 手のひら, 掌(たなごころ).
palm[2] 名 ☞
psalm 名 聖歌; 詩篇.
qualm 名 (行動に対する)ためらい.
smalm 名 陳腐なお世辞, ごますり(smarm).

al·ma·nac /ɔ́:lmənæ̀k/

名 暦書, 暦. ► 古いつづりの almanack が今日でも暦の名称としてよく使われる.

clóg àlmanac 棒暦(ぼうごよみ).
fármer's álmanac 《米》農事暦.
Informátion Pléase Álmanac 『インフォメーション・プリーズ年鑑』.
Póor Ríchard's Álmanac 『貧しいリチャードの暦』.
Wórld Álmanac 『ワールド年鑑』.

al·mond /ɑ́:mənd, ǽm-, ǽl-|ɑ́:m-/

名 アーモンド, アマンド, 杏仁(きょうにん).

bítter álmond 苦扁桃(くへんとう).
búrnt álmond バーント・アーモンド.
éarth àlmond ショクヨウ(食用)カヤツリ.
Índian álmond モモタマナコバテイシ.
Jórdan álmond ジョーダン種アーモンド.
swéet álmond 甘仁種のアーモンド.

al·oe /ǽlou/

名 アロエ, ロカイ(蘆薈).

Américan áloe アオノリュウゼツラン(竜舌蘭).
fálse áloe リュウゼツラン属の植物の総称.
trúe áloe アロエ・ベラ(aloe vera).

a·lone /əlóun/

形 《叙述的》〈人が〉ひとりで, 人から離れて. ⇨ ONE.

gó-it-alóne 形 《話》独立[自立]した.
hòme-alóne 形副 〈子供が〉(保護者不在の)家で一人きりの[で].
sáuce-alòne 名 アリアリア: ニンニク臭のある野草.
stánd-alòne 形 〘コンピュータ〙〈周辺装置が〉独立型の.

a·long /əlɔ́:ŋ, əlɑ́ŋ|əlɔ́ŋ/

前 〈川・海岸など細長いものに〉沿って, …沿い[伝い]に, …に並行して, …の縁を[に]. ── 副 **1** 一緒に; 携えて. **2** 次から次へ.

car·ry·a·long 形 携帯用の.
come·a·long 名 《英俗》鎖付き手錠.
pass·a·long 名 次々と渡していくこと; 回覧, 回読.
sing·a·long 名 みんなで歌を歌うこと; 歌の集い.
tag·a·long 名 人の尻馬に乗る人, 人に盲従する人.
take·a·long 形 《話》旅行用の.
up·a·long 形副 《カナダ》(Labrador を除く)カナダ本土の[で].

-alp /ǽlp/

語尾

alp 名 高峰, 高山.
palp[1] 名 〖昆虫〗口肢(palpus).
palp[2] 動他 …に触れる, なでる.
scalp 名 (人間の)頭皮.

al·pha·bet /ǽlfəbèt, -bit/

名 アルファベット, ABC.

an·ál·pha·bèt 名 読み書きのできない人, 非識字者.
Árabic álphabet アラビア語アルファベット.
Aramáic álphabet アラムアルファベット.
cípher àlphabet 暗号アルファベット.
Cyríllic álphabet キリルアルファベット.
Etrúscan álphabet エトルリア文字.
fínger àlphabet =manual alphabet.
genétic álphabet 〖遺伝〗遺伝アルファベット.
Látin álphabet ラテン・アルファベット.
mánual álphabet 手話用のアルファベット, 指文字.
míxed álphabet 〖暗号〗換字(かえじ)式アルファベット.
phonétic álphabet 〖発声〗音声字母, 音標文字.
Róman álphabet =Latin alphabet.
stríng álphabet (視覚障害者用の)ひもアルファベット.

al·pine /ǽlpain, -pin | -pain/

形 アルプス(山脈)の. ⇨ -INE[1].

cis·al·pine 形 アルプスのこちら側の.
sub·al·pine 形 アルプス山麓(さんろく)地方の.
trans·al·pine 形 アルプスの向こう側の.

-alt /ɔ́ːlt/

語尾 語末にくる同音形は -AULT[1].

alt 名 《豪俗》新しい生き方をする人.
halt[1] 動自 止まる, 停止する; 休止する.
halt[2] 動自 ためらう; 口ごもる; 筋の通らない.
malt 名 麦芽, 麦もやし, 麦こうじ.
salt[1] 名 ☞
salt[2] 形 《廃》好色な, 淫乱(いんらん)な.
smalt 名 花紺青: 青色顔料.

al·tar /ɔ́ːltər/

名 (教会・寺院などの)祭壇. ⇨ -AR[2].

domínical áltar =high altar.
dóuble áltar 両面 [二面] 式祭壇.
hígh áltar (教会で)主祭壇.
Lády àltar 聖母像祭壇.
pre·ál·tar 形 祭壇の前の.
prívileged áltar 〖ローマカトリック〗全贖宥(しょくゆう)付き祭壇.
sú·per·àl·tar 名 携帯祭壇.

al·ti·tude /ǽltətjùːd | -tjùːd/

名 (地表・海面などからの)標高, 海抜; 高度. ⇨ -TUDE.

ábsolute áltitude 〖航空〗絶対高度.
merídian àltitude 〖天文〗子午線高度.
préssure àltitude 〖気象〗気圧高度.

al·um /ǽləm/

名 〖化学〗**1** カリ明礬(みょうばん). **2** 明礬.

ammónia àlum 〖化学〗硫酸アルミニウム・アンモニウム.
ammónium álum 〖化学〗アンモニウム明礬.
chróme àlum クロムミョウバン [明礬].
íron álum 〖鉱物〗鉄ミョウバン [明礬].
pótash álum カリ明礬.
potássium álum カリ明礬.
pseu·do·al·um 名 〖化学〗擬明礬.
róche álum 明礬石から作る明礬に似た物質.

-alve /ǽv, ɑ́ːv/

語尾 calf「子牛」から calve, また half「半分」から halve となる.
★ 語末にくる同音形は -AV.

calve 動自 〈牛・象・鯨などが〉子を産む.
halve 動他 半分にする, 二(等)分する.
salve 名 軟膏(なんこう), 膏薬.

-am[1] /ǽm/

音象徴間 **1** ピシャッ, バチッ, バン, バタン, ボン; 戸や窓を強く閉める音や物をたたきつける音, また, 爆発音のような大きな音を表す. また圧迫, しめつけを表す. **2** どたばたする速い動き. **3** 軽蔑的にだますことを表す.

bam[1] 名 (物がぶつかるときの)ドスン [バン] という音. ━━動自 ドスン [バン] と音をたてる.
bam[2] 動他 《古》だます, かつぐ.
blam 間 バーン, ズドン, ドカン, バタン. ► 銃声, 爆発音, ドアを閉める音など.
clam[1] 名 二枚貝; (特に)食用二枚貝(特に北米産のハマグリなど).
clam[2] 名 《英方言》締め具, 締め金, 留め金.
clam[3] 動自他 《英方言》飢えさせる; 飢える.
cram 動他 ぎっしりいっぱいにする.
dam 名 せき, ダム.
flam[1] 名 《話》ぺてん, ごまかし.
flam[2] 名 フラム: 後のほうに強拍のある 2 拍子を速く連打する太鼓の打ち方.
jam 名 ジャム; 混雑. ━━動他 混雑させる.
lam[1] 動他 《俗》…を(棒・むちなどで)打つ, たたく. ━━自 (…を)ぶん殴る, ひっぱたく, むち打つ; (…を)酷評する.
lam[2] 名 《米・カナダ俗》一目散に逃げること.
ram 名 **1** 物を壊したり, 打ったりする器具. **2** 〖機械〗ラム.
scam 名 《米俗》信用詐欺, (特に)計画倒産.
scram 動自 《話》出て行く, 逃げる. ━━間 失せろ.
sham 名 まがいもの, 偽物.
skam 名 =scam.
slam[1] 動他 〈戸・窓などを〉バタン [ピシャリ] と閉める, 〈蓋(ふた)などを〉乱暴に閉める.
slam[2] 名 〖トランプ〗スラム.
wham 名 (爆発や激しい衝突によって起こる)ガン [ドカン] という大きな音.

-am[2] /ǽm, æ̀m/

音象徴 音象徴語の重複形に見られる語尾要素; i と a の母音交替もある.

bám-bám 形副 一歩一歩確実に進む, 着実な [に].
flím-flàm 名 ぺてん, ごまかし; (特に, 巧妙な)詐欺行為, 信用詐欺. ━━動他自 (人を)ぺてんにかける, だます. ━━形 ごまかしの; でたらめの.
slám-bàm 名 《米俗》暴力(趣味の映画, テレビなど), どたんばたん, どたばたと.
whám-bám 形副 素早い [く], 乱暴な [に], ドタバタと.

-am[3] /ǽm/

語尾 しばしば短縮語の語尾.
★ 語末にくる同音形は -AMB.

am 動 be の一人称・単数・直説法・現在形.

bam[1] 名 《米俗》鎮静剤と興奮剤の混合物.
bam[2] 名 《米俗》女の海兵隊員.
cam[1] 名 〘機械〙カム.
cam[2] 名 《米麻薬俗》カンボジア産の赤茶色のマリファナ(Cambodian red).
cham[1] 名 《古》カーン, ハーン(可汗)(khan): アルタイ語を話す種族で世襲の支配者や部族の長が持つ称号.
cham[2] 名 《米俗》シャンパン(champagne).
dam[1] 名 (特に家畜の)母獣, 雌親.
dam[2] 間 《怒り・当惑・嫌悪などを表して》こんちくしょう, くそっ(damn).
dram 名 〘測定〙ドラム.
gam[1] 名 《俗》(特に女性の魅力的な)脚.
gam[2] 名 鯨の群れ. ｢huche).
gam[3] 名 《英俗》クンニリングスをする(gama-
-gam 連結形 ☞
glam[1] 名 《話》妖(あや)しい魅力; 性的魅力(glamour).
glam[2] 名 《英》グラム族(の一人).
gram[1] 名 グラム: 重さの単位.
gram[2] 名 〘植物〙ヒヨコマメ(chickpea).
gram[3] 名 《話》おばあちゃん(grandmother).
-gram[1] 連結形 ☞
-gram[2] 連結形 ☞
-gram[3] 連結形 ☞
ham[1] 名 ☞
ham[2] 名 《俗》演技過剰の役者; 大根役者.
jam 名 《米同性愛俗》異性愛の男.
Nam 名 《俗》ベトナム(Viet Nam).
nam 動他自 nim の過去形.
pam[1] 名 〘トランプ〙(loo 遊びで最高の切り札となる)クラブのジャック.
pam[2] 動自 (映画・テレビのカメラで)パン(撮り)する(pan).
pram 名 《英話》乳母車(perambulator).
ram 名動自 《豪》詐欺師の相棒(役をする).
scram 名 《話》原子炉の緊急停止.
sham[1] 名 《米俗》シャンパン(cham).
sham[2] 名 《米俗》アイルランド人.
swam 動 swim「泳ぐ」の過去形.
tam 名 タモシャンター(tam-o'-shanter): 主にスコットランドで用いる帽子.
tram[1] 名 市街[路面]電車.
tram[2] 名 調整器(trammel).
tram[3] 名 トラム, 片撚(よ)り糸.
yam 名 ☞

-am[4] /ɑ́:m/

語尾 語末にくる同音形は -ALM.

dwam 名 《スコット》気絶; 茫然自失.
gram 名 《インド英語》村(village).
nam 動他自 nim の過去形.
pram 名 〘海事〙平底船.

-am[5] /əm/

語尾 語末にくる同音形は -UM[6].

bal·sam 名 ☞
-ham[1] 連結形 ☞
-ham[2] 連結形 ☞

-am·a /ǽmə, ɑ́:mə | ɑ́:mə/

連結形 -orama の異形.

cir·cu·sam·a 名 サーカスショー.
fu·tu·ram·a 名 フューチャラマ, 未来展示.

-amb /ǽm/

語尾 鼻音の後の有声閉鎖音 /b/ が近代英語の段階で脱落した.
★ 語末にくる同音形は -AM[3].

gamb 名 〘紋章〙獣の前脚.
jamb[1] 名 〘建築〙抱(だ)き, 竪枠(たてがまち).
jamb[2] 動他自 《廃》…を無理に押し込む(jam).
lamb 名 ☞

-am·ble /ǽmbl/

音象徴 **1** ぶらぶら, よろよろ; 足を引きずって歩いたり, 体を揺らしながら歩く動作を表す. **2** ごたごた; 混沌, とりとめのなさを表す. ►重複形では i と o の母音交替がある. ◇ -LE[3].

am·ble 動自 〈人が〉のんびり歩く; 〈馬が〉アンブル[側対歩]で歩く.
jim·ble-jam·ble 形 《米俗》雑多な, いろいろな, ごた混ぜの.
ram·ble 動自 (…を)散歩する, ぶらつく, 逍遥(しょうよう)する.
scam·ble 動自 《英方言》なんとか進む, つまづきながら歩く.
scram·ble 動自 《方向の副詞(句)を伴って》(…へ)敏速に這(は)って進む. **2** (…を)奪い合う, 争奪する. ── 他 ごちゃまぜにする; 混乱に陥れる.
sham·ble 動自 よろよろ[足を引きずって]歩く.
skim·ble-scam·ble 形 《古》取り留めのない; 支離滅裂な, ばかげた.
wam·ble 動自 《主に英方言》〈人が〉不安定な動きをする, よろよろする, ふらつく.

am·bu·late /ǽmbjulèit/

動自 歩き回る; あちこち移動する. ⇨ -ATE[1].

cir·cum·am·bu·late 動他自 巡回[巡行]する; 巡礼する.
per·am·bu·late 動他 …を歩き回る, 巡回する.
som·nam·bu·late 動他自 眠りながら歩く, 夢中遊行する.

-ame /éim/

語尾 語末にくる同音形は -AIM.

blame 動他 とがめる, 小言を言う, 非難する.
came[1] 動 come の過去形.
came[2] 名 (格子窓やステンドグラスの窓ガラスを支える溝付きの細い)鉛の桟.
dame 名 ☞
fame 名 ☞
flame 名 ☞
frame 名 ☞
game[1] 名 ☞
game[2] 形 《古風》(脚が)不自由な(lame).
hame[1] 名 (馬につける)軛(くびき).
hame[2] 名副 《スコット》=home.
kame[1] 名 〘地文〙氷礫(ひょうれき)丘.
kame[2] 名 《スコット》深く狭い谷, 険しい谷.
lame[1] 形 〈人・動物が〉足[脚]の不自由な.
lame[2] 名 〘甲冑〙レーム, 鉄札.
name 名 ☞
same 形 同一の, 同じ.
shame 名 恥ずかしさ.
tame 形 飼いならされた, 人になれた.
wame 名 《スコット・北イング》腹.

A·mer·i·ca /əmérikə/

名 アメリカ合衆国, 米国(United States). ⇨ -A[2].

Brítish Nòrth América カナダ.
Céntral América 中央アメリカ, 中米.

A

Gréat América California 州 Santa Clara などにある大遊園地.
Látin América ラテンアメリカ.
Líttle América リトルアメリカ: 米国の南極大陸の基地(1929–59).
Mèso·américa 名 〘人類〙〘考古〙メソアメリカ: コロンブス以前にさまざまな文明が栄えた, メキシコ中部からホンジュラス, ニカラグアに至る地域.
Mìd·américa 名 米国中西部(Middle America).
Míddle América **1** アメリカの平均的中産階級. **2** 米国中西部.
Míss América ミス・アメリカ.
Nórth América 北アメリカ(州), 北米.
Sóuth América 南アメリカ(大陸), 南米(大陸).
Spánish América スペイン語圏アメリカ.

A·mer·i·can /əmérikən/

形 アメリカ(合衆国)の; アメリカ人の. ――名 アメリカ人. ⇨ -AN[1].

Àf·ra·mér·i·can 形 =Afro-American.
Áfrican-Américan 名 アメリカ黒人.
Àfro-Américan 形 (アフリカ人を祖先とする)アメリカ黒人(の歴史, 文化, 関係)の.
áll-Américan 形 米国を代表する, 全米の.
Ánglo-Américan 形 英国とアメリカ [(特に)米国] の.
ànti-A·mér·i·can 形 米国(の方針・政策)に敵対する.
Árab-Américan 名形 アラブ系アメリカ人(の).
Ásian-Américan 名形 アジア系アメリカ人(の).
Èarly Américan 形 〈家具などが〉米国初期様式の.
Èur·a·mér·i·can 形 欧米の, 欧米に共通の.
Éuro-Américan 形 =Euramerican.
Fránco-Américan 名形 フランス系米国人(の).
Géneral Américan 一般アメリカ語.
Gérman-Américan 名形 ドイツ系米国人(の).
in·ter-A·mer·i·can 形 米大陸 [米州] 諸国間の.
Írish Américan 名形 アイルランド系アメリカ人(の).
Méxican-Américan 名 メキシコ系米国人.
Nátive Américan 先住アメリカ人.
nátive Américan 米国生まれの人.
Pàn-Américan 形 汎(はん)米 [全米] (主義)の.
Spánish Américan 米国に住むラテン系アメリカ人.
Spánish-Américan 形 スペイン語圏アメリカの.
tràns-A·mér·i·can 形 アメリカ横断の.
úgly Américan 醜いアメリカ人: 海外在住米国人で, 当地の国民や文化に対して無神経な言動をして, 米国のイメージを傷つける人.
ùn-A·mér·i·can 形 〈価値観などが〉米国風でない.

am·ide /ǽmaid, ǽmid | ǽmaid/

名 〘化学〙〘薬学〙〘生化学〙アミド, 金属アミド. ⇨ -IDE[1].

a·cet·am·ide 名 アセトアミド.
a·cet·a·zol·a·mide 名 アセタゾールアミド.
acétic ácid ámide =acetamide.
ac·e·to·hex·am·ide 名 アセトヘキサミド.
a·cryl·a·mide 名 アクリルアミド.
al·lo·phan·a·mide 名 アロファンアミド, ビウレット.
car·ba·mide 名 尿素, カルバミド.
cer·a·mide 名 セラミド.
chlor·prop·a·mide 名 クロルプロパミド.
cy·an·a·mide 名 シアナミド.
cy·clo·phos·pha·mide 名 シクロホスファミド.
di·a·mide 名 ジアミド.
di·eth·yl·tol·u·a·mide 名 ジエチルトルアミド.
eth·i·on·a·mide 名 エチオナミド.
fl·or·a·cet·am·ide 名 フルオルアセトマイド.
in·dap·a·mide 名 インダパミド.
met·o·clo·pra·mide 名 メトクロプラミド.
ni·a·cin·a·mide 名 =nicotinamide.
ni·al·a·mide 名 ニアラミド.
nic·o·tin·a·mide 名 ニコチンアミド.
pol·y·a·mide 名 ポリアミド.
prócaine ámide プロカインアミド.
pyr·a·zin·a·mide 名 ピラジンアミド.
so·da·mide 名 =sodium amide.
sódium ámide ナトリウムアミド.
sul·fa·nil·a·mide 名 スルファニルアミド.
sul·fon·a·mide 名 スルホンアミド.
thi·o·am·ide 名 チオアミド.
tol·bu·ta·mide 名 トルブタミド.
tryp·ars·am·ide 名 トリパルサミド.

a·mine /əmíːn, ǽmin/

名 〘化学〙〘薬学〙〘生化学〙アミン. ⇨ -INE[3].

am·phet·a·mine 名 ☞
ars·phen·a·mine 名 アルスフェナミン.
au·ra·mine 名 オーラミン.
ben·za·mine 名 ベンザミン, オイカイン(eucaine).
car·byl·a·mine 名 《もと》=イソシアン化物.
chlo·ra·mine 名 クロラミン.
co·la·mine 名 =ethanolamine.
cy·clo·hex·yl·a·mine 名 シクロヘキシルアミン.
cys·ta·mine 名 システアミン.
cys·te·a·mine 名 システアミン.
di·a·mine 名 ジアミン.
di·phen·hy·dra·mine 名 ジフェンヒドラミン.
di·phen·yl·a·mine 名 ジフェニルアミン.
do·pa·mine 名 ドーパミン.
en·a·mine 名 エナミン.
eth·a·nol·a·mine 名 エタノールアミン.
eth·yl·a·mine 名 エチルアミン.
in·da·mine 名 インダミン.
in·dole·a·mine 名 インドールアミン.
mec·a·myl·a·mine 名 メカミラミン.
me·chlor·eth·a·mine 名 メクロルエタミン.
me·the·na·mine 名 メセナミン.
meth·yl·a·mine 名 メチルアミン.
mon·o·a·mine 名 モノアミン.
naph·thyl·a·mine 名 ナフチルアミン.
ni·tra·mine 名 ニトラミン.
ni·tros·a·mine 名 ニトロソアミン.
phen·yl·a·mine 名 アニリン(aniline).
prot·a·mine 名 プロタミン.
pyr·i·dox·a·mine 名 ピリドキサミン.
rho·da·mine 名 ローダミン.
sco·pol·a·mine 名 スコポラミン.
squal·a·mine 名 スカラミン.
thi·a·mine 名 チアミン, アノイリン.
tryp·ta·mine 名 トリプタミン.
ty·ra·mine 名 チラミン.

-a·mine /əmìːn/

連結形 〘化学〙〘薬学〙〘生化学〙amino-「アミノ」の異形. ⇨ -INE[3].
★ 語頭にくる形は amin(o)-: *amino*benzene「アニリン」, *amino*carb「アミノカーブ」.

ar·yl·a·mine 名 アリール, 芳香族アミン.
brom·phen·ir·am·ine 名 ブロムフェニラミン.
cat·e·chol·a·mine 名 カテコールアミン.
chlor·phe·nir·a·mine 名 クロルフェニラミン.
di·hy·dro·er·got·a·mine 名 ジヒドロエルゴタミン.
er·got·a·mine 名 エルゴタミン.
ga·lac·tos·a·mine 名 ガラクトサミン, コンドロサミン.
glu·co·sa·mine 名 グルコサミン.
glu·ta·mine 名 グルタミン.
hex·a·meth·yl·ene·tet·ra·mine 名 ヘキサメチレンテトラミン.
hex·os·a·mine 名 ヘキソサミン.
his·ta·mine 名 ヒスタミン.
hy·drox·yl·a·mine 名 ヒドロキシルアミン.

ke·ta·mine 名 ケタミン.
pen·i·cil·la·mine 名 ペニシラミン.
phen·tol·a·mine 名 フェントラミン.
phen·yl·pro·pan·ol·a·mine 名 フェニルプロパノラミン.
pol·y·a·mine 名 ポリアミン.
py·ri·meth·a·mine 名 ピリメタミン.
thi·o·sin·am·ine 名 チオシナミン, アリルチオ尿素.

am·me·ter /ǽmmìːtər/

名 〚電気〛電流計, アンメーター. ⇨ -METER.

mi·cro·am·me·ter 名 マイクロアンペア計.
mil·li·am·me·ter 名 ミリアンペア計.
ohm·am·me·ter 名 抵抗電流計.
ther·mo·am·me·ter 名 熱電(型)電流計, 熱電対(つい)電流計.
volt·am·met·er 名 電圧電流計.

-amp[1] /ǽmp/

音象徴 **1** ドシン, ドスン; 重い足取りの歩みや踏みつけるような動作とその音を表す. **2** 締めつけを表す; damp「湿った, くじく, がっかりさせる」につながると感じる人もいる. **3** ギューッ; 圧迫, 引きつり, 切りつめなどを表す.

clamp[1] 名 ☞
clamp[2] 名 重い足音(clump). ── 動自 ドシンと踏む.
cramp[1] 名 痙攣(けいれん), 引きつり.
cramp[2] 名動他 かすがい(で留める).
scamp 名 《話》ならず者, やくざ者. ── 動他 ぞんざいにする. ►scamper「走り回る」と関連.
stamp 動他 ☞
tamp[1] 動他 …を(…に)(繰り返し軽くたたいて)詰める.
tamp[2] 動他 《南ウェールズ》〈ボールを〉はずませる. ── 自 (雨が)土砂降りになる.
tramp 動自 ドシンドシンと[重い足取りで]歩く, 足を踏み鳴らして歩く.

-amp[2] /ǽmp/

語尾 しばしば短縮語の語尾.

amp[1] 名 〚電気〛アンペア(ampere).
amp[2] 名 《話》拡大するもの(amplifier).
amp[3] 名 《俗》切断(amputation).
amp[4] 名 《米俗》麻薬入りアンプル(ampoule); アンフェタミン(amphetamines).
camp[1] 名 ☞
camp[2] 名 《話》大げさでこっけいな身ぶり.
champ 名 《話》優勝者(champion).
clamp 名 《英》ジャガイモなどの山にわら・土をかけてできる盛り上がり.
damp 形 ☞
gamp 名 《英話》傘(brolly).
lamp 名 ☞
ramp[1] 名 ☞
ramp[2] 名 〚植物〛ヒラタマネギ.
samp 名 《米北東部》ひき割りトウモロコシ.
vamp[1] 名 つま(先)革, バンプ.
vamp[2] 名 《話》妖婦(ようふ)(vampire).
vamp[3] 名 《米俗》ボランティアの消防士.

am·pere /ǽmpiər, ─ ́ | ǽmpɛə/

名 〚電気〛アンペア. ►フランスの物理学者 Ampère から.

ab·ámpere 名 アブ[絶対]アンペア.
kílo·àmpere 名 キロアンペア.
kílovolt-ámpere 名 キロボルトアンペア.
mégavolt-ámpere 名 メガ[100万]ボルトアンペア.
méter-kílogram-sécond-ámpere 形 〚物理〛MKSA 単位(系)の.
mìcro·ámpere 名 マイクロアンペア.
mìlli·ámpere 名 ミリアンペア.
stat·ámpere 名 スタットアンペア, 静電アンペア.
vólt-ámpere 名 ボルトアンペア.

am·phet·a·mine /æmfétəmìːn, -min/

名 〚薬学〛アンフェタミン. ►*a*lpha+*m*ethyl+*ph*enyl+*et*hyl+AMINE.

dex·am·phet·a·mine 名 =dextroamphetamine.
dex·tro·am·phet·a·mine 名 デクストロアンフェタミン.
meth·am·phet·a·mine 名 メアンフェタミン.
méthylene dioxy·amphétamine メチレンジオキシアンフェタミン.

-am·ple /ǽmpl/

語尾

am·ple 形 十分な, ゆとりのある; 豊富な.
ex·am·ple 名 例, 実例, 実証.
sam·ple 名 ☞

am·pli·fi·er /ǽmpləfàiər/

名 **1** 拡大する人[もの]. **2** 増幅器, アンプ. ⇨ -IFIER.

diréct-cóupled ámplifier 〚電気〛直接増幅器.
magnétic ámplifier 〚電気〛磁気増幅器, マグアンプ.
mán àmplifier (体に取りつけて本来以上の力を出せるようにした)人力増幅装置.
operátional ámplifier 〚電子工学〛演算増幅器.
pàra·métric àmplifier 〚電子工学〛パラメトリック増幅器.
pára·phàse àmplifier 〚電子工学〛単一入力からプシュプル出力を生じる増幅器.
pówer àmplifier 〚電気〛電力増幅器.
pre·ám·pli·fi·er 名 〚電気〛前置増幅器, プリアンプ.
stágger-tùned ámplifier 〚電子工学〛スタガー同調増幅器.

-an[1] /ən/

接尾辞 **1** 《地名や人名につけて》…の土地[地域]生まれの[に住む]. ►出生地や所属を示す: Americ*an*, Chicago*an*. **2** …に所属する. ►社会階級や宗派, 党派などを示す: pedestri*an*, Purit*an*, Republic*an*. **3** …属の, …科の. ►動物学上の分類名につく: acanthocephal*an*, crustace*an*. **4** …時代の. ►人名につけて,「その人と同時代の」の意を示す: Elizabeth*an*. **5** …派の, …を信奉する. ►語幹が指す人の支持を示す: Hegel*ian*. **6** …する人, …家[研究者]. ►異形の -ian も共に, 多くはフランス語借用の, 人を指す名詞につく: comedi*an*, grammari*an*, histori*an*, theologi*an*.
★ 名詞につけて形容詞, 名詞をつくる.
★ 語末にくる関連形は -ANA, -ANE[1], -ANUM, -ANUS, -EAN, -IAN.
◆ 中英<ラ *-ānus*, *-āna*, *-ānum*.
[発音] (1) 第1強勢は, 2音節語では語頭の音節に付く. (2) 3音節以上の語の場合, (ア) -an の前の音節が短音節(「短母音+1つの子音字」この子音字はなくてもよく, また子音字にもう1つの子音 /r/ か /w/ が付いてもよい)ならば2つ前の音節に付き, (イ) -an の前の音節が長音節(「長母音(または2重母音)+子音」または「短母音+2つの子音字(後ろの子音が /r/, /w/ である場合は除く)」)ならば直前の音節に付く. 例外: alabáman.

Ab·kha·zian 名 アブハズ人.
Ab·ys·sin·i·an 形 アビシニア(人, 語)の.
A·ca·di·an 形 アカディア地方の; アカディア人の.
a·can·tho·ceph·a·lan 名 鉤頭(こうとう)虫.
a·car·i·dan 形名 ダニ目の(動物).

ac·tu·ar·i·an 形 保険統計の; 保険計理上の.
ae·o·ni·an 形 永遠[永久, 悠久, 千古]の.
Af·ri·can 形 アフリカ(産)の; アフリカ(黒)人の.
ag·na·than 名 〖魚類〗無顎(ぶく)類.
Ag·ne·an 名 〖言語〗トカラ語 A 方言.
Al·a·bam·an 形 アラバマ州の; アラバマ(州)人の.
A·las·kan 名形 アラスカ人(の).
Al·ba·ni·an 形 アルバニアの; アルバニア人[語]の.
Al·ex·an·dri·an 形 (エジプトの)Alexandria の.
Al·ge·ri·an 形 アルジェリア[アルジェ]の.
A·mer·i·can 形 ☞
am·oe·bae·an 形 〖韻律〗〈詩などが〉交互応答的な.
An·a·to·li·an 形 アナトリア(人, 語)の.
An·da·lu·sian 形 アンダルシア(人, 方言)の.
An·de·an 形 アンデス山脈(the Andes)の.
An·dor·ran 名 アンドラ人.
An·gli·can 形 英国国教会(Church of England)の.
An·go·lan 名 アンゴラ人, アンゴラ共和国国民.
An·guil·lan 名 (西インド諸島)アングィラ島の住民.
an·nel·i·dan 形 環形動物の(annelid).
an·u·ran 名 無尾目の両生類動物.
a·pi·ar·i·an 形 ミツバチの; 養蜂の.
ap·la·coph·o·ran 名 〖動物〗無板綱溝腹亜綱に属する軟体動物の総称.
Ap·ol·lo·ni·an 形 アポロン[アポロ]神の.
A·ra·bi·an 形 アラビアの; アラビアの住民の.
Ar·a·mae·an 名 アラム人.
Ar·a·wak·an 名 アラワク語族.
Ar·ca·di·an 形 アルカディアの.
Ar·chae·an 形 〖地質〗始生代の岩石の(Archean).
Ar·chi·me·de·an 形 アルキメデスの.
Ar·i·an 名 =Aryan.
-ar·i·an 接尾辞 ☞
Ar·me·ni·an 形 アルメニアの; アルメニア人[語]の.
Ar·mor·i·can 形 アルモリカの.
A·ru·ban 名 (ベネズエラ沖の)アルバ島の住民.
Ar·y·an 名 〖民族〗アーリア人.
As·cle·pi·a·de·an 形 〖古典韻律〗アスクレピアデス格の.
A·sian 形名 ☞
As·si·de·an 名 〖ユダヤ教〗ハシディーム.
As·syr·i·an 形 アッシリアの; アッシリア人の.
As·tu·ri·an 形 アストゥリアス(Asturias)の.
Ath·a·bas·kan 名 アサバスカ語族.
Ath·a·pas·can 名 =Athabaskan.
Ath·a·pas·kan 名 =Athabaskan.
Aus·tral·ian 形 オーストラリアの, 豪州の.
Aus·tri·an 形 オーストリアの.
Aus·tro·ne·sian 名 オーストロネシア語族.
a·vel·lan 形 〖紋章〗〈十字が〉はしばみ四つ組みの.
A·ves·tan 名 アベスタ語.
Az·tec·an 形 アステカ族[語, 文化]の.
Ba·da·ri·an 形 バダリ文化(期)の.
ba·sil·i·can 形 王の; 王らしい, 堂々たる.
Ba·tho·ni·an 名 (英国の)Bath 市民.
Ba·var·i·an 形 ババリアの; ババリア人の.
Bel·gra·vi·an 形 《英》Belgravia(出身)の.
Be·lize·an 名 ベリーズ人, ベリーズ国民.
Ber·mu·dan 名 英領バーミューダの住民.
be·zo·ni·an 名 《古》こじきのような[卑しい]やつ.
bi·o·sphere·an 名 バイオスフィア 2(人工自給生活圏)に隔離された 8 人の一人.
Boe·o·tian 形 ボイオティアの; ボイオティア人の.
Bo·he·mi·an 名 ボヘミア人.
Bo·liv·i·an 名 ボリビア人, ボリビア共和国国民.
Bor·ne·an 形 ボルネオの; ボルネオ人[語]の.
Bos·ni·an[1] 名 ボスニア人.
Bos·ni·an[2] 形 ボスニア・ヘルツェゴビナの.
brach·y·ur·an 形 カニ亜目の.
bran·chi·u·ran 名 チョウ: チョウ亜目に属する甲殻類の総称.
Bru·nei·an 名 ブルネイ人, ブルネイ国民.
Bul·gar·i·an 名 ブルガリア人.
Bur·gun·di·an 形 ブルゴーニュ地方の(住民の).
Bur·man 名 (特に人種としての)ビルマ人.
Bu·run·di·an 名 ブルンジ人, ブルンジ共和国国民.
Bye·lo·rus·sian 形 ベロルシアの; ベロルシア住民の.
Cad·do·an 名 カド語族.
Cal·e·do·ni·an 名 カレドニア人.
Cam·bo·di·an 形 カンボジア(人)の.
Cam·bri·an 形 〖地質〗カンブリア紀の.
Car·i·an 名 カリア(Caria)の住民, カリア人.
cas·tel·lan 名 城主; 城代.
Cat·a·lo·ni·an 形 (スペインの)カタロニア地方の.
Chi·an 形 キオス(Chios)島の; キオス島人の.
Chib·chan 名 チブチャ語族.
Chi·ca·go·an 名 シカゴ市民.
Chil·e·an 名 チリ人, チリ共和国国民.
Chi·nook·an 名 チヌーク語族.
Chom·sky·an 形 〖言語〗チョムスキーの.
chtho·ni·an 形 〖ギリシャ神話〗〈神・霊が〉地下[地中]に住む.
Cir·cas·sian 名 チェルケス人, サーカシアの住民.
Cis·kei·an 名 (南アフリカ共和国の)シスカイ人.
Civ·i·tan 名 Civitan International(1918 年創設の国際的な奉仕クラブ)のメンバー.
cla·doc·er·an 名 ミジンコ.
cni·dar·i·an 名 刺胞動物, (狭義の)腔腸(こうちょう)動物.
col·lem·bo·lan 形 トビムシの, 弾尾類[粘管類]の.
Co·lom·bi·an 名 コロンビア人.
Com·o·ran 形 コモロ諸島(Comoro Islands)の.
con·stant·an 名 コンスタンタン: 銅とニッケルの合金.
Con·ta·do·ran 名 Contadora Group(中米地域の紛争の調停工作をしているグループ)の構成国.
Co·pe·han 名 コペーハン語族.
Co·per·ni·can 形 コペルニクス(Copernicus)の.
cor·nu·bi·an 形 (イングランドの)コーンウォール(Cornwall)地方(特有)の.
Cor·si·can 形 コルシカ島(民)の.
Cos·ta·no·an 名 コスタノ語族.
Cos·ta Ri·can 名 コスタリカ人.
coun·ti·an 名 (特定の)州[郡]の住人[居住者].
Cre·tan 形 クレタ島の; クレタ人の.
Cro·a·tian 形 クロアチアの; クロアチア人の.
Cru·zan 名形 セントクロイ島民(の).
Cu·ban 形 キューバ(島)の; キューバ人の.
Dal·ma·tian 形 ダルマチア(人)の.
dec·u·man 形 〈波などが〉大きな, 巨大な.
Del·phi·an 名 デルフォイ(Delphi)に生まれた人.
-di·an 連結形 ☞
di·oc·e·san 形 教区の. ── 名 diocese の聖職者.
dip·no·an 形 肺魚亜綱の. ── 名 肺魚.
Dji·bou·ti·an 名 ジブチ人, ジブチ共和国国民.
Do·bu·an 名 ドブ島民(Dobu).
Do·min·i·can 形 聖ドミニクス(St. Dominic)の.
Do·min·i·can 形 ドミニカ連邦(the Commonwealth of Dominica)の.
-e·an 接尾辞 ☞ -EAN[1]
Ec·ua·do·ran 名 エクアドル人.
E·liz·a·be·than 形 エリザベス一世[二世]の.
e·o·ni·an 形 =aeonian.
Es·tho·ni·an 形 =Estonian.
Es·to·ni·an 形 エストニアの; エストニア人[語]の.
Et·e·o·cre·tan 形 初期ギリシャ文字で書かれた碑文の.
E·thi·o·pi·an 形 エチオピア(人)の; エチオピア語の.
E·trus·can 形 エトルリアの; エトルリア人の.
Fa·lis·can 名 ファリスク人.
Fi·ji·an 形 フィジー(諸島)の; フィジー人の.
Fran·cis·can 形 聖フランシス(St. Francis)の.
Fran·co·ni·an 名 フランコニア語(群).
Ga·la·tian 形 ガラテヤの; ガラテヤ人の.
Ga·li·ci·an 形 (スペイン北西部の)ガリシア地方の.
Gal·i·le·an 形 ガリレオ(Galileo)の.
Gal·li·can 形 ゴール(人)の(Gallic).
Gam·bi·an 名 ガンビア人, ガンビア共和国国民.
Gan·dhi·an 形 ガンジーの; ガンジー主義の.
gar·gan·tu·an 形 巨大な, とてつもなく大きい.

Ga·zan 名 ガザ地区住民.
Ge·ne·van 形 (スイスの)ジュネーブ(Geneva)の.
Geor·gian 名 グルジア人.
ger·man 形 ☞
Ger·ze·an 形 〘考古〙ゲルゼー期の.
Gre·cian 形 ギリシャ(風)の; ギリシャ人(風)の.
Gri·mal·di·an 形 グリマルディ(期, 文化)の.
Gua·te·ma·lan 形 グアテマラ共和国[市]の.
Hai·tian 形 ハイチ(Haiti)の; ハイチ人の.
Hall·statt·an 形 ハルシュタット文化の.
Ha·rap·pan 形 ハラッパー文化の.
Ha·wai·ian 形 ハワイ(人)の; ハワイ諸島の.
Hel·ve·tian 形 ヘルベティア(人)の.
Het·er·o·ou·si·an 名 〘教会〙異本質論者, 異実体論者.
Hi·ber·ni·an 名 《文語》アイルランド人.
Ho·moi·ou·si·an 名 父子類本質論者, 実体類似論者.
Ho·mo·ou·si·an 名 〘キリスト教〙父子同本質論者.
Ho·mou·si·an 名 =Homoousian.
Hon·du·ran 名 ホンジュラス人.
hu·man 形 ☞
Hun·gar·i·an 形 ハンガリー(人, 語)の.
Hur·ri·an 名 フルリ人.
Hux·lei·an 形 ハクスリー(Aldous Huxley)の.
I·ban 名 イバン族(の一人).
I·be·ri·an 形 イベリア半島の; イベリア人の.
I·dae·an 形 (小アジアまたは Crete 島の)イダ(Ida)山の[に住んでいる].
Il·li·noi·an 名 〘地質〙イリノイ氷期.
Il·li·nois·an 名 イリノイ州生まれの人[の住人].
Il·lyr·i·an 形 イリュリアの, イリュリア人[語]の.
In·di·an 名 ☞
In·di·an·an 形 インディアナ州の.
In·do·ne·sian 名 インドネシア人, インドネシア共和国国民.
in·fu·so·ri·an 名 滴虫.
I·o·ni·an 形 イオニア地方の.
I·o·wan 形 アイオワ州の.
Ir·o·quoi·an 名 イロコイ語族.
I·sa·ian 形 〘旧約聖書〙イザヤの.
Is·ma·'il·i·an 名 〘イスラム教〙イスマーイール派の信徒.
Is·tri·an 形 イストリアの; イストリア人の.
I·vo·ri·an 形 コートジボアール(共和国)の.
Ja·co·bi·an 形 ヤコビの. ━━名 ヤコビ行列式.
Ja·mai·can 形 ジャマイカの; ジャマイカ人の.
Joyc·e·an 形 ジョイス(James Joyce)(の作品)の.
Kan·san 名 米国 Kansas 州の住民, カンザス人.
Ka·re·li·an 形 カレリア(人, 語)の.
Kech·uan 形 =Quechuan.
Ken·yan 名 ケニア人, ケニア共和国国民.
Ker·e·san 名 ケレス語族.
Ki·ev·an 形 キエフの.
Ki·ri·ba·ti·an 名 キリバス人, キリバス共和国国民.
La·co·ni·an 形 ラコニア(人)の, スパルタ(人)の.
La·pu·tan 形 ラピュタ島の.
Lat·vi·an 形 ラトビアの; ラトビア人[語]の.
Li·be·ri·an 名 リベリア人, リベリア共和国国民.
Li·bran 名 天秤(ﾃﾝﾋﾞﾝ)座(生まれ)の人.
Lib·y·an 形 リビアの; リビア人の.
Li·gu·ri·an 名 リグリア語.
Lin·nae·an 形 (植物分類法を確立した)リンネの.
Lith·u·a·ni·an 形 リトアニアの; リトアニア人[語]の.
Lu·can 形 =Lukan.
Lu·kan 形 ルカの; ルカによる福音書の.
Lu·sa·tian 名 ルサティア生まれの人[の住民].
Lu·si·ta·ni·an 形 ルシタニアの; ポルトガルの.
Lu·ther·an 形 ルターの; ルター主義[派]の.
Lu·wi·an 名 ルウィー語.
Ly·ci·an 形 リュキア(Lycia)の.
Lyd·i·an 形 リュディア(Lydia)の.
Mac·ca·be·an 形 マカベア家の.
Mac·e·do·ni·an 名 マケドニア生まれの人[の住民].
Mach·i·a·vel·li·an 形 マキアベリの(ような).
ma·cru·ran 形 〘動物〙長尾類の, 長尾亜目の.
Mad·a·gas·can 名 マダガスカル人.
Ma·gi·an 形 マギ[東方の博士]の.
Ma·hom·e·tan 名 《古》イスラム教徒(Muslim).
Ma·la·wi·an 名 マラウィ人, マラウィ共和国国民.
Ma·lay·sian 名 マレーシア人.
Ma·li·an 名 マリ人, マリ共和国国民.
Man·dae·an 名 マンダ教徒.
Man·de·an 名形 =Mandaean.
Man·nae·an 形 (古代イランの)マンナイ(Mannai)王国の.
Mar·can 形 聖マルコの.
Mar·i·an 形 聖母マリアの.
Mar·que·san 名 マルケサス島人.
mas·ti·goph·o·ran 名 鞭毛(ﾍﾞﾝﾓｳ)虫.
Mau·ri·ta·ni·an 名 モーリタニア人.
Ma·yan 形 マヤ人[族]の; マヤ語の.
Me·di·an 形 メディア(Media)の.
me·du·san 形 クラゲの[に関する].
Mel·a·ne·sian 形 メラネシア(人, 語)の.
Mem·phi·an 名 (古代エジプトの都市の)メンフィス(Memphis)の人[住民].
Mer·ci·an 形 マーシアの; マーシア[方言]の.
Mer·cu·ri·an 形 《古》メルクリウス(Mercury)の.
Mes·o·po·ta·mi·an 名 メソポタミアの住民.
Mex·i·can 形 メキシコ(人)の; メキシコ系の.
Mi·cro·ne·sian 形 ミクロネシアの.
Mi·no·an 形 ミノス文明の.
Mi·nor·can 形 ミノルカ島(人)の.
Min·yan 形 〘ギリシャ神話〙ミニュアス(Minyas)の子孫の.
Mis·sis·sip·pi·an 形 ミシシッピ州の; ミシシッピ川の.
Mi·tan·ni·an 名 ミタンニ人.
Mo·ham·med·an 形 ムハンマド[マホメット]の.
Mol·da·vi·an 形 モルダビア(人, 語)の.
Mol·dov·an 形 モルドバの. ━━名 モルドバ人.
mol·lus·can 名形 軟体動物(門の).
Mon·a·can 名 モナコ生まれの人, モナコの住民.
mo·ne·ran 名 〘生物〙モネラ類.
Mon·go·li·an 形 モンゴル国(Mongolia)の.
Mo·ra·vi·an 形 モラビアの; モラビア人[住民]の.
Mo·roc·can 名 モロッコ人, モロッコ共和国国民.
Mo·san 名 〘言語〙モーサン語群.
Mo·zam·bi·can 名 モザンビーク人.
Mu·ham·mad·an 名 =Mahometan.
Mus·ko·ge·an 名 マスコギ語族.
My·ce·nae·an 形 ミケーネの.
Nab·a·tae·an 名 ナバテア人.
Na·hua·tlan 名 ナワトル(諸)語.
Na·mib·i·an 名 ナミビア人, ナミビア共和国国民.
Na·u·ru·an 名 ナウル人.
Ne·bras·kan 形 ネブラスカ州[人]の.
Ni·cae·an 形 ニケア[ニカイア](小アジア北西部の古代都市)の.
Nic·a·ra·guan 名 ニカラグア人.
Ni·ge·ri·an 名 ナイジェリア人.
Nu·bi·an 名 ヌビア人.
Oki·na·wan 名 沖縄人. ━━形 沖縄(人)の.
Ol·do·wan 形 〘考古〙オルドワイ(式, 文化)の.
on·y·choph·o·ran 名 有爪(ﾕｳｿｳ)動物.
op·pi·dan 形 町の, 都市の. ━━名 町の人.
Or·a·to·ri·an 名 〘ローマカトリック〙オラトリオ会士.
or·nith·is·chi·an 名 〘動物〙鳥盤類動物.
or·to·lan 名 〘鳥類〙ズアオホオジロ.
Os·can 名 オスク人.
-os·tra·can 連結形 ☞
O·to-Man·gue·an 名 オト=マンゲ大語族.
o·var·i·an 形 卵巣の; 子房(ｼﾎﾞｳ)の.
pa·gan 名 多神教徒.
Pa·lau·an 名 パラオ人, パラオ共和国国民.
Pal·la·di·an 形 〘建築〙パラディオ派式[風]の.
Pal·la·di·an 形 〈建築様式が〉Andrea Palladio の創始した, パラディオ式[風]の.
Pa·no·an 名 パノ語族.
Pap·u·an 形 ニューギニア[パプアニューギニア]の.

A

Par·a·guay·an 名 パラグアイ人.
Par·thi·an 名 パルティア人, パルティアの住民.
Pe·las·gi·an 形 ペラスギ人［語］の.
Penn·syl·va·nian 形 ペルシルベニア州の(住民の).
Pe·nu·ti·an 名 ペヌート大語族.
Per·i·cle·an 形 ペリクレス(Pericles)の［に関する］.
Per·sian 名 イラン人.
Pe·trar·chan 形 ペトラルカの作品(独特)の.
phal·an·ste·ri·an 形 ファランステールの.
Phid·i·an 形 フェイディアス(Phidias)式［風］の.
Phi·la·del·phi·an 形名 フィラデルフィアの(住民).
Phryg·i·an 形 フリギアの; フリギア人の.
Pi·man 名 ピマ語群.
Pis·ce·an 形 〖占星〗魚座(生まれの人)の.
Pi·sid·i·an 名 ピシディア語.
po·go·noph·o·ran 名 有鬚(ゆうしゅ)動物門に属する動物の総称.
Pol·y·ne·sian 形 ポリネシアの; ポリネシア人［語］の.
Pom·er·a·ni·an 形 ポメラニアの; ポメラニア特有の.
po·rif·er·an 名形 海綿動物(門の).
pres·by·te·ri·an 形 長老(会)制の.
Pro·crus·te·an 形 プロクルステス(Procrustes)の.
pro·tu·ran 名 カマアシムシ(鎌脚虫).
Prus·sian 形 プロイセン［プロシア］(Prussia)の.
-p·ter·an 連結形 ☞
pub·li·can 名 《英》大衆酒場［パブ］の主人.
Puérto Rícan 名 プエルトリコ人.
Pu·ri·tan 名 清教徒, ピューリタン.
pyg·mae·an 形 ピグミーの(pygmy).
quar·tan 形 〖医学〗〈熱病·おこりなどが〉4日目ごとに起こる, 4日周期の.
Quech·uan 形 ケチュア語［族］の.
Quech·u·ma·ran 名 〖言語〗ケチュマラ語族.
ra·di·an 名 〖数学〗ラジアン, 弧度.
Ras·ta·far·i·an 名 ラスタファリアン, ラスタ主義者.
re·pub·li·can 形 共和国の, 共和制の.
Rhae·tian 形 (古代ローマの)ラエティアの.
Rhe·tian 形 ＝Rhaetian.
Ro·man 形 ☞
Ro·ma·ni·an 形 ルーマニア(Rumania)の.
Roo·sian 名 《米俗》ロシア人.
Ro·tar·i·an 名 ロータリークラブの会員.
Rug·be·ian 形 (英国の)ラグビー校の.
Rus·sian 形 ☞
Ru·the·ni·an 形 ルテニア人の.
Rwan·dan 名 ルワンダ人, ルワンダ共和国国民.
Ryu·kyu·an 名 琉球(りゅうきゅう)生まれの人.
Sa·bae·an 形 サバの; サバ人［語］の.
Sa·bi·an 名形 サービア教徒(の).
sac·ris·tan 名 《古》聖具室係, 聖具保管係.
Sa·har·an 名 サハラ砂漠の住民.
Sa·lish·an 名 セイリッシ語族.
sa·lu·ta·to·ri·an 名 (米国の学校·大学の卒業式で)開会の辞を述べる学生.
Sal·va·do·ran 名 エルサルバドル人.
Sa·mar·i·tan 名 サマリア人; サマリア語.
Sa·mo·an 形 サモア諸島の; サモア諸島人の.
san·i·tar·i·an 形 (公衆)衛生(学)の.
São To·me·an 名 サントメ·プリンシペ人.
Sar·a·mac·can 名 サラマッカン: スリナム内陸部で使われる英語を基にした混成語.
Sar·din·i·an 形 サルディニア島(民)の.
Sar·ma·ti·an 形 サルマティア(人)の.
Scan·di·na·vi·an 形 スカンジナビア(人, 語)の.
Se·leu·ci·dan 形 (マケドニア系の)セレウコス朝の.
sep·tan 形 〖医学〗〈発熱発作が〉6日(古い数え方では7日)おきに反復する.
Ser·bi·an 形 セルビア(人, 語)の.
Ser·bo·ni·an 形 セルボーニス湖の.
sex·tan 形 〈熱が〉6日目ごとに起こる.
Shel·ley·an 形 P.B.Shelley(の作品)の［に特有の］.
Si·be·ri·an 形 シベリアの.
Si·cil·ian 形 シチリア(人, 方言)の.
Siérra Leónean 名 シエラ·レオネ人.
si·er·ran 形 山脈(周辺部)の; 山脈の住人の.
Sin·ga·por·ean 名 シンガポール人.
Siou·an 名 スー語族.
Sla·vo·ni·an 形 スラボニア［人］の.
So·lu·tre·an 名形 〖考古〗ソリュートレ文化(の).
So·we·tan 名 ソウェト(Soweto)生まれの人.
Spar·tan 形 (古代)スパルタ(人)の.
spe·lae·an 形 洞窟(どうくつ)の; 洞穴に住んでいる.
Sri Lan·kan 名 スリランカ人, スリランカ民主社会主義共和国国民.
St. Lu·cian 名 セント·ルシア人.
Stra·vin·ski·an 形 ストラビンスキーの.
Syr·i·an 形 シリアの; シリア人の.
Ta·hi·tian 形 タヒチ(Tahiti)島の; タヒチ島民の.
Ta·no·an 名 タノ諸語.
Tan·za·ni·an 名 タンザニア人.
Tar·a·ca·hi·tian 名形 タラカイティ語群(の).
Ta·ras·can 名 タラスコ族(の一人).
Ter·ran 名 (SFで)地球人(earthman).
Ter·ri·to·ri·an 名 《豪》北部特別地区(Northern Territory)の住民.
Te·thy·an 形 〖地質〗テチス海の.
Tex·an 形名 テキサス州の(人).
The·ban 形名 テーベの(人).
Thes·pi·an 形 悲劇の; (一般に)演劇［戯曲］の.
Thes·sa·li·an 形 テッサリア(人)の.
Thes·sa·lo·ni·an 形 テッサロニケの; テッサロニケ人の.
thy·sa·nu·ran 形 〖昆虫〗シミ目［総尾(そうび)目］の.
Ti·bet·an 形 チベット(Tibet)の; チベット人の.
Ton·gan 名 トンガ人.
tra·ge·di·an 名 悲劇俳優.
Trans·kei·an 名 (南アフリカ共和国の)トランスケイ人.
Tro·jan 形 古代都市トロイ(Troy)の.
Tu·ni·sian 名 チュニジア人, チュニジア共和国国民.
Tus·can 形 (イタリアの)トスカナの［に特有の］.
Tu·va·lu·an 名 ツバル人, ツバル国民.
U·gan·dan 形 ウガンダの; ウガンダ人の.
u·lot·ri·chan 名 毬(きゅう)毛［縮毛］人種の人.
Um·bri·an 形 ウンブリア(Umbria)の.
ur·ban 形 ☞
Uru·guay·an 名 ウルグアイ人.
U·to·pi·an 形 ユートピア(Utopia)の［に似た］.
val·e·dic·to·ri·an 名 《米·カナダ》卒業生総代.
Va·nu·a·tu·an 名 バヌアツ人.
Ven·e·zu·e·lan 名 ベネズエラ人.
vet·er·an 名 (…の)ベテラン, 老練者.
Vic·to·ri·an 形 ビクトリア女王の; ビクトリア朝の.
Vil·la·no·van 形 ビラノーバ文化(期)の.
Vir·gin·ian 形 バージニア州(人)の.
Vi·sa·yan 名 ビサヤ族(の一人).
Wa·kash·an 名 ワカシ語族.
Wal·la·chi·an 名 ワラキア人［の住民］.
Wes·ley·an 形 (Methodism の創始者) John Wesley の.
Wron·ski·an 名 〖数学〗ロンスキャン.
xiph·o·su·ran 形 〖動物〗剣尾目の.
Yen·i·sei·an 名 エニセイ諸語.
Yu·go·sla·vi·an 名 ユーゴスラビア人(の一人).
Yu·man 名 ユマ語族.
Zair·ean 名 ザイール人, ザイール共和国国民.
Zam·bi·an 名 ザンビア人, ザンビア共和国国民.
Zim·ba·bwe·an 名 ジンバブエ人.
-zo·an 連結形 ☞
Zu·ni·an 名 ズーニー語属.
Zwing·li·an 形 ツウィングリ(主義)の.

-an[2] /ən/

接尾辞 〖化学〗〖薬学〗不飽和炭素化合物, 無水物などの化合物を表す.
★ 名詞をつくる.
◆ -ANE[2] の異形, あるいは anhydride の短縮形.

al·lox·an 名 〖生化学〗アロキサン.
bu·sul·fan 名 〖薬学〗ブスルファン.
dex·tran 名 〖化学〗〖薬学〗デキストラン.
en·do·sul·fan 名 〖化学〗エンドスルファン.
fruc·tan 名 〖生化学〗フルクタン.
fruc·to·san 名 〖生化学〗フルクトサン.
fur·fur·an 名 〖化学〗フラン, フルフラン.
ga·lac·tan 名 〖生化学〗ガラクタン.
ga·lac·to·san 名 〖生化学〗＝galactan.
glu·co·san 名 〖生化学〗グルコサン.
hex·o·san 名 〖生化学〗ヘキソサン.
in·di·can 名 〖化学〗インジカン.
pen·to·san 名 〖生化学〗ペントサン.
py·ran 名 〖化学〗ピラン.
xan·than 名 〖生化学〗キサンタン.
xy·lan 名 〖化学〗キシラン.
zy·mo·san 名 〖生化学〗ザイモサン.

-an[3] /ǽn/

語尾 ban[4], fan[2], gran, jan, pan[2], san, tan[2], van[4], van[5] などは短縮語である.

an[1] 冠 (同種類のものの)ある一つ[一人]の.
an[2] 接 《発音綴り》＝and.
ban[1] 動他 ☞
ban[2] 名 公示, 公布, 公告, 布告.
ban[3] 名 〖歴史〗総督, 太守.
ban[4] 名 《英俗》バナナ(banana).
bran 名 ふすま, ぬか.
can[1] 助 …できる, …する力を持っている.
can[2] 名 ☞
clan 名 一門, 一族.
cran 名 《スコット》クラン: 生ニシンのかさを計る単位.
dan[1] 名 (海上の位置標識用の)小浮標.
dan[2] 名 〖武道〗(空手・柔道などの)段, 段位.
fan[1] 名 ☞
fan[2] 名 《話》熱狂的な支持者, ファン.
flan 名 〖スペイン料理〗(カスタード)プリン.
gan[1] 動 gin「始まる」の過去形.
gan[2] 動自 《イング北東部》＝go.
gran 名 《話・幼児語》おばあちゃん(granny).
jan 名 《米話》(金融市場での)先物取引の1月(January)限(ぎり).
man[1] 名 ☞
man[2] 助 《スコット》…しなければならない, する必要がある(maun).
-man 連結形 ☞ -MAN[1]
nan 名 おばあちゃん(nana).
pan[1] 名 ☞
pan[2] 動自 (映画・テレビのカメラで)パン(撮り)する.
pan[3] 名 小間壁.
pan[4] 名 〖写真〗パンクロフィルム.
plan 名 ☞
ran[1] 動 run の過去形.
ran[2] 名 (撚(よ)り糸の)一かせ.
san 名 《話》療養所(sanatorium).
scan 動他 ☞
scran 名 《俗》食べ物; 残飯, 食べ残し.
span[1] 名 ☞
span[2] 名 (一緒に駆られる)一対の馬・ロバなど.
span[3] 動 《古》《方言》spin の過去形.
-stan 連結形 ☞
tan[1] 動他 〈皮を〉なめす.
tan[2] 名 〖幾何〗正接(tangent).
than 接 …よりは, よりも, に比べて.
van[1] 名 (軍隊・艦隊などの)先頭, 前衛.
van[2] 名 ☞
van[3] 名 《詩語・古》(飛ぶ鳥やコウモリの)翼.
van[4] 名 《主に英話》(テニスの)アドバンテージ(advantage).
van[5] 名 《米俗》(軽食堂で)バニラアイスクリーム.

-an[4] /ɑ́ːn/

語尾

ban 名 〖歴史〗総督, 太守.
dan 名 〖武道〗(空手・柔道などの)段.
flan 名 〖スペイン料理〗(カスタード)プリン.
guan 名 〖鳥類〗シャクケイ(舎久鶏).
man 助 《スコット》…しなければならない, する必要がある(maun).
pan[1] 名 キンマ(betel pepper)の葉.
pan[2] 名 《話》トランプのラミの一種(panguingue).
wan 動 《廃》win の過去形.

-an[5] /ɑ́n | ɔ́n/

語尾 語末にくる同音形は -ON[9], -ONE[3].

quan 名 《米俗》定量分析(quantitative analysis).
swan[1] 名 ☞
swan[2] 動自 《米ミッドランド・南部》《古風》誓う, 断言する.
wan 形 〈顔などが〉異常[病的]に青白い.

-an[6] /ən/

語尾 語末にくる同音形は -EAN[4], -EN[7], -ON[11].

an[1] 冠 (同種類のものの)ある一つ[一人]の.
an[2] 接 《発音綴り》＝and.
man 助 《スコット》…しなければならない, する必要がある(maun).
-man[1] 連結形 ☞ -MAN[1]
-man[2] 連結形 ☞ -MAN[2]
-man[3] 連結形 ☞ -MAN[3]
than 接 …よりは, よりも, に比べて.

-an·a /ǽnə, ɑ́ːnə, éinə | ɑ́ːnə/

接尾辞 《主に人名・地名・時代の後につけて》…集, 資料集, 文献, 百科, 語録, 逸話集, 地図帳; 事物, 風物, 文物.
★ 名詞をつくる.
★ 語末にくる関連形は -ANUM, -ANUS, -IANA.
◆ <ラ, *-ānus* -AN[1] の中性複数形. ⇨ -A[1].

Af·ri·ca·na 名複 アフリカ風物.
A·mer·i·ca·na 名複 アメリカ(の歴史・文化・地理)に関する文献・資料;『アメリカーナ百科事典』.
cri·ck·et·an·a 名 クリケット(の試合)に関する話題.
-i·a·na 接尾辞 ☞
Shake·spear·e·an·a 名複 シェークスピア関係の収集品.

a·nal·y·sis /ənǽləsis/

名 **1** 分析, 分解. **2**〖哲学〗分析. **3**〖数学〗解析. **4**〖化学〗(化学)分析. **5** 精神分析(psycoanalysis). **6** システム分析(systems analysis). **7**〖言語〗分析. ◇ ANALYST, ANALYZE, ANALYZER. ⇨ -LYSIS.
★ 複数形は analyses.

ABC análysis 〖経済〗ABC 分析, ABC 管理, 重点的管理.
activátion anàlysis 〖化学〗放射化分析.
àu·to·a·nál·y·sis 名 〖精神分析〗自己分析.
clúster anàlysis 〖統計〗クラスター分析.
cóhort anàlysis 〖心理〗同世代分析.

combinatórial análysis 【数学】組み合わせ論.
cómplex análysis 【数学】複素解析(学).
componéntial análysis 【言語】成分分析.
conformátional análysis 【化学】配座解析.
cóntent anàlysis 【社会学】【心理】内容分析.
cóst-bénefit anàlysis 【経済】費用便益分析.
cóst rísk anàlysis 【コンピュータ】コスト・リスク分析.
crítical páth anàlysis 【コンピュータ】クリティカルパス法.
crỳpt·a·nál·y·sis 名 (秘密文書の)読解, 暗号読解.
crỳp·to·a·nál·y·sis 名 =cryptanalysis.
diménsional análysis 【物理】次元解析.
díscourse anàlysis 【言語】談話分析.
discríminant análysis 【統計】判別解析.
dréam anàlysis 【精神分析】夢分析.
égo anàlysis 【精神分析】自我分析.
e·lèc·tro·a·nál·y·sis 名 【化学】電気[電解]分析.
érror anàlysis 【言語】誤答分析.
fáctor anàlysis 【統計】因子分析法.
Fóurier anàlysis 【物理】【数学】フーリエ解析.
fúnctional análysis 【数学】関数解析(学).
gravimétric análysis 【化学】重量分析.
harmónic análysis 【数学】調和解析.
hè·ma·nál·y·sis 名 【生化学】血液分析.
hígh análysis 形 【農業】〈肥料が〉植物の必要栄養分を多量に含む.
hỳp·no·a·nál·y·sis 名 【心理】催眠分析[療法].
ínput-óutput anàlysis 【経済】投入産出分析.
jób anàlysis 職務分析.
linguístic análysis 言語分析.
márket anàlysis 【商業】市場分析.
mèt·a·nál·y·sis 名 【言語】異分析.
mì·cro·a·nál·y·sis 名 【化学】微量分析.
miscúe anàlysis 《英》【教育】子供の読み間違いの分析.
nàr·co·a·nál·y·sis 名 【心理】催眠分析.
nèph·a·nál·y·sis 名 【気象】雲解析.
nétwork anàlysis 【数学】ネットワーク解析.
nònstándard análysis 【数学】超準解析.
numérical análysis 【数学】【統計】数値解析.
philosóphical análysis =linguistic analysis.
póllen anàlysis 【古生物】花粉学.
psỳ·cho·a·nál·y·sis 名 精神分析学.
quálitative análysis 【化学】定性分析.
quántitative análysis 【化学】定量分析.
regréssion anàlysis 【統計】回帰分析.
sáles anàlysis 【マーケティング】販売分析.
sélf-análysis 名 【心理】=autoanalysis.
semántic análysis 【言語】意味解析, 意味分析.
sequéntial análysis 【統計】逐次解析.
síte càtchment análysis 【考古】遺跡集水域分析.
spéctral análysis =spectrum analysis.
spectroscópic análysis 【天文】分光[スペクトル]分析.
spéctrum anàlysis 【天文】スペクトル分析.
statístical demánd análysis 【マーケティング】統計的需要分析.
sýstems anàlysis システム分析.
ténsor anàlysis 【数学】テンソル解析.
thérmal anàlysis 【化学】【物理】熱分析.
thèr·mo·a·nál·y·sis 名 【化学】=thermal analysis.
tíme-séries anàlysis 【マーケティング】時系列分析.
transáctional análysis 【心理】交流分析.
trénd anàlysis 傾向分析.
últimate anàlysis 【化学】元素分析.
ù·ra·nál·y·sis 名 =urine analysis.
úrine anàlysis 【医学】尿分析, 尿検査(urinalysis).
váriance anàlysis 【統計】分散分析.
véctor anàlysis 【数学】ベクトル解析.
volumétric análysis 【化学】容量分析.

an·a·lyst /ǽnəlist/

名 分析(専門)家; (情報などの)解説者.

compétitor ànalyst ライバル企業の情報分析家; 《婉曲的に》産業スパイ.
invéstment ànalyst 証券アナリスト.
láy ánalyst 素人精神分析家.
néws ànalyst 実況放送アナウンサー; 時事解説者.
phòto·ánalyst 名 写真分析家, 高空写真解析専門家.
psỳcho·ánalyst 名 精神分析学者, 精神分析(専門)医.
secúrity ànalyst =investment analyst.
sýstems ànalyst 【コンピュータ】システム分析者.

an·a·lyze /ǽnəlàiz/

動他 …を(構成要素に)分析[分解]する(《特に英》-lyse). ⇨ -LYZE.

crypt·an·a·lyze 動他 〈暗号文を〉解析する; 解読する.
psy·cho·an·a·lyze 動他 精神分析をする.

an·a·ly·zer /ǽnəlàizər/

名 分析者; 分析[解析]器, アナライザー. ⇨ -LYZER.

àu·to·án·a·lỳ·zer 名 【化学】自動分析機.
bréath ànalyzer 酒気検知器(《米》drunkometer).
círcuit ànalyzer 【電気】マルチメーター.
cỳ·to·án·a·lỳ·zer 名 細胞分析器.
differéntial ánalyzer 微分解析機.
multichánnel ánalyzer 【電子工学】波高分析器.
púlse hèight ánalyzer 【物理】波高分析器.
vóice-strèss ànalyzer 声強勢分析器.

a·nat·o·my /ənǽtəmi/

名 【医学】解剖学, 解剖論. ⇨ -TOMY, -Y[3].

gróss anátomy 肉眼解剖学.
mì·cro·a·nát·o·my 名 組織学.
nèu·ro·a·nát·o·my 名 神経解剖学.
pathológic anátomy 病理解剖(学).
psỳ·cho·a·nát·o·my 名 【医学】心理解剖(法).

-anc /ǽŋk/

語尾 語末にくる同音形は -ANK[2].

banc[1] 名 【法律】裁判官席, 判事席.
banc[2] 名 《米》銀行. ►銀行名に使用.
franc 名 フラン: フランスの貨幣単位.
tranc 名 (心・感情を)鎮めてくれる人[もの].

-ance[1] /əns/

接尾辞 **1** 性質・状態: resembl*ance*. **2** 行為: avoid*ance*. **3** 量・程度: abund*ance*.
★ 動詞・形容詞につけて名詞をつくる.
◆ 中英 *-aunce*, *-ance* <古仏<ラ *-antia-* ANCY.
[発音] 第1強勢は基語, 基体と同じ.

a·bey·ance 名 (一時的)休止, 中止(状態), 中断.
a·bid·ance 名 滞在, 居住; 持続, 永続.
a·bon·dance 名 《フランス語》【トランプ】(ソロホイストで)一人で9組取るという宣言.
ab·sorb·ance 名 【物理】吸光度.
ab·sorp·tance 名 【物理】吸収能.
a·bun·dance 名 あり余るほどの量, 多量, 多数.
ac·cept·ance 名 ☞
ac·quaint·ance 名 知り合い, 顔見知り, 知人.
ac·quit·tance 名 義務[債務]からの解放.
a·cut·ance 名 【光学】尖鋭度, アーキュタンス.
ad·mit·tance 名 (…への)入場許可; 入場権.
af·fi·ance 動他 …を婚約させる.
af·firm·ance 名 断言.
al·le·giance 名 忠誠, 忠義, 忠節.
al·li·ance 名 ☞
al·low·ance 名 ☞

am·bi·ance 名 辺りの様子, 雰囲気.
am·bu·lance 名 救急車; 傷病者輸送機; 病院船.
an·noy·ance 名 悩ます者 [こと], 迷惑, 邪魔物.
ap·pear·ance 名 現れること, 出現, 出席.
ap·pli·ance 名 (特別の目的・用途のための)器具, 器械, 装置, 仕掛け, 設備.
ap·pur·te·nance 名 従属物, 付属品, 付加物.
ar·ro·gance 名 尊大, 横柄, 傲慢(ごうまん).
as·cend·ance 名 (…に対する)優勢の状態; 支配力.
as·sis·tance 名 ☞
as·sur·ance 名 ☞
a·void·ance 名 避けること, 回避, 忌避.
bril·liance 名 強い明るさ, 光輝, 輝き; 光沢.
bri·sance 名 猛度: 高性能火薬の爆発力.
buoy·ance 名 浮力.
ca·pac·i·tance 名 〘電気〙静電容量, 電気容量.
clair·voy·ance 名 千里眼, 透視力.
clear·ance 名 ☞
cog·ni·zance 名 認識, 認知, 知覚.
come·up·pance 名 《米話》当然の報い [罰].
com·plai·sance 名 人を喜ばせること, 親切; 丁寧.
com·pli·ance 名 追従, 応諾; 服従, 遵奉, 遵守.
con·com·i·tance 名 付随, 随伴; 共存, 併存.
con·duct·ance 名 ☞
con·form·ance 名 (…との)一致, 適合, 順応.
con·niv·ance 名 見て見ぬ振り, 見逃し, 黙認.
con·sid·er·ance 名 《廃》考慮(consideration).
con·tin·u·ance 名 継続, 連続.
con·triv·ance 名 考案品, 発明品; 仕掛け, 装置.
con·ve·nance 名 適当, 妥当, 便宜, 好都合, 適正.
con·vey·ance 名 運搬, 運輸, 輸送; 伝導; 伝言.
-cord·ance 連結形 ☞
cum·brance 名 厄介, 面倒.
dal·li·ance 名 《主に文語》時間の浪費.
de·fi·ance 名 果敢な抵抗, 反抗, 服従拒否.
de·liv·er·ance 名 救出, 救助, 救済; 解放, 釈放.
de·vi·ance 名 逸脱(した行動).
dif·fer·ance 名 〘文芸〙差延作用.
dis·crim·i·nance 名 識別に役立つもの, 弁別手段.
dis·sem·blance 名 (感情などの)隠蔽, そらとぼけ.
dis·turb·ance 名 乱すこと [もの]; 攪乱(かくらん).
dom·i·nance 名 ☞
dur·ance 名 《文語》監禁, 投獄, 収監.
e·las·tance 名 〘電気〙エラスタンス.
el·e·gance 名 優雅, 雅味, 上品, 気品, 端麗.
en·dur·ance 名 忍耐, 我慢, 辛抱強さ; 耐久力.
en·trance 名 ☞
e·qui·pon·der·ance 名 重さの均衡; 釣り合い.
es·per·ance 名 《廃》希望.
ex·i·tance 名 〘物理〙発散度.
ex·or·bi·tance 名 法外なこと, 過度, 過大.
ex·trav·a·gance 名 (金銭の)乱費, 浪費.
ex·u·ber·ance 名 豊富, 潤沢.
fa·vor·ance 名 《主に米南部》好むこと, 好み.
fea·sance 名 ☞
fi·nance 名 ☞
for·bear·ance 名 差し控えること, 慎み, 節制.
for·bid·dance 名 禁止すること.
fra·grance 名 芳香, 香気, 芳香性, かぐわしさ.
fur·ther·ance 名 助長, 促進, 増進, 推進.
gov·ern·ance 名 統治, 支配, 管理, 統制.
griev·ance 名 不平の種.
guid·ance 名 ☞
her·it·ance 名 《古》相続.
hin·drance 名 (…の)妨害, 邪魔.
ig·no·rance 名 無知; 無学; (物事を)知らないこと.
im·par·lance 名 〘法律〙廷外交渉, 和解協議.
im·ped·ance 名 〘電気〙インピーダンス.
in·duct·ance 名 〘電気〙インダクタンス, 誘導係数.
in·el·e·gance 名 優美でないこと, 不粋, やぼ.
in·ert·ance 名 〘音響〙イナータンス, 音響慣性.
in·her·it·ance 名 ☞
in·sou·ci·ance 名 心配 [苦労] のないこと; 無頓着.
in·sur·ance 名 ☞
in·tend·ance 名 (特に 17 世紀, フランスに導入された)行政庁, 地方庁; その職員.
ir·ra·di·ance 名 〘物理〙放射照度.
is·su·ance 名 発行, 発布; 配布, 配給; 放出.
it·er·ance 名 繰り返すこと, 反復.
joy·ance 名 《古》楽しさ, 喜び.
lai·tance 名 レイタンス: まだ固まらないセメントの表面に浮いてくる乳状物.
leak·ance 名 〘電気〙リーカンス.
li·geance 名 《主に英》〘法律〙国王の領有地.
lu·mi·nance 名 輝く状態 [性質], 発光性.
lux·u·ri·ance 名 繁茂; 多産; 豊富; (文体などの)華麗.
main·te·nance 名 ☞
mil·i·tance 名 交戦状態.
-mit·tance 連結形 ☞
mon·strance 名 〘ローマカトリック〙聖体顕示台.
nais·sance 名 誕生, 創始, 発生, 起源.
non·cha·lance 名 無関心, 無頓着, 冷淡; のんき.
nu·ance 名 (表現などの)微妙な差異, ニュアンス.
nui·sance 名 ☞
nur·tur·ance 名 愛情に満ちた世話, いつくしみ.
o·bei·sance 名 《主に文語》敬礼, お辞儀.
ob·serv·ance 名 (法律・慣行などに)従うこと, 遵守.
or·di·nance 名 (国王・政府などの発する)法令, 布告.
or·don·nance 名 (建物・絵画・文芸作品などの)構成.
par·lance 名 話しぶり, 口調; ある職業特有の用語.
par·tic·i·pance 名 参加.
pen·e·trance 名 〘遺伝〙(遺伝子の)浸透度.
per·for·mance 名 ☞
per·me·ance 名 浸透, 透入.
per·se·ver·ance 名 がんばり, 粘り(強さ), 忍耐(力).
pet·u·lance 名 むかつき, いらだち, かんしゃく.
pit·tance 名 わずかな量 [分け前].
pleas·ance 名 遊園地.
port·ance 名 《古》態度, 身のこなし, 挙動.
-port·ance 連結形 …を運ぶもの [こと].
pre·clear·ance 名 事前承認.
pre·pon·der·ance 名 (重さ・力・数などの点で)勝ること.
prev·e·nance 名 先行.
pro·cur·ance 名 もたらすこと, 招来; 入手, 獲得.
pro·tu·ber·ance 名 隆起 [突出](している状態).
prov·e·nance 名 起源, 出所, 由来.
pu·is·sance 名 《詩語・古》権力, 勢力, 力.
pur·su·ance 名 追求, 続行, 実行, 履行, 遂行.
pur·te·nance 名 《古》動物の臓物.
pur·vey·ance 名 《まれ》支給, (特に食料品の)調達.
quit·tance 名 《古》報償, 返報, 償い.
ra·di·ance 名 光輝, 燦然(さんぜん)たる輝き.
re·ac·tance 名 ☞
re·cog·ni·zance 名 〘法律〙誓約書.
re·con·nais·sance 名 調査, 検分, 踏査.
re·flect·ance 名 〘物理〙〘光学〙反射率.
rel·e·vance 名 (当面する問題との)関連性; 妥当性.
re·li·ance 名 当て [頼み] にすること; 依存.
re·luc·tance 名 気が進まないこと, 不本意.
re·mem·brance 名 心に刻まれた印象, 記憶, 思い出.
re·mon·strance 名 抗議; 忠告, 忠言, 諫言(かんげん).
Ren·ais·sance 名 文芸復興, ルネサンス.
re·pent·ance 名 悔い, 後悔; 悔い改め.
rep·ro·bance 名 《廃》非難.
re·pug·nance 名 嫌気, 嫌悪, 反感.
re·sem·blance 名 類似, 相似.
re·sist·ance 名 ☞
rid·dance 名 (厄介なものを)取り除くこと, 除去.
ro·mance 名 伝奇 [冒険・恋愛・空想] 物語 [小説].
se·lect·ance 名 〘通信〙選択性 [度], 分離度.
sem·blance 名 外形, 外観, 姿, 様子, 顔つき.
sev·er·ance 名 切断, 分離, 分割; 区別.
sig·nif·i·cance 名 重要さ, 重大性.

A

so·nance 名 響くこと; 〘音声〙有声.
-so·nance 連結形 ☞
stance 名 ☞
-stance 名 ☞
suc·cor·ance 名 養育依存, 養護願望.
suf·fer·ance 名 黙認; (特に悪・不法に対する)容認.
sup·pli·ance¹ 名 補充, 補充方法 [過程].
sup·pli·ance² 名 嘆願, 懇願, 哀願.
sur·veil·lance 名 ☞
sur·viv·ance 名 生き残ること.
sus·cep·tance 名 〘電気〙サセプタンス.
sus·te·nance 名 生命維持に必要なもの; 食物, 栄養.
tar·ri·ance 名 《古》遅延, 延期.
tem·per·ance 名 節制; 節酒, 禁酒; 穏健; 節度, 自制.
tend·ance 名 世話, 看護, 介抱, 付添い.
tol·er·ance 名 ☞
trans·hu·mance 名 (家畜の)季節移動, 移牧.
us·ance 名 〘商業〙ユーザンス.
ut·ter·ance¹ 名 発声, 発言; 口 [言葉] に出すこと.
ut·ter·ance² 名 《古》最後; 死.
var·i·ance 名 可変性, 多様性; 変動, 変化.
ven·geance 名 仇討ち, 復讐, 仕返し; その行為.
vi·car·i·ance 名 〘生態〙分断分布.
vig·i·lance 名 警戒, 用心; 不寝番, 寝ずの番.
vo·cif·er·ance 名 大騒ぎ, わめき, 怒号.
void·ance 名 放出, 排泄; 除去, 排除.

-ance² /ǽns, ɑ́ːns/

語尾 dance, prance, glance¹, trance² など, 速く舞うような動きを表すと感じられる.

chance 名 ☞
dance 動自 ☞
glance¹ 動自 ☞
glance² 名 ☞
hance 名 〘海事〙急曲部, 急折部.
lance¹ 名 ☞
lance² 名 〘魚類〙イカナゴ.
prance 動自 〈馬などが〉後脚で跳ね上がる.
rance¹ 名 ランス: ベルギー産の大理石の一種.
rance² 名 《主にスコット》突っかい棒, 支柱.
trance¹ 名 夢心地; ぼう然自失; 忘我, 恍惚.
trance² 動他 素早く動く, 進歩する.

-anch /ǽntʃ | ɑ́ːntʃ/

語尾 語末にくる同音形は -AUNCH.

blanch 動他 脱色して白くする(bleach)
branch 名 ☞
flanch¹ 名 《英》フランジ(flange).
flanch² 名 (煙突頂部の水切り用)セメント勾配.
planch 名 (七宝を焼き付けるとき載せる)敷台.
ranch 名 ☞
splanch 名 《米》〘建築〙スプランチ.
stanch¹ 動他 〈液体, 特に血の〉流出を止める.
stanch² 形 堅実な, 信頼できる(staunch).

an·chor /ǽŋkər/

名 錨(いかり). ── 動他 **1** 〈船を〉錨で固定する. **2** 〈ニュースなどの〉総合司会を務める.

báck ànchor 〘海事〙副錨(ふくびょう).
co·an·chor 動他自 《米》共同で司会する.
drág ànchor 〘海事〙=sea anchor.
dríft ànchor 〘海事〙=sea anchor.
flóating ánchor 〘海事〙=sea anchor.
íce ànchor 〘海事〙氷錨(ひょうびょう).
múshroom ànchor 〘海事〙キノコ形アンカー.
ráil ànchor レール締結装置.
scréw ànchor 〘海事〙螺旋錨(らせんびょう).
séa ànchor 〘海事〙海錨(かいびょう).
shéet ànchor 〘海事〙予備(主)錨(びょう).
stréam ànchor 〘海事〙中アンカー.
un·an·chor 動他 抜錨(ばつびょう)して〈船の〉係留を解く.
up·an·chor 動自 錨(いかり)を上げる.

-an·cy /ənsi/

接尾辞 **1** 性質・状態を表す: vac*ancy*. **2** 行為を表す: compli*ancy*. **3** 量・程度を表す: redund*ancy*.
★ 形容詞および動詞につけて抽象名詞をつくる.
★ -ance¹ と -y³ との結合形.
◆ -ANCE¹ の変形＜ラ *-antia*. ⇨ -Y³.
[発音] 第 1 強勢は基語と同じ.

ac·cept·an·cy 名 (喜んで)受け取る [受け入れる] こと.
ac·count·an·cy 名 accountant の業務 [職務], 会計業務.
ad·ju·tan·cy 名 副官の職 [地位].
ar·ro·gan·cy 名 尊大, 横柄, 傲慢.
as·cend·an·cy 名 優勢な状態, 日の出の勢い; 支配.
a·ther·man·cy 名 〘物理〙非熱伝導性, 不伝熱性.
be·nig·nan·cy 名 恵み深さ, やさしさ; 温和.
bril·lian·cy 名 才気の表れた言葉 [様子など].
buoy·an·cy 名 浮力.
com·mo·ran·cy 名 《英》〘法律〙(ある場所での)居所; 《米》(常時または一時的)居住.
com·pli·an·cy 名 (命令・要求などに)従うこと, 応諾.
con·com·i·tan·cy 名 付随; 共存(concomitance).
con·serv·an·cy 名 天然資源の保護 [管理].
con·stan·cy 名 志操堅固, 忠誠, 貞節.
con·sul·tan·cy 名 コンサルタント業(務).
dis·cor·dan·cy 名 不調和, 不一致(discordance).
dis·crep·an·cy 名 相違, 食い違い.
dis·so·nan·cy 名 不調和な音, 耳障りな音.
dor·man·cy 名 (特に種子などの)睡眠 [休眠] (状態).
el·e·gan·cy 名 優雅, 雅味(elegance).
er·ran·cy 名 (判断などの)誤り, 過ち.
ex·pect·an·cy 名 《文語》期待 [予期] していること.
ex·trav·a·gan·cy 名 (金銭の)乱費, 浪費.
fla·gran·cy 名 極悪, 凶悪, 残忍さ, 悪名.
hab·i·tan·cy 名 居住(していること).
hes·i·tan·cy 名 躊躇, ためらい; 口ごもり.
in·stan·cy 名 《まれ》切迫, 急迫.
in·tend·an·cy 名 intendant「監督官, 管理者」の職.
ir·rel·e·van·cy 名 無関係(であること)(irrelevance).
ir·ri·tan·cy¹ 名 いらだたしさ, じれったさ.
ir·ri·tan·cy² 名 〘法律〙無効, 無効状態.
i·tin·er·an·cy 名 あちこち旅をして歩くこと, 遍歴.
lieu·ten·an·cy 名 lieutenant「中尉, 少尉」の地位.
ma·lig·nan·cy 名 有害, 悪影響, 不吉: 悪意, 敵意.
men·di·can·cy 名 物ごいをすること; 托鉢(たくはつ).
mil·i·tan·cy 名 交戦状態; 好戦 [闘争] 性.
mis·cre·an·cy 名 邪悪, 卑劣, 悪辣(あくらつ), 非道.
mor·dan·cy 名 辛辣(しんらつ)さ, 痛烈さ.
oc·cu·pan·cy 名 ☞
per·nan·cy 名 〘法律〙(土地からの)収益取得.
pet·u·lan·cy 名 《まれ》(言葉・態度が)じりじりしていること(petulance).
pi·quan·cy 名 ぴりっと辛いこと; 辛辣(しんらつ).
poign·an·cy 名 痛烈, 痛恨, 辛辣(しんらつ)さ.
pos·tu·lan·cy 名 (特に聖職の)志願者である期間 [状態].
pre·cip·i·tan·cy 名 真っ逆さまに落ちること [状態].
preg·nan·cy 名 ☞
pro·tu·ber·an·cy 名 隆起 [突出] している状態.
ra·di·an·cy 名 光輝, 燦然たる輝き(radiance).
ramp·an·cy 名 生い茂ること, 繁茂.
rec·u·san·cy 名 反抗, 不従順; 頑強な拒絶.
re·dun·dan·cy 名 過剰, 余分, よけい.
re·solv·an·cy 名 《まれ》結果, 解決.
sig·nif·i·can·cy 名 重要さ, 重大性(significance).

sta·gnan·cy 名 よどみ, 渋滞; 不景気.
sup·pli·an·cy 名 嘆願, 懇願, 哀願(suppliance).
syc·o·phan·cy 名 へつらい, おべっか, ごますり.
ten·an·cy 名 ☞
trans·mit·tan·cy 名 〖物理〗透過度.
tru·an·cy 名 (生徒・学生の)無断欠席, ずる休み.
va·can·cy 名 空(の状態), からっぽ; 欠如.
va·gran·cy 名 浮浪状態, 無宿の身; 浮浪罪.
val·ian·cy 名 勇気, 勇壮, 勇敢, 雄々しさ.

-and[1] /ænd, ənd/

接尾辞 …されるもの [人].
★ 受動の意味の名詞をつくる.
◆ <ラ *-and(us)*(*-āre* の動詞状形容詞より).

a·nal·y·sand 名 〖精神医学〗被分析者.
con·fir·mand 名 〖プロテスタント〗堅信礼の志願者; 〖カトリック〗受堅者.
crypt·and 名 〖化学〗クリプタンド.
de·o·dand 名 〖英法〗贖罪(しょくざい)奉納物.
ed·u·cand 名 被教育者, 学生, 生徒.
gor·mand 名 ＝gourmand.
gour·mand 名 《軽蔑的》美食家, 食通.
grad·u·and 名 《英》大学卒業間近の学生.
hon·or·and 名 名誉の受領者.
in·te·grand 名 〖数学〗被積分関数.
li·gand 名 〖生化学〗リガンド.
mod·i·fi·cand 名 〖文法〗被修飾語 [句, 節].
mul·ti·pli·cand 名 〖数学〗被乗数, 実, 掛けられる数.
op·er·and 名 〖数学〗被作用子, 演算数.
or·di·nand 名 〖プロテスタント〗按手礼(あんしゅれい)志願者; 〖ローマカトリック〗叙階志願者; 〖ギリシャ正教〗叙聖志願者.
pro·band 名 〖遺伝〗発端者.
rad·i·cand 名 〖数学〗被開数.
sum·mand 名 〖数学〗被加数.
vi·and 名 食品.

-and[2] /ǽnd/

語尾

and 接 …と…, …も…も, …および….
band[1] 名 ☞
band[2] 名 ☞
band[3] 名 《米黒人俗》女(woman).
band[4] 名 《古》(人・手足を)縛るもの, かせ.
bland 形 味気ない, うまくない.
brand 名 ☞
gland[1] 名 ☞
gland[2] 名 〖機械〗パッキン(グ)押さえ.
grand 名 ☞
hand 名 ☞
land 名 ☞
mand 名 〖言語〗マンド.
-mand 連結形 ☞
rand[1] 名 (製靴で, かかと革をつける前にかかとにつける)細革.
rand[2] 名 ランド: 南アフリカ共和国の通貨単位.
sand 名 ☞
stand 動自 ☞
-stand 連結形 ☞
strand[1] 動他 〈船などを〉岸に乗り上げさせる.
strand[2] 名 (撚り合せたりして縄などを作る)子縄.

-an·dal /ǽndl/

語尾 語末にくる同音形は -ANDLE.

pan·dal 名 (インドで公の集会用の)仮小屋.
san·dal[1] 名 サンダル.
san·dal[2] 名 ビャクダン(白壇)材.
scan·dal 名 醜聞, スキャンダル.
van·dal 名 バンダル族(の一人).

-an·dle /ǽndl/

語尾 語末にくる同音形は -ANDAL.

can·dle 名 ☞
dan·dle 動他 〈赤ん坊を〉あやす.
han·dle 名 ☞

-an·do /ǽndou, ɑ́ːndou; *It.* ándo/

接尾辞 もとはイタリア語の動詞状形容詞現在形を表す語尾.
★ 音楽の旋律に関連した語をつくる.
◆ <伊<ラ *-andus*.

ac·cel·er·an·do 副 アッチェレランド, しだいに速く.
al·lar·gan·do 形副 アラルガンドの [で].
ca·lan·do 形副 しだいに緩やかにそして弱い [く].
for·zan·do 形副 ＝sforzando.
glis·san·do 形副 グリッサンドで奏される [奏して].
lar·gan·do 形副 ＝allargando.
len·tan·do 副形 レンタンド, しだいに遅く(なる).
mar·can·do 形副 強いアクセントをつけた [つけて].
par·lan·do 形副 物語るような [に], 朗唱するような [に].
ral·len·tan·do 形副 しだいに緩やかに [遅く](なる).
rin·for·zan·do 形副 ＝sforzando.
ri·tar·dan·do 形副 徐々に緩やかな [に].
sal·tan·do 形副 スピッカート(奏法)の [で].
scher·zan·do 形副 戯れ気味な [に].
sfor·zan·do 形副 突然強いアクセントをつけた [て].
smor·zan·do 形 徐々に音を弱め速度を遅くする.
trem·o·lan·do 副形 顫音(せんおん)で; 顫音の.

-an·dra /ǽndrə | ɑ́ːn-/

連結形 男; 雄(おす).
★ 名詞をつくる.
★ 語末にくる関連形は -ANDRIC, -ANDROUS, -ANDRY.
★ 語頭にくる関連形は andr(o)-: *andr*agogy「成人教育法」, *andro*centric「男性中心の, 男性支配の」.
◆ <ギ *anḗr*「雄, 男」の形容詞 *-andros* の女性形; リンネの植物分類で「…の形の雄蕊(ゆうずい)のある植物」の意味で用いられた. ⇨ -A[2].

a·phe·lan·dra 名 〖植物〗アフェランドラ.
cros·san·dra 名 〖植物〗ヘリトリオシベ(縁取雄蕊).
pach·y·san·dra 名 〖植物〗フッキソウ(富貴草).

-an·dric /ǽndrik/

連結形 雄の, 男性の.
★ 形容詞をつくる. ◇ -GYNIC.
★ 語末にくる関連形は -ANDRA.
★ 語頭にくる関連形は andr(o)-: *andr*agogy「成人教育法」, *andro*centric「男性中心の, 男性支配の」.
◆ ギリシャ語 *andrikós*「雄の」より. ⇨ -IC[1].

hol·an·dric 形 〖遺伝〗限雄性の.
pol·y·an·dric 形 夫を二人以上持つ, 一妻多夫の.
the·an·dric 形 神人両性を有する.

-an·drous /ǽndrəs/

連結形 男(性)…, 雄蕊(ゆうずい)を持つ, 雄.
★ 形容詞をつくる.
★ 語末にくる関連形は -ANDRA.
★ 語頭にくる関連形は andr(o)-: *andr*agogy「成人教育法」, *andro*centric「男性中心の, 男性支配の」.
◆ <近代ラ *-andrus* <ギ *andr-* 男の, 雄の. ⇨ -OUS.

an·an·drous 形 〘植物〙雄しべ(stamen)のない.
dec·and·rous 形 〘植物〙十雄蕊(ずい)の.
di·an·drous 形 〘植物〙〈花が〉二雄蕊の.
gy·nan·drous 形 〘植物〙(ランのように)雌雄蕊(しゆう)合体の.
is·an·drous 形 〘植物〙(花弁と)同数雄蕊の.
mo·nan·drous 形 〈社会・制度などが〉一夫一婦制の.
pen·tan·drous 形 〘植物〙〈花が〉5本の雄蕊を持つ.
pol·y·an·drous 形 夫を2人以上持つ, 一妻多夫の.
te·tran·drous 形 〘植物〙四雄蕊の.
tri·an·drous 形 〘植物〙〈花が〉三雄蕊の.

-an·dry /ǽndri/

連結形 男性, 雄.
★ -androus の語尾を持つ形容詞に対応する名詞の語尾.
★ 語末にくる関連形は -ANDRA.
★ 語頭にくる関連形は andr(o)-: *andr*agogy「成人教育法」, *andro*centric「男性中心の, 男性支配の」.
◆ <近代ラ<ギ *-andria*. ⇨ -Y[3].
[発音] 第1音節(-an-)に第1強勢; ただし, mísandry, pólyandry となることもある.

gy·nan·dry 名 〘生物〙雌雄同体性[現象].
mis·an·dry 名 男嫌い.
mo·nan·dry 名 一夫一婦制.
pol·y·an·dry 名 一妻多夫.
prot·an·dry 名 〘生物〙雄性先熟.

-ane[1] /ein/

接尾辞 -an[1] の異形.
★ 時に -an[1] がつく語とは別の意味を表す.
◆ 中英 *-ain, -en* <古仏 *-ain(e)*<ラ -ānus.
[発音] 第1強勢は, 形容詞では -ane に, 名詞では語頭の音節にある. 例外: móntane.

ger·mane 形 (…と)密接な関係のある.
hu·mane 形 人間味のある, 慈悲深い.
in·hu·mane 形 非人道的な, 不人情な, 薄情な.
in·ur·bane 形 《まれ》無作法な; 洗練されない.
mem·brane 名 ☞
mon·tane 形 ☞
mun·dane 形 ☞
ur·bane 形 都会風の, 優雅な, 洗練された.

-ane[2] /ein/

接尾辞 〘化学〙メタンまたはパラフィン系の炭化水素の類の名に用いる.
◆ ラテン語 *-ānus* -AN[2] より: -ine[3], -ene[1] からの類推でドイツの化学者 A.W. von Hofmann(1818–92)による造語.

ad·a·man·tane 名 アダマンタン.
al·kane 名 アルカン.
bo·rane 名 ボラン, 水素化ホウ素.
bu·tane 名 ブタン.
cat·e·nane 名 カテナン.
ce·tane 名 セタン.
chlor·dane 名 〘薬学〙クロルデーン.
cub·ane 名 クバン.
dec·ane 名 デカン.
di·a·man·tane 名 ジアマンタン.
di·ox·ane 名 ジオキサン.
di·ox·i·rane 名 ジオキシラン.
eth·ane 名 ☞
hal·o·thane 名 〘薬学〙ハロタン.
hep·tane 名 ヘプタン.
hex·ane 名 ヘキサン.
i·so·flu·rane 名 〘薬学〙イソフルラン.
meth·ane 名 ☞
no·nane 名 ノナン.
oc·tane 名 オクタン.
pen·tane 名 〘薬学〙ペンタン.
pris·tane 名 プリスタン.
pro·pane 名 プロパン(ガス).
sil·ane 名 モノシラン.
sil·i·cane 名 シリカン.
si·lox·ane 名 シロキサン.
throm·box·ane 名 〘生化学〙トロンボキサン.

-ane[3] /éin/

語尾 語末にくる同音形は -AIN[2], -AIN[3], -AINE, -EAN[3], -EIGN, -EIN[2].

ane 形名代 《主にスコット》=one.
bane[1] 名 ☞
bane[2] 名 《スコット》骨(bone).
cane 名 ☞
crane 名 ☞
fane 名 《古》神殿, 寺院.
jane 名 《俗》娘, 女; 売春婦.
kane 名 《スコット》借地料.
lane[1] 名 ☞
lane[2] 形 《スコット》独りの, 独りぼっちの.
lane[3] 形 《米俗》適性のない(lame).
mane 名 (馬・ライオンの)たてがみ.
nane 代副形 《スコット》=none.
pane[1] 名 ☞
pane[2] 名 ハンマーの頭(peen).
-phane 連結形 ☞
plane[1] 名 ☞
plane[2] 名 ☞
plane[3] 名 〘植物〙スズカケノキ, プラタナス.
rane 名 《米俗》コカイン.
sane 形 心の健全な, 正気の, 気の確かな.
stane 名形動 《スコット・北イング》=stone.
thane 名 〘古英史〙セイン: アングロサクソン時代の従士.
vane 名 ☞
wane 動自 徐々に弱くなる[衰える].

a·ne·mi·a /əníːmiə | -miə, -mjə/

名 〘病理〙貧血(症). ⇨ -EMIA.
★ 語頭にくる関連形は anesthesi-: *anesthesio*meter「麻酔計」.

aplástic anémia 再生不良性貧血, 無形成(性)貧血.
Cóoley's anémia サラセミア, 地中海(性)貧血.
équine inféctious anémia 伝染性貧血症, 伝貧.
hemolýtic anémia 溶血性貧血.
hỳper·chrómic anémia 高色素性貧血.
hypochrómic anémia 血色素減少性貧血, 低色素性貧血.
íron-deficiency anémia 鉄欠乏性貧血.
macrocýtic anémia 大赤血球性貧血症.
megaloblástic anémia 巨赤芽球性貧血.
míner's anémia 十二指腸虫症, 鉤虫症.
pernícious anémia 悪性貧血.
rúnner's anèmia ランナー貧血.
síckle cèll anémia 鎌状赤血球性貧血.

a·nem·o·ne /ənéməni, -nìː | -ni/

名 〘植物〙アネモネ. ⇨ -E[1].

clówn anèmone カクレクマノミ: スズメダイ科の魚.
Japanése anémone シュウメイギク(秋明菊).
póppy anémone ボタンイチゲ.
rúe anèmone バイカ(梅花)カラマツソウ.
séa anèmone イソギンチャク.
snówdrop anémone バイカイチゲ, マツユキオキナグサ.
wóod anèmone アネモネ数種の総称.

-a·ne·ous /éiniəs/

[接尾辞] **1** 同時の. **2** …に所属する.
★ 形容詞をつくる.
◆ ラテン語 *-āneus* より. ⇨ -EOUS.

co·e·ta·ne·ous [形] 同時代の, 同期間の, 同期の.
con·sen·ta·ne·ous [形] 《まれ》(…に)一致した.
con·tem·po·ra·ne·ous [形] 《米》同時(期)に起こった, 同時代の.
co·tem·po·ra·ne·ous [形] =contemporaneous.
cu·ta·ne·ous [形] ☞
ex·tem·po·ra·ne·ous [形] 即席の, 即興的な, アドリブの.
ex·tra·ne·ous [形] 外部からの, 外来の; 異質の.
in·stan·ta·ne·ous [形] 即座の, 即時の.
mem·bra·ne·ous [形] 膜質[状]の.
mis·cel·la·ne·ous [形] 種々雑多の, 寄せ集めの.
spon·ta·ne·ous [形] 自然に起こる, 自発的な.
sub·ter·ra·ne·ous [形] 地下にある[で働く], 地下の.

an·es·the·sia /æ̀nəsθíːʒə | -ziə, -zjə/

[名] 〘医学〙麻酔. ⇨ -ESTHESIA.

cáudal anesthésia 尾骨[仙骨]麻酔, 脊髄尾部麻酔.
epidúral anesthésia 硬膜外麻酔(法), 硬麻.
sáddle blòck anesthésia サドル麻酔, 鞍状(あんじょう)麻酔.
spínal anesthésia 脊髄麻酔.
thèrm·anesthésia [名] 温覚消失.
thèrmo·anesthésia [名] =thermanesthesia.

-ang[1] /æŋ/

[音象徴] ガ(ー)ン, バ(ー)ン, ビーン; 打撃・衝突・爆発による大きな反響音を表す; また, 張った弦をはじくような音を表す. ⇨ -NG.

bang [名] バン[ドン, ドカン, ズドン, バタン]という音, 轟音(ごうおん); 銃声. ── [動][他] (強い音をたてて)〈物を〉打つ, たたく. ── [自] 激しくたたく.
clang [動][自] 〈鐘が〉鳴り響く; 〈金属などが〉ぶつかり合ってカーン[カチン, ガチン]と音をたてる.
prang [動][他] 《英俗》…に衝突する, ぶつける.
spang [名] 《米話・スコット》飛び跳ねること, 跳ね返り; 急な激しい動き. ── [動][自] 跳ねる, 跳ね返る. ── [他] 投げる, ぶつける.
stang [動][自][他] 《スコット・北イング》ずきんずきんとする[させる].
tang [名] 鋭く響く音, 高く鳴る音, ガーン[ビーン]と鳴り響く音. ── [動][他] 〈鐘・弦などを〉鋭く鳴り響かせる, ガーンと打ち鳴らす, ビーンと響かせる.
twang [動][自] 〈弓・楽器の弦などが〉ビーン[ブーン]と鳴る.
whang [名] 《話》バン[ガン]と打つこと.

-ang[2] /æŋ, ɑːŋ/

[音象徴][間] 音象徴語の重複形に見られる語末要素.

clíng cláng [間] カランカラン, キンコン.
ráng-káng [間] 《空のバケツが転がる音》ガランガラン.
wáng wàng [間] 《飛び込み板が振動する音》ビーン, ビョーン.

-ang[3] /æŋ/

[語尾] 語末にくる同音形は -ANG[1], -ANG[2].

bang[1] [名] (額に垂らした)前髪.
bang[2] [名] =bhang.
bang[3] [名] 〘天文〙宇宙大爆発(big bang).
bhang [名] バング: 弱いマリファナの一種.
dang[1] [動][形][副][名] 《婉曲的》=damn.
dang[2] [名] 《米俗》ペニス, 陰茎.
drang [名] 《ニューファンドランド》小道, 路地.
dwang [名] 《スコット・NZ》〘建築〙胴つなぎ.
fang [名] (蛇の)毒牙(どくが).
gang[1] [名] ☞
gang[2] [名] 〘採鉱〙脈石(gangue).
gang[3] [動][自][他] 《主にスコット・北イング》=go.
hang [動][他] ☞
jang [名] 《米》=dang[2].
lang [形][名][副] 《スコット・北イング》=long.
liang [名] 両: 中国の重量単位.
rang[1] [動] ring の過去形.
rang[2] [名] 《話》ブーメラン.
sang[1] [動] sing の過去形.
sang[2] [名] 《スコット》歌詩; 叙情詩; 歌曲.
schlang [名] 《米俗》=dang[2].
slang[1] [名] ☞
slang[2] [動] 《非標準》sling の過去形.
spang [副] 《米・カナダ話》じかに, まともに.
sprang[1] [動] spring の過去形.
sprang[2] [名] スプラング: 緯(よこ)糸なしで経(たて)糸を織り込んでいく織布技術.
stang [動] 《廃》sting の過去形.
swang [動] 《主にスコット・北イング》swing の過去形.
tang [名] 大形できめの粗い海藻の総称.
thang [名] 《米方言》《発音綴り》(生き物に対して)(有形の)物, 物体.
thrang [名] 《スコット》群衆, 人だかり, 雑踏.
vang [名] 〘海事〙斜桁(しゃこう)支索.
wang [名] 《俗》=dang[2].
whang [名] 《方言》ひも, (特に)革ひも.
wrang [形][副][名][動] 《スコット》=wrong.
yang [名] (中国の哲学・宗教で, 陰陽の)陽.

-ange /éindʒ/

[語尾]

change [動][他] ☞
grange [名] 農場, 農園.
mange [名] 〘獣病理〙疥癬(かいせん), 皮癬.
range [名] ☞
strange [形] 異様な; 変な; 未知の.

an·gel /éindʒəl/

[名] 天使.

árch·àngel [名] 〘神学〙大天使; 天使長.
déath àngel (ユダヤ教・イスラム教の天使論で)死の天使, アズラエル.
destróying ángel 死の使い.
Guárdian Ángel ガーディアン・エンジェル: 暴力阻止のボランティア団員.
guárdian ángel (個人・土地などの)守護天使.
héll's ángel 《しばしば H- A-》暴走族, かみなり族.
mínistering ángel 救いの天使(特に親切な看護婦など).
recórding àngel 〘キリスト教〙記録天使.
séa àngel エンゼルフィッシュ.

an·gi·og·ra·phy /æ̀ndʒiɑ́grəfi | -ɔ́g-/

[名] 〘医学〙血管造影[撮影](法), 血管写. ⇨ -GRAPHY.
►angi(o)- は「血管の, 管の」の意.

cho·lan·gi·og·ra·phy [名] 胆嚢(たんのう)胆管造影(法).
cin·e·an·gi·og·ra·phy [名] 血管映画撮影(法).
dígital subtráction angiògraphy 造影剤を静脈に少量注入し, コンピュータ X 線装置を用いて動脈撮影を行う方法.
lym·phan·gi·og·ra·phy [名] リンパ管造影[撮影](法).

A

pho·no·an·gi·og·ra·phy 名 血管音検査(法), 血流音描画法.

an·gle /ǽŋgl/

名 1〘幾何〙角(ｶｸ), 角度. 2〘建築〙アングル, 山形鋼.

Bréwster àngle 〘物理〙ブルースター角, 偏光角.
céntral ángle 〘幾何〙中心角.
compleméntary ángle 〘数学〙余角.
crítical ángle 〘光学〙臨界角.
dánger àngle 〘航海〙危険角.
déad ángle 〘軍事〙死角.
dihédral ángle 〘幾何〙二面角.
diréction àngle 〘数学〙方向角.
dríft àngle 〘海事〙偏流角.
expleméntary ángle 〘数学〙同伴角.
extérior ángle 〘幾何〙(多角形の)外角.
fáce àngle 〘幾何〙面角.
fácial àngle 〘頭骨測定〙顔面角.
gláncing àngle 〘光学〙照角, 視射角.
glíde àngle 〘航空〙=gliding angle.
glíding àngle 〘航空〙滑空角.
hóur àngle 〘天文〙時角.
intérior ángle 〘幾何〙内角.
lánding àngle 〘航空〙着陸角.
merídian àngle 〘天文〙子午角.
oblíque ángle 〘数学〙斜角.
obtúse ángle 〘数学〙鈍角.
óc·tan·gle 名 八角形.
óptic ángle 〘光学〙視角(visual angle).
pén·tan·gle 名 五芒(ﾎﾞｳ)星形(pentagram).
pháse àngle 〘物理〙位相角.
pláne àngle 〘数学〙(平)面角.
pólar ángle 〘数学〙(極座標での)動径の原線からの角度.
pólarizing àngle 〘光学〙偏光角.
polyhédral ángle 〘幾何〙多面角.
quád·ràn·gle 名 四角形, 四辺形.
réc·tàn·gle 名 長方形, 矩形(ｸｹｲ).
reéntering àngle 〘幾何〙凹角(reentrant angle).
réflex ángle 〘幾何〙優角.
refrácting àngle 〘光学〙屈折角.
ríght ángle 直角, 90度.
róund ángle 〘数学〙周角(perigon).
séat àngle 〘建築〙アングルクリート.
sépt·àn·gle 名 七角形.
séx·àn·gle 名 六角形(hexagon).
shélf àngle 〘建築〙シェルフアングル.
sólid ángle 〘幾何〙立体角.
sphérical ángle 〘幾何〙球面角.
stáll àngle 〘航空〙=critical angle.
stálling àngle 〘航空〙=critical angle.
stráight ángle 〘数学〙平角.
stríde àngle 〘陸上競技〙最大股角度.
suppleméntary ángle 〘数学〙補角.
trí·àn·gle 名 ☞
vértical ángle 〘幾何〙対頂角(vertically opposite angle).
wíde-ángle 形 〘写真〙〈レンズが〉広角の.

-an·gle[1] /æŋgl/

音象徴 音象徴語の重複形に見られる語末要素; i と a の母音交替がある. ◇ -LE[3].

din·gle-dan·gle 形副 ぶら下がった[ぶら下がって], ぶらぶら.
jin·gle-jan·gle 名 (鈴の音の)リンリン, (金属片の)チャリンチャリン, ジャリンジャリンという音. ── 形《米俗》壊れかかった, がたがたの.
min·gle-man·gle 名 ごたまぜ, 寄せ集め.

-an·gle[2] /ǽŋgl/

語尾 音象徴を持つものがあり, 「ぶらぶらする」, 「からみ合う」, 「ひょろひょろする」, 「ずたずたにする」などを表す; また, 「ジャラジャラ」という音を表す.

an·gle[1] 名 ☞
an·gle[2] 動自 (釣り針で)魚を釣る, 魚釣りをする.
ban·gle 名 (留め金のない)腕輪, 飾り輪.
dan·gle 動自 (…から)ぶら下がる.
fan·gle 名 流行, はやり(fashion).
gan·gle 動自 ひょろひょろ[ぶざまに]動く.
jan·gle 動自 (小さい金属片が触れ合うように)ジャンジャン鳴る.
man·gle[1] 動他 ずたずたに切る, めった切りにする.
man·gle[2] 名 マングル: シーツなどのしわを伸ばす機械.
span·gle 名 スパンコール.
stran·gle 動他 絞殺する.
tan·gle[1] 動他 ☞
tan·gle[2] 名 コンブ(昆布).
wan·gle 動他《話》まんまとせしめる, 手に入れる.
wran·gle 動自 論争[口論]する, 激しく議論する.

an·gles /ǽŋglz/

名複 angle「角, 角度」の複数形.

adjácent ángles 隣接角.
álternate ángles 錯角.
correspónding ángles 同位角.

an·gu·lar /ǽŋgjulər/

形 角のある; 角を成す; 角の. ⇨ -ULAR.

bi·an·gu·lar 形 二角の, 2つの角(ｶﾄﾞ)のある.
e·qui·an·gu·lar 形 〈図形が〉等角の, 全角が等しい.
hep·tan·gu·lar 形 七角[辺]形の.
hex·an·gu·lar 形 六角の.
mul·tan·gu·lar 形 多角の.
mul·ti·an·gu·lar 形 =multangular.
oc·tan·gu·lar 形 八角の, 八角形の.
pen·tan·gu·lar 形 五角形の(pentagonal).
pol·y·an·gu·lar 形 =multangular.
quad·ran·gu·lar 形 四角[辺]形の.
sept·an·gu·lar 形 七角の, 七角形の[をした].
tri·an·gu·lar 形 三角(形)の.

an·hy·dride /ænháidraid, -drid/

名 〘化学〙無水物: 水分子を脱離させて新しくできた化合物. ⇨ -IDE[1].

acétic anhýdride 無水酢酸.
ácid anhýdride 酸無水物.
básic anhýdride 塩基性無水物.
maléic anhýdride 無水マレイン酸.
phosphóric anhýdride 五酸化リン(phosphorus pentoxide).
phthálic anhýdride 無水フタル酸.
sulfúric anhýdride 三酸化硫黄(sulfur trioxide).

an·i·line /ǽnəlin, -làin | -lin, -lìːn/

名 〘化学〙アニリン. ▶ anil 藍(ｱｲ) + -INE[2].

a·ce·tyl·an·i·line 名 =acetanilide.
hex·a·hydro·an·i·line 名 ヘキサヒドロアニリン.
par·a·rosan·i·line 名 パラローザニリン.
ros·an·i·line 名 ローズアニリン.

an·i·mal /ǽnəməl/

名 動物. ⇨ -AL[1].

colónial ánimal 群体動物.
cómpound ánimal =colonial animal.
doméstic ánimal 家畜.
dráft ànimal 荷車を引かせる動物, 役畜.
móss ànimal [形] 外肛(こう)動物門の.
páck ànimal 駄獣.
párty ánimal 《米俗》パーティー好きの人.
polítical ánimal 根っからの政治家.

an·i·mal·cule /ænəmǽlkjuːl/

[名] 微小動物. ⇨ -CULE¹.

béar animàlcule 緩歩動物(tardigrade).
slípper animàlcule ゾウリムシ(paramecium).
sún animálcule 太陽虫(heliozoan).
whéel animàlcule ワムシ(rotifer).

an·i·mate /ǽnəmèit/

[動他] …に生命を与える, 生かす. ── [形] 生きている, 生命のある. ⇨ -ATE¹.

ex·an·i·mate [形] 生命のない, 死んだ.
in·an·i·mate [形] 生命のない, 無生物の; 死んだ.
re·an·i·mate [動他] …を生き返らせる, 蘇生させる.

-ank¹ /æŋk/

[音象徴] カツン, カチン, ガツン, ゴツン, ガン; 堅いものがぶつかり合って響く音や頭を堅いものにぶつけた時の音を表す. さらに強く引くようにすることを表す.
★ これより澄んだ高い音, または小さな音は -ink で, 鈍い音は -onk.

chank [動自] 《主に米ニューイング・西部ミッドランド方言》がつがつ音をたてて食う, むさぼり食う.
clank [名] (金属などがぶつかる)ガチッ[ガチャッ, カチン](という音).
spank [動他] 〈子供の尻を〉(罰として平手やスリッパなどで)ピシピシとたたく.

-ank² /æŋk/

[語尾] 語末にくる同音形は -ANC.

bank¹ [名] ☞
bank² [名] ☞
blank [形] ☞
chank¹ [名] 聖螺(ら): 巻き貝の一種.
chank² [名] 《米俗》梅毒性下疳(かん).
crank¹ [名] 【機械】クランク, クランク軸.
crank² [形] 【海事】横揺れ[転覆]しやすい.
dank [形] じめじめした, びしょびしょした.
drank [動] drink の過去・過去分詞形.
flank [名] 横腹, 脾腹(ひばら), 脇腹(わきばら).
frank¹ [形] 〈話が〉あけっぴろげの.
frank² [名] 《話》フランクフルトソーセージ.
hank [名] (糸・紡績糸などの)枠(わく).
jank [動自] 《米空軍俗》(対空砲火を避けるために)高度と方向を同時に変える.
lank [形] 〈植物が〉ひょろ長い.
plank¹ [名] 厚板: board よりも厚く長い板.
plank² [動他] 《スコット》隠す.
prank¹ [名] (悪意のない)いたずら, 冗談.
prank² [動他] …を着飾る.
rank¹ [名] ☞
rank² [形] (雑草の)はびこっている.
sank [動] sink の過去形.
scank [名] 《米俗》=skank.
schrank [名] 両開き洋服だんす(の一種).
shank [名] ☞
shrank [動] shrink の過去形.
skank [名] 《米俗》臭い女.
slank [動] 《古》slink の過去形.
spank [動自] 〈馬・車などが〉疾走する.
stank¹ [動] stink の過去形.
stank² [名] 《英》囲い堰(せき).
swank¹ [名] スマートさ, おしゃれ; 高級気取り.
swank² [動] swink の過去形.
tank [名] ☞
thank [動他] 感謝する, 礼を述べる.
trank¹ [名] 《俗》トランキライザー(tranquilizer).
trank² [名] 手袋片方分のなめし革.
twank [名] 《米俗》性行為を見て満足する老人.

-an·kle /ǽŋkl/

[語尾] crankle, wankle などに曲折, ぐらつきの音象徴を感じる人がいる.

an·kle [名] 足首, 足関節.
cran·kle [名] 屈折, 曲折.
ran·kle [動自] 〈不愉快な感情・経験などが〉長く心にうずく, 苦痛を与える.
wan·kle [形] 《主に英方言》不安定な, 動揺する.

-an·nel /ǽnl/

[語尾]

chan·nel¹ [名] ☞
chan·nel² [名] 【海事】横静索留め板.
flan·nel [名] ☞
scran·nel [形] 《古》貧弱な, 力のない, か細い.

an·nu·al /ǽnjuəl/

[形] **1** 一年(間)の. **2** 年一度の. ◇ -ENNIAL. ⇨ -AL¹.
★ 語頭にくる関連形は anni-, annu-: *annu*al「一年の」, *annu*ity「年金」.

bi·án·nu·al [形] 〈会合などが〉年2回の, 半年ごとの.
circ·án·nu·al [形] 【生物】年周期の.
hárdy ánnual 霜に強い一年生植物.
sèm·i·án·nu·al [形] 半年ごとの, 年二回の.
ténder ánnual 不耐寒性の一年生植物.
tri·án·nu·al [形] 〈行事などが〉年3回の.
wínter ánnual 秋まき一年草.

an·nu·i·ty /ənjúːəti | ənjúː-/

[名] 年金, 年賦金. ⇨ -ITY.

deférred annúity 据え置き年金.
gróup annùity 団体年金.
immédiate annúity 即時年金.
lífe annùity 終身年金, 生命年金.
réfund annùity 死亡時払戻金付き年金.
revérsionary annúity 生残年金.
váriable annúity 変額[可変]年金.

a·nom·a·ly /ənɑ́məli | ənɔ́m-/

[名] 例外, 変則, 異例; 変態, 異様, 奇態, 奇妙. ⇨ -Y³.

magnétic anómaly 【地質】(地)磁気異常.
méan anómaly 【天文】平均近点(距)離角.
prot·a·nom·a·ly [名] 【眼科】第一色弱, 赤色弱.
trúe anómaly 【天文】真近点(離)角.

ant /ǽnt/

[名] 【昆虫】アリ(蟻).

agricúltural ànt =harvester ant.

Ámazon ánt ドレイガリ(奴隷狩り)アリ.
Árgentine ánt アルゼンチンアリ.
ármy ànt サスライアリ.
búll ànt ＝bulldog ant.
búlldog ànt ブルドッグアリ.
cárpenter ànt オオアリ.
córnfield ànt トウモロコシ畑に生息する褐色の小形のアリ.
dríver ànt ＝army ant.
dúck ànt シロアリ(白蟻).
fíre ànt 刺されると焼けるような感じのする針を持つ雑食性のアリの総称.
fóraging ànt 行軍アリ.
gréentree ànt 《豪》暗緑色のどう猛な小アリ.
hárvester ànt 収穫アリ.
hóney ànt ミツアリ.
júmper ànt ＝bulldog ant.
léaf-cùtting ànt ハキリアリ(葉切蟻).
légionary ànt ＝army ant.
líttle bláck ánt ヒメアリ属の小さいアリ.
négro ànt クロヤマアリ(黒山蟻).
párasol ànt ＝leaf-cutting ant.
Phároah ànt イエヒメアリ.
píss·ànt 名 《俗》最低の人[物].
quéen ànt 女王アリ.
réd ánt 赤アリ.
sláve ànt 奴隷アリ.
sláve-màking ànt サムライアリ.
sólitary ánt ＝velvet ant.
thíef ànt 盗賊アリ.
umbrélla ànt ＝leaf-cutting ant.
vélvet ànt アリバチ.
wárrior ànt アカヤマアリ.
whíte ánt ＝duck ant.
whíte-ànt 動他 《豪話》(内部から)破壊する.
wóod ànt ヨーロッパアカヤマアリ.

-ant[1] /ənt/

接尾辞 **1** …の行為をする(人): assist*ant*, expect*ant*. **2** …する能力を持つ(物): deodor*ant*. **3** …される物: inhal*ant*.

★ 動詞について形容詞・名詞をつくる.

★ 主として動作主を表すが, -er[1] ほど造語力はなく, より専門的な用語に用いられる: defendant「被告(人)」, defender「弁護人」.

◆ 中英 *-aunt*, *-ant* ＜ラ *-ānt-*(*-āre* に終わる動詞の現在分詞語幹); 多くの語では＜仏 *-ant* ＜ラ *-ant-* または *-ent-*.

[発音] 3音節以上の語の場合,(ア) -ant の前の音節が短音節(「短母音＋1つの子音字」この子音字はなくてもよく, また子音字にもう1つの子音字 /r/ または /w/ が付いてもよい)ならば2つ前の音節に付き,(イ) -ant の前の音節が長音節「長母音(または2重母音)＋子音(この子音はなくてもよい)」または「短母音＋2つの子音字(後ろの子音が /r/, /w/ である場合は除く)」ならば直前の音節に付く. ただし, alternant は語頭の音節に第1強勢が付くこともある.

ab·di·cant 形 (権利・地位などを)捨てる.
a·bey·ant 形 (一時)停止状態の, 休止した.
a·bra·dant 形 研磨用の.
a·bun·dant 形 豊富な, あり余るほどの, 十分な.
ac·cel·er·ant 名 促進[加速]するもの.
ac·cept·ant 形 喜んで受け入れる; 受容的な.
ac·cord·ant 形 一致して, 合って, 調和して.
ac·count·ant 名 ☞
a·cid·u·lant 名 〘化学〙酸味[酸性]を帯びたもの.
ac·tant 名 〘言語〙アクタン.
ad·ju·tant 名 〘軍事〙副官.
ad·ju·vant 形 助けとなる; 補助の.
ad·min·is·trant 形 管理する, 代行の. ━━名 管理者.
a·dul·ter·ant 名 混ぜ物, 不純物.
af·fi·ant 名 《米》〘法律〙宣誓供述者.
af·firm·ant 名 証言者; 〘法律〙証人, 供述者.
ag·glu·ti·nant 形 粘着する, 接着させる.
aid·ant 形 助ける, 援助する. ━━名 助力者.
al·le·gi·ant 形 (…に)忠誠な. ━━名 信奉者.
al·le·vi·ant 名 (条件などを)緩和するもの.
al·ter·ant 形 〈物が〉変質性の. ━━名 変色剤.
al·ter·nant 形 交互の, 交替の.
am·bu·lant 形 移動する, 巡回する.
an·nu·i·tant 名 年金受取人.
an·o·rex·i·ant 名 〘医学〙食欲喪失[抑制]剤.
an·tic·i·pant 形 (…を)予想して, 予期[期待]して.
an·ti·fog·gant 名 〘写真〙(陰画の)かぶり止め.
ap·pel·lant 名 〘法律〙上訴人.
ap·pend·ant 形 付加された; つるされた.
ap·pli·cant 名 志願者, 応募者, 出願者, 申込者.
ap·prox·i·mant 名 〘音声〙接近的調音.
ap·pur·te·nant 形 従属する; 〘法律〙従属の, 付随の.
ar·rest·ant 名 〘医学〙発育[成長]抑制物質.
ar·ro·gant 形 傲慢な, 横柄な, 尊大な.
as·cend·ant 名 優勢, 優位; 支配力.
as·pec·tant 形 〘紋章〙〈肉食獣以外の動物が〉向き合っている.
as·phyx·i·ant 形 窒息性の. ━━名 窒息剤.
as·pir·ant 名 大志を抱く人.
as·sail·ant 名 攻撃者, 襲撃者; 加害者; 論敵.
as·sis·tant 名 ☞
at·tend·ant 名 ☞
at·ten·u·ant 形 (液体などを)希薄にする.
at·test·ant 形 証明する. ━━名 証人.
at·tract·ant 名 誘引物質.
a·ver·sant 形 〘紋章〙手の甲を見せた.
bac·chant 名 酒神バッカスの祭司; 飲み騒ぐ人.
be·nig·nant 形 (特に目下の者に)優しい; 慈悲深い.
bla·tant 形 歴然とした, 見え透いた; 露骨な.
bouf·fant 形 膨らんだ, ふっくらした.
bril·liant 形 きらきら輝く.
buoy·ant 形 浮揚性のある, 浮力のある.
ca·pit·u·lant 名 降伏[降参]する(capitulate)人.
car·bu·ret·ant 名 増熱剤.
cau·ter·ant 名 〘医学〙焼灼(しょうしゃく)剤.
cel·e·brant 名 〘教会〙ミサ執行司祭[司教].
chan·tant 形 〘音楽〙旋律的な; 旋律の美しい.
cha·toy·ant 形 玉虫色の, 真珠光の.
claim·ant 名 (権利の)要求[請求]者; 原告.
cla·mant 形 《文語》騒々しい, やかましい.
cla·rif·i·cant 名 〘化学〙(液体の)清澄剤.
cli·mant 形 〘紋章〙後ろ脚で立ち上がった.
clin·quant 形 きらきら光る; 金ぴかの.
co·ag·u·lant 名 凝固剤; 〘医学〙凝血[止血]剤.
cog·ni·zant 形 認識した, 知っている, 気づいた.
col·or·ant 名 着色剤, 顔料, 染料.
com·bat·ant 名 交戦国.
com·man·dant 名 司令官, 指揮官, 長官.
com·mu·ni·cant 名 〘プロテスタント〙陪餐(ばいさん)会員, 〘ローマカトリック〙聖体拝領者, 〘ギリシャ正教会〙領聖者.
com·plain·ant 名 (訴訟などの)原告(側), 訴訟提起者.
com·plai·sant 形 親切な, 人のいい, 愛想のよい.
com·pli·ant 形 従順な; 盲従する, 卑屈な.
con·cel·e·brant 名 (共同ミサを)執行する司祭.
con·com·i·tant 形 相伴う, 随伴する; 付随する.
con·cord·ant 形 (…と)一致[合致]した, 調和した.
con·fess·ant 名 (司祭に)告白する人.
con·fi·dant 名 信頼のおける友人, 腹心の友, 親友.
con·fla·grant 形 《まれ》盛んに燃えている.
con·glu·ti·nant 形 〘医学〙傷口の癒着を促進する.
con·grat·u·lant 形 お祝いの, 祝賀の, 慶賀の.
con·gre·gant 名 (集会などに)集まる人.
con·ju·gant 名 〘生物〙接合(個)体.
con·sult·ant 名 顧問, 相談役, コンサルタント.
con·tac·tant 名 〘医学〙接触物, 接触原.
con·tam·i·nant 名 不潔にするもの, 汚染物質, 汚染菌.
con·test·ant 名 争う人; 論争者; 競争者, 競技者.
con·tin·u·ant 名 〘音声〙継続音, (連)続音.

con·trar·i·ant 形 反対の, 対立した, 敵対した.
con·ver·sant 形 よく知っている, …に精通している.
con·vul·sant 形 〘医学〙痙攣性の.
cool·ant 名 (エンジン・原子炉などの)冷却剤.
co·op·e·rant 名 (フランスの)海外協力派遣員.
cor·rec·tant 名 矯正するもの.
cor·rob·o·rant 形 〈事実などが〉確証的な, 確証する.
co·rus·cant 形 きらめく, きらきら［ぴかぴか］光る.
couch·ant 形 横になっている; うずくまっている.
cou·rant 形 〘紋章〙〈馬・シカなどが〉走る姿の.
cov·e·nant 名 ☞
crep·i·tant 形 パチパチ［パリパリ］いう.
crois·sant 名 クロワッサン.
cul·mi·nant 形 最高点にある; 絶頂の.
deb·u·tant 名 (ある分野に)初登場する人.
de·clar·ant 名 宣言する人, 申告者; 原告.
de·col·or·ant 形 漂白作用のある. ――名 漂白剤.
de·col·our·ant 形名 《特に英》=decolorant.
de·con·ges·tant 形 〘薬学〙充血除去性の.
de·con·tam·i·nant 名 汚染除去装置; 汚染除去剤.
ded·i·cant 名 献呈［進呈］者.
de·fend·ant 名 〘法律〙被告(人).
de·fi·ant 形 挑戦的な; 不敵な; ふてぶてしい.
de·floc·cu·lant 名 〘製陶〙解膠(かいこう)剤, 解凝剤.
de·fo·li·ant 名 〘薬学〙落葉剤, 枯れ葉剤.
de·for·ciant 名 〘法律〙土地不法占有者.
de·lir·i·ant 形 〘医学〙譫妄(せんもう)発生性の.
de·lus·ter·ant 名 つや消し剤.
de·mand·ant 名 〘法律〙物的訴訟における原告.
de·mon·strant 名 示威運動参加者, デモ参加者.
de·mur·rant 名 〘法律〙異議申立人.
de·o·dor·ant 名 脱臭［除臭, 防臭］剤.
de·ox·i·dant 名 〘化学〙脱酸素剤.
de·pend·ant 形名 《主に米》他に頼っている(人).
de·pres·sant 形 〘医学〙鎮静効果のある.
dep·u·rant 形 浄化力のある. ――名 清浄剤.
de·scend·ant 名 子孫, 末裔, 後裔; 伝来物.
des·ic·cant 形 乾燥力のある. ――名 乾燥剤.
de·ter·mi·nant 名 決定因, 決定要素.
de·vi·ant 形 (規範から)外れた, 逸脱した; 異常な.
di·gest·ant 名 消化剤［薬］.
di·lat·ant 形 膨れる, 膨張［拡張］する, 広がる.
dis·cord·ant 形 仲の悪い, 争っている; 一致しない.
dis·crep·ant 形 相違する, 矛盾する, 相いれない.
dis·crim·i·nant 名 〘数学〙判別式.
dis·cus·sant 名 討論者, 討論参加者.
dis·in·fect·ant 名 (主として無生物体用の)消毒薬.
dis·per·sant 名 まき散らすもの, 消散させるもの.
dis·pu·tant 名 論争者, 討論者. ――形 論争中の.
dis·so·ci·ant 形 分離によって生ずる.
dom·i·nant 形 支配的な; 権威のある.
dop·ant 名 〘電子工学〙ドーパント.
dor·mant 形 眠っているような; 休止状態の.
el·e·gant 形 豪華で品位のある.
e·lim·i·nant 名 〘数学〙消去式.
el·u·ant 名 〘物理化学〙溶離剤, 溶離液.
em·a·nant 形 《古》発散する; ほとばしる.
en·cap·su·lant 名 (薬の)カプセルの材料.
en·dur·ant 形 耐えられる, 忍耐力のある.
en·trant 名 (競技などへの)参加者.
e·quant 形 〈立体が〉等方の.
e·quil·i·brant 名 〘物理〙平衡力.
eq·ui·tant 形 〘植物〙〈葉が〉跨(こ)状の.
er·rant 形 正道から外れた; 誤った, 間違った.
etch·ant 名 (エッチング用)腐食液.
eu·pho·ri·ant 形 〘薬学〙病的幸福感を引き起こす.
e·vac·u·ant 形 〘医学〙排泄する; 排出促進の.
ex·am·i·nant 名 試験官, 検査官, 検査員, 審査員.
ex·cit·ant 形 興奮させる. ――名 興奮剤.
ex·ec·u·tant 名 実行する人; 演技者, 演奏者.
ex·hal·ant 形 吐き出す. ――名 出水管.
ex·hib·it·ant 名 (展覧会などの)参加者, 出品者.
ex·hil·a·rant 形 気持ちを明るくする. ――名 興奮剤.
ex·i·geant 形 差し迫った, 緊急の(exigent).
ex·or·bi·tant 形 法外な, 途方もない, 過度の.
ex·pect·ant 形 (…に)期待をかけた; 待望している.
ex·pec·to·rant 形 排痰(たん)の. ――名 去痰剤.
ex·pel·lant 形 追い出す, 放出する. ――名 駆虫剤.
ex·tant 形 〈文書・建物・慣習などが〉残存する.
ex·tin·guish·ant 名 消火剤, 消火物.
ex·tract·ant 名 〘化学〙抽出剤, 抽媒.
ex·trav·a·gant 形 浪費する, ぜいたくな.
ex·u·ber·ant 形 〈喜びなどが〉あふれるばかりの.
ex·ult·ant 形 狂喜している, 歓喜の; 意気揚々の.
fab·ri·cant 名 製作者, 製造業者.
fig·u·rant 名 (群舞の一員としてだけ踊る)男性バレエダンサー.
flag·el·lant 名 (修道のために)自己にむちを打つ人.
fla·grant 形 〈うそなどが〉ひどく目につく.
flam·boy·ant 形 燃えるような; きらびやかな.
flip·pant 形 ふまじめな, 軽薄な; 失礼な.
floc·cu·lant 名 〘化学〙凝集剤.
flot·tant 名 《米ルイジアナ》浮き島.
fluc·tu·ant 形 動揺する; 〈物価などが〉変動する.
fon·dant 名 フォンダン: 煮詰めた糖液をペースト状にしたもの.
for·mant 名 〘音楽〙形成音, フォルマント.
fou·droy·ant 形 電撃的な, 圧倒的な, 急激な.
fra·grant 形 よいにおいの, 芳香性の.
ful·gu·rant 形 《文語》電光のようにひらめく.
ful·mi·nant 形 突然爆発する; ひらめく.
fu·mi·gant 名 燻蒸(くんじょう)剤.
gal·lant 形 勇ましい, 雄々しい; 気高い.
gar·dant 形 =guardant.
ger·mi·nant 形 発芽する, 芽を出す; 成長力のある.
ges·tic·u·lant 形 〈人が〉身ぶりを使う［交える］.
gi·sant 名 (墓につける)死者の横臥(おうが)彫像.
glu·tin·ant 名 〘生物〙粘着細胞, 粘着刺胞.
grat·u·lant 形 喜びを表す; 祝賀の, 祝意を表す.
griev·ant 名 仲裁を調停に持ち込む人.
guard·ant 形 〘紋章〙〈動物が〉ガーダントの.
hab·it·ant[1] 名 住人, 居住者.
ha·bi·tant[2] 名 カナダおよび米国 Louisiana 州のフランス系入植者.
hal·lu·ci·nant 名 幻覚剤.
hau·ri·ant 形 〘紋章〙〈魚などが〉ホーリアントの.
hes·i·tant 形 ためらう, 躊躇する; 優柔不断の.
hi·ber·nant 形 冬眠の.
hu·mec·tant 名 湿潤剤. ――形 湿らせる.
hy·drant 名 給水［水道］栓, 消火栓.
ig·no·rant 形 無学の, 無教育の.
il·lu·mi·nant 名 光源, 発光体. ――形 発光性の.
im·por·tant 形 重要な, 重大な, 大切な.
im·preg·nant 名 含浸剤.
in·ca·pac·i·tant 名 〘薬学〙〘軍事〙無能力化剤.
in·ces·sant 形 絶え間のない, ひっきりなしの.
in·di·cant 名 指示するもの.
in·dig·nant 形 (不正などに)怒った, 憤慨した.
in·e·bri·ant 名 酔わせるもの. ――形 酔わせる.
in·fant 名 (特にまだ歩けない)赤ん坊.
in·fes·tant 名 たかる［はびこる］もの, 寄生虫.
in·form·ant 名 通報者, 密告者.
in·ges·tant 名 摂取物.
in·hab·it·ant 名 居住者, 定住者.
in·hal·ant 名 吸入剤.
in·jec·tant 名 〘医学〙経皮物質.
in·oc·u·lant 名 〘医学〙接種材料, 接種原.
in·sou·ci·ant 形 心配のない, のんきな; 無関心な.
in·stal·lant 名 任命者, 叙任者.
in·su·lant 名 絶縁体［材料］.
in·sur·ant 名 被保険者, 保険契約者.
in·te·grant 形 統一体を構成している, 構成要素の.
in·tend·ant 名 監督官, 管理官.
in·ter·ac·tant 名 相互に作用し合うもの［人］.
in·ter·pret·ant 名 解釈項.

A

in·ter·sec·tant 形 交差［横断］する.
in·trant 名 《古》新入生, 入会者, 新入会員.
in·tri·gant 名 《古》策略家, 陰謀家, 寝業師.
in·tro·gres·sant 名 〖遺伝〗浸透［移入］遺伝子.
in·un·dant 形 あふれる, あふれ出る, みなぎる.
in·vig·or·ant 名 強壮剤.
ir·ri·tant[1] 形 (心を)刺激する; 刺激性の.
ir·ri·tant[2] 形 〖法律〗無効にする.
is·su·ant 形 〖紋章〗イシュアントの.
it·er·ant 形 繰り返しの, 繰り返す, 反復する.
i·tin·er·ant 形 あちこち旅をして歩く, 巡回する.
jes·sant 形 〖紋章〗〈ライオンが〉横帯などの中から上半身を突き出した.
ju·bi·lant 形 大喜びの, 歓声をあげている.
ju·rant 形 《まれ》宣誓を行う. ――名 宣誓者.
lac·er·ant 形 痛々しい, 悲惨な.
Le·vant 名 レバント地方: 地中海東岸の地方.
li·bel·ant 名 〖法律〗申告人, 原告, 告訴人.
li·bel·lant 名 《特に英》〖法律〗=libelant.
lieu·ten·ant 名 ☞
lit·i·gant 名 〖法律〗訴訟当事者.
lo·cant 名 〖化学〗ロカント.
lu·bri·cant 名 滑らかにするもの; 潤滑油.
lux·u·ri·ant 形 〈植物などが〉繁茂した.
ma·lig·nant 形 悪意に満ちた, 敵意のある.
man·i·fes·tant 名 示威運動［デモ］の発起人［参加者］.
ma·tric·u·lant 名 大学入学(志願)者; 新規入会会員.
men·di·cant 形 《文語》物ごいをする; 托鉢をする.
mer·chant 名 ☞
mi·grant 名 ☞
mil·i·tant 形 ☞
min·is·trant 形 《文語》奉仕する, 勤める.
mis·de·mean·ant 名 無作法な人, 不品行の人.
mor·dant 形 辛辣な, 痛烈な.
mu·tant 形 変化している; 突然変異による.
nais·sant 形 〖紋章〗盾形を仕切る水平線上に動物の上半身だけが見える.
na·tant 形 《まれ》泳いでいる.
nau·se·ant 形 〖医学〗吐き気を催させる.
ne·go·ti·ant 名 交渉者, 協議者(negotiator).
noc·tiv·a·gant 形 夜うろつく, 夜出歩く.
non·cha·lant 形 無頓着な, 冷淡な; のんきな.
nu·tant 形 下垂している, 下向きに, 点頭の.
ob·scu·rant 名 反啓蒙主義者, 蒙昧(もうまい)主義者.
ob·serv·ant 形 すぐに気がつく, 観察が鋭い.
ob·sti·pant 名 〖薬学〗止痢剤.
ob·um·brant 形 〖動物〗垂れ下がっている.
oc·cu·pant 名 (土地・家屋などの)占有［居住］者.
oc·tant 名 八分円.
o·dor·ant 名 (ガスに混入する)着臭剤.
of·fi·ci·ant 名 (礼拝などの)司宰者, 祭式執行者.
op·er·ant 形 動いている, 作用する, 働く.
op·pug·nant 形 《まれ》反対する; 相反する.
o·rant 名 〖美術〗オランス, 祈祷(きとう)像.
os·ci·tant 形 (眠けなどのため)あくびをする.
os·cu·lant 形 共通の特徴を持っている, 中間性の.
ox·i·dant 名 〖化学〗酸化剤.
ox·y·dant 名 〖化学〗(光化学)オキシダント.
pal·pi·tant 形 動悸がする, 胸がどきどきする.
par·tic·i·pant 名 参加者, 関係者, 協力者; 仲間.
pas·sant 形 〖紋章〗〈動物が〉右前脚を上げて盾形の背後から見て右を向いて歩いている.
pec·cant 形 《まれ》(道徳的に)罪を犯す.
ped·ant 名 学者ぶる人, 衒学(げんがく)者.
pen·chant 名 趣味, 嗜好(しこう); 偏好.
pen·e·trant 名 入り込む人, 侵入者, 浸透物.
per·me·ant 形 しみ通る, 浸透する.
pi·quant 形 (味や香りが)快い刺激を与える.
pleas·ant 形 愉快な, 面白い, 楽しい.
pli·ant 形 柔軟な; 融通の利く, 順応性のある.
poign·ant 形 ひどく心を苦しめる, 痛恨の.
pol·lu·tant 名 汚物; 汚染物; 環境汚染物質.
pos·tu·lant 名 志願者, (特に)聖職志願者.
pre·cip·i·tant 形 真っ逆さまに落ちる.
pred·i·cant 形 説教する.
pre·dom·i·nant 形 優越している; 権力のある.
preg·nant 形 《古》説得力のある, 的を射た.
pre·pon·der·ant 形 優勢な, 圧倒的な.
pro·cre·ant 形 出産する; 生殖力のある.
pro·pel·lant 名 ☞
pro·tect·ant 名 防止剤.
Prot·es·tant 名 プロテスタント, 新教徒.
pro·tu·ber·ant 形 隆起した, 盛り上がった, 突出した.
pu·is·sant 形 《詩語・古》権力のある, 強力な.
pul·sant 形 脈打つ, 鼓動している.
pur·su·ant 形 《文語》〖主に法律〗(…に)従った.
pur·sui·vant 名 《英》紋章属官.
pus·tu·lant 形 〖医学〗膿疱(のうほう)を生じる.
quad·rant 名 四分円(弧).
ra·di·ant 形 輝く; 明るい, 燦然たる.
rad·i·cant 形 〖植物〗茎［葉］から不定根を生じる.
ramp·ant 形 激しい, 荒々しい; 狂暴な.
re·ac·tant 名 反応する人［もの］; 反対者, 反抗者.
reb·o·ant 形 《詩語》響き渡る, 音高く反響する.
re·cal·ci·trant 形 抵抗する; 不従順な; 手に負えない.
re·claim·ant 名 開墾者, 開拓者; 矯正者, 教化者.
re·cog·ni·zant 形 (好意などを)認める.
re·com·bi·nant 形 〖遺伝〗組み換え型の.
rec·re·ant 形 《文語》臆病な, 卑怯な.
rec·u·sant 形 服従［屈服, 承諾］しようとしない.
re·duc·tant 名 〖化学〗還元剤.
re·dun·dant 形 (表現が)冗長な, くどい.
re·en·trant 形 凹の, 内に凹んだ.
re·freez·ant 名 冷却剤.
re·fresh·ant 名 気分を爽快にする人［もの］.
re·frig·er·ant 形 冷却［冷凍］する.
re·gard·ant 形 〖紋章〗〈獣が〉頭だけ後方に向けた.
reg·is·trant 名 登録する［される］人, 登録者.
reg·nant 形 君臨する, 統治している.
re·guard·ant 形 〖紋章〗=regardant.
reg·u·lant 名 〖薬学〗抑制剤.
re·ha·bil·i·tant 名 社会復帰の訓練を受けている人.
re·it·er·ant 形 (特に強く)繰り返して言う.
re·ject·ant 名 〖薬学〗拒絶剤.
re·lax·ant 形 緩和する. ――名〖薬学〗弛緩剤.
rel·e·vant 形 関係のある, 当を得た.
re·li·ant 形 頼っている, 依存している.
re·luc·tant 形 気乗りしない, 気の進まない.
rem·nant 名 (少しの)残り; (少数の)残存者.
re·mon·strant 形 抗議の; いさめる. ――名 忠告者.
re·mon·tant 形 〈バラなどが〉一季節に二度以上咲く.
re·nais·sant 形 再生しつつある.
re·pent·ant 形 後悔している; 悔い改めた.
rep·tant 形 匍匐(ほふく)性の, 這う.
re·pug·nant 形 嫌な, 不快な, 気に食わない.
re·sem·blant 形 似ている, 類似した, 似通った.
re·sist·ant 形 ☞
re·spect·ant 形 〖紋章〗=aspectant.
res·tau·rant 名 料理店, 食堂, レストラン.
re·sult·ant 形 結果の, 結果として生じる.
re·tard·ant 名 〖化学〗遅延反応剤, 減［緩］速剤.
re·tir·ant 名 退職者, 引退者; 年金受給者.
re·treat·ant 名 黙想する人, 静修者.
rev·e·nant 名 (長い留守の後に)帰ってきた人.
re·ver·ber·ant 形 《文語》反響する, 鳴り響く.
re·ver·tant 名 〖遺伝〗復帰突然変異体.
re·vul·sant 形 〖医学〗誘導する.
ri·ant 形 《まれ》笑っている; 明るい.
rob·o·rant 形 強壮にする. ――名 強壮剤.
ru·mi·nant 名 反芻(はんすう)動物.
ru·ti·lant 形 赤みを帯びた［金色の］光で輝く.
sal·tant 形 踊る; 跳ねる, 跳躍する.
sat·u·rant 名 飽和剤. ――形 飽和する.
sa·vant 名 《文語》学識の深い人, 学者.
scin·til·lant 形 きらきら光る, 火花を発する.
seal·ant 名 密封材, シール材.

se·cant 名 ☞
se·jant 形 〘紋章〙〈動物が〉前脚を立てて座った姿勢の.
sem·blant 形 《古》うわべの, 外見上の.
se·ques·trant 名 〘化学〙金属イオン封鎖剤.
ser·geant 名 ☞
ser·jeant 名 《主に英》=sergeant.
serv·ant 名 ☞
sex·tant 名 六分儀.
sib·i·lant 形 シュー[シー]という.
sig·nif·i·cant 形 重要な, 重大な; 意義深い.
sim·u·lant 形 振りをする, 見せかける.
so·lic·i·tant 名 嘆願[申請, 勧誘]する人.
so·nant 形 《まれ》響く, 鳴る, 音を出す.
-so·nant 連結形 ☞
so·no·rant 名 〘音声〙鳴音.
spi·rant 名形 〘音声〙摩擦音(の).
stag·nant 形 〈水・空気などが〉よどんだ.
-stant 連結形 ☞
sta·tant 形 〘紋章〙〈動物が〉四つ足で立っている.
ster·i·lant 名 〘化学〙殺菌[滅菌]剤.
stim·u·lant 名 〘生理〙〘医学〙興奮剤, 刺激剤.
su·per·na·tant 形 浮いている. ━━名 浮遊物.
sup·pli·ant 名 嘆願者. ━━形 嘆願する.
sup·pli·cant 形名 =suppliant.
sup·pres·sant 名 抑止剤[薬], 抑制剤.
sur·veil·lant 形 監視する. ━━名 監督者.
su·sur·rant 形 優しく小声で言う, ささやく.
ten·ant 名 ☞
ti·trant 名 〘化学〙滴定剤.
tol·er·ant 形 ☞
tox·i·cant 形 有毒の. ━━名 毒物, 殺虫剤.
trans·duc·tant 名 〘遺伝〙形質導入株.
trem·blant 形 ばね仕掛けで震動する.
trem·u·lant 形 震える; おののく; 臆病な.
trench·ant 形 痛烈な, 辛辣な, 手厳しい.
trep·i·dant 形 怖がる, おびえた, びくびくした.
trip·pant 形 〘紋章〙〈シカなどが〉歩いている姿で表されている.
tri·um·phant 形 勝利を収めた, 成功した.
ul·u·lant 形 ほえる; 〈フクロウなどが〉鳴く.
un·du·lant 形 波打つ, 波のように動く, 起伏する.
u·ri·nant 形 〘紋章〙〈魚が〉(盾の中央で飛び込むように)下向きの.
ur·ti·cant 形 ちくちくする(urticating).
va·cant 形 中身のない, 空の, からっぽの.
vac·il·lant 形 《まれ》ゆらゆら[ぐらぐら]する.
va·grant 名 浮浪者, 無宿者.
val·iant 形 勇気のある, 雄々しい.
var·i·ant 形 一致しない; 異なる, 別の.
ver·dant 形 《詩語》植物で青々とした.
ver·sant[1] 名 山または山脈の一斜面.
ver·sant[2] 形 関心のある, 関与している; 気遣う.
ves·i·cant 形 水疱(すいほう)を生じる. ━━名 発疱剤.
vi·brant 形 〈物が〉震える, 振動する.
vig·i·lant 形 油断がない; 用心深い.
vis·i·tant 名 逗留客, 滞在者, 訪問客.
vo·cif·er·ant 形 大声を出す, 騒騒しい, やかましい.
vo·lant 形 《まれ》飛んでいる.
vol·i·tant 形 飛んでいる, 飛べる.

-ant[2] /ǽnt | ɑ́ːnt/

語尾

ant 名 ☞
bant[1] 動自 〘医学〙バンチング療法で減量する.
bant[2] 名 《ランカシャー》ひも.
brant 名 〘鳥類〙コクガン属の小形で黒色のガンの総称.
cant[1] 名 うわべだけの言葉, 空念仏, 御託.
cant[2] 名 突角, 凸角.
chant 名 ☞
gant 形 《米》ひどくやせた; やつれた.
grant 動他 ☞
pant 形 ズボン[パンツ, パンティー]の.
plant 名 ☞
quant 名 〈主に英〉(平底船で使う)輪縁ざお.
rant 動自 大言壮語する, 大げさに言う.
slant 動自 傾く, 傾斜する, 斜めになる.

-ant[3] /ɑ́nt | ɔ́nt/

語尾

quant[1] 名 《主に英》(平底船で使う)輪縁ざお.
quant[2] 名 《米俗》量的分析(quantitative analysis).
want 動他 …を望む, 欲する.

ant·eat·er /ǽntìːtər/

名 アリクイ. ⇨ EATER.

bánded ánteater フクロアリクイ.
gíant ánteater =great anteater.
gréat ánteater オオアリクイ(antbear).
líttle ánteater =silky anteater.
pórcupine ánteater =spiny anteater.
scály ánteater センザンコウ(穿山孔)(pangolin).
sílky ánteater ヒメアリクイ.
spíny ánteater ハリモグラ(echidna).
twó-toed ánteater =silky anteater.

an·te·lope /ǽntəlòup/

名 〘動物〙アンテロープ, レイヨウ(羚羊).

Américan ántelope プロングホーン(枝角羚羊).
fóur-hòrned ántelope ヨツヅノ(四角)レイヨウ(羚羊).
góat àntelope シーロー(serow).
hárnessed ántelope ウシ科 *Tragelaphus* 属の動物の総称.
róan ántelope ローンアンテロープ.
róyal ántelope ロイヤルアンテロープ.
sáble àntelope セーブルアンテロープ.
Tibétan ántelope チルー, チベットレイヨウ(chiru).
tri·an·te·lope 名 《豪》トライアンチロープ: Voconia 属の大形のクモの総称.

an·ten·na /ænténə/

名 《特に米》アンテナ, 空中線(《英》aerial). ⇨ -A[2].

Ád·cock antènna 〘電子工学〙アドコック空中線.
béam antènna 〘無線〙ビームアンテナ.
dísh anténna 椀(わん)型アンテナ.
lóng-wíre antènna 〘通信〙長導波[長導線]アンテナ.
lóop anténna 〘無線〙ループアンテナ.
parabólic anténna パラボラアンテナ.
rhómbic anténna 〘電気〙ひし形空中線.
slót antènna 〘通信〙スロットアンテナ.
whíp anténna 〘電気〙むち形アンテナ.
Yági anténna 八木アンテナ, 八木空中線.

-anth /ænθ/

連結形 花; 花の一部分.
★ 名詞をつくる.
★ 語末にくる関連形は -ANTHEMUM, -ANTHOUS.
★ 語頭にくる形は anth(o)-; *antho*logy「アンソロジー; 詞華集」, *antho*phore「花冠柄(かへい)」.
◆ ギリシャ語 *ánthos*「花」より.

am·a·ranth 名 《詩》(伝説上の)不死の花.
chry·santh 名 《話》キク(菊)(chrysanthemum).
hy·dranth 名 〘動物〙ヒドロ花(か).

per·i·anth 名 【植物】花被, 花蓋(かがい).

-an·the·mum /ǽnθəməm/

連結形 花を持つ植物の意味を表す.
★ 名詞をつくる.
★ 語末にくる関連形は -ANTH.
★ 語頭にくる関連形は anth(o)-; *antho*logy「アンソロジー; 詞華集」, *antho*phore「花冠柄(かへい)」.
◆ <近代ラ *-anthemum* <ギ *ánthemon*. ⇨ -UM^{1}.

chry·san·the·mum 名 キク(菊).
me·sem·bry·an·the·mum 名 ツルナ科メッセンブリアンセムム属の主に旧世界産の植物の総称.
xe·ran·the·mum 名 【植物】クセランテムム.

-an·thous /ǽnθəs/

連結形 【植物】…の花をつけた.
★ 前に形態や数を示す要素がつく.
★ 語末にくる関連形は -ANTH.
★ 語頭にくる関連形は anth(o)-; *antho*logy「アンソロギー; 詞華集」, *antho*phore「花冠柄(かへい)」.
◆ おそらく<近代ラ *-anthus* <ギ *ánthos* 花. ⇨ -OUS.

an·an·thous 形 無花の, 花のない.
cla·dan·thous 形 側果性の.
gym·nan·thous 形 無花被の.
is·an·thous 形 整形花を持つ.
mo·nan·thous 形 一花の.
nyc·tan·thous 形 夜に開花する.
rhi·zan·thous 形 根から直かに花を咲かせる.
syn·an·thous 形 花が異常癒着した.

-an·thrope /ənθròup, æn-/

連結形 人, 人間.
★ 語末にくる関連形は -ANTHROPUS, -ANTHROPY.
★ 語頭にくる形は anthrop(o)-: *anthropo*centric「人間中心的な」, *anthropo*metry「人体計測(法)」.
◆ ギリシャ語 *ánthrōpos*「人」より.
[発音] 語頭の音節に第 1 強勢.

ly·can·thrope 名 狼(おおかみ)つき; 狼人間.
mis·an·thrope 名 人間 [交際] 嫌い(の人).
phil·an·thrope 名 慈善家.

an·throp·ic /ænθrápik | -θróp-/

形 人間 [人類] の. ⇨ -IC^{1}.
★ 語頭にくる関連形は anthrop(o)-: *anthropo*centric「人間中心的な」, *anthropo*metry「人体計測(法)」.

mis·an·throp·ic 形 人間 [交際] 嫌いの, 厭世(えんせい)的な.
ne·an·throp·ic 形 【人類】新人の.
neo·an·throp·ic 形 =neanthropic.
pa·le·o·an·throp·ic 形 【人類】旧人の.
phil·an·throp·ic 形 博愛(主義)の, 同胞愛の.
syn·an·throp·ic 形 【生態】人の作った環境に生息する.
the·an·throp·ic 形 神人の [に関する].
the·ri·an·throp·ic 形 半人半獣の姿をした.

an·thro·pol·o·gy /ænθrəpálədʒi | -pól-/

名 人類学. ⇨ -OLOGY.

cúltural anthropólogy 文化人類学.
forénsic anthropólogy 法廷人類学.
pàleo·anthropólogy 古人類学, 化石人類学.
philosóphical anthropólogy 人間学.
phýsical anthropólogy 自然人類学, 形質人類学.
sócial anthropólogy 社会人類学.
strúctural anthropólogy 構造人類学.
úrban anthropólogy 都市(文化)人類学.

-an·thro·pus /ǽnθrəpəs, ænθróu, ən-/

連結形 【人類】…人.
★ 名詞をつくる.
★ 語末にくる関連形は -ANTHROPE.
★ 語頭にくる関連形は anthrop(o)-: *anthropo*centric「人間中心的な」, *anthropo*metry「人体計測(法)」.
◆ <近代ラ *-anthropus* <ギ *ánthrōpos*「人」より. ⇨ -US^{1}.

Af·ri·can·thro·pus 名 アフリカントロプス.
At·lan·thro·pus 名 アトラントロプス.
E·o·an·thro·pus 名 エオアントロプス属.
Me·gan·thro·pus 名 メガントロプス.
Par·an·thro·pus 名 パラントロプス属.
Pith·e·can·thro·pus 名 ピテカントロプス属.
Si·nan·thro·pus 名 シナントロプス.
Tel·an·thro·pus 名 テラントロプス.
Zin·jan·thro·pus 名 ジンジャントロプス属.

-an·thro·py /ǽnθrəpi/

連結形 人.
★ 名詞をつくる.
★ 語末にくる関連形は -ANTHROPE.
★ 語頭にくる関連形は anthrop(o)-: *anthropo*centric「人間中心的な」, *anthropo*metry「人体計測(法)」.
◆ ギリシャ語 *ánthrōpos*「人」より. ⇨ -Y^{3}.

ly·can·thro·py 名 【精神医学】狼(ろう)狂, 狼つき.
mis·an·thro·py 名 人間嫌い, 人間不信.
phi·lan·thro·py 名 (特に金品の醵出(きょしゅつ)や奉仕による)博愛, 慈善, 人類愛.
zo·an·thro·py 名 【精神医学】動物化 [獣化] 妄想.

an·ti·bod·y /ǽntibàdi | -bòdi/

名 【免疫】抗体. ⇨ BODY.

àl·lo·án·ti·body 名 同種異系抗体.
àn·ti·án·ti·bod·y 名 抗抗体, 抗体に対する抗体.
àu·to·án·ti·bòd·y 名 自己抗体.
blócking àntibody 阻止抗体, 遮断抗体.
cop·ro·an·ti·bod·y 名 (腸管内にある)糞便抗体.
HB ántibody 【医学】HB 抗体.
hýbrid ántibody ハイブリッド抗体.
ì·so·án·ti·bòd·y 名 同種抗体(alloantibody).
monoclónal ántibody 単クローン抗体.
polyclónal ántibody 多クローン抗体.
Wássermann àntibody ワッセルマン抗体.

an·ti·gen /ǽntidʒən, -dʒèn/

名 【免疫】アンチゲン, 抗原. ⇨ -GEN.

àl·lo·án·ti·gen 名 同種異系抗原.
Austrália àntigen オーストラリア抗原.
àu·to·án·ti·gen 名 自己抗原.
càrcinoembryónic ántigen 癌(がん)胎児 [癌胚] 抗原.
histocompatibílity àntigen 組織適合抗原, 移植抗原.
HLÁ ántigen HLA 抗原.
húman léukocyte àntigen ヒト白血球抗原.
HÝ àntigen HY 抗原.
ì·so·án·ti·gen 名 =alloantigen.
nè·o·án·ti·gen 名 腫瘍(しゅよう)抗原.
nonsélf-ántigen 名 非自己抗原.
sélf-án·ti·gen 名 =autoantigen.
transplantátion àntigen 移植抗原.

-an·tle /ǽntl/

語尾

can·tle 名 後部鞍骨(くらぼね), 後橋.
man·tle 名 ☞
scan·tle 名 〘建築〙スレート測定器.

ant·ler /ǽntlər/

名 (シカなどの)枝角; その分枝.

báy àntler (雄ジカの)基部から２番目の角.
bés àntler ＝bay antler.
béz àntler ＝bay antler.
brów àntler シカの枝角(えだつの).
crówn àntler (シカの)最先端の枝角.
róyal ántler 雄ジカの角の下から３番目の枝.
rúsine ántler ルサジカ角.

-a·num /ənəm, éinəm/

接尾辞 主にラテン語起源の学術用語につく.
★ 名詞をつくる.
★ 語末にくる関連形は -ANA, -ANUS.
◆ <ラ, *-ānus* -AN[1] の中性形. ⇨ -UM[1].

ar·ca·num 名 秘密; 神秘; 秘伝, 奥義.
lau·da·num 名 〘薬学〙アヘンチンキ.
or·ga·num 名 (思考の)手段, 研究法(organon).
so·la·num 名 ナス属の植物の総称.

-a·nus /ənəs/

接尾辞 ラテン語起源の学術用語などにつく.
★ 語末にくる関連形は -AN[1], -ANA, -ANUM.
◆ ラテン語 *-ānus* より.

an·to·nin·i·a·nus 名 アントニヌス貨幣.
cas·tel·la·nus 形 〘気象〙〈雲が〉塔状の.
plat·a·nus 名 〘植物〙スズカケノキ, プラタナス.

-anx /ǽŋks/

語尾

Manx 形 マン島の. ―名 マンクス(猫, 語).
thanx 名 《発音綴り》＝thanks.

-ap[1] /ǽp/

音象徴間 **1** トントン, コツコツ; 軽く素早くたたいたり, 打ったりする動作とその音を表す. **2** パチパチ, ポン; はじけるような音や大きな声での発声を表す.

chap 動自 《主にスコット》打つ, 鳴る; とんとん [こんこん] たたく. ―名 とんとん.
flap 動自〈旗・カーテンなどが〉ぱたぱた動く, はためく, 翻る.
knap 動自他 《主に英方言》トントンたたく, コツコツたたく.
lap 動他〈小さな波が〉ひたひた [ぴちゃぴちゃ] と洗う; ぴちゃぴちゃなめる. ―名 小波の打ち寄せること.
rap 動他〈物を〉(軽く, 素早く)打つ, たたく; (…を)コツコツとたたく. ―名 コツン, ピシャリ.
slap 名 **1** 平手打ち, (平たいもので)ぴしゃりと打つこと; 一撃. **2** ピシャッ [パシャッ] という音. ―動他自 平手で打つ; ぴしゃりと打つ.
snap 動自 **1**〈物が〉(はじけるような)鋭い音をたてる; パチパチいう;〈むちなどが〉ピシッ [パチン] と鳴る. **2**〈機械・装置が〉カチッと音を立てる,〈歯などが〉(ぶつかって)カチッと鳴る. **3**〈ドア・蓋(ふた)・鍵(かぎ)などが〉パチン [カチッ] と閉まる. **4**〈小枝などが〉ポキッと折れる,〈ロープなどが〉プツンと切れる;〈神経などが〉急に耐えきれなくなる; 《米俗》頭がおかしくなる.
splap 名 ペチャッ [ピシャッ] という音(splat).
tap 動他〈人の〉(肩などを)軽く [ポンと] たたく; トントン [コツコツ] 打つ. ―自 タップダンスを踊る. ―名 **1** 軽く打つこと, トントン [コツコツ] とたたくこと. **2** タップダンス.
yap 動自〈犬が〉(…に)けたたましく [キャンキャン] ほえる, ほえたてる.

-ap[2] /æp, ɑp | ɔp/

音象徴間 音象徴語の重複形に見られる語末要素; しばしば i と a の母音交替がある; また, -ity- という接中辞をはさむものがある.

flíp-flàp 名 宙返り, とんぼ返り. ―副 パタパタ [バタンバタン, カタカタ] と音をたてて.
máp-máp 間 《グローブをはめて軽くサンドバックをたたく音》パンパン.
sníp-snàp 名 チョキチョキ(はさみの音など). ―動自 チョキチョキと音を出す.
táppity-táp 間 タタタッコツコツ. ►タップダンスの靴音.
táp-táp 名 《戸などをたたく音》トントン. ―動自 トントン音をたてる.
whíp-whàp 間 パタパタ, バタバタ.

-ap[3] /ǽp/

語尾 代表的な語尾の一つ; blap, rap[1], scrap など「小さなもの」,「少量」,「かけら」のほか, 軽蔑や親しみを表す語がある.
★ 語末にくる同音形は -AP[1], -AP[2], -APPE.

bap 名 《英》柔らかく平たいロールパン.
blap 名 《米俗》わずか, 少し.
cap[1] 名 ☞
cap[2] 名 大文字, 頭文字(capital letter).
cap[3] 名 《俗》(特に麻薬の)錠剤, カプセル.
chap[1] 動他 あかぎれを生じさせる, 荒れさせる.
chap[2] 名 《主に英》(親しみを込めて)あいつ.
chap[3] 名 あご(chop).
clap[1] 動他 ☞
clap[2] 名 《俗》淋病(りんびょう).
crap[1] 名 大便, 糞.
crap[2] 名 《米》(さいころ博打(ばくち)で)負け数字を振り出すこと.
dap[1] 動自 (釣りで)餌を水面まく.
dap[2] 形 《米黒人俗》おしゃれな.
drap 名 《米俗》スカート.
frap 動他 〘海事〙…を(綱・鎖で)縛る.
gap 名 ☞
hap 名 《古》運, 幸運, 運命.
knap 名 《英方言》小山の頂上; 小丘.
lap[1] 名 ひざ; 耳たぶ, 突き出したものの一部.
lap[2] 動他 ☞ LAP[1]
lap[3] 動 《古》leap の過去形.
map 名 ☞
nap[1] 名 ☞
nap[2] 名 ナップ: ラシャなどの表面の毛羽.
nap[3] 動他〈料理に〉ソースをかける.
-nap 連結形 ☞
pap[1] 名 (幼児・病人用の)パンがゆ.
pap[2] 名 《方言・古》乳首, 乳房.
pap[3] 名 《主に米》パパ, 父ちゃん(papa).
rap[1] 名 ほんの少し, 無価値なもの.
rap[2] 動他 運び去る, 輸送する.
sap[1] 名 ☞
sap[2] 名 〘築城〙対壕(たいごう), 坑道.

A

sap[3] 名動自 《英俗》がり勉(する).
scrap 名 (…の)かけら, 小片, 切れ端, 断片.
slap 名 《スコット》すき間, 割れ目(gap).
stap 動他 …をやめる(stop).
strap 名 ☞
tap[1] 名 ☞
tap[2] 名 《スコット》最上部(top).
trap[1] 名 ☞
trap[2] 名 《話》持ち物, 携帯品.
trap[3] 名 【地質】トラップ.
trap[4] 名 《スコット》はしご, 踏み台, 脚立.
wrap 動他 ☞
yap 名 《米俗》ヤップ, ヤッピー(yuppie).

-ap[4] /áp | 5p/

語尾 語末にくる同音形は -OP[3].

chap 名 あご(chop).
quap 名 【物理】クワプ.
swap 動他 《話》交換する, 取り換える.

a·part·ment /əpáːrtmənt/

名 《米》 **1** (共同住宅内の)一世帯分の部屋. **2** 共同住宅, アパート(apartment house). ⇨ -MENT.

dúplex apártment 重層型アパート.
efficiency apàrtment 簡易アパート.
gárden apártment ガーデン(庭付き)アパート.
móther-in-law apártment 《俗》義母などが住む別棟小住宅.
stúdio apàrtment ワンルームマンション.
wálk-in apàrtment 専用口を持つ平屋建てアパート.

ape /éip/

名 **1** 【動物】類人猿. **2** 《広義に》(ヒト以外の)霊長類.

afár-àpe 名 アファー類人猿.
ánthropoid ápe 類人猿.
Bárbary ápe バーバリエイプ, マゴット.
bláck ápe クロザル.
brúsh ápe 《米俗》田舎者.
déck-àpe 《米海軍俗》甲板員.
dóg ápe ヒヒ.
drápe ápe 《米俗》子供.
gréat ápe 大形類人猿.
gróund ápe 《米俗》黒人.
hóuse ápe 《米俗》幼児.
lésser ápe 小型類人猿.
mán ápe 類人猿; 化石人類, 猿人, 原人.
náked ápe 裸のサル, 人間.
níght ápe ヨザル.
nóse ápe テングザル.
rúg-àpe 名 《米俗》幼児, ちび.

-ape /éip/

語尾

ape 名 ☞
cape[1] 名 ケープ.
cape[2] 名 岬.
chape 名 (刀剣の鞘の)こじり, 石突き.
crape 名 クレープ, 縮み, ちりめん(crepe).
drape 動他 (布・衣服などで)優美に覆う, 飾る.
gape 動自 口をぽかんとあけて見とれる.
grape 名 ☞
jape 動自 ふざける, 冗談を言う; からかう.
nape 名 襟首, うなじ, 首筋.
rape[1] 名 ☞
rape[2] 名 【植物】セイヨウ(西洋)アブラナ.
rape[3] 名 ブドウの搾りかす.
rape[4] 名 【英史】Sussex 州の 6 つの古い地域区分.
scape[1] 名 【植物】花茎, 根生花梗(こう).
scape[2] 名 《古》逃亡, 脱出(escape).
-scape 連結形 ☞
scrape 動他 こする, 磨く; こすって取り去る.
shape 名 ☞
tape 名 ☞

a·pex /éipeks/

名 先端; 頂点, 頂上.

ant·a·pex 名 【天文】太陽背点, (太陽)反向点.
shóot àpex 【植物】生長点(growing point).
sólar ápex 【天文】太陽向点.

-aph /áːf, æf/

語尾 語末にくる同音形は -AFF[2], -ALF.

caph 名 =kaph.
graph 名 ☞
-graph 連結形 ☞
kaph 名 カフ(כ, ך): ヘブライ語アルファベットの第 11 字.
-scaph 連結形 ☞
staph 名 《話》ブドウ球菌(staphylococcus).
-taph 連結形 ☞

a·pha·sia /əféiʒə | -ziə, -zjə/

名 【病理】失語(症).
★ 語頭にくる関連形は aphasi-: *aphasi*ology「失語症学」. ⇨ -PHASIA.

áuditory aphásia 聴覚性失語(症), 言語聾(ろう).
Bróca's aphásia ブローカ失語, 運動失語.
mótor aphàsia =Broca's aphasia.
Wérnicke's aphásia ウェルニッケ失語症.

a·phid /éifid, æfid | éifid/

名 【昆虫】アブラムシ, アリマキ.

bálsam wóolly áphid 白い蝋質の細糸を分泌するアブラムシの総称.
béan àphid 半翅(し)目のアブラムシの一種 *Aphis fabae*.
cábbage àphid ダイコンアブラムシ.
córn-lèaf àphid トウモロコシアブラムシ.
córn-ròot àphid アリマキの一種 *Anuraphis maidiradicis*.
gréen péach àphid モモアカアブラムシ.
péa àphid エンドウヒゲナガアブラムシ.
píne lèaf àphid 同翅(し)目カサアブラムシ科の一種 *Pineus pinifollae*.
róse àphid アブラムシの一種 *Macrosiphum rosae*.
spínach àphid 《主に英》=green peach aphid.
sprúce gáll àphid =pine leaf aphid.
tobácco àphid =green peach aphid.
wóolly áphid ワタムシ.

-a·ple /éipl/

語尾

ma·ple 名 ☞
sta·ple[1] 名 ステープル: ホッチキスなどに使う U 字状に曲げた針金.
sta·ple[2] 名 《主に米・カナダ》主要産物 [製品].

a·poph·y·sis /əpáfəsis | əpɔ́f-/

名 〖解剖〗〖動物〗〖植物〗(骨)突起. ⇨ -PHYSIS.
★ 複数形は apophyses.

an·a·poph·y·sis 名	〖解剖〗腰椎骨副突起.
di·a·poph·y·sis 名	〖解剖〗〖動物〗(胸椎の)横突起上関節面.
zyg·a·poph·y·sis 名	〖解剖〗関節突起.

ap·os·tol·ic /æ̀pəstɑ́lik | -tɔ́l-/

形 〖キリスト教〗使徒(apostle)の; (特に)十二使徒(the Apostles)の; 使徒により伝えられた. ⇨ -IC[1].

míssionary apostólic	教皇派遣宣教師.
préfect apostólic	(布教地の)知牧.
preféсture apostólic	知牧区.
prothónotary apostólic	使徒座秘書官.
sùb·apostólic 形	十二使徒時代以降の.
vícar apostólic	代牧.
vicáriate apostólic	代牧区.

ap·pa·rat·us /æ̀pərǽtəs, -réit- | -réit-/

名 **1** 器具, 器械; 装置. **2** 研究資料(apparatus criticus). **3**〖生物〗器官: 構造は違うが特定の機能を果たすために共同で働く組織集合体. ⇨ -TUS[1].

crítical apparátus	研究資料(apparatus criticus).
Dávis apparàtus	デービス装置: 潜水艦からの脱出装置. ►英国の発明家 Sir Robert *Davis* より.
fíre apparàtus	消火装備: 消防車, はしご車など.
Kípp's apparátus	〖化学〗キップの装置.
Órsat apparàtus	〖化学〗オルザットガス分析器.
píneal apparátus	〖解剖〗松果体.
Webérian apparátus	〖生物〗ウェーバー器官.

-appe /æ̀p/

語尾 語末にくる同音形は -AP[3].

chappe 名	絹紡糸(schappe silk).
frappe 名	《米北東部》フラッペ.
nappe 名	〖地質〗ナッペ, 押しかぶせ構造.

ap·peal /əpíːl/

名 **1** 懇願; 呼びかけること. **2** 魅力.

éye appèal	《話》(人目を引く)魅力, 美しさ.
séx appèal	性的魅力, セックスアピール.
snób appèal	(高価・珍品・外国製であるなど)購買者の虚栄に訴える要素.

ap·pear /əpíər/

動自 現れる, 出現する, 見えてくる.

dis·ap·pear 動自	見えなくなる, 姿を消す.
re·ap·pear 動自	再現[再発]する.

ap·pen·dix /əpéndiks/

名 〖解剖〗虫垂.

mes·o·ap·pen·dix 名	〖解剖〗虫垂間膜.
vérmiform appéndix	〖解剖〗〖動物〗虫垂, 虫様突起.

ap·ple /ǽpl/

名 **1** リンゴ. **2**《米俗》《形容詞を伴って》やつ.

Ádam's àpple	のどぼとけ.
álley àpple	《米俗》石ころ; 馬ぐそ; 役立たず.
álligator àpple	=pond-apple.
bád àpple	《俗》うそつき; ろくでなし.
báke·àpple	《カナダ大西洋岸諸州》ホロムイイチゴの実(cloudberry).
bálsam àpple	ツルレイシ(の実).
Bíg Ápple	《米話》《愛称》ニューヨーク市.
bítter àpple	コロシントウリ: ウリ科の植物.
bláde àpple	モクキリン(の実).
cándy àpple	キャンデーアップル, リンゴ飴.
cédar àpple	コブ病.
chérry àpple	エゾノコリンゴ.
cráb àpple	小粒で酸味が強い野生リンゴ.
cústard àpple	バンレイシ属の数種の木の総称.
déath àpple	トウダイグサ科の木の一種.
égg àpple	ナス, ナスの実.
gáll-àpple	虫癭(ちゅうえい).
gólden àpple	ベルノキの果実.
gróund àpple	《米俗》(伐採で)岩.
hánd àpple	料理せずに食べられる生食用リンゴ.
hédge àpple	《米ミッドランド》オーセージ・オレンジ.
hén-àpple	《米俗》卵.
hórse àpple	《米俗》馬糞(ばふん).
kangaróo àpple	ナス属の植物.
kéi-àpple	イイギリ科のとげのある低木 *Dovyalis caffra*.
lády àpple	米国産の赤リンゴの一種.
lóve àpple	サンゴナス, トゲハリナスビ.
mád àpple	ナス.
Máy àpple	ポドヒルム(の実).
Méxican àpple	メキシカンリンゴ.
nútmeg àpple	ニクズクの実.
óak àpple	五倍子, 没食子.
Otahéite àpple	タマゴノキ, ニンメンシ(の実).
píne·àpple	パイナップル.
pónd-àpple	バンレイシ属の常緑樹.
potáto àpple	ジャガイモの果実.
róad àpple	《俗》路上[道端]の馬糞(ばふん).
róse àpple	フトモモ, ホトウ(蒲桃).
sád àpple	《米俗》嫌なやつ; 下劣なやつ.
snów àpple	米国産の赤リンゴの一種.
squáre àpple	《米俗》正直者; 善良な市民.
stár àpple	カイニット(の実).
stréet àpple	《話》=road apple.
súgar àpple	バンレイシの果実.
táffy àpple	=candy apple.
thórn àpple	チョウセン(朝鮮)アサガオ.
tóffee àpple	=candy apple.
ví àpple	=Otaheite apple.
wíne-àpple	ワイン風味のある大形の赤リンゴ.
wínter àpple	冬リンゴ.
wíse àpple	《米俗》うぬぼれの強い男; 愚か者.

-ap·ple /æ̀pl/

語尾 dapple, grapple, scrapple などは指小形の -le を含み, 音象徴的である.

ap·ple 名	☞
dap·ple 名	ぶち, まだら, 斑点(はんてん).
grap·ple 動自	引っ掛かる, 固着する.
scrap·ple 名	〖料理〗スクラップル.
thrap·ple 名	《スコット》のど.

ap·proach /əpróutʃ/

名 **1** 接近. **2** 近づく道. ⇨ -PROACH.

blúe bòx appróach	(青い収集箱による)リサイクル運動.
cóunter·appròach 名	〖軍事〗対抗道, 対向塹壕(ざんごう).
gróund-contròlled appróach	〖航空〗着陸誘導管制.
míssed appróach	〖航空〗進入復行.

ap·ri·cot /ǽprəkɑ̀t, éip- | éiprikɔ̀t/

名 **1** アンズ(杏), ホンアンズ, アプリコット; その実. **2**《主に米南部ミッドランド方言》チャボトケイソウ; その実.

Írish ápricot 《こっけい》ジャガイモ.
Jápanese ápricot ウメ(梅).
wíld ápricot チャボトケイソウ.

-apse /ǽps/

語尾

apse 名 (特に教会建築の)アプス, 後陣.
lapse 名 ささいな過ち, ふとした過失, 落度.
-lapse 連結形 ☞

ap·sis /ǽpsis/

名 〖天文〗(天体の楕円(だえん)軌道の)長軸端, 軌道極点, アプシス: 近点および遠点. ⇨ -SIS.
★ 複数形は apses.

àp·o·áp·sis 名 遠点.
hígher ápsis 遠日点.
lówer ápsis 近日点.
pèr·i·áp·sis 名 近点.

apt /ǽpt/

形 (目的・時期などに)適した.

in·apt 形 (…に)適切でない, 不適当な.
un·apt 形 (…に)適しない, 不適当な.

-apt /ǽpt/

連結形 位置につける.
★ 語頭にくる形は apt-: *apt*itude「傾向」.
◆ ラテン語 *aptāre*「位置につける」より.

a·dapt 動他 ☞
co·apt 動他 〈骨・傷などを〉接合させる.

-aque /ǽk/

語尾 語末にくる同音形は -AC[1], -AC[2], -ACH, -ACK[3], -AK[2].

claque 名 (劇場などに雇われる)「さくら」.
plaque 名 飾り板 [額]; 〖医学〗歯垢.

a·que·ous /éikwiəs, ǽk-/

形 水の; 水のような, 水性の; 水を含む. ⇨ -EOUS.

sub·a·que·ous 形 水中にある.
su·per·a·que·ous 形 水(面)上の.
ter·ra·que·ous 形 (地球のように)水陸から成る.

-ar[1] /ər/

接尾辞 -al[1] の異形.
★ 語末にくる関連形は -ARIS.
◆ <ラ *-āris*; 中英 *-er* に取って代わる.
[発音] (1) 第1強勢は, 2音節の語では語頭の音節に付く. (2) 3音節語以上の語の場合, (ア) -ar の前の音節が短音節(「短母音+1つの子音字」この子音字はなくてもよい)ならば2つ前の音節に, (イ) -ar の前の音節が長音節(「長母音(または2重母音)+子音(この子音はなくてもよい)」または「短母音+2つの子音字」)ならば直前の音節に付く. ただし axillar, bacillar, flagellar, lamellar などは語頭の音節に第1強勢が付くこともある.

a·lar 形 翼の; 翼のある.
al·ve·o·lar 形 〖解剖〗〖動物〗胞状の; 歯槽の.
ash·lar 名 〖石工〗切石(きりいし).
a·vun·cu·lar 形 おじの; 優しい, 慈愛のある.
ax·il·lar 形 〖解剖〗腋下(えきか)の, 腋の下の.
bac·il·lar 形 桿(かん)状の(bacilliform).
bas·i·lar 形 基底の, 基部にある.
bi·fi·lar 形 2本糸 [線] の.
bo·lar 形 膠塊(こうかい)粘土(bole)の.
bul·bar 形 球状の; 球根の, 鱗茎(りんけい)の.
cal·car 名 〖生物〗距(きょ), 蹴爪(けづめ).
co·lum·nar 形 ☞
con·cil·i·ar 形 審議機関(council)の.
-cu·lar[1] 接尾辞 ☞ -CULAR[1]
-cu·lar[2] 接尾辞 ☞ -CULAR[2]
dom·i·cil·i·ar 名 《廃》〖教会〗(下位聖職の)参事会員.
fa·mil·iar 形 〈物・事が〉普通の, ありふれた.
fi·lar 形 糸の.
fla·gel·lar 形 〖生物〗鞭毛(べんもう)(状)の.
fo·li·ar 形 葉の; 葉状の; 葉から成る.
la·cu·nar 形 空隙(くうげき)の(lacunal).
la·mel·lar 形 薄板状の, 薄膜の, 薄層の, 層板の.
la·mi·nar 形 薄板でできている.
lin·e·ar 形 ☞
lo·bar 形 肺の; 〖解剖〗葉(よう)の.
lum·bar 形 〖解剖〗腰(部)の, 腰椎(ようつい)の.
lu·nar 形 ☞
ma·lar 形 〖解剖〗ほおの; ほお骨の.
mal·le·o·lar 形 〖解剖〗くるぶし(malleolus)の.
mo·lar[1] 形 〈歯などが〉かみ砕くのに適した.
mo·lar[2] 形 〖物理〗全体の, 物全体に関する.
mo·lar[3] 形 〖化学〗1モル当たりの.
nu·cle·ar 形 ☞
nu·cle·o·lar 形 〖細胞生物〗仁(じん)の.
o·cel·lar 形 〖動物〗単眼 [眼点] (ocellus)の.
pal·mar 形 手のひらの [にある].
pe·cu·liar 形 奇妙な, 変な, 風変わりな; 異常な.
pet·i·o·lar 形 〖植物〗葉柄(petiole)の.
pi·lar 形 毛髪の; 毛の多い; 毛で覆われた.
pla·nar 形 平面の, 二次元の.
plan·tar 形 〖解剖〗〖動物〗足の裏の, 足底の.
po·lar 形 ☞
pul·vi·nar 形 〖建築〗〈フリーズなどが〉膨らんだ.
sca·lar 形 スカラーの [を用いた].
sim·i·lar 形 (…と)似ている, 類似した.
sim·u·lar 形 〈物が〉まねた; 偽の.
sin·gu·lar 形 並外れた, 素晴らしい; まれに見る.
slant·in·dic·u·lar 形 《こっけい》斜めの, かしいだ.
so·lar 形 ☞
stel·lar 形 星の, 恒星の; 星から成る.
sty·lar 形 (古代の)尖筆(せんぴつ)の形をした.
-sty·lar 連結形 ☞
tin·tin·nab·u·lar 形 鈴の; 鈴の音の [に特有の].
troch·le·ar 形 〖解剖〗滑車の, 滑車状の.
-u·lar 接尾辞 ☞
val·var 形 口蓋(こうがい)垂の [に関する].
ve·lar 形 軟口蓋(こうがい)(velum)の.
ver·i·sim·i·lar 形 本当らしい, ありそうな.
vo·lar[1] 形 手のひらの, 足の裏の.
vo·lar[2] 形 《まれ》飛行の; 飛行に用いる.
vul·gar 形 育ちのよくない; 粗野 [下品] な.

-ar[2] /ər/

接尾辞 -er[2] の異形.
◆ <ラ *-āris*; 中英 -er に取って代わる.
[発音] 第1強勢は基体と同じだが, すべての語で語頭の音節にある.

al·tar 名 ☞
bur·glar 名 ☞
cal·en·dar 名 ☞
cel·lar 名 ☞
col·lar 名 ☞
fi·ar 名 〖スコット法〗単純不動産権保有者.
kal·en·dar 名 =calendar.

med·lar 名 【植物】セイヨウ(西洋)カリン.
mor·tar[1] 名 乳鉢(にゅうばち), すり鉢.
mor·tar[2] 名 【建築】モルタル, しっくい.
pil·lar 名 ☞
pop·lar 名 ☞
reg·is·trar 名 登記係, 公認の記録係.
schol·ar 名 学問のある人, 博学な人, 物知り.
sim·u·lar 名 《古》見せかける人, 猫かぶり.
Tem·plar 名 テンプル[聖堂]騎士団員.
vic·ar 名 ☞
vin·e·gar 名 ☞

-ar[3] /ər/

接尾辞 …する人.
★ 動詞につけて名詞をつくる.
◆ -ar[2] にならった -er[1] の異形.

beg·gar 名 物ごい, 物もらい.
li·ar 名 (特に常習的な)うそつき.
siz·ar 名 (Cambridge 大学や Dublin 大学の Trinity カレッジなどの)給費生, 奨学生.

-ar[4] /ɑːr, ər|ɑː/

連結形 【天文】…星.
★ 名詞をつくる.
◆ stellar あるいは star より.

col·lap·sar 名 重力崩壊した星.
mag·net·ar 名 磁気星(magnet star).
pul·sar 名 パルサー.
qua·sar 名 恒星状天体, 準星.

-ar[5] /ɑːr/

接尾辞 アラビア語, ヒンディー語などの名詞語尾.

A·cher·nar 名 【天文】アケルナル星.
al·me·mar 名 ビーマー(bimah): ユダヤ教の会堂内にある講壇.
An·sar 名複 (初めてイスラム教を受け入れた) Medina の住民.
at·ar 名 ＝attar.
att·ar 名 花から得られる香油, 花の精.
au·mil·dar 名 《インド英語》支配人, 管理人.
ba·zaar 名 市場, 商店街, バザール.
ba·zar 名 ＝bazaar.
be·gar 名 《インド英語》強制労働.
Char·mi·nar 名 チャールミナール: インド南部にある 16 世紀の建造物.
chu·kar 名 【鳥類】イワシャコ.
di·nar 名 ディナール: 古代近東諸国の貨幣.
dur·bar 名 (インド土侯の)宮廷.
Ga·bar 名形 ゾロアスター教徒(の).
hav·il·dar 名 (インドの)下士官.
hur·sin·ghar 名 【植物】ヨルソケイ(夜素馨).
iz·ar 名 【服飾】イザー, イザール.
jem·a·dar 名 《インド英語》役人, 官吏警官.
kan·tar 名 カンタル: 中東諸国の重量単位.
khad·dar 名 カダール織り, カーディ.
khan·jar 名 ハンジャール; 弓形の短剣[短刀].
khid·mat·gar 名 (インドで)給仕.
koft·gar 名 (インドの)金象嵌(ぞうがん)細工師.
Ko·so·var 名 (ユーゴスラビアの)コソボ人.
ma·zar 名 【イスラム教】聖廟, 聖者の墓.
mim·bar 名 (イスラムのモスクの)説教壇.
mi·nar 名 【インド建築】ミナー(minah).
min·bar 名 ＝mimbar.
Mi·zar 名 【天文】ミザール星.
na·mas·kar 名 インド式のおじぎ.
ot·tar 名 ＝attar.
qal·an·dar 名 (イスラム圏で)カランダル.
ra·za·kar 名 【軍事】(パキスタンの)補助軍.
re·al·gar 名 鶏冠石.
Sa·far 名 サファル: イスラム暦の第 2 月.
sam·bar 名 サンバー, スイロク(水鹿).
san·gar 名 (インドの高地民族が凹地の周りに石などで築いた)小射撃壕(ごう).
Sa·phar 名 ＝Safar.
sar·dar 名 ＝sirdar.
scim·i·tar 名 シミタール刀, 新月刀, 三日月刀.
shal·war 名 シャルワール: インドの寝装具.
shi·kar 名 (インドで)狩猟, 遊猟.
shul·war 名 ＝shalwar.
sim·i·tar 名 ＝scimitar.
sir·car 名 ムガール帝国時代のインド行政区.
sir·dar 名 将軍, 軍司令官, 貴人.
si·tar 名 シタール: インドの楽器.
sit·tar 名 ＝sitar.
sou·car 名 (インドの)銀行家, 金貸し.
so·war 名 (インドで)原住民の騎兵.
su·ba·dar 名 (もとインドで)地方長官.
tah·sil·dar 名 (インドの地方政庁の)インド人収税吏.
tul·war 名 タルワール刀.
za·min·dar 名 【インド史】徴税地主.
ze·min·dar 名 ＝zamindar.

-ar[6] /ɑːr/

音象徴 ウォーッ, ウーッ, ガーガー, ギーギー; うなり声やきしる音など, 耳障りで低く響く音を表す.
◆ 擬声語.

gnar 動自 〈犬・オオカミなどが〉うなる.
hàr-hár 間 《大笑い》わっはっは.
jar 動自 **1** (人・耳・神経などに)障る, (感情などを)乱す, 不快感を与える. **2** (…に当たって)きしるような音を出す, 耳障りに響く.

-ar[7] /ɑ́ːr/

語尾 語末にくる同音形は -ARR.

bar[1] 名 ☞ BAR[1]
bar[2] 名 蚊帳(かや)(mosquitonet).
bar[3] 名 ☞ BAR[2]
bar[4] 名間 《英方言》(遊びやゲームでの)タイム, 待った, たんま.
bar[5] 名 《米南部》去勢豚(barrow).
car[1] 名 ☞
car[2] 形 《主にスコット》左利きの.
char[1] 動他 〈火が〉〈木などを〉炭にする.
char[2] 名 【魚類】サケ科イワナ属の淡水魚の総称.
char[3] 名 《主に英》(日雇いの)家政婦.
char[4] 名 《英俗》茶(tea).
czar 名 皇帝, 国王.
far 副 遠方に[へ], 遠く離れて.
gar[1] 名 鱗骨(りんこつ)類ガーパイク属の捕食性の淡水魚.
gar[2] 動他 《スコット》強制的に(…)させる.
gar[3] 間 《失望・怒りなどを表して》ああ.
gar[4] 名 《米俗》ニガー, 黒人(nigger).
glar 名 《英俗》ペンキ(paint).
guar 名 【植物】グアル, クラスタビーン.
jar[1] 名 ☞
jar[2] 動自 (人・耳・神経などに)障る.
jar[3] 名 《古》回転(turn, turning).
knar 名 (木の)節, (幹の)こぶ.
lar 名 【動物】シロエテナガザル.
mar 動他 …の(完全さ・美しさなどを)損なう.
par[1] 名 ☞
par[2] 形 【保険】利益配当付保険の.
par[3] 名 《英話》＝paragraph.
scar[1] 名 (傷・やけど・できものの)跡, 傷跡.
scar[2] 名 《英》絶壁.

A

spar[1] 名 〔海事〕スパー.
spar[2] 動自 〈ボクサーが〉実戦練習をする.
spar[3] 名 ☞
star 名 ☞
tar[1] 名 ☞
tar[2] 名 《話》船乗り(sailor).
tar[3] 動他 〈人を〉そそのかす.
thar[1] 副 《発音綴り》=there.
thar[2] 名 〔動物〕タール(tahr).
tsar 名 =czar.
tzar 名 =czar.
var[1] 名 〔電気〕バール.
var[2] 名 《英》付加価値再販売者.
war 形 《スコット・北イング》〈品質・品性・等級などが〉より悪い.
yar 形 〈人が〉素早い; 機敏な; 活発な.

-ar[8] /ɔ́ːr/

語尾 語末にくる同音形は -AUR, -OAR, -OOR[2], -OR[3], -ORE, -OUR[3].

war 名 ☞

-a·ram·a /ərǽmə, ərɑ́ːmə/

連結形 -orama の異形.

dance·a·ram·a 名 舞踏館.
food·a·ram·a 名 食品展示館.

-arb /ɑ́ːrb/

語尾 母音 +r の結合が長音化を促した.

arb 名 《話》さや取り商人(arbitrager).
barb[1] 名 (釣り針・矢じりなどの)あご, かえし.
barb[2] 名 (Barbary 原産の)バーバリ馬.
barb[3] 名 《話》〔薬学〕バルビツール酸塩の総称.
carb[1] 名 《話》気化器(carburetor).
carb[2] 名 《俗》炭水化物.
darb 名 《米俗》素晴らしい人[もの].
garb[1] 名 (職業・時代・国柄などを表す)服飾.
garb[2] 名 〔紋章〕穀物(普通は小麦)の束.

arc /ɑ́ːrk/

名 〔幾何〕弧, 円弧.

anthélic árc 反対幻日(げんじつ)環, 幻日弧.
cárbon àrc カーボンアーク.
diúrnal árc 〔天文〕日周弧.
eléctric árc 電弧.
ísland árc 弧状列島, 島弧, 列島弧.
Jórdan àrc 〔数学〕=simple arc.
Lówitz árc 〔気象〕ロービッツ弧.
mércury àrc 〔電気〕水銀アーク, 水銀電弧.
noctúrnal árc 〔天文〕夜周弧.
réflex árc 〔生理〕反射弓.
símple árc 〔数学〕単純弧.
xénon àrc キセノンアーク.

-arc /ɑ́ːrk/

語尾 語末にくる同音形は -ARK, -ARQUE.

arc 名 ☞
marc 名 ブドウの搾りかす.
narc 名 《米俗》麻薬捜査官; 麻薬.
-sarc 連結形 ☞

ar·cade /ɑːrkéid/

名 アーケード. ⇨ -ADE[1].

amúsement arcàde 《英》=game arcade.
gáme arcàde 《米》ゲームセンター.
ínterlacing arcáde 〔建築〕交差迫持(せりもち).
intersécting arcáde =interlacing arcade.
pénny arcáde 《主に米》小銭で遊べるゲームセンター.

arch /ɑ́ːrtʃ/

名 **1**〔建築〕(1)(石やれんがなどを弧形に積み上げた)アーチ, 拱(きょう), 迫持(せりもち). (2)(鋼鉄または木製の)アーチ型建造物[門], 緑門. **2**〔解剖〕弓.

acúte árch 〔建築〕=lancet arch.
Àdmiralty Árch 《英》アドミラルティ・アーチ: ロンドンにあるビクトリア女王記念の凱旋門.
alvéolar árch (上下の)歯槽弓.
ànticrepúscular árch =antitwilight arch.
àntitwílight àrch 〔気象〕反対薄明弧.
aórtic árch 〔発生〕〔解剖〕大動脈弓[弧].
básket-hàndle árch 〔建築〕三中心アーチ.
béll àrch ベルアーチ.
bráced árch 〔建築〕ブレーストアーチ.
bránchial árch 〔動物〕鰓弓(さいきゅう).
córbel àrch 〔建築〕持送りアーチ.
dischárging àrch 〔建築〕荷受け迫持(せりもち).
dróp àrch 〔建築〕鈍尖(どんせん)アーチ.
flát árch 〔建築〕陸迫持(ろくせりもち).
Frénch árch 〔建築〕陸迫持(ろくせりもち).
Gáteway Árch ゲートウェーアーチ: 米国 St. Louis にある鋼鉄製大アーチ.
gíll àrch =branchial arch.
Góthic árch ゴシックアーチ.
hórseshoe árch 馬蹄(ばてい)形アーチ.
in·árch 動他 〔園芸〕〈枝を〉寄せ接ぎする.
invérted árch 〔建築〕逆さ迫持(invert).
jáck àrch 〔建築〕=flat arch.
kéel árch =ogee arch.
láncet àrch 〔建築〕鋭尖(えいせん)アーチ.
Màrble Árch マーブル・アーチ: ロンドンにある凱旋門.
memórial árch 凱旋門(triumphal arch).
Móorish árch =horseshoe arch.
nórman árch 《主に英》=Roman arch.
ógee árch 〔建築〕葱花(そうか)迫持.
òver·árch 動他 アーチをかける; アーチ形にかける.
póinted árch 〔建築〕尖頭(せんとう)アーチ.
pót àrch 〔窯業〕あぶり窯, 予熱炉.
réar árch 〔建築〕リヤアーチ.
relíeving àrch =discharging arch.
rére-àrch =rear arch.
Róman árch 半円形アーチ.
róod àrch 教会の内陣障壁の中央部にあるアーチ(その上に rood が立つ).
róund árch 半円アーチ.
scápular árch 〔解剖〕肩甲帯(pectoral girdle).
scóinson àrch =sconcheon arch.
scóncheon àrch 〔建築〕窓裏迫持.
sémi·àrch =round arch.
stráining àrch 〔建築〕控え迫持.
súrbased árch 〔建築〕扁円(へんえん)アーチ.
tréfoil àrch 〔建築〕三弁アーチ.
trímmer àrch 〔建築施工〕トリマーアーチ.
triúmphal árch (古代ローマの)凱旋門.
Túdor árch 〔建築〕四心迫持.
twílight àrch 〔気象〕明帯.
vísceral árch 〔発生〕=branchial arch.
Wáshington Árch ワシントン・アーチ: 米国 Washington Square 正面にあるアーチ.
zygomátic árch 〔解剖〕頬骨(きょうこつ)弓.

-arch[1] /ɑːrk/

連結形 長, 先導者, 支配者.
★ 語末にくる関連形は -ARCH², -ARCHIC, -ARCHY.
★ 語頭にくる形は arch(i)-; *arch*bishop「大司教」, *archi*mandrite「大修道院長」.
◆ ギリシャ語 *arkhós*「指導者」より.

an·arch 名 専制君主, 暴君.
au·tarch 名 専制支配者, 独裁君主.
chil·i·arch 名 (古代ギリシャ・ローマ軍の)千卒長.
ci·me·li·arch 名 教会の宝物保管室.
de·march 名 (古代 Attica の)市区(deme)の長.
ec·cle·si·arch 名 〖東方教会〗(修道院の)聖具保管人.
ep·arch 名 エパルク: 古代ギリシャ・ローマなどの州 [管区, 属州] 総督.
eth·narch 名 (古代ローマにおける)支配者.
ex·arch 名 〖東方教会〗総主教代理.
ex·i·larch 名 (2 世紀ごろから 11 世紀初めまでの Babylonia における)ユダヤ人共同社会の世襲統治者.
gen·e·arch 名 家族 [部族] の長, 家長, 族長.
gym·na·si·arch 名 (古代ギリシャの)体育場の監督官.
hep·tarch 名 〖英史〗七王国の国王.
he·re·si·arch 名 異端(宗派)の始祖 [指導者].
hi·er·arch 名 司祭長, 大祭司(high priest).
hip·parch 名 (古代ギリシャで)騎兵隊長.
ma·tri·arch 名 (母権制の社会で)家母長, 母家長.
mon·arch 名 世襲的君主.
na·varch 名 (古代ギリシャの)提督.
nom·arch 名 (古代エジプトの)州(nome)の太守.
ol·i·garch 名 寡頭政治を行う支配者.
pa·tri·arch 名 家父長, 家長; 族長.
pol·e·march 名 (古代ギリシャの)指導者, 軍指揮官.
schol·arch 名 校長.
squire·arch 名 《主に英》地主階級(の一員), 郷士.
sym·po·si·arch 名 討論会(symposium)の議長 [司会者].
te·trarch 名 (領土などの)4 分の 1 の統治者.
to·parch 名 小国(toparchy)の支配者 [君主].
tri·er·arch 名 〖ギリシャ史〗三段櫂(かい)のガリー船(trireme)の指揮者.

-arch² /ɑːrk/

連結形 …に源を持つ, 原型の.
★ 語末にくる関連形は -ARCH¹.
★ 語頭にくる形は arch(e)-, archi-; *arche*type「原型」, *archi*blast「原胚」.
◆ おそらくギリシャ語 *arkhḗ*「始まり」より.

ac·ri·tarch 名 〖古生物〗アクリテルク: 生物学的類縁関係が不明な各種微化石.
di·arch 形 〖植物〗二原型の.
end·arch 形 〖植物〗内原型の.
ex·arch 形 〖植物〗外原型の.
hy·drarch 形 〖生態〗湿性の.
mes·arch 形 〖植物〗中原型の.
mon·arch 形 〖植物〗一原型の.
pol·y·arch 形 〖植物〗多原型の.
xe·rarch 形 〖生態〗乾生の.

-arch³ /ɑ́ːrtʃ/

語尾 ギリシャ語ではなく, ゲルマン系の語かフランス語などに由来.

arch¹ 名 ☞
arch² 形 いたずらな, ふざけた.
arch³ 動自 アーチェリー(archery)をする.
larch 名 カラマツ(唐松).
march¹ 動自 ☞
march² 名 国境(地方), 境界, 辺境.
parch 動他 〈熱・太陽・風などが〉〈土地などを〉からからに乾かす.
starch 名 ☞

ar·chae·ol·o·gy /ɑ̀ːrkiɑ́lədʒi | -ɔ́l-/

名 考古学. ►特にアメリカでは archeology とつづる. ⇨ -OLOGY.

as·tro·ar·chae·ol·o·gy 名 天文考古学(archaeoastronomy).
eth·no·ar·chae·ol·o·gy 名 民族考古学.
indústrial archaeólogy 産業考古学.
maríne archaeólogy 海洋考古学.
náutical archaeólogy ＝marine archaeology.
néw archaeólogy ニューアーケオロジー: 1960 年代初頭以降米国考古学界に起こった一学派.
sálvage archaeòlogy 緊急発掘(調査).
underwáter archaeólogy 水中考古学.
úrban archeòlogy 都市考古学.

-ar·chic /ɑ́ːrkik/

連結形 指導者の.
★ 形容詞をつくる.
★ 語末にくる関連形は -ARCH¹.
★ 語頭にくる関連形は arch(e)-, archi-; *arche*type「原型」, *archi*mandrite「大修道院長」.
◆ ギリシャ語 *archós*「指導者」より. ⇨ -IC¹.

an·ar·chic 形 無政府主義の, 無政府主義的な.
mo·nar·chic 形 君主の; 君主制の.
ol·i·gar·chic 形 寡頭政治の, 少数独裁政治の.

ar·chi·tec·ture /ɑ́ːrkətèktʃər/

名 建築術, 設計術. ⇨ -URE¹.

compúter árchitecture コンピューターの構造, 設計.
cỳto·árchitecture 細胞構築, 細胞配列.
ecológical àrchitecture エコロジカル・アーキテクチャー.
lándscape àrchitecture 景観設計, 風致的都市計画法.
nával árchitecture 造船工学.
sýstem nétwork architècture 〖コンピュータ〗システムネットワーク体系.

-ar·chy /ɑ̀ːrki/

連結形 …支配(体制), …政体.
★ 通例, -arch で終わる人を表す名詞に対応する抽象名詞をつくる.
★ 語頭にくる関連形は arch(i)-; *arch*bishop「大司教」, *archi*mandrite「大修道院長」.
◆ 中英 *-archie* ＜ラ *-archia* ＜ギ *-archia* -ARCH¹. ⇨ -Y³.

an·ar·chy 名 無政府状態.
au·tar·chy 名 絶対主権.
dec·ar·chy 名 (古代ギリシャで)10 人から成る支配者集団.
di·ar·chy 名 ＝duarchy.
din·ar·chy 名 ＝duarchy.
du·ar·chy 名 二頭政治, 二頭政府.
dy·ar·chy 名 ＝diarchy.
ep·ar·chy 名 (近代ギリシャの)郡, 県.
eth·nar·chy 名 ethnarch「支配者」の統治.
gy·nar·chy 名 女性による支配, 女権政治.
hag·i·arch·y 名 聖人支配 [政治] (体制).
hep·tar·chy 名 〖英史〗七王国.
hex·ar·chy 名 六王国, 六国.
hi·er·ar·chy 名 ヒエラルキー, 階層制, 階級制.
ma·tri·ar·chy 名 家母長制, 母権制.
mon·ar·chy 名 ☞
nom·ar·chy 名 (現代ギリシャの)州.
oc·tar·chy 名 八頭政治.
ol·i·gar·chy 名 寡頭政治, 寡頭制, 少数独裁政治.
pa·tri·arch·y 名 家父長制.
pe·di·ar·chy 名 子供上位社会 [文化].

A

pen·tar·chy 名 五頭政治.
plu·tar·chy 名 金権政治(plutocracy).
pol·y·ar·chy 名 多頭政治, ポリアーキー.
squire·ar·chy 名 郷士連, (地方の)地主階級.
syn·arch·y 名 共同統治.
te·trar·chy 名 (古代ローマの)tetrarch「(領土などの)4 分の 1 の統治者」の地位.
the·ar·chy 名 神政, 神権政治; 神政国.
to·par·chy 名 (幾つかの都市［町］から成る)小国家; 小地域.
tri·ar·chy 名 3 人の統治者による政治, 三頭政治.
tri·er·ar·chy 名 〘ギリシャ史〙trierarch「三段櫂(かい)のガリー船の指揮者」の地位.

arc·tic /ɑ́ːrktik, ɑ́ːrtik | ɑ́ːk-/

名形 北極地方(の). ⇨ -IC¹.

ant·arc·tic 形 南極の; 南極圏の.
Hígh Árctic カナダ北部の北極圏内地域.
Hol·arc·tic 形 〘生物地理〙全北区の.
Ne·arc·tic 形 〘生物地理〙新北区の.
pa·le·arc·tic 形 〘動物地理〙旧北区の.
pa·le·o·arc·tic 形 ＝palearctic.
sub·arc·tic 形 亜北極の(subpolar).
trans·arc·tic 形 北極回りの, 北極横断の.

-ard¹ /ərd; *Fr.* aːr/

接尾辞 **1** 特に…する性質がある人. ▶現在では侮蔑(ぶっ)や非難を表すことが多い. **2** 物の名を表す. ▶多くはフランス語からの借用語. **3** 人名(姓・男子の名)を表す.
★ 名詞および形容詞をつくる.
★ 語末にくる関連形は -ART¹, -HARD, -HART.
◆ 中英＜古仏＜古高地独 *-hart*「強い, 頑丈な, しっかりした」(古英語の人名に使われる -hard と同語源).

〈**1**〉 特に…する性質がある人.
bas·tard 名 非嫡出子, 庶子, 私生児.
blink·ard 名 愚鈍な人, うすのろ.
Cam·i·sard 名 カミザール: カルバン派新教徒.
clo·chard 名 放浪者, 浮浪者, 宿無し, ルンペン.
Com·mu·nard 名 〘フランス史〙パリコミューンの一員.
cow·ard 名 臆病者, 意気地なし, 卑怯者.
das·tard 名 《古》卑怯者, 腰抜け, 卑劣漢.
do·tard 名 認知症の人, もうろくしている人.
Drey·fu·sard 名 ドレフュス派(の一人)
drunk·ard 名 飲んだくれ, 大酒飲み.
dull·ard 名 のろま, ばか, とんま.
gol·iard 名 遍歴書生詩人.
gui·sard 名 《主にスコット》仮面をかぶった人.
ma·qui·sard 名 〘フランス史〙対独レジスタンス地下組織の一員.
Mon·ta·gnard 名 モンタニャード族(の一人).
nig·gard 名 しみったれ, けちん坊.
sa·lon·nard 名 サロンの常連.
Sa·voy·ard 名 サボワ生まれの人; サボワ方言.
slug·gard 名 怠け者, 無精者, のらくら者.
Span·iard 名 スペイン人, スペインの住民.
stink·ard 名 臭い人［動物］(stinker).
wiz·ard 名 魔法使い, 呪術師; 奇術師; 天才.

〈**2**〉 物の名を表す.
bas·i·lard 名 15 世紀ヨーロッパの護身用短剣.
bil·liard 形 玉突きの, ビリヤードの.
bol·lard 名 〘海事〙双係柱, ボラード.
bras·sard 名 (装飾を施した)腕章.
ca·nard 名 〘航空〙カナード(翼), 先翼.
col·om·bard 名 コロンバード: カリフォルニア産の辛口白ワイン.
cos·tard 名 英国種の大粒のリンゴ.
fau·chard 名 (くちばし状の鉤(かぎ)を持つ)長刀.
jac·quard 名 ジャカード(織り地).
lag·ard 名 〘株式〙出遅れ株.
maz·ard 名 《古》**1** 頭. **2** 顔.
mus·tard 名 ☞
pail·lard 名 〘料理〙パイヤール.
pe·tard 名 (昔, 城門・城壁などを破壊するために用いた)爆発火具.
pi·nard 名 《話》ワイン.
plac·ard 名 (広告などを書いた)の板, プラカード.
pol·lard 名 ずん切り木.
pon·iard 名 《文語》短剣(dagger).
stand·ard 名 ☞
viz·ard 名 《古》面, 仮面.

〈**3**〉 人名を表す.
Bar·nard 名 バーナード(姓, 男子の名).
Ba·yard 名 ベアード, バヤール(姓, 男子の名).
Ber·nard 名 バーナード, ベルナール(姓, 男子の名).
Fra·go·nard 名 フラゴナール(フランスの姓).
Ge·rard 名 ジェラルド(男子の名). ▶字義は「頑丈な槍」.
Gé·rard 名 ジェラール(フランスの姓).
Gi·rard 名 ジラード(姓).
Go·dard 名 ゴダード, ゴダール(姓). ▶字義は「勇敢な神」.
God·dard 名 ゴダード(姓, 男子の名). ▶字義は「勇敢な神」.
Gri·gnard 名 グリニャール(フランスの姓).
Guis·card 名 ギスカール, グイスカルド(姓).
How·ard 名 ハワード(姓, 男子の名). ▶字義は「勇気のある」.
Leon·ard 名 レナード(姓, 男子の名). ▶字義は「勇猛な獅子」.
May·nard 名 メナード(姓, 男子の名). ▶字義は「勇気と力」.
Pail·lard 名 パイヤール(フランスの姓).
Pi·card 名 ピカール(フランスの姓).
Pic·card 名 ピカール(フランスの姓).
Ren·ard¹ 名 ＝Reynard.
Re·nard² 名 ルナール(フランスの姓).
Reyn·ard 名 ルナール: 中世の動物譚文物語に出てくるキツネの名.
Ron·sard 名 ロンサール(フランスの姓).
Tren·chard 名 トレンチャード(姓).
Wil·lard 名 ウィラード(姓, 男子の名). ▶字義は「強い希望」.

〈**4**〉 その他.
Bay·ard 名 ベアード: 中世騎士物語の伝説の馬.
bec·ard 名 〘鳥類〙カザリドリモドキ.
bom·bard 動他 砲撃する; 爆撃する.
Bri·ard 名 ブリアール: フランス種の大形犬.
buz·zard¹ 名 ☞
buz·zard² 名 《英方言》(コガネムシのように)ブンブン飛び回る夜行性昆虫の総称.
Ca·gou·lard 名 カグラール: フランスの極右秘密結社.
Cu·nard 名 キュナード社: 英国の海運会社.
de·brouil·lard 形 臨機応変の; 世知にたけた.
gur·nard 名 〘魚類〙ホウボウ.
hag·gard 形 (苦痛・心労などで)げっそりした.
mal·lard 〘鳥類〙マガモ.
mil·liard 名 《英》10 億.
pou·lard 名 卵巣を除去し食肉用に太らせた雌鶏.
stag·gard 名 4 歳の赤毛の雄ジカ.

-ard² /ərd, əːrd/

連結形 職業名語尾として用いられ, 人名に転化.
◆ 古英 *hierde* 牧夫.

Cow·ard 名 カワード(姓). ▶字義は「牛飼い」.
Shep·ard 名 シェパード(姓). ▶字義は「羊飼い」.
Shep·pard 名 シェパード(姓). ▶字義は「羊飼い」.
Stod·dard 名 ストッダード(姓). ▶字義は「種馬飼い」.

-ard³ /ɑ́ːrd/

語尾

ard 名 〘考古〙(古代人が用いた)鋤(すき).
bard[1] 名 《もと》吟唱詩人, 吟遊詩人.
bard[2] 名 〘甲冑〙馬鎧(よろい).
card[1] 名 ☞
card[2] 名 ☞
chard 名 〘植物〙フダンソウ, トウジシャ; 葉は食用.
fard 名 《古》顔の化粧品.
guard 動他 ☞
hard 形 ☞
lard 名 ラード.
nard 名 〘植物〙ナルド.
pard 名 《文語》ヒョウ(leopard).
sard 名 〘鉱物〙紅玉髄, サード.
shard 名 (特に陶器の)破片, かけら.
tard 名 《米俗》知的障害の人(retard).
yard[1] 名 ☞
yard[2] 名 ☞

-ard[4] /ərd/

語尾 強勢のない音節.
★ 語末にくる同音形は -ARD[1], -ORD[2].

-ward[1] 接尾辞 ☞
-ward[2] 連結形 ☞

-ard[5] /ɔ́ːrd/

語尾 語末にくる同音形は -OARD, -ORD[1].

sward 名 《文語》草地, 芝生(turf).
ward 名 ☞

are /ɑ́ːr, έər | ɑ́ː/

名 〘メートル法〙アール: 面積の単位.

cen·tare 名 ＝centiare.
cen·ti·are 名 センチアール.
dec·are 名 10 アール, 1000m².
dec·i·are 名 デシアール.
hec·tare 名 ヘクタール.
hek·tare 名 ＝hectare.
mil·li·are 名 ミリアール.

-are /έər/

語尾 blare, glare[1], glare[2], flare, stare, scare などに強い響き, きらめき, おびえの音象徴を感じる人がいる.
★ 語末にくる同音形は -AIR, -EAR[2], -EIR[1], -ER[10], -ERE[1].

bare[1] 形 裸の, むき出しの; 露出した.
bare[2] 動 《古》bear の過去形.
blare 動自 耳障りな大きな音を発する.
care 名 ☞
chare 名 《主に英》(日雇の)家政婦(char).
dare 動自 あえて…する勇気がある.
fare 名 ☞
flare 名 ☞
gare 名 質の悪い羊毛繊維.
glare[1] 名 ぎらぎらする光, 照りつける陽光.
glare[2] 名 《主に米・カナダ》(氷などの)輝いている滑らかな表面.
hare 名 ☞
lare 名 《豪俗》(町の)ならず者(lair).
mare[1] 名 ☞
mare[2] 名 《廃》夢魔(nightmare).
pare 動他 〈果物などの〉皮を(刃物で)むく.
quare 形 《アイル方言》奇妙な(queer).
scare 動他 怖がらせる; びっくりさせる.
share[1] 名 ☞
share[2] 名 鋤(すき)の刃先(plowshare).
snare[1] 名 わな.
snare[2] 名 さわり弦, 響線.
spare 動他 容赦する, 命を助ける.
square 名 ☞
stare 動自 …をじっと見つめる; 凝視する.
sware 動 《古》swear の過去形.
tare[1] 名 ソラマメ属の植物の総称.
tare[2] 名 風袋(ふうたい): 品物の包装・容器などの重さ.
tare[3] 動 《古》tear の過去・過去分詞形.
ware[1] 名 ☞
ware[2] 形 ☞
ware[3] 動他 《スコット・北イング》費やす.
ware[4] 名 《スコット・北イング》春.
yare 形 素早い; 機敏な, きびきびした.

ar·e·a /έəriə/

名 …空間, …区域, …地区. ⇨ -A[2].

ácting àrea 〘演劇〙演技空間.
assìsted área 《英》(政府による)産業奨励地域.
associátion àrea 〘解剖〙連合野(れんごうや).
Báy Àrea ベイエリア, 湾岸地区.
búffer àrea (津波の)緩衝地域.
cárpet àrea 《英》床面積.
cátchment àrea 《主に英》(病院・社会福祉機関などの)担当区域, 学区.
cóffin àrea 重工業退廃地.
córps àrea 〘軍事〙《もと》軍団管区.
cúlture àrea 〘人類〙文化領域.
depréssed área 貧困地区, 窮乏地区.
devélopment àrea 《英》新産業育成が必要な高失業部門.
disáster àrea 被災地, 被災区域.
distréssed área (洪水, 台風などの)被災地区.
dóllar àrea 〘経済〙ドル地域.
dríftless àrea 無漂礫土(ひょうれきど)地域.
élemental àrea 〘テレビ〙画素.
fíre àrea 防火区域.
fócal àrea 〘言語〙(方言地理学で)有心地区.
frínge àrea 〘ラジオ・テレビ〙フリンジエリア.
góal àrea 〘サッカー〙ゴールエリア.
gráded àrea ＝transition area.
gréy àrea (話題・情況など)あいまいな部分.
ímpact àrea (爆弾などの)炸裂地域, 被弾地.
intermédiate àrea 《英》中間開発援助地域.
júmp àrea 〘軍事〙落下傘隊の降下地(域).
linguístic àrea 〘言語〙言語域.
mótor àrea 〘解剖〙(大脳皮質の)運動野.
músh àrea 複数のラジオ放送が混線し, 聴取障害の出る地域.
nátional scénic àrea 《英》スコットランド景勝地域.
pénalty àrea 〘サッカー〙ペナルティーエリア.
pícnic àrea ピクニック場.
prímary óptical àrea 〘グラフィックデザイン〙第一視覚部分.
prímitive àrea 《米》原生林保護地域.
registrátion àrea 《米》(国勢調査に利用できる出生・死亡記録を持つ)登録地域.
rélic àrea 〘言語〙残存語地域.
rést àrea 《豪・NZ》レストエリア: 高速道路などで一時的に休憩できる地帯.
restrícted área 《米》(軍人)立入禁止区域.
sérvice àrea (道路沿いの)サービスエリア.
spécial área 《英》＝distressed area.
stáging àrea 〘軍事〙中間準備地域.
súb·àrea 名 地域[分野, 研究]の下位区分[部門].
suppórt área 〘軍事〙前線補給基地.
transítion àrea 〘言語〙(方言地理学上の)移行地域.
utílity àrea (家で)洗濯機などを置く場所.

A

Wérnicke's àrea 〔解剖〕ウェルニッケの感覚野.
white área 特別な利用計画がない地域.
wílderness àrea 自然保護区域.

-arf[1] /ɑ́ːrf/

音象徴間 鳴き声のほか, さらうような動きをさす; 軽蔑をさすこともある.

arf 名間 ワン: 犬のうなり声.
arrf-arf 間 オオハシ(toucan)の鳴き声.
barf 動自《米俗》吐く, もどす, あげる(vomit).
scarf 動他自《米俗》(…を)がつがつ食う.
snarf 動他《米ハッカー俗》…をさっと手に入れる.
zarf 名《米俗》いけ好かない醜男.

-arf[2] /ɑ́ːrf/

語尾

scarf[1] 名 (婦人用の)スカーフ.
scarf[2] 名 スカーフ: そぎ継ぎの継ぎ手部分.
zarf 名 (地中海東部沿岸地方で)コーヒー茶碗用ホルダーの一種.

-arf[3] /ɔ́ːrf/

語尾 語末にくる同音形は -ORF, -ORPH.

dwarf 名 ☞
swarf 名 (工作機械による)金属の削りくず.
wharf 名 波止場, 荷揚げ場, 埠頭(ふとう), 岸壁.

-arg /ɑ́ːrg/

語尾

arg 名《ハッカー俗》(人との)議論, 討論; 論争.
darg 名《スコット・北イング》一日の仕事.
yarg 名 イラクサの葉に包んで熟成させる, Cornwall 産の白いチーズ.

-arge /ɑ́ːrdʒ/

語尾 marge², parge, sarge は短縮語.

barge 名 ☞
charge 動他 ☞
large 形 ☞
marge[1] 名《古・詩》へり, 縁, 端.
marge[2] 名《主に英話》マーガリン(margarine).
marge[3] 名《米俗》(レスビアンで)女性役.
parge 動他 …を飾り塗りする(parget).
sarge 名《米話》軍曹, 曹長(sergeant).
sparge 動他《まれ》まき散らす, 散布する.
targe 名《古》(騎士が用いた)小盾.

ar·gue /ɑ́ːrgjuː/

動自 (人と)(…について)論じる, 論議する.

out·ar·gue 動他 論破する, 議論で負かす.
re·ar·gue 動他 再び議論する; 再び論じる.
red·ar·gue 動他《古》論破する; 反駁する.

ar·gu·ment /ɑ́ːrgjumənt/

名 **1** (…に関しての)(人との)議論, 討論; 論争; (…への)賛成[反対]論; (…という)主張, 論. **2** 立論(の方法), 論理. **3** (賛否を示す)論証. **4**〔数学〕偏角. ⇨ -MENT.

cosmológical árgument 〔哲学〕宇宙論的証明.
cóunt·er·àr·gu·ment 名 反対論, 反論, 駁論(ばくろん).
first-cáuse àrgument 〔哲学〕第一原因論.
ontológical árgument 〔哲学〕本体[存在]論的証明.
príncipal árgument 〔数学〕主偏角.
teleológical árgument 〔哲学〕目的論的証明.

-a·ri·a /ɛ́əriə/

接尾辞 ラテン語起源の科学用語, 特に生物学上の属・群につける. ◇ -ATA, -OTA.
★ 名詞をつくる.
★ 語末にくる関連形は -ARIUM.
◆ <ラ, *-ārius* -ARY の女性単数形または中性複数形. ⇨ -IA.

ac·e·tab·u·lar·i·a 名 〔植物〕カサノリ.
ad·ver·sa·ri·a 名複《ラテン語》覚え書き, メモ.
ar·au·car·i·a 名 ナンヨウスギ(南洋杉).
au·ric·u·lar·i·a 名 〔動物〕オーリクラリア.
bal·is·tra·ri·a 名 バリストラリア: 中世の砦につけられた十字形の城壁開口部.
bi·pin·nar·i·a 名 〔動物〕ビピンナリア.
cal·ce·o·lar·i·a 名 〔植物〕カルセオラリア.
cer·car·i·a 名 〔動物〕ケルカリア, セルカリア, 尾虫.
cin·e·rar·i·a 名 〔植物〕シネラリア, サイネリア.
Cni·dar·i·a 名 〔動物〕刺胞動物門.
cro·ta·lar·i·a 名 〔植物〕タヌキマメ(ヤハズマメを含む).
fau·car·i·a 名 〔植物〕ファウカリア.
fi·lar·i·a 名 糸状虫, フィラリア.
frit·il·lar·i·a 名 〔植物〕バイモ.
lam·i·nar·i·a 名 コンブ科コンブ属の総称.
li·nar·i·a 名 ゴマノハグサ科ウンラン(海蘭)属の多年草の総称.
Lu·nar·ia 名 〔植物〕ギンセンソウ属.
mam·mil·lar·i·a 名 サボテン科マンミラリア属の総称.
ped·i·cel·lar·i·a 名 〔動物〕叉棘(さきょく), 鋏棘(はさみきょく).
per·si·car·ia 名 〔植物〕サナエタデ類.
pla·nar·i·a 名 〔動物〕プラナリア, ウズムシ.
san·gui·nar·i·a 名 〔植物〕ケッコンソウ(血根草).
se·tar·i·a 名 〔植物〕エノコログサ.
tor·nar·i·a 名 〔動物〕トルナリア幼生.
ur·ti·car·i·a 名 〔病理〕じんましん.
u·tric·u·lar·i·a 名 〔植物〕タヌキモ(bladderwort).

-ar·i·an /ɛ́əriən/

接尾辞 **1** …の(関連の)人(の). ►*-ārius* の語尾を持つラテン語の形容詞, または -ary の語尾を持つ英語の形容詞・名詞に対応する名詞をつくる: libr*arian*, prolet*arian*. **2** (主義・説・原理などの)支持[信奉]者(の), 唱導者(の), 実行者(の): authorit*arian*, establishment*arian*.
★ 名詞, 形容詞をつくる.
◆ <ラ *-āri(us)* または -ARY＋-AN[1].
[発音] -arian の第1音節に第1強勢が置かれる.

a·be·ce·dar·i·an 名 アルファベットを習っている人.
an·ti·quar·i·an 形 古物収集[研究]の, 好古趣味の.
at·ti·tu·di·nar·i·an 名 (効果をねらって)ポーズをつくる人.
au·thor·i·tar·i·an 形 権威主義の[的な].
Cat·i·li·nar·i·an 形 カティリナ(Catiline)の[に似た].
cel·i·ba·tar·i·an 形名 独身主義の[者].
cen·te·nar·i·an 形 100歳[年](以上)の.
com·mu·ni·tar·i·an 名 共産社会の一員.
con·trar·i·an 名 反対意見の人.
cul·i·nar·i·an 名 料理人, コック; コック長.
dis·ci·pli·nar·i·an 名 しつけの厳格な人, 鍛練主義の人.
doc·u·men·tar·i·an 名 〔映画〕〔テレビ〕ドキュメンタリープロデューサー[監督].
e·gal·i·tar·i·an 形 (人類)平等主義の.
e·qual·i·tar·i·an 形名 平等主義の(人).

es·tab·lish·men·tar·i·an 形 国教会の,(特に)英国国教会の.
Eu·ro·par·lia·ment·ar·i·an 名 欧州議会(European Parliament)の一員.
fos·sar·i·an 名 墓掘り役の下級聖職者.
fruit·ar·i·an 名形 果食主義者(の),果物常食者(の).
he·red·i·tar·i·an 名 (環境説論者に対して)遺伝説論者.
hu·man·i·tar·i·an 形 人道[博愛]主義的な.
in·fir·mar·i·an 名 (宗教施設で)看護人.
ju·bi·lar·i·an 名 (尼僧生活などの)25年祭を祝う人.
lac·tar·i·an 名 乳摂取菜食主義者.
-lap·sar·i·an 連結形 ☞
lat·i·tu·di·nar·i·an 形 (行動・思想)自由な,自由主義的な.
lib·er·tar·i·an 名 (思想・行動についての)自由擁護者.
li·brar·i·an 名 司書.
lim·i·tar·i·an 名 制限する人.
lu·nar·i·an 名 (想像上の)月世界の人.
ma·jor·i·tar·i·an 形 多数決の,多数決による.
mil·le·nar·i·an 形 千(年)の.
ne·ces·si·tar·i·an 名 必然[決定,宿命]論者.
non·a·ge·nar·i·an 形名 90歳の(人).
noth·ing·ar·i·an 名 無神論[信仰]者.
oc·to·ge·nar·i·an 形名 80歳の(人).
par·lia·men·tar·i·an 名 議会の規則によく通じた人.
pla·nar·i·an 名 【動物】プラナリア,ウズムシ.
plat·i·tu·di·nar·i·an 名 陳腐なことばかり話す人.
pre·des·ti·nar·i·an 形 (神学上の)予定説の.
quad·ra·ge·nar·i·an 形名 40歳の(人).
quin·qua·ge·nar·i·an 形名 50歳の(人).
ra·di·o·lar·i·an 名 放射虫,放散虫.
ro·sar·i·an 名 バラ栽培家,バラ愛好家.
Sab·ba·tar·i·an 名 土曜日を安息日として守る人.
Sac·ra·men·tar·i·an 名 【プロテスタント】礼典象徴説主張者.
Sag·it·ta·ri·an 形名 【占星】(黄道第九宮の)人馬宮[射手座]生まれの(人).
sec·tar·i·an 形 分派の,宗派[教派]の,学派の.
sem·i·nar·i·an 名 神学校の学生,神学生.
sep·tu·a·ge·nar·i·an 形名 70歳の(人).
ser·tu·lar·i·an 名 【動物】ウミシバ類.
sex·a·ge·nar·i·an 形名 60歳の(人).
sol·i·tu·di·nar·i·an 名 孤独を求める人,隠遁(いんとん)者.
sub·ur·bi·car·i·an 形 近郊住宅地区の.
to·tal·i·tar·i·an 形 全体主義の,一党独裁主義の.
Trac·tar·i·an 名 トラクト運動支持者.
Trin·i·tar·i·an 形 三位一体説を信奉する.
tur·bel·lar·i·an 形 ウズムシ綱の. ――名 ウズムシ.
U·biq·ui·tar·i·an 形 【神学】キリスト遍在論の.
u·ni·form·i·tar·i·an 形 【地質】斉一論説の.
u·ni·tar·i·an 名 一神論者.
u·til·i·tar·i·an 形 有用[有益,実用](性)に関する.
val·e·tu·di·nar·i·an 名 病人,病弱者,虚弱者.
veg·e·tar·i·an 名 菜食主義者,菜食者.
vet·er·i·nar·i·an 名 《米・カナダ》獣医.

-ar·i·ly /érəli, èrə-|ərə-/

接尾辞 -ary と -ly[1] の合成接尾辞. ⇨ -LY[1].
★ -ary で終わる形容詞に対応する副詞をつくる.

ac·ces·sar·i·ly 副 補助的に,付帯的に.
ar·bi·trar·i·ly 副 随意に;気ままに.
com·pli·men·tar·i·ly 副 敬意を表して;優先的に.
con·tem·po·rar·i·ly 副 同時期に.
con·trar·i·ly 副 反対へ,逆へ;頑固に.
cu·li·nar·i·ly 副 台所で;料理用に.
cus·tom·ar·i·ly 副 習慣的に.
di·e·tar·i·ly 副 (栄養からみた)食べ物に.
dis·cre·tion·ar·i·ly 副 任意で.
doc·u·men·tar·i·ly 副 文書で,記録で;実録で.
el·e·men·tar·i·ly 副 要素的に;単元的に.
ev·o·lu·tion·ar·i·ly 副 発展的に;進化において.
ex·em·plar·i·ly 副 立派に;典型的に,代表として.
ex·tem·po·rar·i·ly 副 準備なしに;突然に.
fi·du·ci·ar·i·ly 副 信任で;極秘に.
frag·men·tar·i·ly 副 断片的に.
he·red·i·tar·i·ly 副 遺伝的に;世襲で.
hon·or·ar·i·ly 副 道義的に.
im·ag·i·nar·i·ly 副 空想で,架空で.
in·ter·ca·lar·i·ly 副 挿入して.
ju·di·ci·ar·i·ly 副 裁判制度上で.
leg·end·ar·i·ly 副 伝説的に.
lit·er·ar·i·ly 副 文学的に.
mer·ce·nar·i·ly 副 金次第で.
mil·i·tar·i·ly 副 軍隊に,軍に関して.
mo·men·tar·i·ly 副 ちょっとの間,しばらく.
mon·e·tar·i·ly 副 金銭的に,財政上で.
nec·es·sar·i·ly 副 必要に迫られて,やむを得ず.
or·di·nar·i·ly 副 通常,通例,たいてい,普通.
par·lia·men·tar·i·ly 副 議会上で;丁重に,礼儀正しく.
pe·cu·ni·ar·i·ly 副 金銭によって.
ple·nar·i·ly 副 十分に,完全に;正式に.
pre·lim·i·nar·i·ly 副 予備的に,前置きとして.
pri·ma·ri·ly 副 おおむね,大部分;主として,主に.
pro·pri·e·tar·i·ly 副 所有して;私有で.
rev·o·lu·tion·ar·i·ly 副 改革的に,変革で.
ru·di·men·tar·i·ly 副 根本的に,初歩的に.
sal·u·tar·i·ly 副 健康的に,有益に.
san·gui·nar·i·ly 副 流血を伴って;《英》すさまじく,ひどく.
san·i·tar·i·ly 副 衛生的に,清潔に.
sec·ond·ar·i·ly 副 二次的に,派生的に.
sed·en·tar·i·ly 副 座って;【生物】定住して.
sed·i·men·tar·i·ly 副 【地質】堆積して.
sol·i·dar·i·ly 副 連帯責任で,共同利益で.
sol·i·tar·i·ly 副 ひとりぼっちで,単独で.
sub·sid·i·ar·i·ly 副 補助的に,副次的に.
sum·mar·i·ly 副 簡潔に,手短に.
tem·po·rar·i·ly 副 一時的に,少しの間;仮に.
trib·u·tar·i·ly 副 支流として;補助的に.
vol·un·tar·i·ly 副 自発的に,任意で.

-ar·i·ous /ɛ́əriəs/

接尾辞 …に関する,…性の.
★ 形容詞をつくる.
◆ <ラ *-arius*. ⇨ -IOUS.

con·trar·i·ous 形 《主に米国アパラチア方言》意固地な,ひねくれた,強情な.
gre·gar·i·ous 形 〈人が〉社交好きな,社交的な.
tem·er·ar·i·ous 形 《文語》向こう見ずな,無謀な.
va·gar·i·ous 形 《まれ》常軌を逸した,奇抜な.
var·i·ous 形 別種の,それぞれ異なる.
vi·car·i·ous 形 他人に代わってなされる.

-ar·is /ɛ́əris, ǽris, ɑ́ːris/

接尾辞 科学用語に見られる.
★ 語末にくる関連形は -AR[1].
◆ ラテン語 *-āris* より.

ca·la·mi·nar·is 名 【化学】カラミン.
or·bi·cu·lar·is 名 【解剖】輪筋.
Po·lar·is 名 【天文】北極星,ポラリス.

-ar·i·um /ɛ́əriəm/

接尾辞 …に関する場所. (1)ラテン語からの借用語で「…を入れるもの[ところ]」: arm*arium*, sol*arium*, viv*arium*. (2)動植物の人工的環境を示す語をつくる: insec*tarium*, terr*arium*.
★ 語末にくる関連形は -ARIA, -ARY, -ATORIUM, -ORIUM.
◆ ラテン語 *-ārium* より. ⇨ -IUM.

a·be·ce·dar·i·um 名 入門書(primer).
ae·rar·i·um 名 (古代ローマの)国庫,国有財産.
al·bar·i·um 名 アルバリウム: 古代に用いた左官材.

A

a·quar·i·um 名 水族館.
ar·ma·men·tar·i·um 名 (特定の職務遂行に必要な)装備一式.
ar·mar·i·um 名 〔教会〕聖器棚(ambry).
at·om·ar·i·um 名 原子炉［原子力］展示館.
a·vic·u·lar·i·um 名 〔動物〕鳥頭体(ちょうとうたい).
bul·lar·i·um 名 (ローマ教皇の)大勅書集.
cal·dar·i·um 名 (古代ローマ浴場の)(高温)浴室.
cal·var·i·um 名 〔解剖〕頭蓋(ずがい)冠.
ci·bar·i·um 名 〔昆虫〕口腔(こうこう).
cin·e·rar·i·um 名 (遺骨を安置する)納骨堂.
col·um·bar·i·um 名 コランバリウム: 壁に掘った納骨壁龕(へきがん)のある地下墓室.
dol·phi·nar·i·um 名 イルカの水族館.
for·mi·car·i·um 名 アリの巣［塔］, アリ塚.
frig·i·dar·i·um 名 (古代ローマの浴場の)冷水浴室.
fu·sar·i·um 名 フサリウム属の菌類の総称.
her·bar·i·um 名 (分類した)植物標本集.
hon·o·rar·i·um 名 謝礼, 報酬金.
in·sec·tar·i·um 名 (動物園などの)昆虫飼育室.
i·tin·er·ar·i·um 名 〔ローマカトリック〕旅行祝福祈祷.
la·rar·i·um 名 (古代ローマで)ラル神(Lares)を祭る社.
lep·ro·sar·i·um 名 ライ療養所.
nail·ar·i·um 名 《米》マニキュア・サロン.
o·cea·nar·i·um 名 オセアナリウム; 海洋水族館.
o·rar·i·um 名 〔ギリシャ正教〕オラリ, 大帯.
os·su·ar·i·um 名 納骨堂［室］; 骨壷.
o·var·i·um 名 《古》〔解剖〕〔動物〕卵巣.
plan·e·tar·i·um 名 プラネタリウム.
pu·par·i·um 名 〔昆虫〕蛹殻(ようこう).
ro·sar·i·um 名 バラ園.
sa·crar·i·um 名 〔ローマカトリック〕聖水盤; 〔教会〕聖所, 内陣, 聖具室.
san·i·tar·i·um 名 《米》保養所［地］.
sep·tar·i·um 名 〔地質〕亀甲(きっこう)石.
ser·pen·tar·i·um 名 蛇園, 蛇センター.
so·lar·i·um 名 日光浴室, サンルーム(sunroom).
su·dar·i·um 名 (古代ローマの)汗ふき, ハンカチ.
syn·ax·a·ri·um 名 〔東方正教会〕祭日集略, シナクサリ.
tep·i·dar·i·um 名 (古代ローマ浴場の)微温浴室.
ter·mi·tar·i·um 名 白蟻塚(しろありづか), 蟻の塔.
ter·rar·i·um 名 テラリウム: 陸生飼育器.
ve·lar·i·um 名 〔古代ローマ〕(劇場・円形劇場で日よけ・雨よけ用の)天幕(awning).
vi·var·i·um 名 生態動物［植物］園, (動物の)生態飼育場.
zo·ar·i·um 名 〔生物〕(コケムシ類の)群体.

-ark /ɑ́ːrk/

語尾 bark[1] と spark は擬声的に感じられる.
★ 語末にくる同音形は -ARC, -ARQUE.

ark 名 ノアの箱舟(Noah's Ark).
bark[1] 名 犬のほえ声.
bark[2] 名 ☞
bark[3] 名 〔海事〕バーク.
cark[1] 名 《古》心配, 気苦労; 心配の種.
cark[2] 動自 《豪俗》衰える, 死ぬ.
dark 形 ☞
hark 動自 《文語》傾聴する, 耳を傾ける.
kark 動他 《豪》くよくよさせる, 心配させる.
lark[1] 名 ☞
lark[2] 名 《話》浮かれ騒ぎ.
mark[1] 名 ☞
mark[2] 名 マルク: ドイツの貨幣単位.
nark[1] 名 《英・豪・NZ 俗》警察のスパイ.
nark[2] 名 麻薬捜査官; 麻薬(narc).
park 名 ☞
quark[1] 名 ☞
quark[2] 名 クォークチーズ.
quark[3] 名 疑問符(question mark).
sark 名 《スコット》サーク: 長い肌着.
shark[1] 名 ☞
shark[2] 名 強欲漢; 高利貸し.
snark 名 スナーク: 神秘的な空想上の動物.
spark[1] 名 火花, 火の粉.
spark[2] 名 《まれ》派手な若者.
stark 形 《限定的》全くの, 正真正銘の.
wark 名 《スコット》=work.

-arl[1] /ɑ́ːrl/

音象徴 ウーッ; (犬・狼などが)歯をむき出してうなる声.

gnarl 動自 〈犬・オオカミなどが〉(歯をむき出して)うなる.
snarl 動自 〈犬などが〉(…に)歯をむき出してうなる.

-arl[2] /ɑ́ːrl/

語尾 gnarl と snarl にはもつれ, ねじ曲がりの音象徴が認められる.
★ 語末にくる同音形は -ARL[1].

carl 名 《スコット》頑丈な男.
farl 名 《スコット》丸形薄焼きケーキの一種.
gnarl 名 (木の)節, こぶ.
harl[1] 動他 《スコット》〈物を〉地面を引きずる.
harl[2] 名 (麻・大麻などの)繊維, ハール.
jarl 名 〔北欧史〕首長; 伯爵(earl).
marl[1] 名 〔地質〕マール, 泥灰土［岩］.
marl[2] 動他 〔海事〕〈ロープを〉marline で巻く.
marl[3] 名 〔紡織〕マール.
snarl 名 (糸・髪などの)もつれ.

arm[1] /ɑ́ːrm/

名 **1** 腕. **2** 形が腕に似たもの.

áccess àrm 〔コンピュータ〕アクセス・アーム.
árm-in-árm 形 〈カップルが〉腕を組んだ.
bláck àrm 〔植物病理〕角点病, 角斑病.
Bóston árm 〔医学〕ボストン義手.
bów-àrm 〔弓術〕弓手.
cróoked àrm 《米野球俗》左腕投手.
cróss·àrm 十字架の横木; 横木, 横桟.
fóre·àrm 名 〔解剖〕前腕, 前膊(ぜんぱく).
gláss àrm ガラス腕: 投球などによって筋肉が損傷を受けた腕.
hóok àrm 《米野球俗》(ピッチャーの)利き腕.
in·árm 動他 抱き締める; (抱くように)取り囲む.
léft-árm 形 《英》(クリケットの)〈投手が〉左利きの.
lóng àrm (手の届かない所の作業に用いる鉤(かぎ)などのついた)長い棒.
óne àrm 《米俗》(椅子の右側のひじ掛けに小テーブルをセットした椅子を用いる)小食堂(one-arm joint).
óver·àrm 形 〔野球〕上手投げの; 〔テニス〕上手打ちの.
píckup àrm =tone arm.
pútty àrm 《米俗》=glass arm.
ríght árm 右腕.
rócker àrm 〔機械〕揺れ腕, 揺り棒.
róll-òver árm (椅子・ソファーの)ロールオーバー式ひじ掛け.
róund-àrm 形 〔クリケット〕水平に腕を振った.
rúbber àrm 《米話》〔野球〕快腕, 豪腕.
sáil àrm 風車の車翼(whip).
shórt-àrm 《俗》陰茎.
síde·àrm 副 《主に米》横手投げで.
spíral árm 〔天文〕渦状腕.
stíff-àrm 動他 =straight-arm.
stráight-àrm 動他 〔アメフト〕〈タックルしようとする敵

を〉腕をぴんと張って押しのける.
stróng àrm 力, 暴力; 腕ずく, 高圧手段.
stróng-àrm 形 《米話》腕力を用いる, 腕ずくの.
swórd àrm (剣を振るう)右腕.
ténnis àrm テニス腕: テニスのしすぎによる腕の痛み.
tóne àrm 〖オーディオ〗トーンアーム.
trémolo àrm トレモロアーム: エレクトリックギターのブリッジにつながれ, 弦の張力を変化させて音程を変える金属製のレバー.
únder·àrm 形 腋(わき)の下の.
úpper árm 上腕, 二の腕.
yárd·àrm 〖海事〗ヤーダム, 桁端(けたはし).

arm² /ɑ́ːrm/

名 兵器, 武器, 小火器(小銃, 短銃など); 軍備. ── 動他 〈人を〉(…で)武装させる.

áir àrm (一国の軍事力における)航空戦力.
dis·árm 動他 (武器を)取り上げる; 武装を解除する.
fíre·àrm 小火器(ライフル, ピストルなど).
fore·árm 動他 …を(大事・困難に備えて)前もって準備する; あらじめ武装する.
rè·árm 動他 …を再軍備 [再武装] させる.
shóulder àrm 肩撃ち火器(shoulder weapon).
síde àrm 〖軍事〗着装 [携帯] 武器.
smáll árm 小火器, 小口径火器.
súper·àrm 名 超強力武器, スーパーアーム.
un·árm 動他 武器を取り上げる, 武装解除させる.

-arm¹ /ɑ́ːrm/

語尾

arm¹ 名 ☞
arm² 名 ☞
barm 名 ビール酵母.
charm 名 人を魅惑する力, 魅力; 魔力.
farm 名 ☞
harm 名 害, 損害, 傷害, 危害.
marm 名 《主に方言》ご婦人; 奥様(madam).
pharm 名 薬学実験用に遺伝子操作された動植物の飼育場 [栽培地].
smarm 名 《英話》陳腐なお世辞, ごますり.
tharm 名 《スコット》腸(intestine).

-arm² /ɔ́ːrm/

語尾 語末にくる同音形は -ORM.

swarm¹ 名 〖昆虫〗(ミツバチの)分封群.
swarm² 動他自 《古》(木・綱などに)よじ登る.
warm 形 ☞

ar·ma·dil·lo /ɑ̀ːrmədílou/

名 〖動物〗アルマジロ: アルマジロ科を構成する哺乳(ほにゅう)動物. ⇨ -ILLO.

gíant armadíllo オオアルマジロ.
múle armadíllo =nine-banded armadillo.
níne-bànded armadíllo ココノオビ(九帯)アルマジロ.
síx-bànded armadíllo ムツオビアルマジロ.
Téxas armadíllo =nine-banded armadillo.

armed /ɑ́ːrmd/

形 武器を持った, 武装した. ⇨ -ED¹.

héavy-ármed 形 重装備の, 重装甲の.
líght-ármed 形 軽装備の.
núclear-ármed 形 核装備の, 核武装している.
ùn·ármed 形 武器を持たない, 非武装の.
ùnder·ármed 形 十分な武器がない, 武装が不十分な.

ar·mor /ɑ́ːrmər/

名 鎧(よろい); 甲冑(かっちゅう), 具足. ⇨ -OR².

cháin ármor メール, 鎖帷子(かたびら).
cháracter ármor 〖心理〗性格防護.
Góthic ármor ゴシック式甲冑.
hálf àrmor (腰までの)半甲冑.
Maximílian ármor マクシミリアン鎧.
munítion àrmor (量産した官給の鎧などの)一般兵士用装備.
paráde àrmor (儀式だけに用いる)飾り甲冑.
pláte àrmor 板金鎧.
scále àrmor 小札鎧(こざねよろい).
sóft àrmor (具足用の)刺し子縫いの布製鎧.
splínt àrmor 鉄札(さね)を継ぎ合わせた鎧.
thrée-quárter ármor 七分甲冑, 長タシットの鎧.

arms /ɑ́ːrmz/

名複 arm の複数形.

allúsive árms 〖紋章〗=canting arms.
bróken árms 《米俗》食べ残し, 食べかす.
bróther-in-árms 名 親しい仲間; (特に)戦友.
cánting àrms 〖紋章〗家名にちなんだ図形を描いた紋章.
córporate árms 〖紋章〗(都市, 教会, 大学, ギルド, 企業などのような)団体の紋章.
géntleman-at-árms 名 《英》儀仗(ぎじょう)の衛士.
inspéction árms 銃点検の姿勢.
kíng-of-árms 名 《英》紋章院部長.
léft shóulder àrms 〖軍事〗左肩担(にな)え銃(つつ), 換え銃.
mán-at-árms 名 《古》兵士; (中世の)重騎兵.
máster-at-árms 名 (秩序維持・非会員の入会拒否などの権限を与えられた)友愛同志会 [古参退役軍人会など] の士官, 役員.
Ń-àrms 名複 核兵器(nuclear arms).
órder árms 〖軍事〗立て銃(つつ).
presént árms 〖軍事〗捧(ささ)げ銃(つつ).
ríght shóulder árms 〖軍事〗(右肩)担え銃(つつ).

ar·my /ɑ́ːrmi/

名 陸軍(►空軍を含むこともあるが, ふつう海軍, 空軍に対していう); 兵役, 軍務. ⇨ -Y⁴.

bármy ármy 《英俗》若者の熱狂的な集団.
Blúe Ármy 《カナダ(主にウィニペグ・カルガリー・バンクーバー)》ブルー・アーミー: 商工人名録を更新し, 業者の仕事ぶりについてチェックする団体.
Bónus Àrmy 〖米国史〗ボーナス軍.
Continéntal Ármy 〖米国史〗大陸軍.
Dád's Ármy 《英話》国土防衛策.
fíeld àrmy 方面軍(army): 陸軍の部隊で, 2 軍団以上と指令部から成る編制.
Fréd Kárno's Àrmy 《英話》無秩序な組織. ►Fred Karno は 20 世紀初めに活躍した London のコメディアン.
Írish Repúblican Ármy アイルランド共和国軍(IRA).
lánd àrmy 《英》(戦時の)婦人農耕部隊(Women's Land Army).
Néw Mòdel Ármy 〖英史〗新型軍.
Pópski's Prívate Ármy Vladimir Penjakoff ('Popski')中佐の率いる 120 名の英軍の偵察隊(1942).
Réd Ármy 赤軍: 旧ソ連軍の公式名.

A

Régular Ármy 《米》正規軍, 常備軍.
Sálly Ármy 《話》=Salvation Army.
Salvátion Ármy 救世軍: 英国の国際的キリスト教団体.
stánding ármy =Regular Army.
Territórial Ármy 英国国防義勇軍.
Uníted Státes Ármy 米国陸軍.
voluntéer ármy 志願制軍隊.

-arn[1] /ɑ́ːrn/

語尾

barn[1] 名 ☞
barn[2] 名 【物理】バーン.
carn 名 ケルン(cairn).
darn[1] 動他自 (衣服などのほころびを)繕う.
darn[2] 形 《主に英話》しゃくにさわる.
garn 間 《英話》ばか言え, ふざけるな.
larn 動自 《俗》《おどけて》=learn.
tarn 名 ターン: 圏谷にある山の小さな湖[池].
yarn 名 ☞

-arn[2] /ɔ́ːrn/

語尾 語末にくる同音形は -ORN, -OURN.

warn 動他 〈人に〉(危険などの)警告をする.

a·round /əráund/

副 取り囲んで, 周りを囲んで; 周囲に, 四方に. ⇨ ROUND.
★ 動詞に伴って多くの句動詞を形成し, その名詞化・形容詞化したものも多い: go around → go-around.

áll-aróund 形 《米》多才の(versatile).
énd-aròund 名 【アメフト】エンドアラウンド.
gó-aròund 名 一回り; 一周して元に戻るコース.
nose-around 名 詮索すること; (警察の)捜査.
róll-aròund 形 《米》〈家具などが〉移動式の.
rún·aròund 名 《話》その場しのぎの応待, 言い逃れ.
túrn·aròund 名 《主に米・カナダ》往復時間.
wálk·aròund 名 ウォークアラウンドステレオ: ウォークマン型ヘッドホンステレオの一般名.
wórk·aròund 名 【航空宇宙】予備手段, 次善策.
wráp·aròund 形 〈衣類が〉体[腰]に巻きつけて着る.
yéar-aróund 形 年間を通した, 年がら年中の.

-arp /ɑ́ːrp/

語尾 carp[1], harp に「繰り返して言う」という音象徴的連想をもつ人がいる.

carp[1] 動自 (…の)あら捜しをする.
carp[2] 名 ☞
-carp 連結形 ☞
flarp 形 《米俗》【音楽】調子を外した.
harp 名 ☞
jarp 動他 《イングランド北東部》たたく, 割る.
scarp 名 ☞
sharp 形 ☞
tarp 名 《話》ターポーリン(tarpaulin): 防水帆布の一種.

-arque /ɑ́ːrk/

語尾 フランス語からの借入語.
★ 語末にくる同音形は -ARC, -ARK.

barque 名 【海事】バーク(bark).
marque[1] 名 他国商船拿捕(だほ)免許状.
marque[2] 名 (高級車などの)型, 車種, モデル.

-arr /ɑ́ːr/

語尾 語末にくる同音形は -AR[7].

carr 名 《英》低木, 特にヤナギが定着した湿原地帯.
charr 名 サケ科イワナ属の淡水魚の総称.
parr 名 サケの幼魚.

ar·range /əréindʒ/

動他 配列する, 配置する, 分類する, 整列させる; 整える, 順序立てる, 整頓(せいとん)する.

dis·ar·range 動他 …をかき乱す, 混乱させる.
mis·ar·range 動他 …の配列を誤る, 並べ違える.
pre·ar·range 動他 あらかじめ…の手はずを整える.
re·ar·range 動他 配列し直す; 再整理する.

ar·ray /əréi/

動他 《文語》〈軍隊などを〉配列する, 配置する, 並べる, 勢ぞろいさせる.

anténna arrày (無線送受信用の)空中線列, アンテナ列, 指向アンテナ.
báttle arrày 戦闘隊形, 陣立て, 陣容.
dìs·ar·ráy 動他 〈配列・整頓を〉乱す, 混乱させる.
gáte arrày 【電子工学】=logic array.
lógic arrày 【コンピュータ】【電子工学】ロジックアレイ.
níne plùs twó arrày 【細胞生物】9+2配列[構造].
níne plùs zéro arrày 【細胞生物】9+0配列[構造].
phásed arráy 【軍事】フェーズドアレー.
Véry Làrge Arráy 【天文】超大型アレイ, 開口合成望遠鏡.

ar·rest /ərést/

動他 …を逮捕する. ―名 **1** 逮捕. **2** 捕捉.

attitúde arrèst 《米警察俗》態度が気に入らないという理由での逮捕.
cárdiac arrést 【病理】(突然の)心拍停止.
cítizen's arrést 私人逮捕, 私人による逮捕.
fálse arrést 不法逮捕.
hóuse arrèst 自宅[病院]監禁, 軟禁.
rè·ar·rést 動他 再逮捕する. ―名 再逮捕.

ar·row /ǽrou/

名 矢.

Bláck Árrow 【ロケット】ブラック・アロー: 英国の三段式ロケット.
bróad árrow 太矢じり印.
élf àrrow (elf が使ったとされた)石矢じり.
flíght àrrow 【弓術】矢じりのかかりがなくて円錐形やピラミッド形の矢じりを持つ矢.
Gréen Árrów グリーン・アロー: 米国の漫画の主人公.
lífe àrrow 【海事】救命矢.
Réd Árrow レッド・アロー: London の一階建てのバス.
séa àrrow 【動物】水中を速く泳いで魚を取るイカの総称.
stráight árrow 《米話》真っ正直な人間, 堅物.

arse /ɑ́ːrs/

名 《英・豪卑・俗》尻, 尻の穴(ass).

cópper àrse (仲間より長時間働く)タクシー運転手.

dúck·àrse (髪型で)ダックテール.
fárt-àrse 動自 遊び回る.
gnát's àrse 〘テレビ〙ちょっぴり.
píg's àrse 混乱, 乱雑.
réd àrse 新兵, 新入り.
shórt·àrse 背の小さい人, ちび.
splít-àrse 形 《軍俗》かっこいい;〈パイロットが〉向こうみずの;〈飛行機が〉操縦性のよい.
téar-àrse 動自 無鉄砲に振る舞う.
tín-àrse 形 運のいい.

-arse /ɑ́ːrs/

語尾

arse 名 ☞
carse 名 《スコット》川沿いの沖積低地.
marse 名 《米南部》物を自由に駆使できる人.
parse 動他 〘文法〙品詞を記述する.
sparse 形 まばらな; 散在する.

ar·se·nate /ɑ́ːrsənèit, -nət/

名 〘化学〙ヒ酸塩. ⇨ -ATE².

cálcium ársenate ヒ酸カルシウム.
léad ársenate ヒ酸鉛(なまり).
magnésium ársenate ヒ酸マグネシウム.
thì·o·ár·se·nate 名 チオヒ酸塩 [エステル].

art /ɑ́ːrt/

名 **1** 芸術, 美術. **2** 技法, 技術. ◇ ARTS.

áir àrt エアアート.
án·ti·àrt 名形 反芸術(の).
auto-destrúctive árt 自動破壊芸術.
bláck árt 黒魔術(black magic).
bódy àrt ボディーアート.
cálendar àrt カレンダーアート.
Cán·Àrt 名 《カナダ話》カナダ芸術(作品).
cáve àrt 洞窟壁画.
clíp àrt (切り張り用)イラスト [絵図] 集.
commércial árt 商業美術.
cóncept àrt =conceptual art.
concéptual árt コンセプチュアルアート.
córporal árt =body art.
cý·ber·àrt 名 エレクトロニックアート.
destrúctive árt 破壊芸術.
éarth àrt アースアート.
ecológical árt 環境芸術, 生態学的芸術.
electrónic árt エレクトロニクス [電子] 芸術.
environméntal árt 環境芸術, エンバイラメント.
fíber àrt ファイバーアート.
fíne árt (実用技術に対する)純粋美術.
fólk árt 民俗芸術, 民芸(品).
fóund árt ファウンドアート.
fúnk àrt ファンクアート.
géntle árt (スポーツとしての)釣り.
graffíti àrt グラフィティーアート, 落書き芸術.
hóusehold árt 家政(術).
impóssible árt =conceptual art.
informátion àrt 情報芸術.
installátion àrt インスタレーションアート, 設置芸術.
júnk àrt 廃品芸術, ジャンクアート.
kinétic árt キネティックアート, 動く芸術.
lánd àrt =earth art.
lég àrt 《俗》(女性の)セミヌード写真.
líne àrt 線画.
lúminal árt ルミナルアート, 光線芸術.
lúminist árt =luminal art.
machíne àrt 機械芸術, マシーンアート.
mínimal árt ミニマルアート.
néon àrt ネオンアート: ネオンサインの芸術.
nóble árt 拳闘(けんとう), ボクシング.
nòn-árt 名 反芸術(antiart).
óp árt 《話》オプ・アート.
óptical árt =op art.
perfórmance àrt パフォーマンスアート.
perfórming árt 公演芸術, 舞台芸術.
plástic árt (芸術の分野としての)彫塑.
póp árt ポップアート.
post-óbject àrt ポストオブジェクト・アート.
práctical árt 実用美術.
príor árt (特許法で)ある発明に関して, その公表以前に知られていた類似の技術.
prócess àrt =conceptual art.
Próp Àrt 芸術に見せかけたプロパガンダ.
ráw árt 生(き)芸術.
rejéctive árt =minimal art.
sóft árt ソフトアート.
sólar árt ソーラーアート, 太陽焦がし絵.
státe-of-the-árt 形 《話》〈機器が〉最新式の.
stóry àrt ストーリーアート.
térrorist árt (伝統破壊の)過激芸術.
tít àrt 《米俗》セミヌード写真.
trámp àrt トランプアート.
vídeo àrt ビデオアート.
X́-ray àrt 透視画.
záp àrt 社会問題告発のビラに見られる絵.

-art[1] /ərt/

接尾辞 -ard[1] の異形.

brag·gart 名 自慢をする人, 大言壮語する人.

-art[2] /ɑ́ːrt/

語尾 dart, fart, start, scart などに勢いある動きを感じる人がいる; さらに smart と tart[1] のひりひりした痛みをそれと連想する人もいる.

art[1] 名 ☞
art[2] 動 《古》be の二人称単数現在直説法の形.
cart[1] 名 ☞
cart[2] 名 《英》(テープの)カートリッジ.
chart 名 ☞
dart 名 投げ矢, ダート.
fart 名 ☞
hart 名 雄ジカ, (特に5歳以上の)アカシカ.
-hart 連結形 ☞
kart 名 (レースの)カート, ゴーカート.
mart[1] 名 市場; 取引場, 貿易センター.
mart[2] 名 《スコット》(食用に)太らせた牛.
part 名 ☞
quart 名 〘トランプ〙同じ組札の4枚続き.
scart 動他自 《スコット》(…を)引っかく.
smart 形 ☞
snart 動自 《英俗》くすくす笑う, せせら笑う.
start 動他 ☞
tart[1] 形 〈食物が〉刺激性の; 酸っぱい.
tart[2] 名 (ウイルスによる)いぼ.

-art[3] /ɔ́ːrt/

語尾 語末にくる同音形は -ORT.

quart 名 クォート: 液量の単位.
swart 形 〈顔などが〉黒ずんだ, 浅黒い.
thwart 動他 目的達成を妨げる, 妨害する.
wart 名 ☞

ar·ter·y /ɑ́ːrtəri/

A

名 〘解剖〙 動脈. ⇨ -ERY[1].

brachiocephálic ártery	腕頭動脈.
cómmon carótid àrtery	総頸(ᵏᵉⁱ)動脈.
córonary ártery	冠状動脈.
fémoral ártery	股(こ)動脈, 大腿(だいたい)動脈.
hepátic ártery	肝動脈.
hypogástric ártery	内腸骨動脈.
íliac ártery	総腸骨動脈.
innóminate ártery	=brachiocephalic artery.
mámmary ártery	=thoracic artery.
púlmonary ártery	肺動脈.
subclávian ártery	鎖骨下動脈.
thorácic ártery	胸部動脈.

-ar·thri·a /ɑ́ːrθriə/

連結形 〘医学〙 (音・言葉などの)明瞭な発音(に関する異常).
★ 名詞をつくる.
★ 語頭にくる関連形は arthr(o)-: *arthr*ectomy「関節切除 [摘出]」, *arthro*pod「節足動物」.
◆ ギリシャ語 *árthron*「結びつき」より. ⇨ -IA.

an·ar·thri·a 名	(脳障害による)構語不能(症).
dis·ar·thri·a 名	発話困難症.
dys·ar·thri·a 名	構音 [構語] 障害.

ar·thro·sis /ɑːrθróusis/

名 〘解剖〙 関節. ⇨ -SIS.
★ 語頭にくる関連形は arthr(o)-: *arthr*ectomy「関節切除 [摘出]」, *arthro*pod「節足動物」.

am·phi·ar·thro·sis 名	半関節.
di·ar·thro·sis 名	可動関節, 全動関節.
en·ar·thro·sis 名	球関節, 球窩(きゅうか)関節.
ne·ar·thro·sis 名	=pseudoarthrosis.
pseu·do·ar·th·ro·sis 名	偽関節(false joint).
syn·ar·thro·sis 名	不動(関節)結合.

ar·ti·cle /ɑ́ːrtikl/

名 **1** (新聞・雑誌などの)記事, 論説, 論文. **2** 品物. 〘文法〙 冠詞. ⇨ -CLE[1].

Cíty árticle	商業経済記事.
définite árticle	〘文法〙 定冠詞.
énd àrticle	最終商品.
génuine árticle	《米話》(代用品でない)本物.
indéfinite árticle	〘文法〙 不定冠詞.
léading árticle	《主に米》(新聞・雑誌の)主要記事.
míddle árticle	《英》〘層位学〙 中位 [中期] の.

ar·tic·u·late /ɑːrtíkjulət/

形 〈言葉が〉はっきり発音された; 分節的な, 有節的な, 歯切れのいい. ── 動他 **1** 〈音節・語を〉はっきり話す. **2** …を関節でつなぐ. ⇨ -ATE[1].

bi·ar·tic·u·late 形	〈昆虫の触角などが〉二節の.
dis·ar·tic·u·late 動他自	関節を外す [が外れる].
in·ar·tic·u·late 形	発音がはっきりしない, 不明瞭な.

ar·til·ler·y /ɑːrtíləri/

名 砲, 大砲. ⇨ -ERY[1].

cóast artíllery	沿岸砲台, 海岸要塞(ようさい)砲.
fíeld artíllery	野戦砲, 野戦砲兵(隊).
héavy artíllery	〘軍事〙 重砲.
líght artíllery	〘軍事〙 軽砲.
médium artíllery	〘米軍事〙 中砲, 中口径砲.

art·ist /ɑ́ːrtist/

名 **1** (一般に)芸術家. **2** 芸がうまい人; 《米俗》(…の)名人, 達人, 職人, 専門家. ⇨ -IST[1].

béat àrtist	《米俗》人を襲って麻薬を買う金を奪う中毒者.
bíg-nóte àrtist	《豪俗》自慢家.
bílge àrtist	《俗》自慢屋.
bóogie-jòogie àrtist	《米俗》でたらめをするやつ.
búnco àrtist	《米俗》=bunko artist.
búnko àrtist	《米俗》詐欺師, ぺてん師.
búrn àrtist	《米俗》偽麻薬の売人.
cástor óil àrtist	《米話》医者.
chéap-shòt ártist	《米・カナダ》抵抗できない相手に低俗な批判を浴びせる人.
clíp-àrtist	《米暗黒街俗》(プロの)詐欺師.
cón àrtist	《話》(口の達者な)うそつき.
cyber·ártist	エレクトロニックアーティスト.
dít-dà àrtist	《米俗》無線電信のオペレーター.
drág àrtist	女装の芸能人.
escápe àrtist	脱出技専門のマジシャン.
fáce àrtist	《米俗》オーラルセックスのうまい人.
góof àrtist	《米俗》麻薬効果をいろいろ試す人.
gýp àrtist	《米俗》ペテン師.
héat àrtist	《米俗》携帯燃料用の缶入りアルコールを飲む人.
hýpe àrtist	《俗》誇大宣伝をする人.
máke-òut àrtist	《米俗》口説き上手の男, 女たらし.
óff ártist	《米俗》泥棒.
pávement àrtist	《主に英》=sidewalk artist.
píss àrtist	《俗》口先のうまい人, ほら吹き.
púff àrtist	《米俗》べたぼめする人.
pút-on ártist	《米俗》ちゃかしの名人, かつぎ屋.
sáck àrtist	なまけ者, 遊び人.
sháft àrtist	《米俗》詐欺師.
shív àrtist	《俗》ナイフ使い.
shórt-chànge ártist	《米俗》つり銭をごまかす店員.
sídewalk àrtist	歩道絵かき芸人.
stríp àrtist	ストリッパー.
tág àrtist	署名など作者のしるしを記入する落書きアーティスト.
trapéze àrtist	空中サーカス師; ぶらんこ乗り.
wár àrtist	(雇われの)戦争画家.

arts /ɑ́ːrts/

名複 art「芸術; 技術」の複数形.

Beaux-Árts 形	(パリの)École des Beaux-Arts 風の建築様式の.
doméstic árts	家政学, 家庭科(home economics).
gráphic árts	グラフィックアート.
indústrial árts	工芸技術.
lánguage árts	《米》言語 [国語] 科目.
líberal árts	(大学の)教養課程 [科目].
mártial árts	武道.
perfórming árts	舞台芸術, 公演芸術.
vísual árts	視覚芸術.

-arve /ɑ́ːrv/

語尾

carve 動他	刻む, 彫る, 彫刻する.
starve 動自	餓死する.
varve 名	〘地質〙 年層, バーブ.

-a·ry /èri, əri｜əri/

接尾辞 **1** …に属する, …に関係のある: custom*ary*, element*ary*. **2** …と関係のある人: benefici*ary*, mission*ary*. **3** 入れ物, 置き場: gloss*ary*, gran*ary*.

★ 名詞につけて形容詞または名詞をつくる.
★ 語末にくる関連形は -ARIA, -ARIAN, -ARILY, -ARIOUS, -ARIUM, -EER[1], -ER[2].
◆ 中英 *-arie* ＜ラ *-ārius*, *-a*, *-um*; 英語で「人」の意味を表す名詞は *-ārius*(男性形)に由来する.「もの」と「場所」の意味を表すときは *-ārium*(中性形)または *-āria*(女性形)に由来する.
[発音] 第1強勢は基語, 基体と同じ. ただし, 3音節以上からなり, -ment で終わる語につくときは -méntary のように -mént- に第1強勢がくるものがある. 例外: cómmentary, mómentary など.

---

a·be·ce·da·ry 名 アルファベットを習っている人.
ab·o·li·tion·ar·y 形 廃止の.
ac·ces·sa·ry 名形 〘主に法律〙共犯(の)(accessory).
a·chei·la·ry 形 〘植物〙＝achilary.
a·chi·la·ry 形 〘植物〙無唇弁の.
ac·tu·ar·y 名 〘保険〙保険計理 [数理] 士.
ad·ver·sar·y 名 敵, 敵対者, 反対者.
a·la·ry 形 翼の [に関する] (alar).
al·i·men·ta·ry 形 栄養の; 栄養 [滋養] になる.
an·cil·lar·y 形 (…に)補助的な, 付随の.
an·ga·ry 名 〘国際法〙(戦時)徴用権.
an·ni·ver·sa·ry 名 (毎年の)記念日, …周年 [回忌].
an·ten·na·ry 形 〘動物〙触角の; 触角を持った.
an·tiph·o·nar·y 名 交唱聖歌集.
an·ti·quar·y 名 古物研究 [愛好, 収集] 家, 好古家.
a·pi·ar·y 名 養蜂(ようほう)場 [舎], 養蜂箱.
a·poth·e·car·y 名 薬店主, 薬剤師.
ar·bi·trar·y 形 個人の意志 [判断] に任された.
ar·mil·lar·y 形 輪 [環] から成る, 環状の.
aux·il·ia·ry 形 補助の, 副の, 準備の, 付加的な.
a·vi·ar·y 名 (大きな)鳥の檻(おり), 鳥小屋.
ax·il·lar·y 形 〘解剖〙腋窩(えきか)の, 腋の下の.
bac·il·lar·y 形 バチルス状の, 桿(かん)状の.
bas·i·lar·y 形 基底の.
ben·e·fi·ci·ar·y 名 利益 [恩恵] を受ける人 [団体].
bes·ti·ar·y 名 動物寓話集, 動物説話集.
bil·i·ar·y 形 〘生理〙胆汁(bile)の; 胆汁を運ぶ.
bi·na·ry 形 ☞
bi·qui·na·ry 形 〘数学〙二五(にご)進法の.
blear·y 形 〈目が〉かすんだ, 充血した.
bloom·a·ry 名 〘冶金〙錬鉄術(bloomery).
boon·ga·ry 名 〘動物〙カオグロキノボリカンガルー.
bound·a·ry 名 境界, 限界, 限度; 境界線.
bre·vi·ar·y 名 〘ローマカトリック〙聖務日課書.
bul·la·ry 名 (ローマ教皇の)大勅書集.
bur·gla·ry 名 〘刑法〙押し込み, 住居侵入窃盗.
bur·sa·ry 名 《英》(大学・修道院の)会計課.
cal·a·mar·y 名 イカ, (特に)ヤリイカ属のイカ.
ca·nar·y 名 ☞
cap·il·lar·y 名形 毛(細)管(の).
ca·pit·u·lar·y 形 聖堂 [教会] 参事会の. ── 名 聖堂 [教会] 参事会員.
car·a·van·sa·ry 名 (近東の通例, 広い中庭のある)隊商宿.
car·pel·lar·y 形 〘植物〙心皮の.
car·tu·lar·y 名 ＝chartulary.
cat·e·nar·y 名 〘数学〙カテナリー, 懸垂線.
cau·tion·ar·y 形 警戒の; 注意を促す, 警告的な.
cav·i·tar·y 形 〘解剖〙〘病理〙腔の; 空洞形成の.
cen·te·nar·y 形 ☞
ces·sion·ar·y 名 〘法律〙譲受人, 被譲与者.
char·tu·lar·y 名 特許状 [権利証書] 台帳.
cil·i·ar·y 形 〘解剖〙(目の)毛様体の.
cin·e·rar·y 形 灰を入れる, (特に)遺骨を入れる.
cod·i·cil·la·ry 形 遺言補足書の; 補足的な.
col·um·bar·y 名 ハト小屋.
com·men·tar·y 名 (一連の)注釈, 注解; 解説書.
com·mis·sar·y 名 《米》(軍隊の駐屯地・鉱山の)販売部.
com·ple·men·ta·ry 形 (…を)補足する, 補足的な.
com·pli·men·ta·ry 形 賞賛の, 賛辞の; お世辞を言う.
con·ces·sion·ar·y 形 譲歩の, 譲歩した, 譲歩的な.
con·cre·tion·ar·y 形 凝固 [凝結] してできた.
con·fec·tion·ar·y 名 《まれ》キャンデー, 砂糖菓子.
con·fes·sion·ar·y 形 告白の.
con·stab·u·lar·y[1] 名 《主に英》(一地域の)警察隊; 警察管区.
con·stab·u·lar·y[2] 形 《主に英》警察(隊)の, 警官の.
con·sue·tu·di·nar·y 形 慣習の, 慣例上の.
con·tem·po·rar·y 形 同時代に存在した, 同時代の.
con·trar·y 形 〈性質・性格が〉反対の, 正反対の.
con·ven·tion·ar·y 形 (英国 Cornwall 州, Devonshire 州などで)〈借地(人)が〉協定上の.
con·vul·sion·ar·y 形 痙攣(けいれん)の, 痙攣を起こす.
cor·ol·lar·y 名 〘数学〙系.
cor·o·nar·y 形 (健康状態に関連して)心臓の.
cu·li·nar·y 形 台所の; 台所用の; 料理の.
cus·tom·ar·y 形 習慣的な, しきたりの; 通例の.
da·ta·ry 名 〘ローマカトリック〙教皇庁掌璽(しょうじ)院.
de·cen·a·ry 名 〘英史〙十人組.
de·cen·na·ry[1] 名形 10年間(decennium)(の).
de·cen·na·ry[2] 名 ＝decenary.
den·a·ry 形 10を含む; 10倍の.
den·ta·ry 名 〘動物〙歯骨.
de·pos·i·tar·y 名 保管人, 預かり人, 受託者.
di·a·ry 名 (通例, 個人的な)日記, 日誌.
dic·tion·ar·y 名 ☞
di·e·tar·y 形 (栄養から見た)食べ物の; 食養生の.
dig·ni·tar·y 名 (政府などの)高官; 高位聖職者.
dis·ci·pli·nar·y 形 訓練の; 規律上の; 懲戒的な.
dis·cre·tion·ar·y 形 任意に決定できる; 自由裁量の.
dis·pen·sa·ry 名 (病院などの)調剤室; (学校などの)保健室.
dis·trib·u·tar·y 名 分流.
di·ver·sion·ar·y 形 注意をほかにそらす; 陽動の.
di·vi·sion·ar·y 形 《英》分割の, 分ける.
doc·u·men·ta·ry 形 文書の; 記録 [資料] による.
drom·e·dar·y 名 ヒトコブラクダ.
du·o·den·a·ry 形 (一単位)12の; 十二進の.
e·lec·tu·ar·y 名 〘薬学〙〘獣医〙なめ薬, 舐(し)剤.
el·ee·mos·y·nar·y 形 義援金の, 施し(物)の; 慈善的な.
el·e·men·ta·ry 形 初歩の, 初等の, 入門の; 基本の.
em·is·sar·y 名 使者, 使節.
e·pis·to·lar·y 形 手紙 [書簡] の, 手紙による.
es·tu·ar·y 名 (潮の差す大きな川の)河口.
e·van·gel·i·ar·y 名 ＝evangelistary.
e·van·ge·lis·ta·ry 名 礼拝式用福音集.
ev·i·den·tia·ry 形 証拠(上)の.
ev·o·lu·tion·ar·y 形 発展の, 進化の.
ex·em·pla·ry 形 手本とすべき, 模範的な; 立派な.
ex·pan·sion·ar·y 形 拡張的な, 拡充的な, 膨張性の.
ex·pe·di·tion·ar·y 形 遠征の, 探検の; 探検 [遠征] 隊の.
fac·tion·ary 名 党派 [派閥, 分派] の一員.
Feb·ru·ar·y 名 2月.
feo·da·ry 名 封臣, 領臣, 従者.
fi·de·i·com·mis·sar·y 名 〘大陸法〙信託遺贈の受益者.
fi·du·ci·ar·y 名 〘法律〙(財産・権限などの)受託者. ── 形 〘法律〙信託に基づいた; 信託された.
fil·a·men·ta·ry 形 filament「細糸, 糸状のもの」の.
for·mi·car·y 名 アリの巣 [塔], アリ塚(ant hill).
for·mu·lar·y 名 式文集, 祭文集; 規則 [公式] 集.
frag·men·tar·y 形 断片的な; ばらばら [切れ切れ] の.
fri·ar·y 名 (特に托鉢修道会の)修道院.
frit·il·lar·y 名 ヒョウモン(豹紋)チョウ.
func·tion·ar·y 名 職員, 官公吏, 役人, 公務員.
fu·ner·ar·y 形 葬式の, 埋葬の.
glos·sa·ry 名 用語辞典, 術語辞典, 語彙辞典.
gra·na·ry 名 (特に脱穀済み穀物の)穀倉.
heb·dom·a·dar·y 名 〘ローマカトリック〙週務者.
herb·ar·y 名 《古》薬草園.
he·red·i·tar·y 形 遺伝する, 遺伝性の.
hoar·y 形 〈髪が〉(老いて)灰白色の, 白い.
ho·mil·i·ar·y 名 説教集.
hon·or·ar·y 形 名誉 [肩書き] だけの; 名誉職の.

ho·ra·ry 形 《古》1時間の; 時の; 時を示す.
hym·na·ry 名 賛美歌集, 聖歌集.
hy·poth·e·car·y 形 〖法律〗抵当権の.
il·lo·cu·tion·ar·y 形 〖哲学〗〖言語〗発話の, 発話内の.
il·lu·sion·ar·y 形 幻影の, 思い違いの, 幻想の.
im·ag·i·nar·y 形 想像 [仮想] 上の, 空想の, 架空の.
in·cen·di·ar·y 形 燃やすのに用いる, 発燃用の.
in·clu·sion·ar·y 形 〈住宅 [地域] 開発計画が〉中間所得層対象の.
in·fir·ma·ry 名 診療所; (僧院・学校・工場などの)養護室, 医務室.
in·fla·tion·ar·y 形 インフレの; インフレを誘発する.
in·sec·tar·y 名 昆虫(飼育)実験室.
in·sti·tu·tion·ar·y 形 協会の; 制度上の, 規定の.
in·sur·rec·tion·ar·y 形 反乱の. ── 名 暴徒, 反乱者.
in·teg·u·men·ta·ry 形 外皮の, 皮膚の, 殻の.
in·ter·ca·lar·y 形 挿入された.
in·ter·me·di·ar·y 名 仲介 [媒介] 者.
in·vol·un·tar·y 形 不本意の, いやいやながらの.
i·tin·er·ar·y 名 旅行計画, (特に)訪問地のリスト.
Jan·u·ar·y 名 1月.
ju·di·ci·ar·y 名 (政府の)司法部.
jus·ti·ci·ar·y 形 司法上の. ── 名 大判官の地位.
lac·ta·ry 形 《古》乳の(ような); 乳汁を出す.
la·ni·ar·y 名形 犬歯(の).
lap·i·dar·y 名 宝石細工人. 宝石通; 宝石鑑定家.
lec·tion·ar·y 名 聖句集, 読誦(どくじゅ)集, 日課表.
leg·end·ar·y 形 伝説(上)の.
le·gion·ar·y 形 legion「(古代ローマの)軍団」の.
li·brar·y 名 ☞
lim·i·tar·y 形 制限する, 制限的な; 境界の.
lit·er·ar·y 形 文学の, 文芸の; 文筆の, 著作の.
lo·cu·tion·ar·y 形 〖哲学〗〖言語〗発語に関する.
lu·mi·nar·y 名 《文語》発光体; (特に太陽・月などの)天体.
-lu·nar·y 連結形 ☞
ma·mil·la·ry 形 =mammillary.
mam·ma·ry 形 〖解剖〗〖動物〗乳房(mamma)の.
mam·mil·lar·y 形 乳頭 [乳首] の; 乳頭状の.
man·da·tar·y 名 〖法律〗無償受任者; 代理人 [国].
max·il·lar·y 形 〖解剖〗上顎(じょうがく)の. ── 名 上顎骨(がくこつ).
med·ul·lar·y 形 〖解剖〗骨髄の; 髄質部の, 脊髄の.
mer·ce·nar·y 形 報酬目当ての, 金で働く.
mil·i·ar·y 形 あわ粒状の.
mil·i·tar·y 形 (海軍に対して)陸軍の; 軍隊の.
mil·le·nar·y 形 千の, 千から成る, (特に)千年の.
mil·li·ar·y 形 古代ローマの1マイルの.
mis·sion·ar·y 名 宣教師, 伝道師.
mo·bil·i·ar·y 形 動産の.
mo·men·tar·y 形 一瞬の, 瞬時の, つかのまの.
mon·e·tar·y 形 《文語》貨幣の, 通貨の.
mor·tu·ar·y 名 葬儀場; 死体置場; 霊安室.
mul·ti·na·ry 形 多項から成る.
nec·es·sar·y 形 必要な, なくてはならない.
nec·ta·ry 名 〖植物〗蜜腺(みつせん).
no·bil·i·ar·y 形 貴族(階級)の.
no·na·ry 形 9から成る.
non·ge·nar·y 名 《英》九百年祭.
no·ta·ry 名 〖法律〗公証人(notary public).
nu·mer·ar·y 形 数の, 数に関する.
num·ma·ry 形 貨幣 [金銭] に関する.
num·mu·lar·y 形 《古》=nummary.
oar·y 形 《古》オールのような.
o·be·di·en·tia·ry 名 (中世の修道院の)役僧.
o·bit·u·ar·y 名 (新聞などの)死亡広告 [記事].
oc·tin·gen·te·na·ry 名 《英》八百年祭.
oc·to·nar·y 形 《まれ》8の.
of·fi·ci·ar·y 形 〈称号などが〉官職上の.
ol·i·va·ry 形 オリーブ形の, 卵形の.
or·di·nar·y 形 ☞
os·su·ar·y 名 納骨堂 [室]; 骨壺(こつつぼ).
os·ti·ar·y 名 〖ローマカトリック〗守門.
o·va·ry 名 〖解剖〗〖動物〗卵巣.
pal·ma·ry 形 抜群 [最優秀] の, 賞賛に値する.
pap·il·lar·y 形 乳頭(性)の, 小突起(性)の.
par·ce·nar·y 名 〖法律〗相続財産共有.
par·lia·men·ta·ry 形 議会の; 議員の.
pas·sion·ar·y 名 熱情 [恋情] の(passional).
pe·cu·ni·ar·y 形 〈事柄が〉金銭 [財政] 上の.
pen·i·ten·tia·ry 名 (米国の州・連邦, カナダの)(重罪)刑務所, 懲治監, 感化院.
pen·sion·ar·y 名 年金 [恩給] 受給者(pensioner).
per·lo·cu·tion·ar·y 形 〖哲学〗〖言語〗発語媒介的な.
pes·sa·ry 名 〖医学〗ペッサリー.
pe·ti·tion·ar·y 形 請願 [嘆願, 祈願] の.
phyl·la·ry 名 〖植物〗総包片.
pig·men·tar·y 形 顔料 [色素] の; 色素を含んでいる.
pis·ca·ry 名 〖法律〗(特定水域での)漁業権.
pi·tu·i·tar·y 名 〖解剖〗(脳)下垂体.
pla·gia·ry 名 (他人の文章・着想などの)剽窃.
plan·e·tar·y 形 ☞
ple·na·ry 形 完全な; 〈権力が〉絶対的な; 全権の.
plen·i·po·ten·ti·ar·y 名 (特に外交上の)全権使節, 全権大使. ── 形 全権を委任された.
pol·y·par·y 名 〖生物〗ポリプ母体.
preb·en·dar·y 名 〖教会〗参事会員聖職給受給有資格者.
pre·cau·tion·ar·y 形 用心のための, 警戒的な, 予防の.
pre·lim·i·nar·y 形 予備の; 前置きの, 序の; 準備の.
pri·ma·ry 形 ☞
pro·ba·tion·ar·y 形 試験の, 見習い期間の.
pro·ces·sion·ar·y 形 行列の; 行列して進む.
pro·le·gom·e·nar·y 形 前置の, 緒言の.
pro·le·tar·y 名形 プロレタリア階級(の).
pro·pri·e·tar·y 形 所有者の [にふさわしい].
pro·thon·o·tar·y 名 (いくつかの裁判所の)首席書記官.
pro·ton·o·tar·y 名 =prothonotary.
pul·mo·nar·y 形 肺の; 肺による; 肺を冒す.
pu·pil·lar·y[1] 形 生徒 [弟子, 被後見者] の.
pu·pil·lar·y[2] 形 〖解剖〗瞳孔(どうこう)の.
quan·da·ry 名 困惑, 当惑, 苦境, 板ばさみ.
qua·ter·nar·y 形 4要素から成る; 〖化学〗4基の.
ques·tion·ar·y 名 アンケート, 質問表.
qui·na·ry 形名 5の(一組), 5個からなる(組合せ).
quin·gen·te·nar·y 名形 《英》五百年祭(の).
quin·quag·e·nar·y 名 50周年.
re·ac·tion·ar·y 形 反動の, 逆戻りの. ── 名 反動主義者, 反動思想家 [政治家].
re·ces·sion·ar·y 形 景気後退の, 不況に関連した.
re·fla·tion·ar·y 形 〖経済〗景気浮揚的な.
reg·is·tra·ry 名 (Cambridge 大学の)学籍係.
rel·i·quar·y 名 聖骨箱, 聖遺物箱.
res·i·den·ti·ar·y 形 居住 [在留, 在住] している.
re·sid·u·ar·y 形 残余遺産の取得権を持つ.
res·ur·rec·tion·ar·y 形 復活の; 復活する.
re·ti·ar·y 形 網 [からめ捕るもの] を使う.
re·ver·sion·ar·y 形 逆の, 復帰の.
rev·o·lu·tion·ar·y 形 ☞
ro·sa·ry 名 〖ローマカトリック〗ロザリオの祈り.
ro·ta·ry 形 回転 [旋転] する [できる].
ru·di·men·ta·ry 形 根本の, 基本の; 初歩の, 初等の.
sac·ra·men·ta·ry 形 聖礼典の; 聖餐(せいさん)式の.
sal·a·ry 名 俸給, 給料, サラリー.
sal·i·vary 形 唾液(だえき)の; 唾液を分泌する.
sal·u·tar·y 形 《古》健康によい, 健康増進の.
sanc·tu·ar·y 名 神聖な場所, 聖所, 聖域.
san·gui·nar·y 形 流血 [殺戮] を伴う, 流血の.
san·i·tar·y 形 (公衆)衛生の, 衛生上の.
scap·u·lar·y 形 肩の; 肩甲骨の(scapular). ── 名 〖外科〗肩甲(包)帯.
sec·ond·ar·y 形 第二の, 第二位 [番] の, 二番目の.
sec·re·tar·y 名 ☞
sec·ta·ry 名 特定の党 [派閥] に属する人, 信徒.
sed·en·tar·y 形 座った姿勢の; 座ってする.
sed·i·men·ta·ry 形 沈殿物の; 堆積性の. ── 名 〖地質〗堆積岩.

se·di·tion·ar·y 形 反乱［暴動］教唆の；扇動的な(seditious). ——名 扇動者，暴動教唆者.
sem·i·nar·y 名 《英》(ローマカトリックの)神学校；《米》(各宗派の)神学校.
sen·a·ry 形 6の，6から成る.
sep·te·nar·y 形 7の，7から成る.
sep·tin·ge·nar·y 名 《英》七百年祭.
sep·tu·ag·e·nar·y 形名 70歳の(人)，70代の(人).
sex·ag·e·nar·y 形 60の［に関する］.
sex·e·nar·y 形 ＝senary.
sig·na·ry 名 文字［音節］記号一覧表.
sin·gu·lar·y 形 〘論理〙単項の.
sol·i·dar·y 形 連帯責任の，共同利益の.
sol·i·tar·y 形 独りぼっちの，連れのない.
sper·ma·ry 名 睾丸，精巣，精子腺.
stan·na·ry 名 《英》錫(すず)鉱区.
sta·tion·ar·y 形 静止している，動かない.
stat·u·ar·y 名 彫像，塑像.
sti·pen·di·ar·y 形 固定給で働く，俸給を受ける.
sub·sid·i·ar·y 形 補助の，補う，補足する.
sub·ver·sion·ar·y 形 覆す，転覆させる(subversive).
sum·ma·ry 名 要約，摘要(書)，概要，梗概.
sump·tu·ary 形 出費に関する；出費を抑制する.
sup·ple·men·ta·ry 形 補足の；追加の.
syl·la·bar·y 名 音節［字音］表.
syn·ax·a·ry 名 〘ギリシャ正教〙祭日集略，シナクサリ(synaxarion).
tem·po·rar·y 形 一時の，はかない；一時的な，臨時の.
ter·mi·ta·ry 名 白蟻塚(づか).
ter·na·ry 形 三要素［部分，区分］から成る.
ter·ti·ar·y 形 第3の，第3次［3位，3期］の.
tes·ta·men·ta·ry 形 遺言(書)の［に関する］.
tex·tu·ar·y 形 原文の［に関する］. ——名 (聖書の)原文に精通している人.
tit·u·lar·y 形名 《古》名ばかりの，有名無実の.
to·pi·ar·y 形 〘園芸〙〈植物が〉風変わりな形［装飾的］に刈り込まれた.
tra·che·ar·y 形 〘動物〙気管で呼吸する；〘植物〙道管の［を成す］.
tra·di·tion·ar·y 形 伝統の；伝説の.
trib·u·tar·y 名 **1** (川の)支流. **2** (静脈の)支脈.
tri·na·ry 形 3部分から成る；3つずつ生じる.
tu·mul·tu·ar·y 形 騒々しい，騒然たる.
tur·ba·ry 名 泥炭採掘場，泥炭地.
tu·te·lar·y 形 後見人［保護者］の(地位にある).
u·biq·ui·tar·y 形 至る所に存在する，偏在する.
u·na·ry 形 〘数学〙単一の.
u·ni·tar·y 形 1(個)の，単位の；分割できない.
u·ri·nar·y 形 尿の［に関する］.
u·su·fruc·tu·ar·y 形 〘ローマ法〙〘大陸法〙用益権上の. ——名 使用権［用益権］者.
val·e·tu·di·nar·y 名 病人，病弱者(valetudinarian).
ves·ti·ar·y 名 《古》衣服部屋，化粧室；クローク.
vet·er·i·nar·y 名 《米》獣医. ——形 獣医(学)の.
vex·il·lar·y 名 (古代ローマで特定の軍旗に属して戦った)部隊(の兵士).
vic·e·nar·y 形 20の［から成る］；二十進法の.
vi·sion·ar·y 形 空想的な考えにふける；幻想的な.
vo·cab·u·lar·y 名 ☞
vo·la·ry 名 《まれ》(大型の)鳥小屋，禽舎.
vol·un·tar·y 形 自発的な，自由意志の，任意の.
vo·lup·tu·ar·y 名 放蕩者. ——形 官能的快楽にふける.
vo·ta·ry 名 盛式立誓修士［修女］.
vul·ner·ar·y 形 外傷に利く. ——名 外傷治療薬，傷薬.
zed·o·a·ry 名 〘植物〙ガジュツ.
zo·nary 形 帯の；地域の(zonal).

-as[1] /ɑ́ːs/

語尾 語末にくる同音形は -AAS, -ASS[2].

a·las 間 《古風》ああ，悲しや，哀れなるかな.
das 名 〘動物〙ハイラックス，イワダヌキ.
ras 名 〘地理〙岬，(陸地の)鼻.

-as[2] /ǽs/

語尾 語末にくる同音形は -ASS[1], -ASSE.

as 名 アス：古代ローマの重さの単位.
gas 名 ☞
vas 名 〘解剖〙〘動物〙〘植物〙管(かん).
yas 間 えっ，何でしょうか(yes, yass).

-as[3] /ǽz/

語尾 語末にくる同音形は -AZZ.

as 副 《数量・程度の比較》同じくらい.
chas 名複 《米学生俗》マッチ. ►matches の後半部が独立.
has 動助 have の三人称単数直説法現在形.
spas 名 《俗》いけすかないやつ.

-ase[1] /eis, eiz | èiz, èis/

連結形 〘生化学〙…酵素(enzyme).
★ 酵素名をつくる. 日本語の「(ア)ーゼ」はドイツ語 *-ase* の発音から.
◆ diastase「ジアスターゼ」からの抽出.

al·dol·ase 名 アルドラーゼ.
am·i·dase 名 アミダーゼ.
am·i·nase 名 アミナーゼ.
am·yl·ase 名 アミラーゼ(diastase).
an·gio·ten·sin·ase 名 アンギオテンシナーゼ.
ar·gi·nase 名 アルギナーゼ.
as·par·a·gi·nase 名 〘薬学〙アスパラギナーゼ.
be·ta-lac·tam·ase 名 ベータラクタマーゼ.
car·bo·hy·drase 名 カルボヒドラーゼ.
car·box·yl·ase 名 ＝decarboxylase.
ca·se·ase 名 カゼアーゼ.
cat·a·lase 名 カタラーゼ.
cel·lu·lase 名 セルラーゼ.
chlo·ro·phyl·lase 名 クロロフィラーゼ.
col·la·gen·ase 名 コラゲナーゼ.
cy·clase 名 シクラーゼ.
de·car·box·yl·ase 名 脱炭酸酵素.
de·hy·dro·chlo·ri·nase 名 デヒドロクロリナーゼ.
de·hy·dro·gen·ase 名 ☞
dex·tran·ase 名 デキストラナーゼ.
di·aph·o·rase 名 ジアホラーゼ.
di·a·stase 名 ジアスターゼ.
di·sac·cha·ri·dase 名 ジサッカリダーゼ.
e·las·tase 名 エラスターゼ.
e·no·lase 名 エノラーゼ.
e·pim·er·ase 名 〘化学〙エピメラーゼ.
es·ter·ase 名 ☞
ex·ci·sion·ase 名 除去酵素.
fu·ma·rase 名 フマラーゼ.
ga·lac·to·si·dase 名 ガラクトシダーゼ.
glu·ca·nase 名 グルカナーゼ.
glu·co·si·dase 名 グルコシダーゼ.
glu·cu·ron·i·dase 名 グルクロニダーゼ.
glu·ta·min·ase 名 グルタミナーゼ.
gly·co·si·dase 名 グリコシダーゼ.
gua·nase 名 グアナーゼ.
gy·rase 名 ジャイレース，ギラーゼ.
hex·os·a·min·i·dase 名 ヘキソースアミニダーゼ.
his·tam·i·nase 名 〘薬学〙ヒスタミナーゼ.
hy·a·lu·ron·i·dase 名 ヒアルロニダーゼ.
hy·drase 名 ヒドラーゼ.
hy·dra·tase 名 ヒドラターゼ，水添加酵素.
hy·drog·e·nase 名 ヒドロゲナーゼ.
hy·dro·lase 名 加水分解酵素，ヒドロラーゼ.

A

hy·drox·y·lase 名 水酸化酵素, ヒドロキシラーゼ.
in·te·grase 名 インテグラーゼ.
in·u·lase 名 イヌラーゼ.
in·u·lin·ase 名 =inulase.
in·vert·ase 名 インベルターゼ.
i·som·er·ase 名 異性化酵素, イソメラーゼ.
kat·a·lase 名 =catalase.
ki·nase 名 ☞
ki·ni·nase 名 〘薬学〙キニナーゼ.
lac·tase 名 ラクターゼ, 乳糖分解酵素.
li·gase 名 リガーゼ.
li·pase 名 リパーゼ.
lu·cif·er·ase 名 ルシフェラーゼ, 発光酵素.
malt·ase 名 マルターゼ, 麦芽糖分解酵素.
meth·yl·ase 名 メチル化酵素, メチラーゼ.
mu·ta·ro·tase 名 ムタロターゼ.
mu·tase 名 ムターゼ.
neur·amin·i·dase 名 ノイラミニダーゼ.
ni·trog·en·ase 名 ニトロゲナーゼ.
nu·cle·ase 名 ☞
nu·cle·in·ase 名 ヌクレイン酵素.
nu·cle·o·sid·ase 名 ヌクレオシダーゼ.
nu·cle·o·tid·ase 名 ヌクレオチダーゼ.
ox·i·dase 名 酸化酵素, オキシダーゼ.
ox·y·gen·ase 名 酸化酵素, オキシゲナーゼ.
pec·tase 名 ペクターゼ.
pen·i·cil·lin·ase 名 ペニシリナーゼ.
pep·ti·dase 名 ☞
per·me·ase 名 透過酵素, パーミアーゼ.
per·ox·i·dase 名 ☞
phos·pha·tase 名 ホスファターゼ.
phos·pho·ryl·ase 名 ホスホリラーゼ.
pol·y·mer·ase 名 ポリメラーゼ.
pro·nase 名 プロナーゼ.
pro·te·ase 名 プロテアーゼ, タンパク質分解酵素.
pro·tein·ase 名 プロテイナーゼ, タンパク質分解酵素.
re·duc·tase 名 還元酵素, レダクターゼ.
rep·li·case 名 RNA シンセターゼ.
sac·cha·rase 名 サッカラーゼ.
strep·to·dor·nase 名 〘薬学〙ストレプトドルナーゼ.
su·crase 名 =invertase.
sul·fa·tase 名 スルファターゼ.
syn·thase 名 シンターゼ, 生成酵素.
syn·the·tase 名 =ligase.
thi·am·i·nase 名 チアミナーゼ.
top·o·i·som·er·ase 名 トポイソメラーゼ.
tran·scrip·tase 名 転写酵素.
trans·fer·ase 名 ☞
trans·ke·tol·ase 名 トランスケトラーゼ.
tre·ha·lase 名 トレハラーゼ.
ty·ro·si·nase 名 チロシナーゼ, チロシン酸化酵素.
un·wind·ase 名 〘遺伝〙巻き戻し酵素.
u·rase 名 =urease.
u·re·ase 名 ウレアーゼ, 尿素分解酵素.
zy·mase 名 チマーゼ.

-ase[2] /éis/

語尾 語末にくる同音形は -ACE.

base[1] 名 ☞
base[2] 形 ☞
case[1] 名 ☞
case[2] 名 ☞
chase[1] 動他 ☞
chase[2] 名 〘印刷〙チェース, 締め枠.
chase[3] 動他 〈金属に〉彫刻装飾を施す.
-clase 連結形 ☞
stase 名 元のままの姿の化石植物.
vase 名 ☞

-ase[3] /éiz/

語尾 lase と mase はそれぞれ, laser「レーザー」と maser「メーザー」からの逆成.
★ 語末にくる同音形は -AISE, -AZE.

-clase 連結形 ☞
lase 動自 〈結晶が〉レーザーとして使える.
mase 動自 極超短波を発し増幅する.
phase 名 ☞
phrase 名 ☞
prase 名 〘鉱物〙緑石英, プレーズ.
rase 動他 〈町・家などを〉破壊する(raze).
vase 名 ☞
wase 名 《古・方言》わら[乾草]の束.

ash[1] /æʃ/

名 灰, 燃え殻; (火事の後の)灰燼(かいじん).

bóne àsh 骨灰, 骨土.
déath àsh (放射能を含んだ)死の灰.
flý àsh フライアッシュ, 飛散灰.
péarl·àsh 真珠灰.
pót·àsh 〘化学〙カリ.
sóda àsh 〘化学〙炭酸ナトリウム, ソーダ.
tín àsh 〘化学〙酸化第二錫(すず).
volcánic ásh 〘地質〙火山灰(ash).

ash[2] /æʃ/

名 〘植物〙トネリコ(梣).

Européan ásh セイヨウ(西洋)トネリコ.
gróund àsh トネリコの若木(のステッキ).
mánna àsh マンナトネリコ, マンナシオジ.
móuntain àsh ナナカマド.
príckly ásh アメリカザンショウ.
whíte ásh アメリカトネリコ.

-ash[1] /æʃ/

音象徴 **1** ダーッ, ガシャン, グシャッ, ヒュッ; 勢いのよい動きを基本として, 突進, 衝突, 打撃, 粉砕, 圧搾, 抑圧の動作や音を表す. **2** パチャッ, ポチャン, ワー; 液体がはねる音や言葉・感情がほとばしり出る様を表す. ◇ -SH[1].

bash 動他 《話》〈人・物を〉(壊れたり, 傷つくほど)強打する; 乱打する, 打ちのめす; たたいてへこます; 〈頭などを〉(…に)(偶然)ぶつける.
brash 形 〈人・言葉などが〉無作法[ぶしつけ]な.
clash 動自 〈金属などが〉(ぶつかり合って)ガチャン[ガシャン]と鳴る, 〈鐘・シンバルなどが〉ジャンジャン鳴る.
crash 動自 (砕けるような)すさまじい音をたてる; 〈雷が〉とどろく.
dash 動他 …を(…に)たたきつける; たたきつけて粉々にする, 粉砕する; …をたたきつけて(…の状態に)する; …を(…に)ほうり投げる, 投げつける.
flash 名 (…の)きらめき, 閃光(せんこう).
gash 名 深い切傷.
gnash 動他 〈歯を〉(特に怒りや苦痛のために)きしませる, かみ鳴らす.
hash 名 ハヤシ肉料理. ── 動他 〈肉などを〉細かに切る, (切り)刻む.
kee·rash 動他 crush の強調.
kour·bash 名動他 =kurbash.
kur·bash 名動他 革(ひも)むち(で打つ).
lash 名 むちひも; むちのしなやかな部分, むちの先; むち.
mash 動他 つぶす. ── 名 どろどろのもの; ごちゃまぜ.
pash 動他 《英方言・廃》…を投げつける, たたきつける(dash).

plash 名 ピシャ, ポチャン, パシャ(水の跳ねる音). ►splash より弱い.
quash 動他〈反乱などを〉(完全に)抑える;〈不安などを〉しずめる.
slash 動他(ナイフ・剣などで)…に深く切りつける, …をめった切りにする.
smash 動他〈堅い物を〉(たたいたりぶつけたりして)粉々に砕く[壊す]. ━━名 粉砕.
splash 動他〈人が〉〈人・物に〉(水・泥を)はねかける, はねかけてよごす(spatter).
squash 動他 押しつぶす, ぺちゃんこにつぶす(crush). ━━名 押しつぶすこと; ペシャッ.
stra·mash 名《スコット》騒動, 騒乱; 口論, けんか騒ぎ. ━━動他 論破する, 撃破する.
swash 動自〈水中の物・水などが〉音をたてて跳ねる.
thrash 動他(罰として)強く打つ, むち打つ.
trash 名 つまらない[役に立たない]もの,《主に米・カナダ》くず, 廃物, がらくた. ━━動他 ぶっこわす.
wash 動他〈物を〉(…で)洗う,〈手・顔などを〉洗う,《再帰的》体を洗う; …を(…で)洗濯[洗浄]する;《補語を伴って》〈物を〉洗って(…の状態に)する;〈猫が〉体をなめてきれいにする.

-ash[2] /æʃ/

音象徴間 音象徴語の重複形. ►i と a の母音交替がある.

splísh-splásh 名間 バシャバシャ, ザブンザブン.
wísh-wàsh 名《話》水っぽい[薄い]飲み物, 気の抜けた酒.

-ash[3] /ǽʃ/

語尾 語末にくる同音形は -ACHE[1].

ash[1] 名 ☞
ash[2] 名 ☞
cash 名 ☞
dash[1] 動他.《主に英話》…を悪いと決めつける(damn).
dash[2] 名《西アフリカ》賄賂(ﾜｲﾛ); 報酬.
fash[1] 動他自《スコット・米方言》悩ます[悩む].
fash[2] 名《俗》流行(型)(fashion).
gash[1] 名《英俗》半端物; ごみ, くず.
gash[2] 形《主にスコット》賢明な, 利口な.
gash[3] 形《スコット古》陰気な.
gash[4] 名《スコット》生意気な言葉.
hash 名《俗》ハシシ(hashish); マリファナ.
lash[1] 名 ☞
lash[2] 動他 結ぶ, 縛る, つなぐ.
mash 名《古俗》(男女の)いちゃつき.
nash 動他自《米俗》間食する; 飲む(nosh).
pash[1] 名《俗》熱中, 熱狂(passion).
pash[2] 名《主に英方言》頭(head).
plash 動他〈蔓(ﾂﾙ)植物などを〉絡ませる.
quash 動他〈法律・告発・決定などを〉無効にする, 廃棄する, 却下する.
rash[1] 形 行動の性急な, 向こう見ず[軽率]な.
rash[2] 名 ☞
sash[1] 名 サッシュ, 飾り帯.
sash[2] 名 ☞
slash 名《米》灌木(ｶﾝﾎﾞｸ)や樹木の茂った湿地.
smash 名《俗》硬貨.
snash 名《スコット》横柄, 傲慢(ｺﾞｳﾏﾝ), 生意気, 無礼. ━━動自 生意気[無礼]な口を利く.
stash[1] 動他《話》(秘密の場所に)しまっておく.
stash[2] 名《米俗》口ひげ.
tash 名《英俗》口ひげ(mustache).
trash[1] 動他《廃》…を邪魔する, 遅らせる.
trash[2] 名《米俗》ラップトップコンピュータ.

-ashy /ɑʃi, ɔːʃi | ɔʃi/

音象徴 音象徴語の重複形に見られる語末要素.

swíshy-swáshy 副《おしりを振って歩く様子》サッサッ[シュッシュッ]と(動く).
wíshy-wàshy 形〈人・態度などが〉優柔不断の, 煮え切らない;〈話・文などが〉つまらない, 平凡な.

A·sian /éiʒən, éiʃən/

形 アジア(人)の. ━━名 アジア人. ⇨ -AN[1].

Af·ra·sian 形 アフラシア(アフリカ北部とアジア南西部)の.
Af·ro-A·sian 形 アジア=アフリカの[に属する].
Am·er·a·sian 名 アメレジアン: アメリカ人とアジア人の混血の人.
Eur·a·sian 形 ユーラシアの, 欧亜(大陸)の.
Pan-A·sian 形 汎(ﾊﾝ)アジアの, 全アジア人民の.

-a·sis /əsis/

連結形〘病理〙…性の病気, …に起因する病気.
★ 名詞をつくる.
★ ギリシャ語に由来する科学(特に医学)用語に見られる; 通例, -iasis の形で用いられる.
★ 複数形は -ases.
★ 語末にくる関連形は -IASIS.
◆ <ラ<ギ *-āsis*. ⇨ -SIS.
[発音] 直前の音節に第 1 強勢.

bab·e·si·a·sis 名〘獣病理〙バベシア症, ピロプラスマ症.
el·e·phan·ti·a·sis 名 象皮病.
gi·ar·di·a·sis 名 ジアルジア症, ランブル鞭毛虫症.
gom·phi·a·sis 名〘歯科〙歯牙弛緩(ｼｶﾝ).
hel·min·thi·a·sis 名(腸内の)寄生虫病, 蠕虫病.
lis·te·ri·a·sis 名〘獣病理〙リステリア症, 旋回病.
my·a·sis 名 =myiasis.
my·i·a·sis 名〘獣病理〙ハエウジ病, 蠅蛆(ﾖｳ)病.
phthi·ri·a·sis 名 シラミ(寄生)症.
pso·ri·a·sis 名 乾癬(ｶﾝｾﾝ).
tae·ni·a·sis 名 条虫寄生, 条虫症.
te·ni·a·sis 名 =taeniasis.
tox·o·ca·ri·a·sis 名 トクソカリアシス: 肝臓肥大, 眼病を引き起こす, 犬に寄生する線虫によって起こる病気.

-ask /ǽsk | ɑ́ːsk/

語尾 語末にくる同音形は -ASQUE.

ask 動他 質問する, 尋ねる; 求める.
bask 動自(日光・熱などに)当たる, 浴する.
cask 名(アルコール飲料用)大樽(ﾀﾙ).
flask[1] 名 ☞
flask[2] 名〘兵器〙(砲車の両側の)装甲板.
hask 名形《スコット》(特に動物の)咳(ｾｷ)(の).
mask 名 ☞
task 名 ☞

-asm /ǽzm/

接尾辞 行為の結果を表す名詞形成接尾辞.
◆ ギリシャ語 -(*a*)*sm*(*os*), または *-asm*(*a*)より.

ac·o·asm 名 =acouasm.
a·cou·asm 名〘精神医学〙要素性幻聴.
cat·a·clasm 名 破裂, 分裂.

chasm 名 大きく開いた割れ目; 深い穴.
chil·i·asm 名 〔神学〕千年至福説, 千年王国説.
en·thu·si·asm 名 熱心, (…に対する)熱中, 熱狂.
i·con·o·clasm 名 聖像[偶像]破壊(主義).
or·gasm 名 オルガスム(の状態).
phan·tasm 名 お化け, 幽霊.
plasm 名 〔解剖〕〔生理〕プラズマ, 血漿(けっしょう), リンパ漿(plasma).
-plasm 連結形 ☞
ple·o·nasm 名 〔修辞〕冗語法.
sar·casm 名 あざけり, 嫌み, 皮肉, 風刺.
spasm 名 ☞
wasm 名 《話》時代遅れの主義[説].

-a·son /éisn/

語尾

ba·son 名 〔英国国教会〕たらい, 水盤.
ma·son 名 ☞

-asp /ǽsp | ɑ́ːsp/

語尾 clasp, gasp, grasp, hasp, rasp[1] などに摩擦や把握の音象徴が認められる.

asp[1] 名 アフリカ産の数種の毒蛇の総称.
asp[2] 名 〔植物〕ポプラ, ハコヤナギ(aspen).
clasp 名 ☞
gasp 名 息を飲むこと.
grasp 動他 (ぎゅっと)つかむ.
hasp 名 掛け金.
rasp[1] 動他 (目の粗いやすりなどで)研磨する.
rasp[2] 名 《スコット》ラズベリー(raspberry).

as·pen /ǽspən/

名 〔植物〕アスペン. ⇨ -EN[2].

Américan áspen アメリカヤマナラシ.
quáking áspen ＝American aspen.
white áspen ハクヨウ, ウラジロハコヤナギ.

-asque /ǽsk/

語尾 語末の -que はフランス語からの借入語の特徴.
★ 語末にくる同音形は -ASK.

casque 名 〔甲冑〕儀式用かぶと.
lasque 名 〔鉱物〕薄い板状のダイヤモンド.
masque 名 仮面劇.

ass /ǽs/

名 《卑・俗》尻(しり), けつ(buttocks). ◇ ARSE.
★ -ass という結合形で「ばかな…」という軽蔑的な形容詞のほか,「…な奴, くだらない奴」という軽蔑的な名詞をつくる.

báre·àss 形副 《俗》素っ裸の[で].
bárrel-àss 動自 《俗》がむしゃらに突っ込む.
bíg·àss 形 《米》尻(しり)のでかい.
bútt-àss 副 《米学生俗》とっても, すごく.
cándy àss 《米俗》小心者, 腰抜け, 弱虫.
déad·àss 《米俗》ばか, まぬけ.
dóg-àss 形 《米俗》ひどい, お粗末な.
drág-àss 動自 《米俗》(急いで)出発する.
dúck·àss 《米俗》ダックテール: 男性のヘアスタイルの一種(DA).
dúck's áss ＝duckass
dúmb-àss 名形 《米俗》あほう, とんま.
fát-áss 《米俗》太った人; 尻の大きな人.
flát-áss 副 《米俗》全く, 完全に, すっかり.
fúnky·àss 《米話》臭いやつ.
gráb-àss 《米俗》(性的な)愛撫, いちゃつき.
gréen-àss 形 《米俗》うぶな, 新米の.
háiry-àss 形 《米俗》はらはら[わくわく]させる.
hárd-àss 名形 《俗》しゃくし定規な(人).
hórse's áss 《米俗》ばか者, まぬけ.
jíve-àss 《米黒人俗》でたらめ, ほら.
kíck-àss 形 《米俗》したたかな, 強烈な.
kícking àss 《米学生俗》楽しい時.
kíss-áss 《米俗》へつらう人.
lárd·àss 《米俗》うすのろ, 役立たず; でぶ.
móon-àss 《英俗》高嶺の花の異性を追いかけ回る人.
píss-àss 《米俗》くだらない[嫌な]やつ.
póor-àss 形 《米俗》ひどい, 目も当てられない.
púnk·àss 形 《米俗》〈人が〉役立たずの.
rágged-áss 形 《米俗》だらしない, ひどい.
rággedy-áss 形 《米俗》未熟な; まぬけな.
rát-áss 形 《米俗》惨めな(ratty).
rát's áss 《米俗》無, 零; ほんのわずかなこと.
réd áss 《米俗》いらいら, 憂鬱(ゆううつ).
shít-àss 形 《米・カナダ俗》くだらぬ, げすの.
shórt-áss 《俗》ちび; 取るに足りないやつ.
sílly àss ばかな人, 愚か者.
smárt àss 《米俗》うぬぼれ屋, 生意気なやつ.
smárt-àss ＝smart ass.
sóft-áss 形 《米俗》弱々しい, ひ弱な.
sórry-áss 形 《米俗》ひどい, お粗末な, 駄目な.
stómp-àss 形 《米俗》暴力[けんか]ざたの.
stúpid-àss 形 《米俗》ばかな, まぬけな.
súck-àss 《米俗》おべっか使い, ご機嫌取り.
tíght-áss 《俗》堅物, コチコチの人.
tíred-áss 形 《米俗》使い古された, 陳腐な.
títs-and-áss 形 セックスを売り物にする.
ùn·áss 動自 《米俗》(座っている姿勢から)急に立ち上がる.
wédge·àss 《俗》ろくでなし, 嫌なやつ.
wíld-áss 形 《米俗》荒々しい, 手のつけられない.
wíse-àss 形名 《米俗》生意気な(やつ).

-ass[1] /ǽs/

語尾 語末にくる同音形は -AS[2], -ASSE.

ass[1] 名 〔動物〕ロバ(驢馬).
ass[2] 名 ☞
bass[1] 名 ☞ BASS[2]
bass[2] 名 〔植物〕シナノキ.
brass 名 ☞
class 名 ☞
crass 形 洗練されていない, 粗野な.
frass 名 (昆虫[幼虫]の)糞粒.
glass 名 ☞
grass 名 ☞
lass 名 《主にスコット・北イング》《詩語》(通例, 未婚の)若い女, 娘, 少女.
mass 名 ☞
pass 動他 ☞
sass[1] 名 《主に米ニューイング・ミッドランド・南部》煮込んだ果物.
sass[2] 名 《米・カナダ話》生意気な口答え.
strass[1] 名 ストラス: 人造宝石製造用の高鉛フリントガラスの一種.
strass[2] 名 (枠(わく)作りのときにできる)絹くず.
tass 名 《主にスコット》(特に装飾的な)茶碗(ちゃわん), 小形の脚付きの杯.
trass 名 トラス: Rhine 川流域に多い粉末浮石または火山灰から成る凝灰石.
yass[1] 間 えっ, 何ですか, 何でしょうか(yes).
yass[2] 間 《カリブ・米俗》《嘲笑・挑発などを表して》くそくらえ.

-ass[2] /ɑ́ːs/

語尾 語末にくる同音形は -AAS, -AS[1].

brass 名 ☞
class 名 ☞
glass 名 ☞
grass 名 ☞
jass 名 ヤッシュ: 2人で行うトランプゲームの一種.
kvass 名 クバス, クワス: 大麦, ライ麦を発酵させて作るロシアのビール.
pass 動他 ☞
quass 名 =kvass.

as·sault /əsɔ́ːlt/

名 1 (突然の)(…への)猛攻撃, 襲撃; (言葉による)(…への)非難. 2〘法律〙暴行.

ággravated assáult 加重暴行(罪).
críminal assáult 暴行(罪).
indécent assáult 強制猥褻(わいせつ)罪.
séxual assáult (女性に対する)暴行, 強姦.

as·say /ǽsei, ＿́ー | əséi, æs-/

動他 …を調べる, 分析 [検査] する.

bi·o·as·say 名 生物検定, 生物学的定量.
im·mu·no·as·say 名 〘医学〙免疫アッセイ.
ìmmunofluoréscence àssay 〘医学〙免疫蛍光アッセイ.
ra·di·o·as·say 名 ラジオアッセイ, 放射能分析(試験).
ra·di·o·im·mu·no·as·say 名 放射線免疫アッセイ [測定法].

-asse /ǽs/

語尾 語末にくる同音形は -AS², -ASS¹.

asse 名 〘動物〙ケープギツネ.
chasse 名 口直しのリキュール.
wrasse 名 〘魚類〙ベラ.

assed /ǽst/

形 …の尻(ass)をした; (軽蔑(けいべつ)の気持を込めて)…のようにばかな, くだらない. ⇨ -ED².

báck àssed 形 《米俗》時代後れの; へたな; 愚かな.
dóuble-àssed 形 《米俗》でか尻の.
hálf-ássed 形 《米俗》不完全な; 無計画な.
hárd-àssed 形 《俗》厳しい, 情け容赦ない.
hót-àssed 形 《米俗》〈女性が〉欲情している.
páper-àssed 形 《米俗》めめしい.
púcker-àssed 形 《米俗》臆病な.
réd·àssed 形 《米俗》かんかんに怒った.
stíff-àssed 形 《米俗》高慢な, こうるさい.
tíght-àssed 形 《俗》堅物の, コチコチの.

as·sem·ble /əsémbl/

動他 〈人・物を〉(ある目的のために)集める, 集合させる, 召集する. ⇨ -SEMBLE.

dis·as·sem·ble 動他 分解する, ばらばらにする.
re·as·sem·ble 動他 再び集める; 組み立て直す.
sub·as·sem·ble 動他 基本部品を組み立てる.

as·sem·bly /əsémbli/

名 (特定の目的のための)集会, 会合, 会議; 集まり, 集合; 集まった人々, 会衆. ⇨ -Y⁴.

Chúrch Assémbly 〘英国国教会〙教会会議.
cíty assèmbly 市議会.
Constítuent Assémbly 〘フランス史〙憲法制定国民議会(1789–91).
dìs·as·sém·bly 名 分解, 取り外し.
Géneral Assémbly (米国のいくつかの州の)州議会.
Législative Assémbly 〘フランス史〙立法議会.
Líttle Assémbly 《話》国連小総会, 国連小委員会.
Nátional Assémbly 〘フランス史〙国民議会.
seléctive assémbly 〘機械〙選択組み立て.
sélf-assémbly 名 〘生化学〙自己集合.
sùb·as·sém·bly 名 小組立品.
Supreme People's Assembly (北朝鮮の)最高人民会議.
táil assèmbly (飛行機の)尾部(empennage).
unláwful assémbly 〘法律〙不法集会.

as·sess·ment /əsésmənt, æs-/

名 課税; (税額・罰金・損害などの)査定; 評価. ⇨ -MENT.

contínuous asséssment (生徒の)継続評価.
environméntal asséssment 環境アセスメント, 環境影響評価.
fórmative asséssment 成績向上 [形成] 評価.
néeds assèssment 試験, テスト.
ó·ver·as·sèss·ment 名 過大評価, 過当な査定.
polítical-rísk assèssment 《米》政治的リスク測定.
spécial asséssment 《米》特別財産税.
súmmative asséssment 《英》(生徒の)総合評価.
technólogy assèssment テクノロジーアセスメント: 新技術が社会に及ぼす影響の予測.

as·set /ǽset/

名 1 (無形の財として)役に立つもの, 利点, 長所. 2 資産, 財産.

cápital ásset =fixed asset.
fíxed ásset 固定資産.
hárd-ásset 形 本質的価値を有する.
wásting ásset 消耗(性)資産, 減耗資産.
wórking àsset 運転資産.

as·sets /ǽsets/

名複 asset「〘会計〙〘商業〙流動資産」の複数形.

aváilable ássets 利用可能資産.
cásh ássets 現金資産.
cúrrent ássets 流動 [短期性] 資産.
flóating ássets 《英》=current assets.
intángible ássets 無形資産.
nét ássets 純財産, 純資産(net worth).
quíck ássets 当座資産.

as·sim·i·la·tion /əsìməléiʃən/

名 同化, 吸収, 一様化. ⇨ -ATION.

antícipatory assimilátion =regressive assimilation.
màl·as·sim·i·lá·tion 名 〘病理〙(栄養物の)同化不良.
progréssive assimilátion 〘音声〙進行 [順行] 同化.
regréssive assimilátion 〘音声〙逆行同化.

as·sis·tance /əsístəns/

名 (手)助け, 助力, 補助, 援助, 支援; 財政的援助. ⇨ -ANCE¹.

Diréctory Assístance 電話番号案内.
nátional assístance 《英》国民生活扶助料, 国家扶助.
públic assístance 《米》公的扶助, 生活保護.
secúrity assístance 《米》安全保障援助.
sócial assístance 社会扶助.

as·sis·tant /əsístənt/

名 援助者, 助力者; 補佐(役). ⇨ -ANT¹.

admínistrative assístant 重役補佐.

A

cáre assìstant (心身障害者の)介助者, 介護人.
cúrate's assístant 《英話》マフィンスタンド: ケーキやお茶を載せる小さなスタンド.
pérsonal digital assistant ペン型入力機器を用いる小型パソコン(PDA).
pérsonal assístant 個人秘書.
physícian's assístant 医療補助者.
probátionary assístant 《NZ》見習い期間中の教師.
shóp assìstant 《英》店員, 売り子.

as·so·ci·ate /əsóuʃièit, -si-/

動他 …を(…と)結びつける, 関係づける, 関連させる, …から(…を)連想する. ⇨ -SOCIATE.

dis·as·so·ci·ate 動他 …を分離する, 引き離す.
frèe-assóciate 動自 自由連想をする.
re·as·so·ci·ate 動他自 再び連想する; 再連合する.

as·so·ci·a·tion /əsòusiéiʃən, -ʃi-/

名 会, 協会, 団体, 会社. ⇨ -SOCIATION.

accréditing association 《米》大学認定協会.
Áctors' Équity Association 舞台俳優労働組合.
Ámateur Athlétics Associàtion (英国の)アマチュア陸上競技協会.
Américan Áutomobile Associàtion 米国自動車協会.
Américan Bár Associàtion 米国法律家協会.
Áutomobile Associàtion 《英》自動車協会.
Batáka Association バタカ連合: 1918 年ごろ東アフリカ ブガンダ王国(現ウガンダ)で起きた土地回復運動の組織.
bénefit associàtion 共済組合(benefit society).
blóck associàtion 《米》町内会, ブロックの会.
building and lóan associàtion =savings and loan association.
cláng assòciation 〘心理〙音連合(clanging).
commúnity associàtion 地域自治会.
Consúmers' Associàtion 《英》消費者組合.
differéntial associàtion 〘社会学〙文化的接触.
Européan Frée Tráde Associàtion 欧州自由貿易連合.
Féderal Nátional Mórtgage Associàtion 《米》連邦抵当金庫.
Fóotball Associátion 《英》サッカー協会.
frée associátion 〘精神分析〙自由連想(法).
Góvernment Nátional Mórtgage Associàtion 《米》政府住宅抵当金庫.
hóusing associàtion 《英》住宅協会.
Internátional Áir Trànsport Associàtion 国際民間航空輸送協会(IATA).
Internátional Devélopment Associàtion 国際開発協会.
Internátional Phonétic Associàtion 国際音声学協会.
Internátional Wórkingmen's Associàtion 国際労働者協会.
Látin Ámerican Integrátion Associàtion 中南米統合連合.
Módern Lánguage Associátion 《米》近代語学会.
Néw Ártists' Associátion 《独》新芸術家協会.
Párent-Téacher Associàtion ピーティーエー, 父母と教師の会.
préss associàtion 通信社.
proféssional associàtion 同業の専門職の人々の組織.
résidents associàtion 《英》地域住民の会.
sávings and lóan associàtion 貯蓄貸付組合.
Scóut Associàtion ボーイスカウト連盟(1908 年創設).
sóvereignty associátion (カナダの)主権連合.
stáff associàtion 従業員の会.
stéllar associátion 〘天文〙アソシエーション: 共通の起源をもつ 10–1, 000 個の星の群.
Stúdent Lóan Márketing Associàtion 連邦奨学金融資金庫.
ténants associàtion 借地・借家人の会.
tráde associàtion 同業組合, 業種団体.
Úlster Defénce Associàtion アルスター防衛協会: 北アイルランドのプロテスタントの準軍事組織.
vóluntary associátion 任意団体, 有志団体.
wórd associàtion 語連想.
Wórkers' Educátional Associátion 《英》社会人教育協会.
Yóung Mén's Chrístian Associátion キリスト教青年会(YMCA).
Yóung Wómen's Chrístian Associátion キリスト教女子青年会(YWCA).
Yóuth Hóstels Associátion ユースホステル協会(1910 年創設).

as·sur·ance /əʃúərəns/

名 **1** (人を安心させる)言明, 確言, 断言. **2**《英》生命保険. ⇨ -ANCE[1].

bánc·assúrance 名 《英》(銀行が扱う)生命保険.
endówment assùrance 《英》養老保険.
lífe assùrance 《主に英》生命保険.
sélf-assúrance 名 自信; 自己過信.
véndor assúrance (製品の包装などに対する)信頼感.

-ast[1] /æst, əst/

接尾辞 …に関係のある人, …に従事する人.
★ 名詞をつくる.
◆ 中英＜古仏 *-aste* ＜ラ *-astes* ＜ギ *-astēs*.

ec·dys·i·ast 名 ストリッパー.
en·co·mi·ast 名 賛辞を贈る人; へつらう人.
en·thu·si·ast 名 熱狂者, ファン.
fan·tast 名 幻想家, 空想 [夢想] 家.
gym·na·si·ast[1] 名 体育家, 体操教師, 体操選手.
gym·na·si·ast[2] 名 ギムナジウムの生徒.
mem·o·ra·bil·i·ast 名 思い出の品を集めている人.
met·a·phrast 名 転訳者, 反訳者.
nos·tal·giast 名 郷愁にふける人.
pan·cra·ti·ast 名 パンクラティオンの競技者.
par·a·phrast 名 釈義者, 敷衍(ふえん)して説明する人.
ped·er·ast 名 (特に少年を相手にする)男色家.
pel·tast 名 小盾を持った古代ギリシャの歩兵.
phan·tast 名 =fantast.
scho·li·ast 名 (昔の)古典注釈者; 評釈者.
sym·po·si·ast 名 宴会出席者.

-ast[2] /ǽst | ɑ́ːst/

語尾

bast 名 〘植物〙靭皮(じんぴ), 生皮(なまかわ).
blast 名 ☞
-blast 連結形 ☞
cast 動他 ☞
-cast 連結形 ☞
clast 名 砕屑(さいせつ)物.
dast 動自 《古風》大胆にやる.
fast[1] 形 ☞
fast[2] 動自 断食する, 絶食する.
fast[3] 名 もやい綱, 係索.
gast 動他 《廃》怖がらせる, びっくりさせる.
ghast 形 《古》ぞっとする.
hast 動助 《古》have の二人称単数直説法現在形.
last[1] 形 (時間・順序などが)最後の.
last[2] 動自 ☞
last[3] 名 (木製または金属製の)靴型.
mast[1] 名 ☞
mast[2] 名 カシ・ブナなどの実.

past 形 ☞
-plast 連結形 ☞
vast 形 非常に広い, 広大な.

-aste /éist/

語尾 語末にくる同音形は -AIST.

baste[1] 動他〘裁縫〙仮縫いする.
baste[2] 動他〈肉などに〉たれをかける.
baste[3] 動他〈人などを〉(棒などで)打つ.
chaste 形〈女性が〉貞淑[貞節]な.
haste 名 ☞
paste 名 ☞
taste 動他 ☞
waste 動他 ☞

as·ter /ǽstər/

名〘植物〙アスター. ►-ASTER[2] と同語源.

béach àster ハマムカシヨモギ.
blúe wóod àster マルバシオン.
Chína àster エゾギク, サツマギク.
gólden áster 米国産のキク科キクモドキ属の植物.
héath àster ヒースアスター.
Itálian áster キク科の植物; 紫色の頭状花が群がって咲く.
Nèw Éngland áster アメリカシオン, ネバリノギク.
séa àster ハマシオン, ウラギク.
Stókes' áster ストケシア, ルリギク.
Tartárian áster シオン.
trée àster オレアリア.

-as·ter[1] /æstər/

接尾辞 似て非なるもの[人], えせ…, 取るに足りないもの[人].
★ 名詞をつくる.
◆ 中英<ラ *-astēr* <ギ *-astḗr*; 軽蔑を表す接尾辞.

crit·ic·as·ter 名 へぼ批評家.
med·i·cas·ter 名 偽医者(quack).
o·le·as·ter 名〘植物〙ヤナギバグミ, ホソバグミ. ►字義は「にせオリーブ」.
phi·los·o·phas·ter 名 浅薄な哲学的知識をひけらかす人.
pi·las·ter 名〘建築〙片蓋(かたぶた)柱.
po·et·as·ter 名 へぼ詩人, 三文詩人.
u·sage·as·ter 名 自称語法の権威, 自称語法学者.
ver·ti·cil·las·ter 名〘植物〙輪散花序, 輪状集散花序.

-as·ter[2] /ǽstər/

接尾辞〘主に生物〙…星(star), 星状…(starlike).
★ 名詞をつくる.
★ 語末にくる関連形は -ASTRON.
★ 語頭にくる関連形は aster-, astro-: *aster*oid「小遊星, 小惑星」, *astro*photography「天体写真術」.
◆ <近代ラ<ギ *astḗr* 星.

ac·an·thas·ter 名 オニヒトデ.
am·phi·as·ter 名〘細胞生物〙両星(体), 双星.
co·to·ne·as·ter 名〘植物〙コトネアスター.
cy·tas·ter 名〘生物〙星状体.
di·as·ter 名〘細胞生物〙双星, 両星.
dis·as·ter 名 天災, 災害.

as·the·ni·a /æsθíːniə | -niə, -njə/

名〘病理〙無力(症); 衰弱, 無気力, 虚弱. ⇨ -IA.
★ 異形は astheny.
★ 語頭にくる関連形は astheno-: *astheno*pia「眼精疲労」, *astheno*phere「地球内部の岩流圏」.

en·ceph·a·las·the·ni·a 名 (脳)神経衰弱.
my·as·the·ni·a 名 筋無力症.
myx·as·the·ni·a 名 粘液分泌欠乏[不全](症).
neur·as·the·ni·a 名 神経衰弱(症).
neurocírculatory asthénia 心臓神経症.
phon·as·the·ni·a 名 音声衰弱[無力](症).
psy·chas·the·ni·a 名《俗に》精神衰弱.

asth·ma /ǽzmə, ǽs- | ǽs-/

名 喘息(ぜんそく), (特に)気管支喘息. ⇨ -MA.

brónchial ásthma 〘病理〙気管支喘息.
dóck àsthma 《英俗》(被告が)信じられない[驚いた]と息をのむ振りをすること.
pótter's ásthma 〘医学〙陶工性喘息(ぜんそく).

-as·tron /ǽstrən/

連結形〘天文〙星.
★ 名詞をつくる.
★ 語末にくる関連形は -ASTER[2].
★ 語頭にくる形は aster-, astro-: *aster*oid「小遊星, 小惑星」, *astro*photography「天体写真術」.
◆ ギリシャ語 *ástron*「星」より.

ap·as·tron 名 遠星点.
per·i·as·tron 名 近星点.

as·tron·o·my /əstránəmi | -trɔ́n-/

名 天文学. ⇨ -NOMY.

àr·chae·o·as·trón·o·my 名 天文考古学.
ár·che·o·as·trón·o·my 名 ＝archaeoastronomy.
ballóon astrónomy 気球天文学.
bì·o·as·trón·o·my 名 宇宙生物学.
gámma-rày astrónomy ガンマ線天文学.
grávitàtional astrónomy 天体力学.
infraréd astrónomy 赤外線天文学.
megalíthic astrónomy 巨石天文学.
molécular astrónomy 分子天文学.
neutríno astrònomy ニュートリノ天文学.
óptical astrónomy 光学(的)天文学.
posítional astrónomy 位置天文学(astrometry).
práctical astrónomy 実地天文学.
rádar astrònomy レーダー天文学.
rádio astrónomy 電波天文学.
rócket astrónomy ロケット天文学.
sphérical astrónomy 球面天文学.
ultravíolet astrónomy 紫外線天文学.
X́-ray astrònomy X 線天文学.

at /ǽt/

前 **1**《地点》…に(おいて), …で. **2**《時点》…の時に; …で, …から.

hère·át 副 ここにおいて, この時, その時.
thère·át 副《古》その場所で, そこで; その時.
whère·át 副《文語》それに; それに対して.

-at[1] /ət/

接尾辞 …の人.
★ 名詞をつくる.
★ -ATE[3] の異形.
◆ ラテン語 *-ātus* より.

com·mis·sar·i·at 名 (旧ソ連の)人民委員会.
pro·le·tar·i·at 名 プロレタリア階級.
sec·re·tar·i·at 名 (特に国際組織の)事務局.

-at[2] /ǽt, æt/

A

音象徴 **1** トントン, ドンドン, パンパン, ポンポン, パタパタ, パラパラ, パチッ, ダダダダ, ガガガガ; 軽打(時に強打), 連打とその音を表す; また, 太鼓や機関銃の発射音などの連続音を表す. **2** ペチャクチャ; 雑談や小競り合いの声を表す. **3** 鳥の名を表す語の語尾になる.

bat 動他 〈まぶたを〉動かす(wink);〈目を〉しばたたく, ぱちくりさせる;〈翼を〉ばたばた動かす(flutter); 打つ.
blat 動自 《主に米北東部・五大湖地方方言》〈羊・ヤギなどが〉メーと鳴く;〈犬などが〉クンクン鳴く(bleat).
chat 動自 (人と)気楽に話す, くつろいで話す, (…を)閑談する, 雑談する. ―― 名 雑談; 座談.
pat 動他 (へら・手のひらなど平たいもので)〈物を〉軽くたたく. ―― 名 軽くたたくこと.
slat 動他 《北英》強く投げつける, たたく.
splat 名 ペチャッ [ピシャッ, バシャン, ピチャッ] という音. ►ぬれた物が床にたたきつけられたときなどの音.
stone·chat 名 ノビタキ(野鶲).
swat 動他 《米話》…を打つ, たたく, ピシャリと打つ.
tat 名 軽打.
whin·chat 名 マミジロノビタキ.
wood·chat 名 ズアカモズ.

-at³ /ǽt, æ̀t/

音象徴間 音象徴語の重複形に見られる語末要素.

chát-chát 間 《サルの声》キャッキャッ.
chátter-chàt-chát 間 =chat-chat.
chít·chàt 名 気軽な会話, 雑談; 無駄話; 世間話. ―― 動自 雑談 [世間話] をする.
pìt-a-pát 副 どきどきして; パタパタ [パラパラ] と. ―― 名 パタパタ [パラパラ] する音, どきどきすること. ―― 動自 どきどきする, パタパタ [パラパラ] 音をたてる.
pìt·a·pát 副 どきどきして; パタパタ [パラパラ] と.
rát-a-tát 名 (戸や太鼓をたたく)ドンドン [トントン] いう音.
rát-a-tàt-tát 名 =rat-a-tat.
rát-tát 名 =rat-a-tat.
rát-tat-tát 名 =rat-a-tat.
tát-tat-tát 名 =rat-a-tat.

-at⁴ /ǽt/

語尾 cat², cat³, cat⁴, cat⁵, frat¹, gat², lat¹, stat², tat⁴ などは短縮語. なお, flat, plat, slat¹, splat¹, mat² などに「ひらたい」とか「たいらな」という平板な感じをもつ人がいる.
★ 語末にくる同音形は -ATT, -ATTE.

at 前 ☞
bat¹ 名 ☞ BAT²
bat² 名 《インド英語》口語; 俗語.
brat 名 《英方言》衣服; 外套(がいとう).
cat¹ 名 ☞
cat² 名 《話》無限軌道式トラクター(caterpillar tractor).
cat³ 名 双胴船, カタマラン船(catamaran).
cat⁴ 名 飛行機射出機, 射出機(catapult).
cat⁵ 名 《英話》還元触媒(catalytic converter).
chat 名 (ヤナギ・カバノキなどの)尾状花.
-crat 連結形 ☞
dat¹ 接 《米・西インド諸島》…ということ(that).
dat² 名 《米陸軍俗》戦車乗組員.
drat 動他自 《話》呪う, ののしる.
fat 形 ☞
flat 名 ☞ FLAT²
frat¹ 名 《米話》友愛会(fraternity).
frat² 名 《英俗》(兵士が被占領国の女と)仲良くなること; その女.
gat¹ 動 《古》get の過去形.
gat² 名 《古俗》ピストル; (一般に)火器.
gat³ 名 (海岸から)内陸に入り込んだ水路.
hat 名 ☞
lat¹ 名 《話》広背筋(latissimus dorsi).
lat² 名 《英俗》(野営地などの)便所(latrine).
mat¹ 名 ☞
mat² 名 (額縁の)台紙.
mat³ 形 つや消しの.
mat⁴ 名 〖印刷〗紙型.
pat 形 〈返答・説明・解決などが〉適切な.
phat¹ 名 〖植字〗簡単に組める原稿(fat).
phat² 形 《俗》素晴らしい, すごい.
plat¹ 名 小さな地面 [地所].
plat² 名 《方言》編んだ髪, お下げ髪.
prat 名 《俗》尻; 《英俗》女陰.
qat 名 〖植物〗カート, カトチャ(kat).
rat¹ 名 ネズミ
rat² 動他自 《古俗》呪う, ののしる(drat).
sat 動 sit の過去・過去分詞形.
scat¹ 動自 《話》急いで立ち去る.
scat² 動自他 〖ジャズ〗(歌を)スキャットする.
scat³ 名 動物の糞.
scat⁴ 名 《俗》ヘロイン(heroin).
scat⁵ 名 (Shetland および Orkney 諸島)地租.
scat⁶ 名 〖魚類〗スキャット.
shat 動 《米俗》shit の過去・過去分詞形.
skat¹ 名 〖トランプ〗スカート.
skat² 名 《米俗》ビール.
skat³ 形 《俗》流行の, はやりの.
skat⁴ 名 《米俗》くそ(の塊).
slat¹ 名 (木・金属などの)細長い薄板.
slat² 名 《アイル》産卵を終えたサケ.
spat¹ 動 spit の過去・過去分詞形.
spat² 名 スパッツ.
splat¹ 名 (椅子の)透かし彫りの背板.
splat² 名 《米ハッカー俗》記号の俗称.
stat¹ 名 《話》温度自動調節器(thermostat).
stat² 名 《話》統計量(statistics).
stat³ 副 《話》〖医学〗すぐに.
-stat 連結形 ☞
tat¹ 動自他 (レース編みで)タッチング(tatting)をする.
tat² 名 カンバス地.
tat³ 名 《俗》ぼろ切れ; がらくた.
tat⁴ 名 《俗》入れ墨, 彫りもの(tattoo).
tat⁵ 名 《主に英幼児語》歩くこと(ta-ta).
trat 名 《米俗》老婦人.
twat 名 《俗》(女性の)外陰部.
vat 名 (液体貯蔵用の)大桶.

-at⁵ /ɑ́ːt/

語尾

bat 名 《インド英語》口語; 俗語.
blat 名 《俗》そでの下, 賄賂.
gat 名 〖音楽〗ガート.
kat 名 〖植物〗カート, カトチャ.
khat 名 =kat.
kyat 名 チャット: ミャンマーの貨幣単位.
qat 名 =kat.
skat 名 〖トランプ〗スカート.
twat 名 《俗》(女性の)外陰部.
wat 名 ワット: タイ・カンボジアの仏教寺院.
xat 名 (北米インディアン諸族が死者を追悼して)彫刻したトーテムポール.

-at[6] /ɑ́t | ɔ́t/

語尾 語末にくる同音形は -OT[2], -OTT, -OTTE.

-quat 連結形 ☞
squat 名 ☞
swat 動自《英俗》(…を)猛勉強する.
twat 名《俗》(女性の)外陰部.
wat 名 ワット: タイ・カンボジアの仏教寺院.
what 代 ☞

-a·ta /éitə, ɑ́:-; ətə/

接尾辞 複数形をつくる.
★ ラテン語からの借用語に見られ, 特に動物学上の分類に用いられる. ◇ -ARIA, -OTA.
★ 語末にくる関連形は -ATE[2], -ATUM.
◆ <ラ, *-ātus* -ATE[1] の中性複数形. ⇨ -A[1].
[発音]-atum の複数形は /éitə, ɑ́:tə/, -aton の複数形は /ətə/ となる.

au·tom·a·ta 名 automaton「自動人形」の複数形.
Chor·da·ta 名【動物】脊索(せきさく)動物.
Cil·i·a·ta 名【動物】繊毛虫類.
Coe·len·ter·a·ta 名 腔腸(こうちょう)動物門.
de·sid·er·a·ta 名 desideratum「(ぜひとも)欲しいもの」の複数形.
er·ra·ta 名 erratum「誤字」の複数形.
Flag·el·la·ta 名 鞭毛(べんもう)類: 原生動物門の一綱. ► ラテン語 *flagellatus* の複数形.
Ra·di·a·ta 名【生物】放射相称動物.
stra·ta 名 stratum「(しばしば平行に積み重なった)層」の複数形.
ul·ti·ma·ta 名 ultimatum「最後通牒」の複数形.
Ver·te·bra·ta 名 脊椎(せきつい)動物門.

-at·al /éitl/

語尾

dat·al 形 日付の; 日付順の.
fa·tal 形 (…に)死をもたらした; 致命的な.
na·tal 形 ☞
rat·al 名《英》課税標準(価額).
stat·al 形 (米国などの)州の [に関する].
stra·tal 形 層 [地層](stratum, strata)の.

-atch[1] /ǽtʃ/

語尾 scratch, snatch, ratch, latch に「つかむ, ひっかく」の音象徴を感じる人がいる. patch「つぎ当てをする, 繕う」も音象徴からきている.

batch[1] 名 (人・物などの)束, 団, 群れ.
batch[2] 動自《豪・NZ 話》〈男性が〉独身生活をする.
catch 名 ☞
hatch[1] 動他〈ひなを〉卵から孵(かえ)す.
hatch[2] 名 ☞
hatch[3] 動他 線影(せんえい)をつける.
klatch 名 おしゃべり [茶飲み] 会.
latch 名 ☞
match[1] 名 ☞
match[2] 名 ☞
natch 副《俗》もちろん, 当然.
patch[1] 名 ☞
patch[2] 名 (王侯・貴族のお抱えの)道化.
ratch 名 歯止め(ratchet).
satch[1] 名《米俗》口の大きなやつ(satchel-mouth).
satch[2] 名《米俗》ヘロインや LSD をしみ込ませた紙.
scratch 動他 (爪(つめ)などの鋭い物で)引っかく.
slatch 名【海事】激浪の間の平静な間.
smatch 名《まれ》(…の)味(smack).
snatch 動自〈人が〉(…を)つかもうとする.
thatch 名 屋根ふき材料.
zatch 名 女性器; 尻; 性交.

-atch[2] /ɑ́:tʃ/

語尾 /w/ の後で /ɑ:/ となる.

swatch 名 (布などの)材料見本.
watch 動自 ☞

-ate[1] /ət, éit/

接尾辞 ラテン語系形容詞の語尾. **1** …の(特徴のある), …を持つ, …に満ちた(►名詞につけて形容詞をつくる): affection*ate*, collegi*ate*. **2** …化した(►-ed の語尾を持つ動詞の過去分詞形にほぼ対応し, 受け身的意味の形容詞をつくる): anim*ate*, separ*ate*. **3** …させる, …する(►名詞・形容詞につけて動詞をつくる): acier*ate*, duplic*ate*, evapol*ate*. **4** …者, …もの(►名詞・形容詞につけて名詞をつくる): leg*ate*, precipit*ate*.
★ 語末にくる関連形は -ADE[1], -ATA, -ATE[2], -ATELY, -ATIC, -ATIVE, -ATOR, -ATORY, -ATUM.
◆ 中英 *-at* <ラ *-ātus*(男性形), *-āta*(女性形), *-ātum*(中性形).
[発音]語尾の発音は動詞・名詞では /èit, ət/, 形容詞では /ət, èit/. 3 音節以上の長さの語の場合, 第 1 強勢の位置は, どの品詞の場合も, 末尾音節から 3 番目の音節に来るのが普通. 例外の一部: adsórbate, apéllate, bidéntate.

ab·bre·vi·ate 動他〈語句を〉短縮 [省略] する.
ab·di·cate 動自 退位する; 辞任する; 放棄する.
ab·er·rate 動自 常軌を逸する.
ab·lac·tate 動他 離乳させる.
ab·late 動他 除去する, 消散させる.
ab·ne·gate 動他 放棄する; 自制する.
a·bom·i·nate 動他 忌み嫌う, 憎む, 憎悪する.
ac·cel·er·ate 動他〈活動・進度などを〉促進する.
ac·cen·tu·ate 動他 強調 [力説] する; 目立たせる.
ac·com·mo·date 動他 親切にする, 世話をする.
ac·cu·mu·late 動他自 積み上げる [重ねる]; 蓄積する.
ac·cu·rate 形 間違いのない; 正確な; 厳正な.
ac·er·ate 形 針形の.
ac·er·bate 動他 酸っぱく [苦く] する.
a·cer·vate 形【植物】【菌類】密生した.
a·cet·y·late 動他【化学】アセチル化する.
a·chlam·y·date 形〈軟体動物が〉外套膜を持たない.
ach·ro·mate 名【眼科】全色盲者.
a·cic·u·late 形 針状の部分 [とげ] のある.
a·cid·u·late 動他 酸味を帯びさせる.
ac·i·er·ate 動他《特に英》〈鉄を〉鋼鉄に変える.
ac·ti·vate 動他 ☞
ac·tu·ate 動他 行動させる, 動機づける; 駆り立てる.
ac·u·ate 形 とがった(先のある).
a·cu·le·ate 形【生物】とげのある.
a·cu·mi·nate 形【植物】【動物】先鋭形の.
ac·yl·ate 動他【化学】アシル化する.
ad·e·quate 形 十分な, 適当な, 適切な, 妥当な.
ad·ju·di·cate 動他 宣告する, 布告する, 判決を下す.
ad·min·is·trate 動他自 治める, 統治 [支配] する.
ad·sorb·ate 名 吸着物, 吸着質.
ad·u·late 動他 …にお世辞を言う, こびへつらう.
a·dul·ter·ate 動他 (混ぜ物をして)…の品質を落とす.
ad·um·brate 動他 かすかな面影を示す, 輪郭を描く.
ad·vo·cate 動他 ☞
aer·ate 動他 空気にさらす, 空気を通す, 通気する.
aes·ti·vate 動自 =estivate.
af·fec·tion·ate 形 愛情のこもった, 優しい.

A

af·fil·i·ate 動他 提携させる, 密接に関係づける.
af·fri·cate 名 【音声】破擦音.
ag·glom·er·ate 動他自 塊にする [なる]. ━━形 塊状の.
ag·gra·vate 動他 悪化させる.
ag·i·tate 動他 激しく動かす.
ag·mi·nate 形 集まった, 集結した, 群がった.
a·late 形 翼のある, 有翼の, 有翅(ゆうし)の.
al·ien·ate 動他 疎んじる, 遠ざける, 疎遠にする.
al·kyl·ate 名 【化学】アルキル化(化合)物. ━━動他 アルキル化する.
al·le·vi·ate 動他〈苦痛・悲しみ・悩みなどを〉いやす.
al·lit·er·ate 動自 頭韻を踏む, 頭韻を成す.
al·ter·cate 動自 激論する; 言い争う, 口論する.
al·ter·nate 動自 交互に起こる [行う], 交替する.
al·ve·o·late 形 胞状の, ハチの巣状の.
a·mal·ga·mate 動他〈会社などを〉併合 [合体] する.
am·bu·late 動自 ☞
am·i·date 動他【化学】アミド化する.
am·i·nate 動他【化学】アミノ化する.
am·mo·ni·ate 動他【化学】…をアンモニアで処理する. ━━名 アンモニア化合物.
am·phit·ri·chate 形〈バクテリアが〉両 [双] 毛性の.
am·pli·ate 形 拡大した, 拡張した.
am·pu·tate 動他〈手・足・指などを〉切断する.
a·myg·da·late 形 アーモンドの, 扁桃(へんとう)の.
an·gu·late 形 角状の, 角のある, 角張った.
an·gus·tate 形 狭められた.
an·i·mate 動他 ☞
an·ni·hi·late 動他〈町などを〉全滅させる.
an·no·tate 動他〈本などに〉注釈 [注解] を施す.
an·nu·late 形 (ミミズなどのように)体節のある.
an·sate 形 取っ手のついた, 柄のある.
an·ten·nate 形 触角を持った.
an·tic·i·pate 動他 予想 [予知] する; 期待する.
an·ti·quate 動他 廃れさせる, 時代遅れにする.
a·nu·cle·o·late 形 核小体欠如の.
a·pic·u·late 形〈葉などが〉短突起のある.
a·poc·o·pate 動他 語尾音 [音節] を消失させる.
ap·pel·late 形 【法律】上訴 [上告, 控訴, 抗告] の.
ap·pen·dic·u·late 形 【動物】付属肢のある.
ap·pre·ci·ate 動他 高く評価する; …に好意を持つ.
ap·pro·bate 動他《主に米》公認する.
ap·pro·pri·ate 形 適合した, 適切な, 妥当する.
ar·bi·trate 動他 (仲裁人として)裁定する, 調停する.
ar·che·go·ni·ate 形 造卵器のある. ━━名 造卵器植物.
ar·cu·ate 形 弓状に曲がった, アーチ形の.
ar·gen·tate 形 銀のような; 銀白の; 銀を含んだ.
ar·il·late 形 【植物】仮種皮のある.
a·ris·tate 形 【植物】芒(のぎ)のある.
ar·peg·gi·ate 動他〈和音を〉アルペジオで奏する.
ar·tic·u·late 形 ☞
ar·yl·ate 動他【化学】アリール基を導入する.
as·per·ate 形 ざらざらした. ━━動他 目を粗くする.
as·phyx·i·ate 動他 窒息(死)させる(suffocate).
as·pi·rate 動他【音声】**1** 帯気音として発音する. **2** h の音で発音する.
as·sas·si·nate 動他 暗殺する.
as·sev·er·ate 動他 言明する, 断言する.
as·sib·i·late 動他【音声】歯擦音化する.
as·sim·i·late 動他 取り入れる, 吸収 [消化] する.
at·ten·u·ate 動他《文語》〈気体・液体を〉希薄化する.
au·re·ate 形 金色の, 金箔をかぶせた.
au·ric·u·late 形 耳介のある; 耳状部を持つ.
aus·cul·tate 動他自【医学】(…を)聴診する.
aus·pi·cate 動他《まれ》(幸運を願い, お祈り・乾杯などをしてから)…を始める, 開始する.
au·then·ti·cate 動他 真正の物であることを証明する.
au·to·mate 動他 オートメーション化する, 自動化する.
a·vi·ate 動自 飛行する. ━━他〈航空機を〉操縦する.
bac·ca·lau·re·ate 名 学士号(bachelor's degree).
bac·cate 形 【植物】漿果状の; 漿果のなる.
bar·bate 形 ひげのある; ひげ状の房のある.
bar·bel·late 形 【植物】芒(のぎ)で覆われた.
ba·si·ate 動他自《廃》キスする, 接吻する.
ben·e·fi·ci·ate 動他【冶金】〈鉱石を〉選鉱する.
ben·zo·yl·ate 動他【化学】ベンゾイル化する.
bi·car·pel·late 形 【植物】(雌蕊(めしべ)が)二心皮の.
bi·den·tate 形 【生物】二歯の.
bi·fo·rate 形 【生物】二孔の, 二開口の.
bi·nate 形 【植物】〈葉が〉対の.
bi·oc·el·late 形 【動物】二単眼の.
blo·vi·ate 動自 長々とおおげさに話す.
bom·bi·nate 動自《文語》ブンブンいう [うなる].
bo·vate 名 ボベート: 昔の英国の地積の単位.
bra·chi·ate 形 【植物】枝が広がって出ている.
brac·te·ate 形 【植物】苞葉(ほうよう) [苞] のある.
brac·te·o·late 形 【植物】小苞葉(ほうよう)のある.
bran·chi·ate 形 ☞
brec·ci·ate 動他【岩石】角礫(かくれき)化する.
bro·min·ate 動他【化学】臭素化する.
bul·late 形 【動物】【解剖】大水疱状の.
bu·tyl·ate 動他〈化合物に〉ブチル基を導入する.
cach·in·nate 動自《文語》大笑いする.
cal·ca·rate 形 【生物】蹴爪状突起のある.
cal·ce·o·late 形 【植物】靴の形に似た, スリッパ形の.
cal·ci·nate 動他自【化学】煆焼(かしょう)する, 焼成する.
cal·cu·late 動他 ☞
cal·i·brate 動他〈計器の〉目盛りを正しく調整する.
ca·lum·ni·ate 動他 中傷する, そしる, 誹謗(ひぼう)する.
cal·y·cate 形 【植物】萼(がく)のある.
ca·lyc·u·late 形 【植物】副萼(ふくがく)の [に似た].
cam·pan·u·late 形 【植物】鐘形の, 鈴状の.
cam·phor·ate 動他【化学】樟脳(しょうのう)を入れる.
can·cel·late 形 【解剖】多孔質の, 海綿状の.
can·cer·ate 動自 癌(がん)(性)になる.
can·di·date 名 ☞
can·nu·late 形 カニューレのような形の. ━━動他【外科】カニューレを挿入する.
can·til·late 動他自 詠唱する; (ユダヤ教で)朗唱する.
ca·pac·i·tate 動他 可能にさせる, できるようにする.
cap·i·tate 形 【植物】頭状(花序)の.
ca·pit·u·late 動自 降伏する.
cap·re·o·late 形 【生物】巻きひげのある.
cap·su·late 形 莢(さや) [カプセル] に包まれた.
cap·ti·vate 動他 魅惑する, 夢中にする, 悩殺する.
car·bon·y·late 動他【化学】カルボニル化する.
car·bu·rate 動他【化学】炭素 [炭化水素] と化合させる.
car·i·nate 形 【植物】竜骨弁 [舟弁(しゅうべん)] のある.
-car·nate 連結形 ☞
car·pel·late 形 【植物】心皮のある.
car·u·cate 名 カルケート: 昔の英国の地積の単位.
ca·run·cu·late 形 【植物】種阜(しゅふ)のある.
ca·se·ate 動自【病理】乾酪変性する, 乾酪化する.
cas·ti·gate 動他 酷評する; 厳しく非難する.
cas·trate 動他 去勢する.
cat·e·nate 動他 つなぐ, 連結する, 鎖状にする.
ca·ten·u·late 形 【生物】鎖状の, 鎖状に連結した.
cau·date 形 ☞
ca·vate 形 うつろ [洞穴] になった; 洞穴状の.
cav·i·tate 動自 (…に)空洞をつくる.
cel·e·brate 動他 祝う, 祝賀する.
cel·i·bate 名 禁欲している人, 禁欲主義者.
cel·late 形 …細胞の [を持つ].
cel·lu·late 形 細胞の, 細胞状 [質] の.
cen·trif·u·gate 名 遠心分離機で分離された物質のうち, より密度の濃いもの.
ceph·a·late 形 【動物】頭がある; 頭状の部分がある.
ce·rate 名 【薬学】蝋膏(ろうこう).
cer·e·brate 動自他《こっけい》頭を働かせる, 考える.
cha·lyb·e·ate 形〈鉱泉・薬などが〉鉄塩類を含む.
che·late 形 【化学】キレート化合物の.
chlam·y·date 形〈軟体動物などが〉外套膜を有する.
chlo·ri·nate 動他 ☞
chor·date 形 ☞

cil·i·ate 名 【生物】繊毛虫.
cil·i·o·late 形 【生物】繊毛のある.
cir·ci·nate 形 丸く巻かれた, 環状の, 輪形の.
cir·cu·late 動自 循環する; 円運動をする, 回る.
cir·cum·nav·i·gate 動他 周航する, 船 [飛行機] で一周する.
cir·cum·stan·ti·ate 動他 (状況証拠で)裏づける, 実証する.
cir·cum·val·late 形 城壁で囲まれた; 取り囲まれた.
cir·rate 形 【動物】棘毛(きょくもう)を持つ.
clath·rate 形 【生物】格子状の; 格子縞(じま)の.
cla·vate 形 【生物】(末端の太い)こん棒状の.
-cli·nate 連結形 ☞
clyp·e·ate 形 【生物】(円)盾状の; 額片のある.
co·ac·er·vate 名形 【物理化学】コアセルベート(の).
co·ad·u·nate 形 【生物】結合した, 着生した.
co·ag·u·late 動他自 凝固 [凝結] させる [する].
co·arc·tate 形 〈さなぎが〉囲蛹(いよう)殻に包まれている.
coch·le·ate 形 かたつむり形の, らせん形の.
coe·lo·mate 形 体腔を持つ. ── 名 体腔動物.
cog·i·tate 動自 深く考える, 熟考する.
co·hab·i·tate 動自 同棲する.
co·ho·bate 動他 【薬学】…を再蒸留 [再留] する.
col·lab·o·rate 動自 共同で行う; 共同制作 [研究] する.
col·late 動他 ページを正しくそろえる.
col·le·giate 形 ☞
col·li·mate 動他 一直線にする; 平行にする.
co·mate 形 【植物】種髪(coma)のある.
com·bi·nate 動他 結合して一体にする; 組み合わせる.
com·mem·o·rate 動他 記念する, 記念して後世に伝える.
com·men·su·rate 形 等しい, 同等の.
com·men·tate 動他 …を批評 [論評] する.
com·mi·nate 動他自 (天罰があると言って)脅す.
com·mis·er·ate 動他 《古》同情する, 哀れむ.
com·mu·ni·cate 動他 ☞
com·mu·tate 動他 〈電流を〉整流する; 方向を換える.
com·pag·i·nate 動他 《古》〈骨組みなどを〉結びつける.
com·pan·ion·ate 形 仲間の; 友達らしい, 友愛的な.
com·pas·sion·ate 形 哀れみ深い, 同情心の厚い.
com·pen·sate 動他 償いをする, 補償 [賠償] する.
com·pla·nate 形 平らにされた, 平面の; 平面上の.
com·put·er·ate 形 コンピュータを操れる.
con·cel·e·brate 動自 ミサの共同執行に加わる [あずかる].
con·cen·trate 動他 一点に集める, 集中させる.
con·cil·i·ate 動他 不信 [敵意] を取り除く, なだめる.
con·den·sate 名 【化学】(蒸気からの)凝縮物, 凝縮液.
con·dom·i·nate 形 共同統治を行う [に関する].
con·fab·u·late 動自 打ち解けて話し合う, 談笑する.
con·fed·er·ate 形 同盟 [連合] した; 共謀した.
con·fig·u·rate 動他 形作る, 作る.
con·fis·cate 動他 〈財産などを〉没収する.
con·fla·grate 動自他 燃える [燃やす], 燃焼する [させる].
con·glo·bate 形 球状の. ── 動他自 丸くする [なる].
con·glo·bu·late 動自他 群れ [団塊] を成す [にする].
con·glom·er·ate 名 (種々雑多な物の)集合(体), 団塊.
con·grat·u·late 動他 祝詞を述べる, お祝いを言う.
con·sid·er·ate 形 思いやりのある, 優しい, 親切な.
con·sol·i·date 動他 一つにまとめる; 合併する.
con·stel·late 動他自 集める, ちりばめる; 集まる.
con·ster·nate 動他 びっくり仰天させる.
con·sti·pate 動他 便秘 [秘結] させる.
con·sum·mate 動他 完成する, 全うする, 成就する.
con·tam·i·nate 動他 よごす, 汚染する.
con·tem·plate 動他 熟考 [熟慮] する, 静観する.
con·tin·u·ate 形 《廃》続いている, 絶え間ない.
con·tor·ni·ate 形 〈硬貨などが〉縁の内側に溝のある.
con·trate 形 【時計】横歯の.
cop·u·late 動自 性交 [交接, 交尾] する.
cor·date 形 心臓 [ハート] 形の.
cor·nic·u·late 形 小角状の.
co·rol·late 形 【植物】花冠のある.
cor·o·nate 形 冠をかぶった. ── 動他 王冠をいただかせる, 王位に就かせる.
cor·po·rate 形 ☞
cor·rob·o·rate 動他 〈信念などを〉強める; 確証する.
cor·ru·gate 動他 しわをつける, 波形をつける.
cor·ti·cate 形 皮層 [皮質] のある; 樹皮のような.
cor·us·cate 動自 きらきら輝く, きらめく.
cos·tate 形 【解剖】肋骨(ろっこつ)のある.
cra·ni·ate 形 頭蓋を有する. ── 名 有頭動物.
cre·ate 動他 ☞
cre·mate 動他 火葬にする, 荼毘(だび)に付す.
cre·nate 形 〈葉の縁などが〉円 [鈍] 鋸歯状の.
cren·el·ate 動他 …に銃眼(つき胸壁)を設ける.
cren·u·late 形 〈葉の縁などが〉小円 [鈍] 鋸歯状の.
crep·i·tate 動自 パチパチ [パリパリ] いう.
crim·i·nate 動他 《まれ》告発する, 起訴する.
cris·pate 形 縮れた; くるくる巻いた.
cris·tate 形 とさか [冠毛] のある.
cru·ci·ate 形 十字形の.
cu·cul·late 形 僧帽 [頭巾(ずきん)] をかぶった.
cul·mi·nate 動自 最高点 [絶頂, 最高潮] に達する.
-cul·pate 連結形 ☞
cul·ti·vate 動他 耕す, 耕作する, 開墾する.
cul·trate 形 〈葉などが〉鋭利でとがった.
cu·mu·late 動他 積み重ねる, 積み上げる, 集積する.
cu·ne·ate 形 楔(くさび)形の.
cu·pu·late 形 ドングリの殻斗(かくと)に似た形の.
cu·rate 名 《主に英》(プロテスタントで)牧師補, 副牧師, 代理牧師.
cur·tate 形 短縮 [省略] した.
cus·pi·date 形 尖頭のある; 鋭く堅い先端を持った.
cy·ber·nate 動他 サイバネーション化する, コンピュータによって自動制御化する.
de·bil·i·tate 動他 弱らせる, 衰弱させる.
de·blat·er·ate 動自 無駄口をたたく; ひどく不平を言う.
de·caf·fein·ate 動他 カフェインを抜く.
de·ca·pac·i·tate 動他 〈精液の〉授精能力を妨げる.
de·cap·i·tate 動他 首をはねる, 断頭 [斬首] する.
de·cer·e·brate 動他 【外科】除脳する, 大脳を除去する.
de·cid·u·ate 形 【解剖】【動物】脱落膜を持った.
dec·i·mate 動他 〈疫病などが〉…の多くを殺す.
de·col·late 動他 首を切る [はねる].
dec·o·rate 動他 装飾する, 飾りつける.
de·crep·i·tate 動他 〈塩・鉱物などを〉完全に焼く.
de·cul·tur·ate 動他 〈国民・社会などから〉文化を奪う.
de·cus·sate 動他自 X 字形に交差させる [する]. ── 形 X 字形の; 交差した.
ded·i·cate 動他 …を(神に)奉納する, 献ずる.
de·dif·fer·en·ti·ate 動自 【生物】脱 [逆] 分化する.
def·ae·cate 動他自 =defecate.
de·fal·cate 動自 【法律】公金を不正に使用する.
def·e·cate 動自 脱糞(だっぷん)する.
de·fi·brate 動他 〈木・紙・廃紙などの〉繊維を離解する.
de·fib·ril·late 動他 【医学】〈心筋の〉細動を止める.
de·fi·bri·nate 動他 【医学】〈血液中から〉フィブリンを取り除く.
def·la·grate 動他自 急激に燃焼させる [する].
de·gen·er·ate 動自 退廃する, 衰退する; 堕落する.
de·i·so·late 動他 非孤立化させる, 孤立状態から救う.
de·late 動他 《もと》密告する; 告発 [告訴] する.
de·lec·tate 動他 喜ばす, 魅する, 楽しませる.
de·lib·er·ate 形 計画的な, 意図的な, 故意の.
del·i·cate 形 繊細な, 優美な; もろい; 微妙な.
de·lim·i·tate 動他 …の限界を定める, 境界を画する.
de·mar·cate 動他 …の境界(線)を定める, …を仕切る.
dem·on·strate 動他 …を論証 [証明, 実証] する.
de·my·e·li·nate 動他 【医学】〈神経から〉髄鞘(ずいしょう)(myelin sheath)をはがす [なくす].
de·ner·vate 動他 【外科】(手術または麻酔により)〈臓器・体の一部から〉神経支配を取り

除く.
den·i·grate 動他 中傷する, けなす, 侮辱する;〈名誉・評判などを〉汚す, 傷つける.
den·tate 形 ☞
den·tic·u·late 形 【植物】【動物】(葉の縁や昆虫の体部が)小歯状の, 小歯状突起のある.
den·u·date 動他 裸にする(denude). ━━形 裸の.
de·paup·er·ate 形 【生物】発育不良の, 萎縮(いしゅく)した. ━━動他 貧弱にする, 衰弱させる;〈土地を〉やせさせる.
de·ped·i·tate 動他《ハッカー俗》〈文字の〉下部を切ってしまう.
dep·i·late 動他〈獣皮・人間の皮膚などから〉毛を抜く, 脱毛 [除毛] する.
de·plu·mate 形 羽毛をむしられた, 羽毛の抜けた.
dep·re·cate 動他 …を(真剣に)非難する, とがめる.
de·pre·ci·ate 動他 **1**〈通貨を〉切り下げる. **2** …の価値を減じる.
dep·re·date 動他〈国土・地域などに〉強奪 [略奪] を行う, 荒らす. ━━自 (…に)強奪 [略奪] を行う, (…を)荒らす.
dep·u·rate 動他自 (清)浄化する [される].
de·rac·i·nate 動他 根こそぎ引っこ抜く, 根こぎにする; 根絶する, 絶滅させる.
der·i·vate 名 引き出されたもの, 派生物(derivative).
de·sal·i·nate 動他 (通例, 飲料水を作るため)〈塩水を〉脱塩する(desalt).
de·sal·i·vate 動他 唾液の流出を止める. ━━形 唾液腺を摘出した.
des·ic·cate 動他 からからに乾燥させる.
de·sid·er·ate 動他《古》…を渇望 [熱望] する.
des·ig·nate 動他 指摘 [指示, 明示] する, 示す.
des·o·late 形 荒れ果てた; 無人の, 寂しい; 孤独な.
des·per·ate 形 自暴自棄の, 破れかぶれの.
des·pu·mate 動他《古》〈液体の〉上皮を取る. ━━自〈液体が〉上皮を形成する.
de·te·ri·o·rate 動自 悪化 [劣化] する.
de·ter·mi·nate 形 ☞
det·o·nate 動自他〈爆弾などが [を]〉爆発する [させる].
de·tox·i·cate 動他 解毒する, 毒性を除く.
deu·ter·ate 動他【化学】重水素化する.
dev·as·tate 動他 荒廃させる; 徹底的に破壊する.
de·vi·ate 動自 (コースなどから)それる, 外れる.
di·ag·nos·ti·cate 動他自 診断する.
di·al·y·zate 名 透析物.
dic·tate 動他 口述 [口授] する, 書き取らせる.
dif·fer·en·ti·ate 動他 区別する, 違える, 差異を設ける.
dif·fu·sate 名 【物理化学】拡散気体, 気体拡散物.
dig·i·tate 形 【動物】指のある; 指状突起のある.
di·lap·i·date 動他 荒廃させる; 破損する, 駄目にする.
di·lat·ate 形 膨れた, 膨張 [拡張] した, 広がった.
di·mid·i·ate 動他【紋章】〈2つの紋章を〉一方の左半分が他方の右半分に並ぶように組み合わせる.
dip·lo·mate 名 《特に米》資格取得者.
dis·af·fil·i·ate 動他 除名する, 縁を切る.
dis·am·big·u·ate 動他〈語句を〉一義化する,〈文などの〉あいまいさを除く.
dis·as·sim·i·late 動他【生理】分解 [異化] する.
dis·con·so·late 形 なんの慰めもない, ひどく不幸な.
dis·crim·i·nate 動自 差別する, 分け隔てる.
dis·in·ter·me·di·ate 動自《米》【金融】ディスインターメディエーションを行う.
dis·in·tox·i·cate 動他 酔いから覚ます.
dis·pa·rate 形 異種の; 類似点のない. ━━名 本質的に異なるもの.
dis·plu·vi·ate 形 (古代ローマ邸宅で)屋根付きの.
dis·ser·tate 動自 論じる, 論述する.
dis·si·pate 動他 追い払う, 消散させる; 晴らす.
dis·til·late 名 留出物, 蒸留液.
di·va·gate 動自《まれ》さまよう.
di·var·i·cate 動自 二またに分かれる, 分岐する. ━━他 分け離す. ━━形 分岐した.
di·vul·gate 動他《古》公表する;〈秘密などを〉暴く.
do·mes·ti·cate 動他〈動物を〉飼いならす, 家畜化する;〈植物を〉栽培品種化する.
dom·i·cil·i·ate 動他 住所を定めさせる, 定住させる.
dom·i·nate 動他 支配する, 統治する; 抑制する.
do·nate 動他自 寄贈 [寄付] する; 贈与 [助成] する.
e·brac·te·ate 形 【植物】包(ほう)のない.
ech·i·nate 形 剛毛質の; とげの多い, 針のある.
e·chin·u·late 形 〈動植物が〉小さなとげのある.
e·den·tate 形 【動物】貧歯類の.
ed·u·cate 動他 ☞
e·dul·co·rate 動他【化学】洗浄する.
ef·fec·tu·ate 動他 引き起こす, もたらす; 遂げる.
ef·fem·i·nate 形 男らしくない, めめしい.
ef·fig·i·ate 動他 …の像を作る.
e·jac·u·late 動他 絶叫する; 出し抜けに言う.
e·lab·o·rate 形 入念な, 精巧 [綿密] な, 凝った.
e·las·ti·cate 動他 …に伸縮性を持たせる.
e·late 動他 有頂天にさせる; 意気を上げさせる.
el·e·vate 動他 (持ち)上げる, 高める.
e·lim·i·nate 動他 除く, 排除する, 除去する.
e·lon·gate 動他 延長する; 引き延ばす.
el·u·ate 名 【化学】溶出液, 溶離液.
e·lu·ci·date 動他 明らかにする, 明瞭にする, 解明する.
e·lu·tri·ate 動他 きれいにする, 浄化する.
e·lu·vi·ate 動自 洗脱する, 溶脱する.
e·ma·ci·ate 動他 やせ細らせる, 衰弱させる.
em·a·nate 動自 起こる, 生ずる; 発する, 発散する.
e·man·ci·pate 動他 解放する, 自由にする.
e·mar·gi·nate 形 へりに切れ目がある.
e·mas·cu·late 動他 (完全)去勢する.
em·bro·cate 動他 (薬液を)塗布する, 塗擦する.
e·men·date 動他〈原稿・書籍の〉本文を校訂する.
em·u·late 動他 負けまいとする; 手本とする.
en·cap·si·date 動他〈ウイルスの粒子を〉タンパク質の外殻で包む.
en·cul·tu·rate 動他 文化化によって変化 [適応] させる.
en·er·vate 動他 衰弱させる, 元気 [気力] を奪う.
en·sate 形 【生物】剣状の; 剣状突起の.
e·nu·mer·ate 動他 列挙する, 並べたてる; 一覧表にする.
en·ven·om·ate 動他 …に毒を注射 [注入] する.
ep·i·late 動他 脱毛 [除毛] する.
e·quate 動他 同等とみなす [として扱う].
e·quil·i·brate 動他 平衡状態に置く, 釣り合わせる.
e·qui·pon·der·ate 動他自 釣り合わせる [合う].
e·quiv·o·cate 動自 あいまいな言葉を遣う, 言葉を濁す.
e·rad·i·cate 動他 根絶する, 撲滅する.
e·ruc·tate 動他自〈げっぷを〉出す; げっぷが出る.
es·ca·late 動他自 段階的に拡大 [上昇] させる [する].
es·ti·mate 動他 見積もる, 概算する; 評価する.
e·stip·u·late 形 【植物】＝exstipulate.
es·ti·vate 動自《米》夏を過ごす; 避暑をする.
eth·yl·ate 動他【化学】エチル化する.
e·ti·o·late 動他〈植物を〉(暗所で)軟白にする.
eu·spo·ran·gi·ate 形 〈シダ植物が〉真正胞子嚢(のう)のある.
eu·troph·i·cate 動自〈河川・湖沼などが〉富栄養化する.
e·vac·u·ate 動他 立ち退く, 引き払う.
e·vag·i·nate 動他自 裏返す; 外反させる, 外転する.
e·vap·o·rate 動自 蒸気になる; 蒸発 [気化] する.
e·ven·tu·ate 動自《文語》…の結果になる.
e·vis·cer·ate 動他 …の内臓を取る.
ex·ac·er·bate 動他《文語》悪化 [激化] させる.
ex·ag·ger·ate 動他 誇張する, 大げさに言う [考える].
ex·a·rate 形 〈さなぎが〉裸の, 自由の.
ex·as·per·ate 動他 憤慨させる, いら立たせる.
ex·ca·vate 動他 掘り抜く, くりぬく.
ex·co·ri·ate 動他 激しく非難する, 厳しくとがめる.

ex·cru·ci·ate 動他 (肉体的に)苦しめる, 激痛を与える.
ex·e·crate 動他 ひどく嫌う, 忌み嫌う, ひどく憎む.
ex·en·ter·ate 動他 〘外科〙〈器官を〉摘出する.
ex·hil·a·rate 動他 活気[元気]づける, 鼓舞[鼓吹]する.
ex·on·er·ate 動他 非難から解放する, 無実の罪を晴らす.
ex·pa·ti·ate 動自 詳しく述べる[書く], 詳述する.
ex·pec·to·rate 動他自 (痰・つばを)咳をして(吐き)出す.
ex·ped·i·tate 動他 〈犬の〉足裏や爪を切除する.
ex·pi·ate 動他 償う, 贖(あがな)う.
ex·pis·cate 動他 《主にスコット》発見する, 探り出す.
ex·pla·nate 形 〘植物〙〘動物〙平らに広がった.
ex·pro·pri·ate 動他 〈国・公共団体などが〉〈私有地・財産を〉買い上げる; 収用する.
ex·pur·gate 動他 〈本・映画などの〉(侮辱的な好ましくない語などを)削除する.
ex·san·gui·nate 動他 血を採る, 脱血[放血]する. ──自 出血して死ぬ.
ex·sic·cate 動他 湿気を取る, 乾燥させる.
ex·stip·u·late 形 〘植物〙托葉(たくよう)のない.
ex·ten·u·ate 動他 〈罪などを〉軽くする, 情状酌量する.
ex·ter·mi·nate 動他 撲滅する, 皆殺しにする.
ex·tir·pate 動他 駆除する, 全滅させる, 根絶する.
ex·tor·tion·ate 形 法外な, 途方もない.
ex·trap·o·late 動他 推定[推論]する.
ex·trav·a·gate 動自 《古》さまよい出る, 放浪する.
ex·trav·a·sate 動他 〘病理〙〈血液・リンパ液などを〉浸出させる.
ex·tri·cate 動他 救い出す, 解放する.
ex·tu·bate 動他 〘医学〙抜管する.
ex·u·ber·ate 動自 繁茂する; 《古》満ちあふれる.
ex·u·date 名 滲出(しんしゅつ); 滲出液[物].
ex·u·vi·ate 動自他 脱皮する.
fab·ri·cate 動他 製作する.
fa·cil·i·tate 動他 …を容易にする; 促進[助長]する.
fal·cate 形 鉤(かぎ)形の, 鎌(かま)形の.
fan·tas·ti·cate 動他 空想的[異様]なものにする.
fas·ci·ate 形 縛った, 束ねた, くくった, 結んだ.
fas·cic·u·late 形 束にした, 束ねた; 〘植物〙束生の.
fas·ci·nate 動他 魅惑する, 興味をそそる.
fas·tig·i·ate 形 先のとがった.
fa·ve·o·late 形 ハチの巣状の, 無数の小穴のある.
fe·cun·date 動他 多産[豊饒, 肥沃]にする.
fed·er·ate 動他自 連合させる[する]; 合同させる[する].
fe·lic·i·tate 動他 《文語》祝う, 祝辞を述べる.
fel·late 動他自 フェラチオをする.
fes·ti·nate 動自 急ぐ.
fi·bril·late 動他自 微小繊維化を引き起こす[が起きる].
-fi·cate 連結形 ☞
fig·u·rate 形 定形を持っている, 一定の形の.
fi·late 形 〘動物〙糸状の, 細い.
fil·i·ate 動他 〘法律〙〈非嫡出子の〉父を決定する.
fil·trate 動他自 濾過器で濾す. ──名 濾過液.
fim·bri·ate 形 〘生物〙房状へりのある.
fim·bril·late 形 〘生物〙縁毛のある, 房飾りのある.
fix·ate 動他 固定[定着]させる.
fla·bel·late 形 〘生物〙扇形の, 扇状の.
flag·el·late 形 ☞
floc·cu·late 動他 〈沈殿物などを〉羊毛状の塊にする. ──自 凝集する.
fluc·tu·ate 動自 絶えず変化する, 不規則に動く.
flu·o·ri·date 動他 〈水道水などに〉フッ化物を添加する.
flu·o·ri·nate 動他 〘化学〙フッ素と化合させる.
fo·li·ate 形 ☞
fo·li·o·late 形 ☞
fo·ram·i·nate 形 穴[小孔]がある, 有孔の.
for·ci·pate 形 鉗子(かんし)状の.
for·fi·cate 形 〈鳥の尾などが〉はさみ状の.
for·mate 動自 〈飛行機が〉編隊を組む[に加わる].
for·mi·cate 動自 《まれ》アリのように這(は)う.
for·mu·late 動他 明確に[系統立てて]表す[述べる].
for·myl·ate 動他 〘化学〙ホルミル基を導入する.
for·ni·cate[1] 動自他 《古》姦淫(かんいん)を犯す.
for·ni·cate[2] 形 〘生物〙アーチ形の, 弓形の.
for·tu·nate 形 運のよい, 幸福な.
fo·ve·ate 形 〘生物〙窩(か)のある.
fo·ve·o·late 形 〘生物〙小穴[小窩]のある.
frac·tion·ate 動他 構成分子[断片, 部分]に分ける.
frag·men·tate 動他自 断片にする, ばらばらにする.
fre·nate 形 〘解剖〙繋帯(けいたい)のある.
frus·trate 動他 挫折させる, くじく, 無効にする.
ful·gu·rate 動自 ひらめく. ──他 〘医学〙放電治療する.
ful·mi·nate 動自 大音響と共に爆発する.
fu·mi·gate 動他 いぶす, 蒸す.
func·tion·ate 動自 作用する; 活動をする, 働く.
fun·gate 動自 菌状に育つ[生じる].
fu·nic·u·late 形 〘植物〙珠柄(しゅへい)のある.
fur·cate 形 二また状の, 二またに分れた.
fus·ti·gate 動他 こん棒で打つ; 殴る; 厳しく罰する.
ga·le·ate 形 かぶと状体[突起]のある.
gan·gli·ate 形 神経節のある.
gan·gli·on·ate 形 ＝gangliate.
gas·tru·late 動自 〘発生〙原腸形成を行う.
gel·ate 動自 ゲル化する.
ge·lat·i·nate 動他自 ゼラチン状にする, ゼラチン化する.
gem·i·nate 動他自 二重[対]にする[なる].
gem·mate 形 出芽によって繁殖する, 発芽生殖の. ──動自 発芽する.
gen·er·ate 動他 ☞
ge·nic·u·late 形 〘生物〙膝(ひざ)状関節のある.
ger·mi·nate 動自 成長[発達]し始める.
ges·tate 動他 懐胎する, 身ごもる.
ges·tic·u·late 動自 身ぶり手ぶりを使う.
gla·brate 形 〘動物〙〘植物〙無毛の.
gla·ci·ate 動他 氷で閉ざす, 氷結させる.
glad·i·ate 形 〘植物〙剣状の.
glo·bate 形 球状の, 球形の.
glom·er·ate 形 球状に集まった. ──動他自 球状に集める[集まる].
glo·mer·u·late 形 小さく一つに固まった.
-glu·ti·nate 連結形 ☞
glyc·er·in·ate 動他 グリセリンで処理する.
gly·co·syl·ate 名 〘生化学〙グリコシル化する.
-gnate 連結形 ☞
gra·date 動自他 〈色が[を]〉しだいに変化する[変える].
grad·u·ate 名 ☞
gran·u·late 動他 粒(状)にする.
graph·i·cate 形 グラフィックアートに熟達した.
grat·i·nate 動他 〈料理を〉グラタンにする.
grat·u·late 動他 《古》喜んで迎える; 喜びを表す.
grav·i·tate 動自 重力の作用で動く, 引力に引かれる.
-gre·gate 連結形 ☞
gut·tate 形 〘生物〙滴状の; 色点[滴紋]のある.
gy·rate 動自 らせん状に回転する, 旋回する.
ha·bil·i·tate 動他 《米・主に西部》〈鉱山に〉投資する.
ha·bit·u·ate 動他 《文語》慣らす, 習慣づける.
hal·lu·ci·nate 動自他 幻覚を感じる[起こさせる].
hal·o·gen·ate 動他 〘化学〙ハロゲン化する.
ha·mate 形 〘解剖〙鉤(かぎ)状の.
has·tate 形 〈葉が〉矢じり形の, 矛形の.
haus·tel·late 形 〘動物〙吻管(ふんかん)を持つ.
heb·e·tate 動他 愚鈍にする. ──自 鈍くなる. ──形 〘植物〙(芒(のぎ)の)先が柔らかい.
her·ni·ate 動自 ヘルニアを形成する.
hes·i·tate 動自 ためらう, 躊躇(ちゅうちょ)する.
hi·ber·nate 動自 冬眠する, 冬ごもりする, 越年する.

A

ho·mog·e·nate 名 【生物】ホモジェネート.
ho·mol·o·gate 動他 【法律】承認する; 確認 [裁可] する.
hor·rip·i·late 動他 身の毛をよだたせる, 総毛立たせる.
hu·mil·i·ate 動他 誇りを傷つける, 屈辱を与える.
hy·dro·gen·ate 動他 【化学】水素添加する.
hy·drox·yl·ate 動他 【化学】水酸基を導入する.
hy·per·ven·ti·late 動自 呼吸亢進(こうしん)する, 過換気する.
hy·phen·ate 動他 ハイフンでつなぐ.
hy·poth·e·cate[1] 動他 担保として入れる, 抵当に入れる.
hy·poth·e·cate[2] 動自他 仮設を立てる, 仮設を設ける.
i·de·ate 動他 観念化する. ── 自 観念を作る. ── 形 観念的な.
il·lu·mi·nate 動他 照らす, 照明する, 明るくする.
il·lus·trate 動他 図解 [挿し絵] を入れる.
il·lu·vi·ate 動自 集積する.
im·bri·cate 形 重なり合っている. ── 動他自 鱗 [瓦] 状に重ねる [重なる].
im·i·tate 動他 見習う, 手本にする; 習おうとする.
im·mo·late 動他 犠牲にする.
im·pan·ate 形 〈キリスト(の体)が〉聖餐(せいさん)のパンの中に宿っている.
im·pas·sion·ate 形 情熱のこもった, 熱情的な.
im·per·son·ate 動他 振りをする, 声色を使う.
im·pe·trate 動他 懇願して手に入れる.
im·por·tu·nate 形 うるさい, しつこい, わずらわしい.
im·pre·cate 動他 〈呪いを〉かける. ── 自 呪う.
im·preg·nate 動他 妊娠させる, 受胎させる.
im·pro·pri·ate 形 【教会法】〈教会財産などが〉平信徒の手に移った.
in·au·gu·rate 動他 正式に発足させる, 創始する.
in·ca·pac·i·tate 動他 無能にする; 能力を奪う.
in·car·cer·ate 動他 投獄する; 幽閉 [監禁] する.
in·car·di·nate 動他 (教皇庁の)枢機卿(すうききょう)に任ずる.
in·cho·ate 形 始まったばかりの, 発端の, 初期の.
in·cin·er·ate 動他 焼く, 焼却する; 火葬にする.
in·cor·po·rate 動他 法人 [団体組織] にする.
in·cras·sate 動他 【薬学】濃化する, 濃縮する.
in·cu·bate 動他 〈鳥が〉〈卵を〉抱く, 抱卵する.
in·cul·cate 動他 教え込む, 説き聞かせる.
in·cur·vate 形 (内側へ)曲がった. ── 動他 湾曲させる.
in·di·cate 動他 徴候となる; ほのめかす.
in·di·vid·u·ate 動他 個体化する. ── 自 区別する.
in·doc·tri·nate 動他 吹き込む, 洗脳する.
in·du·rate 動他 硬化する, 固める.
in·du·si·ate 形 包膜 [包被層, 灰白層] のある.
in·e·bri·ate 動他 酔わせる. ── 形 酒に酔った.
in·ex·pi·ate 形 〈罪が〉贖(あがな)われていない.
in·fat·u·ate 動他 夢中にさせる, 理性を失わせる.
in·fib·u·late 動他 〈陰門を〉封鎖する.
in·fu·ri·ate 動他 激高 [激怒] させる.
in·fus·cate 形 【昆虫】黒ずんだ, すす色の.
in·gra·ti·ate 動他 (人に)取り入る, 機嫌を取る.
in·gur·gi·tate 動他 むさぼり食う, がぶがぶ飲む.
in·hab·i·tate 動他 《廃》住む, 生息する.
in·i·ti·ate 動他 始める; 手ほどきを授ける.
in·ner·vate 動他 〈神経・筋肉・神経器官を〉刺激する.
in·no·vate 動自 革新 [刷新] する.
in·oc·u·late 動他 〈病原菌・抗原を〉接種する.
in·sa·ti·ate 形 飽くことを知らない.
in·sin·u·ate 動他 遠回しに言う, 当てこする.
in·so·late 動他 日光にさらす, 日に当てる.
in·spis·sate 動他自 《古》(蒸発させて)濃くする [なる].
in·stan·ti·ate 動他 具体例を挙げて説明する, 例示する.
in·sti·gate 動他 〈反乱などを〉扇動して起こさせる.
in·su·late 動他 断熱 [絶縁, 防音] 処置を施す.
in·te·grate 動他 まとめる, 統合する; 完成する.
in·tem·er·ate 形 《まれ》侵されない, 汚されない.
in·ten·er·ate 動他 《まれ》軟らかくする; 和ませる.
in·ter·ca·late 動他 挿入する, 差し込む.
in·ter·me·di·ate 形 中間にある, 中間的な, 中程度の.
in·ter·pel·late 動他 (議会で)説明を求める, 質問する.
in·ter·po·late 動他 挿入する, 挟む.
in·ti·mate[1] 形 親交のある; 親しげな; 私事の.
in·ti·mate[2] 動他 ほのめかす, 暗示する.
in·tim·i·date 動他 おじけづかせる; おびえさせる.
in·to·nate 動他 抑揚をつけて言う, 特定の音調で言う.
in·tox·i·cate 動他 (酒・麻薬などで)酔わせる.
in·tri·cate 形 入り組んだ, もつれた.
in·tu·bate 動他 【医学】〈喉頭などに〉挿管する.
in·un·date 動他 氾濫する, (水で)浸す.
in·ves·ti·gate 動他 研究する; 調査する; 吟味する.
in·vet·er·ate 形 常習的な, 病みつきの, 根っからの.
in·vig·i·late 動自 《古》番をする, 見張る.
in·vig·or·ate 動他 元気 [活気] づける.
in·vi·o·late 形 犯されて [侵害されて] いない; 神聖な.
in·vo·cate 動他 《古》祈願 [祈求] する(invoke).
in·vo·lu·crate 形 【植物】総苞(そうほう)のある.
i·o·din·ate 動他 【化学】ヨードで処理する.
i·rate 形 《文語》怒った, 立腹した.
ir·ri·gate 動他 灌漑(かんがい)する, 水を引く.
ir·ri·tate[1] 動他 いらいらさせる, 怒らせる.
ir·ri·tate[2] 動他 【法律】無効にする.
ir·ro·rate 形 【動物】まだらの, 小斑点のある.
i·so·late 動他 分離 [隔離] する; 孤立させる.
I·tal·ian·ate 形 イタリア風 [式] の. ── 動他 イタリア化する.
it·er·ate 動他 繰り返して言う.
i·tin·er·ate 動自 (決まった巡回路を)回って歩く.
jac·u·late 動他 〈槍などを〉投げる, ほうる.
ju·bate 形 【動物】長い毛で覆われた.
ju·bi·late 動自 歓喜する, 歓呼する; 記念祭を祝う.
ju·gate 形 ☞
ju·gu·late 動他 〈病気の〉進行を無理に抑える.
la·bi·ate 形 唇形の, 唇状に並んだ.
lac·er·ate 動他 (ずたずたに)切り [引き] 裂く.
la·cin·i·ate 形 〈葉・花弁が〉不規則に切れ込んだ.
lac·tate 動自 乳を生じる, 乳を分泌する.
la·mel·late 形 薄片 [薄層] でできている.
lam·i·nate 動他 薄層で覆う. ── 形 薄片を持つ.
la·nate 形 羊毛のような.
lan·ce·o·late 形 槍(やり)の穂先形の.
lan·ci·nate 動他 刺す, 刺し通す; 裂く, 引き裂く.
lap·i·date 動他 石を投げつける; 石を投げつけて殺す.
Lat·in·ate 形 ラテン語の; ラテン語に由来する.
lau·re·ate 名 名誉を受けた人, 受賞者.
-le·gate 連結形 ☞
leg·is·late 動自 法律を制定する.
le·git·i·mate 形 合法の, 適法の, 法律の認める.
lem·nis·cate 名 【解析幾何】連珠形, レムニスケート.
len·tic·u·late 動他 【写真】微小凸レンズを型押しする.
lev·i·gate 動他 粉にひく; 粉を練る.
lev·i·tate 動自 空中に浮かぶ, 空中浮揚する.
lib·er·ate 動他 解放する, 自由にする, 釈放する.
li·brate 動自 振動する, 揺れる.
li·cen·ti·ate 名 開業有資格者.
li·gate 動他 ☞
lig·u·late 形 【植物】小舌(しょうぜつ)を持った.
lim·bate 形 〈花・膜・翅(はね)などが〉縁取られた.
lin·e·ate 形 線のある, 縞(しま)をつけた.
lin·e·o·late 形 【動物】【植物】細かい線のある.
lin·gu·late 形 舌状の.
li·quate 動他自 【冶金】溶離させる [する].
liq·ui·date 動他 清算する, 支払う, 決済する.
li·rel·late 形 【菌類】裸子器の [に似た].
lit·er·ate 形 ☞
lit·i·gate 動他 訴訟に持ち込む, 法廷で争う.
lix·iv·i·ate 動他 溶剤で処理する.
lo·bate 形 【解剖】葉(よう)のある.
lob·u·late 形 【解剖】(小)葉(よう)から成る.
lo·cate 動他 (場所を)突き止める; 置く.
-lo·cate 連結形 ☞

loc·u·late 形 〘生物〙小室［小胞, 小房］のある.
lor·i·cate 形 〘動物〙被甲で覆われた［のある］.
lu·bri·cate 動他 油を差す, 注油する; 油を塗る.
lu·cu·brate 動自《主に文語》(特に夜間に)勤労する.
lu·nate 形 三日月状の. ——名〘解剖〙月状骨.
lu·nu·late 形 新月［三日月］形斑紋のある.
lus·trate 動他 祓(はら)い清める, 不浄払いする.
lux·ate 動他〘主に医学〙関節を外す, 脱臼させる.
lux·u·ri·ate 動自(ぜいたくなことに)ふける.
ly·rate 形 〈羽状葉が〉頭大(とうだい)羽裂の.
ly·sate 名 ☞
mac·er·ate 動他 ふやかす; 消化する.
ma·chic·o·late 動他〘築城〙刎(は)ね出し狭間を設ける.
mach·i·nate 動自他 たくらむ, 企てる.
mac·u·late 形 斑点(はんてん)のある; 汚点のある.
mal·le·ate 動他〈金属などを〉ハンマーで打つ.
mam·il·late 形 ＝mammillate.
mam·mate 形 乳房のある; 哺乳類に属する.
mam·mil·late 形 乳頭のある; 乳頭突起［器官］のある.
man·dib·u·late 形 大あごのある, 大顎(だいがく)類の.
man·du·cate 動他《文語》かむ, 咀嚼する; 食べる.
ma·nip·u·late 動他(不正に)操る, 操縦する; 操作する.
mar·gin·ate 形 縁［へり］のある.
mar·i·nate 動他〈肉・魚などを〉マリネにする.
mas·ti·cate 動他自 かむ, 咀嚼する, かみ砕く.
mas·tur·bate 動自他 手淫(しゅいん)を行う.
ma·tric·u·late 動他(大学への)入学を許す.
mat·u·rate 動自他〘病理〙化膿する［させる］.
me·di·ate 動他〈論争・争議などを〉調停する.
med·i·cate 動他 薬で治療する, 投薬する.
med·i·tate 動自 沈思黙考する; 瞑想にふける.
mel·io·rate 動他自《主に文語》改良する, 改善する.
men·stru·ate 動自 月経がある.
meth·yl·ate 名 〘化学〙メチラート.
met·ri·cate 動他《英》〈メートル法を〉採用する.
mic·tu·rate 動自 小便をする, 放尿する, 排尿する.
mi·grate 動自 ☞
mil·i·tate 動自(…に不利に)作用する.
min·i·ate 動他〈写本などを〉朱で彩る; 朱書する.
mit·i·gate 動他〈怒り・悲しみ・苦痛などを〉和らげる.
mod·er·ate 形 節度のある; 適度の; 平凡な.
mod·u·late 動他 調節［調整］する; 加減する.
mon·o·chro·mate 名 〘眼科〙全色盲者, 一色型色覚者.
mo·not·ri·chate 形 〈バクテリアが〉一鞭毛(べんもう)の.
mos·chate 形 麝香(じゃこう)のにおいがする.
mo·ti·vate 動他 動機を与える, する気にさせる.
mu·cro·nate 形 〈羽・葉などが〉微突形の.
mur·der·ate 動他〈人を〉殺す; 負かす.
mu·ri·cate 形 〘植物〙〘動物〙硬尖(こうせん)面の.
mus·si·tate 動自《廃》もぞもぞ［もぐもぐ］言う.
mu·tate 動他自 突然変異させる［する］.
mu·ti·late 動他 骨抜きにする;〈手足を〉切断する.
nar·rate 動他 述べる, 物語る; 語り手を務める.
nau·se·ate 動他 吐き気を催させる, むかつかせる.
nav·i·gate 動他 航海［飛行］する; 操縦［誘導］する.
ne·ces·si·tate 動他 必要とする, 避けがたくする.
ne·gate 動他 否認する; 無効にする, 取り消す.
ne·go·ti·ate 動自 話し合う, 交渉［談判, 協議］する.
nerv·ate 形 〘植物〙葉脈のある.
nic·ti·tate 動自 まばたきする.
ni·date 動自〈受精卵が〉子宮に着床する.
nom·i·nate 動他 ☞
no·tate 動他 記号で表す, 記録する; 音符に記す.
no·tion·ate 形 《主に米方言》意志の強い, 強情な, 頑固な.
nu·cle·ate 形 ☞
nu·mer·ate 動他〈数式・数字を〉(口に出して)読む.
-nun·ci·ate 連結形 ☞
nun·cu·pate 動他〈遺言などを〉口頭で述べる.
nu·tate 動自 うなだれる.
ob·cu·ne·ate 形 逆楔(くさび)状の.
ob·du·rate 形 説得がきかない, 頑固な; 非情な.
ob·fus·cate 動他 混乱させる, 途方に暮れさせる.
ob·jur·gate 動他《文語》激しくとがめる, 難詰する.
ob·lan·ce·o·late 形 〘植物〙〈葉などが〉倒皮針形の.
ob·lit·er·ate 動他〈痕跡を〉ぬぐい去る; 抹消する.
ob·nu·bi·late 動他 …を曇らせる;《文語》ぼやかす.
ob·sti·nate 形 片意地な; 譲らない; ねばり強い.
ob·tu·rate 動他 ふさぐ, 閉じる.
ob·um·brate 動他 暗くする, 曇らせる.
ob·vi·ate 動他 予防する, 回避する; 不要にする.
oc·re·ate 形 〘植物〙葉鞘(ようしょう)に包まれた.
oc·u·late 形 目玉のような模様のある.
o·do·nate 形 トンボ目の, 蜻蛉(せいれい)目の. ——名 トンボ目の昆虫の総称.
of·fi·ci·ate 動自 …の役を務める; 司祭を務める.
op·er·ate 動自〈機械などが〉作動［稼動］する.
o·per·cu·late 形 〘植物〙蘚蓋(せんがい)のある;〘動物〙鰓蓋(えらぶた)のある.
o·pi·ate 名 アヘン剤.
op·pi·late 動他〈管などを〉ふさぐ; 詰まらせる.
o·rate 動自他《こっけい・軽蔑的》演説調で話す.
or·bic·u·late 形 球形の, 円形の.
or·ches·trate 動他 オーケストラ用に作曲［編曲］する.
or·di·nate 名 ☞
o·ri·en·tate 動他自〈考えなどを〉適応させる;(ある方位に)合せる.
o·rig·i·nate 動自(…に)起源を持つ, 由来する.
or·nate 形 凝った［派手な］装飾を施した.
os·cil·late 動自 振れる, 往復する; 振動する.
os·cu·late 動自 接触する, 結合する.
os·to·mate 名 造瘻(ぞうろう)術を受けた人.
o·vate[1] 形 (立体的に)卵形の.
o·vate[2] 動自 拍手大喝采(かっさい)する.
ov·u·late 動自〘生物〙排卵する.
ox·i·date 動他自〘化学〙酸化させる［する］. ——名〘地球化学〙酸化堆積物.
ox·y·gen·ate 動他 酸素で処理する, 酸素を添加する.
pag·i·nate 動他 ページを打つ, 丁付けをする.
pal·ate 名 〘解剖〙口蓋(こうがい).
pa·le·ate 形 〘植物〙もみ殻に覆われた.
pal·li·ate 動他《文語》〈病気・苦痛などを〉一時的に和らげる.
pal·mate 形 〈葉・シカの角・サンゴなどが〉掌状の.
pal·pate[1] 動他 触ってみる; 触診する.
pal·pate[2] 形 〘動物〙ひげのある, 口肢のある.
pal·pe·brate 形 《まれ》まぶたを持つ. ——動自 まばたきする.
pal·pi·tate 動自 激しく動悸を打つ, どきどきする.
pan·du·rate 形 〈葉などが〉バイオリン形の.
pa·nic·u·late 形 〘植物〙円錐(えんすい)花序の.
par·tic·i·pate 動自 参加［関与］する, 加わる.
par·tic·u·late 形 (微)粒子の. ——名 微粒子.
pas·sion·ate 形 熱烈な, 情熱的な; 強く望んでいる.
pas·si·vate 動他〘冶金〙〈金属を〉不動態化する.
pa·tel·late 形 〘生物〙膝蓋骨のある.
pat·i·nate 動他〈銅器などを〉緑青付けする.
pa·tri·ate 動他 …を初めて本国へ送る, もとへ戻す.
pec·ti·nate 形 櫛(くし)状の.
pec·u·late 動他自 着服［横領］する, 使い込む.
ped·ate 形 〈動物が〉脚のある.
ped·i·cel·late 形 〘植物〙小花柄のある.
pe·dic·u·late 形 有柄［アンコウ］類の.
pe·dun·cu·late 形 花柄のある; 柄のある.
pej·o·rate 動他 悪くする, 価値を減じる.
pel·tate 形 〘植物〙〈葉が〉盾形の.
pen·du·late 動自 振り子のように揺れる［振れる］.
pen·e·trate 動他 …を貫通する, 突き通す.
pen·i·cil·late 形 房毛を持った.
pe·nin·su·late 動他 半島にする.
pen·nate 形 ☞
pep·sin·ate 動他 ペプシン処理する.
per·co·late 動他 濾過(ろか)する, 濾(こ)す.
per·e·gri·nate 動自《古》(徒歩で)旅行をする.

per·en·nate 動自〖植物〗多年生育する.
per·fo·rate 動他 穴をあける, ミシン目を入れる.
per·fus·ate 名〖医学〗〖外科〗灌流(かんりゅう)液.
pe·rit·ri·chate 形 周毛の［縁毛］性の.
per·mu·tate 動他 交換する, 入れ替える.
per·noc·tate 動自《文語》夜を過ごす.
per·ox·i·date 動他自〖化学〗過酸化する.
per·pe·trate 動他〈犯罪・悪事・過失などを〉犯す.
per·pet·u·ate 動他 永続させる, 絶えさせない.
per·sev·er·ate 動自 執拗に［過度に］繰り返す.
per·son·ate[1] 動他 演じる.
per·son·ate[2] 形〖植物〗〈唇形花冠が〉仮面状の.
pe·te·chi·ate 形〖病理〗点状出血のある.
pet·i·o·late 形〖生物〗有柄の, 柄を有する.
pho·nate 動他〖音声〗有声化する.
phos·pho·rate 動他〖化学〗リンと化合させる.
phos·pho·ryl·ate 動他〖化学〗リン酸化する.
pig·no·rate 動他 質に入れる.
pi·le·ate 形〖植物〗〖動物〗傘のある.
pin·nate 形 ☞
pin·nu·late 形〖動物〗ひれのある.
pi·rate 名 海賊.
pis·til·late 形〖植物〗雌蕊(しずい)のある.
pla·cate 動他 なだめる, 静める, 落ち着かせる.
pla·cen·tate 形 胎盤［胎座］を有する.
pla·nate 形 平面を持つ, 平面状の; 面の平らな.
plat·i·nate 動他 白金めっきする.
pli·cate 形〖動物〗ひだのある;〖植物〗扇状ひだのある.
-pli·cate 連結形 ☞
plu·mate 形〖動物〗羽毛状の.
plu·mu·late 形 立派な羽毛の生えた.
pol·len·ate 動他〖植物〗＝pollinate.
pol·li·nate 動他〖植物〗…に授粉する.
pol·y·sor·bate 名〖化学〗ポリソルベート.
pop·u·late 動他 …の住人である; 人口を形成する.
pos·tu·late 動他 要求する.
po·ten·ti·ate 動他 有力［強力］にする.
pre·cip·i·tate 動他 ☞
pre·date 動自 獲物を捜す. ── 他 …を捕食する.
pre·des·ti·nate 動他〖神学〗神意によって予定する.
pred·i·cate 動他 属性であると断定する. ── 名〖文法〗述部, 述語.
pre·fab·ri·cate 動他 前もって作り上げる［製造する］.
pre·mi·ate 動他《まれ》賞を与える.
pre·pon·der·ate 動自 他のものより重い.
pri·vate 形 ☞
pro·bate 名〖法律〗(遺言の)検認.
pro·bos·ci·date 形〖動物〗(ゾウのような)鼻を持った.
pro·cras·ti·nate 動自 ぐずぐずと引き延ばす.
prof·li·gate 形《文語》身持ちの悪い; 放蕩な.
prog·nos·ti·cate 動他 予言［予想］する, 予知［予測］する.
pro·late 形〖幾何〗〈球体が〉長形の.
pro·lif·er·ate 動自他〖生物〗増殖する［させる］.
pro·lon·gate 動他 延ばす, 引き延ばす, 延長する.
prom·ul·gate 動他 公表する;〈法律を〉発布する.
pro·nate 動他自〖生理〗回内する.
prop·a·gate 動他〈動・植物を〉増殖させる.
pro·pi·ti·ate 動他 なだめる, 慰める, 懐柔する.
pro·por·tion·ate 形 比例した, 釣り合った, 見合った.
pro·ro·gate 動他〈議会を〉閉会［休会］する.
pro·sto·mi·ate 形 (環形動物の)口前葉のある.
pros·trate 動他 ひれ伏す, 平伏する.
pro·tein·ate 名〖生化学〗タンパク化合物.
pro·ton·ate 動他〖化学〗プロトンを付加する.
pro·tu·ber·ate 動自 盛り上がる, 隆起する.
prox·i·mate 形 直前［直後］の, 第二次的な.
pseu·do·coe·lo·mate 形名〖動物〗疑体腔を持つ(無脊椎動物).
pul·lu·late 動自 発芽する.
pul·mo·nate 形〖動物〗有肺の. ── 名 有肺類動物.
pul·sate 動自 脈打つ, 鼓動する.
pul·vi·nate 形 クッション状の.
punc·tate 形 点のついた;〖医学〗斑点状の.
punc·tu·ate 動他 句読点をつける; 区切りをつける.
punc·tu·late 形 小さな斑点(はんてん)が散在する.
pu·pate 動自 さなぎになる, 蛹化(ようか)する.
pus·tu·late 動他自〖病理〗〈膿疱(のうほう)を［が］〉生じさせる［生じる］. ── 形 膿疱だらけの.
quad·rate 形 正方形の, 長方形の.
quan·ti·ta·te 動他 量を計る［評価する］.
qua·ter·nate 形〈葉などが〉4 枚並んだ, 四小葉の.
qui·nate 形〈複葉が〉五小葉の.
quo·rate 形 定足数に足りる［を満たす］.
ra·di·ate 動自 ☞
rad·i·cate 動他 根づかせる.
raf·fi·nate 名〖化学〗ラフィネート.
ra·ti·oc·i·nate 動自《文語》推論［推理］する.
re·cid·i·vate 動自 再び転落［堕落］する, 悪事を重ねる.
re·cip·ro·cate 動他 報いる, 返礼する, 恩に感ずる.
rec·li·vate 形〖昆虫〗〈器官が〉S 字状の.
re·cu·per·ate 動自 回復する; 健康を取り戻す.
re·cur·vate 形《まれ》後ろへ曲がった; 反り返った.
re·for·mate 名〖化学〗改質油, リホーメート.
re·frig·er·ate 動他 冷やす, 冷却する; 冷やしておく.
re·ge·late 動自 再び凍る; 復氷する.
reg·is·trate 動自 パイプオルガンの音栓を選択する.
reg·u·late 動他 ☞
re·gur·gi·tate 動自他 噴き返す, 逆流する; 吐き戻す.
re·it·er·ate 動他 繰り返して言う, 再び［何度も］行う.
re·ju·ve·nate 動他 若返らせる, 回春させる.
re·luc·tate 動自《廃》抵抗する, 反抗する, 反発する.
re·mon·strate 動他 抗議する, いさめる.
re·mu·ner·ate 動他 報酬［代償］を払う, 報いる, 償う.
ren·o·vate 動他 革新［刷新］する; 修繕［修復］する.
re·pris·ti·nate 動他 最初［元］の状態に戻す.
rep·ro·bate 名 自堕落な人間, 無頼漢, 放埒な人間.
re·pu·di·ate 動他 拒否［拒絶］する; 否定［否認］する.
res·in·ate 動他 樹脂加工する.
re·sist·ate 名〖地質〗レジステート, 抵抗沈積物.
res·o·nate 動自〈音・声などが〉反響する, 鳴り響く.
res·pi·rate 動他 …を人工呼吸させる.
re·sus·ci·tate 動他 生き返らせる, 蘇生させる.
re·tal·i·ate 動自 返報する, 仕返しする, 報復する.
re·tic·u·late 形 網状組織の; 網目で覆われた.
re·ven·di·cate 動他〖法律〗回復［返還］を提訴する.
re·ver·ber·ate 動自〈音が〉反響する, 鳴り響く.
-ro·gate 連結形 ☞
ro·se·ate 形 ばら色の.
ros·tel·late 形 小嘴(しょうし)のある.
ros·trate 形 船嘴(せんし)装飾のある.
ro·su·late 形〖植物〗ロゼット状になった.
ro·tate[1] 動自 回転する; 循環する, 交代する.
ro·tate[2] 形〖植物〗〈花冠が〉車形の.
ro·tun·date 形 角［先］が丸い［丸くなった］.
ru·bri·cate 動他 朱書き［赤刷り］する.
ru·gate 形 襞(ひだ)のある, しわの寄った.
ru·in·ate 動他《まれ》〈都市・建物を〉破壊する.
ru·mi·nate 動自 反芻(はんすう)する, 食い戻してかむ.
run·ci·nate 形〖植物〗逆向き羽状分裂の.
rus·ti·cate 動自 田舎へ行く.
sac·cate 形 嚢(のう)のある; 嚢状の.
sac·cu·late 形 小嚢(のう)状の; 小嚢のある.
sag·it·tate 形〈葉などが〉矢じり状の.
sal·i·vate 動自 唾液を分泌する; よだれを垂らす.
san·i·tate 動他 衛生［下水］設備を施す.
sa·ti·ate 動他 嫌になるほど与える, 飽き飽きさせる.
sat·u·rate 動他 ☞
scin·til·late 動自 火花を発する.
scop·u·late 形〖動物〗刷毛(はけ)状の.
scro·bic·u·late 形〖植物〗〖動物〗小窩(しょうか)のある.
scu·tate 形〖植物〗(円)盾状.
scu·tel·late 形〖動物〗鱗甲(りんこう)を持った.

scy·phate 形 杯の形をした, 杯状の.
-se·crate 連結形 ☞
se·date 形 穏やかな, 静かな; 落ち着き払った.
sem·i·nate 動他 精液を注入する, 授精させる.
sen·sate 形 五感によって知覚される.
sep·a·rate 動他 隔てる, 分ける; 切り離す; 区別する; 分類する, 分解する.
sep·tate 形 〖生物〗隔膜のある.
sep·te·nate 形 〈葉が〉7つの部分に分かれた.
sep·ten·nate 名 7年間(の任期).
se·ques·trate 動他 〖法律〗〈財産を〉強制保管する.
se·ri·ate 形 連続的に配列された, 一連の.
ser·i·cate 形 絹の, 絹のような.
ser·rate 形 〈縁・葉が〉鋸歯(きょし)状の.
ser·ru·late 形 〈木の葉が〉細かい鋸歯(きょし)状の.
sib·i·late 動自 シッシッ[シューシュー]いう.
sig·il·late 形 〈陶器が〉押印模様のある.
sig·mate 形 シグマ(Σ)の形をした; S 字形の. ━━ 動他 〖文法〗語末に s をつける.
sim·u·late 動他 装う; 擬態する; (コンピュータで)模擬実験する.
sin·u·ate 形 曲がりくねった. ━━ 動自 曲がりくねる.
sit·u·ate 動他 (ある場所・状況に)…を置く.
-so·ci·ate 連結形 ☞
sol·ate 動他自 〖化学〗ゾル化する.
solv·ate 名 〖化学〗溶媒和物.
son·i·cate 動他 超音波で破壊する, 超音波処理する.
so·phis·ti·cate 名 世慣れた人; 洗練された人.
sor·bate 名 〖化学〗ソルベート.
spath·u·late 形 ＝spatulate.
spat·u·late 形 へら形の.
spe·ci·ate 動自 〖生物〗新種に分化する.
spec·tate 動自 観覧[見物, 観戦]する.
spec·u·late 動自 沈思する; 推測する; 投機する.
sphac·e·late 動他自 〖病理〗壊死させる[する].
spi·cate 形 〖植物〗〈植物が〉穂のある.
spic·u·late 形 針状体の, 針骨状の, 細長くとがった.
spo·li·ate 動他自 強奪[略奪]する; 破壊する.
spor·u·late 動自 〖生物〗胞子を形成する.
squa·mate 形 鱗(うろこ)のある, 鱗状の.
stag·nate 動自 〈水・空気などが〉よどむ.
stam·i·nate 形 〖植物〗雄蕊(ゆうずい)を有する.
stel·late 形 星状に配列した, 放射状の; 星形の.
stim·u·late 動他 奨励する, 励ましてさせる; 刺激する.
stip·i·tate 形 有柄の, 柄のある.
stip·u·late[1] 動自 条件として(…を)要求する.
stip·u·late[2] 形 〖植物〗托葉(たくよう)のある.
sto·lon·ate 形 〖植物〗匍匐(ほふく)枝のある.
sto·mate 名形 〖植物〗気孔(のある).
stran·gu·late 動他 〖病理〗〖外科〗〈腸・血管などを〉縛る, 括約する.
stra·tic·u·late 形 〈地質構造が〉薄層から成る.
stri·ate 動他 細い溝[縞(しま)]をつける.
strid·u·late 動自 〈虫が〉鳴く.
sty·late 形 〖昆虫〗突起のある.
sub·al·ter·nate 形 従属する, 下位の.
sub·in·feu·date 動他自 〈封建領主が〉再封する.
sub·late 動他 〖論理〗否認[否定]する.
sub·li·mate 動他 〖心理〗昇華させる.
sub·stan·ti·ate 動他 確証[立証]する; 具体化する.
su·bu·late 形 〖植物〗〖動物〗錐(きり)状の.
suf·fo·cate 動他 窒息死させる, 絞め殺す.
suf·fu·mi·gate 動他 下からいぶす; 燻らす.
sul·cate 形 〖植物〗〖動物〗溝のある; 割れた.
sul·fu·rate 動他 硫化する, 硫黄で処理する.
sul·phur·ate 動他 ＝sulfurate.
sum·mate 動他 合計[総計]する, …の和を得る.
su·per·an·nu·ate 動他 老齢[病弱]のため退職させる.
su·pi·nate 動他 あおむけにする.
sup·pu·rate 動自他 化膿(かのう)する[させる].
su·sur·rate 動自 《まれ》ささやく, サラサラいう.
syl·lab·i·cate 動他 音節に分ける.
syn·co·pate 動他 〖音楽〗シンコペート[切分]する.
tab·u·late 動他 表にする, 一覧表で表す.
tem·per·ate 形 控えめな, 穏健な, 慎みのある.
ter·e·bin·thi·nate 形 テルペンチン[なま松やに]状の.
ter·gi·ver·sate 動自 言い抜けする, ごまかす.
ter·mi·nate 動他 終わらせる, 終結させる, やめる.
ter·nate 形 三部分から成る; 三つ組みの.
tes·se·late 動 ＝tessellate.
tes·sel·late 動他自 碁盤目状にする[なっている].
tes·tate[1] 形 有効な遺言を残した.
tes·tate[2] 形 甲[外殻]を有する, 有殻アメーバの.
tes·tic·u·late 形 睾丸の; 睾丸形の.
tes·tu·di·nate 形 カメの甲羅の形をした, 亀甲形の.
the·cate 形 〖生物〗花粉嚢のある.
tit·il·late 動他 快く刺激する.
ti·trate 動他自 〖化学〗…を[が]滴定する.
to·gate 形 トーガ[職服]を着た; いかめしい.
tol·er·ate 動他 許容する, 大目に見る; 耐える.
tor·quate 形 〖動物〗(首周りに)輪状の羽毛がある.
tra·che·ate 形 〈節足動物が〉気管を持つ. ━━ 名 (節足動物の)有気管類.
trac·tate 名 小論文, 論文; 評論, 随筆.
trans·el·e·ment·ate 動他 …の成分を変化させる, 変質させる.
trans·late 動他 訳す, 翻訳する, 通訳する.
trans·lit·er·ate 動他 字訳[音訳]する, 転写する.
trans·plant·ate 名 移植器官[組織].
tran·su·date 名 滲出(しんしゅつ)物[液].
tri·an·gu·late 形 三角形の. ━━ 動他 三角形にする.
trib·u·late 動他 苦難に耐えさせる, 苦しめる.
tri·cus·pi·date 形 〖解剖〗三尖(さんせん)の.
tri·den·tate 形 三歯の; 3つの歯状突起がある.
trit·i·ate 動他 〖化学〗トリチウム化する.
trit·u·rate 動他 挽(ひ)く, 砕く, 粉にする, つく.
trun·cate 動他 〈幹・胴・円錐などの〉上部を切る.
tu·bate 形 管の(ある), 管状の, 管から成る.
tu·ber·cu·late 形 結節のある.
tu·bu·late 形 管状の. ━━ 動他 管状にする.
tu·ni·cate 名 〖動物〗被嚢(のう)動物.
tur·bi·nate 形 〈貝などが〉倒円錐(えんすい)形をした.
tur·ric·u·late 形 小塔[やぐら]をつけた.
ul·cer·ate 動自 潰瘍(かいよう)を生じる; 潰瘍化する.
ul·ti·mate 形 最後の, 究極の, 決定的な; 最も遠い; 最高の; 根本的な.
ul·u·late 動自 《文語》〈犬などが〉ほえる.
um·bel·late 形 〈花が〉散形に花をつける.
um·bil·i·cate 形 へそ状の, へそ状にへこんだ.
um·bo·nate 形 こぶ[いぼ]のある.
un·ci·nate 形 〖生物〗〖医学〗鉤(かぎ)状の.
un·du·late 動自 波打つ, 波動する, 波のようにうねる.
un·guic·u·late 形 爪のある. ━━ 名 有爪動物.
un·gu·late 形 有蹄(ゆうてい)の.
U·ni·ate 名 東方帰一教会信者.
ur·ce·o·late 形 〈花冠などが〉壺形の.
u·ri·nate 動自 放尿[排尿]する, 小便をする.
ur·ti·cate 動他 イラクサで刺す; ちくちくさせる.
us·tu·late 形 焦げたように黒ずんだ.
u·tric·u·late 形 《古》小さい袋状の; 小さい袋のある.
va·cate 動他 〈家・席などを〉空ける, 明け渡す.
vac·ci·nate 動他 〖医学〗(ワクチンによる)接種をする.
vac·il·late 動自 〈考えが〉ぐらつく, 動揺する.
vac·u·ate 動他 真空にする.
vac·u·o·late 形 〖生物〗空胞のある.
vag·i·nate 形 〖植物〗葉鞘(ようしょう)のある.
val·i·date 動他 正当性を立証する, 実証[確証]する.
val·late 形 塁壁(状)の, 堡塁(ほうるい)(状)の.
val·lec·u·late 形 溝[谷]がある.
val·u·ate 動他 ☞
val·vate 形 弁のある; 弁で開く.

A

var·i·ate 名 〖統計〗確率変数.
var·i·cel·late 形 〈巻き貝が〉小さい螺層隆起を持つ.
var·i·e·gate 動他 まだらにする, 斑(ふ)入りにする.
var·i·o·late 形 〖病理〗痘瘡(とうそう)状の. ━━動他 種痘する.
va·tic·i·nate 動他自 《まれ》予言する, 予断する.
veg·e·tate 動自 (植物のように)成長［増大］する.
ve·late 形 〖植物〗菌膜のある.
vel·li·cate 動他 《まれ》ぐいと引く, 引っ張る.
ven·e·nate 動他 毒を入れる.
ven·er·ate 動他 尊敬する, 崇敬する, あがめる.
ven·ti·late 動他 換気する, 空気を流通させる.
ver·mic·u·late 動他 虫食い形をつける. ━━形 虫食いの.
ver·mi·nate 動自 毒虫(特に寄生虫)がはびこる.
ver·te·brate 形 脊柱のある; 脊椎のある.
ver·tic·il·late 形 〖生物〗〈葉・毛が〉輪生の.
ves·i·cate 動他自 発疱(はっぽう)させる［する］.
ve·sic·u·late 形 小嚢(のう)のある［で覆われた］.
vex·il·late 形 〖植物〗〖動物〗旗弁［羽弁］(vexillum)のある.
vi·at·i·cate 動自 生命保険を生前に現金化する.
vi·brate 動自 揺れる, 振動する.
vic·to·ri·ate 名 ビクトリエイト: 古代ローマの銀貨.
vin·di·cate 動他 非難［疑惑］を晴らす; 名誉回復する.
vi·nyl·ate 動他 〖化学〗ビニル化を起こさせる.
vi·o·late 動他 違反する, 背く.
vir·gate 形 さお状の, 棒状の; すらりと伸びた.
vir·gu·late 形 棒状の.
vi·ti·ate 動他 《文語》…の質を損なう.
vit·tate 形 〈植物が〉油管［油道］を有する.
vi·tu·per·ate 動他自 けなす, 酷評する; ののしる.
vo·cif·er·ate 動自他 大声を出す, 叫ぶ, わめく, 騒ぐ.
vul·can·i·zate 名 加硫物.
zon·ate 形 帯状の, 帯状斑紋(はんもん)のある.

-ate² /èit, ət/

接尾辞 〖化学〗…酸塩.
★ -ate¹ の限定用法; -ic で終わる酸の塩類を示すのに用い, 元素または原子団の語幹につける.
◆ 中英<ラ *-ātum* (*-ātus* -ATE¹ の中性形).

ab·i·e·tate 名 アビエチン酸塩［エステル］.
ac·e·phate 名 アセフェート.
ac·e·tate 名 ☞
ac·ry·late 名 アクリル酸塩［エステル］.
ad·i·pate 名 アジピン酸塩［エステル］.
al·bu·mi·nate 名 〖生化学〗アルブミネート.
al·co·hol·ate 名 アルコキシド, アルコラート.
al·gi·nate 名 アルギン酸塩.
a·lu·mi·nate 名 アルミン酸塩, 礬土(ばんど)酸塩.
am·mo·nate 名 アンモニア化合物, アンモニア錯塩.
an·thran·i·late 名 アントラニル酸塩［エステル］.
an·ti·mo·nate 名 アンチモン酸塩.
aph·o·late 名 アフォレート.
ar·se·nate 名 ☞
a·scor·bate 名 アスコルビン酸塩.
as·par·tate 名 〖生化学〗アスパラギン酸塩［エステル］.
au·rate 名 金酸塩.
bar·bi·tu·rate 名 〖薬学〗バルビツール酸塩の総称.
ben·zo·ate 名 安息香酸塩, ベンゾアート.
bi·sul·phate 名 硫酸水素塩, 重［酸性］硫酸塩.
bo·rate 名 ☞
bro·mate 名 臭素酸塩. ━━動他 臭素化する.
bu·tyr·ate 名 酪酸塩［エステル］.
cac·o·dyl·ate 名 カコジル酸塩.
cap·ro·ate 名 カプロン酸塩［エステル］.
car·ba·mate 名 カルバミン酸塩［エステル］.
car·bon·ate 名 ☞
car·box·yl·ate 動他 カルボキシル化する. ━━名 カルボキシル酸塩［エステル］.
ca·sein·ate 名 カゼイン塩.
chlo·rate 名 塩素酸塩.
cho·late 名 〖生化学〗コール酸塩.
chro·mate 名 ☞
cit·rate 名 クエン酸塩.
clo·fi·brate 名 〖薬学〗クロフィブラート.
clo·raz·e·pate 名 〖薬学〗クロラゼパート.
co·lum·bate 名 =niobate.
cy·a·nate 名 シアン酸塩［エステル］.
cy·a·nu·rate 名 シアヌル酸塩［エステル］.
cy·cla·mate 名 チクロ, シクラマート.
cy·clan·de·late 名 〖薬学〗シクランデレート.
di·men·hy·dri·nate 名 〖薬学〗ジメンヒドリナート.
di·phen·ox·y·late 名 〖薬学〗ジフェノキシレート.
di·thi·o·nate 名 ジチオン酸塩.
e·no·late 名 エノラート.
er·y·thor·bate 名 エリトルビン酸塩.
fer·rate 名 鉄酸塩.
fo·late 名 〖生化学〗葉酸塩［エステル］.
for·mate 名 ☞
ful·mi·nate 名 雷酸塩.
fu·ma·rate 名 〖生化学〗フマル酸(塩).
gal·late 名 没食子(もっしょくし)酸塩［エステル］.
gen·ti·sate 名 ゲンチシン酸塩［エステル］.
glu·co·nate 名 グルコン酸塩.
glu·ta·mate 名 〖生化学〗グルタメート.
glyc·er·in·ate 名 グリセリン酸塩［エステル］.
gly·co·late 名 グリコール酸塩［エステル］.
gly·ox·y·late 名 〖生化学〗グリオキシル酸塩［エステル］.
hu·mate 名 フミン酸塩［エステル］.
hyd·no·car·pate 名 ヒドノカルプス酸塩［エステル］.
hy·drate 名 ☞
i·o·date 名 ヨウ素酸塩［エステル］. ━━動他 ヨードで処理する.
i·so·cy·a·nate 名 イソシアン酸塩［エステル］.
kryp·ton·ate 名 クリプトネート.
lac·tate 名 乳酸塩, 乳酸エステル.
lau·rate 名 ラウリン酸塩［エステル］.
li·no·le·ate 名 リノール酸の塩［エステル］.
lin·o·le·nate 名 =linoleate.
mal·ate 名 リンゴ酸塩［エステル］.
mal·e·ate 名 マレイン酸塩［エステル］.
man·ga·nate 名 マンガン酸塩［エステル］.
mer·cu·rate 名 第二水銀塩類. ━━動他 水銀で処理する.
mer·cu·ri·ate 名 =mercurate.
meth·ac·ry·late 名 メタクリル酸塩［エステル］.
meth·yl·phen·i·date 名 〖薬学〗メチルフェニダート.
me·val·o·nate 名 メバロン酸塩.
mo·lyb·date 名 モリブデン酸塩.
mu·ri·ate 名 《俗に》塩化物.
ni·o·bate 名 ニオブ酸塩.
ni·trate 名 ☞
-o·ate 連結形 ☞
o·le·ate 名 オレイン酸塩［エステル］.
ox·a·late 名 ☞
pal·mi·tate 名 パルミチン酸塩［エステル］.
pan·to·then·ate 名 パントテン酸塩［エステル］.
pec·tate 名 ペクチン酸塩.
per·i·o·date 名 過ヨウ素酸塩［エステル］.
per·man·ga·nate 名 過マンガン酸塩.
phe·nate 名 =phenolate.
phe·no·late 名 フェノラート, フェノレート.
phos·phate 名 ☞
phos·pho·glyc·er·ate 名 ホスホグリセリン酸塩［エステル］.
pho·to·syn·thate 名 〖生化学〗光合成(産)物.
phy·tate 名 〖生化学〗フィチン酸塩［エステル］.
pic·rate 名 ピクリン酸塩［エステル］.
plat·i·nate 名 白金酸塩.
pro·pi·o·nate 名 ☞
prus·si·ate 名 **1** ヘキサシアノ鉄(Ⅱ)酸塩. **2** ヘキサシアノ鉄(Ⅲ)酸塩.
py·ro·gal·late 名 焦性没食子(もっしょくし)酸塩［エステル］.

py·ro·phos·phate 名 ピロリン酸塩[エステル].
py·ru·vate 名 ピルビン酸塩[エステル].
ra·ce·mate 名 ラセミ酸塩[エステル].
res·in·ate 名 樹脂酸塩, 樹脂酸エステル.
sac·cha·rate 名 サッカラート: 糖酸塩[エステル].
sa·lic·y·late 名 ☞
sel·e·nate 名 セレン酸塩; セレン酸エステル.
sil·i·cate 名 ☞
stan·nate 名 錫(すず)酸塩[エステル].
ste·a·rate 名 ☞
su·ber·ate 名 スベリン酸塩[エステル].
suc·ci·nate 名 琥珀(こはく)酸塩[エステル].
sul·fate 名 ☞
sul·fo·nate 名 スルホン酸塩[エステル]. ―― 動他 スルホン化する.
sul·phate 名動他自 =sulfate.
sul·pho·nate 名動他 =sulfonate.
tan·nate 名 タンニン酸塩.
tan·ta·late 名 タンタル酸塩.
tar·trate 名 ☞
tel·lu·rate 名 テルル酸塩.
ter·eph·thal·ate 名 テレフタル酸塩[エステル].
ther·mate 名 サーメート(剤).
thi·o·cy·a·nate 名 ☞
thi·o·nate 名 チオン酸塩[エステル].
ti·tan·ate 名 チタン酸塩[エステル].
tol·naf·tate 名 〖薬学〗トルナフテート.
tol·u·ate 名 トルイル酸の塩[エステル].
tung·state 名 タングステン酸塩[エステル].
u·rate 名 尿酸塩.
val·er·ate 名 吉草(きっそう)酸塩.
van·a·date 名 バナジウム酸塩[エステル].
wolf·ram·ate 名 =tungstate.
xan·thate 名 キサントゲン酸塩[エステル].
xe·nate 名 キセノン酸塩[エステル].
zinc·ate 名 亜鉛酸塩.
zir·con·ate 名 ジルコン酸塩.

-ate[3] /ət, èit/

接尾辞 **1** …職, 任務, 役目: consul*ate*, pontific*ate*, triumvir*ate*. **2** 組織, 制度(institution); 集団, 団体: elector*ate*, sen*ate*. **3** 役目を果たす人: magistr*ate*, potent*ate*. **4** 任務関連の場所: consul*ate*. **5** 任務期間, 統治期間: protector*ate*. **6** 地位, 職務, その任務の期間, 領土: caliph*ate*, khan*ate*, shogn*ate*, sultan*ate*.
★ 1 から 5 はラテン語から借用の名詞語尾, 6 はラテン語以外の語幹につけたもの.
◆ 中英<ラ *-ātus*(属格 *-ātūs*), 動詞派生語から一般化されたもの; 例えば *augurātus*「占官の職」(=*augurā(re)* 占官により予言する +*-tus* 行為名詞の接尾辞); しかし *augur* 占官 +*-ātus* と解釈されたことから.

a·meer·ate 名 =emirate.
a·mir·ate 名 =emirate.
am·i·tate 名 〖人類〗父方のおばとその姪(めい)との密接な社会的関係.
a·pos·to·late 名 使徒の職[位, 任務].
ar·chi·di·ac·o·nate 名 〖ローマカトリック〗助祭長の職.
a·vun·cu·late 名 〖人類〗叔権制.
cal·if·ate 名 〖イスラム教〗=caliphate.
ca·liph·ate 名 〖イスラム教〗カリフの地位[統治].
ca·non·i·cate 名 司教座聖堂参事会員資格[禄(ろく)].
can·tor·ate 名 〖ユダヤ教〗先唱者の職.
car·di·nal·ate 名 〖ローマカトリック〗枢機卿(けい).
ca·thol·i·cate 名 首座主教区.
col·lec·tor·ate 名 (特にインドの)収税官の職[管区].
con·su·late 名 領事館.
dea·con·ate 名 〖ローマカトリック〗=diaconate.
de·cem·vi·rate 名 (古代ローマの)十人委員会の職.
di·ac·o·nate 名 〖ローマカトリック〗助祭の職.
di·rec·to·rate 名 取締役[監督, 演出家]の職, 管理職.
doc·tor·ate 名 博士号.
du·um·vi·rate 名 (古代ローマのような)同一職務の二人連帯職.
e·lec·tor·ate 名 選挙民, 有権者(全員); 選挙母体.
e·meer·ate 名 =emirate.
e·mir·ate 名 初期イスラム時代の地方総督の権限.
e·pis·co·pate 名 監督[主教, 司教]の職[任期].
ex·ar·chate 名 総主教代理の職[管区].
gov·er·nor·ate 名 (特にエジプトの)行政単位.
het·man·ate 名 アタマン(ウクライナコサック人の選出首長の権力[領土].
i·mam·ate 名 〖イスラム教〗イマーム(導師)の職分.
in·spec·tor·ate 名 《米》警視(《英》警部)の職.
jun·ior·ate 名 (イエズス会の)修練期.
kal·i·fate 名 〖イスラム教〗=caliphate.
khal·i·fate 名 〖イスラム教〗=caliphate.
khan·ate 名 カーン(アルタイ語を話す種族で部族の長が持つ称号)の領土[統治権].
land·gra·vi·ate 名 方伯の位[権限, 領地].
leg·ate 名 教皇特使, 教皇派遣使節.
lev·i·rate 名 レビレート婚: 旧約聖書に見いだされる婚姻慣習.
mag·is·trate 名 執政官, 行政官.
man·da·rin·ate 名 高級官僚の地位.
man·date 名 (選挙母体が選出代表者に, または選挙人が議員·議会に対して行う)要求, 指図; 委任, 権能付与, 付託.
mar·gra·vate 名 辺境伯の領地[統治領].
mar·quess·ate 名 《英》=marquisate.
mar·quis·ate 名 侯爵[侯爵夫人]の地位[身分].
ma·tri·ar·chate 名 家母長制社会[共同体].
ni·zam·ate 名 (インドの)ニザームの地位[領地].
no·vi·ti·ate 名 修練(期), 修練者の身分.
or·di·nar·i·ate 名 〖ローマカトリック〗もと所轄権のないローマ式典礼の高位聖職者の下にあって, 東方式典礼による教会生活を営んでいた信徒在住の地域.
pas·tor·ate 名 牧師[主任司祭]の職務[任期, 管区].
pa·tri·arch·ate 名 〖ローマカトリック〗総大司教職; 〖ギリシャ正教〗総主教職.
pa·tri·ci·ate 名 貴族階級; 貴族の地位.
pon·tif·i·cate 名 司教職位[任期]; 教皇位. ―― 動自 司教の職務を果たす.
po·ten·tate 名 権勢家, 有力者.
prel·ate 名 高位聖職者.
pres·byt·er·ate 名 長老[司祭]の職.
prin·ci·pate 名 最高権力, 最高位.
pri·or·ate 名 小修道院長の職[任期].
pro·con·su·late 名 〖ローマ史〗プロコンスルの職.
pro·fes·sor·ate 名 教授の職[任期].
pro·fes·so·ri·ate 名 教授団, 教授陣.
pro·tec·tor·ate 名 保護関係, 保護政治, 保護権.
quad·rum·vi·rate 名 四人組; 四者連合; 四頭政治.
rab·bin·ate 名 〖ユダヤ教〗ラビの職[任期].
rec·tor·ate 名 プロテスタント監督協会の教区主任牧師の職[地位, 任期].
scho·las·ti·cate 名 〖ローマカトリック〗修学期.
sen·ate 名 議会, 立法機関.
sep·tem·vi·rate 名 (古代ローマの)七人委員会.
sho·gun·ate 名 将軍職; 将軍政治, 幕府.
so·ror·ate 名 〖人類〗ソロレート婚, 姉妹逆縁婚.
stel·lion·ate 名 〖民法〗〖スコット法〗(契約締結の際の)詐欺的売買.
sub·dea·con·ate 名 〖ローマカトリック〗=subdiaconate.
sub·dia·con·ate 名 〖ローマカトリック〗副助祭の職.
sul·tan·ate 名 サルタン(イスラム教国の君主)の位.
syn·di·cate 名 シンジケート, 企業組合[連合].
trib·u·nate 名 〖ローマ史〗護民官の職[任期].
tri·um·vi·rate 名 〖ローマ史〗三頭政治.
vic·ar·ate 名 《英》〖英国国教会〗=vicariate.
vi·car·i·ate 名 《英》〖英国国教会〗教区主管者代理の職[任期].

-ate[4] /éit/

A

語尾 bate[2], grate[2], slate[2], slate[3], spate, skate[1] などに激しい動きや摩擦するような動きを感じる人がいる. rate[2]「どなりつける」, prate「しゃべる」は擬声語と感じられる.
★ 語末にくる同音形は -AIT, -EAT[2], -EIGHT[1].

ate 動 eat の過去形.
bate[1] 動他 和らげる, 抑える, こらえる.
bate[2] 動自 〈タカが〉(怒りや恐怖から)翼をばたばたさせて逃げようとする.
bate[3] 動他 〖製革〗〈皮を〉脱灰する.
-bate 連結形 ☞
blate[1] 形 《主にスコット》鈍感な; 活気のない.
blate[2] 動自 《主に米南部方言》〈羊が〉メーと鳴く.
cate 名 《古》優良食品; 美味, 珍味.
crate 名 (荷造り用の)枠箱, すかし箱, 木枠.
date[1] 名 ☞
date[2] 名 ☞
fate 名 運, 巡り合わせ, 運命; 宿命; 悲運.
gate[1] 名 ☞
gate[2] 名 《古》道, 通り.
-gate[1] 連結形 ☞
-gate[2] 連結形 ☞
-gnate 連結形 ☞
grate[1] 名 (暖炉などの中の)火格子, 火床(ひとこ).
grate[2] 動自 (やかましく)こすれる, きしむ.
hate 動他 ☞
late 形 遅れた; 遅刻して.
-late 連結形 ☞
mate[1] 名 ☞
mate[2] 名 ☞
-nate 連結形 ☞
-o·ate 連結形 ☞
pate 名 ☞
plate[1] 名 ☞
plate[2] 名 《廃》硬貨(coin), (特に)銀貨.
prate 動自 ぺちゃくちゃしゃべる.
rate[1] 名 ☞
rate[2] 動他自 がみがみと小言を言う, しかる.
sate[1] 動他 〈食欲・欲望などを〉十分に満たす.
sate[2] 動 《古》sit の過去・過去分詞形.
skate[1] 名 ☞
skate[2] 名 ☞
skate[3] 名 ☞
skate[4] 名 《米話》飲み騒ぎ, 飲み会.
slate[1] 名 スレート; 粘板岩.
slate[2] 動他 《英》〈犬を〉けしかける.
slate[3] 動他 激しく打つ[たたく].
spate 名 (感情・言葉などの)奔出, 激発.
state 名 ☞
yate 名 オーストラリア産フトモモ科ユーカリ属の植物.

-ate·ly /ətli/

接尾辞 -ate[1] と -ly の合成接尾辞. ⇨ -LY.
★ -ate で終わる形容詞に対応する副詞をつくる.

ac·cu·rate·ly 副 正確に, まちがいなく.
af·fec·tion·ate·ly 副 愛情深く, 情愛を込めて.
al·ter·nate·ly 副 交互に, 交替で, 代わる代わる.
ap·prox·i·mate·ly 副 だいたい, およそ, ほとんど.
cor·po·rate·ly 副 法人として, 法人の資格で.
de·lib·er·ate·ly 副 故意に, わざと.
for·tu·nate·ly 副 幸いにも, 運よく.
im·me·di·ate·ly 副 時を移さず, 直ちに, すぐに.
mod·er·ate·ly 副 節度を守って; 適度に, ほどよく.
pri·vate·ly 副 個人として, 非公式に; 内密に.
ul·ti·mate·ly 副 最後に, ついに, 結局.

-a·te·ri·a /ətíːriə/

連結形 -eteria の異形.

bob·a·te·ri·a 名 カット美容室.
book·a·te·ri·a 名 雑誌ショップ.
hat·a·te·ri·a 名 帽子ショップ.
ice·cream·a·te·ri·a 名 選り取りアイスクリーム店.
wash·a·te·ri·a 名 コインランドリー.

-ath /ǽθ | ɑ́ːθ/

語尾 bath が代表. cath, math は近代の短縮語.

bath[1] 名 ☞
bath[2] 名 バス: ユダヤの液量単位.
-bath 連結形 ☞
cath 動他 《米医俗》…にカテーテルを挿入する(catheterize).
gath 名 〖音楽〗ガート(gat).
-gnath 連結形 ☞
lath 名 木摺(きずり), 木舞(こまい).
math 名 《米・カナダ話》数学(mathematics).
-math 連結形 ☞
path 名 ☞
-path 連結形 ☞
rath[1] 形 早咲きの; 早生(わせ)の(rash).
rath[2] 名 〖アイルランド〗(古代の)土居.
snath 名 大鎌(おおがま)(scythe)の柄.
strath 名 《スコット》広い谷, 大渓谷.

-athe /éið/

語尾 名詞語尾 -ath に対する動詞語尾, 形容詞語尾など.

bathe 動他 ☞
lathe[1] 名 ☞
lathe[2] 名 〖英史〗Kent 州の旧行政区.
rathe 形 《古》早咲きの; 早生(わせ)の.
scathe 動他 酷評する.
spathe 名 〖植物〗仏炎苞(ぶつえんほう).
swathe[1] 動他 包む, 縛る, 巻く.
swathe[2] 名 (大鎌・草刈り機の)一刈りの面積.

ath·lete /ǽθliːt/

名 運動選手, スポーツマン.

bi·ath·lete 名 〖スキー〗バイアスロンの選手.
de·cath·lete 名 〖陸上競技〗十種競技選手.
pen·tath·lete 名 〖陸上競技〗五種競技選手.
Spánish áthlete 《米俗》大口をたたく人.
tri·ath·lete 名 トライアスロン競技者.

-ath·lon /ǽθlɑn | -lɔn/

連結形 競技.
★ 名詞をつくる.
★ 競技者は -athlete となる.
◆ decathlon(dec-「10」+ギ *âthlon*「競技」)にならって.

bi·ath·lon 名 (クロスカントリーと射撃の)バイアスロン.
hep·tath·lon 名 〖陸上〗七種競技.
pen·tath·lon 名 五種競技.
tet·rath·lon 名 テトラスロン: 乗馬, 射撃, 水泳, 競走からなる四種競技.
tri·ath·lon 名 トライアスロン: 通例, 水泳, 自転車, 長距離走を連続して行う競技.

-a·thon /əθɑ̀n | -θɔ̀n/

連結形 長時間イベント[番組, 販売], 持久力くらべ.
★ 名詞をつくる; ときに Kiss-a-thon のようにハイフンを入れる.
★ 語末にくる関連形は -THON.
◆ marathon「マラソン競走」から抽出.

beg·a·thon 名 《米話》寄付金募集放送.
bik·a·thon 名 バイカソン: 長距離自動車競走.
fuck·a·thon 名 《米俗》連続のセックスプレー.
job·a·thon 名 《米》ジョバソン: 長時間テレビ求職番組.
jog·a·thon 名 ジョギングマラソン.
kis·sa·thon 名 キスマラソン.
phon·a·thon 名 テレソン: 一日(以上)ぶっ続けで行われる電話勧誘運動.
quad·ra·thon 名 〖スポーツ〗クアドラソン, 4 種競技.
talk·a·thon 名 《話》長時間にわたる会談.
walk·a·thon 名 (耐久力を競う)長距離競歩.

-at·ic /ǽtik/

接尾辞 …の, …的な.
★ 形容詞をつくる; 時に名詞となる.
◆ ラテン語 *-āticus* より, あるいは -ATE[1]＋-IC[1].
[発音] 基体に第 1 強勢. 例外: lúnatic.

ag·nat·ic 形 男系の, 父方の.
a·quat·ic 形 水の; 水中の; 水に関する.
A·si·at·ic 名形 《時に侮蔑的》アジア人(の).
cog·nat·ic 形 祖先が同じの, 同血族の(cognate).
cu·ne·at·ic 形 楔(くさび)形の.
di·a·gram·mat·ic 形 図形で表した, 図式の.
en·zy·mat·ic 形 酵素の [による].
er·rat·ic 形 〈行動・意見が〉とっぴな, 奇矯な.
fa·nat·ic 名 狂信者. ━━形 狂信的な.
Han·se·at·ic 形 ハンザ同盟(都市)の.
lu·na·tic 名形 精神障害者(の).
lym·phat·ic 形 リンパ(液)の [を含む, 分泌する].
mor·ga·nat·ic 形 貴賤(きせん)相婚の.
mu·ri·at·ic 形 《俗に》塩酸の, 塩化物の.
o·pi·at·ic 形 アヘン剤の(ような).
os·mat·ic 形 嗅覚(きゅうかく)の [に関する].
quad·rat·ic 形 方形の(ような).
syl·vat·ic 形 森の [に関する, に特有の](sylvan).

-at·in /ǽtn/

語尾 語末にくる同音形は -ATTEN.

grat·in 名 グラタン; その表面の焦げ皮.
mat·in 名 〖キリスト教〗(カトリックで)朝課.
pat·in 名 〖キリスト教〗パテナ, 聖体皿(paten).
sat·in 名 繻子(しゅす), サテン.

-a·tion /éiʃən/

接尾辞 **1** …の動作・行為: condens*ation*. **2** …した状態: starv*ation*. **3** …の結果・産物: perspir*ation*.
★ 名詞をつくる; 規則的に -fy, -ize で終わる動詞を名詞化する: justific*ation*, realiz*ation*.
★ *-ation*al の形で形容詞化されるものが多い.
◆ 中英 *-acioun* ＜古仏 *-ation* ＜ラ *-ātiōn-*(*-ātiō* の語幹).
[発音] -ation の初めの音節 /éi/ に第 1 強勢.

ab·bre·vi·a·tion 名 省略形, 省略語(句); 略語, 略字.
ab·di·ca·tion 名 退位, 辞任; (権力の)放棄, 棄権.
ab·la·tion 名 (手術などによる)除去, 切除.
a·bom·i·na·tion 名 (人にとって)大嫌いなもの.
ac·cel·er·a·tion 名 促進; 速力の増加, 加速.
ac·cen·tu·a·tion 名 強調する [引き立たせる] こと.
ac·cep·ta·tion 名 (語句の)普通の意味.
ac·cli·ma·ta·tion 名 ＝acclimation.
ac·cli·ma·tion 名 新しい環境に慣れる [慣らす] こと.
ac·com·mo·da·tion 名 (…への)適応, 適合.
ac·cu·mu·la·tion 名 積み重なること, 累積, 蓄積.
ac·cu·sa·tion 名 告発, 告訴, 起訴; 非難.
ac·ti·va·tion 名 ☞
a·cu·mi·na·tion 名 鋭くすること, 先鋭化.
ad·ap·ta·tion 名 ☞
ad·ju·di·ca·tion 名 裁決, 裁定, 審判; 宣告, 布告.
ad·min·is·tra·tion 名 ☞
ad·mi·ra·tion 名 (…に対する)賞賛, 感嘆, 賛嘆.
ad·na·tion 名 着生, 密接.
ad·o·ra·tion 名 (神などに対する)崇拝, 礼拝.
a·dul·ter·a·tion 名 混ぜ物をすること.
ad·um·bra·tion 名 ほのかな輪郭, かすかな面影; 略画.
aer·a·tion 名 空気にさらす [を通す] こと, 通気.
af·fec·ta·tion 名 (批判的な意味で)(…を)装うこと.
af·fil·i·a·tion 名 親密, 協力関係, 提携.
af·fir·ma·tion 名 断言, 確言; 主張; 肯定.
af·fri·ca·tion 名 〖音声〗破擦音化.
ag·glu·ti·na·tion 名 (膠(にかわ)などによる)膠着(こうちゃく).
ag·gra·va·tion 名 悪化, 激化, 加重, 重大化, 深刻化.
ag·gre·ga·tion 名 集団, 集成(体), 集合(体), 総合.
ag·i·ta·tion 名 (激しい)揺れ, 振動, 攪拌(かくはん).
ag·na·tion 名 男系の親族関係.
al·ien·a·tion 名 疎んじること, 疎外, 疎遠.
al·i·men·ta·tion 名 栄養, 滋養.
al·kyl·a·tion 名 〖化学〗アルキル化.
al·le·ga·tion 名 (十分な証拠のない)申し立て, 嘆願.
al·le·vi·a·tion 名 軽減, 緩和.
al·lit·er·a·tion 名 頭韻(法).
al·ter·a·tion 名 変えること, 変更, 改変, 改造.
al·ter·ca·tion 名 激論, 熱論, 論争, 口論.
al·ter·na·tion 名 交互(にする [なる] こと), 交替.
a·mal·ga·ma·tion 名 (種族・思想などの)混和, 融合.
am·pli·a·tion 名 《古》拡大, 拡張.
an·gu·la·tion 名 角のある部分 [部位, 形], 角状.
an·i·ma·tion 名 生気, 活発, 活気, 快活.
an·nex·a·tion 名 付加する [される] こと, 添加.
an·ni·hi·la·tion 名 滅ぼすこと, 滅ぼされた状態.
an·tic·i·pa·tion 名 予想, 予知, 予測.
ap·per·son·a·tion 名 〖精神医学〗他人混入.
ap·pli·ca·tion 名 (特定の用途・目的に)充てること.
ap·pre·ci·a·tion 名 (骨折り・苦労などに対する)感謝.
ap·pro·ba·tion 名 賛成, 是認, 承認.
ap·pro·pri·a·tion 名 (特定目的のための)充当, 割り当て.
ap·prox·i·ma·tion 名 推量, 推定, 概算(額), 見積もり.
ar·bi·tra·tion 名 調停, 仲裁; 仲裁裁判.
ar·cu·a·tion 名 曲げられた状態, (弓状の)曲がり.
ar·tic·u·la·tion 名 (言葉による)明瞭(めいりょう)な表現.
as·sas·si·na·tion 名 暗殺.
as·sen·ta·tion 名 (特に盲従的な)同意, 迎合, 追従.
as·sev·er·a·tion 名 断固とした主張, 断言.
as·sim·i·la·tion 名 ☞
as·tra·tion 名 〖天文〗アストレーション.
at·ten·u·a·tion 名 細くすること; 弱化, 低下.
at·tes·ta·tion 名 証明, 立証.
aus·cul·ta·tion 名 〖医学〗聴診.
au·to·ma·tion 名 自動制御方式, オートメーション.
a·vi·a·tion 名 飛行(術), 航空(術, 学).
av·i·ga·tion 名 航空, 航空術 [学].
bi·fur·ca·tion 名 分岐, 二また状.
bi·na·tion 名 ミサ重祭: 1 人の司祭が 1 日 2 回のミサを行うこと.
both·er·a·tion 間 うるさい, ちぇっ.
bra·chi·a·tion 名 〖動物〗ブラキエーション, 腕渡り.
cal·ci·na·tion 名 〖化学〗(石灰)焼成, 煆焼(かしょう).
cal·cu·la·tion 名 計算, 算定, 算出.
can·cel·la·tion 名 取り消し, 解消, キャンセル.
can·cer·a·tion 名 癌(がん)になる状態, 発癌(状態).
cap·i·ta·tion 名 頭割り.
ca·pit·u·la·tion 名 (無条件または条件付きの)降伏.
cap·ta·tion 名 人気取り, おもねり.
car·bon·a·ta·tion 名 〖化学〗炭酸ガス飽和, 炭酸(塩)化.
car·bon·a·tion 名 〖化学〗炭酸化.
car·box·yl·a·tion 名 〖化学〗カルボキシル化.
car·na·tion 名 〖植物〗カーネーション.
ca·se·a·tion 名 〖病理〗乾酪化, 乾酪変性.
cas·sa·tion 名 〖法律〗取り消し, 廃棄, 撤廃.
cas·ti·ga·tion 名 酷評.

A

cat·e·na·tion 名 連鎖(化).
cau·sa·tion 名 引き起こすこと, 原因作用.
cav·i·ta·tion 名 〖機械〗空洞現象.
cel·e·bra·tion 名 褒めたたえること, 賞賛, 賛美.
cer·e·bra·tion 名 大脳作用, 頭脳活動, 思考.
ces·sa·tion 名 休止, 停止; 中断, 中止.
che·la·tion 名 〖化学〗キレート化.
cir·cu·la·tion 名 ☞
ci·ta·tion 名 《米》(兵士・部隊などの)表彰(状).
-cla·ma·tion 連結形 ☞
clau·di·ca·tion 名 〖病理〗跛行(はこう).
-cli·na·tion 連結形 ☞
co·ac·er·va·tion 名 〖物理化学〗液滴形成.
co·ag·u·la·tion 名 凝固, 凝結; 凝結 [凝固] 体.
co·ap·ta·tion 名 〖生物〗(二者の)適応.
co·arc·ta·tion 名 〖病理〗(血管内腔(ないくう)の)狭窄(きょうさく).
cog·i·ta·tion 名 熟考, 熟慮, 沈思.
cog·na·tion 名 (血筋・言語などの)同族関係.
co·hab·i·ta·tion 名 同棲.
col·la·tion 名 照合, 校合.
col·or·a·tion 名 ☞
co·lum·ni·a·tion 名 〖建築〗円柱式, 多角柱式.
com·bi·na·tion 名 組み合わせること, 結合, 配合.
com·mem·o·ra·tion 名 記念(すること).
com·men·da·tion 名 推薦, 推挙.
com·mi·na·tion 名 (罰があるという)脅し, 威嚇.
com·mis·er·a·tion 名 同情, 哀れみ.
com·mu·ni·ca·tion 名 ☞
com·pen·sa·tion 名 ☞
com·pi·la·tion 名 (本などの)編集, 編纂(へんさん).
com·pli·ca·tion 名 複雑(化), 紛糾; 複雑な状態.
com·pur·ga·tion 名 〖古英法〗(告訴に対する)無罪・免責の立証, 雪冤(せつえん)宣誓方式.
com·pu·ta·tion 名 計算, 算定; 計算方法.
co·na·tion 名 〖心理〗動能, 努力.
con·cat·e·na·tion 名 連結(すること); 連結状態.
con·cen·tra·tion 名 ☞
con·cer·ta·tion 名 (特にヨーロッパの)政治運動の連合・共闘.
con·cil·i·a·tion 名 慰撫(ぶ); 懐柔.
con·dem·na·tion 名 非難, 糾弾.
con·den·sa·tion 名 凝縮, 圧縮, 凝縮する [される] こと.
con·do·na·tion 名 (罪の)容赦.
con·fab·u·la·tion 名 談笑, 懇談; 討論, 協議.
con·far·re·a·tion 名 (古代ローマの)パン共用式婚姻.
con·fed·er·a·tion 名 連合 [同盟] すること; 連合, 同盟.
con·fir·ma·tion 名 立証, 確認, 承認; 確定, 確立.
con·fla·gra·tion 名 大火, 大火事, 大火災.
con·fla·tion 名 合体(物), 結合(体), 融合(物).
con·fron·ta·tion 名 対決, 直面.
con·fu·ta·tion 名 論破, 論駁(ろんばく).
con·ge·la·tion 名 固める [固まる] こと, 凝固, 凝結.
con·gel·i·tur·ba·tion 名 〖地質〗凍結攪乱(かくらん).
con·grat·u·la·tion 名 祝うこと, 祝賀; 祝辞.
con·gre·ga·tion 名 (礼拝のための人々の)集まり, 集会.
con·ju·ga·tion 名 〖文法〗(動詞の)活用, 変化.
con·se·cra·tion 名 神聖化, 清めること; 聖別.
con·ser·va·tion 名 (自然環境などの)保全, 保護.
con·sid·er·a·tion 名 (…の)考慮, 考察; 熟慮, 熟考.
con·so·la·tion 名 慰め, 慰安, 安らぎ.
con·sol·i·da·tion 名 合同, 合併, 整理統合.
con·sta·ta·tion 名 確認, 証明.
con·stel·la·tion 名 〖天文〗星座.
con·ster·na·tion 名 驚愕(きょうがく), 仰天.
con·sti·pa·tion 名 便秘, 秘結.
con·sul·ta·tion 名 忠告 [意見] を求めること.
con·sum·ma·tion 名 仕上げること, 完成; 達成, 成就.
con·tam·i·na·tion 名 汚染, 汚濁.
con·tem·pla·tion 名 熟考, 沈思, 黙想, 観想, 瞑想.
con·tes·ta·tion 名 論争, 論議, 争論.
con·tin·u·a·tion 名 続く [続ける] こと, 継続, 持続.
con·ur·ba·tion 名 コナベーション, 連担都市.
con·ver·sa·tion 名 (打ち解けた)会話, 対談, 問答.
co·op·ta·tion 名 (会員同士による)新会員の選挙.
cop·u·la·tion 名 性交, 交接, 交尾.
cor·o·na·tion 名 戴冠(たいかん)(式), 即位(式).
cor·po·ra·tion 名 ☞
cor·rob·o·ra·tion 名 (信念などの)強化; 確証.
cor·ru·ga·tion 名 波形 [畝状] にすること.
cor·us·ca·tion 名 (星・宝石などが)きらきら輝くこと.
cre·a·tion 名 創造, 創始, 創案, 新設.
cre·ma·tion 名 火葬, 荼毘(だび).
cre·na·tion 名 円 [鈍] 鋸歯(きょし)状突起.
cren·el·a·tion 名 銃眼の設備.
cren·u·la·tion 名 小円 [鈍] 鋸歯(きょし)状突起.
crep·i·ta·tion 名 パチパチ [パリパリ] ということ.
crim·i·na·tion 名 罪を負わせること, 告訴.
cul·mi·na·tion 名 最高点 [絶頂] に達すること, 成就.
cul·ti·va·tion 名 耕作; 農耕, 栽培; 開墾; 養殖.
cu·mu·la·tion 名 集積, 累積.
cunc·ta·tion 名 遅れ, 遅滞, 遅延.
cus·pi·da·tion 名 〖建築〗茨装飾.
cy·ber·na·tion 名 〖コンピュータ〗サイバネーション.
dam·na·tion 名 呪うこと; 呪われていること.
de·af·fer·en·ta·tion 名 〖医学〗求心路遮断.
de·caf·fei·na·tion 名 カフェイン除去.
dec·la·ra·tion 名 ☞
dec·o·ra·tion 名 装飾物, (祝賀の際の)飾り物.
de·cor·ti·ca·tion 名 樹皮 [外皮, 莢(さや)など] を除くこと.
de·crus·ta·tion 名 外皮 [外被, 殻] (crust)の除去.
de·cus·sa·tion 名 X 字形に交差する [なる] こと.
ded·i·ca·tion 名 献納, 奉納; 献納式, 献堂式.
de·fal·ca·tion 名 〖法律〗(委託された金銭・資金などの)私消, 背任横領, 不正流用.
de·fla·tion 名 空気 [ガス] を抜くこと.
def·lo·ra·tion 名 花を散らすこと; 美を奪うこと.
de·hy·dra·tion 名 脱水; 乾燥.
de·la·tion 名 密告; 告発; 公表.
de·lec·ta·tion 名 喜び, 楽しみ.
del·e·ga·tion 名 (派遣)代表団.
de·le·git·i·ma·tion 名 威信の失墜, 権威の喪失.
del·i·ra·tion 名 《古》精神錯乱; 譫妄(せんもう).
dem·on·stra·tion 名 (推理・実験・証拠の提示による)論証.
de·nom·i·na·tion 名 宗派, 教派, 門派.
den·ta·tion 名 〖植物〗〖動物〗歯状状態 [突起].
den·tic·u·la·tion 名 小歯状, 小歯形.
den·u·da·tion 名 裸にすること, 裸出, 露出.
de·nun·ci·a·tion 名 (公然の)非難, 弾劾.
de·por·ta·tion 名 (外国人などの)国外追放, 強制退去.
de·pre·ci·a·tion 名 (損耗・老朽などによる)価値の低下.
dep·re·da·tion 名 略奪, 強奪.
dep·ri·va·tion 名 ☞
dep·u·ta·tion 名 代理, 代表; 代表 [代理] 者の任命.
der·i·va·tion 名 引き出す [される] こと, 誘導.
des·o·la·tion 名 荒らすこと; 荒廃; 荒涼たるさま.
des·per·a·tion 名 (失望による)自暴自棄, やけ.
des·ti·na·tion 名 (旅行・航海などの)目的地.
de·te·ri·o·ra·tion 名 悪化, (価値の)低下, 下落.
de·ter·mi·na·tion 名 ☞
de·tes·ta·tion 名 憎悪, 嫌悪, 大嫌い.
det·o·na·tion 名 爆発(作用), 爆裂; 爆発音.
dev·as·ta·tion 名 荒らすこと, 蹂躙(じゅうりん), 破壊.
de·vi·a·tion 名 ☞
dic·ta·tion 名 口述, 口授.
dif·fer·en·ti·a·tion 名 ☞
dig·i·ta·tion 名 〖生物〗指状構造 [組織].
di·lac·er·a·tion 名 ずたずたに引き裂くこと.
di·lap·i·da·tion 名 荒廃, 破損.
dil·a·ta·tion 名 膨張, 拡張.
di·la·tion 名 =dilatation.
dis·crim·i·na·tion 名 ☞
dis·pen·sa·tion 名 分かち与えること, 分配; 施し.
dis·pro·por·tion·a·tion 名 〖化学〗不均化(反応), 不同変化.
dis·pu·ta·tion 名 論争, 議論; 討論演習.
dis·ser·ta·tion 名 論文; 《米》博士論文.
dis·si·pa·tion 名 四散 [消散] すること.

dis·til·la·tion 名 ☞
di·var·i·ca·tion 名 分岐; 分岐したもの.
div·i·na·tion 名 占い, 易断.
div·ul·ga·tion 名 (秘密の)暴露, 漏洩.
dom·i·na·tion 名 支配, 威圧, 抑制; 優位, 優勢.
do·na·tion 名 寄贈, 寄付, 贈与, 助成.
do·ta·tion 名 寄付.
du·pla·tion 名 2倍にすること, 倍加, 倍増.
du·pli·ca·tion 名 複写, 複製; 繰り返し.
du·ra·tion 名 継続 [持続] 期間.
dys·tro·phi·ca·tion 名 『生態』腐植栄養化.
e·bur·na·tion 名 『病理』(骨の)象牙質化.
ed·u·ca·tion 名 ☞
e·jac·u·la·tion 名 突然の絶叫, 不意の叫び.
e·la·tion 名 意気揚々, 大得意; 上機嫌.
el·e·va·tion 名 (部分的に高くなっている物の)高さ.
e·lim·i·na·tion 名 除去, 削除, 排除.
e·lon·ga·tion 名 伸ばす [伸ばされている] こと.
e·lu·vi·a·tion 名 洗脱, 溶脱.
e·ma·ci·a·tion 名 ひどいやつれ, 衰弱, 羸瘦(るいそう).
em·a·na·tion 名 発散, 放射.
e·man·ci·pa·tion 名 (奴隷の身分などからの)解放.
e·mas·cu·la·tion 名 去勢; 無力化, 骨抜き; めめしさ.
em·bar·ca·tion 名 ＝embarkation.
em·bar·ka·tion 名 (船・航空機などへの)積載.
em·bro·ca·tion 名 (患部への薬液の)塗布, 塗擦.
e·men·da·tion 名 (原稿の)修正, 訂正.
em·u·la·tion 名 (人に対する)競争(意識), 対抗心.
e·na·tion 名 『植物』隆起生長, ひだ葉.
en·crus·ta·tion 名 ＝incrustation.
en·dor·sa·tion 名 《カナダ》是認, 承認, 認可.
e·nun·ci·a·tion 名 発音の仕方, 発声.
ep·u·ra·tion 名 (官吏などの)粛正, 追放, 浄化.
e·qua·tion 名 ☞
eq·ui·ta·tion 名 乗馬; 馬術.
es·ti·ma·tion 名 判断, 意見.
es·ti·va·tion 名 『動物』夏眠.
eth·yl·e·na·tion 名 『化学』エチレン化.
e·thy·nyl·a·tion 名 『化学』エチニル化.
e·vac·u·a·tion 名 (容器などを)あける [空にする] こと.
e·vap·o·ra·tion 名 蒸発(作用), (蒸発による)脱水.
e·ven·tra·tion 名 『医学』腹部内臓脱出(症).
ex·ag·ger·a·tion 名 誇張, 過大視.
ex·al·ta·tion 名 (名誉・地位などを)高めること.
ex·am·i·na·tion 名 ☞
ex·as·per·a·tion 名 憤慨, 激怒, 憤り.
ex·ca·va·tion 名 (掘った)穴, くぼみ, うろ.
ex·ci·ta·tion 名 興奮させること, 刺激(作用).
ex·co·ri·a·tion 名 (皮膚を)擦りむくこと, 擦過.
ex·cru·ci·a·tion 名 極度に苦しめる [責めさいなむ] こと.
ex·e·cra·tion 名 憎悪, 忌み嫌うこと; 呪うこと.
ex·er·ci·ta·tion 名 (身体的・精神的能力などの)行使.
ex·ha·la·tion 名 (息・蒸気などを)吐き出すこと.
ex·hil·a·ra·tion 名 浮き浮きした気持ち, 陽気, 活気.
ex·hor·ta·tion 名 熱心な勧告, 奨励; 戒告, 説教.
ex·pec·ta·tion 名 期待, 予想, 予期.
ex·pec·to·ra·tion 名 痰(たん)を吐き出すこと, 喀出(かくしゅつ).
ex·pi·a·tion 名 罪の償い [贖(あがな)い], 罪滅ぼし.
ex·pi·ra·tion 名 (契約などの期限の)満了, 満期.
ex·pla·na·tion 名 説明, 解明, 弁明, 釈明, 弁解.
ex·pli·ca·tion 名 (原理・理論などの)発展, 展開.
ex·plo·ra·tion 名 (問題・事件などの)精査, 探究.
ex·po·nen·ti·a·tion 名 『数学』累乗法, 冪法(べきほう).
ex·por·ta·tion 名 輸出.
ex·pos·tu·la·tion 名 説諭, いさめ, 訓戒.
ex·ten·u·a·tion 名 (罪・欠点などの)軽減, 情状酌量.
ex·u·da·tion 名 にじみ出ること, 滲出(しんしゅつ).
ex·ul·ta·tion 名 大喜びすること; 狂喜, 歓喜.
fab·ri·ca·tion 名 製作, 製造; 組み立て, 構成; 偽造.
fab·u·la·tion 名 『文芸』寓話的小説化.
fa·cil·i·ta·tion 名 容易にすること, 簡易化; 促進.
fas·ci·a·tion 名 縛る [くくる, 包帯する] こと, 結束.
fas·cic·u·la·tion 名 『植物』束生, 叢生(そうせい).
fas·ci·na·tion 名 魅惑, 魅了.
fed·er·a·tion 名 連合 [同盟] すること.
fe·lic·i·ta·tion 名 祝賀, 慶賀.
fel·la·tion 名 フェラチオ.
fen·er·a·tion 名 《廃》『法律』(利子付き)金銭貸借.
fen·es·tra·tion 名 『建築』(一般に)窓割り.
fer·men·ta·tion 名 発酵; 発酵作用 [過程].
fes·ti·na·tion 名 『病理』歩行強迫, 加速歩行.
fe·ta·tion 名 『発生』妊娠, 懐胎; 胎児形成.
fi·bril·la·tion 名 微小繊維化.
-fi·ca·tion 連結形 ☞
fig·u·ra·tion 名 形成(作用), 形を成すこと.
fil·i·a·tion 名 (ある人の)子であること.
fil·tra·tion 名 濾過(ろか)(すること).
fim·bri·a·tion 名 『生物』縁毛着生, 房状状態.
fix·a·tion 名 定着, 固着, 固定; 固定した状態.
flag·el·la·tion 名 むちで打つこと.
flir·ta·tion 名 (男女の)戯れ, いちゃつき.
float·a·tion 名 ＝flotation.
floc·cil·la·tion 名 『病理』撮空模床.
flo·ta·tion 名 浮揚; 浮力, 浮揚性.
fluc·tu·a·tion 名 (方向・位置・状況の)絶えざる変化.
flu·o·ri·da·tion 名 『化学』フッ化物添加(法).
fo·li·a·tion 名 発葉: 葉を出すこと, 葉の生成.
fo·men·ta·tion 名 (不和・反乱などの)挑発, 扇動.
for·est·a·tion 名 植林, 造林.
for·ma·tion 名 ☞
for·mu·la·tion 名 公式 [定式] 化; 系統的論述.
for·ni·ca·tion 名 (夫婦でない男女間の)情交, 私通.
foun·da·tion 名 ☞
frac·tion·a·tion 名 分裂; 分留, 分別.
fre·quen·ta·tion 名 頻繁に訪問 [交際, 出入り] すること.
fri·ca·tion 名 『音声』狭窄(きょうさく)的な気息音.
frus·tra·tion 名 挫折, 頓挫(とんざ), 失敗; 失望, 落胆.
ful·mi·na·tion 名 激しい非難, 叱責, 叱咤(しった), 怒号.
gas·phyx·i·a·tion 名 ガスによる窒息死.
gas·tru·la·tion 名 『発生』原腸(胚)形成, 嚢(のう)胚形成.
ge·la·tion[1] 名 凍結, 氷結.
ge·la·tion[2] 名 『物理化学』ゲル化, 膠化(こうか).
gem·i·na·tion 名 二重化, 重複, 反復.
gem·ma·tion 名 『生物』無性芽 [芽生] 生殖.
gem·mu·la·tion 名 芽 [無性芽] による繁殖.
gen·er·a·tion 名 ☞
ge·nic·u·la·tion 名 『病理』膝(しつ)状湾曲.
ges·ta·tion 名 『医学』懐胎(期間).
ges·tic·u·la·tion 名 身ぶり手ぶり(を交えること).
gla·ci·a·tion 名 『地質』氷河作用.
glom·er·a·tion 名 球状 [塊] にすること, 球状化.
gra·da·tion 名 ☞
grad·u·a·tion 名 卒業.
gran·u·la·tion 名 粒(状)にすること, 顆粒(かりゅう)化.
grat·u·la·tion 名 《古》喜び, 満足, 喜悦.
grav·i·ta·tion 名 『物理』重力, 引力.
gur·gi·ta·tion 名 (湯などの)沸き立つ動き.
gus·ta·tion 名 《文語》味わうこと, 賞味.
gut·ta·tion 名 『植物』排水.
gy·ra·tion 名 回転 [旋回, 旋転] 運動.
hab·i·ta·tion 名 住居地, 住まい住みか.
ha·bit·u·a·tion 名 習慣化; 慣れ.
ha·la·tion 名 『写真』ハレーション.
hal·lu·ci·na·tion 名 幻覚.
hes·i·ta·tion 名 (…することへの)ためらい, 躊躇.
hor·rip·i·la·tion 名 身の毛がよだつこと; 鳥肌.
hu·mil·i·a·tion 名 辱める [られる] こと.
hy·dro·for·myl·a·tion 名 『化学』ヒドロホルミル化.
i·de·a·tion 名 心像の形成, 表象作用 [過程].
il·la·tion 名 推論すること, 推定, 推測.
il·lu·mi·na·tion 名 明るくすること, 照らすこと, 照明.
il·lus·tra·tion 名 (本・雑誌などの)挿し絵, 図解.
il·lu·vi·a·tion 名 (土壌構成物質の)集積 [蓄積].
im·ag·i·na·tion 名 (…する)想像力.
im·bri·ca·tion 名 (瓦・屋根板などの)重なり.
im·i·ta·tion 名 模倣したもの, 模造品; 偽造品.
im·mis·er·a·tion 名 ますます悲惨にする [なる] こと.
im·mo·la·tion 名 いけにえをささげること.

A

im·pa·na·tion 名 〖神学〗インパナティオ.
im·plan·ta·tion 名 教え込む［植え込む］こと.
im·pli·ca·tion 名 含み, 含蓄, 言外の意味.
im·por·ta·tion 名 輸入, 移入.
im·pre·ca·tion 名 呪うこと.
im·pu·ta·tion 名 帰する［帰属させる］こと.
in·au·gu·ra·tion 名 (新時代･新政策などの)開始.
in·can·ta·tion 名 呪文を唱えること.
in·car·na·tion 名 肉体化したもの, 具体化した姿.
in·cho·a·tion 名 初め, 開始, 発端; 起こり, 起源.
in·crus·ta·tion 名 外皮［外層］で覆う［覆われる］こと.
in·cu·ba·tion 名 抱卵, 孵卵(ふらん), 孵化.
in·dex·a·tion 名 〖経済〗物価スライド制.
in·di·ca·tion 名 指示［表示, 暗示, 予示］するもの.
in·dig·na·tion 名 (悪･不正などに対する)憤り.
in·di·vid·u·a·tion 名 個体化; 個性形成; 個性化.
in·doc·tri·na·tion 名 教化, 啓発.
in·du·ra·tion 名 硬化; 頑固, 強情, 冷酷.
in·fat·u·a·tion 名 夢中(になること), のぼせ上がり.
in·fes·ta·tion 名 荒らすこと, 出没, 横行.
in·feu·da·tion 名 〖英法〗授封, 封与.
in·fib·u·la·tion 名 鎖陰.
in·flam·ma·tion 名 〖病理〗炎症.
in·fla·tion 名 ☞
in·for·ma·tion 名 (特定の事実･事情に関する)情報.
in·i·ti·a·tion 名 (…への)(正式の)加入, 入会, 入門.
in·ner·va·tion 名 神経支配; 神経興奮の伝播(でんぱ).
in·no·va·tion 名 新しく取り入れたもの.
in·oc·u·la·tion 名 (予防)接種.
in·quar·ta·tion 名 〖化学〗追銀分析, 加銀分離.
in·sin·u·a·tion 名 ほのめかし, 当てこすり, 嫌み.
in·so·la·tion 名 (果物･薬草などを)日に当てること.
in·stal·la·tion 名 取りつけ［据えつけ］られたもの.
in·stan·ti·a·tion 名 (抽象的なものの)具体例を挙げること, 例示.
in·stau·ra·tion 名 《まれ》回復, 復興, 再興, 復旧.
in·sti·ga·tion 名 そそのかし, 扇動.
in·stil·la·tion 名 点滴, 滴下, 滴注.
in·su·la·tion 名 絶縁体［材］, 断熱［防音］材.
in·sul·ta·tion 名 《古》侮辱的言動, 愚弄.
in·te·gra·tion 名 ☞
in·ter·ca·la·tion 名 (連続しているものの中への)挿入.
in·ter·po·la·tion 名 改変, (偽の事項の)書き入れ.
in·ter·pre·ta·tion 名 解明, 解説; (芸術作品などの)解釈.
in·ti·ma·tion 名 示唆, 暗示, ほのめかし.
in·to·na·tion 名 (特に文の)イントネーション, 抑揚.
in·tox·i·ca·tion 名 酔った状態, 酩酊(めいてい).
in·un·da·tion 名 浸水, 湛水(たんすい), 氾濫.
in·vag·i·na·tion 名 鞘(さや)に収める［入る］こと.
in·ves·ti·ga·tion 名 調査, 究明, 研究.
in·vi·ta·tion 名 (…へ)招くこと, 招待.
in·vul·tu·a·tion 名 人や動物の似姿像を用いる呪術.
i·ris·a·tion 名 虹色効果, 虹色に変化すること.
ir·ri·ga·tion 名 ☞
ir·ri·ta·tion 名 いらだち, 焦燥.
-i·sa·tion 接尾辞 ☞
i·so·la·tion 名 分離, 離反; (特に政治的な)孤立.
it·er·a·tion 名 繰り返すこと, 反復.
-i·za·tion 接尾辞 ☞
jac·ta·tion 名 自慢, ほら.
jac·ti·ta·tion 名 〖法律〗詐称.
jo·ba·tion 名 《英話》くどい小言.
ju·bi·la·tion 名 大喜び(すること), 歓喜, 歓呼.
ju·ra·tion 名 宣誓する［させる］こと.
-lab·o·ra·tion 連結形 ☞
lac·er·a·tion 名 裂傷, かぎ裂き.
lach·ry·ma·tion 名 ＝lacrimation.
lac·ri·ma·tion 名 (特に, 異常に大量の)落涙.
lac·ry·ma·tion 名 ＝lacrimation.
lac·ta·tion 名 乳の分泌.
lam·el·la·tion 名 薄層［薄板, 薄片］構造.
lam·en·ta·tion 名 悲しむこと, 嘆き, 愁嘆.
lam·i·na·tion 名 薄板［薄片］にする［なる］こと.
lau·da·tion 名 賞賛, 称揚, 賛美; 賛辞.
lau·re·a·tion 名 桂冠授与; 桂冠詩人の任命.
la·va·tion 名 洗うこと, 浄化.
lax·a·tion 名 緩み, たるみ, 弛緩(しかん).
le·ga·tion 名 公使一行, 公使館員.
leg·is·la·tion 名 立法行為, 法律制定.
lev·i·ta·tion 名 空中に浮かぶ［浮かばせる］こと.
li·ba·tion 名 献酒; (献酒として注がれた)酒.
lib·er·a·tion 名 ☞
li·bra·tion 名 振動, 平均運動.
li·ga·tion 名 結紮(けっさつ).
lim·i·ta·tion 名 (人･物の能力･機能などの)制約.
lin·e·a·tion 名 (直)線を引くこと, (図形などを)線で描くこと.
liq·ui·da·tion 名 (破産者の)清算, 整理.
lit·er·a·tion 名 (音声の)文字化.
lit·i·ga·tion 名 訴訟を起こすこと, 告訴.
lo·ba·tion 名 (葉縁の深い)切れ込み.
lo·ca·tion 名 ☞
lu·bri·ca·tion 名 滑らかにすること, 減摩; 注油(法).
lu·cu·bra·tion 名 《主に文語》(特に夜間の)勤労.
lu·na·tion 名 朔望(さくぼう)月, 太陰月.
mac·er·a·tion 名 柔らかくする［なる］こと［過程］.
ma·chic·o·la·tion 名 〖建築〗刎(は)ね出し狭間(はざま).
mach·i·na·tion 名 (悪事を)たくらむこと; たくらみ.
mac·u·la·tion 名 (動物などの)斑点模様.
mal·ver·sa·tion 名 〖主に法律〗汚職.
man·du·ca·tion 名 食べること.
man·i·fes·ta·tion 名 明示, 表示; 顕示; 現れ, 発露.
ma·nip·u·la·tion 名 (器具などの)扱い(方), 操作.
mas·tur·ba·tion 名 マスターベーション, 手淫(しゅいん).
ma·tric·u·la·tion 名 大学入学.
mat·u·ra·tion 名 成熟, 円熟; (果物が)熟すこと.
me·di·a·tion 名 調停, 仲裁, とりなし.
med·i·ca·tion 名 投薬, 薬物治療［療法, 処理］.
med·i·ta·tion 名 黙想［熟考］すること.
med·ul·la·tion 名 〖生物〗髄鞘(ずいしょう)形成.
mel·io·ra·tion 名 〖歴史言語〗単語の意味の向上.
men·stru·a·tion 名 月経.
men·su·ra·tion 名 求積法, 測定法.
men·ta·tion 名 精神作用［活動］.
-men·ta·tion 接尾辞 ☞
meth·a·na·tion 名 〖化学〗メタン化反応, メタン生成.
meth·yl·a·tion 名 〖化学〗メチル化, メチル基置換.
met·ri·ca·tion 名 《英》メートル法化［移行］.
mi·gra·tion 名 ☞
min·is·tra·tion 名 世話, 奉仕; 援助; 給与.
mis·ceg·e·na·tion 名 雑婚.
mod·er·a·tion 名 節度, 中庸; 穏健, 温和.
mod·u·la·tion 名 ☞
mur·mur·a·tion 名 サラサラ［ザワザワ］と音を出すこと.
mus·cu·la·tion 名 筋肉運動; 筋肉構成［組織］.
mus·si·ta·tion 名 呟語(げんご): ものを言っているように見えるが音声は聞こえない唇の運動.
mu·ta·tion 名 ☞
my·e·li·na·tion 名 〖解剖〗髄鞘(ずいしょう)形成, 有髄化.
nar·ra·tion 名 話, 物語, 談話.
na·ta·tion 名 水泳, 遊泳; 泳法.
na·tion 名 ☞
nav·i·ga·tion 名 ☞
ne·ga·tion 名 否定, 否認, 打ち消し.
ne·go·ti·a·tion 名 (取引･協定での条件の)交渉.
ner·va·tion 名 ＝venation.
ner·vu·ra·tion 名 〖昆虫〗翅脈(しみゃく)相.
neu·ra·tion 名 ＝venation.
neu·ru·la·tion 名 〖発生〗神経胚形成.
ni·da·tion 名 〖発生〗着床, 卵着床.
ni·va·tion 名 〖地質〗雪食.
nod·u·la·tion 名 〖植物〗根粒形成.
nom·i·na·tion 名 任命; 指名, 推薦, 推挙.
no·ta·tion 名 ☞
no·va·tion 名 〖法律〗(債務･契約などの)更改.
nu·mer·a·tion 名 数えること; 計数, 勘定; 算出結果.
nun·a·tion 名 〖アラビア語文法〗語末鼻音化現象.
-nun·ci·a·tion 連結形 ☞

nun·na·tion 名 ＝nunation.
nu·ta·tion 名 (特に無意識的・発作的な)うなずき.
ob·la·tion 名 奉献.
ob·lit·er·a·tion 名 抹殺, 抹消, 除去, 消滅, 一掃.
ob·scu·ra·tion 名 暗く[あいまいに]すること.
ob·se·cra·tion 名 ＝supplication.
ob·ser·va·tion 名 ☞
ob·sti·pa·tion 名 『医学』便秘, 秘結.
oc·cul·ta·tion 名 『天文』掩蔽(えんぺい), 星食.
oc·cu·pa·tion 名 ☞
oc·el·la·tion 名 目玉模様(の斑点), 眼状紋.
op·er·a·tion 名 ☞
o·ra·tion 名 (特に式典・葬式などにおける)演説.
or·ches·tra·tion 名 管弦楽法, 楽器編成法.
or·di·na·tion 名 ☞
o·ri·en·ta·tion 名 (環境などに)適応させること.
o·rig·i·na·tion 名 発生, 始まり; 起因, 起点.
os·cil·la·tion 名 振動.
os·ci·ta·tion 名 《文語》あくび, 欠伸; 眠気.
os·cu·la·tion 名 《こっけい》キス, 接吻(せっぷん).
os·ten·ta·tion 名 見せびらかし, 誇示; 虚飾, 華美.
o·va·tion 名 熱烈な歓迎; (自然にわく)大喝采.
ov·u·la·tion 名 『生物』排卵.
ox·i·da·tion 名 ☞
ox·y·da·tion 名 ＝oxidation.
pag·i·na·tion 名 『書誌』本・草稿などのページ数.
pal·li·a·tion 名 (病気・痛みの)一時押え.
pal·ma·tion 名 掌状, 手のひら状.
pal·pi·ta·tion 名 心臓がどきどきすること, 動悸(どうき).
pan·dic·u·la·tion 名 (疲れたときや寝起きの際の)伸び.
par·tic·i·pa·tion 名 参加, 加入, 関与.
pat·i·na·tion 名 緑青[青さび]がふいている状態.
pej·o·ra·tion 名 (質などの)悪化, 低下.
-pel·la·tion 連結形 ☞
pen·e·tra·tion 名 突き通す[抜ける]こと, 貫通(力).
per·co·la·tion 名 (液体の)濾過(ろか); 浸透, 浸出.
per·e·gri·na·tion 名 《文語 / おどけて》(特に徒歩で長期にわたる諸外国)旅行, 遍歴.
per·fo·ra·tion 名 (切手シートなどの)目打ち; 目打ち数.
per·mu·ta·tion 名 並べ換え, 変更; 変形.
per·noc·ta·tion 名 徹夜; (特に)徹夜祈祷(きとう).
per·o·ra·tion 名 大げさな演説, 仰々しく長い演説.
per·sev·er·a·tion 名 固執, 保続. 執拗に繰り返す行為.
per·spi·ra·tion 名 汗.
per·tur·ba·tion 名 混乱させること.
pho·na·tion 名 『音声』音声の発生, 発声, 発音.
phos·pho·ryl·a·tion 名 ☞
pin·na·tion 名 『植物』羽状構造[組織].
pix·i·la·tion 名 少々頭が変なこと; ふざけ.
plac·en·ta·tion 名 ☞
pla·na·tion 名 『地質』平坦(へいたん)化作用, 均平作用.
plan·ta·tion 名 (大規模な)農場, 農園, 栽培場.
pli·ca·tion 名 折りたたむこと.
pol·lic·i·ta·tion 名 『大陸法』片約.
pol·li·na·tion 名 『植物』授粉.
pon·der·a·tion 名 熟考, 熟慮.
pop·u·la·tion 名 ☞
po·ta·tion 名 《おどけて》飲むこと.
pre·cip·i·ta·tion 名 ☞
pre·da·tion 名 略奪, 強奪; 略奪行為.
pre·ju·di·ca·tion 名 予断; 早まった判断, 速断.
pre·li·ba·tion 名 試食.
prep·a·ra·tion 名 (…の)用意, 準備, 支度, 手はず.
pres·en·ta·tion 名 示すこと, 見せること.
pres·er·va·tion 名 保存, 維持; 保管, 保護.
pres·ti·dig·i·ta·tion 名 《文語》手品.
pri·va·tion 名 (生活必需品などの)欠乏, 不足.
pro·ba·tion 名 (行動・性格・資格などの)試験.
pro·cras·ti·na·tion 名 ぐずぐずと引き延ばすこと[癖].
proc·u·ra·tion 名 入手, 獲得, 調達.
prof·a·na·tion 名 神聖を汚すこと[行為], 冒瀆(ぼうとく).
prog·nos·ti·ca·tion 名 予言, 予想, 予知, 予測.
pro·la·tion 名 『中世音楽』プロレーション.
pro·lif·er·a·tion 名 ☞
pro·lon·ga·tion 名 (時間的・空間的な)延長.
pro·na·tion 名 『生理』(前腕・足の)回内(運動).
pro·nun·ci·a·tion 名 発音(すること).
prop·a·ga·tion 名 (思想などを)広めること, 宣伝.
pro·pi·ti·a·tion 名 なだめる[静める]こと, 慰めること.
pros·tra·tion 名 身を伏せること; ひれ伏すこと.
prot·es·ta·tion 名 《文語》抗議.
pub·li·ca·tion 名 出版, 刊行, 発行.
pul·sa·tion 名 脈打つこと, 脈拍, 鼓動, 動悸(どうき).
punc·ta·tion 名 点, 斑点, 小さなくぼみ.
punc·tu·a·tion 名 句読点をつけること, 句読法.
pur·ga·tion 名 清めること, 浄化.
pus·tu·la·tion 名 『発生』膿疱(のうほう)形成.
quar·ta·tion 名 『冶金』四分法.
quo·ta·tion 名 ☞
ra·di·a·tion 名 ☞
ra·di·ci·da·tion 名 ラジシデーション: 食料品や医療機材に, 病原菌の数を減少させるため放射線を照射する処理.
ra·ti·oc·i·na·tion 名 《文語》推論; 推理.
re·cip·ro·ca·tion 名 往復運動.
rec·i·ta·tion 名 詳述, 詳説; 列挙.
rec·om·men·da·tion 名 推薦, 推挙, 推奨; 忠告, 勧告.
rec·or·da·tion 名 記録(すること).
re·frig·er·a·tion 名 冷却, 冷凍; (食物の)冷蔵.
ref·u·ta·tion 名 反駁(はんばく), 反論, 論駁; 反証.
reg·is·tra·tion 名 記録, 記載, 登録, 登記; 記名.
reg·u·la·tion 名 ☞
re·la·tion 名 ☞
re·lax·a·tion 名 (精神的・肉体的に)解放されること.
re·me·di·a·tion 名 (欠点・欠陥などの)改善; 治療.
re·mu·ner·a·tion 名 報酬を払うこと, 報償すること.
rep·a·ra·tion 名 償い, 補償, 賠償.
rep·li·ca·tion 名 返事, 応答, 回答, 答弁.
rep·re·sen·ta·tion 名 ☞
rep·ro·ba·tion 名 (強い)非難, とがめだて, 叱責.
re·pu·di·a·tion 名 拒否, 拒絶, 否認, 否定; 離縁.
rep·u·ta·tion 名 世評, 評判, 声価; うわさ, 風評.
res·er·va·tion 名 取って[残して]おくこと.
res·to·ra·tion 名 (秩序・状態などの)回復, 復旧.
re·sus·ci·ta·tion 名 蘇生(そせい)法[術].
re·tal·i·a·tion 名 (同一手段での)仕返し, 返報.
re·tar·da·tion 名 遅らせること, 遅れた状態, 遅延, 遅滞; 阻害, 妨害.
re·tic·u·la·tion 名 網目, 網状組織, 網細工.
rev·e·la·tion 名 (隠れていたものを)見せること.
re·ven·di·ca·tion 名 『法律』(物自体の)回復(請求).
re·ver·ber·a·tion 名 反響, こだま, 反射; 反響音.
re·vis·it·a·tion 名 再考, 再評価; 再び体験すること.
ro·ta·tion 名 ☞
ru·in·a·tion 名 《まれ》破壊すること.
rus·ti·ca·tion 名 『建築』江戸切り積み, 粗面積み.
sal·i·va·tion 名 つばを出すこと, 唾液分泌.
sal·ta·tion 名 踊ること; 跳躍.
sal·u·ta·tion 名 (言葉・身ぶりによる)あいさつ.
sal·va·tion 名 (損害・危険・破壊などからの)救済.
san·i·ta·tion 名 公衆衛生; 衛生設備.
sat·u·ra·tion 名 十分に染み込むこと, 浸透, 浸潤.
sca·la·tion 名 (魚類などの)鱗(うろこ)の配列.
scat·ter·a·tion 名 まき散らすこと.
scin·til·la·tion 名 火花を発すること, きらめき.
scu·tel·la·tion 名 『動物』盾状被覆; 鱗片(りんぺん)被覆.
se·da·tion 名 『医学』鎮静作用; 鎮静状態.
seg·re·ga·tion 名 分離, 隔離.
sem·i·na·tion 名 種まき; 流布, 普及.
sen·sa·tion 名 感覚(作用), 知覚.
sen·si·ti·za·tion 名 敏感にすること, 増感.
sep·a·ra·tion 名 引き離し, 分離, 分割, 離別.
se·ques·tra·tion 名 除去, 隔離; 追放, 流罪.
se·ri·a·tion 名 セリエーション: 考古学的資料を編年上の序列に整理, 配列すること.
ser·ra·tion 名 鋸歯(きょし)状, のこぎり歯状.
ser·ru·la·tion 名 のこぎり歯状; のこぎり歯の形.

-sig·na·tion 連結形 ☞
sim·u·la·tion 名 振りをすること, 偽ること.
sin·is·tra·tion 名 左利き.
sin·u·a·tion 名 曲がりくねり, 屈折, 湾曲.
sit·u·a·tion 名 所在, 位置; 立地条件.
-so·ci·a·tion 連結形 ☞
so·lic·i·ta·tion 名 懇請, 懇願, 請願, 請求, 要求.
solv·a·tion 名 〖化学〗溶媒和.
so·phis·ti·ca·tion 名 (高度の)知識; 素養.
spall·a·tion 名 〖物理〗破砕(反応).
spe·ci·a·tion 名 〖生物〗種形成, 種分化.
spec·u·la·tion 名 (…についての)熟考, 沈思, 思索.
-spi·ra·tion 連結形 ☞
spoil·a·tion 名 =spoliation.
spo·li·a·tion 名 強奪, 略奪.
squa·ma·tion 名 鱗(うろこ)状, 鱗片(りんぺん)状.
squas·sa·tion 名 つるし刑(strappado)の一種.
stag·na·tion 名 よどみ; 停滞, 沈滞; 不振.
star·va·tion 名 飢餓[餓死](状態).
ster·nu·ta·tion 名 くしゃみ(すること).
stip·u·la·tion 名 (合意・契約などの)条件.
stran·gu·la·tion 名 絞殺; 窒息(死).
stri·a·tion 名 細い溝[畝, 縞(しま)]の入った状態.
strob·i·la·tion 名 〖動物〗横(よこ)分体形成, 横分法.
sub·in·feu·da·tion 名 〖封建法〗再授封, 再封与.
sub·lim·i·na·tion 名 閾(いき)下知覚への働きかけ.
su·da·tion 名 〖生理〗発汗.
sul·fo·na·tion 名 〖化学〗スルホン化.
sul·pho·na·tion 名 =sulfonation.
sum·ma·tion 名 足し算, 加法; 合計[加算]すること.
su·per·an·nu·a·tion 名 老齢[病弱]退職.
su·pi·na·tion 名 (前腕・足の)回外運動, 回後運動.
sup·pli·ca·tion 名 嘆願, 懇願, 哀願; 祈願.
sup·pu·ra·tion 名 〖病理〗化膿(かのう).
sus·ten·ta·tion 名 存在[活動]の維持.
su·sur·ra·tion 名 ささやき, サラサラいう音.
syn·co·pa·tion 名 〖音楽〗シンコペーション, 切分音.
tax·a·tion 名 課税, 徴税.
temp·ta·tion 名 誘惑, 誘い; (…したい)衝動.
ten·ta·tion 名 試し調整.
ter·mi·na·tion 名 (…を)終わらせる[終わる]こと.
tes·sel·la·tion 名 切りばめ[モザイク]式の細工(物).
tes·ta·tion 名 〖法律〗遺言による財産処分(権).
thun·der·a·tion 間 うぬ, ちくしょう, いまいましい.
tin·tin·nab·u·la·tion 名 鈴が鳴ること; 鈴の音.
ti·tra·tion 名 ☞
tit·u·ba·tion 名 〖病理〗よろめき.
tol·er·a·tion 名 (悪などに対する)寛容, 寛大.
tox·i·ca·tion 名 中毒.
tra·che·a·tion 名 気管相: 陸生の節足動物の器官の配列状況.
trans·am·i·na·tion 名 〖生化学〗〖化学〗アミノ基転移.
trans·la·tion 名 翻訳; 訳文, 訳書, 翻訳物.
trans·pep·ti·da·tion 名 〖生化学〗ペプチド転移.
trans·por·ta·tion 名 運ぶこと, 運ばれること, 運送.
tran·sub·stan·ti·a·tion 名 変質.
tran·su·da·tion 名 (液体の)滲出(しんしゅつ).
trep·a·na·tion 名 〖外科〗穿孔(せんこう)(術); 穿頭(術).
treph·i·na·tion 名 〖外科〗開頭術, 穿頭(せんとう)術.
trep·i·da·tion 名 戦慄(せんりつ), 恐怖, 驚き, 不安.
trib·u·la·tion 名 (迫害・圧迫による)苦しい試練.
trick·er·a·tion 名 《米黒人俗》策略.
tri·lat·er·a·tion 名 〖測量〗三辺測量(術).
tri·na·tion 名 三重祭: 同一日に同一司祭が三度ミサを挙行すること.
trip·li·ca·tion 名 三重[3倍]にすること.
trit·u·ra·tion 名 粉末にすること, 粉砕, ひき割り.
trun·ca·tion 名 先端を切ること; 省略.
tus·sic·u·la·tion 名 咳嗽(がいそう), 空咳(せき).
um·bil·i·ca·tion 名 臍窩(せいか), へそ形へこみ.
un·du·la·tion 名 (水面などの)波動, うねり.
ur·ti·ca·tion 名 〖病理〗じんましんの発生.
us·tu·la·tion 名 焼け焦がすこと, 燃やすこと.
u·sur·pa·tion 名 不法使用, 横領, 強奪, 侵害.
va·ca·tion 名 休暇, バカンス.
vac·ci·na·tion 名 〖医学〗ワクチン[予防]接種.
vac·il·la·tion 名 (目的・方針・心などの)ぐらつき.
vac·u·o·la·tion 名 〖生物〗空胞[液胞]形成.
val·la·tion 名 〖築城〗城壁, 塁壁, 堡塁(ほうるい).
val·u·a·tion 名 ☞
var·i·a·tion 名 ☞
var·i·e·ga·tion 名 変化を与えること, 多様化すること.
va·tic·i·na·tion 名 予言[予断]すること.
veg·e·ta·tion 名 (ある地方・地域の)植物.
ve·la·tion 名 〖音声〗軟口蓋(こうがい)発音.
vel·i·ta·tion 名 《古》ちょっとした論争[口論].
ve·na·tion 名 脈相, 脈系.
ven·er·a·tion 名 尊敬, 崇敬, 尊崇.
ven·ti·la·tion 名 通気, 換気, 通風, 風通し.
ver·big·er·a·tion 名 〖病理〗音誦症.
ver·mic·u·la·tion 名 虫食い(状態).
ver·na·tion 名 〖植物〗芽内形態.
ver·te·bra·tion 名 〖発生〗脊椎(せきつい)形成.
vex·a·tion 名 いらいらさせること.
vi·bra·tion 名 揺らす[震わす]こと, 振動.
vin·di·ca·tion 名 (非難・汚名・嫌疑を晴らす)申し開き.
vi·nyl·a·tion 名 〖化学〗ビニル化.
vi·o·la·tion 名 (…を)犯す[破る, 妨害する]こと.
vis·it·a·tion 名 訪問(すること), 見舞い; 見物.
vi·tu·per·a·tion 名 非難[酷評, 罵倒(ばとう)]すること.
vo·ca·tion 名 (生計のための)職業, 定職, 商売.
-vo·ca·tion 連結形 ☞
vo·cif·er·a·tion 名 大声で叫ぶこと, わめき, 大騒ぎ.
vol·i·ta·tion 名 飛ぶこと; 飛ぶ力, 飛翔(ひしょう)力.
zo·na·tion 名 帯状になっていること, 帯状構造.

-a·tive /èitiv, ət-/

接尾辞 **1** …する傾向がある: talk*ative*. **2** …と関係のある: affirm*ative*.
★ 動詞・名詞について形容詞をつくる.
★ 語末にくる関連形は -ATE[1].
◆ 中英＜古仏 *-atif*, *-ative* ＜ラ *-ātīvus*. ⇨ -IVE[1].

ac·cel·er·a·tive 形 加速的な, 促進させる.
ac·com·mo·da·tive 形 調和的な, 適応性のある; 親切な.
ac·cu·sa·tive 形 〖文法〗対格の.
ad·min·is·tra·tive 形 管理の, 経営上の; 行政的な.
ad·mi·ra·tive 形 《古》賞賛を表す, 賞賛の, 賛美の.
ad·um·bra·tive 形 予示している; ほのかに示す.
ad·ver·sa·tive 形 反対[対照]を表す, 反意の.
af·firm·a·tive 形 ☞
ag·glu·ti·na·tive 形 膠着性の, 接着性の, 粘着する.
al·i·men·ta·tive 形 栄養作用に関する; 栄養のある.
al·le·vi·a·tive 形 軽減[緩和]する, 和らげる.
al·lit·er·a·tive 形 頭韻法を用いた, 頭韻を踏んだ.
al·ter·a·tive 形 変化を促す, 変質させる.
al·ter·na·tive 形 (2つ以上のものから)選びうる.
am·a·tive 形 《まれ》恋愛の; 恋する者の; 愛欲の.
am·pli·a·tive 形 〖論理〗拡充の.
an·tic·i·pa·tive 形 予期する; 期待を持っての.
an·ti·pro·lif·er·a·tive 形 〖薬学〗抗増殖性の.
ap·pel·la·tive 名 通称, 呼び名.
ap·pre·cia·tive 形 真価が分かる, 鑑賞力のある.
ap·pro·ba·tive 形 是認する, 賛成する.
ap·pro·pri·a·tive 形 充当の; 政府支出の.
ap·prox·i·ma·tive 形 近似的な, 概算の.
ar·gu·men·ta·tive 形 議論[論争]好きな, 理屈っぽい.
as·sim·i·la·tive 形 同化(作用)の; 同化力のある.
as·so·ci·a·tive 形 共同[結合, 連想, 連携]の.
aug·men·ta·tive 形 増大する[させる], 増加[付加]的な.
au·thor·i·ta·tive 形 権威筋の, 当局の, 正式の.
a·val·u·a·tive 形 評価する準備ができていない.
calm·a·tive 形 〖医学〗鎮静させる. ── 名 鎮静剤.
car·min·a·tive 形 胃腸内のガスを排出させる. ── 名 駆風剤.
cat·e·na·tive 形 〖文法〗〈動詞が〉連鎖した. ── 名

連鎖動詞.
caus·a·tive 形 原因となる; 引き起こす.
cog·i·ta·tive 形 熟考[熟慮]する; 思考力のある.
col·lab·o·ra·tive 形 提携による; 合作の, 共同制作の.
col·li·ga·tive 形 〘物理化学〙束一性の.
com·bat·ive 形 戦闘[闘争]を好む, 闘争的な.
com·bi·na·tive 形 結合する; 結合力のある, 結合性の.
com·i·ta·tive 形 〘文法〙随(伴)格の.
com·mem·o·ra·tive 形 記念となる[のための], 記念的な.
com·men·ta·tive 形 論評[解説, 注釈]の.
com·mis·er·a·tive 形 哀れみ深い, 同情心のある.
com·mu·ni·ca·tive 形 ☞
com·par·a·tive 形 比較の[に関する].
con·a·tive 形 〘心理〙動能の, 努力の.
con·fed·er·a·tive 形 同盟[連合]の; 同盟国[連合国]の.
con·sta·tive 形 〘言語〙陳述的な, 述定的な.
con·sult·a·tive 形 相談[協議, 諮問]の; 忠告[顧問]の.
con·sum·ma·tive 形 完全な, 申し分ない; 仕上げの.
con·tem·pla·tive 形 静観的な; 瞑想(めいそう)的な.
con·tin·u·a·tive 形 連続的な, 継続的な, 続きの.
co·or·di·na·tive 形 同等の, 対等の.
cop·u·la·tive 形 結び付ける, 連結的な.
cor·po·ra·tive 形 法人[団体]の.
cor·rob·o·ra·tive 形 (信念などを)強固にする.
cre·a·tive 形 創造力のある, 創造[独創]的な.
crim·i·na·tive 形 罪を負わせる; 非難[問責]する.
cul·mi·na·tive 形 〘言語〙〈強勢・声調が〉頂点的な.
cu·mu·la·tive 形 ☞
cur·a·tive 形 病気に効く; 治療するための.
de·clar·a·tive 形 宣言[布告]する.
dec·o·ra·tive 形 装飾の, 装飾的な.
de·lib·er·a·tive 形 審議する機能を持つ.
de·mar·ca·tive 形 〘言語〙〈音韻素性が〉境界の.
de·mon·stra·tive 形 むきだしの; 示威的な; 例証的な.
de·nom·i·na·tive 形 名称的な, 名を示す.
de·no·ta·tive 形 表示[指示]する; 表示[指示]的な.
dep·re·ca·tive 形 非難の, 不賛成の; 嘆願の; 弁解の.
dep·u·ra·tive 形 浄化作用のある. ―― 名 浄化剤.
de·riv·a·tive 形 ☞
de·rog·a·tive 形 名折れになる; 軽蔑的な.
de·sid·er·a·tive 形 欲求を持った, 願望を表す.
de·ter·mi·na·tive 形 決定力のある. ―― 名 決定因.
de·verb·a·tive 形 〘文法〙動詞から派生した.
di·la·ta·tive 形 =dilative.
di·la·tive 形 膨張しやすい, 膨張性の.
dis·crim·i·na·tive 形 区別となる; 特異な; 際立った.
dis·si·pa·tive 形 消散する.
dom·i·na·tive 形 支配的な, 優勢な.
don·a·tive 名 寄付金, 寄贈品.
du·bi·ta·tive 形 《主に文語》疑っている.
dur·a·tive 形 〘文法〙継続相の.
ed·u·ca·tive 形 教育に役立つ, 教育的な.
e·lab·o·ra·tive 形 入念な, 精巧な, 苦心の.
e·nu·mer·a·tive 形 列挙する, 枚挙の; 計数上の.
er·ga·tive 形 〘文法〙能格の, 能格的な.
es·ti·ma·tive 形 評価できる, 見積もる力がある.
e·vap·o·ra·tive 形 蒸発の, 蒸発性, 蒸気(化)の.
ex·ag·ger·a·tive 形 誇張しがちな, 誇大癖の; 大げさな.
ex·cit·a·tive 形 興奮させる, 刺激性の.
ex·e·cra·tive 形 呪いの; 呪いを含んだ.
ex·em·pli·fi·ca·tive 形 範例となる, 例証する, 実証する.
ex·fo·li·a·tive 形 薄片[鱗]状にはげ落ちる; 剝離物の.
ex·hil·a·ra·tive 形 陽気にする, 気分を浮き浮きさせる.
ex·pect·a·tive 形 期待の, 期待した, 期待を込めた.
ex·ploit·a·tive 形 天然資源開発の; 乱獲の; 搾取的な.
fac·ul·ta·tive 形 特権[許可, 権限]を与える.
fed·er·a·tive 形 連合[連盟]の, 連邦の.
fer·ment·a·tive 形 発酵する[させる], 発酵力のある.
fig·u·ra·tive 形 ☞
fix·a·tive 形 固着性の. ―― 名 定着剤.
form·a·tive 形 形を与える; 造形の.
fre·quen·ta·tive 形 〘文法〙(動作の)反復の.
fric·a·tive 形 ☞
fruc·ti·fi·ca·tive 形 〈植物が〉結実性の, 実のなる.
gen·er·a·tive 形 生産能力のある; 繁殖力のある.
ger·mi·na·tive 形 発芽[生長]能力のある; 産出できる.
ges·tic·u·la·tive 形 身ぶり手ぶりを好んで使う.
grav·i·ta·tive 形 重力の, 引力の.
-gre·ga·tive 連結形 ☞
gus·ta·tive 形 味覚の.
hes·i·ta·tive 形 ためらいがちな.
hor·ta·tive 形 忠告の, 勧告的な.
il·lu·mi·na·tive 形 照らす, 照明の; 啓発[啓蒙]する.
il·lus·tra·tive 形 実例[例証]となる, 説明的な.
im·ag·i·na·tive 形 想像の, 想像上の, 架空の, 空想の.
im·i·ta·tive 形 まねをする, 模写する; 模倣好きな.
im·per·a·tive 形 ☞
in·cho·a·tive 形 〘文法〙動作[状態]の開始を示す.
in·cor·po·ra·tive 形 結合[合体]した[しがちな].
in·dic·a·tive 形 示す, 表示する, 表す; 暗示する.
in·form·a·tive 形 情報を提供する; 有益な, 教育的な.
in·i·ti·a·tive 名 開始, 先制, 先導, イニシアチブ.
in·no·va·tive 形 革新的な, 刷新的な; 創造力に富む.
in·oc·u·la·tive 形 (予防)接種の.
in·su·la·tive 形 絶縁(用)の; 防護用の.
in·ter·pre·ta·tive 形 説明に役立つ, 解釈的な.
in·ter·rog·a·tive 形 疑問の; 疑問を表す; 不審そうな.
in·tox·i·ca·tive 形 《古》(酒・麻薬など)酔わせるものの.
in·ves·ti·ga·tive 形 調査の[する], 研究の.
ir·ri·ga·tive 形 灌漑の, 灌漑用の.
ir·ri·ta·tive 形 怒らせる, いらいらさせる.
i·so·la·tive 形 〘言語〙〈音韻変化が〉孤立的な.
it·er·a·tive 形 反復する; 繰り返しの多い.
ju·di·ca·tive 形 裁く力のある; 判断する機能を持つ.
-la·tive 連結形 ☞
lax·a·tive 名 通じ薬, 下剤, 緩下剤.
lim·i·ta·tive 形 制限する, 制限的な, 限定的な.
loc·a·tive 名形 〘文法〙所格(の), 位置格(の).
lu·bri·ca·tive 形 滑らかにする, 潤滑性の.
lu·cra·tive 形 もうかる, 有利な, 金になる.
man·i·fes·ta·tive 形 はっきり示す, 明示する.
me·di·a·tive 形 仲裁する, 調停の.
med·i·ca·tive 形 治療効果のある, 薬効がある.
med·i·ta·tive 形 黙想にふける, 瞑想を好む.
men·su·ra·tive 形 測定に適した, 測定用の.
mu·ta·tive 形 変化の, 突然変異の.
-mu·ta·tive 連結形 ☞
my·e·lo·pro·lif·er·a·tive 形 〈白血病などが〉骨髄増殖性の.
nar·ra·tive 名 物語から成る, 物語体の. ―― 名 物語; 語ること.
neg·a·tive 形 ☞
nom·i·na·tive 形 〘文法〙主格の; 主格を表す.
nor·ma·tive 形 標準の, 規準の.
nun·cu·pa·tive 形 〈遺言が〉口頭の, 口述による.
ob·li·ga·tive 形 義務を伴う, 強制的な.
op·er·a·tive 名 ☞
o·pin·ion·a·tive 形 意見[所信]の[に関する, から成る]; 見解上の.
op·ta·tive 形 〘文法〙〈動詞の法が〉祈願・願望を表す. ―― 名 願望法.
o·rig·i·na·tive 形 独創力のある, 創造的な; 奇抜な.
pal·li·a·tive 形 (病気・痛みなどを)一時的に緩和する.
pe·jo·ra·tive 形 軽蔑的な, 軽蔑の意味を与える.
pen·e·tra·tive 形 侵入する; 浸透する; 洞察力に富む; 感銘を与える.
per·for·ma·tive 形 〘哲学〙〘言語〙遂行的な.
per·se·ver·a·tive 形 執拗に[しつこく]繰り返す.
per·tur·ba·tive 形 《古》混乱を招きがちな; 動揺させる.
pla·ca·tive 形 なだめる, 機嫌を取る, 懐柔する.
-pli·ca·tive 連結形 ☞
por·ta·tive 形 運搬できる, 持ち運びできる.
pred·i·ca·tive 形 断定する, 断定的な.
pre·par·a·tive 形 準備[予備]の. ―― 名 準備となるもの.
pre·sen·ta·tive 形 直接提示された; 〘哲学〙直覚の.
pre·vent·a·tive 形 予防の. ―― 名 予防手段.

A

priv·a·tive 形 奪取する; 欠如している; 〖文法〗欠性の. ━━名 欠性辞 [語].
pro·ba·tive 形 試みの, 試験的な; 証拠となる.
pro·cras·ti·na·tive 形 ぐずぐず延ばす, 因循な.
prog·nos·ti·ca·tive 形 予言 [予想, 予知] の; 前兆となる.
pur·ga·tive 形 清める, 浄化する.
pu·ta·tive 形 推定上の, 想定される.
qual·i·ta·tive 形 性質(上)の, 質的な.
quan·ti·ta·tive 形 計量化可能な; 量の.
quo·ta·tive 形 引用の. ━━名 引用語句.
ra·di·a·tive 形 発光 [放熱] する, 放射する.
re·bar·ba·tive 形 《文語》煩わしい; 虫の好かない.
rec·re·a·tive 形 気晴らしになる; 元気を回復させる.
re·cu·per·a·tive 形 回復させる, 元気づける.
re·du·pli·ca·tive 形 倍加する; 繰り返す, 反復する.
re·form·a·tive 形 改善する, 改革する; 矯正の.
re·fut·a·tive 形 論駁(ろんばく)する, 論駁の.
re·it·er·a·tive 形 繰り返す. ━━名〖文法〗反復語.
re·lax·a·tive 形 弛緩させる, くつろがせる.
re·mu·ner·a·tive 形 報酬のある, 有利な, 収益の多い.
re·par·a·tive 形 修理 [修繕] する, 回復する.
rep·re·sent·a·tive 名 ☞
rep·ro·ba·tive 形 非難する, 非難 [排撃] を表す.
re·stor·a·tive 形 復旧 [復活, 回復] の.
ro·ta·tive 形 回転する; 回転の.
san·a·tive 形 病を治す, 病に効く, 治癒力のある.
sed·a·tive 形 静める, なだめる.
sep·a·ra·tive 形 分離する傾向のある, 分離性の.
sic·ca·tive 形 吸湿性の. ━━名 乾燥剤.
sig·nif·i·ca·tive 形 意味を表す, 意義のある.
sim·u·la·tive 形 まねる, 振りをする, 見せかけの.
spec·u·la·tive 形 思索的な, 瞑想(めいそう)的な.
sta·tive 形 〖文法〗〈動詞が〉状態を表す.
stim·u·la·tive 形 刺激的な, 刺激性の; 興奮させる, 励ます. ━━名 刺激剤.
sum·ma·tive 形 付加 [累積] 的な.
sup·pu·ra·tive 形 化膿(かのう)した.
talk·a·tive 形 口数の多い, おしゃべりな.
ten·ta·tive 形 試験的な, 試みの, 仮の, 一時的な.
ter·mi·na·tive 形 終わらせる; 決定的な.
trans·for·ma·tive 形 変形させる.
ul·cer·a·tive 形 潰瘍(かいよう)を生じる.
veg·e·ta·tive 形 植物のように成長する.
ven·ti·la·tive 形 換気 [通風] をよくする.
vi·bra·tive 形 振動を生じる, 振動する.
vi·o·la·tive 形 犯す; 侵害する; 乱す; 冒瀆する.
vi·tu·per·a·tive 形 非難する, 罵倒する, ののしりの.
voc·a·tive 形 〖文法〗呼格の, 呼格形に対応する.

at·las /ǽtləs/

名 **1** 地図帳. **2** 図表集, 図版集.

cólor àtlas 〖色彩〗色表, カラーチャート(color chart).
díalect àtlas 〖言語〗方言地図.
linguístic átlas =dialect atlas.
nátional átlas 国勢地図帳.

at·mos·phere /ǽtməsfìər/

名 **1**(地球を取り巻く)大気; 空気. **2**(特定の場所の)空気. **3** 雰囲気, 気分, 環境. ━━動他 …に趣を与える, 雰囲気を醸し出す. ⇨ SPHERE.

búnker átmosphere (政治的に)孤立したムード.
èx·o·át·mos·phere 名 〖気象〗逸出圏, 外気圏.
frée átmosphere 〖気象〗自由大気(free air).
physiológical átmosphere 〖生態〗生態圏; 生物圏, 生活圏.
stándard átmosphere 〖気象〗標準大気.
úpper átmosphere 〖気象〗(超)高層大気.

-a·to /ɑ́:tou; *It.* ɑ́:to/

接尾辞 イタリア語の男性形過去分詞語尾.
◆ <伊 *-ato* <ラ *-ātus*.

a·gi·ta·to 形副 〖音楽〗激しい [く], 急速な [に].
a·ni·ma·to 形副 〖音楽〗元気よい [よく], 活発な [に].
ap·pas·sio·na·to 形副 〖音楽〗熱情的な [に], 激しい [く].
con·cer·ta·to 形 協奏的な(concertante).
fu·ga·to 名 〖音楽〗フガート.
ge·la·to 名 〖イタリア料理〗ジェラート(gelati).
in·am·o·ra·to 名 (男の)恋人; 情夫.
i·so·la·to 名 (精神的に)孤立 [隔絶] している人.
le·ga·to 形副 〖音楽〗(音を切らないで)滑らかな [に].
mar·ca·to 形副 〖音楽〗強いアクセントをつけた [つけて].
mar·tel·la·to 形副 〖音楽〗〈音や和音が〉強いアクセントをつけて短い [く].
mod·e·ra·to 形副 〖音楽〗ほどよい速度の [で].
ob·bli·ga·to 形 〖音楽〗〈伴奏などが〉欠くことのできない, 絶対必要な.
ob·li·ga·to 形 =obbligato.
os·ti·na·to 名 〖音楽〗オスティナート.
piz·zi·ca·to 形副 〖音楽〗つま弾きの [で].
ru·ba·to 形副 〖音楽〗ルバートの [で].
sfu·ma·to 名 〖美術〗スフマート, ぼかし法.
spic·ca·to 形名 〖音楽〗(バイオリンの楽曲で)スピッカートの(演奏, 楽句).
stac·ca·to 形 〖音楽〗スタッカートの.
ta·ro·ga·to 名 〖音楽〗ターロガトー.
vi·bra·to 名 〖音楽〗ビブラート, 振動(音).

at·om /ǽtəm/

名 〖物理〗 **1** 原子. **2** 電子の 1 つが他の粒子で置き換えられた原子. ►ギリシャ語で「切れないもの」. ◇ -TOMY.

á·da·tom 名 〖物理化学〗吸着原子.
ánt·i·àt·om 名 〖物理〗反原子.
grám àtom 〖化学〗グラム原子.
hèt·er·o·át·om 名 〖化学〗ヘテロ原子, 異(種)原子.
hót átom 〖原子物理〗反跳原子.
muónic átom 〖物理〗μ 粒子原子.
nán·o·àt·om 名 ナノアトム: 原子の 10 億分の 1.
quà·si·át·om 名 〖物理〗準原子.
Rútherford átom 〖物理〗ラザフォード原子.
sùb·át·om 名 〖化学〗原子構成要素.

a·tom·ic /ətɑ́mik | ətɔ́m-/

形 原子の [に関する]; 原子爆弾に関する. ⇨ -IC[1].

air-atomic 形 空中核攻撃の.
di·a·tom·ic 形 〖化学〗2 原子の.
in·ter·a·tom·ic 形 〖物理〗原子間の.
in·tra-atom·ic 形 〖物理〗原子内 [間] の.
mon·a·tom·ic 形 〖化学〗〈分子が〉1 原子を持つ.
mon·o·a·tom·ic 形 〖化学〗=monatomic.
pen·ta·tom·ic 形 〖化学〗5 原子から成る.
pol·y·a·tom·ic 形 〖化学〗多原子の, 多価の.
post·a·tom·ic 形 最初の原爆投下以後の.
pre·a·tom·ic 形 核時代以前の.
sub·a·tom·ic 形 〖物理〗原子内部で起こる.
tet·ra·tom·ic 形 〖化学〗四価の; 4 原子から成る.
tri·a·tom·ic 形 〖化学〗3 原子の.

-a·tor /èitər, éitər/

接尾辞 **1** …する人. ►-ate[1] の語尾を持つ動詞に -or[2] をつけて活動する人を指す: agit*ator*, adjudic*ator*. **2** …する存在 [(特に)機械]: incub*ator*, vibr*ator*.
★ 名詞をつくる.
★ 語末にくる関連形は -ATRIX, -TOR.
◆ ラテン語 *-ātor* より. ⇨ -OR[2], -TOR.
[発音] (1) 3 音節の語では -ator の始めの音節 /ei/ に第 1 強

勢. (2)4音節以上の語では -ator の2つ前の音節に第1強勢. さらに -ator の初めの音節 /ei/ に第2強勢.

ab·la·tor 名 【航空宇宙】宇宙船やミサイルの外部保護材.
ac·cel·er·a·tor 名 ☞
ac·cen·tu·a·tor 名 【電子工学】エンファシス回路.
ac·com·mo·da·tor 名 適応性のある人; 調停者; 提供者.
ac·cu·mu·la·tor 名 蓄積する人[もの]; 蓄財家.
ac·ti·va·tor 名 活動的にさせる人[もの].
ac·tu·a·tor 名 行動させる人, 駆り立てる人[もの].
ad·ju·di·ca·tor 名 裁判官; 審判員.
ad·min·is·tra·tor 名 管理者, 理事; 役人.
ad·vo·ca·tor 名 主張者, 唱道者.
aer·a·tor 名 通気装置; 炭酸ガス飽和器.
ag·i·ta·tor 名 (政治・社会問題の)活動家; 運動員.
al·ien·a·tor 名 【法律】譲渡人, 譲与者.
al·le·vi·a·tor 名 軽減する人; 緩和物, 緩和剤.
al·ter·na·tor 名 【電気】同期発電機, 交流発電機.
am·pu·ta·tor 名 切断手術者; 切断器.
an·i·ma·tor 名 生気を与える[活気づける]人[もの].
an·ni·hi·la·tor 名 滅ぼす人[もの], 破壊者[物].
an·no·ta·tor 名 注釈者.
an·nun·ci·a·tor 名 告知者[物], 通告者[物].
an·tic·i·pa·tor 名 予想[期待]する人; 先回りする人.
ap·pre·ci·a·tor 名 真価がわかる人; 鑑賞者.
ap·pro·pri·a·tor 名 専有者, 私用者; 充当[流用]する人.
ar·bi·tra·tor 名 調停者, 仲裁人; 仲裁裁定委員.
ar·tic·u·la·tor 名 (明瞭(めいりょう)に)発音する人; 明瞭に表現する人.
as·phyx·i·a·tor 名 窒息剤.
as·pi·ra·tor 名 吸引装置, 吸い出し器, 吸引器.
as·sas·si·na·tor 名 暗殺者, 刺客(assassin).
at·tem·per·a·tor 名 過熱低減器.
at·ten·u·a·tor 名 【電子工学】減衰器.
at·tes·ta·tor 名 証明者, 証人(attestant).
au·then·ti·ca·tor 名 証明[確証]者.
a·vi·a·tor 名 飛行士, 航空士, 航空機操縦士.
bra·chi·a·tor 名 腕渡りのできる動物.
bron·cho·di·la·tor 名 【薬学】気管支拡張剤.
buc·ci·na·tor 名 【解剖】頬筋(きょうきん).
cal·ci·na·tor 名 (放射性廃棄物処理用の)煆焼(かしょう)炉.
cal·cu·la·tor 名 計算する人, 計算機.
cin·er·a·tor 名 《特に米》火葬炉, 焼却炉.
cir·cu·la·tor 名 あちこち動き回る人, 巡回者.
ci·ta·tor 名 引用者; (特に)判例記録.
co·ag·u·la·tor 名 凝固剤, 凝血剤(coagulant).
col·lab·o·ra·tor 名 協力者, 共同者; 共同制作者.
col·la·tor 名 照合者, 校合者.
col·li·ma·tor 名 【光学】コリメーター: 視準器.
com·men·ta·tor 名 実況放送アナウンサー; 時事解説者.
com·mu·ni·ca·tor 名 伝達[通告]者.
com·mu·ta·tor 名 【電気】整流器, 転換器.
com·pa·ra·tor 名 コンパレーター, 比較測定器.
com·pen·sa·tor 名 補償[賠償]する人.
com·po·ta·tor 名 飲み仲間.
com·pur·ga·tor 名 宣誓保証人.
con·cen·tra·tor 名 【通信】集信機[装置].
con·cil·i·a·tor 名 なだめる人, 懐柔者.
con·jur·a·tor 名 まじない師, 祈祷(きとう)師.
con·ser·va·tor 名 保存者, 保護者.
con·sol·i·da·tor 名 航空券整理屋.
con·spir·a·tor 名 共謀者, 陰謀者.
con·tin·u·a·tor 名 継続する人[もの]; 継承する人.
con·vo·ca·tor 名 (会議の)召集者.
co·or·di·na·tor 名 同格[対等]にするもの[人]; 調整[整合]するもの[人].
cor·po·ra·tor 名 (特に創立時の)法人の一員, 株主.
cor·rob·o·ra·tor 名 確証する人[もの, 事実].
cor·ru·ga·tor 名 しわをつけるもの.
cre·a·tor 名 創造者, 創作者; 創設者; 創案者.
cre·ma·tor 名 火葬作業員; ごみ焼き作業員.
cul·ti·va·tor 名 耕作者; 開拓者; 修養する人.
cunc·ta·tor 名 ぐずぐずする[のろい]人.
cu·ra·tor 名 館長, 園長; 部長.
dec·o·ra·tor 名 インテリアデザイナー.
def·e·ca·tor 名 浄化する人[もの]; 精製器.
de·fib·ril·la·tor 名 【医学】細動除去器, 除細動器.
de·fo·li·a·tor 名 落葉させるもの; 落葉剤, 枯れ葉剤.
de·hy·dra·tor 名 乾燥させる人[もの].
de·lin·e·a·tor 名 輪郭[見取り図]を書く人.
dem·on·stra·tor 名 論証者; 証明するもの; デモ参加者.
de·nom·i·na·tor 名 【算数】分母.
des·ic·ca·tor 名 乾燥させる人, 乾物製造者.
de·ter·mi·na·tor 名 決定する人[もの](determiner).
det·o·na·tor 名 起爆装置, 起爆部, 雷管, 信管.
dev·as·ta·tor 名 荒らす人, 破壊者, 蹂躙(じゅうりん)者.
dic·ta·tor 名 (通例, 一時的な)独裁者, 専制者.
dif·fer·en·ti·a·tor 名 区別する人[もの].
dil·a·ta·tor 名 ＝dilator.
di·la·tor 名 膨張[拡張]させる人[もの].
dis·crim·i·na·tor 名 識別[差別, 区別]する人[物].
dis·pen·sa·tor 名 《廃》分与者; 執政者, 支配者.
di·var·i·ca·tor 名 分岐するもの.
dom·i·na·tor 名 支配者, 統治者, 統率者.
do·na·tor 名 寄付者, 寄贈者.
du·pli·ca·tor 名 複製器, 複写機; 複製者.
ed·u·ca·tor 名 教える人[もの]; 教育者.
e·jac·u·la·tor 名 急に叫ぶ人[もの], 絶叫する人[もの].
el·e·va·tor 名 (物などを)高める[上げる]人[もの].
e·lim·i·na·tor 名 除去する人[もの].
e·lu·tri·a·tor 名 水簸(すいひ)機.
e·man·ci·pa·tor 名 解放者; 奴隷解放論者.
em·u·la·tor 名 競争者, 張り合う人; 熱心な模倣者.
e·qua·tor 名 ☞
e·vac·u·a·tor 名 立ち退く人; 空にする物.
e·vap·o·ra·tor 名 蒸発器; 蒸発乾燥[濃縮]装置.
ev·o·ca·tor 名 呼び覚ます人, 呼び起こす人.
ex·ca·va·tor 名 穴を掘る人[もの]; 穴掘り人.
ex·ter·mi·na·tor 名 撲滅する人[もの].
fab·u·la·tor 名 【文芸】寓話的小説家.
fa·cil·i·ta·tor 名 (物事を)容易にする人[もの].
fas·ci·na·tor 名 魅惑する人[もの].
fix·a·tor 名 (金属棒とピンで作った)骨折固定器.
frac·tion·a·tor 名 【化学】分留装置, 分別蒸留装置.
fu·mi·ga·tor 名 燻蒸(くんじょう)をする人[もの].
gen·er·a·tor 名 ☞
glad·i·a·tor 名 (古代ローマの)剣闘士, 剣奴.
glos·sa·tor 名 注釈者, 注解者.
grad·u·a·tor 名 目盛りをつける人; 目盛り器械.
hy·dra·tor 名 水和[水化]するもの.
il·lu·mi·na·tor 名 照らす人; 啓示する人.
il·lus·tra·tor 名 挿し絵画家, イラストレーター.
im·pe·ra·tor 名 専制君主.
im·per·son·a·tor 名 他人の振りをする人, 扮装(ふんそう)者.
im·prov·i·sa·tor 名 即席に作る人; 即興詩人[演奏家].
in·cu·ba·tor 名 孵卵(ふらん)器, 人工孵化器.
in·di·ca·tor 名 ☞
in·ha·la·tor 名 (特に人工呼吸用の)吸入器.
in·i·ti·a·tor 名 創始者, 発起人; 首唱者, 先導者.
in·no·va·tor 名 革新者, 刷新者, 創意工夫に富む人.
in·sem·i·na·tor 名 【獣医】人工授精を施す人.
in·spi·ra·tor 名 活気を与える人(inspirer).
in·stil·la·tor 名 【医学】点滴器, 滴注器.
in·suf·fla·tor 名 吹き付け器, 散布器; 通気器.
in·su·la·tor 名 【電気】絶縁体, 絶縁物[材].
in·te·gra·tor 名 統一体にまとめる人[もの], 統合者.
in·ter·ro·ga·tor 名 質問者; 尋問者.
in·ves·ti·ga·tor 名 調査する人[もの]; 調査員[官].
ir·ri·ga·tor 名 灌漑(かんがい)耕作者; 灌漑施設.

i·so·la·tor 名 隔離者［物］.
ju·di·ca·tor 名 裁判する人, 裁判官(judge).
lach·ry·ma·tor 名 催涙物質, 催涙剤.
lac·ri·ma·tor 名 ＝lachrymator.
lac·ry·ma·tor 名 ＝lachrymator.
le·ga·tor 名 遺産譲与者, 遺贈者; 遺言人.
le·va·tor 名 〖解剖〗挙筋.
lib·er·a·tor 名 釈放者, 解放者; (特に)民俗解放者.
liq·ui·da·tor 名 〖法律〗清算人.
lit·er·a·tor 名 知識人; 文学者.
lo·ca·tor 名 《米》(土地の)境界設定者, 権利者.
lu·bri·ca·tor 名 摩擦を減少させる人［物］; 潤滑油.
man·da·tor 名 命令者, 委任者.
ma·nip·u·la·tor 名 扱う人, 操縦者.
me·di·a·tor 名 仲介者, 媒介者; 仲裁人, 調停者.
med·i·ta·tor 名 黙想［瞑想(めいそう)］にふける人.
mod·er·a·tor 名 和らげる人［もの］; 仲裁者, 調停者.
mod·i·fi·ca·tor 名 (部分的に)変更する人［もの］.
mod·u·la·tor 名 調節［調整］する人［物］; 調整器.
na·ta·tor 名 泳ぐ人［もの］.
nav·i·ga·tor 名 航海者, 航行者.
ne·ga·tor 名 否定［拒絶］する人.
ne·go·ti·a·tor 名 交渉者, 協議者.
no·men·cla·tor 名 (分類学上の)学名命名者.
nu·mer·a·tor 名 〖数学〗(分数の)分子.
ob·lit·er·a·tor 名 消す人［もの］, 抹殺者.
ob·tu·ra·tor 名 ふさぐもの［装置, 材料］.
op·er·a·tor 名 ☞
or·a·tor 名 演説者, 弁士; 雄弁家.
os·cil·la·tor 名 ☞
per·am·bu·la·tor 名 《主に英》乳母車.
per·co·la·tor 名 濾過(ろか)装置付きコーヒー沸かし.
pis·ca·tor 名 漁夫, 漁師.
pol·li·na·tor 名 花粉媒介者(鳥, 昆虫など).
pos·tu·la·tor 名 〖ローマカトリック〗列福列聖調査請願者.
pre·des·ti·na·tor 名 物事をあらかじめ決定する人［物］.
pred·i·ca·tor 名 〖文法〗叙述詞.
pre·par·a·tor 名 調製［調合］する人; 標本係.
pres·er·va·tor 名 《米》環境保全責任者.
pre·var·i·ca·tor 名 言い紛らす人, 言い逃れを言う人.
proc·u·ra·tor 名 〖ローマ史〗(皇帝の)代官.
pro·na·tor 名 〖解剖〗〖動物〗回内筋.
prop·a·ga·tor 名 propagate する人［もの］.
pul·sa·tor 名 脈打つもの, 鼓動［拍動］装置.
pu·ri·fi·ca·tor 名 〖キリスト教〗聖杯布巾(きん).
qual·i·fi·ca·tor 名 〖ローマカトリック〗審理準備員.
ra·di·a·tor 名 発散する人［もの］; 放熱体.
re·cip·ro·ca·tor 名 返礼する人.
re·cu·per·a·tor 名 回復する人［もの］.
re·frig·er·a·tor 名 冷蔵庫, 冷凍室, 氷室; 冷却装置.
reg·u·la·tor 名 ☞
re·la·tor 名 語る人, 話し手, 語り手.
res·o·na·tor 名 ☞
res·pi·ra·tor 名 (通例, ガーゼで作った)マスク.
re·sus·ci·ta·tor 名 蘇生(そせい)させる人［もの］.
rev·e·la·tor 名 啓示者; (特に)預言者.
re·ver·ber·a·tor 名 反響［反射］物; 反射炉; 反射鏡.
ro·ta·tor 名 回転する人［もの］; 回転子.
sal·i·va·tor 名 〖医学〗唾液(だえき)分泌促進剤.
sat·u·ra·tor 名 飽和させるもの(saturater).
scar·i·fi·ca·tor 名 乱切［乱刺］する人; 乱切器.
scin·til·la·tor 名 〖物理〗シンチレーター.
scru·ta·tor 名 精密に調査する人, 検査人.
seg·re·ga·tor 名 〖医学〗尿分採器, 分尿器.
sen·a·tor 名 議員; 上院議員.
sep·a·ra·tor 名 分離する人［物］; (道路の)分離帯.
se·que·na·tor 名 〖生化学〗シークェネーター.
se·ques·tra·tor 名 〖法律〗仮差し押さえ人.
sim·u·la·tor 名 振りをする人［もの］, まねる人［もの］.
spec·ta·tor 名 見物人, 観客; 傍観者; 観察者.
spec·u·la·tor 名 (…の)投機家, 相場師.
spher·a·tor 名 〖物理〗スフェレーター.
sta·tor 名 〖電気〗〖機械〗固定子, ステータ.
sub·or·di·na·tor 名 従属させるもの［人］.
su·pi·na·tor 名 〖解剖〗回外筋.
tab·u·la·tor 名 表を作る人［もの］, 図表作成者.
ter·mi·na·tor 名 終結する［させる］人［もの］.
tes·ta·tor 名 〖法律〗遺言(作成)者.
to·tal·i·za·tor 名 合計する人; 《主に米》加算機［器］.
trans·la·tor 名 翻訳者; 通訳者.
vac·ci·na·tor 名 〖医学〗種痘医, 種痘実施者.
ven·ti·la·tor 名 換気する人［もの］.
vi·a·tor 名 《まれ》旅人, 旅行者.
vi·bra·tor 名 振動する［させる］人［もの］.
vin·i·fi·ca·tor 名 酒精凝結器.

-a·to·ri·um /ətɔ́ːriəm/

接尾辞 …する場所, 施設.
★ 動詞につけて名詞をつくる.
★ 語末にくる関連形は -ARIUM.
◆ ラテン語形容詞の中性形語尾からの転用. ⇨ -IUM.

con·ser·va·to·ri·um 名 《豪》芸術学校, 音楽学校.
drink·a·to·ri·um 名 飲食する場所.
e·jac·u·la·to·ri·um 名 (精子銀行で)精子提供者の射精のために設けた部屋.
lu·bri·ca·to·ri·um 名 《米》自動車の給油所.
mor·a·to·ri·um 名 (敵対・危険活動の)一時的停止.
na·ta·to·ri·um 名 《まれ》屋内水泳プール.
sa·lu·ta·to·ri·um 名 修道院［聖堂］玄関, 玄関わき控え室.
san·a·to·ri·um 名 サナトリウム, 療養所.
su·da·to·ri·um 名 (特に, 古代ローマの)蒸し風呂.
tank·a·to·ri·um 名 タンク療法を行うクリニック.

-a·to·ry /ətɔ̀ːri | ətəri, èit-/

接尾辞 …のような, …の性質を持つ.
★ -ATE[1] と -ORY[1] または -ATE[1] と -ORY[2] の合成接尾辞.
★ 主に形容詞をつくる.
◆ ラテン語 *-ātōrius* より.

ab·bre·vi·a·to·ry 形 省略の.
ad·voc·a·to·ry 形 唱道［擁護］者の; 弁護士［者］の.
am·a·to·ry 形 恋愛の; 恋する者の; 愛欲の.
am·bu·la·to·ry 形 歩行の, 歩きながらの.
am·plif·i·ca·to·ry 形 敷衍(ふえん)的な, 拡充的な.
an·o·vu·la·to·ry 形 〖医学〗〈月経などが〉無排卵(性)の.
an·tic·i·pa·to·ry 形 予想［予期］した, 見越しての.
ap·pli·ca·to·ry 形 使用に適した; 適用［応用］できる.
ap·pre·ci·a·to·ry 形 真価［優れていること］がわかる.
ar·tic·u·la·to·ry 形 発声の, 調音(上)の; 明瞭な発音の.
as·pir·a·to·ry 形 呼吸の; 吸引［呼吸］に適する.
as·sim·i·la·to·ry 形 同化(作用)の; 同化力のある.
a·voc·a·to·ry 形 呼び出す, 呼び戻す, 召還する.
clas·si·fi·ca·to·ry 形 類別的な, 分類上の, 分類に関する.
com·bin·a·to·ry 形 結合する; 結合力のある.
com·mem·o·ra·to·ry 形 記念となる［のための］.
com·pen·sa·to·ry 形 埋め合わせとなる; 償いの.
con·cil·i·a·to·ry 形 なだめるような, 懐柔的な.
con·fis·ca·to·ry 形 没収［押収］の; 没収を招く.
con·grat·u·la·to·ry 形 お祝いの, 祝賀の.
cor·rob·o·ra·to·ry 形 (信念などを)強固にする.
de·clam·a·to·ry 形 雄弁術の; 演説調［朗読風］の.
ded·i·ca·to·ry 形 献納［献呈］の.
de·fam·a·to·ry 形 名誉毀損(きそん)の, 中傷的な.
de·le·ga·to·ry 形 権限委任の, 権力譲渡に関する.
de·nun·ci·a·to·ry 形 非難を込めた, 弾劾の; 威嚇的な.
de·pil·a·to·ry 形 脱毛効果のある. ── 名 (皮革製造用の)除毛剤.
de·pre·ci·a·to·ry 形 価値が下落気味の, 低落傾向の.
dil·a·to·ry 形 遅れがちな, ぐずぐずした.
dis·crim·i·na·to·ry 形 《しばしば軽蔑的》差別的な, 差別待遇の, 不公平な.
dis·til·la·to·ry 形 蒸留の; 蒸留用の.
don·a·to·ry 名 〖主にスコット法〗(国王からの)受贈

者.
e·dif·i·ca·to·ry 形 啓発的な, 教化［教導］に役立つ.
ed·u·ca·to·ry 形 教育に役立つ; 教育(上)の.
e·jac·u·la·to·ry 形 絶叫的な, 不意に叫ぶ癖のある.
em·i·gra·to·ry 形 =migratory.
es·ca·la·to·ry 形 段階的［連続的］に拡大する.
e·voc·a·to·ry 形 (…を)呼び起こす, 喚起する.
ex·clam·a·to·ry 形 感嘆(表現)の, 感嘆を表す.
ex·com·mu·ni·ca·to·ry 形 破門の, 破門を宣告する.
ex·cul·pa·to·ry 形 無罪を証明するような; 弁明の.
ex·e·cra·to·ry 形 呪(のろ)いの; 呪いを含んだ.
ex·pi·a·to·ry 形 償いになる, 罪滅ぼしの.
ex·pir·a·to·ry 形 息を吐く, 呼気の; 呼気性の.
ex·plor·a·to·ry 形 探検の, 踏査の; 探究の, 調査の.
ex·pos·tu·la·to·ry 形 説諭の, いさめの, 訓戒の.
ex·pur·ga·to·ry 形 不穏当な箇所を削除する; 浄化の.
ex·ten·u·a·to·ry 形 (罪・過失などを)軽減する力のある.
ex·ter·mi·na·to·ry 形 絶滅的な, 撲滅［根絶］する.
ges·tic·u·la·to·ry 形 身ぶり手ぶりの.
grat·u·la·to·ry 形 《古》(特に)祝賀の意を述べる.
gy·ra·to·ry 形 旋回［回転, 旋転］運動をする.
hal·lu·ci·na·to·ry 形 幻覚の(ような); 幻覚を起こさせる.
im·pli·ca·to·ry 形 《主に英》言外の意味をもつ.
in·cli·na·to·ry 形 傾斜の; 傾斜している.
in·dic·a·to·ry 形 指示する, (…を)表示する, 示す.
in·i·ti·a·to·ry 形 初めの, 手始めの; 初歩の.
in·no·va·to·ry 形 革新的な; 〈人が〉創造力に富む.
in·spir·a·to·ry 形 吸気の, 吸入の.
in·ter·jac·u·la·to·ry 形 差し挟まれた, 挿入された.
in·ves·ti·ga·to·ry 形 調査の.
ju·di·ca·to·ry 形 裁判［司法］の.
jus·tif·i·ca·to·ry 形 正当とするに足る, 正当化する.
li·bra·to·ry 形 (天秤のように)振動する, 釣り合う.
lu·bri·ca·to·ry 形 滑らかにするのに役立つ.
mas·ti·ca·to·ry 形 咀嚼(そしゃく)の; 咀嚼に適した.
me·di·a·to·ry 形 仲裁［調停］の.
mi·gra·to·ry 形 移住する, 移動する.
mod·i·fi·ca·to·ry 形 変更［修正］する, 限定［修飾］する.
neg·a·to·ry 形 否定的な, 否認的な; 否定する.
nu·ga·to·ry 形 つまらない, 価値のない.
o·blig·a·to·ry 形 義務的な, 強制的な; 必須の.
op·er·a·to·ry 名 特殊な器具・設備が整った作業室.
os·cil·la·to·ry 形 振動性の, 変動する, 動揺する.
par·tic·i·pa·to·ry 形 参加する, 参加方式の.
per·spir·a·to·ry 形 発汗の; 発汗を促す.
pi·la·to·ry 形 髪の生長を促す. ━━名 養毛剤.
pis·ca·to·ry 形 漁夫の; 漁業の, 魚釣りの.
pla·ca·to·ry 形 なだめる, 慰める, 機嫌を取る.
pred·i·ca·to·ry 形 説教の, 説教する, 説教に関する.
pre·par·a·to·ry 形 準備の, 予備の.
pro·clam·a·to·ry 形 宣言の, 布告の; 宣言的な.
pro·pi·ti·a·to·ry 形 なだめる, 和らげる; 懐柔する.
pu·rif·i·ca·to·ry 形 清める, 浄化する; 浄罪する.
qual·i·fi·ca·to·ry 形 資格を付与する; 限定する.
rec·on·cil·i·a·to·ry 形 和解させるような; 調和［一致］の.
re·frig·er·a·to·ry 形 冷やす, 冷却する.
res·pi·ra·to·ry 形 呼吸の; 呼吸用の, 呼吸器官の.
re·ver·ber·a·to·ry 形 反響［反射］する.
spec·u·la·to·ry 形 《古》見晴らしのよい, よく見える.
ter·mi·na·to·ry 形 終わりの, 末端［限界］を成す.
trans·la·to·ry 形 【機械】並進の.
un·du·la·to·ry 形 波状に動く, 波動する, うねる.
vac·il·la·to·ry 形 動揺する; 煮えきらない, 優柔不断な.
ven·ti·la·to·ry 形 通風の, 換気の; 換気装置のある.
ves·i·ca·to·ry 形 水疱を生じる(vesicant).
vi·bra·to·ry 形 振動を生じる, 振動し得る.
vin·di·ca·to·ry 形 正当とする, 擁護する.

-a·trix /èitriks/

接尾辞 -ator の女性形.
◆ ラテン語 *-ātrix*(*-ator* -ATOR の女性形接尾辞)より.

ad·min·is·tra·trix 名 【法律】女性の遺産管理人.
a·vi·a·trix 名 女性飛行士, 女流飛行家.
cu·ra·trix 名 《現在はまれ》女性の curator.
dom·i·na·trix 名 (SM プレーで)女帝, クイーン.
fel·la·trix 名 フェラチオをする女性.
for·ni·ca·trix 名 私通［密通］する女.
gen·er·a·trix 名 【数学】生成元.
leg·is·la·trix 名 女性の立法府［国会］議員.
me·di·a·trix 名 女性の仲介者［調停者］.
or·a·trix 名 女性の orator.
sep·a·ra·trix 名 分割［分離］するもの; 分割線.
tes·ta·trix 名 【法律】女性遺言者.

-ats /æts/

語尾 俗語的な語尾.

rats 形 《豪俗》頭の変な.
stats 名⑱ 《話》statistics の短縮形.
tats 名⑱ 《豪俗》歯; 義歯, 入れ歯.

-att /æt/

語尾 語末にくる同音形は -AT[4], -ATTE.

batt 名 (布団に入れる)打ち延べた綿.
matt 形 つや消しの(matte).
scatt 名 (Shetland および Orkney 諸島)地租(scat).

at·ta·ché /æ̀tæʃéi, æ̀tə-｜ətǽʃei; *Fr.* ataʃe/

名 (特に専門的分野を受け持つ)大使［公使］館員. ⇨ -E[3].

áir attaché 大使［公使］館付き空軍将校［部隊］.
commércial attaché 大使［公使］館付き商務官.
mílitary attaché 大使館付き武官.

at·tack /ətǽk/

動他 襲いかかる. ━━名 **1** 攻撃. **2** 発作.

áir attàck 空襲(air raid).
coórdinated attàck 【軍事】調整攻撃.
cóunt·er·at·tàck 名 反撃, 逆襲.
gás attàck 毒ガス［ガス弾］攻撃.
héart attàck 【病理】心臓発作; 心筋梗塞(こうそく).
impíngement attáck 【冶金】衝撃腐食.
pánic attàck 【精神医学】パニック発作.
ráck attàck 《米学生俗》ベッドにいる間.
rè·attáck 動他自 再び攻める.
snáck attàck 《俗》無性に間食をしたくなること.
tóp-attàck 戦車の上面部を攻撃する方法.

-atte /æt/

語尾 ドイツ語またはフランス語からの借入語.
★ 語末にくる同音形は -AT[4], -ATT.

matte[1] 形 光沢がない; つや消しの.
matte[2] 名 【採鉱】マット.
ratte 名 【動物】テッテ, ダイコクネズミ

-at·ten /ǽtn/

語尾 語末にくる同音形は -ATIN.

bat·ten[1] 動自 食べてよく育つ, 太る, 肥える.
bat·ten[2] 名 ☞
bat·ten[3] 名 【繊維】バッタン.
fat·ten 動他 …を太らせる, 肥えさせる.
flat·ten 動他 〈地面などを〉平らにする.
lat·ten 名 ラッテン: 真鍮(しんちゅう)に似た合金.
pat·ten 名 パトン: 泥道用の履き物.

A

rat·ten 動他 《英》(労働争議の際)〈雇用者・就業中の者の〉邪魔をする.

at·tend·ant /əténdənt/

名 (人の)付添人; 世話人, 看護人; 従者, 随行員. ⇨ -ANT[1].

cábin attèndant =flight attendant.
cáre attèndant 《英》(重度障害者の)ホームヘルパー.
flíght attèndant (旅客機の)客室乗務員.
médical atténdant 医師, 担当医.

-at·ter /ǽtər/

音象徴 ボカボカ, ガチャガチャ, パラパラ, バラバラ, ペチャクチャ; ぶつかり合う動きや音を基本として, 連打, 粉砕, 飛散, おしゃべりを表す. ◇ -ER[6].

bat·ter[1] 動他〈人が〉連打[乱打]する, 強く打つ; 〈風・波などが〉激しく当たる.
bat·ter[2] 名 《英俗》浮かれ騒ぎ, ばか騒ぎ.
blat·ter 動自他 《米方言》べらべら[ぺちゃくちゃ]しゃべる.
chat·ter 動自〈人が〉(くだらないことを)早口でしゃべる, ぺらぺら[ぺちゃくちゃ]しゃべる; まくしたてる.
clat·ter 動自 (堅い物体がぶつかり合うように)ガタガタ[ガチャガチャ, ガラガラ]音をたてる.
nat·ter 動自 《英話》ぺちゃぺちゃしゃべる, ぶつぶつ言う.
pat·ter[1] 動自 パタパタ[パラパラ]と音をたてる.
pat·ter[2] 名 早口, 無意味なおしゃべり.
scat·ter 動他〈物を〉(場所に)ばらまく, ふりまく, まき散らす; 〈場所に〉(物を)まき散らす; 分散させる.
shat·ter 動他〈ガラスなどを〉粉々に打ち砕く, 粉砕する.
spat·ter 動他〈水・泥などを〉まき散らす, 振りまく; 跳ねかける, 飛ばす.
splat·ter 名 勢いよくはね散らすこと; バチャバチャ, ピチャピチャ.
squat·ter 動自 水の中をばちゃばちゃ進む.
yat·ter 動自 《話》ぺちゃくちゃしゃべる(chatter). ──名 おしゃべり.

-at·tle /ǽtl, æ̀tl/

音象徴 カタカタ, コトコト, ガタガタ, ゴロゴロ, ぺちゃくちゃ; 接触によって出る騒がしい音やしゃべり声を表す. ◇ -LE[3].

brat·tle 名 《主にスコット》がたがた[がちゃがちゃ, ばたばた]いう音. ──動自 がたがた音を立てる; 騒々しく走り回る.
prat·tle 動自〈大人が〉幼稚な話し方をする, ぺちゃくちゃしゃべる.
prit·tle-prat·tle 名 無駄話, おしゃべり. ──動自 無駄話[おしゃべり]をする.
rat·tle 動自〈堅いものが〉(触れ合うなどして)ガタガタ[ガラガラ, ゴロゴロ, カタカタ, コトコト]鳴る[いう]; (…を)(打ったり, 振ったりして)ガタガタいわせる.
sprat·tle 名 《スコット》闘争, 格闘.
tit·tle-tat·tle 名 無駄話, おしゃべり; 世間話, うわさ話.

at·tor·ney /ətə́ːrni/

名 《米》法律家, 弁護士.

Crówn attórney 《カナダ》州政府[連邦政府]検察官.
dístrict attórney 《米》地区検事長.
prívate attórney 〘法律〙代理人(attorney-in-fact).
prósecuting attórney 《米》(いくつかの州で郡・裁判区ごとの)検察官, 地方検事[検察官].
státe attórney 州検事(state's attorney).
státe's attórney 《米》州検事, 州側代理人.
U.S. Attórney 米国連邦検事.

-a·tum /éitəm, ǽt-, ɑ́ːt- | éitəm, ɑ́ːt-/

接尾辞 ラテン語の過去分詞語尾 *-ātus* の中性形. ⇨ -UM[1].
★ 名詞をつくる.
★ 語末にくる関連形は -ATA, -ATE[1].

da·tum 名 (一つの)事実, 資料; データ(の1項目).
de·sid·er·a·tum 名 (ぜひとも)欲しい[必要な]もの.
er·ra·tum 名 誤字, 誤記, 誤写, 誤植.
ex·sic·ca·tum 名 〘植物〙〘菌類〙展示用乾燥標本.
i·de·a·tum 名 〘哲学〙(認識論で)観念的対象.
pet·ro·la·tum 名 〘化学〙ワセリン, ペトロラタム.
po·ma·tum 名 ポマード(pomade).
re·la·tum 名 〘論理〙関係項, 関連語.
sig·ni·fi·ca·tum 名 〘言語〙(記号の)指示物.
stra·tum 名 ☞
tes·ta·tum 名 〘法律〙(捺印(なつ)証書の)本文.
ul·ti·ma·tum 名 最後通牒(つうちょう), 最後通告.

-a·tus

接尾辞 ラテン語の過去分詞および形容詞語尾.
◆ <ラ *-ātus* = *-ā-* 語幹形成母音 + *-tus* 過去分詞接尾辞. ⇨ -TUS[2].

be·a·tus 名 福者の列に加えられた男性.
cap·il·la·tus 形〈積乱雲が〉多毛雲の, 多毛状の.
cas·tel·la·tus 形 《もと》〘気象〙〈雲が〉塔状の.
du·pli·ca·tus 形 〘気象〙〈雲が〉二重雲の.
fi·bra·tus 形 〘気象〙〈雲が〉毛状雲の.
quad·ri·ga·tus 名 裏面に並列四頭立て二輪戦車(quadriga)に乗った Jupiter の像が刻まれた古代ローマの銀貨.
ra·di·a·tus 形 〘気象〙放射状(雲)の.
spis·sa·tus 形 〘気象〙〈雲が〉濃密(雲)の.
stra·tus 名 ☞
ver·te·bra·tus 形 〘気象〙〈雲が〉肋骨雲状をした.

-aud[1] /ou; *Fr.* o/

接尾辞 フランス語の形容詞・名詞語尾.
★ 元来は人名語尾.
★ 語末にくる関連形は -ALD[1].
◆ <仏 *-aud, -aude* <フランク**-wald*(**-walden*「支配する」より).

Ar·naud 名 アルノー(姓).
Ar·taud 名 アルトー(姓).
Gi·raud 名 ジロー(姓).
Lar·baud 名 ラルボー(姓).
Rey·naud 名 レノー(姓).
Rim·baud 名 ランボー(姓).
Tus·saud 名 タソー, テュソー(姓).

-aud[2] /ɔ́ːd/

語尾 いくつかはスコットランド方言の語尾.

baud 名 〘通信〙ボー.
daud 名 《スコット》塊, 厚切り.
fraud 名 詐欺, 欺瞞(ぎまん); 詐欺事件.
gaud 名 《文語》派手な飾り.
haud 動名 《スコット》=hold.
laud 動他 《文語》褒めたたえる.

maud 名 モード: スコットランド南部の羊飼いなどの着る毛織物の肩掛け.
scaud 動他《スコット》…をやけどさせる.
yaud 名《スコット・北イング》雌馬(mare).

au·di·ence /ɔ́:diəns/

名 (行事などの)見物人, 会衆; (講演会・音楽会などの)聴衆, 聞き手; (映画・演劇などの)観客, 観衆. ⇨ -ENCE[1].

clair·au·di·ence 名 透聴(力), 霊聴.
pre·au·di·ence 名 〘英法〙優先弁論[発言]権.
stúdio àudience (ラジオ・テレビの)番組参加者.
tárget àudience 名 広告ターゲット, 広告訴求対象.

au·dit /ɔ́:dit/

名 **1** 会計検査[監査]. **2** (特定目的の)精査, 監査.

cásh àudit 〘会計〙現金[預金]監査.
énergy àudit (家庭・工場の)エネルギー監査.
gréen áudit 環境適合検査.
indepéndent áudit 〘会計〙独立監査.
intérnal áudit 〘会計〙内部監査.
perfórmance àudit 〘経営〙業務監査.
posítion àudit 〘経営〙業務組織状況監査.
post·áu·dit 名 〘会計〙事後監査, 決算後監査.
pre·áu·dit 名 〘会計〙事前[決算前]監査.
sýstems àudit 〘会計〙システム監査.

-augh /ɔ́:/

間 恐れ, 嫌悪などの発声.
★ 語末にくる同音形は -AW[3].

augh 間《驚き・恐れを表して》わあ, きゃー.
faugh 間《軽蔑・嫌悪を表して》ふふん, へっ.
waugh 間 ウォー. ►怒り・嫌悪・悲しみを表す.

-aught[1] /ɔ́:t/

語尾 語末にくる同音形は -OUGHT[1].

aught[1] 名《文語・古》何か, なんでも.
aught[2] 名 零, ゼロ.
caught 動 catch の過去・過去分詞形.
fraught 形 (…に)満ちた; (…を)伴う.
naught 名《文語》無(nothing).
taught 動 teach の過去・過去分詞形.

-aught[2] /ɔ́:xt/

語尾 スコットランド方言.

aught[1] 動他《スコット》…を持っている.
aught[2] 形《スコット》八の, 八個の(eight).
claught 動 cleek の過去形.

-auk /ɔ́:k/

語尾 語末にくる同音形は -ALK, -AULK, -AWK.

auk 名 〘鳥類〙オーク, ウミスズメ.
dauk 名 (特にインドなどで)リレー式運送.
jauk 動自《スコット》ぐずぐず[のろのろ]する.
wauk[1] 動自《スコット》目が覚める, 起きる.
wauk[2] 動他《スコット》〈紡毛布地を〉縮絨(しゅくじゅう)する.

-aul /ɔ́:l/

語尾 語末にくる同音形は -ALL[1], -AWL[1], -AWL[2], -OL[3].

caul[1] 名 〘解剖〙大網膜.
caul[2] 名 〘木工〙当て板.
haul 動他 ☞
maul 名 〘木工〙大槌(つち), 掛け矢.
waul 動自名 (猫みたいに)悲しげに泣く(声).

-auld /ɔ́:ld/

語尾 主にスコットランド方言.
★ 語末にくる同音形は -ALD[2].

auld 形《スコット・北イング》=old.
cauld 形《スコット》=cold.
fauld 名 〘甲冑〙腰当て, フォールド.
yauld 形《スコット・北イング》活動的な, 活発な; 元気な, 強壮な.

-aulk /ɔ́:k/

語尾 語末にくる同音形は -ALK, -AUK, -AWK.

baulk 動他 しりごみする, ためらう.
caulk 動他 すき間をふさいで空気[水]漏れを防ぐ.
waulk 動他〈紡毛布地を〉縮絨(しゅくじゅう)する.

-ault[1] /ɔ́:lt/

語尾 語末にくる同音形は -ALT.

fault 名 ☞
gault 名 〘地質〙ゴールト階.
vault[1] 名 ☞
vault[2] 動自 ☞

-ault[2] /ú:/

語尾 語末にくる同音形は -EW[3], -O[7], -OE[2], -OO[1], -OO[2], -OO[3], -OOH, -OU[1], -OUGH[7], -U[3], -UE[2].

sault 名 滝; 急流, 早瀬.

-aum /ɔ́:m/

語尾 いずれも音象徴的な感じをもつ.

gaum 動他《主に米南部ミッドランド・南部方言》べたべたによごす. ―名 よごれ.
glaum 動自《主に英方言》つかむ.
graum 動自《米俗》悩む; やきもきする.

-aun /ɔ́:n/

語尾 語末にくる同音形は -AWN.

faun 名 〘ローマ神話〙ファウヌス.
gaun 動《スコット》gae(=go)の現在分詞形.
maun 助《スコット》=must.
staun 動自他名《スコット》=stand.

-aunch /ɑ́:ntʃ, ɔ́:ntʃ/

語尾 haunch, paunch に丸いふくらみの音象徴を感じる人がいる.
★ 語末にくる同音形は -ANCH.

faunch 動自《米ミッドランド・西部》わめく.
flaunch 名 (煙突頂部の水切り用)セメント勾配.
haunch 名 (人の)臀部(でんぶ), 尻, 腰.
launch[1] 動他 ☞
launch[2] 名 ランチ, 汽艇, 動力艇.
paunch 名 ほてい腹, 太鼓腹(potbelly).

A

raunch 名 《話》猥褻(ﾜｲｾﾂ); 悪趣味; 性欲.
scraunch 動他《米俗》負かす.
staunch[1] 動他〈特に血の〉流出を止める.
staunch[2] 形 堅実な, 信頼できる, 忠実な.

aunt /ǽnt, ɑ́ːnt | ɑ́ːnt/

名 おば.

ágony àunt (女性の)人生相談回答者.
Chárlie's Aùnt 《英》Princess Margaret のあだ名.
gránd·àunt 名 父[母]のおば, 大おば.
gréat-àunt 名 ＝grandaunt.

-aup /ɔ́ːp/

語尾 主にスコットランド方言で, 音象徴と擬声語.
★ 語末にくる同音形は -AWP.

gaup 動自 (…を)ぼかんと見つめる(gawp).
jaup 名 《スコット》(水の)滴り(jawp); 《北英》たたく, 割る, つぶす.
scaup 名 【鳥類】スズガモ.
whaup 名 《スコット》【鳥類】ダイシャクシギ.
yaup 動自《主に方言》わめく(yawp).

-aur /ɔ́ːr/

語尾 主にスコットランド方言.
★ 語末にくる同音形は -AR[8], -OAR, -OOR[2], -OR[3], -ORE, -OUR[3].

daur 動自《スコット》＝dare.
faur 形副《スコット》《距離》＝far.
glaur 名 《スコット》泥; ぬかるみ; 湿地.
-saur 連結形 ☞
scaur 名 《スコット》絶壁(scar).
waur[1] 形名副《スコット》＝worse.
waur[2] 形 《スコット》＝wary.
whaur 副代接名《スコット》＝where.

-ause /ɔ́ːz/

語尾

cause 名 ☞
clause 名 ☞
nause 動他《米俗》吐き気を催させる.
pause 名 ☞

au·thor·i·ty /əθɔ́ːrəti, əθɑ́r- | ɔːθɔ́r-/

名 (…に対する)権威, 権力, 支配力. ⇨ -ITY.

àn·ti·au·thór·i·ty 形 反権威の, 反権力の.
Atómic Énergy Authòrity (英国)原子力公社.
Brítish Tóurist Authòrity 英国政府観光庁.
Indepéndent Bróadcasting Authòrity 英国独立放送協会.
Indepéndent Télevision Authòrity 独立テレビジョン公社.
ìn·ter·au·thór·i·ty 形 関係当局間の.
Lócal Educátion Authòrity 【英教育】地区教育局.
Núclear-Frée Authòrity 非核自治体.
obligátional authòrity 歳出義務権限.
pórt authòrity 港湾管理委員会.

aux·e·sis /ɔːgzíːsis, ɔːksíː-/

名 【生物】肥大, 増大, 生長. ⇨ -ESIS.
★ 語頭にくる関連形は aux(o)-: *aux*in「【生化学】オーキシン」.

brad·y·aux·e·sis 名 劣成長.
het·er·aux·e·sis 名 (固有発生における)個体発生的相対成長.
is·aux·e·sis 名 等成長.
tach·y·aux·e·sis 名 優成長.

-av /ǽv/

語尾 すべて短縮語.
★ 語末にくる同音形は -ALVE.

cav 名 《米軍俗》空中騎兵, ヘリコプター武装偵察部隊(air cavalry).
grav 名 【航空】重力加速度の単位(gravity).
nav 名 《英空軍俗》航空士; ナビゲーター(navigator).
pav 名 《豪·NZ 話》ホイップクリームと果実で飾ったメレンゲケーキ(Pavlova).
sav 名 《豪·NZ 話》サビロイ: 乾製ソーセージ(saveloy).

-ave /éiv/

語尾

brave 形 勇敢な, 勇ましい.
cave 名 ☞
clave[1] 動 《古》cleave の過去形.
clave[2] 名 【昆虫】(触角の)球桿部(clava).
crave 動他 切望[渇望, 熱望]する.
drave 動 《古》drive の過去形.
fave 名 《俗》お気に入り, 人気者; 好物.
gave 動 give の過去形.
glave 名 《古》剣; 幅広の剣(glaive).
grave[1] 名 ☞
grave[2] 形 厳粛な, 荘重な; まじめな, 深刻な.
grave[3] 動他《主に文語》彫る, 彫刻する.
grave[4] 動他【海事】〈船底の〉付着物を除去して塗料[タールなど]を塗る.
-grave[1] 連結形 ☞
-grave[2] 連結形 ☞
knave 名 不正直者, 破廉恥漢, 悪漢.
lave[1] 動他 洗う; 浸す.
lave[2] 名 《スコット》残り, 残余.
lave[3] 形 《英廃》(耳が)垂れ下がっている.
nave[1] 名 ネイブ, 身廊, 身廊外陣(ｹﾞﾝ).
nave[2] 名 (車輪の)こしき(hub).
pave 動他〈道路·歩道などを〉舗装する.
rave[1] 動自 うわごとを言う.
rave[2] 名 (荷馬車の)荷枠, 囲い板, 横枠.
save[1] 動他 救う, 救助[救出]する, 助ける.
save[2] 前 《文語·古》…を除いては, の外は.
shave 動自 ☞
slave 名 ☞
stave 名 (樽·桶などの)側板, 桶板, 樽板.
thrave 名 《主にスコット》穀物を数える単位.
trave[1] 名 【建築】横桁, 横断梁(ﾘｮｳ).
trave[2] 名 枷(ｶｾ).
wave 名 ☞

av·er·age /ǽvəridʒ/

名 **1** 平均(値); 並み, 標準. **2** (チーム·選手の)率; (学業などの)成績点. ⇨ -AGE[1].

abòve-áverage 形 平均以上の; 並外れた.
bátting àverage 【野球】打率.
dóllar-àverage 動自【証券】ドル平均法を使う.
Dów-Jónes àverage 《商標》ダウ式平均株価(指数).
éarned rún àverage 【野球】防御率.
fíelding àverage 【野球】守備率.
géneral áverage 【保険】共同海損.
góal àverage 【サッカー】得点率.
gráde pòint áverage 《米》【教育】成績評価点平均.

gróss áverage 〘保険〙=general average.
lárger-than-áverage 形 大柄の. ►fat の婉曲語.
móving áverage 〘統計〙移動平均.
partícular áverage 〘海上保険〙単独海損.
quálity pòint àverage 〘教育〙=grade point average.
slúgging àverage 〘野球〙塁打率.
sub·áv·er·age 形 平均[標準]以下の.

-aw[1] /ɔ́ː/

間 **1** ガハハ, アハハ, フン; 高笑いや不満・驚嘆・失望などの発声を表す. **2** 動物の鳴き声を表す擬声語.

aw 間 《抗議・不信・不快・不満などを表して》おい, よせやい, ばかな, ちぇっ.
caw 名 カアカア.
guf·faw 名 (突然の)高笑い, (下品な)げらげら笑い, ばか笑い, ガハハ, ゲタゲタ.
haw[1] 動自 (話・演説などで)つまる, 口ごもる; (口ごもって)ええ[ああ, うーん]と言う. ―― 名 口ごもって発する声(ええ, ああ, うーんなど). ―― 間 (口ごもって言う)ええ, ああ, うーん.
haw[2] 間 《馬など車を引く動物に通例左へ曲がるときの掛け声に用いて》どうどう.
hee·haw 名 ロバの鳴き声.
law[1] 間 《古用法》《驚きを表して》あれあれ, おやおや. ►Lord から; 《米俗》で Law, law!
law[2] 動自 《廃》〈牛が〉モーと鳴く(low).
naw 間 《米 / 北イング・スコット方言》《発音綴り》いいえ(no).
pshaw 間 《古》《じれったさ・軽蔑・不信を表して》ちぇっ, ふん, へん(pish, tush). ―― 名 ちぇっ[ふん, へん]という叫び. ―― 動自 (…に)ちぇっ[ふん, へん]と言う. ―― 他 <人に>ちぇっ[ふん, へん]と言う; ふんと鼻であしらう.
yee·haw 間 ほれーっ, それー, うわーい.

-aw[2] /ɔ́ː, ɔ̀ː/

音象徴 間 間投詞と音象徴語の重複形に見られる語末要素; ee と aw の母音交替がある.

háw-háw 間 (大笑い・ばか笑いの)ハッハ, ワハハ. ―― 名 ばか笑い, げらげら笑い. ―― 動自 げらげら笑う, 高笑いする.
hée-hàw 名 ロバの鳴き声; 人のばか笑い, 「ガハハ」. ―― 動自 〈ロバが〉鳴く; 〈人が〉ばか笑いする.
sée·sàw 名 シーソー遊び. ―― 形 〈動きが〉上下[前後]の; 《比喩的》〈物・事が〉変動する, 一進一退の. ―― 動自他 上下[前後]に動く[動かす]; 〈事が〉変動[一進一退, 浮き沈み]する[させる].

-aw[3] /ɔ́ː/

語尾 語末にくる同音形は -AUGH.

aw 形 《スコット》=all.
blaw 動自他 《スコット・北イング》〈風・嵐が〉吹く(blow).
braw 形 《主にスコット》立派な; すてきな.
claw 名 ☞
craw 名 (鳥・昆虫の)餌(え)袋, 嗉嚢(そのう)(crop).
daw[1] 名 ニシコクマルガラス(jackdaw).
daw[2] 動自 《スコット》=dawn.
draw 動他 ☞
flaw[1] 名 (性格などの)あら, 欠点, 欠陥.
flaw[2] 名 突風(windflaw).
gaw 名 《主にスコット》(特に地面の溝, 布地の擦り切れて薄くなった部分などの)細い溝状のくぼみ.
gnaw 動他 (繰り返し)かむ, しゃぶる, かじる.
haw[1] 名 ☞
haw[2] 名 (馬・犬などの)瞬膜, 第三眼瞼.
haw[3] 名 《古》囲い地(close).
jaw 名 ☞
law[1] 名 ☞
law[2] 形 《廃》《スコット》=low.
maw[1] 名 (特に肉食性哺乳動物の)口, のど, 食道.
maw[2] 名 《話》ママ, 母ちゃん(mom).
maw[3] 動他自 《米俗》(人に)キスや愛撫をする.
paw[1] 名 ☞
paw[2] 名 《話》父ちゃん(father, pa).
raw 形 〈食品が〉火を通していない, 生の.
saw[1] 名 ☞
saw[2] 動 see の過去形.
saw[3] 名 ことわざ, 格言.
shaw[1] 名 《米ミッドランド》《古》小さな森.
shaw[2] 動他名 《スコット》=show.
slaw 名 《主に米・カナダ》コールスロー(coleslaw).
staw 名 《主にスコット》馬小屋の一頭を入れる一区画, 馬房, 牛房(stall).
straw[1] 名 ☞
straw[2] 動他 《古》まき散らす, ばらまく(strew).
taw[1] 名 はじき石, はじき玉.
taw[2] 動他 〈原料品を〉仮処理する(dress).
thaw 動自 〈氷・雪・凍った物などが〉解ける.
thraw 動他 《英方言》=throw.
yaw[1] 動自 〈船などが〉(左右に揺れて)針路から一時的にそれる.
yaw[2] 名 〘病理〙フランベジア疹(しん).

a·ward /əwɔ́ːrd/

名 賞, 賞品.

Acádemy Awárd (米国映画の)アカデミー賞.
Américan Bóok Awàrd 米国図書賞.
Cáldecott Awàrd (米国の)カルデコッド賞: 児童向き絵本対象.
Canádian Fílm Awárd カナダ映画賞.
cóntract awàrd 〘ロケット〙契約裁定.
Cý Yóung Awàrd (米国大リーグの)サイヤング賞.
Émmy Awàrd (米国の)エミー賞: テレビ番組対象.
Húgo Awàrd (米国 SF 文学の)ヒューゴー賞.
Nátional Bóok Awàrd 全米図書賞.
Néwbery Awàrd (米国の)ニューベリー賞: 児童図書対象.
Plástic Píg Awárd 《米》プラスチックの豚賞: ポルノに反対する女性の会が女性を侮蔑した広告主に毎年与える.
Quéen's Awàrd (英国の)女王賞.
Rúben Awàrd (全米漫画協会の)ルーベン賞.
Sílver Snóopy Awárd (米国 NASA の)シルバースヌーピー賞.

a·ware /əwέər/

形 (…に)気づいている, 知っている. ⇨ WARE[2].

e·co·a·ware 形 環境意識のある.
self-a·ware 形 自分を意識した, 自覚している.
un·a·ware 形 意識しない, 気づかない.

a·way /əwéi/

副 《運動》(特定の場所から)離れて, 去って, 出かけて.
★ 多くの動詞と結合して句動詞を形成し, その名詞化ないし形容詞化もまたよく生ずる: take away →

A

takeaway.

bréak·awày 分離; 離脱, 逸脱.
cást·awày 難船者, 漂流者.
cút·awày 前すそを斜めに裁った上着(モーニングコートなど).
díe-awày 形 弱まる; 思い悩んでいる. ── 名 (音・映像などが)しだいに消えていくこと.
dríve·awày 車の配送.
fáde·awày 姿を消すこと; 薄らぐこと; 衰弱.
fáll-awày 《米》(特にカトリックからの)離脱者.
fár·awáy 形 〈時間・距離・関係などが〉遠い.
flý·awày 形 〈衣服・頭髪などが〉風になびく.
fóld·àway 形 折りたためる, 折りたたみ式の.
gét·awày (犯人などの)逃亡; 脱出.
gíve·awày (秘密・本音・感情などを)うっかり漏らすこと; 秘密漏洩(ろうえい).
góing-awày 形 旅立つ人のための; お別れの.
góne awáy 『キツネ狩り』猟犬係が発する「狩猟始め」の声.
híde·àway 隠れ場所, 潜伏場所.
húnt·awày 《豪・NZ》羊の番犬, 牧羊犬.
láy·awày 商品予約購入法(layaway plan).
lóck-awày 《英》長期(運用)証券.
pláy-awày 《英俗》週末を田舎で過ごすこと.
róll·awày 形 〈特に折りたたみベッドが〉ころのついた.
rún·awày 逃亡者, 脱走者.
shót-àway 形 《米俗》(酒, 麻薬で)酔った.
sléep-àway 形 〈場所が〉宿泊の(ための).
sóak·awày 《英》(排水用の)粗石を詰めた穴.
stánd·awày 形 〈衣服・襟が〉(体から離れて)高く立った.
stów·awày (船・航空機などによる)密航者.
stráight·awày 形 《米》〈競走路などが〉まっすぐな.
swíng·àway 形 取り外し可能な.
táke·awày 控除[削除]されるもの.
téar·awày 形 たやすく引きはがせる.
thrów·awày 形 使い捨ての.
tów·awày 《米》(駐車違反車の)強制牽引.
wálk·awày 楽勝; 楽な仕事, 朝飯前.
wásh·awày 《豪話》土砂の流出, 土砂崩れ.

-awk /ɔ́ːk/

語尾 hawk[3] と squawk は擬声語. gawk は音象徴的.
★ 語末にくる同音形は -ALK, -AUK, -AULK.

dawk 名 《米》消極的反戦論者.
gawk 動自 《話》見とれる; うろつき回る.
hawk[1] 名 ☞
hawk[2] 動他 〈物を〉売り歩く, 行商する.
hawk[3] 動自 咳(せき)払いをする.
hawk[4] 名 こて板.
lawk 間 《英俗・古風》あっ, 大変だ.
squawk 動自 〈アヒルなどが〉ガーガー鳴く.

-awl[1] /ɔ́ːl/

音象徴 **1** ウオーン, アオー; 苦痛や怒りなどで大きく長く発する声や犬の遠吠えを表す: br*awl*. ►waul(◇ -AUL)も同類. **2** ぎこちなく, ぶざまに広がっていく動きや這(は)うさまを表す: acr*awl*.

a·crawl 形副 〈虫などが〉這(は)い回って, たかって; 〈場所などが〉(…で)うようよして(crawling).
a·sprawl 副形 だらしなく横になって, 寝そべって; ぶざまに広がって.
bawl 動自 ワーワーと大声で泣く, 泣きわめく; 苦しそうに話す[歌う].
brawl 名 騒々しいけんか[口論, 争い], どんちゃん騒ぎ.
crawl 動自 〈人・虫などが〉這(は)う, 這って行く; (赤ん坊のように)腹這いになって動く; そろそろ[こそこそ]歩く.
drawl 動自 (通例, 母音を引き延ばして)ゆっくり話す.
scrawl 動他 〈字・絵などを〉ぞんざいに書く, 走り書きする; 〈壁などに〉〈字・絵などを〉落書きする; ぞんざいに消す.
sprawl 動自 〈手足などが〉投げ出される, 不規則に伸びる[広がる]; 〈都市が〉スプロール化する.
wawl 動自名 (猫みたいに)悲しげに泣く(声)(waul).
yawl 名 《英方言》長く悲しそうな叫び声, 遠吠え(howl, yowl). ── 動自 《英方言》〈動物・人が〉長く悲しそうに叫ぶ; 遠吠えする. ── 他 《英方言》…を悲しそうな声で言う.

-awl[2] /ɔ́ːl/

語尾 語末にくる同音形は -ALL[1], -AUL, -AWL[1], -OL[3].

awl 名 錐(きり), 千枚通し, 突き錐.
chawl 名 (インドの)大共同住宅.
mawl 名 『木工』大槌(つち), 掛け矢(maul).
pawl 名 『機械』歯止め, 爪.
shawl 名 (特に婦人用の)ショール, 肩掛け.
trawl 名 トロール網.
yawl 名 ジョリー艇(jolly boat): 船舶の船尾に積載される, 軽い雑用ボート.

-awn /ɔ́ːn/

語尾 動詞の過去分詞がいくつかある.
★ 語末にくる同音形は -AUN.

awn 名 『植物』芒(のぎ).
bawn 名 《ニューファンドランド》岩浜.
brawn 名 強くたくましい筋肉.
dawn 名 夜明け, 曙(あけぼの), 暁.
drawn 動 ☞
fawn[1] 名 (特に乳離れ前の)子ジカ.
fawn[2] 動自 こびへつらう, おもねる.
gnawn 動 gnaw「かむ」の過去分詞形.
lawn[1] 名 芝地, (特に庭園, 公園などの)芝生.
lawn[2] 名 ローン, 寒冷紗(しゃ).
pawn[1] 動他 …を借金のかたに入れる.
pawn[2] 名 ☞
prawn 名 プローン, 中エビ.
sawn 動 saw「のこぎりで切る」の過去分詞形.
spawn 名 『動物』腹子.
thrawn 形 《スコット》ねじれた.
yawn 名動自間 あくび(する); ふあーっ. ► thrown に相当.

-awp /ɔ́ːp, áːp/

語尾 語末にくる同音形は -AUP.

gawp 動自 《主に英》ぽかんと見つめる(gape).
jawp 名 《スコット》(水の)滴り(jaup).
yawp 動自 《主に方言》わめく(yaup).

ax /ǽks/

名 斧(おの), まさかり.

báttle-àx 戦斧(せんぷ), 闘斧(とうふ).
bróad·àx (伐木用の)斧.
cúrtle àx (昔, 船乗りが用いた)やや反り身で片刃の重い短剣(curtalax).
dóuble áx ダブル・アックス.

grúb àx 根掘り用つるはし.
hánd àx ハンドアックス, 握斧(あく).
íce àx ピッケル(pickel), アイスアックス.
jédding áx 石工用斧.
Lochábør àx ロッハーバー斧.
méat àx (特に肉屋の使う)大包丁.
méat-àx 形 《話》思いきった, 過酷な, 厳しい.
pátent áx 刃びしゃん: 石上げの削り, 小たたきに使用するハンマー.
píck·àx 《米》(特に一端だけがとがった)つるはし(mattock).
póle·àx (中世の歩兵の用いた)戦闘用斧.
stóne áx 石切り斧.
tóoth àx (石を削るのこぎり状の目のついた)両刃の斧, のこぎり斧.

-ax /ǽks/

語尾

ax 名 ☞
fax[1] 名 ☞
fax[2] 名 《話》=facts.
-fax 連結形 ☞
flax 名 ☞
lax 形 厳しくない, 手ぬるい; いい加減な.
max 名 《俗》最大量, 最大数(maximum).
pax[1] 名 〖教会〗平和 [親睦] の接吻.
pax[2] 名 旅行者(passenger).
rax 動自 《スコット・北イング》(寝起きなどに)(背)伸びをする, 体を伸ばす.
sax[1] 名 《話》サクソフォーン(saxophone).
sax[2] 名 (古代スカンジナビアの)片刃の短刀; スレート職人用なた.
tax 名 ☞
wax[1] 名 ☞
wax[2] 動自 〈勢力・感情などが〉増す, 大きくなる.
wax[3] 名 《主に英俗》怒り, 腹立ち.
zax 名 石板(せきばん)切り.

axe /ǽks/

名 斧(おの)(ax).

bat·tle-axe 名 《英》戦斧(せんぷ), 闘斧(とうふ).
broad·axe 名 (伐木用の)おの.
meat·axe 名 肉切り包丁.
tom·my·axe 名 《豪·NZ》斧(おの)(tomahawk).

ax·i·al /ǽksiəl/

形 軸(性)(axis)の; 軸を成す(ような). ⇨ -IAL.

ab·ax·i·al 形 〖植物〗背軸の, 遠軸の.
ad·ax·i·al 形 〖植物〗〈葉が〉向軸の, 近軸の.
bi·ax·i·al 形 二軸の.
co·ax·i·al 形 共通の軸を持った, 共軸の.
ep·ax·i·al 形 〖解剖〗軸上の.
mon·ax·i·al 形 〖植物〗単軸の(uniaxial).
par·ax·i·al 形 〖光学〗近軸の.
plu·ri·ax·i·al 形 〖植物〗多軸性の, 複軸の.
post·ax·i·al 形 〖解剖〗〖動物〗軸後の, 軸背の.
pre·ax·i·al 形 〖解剖〗〖動物〗軸前方の.
tri·ax·i·al 形 3個の軸を持つ; 三成分から成る.
u·ni·ax·i·al 形 1つの軸を持った, 単軸の.

ax·i·om /ǽksiəm/

名 (証明を必要としない)自明の理; 〖論理〗〖数学〗公理, 公準.

indepéndent áxiom 〖論理〗〖数学〗独立な公理.
múltiplicative áxiom 〖数学〗《主に英》=Zermelo's axiom.
párallel áxiom 〖幾何〗平行射影.
Zérmelo's áxiom 〖数学〗《主に英》選択 [選出] 公理, ツェルメロの公理.

ax·is /ǽksis/

名 **1** (回転体の)軸, 軸線. **2**〖数学〗平面図形を等分する中心線. **3**〖解析幾何〗軸. **4**〖結晶〗結晶軸. **5** (国家間の)枢軸.

B́-àxis 名 〖結晶〗B 軸.
Ć-àxis 名 〖結晶〗結晶軸, C 軸.
cónjugate áxis 〖幾何〗共役軸.
crystallográphic áxis 〖結晶〗結晶軸.
imáginary áxis 〖数学〗虚数軸, 虚軸.
magnétic áxis 〖物理〗磁軸.
májor áxis 〖数学〗楕円(だえん)の長軸.
mínor áxis 〖数学〗(円錐曲線の)短軸.
néutral áxis 〖建築〗〖機械〗中立軸.
óptical áxis 〖光学〗光学軸.
óptic áxis 〖結晶〗光(学)軸, 法線軸.
pólar áxis 〖数学〗原線, 始線.
príncipal áxis 〖光学〗主軸, 光軸.
rádical áxis 〖幾何〗根軸.
réal áxis 〖数学〗(複素平面における)実(数)軸.
Róme-Berlín Áxis ローマ=ベルリン枢軸(1936).
rotátion àxis 〖結晶〗回転軸.
rotátion-invérsion àxis 〖結晶〗回反軸, 映軸.
scréw àxis 〖結晶〗らせん軸, 旋回軸.
sèm·i·áx·is 名 〖数学〗半軸.
sèmi·májor áxis 〖幾何〗楕円の長軸の半分.
sèmi·mínor áxis 〖幾何〗楕円の短軸の半分.
tránsverse áxis 〖数学〗交軸, 横軸.
x́-àxis 名 〖数学〗x 軸, 横軸.
ý-àxis 名 〖数学〗(斜交座標系で)y 軸, 縦軸.
ź-àxis 名 〖数学〗z 軸.

ax·le /ǽksl/

名 〖機械〗(車輪の)心棒, 回転軸, 車軸.

flóating áxle 〖機械〗浮動軸.
stúb àxle 〖自動車〗スタブ軸.
trans·áx·le 名 〖自動車〗トランスアクスル.

-ay[1] /ei/

接尾辞 《俗》ピッグラテン(Pig Latin)で使われる語尾.
★ 各語の語頭の子音を語尾に回して, さらに -ay をつけたもの; 隠語を作るために使われ, 自由に造語することができる.

ag·fay 名 《米俗》男の同性愛者(fag).
alls-bay 名 《米俗》睾丸(balls).
am·scray 動自 《米俗》ずらかる, うせる(scram).
it-shay 名 《米俗》いやなやつ(shit).
o·day 名 《俗》金(dough).
og·fray 名 《英俗 / 軽蔑的》フランス人(frog).
uck·er·say 名 《米俗》だまされる人(sucker).
uzz-fay 名 《米俗》警官(fuzz).

-ay[2] /ei, ə, i/

連結形 島. ◇ ISLE, ISLAND.
★ 地名などの名詞をつくる.
★ -EY[4] の異形.
◆ 古英 ēg より.

Col·on·say 名 コロンセイ(Inner Hebrides 諸島の島).
Is·lay 名 アイレー(Inner Hebrides 諸島の島).

A

Lynd·say 名 リンゼー(地名起源の姓).►字義は「Lelli(人名)の島」.

-ay^{3} /éi/

語尾 代表的な語尾の一つ; ay^{2}, nay^{1}, yay^{1} は応答用の間投詞.
★語末にくる同音形は -AE^{2}, -EA^{3}, -EH^{3}, -EI^{1}, -EIGH, -EY^{6}.

ay^{1} 副 《古・詩語》常に, いつも.
ay^{2} 間 《古》ああ, まあ, おお.
bay^{1} 名 ☞
bay^{2} 名 ☞
bay^{3} 名 (追跡中の猟犬の長く低い)ほえ声.
bay^{4} 名 ☞ BAY^{3}
bay^{5} 名 赤褐色, 鹿毛(かげ)色.
bray^{1} 名 ロバの(耳障りでしわがれた)鳴き声.
bray^{2} 動他 細かくつぶす, すりつぶす.
cay 名 (特にカリブ海の)州, 中州, 小島.
chay^{1} 名 チャイ: アカネ科の草アカネムグラの根.
chay^{2} 名 (通例, ほろ付きの)2人乗りの1頭引き軽装二輪馬車(chaise).
clay^{1} 名 ☞
clay^{2} 名 クレイ, クレイウーステッド: 梳毛(そもう)糸を用いて織ったサージ.
cray 名 《豪・NZ 話》ザリガニ(crayfish).
day 名 ☞
dray^{1} 名 (重い荷を運ぶ低い)荷(馬)車.
dray^{2} 名 リスの巣(drey).
fay^{1} 名 《文語》妖精(fairy).
fay^{2} 動他自 (特に造船で)〈木材を〉ぴったりと接合させる; 〈木材が〉ぴったりと接合する, 密着する.
fay^{3} 名 《廃》信頼, 信用(faith).
fay^{4} 名 《米黒人俗》白人(ofay).
flay 動他 〈動物・樹木・果物の〉皮をはぐ.
fray^{1} 名 争い, 取っ組み合い, 小競り合い.
fray^{2} 動他 〈衣類や縄などを〉擦り切らす.
gay 形 陽気な, 快活な; 同性愛の.
gray^{1} 形 ☞
gray^{2} 名 『物理』グレイ.
hay^{1} 名 干し草, まぐさ, 乾草, わら.
hay^{2} 名 S字状の輪になって踊るカントリーダンス; その踊りの輪.
jay^{1} 名 ☞
jay^{2} 名 《米俗》マリファナタバコ.
lay^{1} 動他 ☞
lay^{2} 動 lie の過去分詞.
lay^{3} 形 平信徒の, 俗人の.
lay^{4} 名 (特に歌うための)短い物語詩, 詩.
lay^{5} 名 スレー, 筬框(おさかまち).
may^{1} 助 《推量・可能性》…であり得る; …だろう.
may^{2} 名 《古》少女, 娘(maiden).
may^{3} 名 《英》サンザシ(山査子)(may tree).
nay^{1} 副 《古》いや, いな; 《文語》それどころか, いやむしろ.
nay^{2} 形 《米俗》醜い, 嫌な, 不快な.►nasty より.
pay^{1} 動他 ☞
pay^{2} 動他 『海事』ピッチ[タールなど]を塗る.
play 名 ☞
pray 動他 〈神や信仰の対象に〉祈願する.
quay 名 岸壁, 埠頭(ふとう), 波止場.
ray^{1} 名 ☞
ray^{2} 名 ☞
ray^{3} 名 『音楽』レ(re).
say^{1} 動他 ☞
say^{2} 動他 《英方言》調べる(assay).
say^{3} 名 セイ: サージに似た薄い絹[毛]織物.
scray 名 《英》『鳥類』アジサシ(鯵刺).
shay 名 《米話・古・方言》(通例, ほろ付きの)2人乗りの1頭引き軽装二輪馬車(chaise).
slay 動他 …を殺す, 殺害[虐殺]する.
spay^{1} 動他 『獣医学』卵巣を除去する.
spay^{2} 名 3歳の雄のアカジカ.
splay 動他 広げる, 〈手・足などを〉開く.
spray^{1} 名 ☞
spray^{2} 名 (花・葉・果実をつけた)小枝.
stay^{1} 動自 ☞
stay^{2} 名 ☞
stay^{3} 名 『主に海事』支索, 控え, 維持索.
stray 動自 横道にそれる, はぐれる; 道に迷う.
sway 動自 前後[左右]に動く, 揺らぐ.
tay 名 《アイル》=tea.
tray^{1} 名 ☞
tray^{2} 名 《豪俗》3ペンス硬貨.
way^{1} 名 ☞
way^{2} 副 あっちへ.
yay^{1} 副 はい, さよう, しかり(yea). ── 間 うわーっ, いいぞ, そうだ.
yay^{2} 副 《俗》これほど.

-ay^{4} /ái/

語尾 語末にくる同音形は -AI, -EI^{2}, -I^{6}, -IE^{3}, -IGH, -UY, -Y^{6}, -YE.

ay^{1} 副名 さよう, しかり(aye).
ay^{2} 間 アイ: ay ay ay と繰り返して歌の合いの手にする.
chay 名 チャイ: アカネ科の草アカネムグラの根.
nay 名 ナイ: 西アジア・中東の葦で作った笛.

a·zal·ea /əzéiljə/

名 『植物』アザレア. ⇨ -A^{2}.

fláme azàlea アザリアの一種カレデュラケウム.
Koréan azálea チョウセンヤマツツジ.
swámp azàlea ツツジの一種 *Rhododendron viscosum.*
trée azàlea ツツジ科の低木キダチアザリア.

-aze /éiz/

語尾 blaze^{1}, glaze にぎらぎらした光, gaze, amaze, maze, daze, faze, craze に呆然さ, graze^{2}, raze に摩擦を感じる人がいて, 音象徴に近い.
★語末にくる同音形は -AISE, -ASE^{3}.

a·maze 動他 〈物・事・人が〉〈人を〉(ひどく)びっくりさせる.
blaze^{1} 名 ☞
blaze^{2} 名 目印, 道しるべ; 目印のついた道.
blaze^{3} 動他 〈情報を〉公表する, 大きく報じる.
braze^{1} 動他 …を真鍮(しんちゅう)で造る.
braze^{2} 動他 『冶金』高温で蝋(ろう)付けする.
craze 動他 気を狂わせる; 夢中にさせる.
daze 動他 …をぼうっとさせる.
faze 動他 〈人を〉困惑させる, 慌てさせる.
gaze 動自 じっと見る, 凝視する.
glaze 動他 ☞
graze^{1} 動自 〈牛・羊などが〉生草を食う[はむ].
graze^{2} 動他 (通るとき)軽く触れる, かする.
haze^{1} 名 もや, かすみ, 煙霧; もや状のもの.
haze^{2} 動他 《主に米・カナダ》〈新入生・新来者などを〉いたずらしてからかう.
laze 動自 ぶらぶらと過ごす; のろのろ動く.
maze 名 迷路, 迷宮.
raze 動他 〈町・家などを〉徹底的に破壊する; そり落とす; 引っかく.

-a·ze·pam /éizəpæ̀m, ǽ-/

連結形 〖薬学〗ジアゼパム.
◆ diazepam の短縮形.

clo·na·ze·pam 名 クロナゼパム: 抗てんかん剤.
flu·raz·e·pam 名 フルラゼパム: 鎮静剤, 催眠剤.
hal·a·ze·pam 名 ハラゼパム: 不安障害の治療に用いる.
lor·az·e·pam 名 ロラゼパム: 主に急性不安症, 不眠症の治療に用いる.
ox·az·e·pam 名 オキサゼパム: 精神安定剤.

az·ine /ǽziːn, -zin, éiz-|éiz-/

名 〖化学〗アジン. ► az- 窒素を含む ＋-INE[3].

bo·ra·zine 名 ボラジン, ボラゾール.
flu·phen·a·zine 名 〖薬学〗フルフェナジン.
hex·a·hy·dro·py·ra·zine 名 ＝piperazine.
hy·dral·a·zine 名 〖薬学〗ヒドララジン.
iso·al·lox·a·zine 名 〖生化学〗イソアロキサジン.
ox·a·zine 名 オキサジン.
per·phen·a·zine 名 〖薬学〗ペルフェナジン.
phen·a·zine 名 フェナジン.
pi·per·a·zine 名 ピペラジン.
sul·fa·meth·a·zine 名 スルファメタジン.
sul·fa·pyr·a·zine 名 〖薬学〗スルファピラジン.
sul·fa·sal·a·zine 名 〖薬学〗スルファサラジン.
tar·tra·zine 名 タートラジン(Yellow No.5).
tet·ra·ben·a·zine 名 〖薬学〗テトラベナジン.
thi·a·zine 名 チアジン.
thi·o·rid·a·zine 名 〖薬学〗チオリダジン.
tri·a·zine 名 トリアジン.

az·ole /ǽzoul, əzóul|éizoul, əzóul/

名 〖化学〗アゾール.
◆ az- 窒素を含む ＋-OLE[2].

ben·zim·id·az·ole 名 ベンズイミダゾール.
im·id·az·ole 名 イミダゾール, グリオキサリン.
ke·to·co·na·zole 名 〖薬学〗ケトコナゾール.
pyr·a·zole 名 ピラゾール.
sul·fa·meth·ox·a·zole 名 〖薬学〗スルファメトキサゾール.
sul·fi·sox·a·zole 名 〖薬学〗スルフィソキサゾール.
thi·a·zole 名 チアゾール.
tri·a·zole 名 トリアゾール.

-azz /ǽz/

語尾 話語と俗語の語尾で音象徴的; 勢いを表す.
★ 語末にくる同音形は -AS[3].

jazz 名 ☞
pzazz 名 《話》活力, 精力, 威勢(pizazz).
razz 動他 《米・カナダ俗》…をあざける.
shnazz 名 《米話》＝snazz.
snazz 名 《米話》かっこよさ, スマートさ.
spazz 動他 《ハッカー俗》ぎこちなく動く.
zazz 形 《米俗》ファッション(界)の.
-zazz 音象徴 ☞

-az·zle /ǽzl/

語尾 音象徴的な語尾.

daz·zle 動他 ☞
fraz·zle 動自他 《話》擦り切れる [切らす].
raz·zle 名 《俗》ばか騒ぎ(razzle-dazzle).

B

B

bab·ble /bǽbl/

名 **1** はっきり聞きとれない言葉, (幼児などの)片言. **2** 《複合語》《軽蔑的》…言葉.

ec·o·bab·ble 名 エコロジー [環境問題] 用語.
Eu·ro·bab·ble 名 EU(ヨーロッパ共同体)専門語.
psy·cho·bab·ble 名 《話》心理療法隠語.
so·ci·o·bab·ble 名 《話》社会学用語.
tech·no·bab·ble 名 テクノバブル: 素人には意味のわからない技術者の専門用語.

babe /béib/

名 **1** 赤ん坊(baby), 幼児. **2** 《米俗》娘.

réal bábe 《米俗》魅力的な異性.
súgar-bàbe 《俗》《呼びかけ》かわいい人.
tríck babe 《米俗》売春婦.
űber-bábe 名 《俗》とびぬけてかわいい人.

ba·by /béibi/

名 (通例, 2歳までの)赤ん坊, 赤ちゃん, 乳飲み子. ⇨ -Y².

báchelor's bàby 《米黒人俗》私生児.
Béanie Bàby ビーニー・ベイビー: お手玉式ぬいぐるみ人形.
blúe bàby 【病理】青色児, 蒼身乳児.
bóarder bàby ボーダーベビー: 両親が養育資格に欠けるために無期限に病院に預けられる幼児.
bónus bàby (プロ契約時に)莫大な契約金をもらうスポーツ選手.
bóom bàby 《米》ベビーブームに生れた子.
bóttle bàby 哺乳瓶で育った赤ん坊.
bréech bàby 【産科】逆子.
búsh bàby ブッシュベビー, ガラゴ(galago).
cráck bàby 麻薬中毒の女性から生まれた障害児.
crý·bàby (特に子供で)泣き虫, 弱虫.
dóll bàby 《女の子に対する呼び掛け》きみ.
gránd·bàby 息子 [娘] の赤ちゃん.
héroin bàby ヘロインベビー: ヘロイン中毒の母親から未熟児として生まれ, ヘロイン中毒の症状を呈する乳幼児.
hóney-bàby 《話》恋人, 愛しい人(honey).
hót bàby 《米学生俗》セクシーで情熱的な女.
jélly-bàby 《英》ゼリーベイビー: 赤ん坊の形をしたゼリー菓子.
Nótch Bàby 《米》ノッチベビー: 1917–21 年に生まれ, 直前の年代の人より低率の年金を受け始めた人.
Plúnket bàby 《NZ 話》プランケット協会の指導で育てられた赤子.
rág bàby (特に布の)縫いぐるみ人形.
rhésus bàby 【医学】リーサス新生児.
Súnday bàby 《米方言》私生児.
sú·per·bà·by 名 英才教育を受ける乳幼児.
tár bàby 抜き差しならない状況 [状態].
tést-tube bàby 【医学】試験官ベビー, 体外受精児.
wár bàby 戦時っ子.

ba·cil·lus /bəsíləs/

名 **1** バチルス: バチルス属の桿(かん)菌の総称. **2** 《もと》(一般に)細菌, (特に)病原菌. ⇨ -US¹.

ac·tìn·o·ba·cíl·lus 名 アクチノバチルス, 類放線菌.
còc·co·ba·cíl·lus 名 球(状)桿菌.
cóliform bacíllus 腸内細菌 [バクテリア].
cólon bacìllus =coliform bacillus.
cómma bacìllus コンマ菌.
dìp·lo·ba·cíl·lus 名 双桿菌.
gás bacìllus ガス壊疽(えそ)菌.
Klebs-Löffler bacillus クレプス=レフラー菌.
làc·to·ba·cíl·lus 名 乳酸菌.
pnèu·mo·ba·cíl·lus 名 肺炎桿菌.
strèp·to·ba·cíl·lus 名 連鎖桿菌.
thì·o·ba·cíl·lus 名 硫黄細菌.
túbercle bacìllus 結核菌.
týphoid bacìllus (腸)チフス菌.

back¹ /bǽk/

名 **1** 背中, 背. **2** 背面. **3**【スポーツ】後衛.

back-to-back 名 《話》背中合わせの裏長屋. ── 形 立て続けの.
bánister bàck 【家具】バニスターバック.
báre·bàck 形副 鞍(くら)なしの [で], 裸馬の [で].
Bíble bàck 《米俗》信心深い人.
bírdie·bàck =birdyback.
bírdy·bàck 《米俗》航空機での貨物コンテナ輸送.
bów bàck 【家具】曲がり木製背もたれ.
brówn·báck 【鳥類】オオハシシギ(dowitcher).
cámel·bàck ラクダの背.
cánvas bàck 《米俗》浮浪者; 渡り労働者.
cánvas·bàck 【鳥類】オオホシハジロ.
cénter báck 【スポーツ】センターバック.
chánnel bàck 【家具】溝付きの布張り背もたれ.
clóth·bàck 【製本】布装本, クロス製本.
cómb bàck 【家具】櫛(くし)状背もたれ.
córner·bàck 【アメフト】コーナーバック.
cróok·bàck せむし(hunchback).
króss·bàck 《米俗》カトリック教徒.
cróuch·bàck 《古》せむし, 猫背.
defénsive báck 【アメフト】ディフェンスバック.
díamond·bàck 形 〈動物が〉背にひし紋のある. ── 名【動物】ヒシモンガラガラヘビ.
éel·bàck 【魚類】カレイの一種.
fán·bàck 形 【家具】扇形の背もたれを持つ.
fást·bàck ファーストバック(の車).
fát·bàck 《主に米方言》(塩漬けにする)豚のわき腹上部の脂身.
féather·bàck 【魚類】ナギナタナマズ.
fíddle bàck 【家具】バイオリン形の背もたれ.
fíddle·bàck 背がバイオリン形の椅子.
fín·bàck 【動物】ナガスクジラ(rorqual).
fíre·bàck (炉の)反射板; 炉の背壁.
fish·y·back 名形 《米》(フェリーなどによる)荷積みトラックの輸送(の).
flát bàck 【製本】角背(の書物).
fóam·bàck 布の裏に張る防寒用合成発泡材.

fúll·bàck 〖アメフト〗ランニングバック.
góndola bàck 〖家具〗ひじ掛け付きに背もたれ.
gráss·bàck 《米俗》だれとでも寝る女.
gráy·bàck 背中が暗灰色で腹が淡色の海洋・水生動物の総称.
gréase·bàck 《米俗》密入国するメキシコ人.
gréen·bàck 《米話》米国ドル紙幣.
gréy·bàck ＝grayback.
háckle·bàck 小形のチョウザメの一種.
hálf·bàck 〖アメフト〗ハーフ(バック).
hátch·bàck 〖自動車〗ハッチバック.
héart bàck ＝shield back.
hóg·bàck 〖地質〗ホッグバック.
hóg's-bàck ＝hogback.
hóllow bàck 〖製本〗ホローバック.
hóop bàck 〖家具〗アーチ型の背もたれ.
hórse·bàck 馬の背.
hórseshoe bàck 〖家具〗馬蹄(ばてい)形背もたれ.
húmp·bàck せむしの背, 猫背.
húnch·bàck 猫背の人, せむし.
líft·bàck 〖自動車〗＝hatchback.
lóbster·bàck 《米》(独立戦争時の)赤服の英国兵.
lóop bàck ＝bow back.
lýre bàck 〖家具〗竪琴(たてごと)形での背もたれ.
méllow-bàck 形 《米黒人俗》小ぎれいに着こなした.
móss·bàck 《米・カナダ》《話》頭の古い人.
nárrow·bàck 《米俗》働きたがらないアイルランド系の人.
nótch·bàck 〖自動車〗ノッチバック.
ópen báck 〖製本〗＝hollow back.
páper·bàck ペーパーバック, 紙表紙本.
píggy·bàck 副 《米》背負って[背負われて].
préss·bàck 〖家具〗(木に)デザインをプレスした背もたれ.
príckle·bàck 〖魚類〗タウエガジ科の数種のギンポの総称.
púff·bàck 〖鳥類〗フクレヤブモズ属の鳥の総称.
quárter·bàck 〖アメフト〗クォーターバック.
quíll·bàck 〖魚類〗コイ目サッカー科の淡水魚の一種.
rázor·bàck 〖動物〗ナガスクジラ.
róach bàck (犬などの)丸くなった背.
róund báck 〖製本〗丸背.
rúnning bàck 〖アメフト〗ランニングバック.
sáddle·bàck 背に鞍(くら)形模様のある鳥獣.
sáw·bàck 鋸歯(きょ)状山稜.
scát·bàck 〖アメフト〗スキャットバック.
scrátch·bàck 孫の手, 背中掻き.
shágger's báck 《豪俗》ひどい背中の痛み.
shéll bàck (貝殻をデザインした)スプーンの裏.
shéll·bàck 《俗》〖海事〗老水夫, 老練な水夫.
shíeld bàck 盾形[ハート形]の椅子の背.
shírt-off-his-bàck 形 非常に献身的な.
sílver·bàck 〖動物〗シルバーバック.
skéw·bàck 〖建築〗迫台(せりだい)上面.
slát bàck 〖家具〗スラットバック.
slíng-bàck バックベルト: かかとの後をベルトで固定する婦人靴.
slót·bàck 〖アメフト〗スロットバック.
snápper·bàck 《古》〖アメフト〗攻撃チームのセンター.
sóft·bàck ＝paperback.
sów·bàck ＝hogback.
spóon bàck 〖家具〗スプーンのような背もたれ.
spríng bàck 〖製本〗＝hollow back.
squáre báck 〖製本〗角背.
stíckle·bàck 〖魚類〗トゲウオ.
sún·bàck 形 〈衣服が〉背中をあらわにした.
swáy·bàck 〖獣病理〗脊柱(せきちゅう)湾曲(症).
swéet·bàck 《英俗》情夫; ポン引き.
táil·bàck 〖アメフト〗テールバック.
thórn·bàck 〖魚類〗サカタザメ, ウチワザメ.
tín bàck 《豪俗》運のいいやつ(tin bum).
tóuch·bàck 〖アメフト〗タッチバック.
túrtle·bàck 亀甲(きっこう)形甲板.
úp·bàck 名 〖アメフト〗アップバック.
wálk-bàck 《米俗》奥[うしろ]の部屋.
wáter bàck 《米》(暖炉の後ろの)湯沸かしタンク.
Wátteau báck 〖服飾〗ワトーバック.
wáy·bàck 〖自動車〗(ワゴンの)後部席のうしろ.
wét·bàck 《米話》不法入国するメキシコ人.
whále·bàck 〖海事〗亀の背甲板貨物船.
whéel bàck 〖家具〗ホイールバック.
wíndow bàck (窓下)腰壁.
wíng·bàck 〖アメフト〗ウイングバック.
yéllow·bàck 《もと》〖製本〗黄表紙本.

back[2] /bǽk/

副 **1** 後ろへ. **2** 戻って. **3** 返して.
★ back を伴う句動詞が名詞化した複合語が多い: come back → comeback; その場合, 第1強勢は前の動詞に移動する.

a·báck 副 《古》後方に, 後ろへ.
an·swer·back 名 アンサーバック, 返答.
arc-back 名 〖電子工学〗逆弧, アークバック.
be-back 名 《米俗》「また来る」と言う客.
blow·back 名 (気流の)逆流.
bounce·back 名 《話》跳ね返ること; 回復.
break-back 名 〖クリケット〗〖ラグビー〗ブレークバック.
brush·back 名 〖野球〗(威嚇的な)内角高めのボール.
buy·back 名 買い戻し.
call·back 名 呼び戻すこと; (電話の)かけ直し.
carry·back 名 (米国所得税法で)繰り戻し(額).
cash-back 名 〖金融〗キャッシュバック.
charge·back 名 〖金融〗入金取り消し.
check·back 名 (仕上がったものの)点検, 検証.
claw-back 名 《英》(税による)政府交付金の回収.
come·back 名 返り咲き, カムバック; 回復.
crack·back 名 〖アメフト〗クラックバック(ブロッキング).
cut·back 名 (人員・生産などの)削減, 縮小.
die·back 名 〖植物病理〗枝枯れ病, 立ち枯れ病.
draw·back 名 障害, 妨げ; 欠点, 短所.
drop·back 名 《話》(値段・水準などの)引き下げ.
fall·back 名 退くこと, 後退, 撤退.
feed·back 名 ☞
fight·back 名 《英》反撃, 反攻.
flare·back 名 後炎, 戻り火, 噴射炎.
flash·back 名 〖映画〗フラッシュバック.
flow·back 名 還流; 返還; 再分配.
fly·back 名 〖電子工学〗フライバック.
fold·back 名形 折り返されている(もの).
give·back 名 〖労働〗既得権利の返還.
haul·back 名 丸太を運び下ろしたケーブルを引き戻すためのワイヤロープ.
hold·back 名 馬車の轅(ながえ)につけられた止め金.
jíg bàck つるべ式ケーブルカー.
kick·back 名 (不当で非倫理的な)手数料.
knock-back 名 《英俗》仮釈放願いの却下.
láid-báck 形 《俗》〈ロック音楽が〉ゆったりした.
lay·back 名 〖登山〗レイバック登攀(とはん).
lease·back 名 リースバック方式設備貸付.
loan·back 名 ローンバック, 融資裏付け制度.
out·back 名 《主に豪》奥地, 未開墾地.
pay·back 名 元金[資本]回収; 払い戻し, 返金.
play·back 名 再生, 録音[録画]再生.
plow·back 名 〖経済〗再投資.
print·back 名 (マイクロフィルムからの)引き伸ばし.
pull·back 名 引き戻すこと; (軍隊の)撤退.
roll·back 名 (物価・賃金などの以前の水準への)引き下げ.
roor·back 名 《米》(選挙で流される)中傷的流言.

run·back 名 〘アメフト〙ランバック.
scale·back 名 (一定の基準・比率による)縮小.
sell-back 名 (購入したものの)売り戻し.
set·back 名 (進歩などの)妨げ; 挫折(ざっ).
set-back 名 〘測量〙超過距離.
snap·back 名 突然の反発, 跳ね返り; 回復.
spill·back 名 交差点入り口の車の混雑.
splash·back 名 (流し台などにつける)はねよけ板.
spring·back 名 〘冶金〙スプリングバック.
sweep·back 名 〘航空〙後退角.
swépt·báck 形 〘航空〙(翼の前縁が)後退角を持つ.
swing·back 名 〘政治〙揺り戻し, 逆行.
switch·back 名 つづら折りの山岳道路.
take·back 名 取り消されたもの.
talk·back 名 〘ラジオ・テレビ〙トークバック.
throw·back 名 投げ戻すこと, 投げ返し.
tie·back 名 止め飾り.
turn·back 名 返還.

backed /bǽkt/

形 《しばしば複合語》背(部)のついた; 背景のある; 支持のある. ⇨ -ED^2.

ásset-bàcked 形 (預金ではなく)資産に投資された.
báre·bàcked 副形 〈馬が〉鞍(くら)なしで [の].
hóg-bàcked 形 〈屋根の棟などが〉かまぼこ形の.
húmp·bàcked 形 背中にこぶを持った, せむしの.
húnch·bàcked 形 =humpbacked.
ládder-bácked 形 背にはしご [横木] がある.
sáddle-bàcked 形 〈尾根などが〉鞍(くら)形の.
stráight-bàcked 形 〈椅子が〉まっすぐな背もたれの.
swáy·bàcked 形 〘獣病理〙脊柱(せきちゅう)湾曲した.
un·bácked 形 後押しのない, 支持者のない.

ba·con /béikən/

名 ベーコン.

báck bàcon 《英》=Canadian bacon.
Canádian bácon カナダ風ベーコン.
cháw·bàcon 《英》田舎者, 田吾作(たごさく).
whíte bácon 《米南部》豚肉の塩漬け.

-bac·ter /bǽktər/

連結形 〘細菌〙桿(かん)菌.
★ 主に生物学でバクテリアの属名をつくる.
★ 語頭にくる関連形は bacter(i)-, bacterio-: *bactericide*「殺菌剤」, *bacterio*logy「細菌学」.
◆ <近代ラ, 中性形 bactrum の異形として造語された男性名詞<ギ *báktron*.
[発音] 2つ前の音節に第1強勢. 例外として基体 -bac- に第1強勢を置くこともある: achromobácter, campylobácter.

a·ce·to·bac·ter 名 アセトバクター, 酢酸菌.
a·chro·mo·bac·ter 名 アクロモバクター.
aer·o·bac·ter 名 好気性細菌, エロバクター.
Ar·thro·bac·ter 名 関節胞子菌属, 連鎖状胞子菌属.
a·zo·to·bac·ter 名 アゾトバクター.
cam·pyl·o·bac·ter 名 カンピロバクター.

bac·te·ri·a /bæktíəriə/

名複 〘細菌〙バクテリア, 細菌. ⇨ -IA.
★ 語頭にくる関連形は bacter(i)-, bacterio-: *bactericide*「殺菌剤」, *bacterio*logy「細菌学」.

àgro·bactéria 名複 腫瘍菌, 癌腫菌.
àrchae·bactéria 名複 アルキバクテリア, 古細菌.
chèmosynthétic bactéria 化学合成細菌 [バクテリア].
cỳano·bactéria 名複 藍(らん)細菌, 青緑色細菌.
èntero·bactéria 名複 腸内(細)菌.
èu·bactéria 名複 真正細菌.
glíding bactéria 滑走(運動)細菌, 粘液(細)菌.
hàlo·bactéria 名複 好塩菌.
íron bactéria 鉄細菌, 鉄バクテリア.
mỳxo·bactéria 名複 ミクソバクテリア.
nítrate bactéria 硝酸細菌.
nítric bactéria =nitrobacteria.
nítrite bactéria =nitrous bacteria.
nìtro·bactéria 名複 硝化バクテリア.
nitròso·bactéria 名複 =nitrous bacteria.
nítrous bactéria 亜硝酸バクテリア.
phototróphic bactéria 光栄養細菌.
púrple bactéria 紅色細菌.
slíme bactèria =gliding bacteria.
súlfur bactèria 硫黄細菌.
trúe bactéria =eubacteria.

bac·te·ri·um /bæktíəriəm/

名 bacteria「バクテリア」の単数形. ⇨ -IUM.
★ 通例, 複数形で用いる.

cor·y·ne·bac·te·ri·um 名 〘細菌〙コリネバクテリア.
fu·so·bac·te·ri·um 名 〘細菌〙紡錘(ぼうすい)形菌.
láctic ácid bactérium 〘細菌〙乳酸菌.
mi·cro·bac·te·ri·um 名 〘細菌〙ミクロバクテリウム.
my·co·bac·te·ri·um 名 〘細菌〙ミコ [マイコ] バクテリウム.
pro·pi·on·i·bac·te·ri·um 名 〘細菌〙プロピオン酸菌.
thi·o·bac·te·ri·um 名 〘細菌〙チオバクテリア, 硫黄細菌.

badge /bǽdʒ/

名 (所属団体・階級・職務などを表す)記章, バッジ.

aviátion bàdge 〘軍事〙航空記章, 飛行記章.
Cómbat Ínfantryman Bàdge 〘軍事〙戦闘歩兵記章.
Córnwell Bàdge 《英》コーンウェルバッジ: ボーイスカウトでの勇敢な行為に対する賞.
fílm bàdge フィルムバッジ: 放射線環境下で働く人がつける簡便な被曝線量測定器.
gréen bádge 《英》タクシー運転手の許可証.
mérit bàdge (ボーイスカウトの)勲功バッジ.
órange bàdge 《英》オレンジバッジ: 体 [目] の不自由な人の車につけるバッジ.
profíciency bàdge (ボーイスカウトの)技能章.
ráting bàdge 〘米海軍〙特技袖(そで)章.
smíley bàdge にこにこ(顔の)バッジ.

badg·er /bǽdʒər/

名 〘動物〙アナグマ.

Américan bádger アメリカアナグマ.
férret bàdger イタチアナグマ.
hóg bàdger (アジア産の)アナグマ.
hóg-nòsed bádger =hog badger.
hóney bàdger ミツアナグマ.
róck bàdger (イワ)ハイラックス, イワダヌキ.
sánd bàdger =hog badger.
stínking bádger スカンクアナグマ.

bag /bǽg/

名 **1** 袋; 小袋. **2** (旅行・手提げ)かばん. **3** 財布. **4** 袋状のもの. **5** 《俗》生き方, 流儀; 立場, 境遇, 環境.

áir bàg (自動車の)エアバッグ.
áirsìckness bàg =barf bag.
Ámbu·Bàg 《商標》救急袋.
bárf bàg 《米俗》乗り物酔い用紙袋.
bárracks bàg (兵士用の大きく丈夫な)ずだ袋.
béach·bàg ビーチバッグ.
béan·bàg お手玉.

Bermúda bàg バーミューダバッグ: 卵型のバッグ.
bláck-bág [形] 《米話》〈資金などが〉やみ流用の.
blúe bág[1] 《英》(法廷弁護士用)書類入れ.
blúe bág[2] 《英》洗濯用の青み染料の入った小袋.
bódy bàg 遺体袋.
bóil-in-bàg [形] ボイル・イン・バッグの.
bóok bàg ブックバッグ: 特に学生が本を入れて運ぶための布製の袋.
Bóston bàg ボストンバッグ.
bówling bàg ボウリング(用)バッグ.
bówser bàg 《米話》=doggie bag.
bríef bàg 書類かばん.
brówn bág 持ち込みの弁当.
brówn-bág [動他] 〈自分の飲む酒を〉(酒類販売の免許のない)レストランへ持ち込む.
búg bàg 《英俗》寝袋.
búm-bàg 《英》ファニー・パック: お尻のすぐ上に背負うかばん.
búrn bàg [動他] 機密書類焼却袋.
cárpet·bàg 古風な旅行用手提げ, カーペットバッグ.
cárrier bàg 《英》=shopping bag.
cártridge bàg 弾薬嚢(のう).
chánging bàg ダークバッグ, 交換バッグ [袋].
clóthes-bàg 洗濯物入れ [袋].
clúb bàg 《米》クラブバッグ: 両側に持ち手のついた通例, 革製バッグ.
clútch bàg クラッチバッグ(clutch).
cóffee bàg (挽いたコーヒーを入れた)小袋.
cónjure bàg (戸口に置く, 魔よけの)まじない袋.
crícket bàg クリケットバッグ.
de-bág [動他] 《英俗》〈人の〉ズボンを脱がす.
díddle bàg 小物入れバッグ.
díddy bàg 《米軍俗》=duffle bag.
dílly bàg 《豪話》(小型の)合切袋, 買い物袋.
díme bág 《米俗》10 ドル相当の麻薬を詰めた袋.
diplomátic bág 外交用郵袋.
dírt-bàg 《米俗》ごみ収集人.
dispósal bàg (使い捨ての)ごみ袋.
dítty bàg 小物入れ.
dóggie-bàg =doggy bag.
dóggy bàg 《米》料理持ち帰り袋.
dólly bàg 《英話》=Dorothy bag.
Dórothy bàg 《英》口をひもで絞り手首にかけるハンドバッグ.
dóuche bàg 小さな灌水(かんすい) [洗浄] 器.
Dóuglas bàg ダグラスバッグ: 酸素消費量を調べるために呼気を集める気密袋.
dúffel bàg 雑嚢(ざつのう).
dúst bàg (電気掃除機の)収塵(しゅうじん)袋.
fág bàg 《米俗》ホモの男と結婚している女.
féed bàg 飼い葉袋.
fílth·bàg 見下げはてたやつ, (人間の)くず.
fléa·bàg 《俗》《米》《軽蔑的》安宿, 木賃宿.
flíght bàg (航空会社名入りの)航空バッグ.
fún·bag 《俗》女, (特に)魅力的な女.
gáme·bàg 獲物入れ; (特に猟鳥の)獲物袋.
gárment bàg ガーメントバッグ: 持ち手とジッパー閉めのついた旅行バッグ.
gás·bàg (風船・気球などの)ガス袋.
géeze bàg 《米俗》《悪態・嘲笑的》風変わりな人.
glád bàg 《米軍俗》=body bag.
Gládstone bàg (長方形で両側に開く小型の)旅行かばん.
glítter·bàg 《米俗》けばけばしい女.
gólf bàg ゴルフ [キャディー] バッグ.
gráb bàg (パーティーなどで, 種々の贈り物を入れた)宝捜し袋.
gréen bàg 《英》(もと弁護士が書類を入れて持ち歩いた)緑色の布製の袋.
gróuch bàg 《米サーカス俗》小型バッグ; 隠し金.
háir bàg ヘアクロス(haircloth)製バッグ.
hánd·bàg ハンドバッグ, 手提げかばん.
háy·bág 《米俗》女浮浪者.
héavy bág =punching bag.
hórn bàg 《豪》(特に性的魅力のある)女性.
hót-wáter bàg (通例ゴム製の)湯たんぽ.
íce bàg (頭などを冷やす)氷嚢(ひょうのう).
ínk bàg (イカ・タコなどの)墨袋(ink sac).
Jíffy Bàg ジフィーバッグ: 詰め物入りの封筒(本などを送る).
jítney bàg 《米俗》小銭入れ.
kít bàg ナップザック.
lárd·bàg 《米俗》太った人; 怠け者.
láundry bàg (洗濯物入れの)洗濯袋.
Líster bàg リスターバッグ: キャンバス製の容器.
lítter·bàg 《米・カナダ》(自動車の中などで用いる)ごみ袋, くず入れ.
líve·bàg 〖釣り〗すかり.
lúcky bág =grab bag.
máil·bàg 《米》郵便かばん; 郵便袋.
Ḿ-bàg 《米》(一か所にまとめて送る)郵便袋便.
mínge bàg 《米俗》嫌な女.
míxed bág 《話》思いもかけぬような組み合わせ.
móney·bàg 金袋, 金入れ, 財布.
múmmy bàg マミーバッグ: 寝袋の一種.
músk bàg (ジャコウジカの)麝香(じゃこう)袋.
níckel bàg 《米俗》5 ドル相当のマリファナ.
níght bàg =overnight bag.
nóse bàg 飼い葉袋; 《俗》食事.
núnny bàg 《カナダ》(特に Newfoundland で)オットセイなどの毛皮でできた小型の雑嚢(ざつのう).
óld bág 《米俗》ばばあ.
ópera bàg オペラ・バッグ: 観劇などに着用する小型のおしゃれ用バッグ.
overníght bàg 一泊用の旅行かばん.
Óxford bág ボストンバッグに似た大型のかばん.
pádded bàg クッション封筒.
páper bàg 紙袋.
péople bàg =doggy bag.
plástic bág ビニール袋.
póst-bàg 《英》=mailbag.
pówder bàg 薬嚢(やくのう).
púnch bàg 《主に英》=punching bag.
púnching bàg 《米》サンドバッグ, パンチングボール.
pús bàg 《米俗》くず, ごみ; 嫌なやつ.
rág·bàg (繕い用の)端切れを入れる袋.
rát·bàg 《豪俗・NZ 俗》変人, 奇人; 卑劣な人.
ráttle-bàg (おもちゃの)がらがら(袋).
réd bág (英国の)法廷弁護士の法衣を入れる布袋.
róll bàg ロールバッグ: 学校用品, 運動用具など入れるための小袋.
rósin bàg 〖野球〗ロージンバッグ.
rúm bág 《米俗》飲んだくれ, アル中.
sáddle·bàg 鞍嚢(あんのう).
ság bàg (ビーン)バックチェア(beanbag): フレームのない変形自在の椅子.
sámple bàg 《豪》宣伝用の見本を入れた袋.
sánd·bàg 砂袋, 砂嚢(さのう); 土嚢(どのう).
scént bàg 〖動物〗におい袋, 臭嚢(しゅうのう).
schóol·bàg 通学かばん.
scrám bàg 《米俗》すぐに出発できるように詰め込んだスーツケース.
scúm·bàg 《俗》コンドーム.
séa bàg 船員用のズック袋.
shág·bàg 《米俗》乱交する女.
sháke-bàg 《米俗》嫌なやつ.
shít·bàg 《俗》腹, 腸; 嫌なやつ; 嫌な事.
shópping bàg 《米》(紙・ビニール製の)買い物袋.
shóulder bàg ショルダーバッグ.
síck bàg 《特に英》吐物袋.

B

sléaze·bàg 《俗》だらしないやつ, 低俗なやつ.
sléeping bàg (野営用の)寝袋, シュラーフザック.
slíme·bàg 《米俗》見下げ果てたやつ.
slíng-bàg =shoulder bag.
spónge bàg 《英》携帯用洗面道具入れ.
stásh bàg 《俗》小物入れ.
stríng bàg (ひも編みで持ち手のついた)網目のバッグ, 網袋.
súgar bàg 《豪·NZ》小さな麻袋.
téa bàg ティーバッグ.
tóol·bàg 工具袋, 道具袋.
tóte bàg トウトバッグ: ショッピングバッグ式のやや大型で口の開いた手提げ袋.
trásh bàg ごみ袋.
tráveling bàg 旅行かばん, スーツケース.
túcker-bàg 《豪話》食糧携帯用の袋.
ùn·bág 動他 袋から出す.
wásh-bàg (防水の)化粧品入れ.
wáter bàg (特に冷却のための蒸発孔のある)水袋.
wéekend bàg 週末旅行用鞄.
wínd·bàg 《話》おしゃべりな人; うぬぼれ屋.
wíne bàg 革製の酒袋(wineskin).
wórk·bàg (仕事道具·材料を入れる)仕事袋.
zíp bàg 《英》=zipper bag.
Zíp·loc bág 《商標》ジップロックバッグ.
zípper bàg 《米》ファスナー付きかばん.

bag·gage /bǽgidʒ/

名 《米》《集合的》旅行用手荷物(《英》luggage). ⇨ -AGE[1].

blínd bággage 《米》(列車の)手荷物[郵便]車.
cárry-on bággage 機内持ち込み手荷物.
éxcess bággage 制限超過手荷物.
hánd bàggage 《米》(旅行者の)手荷物.
rúsh bàggage 〘航空〙急送手荷物.
unchécked bággage 機内持ち込み手荷物.

bag·ger /bǽgər/

名 **1** 袋詰めする人[機械]. **2**《米俗》《複合語》…塁打. ⇨ -ER[1].

dóuble-bágger 《米俗》ひどく醜い人,「どぶす」.
fóur·bágger 〘野球〙ホームラン(home run).
óne-bágger 《話》〘野球〙シングルヒット.
thrée-bágger 《話》〘野球〙三塁打.
tríple-bágger 《米話》三倍の.
twó-bágger 《話》〘野球〙二塁打.

bags /bǽgz/

名複 bag の複数形.

búoyancy bàgs 〘航空〙浮き袋.
jamborée bàgs 《英》宝捜し袋; 《英俗》おっぱい.
mýstery bàgs 《豪俗》ソーセージ(sausages).
thúnder-bàgs 名複 《豪俗》男性用パンツ.

bait /béit/

名 (釣り針·わななどにつける)餌(え). ——動他 …に餌をつける, …に餌をまく.

álligator bàit 《米俗》(フロリダ·ルイジアナ出身の)黒人.
béar bàit 《米俗》市民ラジオを備えずにスピード違反をする車.
búllet bàit 《米俗》(銃弾の的となる)兵士.
crów·bàit 《米俗》老いぼれの馬[牛], 駄馬.
dáte bàit 《米俗》もてる魅力的な女の子.
dráft bàit 《米俗》徴兵の近い人.
dréam bàit 《米学生俗》すてきな異性.
fláme bàit 《俗》(パソコン通信での)故意の挑発的メッセージ.
flý-bàit 《米俗》Phi Beta Kappa「優等学生友愛会」の会員.
gróund bàit 〘釣り〙(魚を集める)まき餌.
jáil·bàit 《米俗》(性交渉に関して承諾年齢に達していない)少女.
mónkey bàit 《米俗》麻薬の無料試用サンプル.
pógey bàit 《俗》(児童を誘惑するための)お菓子.
quéer·bàit 年かさのホモを引きつける少年.
réd·bàit 動自他 《主に米話》赤狩りをする.
shàrk·báit 動自 《豪話》(サメが出る危険地域まで)遠泳する.
súcker bàit 《米俗》(人を欺くための)誘惑.
whístle bàit 《俗》魅力的な女の子.
whíte·bàit 〘魚類〙シラス.

bait·ing /béitiŋ/

名 いじめ, 迫害. ⇨ -ING[1].

bádger bàiting アナグマいじめ.
béar·bàiting クマいじめ.
búll·bàiting 牛攻め, 牛かませ.
Jéw-bàiting 組織的なユダヤ人迫害.

bake /béik/

動他 (天火などで)焼く, 焼いて料理する. ——名 **1**《米》焼き料理主体のパーティー. **2**(パンなどを)焼くこと; 焼き方.

clám·bàke 《米·カナダ》焼きはまぐり会.
fáke-báke 《米俗》日焼サロン(での日焼け).
hárd-bàke 《英》アーモンド入りキャンデー.
Sháke'n' Báke 《米軍俗》士官学校を出てすぐ軍曹になった人.
sún·bàke 《豪話》日光浴(の時間).

baked /béikt/

形 **1**《米俗》(酒·麻薬で)酔った. **2** 日焼けした. ⇨ -D[1].

hálf-báked 形 生焼けの.
sláck-báked 形 =half-baked.
sún·báked 形 〈れんがなどが〉日干しの.
un·báked 形 焼けていない; 生の.

bal·ance /bǽləns/

名 **1**(重さ·量などが)釣り合った状態; 均衡. **2** 秤(はかり), 天秤(てんびん). ——動他 …の平衡を保つ.

analýtical bálance 〘化学〙化学天秤, 分析用天秤.
bánk bàlance 銀行預金残高.
bimetállic bálance 〘時計〙=compensating balance.
cómpensating bàlance 〘時計〙補正てんぷ.
cóunt·er·bàl·ance 名 平衡錘, 釣り合いおもり.
cúrrent bàlance 〘電気〙電流平衡, 電流秤.
declíning bàlance 逓減負債残高.
dis·bál·ance 名 不均衡. ——動他 …の均衡を破る.
Eötvös torsion balance エートベッシュ(ねじり)秤.
génic bálance 〘生物〙遺伝子平衡.
héad bàlance (両手で支えて)頭で立つ逆立ち.
héat bàlance 〘熱力学〙熱収支; 熱勘定.
húll bàlance 〘海事〙ハルバランス.
hydrostátic bálance 〘物理〙静水秤.
ím·bál·ance 名 不安定, 不均衡, 不釣り合い.
invísible bálance 〘経済〙貿易外収支(invisible trade balance).
Jólly bàlance ヨリーのばね秤.
létter bàlance (郵便料金を知るための)手紙秤, レタースケール.

mí·cro·bàl·ance 名 〖化学〗微量天秤.
nítrogen bàlance 〖生化学〗〖生理〗窒素平衡.
occúlt bálance 〖美術〗不均衡の均衡.
òut·bál·ance 動他 …より重い; …より勝る, 圧倒する.
ò·ver·bál·ance 動他 …より重い, より重要性がある.
quádrant bálance 象眼 [円弧] 秤, レタースケール.
splít bàlance 〖時計〗=compensating balance.
spríng bálance ばね秤.
stérling bálance 〖経済〗ポンド残高.
tángent bàlance 正接ばかり.
tórsion bàlance ねじり秤, トーションバランス.
tráde bàlance 〖経済〗貿易収支.
tríal bálance 〖簿記〗試算表.
ùl·tra·mí·cro·bàl·ance 名 〖化学〗超微量天秤.
un·bal·ance 動他 …の均衡 [バランス] を失わせる.
vísible bálance 〖経済〗貿易収支.
wáter bàlance 〖生物〗水分平衡 [経済], 水収支.

-bald /bɔ́:ld/

連結形 勇敢な.
★ 人名に使われる.
◆ ゲルマン語より.

Ar·chi·bald 名 アーチボールド(姓, 男子の名). ►字義は「傑出して勇敢な」
The·o·bald 名 シアボールド(姓). ►字義は「勇敢な人々」.

ball[1] /bɔ́:l/

名 **1** 球形 [状] のもの. **2** 球技.

áir bàll 風船(玉).
ánchor bàll 〖海事〗停泊球.
áuto·bàll オートボール: 自動車によるサッカー試合.
bándy·bàll バンディー(bandy): ホッケーの前身.
báse·bàll 野球.
básket·bàll バスケットボール.
béach·bàll ビーチボール.
béan bàll 〖野球〗ビーンボール.
béer·bàll 5.16 ガロンのビールが入った球形のプラスティック容器.
bílliard bàll 玉突きの球, ビリヤードボール.
bláck·bàll 動他 〈応募者・候補者に〉反対票を投じる.
blóck·bàll 〖野球〗ブロックボール.
blów·bàll 〖植物〗綿毛.
blúe bàll 《米俗》性病, (特に)淋病.
bówling bàll ボウリング用ボール.
bóx·bàll ボックスボール: 地面にコートを描いてピンポンのように 2 人でボールを打ち合うゲーム.
brándy·bàll 《英》ブランデーボンボン.
bréak bàll 〖ビリヤード〗ブレークボール.
bréaking bàll 〖野球〗変化球(特にカーブ, スライダー).
bróom·bàll アイスホッケーに似た球技.
búmp bàll 〖クリケット〗高く跳ね上がった打球.
bútter·bàll 《米北東部》〖鳥類〗ヒメハジロ.
bútterfly bàll 《野球俗》=knuckle ball.
bútton·bàll 〖植物〗アメリカヤマタマガサ.
cámphor bàll =mothball.
cánnon·bàll (旧式の)球形砲弾, 砲丸; (一般に)砲弾.
cárom bàll 〖ビリヤード〗第二の的玉.
chín báll 《NZ》(雄牛につける)チンボール.
cóal bàll 〖鉱山〗炭球.
córn·bàll (糖蜜やカラメルの)ポップコーン.
crýstal báll 占い用水晶球.
cúe bàll 〖ビリヤード〗手玉, 突き玉.
cúe·bàll 《米俗》はげた人; 髪をそり込んだ人.
cúp and báll 剣玉(けん)(遊び).
cúrb bàll =stoop ball.
dè·báll 動他 《米俗》…を去勢する.
demolítion bàll 建物解体用鉄球.
dódge bàll ドッジボール.
dóugh-bàll 小麦粉で作った団子.
dúst bàll 《主に米北部・北部ミッドランド方言》ちり [糸くず, 綿くず] の玉 [塊].
éight·bàll 《米・カナダ》〖ビリヤード〗エイトボール.
émery bàll 《米野球俗》エメリーボール: カーブしやすいように紙やすりなどで部分的に表面をざらざらにしたボール.
éye·bàll 眼球, 目.
fáir báll 〖野球〗フェアボール.
fást·bàll 〖野球〗(ストレートの)速球.
fíre·bàll (太陽など)火の玉; 流星.
físh bàll 魚肉団子.
físh·bàll 《米俗》くだらないやつ.
flý bàll 〖野球〗飛球, フライ.
fóot·bàll ☞
fórk·bàll 〖野球〗フォークボール.
fóul báll 〖野球〗ファウルボール.
fúr·bàll (ネコなどが吐き出す)毛玉.
fúzz·bàll =puffball.
gáme bàll ゲームボール: フットボールなどでチームの勝利に貢献したコーチや選手に, 仲間から贈られる.
gáme-bàll 形 《アイル俗》〈人が〉健康そのもので.
gáte bàll ゲートボール. ►日本語から借用.
glúe·bàll 〖物理〗グルーボール.
góal·bàll ゴールボール: 視覚障害者のためのゲーム.
gólf bàll ゴルフボール.
góof·bàll 《俗》役立たず, 能なし; 変わり者.
gópher bàll 《米野球俗》ホームランされた投球.
gréase·bàll 《米俗》地中海民族系 [ラテンアメリカ系] の人.
gréed·bàll 《米俗》(高給取りがやる)プロ野球.
gróund báll 〖野球〗ゴロ.
gúm·bàll ガムボール: 丸いチューインガム.
háir·bàll 毛球, 胃毛塊, 毛髪結石.
hálf-báll 〖ビリヤード〗薄玉.
hánd·bàll 米式ハンドボール.
hárd·bàll 《米》(野球の)硬球.
héel·bàll かかとの下部.
hígh·bàll 《主に米》ハイボール: ウイスキーをソーダなどで割った飲み物.
hórror·bàll 《俗》いやなやつ.
ínk bàll 〖印刷〗印刷インクパッド.
ínking bàll =ink ball.
ínside báll インサイド・ベースボール.
júmp bàll 〖バスケット〗ジャンプボール.
júnk-bàll 《米野球俗》変則的な変化球(フォーク, ナックルなど).
kíck·bàll キックボール: 野球に似た子供の遊び.
knúckle bàll 〖野球〗ナックルボール.
kórf·bàll コーフボール: 男女各 6 人のチームでやるバスケットボールに似たゲーム.
líghtning bàll 〖電気〗コロナ放電.
líne bàll ライン上に落ちたボール.
lóng báll 〖野球〗ホームラン; 長打.
lów·bàll 〖トランプ〗ローボール.
mád·bàll 《米見世物俗》(占い師の)水晶球.
mást bàll 〖海事〗マストボール.
máting bàll (1 匹の雌に 10 匹以上もの雄が交尾しようと絡み合っている)蛇の塊.
mátzo bàll 〖ユダヤ料理〗マツァボール.
méat·bàll (特に牛のひき肉の)肉団子.
médicine bàll メディシンボール: 大型の重い革張りのボールを投げ渡す運動.
Minié ball ミニエ式銃弾.
mírror bàll (ディスコなどの)ミラーボール.
móon·bàll 〖テニス〗高い円弧を描くショット.

B

móth·bàll モスボール, 虫よけ玉.
móto·bàll ゴールキーパー以外の選手がバイクに乗って行うサッカー.
nét·bàll 〖テニス〗ネットボール.
níne bàll 〖ビリヤード〗ナインボール.
nó bàll 〖クリケット〗反則投球.
nút·bàll 《米俗》変なやつ; 変人.
óbject bàll 〖ビリヤード〗的玉(まと).
ódd·bàll 《話》型破りの人, 変わり者, 偏屈者.
óx bàll 《米》(旗ざおなどの頂の)飾り玉.
páddle·bàll パドルボール: 柄の短い穴あきラケットで, テニスボールに似たボールを打つゲーム.
páint·bàll (蛍光)塗料入りの弾丸.
pássed bàll 〖野球〗捕逸, パスボール.
pát-bàll ラウンダース: 野球に似た英国の子供のゲーム.
pín·bàll ピンボール, コリントゲーム.
Pówer·bàll 超巨額合同富くじ.
púff·bàll ホコリタケ.
púnch·bàll (ボクシングの)パンチングボール.
púsh·bàll 《主に米・カナダ》プッシュボール: 直径 1.8m の大きい重いボールを, 2つの組が相手のゴールに押し合って入れる競技.
rábbit bàll 〖野球〗よく飛ぶボール.
rácket-bàll ラケッツ用ボール.
rácquet·bàll (球技の)ラケットボール.
réd báll 《米俗》急行貨物列車.
róller·bàll 極細ボールペン.
róot·bàll ルートボール, 根鉢.
scréw·bàll 《主に米・カナダ俗》奇人, 変人.
ský bàll 〖クリケット〗スカイボール.
slúdge·bàll 《米俗》嫌な[虫の好かない]やつ.
smásh·bàll (球技の)スマッシュボール.
smóke bàll 発煙弾, 煙幕弾.
smút bàll 黒穂病(smut)にかかった小麦の穂.
snów·bàll (雪合戦の)雪玉, 雪つぶて.
sóap·bàll ボール状に固めたせっけん.
sóft·bàll 《米》ソフトボール.
sóur·bàll (キャンディーの)サワーボール.
spéed·bàll 《米》(サッカーに似たゲームの)スピードボール.
spít·bàll 《米》紙つぶて.
spót bàll 〖ビリヤード〗黒玉.
stíck·bàll 《米》スティックボール: 略式野球の一種.
stínk·bàll 悪臭弾.
stóol·bàll スツールボール: クリケットに似た球戯.
stóop bàll ストゥープボール: 野球に似た遊び.
tár bàll タールボール: タールの塊.
T́-bàll ティーボール: 野球練習道具.
téa bàll 《主に米》茶漉(こ)し球.
ténnis bàll テニスボール.
téther·bàll テザーボール: 手かパドルを使って2人で行う球技.
thróat bàll 〖クリケット〗(打者を威嚇するために)のどの辺りをねらう投球.
thróugh-bàll 〖サッカー〗スルーパス.
tíme bàll 報時球: 一定の時刻にボールを落として知らせる時報の一種.
tráck bàll 〖コンピュータ〗トラックボール.
tráp·bàll トラップボール: トラップ(trap)を使った球技.
V́-bàll 《米俗》=volleyball.
Venétian báll ベニス球, ベネチアンボール: 色彩に富んだ種々の物体を封じ込んだガラスの球.
vólley·bàll バレーボール, 排球.
wásh·bàll (洗面用の)ボールせっけん.
whíffle·bàll ホイッフルボール: 孔(あな)空きプラスティック製ボール.
wítch bàll ウィッチボール: 中空のガラス球.
wóol·bàll 羊の毛球.
wórking bàll 〖ボウリング〗ピンを跳ね飛ばすほどの威力のあるボール.
wrécker's bàll 建物解体用鉄球.
wrécking bàll =wrecker's ball.

ball² /bɔ́ːl/

名 (大)舞踏会.

cóstume báll 仮装舞踏会.
fáncy báll 仮装舞踏会.
húnt báll 《英》狩猟家が狩りの服装で催す舞踏会.
másked báll 仮面[仮装]舞踏会.
ráce báll 《英》競馬に関連して行われる舞踏会.

bal·let /bǽlei, ─´|´─; *Fr.* balɛ/

名 バレエ. ⇨ -ET¹.

Bólshoi Bállet ボリショイバレエ団.
róck ballèt ロックミュージックによるバレエ.
Róyal Bállet 英国ロイヤルバレエ団.
symphónic bállet シンフォニックバレエ.
wáter ballèt 水中バレエ.

bal·loon /bəlúːn/

名 **1** ゴム風船. **2** 気球. ⇨ -OON¹.

áir ballòon 《英》風船(玉).
barráge ballòon 〖軍事〗防空気球, 阻塞(そさい)気球.
cáptive ballóon 係留気球.
cónstant-lével ballóon 定容積[定高度, 定圧]気球.
fíre ballòon モンゴルフィエ気球.
frée ballóon 自由気球.
hót-àir ballóon 熱気球.
kíte ballóon 〖軍事〗凧(たこ)型気球.
léad ballóon 《俗》失敗, 不成功.
pílot ballòon 測風気球.
sécond ballóon 《米軍俗》少尉.
skýhook ballóon スカイフック: 気象観測用気球.
sóunding ballòon 〖気象〗探測気球.
tríal ballóon 観測気球(ballon d'essai).
wéather ballòon =sounding balloon.

bal·lot /bǽlət/

名 **1** (無記名)投票用紙[札]. **2** (一般に)投票.

ábsentee bállot 不在投票用紙.
Austrálian bállot オーストラリア式投票用紙[制度].
bédsheet bàllot 《米話》同時選挙用の長大リストの投票用紙.
blánket bàllot 《米》=bedsheet ballot.
Indiána bállot インディアナ式投票用紙.
Massachúsetts bállot マサチューセッツ式投票用紙.
óffice-blòck bállot 公職別投票用紙.
párty-còlumn bállot =Indiana ballot.
sécond bállot 第二回[決選]投票.
sécret bállot 無記名[秘密]投票.
shórt bállot 〖米政治〗ショートバロット.
stráight bállot 《米》同一政党候補者投票.
stráw bàllot 世論投票, 紙上投票.

balls /bɔ́ːlz/

名複 ball「球」の複数形.

bráss bálls 挑戦的なこと; 勇気.
gólden bálls 金色の3つ玉. ►質屋のマーク.
thrée-bálls 名複 《米俗》ユダヤ人.

B

balm /bɑ́:m/

名 **1** バルサム: 油性, 芳香性樹脂の総称. **2** 1の採れる植物. **3** コウスイ(香水)ハッカ; セイヨウヤマハッカ.

bée bàlm シソ科ヤグルマハッカ属の多年草.
em·bálm 動他 〈死体に〉防腐処置をする.
gárden bàlm セイヨウ(西洋)ヤマハッカ; コウスイ(香水)ハッカ(lemon balm).
hórse bàlm コリンソニア: シソ科の植物.
lémon bàlm セイヨウヤマハッカ.
líp-bàlm 《米》リップクリーム(Chap Stick).
Molúcca bálm モルセラ, カイガラサルビア.

bal·sam /bɔ́:lsəm/

名 **1** バルサム: カンラン科ミルラノキ属の木から採れる芳香性含油樹脂の総称. **2** バルサムの木. **3** ホウセンカ: ホウセンカ属の植物の総称. **4** 芳香性軟膏.

bláck bálsam =Peru balsam.
Cánada bálsam カナダバルサム.
fríar's bálsam 〖薬学〗安息香チンキ.
gárden bàlsam ホウセンカ.
Índian bálsam =Peru balsam.
Mécca bàlsam ギレアド・バルサム, メッカバルサム.
Perú bálsam ペルーバルサム.
Perúvian bálsam =Peru balsam.

bam /bǽm/

名 (物がぶつかるときの)ドスン[バン]という音. ━━動自 ドスン[バン]と音をたてる.
★ 擬声語; 重複形となる.

bám-bám 形副 一歩一歩確実に進む, 着実な[に].
slám-bàm 名 《米俗》暴力(趣味の映画, テレビなど), どたんばたん, どたばた.
whám-bám 形副 素早い[く], 乱暴な[に].

ban /bǽn/

動他 …を禁止する. ━━名 禁止(令).

gréen bàn 《豪》公害事業などへの就労拒否.
núclear-tést bàn =test ban.
préss bàn 掲載禁止.
tést bàn 核実験停止協定.
tráde bàn 通商禁止.
ùn·bán 動他 〈活動などの〉禁止を解除する.

ba·nan·a /bənǽnə | -nɑ́:nə/

名 **1** バナナ. **2** 《俗》…なやつ, …者.

Abyssínian banána アビシニアバナナ[バショウ].
bíg banána 《俗》大物, 大立て者.
Chinése banána =dwarf banana.
dwárf banána サンジャク(三尺)バナナ.
sécond banána 《主に米話》(寄席(よせ)演芸などの)脇役, ボケ.
tóp banána 《主に米俗》(寄席・ミュージカル・道化芝居などの)主演のコメディアン.
túmmy banàna 《話》陰茎.

band[1] /bǽnd/

名 **1** (人間の)一隊, 一群, 一団. **2** 楽団, バンド.

bíg bánd 〖音楽〗ビッグバンド.
bráss bánd 〖音楽〗ブラスバンド, 吹奏楽団.
dánce bànd (社交)ダンス音楽のバンド.
dis·bánd 動他 解体[解散]する.
garáge bànd (あか抜けのしない)ロックバンド.
Gérman bánd 街道バンド[音楽隊].
júg bànd 〖音楽〗ジャグバンド.
júmp bànd 速いテンポのジャズバンド.
rhýthm bànd 〖音楽〗リズムバンド.
sílver bánd 《英》ブラスバンド.
spásm bànd 〖音楽〗スパズムバンド.
stéel bánd 〖音楽〗スチールバンド.
stríng bánd 弦楽団, ストリングバンド.
támbo-bámbo bànd 竹筒を打楽器とするカリブ音楽のバンド.
tráin·bànd 〖英史〗小部隊, 民兵団.
wínd bànd 吹奏楽隊; (特に)軍楽隊.

band[2] /bǽnd/

名 **1** 縛るもの. **2**〖ラジオ・テレビ〗周波(数)帯, 帯域.

absórption bànd 〖物理〗吸収バンド.
árm·bànd 腕章.
báck·bànd 〖木工〗既製額縁材.
báse·bánd 〖コンピュータ〗ベースバンド: 回線でお互いに連結されているパーソナルコンピュータのローカル・エリア・ネットワーク.
bélly·bànd 腹帯, 腹巻き.
bírd bànd (調査のため鳥につける)脚環.
bráke bànd 制動帯, ブレーキバンド.
bréast·bànd 〖馬具〗結喉(けっこう)帯.
bróad·bànd 形 〖通信〗広帯域の.
brów·bànd 〖馬具〗額革.
Cítizens Bànd 《米》〖通信〗市民バンド.
condúction bànd 〖物理〗伝導帯.
córonary bánd (有蹄動物の)冠状帯, 蹄冠, 馬蹄輪.
cróss·bànd 〖動物〗〖植物〗横縞(よこじま).
déaler's bànd 《俗》ディーラーズ・バンド: 売り物のヘロインの袋をとめるために, 売人が手首につける輪ゴム.
déntil bànd 〖建築〗歯飾り帯.
éar bànd 耳たぶに軽く挟む小さな耳飾り.
elástic bánd 《英》=rubber band.
énergy bànd 〖物理〗帯域.
fáhl·bànd 〖採鉱〗黝(ゆう)色鉱染帯.
fálling bànd フォーリングバンド: 17 世紀ヨーロッパで男子用レース襟.
file bànd 研磨帯.
fréquency bànd 〖ラジオ〗〖テレビ〗周波数(帯).
fúttock bànd 〖海事〗檣楼(しょうろう)環.
gérm bànd 〖動物〗胚帯(はいたい), 胚条.
guárd bànd 〖通信〗保護周波数帯.
gúm bànd 《主に米ペンシルベニア・西バージニア方言》=rubber band.
gúttae bànd 古代ドリス式建築の露玉飾り.
hát·bànd 帽子のリボン.
héad·bànd ヘッドバンド, 鉢巻き(fillet).
Í bànd 〖解剖〗等方帯(isotropic band).
Ĺ-bànd 〖通信〗L バンド, L 周波帯.
mást bànd 〖海事〗マストバンド.
míd·bànd 〖通信〗中周波帯, 中波帯.
mórning bànd 喪章.
mùlti·bánd 形 〖通信〗多周波帯の.
néck·bànd 台襟.
nóse·bànd 〖馬具〗鼻皮.
páss·bànd 〖ラジオ〗〖テレビ〗通過域.
plát·bànd 〖建築〗水平な構造部材.
ráin·bànd 〖気象〗雨線.
ráised bánd 〖製本〗バンド.
ríband 〖紋章〗斜帯の最も細いもの.
ríb·bànd[1] 〖造船〗リバンド, 仮取りつけ板, 帯板.
ríb·band[2] 〖紋章〗=riband.
rób·and 名 〖海事〗ロバンド.
rúbber bánd 輪ゴム, ゴムバンド.
Ś-bànd 〖通信〗S 周波帯, S バンド.

shádow bànd 【天文】影帯.
shírt·bànd 【服飾】シャツバンド.
síde bànd 【無線】側波帯.
síngle síde bànd 【通信】単側波帯.
spáce·bànd 【印刷】スペースバンド.
spíder bànd 【海事】=futtock band.
swéat·bànd スエットバンド: 帽子の内側の汗よけの帯.
táil·bànd 【製本】テールバンド, 花ぎれ.
válence bànd 【物理】価電子帯.
wáist·bànd 【服飾】ウエストバンド.
wátch·bànd 《米・カナダ・豪》腕時計のバンド.
wáve bànd 【ラジオ】【テレビ】周波数帯.
wédding bànd 《主に米》結婚指輪.
wíde·bánd 【通信】広帯域の.
wíng bànd 鳥類の翼の雨覆い羽にある帯状斑.
wríst·bànd (シャツの)袖口.
X́ bànd 【通信】エックスバンド.
Ź bànd 【生物】Z 線(Z line).

ban·dit /bǽndit/

名 盗賊, 強盗; 《英俗》《通例, 複合語》…泥棒.

árse bàndit 《英俗》男の同性愛者.
áss bàndit 《米俗》=arse bandit.
bádge bàndit 《米俗》ポリ公, 白バイ警官.
báil bándit 保釈中に犯罪を犯す人.
báld-tíre bàndit 《英警察俗》交通取締班.
béltway bándit 《米俗》ベルトウエー・バンディット: 政府との事業契約を助けるコンサルタント.
bírd bàndit 《米俗》女たらし.
bíscuit bàndit 《米俗》積極的なホモの肛門性交者.
bún bàndit 《米俗》肛門性交者.
cát bàndit 《米俗》忍び込みどろぼう [強盗].
cósh bàndit 《英話》こん棒, 警棒.
énema bàndit 《米俗》ホモの男.
knícker-bàndit 《英俗》(女性用の)下着泥棒.
óne-ármed bándit 《話》スロットマシン.
spáce bàndit 《俗》報道 [新聞, 宣伝, 広報] 係.
squéegee bàndit スクィジー強盗: スクィジーで自動車のガラス窓を勝手に洗って金をせびる人.
téch·no·bàn·dit 名 《話》技術泥棒.
tróuser bàndit 《英俗》(男の)ホモ.

bane /béin/

名 **1** 破滅のもと; 悩みの種. **2** 猛毒.
★ しばしば複合語として有毒植物などの名に用いる.

búg·bàne 名 サラシナショウマ(さらし菜升麻).
ców·bàne 名 ドクゼリ(毒芹).
dóg·bàne 名 バシクルモン.
dóg's-bàne 名 =dogbane.
fléa·bàne 名 ノミヨケ草.
flý·bàne 名 イエバエを殺す植物の総称.
hén·bàne 名 ヒヨス.
léopard's-bàne 名 キク科 *Doronicum* 属の植物の総称.
ráts·bàne 名 殺鼠(さっそ)剤, 猫いらず.
sów·bàne 名 ウスバアカザ.
wólf·bàne 名 =wolfsbane.
wólfs·bàne 名 トリカブト(鳥兜).

bang /bǽŋ/

名 **1** バン [ドン, ドカン, ズドン, バタン] という音, 轟音(ごうおん); 銃声. **2** (大きな音を伴う)一撃; (核)爆発; 砲撃. ──動他 (強い音をたてて)〈物を〉打つ, たたく. ──自 激しくたたく. ►もとは擬声語.

báng-bàng 【ロケット】バングバング制御.
bíg báng 【天文】ビッグバン.
dóuble-bàng 動他 《米犯罪俗》〈泥棒が〉同じ場所に 2 度入る.
gáng·bàng 《俗》数人の男性が女性 1 人と行う性交; 輪姦.
héad·bàng 動自 《俗》激しく頭を動かす.
intéra·bàng 名 =interrobang.
intérro·bàng 名 感嘆修辞疑問符.
jóy bàng 名動自 《米俗》麻薬注射(をする).
méga-bàng 名 《米俗》巨大核戦力.
slám-báng 副 《話》バタンと, ドシンと.
sláp-báng 副 《英話》=slam-bang.
whám·bàng 形 《米俗》巨大な; 大騒ぎの, 騒々しい.
whíz-bàng 《話》小型で高速度の砲弾.

bang·er /bǽŋər/

名 打つ(たたく)人 [もの]. ⇨ -ER[1].

bít bánger 中心的プログラマー.
éar bànger 《米俗》追従(ついしょう)者, ごますり.
fóur-bánger 名 《自動車俗》4 気筒エンジン.
héad·bànger 名 《俗》ばかな [いかれた] やつ.
síx-bànger 名 《米話》6 気筒エンジン.
wáll bànger 《米俗》メタクアロンの 1 包み.
wáll·bànger 名 《米》ウォールバンガー: カクテルの一種.

bank[1] /bǽŋk/

名 **1** 土手, 堤; 堆積(たいせき), 層. **2** ふち, 岸.

cláy·bànk 《米》黄褐色.
clóud·bànk 【気象】雲堤(うんてい).
cód·bànk タラの魚礁.
cút·bànk 浸食作用によって生じた崖(がけ).
em·bánk 動他 土手 [堤防など] で囲む.
fóg bànk 霧堤, 霧峰.
Léft Bánk セーヌ左岸.
òver·bánk 動自 【時計】〈レバー脱進機が〉振り切る.
Ríght Bánk セーヌ右岸.
ríver·bànk 川堤, 川岸, 河岸.
sánd·bànk 砂堆(さたい).
séa bànk 海岸, 海岸の砂丘; 護岸壁.
snów·bànk 雪の吹きだまり.
Sóuth Bànk サウスバンク: London 中心部のテムズ川南岸地区.
spóil bànk ぼた山.
stóp·bànk 《豪・NZ》堤防, 土手.
ùn·bánk 動他 〈炉などにいけた火を〉おこす.
Wést Bánk ウェストバンク: ヨルダン川西岸地区.

bank[2] /bǽŋk/

名 銀行(制度); 銀行の建物.

béetle bànk (アリマキやアブラムシを食べる昆虫を繁殖させるための)昆虫繁殖緑地.
blóod bànk 血液銀行.
bóttle bànk (再利用ための)空瓶集積場所.
cán bànk (再利用のための)空き缶集積場.
céntral bánk 中央銀行.
chártered bánk 《カナダ》特許銀行.
cléaring bànk 手形交換組合銀行.
commércial bánk 商業 [市中, 普通] 銀行.
coóperative bánk 《米》貯蓄貸付組合.
correspóndent bànk 《米》代理銀行.
crỳo·bánk 名 極低温精子保管.
dáta bànk データバンク.
Éuro·bànk ユーロバンク, 欧州中央銀行.
Éxport-Ímport Bànk 米国輸出入銀行(《話》Ex-Im).
éye bànk アイバンク, 眼球 [角膜] 銀行.
fóod bànk 《米》フードバンク, 食糧銀行.

fréeze bànk (血液などを保存する)冷凍銀行.
frínge bànk 《英》(小さい)貯金銀行.
géne bànk 遺伝子銀行.
Gíro·bànk 《英》ジャイロバンク.
indústrial bánk 《米》インダストリアル・バンク.
informátion bànk データバンク.
ínter·bànk 形 銀行間の.
invéstment bànk 投資銀行.
jób bànk 人材銀行(《英》Jobcenter).
lánd bànk 不動産銀行, 土地(担保貸)銀行.
límited-sérvice bànk =nonbank.
líving bánk 臓器銀行.
mechánical bànk 自動貯金箱.
Médi·bànk 《豪》メディバンク.
mémber bànk 加盟銀行.
mémory bànk (団体・国家の)全記録, 公文書.
mérchant bànk 《英》マーチャントバンク.
mílk bànk 母乳銀行, 母乳バンク.
móunte·bànk 大道薬売り; (客寄せ)芸人.
nátional bánk 《米》国立銀行, ナショナルバンク.
nòn·bánk 名 ノンバンク, 非銀行系金融機関.
nonbánk bànk 《米》非銀行系金融機関.
nonmémber bànk 《米》非加盟銀行.
Óf·bánk 銀行[金融]監督団体.
óyster-bànk カキ養殖[繁殖]場(oyster bed).
píggy bànk 豚の形の貯金箱; (一般に)貯金箱.
próblem bànk 《米》経営財政上問題のある銀行.
resérve bànk 準備銀行.
sávings bànk 貯蓄銀行.
séed bànk 種子銀行.
sóil bànk 《米》ソイルバンク.
spérm bànk 精子銀行.
státe bànk 《米》ステートバンク, 州立銀行.
statístical bànk 統計データバンク.
stíll bànk (動物や船の形をした)貯金箱.
trée·bànk 《英》大型苗木店.
wíldcat bánk 〘米史〙山猫銀行.
Wórld Bánk 世界銀行.

bank[3] /bǽŋk/

名 (座席・街灯などの)1 列, 1 段, 並び.

dóuble-bánk 動他 〘海事〙〈1 本のオールを〉2 人でこぐ.
élevator bànk エレベーター群, 並んだエレベーター.
télephone bànk (選挙投票などの)電話作戦部.

bank·roll /bǽŋkròul/

名 《米》札束; 財源; 手持ちの現金. ⇨ ROLL.

Chicágo bànkroll 《俗》一番上だけが高額札の札束.
Míchigan bánkroll 《米俗》小額紙幣の束.
Philadélphia bánkroll 《米俗》いちばん外側に高額紙幣を 1 枚だけ置いて中身はすべて 1 ドル札の束.

bap·tism /bǽptizm/

名 〘教会〙洗礼, 浸礼, バプテスマ. ⇨ -ISM[1].

An·a·bap·tism 名 再洗礼派の教義 [実践].
láy báptism 平信徒授洗.
pe·do·bap·tism 名 幼児洗礼.

Bap·tist /bǽptist/

名 〘キリスト教〙バプテスト, 浸礼派の人. ⇨ -IST[1].

Àna·báptist 名 再洗礼派, アナバプテスト.
càta·báptist 名 洗礼反対者.
Consérvative Báptist 保守派バプテスト.
Fréewill Báptist 自由意志バプテスト.
Partícular Báptist 特殊バプテスト.
pèd·o·báp·tist 名 幼児洗礼論者; 幼児洗礼を施す者.
Prímitive Báptist (特に米国南部の)原始バプテスト派.
Sóuthern Báptist 南部バプテスト派.

bar[1] /bɑ́ːr/

名 **1** 横棒. **2** 売り台, 軽食堂; 《米》酒場. **3** 弁護士業. **4** 線. ——動他 **1** …にかんぬきを差す. **2** …を締め出す.

áero bàr 《話》空気力学的にスピードの出る姿勢になる(自転車の)ハンドル.
ángle bàr 〘建築〙アングル, 山形鋼.
arbitrátion bàr 〘冶金〙アービトレーション試験棒.
ássay bàr (金属分析用の)純金棒, 純銀棒.
ázimuth bàr 方位バー, 方位儀.
báck·bàr 〘造船〙裏当て山形材.
bárrier bàr 沿岸州(す): 海面よりわずかに高い砂州.
báss-bàr 力木(ちからぎ), ベースバー.
báy-hèad bár 湾頭の砂嘴(さし).
bóring bàr 〘冶金〙中ぐり軸, 中ぐり棒.
búll-bàr 《豪》(動物との衝突に備えた)バンパー.
bús-bàr 〘電気〙母線, バス(bus).
bútter bàr 《米陸軍俗》少尉.
cápstan bàr 車地(しゃち)棒.
cásh bàr 《米》現金バー, キャッシュバー.
chánnel bàr 〘建築〙溝形鋼(channel iron).
chóc·bàr アイスクリームをチョコで包んだ菓子(chocice).
chócolate bàr チョコバー, 板チョコ.
cláw bàr バール, 爪梃子(つめてこ).
cóffee bàr 喫茶軽食堂.
cólor bàr 白人と有色人種との差別.
cróss·bàr 横木, 横棒, かんぬき.
crów·bàr クローバー, 金てこ.
crúsh bàr 《英》(劇場の)幕間(まくあい)の飲み物の売店.
cútter bàr (刈り取り機の)危険防止器を備えた棒.
dáting bàr 《米》=singles bar.
de·bár 動他 〈人を〉締め出す, 除外する.
defórmed bár 〘建築〙異形鉄筋.
D́H bàr (自転車の)ドロップハンドル.
dis·bár 動他 …から弁護士資格を剝奪(はくだつ)する.
dóuble bár 〘音楽〙複縦線.
Dóve bàr 《米》大型の(チョコレート)アイスクリームバー.
drág·bàr 〘鉱山〙輪止め.
dráw·bàr 引っ張り棒, 牽引(けんいん)棒.
dróp-hàndlebar (自転車の)ドロップハンドル.
effíciency bár 能率バー: 給料がある水準に達した後は, 一定の能率が達成されるまで頭打ちになること.
em·bár 動他 …を(棒などで)止める, 妨げる.
éye·bàr 〘土木〙アイバー.
fáce·bàr 〘レスリング〙フェースバー.
férn bàr シダなどで飾りたてたいきなバー.
fíg bàr フィッグバー: イチジクを包んだクッキー.
Flínders bàr 〘航海〙フリンダーズバー.
frúit bàr 果物を乾燥圧縮したもの.
gíll bàr 〘動物〙鰓弓(さいきゅう).
glázing-bàr (窓ガラスなどの)組子(くみこ).
gráb bàr つかみ棒: 浴槽のそばなどの手すり.
guíde bàr 〘機械〙案内棒.
hándle·bàr (自転車などの)ハンドル.
hát bàr 帽子売り場.
héel bàr 《英》(デパートなどの)靴修繕コーナー.
Hérshey bàr 《米軍俗》(海外勤務の年数を表す)袖(そで)章.
hígh bár 〘体操〙=horizontal bar.
horizóntal bár 〘体操〙鉄棒.

B

Í-bàr 【建築】アイバー, I 形鋼.
incórporated bár 【法律】=integrated bar.
ínner bár 【英法】勅選弁護士団.
íntegrated bár 【法律】(米国のいくつかの州で)強制加入弁護士会.
Ioffé bár 【物理】ヤフィーバー, ヨッフェ棒.
Jóhnson bàr 《米》(蒸気機関車の)逆転てこ.
jóint bàr 【建築】継ぎ目板.
júice bàr 《俗》ジュースバー.
karaóke bàr カラオケバー.
láundromat-bàr コインランドリーの付いた酒場[レストラン].
Ĺ bàr 山形鋼(angle iron).
léather bàr 《俗》同性愛者[サド・マゾ]がたむろするバー.
lóunge bàr 《英》(ラウンジのある)高級バー.
lúncheon bàr 《英》=snack bar.
ménu bàr 【コンピュータ】メニューバー.
mílk bàr ミルクバー: ミルク飲料, サンドイッチなどを売る簡素なレストラン.
múck bàr 【冶金】錬鉄延棒.
nérf bàr レーシングカーの鋼鉄製の管状バンパー.
nósh bàr 《英話》レストラン, 軽食堂.
ópen bàr オープンバー: レセプションで, アルコール飲料を無料で出すバー.
óuter bár 【英法】下級法廷弁護士団.
óyster bàr 《米南部》カキ養殖[繁殖]場.
pánic bàr 非常口掛け金.
piáno bàr ピアノバー.
pínch bàr 台付きてこ, こじり棒.
prívate bár 《英》(パブ内の)高級バー.
públic bár 《英》(パブなどの)一般席.
quárter bàr 風車の中棒を支える支柱.
ráw bàr 生ガキなどを供するレストラン.
ré-bàr 名 《話》【建築施工】(コンクリート補強用)鉄筋.
revérse bàr 副フレーム材.
rípping bàr =pinch bar.
róll bàr 【自動車】ロールバー.
sálad bàr サラダバー.
sánd bàr 砂州, 砂嘴(さ).
sándwich bàr サンドイッチ専門の軽食堂.
sásh bàr 《主に英》組子, 桟(muntin).
síckle bàr =cutter bar.
síde-bàr (大記事の)補足記事(follow-up).
síngles bàr シングルズバー: 独身男女がデートの相手を求めて集まる酒場.
síssy bàr (バイク・自転車の)背もたれ.
slíce bàr 火かき棒.
slíde bàr 【機械】滑り棒, スライドバー.
smárt bàr smart drink を販売するクラブや酒場.
snáck bàr 簡易食堂, 軽食堂, スナック.
spáce bàr スペースバー: スペースをあけるためのタイプライターなどの横棒.
splínter bàr 《英》=swinglebar.
spórts bàr 《米》いつでもスポーツ中継が見られる酒場.
spórts bàr スポーツバー: テレビのスポーツ中継各種が見られるバー.
stábilizer bàr 【自動車】スタビライザーバー.
stáy-bàr (建築物・機械類の)支え, 支柱.
stírring bár 【化学】攪拌(かくはん)棒磁石.
súshi bàr 寿司カウンター, 寿司屋.
swáy bàr 【自動車】=stabilizer bar.
swíngle-bàr 遊動棒: 馬具の引き綱を結びつける横木.
T-bàr 【建築施工】T 形鋼.
tíe bàr 棒型のネクタイ留め.
tóll bàr 遮断棒, 遮断ゲート.
tóol-bàr 名 《俗》【コンピュータ】ツールバー.
tórsion bàr ねじり棒[ばね], トーションバー.
tów bàr トウバー: 荷を牽引するために車両に取り付けられた連結棒.
tówel bàr タオル掛け用の棒.
týpe-bàr 名 タイプバー: タイプライターのキーボードを打つと動く, 先端に活字のついた薄い金属の腕.
ùn-bár 動他 …の横木を外す, かんぬきを抜く.
útter bár =outer bar.
wét bàr 《米》自宅にしつらえたバー.
wíndow bàr 窓のかんぬき; 窓連子(れんじ).
wíne bàr ワインバー.
wíng bàr 【鳥類】翼帯.
wrécking bàr =pinch bar.
Ź-bàr 名 【建築】Z 形鋼[材].
zéd-bàr 名 《主に英》=Z-bar.

bar[2] /báːr/

名 **1**【物理】バール: CGS 系の圧力の単位. **2** 気圧.

al·lo·bar 名 【気象】気圧変化(域).
cen·ti·bar 名 センチバール.
dec·i·bar 名 デシバール.
is·al·lo·bar 名 【気象】気圧等変化線.
i·so·bar 名 【気象】等圧線.
kil·o·bar 名 キロバール.
meg·a·bar 名 【気象】メガバール.
mi·cro·bar 名 マイクロバール.
mil·li·bar 名 【気象】ミリバール.

bar·ber·ry /báːrbèri, -bəri | báːbəri/

名 【植物】メギ(ヘビノボラズ類を含む). ⇨ BERRY.

Alleghény bárberry アレガニー・ヘビノボラズ.
Jápanese bárberry メギ(目木).
Magéllan bárberry メギ属の常緑低木.
wíntergreen bárberry シナメギ.

bar·bi·tal /báːrbətɔ̀ːl, -tæ̀l | -tæ̀l/

名 【薬学】バルビタール: 催眠剤・鎮痛剤.

am·o·bar·bi·tal 名 アモバルビタール.
hex·o·bar·bi·tal 名 ヘキソバルビタール.
pen·to·bar·bi·tal 名 ペントバルビタール.
phe·no·bar·bi·tal 名 フェノバルビタール.
sec·o·bar·bi·tal 名 セコバルビタール.

bar·gain /báːrgən/

名 取引[売買]契約, 約定, 取引.

Dútch bárgain 《英》一杯やりながら結ぶ売買契約.
éffort bàrgain 努力報酬の取り決め[協定].
pléa-bàrgain 動自 《米》司法取引をする.
tíme bàrgain 【商業】定期売買[取引].
wét bàrgain =Dutch bargain.

bar·gain·ing /báːrgəniŋ/

名 (労使の)団体交渉. ⇨ -ING[1].

colléctive bárgaining (労使間の)団体交渉.
distríbutive bárgaining 【産業関係】分配交渉.
íntegrative bárgaining 統合交渉.
páttern bàrgaining パターン交渉, モデル型団体交渉.
pléa bàrgaining 《米》司法取引, 量刑の取引[交渉].
productívity bàrgaining 賃上げと引き換えに生産性向上のための労働条件の変化に同意する交渉.

barge /báːrdʒ/

名 (運河・河川・港などで使う)平底荷船, はしけ.

cráp bàrge 《俗》くそ船.
hóney bàrge 《米海軍俗》ごみ運搬用大型平底船.
hópper bàrge ホッパー船, ホッパー底開き船.
hóver·bàrge 《英》ホバーバージ: エアクッション式のはしけ.

bar·ic /bǽrik/

㊊ **1** 重量の. **2** 気圧の, 気圧に関する; 気圧計の. ⇨ -IC[1].
★ 語頭にくる関連形は baro-: *baro*meter「気圧計」.

cen·tro·bar·ic ㊊ 重心の; 重心を持つ.
hy·per·bar·ic ㊊ 〘医学〙〈麻酔剤が〉高比重の.
hy·po·bar·ic ㊊ 〘医学〙〈麻酔剤が〉低比重の.
i·so·bar·ic ㊊ 〘気象〙等圧の; 等圧線の.

bark /bá:rk/

㊔ 樹皮, 粗皮(あらかわ).

álmond bàrk 〘菓子〙アーモンドバーク.
angostúra bárk アンゴスチュラ皮.
Cáribbèe bárk カリブ皮.
chína bàrk キナ皮, シンコナ(cinchona).
de·bárk ㊍㊌〈丸太の〉樹皮をはぐ.
íron·bàrk 〘植物〙オーストラリア産の樹皮の堅いユーカリの総称.
Jésuit's bárk キナ皮, シンコナ(cinchona).
láce·bark 〘植物〙アオイ科ホヘリア属の常緑高木 *H.populnea*.
níne·bàrk 〘植物〙バラ科テマリシモツケ属の低木の総称.
páper·bàrk 〘植物〙カエプト(cajeput).
peréira bàrk ペレイロ皮.
Perúvian bárk =china bark.
quillái bàrk キラヤ皮.
réd bárk 赤キナ皮.
ríng·bàrk ㊍㊌〈樹皮を〉輪状にはぐ.
sássy bàrk 〘植物〙サス・ウッド(sasswood).
séven·bàrk 〘植物〙アメリカアジサイ.
shág·bàrk 〘植物〙ヒッコリー.
shéll·bàrk 〘植物〙クルミ科ペカン属の木.
sóap·bàrk 〘植物〙キラヤ(石鹸木).
stríng·bàrk 〘植物〙=stringybark.
strínɡy·bàrk 〘植物〙オーストラリア産の繊維質の樹皮を持つユーカリ.
stróng·bàrk 〘植物〙チシャノキ科ボーレリア属の熱帯性低木.
tán·bàrk タン皮, タンニン樹皮.
wínter's bárk 〘植物〙モクレン科の常緑樹の一種.
yéllow bàrk 黄キナ皮, キナノキの皮.

bar·ley /bá:rli/

㊔ 〘植物〙オオムギ.

fóur-ròwed bárley 四条大麦.
húlled bàrley カワムギ(皮麦).
péarl bàrley (精白した)丸麦.
Scótch bàrley =hulled barley.
síx-ròwed bárley 六条オオムギ.
twó-ròwed bárley 二条大麦.
wáll bàrley ムギクサ.

barn /bá:rn/

㊔ **1** 納屋. **2** 《米》(バスなどの)車庫.

bánk bàrn 《主に米・カナダ》バンクバーン: 丘の斜面に建てられた納屋.
cár·bàrn 《米》(電車・バスの)車庫.
Dútch bárn 鋼鉄の骨組みと湾曲した屋根だけの物置.
Róbin Hóod's bàrn 《米俗》遠回りの道.
títhe bàrn 《英》《もと》十分の一税の穀物を貯蔵するために建てられた教会または教区所有の納屋.

ba·rom·e·ter /bərɑ́mətər | -rɔ́mətə/

㊔ 〘気象〙気圧計. ⇨ -METER.

áneroid barómeter アネロイド気圧計.
cístern baròmeter シスタン気圧計(cup barometer).
cúp baròmeter =cistern barometer.
Fórtin barómeter フォルタン気圧計.
maríne baròmeter 船舶用気圧計.
mercúrial barómeter =mercury barometer.
mércury barómeter 水銀気圧計.
síphon barómeter サイフォン気圧計.
thèr·mo·ba·róm·e·ter ㊔ 沸点気圧計.

bar·on /bǽrən/

㊔ **1** 男爵. **2** 財界人, 実力者.

cóurt bàron 〘英史〙荘園裁判所; 1867 年廃止.
préss bàron 新聞業界のボス, 新聞王.
Réd Báron 赤い男爵: Baron Manfred von Richthofen の異名, 赤の Fokker 三葉機に乗った第一次大戦のトップエース.
róbber bàron 〘英史〙追いはぎ貴族.
tobácco bàron 《英俗》(刑務所で)タバコを取り仕切る囚人.

bar·rage /bərɑ́:ʒ | bǽrɑ:ʒ/

㊔ 〘軍事〙(味方を援護し, 敵軍の前進を阻止するための)弾幕(砲火)射撃, 幕火, つるべ打ち. ⇨ -AGE[1].

ballóon barràge 阻塞(そさい)気球(網).
bóx barràge 対空十字砲火; 阻止(弾幕)射撃.
créeping barráge =rolling barrage.
rólling barráge 移動弾幕射撃, 誘導弾幕.

bar·rel /bǽrəl/

㊔ **1** (胴の膨れた)樽, ビヤ樽. **2** 銃身; 〘自動車〙バレル.

cíder bàrrel 《米俗》外洋航行のタグボート.
córe bàrrel コアバーレル, 岩心管.
crácker-bàrrel ㊊ 《米》単純素朴な.
dóuble-bárrel 二連発銃.
dríving bàrrel (重錘時計において)重錘が下がることによって回転するドラム.
gás bàrrel (屋内にガスを引き込む)ガス管.
gún bàrrel 〘スキー〙ガン・バレル.
pórk bàrrel 《米話》連邦議会議員が選挙区の利益のため政府の補助金を獲得すること; そのための法案・政策.
síngle-bárrel 単銃身の銃, (特に)単銃身の散弾銃.
túmbling bàrrel タンブラー, 転摩機.

bar·ri·er /bǽriər/

㊔ 柵(さく), 防壁; はばむもの.

architéctural bárrier 身障者に不便な建築構造.
bándit bàrrier 防弾プラスチック板.
blóod-bráin bàrrier 〘生理〙血液脳関門.
crásh bàrrier 《主に英》ガードレール, 防護柵(さく).
crúsh bàrrier 《英》群衆制止用(鉄)柵(さく).
héat bàrrier =thermal barrier.
nòn-táriff bárrier 非関税障壁.
poténtial bárrier 〘電気〙〘物理〙ポテンシャル障壁.
sónic bárrier =sound barrier.

B

sóund bàrrier 《俗に》音の障壁.
thérmal bárrier 【航空】【ロケット】熱障壁.
tícket bàrrier (駅の)改札口.
tráde bàrrier 貿易障壁.
transónic bárrier ＝sound barrier.
vápor bàrrier 【建築施工】防湿層.

bar·ris·ter /bǽrəstər/

名《英》【法律】バリスター, 法廷弁護士.

hédge-barríster 《英》(毎日裁判に出席する)法廷弁護士.
ínner bárrister 勅選弁護士.
óuter bárrister 下級法廷弁護士.
útter bárrister ＝outer barrister.

bars /bɑ́rz/

名複 bar「横棒」の複数形.

asymmétrical bárs 《主に英》＝uneven parallel bars.
kíller bàrs 【郵便】抹消線.
mónkey bàrs ジャングルジム(jungle gym).
párallel bárs 【体操】平行棒(競技).
unéven bárs 【体操】段違い平行棒(競技)(uneven parallel bars).
wáll bàrs 肋木(ろくぼく).

base[1] /béis/

名 基底, 基部; 土台, 基盤.

áir bàse 空軍基地, エアベース.
Áttic báse 【建築】アティック式礎盤.
clóud bàse 雲底: 雲(層)の下面.
complementáry báse 【遺伝】相補的塩基.
dáta·bàse 【コンピュータ】データベース.
dí·a·bàse 名【岩石】輝緑岩.
fíre·bàse 【軍事】砲列, 野砲陣地.
fírst báse 【野球】一塁.
frée·bàse 動他《俗》〈コカインを〉フリーベースで純度を高める.
gý·no·bàse 名【植物】心皮軸.
hóme báse 【野球】本塁.
kéttle bàse (衣類だんすなどで)下部が外側に弧状に張り出した部分.
léuco bàse 【化学】ロイコ塩基.
Léwis báse 【化学】ルイス塩基.
lúna·bàse 名形【天文】月の海[低地部](の).
még·a·bàse 名【遺伝】100万組のDNA塩基.
nával báse 【軍事】海軍基地.
óff-báse 形 軍事基地外の.
óutlying báse 【米軍事】海外基地.
pówer bàse 《米》権力の基礎, 勢力基盤, 地盤.
príson bàse ＝prisoner's base.
prísoner's báse 「陣取り」に似た子供の遊び.
pséudo bàse 【化学】擬似塩基, 擬塩基.
ráte bàse 【広告】広告料金算定基準.
rhéo·bàse 【生理】基電流.
Schíff bàse 【化学】シッフ塩基.
sécond báse 【野球】二塁.
súb·bàse 名【建築】(柱などの土台の)基部.
súr·bàse 名【建築】頂部刳形(くりかた).
táx bàse 税基盤.
thírd báse 【野球】三塁.
wáter-bàse 形 水を主成分とする.
wáve bàse 波浪作用限界深度, 波食基準面.
wáving bàse 《英》(空港の)展望台.
whéel·bàse 【自動車】ホイールベース, 軸距.
zéro-bàse 形 ゼロベースの.

base[2] /béis/

形 1〈人・行為が〉(道徳的に)卑しい, さもしい; 利己的な; 卑劣な. 2《米俗》(カリフォルニアで)無礼な, むかむかさせる.

a·base 動他 (階級・地位・評判などを)下げる.
de·base 動他〈品質・価値などを〉下げる.

-based /bèist/

連結形 …を基にした, 基礎づけられた; …に基地[本社, 本部]を有する. ⇨ -D[2].
★ 形容詞をつくる.
★ 語末にくる関連形は -BASIC.
★ 語頭にくる関連形は basi-: *basi*lect「【言語】下層方言」.

bróad-bàsed 形 広い層に支持[基盤]を持った.
cárrier-bàsed 形 艦載の, 軍艦に載せた; 艦上発進の.
ĆD-bàsed 形 コンパクトディスクを用いた.
ÚNIX-based 形【コンピュータ】ユニックス方式の.
chíp-bàsed 形 マイクロチップを用いた.
lánd-bàsed 形 陸上基地発進の.
pén-bàsed 形【コンピュータ】ペン型入力機器の.
séa-bàsed 形 海上基地発進の.
shóre-bàsed 形 陸上の基地から操作する.
sólvent-bàsed 形 溶剤性の.
Tókyo-bàsed 形 東京に本社がある.

base·ment /béismənt/

名 1 地階, 地下室. 2【地質】基盤(岩)体. ⇨ -MENT.

bárgain básement (デパートなどの地階にある)特売場.
bárgain-bàsement 形《米》〈物・値段が〉格安の.
Énglish básement 《主に米》(道路から直接出入りできるように改造した)地階.
oceánic básement 【地質】海底基盤.
sèm·i·báse·ment 名 半地階, 半地下室.
súb·bàse·ment 名 地階の下の階, 地下二階.

bash /bǽʃ/

動他《話》〈人・物を〉(壊れたり, 傷つくほど)強打する; 打ちのめす.

ear·bash 動他自《英・豪俗》べらべらしゃべる.
spine-bash 動自《豪俗》休息する; ぶらぶら暮らす.
square-bash 動自《英軍俗》軍事教練をする.

bash·er /bǽʃər/

名 bash する人. ⇨ -ER[1].

Bíble-bàsher 《俗》熱烈な福音伝導者.
cándle bàsher 《米俗》自慰をする女.
ínstrument bàsher 《英俗》機械係, 計器係.
Swéde-bàsher 《英俗》農民, いなか者.
wálly bàsher 《英俗》助手, 世話係; 警備係.

bash·ing /bǽʃiŋ/

名《俗》たたくこと, 殴打; むち打ち. ⇨ -ING[1].

búsh·bàshing 《豪・NZ》叢林を切り開いて進むこと.
gáy-bàshing 《米俗》同性愛者虐待, ホモいじめ.
gránny bàshing 《話》老人虐待, 年寄りいじめ.
Japán-bàshing 日本いじめ, 日本たたき.
júngle-bàshing 《俗》(軍隊などが)ジャングルの中を前進していくこと.
Páki-bàshing 《英俗》パキスタン移民いじめ.
quéer-bàshing 《俗》ホモたたき.
spúd bàshing 《英軍俗》(懲罰としての)ジャガイモの皮むき.

únion-bàshing 《英話》(労働)組合たたき.

-ba·sic /béisik/

連結形 〘化学〙塩基(base)の.
★ 形容詞をつくる.
★ 語末にくる関連形は -BASED.
★ 語頭にくる関連形は basi-: *basi*lect「〘言語〙下層方言」.
◆ ギリシャ語 *bás(is)*「歩み」より. ⇨ -IC[1].

bi·ba·sic 形 《もと》=dibasic.
di·ba·sic 形 二塩基(性)の.
hex·a·ba·sic 形 六塩基の.
mon·o·ba·sic 形 〈酸が〉一塩基(度)の.
pol·y·ba·sic 形 多塩基の.
tet·ra·ba·sic 形 四塩基(性)の.
tri·ba·sic 形 三塩基の.
ul·tra·bas·ic 形 〈岩石が〉超塩基性の.

ba·sin /béisn/

名 **1** 水盤, 洗面器. **2** 水たまり; くぼ地. ⇨ -IN[1].

cátch bàsin 《米・カナダ》排水桝(ます), 集水溝.
dráinage bàsin (河川の)流域, 集水域.
géyser bàsin 間欠泉地帯.
Gréat Artésian Básin 大鑽井(さんせい)盆地(オーストラリアの地名).
Gréat Básin グレートベースン(米国の地名).
láke bàsin 湖水盆地.
plúnge bàsin 滝つぼ.
ríver bàsin 〘地文〙河川流域.
slóp bàsin 《英》湯こぼし, 茶殻入れ.
súgar bàsin 《英》砂糖つぼ, シュガーボウル.
tídal bàsin 潮泊渠(ちょうはくきょ): 潮の干満の被害を防ぐための人工ドック.
wásh·bàsin 洗面器; 洗面台.
wét bàsin 〘海事〙艤装(ぎそう)ドック.

ba·sis /béisis/

名 **1** 基部, 基底. **2** 根本原理, 基準; 基礎. ⇨ -SIS.
★ 複数形は bases.

accrúal bàsis 〘会計〙発生主義 [原則].
a·náb·a·sis 名 (海岸からの)内陸への進軍. ▶古代ギリシャの Xenophon の従軍遠征記 *Anabasis* に由来.
cásh bàsis 現金主義.
ca·táb·a·sis 名 =katabasis.
fírst-cóme-fírst-sérve(d) bàsis 先着順.
góld bàsis (通貨の)金本位.
hy·po·bá·sis 名 〘建築〙(建物や柱の布敷きにした)基壇 [布基礎](podium)の最下部.
ka·táb·a·sis 名 内陸から海岸への撤退 [行進].
pa·ráb·a·sis 名 (古代ギリシャ演劇で)特に喜劇において観客に向かって歌われる合唱歌.

bas·ket /bǽskit, bɑ́ːs- | bɑ́ːs-/

名 かご, バスケット, ざる.

Áli Bába básket (油壺に似た)大型洗濯かご.
bréad·bàsket パン(入れ)かご.
bríde's bàsket 銀めっき台座のある取っ手付き色ガラス製装飾鉢.
búck bàsket =clothesbasket.
búshel·bàsket ブッシェル(容量の)かご.
chíp bàsket 経木で編んだかご.
clóthes·bàsket 洗濯物入れ, 洗濯かご.
dínner bàsket 《米俗》(人の)胃袋.
hánd·bàsket 手提げかご, バスケット.
hánging básket (植物を入れる)つりかご.
ín-bàs·ket 名 未処理書類入れ.
láundry bàsket (洗濯物入れの)かご.
lítter·bàsket くずかご.
márket bàsket 買い物かご.
Móses bàsket 《主に英》ほろ付き揺りかご.
óut-bàsket 発送郵便物入れ.
pláte bàsket 《英》食器かご.
póllen bàsket 花粉かご.
sálad bàsket サラダバスケット.
stéamer bàsket 果物・菓子・缶詰などの詰め合わせかご.
stóck bàsket 〘証券〙代表株の一括セット.
téa bàsket 《英》弁当用バスケット.
wáshing bàsket 洗濯物かご.
wáste·bàsket 《主に米・カナダ》くずかご.
wástepaper básket =wastebasket.
wórk·bàsket かご製の裁縫道具入れ.

bass[1] /béis/

形 〘音楽〙低音の, バスの. ── 名 **1** 低音, バス, ベース. **2** 低音歌手; 低音楽器; ダブルベース; ベースギター.

cón·tra·bàss 名 (一般に)最低音楽器; コントラバス.
dóuble báss ダブルベース, コントラバス.
fígured báss 数字付き低音.
fundaméntal báss 根音バス.
gróund báss グラウンドベース, 固執低音.
stríng bàss =double bass.
súb·bàss 名 ドローン管; ドローン弦.
thórough báss =figured bass.
thróugh báss =figured bass.
wálking báss ウォーキングベース: (バロック音楽で)歩行低音.

bass[2] /bǽs/

名 〘魚類〙バス: スズキ目クロマス科の *Micropterus* 属の淡水産食用魚の総称.

bláck báss クロマス, ブラックバス.
cálico bàss クラッピー(crappie)の一種.
chánnel bàss ニベ科の大形食用魚(red drum).
gréen báss =largemouth bass.
kélp bàss ケルプバス.
lárgemòuth báss オオクチクロマス, オオクチバス.
róck bàss クロマス科の淡水の釣り魚.
séa bàss ハタ科の海魚の総称.
sílver báss =white bass.
smáll·mòuth báss コクチクロマス.
stóne bàss ニシオオスズキ.
stráwberry báss クラッピー(crappie)の一種.
stríped báss スズキ目ハタ科の釣魚.
whíte báss スズキ目ハタ科の食用淡水魚.

bat[1] /bǽt/

名 〘スポーツ〙 **1** (野球・クリケットの)バット; (特に卓球・バドミントンの)ラケット; 《米話》(騎手の)むち. **2** 打席, 打順. **3** (れんがの)かけら.

át bát 〘野球〙打数.
brick·bàt 名 (特に投石用)れんがの破片, つぶて.
combinátion bàt 〘卓球〙片面ずつ別種のゴムを張ったラケット.
pándy·bàt 名 《主にスコット》(罰として)生徒の手のひらを打つむち.
stráight bát 〘クリケット〙垂直に構えたバット.

bat[2] /bǽt/

名 コウモリ.

B

brówn bát 小形から中形の褐色のコウモリの総称.
búll·bàt 名 〔鳥類〕アメリカヨタカ.
dísk bàt スイツキコウモリ.
frée-tailed bát オヒキコウモリ.
frúit bàt オオコウモリ, フルーツコウモリ.
gólden bát =sucker-footed bat.
hórseshoe bàt キクガシラ(菊頭)コウモリ.
insectívorous bát 昆虫食コウモリ.
jávelin bàt ヘラコウモリ.
léaf-nòsed bát 鼻葉のある熱帯産のコウモリの総称.
lóng-èared bát ウサギコウモリ.
mástiff bàt ウオクイコウモリ.
móuse-èared bát オオホオヒゲコウモリ.
náked bát ハダカオヒキコウモリ.
óld bát 《米俗》(おしゃべり)ばばあ.
réd bát アカコウモリ.
séa bàt 〔魚類〕アカグツ(赤苦津).
shéath-tàiled bát サシオコウモリ科のコウモリの総称.
spécter bát ヘラコウモリ科のコウモリの総称.
súcker-fòoted bàt サラモチコウモリ.
túbe-nòsed bát テングコウモリ.
vámpire bàt チスイ(血吸い)コウモリ.

-bate /béit/

連結形 打つ.
★ 語頭にくる形は batt-: *batt*alion「軍隊」, *batt*ery「殴打」.
◆ <仏 *bat(t)re*「打つ」, 古仏.

a·bate 動自 衰える; 減る; 軽くなる.
de·bate 名 議論; 討論. ──動自 議論する.
make·bate 名 《古》けんか[口論]を仕掛ける人.

bath /bǽθ, bɑ́:θ | bɑ́:θ/

名 **1** 入浴; 水浴び; 日光浴. **2** 浴槽; 浴室. **3** 溶液. **4** 〔化学〕…浴.

áir bàth 〔医学〕〔化学〕空気浴, 外気浴.
béd bàth =blanket bath.
bírd·bàth 小鳥の水浴び場.
blánket bàth 《英》ブランケットバス: 濡らしたスポンジで体をぬぐうこと.
blóod·bàth 大量殺人, 大虐殺.
búbble bàth 泡立て溶剤.
cléaring bàth 〔写真〕清浄浴.
cóld báth 冷水浴.
drý báth 《俗》囚人を裸にして行う身体検査.
dúst-bàth (鳥の)砂浴び.
dýe·bàth 染浴(せんよく): 染色のための染(料)液.
éye bàth 洗顔用コップ(《英》eyecup).
fóot·bàth 足湯, 脚浴.
fúll báth 浴槽, シャワー, 洗面台, 便器のそろった浴室.
hálf báth 便器と洗面設備だけの浴室.
híp bàth 腰湯, 座浴(sitz bath).
immúnity bàth 〔法律〕免責の恩恵.
máster báth 主寝室に付属する浴室.
móno·bàth 名 〔写真〕一浴現像定着浴.
múd bàth 泥(どろ)浴, 泥ぶろ.
plúnge bàth 大浴槽.
rítual báth 〔ユダヤ教〕水浴場(mikvah).
sált bàth 〔冶金〕塩浴.
sánd bàth **1** 〔化学〕サンドバス. **2** 砂風呂.
sílver bàth 〔写真〕硝酸銀溶液.
sítz bàth 腰湯桶.
slípper bàth 端に覆いがあるスリッパ型の風呂.
spónge bàth ぬらしたスポンジで体をぬぐうこと.
stéam bàth 蒸し風呂, スチームバス.
stóp bàth 〔写真〕(現像)停止浴.
sún·bàth 日光浴, 太陽灯照射.
swéating-bàth 蒸し風呂.
tóngue-bàth 《俗》ディープキス(tongue-job).
tónsil bàth 《米話》酒(の1杯).
Túrkish báth トルコ風呂, 蒸し風呂.
wáter bàth 水浴, 湯浴.
whírlpool báth 渦流浴.

-bath /bæθ/

連結形 深さ.
★ 語末にくる関連形は -BATHIC.
★ 語頭にくる形は batho-, bathy-; *batho*meter「深海測深器」, *bathy*chrome「深色団」.
◆ ギリシャ語 *báthos*「深さ」より.

eu·ry·bath 名 広深性生物.
i·so·bath 名 等深線.
i·so·ther·mo·bath 名 等深層水温線.
sten·o·bath 名 狭深度性生物.

bathe /béið/

動他 …を水浴び[日光浴]させる, 沐浴(もくよく)させる; 《米》〈人を〉風呂に入れる.

dúst-bàthe 動自 砂浴[砂浴び]する.
sún·bàthe 動自 日光浴をする, 太陽灯照射を受ける.

-bath·ic /bǽθik/

連結形 〔生態〕深さの.
★ 形容詞をつくる.
★ 語末にくる関連形は -BATH.
★ 語頭にくる関連形は batho-, bathy-; *batho*meter「深海測深器」, *bathy*chrome「深色団」.
◆ ギリシャ語 *báthos*「深さ」より. ⇨ -IC[1].

eu·ry·bath·ic 形 広深性の.
pho·to·bath·ic 形 (海水層が)太陽光線が届く深さの.
sten·o·bath·ic 形 狭深度性の.

-bat·ic /bǽtik/

連結形 歩く…, 進む….
★ 形容詞をつくる.
◆ ギリシャ語 *baínein*「行く」の動詞状形容詞 *batikós* より. ⇨ -IC[1].

ac·ro·bat·ic 形 アクロバットの, 綱渡りの, 軽業的な.
ad·i·a·bat·ic 形 断熱的な, 断熱の.
aer·o·bat·ic 形 曲技飛行の, 高等飛行(術)の.
an·a·bat·ic 形 滑昇[斜面上昇]風の.
kat·a·bat·ic 形 〈風・気流が〉斜面に沿って下る.

bat·ten /bǽtn/

名 (板の継ぎ目をふさいだりする)目板.

dóuble bátten 〔演劇〕ダブルバトン.
pípe bátten 〔演劇〕バトン: 背景, 照明などをつるす長い金属パイプまたは木の棒.
sándwich bátten =double batten.

bat·ter·y /bǽtəri/

名 〔電気〕電池, バッテリー. ⇨ -ERY[1].

Á bàttery 〔電子工学〕A 電池.
áir bàttery 〔電子工学〕空気電池.
ànti-áircraft bàttery 〔軍事〕対空部隊.
assáult and báttery 〔法律〕暴行, 暴力行為.
B́ bàttery 〔電子工学〕B 電池.
Ć bàttery 〔電子工学〕C 電池.
drý báttery 〔電気〕(dry cell 1個または数個から

成る)乾電池.

fíeld bàttery 〘軍事〙野戦砲兵中隊, 野砲隊.
flóating báttery 浮き砲台.
galvánic báttery 〘電気〙=battery.
Hálstead-Réi·tan Neuropsychológical Bàttery ホールステッド=ライタン式神経心理学的総合テスト.
hén bàttery (雌鶏1羽ずつを入れて産卵させる小室から成る)鶏舎.
léad-ácid bàttery 〘電気〙鉛蓄電池.
NiCd báttery =nickel-cadmium battery.
níckel-cádmium bàttery 〘電気〙ニッケルカドミウム電池.
núclear báttery 〘電子工学〙原子力電池.
pláte bàttery 〘電子工学〙=B battery.
prímary báttery 〘電気〙一次電池.
quártz bàttery 〘採鉱〙スタンプミル, 砕鉱機.
radioísotope bàttery =nuclear battery.
sécondary báttery 〘電気〙蓄電池.
sólar báttery 〘電気〙太陽電池.
stórage bàttery 〘電気〙(複数の蓄電池から成る)蓄電装置.
voltáic báttery 〘電気〙=battery.

bat·tle /bǽtl/

名 戦い, 戦争, 戦闘; 交戦, 会戦; 参戦, 従軍.

em·bat·tle 動他 戦闘隊形につかせる, 陣容を整える.
pítched báttle 会戦.
rúnning báttle 追撃退却戦闘.

bay[1] /béi/

名 湾, 入り江.

Bótany Báy ボタニー・ベイ(オーストラリアの地名).
Carolína báy (米国東部の沿岸平野の)通例, 湿地性で卵形の浅いくぼ地.
em·báy 動他〈船を〉湾内に入れる包囲する.
lóck bày ロックベイ, 閘池(こう): 運河の閘門手前の広く膨らんだ部分.
túmbling bày 堰(せき)(から流出した水のよどみ).

bay[2] /béi/

名 〘建築〙ベイ, 柱間(はしらま), 間(ま).

bómb bày 〘航空〙〘軍事〙(爆撃機, 哨戒機の胴体にある)爆弾倉.
cárgo bày (スペースシャトルの)貨物倉 [室].
cáse bày 〘木工〙(天井・床で)2本の主材間の空間.
fíre bày 〘築城〙射撃壕(ごう).
fóre·bày 〘土木工学〙フォアベイ, 取水庭.
párking bày 《英》(車1台分の)駐車場所.
páyload bày =cargo bay.
síck·bày (特に船内の)病室, 医務室.
táil bày 端区.

bay[3] /béi/

名 〘植物〙ゲッケイジュ(月桂樹)(laurel), ピメンタ, ベーラムノキ(bay rum tree).

búll báy タイサンボク(泰山木).
lóblolly báy ツバキ科の常緑樹.
réd báy クスノキ科アボカド属の常緑樹.
róse·bày ロドデンドロン(rhododendron): ツツジ属の木の総称.
swámp bày クスノキ科ワニナシ(アボカド)属の低木.
swéet báy =bay³.

be /bíː, 《弱》bi/

動自 **1**〈人・物が〉存在する, いる, ある; 生存する, 生きている. **2**《一致》…である; 《名称》…である; 《性質・状態》…である.

bride-to-be 名 結婚まじかの女性.
may·be 副 …かもしれない, ことによると….
to-be 形 《複合語》将来の, 未来の.
wan·na·be 名 ワナビー: 歌手などの服装をまねる熱狂的ファン. ►want to be から.
would-be 形 …志望の; 自称の, えせの.

beach /bíːtʃ/

名 (砂・小石に覆われた)浜, 海浜.

bárrier bèach 沿岸州.
frée béach ヌーディストビーチ.
múscle béach 筋肉美を誇示する海岸.
prívate béach (立入禁止の)私有の浜辺.
ráised béach 〘地質〙隆起海浜層.
séa·bèach 海岸.

bea·con /bíːkən/

名 **1** かがり火. **2** 水路 [航路] 標識.

áirway bèacon (灯火回転式の)航空標識.
Belísha béacon 《英》ベリーシャ交通標識.
dáy·bèacon 形と色で示す航路標識で, 点灯装置のない立標; 昼標の一つ.
míddle márker bèacon 〘航空〙ミドル・マーカー.
rádar bèacon レーダービーコン: 固定レーダー装置.
rádio bèacon ラジオビーコン, 無線標識(局).
rádio ránge bèacon 無線航路標識, 指向性無線標識.

bead /bíːd/

名 (ガラス・木・石などで作り, 糸などに通す穴のあいた)数珠玉, ビーズ; (そろばんの)玉.

bláck·bèad 中米原産マメ科キンジュ属のとげのある低木(cat's-claw).
blúe·bèad アフリカ南部原産のアヤメ科ヤリズイセン属の数種の植物.
bórax bèad 〘化学〙ホウ砂球.
cóck bèad 〘建築〙浮き出し玉縁(たまぶち).
glázing bèad 〘建築〙ガラス押し縁(ぶち).
héavy bèad 《米防省俗》最高額予算要求費目.
jét·bèad 〘植物〙シロヤマブキ.
pyrométric béad 〘化学〙高温測定球.
ráil bèad 〘建築〙=cock bead.
stóp bèad 〘建築〙押さえ玉縁.
stríṅger bèad 〘溶接〙ストリンガービード.
wéave bèad 〘溶接〙ウィーブビード.

beads /bíːdz/

名複 bead「数珠」の複数形.

Báily's béads 〘天文〙(日食の)ベイリーの数珠.
dréam bèads 《米俗》アヘン.
lóve bèads ビーズのネックレス.
práyer bèads ロザリオ, 数珠(じゅず)(rosary).
wórry bèads 悩みの数珠(じゅず): まさぐって緊張をほぐしたりするために持ち歩く数珠.

beak /bíːk/

名 **1** (鳥の)くちばし. **2** 《俗》(人の)鼻.

árch·bèak 《英俗》校長.

B

bírd's bèak 〔建築〕バーズビーク.
chín·bèak 〔建築〕チンビーク.
de·béak 動他 〈鳥の〉上くちばしの先端を取り除く.
éagle-bèak 《米話》わし鼻.
gros·beak 〔鳥類〕イカル, シメ.
hálf·bèak 〔魚類〕サヨリ.
káka béak 〔植物〕色鮮やかな茎の細いマメ科の亜低木.
párrot-bèak 〔植物〕＝kaka beak.
stícky·bèak 《豪・NZ 話》出しゃばり, おせっかい.

beam /bíːm/

名 **1** (骨組み・支柱などに使う)長い角材. **2**〔海事〕ビーム. **3**〔機械〕動ばり. **4** 光線. **5**〔無線〕〔航空〕ビーム, 信号電波. **6**〔電子工学〕ビーム.

a·béam 副 〔海事〕〔航空〕真横に, 船首尾線に対して直角の方向に.
árch bèam 〔海事〕アーチ形ビーム.
bálance bèam (女子体操競技に用いる)平均台.
bóx bèam 箱形ビーム [梁(はり), 桁(けた)].
bréast bèam 胸梁(きょうりょう), 胸桁(きょうこう).
cándle·bèam ＝rood beam.
chéck bèam 〔航空〕チェックビーム.
clóth bèam (自動織機の)製織された布を巻き取るローラー(cloth roll).
cóllar·bèam 〔建築〕二重梁(ばり).
cróss·bèam 大梁(おおばり), 横桁(よこげた).
déck bèam 〔海事〕甲板ビーム, 甲板梁(りょう).
drágon bèam 寄せ棟梁(dragging piece).
eléctron bèam 電子ビーム [線].
éye·bèam ちらと見ること, 一目, 一瞥.
flítch bèam 〔木工〕合わせ梁(ばり), サンドイッチ桁(けた).
fóoting bèam 〔建築〕基礎梁(ばり).
gróund bèam 〔建築〕転ばし根太(ねだ), 大引き.
grúb bèam 〔造船〕グラブビーム.
hámmer·bèam 〔建築〕水平はねだし梁(ばり).
H́-bèam H 形鋼, H 形梁(ばり).
hígh béam (自動車のヘッドライトの)ハイビーム.
hórn·bèam 〔植物〕シデ(四手).
Í-bèam I ビーム, I 形梁(ばり).
íonized clúster bèam 〔物理〕クラスター・イオン・ビーム.
lánding bèam 〔航空〕着陸(誘導)ビーム.
láser bèam レーザー光線.
láttice bèam 〔建築〕ラチス橋(lattice girder).
lédger bèam (根太(ねだ)などを支えるための突起状のへりのある)鉄筋コンクリート梁(ばり).
lów béam (車のヘッドライトの)ロービーム.
mícro·bèam 〔電子工学〕ミクロ電子ビーム [線].
molécular béam 〔物理〕分子線.
móon·bèam 月の光線, 月光.
párticle bèam 〔物理〕粒子ビーム.
péncil bèam ペンシルビーム: レーダー用電磁波を円錐(えんすい)形に集めたもの.
plów bèam 〔馬具〕犂轅(りえん).
prímary bèam 〔物理〕一次ビーム.
rádio bèam 〔無線〕〔航空〕ビーム, 信号電波.
réference bèam 〔光学〕(ホログラフィーの)参照波.
róod bèam (教会の)十字架梁(ばり).
sándwich bèam ＝flitch beam.
sécondary bèam 〔物理〕二次ビーム.
sháre bèam 鋤(すき)長柄, ビーム.
símple béam 〔建築〕単純梁(ばり).
spréader bèam (クレーンの)ヨーク(yoke).
sún·bèam 太陽光線, 日光.
táil bèam 〔建築施工〕半端根太(tailpiece).
tíe bèam 〔建築〕小屋梁(ばり), 陸梁(ろくばり).
trússed béam 〔建築〕トラス桁(けた).
Týndall bèam 〔物理化学〕ティンダル散乱光.
univérsal béam ユニバーサルビーム: 幅の広いつばのある I 形鋼.
wálking bèam 〔機械〕動ばり, 動げた.
wárp bèam ワープ [整経] ビーム, 緒巻(おまき)千切.
wéather bèam 〔海事〕風上舷.
wéigh·bèam 竿秤(さおばかり).
whíte·bèam 〔植物〕ウラジロナナカマド.

bean /bíːn/

名 **1** 豆. **2**《英俗 / 古風》男, やつ.

adsúki bèan ＝adzuki bean.
adzúki bèan アズキ(小豆).
aspáragus bèan ジュウロク(十六)ササゲ.
bláck béan キングサリ.
bláck-eyed béan ササゲ(cowpea): 牛馬の飼料, 土壌改良に用いられる植物.
bóg·bèan ＝buck bean.
borlótti bean ボーロッティ豆.
bróad bèan ＝fava bean.
búck bèan ミツガシワ.
búsh bèan ツルナシインゲン(マメ).
bútter bèan 米国南部産の種子の小さいライマメ(lima bean)の一変種.
cacáo bèan カカオノキ(cacao tree)の種子.
Cálabar bèan カラバルマメ.
cástor bèan 《米・カナダ》ヒマ [トウゴマ] の実.
cócoa bèan ＝cacao bean.
cóffee bèan コーヒー豆, コーヒーノキの種子.
dwárf béan ＝bush bean.
fáva bèan ソラマメ.
Frénch béan 《主に英》＝string bean.
gréen béan ＝string bean.
hórse bèan ＝fava bean.
hýacinth bèan フジマメ, センゴクマメ, アジマメ.
Índian bèan キササゲ(catalpa).
jáck bèan タチナタマメ.
jélly·bèan ゼリービーンズ.
jólly bèan 《米俗》ベンドゼリンによる陶酔.
júmping bèan メキシコ産トウダイグサ科の数種の植物の種(たね).
kídney bèan インゲンマメ, サンドマメ.
líma bèan ライマメ(莱豆), アオイマメ.
lócust bèan イナゴマメ(carob).
Lýon bèan ハッショウマメと同属の蔓(つる)植物.
márrow bèan (大粒の)インゲン豆.
méan bèan 《米俗》専門家, 達人.
mescál bèan マメ科クララ属の常緑の木.
móth bèan モスビーン.
múng bèan ヤエナリ, ブンドウ(文豆).
návy bèan 《米》白インゲンマメ.
óld béan 《英俗 / 古風》《男への呼び掛けに用いて》おいお前さん.
ordéal bèan ＝Calabar bean.
péa bèan 《主にニューイング・ニューヨーク州》小粒のインゲンマメの一変種.
pínto bèan インゲンマメの一種.
póison béan 〔植物〕グロティデウム.
póle bèan 支柱・垣を伝って伸びるようにされた蔓(つる)性のマメ科植物.
potáto bèan 落花生.
réd bèan アズキ.
ríce bèan シマツルアズキ, タケアズキ.
rúnner bèan 《英》＝string bean.
scréw bèan 〔植物〕トルニジョ.
séa bèan 海岸に漂着する熱帯原産の各種の豆・種子とその実をつける木.
shéll bèan 《米》莢(さや)を外して種子だけを食用にする豆類の総称.
síeva bèan ＝butter bean.
snáp bèan 《米・カナダ》＝string bean.
sóya bèan ＝soybean.
sóy·bèan ダイズ(大豆).

stríng bèan 《米》(食用の)莢豆(さやまめ).
swórd bèan ナタマメ.
tépary bèan ヒロハインゲン.
tíck·bèan (実がダニに似た形の)ソラマメの一種.
tónka bèan トンカ豆.
vélvet bèan 〖植物〗ダーリングカズラ.
wáx bèan 《米》インゲンマメの一種; 黄色っぽいつやのある莢(さや)をつける.
wíld béan アメリカホドイモ.
Wíndsor béan =fava bean.
wínged béan シカクマメ(四角豆).
yám bèan クズイモ.
yárd-lòng béan =asparagus bean.
Yokohάma bèan ハッショウマメ(八升豆).

bear[1] /bέər/

動他 **1** 耐える, 我慢する. **2** 運ぶ; 押す.

for·bear 動他 〈…することを〉慎む, 差し控える.
over·bear 動他 押さえつける, のしかかる.
up·bear 動他 上げる, 持ち上げる; 支える.

bear[2] /bέər/

名 **1** クマ. **2**《米俗》(交通)警官.

ánt bèar オオアリクイ.
Austrálian béar =kangaroo bear.
báby béar 《米俗》見習い警官.
bláck béar アメリカクロクマ.
bóoger·bèar 《米俗》みにくい黒人女性.
brówn béar ヒグマ.
búg·bèar (根拠のない)怖いもの, 恐怖のもと.
cát bèar ショウパンダ(lesser panda).
cáve bèar ホラアナグマ(洞穴熊).
cínnamon bèar 赤褐色のアメリカクロクマ.
Gréat Béar 〖天文〗おおぐま(大熊)座.
grízzly bèar ハイイログマ, グリズリー.
hóney bèar キンカジュー(kinkajou).
Kadiák bèar =Kodiak bear.
kangaróo bèar コアラ, フクログマ(koala).
Kódiak bèar アラスカアカヒグマ.
lády bèar 《米俗·市民ラジオ》婦人(交通)警官.
Lésser Béar 〖天文〗=Little Bear.
Líttle Béar 〖天文〗こぐま(小熊)座.
líttle béar 《米俗》地域の警察官.
Málay béar マレーグマ.
máma béar 《米俗》婦人警官.
nátive bèar 《豪》=kangaroo bear.
pólar bèar ホッキョクグマ, シロクマ.
Rússian béar ラッシャンベア: カクテルの一種.
skúnk bèar 《米》クズリ(wolverine).
ský bèar 《米俗》ヘリコプターに乗った警察.
slóth bèar ナマケグマ.
Smókey the Béar スモーキー: 米国漫画の主人公のクマ.
spéctacled béar メガネグマ.
sún bèar =Malay bear.
téddy bèar テディ·ベア: 縫いぐるみのクマ.
wáshing béar アライグマ(raccoon).
wáter bèar 緩歩動物, クマムシ.
whíte béar =polar bear.
wóolly bèar クマケムシ(熊毛虫).

beard /bíərd/

名 あごひげ.

Bláck·bèard 黒ひげ: 海賊 Edward Teach のあだ名.
Blúe·beàrd 青ひげ(公): おとぎ話の主人公.
crówn·bèard 〖植物〗バーベナ.
góat·bèard =goatsbeard.
góats·bèard キク科 *Tragopogon* 属の植物の総称.
gráy·bèard ごま塩のひげのある人; 老人.
gréy·bèard =graybeard.
háwk's-bèard 〖植物〗キク科フタマタタンポポ属の雑草の総称.
Júpiter's-béard 〖植物〗ベニカノコソウ.
lóng·bèard ベラルミン: 首の細い陶器の丸瓶で, ひげを生やした人物像の飾りがついている.
óld-màn's-béard 〖植物〗モクセイ科ヒトツバタゴ属の低木.
spáde bèard 鋤(すき)状のあごひげ.
tín béard 《俗》(化粧した顔に不似合いな)舞台用付けひげ.
Vandýke béard バンダイク(型)あごひげ.
whíte·bèard 老人.

bear·er /bέərər/

名 運ぶ人, になう人. ⇨ -ER[1].

ármor·bèarer 〖歴史〗騎士の鎧(よろい)持ち.
ármour·bèarer 《英》=armorbearer.
cáse·bèarer 繭を生じる昆虫(蚕など).
cólor·bèarer (特に軍隊の)旗手.
cróss-bèarer (宗教的行列などで)十字架捧持(ほうじ)者.
cúp·bèarer (ワインカップの酌をする)召使い.
fúr·bèarer 毛皮獣.
líve·bèarer カダヤシ科の胎生魚の総称.
máce·bèarer 職杖(しょくじょう)捧持(ほうじ)者.
óffice-bèarer 《英》公務員, 役人, 官吏.
páll·bèarer 棺に付き添う人, 棺側葬送者.
púrse bèarer (会社などの)会計係.
sáck bèarer ミノムシ(bagworm).
Sérpent Bèarer 〖天文〗へびつかい(蛇遣)座.
shíeld bèarer (騎士の)盾持ち.
stándard-bèarer (軍隊の)旗手.
strétcher-bèarer 担架兵; 担架を運ぶ人.
swórd-bèarer 《英》剣持ち, 太刀持ち.
tále·bèarer ゴシップを広める人, ゴシップ屋.
tórch·bèarer たいまつを持つ人.
tráin·bèarer (花嫁などの)裳裾(もすそ)持ち.
ún·der·bèar·er 名 《カナダ》=pall bearer.
Wáter Bèarer 〖天文〗みずがめ(水瓶)座.

bear·ing /bέəriŋ/

名 **1** 身のこなし, 挙動; 態度, 振る舞い; 姿勢, 姿. **2** 産むこと. **3**〖機械〗軸受け, ベアリング. **4** (ある目的に対する自己の)相対的位置; 方向. ──形 **1** 産む. **2** 耐える, 支える. ⇨ -ING[1], -ING[2].

áir bèaring 〖機械〗空気軸受け.
antifríction bèaring =rolling-element bearing.
báll bèaring 〖機械〗ボールベアリング, 玉軸受け.
biénnial béaring 〖園芸〗隔年結果.
chíld·bèaring 出産, 分娩(ぶんべん).
cóal·bèaring 形 石炭を産する, 出炭する.
éver·bèaring 形 〈木などが〉絶えず実をつける.
flówer-bèaring 形 花をつける.
jóurnal bèaring 〖機械〗ジャーナル軸受け.
líve-béaring 形 〖動物〗胎性の(viviparous).
magnétic béaring 〖航海〗磁針方位.
néedle bèaring 〖工学〗ニードルベアリング.
nòn·béaring 形 〈壁·間仕切りが〉非耐力の.
óil-bèaring 形 石油を含有する.
ómni·bèaring 〖航海〗オムニ方位.
òver·béaring 形 高圧的な, 高飛車な; 尊大な, 横柄な, 横暴な.
pláin bèaring 〖機械〗滑り軸受け, 平軸受け.
rélative béaring 〖航海〗相対方位.

róller bèaring 〔機械〕ころ軸受け.
rólling bèaring 〔機械〕転がり軸受.
rólling-élement bèaring 〔機械〕ころ［玉］軸受け.
rúsh-bèaring 《英》献堂祭.
síde bèaring 〔印刷〕サイドベアリング.
sléeve bèaring 〔機械〕スリーブベアリング.
thrúst bèaring 〔機械〕スラストベアリング.
trúe bèaring 〔海事〕〔航空〕真方位.
túmor-bèaring 形 癌(がん)をかかえた, 担癌の.
wáter-bèaring 形 〈地層が〉水を含んでいる.

beast /bíːst/

名 (人間に対して)動物, けだもの, 畜生, (特に)大きな四足獣.

bláck béast 非常に恐ろしいもの［人］.
tímber·bèast 名 《俗》木こり, 木材切り出し人.

beat /bíːt/

動他 〈人などが〉…を(激しく続けざまに)打つ, たたく. ──名 **1** 打つこと. **2** (心臓の)鼓動, 脈拍. **3** (警官などの)巡回(区域). **4** 〔音楽〕拍. ──形 《話》疲れきった.

Áfro-bèat 名 〔音楽〕アフロビート.
áfter·bèat 名 〔音楽〕アフタービート, 裏拍.
báck·bèat 〔音楽〕バックビート.
bíg béat 《俗》ロックンロール.
blúe·bèat 〔音楽〕スカ.
Bó Díddley béat 〔音楽〕ボディドリービート.
brów·bèat 動他 …を威嚇する.
déad-béat 形 《話》疲れきった.
déad·bèat 《米俗》借金を踏み倒す人.
dówn·bèat 〔音楽〕(指揮者が)棒を下に振ること.
drúm·bèat 太鼓の音.
gláss béat 《米警察俗》商店街の持ち場.
héart·bèat 〔生理〕鼓動, 心臓拍動, 心拍.
hóme-bèat 《英》(警官の)自宅周辺の巡回区域.
hóof·bèat ひづめの音.
néws·bèat (記者の)受け持ち範囲.
óff·bèat 形 風変わりな, 突飛な.
ón·bèat 名 〔音楽〕(4 拍子の)強拍.
prematúre béat 〔医学〕期外収縮.
púlse·bèat 〔医学〕脈動, 律動, 脈拍.
slácker bèat 〔音楽〕スラッカービート: 不協和音や曖昧な音.
swíng·bèat スイングビート: ダンス音楽の一形式.
twó-bèat 形 ツービートの.
úp·bèat 名 〔音楽〕上拍, アウフタクト.
wíng·bèat (飛行中の鳥の 1 回の)はばたき.
Wórld Béat 〔音楽〕ワールドビート.

beat·en /bíːtn/

動 beat の過去分詞形. ⇨ -EN[3].

stórm-bèaten 形 暴風に荒らされた.
ùn·béaten 形 打たれない, むち打たれない.
wéather-bèaten 形 〈物が〉風雨にさらされた.
wínter-bèaten 形 《古》冬の寒さで痛んだ.

beat·er /bíːtər/

名 **1** 打つ人［もの］. **2** 打つ道具. ⇨ -ER[1].

búsh·bèater スカウト.
drúm·bèater 鳴り物入りで宣伝する人.
égg·bèater 《米》卵泡立て器.
fáre-bèater 無賃乗車をする人, キセル客.
pánel-bèater (自動車の)板金工.
rótary béater 回転式攪拌(かくはん)器.
skín bèater 《俗》ドラマー.
wífe bèater 妻を殴る人.
wínter-bèater ウィンタービーター: いい車を傷つけないように冬期専用に走らせる使い込んだ旧車.
wórld·bèater 《主に米》ずばぬけた人［もの］.

beat·ing /bíːtiŋ/

名 打つこと, たたくこと, むち打ち(の罰); 打たれてできた跡［傷］. ⇨ -ING[1].

bréast-bèating 名 大げさに感情を示すこと.
góld·bèating 名 箔(はく)打ち.
gúm-bèating 名 《米俗》(ジャズで)おしゃべり.
wífe-bèating 名 妻虐待, 妻を殴ること.

beau·ty /bjúːti/

名 (精神的·感覚的な)美, 美しさ, 麗しさ; 美貌(びぼう). ⇨ -TY[2].

Américan Béauty 〔植物〕アメリカンビューティ: バラの一品種.
báthing bèauty (特に美人コンテストの)水着美人.
Bláck Béauty 「黒馬物語」の主人公の馬.
bláck béauty 《俗》ビフェタミン(Bipheta-mine)のカプセル.
Brówn Béauty Paul Revere が 1775 年 4 月 18 日から 19 日にかけて英軍の攻撃を知らせるため Boston から Lexington まで乗った馬.
Cámberwell bèauty 〔昆虫〕キベリタテハ.
méadow bèauty 〔植物〕北米産のノボタン科レキシア属の多年草の総称.
óak bèauty 〔昆虫〕シャクガ科のガ.
páinted béauty 〔昆虫〕タテハチョウの一種.
píne-bèauty 〔昆虫〕幼虫が松を食べるガの一種 *Trachea piniperda*.
ráven bèauty 《米俗》魅力的な黒人女性.
Róme Béauty ロームビューティー: 大形で赤いリンゴの一種.
Sléeping Béauty 眠り姫: おとぎ話の主人公.
spríng béauty 〔植物〕スベリヒユ科クレイトーニア属の草の総称.

bea·ver /bíːvər/

名 ビーバー, 海狸(かいり).

éager béaver 《話》頑張り屋, 仕事［勉強］の虫.
móuntain bèaver ヤマビーバー.
splít béaver 《米俗》=spread beaver.
spréad béaver 《米俗》大股(おおまた)開きして見せた女陰.
thrée-légged bèaver 《米市民ラジオ俗》男性の同性愛者.

bed /béd/

名 **1** 寝台. **2** 苗床; 養殖場. **3** 〔地質〕地層, 層. ──動他 …を植えつける; はめ込む.

a·béd 副形 《叙述的》《古》寝床で［に］.
áir bèd 空気ベッド.
aménity bèd 《英》(病院の)差額ベッド.
ánchor bèd 〔海事〕錨床(びょうしょう), 錨座.
ángel bèd 〔フランス家具〕天使の寝台.
ápple-píe bèd 《英》いたずらで, シーツを折り曲げて足を十分に伸ばせないように仕組んだベッド.
aspáragus bèd 《俗》対戦車障害物.
bactéria béd 細菌濾床(ろしょう).
bóat bèd =sleigh bed.

bóne bèd 〖地質〗骨層.
bóttomset bèd 〖地質〗底置層.
bóx bèd 箱寝台.
búnk bèd 二人用二段寝台, 二段ベッド.
cámp bèd 《主に英》キャンプベッド.
cáptain's bèd キャプテンベッド: 浅い箱状ベッド.
cár bèd カーベッド: 携帯用幼児ベッド.
cárpet bèd もうせん花壇.
cháir bèd 寝台兼用椅子.
chálk bèd 〖地質〗白亜層.
chéster·bèd 《主にカナダ》ソファーベッド.
chíld·bèd 〖産科〗産褥(さんじょく)期.
cóal bèd 〖地質〗(石)炭層(coal seam).
dáy·bèd デイベッド; ソファーベッド.
déath·bèd 死の床; 臨終, いまわの際.
decéption bèd (18 世紀の)隠しベッド.
dírt bèd 〖地質〗(腐朽有機物を含んだ)ダート層.
dóuble béd ダブルベッド.
duchésse bèd 〖フランス家具〗つり天蓋付きベッド.
em·béd 動他 〈物を〉埋め込む, はめ込む.
féather béd 羽入りマットレス, 羽布団.
fíeld béd 天蓋付き野外用小型ベッド.
fílter bèd 濾過(ろか)池 [タンク].
flát·bèd 形 〈トラックなどが〉平床型の.
flóck·bèd 布切れなどを詰めたマットレス.
flówer·bèd 花壇.
fórcing bèd =hotbed.
fóreset bèd 〖地質〗前置層.
Frénch béd フランス式ベッド.
hídeaway béd ソファー兼用ベッド.
Hóllywood béd ハリウッドベッド.
hóspital bèd 治療用ベッド, 病院ベッド.
hót bèd 〖金工〗ホットベッド, 冷却台.
hót·bèd 温床: 植物を促成栽培する苗床.
hóver·bed ホバーベッド: エアークッションベッド.
im·béd 動他自 =embed.
ìnter·béd 動他 〈物を〉間に挟む [入れる].
láthe-bèd 〖機械〗旋盤の下部構造.
lázy béd 《英》ジャガイモ栽培用の畝.
lóft bèd 寝棚.
máde-dòwn bèd 《米南部》間に合わせのベッド.
márriage bèd 新婚のベッド; 夫婦の交わり.
mást bèd 〖海事〗マストベッド.
Múrphy bèd 《米・カナダ》マーフィーベッド: 収納ベットの一種.
náil bèd 〖解剖〗爪床(そうしょう).
nárrow béd 墓.
ósier-bèd ヤナギの生育する場所.
óyster bèd カキ養殖 [繁殖] 場.
paráde bèd 〖歴史〗朝の接見の行われた王の寝台.
páy·bèd 《英》差額ベッド料自己負担病室.
píe bèd =apple-pie bed.
píg bèd 〖冶金〗鋳床(いどこ).
plánk bèd (マットレスなし)板ベッド.
plátform bèd プラットホームベッド.
préss bèd はめ込み式収納寝台.
Procrústean béd 無理に他を律するもの.
réd bèd 〖地質〗赤色層.
ríver·bèd 川床, 河床.
róad·bèd 〖鉄道〗路盤.
rólling béd (押して移動させる)病院用寝台.
róta bèd 《英》〖福祉〗看護用ベッド.
sánd-bèd 〖地質〗砂層, 砂床.
séa·bèd 海底(seafloor).
séed·bèd 苗床; 温床.
síck·bèd 病床.
sléigh bèd 頭部・脚部が反り返っている寝台.
sófa bèd ソファーベッド.
spríng béd スプリング入りマットレス.
stréam·bèd =riverbed.
stúmp bèd 柱のないベッド.
sún·bèd 日光浴用の椅子.
tént bèd テント形の天蓋付きの野外用ベッド.
tést bèd 〖航空〗テストベッド.
trúckle bèd 《英》キャスター付きベッド.
trúndle bèd 《米》=truckle bed.
twín béd ツインベッド.
ùn·béd 動他 …を苗床 [床] から移す.
wáll bèd 壁立て掛け式ベッド.
wárdrobe bèd (たたむとたんすとして使える)ベッド.
wáter·bèd ウォーターベッド.

bed·ded /bédid/

形 〖地質〗〈岩石・地層などが〉層状の, 成層の, 層理の. ⇨ -ED^{2}.

cróss-bédded 形 斜層理 [偽層] を持つ.
dóuble-bédded 形 《英》(シングル)ベッドが 2 つある.
fálse-bédded 形 =cross-bedded.
ìnter·bédded 形 混合層の.

bee[1] /bíː/

名 ハチ; (何かを共同でする人の)集まり.

Áero·bèe 名 《米》〖ロケット〗エアロビー.
ápple bèe 《主にニューイング》干しリンゴ作りのための集まり.
búmble·bèe マルハナバチ.
búsy bée 働き者, よく働く人.
cárpenter bèe クマバチ, ダイクバチ.
cúckoo bèe 寄生性のハチの総称.
híve bèe ミツバチ.
hóney·bèe ミツバチ.
húmble·bèe 《主に英》=bumblebee.
húsking bèe トウモロコシの皮をむく集い.
kíller bée アフリカミツバチ.
kíng bée 《米南部》尊大な人.
léaf-cutting bèe ハキリバチ(葉切蜂).
máson bèe 粘土で巣を作って単独で生息するハチの総称.
Máu Màu bée =killer bee.
quéen bée 女王バチ.
quílting bèe キルトを作る社交的な集まり.
sócial bée 群居性(ミツ)バチ.
sólitary bée 単生 [単独性] (ハナ)バチ.
spélling bèe 綴り字競技.
stíngless bée ハリナシミツバチ.
swéat bèe コハナバチ.
uphólsterer bèe =leaf-cutting bee.
wásp bèe =cuckoo bee.
wórking bèe 《NZ》慈善ボランティアグループ.

beef /bíːf/

名 牛肉, ビーフ; (一般に)食用肉.

báby béef 生後 12–20 か月の肥育した子牛.
bárley bèef 《英》大麦などの濃厚飼料で太らせた肉牛.
búlly bèef 缶詰め牛肉; 塩漬け牛肉.
chípped béef 《米》燻製(くんせい)にした牛肉の薄切り.
córn béef =corned beef.
córned béef 《英》コンビーフ.
húng béef つるして干した牛肉.
néck·bèef 名 牛の頸肉(けいにく).

beer /bíər/

名 ビール.

ám·beer 名 《主に米》かみタバコ・喫煙のために茶色くなった唾液.
bírch bèer バーチビール.

bóck béer 《米・カナダ》ボックビール.
dráft béer 樽(たる)出しのビール, 生ビール.
drý béer ドライ [辛口] ビール.
gínger béer ジンジャービール.
guést bèer ゲストビール.
hérb bèer 薬草ビール.
kég bèer 《英》ケグ [樽(たる)] ビール.
lów-álcohol bèer 低アルコールビール.
Méxican béer 《米俗》水.
néar bèer ニアビール.
néedle bèer 《米俗》(アルコール分を強めた)ビール.
nò-álcohol béer ノンアルコールビール(nab).
quéer-bèer 《米俗》質の悪い [アルコール度の弱い] ビール.
róot bèer 《米・カナダ》ルートビア.
smáll béer 《英》弱いビール.
sprúce bèer スプルースビール.
stéam bèer スティーム・ビール.
táble bèer (ごく普通の)ライトビール.
wéiss béer バイスビール.

beet /bíːt/

名 ビート: アカザ科トウチシャ属の草の総称.

fódder·bèet 飼料ビート.
léaf bèet フダンソウ.
réd béet 赤カブ.
séakàle bèet =leaf beet.
spínach bèet ビートの変種; 葉は食用.
súgar bèet テンサイ, サトウダイコン.
whíte béet =leaf beet.

bee·tle /bíːtl/

名 甲虫.

ambrósia bèetle =bark beetle.
Asiátic béetle =oriental beetle.
aspáragus bèetle アスパラガスクビナガハムシ.
bárk bèetle キクイムシ.
béan bèetle =Mexican bean beetle.
bée bèetle ハチヤドリカッコウムシ.
bíll·bèetle コクゾウ(billbug).
bláck·bèetle 《主に英》トウヨウゴキブリ.
blíster bèetle ツチハンミョウ.
bombardíer bèetle ホソクビゴミムシ.
búrying bèetle 埋葬虫, シデムシ.
cárdinal bèetle アカハネムシ.
cárpet bèetle カツオブシムシ.
cárrion bèetle シデムシ, 埋葬虫.
Chrístmas bèetle *Anoplognathus* 属のコガネムシの総称.
chúrchyard bèetle オサムシ(梭虫).
cigarétte bèetle タバコシバンムシ.
clíck bèetle コメツキムシ.
cúcumber bèetle ウリハムシ.
dárkling bèetle ゴミムシダマシ.
derméstid béetle カツオブシムシ.
díamond béetle ダイヤモンドゾウムシ.
díving bèetle ゲンゴロウ.
dór·bèetle センチコガネの一種(dor).
dríed-frúit bèetle クリヤケシキスイ.
drúgstore bèetle ジンサンシバンムシ, クスリヤナカセ.
dúng bèetle 食糞(ふん)コガネムシ.
élm lèaf bèetle ニレハムシ.
engráver bèetle =bark beetle.
fíddler bèetle キマダラハナムグリ(黄斑花潜).
fíre bèetle ホタルコメツキ.
fléa bèetle ノミトビ甲虫(こうちゅう).
flóur bèetle コクヌスト(穀盗人)モドキ.
flówer bèetle ジョウカイ(浄海)モドキ.
fúrniture bèetle シバンムシ属の小形の甲虫の一種.
góld bèetle 金属光沢のある甲虫の総称.
góldsmith bèetle コガネムシ科のハナムグリの一種.
golíath bèetle ゴリアスオオツノコガネ.
gróund bèetle オサムシ(筬虫)(ゴミムシを含む).
Hércules bèetle ヘラクレスオオカブトムシ.
Jápanese béetle マメコガネ(豆黄金).
Júne bèetle コフキコガネ.
khápra bèetle ヒメアカカツオブシムシ.
lády·bèetle テントウムシ.
lády·bird bèetle テントウムシ.
lárder bèetle オビカツオブシムシ.
léaf bèetle ハムシ(葉虫, 金花虫).
léather bèetle ハラジロカツオブシムシ.
lóng-hòrned béetle カミキリムシ.
Máy bèetle コフキコガネ.
méal bèetle コメノゴミムシダマシ属の甲虫の総称.
metállic wóod-boring bèetle タマムシ.
Méxican béan bèetle マダラテントウムシ属の一種.
mílkweed bèetle トウワタカミキリ.
óil bèetle ツチハンミョウ.
oriéntal béetle セマダラコガネ.
píll bèetle マルトゲムシ.
potáto bèetle コロラドハムシ.
rhinóceros bèetle カブトムシ.
róse bèetle コガネムシ科の甲虫.
róve bèetle ハネカクシ.
séed bèetle マメゾウムシ(豆象虫).
séxton bèetle =burying beetle.
snápping bèetle =click beetle.
snóut bèetle ゾウムシ.
sóldier bèetle ジョウカイボン科の甲虫の総称.
sprúce bèetle キクイムシの一種.
stág bèetle クワガタムシ.
tíger bèetle ハンミョウ(斑猫).
tímber bèetle =bark beetle.
tobácco bèetle =cigarette beetle.
tórtoise bèetle カメノコハムシ, ジンガサハムシ.
wásp bèetle トラフカミキリ, クワトラムシ.
wáter bèetle 水生甲虫.
whírligig bèetle ミズスマシ.
whíte-frìnged béetle 鞘翅(しょうし)目ゾウムシ科 *Graphognathus* 属のゾウムシの総称.

be·fore /bifɔ́ːr, bə-/

前 …よりも前に[先に, 早く]; …がないころに, …の出現以前に. ── 副 **1** 《時》前に, 以前に. **2** 《場所》前に [へ]. ⇨ FORE.

hèrein·befóre 副 (文書・声明などで)以上に, 上文に.
thèrein·befóre 副 (公式文書などで)前文に, 以上に.

be·got·ten /bigɑ́tn | -gɔ́tn/

動 beget の過去分詞形. ⇨ -EN³.

lóve-begótten 形 嫡出でない, 庶子 [私生] の.
mìs·begótten 形 〈子供が〉私生の, 庶出の.
ónly-begótten 名形 《古》一人っ子(の).
sèlf-begótten 形 自力で生まれた.
ùn·begótten 形 まだ生まれない.

be·hav·ior /bihéivjər/

名 振る舞い, 行為, 行動.

ánimal behávior 〘心理〙〘動物行動学〙行動.
áppetitive behávior 〘文化人類〙欲求行動.
chaótic behávior カオス理論に基づく行動.
colléctive behávior 〘社会〙集合行動.
consúmmatory behávior 〘動物行動学〙完了行動.
góod behávior 礼儀正しい振る舞い.
média behávior マスコミ依存性.

mìs·be·háv·ior 名 無作法, 不品行, 非行, 不正行為.

be·hind /biháind, bə-/

前 …の後ろに, 背後に, 裏側に, 陰に; …の向こう(側)に.

come-from-be·hind 形 逆転の, リードをひっくり返しての.
stay-be·hind 居残り者 [活動家].
walk-be·hind 形 〈機械などが〉後押し式の.

be·ing /bíːiŋ/

名 **1** 存在, 実在, 現存. **2** 神. **3** 生きもの. ⇨ -ING[1].

húman béing (霊長目ヒト科の)ヒト.
íll-béing 名 (健康の)すぐれない状態, 不調; 不幸.
ín·bèing 名 内在(immanence).
nó-béing 名 非実在.
nòn·béing 名 =not-being.
nót-béing 名 存在しないこと, 非実在 [存在].
Supréme Béing 神(God).
wéll-béing よい生活状態; 幸福, 福利.

be·lief /bilíːf/

名 信じていること [もの], (…という)信念, 確信, 所信, 意見.

dis·be·lief 名 (…を)信じ(られ)ないこと, 不信.
mis·be·lief 名 誤信; 間違った考え, 謬見(びゅうけん).
un·belief 名 信じない [信じようとしない] こと.

be·lieve /bilíːv, bə-/

動他 信じる, 本当 [真実] だと思う.

dis·be·lieve 動他 信じない, 信用しない, 不審を抱く.
make-be·lieve 名 見せかけ, 偽り; ごまかし.
mis·be·lieve 動自 《廃》誤信する. ——他 信じない.

be·liev·er /bilíːvər/

名 (…を)信じる人; (…の)信者. ⇨ -ER[1].

mis·be·liev·er 名 異教徒, 邪教信者; 誤信者.
non·be·liev·er 名 信じない人; 無信仰者.
Óld Belíever 岐(ぎ)教徒, 古儀礼派信徒.
trúe belíever 信者, 信じる人.
un·be·liev·er 名 信じない人; 懐疑家.

bell /bél/

名 **1** 鐘; 鈴. **2** 鐘 [鈴] の音.

áir bèll 【ガラス製造】打ち込み [折り込み] 泡.
alárm bèll 警報 [非常] ベル, 警鐘, 半鐘, 早鐘.
ánchor bèll 停泊船の霧中号鐘, アンカーベル.
Ángelus bèll 【キリスト教】アンジェラスの鐘.
Áve bèll =Angelus bell.
Báby Béll ベービーベル: 米国電話電信会社(AT&T)の子会社の俗称.
bár·bèll (重量挙げの)バーベル.
blúe·bèll 青い釣り鐘形の花をつける植物の総称.
cáll bèll 呼び鈴.
Cóventry bèll 【植物】ヒゲギキョウ.
ców·bèll 牛の首につるした鈴.
déath bèll 弔いの鐘, 弔鐘.
dínner bèll 正餐(せいさん)を告げる鐘 [鈴].
díving bèll 潜水鐘.
divísion bèll 《英》(議会で)採決を知らせるベル.
dóor·bèll 玄関の呼び鈴 [ベルなど].
dréssing bèll 身仕度合図のベル.
dúmb·bèll ダンベル, 亜鈴.
fíre bèll 出火警報のベル.
háir·bèll =harebell.
hánd·bèll (手で振って鳴らす柄付きの)振鈴.
háre·bèll 【植物】イトシャジン.
héath bèll 【植物】ハイイロ(灰色)エリカ.
jíngle bèll ジングルベル, そりの鈴.
Líberty Bèll 自由の鐘.
Lútine béll (英国 Lloyd's の事務所にある)ルーティーン号の鐘.
Má Béll 《米話》マーベル(ベルお母ちゃん): AT&T(米国電話電信会社)および, かつてその傘下にあった各地の Bell Telephone Company の愛称.
mínute bèll 分時鐘.
múffin-bèll 《英》マフィン売りが鳴らし歩いた鈴.
níght·bèll 《英》(特に医者の家の)夜間用ベル.
Pacífic Béll パシフィック電話会社.
pássing bèll 死 [葬式] を告げる鐘, 弔鐘.
péach bèll 【植物】モモノハギキョウ.
quárter-bèll (時計の)15 分ごとに鳴るベル.
sácring béll 【ローマカトリック】聖体奉挙のときに鳴らされる小さな鈴.
Sánctus bèll 祭鈴, 祭鐘.
shárk bèll 《豪》サメ出現警報.
shíp's bèll 【海事】船内時鐘.
shóp-bèll 《英》来客を知らせるドアの鈴 [ベル].
sílver béll 【植物】アメリカアサガラ.
snów·bèll 【植物】エゴノキ.
swímming bèll 【動物】(遊)泳鐘(ゆうえいしょう), 傘.
táp bèll タップベル: チリンと 1 つだけ音を出すベル.
wárning bèll 警報用 [合図] のベル [鐘]; 警鐘.
wínd-bèll 風鈴.

bel·lied /bélid/

形 《通例複合語》…腹の. ⇨ -ED[2].

fat·bel·lied 形 腹が出た.
fish-bel·lied 形 【建築】〈横桁・梁などが〉下側に膨らんでいる.
pot·bel·lied 形 太鼓腹の.
roach-bel·lied 形 丸く腹の出た.
swag-bel·lied 形 腹が突き出た, 太鼓腹の.
yel·low-bel·lied 形 〈鳥が〉腹部が黄色い.

bells /bélz/

名複 bell「鐘」の複数形.

Bów béllls London の East End 地区にある Bow Church の鐘.
Cánterbury bèlls 【植物】フウリンソウ(風鈴草).
Chíle-bèlls 名複 【植物】ツバキカズラ. ►チリ原産でチリの国花.
córal béllls 【植物】ツボサンゴ.
héll's bélls 《間投詞的にいらだたしさ・驚きを表して》ええい, なんてことだ.
jóy-bèlls 名複 (祝祭・慶事を告げる)教会の鐘.
mérry-bèlls 名複 【植物】キキョウ(桔梗).
ocónee-bells 名複 【植物】アメリカイワカガミ.
Róanoke bélls ムラサキ科ハマベンケイソウ属の園芸用多年草.
séa bèlls ハマヒルガオ.
sléigh bèlls そりの鈴.
sóft·bèlls 名複 ソフトベル: 鉄亜鈴を家庭用にソフトな緩衝材で包んだもの.
swéet·bèlls 名複 【植物】アメリカリョウブ.
túbular béllls 【音楽】組み鐘.

bel·ly /béli/

名 (人・動物・魚類の)腹, 腹部.

Báli bèlly 《豪俗》下痢.
báre·bèlly 《豪・NZ》腹部と脚に毛のない羊.
Básra bèlly 《米俗》下痢.
Bázra bèlly 《俗》バスラ腹; 下痢.
béer bèlly ビール腹, 太鼓腹(の人).
Délhi bélly 《俗》(外国旅行者の, 水当たりや食当たりによる)下痢.
dóugh·bèlly コイ科の淡水魚の一種.
émpathy bèlly 妊娠共感用装着袋.
fénder bèlly 《米海事俗》腹の出た船員.
gór·bèlly 《廃》突き出たおなか, ほてい腹.
jélly-bèlly 《俗》太った人, でぶ; 弱虫.
mélon-bèlly 《米俗》太鼓腹(の人).
páper-bèlly 《米俗》強い酒をストレートで飲めない人, 下戸.
pépper-bèlly 《米俗》メキシコ(系の)人.
pínch·bèlly 《米俗》けち.
pórk bèlly 新鮮な豚の脇(わき)肉.
póssum bèlly 《米渡り労働者俗》車両の床下貯蔵室.
pót·bèlly 太鼓[布袋(ほてい)]腹(の人)(特に中年の男性).
ríce-bèlly 《米俗》中国(系の)人; アジア系の人.
rúb-bèlly 《俗》正常位の性交.
sílver bélly 《NZ》(淡水産の)ウナギ.
sów·bèlly 豚の塩漬け肉, ベーコン.
swíll·bèlly 《米俗》ブタのように食べる人.
ún·der·bèl·ly 名 下腹部; (動物の)後腹部.
yéllow·bèlly 《俗》臆病者, 腰抜け, 小心者.

belt /bélt/

名 **1** (腰回り, または肩から斜めに着用する)帯, ベルト, バンド. **2** (他と区別される属性・特徴を持つ)地域, 地帯. **3** [機械] ベルト. **4** 海峡.

ásteroid bèlt [天文] 小惑星帯.
banána bèlt 《米俗》気候が温暖な避寒地.
Bíble Bèlt 聖書地帯.
bì·o·bélt 名 バイオベルト: 宇宙飛行士が腰につけて, その生理的な変化のデータを記録し送信する遠隔測定装置.
Bláck Bèlt (米国の)黒土地帯.
brówn bélt [武道](柔道などで)茶帯.
cártridge bèlt 弾薬筒用ベルト, 保弾帯.
cháin·bèlt チェーンベルト.
chástity bèlt 貞操帯.
chólera bèlt (フランネル[ウール]製の)腹巻.
cínch bèlt シンチベルト: 幅広のベルト.
cócktail bèlt 都市近郊の高級住宅地.
commúter bèlt ベッドタウン地帯.
convéyor bèlt [機械] コンベヤーベルト.
Córn Bèlt コーンベルト: 米国中部のトウモロコシ地帯.
Cótton Bèlt コットンベルト: 米国の綿花生産地帯.
cróss·bèlt 十字(弾薬)帯.
Dáiry Bèlt 酪農地帯.
dícta·bèlt 名 口述速記機械用プラスチックテープ.
Electrónics Bèlt エレクトロニクス・ベルト: 米国 Florida 州中部の Drlando 地区の別名.
fán bèlt (自動車の)ファンベルト.
fárm bèlt 農業地帯.
fíre·bèlt (森林・草原などの)防火帯.
flý·bèlt ツェツェバエが多数いる地帯.
Fróst·bèlt 名 スノーベルト(Snowbelt): 大西洋から Rocky 山脈に至る米国北部の地域.
gárter bèlt 《米》ガーターベルト.
Gréat Bèlt 大ベルト海峡.
gréen·bèlt グリーンベルト: (地域社会の)緑地帯.
gréen bélt (砂漠の進行を防ぐ)緑化地帯.
inértia-reel bèlt 自動ロックのシートベルト.
jét bèlt 人間ジェット: 人間がベルトに噴射装置をつけて短距離を飛ぶもの.
jét flýing bèlt =jet belt.
láp bèlt [自動車] ラップベルト.
lífe bèlt 安全ベルト.
Líttle Bélt リトルベルト海峡.
Lónsdale Bélt (ボクシングの)ロンズデールベルト.
maríne bèlt 領水, 領海.
máritime bèlt [法律] 沿岸海.
móney bèlt 金を入れる隠しポケット付きベルト.
múesli bèlt (ミューズリーなどの)健康食品に凝る中流階級の多く住む地域.
Oríon's bélt オリオン座の三つ星.
óverthrust bèlt [地質] 押しかぶせベルト.
pánties-bèlt 《英》パンティーガードル.
pássive bélt 自動シートベルト.
radiátion bèlt [物理] =Van Allen belt.
rúst bèlt ラスト地帯: 米国の旧式重工業地帯.
rúst-bèlt 形 (工場地帯が)さびれた.
sáfety bèlt =seat belt.
Sám Brówne bèlt サムブラウン・ベルト: 帯剣用ベルト.
sánitary bélt 生理バンド.
scámpi bèlt (London 周辺の)中流住宅地.
séa bèlt コンブなど帯状の海藻の総称.
séat bèlt 安全ベルト, シートベルト.
shélter bèlt 《米》(農作物保護の)防風林.
shóulder bèlt (自動車の安全用)肩ベルト.
snów·bèlt 豪雪地帯.
stóckbroker bèlt 《英話》(London 近郊の)高級住宅地.
stórm-bèlt 暴風(雨)地帯.
Sún·bèlt 名 サンベルト: 米国 Virginia 州から California 州南部に至る雨が少ない地域.
suspénder bèlt 《英》=garter belt.
swórd bèlt (軍人の)剣帯, 刀帯.
tíme bèlt (標準)時間帯.
tíming bèlt タイミングベルト, 調時ベルト.
tornádo bèlt 大旋風帯, 旋風[竜巻]地帯.
trée bèlt (歩道の)芝生緑地帯.
ùn·bélt 動他 …の帯を取る.
Van Állen bèlt [物理] バンアレン帯.
V́-bèlt 名 [機械] V ベルト.
wáist·bèlt ベルト, バンド.
wéight bèlt [ダイビング] ウエートベルト.
whéat bèlt 小麦(生産)地帯.
whíte bélt [武道](柔道などの)白帯.

bench /béntʃ/

名 **1** ベンチ. **2** (役人の)席. **3** 裁判官; 裁判所. **4** 作業台.

ále·bènch 居酒屋に置いてあるベンチ.
ánxious bènch 《米》求道者席.
báck bénch 《英・豪》(下院で平議員用)後ろ席.
búcket bènch =water bench.
contról bènch 《米刑務所俗》懲罰委員会.
cróss-bènch 《英》無所属議員席.
dis·bénch 動他 …から席を奪う.
dráw·bènch [金工] 引き抜き台.
frónt bénch 《英》(下院で大臣・野党幹部用)正面席.
Kíng's Bénch [英法] 王座裁判所.
mílk bènch =water bench.
móurners' bènch 《米》悔改者席.
óptical bènch 光学台.
Quéen's Bénch =King's Bench.
Tréasury Bènch [英議会](下院で)国務大臣席.
túrn bènch (時計職人が使う)旋盤.
Úpper Bénch [古英法] 上座裁判所.
wáter bènch ペンシルバニア・ダッチが用いる食器棚.
Wíndsor bénch ウィンザーベンチ.

wórk·bènch 仕事台, 細工 [工作] 台.

bend /bénd/

動他〈長い物・薄い物を〉曲げる; 〘海事〙〈帆・綱を〉(…に)固定する. ―名 曲がっていること; 曲げること; (ロープの)結び.

ánchor bènd =fisherman's bend.
báck·bènd 名 体後返, 後屈.
bécket bènd =sheet bend.
cáble bènd 錨(びょう)結び.
cár·rick bènd キャリックベンド, 小綱つなぎ.
dóuble bénd 《英》S 字型カーブ.
físherman's bénd 錨(いかり)結び.
Grécian bénd (特に 1868 年ごろに婦人の間に流行した)上体を少し前にかがめた姿勢.
háwser bènd ホーサー [大索] 結び.
knée bènd ひざの屈伸運動.
pítch·bènd 〘音楽〙ピッチベンド.
quárter bènd (鉛管などの)90° の屈曲.
retúrn bènd (鉛管などの)U 字曲管, 返しベンド.
shéet bènd シートベンド, はた結び.
Ú-bènd 名 U ベンド: 排水管の U 字形ベンド.
ùn·bénd 動他〈曲がった物を〉まっすぐにする.

bend·er /béndər/

名 曲げる人 [道具]. ⇨ -ER[1].

árse·bènder 《英俗》ふしだらな女, 売春婦.
bágel-bènder 《米俗》ユダヤ人.
bóne-bènder 《米俗》外科医.
éar·bènder 《米俗》のべつしゃべりまくる人.
élbow-bènder 《米俗》酒飲み, 左党; 左利き.
fénder bènder 《米・カナダ俗》車の軽い衝突事故.
génder-bènder 《話》外見を性別不明に装う人.
knée-bènder 《米俗》教会へ行く人, 信心深い人.
mínd bènder 《俗》幻覚剤(常用者).
prétzel bènder 《米俗》フレンチホルン奏者.
róach bènder 《米俗》マリファナ常用者.

bend·ing /béndiŋ/

名 曲げる [曲げる] こと. ―形 曲がる, 曲げる. ⇨ -ING[1], -ING[2].

élbow-bènding 飲酒; 飲みすぎ.
mínd-bènding 形 《俗》〈物事が〉極度の衝撃を与える.
spóon-bènding (念力による)スプーン曲げ.
trée bènding (突風などが助長する)木の湾曲.
ùn·bénding 形 曲がらない, たわまない, 堅い.

ben·e·fit /bénəfit/

名 **1** 利益; 〘商業〙利得. **2** 給付金, 手当.

Bróck's bènefit 《英話》花火大会.
chíld bènefit 《英》(国が給付する)児童養育手当.
cóst-bènefit 形 費用便益分析に基づく.
déath bènefit 〘保険〙死亡保険 [給付] 金.
disáblement bènefit 《英》(国民保険制度の)障害補償.
dis·bén·e·fit 名 不利益.
fámily bènefit 《英・NZ》児童手当.
fléx bènefit 〘保険〙フレキシブル給付.
frínge bènefit 付加(厚生)給付.
hóme pùrpose bénefit 《NZ》母子手当.
hóusing bènefit 《英》(低所得者への)住宅手当.
ínjury bènefit (英国の)労災保険金.
invalídity bènefit 《英》(国民保険制度の)疾病給付.
pénsion bènefit 年金手当.
rísk-bénefit 形 (医療などで)危険度と受益度を斟酌(しんしゃく)する.
síck-bènefit (保険契約に基づく)疾病手当.
síckness bènefit 《英》=sick-benefit.
stríke bènefit ストライキ手当.
suppleméntary bénefit (英国の)補足給付.
Survívor's Bénefit 《米》(殉職警官の)遺族給付金.
unemplóyment bènefit 失業手当, 失業給付, 失業保険給付.
wídow's bénefit 《英》(国民保険の)寡婦給付金.

bent[1] /bént/

形 **1** 曲がっている, 屈曲 [湾曲] した, ねじれた. **2** (…をしようと)決意 [決心] して.

héll·bènt 形 《話》(…しようと)狂奔している.
Kéndal snéck bènt ケンダル型釣り針.
níck-bènt 形 《英囚人俗》(投獄中だけ)ホモの.
ùn·bént 形 unbend の過去・過去分詞形.

bent[2] /bént/

名 〘植物〙コヌカグサ(ヌカボを含む).

brówn bént ヒメヌカボ.
dóg bènt =brown bent.
Rhòde Ísland bént ヒメコヌカグサ.
vélvet bènt =brown bent.

ben·thos /bénθɑs | -θɔs/

名 底生区区分帯: 生物地理学の区域の一つ. ⇨ -OS[1].
★ 語頭にくる関連形は benth(o)-: *benthoscope*「海底調査用鋼球」.

ar·chi·ben·thos 名 旧深海底帯生物.
ep·i·ben·thos 名 (海洋の底面に棲む)表在底生生物.
mac·ro·ben·thos 名 大形底生生物.
mes·o·ben·thos 名 中形底生生物.
zo·o·ben·thos 名 底生動物.

ben·zene /bénziːn, ―ˊ/

名 〘化学〙ベンゼン, ベンゾール. ►benzol, cyclohexatriene ともいう. ⇨ -ENE[1].

a·ce·tyl·ben·zene 名 アセチルベンゼン.
a·mi·no·ben·zene 名 アニリン.
az·o·ben·zene 名 アゾベンゼン.
chlo·ro·ben·zene 名 クロロベンゼン.
di·chlo·ro·ben·zene 名 ジクロロベンゼン.
di·meth·yl·ben·zene 名 ジメチルベンゼン.
di·ni·tro·ben·zene 名 ジニトロベンゼン.
di·vi·nyl·ben·zene 名 ジビニルベンゼン.
eth·yl·ben·zene 名 エチルベンゼン.
hex·a·hydro·ben·zene 名 シクロヘキサン.
hy·drox·y·ben·zene 名 フェノール.
i·so·pro·pyl·ben·zene 名 イソプロピルベンゼン.
me·thox·y·ben·zene 名 アニソール.
meth·yl·ben·zene 名 トルエン.
meth·yl·tri·ni·tro·ben·zene 名 トリニトロトルエン.
ni·tro·ben·zene 名 ニトロベンゼン.
ni·tro·so·ben·zene 名 ニトロソベンゼン.
ox·y·ben·zene 名 フェノール.
phen·yl·ben·zene 名 ビフェニール.
tri·ni·tro·ben·zene 名 トリニトロベンゼン.
vi·nyl·ben·zene 名 スチレン.

-berg /bərg/

連結形 山(mountain, hill).
★ 地名, 人名に用いられる.
◆ 中期オランダ語より.

Arl·berg 名 アールベルク峠(オーストリアの地

B

名).
Ed·berg 名 エドベリ(スウェーデンの姓).
floe·berg 名 浮氷塊.
Fre·de·riks·berg 名 フレゼリクスベア(デンマークの地名). ►字義は「平和と統治の山」.
Gins·berg 名 ギンズバーグ(姓). ►字義は「エニシダの生い茂る丘」.
Ginz·berg 名 ギンズバーグ(姓). ►字義は「エニシダの生い茂る丘」.
Go·des·berg 名 ゴーデスベルク(ドイツの地名). ►字義は「神々の山」.
Gold·berg 名 ゴールドバーグ(姓). ►字義は「金色の丘」.
Gu·ten·berg 名 グーテンベルク(ドイツの姓). ►字義は「すばらしい [神の] 山」.
Hei·del·berg 名 ハイデルベルク(ドイツの地名). ►語義は「コケモモの山」.
Hei·sen·berg 名 ハイゼンベルク(姓).
Herz·berg 名 ヘルツバーグ(姓). ►字義は「勇者の丘」.
Hol·berg 名 ホルベア(デンマークの姓).
ice·berg 名 氷山.
in·sel·berg 名 【自然地理】残丘(monadnock).
Led·er·berg 名 リーダーバーグ(姓). ►字義は「なめし革の山」.
Lem·berg 名 レンベルク(ウクライナ西部の都市のドイツ語名).
Lund·berg 名 ランドバーグ(姓). ►字義は「果樹園のある山」.
Men·gel·berg 名 メンゲルブルグ(オランダの姓).
Muh·len·berg 名 ミューレンバーグ(姓).
Mün·ster·berg 名 ミュンスターバーク(ドイツの姓). ►字義は「大聖堂の丘」.
Nir·en·berg 名 ニーレンバーグ(姓). ►ニュルンベルク(Nuremberg)から由来.
Nu·rem·berg 名 ニュルンベルク(ドイツの地名). ►字義は「岩山」.
Nürn·berg 名 Nuremberg のドイツ語名.
oil·berg 名 超大型タンカー.
Rau·schen·berg 名 ラウシェンバーグ(姓). ►字義は「イグサの生い茂る山」.
Rei·chen·berg 名 ライヘンベルク(チェコ北部の都市のドイツ語名).
Rom·berg 名 ロンバーグ(姓).
Ro·sen·berg 名 ローゼンベルク(ドイツの姓). ►字義は「バラの生い茂る山」.
Ru·ne·berg 名 ルネバリ(フィンランドの姓).
Schoen·berg 名 =*Schönberg*.
Schön·berg 名 シェーンベルク(オーストリアの姓). ►字義は「美しい山」.
Spiel·berg 名 スピルバーグ(姓). ►字義は「展望台のある山」.
Stauf·fen·berg 名 シュタウヘンブルグ(ドイツの姓).
Stein·berg 名 スタインバーグ(姓). ►字義は「岩山」.
Stern·berg 名 スターンバーグ(姓). ►字義は「星の山(の住人)」.
Stras·berg 名 ストラスバーグ(姓).
Strind·berg 名 ストリンドベリ(スウェーデンの姓). ►字義は「岸辺の丘」.
Sved·berg 名 スベードベリ(スウェーデンの姓). ►字義は「はげ山」.
Tan·nen·berg 名 タンネンベルク(ポーランド北部の村の名).
Thal·berg 名 サルバーグ(姓). ►字義は「谷と山」.
Thun·berg 名 ツンベルグ(スウェーデンの姓).
Van·den·berg 名 バンデンバーグ(姓). ►字義は「山生まれ」.
Ve·nus·berg 名 ベーヌスベルク(ドイツの地名). ►字義は「ビーナス(Venus)の山」.
Vor·arl·berg 名 フォアアールベルク(オーストリアの地名).
Wal·len·berg 名 ワレンベリ(スウェーデンの姓). ►字義は「牧草地の山」.
Wein·berg 名 ワインバーグ(姓). ►字義は「丘上のぶどう園」.
Wit·ten·berg 名 ウィッテンベルク(ドイツの地名). ►字義は「白い山」.
Würt·tem·berg 名 ウュルテンベルク(ドイツの地名). ►字義は「水路沿いの丘」.

ber·ry /béri/

名 (通例, 核のない)水分の多い食用小果実.

an·gle·ber·ry 名 【獣医】疣(ゆう)腫.
bal·loon·ber·ry 名 バライチゴ (strawberry-raspberry).
bane·ber·ry 名 ルイヨウショウマ(類葉升麻).
bar·ber·ry 名 ☞
bay·ber·ry 名 ヤマモモ.
bear·berry 名 クマコケモモ.
beau·ty·ber·ry 名 ムラサキシキブ.
bil·ber·ry 名 コケモモ; その実.
black·berry 名 クロイチゴ.
blae·ber·ry 名 《スコット・北イング》 =whortle berry.
blue·ber·ry 名 ブルーベリー.
box·ber·ry 名 =checkerberry.
boy·sen·ber·ry 名 ボイゼンベリー.
búffalo bèrry バッファローグミ(buffalo bush).
bunch·ber·ry 名 ゴゼンタチバナ.
cack·le·ber·ry 名 《おどけて》料理用鶏卵.
can·dle·ber·ry 名 数種のヤマモモの総称.
Cas·sel·ber·ry 名 カッセルベリー.
check·er·ber·ry 名 ヒメコウジ.
chi·na·ber·ry 名 センダン, タイワンセンダン.
choke·ber·ry 名 北米産のバラ科アロニア属の低木の総称.
Christ·mas·ber·ry 名 カリフォルニアカナメモチ(toyon): バラ科カナメモチ属の常緑低木.
cloud·ber·ry 名 ホロムイイチゴ.
cóffee bèrry コーヒーノキの実.
cof·fee·ber·ry 名 カリフォルニアクロウメモドキ.
cor·al·ber·ry 名 スイカズラ科セッコウボク属の低木.
cow·ber·ry 名 コケモモ.
crack·er·berry 名 =bunchberry.
cran·ber·ry 名 ツルコケモモ.
crow·ber·ry 名 ガンコウラン(岩高蘭).
dan·gle·ber·ry 名 =tangleberry.
deer·ber·ry 名 アメリカスノキまたはヌマスノキ.
dew·ber·ry 名 デューベリー: (北米で)キイチゴ属の一群の栽培種の総称.
dil·ber·ry 名 =dillberry.
dill·ber·ry 名 《米俗》尻の毛についた糞や紙.
din·gle·ber·ry 名 《俗》動物の尻にぶら下がっている小さな糞などの塊.
dog·ber·ry 名 西洋ミズキ, ナナカマドなどの実.
el·der·ber·ry 名 アメリカニワトコの実.
far·kle·ber·ry 名 クロミコケモモ.
far·tle·ber·ry 名 《俗》=dingleberry.
fen·ber·ry 名 ツルコケモモ.
fox·ber·ry 名 =cowberry.
gall·ber·ry 名 北米産のモチノキ属の低木.
goose·ber·ry 名 ☞
go·pher·ber·ry 名 ツツジ科のコケモモに似たハックルベリーの一種.
hack·ber·ry 名 エノキ.
hag·ber·ry 名 =hackberry.
Hans·ber·ry 名 ハンズベリー(姓).
heath·ber·ry 名 =crowberry.
huck·le·ber·ry 名 ☞
hur·tle·ber·ry 名 =whortleberry.
ink·ber·ry 名 オクノフウリンウメモドキ.
i·vy·ber·ry 名 ヒメコウジ(wintergreen).
June·ber·ry 名 =serviceberry.
júniper bèrry ネズの実; (特に)西洋ネズの実.
kíwi bèrry キーウィフルーツ.

lémonade bérry アメリカウルシ.
ling·on·ber·ry 名 コケモモ: ツツジ科の低木.
lo·gan·ber·ry 名 ローガンベリー.
male·ber·ry 名 アメリカネジキ(swamp andromeda): ツツジ科ネジキ属の低木.
míracle bèrry ミラクルフルーツ(miracle fruit): アフリカ産アカテツ科の低木またはクズウコン科の草本の水気の多い小果.
mul·ber·ry 名 ☞
nan·ny·ber·ry 名 =sheepberry.
nase·ber·ry 名 サポディラ, チューインガムノキ.
ol·al·lie·ber·ry 名 クロイチゴの一品種.
oys·ter·ber·ry 名 《米俗》真珠.
par·tridge·ber·ry 名 ヒメコウジ.
poke·ber·ry 名 pokeweed の実.
rab·bit·ber·ry 名 =buffalo berry.
rasp·ber·ry 名 ☞
razz·ber·ry 名 《話》屁.
salm·on·ber·ry 名 サーモンベリー.
serendípity bèrry セレンディピティベリー.
serv·ice·ber·ry 名 ザイフリボク類の実.
shad·ber·ry 名 《米》ザイフリボクの果実.
sheep·ber·ry 名 スイカズラ科ガマズミ属の低木.
shót bèrry (ブドウの)無核小果粒.
sil·ver·ber·ry 名 ギンヨウ(銀葉)グミ.
snow·ber·ry 名 セッコウボク(雪晃木).
soap·ber·ry 名 ムクロジ.
sour·ber·ry 名 =lemonade berry.
spice·ber·ry 名 〚植物〛フトモモ科の低木; その果実.
spíndle bèrry spindle tree の果実.
squaw·ber·ry 名 =deerberry.
straw·ber·ry 名 ☞
sug·ar·ber·ry 名 米国南部産のエノキの一種.
sun·ber·ry 名 =wonderberry.
tan·gle·ber·ry 名 ハックルベリーの一種.
tay·berry 名 テイベリー.
tea·ber·ry 名 =checkerberry.
thim·ble·ber·ry 名 指ぬき(thimble)状の実がなる米国産のキイチゴの総称.
tum·mel·berry 名 タメルベリー.
twin·ber·ry 名 =partridgeberry.
wax·ber·ry 名 ヤマモモ; その実.
whéat bèrry 小麦粒.
whor·tle·ber·ry 名 クロミノナツハゼ.
wine·ber·ry 名 ワインベリー, ウラジロイチゴ.
win·ter·ber·ry 名 モチノキ.
wolf·ber·ry 名 スイカズラ科の低木.
won·der·ber·ry 名 イヌホウズキ.
young·ber·ry 名 〚園芸〛カリフォルニアデューベリー(California dewberry)の栽培品種の一つ.

-bert /bəːrt/

連結形 輝いている, 有能な.
★ 人名をつくる.
◆ 古英 *-berht*, *-bert* ＜古英地独 *beraht*「輝いた」; bright は同源.
[発音]すべて 2 音節の語で, 語頭の音節に第 1 強勢.

Al·bert 名 アルバート(男子の名). ►字義はゲルマン語で「有名な貴族」.
Cuth·bert 名 カスバート(男子の名). ►字義は「有名な秀才」.
Eg·bert 名 エグバート(男子の名). ►字義は古英語で「輝く剣先」.
Gil·bert 名 ギルバート(男子の名). ►字義はゲルマン語で「輝ける証」.
Her·bert 名 ハーバート(男子の名). ►字義は「優秀な軍隊」.
Hu·bert 名 ヒューバート(男子の名). ►字義はゲルマン語で「輝ける精神」.
Lam·bert 名 ランバート(姓). ►字義はゲルマン語で「明るい台地」.
Nor·bert 名 ノアバート(男子の名). ►字義はゲルマン語で「明るい北部(地方)」.
Os·bert 名 オズ[アズ]バート(男子の名). ►字義は古英語で「輝ける神」.
Rob·ert 名 ロバート(男子の名). ►字義はゲルマン語で「輝かしい名声」.

best /bést/

形 最高の, 最良の, 最上の. ━━ 名 最も優れたもの. ⇨ -EST[1].

néxt-bést 形名 第二位の(もの).
sécond bést 次善[二流]の人[物].
sécond-bést 形 次善の, やや見劣りする.
Súnday bést (特に教会に行くときの)晴れ着.
thírd-bést 名形 三流[三等](の); 三流品(の).

bet /bét/

名 賭(か)け, 賭事.

íf-bèt 名 〚競馬〛=pyramid bet.
íf-cóme bèt 〚競馬〛=pyramid bet.
pláce bèt 〚競馬〛複勝式の賭け.
pýramid bèt 〚競馬〛限定繰越勝馬投票.
síde bèt (別の勝負相手などとする)賭け.
tél·e·bèt 名 〚競馬〛電話投票.

-bett /bit/

連結形 勇敢な.
★ 人名をつくる.
◆ 古英 *beald* 勇敢な.

Cob·bett 名 コベット(姓). ►字義は「高名な勇者」.
Tib·bett 名 ティベット(姓). ►字義は「勇敢な人々」.

be·tween /bitwíːn, bə-/

前 《場所・位置》〈2 つの物の〉間に[で, を]; …の間をつなぐ.

gó-betwèen 名 仲介者, 仲立ち, 取持ち役, 仲人.
ìn-betwéen 名 中間者[物], 中間的な人[もの].

be·yond /biánd, bijánd | bijɔ́nd, biɔ́nd/

前 …を越えて, …の向こうで[に, へ]; …のかなたに.

báck o' beyónd 《豪話》遠く離れた, 人里離れた.
gréat beyónd 来世.

bi·as /báiəs/

名 〚電子工学〛バイアス, 偏倚(へんい).

Ć-bìas 名 =grid bias.
fórward bías 順(方向)バイアス.
gríd bìas グリッドバイアス, 格子偏倚(こうしへんい)電圧.
sèlf-bías 名 セルフ[自己]バイアス.

Bi·ble /báibl/

名 聖書, バイブル.

Bíshops' Bíble 主教聖書.
Califórnia bíble 《米俗》トランプ一組.
dévil's Bíble カード, トランプ.
Dóuay Bíble ドゥエー(版英訳)聖書.
fámily Bíble 家庭用聖書.

B

42-líne Bíble 42 行聖書.
Genéva Bíble ジュネーブ聖書.
Gídeon Bíble 国際ギデオン協会が寄贈する聖書.
Góod Nèws Bíble 米国聖書協会発行の現代口語訳聖書.
Gréat Bíble 大聖書.
Gútenberg Bíble グーテンベルク聖書.
Hóly Bíble =Bible.
Jerúsalem Bíble エルサレム聖書.
Mázarin Bíble マザラン聖書: グーテンベルク聖書の異名.
Néw Américan Bíble 1970 年刊行の英訳聖書.
Néw Énglish Bíble 新英訳聖書.
Prínters' Bíble 1702 年ごろの版で詩篇 119 : 161 の Princes が Printers と誤植印刷されている欽定聖書の俗称.
réference bíble 引照付き聖書.
Rhéims-Dóuay Bíble =Douay Bible.
Tijuána Bíble 《米俗》(特に過激な)エロ本.
Vínegar Bíble 1716–17 年英国 Oxford で印刷された聖書の俗称.
Wícked Bíble 姦淫(かんいん)聖書: 1631 年版の欽定聖書の俗称.

bi·cy·cle /báisikl, -sìkl, -sàikl | -sikl/

名 自転車. ⇨ CYCLE.

éxercise bìcycle エクササイズバイク.
mótor·bìcycle 小形オートバイ.
sáfety bìcycle 安全自転車.
státionary bícycle =exercise bicycle.
tándem bícycle 二人[数人]乗り自転車, タンデム車.

bid /bíd/

動他 命令する. ━━名 (…の)値をつけること; 〘トランプ〙ビッド.

ásking bìd 〘トランプ〙アスキングビッド.
cóunter·bìd 名 〘商業〙対抗的買い注文.
cúe bìd 〘トランプ〙キュービッド.
cúe-bíd 動他自 〘トランプ〙キュービッドする.
demánd bíd 〘トランプ〙ディマンドビッド.
dúmb bíd 止め値, 秘密留保競売値段.
for·bíd 動他 …を禁じる.
frée bíd 〘トランプ〙フリービッド.
júmp bìd 〘トランプ〙ジャンプビッド.
òut·bíd 動他 〈物に〉高い値をつける.
òver·bíd 動他 〈物に〉値打ち以上の値をつける.
psýchic bíd 〘トランプ〙サイキックビッド.
rè·bíd 動他 〘トランプ〙リビッドする.
réscue bìd 〘トランプ〙レスキュービッド.
revérse bìd 〘トランプ〙リバースビッド.
shíft bìd 〘トランプ〙シフトビッド.
skíd-bìd 名 《米俗》服役期間.
táke-over bíd 《英》〘証券〙公開買い付け.
ùn·bíd 形 命令によらない, 自発的な.
ùnder·bíd 動他 〈物に〉安い値をつける.

bike[1] /báik/

名 《話》自転車; モーターバイク.

áll-terràin bíke 全地形型自転車(ATB).
dírt bìke 《話》=trail bike.
fárm-bìke 《NZ》道路以外の場所を走るためのオートバイ.
mín·i·bìke 名 軽量小型オートバイ, ミニバイク.
mótor·bìke 《主に英話》小型オートバイ.
móuntain bìke マウンテンバイク.
nóddy bìke 《英俗》警察のベロセットオートバイ.
púsh-bìke 《英話》自転車.
qúad bìke 四輪駆動のオフロードバイク.
súp·er·bìke 名 (排気量 750 cc 以上の)大型バイク.
tówn bíke 《米俗》尻軽女, あばずれ; 売春婦.
tráil bìke トレイルバイク: 舗装されていない道路や起伏の多い地形用のオートバイ.

bile /báil/

名 〘生理〙胆汁.

bláck bíle 《古》(中世生理学で)黒胆汁.
yéllow bíle 胆汁(choler).

Bill /bíl/

名 男子の名. ►William(人名)の省略形 Will に由来.

Bíg Bíll シカゴ市長 William Hale Thompson(1867–1944)のあだ名.
Búngalow Bíll 《英俗》頭はにぶいが性的魅力のある男性.
Óld Bíll 《英俗》警官, おまわりさん.
Pécos Bíll ペーコス・ビル: 米国西部の伝説上のカウボーイ.

bill[1] /bíl/

名 **1** 請求書. **2**〘政治〙法案. **3**〘金融〙手形; 証書. **4** びら. **5** 表.

accommodátion bìll 〘商業〙融通手形.
áir·bìll 航空貨物受取証(air waybill).
appropriátion bíll 《米》歳出配分承認法案.
bánk bìll 《主に米》銀行券, 紙幣.
bánker's bìll 銀行為替手形.
bóttle bìll 空き瓶回収デポジット法案.
bútcher's bìll 肉屋の勘定書; 戦死者名簿.
Cásh Mánagement Bìll 《米》〘証券〙キャッシュ・マネージメント・ビル.
Chrístmas trèe bìll 《米》〘法律〙種々の特定の利益集団を有利にする法案.
cléan bíll 新規全面見直し法案.
demánd bìll 〘商業〙要求[一覧]払い手形.
dóuble bíll (映画の)二本立て.
dóuble-bíll 動他 同一の請求書を出す, 二重請求する.
dúe bìll 《米》借用証書, つけ.
engróssed bíll 〘米政府〙連邦議会の一院だけを通過した法案.
enrólled bíll 〘米政府〙登録法案.
fínance bìll 〘政府〙財政法案, 歳入法案.
fóreign bìll 〘商業〙外国為替手形.
fóul bìll 〘海事〙不完全健康証.
GÍ Bìll 《米》復員兵援護法.
hánd·bìll ちらし, びら, 引き札.
hýbrid bíll 私的関心の混じった公的法案.
ínland bìll 〘商業〙内国為替手形.
móney bìll 財政法案.
nó bìll 〘法律〙(大陪審の)不起訴の答申.
nó-bìll 動他 〘法律〙〈人を〉不起訴にする.
ómnibus bìll 〘政治〙総括的議案, 一括法案.
páyment bìll 〘商業〙支払手形.
pláy·bìll 《米》演劇のプログラム.
prívate bíll 私法律案.
prívate mémber's bíll 《英》議員立法法案.
públic bíll 公法律案.
ránsom bìll 〘国際法〙拿捕(だほ)船舶買い戻し証書.
Refórm Bìll 〘英史〙選挙法改正案.
shípping-bìll 〘商業〙積み荷送り状.
shórt bíll 〘商業〙短期手形.
shów bìll 広告びら, ポスター.
státion bìll 〘海事〙(非常時用の)乗組員配置表.
supplý bìll 《英》予算案.
T-bìll 米国財務省短期証券.

thrée-dòllar bíll 《米俗》他人の名をかたる者; 変人.
tíme bìll 〖商業〗定期払い為替［約束］手形.
Tréasury bìll (米国の)財務省短期証券.
trúe bìll 《米・英古》〖法律〗正式起訴状.
twín bìll 《俗》〖スポーツ〗(野球などの)ダブルヘッダー.
víctualling bìll 〖海事〗船用食品積み込み申告書.
wáy·bìll 運送目録, 貨物運送状; 乗客名簿.
wéekly bìll 〖英史〗死亡統計表.

bill² /bíl/

名 (鳥の)くちばし; 細長く偏平なもの.

blúe·bìll スズガモ.
bóat·bìll ヒロハシサギ.
bróad·bìll ヒロハシ.
chánnel·bìll オオオニカッコウ(大鬼郭公).
crane's·bìll 〖植物〗ゼラニウム, フウロソウ.
cróss·bìll イスカ.
crów·bìll 角から作られた円錐形の矢じり.
crow's-bìll 〖解剖〗烏口(うこう)突起.
dúck·bìll カモノハシ.
hárd-bìll 硬嘴(こうし)の鳥, 種子食の鳥.
háwk·bìll タイマイ(瑇瑁).
háwks·bìll ＝hawkbill.
héron's-bìll ＝stork's-bill.
hóok-bìll (飼い鳥の)オウム, インコ.
hórn·bìll サイチョウ(犀鳥).
lóng·bìll くちばしの長い鳥(シギなど).
mosquíto bìll 〖植物〗サクラソウ科ドデカテオン属の多年草.
ópen·bìll スキハシコウ.
párrot·bìll ダルマエナガ.
párrot's-bìll 色鮮やかな茎の細いマメ科の亜低木.
rázor·bìll オオハシウミガラス.
sáddle-bìll クラハシコウ.
sáw·bìll ノコギリバカモ.
scíssor·bìll ハマミアジサシ(skimmer).
shárp·bìll トガリハシ, エイシチョウ.
shéar·bìll クロハサミ(黒鋏)アジサシ.
shéath·bìll サヤハシチドリ.
shóe·bìll ハシビロコウ.
síckle·bìll 長く曲がった鎌状のくちばしを持つ鳥の総称; ダイシャクシギ, ツグミモドキなど.
sóft-bìll 昆虫などの動物質や果実食に適した比較的弱いくちばしの鳥類の総称.
spárrow·bìll (靴屋の使う)頭のない小釘.
spíne·bìll キリハシミツスイ.
spóon·bìll ヘラサギ.
stórk's-bìll 〖植物〗オランダフウロ(風露).
swórd·bìll ヤリハシハチドリ.
thórn·bìll ハチドリ科トゲハシハチドリ属と, コバシハチドリ属のハチドリの総称.
wáx·bìll カエデチョウ(楓鳥).
wédge·bìll カンムリチャイロガラ.
whíte-winged cróssbill ナキイスカ.
wrý·bìll ハシマガリチドリ.

Bil·ly /bíli/

名 男子［女子］の名.

bil·ly¹ 名 《米・カナダ》(警官の)警棒.
bil·ly² 名 《米俗》(カリフォルニアで)紙幣, 札.
blúe bílly 《NZ 話》ナンキョク(南極)クジラドリ(dove prion).
Brónco Bílly ブロンコ・ビリー: 西部劇のヒーロー.
cit·y·bil·ly 名 都会育ちのカントリーミュージシャン.
hill·bil·ly 名 《しばしば侮蔑的》山地住民, 田舎者(bumpkin).
punk·a·bil·ly 名 パカンカビリー: パンクとカントリーミュージックが融合したニューウェーブロックの一種.
rock·a·bil·ly 名 ロカビリー.
sílly bìlly 《話》ばか, 愚か者. ►英国王 William IVのあだ名から.

bin /bín/

名 蓋(ふた)付きの箱, 大箱.

ásh·bin 灰入れ.
bréad·bìn 《英》パン［菓子］貯蔵箱［ケース］.
cóal·bìn 石炭入れ, 石炭貯蔵所.
dúmp bìn (スーパーなどの)見切り処分品の箱.
dúst·bìn 《主に英》ごみ入れ, ごみ箱.
lítter-bìn 《英》(特に街路などの)くず入れ.
lóony bìn 《俗》精神科病院.
órderly bìn 《英》(街路などの)ごみ箱.
óverhead bín (旅客機内客席上部の)荷物入れ.
pédal bìn (ペダルで蓋の開閉をする)ごみ箱.
píg bìn (豚の食料となる)台所の残飯バケツ.
rúbbish bìn 《英》＝dustbin.
sín-bìn 《話》〖アイスホッケー〗ペナルティーボックス(penalty box).
skívvy-bìn 《英話》公共のごみ捨て場.
wéenie bìn 《米学生俗》図書館の個人用閲覧室.
whéelie bìn 《主に英》ホイーリービン: 移動用ホイールをつけた大型のごみ収容器.
wóod·bìn 《米》まき入れ, 薪箱.

bi·na·ry /báinəri, -ne- | -nə-/

形 二つの, 対の, 複…, 双…, 二つから成る, 二元の. ⇨ -ARY.

astrométric bínary 〖天文〗測位連星.
con·cú·bi·nà·ry 形名 内縁関係にある(人), 情婦(の).
cóntact bìnary 〖天文〗接触連星, 接触二重星.
nég·a·bì·na·ry 名形 〖数学〗負の二進数(に関する).
spectroscópic bínary 〖天文〗分光(器的)連星.
vísual bínary 〖天文〗実視連星.

bind /báind/

動他 …を縛る. ―― 名 縛るもの, 縛ること.

béll·bìnd 名 〖植物〗ヒルガオ.
ców·bìnd 名 〖植物〗ブリオニア(bryony).
dóuble bínd 〖心理〗二重拘束.
hóp-bìnd 名 ホップの蔓(つる)状の茎.
prè·bínd 動他 (図書館での貸出用に)製本する.
rè·bínd 動他 …を縛り直す.
spéll·bìnd 動他 …を呪文で縛る; 魅了する.
ùn·bínd 動他 釈放する, 自由にする.

bind·er /báindər/

名 縛る［留める］人［もの］. ⇨ -ER¹.

bóok·bìnder 製本屋, 製本工.
córn bìnder 《米俗》International Harvester のトラック.
hígh·bìnder 《米》詐欺師, ぺてん師.
ríng bìnder リングバインダー: 2か所以上をリングで留めるルーズリーフのとじ込み.
sánd bìnder 砂止め植物.
sélf-bìnder 〖農業〗(刈り取り機の)結束機.
sóil bìnder 〖農業〗土壌結合植物, 土止め植物.
spéll·bìnder 《主に米》魅了する人［もの］.
spríng bìnder ルーズリーフのバインダーの一種; 背部が1本の長い締め金になっていて紙をとじるもの.

B

bind·ing /báindiŋ/

名 **1** 縛ること；結合. **2** 縛る物. **3** 製本, 装丁. ⇨ -ING[1].

adhésive bínding =perfect binding.
bías bìnding 〔洋裁〕バイアステープ.
bóok·bìnding 製本(術); 装丁; 製本業.
círcuit bìnding 〔製本〕ヤップ型製本, 耳折れ製本.
clóth bìnding 〔製本〕布表紙(製本), クロス装丁.
edítion bìnding 〔製本〕数物(もの)製本.
fléxible bínding 〔製本〕柔軟(背)製本.
fóot-bìnding (昔の中国の)纏足(てんそく).
fúll bínding 〔製本〕丸製本, 総革製本.
hálf bínding 〔製本〕半革装(本); 半…製(本).
láw bìnding 〔製本〕法律書装.
líbrary bìnding 〔製本〕図書館製本, 補強製本.
pérfect bìnding 〔製本〕無線綴(と)じ.
públisher's bínding =edition binding.
quárter bínding 〔製本〕背革 [布] 製本.
séam bìnding シームバインディング, 縁取り布.
spíral bínding 〔製本〕(本・ノートの)らせん綴(と)じ.
thrée-quárter bínding 〔製本〕四分三(しぶんさん)製本.
tíme-bìnding 次代の人々に役立つようにさまざまな経験の記憶や記録を, 特に記号を用いて伝達し保存する人間特有の属性.
unséwn bínding 〔製本〕無線綴(と)じ.
whóle bínding =full binding.

bi·o·log·i·cal /bàiəlάdʒikəl | -lɔ́dʒ-/

形 生物学(biology)の, 生物学的な. ⇨ -LOGICAL.

a·bi·o·log·i·cal 形 非生物的な, 生物によらない.
non-bi·o·log·i·cal 形 非生物の.
pre·bi·o·log·i·cal 形 生物史前の.

bi·ol·o·gy /baiάlədʒi | -ɔ́l-/

名 生物学. ⇨ -OLOGY.

ac·tin·o·bi·ol·o·gy 名 放射線生物学.
aer·o·bi·ol·o·gy 名 空中生物学.
ag·ro·bi·ol·o·gy 名 農業生物学.
am·phi·bi·ol·o·gy 名 両生類学, 両生動物論.
as·tro·bi·ol·o·gy 名 《俗に》=exobiology.
céll biòlogy 細胞生物学.
chron·o·bi·ol·o·gy 名 時間生物学.
cos·mo·bi·ol·o·gy 名 宇宙生命相関論.
cry·o·bi·ol·o·gy 名 低温生物学, 冷凍生物学.
developméntal biólogy 発生生物学.
e·lec·tro·bi·ol·o·gy 名 電気生物学, 生物電気学.
en·do·cyto·bi·ol·o·gy 名 細胞内の小器官などの構造と機能を研究する生物学の一部門.
environméntal biólogy 環境生物学.
eth·no·bi·ol·o·gy 名 民族生物学.
evolútionary biólogy 進化生物学.
ex·o·bi·ol·o·gy 名 宇宙 [地球外] 生物学.
gly·co·bi·ol·o·gy 名 炭水化物化学, 糖生物学.
gno·to·bi·ol·o·gy 名 ノトバイオロジー, 無菌動物生物学.
hy·dro·bi·ol·o·gy 名 水生 [水界] 生物学.
im·mu·no·bi·ol·o·gy 名 免疫生物学.
maríne biólogy 海洋生物学.
mathemátical biólogy 数理生物学.
mi·cro·bi·ol·o·gy 名 微生物学.
molécular biólogy 分子生物学.
neu·ro·bi·ol·o·gy 名 神経生物学.
néw biólogy =molecular biology.
pa·le·o·bi·ol·o·gy 名 古生物学.
path·o·bi·ol·o·gy 名 病理学(pathology)
pho·to·bi·ol·o·gy 名 光生物学.
phy·to·bi·ol·o·gy 名 植物生態学(plant ecology).
populátion biólogy 集団生物学.
psy·cho·bi·ol·o·gy 名 精神生物学.
ra·di·o·bi·ol·o·gy 名 放射線生物学.
so·ci·o·bi·ol·o·gy 名 社会生物学.
spáce biòlogy =exobiology.
xen·o·bi·ol·o·gy 名 =exobiology.

-bi·ont /báiɑnt | -ɔnt/

連結形 (特殊な)生き方をする [...で生きる] 生物.
★ 名詞をつくる.
★ 語末にくる関連形は -BIOSIS, -BIOTIC.
★ 語頭にくる関連形は bio-: *bio*chemistry「生化学」, *bio*logy「生物学」.
◆ <ギ *biount*(*bioûn*「生きる」より). ⇨ -ONT[1].

an·aero·bi·ont 名 〔生物〕嫌気性生物, 嫌気菌.
e·o·bi·ont 名 〔生物〕エオビオント.
epi·bi·ont 名 〔生物〕表在生物.
hal·o·bi·ont 名 〔生物〕塩生生物.
hap·lo·bi·ont 名 〔植物〕単相生物.
my·co·bi·ont 名 〔菌類〕ミコビオント.
phy·co·bi·ont 名 〔藻類〕フィコビオント.
pro·to·bi·ont 名 〔生物〕原始生命 [生物].
sym·bi·ont 名 〔生物〕共生者.
trog·lo·bi·ont 名 〔動物〕真洞穴性動物.

-bi·o·sis /baióusis, bi-/

連結形 …生活(様式), …式生き方.
★ 名詞をつくる.
★ 語末にくる関連形は -BIONT, -BIOTIC.
★ 語頭にくる関連形は bi(o)-: *bio*chemistry「生化学」, *bio*logy「生物学」.
◆ <近代ラ *-biosis* <ギ *bíōsis*(*bioûn*「生きる」より). ⇨ -OSIS.

a·bi·o·sis 名 生活 [生命] 力欠如.
aer·o·bi·o·sis 名 〔生物〕好気 [有気] 性生活.
an·a·bi·o·sis 名 (生物の仮死状態からの)回復, 蘇生.
an·aer·o·bi·o·sis 名 〔生物〕嫌気生活.
an·ti·bi·o·sis 名 〔生物〕抗生作用.
clep·to·bi·o·sis 名 〔生物〕盗食共生.
col·a·co·bi·o·sis 名 (昆虫の, 他の種類の昆虫社会への)寄生.
cryp·to·bi·o·sis 名 〔生物〕蘇生(能), 潜生.
gno·to·bi·o·sis 名 〔生物〕グノトビオシス.
les·to·bi·o·sis 名 〔生物〕盗食共生.
mac·ro·bi·o·sis 名 〔医学〕長寿, 長命.
met·a·bi·o·sis 名 〔生物〕変態共生.
nec·ro·bi·o·sis 名 〔医学〕類壊死, 死生.
par·a·bi·o·sis 名 〔生物〕並体結合 [癒合(ゆごう)].
sym·bi·o·sis 名 〔生物〕共生.

-bi·ot·ic /baiάtik | -ɔ́t-/

連結形 **1** 生命に関する: anti*biotic*. **2** (特定の)生き方をする, …で生きる: aero*biotic*.
★ 形容詞をつくる.
★ 語末にくる関連形は -BIONT, -BIOSIS.
★ 語頭にくる関連形は bio-: *bio*chemistry「生化学」, *bio*logy「生物学」.
◆ <近代ラ<ギ *biōtikós*(*bíos*「生命」より). ⇨ -OTIC.

a·bi·ot·ic 形 生活 [生命] 力が欠如した.
aer·o·bi·ot·ic 形 〔生物〕好気 [有気] 性生活の.
am·phi·bi·ot·ic 形 〔動物〕水陸両生の.
an·ti·bi·ot·ic 名形 〔生化学〕〔薬学〕抗生物質(の).
en·do·bi·ot·ic 形 〔生物〕生物体内生の.
ep·i·bi·ot·ic 形 〔生物〕生物体表生の.
gno·to·bi·ot·ic 形 〈無菌動物が〉特定の微生物を接種された.
mac·ro·bi·ot·ic 形 自然食の; 長寿の.
pho·to·bi·ot·ic 形 〔植物〕〔動物〕光生性の.

xen·o·bi·ot·ic 名形 生体異物(の).
zo·o·bi·ot·ic 形 〖生物〗動物に寄生している.

birch /bə́ːrtʃ/

名 〖植物〗カバノキ(樺の木), カバ, カンバ.

bláck bírch =sweet birch.
canóe bìrch =paper birch.
chérry bìrch =sweet birch.
gráy bírch カバノキ科シラカンバ属の木.
páper bìrch アメリカシラカバ.
réd bírch =river birch.
ríver bìrch フロリダカンバ.
rúnning-bírch ハイシラタマノキ.
sílver bírch =paper birch.
swéet bírch レンタカンバ.
whíte bírch オウシュウシラカバ.
yéllow bírch キハダカンバ.

bird /bə́ːrd/

名 鳥, 小鳥.

ádjutant bìrd ハゲコウ.
ánt·bìrd アリドリ.
apóstle·bìrd チメドリ.
bée bìrd ハチクイドリの類.
béll·bìrd スズドリ(鈴鳥).
bláck·bìrd ☞
Blúe Bírd 青い鳥. ►幸福のシンボル.
blúe·bìrd ルリツグミ.
bóatswain bìrd =tropic bird.
bóo-bìrd 《米俗》(スポーツ観戦で)野次る客.
bósun bìrd =tropic bird.
bóvver bìrd 《英俗》不良少女.
bów·er·bìrd ニワシドリ.
bráin-fèver bìrd チャバラカッコウ.
brístle·bìrd ヒタキ科ヒゲムシクイ属の鳥３種の総称.
búffalo bìrd コウウチョウ(香羽鳥).
bútcher·bìrd モズ.
cáge bìrd かごで飼われる鳥.
cáll bìrd おとりの鳥.
cámel bìrd ダチョウ.
cát·bìrd ネコマネ(シ)ドリ.
cédar bìrd ヒメレンジャク(連雀).
chaparrál bìrd ミチバシリ.
cóachwhip bìrd シラヒゲドリ.
cockyólly bìrd 《幼児語》小鳥.
ców·bìrd コウウチョウ(香雨鳥).
crócodile bìrd ナイルチドリ, ワニチドリ.
crówn bìrd カンムリヅル.
crýing bìrd ツルモドキ(limpkin).
cúll bìrd 《米俗》のけ者.
díamond bìrd ハナドリ科ホウセキドリ属の鳥の総称.
díckey·bìrd 《主に幼児語》小鳥.
dícky·bìrd =dickeybird.
dóllar·bìrd ブッポウソウ(仏法僧).
dólly bìrd 《英俗》美人, 魅力的な女.
dóugh bìrd エスキモーコシャクシュギ.
dragóon bìrd ノドグロヤイロチョウ.
dún·bìrd ホシハジロ.
éarly bìrd 《話》早起きの人.
élephant bìrd リュウチョウ(隆鳥).
férn·bìrd シダセッカ.
fíg-bìrd コウライウグイス.
fíre·bìrd 《主に米》鮮やかな赤またはオレンジ色の羽毛の数種の小鳥の総称.
fréedom bìrd 《米軍俗》本国帰還用の輸送機.
fríar·bìrd ハゲミツスイ(蜜吸い).
frígate bìrd グンカンドリ(軍艦鳥).
fúll bìrd 《米軍俗》大佐.
gállows bìrd 《話》絞首刑に処すべき極悪人.
gáme bìrd 狩猟鳥.
gáol·bìrd 《英話》=jailbird.
gárdener bìrd ニワシ(庭師)ドリ.
gòàway bìrd ムジ(ハイイロ)エボシドリ.
góoney bìrd アホウドリ(albatross).
góspel bìrd 《米話》日曜日に食卓にのぼる鶏肉.
gráss bìrd 《豪》オニセッカ(鬼雪下).
háng·bìrd 《古風》つり巣鳥.
héath·bìrd (一般に)ヒースに住む鳥.
hóme·bìrd マイホーム主義の人.
húmming·bìrd ☞
húrricane bìrd =frigate bird.
jáil·bìrd 《話》囚人, (特に)前科者, 常習犯.
jáy·bìrd カケス(jay).
J-bìrd 《米俗》ユダヤ人.
kíng·bìrd タイランチョウ科タイランチョウ属の総称.
lády·bìrd 〖昆虫〗テントウムシ.
láte bírd 夜遅くまで起きている人.
léaf·bìrd コノハドリ(木葉鳥).
limícoline bìrd =shorebird.
Líver bìrd 《英》リバプールの住民.
lócust bìrd バライロムクドリ.
lóve·bìrd ボタンインコ属のインコの総称.
lýre·bìrd コトドリ(琴鳥).
mán-of-wár bìrd =frigate bird.
mán-o'-wár bìrd =frigate bird.
méadow bìrd =reedbird.
míller·bìrd レイサンヨシキリ.
místletoe bìrd ムネアカハナドリ.
mócking·bìrd マネシツグミ属の数種の鳴き鳥の総称.
móor·bìrd 《主に英》アカライチョウ.
móose·bìrd 《カナダ》カナダカケス.
móund·bìrd ツカツクリ(塚造).
móuse·bìrd ネズミドリ.
mútton bìrd 数種のミズナギドリ科の海鳥の総称.
níght bìrd 夜鳥.
ódd bìrd 型破りの人, 変り者, つむじ曲がり.
óil·bìrd アブラヨタカ(guacharo).
óld·bìrd 《話》老獪(ろうかい)な人.
óof·bìrd 《英俗》金の卵を生むガチョウ.
órgan·bìrd セジロカササギフエガラス.
óven·bìrd カマドムシクイ.
óx·bìrd ハマシギ.
óyster·bìrd ミヤコドリ.
párson bìrd エリマキミツスイ.
pássage bìrd 渡り鳥(bird of passage).
péabody bírd 《主にニューイング》ノドジロシトド.
pérching bìrd スズメ目の鳥.
pílot bìrd アンナイドリ.
préacher bìrd アカメモズモドキ.
príson bìrd 囚人, 常習犯.
púff·bìrd オオガシラ(大頭).
quá·bìrd ゴイサギ.
quáker·bìrd ハイイロアホウドリ属の灰色のアホウドリの総称.
ráil·bìrd 《話》競馬狂い.
ráin·bìrd レインバード: 雨を告げて鳴く鳥.
ráinbow bìrd オーストラリア産の色鮮やかなハチクイ.
ráre bírd 珍しい人[もの], 珍品; 珍鳥.
réd bírd 〖薬学〗セコバルビタールのカプセル.
réd·bìrd ショウジョウコウカンチョウ.
réed·bìrd 《米南部》ボボリンク(bobolink).
rhinóceros bìrd ウシツツキ.
ríce·bìrd 水田によく飛来する鳥の総称.
rífle bìrd ウロコフウチョウ.
ríflemam bìrd ミドリイワサザイ.
róck·bìrd 岩壁に巣を造る海鳥の総称.
scrúb-bìrd クサムラドリ.
séa·bìrd 海鳥.
sécretary bìrd ヘビクイワシ, ショキカンチョウ.

B

shádow bìrd シュモクドリ.
shóre-bìrd 海辺の鳥.
sínging bìrd 鳴き鳥.
snáke-bìrd ヘビウ.
snów-bìrd ユキヒメドリ.
sóng-bìrd 鳴き鳥.
spéckled bírd 《米俗》ベンゼドリンによる陶酔.
státe bírd 《米》(州を象徴する)州鳥.
stínk-bìrd 《話》ツメバケイ(爪羽鶏).
stórm-bìrd ウミツバメ.
súgar-bìrd ミツドリ.
sún-bìrd タイヨウチョウ(太陽鳥).
súrf-bìrd ライソシギ.
táilor-bìrd サイホウチョウ(裁縫鳥).
téacher bìrd ＝ovenbird.
thúnder-bìrd かみなり鳥, 雷神鳥, サンダーバード.
tíck bìrd ダニを常食とする鳥の総称.
tínker-bìrd 金属的で単調な声で鳴くゴシキドリ科の鳥の総称.
trópic bìrd ネッタイチョウ(熱帯鳥).
umbréllа bìrd カサドリ.
wáding bìrd 渉禽(しょうきん), 渉水鳥.
wár-bìrd 軍用機; その搭乗員.
wáter bìrd 水禽(すいきん), 水鳥.
wáttle-bìrd ミミダレミツスイ.
wéaver-bìrd ハタオリドリ.
whále-bìrd クジラドリ.
whéat-bìrd ハマヒバリ.
whíp-bìrd 《豪》＝coachwhip bird.
whírley bírd 《俗》磁気ディスク(装置).
whírly-bìrd 《話》ヘリコプター.
wídow bìrd テンニンチョウ(天人鳥).
wínter bírd 冬鳥.
wíre-bìrd セントヘレナチドリ.
yárd-bìrd 《米俗》囚人, 服役囚.
yéllow-bìrd 《英方言》黄鳥(おうちょう).

birth /bə́ːrθ/

名 **1** 生まれること, 出生; 更生, 新生. **2** 出産, 分娩(ぶんべん).

àctive bírth 積極的出産法.
áfter-bìrth 名 【医学】胞衣(えな).
bréech bìrth 【産科】逆子(breech delivery).
chíld-bìrth 出産, 分娩(ぶんべん).
cróss-bìrth 名 【産科】横位.
crýo-bìrth 名 【医学】凍結発生.
lìve bírth 【産科】正常出産.
mis-bírth 名 流産(abortion).
nèw bírth 【神学】新生.
prè-bírth 名 【産科】出産前の期間.
rè-bírth 名 新しく生まれ変わること.
Sécond Bírth 【神学】霊的再生 [復活].
stíll-bìrth 名 【産科】死産.
vírgin bírth 【神学】処女降誕(の教義).
wáter bírth 水中出産法.
wròngful bírth (医師の過失による)異常出産.

birth·day /bə́ːrθdèi/

名 出生日, 誕生日. ⇨ DAY.

Jéfferson Dávis's Bírthday ジェファーソン・デービス誕生記念日: 4月13日.
Kíng's Bírthday 英国国王誕生日.
Lée's Bírthday リー将軍(Robert E.Lee)誕生記念日.
Líncoln's Bírthday Abraham Lincoln 誕生日(2月12日).
offícial bírthday 《英》(君主の)公式誕生日.
Quéen's Bírthday イギリス女王誕生日.
Thómas Jéfferson's Bírthday ＝Jefferson Davis's Birthday.
ùn-bírth-day 名 《英》《こっけい》誕生日以外の日.
Wáshington's Bírthday ワシントン誕生日.

bis·cuit /bískit/

名 **1** 《米・カナダ》小型パン. **2** 《主に英》ビスケット; クッキー.

béaten bíscuit 《米南部》小形の即席パン.
Bóurbon bíscuit チョコレートクリーム入りビスケット.
cáptain's bíscuit 上質の堅パン.
chárcoal bìscuit 炭素ビスケット.
cóld bíscuit 《米俗》性的魅力のない女 [男].
digéstive bíscuit 《英》大きな丸いビスケット.
dóg bìscuit 犬用ビスケット.
dróp bìscuit 練粉を鉄板に落として焼くビスケット.
gínger bìscuit 《英》ショウガで味をつけたクッキー.
gróund bìscuit 《米俗》馬ぐそ.
hórse bìscuit 《俗》たわ言.
pílot bìscuit ＝sea biscuit.
ratafía bìscuit 《英》アーモンドまたはココナッツ風味のクッキー.
séa bìscuit (船員用)堅パン.
shíp bìscuit ＝sea biscuit.
shíp's bìscuit ＝sea biscuit.
sóda bìscuit 重層ビスケット.
squáshed flý bìscuit 《英話》干しブドウのペーストを挟んだビスケット.
téa bìscuit 紅茶ビスケット.
wáter bìscuit 小麦粉と水で作るクラッカー.
wíne bìscuit ワインビスケット.

bish·op /bíʃəp/

名 **1** (ギリシャ正教・英国国教会で)主教, (ローマカトリックで)司教, (プロテスタントで)主教, 監督. **2** 【チェス】ビショップ.

àrch·bísh·op 名 【ローマカトリック】大司教, 【ギリシャ正教】【英国国教会】大主教.
fíve-fàced bíshop 《英》【植物】レンプクソウ.
flýing bíshop 《俗》女性の聖職位を認めない他教区の聖職者を監督する英国国教会主教.
prínce-bíshop 名 (神聖ローマ帝国の)主教兼任の諸侯.
quéen's bíshop 【チェス】クイーン側のビショップ.
súffragan bíshop 【ローマカトリック】付属司教, 【英国国教会】【ギリシャ正教】属 [補佐] 主教.
títular bíshop 【ローマカトリック】名義司教.

bi·son /báisn, -zn | -sn/

名 バイソン, ヤギュウ(野牛).

Américan bíson アメリカヤギュウ.
Européan bíson ヨーロッパバイソン.
Índian bíson インド野牛, ガウル(gaur).

bit[1] /bít/

名 **1** 【機械】ビット, らせん錐(きり). **2** 馬銜(はみ). **3** (鍵の)歯, かかり.

áuger bìt らせん錐の穂先.
béll-hànger's bìt らせん錐.
bráce and bít 弓子(ゆみこ)錐.
cénter bìt 板錐, 回し錐.
chámfer bìt 斜角用ビット.
dríll bìt 【機械】ビット, らせん錐.
expánsion bìt ＝expansive bit.
expánsive bìt 調節 [可変] ドリル.
Fóerstner bìt ＝Forstner bit.
Fórstner bìt フォーストナー・ビット.

gág·bìt 名 (調馬用の)責め轡(ぐつわ).
o·ver·bìt 名 畜牛の耳に切り込まれた耳じるし.
shéll bìt さじ形錐, シェルビット.
tóngue bìt 馬銜(はみ).
wíng bìt (鍵の)歯.

bit² /bít/

名 **1** (…の)小片, 小部分; 少量, 少し(の…). **2** (1)《米・カナダ話》12セント半. (2)《英話》小額の硬貨.

bérgy bìt 小氷山.
dévil's-bìt 名 〖植物〗ユリ科の植物の通称.
fíppenny bìt フィップニービット: 南北戦争前に米国東部で用いられたスペイン銀貨.
fróg·bìt 名 =frog's-bit.
fróg's-bìt 名 〖植物〗アジアトチカガミ.
hén·bìt 名 〖植物〗ホトケノザ.
hób·bìt 名 ホビット: 英国の作家 John R.R. Tolkien の作品に登場する架空の小人.
lóng bít 《米刑務所俗》(仮釈放前に必要な)38か月の禁固.
shéep's-bìt 名 キキョウ科ヤシオネ属の多年草.
télephone bìt 《米俗》(20 年を超える)長期禁固刑.
thrúpenny bìt 3(旧)ペンス貨.
tíd·bìt 名 一口のうまい食べ物.
tít·bìt 名 《主に英》=tidbit.
tráy bìt 3ペンス硬貨.
twó-bìt 形 《米俗》25セントの.

bit³ /bít/

名 〖コンピュータ〗ビット二進数字. ►*b*inary+dig*it* より.

chéck bìt チェックビット.
gíg·a·bìt 名 ギガビット.
ínf·o·bìt 名 インフォビット.
kíl·o·bìt 名 1, 024(2^{10})ビット.
léast signíficant bít 最下位ビット.
még·a·bìt 名 メガビット.
móst signíficant bít 最上位ビット.
párity bìt パリティビット, 奇偶検査ビット.
sígn bìt 符号ビット.
tér·a·bìt 名 テラビット: 1兆ビット.

bitch /bítʃ/

名 **1** 雌犬. **2**《俗》いやな女.

bróod bìtch (交配用の)雌犬.
búll bìtch 《俗》男みたいな女.
búsh·bìtch 《米学生俗》ぶす(bush pig).
èx-bítch 名 《米俗》離婚した妻.
réal bítch 《米話》厄介なもの[人].
rích-bìtch 《米俗》金持ち.
túrbo-bìtch 《米俗》意地悪な女.

bite /báit/

動他 **1** かむ, かみつく, かみ裂く; かんで〈穴を〉あける; かみ切る. **2** 食わえる. **3**〈虫などが〉刺す. ——名 かむこと.

áss·bìte 《米俗》厳しい叱責(しっせき).
báck·bìte 動他自 陰口をきく, 中傷する.
béar bìte 《米市民ラジオ俗》交通違反のチケット.
bíte-by-bíte 形 少しずつかじり取る; じわりじわりの.
clúb·bìte 《主に西インド諸島》会員.
críb-bìte 動自 〖獣医〗〈馬が〉まぐさ桶をかむ.
fléa·bìte ノミが食うこと; ノミの食い跡.
fróst·bìte 凍傷.
lóve·bìte 愛咬(あいこう), キスマーク.
mónkey bìte 《米俗》キスマーク(のつくキス).
MÓS bìte 〖テレビ〗街頭インタビュー. ►*M*an *O*n the *S*treet より.
ópen bìte 口を閉じてもかみ合わない歯.
ó·ver·bìte 名 〖歯科〗過蓋咬合(かがいこうごう).
snáke·bìte 蛇, (特に毒蛇に)かまれた傷.
sóund bìte (ニュース番組で)出来事を端的に伝えた映像[音声].
sóund-bìte 動他 〈事件を〉テレビ[ラジオ]用に縮める.
táx bíte 《米話》税金控除.
ún·der·bìte 名 〖歯科〗前歯の反対咬合(こう).

bit·er /báitər/

名 かみつく人. ⇨ -ER¹.

ánkle bìter 《英・豪俗》子供, 児童.
bág·bìter 《米ハッカー俗》扱いにくい代物.
búllet bìter 《米俗》非常に苦しい状況.
cárpet bìter 《英俗》激怒した人.
éar-bìter 《俗》借金をする人.
fróst·bìter 《米話》寒中ヨット競技者.
lég-bìter 《米学生俗》子供, じゃり, がき.
píe-bìter 《豪話》つまらない人.
píllow bìter 《俗》女役の(男の)ホモ.

bits /bǽts/

名複 bit「小片」の複数形.

fóur bíts 《俗》50セント.
náughty bíts 《英俗》陰部.
rúde bíts 《英俗》乳房; (乳房と)性器.
síx bíts 《米俗》75セント.
twó bíts 《米俗》25セント; 小額.

bit·ter /bítər/

形 〈味が〉苦い. ——動他 苦くする.

em·bit·ter 動他 〈人を〉憤激させる.
im·bit·ter 動他 =embitter.

bit·tern /bítərn/

名 〖鳥類〗**1** サンカノゴイ. **2** ヨシゴイ.

Américan bíttern 北米産のサンカノゴイ.
léast bíttern ヨシゴイ.
líttle bíttern =least bittern.
sún bìttern ジャノメドリ, サギモドキ.
tíger bìttern トラフサギ.

biz /bíz/

名 《話》職業, 商売; (一般に)…界. ►business /bíznis/の短縮と綴(つづ)り直し.

ágri·bìz 名 《話》アグリビジネス, 農企業(agribusiness).
bód bìz 《米俗》集団感受性訓練, グループ研修, 人間関係セミナー(body business).
éd·bìz 名 《米俗》教育産業. ►ed は education より.
shów bìz 《米話》ショービジネス.

black /blǽk/

形 黒い, 黒色の. ——名 **1** 黒, 黒色. **2** 黒人. **3**《主に米俗》マリファナ, ハシシ. ——動他 **1** …を黒くする. **2** 〈靴などを〉黒クリームで磨く.

Áfrican bláck 《米俗》アフリカンブラック: マリファナの一種.
Angóla bláck 《米俗》アンゴラブラック: マリファナの一種.
ániline bláck (顔料で)アニリンブラック.
ánimal bláck (顔料で)アニマルブラック.
ànti-bláck [形] 反黒人(主義)の, 黒人排斥の.
Bérlin bláck (黒エナメルで)ベルリンブラック.
blúe-bláck [形] 濃い藍(あい)色の, ブルーブラックの.
bóne·bláck 骨炭.
bóot·blàck 《主に米》靴磨き(人).
Brúnswick bláck (黒エナメルで)ブランスウィック・ブラック.
cárbon blàck (顔料で)カーボンブラック.
chánnel blàck =gas black.
Chicágo black 《米俗》シカゴブラック: マリファナの一種.
cóal-bláck [形] 真っ暗[黒]な.
dróp blàck 〘化学〙黒球: 粒状成形炭.
éye·blàck マスカラ.
gás blàck ガスブラック: 天然ガス製の黒粉末.
íron bláck (顔料で)鉄黒(てつぐろ).
ívory bláck (顔料で)アイボリーブラック.
jét-bláck [形] 真っ黒な, 漆黒の(deep-black).
lámp·blàck 油煙.
Nám bláck 《米俗》ナム・ブラック: ベトナム製のマリファナ.
nòn·bláck [名][形] 黒人でない人(の).
Páki Blàck 《英俗》黒いハシシ.
Pénny Blàck ペニーブラック: 1ペニー切手.
pítch-bláck [形] (ピッチのように)真っ黒な, 漆黒の.
plátinum bláck (顔料で)白金黒.
shóe·blàck 《主に英》=bootblack.
sláte blàck (顔料で)スレートブラック.
smóke bláck (顔料で)カーボンブラック.
Spánish bláck (顔料で)スパニッシュブラック.
yéllow-blàck 《米俗》黄色っぽい肌の黒人.

black·bird /blǽkbə̀ːrd/

[名] クロウタドリ. ⇨ BIRD.

Bréwer's bláckbird =rusty blackbird.
crów blàckbird 北米産のムクドリモドキの数種の鳥の総称.
réd-wìnged bláckbird ハゴロモガラス.
rústy bláckbird クロムクドリモドキ.
skúnk blàckbird ボボリンク(bobolink)の雄.
yéllow-hèaded bláckbird キガシラ(黄頭)ムクドリモドキ.

blad·der /blǽdər/

[名] 〘解剖〙〘動物〙嚢(のう).

áir blàdder (動物・植物の)気胞, 気嚢(きのう).
gáll·blàdder 〘解剖〙胆嚢(たんのう).
gás blàdder 〘魚類〙鰾(ふえ), 浮き袋.
swím blàdder 〘魚類〙=air bladder.
swímming blàdder 〘魚類〙=air bladder.
úrinary blàdder 〘解剖〙〘動物〙膀胱(ぼうこう).

blade /bléid/

[名] (刀・鋤(すき)などの)刃, 刀身; かみそりの刃.

gráss-blàde 草の葉身.
mícro·blàde [名] (旧石器時代後期の)細石刃(せきじん).
rázor blàde 安全かみそりの刃.
Róller·blàde [名] 《商標》ローラーブレード.
rótor blàde 〘航空〙回転翼の羽根.
shóulder blàde 肩甲骨(scapula).
swítch·blàde (バネ仕掛けの)飛び出しナイフ.
tóngue blàde 〘医学〙舌圧子(ぜつあつし).
túrbine blàde 〘機械〙タービン羽根[翼].
twáy·blàde ラン科植物.

blank /blǽŋk/

[形] 白紙の. ──[名] (書き込み)用紙.

applicátion blànk 申込用紙.
blánkety-blánk [形][副] 《米話》忌まわしい, くそったれ.
éntry blànk (競技などの)参加登録用紙.
póint-blánk [形] (的に)まっすぐにねらい定めた.
tést blànk テスト用紙.

blan·ket /blǽŋkit/

[名] 毛布, ブランケット; (毛・綿などの)厚手の布地. ⇨ -ET[1].

blúe blànket 《米俗》心を落ち着かせてくれる持ち物.
búmb blànket 〘軍事〙(爆弾処理隊が用いる)爆破抑制装置の一つ; 防弾服と同じ材料でできているため, その下で爆弾が爆発しても爆風の力を外に出さない.
Califórnia blànket 《米俗》毛布がわりに使う新聞紙.
fíre blànket 防火用毛布.
Máckinaw blànket マッキノーブランケット: しばしば色格子縞の厚いウール製毛布.
quárter blànket 馬の腰を保護するための馬衣の一種.
recéiving blànket 《米・カナダ》湯上がり毛布.
sáddle blànket 鞍(くら)下.
secúrity blànket 《米》お守り毛布.
spáce blànket スペースブランケット: 登山用耐寒寝具.
wét blánket (消火用の)ぬれ毛布.
wét-blánket [動][他] 〈火を〉ぬれ毛布で消す.

blast /blǽst, bláːst | bláːst/

[名] **1** 突風. **2** 強い一吹き; 〘機械〙送風. **3** (特に動植物に対する)害毒.

áir blàst (機械による)空気注入.
béad·blàst [名] (ガラス粒を吹きつける)ビーズ吹き.
béer blàst ビールパーティー.
cóld blást (溶鉱炉に送風する)冷風.
cóunt·er·blàst [名] 強硬な抗議(行為), 猛反対.
fíre blàst 〘植物病理〙枯縮病.
hót blàst 〘冶金〙(溶鉱炉に送り込む)熱風.
mícro·blàst [動][他][自] 《米俗》電子レンジにかける.
ríce blàst 〘植物病理〙イネいもち病.
sánd·blàst [名] 砂吹き, サンドブラスト.
wínd·blàst [名] 突風, 疾風, 一陣の風.

-blast /blæ̀st/

[連結形] blasto-「胚(はい), 芽, 形成細胞層」の異形.
★ 語末にくる関連形は -BLASTIC.
★ 語頭にくる形は blast(o)-: *blasto*disk「胚盤」, *blasto*sphere「胞胚」.
◆ ギリシャ語 *blastós*「胚」より.

am·e·lo·blast [名] 〘解剖〙造エナメル細胞.
an·gi·o·blast [名] 〘発生〙血管芽細胞[形成細胞].
ar·chi·blast [名] 〘生物〙原胚(げんはい).
cni·do·blast [名] 〘動物〙刺細胞.
col·lo·blast [名] 〘動物〙膠胞(こうほう), 粘着細胞.
cy·to·troph·o·blast [名] 〘発生〙細胞栄養芽層.
ec·to·blast [名] 〘発生〙外胚葉.
en·do·blast [名] 〘発生〙内胚葉.
en·to·blast [名] 〘発生〙内胚葉.
ep·i·blast [名] 〘発生〙胚盤葉上層.
e·ryth·ro·blast [名] 〘解剖〙赤芽(せきが)細胞, 赤芽球.
fi·bro·blast [名] 〘細胞〙線維母細胞, 線維芽細胞.
gran·u·lo·blast [名] 〘細胞〙顆粒(かりゅう)母細胞.

he·ma·to·blast 名 〘解剖〙血球母［芽］細胞.
he·mo·blast 名 〘解剖〙=hematoblast.
he·mo·cy·to·blast 名 〘解剖〙原始血球, 血球母細胞.
his·to·blast 名 〘生物〙組織原細胞.
hy·po·blast 名 〘発生〙胚盤(はいばん)葉下層.
id·i·o·blast 名 〘植物〙異形細胞, 異常細胞.
leu·ko·blast 名 〘細胞〙白(血球)芽細胞, 白芽球.
leu·ko·cy·to·blast 名 〘細胞〙=leukoblast.
lym·pho·blast 名 〘細胞〙リンパ母細胞.
meg·a·kar·y·o·blast 名 〘細胞〙巨大核芽細胞.
meg·a·lo·blast 名 〘病理〙巨赤芽球.
me·lan·o·blast 名 〘生物〙メラニン芽［黒色素芽］細胞.
mer·o·blast 名 〘発生〙部分［不全］割卵.
mes·o·blast 名 〘発生〙中胚葉(はいよう)(mesoderm).
my·e·lo·blast 名 〘細胞生物〙骨髄母細胞, 骨髄芽球.
my·o·blast 名 〘発生〙筋芽細胞, 筋原細胞.
neu·ro·blast 名 〘発生〙神経母細胞, 神経芽細胞.
nor·mo·blast 名 〘解剖〙正赤芽球.
o·don·to·blast 名 〘解剖〙歯牙(しが)母細胞.
o·o·blast 名 〘生物〙卵原細胞.
os·te·o·blast 名 〘解剖〙骨芽細胞, 造骨細胞.
par·a·blast 名 〘生物〙囲胚細胞.
per·i·blast 名 〘発生〙周縁質.
plan·o·blast 名 〘動物〙クラゲ形生殖体.
poi·ki·lo·blast 名 〘解剖〙異形［変形］赤血球母細胞.
scle·ro·blast 名 〘動物〙骨片母細胞, 生骨細胞.
sper·mat·o·blast 名 〘生物〙精芽細胞; 精(子)細胞.
spong·i·o·blast 名 〘発生〙膠芽(こうが)細胞.
spo·ro·blast 名 〘動物〙胞子細胞.
stat·o·blast 名 〘動物〙(コケムシの)休止芽.
troph·o·blast 名 〘発生〙栄養芽層, 栄養胞.
xen·o·blast 名 〘鉱物〙他形変晶.

-blas·tic /blǽstik/

連結形 …な芽の, …な細胞(層)の, …な発達をした.
★ 形容詞をつくる.
★ 語末にくる関連形は -BLAST.
★ 語頭にくる関連形は blast(o)-: *blasto*disk「胚盤」, *blasto*sphere「胞胚」.
◆ blast(o)-「胚(はい)芽, 形成細胞(層)」+-IC[1].

am·phi·blas·tic 形 〘生物〙不等全割の.
an·ti·blas·tic 形 〘生物〙抗成長の, 抗性の.
dip·lo·blas·tic 形 〘動物〙二胚葉(はいよう)性の.
hol·o·blas·tic 形 〘発生〙〈卵が〉全割の.
ho·mo·blas·tic 形 〘植物〙同形発生の.
mer·o·blas·tic 形 〘発生〙〈卵が〉部分割の.
mon·o·blas·tic 形 〘生物〙〈胞胚(ほうはい)などが〉単層の.
poi·kil·o·blas·tic 形 〘記載岩石〙〈変成岩が〉ポイキロブラスチックの.
trip·lo·blas·tic 形 〘動物〙〈胚(はい)が〉三胚葉性の.

blas·to·ma /blæstóumə/

名 〘病理〙芽細胞腫, 真正腫瘍. ⇨ -OMA.
★ 語頭にくる関連形は blast(o)-: *blasto*disk「胚盤」, *blasto*sphere「胞胚」.

me·dul·lo·blas·to·ma 名 髄芽(細胞)腫.
me·lan·o·blas·to·ma 名 黒色素芽(細胞)腫.
neu·ro·blas·to·ma 名 神経芽細胞腫.
ret·i·no·blas·to·ma 名 網膜芽腫.

blaze /bléiz/

名 (明るく燃え立つ)炎, 火; 火炎.

a·blaze 形副 燃えて, 燃え立って.
em·blaze 動他 《古》…を照らす, 明るくする.
out·blaze 動自 激しく燃え上がる.

-ble /bl/

接尾辞 -able[1] の異形.
★ 最初はラテン語起源でフランス語を通して英語に入った言葉に生じたが, 後には直接ラテン語から取り入れた言葉にも用いられた.
◆ 中英＜古仏＜ラ *-bilem* [*-bilis*(男性形・女性形)の対格], あるいは＜ *-bile*(中性形)形容詞接尾辞.

fee·ble 形 体力の弱った, 虚弱な, 衰弱した.
-i·ble 接尾辞 ☞
no·ble 形 地位［身分・階級］の高い, 高貴の.
-no·ble 連結形 ☞
pa·pa·ble 形 教皇になりそうな［ふさわしい］.
re·sol·u·ble 形 溶解［分解］できる; 解決できる.
sol·u·ble 形 ☞

blend /blénd/

動他 〈材料を〉混ぜる, 混ぜ合わせる. ―名 混合物.

Eu·ro·blend 名 (ワインの)ユーロブレンド.
in·ter·blend 動他自 (…と)混ぜ合わせる; 混ざり合う.
loan·blend 名 混成語, 混種語.

blen·ny /bléni/

名 〘魚類〙ギンポ.

brácketed blénny 北大西洋の浅瀬産のニシキギンポ科のウナギに似た小さな魚の総称.
búrrowing blénny キンポ亜目 Scytatinidae 科のウナギ形の魚の総称(graveldiver).
éel·blènny ウナギギンポ.
píke·blènny イソギンポ科 *Chaenopsis* 属の数種の魚の総称.
róck blènny タウエガジ科の魚.
snáke·blènny ウナギガジ属の数種のギンポの総称; 背びれに堅いとげがある.

bleu /blúː; *Fr.* blø/

名 《フランス語》青.

au bleu 〘料理〙オーブルー.
bas bleu 青鞜(せいとう): 学問好き［文学かぶれ］の女.
cordon bleu 青綬(せいじゅ): ブルボン王朝の最高勲位章; 一流の料理人.
cor·don·bleu 名 〘鳥類〙セイキチョウ: アフリカ産のカエデチョウ科の一種.
sa·cre·bleu 間 くそっ, ちくしょう.

blight /bláit/

名 **1** 〘植物病理〙疫病, べと病, 葉［胴］枯れ病. **2** 損傷［破壊］の原因.

Américan blíght リンゴワタムシ.
ápple blìght =American blight.
béan blìght インゲン葉焼病.
chéstnut blìght クリ胴枯れ病.
éarly blìght 夏枯れ病, 輪紋病.
élm blìght オランダニレ病, ニレ立ち枯れ病.
fíre blìght 火傷病.
hálo blìght 暈枯(かさがれ)病.
láte blìght 疫病, 葉枯れ病.
léaf blìght 葉枯れ.
plánning blìght 地域開発計画による不動産価値の下落.
potáto blìght ジャガイモ疫病.
ríce blìght イネいもち病.
sándy blìght 《豪》〘病理〙まぶたの炎症.
sílver blìght 銀葉病.
sóuthern blìght 白絹(しらきぬ)病.
spúr blìght スプールブライト.
stámen blìght キイチゴの病気.

thréad blight 髪の毛病.
twíg blight 枝［芽］枯れ病, 枯凋(こちょう)病.

bli·mey /bláimi/

圖《主に英俗》《軽い驚き・興奮を表して》おや, これは, しまった. ►もとは(*God*) *blind me* の省略形.

cor·bli·mey 圖《英俗》しまった, ちくしょう.
gor·bli·mey 圖《英俗》しまった, ちくしょう.

blind /bláind/

形 目の見えない, 目の不自由な. ——名 ブラインド.

Áustrian blind オーストリアンブラインド.
cólor-blind 形 色覚障害の; 人種差別をしない.
déaf-blind 形 視聴覚障害の.
dóuble-blind 形 二重盲(実験)の.
festón blind 花綵(かさい)ブラインド.
génder-blind 形〈語などが〉性中立的な.
grável-blind 形《文語》ほとんど目の見えない.
gréen-blind 形 緑(色)色盲の.
hálf-blind 形《米俗》酒に酔った.
hóodman-blind 《古》目隠し遊び.
míni·blind 名 ミニブラインド.
móon-blind 形【獣病理】〈馬が〉月盲症にかかった.
púr·blind 形 半盲の, かすみ目の.
róller blind 《英》巻き上げ式ブラインド.
sánd-blind 形《古》半盲の, かすみ目の.
séx-blind 形 性差別しない, 性別に影響されない.
síngle-blind 形 単純盲検の.
stóne-blind 形 全く目の見えない.
sún·blind 《英》(窓に張り出す)日よけ.
venétian blind ベネチアンブラインド, 板すだれ.
wíndow blind 《主に米》窓の日覆い, ブラインド.
wórd-blind 形 読字不能症の, 失読症の.

blind·ness /bláindnis/

名 目が見えないこと, 盲目; 失明. ⇨ -NESS.

blúe-yéllow blíndness 【眼科】第三色盲, 青黄色盲.
cólor blindness 色盲, 色覚異常.
dáy blindness 【眼科】昼盲(症)(hemeralopia).
móon blindness 【獣病理】月盲症, 間歇性眼炎.
níght blindness 【眼科】夜盲(症), 鳥目.
réd blindness 【眼科】赤色盲, 第一色盲.
réd-grèen blindness 【眼科】赤緑色盲(daltonism).
ríver blindness 【病理】オンコセルカ症.
snów blindness 雪盲, 雪目.
wórd blindness 【病理】読字不能症, (中枢性)失読(症)(alexia).

blink /blíŋk/

名 瞬き; きらめき.

ice·blink 名 氷映.
snow·blink 名 雪映え.
two-blink 形《米俗》取るに足りない.

bloc /blák | blɔ́k/

名 (人・企業などの)団体, 連合, 会; 国の集まり, 連合, 圏. ►block のフランス語形.

fárm blòc 農業議員団.
góld blòc 金ブロック.
móno·blòc 形【金属加工】一体鋳造の.
stérling blòc ポンド圏, スターリング地域.

block /blák | blɔ́k/

名 **1**(大きな)塊. **2**(都市の)一区画.

áuction blòck (黒人の奴隷売買に使った)競売台.
bárber's blòck (木製の)かつら掛け, かつら台.
báttle-àxe blòck 《豪》大通りから狭い道を入る区域.
bée blòck 【海事】支索環.
bréech·blòck 【兵器】(砲の)尾栓, (銃の)遊底.
bréeze blòck 《英》=cinder block.
brúsh blòck 【アメフト】ブラッシュブロック.
búilding blòck 《米》積み木, ブロック.
búll blòck 【金工】線引き機.
bútcher blòck 肉切り台に使われているような厚板.
cát blòck 【海事】キャットブロック.
cávity blòck 中空壁用コンクリートブロック.
céll·blòck (刑務所の)独房棟.
Chínese blòck (特にジャズドラマーが使う)木魚.
chócka·blòck 形《英》〈道路などが〉渋滞の.
chóp·blòck 寄せ木, 集積材.
chópping blòck (肉・野菜などを切るための)まな板.
cínder blòck 《米》シンダーブロック: 石炭殻を用いた軽量コンクリートブロック.
clínker blòck =cinder block.
cóck-blòck 動他《米黒人俗》…の女を盗む.
cópyright blòck 《米》【切手】コピーライト・ブロック.
cút-off-blòck 【アメフト】カットオフブロック.
cýlinder blòck 【自動車】シリンダーブロック.
dásher blòck 【海事】=jewel block.
déath blòck 死刑囚(監房)棟.
dóuble blòck 【機械】二輪滑車, 複滑車.
dráwing blòck ドローイング［スケッチ］ブック.
dúmmy blòck 【金工】ダミー型, ダミーブロック.
éngine blòck 【自動車】=cylinder block.
fáult blòck 【地質】断層地塊.
fíddle blòck 【海事】バイオリン形滑車.
flý blòck 【機械】【海事】動滑車.
fóam blòck フォーム材のブロック.
fóurfold blòck 四輪滑車.
gánglion blòck 【医学】(神経)節遮断.
gáper's blòck 《米俗》(よそ見運転による)渋滞.
gín blòck 【機械】荷役用鉄枠滑車.
gláss blòck ガラスブロック, ガラスれんが.
H & R Block 米国の税理士事務チェーン店.
hát·blòck 帽子の木型.
héad blòck 【アメフト】ヘッドブロック.
héart blòck 【病理】心臓ブロック.
hórse blòck 乗馬台, 乗車台.
íce blòck 《スコット・豪・NZ》アイスキャンデー.
ímpost blòck 【建築】副柱頭(dosseret).
jáck blòck 【海事】ジャック・ブロック.
jéwel blòck 【海事】玉(入れ)滑車.
láne blòck 【ボウリング】(ストライクが出やすい)レーン中央部の油ぶき.
léad blòck 【海事】導滑車.
léader blòck 【海事】=lead block.
léading blòck 【海事】=lead block.
líne blòck 【印刷】線画凸版.
linóleum blòck リノリウム材［ブロック］.
lóokout blòck 【アメフト】ルックアウトブロック.
méntal blòck 【心理】精神的ブロック.
mónkey blòck 【海事】モンキーブロック.
mórtise blòck 【機械】ほぞ穴切り抜き台.
móunting-blòck (石の)乗馬台.
nérve blòck 【医学】神経遮断, 神経ブロック.
óffice blòck 《英》オフィスビル(群).
píllow blòck 【機械】軸台, 軸受け台.
pín blòck 【音楽】(ピアノの)ピン板.
pláte blòck 【切手】版番号ブロック.
plínth blòck 幅木留め, 袴木(はかまぎ).
pówer blòck 【国際政治】パワーブロック.
psychológical blòck 心理的ブロック［阻止］(現象).
róad·blòck 路上封鎖物, バリケード.
rólling róad blòck 《米市民ラジオ俗》もたつく車.
scríbbling blòck メモ帳, 走り書き用箋.
síg blòck 【コンピュータ】シグブロック.

skétch blòck スケッチブック, 写生帳.
ský blòck 高層のマンション街.
snátch blòck 〖海事〗切り欠き滑車.
sóund blòck 議長が静粛を求めるときなどに小槌(こづち)でたたく木片.
sóunding blòck =sound block.
spínal blóck 〖医学〗脊髄(せきずい)ブロック.
stárting blòck 〖陸上競技〗スターティングブロック.
stúmbling blòck (進歩・信仰・理解などの)障害物.
subaráchnoid blòck =spinal block.
sún·blòck 日焼け止め(クリーム, ローション).
súper·blòck 大街区, 集合街区.
swáge blòck (鍛冶(かじ)仕事用の)はちの巣.
táckle blòck 〖機械〗滑車.
táil blòck 〖機械〗テール滑車.
témple blòck 木魚.
tén-acre blóck 《NZ》(郊外の)10エーカー区画の宅地.
thrúst blòck 〖機械〗スラスト軸受.
tóne blòck 〖音楽〗トーンブロック.
tówer blòck 《主に英》高層ビル.
tráffic blòck 《英》(事故・混雑による)交通渋滞.
tráveling blòck 移動滑車.
ùn·blóck 動他 …から障害物を除く.
vágal blóck 〖医学〗迷走神経ブロック [遮断].
V́ blòck V ブロック, やげん台.
wóod·blòck 木版(woodcut).
wrést blòck =pin block.
wríter's blòck 創作上の行き詰まり.

block·er /blákər | blɔ́kə/

名 妨害する人 [もの]. ⇨ -ER[1].

álpha blòcker 〖薬学〗α 遮断剤.
béta blòcker 〖薬学〗β 遮断剤.
bóg-blòcker 《英俗》グロテスクなもの.
cálcium blòcker 〖薬学〗カルシウム遮断剤.
cálcium chánnel blòcker 〖薬学〗カルシウム拮抗剤.
cálcium-éntry blòcker 〖薬学〗カルシウム遮蔽薬.
hístamine blòcker 〖薬学〗ヒスタミン遮断剤.
stárch blòcker 澱粉(でんぷん)阻害物質.

blond /blánd | blɔ́nd/

形 〈髪が〉金髪の, ブロンドの. ──名 ブロンド色. ◇ BLONDE.

ásh-blónd 形 銀色 [白味] がかった金髪の.
blúe-ský blònd 《米俗》マリファナ.
stráwberry blónd 赤みがかったブロンド.
stráw-blónd 形 淡く黄色がかったブロンドの.

blonde /blánd | blɔ́nd/

形 金髪の, ブロンドの. ──名 金髪 [ブロンド] の女性. ◇ BLOND.

bóttle blònde 《米俗》髪を金髪に染めた人.
dúmb blónde 頭の弱い金髪美人.
plátinum blónde プラチナブロンド.
súicide blònde 《俗》染めたブロンドの女.

blood /blʌ́d/

名 **1** 血, 血液; (下等動物の)体液; (血液に似た)樹液, 果汁. **2** (新しい血となる)人材, 人員. **3** 血気; 気性, 気質. **4** 血統, 血筋.

artifícial blóod 人工血液.
bád blóod 不和; 敵意; 憎悪, 恨み.
blúe blòod 《話》貴族の一員; 貴族の生まれ.
cóld blóod 《米俗》ビール.
drágon's blòod キリン血(けつ), 竜血: ヤシ科植物の実から滲出(しんしゅつ)する水難溶性の樹脂.
fírst blóod (ボクシング試合などの)最初の出血.
flésh and blóod 子孫; 肉親, 骨肉, 身内.
flésh-and-blóod 形 身内の; 生身の, 人間の; 現実の.
fúll blòod 純血種の人 [動物]; 純血.
hálf-blòod 形 片親だけが共通の, 腹違いの.
héart-blòod 名 心臓からの流血; 死体からの流血.
íll blóod =bad blood.
lífe·blòod 名 血液, 生き血.
míxed-blóod 名 《米》混血の人.
néw blóod 新人, 新しい血.
óx·blòod 名 くすんだ濃赤色(oxblood red).
pénny blóod 《英俗》安っぽい煽情的な小説.
pígeon blòod 黒みがかった赤.
púre·blòod 名 純血種の動物; 純血統の人.
spórting blóod 冒険心 [魂].
wárm·blòod 名 ウォームブラッド: 障害飛越に適したヨーロッパ馬の血統.
whóle blóod 全血.
yóung blóod 青年たち, 若手; 《米話》新入り.
yóung·blòod 形 考え方の若々しい, 血気盛んな.

blood·ed /blʌ́did/

形 《通例, 複合語で特定の種類を示して》(…の)血を持った. ⇨ -ED[2].

cóld-blóoded 形 冷血の; 変温性の.
fúll-blóoded 形 純血(種)の.
hálf-blòoded 形 片親だけが共通の, 腹 [種] 違いの.
hót-blóoded 形 激しやすい, 興奮しやすい; 性急な.
réd-blóoded 形 《話》精力旺盛な, 元気いっぱいの.
ùn·blóoded 形 〈馬が〉純血種でない, 雑種の.
wárm-blóoded 形 温血の, 定温の.

bloom /blúːm/

名 **1** 花. **2** 〖地質〗華(か). **3** はな, 水の華: 湖面に現れる珪藻(けいそう)類など, 生物の集団の異常な発生. ──動自 〈草・木が〉花をつける; 〈物事が〉栄える(flourish).

a·blóom 副形 花が咲いて, 開花して, 花盛りで.
chécker·blòom 〖植物〗フサアオイ.
cóbalt blòom 〖鉱物〗コバルト華.
honer-bloom 〖植物〗ベニバナバシクルモン.
níckel blóom 〖鉱物〗ニッケル華.
péach blòom 桃花片: 中国陶器の紫紅色の釉薬.
re·blóom 動自 返り咲く; 再び栄える.
wáter blòom 〖生態〗水の華, 青粉(あおこ).
wínter blóom 〖植物〗マンサク.

blos·som /blásəm | blɔ́s-/

名 **1** 〖植物〗(特に果樹の)花. **2** 《しばしば皮肉》(花のように)美しい人 [もの].

blúe·blòssom カリフォルニアライラック.
chérry blòssom サクラの花.
dóuble blóssom 〖植物病理〗かびの一種によって生じるクロイチゴなどの病気.
gróg blòssom 赤鼻, ざくろ鼻, 酒皶(しゅさ).
máy blòssom さんざし(haw thorn)の花.
órange blòssom オレンジの花.
péach blòssom モモの花.
squásh-blòssom 形 かぼちゃの花に似たデザインの.
tóddy blòssom 《米話》酒を飲みすぎてできる大きなにきび [吹出物].

blouse /bláus, bláuz | bláuz/

名 ブラウス.

bìg gírl's blòuse 《主に北イング俗》弱々しい男.
gírl's blòuse 《英俗》=big girl's blouse.

míddy blòuse ミディブラウス.
ó·ver·blòuse 名 オーバーブラウス.
shírt-blòuse 婦人用シャツブラウス.

blow[1] /blóu/

名 (体の一部への)強打,殴打;(人との)殴り合いのけんか.

bódy blòw 【ボクシング】ボディーブロー.
bý-blòw 名 偶然の一撃[災難];庶子,私生児.
býe-blòw 名 庶子,私生児.
cóunt·er·blòw 名 (ボクシングなどの)カウンターブロー,反撃.
déath·blòw 致命的な[致死の]打撃;命取り.
hámmer·blòw ハンマーなどの一撃.
lów blów (ボクシングで)ローブロウ;反則.
mínd-blòw 動他 《話》極度のショックを与える.

blow[2] /blóu/

動自 〈風・嵐(あらし)が〉吹く.

drý-blòw 動自 《豪》(鉱石を粉末状にし,風を送って)金を選別する.
flý·blòw 動他 〈アオバエが〉卵を産みつける.
òver·blów 動他 高く評価しすぎる,持ち上げる.
sánd blòw サンドブロー.

blow·er /blóuər/

名 **1** 吹く人[もの]. **2** 送風機. ⇨ -ER[1].

fróth-blòwer 《英》《おどけて》ビール愛飲家.
gláss blòwer ガラス吹き工員;ガラス吹き機械.
hígh blówer 鼻息をたてる[の荒い]馬.
mínd·blòwer 《俗》幻覚剤(使用者).
órgan-blòwer パイプオルガンのふいごを動かす人.
Róots blòwer ルーツ送風[圧縮]機.
sáfe·blòwer (爆薬を使った)金庫破り.
snów blòwer (噴射式)除雪車.
téa-blòwer 《米麻薬俗》マリファナ喫煙者.
whístle-blòwer 《主に米俗》暴露[告発]する人.

blow·ing /blóuiŋ/

名 **1** (圧力を受けたガスや蒸気が出口から)噴出する音,吹鳴音. **2** 吹き鳴らすこと. **3** (ガラスを)吹くこと. **4** 風を送ること. ── 形 動かす. ⇨ -ING[1], -ING[2].

drý-blòwing 名 《豪》(送風による)金の選別.
gláss·blòwing 名 ガラス吹き,宙吹き;ガラス器製造.
hórn·blòwing 名 《米俗》大々的な宣伝;押し売り.
mínd-blòwing 形 《俗》〈物事が〉極度の衝撃を与える.

blown[1] /blóun/

動 blow「吹く」の過去分詞形.

énd-blòwn 形 〈管楽器が〉管の末端に吹管(すいかん)がついている.
flý·blòwn 形 アオバエが卵を生みつけた.
frée-blòwn 形 〈ガラス製品が〉宙吹きの.
hánd·blòwn 形 〈ガラス製品が〉手吹きの.
hígh-blòwn 形 ひどくぎょうぎょうしい.
móld-blòwn 形 吹き込み形成の,ブロー形成の.
o·ver·blown 形 度が過ぎた.
un·blown 形 風に吹かれていない.
wínd·blòwn 形 風に吹かれた,吹きさらしの.

blown[2] /blóun/

動 blow「花が咲く」の過去分詞形.

fúll-blówn 形 十分に発達した,成熟しきった.
néw·blówn 形 咲いたばかりの.
óver·blówn 形 〈花が〉開きすぎた.
ùn·blówn 形 《古》〈花が〉まだ咲かない.

blue /blúː/

名 **1** 青色,空色,紺色,あい色;青色絵の具,あい色染料. **2** (洗濯用の)青み剤. **3** 青いもの;青い生地[服].

Adónis blúe 【昆虫】シジミチョウの一種.
Álice blúe 薄い灰色を帯びた青色.
álkali blúe アルカリブルー.
aniline blue アニリンブルー.
Ántwerp blúe アントワープブルー.
báby blúe ベビーブルー.
báyou blúe 《米俗》安ウイスキー,密造酒.
béryl blúe ベリルブルー.
Bíg Blúe 《米俗》IBM 社のニックネーム.
bláck-and-blúe 形 (打撲で)青黒いあざになった.
bríttany blúe ブリタニーブルー.
Cámbridge blúe 《英》ケンブリッジブルー.
cerúlean blúe セルリアンブルー.
chína blúe チャイナブルー.
cóbalt blúe コバルトブルー.
copenhágen blúe 灰青色.
cýan blúe シアンブルー.
Dánish blúe デニッシュブルー:強烈な味のチーズ.
dóuble blúe 《英俗》アンフェタミンの青いピル.
dúck-egg blúe 淡い緑青色.
eléctric blúe さえた青色,鋼青色.
Éton blúe イートンブルー.
Frénch blúe 《英俗》アンフェタミン錠.
géntian blúe りんどう色.
hálf-blùe 《英》(Oxford, Cambridge 大学で)半青章選手,ハーフブルー.
héavenly blúe 《米俗》アサガオの種(幻覚剤用).
hólly blùe 【昆虫】ルリシジミチョウ.
íce-blúe 名形 薄青色(の).
índigo blúe インディゴブルー.
íron blúe アイアンブルー.
Kentúcky blúe 《米麻薬俗》マリファナ.
Kérry blúe ケリーブルーテリア(犬).
kíng's blúe =cobalt blue.
léyden blúe =cobalt blue.
líght blúe ライトブルー,淡い青色.
líttle bóy blùe リトルボーイブルー:英国伝承童謡に出てくる青い上着の羊番の少年.
Madónna blúe マドンナブルー.
méthyl cótton blùe メチルブルー.
méthylene blúe 【化学】【薬学】メチレンブルー.
nattiér blúe 柔らかい青色.
návy blúe ネービーブルー.
Níle blúe ナイルブルー.
óverseas blúe (英国空軍の制服の)青灰色.
Óxford blúe オックスフォードブルー.
Páris blúe パリスブルー.
péacock blúe ピーコックブルー.
péarl blúe パールブルー.
phthalocýanine blúe フタロシアニンブルー.
pówder blúe 淡青灰色.
Prússian blúe プルシアンブルー.
réd-whíte-and-blúe 形 (米国旗の)赤,白,青の.
róbin's-ègg blúe コマドリの卵の殻のような青色.
róyal blúe ロイヤルブルー.
Rússian Blúe ロシア猫.
Sáxe blúe =Saxon blue.
Sáxon blúe ザクセンブルー.
ský blúe スカイブルー,空色.
sláte blúe スレートブルー.
spírit blúe スピリットブルー.
stéel blúe スチールブルー,鉄紺色.
Thenárd's blúe =cobalt blue.
tolúidine blúe 【化学】トルイジンブルー.
trúe blúe (色のあせない)青色染料.

B

trúe-blúe 形 忠実な, 根っからの, 筋金入りの.
trýpan blùe 【細胞】【医学】トリパンブルー.
túrnbull's blúe ターンブルブルー.
Venétian blúe ベネチアンブルー.
Wédgwood blúe ウェッジウッド陶器の青色.

blues /blúːz/

名(複) **1** 気のふさぎ, 憂鬱(ゆううつ), 重い気分. **2**【ジャズ】ブルース, ブルーズ. ►blue の複数形.

cíty blúes 【ジャズ】=urban blues.
clássic blúes 【ジャズ】クラシックブルース.
cocáine blúes 《米話》コカインをやったあとの気のふさぎ.
cóuntry blúes 【ジャズ】カントリーブルース.
Délta blùes 【ジャズ】デルタブルース.
fólk blúes 《米》フォーク・ブルース: 19 世紀中ごろ以降に解放された黒人の間で歌われた民謡的なブルース.
júmp blùes 【ジャズ】ジャンプブルース.
rhýthm-and-blúes 名(複)【音楽】リズム・アンド・ブルース.
shóuting blúes 【ジャズ】シャウティング・ブルース.
úrban blúes 都会風のブルース.
wínter blùes 【精神医学】季節性情動障害(SAD).

board /bɔ́ːrd/

名 **1** 板. **2** 委員会. **3** 厚紙.

a·bóard 副 船上に, 船内に; 飛行機に乗って.
abóve·bóard 副形 あからさまに [な]; 公明に [な].
acádemy bòard (油絵用に下塗りした)厚紙ボード.
acróss-the-bóard 形 全体に及ぶ, 包括的な; 全般的な.
Ádmiralty Bòard (英国の)海軍本部委員会.
áltar bòard 【教会】祭盤.
ángle bòard 角度定規として用いる板.
árch bòard 【海事】(アーチ形)船尾船名盤.
báby bòard 【出版】幼児向け厚紙本.
báck·bòard 背板, 裏板.
báffle bòard (受話器の)バッフル板.
báng·bòard 荷車についたトウモロコシ収穫用板.
bárge·bòard 【建築】破風板, 垂木形.
bárn·bòard (室内装飾として用いる)古板.
báse·bòard 《米》【建築】(内壁基部の)幅木(はばぎ).
bátter bòard 【建築】遣形(やりかた).
béat bòard 【体操】(跳馬などの)踏み切り板.
béaver·bòard ビーバーボード: 木繊維製の板.
béd and bóard (下宿などの)宿泊と食事.
béd bòard (ベッドの)床板.
bélly·bòard ベリーボード: 小型のサーフボード.
bénder·bòard ベンダーボード: 曲げやすく軽い板.
Bíg Bóard 《話》ニューヨーク証券取引所.
bílge bòard 【海事】ビルジボード.
bíll·bòard[1] 《特に米》(屋外の大型)掲示板.
bíll·bòard[2] 【海事】錨床(びょうしょう).
bláck·bòard 黒板.
blóck·bòard ベニヤ板, 合板.
bódy·bòard ボディボード: 小型のサーフボード.
bóogie bòard 《米俗》スケートボード.
bóx·bòard (ボール箱製造用)厚紙, 板紙.
bréad·bòard パンこね台; パン切り台.
brídge·bòard 【建築】ささら桁(げた).
Brístol bòard ブリストル紙: カード用の上質厚紙.
bróom bòard 《カナダ》=baseboard.
búck·bòard 《米・カナダ》軽四輪馬車.
búlletin bòard 《米・カナダ》掲示板, 告示板.
cáll-bòard 楽屋掲示板.
cárd·bòard 厚紙, ボール紙.
cénter·bòard 【海事】センターボード, 垂下竜骨.
chálk·bòard 《米》黒板(blackboard).
chécker·bòard 《米・カナダ》チェッカー盤.
chéese·bòard チーズボード: チーズ用の盆 [皿].
Chéquer·bòard 《英》=checkerboard.
chéss·bòard チェス盤.
chévron bòard 急カーブを示す道路標識.
chíp·bòard (上等でない)ボール紙.
círcuit bòard 【電子工学】回路基盤.
Cívil Aeronáutics Bòard 【米政府】民間航空委員会.
civílian review bòard 《米》警察監視市民委員会.
cláp·bòard[1] 《主に米北部》【建築】下見板.
cláp·bòard[2] 【映画】=slateboard.
clápper·bòard 【映画】=slateboard.
clíp·bòard クリップボード.
cómber bòard 【建築】目板.
contáiner·bòard 容器用板紙.
contról bòard 制御盤(control panel).
córk·bòard コルク板.
cóuncil bòard 会議用テーブル; 議席; 会議.
cóunty bóard 《米》郡委員会.
crádle·bòard 北米インディアンの女性が幼児を背中に負うために用いる木製の枠.
críbbage bòard 【トランプ】クリベッジの得点表示盤.
cúp·board ☞
cútting bòard まな板; 裁断台; カッティングボード.
dágger·bòard 【海事】ダガーボード.
dárt·bòard ダーツボード.
dásh·bòard (自動車などの)計器盤.
díving bòard (プールなどの)飛び込み台 [板].
dráft bòard 《米》徴兵委員会.
dráfting bòard =drawing board.
dráin·bòard (台所の)水切り(台, 板).
dráught·bòard 《英》=checkerboard.
dráwing bòard 画板.
dúck·bòard (ぬかるみに渡した)踏み板, すのこ.
élbow bòard (窓の下の)膳板(ぜんいた).
eléction bòard 【米政治】選挙管理委員会.
eléctronic búlletin bóard 【通信】電子掲示板.
émery bòard エメリー板, 爪磨き.
expánsion bòard 【コンピュータ】拡張ボード.
fáll·bòard (ピアノの)鍵盤ぶた.
Féderal Hóme Lòan Bánk Bòard 《米》連邦住宅貸付銀行委員会. ►Bank Board ともいう.
Féderal Resérve Bòard 《米》連邦準備局.
fíber·bòard 繊維板, ファイバーボード.
Fináncial Accóunting Stándards Bòard 財務会計基準審議会.
fínger·bòard (弦楽器などの)指板(しばん).
fíre·bòard 炉蓋(ろぶた), 炉板.
fláke·bòard 乾式繊維板.
flánnel·bòard 【教育】フランネルボード.
flásh·bòard 【土木】堰板(せきいた), 決潟(せっしゃ)板.
flóat·bòard (汽船の外輪の)水かき, 翼.
flóor·bòard 床板; 床(張り)材.
flútter·bòard 《米》=kickboard.
fóot·bòard 足(載せ)台, 踏み台, 踏み板.
fórm·bòard 【建築】仮枠, 型枠.
frée·bòard 【海事】フリーボード, 乾舷(かんげん).
frée on bóard 【商業】本船 [貨車](積み込み)渡し.
fúll bóard (下宿・ホテルなどの)三食付き宿泊.
gáng·bòard 【海事】道板(みちいた).
gár·bòard 【海事】ガーボード.
gréen·bòard 黒板.
guíde·bòard 道案内板.
gýpsum bòard =plaster board, wallboard.
hálf bóard 《英》(ホテル・下宿の)一泊二食制.
hárd·bòard ハードボード, 硬質繊維板.
héad·bòard 前部の板, ベッドの頭板.
hígh bòard (飛び込み競技用の)ハイボード.
húnt bòard 【英家具】ワインテーブル.
ídiot bòard 《俗》【テレビ】プロンプター.
ín·bòard 形 (飛行機・船の)中央寄りにある.
índex bòard インデックス・ボード: 厚手の上質紙.
ínstrument bòard (航空機などの)計器盤.
ínsulating bòard 【建築】断熱板(insulation board).
ínsulation bòard =insulating board.

íroning bòard アイロン台.

jínky bóard 《米俗》シーソー(seesaw).

jóggling bòard 跳躍台.

Jóint Matriculátion Bòard (イングランド・ウェールズ)合同大学入試資格試験機関.

júte bòard ジュート板紙: 丈夫で折り曲げられるボール紙.

kéy·bòard ☞

kíck·bòard 〚水泳〛キックボード, ビート板.

knífe·bòard ナイフを研ぐ台.

láp·bòard (テーブル代わりに)ひざに載せる板.

lár·board 《もと》(船舶の)左舷(さげん).

láyer bòard =lear board.

léader bòard 〚ゴルフ〛順位提示ボード.

léar bòard 〚建築〛広小舞(ひろこまい).

lédger bòard (柵などの上部の)平らな横木.

lée·bòard 〚海事〛リーボード.

léns·bòard 〚写真〛レンズボード.

létter bòard 〚印刷〛置きゲラ.

líght·bòard =switchboard.

líner·bòard ライナーボード: 運搬箱用の板紙.

lóng·bòard 《米》サーフボードの一種.

lóuver bòard 〚建築〛鎧(よろい)板, 羽板.

lów bòard (飛び込み競技用の)ローボード.

Málibu bòard マリブ・ボード: 軽量のサーフボード.

mántel·bòard 《主に米南部ミッドランド》炉前飾り.

mát bòard (絵・写真・標本などの下に敷く)台紙.

mátch·bòard 〚建築〛実(さね)接ぎ板.

Mílk Márketing Bòard (英国の)牛乳販売会社.

míll·bòard 〚製本〛ミルボード.

móld·bòard 〚建築〛鋤(すき)板.

mólding bòard (パン生地などの)こね台 [板].

móp·bòard =baseboard.

mórtar·bòard 〚建築〛こて板.

móther·bòard 〚コンピュータ〛マザーボード.

náme·bòard (地名・店名などの)標示板, 看板.

Nátional Bóard 《米》医師国家試験(委員会).

Nátional Cóal Bòard (もと)英国石炭庁.

Nátional Énterprise Bòard 《英》国営企業庁.

Nátional Lábor Relátions Bòard 〚米政府〛全国労働関係委員会.

Nátional Transportátion Sáfety Bòard 〚米政府〛国家運輸安全委員会.

Nátional Wár Lábor Bòard 〚米政府〛国家戦時労働委員会.

néws·bòard 《英》=bulletin board.

nótch·bòard =bridgeboard.

nótice bòard 《英》=bulletin board.

ó-bòard 〚漁業〛オーボード.

óff-bóard 形副 〚証券〛取引所外の [で].

óff-the-bóard 形副 =off-board.

ón-bòard 形 機内 [車内, 船内] での.

óption bòard 〚コンピュータ〛選択機器用回路.

óriented stránd bòard 〚建築〛雑木破砕接着合板.

ótter bòard 〚漁業〛オッターボード, 拡網板.

óut·bòard 形 船外にある, 機外にある.

óver·bòard 副 船外へ [に]; (特に)船から水中に.

páck·bòard 〚建築〛パックボード.

páddle·bòard 波乗り板, サーフボード.

pánel·bòard 〚建築〛パネル板紙.

páper·bòard ボール紙, 板紙, 合わせ板紙.

párticle bòard 〚建築〛チップボード, 削片板.

páste·bòard 張り合わせ板紙, 厚紙, ボール紙.

pátch·bòard 〚コンピュータ〛配線パネル.

Páy Bòard 《米》労働賃金委員会.

PĆ bòard 〚電子工学〛=printed board.

pég·bòard ペグボード: ゲームの盤の一種.

pérf·bòard 小穴のあいたパネル板.

píg bòard サーフボードの一種.

pláster·bòard 〚建築〛プラスターボード, 石膏板.

plótting bòard 〚航海〛位置記入板.

plúg·bòard 〚電気〛プラグ盤, 配線盤.

plúnge bòard 《まれ》(水泳の)飛込台.

Políce Review Bòard 《米》警察監視委員会.

pól·ing bòard 〚土木〛土止め板.

prè·bóard 動他 〈乗客を〉定刻以前に乗せる.

préset bóard 〚演劇〛(照明の)自動制御盤.

préss·bòard プレスボード: 合わせ厚紙の一種.

Príces and Íncomes Bòard (英国の)価格および所得委員会.

prínted bóard 〚電子工学〛プリント基板.

púlp·bòard パルプ板紙.

púnch·bòard 〚建築〛パンチボード.

quárter bòard 〚海事〛船尾板.

ráck·bòard 〚音楽〛(オルガンの)ラックボード.

róof·bòard 〚建築〛(屋根の下地となる)野地板.

róom and bóard 賄い付き貸間; 食事付き宿泊料金.

rúnning bòard ステップ, 踏み板 [段].

sáil·bòard セールボード: ウインドサーフィン用の長いボード.

sándwich bòard サンドイッチマンの広告板.

sáusage bòard 両端が丸いサーフボード.

sáx·bòard 〚海事〛サックスボード.

scále·bòard (絵・鏡などの薄い)裏板.

schóol bòard 《米》(地方の)教育委員会.

scóre·bòard 得点掲示板, スコアボード.

scráper·bòard =scratchboard.

scrátch·bòard スクラッチボード.

scríve bòard 〚造船〛刻み込み現図場.

scrúb·bòard =washboard.

scúm·bòard 浮きかすよけ(の板).

séa·bòard 海岸線.

Secúrities and Invéstment Bòard 《英》証券投資委員会.

sétting bòard (昆虫標本に使う)展翅(てんし)板.

shífting bòard 〚漁業〛差し板.

shíp·bòard 《古》船のデッキ; 舷側(げんそく).

shóoting bòard 〚木工〛削り台, かんな台 [定規].

shóulder bòard 〚米海軍〛(階級を示す)肩章.

shóvel·bòard =shuffleboard.

shúffle·bòard 〚遊戯〛シャッフルボード.

síde·bòard 食器棚, サイドボード.

sígnal bòard シグナル盤, 信号盤.

sígn·bòard 看板, 広告板; 掲示板, 標示板.

skáte·bòard スケートボード.

skí bòard スキーボード.

skíd·bòard 〚海事〛(荷積み用)滑材(かつざい).

skím·bòard スキムボード: サーフボードの一種.

slánt bòard (運動用の)スラントボード.

sláte·bòard 〚映画〛カチンコ(slate).

sléeve·bòard 袖まんじゅう: 小型の袖用アイロン台.

snake·board スネークボード: 前後が別々に動くスケートボード.

snów bòard 雪止め板.

snów·bòard スノーボード, スノボ.

sóft·bòard ソフトボード, 軟質繊維板.

sóund·bòard =sounding board.

sóunding bòard (楽器の)共鳴板, 響板.

spláṡh·bòard (車の)泥よけ, はねよけ.

spríng·bòard (水泳の)飛び板; (体操用の)跳躍台.

squáil-bòard 〚遊戯〛スクェールズ用の盤.

stár·bòard (船舶の)右舷(うげん); (航空機の)右側.

stóry·bòard 〚映画〛絵コンテ, ストーリーボード.

stráw·bòard 黄板紙, わらボール紙.

stríke·bòard 〚土木〛掻(か)き板.

stríng·bòard 〚建築〛(階段の)化粧側板.

súrf·bòard サーフボード, 波乗り板.

swítch·bòard 〚電気〛電話交換器, 配電 [分電] 盤.

táble bòard 《米》下宿の賄い, 外食の食事.

táck·bòard (コルクなどでできた)掲示板.

tág·bòard 荷札・ポスター用の丈夫な厚紙.

táil·bòard (特に荷馬車・トラックの)尾板.

téa·bòard (木製の)茶盆.

téeter·bòard シーソー(seesaw).

tílt bòard (軽業や体操の)踏み切り板.

tílting bòard 《東部ニューイング》シーソー板.

tóll bòard 〘通信〙市外台.
Tótalizator Ágency Bòard 《豪·NZ》〘競馬〙私営馬券売り場.
tóte bòard 《話》(競馬場などの)賭け率表示板.
Tráde Bòard 〘英史〙賃金委員会.
tráil·bòard 〘海事〙船首の両側に伸びた装飾板.
tráverse bòard 〘海事〙トラバース盤.
tréad-bòard (階段などの)踏み板, 段板.
Tréasury Bòard 《英》国家財政委員会.
trímming bóard カッター台, トリミングボード.
UN Tráde and Devélopment Bòard 国連貿易開発理事会.
vérge·bòard ＝bargeboard.
wáfer·bòard ウェーハボード: 構造材の一種.
wáke·bòard 〘スポーツ〙ウェイクボード(の板): サーフボードに似た波乗り(板)の一種.
wáll·bòard ウォールボード, 化粧ボード.
Wár Lábor Bòard ＝National War Labor Board.
wárping bòard 〘繊維〙整経機.
Wár Prodúction Bòard 〘米政府〙戦時生産委員会.
wásh·bòard 洗濯板.
wéather·bòard 〘建築〙＝clapboard.
wíndow bòard 〘建築〙膳板(ぜんいた).
wóbble bòard 《豪》楽器用の繊維板.
wók·ka bòard 《豪》＝wobble board.

board·ing /bɔ́ːrdiŋ/

名 **1** 板. **2** 板張り. **3** 乗船, 乗車, 搭乗. ⇨ -ING[1].

chécker bòarding 〘テレビ〙プライムタイム中の夜7時半から8時に, ローカル各局が30分物のコメディー番組を編成すること.
mátch·bòarding 実矧(さねは)ぎ板張り.
móno·bòarding スノーサーフィン.
sáil·bòarding ウインドサーフィン, ボードセーリング.
súrf·bòarding サーフィン, 波乗り.
wéather·bòarding 下見張り.

boat /bóut/

名 **1** ボート, 短艇, ヨット. **2** (一般に)船.

áccident bòat 救命艇.
advíce bòat ＝dispatch boat.
áir·bòat 空気プロペラ艇, エアボート.
assáult bòat 攻撃舟艇.
áu·to·bòat 名 発動機船, モーターボート.
báre·bòat 裸(はだか)用船, ベアボート.
bíg bóat 《米俗》大型車, ステーションワゴン.
bólt bòat 荒海航行用ボート.
búll·bòat 《米》ブルボート, 牛革舟.
búm·bòat 物売り船.
búnder bòat (インドなどの)沿岸船, 港湾船.
búoy bòat 曳鯨(えいげい)船.
bútter·bòat (小型の)舟形ソース入れ.
búy bòat 魚買い取り船.
canál bòat 運河船.
Càpe Ísland Bóat 《カナダ》ケープアイランド船.
cárgo bòat 《英》貨物船.
cát·bòat 単檣(たんしょう)帆船の一種.
Chebácco bòat シャバコー船: 昔の米国漁船の一種.
clínker bòat 鎧(よろい)張りの船.
cóck·bòat (特に母船と岸との連絡用の)はしけ.
cóckle·bòat ＝cockboat.
crásh bòat 小型快速救助艇.
dispátch bòat 報知艦, 公文書速達船.
díving bòat 潜水作業用ボート.
drágon bòat 爬竜(はーりー)船, ペーロン船.
dréam·bòat 《俗》理想の恋人.
É-bòat 《英》E ボート: ドイツの高速魚雷艇(enemy-boat).
emérgency bòat ＝accident boat.
fált·bòat 折りたたみ可能なカヌー.
férry·bòat フェリー.
fíre·bòat 消防艇.
físher-bòat 漁船.
fízz-bòat 《NZ 俗》モーターボート.
flág·bòat (ボートレースの)旗艇.
flát·bòat (特に浅い川で用いる)大型平底船.
flóat·bòat 《米》平底船.
flý·bòat フライボート: 快速小型船.
flýing bòat 飛行艇.
fóld·bòat ＝faltboat.
grávy bòat (舟形の)肉汁入れ, ソース入れ.
guárd bòat (港などの)巡視[監視]艇.
gún·bòat (喫水の浅い港湾用の)小砲艦.
hátch bòat 蓋付きの生け簀(す)のある小漁船.
hórse bòat 馬や牛を運ぶ渡し船.
hóuse·bòat (居室がある平底の)屋形船.
húsh bòat ＝Q-boat.
íce·bòat 氷上ヨット.
íncense bòat 舟形(聖)香入れ.
Írish bòat アイリッシュボート: アイルランド風小型漁船.
jét bòat ジェットエンジン付き小型ボート.
jóhn·bòat ジョンボート: 角型の手こぎ小舟.
jólly bòat ジョリー船: 船尾に積まれる雑用ボート.
kéel·bòat 《米》キールボート: 粗雑な貨物船.
kíller bòat キラーボート: 捕鯨用の小船.
líberty bòat 《英》上陸を許可された船員を運ぶボート.
lífe·bòat (船に搭載した船首尾同形の)救命艇.
líght·bòat 灯船.
lóng·bòat 《もと》ロングボート, 長艇.
lóve·bòat 《米俗》(麻薬の)フェンシクリジン(PCP).
Máckinaw bòat マッキノーボート: 平底船の一種.
máil·bòat 郵便船.
márket bòat (魚を岸の市場へ運ぶ)魚運送船.
mosquíto bòat ＝PT boat.
mótor·bòat モーターボート.
mýstery bòat ＝Q-boat.
nárrow bóat 《英》(船幅の狭い)運河用平底船.
ópen bòat 無甲板船.
páddle·bòat 外輪船, 外車船.
párty bòat 釣り舟.
pédal bòat ペダルボート, 水上自転車.
pícket bòat 港湾警備艇.
píg·bòat 《古俗》潜水艦.
pílot bòat 水先船.
pléasure-bòat 遊覧船; 娯楽用ボート.
póst-bòat 《英》＝mailboat.
pówer·bòat 動力船, モーターボート.
PT bòat 《米》快速哨戒魚雷艇.
púlling bòat (オールで動かす)ボート, 端艇.
Q-bòat 《英》おとり船.
quóddy bòat もと米国で漁に使っていた竜骨帆船.
ríver·bòat 川船.
rów·bòat 《米·カナダ》ボート, こぎ船.
rówing bòat 《主に英》＝rowboat.
sáil·bòat 《米》セールボート; ヨット.
sáiling bòat 《英》＝sailboat.
sándwich bòat 《英》Oxford-Cambridge 大学のバンピングレースで上流部と下流部の2区間の境界線上を通過中のボート.
sáuce·bòat 舟形ソース入れ.
séa bòat (耐波性のある)外洋航行船.
shíp's bòat ＝lifeboat.
shów·bòat 《米》ショーボート: 芸人を乗せて川沿いを巡業する蒸気船.
shrímp bòat 小エビ捕り船.
skí-bòat 水上スキー用モーターボート.
slów-bòat 《米俗》マリファナタバコ.

B

spéed·bòat 高速モーターボート.
stáke bòat 錨留(ぴょうりゅう)船.
stéam·bòat (主に小型で内海用の)蒸気船.
stóne·bòat 《米・カナダ》石ぞり.
stórm bòat ＝assault boat.
súrf bòat 磯船(いそぶね).
swámp bòat ＝airboat.
swán bòat 白鳥の形をしたペダルボート.
swíng·bòat 《英》船の形をしたぶらんこ.
tág bòat 従船(じゅうせん).
thúnder·bòat (排気量)無制限クラスのハイドロ艇.
torpédo bòat 水雷艇, 魚雷艇.
tów·bòat 引き船.
tráwl-bòat トロール(漁)船.
túb bòat (運河で使う)長方形のボート.
túg·bòat タグボート, 引き船.
túrbine bòat タービン船.
Ú-bòat U ボート: ドイツの潜水艦.
wáter bòat (船舶に真水を供給する)給水船.
whále·bòat ホエールボート: もと捕鯨用.
wórk·bòat 作業船, 工船.
Yórk bòat 《カナダ》ヨークボート: 大型カヌー.

bob[1] /báb | bɔ́b/

名 **1** Robert が縮まった愛称. **2**《豪》子牛.

drý bòb 《英》Eton 校クリケット部員.
flý bòb 《米俗》私服刑事,「でか」(fly cop).
líght-bòb 軽歩兵部隊の兵士.
páy-bòb 《英軍俗》給料支払係.
stággering bób 《英・豪》生まれたての子牛.
wét bób 《英話》Eton 校ボート部員.

bob[2] /báb | bɔ́b/

名 **1** ボブ, 断髪. **2** (振り子などの)おもり. **3** 房, 束.

chérry-bòb 《英》(柄の根元がくっついている)2個のサクランボ.
Dútch bób (髪型の)ダッチボブ.
éar·bòb 《米南部・南部ミッドランド》耳飾り.
plúmb bòb (測深・釣りなどで鉛などの)おもり.

bod·ied /bádid | bɔ́d-/

形《複合語》体が…の, …な体を持つ. ⇨ -ED[2].

áble-bódied 形 頑強な体を持つ, 身体的に健全な.
fúll-bódied 形 力強い; 内容の豊かな; 太った.
ùn·bódied 形 肉体を持たない.

bod·y /bádi | bɔ́di/

名 体, 身体, 肉体.

ácetone bòdy 【生化学】アセトン体.
àer·o·bód·y 名 軽航空機.
áf·ter·bód·y 名 【海事】後部船体.
án·ti·bòd·y 名 ☞
ány·bòd·y 代 誰も; 誰か.
Áschoff bòdy 【病理】アショフ体 [結節].
ástral bódy 【天文】天体(恒星, 惑星, 彗星など).
Bárr bòdy 【細胞生物】バー小体, 性染色質.
básal bòdy 【細胞生物】基底小体.
bláck·bòdy 【物理】黒体.
búsy·bòdy 《話》出しゃばり, 世話焼き.
carótid bòdy 【解剖】頸動脈小体, 頸動脈球.
céll bòdy 【生物】細胞体, 周核体.
céntral bódy 【ロケット】中心天体.
cíliary bòdy 【解剖】毛様体.
dóg·bòdy ドッグボディー: かつての米国の漁船.
dógs·bòdy 《主に英俗》下っ端, 下男, 雑用係.
eleméntary bódy 【医学】基本小体.
em·bód·y 動他 具象的に表現する, 擬人化する.
évery·bòdy 代 誰もかれも, 誰でも.
fát·bòdy 【動物】脂肪体.
fóre·bòdy 【海事】前部船体.
fruíting bòdy 子実体, 担胞子体.
Gólgi bòdy 【細胞生物】ゴルジ体.
gráy bòdy 【物理】灰色体.
hárd·bòdy 《米俗》肉体美を追求するカリフォルニアの若い男性.
hóme·bòdy 《話》家庭的な人, マイホーム主義の人; 家にこもりがちな人.
im·bód·y 動他 ＝embody.
immúne bódy ＝antibody.
inclúsion bòdy 【病理】封入体.
kétone bòdy 【生化学】ケトン体.
lífting bòdy 【宇宙】航空兼用宇宙船.
máin bódy 【海事】主船郭 [殻], 船体(hull).
mí·cro·bód·y 名 【生物】ミクロボディー.
Négri bòdy ネグリー小体.
nó·bòd·y 代 誰も…ない.
nú bòdy 【生化学】【細胞生物】ヌクレオゾーム(nucleosome).
ólivary bòdy 【解剖】オリーブ体.
óre·bòdy 鉱床, 鉱体.
óut-of-bódy 形 体外遊離の.
Péa·bòdy ピーボディー(姓).
píneal bòdy 《もと》【解剖】松果体.
pitúitary bòdy 《もと》【解剖】(脳)下垂体.
pólar bódy 【生物】極体, 極細胞(polocyte).
réstiform bòdy 【解剖】索状体.
sóme·bòd·y 代 ある人, 誰か.
squáre bódy 【船舶】(船体の)平行部.
stáke bòdy (トラックの)柵柱付き車体.
stúdent bódy (一教育機関の)全学生.
tóuch bòdy 【生物】触小体(tactile corpuscle).
ún·der·bòd·y 名 (車両・機械装置の)基部, 底部.
vítreous bódy 【解剖】(眼球の)硝子(しょうし)体.
wárm bòdy 《話》《軽蔑的》無能な労働者.
wíde·bòdy ワイドボディ(機), 広胴機.
Wólffian bódy 【発生】中腎(mesonephros).
X́-bòdy 【植物病理】X 体.

bog /bág, bɔ́ːg | bɔ́g/

名 沼地, 湿地, 沼沢地, 沢.

blánket bóg 貧栄養の泥炭湿地.
cránberry bòg ツルコケモモが栽培されている沼沢地.
em·bóg 動他 泥沼に踏み入れさせる.
péat bòg 泥炭沼地.
Serbónian Bóg 難しい [身動きできない] 状況; 窮地.
trémbling bóg 一足歩くごとに揺れる湿地.

boil /bɔ́il/

動自 沸騰する. ―― 他 …を沸騰させる.

a·boil 副形 〈水が〉煮え立って, 沸騰して.
córn bòil 《米中西部》トウモロコシをゆでて食べる集まり.
hard-boil 動他 〈卵を〉堅くゆでる.
o·ver·boil 動自 煮 [噴き] こぼれる; 煮えすぎる.
par·boil 動他 半ゆでにする, 湯通しする.
pot·boil 動自 金目当てに低俗な作品を作る.
re·boil 動他 …を再度沸騰させる.

boiled /bɔ́ild/

形 煮沸した, ゆでた, 煮た, 炊いた. ⇨ -ED[1].

hálf-bóiled 形 生煮えの, 半熟の.
hárd-bóiled 形 〈卵が〉堅ゆでの.
sóft-bóiled 形 〈卵が〉半熟の.

boil·er /bɔ́ilər/

名 **1** ボイラー, 汽缶. **2** 煮沸器; 煮沸する人. ⇨ -ER[1].

báck bòiler 《英》(ストーブや暖炉の後ろに備えられた)湯沸かし用のタンク.
dóuble bóiler 二重鍋(なべ).
égg-bòiler 《豪俗》山高帽.
fíre-tùbe bòiler 煙管ボイラー.
flásh bòiler フラッシュボイラー.
pót·bòiler 《話》(文学・美術で)金目当てのつまらない作品.
retúrn-flúe bòiler 戻り火ボイラー.
séctional bóiler 【機械】組み合わせボイラー.
sóap-bòiler せっけん製造人.
stéam bòiler 蒸気ボイラー, 汽缶.
wásh·bòiler 洗濯用大缶(がま).
wáter-tùbe bòiler 水管ボイラー.

boil·ing /bɔ́iliŋ/

名 沸騰. ⇨ -ING[1].

píg bòiling 【冶金】湿式パドル法.
sánd bòiling 噴砂: 砂が地下水と共に噴出する現象.
stóne bòiling 焼いた石を入れて湯を沸かす方法.
whóle bóiling 《俗》全部, どっさりみな.

-bok /bὰk | bɔ̀k/

連結形 【動物】レイヨウ, シカ.
★ 名詞をつくる.
★ 関連語は BUCK[1].
◆ アフリカーンス語 *bok*「(シカなどの)雄」より.

blau·bok 名 ブローボック.
bles·bok 名 ブレスボック.
bon·te·bok 名 ボンテボック.
bosch·bok 名 《南アフリカ》ブッシュバック(bushbuck).
gems·bok 名 ゲムズボック.
grys·bok 名 グリスボック.
klip·bok 名 クリップスプリンガー(klipspringer).
ree·bok 名 ＝rhebok.
reit·bok 名 リードバック(reedbuck).
rhe·bok 名 リーボック.
spring·bok 名 スプリングボック.
steen·bok 名 スタインボック.
stein·bok 名 ＝steenbok.

bold /bóuld/

形 〈人が〉大胆な, 勇敢な; 【印刷】〈文字が〉肉太 [ボールド] の.

ex·tra·bold 名 【印刷】エクストラボールド.
o·ver·bold 形 大胆すぎる; 無謀な; ずうずうしい.
sem·i·bold 名 【印刷】セミボールド.

-bol·ic /bάlik | bɔ́lik/

連結形 投げる.
★ 形容詞をつくる.
◆ ギリシャ語 *bállein*「投げる」より. ⇨ -IC[1].

am·phi·bol·ic 形 あいまいな, 両様の意味に取れる.
an·a·bol·ic 形 同化作用の.
ec·bol·ic 形 【医学】分娩(ぶんべん)を促進させる.
em·bol·ic 形 【病理】塞栓(そくせん)の; 塞栓症の.
hy·per·bol·ic 形 誇張された, 大げさな.
met·a·bol·ic 形 物質交代の, (新陳)代謝の.
par·a·bol·ic[1] 形 放物線状の.
par·a·bol·ic[2] 形 寓話(ぐうわ)の; 寓話を含む.
sym·bol·ic 形 (…の)象徴となる, (…を)象徴する.

bolt /bóult/

名 **1** (戸締りに使う)差し錠. **2**【建築】ボルト. **3** 電光.
—— 動他 〈戸など〉に差し錠をさして締める.

ánchor bòlt アンカーボルト, 基礎ボルト.
bárb bòlt 鬼ボルト.
bárrel bòlt 上げ落としボルト.
béd bòlt (寝台の横桁(よこけた)をつける)ボルト.
bóttom bòlt ドアなどの底部の留め金.
bóx bòlt (ドア締まりの)直方体状のべろ.
cáptive bólt 家畜銃.
cárriage bòlt 《主に米・カナダ》角根(かくね)ボルト.
cóach bòlt ＝carriage bolt.
cremórne bòlt クレモン(ボルト).
déad·bòlt 《米》デッドボルト.
déck bòlt 【造船】甲板ボルト.
dóor·bòlt (戸の)かんぬき.
dóuble-àrmed bólt ＝double-ended bolt.
dóuble-ènded bólt 両ねじボルト.
dríft·bòlt 串刺しボルト.
expánsion bòlt 開きボルト.
exténsion bòlt (錠の)伸びボルト.
éye·bòlt アイボルト, 目 [輪] 付きボルト.
fáng-bòlt ファングボルト.
físh·bòlt 《俗》(レールなどの)継ぎ目ボルト.
fóx bòlt アンカーボルトの一種.
hóok bòlt フックボルト, 鉤(かぎ)ボルト.
kíng·bòlt 中心ピン.
lág bòlt 動他 …をラグスクリューで留める.
léwis bòlt ルイスボルト.
líft bòlt 【海事】リフトボルト.
machíne bòlt 機械ボルト.
níght bòlt 夜錠(やじょう).
pád·bòlt 南京錠付きボルト.
quéen bòlt クインボルト, 対(つい)ボルト.
rág bòlt ＝barb bolt.
ríng·bòlt リングボルト, 輪付きボルト.
róck bòlt 【採鉱】【土木】ロックボルト.
ród bòlt (錠前の)長い両口のかんぬき.
sáfety bòlt (戸・門などの)安全錠, かんぬき.
scréw bòlt ボルト, ねじボルト.
sháckle bòlt シャックルボルト.
snáp bòlt ばね錠.
spríng bòlt (ばねの力で締まる)鬼ボルト.
stáy·bòlt 控えボルト.
stóve bòlt ストーブボルト.
stúd bòlt 植え込みボルト, スタッド(ボルト).
su·per·bolt 【気象】超電光.
táp bòlt 押さえボルト, 頭付き植ボルト.
thúnder·bòlt 雷鳴を伴う電光, 雷電, 落雷.
tóggle bòlt トグルボルト.
tówer bòlt ＝barrel bolt.
Ú bòlt U 字形ボルト, U ボルト.
ùn·bólt 動他 …のかんぬきを外す.
wíng bòlt 蝶(ちょう)ボルト.

bomb /bάm | bɔ́m/

名 **1** 爆弾. **2** 噴霧器. **3** 鉛容器.

Á-bòmb ＝atomic bomb.
áerosol bòmb エアゾール噴霧器, スプレー.
Anatómic Bómb イタリアの肉感的な映画女優 Silvana Pampanini(1927–)のあだ名.
átom-bómb 動他 〈目標を〉原子爆弾で攻撃する.
átom bómb ＝atomic bomb.
atómic bómb 原子爆弾.
B bòmb 《俗》ベンゼドリン吸入器.
blást bòmb 破片 [爆風] 型爆弾(手投げ弾など).

bórer bòmb 《NZ》殺虫剤噴霧器.
bútterfly bòmb 蝶(ちょう)形爆弾, バタフライ爆弾.
búzz bòmb V 1 号ロケット弾, バズ爆弾.
cár bòmb 自動車爆弾.
Cástlerobin bòmb キャスルロビン爆弾.
Ć-bòmb =cobalt bomb.
chérry bòmb 赤い球形の爆竹.
clúster bòmb 集束［クラスター］爆弾.
cóbalt bòmb コバルト爆弾(C-bomb).
cóbalt-60 bómb 【化学】コバルト鉛容器.
dágo bòmb 《米俗》白い球形の爆竹.
demolítion bòmb 大規模破壊用爆弾.
dípper bòmb 滑走路爆弾.
dírty bòmb 汚い爆弾: 起爆用原子爆弾と中核をなす水素爆弾の周囲をウラン 238 で囲んだ核弾頭.
díve-bòmb 動自他 (…に)急降下爆撃する.
drógue bòmb (IRA の)ドローグ爆弾.
dúmb bómb 《米俗》(誘導式でない)在来型爆弾.
fíre·bòmb 名 焼夷(しょうい)弾, 焼夷爆弾.
físsion bòmb =atomic bomb.
físsion-fúsion bòmb =hydrogen bomb.
flásh bòmb 電光雷, 花雷.
flý bòmb =robot bomb.
flýing bòmb =robot bomb.
fragmentátion bòmb 破片爆弾, 破砕性爆弾.
fúel àir bómb 気化爆弾.
fúsion bòmb =hydrogen bomb.
gás bòmb 毒ガス弾.
gérm bòmb 細菌(爆)弾.
glíde bòmb 滑空爆弾.
Ĥ-bòmb =hydrogen bomb.
héll bòmb =hydrogen bomb.
hýdro·bòmb 名 航空魚雷, 空雷, 投下用魚雷.
hýdrogen bòmb 水素爆弾, 水爆.
íron bòmb 盲爆弾, 在来型通常爆弾.
jélly bòmb (ゼリー状の)ガソリン焼夷(しょうい)弾.
láser bòmb レーザー誘導爆弾.
létter bòmb (開封すると爆発する)手紙爆弾.
lógic bòmb 遅発型コンピュータウイルス.
máil bòmb =letter bomb.
millénnium bòmb 《俗》【コンピュータ】2000 年問題.
Mílls bòmb ミルズ手榴弾.
Mólotov bómb モロトフ爆弾(petrol bomb).
náil bòmb 釘(くぎ)爆弾, ネイルボム.
Ń-bòmb =neutron bomb.
néutron bòmb 中性子爆弾.
óil bòmb 油脂焼夷(しょうい)弾.
párcel bòmb 小包爆弾.
péllet bòmb =fragmentation bomb.
pétrol bòmb 《英》モロトフカクテル, 火炎瓶.
pípe bòmb 鉄パイプ爆弾.
plástic bómb プラスチック爆弾.
próxy bòmb 《英》偽爆弾.
rázon bòmb レーゾン爆弾.
ró·bòmb 名 =robot bomb.
róbot bòmb ロボット爆弾.
rócket bòmb ロケット爆弾.
Sán Francísco bómb 《米麻薬俗》ヘロインとコカインと LSD の混合麻薬.
séx bòmb 《俗》《話》非常に性的魅力のある女.
skíp-bòmb 動他 〈目標を〉跳飛［低空］爆撃する.
smárt bómb 《軍俗》レーザー誘導爆弾.
smóke bòmb 煙弾, 発煙弾.
spáce bòmb 宇宙爆弾: 爆薬を積んだ人工衛星.
sténch bòmb =stink bomb.
stínk bòmb 悪臭弾(stench bomb).
súper·bòmb 名 超高性能爆弾; (特に)水素爆弾.
téar bòmb 催涙弾.
thermonúclear bómb =hydrogen bomb.
tíme bòmb 時限爆弾.
Ú-bòmb =uranium bomb.
uránium bòmb ウラン(原子)爆弾.
V́-bòmb V 型爆弾, V 型兵器.
volcánic bómb 【地質】火山弾.
wáter bòmb (いたずらで落とす)水を詰めた袋.

bomb·er /bámər | bɔ́mə/

名【軍事】爆撃機. ⇨ -ER[1].

bélly bòmber 《米俗》スパイスのきいたバーガー.
bláck bómber 《英俗》(amphetamine の一種である)Durophet のカプセル剤.
brówn bómber 《豪話》(New South Wales 州の)駐車違反を取り締まる警官.
díve bòmber 急降下爆撃機.
fíghter-bómber 戦闘爆撃機.
héavy bómber 重爆撃機.
Láncaster bòmber 《英》ランカスター重爆撃機.
líght bómber 軽爆撃機.
médium bómber 中型爆撃機.
stéalth bòmber ステルス爆撃機.
sú·per·bómb·er 名 水爆搭載用長距離爆撃機.
torpédo bòmber (魚雷投下用の)雷撃機.
Úna·bòmber 名 ユナボマー: (米国の)連続小包爆弾事件の犯人のニックネーム.
V́-bòmber (英国の)V 爆撃機.

bomb·ing /bámiŋ | bɔ́m-/

名 爆撃, 爆弾投下. ⇨ -ING[1].

área bòmbing (広い範囲にわたる)地域爆撃.
cárpet bòmbing じゅうたん爆撃.
díve bòmbing 【軍事】急降下爆撃.
lóft bòmbing 【空軍】ロフト［トス］爆撃.
lóve-bòmbing 《米》(宗教集団の新しい信者獲得のための)大げさなつくりものの友情.
páttern bòmbing =saturation bombing.
pínpoint bòmbing =precision bombing.
precísion bòmbing 精密(照準)爆撃.
saturátion bòmbing 完全(集中)爆撃.
skíp bòmbing 跳飛［低空］爆撃(法).
tóss bòmbing =loft bombing.

bond /bánd | bɔ́nd/

名 **1** 縛るもの; ひも, 縄, 綱, 帯. **2** (…との)契約, 約定. **3** 保証(金); 公債, 債券, 社債; 債務証書; (証文で定められた)義務, 債務. ►band「縛るもの」の異形.

adjústment bònd 【証券】=income bond.
Américan bónd 【石工】アメリカ積み.
assúmed bònd 【証券】引継［引受］社債.
báby bònd 《米話》小額債券.
báck bònd (保証人のための)損失補償証書.
báil bònd 【法律】保釈保証書.
béarer bònd 無記名債.
bróeder·bònd 不道徳な悪事を目的とした秘密組織.
búlldog bònd 《俗》【証券】ブルドッグ債券.
búllet bònd 【金融】満期一括償還型債権.
chémical bónd 【化学】化学結合.
clíp bònd 【石工】長手(ながて)積み.
cómmon bónd 【石工】=American bond.
contínued bónd (一定期間)償還延期の債券.
cóntract bònd 【法律】契約履行保証.
convértible bónd 【証券】転換社債.
coórdinate bònd 【化学】配位結合.
cóupon bònd 利札付き債券, 無記名式債券.
coválent bónd 【化学】共有結合, 電子対結合.
cróss bònd 【石工】(れんがの)十字積み.
cúrrency bònd 発行国通貨払い債券.
dángling bònd 【化学】ダングリング・ボンド.
dátive bónd 【化学】=coordinate bond.
debénture bònd 【証券】(無担保)社債.
diágonal bónd 【石工】(れんがの)斜行積み.

díscount bònd 〘金融〙割引債券.
dóuble bónd 〘化学〙二重結合.
Dútch bónd 〘石工〙イギリス十字積み.
elèctrovalént bónd =ionic bond.
Énglish bónd 〘石工〙(れんがの)イギリス積み.
erásable bónd 文字などを容易に消せるように表面をコーティングしたボンド紙の一種.
Éuro·bònd ユーロ債.
fidúciary bònd 受託者保証.
flát bónd 〘金融〙利含みで取引される債権.
Flémish bónd 〘石工〙フランス積み.
flówer bònd 〘証券〙フラワーボンド.
flýing bónd 〘石工〙飛び積み.
géneral-obligátion bònd 〘金融〙歳入担保地方債.
góld bònd 金貨(支払い)債券.
gránny bònd 《英》グラニー国民貯蓄債券.
guáranteed bónd 保証付き債券, 保証債.
guáranty bònd 〘法律〙保証証書.
héader bònd 〘石工〙小口積み.
hérringbone bònd 〘石工〙矢筈(やはず)積み.
hýdrogen bònd 〘化学〙水素結合.
ín-and-óut bònd 〘石工〙出入り積み.
ín·bònd 形 〘石工〙(れんがが)小口から成る.
íncome bònd 〘証券〙収益社債.
indústrial-révenue bònd 〘証券〙産業歳入債.
iónic bónd 〘化学〙イオン結合.
júnk bònd 〘金融〙ジャンクボンド.
létter bònd 《米》〘証券〙レターストック.
Líberty bònd 自由公債.
metállic bónd 〘化学〙金属結合.
mórtgage bònd 〘証券〙抵当権付社債.
munícipal bónd 《米》地方債; 州政府機関債.
óut·bònd 形 〘石工〙見えがかりがほとんど長手から成る.
páir bònd 〘動物行動〙雌雄集団.
páyment bònd =contract bond.
péptide bònd 〘生化学〙ペプチド結合.
perfórmance bònd =contract bond.
post-óbit bònd 〘法律〙死後支払い約定借用証書.
préference bònd 《英》〘財政〙優先公債証書.
próperty bònd 《英》生命保険会社発行の証券.
púrchasing-power bónd 〘金融〙購買力債券.
ráking bònd 〘石工〙斜行積み, 矢はず積み.
régistered bónd 記名債.
révenue bònd 特定財源公債, 収益事業債.
rúnning bónd 〘石工〙れんがの長手積み.
Samurai bond 〘証券〙サムライボンド: 日本の金融市場で海外非居住者によって発行される円建外債.
sávings bònd (米国政府発行の)貯蓄債券.
sèmipólar bónd 〘化学〙=coordinate bond.
shórt bònd 〘証券〙(5 年以内の)短期債券.
síngle bónd 〘化学〙単結合, 一重結合.
smáll bónd 《米》〘証券〙=baby bond.
strétcher bònd 〘石工〙=running bond.
stríp bònd 〘金融〙ストリップ・ボンド.
súrety bònd 契約関係の証拠となる文書.
táp bònd 《米》タップ債.
T́-bònd =Treasury bond.
Tréasury bònd (米国の)財務省長期債券.
tríple bónd 〘化学〙三重結合.
válence bònd 〘化学〙原子価結合.
Yánkee bònd 〘金融〙ヤンキーボンド.
yén·bònd 円債券.
Yórkshire bònd =flying bond.
zéro-còupon bónd 〘金融〙ゼロ=クーポン割引債券.

bond·ing /bɑ́ndiŋ | bɔ́nd-/

名 つなぐ[接合]すること. ⇨ -ING[1].

cosmétic bònding 整形接合.
mále bónding 男の友情, 男同士の団結.
páir bònding 〘動物〙一雌一雄の結びつき[習性].
spún-bònding スパンボンド法: 紡糸直後の連続合成繊維やフィラメントを接着して不織布をつくる方法.

bone /bóun/

名 骨.

áitch·bòne (牛などの)尻骨.
ánkle·bòne くるぶし骨, 距骨(きょこつ).
báck·bòne 背骨, 脊柱(せきちゅう).
báunch bòne 無名骨, 座骨.
bì·o·bóne 名 バイオボーン: 粉砕した鶏の骨から作るフィルター素材.
bláde·bòne 肩胛(けんこう)骨.
bréast·bòne 胸骨.
bréd-in-the-bóne 形 根深い, 確固たる; 根っからの.
cánnon bòne (馬の)管骨, 馬脛骨(けいこつ).
cápitate bòne 有頭骨, 小頭骨.
cártilage bòne 軟骨性骨, 置換骨.
chéek·bòne ほお骨, 頬骨(きょうこつ).
chín·bòne あご先の骨.
cóffin bòne 蹄骨(ていこつ).
cóllar·bòne 鎖骨.
crázy bòne 《主に米方言》=funny bone.
cúttle·bòne イカの甲.
de·bóne 動他 〈肉・魚・鶏肉の〉骨を取り除く.
édge·bòne =aitchbone.
féather·bòne 羽骨.
fétter bòne 大あくと, 第一趾骨(しこつ).
fíle-bòne 《米俗》(陸軍士官学校で)プラス点.
físh·bòne 魚の骨.
fróntal bóne 前頭骨.
fúnny bòne くすぐったい骨: ひじの先の上腕骨の内側の部分.
gréen·bòne 《NZ》〘魚類〙バターフィッシュ.
hám·bòne 《米俗》(黒人に扮して型どおりの黒人訛りで話す)へぼ芸人.
háunch bòne =innominate bone.
héad bòne 《米俗》頭蓋(ずがい)骨.
héel bòne 踵骨(しょうこつ).
hérring·bòne 杉綾(すぎあや)模様, ヘリンボン.
híp·bòne =innominate bone.
húckle·bòne 寛骨; 腸骨.
innóminate bóne 無名骨, 寛骨.
jáw·bòne あごの骨, 顎骨(がくこつ).
júgal bóne (人間の)ほお骨.
kéel bòne 竜骨, 胸峰.
knúckle·bòne (人間の)指関節の骨.
lácrimal bòne 涙骨.
lóng bòne 長骨, 管状骨.
lúnar bóne 月状骨(げつじょうこつ).
márrow·bòne 髄骨.
mémbrane bòne 膜骨.
occípital bòne 後頭骨.
paríetal bòne 頭頂骨.
pédal bòne =coffin bone.
pín·bòne (特に四足獣の)寛骨.
réd·bòne レッドボーン: 米国の猟犬.
ríng·bòne 〘獣病理〙環骨瘤, 趾骨(しこつ)瘤.
rúmp bòne 尻の骨, 仙骨.
semilúnar bóne =lunar bone.
sháckle·bòne 《スコット》手首.
shín·bòne 脛骨(けいこつ).
síde·bòne 〘獣病理〙(馬のひづめの)側軟骨腫.
sóup·bòne スープ用のだしを取るのに使う骨.
splínt bòne 副木骨.
splínter bòne 《話》腓骨(ひこつ).
stífle bòne (四足獣の)膝蓋(しつがい)骨.
táil bòne 《米俗》尻, けつ.
táil·bòne 尾骨.
témporal bòne 側頭骨.
thígh·bòne 大腿(だいたい)骨.
tóngue bòne 舌骨.

B

tympánic bóne 鼓室小骨, 耳小骨.
whále·bòne (ヒゲクジラの)鯨ひげ.
wísh·bòne 暢思(ちょうし)骨, 叉骨(さこつ).
wíshing bòne =wishbone.
wríst·bòne 手根骨.
yóke bòne =zygomatic bone.
zygomátic bóne 頬骨(きょうこつ).

boned /bóund/

形《しばしば複合語》骨[骨組織]が…の. ⇨ -D².

báck·bóned 形 背骨のある(vertebrate).
báre·bóned 形 細い, やせた.
bíg-bóned 形 骨太の; 骨格のがっちりした.
ráw·bóned 形 やせこけた, やせて骨の出た.
ùn·bóned 形 骨のない(boneless).

bones /bóunz/

名複 bone「骨」の複数形.

báre bónes 骨子, 要点; 最小限度.
bríttle bónes 骨粗鬆(こつそしょう)症(osteoporosis).
cróss·bònes 名複 (通例, 頭蓋(ずがい)骨の下に)2本の骨を交差した図形.
dévil's-bónes 名複《俗》さいころ(dice).
drý-bónes 名複 (骨と皮ばかりの)やせた人.
lázy·bònes 名複《話・古風》怠け者, 不精者.
marsúpial bónes 【動物】(有袋類の)袋骨.
Nápier's bónes 【数学】ネーピアの骨[計算棒].
óracle bónes 甲骨: 特に古代中国の占卜(せんぼく)用の亀甲・獣骨.
práyer bònes 《米》ひざ(knees).
ráck·a·bònes 名複《単数・複数扱い》骨と皮ばかりにやせた人[動物], (特に)やせ馬.
ráttle·bònes 名複《米話》《しばしば呼びかけとして》がりがりにやせた人.
sáw·bònes 名複《米俗》外科医(surgeon), 医者(physician), やぶ医者.

bon·net /bánit | bɔ́n-/

名 ボンネット: 頭頂から後ろにかぶり, あごの下でひもを結ぶ帽子. ⇨ -ET¹.

blúe·bònnet 名 ヤグルマソウ.
cóal-scùttle bónnet コールスカトル・ボンネット(帽).
gýpsy bònnet ジプシー帽.
sún·bònnet 名 サンボンネット(帽).
ùn·bón·net 動自 帽子を脱ぐ, 脱帽する.
wár bònnet (アメリカインディアンの)頭飾り.

bo·nus /bóunəs/

名 特別に支給されるもの, 特別手当, ボーナス.

báby bònus 《豪・カナダ話》児童(扶養)手当.
cóst-of-líving bònus (消費者物価指数に基づいた)生計費手当, 物価手当.
frónt-end bónus フロントエンドボーナス: 将来の会社幹部と目される者が他社に引き抜かれないように, 通常の給与以外に支給されるボーナス.
mérit bònus メリットボーナス: 貢献度・実力に基づくボーナス.
nò-cláim bónus 【保険】無事(故)戻し.

boo /búː/

間《軽蔑・不賛成・脅しを表して》ブー, わっ; うらめしや, お化けだぞっ. ——名 (軽蔑・不賛成を表す)ブーという叫び声.

bug·a·boo 名 怖いもの; お化け; 心配の種.
peek·a·boo 名 《米》いないいないばあ.
yah-boo 間 ヤーブー. ►軽蔑(けいべつ), 侮辱などの野次.

book /búk/

名 **1** 本, 書物. **2** 帳面. **3** 名簿. ——動他〈部屋, 切符などを〉予約する; 予約してやる.

accéssion bòok (図書館などの)図書原簿.
accóunt bòok 会計帳簿, 商業帳簿.
áirport bòok 空港で売られているような通俗的な本.
ánorak bóok 《英俗》マニアックな本.
báby bòok 子供の成長アルバム.
bánk·bòok 銀行[預金]通帳.
báth bòok お風呂で読む子供用の本.
béll bòok ベルブック: 船の主機関の使用状況の記録簿.
bétting bòok 賭(か)け金帳.
bírthday bòok 誕生日をメモする欄のある日記帳.
bláck bòok ブラックリスト.
blánk·bóok 《米》白帳面.
blóck bòok 木版本, 版木本.
blúe bòok 《主に米話》職員録, 紳士録.
Brówn Bòok ブラウンブック: 英国エネルギー省の年次報告書.
búzz bòok 《米俗》ベストセラー(の本).
cáse·bòok ケースブック, 事例演習教科書.
cásh·bòok 現金出納帳, 金銭出納簿.
cháp·bòok チャップブック, 呼び売り本.
chéck·bòok 小切手帳.
chéque·bòok 《英》=checkbook.
chúrch bòok 教会で一般に用いられる書物.
cláss·bòok 《米》(先生の)出席簿.
clósed bóok 理解できないこと, なぞ.
códe bòok 電信暗号帳, 信号[暗号]書.
cóffee-tàble bóok 卓上用大型豪華本.
cóloring bòok 塗り絵帳.
cómic bòok 《米》漫画雑誌; 漫画本.
cómmonplace bòok (有名な引用文などの)書き込み帳.
cóok·bòok 《米》料理の本.
cópy·bòok 習字手本帳, 書き方帳.
cóst bòok 《英》(鉱山の)会計簿, 鉱業帳簿.
dáte·bòok 予定帳.
dáy·bòok 【簿記】(取引)日記帳.
déad bòok 【証券】廃業した会社の表.
dévil bòok 《米俗》カード, トランプ.
dévil's bóok =devil's picture book.
dévil's pícture bòok 《話》トランプ.
dóctor bòok 家庭用の医学書.
Dómesday Bòok 『ドゥームズデー・ブック』: 1086年ごろ編纂の England の土地調査記録.
dóom·bòok (古代 Teuton の)法典.
dóuble-bóok 動他 二重に予約する.
dréam bòok 夢占いの本.
dríll bòok 操典: 軍事教練の指導書.
dúkie bòok 《米俗》食券帳.
Dútch bóok 《米俗》(1ドル以下の少額の賭(か)けを扱う)私設馬券所.
émblem bòok 寓意画集.
éxercise bòok 《主に英》ノート; 練習問題集.
fáke bòok 【音楽】編曲の概要を記した楽譜集.
fáshion bòok モード雑誌, ファッションマガジン.
fíeld bòok 測量用備忘録; 野外観察手帳.
flý bòok 【釣り】本型の毛鉤(はり)用ケース.
fórm·bòok 《英》【競馬】(過去の)成績記録本.
fúck bòok 《俗》エロ本, ポルノ雑誌.
fúnny bòok 《古風》=comic book.
gáme bòok 狩猟の記録ノート.
gíft·bòok 贈呈本, 寄贈本; 進物用の本.
gíll bòok 書鰓(しょさい): カブトガニの鰓(えら).

Gód's Bóok 聖書(the Bible).
Góod Bóok =God's Book.
gréen bòok (英国の緑表紙の)政府刊行物.
guárd bòok 《英》【製本】小口(こぐち)と同じ厚さになるように,のどの部分に板紙類(枕)を挿入した本.
guíde·bòok 手引(書);(特に)旅行案内(書).
hánd·bòok (職業教育用などの)案内書, 手引き.
hérd-bòok (牛・豚の)血統書.
hórn·bòok 角本(つのぼん).
ínside bòok 内幕もの.
ínstant bóok 即席[インスタント]本.
jést·bòok 笑話集,小話集.
jóke·bòok ジョーク集.
Júdgment Bòok 【神学】公審判台帳.
láw·bòok 法律書,法律関係書;判例集.
lóg·bòok 航海[航空]日誌;業務日誌.
lúng bòok (クモ形類の)書肺,肺書,気管肺.
mága·bòok 雑誌形態の本;「ムック」に近い.
Máss bòok 【ローマカトリック】ミサ典書.
mátch·bòok (はぎ取り式の)紙マッチ.
méga·bòok (超大ヒットする)ベストセラー本.
mémory bòok 《米》スクラップブック.
mícro bòok (拡大鏡で読む)豆本.
mínute bòok 議事録,覚え書き帳.
múg bòok 《米俗》(売り込み用)写真帳.
múster bòok 【軍事】点呼簿.
nón·bòok (金もうけ主義の)通俗的な本.
nóte·bòok 手帳,備忘録,メモ(用紙)綴り.
ópen bòok 容易に知られるもの;明白なもの.
órange bòok 米国防省発行の *Evaluation Criteria for Trusted Computers* の通称.
órder bòok 注文帳.
órderly bòok 《英》(中隊・連隊で)命令記録簿.
òver·bóok 動他 超過予約をとる.
páss·bòok 通帳;銀行預金通帳.
phóne bòok 《米話》=telephone book.
phráse bòok (外国語の)基本会話表現集.
pícture bòok (特に幼児用の)絵本.
píllow bòok 枕元で読むのにふさわしい本.
pláy·bòok (エリザベス朝の)演劇上演用台本.
plúm bòok 《米話》連邦政府官職一覧.
pócket·bòok 《米》(ポケットに入る)小型本.
póll·bòok (ある地域内の)選挙人名簿.
póp-up bóok (開くと立体的に)絵の飛び出す本.
pórn·bòok エロ本.
práyer bòok 祈祷(きとう)書.
prómpt·bòok 【演劇】プロンプター用の台本.
psálm·bòok 典礼用詩篇(しへん)集.
rág-bòok ページが布の本,布製絵本.
ráre bòok 珍書[本],稀覯(きこう)書.
recéipt bòok 受取帳;領収書の綴り.
réd bòok 【広告】赤本.
réference bòok 【図書館】(館内閲覧用)参考図書.
registrátion bòok (自動車の)登録証.
resérved bòok 【図書館】貸出[閲覧]予約図書.
ríng bòok 《英》ルーズリーフ式のノート.
róad·bòok (経路と距離中心の)道路案内書.
róll bòok 出席簿,出勤簿.
rúle·bòok 規則書;(特に)就業規則書.
schóol·bòok 教科書.
scóre·bòok (野球などの)スコアブック.
scráp·bòok スクラップブック.
séaled bòok 内容不可解の書;神秘,なぞ.
sérvice bòok (教会の礼拝用)祈祷(きとう)書.
sét bòok 《英》(特に卒業試験用の)課題図書.
sígnal-bòok 暗号表.
skétch·bòok スケッチブック,写生帳.
sóng·bòok 歌集,(特に)賛美歌集,聖歌集.
sóurce bòok 原典.
spéc bòok スペックブック:広告デザイナー志願者の見本作をまとめたもの.
spélling bòok 綴り字教科書(speller).
státute bòok (一国の)法令集.
stóck bòok 株式台帳,株式元帳,株式元簿.
stóry·bòok (特に子供のための)物語[童話]の本.
stróke bòok 《米俗》ポルノ雑誌.
stúd·bòok (馬・犬などの)血統登録帳.
stýle·bòok スタイルブック,記者ハンドブック.
subscríption bòok 予約者名簿[帳簿].
suggéstion-bòok 提案を自由に書くノート.
táble bòok (客間の卓上に置く)装飾用の書籍.
tálking bòok トーキングブック:本などをレコードやテープに録音したもの.
téle·bòok テレビ番組の情報誌.
télephone bòok 電話帳.
téxt·bòok 教科書,教本.
títme bòok (作業員などの)労働時間記録簿.
Tóuch Bòok Touch Color code による絵本.
tráde bòok 一般書,市販本.
tráde diréctory bòok 《英》職業別電話帳.
trádes diréctory bòok =trade directory book.
tránsfer bòok (財産,特に株式の)名義書き換え台帳.
Vercélli Bòok ベルチェッリ写本:Vercelli の聖堂図書館で発見された古英語の詩と説教の写本.
véstry bòok 《英》教区会議事録.
vísiting bòok 訪問帳.
vísitors' bòok 宿泊客名簿;訪問者[来客]名簿.
wáshing-bòok 《英話》(簡単な)会計簿.
whíte bóok 《米》白書.
wísh bòok 《米俗》通信販売カタログ.
wórd·bòok 単語集,辞書(dictionary).
wórk·bòok 学習指導要綱を示した手引書.
wríting bòok 習字の手本(帳).
yéar·bòok 年鑑,年報.
Yéllow Bòok 黄書:政府刊行の公式レポート.

boom[1] /búːm/

名 **1** ブーン[ドーン]という太くて長い反響音. **2** 〈都市などの〉急な発展. **3** にわか景気.

báby bòom ベビーブーム.
Écho Bòom 《米》(1987 年米国における)第二次ベビーブーム,エコーブーム.
ka·bóom 間 《爆音や大太鼓のような大きな音を表して》ドカーン,ドーン.
sónic bóom 衝撃波音,ソニックブーム.

boom[2] /búːm/

名 **1** 【海事】ブーム,下桁(かこう). **2** 【航空】テールブーム,尾部支材:飛行機の尾翼を主翼や胴体に結合する. **3** オイルフェンス.

contáinment bòom オイルフェンス.
flýing jíb bòom 【海事】先斜檣(しょう).
jíb bòom 【海事】ジブ[第二]斜檣(しょう).
táil bòom 【航空】尾部支材;張り出し支柱.
wíshbone bòom (ウインドサーフィン用ボードの)帆を操作するブーム.

boom·er /búːmər/

名 **1** 景気[人気]をあおる人[もの]. **2** 《話》ベビーブームに生まれた子[世代]. ⇨ -ER[1].

móuntain bòomer 《米》【動物】アメリカアカリス.
póst-bóom·er 名 《米俗》ポストブーマー:第二次世界大戦の末期から 1960 年代中ごろまでのベビーブーム時代の後に生まれた人.
pré·bóom·er 名 (第二次世界大戦直前から最中(19

	35–45)にかけて生まれた)ベビーブーム世代前の人.
schúss·bòomer	《話》高速直滑降の上手な人.
thúnder-bóomer	《米話》雷雨.
űber·bòomer	究極の仕掛け人[扇動者].

B

boot /búːt/

名 **1** 長靴, ブーツ. **2**〖コンピュータ〗ブーツ: コンピュータやオペレーティング・システムを稼動できる状態にする操作. ──動他自 **1** ブーツを履かせる[履く]. **2**〖コンピュータ〗ブーツする.

bútton bòot	《英》ボタンで留める深靴.
chúkka bòot	チャッカ(ブーツ).
cómbat bòot	戦闘用半長靴(ちょう), 軍靴.
cóngress bòot	《米》深ゴム靴.
cówboy bòot	カウボーイブーツ.
Dénver bóot	《米》(警察が駐車違反車に取り付ける)車輪固定具.
fíeld bòot	フィールドブーツ.
gó-go bóot	ゴーゴーブーツ.
gúm·bòot	ゴム(長)靴.
hálf bòot	半長靴, ハーフブーツ.
hárd·bòot	《米競馬俗》(南部の)競馬騎手.
híp bòot	(ゴム製の腰まで届く)長靴.
hóbnail bòot	鋲(びょう)打ちのブーツ.
jáck·bòot	ジャックブーツ.
júmp bòot	ジャンプブーツ.
kínky bóot	《英》キンキーブーツ.
móon bòot	ムーンブーツ: 厚手の防寒靴.
óld bóot	《英俗》女, 妻.
ó·ver·bóot 名	オーバーシューズ.
ráin bòot	雨靴, 雨天用の長靴.
ré·bóot 動他自	〖コンピュータ〗ブートし直す.
ríding bòot	乗馬用長靴.
róck bòot	ロッククライミング用ブーツ.
Rússian bóot	(ゆったりした)ロシアの長靴.
safári bòot	(狩猟用の)サファリブーツ.
séa·bòot	シーブーツ: 釣り用.
skí bòot	スキー靴.
snów bòot	《主に英》雪靴.
súrgical bóot	〖外科〗矯正靴.
thígh-bòot 名	太ももまであるブーツ.
tóp bòot	(乗馬・狩猟用の)トップブーツ.
trénch bòot	トレンチブーツ.
ùn·bóot 動自他	長靴を脱ぐ[脱がせる].
wárm bòot	〖コンピュータ〗ウォームブート.
Wéllington bóot	ウェリントンブーツ.

booth /búːθ｜búːð/

名 (定期市などの)仮小屋, 売店, 屋台店, 露店, 模擬店, (展示会場の)ブース.

contról bòoth	(録音スタジオなどの)調整室.
isolátion bòoth	(テレビスタジオの)防音室.
pédestal bòoth	簡易公衆電話ボックス.
projéction bòoth	映写室.
tánning bòoth	人工日焼け室.
télephone bòoth	公衆電話ボックス.
tól·bòoth	《主にスコット》市[町]の留置場.
tóll·bòoth	(橋・有料道路の)料金所.
vóting bòoth	《米》投票記入所.

boots /búːts/

名複 boot「長靴」の複数形.

bóssy-bòots 名複	《話》傲慢(ごうまん)なやつ.
bóvver bòots	《英俗》ボバーブーツ: ならず者がけんか用に履く鋲(びょう)打ち底でつま先に鉄のついた靴.
bútcher-bòots 名複	上端が折り返せない長靴.
cléver·bòots 名複	《話》利口な人; 生意気なやつ.
elástic bóots	(19 世紀の)両側がゴム布製のブーツ.
fúck-me bòots	《俗》性的魅力を喚起するブーツ.
Héssian bóots	ヘシアンブーツ: ひざまでの深さの, 房のついた重厚な軍靴. ►19 世紀初めヘッセン人(Hessian)によって英国に紹介された.
Jésus bòots	《俗》男物のサンダル.
móon bóots	ムーンブーツ: かかとが低く底の厚い, 色と模様の鮮やかな大型ブーツ.
rúbber bóots	《米俗》コンドーム.
séven-lèague bóots	履くと一またぎで 7 リーグ歩ける魔法の長靴.
slý·bòots 名複	《単数扱い》《話》ずる賢い人.
smárty-bòots 名複	うぬぼれの強い人.

bop /báp｜bɔ́p/

名 バップ: 1940 年代のモダンジャズの一形式. ──動自 **1**《米俗》ゆっくりと行く. **2**《話》バップで踊る. ►be-bop「ビバップ」の短縮形.

Cu-bop 名	キューバップ.
did·dly·bop 動自	《米俗》だらだら時を過ごす.
did·dy-bop 動自	《米俗》(踊るように)歩く.
dit·ty·bop 名	《米黒人俗》思い上がった黒人.
hárd bóp	ハード・バップ.
re·bop 名	バップ.

bop·per /bápər｜bɔ́pə/

名 バップ奏者; バップファン. ⇨ -ER[1].

did·dly·bop·per 名	《米俗》社交べたの人.
dit·ty·bop·per 名	《米黒人俗》音楽に合わせて体を動かす人.
tee·ny·bop·per 名	《俗》ティーンエージャーの少女.
wee·ny-bop·per 名	《米俗》最新流行のファッションや音楽などを追いかける少女.

bo·rate /bɔ́ːreit, -rət/

名〖化学〗ホウ酸塩, ホウ酸エステル.
◆ bor- ホウ素を含む + -ATE[2].

alúminum bórate	ホウ酸アルミニウム.
flu·o·bo·rate 名	フッ化ホウ素酸塩.
per·bo·rate 名	過ホウ酸塩.
per·ox·y·bo·rate 名	=perborate.
py·ro·bo·rate 名	ホウ砂, ホウ酸ナトリウム(borax).
sódium bórate	=pyroborate.

bore /bɔ́ːr/

動他 (錐(きり)・ドリルなどで)突き通す; 穴をあける. ──名 **1** (錐などであけた)穴. **2** (穴・円筒の)内径. **3** 穴あけ器, 穿孔機.

cóunt·er·bóre 名	もみ下げ機, 沈み穴ぐり機.
dráw·bòre 名	〖木工〗引きつけ(穴).
fúll-bóre 形	《話》最高速力[最大出力]で動く.
rè·bóre 動他	…に再び穴をあける.
smáll-bòre 形	22 口径小銃の.
smóoth·bòre 形	〈銃器が〉滑腔(かっこう)の. ──名 滑腔銃[砲].

bor·er /bɔ́ːrər/

名 穴をあける人[もの]. ⇨ -ER[1].

ápple trèe bòrer	タマムシ科の甲虫 *Chrysobothris femorata* の幼虫.
cáne bòrer	サトウキビ螟虫(めいちゅう).

córn bòrer アワノメイガなど数種のメイガの総称.
cúrrant bòrer スカシバガ(透かし羽蛾)の一種 *Ramosia tipuliformis* の幼虫.
flátheaded bórer タマムシ類の甲虫の幼虫.
maríne bórer 木に穴をあける塩水軟体動物や甲殻類.
péach trèe bòrer モモなどの木に穴をあけるガ(蛾)の幼虫の総称.
róck bòrer 岩石に穿孔(せんこう)する動物の総称.
shót bòrer =shot-hole borer.
shót-hole bórer キクイムシ.
stóne bòrer 岩石に穴をあける動物の総称.
súgarcane bòrer 鱗翅(りんし)目メイガ科のガ(蛾)の幼虫.
twíg bòrer 枝に穴をあける甲虫(の幼虫)・ガ(蛾)の幼虫の総称.
víne bòrer 幼虫がブドウの木髄に穴をあける甲虫の総称.
wóod·bòrer 穿孔(せんこう)器.

boric acid /bɔ́ːrikǽsid/

名〘化学〙〘薬学〙ホウ酸. ⇨ ACID.

fluobóric ácid フルオロホウ酸, フッ化ホウ素酸.
òrthobóric ácid =boric acid.
perbóric ácid 過ホウ酸.
peròxybóric ácid ペルオキシホウ酸, 過ホウ酸.

born /bɔ́ːrn/

動 bear「産む」の過去分詞形. ―形 **1** 生まれた; 生じた. **2**《しばしば複合語》…で生まれた; …の身分として生まれた.

báse·bórn 形 生まれの卑しい, 卑しい素性の.
cíty-bòrn 形 都会生まれの.
cóuntry-bórn 形 田舎[地方]生まれの.
déad bòrn 形《古》死産の.
éarth·bòrn 形 地上に生まれた; 地から出た.
fírst·bórn 形 最初に生まれた, 長子の(eldest).
fóreign-bórn 形 外国生まれの.
frée·bórn 形 自由の身に生まれた.
hág·bòrn 形 女魔法使い[魔女]から生まれた.
héaven-bòrn 形 天に生まれた, 天から下った.
hígh·bòrn 形 高貴な生まれの, 身分の高い.
hóme-bórn 形 本国生まれの; 自国産の; 土着の.
ín·bórn 形 持って生まれた, 生まれつきの.
lást-bórn 形〈子供が〉いちばん下の, 末っ子の.
líve-bórn 形〘生物〙生産(せいさん)の.
lów·bórn 形《今はまれ》生まれ[素性]の卑しい.
míd·dle-bórn 形 (特に3人兄弟・姉妹で)真ん中の生まれの.
nátive-bórn 形〈人が〉その土地[国]に生まれた.
nátural-bórn 形 =native-born.
néw·bórn 形 生まれたばかりの, 新生の.
rè·bórn 形 生まれ変わった, 再生[更生]した.
séa-bòrn 形〈水の精などが〉海から生まれた.
sélf-bòrn 形 自分の中から生まれた.
ský-bòrn 形《詩語》天で生まれた.
sláve-bòrn 形 奴隷の両親から生まれた.
stíll·bòrn 形 死産の.
trúe·bórn 形〈人が〉嫡出の; きっすいの.
twíce-bórn 形〘ヒンドゥー教〙再生族の.
twín·bòrn 形 双子[双生]の.
ùn·bórn 形 これから現れる, 未来の, 後代の.
wéll·bórn 形 生まれ[家柄]のよい, 立派な家柄の.

borne /bɔ́ːrn/

動 bear の過去分詞形. ―形《複合語》…で運ばれた.

áir·bòrne 形 空気によって運ばれる, 風媒の.
cár·bòrne 形 自動車に積まれた[で運ばれた].
cháir·bòrne 形《話》(特に空軍で)地上勤務の.
fóil·bòrne 形〈船が〉水中翼をつけた.
for·bórne 動 forbear の過去分詞形.
héli·bòrne 形 ヘリコプター輸送の[による].
jét·bòrne 形 ジェット機輸送の[による].
o·ver·borne 形 打ち負かされた, 圧倒された.
séa·bòrne 形 海上輸送による.
shíp·bòrne 形 船で運ばれる, 海上輸送(用)の.
ský·bòrne 形 =airborne.
sóil·bòrne 形 土壌性の.
spáce·bòrne 形 地球軌道を巡る.
tíck-bòrne 形 ダニを媒介にした[伝染する].
wáter·bòrne 形 水上に浮かぶ[を動く].
wínd-bòrne 形 風で運ばれた.

-bor·o /bə̀ːrou, bʌ̀r-|bərə/

連結形 町; 城.
★ 地名に用いられる.
★ 語末にくる関連形は -BOROUGH, -BOURG, -BURG, -BURGH, -BURY.
◆ もとは borough「城塞」.
[発音] 語頭の音節に第1強勢.

Ash·e·bor·o 名 アッシェボロ(米国の町名).
At·tle·bor·o 名 アトルボロ(米国の都市名).
Brat·tle·bor·o 名 ブラトルボロ(米国の町名).
Glass·bor·o 名 グラスボロ(米国の町名).
Golds·bor·o 名 ゴールズバロ(米国の都市名).
Greens·bo·ro 名 グリーンズボロ(米国の都市名).
Hills·bor·o 名 ヒルズボロ(米国の町名).
Jones·bor·o 名 ジョーンズボロー(米国の都市名).
Marl·bor·o 名 マールバロ(米国の都市名).
Mur·frees·bor·o 名 マーフリズバロ(米国の町名).
Ow·ens·bor·o 名 オーエンズバラ(米国の都市名).
Scotts·bor·o 名 スコッツボロ(米国の町名).
States·bor·o 名 ステーツボロ(米国の町名).
Tri·bo·ro 名 トライボロ: 米国 New York の地名で, Triborough とも綴る.
Waynes·bor·o 名 ウェーンズボロ(米国の都市名).
Wolfe·bor·o 名 ウルフボロ(米国の町名).

bor·ough /bə́ːrou, bʌ́rou|bʌ́rə/

名 **1** (米国のいくつかの州で, city よりも小さい)自治町村. **2**《英》(1)自治都市. (2)国会議員選挙区としての市. ◇ -BOROUGH.

clóse bórough 〘英史〙統制選挙区都市.
cóunty bórough (英国で)旧特別市.
héad·bòrough 〘英史〙十人組長.
ínter·bòrough 形 自治町村[都市]間の.
munícipal bórough (英国の)(大都市圏)自治都市.
pócket bòrough 《英》=close borough.
Quéens Bórough (ニューヨークの)クイーンズ区.
rótten bórough 〘英史〙腐敗選挙区.

-bor·ough /bə̀ːrou, bʌ̀rou|bərə/

連結形 町, 村.
★ 主に地名をつくる.
★ 語末にくる関連形は -BORO, -BOURG, -BURG.
◆ 古英 *burg*「要塞(ようさい)化された町」; -BURG, -BURGH, -BURY なども同語源.

Farn·bor·ough 名 ファーンバラ(イングランドの町名). ►字義は「シダの生い茂った丘」.
Gains·bor·ough 名 ゲーンズバラ(イングランドの地名). ►字義は「Gegn(人名)の村」.
In·gle·bor·ough 名 イングルバラ山(イングランドの地名).
Lough·bor·ough 名 ラフバラ(イングランドの町名). ►字義は「Luhhede(人名)の村」.
Marl·bor·ough 名 マールバラ(イングランドの地名). ►

字義は「*Mǣrla*(人名)の村」.

Mar·y·bor·ough 名 メリーバラ(オーストラリアの都市名). ►字義はおそらく「Mary(人名)の村」.
Pe·ter·bor·ough 名 ピーターバラ(イングランドの地名). ►字義は「St.Peter の村」.
Scar·bor·ough 名 スカーバラ(イングランドの都市名). ►字義は「*Scarði*(人名)の村」.
Wel·ling·bor·ough 名 ウェリングバロ(イングランドの都市名). ►字義は「Wendel(人名)の村」.

B

bos·om /búzəm, búːz- | búz-/

名 **1** (人間の)胸. **2** 奥深い所. ── 動他 **1** 〈人を〉胸に抱き締める(embrace). **2** …を人目につかないようにする, 隠す.

Ábraham's bósom アブラハムの懐: 正しい者への報いとしての天国.
dis·bos·om 動他 打ち明ける, 〈秘密などを〉明かす.
em·bos·om 動他 《古》…を(…で)囲む, 包む.
im·bos·om 動他 ＝embosom.
un·bos·om 動他 こっそり打ち明ける, 明かす.

bo·son /bóusɑn | -sɔn/

名 〖物理〗ボソン, ボース粒子. ⇨ -ON[1].

Híggs bòson ヒグスボゾン, ヒグス粒子.
intermédiate véctor bòson 媒介的ベクターボゾン.
Ẃ bóson W 粒子(W particle).
wéak bóson ウイークボソン.
Ź bòson Z-ゼロ粒子(Z-zero particle).

boss /bɔ́ːs, bɑ́s | bɔ́s/

名 **1** (職場で)頂点に立つ人. **2** (マフィアなどの)ドン, 頭(かしら).

crúmb bòss 《米俗》(材木伐採人などの泊まる小屋の)雑用係.
fíre bòss 《米》〖採鉱〗坑内警戒係, 保安係員.
pánnikin bòss 《豪·NZ 俗 / 侮蔑的》少数の労働者の頭 [監督].
pít bòss カジノの賭博(とばく)台の責任者.
séction bòss 〖鉄道〗《米》保線区(班)長.
stráw bòss 《米話》(工場・木材切り出し場などの)監督助手, 職長代理, 小頭.
stráw-bòss 動他 〈仕事の〉責任者の代行をする.
únder·bòss 名 《米》(マフィアなどの)副首領.
wágon bòss ほろ馬車隊(wagon train)の隊長.

-bot /bɑt | bɔt/

連結形 ロボット.
★ 名詞をつくる.
◆ robot の短縮形.
[発音] 語頭の音節に第 1 強勢.

can·cel·bot 名 〖コンピュータ〗もとデータを保護するために自動的にキャンセル表示を行うプログラム.
cy·bot 名 (意志決定のできる)サイボット(cybernetic robot).
know·bot 名 〖コンピュータ〗(ネットワーク上での)自動検索システムの一つ.
mi·cro·bot 名 超小型ロボット.
mo·bot 名 〖コンピュータ〗携帯情報端末(mobile robot).
na·no·bot 名 〖コンピュータ〗超小型機器.

bot·a·ny /bɑ́təni | bɔ́t-/

名 植物学. ⇨ -Y[3].

ar·chae·o·bot·a·ny 名 植物考古学.
as·tro·bot·a·ny 名 宇宙 [天体] 植物学.
eth·no·bot·a·ny 名 植物民俗.
fóssil bòtany 化石植物学.
ge·o·bot·a·ny 名 地球植物学.
pa·le·o·bot·a·ny 名 古植物学.
pho·to·bot·a·ny 名 光植物学.

bot·tle /bɑ́tl | bɔ́tl/

名 瓶, ボトル; 酒瓶.

bláck bóttle 《米》安楽死用飲み薬.
blówn-in-the-bóttle 形 本物の(blown-in-the-glass).
blúe·bòttle 〖植物〗ヤグルマソウ.
brándy-bòttle 《英》黄色の花のスイレン科の水生植物の総称.
cáse-bòttle 《英》箱詰め用角瓶.
chéstnut bòttle (19 世紀米国の側面がやや平たい)ガラス瓶.
dríft bòttle 海流瓶, 漂流瓶.
drópping bòttle 滴瓶.
féeding bòttle ＝nursing bottle.
gémel bòttle 双子瓶: 首が反対方向に曲った 2 本のフラスコから成る瓶.
ínk-bòttle インク瓶 [壺(つぼ)].
kílling bòttle 殺虫瓶.
Kléin bòttle 〖幾何〗クラインの壺(つぼ).
magnétic bóttle 磁気瓶(びん): 高温プラズマを閉じ込めるための磁場配位の一種.
Nánsen bòttle 〖海洋〗ナンセン(型)採水器.
núrsing bòttle 哺乳(ほにゅう)瓶.
páper bóttle ペーパーボトル: 防腐処置をした紙の容器.
PÉT bóttle PET(ポリエチレン・テレフタート)瓶, ペットボトル.
pílgrim bòttle 巡礼水筒.
pínch·bòttle (酒類などを入れる)胴がくびれた瓶.
póp bòttle 《米俗》粗悪レンズ.
scént-bòttle 香水瓶.
síphon bòttle サイフォン瓶: 炭酸水を入れる瓶.
smélling bòttle 気付け薬の入った瓶; 香水瓶.
spín the bóttle 〖遊戯〗瓶回し.
spórts bottle (スポーツ選手用)プラスチック飲料瓶.
squéeze bòttle マヨネーズなどの容器.
thérmos bòttle 魔法瓶(thermos).
ùn·bót·tle 動他 瓶から出す, 瓶を空(から)にする.
vácuum bòttle 魔法瓶(thermos).
wásh bòttle 〖化学〗洗瓶, 洗浄瓶.
wáshing bòttle 〖化学〗＝wash bottle.
wáter bòttle 水筒, ガラス製の水差し.
wíne·bòttle ワインボトル.
Wóulfe bòttle 〖化学〗ウルフ瓶.

bot·tom /bɑ́təm | bɔ́t-/

名 **1** 最下部 [底部](にある物). **2** 底(部), 裏面. **3** 〖海事〗船底. **4** (椅子などの)座部. **5** 《話》尻(しり). **6** (ツーピースの衣類の)下半身につける部分; 〖服飾〗ボトム, 下衣.

béll-bòttom 形 〈ズボンが〉すそが広く開いた.
bláck bóttom ブラックボトム: 1920 年代後半に米国ではやったダンス.
cópper bòttom 《英俗》超過労働のトラック運転手.
dóuble-bòttom (箱・船などの)二重底.
fálse bóttom 上げ底, (トランクなどの)二重底.
flág bòttom 〖家具〗座席の部分をアシやイグサの葉を編んで作った椅子の座.
Fóggy Bóttom **1** 霧の低地: 米国 Washington D. C. ポトマック河沿いの霧がよく出る

低地．**2**《話》米国国務省(►1 にあることから)．

frónt bóttom 《俗 / おどけて》女性器．
jázz bàllet bòttom 尻のできもの．
kéttle-bòttom 形 〔海事〕ケトル型底の．
pínch-bòttom 《米俗》女たらし．
ríver bòttom 《米》河川沿いの低地．
róck bóttom 最低の段階，最低線；底値；どん底．
róck-bóttom 形 〈値段などが〉最低の，最低線の．
súlfur-bòttom シロナガスクジラ(白長須鯨)．
súlphur-bòttom ＝sulfur-bottom．
Thróttle-bòttom 毒にも薬にもならない役人．► 音楽喜劇 *Of Thee I Sing*(1932)の登場人物の名にちなむ．

bot·tomed /bάtəmd | bɔ́t-/

形 〈靴・鍋などが〉底部のついた．⇨ -ED[1], -ED[2].

cópper-bóttomed 形 銅張り底の，船底に銅板を張った．
flát-bóttomed 形 平底の．
fúll-bóttomed 形 〈かつらの〉毛が肩まで垂れている．
ùn·bóttomed 形 底のない，底の抜けた．

bought /bɔ́:t/

動 buy の過去・過去分詞形．⇨ -T[1].

hárd-bóught 形 努力の末に獲得した．
o·ver·bought 形 物価が高騰した，過剰買いの．
stóre-bóught 形 《主に米中南部》店から買った．
un·bought 形 買ったものでない．

bound[1] /báund/

動 bind の過去・過去分詞形．──形 **1** 縛られた，縛りつけられた．**2**〈本が〉閉じられた；《複合語》…装の，…表紙の．

cálf-bòund 形 子牛革で装丁した．
cáse-bòund 形 堅表紙の，ハードカバーの．
clóth-bòund 形 布装(表紙)の．
dis·bóund 形 綴じが崩れてばらばらの．
hálf-bòund 形 半革装の；半…製の．
hánd-bòund 形 手とじの．
hárd-bóund 形 堅い表紙で製本した，堅表紙の．
sóft-bòund 名形 ペーパーバック(の)，紙表紙本(の)．
ùn·bóund 形 製本してない；拘束されない．
wíre-bòund 形 ワイヤ綴じの．

bound[2] /báund/

動自 はずむ．──名 はずみ．

re·bound 動自 跳ね返る，跳ね上がる．

-bound[1] /bàund/

連結形 …に[で]閉ざされた．
★ 形容詞をつくる．
◆ 中英 *bounde(n)*(bind「結ぶ」の過去分詞)．

air-bound 形 〈パイプなどが〉気泡で詰まった．
brass-bound 形 〈トランクなどが〉真鍮枠で補強した．
chair-bound 形 〔社会福祉〕車椅子に頼っている．
desk-bound 形 机仕事の；内勤の．
duty-bound 形 義務に拘束された．
earth-bound 形 地に根ざした，地に密着した．
egg-bound 形 〈鶏などが〉卵を体から離せない．
far·del-bound 形 〔獣病理〕〈反芻動物が〉便秘の．
fog-bound 形 〈船が〉霧に閉ざされた．
frost-bound 形 〈地面が〉凍結した．
hide-bound 形 偏狭な，頑固な．
home-bound 形 家に閉じ込められた，外出できない．
hon·or-bound 形 名誉にかけて(…)する義務がある．
hoof-bound 形 〔獣病理〕〈有蹄動物が〉ひづめ狭窄(きょうさく)症にかかった．
house-bound 形 家に引きこもった．
ice-bound 形 〈船などが〉氷に閉じ込められた．
iron-bound 形 鉄で包まれた；手錠をかけられた．
let·ter-bound 形 字句にとらわれた．
mus·cle-bound 形 筋硬直の．
pot-bound 形 〔園芸〕根詰まりした．
rock-bound 形 岩に囲まれた；岩石の多い．
root-bound 形 〔園芸〕根をいっぱいに張った．
skin-bound 形 表皮[皮膚]が堅くなった，硬皮した．
smog-bound 形 〔気象〕スモッグに覆われた．
snow-bound 形 雪に閉じ込められた．
spell-bound 形 呪文で縛られた；魅了された．
storm-bound 形 暴風のため閉じ込められた．
strike-bound 形 ストライキで閉鎖された．
tide-bound 形 〈船が〉潮待ち状態の．
weath·er-bound 形 〈船・航空機などが〉悪天候のために遅れている．
wind-bound 形 〈帆船が〉逆風のため出港不能の．

-bound[2] /bàund/

連結形 …へ向かう，…行きの，…を目指す．
★ 形容詞をつくる．
◆ 中英 *boun, bun*「用意ができて」＜古北欧 *búinn*(*búa*「用意する」の過去分詞)．

down-bound 形 下りの，下り方向の．
earth-bound 形 地球に向かう．
east-bound 形 東へ向かう，東回りの．
home-bound 形 帰宅途中の；本国帰還の．
home·ward-bound 形 家路に向かった，帰途についた．
in-bound 形 帰航の，復航の．
Mars-bound 形 火星行きの．
moon-bound 形 月へ向かう．
north-bound 形 北へ向かう；北行き[回り]の．
out-bound 形 外国行きの；市外へ向かう，下りの．
out·ward-bound 形 港を出て行く；外国行きの．
south-bound 形 南へ向かう，南行き[回り]の．
up-bound 形 北[大都会，川上など]へ向かう．
west-bound 形 西行きの；西回りの．

-bourg /búərg; *Fr.* bu:ʀ/

連結形 町，都市；(特に)城下町．
★ 地名をつくる．
★ 語末にくる関連形は -BORO, -BOROUGH, -BURG, -BURGH, -BURY.
◆ 中英＜アングロ仏＜後期ラ *burgus* ＜ゲルマン．

Cher·bourg 名 シェルブール(フランスの港)．► 字義は「主要都市」．
Co·bourg 名 コーブルグ(ドイツの都市名)．
fau·bourg 名 (フランスの都市で)城外，市壁外．
Fri·bourg 名 フリブール(スイスの州名)．► 字義は「自由都市」．
Lim·bourg 名 ランブール(ベルギーの地名)．
Lux·em·bourg[1] 名 ルクセンブルク(大公国)．
Lux·em·bourg[2] 名 リュクサンブール宮．
Stras·bourg 名 ストラスブール(フランスの都市名)．► 字義は「大きな街道沿いの城塞(じょうさい)都市」．

bow[1] /bóu/

名 **1** 弓．**2** 弓[アーチ]形のもの．**3** 湾曲．**4** ちょう結び．

cróss-bòw (中世の)石弓，弩(ど)．
Cúpid's bów 昔の弓；キューピッドの弓．
dówn-bòw 〔音楽〕(弦楽器の奏法で)下げ弓．
dríll bòw ドリルボー：弓錐(きり)の弓．
em·bów 動他 〈建物を〉弓なり[アーチ型]に作る．

fáce bòw 〖歯科〗顔弓, 歯弓.
fíddle bòw (弦楽器用の)弓.
fóg·bòw 霧虹(きりにじ).
hánd·bòw (crossbow と区別して)手で引く弓, 手弓.
lóng·bòw (12−16 世紀に英国の射手が用いたような)大弓, 長弓.
míst·bòw ＝fogbow.
móon·bòw 月虹(つきにじ).
óx·bòw (牛の軛(くびき)につける)U字形の木枠, U字形軛; 三日月湖, 牛角湖.
ráin·bòw 名 ☞
sáddle·bòw 鞍頭(くらがしら).
séa-bòw 海の水しぶきでできる虹(にじ).
sóund bòw 鐘の舌がぶつかる箇所.
sprínging bów 〖音楽〗飛躍弓.
sún·bòw (滝, 噴水などに見られる)太陽光線によって近距離にできる虹.
úp-bòw 〖音楽〗上げ弓, アップボウ.
wíng bòw 肩羽.

bow² /báu/

名 〖海事〗(船の)船[艦, 艇]首(部), 舳先(へさき).

Ál·ex·bòw 名 《英》アレックス船首.
búlbous bów 球状船首.
búll-nòsed bów 球状船首.
clípper bòw クリッパー型船首.
spóon bòw さじ形船首.

bowl /bóul/

名 **1** 深い鉢, どんぶり, 碗(わん). **2** 選抜フットボール試合.

búbble bòwl バブルボウル: 装飾用ガラス容器.
chíli-bòwl 《米俗》すそを刈り上げたおわん型の髪.
Cótton Bówl 〖アメフト〗コットンボウル.
fínger bòwl フィンガーボール: 食卓で指を洗うために水を入れておく小鉢.
físh·bòwl 金魚鉢(に似たもの).
flóat bòwl 〖自動車〗フロート室.
Gátor Bòwl 〖フットボール〗ゲーターボウル.
góldfish bòwl 金魚鉢.
Hóllywood Bòwl ハリウッドボウル: Hollywood にある円形劇場.
Órange Bówl 〖アメフト〗オレンジボウル.
párty bòwl 《米俗》多人数でまわしのみできる大きさのマリファナ用パイプ.
púnch bòwl ポンス鉢, パンチボール.
ríce bòwl 御飯茶碗.
Róse Bòwl 〖アメフト〗ローズボウル.
róse bòwl 切ったバラの花を生けるガラス鉢.
sálad bòwl サラダボウル.
slóp bòwl 《英》湯こぼし, 茶殻入れ.
Súgar Bòwl 〖アメフト〗シュガーボウル.
súgar bòwl 砂糖つぼ, シュガーボール.
Sún Bòwl 〖アメフト〗サンボウル.
Súper Bòwl 〖アメフト〗スーパーボウル.
téa·bòwl 取っ手のない茶碗.
thúnder-bòwl 《英俗》地面に穴を掘って設置する軽便な箱型の便所(thunder-box).
tóilet bòwl (陶器製の)便器.
wásh·bòwl 《米》洗面器[台]; 洗い物用ボール.
wáshing-up bòwl 《英》洗い桶, 皿洗い容器.
wássail bòwl wassail「(健康を祝してする昔の)酒盛り, 酒宴」用の大杯[酒].
wíne·bòwl ワイン用大杯.

bowl·er /bóulər/

名 **1** ボウラー: ボウリングをする人. **2** 〖クリケット〗投手. ⇨ -ER[1].

báttle bòwler 《英俗》鉄かぶと.
médium bówler ＝medium-pace bowler.
médium-pàce bówler 〖クリケット〗中くらいのスピードの投手.
páce bòwler 〖クリケット〗(緩急自在の)好投手.
spín bòwler 〖クリケット〗スピンボール投手.

box /báks | bɔ́ks/

名 **1** (通例, 蓋(ふた)付きで四角な)箱; 包み. **2** 席. **3** 小屋. **4** 装置. **5** 《複合語》《俗》…屋, …をする人; …なやつ, …女.

ápple bòx 《豪》〖植物〗アップルボックス.
áxle bòx 軸箱(《英》journal box).
báit bòx 〖漁業〗餌箱(えさ).
bállot bòx 投票箱.
bánd·bòx バンドボックス: 帽子, カラー, ひだ襟などを入れる円筒形の箱.
báng bòx 〖海軍〗旋回砲塔.
bánk bòx ＝safe-deposit box.
báse bòx ベースボックス: ブリキの販売に用いられる単位.
bátter's bòx 〖野球〗打席, バッターボックス.
béat·bòx 〖音楽〗ビートボックス.
béat bòx 《米俗》ラップ(rap music)で(口で)リズムパートを演奏する人.
béeper bòx 無線呼び出し装置, ポケットベル.
Bernóulli Bòx (コンピュータ用の)可搬性高密度ディスク.
bítch bòx 《米俗》(場内放送用)スピーカー.
bláck bóx ブラックボックス. **1** 電子回路の一部を成し, 機能は分かっているが内部構造が分からない装置. **2** 飛行記録装置, 操縦音声記録装置.
blóod bòx 《米俗》救急車.
blúe bòx 《米俗》ブルーボックス: 長距離電話がただでかけられる違法小型電子装置.
bóofer bòx 《英俗》大型ラジオ[カセットプレーヤー].
bóogie bòx 《米俗》《話》(大型の)携帯用ラジカセ(ghetto blaster).
bóom bòx 大型ポータブル(ステレオ)ラジオ, ステレオラジカセ.
bráin bòx 《話》電算機, コンピュータ.
bráin-bòx 《米俗》頭; 頭蓋骨.
bréad·bòx パン[菓子]貯蔵箱[ケース].
Brísbane bóx 〖植物〗トベラモドキ.
bútter·bòx 《俗》オランダ人; めかし屋.
cáll bòx (警察または消防署を呼ぶための)戸外電話, 信号塔.
cártridge bòx 弾薬箱, 弾薬筒入れ.
cáse·bòx 〖トランプ〗ケースボックス, 類別記録箱.
cásh·bòx (金種別にして入れる)銭箱, 金庫.
cátcher's bòx 〖野球〗キャッチャーの定位置.
centrífugal bóx 〖繊維〗ポット.
chátter·bòx 《話》おしゃべりな人(特に女, 子供).
chéese·bòx 《米俗》(郊外の)安手の建売り住宅.
chócolate-bòx (装飾過剰な)チョコレートの箱.
Chrístmas bòx 《英》クリスマスの贈り物. ► 召使い, 郵便配達人などに与える祝儀.
cóach bòx (馬車の)御者席[台].
cóal·bòx 石炭バケツ.
cóin bòx (電話・自動販売機などの)料金受け.
colléction bòx (特に教会の)募金箱.
cólor bòx 絵の具箱[入れ].
cóol bòx 保冷箱, クーラー(cooler).
cóon bòx 《米俗》＝boogie box.
crácker bòx 《米陸軍俗》陸軍の救急車.
cráwl bòx 〖映画〗〖テレビ〗クレジットタイトル(credit title).
cúrrency bòx (携帯用のスチール製)手提げ金庫.

cútout bòx 《米》〘電気〙安全器(収納)箱.
dámp bòx 〘製陶〙(粘土を柔らかく保つために)湿気が逃げないようにしてある箱.
déad létter bòx (機密文書などの)秘密の受け渡し場所.
déaling bòx 〘トランプ〙札箱.
déed-bòx 証書箱, 証書保管用金庫.
díce·bòx さい筒.
dím·bòx 《米俗》タクシー.
dítty bòx (小物入れの)小箱.
dóc-in-a-bóx 《米》応急診療所, 救急医療センター(emergicenter).
dóg bòx 《英》犬輸送用貨車.
dréam bòx 《米俗》頭(head).
dróp bòx 〘繊維〙上下杼箱(ひばこ).
ecóno·bòx 経済車.
égg·bòx 卵パック [ケース], 鶏卵箱.
etérnity-bòx 棺桶(かんおけ).
fáre·bòx 《米》(バスなどの)運賃箱, 料金箱.
féed·bòx 飼料箱, 飼い葉入れ.
fín bòx 〘サーフィン〙取り外せるフィンをはめるためのボード尾部の穴.
fíre·bòx (ボイラー・炉などの)火室.
flówer bòx フラワーボックス, プランター.
fúse bòx 〘電気〙ヒューズ箱(cutout box).
fúss·bòx 《南大西洋岸諸州》つまらないことに騒ぎたてる人.
fúzz·bòx ファズトーン(fuzz tone)を出す装置.
géar·bòx (自動車などの)変速装置.
gíft·bòx 《米俗》だれとでも寝る女.
gíll bòx 〘繊維〙ギルボックス.
gít·bòx 《米俗》ギター.
glóry bòx 《豪・NZ》若い女性が結婚に備えて衣服をしまっておくつづら [衣装箱].
glóve bòx グラブコンパートメント(glove compartment).
Gód-bòx 《俗》教会; 《米俗》(教会の)(パイプ)オルガン.
góggle-bòx 《英俗》テレビ(受像機).
góola bóx 《米黒人俗》ジュークボックス.
gráss bòx (芝刈り機の)集草容器.
gréase bòx 〘機械〙(車軸の)グリース箱.
gróan bòx 《米俗》アコーディオン.
gróut bòx グラウトボックス: 補強のためコンクリートの中へ埋め込む円錐形の薄い金属.
hát·bòx 帽子ケース, 帽子箱.
háy·bòx 干し草を詰めた保温の箱.
héad·bòx (製紙機械の)ヘッドボックス.
héll·bòx 〘印刷〙不用な活字を入れる箱, 滅箱.
hómeo·bóx 〘生化学〙ホメオボックス.
hónor bòx 《米》(街頭の)新聞自動販売機.
hórse bòx 《英》(競走馬などを運ぶ)馬匹運搬貨車, 馬匹運搬用トレーラー.
hót·bòx 〘鉄道〙(発)熱軸箱.
húnt bòx =hunting box.
húnting bòx 《主に英》狩猟小屋.
íce·bòx (氷を使用する)箱形冷蔵庫, アイスボックス; (冷蔵庫の)冷凍室.
ídiot bòx 《俗》テレビ.
ín-bòx 未処理書類入れ, 書類受け.
jáck-in-a-bóx 〘植物〙ハスノハギリの一種.
jáck-in-the-bóx びっくり箱; 機械仕掛け; ヤドカリ.
jóckey bòx 《主に米北西部》(特にトラックの)グローブボックス.
jóurnal bòx 《英》〘機械〙軸箱.
jóy·bòx 《米話》ピアノ.
júice-bòx 《米俗》〘電気〙=junction box.
júke·bòx ジュークボックス(juke).
júnction bòx 〘電気〙接続箱.
júry bòx (法廷の)陪審員席.
knífe bòx (しばしば装飾的な)ナイフ入れ.
knówledge-bòx 《米話》頭(head).
létter bòx 《主に英》=mailbox.
líck-bòx 《米俗》クンニリングスをする人.
líght bòx 〘写真〙ライトボックス.
líve-bòx 生け簀(す), 水中用の飼育箱.
lóck·bòx 金庫.
lóckout bòx 〘テレビ〙ロックボックス.
lóose-bòx 《英》(通例, 四角で馬や牛を 1 頭ずつ収容する)単独畜房(box stall).
lúnch·bòx 弁当箱, ランチボックス.
máil·bòx 《米・カナダ》(郵便局が管理する)郵便箱, ポスト(《英》pillar-box).
mármalade bòx 〘植物〙チブサ(乳房)ノキ.
mátch·bòx (小型の)マッチ箱.
míter bòx 〘木工〙留仕口(とめしぐち)用定規, 留め継ぎ箱.
móney bòx 銭箱, 金庫.
músical bòx 《主に英》=music box.
músic bòx 《米》オルゴール.
nést bòx 巣箱.
nút bòx 《俗》精神科病院(nut house).
óil bòx 〘機械〙油箱, オイルボックス.
ómnibus bòx (劇場などの)追い込み桟敷.
órgone bòx オルゴン・エネルギー集積器(orgone-energy accumulator).
óut-bòx (机上の)発送郵便物入れ, (卓上)処理済書類トレー.
páddle bòx (汽船の)外輪覆い, 外輪 [外車] 囲い.
páint·bòx (画家・子供などが用いる)絵の具箱.
Pandóra's bóx 〘ギリシャ神話〙パンドラの箱.
páy·bòx 《英》(劇場などの)切符売り場.
pég·bòx (弦楽器の糸巻きを固定する)糸蔵(いとぐら).
pénalty bòx 〘アイスホッケー〙ペナルティーボックス.
péncil bòx (通例ボール紙製の)筆箱.
pépper·bòx 胡椒(こしょう)入れ(pepper pot).
péte bòx 《米俗》金庫; 財布; トランク; 包み, 手荷物(peter).
píllar bòx 《英》(円柱形の)郵便ポスト.
píll·bòx (通例, 浅く丸い)丸薬箱.
pláy·bòx 《主に英》(特に寄宿学校生徒がおもちゃや所持品を入れておく)おもちゃ箱.
PÓ Bòx =post-office box.
políce bòx 交番, 派出所.
póor bòx (教会などの)慈善箱, 愛の箱.
póst·bòx 《主に英》郵便受け, (特に)郵便ポスト(《米》mailbox).
póst-office bòx (郵便局の)私書箱.
póunce bòx 色粉箱, にじみ止め粉入れ.
póuncet bòx 《古》(穴のあいた蓋(ふた)がついた)におい箱, 香水箱.
póuring bòx 〘冶金〙タンディシュ: 鋳型へ溶鋼を導く穴があいた耐火物容器.
póx bòx 《米俗》性病女, 汚い女.
préss bòx (特にスポーツ大会場の)報道関係者席, (新聞)記者席.
púff bòx パフ入れ, 粉おしろい入れ.
púmp bòx (ポンプの)ピストン室.
púzzle bòx 〘心理〙問題箱.
rág bòx 《米黒人俗》膣(ちつ).
ráin bòx (劇場などで使う)雨の音を出す擬音箱.
rásta bòx 《米俗》(大型の)携帯用ラジカセ.
ráttle·bòx (おもちゃの)がらがら箱.
réady bòx (艦砲などの)弾薬の補給箱.
resístance bòx 〘電気〙抵抗箱.
róse bòx (ポンプの吸水管の端に取りつける)濾(こ)し器, ごみよけ箱.
sáfe-deposit bòx (銀行の)貸し金庫.
sáfety-deposit bòx =safe-deposit box.
sált-bòx (台所に備える木製の)塩入れ.

B

sánd·bòx 《米》(子供がその中で遊ぶ)砂箱.
sáuce·bòx 《話 / 古風》生意気なやつ, 出しゃばりな子供.
scréw bòx 【機械】(木製ねじの)ねじ羽子板; ねじ受け.
séntry bòx (悪天候で歩哨が使う)哨舎, 番小屋.
sérvice bòx 【スポーツ】サービスボックス.
shádow bòx シャドーボックス, 陳列ケース.
shíne bòx 《米俗》黒人バー.
shóe·bòx (小売りパッケージ用のダンボール製)靴箱.
shóoting bòx 《主に英》(狩猟期に使う)狩猟小屋.
sígnal bòx 《英》(鉄道の)信号扱い所, 箱番.
sínk·bòx 《米》(野鳥狩り用の)いかだ形の舟.
Skínner bòx 【心理】スキナー箱.
ský bòx スカイボックス: 野球場などの仕切られた特別観覧席.
snúff·bòx (携帯用)かぎタバコ入れ.
sóap·bòx せっけん出荷用木箱. ━━形 大道演説の.
sóund·bòx (バイオリンなどの)共鳴箱, 音響室.
spínning bòx =centrifugal box.
spít·bòx たん壺(つぼ)(spittoon).
squáwk bòx 《話》(インターホーン・拡声装置などの)スピーカー.
squéeze·bòx 《話》コンサーティーナ(concertina), アコーディオン.
stéam bòx (蒸気機関の)蒸気(弁)室.
stróng·bòx 金庫.
stúffing bòx 【機械】パッキン箱.
suggéstion-bòx 投書箱.
swéat·bòx 蒸し風呂(用の浴室), サウナ風呂.
swéll bòx スウェルボックス, 増音箱.
swítch bòx 配電箱, (電話交換)転換器.
táckle bòx 釣り道具入れ.
tálk·bòx ボイスボックス(voice box).
thínk-bòx 《俗》脳, 頭脳, 頭.
thúnder·bòx 《俗》地面に穴を掘って設置する軽便な箱型の便所; 携帯便器; 便所.
tíckey bòx 《南アフリカ話》硬貨(tickey)を入れてかける公衆電話ボックス.
tínder·bòx (通例, 火打ち道具を一緒に入れてある)火口(ほくち)箱.
tínkle·bòx 《米話》ピアノ.
tóe bòx 先芯(さきしん).
tóol·bòx 道具[工具]箱.
tóte bòx 《米話》(持ち運びできる)工具箱.
tóte-trày bòx =tote box.
tóy bòx おもちゃ箱.
tráin bòx 旅行用洗面道具などを入れるケース.
túck bòx 《英俗》(寮に入っている学童に家庭から届けられる)おやつ箱[入れ].
túcker-bòx 《豪話》(貯蔵・運搬用の)食糧箱.
túmbling bòx 回転箱, タンブラー.
ùn·bóx 動他 箱から出す.
Victórian bóx 【植物】シマトベラ.
vóice bòx 《話》喉頭(こうとう)(larynx).
wáll bòx 【建築施工】梁(はり)受け(壁枠).
wár bòx 《英俗》(昔の英国の)陸軍省.
wátch bòx 歩哨(ほしょう)詰め所.
wéather bòx (おもちゃの)晴雨自動表示器.
wínd bòx (炉に送風するふいごの)風箱(かざばこ).
wíndow bòx (窓台に置く)花箱, 植木箱.
wíne bòx (通例 3 ℓ入りの)紙パックワイン.
wísdom bóx 《米鉄道俗》操車場長の事務室.
wítness-bòx 《主に英》(法廷の)証人席.
wóg bòx 《英俗》(大型の)携帯ラジカセ.
wóod·bòx 《米》まき入れ, 薪箱.
wórk·bòx 道具箱; (特に)裁縫箱, 針箱.

boy /bɔ́i/

名 少年, 男児, (特に 18 歳未満の)男の子.

Ágro-bòy 《英俗》はげ頭(の人)(skinhead).
áltar bòy (礼拝儀式で司祭を助ける)侍者.
Ástro Bóy 『鉄腕アトム』.
átta·bòy 間 《主に米俗》いいぞ, やったぞ.
báckroom bóy 《主に英俗》(特に国家機密の)科学研究員; 専門助言者, ブレーン.
bággage bòy 《俗》立役専門のホモ売春夫.
báll bòy 【野球】ボールボーイ.
bárrow-bòy 《英》呼び売り商人.
bát bòy 《米》【野球】バットボーイ.
B́-bòy 男性のラップミュージック・ファン.
béach·bòy 海辺の男性監視人, (特に)水泳や波乗りの男性指導員.
béll·bòy ベルボーイ(bellhop).
bést bóy 【映画】【テレビ】《主に米》ベスト・ボーイ.
Bíg Bòy 《米》ビッグボーイ: 関節式超大型蒸気機関車の愛称.
bíg bóy 《話》お偉がた, 大物; 大企業, 大手.
bílly·bòy 《英話》(英東岸・河川用の)平底帆船, ビリボーイ.
bim·boy 《俗》美男だが頭の空っぽな男.
bíngo bòy 《俗》酔っ払い, 飲んだくれ.
bláck·bòy 【植物】ススキノキ(grass tree).
blóomer bòy 《米俗》パラシュート降下隊員.
blów-bòy 《米軍俗》らっぱ吹き(bugler).
blúe bòy 《米黒人俗》警察官(bluecoat).
bóot bòy 靴磨きの少年.
bóss·bòy 《南アフリカ》アフリカ人労働者の黒人現場監督.
bóvver bòy 《英俗》(頭を短く刈り込んだ)チンピラ, 不良少年.
bóx·bòy (スーパーなどの)買い物運搬サービス係.
bóy-oh-bóy 間 ありゃー, あれまあ.
Búbble Bòy 【医学】バブル・ボーイ: 先天性免疫不全症であることから, 感染を避けるために, 泡のようなプラスティックのカプセルを頭からかぶっていた米国人の男児.
búddy-bòy 《米話》友だち.
búg·bòy 《俗》【競馬】見習い騎手.
búlly·bòy 威張りちらす人, (特に政治団体に手を貸す, またはそれとつながりを持つ)政治ごろ.
búm bòy 《英俗》男色者, 獣姦者(Sodomite).
bús·bòy 《米・カナダ》バスボーイ.
bútt·bòy 《米学生俗》同性愛の男.
bútter bòy 《英俗》新米タクシー運転手.
cábin bòy ケビンボーイ: 高級船員と乗客付きボーイ.
cáll·bòy (俳優の出番のときの楽屋からの)呼び出し係.
cámpfire bòy 《俗》アヘン常用者.
Cápe bóy 黒人と白人の混血の南アフリカ人.
cásh·bòy 現金取次係.
Chámeleon Bòy (米国漫画の)カメレオンボーイ.
cháríty bòy 《古》慈善学校の男子生徒.
chóir·bòy 少年聖歌隊員.
chóre bòy 雑用係.
clínker bòy 《米鉄道俗》缶(かま)たき.
cópy·bòy (新聞社・出版社の)使い走り.
córner-bòy 《英》(街の)不良, ごろつき.
ców·bòy ☞
dáy bòy 《英》(寄宿学校の)自宅通学男生徒.
déad·bòy 【登山】スノーアンカーの小型のもの.
delívery bòy (商店などの)配達少年, 配送人.
dóugh·bòy 《米話》(特に第一次世界大戦に出征した米軍の)歩兵.
dráw·bòy (動力織機で)紋織物を織るために通

糸(ꜜ)を制御し操作する装置.

flý·bòy 『印刷』紙取り工(fly).
fóot·bòy (制服を着た)ボーイ, 給仕(page).
Gáme Bòy 《商標》ゲームボーイ.
Gazélle Bòy 「ガゼル少年」. ►ガゼルと暮していた西サハラの少年; 1961 年に発見.
glámour bòy (特に有名人の)魅力的な男性, 色男.
glow·boy 原子力発電所の放射線危険区で働く就業者.
Grénfell bòy 《カナダ東部》Sir Wilfred Thomason(Grenfell)の教えを受けた人[伝道医師].
héad bóy 《英》首席の [一番できる] 生徒.
hígh·bòy 『米家具』脚付きの高いたんす.
hóme·bòy 《米南部黒人俗》同郷人, 黒人.
hórse·bòy 《英》馬の世話係(hostler).
hóuse·bòy (家庭・ホテルなどの)雑役係, 下男.
Jéw·bòy 《米俗》ユダヤ人の少年 [男].
jóy bòy 《俗》ホモの若い男.
kéttle-bòy 《英》お茶汲み(係の)少年.
knífe-bòy 《英》食卓のナイフを磨いたりするために雇われる下働きの少年.
lám·bòy 『甲冑』足を保護する板金鎧(よろい)の垂れ(tonlet).
léather bòy 《俗》オートバイに乗る人.
líft·bòy 《英》エレベーター運転係.
línk·bòy 《もと》たいまつ持ち.
Líttle Bóy リトルボーイ: 広島に投下された原爆の暗号名.
líttle bóy 《俗》(子供の)ちんぽこ.
lóblolly bòy 《廃》船舶勤務の外科医助手.
lóver bòy 《俗》美男, 色男; 女たらし.
lów·bòy 《米・カナダ》脚付きの背の低いたんす [化粧テーブル].
lúck bòy 《米俗》(サーカスで)賭博(とばく)の露店を開いている人.
lúcky bòy 《米俗》=luck boy.
máma's bòy お母さん子, マザコン男.
méss·bòy (船の食堂の)給仕.
móther's bòy =mama's boy.
múncher·bòy 《米俗》(男性に)オーラルセックスをする男.
náncy bòy 《米俗》めめしい男(nance).
náture bòy 《米俗》(戸外を好む)たくましい男.
néw bóy 《話》新入社員; 新入り士官.
néws·bòy =paperboy.
néwspaper·bòy 《米》=newsboy.
Nóah's bóy 《米俗》ハム.
númber óne bòy 《米俗》上司, ボス; 首脳, トップ.
óffice bòy (雑用や使い走りをする)ボーイ.
óld bóy 《米話 / 時に軽蔑的》(特に南部の)成人男性, おっさん.
páddy bòy 《米俗》白人男.
páge·bòy ページボーイ: 女性の髪型の一つ.
páper·bòy 新聞売り子, 新聞配達(人).
párty bòy 《米俗》パーティーにばかり出ている若い男性, 遊び人.
Péck's Bád Bóy 《米》憎まれっ子, 悪がき.
pég bòy 《米俗》(特に船員の)稚児にされる少年.
pénny·bòy 《アイル俗》(使い走りなどの仕事をする)奉公人, 使用人.
Pércy bòy 《米俗》めめしい男の子.
pín bòy 《もと》(ボウリングの)ピン係.
pláy·bòy 遊び人, 道楽者, プレーボーイ.
plów·bòy 犂(すき)を引く牛馬の手綱をとる若者.
pó' bòy =poor boy.
póor bòy 《主にニューオリンズ》ヒーローサンドイッチ(hero sandwich): 細長いパンに肉, チーズ, レタス, トマトなどを挟んだ大きなサンドイッチ.
póor-bòy 動他 《米俗》貧乏のどん底に突き落とされる.
póst·bòy 《もと》駅馬郵便配達人.
pót·bòy 《英》(パブなどの)給仕, ボーイ.
pówder bòy 動力芝刈り機(powder monkey).
príncipal bóy 英国のクリスマスのお伽(とぎ)芝居で主人公の男性を演じる女優.
rát·bòy 《米俗》(特に警官殺しの)非行少年.
rént bòy 《俗》(若者の)男娼(だんしょう).
róaring bóy 《廃》(Elizabeth I, James I 時代に)(通行人に大声で)威張りちらす若者, 脅し屋.
Róver Bòy (うぶで未経験だが)勇敢で節操のある人物.
rúde bóy 《俗》(ジャマイカで)暴力団員.
sánd·bòy 《英話》砂売り小僧.
schóol·bòy (小・中学校の)男(子)生徒, 男(子)学生.
séa bòy =ship's boy.
shíp·bòy =ship's boy.
shíp's bóy (船客・高級船員の世話をする)ボーイ.
shóp·bòy 《英》店員(salesclerk).
smáll·bòy 《西アフリカ》(ヨーロッパ人の家の)執事代理 [補佐].
sóft bòy 《ジャマイカ俗》ホモの男.
spéed·bòy 《米俗》足の速い選手.
stáble·bòy 馬小屋の世話をする人, 馬屋番.
stóck bòy (食料品店などの)陳列商品補充係.
táll·bòy 『英家具』脚付きのたんす.
tár bòy 《豪・NZ 話》タール係.
téa-bòy (男の)お茶くみ要員, 給仕.
Téddy bòy 《話》テディーボーイ: EdwardⅣ時代の服装を愛用する反抗的な若者.
thát-a-bòy 間 《米話》=attaboy.
tógt bòy 《南アフリカ》現地人日雇い労働者.
tóm·bòy 男勝りの女の子, おてんば娘.
tóy bòy 《話》(若い)「つばめ」.
Válley bòy 《米》バレーボーイ.
wálk·bòy 《米黒人俗》よい友人, 同郷の友人.
wáter bòy (兵士・労働者・フットボール選手などへの)給水員 [係].
whípping bòy 他人の罪を負わされる人, 身代わり.
whízz-bòy 《英俗》すり.
whóops bòy 《米俗》女性的な男.
wíde bòy 《英俗》ならず者, 小悪党.
wílly·bòy 柔弱な [めめしい] 男の子.
wónder bòy 並外れた成功を収めた若者.

boys /bɔ́iz/

名複 boy「少年」の複数形.

Bévin Bóys 《英》戦時中に徴兵の代わりに炭鉱に動員された若者たち. ►英国の政治家(労働党)Ernest Bevin より.
Brýlcreem bòys 《英話》英国空軍のパイロット. ►Brylcreem は 1928 年発売のヘアクリーム.
Gréen Móuntain Bòys アメリカ独立期に Vermont 地域の自決を求めた E. Allen 率いる植民地軍. ►Green Mountain(s) は Vermont 州にある山脈.
náked bóys ユリ科サフラン属の球根植物の総称.
péep-of-dáy bòys 『英史』ピープオブデー・ボーイズ.
Whíte·bòys 名複 『アイル史』白衣党.

brace /bréis/

名 かすがい, 締め金, 留め金具. ── 動他 …を支える.

ángle bràce 『建築』方杖(ほうづえ).
árch bràce 『木工』湾曲腕木.
bátter bràce 『建築施工』方杖(ほうづえ).
bít·bràce 名 (押さえ回し錐(きり)の)曲がり柄.

B

cóunt·er·bràce 名 〖建築施工〗トラスの引っ張り.
em·bráce[1] 動他 抱く, 抱擁する, 抱き締める.
em·bráce[2] 動他 〖法律〗〈陪審員・裁判官を〉(贈賄などで)抱き込もうとする.
hánd·bràce 名 《英》手回しドリル.
knée bràce 〖建築施工〗方杖(ほうづえ).
língual bráce 〖歯科〗舌側マルチブラケット装置.
máin bráce 〖海事〗大檣(だいしょう)転桁(てんこう)索.
rére·bràce 名 〖甲冑〗リヤーブレイス, 上腕甲.
shóulder bràce 猫背矯正器.
stáge bràce 〖演劇〗人形立て.
swáy bràce 〖土木〗対傾構材.
thórough bráce 《主に米》貫帯: 馬車などの車体を支える革帯.
thróugh bráce =thorough brace.
ùn·bráce 動他 …の締め [留め, 支え] を外す.
vám·brace 名 〖甲冑〗バンブレース, 腕甲, 腕鎧.

brace·let /bréislit/

名 ブレスレット, 腕輪. ⇨ -ET[1].

ÍD bràcelet =identification bracelet.
identificátion bràcelet 名札付き腕輪.
sláp bràcelet スラップブレスレット: はたきつけて巻きつけるブレスレット.
sláve bràcelet スレーブブレスレット.

-brach /bræk/

連結形 〖韻律〗短い….
★ 名詞をつくる.
★ 語頭にくる形は brachy-; *brachy*cerous「短角の」, *brachy*dactylia「短指症」.
◆ ギリシャ語 *brachýs*「短い」より.

am·phi·brach 名 (古典詩の)短長短格.
di·brach 名 短短格, 弱弱格, 二短音歩.
tet·ra·brach 名 (古典韻律の)四短音節格.
tri·brach 名 (古典詩の)短短短格.

brack·et /brǽkit/

名 **1** 腕木, 持送り, ブラケット. **2** 括弧の一方. **3** (同類の人・物などの)グループ.

áge bràcket (ある)年齢層, 年齢範囲(の人々).
ángle bràcket 〖印刷〗山パーレン, ギュメ(〈, 〉).
béam bràcket 〖造船〗梁肘板(ばりょうちゅうばん).
gás bràcket (壁から張り出している)ガス灯受け.
mézzanine bràcket 〖金融〗メザニン・ブラケット.
róund brácket 〖印刷〗丸括弧(parenthesis).
squáre brácket 〖印刷〗角括弧([,])の一方.
úpper-brácket 形 上流階級の高額所得者層の.
wáll bràcket (棚受け用などの)壁の L 字型アーム.

braid /bréid/

動他 〈糸・ひも・髪などを〉編む; 〈髪の毛を〉(バンドやリボンで)結わえる, 飾る.

búckwheat bràid 《米》短めのお下げ髪.
góld bràid 《米海軍俗》(高級)将校.
ùn·bráid 動他 〈編んだ髪などを〉ほどく, ほぐす.
ùp·bráid 動他 厳しくしかる, 激しく非難する.

brain /bréin/

名 **1** 〖解剖〗〖動物〗脳. **2** 頭脳.

áf·ter·bràin 後脳(こうのう)(metencephalon).
áir·bràin 《米俗》あほ, ばか(airhead).
béetle·bràin ばか, うすのろ(beetlehead).
betwéen·bràin 間脳(diencephalon).
bírd·bràin 《話》うすのろ, まぬけ, ばか.
bráck-bràin 《米俗》あほう, まぬけ.
búbble bràin 《米俗》脳なし, 脳足りん.
cráck·bràin 気のふれた人; 愚かな人.
cý·ber·bràin 名 人工知能.
dízz·bràin 《米俗》まぬけ, ばか, とんま.
eléctric bráin =electronic brain.
electrónic bráin 《話》電子頭脳, 電子計算機.
énd·bràin 終脳, 端脳.
féather·bràin ばか, おっちょこちょい.
fóre·bràin 名 前脳(部).
gíddy-bràin 《米俗》とんま.
góo·bràin 《米俗》ばか者.
háre·bràin 向う見ずな人間, おっちょこちょい.
hínd·bràin 後脳.
ín·ter·bràin 名 間脳(diencephalon).
láme·bràin 《米話》のろま, まぬけ, ばか.
léft bráin 左脳.
míd·bràin 名 中脳(mesencephalon).
péa·bràin 《米俗》ばか.
ráttle·bràin 《俗》能なし, 頭のからっぽな人.
ríght bràin 右脳.
scátter·bràin 気の散る [注意力散漫な] 人.
smúrf·bràin 《米俗》ばか, おめでたい人.
splít bráin 〖病理〗両断脳, 分離脳.
squáre-bràin 《米俗》保守的なばか者.
wáter·bràin 〖獣病理〗(羊の)めまい病.
wét bráin 〖病理〗漿液(しょうえき)性髄膜炎.

brained /bréind/

形 《複合語》(…の)脳 [頭脳] を持った. ⇨ -ED[2].

áddle·bràined 形 頭の混乱した; 論理的でない.
cráck·bràined 形 気のふれた; 愚かな; とっぴな.
díck-bràined 形 《米俗》ばかな, 頭のおかしい.
dóo·dle-bràined 形 《米俗》ばかげた.
dúll-bràined 形 頭の鈍い [悪い].
fúck·bràined 形 《俗》ばかな, 間抜けな.
háir·bràined 形 =harebrained.
háre·bràined 形 軽率な; 向こう見ずな; 気のふれた.
hén-bràined 形 愚かな, 頭の足りない.
mád-bràined 形 激しやすい, 怒りっぽい.
númb-bràined 形 《俗》ばかな, 頭の回転が悪い.
ráttle·bràined 形 ばかな; 軽はずみな; 浮ついた.
scrámble-bràined 形 《米俗》まぬけの.
shállow-bráined 形 浅はかな, ばかな.

brake /bréik/

名 (車輪の)制動機, 歯止め, ブレーキ.

áir bràke 空気 [エア] ブレーキ.
ánti-lòck bráke 〖自動車〗アンチロック・ブレーキ.
bánd bràke 〖機械〗帯ブレーキ.
centrífugal bràke 〖機械〗遠心ブレーキ.
cháin bràke 〖機械〗鎖ブレーキ.
cóaster bràke (自転車の)コースターブレーキ.
contínuous bràke (列車などの)貫通制動機.
dísc bràke 〖自動車〗ディスクブレーキ.
dísk bràke 〖自動車〗=disc brake.
díve bràke (爆撃機などの)急降下ブレーキ.
drúm bràke 〖自動車〗ドラムブレーキ.
emérgency bràke 《米》〖自動車〗サイドブレーキ.
fláx bràke 亜麻砕茎機, 麻ほぐし機.
fóot bràke (自動車などの)足踏みブレーキ.
fríction bràke 〖機械〗摩擦ブレーキ.
hánd bràke 《英》=emergency brake.
hydráulic bráke 〖機械〗水圧 [油圧] ブレーキ.
ò·ver·bráke 動他自 ブレーキをかけすぎる.
óverrun bràke オーバーランブレーキ.
pár·a·bràke 名 〖航空〗=parachute brake.
párachute bràke 〖航空〗減速傘, 減速落下傘.

párking bràke =emergency brake.
pówer bràke 動力ブレーキ.
préss bràke 〖機械〗プレスブレーキ.
prónу bràke 〖電気〗プロニーブレーキ.
púmp bràke ポンプの取っ手.
sérvo bràke 〖機械〗〖自動車〗サーボブレーキ.
shóoting bràke 《英》〖自動車〗ステーションワゴン.
spéed bràke 〖航空〗スピードブレーキ.
tráck bràke 〖鉄道〗トラックブレーキ.
vácuum bràke 真空ブレーキ, 真空制動機.
Wéstinghouse bráke ウェスティングハウス式ブレーキ.

brak·ing /bréikiŋ/

名 ブレーキをかけること; 速度が落ちること. ⇨ -ING[1].

atmosphéric bráking 〖ロケット〗大気減速.
cádence bráking ポンピング: 自動車の速度を落とすために反復してブレーキを踏むこと.
dynámic bráking 〖鉄道〗発電ブレーキ.
regénerative bráking 〖電気〗回生制動.

branch /brǽntʃ, brá:ntʃ | brá:ntʃ/

名 枝; 分枝; 分科; 支店; 支流. ――動自 枝を出す; 分岐する.

ána·brànch 名 《特に豪》(本流から分かれ下流で合流する)支流.
dis·bránch 動他 〈木から〉枝を切り取る, 枝を払う.
míni·brànch 名 (特に銀行の)小型店, 出張所.
ólive brànch (平和の象徴としての)オリーブの枝.
rè·bránch 動自 再分枝する, 二次的分枝を形成する.
Réd Bránch 〖アイルランド伝説〗紅枝騎士団.
Spécial Brànch 《英》(ロンドン警視庁の)公安課.
súb·brànch 名 (支店の下部機構の)支所, 営業所.

-branch /brǽŋk/

連結形 〖動物〗〖魚類〗鰓(えら).
★ 語頭にくる形は branchi(o)-; *branchi*chiferous「鰓のある」, *branchio*stegal「鰓条類」.
◆ <ラ *branchiae* <ギ *bránchia*.

e·las·mo·branch 名形 板鰓(ばんさい)魚類(の).
la·mel·li·branch 名 二枚貝(bivalve). ――形〈花が〉二弁の,〈貝が〉二殻の.
loph·o·branch 名形 総鰓(そうさい)魚類(の).
mar·si·po·branch 名 円口類 Cyclostomata の.
nu·di·branch 名 裸鰓(らさい)類, ウミウシ類.
o·pis·tho·branch 名 後鰓(こうさい)類.
pros·o·branch 名形 前鰓(ぜんさい)類(の).

bran·chi·ate /brǽŋkiət, -kièit/

形 〖動物〗鰓(えら)のある. ⇨ -ATE[1].

a·bran·chi·ate 形 鰓のない, 無鰓(むさい)の.
cryp·to·bran·chi·ate 形 隠れた鰓のある.
di·bran·chi·ate 形 二鰓(にさい)類の.
nu·di·bran·chi·ate 名形 裸鰓(らさい)類(の), ウミウシ類(の).
tet·ra·bran·chi·ate 形 四鰓(しさい)類の.

brand /brǽnd/

名 (印・商標などで示される)品種, 品質, 等級, 種類.

cóunter·brànd 名 古い焼き印を取り除く新たな焼き印.
desígner brànd 〖服飾〗デザイナーブランド.
diffúsion brànd 普及ブランド.
dóuble bránd ダブルブランド: 販売店のラベルを張って売られる商品.
dúst·brànd 名 〖植物〗(麦の)黒穂病.
fámily brànd 〖マーケティング〗統一商標.
fíre·brànd 名 火のついた木片, 燃え木, たいまつ.
háir brànd 《米西部》毛をこがすだけの焼き印.
hóuse brànd 自社ブランド.
mis·bránd 動他 …に誤った焼き印を押す.
náme-brànd 形 ブランド名[商標]の.
nátional bránd ナショナルブランド, 製造業者商標.
nó-brànd 形 ノーブランドの.
óff-brànd 形 有名ブランドでない, 無名の.
ówn-brànd 形 《主に英》(小売店の)自家商標の.
prívate bránd 自家商標商品, 商業者商標商品.
stóre brànd ストア・ブランド: 販売店のラベルを張って売られる商品.

bran·dy /brǽndi/

名 ブランデー.

ápple brándy アップルブランデー(applejack).
chérry brándy チェリーブランデー.
liquéur bràndy リキュールとして飲むブランデー.
péach brándy ピーチブランデー.
púlque brándy pulque から造られる強い酒.

brass /brǽs, brá:s | brá:s/

名 真鍮(しんちゅう), 黄銅.

ádmiralty bràss 錫(すず)入り黄銅.
álpha bràss α 真鍮, 黄銅.
alúminum bràss アルミ黄銅.
béta bràss ベータ黄銅.
cálamine bràss カラミン黄銅.
cártridge bràss 薬莢(やっきょう)黄銅.
hígh bráss =yellow brass.
hórse bràss (元来, 馬具としての)真鍮の飾り.
lów bráss 低黄銅.
nával bráss ネーバル黄銅.
níckel bràss 洋銀.
réd bráss 赤色黄銅.
yéllow bráss 七三真鍮.

brat /brǽt/

名 がき, ちび, 悪がき.

ármy bràt 《話》陸軍士官, 下士官などの子供.
fíre·bràt 名 マダラシミ.
Súper·bràt 名 「(超)悪がき」: 米国のテニス選手 John McEnroe のあだ名.

bread /bréd/

名 パン, 食パン.

áltar brèad 聖体拝領用のパン.
anadáma brèad トウモロコシ粉と糖蜜入りのパン.
bátter brèad 《主に米バージニア東部》=spoon bread.
bée·brèad 蜂(はち)パン.
bílly-brèad 《豪・NZ》野営用湯沸かしで焼いたパン.
bíscuit brèad 《主に米南部》小型パン.
bláck bréad 黒パン.
bláckfellow's brèad サルノコシカケの一種の多孔菌.
Bóston brówn brèad 蒸しパンの一種.
brówn bréad 黒パン.
bútter·brèad 《主に米ペンシルベニア》バターを塗ったパン.
córn brèad 《米》トウモロコシパン.
crísp·brèad 《英》ライ麦入りの薄いビスケット.
dústy bréad 《米黒人俗》ありきたりの女の子.
égg brèad 《米南部》卵入りのコーンブレッド.

flát·brèad フラットブレッド.
Frénch bréad フランスパン.
gínger·brèad ショウガ入りケーキ [菓子パン].
glúten brèad グルテンパン.
héavy bréad 《俗》大金(heavy money).
hóly brèad 聖パン, 聖餅(せいへい).
Hóttentot's brèad 〘植物〙ツルカメソウ.
Índian brèad =corn bread.
Itálian bréad イタリアパン.
láver brèad ラーバーブレッド.
líght brèad 《米南部》=white bread.
lóaf brèad 《米南部方言》市販のパン.
lóng bréad 《米俗》紙幣(long green).
mónkey brèad バオバブの木, その実.
nán brèad ナン.
pócket brèad アロー繊維(pita)を採る植物の総称.
púlled bréad パンの中身を取り除いて焼き直したパン.
quíck brèad (ふくらし粉による)速成パン.
rýe bréad 黒パン, ライムギパン.
sált-rìsing bréad 《主に米》塩入り牛乳の入ったパン.
séa brèad 堅いビスケット, 堅パン.
shéw·brèad 〘ユダヤ教〙供えのパン.
shórt·brèad ショートブレッド.
shów·brèad 〘ユダヤ教〙=shewbread.
smáll bréad 《米俗》少しの金, はした金.
sóda brèad ソーダパン.
sów·brèad サクラソウ科シクラメン属のいくつかの品種の総称.
spóon brèad スプーンブレッド.
stándard bréad 《英》標準パン.
St. Jóhn's-brèad 〘植物〙イナゴマメ.
swéet·brèad スイートブレッド: 動物の膵臓.
téa brèad お茶請けにする軽い [甘い] パン.
wáy·brèad 〘植物〙オニオオバコ.
whéat brèad 精白小麦粉と全粒小麦粉を混ぜて作ったパン.
whíte bréad 精白小麦粉で作ったパン, 白パン.
whíte-brèad 形 《米・カナダ話》白人社会の, 中流の.

breadth /brédθ, brétθ/

名 幅, 横幅(width). ⇨ -TH[1].

fínger·brèadth 指幅(約¾インチ, 2 cm).
háir·brèadth =hairsbreadth.
háirs·brèadth わずかな間隔 [距離].
hánd·brèadth 手幅尺.
hánd's-brèadth =handbreadth.
mólded bréadth 〘造船〙型幅.

break /bréik/

動他 **1** 壊す. **2** 終わらせる. ――名 **1** 中断. **2** 休憩.

báby brèak 出産 [育児] 休暇.
bárley·brèak 《英》(昔の遊びで)バーリーブレイク.
cháin brèak 〘ラジオ・テレビ〙チェーンブレーク.
cóffee brèak お茶の時間, コーヒー休み.
commércial brèak 〘ラジオ・テレビ〙CM ブレーク.
dáy·brèak 夜明け.
fást bréak 〘バスケット〙速攻.
fíre·brèak (森林・草原などの)防火帯 [線].
hálter-brèak 動他 〈馬を〉端綱(はづな)に慣れさせる.
héart·brèak 胸が裂けるほどの悲しみ, 悲嘆.
hóuse-brèak 動自 押し込み強盗 [住居侵入] をする.
jáil·brèak 《話》脱獄(《英》gaolbreak).
lég-brèak 〘クリケット〙レッグボール.
lúnch brèak 名形 昼食時間(の).
máke-and-bréak 形 〈電気回路が〉自動断続式の.
máke-or-bréak 形 一か八(ばち)かの.
mín·i·brèak 名 《英》2–3 日の(週末)旅行.
néws·brèak 報道価値のある出来事 [事件].
óff·brèak 名 〘クリケット〙オフブレーク.
óut·brèak 名 (戦争・暴動・火事などの)勃発(ぼっぱつ).
ó·ver·brèak 名 〘土木〙過掘削土.
sérvice brèak 〘テニス〙サービスブレーク.
snów·brèak 雪解け.
spríng brèak (大学の)春休み.
státion brèak 《米》〘ラジオ・テレビ〙ステーションブレーク.
sún·brèak (建物の)日よけ, ひさし.
téa brèak 《主に英》お茶の時間.
tíe brèak タイブレーカー(tie breaker).
wínd·brèak (板などによる)風よけ; 防風林.
wórd·brèak 〘印刷〙単語の分綴(ぶんてつ)箇所.

break·er /bréikər/

名 破壊者; 砕く道具. ⇨ -ER[1].

áxe-brèaker 《豪》オーストラリア産のモクセイ科の木.
báck·brèaker 非常に骨の折れる仕事.
báll-brèaker 《俗》つらい仕事をさせる人.
bóne-brèaker 《米俗》内科医, 医者.
cár brèaker 《英》レッカー車.
círcuit brèaker 〘電気〙遮断器, ブレーカー.
gróund·brèaker 創始者, 開拓者, 草分け.
hórse-brèaker 馬の調教師, 調馬師.
hóuse-brèaker 押し込み強盗, 家宅侵入者.
íce-brèaker 〘海事〙砕氷船.
jáw-brèaker 《話》発音しにくい言葉.
láw-brèaker 法律違反者.
míddle-brèaker 畝(うね)立て機(lister).
péace-brèaker 平和を乱す人; 騒乱を引き起こす人.
práirie brèaker 鋤(すき).
príson brèaker 脱獄者.
récord brèaker 記録を破った人.
sáfe-brèaker 《英》金庫破り(をする者).
shíp-brèaker 船舶解体業者 [会社].
spót brèaker 〘放送〙スポットブレーカー.
stóne-brèaker (道路用の)石割り工; 砕石機.
stríke-brèaker ストライキ破り, スキャップ.
tíe-brèaker (テニスなどの)タイブレーカー.
tráil·brèaker (未開地などで)道をつける人.

break·fast /brékfəst/

名 朝食; (一日の)最初の食事.

béd-and-bréakfast 名 朝食付き宿泊(の民宿)(b&b).
continéntal bréakfast ヨーロッパ大陸式朝食.
dóg's bréakfast 《話》めちゃくちゃ, ごたまぜ.
dónkey's brèakfast 《米俗》(商船で)わらのマットレス.
Énglish bréakfast 英国式朝食.
Méxican bréakfast 《米俗》タバコ一本と水一杯の朝食.
píg's bréakfast 《英俗》混乱, 乱雑.
pówer bréakfast (重役の)朝食会.
práyer brèakfast 《主に米》朝食祈祷(きとう)会.
wédding brèakfast (新婚旅行出発前に花嫁宅で出される)結婚披露宴の料理.
wórking brèakfast 仕事の話を交わしながらの朝食.

break·ing /bréikiŋ/

名 **1** 粉々にすること. **2** (規則, 約束などを)破ること. **3** 破って出ること. ――形 **1** 粉々にする. **2** (道を)切り開く. **3** 打破する. **4** くじく. ⇨ -ING[1], -ING[2].

báck·brèaking 形 〈仕事などが〉たいへん骨の折れる.
círcuit-brèaking 名 〘経済〙株価変動幅規制措置.
fást-bréaking 形 〈事件などが〉矢継ぎ早に起こる.
gróund·brèaking 名 〘建築〙鍬(くわ)入れ(式), 起工(式).
héart·brèaking 形 胸の張り裂けるような.
néck·brèaking 形 (危険なまでに)速い速度の.
páth·brèaking 形 新しい道を切り開く, 開拓者的な.

príson brèaking 脱獄, 破獄, 牢破り.
récord-brèaking 形 記録破りの, 空前の.
stríke-brèaking 名 ストライキ破り.

breast /brést/

名 (二足動物で)胸, 胸部.

a·bréast 副形 横に並んで.
cáked bréast 〖病理〗停留性乳房炎.
chícken brèast 〖病理〗はと胸.
chímney brèast 部屋の内部に突き出た煙突部分.
héel brèast ヒールブレスト: 靴のヒール部.
pígeon brèast 〖病理〗=chicken breast.
píllar-and-bréast 形 〖採鉱〗柱房式の.
réd·brèast 名 《話》ヨーロッパコマドリ.

breath /bréθ/

名 息, 呼吸; 呼気, 吸気, 呼吸作用 [能力].

bábies'-brèath =baby's-breath.
báby's-brèath シュッコン(宿根)カスミソウ.
bád bréath 口臭, 臭い息(halitosis).
dóg's brèath 《俗》嫌われ者.
lífe brèath 生命を支える呼吸; 活気づける力.
pénis brèath 《米俗》あほう, 間抜け.
sécond bréath (運動中やそのあとなどで動悸(どうき)が治って)平静な呼吸を回復すること.

breath·ing /bríːðiŋ/

名 **1** 呼吸. **2**〖古典ギリシャ語法〗(1)語頭の母音における気息の有無. (2) 気音符. ―― 形 呼吸をしている. ⇨ -ING[1], -ING[2].

círcular bréathing 管楽器の吹奏技術; 鼻から空気を吸い込み, ほおを膨らませて口から息を吹く.
déep bréathing (特に体操の)深呼吸.
fíre-bréathing 形 火を吹く.
fróg brèathing 〖医学〗舌咽(ぜつえん)呼吸.
hárd bréathing 《米俗》情熱的なセックス.
héavy brèathing 激しいセックス描写.
Kússmaul brèathing 〖病理〗糖尿病性大呼吸.
nòn·bréathing 形 〈プラスチックなどの材料が〉息をしない, 通気性のない, むれる.
róugh bréathing 気息記号(ʽ).
smóoth bréathing ギリシャ語の記号の一つ(ʼ).

bred /bréd/

動 breed の過去・過去分詞形. ―― 形 《しばしば複合語》育ちが…の.

cíty-brèd 形 都会育ちの.
cléan-bréd 形 純血種の.
cóllege-bréd 形 大学を出た, 大卒の.
cóuntry-bréd 形 田舎育ちの.
króss·brèd 形 交配種の, 雑種の.
hálf-brèd 形 混種の, 雑種の.
hígh·brèd 形 血筋のよい; 〈家畜が〉優良種の.
hóme·bréd 形 自宅 [自国] 育ちの; 国産の.
íll-bréd 形 しつけの悪い, 育ちの悪い, 無作法な.
ín·bréd 形 生まれつきの, 生得の.
íncróss·brèd 形 異品種間近交系間交配種の.
líne·brèd 形 (同種)異系交配で作り出された.
lów·bréd 形 《今はまれ》しつけの悪い; 粗野な.
púre·bréd 形 純血種の, 純系の.
Stándard·brèd 名 標準型馬(種).
stándard-brèd 形 Standardbred 種の馬の.
stráight·brèd 形 純血種の.
thórough·brèd 形 純血種の.
trúe-bréd 形 育ちのよい.
ùn·bréd 形 教えられていない, 仕込まれていない.
ùnder·bréd 形 育ちの悪い, しつけの悪い.
wéll-bréd 形 育ちのよい, 立派に教育された.

breech·es /brítʃiz/

名複 (17-19 世紀初めにわたって男子が広く着用した)ひざ丈のズボン(knee breeches). ►breech の複数形. ⇨ -ES[1].

Dútchman's-bréech·es 名複 コマクサ属の多年草 *Dicentra cucullaria*.
knée brèeches =breeches.
pétticoat brèeches 〖服飾〗ペティコートブリーチズ, ラングラーブ(Rhinegrave breeches).
Rhínegrave brèeches 〖服飾〗ラングラーブ.
ríding brèeches 乗馬用ズボン(breeches).

breed /bríːd/

動他 〈特に動物が〉〈子孫を〉つくる, 〈子を〉もうける, 産む. ―― 名 〖遺伝〗(育成)品種; 血統, 血筋.

búlldog brèed (けんか好きな)英国民.
cólor·brèed 動自 選択育種する.
króss·brèed 動他自 (…と)交雑をする, 異種交配する.
dáiry brèed (特に牛の)乳用種.
hálf-brèed 名 混血児.
ín·brèed 動他 同系交配させる; 近親交配させる.
ìnter·bréed 動他自 =crossbreed.
òut·bréed 動他 異系交配する.
quárter-brèed 名 《米》4 分の 1 混血児.
súb·brèed 名 亜品種.
trúe brèed 純粋種.

breed·ing /bríːdiŋ/

名 **1** (種の)繁殖, 生殖. **2**〖畜産〗〖園芸〗品種改良; (動物の)飼育. ⇨ -ING[1].

cáttle brèeding 牧畜(業).
íll bréeding 粗野なこと; 育ちの悪さ.
ín·brèeding 名 〖生物〗同系交配.
líne·brèeding 名 =outbreeding.
óut·brèeding 名 〖生物〗(同種)異形公配.
stóck·brèeding 名 牧畜, 畜産.

breeze /bríːz/

名 そよ風, 微風; 浜風, 海陸風.

frésh bréeze 〖気象〗疾風.
géntle bréeze 〖気象〗軟風.
láke brèeze 湖風.
lánd brèeze 〖気象〗陸風, 陸軟風.
líght bréeze 〖気象〗軽風.
máckerel bréeze さば風: 水面にさざ波を立てる風.
móderate bréeze 〖気象〗和風.
séa brèeze 〖海事〗〖気象〗海風, 海軟風.
stróng bréeze 〖気象〗雄風.

breth·ren /bréðrin/

名 (宗教・団体などの)男性メンバーたち. ⇨ -EN[4].

Bohémian Bréthren ボヘミア兄弟団.
Chrístian Bréthren =Plymouth Brethren.
Exclúsive Bréthren エクスクルーシブ・ブレズレン: Plymouth Brethren の厳格な一分派.
Gérman Báptist Bréthren ドイツで創始されたキリスト教の一派.
Morávian Bréthren モラビア兄弟団, モラビア教会.
Ópen Bréthren 〖キリスト教〗オープン・ブレズレン:

Plymouth Brethren の一分派.

Plýmouth Bréthren プリマス・ブレズレン, プリマス同胞教会.
Uníted Bréthren 同胞教会(員): 1800 年に米国で創設されたプロテスタントの一派.
Únity of Bréthren =Moravian Brethren.
wéak·er bréthren (グループ中で)他の人より劣る人たち.

brew /brúː/

名 **1** 醸造; 《米学生俗》ビール. **2** 混合(物), 調合(液).

hóme-bréw 自家醸造飲料(ビールなど).
róad brèw 《米学生俗》ビール.
wítches' brèw (魔女の調合した)秘薬.
wítch's brèw =witches' brew.

brick /brík/

名 **1** れんが. **2** れんが状の塊.

áir brìck 《主に英》中空[有孔]れんが.
Báth brìck バス砥石(といし).
béam brìck 楣(まぐさ)れんが.
chícken brìck チキンブリック: 若鶏料理用鍋.
fáce brìck 化粧れんが.
fácing brìck =face brick.
fíre·brìck 耐火れんが.
gláss brìck ガラスれんが.
góld·brìck 《話》金れんが.
gróut·lòck brìck 内側の角をそいだれんが.
íron brìck 鉄れんが.
kíln rùn brìck 耐候れんが.
kílo brìck 《米俗》約 1 kg のマリファナ塊.
múd brìck 粘土を焼成したれんが.
pláce-brìck 焼きの不十分なれんが.
préssed brìck 押し型れんが.
réd·brìck 形 赤れんが造りの.
Róman brìck ローマれんが.
sálmon brìck 赤橙(せきとう)色の半焼きのれんが.
sánd-lìme brìck ケイ灰れんが.
sílica brìck ケイ石れんが.
ùn·bríck 動他 …かられんがを取り除く.

bride /bráid/

名 花嫁, 新婦, 新妻.

chíld bríde (特に十代前半の)幼い花嫁.
móurning bríde 【植物】セイヨウマツムシソウ.
wár brìde 戦時下の花嫁.

bridge[1] /brídʒ/

名 橋, 橋梁(きょうりょう); 陸橋; 【鉄道】跨線橋(こせんきょう).

Ádam's Brídge アダムズブリッジ: インド南東部とセイロン島の間にある列島.
áir brìdge 《英》=loading bridge.
ásses' brìdge 【幾何学】ロバの橋.
Báiley brìdge 【軍事】ベーリー橋.
báscule brìdge 跳開橋, 跳ね橋.
béam brìdge けた橋.
brídle brìdge 馬橋: 馬は通れるが車は通れない狭い橋.
Cám·bridge 名 ケンブリッジ(イングランドの地名). ►字義は「Cam 川の橋」.
cháin brìdge 鎖式つり橋.
clápper brìdge (古代の)大石板橋.
cóunterpoise brìdge =bascule bridge.
cóvered brìdge 【建築】屋根付きの橋, 有蓋橋.
déck brìdge 上路橋.
dócking brìdge 【海事】船尾船橋.
dráw·brìdge 跳ね橋, 可動橋; つり上げ橋.
férry brìdge =transporter bridge.
fíxed brídge 【歯科】橋義歯.
flóat brìdge 浮き(桟)橋, いかだ橋, 船橋.
flóating brídge =float bridge.
flý·brìdge 【海事】=flying bridge.
flýing brìdge 【海事】最上船橋[艦橋].
fóot·brìdge (横断)歩道橋.
Gólden Gáte Brídge 金門橋: 米国 California 州西部の San Francisco 市街と Marin 半島をつなぐつり橋.
Írish brídge 《英》川底を舗装した浅瀬.
kíssing brìdge 《カナダ》=covered bridge.
lánd brìdge 【地質】陸橋.
láttice brìdge ラチス橋: 格子桁(けた)組みの木製橋.
líft brìdge 昇開橋.
líght brìdge 【演劇】照明の仕込に用いるブリッジ.
lóading brìdge 搭乗橋, ローディングブリッジ.
Lóndon Brídge ロンドン橋: Thames 川北岸の the City of London と南岸の Southwark を結ぶ橋.
mónkey brìdge 【海事】=flying bridge.
Nátural Brídge 米国 Virginia 州中西部の石灰岩の橋を思わせる岩形.
occupátion brìdge 私有地連絡橋, 私用橋.
óre brìdge オアブリッジ: 山積み鉱石荷役用のガントリークレーン.
ó·ver·brìdge 名 《英》陸橋, 歩道橋, 跨線橋.
páint brìdge 背景などを描くためのブリッジ.
pívot brìdge ピボット(旋回)橋.
póntoon brìdge 舟橋(しゅうきょう), 浮き橋.
róad brìdge 上に道路[線路]が走っている橋.
rólling brídge 転開橋.
ský·brìdge 名 スカイブリッジ: 道路を隔てた 2 つの建物をつないで架けられる歩行用通路.
snów brìdge 【登山】スノーブリッジ.
Stámford Brídge スタンフォードブリッジ(イングランドの地名).
suspénsion brìdge つり橋.
swíng brìdge 旋開橋.
swível brìdge =swing bridge.
téle·brìdge 名 テレビ対話.
tóll brìdge 有料橋.
Tówer Brídge (London の)タワーブリッジ.
transpórter brìdge 運搬橋.
tráversing brìdge (橋体が水平方向に移動する)可動橋.
tréstle brìdge トレッスル橋, 構脚橋.
trúss brìdge トラス橋, 構橋.
túrn brìdge =pivot bridge.
wéigh·brìdge 名 橋秤(はしばかり), 計量台.
Whéatstone brìdge 【電気】ホイートストン・ブリッジ.

bridge[2] /brídʒ/

名 【トランプ】ブリッジ.

áuction brìdge オークションブリッジ.
cóntract brìdge コントラクトブリッジ.
dúplicate brìdge デュプリケートブリッジ.
fóur-déal brìdge フォーディールブリッジ.
hóneymoon brìdge ハネムーン・ブリッジ.
rúbber brìdge ラバーブリッジ.

brief /bríːf/

名 簡潔な声明[文書], 摘要, 概要. ── 動他 手短に指図する.

amícus bríef 《米》【法律】法廷助言者(amicus curiae)による意見書.
de·bríef 動他 〈兵士・外交官などに〉任務の結果を尋ねる, 報告を聞く.

dóck brìef 《英法》事件要約書.
prè·bríef 動他 事前に指示する.
wátching brìef 〖英法〗訴訟警戒依頼(書).

bri·er /bráiər/

名 イバラ.

bull·bri·er 名 =catbrier.
cat·bri·er 名 シオデ(サルトリイバラを含む).
green·bri·er 名 =catbrier.
horse·bri·er 名 =catbrier.
sweet·bri·er 名 エグランティンバラ.
wíld bríer ドッグローズ(dog rose).

brig /bríg/

名〖海事〗ブリッグ: 横帆の 2 本マストの船. ►brigantine「2 本マストの帆船」の短縮形.

fóur-màsted bríg 〖海事〗ジャッカス・バーク.
gún brìg 砲 8－12 門を備えた 18 世紀の海軍帆船.
hermáphrodite brìg ブリガンティン; 帆船の一種.
jáckass brìg 〖海事〗ジャッカス・ブリグ.

bri·gade /brigéid/

名〖軍事〗旅団. ⇨ -ADE[1].

Ángry Brigáde 怒りの旅団: 主に 1960–70 年代に英国でテロ活動を行った左翼超過激派.
Bóy's Brigáde 《英》少年隊: 1883年創設の青少年育成の組織.
búcket brigàde (消火のための)バケツリレーの列.
fíre brigàde 《主に英》消防隊[団].
gréen-wèlly brígade 田舎のセカンドハウスで週末を過ごす都会の金持ち連中.
Hóusehold Brígade 《英》近衛(ⓒ)旅団.
Internátional Brígade 国際旅団: スペイン内戦(1936–39)での国際義勇軍.
nával brigáde 海軍州兵.
shóck-brigàde (旧ソ連の)特別作業隊.
St. Jóhn Ámbulance Brigàde 《英》セントジョン救急隊.

brim /brím/

名 **1** (鉢・皿・コップなどくぼみのあるものの)縁. **2** (突き出た)縁, (帽子などの)つば; 《米話》帽子. ――動自〈液体が〉あふれる. ――他〈容器を〉いっぱいにする.

a·brím 副形 縁までいっぱいに[の].
bróad·brìm つば広帽子.
òver·brím 動自他〈液体が〉(容器から)こぼれる.
snáp brìm 上下に折り返せる帽子の縁; スナップブリム.
ún·der·brìm 名 帽子のつばの裏側に張る布.

broad /brɔ́ːd/

形 幅の広い. ――名 **1** 幅の広い部分. **2** 《米俗》女, 娘: 売春婦.

a·bróad 副 外国で, 外国に[へ], 海外に[へ]. ►《米》では特にヨーロッパ大陸についていう.
búcket bròad 《米俗》肛門性交をする売春婦.
dánge bròad 《米俗》魅力的な黒人女.
dícky bròad 《米俗》男っぽいレズ.
júg bròad 《米俗》頸(ⓒ)静脈以外に麻薬を打つ血管の残っていない女性麻薬中毒患者.
squáre bróad 《米俗》(売春婦でない)素人女.

broad·cast /brɔ́ːdkæ̀st, -kɑ̀ːst | -kɑ̀ːst/

動他〖ラジオ〗〖テレビ〗放送する. ――名(テレビ, ラジオの)放送.

óutside bróadcast 《英》ロケーション放送, 野外放送.
rádio·bròadcast 名 無線[ラジオ]放送.
rè·bróad·cast 動他 …を(同一放送局から)再放送する.
sóund-múltiplex bròadcast 音声多重放送.

broad·cast·ing /brɔ́ːdkæ̀stiŋ, -kɑːst- | -kɑːst-/

名 (ラジオ・テレビの)放送, 放映. ⇨ -ING[1].

áccess bròadcasting 《英》局外[自主]制作放送.
bináural bróadcasting バイノーラル放送.
sóund bròadcasting ラジオ放送.
stíll pícture bròadcasting 〖テレビ〗静止画放送.

broil /brɔ́il/

動他《米・カナダ》(じか火で)焼く.

chár·bròil 動他〈肉を〉炭火で焼く[あぶる].
Lóndon bróil 《米》ロンドン風フランクステーキ.
pán-bròil 動他自 油をほとんど塗らないフライパンで蓋をせずに素早く焼く.

brok·en /bróukən/

動 break の過去分詞形. ⇨ -EN[3].

héart·bròken 形 悲しみに打ちひしがれた.
hóuse·bròken 形 《主に米》〈ペットが〉用便のしつけをされた.
sáddle-bróken 形〈馬が〉鞍(ⓒ)に慣れた.
ùn·brókin 形 破れていない, 壊れていない, 完全な.
wínd-bròken 形〖獣病理〗〈馬が〉呼吸困難になった.

bro·ker /bróukər/

名 仲介業者, 周旋屋; 仲買人.

áir bròker 《英》航空運送仲立人.
bíll bròker 《主に英》手形仲買業者.
commíssion bròker コミッションブローカー, 手数料仲買人.
cústomer's bròker 〖株式〗〖証券〗登録有価証券外務員.
cústoms bròker 通関業者, 税関貨物取扱業者.
díscount bròker (商業手形の)割引仲買人, 割引商.
flóor bròker フロアーブローカー, 場内仲買人.
hónest bróker 《話》公平な仲裁者.
líst bròker リストブローカー: 名簿賃貸業者.
márriage bròker 仲人業者.
nóte bròker 《米》〖金融〗手形仲買人[業者].
páwn·bròker 質屋, 質屋の主人.
píece bròker 《古》(布などの)半端切れ商人.
pláy·bròker (劇場主・プロデューサー・俳優との折衝に当たる)劇作家の代理人.
pórn·bròker ポルノ販売業者.
pówer·bròker 《米》パワーブローカー: 政治的に強い影響力を持つ人.
sháre·bròker 《主に英》=stockbroker.
shíp bròker 船舶仲買人, シップブローカー.
stóck·bròker 株式仲買人.
stréet bròker 場外仲買人.
tícket bròker 《婉曲的》だふ屋(ticket tout).

bro·mide /bróumaid/

名〖化学〗臭化物. ⇨ -IDE[1].

cyánogen brómide 臭化シアン, ブロモシアン.

B

di·bró·mide 名 二臭化物.
ethídium brómide 〘生化学〙(臭化)エチジウム.
hy·dro·bró·mide 名 臭化水素酸塩.
hýdrogen brómide 臭化水素.
ipratrópium brómide 〘薬学〙臭化イプラトロピウム.
méthyl brómide 臭化メチル(bromomethane).
pancurónium brómide 〘薬学〙パンキュロニウム.
potássium brómide 臭化カリウム, ブロムカリ.
propántheline brómide 〘薬学〙プロパンセリン臭化物.
pyridostígmine brómide 〘薬学〙臭化ピリドスティグミン.
sílver brómide 臭化銀.
sódium brómide 臭化ナトリウム.
tri·bró·mide 名 三臭素化物.

bronze /bránz | brɔ́nz/

名 〘冶金〙 **1** 青銅, ブロンズ. **2** 銅合金.

ál·brònze 名 =aluminum bronze.
alúminum brònze アルミ青銅.
architéctural brónze 建築用ブロンズ.
béaring brònze 軸受け青銅.
béll brònze ベルブロンズ.
cádmium brònze カドミウム銅.
cóinage brònze 貨幣青銅.
gílt brónze オルモル製品(ormolu).
góld brònze 金青銅, ゴールドブロンズ.
jóurnal brònze ジャーナル青銅.
mánganese brónze マンガン青銅.
phósphor brónze リン青銅.
plástic brónze 塑性青銅.

brook /brúk/

名 小川, 細流.
★ 地名にも使われる.

Cran·brook 名 クランブルック(カナダの地名).
North·brook 名 ノースブルック(米国の地名).

broom /brúːm, brúm/

名 **1** 〘植物〙エニシダ. **2** ほうき.

brúsh bròom 《米国北東部》小ぼうき.
búsh bròom オトギリソウ属の常緑草の一種.
bútcher's-bròom 〘植物〙ナギイカダ.
clóver bròom 〘植物〙キバナセンダイハギ.
córn bròom 《米北東部・古風》きび箒(ぼうき).
dýer's-bròom 《米》〘植物〙ヒトツバエニシダ.
fóg·bròom (道路や飛行場の)霧消散装置.
néw bróom 新任の改革推進者.
púsh bròom 長柄付きの幅の広いほうき.
Scótch bróom 〘植物〙エニシダ.
Spánish bróom 南ヨーロッパ原産のマメ科ヒトツバエニシダ属の低木 *Genista hispanica*.
wár·min·ster bróom 〘植物〙トルコエニシダ.
whísk bròom 《米》(特に衣服用の)小ブラシ.
wítch bròom =witches'-broom.
wítches'-bròom 〘植物病理〙天狗(てんぐ)巣.

broth /brɔ́ːθ, bráθ | brɔ́θ/

名 ブロス: 肉や魚を煮出して作ったスープ.

gár·bròth 《米南部》ガー(北米淡水産の細長い魚)のだし汁.
héll·bròth 地獄のスープ: 黒魔術のために作る.
primódial bróth (生命を発生させた)原始スープ.
Scótch bróth 〘料理〙スコッチスープ.
snów-bròth 解けている雪; 雪水, 雪解け水.

broth·er /brʌ́ðər/

名 **1** 兄弟. **2** 同胞; 仲間. **3** 《米俗》黒人.

bíg bróther 兄, 兄貴.
blóod bróther 血を分けた兄弟.
brówn bróther 《米俗》太平洋諸島[マライ]の人.
Chrístian Bróther 〘ローマカトリック〙キリスト教学校修士会会員.
cráft bròther (熟練が要る業種の)同業者, 仲間.
élder bróther 《英》英国の海岸沿いに灯台や浮標を設けている水先案内組合の 13 人の長老の一人.
fóster bróther 乳(ち)兄弟.
hálf bròther 異母兄弟.
láy bròther 平修士, 助修士.
píg bròther 《米俗》密告する黒人.
sóul bròther 《特に米黒人俗》(同胞の)黒人の男.
stép·bròther 義兄[弟].
whóle bròther 同父母兄弟.
Xavérian Bróther ザベリオ会の助修士.

broth·ers /brʌ́ðərz/

名複 brother「兄弟」の複数形.

Állman Bróthers オールマン・ブラザーズ: 米国のロックバンド.
Árval Bróthers (古代ローマで)アルウァレス; 農耕と大地の女神に仕える 12 人の神官団.
Cóllyer bróthers コリヤー兄弟: 守銭奴の代名詞.
Dóobie Bróthers ドゥビーブラザーズ: 米国のロックバンド.
Éverly Bróthers エバリーブラザーズ: 米国の二重唱歌手.
Márx Bròthers マルクス兄弟: 米国の喜劇俳優一家.
Messína bròthers メッシナ兄弟: 英国内で売春業を営んだイタリア人の兄弟.
Rítz Bróthers リッツ兄弟: 米国の喜劇トリオ.
Smóther's Bróthers スマザーズブラザース: 二人組のコメディアン.
Twín Bròthers 〘天文〙ふたご(双子)座.
Wárner Bróthers ワーナーブラザース: 米国の映画会社.

brow /bráu/

名 **1** 〘解剖〙眼窩(がん)上隆起. **2** 《話》知性の程度.

broad·brow 名 《英話》幅広い興味[趣味]の持ち主.
eye·brow 名 眉弓(びきゅう).
high·brow 名 知識人, 教養人.
low·brow 名 教養の低い人; (趣味の)低級な人.
mid·dle·brow 名 《話 / 軽蔑的》教養[知識]の中程度の人; 月並みな人.

browed /bráud/

形 《通例複合語》…状のまゆ毛のある. ⇨ -ED².

béetle-bròwed 形 まゆ毛が太く突き出た.
bláck-brówed 形 濃いまゆ毛の.
héavy-bròwed 形 しかめっ面した, 不機嫌な顔をした.
hígh·bròwed 形 知識人ぶった; インテリ向きの.
lów-brówed 形 額の狭い; 《話》教養の低い.

brown /bráun/

名 茶色, 褐色. ── 形 茶色の.

béach-bròwn 形 海岸で日焼けした.
bútter bròwn 《米俗》(軽食堂で)バタートースト.
Cássel brówn =Vandyke brown.
chárcoal brówn チャコールブラウン.
Cológne brówn =Vandyke brown.

em·brówn 動他自 茶色にする [なる].
Havána brown ハバナ葉巻色; その色の短毛のネコ.
im·brówn 動他自 =embrown.
Lóndon brown 濃い赤褐色(carbuncle).
márch bròwn 〖昆虫〗タニガワカゲロウの一種.
Márs brown マースブラウン: 褐色, 薄茶色.
méadow bròwn 〖昆虫〗ジャノメチョウ.
Méxican brówn ⟪米俗⟫ メキシコ産の褐色のヘロイン.
Néwcastle brówn ニューカッスル・ブラウン: 英国の度の強いビール.
nút·brówn 形 暗赤褐色の, 栗(くり)色の.
ólive brówn オリーブブラウン.
Prússian brówn プルシアン茶: 褐色の顔料.
séal brówn 黒ずんだ灰褐色, アザラシ色.
Spánish brówn スパニッシュブラウン: 酸化鉄を含む赤褐色の土; 顔料にされる.
tobácco bròwn 黄みがかった褐色.
Vandýke brówn バンダイクブラウン: 褐色.
wáll bròwn 〖昆虫〗ジャノメチョウ科のチョウのうち, 岩や壁に止まる習性のある茶色のチョウ 3 種の総称.
wálnut brówn 明るい黄みのある褐色.

-brum /brəm/

接尾辞 ⟪ラテン語⟫ 道具・手段を表す名詞接尾辞. ⇨ -UM[1].

de·lu·brum 名 (古代ローマの)寺院, 神殿, 聖所.
la·brum 名 (装飾を施した古代ローマの)浴槽.

brush[1] /brʌ́ʃ/

名 ブラシ, 刷毛(はけ), 筆.

áir·brùsh エアブラシ.
bóttle·brùsh 瓶洗いブラシ.
bróad-brùsh 形 大ざっぱな, 大体の.
cámel's hàir brùsh リスの尾の毛で作られた絵筆.
clóthes-brùsh 洋服ブラシ.
crúmb-brùsh (食卓用の)パンくず払いブラシ.
cỳto·brúsh 〖医学〗細胞採用はけ.
dándy brùsh 根櫛(ねぐし), 根ブラシ, 馬櫛.
drý·brùsh 〖美術〗(水墨画で)渇筆.
énd brùsh 〖生物〗終足.
flý brúsh ⟪米⟫ ハエを追う道具.
fóx brùsh キツネの尾: キツネ狩りの記念品.
háir·brùsh ヘアブラシ.
hát·brùsh (シルクハット用の)帽子刷毛(はけ).
líp·brùsh (口紅用の)紅筆.
mílitary brúsh ミリタリーブラシ.
náil·brùsh (マニキュア用の)爪(つめ)ブラシ.
páint·brùsh ペンキ用の刷毛(はけ); 絵筆.
pástry brùsh 料理用刷毛(はけ).
póllen brùsh (昆虫の脚や腹部の)花粉ブラシ.
scrúb brùsh ⟪主に米⟫ 掃除用たわし.
sháving brùsh ひげそり用ブラシ.
shóe·brùsh 靴磨き用のブラシ.
tár·brùsh タール刷毛(はけ).
tóoth·brùsh 歯ブラシ; 口ひげの一種.
tráctor brúsh 清掃トラクター, 清掃車.
wíre brúsh ワイヤブラシ.
wíre-brúsh 動他 〈さび・ペンキなどを〉ワイヤブラシで落とす.

brush[2] /brʌ́ʃ/

名 ⟪主に米・豪⟫ **1** 低木の茂み, やぶ, 雑木林, 叢林(そうりん)(scrub, thicket). **2** 低木.

bítter·brùsh (北米西部乾燥地の)バラ科の低木.
clóthier's brúsh ラシャガキグサ(fuller's teasel).
quáil-brùsh アカザ科ハマアカザ属の低木.
rábbit·brùsh キク科クリソタムヌス属の低木.
ságe·brùsh ヤマヨモギ.
únder·brùsh ⟪主に米・カナダ⟫ 下草, 下生え.

brute /brúːt/

名 (特に大きい)動物, 野獣, 畜生.

em·brute 動他自 =imbrute.
im·brute 動他自 野獣のようにする [なる].

bry·o·ny /bráiəni/

名 〖植物〗ブリオニア. ⇨ -Y[3].

bláck brýony タムス(black bindweed).
pòl·y·ém·bry·o·ny 名 〖発生〗多胚(形成), 多胚生殖.
réd brýony ウリ科ブリオニ属の草.
whíte brýony ウリ科ブリオニア属の草.

bub·ble /bʌ́bl/

名 泡, あぶく, 気泡; シャボン玉. ⇨ -LE[1].

a·bub·ble 形 泡立った, 煮え立った, 沸騰した.
hárd búbble 〖コンピュータ〗磁気バブル.
húbble-bùbble 水ギセル.
magnétic búbble 〖コンピュータ〗磁気バブル.
quántized búbble =hard bubble.
sóap bùbble せっけんの泡, シャボン玉.
Sóuth Sèa Búbble 〖英史〗南海泡沫(ほうまつ)事件(1720).

buck[1] /bʌ́k/

名 雄ジカ; (ウサギ・羊・ヤギなどの)雄.
★ 語末にくる関連形は -BOK.

black·buck 名 ブラックバック, インドレイヨウ.
blúe bùck ブローボック(blaubok).
bush·buck 名 ブッシュバック(guib).
gólden búck 溶けたチーズを塗ったトーストに, 熱湯の中で割ってゆでた卵を載せた料理.
jum·buck 名 ⟪豪・NZ 話⟫ 羊.
marsh·buck 名 シタンツンガ, ヌマレイヨウ(沼羚羊).
prong·buck 名 プロングホーン, エダツノレイヨウ.
reed·buck 名 リードバック.
roe·buck 名 ノロジカ(roe deer)の雄.
wa·ter·buck 名 ウォーターバック.

buck[2] /bʌ́k/

名 ⟪米・カナダ・豪俗⟫ ドル(dollar).

bíg búck ⟪主に米話⟫ 大金(たいきん).
fást búck ⟪米俗⟫ 楽にもうけたあぶく銭.
hálf búck ⟪米俗⟫ 半ドル, 50 セント(銀貨).
meg·a·buck 名 ⟪米・カナダ俗⟫ 100 万ドル.
nárco·bùck 麻薬取引で得た利益.
quíck búck =fast buck.
tóugh búck ⟪米俗⟫ きつい仕事(で得た金).

buck·et /bʌ́kit/

名 バケツ, 手桶(ておけ). ⇨ -ET[1].

bít-bùcket 名 ⟪米俗⟫ 誤って消したコンピュータデータが入るとされる空想上の場所.
bráin bùcket ⟪米軍俗⟫ (保護用)ヘルメット帽.
gásh bùcket ⟪米俗⟫ ごみ [小便用] バケツ.
gút·bùcket ⟪米話⟫ ガットバケット: 強いビートをきかせた熱っぽくて土臭いスタイルのジャズ演奏.
hóney bùcket ⟪こっけい⟫ ⟪古風⟫ 肥たご.
lúnch·bùcket 弁当箱.

B

píg bùcket (豚の食料となる)台所の残飯バケツ.
púff-bùcket 《米話》ほら吹き.
rúst·bùcket 《米俗》老朽化した米海軍駆逐艦.
scúm·bùcket 《米俗》たちの悪いやつ.
sléaze-bùcket 《米俗》嫌なやつ [もの, 場所].
slíme·bùcket 《米俗》見下げ果てたやつ.
slóp bùcket 残飯桶.
swásh·bùcket 《米俗》だらしない女.
tár bùcket 《米俗》(士官学校で)軍の正帽.

buck·le /bʌ́kl/

名 (ベルト・ひも・帯などの)締め金具, 留め金, バックル, 尾錠. ── 動他 …を留め金で留める. ⇨ -LE².

shóe bùckle 靴の締め金.
túrn·bùckle ねじ締め金具.
ùn·búck·le 動他自 留め金を外す.

bud /bʌ́d/

名 『植物』芽, つぼみ.

accéssory bùd =supernumerary bud.
áxillary bùd 腋芽(えきが).
bíg búd 〔植物病理〕芽肥大症.
bróod bùd 肉芽, 珠芽, むかご(bulbil).
de·búd 動他 =disbud.
dis·búd 動他 〔園芸〕芽を摘み取る, 摘芽する.
fárcy bùd 〔獣病理〕馬鼻疽潰瘍(ばびそかいよう).
flówer bùd 花芽.
góld bùd 《米麻薬俗》花頭部分のマリファナ.
gréen bùd 《米麻薬俗》自家栽培のマリファナ.
láteral búd 側芽(axillary bud).
léaf bùd 葉芽(bud).
míxed búd 混合芽.
múd-bùd 《米麻薬俗》=green bud.
réd·bùd アメリカハナズオウ(花蘇芳).
róse·bùd バラのつぼみ.
sénse búd 《米麻薬俗》シンサミラ.
supernúmerary búd 過剰芽, 副芽.
táste bùd 味蕾(みらい), 味覚芽 [球].
wínter búd (ある種のコケムシの)休芽, 越年芽.

bud·dy /bʌ́di/

名 《主に米・カナダ話》《しばしば呼びかけに用いて》(通例, 男の)仲間, 兄弟, 相棒.

áce búddy 《米黒人俗》親友,「だち」.
ásshole búddy 《俗》親友; ホモ達.
búddy-búddy 形 《話》すごく仲のよい; なれなれしい.
búttfuck búddy 《米》=asshole buddy.
chúm-búddy 《米俗》大の親友, 仲良し.
góod búddy 《米俗》(特に市民ラジオの利用者の)通信相手を呼ぶ言葉.
óld búddy 《米話》(特に雇い主, 指揮官を指して)おやじ, 親方, 頭.

budg·et /bʌ́dʒit/

名 予算, 予算案 [額]. ⇨ -ET¹.

cápital búdget 資本予算, 資本支出予算書.
énergy bùdget 〔生物〕エネルギー収支.
fúss·bùdget つまらないことに騒ぎ立てる人.
lów-búdget 形 低予算の, 安く上げた; 安上がりの.
méga·bùdget 巨額の予算.
míni·bùdget 補正予算, 緊急補正予算.
óff-búdget 形 〔米政府〕予算外予算の.
ò·ver·búdg·et 形 予算 [割当額] 超過の.

buf·fa·lo /bʌ́fəlòu/

名 スイギュウ, バッファロー. ⇨ -O².

Américan búffalo バイソン, ヤギュウ(野牛)(bison).
bláck búffalo ブラック・バッファロー.
Cápe bùffalo アフリカスイギュウ.
dwárf bùffalo アノア: ウシ科の小形動物(anoa).
wáter bùffalo スイギュウ, インドスイギュウ.

bug /bʌ́g/

名 **1** 半翅(はんし)類の昆虫. **2**《俗に》昆虫, (一般に)虫. **3**《話》微生物. **4**《話》欠陥, 故障, バグ. **5** …に夢中な人.

ámbush bùg ヒゲブトカメムシ科に属する肉食昆虫.
assássin bùg サシガメ.
béd·bùg トコジラミ, ナンキンムシ.
bíg búg 《俗》有力者, 重要人物, 大物.
bíll·bùg コクゾウ.
bóat bùg ミズムシ(水虫).
cábbage bùg =harlequin bug.
cálico bùg =harlequin bug.
chínch bùg ナガカメムシ科の小さなカメムシ.
córeid bùg =leaf-footed bug.
cróton bùg チャバネゴキブリ.
dámsel bùg 半翅目マキバサシガメ科の昆虫の総称.
débris bùg 野菜屑に集まるトコジラミ科の昆虫.
de·búg 動他 《話》…の欠陥を調査して取り除く.
dóodle·bùg¹ 《米》アリジゴク(蟻地獄).
dóodle·bùg² 《話》小型自動車.
fíre·bùg 《話》放火者, 放火犯; 放火狂.
flát bùg ヒラタカメムシ(fungus bug).
fléa-bùg 《米》ノミトビ甲虫(こうちゅう).
flówer bùg ハナカメムシ.
flú bùg 《話》流感ウイルス.
fúngus bùg =flat bug.
góld·bùg 《話》金本位制支持者.
gráss bùg =rhopalid bug.
gréen·bùg ムギミドリアブラムシ.
gróund bùg =chinch bug.
hárlequin bùg 赤・黄の斑紋(はんもん)のある黒いカメムシの一種 *Murgantia histrionica*.
hárvest bùg ツツガムシ.
Jésus bùg アメンボ.
jítter·bùg ジルバ: 踊りの一種.
Júne bùg コフキコガネ.
kíssing bùg 《話》キスが好きな人; キス魔.
láce bùg グンバイムシ.
lády·bùg テントウムシ.
léaf bùg =plant bug.
léaf-fòoted búg ヘリカメムシ.
líghtning bùg 《米・カナダ》ホタル.
lítter·bùg 所構わずごみを捨てる人.
lóve·bùg ケバエの一種 *Plecia nearctica*.
Máori búg ニュージーランドの翅(はね)のない大形のゴキブリ.
méaly·bùg コナカイガラムシ.
mílkweed bùg トウワタの乳液を吸うナガカメムシ類.
Millénnium bùg 〔コンピュータ〕西暦 2000 年問題.
móon·bùg 《話》月着陸船.
múd bùg 《主に米》ザリガニ.
néw búg 新入社員.
phántom búg 〔コンピュータ〕ファントムバグ.
píll bùg 《米》ダンゴムシ.
plánt bùg メクラカメムシ.
potáto·bùg コロラドハムシ.
presidéntial búg (どうしても大統領になりたいという)大統領熱を媒介するとされる虫.
réd·bùg 《米》ツツハムシ(chigger).
rhododéndron bùg =lace bug.

rhopálid bùg 半翅目ヒメヘリカメムシ科の昆虫の総称.
ró·bug (リモコン式)ビル登攀(とうはん)作業機.
róse bùg コガネムシ科の甲虫(こうちゅう).
rúg búg 《俗》子供, がき.
sánd·bùg スナホリガニ.
scále bùg カイガラムシ.
shíeld bùg =stink bug.
shóre bùg ミズギワカメムシ.
shútter·bùg 《話》素人写真家.
sóldier bùg カメムシ科の捕食性の昆虫の総称.
sów bùg ワラジムシ.
spíder bùg =thread-legged bug.
spíttle·bùg 半翅目アワフキムシ科のアワフキムシ(froghopper).
squásh bùg ヘリカメムシ科の昆虫の一種.
stílt bùg 半翅目イトカメムシ科の昆虫の総称.
stínk bùg カメムシ(椿象, 亀虫).
stráddle·bùg 《米俗》言葉や態度があいまいな政治家.
súper·bùg 抗生物質耐性菌; 新種の病原菌(O-157 など); 石油を大量に食べる細菌.
thréad-lègged búg アシナガサシガメ.
tóad bùg アシブトメミズムシ.
tów bùg タバコシバンムシ.
trúe búg 半翅類の昆虫(bug).
túmble·bùg タマオシコガネ, タマコロガシ.
wáter bùg 水生の半翅類昆虫の総称.
whéel bùg 半翅目サシガメ科の一種 *Arilus cristatus*.

bug·gy /bʌ́gi/

名 《米・カナダ》一頭立て軽装四輪馬車.

báby bùggy 《米・カナダ話》(四輪のフード付き)乳母車.
béach bùggy =dune buggy.
búndle bùggy (通例, 個人の)ショッピングカート.
búzz-bùggy 《米俗》自動車.
Cóncord bùggy コンコード馬車.
dúne bùggy 〘自動車〙デューンバギー.
dúne-bùggy 動自 dune buggy を運転する [に乗る].
gásoline bùggy 《米》=buzz-buggy.
hórse-and-búggy 形 《米話》軽装馬車の〈時代〉.
Írish búggy 《米俗》(一輪の)手押し車, ねこ車.
mársh bùggy =swamp buggy.
móon·bùggy 月面移動車.
strúggle-búggy 《米俗・古風》自動車.
swámp bùggy 〘自動車〙スワンプバギー.
zóom bùggy 《米俗》=buzz-buggy.

build /bíld/

動他 **1** 〈建造物を〉造る, 建てる. **2** …を作り上げる. ━━名 造り; 体格.

body-build 名 (特徴ある)体格, 体質.
cus·tom-build 動他 …を特別 [個人] 注文で作る [建てる].
jer·ry-build 動他 安普請する.
out·build 動他 …より立派に建てる.
o·ver·build 動他 (一定地域に)建物を建てすぎる.
re·build 動他 再建する, 建て直す; 分解修理する.
un·build 動他自 破壊する, 取り壊す.
up·build 動他 作り上げる; 設立する; 築き上げる.

build·er /bíldər/

名 **1** 建設者, 建築者. **2** 作る人. ⇨ -ER[1].

bóat·bùilder 船大工.
brídge·bùilder 橋を架ける人; 橋を造る人.
cástle-bùilder 白昼夢にふける人, 空想家.
cóach·bùilder 《英》自動車車体製造工員.
émpire bùilder 《話》帝国建設者.
hóme·bùilder 住宅建設業従事者.
hóuse·bùilder 建築業者, 大工.
ímage-bùilder 〘広告〙イメージづくりをする人.
máster buílder 建築請負師, 棟梁(とうりょう).
módel bùilder 〘経済〙モデル構成 [構築].
móund bùilder 〘鳥類〙ツカツクリ(塚造).
múdnest-bùilder 〘鳥類〙ツチスドリ(土巣鳥).
órgan-bùilder パイプオルガン製造職人.
shíp·bùilder 造船家 [業者], 造船技師.
stéw·bùilder 《米渡り労働者・伐採俗》コック.

build·ing /bíldiŋ/

名 **1** 建築物, 建造物, 建物, 造営物, ビルディング. **2** 建築(術, 学), 建造. ⇨ -ING[1], -ING[2].

a·build·ing 形 《米》建築 [建設] 中の.
apártment bùilding 《米》共同住宅, アパート.
bódy·bùilding 名形 ボディービル(の).
cóach·bùilding 《英》自動車車体製造業.
émpire bùilding 帝国建設.
hóme·bùilding 名形 住宅建設(の), 住居建築(の).
lóft bùilding ロフトビルディング: 障害物のない広い室内空間を持つ複数階の建物.
óut·bùilding 名 (母屋の)付属建築物, 離れ家.
síck bùilding 不衛生オフィスビル.
slíver bùilding スリバービルディング, 鉛筆ビル.
sýstem bùilding 〘建築〙組み立て式工法.

built /bílt/

動 build の過去・過去分詞形. ━━形 建てられた; つくられた.

canál-bùilt 形 〘造船〙運河航行に適した.
cárvel-bùilt 形 〘造船〙〈船体が〉平張りの.
cát-bùilt 形 〘造船〙キャット型建造の.
clíncher-bùilt 形 〘造船〙=clinker-built.
clínker-bùilt 形 〘造船〙重ね継ぎの, 鎧張りの.
clípper-bùilt 形 〘造船〙快速帆船式に造られた.
clóud-buílt 形 空想的な, 夢のような.
cóach-bùilt 形 《英》〈乗り物が〉木製車体の.
cústom-buílt 形 〈自動車などが〉個人の注文の.
hóme·bùilt 形 自家製の, 手作りの.
ín·buílt 形 (人の性質に)本来備わった, 固有の.
jérry-bùilt 形 安普請の; 粗末な作りの.
o·ver·buílt 形 建てられすぎた.
púrpose-buílt 形 《特に英》(ある目的で)建てられた.
re·buílt 形 建て直された.
squáre-buílt 形 肩の張った; 角張った.
stíck-bùilt 形 〈建物が〉現場組み立ての.
ùn·buílt 形 建てられていない.
wéll-buílt 形 〈建物が〉しっかりした造りの.

bulb /bʌ́lb/

名 **1** 球根, 鱗茎(りんけい). **2** 電球. **3**〘解剖〙延髄, 球.

dím·bùlb 《俗》ばか, うすのろ.
énd bùlb 〘解剖〙終末小体, 終末棍(こん)状体.
flásh·bùlb 〘写真〙閃光(せんこう)電球.
líght bùlb 白熱電球.
lów-wátt búlb 《米俗》頭の悪い人.
mélon-bùlb 〘家具〙大きな球型の挽(ひ)き物装飾.
móther bùlb (スイセンなどに見られる)母球.
olfáctory bùlb 〘解剖〙嗅球(きゅうきゅう).
pséudo·bùlb 名 〘植物〙偽鱗茎(ぎりんけい).
thrée-way búlb (明るさの切り替わる)三段電球.

bull /búl/

名 **1** 雄牛. **2**(象・鯨などの)雄.

blúe búll ニルガイ(nilgai): インド産の大形のレイヨウ.
Bóston búll ボストンテリア: 米国種の小形犬.
Bráhmany búll (インドの)聖牛.
cínder bùll 《米渡り労働者俗》鉄道公安官.
Crétan búll 【ギリシャ伝説】クレタの野蛮な雄牛.
flý bùll 《米俗》私服刑事, でか.
hárness bùll 《俗》制服警官, 巡査.
Jóhn Búll ジョン・ブル(典型的イギリス人).
Marathónian búll ＝Cretan bull.
mechánical búll (ロデオ体験用の)機械仕掛けの荒れ馬.
scíssors-bùll 《米俗》鉄道公安員, 警官.
stále bùll 【商業】生気を失った強気筋.
yárd bùll 《米俗》(鉄道の)警官, 鉄道公安官.

bul·let /búlit/

名 (拳銃(けんじゅう)・銃などの)弾丸, 弾. ⇨ -ET[1].

dévastator búllet デバステーター弾, 衝撃破裂弾.
mágic búllet 【薬学】無副作用 [無害] 薬剤.
plástic búllet プラスチック弾丸.
rúbber búllet ゴム弾.
sílver búllet 《米俗》万全の解決策. ►狼男を撃つ銀弾より.
trácer bùllet 曳光(えいこう)弾, 曳煙弾.

-bu·lum /bjuləm/

接尾辞 《ラテン語》道具・手段を表す名詞接尾辞.

ac·e·tab·u·lum 名 【解剖】寛骨臼(きゅう), 股臼.
in·fun·dib·u·lum 名 【解剖】漏斗(ろうと).
pab·u·lum 名 《文語》食物, 栄養物.
tin·tin·nab·u·lum 名 特に小さな鈴.

bum /bʌ́m/

名 《話》 **1** 怠け者; 身なりを構わない人. **2** 放浪者, 浮浪者. **3**(仕事・家族などに優先して)スポーツに熱中する人, …狂.

béach bùm 《米俗》一日じゅう浜辺でぶらぶらして過ごす人.
bícycle bùm 《豪俗》自転車で移動する季節労働者.
crúmb-bùm 《俗》とんま, つまらないやつ.
dírty búm 《米俗》嫌なやつ.
skí bùm 《米俗》スキー場(付近)の仕事を求めて回るスキー愛好者.
spéck bùm 《米渡り労働者俗》救いようもないアルコール中毒者 [飲んだくれ].
stéw·bùm 《俗》酔っ払い, 飲んだくれ.
stúmble·bùm 《話》下手な二流プロボクサー.
súrf bùm 《俗》熱心なサーファー.
wélfare bùm 生活保護を受けてのらくら暮らすろくでなし.

bump /bʌ́mp/

動他 …にドンとぶつかる. ──名 **1** 衝突. **2** 隆起部.

áir bùmp 【航空】(エアポケットの)上昇気流.
bélly bùmp 腹打ちダイビング(belly flop).
búmpety-búmp 間動他 どしんどしん(と突き当たる).
héat bùmp 熱が原因とされた皮膚の腫(は)れ.
spéed bùmp (道路の)減速バンプ [隆起部].

bump·er /bʌ́mpər/

名 **1** ぶつかる人 [もの]. **2** バンパー. ⇨ -ER[1].

bláck-búmper 形名 バンパーを黒く塗っている(人).
búmper-to-búmper 形副 バンパーが接触せんばかりの [に].
fánny-bùmper 《米話》ごった返すほどの人集め.
fúzz bùmper 《米俗》女の同性愛者.

bun /bʌ́n/

名 パン: 米国ではイースト入り小型パン, 英国では甘いロールパン.

Bánbury bún バンベリーケーキ.
Báth bùn 《英》バスバン: レモン, 干しブドウなどを入れた丸形の甘い菓子パン.
bláck bún (スパイスのきいた黒っぽい)フルーツケーキ.
chéese bùn 《米俗》密告者, スパイ.
Chélsea bún 《英》チェルシーバン: 砂糖をまぶしたレーズン入りのロールパン.
cínnamon bùn シナモン入りの蜂蜜パン.
créam bùn 《英》シュークリーム; クリームパン.
cróss bún 《主に英》ホットクロスバン(hot cross bun): 菓子パンの一種.
cúrrant bùn 《英》干しブドウ入りロールパン.
hóney bùn ハニーバン: ナッツとレーズンの入ったシナモン味の菓子パン.
Kítchener bùn 《豪》シナモンと砂糖をまぶしたクリーム入り菓子パン.
stícky bùn 《主に米北部・西部》＝honey bun.
súgar-bùn 《俗》《呼びかけ》かわいい人.

-bund /bʌ́nd/

連結形 …しがちな.
★ 形容詞をつくる.
◆ ラテン語 *-bundus*「…しがちな」より.

fu·ri·bund 形 怒り狂う, 狂暴な, 荒れ狂う.
mor·i·bund 形 死にかけている, 瀕死の.
pu·di·bund 形 慎み深い; 淑女ぶった.

bun·dle /bʌ́ndl/

名 (いろいろの物を一つにまとめた)束, 包み. ⇨ -LE[1].

atrioventrícular búndle 【解剖】(心)房室束.
fíber bùndle 【光学】光学繊維束.
fún-bùndle 《俗／こっけい》女.
ùn·bún·dle 動他 個別の価格をつける.
váscular búndle 【植物】維管束.

bun·ny /bʌ́ni/

名 《話》うさちゃん. ►rabbit に幼児が用いる愛称. ⇨ -Y[2].

béach bùnny 《米俗》浜辺でサーファーに付きまとう女の子(gremlin).
béd-bùnny 《米俗》誰とでも寝る若い女.
blúshing bùnny 《米俗》トマトソースをつけたチーズトースト.
búg bùnny 《米俗》細菌戦研究者.
Búgs Búnny バッグズ・バニー: 米国の漫画の主人公.
chúngo bùnny 《米俗》黒人.
cúddle-bùnny 《米俗》ピチピチした若い娘.
dúmb bùnny 《俗》ばか正直な人; うすらばか.
dúst bùnny 《米話》(部屋の隅, 家具の下などにたまる)ちりの玉(dust ball).
Éaster bùnny 復活祭のウサギ, イースターバニー.
fúck-bùnny 《米俗》セックス好きな人(特に若い娘).
gún·bùnny 《米軍俗》砲手, 砲兵.
júngle bùnny 《米俗》黒人.
skí bùnny 《俗》(必ずしもスキーをやる目的とせ

ずにスキー場に来る)女の子.

snów bùnny =ski bunny.
súrf bùnny 《米俗》=beach bunny.

bunt /bʌ́nt/

名 〖野球〗バント.

drág bùnt ドラッグバント.
púsh bùnt プッシュバント.
squéeze bùnt スクイズバント.

bun·ting /bʌ́ntiŋ/

名 〖鳥類〗ホオジロ科ホオジロ属, ルリノジコ属, ユキホオジロ属の主に種子を食べる小形の鳥の総称. ⇨ -ING[3].

círl bùnting ノドグロアオジ.
córn bùnting ハタホオジロ.
índigo búnting ルリノジコ.
lárk búnting カタジロクロシトド.
lázuli bùnting ホオジロ科ムネアカルリノジコ.
páinted búnting ゴシキノジコ.
réed bùnting オオジュリン(大寿林).
snów bùnting ユキホオジロ.
váried búnting ムラサキノジコ.
yéllow bùnting キオアジ(yellowhammer).

bu·oy /búːi, bɔ́i | bɔ́i/

名 〖海事〗ブイ, 浮標, 浮き.

ánchor bùoy アンカーブイ, 錨(いかり)ブイ.
béll bùoy 打鐘浮標, ベルブイ.
bréeches bùoy 半ズボン付き救命浮き輪.
cáble bùoy ケーブルブイ.
cán bùoy カンブイ.
dán bùoy 目印ブイ, ダンブイ.
dáta bùoy 〖気象〗海洋気象観測ブイ.
gás bùoy ガス灯浮標.
góng bùoy どら浮標.
léft-hànd búoy 〖航海〗左舷(さげん)ブイ.
lífe bùoy 救命浮標 [ブイ], 救命用浮き袋.
món·o·bù·oy 名 モノブイ, 係船浮標.
móoring bùoy 係船 [係留] ブイ.
nún bùoy ナンブイ, (水路の目印に用いる)菱形浮標.
ríght-hand búoy 〖航海〗右舷(うげん)浮標.
sóno·bùoy 〖航海〗自動電波発信浮標.
sóno-rádio bùoy =sonobuoy.
spár bùoy (下端を係留した)円柱ブイ.
swínging búoy 旋回 [回頭] 浮標.
télegraph bùoy 電信線浮標.
whístling búoy 笛吹きブイ, 霧笛ブイ.

bur·den /bə́ːrdn/

名 荷. ――動他 …に(…を)負わせる.

bódy bùrden (体内に吸収された)有害物質.
dis·búr·den 動他 〈人・車・船などから〉荷を降ろす.
ò·ver·búrd·en 動他 〈人に〉(…を)持たせすぎる.
ùn·búr·den 動他 …の荷物を降ろす.
whíte màn's búrden 《通例皮肉》植民地の人間に対する保護・教化についての白人の責任.

bu·reau /bjúərou/

名 **1**《米》(多く上部に鏡のついた)寝室用たんす. **2**(官庁の)局, 部, 独立の行政単位. ⇨ -EAU[1].

Bétter Búsiness Bùreau 《米・カナダ》商事改善協会.
Cítizens' Advíce Bùreau 《英》市民相談局.
clípping bùreau 《米》切り抜き通信社.
crédit bùreau 商業興信所, 信用調査機関.
emplóyment bùreau (民間の)職業紹介所.
Fárm Bùreau 米国農事改善同盟(American Farm Bureau Federation).
Fréedmen's Bùreau 〖米史〗解放黒人局.
márriage bùreau 結婚相談 [仲介] 所.
Péople's Bùreau リビア大使館の正式名称.
préss bùreau 広報局 [部].
trável bùreau 旅行代理店, 旅行社.
voluntéer búreau 《英》ボランティア斡旋局.
Wéather Bùreau (米国)気象局.

-burg /bə̀ːrg/

連結形 市, 町(borough).

★ 英語, ドイツ語, オランダ語などゲルマン系諸語に見られ, 主に地名につく.

★ 語末にくる関連形は -BORO, -BOROUGH, -BOURG, -BURGH, -BURY.

◆ 中英 *burgh*, 古英 *burg*「城塞」; 独 *-burg*, 古北欧 *-borg* などと同語源.

Can·ons·burg 名 キャノンズバーグ(米国の都市名).
Char·lot·ten·burg 名 シャルロッテンブルク(ドイツの地名). ►字義は「シャルロッテ王女の町」.
Co·burg 名 コーブルク(ドイツの都市名).
Duck·burg 名 ダックバーグ: W.Disney のアニメで Donald Duck たちの住む町.
Duis·burg 名 デュースブルク(ドイツの都市名).
Dü·na·burg 名 デューナブルク(ラトビア共和国の都市 Dougavpils のドイツ語名).
Ed·in·burg 名 エディンバーグ(米国の都市名).
Flens·burg 名 フレンスブルク(ドイツの都市名). ►字義は「矢の町」.
Fred·er·icks·burg 名 フレデリックスバーグ(米国の都市名).
Frei·burg 名 フライブルク(ドイツの都市名). ►正式名 Freiburg im Breisgau. ►字義は「自由の町」.
Gales·burg 名 ゲールズバーグ(米国の都市名).
Get·tys·burg 名 ゲティスバーグ(米国の都市名). ►町の創始者 James Gettys から由来.
Goth·en·burg 名 スウェーデンの地名 Göteborg の英語名.
Greens·burg 名 グリーンズバーグ(米国の都市名).
Habs·burg 名 =Hapsburg.
Ham·burg 名 ハンブルク(ドイツの都市名). ►字義は「入り江にある城塞(じょうさい)」.
Haps·burg 名 ハプスブルク家.
Har·ris·burg 名 ハリスバーグ(米国の都市名).
Har·ri·son·burg 名 ハリソンバーグ(米国の都市名).
Heu·ne·burg 名 〖考古〗ホイネブルク(ドイツの都市名). ►字義は「巨人の町」.
Hin·den·burg 名 ヒンデンブルク(ドイツの姓). ►字義は「農夫の城塞(じょうさい)」.
Hof·burg 名 ホーフブルク(オーストリアにある宮殿).
hom·burg 名 ホンブルグ帽.
Hu·ber·tus·burg 名 ベルトゥスブルク(ドイツにある城).
Jo·han·nes·burg 名 ヨハネスバーグ(南アフリカ共和国の都市名). ►字義は「ヨハネス・メイヤー(人名)の町」.
Lau·en·burg 名 ラウエンブルク(ドイツの地名).
Lim·burg[1] 名 ランブール(オランダの姓).
Lim·burg[2] 名 リンブルフ(ベルギーの地名). ►字義は「シナノキの町」.
Lou·is·burg 名 ルイスバーグ(カナダの港).
Lud·wigs·burg 名 ルートウィヒスブルク(ドイツの都市名).
Lü·ne·burg 名 リューネブルク(ドイツの都市名). ►字義は「傘の町」.
Lux·em·burg 名 ルクセンブルク(ドイツの姓).
Lynch·burg 名 リンチバーグ(米国の都市名).
Mag·de·burg 名 マグデブルク(ドイツの都市名). ►字

B

義は「少女の町」.

Mar·burg 名 マールブルク(ドイツの都市名).►字義は「国境地帯の町(城塞)」.
Mer·se·burg 名 メルゼブルク(ドイツの都市名).
Mid·del·burg 名 ミッデルブルク(オランダの都市名).
Neu·bran·den·burg 名 ノイブランデンブルク(ドイツの都市名).
Nym·phen·burg 名 ニンフェンブルク(ドイツの村名).►字義は「精霊ニンフの町」.
Ol·den·burg 名 オルデンブルク(姓).►字義は「古びた城塞(じょうさい)[町]」.
Or·ange·burg 名 オレンジバーグ(米国の都市名).
Par·kers·burg 名 パーカーズバーグ(米国の都市名).
Perrys·burg 名 ペリーズバーグ(米国の町名).
Pe·ters·burg 名 ピーターズバーグ(米国の都市名).
Phil·lips·burg 名 フィリップスバーグ(米国の都市名).
Pitts·burg 名 ピッツバーグ(米国の都市名).►Chatham 初代国王 William の通称 The Elder Pitt「大ピット」から由来.
Press·burg 名 スロバキアの首都 Bratislava のドイツ語名.
Re·gens·burg 名 レーゲンスブルク(ドイツの都市名).►字義は「雨の町」.
Salz·burg 名 ザルツブルク(オーストリアの都市名).►字義は「塩の町」.
Sand·burg 名 サンドバーグ(姓).►字義は「砂の城塞(じょうさい)[町]」.
Sharps·burg 名 シャープスバーグ(米国の町名).
Spar·tan·burg 名 スパータンバーグ(米国の都市名).
Til·burg 名 ティルブルフ(オランダの都市名).
Vicks·burg 名 ビックスバーグ(米国の都市名).
Wal·den·burg 名 ワルデンブルク(ポーランドの都市 Walbrzych のドイツ語名).
War·burg 名 ワールブルク(ドイツの姓).
Wart·burg 名 ワルトブルク城(ドイツの城).
Wil·liams·burg 名 ウィリアムズバーグ(米国の都市名).►英国王 William Ⅲの名前から由来.
Wolfs·burg 名 ウォルフスブルク(ドイツの都市名).►字義は「オオカミの町」.
Würz·burg 名 ウュルツブルク(ドイツの都市名).►字義は「緑の町」.

-bur·ger /bəːrgər/

連結形 …バーガー.
★ hamburger の短縮形で,中身や上に載せるものの名前につく.

ba·con·bur·ger 名 ベーコンバーガー.
beef·bur·ger 名 ハンバーガー.
cheese·bur·ger 名 チーズバーガー.
chick·en·bur·ger 名 チキンバーガー.
chil·i·bur·ger 名 チリバーガー.
fish·bur·ger 名 フィッシュバーガー.
fur·bur·ger 名 《米俗》(オーラルセックスの対象としての)女陰.
fuzz·bur·gur 名 《俗》=furburgur.
hair·bur·ger 名 《俗》=furburger.
kid·dy·bur·gur 名 お子様バーガー.►量が少ない.
pork·bur·ger 名 豚のひき肉(のハンバーグ).
sham·bur·gur 名 穀類を使ったハンバーグ.
soy·bur·ger 名 大豆ハンバーグ.
ter·i·ya·ki·bur·ger 名 照り焼きバーガー.
veg·e·bur·ger 名 ベジバーガー.

-burgh /bəːrə, bərə, bəːrg | bərə, bəːg/

連結形 -burg の異形.
★ 地名をつくる.
★ 語末にくる関連形は -BORO, -BOROUGH, -BOURG, -BURY.

Ed·in·burgh 名 エジンバラ(スコットランドの都市名).►字義は「エディン(Edwin)公の町」.
Jed·burgh 名 ジェドバラ(スコットランドの町名).►字義は「ジェド(Jed)河畔の町」.
Mus·sel·burgh 名 マッセルバラ(スコットランドの都市名).►字義は「ムール貝の町」.
New·burgh 名 ニューバーグ(米国の都市名).
Pitts·burgh 名 ピッツバーグ(米国の都市名).►英国の政治家 W.Pitt の名にちなむ.
Platts·burgh 名 プラッツバーグ(米国の都市名).►18世紀に移民してきた Z.Platt の名にちなむ.
Rox·burgh 名 ロクスバラ(スコットランドの地名).

bur·glar /bəːrglər/

名 強盗,押し込み,夜盗. ⇨ -AR[2].

cát bùrglar 《英話》上階の窓や天窓から忍び込む夜盗.
gín bùrglar 《豪俗》原住民の女を妻とする白人の男.
gút-bùrglar 《米伐採人俗》料理人,コック.
túrd bùrglar 《英俗》(男の)ホモ,同性愛者.

bur·i·al /bériəl/

名 埋葬(式).►bury「葬る」より. ⇨ -AL[2].

canóe bùrial カヌー葬.
cremátion-búrial 火葬による埋葬.
shíp bùrial 〖考古〗舟[船]墓,舟[船]棺葬.
ský bùrial 風葬,鳥葬.

burn[1] /bəːrn/

動自 燃える. ——他〈物を〉燃やす. ——名 やけど.

ácid bùrn 〖医学〗酸熱傷,酸火傷.
brúsh bùrn すり傷,擦過傷.
dád búrn 《米俗》《婉曲的》いまいましい.
dág búrn 《米俗》=dad burn.
déad-bùrn 動他〈炭酸塩岩を〉死焼する.
fást búrn ファストバーン:ガソリンエンジンの省燃料化方式の一つで,点火が速いことによるもの.
fírst-degrée búrn 〖病理〗第一度熱傷.
flásh bùrn 〖病理〗閃光(せんこう)火傷.
fréezer bùrn 冷凍焼け.
héart·bùrn 〖病理〗胸やけ.
léan-búrn 形〈エンジンが〉燃費のよい.
móor·bùrn 《スコット》(ヒースの荒野の)野焼き.
múir·bùrn 《スコット》=moorburn.
òut·búrn 動自 燃え尽きる;使いきる.
pówder bùrn 火薬によるやけど.
rópe bùrn ザイルによる火傷.
sécond-degrèe búrn 〖病理〗第二度熱傷.
slásh-and-búrn 形 木を伐採して焼く,焼き畑式の.
slów búrn 《話》じわじわ怒りを募らせること.
sún·bùrn (ひりひりしたり,水膨れができたりするほどの)日焼け.
thírd-degrèe búrn 〖病理〗第三度熱傷.
típ·bùrn 〖植物病理〗(葉の)先枯れ(病).
wínd·bùrn 風焼け.

burn[2] /bəːrn/

名 《スコット・北イング》小川,細流.
★ 地名・人名に用いられる.

Ot·ter·burn 名 オタバーン(イングランドの地名).
Rae·burn 名 レーバーン(姓).
Ty·burn 名 タイバーン:中世の London の公開

処刑場. ►もとは川の名.

burned /bə́ːrnd/

形 焼かれた, 焦げた. ⇨ -ED[1].

bráin-bùrned 形 《米麻薬俗》麻薬で頭をやられた.
dád-búrned 形 《主に米南部》地獄落ちを宣せられた.
sún-bùrned 形 日焼けで火ぶくれになった [ひりひりした]. ►《英》sunburnt.
ùn-búrned 形 焼かれていない.
wéather-bùrned 形 日差しと風雨で焼けた.

burn·er /bə́ːrnər/

名 **1** 焼く人. **2** 燃焼装置. ⇨ -ER[1].

áf·ter·bùrn·er 名 〖航空〗後部燃焼器.
Árgand bùrner アルガンバーナー: 石油 [ガス] バーナーの一種.
báck búrner 棚上げ, 後回し.
báck-búrner 動他 《話》…を後回し [二の次] にする.
bárn-bùrner 《話》興奮させるもの.
báse-bùrner 底だき自給ストーブ [炉].
brá-bùrner 《俗》(1970 年代の) 戦闘的女性解放運動家.
Búnsen búrner ブンゼンバーナー.
chárcoal bùrner 木炭ストーブ [こんろ], 火鉢.
cóal bùrner 《俗》黒人と寝たがる人.
fást bùrner 《米陸軍俗》昇進の早い人.
frónt búrner (レンジの) 前のバーナー [火口].
gárlic-búrner 《米俗》イタリア製オートバイ.
gás bùrner (ガスこんろなどの) 火口.
gréase-bùrner 《米俗》料理人.
háy·bùrner 《米俗》馬, (特に) 競走馬.
íncense bùrner (置き) 香炉.
íron-bùrner 《米伐採俗》鍛冶(かじ)屋.
líme bùrner 石灰製造業者.
Méker bùrner 〖化学〗メケール灯.
nóse-bùrner 《米麻薬俗》(短くなった) マリファナタバコの吸いさし.
óil bùrner オイルバーナー.
pílot bùrner 点火用補助バーナー.
ríce-bùrner 《米俗》日本製オートバイ.
ríng·bùrner 《英俗》辛口のカレー.
slúm bùrner 《英軍俗》料理係.
táil-pipe búrner 〖航空〗=afterburner.
vápor bùrner 気化させた液体炭化水素を燃やすバーナー.
wéed bùrner 〖農業〗焼草器, 火炎除草器.

burn·ing /bə́ːrniŋ/

形 燃焼. ⇨ -ING[1].

áfter·bùrning 〖航空〗再燃焼 (法).
bóok bùrning 焚書(ふんしょ), 禁書.
héart·bùrning むしゃくしゃした気持ち; 不満; 恨み.
hýdrogen bùrning 〖天文〗水素燃焼, 水素融合反応.

burst /bə́ːrst/

名 破裂, 爆発.

áfter·bùrst 核爆発後の放射性同位体元素の拡散.
áir·bùrst (爆弾・破裂弾の) 空中爆発.
clóud·bùrst 突然の豪雨, どしゃ降り.
dówn·bùrst 〖気象〗激しい下降突風.
gámma-ray búrst 〖天文〗ガンマ線バースト.
ín·bùrst 名 《まれ》突入.
mícro·bùrst 名 〖気象〗小規模吹き出し.
óut·bùrst 名 どっとあふれ出ること.
sún·bùrst 太陽がかっと照ること.
súrface bùrst (爆弾の) 地表 [水面上] での爆発.
úp·bùrst 名 上方への爆発 [噴出].
X́-ray bùrst 〖天文〗X 線バースト.

bur·y /béri/

動他 (地中に) 埋める; 埋蔵する.

re·bur·y 動他 再び埋める; 埋葬し直す.
un·bur·y 動他 墓から掘り出す, 発掘する; 暴く.

-bur·y /bəri/

連結形 砦(とりで).
★ 英国の地名, 人名などに用いられる.
★ 語末にくる関連形は -BORO, -BOURG, -BURG.
◆ 古英 *burg*, *burh*「砦, 町」; -BOROUGH, -BURGH, *-berry* も同語源.
[発音] 語頭の音節に第 1 強勢.

A·bur·y 名 =Avebury.
As·bur·y 名 アズベリ (姓).
Ave·bur·y 名 エーブベリ (イングランドの村名). ► 字義は「Afa (人名) の砦」.
Ayles·bur·y 名 エールズベリ (イングランドの地名). ► 字義は古英で「Ægel (人名) の砦」.
Blooms·bur·y 名 ブルームズベリ (イングランドの地名). ► 字義は「Blemund 家の砦」.
Cad·bur·y 名 カドベリ (イングランドの地名). ► Somerset 州の新石器・鉄器時代遺跡: 字義は古英で「Cada (人名) の砦」.
Can·ter·bur·y 名 カンタベリ (イングランドの都市名). ► 字義は「Kent 家の砦」.
Dews·bury 名 デューズベリ (イングランドの地名).
Fins·bury 名 フィンズベリ (イングランドの地名). ► 字義は「Fin (人名) の領地」.
Fos·bur·y 名 フォスベリ (イングランドの地名). ► 字義は「山の背にある要塞」.
Glas·ton·bur·y 名 グラストンベリ (イングランドの地名). ► 字義は「Glaston (地名) 人の要塞」.
Lans·bury 名 ランズベリ (姓).
Louns·bur·y 名 ラウンズベリ (姓).
Malmes·bur·y 名 マムズベリ (イングランドの地名).
New·bury 名 ニューベリ (イングランドの地名). ► 字義は「新しい砦 [城塞]」.
Pils·bur·y 名 ピルズベリ (イングランドの地名). ► 字義は「Pīl の砦」.
Pills·bur·y 名 ピルズベリー (姓).
Saints·bur·y 名 セーンツベリー (姓).
Salis·bur·y 名 ソールズベリ (イングランドの都市名). ► 字義は「装甲の厚い砦」.
Shaftes·bur·y 名 シャフツベリ (イングランドの地名). ► 字義は「Sheaft (人名) の砦」.
Shrews·bur·y 名 シュルーズベリ (イングランドの都市名). ► 字義は「Scrobb (人名) の砦」.
Sud·bur·y 名 サドベリ (イングランドの地名). ► 字義は「南の砦」.
Tewkes·bur·y 名 チュークスベリ (イングランドの地名). ► 字義は古英で「Tēodec (人名) の砦」.
Til·bur·y 名 ティルベリ (イングランドの地名). ► 字義は「Tila (人名) の砦」の意.

bus /bʌ́s/

名 バス, 乗合自動車 (►motorbus, motor coach ともいう); トロリーバス (trolly bus). ►omnibus の短縮形.

addréss bùs 〖コンピュータ〗アドレスバス.

áir·bùs 〖航空〗エアバス.
artículated bús 連結バス, 連節バス.
áu·to·bùs 名 バス, 乗合自動車.
báttle·bùs 《英》バトルバス: 選挙用の宣伝カー.
de·bús 動他自 《主に英》〈乗客を [が]〉バスから降ろす [降りる].
demánd bùs デマンドバス: ダイヤ・路線が決まっていないバス.
em·bús 動自 《英》(特に団体で)バスに乗る.
Éuropa·bùs ヨーロッパ・バス.
héli·bùs 名 ヘリコプターのタクシー(helicab).
knéeling bùs ニーリングバス: 老人・身体障害者用に前部が下げられるバス.
mí·cro·bùs 名 マイクロバス.
mí·di·bus 名 25 人乗り小型バス.
mín·i·bùs 名 ミニバス, マイクロバス.
mó·tor·bùs 名 バス, 乗合自動車.
pígskin bùs 《豪俗》ペニス.
póst·bùs 名 《英》(田舎の)郵便バス.
ráil-bùs 名 レールバス: レール上を走るバスに似た乗り物.
schóol bùs スクールバス, 通学バス.
trans·bús 名 《米》トランスバス: 老人・身体障害者が乗りやすいように改造された大形バス.
trólley bùs トロリーバス.
wáter-bùs 名 モーターボート.

bush /búʃ/

名 灌木(かんぼく), 低木(shrub).

béauty-bùsh コルクヴィチア.
bénjamin-bùsh =spicebush.
bírd-of-páradise bùsh ホウオウボク.
bríttle·bùsh キク科 *Encelia* 属の植物の総称.
búrning búsh 〖聖書〗「燃えているのに, 燃え尽きない」柴(しば).
bútterfly bùsh フジウツギ(藤空木).
bútton·bùsh アメリカヤマタマガサ.
cálico bùsh アメリカシャクナゲ.
Chrístmas bùsh クノニア科の低木.
cótton bùsh 《豪》(家畜の飼料の)ホウキギ.
cránberry bùsh アメリカガマズミ.
créosote bùsh メキシコハマビシ.
dáisy·bùsh キク科オレアリア属の常緑低木.
ému bùsh ムクロジ科のオーストラリアの低木.
énergy bùsh エネルギー源森林.
férn·bùsh ニセヤマモモ.
fétter·bùsh ツツジ科ネジキ属の常緑低木.
fíre·bùsh 赤色の花または葉を持つ低木の総称.
glóry bùsh 紫紺野牡丹(princess flower).
góat·bùsh ニガキ科の植物(amargoso).
góoseberry búsh スグリの木.
gréase·bùsh アカザ科の低木(greasewood).
hígh·búsh 形 〈植物が〉丈の高いやぶを形作る.
hóbble·bùsh スイカズラ科ガマズミ属の低木.
mármalade bùsh ストレプトソーレン.
máy·bùsh サンザシ(山査子).
Méxican búsh 《米俗》メキシコ産のマリファナ.
mínnie·bùsh ヨウラクツツジ属の低木.
mínt·bùsh シソ科プロスタンテラ属の植物.
múlberry bùsh 《英》子供の遊びの一種; "Here we go round the mulberry bush." と歌って行う.
nátive bùsh 《NZ》原生林.
néedle·bùsh ヤマモガシ科ハケア属の植物.
órchard bùsh 《西アフリカ》広大なサバンナ, 大草原. ► 西アフリカの森林地帯の北に広がる.
pépper·bùsh アメリカリョウブ.
ráttle-bùsh ムラサキセンダイハギ.
ríghteous búsh 《米俗》マリファナ.
róse·bùsh バラの木 [茂み].
sált·bùsh アカザ科ハマアカザ属の草本または低木.
sáp bùsh 《米ハドソン川流域地方》=sugar-bush.
shád·bùsh ザイフリボク.
smóke bùsh アメリカケムリノキ(smoke tree).
snówball bùsh テマリカンボク.
snów·bùsh 白い花の多い観賞用低木数種.
spíce·bùsh ニオイベンゾイン.
squáw·bùsh ミツバウルシ.
stág bùsh スイカズラ科ガマズミ属の低木.
stágger·bùsh アメリカネジキ.
stéeple·bùsh バラ科シモツケ属の低木.
stóny búsh 《米麻薬俗》マリファナ.
stráwberry bùsh ムラサキマサキ(wahoo).
súgar·bùsh ウルシ科ウルシ属の常緑低木.
thórn·bùsh とげ林(りん).
whíte búsh ケシ科ロムニーア属の低木の総称.

busi·ness /bíznis/

名 職業, 仕事, 家業, 商売. ⇨ -NESS.

ágri·bùsiness 名 アグリビジネス, 農企業.
ágro·bùsiness 名 =agribusiness.
bíg búsiness 《しばしば軽蔑的》独占資本, 財閥.
fúnny bùsiness 《話》(詐欺などの)不正行為.
lánd-òffice búsiness 《米・カナダ話》(…での)急成長の [大はやりの, ぼろもうけの] 商売.
léading búsiness (映画・劇の)主役, 主演俳優の役.
mínd-your-own-búsiness 名 ソレイロリア: ニレ科のコケ状の植物.
mónkey bùsiness 《話》ふまじめな行為, いたずら.
nòn·búsiness 形 仕事 [職業] と関係のない.
prívate búsiness 《英俗》追加授業料.
prò·búsiness 形 親ビジネス派の, 財界びいきの.
rág bùsiness 《俗》(特に婦人服の)被服産業.
sátellite bùsiness 衛星ビジネス: 通信衛星を使って, 電話・テレビ・データ通信など各種の情報サービスを行うビジネス.
shów bùsiness ショービジネス.
smáll búsiness 小企業.
stáge bùsiness 〖演劇〗所作, 仕草(business).

bust /bʌ́st/

名 **1** 爆発. **2** 失敗. **3**《話》どんちゃんさわぎ. **4** 不景気. ◇ BURST.

báby bùst 出生率の急激な低下.
béer bùst 《米俗》ビールパーティー.
bélly bùst 《米南部》腹打ちダイビング.
blóck·bùst 動他 《米話》人種差別的地上げ行為をする.
bóom-and-búst 名形 (後に不況がくる)にわか景気(の).
bóom-or-búst 名 =boom-and-bust.

bust·er /bʌ́stər/

名 《話》破壊する人 [もの]. ⇨ -ER[1].

báll-bùster 《俗》つらい仕事(をさせる人).
blóck·bùster 《話》大型爆弾.
brá-bùster 《米俗》乳房の大きい女.
bráin bùster 〖プロレス〗ブレーン・バスター.
brónchо·bùster =broncobuster.
brónco·bùster 《米・カナダ》bronco をならすカウボーイ.
bún-búster 《米俗》ひどくきつい仕事.
chárt·bùster 《話》ベストセラー(のレコード).
clót·bùster 〖医学〗血栓を溶かす薬.
cónk-bùster 《米俗》安酒.
cúlt·bùster (信者を連れ戻す)カルトバスター.

fénce bùster 〘野球〙大きい当たりを打つ選手.
gáng·bùster 《話》暴力団を取り締まる警官.
ghóst·bùster 幽霊退治をする人.
gút·bùster 《話》生産中の油井.
héad·bùster 《俗》借金取り立て[制裁]のために暴力を用いる者.
kídney-bùster 《米俗》でこぼこ道.
knúckle-bùster 《米俗》スパナ(wrench).
míddle·bùster 《米南部》畝立て機(lister).
sílo bùster 《米軍俗》サイロ破壊用ミサイル.
skúll-bùster 《米黒人俗》警官, ポリ公.
sód·bùster 《米》《軽蔑的》耕作者.
sóutherly búster 《豪》寒く激しい南風(buster).
tánk·bùster 《俗》対戦車用機関砲.
trúst·bùster 《話》(米連邦政府の)独禁法取締官.
únion bùster スト破り(のプロ).
wédge bùster 〘アメフト〙ウェッジバスター.

bust·ing /bʌ́stiŋ/

名 破産させること; 打つこと, 殴ること. ━━形 壊す, ばらばらにする. ⇨ -ING[1], -ING[2].

back-busting 形 〈仕事などが〉たいへん骨の折れる.
báll-bústing 形 《俗》つらい, 困難な, 厳しい.
blóck·bùsting 名 《米話》(詐欺的)住民追い出し.
fág-bùsting 名 《米俗》ホモたたき(gay-bashing).
trúst-bùsting 名 《米》トラスト解消の公訴.

butch·er /bútʃər/

名 **1** 肉屋(の主人). **2** 《米話》(列車・競技場などの)売り子. ⇨ -ER[2].

blúe bùtcher 主にヨーロッパの牧草地などに自生するラン科の多年草の一種.
cámpus bùtcher 《俗》女たらしの男子学生.
cándy bùtcher 《米》(列車や競技場の)菓子売り.
fámily bútcher 《英》肉屋, 肉店.
gút-bùtcher 《米俗》肛門性交者.
pórk bùtcher 肉屋.
wóod bùtcher 《米俗》(特に下手な)大工.

butt /bʌ́t/

名 **1** (棒状の物の, 特に底部・基部・支持部・柄などになっている)太いほうの端. **2** 《米・カナダ俗》尻.

bláck·bùtt オーストラリアの数種のユーカリ属の木の総称.
búbble·bùtt 《米俗》でかっちり, 尻でか女.
búffalo bútt 《米学生俗》尻のでかい人.
dúck·bùtt 《米俗》(尻が大きく)背が低い人.
dústy bútt 《米俗》身体の小さいやつ, ちび.
fúrrow·bùtt 《米俗》淫乱な女.
góod bútt =goofy-butt.
góofy-bùtt 《米麻薬俗》マリファナタバコ.
gúnzel-bùtt 《米暗黒街俗》変な風体の男.
hálf bùtt 〘ビリヤード〙半長キュー.
háy-bùtt =goofy-butt.
kíck-bùtt 形 したたかな.
póop·bùtt 尻の穴.
póot·bùtt 《米俗》けつの青い若僧.
quárter bùtt 〘ビリヤード〙クォーターバット.
spríng·bùtt 〘建築〙ばね付きちょうつがい.
wóolly·bùtt 〘植物〙オーストラリア産ユーカリノキ属の数種の木の総称.

but·ter /bʌ́tər/

名 バター, 牛酪.

ápple bùtter スパイス入りリンゴジャムの一種.
bláck bútter 〘フランス料理〙黒バター.
brándy bùtter 《英》〘料理〙=rum-butter.
bréad and bútter バター付き[塗り]パン.
bréad-and-bútter 形 生活[生計]のための.
brówn bútter 〘フランス料理〙=black butter.
cacáo bùtter =cocoa butter.
cócoa bùtter ココア脂[油].
cóconut bùtter ココナッツバター.
dáiry bùtter (個人の)酪農場で作られたバター.
dráwn bútter (野菜や魚に付け合わせる)溶かしバター.
dúck bùtter 《米俗》汚ならしい物.
knéaded bútter 〘フランス料理〙ブールマニエ.
lémon bùtter レモンバター.
nút-bùtter 木の実の油から作ったバター.
pálm bùtter ヤシ油, パーム油(palm oil).
péanut bùtter ピーナッツバター.
prócess bùtter プロセスバター.
rúm-bùtter 《英》〘料理〙ハードソース.
shéa bùtter シアバター: シアバスターノキの実から採る濃い油脂.
végetable bùtter 植物性バター.
wítches' bùtter 〘植物〙キクラゲの一種.

but·ter·cup /bʌ́tərkʌ̀p/

名 〘植物〙キンポウゲ. ⇨ CUP.

Bermúda búttercup バーミューダカタバミ.
búlbous búttercup セイヨウキンポウゲ.
créeping búttercup ハイキンポウゲ.
gréat móuntain búttercup 《NZ》マウント・クック・リリー.
táll bùttercup ウマノアシガタ.

but·ter·fly /bʌ́tərflài/

名 〘昆虫〙チョウ(蝶). ⇨ FLY[2].

alfálfa bùtterfly オオアメリカモンキチョウ.
brúsh-fòoted bútterfly タテハチョウ科の数種のチョウの総称.
cábbage bùtterfly シロチョウ.
émperor bùtterfly 鱗翅(りんし)目タテハチョウ科 *Asterocampa* 属の蝶の総称.
fóur-fòoted bútterfly =brush-footed butterfly.
Íron Bútterfly 「鉄の蝶」: Julie Andrews, Imelda Marcos, Jeanette Macdonald のあだ名.
léaf bútterfly コノハチョウ(木葉蝶).
mílkweed bùtterfly =monarch butterfly.
mónarch bùtterfly オオカバマダラ.
ówl bùtterfly フクロウチョウ.
péacock bútterfly クジャクチョウ.
pússy bùtterfly 《米俗》避妊リング(IUD).
séa bùtterfly 翼足目に属する巻き貝の総称.
súlfur bútterfly キチョウ(yellow).
súlphur bútterfly =sulfur butterfly.
thístle bùtterfly アカタテハ.
tróilus bùtterfly アゲハチョウの一種.

but·ton /bʌ́tn/

名 **1** ボタン. **2** 押しボタン. ⇨ -ON[7].

báchelor's-bùtton 丸いボタン形の花をつける植物の総称.
béll bùtton (呼び鈴の)押しボタン.
bélly·bùtton 《話》へそ(navel).
campáign bùtton キャンペーンボタン.
cóllar bùtton 《米》カラーボタン.
cúff bùtton カフスボタン.
de·bút·ton 動他 〈ミカンなどの〉へたを取る.
egáds bùtton 《ロケット俗》緊急破壊用押しボタン.

B

hóld bùtton （電話の通話中の）保留ボタン．
hót button 《主に米》ホットボタン：（消費財の購入，投票などに際しての）決め手，決定的要因．
húnt bùtton 〚キツネ狩り〛狩猟衣ボタン．
kéy·bùtton キー，キーボタン．
mescál bùtton メスカルボタン：幻覚剤の一種．
múte bùtton （電話などで）相手にこちら側の声が聞こえないようにするボタン．
pánic bùtton 《話》非常ボタン．
péarl-bútton 真珠（貝）のボタン．
pínk bùtton 《英証券俗》株屋の社員．
Préss Bùtton 《豪俗》長老（会）制の．
préss-bùtton 形 ＝push-button.
púsh bùtton 押しボタン（装置）；そのボタン．
púsh-bùtton 形 押しボタン式の．
sléeve bùtton カフリンクス（cuff link）．
Spánish bútton 〚植物〛ヤグルマギク．
túmmy-bùtton 《幼児語》おへそ．
túrn bùtton 〚建築〛チョウ形締め具．
un·bút·ton 動他〈ボタンを〉外す．
Wélshman's bútton 〚昆虫〛トビケラの一種 *Sericostoma personatum* の釣り人による俗称．

buy /bái/

動他 買う，購入する；（人から）買う．──名 飼うこと，購入．

bést búy いちばんのお買い得品．
bríng-and-búy 形 《英・NZ》品物持ち寄りの．
góod búy お買い得品．
ópen-to-búy 〚商業〛自由裁量仕入予算．
ò·ver·búy 動他 …を多く買いすぎる．
ùn·der·búy 動他 …を（他人）より安く買う．

buzz /bʌ́z/

名（ハチ・機械・人の話し声などの）低いブンブンうなるような音，ざわめき，騒音；《擬声語》ブーン，ブンブン（ハチなどの羽音），プーン（カの羽音），ガヤガヤ（人声），ひそひそ（耳打ち），ブーッ，ビーッ（ブザーなど）；《米話》クスクス［クックッ］という笑い．

a·búzz 形副 ブンブン音をたてて．
rólling bùzz 《米麻薬俗》長続きする麻薬の陶酔感［酔い］．
zómbie bùzz 《米俗》（薬品の）フェンシクリジン．

buz·zard /bʌ́zərd/

名《主に英》〚鳥類〛ノスリ．

hóney bùzzard ハチクマ．
jáckal bùzzard シロハラノスリ．
júngle bùzzard 《米渡り労働者俗》キャンプ場などに住みついて一時的渡り労働者にたかる渡り労働者．
róugh-lègged bùzzard ケアシ（毛足）ノスリ．
túrkey bùzzard ヒメコンドル．

by[1] /bái, bài/

前《場所・位置》…のそばに［で］，のわきに，の近くに；〈人の〉手元に（おいて）．

blów-bỳ 名 〚自動車〛ガス漏れ，吹き抜け．
bý-and-bý 名 《米・カナダ》近い将来．
clóse-bỳ 形 すぐ近くの；隣接した；近所の．
dríve-bỳ 名 車で立ち寄ること．
dróp·bỳ 名 立ち寄り．
flý·bỳ 名 〚ロケット〛フライバイ：（宇宙船の天体への）接近通過．
for·bý 前 《主にスコット》…に近接して．
gó-bỳ 名 《話》見て見ぬ振りをすること．
hère·bý 副 《文語》これによって．
ín·bý 前 《英北部方言》…の中に［で］，──形 中の．
láy-bỳ 名 《英》（道路の）待避所；（鉄道の）待避線，側線．
líe-bỳ 名 《英》＝lay-by.
nèar·bý 形 《主に米》すぐ近く［そば］の．
pásser·bỳ 名 通りがかりの人，通行人．
síx-bỳ 名 《米俗》大型トラック；6 段変速の 6 輪トラック．
stánd·bỳ 名 頼りになる人；支持者，味方．
stánder-bỳ 名 傍観者，見物人（bystander）．
swíng-bỳ 名 〚航空宇宙〛スウィングバイ．
thère·bý 副 それによって，そのために．
úp·bý 副 《スコット》あそこに，向こうに．
whère·bý 副 《関係副詞》それによって…するところの（by which）．

by[2] /bái/

間 さようなら（good-by）．

by-by 間名副 《話》さよなら，バイバイ．
good-by 間名 さようなら，御機嫌よう．
hush·a·by 間 静かにねんねしな，ねんねんよ．
rock·a·by 動自 《命令形で》＝hushaby.

-by /bi/

連結形 **1** 農場，集落．**2** 砦．
★ 地名や地名起源の姓をつくる．
◆ もとは古スカンジナビア語 *bý*; 2 は古英 *burh*「砦」が古スカンジナビア語で置き換えられたもの．

Ap·ple·by 名 アップルビー（イングランドの地名）．►字義は「リンゴ園のある農場［集落］」．
Cos·by 名 コスビー（イングランドの地名）．►字義は「Cossa（人名）の農場」．
Cros·by 名 クロスビー（イングランドの地名）．►字義は「十字架のある集落」．
Dan·by 名 ダンビ（イングランドの地名）．►字義は「Danes（種族名）の集落」．
Dar·by 名 ダービー（イングランドの地名）．►Derby の異形．
Der·by 名 ☞ DERBY[2]
Dig·by 名 ディグビー（イングランドの地名）．►字義は「水路そばの農場」．
Gran·by 名 グランビー（イングランドの地名）．►字義は「Grani（人名）の農場」．
Grims·by 名 グリムズビー（イングランドの地名）．►字義は「Grímr（人名）の農場」．
Horns·by 名 ホーンズビー（イングランドの地名）．►字義は「Ormr（人名）の農場」．
In·golds·by 名 インゴルズビー（イングランドの地名）．►字義は「Ingjaldr（人名）の農場」．
Kirk·by 名 カービー（イングランドの地名）．►字義は「教会のある集落」．
Mos·by 名 モーズビー（イングランドの地名）．►字義は「荒れ地の農場」．
Nase·by 名 ネーズビー（イングランドの地名）；清教徒革命の古戦場．►字義は「Hnæf（伝説上の人物名）の農場」．
Rug·by 名 ラグビー（イングランドの都市名）．►字義は「Hrōca（人名）の砦」．
Sel·by 名 セルビー（イングランドの地名）．►字義は「シダレヤナギのそばにある集落」．
Shel·by 名 シェルビー（姓）．►Selby の異形．
Weath·er·by 名 ウェザービー（姓）．►イングランドの地名 Wetherby の異形．
Wel·by 名 ウェルビー（イングランドの地名）．►字義は「泉［小川］に近い農場」．

Whit·by 名 ホイットビー, ウィットビー(イングランドの地名). ►字義は「荘園内にある白い城塞」.
Wil·lough·by 名 ウィロビー(イングランドの地名). ►字義は「ヤナギの群生する要塞」.

bye /bái/

間 さようなら(by).

bed·dy-bye 名 《幼児語》寝る時間.
bye-bye 間 《話》さよなら, バイバイ.
g'bye 間 ＝goodbye.
good·bye 間 《別れのあいさつとして》さようなら.
see·ya·bye 間 《米俗》(カリフォルニアで)さよなら.

-bye /bái/

連結形 by[1] の異形.

for·bye 前副 《主にスコット》すぐそばに.
in·bye 前副 …の中に[で].
out·bye 副 《主にスコット》屋外[野外]に.

by·pass /báipæ̀s, -pɑ̀ːs | -pɑ̀ːs/

名 **1** バイパス, 自動車用迂回(うかい)路. **2**〘医学〙副血行路, 側副路, バイパス. ⇨ PASS.

À-Ć býpass 〘医学〙大動脈冠動脈バイパス.
córonary býpass 〘医学〙冠動脈バイパス.
gástric býpass 〘医学〙胃バイパス, 胃空腸吻合(術).
intéstinal býpass 〘医学〙腸バイパス, 腸吻合(術).

byte /báit/

名〘コンピュータ〙バイト: 通例, 8ビット(bit)から成り, コンピュータ処理における単位として扱われる.

gig·a·byte 名 ギガバイト: 10億バイト.
k·byte ＝kilobyte.
kil·o·byte 名 キロバイト: 1024(2^{10})バイト.
meg·a·byte 名 メガバイト.

B

C

C

cab /kǽb/

名 タクシー. ►cabriolet の短縮形.

gýpsy càb	《米》もぐりの［免許のない］タクシー.
héli·càb 名	ヘリキャブ.
míni·càb 名	《主に英》(呼び出し)小型タクシー.
pédi·càb 名	(特に東南アジアの)輪タク.
pírate càb	《俗》客からぼるタクシー.
prívilege càb	《英》(特に駅の)構内タクシー.
táxi·càb 名	タクシー.
Yéllow Cáb	イエローキャブ: 米国のタクシー会社.

cab·bage /kǽbidʒ/

名 **1** キャベツ, 玉菜. **2**《米俗》お金, (特に)紙幣.

célery càbbage	＝Chinese cabbage.
Chínese cábbage	ハクサイ.
fólding cábbage	《米話 / おどけて》たくさんの紙幣.
háppy cábbage	《米俗》金.
líberty càbbage	《米俗》(細切りの)塩漬けキャベツ.
pálm càbbage	キャベツヤシ.
pócket cábbage	《米俗》お金, 銭.
réd cábbage	赤［紫］キャベツ.
Savóy cábbage	サボイキャベツ.
séa càbbage	ヒメクロシオメ: 北太平洋産の褐藻.
séa-òtter's-cábbage	ブルウキモ: 北米太平洋岸産の海藻.
skúnk càbbage	ザゼンソウ(座禅草).
stém càbbage	コールラビ, カブカンラン(蕪甘藍).
swámp càbbage	＝skunk cabbage.
túrnip càbbage	＝stem cabbage.
wáter càbbage	ニオイヒツジグサ, シハイスイレン.

cab·in /kǽbin/

名 **1** 小屋. **2** (航空機の)キャビン. **3** 船室.

fóre·càb·in 名	(客船の)前部船室.
lóg càbin	丸太小屋.
póop càbin	〘海事〙船尾楼船室.
préssure càbin	〘航空〙与圧室.
trúnk cábin	トランクキャビン, 筒形船室.

cab·i·net /kǽbənit/

名 **1** 飾り棚; 収納家具. **2** 内閣. **3** 小室. ⇨ -ET[1].

córner càbinet	隅戸棚.
fíling càbinet	書類整理用棚.
Hóosier càbinet	フージャー式台所用戸棚.
ínner cábinet	《英》非公式に助言を行う小委員会.
kítchen càbinet	(台所備え付けの)食器棚.
médicine càbinet	(薬などを入れる)戸棚.
shádow càbinet	〘英政治〙影の内閣.
stéam càbinet	蒸し風呂用浴槽.
sùb·cáb·i·net 名	〘米政治〙副閣議［閣僚］.

ca·ble /kéibl/

名 ケーブル, 太くて丈夫な綱, 大綱, 太綱.

ármored cáble	(電気の)外装ケーブル.
bóoster càble	〘自動車〙ブースターケーブル.
bówer-càble	〘海事〙主錨鎖.
B́X́ càble	〘電気〙ビーエックスケーブル.
cháin càble	〘海事〙錨鎖(びょうさ).
coáxial cáble	〘電気〙同軸ケーブル［線路］.
crỳ·o·cá·ble 名	〘電気〙極(ご)低温ケーブル.
gróund càble	〘海事〙浮標錨鎖(びょうさ).
léader càble	〘海事〙航路指示ケーブル.
món·o·cà·ble 名	単線式空中ケーブル.
páy cáble	《米》ケーブルテレビ.
pówer càble	〘電気〙電力ケーブル［電線］.
wíreless cáble	電波利用のケーブルテレビ.

cac·tus /kǽktəs/

名 サボテン. ⇨ -US[1].

bárrel càctus	タマサボテン.
chín càctus	アゴサボテン, ギムノカリキウム.
cóchineal càctus	コチニールサボテン.
cráb càctus	カニ［シャコ］バサボテン.
Éaster càctus	ヒメカニサボテン.
físhhook càctus	キンセキリュウ(金赤竜).
háirbrush càctus	メキシコ産のサボテンの一種.
hédgehog càctus	サボテン科サンコラマル属［エキノセレウス属］の総称.
místletoe càctus	イトアシ(糸葦).
óld-màn cáctus	オキナマル.
órchid càctus	サボテン科エピフィルム属の総称.
órgan-pìpe càctus	メキシコ産のキタハシラ(北柱)サボテン類の一種.
píncushion càctus	マミラリア属のサボテン類の総称.
ráinbow càctus	タイヨウ(太陽).
rát-tail càctus	金紐(きんひも).
stár càctus	アストロフィツム属のサボテン.
Thanksgíving cáctus	＝crab cactus.
tórch càctus	ハシラ(柱)サボテン.
Túrk's-head càctus	メロカクタス属のサボテンの一種.
víne càctus	米国南西部やメキシコに野生するとげの多い落葉低木(ocotillo).

-cade /kèid, kéid/

連結形 行列, 行進.
★ 名詞をつくる.
◆ cavalcade「騎馬行進」から抽出.

aq·ua·cade 名	《米》水上ショー.
au·to·cade 名	《米》自動車パレード.
mo·tor·cade 名	《米》自動車パレード.
trac·tor·cade 名	トラクターによる行進.

ca·dence /kéidns/

名 **1** (一連の音や語の)律動的な流れ, 調子. **2**〘音楽〙終止(形, 法).

decéptive cádence	〘音楽〙偽終止.
hálf cádence	〘音楽〙半終止.
interrúpted cádence	〘音楽〙＝deceptive cadence.
Landíni cádence	〘音楽〙ランディーニ終止.
pérfect cádence	〘音楽〙完全終止.

plágal cádence 〖音楽〗変格終止.
suspénded cádence 〖音楽〗=deceptive cadence.
úndulating cádence 〖韻律〗アクセントのない2つの音節の間にアクセントのある音節を入れて作る詞脚によって生まれるリズム.

ca·fé /kæféi, kə-|kǽfei; *Fr.* kafe/

名 カフェ.►cafe とも綴る.

bóok càfe =bookstore cafe.
bóokstore càfe 書店の中の喫茶(コーナー).
cy·ber·café 名 インターネット喫茶(店).
pousse-café 名 プースカフェ: カクテルの一種.
sídewalk càfé カフェテラス.
tránsport càfé 《英》幹線道路沿いの軽食堂.

cage /kéidʒ/

名 鳥かご, (獣を入れる)檻(おり); 檻状の構造物.

bátting càge 〖野球〗バッティング・ケージ.
béar càge 《米市民ラジオ俗》警察署.
bíg càge 連邦 [州] 刑務所 [少年院].
bírd·càge 鳥かご.
ców-càge 《米鉄道俗》畜牛(運搬)車.
crásh càge =roll cage.
en·cáge 動他 檻に入れる, 閉じ [押し] 込める.
Fáraday càge 〖物理〗ファラデー箱.
in·cage 動他 =encage.
lóuse-càge 《米鉄道俗》車掌車.
mónkey càge 《米刑務所俗》独房.
ríb càge 〖解剖〗胸郭.
róll càge 〖自動車〗ロールケージ.
squírrel càge リスかご.
un·cáge 動他 かご [檻] から出す; 解放する.

-caine /kèin/

連結形 〖薬学〗コカインに似た局所麻酔薬.
★ 名詞をつくる.
◆ cocaine「コカイン」から抽出.

ben·zo·caine 名 パラアミノ安息香酸エチル.
bu·piv·a·caine 名 ブピバカイン.
bu·ta·caine 名 ブタカイン.
di·bu·caine 名 ジブカイン.
eu·caine 名 ユーカイン, オイカイン.
Hol·o·caine 名 《薬学・商標》=phenacaine.
li·do·caine 名 リドカイン.
lig·no·caine 名 リグノカイン.
No·vo·caine 名 《薬学・商標》ノヴォケイン.
Nu·per·caine 名 《薬学・商標》ヌペルカイン.
or·tho·caine 名 〖化学〗オルトカイン.
phe·na·caine 名 フェナカイン.
Pon·to·caine 名 《薬学・商標》ポントカイン.
pro·caine 名 プロカイン.
tet·ra·caine 名 テトラカイン.

cake /kéik/

名 **1** ケーキ, 洋菓子. **2** (大豆・綿実・亜麻・仁などの加圧採油後の)固形採油残渣(ざんさ).

álmond càke 〖化学〗アーモンド油の搾りかす.
ángel càke エンゼルケーキ.
ángel fòod càke 《主に米》=angel cake.
ásh·càke 《主に米南部方言》焼き灰菓子.
Bánbury càke バンベリーケーキ.
bárm càke 《英ランカシャー州》柔らかい丸パン.
bátter·càke 《米南部方言》=pancake.
béan càke 豆かす, 大豆かす.
béef·càke 《米話》筋肉隆々の男性.
bírthday càke バースデイケーキ.
Bláck Fòrest càke 〖ドイツ料理〗チェリーブランデーの香りをつけたチョコレートケーキ.
bríde·càke =wedding cake.
búckwheat càke 《米》そば粉で作ったパンケーキ.
Bündt càke リング状ケーキ.►チューブ型鍋の商標名 Bundt より.
bútter càke 《米》バターケーキ.
cáttle-càke 《英》(家畜に与える)濃厚飼料の塊.
chéese·càke チーズケーキ.
cóffee·càke コーヒーケーキ.
cótton càke 綿の実のしめかす.
cóttonseed càke =cotton cake.
ców càke 《俗》牛糞; 嫌なやつ.
créam càke 《英》クリームケーキ [菓子].
cúp·càke カップケーキ.
dévil's fòod càke 《米・カナダ》濃厚なチョコレートケーキ.
dróp càke 落とし焼きクッキー.
Dundée càke ダンディーケーキ.
Éccles càke 《英》エクレスケーキ.
eléction càke 《ニューイング》(かつて選挙後の町民会で出された)フルーツケーキ.
fáiry-càke 《英》小型スポンジケーキ.
fáncy càke デコレーションケーキ.
fát·càke 《米ペンシルベニア》=friedcake.
fílter càke 〖化学〗濾過(ろか)ケーク.
físh càke 魚肉団子.
flánnel càke 《主に米北部ミッドランド》パンケーキ.
flý càke 《米俗》レーズンケーキ.
Frénch páncake 薄いあっさりしたパンケーキ.
fríed·càke 《主に米中北部方言》揚げ菓子.
frúit·càke フルーツケーキ.
fúnnel càke ファネルケーキ.
Génoa càke ジェノバケーキ.
gríddle·càke =pancake.
gróom's càke =wedding cake.
héavy-càke 《米俗》女たらし.
hót càke =pancake.
ícebox càke クッキーなどで作ったケーキ.
jóhnny·càke 《米北部》ジョニーケーキ.
jónny·càke =johnnycake.
jóurney·càke =johnnycake.
Làdy Báltimore càke レディボルチモアケーキ.
láne càke レーンケーキ.
lárdy càke ラーディケーキ.
láyer càke レヤーケーキ.
línseed càke 亜麻仁かす.
lóaf càke (パンの形に焼いた)棒ケーキ.
Lòrd Báltimore càke ロードボルチモアケーキ.
Madéira càke 《英》マデイラケーキ.
márble càke マーブルケーキ.
míll·càke =linseed cake.
nút·càke ナッツ入りケーキ.
óat·càke オートケーキ.
óil càke 油かす.
pán·càke パンケーキ, ホットケーキ.
párliament càke 薄いショウガの入ったクッキー.
pát-a-càke パタケーキ (遊戯).
pátty-càke =pat-a-cake.
plúm càke (干しブドウが入った)フルーツケーキ.
pómfret càke 《英》ポムフレットケーキ.
Póntefract càke 《英》=pomfret cake.
potáto pàncake ポテトパンケーキ.
póund càke 《米》パウンドケーキ.
quéen-càke クイーンケーキ.
rápe càke (菜種の)搾りかす, 油かす.
róck càke 《英》ロックケーキ.
róut càke 《英》夜会に出るケーキ.
sáffron càke サフランケーキ.
sált càke 〖化学〗芒硝(ぼうしょう).
sándwich càke =layer cake.
schóolboy càke 《英話》安いフルーツケーキ.
scráp càke 家畜の飼料にするしめかす.

C

séed·càke キャラウェーシードの入ったケーキ.
shórt·càke 《英》多量のショートニングを入れた厚いクッキー;《米》ショートケーキ.
Shréwsbury càke シュルーズベリ・ケーキ.
símnel càke 《主に英》シムネルケーキ.
sóul càke 《英》万霊節を祝うための菓子パン.
spónge càke スポンジケーキ.
téa·càke 茶菓子.
típsy càke 《英》ワインに浸したトライフルの一種.
tóad càke 〘薬学〙蟾酥(せんそ).
twélfth-càke 十二夜を祝うためのケーキ.
úpside-dówn càke アップサイドダウンケーキ.
wédding càke ウェディングケーキ.
wédding-càke [形] 装飾過多の, けばけばしい, 凝った.
whéat càke 小麦粉で作ったパンケーキ.
yéast càke 《主に米・カナダ》固形イースト.
yéllow·càke 〘原子力〙イエローケーキ.

-cal /kæl/

[連結形] …カロリーの.
★ 形容詞をつくる.
◆ calorie の短縮形.

lo-cal [形] =low-cal.
low-cal [形] 《話》低カロリーの.
no-cal [形] 〈食物が〉ゼロカロリーの.

cal·cu·late /kǽlkjulèit/

[動他] …を計算[算出, 算定]する, 推計する;(数理的に)…を決める[確かめる]. ⇨ -ATE[1].

mis·cal·cu·late [動他自] 誤算する; 判断を間違える.
re·cal·cu·late [動他] …を検算する, 計算し直す.

cal·cu·lus /kǽlkjuləs/

[名] **1**〘数学〙計算法,(特に)微積分法. **2**〘病理〙結石. ⇨ -ULUS.

bíliary cálculus 〘病理〙胆石(gallstone).
differéntial cálculus 〘数学〙微分学.
felicífic cálculus =hedonic calculus.
fúnctional cálculus 〘論理〙関数計算.
hedónic cálculus (功利主義哲学で)快楽計算.
infinitésimal cálculus 〘数学〙極限[無限]算法.
íntegral cálculus 〘数学〙積分学.
lámbda càlculus 〘コンピュータ〙ラムダ計算式.
operátional cálculus 〘数学〙演算子法.
prè·cálculus [形] 〘数学〙微分積分学を学ぶのに前提となる.
prédicate cálculus 〘論理〙=functional calculus.
propositional cálculus 〘論理〙=sentential calculus.
rénal cálculus 〘病理〙腎臓結石, 腎石.
senténtial cálculus 〘論理〙命題論理, 文計算.
úrinary cálculus 〘病理〙尿(結)石(urolith).

cal·en·dar /kǽləndər/

[名] カレンダー; 暦法, 暦. ⇨ -AR[2].

atómic cálendar 炭素(14)年代測定装置.
Chínese cálendar (もと中国で用いられた)太陰太陽暦.
chúrch cálendar 教会暦, 教会祝日表.
cívil cálendar (ユダヤ暦の)政暦.
désk càlendar デスク[卓上]カレンダー.
ecclesiástical cálendar =church calender.
Egýptian cálendar エジプト暦.
engágement cálendar 予定表, 日程表.
Gregórian cálendar グレゴリオ暦.
Hébrew cálendar =Jewish calendar.
Híndu cálendar ヒンドゥー暦.
Islámic cálendar イスラム暦.
Jéwish cálendar ユダヤ暦.
Júlian cálendar ユリウス暦.
lunisólar cálendar 〘天文〙太陰太陽暦.
Muhámmadan cálendar =Muslim calendar.
Múslim cálendar ヒジュラ[イスラム]暦.
perpétual cálendar 万年暦.
Revolútionary cálendar フランス革命暦, 共和暦.
Róman cálendar ローマ暦.
shépherd's cálendar 羊飼いの暦.
státion càlendar 《英》(駅の)掲示板.

calf /kǽf, kɑ́ːf | kɑ́ːf/

[名] **1** 子牛. **2**(哺乳(ほにゅう)動物の)子. **3** 子牛の革.

ácorn càlf 《米西部》小さくて弱い子牛.
bóbby càlf 《英・豪・NZ》生後1週間で畜殺される子牛.
bób càlf 《米北東部》肉用の子牛.
bóx càlf ボックス革, ボックスカーフ.
búll·càlf 《英》雄の子牛; ばか, まぬけ.
divínity càlf 〘製本〙神学書装.
gólden cálf 金の子牛: Aaron が造り, イスラエルの民が拝した若い雄牛の鋳像.
hálf cálf 〘製本〙半子牛皮[革]装.
láw càlf 〘製本〙法律書[法典]用カーフ.
móon·càlf 先天的精神薄弱者.
séa càlf ゴマフアザラシ(harbor seal).
trée càlf 〘製本〙(子牛革の)木模様装丁.
véal càlf (ふつう生後3か月以下で乳で育てた)食肉用の子牛(veal).

cal·i·per /kǽləpər/

[名] **1** カリパス, パス: 測径用具の一種. **2**〘機械〙ノギス.

ínside cáliper 内パス, 内側カリパス.
óutside cáliper 外パス, 外径カリパス.
slíde càliper ノギス(caliper square).
vérnier cáliper 副尺(ふくしゃく)付きノギス.

call /kɔ́ːl/

[動他] **1** …を呼ぶ. **2** …に電話をかける. ——[名] **1** 呼び声. **2** 通話. **3**〘金融〙支払い請求[督促]. **4**〘トランプ〙コール. **5**〘スポーツ〙(審判などの)判定.

áct càll 〘演劇〙(舞台監督の)演技開始命令.
áltar càll (キリスト教で)招き.
bírd càll 鳥の鳴き声.
cát·càll 鋭い口笛, 騒々しい野次.
cáttle càll 《米俗》公開オーディション(の募集).
clóse cáll 《米・カナダ話》(危険・災難から)かろうじて免れること, 危機一髪.
cóld-cáll [動自他] 電話[訪問]販売する.
colléct càll 料金受信人払い通話.
cónference càll 電話会議.
créep-ùp càll 《英》こっそり訪問.
cúrtain càll カーテンコール.
dínner càll 食事の知らせ;《米》お礼訪問.
distréss càll 遭難呼び出し.
dúck càll カモ笛.
fírst cáll (起床・退却などの)らっぱ.
hóuse càll 往診; 家庭訪問.
ín·call [名] (売春などの)店でのサービス.
jódy càll 《米陸軍俗》行進中または走りながら歌う交唱歌.
júdgment càll 〘スポーツ〙審判判定.
júnk càll (セールスマンなどの)売り込み電話.
líne càll 〘テニス〙ボールがコート内か外かの審判の判定.

lócal cáll 通話, 市内通話.
máil càll (特に軍隊での)郵便物の配布.
márgin càll 〖証券〗追加証拠金請求, 追い証.
méss càll 〖軍事〗食事らっぱ, 食事号令.
mis·call 動他 間違った名で呼ぶ; 呼び違える.
mórning càll (ホテルの)モーニングコール.
náked cáll ⦅米⦆ 売手人の保有しない株式やほかの有価証券を買うオプション.
náme-càll 動他 〈人の〉悪口を言う.
nátional cáll ⦅主に英⦆ 長距離電話.
náture's cáll 自然の呼び声, 叫び声.
on·cáll 形 応診中の; 呼び出しに応じる.
ópen cáll 公募オーディション.
out·càll 名 (売春などの)出張サービス.
óver·càll 動他自 〖トランプ〗前のビッドより高いビッドをする, オーバーコールする.
pérsonal cáll ⦅主に英⦆ 指名通話.
pérson-to-pérson cáll =personal call.
phóto·càll ⦅英⦆ 写真撮影の機会 [時間].
píss càll ⦅米俗⦆ (軍隊の)起床らっぱ.
quáil càll (ウズラを呼び寄せる)うずら笛.
re·cáll 動他 〈人・物・事を〉思い出す, 想起する.
róll càll (学校などの)点呼, 出欠調べ.
róll-càll 動他 …の点呼 [出欠] を取る.
síck càll 〖軍事〗患者 [診療] 呼集(の合図).
státion càll 番号通話(station-to-station call).
stríke thrée cáll 〖野球〗見逃し三振.
tóll càll ⦅主に米⦆ 長距離電話, 市外通話.
transférred chárge càll ⦅英⦆ =collect call.
trúmpet càll トランペットの吹奏; ファンファーレ.
trúnk càll ⦅主に英⦆ 長距離電話(呼び出し).
wíll-càll 商品の留め置き; 内金入れの預かり.
wólf càll ⦅話⦆ 魅力的な女性に鳴らす口笛.

cal·o·rie /kǽləri/

名 カロリー: 1 グラムの水を 1°C 高めるのに必要な熱量.

émpty cálorie 空カロリー, エンプティーカロリー.
grám càlorie =calorie.
gréat cálorie =kilocalorie.
kíl·o·càl·o·rie 名 キロカロリー, 大カロリー.
kílogram càlorie =kilocalorie.
lárge cálorie =kilocalorie.
mí·cro·càl·o·rie 名 〖物理〗〖生化学〗マイクロカロリー.
smáll cálorie =calorie.

cam·er·a /kǽmərə/

名 カメラ, 写真機. ⇨ -A[2].
★ 語頭にくる関連形は camer(a)-: *camer*ist「写真家」, *camera*listic「官房の, 国家財政の」.

áero·càmera 名 航空カメラ.
Báker-Núnn càmera ベーカーナン・カメラ(Baker-Nunn satellite-tracking camera).
ballístic cámera (夜間のミサイル追跡用)弾道カメラ.
bóx cámera ボックスカメラ; 箱形カメラ.
cándid cámera (特に隠し撮りするために固定レンズをつけた)小型カメラ.
cíne·càmera 名 ⦅特に英⦆ 映画撮影機.
cómpact cámera コンパクトカメラ.
dísc càmera ディスクカメラ.
eléctron càmera 〖電子工学〗電子カメラ.
fíxed-fócus càmera 固定焦点カメラ.
gún càmera ガンカメラ.
ínstant cámera インスタントカメラ.
ísolated cámera スポーツ中継などで, 一定の箇所だけを部分的に撮影しているカメラ.
Lánd Càmera ポラロイド(Polaroid).
mícro·càmera 名 顕微鏡写真用カメラ.
míniature cámera (35 ミリ以下のフィルム使用の)小型カメラ(minicam).
móvie càmera ムービーカメラ, 撮影機.
óff-cámera 形 オフカメラの.
ón-cámera 形副 (映画・テレビの)カメラに映っているときの [に], 撮影中の [に].
panorámic cámera パノラマカメラ.
pínhole càmera 針穴写真機, ピンホールカメラ.
Rádcliffe Cámera ラドクリフ・カメラ.
réflex càmera レフレックスカメラ, レフ.
Schmídt càmera 〖光学〗シュミットカメラ.
scintillátion càmera シンチカメラ, シンチレーションカメラ.
sóund càmera 〖映画〗トーキーカメラ.
spáce wátch càmera 宇宙監視カメラ.
spéed càmera スピード違反取り締まりカメラ.
stánd càmera 三脚付きカメラ.
stéreo·càmera 名 ステレオ [立体] カメラ.
stíll-ìmage càmera 電子スチールカメラ.
stréak càmera ストリークカメラ.
submíniature cámera (8 ミリまたは 16 ミリフィルムを使用する)超小型カメラ.
téle·càmera 名 テレビカメラ.
trícolor càmera 〖印刷〗三色(分解)写真機.
TV càmera =telecamera.
twín-lèns cámera 二眼カメラ.
vídeo càmera ビデオカメラ.
víew càmera ビューカメラ: 固定して映像・風景を撮影するカメラ.

camp /kǽmp/

名 **1** 野営地. **2** 収容所. ——動自 テントを張る.

áu·to·càmp 名 自動車旅行者用キャンプ場.
báse càmp (登山などの)ベースキャンプ.
bláck cámp ⦅米俗⦆ 黒人ばかりの刑務所.
bóot càmp ⦅米海軍・海兵隊俗⦆ 新兵訓練所.
Búnyan càmp ⦅米俗⦆ (寝具のない)小屋.
concentrátion càmp 強制収容所.
ców càmp ⦅米⦆ カウボーイの野営(地).
dáy càmp 昼間キャンプ.
déath càmp (ナチスが用いたような)死の収容所.
de·cámp 動自 キャンプをたたむ.
deténtion càmp (不法入国者などの)仮収容所.
en·cámp 動自 野営する, テントを張る.
héalth càmp ⦅NZ⦆ 虚弱児童向けキャンプ.
héll càmp (米国で行われている日本式の厳しい)管理者養成プログラム.
hóliday càmp ⦅英⦆ (特に海辺の)行楽地.
hónor càmp 自主運営される模範囚人収容所.
intérnment càmp (敵国人・捕虜・政治犯)収容所.
lábor càmp 強制労働収容所.
mítt càmp ⦅米俗⦆ 手相見小屋.
mo·cámp 名 設備の整ったキャンプ場(motorist camp).
mótor càmp ⦅NZ⦆ オートキャンプ場.
péace càmp ⦅英⦆ ピースキャンプ: 平和運動の長期キャンプ.
príson càmp 捕虜 [政治犯] 収容所.
relocátion càmp (第二次世界大戦中の米国西海岸の)日系人強制収容所.
sláve lábor càmp =labor camp.
súgar càmp ⦅主に米北部ミッドランド⦆ サトウカエデの林.
súmmer càmp ⦅米⦆ 臨海学校, 林間学校.
tráiler càmp ⦅米⦆ ハウストレーラー用キャンプ場.
tránsit càmp (避難民などの)一時的な野営地.
wórk càmp 野外労働囚人用キャンプ.

cam·paign /kæmpéin/

名 (特定の目的のための)組織的活動.

Núclear Wéapons Fréeze Campàign 核凍結運動.
préss campàign 新聞によるキャンペーン.

sméar campàign 名誉［信用］を失墜させる政治工作.
únion avóidance càmpaign 《米》労資協調キャンペーン.
whíspering campàign 《主に米・カナダ》中傷［デマ］戦術.

C

cam·phor /kǽmfər/

名〘化学〙〘薬学〙ショウノウ(樟脳), カンフル.

ánise càmphor アネトール(anethole).
Maláyan cámphor ボルネオール(borneol).
mínt càmphor メントール(menthol).
péppermint càmphor メントール(menthol).
Sumátra cámphor ボルネオール(borneol).

cam·pi·on /kǽmpiən/

名〘植物〙マンテマ. ⇨ -ION[1].

bládder càmpion シラタマソウ.
évening cámpion ヒロハノマンテマ.
móss càmpion コケマンテマ.
róse càmpion スイセンノウ(酔仙翁).
séa càmpion ハマベマンテマ.
whíte cámpion ＝evening campion.

can /kǽn/

名 **1** 缶. **2** (ごみなどの)入れ物.

ásh·càn 《米》(大型の)灰入れ, 石炭殻入れ.
bílly·càn 野営用湯沸かし.
blítz càn ＝jerry can.
bútt càn 《米軍俗》ブリキ缶のタバコの吸い殻入れ.
cráp càn 《米俗》便器, 便所.
gárbage càn 《米・カナダ》(台所用)ごみ入れ.
héat-càn 《米軍俗》ジェット機.
jérry càn 〘軍事〙石油缶.
júice càn 《俗》ガソリン用タンク.
kícking càn 《米俗》攻撃の的.
kíck-the-cán 缶蹴り.
óil·càn 油の缶; (特に)油差し.
sárdine càn 《米俗》すし詰めの場所.
shít·càn 動他 《豪俗》…を侮辱する, こらしめる.
spráy càn スプレー容器.
sprínkling càn ＝watering can.
squírt càn 油差し, 注油缶.
tín cán (金属製の)缶(can).
tomáto càn 《米渡り労働者俗》町の警察官のバッジ.
trásh càn 《米》ごみ入れ, くず入れ.
wátering càn じょうろ.
zíp-tòp cán ジップトップ缶.

Ca·na·di·an /kənéidiən/

形 カナダ(人)の. ── 名 カナダ人. ⇨ -IAN.

Ánglo-Canádian 形 英国とカナダの; 英国系カナダ人の.
Énglish Canádian 英国系のカナダ人.
Frénch Canádian フランス系カナダ人.
nátive Canádian 《カナダ》カナダ先住民.
Néw Canádian 《カナダ》(カナダ市民権未獲得の)新移住者.
Róyal Canádian 形 カナダ連邦政府と英国王に奉仕する.
Úpper Canádian 名 《カナダ大西洋沿岸州》オンタリオ州民. ── 形 オンタリオ州の.

ca·nal /kənǽl/

名 **1** 運河. **2**〘生物〙〘解剖〙管, 導管. ⇨ -AL[1].

aliméntary canál 〘解剖〙〘動物〙消化管.
ánal canál 〘解剖〙肛門管.
áuditory canál 〘解剖〙耳道.
bírth canàl 〘解剖〙産道.
Gránd Canál 大運河: 中国の運河; ベニスの大運河.
Havérsian canál 〘解剖〙ハバース管.
Kíel Canál キール運河.
láteral canál (航行に支障のある河川沿いに設けた)側設運河.
Míttelland Canál ミッテランド運河(ドイツ).
Pánama Canál パナマ運河.
púlp canàl ＝root canal.
róot canàl 〘歯科〙根管.
semicírcular canál 〘解剖〙(三)半規管.
shíp canàl (大型船が通過できる)船舶用運河.
spínal canàl 〘解剖〙脊椎管.
stóne canàl 〘解剖〙石管.
Súez Canál スエズ運河.
vértebral canàl ＝spinal canal.

ca·nar·y /kənɛ́əri/

名〘鳥類〙カナリア. ⇨ -ARY.

búsh cànary 《NZ》キバシリ: スズメ目キバシリ科の鳥の総称.
cómmon canáry カナリア.
Gránd Canáry グランカナリア島(gran canaria).
móuntain canàry 《米俗》(荷物運搬用)ロバ.
múle canàry (カナリアとヒワ類などを交配した)雑種のカナリヤ.
Rócky Móuntain canáry 《米西部》ロバ.
séa canàry シロイルカ(beluga).
wíld canáry ゴシキ(五色)ヒワ.

can·di·date /kǽndidèit, -dət/

名 (職・地位などに対する)立候補者, 志望［志願］者. ⇨ -ATE[1].

Manchúrian cándidate 洗脳された人, 操り人形. ►米国の小説家 Richard Condon の小説 *The Manchurian Candidate*(1959)にちなむ.
non·cán·di·date 名 非候補者, 不出馬を宣言した人.
párachute càndidate 《侮辱的》落下傘候補.

can·dle /kǽndl/

名 ろうそく.

córpse càndle 人魂(ひとだま).
Éaster càndle ＝paschal candle.
fóot-cándle 〘光学〙フート燭(しょく).
Héfner cándle 〘光学〙ヘフネル燭(しょく).
internátional cándle 〘光学〙国際燭光.
méter-càndle ルクス(lux): 照度の単位.
néw cándle 〘光学〙カンデラ(candela).
páschal cándle 〘ローマカトリック〙復活祭のろうそく.
Róman cándle 乱玉, ローマ花火.
rúsh cándle 灯心草ろうそく.
stándard cándle 〘天文〙光度基準星.
súlphur càndle 硫黄ろうそく.
vótive càndle 灯明.

can·dy /kǽndi/

名 キャンデー, 砂糖菓子, 飴.

bárley càndy 大麦糖: 大麦の煎じ汁で砂糖を煮詰めたキャンディー.
bráin càndy 《米》〘テレビ〙軽い娯楽番組.
cótton cándy 綿菓子, 綿あめ.

cóugh càndy 《米》咳止めドロップ.
éar càndy 耳に心地よいポピュラーな音楽[曲].
éye càndy 目に心地よいもの[絵など].
hárd cándy 《米》ハードキャンデー: 砂糖とコーンシロップで作る硬いキャンディー.
mínd càndy 心に心地よいもの.
néedle càndy 《米麻薬俗》注射器で打つ麻薬.
nóse càndy 《米俗》コカイン(cocaine).
ríbbon càndy リボン形キャンデー.
róck cándy 《米》氷砂糖(《英》sugar candy).
stíck càndy スティックキャンデー.
súgar cándy **1**《主に米》シュガーキャンデー. **2**《英》氷砂糖.
súgar-càndy 形 甘ったるい, 大甘の(saccharine).

cane /kéin/

名 **1** 杖(つえ), ステッキ; 籐(とう)製の杖. **2** 竹に似た丈の高いイネ科植物数種の総称.

dúmb càne サトイモ科シロガスリソウ属の観葉植物.
gíant cáne メダケ属のイネ科の植物.
lárge cáne メダケ属のイネ科の植物.
láser càne (視力障害者用の)レーザー杖.
Malácca cáne 東インド産のロタントウの茎.
ráspberry-cáne ラズベリーの木.
smáll cáne メダケ属のイネ科の植物.
sóuthern cáne メダケ属のイネ科の植物.
splít cáne 〖釣り〗スプリットケーン.
súgar-càne サトウキビ.
swítch càne メダケ属のイネ科の植物.
swórd càne 仕込み杖(づえ).

can·ker /kǽŋkər/

名 〖植物病理〗かびや細菌によって癌腫, 腐乱などを生じる病気の総称.

bactérial cánker 潰瘍(かいよう)病.
brówn cánker 腐乱病.
cítrus cànker 柑橘(かんきつ)類潰瘍(かいよう)病.
stém cànker 枝枯れ病, 茎潰瘍(かいよう).

can·non /kǽnən/

名 **1** 大砲. **2**《英》〖ビリヤード〗キャノン.

dè·mi-cán·non 名 半キャノン砲.
hásh cànnon 《米麻薬俗》大麻を吸うための器具.
lóose cánnon 《米俗》(手に負えない)危険な人.
núrsery cànnon 〖ビリヤード〗玉突き台の縁付近に寄せた3個の球を打つキャノン.
wáter cànnon (特にトラックに積んでデモ隊・暴徒を散らす)高圧放水砲.

ca·noe /kənúː/

名 カヌー.

Jéw canòe 《米俗》キャデラック.
Montreál canóe 《カナダ》モントリオールカヌー.
nórthern canóe 《カナダ》北地カヌー.
slálom canòe スラロームカヌー.

can·on /kǽnən/

名 **1** 教会法, カノン. **2**〖音楽〗カノン.

cráb cànon 〖音楽〗逆行カノン, かにのカノン.
mírror cànon 〖音楽〗投影カノン.
nòm·o·cán·on 名 教会関係国法集, ノモカノン.
Páli Cánon 〖仏教〗パーリ語経典, 三蔵.
ríddle cànon 〖音楽〗なぞカノン.

can·o·py /kǽnəpi/

名 天蓋(てんがい).

búbble cànopy 〖航空〗水滴型円蓋(えんがい).
crówn cánopy (森林の)上部の繁った枝々がつくる屋根のような覆い.
ò·ver·cán·o·py 動他 …の上に天蓋(てんがい)を作る.
wédding cànopy 〖ユダヤ教〗フッパー, 天蓋(てんがい).

cap /kǽp/

名 **1** (縁なしの)帽子; 制帽. **2** 蓋(ふた); キャップ. **3** 頂点, 頂上.

ápplejack càp 《米俗》アップルジャック帽.
báck-càp 動他 …を見くびる; 非難する.
báll càp ＝baseball cap.
báseball càp 野球帽.
báthing càp (特に女性用の)水泳帽.
báyonet càp 〖電気〗(電球の)差し込み口金.
bíshop's-càp 〖植物〗チャルメルソウ.
bláck cáp 〖英史〗(死刑宣告のとき裁判官が頭に載せる)黒帽.
bláck·càp 頭の黒い鳴き鳥の総称.
blúe·càp (もとスッコトランド兵士の)青色帽.
bóp càp 《米俗》＝applejack cap.
bóttle càp (ビール瓶などの)王冠.
cérvical cáp 避妊用頸部(けいぶ)キャップ.
chárge-càp 動他《英》〈地方自治体に〉徴収税額の上限を設ける.
chímney càp 煙突の笠(かさ).
clóth càp 布製の平たい帽子.
clóth-càp 形《英》労働者階級の.
clóud càp 〖気象〗笠雲(cap cloud).
Cóngress càp インド国民会議派議員の白帽.
crádle càp 〖病理〗揺籃帽: 脂漏性皮膚炎.
crówn càp 《英》(瓶の)王冠.
cúnt càp 《米軍俗》先のとがった軍帽.
déath càp テングタケ属の有毒キノコの総称.
dríp càp 〖木工〗雨押さえの一種.
dúnce càp ダンスキャップ: 生徒に罰としてかぶせた円錐形の帽子.
Dútch cáp 女性用のレース帽子.
Éton cáp イートン帽.
fíller càp 〖自動車〗(燃料)タンクキャップ.
flát·càp 縁なしの平帽.
flíght càp ＝overseas cap.
fóols·càp フールスキャップ: 廉価な筆記用紙.
fóol's càp 道化師帽.
fórage càp 〖軍事〗(歩兵の)略帽.
Gándhi càp ガンジー帽: インド人男性用の白帽.
gárrison càp 〖米軍事〗＝overseas cap.
gímmie càp ギミーキャップ: メーカー名の入った帽子.
gó-to-héll càp 《米軍俗》＝overseas cap.
hándi·càp ハンディキャップ. ►もとは hand i' cap「帽子の中の手」.
háy·càp 乾し草の山にかぶせる帽子.
hót càp ホットキャップ: 霜害防止に植物の上にかぶせる覆い.
húb·càp 〖自動車〗ホイールキャップ.
húnting càp 狩猟帽.
íce·càp 氷冠, 氷帽.
ínk-càp ＝inky cap.
ínky càp ヒトヨタケ: キノコの一種.
invísible cáp かぶると姿が見えなくなる帽子.
jélly-bàg cáp 《英》＝stocking cap.
jóckey càp 騎手帽.
Júliet càp ジュリエット帽: 縁なし婦人帽.
knée·càp 膝蓋(しつがい)骨, ひざ皿.
légal cáp 《米》リーガルキャップ: 法律用紙.
líberty càp 自由の帽子, リバティーキャップ.

mád·càp 形 向こう見ずな, むてっぽうな.
mób·càp モブ帽: 布製の婦人用室内帽.
múd·càp 張りつけ発破: 爆破仕掛けの一種.
níght·càp 《話》寝酒.
óverseas càp 【米陸軍】外地(用軍)帽.
óyster càp ヒラタケ.
percússion càp 【軍事】撃発雷管.
Phrýgian cáp フリジアンキャップ: 古代ギリシャ芸術に見られる三角頭巾.
pólar cáp 【地質】極冠.
ré·càp 動他〈タイヤを〉リーキャップする.
réd·càp 《米・カナダ》赤帽.
róot·càp 【植物】根冠.
sáfety càp 安全蓋(ふた).
Scótch cáp スコッチ帽: 厚地の毛織帽子.
scréw càp (瓶などの)ねじ蓋(ふた).
scrúm·càp 【ラグビー】ヘッドギヤ.
sérvice càp 【軍事】制帽 [軍帽].
shówer càp シャワーキャップ.
skúll·càp 頭蓋帽: 頭にぴったり合う縁なし帽.
snów·càp 頂上の雪, 冠雪.
squáre cáp 角帽, 大学帽.
stócking càp ストッキング帽: 長い円錐形の帽子.
thínking càp 熟考している精神状態.
tít càp 《米軍俗》下士官兵の帽子(略帽).
tóe·càp 靴の飾り革.
tráveling càp 旅行用帽子.
tréncher càp (大学の)角帽.
trúck càp 《米》無蓋トラック用のボックス.
túrn·càp 風で向きを変える煙突の蓋(ふた).
un·cap 動他 …の蓋(ふた)を取る.
wátch càp 【米海軍】(勤務中の下士官がかぶる)毛糸編みの縁なし帽子.
wáx càp ヌメリガサ科のキノコの総称.
whíte·càp 白波, 白い波頭.
wíshing càp (童話で)魔法の帽子.

ca·pa·ble /kéipəbl/

形 能力と手腕のある; 敏腕な, 有能な. ⇨ -ABLE[1].

du·al-ca·pa·ble 形 核兵器と通常兵器の両方に使える.
in·ca·pa·ble 形 できない, 能力がない.
un·ca·pa·ble 形 《廃》=incapable.

ca·pac·i·tor /kəpǽsətər/

名 【電気】蓄電器, コンデンサー. ⇨ -OR[2].

blócking capácitor 阻止コンデンサー.
býpass capàcitor 側路コンデンサー, パスコン.
cóupling capàcitor =blocking capacitor.
gríd capàcitor 格子コンデンサー.
túning capácitor 同調コンデンサー.

ca·pac·i·ty /kəpǽsəti/

名 (建物・乗り物などの)収容能力, 定員; 最大の収容力. ⇨ -ACITY.

bréathing capàcity =vital capacity.
cárrying capàcity 【生態】飽和密度, (環境)収容力.
déadweight capácity 【海事】積載重量トン数.
héat capàcity 【熱力学】熱容量.
ìn·ca·pác·i·ty 名 無力, 無能; 不適任, 不適格.
infiltrátion capàcity 吸水速度, 浸透能.
ò·ver·ca·pác·i·ty 名 過剰能力; 過剰生産能力.
resérve capàcity 【自動車】リザーブ・キャパシティ.
specífic indúctive capácity 【電気】誘電率.
stórage capàcity 【コンピュータ】記憶容量.
vítal capácity 【生理】肺活量.

cap·i·tal /kǽpətl/

名 **1** 首都, 首府, 州都. **2** 資本(金). **3** 大文字. ── 形〈罪が〉死に値する. ⇨ -AL[2], -AL[1].

áuthorized cápital 授権資本 [株式数].
blóck càpital ブロックキャピタル.
círculating cápital 流動資本.
équity càpital 株式資本, 自己資本.
Féderal Cápital 連邦区(Federal District): 一国, 特に中南米諸国の連邦政府官庁所在地である特別行政区.
fíxed cápital 固定資本.
flíght càpital 【経済】逃避資本.
flóating cápital 【経済】流動 [浮動] 資本.
frée cápital 自由資本.
húman càpital 【経済】人的資本.
nòn-cápital 形〈罪が〉死罪に値しない.
rísk càpital =venture capital.
séed càpital 【金融】当初投入資本, 元手資金.
smáll cápital スモールキャピタル.
vénture càpital 《米》【金融】ベンチャー・キャピタル.
wórking càpital 営業 [運転] 資本.

cap·i·tal·ism /kǽpətəlìzm/

名 資本主義. ⇨ -ISM[1].

bláck cápitalism 《米》(特に政府奨励による)黒人による企業経営, 黒人資本主義.
commércial cápitalism 商業資本主義.
fínance cápitalism =financial capitalism.
fináncial cápitalism 金融資本主義.
indústrial cápitalism 産業資本主義.
péople's cápitalism =popular capitalism
pópular cápitalism 大衆資本主義.
státe cápitalism 国家資本主義.
wélfare cápitalism 厚生資本主義.

cap·i·tal·ize /kǽpətəlàiz/

動他 **1** 大文字で書く [印刷する];〈単語の〉語頭を大文字で書く [印刷する]. **2** 資本に組み入れる. ►《英》capitalise. ⇨ -IZE[1].

de·cap·i·tal·ize 動他 資本を引き揚げる; 減資する.
o·ver·cap·i·tal·ize 動他 過大資本化する.
re·cap·i·tal·ize 動他 …の資本(構成)を修正 [変更] する.
un·der·cap·i·tal·ize 動他 十分な資本をかけない.

-cap·ni·a /kǽpniə | -niə, -njə/

連結形 血中の炭酸ガス(に関する異常).
★ 名詞をつくる.
★ 語頭にくる関連形は capno-: *capno*mancy「煙占い」.
◆ ギリシャ語 *capnós*「煙」より. ⇨ -IA.

a·cap·ni·a 名 【医学】炭酸ガス欠乏(症).
hy·per·cap·ni·a 名 【医学】炭酸過剰(症), 高炭酸(症).

cap·su·lar /kǽpsələr, -sju- | -sjulə/

形 capsule の [に入った]. ⇨ -ULAR.

a·cap·su·lar 形 蒴果(さく)を持たない.
bi·cap·su·lar 形 二つの蒴(さく)に分かれた.
ex·tra·cap·su·lar 形 嚢(のう)外の嚢の外部に位置する.
in·tra·cap·su·lar 形 包 [嚢(のう)] 内の.
sub·cap·su·lar 形 被膜下の, 嚢下(のうか)の.

cap·sule /kǽpsəl, -sjuːl | -sjuːl/

名 **1** カプセル; カプセル状の物. **2** 【生物】嚢(のう), 包(ほう). ⇨ -ULE[1].

áneroid càpsule 【気象】アネロイド箱.

Bówman's cápsule 〖解剖〗ボーマン嚢(のう).
ejéction càpsule 〖航空〗〖宇宙〗脱出カプセル.
en·cáp·sule 動他自 カプセルに包む[入れる].
intérnal cápsule 〖解剖〗(大脳のレンズ核の)内包.
mí·cro·càp·sule 名 (薬品などの)マイクロカプセル.
násal cápsule 〖解剖〗鼻嚢(びのう).
réctal cápsule 〖薬学〗直腸投与カプセル.
spáce càpsule 〖宇宙〗宇宙カプセル.
stínging càpsule 〖動物〗刺胞, 刺糸胞(nematocyst).
tíme càpsule タイムカプセル.

cap·tain /kǽptən, -tin | -tin/

名 長, 首領; 指導者; 監督, 組長. ⇨ -AIN[1].

béll càptain ベルキャプテン, ボーイ長.
chánnel càptain 〖経済〗チャネル・キャプテン.
fíeld càptain 〖スポーツ〗主将.
gróup càptain 〖英空軍〗大佐.
léd càptain おべっか使い, へつらう人.
pláte-càptain 《米俗》皿洗い(人).
pórt càptain 〖海事〗荷役[海務]監督.
póst cáptain 〖海軍〗《古》海軍大佐.
séa càptain 船長, 艦長.
stáff càptain 航海担当船長, 副船長.

cap·ture /kǽptʃər/

動他 (力・計略によって)捕らえる, 捕まえる; 分捕る, 獲得する; 〈要塞(ようさい)・陣地などを〉攻略する; 捕虜にする. ── 名 捕獲, 逮捕. ⇨ -URE[1].

dáta càpture 〖コンピュータ〗データ収集.
dívidend-cápture 〖株式〗配当取り.
néutron càpture 〖物理〗(原子核の)中性子捕獲.
rádiative cápture 〖物理〗放射性捕獲.
rè·cáp·ture 動他 取り戻す, 取り返す, 奪い返す.
ríver càpture 〖地質〗(河川の)争奪(piracy).
stréam càpture =river capture.
vísual cápture 〖心理〗視覚優先.

car /kɑ́ːr/

名 **1** 自動車. **2** 鉄道車両.

ármored cár (現金などを運搬する)装甲トラック.
áu·to·càr 名 《英古》自動車(automobile).
báby càr 小型自動車.
bággage càr 《米》(旅客列車に連結される)荷物車.
bár càr バーや喫茶の設備のある客車.
Bíg Cár 《米俗》大型トラクタートレーラー.
Bócks·càr ボックスカー: 1945年8月9日, 長崎に原子爆弾を投下した米国の B-29 爆撃機の愛称.
bóom càr 強力ステレオを備えた車.
bóx·càr 《米・カナダ》〖鉄道〗有蓋(ゆうがい)(貨)車.
búbble càr 《もと英》(透明な球状ドームを持つ)小型自動車の一種.
buffét càr 《英》食堂車, ビュッフェ車.
búmper càr バンパーカー: バンパーをぶつけ合って楽しむ小型の電気自動車.
bús·càr 《米俗》親友.
cáble càr ケーブルカー, 鋼索鉄道(用車両).
café car カフェカー: 一部を食道, 一部を休憩, 喫煙などに使う鉄道車両.
cámp càr 〖鉄道〗=outfit car.
cáttle càr 〖鉄道〗家畜車.
cháir càr 〖鉄道〗リクライニング・シート車.
clúb càr 《米》〖鉄道〗談話車.
cóal càr 《米》〖鉄道〗石炭車.
cómbat càr 〖米軍事〗戦闘[軍用]車両.
commánd càr 〖軍事〗司令車, 司令官専用車.
contáiner càr 〖鉄道〗コンテナ積載用貨物車.
cóurtesy càr 《米》送迎車.
crásh càr 《米俗》逃走援護車.
crúise càr =squad car.
cýcle·càr 無蓋(むがい)オート三輪車.
detéctor càr 〖鉄道〗レール探傷車.
díning càr (鉄道車両の)食堂車(diner).
dóme càr ドーム式展望車.
dréam càr ドリームカー: 新しいアイディアや装置を取り入れた試作車.
dúmp càr 〖鉄道〗ダンプ車.
dynamómeter càr 〖鉄道〗引張力測定車.
estáte càr 《英》ステーションワゴン.
flát·càr 《米》=platform car.
fréight càr 《米》貨車.
fúnny càr 《米俗》外見は市販車に似るが強力エンジンを搭載した改造車.
gránd tóuring càr 〖自動車〗ジーティー車(GT).
gráy-márket càr グレーマーケットカー: 米国連邦政府が定めた排気ガスおよび安全基準を満たさずに米国内に入ってきている自動車のこと.
gríp càr =cable car.
hánd·càr 《米》(鉄道線路の点検や作業員の運搬に用いる小型四輪の)手動車.
hé·li·càr 名 ヘリカー: 自動車兼用ヘリコプター.
hópper càr 〖鉄道〗ホッパー車.
hórse·càr 鉄道馬車.
ín-càr 形 (自動)車の中の.
Índy·Cár 《商標》インディー500マイルカーレース.
inspéction càr 〖鉄道〗軌道検測車.
jáunting càr (アイルランドの)1頭立て軽二輪馬車.
kíddie càr (小児用の)三輪車.
lárry càr 〖冶金〗(コークス炉の)装炭車.
lífe càr 海難救助用水密コンテナ.
línear mótor càr リニアモーターカー.
lóunge càr =club car.
máil càr 《米・カナダ》(列車の)郵便車.
mín·i·càr 名 超小型自動車.
móon càr 月面車, 月上車(moon crawler).
mótor·càr 《主に英》自動車, 乗用車.
MÚ cár 〖鉄道〗=multiple-unit car.
múltiple-únit càr 〖鉄道〗総括制御列車.
múscle càr 《主に米》中型強力車.
observátion càr 〖鉄道〗展望車.
óutfit càr 工事用宿泊車.
páce càr ペースカー: オートレースでエンジンのウォームアップのため, スタート前にコースを1周するレースカーを先導する車.
pálace càr (鉄道の)豪華特別車.
pánda càr 《英》(警察の)パトカー.
párlor càr 《米・カナダ》=salloon car.
patról càr =squad car.
pédal càr ペダルカー: ペダルを踏んで走らせる子供用の自動車.
píggyback càr 〖鉄道〗トレーラー輸送用長物(ながもの)車.
plátform càr 〖鉄道〗長物(ながもの)車, 縁なし貨車.
políce càr =squad car.
póny càr 2ドアハードトップのスポーツカー.
póp càr 《米鉄道俗》保線車.
póstal stórage càr 〖鉄道〗郵便(輸送)車.
prívate càr 《米》〖鉄道〗私有車両.
prívate-líne càr 私有貨車.
prówl càr 《米》=squad car.
púsh càr 〖鉄道〗資材運搬用車両.
Q́-càr Qカー: ロンドン警視庁の覆面パトカー.
ráce·càr =racing car.
rácing càr レーシングカー.
ráck càr 《米》〖鉄道〗長物車, 車運車.
rádio càr ラジオカー: 送受信無線装置を装備

した自動車.
ráil·càr 気動車.
ráil detèctor càr 〘鉄道〙レール探傷車.
recónnaissance càr 偵察車.
refrígerator càr (生鮮食料品を運搬する)冷蔵貨車.
rént-a-càr レンタカー.
rép·li·càr [名] (実物大の)複製クラシックカー.
réstaurant càr 《英》=dining car.
sáfety càr 〘海事〙=life car.
salóon càr 《英》特別優等客車.
scóut càr 《米》〘軍事〙偵察(用)自動車.
sérvice càr 《豪·NZ》(小さな乗合)バス.
síde·càr [名] (オートバイの)サイドカー, 側車.
skéleton càr 〘鉄道〙荷台が枠組だけの貨物車.
skíp càr スキップカー: 溶鉱炉に原料を投入するのに使う無蓋車.
sléeping càr (鉄道の)寝台車.
slót càr スロットカー: 細い溝のついた線路を走らせるおもちゃの車.
smárt cár スマートカー: センサーやレーダーなどによる(半)自動運転乗用車.
smóking càr 〘鉄道〙喫煙車(smoker).
spórts càr スポーツカー.
sprínt càr スプリントカー: 中型の堅固な短距離レース用自動車.
squád càr 《米》(警察の)パトロールカー.
stóck càr ストックカー: レース用に改造した市販の乗用車.
stréet·càr 《米》路面[市街]電車.
sú·per·càr [名] スーパーカー, 超高性能車.
tánk càr 〘鉄道〙タンク車.
tóuring càr ほろ型観光自動車.
tóurist càr (鉄道の)寝台車.
tów càr 《米》救難車[列車](wrecker).
tówn càr タウンカー: 運転席がオープンカー式で有蓋の後部客席とガラスで仕切られた4ドア車.
tráck geòmetry càr 軌道検測車.
tráiler càr 〘鉄道〙付随長物(ながもの)車.
trám·càr 市街電車.
tráp càr 〘鉄道〙軽貨車.
trí·càr [名] 《英》オート三輪.
trólley càr 《米·カナダ》路面電車, 市街電車.
túr·bo·càr [名] ターボ(自動)車.
véstibule càr 《米》両端乗降式客車.
véteran càr 《英》ベテランカー: 1919年以前に製造されたクラシックカー.
víntage cár 《英》ビンテージカー.
wáy càr 《古風》〘鉄道〙車掌車.
wórld càr ワールドカー: 世界各国で通用するよう規格化された共通部品を用い, モデルチェンジなしで通すことを目標に設計された自動車.
wrécking càr 〘鉄道〙救難(列)車.
Z càr 《英俗》パトカー.
zèro-emíssion càr 無公害車.

car·bide /ká:rbaid, -bid|ká:baid/

[名]〘化学〙炭化物. ⇨ -IDE[1].

alúminum cárbide 炭化アルミニウム.
bóron cárbide 炭化ホウ素.
cálcium cárbide 炭化カルシウム.
sílicon cárbide 炭化ケイ素, カーボランダム.
sùb·cár·bide [名] 亜炭化物.
túngsten cárbide 炭化タングステン.

car·bon /ká:rbən/

[名]〘化学〙炭素.

áctivated cárbon 活性炭.
àctive cárbon =activated carbon.
chlò·ro·cár·bon [名] クロロカーボン.
flù·o·ro·cár·bon [名] 過フッ化炭化水素, フッ化炭素.
gás càrbon ガス炭.
hàl·o·cár·bon [名] ハロカーボン, ハロゲン化炭化水素.
hỳ·dro·cár·bon [名] 炭化水素.
rà·di·o·cár·bon [名] 放射性炭素.

car·bon·ate /ká:rbənèit, -nət/

[名]〘化学〙炭酸塩[エステル]. ——[動他] 炭酸塩化する; 炭化する. ⇨ -ATE[2].

ammónium cárbonate 炭酸アンモニウム.
bárium cárbonate 炭酸バリウム.
bi·cár·bon·ate [名] 炭酸水素塩, 重炭酸塩.
cálcium cárbonate 炭酸カルシウム, 炭酸石灰.
de·cár·bon·ate [動他] 脱炭酸する, 二酸化炭素を除去する.
hýdrogen cárbonate 炭酸水素塩.
léad cárbonate 炭酸鉛.
líthium cárbonate 炭酸リチウム.
magnésium cárbonate 炭酸マグネシウム.
pòly·cárbonate [名] ポリカーボネート.
potássium cárbonate 炭酸カリウム, 炭酸カリ.
sèsqui·cárbonate [名] セスキ炭酸塩.
sódium cárbonate 炭酸ナトリウム, 炭酸ソーダ.

car·ci·no·ma /kà:rsənóumə/

[名]〘病理〙癌, 癌腫, (上皮性の)悪性腫瘍. ⇨ -OMA.
★語頭にくる関連形は carcino-: *carcino*sarcoma「癌肉腫」.

àdeno·carcinóma [名] 腺癌.
básal cèll carcinóma 基底細胞癌.
chòrio·carcinóma [名] 絨毛(じゅう)膜癌腫, 絨毛腫.
màsto·carcinóma [名] 乳癌.
sàrco·carcinóma [名] 癌肉腫.
tèrato·carcinóma [名] 奇形癌.

card[1] /ká:rd/

[名] **1** (情報を記録する通例, 長方形の)紙片, カード. **2** (切り札的)手段, 方策. **3** (レース·ボクシング試合などの)プログラム.

accóunt càrd 店が発行するクレジットカード.
affínity càrd アフィニティー·カード: クレジットカードの一種.
áltar càrd 〘カトリック〙祭壇祈祷(きとう)文表.
Américan càrd 〘外交〙アメリカ·カード: 米国との関係改善を切り札に使って, 第三国との関係で有利な立場に立とうとすること.
áperture càrd 〘コンピュータ〙アパチャカード.
ásset càrd 《米》=debit card.
áuthor càrd 〘図書館学〙著者カード. ► main card, official entry ともいう.
bánk càrd (銀行が発行する)キャッシュカード.
bánk crédit càrd =bank card.
bánker's càrd 《英》=bank card.
bíngo càrd 《俗》愛読者カード(reader's service card).
blów-in càrd (雑誌の)挟み込みはがき.
bóarding càrd (旅客機の)搭乗券; 乗船券.
bórrower's càrd 〘図書館学〙=library card.
búbble càrd ブリスター包装(blister pack).
búsiness càrd (業務用の)名刺.
cáll càrd 〘図書館学〙図書請求表.
cálling càrd 《米·カナダ》(個人用の)名刺.
cár càrd 車内広告.
cáre càrd 《英》医療記録カード.
cásh càrd キャッシュカード.
cásh-pòint càrd =cash card.
chárge càrd チャージカード, 引き落しカード.

chéck càrd チェックカード，小切手保証カード(check guarantee card).
chéque càrd 《英》＝check card.
Chína càrd 〘外交〙チャイナカード.
chíp càrd 〘電子工学〙チップカード.
cigarétte càrd (昔の)巻きタバコの箱に入っている絵入りカード.
cóat càrd ＝face card.
cómpass càrd 〘航海〙羅牌(らはい).
cómpass deviátion càrd 〘航海〙磁気コンパス自差修正カード.
corréct càrd (競技会などの)プログラム.
correspóndence càrd メモ用［連絡用］カード.
cóst càrd 原価計算票，コストシート.
cóurt càrd 《英》〘トランプ〙＝face card.
cóurtesy càrd 優待カード，紹介カード.
crédit càrd クレジットカード.
cúe càrd 〘テレビ〙キューカード.
dánce càrd (舞踏会の)ダンスカード.
débit càrd デビットカード，銀行 POS カード.
dis·cárd 動他 捨てる，処分する；除く；解雇する.
disembarkátion càrd 入国カード.
dònor càrd ドナーカード.
dówn càrd 〘トランプ〙伏せ札.
dráft càrd 《米》徴兵［召集］カード.
dráw·càrd ＝drawing card.
dráwing càrd 《米・カナダ》人気役者；人気興行.
dúmb càrd 記憶量が少ないカード.
ÉGÁ càrd 〘コンピュータ〙イージーエイカード.
embarkátion càrd 出国カード.
expánsion càrd 〘コンピュータ〙拡張カード.
fáce càrd 《米》(トランプの)絵札.
fálse càrd 〘トランプ〙フォールスカード.
fíle càrd とじ込み整理用カード.
fílm·càrd フィシュ(microfiche).
flásh·càrd フラッシュカード.
góld càrd ゴールドカード.
góld-cárd 動自 《ヤッピー俗》金で自己主張する.
gráy càrd 〘写真〙標準反射板，グレイカード.
gréen càrd 《米》グリーンカード：入国許可証.
gréeting càrd あいさつ状，グリーティングカード.
gréetings càrd ＝greeting card.
guíde càrd (検索用)見出し語カード.
hígh càrd 〘トランプ〙高位のカード.
hóle càrd 〘トランプ〙ホールカード.
Hóllerith càrd ＝punch card.
hónor càrd 〘トランプ〙最高の切札.
ÍD càrd 身分証明書.
identificátion càrd ＝ID card.
idéntity càrd ＝ID card.
ídiot càrd 《テレビ俗》＝cue card.
índex càrd 索引カード.
índicator càrd 〘機械〙インジケーターカード.
intélligent càrd ＝smart card.
Jácquard càrd (ジャカード紋織機で)模様を決めるための穴をあけた紋紙.
kéy càrd キーカード：磁気カードの一種.
lánding càrd 上陸証明書，入国カード.
láser càrd 〘コンピュータ〙レーザーカード.
létter-càrd 《英》簡易書簡.
líbrary càrd 〘図書館学〙貸し出し(登録)票.
lóng càrd 〘トランプ〙最後の札.
lóyalty càrd (大手スーパーなどの特典・割引付き)顧客カード.
mág càrd 〘コンピュータ〙磁気カード.
magnétic càrd ＝mag card.
mág-strípe càrd 磁気ストライプカード.
máin càrd ＝author card.
Máss càrd 〘ローマカトリック〙ミサカード.
Máster·Càrd 《商標》マスターカード：クレジットカード.
máster càrd 〘トランプ〙切り札.
mátch càrd 《英》得点表，スコアカード.
Máximum Càrd 〘切手収集〙マキシマムカード.
méat càrd 《米俗》食券.
mémory càrd 〘電子工学〙メモリーカード.
Métro·Càrd メトロカード：ニューヨークなどの地下鉄前払いカード.
mícro·càrd 《商標》マイクロカード.
mícrochip càrd ＝chip card.
náme càrd 名札(ふだ).
páint càrd 《米俗》(トランプの)絵札.
phóne·càrd 《英》テレホンカード.
phóto·càrd 家族写真のグリーティングカード.
pícture càrd (トランプの)絵札；絵はがき.
píe-càrd 《米俗》食券；食事を請い求める人.
pláce càrd (宴席などの)座席札.
pláying càrd トランプ.
póstal càrd 《米》＝postcard.
póst·càrd はがき，絵はがき.
prémium càrd プレミアムカード.
prepáid càrd プリペイドカード.
púnch càrd 《主に米》穿孔(せんこう)カード.
púsh·càrd パンチボード：小型のゲーム盤.
Q́ càrd 《米市民ラジオ俗》交信証明カード.
ráce càrd 《英》競馬［競輪など］のプログラム.
ráte càrd 〘広告〙媒体料率表.
récord càrd 《英》＝index card.
réd càrd (サッカーなどの)レッドカード.
replý càrd 往復はがき(double postal card).
repórt càrd 通知表，成績表，通信簿.
resérve càrd 〘図書館〙貸出予約カード.
retúrn càrd 折り返し注文用往復はがき.
sámple càrd サンプルカード.
scóre·càrd 得点表，採点表，スコアカード.
scrátch càrd スクラッチカード：表面を削り取るくじ.
shów càrd 広告プラカード，広告びら.
síde càrd 〘トランプ〙脇札(わきふだ).
smárt càrd 〘コンピュータ〙スマートカード.
sóviet càrd 〘外交〙ソビエトカード.
spót càrd 〘トランプ〙数字札.
stóre càrd ストアーカード：会社名入り商品券.
stúdent càrd 学生証.
súpersmàrt càrd 〘金融〙スーパースマート・カード.
swípe càrd (電子機器に対応する)磁気記憶カード.
Swítch càrd 《英》(銀行発行の)キャッシュカード.
tálly càrd (積み荷・降ろし荷などの)検数票.
tárget càrd (射撃などの)点数記入カード.
tést càrd 〘テレビ〙テストパターン.
tíme·càrd タイムカード，勤務時間記録表.
tóurist càrd 旅行者カード.
tráde càrd 《英》＝business card.
tráding càrd トレーディングカード：子供が交換し合うガムなどのおまけ.
tráin·càrd 《英》地下鉄［バス・国鉄］期間パス.
transáction càrd 〘金融〙トランザクションカード.
trúmp càrd 〘トランプ〙切り札(trump).
únion càrd (労働組合の)組合員証.
únit càrd 〘図書館学〙ユニットカード.
úp·càrd 名 〘トランプ〙表向きに配られた札.
vísiting càrd 《主に英》＝calling card.
wíld càrd 〘トランプ〙〘コンピュータ〙ワイルドカード.
wíld-càrd 形 〘トランプ〙〘コンピュータ〙ワイルドカードの.
wíne càrd 《英》ワインリスト.
yéllow càrd 〘サッカー〙イエローカード.

card[2] /kɑ́ːrd/

名 カード，梳毛(そもう)機，すき櫛(くし).

bréaker càrd 〘繊維〙破砕梳綿(そめん)機.
fíle càrd (やすり掃除用の)金属ブラシ.
fínisher càrd 〘繊維〙仕上げカード.
intermédiate càrd 〘繊維〙刷(は)き羽毛，刷き櫛(くし).

-car·di·a /kɑ́ːrdiə/

連結形 **1** 心臓の働き［位置］. ►異常または好ましくない場

合についていう: deztro*cardia*, tachy*cardia*. **2** (…の)心臓を持つ動物; 心臓の形をした動物 [二枚貝]: diplo*cardia*.
★ 名詞をつくる.
★ 語末にくる関連形は -CARDIAL, -CARDIUM.
★ 語頭にくる関連形は cardi(o)-: *cardi*algia「胸やけ」, *cardio*myopathy「心筋症」.
◆ おそらくもとは, ギ *kardía*「心臓(heart)」を表す. ⇨ -IA.

a·car·di·a 名 〔病理〕無心症, 先天性心臓欠損.
a·cleis·to·car·di·a 名 〔病理〕心臓卵円孔開存(症).
aux·o·car·di·a 名 〔生理〕心臓拡張期.
brach·y·car·di·a 名 〔病理〕= bradycardia.
brad·y·car·di·a 名 〔病理〕徐脈, 心拍緩徐.
dex·i·o·car·di·a 名 〔病理〕= dextrocardia.
dex·tro·car·di·a 名 〔病理〕右胸心, 右心(症).
dip·lo·car·di·a 名 〔動物〕二つの心臓をもつもの.
meg·a·lo·car·di·a 名 〔病理〕心(臓)肥大(症).
tach·y·car·di·a 名 〔病理〕心拍急速, 心拍頻数.

-car·di·al /ká:*r*diəl/

連結形 〔解剖〕心臓の.
★ 形容詞をつくる.
★ 語末にくる関連形は -CARDIA, -CARDIUM.
★ 語頭にくる関連形は cardi(o)-: *cardi*algia「胸やけ」, *cardio*myopathy「心筋症」.
◆ <近代ラ *-cardia* <ギ *kardía*. ⇨ -IAL.

en·do·car·di·al 形 心臓内部にある, 心臓内の.
my·o·car·di·al 形 心筋の [に関する].
per·i·car·di·al 形 心膜の, 心嚢(しんのう)の.

car·di·o·gram /ká:*r*diəgræ̀m/

名 心電図(electrocardiogram). ⇨ -GRAM.

bal·lis·to·car·di·o·gram 名 〔医学〕心弾動図.
ech·o·car·di·o·gram 名 超音波心臓診断図.
e·lec·tro·car·di·o·gram 名 〔医学〕心電図(cardiogram).
mag·ne·to·car·di·o·gram 名 〔医学〕心磁図.
my·o·car·di·o·gram 名 心筋運動記録図.
pho·no·car·di·o·gram 名 〔医学〕心音図.
vec·tor·car·di·o·gram 名 ベクトル心電図.

car·di·o·graph /ká:*r*diougræ̀f, -diə-, -grɑ̀:f/

名 〔医学〕心電計, 心臓疾患の診断に用いる(electrocardiograph). ⇨ -GRAPH.

bal·lis·to·car·di·o·graph 名 心弾動計, 弾動心拍出量計.
ech·o·car·di·o·graph 名 心エコー検査器, 超音波心臓検査器.
e·lec·tro·car·di·o·graph 名 心電計.
mag·ne·to·car·di·o·graph 名 心磁計.
my·o·car·di·o·graph 名 心筋運動計 [記録器].
pho·no·car·di·o·graph 名 〔医学〕心音計.

car·di·og·ra·phy /kɑ̀:*r*diɑ́grəfi/

名 心電計 [図] 法. ⇨ -GRAPHY.

àn·gi·o·car·di·óg·ra·phy 名 〔医学〕血管心臓撮影 [造影] (法).
cin·e·àn·gi·o·car·di·óg·ra·phy 名 〔医学〕血管心(臓)映画撮影(法).
écho cardiógraphy 〔医学〕超音波心臓検診(法).
últrasound cardiógraphy 〔医学〕超音波心臓検査(法).
vèc·tor·càr·di·óg·ra·phy 名 ベクトル心電計 [図] 法.

car·di·tis /kɑ:*r*dáitis/

名 〔病理〕心(臓)炎. ⇨ -ITIS.
★ 語頭にくる関連形は cardi(o)-: *cardi*algia「胸やけ」, *cardio*myopathy「心筋症」.

en·do·car·di·tis 名 心内膜炎.
my·o·car·di·tis 名 心筋炎.
pan·car·di·tis 名 全心臓炎.
per·i·car·di·tis 名 心膜炎, 心嚢(しんのう)炎.

-car·di·um /ká:*r*diəm/

連結形 心臓(heart).
★ 名詞をつくる.
★ 心臓と関係する組織, 器官についていう.
★ 語末にくる関連形は -CARDIA, -CARDIAL.
★ 語頭にくる関連形は cardi(o)-: *cardi*algia「胸やけ」, *cardio*myopathy「心筋症」.
◆ <近代ラ *-cardium* <ギ *-kardion*(*kardíā* より). ⇨ -IUM.

en·do·car·di·um 名 〔解剖〕心内膜.
ep·i·car·di·um 名 〔解剖〕心外膜.
mes·o·car·di·um 名 〔発生〕心(臓)間膜.
my·o·car·di·um 名 〔解剖〕心筋層.
per·i·car·di·um 名 〔解剖〕心膜, 心嚢(しんのう).

care /kέə*r*/

名 **1** 心配; 不安; 気がかり. **2** 世話, 保護, 看護.

acúte-cáre 形 《米》〈病院が〉急性期治療用の.
áfter·càre 〔医学〕アフターケア.
assísted-cáre 形 (養老院などが) お手伝い介助の.
béauty càre (肌の手入れなどの)美容.
chíld·càre 保育. ── 形 幼児保育の.
Com·mú·ni·càre 名 《英》(広範囲の社会福祉サービスが受けられる)総合コミュニティーセンター.
commúnity càre コミュニティーケア: 老齢・身体障害の在宅者の世話・援助.
cóngregate-cáre 形 健康管理施設付き退職者用ホームの.
dáy càre デイケア: 未就学児童・高齢者・身障者に対する昼間の保育または介護.
dáy-càre 形 託児の, 保育の, 老人介護の.
dén·ti·càre 名 《カナダ》児童無料歯科治療.
dévil-may-cáre 形 向こう見ずな; 軽率な; 陽気な.
dón't-càre 形 不注意な. ── 名 不注意な人.
éasy-càre 形 手入れが簡単な.
élder·càre 《米》低料金の老人医療計画.
exténded cáre 延長治療, 在宅ケア.
fóot·càre 形 足の手入れの.
fóster càre 里親制度.
hálf-cáre 《英》高齢者の在宅ケア.
héalth·càre 健康管理. ── 形 健康管理の.
hóme càre ホームケア, 在宅療養, 在宅治療.
hóme-càre 形 ホームケアの, 在宅看護の.
inténsive cáre 集中治療.
ju·di·care 名 (米国で)貧困者に対して国選弁護人を政府が提供する制度.
lífe càre 《米》ライフケア, 医療付き住宅.
mánaged càre (効率的な経営による)民間健康医療方式.
Méd·i·càre 名 《米・カナダ》メディケア: 老齢・身体障害者などに対する政府の医療保険制度.
ó·ver·càre 名 過度の用心 [心配], 取り越し苦労.
prímary cáre 初期治療, プライマリーケア.
residéntial cáre 《英》居住看護.
respíte càre 息抜きケア, 息抜き委託.
sélf-cáre 自分で自分の面倒を見ること.
sháred cáre 分担介護.
skín càre 肌の手入れ, スキンケア.
tértiary cáre 〔医学〕専門治療.
U·tíl·i·càre 名 《米》ユーティリケア: 生活保護計画の一つ.

ca·reer /kəríə*r*/

名 (特に専門的訓練を要し一生の仕事とされる)職業. ⇨ -EER[1].

dúal-caréer 形 共働きの.
rè·caréer 名 退職後の第二の仕事［職業］.
twó-caréer 形 妻と夫がともに本格的な仕事をしている.

car·go /ká:rgou/

名 船荷, (飛行機の)積み荷, 貨物. ⇨ -O[2].

áir càrgo 空輸貨物, 航空貨物.
consólidated cárgo 混載貨物.
méasurement càrgo 〘航空〙容積貨物.
sù·per·cár·go 名 積み荷監督人, 上乗(うわのり)人.

-car·nate /ká:rnət, -neit/

連結形 肉にする.
★ ラテン語借入語の形容詞をつくる.
★ 語頭にくる関連形は carn-: *carn*age「大虐殺」, *carn*alism「肉欲主義」.
◆ ラテン語 *carō*「肉」より. ⇨ -ATE[1].

dis·car·nate 形 肉体［実体］のない, 無形の.
in·car·nate 形 肉体に具現された; 人間の姿をした.

carp /ká:rp/

名 〘魚類〙コイ(鯉).

crúcian cárp フナ.
gólden cárp 金魚.
gráss càrp ソウギョ(草魚).
léather càrp カワゴイ(革鯉).
mírror càrp カガミゴイ(鏡鯉).
Prússian cárp =crucian carp.
sílver cárp サッカー科の淡水魚の一種.

-carp /kà:rp/

連結形 果実, 子実体.
★ 名詞をつくる.
★ 語末にくる関連形は -CARPIC, -CARPOUS, -CARPY.
★ 語頭にくる形は carp(o)-: *carpo*gonium「造果器」, *carpo*logy「果実(分類)学」.
◆ ギリシャ語 *karpós*「果実」より.
［発音］語頭の音節に第 1 強勢. 例外: basídiocarp.

an·gi·o·carp 名 被子果植物.
ap·o·carp 名 離生(心皮)子房［果実］.
ar·chi·carp 名 糸原体.
as·co·carp 名 〘菌類〙子嚢(しのう)果.
ba·sid·i·o·carp 名 〘菌類〙担子器果.
cleis·to·carp 名 〘菌類〙閉鎖胞子嚢(のう)果.
clis·to·carp 名 〘菌類〙=cleistocarp.
crem·o·carp 名 双懸果.
cys·to·carp 名 芽胞嚢(のう), 嚢果.
dip·ter·o·carp 名 フタバガキ(双葉柿).
en·do·carp 名 内果皮.
ep·i·carp 名 外果皮.
ex·o·carp 名 =epicarp.
mer·i·carp 名 分果, 片果.
mes·o·carp 名 中果皮.
mon·o·carp 名 一回結実(性)植物.
per·i·carp 名 果皮.
plas·mo·di·o·carp 名 〘菌類〙蟠曲(ばんきょく)子嚢(しのう)体.
pod·o·carp 形 マキ科(Podocarpaceae)の.
pro·carp 名 プロカルプ.
pseu·do·carp 名 副果, 偽果, 仮果.
py·re·no·carp 名 〘菌類〙被子器.
rhi·zo·carp 名 宿根性植物.
sar·co·carp 名 果肉.
schiz·o·carp 名 分離果, 分裂果.
spo·ro·carp 名 〘菌類〙胞子嚢(のう)果.
syn·carp 名 複合果, 単花集合果.
xy·lo·carp 名 木果(もく), 硬木質果.

car·pet /ká:rpit/

名 じゅうたん地. ── 動他 …にじゅうたんを敷く.

bóom càrpet 〘航空〙航空機騒音地帯.
Brússels cárpet ブラッセルじゅうたん.
clóse-cárpet 動他 じゅうたんを敷き詰める.
dóuble cárpet 《英俗》禁固 6 か月の刑.
Oriéntal cárpet 東洋段通(だんつう)(Oriental rug).
Pérsian cárpet ペルシアじゅうたん(Persian rug).
píne cárpet 〘昆虫〙モウセンガの一種.
réd cárpet 赤じゅうたん.
Scótch cárpet (イングランド中西部の)キッダーミンスター産じゅうたん.
stáir càrpet (細長い)階段じゅうたん.
tápestry càrpet タペストリーカーペット.
Túrkey cárpet トルコじゅうたん(Turkish rug).
vélvet cárpet ビロードじゅうたん.
Venétian cárpet ベニスじゅうたん.
wáll-to-wáll cárpet 壁から壁まで敷きつめのじゅうたん.

-car·pic /ká:rpik/

連結形 〘植物〙果実の, 果実をつける.
★ 形容詞をつくる.
★ 語頭にくる関連形は carp(o)-: *carpo*gonium「造果器」, *carpo*logy「果実(分類)学」.
◆ -CARP＋-IC[1].

en·do·car·pic 形 内樹皮の.
eu·car·pic 形 〈菌類が〉分実性の.
hol·o·car·pic 形 〈菌類が〉全実性の.
i·so·car·pic 形 同数心皮の.
pol·y·car·pic 形 多結実の, 多巡の.

-car·pous /ká:rpəs/

連結形 〘植物〙果実をつけた; …な［…個の］果実［子実体］を持つ.
★ 形容詞をつくる.
★ 語末にくる関連形は -CARP.
★ 語頭にくる関連形は carp(o)-: *carpo*gonium「造果器」, *carpo*logy「果実(分類)学」.
◆ ギリシャ語 *karpós*「果実」より. ⇨ -OUS.

a·car·pous 形 無果の, 結実しない.
ac·ro·car·pous 形 〈コケ類が〉頂果の(ある).
am·phi·car·pous 形 (形状, 成熟期の異なる)2 種の実がなる.
an·gi·o·car·pous 形 〈果実が〉被子果の.
an·tho·car·pous 形 〈果実が〉偽果［副果］の.
ap·o·car·pous 形 離生(心皮)の.
chrys·o·car·pous 形 黄金色の実をつける.
clad·o·car·pous 形 =pleurocarpous.
cleis·to·car·pous 形 〘菌類〙閉鎖胞子嚢(のう)果の.
clis·to·car·pous 形 =cleistocarpous.
gym·no·car·pous 形 〈菌類・地衣類が〉裸果の.
mac·ro·car·pous 形 大きな果実をつける.
mon·o·car·pous 形 〈雌蕊(しずい)が〉一心皮子房の.
ox·y·car·pous 形 先のとがった果実をつける.
pleu·ro·car·pous 形 側果性の.
pter·o·car·pous 形 翼果のある.
rhi·zo·car·pous 形 〈多年草などが〉宿根性の.
syn·car·pous 形 複合果［集合果］の.
tra·chy·car·pous 形 皮のざらざらした果実をつける.

-car·py /kà:rpi/

連結形 結実.

★ 名詞をつくる.
★ 語頭にくる関連形は carp(o)-: *carpo*gonium「造果器」, *carpo*logy「果実(分類)学」.
◆ -CARP＋-Y[3].
[発音] 語頭の音節に第1強勢.

ge·o·car·py 名 〔植物〕地下結実.
par·the·no·car·py 名 〔植物〕単為結実［結果］.

C

car·riage /kǽridʒ/

名 **1** (乗用の)車, 乗り物; 自家用四輪馬車. **2** 運搬; 輸送. ⇨ -AGE[1].

báby càrriage 《特に米》乳母車.
básket càrriage 車体が柳枝細工の馬車.
córridor càrriage コンパートメント形式の列車の一車両.
gún càrriage 砲架; 砲車.
hórseless cárriage 《古》自動車.
lánd-càrriage 陸上運搬, 陸運, 陸送.
mis·cár·riage 名 流産.
slíp càrriage 《英》切り離し車両.
smóking càrriage 《英》喫煙車.
ún·der·càr·riage 名 (自動車などの)車台.
wáter càrriage (乗客・貨物などの)水上輸送, 水運.

car·ri·er /kǽriər/

名 運ぶ人［もの］, 運搬人［器, 車］. ⇨ -ER[1].

áir càrrier 航空輸送業者, 航空［空輸］会社.
áircraft càrrier 航空母艦, 空母.
áirplane càrrier ＝aircraft carrier.
báll-càrrier 〔アメフト〕〔ラグビー〕ボールキャリアー.
bát cárrier 《米暗黒街俗》(警察への)密告者.
bódy càrrier 《米俗》ボディーパックする人.
búlk càrrier ばら積み貨物船.
cán-càrrier 《俗》責任者.
cár càrrier (輸出用)自動車運搬船.
cásh càrrier 金銭転送［輸送］装置.
chárge càrrier 〔物理〕担体.
cóat càrrier 職を転々とする人.
cómmon cárrier 《米》(法律用語で)運送業者.
cósh càrrier 《英話》売春婦の用心棒.
éscort càrrier 〔海軍〕(護衛用)小型空母.
exémpt cárrier 免除運転会社, 特免運送店.
hód càrrier 《米》れんが職人［石工］の下働き.
ìn·ter·cár·ri·er 形 〔電気〕インターキャリアーの.
jéep càrrier 〔米海軍〕(対潜)護衛小型空母.
létter càrrier ＝mail carrier.
máil càrrier 郵便配達人［集配人］.
majórity càrrier 〔電子工学〕多数キャリア.
méga·càrrier 名 巨大航空会社.
micro·cárrier 〔生物〕マイクロキャリア.
minórity càrrier 〔物理〕少数担体.
personnél càrrier 〔軍事〕人員運搬車.
póstal càrrier ＝mail carrier.
púck-càrrier 〔アイスホッケー〕パックキャリア.
spáce càrrier 〔ロケット〕宇宙空間輸送装置.
spéar càrrier (演劇・オペラなどの)エキストラ.
sùb·cár·ri·er 名 〔通信〕副搬送波.
sú·per·càr·ri·er 名 超大型空母.
télephone càrrier 回線業者.
thírd-lével càrrier 《米》第三次航空会社.
tróop càrrier 軍隊輸送機［船, 車］.
trúnk càrrier 《米》主要［大手］航空会社.
vídeo càrrier 〔電子工学〕映像搬送波.
Wáter Càrrier 〔天文〕〔占星〕みずがめ(水瓶)座.
wáter càrrier (家・部隊などに)水を運ぶ人［動物］.
wéapons càrrier 〔軍事〕武器運搬車.

car·ry /kǽri/

動他 〈人・物を〉(…から)(…へ)運ぶ, 持って行く; 輸送する; 〈風・水の流れなどが〉〈物を〉運ぶ, 流す.

cásh-and-cárry 形 現金払いで持ち帰りが条件の.
hánd-cárry 動他 (安全のために)手で持って運ぶ.
mis·cár·ry 動自 〈妊婦が〉(赤子を)流産する.

cart /kɑ́ːrt/

名 荷車; 手押し車, ワゴン. ── 動他 荷車で運ぶ.

ápple·càrt (リンゴ売りの)手押し車.
bár càrt (酒類を出す)ワゴン式カウンター.
búck càrt 二輪の荷馬車.
búllock-càrt 去勢した雄牛の引く荷車.
cáddie càrt 〔ゴルフ〕キャディカート.
crásh càrt クラッシュカート: 救急医療用カート.
dóg·càrt ドッグカート: 軽装二輪馬車.
dúmp·càrt ＝tipcart.
dúng·càrt 肥料運搬車, 肥車.
dúnny càrt 《豪》＝night cart.
dúst càrt 《英》ごみ運搬車, 清掃車.
gó-càrt 《主に米・カナダ》幼児の乗り物.
gólf càrt ゴルフカート.
góverness càrt 《英》(昔の)軽二輪馬車.
hánd·càrt 手押し車, 手車.
máil càrt 《英古》郵便車.
níght càrt 下肥(しもごえ)運搬車.
óx·càrt 牛の引く荷車, 牛車.
píe càrt 《NZ》温かい飲食物の移動販売車.
púsh·càrt 軽い手押し車.
rálli càrt ラリーカート.
shópping càrt ショッピングカート.
slíng càrt つり下げ運搬車.
téa·càrt ティーワゴン: 茶器運搬用ワゴン.
tímber càrt 《英》(滑車のついた)木材運搬車.
típ·càrt 放下車: 車体を傾けることができる.
trénch càrt 塹壕(ざんごう)車.
túb·càrt ＝governess cart.
túmble càrt 車輪を心棒に固定した一頭立て二輪荷馬車.
ùn·cárt 動他 荷車［荷馬車］から降ろす.
ún·der·càrt 《英話》(飛行機の)降着装置.
Vídeo·càrt ビデオカート: 画像スクリーン付きのショッピングカート.
wáter·càrt 《英》＝watering cart.
wátering càrt 散水車.

car·ti·lage /kɑ́ːrtəlidʒ/

名 〔解剖〕〔動物〕軟骨. ⇨ -AGE[1].

comículate cártilage 小角軟骨.
fi·bro·cár·ti·lage 名 線維軟骨.
hýaline càrtilage ヒアリン軟骨, ガラス質軟骨.
ríng càrtilage 輪状軟骨(cricoid).
semilúnar cártilage 関節半月.

car·tridge /kɑ́ːrtridʒ/

名 **1** (ライフル銃・機関銃などの)弾薬筒, 薬包. **2** カートリッジ.

báll càrtridge 実包, 実弾, 普通弾.
blánk cártridge 空包.
vídeo cártridge ビデオカセット.

carv·ing /kɑ́ːrviŋ/

名 彫刻(術). ⇨ -ING[1].

chíp càrving (ふつう小刀でする)木彫り.
diréct cárving 〔彫刻〕直(じか)彫り.

Frísian cárving 〖彫刻〗フリースラント彫り.
wóod·càrving 木彫(術), 木彫り.

case[1] /kéis/

名 **1** (個々の具体的な)場合, 事例, ケース. **2** 事件, 事態. **3** 訴訟. **4** 症例; 患者, 病人. **5** 《話》変人; 人. **6** 〖文法〗格.

básket càse 《米・カナダ俗》両手両足を切断された人.
bést-càse 形 いちばんよい場合の, 最高条件の.
Bláke càse ブレーク事件(1961).
bútterfly càse 《米俗》頭のいかれた人.
cáse-by-cáse 形 逐条的な, 個々の事例を個別に扱う.
cót càse 寝たきりの病人.
cóuch càse 《米俗》神経症の人, 精神障害者.
drìve-by cáse 《米》車を運転しながらの狙撃事件.
dróp càse 《米俗》ばか.
fáce-càse 《米俗》(十代の間で)ひどく醜い人.
féderal cáse 《米》連邦裁判所管轄の事件.
Girárd càse ジラード事件, 相馬ケ原事件(1957).
hárd cáse 手に負えない悪党, 根っからの悪人.
hárd-càse 形 タフな, 手ごわい.
héad·càse 《米俗》気が触れた人, 変人.
íf-càse 仮定の状況.
índex càse 〖医学〗指針症例.
léading càse 〖法律〗先例となる判決.
lég-off càse 《米俗》(弁護士の間で)大きな損害賠償訴訟.
nút·càse 《俗》頭のおかしい人; 変人.
objéctive càse 〖文法〗目的格.
Óscar Sláter càse オスカー・スレーター事件.
príma fàcie càse 〖法律〗一応有利な事件.
spáce-càse 《米俗》ぼーっとしている人.
státed càse 〖法律〗合意事実記載書.
tést càse 〖法律〗テストケース; 先例的事件.
wórst-càse 形 最悪の場合を想定した.

case[2] /kéis/

名 容器, 箱.

attaché càse アタッシュケース.
bóok·càse 本箱, 書棚.
bráin·càse 頭蓋骨.
bríef·càse ブリーフケース, 書類かばん.
búsiness càse アタッシュケース, ブリーフケース.
Califórnia jób càse 〖印刷〗カリフォルニアジョブケース.
cárd càse 名刺入れ.
cártridge càse 薬莢(やっきょう).
cránk·càse (内燃機関の)クランク室.
dis·cáse 動他自 ケースを外す; ケースから取り出す.
dispátch càse ＝attaché case.
dóor·càse 戸枠, ドアフレーム.
dréssing càse 化粧かばん, 化粧道具入れ.
égg càse 卵ケース, 卵パック容器.
en·cáse 動他 …ケース[箱, 袋]に入れる.
gláss càse ガラスの陳列ケース, ガラスケース.
hát·càse 帽子ケース, 帽子箱.
húnting càse 両蓋懐中時計の外装部.
in·cáse 動他 ＝encase.
jéwel càse 宝石箱, 宝石入れ.
jób càse 〖印刷〗活字[ジョブ]ケース.
kéy càse 鍵(かぎ)入れ, キーホルダー.
létter càse (携帯用の折りたたみ式)書簡入れ.
lówer càse 〖印刷〗ロアーケース.
lówer·càse 形 小文字の.
múmmy càse (エジプトの)ミイラの棺(ひつぎ).
néws càse 〖印刷〗活字箱, 活字皿.
nóte·càse 《主に英》札入れ.
pácking càse (運送・貯蔵用の)荷箱, 木枠.
pénis càse ペニスケース.
píllow·càse 枕カバー.
séed·càse 〖植物〗蒴(さく).
shéet·càse 羽毛布団などにかぶせるカバー.
shów·càse 陳列用ガラス箱, ショーケース.
slíp·càse (本の)外箱.
stáir·càse (手すりを持った一続きの)階段.
súit·càse スーツケース, 小型旅行かばん.
tráin càse 旅行用洗面用具などを入れるケース.
tráveling càse 旅行用スーツケース.
týpe·càse 〖印刷〗活字ケース.
ùn·cáse 動他 …を容器[箱]から取り出す.
úpper càse 〖印刷〗アッパーケース.
úpper·cáse 形 大文字の(capital).
vánity càse 携帯用化粧品入れ, ハンドバック.
Wárdian càse ガラス張りの植物栽培用容器.
wárdrobe càse 衣装かばん.
wátch·càse ウォッチケース.
wíng càse 〖昆虫〗翅鞘(ししょう).
wríting càse 文房具箱.

cash /kǽʃ/

名 現金; 硬貨, 紙幣.

cóld cásh 現金, 即金.
é-cásh 電子マネー.
en·cásh 動他 《英》〈手形などを〉現金化する.
hárd cásh (小切手などに対して)現金.
nòn·cásh 形 非現金の.
pétty cásh 小額手持ち現金, 小口現金.
réady cásh 手持ちのお金.
Tráns·càsh 名 英国郵政公社の現金振替システム.
trásh càsh 紙幣に似せた広告[ちらし].

cas·ing /kéisiŋ/

名 **1** 包装, 外被; 覆い. **2** 戸[窓]枠. **3** 鋼管. **4** 〖海事〗ケーシング. ⇨ -ING[1].

áir càsing (汽船の煙突などの)外筒, 通風囲壁[口].
blínd càsing 〖建築施工〗(箱形の窓枠で)飾り縁を取りつけるための下地構造張り枠.
spíral càsing 渦形室.
sùb·cásing 名 〖木工〗(ドア・窓枠などの)枠用下地.

cas·sette /kəsét, kæ-/

名 《米》(録音用テープ・録画用フィルムなどの)カセット. ⇨ -ETTE[1].

áudio cassètte 録音用カセットテープ.
Digital Còmpact Cássette デジタルコンパクトカセット.
mí·cro·cas·sètte 名 マイクロカセット.
mín·i·cas·sètte 名 ミニカセット.
mú·si·cas·sètte 名 (小型の)音楽カセットテープ.
pré-recórded cassètte ビデオソフト.
víd·e·o·cas·sètte 名 ビデオカセット.

cast /kǽst, kɑ́ːst | kɑ́ːst/

動他 **1** …を投げる. **2** 成型する. **3** 〈役者に〉役を振り当てる. ── 名 **1** 投げること. **2** 鋳造物.

áf·ter·càst 名 〖鋳造〗踏み返し(鋳物).
báck·càst 名 〖釣り〗バックキャスト.
díe càst 動他 〖鋳造〗ダイカストで型を鋳造する.
díe-càst 形 〖鋳造〗圧力鋳造の, ダイカストの.
dówn·càst 形 意気消沈した, ふさぎ込んだ.
én·do·càst 名 〖考古〗＝endocranial cast.
endocránial cást 〖考古〗頭蓋(ずがい)内鋳型.
fálse cást 〖釣り〗フォールスキャスト.
fóre·càst 動他 〈天気などを〉予報する.
lífe càst ライフマスクを取って作る胸像.

C

mis·cást 動他 〈俳優に〉不適当な役を振る.
óff·càst 形 捨てられた; 拒否された.
óut·càst[1] 名 (社会などから)見捨てられた人.
óut·càst[2] 名 《スコット》仲たがい, 争い.
ó·ver·càst 形 雲に覆われた, 曇った.
pláster cást 彫刻物石膏塑型の総称.
pre·cást 動他 〔建築〕〈コンクリートブロックなどを〉前もって成型する.
re·cást 動他 鋳直す, 再鋳する, 改鋳する.
róugh·càst 名 掃きつけ仕上げ.
sánd-càst 動他 砂型鋳造する.
stóne-càst =stone's cast.
stóne's cást 石を投げて届くほどの近距離.
súrf-càst 動自 (浜や磯で)投げ釣りをする.
týpe·càst 動他 〈俳優を〉はまり役に割り振る.
týpe-càst 動他自 〔印刷〕(活字を)鋳造する(cast).
ún·der·càst 名 〔採鉱〕(下潜)風橋.
úp·càst 名 投げ上げること.
wórm·càst ミミズの糞.

-cast /kæst, kɑ̀ːst | kɑ̀ːst/

連結形 放送(する).
★ 名詞, 動詞をつくる.
◆ broadcast の短縮形.

ca·ble·cast 名 ケーブルテレビ放送.
col·or·cast 名 カラー放送.
game·cast 名 (スポーツの)実況中継.
nar·row·cast 名 有線放送.
news·cast 名 ニュース放送.
now·cast 動自 (天気などの)現況を報道する.
ra·di·o·cast 名 ラジオ放送.
si·mul·cast 名 (多言語などでの)多重放送.
sports·cast 名 《主に米》スポーツ放送.
tel·e·cast 動他自 テレビ放送する.

cast·er /kǽstər, kɑ́ːst- | kɑ́ːstə/

名 投げる人 [もの]. ⇨ -ER[1].

pépper càster 《主に英》胡椒入れ(pepperbox).
pósitive cáster 〔自動車〕ポジティブキャスター.

-cas·ter[1] /kǽstər, kɑ́ːst- | kɑ́ːstə/

連結形 放送出演者, アナウンサー.
★ 名詞をつくる.
◆ broadcaster の短縮形.

col·or·cast·er 名 (特にスポーツ放送で)生き生きとした描写をするアナウンサー.
sports·cast·er 名 《主に米》スポーツ放送担当者.

-cas·ter[2] /kæstər | kəstə/

連結形 ローマの駐屯地であった都市.
★ 地名をつくる; /k/ は古北欧語の影響による.
★ 語末にくる関連形は -CESTER, -CHESTER.
◆ 古英 *ċeaster*「城塞」<ラ *castra*「陣営」.

Don·cas·ter 名 ドンカスター(イングランドの地名). ►字義は「Don 川上流のローマ駐屯地」.
Lan·cas·ter 名 ランカスター(イングランドの地名). ►字義は「Lune 川上流のローマ駐屯地」.

cast·ing /kǽstiŋ, kɑ́ːst- | kɑ́ːst-/

名 **1** 投げること; 鋳造, 鋳込み; 計算, 加算; 配置, 配列; 放棄, 除去, 脱落. **2**〔演劇〕配役. **3**(さお・リールざおによる)釣糸の投げ込み. ⇨ -ING[1].

báit càsting 〔釣り〕投げ餌(え)釣り.
céntral cásting 《米》〔映画〕配役部門.
centrífugal cásting 〔冶金〕遠心鋳造.
contínuous cásting 〔冶金〕連続鋳造法.
díe càsting 〔冶金〕ダイカスト, 圧力鋳造.
flý càsting 動自 〔釣り〕フライキャスティング.
hínd·càst·ing 気象データなどを過去にさかのぼって調べること.
invérsion càsting 〔冶金〕電気炉を鋳型の上で転倒させて鋳込みをする方法.
invéstment càsting 〔冶金〕インベストメント鋳造(法).
líne-càsting 〔印刷〕行鋳.
nár·row·càst·ing 《米》有線テレビ放送.
ó·ver·càst·ing 〔裁縫〕かがり縫い, オーバーカスト.
plúg càsting 〔釣り〕擬餌針(ぎじ)投げ.
precísion cásting =investment casting.
slíp càsting 〔鋳造〕泥漿(でいしょう)鋳込み成形.
slúsh càsting 〔鋳造〕殻鋳物.
spín càsting 〔釣り〕スピニング, 投げ釣り.
stréet-càsting 《米話》素人を役者に起用すること.
súrf càsting 〔釣り〕(なぎさでの)投げ釣り.

cas·tle /kǽsl, kɑ́ːsl | kɑ́ːsl/

名 (封建時代の国王・貴族などの住居としての)城, 城郭.

áir càstle 空中楼閣.
clóud-càstle 空中楼閣, 白日夢, 空想.
fóre·càs·tle 〔海事〕船首楼, フォクスル.
Máiden Cástle メーデンキャスル(イングランドの地名).
Néw Càstle ニューカッスル(米国の都市名).
Néw·càs·tle 名 ニューカッスル(イングランドの都市名).
sánd·càstle 砂の城.
tóp·càstle (中世の軍艦の)戦闘檣楼(しょうろう).
Wíndsor Cástle ウィンザー城.

cat /kǽt/

名 ネコ; ネコ科の肉食動物.

Abyssínian cát アビシニアンキャット.
álley càt 《米・カナダ》野良猫.
Angóra cát アンゴラネコ.
a·rís·to·cát 名 《こっけい》貴族ネコ.
ásh càt 《鉄道俗》機関車の火夫.
béar·càt 《話》勇猛な闘士; 精力的な人.
bíg cát 大形のネコ科の動物(トラなど).
blínd·càt 〔魚類〕メクラナマズ.
bób·càt ボブキャット(赤大山猫).
Búrmese cát ビルマネコ.
búsh càt サーバル(キャット).
cálico cát 飼い猫の一種.
cátty càt 《米黒人俗》女陰.
cívet càt =coon cat.
cólourpoint càt シャムネコの色をしたペルシャネコ(《米》Himalayan cat).
cóol càt 《俗》熱烈なジャズファン.
cóon càt カコミスル: アライグマに近い肉食獣.
cópy·càt 《話》模倣者, 模作者.
déad càt 《米俗》(サーカスで)芸をしない見世物用の猛獣.
fát càt 《米俗》多額の政治献金をする金持ち.
físhing càt スナドリネコ.
fóur-a-càt 名 =four old cat.
fóur old càt 4 人の打者で行う変則野球.
fráidy-càt 《米話》臆病者.
gáy·càt 《米俗》(若い新入りの)浮浪者.
héll·càt 性悪女, あばずれ女, じゃじゃ馬.
hép·càt 《古俗》スイングジャズの演奏者.
híp càt =hepcat.
húnting càt チーター.
léopard càt ベンガルヤマネコ.

líttle spótted cát ジャガーネコ, タイガーキャット.
Máltese cát マルチーズネコ.
Mánx cát マンクス: 飼い猫の一種.
móuntain càt アメリカライオン.
múd·càt ナマズ亜目イクタルルス科の魚.
músk càt ジャコウネコ.
nátive càt フクロネコ.
óne-a-cát 変則的な野球の一種.
pámpas càt パンパスキャット, コロコロ.
Paraguáyan cát パラグアイネコ.
Pérsian cát ペルシアネコ.
póle·càt ヨーロッパケナガイタチ.
pússy·càt 《主に幼児語》子猫ちゃん.
ríng-tailed cát =coon cat.
scáirdy cát =scaredy-cat.
scáredy-càt 《話》臆病者, 怖がり, 弱虫.
scrátch·càt 《NZ》意地の悪い女.
shé-cát 雌ネコ.
Síamese cát シャムネコ.
spóonbill càt 【魚類】ヘラチョウザメ.
spótted cát アメリカナマズの一種.
stóne·càt 黄褐色をしたナマズの一種.
stráw càt =pampas cat.
thín cát 《話》富も特権も力もない人.
thrée-a-càt 3人の打者で行う変則的な野球.
tíger càt タイガーキャット.
típ·càt 棒打ち遊び.
tóm·càt 雄猫.
tórtoiseshell cát =calico cat.
tóugh cát 《米黒人俗》女にもてる男.
trée càt =musk cat.
twó-a-càt 2人で行う変則的な野球.
wíld·càt オオヤマネコ.

cat·a·log /kǽtəlɔ̀ːg, -lɑ̀g | -lɔ̀g/

名 (商品・書籍などの)カタログ, 目録, 一覧表. ⇨ -LOG.

áuthor càtalog 【図書館学】著者(名)目録.
cárd càtalog 【図書館学】カード目録.
díctionary càtalog 【図書館学】辞書体目録.
facsímile càtalog 【図書館学】複製付き目録.
Méssier cátalog 【天文】メシエカタログ[星表].
répertory càtalog =union catalog.
súbject càtalog 【図書館学】主題[件名]目録.
títle càtalog 【図書館学】書名目録.
únion càtalog 総合目録.

cat·a·lyst /kǽtəlist/

名【化学】触媒.

àn·ti·cát·a·lyst 名 負触媒, 抗触媒.
bì·o·cát·a·lyst 名 酵素.
négative cátalyst 防止剤, 抑制剤.
Zíegler càtalyst チーグラー触媒.

catch /kǽtʃ/

名 **1** 捕まえること; 捕球. **2** 掛け金.

básket càtch 【野球】バスケットキャッチ.
círcus càtch 《米野球俗》ファインプレーの捕球.
élbow càtch (ドアなどに取りつける)L形掛け金.
fáir càtch 【アメフト】フェアキャッチ.
sáfety càtch 安全つかみ.
Scótch càtch 【音楽】スコッチスナップ(Scotch snap).
shóestring càtch 【野球】【アメフト】靴ひも捕球.
spéctator càtch 【クリケット】実際には打球はいったん地面に触れるなどしてアウトでないが, 観客には文句なしにアウトに見えるプレーでの捕球.
spríng càtch スプリングキャッチ: ばねで作動する掛け金.

catch·er /kǽtʃər/

名 捕らえる人[器具]. ⇨ -ER[1].

báby càtcher 《米俗》産科医.
búzz·càtcher 《米俗》バイブレーターでオナニーをする女.
cár càtcher 《米鉄道俗》ブレーキ係, 制動手.
ców·càtcher 《米・カナダ》カウキャッチャー: 排障器.
dóg·càtcher 《主に米》野犬捕獲人.
éar-càtcher 音で人の注意をひくもの.
éye-càtcher 人目を引く人[もの].
fárt-càtcher 《米俗》おべっかつかい.
flák-càtcher 【政治】【経済】代弁者, 苦情処理担当者.
flý·càtcher ☞
gnát·càtcher ブユムシクイ.
máil·càtcher 【鉄道】(郵便車の)郵便袋ピックアップ装置.
óyster·càtcher ミヤコドリ.
rát·càtcher ネズミ捕獲人; ネズミ捕り.
whále càtcher 捕鯨船.

cat·er·pil·lar /kǽtərpìlər/

名 芋虫, 毛虫, 青虫.

aspáragus fèrn càterpillar ヤガの一種シロイチモンジョトウ.
sált-màrsh cáterpillar ヒトリガの一種 *Estigmene acrea* の幼虫.
tént càterpillar テンマクケムシ.
tússock càterpillar ドクガ(tussock moth)の幼虫.

cat·fish /kǽtfiʃ/

名 ナマズ目の魚の総称. ⇨ FISH.

blúe cátfish 北米産のナマズの一種.
chánnel cátfish ブチナマズ.
Chínese cátfish ヒレナマズ(puntat).
eléctric cátfish デンキナマズ, シビレナマズ.
fláthead cátfish ナマズ亜目イクタルルス科の魚.
gàff-tópsail càtfish ナマズ亜目ギギ科の魚.
shóvelnose cátfish =flathead catfish.
spóonbill cátfish =flathead catfish.
spóon-bìlled cátfish ヘラチョウザメ(spoonbill cat).
úpside-dówn cátfish サカサナマズ.
wálking cátfish ヒレナマズ(鰭鯰).

cath·ode /kǽθoud/

名 カソード; (電気分解の場合の)陰極; (電池の場合の)負極, 陽極. ⇨ -ODE[2].

àn·ti·cáth·ode 名 (X線管その他の電子管の)対陰極.
cóld cáthode 【電子工学】冷陰極.
hót cáthode 【電気】熱陰極.
phò·to·cáth·ode 名 【電気】光電陰極, 光陰極.

Cath·o·lic /kǽθəlik/

形 カトリック教会の. ——名 カトリック教徒. ⇨ -IC[1].

Ánglo-Cátholic 名形 アングロカトリック(の).
ànti-Cátholic 形名 反カトリックの(人).
Cástle Cátholic 《軽蔑的》「王様カトリック派」.
Chúrch Cátholic 【ローマカトリック】(ローマ)カトリック教会(Catholic Church).
Gréek Cátholic ギリシャ正教会信者.
Óld Cátholic (ヨーロッパの)古カトリック派教徒.
Róman Cátholic 名形 ローマカトリック教会(の).

Ca·thol·i·cism /kəθáləsìzm | -θɔ́l-/

名 カトリシズム:(ローマ)カトリック教会の教義. ⇨ -ISM[1].

Ánglo-Cátholicism 名 アングロカトリック主義.
ànti-Cátholicism 名 反カトリック主義.
Róman Cátholicism ローマカトリック教.

C

cat·tle /kǽtl/

名《複数扱い》ウシ(類).

béef càttle 肉牛.
bláck cáttle《英古》食用牛.
dáiry càttle 乳牛.
Híghland cáttle ハイランド牛.
húmped cáttle コブウシ(瘤牛).

cau·date /kɔ́ːdeit/

形〘動物〙尾のある; 尾状付属器官のある. ⇨ -ATE[1].

bi·cau·date 形 双尾の.
brev·i·cau·date 形 尾の短い, 短尾の.
e·cau·date 形 尾のない.
ex·cau·date 形 尾のない; 尾状隆起のない.
nu·di·cau·date 形 裸尾の, 無毛尾の.

cause /kɔ́ːz/

名 **1**(…の)原因, もと, 種. **2** 大義; 運動.

be·cáuse 接 …だから, ゆえに; なぜなら.
Cómmon Cáuse 「共通の目的」運動: 米国の政治圧力団体.
effícient cáuse〘哲学〙動力因, 作用因.
fínal cáuse〘哲学〙目的因.
fírst cáuse〘哲学〙第一原因.
fórmal cáuse〘哲学〙形相因.
lóst cáuse 挫折した運動.
matérial cáuse〘哲学〙質料因.
occásional cáuse〘哲学〙偶因, 機会(原)因.
próbable cáuse〘法律〙相当な理由.
shów-càuse 形〘法律〙理由開示の.

caus·tic /kɔ́ːstik/

形 **1** 焼灼(しょうしゃく)性の. **2**〘光学〙火線の; 火面の. ——名〘光学〙火線; 火面. ⇨ -IC[1].

càt·a·cáus·tic 名形〘数学〙〘光学〙反射光線による火線[火面](の).
dì·a·cáus·tic 名形〘数学〙〘光学〙屈折火線[焦線](の).
en·cáus·tic 形 臘画(ろうが)の.
lúnar cáustic〘医学〙〘化学〙硝酸銀棒.

cau·tious /kɔ́ːʃəs/

形(…に)用心[注意]深い, 慎重な, 注意を払う. ⇨ -TIOUS.

hy·per·cau·tious 形 ひどく用心深い.
in·cau·tious 形 不注意な, 軽率な, うかつな.
o·ver·cau·tious 形 用心深すぎる.
pre·cau·tious 形 用心深い, 警戒心の強い, 慎重な.

cave /kéiv/

名 洞窟(どうくつ), 洞穴, (特に山腹に掘られた)横穴.

béar càve《米市民ラジオ俗》警察署.
con·cáve 形 ☞
íce càve 氷穴, 氷洞.
límestone càve 石灰洞, 鍾乳洞.
Mámmoth Cáve マンモスケーブ: 米国 Kentucky 州の大石灰洞.
snów càve〘登山〙雪洞.

cav·i·ty /kǽvəti/

名 空洞, うろ; くぼみ, へこみ, 穴; 虫歯. ⇨ -ITY.

áir càvity〘植物〙(主に浮遊海草の)気嚢.
àn·ti·cáv·i·ty 形 虫歯予防の.
bódy càvity〘動物〙〘解剖〙体腔(たいこう).
con·cáv·i·ty 名 凹状, くぼんでいること, 凹面.
násal cávity〘解剖〙鼻腔(びこう).
pléural cávity〘解剖〙胸膜腔(こう).
púlp càvity〘歯科〙歯髄腔(こう).
résonant càvity〘電子工学〙共振空胴.
segmentátion càvity〘発生〙割腔, 胞胚腔.
tympánic cávity〘解剖〙〘動物〙(中耳の)鼓室.

ca·vy /kéivi/

名〘動物〙テンジクネズミ科の南米産齧歯類数種の総称.

Patagónian cávy マーラ(mara).
réstless cávy 野生のテンジクネズミ.
róck càvy モコ(moco).
spótted cávy パカ(paca).

-ce /s/

接尾辞 …回.
◆ 中英, 古英 *-es*(副詞接尾辞, もとは副詞的属格単数形語尾).

once 副 **1**(過去の)ある時, 昔. **2** 一倍; 一度.
thrice 副《文語》三たび, 三度.
twice 副 2回, 二度; 再び; 二倍.

ce·dar /síːdər/

名〘植物〙ヒマラヤスギ, シーダー.

Aláska cédar アラスカヒノキ.
gróund cèdar アスヒカズラ.
Himaláyan cédar ヒマラヤスギ.
íncense cèdar オニヒバ.
Japán cédar スギ(杉).
Jápanese cédar =Japan cedar.
Lébanon cédar レバノンスギ.
Óregon cédar =Port Orford cedar.
péncil cédar =red cedar.
Pòrt Órford cédar ローソンヒノキ(Lawson cypress).
réd cédar エンピツビャクシン(鉛筆柏槙).
sált cèdar フランスギョリュウ.
Spánish cédar スペインスギ.
stínking cédar カヤ類.
Wèst Índian cédar =Spanish cedar.
whíte cédar ヌマヒノキ.
yéllow cédar =Alaska cedar.

-cede /síːd/

連結形 行く, 進む.
★ 語末にくる関連形は -CEDENCE, -CEDENT, -CEED.
◆ ラテン語 *cēdere*「行く, 進む」より.

ac·cede 動自 同意[賛成]する, 応じる, 従う.
an·te·cede 動他 …に先立つ, 先行[優先]する.
in·ter·cede 動自 取りなす, 仲に入る, 嘆願する.
pre·cede 動他 …に先行する; …より先に起こる.
re·cede 動自 退く, 後退[退却]する, 引っ込む.
ret·ro·cede 動自 戻る, 後退する, 退く.
se·cede 動自 脱退する, 脱会する, 分離する.

-ced·ence /síːdns, sədəns/

連結形 行くこと.
★ 語末にくる関連形は -CEDE.
◆ ラテン語 *cēdere*「行く」より. ⇨ -ENCE[1].

ac·ced·ence 名 同意, 応諾.
an·te·ced·ence 名 先行(すること), 先任.
prec·e·dence 名 先行すること, 先んじること.

-ce·dent /síːdnt/

連結形 行く.
★ 名詞, 形容詞をつくる.
★ 語末にくる関連形は -CEDE.
◆ ラテン語 *-cēdēns*(*-cedere*「行く」の現在分詞)より. ⇨ -ENT[1].

an·te·ced·ent 形 (…より)前の, (…に)先立つ.
de·ce·dent 名 《主に米》【法律】死者, 故人.
prec·e·dent 名 【法律】先例, 先決例.
suc·ce·dent 形 次に生じる, 続いて起こる.

-ceed /síːd/

連結形 行く, 進む.
★ 語末にくる関連形は -CEDE.
◆ ラテン語 *cēdere*「行く」より.

ex·ceed 動他 …を超過する, 上回る.
pro·ceed 動自 《文語》進み出す, 前進する.
suc·ceed 動自 成功する, 成し遂げる, 成就する.

ceil·ing /síːliŋ/

名 **1** (部屋の)天井(板), 天井張り; (船の)内張り(板). **2** 【航空】(絶対)上昇限度. ⇨ -ING[1].

ábsolute céiling 【航空】絶対上昇限度.
cathédral céiling 伽藍(がらん)天井.
fálse céiling =suspended ceiling.
flóor-to-céiling 形 〈鏡などが〉床から天井までの.
gláss cèiling ガラスの天井: 職場における少数派(特に女性)の出世の行き止まり.
sérvice cèiling 【航空】(飛行機の)実用上昇限度.
suspénded céiling 【建築】つり天井.

-ceive /síːv/

連結形 取る, 捉える.
★ 語末にくる関連形は -CEPT, -CEPTION, -CEPTIVE, -CEPTOR, -CIPIENT.
◆ ラテン語 *capere*「取る, 捉える」より.

con·ceive 動他 ☞
de·ceive 動他 惑わす, 欺く; 裏切る; だまし取る.
per·ceive 動他 …を知覚する.
re·ceive 動他 受け取る, 受領する.

-cel[1] /sel, səl/

接尾辞 ラテン語に見られる指小辞.
★ 語末にくる関連形は -EL[1].
◆ ラテン語 *-cellus*, *-cella*, *-cellum* より.

bar·bi·cel 名 【鳥類】小鉤(しょうこう).
in·vol·u·cel 名 【植物】小総苞(そうほう).
len·ti·cel 名 【植物】皮目(ひもく).
par·cel 名 包み, 小包, 小荷物.
ped·i·cel 名 【植物】小花柄.

-cel[2] /sel, səl/

接尾辞 フランス語に見られる指小辞.
◆ 中英＜中仏 *-celle*.

li·on·cel 名 【紋章】若いライオン.
pen·cel 名 (槍(やり)の先などにつける)小旗.
pen·non·cel 名 =pencel
pen·on·cel 名 =pencel

-cele /sìːl/

連結形 【病理】…腫瘍(しゅよう); …ヘルニア.
★ 名詞をつくる.
◆ ギリシャ語 *kḗlē*「腫瘍」を表す連結形. ⇨ -E[1].

bron·cho·cele 名 気管支肥大(症), 気管支ヘルニア.
bu·bon·o·cele 名 鼠径(そけい)ヘルニア.
cys·to·cele 名 膀胱(ぼうこう)脱, 膀胱ヘルニア.
he·ma·to·cele 名 陰嚢血腫(いんのうけっしゅ).
hy·dro·cele 名 水瘤(すいりゅう), 水腫(すいしゅ).
me·nin·go·cele 名 髄膜瘤(りゅう).
muc·o·cele 名 粘液嚢胞(のうほう).
my·e·lo·cele 名 脊髄ヘルニア, 脊髄瘤(りゅう).
neph·ro·cele 名 腎臓(じんぞう)ヘルニア.
pha·ryn·go·cele 名 咽頭(いんとう)脱, 咽頭ヘルニア.
rec·to·cele 名 直腸ヘルニア, 直腸瘤(りゅう).
var·i·co·cele 名 精索静脈瘤(りゅう).

cel·er·y /séləri/

名 セロリ, セルリ, オランダミツバ; その食用茎.

knób cèlery セルリアク, コンヨウ(根用)セロリ.
Páscal célery パスカルセロリ.
túrnip-ròoted célery =knob celery.
wáter cèlery セキショウモ(石菖藻).
wíld célery =water celery.

cell /sél/

名 **1** (小区分された)小部屋. **2**【生物】細胞. **3**【電気】電池.

ácid cèll 【電気】酸電池.
áir cèll 【解剖】【動物】気胞, 気嚢(きのう).
álkaline céll アルカリ電池.
álpha céll 【解剖】アルファ細胞.
ánther cèll 【植物】葯(やく)室.
básal cèll 【細胞生物】基底細胞.
básket cèll 【解剖】かご細胞.
B́ cèll 【生物】B 細胞, B リンパ球.
béta cèll ベータ細胞.
bínary céll 【コンピュータ】二値素子, 二進素子.
blást cèll 【生物】未分化[未熟]な細胞.
blóod cèll 血球.
bóne cèll 【生物】骨(こつ)細胞.
bráin cèll 【解剖】脳細胞.
búrr cèll 【病理】バーセル, 有棘(ゆうきょく)赤血球.
cádmium cèll 【電気】カドミウム電池.
cártilage cèll 軟骨細胞.
chálice cèll =goblet cell.
Clárk cèll 【物理】【電気】クラーク電池.
cóllar cèll 【動物】襟細胞.
compánion cèll 【植物】伴細胞.
concentrátion cèll 濃淡電池.
convéction cèll 【物理】対流セル.
còrticopóntine cèll 【解剖】皮質橋細胞.
Dániell cèll 【電気】ダニエル電池.
déath cèll (刑務所の)死刑囚独房.
dendrític cèll 樹状細胞.
déw cèll デューセル, 露点計.
dóuble-céll 動自 1 監房に 2 人収容する.
drý cèll 【電気】乾電池.
égg cèll 【生物】卵子.
eléctric cèll 【電気】電池.

electrolýtic céll 〖化学〗電解槽.
fát cèll 〖生物〗脂肪細胞.
fláme cèll 〖動物〗炎(ほのお)細胞.
fúel cèll 燃料電池.
galvánic céll 〖電気〗ガルバーニ電池.
gánglion cèll 〖解剖〗神経節細胞(gangliocyte).
gérm cèll 〖生物〗生殖細胞, 胚細胞.
gíant cèll 〖生物〗(通例, 多数の核を含む)巨(大)細胞.
glúe cèll 〖動物〗膠胞(こうほう)細胞.
góblet cèll 〖細胞生物〗杯(状)細胞.
granulósa cèll 〖生物〗顆粒膜細胞.
grávity cèll 〖電気〗重力電池.
guárd cèll 〖植物〗孔辺細胞.
háir cèll 〖生物〗有毛細胞.
hálf-cèll 名 〖電気〗半電池.
HéLa cèll 〖生物〗ヒーラー細胞.
hót cèll 〖原子力〗ホットセル.
Kérr cèll 〖物理〗カーセル.
kíller cèll 〖免疫〗キラー細胞, K 細胞.
LÁK cèll 〖免疫〗リンフォカイン活性化障害性細胞, ラック細胞.
Ĺ cèll 〖生物〗L 細胞.
Leclánché cell ルクランシェ電池.
Léydig cèll 〖解剖〗ライジッヒ細胞.
lýmph cèll リンパ細胞, リンパ球.
lýmphoid cèll 〖解剖〗リンパ様細胞.
mást cèll 〖生物〗肥満細胞, マスト細胞.
mástoid cèll 〖解剖〗乳(様)突(起)蜂巣.
mémory cèll 〖免疫〗記憶 [メモリー] 細胞.
mércury cèll 水銀電池.
mín·i·cèll 名 〖生物〗ミニ細胞.
móther cèll 〖生物〗母細胞.
nárrow cèll 墓.
néck canál cèll 〖植物〗頸溝(けいこう)細胞.
néck cèll 〖植物〗頸(けい)細胞.
nérve cèll 〖細胞生物〗ニューロン, 神経単位.
néttle cèll 〖動物〗刺胞, 刺糸胞.
núrse cèll 〖動物〗哺育細胞.
óxygen cèll 通気差電池.
pádded cèll (精神科病院などで狂暴性のある患者, または自殺しそうな犯罪者などのための)壁に柔らかいクッションを張った部屋.
pálisade cèll 〖植物〗柵状組織を構成する細胞.
paríetal cèll 〖解剖〗壁(へき)細胞.
pássage cèll 〖植物〗通過細胞.
pássenger cèll パッセンジャー細胞.
phó·to·cèll 名 〖電子工学〗光電池.
photocondúctive céll 〖電子工学〗光(ひかり)導電セル.
photoeléctric céll =photocell.
phòtoelectrochémical céll 〖化学〗光(ひかり)電気化学電池.
photovoltáic céll 〖電気〗光(ひかり)電池.
pígment cèll 〖生物〗色素細胞.
pílot cèll 〖電気〗表示電池.
plásma cèll 〖解剖〗プラズマ細胞, 形質細胞.
prímary céll 〖電気〗一次電池.
prímitive céll 〖結晶〗単純格子, 単一格子.
Purkínje cèll 〖生物〗プルキンエ細胞.
réd cèll 赤血球(redblood cell).
reprodúctive cèll 生殖細胞.
retículum cell 〖解剖〗細網細胞.
Schwánn cèll 〖生物〗シュワン細胞.
sécondary cèll =storage cell.
selénium cèll 〖電気〗セレン光(ひかり)電池.
sém·i·cèll 名 〖植物〗半細胞.
Sertóli cèll 〖解剖〗セルトーリ細胞.
séx cèll 生殖細胞.
síckle cèll 〖病理〗鎌状赤血球.
síeve cèll 〖植物〗師細胞.
sílver óxide cèll 酸化銀電池.
síngle-cèll 形 〖生物〗単細胞の.
sólar cèll 太陽電池.
somátic cèll 〖細胞生物〗体細胞.
spérm cèll 〖生物〗精子, 精虫.
spóngy céll 〖植物〗(葉の)海綿状細胞.
squámous céll 〖医学〗扁平上皮細胞.
stándard cèll 〖電気〗標準電池.
stém cèll 〖細胞生物学〗幹細胞.
stóne cèll 〖植物〗石(せき)細胞.
stórage cèll 〖電気〗蓄電池.
stríp cèll 《米俗》(刑務所の)空き独房.
sú·per·cèll 名 〖気象〗スーパーセル, 巨大雷雨セル.
swárm cèll 〖菌類〗遊走子, 鞭毛細胞.
Ť cèll 〖免疫〗T 細胞(T lymphocyte).
Ť 4 cèll T4 細胞: リンパ球の一種.
Ť hèlper cèll 〖免疫〗ヘルパー T 細胞.
tránsfer cèll 〖植物〗輸送細胞.
Ť suppréssor cèll 〖免疫〗サプレッサー T 細胞.
únit cèll 〖結晶〗単位胞, 単位格子, 単位セル.
voltáic cèll 〖電気〗ボルタ電池.
wét cèll 〖電気〗湿電池.
whíte cèll 〖免疫〗白血球.

cel·lar /sélər/

名 地下食料 [燃料] 庫, 穴蔵. ⇨ -AR[2].

béer cèllar (地下の)ビール貯蔵所.
cóal cèllar 地下の石炭貯蔵庫.
cóld cèllar 《主に米北東部》=root cellar.
cýclone cèllar 《米》=storm cellar.
níght cèllar 《英》(低級な)地階酒場.
róot cèllar 地下貯蔵室, 穴蔵.
sált·cèllar (食卓用の)塩入れ.
stórm cèllar 《米》暴風 [大竜巻] 避難用地下室.
súb·cèl·lar 名 (食料貯蔵などに用いる)地下二階.
ún·der·cèl·lar 名 地下二階.
végetable cèllar (地下の)低温野菜貯蔵室 [貯蔵所].
wíne cèllar ワイン貯蔵室.

cel·lu·lar /séljulər/

形 細胞の, 細胞状 [質] の. ⇨ -ULAR.

a·cel·lu·lar 形 非細胞生物の.
ex·tra·cel·lu·lar 形 細胞外の.
hep·a·to·cel·lu·lar 形 肝細胞の.
in·ter·cel·lu·lar 形 細胞間の [にある].
in·tra·cel·lu·lar 形 細胞内 [間] の.
mul·ti·cel·lu·lar 形 多細胞(性)の.
non·cel·lu·lar 形 細胞構造のない; 細胞を含んでいない.
sub·cel·lu·lar 形 細胞以下の.
su·pra·cel·lu·lar 形 〈生物学などが〉細胞レベル以上の.
u·ni·cel·lu·lar 形 単細胞の.

cel·lu·lose /séljulòus/

名 〖化学〗セルロース, 繊維素. ⇨ -OSE[2].

car·bòx·y·mèth·yl·cél·lu·lòse 名 カルボキシメチルセルロース.
éthyl céllulose エチルセルロース.
hèm·i·cél·lu·lose 名 〖植物〗ヘミセルロース.
hỳ·dro·cél·lu·lose 名 ヒドロセルロース, 水化セルロース.
lìg·no·cél·lu·lose 名 〖植物〗リグノセルロース.
méthyl céllulose メチルセルロース.
nì·tro·cél·lu·lose 名 ニトロ [硝酸] セルロース.
òx·y·cél·lu·lose 名 酸化セルロース, オキシセルロース.
pỳ·ro·cél·lu·lose 名 ピロセルロース.
regénerated céllulose 再生セルロース.

ce·ment /simént/

名 (建築用)セメント. ⇨ -MENT.

alúmina cemènt アルミナセメント.
asbéstos cemènt 石綿セメント.
cóntact cemènt (合板などに用いる)合成接着剤.

fèr·ro·ce·mént 形 〈船体が〉鉄筋セメントでできた.
fi·bro·ce·mént 名 《英》=asbestos cement.
gráppier cemént グラピールセメント.
hydráulic cemént 水硬性セメント.
íron cemént 鉄セメント.
Pórtland cemént ポートランド・セメント.
Róman cemént ローマンセメント.
rúbber cemént ゴムのり, ゴムセメント.
sílica cemènt シリカセメント.
slág cemènt 鉱滓(こうさい)セメント.
sóil-cemènt ソイルセメント.
súlfate-resísting cemènt 耐硫酸塩セメント.
whíte cemént 白色ポルトランドセメント.

cem·e·ter·y /sémətèri | -tri/

名 (特に教会所属地外の)埋葬地, 共同墓地(graveyard). ⇨ -ERY[1].

Árlington Nátional Cémetery アーリントン国立墓地.
cremátion-cémetery 火葬墓地.
nátional cémetery 国立軍人墓地.
wár cèmetery 戦没者共同墓地.

-cene /sìːn/

連結形 〘地質〙ceno-「新しい, 最近の」の異形.
★ 新生代に関する地質学用語に使われる.
★ 語頭にくる形は cen(o)-: *ceno*genesis「変形発生, 新形発生」, *ceno*zoic「新生代の」.
◆ ギリシャ語 *kainós*「新しい」より.

E·o·cene 名形 (第三紀(の))始新世 [統](の).
Hol·o·cene 名形 完新世(の).
Mi·o·cene 名形 中新世(の).
Ne·o·cene 名形 新第三紀(の).
Ol·i·go·cene 名形 漸新世(の).
Pa·le·o·cene 名形 暁(ぎょう)新世 [統](の).
Plei·o·cene 名形 =Pliocene.
Pleis·to·cene 名形 更新 [最新] 世(の), 更新統(の).
Pli·o·cene 名形 鮮新世(の), 鮮新統(の).

cent /sént/

名 セント: 米国の銅貨で貨幣単位.

hálf cènt 《米》半セント青銅貨.
réd cént 《米話》1 セント銅貨.
tén-cént 形 安っぽい, 粗末な.

cen·te·nar·y /senténəri, séntənèri | sentíːnəri/

名形 100 年間(の). ⇨ -ARY.

bi·cen·te·nar·y 名形 《主に英》二百年記念(日)(の).
oc·to·cen·te·nar·y 名形 800 年間(の).
quat·er·cen·te·na·ry 名形 400 年間(の).
qui·cen·te·nar·y 名形 =quincentenary.
quin·cen·ten·ar·y 名形 500 年間(の).
quin·que·cen·te·nar·y 名形 =quincentenary.
sem·i·cen·te·nar·y 名形 50 年間(の).
sept·cen·te·nar·y 名形 700 年間(の).
ses·qui·cen·te·nar·y 名形 150 年間(の).
sex·cen·te·nar·y 名形 600 年間(の).
ter·cen·te·nar·y 名形 =tricentenary.
tri·cen·ten·ar·y 名形 300 年間(の).

cen·ten·ni·al /senténiəl/

形 100 年目の, 満 100 年の. ⇨ -ENNIAL.

bi·cen·ten·ni·al 名形 200 年間(の); 200 年目(の).
quad·ri·cen·ten·ni·al 名形 400 年間(の); 400 年目(の).
quas·qui·cen·ten·ni·al 名形 125 年間(の); 125 年目(の).
quin·cen·ten·ni·al 名形 500 年間(の); 500 年目(の).
quin·que·cen·ten·ni·al 名形 =quincentennial.
sem·i·cen·ten·ni·al 名形 50 年間(の); 50 年目(の).
ses·qui·cen·ten·ni·al 名形 《主に米》150 年間(の); 150 年目(の).
tri·cen·ten·ni·al 名形 300 年間(の); 300 年目(の)

C

cen·ter /séntər/

名 **1** 中心, 中央. **2** 主要な地点; (社会事業などの)総合施設, センター.

absórption cènter (イスラエルの)移民受け入れセンター.
adjústment cénter 《米》(刑務所内の)矯正センター.
Adúlt Tráining Cènter 〘社会福祉〙成人訓練所.
amúsement cènter 慰安商業地, 盛り場, 娯楽場.
án·ti·cèn·ter 名 〘地質〙アンチセンター.
áp·o·cèn·ter 名 〘天文〙遠点.
área contról cènter 航空路管制機関.
assémbly cènter 《米》集合センター.
bár·y·cèn·ter 名 〘物理〙〘数学〙重心.
chró·mo·cèn·ter 名 〘細胞生物〙染色仁.
cír·cum·cèn·ter 名 〘幾何〙外心.
cívic cénter (都市の)官庁 [中央] 地区.
Commúnicable Diséase Cènter Centers for Disease Control「(米国の)疾病対策センター」の旧称.
commúnity cènter コミュニティーセンター.
con·cén·ter 動他自 一点 [中心] に集める [集まる].
cónference cènter コンファランス・センター.
contról cènter 管理センター, 作戦本部.
convéntion cènter コンベンションセンター.
cóst cènter 原価中心点, 原価部門.
crísis cènter 《米》危機管理センター.
cúlture cènter 〘人類〙文化中心.
dá·ta·cèn·ter 名 データセンター: 1 台以上のコンピュータを設置・接続し, データを処理転送するシステム.
dáy cènter デイセンター: 宿泊施設を持たない福祉施設.
déad cénter 〘機械〙死点(dead point).
de·cén·ter 動他 中心から外す.
deténtion cènter 強制収容所.
detoxificátion cènter アルコール [麻薬] 依存症患者の治療センター.
dispósal cènter ごみ処理場.
e·mérg·i·cèn·ter 名 《米》応急診療所.
ép·i·cèn·ter 名 〘地質〙震央.
éx·cen·ter 名 〘数学〙傍心.
Éxner's cénter 〘解剖〙エクスナー中枢.
fíeld cènter 現地調査センター.
fílter cènter 〘軍事〙防空情報判定センター.
fítness cènter フィットネスセンター.
gárden cènter 園芸用品店.
gé·o·cèn·ter 名 地球の中心.
grówth cènter 感受性訓練センター [機関].
guíde cénter 〘軍事〙中央嚮導(きょうどう).
héalth cènter 保健所; 医療センター.
hóme cènter 住宅設備販売センター.
hý·po·cèn·ter 名 (原水爆の)爆心地.
ín·cèn·ter 名 〘幾何〙内心.
intérpretive cénter (史跡・観光名所などの)資料館.
invérsion cènter 〘結晶〙対称(中)心, 反転中心.
Japán Cénter (San Francisco の)日本貿易文化センター.
léarning rèsources cènter 学習資料センター.
léft-of-cénter 形 (政治的に)革新派 [左派, 左翼] の.
léisure cènter 余暇活用センター.
Líncoln Cénter リンカーンセンター: New York 市にある音楽・芸術のための総合センター.
líve cènter 〘機械〙旋盤で, 工作物支持用の円錐状の心棒でその主軸になるもの.

machíning cènter 〘機械〙複合工作機械.
máil cènter 《米》メールセンター.
média cènter メディアセンター.
méssage cènter 通信センター;〘陸軍〙信務班.
mét·a·cèn·ter 名 〘造船〙(浮力の)傾心.
Moscóne Cénter モスコーニ・センター: San Francisco の見本市会場.
nérve cènter 神経中枢.
óff-cénter 形 中心からずれた.
óffshore cènter オフショア・センター: 非居住者のために外為法, 税法上の規則を緩くしている国際金融市場.
óptical cénter 〘印刷〙視覚中央.
óptic cénter 〘印刷〙=optical center.
ór·tho·cèn·ter 名 〘幾何〙(三角形の)垂心.
pér·i·cèn·ter 名 〘天文〙近点.
préssure cènter 〘気象〙気圧の中心.
prófit cènter 〘経営〙利益中心点, 利益責任単位.
próperty cènter (譲渡証書作成も含む)不動産売買サービスセンター.
redémption cènter 商品スタンプ引き換え所.
restitútion cènter 《米》被害者への補償をさせるための労働矯正施設.
ríght-of-cénter 形 (政治的に)右寄りの, 保守的な.
Róckefeller Cénter ロックフェラーセンター.
separátion cènter 《米》復員本部, 召集解除本部.
sérvice cènter (電機器具や自動車などの)サービスセンター.
shópping cènter (特に郊外の)ショッピングセンター; 商店街.
spáce cènter 宇宙基地.
spórts cènter スポーツセンター.
spréading cènter 〘地質〙拡大センター, 拡大中心.
stórm cènter 暴風雨の中心, 台風の目.
súb·cèn·ter 名 副中心; 副都心.
sù·per·cén·ter 名 (郊外の)大ショッピングセンター.
súr·gi·cèn·ter 名 〘外科〙外科センター.
tél·e·cèn·ter 名 テレセンター: 電話による販売・広告活動をする人を組織する.
tráuma cènter 外傷センター.
úr·gi·cèn·ter 名 外来用緊急病院, 救急病院.
vísitor cènter =interpretive center.
wélfare cènter 福祉センター.
Wórld Tráde Cènter 世界貿易センター.

-cen·tered /séntərd/

連結形 …中心の, …本位の. ⇨ -ED[2].
★ 形容詞をつくる.
★ 語末にくる関連形は -CENTRIC, -CENTRISM.
★ 語頭にくる関連形は centr-: *centr*alism「求心性」, *centr*alization「集中」.

chíld-céntered 形 〈教育が〉児童中心の.
discóver·y-céntered 形 (教育法など)発見志向的な.
fámily-cénter·ed 形 家族中心の.
sélf-céntered 形 自分本位の, 自己中心の, 利己的な.
tèchno-céntered 形 科学技術中心主義の.

cen·te·sis /sentíːsis/

名 〘外科〙穿刺(せん). ⇨ -ESIS.

am·ni·o·cen·te·sis 名 羊水穿刺.
par·a·cen·te·sis 名 穿刺(術), 穿開(術).
per·i·car·di·o·cen·te·sis 名 心膜穿刺.
pleu·ro·cen·te·sis 名 =thoracentesis.
tho·ra·cen·te·sis 名 胸腔穿刺.
tho·ra·co·cen·te·sis 名 =thoracentesis.

-cen·to /tʃéntou; *It.* tʃénto/

連結形 100(の); 100 番目(の).
★ 名詞, 形容詞をつくる.
◆ イタリア語より. ⇨ -O[2].

cin·que·cen·to 名 チンクエチェント: 16 世紀(風)イタリア美術 [文学].
du·e·cen·to 名 ドゥエチェント: 13 世紀(風)イタリア美術 [文学].
quat·tro·cen·to 名 クァトロチェント, 15 世紀.
sei·cen·to 名 セイチェント, 芸術史上の第 17 世紀.
set·te·cen·to 名 (芸術・文化の一時代としての)18 世紀.
tre·cen·to 名 トレチェント: 14 世紀(風)イタリア美術 [文学].

cen·tral·ize /séntrəlàiz/

動他 〈産業などを〉中心に集める, (…に)集中させる. ⇨ -IZE[1].

de·cen·tral·ize 動他 〈行政権・機能を〉分散させる, 地方分権にする.
o·ver·cen·tral·ize 動他 過度に集中させる; 中央集権化する.

cen·tre /séntər/

名 《主に英》中心(《米》center). ――動他 …を中心に置く. ――自 中心にある.

asséssment cèntre 《英》(罪を犯した青少年を収容する)考査収容施設.
atténdance cèntre 《英》青少年保護観察センター.
cír·cum·cèn·tre 名 《特に英》〘幾何〙外心.
cívic céntre 《英》市民センター.
con·cén·tre 動他自 《主に英》中心に集める.
de·cén·tre 動他 《特に英》中心から外す.
deténtion cèntre 《主に英》短期少年院.
hóliday cèntre 《英》(特に海辺の)休暇村, 行楽地.
Jób·cèn·tre 名 《英》職業案内センター.
láw cèntre 《英》(無料の)法律相談所.
mét·a·cèn·tre 名 《特に英》〘造船〙(浮力の)傾心.
músic cèntre 《英》オーディオセット.
pláy-cèntre 《NZ》幼児たちの遊びの集団.
recéption cèntre 《英》レセプションセンター. ▶昔の救貧院に相当.
réd céntre 《豪》オーストラリア内陸部.
remánd cèntre 《英》拘置所.
Róckville Céntre ロックビルセンター(米国の地名).
Sáuk Céntre ソークセンター(米国の地名).
Skíll·cen·tre 《英》技術センター.
Sócial Educátion Céntre 《英》社会教育センター.
wéather cèntre 《英》気象情報センター.
yóuth cèntre 《英》ユースセンター.
yóuth cústody cèntre 《英》少年院.

-cen·tric /séntrik/

連結形 **1** …の中心(center)を持つ: poly*centric*. **2** …を中心にした, …に集中した: ethno*centric*, helio*centric*.
★ 形容詞をつくる.
★ 語末にくる関連形は -CENTERED, -CENTRISM.
★ 語頭にくる関連形は centr-: *centr*alism「求心性」, *centr*alization「集中」.
◆ ラテン語 *centrum*「中心」より. ⇨ -IC[1].

a·cen·tric 形 中心を外れた; 中心のない.
ac·ro·cen·tric 形 〘遺伝〙末端動原体型の.
al·lo·cen·tric 形 他者中心の.
an·dro·cen·tric 形 男性中心 [優勢] の, 男性支配の.
An·glo·cen·tric 形 英国中心の.
an·thro·po·cen·tric 形 人間中心的な.
bi·cen·tric 形 〘生物〙〈分類単位が〉二起源性の.
bi·o·cen·tric 形 生命中心の.
car·bo·cen·tric 形 炭素系生物のみを重視する.

Chris·to·cen·tric 形 キリスト中心の.
con·cen·tric 形 〈円·球体が〉(…と)中心を共有する.
cus·tom·er-cen·tric 形 顧客中心の, お客を重視する.
desk·top-cen·tric 形 デスクトップ型パソコンを重視する.
di·cen·tric 形 〈染色体が〉二動原体性の.
ec·cen·tric 形 常軌を逸した; 風変わりな.
ec·o·cen·tric 形 環境中心の.
e·go·cen·tric 形 〈人·考え方が〉自己中心的な.
en·do·cen·tric 形 〘文法〙内心的, 内心構造の.
eth·no·cen·tric 形 〘社会〙自民族 [集団] 中心主義の.
Eu·ro·cen·tric 形 ヨーロッパ(人)に集中した.
Eu·ro·po·cen·tric 形 =Eurocentric.
ex·cen·tric 形 =eccentric.
ex·o·cen·tric 形 〘文法〙外心的, 外心構造の.
ge·o·cen·tric 形 地球中心の.
ghet·to-cen·tric 形 少数民族のスラムを中心に考える.
gy·no·cen·tric 形 女性中心の; レズの.
he·li·o·cen·tric 形 〘天文〙太陽の中心から測定した.
ho·mo·cen·tric 形 同じ中心を持つ(concentric).
IBM-com·pat·i·ble-cen·tric 形 IBM パソコンとの互換を重視した.
liq·uor-cen·tric 形 アルコール飲料を中心にした.
male-cen·tric 形 男性中心の.
mat·ri·cen·tric 形 母親中心の, 母方の.
met·a·cen·tric 形 〘造船〙傾心の.
mul·ti·cen·tric 形 多数の中心を持つ.
net·work-cen·tric 形 ネットワークを中心とした.
pen-cen·tric 形 〘コンピュータ〙ペン型入力機器重視の.
phal·lo·cen·tric 形 男根中心の, 男性中心の.
pol·y·cen·tric 形 多くの中枢 [中心] 部を有する.
se·le·no·cen·tric 形 〘天文〙月を中心とする.
so·ci·o·cen·tric 形 自分が所属する社会中心に考える.
state-cen·tric 形 国家中心の.
tel·o·cen·tric 形 〘遺伝〙端部動原体型の.
the·o·cen·tric 形 神を中心とした.
top·o·cen·tric 形 〘地理〙原点となる地表の一地点の.
user-cen·tric 形 利用者中心の, ユーザー重視の.

-cen·trism /séntrizm/

連結形 **1** …中心主義. **2** …の中心を持つ主義.
★ 名詞をつくる.
★ 語末にくる関連形は -CENTERED.
★ 語頭にくる関連形は centr-: *centr*alism「求心性」, *centr*alization「集中」.
◆ -CENTR(IC) + -ISM[1].

Af·ro·cen·trism 名 アフリカ [黒人] 中心主義.
an·dro·cen·trism 名 男性中心主義.
an·thro·po·cen·trism 名 人間中心主義, 人間中心観.
bi·o·cen·trism 名 生物中心主義.
e·go·cen·trism 名 自己中心的な状態 [であること].
eth·no·cen·trism 名 〘社会〙自民族 [集団] 中心主義.
Eu·ro·cent·rism 名 =Europocentrism.
Eu·ro·po·cen·trism 名 ヨーロッパ中心主義.
het·er·o·cen·trism 名 異性愛中心主義.
lo·go·cen·trism 名 ロゴス中心主義.
pol·y·cen·trism 名 多極主義.
rec·to·cen·trism 名 右きき中心主義, 左きき差別.

-ce·phal·ic /səfǽlik | sə-, kə-/

連結形 -cephalous の異形. ⇨ -IC[1].
★ 語末にくる関連形は -CEPS.
★ 語頭にくる形は cephal(o)-: *cephal*algia「頭痛」, *cephalo*cide「知識人層の集団殺戮」.

brach·y·ce·phal·ic 形 〘頭部測定〙短頭の.
dol·i·cho·ce·phal·ic 形 〘頭部測定〙長頭の.
en·ce·phal·ic 形 脳の [に関係する]; 頭蓋腔(ずがいくう)の.
hy·dro·ce·phal·ic 形 〘病理〙脳水腫(すいしゅ)の.
i·so·ce·phal·ic 形 〘美術〙等頂の.
lep·to·ce·phal·ic 形 狭頭の.
mac·ro·ce·phal·ic 形 〘頭部測定〙大頭 [長頭] の.
meg·a·ce·phal·ic 形 〘頭部測定〙=macrocephalic.
meg·a·lo·ce·phal·ic 形 〘頭部測定〙=macrocephalic.
me·sat·i·ce·phal·ic 形 〘頭部測定〙=mesocephalic.
mes·o·ce·phal·ic 形 〘頭部測定〙中頭の.
mi·cro·ce·phal·ic 形 〘病理〙小頭(症)の.
or·tho·ce·hal·ic 形 〘頭部測定〙正頭蓋(ずがい)の.
plat·y·ce·phal·ic 形 〘頭部測定〙偏平頭蓋の.
pro·ce·phal·ic 形 前頭部の.
sten·o·ce·phal·ic 形 〘病理〙狭頭症の.

-ceph·a·lous /séfələs | séf-, kéf-/

連結形 …の頭を持った.
★ 形容詞をつくる.
★ 語末にくる関連形は -CEPS.
★ 語頭にくる関連形は cephal(o)-: *cephal*algia「頭痛」, *cephalo*cide「知識人層の集団殺戮」.
◆ <ギ *-kephal(os)* 頭のある (*kephalḗ*「頭」より). ⇨ -OUS.

a·ceph·a·lous 形 〘動物〙無頭(類)の; 〘植物〙無柱頭の.
au·to·ceph·a·lous 形 〘東方教会〙〈教会が〉完全自治独立の, 独立の, 自治の.
bi·ceph·a·lous 形 〘生物〙二頭の, 双頭の.
brach·y·ceph·a·lous 形 〘頭部測定〙短頭の.
di·ceph·a·lous 形 両頭の, 頭の 2 つある.
mon·o·ceph·a·lous 形 〘植物〙単生頭状花の.

-ceph·a·lus /séfələs | séf-, kéf-/

連結形 頭部異常.
★ 名詞をつくる.
★ 語末にくる関連形は -CEPS.
★ 語頭にくる関連形は cephal(o)-: *cephal*algia「頭痛」, *cephalo*cide「知識人層の集団殺戮」.
◆ ギリシャ語 *-kephalos*「頭のある」より. ⇨ -US[1].

cyn·o·ceph·a·lus 名 (伝説上の)犬頭人.
hy·dro·ceph·a·lus 名 〘病理〙脳水腫, 水頭(症).
lep·to·ceph·a·lus 名 〘魚類〙葉形(ようけい)幼生.
mac·ro·ceph·a·lus 名 大頭(症の人), 巨大頭蓋(ずがい)(の人).

-ceph·a·ly /séfəli | séf-, kéf-/

連結形 …頭(とう).
★ -cephalic で終わる形容詞に対応する名詞をつくる.
★ 語末にくる関連形は -CEPS.
★ 語頭にくる関連形は cephal(o)-: *cephal*algia「頭痛」, *cephalo*cide「知識人層の集団殺戮」.
◆ -CEPHAL(IC) + -Y[3].

ac·ro·ceph·a·ly 名 〘病理〙=oxycephaly.
an·en·ce·pha·ly 名 〘医学〙無脳症.
cym·bo·ceph·a·ly 名 〘医学〙=scaphocephaly.
dol·i·cho·ceph·a·ly 名 〘人類〙長頭.
mac·ren·ceph·a·ly 名 〘医学〙大脳(髄)症, 巨脳(髄)症.
mac·ro·ceph·a·ly 名 (巨)大頭, 巨頭.
ox·y·ceph·a·ly 名 〘病理〙塔状頭蓋(ずがい).
pla·gi·o·ceph·a·ly 名 〘医学〙斜頭蓋(ずがい)症.
scaph·o·ceph·a·ly 名 〘病理〙舟状頭(蓋)症.

-ceps /sèps/

連結形 …の頭を持つもの.
★ 語末にくる関連形は -CEPHALIC, -CEPHALOUS, -CEPHALUS, -CEPHALY, -CIPITAL.
★ 語頭にくる形は cephal(o)-: *cephal*algia「頭痛」, *cephalo*cide「知識人層の集団殺戮」.
◆ <ラ *-ceps*(*caput*「頭」の連結形より).
[発音] 語頭の音節に第 1 強勢.

bi·ceps 名 〘解剖〙二頭筋.
quad·ri·ceps 名 〘解剖〙大腿(たい)四頭筋.
tri·ceps 名 〘解剖〙三頭筋; (特に上腕背部の)

上腕三頭筋.

-cept /sept, sépt/

連結形 取られた(もの); 取る.
★ 語末にくる関連形は -CEIVE.
◆ ラテン語 *capere*「取る」より.
[発音] 名詞では語頭の音節に, 動詞では基体 -cept に第 1 強勢.

ac·cept 動他 …を受け取る; …を受け入れる.
con·cept 名 ☞
ex·cept[1] 前 …を除いて, 以外は.
ex·cept[2] 動他 …を例外とする, 除外する.
in·cept 動他【生物】摂取する.
in·ter·cept 動他 …を途中で捕らえる, 横取りする.
per·cept 名 (知覚による)認識結果.
pre·cept 名 (行動・道徳上の)教え, 教訓.
re·cept 名【心理】知覚像.

-cep·tion /sépʃən/

連結形 取られたもの [こと].
★ 名詞をつくる.
★ 語末にくる関連形は -CEIVE.
◆ <ラ *-ceptus*(*capere*「取る」の連結形 *-cipere* の過去分詞). ⇨ -TION.
[発音] -ception の第 1 音節に第 1 強勢が置かれる.

con·cep·tion 名 心に抱く [描く] こと, 概念形成.
de·cep·tion 名 だますこと, 欺瞞(ぎまん), うそ.
ex·cep·tion 名 例外, 除外.
in·cep·tion 名 初め, 始まり, 開始, 発端.
in·ter·cep·tion 名 途中で押さえること, 遮断, 中断.
in·tus·sus·cep·tion 名 (思想などの)受け入れ, 取り入れ.
per·cep·tion 名 ☞
re·cep·tion 名 ☞

-cep·tive /séptiv/

連結形 取る, 捉える.
★ 形容詞をつくる.
★ 語末にくる関連形は -CEIVE.
◆ <ラ *-cipere*(*capere*「取る」の連結形). ⇨ -IVE[1].

ac·cep·tive 形 受け入れる, 受容的な.
con·cep·tive 形 概念構成力を持つ, 考えられうる.
de·cep·tive 形 人をだます, 当てにならない, 見かけによらない, ごまかしの.
ex·cep·tive 形 例外の, 例外的な; 例外を示す.
in·cep·tive 形 初めの, 開始の, 発端の.
in·ter·o·cep·tive 形【生理】内部感覚受容の, 内受容の.
per·cep·tive 形 洞察 [理解, 直観] 力の鋭い.
pre·cep·tive 形 命令を伝える, 命令の.
re·cep·tive 形 受け入れる, 受容力のある.
sus·cep·tive 形 感受性に富んだ, 敏感な.

-cep·tor /sèptər, sép-/

連結形【生理】受容器官.
★ 名詞をつくる.
★ 語末にくる関連形は -CEIVE.
◆ receptor の短縮形.
[発音] 4 音節の語は語頭に, 5 音節の語は基体 -cep- に第 1 強勢.

am·bo·cep·tor 名【免疫】用血素(hemolysin).
bar·o·cep·tor 名 圧受容器(baroreceptor).
ex·ter·o·cep·tor 名 外界感覚受容器, 外受容器.
in·ter·o·cep·tor 名 内部感覚受容器, 内受容器.
pro·pri·o·cep·tor 名 自己 [固有] 受容器.

ce·ram·ic /sərǽmik/

形 陶磁器 [セラミック] の; 窯業の, 製陶の. ⇨ -IC[1].

a·ce·ram·ic 形 無土器の, 土器を持たない.
bio·ce·ram·ic 名 生体機能性セラミックス.
glass-ce·ram·ic 名 熱や酸に強い結晶質ガラス.

-cer·cal /sə́ːrkəl/

連結形 …尾 [尾びれ, 尾翼] の(ある).
★ 形容詞をつくる.
★ 語末にくる関連形は -CERCOID.
★ 語頭にくる関連形は cerc-: *cerc*aria「尾虫」, *cerc*opithecoid「オナガザル類の」.
◆ <近代ラ *cerco-* <ギ *kérk*(*os*)尾 + -AL[1].

diph·y·cer·cal 形【魚類】原正尾(型)の.
het·er·o·cer·cal 形【魚類】不等尾の; 不等形の.
ho·mo·cer·cal 形【魚類】等尾 [正尾] の.

-cer·coid /sə́ːrkɔid/

連結形 尾虫.
★ 名詞をつくる.
★ 語末にくる関連形は -CERCAL.
★ 語頭にくる関連形は cerc-: *cerc*aria「尾虫」, *cerc*opithecoid「オナガザル類の」.
◆ ギリシャ語 *kérkos*「尾」より. ⇨ -OID[1].

cys·ti·cer·coid 名 擬嚢尾(ぎのう)虫.
ple·ro·cer·coid 名 擬充尾虫, プレロケルコイド.
pro·cer·coid 名 前擬尾虫, プロセルコイド.

-cern /sə́ːrn/

連結形 ふるいにかける, ふるう; 分ける; 決める.
◆ ラテン語 *cernere*「ふるいにかける」より.

con·cern 動他〈人・物・事などに〉関係する.
de·cern 動自【スコット法】判決を下す.
dis·cern 動他〈遠くの物などを〉(目で)見つける.
se·cern 動他 識別する, 弁別する.

-ce·rous /sərəs/

連結形 角を持つ.
★ 形容詞をつくる.
★ 語頭にくる関連形は cerat(o)-, kerat(o)-: *cerat*oid「角質の」, *kerat*in「角質」.
◆ ギリシャ語 *-keros*(*kerás*「角」の形容詞派生語)より. ⇨ -OUS.

a·ce·rous 形【動物】触角のない, 無触角の.
bra·chyc·er·ous 形【昆虫】短角の.

cer·tif·i·cate /sərtífikət/

名 **1** (身分・資格・特権・真実性などの)証明書, 証書, 保証書, 検定証. **2** 証券, 株券. ⇨ -FICATE.

Áll Sávers Certificate 《米》【金融】負税貯蓄貯金証書.
bírth certificate 出生証明書.
Cámbridge Certíficate ケンブリッジ英検.
déath certificate 死亡診断書.
gíft certificate 商品券.
góld certificate 《米》金証券.
héalth certificate 健康診断書.
indústrial devélopment certíficate 《英》産業開発証書.
márriage certificate 結婚証明書.
móney-market certificate 市場金利連動預金.
óne-child certificate (中国で)一人っ子証明書.
public interest immùnity cértificate 公共の利益にならないとして, 証人に対して特定の情報を公開することを禁止する証書.

sávings certificate 《米》定額貯金証書; 《英》小額貯蓄国債.
Schóol Certificate 『英教育』中等教育修了試験［証書］.
sélf-certificate 《英》(病気欠勤の際に労働者が雇用主に提出する)自己証明書.
sháre certificate 《米》信用組合の発行する預金証書; 《英》株券.
sílver certificate 《米》銀証券.
smáll-sáver certificate 《米》SSC 定期預金証書.
stóck certificate 《米》株券.
stréet certificate ストリート・サティフィケート: 証券業者名義で発行されている証券.
táx certificate 仮［条件付き］公売証書.
Tréasury certificate 《米》財務省短期利付債券.
unrúly certificate 《英》収監認可証.

-cess /ses, sés/

連結形 行くもの.
★ 語末にくる関連形は -CESSION, -CESSIVE.
◆ もとはラテン語 *cēssus*(*cēdere*「行く」の語幹 *ced-* に *-tus* がつき, *-dt-* が *-ss-* に変化した).

ab·scess 名 『病理』膿瘍(のうよう).
ac·cess 名 ☞
ex·cess 名 (量・程度で)他より多い［上回る］こと, 超過.
proc·ess 名 ☞
re·cess 名 (通常の仕事・活動の一時的な)休止.
suc·cess 名 成功, 達成; 合格.

-ces·sion /séʃən/

連結形 行くもの［こと］; 引きさがるもの［こと］.
★ 名詞をつくる.
★ 語末にくる関連形は -CESS.
◆ ＜ラ *cēssus*(*cēdere*「行く」より). ⇨ -ION[1], -SION.
［発音］-cession の第 1 音節に第 1 強勢が置かれる.

ac·ces·sion 名 (権利・地位・財産などの)取得.
con·ces·sion 名 譲歩; 譲与; 承認, 容認.
in·ter·ces·sion 名 仲裁, 仲介, 斡旋(あっせん).
pre·ces·sion 名 ☞
pro·ces·sion 名 (人・船舶などの整然とした)行進.
re·ces·sion 名 撤退, 後退, 退去, 退出.
se·ces·sion 名 (政党・教会などからの)脱退, 脱会.
suc·ces·sion 名 ☞

-ces·sive /sésiv/

連結形 退く, 屈する, 譲る.
★ 形容詞をつくる.
★ 語末にくる関連形は -CESS.
◆ ＜ラ *cēssus* (*cēdere*「行く, 譲(ゆず)る」より). ⇨ -IVE[1].

con·ces·sive 形 譲歩する, 譲歩的な.
ex·ces·sive 形 過大な, 過度の, 法外な.
pro·ces·sive 形 前進する, 進歩する, 向上する.
re·ces·sive 形 後退する, 後ろに傾く, 退行性の.
suc·ces·sive 形 連続する, 引き続く, 継続的な.

-ces·ter /stər, sèstər/

連結形 -caster[2] の異形.
★ 地名をつくる.
★ 語末にくる関連形は -CHESTER.
◆ 古英 *ċeaster*「城塞」＜ラ *castra*「陣営」; もとは古代にローマ軍が駐屯した土地を表す.

Ci·ren·ces·ter 名 サイレンセスター(イングランドの地名). ►字義は「Churn 川上流のローマ駐屯地」.
Glouces·ter 名 グロスター(イングランドの地名).
Leices·ter 名 レスター(イングランドの地名).
Worces·ter 名 ウースター(イングランドの地名).

-cha[1] /tʃə/

文中で～ you の短縮, 特に漫画などで発音綴りに用いられる.

bet·cha 《発音綴り》＝bet you.
gotch·a 間 《米俗》さあつかまえた, ほら見ちゃった; やっつけた(I got you).
what·cha ＝what are you.

-cha[2] /tʃɑː/

間 間投詞の重複形に見られる語末［中間］要素.

chá-chà 名 ＝cha-cha-cha.
chá-chà-chá 名 チャチャチャ: ラテンアメリカで発生したマンボに似たテンポの速い社交ダンス. ━━ 動自 チャチャチャを踊る.
há-chà-chá 間 ＝hotcha.
hót·cha 間 《主に米俗》そうだそうだ, いいぞ. ━━ 形 (性的に)魅力的な, 積極的な.
hót·cha-chà 間 ＝hotcha.

chain /tʃéin/

名 **1** 鎖; チェーン. **2** 連鎖, 連続.

Áfro-chàin 名 アフロチェーン: ペンダントの付いている鎖状ネックレス.
blóck chàin ブロック鎖: 鎖の目が歯車の歯にかみ合うもの.
bránched cháin 『化学』枝分かれ鎖.
búll chàin 『製材』鎖状のコンベア.
chóke chàin 輪縄式首輪.
clósed cháin 『化学』閉鎖.
cóld chàin 低温流通システム.
cúrb chàin 『馬具』轡(くつわ)鎖.
dáisy chàin ヒナギクの花づな［花輪, 花冠］.
dáisy-chàin 動他 〈物・ことを〉結びつける.
dóor chàin ドアチェーン.
drág chàin 『造船』制動鎖［チェーン］.
en·cháin 動他 …を鎖で縛る, 鎖につなぐ.
engineér's chàin 『測量』測(量)鎖の一種.
fóod chàin 『生態』食物連鎖.
fórked cháin ＝branched chain.
géaring chàin 伝動鎖.
gólden cháin 『植物』キングサリ.
gránd cháin 『ダンス』グランド・ライト・アンド・レフト.
guárd chàin (時計・ブローチ・鍵などの)留め鎖.
Gúnter's cháin 『測量』ガンターズ・チェーン.
H́ chàin ＝heavy chain.
héavy chàin 『免疫』重鎖.
húman chàin (物を運ぶために並んだ)人の列.
jáck chàin ジャッキチェーン: 8 字形に鐶(かん)をつないだ鎖.
ládies cháin 『ダンス』レディーズチェーン.
láteral chàin ＝side chain.
Ĺ chàin ＝light chain.
léarner's cháin 《NZ》食肉冷凍工場で働く未熟練の畜殺者のチーム.
líght chàin 『免疫』軽鎖.
lóng-chàin 形 『化学』長鎖の.
Márkov chàin 『統計』マルコフ連鎖.
móuntain chàin 山系.
ópen cháin 『化学』開鎖.
Pénnine Cháin ペニン［ペナイン］山脈.
pítch chàin 『機械』＝power chain.
pówer chàin 『機械』ピッチチェーン.
próton-próton chàin 『物理』『天文』陽子陽子連鎖反応.
réspiratory chàin 『生化学』呼吸鎖.

C

róller chàin 〘機械〙ころ入り鎖.
Róyal Victórian Cháin 〘紋章〙ロイヤルビクトリア鎖章.
sáfety chàin 安全チェーン: 鉄道車両の連結破損防止用のチェーン.
síde chàin 〘化学〙側鎖.
skíd chàin ＝tire chain.
snígging chàin 《豪・NZ》丸太を引くためのチェーン.
snów chàin (自動車のタイヤの)スノーチェーン.
stráight-cháin 〘化学〙直鎖.
survéyor's chàin ＝Gunter's chain.
swível chàin 〘機械〙回り継手付きチェーン.
tíming chàin 〘機械〙調時チェーン.
tíre chàin タイヤチェーン.
un·cháin 動他 …を鎖から解く; …の束縛を解く.
válue chàin 〘経営〙価値連鎖図.
wátch chàin 懐中時計の装飾用鎖.

chair /tʃέər/

名 (1人用の背もたれのある)椅子.

ácorn chàir 〘英家具〙どんぐり形の垂れ飾り付きの笠木(かさぎ)がついている Jacobean 様式の椅子.
Adiróndack chàir アディロンダック椅子 [チェア].
Américan chàir 《英》＝Hitchcock chair.
árm·chàir ひじ掛け椅子.
bárber chàir 理髪用の椅子.
bárber's chàir ＝barber chair.
Barcelóna chàir 《商標》バルセロナチェア.
bárrel-back chàir ＝barrel chair.
bárrel chàir 〘米家具〙樽(たる)形安楽椅子.
básket chàir 柳枝製椅子.
Báth chàir 《主に英》ほろ付き車椅子.
béd chàir 椅子兼用寝台.
bér-bice chàir ベルビス椅子.
bírthing chàir 分娩(ぶんべん)椅子.
bóatswain's chàir ボースンチェア, つり腰掛け.
Bréuer chàir ＝Cesca chair.
Bréwster chàir ブルースターチェア.
brídge chàir ブリッジチェア.
bútterfly chàir バタフライチェア.
cámp chàir キャンプチェア.
cáne chàir 籐(とう)椅子.
cáptain's chàir キャプテンチェア.
Cárver chàir 《米》カーバー椅子.
Cassiopéia's Cháir 〘天文〙カシオペアの椅子.
Césca chàir チェスカ [セスカ] チェア.
clúb chàir クラブチェア.
co·cháir 動他自 (委員会などの)共同議長を務める.
cóckfight chàir コックファイトチェア.
Cógswell chàir コグズウェルチェア.
conversátion chàir 18世紀の英国の椅子; 背に向かって馬乗りになり, 笠木(かさぎ)の上に両ひじを置けるように作られている.
córner chàir コーナーチェア.
Coronátion Cháir 《英》即位の椅子(いす).
cóurting chàir ラブシート(love seat).
Cóxwell chàir ＝Cogswell chair.
Cromwéllian chàir 〘英家具〙クロムウェル椅子.
cúrule chàir (古代ローマの)高官椅子.
Dánte chàir 〘イタリア家具〙ダンテチェア.
déath chàir ＝electric chair.
déck chàir 甲板椅子, デッキチェア.
Dérbyshire chàir 〘英家具〙ダービーシャーチェア.
diréctor's chàir 監督椅子, ディレクターチェア.
dráft chàir 後ろから来る風を遮るように作られた椅子.
drúnkard's chàir 〘英家具〙ドランカードチェア.
Dútch chàir 〘英家具〙オランダ様式椅子.
Éames chàir (C.Eames 設計の)イームズチェア.
éasy chàir 安楽椅子.
élbow chàir 《米》＝armchair.
eléctric chàir (死刑用)電気椅子.
Elíjah's chàir 〘ユダヤ教〙エリヤの椅子.
fárthingale chàir ファージンゲール椅子.
fíghting chàir 《米》(遠洋漁船の)釣り師用の椅子.
fírst-cháir 形 〈演奏者が〉(各パートの)首席の.
fólding chàir 折りたたみ椅子.
fríar's chàir 《スペイン》フライレエロ.
gestatórial chàir 儀式で教皇を載せて運ぶ椅子.
Glástonbury chàir グラストンベリー椅子.
grándfather's chàir ＝wing chair.
gréat chàir ＝armchair.
hámmock chàir ハンモック椅子.
Hárvard chàir 17世紀後半の三脚のひじ掛け椅子.
hígh·chàir 乳幼児用食事椅子.
Hítchcock chàir 〘米家具〙ヒッチコック・チェア.
Hógarth chàir 〘英家具〙ホガース椅子.
hórn chàir 角製の椅子.
húnting chàir 折りたたみ式の足載せ台付き椅子.
íce-cream chàir ＝ice-cream parlor chair.
íce-cream pàrlor chàir アイスクリームパーラー用椅子.
ládder-bàck chàir 横木背, もたれ椅子.
lády chàir 手車.
Lády in the Cháir 〘天文〙カシオペア星座.
Láncashire chàir 〘英家具〙ランカシャーチェア.
láwn chàir ローンチェア.
ĹĊḾ cháir ＝Eames chair.
lóunge chàir ラウンジチェア.
mámmy chàir 《俗》〘海事〙椅子付きつり上げ機.
Mártha Wáshington chàir マーサワシントン椅子.
méd·i·chàir 名 〘医学〙生理活動検査用の電子感知装置付き椅子.
Mórris chàir モリス式安楽椅子.
níght chàir 室内用便器(close-stool).
páge chàir ＝porter chair.
Páimio chàir パイミオチェア.
pátio chàir パティオ・チェア, 折りたたみ式の簡便な椅子.
péacock chàir ピーコックチェア.
périwig chàir 籐(とう)で編まれた背が高い椅子.
pórter chàir 〘英家具〙背の上部と両翼が伸びてシートの上でアーチ状になっている18世紀の椅子.
pótty-chàir 幼児用便座.
púsh·chàir 《英》乳母車.
réading chàir (18世紀に使われた)読書用椅子.
reclíning chàir もたれ椅子.
rócking chàir 揺り椅子, ロッキングチェア(rocker).
róundabout chàir ＝corner chair.
sáddle-chèck chàir (18世紀英国の)袖(そで)付き安楽椅子.
sánd chàir サンドチェア.
Savonaróla chàir 〘イタリア家具〙サボナローラ.
scíssors chàir 交差脚椅子.
sedán chàir (17-18世紀に用いられた)椅子駕籠(かご), 輿(こし).
síde chàir ひじ掛けのない背のまっすぐな椅子.
sléeping chàir スリーピングチェア, 寝椅子.
Sléepy Hóllow chàir 〘米家具〙19世紀中期の揺り子付きのひじ掛け椅子.
slíng chàir スリングチェア, カンバスチェア.
slípper chàir 座の低い寝室用の小型の椅子.
smáll chàir ひじ掛けのない小椅子.
stéamer chàir 《米》＝deck chair.
stép·chàir はしご兼用椅子.
stráight chàir 背がまっすぐな椅子.
swível chàir 回転椅子.
táblet chàir タブレットチェア.
táilor's chàir 仕立屋椅子.
Thónet chàir トーネットチェア.
Tomórrow's Cháir 障害者でも楽に立ち上がれる自然反動つきの椅子.
túb chàir 〘英家具〙半円形の背の張りぐるみの安楽椅子.
túlip chàir チューリップ・チェア.
wáinscot chàir 〘英家具〙17世紀の椅子; ナラ材で

作られ,彫刻や象眼細工が施された一枚板の高い傾斜した背がついている.

wálking chàir (幼児用の)歩行器.
Wássily chàir ワシリーチェアー.
whéel·chàir 車椅子.
Wíndsor chàir ウィンザーチェア.
wíng chàir 袖(そで)付き安楽椅子.
wítness chàir (裁判所の)証人用の椅子.
yácht chàir ヨットチェア.
Yórkshire cháir =Derbyshire chair.

chair·man /tʃέərmən/

[名] 議長; 委員長; 会長. ►性の区別を避けて, しばしば chairperson または chair と言い換える. ⇨ -MAN[1].

bóard chàirman 取締役会長.
co·cháir·man [名] 共同司会者; 副議長.
nátional cháirman 《米》全国委員長.
shóp chàirman 職場代表.
sub·cháir·man [名] 副議長[会長]; 議長[会長]代理.
více-cháir·man [名] 副議長, 副会長, 副委員長.

chalk /tʃɔ́:k/

[名] **1**〖鉱物〗白亜. **2**チョーク; 裁縫用チャコ.

Frénch chálk チャコ, フレンチチョーク.
nìtro·chálk 《英》〖化学〗硝安石灰.
táilor's chàlk 洋裁用チャコ.
Venétian chálk チャコ.

chal·lenged /tʃǽləndʒd/

[形] 心身面で努力を必要とする. ⇨ -D[1].

cérebrally chállenged [形] 脳の努力を必要とする.
cúlinarily chállenged [形] 料理が苦手な.
developméntally chállenged [形] 発達的に問題のある.
follícularly chállenged [形] 毛包について問題がある. ►禿頭の公式表現.
méntally chállenged [形] 精神的に努力を要する(障害のある).
órally chállenged [形] 口が利けない.
phýsically chállenged [形] 身体的に努力を要する(障害のある).
tótally chállenged [形] 植物状態の.
ùn·chállenged [形] 挑戦されていない.
vértically chállenged [形] 背が低い; 背が高すぎる.
vócally chállenged [形] =orally challenged.

cham·ber /tʃéimbər/

[名] **1** 部屋; 《詩語·古》寝室. **2** 立法府; 議院. **3**〖物理〗箱.

áir chàmber (ポンプ·救命ボートなどの)空気室.
áltitude chàmber 〖航空〗減圧室, 高度実験室.
án·te·chàm·ber [名] (主室に通じる)控え室, 控えの間.
béd·chàmber 寝室(bedroom).
Bláck Chámber ブラック·チェンバー: 暗号に関する仕事に従事している政府の部局.
búbble chàmber 〖物理〗泡箱.
cártridge chàmber (銃の)薬室.
clóud chàmber 〖物理〗霧箱.
combústion chàmber 〖機械〗燃焼室.
cóuncil-chàmber 会議室.
déath chàmber 人の死んだ部屋, 臨終の部屋.
decompréssion chàmber =hyperbaric chamber.
dúst chàmber 集塵(しゅうじん)器.
écho chàmber 反響室, エコールーム.
emúlsion chàmber 〖原子物理〗エマルジョンチェンバー.
expánsion chàmber =cloud chamber.
Fírst Chámber 旧オランダ議会の上院.
fúme-chàmber 《主に英》有毒ガス排出装置.
gás chàmber ガス(処刑)室.
Gréen Chámber 《カナダ》下院.
grít chàmber (下水処理用の)沈砂池.
guést chàmber 来客用寝室(guest room).
hyperbáric chámber 高圧酸素室.
inspéction chàmber 〖土木〗のぞき穴.
íon chàmber 〖物理〗=ionization chamber.
ionizátion chàmber 〖物理〗電離箱.
léthal chàmber 屠畜室; ガス処刑室.
lówer chámber (二院制の)下院(lower house).
mágma chàmber マグマ溜(だま)り.
présence chàmber 《主に英》(君主など貴人の)謁見室.
prívy chámber 宮廷の私室.
púlp chàmber 〖歯科〗髄室.
rècompréssion chàmber =hyperbaric chamber.
Réd Chámber 《カナダ話》カナダ上院議院.
reverberátion chàmber =echo chamber.
Sécond Chámber 旧オランダ議会の下院.
smóke chàmber (暖炉の)煙室.
spárk chàmber 〖物理〗放電箱.
Stár Chàmber 星室庁, 星室裁判所.
státe chàmber 公式の祝典[儀式]用の大広間.
stréamer chàmber 〖物理〗ストリーマーチェンバー.
súrge chàmber 〖機械〗サージチェンバー.
thrúst chàmber (ロケットエンジンの)燃焼室.
úpper chámber (二院制の)上院.

chance /tʃǽns, tʃɑ́:ns | tʃɑ́:ns/

[名] **1** 偶然(の出来事). **2** 見込み, 公算, 可能性. **3** 機会, 好機, チャンス.

be·chánce [動][自][他]《古》(偶然)起こる, 降りかかる.
Búckley's chánce 《豪·NZ 俗》全くチャンスがないこと.
dóg's chánce 《俗》ほんのわずかな見込み[機会].
fíghting chánce 不可能ではないが至難の見込み.
háp·chànce [名] 思い掛けない出来事[状況].
háp·pen·chànce [形][名] 偶然の(こと).
máin chánce 最も有利な機会, 絶好機.
mis·chánce [名] 不運な出来事, 災難; 不幸, 不運.
óff-chànce [名] 考えられないほど低いチャンス.
per·chánce [副]《文語》おそらく, ことによると.
spórting chánce 成功不成功五分五分のチャンス.
tréble chánce 《英》トレブルチャンス: サッカー賭博(とばく)の一種.

chan·cel·lor /tʃǽnsələr, tʃɑ́:n- | tʃɑ́:nsələ/

[名] **1** (ドイツなど議会政治の)首相. **2**《英》各種大法官およびその他の高官の称号.

Bíshop's Cháncellor 監督[司教, 主教]の付従司法官.
Íron Cháncellor 鉄血宰相: Bismarck の異名.
Lòrd Cháncellor 大法官.
více-cháncellor 副長官, 長官代理, 次官.

change /tʃéindʒ/

[動][他]〈形·内容·性質·進路などを〉変える, 改める;〈政策·立場を〉正反対にする. ―[名] **1** 変わること, 変化. **2** 小銭; つり銭.

chúmp-chànge [形]《英俗》二流の; 子供だましの.
cóunt·er·chànge [動][他] …を入れ替える, 置換する.
ex·chánge [動][他] ☞
fúnctional chánge 〖文法〗機能推移.
géar-chànge 《英》〖機械〗ギア転換装置.
grammátical chánge 〖言語〗文法的変化.
ìn·ter·chánge [動][他] …を取り替える, 交換する. ―[名] インターチェンジ.
láne chànge (自動車などの)車線変更.
lóose chánge 《米俗》自由に遣える持ち金.
phótostrúctual chánge 〖物理〗光構造変化.
quíck·chánge [形]〈飛行機·船が〉旅客用から貨物用に

早変わりできる.
séa chànge 著しい変化[変貌].
séx chànge 性転換.
shórt·chánge 動他 つり銭を少なく渡す.
smáll chánge 小銭.
tíme-chànge 時差.

chang·er /tʃéindʒər/

名 変更[改変, 変換]する人[もの]. ⇨ -ER[1].

áu·to·chàng·er 名 自動レコード交換装置(のあるプレーヤー).
cóin chànger 両替機.
móney·chànger 名 両替商.
récord chànger レコード交換器.

chan·nel /tʃǽnl/

名 **1** 河床. **2** 水路; 広い海峡. **3** 経路; 伝達経路. **4** 周波数, チャネル.

báck chànnel 〚外交〛裏ルート.
báck-chànnel 形 〚外交〛舞台裏の, 裏ルートの.
cléar chánnel 〚ラジオ〛クリアーチャネル.
co-chán·nel 形 〚放送〛多重周波数帯の.
cróss-chánnel 形 海峡横断の.
distribútion chánnel 〚マーケティング〛流通経路.
Énglish Chánnel イギリス[英仏]海峡.
flóod-chànnel 〚土木〛高水敷(こうすいじき).
fóur-chànnel 形 〚オーディオ〛4 チャンネルの.
ídiot chànnel 《英俗》民間テレビ放送.
meándering ríver chànnel 蛇行河道(だこうかどう).
mùl·ti·chán·nel 形 多重チャンネルの, 多重通信の.

chant /tʃǽnt, tʃáːnt | tʃáːnt/

名 〚音楽〛典礼聖歌.

Ambrósian chánt アンブロシウス式典礼聖歌.
Ánglican chánt 英国国教会の典礼聖歌.
Býzantine chánt ビザンツ聖歌.
Gregórian chánt グレゴリオ聖歌.
Mílanese chánt ＝Ambrosian chant.
pláin·chànt 名 (中世から用いられた)単旋聖歌.

chap·el /tʃǽpəl/

名 (私邸内などの)付属礼拝堂. ⇨ -EL[1].

ánte·chàpel 名 礼拝堂の玄関[控えの間, 前室].
Lády chàpel 聖母礼拝堂.
síde chàpel (教会堂内の)付属礼拝堂.
Whíte·chàpel (London の)ホワイトチャペル.

char·ac·ter /kǽriktər, -rək-/

名 **1** 性格, 性質; 特性. **2** 文字.

acknówledge chàracter 〚通信〛肯定応答文字(ACK).
acquíred chàracter 〚遺伝〛獲得形質, 後天性形質.
afféctionless chàracter 〚心理〛愛情喪失性格.
ánal chàracter 〚精神分析〛肛門(こうもん)性格.
contról chàracter 〚コンピュータ〛制御(用)文字.
dóuble chàracter 二重人格.
flát chàracter 〚文芸〛平面的人物.
núll chàracter 〚コンピュータ〛空文字.
róund chàracter 〚文芸〛立体的人物.
spáce chàracter 間隔文字.
stóck chàracter 常套的人物.
únit chàracter 〚遺伝〛単位形質.

charge /tʃáːrdʒ/

動他 (…の)〈代金を〉請求する;〈税などを〉(人・物に)課する. ――名 **1** 経費, 出費, 費用. **2** 手数料, 代価, 料金. **3** 電荷; 充電.

áccess chàrge (電話の)回線利用料金.
ádd-on chàrge 〚金融〛アドオンチャージ.
Állen chàrge 《米》〚法律〛アレンチャージ, ショットガン指示.
batón-chàrge 動他自 《英》警棒で殴る.
bóund chárge 〚電気〛＝polarization charge.
búrsting chàrge 炸薬(さくやく).
cárrying chàrge 《米》〚商業〛繰越日歩; 月賦割増金; 運送費.
cómmon-area chárge 《米》(家賃以外に払う)管理費.
commúnity chàrge 《英》人頭税.
cóunt·er·chàrge 名 反論, 反駁(はんばく).
cóver chàrge カバーチャージ, 席料.
cúrate-in-chárge 《英》(教区牧師が停職[失格]した時などに)一時教区を預かる牧師.
deférred chárge 繰延費用.
dépth chàrge (水中)爆雷.
dís·charge 名 ☞
dóor chàrge 入場料.
dýnamite chàrge 《米》〚法律〛ダイナマイト説示.
eléctric chárge 〚物理〛電荷.
elementáry chárge 〚物理〛素電荷, 電気素量.
fínance chàrge 金融諸費用.
fíxed chárge 固定費[料金].
flóating chárge 《英》浮動担保, 企業担保.
frée chárge 〚電子工学〛自由電荷.
géneral chárge 〚会計〛一般経費, 総経費.
gréen chárge 完全に混合していない火薬.
hýp·er·chàrge 名 〚物理〛超電荷.
lárge chárge 《米俗》大満足, 面白いこと.
láte chárge 罰則的(遅滞)付加料金.
ò·ver·chárge 動他 高値をふっかける, 過剰請求をする.
póint chàrge 〚電気〛点電荷.
polarizátion chàrge 〚電子工学〛分極電荷.
pówder chàrge 弾丸発射火薬.
prescríption chàrge 《英》(国民健康保険で)薬代の自己負担分.
públic chárge 生活保護者.
re·chárge 動他 再充電する.
rént chàrge 〚法律〛地代負担.
revérse-chárge 形 《英》〈通話が〉料金受信人払いの.
sátchel chàrge かばん爆弾.
sérvice chàrge サービス料金, 手数料.
sháped chárge 〚軍事〛成形炸薬, 指向性爆薬.
spáce chàrge 〚電気〛空間電荷.
specífic chárge 〚物理〛比電荷.
stícky chàrge 〚軍事〛粘着爆弾, 粘着性爆破薬.
súp·er·chàrge 動他 …に(エネルギー・感情・緊張などを)過度に込める.
súr·chàrge 名 追加税(金), 追徴金, 追加料金.
táke-chàrge 形 管理[責任]能力のある[ありそうな].
tríckle chàrge 〚電気〛細流充電.
túrbo·chàrge 動他 ターボチャージャーを取りつける.
un·chárge 動他 《廃》釈放する.
ùn·der·chárge 動他 代価[料金]以下の金額を請求する.
úp·charge 名 割増[追加]料金, 上積み値段[価格].

Char·lie /tʃáːrli/

名 **1** 男子の名. ►Charles の愛称. **2** (通信で)C 字を表す符号. ⇨ -IE[1].

chéap Chárlie 《米軍俗》けちなやつ.
Chéckpoint Chárlie チェックポイントチャーリー: かつて東西両ベルリン間にあった, 外国人が東ドイツに入国する際の検問所.
créeping Chárlie ヨウシュ(洋種)コナスビ.
góod-time Chárlie 《話》道楽者; 楽天家.

hót-shot Chárlie 《米空軍俗》ほら吹き; うぬぼれ屋.
Míster Chárlie 《米俗》白人.
táil-ènd Chárlie 《英空軍俗》最後尾の飛行機; 後座席射撃手.
Úncle Chárlie 《米市民ラジオ俗》米国連邦通信委員会.
Víctor Chárlie 《米・豪軍俗》ベトコン兵士.

chart /tʃɑ́ːrt/

名 **1** 図表, グラフ; カルテ. **2** 地図.

adiabátic chárt 〖物理〗断熱図.
alígnment chàrt 計算図表.
bár chàrt 棒グラフ, 棒図.
chórd chàrt 〖音楽〗和音表.
cólor chàrt 色表, カラーチャート.
contról chàrt 管理図.
éye chàrt 視力検査表.
flíp chàrt フリップチャート: めくれるように上端をとじた図解・説明用カード.
flów chàrt 流れ作業図, 作業工程経路図.
gréat-circle chárt 〖海事〗大圏図(gnomonic chart).
láp-chàrt ラップチャート: オートレースで各車の一周ごとの順位を表示したもの.
magnétic chárt 〖航海〗磁気図.
Mercátor chárt メルカトル(式)地図.
nátal chàrt 出生占星図.
organizátion chàrt (企業などの)組織図.
Pélli-Róbson Chàrt 〖眼科〗ペリ=ロブソン表.
píe chàrt 円グラフ.
pílot chàrt 〖海事〗パイロットチャート.
pláne chàrt 〖海事〗平面海図.
prognóstic chàrt 予想天気図.
prógress chàrt (企業などの)進捗(しんちょく)度管理図表.
psychrométric chàrt 〖気象〗乾湿計図, 湿度図表.
Snéllen's chàrt 〖眼科〗スネレン視力表.
stár chàrt 星座表, 星地図.
stríp chàrt ストリップチャート: 測定値の変化を記録する巻き紙.
synóptic chárt 天気図, 気象総観図.
tíme chàrt (世界の)標準時一覧表.
wéather chàrt 天気図, 気象図.
Ź chàrt 〖経営〗Z 型図表.

char·ter /tʃɑ́ːrtər/

名 **1** 憲章. **2** 用船契約; チャーター.

affínity chàrter アフィニティー・チャーター: 認定を受けた団体の会員に対する割引値段の値切り便.
Atlántic Chárter 大西洋憲章.
Cítizen's Chárter 〖英政治〗市民憲章.
Nátional Chárter =People's Charter.
ówn-úse chàrter 〖航空〗オウンユーズ・チャーター.
Péople's Chárter (英国の)人民憲章.
Sócial Chárter (ヨーロッパ共同体の)社会憲章.
ténants' chàrter 《英》借地・借家人憲章.
tíme chàrter 定期チャーター.
Uníted Nátions Chàrter 国連憲章.
vóyage chárter 航海傭船(ようせん).

chase /tʃéis/

動他 …を(素早く)追いかける, 追跡する, 追撃する; …に(追いかけるように)続く; 〈獲物を〉狩る. ──名 追いかけること, 追跡.

páper chàse (特に法律の)学位獲得への努力.
púr·chase 動他 ☞
stée·ple·chàse 障害競走.
stérn chàse 〖海事〗(正尾)追跡.
wíld-góose chàse 無駄な探求, 途方もない計画.

chas·er /tʃéisər/

名 追っ手, 追跡者 [物]. ⇨ -ER[1].

ámbulance chàser 《主に米話》交通事故などの被害者をあさって, 賠償訴訟を起こすようそそのかす弁護士.
bów chàser (軍艦の)艦首砲.
búbble-chàser 《米軍俗》爆撃機.
chíppy-chàser 《米話》《こっけい》尻軽(しりがる)女を追い回す男, 助平男.
chúbby chàser 《俗》太った女性が好きな人.
dóg-chàser 《米鉄道俗》交代乗務員.
flý-chàser 《米野球俗》外野手.
jíg-chàser 《米俗》白人, 白人のポリ公.
mónkey chàser 《米黒人俗》西インド諸島人.
pínk chàser 《米黒人俗》白人女を追いかける黒人の男.
prógress chàser (工場などの)生産行程管理責任者.
ráinbow chàser 夢想家, 空論家.
scéne-chàser 《英俗》次々と面白いことを追い求める人.
skírt chàser 《俗》=woman-chaser.
smóke-chàser (特に軽量装備の)森林消防士.
stérn chàser (追跡艦を砲撃する)艦尾砲.
súb·chàs·er 名 =submarine chaser.
súbmarine chàser 〖軍事〗駆潜艇.
wóman-chàser 女の尻ばかり追いかける男.

chat /tʃǽt/

名 **1** 雑談; 座談. **2** 甲高い声で鳴くツグミ科の鳥の総称. ►擬声語から.

báck·chàt 《話》当意即妙の受け答え.
chít·chàt 気軽な会話, 雑談; 無駄話; 世間話.
fíreside chát 炉辺談話.
pálm chàt ヤシドリ.
róbin chàt *Cossypha* 属とその近縁の属の数種のツグミの総称.
stóne·chàt ノビタキ(野鶲).
whín·chàt マミジロノビタキ.
wóod·chàt ズアカモズ.
yéllow-brèasted chát オオアメリカムシクイ.

cheap /tʃíːp/

形 安価な; 費用のかからない.

dirt-chéap 形 《話》捨て値の, 二束三文の.
dog-chéap 形 《米話》ばか安い, 二束三文の.

check /tʃék/

動他 **1** …を急に止める. **2** …を照合する. ──名 **1** 検査. **2** 《米・カナダ》小切手. **3** 格子縞.

áir-chèck 《米》放送番組からの録音.
báck-chèck 動自 〖アイスホッケー〗バックチェックする.
bánk chèck =cashier's check.
bánker's chèck =cashier's check.
bár chèck 〖測量〗バーチェック.
béd chèck (兵舎・寮での)就寝確認点呼.
bénch chèck ベンチチェック: 工場での機械の試験.
blánk chéck 白地式小切手.
bóard chèck 〖アイスホッケー〗ボードチェック.
bódy chèck 〖アイスホッケー〗ボディーチェック.
bódy·chèck 動他自 〖アイスホッケー〗ボディーチェックを加える.
bróken-chéck 〖繊維〗縞(しま)崩れ.
búm chéck 《米俗》偽造小切手.
cánceled chéck 支払済み [用済み] 小切手.
cashíer's chèck 預金手形, 銀行小切手.
cláim chèck 半券, 受け取り票, 預かり証.

C

cóunter chèck (預金の)払い戻し用紙.
cóunt·er·chèck 名 対抗［抑止］手段, 反対, 妨害.
cróss-chèck 動他〈情報などを〉照合確認する.
désk chèck 《俗》〖コンピュータ〗デスクチェック.
discóvered chéck 〖チェス〗ディスカバード・チェック.
dóor chèck 戸がバタンと閉まるのを防ぐための油圧式または圧搾空気式の装置.
dóuble chéck 〖チェス〗ダブルチェック.
dóuble-chéck 動他自 (…を)二度確かめる, 再照合する.
écho chèck 〖通信〗エコーチェック: 転送データを送り返す照合方法.
electrónic chéck コンピュータによる金銭の振込み指令.
fóre-chèck 動自〖アイスホッケー〗フォアチェックする.
Glén chéck 〖繊維〗グレンプレイド.
gún clùb chéck 〖繊維〗ガンクラブチェック.
hát·chèck 形 携帯品一時預かりの［に使う］.
hóok chèck 〖アイスホッケー〗フックチェック.
hót chéck 《話》口座残高を超過して振り出した小切手.
náme·chèck 動他《主に米話》…の名前を特に挙げる.
ódd-éven chèck =parity check.
ópen chéck 《英》〖商業〗普通小切手.
ó·ver·chèck 名 〖繊維〗越格子(こしごうし).
párity chèck 〖コンピュータ〗パリティチェック.
páy·chèck 《米》給料支払小切手.
perpétual chéck 〖チェス〗千日手.
pín·chèck 〖繊維〗ピンチェック.
póke chèck 〖アイスホッケー〗ポークチェック.
ráin chèck 《主に米・カナダ》雨天順延券.
re·chéck 動他自 再照合する. ━━名 再照合.
redúndancy chèck 〖コンピュータ〗冗長検査.
redúndant chéck =parity check.
rúbber chéck 《米俗》不渡り小切手.
sáles chèck 売上伝票, 販売伝票.
secúrity chèck 〖航空〗セキュリティーチェック.
shépherd's chéck 〖繊維〗シェパードチェック.
síde chèck 〖馬具〗引きつけ手綱.
snáke-chèck 動他〈事を〉実施前に種々の観点から綿密に検討する.
sóund chèck サウンドチェック, 音合わせ.
spell-check 名動他〖コンピュータ〗スペルチェック(する). ►spell check ともつづる.
spót chèck 抜き取り検査; 抜き打ち検査.
swéep chèck 〖アイスホッケー〗スイープチェック.
tóol-chèck 《俗》(男性器の)性病検査.
tráveler's chèck トラベラーズチェック.
tríple-chéck 動他 3重にチェックする, 3度確かめる.

cheer /tʃíər/

名 **1** 声援. **2** 気分. **3**《古》飲食物.

blúe chéer 《米俗》LSD.
Brónx chéer 《主に米》(両唇の間で舌を震わせて出す)野卑なあざけり.
góod chéer 上機嫌, 元気.
hóliday chèer 《話》祝い酒.

cheese /tʃíːz/

名 チーズ.

Américan chèese 米国製のチェダーチーズの一種.
béan chèese 豆腐(bean curd).
bléu chèese =blue cheese.
blúe chèese ブルーチーズ.
brick chéese (米国の)ブリックチーズ.
cáuliflower chéese チーズソースを添えたカリフラワーの料理の一種.
clábber chèese 《主に米南部ミッドランド・大西洋岸南部諸州》=cottage cheese.
clúb chèese クラブチーズ.
cóck-chèese 《米俗》恥垢(ちこう).
cóon chèese クーンチーズ.
cóttage chèese 《米》カテージチーズ.
créam chèese クリームチーズ.
crótch-chèese 《米俗》陰部の恥垢(ちこう).
dámson chèese ダムソンスモモの砂糖漬.
fármer chèese ファーマーチーズ.
féta chèese ヤギ乳チーズ.
fumúnda chèese 《米俗》恥垢.
Gethsémane chéese =Trappist cheese.
góat chèese ヤギ乳チーズ, ゴートチーズ.
gréen chéese グリーンチーズ.
hánd chèese ハンドチーズ: 手でこねたチーズ.
hárd chéese 《英俗》困難な状況, 逆境.
héad·chèese 《米》ヘッドチーズ: 天然のゼラチンで固めた肉ジェリー.
jáck chèese モンテレージャック: チェダーチーズの一種.
knób-chèese 《英俗》恥垢.
Làncashire chéese ランカシャーチーズ.
líttle chéese 《俗》つまらない人物, 小物.
Mónterey chéese =jack cheese.
níp·chèese 《俗》けちん坊.
piménto chéese ピメントチーズ.
pimiénto chéese =pimento cheese.
pót chèese 《主に米ハドソン川流域地方》=cottage cheese.
prócess chèese プロセスチーズ.
rát chèese 《俗》安物のチーズ.
rát-trap chèese チェダーチーズ.
réal chéese 《俗》重要人物.
ságe chèese セージ風味のダービーチーズ.
sóur-milk chèese 《ニューイング東部》=cottage cheese.
stóre chèese 《米》チェダーチーズ.
Swíss chéese スイスチーズ.
Tráppist chéese トラピストチーズ.

chem·i·cal /kémikəl/

名 化学製品. ━━形 化学の. ⇨ -ICAL.
★ 語頭にくる関連形は chemo-: *chemo*therapy「〖医学〗化学療法」.

ag·ri·chem·i·cal 名 農業用化学製品［薬品］, 農薬.
ag·ro·chem·i·cal 名 =agrichemical.
bi·o·chem·i·cal 形 生化学の, 生化学的(な).
e·lec·tro·chem·i·cal 形 電気化学の.
fíne chémical ファイン・ケミカル: 少量で高純度の化学製品.
héavy chémical 工業薬品.
neu·ro·chem·i·cal 形 神経化学の.
ped·o·chem·i·cal 形 土壌化学の, 土壌化学的な.
per·flu·o·ro·chem·i·cal 名形〖化学〗ペルフルオロ化合物(の).
pet·ro·chem·i·cal 形 石油化学(製品)の.
pho·to·chem·i·cal 形 光によって引き起こされる化学変化の.
phys·i·co·chem·i·cal 形〖化学〗物理学的および化学的な.
psy·cho·chem·i·cal 形 精神や行動に影響を及ぼす化学薬品の.
py·ro·chem·i·cal 形 高温度化学変化の［を起こす］.
ra·di·o·chem·i·cal 形〖化学〗放射化学の.
sil·vi·chem·i·cal 名 木から抽出される化学物質の総称.
spec·tro·chem·i·cal 形 分光化学の［を応用した］.

chem·is·try /kéməstri/

名 化学. ⇨ -RY[1].
★ 語頭にくる関連形は chemo-: *chemo*therapy「〖医学〗化学療法」.

ac·tin·o·chém·is·try 名 放射(線)化学, 光化学.
analýtical chémistry 分析化学.
às·tro·chém·is·try 名 天文［天体］化学.
bì·o·chém·is·try 名 生化学, 生理化学.
bì·o·gè·o·chém·is·try 名 生物地球化学.
carbohýdrate chémistry 糖化学.

cólloid chémistry	コロイド化学.
còs·mo·chém·is·try 名	宇宙化学.
crỳ·o·chém·is·try 名	低温化学.
cỳ·to·chém·is·try 名	細胞化学.
e·lèc·tro·chém·is·try 名	電気化学.
elèctro-orgánic chémistry	電気有機化学.
forénsic chémistry	法化学.
gè·o·chém·is·try 名	地球化学.
hígh pólymer chémistry	高分子化学.
hìs·to·chém·is·try 名	組織化学.
i·àt·ro·chém·is·try 名	イアトロ化学, 医療化学(学派).
ìm·mu·no·chém·is·try 名	免疫化学.
inorgánic chémistry	無機化学.
láser chèmistry	レーザー化学.
légal chémistry	=forensic chemistry.
mag·nè·to·chém·is·try 名	磁気化学.
mèch·a·no·chém·is·try 名	機械化学.
mìcro·chém·is·try 名	微量化学.
nèu·ro·chém·is·try 名	神経化学.
núclear chémistry	核化学.
orgánic chémistry	有機化学.
pà·le·o·bi·o·chém·is·try 名	古生化学.
pèt·ro·chém·is·try 名	石油化学.
phò·no·chém·is·try 名	音波化学.
phò·to·chém·is·try 名	光(ひかり)化学.
phýsical chémistry	物理化学.
phy·to·chém·is·try 名	植物化学.
pi·è·zo·chém·is·try 名	高圧化学.
quántum chémistry	量子化学.
radiátion chémistry	放射線化学.
rà·di·o·chém·is·try 名	放射化学.
sòn·o·chém·is·try 名	音(響)化学.
spèc·tro·chém·is·try 名	分光化学.
stèr·e·o·chém·is·try 名	立体化学.
tha·làs·so·chém·is·try 名	海洋化学.
thèr·mo·chém·is·try 名	熱化学.
zò·o·chém·is·try 名	動物化学(animal chemistry).

cheque /tʃék/

名《英》小切手(《米》check).

blánk chèque	《英》(金額未記入の)白地小切手.
Éu·ro·chèque 名	《英》ユーロチェック: 西洋諸国で使用されるクレジットカード.
wóol chèque	《NZ》牧羊業者の 1 年間の収益.

cher·ry /tʃéri/

名〖植物〗サクランボ, 桜桃.

Barbádos chérry	バルバドスサクラ(acerola).
Bíng chèrry	ビング: 赤黒いアメリカチェリー.
bírd chèrry	ウワミズザクラ.
bláck chèrry	アメリカザクラ.
chóke·chèrry	《主に米北部》渋い実をつける北米産のサクラ.
cornélian chérry	セイヨウサンシュユ.
dwárf chérry	=sand cherry.
fíre chèrry	=pin cherry.
flówering chérry	サクラ.
gróund chèrry	ホオズキ.
héart chèrry	ハートミザクラ.
Jápanese chérry	(日本の)サクラ(桜).
Jerúsalem chérry	タマサンゴ, フユサンゴ.
láurel chèrry	ゲツキツ.
maraschíno chérry	マラスキノチェリー.
pín chèrry	野生のサクラの一種.
Puérto Rícan chérry	バルバドスサクラ(acerola).
sánd chèrry	北米の乾燥地または砂地に生える背の低い数種のミザクラの総称.
sóur chérry	スミノミザクラ(酸味実桜).
St Lúcie chérry	ユーラシア大陸から米国に移植された黄桃の一種(mahaleb).
Súrinam chérry	タチバナアデク, ピタンガ(pitanga).
swéet chérry	セイヨウミザクラ.
Wést Índian chérry	バルバドスサクラ(acerola).
wíld chérry	野生のサクランボ(の実).
wínter chérry	ヨウシュ(洋種)ホオズキ.

chest /tʃést/

名 **1** 胸; 肺. **2** 蓋(ふた)付きの収納箱; 整理だんす. **3** 資金, 基金.

Armáda chèst	17－18 世紀の鉄製の宝箱.
árming chèst	鎧櫃(よろいびつ).
báchelor chèst	《英》18 世紀の書見台付整理だんす.
blánket chèst	毛布箱.
campáign chèst	運動資金; (特に)政治資金.
cédar chèst	《米》杉製のたんす.
chést-on-chést	重ねだんす.
commúnity chést	《米・カナダ》共同募金.
Connécticut chèst	コネティカット・チェスト [収納箱].
dówer chèst	嫁入り用の長持ち.
fúnnel chèst	〖医学〗漏斗胸.
Hádley chést	《米》ハドリーチェスト [収納箱].
hígh chést	《米》脚付きの高いたんす.
hópe chèst	《米・カナダ・NZ》《もと》嫁入り箱.
íce chèst	(氷を使用する)箱型冷蔵庫.
médicine chèst	薬箱, 救急箱.
múle chèst	ミュールチェスト [収納箱].
návy chèst	《米海軍俗》太鼓腹.
óxbow chèst	oxbow front を持った整理だんす.
pówder chèst	火薬箱.
séa chèst	〖海事〗海水箱.
slóp chèst	(船員に支給する)身の回り品.
stéam chèst	(蒸気機関の)蒸気(弁)室.
súnflower chèst	=Connecticut chest.
téa chèst	茶箱.
tílting chèst	馬上試合の絵を装飾した中世の箱.
tóol chèst	道具箱.
wár chèst	運動資金, 軍資金.
wédding chèst	嫁入り衣装用の櫃(ひつ).
wínd·chèst	〖音楽〗風箱.

-ches·ter /tʃestər/

連結形 町; 都市; 城塞都市.
★ 地名をつくる.
★ 語末にくる関連形は -CASTER[2], -CESTER.
◆ 古英 *-ċeaster* <ラ *castra* 城塞; もとは古代にローマ軍が駐屯した土地を表す.
[発音] 語頭の音節に第 1 強勢.

Chich·es·ter 名	チチェスター(イングランドの都市名).
Col·ches·ter 名	コルチェスター(イングランドの都市名).
Dor·ches·ter 名	ドーチェスター(イングランドの都市名).
Man·ches·ter 名	マンチェスター(イングランドの都市名).
Roch·es·ter 名	チェスター(米国の都市名).
Win·ches·ter 名	ウィンチェスター(イングランドの都市名).

chest·nut /tʃésnʌ̀t, -nət/

名 クリ(栗). ⇨ NUT.

Américan chéstnut	アメリカグリ.
Chínese chéstnut	チュウゴクグリ.
dwárf chéstnut	チンカピングリ.
Européan chéstnut	ヨーロッパグリ.
hórse chèstnut	セイヨウトチノキ, マロニエ.
Jápanese chéstnut	クリ, シバグリ.
líver chéstnut	濃褐色の馬.

Móreton Báy chéstnut キングサリ.
Spánish chéstnut ヨーロッパグリ.
swéet chéstnut =Spanish chestnut.
wáter chèstnut ヒシ.

C

-che·zi·a /ki:ziə/

連結形 〖医学〗排泄(はいせつ), 排便(に関する異常).
★ 名詞をつくる.
◆ ギリシャ語 *khezeîn*「排泄する」より. ⇨ -IA.
[発音] 連結形の第 1 音節に(第 1)強勢.

dys·che·zi·a 名 排便障害.
he·mat·o·che·zi·a 名 血便排泄.

chic /ʃi:k, ʃík/

形 〈服装などが〉魅力的で流行にかなった, しゃれた.

ànti-chíc 名 ださい着方; やぼったさ.
chéap chìc チープシック.
lésbian chìc (女子同性愛的な)レスビアンシック.
rádical chíc 《米俗》ラジカルシック.
rétro-chìc 名形 〖服飾〗レトロシック(な).
un·chíc 形 いき[シック, スマート]でない.
víntage chìc 〖服飾〗ビンテージシック.

chick /tʃík/

名 **1** ひよこ; ひな鳥. **2**《俗》若い娘.

bóy·chick 《米俗》少年; 坊や; 若い男.
dáb·chìck 小形のカイツブリ(grebe)の総称.
flý·chìck 《米俗》いかした娘, 魅力的な女.
híp chìck 《米俗》最新情報に明るい若い女性.
péa·chìck クジャクのひな.
slíck chíck 《米俗》魅力的な若い女性.

chick·en /tʃíkən/

名 **1** ニワトリ. **2** 鶏肉, チキン.

ármy chìcken 《米軍俗》煮込み豆とフランクフルトソーセージの合わせ料理.
béggar's chìcken こじき鶏: 中華料理の一種.
Chárlie Chícken チャーリー・チキン: 米国の W.Lants の漫画のニワトリ.
cíty chícken =mock chicken.
Dígby chícken 《カナダ, 特に沿海州》燻製ニシン.
Éaster ègg chìcken アロカーナ種: 卵用のニワトリ.
gáme chìcken 《米南部》闘鶏用の雄鶏, シャモ.
móck chícken まがいチキン.
Móther Cárey's chícken ウミツバメ.
múd-chìcken 名 《米鉄道俗》測量士.
Pháraoh's chícken エジプトハゲワシ.
pópcorn chìcken ポップコーンチキン: 細かくフリッターにしたチキン.
práirie chìcken ソウゲンライチョウ(草原雷鳥).
réd chícken 《俗》(不純物の多い)粗製ヘロイン.
rúbber chìcken 固くなった鳥肉.
spríng chícken (焼き肉・フライ用の)若鶏.

chief /tʃí:f/

名 (組織・集団の)長, 首領, かしら; (官職の)長官, …長.

Bíg Chíef (会社・組織の)親分, かしら.
bíg whíte Chíef 《話》=Big Chief.
cólonel-in-chíef 名 名誉部隊[連隊]長.
Commandánt-in-Chíef 名 =comander in chief.
commánder in chíef 最高司令官.
Cómmodore-in-Chíef 名 空軍最高司令官.
dén chìef (ボーイスカウトの)デンチーフ.
éditor in chíef 編集長, 編集主幹.
examinátion-in-chíef 名 〖法律〗直接尋問, 主尋問.
exámine-in-chíef 動他 〖法律〗〈証人を[に]〉直接尋問する.
fíre chìef 《米》消防署長, 消防部長.
líne chìef 〖米空軍〗整備班長.
tálking chíef (ポリネシアのある部族で)首長の代弁者.
ténant in chíef (封建時代の)直接受封者, 直臣.

-chik /tʃik/

接尾辞 小さいもの.
★ 名詞をつくる.
◆ ロシア語 *-chik*「行為者」を表す接尾辞より.

ap·pa·ra·tchik 名 (共産党の)筋金入り政治局員, 旧ソ連の官僚; 共産党諜報(ちょうほう)員.
boy·chik 名 《米俗》少年; 坊や; 若い男.
sa·miz·dat·chik 名 (旧ソ連で)地下出版する人.

child /tʃáild/

名 子供, 小児, 児童.

báttered chíld 〖心理〗被虐待児, 受傷幼児.
biológical chíld (養子に対して)実子.
bráin·chìld 頭脳の所産, 創案, 創作品.
chrísom chìld 洗礼後 1 か月以内に死亡した子.
Chríst chìld 幼児キリスト.
dóor-kèy chìld 《古風》=latchkey child.
élf chìld 取り替え子.
féral chìld 野生児.
flówer chìld (ヒッピー族の)フラワーチャイルド.
fóster chíld 里子, 預り子.
gód·chìld 洗礼の子, 名づけ子.
gránd·chìld 孫.
ínner chìld 《主に米》〖心理〗(個人の精神に宿る)内なる子供.
láp chìld 《米南部》まだ歩けない赤ん坊.
látchkey chìld 鍵(かぎ)っ子.
lóve chìld 《婉曲的》私生児(bastard).
Madónna and Chíld 聖母子像.
mán-chìld 《古》男の子, 男児; 息子, せがれ.
móon·chìld かに(蟹)座生まれの人.
náme chìld (ある人の)名をもらった子.
nátural chíld 〖法律〗私生子, 非嫡出子.
núrse-chìld 里子, 乳母に預けられている子.
schóol·chìld 学童.
stép·chìld 継(まま)子, 連れ子.
Súnday chìld 日曜に生まれて特別に神の恩寵があると信じられる子供.
wólf-chìld オオカミに授乳・養育されたと思われている幼児.
wónder chìld 神童(prodigy).

chill /tʃíl/

名 冷え, ひやりとする冷たさ; 強い冷気.

cold-chill 動自 《米学生俗》のんびりする.
cook-chill 名 (一度に大量に供給するために)料理を冷凍し, 供する時に温め直す方法.
wind-chill 名 〖生理〗〖気象〗風速冷却.

Chi·na /tʃáinə/

名 中国.
★ 語頭にくる関連形は Chino-, Sino-: *Chino*iserie「中国風装飾様式」, *Sino*phile「中国(人)びいきの人」.

Cóchin-Chína コーチシナ.
Cómmunist Chína 《話》中華人民共和国(China).
Índo·china 名 インドシナ半島.
máinland Chína 中国本土, 中国大陸.
Nátionalist Chína 中華民国(China).

Póland Chína ポーランドチャイナ種.
Réd Chína 《話》=Communist China.
twó-Chína 形 二つの中国の.

chi·na /tʃáinə/

名 磁器. ►chinaware の短縮形.

bóne chína 骨灰磁器(bone porcelain).
Chélsea chìna チェルシー焼き.
Dérby Chína ダービーチャイナ.
Drésden chína ドレスデン [マイセン] 磁器.
háwthorn chìna 紺青色の地に白梅を描いた磁器.
hotél chìna 高温で硬く焼いた米国製磁器.
stóne chína 陶石を一成分とする白色硬質陶器.
Wórcester chína ウースター磁器.

chip /tʃíp/

名 **1** 切れ端, 一片. **2** 薄切り, 小片. **3** (ポーカーなどの)数取り(札). **4**〘電子工学〙チップ.

bárgaining chìp (交渉の)取引材料.
bì·o·chíp 名〘生物〙〘電子工学〙生体素子.
blúe chìp〘トランプ〙(高得点の)青色チップ.
blúe-chìp 形〘トランプ〙青色チップの.
bútter chìp バターを載せる銘々皿.
Clípper chìp〘コンピュータ〙クリッパーチップ: 通信暗号化のためのチップ.
córn chìp 《米》〘料理〙コーンチップ.
flíp chìp〘電子工学〙フリップチップ.
hýbrid chíp〘電子工学〙ハイブリッド集積回路.
líght chìp〘電子工学〙光チップ, セラミック集積回路.
lóg chìp〘海事〙扇形板, ログチップ.
még·a·chìp 名〘電子工学〙メガチップ.
mí·cro·chìp 名〘電子工学〙マイクロチップ.
néu·ro·chìp 名〘コンピュータ〙ニューロチップ.
on-chíp 形〘電子工学〙半導体チップ上の.
óne-mònth chíp 《俗》〘電子工学〙1 か月チップ: 設計から 1 か月で仕上げた集積回路.
potáto chìp ポテトチップ.
Saratóga chíp =potato chip.
sílicon chìp〘コンピュータ〙シリコンチップ.
sú·per·chìp 名〘コンピュータ〙超高密度集積回路.
V́-chìp 名 V チップ: テレビの暴力, セックス場面を子供に見せないようにするために受像機に組み込まれた電子装置.
víolence chìp =V-chip.
wáfer chìp〘コンピュータ〙ウェーハチップ.
whíte chìp〘トランプ〙白色チップ.
wóod·chìp 名 木切れ, 木くず.

chips /tʃíps/

名複 切れ端, かけら. ►chip の複数形.

blúe-còrn chíps スナック用チップスの一種.
búffalo chìps 《米話》乾燥した野牛の糞(ふん).
chócolate chìps チョコレートチップス.
ców chìps (もと燃料用の)乾燥した牛糞(ぎゅうふん).
gáme chìps (猟鳥獣の肉料理に添える)薄くて丸いポテトチップス.
potáto chìps ポテトチップス.
sóap chìps 鱗片(りんぺん)せっけん: 薄片状のせっけん.

chis·el /tʃízəl/

名〘木工〙のみ, たがね; 彫刻刀. ⇨ -EL[1].

bútt chìsel (刃の長さ 10 cm 以下の)木工用のみ.
cóld chìsel 常温たがね, 生切り.
cóld-chìsel 動他〈金属を〉たがねで処理する [切る].
dráwing chìsel 曲がりのみ.
fírmer chìsel〘木工〙(ほぞなどを掘る)薄のみ.
flógging chìsel〘金工〙たがね.
fráming chìsel 枘(ほぞ)のみ, 向待(むこうまち)のみ.
míll chìsel 木工用のみの一種.
míllwright chísel =mill chisel.
mórtise chìsel =framing chisel.
páring chìsel (木工用の)突きのみ, 押しのみ.
pítch chìsel〘石工〙刃幅の広いのみ.
pócket chìsel (幅広で薄刃の)のみ.
sét chìsel セットチェイセル, たがね.
tóoth chìsel〘石工〙ぎざぎざの歯のついた石のみ.
túrning chìsel 旋盤耕作に使うのみ.

chla·myd·e·ous /kləmídiəs/

形〘植物〙花被の [を有する]. ⇨ -EOUS.
★ 語頭にくる関連形は chlamyd(o)-: *chlamydo*monas「クラミドモナス」, *chlamyd*ia「クラミジア」.

ach·la·myd·e·ous 形 無花被の, 無被の.
di·chla·myd·e·ous 形 二重花被の, 両花被の.
het·e·ro·chla·myd·e·ous 形 異被の.
ho·mo·chla·myd·e·ous 形 同被の.
mon·o·chla·myd·e·ous 形 単花被の.

-chlor /klɔ̀ːr/

連結形〘化学〙…クロル.
★ 語頭にくる形は chlor(o)-: *chlor*amine「クロラミン」, *chloro*form「クロロホルム」.
◆ chlorine「塩素」より.
[発音] 2 つ前の音節に第 1 強勢.

an·ti·chlor 名 塩素除去剤, 脱塩素剤.
hep·ta·chlor 名 ヘプタクロル.
ter·ra·chlor 名 ペンタクロロフェノール.

-chlor·hy·dri·a /klɔːrháidriə/

連結形〘病理〙塩酸…症.
★ 名詞をつくる.
◆ chlor- 塩素 +hydr- 水 + -IA.

a·chlor·hy·dri·a 名 塩酸欠乏(症), 無酸症.
hy·per·chlor·hy·dri·a 名 過塩酸(症).
hy·po·chlor·hy·dri·a 名 低塩酸(症), 減酸症.

chlo·ric /klɔ́ːrik/

形〘化学〙(五価の)塩素(chlorine)の, 塩素含有性の. ⇨ -IC[1].
★ 語頭にくる関連形は chlor(o)-: *chlor*amine「クロラミン」, *chloro*form「クロロホルム」.

hy·dro·chlo·ric 形 塩酸の [から誘導された].
per·chlo·ric 形 過塩素酸の.

chlo·ride /klɔ́ːraid, -rid | -raid/

名〘化学〙塩化物. ⇨ -IDE[1].

acétyl chlóride 塩化アセチル.
állyl chlóride 塩化アリル.
alúminum chlóride 塩化アルミニウム.
ammónium chlóride 塩化アンモニウム, 塩安.
bárium chlóride 塩化バリウム.
bénzal chlóride 塩化ベンザル.
benzalkónium chlóride 塩化ベンズアルコニウム.
benzethónium chlóride 塩化ベンゼトニウム.
bénzyl chlóride 塩化ベンジル.
benzýlidene chlóride =benzal chloride.
bi·chló·ride 名 =dichloride.
cálcium chlóride 塩化カルシウム.
cárbonyl chlóride ホスゲン, 塩化カルボニル.

C

C

chlóroformyl chlóride =carbonyl chloride.
chrómic chlóride 塩化(第二)クロム.
chrómium chlóride =chromic chroride.
cyánogen chlóride 塩化シアン, クロロシアン.
di·chló·ride 名 ジクロリド, 二塩化物.
éthyl chlóride 塩化エチル.
férric chlóride 塩化(第二)鉄, 塩化鉄(III).
férrous chlóride 塩化鉄(II).
góld chlóride 塩化金; (特に)塩化第二金.
hèx·a·chló·ride 名 六塩化物.
hy·dro·chló·ride 名 ☞
hýdrogen chlóride 塩化水素.
líthium chlóride 塩化リチウム.
magnésium chlóride 塩化マグネシウム.
mercúric chlóride 塩化第二水銀, 昇汞(しょうこう).
mercúrous chlóride 甘汞(かんこう), 塩化第一水銀.
méthyl chlóride 塩化メチル(chloromethane).
méthylene chlóride (二)塩化メチレン, ジクロロメタン.
mèthylrosániline chlóride ゲンチアナ・バイオレット.
mèthylthíonine chlóride メチレンブルー.
mòn·o·chló·ride 名 一塩化物.
nítrogen chlóride 塩化窒素.
òx·y·chló·ride 名 ☞
per·chló·ride 名 過塩化物, ペルクロロ化物.
phenársazine chlóride 【軍事】アダムサイト.
platínic chlóride 塩化第二白金.
polyvínyl chlóride ポリ塩化ビニル.
polyvinýlidene chlóride ポリ塩化ビニリデン.
potássium chlóride 塩化カリウム.
sílver chlóride 塩化銀.
sódium chlóride 塩化ナトリウム.
stánnic chlóride 塩化第二錫(すず).
stánnous chlóride 塩化第一錫(すず).
sùb·chló·ride 名 亜塩化物.
sùccinylchóline chlóride 【薬学】スクシニルコリン塩化物.
súlfonyl chlóride 塩化スルホニル.
súlfuryl chlóride =sulfonyl chloride.
tèt·ra·chló·ride 名 四塩化物.
thíonyl chlóride 塩化チオニル.
tín chlóride =stannic chloride.
tri·chló·ride 名 ☞
vínyl chlóride 塩化ビニル.
vinýlidene chlóride 塩化ビニリデン.
zínc chlóride 塩化亜鉛.

chlo·ri·nate /klɔ́ːrənèit/

動他 【化学】…を塩素化する, 塩素で処理する. ⇨ -ATE[1].

de·chlo·ri·nate 動他 脱塩素化する.
de·hy·dro·chlo·ri·nate 動他 脱塩化水素化する.
per·chlo·ri·nate 動他 過塩化 [ペルクロロ化] する.

choc·o·late /tʃɔ́ːkələt, tʃɑ́k- | tʃɔ́k-/

名 チョコレート.

dárk chócolate ブラックチョコレート.
hót chócolate (飲み物の)ホットチョコレート.
liquéur chòcolate リキュール入りチョコ.
mílk chócolate 牛乳を混ぜたチョコレート.
pláin chócolate ブラックチョコレート.
swéet chócolate 《米俗》性的魅力のある黒人女性.
whíte chócolate ホワイトチョコレート.

choice /tʃɔ́is/

名 選ぶこと, 選択; えり好み.

àn·ti·chóice 名 妊娠中絶反対派.
déaler's chóice 【トランプ】親本位のゲーム.
fíelder's chóice 【野球】フィルダースチョイス.
fórced-chóice 形 強制選択の, 強制的な二者択一の.
Hóbson's chóice えり好みの許されない選択.
mis·chóice 名 間違った選択, 選択の誤り.
múltiple-chóice 形 多項式選択の.
pro-chóice 形 妊娠中絶合法化賛成の.
Prodúcer Chóice (特に英国 BBC テレビで)予算の管理上, 局内他課あるいは制作会社を統合させて, 買い入れる番組を選択するプロデューサーの権利.
sáilor's-chóice 名 米国大西洋沿岸に産する数種の魚の総称.

choir /kwáiər/

名 **1** 聖歌隊; 合唱団. **2** 聖歌隊席.

án·te·chòir 名 (教会の)聖歌隊席前の空間.
Bách Chóir バッハ聖歌隊.
fóre·chòir 名 =antechoir.
ré·tro·chòir 名 内陣後方部, 祭壇背後部.
Wéstminster Chóir ウェストミンスター合唱団.

chol·er·a /kɑ́lərə | kɔ́l-/

名 【病理】コレラ. ◇ -CHOLIA, CHOLINE. ⇨ -A[2].

Ásian chólera =Asiatic cholera.
Asiátic chólera アジアコレラ.
chícken chòlera =fowl cholera.
fówl chòlera 家禽(きん)コレラ.
hóg chòlera 豚コレラ.
Índian chólera インドコレラ.

-cho·li·a /kóuliə | -liə, -ljə/

連結形 胆汁の病気. ◇ CHOLERA, CHOLINE.
★ 名詞をつくる.
★ 語頭にくる関連形は chol(e)-, cholo-: *chol*agogue「胆汁の排出を促進する」, *cholo*lith「胆石」.
◆ ギリシャ語 *kholḗ*「胆汁」より. ⇨ -IA.

a·cho·li·a 名 【病理】無胆汁(症), 胆汁欠乏(症).
hy·per·cho·li·a 名 【病理】胆汁(分泌)過多(症).
mel·an·cho·li·a 名 憂鬱(状態), ふさぎ込み.

cho·line /kóuliːn, kɑ́l- | kóul-, kɔ́l-/

名 【生化学】コリン. ◇ -CHOLIA, CHOLERA. ⇨ -INE[3].

a·cè·tyl·chó·line 名 【生化学】アセチルコリン.
càrbamylchlóride chóline 【化学】【薬学】塩化カルバミリコリン.
càrbo·chóline 名 【化学】カルボコリン.
phos·pha·ti·dyl·chó·line 名 【生化学】レシチン(lecithin).

chop /tʃɑ́p | tʃɔ́p/

動他 …をたたき切る. ── 名 **1** (斧などで)切ること, 切断. **2**【ボクシング】チョップブロー. **3** 切り取った一片; 厚切り肉片.

Báltimore chóp 【野球】ボルチモアチョップ.
bínary chòp 【コンピュータ】二分検索.
Frénch chóp 【料理】フレンチチョップ.
karáte-chòp 名動他 空手チョップ(を食らわす).
mútton chòp (あばら骨付きの)羊肉片.
pálm-oil chòp 西アフリカのヤシ油を使った肉シチュー.
pórk·chòp 豚肉の切り身.
smáll chóp 《西アフリカ》前菜としての軽食.
stánding chóp 《NZ》(木こり競技で)立ち切り.
tómahawk chòp にせインディアンダンス.
únderhand chóp 《NZ》(木こり競技で)下手切り.
wóod·chòp 《豪》丸太切り競争.

chord /kɔ́ːrd/

名〘音楽〙和音, 和弦, コード.

áltered chórd 変化和音.
blóck chòrd ピアノの中音域で両手で弾く和音.
bróken chórd 分散和音(arpeggio).
clávi·chòrd 名 クラビコード: ピアノの前身.
cómmon chórd 普通和音: 長三和音と短三和音.
eléventh chórd 11度の和音.
hárpsi·chòrd 名 ハープシコード, チェンバロ.
hépta·chòrd 名 七音音階; 七度の音程.
héxa·chòrd 名 ヘクサコード, 六音音階.
móno·chòrd 名 モノコード, 一弦琴.
nínth chòrd 九(く)の和音.
ócta·chòrd 名 八弦琴.
pénta·chòrd 名 五弦琴.
pínk chòrd 《米俗》楽符の読み間違い.
séventh chòrd 七の和音.
síxth chòrd 六の和音.
tétra·chòrd 名 四音音階.
thirtéenth chórd 十三の和音.
trí·chòrd 名 三弦楽器.

chor·date /kɔ́ːrdeit/

形〘動物〙脊索(せきさく)動物の; 脊索のある. ━━名 脊索動物. ⇨ -ATE[1].
★ 語頭にくる関連形は chorda-, chordo-: *chorda*mesoderm「〘発生〙(両生類の)脊索中胚葉」.

a·chor·date 形 無脊索の. ━━名 無脊索動物.
ceph·a·lo·chor·date 形 頭索類の.
hem·i·chor·date 形名 半索動物門の(海産無脊椎動物).
pro·to·chordate 名 原索動物.
u·ro·chor·date 形 尾索を持った. ━━名 尾索類動物.

-chore /kɔ̀ːr/

連結形 …媒植物, …によって種子・花粉が散布される植物.
◆ ギリシャ語 *chōreîn*「引っ込む, 進む, 広がる」より.

a·nem·o·chore 名 風散布植物, 風媒植物.
zo·o·chore 名 動物によって散布された植物.

cho·rus /kɔ́ːrəs/

名〘音楽〙合唱, コーラス. ⇨ -US[1].

cýclic chórus 〘古代ギリシャ〙輪舞唱.
dáwn chòrus (明け方の)小鳥の一斉さえずり.
sèm·i·chó·rus 名〘音楽〙(合唱隊の一部が歌う)セミコーラス, 小合唱; 小合唱曲[部].
stóp chòrus 〘ジャズ〙ストップコーラス.

Christ /kráist/

名 イエス・キリスト. ━━間 おや, とんでもない, ちくしょう.

Ánti·chrìst 名〘神学〙反キリスト; キリストの敵.
Jésus Chríst 名 イエス・キリスト. ━━間《俗》こいつはたまげた, ちくしょう.

Chris·tian /krístʃən/

形 キリスト(教)の. ━━名 キリスト教徒. ⇨ -IAN.

cóurt Chrístian 教会裁判所.
Dé·mo·chrís·tian 名 キリスト教民主党員.
Éarly Chrístian 形 初期キリスト教美術[工芸]の.
Jéwish Chrístian ユダヤ人のキリスト教徒.
Judáeo-Chrístian 形 =Judeo-Christian.
Judéo-Chrístian 形 ユダヤ教とキリスト教の.
Néw Chrístian マラーノ, 隠れユダヤ教徒.
nòn-Chrís·tian 形 非キリスト教の.
prè-Chrís·tian 形 キリスト教(伝来)以前の.
stréet Chrìstian 街頭クリスチャン.
ùn·chrís·tian 形 キリスト教の教えに反する.

Christ·mas /krísməs/

名 クリスマス, キリスト降誕祭, 聖誕祭. ⇨ -MAS.

Fáther Chrístmas 《英》サンタクロース(Santa Claus).
gréen Chrístmas 雪のないクリスマス.
Óld Chrístmas 《主に米中部》(プロテスタントで)公現日, 顕現日, (カトリックで)御公現の祝日.
whíte Chrístmas ホワイトクリスマス.

C

-chro·ic /króuik/

連結形 …(な)色の.
★ 形容詞をつくる.
★ 語末にくる関連形は -CHROME.
★ 語頭にくる関連形は chrom(o)-: *chrom*hidrosis「色汗症」, *chromo*phore「発色団」.
◆ ギリシャ語 *khrôs*「色」より. ⇨ -IC[1].

al·lo·chro·ic 形〘医学〙変色しうる, 変色性の.
am·phi·chro·ic 形〘化学〙両色反応の.
di·chro·ic 形 二色性の.
mon·o·chro·ic 形 単色[一色]の.
ple·o·chro·ic 形〈二軸[異方]性結晶が〉多色性の.
tri·chro·ic 形〘結晶〙三色性の, 三色性を示す.

-chro·mat /krəmæ̀t/

連結形〘眼科〙…色型色覚者.
★ 名詞をつくる.
★ 語末にくる関連形は -CHROME.
★ 語頭にくる関連形は chrom(o)-: *chrom*hidrosis「色汗症」, *chromo*phore「発色団」.
◆ ギリシャ語 *khrôma*「色」より.
[発音] 語頭の音節に第1強勢; ただし monochrómat, trichrómat となることもある.

di·chro·mat 名 二色型色覚者.
mon·o·chro·mat 名 全色盲者, 一色型色覚者.
tri·chro·mat 名 三色型色覚者.

chro·mate /króumeit/

名〘化学〙クロム酸塩. ◇ CHROME, CHROMY. ⇨ -ATE[2].

bárium chrómate クロム酸バリウム, バリウムイエロー.
bi·chró·mate 名 重クロム酸塩, 二クロム酸塩.
bísmuth chrómate クロム酸ビスマス.
di·chró·mate 名 二クロム酸塩, 重クロム酸塩.
léad chrómate クロム酸鉛.
pòl·y·chró·mate 名 ポリクロム酸塩.

chro·mat·ic /kroumǽtik, krə-/

形 色(彩)の; 着色[彩色]の. ◇ -CHROME, -CHROMIC. ⇨ -IC[1].

ach·ro·mat·ic 形〘光学〙無色の.
al·lo·chro·mat·ic 形 仮色の, 他色の, 非本質色の.
a·po·chro·mat·ic 形〈レンズなどが〉アポクロマートの.
di·chro·mat·ic 形 二色(性)の.
het·er·o·chro·mat·ic 形 2色以上の, 多色の.
ho·mo·chro·mat·ic 形 単色の, 一色の.
id·i·o·chro·mat·ic 形〈鉱物が〉自色の.
i·so·chro·mat·ic 形〘光学〙等色の.
met·a·chro·mat·ic 形〈標本切片が〉(部分的に)着色染料液と違う色に染色される.
mon·o·chro·mat·ic 形 単色の, 一色の.
or·tho·chro·mat·ic 形〘写真〙整色性の.

pan·chro·mat·ic 形 〈写真のフィルムなどが〉パンクロの, すべての色に感光する.
pol·y·chro·mat·ic 形 さまざまな色を持つ [示す], 多色の.
tri·chro·ma·tic 形 〈印刷・写真などが〉三原色使用の.

C

chro·ma·tin /króumətin/

名 〖細胞生物学〗染色質. ◇ -CHROME. ⇨ -IN².

a·chró·ma·tin 名 〖生物〗(細胞核内の)非染色質.
eu·chró·ma·tin 名 〖遺伝〗真正染色質.
hèt·er·o·chró·ma·tin 名 〖遺伝〗異質染色質.
séx chròmatin 〖遺伝〗性染色質.

-chro·ma·tism /króumətìzm/

連結形 色のさま.
★ 名詞をつくる.
★ 語末にくる関連形は -CHROME.
★ 語頭にくる関連形は chrom(o)-: *chrom*hidrosis「色汗症」, *chromo*phore「発色団」.
◆ <ギ *chrōmatismós*(*chrōmatízein*「色づく」より). ⇨ -ISM¹.

a·chro·ma·tism 名 〖光学〗無色.
di·chro·ma·tism 名 二(原)色; 二(原)色性.
met·a·chro·ma·tism 名 (特に体温の変化による)変色.
mon·o·chro·ma·tism 名 単色 [単彩] 性.
tri·chro·ma·tism 名 《まれ》三色であること, 三色性.

chro·ma·tog·ra·phy /kròumətágrəfi | -tɔ́g-/

名 〖化学〗クロマトグラフィー. ◇ -CHROME. ⇨ -GRAPHY.

co·chro·ma·tóg·ra·phy 名 (2 種以上の物質の)同時色相分析.
cólumn chromatògraphy カラムクロマトグラフィー.
gás chromatógraphy ガスクロ.
gás-líquid chromatógraphy 気液クロマトグラフィー.
gél chromatógraphy ゲル濾過(gel filtration).
íon-exchànge chromatógraphy イオン交換クロマトグラフィー.
líquid chromatógraphy 液体クロマトグラフィー.
páper chromatógraphy 濾紙(ろ)クロマトグラフィー.
rà·di·o·chro·ma·tóg·ra·phy 名 ラジオクロマトグラフィー.
thín-làyer chromatógraphy 薄層クロマトグラフィー.

chrome /króum/

名 **1** クロム. **2** …クロム合金. ◇ -CHROME.

de·chróme 動他 〈改造車の〉クローム飾りをはずす.
Ní·chròme 名 《商標》ニクロム.
zínc chróme 〖化学〗亜鉛黄(き).

-chrome /kròum/

連結形 **1** …色のついた: poly*chrome*. **2** …色, …色のついたもの: batho*chrome*.
★ 語末にくる関連形は -CHROIC, -CHROMAT, -CHROMATISM, -CHROMIC, -CHROOUS.
★ 語頭にくる形は chrom(o)-: *chrom*hidrosis「色汗症」, *chromo*phore「発色団」.

ad·re·no·chrome 名 アドレノクロム.
au·to·chrome 名 〖写真〗オートクローム.
aux·o·chrome 名 〖化学〗助色団.
bath·o·chrome 名 〖化学〗深色団.
bath·y·chrome 名 =bathochrome.
bi·chrome 形 2 色の(bicolor).
cy·to·chrome 名 〖生化学〗シトクロム, チトクロム.
flu·o·ro·chrome 名 〖組織学〗蛍光色素.
he·mo·chrome 名 〖医学〗〖生物〗ヘモクローム.
het·er·o·chrome 形 2 色以上の, 多色の.
ho·mo·chrome 形 単色の, 一色の.
hyp·so·chrome 名 〖化学〗浅色団.
Ko·da·chrome 名 《商標》コダクローム.
lip·o·chrome 名 〖生化学〗リポクローム, 脂肪色素.
Mer·cu·ro·chrome 名 《薬学・商標》マーキュロクローム.
mon·o·chrome 名 モノクローム: 単色 [単彩] 画.
phy·to·chrome 名 〖植物〗フィトクローム.
pol·y·chrome 形 多色の.
sid·er·o·chrome 名 〖生化学〗担鉄クローム.
sten·o·chrome 名 ステノクロミーによる印刷物.
ster·e·o·chrome 名 ステレオクローム画.
u·ro·chrome 名 〖生化学〗ウロクロム.

-chro·mic /króumik/

連結形 …色の. ⇨ -IC¹.
★ 語末にくる関連形は -CHROME.
★ 語頭にくる関連形は chrom(o)-: *chrom*hidrosis「色汗症」, *chromo*phore「発色団」.

a·chro·mic 形 無色の.
di·chro·mic 形 二色の.
pho·to·chro·mic 形 光発色性の.

chro·mo·some /króuməsòum/

名 〖遺伝〗染色体. ◇ -CHROME. ⇨ -SOME³.

accéssory chròmosome 付帯染色体.
Á chròmosome A 染色体.
B́ chròmosome B 染色体.
críminal chrómosome 犯罪者染色体.
eu·chró·mo·sòme 名 (性染色体以外の)常染色体.
hèt·er·o·chró·mo·some 名 =sex chromosome.
homólogous chrómosome 相同染色体.
ì·so·chró·mo·some 名 同腕染色体, 同位染色体.
lámpbrùsh chrómosome ランプブラシ染色体.
Philadélphia chrómosome フィラデルフィア染色体.
pólytene chròmosome 多糸(性)染色体.
sálivary chrómosome 唾腺染色体.
sátellite chròmosome 付随染色体.
séx chròmosome 性染色体.
X́ chròmosome X 染色体.
Ý chròmosome Y 染色体.

chrom·y /króumi/

形 クロム合金でめっきした; クロムが豊富な. ◇ CHROME, CHROMATE. ⇨ -Y¹.

pho·to·chrom·y 名 (昔の)天然色写真術.
pol·y·chro·my 名 (絵画・建築などの)多彩装飾, 多色画法.
sten·o·chro·my 名 〖印刷〗ステノクロミー(印刷).
ster·e·o·chro·my 名 ステレオクローム画法.

-chron·ic /kránik | krɔ́n-/

連結形 時間の [に関する].
★ 形容詞をつくる.
★ 語末にくる関連形は -CHRONISM.
★ 語頭にくる関連形は chron(o)-: *chrono*logy「年代学」, *chrono*meter「精密時計」.
◆ ギリシャ語 *khrón*(*os*)「時間」より. ⇨ -IC¹.

di·a·chron·ic 形 〖言語〗通時的な.
syn·chron·ic 形 〖言語〗共時的な.

-chro·nism /krənìzm/

連結形 時, 時代.
★ 名詞をつくる.
★ 語末にくる関連形は -CHRONIC.
★ 語頭にくる関連形は chron(o)-: *chrono*logy「年代学」, *chrono*meter「精密時計」.

◆ ギリシャ語 *chrónos* より. ⇨ -ISM[1].
[発音] 直前の音節に第1強勢.

a·nach·ro·nism 名 アナクロニズム, 時代錯誤.
di·ach·ron·ism 名 通時性.
i·soch·ro·nism 名 等時性, 等時運動.
pa·rach·ro·nism 名 記時錯誤.
pro·chro·nism 名 (年代・年月日を事実より前につける)時日前記.
syn·chro·nism 名 同時性, 時の一致; 同時発生.

chro·nol·o·gy /krənálədʒi | -nɔ́l-/

名 (過去の出来事の)年代順配列. ◇ -CHRONIC. ⇨ -OLOGY.

den·dro·chro·nol·o·gy 名 年輪年代学.
ge·o·chro·nol·o·gy 名 地質年代学.
glot·to·chro·nol·o·gy 名 〖言語〗言語年代学.
nu·cle·o·chro·nol·o·gy 名 〖天文〗原子核年代(法), 核年化学.
nu·cle·o·cos·mo·chro·nol·o·gy 名 〖天文〗(原子)核宇宙年代(学).
pa·le·o·chro·nol·o·gy 名 古年代学.
teph·ro·chro·nol·o·gy 名 〖地質〗テフロクロノジー.

-chro·ous /krouəs/

連結形 …(な)色の.
★ 形容詞をつくる.
★ -chroic の異形.
★ 語末にくる関連形は -CHROME.
★ 語頭にくる関連形は chrom(o)-: *chrom*hidrosis「色汗症」, *chromo*phore「発色団」.
◆ ギリシャ語 *chrṓs*「皮膚, 肌色」より. ⇨ -OUS.

a·chro·ous 形 無色の.
al·loch·ro·ous 形 変色の.
di·chro·ous 形 二色の.
i·soch·ro·ous 形 全体が同じ色の, 同色の.
mo·noch·ro·ous 形 単色の.
ple·och·ro·ous 形 多色の.

church /tʃɑ́ːrtʃ/

名 (キリスト教の)教会, (教)会堂, 聖堂(英国ではふつう国教会にだけ用いる).

Abyssínian Chúrch エチオピア教会.
Ánglican Chúrch 英国国教会系教会.
Apostólic Chúrch 使徒教会.
Arménian Chúrch アルメニア教会.
Báptist chúrch バプテスト [浸礼派] 教会.
Bróad Chúrch 広教会派.
Býzantine Chúrch =Orthodox Church.
Cátholic Chúrch (ローマ)カトリック教会.
Céltic Chúrch ケルト教会.
Chríst Chúrch クライスト教会.
Chrístian Refórmed Chúrch キリスト改革教会.
collégiate chúrch 聖堂参事会の管理する教会.
commúnity chúrch 《米・カナダ》コミュニティーチャーチ: 僻地(へきち)の町村で教派を超えて創設した教会.
Congregátional Chúrch 組合 [会衆派] 教会.
Cóptic Chúrch コプト教会.
Éastern Chúrch =Orthodox Church.
electrónic chúrch 《米》福音伝道番組.
estáblished chúrch 国教会.
Ethiópian Chúrch エチオピア教会.
féderated chúrch 連合教会.
frée chúrch (教皇・国家の支配を受けない)自由教会派.
Gréek Chúrch ギリシャ正教会.
Hígh Chúrch 名形 高教会派(の).
Hóliness Chùrch ホーリネス系教会.
hóuse chùrch (伝統的な教会から独立した)カリスマ派の教会.
indepéndent chúrch 独立教会: (主として米国で)既成教派に属さない小グループの教会
ìnter·chúrch 形 諸宗派間の.
Látin Chúrch ローマカトリック教会.
Lów Chúrch 低教会派.
mega·chúrch 宗教の施設だけでなく, 社会福祉施設や教育施設もある多用途のセンターとしての巨大教会.
Mèthodist Chúrch メソジスト教会.
Millénnial Chúrch 千年期教会.
Morávian Chúrch モラビア教会.
móther chùrch (本山となる)母教会.
nátional chúrch 国民教会.
Néw Chúrch =New Jerusalem Church.
Néw Jerúsalem Chúrch 新エルサレム教会.
Órthodox Chúrch 東方正教会.
pára-chúch 準教会: 宣伝や売名行為をしない, 上の部屋に集まるようなグループ
párish chúrch 《英》教区教会.
prímitive chúrch 原始教会: 初期キリスト教教会の, 特にその原始形態・組織をいう.
Rússian Chúrch =Russian Orthodox Church.
Rússian Óthodox Chúrch ロシア正教会.
sérvant chùrch 〖キリスト教〗僕(しもべ)としての教会.
státe chúrch =established church.
stáve chùrch 樽(たる)板教会.
stórefront chúrch 《米》(小さな福音派の信者たちが集まる, 都会の)店先教会.
súper·chùrch 名 〖キリスト教〗巨大教会.
Témple Chúrch テンプル教会.
Trínity Chúrch トリニティー教会.
ùn·chúrch 動他 教会から追放する, 破門する.
únderground chúrch 反体制教会.
Unificátion Chúrch 世界基督(キリスト)教統一神霊協会.
únion chúrch 合同教会.
Unïted Refórmed Chúrch 合同改革教会.
vísible chúrch 〖神学〗見える教会: 地上の全キリスト教徒(church visible).
Wéstern Chúrch 西方教会: ローマカトリック教会.

chute /ʃúːt/

名 シュート, 降ろし樋(とい), 荷滑らし.

chúte-the-chúte 名 (遊園地やカーニバルなどの)コースター; (特に)ウォーターシュート.
dírt chùte 《米俗》嫌なやつ.
dírt-chùte 《俗》肛門(こうもん), 直腸.
létter chùte レターシュート.
máil chùte 郵便シュート.
pár·a·chùte 名 ☞
póop chùte 《米俗》尻の穴; 役立たず; 青二才.
ró·ta·chùte 名 =rotochute.
ró·to·chùte 名 ロートシュート: 回転翼式の減速装置.
slóp chùte (船尾の)汚水シュート.
tobóggan chùte トボガン用コース.
wáter chùte ウォーターシュート.

-cid·al /sáidl/

連結形 殺人者の, 殺人の, …を殺せる. ⇨ -AL[1].
★ -cide で終わる名詞に対応する形容詞形.

cy·to·cid·al 形 細胞を殺す(可能性がある).
hom·i·cid·al 形 殺人(犯)の.
loc·u·li·cid·al 形 〖植物〗〈果実が〉胞背裂開の.
sep·ti·cid·al 形 〖植物〗胞間裂開の.
su·i·cid·al 形 自殺の, 自殺的な, 自殺の恐れのある.
vib·ri·o·cid·al 形 抗 [殺] ビブリオ菌の.

C

C

-cide /sàid/

連結形 …殺し, 殺人者; 殺人.
★ 語末にくる関連形は -CIDAL, -CIDENT, -CISE[1], -CISION.
◆ <ラ *-cīda* 殺害者(*caedere*「殺す」より).

a·bor·ti·cide 名 妊娠中絶, 堕胎.
a·car·i·cide 名 ダニ駆除剤.
al·gae·cide 名 =algicide.
al·gi·cide 名 アルジサイド: 藻類を枯らすための薬剤の総称.
aph·i·cide 名 アブラムシ駆除剤, 殺虫剤.
au·to·cide[1] 名 自動車自殺.
au·to·cide[2] 名 自己破壊, 自滅.
bac·te·ri·cide 名 殺菌剤.
bi·o·cide 名 殺生物剤.
ceph·a·lo·cide 名 知識人層の集団殺戮.
de·i·cide 名 神を殺す人.
ec·o·cide 名 生態系破壊, エコサイド.
eth·no·cide 名 文化同化政策, 文化殺戮.
fa·ma·cide 名 【法律】名誉毀損者.
fe·li·cide 名 猫殺し.
fem·i·cide 名 女性殺し; 女を殺す人.
fe·ti·cide 名 胎児殺し, 堕胎.
fil·i·cide 名 実子殺害者; 実子殺害, 子殺し.
flu·ki·cide 名 殺吸虫薬.
foe·ti·cide 名 =feticide.
frat·ri·cide 名 兄弟[姉妹]殺しの犯人.
fun·gi·cide 名 殺(真)菌剤[薬], 防[除]カビ剤.
ga·me·to·cide 名 ガメトシド: 生殖体や生殖母体を死滅させる物質.
gen·o·cide 名 大量殺戮, 集団虐殺, ジェノサイド.
ger·mi·cide 名 殺菌剤.
herb·i·cide 名 除草剤.
hom·i·cide 名 殺人, 殺人罪.
in·fan·ti·cide 名 幼児[嬰児(えいじ)]殺し.
in·sec·ti·cide 名 殺虫剤[薬].
lar·vi·cide 名 幼虫駆除剤, 殺虫剤.
li·ber·ti·cide 名 自由破壊.
mag·ni·cide 名 重要人物の殺害.
mat·ri·cide 名 母親殺し.
med·i·cide 名 医師の援助による自殺; 医療ミスによる殺人.
men·ti·cide 名 精神的殺害.
mi·cro·bi·cide 名 殺菌剤.
mil·dew·cide 名 カビ駆除剤.
mit·i·cide 名 【化学】殺ダニ剤.
mol·lus·ci·cide 名 殺陸貝剤.
mul·ti·cide 名 大量殺戮.
nem·a·cide 名 =nematocide.
nem·a·to·cide 名 【農業】殺線虫剤.
om·ni·cide 名 (核戦争などによる)生物全滅[滅亡].
o·vi·cide 名 (昆虫などの)殺卵剤.
par·a·sit·i·cide 名 寄生虫駆除剤, 虫下し, 駆虫剤.
pa·ren·ti·cide 名 親殺し.
par·ri·cide 名 父親[母親]殺し, 近親者[尊属]殺人.
pat·ri·cide 名 父親殺し.
pe·dic·u·li·cide 名 シラミ駆除剤, 殺虫剤.
pest·i·cide 名 【農業】病虫害防除剤, 抗病虫害剤.
phy·to·cide 名 植物枯死剤, 除草剤.
pis·ci·cide 名 (一定地域での)魚類根絶[撲滅].
po·lit·i·cide 名 《話》(特に中東問題で)政治的自殺.
pro·li·cide 名 自分の子を殺すこと, 胎児殺し.
pu·li·cide 名 ノミ殺虫剤.
rat·i·cide 名 殺鼠(そ)剤, 猫いらず.
reg·i·cide 名 国王殺し, 弑逆(しいぎゃく); 大逆罪.
ro·den·ti·cide 名 殺鼠(そ)剤.
scab·i·cide 名 疥癬虫殺虫剤.
sli·mi·cide 名 殺粘液菌剤.
so·ror·i·cide 名 姉[妹]殺しをする人.
sper·mat·i·cide 名 =spermicide.
sper·mat·o·cide 名 =spermicide.
sper·mi·cide 名 殺精(子)剤.
spo·ri·cide 名 胞子撲滅剤, 殺胞子剤.
su·i·cide 名 ☞
tae·ni·a·cide 名 条虫駆除剤.
tel·e·cide 名 テレビ受けしない芸能人が消えること.
te·ni·a·cide 名 =taeniacide.
tick·i·cide 名 ダニ用殺虫剤.
trich·o·mo·na·cide 名 抗トリコモナス剤.
ty·ran·ni·cide 名 暴君殺害[殺し].
ur·bi·cide 名 都市環境[景観]破壊.
ux·o·ri·cide 名 妻殺し.
vat·i·cide 名 予言者を殺す人.
ver·bi·cide 名 (語呂合わせなどのために)言葉の意味を故意に歪曲すること.
ver·mi·cide 名 駆虫剤, 虫下し.
vi·ri·cide 名 =virucide.
vi·ru·cide 名 ウイルス撲滅剤.
vul·pi·cide 名 《英》猟犬で狩る以外の方法でキツネを殺すこと[人].
weed·i·cide 名 =herbicide.

-ci·dent /sədənt/

連結形 落ちるもの[こと].
★ 名詞をつくる.
★ 語頭にくる関連形は cad-, cid-, cas-: *cad*ence「音声の低下」, *cas*cade「小滝」.
◆ <ラ, *cadere*「落ちる」より. ⇨ -ENT[1].
[発音] どれも 3 音節の語で, 語頭の音節に第 1 強勢.

ac·ci·dent 名 不幸な出来事, 事故, 奇禍, 災難.
in·ci·dent 名 出来事, 事件; (特に)偶発的事件.
Oc·ci·dent 名 《文語》欧米, 西洋(the West).

cig·a·rette /sìgərét, ⸗ー⸗|⸗ー⸗/

名 (紙)巻きタバコ; 薬用タバコ(薬用植物の葉や睡眠薬などを入れたもの). ▶米国でときに cigaret と綴る. ⇨ -ETTE[1].

bóotleg cìgarette 《米》密輸タバコ.
fúnny cigrarétte 《米俗》マリファナタバコ.
nó-brànd cigarétte 《米俗》=funny cigarette.
nó-nàme cigarétte 《米俗》=funny cigarette.
óff-brànd cigarétte 《米麻薬俗》=funny cigarette.
smókeless cigarétte (火をつけないで吸う)煙の出ないタバコ.

-cil·lin /sílin/

連結形 【薬学】ペニシリン.
★ 名詞をつくる.
◆ penicillin の短縮形.

meth·i·cil·lin 名 メチシリン.
mez·lo·cil·lin 名 メズロシリン.
ox·a·cil·lin 名 オキサシリン.
pi·per·a·cil·lin 名 ピペラシリン.

-cin /sin/

連結形 【薬学】マイシン: 菌類から得た抗生物質.
★ 名詞をつくる.
◆ Aureomycin などの -mycin の短縮形.

clav·a·cin 名 【薬学】パツリン(patulin).
col·i·cin 名 【薬学】コリシン.
dau·no·ru·bi·cin 名 【生化学】ダウノルビシン.
dox·o·ru·bi·cin 名 【薬学】ドキソルビシン.
E·ryth·ro·cin 名 《薬学・商標》エリスロシン.
I·lo·ty·cin 名 《薬学・商標》エリスロマイシン

(erythromycin).
no·vo·bi·o·cin 名 〖薬学〗ノボビオシン.

-cion /ʃən/

接尾辞 -tion の異形. ⇨ -ION[1].

co·er·cion 名 強制, 強要.
sus·pi·cion 名 疑うこと [行為], 疑われていること.

ci·pher /sáifər/

名 暗号. ——動他 …を暗号で書く.

de·cí·pher 動他〈読みにくい字などを〉判読する.
en·cí·pher 動他 暗号を使って書く.
substitútion cìpher 〖暗号〗換字暗号.
transposítion cìpher 〖暗号〗転置(式)暗号(法).

-cip·i·ent /sípiənt/

連結形 取る.
★ 形容詞, 名詞をつくる.
★ 語末にくる関連形は -CEIVE.
◆ <ラ, *capere*「取る」より. ⇨ -ENT[1].
[発音] 基体の第 1 音節(-cip-)に第 1 強勢.

ex·cip·i·ent 名 〖薬学〗添加剤 [物], 賦形剤.
in·cip·i·ent 形 始まりの, 初期の, 発端の.
per·cip·i·ent 形 知覚する, 感知する.
re·cip·i·ent 名 受取人, 受領者; 入れ物, 容器.

-cip·i·tal /sípətl/

連結形 頭の.
★ 形容詞をつくる.
★ 語末にくる関連形は -CEPS.
★ 語頭にくる関連形は cephal(o)-: *cephal*algia「頭痛」, *cephalo*cide「知識人層の集団殺戮」.
◆ <ラ *-cipit-*(*caput*「頭」の連結形) + -AL[1].

an·cip·i·tal 形 〖植物〗〖動物〗両角状の.
bi·cip·i·tal 形 二頭の.
oc·cip·i·tal 形 〖解剖〗後頭(部)の, 後頭骨の.
quadricip·i·tal 形 四頭の.
sincip·i·tal 形 〖解剖〗前頭(部)の, 頭頂(部)の.

cir·cle /sə́ːrkl/

名 **1** 円; 円周; 円形, 丸. **2** 範囲; 圏. **3** 団体, サークル. ⇨ -LE[2].

Antárctic Círcle 南極圏(限界線).
Árctic Círcle 北極圏(限界線).
ázimuth cìrcle 方位環.
chármed círcle 排他的団体, 特権的グループ.
cír·cum·cìr·cle 名 〖幾何〗外接円.
cólor cìrcle カラーサークル, 色彩円.
córn cìrcle =crop circle.
cróp cìrcle 畑の小麦などが円形になぎ倒された跡.
díp cìrcle 伏角計(inclinometer).
diúrnal círcle 〖天文〗日周圏.
dréss círcle (劇場の)二階(正面)桟敷.
en·cír·cle 動他 …を丸く囲む, 取り巻く, 包囲する.
equinóctial círcle 〖天文〗〖航海〗天の赤道.
éx·cìr·cle 名 〖幾何〗傍接円.
fámily círcle 一家 [身内, 内輪] の人々.
fúll círcle 一巡 [一周] して, ぐるっと回って.
galáctic círcle 〖天文〗銀河赤道.
gréat círcle 大円: 球面上でつくれる最大円.
hóur cìrcle 〖天文〗時圏.
hút cìrcle 〖考古〗環状列石.
ín·cìr·cle 〖幾何〗内接円.
ínner círcle (組織内の)実力者グループ.
Màgic Círcle (英国の)手品師・奇術師協会.
megalíthic círcle 環状列石.
merídian cìrcle 〖天文〗子午環.
ósculating círcle 〖数学〗曲率円, 接触円.
parhélic círcle 〖気象〗幻日(げんじつ)環.
párquet círcle (劇場などの)後土間(parterre).
pítch cìrcle 〖機械〗ピッチ円.
pólar círcle 極圏.
quálity cìrcle 品質管理サークル.
restráining cìrcle 〖バスケット〗制限円.
róot cìrcle 〖機械〗(歯車の)歯元(の丈).
sém·i·cìr·cle 名 半円, 半円形; 半円周.
sétting cìrcle 〖天文〗固定円.
séwing cìrcle (慈善の目的で縫い物をする)裁縫会.
smáll círcle 〖幾何〗小円.
squáred círcle ボクシング試合場, リング.
stóne cìrcle 〖考古〗ストーンサークル.
stríking cìrcle 〖ホッケー〗ストライキングサークル.
tráffic cìrcle 《米・カナダ》環状交差路, 円形交差点.
tránsit cìrcle 〖天文〗=meridian circle.
túrning cìrcle 船・車が回転して描く最小の円.
únit cìrcle 〖数学〗単位円.
úpper círcle dress circle より上階の料金の安い席.
vértical círcle 〖天文〗鉛直圏, 高度圏.
vícious círcle 〖論理〗循環論証 [論法].
wínner's cìrcle 勝ち馬表彰式場.

cir·cuit /sə́ːrkit/

名 **1** 一周, 巡回. **2** 〖電気〗回路. **3** (劇場などの)興行系列.

ÁND cìrcuit 〖コンピュータ〗論理積回路.
bírd cìrcuit 《俗》ゲイバー巡り.
bórsch cìrcuit =borscht circuit.
bórscht cìrcuit ボルシチサーキット: 米国にあるユダヤ人の避暑地のホテル群.
brídge cìrcuit 〖電気〗ブリッジ, 電橋, 橋路.
chítlin cìrcuit 黒人の芸人が出演するナイトクラブ.
cínema cìrcuit 映画の興行系統.
citronélla cìrcuit 《米》地方小劇場回り.
clósed círcuit 〖電気〗閉回路.
coíncidence cìrcuit 〖電気〗同時計数回路.
divínity cìrcuit 〖製本〗ヤップ型製本, 耳折れ製本.
eléctric círcuit 〖電気〗回路, 回線, 配線系統.
equívalent círcuit 〖電気〗等価回路.
gríd cìrcuit 〖電子工学〗(真空管の)格子回路.
Hóme Círcuit 《英》London 周辺の巡回裁判区.
íntegrated círcuit 〖電子工学〗集積回路.
lógic cìrcuit 〖コンピュータ〗論理回路.
magnétic círcuit 〖物理〗磁気回路, 磁路.
mí·cro·cìr·cuit 名 =integrated circuit.
monolíthic círcuit 〖電子工学〗集積回路.
NÁND cìrcuit 〖コンピュータ〗否定積(negative AND)回路.
NÓR cìrcuit 〖コンピュータ〗NOR 回路.
NÓT cìrcuit 〖コンピュータ〗NOT 回路.
ópen círcuit 〖電気〗開回路.
ÓR cìrcuit 〖コンピュータ〗論理和回路.
párallel círcuit 〖電気〗並列回路.
phántom círcuit 〖電気〗重信回線 [回路].
prínted círcuit 〖電子工学〗プリント配線 [回路].
résonant círcuit 〖電子工学〗共振回路.
ríng cìrcuit 〖電気〗環状回路 [結線].
rúbber-chícken cìrcuit 《話》選挙候補者などが義理で顔を出して回る一連の会食会.
scáling cìrcuit 〖電子工学〗計数回路.
sénior círcuit 〖野球〗ナショナルリーグ.
shórt círcuit 〖電気〗短絡, ショート.
shórt-círcuit 動他 〖電気〗(ショートさせて)作動不能に

C

する.

síde cìrcuit 〘電気〙側回線.
síngle-ràil tráck cìrcuit 〘電気〙単レール軌道回路.
smóothing cìrcuit 〘電気〙平滑回路.
squélch cìrcuit 〘電子工学〙スケルチ回路.
túned círcuit 〘電子工学〙同調回路.

cir·cu·la·tion /sə̀ːrkjuléiʃən/

名 **1** 巡ること. **2** 血液循環. ⇨ -ATION.

colláteral circulátion 〘生理〙側副 [副行] 循環.
fétal circulátion 〘生理〙胎児血行, 胎児循環.
mìcro·circulátion 名 〘生理〙微小循環.
pórtal circulátion 〘生理〙門脈循環, 門脈血行.
púlmonary circulátion 〘生理〙肺循環.
rè·cir·cu·lá·tion 名 最流通, 再循環.
systémic circulátion 〘解剖〙体循環.

cir·cus /sə́ːrkəs/

名 (曲馬・軽業などを見せる)サーカス. ⇨ -US[1].

Círcus Círcus サーカス・サーカス: Las Vegas, Reno などのカジノ, サーカスが出し物.
fléa cìrcus ノミのサーカス.
flýing círcus (同一作戦に参加する)飛行中隊.
Píccadilly Círcus (London の)ピカデリーサーカス.
tént cìrcus テント小屋で行われるサーカス.
thrée-rìng círcus 《米・カナダ》隣接する 3 か所の演技場で同時にショーができるサーカス.
tráveling círcus 巡業サーカス.

-cise[1] /sáiz, sáis/

連結形 切る.
★ 語末にくる関連形は -CIDE.
◆ <ラ *-cīsus*(*caedere*「切る」の連結形 *-cīdere* の過去分詞より).
[発音] 語尾の発音は動詞では /z/, 形容詞では /s/. 第 1 強勢は -ise にある. 例外: círcumcise.

ab·scise 動自 〘植物〙〈葉などが〉離脱する.
cir·cum·cise 動他 …に割礼を施す.
con·cise 形 〈言葉・文体が〉簡潔な, 簡明な.
ex·cise 動他 《文語》〈章句・文などを〉削る.
in·cise 動他 …に切り込みを入れる; 刻む.
pre·cise 形 明確な, 的確な, 厳密な.

-cise[2] /sàiz/

連結形 …体操. ◇ -ERCISE.
★ 名詞をつくる.
◆ exercise の短縮形.

aq·ua·cise 名 アクアサイズ: 水中体操.
sen·ior·cise 名 《俗》シニアサイズ: 老人用柔軟体操.
wa·ter·cise 名 ＝aquacise.

-ci·sion /síʒən/

連結形 …して切ったもの.
★ 名詞をつくる.
★ 語末にくる関連形は -CIDE.
◆ <ラ *-cisus*(*-cīdēre*「切る」の過去分詞). ⇨ -SION.
[発音] -cision の第 1 音節に第 1 強勢が置かれる.

cir·cum·ci·sion 名 (男子の)包皮切除; 割礼.
con·ci·sion 名 (文体上の)簡潔性; 簡潔, 簡明.
de·ci·sion 名 ☞
ex·ci·sion 名 削除, 除去.
in·ci·sion 名 〘医学〙(特に外科で)切開(術).
oc·ci·sion 名 (特に食肉用の)と畜, 食肉解体処理.
pre·ci·sion 名 明確であること, 的確さ, 厳密さ.
re·ci·sion 名 (協定などの)取り消し, 廃棄.

cite /sáit/

動他 (特に典拠として)〈文章・書物などを〉引用 [引証] する, 〈著者などを〉引き合いに出す.

ex·cite 動他 刺激する, 興奮させる.
in·cite 動他 駆り立てる; 扇動する; 誘発する.
mis·cite 動他自 引用を誤る, 間違って引用する.

cit·i·zen /sítəzən, -sən | -zən/

名 公民, 市民, 国民.

àctive cítizen 《英》〘社会〙活動的市民.
dúal cítizen 二重国籍者.
Jáne Q̇. Cítizen 《米俗》平均 [典型] 的女性.
Jóe Cítizen 《米話》平均 [典型] 的男性.
Jóhn Cítizen (特にある地域の)典型的な一市民.
nét. cìtizen インターネット市民.
nòn-cítizen 名 非市民: 所属する特定の共同体をもたない人.
sécond-class cítizen 二級市民: 社会的・政治的・経済的に差別されている(特に少数民族の)市民.
sénior cítizen 高齢者, お年寄り.

cit·y /síti/

名 都市, 都会, 大きな [重要な] 町.

ágro·cìty 旧ソ連の農業都市(agrogorod).
Banána Cíty (バナナ輸出港の)ブリズベン(Brisbane)(オーストラリアの都市名).
Bárf Cìty 形名 《米学生俗》胸くそ悪い, むかつく(所).
Báy Cìty ミシガン州の市; サンフランシスコの異名.
Béer Cíty 米国 Milwaukee 市のニックネーム.
cárdboard cíty (ホームレスたちの)段ボール居住地域.
Celéstial Cíty 天(の)都: Bunyan 作の *Pilgrim's Progress* でエルサレムのこと.
cemént cìty 《米話》(共同)墓地(cemetery).
céntral cíty 《米》中心都市, 核都市.
Chócolate Cíty 《米俗》黒人居住地区.
Cigár Cíty 《米俗・市民ラジオ》Florida 州 Tampa 市.
Círcuit Cíty サーキット・シティ: 米国の電気製品小売チェーン店.
córe cíty ＝central city.
Cówboy Cíty 《米俗》米国 Wyoming 州 Cheyenne の別称.
Dóll Cíty 《米俗》美女, 美男.
édge cìty 《俗》(麻薬使用者が味わう)緊張[恐れ, 期待]などの感覚.
élephant cìty 大 [マンモス] 都市圏.
Émerald Cìty エメラルドの町: *The Wizard of OZ* で魔法使いが住むとされる.
Etérnal Cíty 永遠の都. ►Rome の異名.
Fát Cíty 《米俗》(金や地位に恵まれて)快適な[裕福な]状態[環境]. ►特に学生, 十代の用語.
Féderal Cíty 米国 Washington, D.C. の俗称.
Forbídden Cíty 紫禁城, (1925 年以来)故宮博物院.
frée cíty 自由都市.
Fún Cíty ニューヨーク市(►1970 年代からは Big Apple が好まれる), (一般に)大都市.
Gárden Cíty ガーデンシティ(米国の都市名).
gárden cìty 田園都市.

Gás City 《米俗》楽しく過ごすこと.
Gáy City サンフランシスコの異名.
Héavenly City 聖都; New Jerusalem ともいう.
Hóly City 聖都.
impérial cíty 帝国の中心地.
ínner cíty インナーシティ, スラム地区.
ìn·ter·cít·y 形 大都市間の, 都市と都市を結ぶ. ── 名 都市間電車.
ìn·tra·cít·y 形 市内の; (大都市の)過密地域の; (旧市内の)中心部の.
Íron City 「鉄の町」: 米国の Bessemer と Pittsburgh.
méga·cìty 巨大都市.
Míle-Hìgh City 米国コロラド州 Denver の別称.
ópen cíty 無防備[非武装]都市.
óuter cíty 《米》都市の近郊, 郊外.
pít cìty 《俗》ひどい状態.
pówder cìty 《米俗》(野球で)非常に速い球を投げる.
Púritan City Boston 市の俗称.
Quáker City 米国 Philadelphia 市の俗称.
Quéen City 《カナダ話》トロント(カナダの地名).
resérve cìty 〚米金融〛準備(金)都市.
Ríver City 《米市民ラジオ俗》Tennessee 州 Memphis 市.
sátellite cìty 衛星都市.
Shάky City 《米俗》Los Angeles の異名.
Sín City 《俗》米国 Nevada 州 Las Vegas, Illinois 州 Chicago などの別称.
Sóul City 《米黒人俗》ソウルシティ: New York 市の黒人居住区の別称.
Spónge City 米国 Florida 州 Tarpon Springs の別称.
spréad cíty 《米》無秩序に広がった都市, スプロール型都市.
stríp cìty 《米》帯状市街地.
Súds City ビール産地 Milwaukee の別称.
Sún City 米国 Florida 州の St.Petersburg や Arizona 州の Yuma などの異名.
Súnshine Cìty Sun City の別称.
sú·per·cìt·y 名 大都市圏, メガロポリス(megalopolis).
Swán Cìty オーストラリアの Perth 市の別称.
Táp City 形名 《米俗》金のない, 一文無しの(状態).
tént cìty 家のない人や難民を収容するためにテントを張った特別地区.
trí-cít·y 形 近接 3 市を含む大都市圏の.
Wíndy City 名 米国 Illinois 州 Chicago の俗称.
Wrínkle City 《米俗》しわの寄った皮膚.
Yúcko City 形 《米俗》嫌な, 胸の悪くなる.
zíp cìty 《米俗》ゼロ, 無.

civ·i·li·za·tion /sìvəlizéiʃən | -laiz-/

名 **1** 文明. **2** 文明化. ⇨ -IZATION.

de·cìv·i·li·zá·tion 名 未開状態に戻すこと.
hy·per·cìv·i·li·zá·tion 名 過度の文明化.
Índus civilizàtion =Indus valley civilization.
Índus válley civilizàtion 〚歴史〛インダス文明.
ìn·ter·cìv·i·li·zá·tion 名 相互文明化.
ò·ver·cìv·i·li·zá·tion 名 =hypercivilization.
pòst·civ·i·li·zá·tion 名 文明化以後.
prè·civ·i·li·zá·tion 名 文明化以前.
sèm·i·civ·i·li·zá·tion 名 半文明, 半未開.
sùb·civ·i·li·zá·tion 名 =semicivilization.
sù·per·cìv·i·li·zá·tion 名 超文明化.

-ck /k/

音象徴間 **1** 鋭く短い打撃音や機械的で乾いた音を表す. **2** 1 から連想される突然で瞬時の動作を表す.

chuck 動自 〈雌鶏が〉コッコッと鳴く(cluck).
clack 動自 〈織機・タイプライターなどが〉短く鋭い(連続)音をたてる, カタン[パチッ, カタカタ, パタパタ, パチパチ, ガチャリ]と音をたてる.
click 名 カチッ[カチリ, パチン]という音; 《英》(無線通信の際の)大気の乱れから生じる雑音.
cluck 動自 〈雌鶏が〉コッコッと鳴く, コッコッと鳴いて卵を産む[ひなを呼ぶ].
cock 名 **1** 雄鶏. **2** 栓, コック.
crack 動自 (急に)鋭い音を出す, 衝撃[破裂]音を立てる(snap); 〈むちなどが〉ピシッと鳴る; 〈銃・砲弾などが〉パーンと炸裂する. ── 名 きず; 割れ目.
kluck 動自 =cluck.
knock 動自 (戸・窓などを)コツコツたたく, ノックする.
peck 動他 …を(くちばしで)つつく, へこませる; (先のとがったもので, 素早く何度も)つつく; …をつついて取り出す.
quack[1] 名 (アヒルなどの)ガーガーいう鳴き声; (ラジオなどの)騒音. ► quack-quack は《幼児語》で「アヒル」.
quack[2] 名 もぐりの医者.
smack 動他 (特に平手・平たい物で)強打する, ピシャッと打つ; (特に)〈子供を〉たたいてしかる.
snack 名 (食べ物・飲み物の)一口, 少量; 簡単な食事, 間食, 軽食, スナック.
tick 名 **1** (時計などの)カチカチ[カッチカッチ]という音; 心臓のドキドキという音. **2** 《米俗》目盛り, 度.
tuck 名 《主にスコット》太鼓の(ような)音, 太鼓を一打ちする音. ── 動他自 (太鼓を)たたく[打つ].
whack 動他 **1** (杖などで)激しく[ピシッと]打つ, ひっぱたく, 殴る. **2** 《米俗》〈男性が〉自慰をする(masturbate). **3** 《俗》一気呵成(かせい)に[勢いよく]作り出す, 素早く[いい加減に]仕上げる.

clad /klǽd/

動 《古・詩語》clothe の過去・過去分詞形.

ar·mor-clad 形 武装した, 装甲した.
i·ron·clad 形 鉄板を着せた, 甲鉄の, 装甲の.
mail·clad 形 鎖帷子(かたびら)を着た.
sky·clad 形 《俗》裸の, 服を着ていない.
snow-clad 形 雪に覆われた, 雪化粧した.
steel-clad 形 鎧(よろい)を着た; 装甲の.
thin·clad 名 《俗》陸上トラック競技の選手.
tri·clad 名 ウズムシ.
un·clad 形 《文語》裸の, 衣服を着ていない.
y·clad 動 《古》clothe の過去分詞形.

claim /kléim/

名 要求, 請求.

cóun·ter·clàim 名 〚法律〛反対要求, (特に被告の)反訴.
nòn·cláim 名 〚法律〛請求懈怠(けたい).
páy clàim 賃上げ要求.
quít·clàim 名 〚法律〛権利譲渡[放棄](証書).
reward clàim 〚豪史〛(金の発見者への)採掘権.
trúth clàim 〚哲学〛(プラグマティズムで)まだ経験的に実証されていない仮説.
wáge clàim =pay claim

-claim /kléim/

C

連結形 (大声で)呼ぶ, 叫ぶ.
★ 語末にくる関連形は -CLAMATION.
★ 語頭にくる形は clam-: *clam*our「叫び」, *clam*orous「騒々しい」.
◆ ラテン語 *clāmāre*「大声を出す」より. ◇ CLAIM.

ac·cláim 動他 歓呼して迎える, 喝采する.
de·cláim 動自 熱弁 [雄弁] を振るう.
dis·cláim 動他〈責任・関係を〉否認 [拒絶] する.
ex·cláim 動自 (驚嘆・興奮・抗議などの強い感情を込めて)叫ぶ, 感嘆の声を上げる.
pro·cláim 動他 公告 [公布, 布告] する.
re·cláim 動他 開墾 [開拓] する.
rè·cláim 動他 返還 [復活] を要求する.

clam /klǽm/

名 二枚貝; (特に)食用二枚貝(特に北米産のハマグリなど). ◇ CLAMP.

béarded clám 《俗》女陰.
bútter clàm マルスダレガイ科の大形の食用二枚貝の一種.
bútterfly-shèll clàm コチョウナミノコガイ.
cálico clàm マルスダレガイ科に属する海産の二枚貝.
chéstnut clàm エゾシラオガイ属の二枚貝の総称.
gíant clám オオシャコガイ(大硨磲貝).
hárd clám =hard-shell clam.
hárd-shell clám ホンビノスガイ(quahog).
hórse clàm 殻を閉じても両殻の間に大きな開口が残る貝の総称(gaper).
jáckknife clàm =razor clam.
kíng clám ナミガイの一種.
líttlenèck clám ホンビノスガイの稚貝.
lóng clám =soft-shell clam.
lóng-neck clám =soft-shell clam.
písmo clám 大形の食用二枚貝の一種.
rázor clàm マテガイ, 《俗称》カミソリガイ.
róund clám ホンビノスガイ(quahog).
sóft clám =soft-shell clam.
sóft-shell clám オオノガイ.
stéamer clàm =soft-shell clam.
súrf clàm バカガイ科の大形の二枚貝の総称.
Wáshington clám =butter clam.

-cla·ma·tion /kləméiʃən/

連結形 呼ばれたもの [こと].
★ 名詞をつくる.
★ 語末にくる関連形は -CLAIM.
★ 語頭にくる関連形は clam-: *clam*our「叫び」, *clam*orous「騒々しい」.
◆ <ラ *clāmātus* (*clāmāre*「呼ぶ」の過去分詞). ⇨ -ATION.
[発音] -clamation の第 2 音節に第 1 強勢が置かれる.

ac·cla·ma·tion 名 歓呼の声, 拍手喝采(かっさい).
dec·la·ma·tion 名 熱弁, 雄弁(術); 朗読(法).
dis·cla·ma·tion 名 否認(行為), 拒否(行為).
ex·cla·ma·tion 名 絶叫, 叫び(声); 大声での苦情.
proc·la·ma·tion 名 宣言, 公告, 布告, 公布, 発布.
rec·la·ma·tion 名 (荒地・未開墾地などの)開墾, 開拓.

clamp /klǽmp/

名 締め具, 留め金, かすがい. ►「締め付け」の音象徴語で clam と関連. ◇ CLASP.

bár clàmp バークランプ.
Ć-clàmp 名 しゃこ万力, えび万力.
mást clàmp 〖海事〗マスト受け板.
páper clàmp 紙挟み.
ùn·clámp 動他 …の留め金を緩める [外す].
whéel clàmp ホイールクランプ.
whéel-clàmp 動他 ホイールクランプを付ける.

clap /klǽp/

動他〈手を〉たたく. ── 名 打つこと. ►擬声語から.

áfter·clàp 名 予期せぬ反響.
ców clàp 《米俗》牛のくそ; 嫌なやつ.
hánd·clàp 名 拍手.
thúnder·clàp 名 雷鳴, 霹靂(へきれき).

-clase /klèis, klèiz/

連結形 〖鉱物〗…の劈開(へきかい)をする鉱物.
★ 語末にくる関連形は -CLASIS.
◆ <仏<ギ *klásis*「破壊, 崩壊」. ⇨ -ASE.

an·or·tho·clase 名 アノーソクレース.
eu·clase 名 ユークレース.
ol·i·go·clase 名 灰曹(かいそう)長石.
or·tho·clase 名 正長石, カリ長石.
per·i·clase 名 ペリクレース.
pla·gi·o·clase 名 斜長石.

-cla·sis /kləsis, -kléi/

連結形 破壊, 崩壊(breaking).
★ 名詞をつくる.
★ 複数形は -clases.
★ 語末にくる関連形は -CLASE, -CLAST, -CLASTIC.
◆ <近代ラ<ギ *klásis*(*klân*「壊れる」より). ⇨ -SIS.

ant·an·a·cla·sis 名 〖修辞〗アンタナクラシス, 異義復用法.
cat·a·cla·sis 名 〖岩石〗圧砕変成(作用), カタクラシス.
cy·toc·la·sis 名 〖病理〗細胞破壊.
os·te·oc·la·sis 名 〖解剖〗(破骨細胞による)骨吸収, 骨破壊.
throm·boc·la·sis 名 〖医学〗血栓溶解 [崩壊].

clasp /klǽsp, klɑ́ːsp | klɑ́ːsp/

名 留め金. ── 動他 **1** …を(留め金で)留める. **2** …をぐっと握る. ►「留める, 握る」の音象徴語; cl- は clam, clamp を参照. ◇ -ASP.

báttle clàsp 従軍記念略章.
be·clásp 動他 …(の回り)を留める.
en·clásp 動他 …を握る; …に絡みつく.
hánd·clàsp 名 握手.
in·clásp 動他 =enclasp.
sérvice clàsp 従軍記念略章.
tíe clàsp ネクタイピン.
ùn·clásp 動他 …の留め金を外す.

class /klǽs, klɑ́ːs | klɑ́ːs/

名 (人・物の)部類, 類, 種類. ── 形 階級の. ── 動他 分類する.

Bíble clàss (日曜学校や教会の行う)聖書研究会.
búsiness clàss (飛行機の)ビジネスクラス.
cábin clàss (客船の)特別二等.
clúb clàss =business class.
confirmátion clàss 堅信礼 [信仰告白, 信徒按手(あんしゅ)] のための講習.
crýstal clàss 〖結晶〗結晶族(point group).
de·cláss 動他 社会的地位 [身分, 階級] から落とす.
distribútion clàss 〖文法〗=form class.
ecónomy clàss (特に飛行機の)エコノミークラス.

equívalence clàss 〘数学〙同値類.
excúrsion clàss 《英》＝economy class.
exécutive clàss ＝business class.
fírst clàss 第一等［級］, 最高級.
fírst-clàss 形 第一等［級］の, 最高級の, 最上等の.
fórm clàss 〘文法〙形態類, 形式類.
fóurth clàss (米国郵便制度で)第四種郵便物.
fóurth-clàss 形 《米》〈郵便物などが〉第四種の.
hígh-clàss 形 高級の, 一流の.
ìn·ter·clàss 形 階級間の, 異なった類と類の間の.
lífe clàss モデルを使った絵画教室.
lów-clàss 形 ＝lower-class.
lówer clàss 下層階級; 《広義に》労働者階級.
lówer-clàss 形 下層階級の［に特有な］.
luminósity clàss 〘天文〙光度分類.
máster clàss 支配層［階級］.
míddle clàss 中産階級, 中流階級, 中間層.
míddle-clàss 形 中流階級［中間層］の［に特有の］.
míddle-mìddle clàss 中流階級.
òut·clàss 動他 (等級·品質などが)ぬきんでる.
résidue clàss 〘数学〙剰余類.
restrícted clàss (ヨットの)規格認定級.
sécond clàss 二流の人［物］; (列車などの)二等.
sécond-clàss 形 二等の.
sócial clàss 〘社会〙社会階級［階層］.
són·der·clàss 名 (ヨットの)ソンダー級.
spéctral clàss 〘天文〙スペクトル型: 恒星のスペクトルの特徴による分類 (spectral type).
stándard clàss 《英》(列車の)普通乗車席.
súb·clàss 名 クラス(class)の下位区分分類.
sú·per·clàss 名 〘生物〙上綱.
sýmmetry clàss 〘結晶〙点群(point group).
thírd clàss 3 級［位, 等］, 三流.
thírd-clàss 形 最下級の, 最下等品の; 劣等な.
tóurist clàss (定期船·飛行機の)ツーリストクラス.
ún·der·clàss[1] 名 底辺層, 下層階級.
ún·der·clàss[2] 形 《米》下級生の.
univérsal clàss 〘論理〙普遍的な類, 普遍［全］集合.
úpper clàss 上流階級(の人々).
úpper-clàss 形 上流(社会)の; 上流階級特有の.
úpper míddle clàss 中流の上の階級, 上流と中流の間の階級.
wórd clàss 〘文法〙品詞, 語類.
wórking clàss (特に肉体労働に従事する)賃金労働者.
wórld-clàss 形 世界で一流の, 世界的な, 国際的な.

clas·si·cal /klǽsikəl/

形 **1** 古典の. **2** クラシック音楽の. ⇨ -ICAL.

non-clas·si·cal 形 古典的ではない［に対する］.
post-clas·si·cal 形 (ギリシャ·ローマの)古典期以降の.
pre-clas·si·cal 形 ギリシャ·ローマ古典期以前の.
sem·i·clas·si·cal 形 (音楽·文学で)semiclassic「ポピュラーとクラシックの中間」の.
un·clas·si·cal 形 古典的でない, 古典の規範に反する.

clas·si·fi·ca·tion /klæ̀səfikéiʃən/

名 分類(作業); 等級分け. ⇨ -FICATION.

artifícial classificátion 〘生物〙人為分類.
décimal classificàtion ＝Dewey decimal classification.
Déwey décimal classificàtion 《図書館学·商標》デューイ十進分類法.
expánsive classificátion 〘図書館学〙展開分類法.
Hárvard classificàtion 〘天文〙ハーバード分類.
Húbble classificàtion 〘天文〙ハッブル分類法.
jób classificàtion 職階制, 職務分類.
nátural classificátion 〘生物〙自然分類.
phylétic classificátion ＝phylogenetic classification.
phylogenétic classificátion 〘生物〙系統発生的分類.
Univérsal Décimal Classificátion 〘図書館〙国際十進分類法.
Whýte classificàtion 〘機械〙ホワイト式分類.

clas·si·fy /klǽsəfài/

動他 (…に)分類［類別, 区分］する; 等級別にする, 格づけする. ⇨ -FY.

de·clas·si·fy 動他 〈情報·書類などを〉機密種別から外す, …の秘密を解除する.
mis·clas·si·fy 動他 …の分類を間違える.
o·ver·clas·si·fy 動他 〈書類などを〉必要以上に機密扱いとする, 過度に機密指定をする.
re·clas·si·fy 動他 新たに分類する, 再分類する.
sub·clas·si·fy 動他 下位区分［分類］する.

-clast /klæ̀st/

連結形 破壊する者.
★ 名詞をつくる.
★ 語末にくる関連形は -CLASIS.
◆ <中世ラ *-clastēs* <ギ *-klastēs* 破壊者.
［発音］語頭の音節に第 1 強勢. 例外: icónoclast.

bib·li·o·clast 名 書物破壊(主義)者.
i·con·o·clast 名 聖像［偶像］破壊者.
myth·o·clast 名 神話非難［排撃, 破壊］者.
os·te·o·clast 名 〘細胞生物〙破骨細胞, 溶骨細胞.

-clas·tic /klǽstik/

連結形 **1** 破壊する. **2** 曲がった. **3**〘地質〙砕屑状の.
★ 形容詞をつくる.
★ 名詞は clast「砕屑岩」.
★ 語末にくる関連形は -CLASIS.
◆ -CLAST＋-IC[1] あるいはギリシャ語 *klast(ós)* 粉々に壊れた(*klân*「壊す」より)＋-IC[1].

an·a·clas·tic 形 《もと》〘光学〙屈折の.
an·ti·clas·tic 形 〘数学〙〈面が〉(ある一点で)異符号の主曲率を持つ.
cat·a·clas·tic 形 〈変成岩が〉変形の, 破砕の.
cryp·to·clas·tic 形 〘地質〙〈砕屑(さいせつ)岩が〉クリプトクラスト質の.
cy·to·clas·tic 形 〘病理〙細胞破壊(cytoclasis)の.
mac·ro·clas·tic 形 〘地質〙〈砕屑岩が〉マクロクラスト質の.
or·tho·clas·tic 形 〘結晶〙直交劈開(へきかい)面を持つ.
py·ro·clas·tic 形 〘地質〙火砕岩の.
syn·clas·tic 形 〘数学〙(曲面上の一点において)同じ符号の主曲率を持つ.
vol·can·i·clas·tic 名形 〘地質〙火砕岩(の).

clause /klɔ́:z/

名 **1**〘文法〙節. **2** (契約書·条約·遺言書などの文書の)条項, 約款, 箇条.

accelerátion clàuse 〘金融〙(返済の)期限繰り上げ条項.
ádd-on clàuse 〘金融〙アドオン条項.
áverage clàuse 〘保険〙比例填補(てんぽ)条項, 按分(あんぶん)条項.
básket clàuse 包括的条項.
COLA clàuse 〘経済〙生計費調整条項. ►COLA ＝cost of living adjustment.
cómplement clàuse 〘言語〙補文.
cónscience clàuse 良心条項.
coórdinate clàuse 〘文法〙等位節.
cróss-default clàuse 〘法律〙クロスデフォルト条項.
dedúctible clàuse 〘保険〙控除条項.
defíning clàuse ＝restrictive clause.
définite rélative clàuse 〘文法〙定関係代名詞節.

C

descríptive cláuse 〘文法〙記述節.
disabílity clàuse 〘保険〙(生命保険の)廃疾条項.
elástic clàuse (アメリカ合衆国憲法の)弾力条項.
enácting cláuse 〘法律〙制定条項.
escalátion clàuse (出版契約の)エスカレーション条項.
éscalator clàuse (労働協約の)エスカレーター条項.
escápe clàuse (契約などの)免責 [責任回避] 条項.
evíction clàuse =stop clause.
exclúsion clàuse 〘保険〙免責条項.
fínite cláuse 〘文法〙定動詞節.
fránchise clàuse 〘保険〙免責歩合条項 [約款].
grándfather clàuse 〘米史〙祖父条項.
íf-clàuse 名 〘文法〙if 節, 条件節.
incontéstable cláuse 不可争約款 [条款, 条項].
infínitive cláuse 〘文法〙不定詞節.
insúring clàuse 保険条項.
interpretátion clàuse 〘法律〙解釈条項.
in terrórem clàuse 〘法律〙(遺言書の中の)脅迫的条項.
írritant cláuse 〘スコット法〙無効条項.
máin clàuse 〘文法〙主節, 独立節.
mórtgage clàuse =mortgagee clause.
mortgagée clàuse 〘保険〙抵当(権者)特約(条項).
nonfínite cláuse 〘文法〙非定形節.
nonrestríctive cláuse 〘文法〙非制限的関係節.
ómnibus clàuse 〘保険〙乗り合い条項.
ópt-out clàuse (特に英国政府が主張する, マーストリヒト条約からの)脱退条項.
pári pássu clàuse 〘金融〙パリパス条項, 平等・等比条項.
pénalty clàuse 〘商業〙(契約中の)違約条項.
príncipal cláuse 〘文法〙=main clause.
rélative cláuse 〘文法〙関係節.
repórted cláuse 〘文法〙被伝達節.
resérve clàuse 〘スポーツ〙保留条項.
restríctive cláuse 〘文法〙限定節.
sáfeguard clàuse 〘貿易〙セーフガードクローズ.
stóp clàuse (契約の)終止条項.
stóp-loss clàuse 〘保険〙ストップロス条項.
sub-clause 名 =subordinate clause.
subórdinate cláuse 〘文法〙従(属)節.
súicide clàuse 自殺条項.

cla·vic·u·lar /kləvíkjulər/

形 〘解剖〙〘動物〙鎖骨の. ⇨ -CULAR[1].
★ 語頭にくる関連形は clavi-: *clavi*chord「クラビコード」.

a·cro·mi·o·cla·vic·u·lar 形 肩峰鎖骨の.
cost·o·cla·vic·u·lar 形 肋骨(ろっ)と鎖骨の.
ster·no·cla·vic·u·lar 形 胸鎖の, 胸骨と鎖骨の.

claw /klɔ́ː/

名 (鳥獣などの足の)鉤爪(かぎづめ).

béar clàw パン種を使った甘いアーモンド入りの朝食用ペイストリー.
bírd-clàw 形 鳥の爪(つめ)のようにやせ細った.
cát·clàw 米国中西部産のマメ科シュランキア属の植物.
cát's-clàw 中米原産マメ科キンキジュ属の低木.
clápper·clàw 動他 《古》(爪で)ひっかく.
dévil's-cláw 〘海事〙(船首で)錨鎖(びょうさ)をとめたりするフック, デビルクロー.
déw·clàw 狼爪(おおかみづめ).
póison cláw (ゲジ・ムカデの)毒爪.
táck clàw 鋲(びょう)抜き.
wólf's-clàw ヒカゲノカズラ.

clay /kléi/

名 粘土.

báll clày 〘窯業〙ボールクレー.
bóulder clày 〘地質〙漂礫(ひょうれき)土, 氷礫土.
chína clày 〘窯業〙カオリン, 陶土(kaolin).
desígner clày 有毒廃棄物封じ込め用の特殊土.
fíre clày 耐火粘土.
Lóndon cláy 〘地質〙ロンドン粘土(層).
Óxford cláy 〘地質〙オックスフォード粘土層.
pípe clày パイプ白土 [クレー].
pípe-clày 動他 パイプ白土で白くする [磨く].
plástic cláy (可)塑性粘土.
pórcelain cláy =china clay.
pótter's clày 陶土, 陶磁器用粘土.
quíck cláy 〘地質〙クイッククレー.
réd cláy 〘地質〙赤粘土.
shále clày 〘地質〙頁岩(けつがん)粘土.
sílty cláy 〘地質〙シルト質埴土(しょくど).
ún·der·clày 名 〘地質〙下盤(したばん)粘土.
wéald clày 〘地質〙ウィールド粘土(層).

-cle[1] /kl/

接尾辞 小…, 微粒…, 分(離)….
★ もとは指小辞.
★ 語末にくる関連形は -CULA, -CULAR[1], -CULE[1], -CULUM, -CULUS.
◆ 中英＜仏, 古仏＜ラ *-culus, -cula, -culum.*
[発音] 第1強勢は2音節の語では語頭の音節に, 3音節以上の語では -cle の2つ前の音節にある.

ar·ti·cle 名 ☞
au·ri·cle 名 〘解剖〙耳介, 耳翼.
cal·i·cle 名 (サンゴなどの)カップ状のくぼみ [構造], 小杯状器官.
can·ti·cle 名 カンティクム, 賛(美)歌, 聖歌.
car·bun·cle 名 〘病理〙癰(よう), カルブンケル.
cau·li·cle 名 〘植物〙幼茎.
chron·i·cle 名 年代記, 編年史; 歴史, 物語.
clav·i·cle 名 〘解剖〙〘動物〙鎖骨.
con·ven·ti·cle 名 秘密集会, 秘密礼拝集会.
cor·ni·cle 名 尾角, 腹角, 角状管.
cor·pus·cle 名 ☞
cu·ti·cle 名 (爪の付け根を覆う)甘皮.
den·ti·cle 名 小歯; 小歯状突起.
es·car·bun·cle 名 〘紋章〙放射状に交わる盾飾り.
fas·ci·cle 名 (出版物の)分冊.
fol·li·cle 名 〘解剖〙小胞; 濾胞(ろほう); 卵胞.
fu·ni·cle 名 〘植物〙珠柄(しゅへい).
len·ti·cle 名 振り子の動きが見えるように時計の外箱に開けた窓.
man·a·cle 名 手かせ, 手錠(handcuff).
mus·cle 名 ☞
o·per·cle 名 (魚の)鰓蓋(さいがい).
os·si·cle 名 〘解剖〙小骨.
pan·i·cle 名 〘植物〙円錐(えんすい)花序.
par·ti·cle 名 ☞
ped·i·cle 名 〘動物〙柄, 肉茎.
pel·li·cle 名 (動物などの)薄皮, 薄膜, 上皮.
pen·ta·cle 名 五芒(ごぼう)星形.
rad·i·cle 名 〘植物〙幼根.
ret·i·cle 名 〘電子工学〙レティクル.
san·i·cle 名 〘植物〙ウマノミツバ.
sil·i·cle 名 〘植物〙短角果.
si·phun·cle 名 〘動物〙(オウムガイの)連室細管.
ten·ta·cle 名 〘動物〙触手; (イカ類の)触腕.
tes·ti·cle 名 〘解剖〙〘動物〙精巣, 睾丸.
tu·ber·cle 名 (骨・体表の)こぶ, 結節.
tu·ni·cle 名 〘教会〙トゥニチェラ, 幄衣(あくい).
un·cle 名 おじ; (親しみをこめて)おじさん.
u·tri·cle 名 小胞.
ven·tri·cle 名 〘動物〙室.
ver·ni·cle 名 〘教会〙聖顔.
ver·si·cle 名 短詩, 小詩.

-cle[2] /kl/

[接尾辞] …室, …器, …手段, …物.
★ フランス語からの借用語にみられるほか, ラテン語で動作の及ぶ場所や行動の手段を示す動詞派生名詞をつくる.
★ 語末にくる関連形は -CULAR[2], -CULE[2].
◆ <仏, 古仏<ラ *-culum*, *-cula* <**-tlom*, **-tlā*.
[発音] すべて 3 音節以上の語で, -cle の 2 つ前の音節に第 1 強勢がある.

ad·min·i·cle [名] 補助するもの [人], 補正.
bin·na·cle [名] 〘海事〙ビナクル, 羅針儀架台.
Cen·a·cle [名] 高間(こうかん): キリストが弟子たちと最後の晩餐を行った広間.
Coe·na·cle [名] =Cenacle.
con·cep·ta·cle [名] 〘生物〙生殖窠(か), 生殖器巣.
cu·bi·cle [名] 仕切った狭い場所, 小個室.
cur·ri·cle [名] 二頭立て小型二輪ほろ馬車.
mir·a·cle [名] 奇跡, 神技.
ob·sta·cle [名] (…に対する)邪魔(物), 障害(物).
or·a·cle [名] (特に古代ギリシャにおける)神託.
re·cep·ta·cle [名] 入れ物, 容器; 置き場, 貯蔵所.
spec·ta·cle [名] 壮観; 悲惨な光景; 見世物, ショー.
spi·ra·cle [名] 換気孔, 風穴, 空気穴(air hole).
ve·hi·cle [名] ☞

clean /klíːn/

[形] 清潔な. ——[動他] …をきれいにする.

bí·o·clèan [形] 有害な微生物が存在しない.
dáy-clèan [名] 《カリブ・西アフリカ話》晴天の夜明け [明け方].
drý-cléan [動他] …をドライクリーニングする.
hóuse-clèan [動他自] (家・部屋などを)大掃除する.
Míster Cléan 《米俗》クリーンな人, 清廉の士.
spríng-cléan [動他] (春の)大掃除をする.
squéaky-cléan [形] 《話》とても清潔な [きれいな].
ùl·tra·cléan [形] きわめて清潔な; 完全殺菌の.
ùn·cléan [形] よごれた, 汚い, 不潔な.
wét-cléan [動他] 水洗いする.

clean·er /klíːnər/

[名] 掃除する人 [もの]. ⇨ -ER[1].

áir clèaner 空気清浄器, エアクリーナー.
kítchen clèaner 《米俗》肛門接吻者.
pípe clèaner (タバコの)パイプ掃除器.
stréet clèaner 街路清掃人, 清掃作業員.
vácuum clèaner 真空 [電気] 掃除機.

clean·ing /klíːniŋ/

[名] 掃除; 洗濯, クリーニング. ——[形] きれいにする. ⇨ -ING[1], -ING[2].

drý cléaning ドライクリーニング, 乾式洗濯法.
hóuse-clèaning 掃除, (特に)大掃除.
sélf-cléaning [形] 自洗式の.
spríng-cléaning (春に行う)大掃除.
wíndow clèaning 窓ふき(業).

clear /klíər/

[形] 透明な; 明白な. ——[動他] 取り除く; 明瞭にする.

áll cléar (空襲)警報解除の合図;.
crýs·tal-cléar [形] よく透き通った; 非常に明白な.
Éu·ro·clèar [名] 〘金融〙ユーロクリアー.
prè·cléar [動他] …を前もってはっきりさせる.
ùn·cléar [形] はっきりしない, 不明瞭(ふめいりょう)な.
wáter-cléar [形] 無色透明の.

clear·ance /klíərəns/

[名] **1** 取り払い, 除去, 一掃. **2** 秘密情報の取り扱い許可; (国家機密を守れるという)人物証明. ⇨ -ANCE[1].

báck clèarance 〘機械〙逃げ(runout).
óverhead clèarance 頭高, 頭上空間.
pár cléarance 《米》〘商業〙額面交換.
Q́ clèarance Q 証明: 身元・性格などに関して安全な人物であるという証明.
rè·cléar·ance [名] 秘密情報取り扱い許可の更新.
rénal cléarance 〘医学〙腎(じん)クリアランス.
slúm clèarance スラム街撤去.

cleav·age /klíːvidʒ/

[名] 裂けること; 分割, 裂開, 分裂; 割れ目, 裂け目. ⇨ -AGE[1].

cláss clèavage 〘文法〙類分裂.
detérminate cléavage 〘発生〙決定的卵割.
flów clèavage 〘岩石〙流動劈開(へきかい).
indetérminate cléavage 〘発生〙非決定的卵割.

clef /kléf/

[名] 〘音楽〙(譜表の)音部記号.

álto clèf アルト(音部)記号.
báritone clèf バリトン記号.
báss clèf 低音部記号(F clef).
mézzo-sopráno clèf メゾソプラノ記号.
sopráno clèf ソプラノ記号.
ténor cléf テノール記号.
tréble clèf 高音部記号, ト音記号(G clef).
vióla clèf =alto clef.
violín clèf =treble clef.

cleft /kléft/

[名] 割れ目, 裂け目.

bránchial cléft 〘動物〙〘発生〙鰓裂(さいれつ).
gíll clèft =branchial cleft.
synáptic cléft 〘生理〙神経・筋連接裂.
vísceral cléft =branchial cleft.

clerk /klə́ːrk | kláːk/

[名] **1** 事務員. **2** 《米》店員. **3** 書記.

acadé́mical clérk 《英》(Oxford 大学で)報酬を受けて礼拝堂で聖歌隊の仕事をする学生.
bánk clèrk 《英》(銀行の)窓口係(teller).
Bíble clèrk 聖書朗読生.
bóoking clèrk 切符発売係, 出札係.
cíty clérk 市の事務職員.
cóst clèrk 〘会計〙原価計算係.
cósting clèrk =cost clerk.
cóunty clérk 《米》郡書記官.
désk clèrk 《米・カナダ》フロント係, 受付.
fíle clèrk ファイル整理係, 書類 [文書] 係.
fíling clèrk 《英》=file clerk.
jústice clérk 《スコット》最高法院副長官.
lánding clèrk (客船の乗客に上陸の際の情報を与える)船会社のサービス係.
láw clèrk 法律学科生, 弁護士などの助手.
láy clérk 〘英国国教会〙大聖堂信徒奉仕者.
máil clèrk 《米》郵便局員.
órder-clèrk 注文記帳係, 受注記入係.
párish clérk 教会の庶務係 [役員], 教会書記.
ríbbon clèrk 《米俗》素人.
róom clèrk 客室係.
sáles·clèrk 《米・カナダ》(商店の)店員.
shípping clèrk 積み荷事務員; (会社などの)発送

係.

státed clérk (米国の長老派教会で)総会書記長.
stóck clèrk 倉庫係.
tálly clèrk (荷役などの)計数係, 検数係.
tówn clérk 《米》(地方自治体の)書記官.
véstry clèrk 《英》教区会書記.

C

-clif·fe /klìf/

連結形 崖, 坂, 川岸(cliff).
★ 人名に使われる.
◆ 古英 *clif*.
[発音] 語頭の音節に第 1 強勢.

North·cliffe 名 ノースクリフ(姓). ►字義は「北方の崖」.
Rad·cliffe 名 ラドクリフ(姓). ►字義は「赤土の崖」.
Sut·cliffe 名 サトクリフ(姓). ►字義は「南方の崖」.
Wyc·liffe 名 ウィクリフ(姓). ►字義は「傾斜した崖」.

cli·mate /kláimit, -mət/

名 気候.

àc·cli·máte 動他自 《主に米》環境に順応させる [する].
cryp·to·clí·mate 名 洞穴や家屋内の気候.
éc·o·clì·mate 名 【生態】生態気候.
etésian clímate =Mediterranean climate.
mác·ro·clì·mate 名 大気候.
Mediterránean clímate 地中海性気候.
mí·cro·clì·mate 名 微気候.
organizátional clímate 組織環境 [風土].
pà·le·o·clí·mate 名 古気候.
phy·to·clí·mate 名 森林地帯などの植物気候.

cli·ma·tol·o·gy /klàimətálədʒi | -tɔ́l-/

名 気候学, 風土学. ⇨ -OLOGY.

ag·ro·cli·ma·tol·o·gy 名 農業気候学. 農業と気候の.
bi·o·cli·ma·tol·o·gy 名 生物気候学.
cryp·to·cli·ma·tol·o·gy 名 =microclimatology.
den·dro·cli·ma·tol·o·gy 名 年輪気候学.
mac·ro·cli·ma·tol·o·gy 名 広域気候学.
mi·cro·cli·ma·tol·o·gy 名 微気候学.
pa·le·o·cli·ma·tol·o·gy 名 古気候学.

cli·max /kláimæks/

名 **1** (発展の過程における)最高点, 極致. **2**【生態】極相.

àn·ti·clí·max 名 期待外れの出来事 [結果, 言葉など].
biótic clímax 【生態】生物的極相.
climátic clímax 【生態】気候的極相.
dis·clímax 名 【生態】妨害極相.
edáphic clímax 【生態】土壌的極相.
physiográphic clímax 【生態】地形的 [地文的] 極相.
plà·gi·o·clí·max 名 【生態】偏向的極相.
prè·clí·max 名 【生態】前極相.
prò·clí·max 名 【生態】準極相.
sélling clìmax 【経済】セリング・クライマックス.
sùb·clí·max 名 【生態】亜極相.

climb·er /kláimər/

名 登山者, よじ登る人 [もの]. ⇨ -ER[1].

cúrtain clìmber 《米学生俗》赤ん坊, 幼児.
léaf clìmber 葉まきひげではい上がる植物.
línemen's clìmber (架線工事人が電柱に登る際, 靴に付けたりする)スパイク類.
pórch clìmber 《米話》二階に忍び込むこそ泥.
róot clìmber 【植物】よじ登り植物.
sócial clímber 《軽蔑的》立身出世主義者.

climb·ing /kláimiŋ/

名 よじ登ること, 登攀(はん), 登山. ⇨ -ING[1].

áid clìmbing 人工登攀(はん).
artifícial clímbing =aid climbing.
frée clímbing フリークライミング.
móuntain clìmbing 登山(mountaineering).
pég clìmbing =aid climbing.
róck-clìmbing 岩山登り.
spórt clìmbing スポーツクライミング.

-cli·nal /kláinəl/

連結形 傾いた, 傾斜した.
★ 形容詞をつくる.
★ 語末にくる関連形は -CLINE.
★ 語頭にくる関連形は clin(o)-: *clino*graph「クリノグラフ」, *clino*meter「傾斜計」.
◆ ギリシャ語 *klī́nein*「傾く」より. ⇨ -AL[1].

an·a·cli·nal 形 周囲の地層傾斜と反対方向に向かう.
an·ti·cli·nal 形 中心軸から左右に傾斜した.
cen·tro·cli·nal 形 【地質】〈地層が〉ドーム状(構造)の.
i·so·cli·nal 形 等傾斜の, 同じ方向に沈んでいる.
mon·o·cli·nal 形 【地質】〈地層・土地が〉単斜(層)の.
per·i·cli·nal 形 表面 [周縁] に平行な.
syn·cli·nal 形 反対方向に互いに傾斜した.

-cli·nate /klənèit, -nət/

連結形 傾く….
★ 形容詞をつくる.
★ 語末にくる関連形は -CLINE.
★ 語頭にくる関連形は clin(o)-: *clino*graph「クリノグラフ」, *clino*meter「傾斜計」.
◆ ラテン語 *clīnāre*「傾く」の過去分詞 *clīnātus* より. ⇨ -ATE[1].

dec·li·nate 形 下降線を描く, 下に曲がった.
proc·li·nate 形 【動物】〈部位が〉前向きの, 前傾の.
rec·li·nate 形 〈葉・茎などが〉下に曲がった.

-cli·na·tion /klənéiʃən/

連結形 傾けられたもの [こと].
★ 名詞をつくる.
★ 語末にくる関連形は -CLINE.
◆ ラテン語 *clinātus* より. ⇨ -ATION.
[発音] -clination の第 2 音節に第 1 強勢が置かれる.

dec·li·na·tion 名 (下への)傾き, 傾斜, 下降.
in·cli·na·tion 名 (特に精神的な)傾向, 性向, 好み.

-cline /klain/

連結形 傾く; 傾いている(もの).
★ 語末にくる関連形は -CLINAL, -CLINATE, -CLINATION, -CLINY.
★ 語頭にくる形は clin(o)-: *clino*graph「クリノグラフ」, *clino*meter「傾斜計」.
◆ <ラ *clīnāre* 傾く<ギ *klī́nein* 傾く, 曲がる.
[発音] 第 1 強勢は, 動詞では -cline に, 名詞の場合は (1)2 音節・3 音節の語では語頭の音節に, (2)4 音節の語では -cline の 2 つ前の音節にある.

an·ti·cline 名 【地質】背斜.
de·cline 動他 (穏やかに)断る, 同意しない.

ge·an·ti·cline 名 〔地質〕地背斜.
hal·o·cline 名 〔海洋〕塩分躍層.
hel·i·cline 名 らせん状にカーブした傾斜路.
in·cline 動自 〈物などが〉傾く, 傾斜する.
i·so·cline 名 〔地質〕等斜褶曲(しゅうきょく).
ly·so·cline 名 〔海洋〕炭酸塩溶解度躍層.
mi·cro·cline 名 〔鉱物〕微斜カリ長石, 微斜長石.
mon·o·cline 名 〔地質〕単斜(層).
per·i·cline 名 〔鉱物〕ペリクリン.
pyc·no·cline 名 〔海洋〕密度躍層.
re·cline 動自 もたれる, 寄りかかる, 横になる.
syn·cline 名 〔地質〕向斜, 向斜褶曲(しゅうきょく).
ther·mo·cline 名 〔鉱物〕水温躍層, 温度躍層.

clin·ic /klínik/

名 (医科大学・病院などの)外来患者診療所. ⇨ -IC[1].

pòli·clínic 名 (病院の)外来患者診察室.
pòly·clínic 名 総合病院, 各科診療所.
séx clìnic セックスクリニック.
spéech clìnic 言語障害矯正所.
tánning clìnic 人工日焼け施設, 太陽灯クリニック.

-clin·ic /klínik/

連結形 傾いた.
★ 形容詞をつくる.
★ 語末にくる関連形は -CLINE.
★ 語頭にくる形は clin(o)-: *clino*graph「クリノグラフ」, *clino*meter「傾斜計」.
◆ <ギ *klī́nēs*(*klī́nein*「傾く」より). ⇨ -IC[1].

bar·o·clin·ic 形 〔気象〕傾圧の, バロクリニックな.
mon·o·clin·ic 形 〔結晶〕単斜晶系の.
tri·clin·ic 形 〔結晶〕三斜(晶系)の.

-cli·nous /kláinəs/

連結形 〔植物〕雄蕊(ゆうずい)と雌蕊(しずい)が…の花にある.
★ 形容詞をつくる.
◆ おそらく<近代ラ *-clī́nus* <ギ *klī́nē* 寝台. ⇨ -OUS.

di·cli·nous 形 〈種・変種などが〉雌雄異花の.
mon·o·cli·nous 形 雌雄同花の, 両性花の.

-cli·ny /klàini/

連結形 傾く….
★ 名詞をつくる.
★ 語末にくる関連形は -CLINE.
★ 語頭にくる関連形は clin(o)-: *clino*graph「クリノグラフ」, *clino*meter「傾斜計」.
◆ *-clin*(ギ *klī́nein*「傾く」から抽出). ⇨ -Y[3].

mat·ri·cli·ny 名 〔遺伝〕=matrocliny.
mat·ro·cli·ny 名 〔遺伝〕傾母性.
pat·ri·cli·ny 名 〔遺伝〕=patrocliny.
pat·ro·cli·ny 名 〔遺伝〕傾父性.

clip[1] /klíp/

動他 〈小枝などを〉(はさみなどで)切る. ——名 切り[刈り]取られたもの.

fílm clìp フィルムクリップ.
víd·clìp 名 《話》=video clip.
vídeo clìp ビデオクリップ.
wóol clìp (ある地域の)羊毛の年産量[額].

clip[2] /klíp/

名 **1** クリップ, 紙挟み. **2** ピン止め式の装飾品.

álligator clìp 〔電気〕わにロクリップ.
bícycle clìp (チェーンが絡まないように)ズボンを留めるクリップ.
búlldog clìp 強力な紙ばさみ.
cártridge clìp 〔軍事〕挿弾子.
cír·clìp 名 〔工学〕止め輪.
crócodile clìp 〔電気〕=alligator clip.
Fáhnestock clìp 〔電気〕ファーンスタック・クリップ.
háir·clìp 《英》ヘアピン(《米》bobby pin).
in·clip 動他 《古》しっかりと抱く; 囲む.
páper clìp 紙ばさみ.
páper-clìp 動他 〈書類などを〉クリップで留める.
róach clìp 《米麻薬俗》マリファナホルダー.
swível clìp 回転式留め具.
tóe clìp (自転車の)トークリップ.

clip·per /klípər/

名 **1** 切る人[もの]. **2**〔海事〕快速帆船. ⇨ -ER[1].

Báltimore clípper 〔海事〕ボルチモアクリッパー.
chína-clìpper 《米軍俗》皿洗い(をする人).
cóupon clìpper 《米》利札付き債券所有者.
náil·clìpper 爪(つめ)切り.

clip·ping /klípiŋ/

名 **1** (はさみなどで)切ること, 刈り取ること. **2** 切り取られたもの. ⇨ -ING[1].

báck clìpping 〔言語〕尾部省略(語).
fóre clìpping 〔言語〕語頭省略(語).
hínd clìpping =back clipping.
préss clìpping 《米》新聞・雑誌の切り抜き.

-cliv·i·ty /klívəti/

連結形 坂.
★ 名詞をつくる.
◆ ラテン語 *clīvus*「坂」より. ⇨ -ITY.

ac·cliv·i·ty 名 上り坂, 上り傾斜.
de·cliv·i·ty 名 下り勾配(こうばい); 下り坂.
pro·cliv·i·ty 名 (生来のまたは習慣的な)性向, 性癖.

clock /klák | klɔ́k/

名 (掛け, 置き)時計.

ácorn clòck どんぐり時計: 炉棚置き時計の一種.
alárm clòck 目覚まし時計.
ammónia clòck アンモニア時計.
ánalog clòck アナログ時計.
ánnular clòck 文字盤が回転する時計.
aróund-the-clòck 形副 《主に米》(24 時間)ぶっ続けの[で].
astronómical clòck 天文(用)時計: 天文観測用.
atómic clòck 原子時計.
atómic tíme clòck 原子年代時計.
ballóon clòck 気球形置時計.
bánjo clòck バンジョー形の振り子時計.
biológical clòck 〔生理〕生物(学的)時計, 体内時計.
bírdcage clòck =lantern clock.
bódy clòck 〔生理〕体内時計.
brácket clòck (張り出し棚などに置く)可搬置き時計.
cálendar clòck カレンダー時計.
cárriage clòck 提げ時計.
césium clòck セシウム原子時計.
chéss clòck チェス時計, 対局時計.
Constitútion clòck コンスティチューション時計.
crýstal clòck 水晶時計.
cúckoo clòck かっこう時計.
dándelion clòck タンポポの綿毛の房.

C

C

dígital clóck デジタル時計.
dóomsday clòck 地球最後の日の時計.
dóuble-clóck 動他 《米俗》不倫する.
fertílity clòck 避妊時計.
flówer clòck 花時計.
fóur-hundred-dáy clóck 四百日巻き時計.
grándfather's clóck 振り子式の床置きの箱型大時計.
grándmother's clóck grandfather's clock の 3 分の 2 程の大きさの時計.
grávity clòck 重力時計.
intérnal clóck ＝biological clock.
lády clòck 〖昆虫〗テントウムシ(ladybug).
láncet clòck (暖炉の上の)ランセット時計.
lántern clòck ランタン時計.
líghthouse clòck 灯台形時計.
lóng-càse clóck ＝tall-case clock.
máster clóck (電気・電子時計の)親時計.
molécular clóck 分子進化の時間尺度, 分子時計.
núclear clóck ＝atomic clock.
o'clock 副 《of the clock の短縮形》時計では.
Párliament clòck (振子式の)パーラメント柱時計.
pígeon clòck (ハトレースの)到着時間記録計.
prótein clòck 〖生物〗タンパク質時計.
quáil clòck うずら時計.
quártz clóck 水晶時計.
quártz-crýstal clòck ＝quartz clock.
ráck clòck ラック時計.
rátchet clòck ＝rack clock.
róund-the-clóck 形 24 時間連続の.
sedán clòck 椅子駕籠(かご)用時計.
séttler's-clóck 《豪》〖昆虫〗ワライカワセミ.
shót clòck 〖バスケット〗ショットクロック.
sidéreal clóck 〖天文〗恒星時計.
spéaking clóck 《英》電話時刻案内.
táll-càse clóck (床置きの)箱形振り子時計.
támbour clòck 台座が左右に張り出した丸型置時計.
tíme clòck タイムレコーダー(time recorder).
tówn-háll clòck 《英》〖植物〗レンプクソウ(連福草).
tráveling clòck 旅行用時計.
wáter clòck 水時計.

close /klóuz, -s/

動他 〈門・窓などを〉閉じる; 〈戸・目などを〉閉じる. ──形 (空間的・距離的に)近い.
[発音] 語尾の発音は, 動詞, 名詞では /z/, 形容詞では /s/; letter close の close は形容詞.

compliméntary clóse (手紙の最後の)結句.
cóuple-clóse 〖紋章〗カップルクロース.
dis·close 動他 暴く, 暴露する; 漏らす; 発表する.
en·clóse 動他 囲む, 取り巻く; 包む, 囲む.
fore·clóse 動他 〖法律〗〈抵当債務者から〉請け戻し権を失わせる.
hálf clóse 〖音楽〗半終止.
in·clóse 動他 ＝enclose.
létters clóse 〖法律〗封緘(ふうかん)勅許状.
mícro-clóse 形 非常に接近した; 非常に精密な.
pár·clòse 名 (教会の内陣と通廊などの)仕切り.
per·clóse 名 ＝parclose.
ùn·clóse 動他 …を開く, あける(open).

clos·et /klázit | klɔ́z-/

名 《米》クロゼット, 物置; 押し入れ. ⇨ -ET[1].

clóthes clòset 衣服をつり下げておく小部屋.
éarth clòset 《英》土かけ便所.
Fíbber McGée('s) clóset 《米北部》乱雑な押し入れ.
línen clòset リンネル製品用の戸棚.
sécond clóset 《俗》同性愛関係を否認すること.
wálk-in clóset (立って入れる)大型の押し入れ.
wáter clòset 水洗便所.

clo·sure /klóuʒər/

名 閉鎖, 閉止; 閉店, 閉会. ⇨ -URE[1].

bútterfly clòsure 蝶が羽を広げた形の絆創膏(ばんそうこう).
commúnity-clósure 名 共同体の閉鎖化.
dis·clós·ure 名 露見, 発覚; 暴露, 摘発; 発表.
dispénsing clòsure 注出口付き蓋(ふた).
en·clós·ure 名 ☞
ex·clós·ure 名 囲い地, 禁牧区.
fore·clós·ure 名 〖法律〗(抵当権の)請け戻し権喪失.
in·clós·ure 名 ＝enclosure.
kángaroo clósure カンガルー式[一足飛び]討論打ち切り.

cloth /klɔ́ːθ, kláθ | klɔ́θ/

名 布, 服地, 生地, 織物.

ádmiralty clòth 《英》(特に海軍軍服用)メルトン地.
áircraft clòth ＝airplane cloth.
áirplane clòth エアプレーンクロス, 羽布(はふ).
áltar clòth (ミサの際の)祭壇布, 聖壇布.
Américan clòth 《英》＝oilcloth.
báck-clòth 《主に英》〖演劇〗〖写真〗背景幕.
bárk clòth 樹皮布.
béaver clòth 〖繊維〗ビーバークロース.
bólting clòth 〖繊維〗篩絹(ふるいぎぬ).
bóx clòth 〖繊維〗ボックスクロース.
bréech·clòth 下帯, 腰布, 腰巻き(breechclout).
brídge clòth ブリッジの途中で飲み物を出す時に使うテーブル掛け.
bróad·clòth 〖繊維〗ブロード(クロス).
búffalo clòth 綾(あや)織りの毛羽の長い厚手の紡毛オーバーコート地.
cadét clòth 〖繊維〗キャデットクロス.
cáre·clòth ケアクロス: 英国中世の結婚式において新郎新婦の頭にかぶせた布.
cásement clòth ケースメントクロス, 窓掛け地.
cére·clòth 蝋(ろう)引き布.
chéese·clòth チーズクロース: 薄地の平織り綿布.
chíno clòth 〖繊維〗チーノークロス.
commúnion clòth 〖ローマカトリック〗聖体布.
cóvert clòth 〖繊維〗カバートクロス, カルゼ.
crúmb·clòth パンくず受け用布.
diágonal clòth 綾(あや)織り布.
dísh·clòth (皿洗い用の)ふきん.
dóuble clóth 二重織り, ダブルクロス.
dróp clòth (塗る対象以外のものにペンキが掛かるのを防ぐ)掛け布.
dúst·clòth 《主に米》ちりふき布.
émery clòth エメリー布: エメリー粉末を塗った布.
fáce·clòth ＝washcloth.
flóor·clòth 床ぞうきん.
fócusing clòth 〖写真〗かぶり布.
fóot·clòth じゅうたん, 敷物.
gláss clòth ガラス器用ふきん.
gráss clòth グラスクロス: ラミー, 亜麻, イラクサなどの繊維で作る(平)織物.
Gréen Clóth (英国王室の)調度課, 家政局.
gróund clòth 〖繊維〗グランドシート.
háir·clòth 〖繊維〗芯地(しんじ), 馬巣(ばす)織り.
hámmer·clòth (公式馬車の)御者台の布の覆い.
hárdware clòth 鋼製金網: 粗い目の篩(ふるい).
héad·clòth ヘッドクロス: 頭を覆う布.
hórse·clòth 馬衣.
Jánus clòth 〖繊維〗ジェーナス・クロス.
léather·clòth レザークロス.
lóin·clòth 下帯; (特に熱帯地方の人々の)腰布.
lóng·clòth 《米》〖繊維〗上質モスリン.
mámmy clòth (アフリカで)カラフルな木綿の布.

mást clòth 〘海事〙マストクロス.
mómie clòth モミークロス: ちりめんの一種.
mónk's clòth バスケット織りの厚い綿織物.
múmmy clòth (エジプトで)ミイラを包んだ布.
nárrow clóth 小幅織物.
néck·clòth 〘服飾〙クラバット: 特に 17 世紀に男性が首に巻いたスカーフ状の布.
négro clòth 粗い綿布の一種.
óil·clòth 油布: 油を引いて防水した綿布.
óven clòth オーブンクロス: オーブン用耐熱布.
pád·clòth 〘馬具〙=saddlecloth.
pílot clòth (船員外套(とう)用)厚手の毛織物.
píña clòth 〘繊維〙パイナクロス.
píneapple clòth =piña cloth.
prínt·clòth プリント[捺染(なっせん)]用布地.
púdding-clòth プディングを蒸すときに包む布切れ.
róod clòth 十字架掛け布.
sáck·clòth (袋に用いる)粗製麻布.
sáddle·clòth 〘馬具〙鞍(くら)覆い.
sáil·clòth 〘海事〙セールダック, 帆布.
séa-clòth 〘演劇〙波幕, 波布.
sháde clòth 遮光クロス.
ský clòth 〘演劇〙空[雲]を描いた背景幕.
spónge clòth 〘繊維〙スポンジクロス.
swéat clòth (馬の)汗取り.
táble·clòth テーブルクロス.
téa clòth 《英》(皿ふき用)ふきん.
térry clòth 〘服飾〙テリー・クロス.
tóilet clòth 化粧台掛け.
vísion clòth 〘演劇〙(幻想的な場面用の)紗(しゃ)幕.
wáffle clòth 〘繊維〙蜂巣(はち)織り.
wáist·clòth =loincloth.
wásh·clòth 《米》洗面タオル.
wáx clòth 蝋(ろう)引き防水布.
wéight clòth 〘競馬〙(鉛入りの)重量ゼッケン.
whóle clóth 原反.
wíre clóth 漉(す)き網, ワイヤクロス.
zéphyr clòth 〘繊維〙ゼファークロス.

clothe /klóuð/

動他 〈人に〉(衣服を)着せる.

en·clothe 動他 …に着物を着せる.
re·clothe 動他 着せ直す; 着替えさせる.
un·clothe 動他 …の衣服を脱がす; 裸にする.

cloth·es /klóuz, klóuðz/

名複 衣服, 着物, 衣類. ⇨ -ES[1].

béd·clòthes 寝具, 夜具(bedding).
bódy clòthes 着物, (特に)下着.
civílian clòthes (軍服に対して)市民服, 平服.
dínner clòthes 正餐(せいさん)用の服.
fatígue clòthes (兵士の雑役用の)作業服.
gráve·clòthes 経帷子(かたびら).
lóng clóthes 《古》(赤ん坊の)むつき, 産着.
mónkey clòthes 《米俗》《古風》タキシード.
níght·clòthes 寝巻き.
óver·clòthes (他の衣類の上に)羽織るもの; 上っ張り.
pláin clóthes (特に警察官の制服に対して)私服.
pláy·clòthes 遊び着(playwear).
réal clóthes 〘服飾〙リアルクローズ: 本物指向の服できちんとした縫製, 上質の素材を用いてあるもの.
shórt-clòthes ぴったり体に合った半ズボン.
smáll·clòthes 《英》(衣料品の)小物類.
sóft-clòthes 形 《米警察俗》私服の.
Súnday clóthes 《話》(特に教会に行くときの)よそ行き, 晴れ着.
swáddling clòthes (乳児をくるむための)細長い布切れ.
swáthing clòthes 《廃》=swaddling clothes.
únder·clòthes 外着の下に着る物.

cloud /kláud/

名 雲; 雲状のもの. ——動他 雲で覆う.

ácid clóud 酸性雲.
acóustical clóud 音響反射板, 浮き雲.
ásphalt clòud 〘軍事〙アスファルト雲.
bánner clòud 旗雲.
be·clóud 動他 雲で覆う, 曇らせる.
bíllow clòud 波雲, 縞(しま)雲.
cáp clòud 笠雲(かさぐも).
círrus clòud 巻雲.
crést clòud 笠雲(かさぐも).
cúmulus clòud 積雲.
dúst clòud 〘天文〙星間塵(じん).
festóon clòud 乳房雲.
fúnnel clòud じょうご雲.
lentícular clóud レンズ雲.
molécular clóud 〘天文〙分子雲.
móther-of-péarl clòud =nacreous cloud.
múshroom clòud (原爆の)きのこ雲.
nácreous clóud 真珠雲, 真珠母雲.
noctilúcent clóud 夜光雲.
núclear clóud 原子雲.
Óort clòud 〘天文〙オールトの雲.
orográphic clóud 地形性の雲.
òver·clóud 動他 一面に曇らせる, 陰らす.
péndant clòud =funnel cloud.
probabílity cloud 〘原子物理〙確率雲.
ráin clòud 雨雲.
róll clòud アーチ雲.
rótor clòud つるし雲, ロータ.
sánd-clòud (砂嵐で起こる)砂煙.
scárf clòud 頭巾(ずきん)雲.
shéep clòud 羊雲.
Smáll Clóud 〘天文〙小マゼラン雲.
squáll clòud スコール雲.
stár clòud 〘天文〙恒星雲.
stórm clòud 嵐(あらし)雲.
thúnder·clòud 雷雲, 積乱雲.
tornádo clòud =funnel cloud.
wáll clòud 台風の目の壁.
wár clòud 戦争の兆し, 戦雲.
wáve clòud 波状雲.
whíte clóud 白雲; 〘魚類〙アカヒレ(赤鰭).

clo·ver /klóuvər/

名 クローバー, ツメクサ.

álsike clóver タチクローバー.
Bokhára clòver シロバナ(白花)ノシナガワハギ.
búr clòver ウマゴヤシ.
búsh clòver マメ科ハギ属の数種の草または木の総称.
crímson clóver ベニバナツメクサ.
dústy clóver 銀色の葉をしたハギ(bush clover)の一種.
Dútch clóver =white clover.
Egýptian clóver エジプトクローバー(berseem).
élk clòver カリフォルニアウコギ.
fóur-lèaf clóver 四つ葉のクローバー.
hóly clóver イガマメ(sainfoin).
hóp clòver マメ科シャジクソウ属の草; ホップに似た黄色い花をつける.
Itálian clóver ベニバナツメグサ.
Japán clóver ヤハズソウ(矢筈草).
Ladíno clóver シロツメクサの非常に大形の一品種; 牧草用.
ówl·clòver =owl's clover.
ówl's clòver ゴマノハグサ科オルソカルプス属の植物の総称; 北米西部産.

pín clòver オランダフウロ(alfilaria).
práirie clóver プレーリークローバー.
rábbit-foot clóver シャグマハギ(赭熊萩).
réd clóver ムラサキ[アカ]ツメクサ.
sóur clóver *Melilotus* 属およびシロツメクサ属の植物の総称.
stínking clóver ニオイフウチョウソウ.
swéet clóver シナガワハギ(melilot).
wáter clòver デンジソウ(田字草).
whíte clóver シロツメクサ.

C

club /klʌ́b/

名 **1** こん棒. **2** 同好会. **3** 会員制組織.

Apéx Clùb 《豪》アペックスクラブ.
atómic clúb =nuclear club.
báll clùb 球技(特に野球)の常設チーム.
Béefsteak Clúb (London の)ビーフステーク・クラブ.
bílly clùb 《米・カナダ》(警官の)警棒(billy).
bílly-clúb 動他 暴力で強制する.
blóck clùb 《米》町内会, ブロックの会.
Bóodle's Clúb (London の)ブードルズ・クラブ.
bóok clùb 書籍通信販売組織.
Bóok-of-the-Mónth Clùb 米国最大の書籍通信販売組織.
bópping clùb 《英》対抗相手とけんかをする青少年グループ.
bóttle clùb 法定営業時間外も飲める会員制クラブ.
Brídge Clùb ケネディーラウンド参加国.
búlk bùy clùb 《英》共同購入の会.
Cárlton Clùb カールトンクラブ: London に置かれている英国保守党本部.
Cáterpillar Clúb 《英》キャタピラー[かいこ]クラブ: 第2次大戦の落下傘脱出者たち.
chártered clúb 《NZ》公認クラブ.
Chrístmas clùb クリスマスクラブ預金.
Cótton Clúb (New York の)コットンクラブ.
cóuntry clùb 郊外にある都会人のためのクラブ.
debáting clùb 討論クラブ.
dévil's clúb 【植物】ハリブキ(針蕗).
Discóvery Clùb (キャンプファイヤー協会の)ディスカバリークラブ.
Drónes' Clùb (London の)雄蜂クラブ.
Éighty Clùb (英国自由党の)八十年クラブ.
Éve Clùb (London の)イブ・クラブ.
fán clùb ファンクラブ, 後援会.
fíeld clùb 博物学野外研究会.
Fórex Club 外国為替銀行などの親睦機関.
Fóur-Ĥ Clùb (米国農務省の)4 H クラブ.
Gárrick Clùb ギャリッククラブ: London のクラブ.
gólden áge clùb 《米》老人クラブ.
gólden clùb 【植物】オロンチウム.
Góldfish Clùb 《英》金魚クラブ: 第2次大戦中に不時着した英空軍パイロットの仲間.
gólf clùb クラブ, ゴルフの打球棒.
héalth clùb ヘルスクラブ, 健康相談所.
Hércules-clùb ミカン科サンショウ属の木.
Horízon Clùb 米国の少年少女の健康と品性の向上を目的として組織された団体 Camp Fire の高校生部門.
Índian clùb インディアンクラブ: 体操用こん棒.
jób clùb 職業探し訓練者の集まり.
jóckey clùb ジョッキー[競馬]クラブ.
kénnel clùb 愛犬家協会.
kéy clùb キークラブ: 会員制のナイトクラブ.
Kít-Cat Clùb 18 世紀 London の会員制クラブ(Kit-Kat Club).
Líons Clùb ライオンズクラブ: 国際的奉仕団体.
lúncheon clùb 《英》ランチョンクラブ.
míle-high club 《米航空俗》高度 1 マイル以上の機内でのセックス経験者の会.
Mónday Clùb 月曜会: 英国保守党右派のクラブ.
níght·clùb ナイトクラブ.
Níppon Clúb (New York の)日本クラブ.
núclear clúb 核クラブ: 核兵器保有国の別称.
Ó clùb 《米軍俗》将校クラブ(officers' club).
Páris Clùb 10 か国蔵相会議(Group of Ten).
Pláyboy Clùb プレイボーイ・クラブ(バニーガールがいる).
Póny Clùb ポニー(小馬)に乗る青少年クラブ.
próvident clùb 《英》(大型量販店が行う)分割払い方式.
ṔTĹ Clùb 1980 年代の Jim Tammy Bakker によるテレビ伝道教団.
Quéen's Clúb クイーンズクラブ: ロンドンのテニスクラブ.
ráp clùb 《米俗》ラップクラブ: おしゃべりが目的の社交クラブを装った性風俗店.
Rótary Clùb ロータリークラブ: 米国の奉仕団体.
scrúb clùb 《米俗》無能集団; 無益な計画.
Sértoma Clùb George W. Smith が米国 Missouri 州 Kansas City で創始(1912)した国際的奉仕クラブ.
sérvice clùb 《主に米》厚生[奉仕]クラブ.
Siérra Clùb 米国の自然環境保護団体.
sláte clùb 《英》共済貯金会.
sócial clúb 社交クラブ; 《英俗》酒場.
stríp clùb ストリップ劇場[クラブ].
súpper clùb 《米・カナダ》(こぢんまりした高級)ナイトクラブ.
Tóastmasters Clúb 社交術を磨くための米国の団体.
ùnder·clúb 動自【ゴルフ】短いクラブを使う.
Varíety Clùb (英国の)慈善募金のための演劇組織.
vídeo clùb ビデオ喫茶, ビデオラウンジ.
wár clùb (アメリカインディアンの用いる)戦闘用こん棒.
wárehouse clùb 会員制大幅ディスカウント店.
wórking mèn's clúb 《主に英》労働者クラブ.
yácht clùb ヨットクラブ.
yóuth clùb 《英》ユースクラブ, 青少年クラブ.
Zónta Clùb ゾンタクラブ: 米国の奉仕団体.

-clude /klúːd/

連結形 閉じる.
★ 語末にくる関連形は -CLUSION, -CLUSIVE.
◆ <ラ *-clūdere*(*claudere*「閉じる」の連結形).

aq·ui·clude 名【地質】難透水層.
con·clude 動他 …の結末をつける; 結論する.
ex·clude 動他 締め出す; 除外する; 除く.
in·clude 動他 含む, 包含[包括, 含有]する.
oc·clude 動他〈通路・穴・すき間などを〉閉ざす.
pre·clude 動他《文語》…を妨げる, 邪魔する.
se·clude 動他 引きこもらせる, 隠遁させる.

-clu·sion /klúːʒən/

連結形 閉じられたもの[こと].
★ 名詞をつくる.
★ 語末にくる関連形は -CLUDE.
◆ <ラ *-clusus* (*-clūdere*「閉じる」の過去分詞). ⇨ -SION.
[発音] -clusion の第 1 音節に第 1 強勢が置かれる.

con·clu·sion 名 (物事の)終わり, 終結, 結び.
ex·clu·sion 名 除外, 排除, 排斥(状態); 追放.
in·clu·sion 名 包含すること[されている状態].
oc·clu·sion 名 閉塞(へいそく), 閉鎖.
re·clu·sion 名 隠遁(いんとん)(生活).
se·clu·sion 名 隔離, 隔絶, 遮断(しゃだん).

-clu·sive /klúːsiv/

連結形 閉じる….

★ 形容詞をつくる.
★ 語末にくる関連形は -CLUDE.
◆ <ラ -*clūsus*(*claudere*「閉じる」の連結形 -*clūdere* の過去分詞). ⇨ -IVE[1].

con·clu·sive 形 結論に役立つ; 決定的な; 確実な.
ex·clu·sive 形 他をいれる余地のない; 独占的な.
in·clu·sive 形 多くを含んだ, 包括的な.
oc·clu·sive 形 閉塞(へいそく)する.
re·clu·sive 形 隠遁者.
se·clu·sive 形 隠遁の, 引きこもった; こもりがちな.

clus·ter /klʌ́stər/

名 密集した集団, 群れ; 〖天文〗星団.

Béehive clùster プレセペ星団(Praesepe).
cónsonant clùster 子音群.
galáctic clúster =open cluster.
glóbular clúster 球状星団.
óak lèaf clúster 樫葉(けんよう)勲章.
ópen clúster 散開星団.
Pérseus clùster ペルセウス座銀河団.
stár clùster 星団.
sú·per·clùs·ter 名 超銀河団.
tóne clùster 〖音楽〗密集音群.
Vírgo clùster おとめ(乙女)座銀河団.

clutch /klʌtʃ/

動自 (自動車などの)クラッチを入れる. ──名 クラッチ.

centrífugal clútch 〖機械〗遠心クラッチ.
de·clútch 動自 (自動車の)クラッチを切る.
dísk clùtch 〖自動車〗円板クラッチ.
dóg clùtch 〖機械〗かみ合いクラッチ.
dóuble-clútch 動自 《米》〖自動車〗クラッチを二度踏みする.
fríction clùtch 〖機械〗摩擦クラッチ.
pláte clùtch 〖自動車〗=disk clutch.

-cne·mi·a /kníːmiə | -miə, -mjə/

連結形 むこうずねの異常.
★ 名詞をつくる.
◆ ギリシャ語 *knḗmē*「むこうずね」より. ⇨ -IA.

ac·ne·mi·a 名 〖病理〗腓腹(ひふく)筋萎縮(症).
plat·yc·ne·mi·a 名 偏平脛骨(けいこつ).

coach /kóutʃ/

名 **1** (箱形で屋根・両ドア付きの)大型四輪馬車. **2** バス; (鉄道の)客車.

áir còach (旅客機の)エコノミークラス.
cásket còach 《米》霊柩車.
Cóncord còach コンコードコーチ: 駅馬車の一種.
dáy còach 《米》〖鉄道〗普通客車.
fámily cóach 《英》家族用の大型屋根付き馬車.
háckney còach 貸し馬車 [自動車](hackney).
máil·còach (昔の)郵便馬車; (鉄道の)郵便車.
míni·còach 名 マイクロバス, ミニバス.
mótor·còach 《英》バス.
móurning-còach (会葬者を運ぶ)葬儀用馬車.
níght còach 夜行バス.
slów·còach 《主に英話》のろま.
stáge·còach 駅馬車.

coal /kóul/

名 石炭.

bárley còal バーレイ炭.
bitúminous cóal 瀝青(れきせい)炭.
blínd cóal 無煙炭.
blóck còal 塊炭.
bóghèad cóal ボグヘッド炭.
bríght cóal 輝炭.
bróken cóal 大塊炭.
brówn cóal 《主に英》泥炭と褐炭の中間の石炭.
búckwheat còal 直径 14–18 mm までの無煙炭.
cándle còal =cannel coal.
cánnel còal 燭炭(しょくたん).
chár·còal (木)炭.
chérry còal チェリー炭.
chéstnut còal 小塊炭.
cób còal (鶏卵大からフットボール大の)丸い塊炭.
cóking còal コークス用(石)炭, 粘結炭, 原料炭.
dúll cóal 〖鉱物〗暗炭.
égg còal (8–66 cm 大の)無煙炭.
gás còal ガス用炭, ガス製造用原料炭.
gáthering còal 種火.
glánce còal 輝炭, (特に)無煙炭.
hárd cóal 無煙炭.
líquid cóal 液体瀝青(れきせい)燃料.
navigátion còal =steam coal.
nút còal =chestnut coal.
péa còal 豆粒炭.
péacock còal 表面に虹色の光沢のある石炭.
pítch còal 瀝青(れきせい)亜炭.
pít còal (炭坑から出る)石炭.
rè·cóal 動他自 (船などに)石炭を補給する.
ríce còal 米粒炭.
séa còal 《英古》(木炭と区別して)石炭.
sèmibitúminous cóal 半瀝青(れきせい)炭.
sóft cóal =bituminous coal.
splínt còal 〖地質〗裂炭.
stéam còal 一般炭, ボイラー炭.
stóne còal 無煙炭.
stóve còal ストーブ炭.
sùbbitúminous cóal 亜瀝青(れきせい)炭.
whíte cóal 《話》(動力源としての河川などの)水力; (水力発電による)電力.
wóod cóal 褐炭.

coast /kóust/

名 海岸, 沿岸, 海辺.

cóast-to-cóast 形 《米》東海岸から西海岸まで, 全米津々浦々の.
Éast Cóast (米国の)東海岸.
Léft Cóast 《米俗》太平洋岸.
séa·còast 海岸, 沿岸.
Wést Cóast (米国の)西海岸.

coat /kóut/

名 **1** コート, 外套(がいとう). **2** 表面を覆うもの; 被毛.
──動他 …を覆う, …に塗る.

báse·còat (ペンキなどの)下塗り.
bláck·còat 牧師; 《米俗》葬儀屋.
blúe·còat 青い制服を着ている警察官 [兵士など].
bóx còat ボックスコート.
brówn cóat (しっくい工事で)中塗り.
brúnch còat 婦人用ひざ丈の部屋着.
búff·còat バフコート, 皮服.
búffy còat 〖生化学〗軟層, 軟膜.
búsh còat ブッシュジャケット.
cár còat カーコート: 腰の辺りまでの外套.
chóroid còat 〖眼科〗(眼球の)脈絡膜.
cóolie còat クーリー(苦力)コート.
cóvert còat 《英》カバートコート.
dóuble cóat (犬の)二重被毛.
dréss cóat =tail coat.

C

dúffle còat ダッフルコート.
dúst còat 《英》ダスターコート.
dúster còat ＝dust coat.
fínish còat 仕上げ.
fírst cóat (ペンキの)下塗り, 下地塗り.
fróck còat フロックコート: 男子の礼装.
gréat·còat 《主に英》厚地の外套.
hóuse·còat 部屋着, ハウスコート.
jélly còat 【生化学】ゼリー層, 受精素.
Jódhpuri cóat インドで男子が着る短い上着.
Jóseph's-cóat 【植物】ハゲイトウ(葉鶏頭).
matinée coat 《主に英》マチネーコート.
míst·còat (塗装で)ミストコート.
mónkey còat モンキージャケット.
mórning còat モーニングコート(《米》cutaway (coat)).
Nórfolk cóat ノーフォークジャケット.
óuter·còat ＝overcoat.
ó·ver·còat ☞
péa·còat ピーコート.
pétti·còat ペティコート: 女性の下着の一種.
pínk cóat 【キツネ狩り】ピンクコート.
pólo còat ポロコート.
prívy còat 隠し鎧(よろい).
prótein còat 【微生物】キャプシド(capsid).
ráin·còat レインコート, 雨外套.
rè·cóat 動他 …に上塗りをする; 塗り直す.
réd·còat (特に米国独立戦争中の)英国兵.
róugh còat (ペンキなどの)粗面塗り, 粗塗り.
sáck còat 《主に米》背広の上着.
scrátch còat 下地こすり, 下塗り, 粗面塗り.
séed còat 【植物】種皮.
shóoting còat 《英》狩猟服.
skímming còat (壁の)仕上げ塗り, 上塗り.
sléep·còat パジャマのようなひざ丈の部屋着.
spórts còat 《米・豪・NZ》スポーツジャケット.
stórm còat ストームコート: 防寒用オーバー.
súgar·còat 動他 〈食品・薬などを〉砂糖で包む.
súr·còat サーコート: 中世の騎士の外衣.
swágger còat スワガーコート.
swállow-tailed cóat ＝tail coat.
swéater·còat セーターコート.
táil còat テールコート, 燕尾服.
tént còat テントコート.
tóp·còat トップコート, 合オーバー.
trénch còat トレンチコート.
túrn·còat 裏切り者, 変節者.
un·der·coat ＝petticoat.
wáist·còat 《主に英》ベスト, 胴着(vest).
wéather·còat (建物の)耐候性の上塗り[外壁].
whíte·còat 【動物】ホワイトコート: 生まれたばかりのアザラシの子.
wíre cóat 針金のように強(こわ)い被毛.
wráp còat ラップコート.
wýlie·còat 《スコット》防寒用のウール製下着.

coat·ing /kóutiŋ/

名 …を着けた人[もの], …地. ⇨ -ING[1].

o·ver·coat·ing 名 オーバー地.
sug·ar·coat·ing 名 糖衣状にすること, 糖衣を着せること.
un·der·coat·ing 名 《米》アンダーコーティング.
waist·coat·ing 名 チョッキ用生地; 袖なしの胴衣.

co·bra /kóubrə/

名 【動物】コブラ.

bláck-nècked cóbra クロクビコブラ.
Cápe còbra ケープコブラ.
crótch-còbra 《米俗》ペニス, 陰茎.
Egýptian cóbra エジプトコブラ.
Índian cóbra インドコブラ, メガネヘビ.
kíng cóbra キングコブラ.
spéctacled cóbra ＝Indian cobra.
spítting cóbra ドクハキコブラ.

-coc·cus /kákəs | kɔ́k-/

連結形 【細菌】…球菌.
★ 語頭にくる関連形は cocc(o)-: *cocco*bacillus「球(状)桿菌(かんきん)」, *cocc*oid「球菌に似た」.
◆ ＜近代ラ＜ギ *kókkos* 実, 種. ⇨ -US[1].

cryp·to·coc·cus 名 クリプトコッカス.
dip·lo·coc·cus 名 双球菌.
e·chi·no·coc·cus 名 エキノコックス, 包虫.
en·ter·o·coc·cus 名 エンテロコックス, 腸球菌.
gon·o·coc·cus 名 淋菌(りんきん).
me·nin·go·coc·cus 名 髄膜炎(球)菌.
mi·cro·coc·cus 名 球菌.
ped·i·o·coc·cus 名 ペジオコックス菌.
pneu·mo·coc·cus 名 肺炎球菌.
staph·y·lo·coc·cus 名 ブドウ球菌.
strep·to·coc·cus 名 連鎖球菌.
tet·ra·coc·cus 名 四連球菌.

cock /kák | kɔ́k/

名 **1** 雄鶏. **2** 栓, コック.

áir còck 【機械】空気コック, 空気弁.
báll còck (タンク・水槽などの)浮き玉栓.
báw·còck 《古》《親しみを込めて》いいやつ.
bíb·còck 【配管】(下方に曲がった)水栓, 蛇口.
bláck·còck 【鳥類】クロライチョウの雄.
cóld-còck 動他 《米俗》〈人を〉殴り倒す.
corporátion còck 分岐栓.
cút còck 《米俗》ユダヤ人(►割礼から).
dóg's cóck 《英ジャーナリズム俗》感嘆符(!).
fíghting cóck 闘鶏.
gáme·còck 闘鶏用の雄鶏, シャモ.
gáuge còck 検水器.
hálf cóck 半撃ち, 安静段.
hálf-cóck 動他 〈銃を〉半撃ちにする.
héath·còck ＝blackcock.
hórse còck 《米海軍俗》薄切りのソーセージ.
hóse·còck (ホースなどの)散水栓.
júngle còck 【鳥類】ヤケイ(jungle fowl)の雄.
móor còck 《英》【鳥類】アカライチョウの雄.
móuntain còck 【鳥類】オオライチョウ.
óld cóck 《英俗》じじい, 老いぼれじいさん.
péa·còck 【鳥類】クジャクの雄.
pét·còck (蒸気機関や内燃機関の)豆コック.
pínch·còck 挟み止め, つまみコック.
ságe còck 【鳥類】キジオライチョウの雄.
séa·còck 【海事】(海水を取り入れる)海水弁.
shút·tle·còck (バドミントン・羽根つきの)羽根.
síll·còck ＝hosecock.
snów còck 【鳥類】セッケイ属の鳥の総称.
spátch·còck 2つに切り分けて下ごしらえした鳥.
stóp·còck (ガス・水道などの)栓, コック.
stórm-còck 【鳥類】ヤドリギツグミ.
túrkey còck 【鳥類】七面鳥の雄.
túrn·còck 《英》水道の栓.
ùn·cóck 動他 〈銃の〉撃鉄をおろす.
wáter còck 【鳥類】ツルクイナ.
wéath·er·còck 風見鶏.
wóod·còck 【鳥類】ヤマシギ.

cock·a·too /kákətùː, ⌣ー⌐ | kɔ̀kətúː/

名 オーストラリア地域に分布する大形で騒がしい色彩豊かなオウム科の鳥の総称.

Léadbeater's cóckatoo クルマサカオウム(Major Mitchell).

pálm còckatoo ヤシオウム(great black cockatoo).
róse-brèasted cóckatoo モモイロインコ(galah).

cock·tail /káktèil | kɔ́k-/

名 **1** カクテル. **2** 前菜料理.

atómic cócktail 《話》(がんの治療や診断用の)放射性物質含有の内服薬.
Brómpton cócktail 〖薬学〗ブロンプトン=カクテル.
frúit cócktail フルーツカクテル.
Mólotov cócktail モロトフカクテル, 火炎瓶.
óyster còcktail 〖料理〗オイスターカクテル.
shrímp còcktail シュリンプカクテル.

-coc·tion /kákʃən | kɔk-/

連結形 料理されたもの [こと].
★ 名詞をつくる.
◆ <ラ *coctus*(*coquere*「料理する」の過去分詞). ⇨ -TION.
[発音] -coction の第 1 音節に第 1 強勢が置かれる.

con·coc·tion 名 混ぜ合わせて作ること, 混合, 調合.
de·coc·tion 名 煎(せん)じること, 煮出すこと.

cod /kád | kɔ́d/

名 〖魚類〗タラ.

Aláska cód =Pacific cod.
bláck·còd ギンダラ(銀鱈).
blúe còd トラギス科の緑青色の海産食用魚.
líng·còd キンムツ.
Múrray còd スズキ類の食用淡水魚.
Pacífic cód マダラ, タラ.
róck còd いわうお, 岩礁魚.
tóm·còd タラ科マダラ属の小さいタラ.
tómmy·còd =tomcod.

code /kóud/

名 **1** コード, 信号法; 記号(体系). **2** 法体系, 法典; 規準, 慣例.

áccess còde 〖コンピュータ〗アクセスコード.
áirline còde 航空会社コード.
áirport còde 空港名コード.
álphabet còde アルファベットコード: 各語がアルファベットの 1 文字を表している語の表.
área còde 《米・カナダ》地域番号, 市外局番.
au·to·code 名 〖コンピュータ〗基本言語.
bár còde バーコード.
bár-còde 動他自 (品物に)バーコードをつける.
Baudót còde 〖コンピュータ〗ボー(ド)・コード.
bínary còde 〖コンピュータ〗二進コード.
Bláck Còde 〖米史〗黒人法.
búilding còde 建築条例.
Cádbury Códe カドベリー規約(1992): 企業活動の自主的規制.
cátalog còde 〖図書館学〗目録規程.
cháracter còde 〖コンピュータ〗文字識別コード.
cíty còde 〖航空〗都市名コード.
Cíty Còde 《英》〖株式〗シティー・コード.
Clárendon Còde 〖英史〗クラレンドン法典.
cólor còde 色コード: 色分けによる識別体系.
cólor-còde 動他 (見分けやすく)色で塗り分ける.
commércial còde コマーシャル・コード.
continéntal còde 国際モールス符号.
cóuntry còde レクリエーションで田舎を利用する人たちのための規則.
críminal còde 〖法律〗刑事法(規); 刑法典.
de·códe 動他 復号する, デコードする.
díalling còde 《英》(電話の)地域番号, 局番.
dréss còde 服装規定, 校服の規則.
eláborated còde 〖社会言語学〗精密コード.
en·códe 動他 暗号文に変える, 記号 [符号] 化する.
executáble còde 〖コンピュータ〗実施コード.
expánded còde (ジップコードの下 4 桁の)拡張コード.
fíre còde 消防条例.
genétic códe 〖生物〗遺伝暗号.
gé·o·còde 名 居住者地域別分類.
Gráy còde 〖コンピュータ〗グレイコード.
Gréen Cróss Còde 《英》児童交通安全規則(1971).
héalth còde 保健条例.
Híghway Códe 《英》交通規則(集).
Hóllerith còde 〖コンピュータ〗ホレリスコード.
inítial còde (ジップコードの上位 5 桁の)基本コード.
Internátional Códe (船舶が旗を用いて送る)国際信号.
Justínian Códe ユスティニアヌス法典.
légacy còde 〖コンピュータ〗レガシーコード.
machíne còde 〖コンピュータ〗機械(言)語.
mí·cro·còde 〖コンピュータ〗マイクロコード.
mis·códe 動他 〖コンピュータ〗コード化を間違える.
Mórse còde 〖通信〗モールス符号.
Napoleónic Còde ナポレオン法典.
nátional códe 《豪》オーストラリア式フットボール.
nó-còde 〖医学〗ノーコード: 緊急の蘇生法のため, 待機態勢を取る必要がないことを知らせる指示.
óbject còde 〖コンピュータ〗目的コード.
ÓP còde 〖コンピュータ〗操作符号.
páy còde 《英》給料の上限.
pénal còde 〖法律〗刑法典.
póstal còde 《英・カナダ》郵便番号.
póst·còde 《英》郵便番号.
pséu·do·còde 名 〖コンピュータ〗擬似コード.
restrícted códe 〖社会言語〗制限コード.
sánitary còde 公衆衛生条例.
sóurce còde 〖コンピュータ〗原始コード.
ŚTD còde 《英》長距離ダイヤル地方局番.
symbólic còde 〖コンピュータ〗=pseudo-code.
tén còde 《米市民ラジオ俗》テンコード: 無線通信で, 10-9 反復せよ, 10-13 援助乞うなど.
Tóuch Còlor còde (視覚障害者用の)点字式記号.
trans·códe 動他自 (ビデオの録画方式などを)変換する.
ú·ni·code 名 〖コンピュータ〗(全世界統一の)共通コード.
Uníted Státes Códe 合衆国法典.
Univérsal Próduct Còde 《米》統一商品コード.
zíp còde (米国の)郵便番号, ジップコード.
zíp-còde 動他 《米》郵便番号を入れる.

co·ef·fi·cient /kòuifíʃənt/

名 〖数学〗〖物理〗係数. ⇨ EFFICIENT.

absórption coefficient 〖物理〗吸収係数.
accelerátion coefficient 〖経済〗加速度係数.
actívity coefficient 〖化学〗(気体の)活量係数.
béta coefficient 〖株式・証券〗ベータ値 [係数].
binómial coefficient 〖数学〗二項係数.
blóck coefficient 〖造船〗方形係数.
correlátion coefficient 〖統計〗相関係数.
differéntial coefficient 《主に英》〖数学〗微分係数.
diffúsion coefficient 〖物理〗温度伝達度, 熱拡散率.
distribútion coefficient 〖物理化学〗分配係数.
drág coefficient 〖航空力学〗抗力係数.
Éngel's coefficient 〖経済〗エンゲル係数.
léading coefficient 〖数学〗首位係数.
longitúdinal coefficient 〖造船〗柱形(肥瘠(ひせき))係数.

magnétic coeffícient 〔航海〕自差係数.
partítion coeffícient 〔物理化学〕=distribution coefficient.
phénol coeffícient 〔化学〕フェノール［石炭酸］係数.
prismátic coeffícient 〔造船〕=longitudinal coefficient.
regréssion coeffícient 〔統計〕回帰係数.
transmíssion coeffícient 〔物理〕透過係数.

C

-coel /síːl/

連結形 -coele の異形.
★ 語頭にくる形は coel(i)-, coelo-: *coel*enteron「有腔動物」, *coelo*mate「腔腸(こうちょう)」.

blas·to·coel 名 〔発生〕割腔, 胞胚腔.
gas·tro·coel 名 〔発生〕原腸.
he·mo·coel 名 〔解剖〕血液嚢(のう).
pseu·do·coel 名 〔動物〕偽［擬］体腔, 原体腔.
spon·go·coel 名 〔動物〕海綿腔.

-coele /sìːl/

連結形 coel-「体腔(たいこう), 腔」の異形.
★ 語末にくる関連形は -COEL.
★ 語頭にくる関連形は coel(i)-, coelo-: *coel*enteron「有腔動物」, *coelo*mate「腔腸(こうちょう)」.

en·ter·o·coele 名 〔解剖〕腸体腔(こう).
neu·ro·coele 名 〔発生〕神経腔(こう).
rhab·do·coele 名 新棒腸目のウズムシの総称.

co·ex·ist·ence /kòuigzístəns/

名 (…と)同時［同所］に存在すること, 共存. ⇨ -ENCE[1].

compétitive coexístence 〔政治〕競争的共存.
péaceful coexístence 平和共存.

cof·fee /kɔ́ːfi, kɑ́fi | kɔ́fi/

名 コーヒー; 《話》一杯のコーヒー.

Arábian cóffee =arabica coffee.
arábica cóffee アラビアコーヒー.
bláck cóffee ブラックコーヒー.
cóld cóffee 《米俗》ビール.
cówboy còffee 《米俗》ブラックコーヒー.
dándelion còffee タンポポコーヒー.
Decáffeinated còffee カフェイン抜きコーヒー.
dríp còffee ドリップコーヒー.
Gáelic cóffee =Irish coffee.
Írish cóffee アイリッシュコーヒー.
líght cóffee ミルクをたくさん入れたコーヒー.
mílk-còffee ミルクコーヒー.
mórning cóffee 朝食時のコーヒー.
robústa cóffee 〔植物〕ロバスタ・コーヒーノキ.
Scótch cóffee コーヒー代用品.
Túrkish cóffee トルココーヒー.
ùn-cóffee 名 カフェインなしコーヒー.

cog·ni·tion /kɑgníʃən | kɔg-/

名 認識(作用), 認知. ⇨ -ITION.

met·a·cog·ni·tion 名 〔心理〕自分の心理過程の考察.
non·cog·ni·tion 名 無認識, 無自覚.
pre·cog·ni·tion 名 (将来の出来事・状況の)予知, 予見.
re·cog·ni·tion 名 ☞
self-cog·ni·tion 名 自己認識, 自覚, 自己把持.

coil /kɔ́il/

動他 ぐるぐる巻く. ── 名 渦巻き; 〔電気〕コイル.

Bítter còil 〔物理〕ビッター型コイル.
chóke còil 〔電気〕塞流(そくりゅう)コイル.
chóking còil =choke coil.
fíeld còil 〔電子〕界磁コイル.
fócusing còil 〔電気〕集束コイル.
ignítion còil 〔自動車〕点火コイル.
indúction còil 〔電気〕誘導［感応］コイル.
lóading còil 〔電気〕装荷コイル.
móving-cóil 形 〔電気〕可動コイル(型)の.
múl·ti·còil 形 〈電気装置などが〉多コイルの.
ó·ver·còil 名 〔時計〕巻き上げ曲線.
rè-cóil 動他自 (…を)巻き直す.
resístance còil 〔電気〕抵抗コイル.
Rúhmkorff còil =induction coil.
séarch còil 〔電気〕探りコイル.
spárk còil 〔電気〕点火［火花］コイル.
sú·per·còil 名 〔生化学〕(DNA の)超らせん.
Tésla còil 〔電気〕テスラ変圧器.
tíckler còil 〔電子工学〕〔無線〕再生コイル.
túning còil 〔電気〕同調コイル.
ùn·cóil 動他 〈巻いた物を〉解く, ほどく.
vóice còil 〔電気〕発声コイル, ボイスコイル.

coin /kɔ́in/

名 **1** 硬貨, コイン. **2**《話》金, 金銭.

cánting còin (樽(たる)を固定させるための)三角形の木片.
érror còin 〔貨幣〕欠陥硬貨, エラーコイン.
hárd cóin 《米俗》大金.
mínor cóin 卑金属製の硬貨, 小額貨幣.
obsídional cóin 緊急貨幣(siege piece).
póund còin 1 ポンド硬貨.
próof còin プルーフコイン: 新金型によってテスト用に打刻された硬貨.
rè·cóin 動他 …を改鋳する.
sándwich còin 《米》サンドイッチ硬貨.
stándard cóin 標準貨幣, 本位貨幣.
subsídiary còin (基本通貨単位以下の)補助硬貨.

coke /kóuk/

名 (石灰から得る燃料の)コークス.

de·cóke 動他 《英話》脱炭素する. ── 名 脱炭.
gás còke ガスコークス.
sèm·i·cóke 名 半成コークス: 家庭用燃料.

cold /kóuld/

形 寒い, 冷たい, 冷えた. ── 名 寒さ; 風邪.

a·cóld 形 《古》《叙述的》冷たくなって.
cláy-còld 形 土のように冷たい.
cómmon cóld 風邪, 感冒.
héad còld 頭の重い鼻風邪.
íce còld 《主に米・豪俗》ビール.
íce-cóld 形 氷のように冷たい, よく冷えた.
róse còld 〔病理〕ばら熱(rose fever).
stóne-cóld 形 石のように冷たい.
ùltra·cold 名形 超低温(の).

-cole /kòul/

連結形 …に住んでいる, …に生えている.
★ 特に植物学用語に使われる.
★ 語末にくる関連形は -COLINE, -COLOUS.
★ 語頭にくる形は cola-: *cola*cobiosis「寄生」.
◆ ラテン語 *colere*「住む」より.
［発音］第 1 強勢は 3 音節の語では語頭の音節に, 4 音節の語(nemoricole)では語頭の音節も, 2 番目の音節(-mo-)も認められる.

cal·ci·cole 名 石灰植物, 好(石)灰植物.
hu·mi·cole 名 〘植物〙腐植土植物.
ne·mor·i·cole 形 森 [木立] に住む.
prat·in·cole 名 〘鳥類〙ツバメチドリ.
xe·ro·cole 形 乾燥を好む.

col·ic /kálik | kɔ́l-/

名 〘病理〙〘獣病理〙疝痛(せんつう), 差し込み. ——形 結腸の. ⇨ -IC[1].
★ 名詞は colon「結腸」.

gàstro·cólic 形 胃および結腸の.
léad cólic =painter's colic.
páinter's cólic 塗装工疝痛, 鉛疝痛.
wínd còlic (特に馬の)風気疝(せん), 鼓腸疝痛.

-co·line /kəlàin, -lin, -lən/

連結形 生息している, 住んでいる.
★ 形容詞をつくる.
★ 語末にくる関連形は -COLE.
★ 語頭にくる関連形は cola-: *cola*cobiosis「寄生」.
◆ <近代ラ *-colinae* (*-cola*「居住者」より)+-INE[1].

li·mic·o·line 形 海岸 [水辺] に生息する.
sax·ic·o·line 形 岩間に生息する.

col·lar /kálər | kɔ́lə/

名 **1** 襟, カラー. **2** 首輪. **3**《米俗》逮捕. ⇨ -AR[2].

accommodátion còllar 《米俗》点数稼ぎの逮捕 [摘発].
Bermúda cóllar 〘服飾〙バーミューダカラー.
blúe-cóllar 形 (工員など)ブルーカラーの.
bráss cóllar 《話》ある政党の忠実な支持者.
bráss-cóllar 形 《米話》(ある政党に対して)忠実な.
bréast còllar 〘馬具〙結喉(けっこう)帯.
Búster Brówn cóllar 〘服飾〙バスターブラウンカラー.
bútterfly còllar 《アイル》=wing collar.
cápe còllar 〘服飾〙ケープカラー.
chóke còllar 輪縄式首輪.
clérical cóllar 〘服飾〙ローマンカラー.
dóg còllar 犬の首輪.
Éton cóllar 〘服飾〙イートンカラー.
fléa còllar (犬・ネコなどの)ノミよけ [取り] 用首輪.
flotátion còllar (環状の)浮揚ブイ.
gráy-còllar 形 《米》(修理・整備などの技術サービスに従事する)グレーカラー労働者の.
héad còllar (馬などの)頭絡(とうらく).
hórse-còllar 《俗》(特に野球で)無得点.
Jóhnny còllar 〘服飾〙ジョニーカラー.
mándarin cóllar 〘服飾〙マンダリンカラー.
mílitary cóllar 〘服飾〙ミリタリーカラー.
néw-cóllar 形 (サービス産業に従事する)ニューカラー労働者層の.
nótched cóllar 〘服飾〙(オーバーや背広の)刻み襟.
Péter Pàn cóllar 〘服飾〙ピーターパンカラー.
phóny cóllar 《米俗》不当逮捕.
píerrot còllar 〘服飾〙ピエロ=カラー.
pínk-cóllar 形 (女性向きの [低賃金の] 労働に従事する)ピンクカラー労働者の.
ráinbow-cóllar 形 《話》〈工場勤務者が〉現場と管理の両方を経験した.
revérsed cóllar =clerical collar.
rólled cóllar 〘服飾〙ロールカラー.
Róman cóllar =clerical collar.
sáilor còllar 水兵服の襟, セーラーカラー.
sháwl cóllar 〘服飾〙ショールカラー, へちま襟.
stéel còllar 名形 産業用ロボット(の).
stórm còllar (上着の)高い襟.
tóby còllar 〘服飾〙トビーカラー.
Vandýke cóllar 〘服飾〙バンダイクカラー.
whíte-cóllar 形 《主に米》事務職の, 頭脳労働の.
wíng cóllar 〘服飾〙ウイングカラー.

col·lec·tion /kəlékʃən/

名 **1** 集めること. **2** 収集物. ⇨ -LECTION.

gárbage collèction ごみ収集.
lóan collèction 借用した収集美術品.
Phíllips Colléction フィリップス・コレクション: 米国 washington D.C. にある美術館.
rè·col·léc·tion 名 再び集めること, 再収集 [集結].
réntal collèction 有料貸出図書.
retíring collèction (ミサの)説教後の献金.
spécial colléction 〘図書館〙専門集書.
Wállace Collèction ウォーレス・コレクション: 英国 London にある美術館.

col·lec·tor /kəléktər/

名 集める人 [もの, 機械]. ⇨ -TOR.

bów collèctor 〘鉄道〙ビューゲル.
cúrrent collèctor 〘電気〙集電装置.
débt-collèctor (雇われの)借金取り.
flát-plàte colléctor 平板式太陽熱集熱器.
gárbage collèctor 《米》ごみ収集人.
sólar colléctor 〘エネルギー〙ソーラーコレクター.
stámp-collèctor 切手収集家.
táx collèctor 収税吏, 税務署員.
tícket collèctor (駅などの)集札 [改札] 係.
tóll collèctor 通行料金徴収係員 [装置].

col·lege /kálidʒ | kɔ́l-/

名 《英》学寮; 《主に米》(一般に)大学, カレッジ; 各種の学校. ⇨ -LEGE.

bárber còllege 理容学校.
búsiness còllege 《米》実業学校, ビジネススクール.
city technólogy còllege 《英》工業技術学校.
clássical cóllege (カナダ Quebec 州で)大学入学につながる教育をする専門学校.
clúster còllege 《米》クラスターカレッジ: 総合大学内の独立した(教養・人文)学部.
commércial còllege 商科大学, 商業大学, 商業専門学校.
commúnity cóllege コミュニティーカレッジ.
correspóndence còllege 通信教育の大学, 通信制大学.
cóunty cóllege 《英》定時制補習学校.
ców còllege 《話》農業大学; (大学の)農学部.
eléctoral cóllege 《米》選挙人団.
Éton Cóllege (英国 Eton にある)イートン校.
Fitzwílliam Cóllege (ケンブリッジ大学の)フィッツウィリアム寮.
Háileybury Cóllege (東インド会社創設の)ヘイリーベリー校.
Héralds' Cóllege (イングランドの)紋章院.
ìn·ter·cól·lege 形 大学間の; 大学 [カレッジ] 対抗の.
Jóe Cóllege (特に 1930 年代の)典型的なアメリカの男子大学生.
júnior cóllege ジュニア・カレッジ, 短期大学.
Kíng's Cóllege (ケンブリッジ大学の)キングズカレッジ.
lánd-grant còllege 《米》連邦政府の援助を受ける資格のある大学.
Márlborough Còllege (英国の)マールバラ校.
Néwnham Cóllege (ケンブリッジ大学の)ニューナム女子寮.
nút còllege 《米俗》精神科病院.
Ópen Cóllege (英国政府出資による)放送大学.
óut-cóllege 形 《主に英》学寮外に居住している.
Pontífical Cóllege (古代ローマで)大神官団.
prè·cól·lege 形 大学進学の準備となる.

C

Quéen's Cóllege (オックスフォード大学の)クイーンズ寮.
séa grànt cóllege 【教育】高等海洋研究所.
sénior cóllege 《米》四年制大学 [カレッジ].
síxth fòrm cóllege 【英教育】第6学年カレッジ.
Smíth Cóllege (米国の)スミス・カレッジ.
stáff cóllege 【英軍】参謀大学, 幕僚学校.
Státe Cóllege ステートカレッジ(米国の地名).
Stónyhurst Cóllege (イングランドの)ストーニーハースト校.
téachers cóllege 《主に米》教員養成大学.
téchnical cóllege 《英》(工業)専門学校; 《米》工業短期大学.
tértiary cóllege 《英》高等専門学校.
tráining cóllege 《英》(もと)教員養成大学.
Trínity Cóllege (ケンブリッジ大学の)トリニティー寮.
univérsity cóllege 大学付属のカレッジ.
víllage cóllege 《英》村営レクリエーションセンター.

col·le·giate /kəlíːdʒət, -dʒiət/

形 大学の, カレッジ(college)の; 〈(総合)大学が〉複数のカレッジから成る. ⇨ -ATE[1].

in·ter·col·le·giate 形 大学間の; 大学 [カレッジ] 対抗の.
non·col·le·giate 形 大学水準以下の.
sub·col·le·giate 形 大学レベルに達しない.

col·lie /káli | kɔ́li/

名 コリー: スコットランド原産の牧羊犬. ⇨ -IE[1].

béarded cóllie ベアデッドコリー.
Bórder còllie ボーダーコリー.
róugh cóllie 毛足が長く密なコリー犬.

col·li·sion /kəlíʒən/

名 衝突, 激突. ⇨ -LISION.

déep irelástic còllision 【核物理】深部非弾性衝突.
elástic collísion 【力学】弾性衝突.
inelástic collísion 【力学】非弾性衝突.
rádiative collísion 【物理】放射性衝突.

co·lon /kóulən/

名 【解剖】結腸. ⇨ -ON[3].

ascénding cólon 上行結腸.
descénding cólon 下行結腸.
mès·o·có·lon 名 結腸間膜.
spástic cólon 【病理】過敏腸症侯群.
tránsverse cólon 横行結腸.

colo·nel /kə́ːrnl/

名 【米陸軍・空軍・海兵隊】【英陸軍】大佐. ⇨ -EL[1].

bírd còlonel 《米軍俗》=chicken colonel.
bóttle-càp cólonel 《米俗》中佐.
búzzard còlonel 《米軍俗》大佐.
chícken còlonel 《米軍俗》陸軍大佐.
Kentúcky cólonel 《米》ケンタッキー大佐.
lieuténant cólonel 【米陸軍・空軍・海兵隊】【英海軍】中佐.
líght cólonel 《米軍俗》=lieutenant colonel.

co·lo·ni·al /kəlóuniəl/

形 植民地(colony)の; 植民地特有の. ⇨ -AL[1].

an·ti·co·lo·ni·al 形 反植民地主義の.
Dútch Colónial 形 【建築】ダッチコロニアル様式の.
in·ter·co·lo·ni·al 形 (一国の)植民地間の.
post·co·lo·ni·al 形 植民地から独立後の.
pre·co·lo·ni·al 形 植民地化以前の.
sem·i·co·lo·ni·al 形 半植民地的な.

col·o·nize /kálənàiz | kɔ́l-/

動他 〈ある地域に〉植民地を建設する, 植民 [入植] する. ⇨ -IZE[1].

Co·ca-col·o·nize 動他 〈外国を〉アメリカ化する.
de·col·o·nize 動他自 (植民地を)解放する, 独立させる.
re·col·o·nize 動他 再び植民地化する.

col·o·ny /káləni | kɔ́-/

名 植民(団), 移民(団). ⇨ -Y[3].

Cápe Còlony ケープ植民地.
chárter còlony 【米史】特許植民地.
crówn cólony (英国王の)直轄植民地.
Lóst Cólony 【米史】失われた植民地.
lúnar còlony 月植民地(米航空宇宙局の構想).
Nèw Háven Cólony 【米史】ニューヘブン植民地.
Plýmouth Còlony 【米史】プリマス植民地.
propríetary cólony 【米史】領主植民地.
róyal cólony 直轄植民地.
sémi·còlony 名 半植民地(的国家).
spáce còlony スペースコロニー: 宇宙殖民島.

col·or /kʌ́lər/

名 **1** 色, 色彩; カラー, 色つき. **2** 特色. **3** 絵の具. **4**【音声】音色. ── 動他 …を彩色する.

accidéntal cólor 【心理】補色残像, 偶生色.
achromátic cólor 無彩色.
áddítive cólor 【写真】加色, 加法混色の原色.
albúmin còlor アルブミン染色.
ásh còlor 灰色, 灰白色(ash gray).
bí·còl·or 形 二色の.
bínary cólor =secondary color.
bódy còlor (宝石など光を吸収する物体の)実体色.
bróken cólor 【絵画】点描(法).
chromátic cólor 【光学】有彩色.
cóld cólor 【ガラス】【製陶】冷色.
compleméntary cólor 【美術】補色, 余色.
Cóngo còlor 【化学】コンゴ色素.
córn còlor 淡黄色.
cróss còlor カラーテレビの画像のゆがみ.
cú·ti·còl·or 形 肉色の.
de·cól·or 動他 色抜き [脱色, 漂白] する(bleach).
dis·cól·or 動他 変色させる; …の色をよごす, 退色させる. ── 自 変色する; 色があせる, 汚くなる.
dóve còlor 鳩羽鼠(はとばねず): わずかに紫色または淡紅色を帯びた暖灰色.
dúst·còlor くすんだ薄茶色, 鈍いとび色.
éarth còlor 【服飾】アースカラー.
fálse cólor 【写真】擬似カラー.
F́D & Ć còlor 《米》FDC 色素: 食品, 医薬品, 化粧品への使用が FDA「食品・医薬品局」により承認されている合成色素.
fílm còlor 【心理】【生理】平面色.
fláme còlor 炎色, 明るいだいだい色.
flésh còlor (白人の)肉色, 肌色.
fóur-cólor 形 4色の; 【印刷】四色刷りの.
gróund còlor ペンキ [塗料] の下塗り.
kíng's cólor 王旗.
lócal cólor 地方色, 郷土色.
mis·cól·or 動他 …に間違った色を塗る.
móuse còlor ねずみ色, 鈍い灰色.
múffle còlor 【製陶】マッフル顔料.

múl·ti·còl·or 形 〈印刷機が〉多色刷りの.
múshroom-còlor 薄黄茶色.
nó-còl·or 形 《米》〘服飾〙目立たない中間色の.
óff-cól·or 形 普通の[標準の]色をしていない.
óil còlor 油絵の具(oil paint).
ò·ver·cól·or 動他 彩色しすぎる, 色をつけすぎる.
póster còlor ポスターカラー(poster paint).
prímary cólor 〘美術〙原色.
ŕ-còlor 〘音声〙r の音色(r-quality).
recéding cólor 後退色(緑, 青, 紫など).
rè·cól·or 動他 塗り直す, 新たに色づけする.
róse còlor ばら色, ピンク.
sécondary cólor 〘美術〙等和色.
sláte-còlor 石板色, スレート色.
stéam còlor 蒸気で色止めした染め.
stráw còlor (麦)わら色, 淡黄色.
subtráctive cólor 〘写真〙減法混色の原色.
súrface còlor (宝石などの)表面色.
témper còlor 〘冶金〙焼き戻し色.
tértiary cólor 〘美術〙第三色: 褐色のように, 2つの等和色を混合して作られる色.
thrée-còlor 形 3色の, 3色使った.
tóne còlor 〘音楽〙音色(timbre).
trí·còl·or 形 三色の; 三色旗の国の; フランスの.
twó-còlor 形 2色の, 2色を使用した.
ù·ni·cól·or 形 一色の, 単色の.
vát còlor 〘化学〙建染(たてぞめ)染料.
vér·si·còl·or 形 色がいろいろに変わる, 虹(にじ)色の.
wáter·còlor 水彩絵の具.
wíne còlor ワインカラー, 暗赤色.

col·or·a·tion /kʌ̀ləréiʃən/

名 **1** 色の使い方. **2** 色合い. ⇨ -ATION.

dis·còl·or·á·tion 名 変色, 退色, 色のよごれ.
protéctive colorátion 保護色.
wárning colorátion 〘動物〙警戒[警告]色.

col·ored /kʌ́lərd/

形 **1** 色のついた. **2** 《複合語》…色の. ⇨ -ED².

bi·colored 形 二色の.
canáry-còlored 形 カナリア色の.
Cápe Cólored (南アフリカの法律で)混血人.
cóffee-còlored 形 コーヒー色の, 濃褐色の.
còunter·cólored 形 〘紋章〙左右[上下]交互に異なった色彩の.
créam-còlored 形 クリーム色の, 黄色がかった白色の.
hígh-cólored 形 色調の強い; 鮮明な.
Júdas-còlored 形 〈髪の毛が〉赤毛の.
mùlti·cólored 形 多色の, 多彩な.
nátural-cólored 形 自然色の.
párti-còlored 形 まだら染めの, さまざまな色の.
párty-còlored 形 =parti-colored.
ráinbow-cólored 形 虹(にじ)色の; 多色の.
róse-còlored 形 ばら色の, 赤紫色の, 淡紅色の.
rúst-còlored 形 さび色の.
sélf-cólored 形 〈花などが〉単一色の.
snúff-còlored 形 黒っぽい黄褐色の.
tów-cólored 形 〈髪が〉亜麻色[淡黄色]の.
tróut-còlored 形 〈馬が〉葦毛(あしげ)の.
ùn·cólored 形 着色していない, 地色の, 白黒の.
ùnder·cólored 形 着色不足の.
vári·còlored 形 さまざまな色の, 雑色の, まだらの.
whóle-còlored 形 《主に英》単色の.
wíne-còlored 形 ワインカラーの, 暗赤色の.

col·ors /kʌ́lərz/

名複 color「色」の複数形.

accidèntal cólors 偶生色: ある色を見つめたあとに生じる.
fálse cólors (欺くために掲げる)他国の国旗.
flýing cólors 翻る旗; 勝利, 大成功.
lívery còlors 〘紋章〙紋章の主色.
rácing còlors 〘競馬〙騎手の服色; 馬主を示す騎手の絹シャツと帽子の色.

-co·lous /kələs/

連結形 …に住んでいる.
★ 形容詞をつくる.
★ 語末にくる関連形は -COLE.
★ 語頭にくる関連形は cola-: *cola*cobiosis「寄生」.
◆ <ラ *-cola*「住むもの」(*colere*「住む」より). ⇨ -OUS.
[発音] 直前の音節に第1強勢.

ar·e·nic·o·lous 形 砂地に生息[生育]する.
cav·er·nic·o·lous 形 〈動物が〉洞窟に生息する.
cor·tic·o·lous 形 〘植物〙〘動物〙樹皮生(息)の.
cul·mic·o·lous 形 〈菌類が〉(イネ科の草の)稈(かん)(culm)の上に生えている.
des·er·tic·o·lous 形 〘生物〙砂漠に生育[生息]する.
er·i·ce·tic·o·lous 形 (ヒース類の生い茂る)荒野に住む.
fi·mic·o·lous 形 〘生態〙糞生(ふんせい)の.
fo·li·ic·o·lous 形 〈ゼニゴケの類が〉葉の上に生える.
gram·i·nic·ol·ous 形 (特に寄生キノコ類が)草に寄生した.
lap·i·dic·o·lous 形 〘動物〙石の下に住む(習性の).
lig·ni·col·ous 形 森林に生える, 森林に住む.
li·mic·o·lous 形 泥の中[多い地帯]に棲(す)む.
ni·dic·o·lous 形 〘鳥類〙留巣性の.
pra·tin·co·lous 形 〘動物〙草地に生息する.
ru·pic·o·lous 形 〘生物〙岩隙(がんげき)生の.
san·guic·o·lous 形 〈寄生虫などが〉血液中に寄生する.
sil·i·cic·o·lous 形 〘植物〙ケイ酸質の土壌に生育する.
sil·vic·o·lous 形 森林地帯に生息[生育]する.
stag·nic·o·lous 形 湿地にしばしば来る[住む, 繁茂する].
ster·co·ric·o·lous 形 〘生物〙糞便の中に棲む.
ter·ric·o·lous 形 〘生物〙地上[地中]生の.
tu·bic·o·lous 形 〘動物〙〈ミミズなどが〉管生の.

col·umn /kɑ́ləm | kɔ́l-/

名 **1** 〘建築〙柱. **2** 柱状のもの. **3** (新聞などの縦に段組みされた)欄. **4** (軍隊の)隊列.

ágony còlumn 《主に英話》(新聞の)私事広告欄.
bóx còlumn 箱柱.
contról còlumn 〘航空〙操縦ハンドル.
distillátion còlumn 〘化学〙蒸留塔.
fífth cólumn 第五部隊, 第五列: 敵と内通し国内で破壊行為をする一団の人々.
flýing còlumn 〘軍事〙《もと》遊撃隊, 別動隊.
fráctionating còlumn 〘化学〙分留塔.
góssip còlumn (新聞・雑誌などの)ゴシップ欄.
manúbial cólumn 戦利品で装飾を施した戦勝記念柱.
mídwáll còlumn 壁内柱.
Nelson's Column (London のトラファルガー広場にある)ネルソン記念柱.
pérsonal cólumn 《英》人事消息[個人広告]欄.
pósitive còlumn 〘物理〙陽光柱.
róstral cólumn 海戦勝利記念柱.
síxth cólumn 第六部隊, 第六列: モラルを低下させたり, うわさを広めるなどして第五列(fifth column)の行動を助ける人々.
spínal còlumn 脊柱(せきちゅう).
stéering còlumn 〘自動車〙ステアリング・コラム.
vértebral còlumn =spinal column.
wréathed cólumn ねじり柱, 葉飾りの柱身.

co·lum·nar /kəlʌ́mnər/

形 柱[円柱]状の, 柱のような. ⇨ -AR¹.

cir·cum·co·lum·nar 形 〘建築〙円柱を取り巻く.
in·ter·co·lum·nar 形 〘建築〙柱間(はしらま)の.
sub·co·lum·nar 形 ほぼ円柱状の.

C

C

su·per·co·lum·nar 形 〖建築〗円柱上部にある.

com /kàm | kɔ̀m/

名 コメディー. ►comedy の短縮形.
[発音] 語頭の音節に第 1 強勢; 連結形 -com に第 2 強勢; 例外として 2 語の場合(Brít cóm)は両方とも第 1 強勢.

àct·cóm 名 アクションコメディー.
Brít cóm 英国のテレビ喜劇番組(British comedy).
chát·com 名 《米話》トーク番組.
drá·ma·còm 名 《米俗》劇的喜劇, ドラマコメディー.
sìt·cóm 名 《話》(テレビ・ラジオの)連続ホームコメディー(situation comedy).
skít·còm 名 寸劇を集めたコメディー.

-com /kàm | kɔ̀m/

連結形 communication などの短縮形.
★ 名詞をつくる.
[発音] 語頭の音節に第 1 強勢.

Cap·com 名 〖宇宙工学〗(地上基地の)宇宙船交信担当者(Capsule communicator).
in·ter·com 名 《話》内部通話装置, インターコム(intecommunication system).
Sat·com 名 サトコム: 米国の民間静止通信衛星(satellite communications).
Syn·com 名 (米国の)静止増幅中継用通信衛星(synchronous communications satellite).
tel·e·com 名 《話》遠距離通信, テレコム(telecommunications).
3·Com 名 アメリカの通信会社.

co·ma /kóumə/

名 昏睡(こんすい), 昏迷. ⇨ -MA.

nar·có·ma 名 〖医学〗麻酔性昏睡, ナルコーマ.
sèmi·cóma 名 半昏睡(状態).

comb /kóum/

名 **1** 櫛(くし). **2** とさか. **3** ハチの巣. ── 動他 櫛ですく.

Áfro-còmb 名 (縮れ毛に使う)柄つきの歯の長い櫛.
báck·còmb 動他 〈髪に〉逆毛(さかげ)を立てる.
béach·còmb 動自 波止場で浮浪者として暮らす.
blów-còmb 櫛付きヘアドライヤー.
blúe còmb 〖獣病理〗紫藍(しらん)病.
cócks·còmb (雄鶏の)とさか, 肉冠(caruncle).
cóx·còmb 《古》気取り屋, 伊達男.
cúrry·còmb 馬櫛(くし).
fíne cómb =fine-tooth comb.
fíne-còmb 動他 …に目の細かい櫛をかける.
fíne-tòoth cómb 目の細かい櫛.
fláx cómb (亜麻の種を取る)亜麻こき機.
hóney·còmb ミツバチの巣.
hót cómb 電熱式整髪ぐし.
hót-còmb 動他 〈髪を〉ホットコウムで整髪する.
ráttail cómb とがった柄のついた整髪用櫛.
róse còmb (鶏の)ばら冠型とさか.
tóoth·còmb 《英》目の細かい櫛.
Vénus's-cómb 〖植物〗ナガミノセリモドキ.
vírgin cómb 〖昆虫〗処女蜂巣.

com·bus·tion /kəmbʌ́stʃən/

名 燃焼. ⇨ -TION.

extérnal-combústion 形 外燃(式)の.
flúidized-bèd combústion 〖工学〗流動層燃焼(法).
intérnal-combústion 形 内燃式の; 内燃機関の.
spontáneous combústion 自然発火 [燃焼].

come /kʌ́m/

動自 〈人・車などが〉(…に)来る, やって来る, 近づく.

be·cóme 動自 …になる.
chánce-cóme 形 《英》偶然の.
dówn·còme 名 流体を降下させる管.
fírst-cóme 形 先着順の, 早い者勝ちの.
ín·come 名 ☞
kíngdom cóme 《俗》あの世; 天国; 死んだ状態.
néw-còme 形 新来の, 新着の, 新参の.
óut·còme 名 結果, 成り行き, 結末.
ò·ver·cóme 動他 圧倒する, 打ち勝つ, 打ち負かす.
wél·come 間 ようこそ, いらっしゃい.

com·e·dy /kámədi | kɔ́m-/

名 (作品としての)喜劇, 笑劇, 喜劇映画; (劇の一部門としての)喜劇. ⇨ -Y[3].

bláck cómedy ブラックコメディー.
dárk cómedy ブラックユーモア(black humor).
dráwing-room cómedy 応接間喜劇.
hígh cómedy ハイコメディー.
Kéystone cómedy (サイレント映画時代の)警官が登場するどたばた喜劇.
lów cómedy どたばた [低俗] 喜劇.
Míddle Cómedy 古代ギリシャ中期喜劇.
Néw Cómedy ギリシャ新喜劇.
Óld Cómedy ギリシャ古喜劇.
Restorátion cómedy 復古喜劇.
sè·ri·o·cóm·e·dy 名 =tragicomedy.
situátion cómedy 連続ホームコメディー(sitcom).
tràg·i·cóm·e·dy 名 悲喜劇.

com·er /kʌ́mər/

名 《話》来る人 [もの]; 新来者. ⇨ -ER[1].

down·com·er 名 流体を降下させる管 [ダクト].
first·com·er 名 先着者, 最初の訪問者.
in·com·er 名 入来者, 新来者; 新任者.
late·com·er 名 遅参 [遅刻] 者.
new·com·er 名 (…に)新しく来た人, 新来者.

com·fort /kʌ́mfərt/

動他 …を慰める; 励ます; ほっとさせる. ── 名 慰め; 快適さ. ⇨ -FORT.

cóld cómfort わずかの [慰めにならない] 慰め.
dis·cóm·fort 名 不快, 不愉快; 不安; 辛苦, つらさ.
re·cóm·fort 動他 《古》慰める, 元気づける.

com·ic /kámik | kɔ́m-/

形 喜劇の. ── 名 喜劇役者; 《話》漫画本. ⇨ -IC[1].

héad còmic 《米俗》ヘッドコミック: マリファナを吸いながら読むような漫画本.
he·rò·i·cóm·ic 形 英雄喜劇的な.
sè·ri·o·cóm·ic 形 まじめでもありこっけいでもある.
stánd-up cómic 独演コメディアン.

com·ics /kámiks | kɔ́m-/

名複 comic「続き漫画」の複数形.

áction cómics (米国の)劇画(漫画).

D.C. Cómics ディーシーコミックス: 米国のコミックブック専門の出版社およびその刊行物.
Márvel Cómics マーベル・コミックス: 1961 年より New York のコミックブック出版社から刊行された一連のコミックの総称.
sèrio·cómics 名複《主に米》教育漫画.

com·ing /kʌ́miŋ/

名 到着, 到来, 接近. ——形 **1** 来るべき. **2** 前途有望な. ⇨ -ING[1], -ING[2].

fòrth·cóming 形 来つつある; まさに来ようとしている.
hóme·còming 名 帰郷, 帰省; 帰宅; 帰国.
ín·còming 形 入ってくる.
ón·còming 形 近づいている, 接近する; 将来の.
Sécond Cóming (最後の審判の日の)キリストの再臨.
shórt·còming 名 欠点, 短所, 不十分な点.
úp-and-cóming 形《主に米話》成功しそうな, 有望な.
úp·còming 形《米》やって来る, 近づく.

com·ma /kámə | kɔ́mə/

名 (句読点の)コンマ, 句(読)点(,). ⇨ -MA.

invérted cómma 《英》引用符(quotation mark).
scrátch còmma 〖印刷〗(かつてコンマの代わりに用いられた)斜線.
sérial cómma =series comma.
séries còmma シリーズコンマ: 3つ以上の等位語句の連続で, 最終の語句の前の接続詞の前に置かれたコンマのこと.
túrned cómma 《英》=inverted comma.

com·mand /kəmǽnd, -mɑ́:nd | -mɑ́:nd/

名 **1** 命令すること. **2**〖軍事〗航空軍集団; 司令官管轄下の部隊[区域]; 司令部. ⇨ -MAND.

áir commànd 〖米空軍〗航空軍団, 航空総隊.
Bómber Commànd (第二次世界大戦中の)英空軍爆撃司令部.
Céntral Commànd 〖米軍事〗中央軍.
Cóastal Commànd 〖英軍事〗沿岸防備隊.
hígh commànd (軍の)最高司令部.
Mílitary Séalift Commànd 〖米軍事〗米海軍軍事海上輸送部.
sélf-commánd 自制(心), 克己.
sérvice commànd 〖米陸軍〗軍管区.
Spáce Commànd 〖軍事〗宇宙軍, スペースコマンド.

com·mand·er /kəmǽndər, -mɑ́:nd- | -mɑ́:ndə/

名 命令者, 指令する人. ⇨ -ER[1].

cóuch commànder 《米俗》テレビのリモコン.
guárd commànder 衛兵司令.
knight commànder (Bath, Victoria, 英帝国の3つの勲章でそれぞれ)最上級に次ぐ2番目の位; その受勲者.
lieuténant commánder 〖海軍〗少佐.
supréme commánder 最高司令官, 総指揮官.
théater commànder 〖軍事〗戦域司令官.
wíng commànder 〖英空軍〗中佐.

com·man·do /kəmǽndou, -mɑ́:n- | -mɑ́:n-/

名 **1** (英国海兵隊の)特別奇襲部隊. **2** 特別奇襲隊員.

bédpan commàndo 《米軍俗》看護兵.
cránk commàndo 《米麻薬俗》興奮剤と鎮静剤を交互に使用する人.
pàr·a·com·mán·do 名 落下傘降下突撃隊員.

com·mer·cial /kəmə́:rʃəl/

形 商業(commerce)の. ——名 広告放送. ⇨ -IAL.
★ 語頭にくる関連形は commercio-: *commercio*genic「商品的魅力のある」.

count·er·com·mer·cial 名《米》他の広告に反論する広告.
non·com·mer·cial 形 非営利的な, 非商業的な.
sem·i·com·mer·cial 形 半商業的な; 商品の試験販売の.
un·com·mer·cial 形 商業に従事していない.

com·mis·sion /kəmíʃən/

名 **1** 委任. **2** (委任された)権限. **3** 委員会. ⇨ -MISSION.

Áudit Commíssion 《英》(地方自治体に対する)外部会計監査委員会.
Atómic Énergy Commìssion 〖米政府〗原子力委員会.
Bóundary Commìssion 《英》選挙区再検討委員会.
Chárity Commíssion 《英》(英国政府の)慈善委員会.
Commódity Fútures Tráding Commìssion 商品先物取引委員会.
Consúmer Próduct Sáfety Commìssion 〖米行政〗消費者製品安全委員会.
Cóuntryside Commìssion 《イング・ウェールズ》地方委員会.
dè·com·mís·sion 動他〈船・飛行機などを〉退役させる, 就航を解く.
Disármament Commìssion (国連)軍縮委員会.
Équal Emplóyment Opportùnity Commìssion 〖米政府〗雇用機会均等委員会.
Équal Opportúnities Còmmission 《英》(雇用)機会均等委員会.
Européan Commíssion 欧州委員会.
Féderal Communicátions Commìssion 〖米政府〗連邦通信委員会(FCC).
Féderal Eléction Commíssion 連邦選挙委員会(FEC).
Féderal Énergy Régulatory Commìssion 《米》連邦エネルギー規制委員会.
Féderal Máritime Commìssion 《米》連邦海運委員会.
Féderal Pówer Commìssion 《米》連邦電力委員会(FPC).
Féderal Tráde Commìssion 〖米行政〗連邦取引委員会(FTC).
Fórestry Commíssion 《英》森林局.
hígh commíssion 高等弁務官事務所; 高等弁務団.
Internátional Wháling Commìssion 国際捕鯨委員会.
Ínterstate Cómmerce Commìssion 〖米政府〗州際商業委員会.
Lánd Commìssion 《英》土地収用委員会.
Láw Commìssion 《英》法律委員会.
Lýtton Commìssion リットン調査団: 1932 年満州事変の処理に関して国際連盟が派遣した調査団.
Mánpower Sérvices Commíssion 《英》雇用促進委員会.
Monópolies Commìssion 《英》独占調査委員会. ►1973 年に Monopolies and Mergers Commission となる.
Núclear Régulatory Commìssion 〖米政府〗原子力規制委員会.
overríding commíssion 〖商業〗オーバーライディング・コミッション.
Príce Commìssion 物価調整委員会.
rè·com·mís·sion 動他 再び任命[委任, 委託]する.
róving commíssion 自由航行権限.
Róyal Commíssion 《英》王立委員会.
Secúrities and Exchánge Commìssion 〖米政府〗証券取引委員会(SEC).
Státe Sérvices Commìssion (ニュージーランドの)政府指定の公共事業体.
Uníted Státes Internátional Tráde Commìssion

C

〖米政府〗国際貿易委員会.
Wár Mánpower Commission 〖米政府〗戦時労働力委員会.
Wárren Commíssion 〖米委員会〗ウォーレン委員会.

com·mis·sion·er /kəmíʃənər/

名 (委員会・理事会などの)委員, 理事; 行政長官. ⇨ -ER².

cóunty commíssioner 《米》郡政委員.
députy commíssioner (ロンドン警視庁の)警視副総監.
dístrict commíssioner 植民地の政府代表の文官.
Héalth Sèrvice Commíssioner 《英》地方医療監査委員.
hígh commíssioner 高等弁務官.
políce commìssioner 《米》警察本部長.
résident commíssioner (米国下院における)属領代表者(プエルトリコ代表).
sùb·com·mís·sion·er 名 commissioner の代理を務める人.

com·mis·sion·ers /kəmíʃənərz/

名複 commissioner「委員会」の複数形.

Chúrch Commíssioners (英国)国教会財務委員会.
Crówn Estáte Commíssioners 《英》王室所有地管理委員会.
Ecclesiástical Commíssioners 英国国教会財産委員(1836–1948).
Lórds Commíssioners (英国の大蔵省・海軍などの)最高執行委員会.

com·mit·tee /kəmíti/

名 委員会; 全委員, 委員; 《英》全員委員会. ⇨ -EE¹.

áction commìttee 闘う会, 市民の会, 行動委員会.
América Fírst Commíttee アメリカ優先委員会.
Cádbury Cómmittee カドベリー委員会: 企業活動の監査組織.
Céntral Commíttee (特に旧ソ連共産党の)中央委員会.
Correspóndence Commìttee 〖米史〗通信連絡委員会.
credéntials commìttee (代議員の)資格審査委員会.
Díes Commìttee 〖米史〗ダイズ委員会.
escápe commìttee 脱走委員会: 捕虜収容所や刑務所からの脱走をたくらむ一団.
Fóreign Relátions Commìttee 《米》上院外交委員会.
Gód commìttee 《米俗》医療倫理顧問団.
gríevance commìttee 苦情処理委員会.
hánging commìttee (絵画展の)審査委員会.
Internátional Olýmpic Commìttee 国際オリンピック委員会.
jóint commíttee (意見調整のための)両院合同委員会.
rúles commìttee 議事運営委員会.
schóol commìttee 《米》(地方の)教育委員会.
seléct commìttee (立法府などの)特別(調査)委員会.
shóp commìttee (労働組合の)職場委員会.
spécial commìttee =select committee.
stánding commìttee 常任[常置]委員会.
stéering commìttee 《主に米》運営委員会.
súb·com·mìt·tee 名 小[分科]委員会.
tróop commìttee ガールスカウト後援会.
vígilance commìttee 《米》自警団.
Wátch Commìttee 〖英史〗(市会の)公安[警防]委員会.

com·mon·er /kʌ́mənər|kɔ́mənə/

名 (権力・地位・身分などのない)一般の人, 普通の人. ⇨ -ER¹.

féllow cómmoner (かつて Oxford や Cambridge 大学で)評議員と同じテーブルで食事を取ることを許可された学生.
Fírst Cómmoner 《英》第一平民: 位階上, 最上位の平民.
géntleman-cómmoner (もと Oxford および Cambridge 大学で)高額授業料を払い, ある種の特権を与えられた自費生.
Gréat Cómmoner 偉大なる平民: 公民権を擁護した William Pitt の別称.

com·mune /kʌ́mjuːn|kɔ́m-/

名 コミューン. **1** (仕事や収入を分かち合う少人数の生活共同体. **2** 共通の利害を持つ, 親密に結束した共同体, 共同自治体. ⇨ -E².

Páris Cómmune 〖仏史〗パリコミューン.
péople's cómmune (中国の)人民公社.

com·mu·ni·ca·ble /kəmjúːnikəbl/

形 〈気持ち・思想・情報などが〉容易に伝達できる, 伝えられる; 〈病気が〉伝染性の, 移る. ⇨ -ABLE.

ex·com·mu·ni·ca·ble 形 破門に値する, 破門されるべき.
in·com·mu·ni·ca·ble 形 伝えることのできない.
non·com·mu·ni·ca·ble 形 伝達できない; 非伝染性の.
un·com·mu·ni·ca·ble 形 =incommunicable.

com·mu·ni·cate /kəmjúːnəkèit/

動他 (…に)伝達する; 〈意志・感情を〉(…に)伝える, 知らせる.
◆ <ラ *commūnicātus* 〔*commūnicāre*「伝える, 共通のものにする」(*commūnis*「共通の」より)の過去分詞〕. ⇨ -ATE¹.

ex·com·mu·ni·cate 動他 〈教会などが〉除名[破門]する.
in·ter·com·mu·ni·cate 動自 往来[交信]し合う.
mis·com·mu·ni·cate 動他自 誤って[あいまいに]伝達する.
tel·e·com·mu·ni·cate 動他 遠距離通信で送る, 電送する.

com·mu·ni·ca·tion /kəmjùːnəkéiʃən/

名 伝達, 連絡, 通信, 交信. ⇨ -ATION.

confidéntial communicátion 〖法律〗秘密情報.
dáta communicátion 〖通信〗データ通信.
èx·com·mù·ni·cá·tion 名 (宗教上の刑罰で)破門(宣言); 除名.
máss communicátion マスコミ, 大衆伝達.
mèt·a·com·mu·ni·cá·tion 名 〖心理〗超コミュニケーション.
óptical communicátion 光通信.
prívileged communicátion =confidential communication.
rádio communicátion 無線通信.
scátter communicàtion 〖通信〗散乱通信.
tótal communicátion 〖教育〗トータルコミュニケーション.

com·mu·ni·ca·tive /kəmjúːnəkèitiv, -kət-|-kət-/

形 話好きな, おしゃべりの; 隠し立てをしない. ⇨ -ATIVE.

ex·com·mu·ni·ca·tive 形 破門の; 破門宣告の.
in·com·mu·ni·ca·tive 形 口の重い, 打ち解けない.
un·com·mu·ni·ca·tive 形 話そうとしない; 遠慮がちな, 無口な.

com·mun·ion /kəmjúːnjən/

名 **1** 〖教会〗聖餐(せいさん), 聖体拝領. **2** 宗教団体. **3** (…との)心の交流. ⇨ -ION¹.

Ánglican Commúnion 英国国教会系教会.
clóse commúnion 〖教会〗閉鎖聖餐(せいさん)式.

Hóly Commúnion 〖教会〗聖餐, 聖体拝領.
ìn·ter·com·mún·ion 名 (相互の)親交, 交際, 交通, 連絡.
láy commúnion 平信徒であること.
ópen commúnion 〖キリスト教〗公開聖餐式.
pòst·commúnion 名 〖教会〗聖体拝領後の文 [祈り].
sélf-commúnion 名 内省, 自己省察.

com·mu·ni·ty /kəmjúːnəti/

名 地域共同体, 生活共同体; 市町村(などの自治体), コミュニティー(の人々), むら(群, 村). ⇨ -ITY.

bédroom commúnity 《米》ベッドタウン, 郊外住宅地.
clímax commùnity 〖植物〗極相群落.
clósed commúnity 〖生態〗閉鎖群落.
Européan Commúnity 欧州共同体.
Frénch Commúnity フランス共同体.
hìp-hóp commùnity ヒップホップカルチャー集団.
ìn·ter·com·mú·ni·ty 名 (共同体間の)共用, 共有. ——形 共同体間の.
Onéida Commúnity オナイダ共同村: もと宗教団体で, 現在は食器を扱う株式会社.
retírement commùnity 老人専用住宅地, 老人村, 老人の町.
spéech commùnity 〖言語〗言語共同体 [社会].
sùb·com·mú·ni·ty 名 小コミュニティー, サブコミュニティー: 通例, 大都市の周辺にある生活施設の備わった地域社会.
therapéutic commúnity 〖精神医学〗治療社会.
víllage commúnity 村落共同体.
vírtual commùnity バーチャルコミュニティ: ネットワークの共同体.

com·pact /kəmpǽkt, kɑm-, kɑ́mpækt | kəmpǽkt/

形 緊密な; こぢんまりした. ——名 (化粧用の)コンパクト.

bì·com·páct 形 〖数学〗〈空間などが〉完全連続の.
ìn·com·páct 形 緻密でない, 粗大な; 散漫な.
pówder compàct (化粧用の)コンパクト(compact).
sùb·cóm·pact 名 《米》〖自動車〗サブコンパクト.

com·pan·ion /kəmpǽnjən/

名 仲間; 友人; 連れ; 伴侶(はんりょ). ⇨ -ION[1].

ánimal compànion 伴侶としての動物.
frée compánion (中世の)傭兵隊員, 雇兵.
knight-compánion 騎士団所属の騎士.
lády's compànion 婦人用手提げ袋; 針道具入れ.
nátive compánion 〖鳥類〗オーストラリアヅル.
pót-compànion 飲み友達.
stáble-compànion 《俗》緊密な関係にある人 [もの].

com·pa·ny /kʌ́mpəni/

名 人の集まり, 一団; (俳優・ダンサーなどの)一座, 一行; (社会的・宗教的な)集団, 一門. ⇨ -Y[3].

affíliated cómpany 関連会社, 系列会社.
bánk hólding cómpany 銀行持株会社.
béarer còmpany 〖軍事〗(戦場の)衛生看護隊.
bíotech còmpany バイオテクノロジー会社.
cárloading còmpany 貨車積み [混載] 業者.
cárriage-còmpany (自家用馬車所有の)裕福階級の人々.
chártered cómpany 《英》特許会社.
Cíty Cómpany 《英》ロンドン市商業組合.
clósed cómpany 《英》未公開 [閉鎖] 会社.
clósed-ènd invéstment còmpany 〖証券〗クローズドエンド型投資(信託)会社.
cólor còmpany 〖軍事〗軍旗中隊.
Déath-fútures còmpany 《米俗》末期患者の生命保険を扱う投資信託会社.
Éast Índia Còmpany 〖英歴史〗東インド会社.
éngine còmpany 消防分署 [隊].
Énglish Stáge Còmpany イングリッシュ・ステージ・カンパニー: 英国の劇団.
Exchánge Télegraph Còmpany エクスチェンジ・テレグラフ・カンパニー: 英国の通信社.
fínance còmpany (個人客相手の)金融会社.
fíre còmpany 消防隊.
frée cómpany (中世の)傭兵(ようへい)隊.
grówth còmpany 成長会社 [企業].
hólding còmpany 〖金融〗持ち株会社, 親会社.
hóok-and-ládder còmpany はしご車を備えた消防隊.
íceberg còmpany 赤字取引が 3 分の 2 を占める会社.
ín-còm·pa·ny 形 会社 [企業] 内で行われる.
invéstment còmpany 投資(信託)会社, 会社型投資信託.
Jóhn Cómpany 東インド会社(の愛称).
jóint-stóck còmpany 《米》共同出資会社.
ládder còmpany =hook-and-ladder company.
límited cómpany 《英》有限(責任)会社(limited-liability company).
lívery còmpany ギルド, 同業組合; その会員.
Líving Théatre Còmpany リビング・シアター: 米国の前衛劇団.
lóan còmpany (個人向け融資の)金融会社.
Lóndon Còmpany 〖英歴史〗ロンドン会社.
mánagement còmpany 〖証券〗資産運用管理会社.
mùl·ti·cóm·pa·ny 名 多角経営企業.
Nátional Bróadcasting Cómpany ナショナル・ブロードキャスティング・カンパニー: 米国三大テレビネットワークのひとつ.
Nátional Bús Còmpany (英国の)国営バス会社(NBC).
ópen-ènd invéstment còmpany 〖証券〗オープンエンド型投資信託会社.
párent còmpany 親会社.
Plýmouth Còmpany プリマス会社: 英国の植民会社.
prívate cómpany 《英》私会社.
prívate límited cómpany 《英》私的有限会社.
propríetary cómpany 親会社, 持ち株会社.
públic cómpany 《英》(株式の)公開会社.
públic límited cómpany =public company. ►略 PLC.
redevélopment còmpany 再開発会社.
répertory còmpany レパートリー劇団(repertory).
róad còmpany 地方巡業の劇団 [一座].
Róyal Shákespeare Cómpany ロイヤルシェークスピア劇団.
sáles fínance còmpany 販売金融会社, 割賦販売金融会社.
shéll còmpany 資産もほとんどなく, 事業活動もしない名義のみのペーパーカンパニー.
shíp's cómpany (船の)全乗組員(company).
Státioners' Còmpany 書籍出版業組合.
stóck còmpany 《米》〖金融〗株式会社.
súb·còm·pa·ny 名 =subsidiary company.
subsídiary cómpany 子会社.
tránsfer còmpany 《米》近距離運輸会社.
trúst còmpany 信託会社; 信託銀行.
vírtual còmpany バーチャルカンパニー: virtual office および virtual corporation をともに指す.

com·pass /kʌ́mpəs/

名 コンパス, 羅針盤 [儀], 磁石. ⇨ PASS.

ás·tro·còm·pass 名 星測羅針儀, 天測コンパス.
ázimuth còmpass 方位コンパス, 方位羅針儀.
béam còmpass 〖製図〗ビームコンパス.
bów còmpass (製図用の)スプリング [ばね] コンパス.
cáliper còmpass カリパス, パス(caliper).
drý còmpass 〖航海〗乾式 [ドライ] コンパス.
dúmb cómpass 〖航海〗方位儀 [盤].

éarth indùctor còmpass 【航空】(地)磁気誘導コンパス.
ellíptic cómpass 楕円コンパス, 長円規.
en·cóm·pass 動他 (特に攻撃・防御のために)包囲する.
gý·ro·còm·pass 名 ジャイロコンパス, 転輪羅針盤.
gyrostátic cómpass ＝gyrocompass.
indúction còmpass 【航空】磁気誘導コンパス.
indúctor còmpass ＝earth inductor compass.
líquid còmpass 【航海】＝wet compass.
magnétic cómpass 磁気コンパス, 磁気羅針儀.
márinerʼs còmpass 船用羅針儀.
póle còmpass 《もと》船の羅針盤の一つ; 所在磁気をなるべく避けるため, 木製のポールの上に上げた.
prismátic cómpass プリズムコンパス, 稜鏡羅針盤.
rádio còmpass ラジオコンパス, 無線羅針盤.
ský còmpass 【航海】スカイコンパス.
spírit còmpass 【航海】湿羅針儀, 液体コンパス.
survéyorʼs còmpass 測量コンパス.
tránsit-còmpass 名 【測量】トランジット, 転球儀.
univérsal cómpass 【機械】自在コンパス.
vérnier còmpass 【測量】バーニアコンパス.
wét còmpass 【航海】液体コンパス.

com·pat·i·ble /kəmpǽtəbl/

形 **1** 〈人が〉(人と)仲よくやっていける, 気が合う. **2**【コンピュータ】【電子工学】互換性のある. ⇨ -IBLE.

ìn·com·pát·i·ble 形 気が合わない, 折り合いが悪い.
PC-compàtible 形 【コンピュータ】ピーシーコンパティブル.
plúg-compàtible 形 【コンピュータ】互換性のある.
sélf-compátible 形 【生物】自家和合性の.
úpward compátible 【コンピュータ】上位互換性のある.

com·pen·sa·tion /kàmpənséiʃən | kɔ̀mpən-, -pen-/

名 埋め合わせ; 補償; 補正. ⇨ -ATION.

de·còm·pen·sá·tion 名 【医学】(心臓の)代償不全 [障害].
dósage compensàtion 遺伝子量補正.
ò·ver·com·pen·sá·tion 名 【心理】過補償, 補償過剰.
wórkersʼ compensátion 労働災害補償.

com·pe·tence /kámpətəns | kɔ́m-/

名 (特に専門的な)能力, 力量, 適性. ⇨ -ENCE[1].

commúnicative cómpetence 【言語】伝達能力.
ìm·mu·no·cóm·pe·tence 名 【免疫】免疫適格, 免疫(生成)能力.
in·cóm·pe·tence 名 無能, 不適格, 無資格.

com·pe·ti·tion /kàmpətíʃən | kɔ̀m-/

名 競争, 争い; 競い合い. ⇨ -ITION.

impérfect competítion 【経済】不完全競争.
monopolístic competítion 【経済】独占的競争.
pérfect competítion 【経済】完全競争.
unfáir competítion 不(公)正競争.

com·ple·ment /kámpləmənt | kɔ́m-/

名 **1** 補足物. **2**【文法】補語. **3**【数学】補集合, 余集合. ⇨ -PLEMENT.

ábsolute cómplement 【数学】補集合, 余集合.
óbject cómplement 【文法】目的(格)補語.
objéctive cómplement ＝object complement.
rélative cómplement 【数学】差集合, 差.
súbject còmplement 【文法】主格補語.

com·plex /kəmpléks, kámpleks | kɔ́mpleks/

形 (互いに関連した)多くの部分から成る, 複合 [合成, 混成] の. ──名 **1** 複合体; 化合物. **2**【心理】コンプレックス. ⇨ -PLEX.

ÁIDS-relàted còmplex 【病理】エイズ関連複合体.
apártment cómplex (公共施設が同敷地内にある)大団地.
básement còmplex 【地質】基盤(岩)体.
B́ còmplex ＝vitamin B complex.
Cámbridge Cómplex 《米》ケンブリッジ研究複合体.
castrátion còmplex 【精神分析】去勢コンプレックス.
cúlture còmplex 【社会】文化複合体.
dè·com·pléx 形 複雑な部分 [要素] から成る, 複合体から成る.
édifice còmplex 《米》金のかかる巨大建築偏向.
educátional-indústrial cómplex 産学協同.
Eléctra còmplex 【精神分析】エレクトラ・コンプレックス.
Gólgi còmplex 【生物】ゴルジ複合体.
guílt còmplex 【心理】罪責コンプレックス [複合].
hy·per·cóm·plex 形 【数学】多元の 〈数, 環〉.
immúne còmplex 免疫複合体, 免疫性コンプレックス.
inclúsion còmplex 【化学】包接化合物, クラスレート化合物(clathrate complex).
inferiórity còmplex 【精神医学】劣等感.
láunch còmplex (衛星などの)発射施設.
mílitary-indústrial cómplex (軍部と軍需産業界, 議会との)軍産複合体制.
Óedipus còmplex 【精神分析】エディプス・コンプレックス.
Oréstes còmplex 【精神分析】オレステス・コンプレックス.
superiórity còmplex 優越感, 優越複合.
synaptonémal cómplex 【細胞生物】接合糸複合体.
vítamin B́ còmplex ビタミン B 複合体.

com·po·nent /kəmpóunənt, kɑm- | kəm-/

名 (構成)要素. ⇨ -PONENT.

báse compónent 【言語】基底部門.
ínphase compónent 【電気】同相分.
mì·cro·com·pó·nent 名 【オーディオ】超小型コンポーネント.
mìn·i·com·pó·nent 名 【オーディオ】ミニコンポーネント.
plásma thromboplástic compònent 【生化学】血液凝固 IX 因子.
prófile compònent 《英》【教育】各教科の到達目標.
reáctive compónent 【電気】無効分.
sùb·com·pó·nent 名 【オーディオ】サブコンポーネント.
wáttless compónent 【電気】＝reactive component.

com·pose /kəmpóuz/

動他 (物・部分・要素を結びつけて)作り上げる, 構成する, 組み立てる; 整理する. ⇨ -POSE.

de·com·pose 動他 分解 [還元] する; 分析する.
dis·com·pose 動他 《まれ》秩序を乱す, 混乱させる.
pho·to·com·pose 動他 〈文字・記号などを〉写真植字する.
pre·com·pose 動他 前もって作る.
re·com·pose 動他 作り直す, 改作する; 再構成する.

com·pound /kámpaund, ─ ´ | kɔ́mpaund/

形 数個の部分から成る, 合成の, 複合の; 複雑な. ──名 混合物. ⇨ -POUND.

addítion còmpound 【化学】付加化合物, アダクト.
aromátic cómpound 【化学】芳香族化合物.
Béntley còmpound 【薬学】ベントレー化合物.
bínary cómpound 【化学】二成分化合物.
càrbocýclic cómpound 【化学】炭素環式化合物.
coordinátion còmpound 【化学】錯体, 配位化合物.
cróss-cómpound 形 〈複式機関・タービンが〉クロス型の.
cútting còmpound 【工学】旋盤を冷やすための混合液.
Dárvon Còmpound 《薬学・商標》ダーボン配合剤.

dè·compóund 動他 …を分解する(decompose).
diazónium cómpound 〖化学〗ジアゾニウム化合物.
fúlminating còmpound 〖化学〗雷酸塩(fulminate).
intercalátion còmpound 〖化学〗層間化合物.
ìntermetállic cómpound 〖化学〗金属間化合物.
invéstment còmpound 〖冶金〗インベストメント.
oxónium còmpound 〖化学〗オキソニウム化合物.
párent còmpound 〖化学〗親化合物.
quáternary ammónium còmpound 〖化学〗第四アンモニウム化合物.
ríng còmpound 〖化学〗環状化合物, 環式化合物.
róoting compóund 〖園芸〗発根剤.
sándwich còmpound 〖化学〗サンドイッチ化合物.
tándem-còmpound 形 〈複合機関が〉タンデムの, 直列式の.

com·pres·sion /kəmpréʃən/

名 圧搾, 圧縮; 加圧, 与圧. ⇨ -PRESSION.

dè·com·prés·sion 名 (デジタル圧縮の)解凍.
dígital cómpression デジタル圧縮.
dígital sígnal cómpression デジタル信号圧縮.
dígital vídeo cómpression デジタルビデオ圧縮(DVC).
losslèss cómpression 損失のない圧縮(方法).
lòssy cómpression 損失のある圧縮(方法).

com·put·er /kəmpjúːtər/

名 コンピュータ, 電子計算機. ⇨ -ER[1].

ánalog compúter アナログコンピュータ.
bríefcase compúter 小型コンピュータ, ノートパソコン.
dáta-flòw compùter データフローコンピュータ.
dígital compúter 計数型計算機.
fífth-generàtion compúter 第5世代コンピュータ.
hóme compúter ホーム[家庭用]コンピュータ.
hóst compùter ホストコンピュータ.
hýbrid compúter 複合型コンピュータ.
ímage-recognítion compùter 図形認識コンピュータ.
ìn·ter·com·pút·er 形 (ネットワークで結ばれた)コンピュータ間の.
láptòp compùter 《話》ひざ載せ型コンピュータ.
léarning compùter 学習用コンピュータ.
mícro·compùter マイクロコンピュータ, マイコン.
mìcromíni·compùter マイクロミニコンピュータ.
míni·compùter ミニコンピュータ.
múltimedia compúter マルチメディアコンピュータ.
netwórk compùter 〖コンピュータ〗ネットワークコンピュータ: オラクル社提唱のインターネット専用パソコン.
néural compùter =neurocomputer.
nèu·ro·com·pút·er 名 ニューロコンピュータ.
Nón-Vón compùter 非ノイマン型コンピュータ.
nótebook compùter ノートパソコン.
óptical compúter 光コンピュータ.
párallel compúter 並列計算機.
pén compùter ペン入力式コンピュータ.
pérsonal compúter 《商標》パーソナル=コンピュータ.
síxteen-bít compùter 16ビットコンピュータ.
smáll-búsiness compùter 《米》事務用小型コンピュータ(SBC).
sú·per·com·pùt·er 名 スーパーコンピュータ.
tél·e·com·pùt·er 名 遠距離通信システムを利用して遠隔操作およびデータ伝送などのできるコンピュータ.
Von Néumann compùter フォンノイマン型計算機.

con·cave /kɑnkéiv, ⌐― | kɔnkéiv/

形 凹面の, 凹形の, くぼんだ. ⇨ CAVE.

bi·con·cave 形 〖光学〗〈レンズなどが〉両凹の.
concávo-concáve 形 両凹面の, 両凹の.
convéxo-concáve 形 片側凸状片側凹状の, 凸凹状の.
pláno-cóncave 形 〖光学〗〈レンズが〉平凹(へいおう)の.

con·ceive /kənsíːv/

動他 〈考え・意見・恨み・目的などを〉心に抱く; 〈計画などを〉考え出す, 思いつく. ⇨ -CEIVE.

mis·con·ceive 動他 誤認する, 思い違いをする.
pre·con·ceive 動他 …をあらかじめ考える, 予想する.

con·cen·tra·tion /kɑ̀nsəntréiʃən | kɔ̀n-/

名 **1** (…の)集中(状態). **2** 〖化学〗(溶液の)濃度; 濃縮. **3** 〖採鉱〗選鉱. ⇨ -ATION.

hè·mo·con·cen·trá·tion 名 血液濃縮(化).
hýdrogen-ion concentrátion 〖化学〗水素イオン濃度.
magnétic concentrátion 〖冶金〗磁力選鉱.
rè·con·cen·trá·tion 名 再集中.

con·cept /kɑ́nsept | kɔ́n-/

名 概念; 思想; 発想. ⇨ -CEPT.

áge and área còncept 〖文化人類〗年代領域説.
búbble còncept バブル・コンセプト: 米国環境保護庁による公害測定の考え方.
lóck and kéy còncept 〖生化学〗鍵(かぎ)と鍵穴の概念.
Pán Pacífic Còncept 環太平洋構想.
píece còncept 個数制, 運送手荷物許容個数.
próduct cóncept 〖マーケティング〗製品概念.
prodúction còncept 〖マーケティング〗生産概念.
sélf-cóncept 名 自己概念, 自己像.
sélling cóncept 〖マーケティング〗販売コンセプト.
swórd and shíeld còncept 〖軍事〗剣と盾構想.

con·cert /kɑ́nsəːrt, -sərt | kɔ́nsət/

名 演奏会, コンサート. ― 動他 協定する.

chámber còncert 室内楽演奏会.
dìs·cón·cert 動他 落ち着きを失わせる, 心を乱す.
póp còncert ポピュラー音楽のコンサート.
póps còncert =pop concert.
prè·cón·cert 形 コンサート前の.
promenáde cóncert プロムナード・コンサート: 聴衆が立ったままで聴く気楽な音楽会.
smóking-còncert 《英》喫煙してもよい音楽会.
subscríption còncert 入場券予約のコンサート.

con·crete /kɑ́nkriːt, ―⌐ | kɔ́ŋkriːt/

名 コンクリート. ― 形 現実の, 実在の; 具体的な.

áerated cóncrete 泡[発泡]コンクリート.
áir-entráined cóncrete AEコンクリート.
cínder còncrete 石炭殻コンクリート.
Cyclopéan cóncrete 巨石コンクリート.
fèr·ro·cón·crete 名 =reinforced concrete.
musique concrète 〖音楽〗ミュージックコンクレート.
nó-fínes cóncrete 砂なしコンクリート.
préstressed cóncrete 鋼弦[PS]コンクリート.
réinforced cóncrete 鉄筋コンクリート.
shéll còncrete シェルコンクリート.
vácuum còncrete 真空コンクリート.
víbrated cóncrete 振動コンクリート.

con·dens·er /kəndénsər/

名 **1** 凝縮器. **2** 復水器. ⇨ -ER[1].

Ábbe condènser 〖光学〗アッベ集光レンズ.
áir condènser 空気冷却機.
jét condènser 噴射復水器, エゼクタ復水器.
Líebig condénser リービヒ冷却器.

réflux condénser 〘化学〙還流冷却器.
súrface condènser 表面凝縮器, 表面復水器.

con·di·tion /kəndíʃən/

名 **1** 状態. **2** 条件. ――動他 …を調整する. ⇨ -ION[1].

áir-condìtion 動他 …に空気調節装置をつける.
bóundary condìtion 〘数学〙境界条件.
dè·con·dí·tion 動他 〈人の〉体力を減退させる.
Hölder condìtion =Lipschitz condition.
inítial condìtion 〘数学〙初期条件.
Lípschitz condìtion 〘数学〙リプシッツの条件.
mórpheme strùcture condìtion 〘言語〙形態素構造条件.
nécessary condìtion 〘論理〙必要条件.
prè·con·dí·tion 名 必須条件.
rè·con·dí·tion 動他 (修理などで)新品のようにする.
týphoid condìtion (急性の病気の際に生じる)衰弱.
wéather-condìtion 動他 全天候向きにする.

con·di·tioned /kəndíʃənd/

形 **1** 条件 [制限] 付きの. **2** 《複合語》…の状態にある. ⇨ -ED[1].

áir-condìtioned 形 空気調節装置のある.
cásk-condìtioned 形 〈ビールが〉樽(たる)作りの.
íll-condítioned 形 不機嫌な, むっつりした.
ùn·condítioned 形 無条件の, 絶対の; 無限の.
wéll-condítioned 形 健康な, 調子のよい.

con·di·tion·ing /kəndíʃəniŋ/

名 **1** 調査すること; 調節. **2** 〘心理〙条件付け: 賞罰によって行動を変える過程. ⇨ -ING[1].

áir condìtioning 空気調節, 冷(暖)房.
avérsive condìtioning 〘心理〙〘精神医学〙嫌悪療法.
cardiováscular condìtioning 心臓血管調整.
clássical condìtioning =respondent conditioning.
cólor condìtioning 色彩調節.
còunter·condítioning 〘心理〙抗条件付け, 反対条件付け.
instruméntal condìtioning =operant conditioning.
óperant condìtioning 〘心理〙オペラント条件付け.
Pavlóvian condìtioning =respondent conditioning.
respóndent condìtioning 〘心理〙レスポンデント条件付け.

con·duct /kándʌkt | kɔ́n-/

名 (道徳上の)振る舞い, 品行. ――動他 導く, 案内する. ⇨ -DUCT.

disórderly cónduct 〘法律〙治安紊乱(びんらん)行為.
mis·cón·duct 名 非行, 不品行; 姦通.
rè·con·dúct 動他 連れ戻す; (元の所に)戻す.
sáfe-cónduct 名 (特に戦時の)通行証.

con·duct·ance /kəndʌ́ktəns/

名 〘電気〙電気伝導力, コンダクタンス. ⇨ -ANCE[1].

mútual condúctance 〘電子工学〙相互コンダクタンス.
specífic condúctance 〘電気〙伝導率.
tràns·con·dúct·ance 名 〘電子工学〙相互コンダクタンス.

con·duc·tive /kəndʌ́ktiv/

形 伝導性を有する, 伝導力のある. ⇨ -DUCTIVE.

e·lec·tro·con·duc·tive 形 電気伝導性の.
pho·to·con·duc·tive 形 光(こう)伝導(性)の.

con·duc·tiv·i·ty /kàndʌktívəti | kɔ̀n-/

名 〘物理〙(熱・電気・音の)伝導性 [力]. ⇨ -ITY.

éddy conductìvity 〘流体力学〙交換係数.
phò·to·con·duc·tív·i·ty 名 〘物理〙光(こう)伝導(性).
pỳ·ro·còn·duc·tív·i·ty 名 〘電気〙パイロ導電性, 熱導電性.
sù·per·con·duc·tív·i·ty 名 〘物理〙超伝導.
thérmal conductìvity 〘物理〙熱伝導率, 熱伝導度.

con·duc·tor /kəndʌ́ktər/

名 **1** 指導者; 案内者. **2** 伝導体. ⇨ -DUCTOR.

bús condùctor バスの車掌.
nòn·con·dúc·tor 名 (熱・音・電気の)不導体, 絶縁体.
sè·mi·con·dúc·tor 名 半導体.
sù·per·con·dúc·tor 名 超伝導体.
sùper-ióníc condúctor 〘物理〙超 [高] イオン導電体.

cone /kóun/

名 〘幾何〙錐(すい), 錐面, 錐体; 円錐状のもの.

allúvial cóne 〘地質〙沖積錐.
bì·cóne 名 2つの円錐を合わせた形のもの.
cínder còne 〘地質〙噴石丘, シンダーコーン.
grówth còne 〘細胞生物〙成長円錐.
íce-cream còne アイスクリームコーン.
nóse còne 〘ロケット〙ノーズコーン.
oblíque círcular cóne 〘幾何〙斜円錐, 斜円錐体.
píne còne 松かさ, 松ぼっくり.
pítch còne 〘機械〙ピッチ円錐.
préssure còne 〘地質〙=shatter cone.
pyrométric cóne =Seger cone.
ríght círcular cóne 〘幾何〙直円錐.
Séger cóne ゼーゲル錐: 耐火物などの高温加熱効果を比較測定する一種の温度計.
shátter còne 〘地質〙シャッターコーン.
snów còne スノーコーン: 氷菓の一種.
Sóuthern Cóne 南米大陸南部地域.
spátter còne 〘地質〙スパター丘, 熔岩滴丘.
stórm còne 《英》(円錐形の)暴風雨警報標識.
táil còne 〘ロケット〙テール [尾部] コーン.
tráffic còne 道路工事などの円錐形標識.
volcánic cóne 〘地質〙火山円錐丘.
wínd còne (飛行場などの)吹き流し.

con·fer·ence /kánfərəns | kɔ́n-/

名 会議, 協議会, 相談会. ⇨ -FERENCE.

Asílomar Cónference 〘生物〙アシロマ会議(1975)
áudio cònference 電話会議.
Brétton Woods Cònference ブレトンウッズ会議(1944).
Cáiro Cónference カイロ会談(1943).
Casablánca Cónference カサブランカ会談(1943).
cáse cònference 症例会議, ケース検討会.
Disármament Cònference 世界軍縮会議(1932–34).
Hélsinki Cònference 欧州安全保障協力会議.
judícial cónference 〘法律〙裁判官会議, 司法審議会.
Lámbeth Cónference ランベス会議.
néws cònference (特に政府関係者の)記者会見.
péace cònference 和平会議.
prè·cón·fer·ence 名 予備会談, 事前協議.
préss cònference 記者会見.
tél·e·còn·fer·ence 名 遠隔地間会議.
víd·e·o·còn·fer·ence 名 テレビ会議.
Wáshington Cónference ワシントン会議(1921–22).
Yálta Cónference ヤルタ会談(1945).

con·fine·ment /kənfáinmənt/

名 制限, 局限; 幽閉, 監禁. ⇨ -MENT.

hóme confínement 自宅拘禁.

magnétic confínement 〘物理〙プラズマの閉じ込め.
quárk confínement 〘物理〙「クォークの閉じ込め」.
sólitary confínement 独房監禁.

con·flict /kánflikt | kɔ́n-/

名 **1** 闘争, 紛争. **2**(心理的)葛藤. ⇨ -FLICT.

appróach-appróach cònflict 〘心理〙接近と接近との葛藤.
appróach-avóidance cònflict 〘心理〙接近と回避との葛藤.
Árab-Ísraeli cònflict アラブ・イスラエル紛争(1948–).
avóidance-avóidance cònflict 〘心理〙回避と回避との葛藤.
cláss cónflict 階級対立.
intrasénder cónflict (組織内部の)意見の対立.
róle cònflict 〘心理〙〘社会〙役割葛藤.

con·form·i·ty /kənfɔ́ːrməti/

名 社会の一般的慣行に従った行動. ⇨ -ITY.

dis·con·form·i·ty 名 〘地質〙非整合.
in·con·form·i·ty 名 不服従, 非協調; 不一致.
non·con·form·i·ty 名 従わないこと, 不順応, 非協調.
un·con·form·i·ty 名 《古》不適合, 不一致.

con·gress /káŋgris | kɔ́ŋgres/

名 **1**(米国の)国会, 連邦議会. **2**(同一議員から成る 2 年の任期期間中の)米国連邦議会. ⇨ -GRESS.

Áfrican Nátional Cóngress アフリカ民族会議.
Álbany Cóngress 〘米史〙オールバニー会議.
Continéntal Cóngress 〘米史〙大陸会議.
Índian Nátional Cóngress インド国民会議派.
Pan-Áfricanist Cóngress 汎(はん)アフリカ人会議.
Trádes Ùnion Cóngress 英国労働組合会議.

con·ju·gate /kándʒugèit | kɔ́n-/

名 〘数学〙共役; 共役軸; 共役複素数. ── 動他 〘文法〙〈動詞を〉活用[変化]させる. ⇨ JUGATE.

cómplex cónjugate 〘数学〙共役(な)複素数.
Hermítian cónjugate 〘数学〙随伴エルミート行列.
tránsposed cónjugate 〘数学〙共役転置行列.

con·junc·tion /kəndʒʌ́ŋkʃən/

名 〘文法〙接続詞. ⇨ JUNCTION.

altérnative conjúnction 選択接続詞.
coórdinating conjúnction 等位接続詞(and, or など).
corrélative conjúnction 相関接続詞.
subórdinating conjúnction 従位[従属]接続詞.
supérior conjúnction 〘天文〙外合.

con·nect /kənékt/

動他 …を結ぶ, 接続する, 連結する.

dis·con·nect 動他 …との連絡[接続]を断つ.
in·ter·con·nect 動他 …を互いに連絡[連結]する.
re·con·nect 動他 …を再びつなぐ.
tel·e·con·nect 名 《形容詞的》電話回線と接続した.

con·nect·ed /kənéktid/

形 **1** 結合[接続]した. **2**(…と)縁故がある. ⇨ -ED[1].

múltiply-connécted 形 〘数学〙多重連結の, 複連結の.
símply-connècted 形 〘数学〙単一連結の, 単連結の.
ùn·connécted 形 連続していない, 個別の, 単独の.
wéll-connécted 形 有力な親戚[友人]がいる.

con·nec·tion /kənékʃən/

名 接続, 結合, 連絡. ⇨ -ION[1].

délta connèction 〘電気〙デルタ接続[結線].
dìs·con·néc·tion 名 連絡[接続]を断つこと, 切断, 分離.
Frénch Connéction 名 フレンチ・コネクション: フランスのマルセーユに本拠を置く密輸組織.
gróund connèction 〘電気〙接地[アース]接続.
gróunding connèction =ground connection.
júnk connèction 《米麻薬俗》麻薬の売人.
kílo connèction 《米俗》麻薬を倍に薄めて売る売人.
mésh connèction =delta connection.
mis·con·néc·tion 名 ミスコネクション: 主に飛行機でうまく接続便に搭乗できないこと.
siamése connéction 二また連結口[送水口].
Ś-Ŕ connèction 〘心理〙刺激－反応連鎖.
stár connèction 〘電気〙星形回路網[結線].
tél·e·con·nèc·tion 名 〘気象〙遠隔連結.
Ý connèction 〘電気〙Y 結線[接続].

con·quest /kánkwest, káŋ- | kɔ́ŋ-/

名 征服; 克服.

Nórman Cónquest 〘英史〙ノルマン征服.
prè-Cón·quest 形 〘英史〙ノルマン征服(1066)以前の.
prè·cón·quest 形 征服[占領]以前の.
rè·cón·quest 名 **1** 再征服. **2** スペインのレコンキスタ.
sélf-cón·quest 名 自己克服.

con·scious /kánʃəs | kɔ́n-/

形 意識を有する, 知覚のある. ⇨ -IOUS.

bod·y-con·scious 形 体に合った, 着心地のよい.
ec·o·con·scious 形 環境(保護)を意識した.
fash·ion-con·scious 形 流行を意識した.
fore·con·scious 形 〘心理〙=preconscious.
gram·mar-con·scious 形 文法を意識した.
hy·per·con·scious 形 意識過剰の.
num·ber-con·scious 形 数字を気にする.
pre·con·scious 形 〘精神分析〙前意識の.
self-con·scious 形 人目を気にする, 自意識過剰な.
sem·i·con·scious 形 半ば意識の薄れた.
sub·con·scious 形 意識下の, 潜在意識の.
sup·er·con·scious 形 〘心理〙人間の意識を超越した.
un·con·scious 形 意識していない, 気づいていない.
un-fuck·ing-con·scious 形 《米俗》完全に気を失った.

con·scious·ness /kánʃəsnis | kɔ́n-/

名 意識[知覚](を持っていること); 自覚. ⇨ -NESS.

bláck cónsciousness (南アフリカで, アパルトヘイト政策と戦う黒人の)黒人としての自覚.
cláss cónsciousness 階級意識.
co·cón·scious·ness 名 〘心理〙共(在)意識, 副意識.
Kríshna Cònsciousness クリシュナ意識国際協会: クリシュナを崇拝するヒンドゥー教系の団体.
stréam-of-cónsciousness 形 〈小説が〉意識の流れ的手法の.
ùl·tra·cón·scious·ness 名 過度の自覚.

con·se·crate /kánsəkrèit | kɔ́n-/

動他 神聖にする; 聖別する, 奉献する. ⇨ -SECRATE.

de·con·se·crate 動他 〈教会を〉俗用に使用する.
re·con·se·crate 動他 再び聖別する; 再び神にささげる.

con·serv·a·tive /kənsə́ːrvətiv/

形 保守的な, 保守主義の, 伝統主義の. ── 名 保守的な

C

人; 保守党員. ⇨ -IVE[1].

àrch·con·sérv·a·tive 形 超保守的な, 極端に保守的な.
pà·le·o·con·sérv·a·tive 名 《米》原始保守派(の人), 超右翼の保守派.
Progréssive Consérvative 《カナダ》進歩保守党員.
sèm·i·con·sérv·a·tive 形 【遺伝】(DNA の複製が)半保存的な.
traditional consérvative 《米》伝統的保守派.
ùl·tra·con·sérv·a·tive 形名 超保守的な(人[団体]).

con·sid·er /kənsídər/

動他 **1** 熟考する. **2** 尊重する.

dis·con·sid·er 動他 《古》信用[評判]を落とす.
re·con·sid·er 動他 再考する, 考え直す.

con·so·nant /kánsənənt | kɔ́n-/

名 【音声】子音. ━━形 (…に)調和する. ⇨ SONANT.

divíded cónsonant 分裂[分割]子音.
in·cón·so·nant 形 一致しない, 調和しない.
stóp cònsonant 閉鎖音.
ùn·cón·so·nant 形 =inconsonant.

con·so·nan·tal /kànsənǽntl | kɔ̀n-/

形 【音声】子音の; 子音性の. ⇨ -AL[1].

in·ter·con·so·nan·tal 形 〈母音が〉子音に挟まれた.
post·con·so·nan·tal 形 子音のすぐ後に続く.
pre·con·so·nan·tal 形 子音の直前の, 子音のすぐ前にくる.

con·sort /kánsɔːrt | kɔ́nsɔːt/

名 **1** 配偶者. **2** 【音楽】コンソート. ⇨ SORT.

bróken cónsort 【音楽】ブロークン・コンソート.
Déller Cònsort デラー・コンソート: 英国の声楽グループ.
prínce cónsort 女王の夫君.
quéen cónsort 王妃, 皇后.
whóle cónsort 【音楽】ホールコンソート.

con·sta·ble /kánstəbl | kʌ́n-, kɔ́n-/

名 (通例, 小さな町や地方の, 警察権や若干の司法権を持つ)治安関係の公務員. ⇨ STABLE.

Chíef Cónstable 《英》(地方警察の)署長; 本部長.
pólice cònstable 《英》巡査.
spécial cónstable 《英》特別警察官.

con·stant /kánstənt | kɔ́n-/

形 不変の, 一定の. ━━名 【物理】定数. ⇨ -STANT.

Bóltzmann cònstant 【物理】ボルツマン定数.
cósmic cónstant =cosmological constant.
cosmológical cónstant 【天文】宇宙定数, 宇宙項.
crítical cónstant 【物理】臨界定数.
decáy cònstant 【物理】崩壊定数.
dieléctric cónstant 【電気】誘電率.
Dirác cònstant 【量子力学】ディラック定数.
disintegrátion cònstant 【物理】=decay constant.
eléctric cónstant 【物理】絶対誘電率.
Fínk's cónstant 《米俗》適当にうまくやること.
gás cònstant =universal gas constant.
gravitátional cónstant 【物理】万有引力定数.
Húbble's cónstant 【天文】ハッブルの定数.
in·cón·stant 形 移り気の, 気まぐれな, 浮気な.
láttice cònstant 【結晶】格子定数.
lógical cónstant 【論理】論理定数.
magnétic cónstant 【物理】磁気定数.
Michaélis cónstant 【生化学】ミハエリス定数.
Plánck's cónstant 【物理】プランク定数.
sólar cónstant 【物理】太陽定数.
tíme cònstant 【電気】時定数.
ùn·cón·stant 形 《古》=inconstant.
univérsal gás cònstant 【物理】普遍気体定数.

con·stit·u·ent /kənstítʃuənt | -tju-/

形 組成する, 構成する; 構成要素である. ━━名 構成物質. ⇨ -ENT[1].

immédiate constítuent 【文法】直接構成素, 直接成分.
mìcro·constítuent 名 微視的小成分.
rè·con·stít·u·ent 形 組織再生の, ━━名 再生剤.
últimate constítuent 【文法】終極構成要素.
uníque constítuent 【言語】唯一的構成要素.

con·sti·tu·tion /kànstət(j)úːʃən | kɔ̀nstitjúː-/

名 **1** 構造, 組織. **2** 憲法. ⇨ -STITUTION.

cústomary constitútion =unwritten constitution.
Féderal Constitútion 合衆国憲法.
unwrítten constitútion 不文憲法.
Wéimar Constitútion 【ドイツ史】ワイマール憲法.

con·struc·tion /kənstrʌ́kʃən/

名 **1** 建設; 構造法. **2** 【文法】構造. ⇨ -STRUCTION.

dè·con·strúc·tion 名 【哲学】脱構築.
homónymous constrúction 【文法】同音異義構造.
lógical constrúction 【論理】論理的構成.
míll constrùction 防火木骨造り.
mìs·con·strúc·tion 名 構成[構文]の誤り.
morphológic constrúction 【文法】形態論的構造.
múshroom slàb constrùction 【建築】無梁板(むりょうばん)構造.
póst-and-béam constrùction 【建築】柱と梁(はり)構造.
rè·con·strúc·tion 名 再建, 復興; 改造, 改築; 復元.
shéll constrùction シェル構造, 殻(から)構造.
skéleton constrùction 【建築】(高層建築の)架構式構造.
syntáctic constrúction 【文法】統語構造.

con·sum·er /kənsúːmər | -sjúːmə/

名 消費者; 消費するもの. ⇨ -ER[1].

àn·ti·con·súm·er 名形 反消費者(の).
énd-consùmer 末端消費者.
nòn·con·súm·er 名形 非消費者(の).
pòst·con·súm·er 形 消費者以後の.
prè·con·súm·er 名形 前消費者(の).
prímary consúmer 【生態】第一次消費者.
sécondary consúmer 【生態】第二次消費者.
tértiary consúmer 【生態】第三次消費者.

con·tact /kántækt | kɔ́n-/

名 接触, 触れ合い, 出会い.

cásual cóntact 偶然の接触.
categóric cóntact 【社会】部類的接触.
éye còntact 視線を合わせること.
nòn·cón·tact 形 〈スポーツ競技が〉体の接触のない.
prímary cóntact 【社会】第一次接触, 一次的接触.
sécondary cóntact 【社会】第二次接触, 二次的関係.
sympathétic cóntact 【社会】共感接触.
wéather còntact (雨天時の)電線の漏電.
wét cóntact 【電気】直流が流れる接点.

con·tent[1] /kántent | kɔ́n-/

名 内容, 中身.

héat còntent ［熱力学］エンタルピー(enthalpy).
látent cóntent ［精神分析］(夢・空想の)潜在内容.
lócal-cóntent 形 (部品の)現地調達率の.
mánifest cóntent ［精神分析］(夢の)顕在内容.

con·tent² /kəntént/

形 満足している. ──名 満足.

dìs·con·tént 形 満足していない. ──名 不満.
màl·con·tént 形 不平［不満］の. ──名 不平家.
nòn·con·tént 名 ［英政治］反対投票(者).
nòt-contént 名 ［英政治］=noncontent.
sélf-contént 名 自己満足.
wéll-contént 形 十分満足した.

con·test /kántest | kɔ́n-/

名 競技, 競争. ⇨ -TEST.

béauty còntest 美人コンテスト.
cárving còntest (ジャズマンの)技比べ.
cutting contest =carving contest.
nó cóntest ［法律］不抗争の答弁.
píssing cóntest 《米俗》けんか, 口論.
wíll còntest ［法律］遺言訴訟.

con·ti·nent /kántənənt | kɔ́nti-/

名 大陸. ──形 排泄をコントロールできる. ⇨ -TINENT.

Antárctic Cóntinent 南極大陸.
Dárk Cóntinent 暗黒大陸.
in·cón·ti·nent 形 ［病理］(大小便)失禁の.
mì·cro·cón·ti·nent 名 ［地質］微小大陸.
Néw Continent 新大陸.
Óld Cóntinent 旧大陸.
prò·to·cón·ti·nent 名 ［地質］始原大陸.
sùb·cón·ti·nent 名 亜大陸.
sù·per·cón·ti·nent 名 ［地質］超大陸.
Whíte Cóntinent 白い大陸, 南極大陸.

con·ti·nen·tal /kàntənéntl | kɔ̀nti-/

形 大陸(性)の. ⇨ -AL¹.

bì·con·ti·nén·tal 形 二大陸の［を含む］.
èp·i·con·ti·nén·tal 形 大陸で発見される, 大陸地殻上の.
ìn·ter·con·ti·nén·tal 形 大陸間の.
sùb·con·ti·nén·tal 形 (インド)亜大陸の.
tràns·con·ti·nén·tal 形 大陸を越える, 大陸横断の.
tri·còn·ti·nén·tal 形 三大陸の.
trópical continéntal 形 ［気象］〈気団が〉熱帯大陸性の.

con·tin·u·ous /kəntínjuəs/

形 (時間・空間的に)絶え間ない, 連続的な, 継続的な. ⇨ -OUS.

dìs·con·tín·u·ous 形 連続しない, とぎれた, 中断された.
pást contínuous 過去進行形.
pérfect contínuous 完了進行形.
présent contínuous 現在進行形.

con·tract /kántrækt | kɔ́n-/

名 契約, 約定. ⇨ -TRACT.

commútative cóntract ［法律］双務契約, 等価交換契約.
cútthroat cóntract ［トランプ］三つ巴ゲーム.
fináncial fútures còntract ［金融］金融先物取引.
fórward cóntract ［商業］先物契約, 先渡し契約.
gratúitous cóntract ［法律］無償契約.
lánd còntract ［商業］土地売買契約.
létter còntract 同意書, 仮契約書.
márriage còntract 夫婦間婚姻契約.
nó-cùt cóntract 《話》［スポーツ］ノーカット契約.
ópen cóntract 《俗》(部下の誰が実行してもよい)殺しの仕事.
perfórmance còntract 《米》(民間の教育産業による公立学校生徒への)学力促進請負.
prè·cón·tract 名 先約, 予約.
quási cóntract ［法律］準契約.
rísk còntract ［法律］リスク・コントラクト.
sérvice còntract 雇用者と管理職者との契約.
sócial cóntract 社会契約説.
sub·cón·tract 名 下請け, 下請け契約.
swáp còntract ［経済］スワップ契約, 交流計画.
swéetheart còntract スイートハート協約: 雇用者と組合指導者間の馴れ合いの労働契約.
táke-or-páy cóntract ［商業］テーク・オア・ペイ契約.
wórk-to-cóntract 《英》契約で定められた以外の仕事を拒否する労働争議の一手段.
yéllow-dóg còntract 《米》黄犬契約: 労働組合に加入しないことを雇用条件とする労使間契約.

con·trol /kəntróul/

動他 支配［管理］する. ──名 支配(力), 管理, 統制; 抑制, 制御.

áir contròl 航空(交通)管制.
áir-tràffic contròl ［航空］航空交通管制(機関).
árms contròl 軍備管理, 軍備制限.
authórity contròl ［図書館学］典拠コントロール.
bálance contròl 〈ステレオの〉バランスコントロール.
báll contròl ［スポーツ］ボールコントロール.
bibliográphic contról ［図書館学］書誌調整, 文献制御.
bìo·contról =biological control.
biológical contról 生物的防除.
bírth contròl 産児制限, バースコントロール.
búdgetary còntrol (企業経営での)予算統制［管理］.
clímate contròl (空調・暖房装置の)温度調節器.
crúise contròl 《もと米》［航空］巡航速度調整.
dámage contròl ［軍事］被害対策.
déath contròl 死の制御.
dè·con·tról 動他 管理［統制］を撤廃する.
dúal contròl 二重管轄; 二国共同統治.
Éu·ro·con·tròl 名 欧州航空管制.
exchánge contròl 為替管理.
fíre contròl ［軍事］(陸軍で)射撃統制, (海軍で)射撃指揮, (空軍で)火器管制.
Fléttner contròl ［航空］フレットナー(式)操縦装置.
flíght contròl 飛行［航空］管制.
flóod contròl ［土木］洪水調節.
gáin contròl ［電子工学］利得制御装置.
gróund contròl ［航空］地上誘導; そのための施設.
líne contròl ［電気通信］回線制御.
líp contròl ［音楽］リップ・コントロール.
míssion contròl ［航空宇宙］ミッション管制センター.
numérical contròl ［コンピュータ］数値制御.
pássport contròl パスポート・コントロール.
populátion contròl (避妊計画による)人口抑制(策).
príce contròl ［経済］価格統制.
prócess contròl プロセス制御［管理］.
prodúction contròl 生産管理.
quálity contròl 品質管理.
rádio contròl (無線飛行機などの)無線制御.
remóte contròl (誘導弾などの)遠隔操縦.
rént contròl (政府による)家賃統制［規定］.
rípple contròl リップルコントロール, リップル制御.
sélf-contròl 自制(心), 克己.
sér·vo·con·tròl サーボ機構による制御.
sócial contròl ［社会］社会統制.
spín contròl 《米俗》(マスコミに対する)情報操

C

作.
thóught contròl (特に政府による)思想統制.
tóne contròl 〘オーディオ〙音色［音質］調節(装置).
vólume contròl (ラジオなどの)音量調節(装置).
wáge contròl 賃金統制.

con·ven·tion /kənvénʃən/

名 **1** 協議会, 大会. **2** 国際協定. ⇨ -VENTION.

Bláckwood convéntion 〘トランプ〙(ブリッジで)ブラックウッド規則.
brókered convéntion 〘米政治〙ブローカード・コンベンション.
Constitútional Convéntion 憲法制定会議.
Genéva Convèntion ジュネーブ協定.
Lomé Convention 〘経済〙ロメ協定.
míni·convèntion (特に政治上の)小規模の会議.
Nátional Convéntion 〘フランス史〙国民公会.
ópen convéntion 〘米政治〙オープンコンベンション.
Páris Convèntion パリ条約.
prè·con·vén·tion 形 (政党)大会［代表者会議］前の.
Rámsar Convéntion ラムサール条約, 国際湿地条約.
rè·con·vén·tion 名 〘大陸法〙反訴.
Séneca Fálls Convèntion 〘米史〙セネカ・フォールズ会議.
Univérsal Cópyright Convèntion 万国著作権条約.
Wársaw Convéntion ワルソー協定, ワルシャワ航空協定.
Wáshington Convéntion ワシントン条約.

con·ver·gence /kənvə́ːrdʒəns/

名 **1** 一点に集まること, 集合すること. **2** 〘数学〙収束. ⇨ -ENCE[1].

ábsolute convérgence 〘数学〙(無限級数の)絶対収束.
adáptive convérgence 〘遺伝〙適応的収斂(しゅうれん).
Antárctic Convérgence 南極収束線.
condítional convérgence 〘数学〙条件収束.
Móore-Smith convérgence 〘数学〙ムーア=スミスの収束.
uncondítional convérgence 〘数学〙無条件収束.

con·ver·sion /kənvə́ːrʒən, -ʃən | -ʃən/

名 **1** 転換, 変換. **2** 転向, 改宗. ⇨ -VERSION.

bì·o·con·vér·sion 名 〘エネルギー〙生物(学的)転換.
énergy convèrsion エネルギー変換［転換］.
équity convèrsion 《米・カナダ》(年金方式)逆住宅抵当貸し付け.
géne convèrsion 〘遺伝〙遺伝子変換.
ìn·ter·con·vér·sion 名 (相互の)取り替え, 相互転換.
intérnal convérsion 〘物理〙内部転換.
rè·con·vér·sion 名 再改宗, 再転向; 復旧, 復帰, 復興.
sè·ro·con·vér·sion 名 〘免疫〙血清変換.
ván convèrsion バン: 荷物格納部を居住空間としたバンの一種.
wáter convèrsion (海水の)淡水化.

con·vert·er /kənvə́ːrtər/

名 転換させる人［もの］. ⇨ -ER[1].

ánalog-to-dígital convérter 〘コンピュータ〙AD 変換器.
Béssemer convèrter 〘冶金〙ベッセマー転炉, 酸性転炉.
cáble convèrter 〘テレビ〙ケーブル変換器.
catalýtic convérter 〘自動車〙還元触媒.
dígital-to-ánalog convèrter 〘コンピュータ〙DA 変換器.
ímage convèrter 〘電子工学〙イメージ変換器.
Ĺ-D̀ convèrter 〘冶金〙L-D 転炉.
rótary convérter 〘電気〙=synchronous converter.
sýnchronous convérter 〘電気〙回転変流機, 同期変流機.
tèle·convérter 〘写真〙望遠用の補助レンズ.
tórque convèrter 〘機械〙流体変速装置.
ùp·con·vért·er 名 〘電子工学〙アップコンバーター.
wíde-àngle convérter 〘写真〙広角用の補助レンズ.

con·vert·i·ble /kənvə́ːrtəbl/

形 (形式・性質・機能などが)(…に)変換できる; 〈貨幣などが〉兌換(だかん)できる, 換算できる. ⇨ -IBLE.

in·con·vert·i·ble 形 〈紙幣が〉兌換できない.
non·con·vert·i·ble 形 変換できない; 両替できない.
un·con·vert·i·ble 形 =inconvertible.

con·vex /kɑnvéks, kən- | kɔnvéks, ⌐ー/

形 凸状の, 中高の, 凸面の.

bi·con·vex 形 〈レンズなどが〉両凸の.
con·ca·vo-con·vex 形 一面凹状で他面凸状の, 凹凸の.
con·vex·o-con·vex 形 両凸の, 凸凸の.
pla·no-con·vex 形 〈レンズが〉平凸(へいとつ)の.

con·vey·or /kənvéiər/

名 運搬する人［もの］. ⇨ -OR[2].

bélt convèyor ベルトコンベヤー.
búcket convèyor バケットコンベヤー.
pneumátic convéyor 空気コンベヤー.
scréw convèyor ねじ［スクリュー］コンベヤー.
wórm convèyor =screw conveyor.

cook /kúk/

動他 (加熱によって)料理する. ―― 名 料理人, コック.

búll còok 《英俗》(牧場などの仮小屋の)雑役係.
flásh-còok 動他 〈缶詰などを〉瞬間加熱殺菌する.
frý còok (軽食堂で)揚げ物専門のコック.
mícro·còok 動他自 電子レンジで調理する.
òven-cóok 動他 オーブンで調理する.
òver·cóok 動他 煮過ぎる, 焼きすぎる.
pástry-còok ペーストリー職人［製造者］.
pláin cóok 簡単な料理ができる人.
prè·cóok 動他 〈食品を〉下ごしらえしておく.
préssure-còok 動他自 圧力釜(がま)で料理する.

cooked /kúkt/

動 cook の過去・過去分詞. ⇨ -ED[1].

hálf-cóoked 形 生煮え［生焼け］の, 半熟の.
hárd-cóoked 形 《英》〈卵が〉堅ゆでの.
hóme-còoked 形 家庭で料理した, 手作りの.
òver·cóoked 形 煮［焼き］すぎた.
ùn·cóoked 形 (火を使って)料理してない, 生の.

cook·er /kúkər/

名 炊事用具, 調理道具. ⇨ -ER[1].

fíreless cóoker 火なしこんろ, 蓄熱料理器.
gás còoker 《英》(料理用の)ガスレンジ.
préssure còoker 圧力釜(がま).
préssure-còoker 形 プレッシャーのかかった.
slów cóoker 比較的低温で長時間煮るための密閉式の蓋(ふた)のついた電気鍋.
sólar cóoker ソーラークッカー: 太陽光線を熱源とする調理器具.
Tómmy còoker 《英》〘軍事〙固形燃料個人用小型ストーブ.
wáterless cóoker 無水鍋(なべ).

cook·ie /kúki/

名《米・カナダ》クッキー. ⇨ -IE[1].

bútter còokie バタークッキー.

dróp còokie 落とし焼きクッキー: 練り粉をスプーンで鉄板の上に落として焼く.

fórtune còokie 《米》(しばしば中華料理店でデザートで出る)占いせんべい.

thúnder-còokie 《米麻薬俗》マリファナタバコ.

Tóll House Cóokie トールハウスクッキー: 米国のチョコレートチップや刻みナッツ入りのクッキー.

tóugh cóokie 《米俗/褒めて》しぶといやつ, 頑張り屋.

cool /kúːl/

形 **1** 涼しい. **2** 冷静な. **3**《話》クールな, かっこいい.

áir-còol 動他〘機械〙空気で冷却する, 空冷する.

Jóe Cóol 《俗》冷静な男, クールな男.

prè·cóol 動他 …を前もって冷やす.

sùb·cóol 動他 =supercool.

sù·per·cóol 動他〈液体を〉氷点以下に冷却する.

ùn·cóol 形 《俗》冷静でない; かっこ悪い.

ùn·der·cóol 動他〘化学〙…に必要なだけの冷却をしない.

wáter-còol 動他〈エンジンなどを〉水冷式で冷却する.

cool·er /kúːlər/

名 **1** 冷却用容器. **2** 冷房装置. ⇨ -ER[1].

áf·ter·còol·er 名 最終冷却器, アフタクーラー.

áir-còoler 空気冷却器, 空冷装置.

bútter còoler 冷蔵用のテーブルバター容器.

cóffee còoler 《米俗》楽な仕事につきたがる人.

désert còoler (インドで, ぬらした草に扇風機の風を送って冷やす)冷房装置.

ín·ter·còol·er 名 中間[給気]冷却器.

prè·cóol·er 名 予冷器.

wáter còoler ウォータークーラー, 冷水器.

wíne còoler ワインクーラー, ワイン冷却器.

co·op·er·a·tive /kouápərətiv, -ápərèit- | -ɔ́pərə-/

形 力を合わせて行う, 協同の. ── 名 生活協同組合. ⇨ OPERATIVE.

fármers coóperative 農業協同組合.

ùn·co·óp·er·a·tive 形 非協力的な.

wórkers' co-óperative 労働者生活協同組合(商店).

co·or·di·nates /kouɔ́ːrdənəts, -nèits/

名複 coordinate の複数形.

Cartésian coórdinates 〘数学〙デカルト座標.

chromatícity coòrdinates 色度座標.

cylíndrical coórdinates 〘数学〙円柱座標.

galáctic coórdinates 〘天文〙銀河座標.

géneralized coórdinates 〘物理〙一般化座標.

oblíque coórdinates 〘数学〙斜交座標.

pólar coórdinates 〘数学〙極座標.

rectángular coórdinates 〘数学〙直交座標.

sphérical coórdinates 〘数学〙球(面)座標.

cop /káp | kɔ́p/

名《話》警官, お巡り, 「さつ」.

cóurtesy còp 親切指導の警官.

electrónic cóp 電子刑事: 犯罪データを保管・検索できるコンピュータ.

flý còp 《米》私服刑事.

nét cóp 《俗》インターネット警察官.

rént-a-còp 名 《米》警備員, ガードマン.

sílent cóp 《豪》自動信号機.

spárrow còp 《米》公園の芝生保護担当の警官.

spéed còp 白バイ警官.

tóp cóp 署長, 警視総監.

tráffic còp 交通巡査.

-cope /kəpìː/

連結形 切ること.
◆ ギリシャ語 *kóptein*「切る」より.
[発音] 直前の音節に第 1 強勢.

a·poc·o·pe 名 語尾省略, 語尾音消失.

pe·ric·o·pe 名 (書物の)引用章句, 抜粋.

syn·co·pe 名 〘文法〙語中音消失.

cop·per /kápər | kɔ́pə/

名〘化学〙銅.

Américan cópper ベニシジミ属のチョウの一種.

berýllium cópper ベリリウム銅.

bláck cópper 〘冶金〙粗銅: 純度 97－99 %.

blíster còpper 〘冶金〙粗銅: 純度 96－99 %.

pímple còpper 〘冶金〙ピンプル銅.

tóugh pítch còpper 〘冶金〙タフピッチ銅.

cop·ter /káptər | kɔ́ptə/

名《話》ヘリコプター. ►helicopter の短縮形.

gy·ro·cop·ter 名 オートジャイロ: 回転翼を使って揚力を得るようにした飛行機.

sea·cop·ter 名 水陸両用ヘリコプター.

tur·bo·cop·ter 名 ターボ(ヘリ)コプター: ガスタービンを動力にしたもの.

cop·y /kápi | kɔ́pi/

名 写し, 複写; 控え; (機械による)コピー; 模写, 模倣. ⇨ -Y[3].

advánce còpy 〘出版〙前出し.

associátion còpy 手沢(しゅたく)本.

blínd cópy ブラインドコピー.

bódy còpy 〘広告〙ボディーコピー.

cárbon cópy カーボン紙を用いた複写.

cárbon-còpy 動他 複写する. ── 形 そっくりな.

Chínese cópy 《おどけて》(誤りもそのまま写した)忠実な模写.

fáir cópy 修正[訂正]済み文書; 完全原稿.

hárd cópy 〘コンピュータ〙ハードコピー.

knócking còpy 競争相手の製品を中傷する広告.

líne còpy 〘印刷〙線画, 線画原稿.

mícro·còpy マイクロコピー, 縮小複写.

mis·cóp·y 動他 写し違える, 誤写する.

phéno·còpy 〘遺伝〙表現型模写.

phó·to·còp·y 名動他自 写真複写(する).

presentátion còpy 贈呈本, 献呈本, 献本.

préss còpy 圧搾式複写器による複写.

rè·cóp·y 動他 …の写しを取り直す.

reléase còpy 新刊見本, 予告記事, 公表予告.

revíew còpy (新聞社などへの)書評用献本.

ríbbon còpy タイプリボンによるコピー.

róugh cópy 草稿, 第一稿.

shów còpy 〘映画〙上演用の完成版.

sóft cópy 〘コンピュータ〙ソフトコピー.

táll cópy トール本: 天地の余白をたっぷり残して裁断した本.

tíme còpy 〘ジャーナリズム〙(新聞・雑誌などの)組み置き原稿, 予備記事.

C

tóp còpy (カーボンコピーに対して)原本.

cor·al /kɔ́ːrəl, kár-|kɔ́r-/

名 サンゴ(珊瑚).

blúe córal アオサンゴ.
bráin còral ノウサンゴ.
cháin còral クサリサンゴ.
cúp còral コップ状イシサンゴ.
hórny córal ヤギ(海楊)(イソバナを含む).
hỳ·dro·córal 名 ヒドロサンゴ類.
léaf còral 紅藻のうちサンゴモの一種; 茎は石灰化する.
órgan-pipe còral クダサンゴ.
précious córal =red coral.
réd córal アカサンゴ, モモイロサンゴ.
séed còral (装飾用の)小粒のサンゴ.
stághorn córal ミドリイシ.
stág's-hòrn córal =staghorn coral.
stóny córal イシサンゴ(石珊瑚).

cord /kɔ́ːrd/

名 ひも, 糸, 細引き.

Bédford córd 【繊維】ベッドフォードコード.
búngee còrd 両側に止め鉤(かぎ)のあるゴムひも.
cátch-còrd 【繊維】キャッチコード.
communicátion còrd 《英》(列車内の)非常通報の索.
dróp-còrd 形 コードでぶら下がっている.
exténsion còrd (電気の)延長コード.
fáce còrd 薪(まき)を量る単位.
gláss córd 【自動車】グラスコード.
néck còrd 【紡織】首糸(lash).
néedle·còrd 【繊維】ニードルコード.
nérve còrd 【動物】神経索.
pátch còrd 【電気工学】パッチコード.
ríp còrd 【航空】曳索(えいさく).
Rússell córd 【繊維】ラッセルコード.
shóck còrd =bungee cord.
sílver córd =umbilical cord.
spermátic córd 【解剖】精索, 精系.
spínal còrd 【解剖】脊髄(せきずい).
súnk córd 【製本】=sunken cord.
súnken córd 【製本】沈み緒, 隠れ緒.
umbílical còrd 【解剖】へその緒, 臍帯(さいたい).
ùn·córd 動他 …のひもを解く[外す, 緩める].
whíp·còrd 【繊維】ホイップコード.

-cord /kɔ́ːrd, kɔːrd/

連結形 心.
★ 語末にくる関連形は -CORDANCE.
★ 語頭にくる形は cordi-: *cordi*ality「誠心誠意」, *cordi*form「心臓形の」.
◆ <ラ *cor*, *cordis*「心」.

ac·cord 動自 (…と)一致する.
con·cord 名 (意見・態度・感情などの)一致.
dis·cord 名 不和, 仲たがい; 意見の不一致.
re·cord 動他 ☞

-cord·ance /kɔ́ːrdns/

連結形 心臓, 心.
★ 語末にくる関連形は -CORD.
★ 語頭にくる関連形は cordi-: *cordi*ality「誠心誠意」, *cordi*form「心臓形の」.
◆ <ラ *cord-* 心臓 +-ANCE[1].

ac·cord·ance 名 一致, 和合; 調和; 協調.
con·cord·ance 名 一致; 和合, 調和.
dis·cord·ance 名 不調和, 不一致.

core /kɔ́ːr/

名 (果物・トウモロコシなどの)芯(しん), 果心.

áir-còre 形 【電気】〈コイルなどが〉空心の.
córky córe 【植物病理】縮果病.
déep-sèa córe 【海洋】深海コア.
hárd córe (政党などの)核心, 中核.
hárd-córe 形 **1** 筋金入りの, 断固たる. **2**〈ポルノ映画などが〉ハードコアの.
hárd·còre 《特に英》底石, 割栗(わりぐり).
magnétic córe 【コンピュータ】(磁器)コア, 磁心.
mémory còre =magnetic core.
sóft-córe 形 〈映画・雑誌などが〉(セックス描写の場面で)本番は行っていない.
tórtoise-còre 【考古】亀甲(きっこう)状石核.

-core /kɔ̀ːr/

連結形 …系ポップス.
★ 特定の音楽形式名をつくる.
◆ hard-core からの抽出;「芯, 核」を表す CORE への暗示を含む.

death·core 名 【音楽】スラッシュ(メタル).
fox·core 名 女性バンドによるグランジミュージック.
grind·core 名 (不快音を使った急テンポの)ヘビメタ音楽.
ho·mo·core 名 =queercore.
lounge-core 名 グランジミュージック(grunge).
queer·core 名 (革新的同性愛者が好む)パンク音楽.
thrash·core 名 【音楽】スラッシュ(メタル).

cork /kɔ́ːrk/

名 **1** コルクガシ. **2** コルク; コルク栓. ── 動他 …に(コルク)栓をする.

intérnal córk 【植物病理】ウイルスが原因でサツマイモに生じる病気の一種.
líquid còrk 《米話》下痢止めの薬.
móuntain còrk 【鉱物】山コルク.
róck còrk 【鉱物】=mountain cork.
ùn·córk 動他 〈瓶・樽などの〉コルク[栓]を抜く.

corn /kɔ́ːrn/

名 穀物; 《米・カナダ・豪・NZ》トウモロコシ.

bárley·còrn 大麦.
bróom·còrn ブルームコーン, ホウキモロコシ.
cándy còrn キャンデーコーン: トウモロコシの粒に色・形がそっくりな小さなキャンデー.
cáne còrn 《俗》トウモロコシと蔗糖(しょとう)で造ったウイスキー.
dént còrn デントコーン, 馬歯種(ばしゅ).
fíeld còrn 《米》(飼料用に栽培される)トウモロコシ.
flínt còrn フリントコーン: 堅い実のできるトウモロコシの一種.
gólden bántam córn ゴールデンバンタム.
gréen còrn 《主に米北部・中北部・西部》未熟の柔らかいトウモロコシ.
Guínea còrn アズキモロコシ(durra).
hórse còrn 《米ミッドランド》=field corn.
hýbrid córn 交配種トウモロコシ.
Índian còrn 《米・カナダ・豪・NZ》トウモロコシ.
Kentúcky córn 《米話》コーンウイスキー.
mútton còrn 《米南部大西洋岸諸州》(食べごろの)トウモロコシ.
pépper·còrn コショウの実.

pód còrn 有稃(ふ)種トウモロコシ.
póp·còrn ポップコーン.
Sáracen córn 《英古》ソバ(buckwheat).
séed còrn 《主に米》種トウモロコシ.
sóft còrn 軟粒種トウモロコシ.
spríng còrn 〘スキー〙ざらめ雪, コーンスノー.
squírrel còrn カナダケマンソウ.
súgar còrn 《米》=sweet corn.
swéet còrn 《主に米》スイートコーン.
táble còrn 《主に米東部》=sweet corn.
túrkey còrn =squirrel corn.
Yánkee còrn =flint corn.

-corn /kɔ̀ːrn/

連結形 角(のある)(horn(ed)).
★ 名詞, 形容詞をつくる.
★ 語頭にくる形は cornu-, corne(o)-: *cornu*copia「〘ギリシャ神話〙豊饒の角の」, *corne*ous「角質の; 角状の」, *corneo*scleral「角鞏(かくきょう)膜の」.
◆ ラテン語 *-cornis*「角を持った」より.

Bi·corn 名 (初期仏・英文学の中で)二角獣.
bi·corn 形 〘植物〙〘動物〙二角の, 双角の.
Cap·ri·corn 名 〘天文〙やぎ(山羊)座(the Goat).
cav·i·corn 形 〘動物〙〈羊・ヤギなどが〉洞角(どうかく)を持つ.
clav·i·corn 形 〘昆虫〙こん棒状の触角を持った.
lamel·li·corn 形 〘昆虫〙鰓状(さいじょう)触角の.
lon·gi·corn 形 〘昆虫〙長角の, 長い触覚を持つ.
plum·i·corn 名 〘鳥類〙(フクロウなどの)羽角(うかく).
ser·ri·corn 形 〘昆虫〙鋸歯(きょし)状の触角がある.
tri·corn 形 三角の, 三つの角状突起がある.
tu·bi·corn 形 〘動物〙洞角(ほらつの)の.
u·ni·corn 名 一角獣.

cor·ner /kɔ́ːrnər/

名 **1** 隅, 角. **2** 地域. ⇨ -ER[2].

ámen còrner 《主に米ミッドランド・南部》アーメン・コーナー: 一部のプロテスタント教会における, 通例, 説教壇の片側の席.
chímney còrner 暖炉の隅 [角, 側部], 炉隅.
cóffin còrner 〘アメフト〙コフィンコーナー.
ców còrner 〘クリケット〙うまい cowshot が通過するレッグサイド境界線の四角い範囲.
fénce-còrner 形 《米》私生児の, 親の分からない.
Héll's Córner 《英》「地獄の一角」: Kent 上空の空域; 第二次大戦中の空中戦中心地.
hóle-and-córner 形 《話》秘密の, 内密の.
hóle-in-córner 形 =hole-and-corner.
hóle-in-the-córner 形 =hole-and-corner.
hóspital còrner ベッドメーキングしたときにできるシーツの三角状の折り目.
hót córner 〘野球〙ホットコーナー, 三塁.
kítty-còrner 形 《米話》対角線上の, 筋向かいの.
néutral córner 〘ボクシング〙ニュートラルコーナー.
Píe Còrner (London の)パイコーナー.
Póets' Córner London のウエストミンスター寺院内の一角; 偉大な文人たちの墓や記念碑がある.
púss in the córner 陣取り遊び.
Sháw's Córner G.B.Shaw が亡くなるまで 44 年間住んでいた家.
Spéakers' Córner スピーカーズコーナー: London の Hyde Park の一角; 誰でも弁士となり自由にしゃべることができる.
Táttenham Córner タッテナム・コーナー: 英国の Epsom 競馬場の最終コーナー.
tíght córner 窮地, 苦境(tight squeeze).
wítness còrner 〘測量〙目標柱, 目撃柱.

cor·nered /kɔ́ːrnərd/

形 《通例複合形》隅 [角] のある. ⇨ -ED[2].

cáter-còrnered 形副 《米・カナダ話》対角線の [に].
cátty-còrnered 形副 《主に米中部・南部》対角線の [に].
kítty-còrnered 形副 《主に米北部・西部》対角線の [に].
thrée-córnered 形 3 つ角のある, 三角の.
trí·còrnered 形 =three-cornered.

cor·nice /kɔ́ːrnis/

名 〘建築〙軒 [胴, 天井] 蛇腹.

bóx còrnice 〘木工〙断面が箱形の蛇腹.
clósed córnice 古代建築のエンタブラチュアの上段部.
ráking còrnice 〘建築〙登り蛇腹.

cor·po·ral /kɔ́ːrpərəl/

名 〘米陸軍・海兵隊〙〘英空軍・陸軍〙伍長.

Hóllywood còrporal 《米陸軍俗》伍長代理.
lánce còrporal 〘米海兵隊〙兵長; 〘英陸軍〙上等兵.
Líttle Córporal Napoleon I のあだ名.
máster còrporal カナダ軍の下士官.
shíp's córporal 〘英海軍〙衛兵伍長.
stáff còrporal 〘英陸軍〙上級曹長.

cor·po·rate /kɔ́ːrpərət/

形 法人 [団体, 社団, 協会] の, 法人 [団体] に所属する. ⇨ -ATE[1].

bódy córporate 〘法律〙法人(corporation).
con·cór·po·ràte 動他自 《古》一団にする [なる].
cóunty córporate 《英》広域市町村県.
in·cór·po·ràte[1] 動他 …を法人にする; 《米》有限 [株式] 会社にする.
in·cór·po·rate[2] 形 《古》具体化されていない, 無形の.

cor·po·ra·tion /kɔ̀ːrpəréiʃən/

名 **1** 〘法律〙法人. **2** 地方公共団体. **3** 《米》有限会社; 株式会社. ⇨ -ATION.

Brítish Bróadcasting Corporàtion 英国放送協会.
Canádian Bróadcasting Corporàtion カナダ放送会社.
clóse corporátion =closed corporation.
clósed corporátion 《米》非公開 [閉鎖] 会社.
Crówn corporàtion 《カナダ》国有会社.
Féderal Cróp Insúrance Corporàtion 《米》連邦穀物保険公社.
Féderal Depósit Insúrance Corporàtion 《米》連邦預金保険公社.
Féderal Hóme Lòan Mórtgage Corporàtion 《米》連邦住宅金融抵当会社.
Féderal Sávings and Lóan Insúrance Corporàtion 《米》連邦貯蓄貸付保険公社.
in·còr·po·rá·tion 名 法人(組織)の設立; 法人; 《米》会社.
Internátional Fínance Corporàtion 国際金融公社.
méga·corporàtion 巨大企業, 巨大会社.
munícipal corporátion 都市 [地方] 自治体.
proféssional corporátion 専門家法人.
públic corporátion 《特に英》公法人, 公団, 公社.
públic-sérvice corporàtion 《米》公益企業 [事業法人].
Resolútion Trúst Corporátion 《米》整理信託公社.
Úrban Devélopment Corporàtion (英国の)都市開発整備公団.

vírtual corporátion バーチャル・コーポレーション: あるプロジェクトのために複数の会社から有能なスタッフを集めて作った臨時の会社.

cor·po·re·al /kɔːrpɔ́ːriəl/

名 **1** 身体上の. **2** 物質的な. ⇨ -AL[1].

bi·cor·po·re·al 形 双体の.
ex·tra·cor·po·re·al 形 体外の.
in·cor·po·re·al 形 実体[肉体]のない; 無形の; 霊的な.

corps /kɔ́ːr/

名 〖軍事〗兵科; 兵団, 隊, 部.

Áir Còrps 〖米陸軍〗(1947 年 7 月 26 日以前の)陸軍空軍部.
AmériCòrps 名商 アメリコー: Clinton 大統領創設(1994 年)の国内向け平和部隊.
ármy còrps 軍団(corps).
cadét còrps (英国の学校の)(学生)軍事教練隊.
Civílian Conservátion Còrps 市民保全部隊.
diplomátic còrps (宮廷・首都に派遣された)外交団.
dríll còrps 〖軍事〗ドリルチーム.
drúm and búgle còrps 鼓笛隊.
drúm còrps 軍楽隊, (特に)鼓手隊.
Éuro·còrps 名商 欧州防衛軍 (Eurodefense corps).
Jób Còrps 〖米政府〗職業部隊.
Maríne Còrps 海兵隊.
Ófficers' Tráining Còrps 〖軍事〗(米国の)予備役士官訓練組織; (英国の学校内に設けられた)士官予備養成組織.
Péace Còrps 平和部隊.
préss còrps 記者団.
Quártermaster Còrps 〖軍事〗(米陸軍の)補給部.
Resérve Ófficers Tráining Còrps 《米》予備役将校訓練部隊.
Rót-còrps 《米軍俗》=Reserve Officers Training Corps.
sálvage còrps (火災保険会社の)火災救助隊.
sígnal còrps (軍隊の)通信隊.

cor·pus·cle /kɔ́ːrpəsl, -pʌsl | kɔ́pʌ́ːsl/

名 〖解剖〗 **1** 遊離細胞, (特に)血球. **2** (生物体の)小体. ⇨ -CLE[1].

kídney còrpuscle =Malpighian corpuscle.
Kráuse's córpuscle クラウゼ小体.
Malpíghian córpuscle マルピーギ小体, 腎(じ)小体.
Méissner's córpuscle =tactile corpuscle.
Pacínian córpuscle パチニ小体.
réd córpuscle 赤血球.
rénal córpuscle =Malpighian corpuscle.
Ruffíni's còrpuscle ルフィニ小体.
táctile córpuscle 触小体.
whíte córpuscle 白血球.

cor·rect /kərékt/

動他 正す, 直す; 修正する. ―― 形 正確な; 正しい. ⇨ -RECT.

hy·per·cor·réct 形 きちょうめんすぎる, 潔癖すぎる.
ìn·cor·réct 形 正しくない, 不正確な.
polítically corréct 形 差別的ではない, 偏見を含まない(PC).
ùn·cor·réct 動他 〖航海〗〈真針路を〉磁針路に変える.

cor·rec·tion /kərékʃən/

名 訂正, 修正, 校正, 矯正. ⇨ -RECTION.

áuthor's corréction 著者校正.
érror corrèction 〖コンピュータ〗〖電子工学〗データの誤まりの自動訂正.
hy·per·cor·réc·tion 名 〖言語〗過剰訂正, 意識過剰語法.
mídcourse corréction (船舶・航空機・ロケットの)巡航[飛行]コース修正, 軌道修正.
ò·ver·cor·réc·tion 名 過剰矯正, 過剰修正.
Shéppard's corréction 〖統計〗シェパードの補正. ►英国の統計学者 W. F. Sheppard の名にちなむ.
spéech corrèction 言語矯正.

cor·re·spond·ent /kɔ̀ːrəspɑ́ndənt, kɑ̀r- | kɔ̀rəspɔ́nd-/

名 **1** 文通者. **2** 通信員. ⇨ -ENT[1].

fóreign correspóndent (新聞・雑誌・通信社の)外国特派員.
lóbby correspóndent 《英》(新聞の)政治記者.
stríng correspòndent 《話》(新聞の)フリーの地方通信員.
wár correspòndent 従軍記者, 戦線特派員.

cor·ri·dor /kɔ́ːridər, -dɔ̀ːr, kɑ́r- | kɔ́ridɔ̀ː, -də/

名 廊下, 回廊, 通廊.

áir còrridor 〖航空〗空中回廊.
bóom còrridor 超音速機飛行航路帯.
Nórtheast Córridor 北東部回廊: 米国 Boston, New York, Washington を通る高速道路, 鉄道, 航空路線で結ばれた都市群.
ópen córridor 〖教育〗(特に小学校の)自由授業.
Pólish Córridor ポーランド回廊: Vistula 河口付近の帯状の地域.
reéntry còrridor 〖ロケット〗再突入回廊.
utílity còrridor 配線・配管溝.

cor·tex /kɔ́ːrteks/

名 〖解剖〗〖動物〗皮質, 外皮; (特に)大脳皮質, 腎(じ)皮質.
★ 語頭にくる関連形は cortic(o)-: *cortico*tropin「〖生化学〗副腎皮質刺激ホルモン」.

assóciative córtex (大脳の)連合皮質.
cerébral córtex 大脳皮質.
mótor còrtex (大脳の)運動皮質.
nè·o·cór·tex 名 新皮質.
pà·le·o·cór·tex 名 旧皮質.
sénsory córtex 感覚野, 感覚皮質.
sùb·cór·tex 名 皮質下部.
vísual córtex 視覚野, 視覚領, 視中枢.

co·sine /kóusain/

名 〖数学〗コサイン, 余弦. ⇨ SINE.

árc cósine アークコサイン, 逆余弦.
diréction còsine 方向余弦.
ínverse cósine =arc cosine.
vérsed cósine 余矢(し)(coversed sine).

-cosm /kɑ̀zm | kɔ̀zm/

連結形 世界, 宇宙.
★ 名詞をつくる.
★ 語頭にくる形は cosm(o)-: *cosmo*chemistry「宇宙化学」, *cosmo*naut「宇宙飛行士」.
◆ <近代ラ *-cosmus* <ギ *kósmos* 世界.

mac·ro·cosm 名 大宇宙; 大宇宙像.
mi·cro·cosm 名 小宇宙, 小世界.

cost /kɔ́ːst, kɑ́st | kɔ́st/

名 値段, 代価, 価格; 費用; 経費; 原価.

áctual cóst (商品の)実際原価, 取得原価.
cómmon cóst 共通(経)費.
cúrrent cóst 時価, 現行費用, カレントコスト.
diréct cóst 直接経費, 直接原価.
distribútion còst 流通経費, 販売費, 配送費.
fáctor còst 《英》要素費用.
fíxed cóst 固定費, 固定原価, 不変費.
índirect cóst 間接費.
lów-cóst 形 安価[廉価]な, 安く手に入る.
márginal cóst 限界費用[生産費].
ón·còst 名 《英》間接費.
óperating còst 運転費, 営業経費.
opportúnity còst 機会費用[原価].
óverhead còst オーバーヘッドコスト, 間接費.
príme cóst (商品の)素(原)価, 仕入れ値段.
stándard cóst 標準原価, 標準生産費.
súnk cóst 過去の支出[損失].
únit còst 単位原価, 単価.
váriable cóst 可変費用, 変動費.

cos·tal /kɑ́stl, kɔ́ːs- | kɔ́s-/

形 〖解剖〗肋骨(ろっこつ)(costa)の. ⇨ -AL[1].
★ 語頭にくる関連形は cost(a)-: *cost*ectomy「肋骨切除」.

infra·cos·tal 形 肋骨下の.
in·ter·cos·tal 形 肋間の, 肋骨をつなぐ.
pre·cos·tal 形 肋骨前方の.
stern·o·cos·tal 形 胸肋の, 胸骨と肋骨との(間にある).
sub·cos·tal 形名 肋骨下の(部分).

cost·ing /kɔ́ːstiŋ, kɑ́s- | kɔ́s-/

名 《主に英》原価計算(方式), 原価会計. ⇨ -ING[1].

bátch còsting 〖商業〗バッチ原価法.
jób còsting =job-order costing.
jób-òrder còsting 個別[作業指図書別]原価計算.
prócess còsting 〖会計〗総合原価計算.

cos·tume /kɑ́stjuːm | kɔ́stjuːm/

名 服装, 身なり, コスチューム.

académic cóstume (大学で卒業式などに着用する)式服.
báthing còstume 《主に英》水着.
swímming còstume =bathing costume.

cote /kóut/

名 (特にハト, 羊, 豚などの)小屋, 檻(おり).

béll còte 鐘尖塔(せんとう), 鐘つり塔.
dóve·còte ハト小屋, 鳩舎(きゅうしゃ).
shéep·còte 《主に英古》羊小屋.

-cott /kət, kɑt | kət/

連結形 小屋.
★ 人名をつくる.
◆ 古英 *cot(e)*「(羊)小屋」.
[発音] 語頭の音節に第 1 強勢.

Al·cott 名 オールコット(姓). ►字義は「古小屋」.
En·de·cott 名 エンディコット(姓). ►字義は「外れの小屋」.
En·di·cott 名 エンディコット(姓). ►字義は「外れの小屋」.
Pres·cott 名 プレスコット(姓). ►字義は「僧侶の小屋」.
Wal·cott 名 ウォルコット(姓). ►字義は「外国人の居る小屋」.
West·cott 名 ウエス(ト)コット(姓). ►字義は「西の小屋」.
Wooll·cott 名 ウルコット(姓). ►字義は「泉のそばに立つ小屋」.

cot·tage /kɑ́tidʒ | kɔ́t-/

名 (通例, 1 階建ての, 労働者や田舎に住む人の)小さい家; 田舎家. ⇨ -AGE[1].

electrónic cóttage コンピュータ通信を利用した在宅勤務体制.
tél·e·còt·tage 名 田舎にあっても大都市や世界とコンピュータで結ばれた住宅.
yóuth còttage 《豪》若いホームレス用の宿泊所.

cot·ton /kɑ́tn | kɔ́tn/

名 **1** 綿, 綿花. **2** ワタ. **3** 綿製品.

absórbent cótton 《米》脱脂綿(《英》cotton wool).
Américan cótton =upland cotton.
bóg còtton 〖植物〗ワタスゲ(cotton grass).
dárning còtton かがり縫い用木綿糸.
Egýptian cótton エジプト綿.
gún·còtton 強綿薬.
Jáva cótton カポック, パンヤ(kapok).
lávender còtton ワタスギギク(綿杉菊).
míneral còtton 鉱滓(こうさい)岩綿.
nì·tro·cót·ton 名 〖化学〗ニトロ[硝酸]セルロース.
péarl còtton パールコットン.
pérle còtton =pearl cotton.
Píma cótton ピーマ綿.
séa-ìsland cótton カイトウメン(海島綿).
séwing còtton 木綿の撚(よ)り糸, カタン糸.
sílicate còtton =mineral cotton.
sílk còtton シルクコットン, 木綿(きわた).
úpland cótton リクチワタ.

cot·y·le·don /kɑ̀təlíːdn | kɔ̀t-/

名 〖植物〗子葉種子植物の胚にある初生葉.
★ 語頭にくる関連形は cotyl(i)-, cotylo-: *cotylo*saur「〖古生物〗杯竜類」.

a·cot·y·le·don 名 無子葉植物.
di·cot·y·le·don 名 双子葉植物.
mon·o·cot·y·le·don 名 単子葉植物.
pol·y·cot·y·le·don 名 多子葉植物.

couch /káutʃ/

名 (通例, 低い背で一方または両端にひじのついた)長椅子, ソファ, カウチ.

cásting còuch (芝居・映画などの)配役担当責任者の事務室の寝椅子.
stúdio còuch 寝台兼用の長椅子.
Wínnipeg còuch 《カナダ》ウィニペグ・カウチ: ひじ掛けと背もたれがない長椅子.

cough /kɔ́ːf, kɑ́f | kɔ́f/

名 咳; 咳の出る病気.

chín·còugh 〖病理〗=whooping cough.
hácking cóugh 痰(たん)のからんだ咳.
hóoping còugh =whooping cough.

C

smóker's cóugh 〖病理〗タバコの吸いすぎで起こる慢性的な咳(せき).
whóoping còugh 〖病理〗百日咳(ぜき).

coun·cil /káunsəl/

名 協議会, 審議会; 会議, 協議.

Árts Cóuncil 英国芸術協会.
áulic cóuncil 〖ドイツ史〗神聖ローマ皇帝の私的諮問会議(1502–1806).
bòrough cóuncil 《英》自治区議長.
Brítish Cóuncil 英国文化協会.
chúrch cóuncil (ルーテル教会の)信徒代表委員会.
cíty cóuncil 市議会.
cómmon cóuncil 市 [町] の立法機関, 市 [町] 議会.
commúnity còuncil 《スコット・ウェールズ》地域議会.
dístrict cóuncil 《英》地区評議会.
Económic and Sócial Cóuncil (国連の)経済社会理事会.
ecuménical cóuncil 公会議.
Electrícity Còuncil 《英》英国電力審議会.
exécutive còuncil 最高の執行権限を持つ評議会.
góvernor's còuncil (米国の)知事諮問委員会.
gréat cóuncil (ノルマン王朝時代の英国の)王政庁.
Gréater Lóndon Cóuncil グレーターロンドン市議会.
Gúlf Cooperátion Còuncil ペルシア湾岸協力会議.
indústrial còuncil 《英》産業別労使協議会.
législative cóuncil (二院制立法府の)上院.
Lóan Còuncil 《豪》融資協議会.
máyor-cóuncil 形 〖米政治〗〈市政が〉市長=市議会型の.
Médical Reséarch Cóuncil (英国の)医療審議会.
Nátional Económic Devélopment Còuncil 《英》国民経済開発審議会.
Nátional Secúrity Còuncil 〖米政府〗国家安全保障会議.
Náture Consérvancy Cóuncil 《英》自然保護協会.
Nícene Cóuncil ニケア [ニカイア] 公会議.
Nórdic Cóuncil 北欧会議.
Nórth Atlántic Cóuncil 北大西洋条約機構理事会.
párish cóuncil 《英》教区会.
Paróchial Chúrch Cóuncil 〖英国国教会〗教区教会協議会.
Préss Còuncil 《英》報道審議会.
prívy cóuncil 《古》(君主などの)私的諮問機関.
Províncial Cóuncil 《NZ》(昔の)ニュージーランドの province の議会.
régional cóuncil 《スコット》州議会.
Secúrity Còuncil (国際連合の)安全保障理事会.
stúdent cóuncil 《主に米》学生委員会.
Supréme Cóuncil ソ連邦最高会議.
tówn cóuncil 《主に英》町議会.
tráde còuncil 労働組合協議会.
trádes còuncil 《英》=trade council.
Trustéeship Còuncil (国連の)信託統治理事会.
Vátican Cóuncil バチカン公会議.
wáges còuncil 賃金審議会.
wórks còuncil 《主に英》(労働者側の)工場委員会.
Wórld Fóod Còuncil (国連の)世界食糧理事会.

coun·sel /káunsəl/

名 **1** 助言, 忠告. **2** 〖法律〗弁護士.

assígned cóunsel 選定弁護人.
chámber còunsel 《主に英》事務所弁護士.
cóld cóunsel 冷たい [冷ややかな] 忠告.
hóuse còunsel 〖法律〗会社 [企業] 内弁護士.
indepéndent cóunsel 《米》独立検察官.
június cóunsel 〖英法〗下級法廷弁護士.
Kíng's Cóunsel 〖英法〗勅選弁護士.
léading cóunsel 主任弁護人, 弁護団長.
mis·cóun·sel 動他 間違った忠告 [助言] をする.

count /káunt/

動他 数える; 合計する; 計算をする. ——名 **1** 計算, 勘定. **2** 総数.

ac·cóunt 名 ☞
bád còunt いい加減な扱い; 不公平な決定.
blóod còunt 血球計算, 血球数測定.
bódy còunt (敵の)戦死者数; 死者数.
cóli·còunt 大腸菌の数(coliform count).
dís·count 動他名 ☞
fást-cóunt 動他 〈人に〉つり銭を少なく渡す.
héad còunt 人数, 員数; 人数調べ; 人口調査.
hígh-cóunt 形 〈織物が〉織り目の詰んだ.
lów-cóunt 形 〈織物が〉織り目の粗い.
Mílton Wórk còunt 〖トランプ〗ミルトンワークカウント.
mis·cóunt 動他自 計算を間違える, 数え違える.
nípple còunt (映画・雑誌の)露出率.
nó-còunt 形 つまらない; 取るに足りない.
nóse·còunt 《話》人数を数えること.
póint còunt 〖トランプ〗ポイントカウント.
póllen còunt (空気中の)花粉数.
re·cóunt 動他 詳述する, 物語る.
rè·cóunt 動他 数え直す. ——名 再計算.
réd còunt 〖医学〗赤血球数.
spérm còunt 一回の射精中に含まれる精子の数.
ùn·der·cóunt 動他 数え落とす, 実際より少なく数える.
várve-còunt 〖地質〗年層方式.

count·er[1] /káuntər/

名 カウンター, 勘定台, 売台.

bárgain còunter 特価品売り場, 安売りコーナー.
lúnch còunter (店・簡易食堂などの)カウンター.
óver-the-cóunter 形 〖証券〗直接売買された; 非上場の.
únder-the-cóunter 形 不法に取引される〈禁制品など〉.

count·er[2] /káuntər/

名 **1** 計算する人. **2** 計算器, 計数器.

béan còunter 《話》財務屋, 経理屋.
cárd còunter 〖トランプ〗(ブラックジャックで)前の勝負でどの札がプレーされたかを記憶または記録するカジノ競技者.
cómma-còunter 《米俗》重箱の隅をつつく人.
crýstal cóunter 〖電子工学〗クリスタルカウンター.
dúst còunter 塵埃(じんあい)計, 細塵計.
Géiger còunter 放射能測定器.
G-M còunter =Geiger counter.
núcleus còunter =dust counter.
propórtional cóunter 〖物理〗比例計数管.
rév-còunt·er 名 《英話》回転数表示装置.
revolútion còunter 積算回転計.
scintillátion còunter シンチレーション計数管 [検出器].
spéed còunter (エンジンなどの)回転計.

coun·ter·point /káuntərpɔ̀int/

名 〖音楽〗対位法. ⇨ POINT.

dóuble cóunterpoint 二重対位法.
invértible cóunterpoint 転回対位法.
quadrúple cóunterpoint 四重対位法.
stríct cóunterpoint 厳格対位法.
tríple cóunterpoint 三重対位法.

coun·try /kʌ́ntri/

名 国, 国家(state).

báck còuntry (都会から離れた)田舎, 農村地帯.

Bíg Ský Còuntry	米国 Montana 州の異名.
Bláck Còuntry	ブラックカントリー(イングランド中部の工業地帯).
Chánnel Còuntry	チャネルカントリー(オーストラリアの地名).
Cónstable còuntry	コンスタブルカントリー: 英国の画家 Constable の活躍した Suffork, Essex 両州にかけての田園地域.
ców còuntry	(米国南西部の)牧牛地帯; (特に)テキサス州.
cróss-còuntry 形	〈競技などが〉(道路によらずに)田野・森林などを横断する.
devéloping cóuntry	発展[開発]途上国.
Flów Còuntry	⦅スコット⦆ フローカントリー: スコットランド北方の大湿地帯.
Gód's còuntry	神の恵み豊かな土地; (特に)風光明媚(ᵐᵘ)な田園地方.
hígh cóuntry	ハイカントリー: 南アルプス山麓の丘やニュージーランドの羊の牧草地.
híll còuntry	⦅NZ⦆ ヒルカントリー: 北島の羊の放牧用高原地域.
ín-còun·try 形	国内の, 国内で行われる.
Índian còuntry	⦅米⦆(特に西部開拓時代に敵対していた)インディアン居住地区.
Láke Còuntry	湖水地方.
lów còuntry	低地帯.
lów-còuntry 形	Low Countries「北海沿岸低地帯」の.
móther còuntry	(自分の)母国.
Néw Cóuntry	ニューカントリー: 現実的なテーマを歌う 1980 年代後半のカントリーミュージック.
nòn·cóun·try 名	(同一人種, 自然の国境, 国家としての歴史を欠く)国家らしくない国家.
Nórth Còuntry	イングランド, Humber 川河口以北の地方.
óld còuntry	(移住民にとっての)母国, 故国, 本
óut-còun·try 名	奥地, 僻地. ── 形 外国の. ⌊国.
óutlaw cóuntry	=progressive country.
Pacífic-básin còuntry	太平洋海域国家: 太平洋地域諸国を指す言葉.
Pínk Pánther còuntry	⦅英俗⦆(イングランドの)ダーラム(Durham)の市[州].
progréssive cóuntry	⦅米⦆〘音楽〙プログレッシブカントリー.
púmice cóuntry	⦅NZ⦆ ニュージーランド北島の火山性農地.
Shákespeare còuntry	シェークスピア・カントリー: Shakespeare にゆかりのある地域.
sú·per·còun·try 名	強大国(superpower).
tíger còuntry	(トラの出るような)へんぴな密林地帯.
úp·còun·try 形	⦅主に米南部⦆ 内地[内陸, 奥地]の.
Wést Cóuntry	(イングランドの)西部地方.

coun·ty /káunti/

名 (米国で)郡. ⇨ -Y[4].

admínistrative cóunty	⦅英⦆ 大ブリテン島(Great Britain)における主要な行政区域.
córporate cóunty	広域市町村県.
ìn·ter·cóun·ty 形	郡間の.
metropólitan cóunty	⦅英⦆ 大都市圏.

coup /kúː; *Fr.* ku/

名 **1**(予期せぬ)一撃. **2** クーデター.

beau·cóup 形	⦅話⦆ たくさんの, 多数の; 多量の.
cón·tre·cóup 名	〘医学〙反射損傷, 間接性振盪(ᵗᵒ).
cóun·ter·còup 名	反クーデター.
gránd cóup	〘トランプ〙グランドクー.
pálace cóup	宮廷革命: 政権内部でのクーデター.

cou·ple /kʌ́pl/

名 (組になっている)2つ, 二者一組, 一対.

bárge còuple	〘建築〙傍軒(ᵇᵃᵍ)垂木.
commúter cóuple	別居結婚している夫婦.
commúting cóuple	通い合い夫婦.
de·cóu·ple 動他	切り離す, 分離[分断, 分岐]させる.
galvánic cóuple	〘電気〙=voltaic couple.
óne-chíld-per-cóuple	(中国で)一人っ子政策.
thér·mo·cóu·ple 名	〘物理〙熱電対(ᵗˢᵘⁱ).
thermoeléctric cóuple	=thermocouple.
twó-éarner còuple	=working couple.
ùn·cóu·ple 動他	〈犬・馬などを〉ひもから外す.
voltáic cóuple	〘電気〙ボルタ電極対.
wórking còuple	共稼ぎ夫婦.

cou·plet /kʌ́plit/

名 〘詩学〙二行連句, 対句, カプレット. ⇨ -ET[1].

clósed cóuplet	閉止対連(ᵗˢᵘⁱ), 閉鎖連句.
elegíac cóuplet	エレゲイア二行連句.
heróic cóuplet	英雄対連(ᵗˢᵘⁱ).
ópen cóuplet	開放二行連句.

cou·pling /kʌ́pliŋ/

名 **1** 連結, 結合; 交接, 交尾. **2**〘機械〙継ぎ手; 連結装置. ⇨ -ING[1].

capácitive cóupling	〘電気〙静電結合, (静電)容量結合.
cháin còupling	〘機械〙鎖接手(ᵗᵉ).
diréct cóupling	〘電気〙直接結合.
flúid cóupling	〘機械〙流体継ぎ手.
Hóoke cóupling	〘機械〙フック継ぎ手.
hydráulic cóupling	=fluid coupling.
indúctive cóupling	〘電気〙誘導結合.
lóose cóupling	〘電気〙疎結合.
scréw còupling	〘機械〙ねじ連結器.
sléeve còupling	〘機械〙筒形継ぎ手, スリーブ継ぎ手.
univérsal cóupling	〘機械〙自在[万能]継ぎ手.

cour·age /kə́ːridʒ, kʌ́r-｜kʌ́r-/

名 勇気, 度胸, 勇敢, 雄々しさ, 剛胆. ⇨ -AGE[1].

dis·cóur·age 動他	落胆させる, がっかりさせる.
Dútch cóurage	酔った勢い.
en·cóur·age 動他	勇気づける; (…するよう)励ます.
móral cóurage	(蛮勇ではない)真の勇気.

course /kɔ́ːrs/

名 **1** 方向, 進路, コース. **2** 講座; 課程, 科目. **3**(れんがなどの水平の)層. ⇨ CURRENT.

áccess cóurse	⦅俗⦆(入学資格のための)準備講座.
assáult cóurse	〘軍事〙突撃訓練場.
bárge còurse	傍軒(ᵇᵃᵍ): 切妻壁から突き出た軒.
báse còurse	〘建築〙根積み.
bélt còurse	〘建築〙=stringcourse.
bírd còurse	⦅カナダ学生俗⦆=snap course.
collísion còurse	衝突進路: そのまま進めば他物体と衝突することになる進路.
cómpass còurse	〘海事〙コンパスコース, 羅針路.
correspóndence còurse	通信教育(講座).
crám còurse	集中補習授業[課程].
crásh còurse	試験対策用の詰め込み授業.
críb còurse	⦅米学生俗⦆=snap course.
dámp còurse	⦅主に英⦆ 湿気止め.
fóre·còurse	〘海事〙前檣(ᶻᵉⁿˢʰᵒ)帆.
fúll-còurse 形	〈食事が〉フルコースの.

gólf còurse	ゴルフコース.
gút còurse	《米話》=snap course.
héading còurse	(れんがの)小口積み層.
hónors còurse	(英米の大学の)優等課程.
indúction còurse	(会社などの)新人研修.
lífe còurse	【社会】ライフコース.
magnétic còurse	【航海】【航空】磁針路.
máin còurse	《米》(食事の)主料理.
míd·còurse	コースの中間点.
míddle còurse	(両極端の間の)中道, 中庸.
míni·còurse	(大学などの)短期講座 [講習].
óbstacle còurse	(軍隊の)障害物通過訓練場.
óuter·còurse	体に触れずに性刺激を与え合うこと.
pár·còurse 名	《米》パーコース: 運動施設を沿道に配置した健康遊歩道.
pípe còurse	《米学生俗》=snap course.
póstal còurse	《英》通信教育講座.
ráce·còurse	競走 [競漕(きょうそう)] 用コース.
ráking còurse	【建築】筋違い積層.
refrésher còurse	補習科, 復習科.
requíred còurse	(学校の)必修科目 [単位].
sándwich còurse	《英》【教育】サンドイッチ課程.
slúff còurse	《米学生俗》=snap course.
snáp còurse	《米学生俗》楽に取れる科目.
sóldier còurse	【建築】ソルジャーコース.
strétching còurse	(れんが積みの)長手積み層.
stríng·còurse	【建築】蛇腹(じゃばら)層.
súrvey còurse	概説的入門コース, 概論.
tél·e·còurse 名	テレビ講座.
trúe còurse	【海事】【航空】真針路.
wáter·còurse	(川・小川など)水の流れ, 水流.
wéaring còurse	自動車道路の表面.

-course /kɔ́ːrs/

連結形 走る.

★ 語末にくる関連形は -CUR.

★ 語頭にくる関連形は cur-: *cur*rent「水流, 気流」, *cur*rency「経過中の期間」.

◆ <ラ *cursus*(*currere*「走る」より).

con·course 名	(人・物)の集合, 群集, 雑踏.
dis·course 名	言葉による思想の伝達; 話, 談話.
in·ter·course 名	☞
re·course 名	(援助や保護を求めて)頼ること.

court /kɔ́ːrt/

名 **1** 司法機関; 裁判所; 法廷. **2** (テニスなどの)コート.

advántage còurt	【テニス】アドバンテージコート.
án·te·còurt 名	《まれ》=forecourt.
appéal còurt	《英》控訴院(Court of Appeal).
áuto còurt	《米》モーテル(motel).
báck·còurt	【バスケット】バックコート.
báse·còurt	(城の)外庭.
cábin còurt	《古風》(離れ家式)モーテル.
Céntral Críminal Còurt	《英》中央刑事裁判所.
círcuit còurt	(間隔をおいて開廷する)巡回裁判所.
cláy còurt	【テニス】クレーコート.
cóunty còurt	《米》(諸州で)郡行政委員会.
críminal còurt	刑事裁判所, 刑事法廷.
cróss·còurt 形副	【テニス】クロスコートの(で).
Crówn Còurt	《英》刑事法院, 刑事裁判所.
déuce còurt	【テニス】デュースコート.
dístrict còurt	《米》(諸州で)地方裁判所.
divórce còurt	離婚裁判所.
doméstic còurt	《英》家事事件治安判事裁判所.
doméstic-relátions còurt	家庭裁判所.
dówn·còurt 副形	【バスケット】相手コート方へ(の).
ecclesiástical còurt	教会裁判所.
Européan Còurt	欧州人権裁判所.
fámily còurt	=domestic-relations court.
féderal còurt	《米》米国連邦裁判所.
féderal dístrict còurt	《スコット》=district court.
fóre·còurt 名	【テニス】フォアコート.
frónt còurt	【バスケットボール】フロントコート.
Géneral Còurt	《米》(諸州の)州議会.
gráss còurt	【テニス】グラスコート.
Hágue Còurt	ハーグ裁判所.
hárd còurt	【テニス】ハードコート.
Hígh Còurt	《米》=Supreme Court.
hígher còurt	上級裁判所.
inférior còurt	下位裁判所.
jústice còurt	=justice's court.
jústice's còurt	治安判事裁判所.
júvenile còurt	少年裁判所, 少年事件法廷.
kángaroo còurt	カンガルー裁判: 法律を無視した私的な裁判.
láw còurt	司法裁判所, 裁判所.
lówer còurt	下級裁判所.
Lýon Còurt	スコットランド紋章院.
mágistrate's còurt	治安判事裁判所.
manórial còurt	【古英法】荘園(領主)裁判所.
máyor's còurt	市長裁判所.
móot còurt	(法学部生による)模擬法廷.
mótor còurt	《米》=auto court.
munícipal còurt	市 [地域] 裁判所.
níght còurt	《米》(大都市にある)夜間裁判所.
ópen còurt	公開法廷.
órphans' còurt	孤児裁判所.
óut-of-còurt 形	法廷外の, 訴訟によらない.
péople's còurt	《話》=small-claims court.
políce còurt	警察裁判所.
prerógative còurt	大主教特権裁判所.
príze còurt	捕獲審検所: 戦争での捕獲物に関する裁判所.
próbate còurt	(遺言)検認裁判所.
próvost còurt	軍事 [憲兵] 裁判所.
scíence còurt	科学法廷.
sérvice còurt	【テニス】サービスコート.
shériff còurt	(スコットランドの)州裁判所.
smáll-cláims còurt	少額裁判所.
stánnary còurt	錫(すず)鉱区裁判所.
supérior còurt	上級司法裁判所.
Supréme Còurt	【米法】連邦最高裁判所.
supréme judícial còurt	《米》(諸州の)最高裁判所.
ténnis còurt	テニスコート.
territórial còurt	準州裁判所.
tóurist còurt	《米》=auto court.
tráffic còurt	(交通違反を裁く)交通裁判所.
tríal còurt	事実審 [第一審] 裁判所.
U.S. Cláims Còurt	米連邦請求裁判所.
U.S. Dístrict Còurt	米連邦地裁.
více-ádmiralty còurt	《英》植民地海事裁判所.
Wórld Còurt	国際司法裁判所.

cous·in /kʌ́zn/

名 **1** いとこ. **2** 親類, 縁者. ⇨ -IN[1].

cáter-còusin 名	《古》友人, 仲間, 親友.
cóuntry cóusin	《軽蔑的》お上りさん.
króss-còusin 名	クロスカズン; 交差いとこ.
fírst cóusin	いとこ.
fúll cóusin	いとこ.
kíssing cóusin	会えばキスのあいさつを交わす程度の遠縁の者.
òrtho-cóusin 名	=parallel cousin.
párallel cóusin	母同士が姉妹または父同士が兄弟のいとこ.
sécond cóusin	またいとこ.

cov·e·nant /kʌ́vənənt/

名 契約, 盟約. ⇨ -ANT[1].

Nátional Cóvenant 《スコット》【議会】国民盟約.
néw cóvenant (聖書で)新約.
óld cóvenant (聖書で)旧約.
restríctive cóvenant 《米》(土地使用)制限契約.
Úlster Cóvenant 【英史】アルスターの盟約.

cov·er /kʌ́vər/

動他 …を覆う. ―名 覆う物, カバー.

áir còver 【軍事】上空 [空中] 援護.
béd·còver (装飾用の)ベッドカバー.
clóud còver クラウドカバー: 雲のある状態.
córset còver 【服飾】コルセットカバー.
cúp and cóver 《英》【家具】ゴブレットにドーム状の蓋(ふた)をしたような形状のろくろ細工.
cút-and-cóver 名形【土木】切り開き式工法(の).
déep cóver 巧みに正体を隠すこと.
dis·cóv·er 動他 発見する, 見いだす.
dísh còver (料理保温用)皿覆い.
dóuble-cóver 動他 (バスケットボールなどで)〈1人の相手選手を〉二人の選手で防ぐ.
dúst còver ほこりよけカバー.
éxtra cóver 【クリケット】エキストラカバー.
fírst-dày cóver 【切手収集】初日カバー.
flóor·còver 床材.
fóur-plùs cóver フォープラスカバー(宣伝法).
gíll-còver 【動物】(魚や両生類の)鰓蓋(さいがい).
gróund còver 下生え.
hárd·còver ハードカバーの本, 堅表紙本.
lóose cóver 《英》=slipcover.
máil còver 《米》特定の受取人にあてられた一切の郵便物について, その差出人の情報を記録すること.
mánhole còver 《話》円盤状の平たいもの.
ópen cóver 【数学】開被覆.
píllow còver 枕カバー.
re-cóv·er 動他 再び覆う, 覆い直す.
séat còver 《米俗》魅力のない女性運転者.
sécond cóver (雑誌の)表2.
skу́ còver スカイカバー: 雲, 霧, かすみ, 煙などが空を覆う量.
slíp·còver 《米・カナダ》家具覆い.
snów còver 積雪.
sóft-còver ペーパーバック, 紙表紙本.
súb·còv·er 名 【数学】部分被覆.
tóe còver 《英俗》安くて役に立たない贈り物.
tóngue còver ルーズリーフのバインダー.
ùn·cóv·er 動他 〈秘密などを〉暴く, 暴露する.
ùn·der·cóv·er 形 秘密の [に行う], 内密の.
whéel còver ホイールキャップ.

cov·er·age /kʌ́vəridʒ/

名 【保険】保険担保, 保険保護; 担保範囲, 担保事項, 補償範囲. ⇨ -AGE[1].

dívidend còverage 《米》(企業収益の)配当倍率.
exténded cóverage 【保険】拡張担保.
fírst-dóllar còverage 【保険】無控除担保方式.

cow /káu/

名 **1** 雌牛, (特に)乳牛. **2** 《俗》牛乳.

ármored ców 《米軍俗》粉ミルク, 缶入りミルク.
béll còw ベルを首につけた先頭の牛.
bláck ców 《米俗》ルートビール(root beer).
cánned còw 《米カウボーイ俗》缶入りミルク.
cásh còw 《話》もうかる商品 [事業], ドル箱.
cíty còw 《米軍俗》缶入りミルク.
mále ców 《米方言》雄牛.
mílch còw =milk cow.
mílk còw 乳牛.
móo-còw 《幼児語》牛さん, モーモー.
sácred ców (ヒンドゥー教で)聖牛.
séa còw カイギュウ(海牛).
tín ców 《米渡り労働者俗》缶詰のミルク.
tínned ców =tin cow.
whíte ców 《米俗》バニラミルクセーキ.
yéllow ców (中国で)国庫補助金で生産される品薄の商品を買い占めて高く売りつける商人.

cow·boy /káubɔ̀i/

名 カウボーイ, 牧童. ⇨ BOY.

bóulevard cówboy 《米俗》(大都市の)乱暴タクシー運転手.
córner còwboy 《米俗》街角でぶらぶらしている若者.
drúgstore cówboy 《米俗》(女あさりに)ドラッグストアや街角をぶらつく若者.
mílkbar còwboy 《豪俗》ミルクバーのまわりにたむろする若者.
Sínging Cówboy 歌うカウボーイ: 米国の歌手 Roy Rogers と Gene Autry の愛称.

crab /krǽb/

名 カニ; (ヤドカリなど)カニに似た数種の甲殻類の総称.

Aláska cráb =king crab.
béach cràb イソガニ.
blúe cràb 北米大西洋およびメキシコ湾沿岸に産するガザミに似た大形のカニ.
bóok cràb ニセサソリ(pseudoscorpion).
Bóston cràb 【レスリング】ボストンクラブ.
cálico cràb =lady crab.
cóconut cràb マッカン, ヤシガニ.
Dúngeness cráb イチョウガニ属の小形食用ガニ.
fíddler cràb シオマネキ(潮招).
ghóst cràb スナガニ属のカニの総称.
gíant cráb タカアシガニ.
gréen cràb 黄緑色のワタリガニの一種.
hárd-shell cráb 甲殻の堅くなったカニ.
hélmet cràb カブトガニ.
hérmit cràb ヤドカリ.
hórseshoe cráb カブトガニ.
Jónah cràb キャンセルボレアリス: イチョウガニ科イチョウガニ属の大形のカニ.
kélp cràb 北米太平洋沿岸のケルプが生えている所に生息する数種のクモガニ.
kíng cráb =horseshoe crab.
lády cràb ワタリガニ科のヒラツメガニと同属のカニ.
lánd cràb オカガニ.
márket cràb =dungeness crab.
móle cràb スナホリガニ(sandbug).
mússel cràb カクレガニの一種.
nípper cràb ヨーロッパ産のカニの一種.
óyster cràb カクレガニ.
pálm cràb =coconut crab.
péa cràb カクレガニ.
púrse cràb =coconut crab.
róbber cràb =coconut crab.
róck cràb 海岸の岩場に棲(す)む数種のカニの総称.
sánd cràb 砂浜にいる数種のカニの総称.
séntinel cràb メナガガザミ.
shóre cràb イソガニ, ハマガニ.
snów cràb ズワイガニ.
sóft-shell cráb (脱皮まもない)殻の柔らかいカニ.
sóldier cràb =hermit crab.
spíder cràb クモガニ.
spríte cràb =ghost crab.
stóne cràb タラバガニ科の大きなカニの一種; イ

バラガニ.

swímming cráb ワタリガニ, ガザミ.
tóad cràb クモガニ科ヒキガニ属のカニ.
trée cràb =coconut crab.
tríangle cràb ソバガラガニ.
whíte cráb =ghost crab.

crack /krǽk/

名 きず; 割れ目. ►擬声的な語. ◇ -CK.

ánti-cráck 形 クラック(精製コカイン)使用に反対の.
háir cràck 〖冶金〗毛割れ.
mí·cro·cràck 名 (ガラスなどの)微小ひび割れ.
múd cràck 乾燥してできる粘土の細かい割れ目.
quárter cràck 〖獣病理〗=sand crack.
sánd cràck 〖獣病理〗つまわれ, 裂蹄(れってい).
tóe cràck 〖獣病理〗=sand crack.
whíp·cràck むち打つこと; ピシッという音.
wíse·cràck 《話》気の利いた言葉.

crack·er /krǽkər/

名 **1**《米》クラッカー: 薄いカリカリしたビスケット. **2** 爆竹. **3** 割る人; 割る器具. ⇨ -ER[1].

ánimal cràcker 《米》動物クラッカー.
bóne-cràcker 《米俗》レスラー.
cánnon cràcker 大型の爆竹.
catalýtic crácker (石油精製に用いる)接触分解装置.
cát cràcker 《話》=catalytic cracker.
córn-cràcker トウモロコシ割り器.
créam cràcker 《英》クリームクラッカー.
díamond-crácker 《米鉄道俗》(機関車の)火夫, かまたしき.
fárt-cràcker 《米俗》人前で屁をするやつ.
fíre·cràcker 爆竹, かんしゃく玉, 爆竹筒.
gráham cràcker グラハムクラッカー.
hý·dro·cràck·er 名 〖化学〗水素添加分解炉 [塔].
nút·cràcker くるみ割り(器).
óyster cràcker 《米》オイスタークラッカー: カキ料理などで添えるクラッカー.
práwn cràcker 〖中華料理〗エビ風味のせんべい.
sáfe·cràcker 《米》金庫破り.
shéll·cràcker クロマス科の淡水魚.
skúll cràcker 建物解体用鉄球.
sóda cràcker ソーダクラッカー.
wáter cràcker ウォータービスケット: 小麦粉と水で作るクラッカーに似たビスケット.
whíp-cràcker むちを鳴らす人, むち打つ人.

-cra·cy /krəsi/

連結形 **1** 階級, 制(度), 政治. ►ギリシャ語からの借用語にみられる: aristo*cracy*, demo*cracy*. **2** 支配, 政体, 政治, 行政府. ►1 にならって抽象名詞をつくる: mob*ocracy*, bureau*cracy*.
★ 語末にくる関連形は -CRAT.
◆ ＜仏 *-cratie* ＜ラ *-cratia* ＜ギ *krátos* 支配, 力; HARD と同根. ⇨ -Y[3].
[発音] 直前の音節に第 1 強勢.

ad·hoc·ra·cy 名 アドホクラシー: 特殊な問題に対処するための [臨時] 委員会.
an·droc·ra·cy 名 男性による社会 [政治支配].
ar·is·toc·ra·cy 名 上流 [特権] 階級; (特に)貴族(階級); 貴族社会.
au·toc·ra·cy 名 専制 [独裁] 政治; 独裁権.
bu·reauc·ra·cy 名 官僚制, 官僚政治, 官僚支配.
cop·roc·ra·cy 名 《米俗》ひどい政治.
cor·poc·ra·cy 名 官僚主義的企業経営.
de·moc·ra·cy 名 ☞
du·loc·ra·cy 名 奴隷による支配.
Eu·roc·ra·cy 名 欧州共同市場(European Common Market)の事務局員全体 [幹部連]. ►Eurocrat より.
ger·on·toc·ra·cy 名 長老政治, 長老制 [主義]; 老人支配.
gyn·e·coc·ra·cy 名 女性による支配, 女権政治.
gy·noc·ra·cy 名 =gynecocracy.
hag·i·oc·ra·cy 名 聖人支配 [政治] (体制).
hi·er·oc·ra·cy 名 聖職者 [僧侶] 政治.
i·soc·ra·cy 名 万民等権政治; 平等参政権.
kak·is·toc·ra·cy 名 極悪人政治, 悪徳政治.
klep·toc·ra·cy 名 〖政治〗盗賊政治.
me·di·ac·ra·cy 名 メディアクラシー: 情報社会で, 新聞や放送などが大きな力を持つようになった傾向.
me·di·oc·ra·cy 名 凡人政治 [統治].
mob·oc·ra·cy 名 暴民 [衆愚] 政治(mob rule).
mo·noc·ra·cy 名 独裁政治.
mul·lah·cra·cy 名 イスラム法学者(mullah)による支配.
-oc·ra·cy 連結形 ☞
plu·toc·ra·cy 名 金権政治.
por·noc·ra·cy 名 娼婦政治.
stra·toc·ra·cy 名 軍人 [軍閥] 政治, 軍政.
tech·noc·ra·cy 名 テクノクラシー: 技術家主義.
thal·as·soc·ra·cy 名 制海権.
the·oc·ra·cy 名 神政政治, 神権政治.
ti·moc·ra·cy 名 名誉至上政治.
vid·e·oc·ra·cy 名 テレビ政治.

cra·dle /kréidl/

名 (通例, 下に揺り子がついた)幼児用寝台, 揺りかご, 揺籃(ようらん).

cát's crádle 〖遊戯〗あやとり.
dóry crádle ドリー(平底船)を載せる台.
Móses-in-the-crádle 〖植物〗ラテンムラサキオモト.
séa cràdle ヒザラガイ: 貝の一種.
wítches' cràdle =witch's cradle.
wítch's cràdle 魔女の揺りかご: 超心理学の実験に用いる金属製の台.

craft /krǽft, krɑ́ːft | krɑ́ːft/

名 **1** 特に手先の技術を要する職業; 手工業; 工芸. **2** 技能. **3** 船. **4** 飛行機.

áero·cràft =aircraft.
áir·cràft ☞
assáult cràft 〖軍事〗攻撃用艦艇.
bóok·cràft 《古》文筆の技術; 著述業.
búsh·cràft 《豪·NZ》未開地生活に必要な技能.
cámp·cràft キャンプ術 [生活法].
cúshion-cràft ホバークラフト.
field·cráft 野外生活技術.
géntle cráft (スポーツとしての)釣り.
hánd·cràft =handicraft.
hándi·cràft 手先の熟練.
hóuse·cràft 《英》家政学; 家庭科.
hóver·cràft 《主に英》ホバークラフト.
kíng·cràft 《古》(王の)治国策, 王道.
lánding cràft 〖海軍〗上陸用舟艇, 揚陸艇.
léech cràft 《古》治療法; 医療.
móon·cràft 月への宇宙船.
mosquíto cràft 〖海事〗モスキート艦艇.
móther·cràft 育児法 [学].
néedle·cràft 針仕事(の技術).
príest·cràft 聖職者の才覚.
ríver·cràft 川船.
róad·cràft 《英》運転技術.
rótor·cràft 回転翼機(ヘリコプターなど).
scóut·cràft 偵察術, スカウト活動.
séa·cràft 遠洋航海船.
shóp·cràft 保守 [修理] 業務.
shúttle·cràft シャトル宇宙船.

spáce·cràft 宇宙機, 宇宙船.
stáge·cràft 劇作法; 演出法; 脚色法.
státe·cràft 国政・外交の技術, 政治術.
swórd·cràft 剣術(の腕前).
thríll·cràft 《米》(スポーツ用)水上自動車.
tráde·cràft スパイ活動に必要な知識.
wáter·cràft 操船[水上競技]の技術.
wítch·cràft 魔法, 魔術, 妖術(ようじゅつ).
wóod·cràft 《主に米・カナダ》森林技術.

crane /kréin/

名 **1**〘鳥類〙ツル. **2**〘機械〙起重機, クレーン.

blúe cráne オオアオサギ.
cáble cràne 空中ケーブル, 索道.
crówned cráne カンムリヅル.
déck cràne 〘海事〙甲板クレーン.
demoisélle cràne アネハヅル(姉羽鶴).
drágline cràne ドラグライン: ショベル系掘削機.
flóating cráne クレーン船.
gántry cràne 橋形クレーン[起重機].
Golíath cràne 門型移動クレーン.
hóoded cráne ナベヅル.
jíb cràne ジブ[突っ張り]クレーン.
Numídian cráne ＝demoiselle crane.
sándhìll cràne カナダヅル.
sárus cráne 灰色のオオツル.
tówer cráne タワー[塔形]クレーン.
wáter cràne 給水管.
whíp cràne 滑車付き起重機.
whóoping cráne アメリカシロヅル.
wrécking cràne 〘鉄道〙救援クレーン.

cra·ni·al /kréiniəl/

形〘解剖〙頭蓋(brainpan)の; 頭骨(skull)の. ⇨ -IAL.

ba·si·cra·ni·al 形 頭蓋骨基部の.
en·do·cra·ni·al 形 頭蓋内の; 脳硬膜の.
epi·cra·ni·al 形 頭蓋上の[にある].
in·tra·cra·ni·al 形 頭蓋内の.
post·cra·ni·al 形 頭後部[後方]の.
sub·cra·ni·al 形 頭蓋(cranium)下の.

-cra·nic /kréinik/

連結形〘頭骨測定〙頭蓋(ずがい)の.
★ 生体臨床医学専門用語.
★ 語頭にくる関連形は crani(o)-: *cranio*cerebral「頭蓋(ずがい)脳の」, *cranio*facial「頭蓋(ずがい)顔面の」.
◆ ギリシャ語 *kraníon*「頭蓋」より. ⇨ -IC[1].

brach·y·cra·nic 形 短頭蓋の.
dol·i·cho·cra·nic 形 長頭蓋の.
mes·o·cra·nic 形 中頭蓋の.

cra·ni·um /kréiniəm/

名 頭骨; 頭蓋. ⇨ -IUM.
★ 語頭にくる関連形は crani(o)-: *cranio*cerebral「頭蓋(ずがい)脳の」, *cranio*facial「頭蓋顔面の」

chon·dro·cra·ni·um 名 軟骨頭蓋(ずがい).
en·do·cra·ni·um 名〘解剖〙頭蓋内膜, 脳硬膜.
ep·i·cra·ni·um 名〘解剖〙頭外被.
peri·cra·ni·um 名〘解剖〙頭蓋(ずがい)骨膜.

-cra·sy /krəsi/

連結形 混じり合うこと. ◇ crasis「母音縮合; 気質」.
★ 名詞をつくる.
◆ <ギ *krâs(is)*融合 ＋*-ia* -Y[3].

id·i·oc·ra·sy 名 ＝idiosyncrasy.
id·i·o·syn·cra·sy 名 (個人の)特質, 特異性, 個性, 性癖.
the·oc·ra·sy 名 諸神混交崇拝.

-crat /kræt/

連結形 支配者; 支配階級の一員; 体制[党派]支持者.
★ 語末にくる関連形は -CRACY, -CRATIC.
◆ <仏 *-crate* <ギ *-kratēs*.

bu·reau·crat 名 官僚, 官吏.
Dix·ie·crat 名 米国南部の民主党離反派の人.
ed·u·crat 名 《米》教育官僚, 教育行政家.
Ei·sen·crat 名 Eisenhower 大統領の支持者.
mil·i·crat 名 《米俗》軍官僚.
min·i·crat 名 小役人.
Mix·ie·crat 名 民族統合主義者.
-o·crat 連結形 ☞
Pix·ie·crat 名 どの党派にも無関心な人.
su·per·crat 名 高級官僚, 高官.
Truman·crat 名 Truman 大統領支持の民主党員.

-crat·ic /krǽtik/

連結形 -crat に対応する形容詞をつくる.
◆ ギリシャ語 *krátos*「力」より. ⇨ -IC[1].

a·ris·to·crat·ic 形 貴族政治の.
au·to·crat·ic 形 専制の, 専制君主の性格を持った.
bu·reau·crat·ic 形 官僚の; 官僚的な, 官僚気質の.
dem·o·crat·ic 形 民主主義の; 民主政治の.
e·lec·tro·crat·ic 形〘物理化学〙表面の粒子の電荷によって安定しているコロイドの.
leu·co·crat·ic 形〘地質〙〈岩石が〉優白質の.
ly·o·crat·ic 形〘物理化学〙コロイド溶液の溶媒の粒子に対する親和力によってその安定度が決まってくるようなコロイドの.
mes·o·crat·ic 形〘岩石〙中色岩[メソクラチック岩]の.
pan·crat·ic 形 パンクラティオン(pancratium)の.
plu·to·crat·ic 形 金権政治(家)の; 金権主義(者)の.
tech·no·crat·ic 形 テクノクラート[テクノクラシー]の.
the·o·crat·ic 形 神政(主義)の, 神政国の.

cream /kríːm/

名 クリーム, 乳脂; (化粧用・薬用)乳剤.

bárrier crèam 肌荒れ防止クリーム.
Bavárian créam ババロア.
Brístol crèam シェリー酒(sherry)の一種.
bútter·crèam バタークリーム.
cléansing crèam クレンジングクリーム.
clótted créam 《英》ミルクを凝固させたクリーム.
cóconut créam ココナッツクリーム.
códlins-and-créam アカバナ科アカバナ属の草 *Epilobium hirsutum*.
cóffee crèam コーヒーに入れるクリーム.
cóld crèam コールドクリーム.
Córnish créam コーニッシュクリーム: 英国 Cornwall 地方特産の凝固したクリーム.
dáiry crèam 生クリーム, 乳脂.
Dévon créam 《英》＝clotted cream.
Dévonshire créam 《英》＝clotted cream.
dóuble créam ダブルクリーム: 乳脂肪分が 40－50 %の濃厚なクリーム.
égg crèam エッグクリーム: 牛乳, シロップ, ソーダ水で作った清涼飲料.
fáce crèam 美顔クリーム.
fáde crèam フェードクリーム: 肌のメラニン色素形成を抑えて白く見せるクリーム.
fúll-créam 形 全乳の, 全乳製の.
héavy créam ヘビークリーム: 乳脂を多量に含む.
íce crèam アイスクリーム.
líght créam 軽クリーム, ライトクリーム.

C

móisture créam モイスチャークリーム.
pástry crèam カスタードクリーム.
sálad crèam《主に英》クリーミーなサラダドレッシング.
sháving crèam ひげそり(用)クリーム.
síngle créam 低脂肪クリーム.
sóur crèam サワークリーム, 酸敗乳.
tríple créam フランス産のソフトチーズ: 乳脂肪が72 %以上.
vánishing crèam バニシングクリーム.
whípping crèam ホイップ・クリーム.

crease /kríːs/

名 (紙・布などの)折り目, 畳み目.

bátting crèase ＝popping crease.
bówling crèase 〖クリケット〗投手線.
góal crèase 〖アイスホッケー〗ゴールクリーズ.
pópping crèase 〖クリケット〗打者線.
retúrn créase 〖クリケット〗投手線の両端で直角に交わる線.

cre·ate /kriéit/

動他 …を創造する, 生み出す. ⇨ -ATE[1].

dis·cre·ate 動他 無にする, 消滅させる.
in·cre·ate 形 創造されない.
mis·cre·ate 動他自 誤って造る, 造りそこなう.
pro·cre·ate 動他〈子を〉産む;〈子孫を〉作る.
re-cre·ate 動他 作り直す; (心の中で)再現する.
rec·re·ate 動他 気晴らしさせる, 英気を養わせる.
un·cre·ate 動他《文語》全滅 [絶滅] させる.

cre·at·ed /kriéitid/

形《複合語》…のように創造された, 作り出された. ⇨ -D[1].

mis·cre·at·ed 形 誤って造った; 不格好な; 奇怪な.
self-cre·at·ed 形 自分で作った.
un·cre·at·ed 形 まだ創造されていない.

cred·it /krédit/

名 **1** (ある行為・資質などに与えられる)賞賛. **2**〖商業〗(客に対する)信用. **3**〖金融〗貸し金, 債券. ── 動他 信用する; 帰する.

ac·créd·it 動他〈人に〉(…を)帰する.
advánced crédit《米》(転入生などの)既修認定単位.
bánk crédit 銀行信用.
bléndeded crédit 〖金融〗ブレンドクレジット.
bóok crèdit (帳簿上の)貸し勘定, 売掛金.
cásh crédit 当座貸し.
commércial crédit 商業信用, 商業クレジット.
consúmer crédit 消費者信用.
dis·créd·it 動他 …の信用を落とさせる.
Éu·ro·crèd·it 名〖金融〗ユーロクレジット.
fámily crédit《英》児童家族手当.
nòn·créd·it 形〈科目が〉(卒業)単位とならない.
revólving crédit 回転信用(状).
sérvice crèdit 〖金融〗サービスクレジット.
Sócial Crédit 〖経済〗社会信用説.
táx crèdit 〖経済〗税額控除.

creep /kríːp/

動自 這う. ── 名 這うこと; 徐行.

brácket crèep 税率等級の漸進.
Énglish crèep (国際語としての)英語の普及.
gráde crèep《米》(公務員の)年功による昇格.
snów·crèep (緩斜面での)雪の下降運動.
sóil crèep 〖地質〗土壌クリープ [滑り].
táx-bràcket crèep ＝bracket creep.
táx crèep 累進課税による所得税の上昇.

creep·er /kríːpər/

名 這(は)うもの [人]; 這う動物; 蔓(る)植物. ⇨ -ER[1].

bróthel-crèeper《英話》厚いクレープゴム底の紳士靴.
brówn créeper 〖植物〗蔓(る)植物.
hóney·crèeper 〖鳥類〗ミツドリ(蜜鳥).
móuntain crèeper キツネノマゴ科ヤハズカズラ属の草.
trée crèeper 〖鳥類〗キバシリ.
trúmpet crèeper 〖植物〗アメリカノウゼンカズラ.
Virgínia créeper 〖植物〗バージニアヅタ.
wáll crèeper 〖鳥類〗カベバシリ.
wóod·crèeper 〖鳥類〗オニキバシリ(鬼木走り).

-cres·cence /krésns/

連結形 成長するもの [こと].
★ 語頭にくる関連形は cre(sc)-: *crea*tion「創造(物), 森羅万象」, *cresc*ent「新月, 三日月」.
◆ ラテン語 *crēscere*「成長する」より. ⇨ -ENCE[1].

ac·cres·cence 名 成長 [増大] し続けること.
con·cres·cence 名 (胚などの)合生(ごう), 合着.
ex·cres·cence 名 (動植物体に発生する)異常生成物.

cres·cent /krésnt/

名 三日月形(のもの). ── 形《古・詩語》漸増する. ⇨ -ESCENT.

ac·crés·cent 形 増加する, 拡大する; 富んだ.
Chínese créscent クレセント: 楽器の一種.
de·crés·cent 形 しだいに減少する, 漸減的な.
ex·crés·cent 形 異常生成した; 余分の, 余計な.
Fértile Créscent 地中海東部沿岸地方からイラクに及ぶ農業地帯.
in·crés·cent 形〈月が〉満ちてくる; 増大する.
Réd Créscent 赤三日月: イスラム教国で赤十字に似た役割の団体.
Túrkish créscent クレセント: 楽器の一種.

cress /krés/

名〖植物〗カラシナ, (特に)オランダガラシ.

bítter créss タネツケバナ(ジャニンジンを含む).
gárden crèss コショウソウ(胡椒草).
Índian créss ノウゼンハレン, キンレンカ.
mársh crèss アブラナ科イヌガラシ属の一年草または二年草の総称.
pén·ny·crèss アブラナ科グンバイナズナ属の植物の総称.
róck crèss ハタザオ.
stóne crèss エチオネマ.
swíne crèss ＝wart cress.
swíne's crèss ＝wart cress.
tówer crèss アブラナ科ヤマハタザオ属の雑草 *Arabis turrita*.
wáll crèss アブラナ科ハタザオ属の植物の総称.
wárt crèss カラクサガラシ, カラクサナズナ.
wá·ter·crèss オランダガラシ, ミズガラシ.
wínter crèss フユガラシ.
yéllow créss ＝marsh cress.

crest /krést/

名 峰, 山頂; 鳥冠(状のもの).

fíre·crèst 〖鳥類〗マミジロキクイタダキ.

góld·crèst 〖鳥類〗キクイタダキ.
néural crést 〖発生〗神経冠.

crew /krúː/

名 (特定の仕事に従事する)一団, 組, 班.

áir·crèw 〖米空軍〗航空機乗組員 [搭乗員].
cábin crèw (飛行機の)客室乗務員.
chéck créw 《米俗》(労働現場の)白人と黒人の混合作業班.
cóckpit créw 〖航空〗運搬乗員.
cóed crèw 《米俗》(海軍の)男女混合乗組員.
flíght crèw ＝aircrew.
gróund crèw 〖軍事〗(飛行場などの)地上要員, 整備員.
gún crèw (軍艦の)砲(側)員, 砲手.

crick·et[1] /kríkit/

名 コオロギ.

bálm crícket セミ.
cámel crìcket ＝cave cricket.
cáve crìcket カマドウマ(竈馬).
fíeld crìcket コオロギ.
hóuse crìcket イエコオロギ.
Jerúsalem crícket 直翅(ちょくし)目コロギス科の昆虫の一種 *Stenopelmatus fuscus*.
móle crìcket ケラ: ケラ科の昆虫の総称.
Mórmon crícket モルモンクリケット.
sánd crìcket ＝Jerusalem cricket.
trée crìcket カンタン.

crick·et[2] /kríkit/

名 クリケット.

cóunty crícket 《英》州対抗のクリケット試合.
fàntasy crícket 空想クリケット: 参加者は現実の選手で想像上のチームを作り, 現実の成績に従って得点を競う.
Frénch crícket フレンチ・クリケット: 略式クリケット.
gráde crìcket 《豪》等級別のクリケット競技.
pyjáma crícket 《豪話》1 日だけのクリケット試合.
shíeld crìcket 《豪》シェフィールド・シールド争奪戦.

crime /kráim/

名 (法律上の具体的な)罪, 犯罪.

compúter críme コンピュータ犯罪.
críb crìme 《米俗》老人をねらって襲う犯罪.
económic críme 経済犯罪.
electrónic críme コンピュータ犯罪.
hígh críme 〖米法律〗重大な犯罪.
índex crìme 《米》FBI 統計犯罪.
órganized críme 組織犯罪.
polítical críme 政治 [国事] 犯.
státutory críme 〖法律〗制定法上の犯罪, 法定犯罪.
thóught·crìme 思想上の犯罪, 思想犯.
víctimless críme 被害者なき犯罪.
wár crìme 戦争犯罪, 戦犯.
whíte-còllar críme ホワイトカラー族の犯罪: 背任, 横領, 収賄などの総称.

-crine /kráin/

連結形 分ける.
★ 医学用語をつくる.
★ 語頭にくる関連形は crino-: *crino*toxin「カエルの出す毒素」.
◆ ギリシャ語 *krínein*「分ける」より.

ap·o·crine 形 〖生理〗アポクリンの.
ec·crine 形 〖生理〗エクリンの.
ec·to·crine 名 〖生物〗エクトクリン, 外分泌物.
en·do·crine 形 〖解剖〗〖生理〗内分泌の.
ex·o·crine 形 〖解剖〗〖生理〗外分泌(性)の.
het·er·o·crine 形 〖生理〗異質分泌の, 混合の.
hol·o·crine 形 〖生理〗全分泌性の.
mer·o·crine 形 〖生理〗部分分泌の.

cri·sis /kráisis/

名 **1** (未来のすべての態勢が決定される)転機, 決定的な時 [局面]. **2** 危機. ⇨ -SIS.
★ 複数形は crises.

Cúban míssile crìsis キューバ・ミサイル危機.
débt crìsis 累積債務危機.
dóllar crìsis 〖経済〗ドル危機.
èc·o·crí·sis 名 環境危機.
e·píc·ri·sis[1] 名 (特に病歴の)批評的研究 [評価], 分析的要約, 詳細な批評.
ép·i·crì·sis[2] 名 〖医学〗(1 つの分利(crisis)の後にくる)二次性分利, 分利後症状.
idéntity crìsis 同一性危機, 自己認識の危機.
Ládakh crísis ラダク危機: 1962 年 10 月の中国軍による Kashmir の Ladakh 地区侵略.
mídlife crísis 中年期の精神的・肉体的危機感.
Súez crìsis スエズ危機.

crit·ic /krítik/

名 批評 [評価] する人. ── 形 批判的な. ⇨ -TIC.

di·a·crit·ic 名 区別的発音符, 区分表示符.
ep·i·crit·ic 形 〖生理〗〈皮膚(感覚)などが〉識別性の, 判別的な.
hy·per·crit·ic 名 酷評家; あら捜しをする人.
o·nei·ro·crit·ic 名 夢判断をする人, 夢占い師.

crit·i·cal /krítikəl/

形 **1** 評論 [批評] の; 評論 [批評] 家の; 批評専門の. **2** 〖物理〗臨界の: 物質や系の性質が変化を起こす限界の状態, 量, 値に関する. ⇨ -TICAL.

a·crit·i·cal 形 批判的でない.
bi·o·crit·i·cal 形 (作家などの)生活と作品研究の.
di·a·crit·i·cal 形 区別に役立つ, 弁別的な.
hy·per·crit·i·cal 形 批判が厳しすぎる, 酷評する.
o·ver·crit·i·cal 形 ＝hypercritical.
pre·crit·i·cal 形 〖医学〗分利期以前の; 発症前の.
self-crit·i·cal 形 自己批判的な.
sub·crit·i·cal 形 〖物理〗臨界値以下の.
su·per·crit·i·cal 形 きわめて批判的な, 酷評する.
un·crit·i·cal 形 無批判な; 批判力のない.

crit·i·cism /krítəsìzm/

名 (一般に)批評, 批判; 酷評; 非難; あら捜し. ⇨ -ISM[1].

àu·to·crít·i·cism 名 自己評価 [判定, 批判].
fórm crìticism 〖聖書学〗様式史的研究.
gỳ·no·crít·i·cism 名 女流文学研究.
hígher críticism 高等 [上層] 批評.
hy·per·crít·i·cism 名 酷評; あら捜し.
lówer críticism (聖書の)本文批評(学), 下層批評.
néw críticism 新批評, ニュークリティシズム.
o·nèi·ro·crít·i·cìsm 名 夢判断(術), 夢占い(法).
réader-óriented críticism 〖文学〗読者中心の批評.
réader-respónse críticism 〖文学〗読者反応の批評.
sèlf-crít·i·cism 名 自己批判 [批評].

C

sóurce-crìt·i·cism 名 原典批評.
téxtual críticism ＝lower criticism.
transáctive críticism 〚文学〛交流批評.

cro·cus /króukəs/

名〚植物〛クロッカス, ハナサフラン. ⇨ -US[1].

áutumn crócus ユリ科サフラン属の球根植物数種の総称.
Scótch crócus クロッカス[サフラン]属の植物; 庭園に植えられる.
wíld crócus セイヨウオキナグサ(西洋翁草).

crop /kráp | krɔ́p/

名 **1** 農産物, 作物. **2** (頭髪の)刈込み. ── 動他自 作物を作る.

áf·ter·cròp 名 二番作, 裏作.
àn·ti·cróp 形〈薬剤などが〉作物を死滅させる.
awáy-going cróp 〚法律〛期間後収穫.
básic cróp 《米》主要農産物.
bréak cròp 間作作物.
cásh cróp 換金作物.
cátch cròp 間作物.
clóse-cròp (頭髪の)角刈り.
cóver cròp 間作, 被覆作物.
dóuble-cróp 動自 二期作を行う.
Éton cróp (女性の)刈り上げ断髪.
fíeld cròp (大農場の)多栽培作物.
gréen cróp 完全に生長する前に収穫される作物.
ìn·ter·cróp 動自他 間作する.
máin cróp 自然の収穫期に出回る作物.
móney cròp ＝cash crop.
núrse cròp (雑草の生長を抑えるために)他の作物と共に植えられる作物.
óut·cròp 名〚地質〛(地層・鉱脈などの)露出.
ò·ver·cróp 動他 作物を作りすぎる.
ríding cròp 乗馬用むち.
róot cròp 根菜作物.
rów cròp 条播(じょうは)作物.
sháre·cròp 動他自《主に米》物納契約で小作をする.
síngle-cróp 動自 単作する.
stánding cróp まだ刈っていない作物.
stóne·cròp マンネングサ(万年草).
stríp-cròp 動他自 帯状栽培をする.
subsístence cròp 自給作物.
trúck cròp 市場向け青果物.
wáygoing cróp 〚法律〛＝away-going crop.
whíte cróp 熟すと種子が白くなる穀物.
wínter cróp 冬作.

crop·ping /krápiŋ | krɔ́p-/

名 栽培. ⇨ -ING[1].

móno·cròpping 名〚農業〛単一栽培.
múltiple crópping 〚農業〛多毛作.
stríp cròpping 〚農業〛帯状栽培.
úp·cròpping 名 現れる[生じる]こと; 出現, 発生.

cross /krɔ́:s, krás | krɔ́s/

名 **1** 十字架. **2** 十文字(の形をしたもの). **3**〚生物〛異種交配; 交配種. ── 動他 **1** 横切る. **2** …を交配する.

a·cróss 前《方向・運動》横切って, 渡って.
Áir Fòrce Cróss 米国空軍十字章.
ánsate cròss 〚エジプト芸術〛輪付き型十字形.
archiepíscopal cróss ＝patriarchal cross.
báck·cròss 動他〚遺伝〛〈雑種第1代を〉その一方の親と交配する, 戻し交配する.
Blúe Cróss ブルークロス: 加入者から保険料を徴収して入院費などの支払いを行う健康保険.
Búddhist Cróss 卍(まん).
Cálvary cròss ゴルゴダ十字架(cross of Calvary).
Céltic cròss ケルト十字架.
Cháring Cróss チャリングクロス: London 中央部にある交差点.
chríst·cròss 名《古》(特に字の書けない人が署名の代わりに用いる)×印.
críss·cròss 動他〈場所などを〉縦横に動く, 交差する.
Distínguished Flýing Cròss 空軍殊勲十字章.
Distínguished Sérvice Cròss 〚米陸軍〛〚英海軍〛殊勲十字章.
dóuble cróss (仲間への)裏切り.
dóuble-cróss 動他 …を裏切る, だます; だまし取る.
fíery cróss 火の十字架(burning cross).
fíre cròss ＝fiery cross.
Genéva cróss 赤十字(red cross).
Geórge Cróss ジョージ十字勲章, ジョージクロス.
Gránd Cróss 《英》大十字章.
Gréek cróss ギリシャ十字架.
Hóly Cróss ホリークロス山.
ín·cròss 名〚遺伝〛同品種内近交系間交配種.
ìn·ter·cróss 動他〈線などを〉互いに交わらせる.
Íron Cróss (ドイツの)鉄十字勲章.
Jerúsalem cróss エルサレム十字架.
Kíng's Cróss (ロンドン北部の)キングズ・クロス駅.
kníght gránd cróss (Bath, Victoria, 英帝国の3つの勲章でそれぞれ)最上級の勲位.
Látin cróss ラテン十字架.
Lorráine cróss ロレーヌ十字架.
Máltese cróss マルタ十字架.
márket cròss 《英》市場十字(架).
Mílitary Cróss 《英》戦功十字勲章.
Mílls cróss 〚宇宙〛ミルスクロス.
Návy Cróss 〚米海軍〛海軍勲功章, 特功十字章.
Nórthern Cróss 〚天文〛北十字(星): 白鳥座.
òut·cróss 動他〚生物〛他配する.
pápal cróss 教皇十字架.
Pássion cróss 〚紋章〛＝Latin cross.
patriárchal cróss 総大司教十字架.
péctoral cróss 〚教会〛(高位聖職者が胸に着ける)胸用十字架.
rè·cróss 動自他 (…を)再び横断する[横切る].
Réd Cróss 赤十字社(Red Cross Society).
rósy cróss バラ十字会会章.
Sàint Géorge's Cróss ＝St. George's Cross.
síngle-cróss 名〚遺伝〛単交雑.
Sóuthern Cróss 〚天文〛南十字星.
St. Ándrew's cróss 〚紋章〛聖アンドレア十字架.
St. Ándrew's-cróss 米国の温帯・亜熱帯地方産の常緑の低木.
St. Ánthony's cróss 聖アントニオ十字架.
St. Géorge's Cróss 聖ジョージの十字架.
St. Pátrick's cróss 聖パトリックの十字架.
táu cròss T 字形十字 (St. Anthony's cross).
tést·cròss 名〚遺伝〛検定交雑.
tóp cròss 〚遺伝〛トップ[品種系統間]交雑.
tríple cróss 動 二重に裏切る.
ùn·cróss 動他〈足などの〉交差を解く.
Victória Cróss ビクトリア(十字)勲章.
wéeping cróss 泣き十字: 昔, 改悛(かいしゅん)を表して路傍に建てた十字架.
wóoden cróss 《英軍俗》兵士の墓の十字架; 戦死.

cross·ing /krɔ́:siŋ, krás- | krɔ́s-/

名 **1** 横切ること, 横断; 渡航, 航海; 交差; すれ違い. **2** (道路の)交差点; (線路の)踏切. ⇨ -ING[1].

flóor-cròssing 名 (特に英国式の議会などで)自党と反

	対の側に投票すること.
gráde cròssing	《米・カナダ》平面交差(点), 踏切.
lével cróssing	《英》=grade crossing.
óver·cròssing 名	陸橋, 歩道橋, 跨線(こせん)橋.
pánda cròssing	《英》=pelican crossing.
pélican cròssing	《英》押しボタン式横断歩道.
zébra cròssing	《英》(白い縞(しま)模様の)横断歩道.

-crot·ic /krátik|krɔ́tik/

連結形 〖生理〗鳴る音の.
★ 形容詞をつくる.
◆ ギリシャ語 *krótos*「打つ音」より. ⇨ -IC[1].

di·crot·ic 形	重拍の.
mono·crot·ic 形	〈脈拍が〉単拍の, 単拍脈の.
tri·crot·ic 形	〈脈が〉三拍[三段]の.

crow /króu/

名 **1**〖鳥類〗カラス. **2**《俗》黒人.

cárrion cròw	ハシボソガラス.
físh cròw	ウオガラス.
gór·cròw 名	=carrion crow.
gráy crów	ハゲガオ(禿顔)ガラス.
hóoded crów	ハイイロガラス, ズキンガラス.
hóuse cròw	イエガラス.
Jáne Crów	《米俗》女性差別.
Jím Crów	黒人差別(政策).
Jím-Crów 形	黒人差別政策を支持する.
píping crów	カササギフエガラス.
ráin cròw	ハシグロカッコウ; キバシカッコウ.
Róyston crów	=hooded crow.
scáld-crów	《アイル》=hooded crow.
scáre·cròw	かかし.
séa cròw	ベニバシガラス.
wáttle cròw	ハシブトホオダレムクドリ.
whíte crów	エジプトハゲワシ.

crowd /kráud/

名 群衆, 人込み, 雑踏; (一般に)多数の人, 大勢.

B́ and T́ cròwd	《米俗》(New York 市で)Manhattan へ来るのに橋やトンネルを利用しなければならない人たち.
ín-cròwd 名	排他的な小集団.
méga·cròwd 名	大群衆.
òver·crówd 動他自	詰め込みすぎる.
rént-a-cròwd 名	《英俗》(金を払って集めた)群衆.

crown /kráun/

名 **1** 王冠; 花冠, 栄冠. **2**〖歯科〗歯冠.

ántique crówn	=eastern crown.
ástral crówn	〖紋章〗アストラルクラウン.
átef-cròwn 名	〖古代エジプト〗アーテフ冠.
cívic crówn	〖ローマ史〗市民の栄冠: 戦いで市民の命を救ったローマ兵士に贈ったカシワの葉の冠.
dis·crówn 動他	…から王冠を奪う.
dóuble crówn	《主に英》三五判.
éastern crówn	〖紋章〗東方冠.
hálf-a-crówn 名	=half crown.
hálf crówn	《もと》英国の銀貨または銅ニッケル硬貨; 2 ½シリング.
jácket cròwn	(陶製・アクリル樹脂製の)人工歯冠.
kíng's crówn	〖植物〗サンゴバナ.
múral crówn	〖ローマ史〗城壁冠.
nával crówn	〖紋章〗海洋冠.
Nórthern Crówn	〖天文〗きたのかんむり(北冠)座.
ólive cròwn	オリーブの葉の冠(勝利の象徴).
óptical crówn	光学クラウン.
palisádo cròwn	〖紋章〗円環に剣菱(けんびし)7本を並べた形の冠.
Sóuthern Crówn	〖天文〗みなみのかんむり(南冠)座.
tríple crówn	(ローマ教皇の)三重宝冠, 教皇冠.
ùn·crówn 動他	…の王冠[王位]を奪う.

C

crud /krʌ́d/

名《俗》(ごみ, 不純物などの)沈殿[被覆]物; 体の不調.

Casablánca crùd	《話》旅行中の下痢.
créeping crúd	《米軍俗》病気, 不調; 吹き出物.
cýber·crùd	《米俗》コンピュータ関係のでたらめ.

cruis·er /krúːzər/

名 **1** 巡洋艦. **2**(行楽用)巡航艇. ⇨ -ER[1].

báttle crùiser	〖軍事〗巡洋戦艦.
cábin crùiser	遊航船.
dáy crùiser	デイクルーザー: 宿泊施設を持たないクルーザー.
guíded míssile crùiser	〖軍事〗ミサイル発射巡洋艦.
héavy crúiser	〖軍事〗重巡洋艦, 重巡.
líght crúiser	〖軍事〗軽巡洋艦.
thróugh-dèck crùiser	〖軍事〗全通甲板型巡洋艦.
tímber crùiser	森林地帯の木材の価値を判断する人.
túrnpike crúiser	《米俗》便器, おまる.

-crum /krəm/

接尾辞 もとは道具・手段を表すラテン語の接尾辞.
★ 名詞をつくる.

am·bu·lac·rum 名	(棘皮(きょくひ)動物の)歩帯.
in·vo·lu·crum 名	〖植物〗総苞(involucre).
sim·u·la·crum 名	《古》幻影, 面影; 見せかけ.

crunch /krʌ́ntʃ/

名 **1** かみ砕くこと. **2**(必需品などの)不足; (経済の)停滞, 不況; 危機的状況. ►擬声語から. ◇ -UNCH[1].

bíg crúnch	〖天文〗宇宙大収縮.
búdget crùnch	《米話》予算の逼迫(ひっぱく).
cýcle crùnch	〖コンピュータ〗(タイムシェア方式での)サイクル払底[混雑].
énergy crúnch	エネルギー不足.
móney crúnch	金融逼迫.

crunch·er /krʌ́ntʃə/

名 **1** バリバリ音を出すもの. **2**〖コンピュータ〗クランチャ. ⇨ -ER[1].

dáta crùncher	〖コンピュータ〗データクランチャ.
informátion crùncher	〖コンピュータ〗情報クランチャ.
númber crúncher	〖コンピュータ〗数字クランチャ.

crush·er /krʌ́ʃər/

名 押しつぶす人[もの]. ⇨ -ER[1].

béetle-crùsher	《英》大長靴.
cínder crùsher	《米鉄道俗》(ポイントの)切り換え係.
crúmb-crùsher	《米学生・黒人俗》赤ん坊.
grável crùsher	《英軍俗・古風》歩兵, 練兵係.
gýratory crúsher	〖機械〗旋動[一次]破砕機.
héad-crùsher	《米俗》借金取り立てのために暴力を用いる者.
róck·crùsher	〖機械〗砕岩機; 砕石機.

stóne crùsher 砕石機.

crust /krʌ́st/

名 **1** パンの褐色の外皮 [表面]. **2** 堅い外皮 [表面].
―― 動他 外皮で覆う.

dúr·i·crùst 名 デュリクラスト, 表層固結物.
en·crúst 動他 =incrust.
in·crúst 動他 外皮で覆う, 堅い外層をかぶせる.
kíssing-crùst 名 《話》(焼いたとき他のパンとくっついて, 固くならなかった)パン皮.
ò·ver·crúst 動他 外皮 [外殻] で包む.
píe·crùst 名 パイ皮, パイの衣.
shórt crùst 形 〈菓子などが〉さくさくする.
snów crùst 氷結した堅い雪の表層, アイスバーン.
úpper crúst (パイなどの)上皮.
úpper-crúst 形 《話》上流階級(気取り)の.

cry /krái/

動自 〈人が〉(喜び・驚き・嘆き・苦痛などで)叫び声を上げる, 叫ぶ.

báttle crỳ =war cry.
de·crý 動他 (公然と)非難する, ののしる.
lást crỳ 最新流行のもの.
óut·cry 名 悲鳴, 絶叫, 叫び声.
párrot-crỳ (広く使われるが)意味が不明瞭(ふめいりょう)な言葉 [スローガン].
rállying crỳ (政治運動などの)スローガン.
wár crỳ (突撃の際の)鬨(とき)の声.
wátch·crỳ (行動の原理や指針を表した)標語.
wólf crỳ うその警告, 虚報. ►cry wolf より.

crys·tal /krístl/

名 **1** 水晶; (氷のように)澄んだ透明な鉱石 [ガラス]. **2**【化学】【鉱物】結晶, 結晶体.

Íceland crýstal 氷州石.
líquid crýstal 液晶, 液状結晶, 準結晶.
mí·cro·crys·tal 微細結晶.
míxed crýstal 【結晶】混晶.
mòn·o·crýs·tal 【結晶】単結晶. ―― 形 単結晶の.
pól·y·crys·tal 多結晶質.
quártz crỳstal 【電子】水晶結晶板.
quási·crýstal 【物理】準結晶.
róck crỳstal 水晶.
séed crỳstal 【化学】種晶(たねしょう).
snów crỳstal 雪結晶(体).
súgar crỳstal (コーヒー用の)ざらめ.
wátch crỳstal 《米》腕時計の文字盤を覆うガラス.

crys·tal·line /krístəlin, -làin, -lìːn | -làin, -lìːn/

形 水晶の(ような); 澄んだ, 透明な. ⇨ -INE[1].
★ 語頭にくる関連形は crystall(o)-: *crystallo*genic「結晶生成の」.

cryp·to·crys·tal·line 形 【鉱物】隠微晶質の, 潜晶質の.
hem·i·crys·tal·line 形 【鉱物】半晶質の.
hol·o·crys·tal·line 形 【地質】完晶質の.
hy·po·crys·tal·line 形 =hemicrystalline.
in·ter·crys·tal·line 形 【結晶】結晶間の, 結晶の間にある.
mi·cro·crys·tal·line 形 【鉱物】微晶質の.
pha·ne·ro·crys·tal·line 形 【記載岩石】顕晶質の.
pol·y·crys·tal·line 形 【鉱物】多結晶(質)の.
py·ro·crys·tal·line 形 【記載岩石】火成結晶性の.
sem·i·crys·tal·line 形 【鉱物】半結晶(体)の.
trans·crys·tal·line 形 【結晶】結晶内を横切って生じる.

cube /kjúːb/

名 立方体, 正六面体.

báth cùbe 《英》(入浴用)固型香料.
bóuillon cùbe 固形ブイヨン, ブイヨンの素(もと).
flásh·cùbe 名 【写真】フラッシュキューブ.
hýp·er·cube 名 【コンピュータ】ハイパーキューブ.
íce cùbe 形 角氷.
Nécker cùbe ネッカーの立方体: 透明の立方体の線画.
Óxo cùbe 《英俗》地下鉄(tube).
phó·to·cùbe 名 【写真】フォトキューブ.
Rúbik Cùbe 《商標》ルービックキューブ. ►Rubik's Cube ともいう.
súgar cùbe 《米麻薬俗》LSD.

cuck·oo /kúːkuː, kúkuː | kúkuː/

名 【鳥類】カッコウ.

bláck-billed cúckoo ハシグロカッコウ.
lóngtàiled cúckoo オニカッコウ(koel).
yéllow-bìlled cúckoo キバシカッコウ.

cu·cum·ber /kjúːkʌmbər/

名 キュウリ.

búr cùcumber アレチウリ.
séa cùcumber ナマコ.
spónge cùcumber ヘチマ(の果実)(loofah).
squírting cúcumber テッポウウリ.

cue[1] /kjúː/

名 (俳優の登場や発話, 照明, 音響効果などを入れる合図になる)きっかけ, キュー.

au·to·cue 名 【テレビ】《英》オートキュー.
mis·cue 名 【スポーツ】エラー, 失策.

cue[2] /kjúː/

名 (玉突きなどの)キュー, 突き棒.

curl·i·cue 名 (装飾用)渦巻き.
cur·ly·cue 名 =curlicue.
mis·cue 名 【ビリヤード】突きそこない.

cuff /kʌ́f/

名 **1** 袖(そで)口, カフス. **2**《話》手錠(handcuff).

bárrel cùff バレルカフス.
dóuble cúff =French cuff.
Frénch cúff フレンチカフス, ダブルカフス.
hánd·cùff 名 手錠.
óff-the-cúff 形副 《話》即席 [即興] の [で].
ón-the-cúff 形副 《米話》掛けの [で].
rótator cùff 【解剖】(肩の)回旋腱板(けんばん).
síngle cùff 《主に英》=barrel cuff.
stúff cúff (ズート服のズボンの)すその折り返し.

cui·sine /kwizíːn/

名 (特にレストランなどの特有の)料理法, 調理法; 料理.
⇨ -INE[2].

continéntal cuisíne 西欧風料理(法).
hàute cuisíne 高級(フランス)料理.
néw cuisíne ヌーベルキュイジーヌ: 現代フランス料理のスタイル.

-cu·la /kjulə/

接尾辞 小さいもの.
★ 名詞をつくる.
★ 語末にくる関連形は -CLE[1], -CULUM, -CULUS.
◆ ラテン語の指小辞 *-culus*(男性), *-cula*(女性), *-culum*(中性)より. ⇨ -A[1], -A[2].
[発音] 直前の音節に第 1 強勢.

a·cic·u·la 名 針状の部分; とげ, 剛毛.
ae·dic·u·la 名 小さな建物(aedicule).
au·ric·u·la 名 アツバサクラソウ.
Ca·nic·u·la 名 〖天文〗《まれ》シリウス, おおぼし.
cor·bic·u·la 名 (ミツバチの)花粉かご.
cu·tic·u·la 名 〖動物〗クチクラ(cuticle).
fe·bric·u·la 名 (特に原因不明の)軽熱, 微熱.
si·lic·u·la 名 〖植物〗短角果(silicle).
tra·bec·u·la 名 〖解剖〗〖植物〗小柱.
tu·ber·cu·la 名 tuberculum「(骨・体表の)こぶ」の複数形.
val·lec·u·la 名 〖解剖〗谷, くぼみ, 窩(か).
vas·cu·la 名 vasculum「植物採集箱」の複数形.
Vul·pec·u·la 名 〖天文〗こぎつね(小狐)座.

-cu·lar[1] /kjulər/

接尾辞 -cule[1] と -ar[1] の合成接尾辞.

a·cic·u·lar 形 針状の.
ar·tic·u·lar 形 関節の.
au·ric·u·lar 形 耳の; 聴覚の(aural).
ca·nic·u·lar 形 〖天文〗シリウスの, 天狼(てんろう)星の.
car·bun·cu·lar 形 ざくろ石の(ような); 癰(よう)の(ような).
cla·vic·u·lar 形 ☞
cre·pus·cu·lar 形 薄明の, 薄暗い; はっきりしない.
fas·cic·u·lar 形 〖植物〗束生の, 叢生(そうせい)の.
fol·lic·u·lar 形 〖植物〗袋果(たいか)(follicle)の.
fu·nic·u·lar 形 綱 [索] の; 綱 [索] の緊張力の.
ge·nic·u·lar 形 膝(ひざ)の, 膝状の.
ges·tic·u·lar 形 身ぶり [手ぶり] の [による].
len·tic·u·lar 形 レンズの.
mo·lec·u·lar 形 ☞
mus·cu·lar 形 筋肉の [から成る], 筋肉による.
na·vic·u·lar 形 〖解剖〗〈骨などが〉舟状の.
or·bic·u·lar 形 《文語》丸い, 球形の, 円形の.
os·cu·lar 形 osculum「〖生物〗排水孔」の.
par·tic·u·lar 形 特定の, 特有の; 個別の, 個々の.
pe·dic·u·lar 形 シラミの; シラミの多い(lousy).
re·tic·u·lar 形 網の形をした, 網状の.
tes·tic·u·lar 形 睾丸(こうがん)の; 睾丸形の.
tu·ber·cu·lar 形 結核(性)の, 結核菌で起こった.
u·tric·u·lar 形 小さい袋状の, 小嚢(のう)状の.
vas·cu·lar 形 ☞
ven·tric·u·lar 形 空洞の, 腔の, 室の; 心室の.
ver·mic·u·lar 形 虫の [による].
ver·nac·u·lar 形 〈言語が〉その土地特有の, 土着の.
ver·sic·u·lar 形 《まれ》詩の; 唱句の; 聖書の節の.
vul·pec·u·lar 形 キツネの(ような)(vulpine).

-cu·lar[2] /kjulər/

接尾辞 -cule[2] と -ar[1] の合成接尾辞.

cur·ric·u·lar 形 教科 [履修] 課程の.
o·rac·u·lar 形 神託の; 威厳のある, 予言者的な.
per·pen·dic·u·lar 形 〈物が〉垂直の, 直立した.
pi·ac·u·lar 形 罪滅ぼしの, 贖罪(しょくざい)の.
spec·u·lar 形 speculum の; 鏡のような, 反射する.
sus·ten·tac·u·lar 形 〖解剖〗支えている, 支えの.
ve·hic·u·lar 形 輸送機関の(ための).

-cule[1] /kjùːl/

接尾辞 -cle[1] の異形.
◆ <ラ *-culus*, *-cula*, *-culum*.
[発音] 第 1 強勢は, (1)2 音節, 3 音節の語では語頭に, (2) 4 音節の語では -cule の 2 つ前の音節にある. 例外: animálcule, opúscule. また 3 音節の語で -cule の直前の音節にも第 1 強勢が認められる語: crepúscule, majúscule, minúscule.

ae·di·cule 名 小さな建物.
an·i·mal·cule 名 ☞
cre·pus·cule 名 薄暮, 薄明.
crit·i·cule 名 下手な批評家.
dra·mat·i·cule 名 二流劇, 小(演)劇.
ed·i·cule 名 ＝aedicule.
fas·ci·cule 名 (刊行物の)分冊.
floc·cule 名 一房の羊毛状物質, 毛房状の物.
grat·i·cule 名 〖航海〗(地図や海図の)経緯線網.
len·ti·cule 名 〖写真〗微小凸レンズ片.
loc·ule 名 〖生物〗(小)室, (小)房.
lod·i·cule 名 〖植物〗鱗被(りんぴ).
ma·jus·cule 形 〈文字が〉大文字の, かしら文字の.
min·is·cule 形 ＝minuscule.
mi·nus·cule 形 非常に小さい, 微細な; ささいな.
mol·e·cule 名 ☞
mon·ti·cule 名 寄生火山, 側火山.
o·pus·cule 名 《まれ》小作品.
po·et·i·cule 名 へぼ詩人, 三文詩人.
ret·i·cule 名 レティキュール: 小物入れ・財布に用いる小さなハンドバッグ.
sac·cule 名 〖解剖〗球形嚢(のう).
spic·ule 名 小さな鋭くとがったもの; 針状体.
tu·ber·cule 名 〖植物〗小結節, 小瘤(しょうりゅう).
ver·mi·cule 名 虫食い(状態).
ver·ri·cule 名 〖昆虫〗(長)毛塊.

-cule[2] /kjùːl/

接尾辞 -cle[2] の異形.
◆ <ラ *-culum*, *-cula*.

rid·i·cule 名 あざけり, あざ笑い, 嘲笑(ちょうしょう).

-cul·pate /kʌlpèit/

連結形 とがめる.
★ 動詞をつくる.
◆ <ラ *culpātus*(*culpāre*「とがめる」の過去分詞より). ⇨ -ATE[1].
[発音] どれも 3 音節の語で, 語頭の音節に第 1 強勢.

dis·cul·pate 動他 ＝exculpate.
ex·cul·pate 動他 無罪にする; 免罪にする.
in·cul·pate 動他 非難する, 責める, 告訴する.

cult /kʌ́lt/

名 **1** 祭儀, 礼拝形式. **2** (特にある集団の人たちが表明する, ある人・理想・事物への)礼賛, 崇拝.

cárgo cùlt カーゴカルト, 積み荷崇拝.
fertílity cùlt 豊饒(ほうじょう)儀式.
personálity cùlt 個人崇拝.

-cult /kʌ̀lt/

連結形 …文化.
★ 名詞をつくる.
◆ culture の短縮形.
[発音] 語頭の音節に第 1 強勢.

mass·cult 名 マスコミ文化.
mid·cult 名 中間文化(middlebrow culture).
mul·ti·cult 名 多文化(主義).
sub·cult 名 サブカルチュア(subculture).
youth·cult 名 若者文化(youth culture).

C

cul·tur·al /kʌ́ltʃərəl/

形 教養[修養](culture)の; 文化[啓発]的な; 人文上の; 文化の. ⇨ -AL[1].

bi·cul·tur·al 形 二文化(共通)の.
cross-cul·tur·al 形 異文化間の; 比較文化の.
in·ter·cul·tur·al 形 =cross cultural.
mul·ti·cul·tur·al 形 多文化の.
so·ci·o·cul·tur·al 形 社会文化的な.
trans·cul·tur·al 形 各文化に共通の.

cul·ture /kʌ́ltʃər/

名 **1** (芸術・学問に対する個人の)教養, 洗練; (社会の)文化, 生活様式, 精神的風土. **2** (土地の)耕作; 栽培; 養殖; 飼育. ►ラテン語起源 *-colere*「…を耕す; …に住む」より. ⇨ -URE[1].
★ 名詞または形容詞について複合名詞をつくる. **1** はハイフン付き複合名詞を形成する場合が多い.

áer·o·cùl·ture 名 〘農業〙気耕法.
ág·ri·cùl·ture 名 ☞
ál·ien-cùl·ture 名 《主に軽蔑的》異国文化, 外国文化.
á·pi·cùl·ture 名 養蜂(ほう)(業).
áq·ua·cùl·ture 名 (魚介類・海藻類の)養殖.
áq·ui·cùl·ture 名 水耕法, 水栽培.
ár·bor·i·cùl·ture 名 (観賞・造園材用の)樹木栽培, 育樹.
á·vi·cùl·ture 名 鳥類飼育, (特に)野鳥の飼育.
Báttle-Ax cùlture 〘考古〙(北欧の)闘斧(ふ)文化.
béauty cùlture 《主に米》美容術.
bóok-cùlture (視覚文化に対する)読み文化.
cánteen cùlture (軍隊などで)命令を受ける側の考え方.
Cáp Béer cùlture 学生文化. ►週末にスポーツ観戦したり, ビールを飲んだりする習慣から.
celébrity-cùlture 芸能情報文化.
cít·ri·cùl·ture 名 柑橘(きつ)類の果樹栽培.
cív·ic-cùl·ture 名 市民文化.
compúter cùlture コンピュータ文化.
consérvative-cùlture 保守(的)文化.
Córded cùlture =Battle-Ax culture.

culture: cultureがつく複合語の登場年表

(2006年改訂.資料作成:関根紳太郎)

cultureがつく複合語は,教養文化系と耕作栽培系の2つに大別される. 特に教養文化系のものは (1) 人種・民族, (2) 特定集団, (3) 生活様式の3つに分類され,社会事象と連動しながら時代潮流を表す. 表は1980年から2006年までの間に登場した新語を,その登場した年ごとに並べたもの.

登場年	(1)人種・民族	(2)特定集団(若年層)	(3)生活様式・その他
1980	**alien-culture** ヒスパニック系などのマイノリティー文化の影響拡大.	**drug-culture** 社会に失望した若者を中心に,麻薬問題が蔓延.	**book-culture** **computer-culture** 視覚メディアが浸透,活字ばなれ.
81	レーガン政権の徹底した市場経済理に基づく経済政策.		**public-culture**
82	**multiculture**	国粋主義的運動への反発.	
83			
84		**yuppie-culture** 都会志向の金融マン,弁護士,医者など若手の高給取りが注目される.	**oral-culture** **video-culture** **visual-culture**
85			
86	**universal-culture**		**civic-culture** **enterprise-culture**
87			**urban-culture**
88			**global-culture**
89	失業率が上昇.	**ghetto-culture**	
90			
91		**gang-culture**	**job-culture** **market-culture** **watchdog-culture**
92	ロスアンゼルス暴動.		
93	**biracial-culture**	大衆娯楽芸能番組の人気.	**private-culture** **mass-entertainment culture**
94	O.J.シンプソン事件.		
95		**MTV-culture**	**tele-culture**
96		インターネットの急速な普及.	**cyber-culture**
97		**neo-Nazi culture** 若年層を中心とするネオナチの台頭.	**celebrity-culture** ダイアナ元イギリス皇太子妃の惨劇.
98,99			
2000	秋葉原がオタク文化の情報発信拠点.	**Geek [Otaku] culture**	
01			**equity culture**
02		**(Islamist) terrorist-culture** 反テロ・反イスラムの動きが活発化.	**Post- [Pre-] 9/11 culture** 2001年9月11日アメリカ同時多発テロ.
03	**anti-Muslim culture**	**metrosexual culture** 都会派男性のおしゃれが社会現象に.	**blog culture** ブログが世界的に普及.
04		携帯音楽プレーヤー・iPodがブームに.	**iPod culture**
05,06			

córporate cúlture 社風.
cóun·ter·cùl·ture [名] 反(体制)文化.
cý·ber·cùl·ture [名] 人工頭脳化社会.
de·cúl·ture [動他] 文化(的特徴)を奪う.
dépendency cùlture 国家福祉に依存する生活様式.
Désert Cùlture (北米採集狩猟民の)デザート文化.
drúg cùlture ドラッグカルチャー: 麻薬文化.
Énglish cúlture 英国文化.
énterprise cùlture 《主に英》企業心文化.
Éthical Cúlture 倫理協会運動.
fámily-cùlture 家庭［家族］文化.
físh cùlture 養魚(法), 水産養殖.
fló·ri·cùl·ture [名] (特に観賞用の)草花［花樹］栽培(法).
Frénch cúlture フランス文化.
gáng-cùlture ギャング文化.
ghétto-cùlture 貧困［スラム］街文化.
glóbal-cùlture 世界政策的文化.
Gréek cúlture ギリシャ文化.
guílt cùlture 〖社会〗罪の文化.
híp-hop cùlture ヒップホップカルチャー.
hórsey-cùlture 《英》=horsiculture.
hórsi·cùlture 《英/軽蔑的》農場や田園にあこがれる趣味［傾向］の宣伝.
hór·ti·cùl·ture [名] 園芸.
líberal-cùlture 革新(的)文化.
máinstream cùlture 主流文化.
már·i·cùl·ture [名] 〖農業〗海洋［海中］栽培, 海中養殖.
márket-cùlture 市場経済文化.
máss-cùlture [名] 広域［大衆］文化.
máss-entertáinment cùlture 大衆娯楽文化.
matérial cúlture 〖社会〗物質的文化.
média-cùlture メディア文化.
mélting-pót cùlture 人種のるつぼ的文化.
mí·cro·cùl·ture [名] 下位文化.
món·o·cùl·ture [名] 〖農業〗単一栽培, 単式農法.
MTV́-cùlture [名] MTV 文化. ►米国の若者向け人気音楽番組の *MTV* より.
mùl·ti·cúl·ture [名] 多元文化.
Nók cúlture 〖考古〗(西アフリカの)ノク文化.
nonmatérial cúlture 〖社会〗非物質的文化.
ól·er·i·cùl·ture [名] 野菜作り, 野菜栽培.
o·ral-cul·ture [名] 音声文化.
ós·tre·i·cùl·ture [名] カキ養殖.
ó·ver·cùl·ture [名] (subculture に対して)支配的文化.
óyster cùlture カキの養殖.
pér·ma·cùl·ture [名] パーマカルチャー: 省エネを目指した農業的環境を提唱.
pís·ci·cùl·ture [名] 養魚(法).
pól·y·cùl·ture [名] 〖農業〗複作, 混(合)作.
pó·mi·cùl·ture [名] 果樹栽培.
póp cùlture 大衆文化, ポップカルチャー.
pót cùlture マリファナ文化.
prínt-cùlture [名] 活字文化.
prívate-cùlture [名] 私文化.
públic-cùlture [名] 公［公共］文化.
púre cúlture 純粋培養.
rétro cùlture (80 年代, 90 年代の音楽・ファッションなどの)レトロ調文化.
sánd·cùlture 砂栽培, 砂耕.
séa·cùlture 食用海洋生物の養殖.
sélf-cúlture [名] 自己鍛練, 自己修養.
sér·i·cùl·ture [名] 養蚕; 生糸生産.
sháme cùlture 〖社会〗恥の文化.
síl·vi·cùl·ture [名] 林樹栽培, 造林, 植林, 育林.
sín cùlture 〖社会〗罪の文化.
slácker cùlture 生活の方向感覚に欠ける現代の若者文化.
stáb cùlture 〖細菌〗穿刺(せんし)培養.
stír·pi·cùl·ture [名] (品種改良による)優良種養殖.
sub·cúl·ture [名] 〖細菌〗継代［二次］培養; 〖社会〗サブカルチャー.
sýl·vi·cùl·ture [名] =silviculture.
tel·e·cul·ture [名] =TV-culture.
thrée-mínute cùlture (テレビ・雑誌などの)軽薄短小文化.
tíssue cùlture 組織培養(法).
TV́-cùlture テレビ文化.
ùn·cúl·ture [名] 教養の欠如, 教養のなさ, 無教養.
univérsal-cùlture 人種普遍文化.
úr·ban-cùl·ture [名] (精神的・社会的風土の)都市文化.
úr·bi·cùl·ture [名] 都市生活(様式), 都市文化.
vér·mi·cùl·ture [名] ミミズ養殖.
víd·e·o-cùl·ture [名] ビデオ文化.
vín·i·cùl·ture [名] ワイン醸造学［研究］.
vís·u·al-cùl·ture [名] 視覚文化.
vít·i·cùl·ture [名] ブドウ栽培.
wátchdòg-cùlture 監視統制文化.
wáter cùlture 〖園芸〗〖農業〗水耕法, 水栽培.
Wéssex cùlture 〖考古〗ウェセックス文化.
Wóodland cùlture 〖考古〗ウッドランド文化.
yóuth cùlture 若者文化.

-cu·lum /kjuləm/

[接尾辞] 小さい, 小…; 手段や場所を表す指小辞.
★ 名詞をつくる.
★ 語末にくる関連形は -CLE[1], -CULA, -CULUS.
◆ ラテン語より. ◇ -ULUM.
[発音] 直前の音節に第 1 強勢.

a·cic·u·lum [名] 針状の部分; とげ, 剛毛.
an·i·mal·cu·lum [名] 微小動物(animalcule).
bac·u·lum [名] 〖動物〗(哺乳動物の)陰茎骨.
cu·bic·u·lum [名] 〖考古〗(地下墓地などの)墓室.
cur·ric·u·lum [名] ☞
di·ver·tic·u·lum [名] 〖解剖〗憩室, 側室.
fur·cu·lum [名] 〖鳥類〗叉骨, 暢思骨.
gu·ber·nac·u·lum [名] 〖解剖〗〖動物〗導帯.
hi·ber·nac·u·lum [名] (動物や植物のつぼみの)保護外被.
o·per·cu·lum [名] 〖植物〗(スギゴケの)蘚蓋(せんがい).
o·pus·cu·lum [名] 《まれ》小作品.
os·cu·lum [名] 〖生物〗(カイメンなどの)排水孔.
re·cep·tac·u·lum [名] 〖生物〗花床, 花托.
re·tic·u·lum [名] 網, 網細工; 網状組織［構造］.
ret·i·nac·u·lum [名] 〖解剖〗〖動物〗支帯, 保持身体.
spec·u·lum [名] (磨いた金属製の)鏡, 反射鏡.
spic·u·lum [名] 〖動物〗(棘皮(きょくひ)動物などの)針状体［部］.
spi·rac·u·lum [名] 換気孔(spiracle), 風穴, 空気穴.
sus·ten·tac·u·lum [名] 〖解剖〗(足の)載突起, 支持組織.
te·nac·u·lum [名] 〖外科〗支持鉤(こう).
tu·ber·cu·lum [名] (骨・体表の)こぶ, 結節(tubercle).
vas·cu·lum [名] 植物採集箱, 植物採集胴乱.
vi·brac·u·lum [名] 振鞭(しんべん)体.
vin·cu·lum [名] 《まれ》つなぎ, きずな.

-cu·lus /kjuləs/

[接尾辞] 小(さい)….
★ ラテン語より借用.
★ 異形 -ulus.
★ 語末にくる関連形は -CLE[1], -CULA, -CULUM.
◆ ラテン語 *-culus*(男性形指小辞)より.
[発音] 直前の音節に第 1 強勢.

a·bac·u·lus [名] 〖建築〗小型頂板, 小アクバス.
a·pic·u·lus [名] 〖植物〗先端, 尖端, 頂.
ca·lyc·u·lus [名] 〖動物〗小杯状組織, つぼみ状組織.
can·a·lic·u·lus [名] 〖解剖〗〖動物〗(骨の中などの)小管, 細管.
col·lic·u·lus [名] 〖解剖〗小隆起.
cu·nic·u·lus [名] 小さな暗渠［穴］.
fas·cic·u·lus [名] 〖解剖〗神経(繊維)束; 筋(繊維)束.
floc·cu·lus [名] 一房の羊毛状物質, 毛房状の物.
fu·nic·u·lus [名] 〖解剖〗帯(たい), 索, 束(そく).
ho·mun·cu·lus [名] (錬金術師によってフラスコの中で作られたといわれる)人工小人.
loc·u·lus [名] 〖植物〗(小)室, (小)房.

pan·nic·u·lus 名	【解剖】(脂肪・筋肉などの)組織層, (特に)皮下脂肪層.
sac·cu·lus 名	【解剖】球形嚢(のう).
u·tric·u·lus 名	小胞(utricle).
ven·tric·u·lus 名	【動物】胃.

C

-cum·bent /kʌ́mbənt/

連結形 座る, 横になる.
★ 形容詞をつくる.
★ 語頭にくる関連形は cumb-: *cumber*「妨害する」, *cumber*some「足でまといの」.
◆ <ラ *cumb*-(*cub*-「座る, 横になる」の鼻音化異形) + *-ent* -ENT[1].
[発音] 基体の第 1 音節(-cum-)に第 1 強勢.

ac·cum·bent 形	寄りかかった, もたれかかった.
de·cum·bent 形	寝転んだ, 横になった.
in·cum·bent 形	現職の, 在職の.
pro·cum·bent 形	うつ伏せの, ひれ伏した, 平伏した.
re·cum·bent 形	横たわった; もたれた.

cu·mu·la·tive /kjú:mjulətiv, -lèit-/

形 (効果・力・数量などが)累積する, 漸増する; 累積による. ⇨ -ATIVE.

ac·cu·mu·la·tive 形	蓄積する, 累積する; 累積的傾向の.
non·cu·mu·la·tive 形	累積されない, 非累積の.

cu·mu·lus /kjú:mjuləs/

名 **1** 積み重ねた山, 堆積(たいせき)(物). **2** 積雲.
★ 語頭にくる関連形は cumulo-: *cumulo*nimbus「積乱雲」.

al·to·cu·mu·lus 名	【気象】高積雲.
cir·ro·cu·mu·lus 名	【気象】巻(けん)積雲, まだら雲.
mam·ma·to·cu·mu·lus 名	【気象】乳房雲.
roll-cu·mu·lus 名	【気象】ロール雲.
strat·o·cu·mu·lus 名	【気象】層積雲.

-cund /kənd, kʌnd/

連結形 …しがちな, …の傾向がある.
★ 形容詞をつくる.
◆ ラテン語 *-cundus*「…しがちな」より.

fe·cund 形	肥えた; 多産の, よく実る.
i·ra·cund 形	《古》怒りやすい, 短気な.
joc·und 形	《文語》陽気な, 愉快な, 楽しい.
ru·bi·cund 形	赤い; 赤ら顔の; 血色のよい.
se·cund 形	【植物】偏側生の.
ver·e·cund 形	《古》はにかみ屋の, 内気の.

cup /kʌ́p/

名 **1** (取っ手つき)茶碗. **2** 優勝杯. **3** 聖餐杯.

ácorn cùp	【植物】(ドングリなどの)殻斗(かくと).
Ádam's cúp	《主にニューイング》【植物】サラセニア類.
Àdmiral's Cúp	(ヨットレースの)アドミラルズカップ.
América's Cùp	(ヨットレースの)アメリカズカップ.
ássay cùp	(ワインの)利き酒用小カップ.
bítter cúp	苦杯: クワシアの木で作った杯.
bóuillon cùp	(料理用)ブイヨンカップ.
bútter·cùp	☞
cáudle cùp	コードルカップ: 蓋付きのカップ.
chállenge cùp	(競技の)挑戦杯.
champágne cùp	シャンパンカップ: 飲み物の一種.
Chèltenham Gòld Cúp	(競馬の)チェルテナム金杯.
cíder cùp	サイダーカップ: 飲み物の一種.
cláret cùp	クラレットカップ: 清涼飲料の一種.
clúster cùp	【菌類】サビ胞子器.
cóffee cùp	コーヒーカップ.
commúnion cùp	【教会】聖杯, 聖餐杯.
cústard cùp	カスタード用カップ.
Dávis Cúp	(テニスの)デビスカップ.
déath cùp	テングタケ.
díce cùp	ダイスカップ, さいつぼ.
dóuble cúp	(ルネサンス芸術で)一対の金属杯.
égg·cùp	(ゆで)卵立て.
Elíjah's cúp	【ユダヤ教】エリヤの酒杯: 過越(すぎこし)の祭りで預言者 Elijah のための酒杯.
éye·cùp	洗眼用コップ.
FÀ cúp	英国サッカー協会勝ち抜き戦.
Fáraday cùp	【物理】ファラデーカップ.
Federátion cúp	(テニスの)フェデレーションカップ.
féeding cùp	=spout cup.
fórce cùp	(水づまり用の)プランジャ.
frúit cùp	フルーツカップ: 果物の取り合わせ.
fúddling cùp	17 – 18 世紀の英国の陶製の酒器.
góld·cùp	【植物】ツルナスビ.
góurd cùp	(金属製)ひょうたん形大杯.
gráce cùp	(食事の最後に回し飲みをする)杯.
gréase cùp	=oilcup.
Gréy Cúp	《カナダ》全国プロフットボール杯.
hálf-cúp	【料理】½カップ.
Hópman Cúp	(テニスの)ホップマンカップ.
húntsman's-cúp	《米》【植物】ムラサキヘイシソウ.
kíng·cùp	【植物】キンポウゲ属の草の数種の総称.
lóving cùp	賞杯, 優勝杯.
méasuring cùp	計量カップ.
Mélbourne Cúp	《豪》(競馬の)メルボルンカップ.
Mílk Cùp	《英》(サッカーの)ミルク・カップ.
mónkey cùp	【植物】ウツボカズラ類.
móustache cùp	=mustache cup.
mústache cùp	ひげ支え付きのコップ.
Néptune's cúp	【動物】硬海綿類 *Poterion* 属の海綿の総称.
óil·cùp	油壺(つぼ).
óptic cúp	【生物】眼杯.
páinted cúp	【植物】ゴマノハグサ科カステラソウ属の半寄生植物の総称.
páper cúp	紙コップ.
Pódoloff Cúp	《米》(バスケットボールの)ポドロフ杯.
quéen-cùp	【植物】アメリカツバメオモト.
Rýder Cúp	(プロゴルフの)ライダーカップ.
scárlet cúp	ベニチャワンタケ(紅茶碗茸).
Scótch Cúp	(カーリングの)スコッチカップ.
síphon cùp	【機械】注油サイフォン.
spóut cùp	吸い飲み.
stánding cúp	装飾用杯.
Stánley Cúp	(アイスホッケーの)スタンリー杯.
stéeple cùp	尖塔の付いた装飾用カップ.
Stewárd's Cúp	《英》(競馬の)スチュワードカップ.
stírrup cùp	別れの酒.
súction cùp	吸着カップ.
téa·cùp	紅茶茶碗.
Thómas Cùp	(バトミントンの)トマス杯.
tín cùp	金属製のカップ.
Toyóta Cúp	(サッカーの)トヨタカップ.
Über Cùp	(バトミントンの)ユーバー杯.
Wálker Cúp	(ゴルフの)ウォーカーカップ.
whíte·cùp	【植物】ギンパイソウ(銀盃草).
Wíghtman Cúp	(テニスの)ワイトマンカップ.
wíne·cùp	ワインカップ.
Wórld Cúp	(特にサッカーの)ワールドカップ.

cup·board /kʌ́bərd/

名 **1** 食器棚, 食器だんす. **2** 《主に英》(衣類・食物などを入れる)小戸棚, 押し入れ. ⇨ BOARD.

áiring cùpboard	《英》乾燥用戸棚.

álmoner's cùpboard =livery cupboard.
córut cùpboard 『英家具』16－17 世紀のサイドボード.
dóle cùpboard (貧民に施すパン入れ用の)食品戸棚.
lívery cùpboard (特に中世の)食料戸棚.
préss cùpboard 『英家具』16－17 世紀の二層式の戸棚.
trídarn cùpboard 『英家具』17－18 世紀に作られたウェールズ地方の食器棚.

-cur /kə́ːr/

連結形 走る.
★ 語末にくる関連形は -COURSE, -CURRENCE, -CURRENT, -CURSION, -CURSIVE.
★ 語頭にくる形は cur-: *cur*rent「水流, 気流」, *cur*rency「経過中の期間」.
◆ ラテン語 *currere*「走る」より.

con·cur 動自 (事について)同意する, 認める.
in·cur 動他 陥る; 背負い込む; こうむる.
oc·cur 動自 〈事件などが〉起こる, 発生する.
re·cur 動自 〈事件・経験などが〉再び発生する.

cure /kjúər/

名 治療薬; 治療法. ――動他 **1** 治療する. **2** 保存(処理を)する.

áir-cùre 動他 〈タバコの葉などを〉空気にさらす.
drý-cúre 動他 〈肉などを〉乾蔵する, 干物にする.
Dútch cúre 自殺.
fáith cùre 信仰[信心]療法.
fíre-cùre 動他 〈タバコの葉を〉焙(ほう)る.
flúe-cùre 動他 〈タバコの葉を〉乾燥処理をする.
grápe cùre 『医学』ぶどう(食)療法.
húnger cùre 絶食[断食, 飢餓]療法.
mán·i·cùre 名 マニキュア, 美爪(そう)術.
mínd cùre 精神療法.
náture cùre 自然療法.
páth·o·cùre 名 『精神医学』器質病[臓器病]の発生によるノイローゼ[神経症]の解消.
péd·i·cùre 名 ペディキュア, 足の(指, 爪の)手入れ.
pro·cúre 動他 (注意・努力などして)手に入れる.
rést cùre 休息療法.
se·cúre 形 安全な, 危険のない.
sí·ne·cùre 名 閑職, 名誉職.
wáter cùre 水治療法.

cu·rie /kjúəri, kjuəríː|kjúəri/

名 『物理』『化学』キュリー.

kílo·cùrie 名 キロキュリー.
méga·cùrie 名 メガキュリー, 100 万キュリー.
mícro·cùrie 名 マイクロキュリー.
mìcro·mícrocurie 名 マイクロマイクロキュリー, ピコキュリー.
mílli·cùrie 名 ミリキュリー.
píco·cùrie 名 =micromicrocurie.

curl /kə́ːrl/

動他 〈毛髪を〉巻き毛にする; 巻きつける. ――名 **1** (毛髪の)巻き毛[縮れ毛], ウェーブ, カール. **2** 『植物病理』葉巻病, 萎縮病.

kíss cùrl 《英》=spit curl.
léaf cùrl 『植物病理』(モモ・ウメなどの)縮葉病.
pín cùrl ピンカール.
pín-cùrl 動他 〈髪を〉ピンカールする.
sáusage cùrl (ソーセージ形に)巻いた髪.
síde cùrl 耳の前に垂れている髪の房.
spít cùrl スピットカール: 額やほおにぴったり押しつけた巻き毛.
trúnk cùrl シットアップ, 上体起こし.
ùn·cúrl 動他自 〈巻き毛などを[が]〉伸ばす[伸びる], まっすぐにする[なる].

cur·rant /kə́ːrənt, kʌ́r-|kʌ́r-/

名 スグリ属の木または実の総称.

Álpine cúrrant =mountain currant.
bláck cúrrant クロフサスグリ.
búffalo cùrrant バッファロースグリ.
gólden cúrrant コガネスグリ.
Índian cúrrant スイカズラ科セッコウボク属の低木.
Missóuri flówering cúrrant =golden currant.
móuntain cúrrant ユキノシタ科スグリ属の低木.
réd cúrrant アカフサスグリ, フサスグリ.
whíte cúrrant シロスグリ.

-cur·rence /kə́ːrəns, kʌ́r-|kʌ́r-/

連結形 走ること.
★ 語末にくる関連形は -CUR.
★ 語頭にくる関連形は cur-: *cur*rent「水流, 気流」, *cur*riculum「カリキュラム, 全教科課程」.
◆ ラテン語 *currere*「走る」より. ⇨ -ENCE[1].

con·cur·rence 名 意見の一致, 合意, 同意.
in·cur·rence 名 (損害・借金・責任などを)受けること.
oc·cur·rence 名 (事件などが)起こること; 出現.
re·cur·rence 名 再発, 再現, 再来; 繰り返し, 反復.

cur·ren·cy /kə́ːrənsi, kʌ́r-|kʌ́r-/

名 通貨, 流通貨幣; 通貨流通額. ⇨ -ENCY.

Éu·ro·cùr·ren·cy 名 ユーロカレンシー: 自国外(必ずしも欧州とは限らない)の銀行に預金され, 融資その他に利用されている各国通貨の総称.
flóating cúrrency 『経済』自由変動為替相場制の通貨.
fráctional cúrrency 小額通貨, 補助通貨.
gréen cúrrency 『経済』グリーンカレンシー, 緑の通貨.
hárd cúrrency 『経済』硬貨. 交換可能通貨.
kéy cúrrency 基軸[基幹]通貨, 国際通貨.
mánaged cúrrency 『経済』管理通貨, 統制貨幣.
páper cúrrency 紙幣(paper money).
párallel cúrrency 並行通貨, パラレルカレンシー.
resérve cùrrency 『経済』準備通貨.
síngle cùrrency 単一通貨.
sóft cúrrency 軟貨, 交換不能通貨.
xèn·o·cúr·ren·cy 名 『金融』国外流通通貨.

cur·rent /kə́ːrənt, kʌ́r-|kʌ́r-/

形 流通している. ――名 **1** 流れ, 流れるもの. **2** 気流; 潮流. **3** 電流. ⇨ -ENT[1].

accóunt cúrrent 『金融』短期貸借勘定.
áction cúrrent 『生理』活動[動作]電流.
áctive cúrrent 『電気』有効電流.
álternating cúrrent 『電気』交流.
Antárctic Circumpólar Cúrrent 周南極海流.
Árctic Cúrrent ラブラドル海流(Labrador Current).
condúction cùrrent 『電気』伝導電流.
cóunt·er·cùr·rent 名 反流, 対向流.
cróss·cùr·rent 名 主流と交差する流れ, 逆流.
dárk cúrrent 『電子工学』(電極)暗電流, 暗流.
dénsity cúrrent 『地質』『海洋』密度流.
diréct cúrrent 『電気』直流.

displácement cùrrent 【電気】変位［電束］電流.
éddy cùrrent 【電気】渦電流.
efféctive cúrrent 【電気】実効電流.
eléctric cúrrent 【電気】電流.
Equatórial Cúrrent 赤道海流.
excíting cùrrent 【電気】=field current.
fíeld cùrrent 【電気】界磁電流.
Foucáult cúrrent 【電気】フーコー電流, 渦電流.
gríd cùrrent 【電子工学】格子電流.
intermíttent cúrrent 【電気】断続電流.
interrúpted cúrrent 【電気】断続電流.
líttoral cúrrent 【海洋】沿岸流.
lóngshore cúrrent =littoral current.
néutral cúrrent 【物理】中立的素粒子流.
Nórth Atlántic Cúrrent 北大西洋海流.
Nórth Pacífic Cúrrent 北太平洋海流.
óscillating cùrrent 【電気】振動電流.
ó·ver·cùr·rent 名 【電気】過電流.
pá·lae·o·cùr·rent 名 【地質】古流向.
phó·to·cùr·rent 名 【物理】光(ひかり)電流.
photoeléctric cúrrent 【物理】=photocurrent.
príce cúrrent 時価表, 価格表.
ríp cùrrent 【海洋】引き波.
Sóuth Atlántic Cúrrent 南大西洋海流.
Sóuth Pacífic Cúrrent 南太平洋海流.
Subárctic Cúrrent 亜北極海流.
súb·cùr·rent 名 (表面に表れない)底流.
sú·per·cùr·rent 名 【物理】超伝導電流.
thermiónic cúrrent 【物理】熱イオン［電子］電流.
thèr·mo·cúr·rent 名 【物理】熱電流.
turbídity cùrrent 【地質】混濁流, 乱泥流.
ùn·cúr·rent 形 〈通貨が〉流通していない.
ún·der·cùr·rent 名 (隠された)裏の意味, 底意.
wátt cùrrent 【電気】ワット電流, 有効電流.

-cur·rent /kə́ːrent, kʌ́r-|-kʌ́r-/

連結形 走る.
★ 形容詞をつくる.
★ 語末にくる関連形は -CUR.
★ 語頭にくる関連形は cur-: *cur*rent「水流, 気流」, *cur*riculum「カリキュラム, 全教科課程」.
◆ <ラ *currēns*(*currere*「走る」の現在分詞). ⇨ -ENT[1].

con·cur·rent 形 (…と)同時発生の, 併発の.
de·cur·rent 形 【植物】沿下の, 沿着の, 下沿の.
ex·cur·rent 形 流出する, 走り出る.
in·cur·rent 形 〈管・穴などに〉水を通す.
in·ter·cur·rent 形 〈時間・事件が〉間に来る, 中間の.
oc·cur·rent 形 現行の.
per·cur·rent 形 【植物】〈葉の中肋(ちゅうろく)などが〉全体に通っている.
re·cur·rent 形 再発する; 頻発する, 循環する.
trans·cur·rent 形 横切る, 横断する; 横に伸びる.

cur·ric·u·lum /kəríkjuləm/

名 (学校の)カリキュラム, 全教科課程(courses of study). ⇨ -CULUM.

altérnative curriculum 《英》【教育】代替カリキュラム.
Básic Currículum 《英》基本カリキュラム.
córe currículum 【教育】コアカリキュラム.
Nátional Currículum 《英》【教育】ナショナルカリキュラム.

-cur·sion /kə́ːrʃən/

連結形 走る［走られた］もの［こと］.
★ 名詞をつくる.
★ 語末にくる関連形は -CUR.
★ 語頭にくる関連形は cur-: *cur*rent「水流, 気流」, *cur*riculum「カリキュラム, 全教科課程」.
◆ <ラ *cursus*(*currere*「走る」の過去分詞または行為名詞). ⇨ -ION[1].
［発音］-cursion の第 1 音節に第 1 強勢が置かれる.

dis·cur·sion 名 取り留めのない話, 散漫な文章.
ex·cur·sion 名 (特定の目的を持った)小旅行, 遠足.
in·cur·sion 名 (他の領地への)(突然の)侵入, 侵略.
re·cur·sion 名 【数学】【コンピュータ】帰納.

-cur·sive /kə́ːrsiv/

連結形 流れる.
★ 語末にくる関連形は -CUR.
★ 語頭にくる関連形は cur-: *cur*rent「水流, 気流」, *cur*riculum「カリキュラム, 全教科課程」.
◆ <ラ *-cursus*(*currere*「走る」より). ⇨ -IVE[1].
［発音］-cur- に第 1 強勢.

dis·cur·sive 形 散漫な; 支離滅裂な; 脱線する.
ex·cur·sive 形 脱線しがちな; 本題からそれた.
in·cur·sive 形 侵入する, 侵略的な; 流入してくる.
re·cur·sive 形 繰り返して用いられる; 回帰できる.

cur·tain /kə́ːrtn/

名 **1** カーテン. **2**【演劇】(舞台の)幕.

áct cùrtain 【演劇】幕間(まくあい)に舞台を閉じるために降ろす幕.
áir cùrtain エアカーテン: 圧搾空気の幕.
bámboo cúrtain 竹のカーテン: アジア共産圏と西側諸国との障壁.
béad cúrtain 玉すだれ.
béef cùrtain 《俗》乳房, おっぱい.
café curtain カフェカーテン.
cóntour cùrtain 【演劇】絞り緞帳(どんちょう).
cótton cúrtain 《米黒人俗》南部.
dóg cùrtain 【海事】羅針儀箱(binnacle)にかける帆布製垂れ蓋(ぶた).
dráw cùrtain 【演劇】(左右に開く)引き割り幕.
dróp cùrtain 【演劇】(舞台前面の)垂れ幕.
fíre cùrtain =safety curtain.
gláss cúrtain ガラスカーテン.
hóuse cùrtain =act curtain.
íron cúrtain 鉄のカーテン: かつてのソ連およびその同盟国と欧米諸国との間の障壁.
láce-cùrtain 形 《時に侮辱的》中流階級特有の.
óver·cùrtain 動他 覆う; 不明瞭にする.
páper cúrtain 検閲(による伝達妨害).
sáfety cùrtain (劇場の)防火幕.
tabléau cùrtain 【演劇】引き幕.
Tortílla Cùrtain 《俗》トルティージャ・カーテン: 米国とメキシコの国境にある金網の柵.
wáter cùrtain ウォーターカーテン.

curve /kə́ːrv/

名 曲線; 曲線図表, グラフ.

béll cùrve =bell-shaped curve.
béll-shàped cúrve 【統計】ベル形［鐘形］曲線.
cáustic cúrve 【光学】火線, 焦線.
characterístic cúrve 【物理】特性曲線;【写真】特殊曲線.
déath-válley cùrve 【経済】死の谷曲線.
démand cùrve 【経済】需要曲線.
deríved cùrve 【数学】導曲線.
distribútion cùrve 【統計】分布曲線.
dóse-respònse cùrve 投与反応曲線.
exponéntial cúrve 指数曲線.
Frénch cùrve 雲形定規.
fréquency cùrve 【統計】度数曲線, 頻度曲線.
Gáussian cúrve 【統計】=normal curve.
grówth cùrve 生長［成長］曲線.
H̄ and D̄ cùrve 【写真】=characteristic curve.
hánging cúrve 【野球】すっぽ抜けのカーブ.

in·cúrve 動他名 内側に曲げる(こと).
indífference cùrve 【経済】無差別曲線.
íntegral cúrve 【数学】(常微分方程式の)積分曲線.
J-curve 【経済】J カーブ効果.
Jórdan cùrve 【数学】=simple closed curve.
Láffer cùrve 【経済】ラッファー曲線.
léarning cùrve 【教育】習熟[学習]曲線.
lével cùrve 等高線(contour line).
líght cùrve 【天文】光度曲線.
logístic cúrve 【数学】ロジスチック曲線.
nórmal cúrve 【統計】正規曲線, ガウス曲線.
óut·cùrve 【野球】外側に曲がるカーブ.
Peáno cùrve 【数学】ペアノ曲線.
Phíllips cúrve 【経済】フィリップス曲線.
probabílity cùrve 【統計】確率曲線.
rè·cúrve 動他 後方に反らす[曲げる]; 逆転する.
regréssion cùrve 【統計】回帰曲線.
respónse cùrve 【計測工学】【電気】【機械】応答曲線, レスポンス曲線.
revérse cúrve (鉄道・道路の)S カーブ, 背向曲線.
Ś-cùrve S 字カーブ.
sensitométric cúrve 【写真】=characteristic curve.
símple clósed cúrve 【数学】単一閉曲線.
síne cùrve 【数学】正弦曲線.
skéw cùrve 【数学】三次元[空間]曲線.
spáce cùrve 【数学】=skew curve.
stréss-stráin cùrve 応力ひずみ曲線, 変形曲線.
survíval cùrve 【医学】生存率曲線.
synérgic cúrve 【航空】燃料経済曲線.
témperature cùrve 気温[体温]曲線[グラフ].
wórk cùrve 作業曲線.

-cuse /kjúːz, -s/

連結形 ラテン語 *causa*「理由, 動機」に由来する *-cūsāre* からつくられた連結形.
[発音]語尾の発音は動詞では /z/, 名詞では /s/.

ac·cuse 動他 告発[起訴, 告訴]する.
ex·cuse 動他 許す, 容赦する, 大目にみる.
re·cuse 動他〈裁判官・陪審員を〉忌避する. ──自〈裁判官などが〉辞退する.

cush·ion /kúʃən/

名 **1** クッション, 座[背]布団. **2** クッション状の物. **3**【動物】(馬蹄の)軟甲.

áir cùshion 空気布団[枕], エアクッション.
córonary cúshion (有蹄(ゆうてい)動物の)冠状帯, 蹄冠.
pín·cùshion 針山, 針刺し, 針坊主.
scátter cùshion 《米》小型クッション.
whóopee cùshion 《米俗》ブーブークッション.

cus·pid /kʌ́spid/

名 (人間の)犬歯.

bi·cus·pid 形〈歯が〉二尖頭(にせんとう)の.
tri·cus·pid 形〈歯が〉三尖(さんせん)の.
u·ni·cus·pid 形〈歯が〉単尖頭(たんせんとう)の.

-cuss /kʌ́s/

連結形 打つ, ゆさぶる.
★ 語末にくる関連形は -CUSSION.
◆ <ラ *cussus*(*cutere*「打つ」の過去分詞より).

con·cuss 動他 …を激しく揺する, に衝撃を与える.
dis·cuss 動他 論ずる, 話題にする, 議題にする.
per·cuss 動他 …を打つ, たたく.

-cus·sion /kʌ́ʃən/

連結形 振り動かされた[打たれた]もの[こと].
★ 語末にくる関連形は -CUSS.
◆ <ラ *-cussus*(*quatere*「振り動かす, 打つ」の連結形 *-cutere* の過去分詞). ⇨ -SION.
[発音]-cussion の第 1 音節に第 1 強勢が置かれる.

con·cus·sion 名【病理】(脳)震盪(しんとう).
dis·cus·sion 名 (…についての)論議, 討論.
per·cus·sion 名 衝突, 衝撃; (衝突による)振動.
suc·cus·sion 名 振り動かす[揺り動かされる]こと.

cus·to·dy /kʌ́stədi/

名 (…の)保管, 管理; (人の)保護(監督). ⇨ -Y³.

chíld cústody 【法律】監護権.
jóint cústody 共同監護.
protéctive cústody 保護(拘束).
sóle cústody 【法律】単独監護権.
splít cústody 【法律】(兄弟姉妹)分離監護権.
yóuth cùstody 《英》少年院送致.

cus·tom /kʌ́stəm/

名 (人の)習慣, 習慣的行為. ──形《米》注文で作った, オーダーメードの(custom-made).

ac·cus·tom 動他 (環境・仕事などに)慣らす.
full-cus·tom 形〈製品が〉特別注文の.
sem·i-cus·tom 形〈製品が〉半特別注文の.

cut /kʌ́t/

動他 …を切る. ──形 切られた. ──名 切ること.

allówable cút 【生態】許容収量.
bástard cút 形〈やすりが〉粗目と細目の中間の.
bikíni cùt 【外科】恥骨上[下腹部]横切開.
bránch cùt 【数学】分岐線法.
brílliant cùt 【宝石】ブリリアントカット.
brúsh cùt (髪型で)ブラシカット.
búrr cùt 《俗》=crew cut.
cárd-cùt 形 浅い浮き彫りの格子模様のある.
céntral cút 女陰.
Chínese cút 【クリケット】打った球が逆方向に飛ぶこと.
cléan-cút 形〈形が〉すっきりとして整った.
cléar cút 《米黒人俗》流行の服.
cléar-cút 形 輪郭の明確な, くっきりとした.
cóst-cùt 動他 …のコストを下げる[切り捨てる].
créw cùt (髪型で)クルーカット.
crínkle-cùt 形〈ポテトチップが〉波状の.
cróss·cùt 形〈のこぎりなどが〉横引きの.
cúshion cùt 【宝石】クッション形.
Dédekind cùt 【数学】デーデキントの切断.
díamond-cùt 形【宝石】ダイヤモンドカットの.
diréct-cùt 形〈レコード盤作成が〉ダイレクトカットの.
dóuble-cút 形〈やすりが〉あや目の, 複目の.
Dútch cùt (髪型で)ダッチボブ(Dutch bob).
éight cùt 【宝石】=single cut.
émerald cùt 【宝石】エメラルドカット.
épaulet cùt 【宝石】エポーレットカット.
fást-cùt 動自【テレビ】短いショットを多用する.
féather·cùt (女性の髪型で)フェザーカット.
fínal cút 【映画】仕上がり編集.
fíne cùt 細刻みのタバコ.
fíne-cút 形 細かく刻んだ〈タバコ〉.
fíre cùt 【木工】(梁の端部の)切り込み.
Frénch-cút 形〈特にサヤインゲンなどが〉細長く切られた.
fúll-cút 形【宝石】フルカットの, 本切りの.
Gaillárd Cút ゲーリャードカット: Panama 運河建設のための人工谷.

C

geométric cút 〖服飾〗幾何学的カット.
háir·cùt 散髪, 理髪.
hálf-cút 形 《俗》かなり酔いが回った.
ìn·ter·cút 動自 〖映画〗インターカットする.
júmp cùt 〖映画〗ジャンプカット.
léntil cùt 〖宝石〗レンチルカット.
líne cùt 〖印刷〗線画凸版.
lí·no·cùt 名 リノカット: リノリウムを木版のように彫った板.
lów-cút 形 〈服の〉襟ぐりの深い.
módern cùt 〖宝石〗モダンカット.
návy cùt 《英》(パイプ用の)刻みタバコ.
Nèw Yórk cùt 〖料理〗ヒレ肉を除いたポーターハウスステーキ.
óff·cùt (紙・布の)裁(た)ちくず.
Óld Énglish cùt 〖宝石〗=single cut.
óld míne cùt 〖宝石〗オールドマインカット.
ópen-cùt 形 〖採鉱〗露天採掘の, 露天掘の.
póodle cùt (女性の髪型で)プードルカット.
pówer cùt 停電.
prè·cút 形 前もって切断された.
prescríbed cút 〖生態〗=allowable cut.
príce-cùt 動他 値下げをする, 割引をする.
príme cút 《俗》女陰. ▶米国映画 *Prime Cut* 原義は「極上肉」(1972)より.
rázor cùt レザーカット.
róse cùt 〖宝石〗ローズカット.
róugh cút 〖映画〗粗つなぎ.
róugh-cút 形 〈タバコなどが〉粗刻みの.
rúg-cùt 動自 《米ジャズ俗》レントパーティーなどで踊る.
sáber-cùt サーベルによる切り傷 [一撃].
shárp-cùt 形 〈刃が〉鋭利に刻まれた, 鋭い.
shéll cùt 〖印刷〗台付きカット.
shórt·cùt 近道.
shórt-cùt 動他 …を簡単に済ます, 切り詰める.
síngle cùt 〖宝石〗シングルカット.
síngle-cút 形 〈やすりが〉筋目の(目立ての).
stár cùt 〖宝石〗スターカット.
stép cùt 〖宝石〗ステップカット.
stráight-cút 形 〈タバコが〉葉を縦切りにした.
swórd-cùt 刀傷.
táble cùt 〖宝石〗テーブルカット.
tráp cùt 〖宝石〗=step cut.
ùn·cút 形 切られていない.
ùn·der·cút 動他 …の下を切り取る [切り落とす].
úp-cùt 動他 〖テレビ〗〈番組を〉コマーシャルが入るように切り詰める.
úpper·cùt 〖ボクシング〗アッパーカット.
úrchin cùt (女性の髪型で)アーチンカット.
whórehouse cút 〖トランプ〗一組のトランプを2つに分け, それをさらに2つに分ける切り方.
wóod·cùt 〖印刷〗版木, 木版.

cu·ta·ne·ous /kjuːtéiniəs/

形 皮膚の, 皮膚に関する. ⇨ -ANEOUS.
★ 語頭にくる関連形は cuti-: *cuti*cle「表皮」.

in·tra·cu·ta·ne·ous 形 皮内の.
mu·co·cu·ta·ne·ous 形 〖解剖〗皮膚粘膜の.
mus·cu·lo·cu·ta·ne·ous 形 筋肉と皮膚の.
per·cu·ta·ne·ous 形 経皮的な.
sub·cu·ta·ne·ous 形 〈組織などが〉皮下にある.
trans·cu·ta·ne·ous 形 〈感染・接種・投薬などが〉経皮(性)の, 皮膚を通じての.

cut·ter /kʌ́tər/

名 **1** 切る人. **2** 切る機械 [道具]. **3** カッター型帆船; 税関監視船. ⇨ -ER[1].

Bermúda cútter 〖海事〗バーミューダ型カッター.
cáke-cùtter 《米俗》(サーカスで)釣り銭をごまかす会計係.
cáne·cùtter ヌマチウサギ.
cháff·cùtter まぐさ切り.
chéese cùtter チーズカッター [切り].
cóal cùtter コールカッター, 截炭(せつたん)機.
cóast-guàrd cùtter (米国沿岸警備隊の)沿岸警備艇.
contínuous cútter 〖採鉱〗連続採炭機.
cóokie cùtter クッキー抜き型, クッキーカッター.
cóokie-cùtter 形 どれも同じ形 [外観] をした.
cópy·cùtter 〖ジャーナリズム〗原稿仕分け係.
crówn cùtter 冠のこ.
dáisy-cùtter 〖クリケット〗地面すれすれに飛ぶボール.
díamond cùtter ダイヤモンド研磨工.
fóg-cùtter 《俗》眠け覚ましの一杯, 朝酒.
géar cùtter 〖機械〗歯切盤.
gláss cùtter ガラス切り(用具).
gráss·cùtter 草刈り機, 芝刈り機.
háir·cùtter 理髪師, 調髪師, 床屋.
léaf cùtter ハキリアリ(葉切蟻).
mílling cùtter 〖機械〗フライス(カッター).
páper cùtter 紙断裁機.
pípe cùtter パイプを切る機械, パイプカッター.
píss cùtter 《俗》優れた人 [もの]; 頭のよい人.
plánt-cùtter クサカリドリ.
révenue cùtter 税関監視船.
rúg-cùtter 《古俗》ジルバを踊る人.
scréw cùtter 〖機械〗ねじ切り盤.
slábbing cùtter 〖機械〗平削りフライス.
stóne·cùtter 石工.
túrd·cùtter 《米俗 / 軽蔑的》アイルランド人.
ún·der·cùt·ter 名 〖鉄道〗バラストクリーナー, マチサ.
wéed cùtter (電動式または原動機付きでしばしば回転式ナイロンコードを刃に使った)草刈り機.
wíre cùtter 針金切断具, ワイヤカッター.
wóod·cùtter 木こり.

cut·ting /kʌ́tiŋ/

名 **1** 切断; 切り取り; 裁断; 伐採. **2** (価格などを)切り下げること. ── 形 切断する. ⇨ -ING[1], -ING[2].

cróss·cùtting 名 〖映画〗〖テレビ〗切り返し(crosscut)を行うこと.
frée-cùtting 形 〈金属・合金が〉切削加工が容易な.
gás cùtting 〖金工〗ガス切断 [溶断].
háir·cùtting 名形 理髪 [調髪] (の).
léaf cùtting 〖園芸〗葉挿し.
préss cùtting 《英》新聞・雑誌の切り抜き.
príce cùtting (品物の)値引き, 値下げ(販売).
stém cùtting 〖園芸〗枝 [茎] 挿.
thróat-cùtting 名 のどをかき切ること.

-cy /si/

接尾辞 **1** 性質・状態: bancrupt*cy*. **2** 地位・職務: colonel*cy*. **3** 行為: idio*cy*.
★ -t, -te, -tic, 特に -nt の語幹を持つ形容詞, 名詞および動詞につけて名詞をつくる.
◆ 中英 *-cie* ＜古仏 *-cie*, *-tie* ＜中世ラ *-cia*, *-tia* ＜ギ *-kia*, *-keia*, *-tia*, *-teia* を表す. ⇨ -Y[3].
[発音] 第1強勢は基語と同じで語頭にある. 例外: retíracy.

ac·cu·ra·cy 名 正確, 的確; 精密, 精度.
al·der·man·cy 名 alderman「(地方自治体議会の)議員」の職 [任期].
bank·rupt·cy 名 破産(状態), 倒産.
bar·on·et·cy 名 准男爵の地位 [身分].
cap·tain·cy 名 captain の職 [地位].
clem·en·cy 名 (性格の)温和, 温厚; 寛容, 寛大.
col·o·nel·cy 名 大佐(colonel)の階級 [身分].
com·pe·ten·cy 名 《まれ》(特に専門的な)能力, 力量.

com·pla·cen·cy 名 (通例, 否定的意味合いで)自己満足.
con·gru·en·cy 名 適合性, 一致(congruence).
con·ven·ien·cy 名 《古》便利, 便宜(convenience).
ex·i·gen·cy 名 緊急, 危急, 緊迫, 火急.
ex·pe·di·en·cy 名 便宜, 有利, 好都合; 得策.
fre·quen·cy 名 ☞
gen·er·al·cy 名 将官(の職); その在任期間.
id·i·o·cy 名 愚かな言動, 愚行.
lu·na·cy 名 間欠性精神病; 精神異常, 狂気.
mag·is·tra·cy 名 magistrate「執政官」の地位.
-man·cy 連結形 ☞
nor·mal·cy 名 《米》(特に国の経済・政治・社会状態などが)正常であること.
oc·cu·pan·cy 名 ☞
o·ra·cy 名 話し言葉の運用能力, 聞き話し能力.
pi·ra·cy 名 海賊行為.
re·tir·a·cy 名 《米》退職, 引退.
sac·er·do·cy 名 聖職者[僧]であること, 司祭職.
se·cre·cy 名 秘密になっていること, 内密, 内緒.
sta·gnan·cy 名 よどみ, 渋滞; 不景気.
vis·count·cy 名 子爵の地位[身分].

cy·a·nide /sáiənàid, -nid | -nàid/

名 【化学】シアン化物, 青化物. ⇨ -IDE[1].
★ 語頭にくる関連形は cyan(o)-: *cyano*type「青写真法」.

cópper cýanide ＝cuprous cyanide.
cúprous cýanide シアン化第一銅.
fèr·ri·cý·a·nide 名 フェリシアン化物.
fèr·ro·cý·a·nide 名 フェロシアン化物.
hýdrogen cýanide シアン化水素.
ì·so·cý·a·nide 名 イソシアン化物, イソシアニド.
méthyl cýanide アセトニトリル.
plàt·i·no·cý·a·nìde 名 シアン化白金酸塩, シアノ白金酸塩.
potássium cýanide シアン化カリウム, 青酸カリ.
sódium cýanide シアン化ナトリウム, 青酸ソーダ.

cy·an·in /sáiənin/

名 【生化学】シアニン(cyanine). ◇ CYANIDE. ⇨ -IN[2].

an·tho·cy·a·nin 名 アントシアニン, 花青素.
hem·o·cy·a·nin 名 ヘモシアニン, 血青素.
phy·co·cy·an·in 名 フィコシアニン, 藻青素.
plas·to·cy·a·nin 名 プラストシアニン.

cy·cle /sáikl/

名 **1** (反復する出来事・現象の)一巡, 一回り; (機械などの)一回転. **2** 周期, 循環(期). **3** 自転車; オートバイ; …輪車.
★ 語頭にくる関連形は cycl(o)-: *cyclo*hexane「【化学】シクロヘキサン」.

áuto-cỳcle 《英古》自動自転車.
bí·cy·cle 名 ☞
bílling cỳcle 《米》請求書作成・送付作業周期.
bí·o·cy·cle 名 【生態】生物サイクル.
biogeochémical cýcle 【生態】生物地球化学的循環.
búsiness cỳcle 《米》【経済】景気変動, 景気循環.
Callíppic cýcle 【天文】カリパス周期.
cárbon cỳcle 【生態】炭素循環.
cárdiac cỳcle 【医学】心臓周期.
Carnót cỳcle 【熱力学】カルノー循環[サイクル].
céll cỳcle 細胞周期, (細胞)分裂周期.
cítric ácid cỳcle 【生化学】クエン酸回路.
Cláusius cýcle 【熱力学】＝Rankine cycle.
clósed cýcle 【工学】密閉サイクル.
cósmic cýcle コスミックサイクル: 女性の排卵と月の相との共鳴関係.
cóunt·er·cy·cle 名 【経済】景気循環対抗策(効果).
díesel cỳcle 【機械】ディーゼルサイクル.
dówn·cy·cle 名 (景気・循環の)下降期[サイクル].
económic cýcle ＝business cycle.
ép·i·cỳ·cle 名 【天文】周転円, 複円.
éstrous cỳcle (哺乳動物の雌に現れる)発情周期.
Éx·er·cỳ·cle 名 《商標》エクササイクル.
fáiry cỳcle 《英》幼児用自転車. ►もと商標名.
Fénian cýcle (アイルランド伝説の)フィアナ物語群.
fóod cỳcle 【生態】食物網.
fóur-cỳcle 形 〈内燃機関が〉4 サイクルの.
fúel cỳcle 【原子力】核[原子炉]燃料サイクル.
geológical cýcle 地質学的循環.
gíg·a·cy·cle 名 【電気】ギガ[10 億]サイクル.
helíacal cýcle ＝solar cycle.
hèm·i·cý·cle 名 半円(形).
hydrológic cýcle 【気象】水天循環.
hý·per·cỳ·cle 名 【生物】ハイパーサイクル.
Júglar cýcle 【経済】ジュグラー循環.
kíl·o·cy·cle 名 【電気】キロサイクル.
kìl·o·még·a·cy·cle 名 【通信】キロメガサイクル.
Kítchin cỳcle 【経済】キチン循環, 在庫循環.
Kóndratieff cỳcle 【経済】コンドラチェフ循環.
Krébs cỳcle 【生化学】クレブス回路.
Kúznets cỳcle 【経済】クズネック循環.
lífe cỳcle 【生物】生活環.
lúnar cýcle ＝Metonic cycle.
májor cýcle 【経済】主循環.
még·a·cy·cle 名 【電気】100 万サイクル.
Metónic cýcle 【天文】メトン周期.
míl·li·cy·cle 名 【電気】ミリサイクル.
mín·i·cy·cle 名 ミニバイク(minibike).
món·o·cy·cle 名 一輪車.
mó·tor·cy·cle 名 オートバイ.
nítrogen cỳcle 窒素循環.
núclear fúel cỳcle 【原子物理】＝fuel cycle.
Ótto cỳcle 【熱力学】オットー・サイクル.
óxygen cỳcle 【生態】酸素循環.
pér·i·cỳ·cle 名 【植物】内鞘(ないしょう).
pówer-cỳcle 動自 《ハッカー俗》スイッチを切ってすぐまた入れる.
púsh cỳcle 《英》自転車.
quád·ri·cy·cle 名 (ペダルを踏んで動かす)四輪車.
Ránkine cỳcle 【熱力学】ランキンサイクル.
rè·cý·cle 動他 再生処理[加工, 利用]する.
refrigerátion cỳcle 冷凍サイクル.
sléep-wáke cỳcle 【生理】睡眠覚醒サイクル.
sólar cýcle 【天文】太陽周期.
sólo mótor cỳcle 単車.
sóng cỳcle 連作歌曲.
Sóthic cýcle (古代エジプト暦で)シリウス周期.
Stírling cỳcle 【物理】スターリングサイクル.
súnspot cỳcle 【天文】黒点周期.
TCÁ cỳcle ＝Krebs cycle.
tér·a·cy·cle 名 【電気】テラ[1 兆]サイクル.
tráde cỳcle 《英》＝business cycle.
tricarboxýlic ácid cỳcle 【生化学】トリカルボン酸回路.
trí·cy·cle 名 (子供用の)三輪車.
twó-cỳcle 形 《米・カナダ》〈内燃機関が〉2 サイクルの.
twó-stròke cýcle (内燃機関が)2 サイクル.
ú·ni·cy·cle 名 一輪車.
uréa cỳcle 【生化学】尿素回路.
wáter cycle ＝hydrologic cycle.
wáter·cycle ペダルボート, 水上自転車.
Wílson cỳcle 【地質】ウィルソンサイクル.

cy·clic /sáiklik, sík-/

形 **1** 周期的な; 周期の. **2** 【化学】環式(化合物)の. **3** 【植物】輪生の. **4** 【数学】巡回的な.
★ 名詞は cycle「周期」.
◆ <ラ *cyclicus* <ギ *kyklikós* 円形の. ⇨ -IC[1].

a·cy·clic 形 〘植物〙〈花(の部分)が〉非輪生の.
al·i·cy·clic 形 〘化学〙脂環式の(cycloaliphatic).
bi·cy·clic 形 二円[輪]を持った, 二環から成る.
con·cy·clic 形 〘幾何〙〈一連の点が〉同一円周上にある, 共円の.
di·cy·clic 形 〘植物〙〈中心柱が〉二環の.
ex·o·cy·clic 形 〘化学〙環外の.
hem·i·cy·clic 形 〘植物〙〈花が〉半輪生の.
het·er·o·cy·clic 形 〘化学〙複素環(式)の.
ho·mo·cy·clic 形 〘化学〙同素環(式)の.
i·so·cy·clic 形 〘化学〙=homocyclic.
last-cy·clic 形 〘文法〙(変形文法で)最終循環の.
mac·ro·cy·clic 形 〘化学〙大環状の.
mon·o·cy·clic 形 単周期の; 〘化学〙単環の.
pol·y·cy·clic 形 〘化学〙多環式の.
post-cy·clic 形 〘変形文法〙〈規則が〉循環後の.
tet·ra·cy·clic 形 〈花が〉四輪の; 〘化学〙四環の.
tri·cy·clic 名 〘化学〙三環系(抗うつ剤).

cy·cli·cal /sáiklikəl, sík-/

形 周期的な[に起こる](cyclic). ⇨ -ICAL.

an·ti·cy·cli·cal 形 反周期的な, 周期と合致しない.
bi·cy·cli·cal 形 二円[二輪]を持った.
con·tra·cy·cli·cal 形 =countercyclical.
coun·ter·cy·cli·cal 形 経済の循環に対抗する, 相殺する.

cy·clone /sáikloun/

名 **1** サイクロン. **2** 低気圧.

àn·ti·cý·clone 名 高気圧(High).
èxtratrópical cýclone 温帯低気圧.
fróntal cýclone 前線低気圧.
kóna cỳclone コナ低気圧, コナサイクロン.
mès·o·cý·clone 名 メソサイクロン, 中型低気圧.
trópical cýclone 熱帯低気圧.
wáve cỳclone 波動低気圧.

cy·e·sis /saiíːsəs/

名 妊娠(pregnancy). ⇨ -ESIS.
★ 複数形は cyeses.

par·a·cy·e·sis 名 〘医学〙子宮外妊娠.
pol·y·cy·e·sis 名 〘医学〙多胎妊娠.
pseu·do·cy·e·sis 名 〘病理〙想像妊娠.

cyl·in·der /sílindər/

名 **1** 〘幾何〙円柱. **2** (ポンプ・エンジンの)シリンダー, 気筒.

áir cỳlinder 〘機械〙空気筒, 空気シリンダー.
céntral cýlinder 〘植物〙中心柱(stele).
máster cýlinder 〘機械〙マスターシリンダー.
mùl·ti·cýl·in·der 形 〘機械〙多気筒の.
oblíque círcular cýlinder 〘幾何〙斜円柱, 斜円筒.
pítch cỳlinder 〘機械〙円筒歯車においてのピッチ円筒.
ríght círcular cýlinder 〘幾何〙直円柱.
sè·mi·cýl·in·der 名 〘幾何〙半円筒.
stéam cỳlinder 〘機械〙蒸気シリンダー.
váscular cýlinder 〘植物〙中心柱(stele).

cy·press /sáiprəs/

名 イトスギ.

báld cýpress ラクウショウ(落羽松), ヌマスギ.
hinóki cýpress ヒノキ.
Jápanese cýpress ヒノキ(檜).
Láwson cýpress ヌマヒノキ(Port Orford cedar).
macnáb cýpress マクナブイトスギ.
Mónterey cýpress ヒノキ科イトスギ属の丈の高い針葉樹.
Nóotka cýpress アラスカヒノキ, ベイ(米)ヒバ.
Sítka cýpress =Nootka cypress.
sóuthern cýpress =bald cypress.
stánding cýpress ハナシノブ科ヒメハナシノブ属の草 *Gilia rubra*.
súmmer cýpress ホウキギ(箒木), ホウキグサ.
swámp cỳpress =bald cypress.
yéllow cýpress =Nootka cypress.

-cyst /sist/

連結形 〘動物〙…嚢(のう), 包嚢.
★ 主に名詞をつくる.
★ 語頭にくる形は cyst(o)-: *cyst*ectomy「嚢切除」, *cysto*lith「鐘乳体, 房状体」.
◆ ギリシャ語 *kústis*「嚢, 袋」より.
[発音] 語頭の音節に第1強勢; ただし, nemátocyst, pneumátocyst となることもある. 例外: meibómian cyst.

blas·to·cyst 名 胚盤(はい)胞.
cho·le·cyst 名 胆嚢.
cni·do·cyst 名 =nematocyst.
en·cyst 動他自 被嚢する[される].
he·ma·to·cyst 名 〘病理〙血嚢腫(のうしゅ).
het·er·o·cyst 名 ヘテロシスト.
mac·ro·cyst 名 大包嚢.
nem·a·to·cyst 名 刺胞, 刺糸胞.
o·o·cyst 名 接合子嚢.
o·to·cyst 名 =statocyst.
pneu·ma·to·cyst 名 気泡体嚢.
spo·ro·cyst 名 スポロキスト.
stat·o·cyst 名 平衡胞, 耳胞.
trich·o·cyst 名 毛胞, 糸胞.

-cyte /sàit/

連結形 〘生物〙〘解剖〙〘細胞生物〙細胞, 細胞質.
★ 名詞をつくる.
★ 医学用語として使われる.
★ 語末にくる関連形は -CYTOMA, -CYTOSIS.
★ 語頭にくる形は cyt(o)-: *cyt*aster「星状体」, *cyto*plasm「細胞質」.
◆ ギリシャ語 *kýtos*「入れ物」より.

a·can·tho·cyte 名 〘病理〙有棘(ゆうきょく)赤血球.
ad·i·po·cyte 名 脂肪細胞.
a·gran·u·lo·cyte 名 無顆粒(かりゅう)球.
a·me·bo·cyte 名 〘動物〙変形細胞, 遊走細胞.
a·moe·bo·cyte 名 =amebocyte.
ar·chae·o·cyte 名 =archeocyte.
ar·che·o·cyte 名 〘動物〙原始細胞.
as·tro·cyte 名 星状膠(こう)細胞.
ath·ro·cyte 名 集受細胞.
aux·o·cyte 名 分裂細胞.
cho·a·no·cyte 名 〘動物〙襟細胞.
clas·mat·o·cyte 名 崩壊細胞, 断裂細胞.
coe·no·cyte 名 多核細胞, 多核体, ケノサイト.
e·ryth·ro·cyte 名 赤血球.
fi·bro·cyte 名 〘組織〙〘細胞学〙繊維芽細胞.
ga·me·to·cyte 名 生殖母細胞.
gan·gli·o·cyte 名 神経節細胞.
gon·o·cyte 名 生殖母細胞, 性母細胞.
gran·u·lo·cyte 名 顆粒(かりゅう)細胞, 顆粒(白血)球.
he·ma·to·cyte 名 血球.
he·mo·cyte 名 血球, 血液細胞.
hep·a·to·cyte 名 肝(実質)細胞.
his·ti·o·cyte 名 組織球, 大食細胞.
im·mu·no·cyte 名 免疫細胞.
ir·i·do·cyte 名 〘動物〙虹色(こうしょく)細胞.
ke·rat·i·no·cyte 名 〘生化学〙ケラチン生成[合成]細胞.
leu·ko·cyte 名 〘免疫〙白血球.
lip·o·cyte 名 脂肪細胞.

lym·pho·cyte 名 リンパ細胞, リンパ球.
mac·ro·cyte 名 〘病理〙大赤血球, 巨態赤血球.
meg·a·kar·y·o·cyte 名 巨大核細胞, 巨核球.
me·lan·o·cyte 名 メラニン(形成)細胞, 黒色素細胞.
mi·cro·cyte 名 微小細胞, 微小体.
mon·o·cyte 名 単球, 単核白血球.
my·e·lo·cyte 名 骨髄細胞, 骨髄球.
my·o·cyte 名 ミオサイト.
myx·o·cyte 名 〘医学〙粘液細胞.
nor·mo·cyte 名 正(常)赤血球.
ol·i·go·den·dro·cyte 名 希[乏]突起(神経)膠(こう)細胞.
o·o·cyte 名 卵母細胞.
os·te·o·cyte 名 (骨基質内に存在する)骨細胞.
phag·o·cyte 名 食細胞.
plas·mo·cyte 名 プラズマ細胞, 形質細胞.
poi·ki·lo·cyte 名 異形[変形]赤血球.
po·lo·cyte 名 極体, 極細胞.
re·tic·u·lo·cyte 名 網状赤血球.
sid·er·o·cyte 名 含鉄顆粒赤血球, 担鉄赤血球.
so·le·no·cyte 名 〘動物〙有管細胞.
sper·mat·o·cyte 名 精母細胞.
spo·ro·cyte 名 胞子母細胞, スポロサイト.
throm·bo·cyte 名 小さな板状体, 小板, (特に)血小板.
thy·mo·cyte 名 〘免疫〙胸腺細胞.

-cy·to·ma /saitóumə/

連結形 〘医学〙細胞腫.
★ 名詞をつくる.
★ 語末にくる関連形は -CYTE.
★ 語頭にくる関連形は cyt(o)-: *cyt*aster「星状体」, *cyto*plasm「細胞質」.
◆ ギリシャ語 *kýtos*「容れもの, 受容器; 体」より. ⇨ -OMA.

as·tro·cy·to·ma 名 星(状膠(こう))細胞腫.
mas·to·cy·to·ma 名 肥満細胞腫.
phe·o·chro·mo·cy·to·ma 名 褐色細胞腫.

cy·to·pe·ni·a /saitəpíːniə | -niə, -njə/

名 〘病理〙血球減少(症). ⇨ -PENIA.
★ 語頭にくる関連形は cyt(o)-: *cyt*aster「星状体」, *cyto*plasm「細胞質」.

gran·u·lo·cy·to·pe·ni·a 名 顆粒球減少(症).
lym·pho·cy·to·pe·ni·a 名 リンパ球減少(症)(lymphopenia).
pan·cy·to·pe·ni·a 名 無形成(性)貧血, 再生不良性貧血.
throm·bo·cy·to·pe·ni·a 名 血小板減少症.

-cy·to·sis /saitóusis/

連結形 …(細胞)症.
★ 語頭にくる関連形は cyt(o)-: *cyt*aster「星状体」, *cyto*plasm「細胞質」.
◆ -CYTE＋-OSIS.

a·can·tho·cy·to·sis 名 〘病理〙有棘(きょく)赤血球症.
a·gran·u·lo·cy·to·sis 名 〘病理〙無顆粒(りゅう)球[細胞]症, 顆粒球[細胞]減少症.
em·i·o·cy·to·sis 名 〘生理〙＝exocytosis.
en·do·cy·to·sis 名 〘生理〙エンドサイトーシス, (細胞内)貪食.
e·ryth·ro·cy·to·sis 名 〘病理〙赤血球増加(症).
ex·o·cy·to·sis 名 〘生理〙エキソサイトーシス.
leu·ko·cy·to·sis 名 〘生理〙〘病理〙白血球増加(症).
lym·pho·cy·to·sis 名 〘病理〙リンパ球増加症.
mac·ro·cy·to·sis 名 〘病理〙大赤血球症, 大球症.
mas·to·cy·to·sis 名 〘病理〙肥満細胞症.
me·nis·co·cy·to·sis 名 〘病理〙鎌状赤血球性貧血.
mon·o·cy·to·sis 名 〘病理〙単球増加(症).
phag·o·cy·to·sis 名 〘生理〙食細胞活動, 貪食, 食作用.
pin·o·cy·to·sis 名 〘生理〙飲(いん)作用.

C

D

D

'd /d/

《話》 **1** had の縮約形. **2** did の縮約形. **3** should または would の縮約形.

he'd he had の縮約形.
I'd I would [should, had] の縮約形.
it'd it would [had] の縮約形.
she'd she had の縮約形.
there'd there had の縮約形.
they'd they had の縮約形.
we'd we had [should, would] の縮約形.
what'd what did の縮約形.
when'd when did の縮約形.
where'd where did の縮約形.
who'd who would [had] の縮約形.
you'd you had [would] の縮約形.

-d[1] /t, d/

接尾辞 -ed[1] の異形.
★ 動詞の過去・過去分詞につく -ed の直前に e がある場合に -e が欠落して使われる; なお, 名詞と動詞が同形の場合, 名詞につく -d[2] と区別しにくいことがある.
★ 語末にくる関連形は -T[1].
[発音] 発音は -ED[1] と同じ規則. 例外として used[1], used[2] は /júːst/ と発音される. また, 例外的に accursed, cursed, supposed は /id/ とも発音される. enraged は常に /id/ と発音される. 強勢は動詞の原形と同じ.

ab·bre·vi·at·ed 形 短縮 [省略] された; 簡潔にした.
a·bled 形 ☞
ab·lut·ed 形 きれいに洗われた, 洗い清められた.
ac·co·lat·ed 形 〈貨幣・盾形紋地などの肖像が〉同方向を向いて部分的に重なっている.
ac·curs·ed 形 呪われた; 破滅した, 運の尽きた.
ac·cused 形 告発された; 非難された.
aced 形 出し抜かれた, 負かされた.
ac·e·tat·ed 形 酢酸処理をした.
a·cic·u·lat·ed 形 針状の; 針状の部分のある.
ac·knowl·edged 形 承認された, 一般に認められている.
ac·quired 形 習得した, 後天的に得た.
ac·ti·vat·ed 形 活動している.
a·dul·ter·at·ed 形 混ぜ物をした, 品質を落とした.
ad·vanced 形 前進した, 前に出た.
ad·ver·tised 形 宣伝されている; 公示されている.
ad·vised 形 ☞
aer·at·ed 形 《俗》 怒った, 興奮して.
af·fi·anced 形 婚約した, いいなずけの(engaged).
af·fil·i·at·ed 形 加盟した.
af·flat·ed 形 霊感を感じる.
ag·gra·vat·ed 形 【法律】加重事由のある, より悪質な.
ag·grieved 形 虐げられた, 虐待された.
ag·i·tat·ed 形 揺れ動いている; 興奮 [動揺] した.
ag·o·nized 形 苦悶(もん)の; 懸命 [必死] の.
a·greed 形 皆の同意で決められた, 一致した.
a·lem·bi·cat·ed 形 〈文章が〉過度に練られた.
al·leged 形 申し立てられた, 言い立てられた.
al·ve·at·ed 形 (ハチの巣のような) ドーム形をした.
a·mazed 形 びっくりした, 仰天した, 驚嘆した.
a·mused 形 面白がっている, 楽しんでいる.
an·a·lyzed 形 分析された, 解析された.
an·i·mat·ed 形 生き生きとした, 生気に満ちた.
an·ni·hi·lat·ed 形 《米俗》 =stoned.
an·no·tat·ed 形 〈本などが〉注釈 [注解] 付きの.
an·nu·lat·ed 形 【動物】体節のある.
an·ti·quat·ed 形 〈人・物・事が〉昔ながらの, 古風な.
ap·proved 形 認可された; 定評のある.
ar·ti·cled 形 〈職人が〉年季奉公の, 徒弟契約の.
ar·tic·u·lat·ed 形 〈音が〉はっきりと発音された.
a·shamed 形 《叙述的》(行為・状態を) 恥じて.
as·pi·rat·ed 形 【音声】帯気(音)の; h 音を伴う.
as·sem·bled 形 集められた, 集合している.
as·so·ci·at·ed 形 連合 [関連, 結合, 組合, 合同] の.
as·sumed 形 偽りの, 偽の; 装った, 見せかけの.
as·sured 形 保証された, 確実な, 安定した.
as·te·ri·at·ed 形 【鉱物】星彩の, 星彩光を発する.
at·tired 形 【紋章】(シカなどの) 角が…色の.
au·thor·ised 形 《特に英》 =authorized.
au·thor·ized 形 権限を与えられた, 委任された.
awed 形 畏怖(い)の念に満ちた.
Ba·bel·ized 形 混ぜこぜになった, 意味のない.
baked 形 ☞
bal·anced 形 均衡の取れた.
bam·boo·zled 形 《話》 混乱 [当惑] した.
bat·tled 形 【紋章】=embattled.
be·lat·ed 形 遅れてくる, 後になる.
be·lov·ed 形 最愛の, いとしい; 愛用の.
be·mazed 形 《古》 混乱した, 当惑した.
be·mused 形 当惑 [困惑] した.
be·reaved 形 (家族・近親・親しい人に) 死なれた.
blamed 形 《主に米話》 いまいましい.
blend·er·ized 形 (いろいろな物が混じって) 個性のない.
bored 形 うんざりして, 退屈して.
bot·tled 形 瓶詰めの, 瓶入りの.
breathed 形 声帯を振動させない, 無声音の.
bronzed 形 青銅風の.
bruised 形 あざ [傷] がついた.
bum·fuz·zled 形 《主に米南部》 =confused.
bun·dled 形 【コンピュータ】一括販売の.
ca·boshed 形 【紋章】〈シカ・牛・ヤギなどの動物が〉正面を向いた顔だけの.
caf·fein·at·ed 形 カフェイン入りの.
cal·cu·lat·ed 形 算定した; 計算から推定される.
car·bo·lat·ed 形 石炭酸を含む [で処理した].
cas·tel·lat·ed 形 【建築】城造りの, 城構えの.
cel·e·brat·ed 形 有名な, 著名な, 名高い, 高名の.
cel·lu·la·rized 形 細分化された.
cer·a·ted 形 《まれ》 蝋引(ろうびき)きの.
chal·lenged 形 ☞
chang·ed 形 変化した.
choked 形 《英話》 いらいらした; がっかりした.
cir·cum·stanced 形 (…の) 状況にある; 境遇にある.
cit·ed 形 引用された; 言及された.
civ·i·lized 形 文明的な, 開けた, 開化した.
closed 形 閉ざされた.
clothed 形 《複合語》 …で包まれた.
clued 形 《俗》 知っている, 精通している.
coked 形 《米俗》 コカインでハイになった.
co·lum·nar·ized 形 (レイアウトが) 縦の段になった.
com·bined 形 =united.
com·pli·cat·ed 形 複雑な, 込み入った, 入り組んだ.
com·posed 形 落ち着いた, 平静な, 静かな.
com·pro·mised 形 妥協した.

con·cen·trat·ed 形 〈注意・精力などが〉集中した.
con·densed 形 (量・規模が)簡約 [短縮] された.
con·fig·u·rat·ed 形 不規則な模様入りの.
con·fined 形 限られた, 狭い.
con·fused 形 困惑した, 当惑した, 狼狽した.
con·sol·i·dat·ed 形 統合した, 合併整理した.
con·tin·ued 形 途切れずに連続している.
con·trived 形 人工的な, 不自然な, わざとらしい.
con·vinced 形 確信して.
con·vo·lut·ed 形 巻き込んでいる, 包旋状の.
co·or·di·nat·ed 形 2つ以上の筋肉が調和して働く.
cor·nut·ed 形 角(つの)のある.
crack·led 形 (肉などの)上皮をかりかりに焼いた.
crazed 形 発狂した, 気の狂った, 精神異常の.
creased 形 《米俗》疲れ果てた.
cre·at·ed 形 ☞
cren·el·at·ed 形 〈胸壁が〉銃眼のある.
cre·o·lized 形 〈言語が〉混交した.
crum·pled 形 しわくちゃの, くしゃくしゃの.
cry·og·en·ized 形 寒剤で冷やした, 冷凍保存した.
crys·tal·lized 形 《米麻薬俗》メテドリン(Methedrine)にやられている.
cul·ti·vat·ed 形 耕作された.
cul·tured 形 教化された.
cu·po·lat·ed 形 小丸屋根のある [形をした].
cured 形 治療された, 直った.
curs·ed 形 呪われた, たたられた, 罰当たりの.
curved 形 湾曲した, 曲がった, 曲線状の.
dam·aged 形 損害 [損傷] を受けた.
de·based 形 低下した, 劣った; 腐敗した.
de·caf·fein·at·ed 形 カフェイン抜きの.
de·ceased 形 死去した, 亡….
de·cid·ed 形 明らかな, 議論の余地のない.
de·clared 形 宣言した, 公表された, 公然の.
dec·o·rat·ed 形 装飾された.
ded·i·cat·ed 形 打ち込んでいる, ひたむきな, 熱心な.
de·fin·ed 形 (語・句が)定義された, 説明された.
de·phlo·gis·ti·cat·ed 形 《古》燃素欠乏の.
de·praved 形 腐敗した, 堕落した; 邪悪な.
de·prived 形 貧しい, 恵まれない, 困窮している.
de·ranged 形 混乱した, 乱れた.
de·served 形 功罪に応じた, 受けて当然の.
des·ic·cat·ed 形 乾燥 [脱水] した; 粉状 [粉末] の.
de·sired 形 待望の, 願っていた.
des·tined 形 (…)行きの.
de·ter·mined 形 決然 [断固] とした, しっかりした.
de·trit·ed 形 岩屑(がんせつ)となった.
de·vot·ed 形 献身的な, 愛情の深い, ひた向きな.
di·lap·i·dat·ed 形 ぼろぼろになった, 荒廃した.
di·lat·ed 形 横に広がった.
dis·a·bled 形 身体的損傷のある, 身体障害者の.
dis·ad·van·taged 形 恵まれない, 貧しい.
dis·ci·plined 形 訓練 [鍛錬] された; 規則正しい.
dis·com·bob·u·lat·ed 形 混乱した, 異様な.
dis·cour·aged 形 がっかりした, やる気をなくした.
dis·eased 形 病気にかかった, 病んでいる; 病的な.
dis·grun·tled 形 不機嫌な, むっとした, 不満な.
dis·placed 形 宿なしの; 国外追放された, 流民の.
dis·posed 形 ☞
dis·sem·i·nat·ed 形 『医学』播種(はしゅ)性の.
dis·si·pat·ed 形 放埒(ほうらつ)な, 自堕落な.
dis·trib·ut·ed 形 分配された, 配給された.
di·vid·ed 形 分けられた, 分割された; 隔てられた.
do·mes·ti·cat·ed 形 半ば飼いならされた, 家畜化された.
dozed 形 《主にアイル》〈木材が〉腐った.
dyed 形 ☞
ed·u·cat·ed 形 〈人が〉教育を受けた.
e·lat·ed 形 大得意の, 有頂天の, 歓喜する.
el·e·vat·ed 形 (基準面よりも)高くした; 高架の.
e·ma·ci·at·ed 形 やせ細った, やつれた.
e·man·ci·pat·ed 形 〈特に女性が〉因襲にとらわれない.
em·bat·tled[1] 形 陣容を整えた; 攻めたてられる.
em·bat·tled[2] 形 『紋章』狭間(はざま)形の.
em·bry·o·nat·ed 形 embryo を持った [有する].
e·mersed 形 『植物』抽水の.
en·cap·su·lat·ed 形 『生物』被嚢(ひのう)性の.
en·er·vat·ed 形 活力を失った, 無気力な, 惰弱な.
en·gaged 形 《叙述的》忙しい, 没頭している.
en·hanced 形 (度合い・価値・質などを)高められた.
en·rag·ed 形 立腹する, かんかんになる.
en·rap·tured 形 うっとりして, 有頂天になって.
er·go·tized 形 『医学』麦角(ばっかく)中毒の.
es·tranged 形 よそよそしい; 疎遠になった.
eu·chred 形 《豪・NZ 話》出し抜かれた.
ex·ag·ger·at·ed 形 誇張された, 誇大な, 過大視された.
ex·as·per·at·ed 形 立腹して, いら立って.
ex·cit·ed 形 興奮した, 激した, 気の立った.
exil·ed 形 国外追放された, 亡命した.
ex·pe·ri·enced 形 経験を積んだ, 場数を踏んだ.
ex·pired 形 期限切れになった, 失効した.
ex·plod·ed 形 爆発 [破裂] した.
ex·posed 形 風雨にさらされた, 野ざらしの.
fas·ci·at·ed 形 (帯などで)縛った, くくった.
fas·tig·i·at·ed 形 先のとがった.
fa·tigued 形 疲れた, 疲労した.
fe·nes·trat·ed 形 『建築』窓のある(windowed).
fer·ti·lized 形 受精 [受胎] した; 肥沃にされた.
fig·ured 形 形作られた.
fired 形 ☞
fledged 形 ☞
flo·re·at·ed 形 =floriated.
flo·ri·at·ed 形 花で装飾した, 花飾りでできた.
flus·trat·ed 形 混乱した, 面食らった, うろたえた.
fo·li·at·ed 形 葉 [群葉] の形をした, 葉状の.
forced 形 強制された, 押しつけの, 無理強いの.
fraz·zled 形 《話》擦り切れた.
fringed 形 房(飾り)付きの; 縁取りした.
frus·trat·ed 形 落胆した, 失望した; 失敗した.
fumed 形 〈木材が〉燻蒸(くんじょう)された.
gla·ci·at·ed 形 氷河で浸食された; 氷河で覆われた.
glazed 形 釉薬(ゆうやく)をかけた.
glot·tal·ized 形 声門音で発音された.
glued 形 《米俗》酔っ払った(drunk).
gorged 形 満腹の, 食傷の.
grad·ed 形 『言語』程度差のある, 段階的.
grad·u·a·ted 形 漸増する, 累進的な; 段階をつけた.
gran·u·lat·ed 形 粒状の, 顆粒の; 表面がぶつぶつの.
greased 形 〈馬が〉水疵(すいし)(病)の.
grooved 形 溝のある, 溝付きの.
guid·ed 形 案内人を連れた, ガイド付きの.
gut·tur·al·ized 形 喉頭(こうとう)音で発音された.
Ham·it·i·cized 形 ハム語族化した; ハム語族に特有の.
hired 形 (金で)雇われた; 報酬目当ての.
his·to·ri·at·ed 形 〈段落の最初の文字やページの縁を〉人間や動物の絵で飾った.
housed 形 《複合語》…の家に住んでいる.
hy·drat·ed 形 水化 [水和] した.
hy·phen·at·ed 形 《主に米話》ハイフン付きの.
iced 形 氷で覆われた, 氷詰めの.
il·lu·mi·nat·ed 形 《米話》=glued.
il·lus·trat·ed 形 図解 [挿し絵, 写真] 入りの.
im·mersed 形 (液体に)突っ込まれた, 浸された.
im·posed 形 課せられた, 押しつけられた.
im·pro·vised 形 準備なしに作られた, 即興の.
in·cised 形 切り込んだ.
in·clined 形 傾いた, 傾斜した, 斜めの.
in·clud·ed 形 含まれた, 包含された, 含めて.
in·con·ve·ni·enced 形 不利な, 不都合な.
in·cor·po·rat·ed 形 《米》〈会社が〉法人組織の.
in·di·ca·ted 形 インジケーターに示された.
in·duced 形 引き起こされた, 誘発された.
in·fat·u·at·ed 形 理性を失った, 夢中になった.
in·flat·ed 形 (空気・気体で)膨らんだ, 膨張した.
in·flu·enced 形 影響された.
in·i·ti·at·ed 形 〈計画などが〉開始された.
in·jured 形 傷つけられた; 損傷を受けた.
in·spired 形 霊感を受けた [に動かされた].
in·sured 形 保険に入っている, 保険付きの.

in·ta·gli·at·ed 形 彫り込みにした.
in·te·grat·ed 形 統合された.
in·tox·i·cat·ed 形 酩酊(めいてい)した；中毒した.
in·vit·ed 形 招かれた.
in·vo·lut·ed 形 渦巻き状の，内旋の.
in·volved 形 入り組んだ；混乱した，ややこしい.
ir·ra·di·at·ed 形 (光・放射線などの)照射を受けた.
ir·ri·tat·ed 形 いらいらした，怒った.
i·so·lat·ed 形 分離［隔離］された；孤立した.
is·su·ed 形 発行された.
jad·ed 形 (度を過ごして)飽き飽きした.
jam·bled 形 《米話》＝glued.
jan·gled 形 《俗》混乱した，イライラした.
judged 形 《複合語》判断が…の.
jum·bled 形 ごたごたした，ごたまぜの.
kneed 形 ☞
laced 形 ひものついた；レースの飾りのついた.
lac·er·at·ed 形 引き裂かれた.
lamed 形 《米俗》ばかな，のろまな.
lam·i·nat·ed 形 薄層状の.
lapsed 形 〘法律〙(期限が過ぎて)無効になった.
lat·ed 形 《文語》＝belated.
leaved 形 《複合語》…(枚)の葉のある.
le·gal·ized 形 《米俗》制限速度まで落とした.
li·censed 形 認可された，官許の，免許を受けた.
lied 動 lie[1] の過去・過去分詞形.
lined[1] 形 裏のついた，内側が覆われた.
lined[2] 形 線が引かれた；しわのある.
lin·en·ized 形 リンネル風仕上げの.
lo·bot·o·mized 形 〘外科〙ロボトミーをした.
loved 形 親愛な，最愛の，秘蔵の.
mail·merged 形 〘コンピュータ〙メールマージされた.
mar·bled 形 大理石で作った［覆った］.
mat·ted 形 つや消し仕上げをした，つや消しの.
meas·ured 形 計って確定した；度数制の.
med·i·tat·ed 形 企てられた；熟考された.
med·ul·lat·ed 形 ＝myelinated.
men·tho·lat·ed 形 メントールの染み込んだ［を含んだ］.
mo·ti·vat·ed 形 食欲のある；…目当ての.
mot·tled 形 まだらの，ぶちの，雑色の.
moved 形 …する気になった；感動した.
mud·dled 形 《米話》＝glued.
mut·ed 形 黙った；〈音・口調などが〉弱い.
my·e·li·nat·ed 形 〈神経線維が〉有髄の.
named 形 名指された；指定された.
not·ed 形 際立った，顕著な；名高い.
nu·cle·o·lat·ed 形 〘細胞生物〙仁(じん)を含む.
ob·lit·er·at·ed 形 《米俗》＝glued.
oc·el·lat·ed 形 〘動物〙〈斑点(はんてん)・模様などが〉目のような，目に似た.
op·er·at·ed 形 《複合語》…で作動する.
o·pin·ion·at·ed 形 自分の意見に固執する；独断的な.
op·posed 形 反対で；敵対して；向かい合った.
or·gan·ized 形 労働組合に組織された.
-o·ri·en·tat·ed 連結形 ⇨ -ORIENTED.
ox·y·gen·at·ed 形 〈燃料などが〉酸素添加物を含んだ.
pack·aged 形 《米俗》＝glued.
pa·fis·ti·cat·ed 形 《米俗》＝glued.
pal·a·tal·ized 形 口蓋(こうがい)音化した.
paled 形 《カナダ俗》＝stoned.
pan·el·ized 形 パネル化した.
par·a·lyzed 形 《米俗》＝glued.
past·ed 形 《米俗》＝stoned.
pearl·ized 形 真珠母のような，虹(にじ)色の.
peeved 形 いらいらしている，不機嫌な.
per·fo·rat·ed 形 穴のあいた.
per·jured 形 偽証罪を犯した.
phased 形 《米俗》マリファナで酔った.
phe·no·lat·ed 形 〘化学〙フェノール［石炭酸］を含む.
pick·led 形 ピクルス漬けにした.
pierced 形 穴のあいた；飾り穴のある.
pif·fled 形 《米俗》＝glued.
pif·fli·cat·ed 形 《米俗》＝glued.
piked 形 槍(やり)のついた；先端のとがった.
pi·le·at·ed 形 〘鳥類〙鶏冠(とさか)のついた.
pi·le·o·lat·ed 形 ＝pileated.
piped 形 ケーブルで送られる；有線放送の.
placed 形 置かれた.
plas·ti·cat·ed 形 《主に比喩的》作り物の；合成の.
pleased 形 喜んだ，うれしい，満足した.
poised 形 〈人が〉落ち着いた.
po·lar·ized 形 偏向の；偏光の；分極の.
pol·li·nat·ed 形 〘植物〙《複合語》…による受粉の.
pol·lut·ed 形 汚染された.
posed 形 ポーズをつくった，気取った.
prac·ticed 形 経験のある［を積んだ］，専門家の.
prej·u·diced 形 《軽蔑的》偏見に満ちた；不公平な.
pre·pared 形 用意［準備］の整った.
pre·served 形 《米俗》＝glued.
pres·sur·ized 形 (空気の)圧力を加えた，加圧した.
pre·sumed 形 ＝assumed.
priv·i·leged 形 ☞
prized 形 重んじられた，高く評価された.
pro·duced 形 一方向へ延びた.
pro·nounced 形 非常に目立つ，顕著な，際立った.
pro·vid·ed 接 …という条件で，もし…ならば.
pud·dled 形 《英俗》奇矯な，気の狂った.
punc·tured 形 穴のあいた，パンクした.
rad·dled 形 混乱した，困惑した.
raised 形 浮き出し模様の，浮き彫りにした.
raked 形 傾斜した，斜めの.
ranged 形 〘建築施工〙整層積みした.
rap·tured 形 宗教的恍惚感を体験した.
ra·ster·ized 形 〘コンピュータ〙〈画像が〉ラスタ(raster)に変換された.
rat·ed 形 ☞
re·bat·ed 形 〘紋章〙(十字などの)一部を削った.
re·ceived 形 一般に受け入れられた.
re·curved 形 〈鳥のくちばしなどが〉後方に曲がっている，反り返った.
re·doubt·ed 形 恐ろしい；手に負えない，強力な.
re·duced 形 縮小した；不完全な；衰弱した.
re·fined 形 好みの上品な；洗練された.
reg·u·lated 形 規制された；統制された.
re·lat·ed 形 (…に)関係のある，相関している.
re·lieved 形 《叙述的》(…から)解放されて.
re·moved 形 (…から)隔たった，かけ離れた.
re·put·ed 形 評判では…の，…と言われている.
re·served 形 取ってある，別にしてある；予備の.
re·solved 形 《叙述的》決心した；決意の堅い.
re·tired 形 引退［退職］した；退役の.
re·versed 形 逆にした，ひっくり返した，裏返した.
re·vulsed 形 強烈な嫌悪感［憎悪］を抱いた.
rosed 形 バラ色の，赤く染まった.
ruf·fled 形 〈衣装が〉襞(ひだ)べりのついた.
ruled 形 ☞
ru·ti·lat·ed 形 〘鉱物〙金紅石(rutile)を含む.
sa·bled 形 喪服を着た.
sam·pled 形 〘音楽〙(作曲やレコーディングのために)サンプリング機を用いた.
San·for·ized 形 《商標》〘繊維〙サンフォライズした.
sa·ti·at·ed 形 十分すぎるほど満たされた.
sat·u·rat·ed 形 ☞
scared 形 びっくりした；(…を)怖がる.
sched·uled 形 スケジュールに組み入れられた.
scle·rosed 形 〘病理〙(硬化症などで)硬化した.
scle·ro·tized 形 〈節足動物の表皮が〉硬化した.
seg·men·tal·ized 形 分割した，区分されている.
seg·re·gat·ed 形 分離された；区分された，分けられた.
seized 形 《米話》〈エンジンが〉(焼きついて)動かない.
ser·rat·ed 形 のこぎり歯状の(serrate).
set·tled 形 定着した，落ち着いた.
shad·ed 形 〘印刷〙影付き活字の.
shaped 形 ☞
shared 形 分配された，割り当てられた.
shaved 形 《俗》〈自動車が〉走行に不要な部品をすべて取り除いた.

si·lenced 形 〈牧師が〉説教するのを禁じられた.
sil·i·cat·ed 形 シリカで覆った, シリカを混合した.
sil·i·con·ized 形 〈物質が〉シリコンを加えた.
sim·u·lat·ed 形 本物でない, まがいの, 見せかけの.
sit·u·at·ed 形 (ある場所に)位置している, ある.
siz·zled 形 《米話》=glued.
sleeved 形 袖(そで)のある, 袖のついた.
soled 形 《通例複合語》…の底の, 靴底が…の.
so·phis·ti·cat·ed 形 ☞
sourced 形 《通例修飾語を伴って》…の情報源の.
soused 形 《俗》=glued.
soz·zled 形 《米俗》酔っ払った.
spe·cial·ized 形 専門の;『生物』特殊化 [分化] した.
spif·i·cat·ed 形 《米話》=glued.
spif·li·cat·ed 形 《米俗》=glued.
sta·bi·lized 形 安定した; 平衡状態が保たれた.
starved 形 飢死した; 飢えた.
stat·ed 形 定まった, 規定された, 一定の.
ster·e·o·typed 形 ステロ版 [鉛版] に取った.
stoked 形 《米俗》(…に)夢中で, 熱狂して.
stoned 形 《俗》泥酔した; 麻薬でハイになった.
sto·ri·at·ed 形 =historiated.
stri·at·ed 形 細い溝 [畝, 縞(しま), 筋] のある.
sub·dued 形 (武力で)征服された; 威圧された.
sub·merged 形 (水などの)表面下にある; 水中の.
sub·mersed 形 =submerged.
sub·or·di·nat·ed 形 『金融』劣後した, 後順位の.
sub·sti·tut·ed 形 代用させられた.
sup·posed 形 当然と思い込む; 仮定の, 仮説の.
sur·prised 形 驚いた, びっくりした.
swin·dled 形 『宝石』スウィンドルの.
syn·co·pat·ed 形 『音楽』syncopation をされた.
taf·fe·tized 形 〈布地が〉薄琥珀(こはく)仕上げの.
tan·gled 形 もつれた, 絡み合った.
taped 形 テープを張った; テープに録音した.
tes·sel·lat·ed 形 碁盤目状に配列された.
tid·dled 形 《話》=glued.
tiffled 形 《米話》=glued.
tiled 形 タイル張りにした.
timed 形 ☞
tired 形 ☞
to·gat·ed 形 平和の特色を示す; 平和な.
toned 形 《複合語》…調子の.
tongued 形 ☞
torqued 形 《米空軍俗》怒った, 頭にきた.
tos·ti·cat·ed 形 《英俗》当惑した, 混乱した.
tou·sled 形 〈髪・衣服などが〉乱雑な, 乱れた.
tox·i·cat·ed 形 《米話》=glued.
tra·be·at·ed 形 『建築』楣(まぐさ)式の.
treed 形 樹木が植えられた, 木の生えた.
trit·i·at·ed 形 『化学』トリチウムを含む.
trou·bled 形 乱れた; 問題の多い; 困った.
trun·cat·ed 形 〈幹・胴などの〉先端を切った.
tuned 形 《米俗》=glued.
u·nit·ed 形 結ばれた, 結合した; まとまった.
used[1] 形 よく(…)した, (…するのが)常だった.
used[2] 形 ☞
val·ued 形 ☞
var·i·cosed 形 〈血管・リンパ管が〉怒張した.
var·i·e·gat·ed 形 〈花・葉が〉まだらの, 斑(ふ)入りの.
vas·cu·lar·ized 形 血管が新生した.
ve·lar·ized 形 軟口蓋(なんこうがい)で発音した.
versed[1] 形 熟知した, 精通した, 熟達した.
versed[2] 形 『数学』=reversed.
ver·te·brat·ed 形 (脊(せき))椎骨(ついこつ)のある.
voiced 形 ☞
vul·can·ized 形 加硫した, 加硫処理で変質した.
wast·ed 形 利用されていない, 荒れた, 不毛の.
Web·ized 形 『コンピュータ』〈ファイルが〉WWW フォーマットに変換されている.
whif·fled 形 《米話》=glued.
whistled 形 《英俗》=glued.
whit·ed 形 白くした, 白くなった; 漂白した.
yoked 形 《米俗》筋肉がついた.
zoned 形 貞操帯を着けた; 処女の, 貞節な.

-d[2] /t, d/

接尾辞 -ed[2] の異形.
★ 名詞につく -ed の直前に e がある場合に -e が欠落して使われる; なお, 名詞と動詞が同形の場合, 過去分詞の -d[1] と区別しにくいことがある.
[発音] 発音は -ED[1] と同じ規則. 例外として, deuced は /id/ とも発音する. 強勢は原形と同じ.

a·cred 形 《通例複合語》何エーカーもの土地を所有する.
ad·van·taged 形 優れている, 勝っている.
af·fined 形 (…と)密接な関係にある; 縁続きの.
aisled 形 側廊 [通路] のある.
an·gled 形 角(かど)のある; ある角度を成す.
ar·cad·ed 形 アーケードになった [を設けた].
arsed 形 …の尻をした; くだらない.
-based 連結形 ☞
blad·ed 形 《通例複合語》(…の)刃のついた.
boned 形 ☞
bot·tled 形 瓶詰めの, 瓶入りの.
breathed 形 息のある.
bróad·bàsed 形 広い層に基盤を持った.
ca·denced 形 律動的な, リズミカルな.
car·bun·cled 形 癰(よう)ができた.
cen·tred 形 《英》中心がある.
chal·iced 形 杯 [聖杯] の中に入った.
cli·chéd 形 陳腐 [月並み] な決まり文句の多い.
crined 形 『紋章』〈たてがみが〉…色をした.
dat·ed 形 ☞
deuc·ed 形 《主に英話》実にいまいましい.
domed 形 ドーム形の, 半球形の.
edged 形 ☞
eyed 形 ☞
fa·bled 形 寓話(ぐうわ)に名高い; 伝説的な.
faced 形 ☞
famed 形 (…で)有名な, よく知られた.
fangled 形 流行の, はやりの.
fat·ed 形 運命づけられた, 運命に支配された.
fea·tured 形 呼び物の, 特色の; 特集された.
fi·bred 形 《英》毛 [繊維] の混ざった.
flut·ed 形 フルートの音のような.
fringed 形 房(飾り)付きの; 縁取りした.
ga·bled 形 切妻のある; 切妻造りの.
gat·ed 形 〈鋳型が〉堰(せき)でつながれた.
gorged 形 『紋章』〈動物が〉(輪・鎖・冠などを)首につけた姿の.
grad·ed 形 『言語』程度差のある, 段階的.
grilled 形 〈窓・扉などが〉格子の(ある).
griz·zled 形 灰色の髪の, ごま塩の.
han·dled 形 《しばしば複合語》柄のある.
he·liced 形 らせんで飾られた.
housed 形 《複合語》…の家に住んでいる.
hued 形 《古・詩語》《複合語》…の色合いの.
iced 形 氷で覆われた, 氷詰めの.
jaked 形 《米俗》興奮した, 大喜びで.
jaun·diced 形 《限定的》黄疸(おうだん)にかかった.
juiced 形 《俗》酔っ払った; 麻薬が効いた.
jun·gled 形 《米俗》酔っ払った.
kneed 形 ☞
langued 形 『紋章』〈獣が〉体色と異なる色の舌を持って描かれている.
lat·ticed 形 格子造りの, 格子(模様)のついた.
leaved 形 《複合語》…(枚)の葉のある.
lei·sured 形 暇のある, 遊んで暮らせる.
li·censed 形 認可された, 官許の, 免許を受けた.
lived 形 《通例複合語》…の生命を持った.
lobed 形 『解剖』葉(よう)のある.
loz·enged 形 ひし形模様の, ひし形をちりばめた.

ma·cled 形 〈鉱物が〉空晶石に似た斑紋(はんもん)のある.
mar·bled 形 大理石で作った [覆った].
mea·sled 形 麻疹(はしか)にかかった.
met·tled 形 《通例複合語》意気 [気質] が…の.
moded 形 《複合語》…モード[ファッション]の.
mug·gled 形 《米俗》マリファナが効いている.
mus·cled 形 筋肉のある;《複合語》筋肉が…の.
na·cred 形 真珠層のある; 真珠層のような.
na·tured 形 《通例複合語》性質 [気性] の…な.
neb·u·lat·ed 形 〈鳥獣などが〉かすかな斑点のある.
nerved 形 神経が…な.
nosed 形 ☞
o·geed 形 反曲線の, 葱花(そうか)線形の.
o·zoned 形 《米麻薬俗》幻覚剤が効いている.
paced 形 《通例複合語》…の歩調の, …足の.
paned 形 《通例複合語》窓ガラスをはめた.
pat·ed 形 頭部のある.
-pat·ed 形 ☞
ped·i·greed 形 血統書付きの, 純血種の.
pied 形 〈鳥・動物が〉まだらの, ぶちの.
piked 形 槍(やり)のついた; 先端のとがった.
piled 形 〈織物などが〉毛羽のある.
piped 形 ケーブルで送られる; 有線放送の.
plat·ed 形 (金・銀などで)めっきをした.
plumed 形 《複合語》…の羽毛を持った.
poised 形 〈人が〉落ち着いた.
prin·ci·pled 形 《複合語》…道徳観念を持った; …の原則に基づいた.
priv·i·leged 形 ☞
rosed 形 バラ色の, 赤く染まった.
ro·set·ted 形 ばら結びの; バラの花飾りの.
ruled 形 ☞
runed 形 ルーン文字の彫ってある.
scaled 形 鱗(うろこ)で覆われた.
sedged 形 スゲ(sedge)でできた.
shaped 形 ☞
-sid·ed 連結形 ☞
sleeved 形 袖(そで)のある, 袖のついた.
soled 形 《通例複合語》…の底の, 靴底が…の.
spec·ta·cled 形 眼鏡を掛けた.
spiked 形 《米俗》アルコール入りの.
spired 形 尖頂(せんちょう)を持つ.
staged 形 (舞台での)上演用に脚色された.
stat·ued 形 彫像 [塑像] のある.
striped 形 縞(しま)のある, ストライプの.
struc·tured 形 構造がある; カルテル化した.
sued·ed 形 スエードに似るように作った.
tar·tar·at·ed 形 〘化学〙=tartrated.
tar·trat·ed 形 〘化学〙酒石酸塩を形成した.
ten·ta·cled 形 触手 [触毛] のある.
ten·ured 形 《主に米》〈特に大学教授が〉終身在職権を持った.
tierced 形 〘紋章〙〈盾形が〉三等分した.
tiled 形 タイル張りにした.
timed 形 ☞
ti·tled 形 肩書きのある, 称号 [爵位] のある.
toed 形 ☞
tongued 形 ☞
treed 形 樹木が植えられた, 木の生えた.
truf·fled 形 トリュフを用いて調理した.
valved 形 弁のある; バルブを備えた.
vined 形 蔓(つる)草(模様)で覆われている.
voiced 形 ☞
vol·umed 形 《複合語》…巻 [冊] の.
waved 形 波形の, 波状の, うねる, 起伏する.
wedged 形 楔(くさび)形 [V 字形] の.
wired 形 有線の;〈コンピュータなどが〉稼働可能の;《俗》イライラしている.
zoned 形 貞操帯を着けた; 処女の, 貞節な.

-dac·tyl /dǽktil/

連結形 -dactylous の異形.
★ 名詞, 形容詞をつくる.
★ 語末にくる関連形は -DACTILIA.
★ 語頭にくる形は dactyl(o)-: *dactylo*graphy「指紋学」, *dactylo*megaly「巨大指症」.
◆ ギリシャ語 *dáktylos*「指」より.

an·i·so·dac·tyl 形 〘動物〙不等趾足(しそく)の.
ar·ti·o·dac·tyl 形名 〘動物〙偶蹄(ぐうてい)目の(動物).
het·er·o·dac·tyl 形 〘鳥類〙(変)対趾足(しそく)の.
mon·o·dac·tyl 形 〘動物〙単指の, 一指の; 単蹄(たんてい)の.
pam·pro·dac·tyl 形 〘鳥類〙皆前趾足(しそく)の.
pen·ta·dac·tyl 形 五指の, 5 本の指を持った.
pe·ris·so·dac·tyl 形 奇蹄(きてい)の, 奇蹄目の [に属する]. ── 名 奇蹄類動物.
pol·y·dac·tyl 形 多指の; 多指症の. ── 名 多蹄(きてい)動物.
pter·o·dac·tyl 名 プテロダクティルス: 翼竜目の飛行爬虫(はちゅう)類.
syn·dac·tyl 形 合指の.
tet·ra·dac·tyl 形 指が 4 本の, 四指の; 四指症の. ── 名 四指動物.
tri·dac·tyl 形 〘動物〙三指ある.
zy·go·dac·tyl 形 〈鳥が〉対指足の.

-dac·tyl·i·a /dæktíliə/

連結形 〘医学〙指の異常.
★ 名詞をつくる.
★ 語末にくる関連形は -DACTYL, -DACTYLOUS.
★ 語頭にくる関連形は dactyl(o)-: *dactylo*graphy「指紋学」, *dactylo*megaly「巨大指症」.
◆ ギリシャ語 *dáktylos*「指」より. ⇨ -IA.

brach·y·dac·tyl·i·a 名 短指(症奇形).
hy·per·dac·tyl·i·a 名 多指 [趾(し)] 症.

-dac·ty·lous /dǽktələs/

連結形 指が…の, …指の.
★ 形容詞をつくる.
★ 語末にくる関連形は -DACTYL, -DACTYLIA.
★ 語頭にくる関連形は dactyl(o)-: *dactylo*graphy「指紋学」, *dactylo*megaly「巨大指症」.
◆ ギリシャ語 *dáktylos*「指」より. ⇨ -OUS.

a·dac·ty·lous 形 〘動物〙無指の, 無趾(むし)の.
an·i·so·dac·ty·lous 形 〘動物〙不等趾足(しそく)の.
het·er·o·dac·ty·lous 形 〘鳥類〙(変)対趾(し)足の.
lep·to·dac·ty·lous 形 細長い指の, 指の細長い.
mon·o·dac·ty·lous 形 〘動物〙単指の, 一指の.
pam·pro·dac·ty·lous 形 〘鳥類〙皆前趾足(しそく)の.

dad /dǽd/

名 《話》お父ちゃん(daddy).

dén dàd カブスカウトの組(den)の指導者.
grán·dàd 《英話》=granddad.
gránd·dàd 《話》祖父, おじいさん.
hó-dàd 《俗》偉ぶったやつ.
stép·dàd 継父.

dad·dy /dǽdi/

名 《幼児語》お父ちゃん(►dad の指小形). ⇨ $-Y^2$.

Bíg Dáddy 《英俗》大物, 巨星(bigwig).
bíg dáddy 《米話》おやじ, パパ, 一家の長.
cráw·dàddy ザリガニ(crawdad).
Dísneyland dáddy 《米俗》子供とまれにしか会わない離婚した [別居中の] 父親.
gránd·dàddy 《話》祖父, おじいさん.
hígh·dàddy 〘米家具〙台の部分に引き出しのない脚付きの高いたんすの一種.

súgar dàddy 《話》若い愛人に気前よく金品を貢ぐ金持ちの中年男,「おじさま」.
swéet dáddy 《俗》情夫.
swíng dàddy 《米黒人俗》かっこいい男; 情夫.
zóo dàddy 《米俗》=Disneyland daddy.

dag·ger /dǽgər/

名 **1** 短剣. **2**〚印刷〛ダガー. **3**《米俗》(男役の)レズビアン.

bóon·dágger 《米俗》強い女性; 男っぽいレズ.
búll·dàgger 《米俗》男役の女,「たち」.
clóak-and-dágger 形 〈劇・小説などが〉陰謀にまつわる.
dóuble dágger 〚印刷〛ダブルダガー, 二重短剣符.
léft-hànd dágger マン・ゴーシュ: 16, 17 世紀ごろの短剣(main gauche).
mútton dàgger 《俗》ペニス(penis).
pórk dàgger 《英俗》陰茎, ペニス(penis).
Spánish dágger 〚植物〛アツバ(厚葉)キミガヨラン.

dai·sy /déizi/

名 〚植物〛デージー: キク科の数種の植物の総称. ►upsy-daisy などは間投詞で, up に基づく重複形; daisy は語呂に利用.

Áfrican dáisy アフリカ原産のデージーに似た花をつけるキク科の草の総称.
Árctic dáisy コハマギク, アキノコハマギク.
áster dàisy =Arctic daisy.
blúe dáisy ルリヒナギク.
crówn dàisy シュンギク.
Dárling Dáisy 第 5 代 Warwick 伯爵夫人 Frances の異名; 9 年間 Edward Ⅶの情婦であった. ►Edward Ⅶが手紙で 'My Darling Daisy wife' と呼びかけていることから.
Éaster dàisy ジギク.
Énglish dáisy 《主に米》ヒナギク, デージー.
Írish dáisy セイヨウタンポポ(dandelion).
kíngfisher dàisy キク科ルリヒナギク属の低木状の草.
Lívingstone dáisy リビングストン・デージー.
Míchaelmas dáisy アスター(aster), (特に聖ミカエル祭のころに咲く)アスターの総称.
móon dàisy 《英》=oxeye daisy.
móuntain dáisy マウンテンデージー.
óops-a-dàisy 間 《話》《子供などを抱き起こしたりするときの掛け声》ヨイショ.
óxeye dáisy フランスギク.
Páris dáisy ヒナギク(marguerite).
púrple dáisy エキナケア.
séaside dáisy ハマムカシヨモギ(beach aster).
Shásta dáisy シャスタデージー.
Tránsvaal dáisy ガーベラ.
úpsa-dáisy 間 =upsy-daisy.
úpsi·dáisy 間 =upsy-daisy.
úpsy-dáisy 間 《赤ん坊を抱き上げるときの掛け声》ほら高い, 高い高い; 《転んだ子供を励まして》強い強い.
whíte dáisy レイア.
yéllow dáisy デージーに似たキク科植物の総称.

-dale /dèil/

連結形 (特にイングランド北部の)谷, (特に)広い谷.
★ 地名, 姓などに使われる.
◆ 古英 *dæl* 谷.
[発音] 語頭の音節に第 1 強勢.

Chip·pen·dale 名 チッペンデール(姓). ►字義は「市場のある谷」.
Cov·er·dale 名 カバデール(姓). ►字義は「Cover 川が流れる谷」.
Drys·dale 名 ドライズデール(姓). ►字義は「Dryfe 川が流れる谷」.
Fern·dale 名 ファーンデール(米国の地名).
Hins·dale 名 ヒンズデール(米国の地名).
Mel·vin·dale 名 メルビンデール(米国の地名).
Mon·dale 名 モンデール(姓).
Palm·dale 名 パームデール(米国の地名).
Per·en·dale 名 《NZ》ペレンデイル: ヒツジの一品種.
Roch·dale 名 ロッチデール(イングランドの地名). ►字義は「Roch 川が流れる谷」.
Scars·dale 名 スカーズデール(米国の地名).
Scotts·dale 名 スコッツデール(米国の地名).
Skel·mers·dale 名 スケルマズデール(英国の地名).
Spring·dale 名 スプリングデール(米国の地名).
Teas·dale 名 ティーズデール(姓). ►「Tee 川が流れる谷」の意.

dam /dǽm/

名 **1** せき, ダム. **2**(ダムのように)せき止めるもの.

áir dàm 〚自動車〛エアダム.
árch dàm アーチ(式)ダム.
Aswán Hígh Dám アスワンハイダム: Nile 川につくられたダム.
Bóulder Dám ボールダーダム: 米国にあるダム.
cóffer·dàm 締め切り, 囲堰(いせき).
déntal dàm デンタルダム: オーラルセックスの際に, エイズなどの感染を防ぐ口覆い.
flóod dàm =splash dam.
grávity dàm 重力ダム.
míll·dàm 水車用の堰(せき), 水車ダム.
róck-fill dám ロックフィルダム: さまざまな大きさの岩でできたダム.
splásh dàm 木流しダム, 放流堰(せき).
Wílson Dám ウィルソンダム: 米国にあるダム.
wíng dàm (水流を変える)突堤(jetty).

dam·age /dǽmidʒ/

名 (…への)損害, 被害, 損傷, 傷害. ── 動他 …に損害を与える. ⇨ -AGE[1].

bráin dàmage 〚病理〛脳損傷.
colláteral dámage 〚軍事〛付随被害.
cóuntry dámage 〚保険〛元地［奥地］損害.
en·dam·age 動他 …に損害［危害］を与える, 損なう.
radiátion dàmage 〚原子力〛放射線損傷.
wár dàmage 戦禍, 戦災.

da·ma·ges /dǽmidʒiz/

名複 損害賠償. ►damage「損害」の複数形.

compénsatory dámages 塡補(てんぽ)賠償.
exémplary dámages =punitive damages.
nóminal dámages 名目的損害賠償.
púnitive dámages 懲罰的損害賠償.

dame /déim/

名 《英》デイム. **1** knight に相当する大英帝国勲位(Order of the British Empire)を得た婦人に対する公式の尊称. **2** knight または baronet の夫人に対する正式の尊称(►男子の Sir に対する).

chárity dàme 軍人などの相手をする女性, 慰安婦.
fráme-dàme 《米俗》頭の弱いセクシーな女の子.
gránde dáme 身分の高い婦人; 気品のある婦人.
pántomime dàme 英国のクリスマスのお伽(とぎ)芝居に出てくるこっけいな女形.
schóol·dàme 《英》dame school の経営者.
stép·dàme 《古》継母, 養母.

damn /dǽm/

動他 呪う; 強く非難する. ━━間 くそっ.

díddly-dàmn 《米俗》くだらない問題.
dóuble-dámn 《米俗》damn の強意語.
gód-dámn 間 《主に米・カナダ話》いまいましい.
hót dámn フランクフルトソーセージ.
tínker's dámn 《俗》無価値な [くだらない] もの.

D

damp /dǽmp/

名 **1** 湿気. **2** (炭坑内の)有毒ガス.

áfter-dàmp 〖採鉱〗後ガス.
bláck-dàmp 〖採鉱〗=chokedamp.
chóke-dàmp 〖採鉱〗窒息性ガス.
déath dàmp 死汗: 死に際にかく冷や汗.
fíre-dàmp 〖採鉱〗坑気, 可燃性ガス.
rísing dámp (壁などに染み込む)上昇水分.
whíte dámp 〖採鉱〗炭鉱内有毒ガス.

dance /dǽns, dáːns | dáːns/

動自 踊る, 舞う, ダンスをする. ━━名 舞踊, ダンス.

áir dànce 《英俗》首つり, 絞首刑.
apáche dànce アパッシュダンス: パリのやくざ連中が始めた乱暴な踊り.
bállroom dànce 社交ダンス.
bárn dànce バーンダンス: 米国で起こった社交ダンスの一種.
bée dànce 〖昆虫〗ハチのダンス.
bélly dànce ベリーダンス: トルコ風の女性舞踊.
bélly-dànce 動自 ベリーダンスを踊る.
brèak-dánce 動自 ブレークダンスをする.
bréak dànce ブレークダンス.
búbble dànce バブルダンス: ヌードダンスの一種.
búck dànce clog dance から来たテンポの速いタップダンス.
cárpet dànce 略式ダンス.
clóg dànce クロッグダンス: 木靴などで踊る軽快なダンス.
cóntra-dànce コントルダンス: カドリールの変形で踊り手が互いに向い合って踊る.
córn dànce 《米》アメリカインディアンの儀式的踊り.
cóuntry dànce カントリーダンス, コントルダンス.
cóurt dànce 宮廷舞踊.
dínner dànce ディナーダンス: 食後にダンスをする正式の晩餐(ばん)会.
égg dànce エッグダンス: 卵をたくさん散らした中を, 目隠しをして踊る英国の昔のダンス.
excúse-mè dànce 《英・古風》誰とでも踊れるダンス.
fán dànce ファンダンス: ヌードダンスの一種.
fólk dànce 民俗舞踊; フォークダンス.
formátion dànce フォーメーションダンス: 2 人 1 組の男女のグループが全体で一定の形を作る踊り.
Fúrry Dànce ファリーダンス: イングランド Cornwall 州で行われる踊り.
ghóst dànce ゴーストダンス: 北米インディアンが死者との交流のために行った宗教的舞踊.
gréen còrn dànce =corn dance.
hát dànce 帽子踊り: メキシコの民族舞踊.
íce dànce アイスダンス.
líon dànce 獅子(し)舞い.
médicine dànce メディシンダンス: 北米インディアンが行う儀礼的ダンス.
Méxican hát dànce メキシコの帽子踊り.
módern dànce モダンダンス.
mórris dànce モリスダンス: 英国北部起源の民族舞踊.
òut-dánce 動他 〈人より〉ダンスが上手である.
pówer dànce 《米黒人俗》暴動や略奪による抵抗.
precísion dànce ラインダンス.
ráin dànce 雨ごいの踊り.
ríng dànce =round dance.
róund dànce 円舞.
Sàint Vítus's dánce =St. Vitus's dance.
shádow dànce シャドー・ダンス: 踊り手の影だけをスクリーンに映して見せるダンス.
skírt dànce スカートダンス: 長いスカートを流麗にさばいて踊る 19 世紀のダンス.
slám dànce スラムダンス: パンクロックに合わせてカップル同士激しくぶつかるダンス.
snáke dànce スネークダンス, 蛇踊り.
snáke-dànce 動自 スネークダンス [蛇踊り] をする.
sóng and dánce 《話》《米・カナダ》言い訳.
spót dànce スポットダンス: 音楽が終わったときにスポットライトに照らされたカップルが入賞するダンスの会.
squáre dànce スクエアダンス.
squáre-dànce 動自 スクエアダンスをする [に加わる].
stép-dànce ステップダンス(タップダンスなど).
St. Vítus's dánce 〖病理〗小舞踊病(chorea).
sún dànce サンダンス: 北米インディアンが行う太陽と結びついた宗教儀式.
swórd dànce (スコットランドの伝統的な)剣舞.
symphónic dànce シンフォニックダンス: 舞曲のリズムとスタイル.
táp dànce タップダンス.
táp-dànce 動自 タップダンスを踊る.
téa dànce お茶の時間に踊るダンス.
tóe dànce 〖バレエ〗トーダンス.
tóe-dànce 動自 トーダンスを踊る.
wággle dànce 〖昆虫〗尻振り, (8 の字)ダンス.
wár dànce 戦いの踊り.

danc·er /dǽnsər, dáːns- | dáːnsə/

名 ダンスをする人, 踊る人. ⇨ -ER[1].

bállet dàncer バレエダンサー.
bélly dàncer ベリーダンスをする人.
bréak dàncer ブレークダンスをする人.
búbble-dàncer 風船ダンスのダンサー.
dólly dàncer 《米軍俗》(特に, 将校の機嫌を取って)楽な任務に就けてもらう兵士.
exótic dàncer ストリッパー; ベリーダンサー.
gándy dàncer 保線区員.
gó-go dàncer (ソロを踊る)ゴーゴーの踊り手.
gráve-dàncer 《米話》他人の不幸で得をする人.
níght dàncer (ウガンダで)死霊の力を用いて他人を滅ぼすと信じられている人.
rópe-dàncer 綱渡り芸人.
táp-dàncer タップダンスをする人.
táxi dàncer 《米》タクシーダンサー: ダンスホールなどで一踊りごとまたは時間ぎめの料金で客と踊る女性.
wíre-dàncer (針金の上で演技する)綱渡り芸人.

danc·ing /dǽnsiŋ/

名 ダンス. ⇨ -ING[1].

aeróbic dàncing エアロビク(ス)ダンス.
bállroom dàncing (舞踏場などでの)社交ダンス.
bódy dàncing =touch dancing.
bréak dàncing ブレーク・ダンシング.
búbble dàncing 風船ダンス.
chéek-to-chéek dàncing チークダンス.
chícken-dàncing チキンダンス.
cóuch dàncing カウチダンス.
dírty dàncing ダーティーダンス.

horizóntal dáncing 《俗》性交.
íce dàncing アイスダンス, アイスダンシング.
láp dàncing テーブル上のヌードダンサーがチップを出した客のひざに座る踊り.
precísion dàncing ラインダンス.
róbot dàncing ロボットダンス.
sócial dáncing 社交ダンス.
stréet dàncing (祭りなどでの)路上 [野外] ダンス.
táble dàncing (ナイトクラブでのヌードダンサーの)テーブル上の踊り.
tóuch dàncing タッチダンス.

dark /dɑ́ːrk/

形 暗い, 闇(やみ)の. ── 名 闇; 夜, 夕暮れ.

áfter-dárk 形 暗くなった後の, 夜の, 夕方の.
dúsk dárk 《米南部》夕暮れ.
fírst dárk 《米南部》(夕暮れから日没まで, 時に夜明けから日の出までの)薄明.
pítch-dárk 形 ピッチのように黒い, 漆黒の.

dart·er /dɑ́ːrtər/

名 **1** 突進する人 [もの]. **2** 矢魚. ⇨ -ER[1].

blúe dárter 《米野球俗》低い強烈なライナー.
fántail dárter 扇尾(おうぎお)矢魚.
ráinbow dàrter スズキの類の淡水魚の一種.
snáil dárter パーチ科の淡水魚の一種.

dash /dǽʃ/

動他 …を(…に)たたきつける; 粉砕する. ── 自 突進する, 急行する. ── 名 **1** ダッシュ(線記号); (モールス信号の)長点. **2** (モルタルなどの)仕上げ塗り.

áir·dàsh 動自 飛行機で駆けつける.
be·dásh 動他 (…を)一面にぶっかける.
dót-and-dásh 形 【電信】モールス式符号の.
ém dàsh 【印刷】全角ダッシュ.
én dàsh 【印刷】二分ダッシュ.
jím dàsh 【印刷】(全角の 3 倍の)長いダッシュ.
mút dàsh 【印刷】＝em dash.
nút dàsh 【印刷】＝en dash.
pébble dàsh 【建築】小石打ちつけ塗り.
róck dàsh 【建築】小石打ち込み仕上げ.
sláp·dàsh 副 ぞんざいに, 慌てていい加減に.
spátter dàsh 《米》【土木】掃きつけ仕上げ.
spátter·dàsh (乗馬用)スパッツ.
splátter·dàsh 大騒ぎ, ガヤガヤ.
swúng dàsh 波形記号, 波形ダッシュ(～).

da·ta /déitə, dǽtə, dɑ́ːtə | déitə, dɑ́ːtə/

名複 データ, (基礎)資料. ⇨ -A[1].

bío·dàta 名 経歴(書).
Contról Dáta 米国のコンピュータ会社.
fíring dàta 【軍事】射撃諸元.
víew·dàta 名 ビューデータ; ビデオテックスの情報サービス.

date[1] /déit/

名 **1** (特定の)日, 時点, 期日, 日取り, (一般に)日, 月日. **2** 《話》会合の約束; デート.

áge-dàte 動他自 【考古】【地学】年代を [が] 科学的手段で決定する [される].
áir·dàte 名 【ラジオ】【テレビ】放送(予定)日.
án·te·dàte 動他 (時間的に)…に先行する.
báck·dàte 動他 〈文書・手紙などを〉(実際より)前の日付にする.
blínd dáte 《話》ブラインドデート: 第三者の引き合わせによる面識のない男女のデート.
cárbon dàte 放射年炭素代測定法.
cárbon-dàte 動他 (放射性炭素測定法で)年代を測定する.
chéap dàte 《米俗》すぐに酔ってしまう人.
dóuble dáte 《米話》ダブルデート.
dóuble-dáte 動他自 《米話》ダブルデートをする.
dówn-to-dáte 形 ＝up-to-date.
dúe dàte (手形や証券などの)満期日.
expirátion dàte 保証 [使用, 賞味] 期限.
fore·dáte 動他 〈手形・証券などを〉(実際の作成日よりも)前の日付にする.
fréshness dàte 賞味期間, 鮮度保証期限.
héavy dáte 《米俗》特別な意味を持つか, セックス目的のデート(の相手).
ín·ter·dáte 動他自 《米》(他宗派・他人種の人と)デートする.
mis·dáte 動他 〈手紙などの〉日付を誤る.
ópen-dàte 名 (包装食品の)製造年月日; 賞味期限.
órder cancellátion dàte 【商業】注文取り消し期日.
out·dáte 動他 古臭くする, 時代遅れなものにする.
óut-of-dáte 形 時代 [流行] 遅れの, 旧式な, 廃れた.
ó·ver·dàte 名 【貨幣】翌年もの.
páck dàte パックデート: 加工 [包装] の日付.
pláy·dàte (映画などの)日時指定の上演.
pòst·dáte 動他 日付を実際よりも遅らせる; 〈小切手・文書などを〉先日付にする.
prè·dáte 動他 …を(実際より)前の日付にする.
próm dàte 学校の舞踏会のパートナー.
púb dàte 《話》＝publication date.
publicátion dàte 書籍の発行(予定)日.
púll dàte 回収期限.
ráin dàte 雨天順延の振替日.
reléase dàte 【ジャーナリズム】公表日時.
séll-by dàte 賞味期限.
séll dàte ＝pull date.
shórt dàte 【商業】(手形などの)短期.
tárget dàte 目標期日 [日時].
ùp·dáte 動他 改訂する, 最新のものにする. ── 名 改訂; 最新情報; 最新版.
úp-to-dáte 形 当世風な, 現代風の.
úse-bỳ dàte 品質保持 [賞味] 期限.
válue dàte 【銀行】発効日時, 手形決済日.

date[2] /déit/

名 ナツメヤシの実, デーツ.

Chínese dáte ナツメ.
Jerúsalem dàte マメ科ハカマカズラ属の低木.
wíld dàte サトウナツメヤシ, トラノオヤシ.

dat·ed /déitid/

形 **1** 日付のある. **2** 時代遅れの, 旧式の. **3** 〈証券が〉償還期日付きの. ⇨ -D[2].

lóng-dáted 形 〈手形などが〉長期の.
médium-dáted 形 《英》〈金縁証券が〉中期の.
òut·dáted 形 時代遅れの, 旧式の, 陳腐な.
shórt-dáted 形 〈手形などが〉短期の.
ùn·dáted 形 日付のない; 期限を定めていない.

dat·ing /déitiŋ/

名 **1** 日付けの記入. **2** (考古学・地質学などで)年代決定. **3** デートすること. ⇨ -ING[1].

amíno-ácid dàting 【考古】アミノ酸年代測定法.
àrchaeomágnetism dàting 【考古】考古地磁気年代測定法.
àrcheomágnetism dàting ＝archaeomagnetism dating.

D

cárbon dàting	=radiocarbon dating.
cárbon-14 dàting	=radiocarbon dating.
códe dàting	日付コード刻印.
compúter dàting	コンピュータによる交際の仲介.
cróss dáting	【考古】比較年代測定, 相互編年.
físsion-tràck dáting	【地質】核分裂年代測定法.
flúorine dàting	フッ素法: 化石骨の年代判定法の一種.
íodine-xénon dàting	【地質】ヨウ素－キセノン年代測定法.
potássium-árgon dàting	【地質】カリウムアルゴン法.
radioáctive dáting	=radiometric dating.
radiocárbon dàting	【地質】放射性炭素年代測定法.
radiométric dáting	【地質】放射性年代決定(法).
rubídium-stróntium dàting	【地質】ルビジウム=ストロンチウム年代測定法.
stróntium-rubídium dàting	=rubidium-strontium dating.
thermoluminéscence dàting	【考古学】【地質】熱ルミネッセンス年代測定法.
T́Ĺ dàting	=thermoluminescence dating.
uránium dàting	ウラニウム年代測定法.

daugh·ter /dɔ́ːtər/

名 娘; 義理の娘; 養女; まま娘.

fóster dáughter	(女の)里子.
gód·dàughter	洗礼を受けた娘, 名づけ娘.
gránd·dàughter	孫娘.
scávenger's dáughter	スカベンジャーの娘: 拷問器具の一種.
stép·dàughter	まま娘, 連れ子.

day /déi/

名 (日の出から日没までの)日中, 昼(間); 昼の光.

Áble Dày	Bikini 環礁で初の原爆実験が行われた日.
Accóunt Dày	(ロンドン証券取引所の)決済日, 株式受渡日.
Á-dày	=Able Day.
Admíssion Dày	《米》州制施行記念日.
alácka·dày 間	《古》(悲嘆·残念·落胆を表して)ああ, 悲しいかな, 残念だ.
Aláska Dày	アラスカ譲渡記念日.
áll-dáy 形	全日の, 終日の, まる一日かかる.
Áll Fóols' Dày	=April Fools' Day.
Áll Sáints' Dày	諸聖人の祝日, 万聖節(Allhallows).
Áll Sóuls' Dày	【教会】万霊祭.
Annivérsary Dày	《豪》=Australia Day.
Ánzac Dày	アンザックデー(4 月 25 日): Anzac によるトルコ Gallipoli 半島上陸を記念する日.
Ápril Fóols' Dày	エイプリル・フール, 万愚節(All Fools' Day)(4 月 1 日).
Árbor Dày	植樹祭, 植樹の日.
Ármed Fórces Dày	《米》三軍統合記念日.
Ármistice Dày	(もと第一次世界大戦の)休戦記念日(11 月 11 日)(►後に米国は 1954 年に Veterans' Day, 英国は 1946 年に Remembrance Sunday と改称).
Ascénsion Dày	【キリスト教】(キリストの)昇天日.
astronómical dáy	天文(暦)日(じつ), 天文時.
Austrália Dày	オーストラリア建国記念日.
awáy dày	遠足, 旅行.
bád hàir dày	《話》(髪型が気に入らなくて)家にいたい日; いやな日.
Báker dày	《英話》ベーカーデー: 現職教師のための年 5 日間のカリキュラム研修日.
bányan dày	(船員が肉を食さない)精進日.
Bárnaby Dày	聖バルナバ祭.
Bastílle Dày	フランス革命記念日, 《俗に》パリ祭(7 月 14 日).
Báttle of Brítain Dày	ブリテンの戦闘記念日.
befóre-dày	《米南部》日の出前.
bíg dáy	《米》(刑務所の)面会日.
bírth·dày	☞
bláck-lètter dáy	不幸な日, 厄日, 凶日.
Bóxing Dày	(英国·オーストラリア·ニュージーランド·南アフリカで)クリスマスの贈り物[心付け]の日(12 月 26 日; 日曜の場合はその翌日).
bútton dày	《豪》街頭募金日.
cálendar dáy	暦日.
cáll-dày	《英》【法律】(法学院の学生に)法廷弁護士(barrister)免許状が授与される日.
Cánada Dày	《カナダ》1867年7月1日のカナダ連邦成立を記念する法定休日(7 月 1 日).
Chíldren's Dày	子供の日.
cívil dáy	【天文】常用日, 暦日(day).
cláss dày	《米》卒業祝賀会.
Colúmbus Dày	コロンブスデー, コロンブス米大陸到達記念日(10 月 12 日).
commíssion dày	《英》(国王の裁判官任命書が読み上げられる)巡回裁判開廷日.
Cómmonwealth Dày	英連邦記念日.
Conféderate Memórial Dày	南軍戦没者記念日.
contángo dày	(ロンドン株式取引所で)繰り延べ決算日.
continuátion dày	=contango day.
cóurt dày	公判日, 開廷日.
dáy-by-dáy 形	日ごとの, 毎日毎日の.
dáy-to-dáy 形	毎日起こる, 日々の.
D́-dày	【軍事】作戦行動開始予定日.
déath·dày	死亡日, 祥月命日.
Decorátion Dày	=Memorial Day.
degrée dày	(大学における)学位授与日, 卒業式.
degrée-dày	【建築】【気象】度日(どにち).
Discóvery Dày	《米》=Columbus Day.
dóllar dày	1 ドルセールの特売日; 特売日.
dómes·dày	《古》=doomsday.
Domínion Dày	Canada Day の旧称.
dóoms·dày	(この世の終わりの)最後の審判の日.
Dóuble·dày	ダブルデー(姓); 米国の出版社.
éagle dày	《米軍俗》給料日.
Éarth Dày	地球デー(4 月 22 日).
éarth·dày	【天文】地球日.
Éaster dáy	復活祭の日(Easter).
É-Dày	(英国の)EC 参加記念日(1973年1月1日).
Eléction Dày	(米国の)国民選挙日.
Émpire Dày	(カナダで)全英祝日(Victoria Day)の前の最終登校日.
ènd-of-the-dáy 形	(種々の色ガラスを混ぜ合わせた)装飾ガラスの(《米》splashed).
évery·dày 形	毎日の, 日々の.
fást dày	断食日, 斎日.
Fáther's Dày	父の日.
féast dày	(特に教会の)祝日.
féte dày	祭日, 祝日, 祝祭日; 聖名祝日.
fíeld dày	野外運動の日, (学校の)運動会.
Fífth dày	(クエーカー教徒の間で)木曜日.
fírst dày	(クエーカー教徒の間で)日曜日.
físh dày	【キリスト教】斎日, 精進日.
Flág Dày	《米》国旗制定記念日; 6 月 14 日.
flág dày	《英》旗の日.
Fórefathers' Dày	(米国で)ピルグリム·ファーザーズ[清教徒]上陸記念日.
Foundátion Dày	Australia Day の旧称.
fóurth dày	水曜日. ►クエーカー教徒の用いる言葉.
Fréedom Dày	《米》国民自由の日(2 月 1 日).

Fri·day 名 ☞
gétaway dày 《米競馬俗》シーズン最終日.
gid·dáy 間 《豪・NZ 話》=good day.
gòod dáy 間 《日中のあいさつとして》こんにちは;さようなら.
Gréat Dáy 最後の審判日.
Gróundhog Dày 《米・カナダ》聖燭(せいしょく)節の日;米国の大部分の州では2月2日(2月14日の州もある).►この日に穴から出た groundhog が自分の影を見ると冬がまだ6週間続くとされる.
Gúy Fáwkes Dày 《英》火薬陰謀事件の首謀者の一人 Guy Fawkes(1570–1606)の逮捕を祝う記念日(11月5日).
hàlf-dáy 半(日)休日(half-holiday).
héy·dày (若さ・元気などの)盛り,全盛期.
hígh dày 教会の祝祭日,聖日;祭日.
Hígh Hóly Dày 〘ユダヤ教〙大祭日.
hób·day 動他〈馬の呼吸障害を〉治療する.
Hóli·dày 名 ホリデー(姓).
hóli·dày 名 ☞
Hólli·dày 名 ホリデー(姓).►西部劇の Doc Holliday は歯科医.
Hólocaust Dày (イスラエルの)大虐殺記念日(Nisan の月の27日[4月19日か20日]).
Hóly Cróss Dày (ローマカトリックで)聖十字架称賛の日(9月14日);(ギリシャ正教で)十字架挙栄祭(旧暦9月14日);(聖公会で)聖十字架頌栄(しょうえい)日(9月14日).
hóly dày (特に日曜日以外の)聖日,(宗教上の)祝祭日.►holiday の語源.
Hóly Ínnocents' Dày 無辜聖嬰児(むこせいえいじ)の記念日,幼子の日.
Hóly-Róod Dày 〘宗教〙聖十字架発見の記念日.
Inaugurátion Dày 《米》大統領就任式の日.
Indepéndence Dày (米国の)独立記念日.
Ínnocents' Dày =Holy Innocents' Day.
ín·tra·dày 形 1日のうちに起こる.
Jáckson Dày ジャクソン勝利記念日(1月8日).
Jéfferson Dày トーマス・ジェファーソン誕生記念日.
Júdgment Dày 最後の審判(the Last Judgment)の日,裁きの日(doomsday).
Júlian Dày 〘天文〙ユリウス通日(つうじつ).
Lábor Dày (米国で)労働祝日[祭],労働の日.
Lábour Dày 《英》労働祝日[祭],労働の日.
lack·a·day 間 《古》《後悔・悲しみ・落胆・不賛成などを表して》ああなんということだ.►a lack the day から.
Ládies' Dày 婦人優待日.
Lády Dày (マリアへの)お告げの祝日(3月25日)(annuciation).
Lást Dáy =Judgment Day.
láter-dáy 形 =latter-day.
látter dáy =Last Day.
látter-dáy 形 後の,後期の.
láw dày 《廃》法廷が開廷する日.
léap dày (グレゴリオ暦で)閏(うるう)日(2月29日).
Liberátion Dày 《英》チャネル諸島解放日(5月9日).
líght-dày 〘天文〙光日.
lóng-dáy 形 〘植物〙長日性の.
Lórd's dày 主日(しゅじつ),日曜日.
lúnar dáy 太陰日.
mán-dày 人日(にんにち):1人1日の仕事量.
márket dày 市日(いちび),市の立つ日.
Mártin Lúther Kíng Dày 《米》キング牧師の誕生日(1月15日).
Mátch Dày 《米》マッチデー:医学部最上級生が,病院から研修医として受け入れる旨の文書を受け取る日.
Máy Dày 五月祭.
Máy·dày メーデー:船舶,航空機が発する救難信号.
Ḿ-dày 〘軍事〙動員日,動員開始日(mobilization day).
Memórial Dày 《米》戦没将兵追悼記念日;現在は5月の最終月曜日;公休日.
míd·dày 名 正午,真昼.
Mídsummer Dày 《主に英》洗礼者ヨハネ(St.John the Baptist)の祝日.
Món·day 名 ☞
Móther's Dày 《米》母の日.
múck-up dày 《豪話》学年最後の日.
Múster Dày 〘米史〙入隊記念日.
náme dày 聖名[霊名]祝日.
nátural dáy 自然日:日の出から日没まで.
náutical dáy 航海日.
Né'er·day 《スコット》=New Year's Day.
Néw Yèar's Dáy 1月1日,元日.
nóon·dày 形 真昼の,正午の.
nów·a·dày 形 今日[当節,現今]の.
Óak-àpple Dày (英国)王政回復[復古]記念日.
óff dày 非番[休み]の日;調子の出ない日.
ópen dày (学校・施設などなどの)一般公開日.
Órange Dáy =Orangemen's Day.
Órangemen's Dày オレンジメンズ・デー(7月12日):北アイルランドや北アイルランド出身者の多い地域で行われるプロテスタントの祝祭日.
Pàn Américan Dáy 米州連合記念日.
Páncake Dày 〘キリスト教〙懺悔火曜日.
pátient-dáy 患者日.
Pátriots' Dày 《米》愛国記念日.
páy·dày 給料[俸給]日,支払日.
pérson-dày 人(にん)日:1人の人が1日の労働日になす理想的仕事量に基づいて設定された,特に会計上の単位.
pét dày 《スコット・アイル》悪天候続きの中の一日だけ晴れた日.
Pioneér Dày 〘米史〙開拓者の日.
pláy·dày 娯楽日;(日曜日以外の)休(校)日.
póet's dày 《英俗》金曜日.
Póppy Dày 《英》ケシの日:特に第一次世界大戦の戦死者をしのんでヒナゲシの造花をつける.
présent-dáy 形 今日[現代]の.
Présidents' Dày 《米》大統領誕生日.
Prímrose Dày 《英》プリムローズデー(4月19日):B.Disraeli の命日.
príze dày 《英》学業成績優秀者の表彰日.
púnk dày 《米俗》(小児は入場無料の)お子様デー.
quárter dày =term day.
ráiny dáy 雨降りの日;苦境,万一の場合.
Reconciliátion Dày 和解の日(4月2日).
Remémbrance Dày (カナダで)戦没者追悼記念日.
Repúblic Dày 共和国建国記念日(インドでは1月26日).
rést dày 安息日(sabbath).
Rizál Dày リサール記念日(12月30日):フィリピンの法定休日.
sáiling dày (客船の)出航日,出帆日.
Sàint Géorge's Dày =St. George's Day.
Sàint Pátrick's Dày =St. Patrick's Day.
sáint's dày 聖人の祝日,聖人記念日.
Sàint Swíthin's Dày 聖スウィジンの日(7月15日).
Sàint Válentine's Dày =Valentine Day.
Sàn Jacínto Dày サン・ジャシント・デー(4月21日):米国 Texas 州の法定休日.
Sát·ur·day 名 土曜日.
schóol dày 授業日.
Sécond dày 月曜日.
séttlement dày 決算日,決済日,勘定日.
séttling dày 《英》(証券取引所の)決算[清算]日.
séventh-dáy 形 土曜日を安息日として守る.
shórt-dáy 形 〘植物〙短日性の.

shów dày 《豪》ショーデー: 各州ごとに年1回開催する農工業ショーのための祭日.
síck dày (有給扱いの)病気欠勤日.
sidéreal dày 〖天文〗恒星日.
Síxth dày (クエーカー教徒の間で)金曜日.
snów dày 大雪休日.
sólar dày 〖天文〗太陽日(じつ).
sóme·dày 副 いつか, そのうち, 他日.
spéech dày 《英》スピーチデー: 学校で年1度行われる受賞式で, 来賓の演説がある.
spórts dày (学校などの)運動会[体育祭]の日.
sprát dày 《英》スプラットデー: スプラットイワシ漁が始まる11月9日(ごろ).
St. Ándrew's Dày 聖アンドリューの日(11月30日): スコットランドの守護聖人 St.Andrew 祭が行われる日.
St. Críspin's Dày 聖クリスピヌスの祝日(10月25日): アジャンクールの戦いの記念日.
St. George's Dày 聖ジョージの日(4月23日): 英国の守護聖人 St.George を記念するイングランドの祝日.
St. Jóhn's Dày ＝Midsummer Day.
St. Páddy's Dày 《俗》＝St. Patrick's Day.
St. Pátrick's Dày 聖パトリックの日(3月17日): アイルランドの守護聖人 St.Patrick を記念したアイルランド人の祭り.
St. Pat's Day 《俗》＝St. Patrick's Day.
St. Swíthin's Dày ＝Saint Swithin's Day.
Sún Dày 太陽の日, サンデー.
Sún·day 名 ☞
supplý dày 《英》政府の(通常以外の)歳出案を下院にかける日.
tág dày ＝flag day.
Táx Dày 米国の所得税申告納税期限日.
térm dày 支払日, 勘定日, 満期日.
Téxas Índepéndence Dày 《米》テキサス(州)独立記念日.
Thanksgíving Dày 感謝祭.
Thírd Dáy 火曜日(Tuesday).
Thúrs·day 名 ☞
tícket dày 《英》〖証券〗受け渡し日.
tíme of dáy (時計が示す)時刻.
to·dáy 名 本日, 今日. ►もとは to-day.
tránsfer dày (イングランド銀行で, 公債などの)名義書き換え日.
Túes·day 名 ☞
Twélfth Dáy エピファニー, (プロテスタントで)公現日, 顕現日, (カトリックで)御公現の祝日(epiphany).
twó-a-dáy 名 1日2回上演の(ボードビル)ショー.
Únion Dày (南アフリカ共和国の)建国記念日.
Uníted Nátions Dày 国連の日.
úp·dày 名 よい日, 上向きの日.
Válentine Dày バレンタインデー(2月14日).
várnishing dày 絵画展の開催前日.
V́-Dày 戦勝記念日.
V́-É Dày ヨーロッパ戦勝記念日.
Véterans' Dày 《米》復員軍人の日.
Victória Dày ビクトリア・デー: カナダの国定休日.
vísiting dày 面会日, 接客日.
V́-J́ Dày (第二次世界大戦の連合軍の)対日戦勝記念日(1945年8月15日または降伏調印日の1945年9月2日).
Waitángi Dày ワイタンギディー(2月6日): ニュージーランドの祝日.
wásh·dày (家庭の毎週決まった)洗濯日.
wáshing dày 《英》＝washday.
wédding dày 結婚式の日.
Wédnes·day 名 ☞
wéek·dày 平日, 週日, ウイークデー.
wóman-dày (女性の)人日(にんにち), 人工(にんく).
wórk·a·dày 形 仕事日の, 平日の.
wórk·dày 《米》＝working day.
wórking dày 労働日.
wórking-dày 形 仕事日の, 出勤日の; 平日の.
X́-dáy (衛星・宇宙船などの)打ち上げ日.
yés·ter·dày 副 きのう, 昨日. ── 形 きのうの.

days /déiz/

名複 day「日」の複数形.

Austrálian dáys 《英鉄道俗》夜勤.
dóg dàys (夏の)猛暑の時期, 盛夏の候.
Émber dàys (カトリックで)四季の斎日, (英国国教会で)聖職按手(あんしゅ)節.
hálcyon dáys 冬至前後の天候の穏やかな2週間.
Húndred Dáys (ナポレオンの)百日天下.
jurídical dàys (裁判所の)開廷日, 裁判日.
láy dàys 〖商業〗積込み積卸し期間, 船積み陸揚げ期間.
óral dáys 《米競馬俗》(賭率表示器が使われる前の)口頭で賭けをしていた時代.
Rogátion Dàys 祈願節.
sálad dàys 経験の浅い青年時代, 青二才の時代. ►Shakespeare から.
thóusand dáys 〖米行政〗千日政権.

daz·zle /dǽzl/

動他 〈強烈な光が〉…の目をくらませる. ⇨ -LE[1].

a·daz·zle 形 目もくらむばかりにきらめいて.
an·ti·daz·zle 形 〖自動車〗ぎらつき防止の.
be·daz·zle 動他 強烈に印象づける, 魅する.
raz·zle-daz·zle 《話》(技法・効果などの)華やかさ.

dea·con /díːkən/

名 (ローマカトリックで)助祭, (ギリシャ正教で)輔祭(ほさい), (監督教会で)執事.

arch·dea·con 名 (ローマカトリックで)助祭長.
hi·er·o·dea·con 名 〖東方教会〗修道輔祭.
láy déacon 平信徒の執事[助祭].
pro·to·dea·con 名 〖ギリシャ正教〗長輔祭.
sub·dea·con 名 (カトリックで)副助祭.

dead /déd/

形 **1** 死んだ. **2** 疲れきった.

bráin-dèad 形 脳死の.
dróp-dèad 形 目を見張らせる, はっとさせる.
hálf-déad 形 《英話》ひどく疲れた.
stóne-déad 形 完全に死んだ.

deaf /déf/

形 耳が遠い, 耳が不自由な.

prè-língually déaf 形 言語習得前に耳が聞こえなくなった.
stóne-déaf 形 《時に侮蔑的》全く耳の聞こえない.
tóne-dèaf 形 音痴の.

deal /díːl/

動自 **1**〈人が〉(…に)従事する; 取り組む; (…を)論じる, 扱う. **2**〖トランプ〗カードを配る. ── 名 **1** 商取引. **2** 《話》分量. **3**〖トランプ〗ディール.

bíg déal 《俗》重要人物; 重大事件; 大したことないこと.
cléan déal (下取りのない)新品販売.
dóuble-déal 動自 だます.
Fair Déal フェアディール政策.
fíve-bòb déal 《英俗》少量の麻薬.
gòod déal 多数, 多量(の…).
mis·déal 動他自 (特にトランプ札を)配り違える.

Néw Déal 〔米史〕ニューディール.
páckage dèal 抱き合わせ契約, セット販売.
róugh déal 厳しい扱い, 不公平な扱い.
síde dèal (私的交渉による)裏取引.
sóme·dèal 副 《古》いくらか, いくぶん, 少々.
squáre déal 公平な処置, 公正な取引.
stícky déal (証券引受業者が)市場消化が困難と考えられる新規証券発行.
swéetheart dèal (労働契約の)スイートハート協約.

deal·er /díːlər/

名 (…の)取扱業者; 商人, 貿易業者, (特に)卸業者; …商; 代理人. ⇨ -ER[1].

dígits dèaler 《米俗》数字賭博(とばく)師.
géneral déaler 《英》雑貨商.
hóuse dèaler 《米俗》(麻薬の)自宅密売人.
interbróker dèaler 〔証券〕仲介専門業者.
júice dèaler 《米暗黒街俗》(非合法の)高利貸し.
júnk dèaler 廃品回収業者(junkman).
még·a·dèal·er 名 メガディーラー: 自動車販売業者の集合販売組織.
néws·dèaler 《米》新聞[雑誌]販売業者.
wárdrobe dèaler 古着商.
whéeler-déaler 《話》策略家, 策士; やり手.

deal·ing /díːliŋ/

名 (…との)(仕事上の)関係, 取引. ━━形 分け与える; 与える. ⇨ -ING[1], -ING[2].

déath-dèaling 形 致死の, 致命的な.
dóuble-déaling 名 裏表のある言行; 不誠実; 詐欺.
insíder dèaling インサイダー取引.
pláin déaling 率直な[正直な, 公明正大な]取引.
sélf-déaling 名 私的金融取引, セルフディーリング.

death /déθ/

名 死ぬこと, 死; 死にざま; (植物が)枯れること; 死刑. ⇨ -TH[1].

Bláck Déath 〔病理〕黒死病, ペスト.
bráin dèath 〔医学〕脳死.
cerébral déath =brain death.
cívil déath 〔法律〕民事死.
clínical déath 〔医学〕臨床死.
cót dèath 《主に英》=crib death.
críb dèath 〔病理〕乳児突然死症侯群.
Dóctor Déath 「死のドクター」: 自殺装置を考案した米国の Jack Kevorkian 博士. ► Dr.Death とも綴る.
dóg's dèath 惨めな死に方.
dówry dèath (インドで)持参金殺人.
Gréat Déath 《the ～》黒死病.
héat dèath 〔物理〕熱的死.
lánguage dèath 〔言語〕言語死滅.
lífe-and-déath 形 生きるか死ぬかの.
lífe-or-déath 形 =life-and-death.
líttle déath (眠って)意識が薄らぐこと.
líving déath 悲惨な生活[状況], 生き地獄.
méga·dèath 名 メガデス, 100 万人の死者.
nátural déath 自然死.
sécond déath 〔キリスト教〕第二の死, 永遠の死.
somátic déath 〔医学〕身体死.
spíritual déath 精神的死.
submíssive déath 屈服死, 絶望死, 覚悟死.
súdden déath 〔スポーツ〕サドンデス.
whíte déath 《米話》ヘロイン.
wróngful déath 〔法律〕不法死亡.

debt /dét/

名 借金, 負債; 借金状態, 債務.

bád débt 貸倒れ(金), 不良貸付.
bóok dèbt (帳簿上の)借り勘定, 買掛金.
déad-wèight débt 《英》死重的公債, 非生産的公債.
Éuro-dèbt 名 ユーロ債務.
fúnded débt 長期負債.
júdgment dèbt 〔法律〕判決債務.
nátional débt 国家負債, 国債.
óxygen dèbt 〔生理〕酸素負債.
pláy dèbt 《古》博打(ばく)の借金.
públic débt =national debt.
wár dèbt 戦債.

decanoic acid /dèkənóuikǽsid/

名 〔化学〕デカン酸. ⇨ ACID.

hèptadecanóic ácid ヘプタデカン酸.
hexadecanóic ácid パルミチン酸(palmitic acid).
octadecanóic ácid ステアリン酸(stearic acid).
tetradecanóic ácid テトラデカン酸.

de·cay /dikéi/

名 衰退; 腐敗; 〔物理〕崩壊.

álpha decày 〔物理〕アルファ崩壊[壊変].
béta decày 〔物理〕ベータ崩壊.
bít decày 《米ハッカー俗》ビット崩壊現象.
gámma decày 〔物理〕ガンマ崩壊.
próton decáy 〔物理〕陽子崩壊.
radioáctive decáy 〔物理〕(放射性)崩壊, 原子核崩壊(decay).
tóoth decày 虫歯, 齲蝕(うしょく).

dec·i·mal /désəməl/

形 **1** 小数の. **2** 10 進法の. ━━名 小数(decimal fraction); 10 進法数. ⇨ -AL[1].

círculating décimal =repeating decimal.
dù·o·déc·i·mal 形 12 分の 1 の; 12 の.
fínite décimal =terminating decimal.
hèx·a·déc·i·mal 形 〔コンピュータ〕〔数学〕16 進法の.
ínfinite décimal 〔数学〕無限小数.
nònrepéating décimal 〔数学〕非循環小数.
periódic décimal =repeating decimal.
prè·déc·i·mal 形 《英》十進法導入以前の.
repéating décimal 〔数学〕循環小数.
sèx·i·déc·i·mal 形 〔コンピュータ〕=hexadecimal.
términating décimal 〔数学〕有限小数.
un·déc·i·mal 形 十一進法の, 11 に基づく.

de·ci·sion /disíʒən/

名 解決, 決定; 裁決; 決心. ► decide の名詞形. ⇨ -SION.

ìn·de·cí·sion 名 不決断, 優柔不断, 躊躇(ちゅうちょ).
nòntréatment decision 治療拒否.
splít decísion 〔ボクシング〕スプリット・デシジョン.

deck /dék/

名 〔海事〕デッキ, 甲板.

af·ter·deck 名 〔海事〕後甲板.
ánchor dèck 〔海事〕揚錨(ようびょう)甲板.
áwning dèck 〔海事〕覆甲板.
be·déck 動他 《文語》(…で)飾りたてる.
bet·ween-deck 名 〔海事〕='tween deck.
bóat dèck 〔海事〕ボート甲板.
brídge dèck 〔海事〕船橋(楼)甲板.

búlkhead dèck 【海事】隔壁甲板.
cábin dèck 【海事】客室甲板.
cassétte dèck カセットデッキ.
cóld déck 《俗》【トランプ】順序を前もって整え, こっそりとすり替えるいかさま用の札.
cóld-dèck 動他 だます, 欺く(cheat).
cútter dèck 動力草刈機の刃の覆いの部分.
dóuble-déck 形 二階建ての, 二層(式)の.
flíght dèck 【海軍】飛行甲板.
flýing dèck 【海軍】=flight deck.
fórecastle dèck 【海事】船首楼甲板.
fóre·dèck 名 【海事】前甲板.
fréeboard dèck 【海事】乾舷(かんげん)甲板.
gréen déck 《米俗》草原.
gún dèck (昔の軍艦で)砲列甲板.
hálf dèck 【海事】半甲板.
hé·li·dèck 名 【航空】ヘリコプターの発着デッキ.
húrricane dèck 【海事】ハリケーン甲板.
láid déck 【造船】湾曲木甲板.
lówer déck 【海事】下甲板.
máin déck 【海事】主甲板.
méss·dèck 名 《英》【海事】下甲板, 居住甲板.
mówer dèck =cutter deck.
pánic dèck 《米航空俗》パラシュート脱出用座席.
póop dèck 【海事】船尾楼甲板.
promenáde dèck 【海事】遊歩甲板.
quár·ter·dèck 名 【海事】後甲板.
réar déck 【自動車】リヤデッキ.
róof-dèck ルーフデッキ: 平屋根の一部を園芸などに使うようにしたもの.
salóon dèck 【海事】サルーンデッキ.
sháde dèck 【海事】日よけ甲板, 遮陽甲板.
shélter dèck 【海事】波よけ甲板.
spár dèck 【海事】上甲板.
stácked déck 【トランプ】(順番を細工した)札.
sún dèck 【海事】上甲板.
tápe dèck テープデッキ.
téxas dèck 【米海事】テキサスデッキ.
tónnage dèck 【海事】(トン数算定基準となる)測度甲板.
túrtle dèck 【海事】亀甲(きっこう)形甲板.
'twéen dèck 【海事】中甲板.
úpper déck 【海事】上甲板.
wéather dèck 【海事】露天甲板.
wét dèck 《米俗》次々に客をとる売春婦.

-deck·er /dékər/

連結形 …層の甲板を持つ(船), …階の(バス, 電車), …段(ベッド), …重(サンドイッチ), …巻ものの(小説).
◆ deck 甲板 +-ER[1].

dóuble-déck·er 名 二階のもの; 2階だてバス.
síngle-déck·er 名 単層船[艦], 単甲板船.
thrée-déck·er 名 三層甲板船.
tríple-déck·er 名 三層になっているもの.
twó-déck·er 名 =double-decker.

dec·la·ra·tion /dèkləréiʃən/

名 **1** 公表, 通知. **2** 宣言, 声明. ►declare の名詞形.
⇨ -ATION.

Bálfour Declarátion バルフォア宣言: ユダヤ人の母国建設を支持した 1917 年の英国の宣言.
cóun·ter·dec·la·rá·tion 名 反対声明, 反対宣言.
nòn·dec·la·rá·tion 名 未公開.
Pótsdam Declarátion ポツダム宣言.
pré·dec·la·rá·tion 名 事前通知; 公表に先んじること.
rè·dec·la·rá·tion 名 再発表, 再告知; 再び伝えること.
státutory declarátion 【英法】司法手続き外の誓約.

deed /díːd/

名 **1** 行為. **2**【法律】(特に不動産についての)捺印(なついん)証書, 証文.

álms·dèed 《古》慈善行為, 施し.
in·déed 副 本当に, 全く, 確かに, 実に.
mis·déed 名 悪事, 非行; 罪, 犯罪行為.
mórtgage dèed 担保証券.
quítclaim dèed 無担保譲渡証書.
táx dèed 公売証書.
títle dèed (不動産などの)権利証書, 権利書.
trúst dèed 信託証書.
wárranty dèed 権原担保捺印(なついん)証書.

deep /díːp/

形 **1** 深い. **2** 深さ[奥行・幅]が…の. ━━名【地理】海淵.

ánkle-déep 形 足首に届くほどの.
bréast-déep 副形 胸までの深さに[の].
Chállenger Déep チャレンジャー海淵(かいえん).
cóbalt víolet déep 濃紫色.
fóre·dèep 名 【地質】前縁海溝, 前陸盆地.
knée-déep 形 ひざに届くほどの.
líp-déep 形 口先だけの.
Mindanáo Déep ミンダナオ海淵(かいえん).
néck-déep 形副 首までの深さの[で].
skín-déep 形 皮一重の; 上っ面の, 皮相な.
wáist-déep 形副 腰の高さの[に].

deer /díər/

名【動物】シカ.

Andéan déer ゲマルジカ(huemul).
áxis dèer アキシスジカ.
bárking déer ホエジカ(muntjac).
bláck-tàiled déer オグロジカ.
fállow déer ダマジカ, ファロージカ.
hóg dèer =axis deer.
Jápanese déer ニホンジカ, シカ(鹿).
júmping dèer =mule deer.
Kéy déer キーオジロジカ.
kíll·dèer 【鳥類】フタオビチドリ.
mársh dèer アメリカヌマジカ.
móuse dèer マメジカ, ネズミジカ.
múle dèer ミュールジカ.
músk dèer ジャコウジカ.
Père David's dèer シフゾウ(四不像).
réd déer アカシカ.
réin·dèer トナカイ.
ríver dèer キバノロ: 角のない小形のシカ.
róe dèer ノロジカ.
spótted déer =axis deer.
swámp dèer インドヌマシカ.
túfted déer マエガミジカ.
Virgínia déer オジロジカ.
wáter dèer =river deer.
whíte-tàiled déer オジロジカ, バージニアジカ.

de·fect /díːfekt/

名 欠点, 短所, 弱点; 欠陥, 傷. ⇨ -FECT.

bírth defèct 【病理】先天性欠損(症).
congénital defèct 【病理】=birth defect.
crýstal dèfect 【結晶】欠陥.
láttice dèfect 【結晶】=crystal defect.
máss dèfect 【物理】質量欠損.
néural túbe dèfect 【病理】神経管欠損症.
póint dèfect 【結晶】点欠陥.
Schóttky dèfect 【結晶】ショットキー型欠陥.

spéech dèfect 〖病理〗言語障害.

de·fense /diféns/

名 防御, 守備; 守備力; 国防(力). ►《特に英》defence. ⇨ -FENSE.

áir defènse 防空.
altérnative defènse 代替防衛.
área dèfense 〖軍事〗広域防衛, 地域防衛.
cháracter defènse 防衛的性格.
cítizen defènse 市民防衛.
cívil defènse 民間防衛(活動), 民防.
coórdinated defènse 〖軍事〗調整防御.
égo-defènse 〖精神分析〗自我防衛.
láyered defènse 〖軍事〗層状[多層]防衛.
mán-for-mán defénse 〖スポーツ〗man-to-man defense.
mán-to-mán defénse 〖スポーツ〗マンツーマン・ディフェンス.
mílitary defènse 軍事防御.
nòn·de·fénse 形 非軍事[非防衛]用の.
nòn-núclear defènse 核のない防衛構想.
Pác-Man defènse 《米》〖経営〗対抗的買収宣言.
percéptual defènse 〖心理〗知覚的防衛.
póison-píll defènse 〖経営〗ポイズンピル防衛.
póp-up defènse 〖軍事〗緊急打ち上げ宇宙防衛システム.
sélf-defénse 自衛, 正当防衛.
stáck defènse 〖アメフト〗スタックディフェンス.
Twínkie defènse ジャンクフードの抗弁.
zóne defènse 〖スポーツ〗ゾーンディフェンス.

de·fi·cien·cy /difíʃənsi/

名 欠乏, 不足; 不完全(性), (精神的・身体的)欠陥. ⇨ -ENCY.

ÁDÁ defíciency =adenosine deaminase deficiency.
adénosine deáminase deficiency 〖病理〗アデノシンデアミナーゼ欠損症.
cólor deficiency 色覚欠如.
ìm·mu·no·de·fí·cien·cy 名 免疫不全[欠損].
íron deficiency 鉄欠乏(症).
méntal defíciency 〖精神医学〗精神遅滞(mental retardation).
sevére combíned immúne deficiency 〖病理〗重症複合型免疫不全症.

de·fine /difáin/

動他 〈語・句などを〉定義する, 意味を明確にする. ⇨ -FINE.

mis·de·fine 動他 誤って定義する.
pre·de·fine 動他 前もって定義[決定]する.
re·de·fine 動他 再定義する, …の定義をし直す.

def·i·nite /défənit/

形 はっきりと限定された; 確定した, 一定の; 明確な, 厳密な. ⇨ FINITE[2].

in·déf·i·nite 形 不定の, 無限の.
pást définite 〖文法〗定過去.
pósitive définite 〖数学〗正の定符号の.

def·i·ni·tion /dèfəníʃən/

名 定義づけること, 明確にすること. ►define の名詞形. ⇨ -ITION.

círcular definítion 〖論理〗循環定義.
contéxtual definítion 〖論理〗〖哲学〗文脈定義.
hígh-definítion 形 高品位の, 高精細度の.
nóminal definítion 〖論理〗唯名[名目]定義.
osténsive definítion 〖言語〗実物指示的定義.
réal definítion 〖論理〗実質(的)定義.
recúrsive definítion 〖論理〗回帰的定義.
sélf-definítion 名 自己規定.

de·grad·a·ble /digréidəbl/

形 化学的崩解性の, 化学的分解が可能な. ⇨ -ABLE[1].

bi·o·de·grad·a·ble 形 生物分解性の.
pho·to·de·grad·a·ble 形 光(こう)分解性の.

de·gree /digríː/

名 **1** (過程・進行などの)一段階, 一区切り. **2** 学位. **3** (温度や角度などの)度.

advánced degrée (学士号より上の)高級学位.
báchelor's degrèe 学士号.
dóctor's degrèe 博士号.
eléctrical degrèe 〖電気〗電気角度.
engineér's degrèe 《米》〖教育〗工学系大学院修了者に与えられる学位の一つ.
Éngler degrèe エングラー度: 液体粘度の表示法.
extérnal degrèe (学外での研究や実績に対して贈られる)特別学位, 名誉学位.
fírst degrée 〖英大学〗卒業で得られる最初の学位.
fírst-degrée 形 最も低い[軽い]; 初段階の.
forbídden degrée 〖法律〗禁婚親等.
géneral degrèe 〖英教育〗=pass degree.
hígher degrèe 《英》上級学位.
hónours degrèe 〖英大学〗優等(卒業)学位.
húndred-and-éighty-degrée 形副 180 度の[に], 正反対の[に].
Lámbeth degrèe 〖英国国教会〗カンタベリー大主教によって授与される名誉学位.
máster's degrèe 修士号.
míl·li·de·grèe 名 ミリデグリー, ミリ度.
nòn·de·grée 形 学位(号)を必要としない.
páss degrèe 〖英大学〗優等でない普通卒業学位.
póll degrèe 〖英教育〗=pass degree.
prohíbited degrèe 〖法律〗=forbidden degree.
thírd degrèe 厳しい尋問, 拷問.
thírd-degrèe 動他 …を拷問する, 厳しく取り調べる.
Twaddéll degrèe 〖物理〗トワッデル度.

de·hy·dro·gen·ase /diːháidrədʒənèis, dìːhaidrɑ́-, -nèiz/

名 〖生化学〗デヒドロゲナーゼ, 脱水素酵素. ⇨ -ASE[1].

álcohòl dehýdrogenàse アルコールデヒドロゲナーゼ.
láctate dehýdrogenase 乳酸デヒドロゲナーゼ.
láctic dehydrógenase =lactate dehydrogenase.
súccinate dehýdrogenase =succinic dehydrogenase.
succínic dehýdrogenase 琥珀(こはく)酸デヒドロゲナーゼ.

del·e·gate /déligət, -gèit/

名 代行者, 代理人; (政治的会議などの)代表(者), 使節, 代議員. ⇨ -LEGATE.

apostólic délegate (バチカンと正式外交関係を持たない国の教会への)教皇使節.
sùp·er·dél·e·gate 名 《米》幹部代議員.
wálking délegate 《もと》巡回代表, 職場委員.

-del·ic /délik/

連結形 サイケデリックな, 幻覚的な.
★ 形容詞をつくる.
◆ psychedelic の短縮形.

cy·ber·del·ic 形 サイバー・サイケデリックな.
e·lec·tro·del·ic 形 電子的サイケデリックな.

D

funk·a·del·ic 形 《米俗》型破りにサイケな.

de·light /diláit/

名 大喜び, 歓喜, うれしさ.

débbie's delight 《英俗》=deb's delight.
déb's delight 《英俗》上流階級の若者. ►deb「初めて社交界にでる少女」の結婚候補となることから.
dígger's delight 《豪》〖植物〗クワガタソウ属の一種.
gárdener's-delight 〖植物〗スイセンノウ(酔仙翁).
ídiot's delight 《俗》トランプの一人遊びの一種.
máiden's delight チェリー風味のコーラ.
sèlf-delight 自己に喜びを感じること.
Túrkish delight トルコ菓子.

de·liv·er /dilívər/

動他 〈手紙・品物などを〉配達する.

hand-de·liv·er 動他 〈手紙などを〉手渡しする.
mis·de·liv·er 動他 誤って配達する.
re·de·liv·er 動他 …を再交付する, 再配達する.

de·liv·er·y /dilívəri/

名 (手紙・品物などの)配達, 送付; …便; 配送車. ⇨ -ERY[1].

bréech delivery 〖産科〗臀位(でんい)分娩, 逆子.
cíty delivery 市内郵便配達.
colléct on delívery 代金引き換え渡し(C.O.D.).
drúg delivery 〖薬学〗薬物体内配達.
exprésš delívery 《英》速達(郵便).
fórward delivery 〖商業〗(商品や証券の)先渡し.
frée delivery 無料配達.
géneral delivery 《米・カナダ》局留め郵便.
jáil delivery 《米》監獄から囚人を逃がすこと.
néxt-dáy delivery 翌日配達, 翌日配送.
nòn·de·lív·er·y 名 引き渡し[配達]不能; 不着.
prematúre delivery 〖産科〗未熟分娩, 早産.
recórded delivery 《英》簡易書留.
rè·de·lív·er·y 名 再交付, 再配達; 返還.
spécial delivery (英米の郵便の)特別配達.

del·ta /déltə/

名 デルタ(Δ, δ); デルタ状のもの.

épsilon-délta 形 〖数学〗イプシロン・デルタ方式の.
fán délta 〖地理〗扇状地状三角州.
hepatítis délta 〖病理〗デルタ肝炎.
Krónecker délta 〖数学〗クロネッカーのデルタ(δ_{ij}).
Mississíppi Délta 《the ～》ミシシッピ川デルタ.

-dem[1] /dèm/

連結形 結びつけるもの.
★ 名詞をつくる.
◆ ギリシャ語 *deîn*「結びつける」と *-ma*(名詞接尾辞)の結合形より.

an·a·dem 名 《古》(頭に飾る)花輪, 花冠.
di·a·dem 名 王冠(crown).

-dem[2] /dəm, dem/

接尾辞 ラテン語の指示接尾辞.
★ 主に副詞をつくる.

i·bi·dem 副 《ラテン語》同書[章, 節]中に.
i·dem 代形副 同上(の, で); 同じ著書(の, で).
tan·dem 副 (2人[台, 頭]が)前後[縦]に並んで.

-dem·ic /démik/

連結形 ある地域の人々の.
★ 形容詞をつくる.
★ 語頭にくる関連形は dem(o)-: *dem*agogue「民衆指導者」, *democ*racy「民主政治」.
◆ ギリシャ語 *dêmos*「人々」より. ⇨ -IC[1].

en·dem·ic 形 特定の民族[国]に固有な.
ep·i·dem·ic 形 〈病気が〉流行性の.
pan·dem·ic 形 〈病気が〉全地域にわたる.
pol·y·dem·ic 形 《まれ》〖生態〗多地域分布性の.

de·moc·ra·cy /dimákrəsi | -mɔ́k-/

名 民主主義, 民主政治[政体], 民主制. ⇨ -CRACY.

electrònic demócracy 電子技術のネットワークにより地方の意見を中央に反映する政治.
indústrial demócracy 産業民主制.
partícipant demócracy =participatory democracy.
partícipatory demócracy (直接)参加民主主義.
púre demócracy 純粋[直接]民主制[主義].
Sócial Demócracy 社会民主主義.
tèl·e·de·móc·ra·cy 名 コンピュータネットワークによる民主政治.
Tóry Demócracy 〖政治〗トーリーデモクラシー.

de·mon /dí:mən/

名 悪霊, 悪魔; 鬼, 鬼神.

àg·a·tho·dé·mon 名 良い精霊, 善霊.
càc·o·dé·mon 名 悪霊, 悪魔, 悪鬼.
eu·dé·mon 名 善魔, 善霊.
Máxwell dèmon 〖物理〗マクスウェルの魔物.
spéed dèmon 《話》猛烈な勢いで動く人[機械].

-den[1] /dən/

連結形 丘, 山.
★ 人名などに用いられる.
★ 語末にくる関連形は -DON.
◆ 古英 *dūn* 丘.
[発音] すべて2音節の語で, 語頭の音節に第1強勢.

Cob·den 名 コブデン(姓). ►字義は「盛り上がった丘」.
Hay·den 名 ヘイドン(姓). ►字義は「乾草の丘」.

-den[2] /dən/

連結形 谷, 渓谷.
★ 人名などに用いられる.
◆ 古英 *denu*.

Dry·den 名 ドライデン(姓). ►字義は「乾いた谷」.
Hamp·den 名 ハムデン, ハンプデン(姓). ►字義は「湿地の谷」.
Har·den 名 ハーデン(姓). ►字義は「野ウサギの谷」.
Hay·den 名 ヘイドン(姓). ►字義は「干し草の谷」.
Og·den 名 オグデン(姓). ►字義は「オークの谷」.

-den·dron /déndrən, -dran | -drən, -drɔn/

連結形 〖植物〗樹木.
★ 名詞をつくる.
★ 語末にくる関連形は -DENDRUM.
★ 語頭にくる関連形は dendr(o)-: *dendri*form「樹木のような形の」, *dendro*chronology「年輪年代学」.
◆ ギリシャ語 *déndron*「樹木」より. ⇨ -ON[3].

lir·i·o·den·dron 名 ユリノキ.
phil·o·den·dron 名 フィロデンドロン.
rho·do·den·dron 名 ロドデンドロン(シャクナゲ属).

-den·drum /déndrəm/

連結形 木.
★ 名詞をつくる.
★ 語末にくる関連形は -DENDRON.
★ 語頭にくる関連形は dendr(o)-: *dendri*form「樹木のような形の」, *dendro*chronology「年輪年代学」.
◆ ギリシャ語 *déndron* より. ⇨ -UM[1].

cle·ro·den·drum 名 クサギ(臭木).
ep·i·den·drum 名 ラン科エピデンドルム属の植物の総称.

dense /déns/

形 濃い, 濃密な; 密集した, 込んだ; 密な, 目の詰んだ.

con·dénse 動他 濃縮する; 凝縮[圧縮]する.
éverywhere-dénse 形 【数学】〈位相空間の集合が〉稠密な.
nòn·dénse 形 【数学】=nowhere-dense.
nówhere-dénse 形 【数学】〈位相空間の点集合が〉疎な.
nútrient-dènse 形 〈食品が〉栄養分の濃厚な.
súp·er·dènse 形 きわめて濃密な, 超濃度の.

den·si·ty /dénsəti/

名 濃さ, 濃密さ, 密集状態; 密度. ⇨ -ITY.

bít dènsity 【コンピュータ】ビット密度.
cháracter dènsity 【コンピュータ】文字密度.
chárge dènsity 【物理】電荷密度.
collísion dènsity 【物理】衝突密度.
crítical dénsity 【物理】臨界密度.
cúrrent dènsity 【電気】電流密度.
dóuble-dénsity 形 【コンピュータ】2 倍密度の.
flúx dènsity 【物理】(流)束(そく)密度.
hígh-dénsity 形 高密度の; 人口密度の高い.
lów-dénsity 形 低密度[濃度]の.
lúminous flúx dènsity 光束密度.
magnétic flúx dènsity 【電気】磁束密度.
óptical dénsity 【光学】(光を通す物質の)濃度.
pácking dènsity 【電子工学】実装密度.
probabílity dènsity 【数学】【統計】確率密度.
quád dénsity 【コンピュータ】4 倍記憶密度.
rélative dénsity 【物理】比重(specific gravity).
síngle-dénsity 名形 【コンピュータ】単一密度(の).
súrface dénsity 【物理】(表)面密度.
transmíssion dènsity 【物理】透過濃度.
vápor dènsity 【物理】蒸気密度.
wéight dènsity (ある物質・物体の)体積密度.

den·tal /déntl/

形 **1** 歯の. **2** 歯音の. ――名 歯音. ◇ DENTATE, -ODONTIA, -DONTIA. ⇨ -AL[1].

a·pi·co·den·tal 形 【音声】舌尖(ぜっせん)歯音の.
in·ter·den·tal 形 歯間の.
la·bi·o·den·tal 名形 【音声】唇歯音(の).
lingu·o·den·tal 名形 舌歯音(の).
per·i·den·tal 形 【歯科】歯根膜の, 歯周の.

den·tate /dénteit/

形 【植物】【動物】〈葉の縁や昆虫の体部が〉歯状の; 歯状突起のある. ⇨ -ATE[1].
★ 語頭にくる関連形は dent(i)-: *dent*ist.

am·bi·den·tate 形 【化学】両座の.
du·pli·ci·den·tate 形 重歯類の.
mul·ti·den·tate 形 多歯の, 多歯状突起の.
sim·pli·ci·den·tate 形 単歯類の, 単門歯亜目に属する.
sub·den·tate 形 部分的に歯のある.

de·part·ment /dipɑ́ːrtmənt/

名 **1** (全体の中の)一単位; 一区分. **2** (官庁の)局; (会社の)部門. ⇨ -MENT.

cléansing depàrtment 清掃局, ごみ処理課.
Críminal Investigátion Depártment 《英》ロンドン警視庁捜査部.
déck depàrtment 【海事】甲板部.
fíre depàrtment 《米》(自治体の)消防署[部].
héadache depàrtment 《話》厄介のもと; 厄介者.
húman resóurces depàrtment =personnel department.
Lábor Depàrtment 【米行政】労働省.
óutdoor depártment 《英》パブの店外にある酒類販売所.
personnél depàrtment (会社の)人事課.
Póst Òffice Depàrtment 【米行政】郵政省.
Rehabilitátion Depàrtment 《NZ》退役軍人援助局.
Státe Depàrtment 《米話》国務省.
Wár Depàrtment 【米史】戦争省.

de·pend·ence /dipéndəns/

名 (…への)依存; 甘え; 従属. ⇨ -ENCE[1].

álcohol depèndence アルコール依存(症).
cò·de·pén·dence 名 共依存.
drúg depèndence 薬物依存(症).
fíeld depèndence 形 場依存性.
ìn·de·pénd·ence 名 ☞
línear depéndence 【数学】一次従属性.

de·pos·it /dipɑ́zit | -pɔ́z-/

動他 (銀行に)預金する; …を預ける. ――名 (銀行への)預金. ⇨ -POSIT.

bánk depòsit 銀行預金.
demánd depòsit 《米》要求払い預金.
diréct depósit (給料などの)銀行口座振込制度.
e·lec·tro·de·pos·it 名 【物理化学】電着物.
Eu·ro·de·pos·it 名 ユーロ預金.
re·de·pos·it 動他 …を再び置く; 再び預ける.
sáfe-depòsit 形 貴重品を保管する.
sáfety-depòsit 形 =safe-deposit.
tíme depòsit 有期預金, 定期預金.

de·pot /díːpou | dép-/

名 **1** 《米・カナダ》(鉄道・バスの)駅; 《主に英》バスの車庫. **2** 【軍事】物資集積所.

áir dèpot 《米》航空機発着場; 航空補給所.
fát dèpot 脂肪組織.
Gréyhound dépot グレイハウンドバス発着所.
replácement dèpot 【軍事】補充所.
sùb·dé·pot 名 【軍事】補給廠(しょう)支所.

de·pres·sion /dipréʃən/

名 **1** 降下, 低下. **2** 【精神医学】鬱(うつ)病. **3** 不景気. ► depress の名詞形. ⇨ -PRESSION.

ágitated depréssion 【精神医学】激越性鬱病.
clínical depréssion 【精神医学】臨床的鬱病.
endógenous depréssion 【精神医学】内因性鬱病.
Gréat Depréssion (1929 年 10 月の)(世界)大恐慌.
ìm·mu·no·de·prés·sion 名 【免疫】免疫抑制.
reáctive depréssion 【精神医学】反応性鬱病.

de·pres·sive /diprésiv/

D

形 (活動などを)低下させる. ⇨ -PRESSIVE.

mánic-depréssive 形 〔精神医学〕躁鬱状態の; 躁鬱病の.
nèuro-depréssive 形 〈薬剤が〉神経(細胞)抑制性の.

dep·ri·va·tion /dèprəvéiʃən/

名 **1** 剝奪(はくだつ). **2** 喪失. ►deprivate の名詞形. ⇨ -ATION.

cúltural deprivátion 《婉曲的》貧困, スラム状態.
emótional deprivátion 〔精神医学〕情緒剝奪.
rélative deprivátion 〔社会〕相対的剝奪.
sénsory deprivátion 〔精神医学〕感覚遮断.
sléep deprivàtion 睡眠欠乏 [剝奪].
státus deprivátion 〔社会〕不当な扱い, 低い評価.

depth /dépθ/

名 深さ, 深いこと, 深み; (建物などの)奥行. ⇨ -TH[1].

contrólling dèpth 〔海事〕最小可航水深, 制限深度.
ín-dépth 形 徹底的な, 綿密な, 詳細な.
mólded dépth 〔造船〕型深さ.

Der·by[1] /dɑ́:rbi | dɑ́:bi/

名 〔競馬〕ダービー.

demolítion dérby スタントカー競技.
dónkey dèrby 《英》(子供などによる)ロバの競馬.
Kentúcky Dérby ケンタッキーダービー.
lócal Dérby 同地区の代表のチームによるサッカ「一試合.
Sóap Bòx Dérby 《米》《登録名》ソープボックスダービー: エンジンなしの乗り物で行う子供のレース.

Der·by[2] /dɑ́:rbi, də́:r- | dɑ́:bi/

名 ダービー: イングランド Derbyshire 州の州都; 磁器で有名; H. Spencer の生地. ⇨ -BY.

Blóor Dèrby Robert Bloor が買収した後(1811–48)の質が落ちた Derby porcelain.
Crówn Dérby クラウンダービー(Derby china): 英国 Derby 産の精巧な模様入りの骨灰磁器.
Róyal Crówn Dérby ロイヤル・クラウン・ダービー: 英国の磁器メーカー.
ságe Dèrby セージで風味をつけたダービーチーズ.

de·riv·a·tive /dirívətiv/

形 (他の物・本源などから)誘導された. ──名 **1** 〔文法〕(…の)派生語. **2** 〔数学〕導関数, 微分係数. ⇨ -ATIVE.

àn·ti·de·rív·a·tive 名 〔数学〕不定積分.
diréctional derívative 〔数学〕方向微分係数.
fírst derívative 〔数学〕一次導関数.
pártial derívative 〔数学〕偏導関数.
prímary derívative 〔文法〕一次派生語.
sécondary derívative 〔言語〕二次派生語.
sécond derívative 〔数学〕二次導関数.
sùb·de·rív·a·tive 名 〔言語〕二次的派生語.

-derm /də̀:rm/

連結形 **1** -dermatous の異形: melano*derm*, pachy*derm*. **2** -dermis の異形: blasto*derm*, ecto*derm*, meso*derm*.
★ 名詞をつくる.
★ 語末にくる関連形は -DERMA, -DERMIC.
★ 語頭にくる形は derm(o)-, dermat(o)-: *dermo*id「皮膚に似た, 皮膚状の」, *dermo*meter「皮膚抵抗測定器」.
◆ ギリシャ語 *dérma*「皮膚」より.

blas·to·derm 名 〔発生〕胚盤(はいばん)(葉).
e·chi·no·derm 名 棘皮(きょく)動物.
ec·to·derm 名 〔発生〕(後生動物の)外胚葉.
en·do·derm 名 〔発生〕内胚葉(はいよう).
en·to·derm 名 ＝endoderm.
ex·o·derm 名 ＝ectoderm.
me·lan·o·derm 名 黒ずんだ皮膚の人, 黒人.
mes·o·derm 名 〔発生〕中胚葉(はいよう).
os·tra·co·derm 名 甲皮類動物, 甲冑(かっちゅう)魚類.
pach·y·derm 名 厚皮動物.
per·i·derm 名 〔植物〕周皮.
phel·lo·derm 名 〔植物〕コルク皮層.
plac·o·derm 名 板皮(ばん)類.
pro·to·derm 名 〔植物〕前表皮.
xan·tho·derm 名 肌が黄色い人; (特に)黄色人種の人.

-der·ma /də́:rmə/

連結形 〔解剖〕〔動物〕真皮; 特に皮膚疾患の名に用いる.
★ 名詞をつくる.
★ 語末にくる関連形は -DERM, -DERMATOUS, -DERMAL, -DERMIC, -DERMIS.
★ 語頭にくる関連形は derm(o)-, dermat(o)-: *dermo*id「皮膚に似た, 皮膚状の」, *dermo*meter「皮膚抵抗測定器」.
◆ derma の連結形. ⇨ -MA.

hy·po·der·ma 名 下皮, 真皮(hypodermis).
ker·a·to·der·ma 名 角皮症.
leu·co·der·ma 名 ＝leukoderma.
leu·ko·der·ma 名 白斑, 白皮(vitiligo).
py·o·der·ma 名 膿皮(のう)症.
scle·ro·der·ma 名 強皮症, 硬皮症.
xe·ro·der·ma 名 皮膚乾燥症, 乾皮症.

der·mal /də́:rməl/

形 真皮の, 皮膚の. ⇨ -AL[1].

e·lec·tro·der·mal 形 皮膚電気の.
ep·i·der·mal 形 〔生物〕表皮の.
in·tra·der·mal 形 皮内の.
sub·der·mal 形 〈組織などが〉皮下にある.
trans·der·mal 形 〈感染・投薬などが〉経皮(性)の.

-der·ma·tous /də́:rmətəs/

連結形 皮膚の, …な皮膚を持った.
★ 形容詞をつくる.
★ 語末にくる関連形は -DERM, -DERMA, -DERMIC, -DERMIS.
★ 語頭にくる関連形は derm(o)-, dermat(o)-: *dermo*id「皮膚に似た, 皮膚状の」, *dermo*meter「皮膚抵抗測定器」.
◆ ギリシャ語 *dérma*「皮膚」より. ⇨ -OUS.

e·chi·no·der·ma·tous 形 棘皮(きょく)動物(echinoderm)の.
pach·y·der·ma·tous 形 厚皮動物(特有)の.
scle·ro·der·ma·tous 形 〔動物〕(鱗など)硬皮で覆われた.

-der·mic /də́:rmik/

連結形 皮膚の.
★ 形容詞をつくる.
★ 語末にくる関連形は -DERM, -DERMA, -DERMATOUS, -DERMIS.
★ 語頭にくる関連形は derm(o)-, dermat(o)-: *dermo*id「皮膚に似た, 皮膚状の」, *dermo*meter「皮膚抵抗測定器」.

◆ ギリシャ語 *dérma*「皮膚」より．⇨ -IC[1].

en·der·mic 形 〈薬などが〉経皮性の．
hy·po·der·mic 形 皮下注入による．

-der·mis /dəːrmis/

連結形 dermis「〘解剖〙〘動物〙真皮」の連結形．
★ 名詞をつくる．
★ 語末にくる関連形は -DERM, -DERMA, -DERMATOUS, -DERMIC.
★ 語頭にくる関連形は derm(o)-, dermat(o)-: *der*moid「皮膚に似た，皮膚状の」, *dermo*meter「皮膚抵抗測定器」.

en·do·der·mis 名 〘植物〙内皮．
ep·i·der·mis 名 〘生物〙表皮．
ex·o·der·mis 名 〘植物〙外皮．
gas·tro·der·mis 名 〘動物〙胃層．
hy·po·der·mis 名 〘動物〙下皮，真皮．

de·sign /dizáin/

動他 …を設計する．——名 設計(図)；意匠，デザイン．⇨ -SIGN.

árgument from design 〘哲学〙〘形而上学〙目的論的証明．
compúter-àided design 計算機援用設計．
cústom-design 動他 注文設計する，設計を特注する．
environméntal design 環境デザイン．
flóral design フラワーデザイン．
Gránd Design 《the ～》大構想(Henry 4 世の欧州平和計画)；その今日版．
indústrial design 工業デザイン，工業意匠．
intérior design 室内設計，室内装飾．
rándomized blóck design 〘統計〙乱塊法．
rè·de·sígn 動他 …のデザインを改める．
sýstems desìgn システム設計．
úrban design 〘建築〙都市設計．
withín-súbjects desìgn 〘統計〙《形容詞的》〈実験が〉さまざまな条件下での同一対象の従属変数値の測定に関する．

desk /désk/

名 **1** 机．**2**《米》(新聞社の)編集部．

cásh dèsk (商店などの)レジ，勘定台．
cíty désk 《米》(新聞社の)地方記事編集部．
cópy dèsk 《米》〘ジャーナリズム〙編集机．
cýlinder dèsk シリンダー机．
electrónic dèsk コンピューター化の進んだ仕事場．
frónt dèsk ＝reception desk.
Góvernor Wínthrop désk (18 世紀ごろ米国で使われた)表側がくぼんだたんす机．
hélp·dèsk 企業などのユーザー相談担当部門．
hót-dèsk 個人用の机などを持たず，共有の机やコンピュータで仕事をするシステムで働く人，あるいはその共有するオフィス空間．
informátion dèsk 案内所，受付．
lítany dèsk 〘英国国教会〙連祷(れんとう)台．
néws·dèsk ニュースデスク，ニュース編集部．
pártners' dèsk (2 人用の)両袖(そで)机．
réading dèsk 読書台，書見台．
recéption dèsk (会社などの)受付(カウンター)．
Wínthrop dèsk ＝Governor Winthrop desk.
wríting dèsk 書き物机．

de·tec·tive /ditéktiv/

名 探偵；(警察の)刑事．⇨ -IVE[1].

hóuse detèctive (ホテル・百貨店などの)警備員．
prívate detéctive 私立探偵．

de·tec·tor /ditéktər/

名 **1** 発見者．**2** 探知器；検電器．⇨ -TOR.

crýstal detéctor 〘無線〙鉱石検波器．
gróund detèctor 〘電気〙検漏器．
infraréd detéctor 〘電子工学〙赤外線探知［検出］器．
líe detèctor うそ発見器．
métal detèctor 金属探知器．
mí·cro·de·tèc·tor 名 微量［微動］測定器．
míne detèctor (電磁式の)地雷探知機．
phó·to·de·tèc·tor 名 光センサー，感光装置．
rà·di·o·de·téc·tor 名 電波［無線］探知機．
smóke detèctor 煙探知器，煙報知器．
sùprathérmal íon detèctor 〘宇宙〙超熱イオン検出装置．

de·ter·gent /ditəːrdʒənt/

名 〘化学〙合成洗剤．⇨ -ENT[1].

aniónic detérgent 陰イオン［アニオン］洗剤．
catiónic detérgent 陽イオン［カチオン］洗浄剤．
énzyme detérgent 酵素洗剤．
hárd detérgent ハード洗剤: 微生物による分解を受けにくく環境を破壊する．
nòniónic detérgent 非イオン清浄剤［洗剤］．
synthétic detérgent 合成洗剤(syndet)．

de·ter·mi·nate /ditəːrmənət/

形 (明確に)限定された，明確な．►determine「決定する」＋-ATE[1].

in·de·ter·mi·nate 形 確定できない，不確かな，あいまいな．
pre·de·ter·mi·nate 形 前もって定められている，予定された．

de·ter·mi·na·tion /ditəːrmənéiʃən/

名 **1** 決心．**2** 決定；裁定．►determine の名詞形．⇨ -ATION.

cò·de·ter·mi·ná·tion 名 《米》(労使間や政府と議会間の)共同(政策)決定．
ìn·de·tèr·mi·ná·tion 名 不定，不確定，あいまいさ．
ò·ver·de·ter·mi·ná·tion 名 〘精神医学〙重複決定．
sélf-de·ter·mi·ná·tion 名 自主的決定，自己決断．
wáge determinàtion 賃金率設定．

de·ter·min·ism /ditəːrmənìzm/

名 決定論．⇨ -ISM[1].

económic detérminism 経済決定論．
geográphical detérminism ＝geographic determinism.
geográphic detérminism 〘社会〙地理的決定論，環境決定論．
ìn·de·tér·min·ism 名 〘哲学〙非決定論．
psýchic detérminism 心的決定論．
sélf-de·tér·min·ism 名 〘哲学〙自己活動自動決定論．

deuce /djúːs | djúːs/

名 〘トランプ〙2 の札；《米俗》(ポーカーで)1 ペア．

áce-dèuce 名 《米俗》3，(特にトランプの)3 点札．
déuce-déuce 名 《米俗》25 口径の銃．
fórty-déuce 名 《米俗》(New York 市の)四十二番通り．
fóur-déuce 名 《米軍俗》42 インチ迫撃砲．

de·vel·op /divéləp/

動他 **1** …を発達させる．**2** …を開発する．⇨ -VELOP.

o·ver·de·vel·op 動他 発達させすぎる.
re·de·vel·op 動他 再開発する, 再建する.
un·der·de·vel·op 動他 十分開発しない.

de·vel·oped /divéləpt/

形 発達した; 展開した.

òver·devéloped 形 開発が過度の.
rè·devéloped 形 再開発の.
ùnder·devéloped 形 低開発の.
ùn·devéloped 形 未開発の.

de·vel·op·ment /divéləpmənt/

名 **1** 発育; 発展; 経済的発展. **2** 開発. ⇨ -MENT.

cógnitive devélopment 〖心理〗認知発達.
dè-de·vél·op·ment 名 非開発, 未開発状態への逆戻り.
èco·devélopment 名 環境とのバランスを考慮した開発.
hóusing devèlopment 住宅団地(の開発).
màl·de·vél·op·ment 名 (特に生体の)出来そこない; 奇形.
ócean devélopment 海洋開発.
rè·de·vél·op·ment 名 (特に都市などの)再開発, 再建.
ríbbon devèlopment 《英》帯状発展.
sélf-devélopment 名 自己陶冶(とうや).
séparate devélopment 《主に南アフリカ》独自的発展, 分離発達.
socíetal devélopment 社会の発展.
stríng devèlopment =ribbon development.
sustáinable devèlopment 環境を破壊せずに継続できる資源開発.
tóp-dòwn devélopment 〖コンピュータ〗トップダウン開発.

de·vi·a·tion /dìːviéiʃən/

名 **1** 逸脱, 脱線. **2** 〖統計〗偏差. ►deviate の名詞形. ⇨ -ATION.

áverage deviátion =mean deviation.
cómpass deviátion 〖航海〗自差.
méan deviátion 〖統計〗平均偏差.
méan squáre deviàtion 〖統計〗分散, 平方偏差.
séxual deviátion 〖精神医学〗性的倒錯.
stándard deviátion 〖統計〗標準偏差.

de·vice /diváis/

名 考案物, 工夫を凝らしたもの; 装置, 仕掛け, 仕組み.

chárge-còupled devíce 〖電子工学〗電荷結合デバイス.
deplétion devìce 〖電子工学〗ディプリーション形の素子.
dirécted-énergy devìce 指向(性)エネルギー兵器.
electroóptic devíce 〖電気〗電気光学素子.
enhâncement devìce 〖電子工学〗ゲート(gate)に電圧を印加して初めて電流が流れ出すタイプの電界効果トランジスタ.
grávity devìce 逆さぶら下がり健康器.
házard wárning devìce 〖自動車〗ハザード警告装置.
hóming devìce (飛行機などの)自動誘導装置.
ínput devìce 〖コンピュータ〗入力機構.
intraúterine devíce 子宮内避妊器具, 避妊リング.
Jósephson júnction devìce 〖電子工学〗ジョセフソン接合素子.
lánguage acquisítion devìce 〖言語〗言語獲得装置.
MÍDI devìce 〖音楽〗ミディ用[連動]電子機器.
núll devìce 《米ハッカー俗》空装置.
perípheral devíce 〖コンピュータ〗周辺装置.
pérsonal flotátion devìce 水中救命胴着, 水上救命具.
pòint-devíce 形副 《古》完全な[に].
póinting devìce 〖コンピュータ〗ポインティングデバイス.
sénsing devìce (対象から発する信号の)感知装置.
stórage devìce 〖コンピュータ〗記憶装置.
súperlàttice devìce 〖電子工学〗超格子素子.
túrtle exclúder devìce (漁網の)カメ解放装置.

dev·il /dévəl/

名 魔王, サタン(Satan); 悪魔; 偶像神(idol).

be·dév·il 動他 〈人を〉さんざん苦しめる, 悩ます.
blúe dévil 〖魚類〗ブルーデビル.
dáre·dèvil 形名 向こう見ずの[命知らずの](人).
dúst dèvil 《米西部・南アフリカ》塵旋風.
fóreign dévil 《軽蔑的》(中国で)外国人.
gó-dèvil 《米》パイプ清掃器.
héat dèvil 陽炎(かげろう).
híckory hórned dèvil regal moth「ヤママユガ科の大きな「ガ(蛾)」の幼虫.
kíng dèvil ヤナギタンポポ属の草数種の総称.
móuntain dèvil モロックトカゲ(molochlizard).
réd dévil 《俗》セコバルビタールのカプセル.
sánd-dèvil (アフリカで)塵旋風.
séa dèvil オニイトマキエイ, マンタ(manta).
shé-dévil 邪悪な女, 悪女, 悪魔のような女.
snów dèvil 雪の竜巻.
Tasmánian dévil タスマニアデビル, フクロアナグマ.
Whíte Dévil 「白魔」; John Webster の悲劇.

dew /djúː|djúː/

名 露. ――動他 露で湿らせる.

be·dew 動他 《文語》…に露を結ばせる.
hóney·dèw ハネーデューメロン, 甘露メロン.
Máy dèw 5月(祭)の朝露.
móuntain déw 《話》(特に密造の)ウイスキー.
práirie dèw 《米俗》密造酒の, 質の悪い酒.
sún·dèw モウセンゴケ(イシモチソウを含む).

di·a·be·tes /dàiəbíːtis, -tiːz/

名 〖病理〗糖尿病.

adúlt ónset dìabetes 成人発症型糖尿病.
brónze diabétes 血(液)色素沈着症.
ínsulin-depèndent diabètes インシュリン依存性糖尿病.
júvenile diabétes 若年性糖尿病.
matúrity-ónset diabétes 成人発症糖尿病.
prè·di·a·bé·tes 名 前糖尿病.
súgar diabètes 糖尿病(diabetes mellitus).

di·ag·no·sis /dàiəgnóusis/

名 〖医学〗診断, 診断すること. ⇨ -GNOSIS.
★ 複数形は diagnoses.

e·lec·tro·di·ag·no·sis 名 〖医学〗電気診断(法).
fétal diagnósis 〖医学〗胎児診断.
im·mu·no·di·ag·no·sis 名 =serodiagnosis.
mis·di·ag·no·sis 名 誤診.
nar·co·di·ag·no·sis 名 〖精神医学〗麻酔診断.
psy·cho·di·ag·no·sis 名 精神診断学による心理調査.
ra·di·o·di·ag·no·sis 名 〖医学〗X 線診断法.
self-di·ag·no·sis 名 〖医学〗(病気の)自己診断.
se·ro·di·ag·no·sis 名 〖医学〗血清(学的)診断.
tel·e·di·ag·no·sis 名 遠隔診断.
xen·o·di·ag·no·sis 名 〖医学〗外因診断法.

di·a·gram /dáiəgræ̀m/

名 **1** 線図, 図式. **2** 図表, 予定表. ⇨ -GRAM[1].

Árgand dìagram 〖数学〗複素(数)平面, アルガン平面.
bár dìagram 棒グラフ, 棒図.
blóck dìagram (コンピュータの)ブロック図.
chromatícity dìagram 〖光学〗色度図.
Éuler's dìagram 〖論理〗オイラーの図表.
Féynman dìagram 〖物理〗ファインマン・ダイヤグラム.
Hértzsprung-Rússell dìagram

【天文】ヘルツシュプルング=ラッセル図.

H-R diagram 【天文】エイチアール図.
Láue diagram 【結晶】ラウエ図形(Laue pattern).
Móllier diagram 【熱力学】モリエ線図.
pháse diagram 【化学】状態図, 平衡図, 相図.
Rússell diagram =Hertzsprung-Russell diagram.
scátter diagram 【統計】散布図.
stém-and-lèaf díagram 【統計】幹葉表示.
trée diagram 【数学】【言語】樹形図.
Vénn diagram 【数学】【記号論理学】ベン図(形).

di·al /dáiəl/

名 **1** (時計・日時計の)文字盤. **2** (各種計器類の)目盛り(板), 指針盤. ━━動他 **1** (ラジオ・テレビ番組に)意見を言うために電話する. **2** 〈電話(番号)・錠などの〉ダイヤルを回す. ⇨ -AL[1].

áltitude dìal (太陽高度による)日時計.
áuto·dìal (電話の)自動ダイヤル.
cómpass dìal ポケットタイプの日時計.
diréct-díal 動自他 (局外に)直通ダイヤル電話をかける.
dóuble-sùnk díal 【時計】秒針用の文字盤浚(さら)いを備え, さらに主文字盤の中央部がくぼんだ形になっている文字盤.
júmp dìal 時計ケースの小窓を通して時刻(時・分・秒)を表示する回転式文字板.
míner's díal 【採鉱】【測量】ダイヤルコンパス.
mis·díal 動他自 (電話の)ダイヤルを回し間違う.
rè·díal 動他自 【通信】再度ダイヤルを回す.
rótary dìal 電話の回転ダイヤル.
scrátch dìal (古い教会の壁に刻まれた)日時計.
sún·dìal 日時計.

di·al·ing /dáiəliŋ/

名 ダイヤルを回すこと. ⇨ -ING[1].

áuto·dìaling 名 自動ダイヤル通話.
diréct dístance díaling 《米・カナダ》直接長距離通話方式.
púlse dìaling パルスダイヤル方式.
spéed dìaling 桁(けた)短縮ダイヤル.
tóne dìaling 音声ダイヤル方式.

di·am·e·ter /daiǽmətər/

名 直径; 差し渡し. ⇨ METER[1].

ángular diámeter 【天文】角直径.
collísion dìameter 【物理】衝突直径.
cónjugate diámeter 【解剖】真結合線.
sè·mi·di·ám·e·ter 名 (通例, 天体の)半径.

dia·mond /dáiəmənd | dáiə-/

名 【宝石】ダイヤモンド, ダイヤ, 金剛石.

bláck diamond カーボナード: 黒色ダイヤ.
bránded diamond 商標入りダイヤモンド[宝石].
Brístol díamond ブリストルダイヤ: 英国産の水晶.
Cúllinan diamond カリナンダイヤモンド.
fálse diamond ダイヤモンドに似た貴石.
Hópe diamond ホープダイヤモンド.
Jónker diamond ヨンカーダイヤモンド.
mátara diamond =Matura diamond.
Mátura diamond マチュラ・ダイヤモンド.
Orlóff dìamond オルロフダイヤモンド.
Régent dìamond リージェントダイヤモンド.
róse dìamond ローズ形のダイヤモンド.
róugh diamond 未加工のダイヤモンド.

-di·an /diən/

連結形 日の.
★ 語末にくる関連形は -JOURN.
★ 語頭にくる関連形は journ-, di-: *journ*alism「新聞, 雑誌」, *di*ary「日記」.
◆ ラテン語 *diēs*「日」より. ⇨ -AN[1].
[発音] 直前の音節に第1強勢.

cir·ca·di·an 形 【生物】概日性の.
cir·ca·lu·na·di·an 形 正確に12.4時間または24.8時間の周期を持つ.
me·rid·i·an 名 ☞
ul·tra·di·an 形 【生物】超概日性の, 超日周期の.

dice /dáis/

名複 さい, さいころ.

líar dìce ポーカーダイス遊び.
nó-díce 形 面白くない, つまらない.
póker dìce ポーカーダイス: トランプの6つの最高札の絵または印を描いてあるさいころ.
slíce-and-dìce 各部分を削除・再構成する作業過程.

dick /dík/

名 **1** 《俗》陰茎. **2** 《主に米俗》探偵. **3** 《主に英俗》男.
►人名 Dick の転用.

cínder dìck 《米渡り労働者俗》鉄道公安の刑事.
cléver Díck 《英俗》頭の切れるやつ.
clípped dìck 《米俗》ユダヤ人の男.
crápper dìck 《米俗》公衆トイレを見まわる警官.
díckless díck 《米俗》女刑事.
dóddering Díck 《英俗》機関銃.
dónkey díck 《米俗》サラミソーセージの薄切り.
frát dìck 《米学生俗》遊び回って友愛会を鼻にかけるやつ.
háiry·dìck 《米》焼印のない子牛.
límp-dìck 名形 《米俗》能無し(の), 役立たず(の).
néedle·dìck 《米俗》短小ペニス(の男).
péncil dìck 《米俗》=needle dick.
quíbber·dìck 《米俗》言い逃れをする人.
slíppery dìck 【魚類】キュウセン(ベラ)属の鮮やかな色の小魚.
spótted díck 《英》乾燥果物入りスエットプディング.
whískey díck 《米俗》(酒の飲みすぎによる)不能ペニス.

-dict /dikt, díkt/

連結形 話された(こと); 決定された(こと).
★ 語末にくる関連形は -DICTION, -DICTIVE.
★ 語頭にくる形は dict-: *dict*ionary「辞書」, *dict*ation「口述」.
◆ <ラ *dictus*(*dicere*「話す; 決定する」の過去分詞).
[発音] 名詞では語頭の音節に, 動詞では基体(-dict)に第1強勢. 例外: máledict.

ad·dict 名 ☞
con·tra·dict 動他 否認する; 反駁する, 口答えする.
e·dict 名 (国王・政府・当局などの)布告, 勅令.
in·ter·dict 名 【大陸法】(裁判所などの略式)命令.
mal·e·dict 形 《古》呪われた.
pre·dict 動他自 予報する; 予言する.
ver·dict 名 ☞

-dic·tion /díkʃən/

連結形 **1** 話されたこと[もの]. **2** 決定されたこと[もの].
★ 名詞をつくる.
★ 語末にくる関連形は -DICT.

D

★ 語頭にくる関連形は dict-: *dict*ionary「辞書」, *dict*ation「口述」.
◆ <ラ *dictus*(*dīcere*「言う, 話す; 決定する」の過去分詞). ⇨ -TION.

ad·dic·tion 名	(麻薬などの)常用癖, 中毒.
ben·e·dic·tion 名	【ローマカトリック】祝福.
con·tra·dic·tion 名	反駁(はんばく), 反対.
in·dic·tion 名	【経済】税額査定.
in·ter·dic·tion 名	禁止, 禁制, 停止.
ju·ris·dic·tion 名	裁判権, (裁判所の)管轄権.
mal·e·dic·tion 名	呪い; 呪うこと, 呪いの言葉.
pre·dic·tion 名	予言; 予報.
val·e·dic·tion 名	別れ, 告別, いとまごい.

D

dic·tion·ar·y /díkʃənèri | -ʃənəri/

名 辞典, 辞書, 字引, 用語辞典. ⇨ -ARY.

bibliográphical díctionary	人名辞典.
bilíngual díctionary	二カ国語辞典. ►英和など.
collígiate díctionary	学生用辞典.
dáta díctionary	【コンピュータ】データディクショナリー.
Dévil's díctionary	『悪魔の辞典』; A. Bierce 著.
ÉFL díctionary	外国語としての英語学習者用辞典. ►*E*nglish as a *f*oreign *l*anguage.
Énglish Díalect Díctionary	『英国方言辞典』: 全 6 巻; J. Wright 著.
excéption dìctionary	【コンピュータ】例外辞典.
geográphical díctionary	地名辞典.
Gréek díctionary	ギリシャ語辞典.
histórical díctionary	歴史的配列の辞書.
Látin díctionary	ラテン語辞典.
léarner's díctionary	学習辞典.
médical díctionary	医学辞典.
monolíngual díctionary	一カ国語辞典. ►国語辞典の類.
Óxford Énglish Díctionary	オックスフォード英語辞典: 最大の英々辞典. 略 *OED*.
pócket díctionary	小型版辞典.
pronóuncing díctionary	発音辞典.
revérse díctionary	逆引き辞典.
rhýming díctionary	押韻辞典.
sláng díctionary	俗語辞典.
sléeping díctionary	《俗》外国語習得のために性交相手にする外国人女性.
spélling díctionary	スペル辞典, 綴り字辞典.
unabrídged díctionary	《米》大辞典.
vísual díctionary	図解辞典.
wálking díctionary	生き字引, 博覧強記の人.

-dic·tive /díktiv/

連結形 決定する…; 言う….
★ 形容詞をつくる.
★ 語末にくる関連形は -DICT.
★ 語頭にくる関連形は dict-: *dict*ation「口述, 口授」, *dict*ionary「辞書」.
◆ <ラ *dictus*(*dicere*「決める; 言う」の過去分詞). ⇨ -IVE[1].

ad·dic·tive 形	中毒性の.
ben·e·dic·tive 形	【文法】〈動詞が〉願望の [を表す].
con·tra·dic·tive 形	反駁(はんばく)的な, 反対を唱える.
ju·ris·dic·tive 形	裁判権の.
mal·e·dic·tive 形	呪いの言葉の.
pre·dic·tive 形	予言 [予報]の, 予言 [予報]する.

die[1] /dái/

動自 〈人・動物が〉死ぬ; 〈植物が〉枯れる.

dó-or-díe 形	必死の, 全力を尽くしての.
ríght-to-díe 形	死ぬ権利の [を求める].

die[2] /dái/

名 【機械】ダイス型.

ópen díe	【金属加工】開放金型.
pórthole dìe	【金工】組み立てダイス.
trím dìe	【金属加工】ばり取り用金型.
trímming dìe	【金属加工】=trim die.

dieu /djúː | djúː; *Fr.* djø/

名 《フランス語》神.

a·dieu 間	さようなら, ご機嫌よう.
hô·tel-Dieu 名	病院.
mon Dieu 間	おやまあ.
prie-dieu 名	祈禱(きとう)台 [机].

dif·fer·ence /dífərəns/

名 (…の間の)違い, 差異; (…における)(…との)相違. ⇨ -FERENCE.

cómmon dífference	【数学】公差.
fínite dífference	【数学】階差.
góal dìfference	【サッカー】得失点差.
in·dif·fer·ence 名	無関心, 無頓着(むとんちゃく), 冷淡.
júst nóticeable dífference	【心理】丁度可知差異.
poténtial dífference	【電気】電位差.
symmétric dífference	【数学】対称差.
tábular dífference	【数学】表差.
tíme dìfference	時差.

dif·fer·en·tial /dìfərénʃəl/

形 **1** 差別 [格差] (difference)のある. **2**【数学】微分の. ⇨ -IAL.

exáct differéntial	【数学】完全微分(式).
ìn·te·gro·dìf·fer·én·tial 形	【数学】積分微分の.
límited-slíp differèntial	自動車が曲線路をスムーズに走行するための機構.
pártial differéntial	【数学】偏微分.
semántic differéntial	【心理言語】意味微分, SD 法.
wáge differèntial	賃金格差.

dif·fer·en·ti·a·tion /dìfərènʃiéiʃən/

名 **1** 弁別. **2**【生物】分化. **3**【数学】微分(法). ⇨ -ATION.

céll differentiátion	【生物】細胞分化.
cy·to·dif·fer·en·ti·a·tion 名	【生物】細胞分化.
de·dif·fer·en·ti·a·tion 名	【生物】脱 [逆] 分化, 退行分化.
implícit differentiátion	【数学】陰関数微分法.
pártial differentiátion	【数学】偏微分.
próduct differentiátion	製品差別化.
sócial differentiátion	【社会】社会的分化.

dif·fu·sion /difjúːʒən/

名 放散, 発散; 普及, 流布. ⇨ -FUSION.

cúlture diffùsion	【人類】【社会】文化伝播.
gáseous diffúsion	【化学】ガス拡散.
ìm·mu·no·dif·fú·sion 名	免疫拡散(法).
rè·dif·fú·sion 名	再放送.
thérmal diffúsion	【物理化学】熱拡散, 温度拡散.
thèr·mo·dif·fú·sion 名	=thermal diffusion.

dig /díg/

動自他 (道具・手などで)(地面を)掘る,(土を)掘り返す.
──名《話》(…を)つつくこと.

gold-dig 動他《俗》〈男から〉甘言で金を巻き上げる.
shin-dig 名《話》舞踏会, パーティー, 祝宴.

dig·ger /dígər/

名 **1** 掘る人. **2** 採掘器具. ⇨ -ER[1].

bíg dígger (ポーカーで)スペードのエース.
dítch-dìgger 溝掘り人; 溝掘り機.
góld dìgger 金鉱捜し, 採金者; 黄金狂.
gráve-dìgger 墓掘り人.
gúm-dìgger 《NZ》化石化したカウリ樹脂(Kauri gum)を掘る人.
pósthole dìgger 支柱穴掘り具.
potáto-dìgger ジャガイモ掘り機.
prát dìgger 《米俗》すり.
trénch dìgger 〘機械〙溝掘機.

dig·it /dídʒit/

名 アラビア数字; (十進法以外の)数字.

bínary dígit 〘コンピュータ〙二進数字.
chéck dìgit チェック数字.
dóuble-dígit 形〈インフレ・失業率などが〉2桁の.
héx dígit 〘コンピュータ〙16進数字.
húndred(')s dígit (アラビア数字の)百の位の数字.
léast signíficant dígit 最小有効数, 最下位数.
móst signíficant dígit 最有効数字.
sígn dìgit 〘コンピュータ〙符号桁数字.
síngle-dígit 形 1桁の; 10以内の.
téns dìgit (アラビア数字の)10の位の数字.
thóusand's dìgit (アラビア数字で)千の位の数字.
tríple-dígit 形 (百分率の数字が)3桁の.
twó-dígit 形 2桁の.
únits dìgit (アラビア数字の)1の位の数字.

dime /dáim/

名《米・カナダ話》ダイム: 米国・カナダの10セント白銅貨.

bíg díme 《米賭博俗》1万ドル.
hálf dìme 5セント銀貨.
níckel-and-díme 形《話》つまらない, 取るに足りない.

di·men·sion·al /diménʃənl, dai-/

形 次元の[に関して]. ⇨ -AL[1].

fínite-diménsional 形〘数学〙有限次元の.
fóur-diménsional 形〘数学〙四次元の.
mùlti-diménsional 形 多次元の.
óne-diménsional 形 一次元の; 一面しかない.
thrée-diménsional 形〈広がりなどが〉三次元の, 立体の.
trì-diménsional 形 三次元の, 立体の.
twó-diménsional 形 二次元の.
ùni-diménsional 形 =one-dimensional.

din·ner /dínər/

名 **1** 正餐(せいさん). **2** 晩餐会. ⇨ -ER[3].

áfter-dínner 形 正餐後の, 食後の.
básket dínner 《主に米》持ち寄りのディナーパーティー.
bóiled dínner 《米北部》煮込み(料理).
Chrístmas dìnner クリスマスの日の伝統的昼食.
dóg's dìnner 《話》残飯, 食べ残し.
hóuse dìnner (大学やクラブなどで催す)特別晩餐会.
progréssive dínner 巡回ディナーパーティー.
shóre dìnner 《米》磯(いそ)料理.
TV dìnner 《米》テレビ食, TV ディナー.
wíne dìnner レストランの特選ワイン付きディナー.

di·no·saur /dáinəsɔ̀ːr/

名 恐竜, ダイノソア. ⇨ -SAUR.

ármored dínosaur 曲竜, 鎧竜(がいりゅう).
bírd-footed dínosaur 獣脚類(theropod).
dúck-bìlled dínosaur ハドロサウルス(hadrosaur).
hórned dínosaur 角竜(つのりゅう)類.

di·ode /dáioud/

名〘電子工学〙半導体ダイオード. ⇨ -ODE[2].

Esáki dìode エサキダイオード.
IMPATT diode インパット・ダイオード.
líght-emìtting díode 発光ダイオード(LED).
phóto-dìode フォトダイオード.
Schóttky dìode ショットキーダイオード.
semicondúctor dìode (半導体)ダイオード.
túnnel dìode トンネルダイオード.
Zéner dìode ツェナーダイオード.

di·ox·ide /daiáksaid, -sid | -ɔ́ksaid/

名〘化学〙二酸化物. ⇨ -OXIDE.

bárium dióxide 過酸化バリウム.
cárbon dióxide 二酸化炭素, 無水炭酸, 炭酸ガス.
chlórine dióxide 二酸化塩素, 過酸化塩素.
chróme dióxide =chromium dioxide.
chrómium dióxide 二酸化クロム.
léad dióxide 酸化第二鉛.
magnésium dióxide 過酸化マグネシウム.
nítrogen dióxide 二酸化窒素.
sílicon dióxide シリカ(silica).
súlfur dióxide 二酸化硫黄, 亜硫酸ガス.
titánium dióxide 二酸化チタン.
uránium dióxide 二酸化ウラン,《俗》ウラニア.

dip /díp/

動他 …をちょっとつける[浸す]. ──名 浸す[浸る]こと.

dóuble díp 二重の措置.
dóuble-díp 動自《話》二重稼ぎをする.
Frénch díp 〘料理〙フレンチディップ.
héad dìp 〘サーフィン〙ヘッドディップ.
Lámb dìp 〘物理〙ラムの共鳴振動降下.
lúcky díp 《英》(パーティーの)宝捜し袋.
magnétic díp 〘磁気〙〘測量〙俯角.
shéep-dìp 名〘獣病理〙洗羊液.
skínny-dìp 動自名《米話》素っ裸で泳ぐ(こと).
slíppery dìp 《豪話》滑り台.

di·plo·ma·cy /diplóuməsi/

名 (国家間の)外交(交渉). ⇨ -ACY.

chéckbook diplómacy (日本の)金銭外交.
cócktail diplòmacy カクテル外交.
cúltural diplómacy 文化外交.
déadline diplòmacy 期限つき外交.
dóllar diplòmacy 《米》ドル外交, 金力外交.
gúnboat diplómacy 砲艦外交.
húman ríghts diplòmacy 人権外交.
mégaphone diplómacy メガホン外交.
óil diplòmacy 石油外交.
píng-pòng diplómacy ピンポン外交.

D

quíet diplómacy 静かな外交.
shúttle diplòmacy 往復外交, シャトル外交.

dip·per /dípər/

名 **1** (水などに)浸す人[物]. **2** ひしゃく. ⇨ -ER[1].

Bíg Dípper 〖天文〗北斗七星.
bíg dípper 《英話》ジェットコースター.
fánny-dìpper 《米サーファー俗》海水浴する人.
hípper-dípper 形 《米俗》非常に素晴らしい.
Líttle Dípper 〖天文〗小びしゃく(Dipper).

-dip·si·a /dípsiə | -siə, sjə/

連結形 〖医学〗渇きの感覚の異常.
★ 名詞をつくる.
★ 語頭にくる関連形は dipso-: *dipso*mania「飲酒癖」.
◆ ギリシャ語 *dípsa*「渇き」より. ⇨ -IA.

a·dip·si·a 名 渇感欠如, 無飲症.
pol·y·dip·si·a 名 (多飲)多渇症.

di·rect /dirékt, dai-/

動他 …を導く. ——形 **1** まっすぐな. **2** 直接の. ⇨ -RECT.

in·di·rect 形 〈道などが〉まっすぐでない.
mis·di·rect 動他 間違って教える.
re·di·rect 動他 …を再び向ける, 向け直す.
sem·i·di·rect 形 〈照明が〉間接の.

di·rect·ed /diréktid, dai-/

形 指令[指揮, 指示]された; 指導された; 規制された; 管理された. ⇨ -ED[1].

ínner-dirécted 形 〖社会〗内部志向の.
óther-dirécted 形 自主性を欠く; 〖社会〗他者志向の.
óuter-dirécted 形 外向型の; 社交的な.
sèlf-dirécted 形 自分の方向を自分で決めた.
tradítion-dirécted 形 〖社会〗伝統志向の.
ùn·dirécted 形 指示のない, 指導者のいない.
wéll-dirécted 形 よく方向づけされた; ねらい定めた.

di·rec·tion /dirékʃən, dai-/

名 **1** 方向, 方角. **2** 《文語》指揮. ⇨ -RECTION.

fíre dirèction 〖軍事〗(特に砲兵隊の)射撃指揮.
ìn·di·réc·tion 名 間接的な行動[処置].
mìs·di·réc·tion 名 指示違い, 誤った指導.
sèlf-di·réc·tion 名 自らの方向決定.
stáge dirèction 〖演劇〗ト書き, 舞台指定.
wínd dirèction 風向.

di·rec·tion·al /dirékʃənl, dai-/

形 **1** 方向[方角]の. **2** 〖無線〗指向性の, 方向性の: 特定の方向の電波だけを送受信する. ⇨ -AL[1].

bi·di·rec·tion·al 形 二方向に作用[機能]できる.
mul·ti·di·rec·tion·al 形 〈スピーカーなどが〉多方向(性)の.
non·di·rec·tion·al 形 =omnidirectional.
om·ni·di·rec·tion·al 形 〖電子工学〗無指向性の.
u·ni·di·rec·tion·al 形 一方だけに作用する; 一定方向の.

di·rec·tor /diréktər, dai-/

名 導く人[もの], 指導者. ⇨ -TOR.

árt dirèctor 〖映画〗〖テレビ〗美術監督.
artístic diréctor (劇場・バレエ団などの)美術監督.
cásting dirèctor (芝居などの)配役担当責任者.
cómpany dirèctor 《英》(会社の)代表取締役, 重役.
equéstrian dirèctor (サーカスなどの)曲馬団長.
fúneral dirèctor 《米》葬儀屋.
óutside diréctor 社外重役, 外部重役.
prógram dirèctor 〖ラジオ・テレビ〗編成局長.
stáge dirèctor 舞台演出家.
wórker-diréctor 《主に英》管理職労働者.

disc /dísk/

名 レコード(盤); 円盤; 〖コンピュータ〗ディスク. ◇ DISK.

bláck dísc (従来の)レコード.
bráke dìsc 〖機械〗ブレーキディスク.
CD-I disc 対話型[式]コンパクトディスク.
cómpact vìdeo dìsc コンパクト・レーザーディスク.
dígital dísc デジタルディスク.
Dígital Vídeo Dìsc デジタル・ビデオ・ディスク(DVD).
flýing dísc フリスビー(Frisbee).
gìga·disc 名 〖コンピュータ〗1, 000 メガバイトディスク.
góld dísc ゴールドディスク[レコード].
identificátion dìsc 《英》認識票(identification tag).
idéntity dìsc 《英》=identification disc.
Mín·i·Disc 名 ミニディスク(MD): 録音可能小型 CD.
párking dìsc 《英》駐車時間表示板.
plátinum dìsc プラチナディスク: 《米》100 万枚売れた CD[LP, アルバム]; 200 万枚売れたシングル CD[LP].
sílver dìsc 《英》LP で 6 万枚またはシングルで 20 万枚売れたレコード.
súcking-dìsc 名 吸盤.
táx dìsc 《英》自動車税支払済み証票.
tróchal dìsc 〖動物〗輪盤, 繊毛盤[環].

dis·charge /distʃɑ́ːrdʒ/

名 **1** 免除, 釈放; 〖軍事〗除隊. **2** 〖電気〗放電. ⇨ CHARGE.

bád cónduct dìscharge 〖米軍事〗懲戒除隊[免職].
brúsh dìscharge 〖電気〗ブラシ放電.
condítional díscharge 〖法律〗条件付き釈放.
convéctive díscharge 〖物理〗対流放電.
coróna dìscharge 〖電気〗コロナ放電.
dishónorable díscharge 〖軍事〗懲戒除隊.
disrúptive díscharge 〖電気〗破裂放電.
géneral díscharge 〖軍事〗普通除隊.
glów dìscharge 〖物理〗グロー放電.
hónorable díscharge 〖軍事〗無事故[名誉]除隊.
sélf-dischárge 〖化学〗〖電気〗自己放電.
undesírable díscharge 〖米軍事〗分限免職.

dis·ci·pline /dísəplin, -plìn/

名 (規則に従って行動させる)鍛錬, 訓練. ⇨ -INE[2].

in·dis·ci·pline 名 訓練の欠如, 無規律, 無秩序.
self-dis·ci·pline 名 自己鍛錬, 自己修養; 自戒, 自制.
sub·dis·ci·pline 名 ある学問分野の下位区分.
un·dis·ci·pline 名 無規律, 自制[修練]を欠くこと.

dis·co /dískou/

名 ディスコ. ►discotheque の短縮形. ⇨ -O[1].

Crísco dìsco 《米俗》ホモの出入りするナイトクラブ[ディスコ].
róller dìsco ローラーディスコ: ローラースケートを履いて踊るディスコ風のダンス.

dis·count /dískaunt, ‒ˊ/

動他 …を割引する. ━━名 割引(すること). ⇨ COUNT.

bánk dìscount	〘銀行〙銀行手形割引.
cásh dìscount	現金割引.
déep dìscount	大幅割引, 超特価割引.
fíve-finger discóunt	《米俗》盗品; 万引き(品).
rè·dís·count 動他	再割引する.
tíme dìscount	時間割引, 期限割引, 前払割引.
tráde dìscount	業者割引, 営業割引, 仲間割引.

dis·crim·i·na·tion /diskrìmənéiʃən/

名 区別, 識別, 差別. ►discriminate の名詞形. ⇨ -ATION.

àn·ti-dis·crìm·i·ná·tion 名形	人種差別反対(の).
ìn·dis·crìm·i·ná·tion 名	見境のない行動.
nòn·dis·crìm·i·ná·tion 名	差別(待遇)のないこと.
pósitive discriminàtion	《英》差別撤廃措置.
príce discriminàtion	価格[売値]差別.
revérse discriminátion	《米》逆差別.

dis·ease /dizí:z/

名 病気, 疾病, 疾患. ⇨ EASE.

Áddison's disèase	アジソン病.
Álzheimer's disèase	アルツハイマー病.
Ánderson-Fábry disèase	アンダーソン・ファブリー病.
àutoaggréssive diséase	＝autoimmune disease.
autoimmúne disèase	自己免疫疾患.
Báng's disèase	〘獣病理〙バング病.
Bárlow's disèase	バーロー病, 乳児壊血病.
Básedow's disèase	バセドー氏病.
Béhçet's disèase	ベーチェット病.
bláck disèase	〘獣病理〙伝染性壊疽(えそ)性肝炎.
bléeder's disèase	血友病.
Bówen's disèase	ボーエン病.
Bríght's disèase	ブライト病.
Bríll's disèase	ブリル病.
bríttle-bòne diséase	骨粗鬆(そしょう)症.
brówn lùng disèase	綿糸肺.
Búerger's disèase	バージャー病.
cáisson disèase	空気塞栓症.
cát-scràtch disèase	猫ひっかき病, 猫爪病, 猫爪熱.
céliac disèase	ツェリアキー, 小児脂肪便症.
Chágas' disèase	シャガス病, アメリカトリパノソーマ症.
Chrístmas disèase	クリスマス因子欠乏症.
chrónic obstrúctive púlmonary disèase	慢性閉塞(へいそく)性肺疾患.
círcling disèase	〘獣病理〙リステリア症.
cóeliac diséase	＝celiac disease.
cóllagen disèase	膠原(こうげん)病.
connéctive tíssue disèase	結合組織病.
Créutzfeldt-Jákob disèase	クロイツフェルト・ヤコブ病.
Cróhn's disèase	クローン病.
Cúshing's disèase	クッシング病.
cytomegálic inclúsion disèase	巨細胞性封入体症.
Dariér's disèase	ダリエー病.
defíciency disèase	(不可欠栄養分の)欠乏病.
degénerative jóint disèase	変形性関節炎.
dóg's disèase	《豪俗》インフルエンザ.
dúck's diséase	《こっけい》短足.
dúst disèase	《話》〘病理〙塵(じん)肺(症).
Dútch diséase	オランダ病: オランダに見られたような天然資源の発見による産業の衰退.
Dútch élm disèase	オランダニレ病, ニレ立ち枯れ病.
Ecónomo's disèase	エコノモ型脳炎, 嗜眠(しみん)性脳炎.
élephant màn's disèase	神経線維腫(しゅ)症.
Énglish diséase	英国病: 英国の経済停滞.
Fábry's disèase	ファブリー病.
fibrocýstic disèase	線維嚢胞(のうほう)病, 乳腺(にゅうせん)症.
físhskin disèase	魚鱗癬(せん).
flésh-eating disèase	壊死性筋膜炎.
fóot-and-móuth disèase	〘獣病理〙口蹄(こうてい)疫[病].
fóot-in-móuth disèase	《話》《おどけて》失言癖[症].
fúnctional disèase	機能性疾患.
Gauchér's disèase	ゴーシェ病.
Géhrig's diséase	ゲーリッグ病, 筋萎縮性側索硬化症.
glýcogen stòrage disèase	糖原病.
gráft-vèrsus-hóst disèase	移植片対宿主[移植片=宿主]疾患.
Gráves' disèase	グレーブス病, バセドー病.
gréen mónkey disèase	＝Marburg disease.
ǴVH́ diséase	＝graft-versus-host disease.
Hánsen's disèase	ハンセン病.
hárdware disèase	〘獣医〙金物病.
Hashimóto's disèase	橋本病.
héart disèase	心臓病.
híp disèase	股(こ)関節病.
HÍV disèase	HIV 疾患.
Hódgkin's disèase	ホジキン病.
hóof-and-móuth disèase	＝foot-and-mouth disease.
hýaline mémbrane disèase	(新生児の)硝子[ヒアリン]膜症.
iatrogénic disèase	医療性疾患.
immúne-cómplex disèase	免疫複合体病.
indústrial diséase	＝occupational disease.
inflámmatory bówel disèase	炎症性腸疾患.
Jakob-Créutzfeldt disèase	＝Creutzfeldt-Jakob disease.
Jellineck's disèase	ジェリネック病.
Jóhne's disèase	〘獣病理〙ヨーネ病, パラ結核症.
Jóseph disèase	ジョゼフ病.
Káschin-Bèck disèase	カシンベック病.
Kawasáki disèase	川崎病.
kíssing disèase	キス病.
láboratory disèase	(特に実験動物の)実験用疾患.
legionnáires' disèase	在郷軍人病.
líttle léaf disèase	〘植物病理〙小葉病, 萎葉(いよう)病.
lóco disèase	〘獣病理〙ロコ病.
Lóu Géhrig's disèase	筋萎縮(いしゅく)性側索症.
Lýme disèase	ライム病.
màd ców disèase	《話》「狂牛病」, 牛海綿状脳症(BSE).
Mád Hátter's disèase	水銀中毒. ►Minamata disease.
Márburg disèase	マールブルグ病.
Márek's disèase	〘獣病理〙マレック病.
mílky disèase	乳化病.
Minamáta disèase	水俣(みなまた)病.
molécular diséase	分子病.
Mónday mórning disèase	〘獣病理〙(ウマの)横紋筋融解症.
navícular diséase	〘獣病理〙(馬の)舟状骨炎.
Néwcastle disèase	〘獣病理〙ニューキャッスル病.
Níemann-Píck disèase	ニーマンピック病.
occupátional diséase	職業病.
óld-tímer's diséase	《米俗》＝Alzheimer's disease.
orgánic diséase	器質性疾患.
Páget's disèase	ページェット病, 変形性骨炎.
Párkinson's disèase	パーキンソン病.
párrot disèase	オウム病.
pélvic inflámmatory disèase	骨盤内炎症疾患.
periodóntal disèase	歯周疾患.
phóny disèase	〘植物病理〙モモ矮小(わいしょう)病.
Píck's disèase	ピック病.
Píerce's disèase	〘植物病理〙ピアス(氏)病.
pínk disèase	ピンク病.
Pómpe's diséase	ポンペ病.
Pótt's diséase	ポット(氏)病, 脊椎カリエス.
psychosomátic diéase	心身症.
pullórum disèase	〘獣病理〙雛白痢(はくり)病.
Ránikhet disèase	〘獣病理〙＝Newcastle disease.
Ráynaud's disèase	レイノー病.
réd-eye diséase	ねたみ病: 1980 年代の中国で, 経済改革, 開放政策に伴って現れた高所得者に対するねたみの風潮.
Ŕh disèase	胎児赤芽球症.
rheumátic héart disèase	心臓リューマチ.

Ríggs' disèase 〔歯科〕膿漏(のうろう).
Róyal Frée disèase ロイヤルフリー病.
Rúbarth's disèase ルーバルス病.
rúbberman disèase エーラーズ=ダンロー症候群.
séxually transmítted diséase 性行為感染症.
skín disèase 皮膚病.
slím disèase スリム病.
sócial disèase 性病.
stíff-lámb disèase 〔獣医〕子羊の多発性関節炎.
Stíll's disèase スティル病, 若年性関節リューマチ.
stórage disèase 蓄積症, 沈着症, 貯蔵症.
Stúttgart disèase 犬レプトスピラ病.
swíne vesícular diséase 〔獣病理〕ブタ水泡(すいほう)病.
tín disèase スズペスト: 金属スズを低温にさらすと, 灰色粉末状に変化すること.
tsétse flỳ disèase 〔獣医〕アフリカ睡眠病.
tsutsugamúshi disèase つつが虫病.
túnnel disèase 空気塞栓(そくせん)症.
20th-cèntury diséase 20 世紀病, 20 世紀特有の現代病.
venéreal disèase =sexually transmitted disease.
vírus disèase ウイルス病, ウイルス(性)疾患.
von Willebrand's disèase フォン・ビレブラント病.
Wéil's disèase ワイル病.
whíte múscle disèase 〔獣医〕白筋症.
Wílson's disèase ウィルソン病, 肝レンズ核変性症.
wóolsorters' disèase 肺炭疽(たんそ).
x-disèase 〔獣病理〕x 病.
zymótic diséase 《廃》発酵病.

dish /díʃ/

名 **1** 盛り皿, 大皿, 深皿, 鉢, どんぶり(《米》platter). **2** 皿に似たもの, (食器以外の)皿. **3** (皿に盛られた)料理.

bútter dìsh (卓上用)バター皿.
cándle-dìsh 燭台(しょくだい)の火皿.
cháfing dìsh チェーフィング・ディッシュ: 料理用, 食物保温用器具.
déep-dìsh 形 〔料理〕深皿で焼いた.
eváporating dìsh 〔化学〕蒸発皿.
hót dìsh (メインコースの)熱い料理.
kídney dìsh 外科用の腎臓の形をした受け皿.
máde dìsh (肉・野菜などの)取り合わせ料理.
mónkey dìsh 《俗》銘々皿.
pétri dìsh ペトリ皿, ペトリシャーレ.
sátellite dìsh 衛星放送用パラボラアンテナ.
síde dìsh 添え料理.
skímming dìsh 浮きかす[上皮]をすくう皿.
sóap dìsh (浴室などの)せっけん皿.
stráwberry dìsh イチゴ皿.
téle-dìsh 名 テレディッシュ: 衛星放送用椀(わん)型アンテナ.
tún-dìsh 〔冶金〕タンディッシュ.

disk /dísk/

名 **1** 円盤(disc). **2** 〔コンピュータ〕ディスク.

accrétion dìsk 〔天文〕降着円板.
áudio-dìsk オーディオディスク.
básal dìsk 〔解剖〕足盤.
blásto-dìsk 〔発生〕胚盤(はいばん).
cómpact dísk コンパクトディスク.
cúrsor dìsk 〔コンピュータ〕カーソルディスク.
dáta dìsk 〔コンピュータ〕データディスク.
dígital dísk デジタルディスク.
embryónic dísk 〔発生〕胚盤(はいばん), 胚楯(はいじゅん).
fíxed-héad dìsk 〔コンピュータ〕固定ヘッドディスク.
fléxible dìsk 〔コンピュータ〕=floppy disk.
flóppy dìsk 〔コンピュータ〕フロッピーディスク.
gérminal dìsk 〔発生〕=blastodisk.
hárd dìsk 〔コンピュータ〕ハードディスク.
hérniated dísk 〔病理〕脊(せき)間板ヘルニア.
intervértebral dìsk 〔解剖〕椎間(ついかん)板.
jóy dìsk =cursor disk.
láser dìsk レーザーディスク.
magnétic dísk 〔コンピュータ〕磁気ディスク.
magnèto-dísk 〔天文〕マグネットディスク.
Másson dìsk 〔眼科〕マソンの円盤.
míni dìsk ミニディスク.
óptical dísk 光ディスク.
óptic dísk 〔眼科〕(眼球の)視神経乳頭.
pédal dìsk =basal disk.
Plácido's dísk 〔眼科〕プラシド円盤.
Ráyleigh dìsk 〔音響〕〔力学〕レーリー(円)板.
rúptured dísk 〔病理〕円板破裂.
scánning dìsk 〔テレビ〕走査円板.
slípped dísk =herniated disk.
sóft dísk 〔コンピュータ〕ソフトディスク.
sún dìsk 太陽面.
sýstem dìsk 〔コンピュータ〕システム・ディスク.
vídeo-dìsk ビデオディスク.
Wínchester dísk 〔コンピュータ〕ウインチェスター磁気ディスク.
Ź dìsk 〔生物〕Z 線(Z line).

dis·or·der /disɔ́ːrdər/

名 (心身機能の)不調, 異常. ⇨ ORDER.

adjústment disòrder 適応障害.
afféctive disórder 情動障害.
atténtion dèficit disórder (児童の)注意力欠如障害(ADD).
atténtion dèficit hyperactívity disórder =attention deficit disorder.
bipólar disórder 双極性障害.
cháracter disòrder 性格障害, 性格異常.
convérsion disòrder 転換障害, 転換ヒステリー.
convúlsive disòrder 痙攣(けいれん)性障害.
developméntal disòrder 発達障害(状態).
dissóciative disòrder 解離障害.
éating disòrder 摂食障害(拒食症, 過食症など).
factítious disórder 詐病.
histriónic personálity disòrder 演技性人格障害.
mánic disòrder 躁(そう)病.
pánic disòrder パニック障害.
personálity disòrder 人格障害.
posttraumátic stréss disòrder 外傷性ストレス障害.
psychopáthic disórder 〔法律〕(恒常的)精神障害.
psychophysiológic disórder 精神生理学的障害.
schízoafféctive disórder 分裂情動性障害.
séasonal afféctive disórder 季節性情動障害.
sléep-tèrror disòrder 夜間恐怖.
somatizátion disòrder 身体化障害.
thóught disòrder 思考障害.

dis·per·sion /dispə́ːrʒən, -ʃən | -ʃən/

名 分散; 離散, 散乱. ►disperse の名詞形. ⇨ -SION.

ángular dispérsion 〔光学〕角分散.
anómalous dispérsion 〔物理〕異常分散.
rélative dispérsion 〔光学〕アッベ数, 逆分散率.

dis·place·ment /displéismənt/

名 **1** 移動. **2** 〔物理〕変位. **3** 〔海事〕排水量. ⇨ -MENT.

ángular displácement 〔物理〕角変位.
eléctric displácement 〔電気〕電気変位.
líght displácement 〔海事〕軽荷排水量.
lóad displàcement 〔海事〕満載排水量.
rètro-displácement 名 〔病理〕後転.

dis·play /displéi/

名 **1** 陳列, 展示. **2** 誇示. **3**〘コンピュータ〙ディスプレー装置.

cóurtship displày 求愛誇示.
CRT displáy 〘電子工学〙CRT ディスプレー.
electrochrómic dìsplay 〘電子工学〙エレクトロクロミック・ディスプレー.
flát-pánel dìsplay 平面型表示装置.
héadùp displáy 〘航空〙(走行計器などの)前方表示装置.
séven-sègment dísplay (液晶板に用いる)数字ディスプレイ.
spíne-òut displáy 〘出版〙立て並べ, 背出し, 棚配列.
wíndow displày ショーウインドーの商品展示.

dis·pos·al /dispóuzəl/

名 (事・物の)処分; (不要なものの)除去, 廃棄. ⇨ -AL[2].

bómb dispòsal 不発弾撤去 [処理].
ócean dispòsal 海洋投棄.
séwage dispòsal 下水処理.

dis·posed /dispóuzd/

形 **1** (…する)傾向 [性癖, 気質] がある; …に気が向いている. **2** 配置された. ⇨ -D[1].

íll-dispósed 形 快く思わない, 薄情な, 敵意を抱く.
ìn·dispósed 形 不快な, 気分が悪い; 体調がすぐれない.
ùn·dispósed 形 処置してない, 片づけてない.
wéll-dispósed 形 好意を寄せる, 同情的な.

dis·tance /dístəns/

名 (2つの物の間の)(…から)(…までの)隔たり, 距離, 間隔; (遠く)離れていること, 遠距離. ⇨ -STANCE.

aesthétic dístance 審美的距離.
ángular dístance 〘数学〙角距(離).
è·qui·dís·tance 名 (…からの)等距離.
fócal dìstance 〘光学〙焦点距離.
háiling dìstance 人の声の届く距離.
horízon dìstance 〘無線〙〘テレビ〙水平線距離.
hỳperfócal dístance 〘写真〙過焦点距離.
lóng dístance 《主に米》長距離電話.
lóng-dístance 形 《限定的》遠隔地にある [いる].
lúnar dìstance 〘航海〙太陰角距(たいいんかくきょ).
méan dìstance 〘天文〙平均距離.
míddle dìstance 〘美術〙中景.
óbject dìstance 〘写真〙撮影距離.
òm·ni·dís·tance 名 〘航海〙オムニ距離.
òut·dís·tance 動他 (競争などで)…を引き離す.
pérsonal dístance 個人空間 [領域], 私有空間.
pólar dìstance 〘天文〙極距離, 余積緯.
psýchic dìstance 心理的距離.
shóuting dìstance =hailing distance.
skíp dìstance 〘無線〙跳躍距離.
sócial dìstance 〘社会〙社会的距離.
spítting dìstance 短い距離, 手の届く距離.
stríking dìstance 攻撃可能距離 [範囲].
tíme-dìstance 形 《限定的》時間と距離の関係を示す.
ùltra-dístance 形 〈ランナーが〉超長距離走の.
zénith dìstance 〘天文〙天頂距離.

dis·til·la·tion /dìstəléiʃən/

名 〘化学〙蒸留. ►distillate の名詞形. ⇨ -ATION.

destrúctive distillátion 分解蒸留.
drý distillátion =destructive distillation.
fráctional distillátion 分別蒸留, 分留.
mì·cro·dis·til·lá·tion 名 微量 [ミクロ] 蒸留.
molécular distillátion 分子蒸留.
vácuum distillàtion 真空蒸留, 減圧蒸留.

dis·tor·tion /distɔ́ːrʃən/

名 **1** 歪曲(わいきょく), ゆがみ. **2**〘光学〙ひずみ, 収差. ►distort の名詞形. ⇨ -TORTION.

bárrel distòrtion 〘光学〙樽(たる)形球面収差.
cróssover distòrtion 交差ひずみ, クロスオーバーひずみ.
paratáxic distórtion 〘精神医学〙不正知覚的歪曲.
píncushion distòrtion 〘光学〙糸巻き形ひずみ.
prè·dis·tór·tion 名 〘電子工学〙プリエンファシス.

dis·tri·bu·tion /dìstrəbjúːʃən/

名 **1** 《文語》配分. **2** 分布. ►distribute の名詞形. ⇨ -TRIBUTION.

Bernóulli distribùtion 〘統計〙=binomial distribution.
binómial distribútion 〘統計〙二項分布.
compleméntary distribútion 〘言語〙相補的分布.
exponéntial distribútion 〘統計〙指数分布.
F́-distribùtion 〘統計〙F 分布.
fréquency distribùtion 〘統計〙頻度 [度数] 分布.
gámma distribùtion 〘統計〙ガンマ分布.
Gáussian distribútion =normal distribution.
hỳpergeométric distribútion 〘数学〙超幾何分布.
íncome distribùtion 所得分配, 所得分布.
lognórmal distribution 〘数学〙対数正規分布.
màl·dis·tri·bú·tion 名 (富などの)不均衡分配.
mì·cro·dis·tri·bú·tion 名 〘生態〙微小分布.
nórmal distribútion 〘統計〙正規分布, ガウス分布.
Poissón distribùtion 〘統計〙ポアソン分布.
probabílity distribùtion 〘統計〙確率分布.
rè·dis·tri·bú·tion 名 再分配, 再配給, 再配布.
sámpling distribùtion 〘統計〙標本分布.
sécondary distribútion 〘証券〙セカンダリーオファリング.
spéctral distribútion 〘物理〙分光分布.
t́ distribùtion 〘統計〙スチューデントの t-分布.

dis·trict /dístrikt/

名 **1** (行政, 司法, 選挙などの目的によって区分された)地区. **2** (一般に)地方, 地域.

assémbly dìstrict 〘米行政〙州議会下院議員選挙区.
Congréssional dístrict 〘米行政〙(連邦)下院議員選挙区.
eléction dìstrict 選挙区.
Féderal Dístrict 連邦区.
Féderal Resérve dìstrict 連邦準備区: 米国連邦準備銀行の受け持ち地区.
Gárment Dìstrict ガーメント地区(米国の地名).
impácted schóol dìstrict 《米》過密校区 [学区].
Láke Dìstrict 湖水地方(イングランドの地名).
lócal góvernment dístrict 《カナダ》州政府直轄地.
metropólitan dístrict 《英》大都市圏自治区.
Péak Dìstrict ピーク地方(イングランドの地名).
póstal dìstrict 《英》(大都市における)郵便区域.
rè·dís·trict 動他 〈州・郡を〉区画再編成をする.
réd-líght dìstrict 売春地域.
rúral dìstrict 《英》地方自治区, 郡.
schóol dìstrict 《米》学(校)区.
senatórial dìstrict 〘米行政〙(州の)上院議員選挙区.
spécial dìstrict 〘米政治〙特別(地)区.
súb·dìstrict 名 (一地域を区分した)小区域.
úrban dìstrict 都市区.

-di·tion /díʃən/

連結形 与えられたもの [こと].
◆ <ラ *-ditus*(*dare*「与える」の過去分詞 *datus* の連結形). ⇨ -TION.
[発音] -dition の第 1 音節に第 1 強勢が置かれる.

ad·di·tion 名 加えること, ふやすこと.
e·di·tion 名 ☞
per·di·tion 名 魂の喪失, 地獄落ち; 悪者の末路.
ren·di·tion 名 (助言などを)与える [施す] こと.
tra·di·tion 名 伝承, 言い伝え.
ven·di·tion 名 販売, 売却.

dive /dáiv/

動自 (水中に頭から)飛び込む, 潜る; (水泳で)ダイビングする. ━━名 **1** (水中への)飛び込み; ダイビング. **2** (潜水艦などの)潜水. **3** (飛行機の)急降下.

ármstànd dìve 〘ダイビング〙倒立飛び込み.
báck dìve 〘ダイビング〙背面飛び込み.
crásh dìve (潜水艦の)急速潜航.
crásh-dìve 動自他 急速潜航する [させる].
créep dìve 《米俗》安酒場; いかがわしい場所.
cútaway dìve (飛び込み板飛び込みで)カットアウェイ.
fáncy díve (水泳の)飛び込み競技の技.
fórward díve =front dive.
frónt dìve (飛び板飛び込みで)フロントダイブ.
gín díve 《米俗》酒場, 安っぽい飲み屋.
góggle-dìve 潜水用ゴーグルを着けて行う潜水.
nóse-dìve 〈航空機などが〉垂直降下する; 《話》〈価格などが〉暴落する.
pówer dìve 〘航空〙動力急降下.
pówer-dìve 動他自〘航空〙動力急降下させる [する].
scúba-dìve 動自 スキューバダイビングをする.
skín-dìve 動自 スキンダイビングをする.
ský-dìve 動自 スカイダイビングをする.
stáge-dìve 動自 (ロックコンサートで)舞台から客席に飛び込む.
swállow dìve 《主に英》=swan dive.
swán dìve 〘ダイビング〙前飛び伸び型飛び込み.
swán-dìve 動自〘ダイビング〙スワンダイブをする.

div·er /dáivər/

名 **1** 水に頭から飛び込む [潜る] 人. **2** 《英》アビ類の総称. ⇨ -ER[1].

Cartésian díver 浮沈子, 潜り人形.
déep-sèa díver 5ポンド札(fiver).
dún díver 〘鳥類〙カワアイサの雌鳥 [ひな].
grável-dìver 〘魚類〙キンポ亜目 Scytatinidae 科のウナギ形の魚の総称.
gréat nórthern díver 〘鳥類〙ハシグロアビ.
héll-dìver 〘鳥類〙カイツブリ(grebe).
múff-dìver 《俗》クンニリングスをする人.
péarl dìver 真珠採りのダイバー.
sánd dìver 〘魚類〙ベラギンポ.
skín dìver スキンダイビングする人.

di·vide /diváid/

動他 〈物を〉(部分・部門・群などに)分ける, 分割する. ━━名 **1** 分割, 区分. **2** 《主に米》〘地理〙分水界.

continéntal divíde 大陸分水界.
Gréat Divíde 北米大陸分水界 [嶺(れい)].
re·di·vide 動他自 再分割 [区分] する; 分配し直す.
sub·di·vide 動他 〈分けられたものを〉さらに分割する.

div·i·dend /dívədènd, -dənd/

名〘金融〙配当(金). ⇨ -END[1].

accrúed dívidend 〘証券〙繰り延べ未払配当.
cùm dívidend 〘証券〙配当付き.
èx dívidend 〘証券〙配当落ち.
éxtra dívidend =special dividend.
ínterim dívidend 〘保険〙〘金融〙中間配当, 仮配当.
péace dìvidend 〘政治〙防衛費削減による財政利益.
scríp dìvidend 〘金融〙手形配当.
spécial dívidend 〘金融〙特別配当.
stóck dìvidend 〘金融〙株式配当.

di·vid·er /diváidər/

名 分ける人 [物]; 分割する道具. ⇨ -ER[1].

bów dìvìder (製図用の)ばねディバイダー.
poténtial dìvìder 〘電気〙=voltage divider.
róom dìvìder 間仕切り(partition).
spéller-divíder 分綴(ぶんてつ)法参考書.
vóltage dìvìder 〘電気〙分圧器.

div·ing /dáiviŋ/

名 **1** 潜水. **2**〘水泳〙飛び込み, ダイビング. ⇨ -ING[1].

bréathhòld dìving 〘動物〙呼吸停止潜水.
fáncy díving (水泳の)飛び込み競技.
frée dìving 《主に英》=skin diving.
múff-dìving 《俗》クンニリングス.
sáturated díving =saturation diving.
saturátion dìving 飽和潜水.
scúba dìving スキューバダイビング.
skín dìving スキンダイビング.
ský·dìving 名 スカイダイビング.

di·vi·sion /divíʒən/

名 **1** 分割. **2**〘数学〙割り算. **3**〘生物〙分裂. **4** 部門; 〘軍事〙師団; 〘スポーツ〙クラス. ►divide の名詞形. ⇨ -SION.

áir dìvìsion 〘米空軍〙航空師団.
appéllate dìvìsion 〘法律〙上訴部, 中間上訴裁判所.
Cassíni dìvìsion 〘天文〙カシニの間隙(かんげき).
céll dìvìsion 〘生物〙細胞分裂.
Éncke's dìvìsion 〘天文〙エンケの空隙(くうげき).
Fámily Dìvìsion 〘英法〙(高等法院の)家事部.
fírst divísion 〘スポーツ〙A クラス.
lóng divísion 〘数学〙長除法.
maturátion dìvìsion 〘細胞生物〙成熟分裂.
pánzer dìvìsion (ドイツ陸軍の)機甲兵団 [師団].
pelágic dìvìsion 漂泳区.
Próbate Divórce and Ádmiralty Dìvìsion (英国の)高等法院の一部門.
Quéen's Dìvìsion 《英法》王座裁判所.
redúction dìvìsion 〘生物〙減数分裂, 還元分裂.
róot dìvìsion 根分け.
sécond divísion 〘スポーツ〙B クラス, 下位チーム.
sèlf-divísion 〘生物〙自己分割.
shórt divísion 〘数学〙短除法.
súb·di·vì·sion 名 さらに分割する [下位区分する] こと.
synthétic divísion 組立除法.

do /dúː/

動他 〈行為・行動・仕事などを〉する. ━━名《主に英話》行為, 活動.

a·do 名 騒ぎ, 騒動; 面倒, 骨折り.
can-do 形 やる気のある, やり手の, 意欲的な.
der·ring-do 名 《古・文語》大胆な行為; 豪胆, 豪気.
fáir dó 《英・NZ 話》公正な扱い(方).
for·do 動他《古》殺す; 破壊する, 滅ぼす.
fore·do 動他 =fordo.
hair·do 名 《話》(女性の)髪の結い方, 髪型.
how-de-do 名 困った状況.
how-do-you-do 名 《話》あいさつ; 困った状況.
how-d'ye-do 名 =how-de-do.
mis·do 動他 やりそこなう; まずく [下手に] やる.
múst dò 《米話》しなければならないこと.

out·do 動他 …より勝る, に打ち勝つ, しのぐ.
o·ver·do 動他 やりすぎる, しすぎる.
poor-do 名 《主に米》〖料理〗スクラップル.
re·do 動他 やり直す, 再びする.
to-do 名 《話》大騒ぎ, 騒動.
un·der·do 動自他 (…を)普通[必要, 能力]以下にする.
un·do 動他 …を元へ戻す, 元どおりにする.
well-to-do 形 〈人が〉裕福な; 裕福そうな.
whack-a-do 名 《米俗》狂った人, 変わり者.

-do /dou/

連結形 後ろ; 背中. ◇ -DOS.
◆ フランス語 *dos*「背」より.

do-se-do 名 =do-si-do
do-si-do 名 スクエアダンスのフィギュアの一つ.

dock[1] /dák|dɔ́k/

名 **1**《主に米》波止場. **2** 係船渠(きょ). ——動他〈宇宙船を〉ドッキングさせる. ——自〈宇宙船が〉ドッキングする.

drý dòck 〖海事〗乾ドック.
Execútion Dòck 〖英史〗海賊処刑場.
flóating dóck 〖海事〗浮きドック.
gráving dòck 〖海事〗乾(かん)ドック.
hárd dóck 〖航空宇宙〗(宇宙船の)機械的ドッキング.
íce dòck 〖海事〗アイスドック.
óffshore dóck 〖海事〗(岸から離れた)浮きドック.
scéne dòck 〖演劇〗(劇場の)大道具部屋.
sóft-dóck 動自 〖宇宙〗軟結合する.
tídal dòck 潮泊渠(ちょうはくきょ).
ùn·dóck 動他自 〖航空宇宙〗(宇宙船を)切り離す.
wét dòck 〖海事〗係船ドック, 潮入り岸壁.

dock[2] /dák|dɔ́k/

名 〖植物〗ギシギシ.

bítter dóck エゾノギシギシ.
búr·dock ゴボウ.
cán·dock スイレン.
élf dòck オオグレマ(elecampane).
sóur dóck スイバ.
spátter·dòck コウホネ.
spínach dòck ワセスイバ(herb patience).

doc·tor /dáktər|dɔ́ktə/

名 **1** 医者. **2** 博士. ⇨ -TOR.

Angélic Dóctor 天使博士. ►Thomas Aquinas の敬称.
bárefoot dóctor (中国で)はだしの医者.
búg dòctor 《米刑務所俗》=maddoctor.
Cápe dòctor 《南アフリカ話》(夏の)強い南東風.
cóck dòctor 《俗》性病専門の医者.
cómpany dòctor 〖経営〗カンパニードクター.
cóuch dòctor 《話》精神科医, 精神分析医.
Críme Dòctor 犯罪博士.
dóme-dòctor 心理学者, 精神科医.
éar-nóse-thróat dòctor 耳鼻咽喉科医.
ÉŃT dòctor =ear-nose-throat doctor.
éye dòctor 目医者, 眼科医.
fáith dòctor 《米南部》祈祷(きとう)治療師.
fámily dóctor 家庭医(family physician).
físh dòctor 〖魚類〗ハダカゲンゲ.
flýing dóctor 《豪》(遠隔地緊急医療に飛行機で行く)飛行往診(登録)医.
fóot dòctor 足病医(podiatrist).
guéssing dóctor 《米話》実習医(intern).
héad dòctor 《俗》精神分析医, 心理学者.
hérb dòctor 薬草医(herbalist).
hórse dòctor 馬医者, 獣医(veterinarian).
hóuse dòctor (病院・ホテルなどの)住み込み医師.
Júris Dóctor 法学博士(Doctor of Law).
lóony dòctor 《俗》=maddoctor.
mád·dòctor 《古》精神科医.
Mc·Dóc·tor 《米俗》《おどけて》予約なしで入れる救急診療所.
par·a·doc·tor 名 《主に米》落下傘降下医.
pláy dòctor 《米》〖演劇〗台本監修者.
póx-dòctor 《俗》性病専門医.
quáck dòctor やぶ医者, にせ医者.
rádio dòctor ラジオドクター: ラジオで健康相談を担当する医師.
ráin dòctor (北米インディアンの)雨乞い師.
Réd Guárd dòctor (中国の)準医療従事者.
róot dòctor 《主に米南部》=herb doctor.
sáw-dòctor 《英・NZ》のこぎりの目立て器.
scrípt dòctor 《俗》麻薬の処方箋(せん)を売る医師.
sílver dóctor 〖釣り〗毛鉤(けばり)の一種.
snáke dòctor 《米南部》トンボ.
spín dòctor 《米俗》情報操作の達人; (政治家の)メディア担当アドバイザー.
stáff dòctor 《英》スタッフ医.
wítch dòctor 呪術(じゅじゅつ)医, まじない師.
zít dòctor 《米俗》皮膚科医(dermatologist).

doc·trine /dáktrin|dɔ́k-/

名 (宗教の)教義, 教理; (政治・学問などの)主義, 原則, 信条, 学説, 見解, 政策. ⇨ -INE[2].

Brézhnev Dòctrine (旧ソ連の)ブレジネフドクトリン(1968).
fáirness dòctrine 《米》公正[機会均等]の原則.
Monróe Dóctrine 〖米史〗モンロー主義.
Níxon Dòctrine (米国の)ニクソンドクトリン(1969).
Sinátra dòctrine シナトラ方式: 特に東欧諸国が旧ソ連から離れて独自の道を歩むこと.
Sónnenfeldt dòctrine (米国の)ソンネンフェルト・ドクトリン(1975).
Trúman Dòctrine (米国の)トルーマンドクトリン(1947).

doc·u·ment /dákjumənt|dɔ́k-/

名 **1** 書類. **2** 記録. ⇨ -MENT.

electrónic dócument 電子文書.
húman dócument ヒューマンドキュメント.
óffer dòcument 《英》株式公開買付け公示文書.
registrátion dòcument 《英》車検証.
sóurce dòcument (ワープロやコンピュータに記憶させる)もとの文書.

dodg·er /dádʒər|dɔ́dʒə/

名 **1** 素早く身をかわす人. **2** 責任を逃れる人. ⇨ -ER[1].

báth-dòdger 名 《英俗》いつもうす汚れている人.
cóffin-dòdger 名 《米話》ヘビースモーカー.
córn dòdger 《米南部方言》堅焼きパン.
dévil-dòdger 名 《話》(大声でしゃべる)説教師.
dráft dòdger 《米》徴兵忌避者.
póddy-dòdger 名 《豪話》焼き印のない子牛の泥棒.
sóap-dòdger 名 《英俗》髪はぼさぼさでくさい臭いのする人; 浮浪者.

do·er /dú:ər/

名 (物事を)する人, 行為者. ⇨ -ER[1].

évil·dòer 名 悪事を働く人, 悪人.
hárd dóer 《豪・NZ 俗》変った[面白い]やつ.
tíme-dòer 名 服役者.
ùn·dó·er 名 …を元へ戻す(undo)人.

wéll-dóer 名 《古》善をなす人, 善行[有徳]の人.
wróng·dòer 名 悪事を働く者, 非行者.

dog /dɔ́ːg, dάg | dɔ́g/

名 **1**犬. **2**イヌ科の動物; イヌに似た動物. **3**《俗》嫌なやつ, 卑劣な男. **4**《話》男, やつ. **5**《俗》《米・カナダ》くだらない物, ひどく粗悪な物. **6**《米話》フランクフルトソーセージ(hot dog). **7**【機械】つかみ金具; 回し金.

attáck dòg 《米》(警察などの)戦闘犬.
bácking dòg 《豪・NZ》羊の背中を飛び越えながらそれを御する番犬.
bád dóg 《豪俗》未払いの借金.
bánd·dòg 《英》闘犬.
bán·dòg 《古》鎖などでつないだ犬.
bénch dòg 畜犬品評会の出品犬.
bíg dóg 番犬.
bírd dòg 《米・カナダ》=sporting dog.
bírd-dòg 動他自 《米・カナダ》《話》bird dog を務める; 追い回す; 尾行する.
bláck dóg 《話》憂鬱(ゆううつ)(症).
bóttom dóg =underdog.
búll·dòg ブルドッグ.
búsh dòg ヤブイヌ.
cánt dòg 《英》木回し.
cárriage dòg ダルマシアン: ダルマシア産の番犬.
cát-and-dóg 形 仲が悪い, 犬猿の仲の, いがみ合う.
cátch dòg 《米》(家畜を駆け集める)牧場の番犬.
cáttle dòg 《豪・NZ》牧畜犬.
chíli dòg チリドッグ.
cóach dòg =carriage dog
cóon dòg アライグマ狩り用猟犬.
córn dòg 《米》コーンドッグ.
cósmo·dòg (ロシアの)宇宙犬.
cóy·dòg 雄イヌと雌コヨーテの雑種.
cúr dòg 《米南部》役立たずの犬; 雑種犬.
D́-dòg 《米警察》麻薬探知犬.
déad dóg 不用になった人[もの].
Dérby dòg 《話》競馬場の走路をうろつき回る野良犬; 《比喩的》うるさい邪魔者.
dévil dòg 《米話》米国海兵隊員.
dírty dóg 《俗》見下げ果てた人, ずるいやつ.
dóg-eat-dóg 形 《話》すさまじく争う, 激烈な競争の.
dríving dòg (旋盤上の)回し金.
drúg detéction dòg (警察の)麻薬探知犬.
Éskimo dòg エスキモー犬.
éye dòg 《NZ》羊をにらんで追い立てる牧羊犬.
fíre·dòg 《主に米南部》(炉の)まき載せ台.
fóg·dòg 霧堤中に時折見られる明るい点; そこから霧が晴れてくるといわれる.
fóo·dòg 狛犬(こまいぬ).
gáy dóg 《俗》遊び人, 金遣いの荒い人.
Gréat Dóg 【天文】おおいぬ(大犬)座.
guárd dòg 防犯犬, 番犬.
guíde dòg =Seeing Eye dog.
gún dòg =sporting dog.
háng·dòg 形 〈表情などが〉おどおどした.
hárd dóg 《米俗》攻撃用に訓練された犬.
héading dòg 《NZ》牧羊犬.
héaring dòg 聴導犬.
héaring-éar dòg =hearing dog.
hérding dòg 牧羊犬.
Hóng Kòng dóg 下痢.
hórn·dòg 《米軍俗》色事師, 好き者.
hót dòg **1**《米話》フランクフルトソーセージ. **2**ホットドッグ.
hót-dòg 形 《米俗》ホットドッグの.
hóund dòg 《主に米南部方言》猟犬.
hyéna dòg 【動物】リカオン(African hunting dog).
kangaróo dòg カンガルー狩猟用の大形猟犬.
lády dòg 《米俗》うるさい意地悪女.
láp dòg 小さな愛玩(がん)犬, 抱き犬.
láthe dòg 【機械】(旋盤の)回し金(がね).
lázy dòg 《米軍俗》散裂弾.
léading dóg 《豪・NZ》(羊の群れの)先導犬.
Lésser Dóg =Little Dog.
líne dóg 《米陸軍俗》兵士, (特に)軍曹.
Líttle Dóg 【天文】こいぬ(小犬)座.
Lúdlum's dóg ラドラムの犬: 英国の寓話上の怠け犬.
mád dóg 《米俗》狂暴な人; 殺人者.
Málta dóg 《英軍俗》下痢.
Máltese dóg マルチーズ.
Máori dóg 《NZ》マオリ犬.
mónkey dòg アッフェンピンシャー: ドイツ原産の小形愛玩(がん)犬.
móon dòg 【気象】幻月.
nátive dòg 《豪》ディンゴ.
non-spórting dòg 非猟犬.
óver·dòg 支配階級の一員.
paríah dòg パリア犬.
pí-dòg =pye-dog.
píe-dòg =pye-dog.
píg dòg 《NZ》野性の豚狩り用の犬.
pláte-dòg 【印刷】紙型・鉛版などを定位置に固定するために使用する金属板.
plúm-pùdding dóg =carriage dog.
políce dòg 警察犬.
póuched dóg フクロオオカミ, タスマニアオオカミ.
práirie dòg プレーリードッグ.
Próddy-Dóg 《英・アイル俗》プロテスタント.
prówl dòg パトロール犬.
púg·dòg パグ(pug).
púppy dòg (特に1才未満の)子犬, 犬ころ.
pýe-dòg (インド・東南アジアによく見られる)半野生犬, パリア犬.
raccóon dòg タヌキ.
réd dòg 【トランプ】レッドドッグ.
réd-dòg 動他 【アメフト】〈ラインバッカーが〉〈パッサーを〉直接攻撃するためにスクリメージラインを越えて突っ込む.
ríver dòg 【動物】アメリカオオサンショウウオ.
róad dòg 《米フィラデルフィア黒人俗》親友.
rúnning dòg 《軽蔑的》(特に中国共産党の宣伝活動で)走狗(そうく): 反革命分子.
sálty dóg (カクテルの)ソルティードッグ.
sáusage dòg 《英話》ダックスフンド: ドイツ原産の家庭犬.
séa dòg 《文語》水夫, 船乗り.
séa·dòg 霧虹(きりにじ).
séal dòg 《カナダ・ニューファンド》(氷上をアザラシの死骸(しがい)を引っ張って運ぶための)鉄製鉤(かぎ).
Séeing Éye dòg 《米》《商標》盲導犬.
shé-dòg 雌犬: 《俗》いやな女(bitch).
shéep·dòg 羊の番犬, 牧羊犬(collie など).
shépherd dòg =sheepdog.
shórt dóg 《米俗》浮浪者の持っている酒.
snéd dòg そり犬.
sléeping dòg 眠っている犬; 《比喩的》面倒なこと.
smáll-èared dóg コミミイヌ.
spóke-dòg 輻(や)の外側の端を車輪の枠や輪縁の中にこじ入れるために車大工が用いる棒.
spórting dòg (狩猟の訓練に適した)鳥猟犬.
spótted dóg ぶちのある犬.
stícky dóg 《話》スティッキーウィケット: 雨上がりでぬかるんでいるため球がよく弾まないウィケット周辺の地面.
stróng-èye dóg 《NZ》=eye dog.
tínned dóg 《主に豪俗》缶詰肉.
tólling dòg (カモをおびき寄せる)おとり犬.
tóp dóg 《話》最高権力を持つ人.
tóy dóg 小形の愛玩(がん)犬.
trácker dòg 捜索犬, 警察犬.

únder·dòg 勝てそうもない人, 勝ち目の薄い人.
úpper·dóg =top dog.
wálking the dóg 第二次世界大戦後のジャズダンスの一種.
wátch·dòg 番犬.
wáter dòg 水鳥狩猟用の犬.
wáter·dòg 大形の有尾両生類数種の総称.
wét dóg 「ぬれ犬」: ワインの好ましくない香りを表す表現の一つ.
wíld dóg 野生のイヌ; (特に)dingo の別称.
wólf dòg オオカミ狩りの犬(wolf hound).
wórking dòg 使役犬.
yárd dòg 《米俗》嫌なやつ.
yéllow dóg くだらない人間; 臆病(おくびょう)者.

dog·wood /dɔ́ːgwùd, dɑ́g- | dɔ́g-/

名 〚植物〛ミズキ(水木). ⇨ WOOD.

blúe dógwood アオミズキ.
flówering dógwood アメリカヤマボウシ, ハナミズキ.
móuntain dógwood =Pacific dogwood.
Pacífic dógwood カリフォルニアミズキ.
póison dógwood ウルシ属の非常に有毒な低木.
réd dógwood ユーラシア大陸産のミズキ属の高木.
Tartárian dógwood シロミノミズキ, シラタマミズキ.

do·ing /dúːiŋ/

名 **1** する[した]こと, 実行, 実施. **2**《話》行為. ⇨ -ING[1].

e·vil·do·ing 名 悪事, 悪行.
mis·do·ing 名 悪事, 非行, 犯行.
un·do·ing 名 元どおりにすること; 破滅.
well·do·ing 名 よい行い, 善行.
wrong·do·ing 名 悪事を働くこと; 悪行; 罪; 犯罪.

doll /dɑ́l | dɔ́l/

名 **1**(特におもちゃの)人形. **2** 美しいが無表情な女;《古風》娘, 女学生.

báby dòll 赤ちゃん人形; 赤ん坊のような女.
Bárbie Dóll 《商標》バービー人形.
Cháse dòll 《米俗》看護婦教育に用いられる人形.
Chína dòll 《米俗》繊細な美人; 中国娘.
dréss-up dóll 着せかえ人形.
Dútch dóll 継ぎ目のある木製の人形.
glóve dòll 手遣い人形(hand pupet), 指人形.
kachína dòll (ホピ族の)カチーナ人形.
Kén Dòll 《商標》ケン人形.
páper dóll 紙人形, 紙びな.
Páris dóll (洋裁店の)人台, 模型人形.
rág dòll (特に布の)縫いぐるみ人形.

dol·lar /dɑ́lər | dɔ́lə/

名 ドル($, $), ダラー.

adóbe dòllar 《米俗》メキシコ・ペソ.
almíghty dóllar 《米話》金力. ► 人生の目標または力の根源としての金.
Ánthony dòllar 《米》アンソニーコイン: 1979 年発行の銅とニッケルから成る 1 ドル硬貨.
Ásia·dòllar アジアダラー: 東南アジアの銀行に預けられた米ドル.
Austrálian dóllar オーストラリアドル.
béau dòllar 《米方言》1 ドル銀貨.
bóttom dóllar 最後に残った 1 ドル[少しの金].
Canádian dóllar カナダドル.
cómpensated dòllar 補正ドル, 商品ドル.
cónstant dóllar 恒常ドル, 固定ドル, 不変ドル.
Éuro·dòllar ユーロダラー: 米国外の銀行に預けられた米ドル.
hálf-a-dóllar =half dollar.
hálf dóllar (米国の)50 セント(cents)貨.
hóley dóllar 《豪》穴あきドル(ring dollar).
hóly dóllar 《豪》=holey dollar.
Hóng Kòng dóllar 香港ドル.
Levánt dóllar レバントドル: マリア・テレサ・ターレル銀貨またはそれを模造した銀貨.
míllion-dóllar 形 100 万ドルの; 見事な.
nárco·dòllar 《米俗》麻薬取引で得た不正利益.
Néw Táiwan dóllar ニュー台湾ドル, 新台湾元.
Néw Zéaland dóllar ニュージーランドドル.
pet·ro·dol·lar 名 オイルダラー.
píerced dóllar 《豪》=holey dollar.
quárter dóllar 〚貨幣〛(米国・カナダなどの)4 分の 1 ドル.
ríx-dòllar リクスドラー: デンマークの regsdaler など, 現在使われていない銀貨.
sánd dòllar 《米》カシパンウニ.
sílver dóllar (米国・カナダの)1 ドル銀貨.
stándard dóllar 標準ドル.
Stráits dóllar 海峡ドル.
swórd dòllar (JamesVI 時代の)裏が剣の模様のスコットランド銀貨.
tóp dóllar 《話》(支払われる)最高限度額.
tráde dòllar 貿易ドル.
ÚS dóllar 米ドル.

dol·phin /dɑ́lfin, dɔ́ːl- | dɔ́l-/

名 イルカ.

Ámazon dólphin アマゾンカワイルカ.
bóttle-nosed dólphin バンドウイルカ.
Gánges dólphin ガンジスカワイルカ.
ríght whàle dólphin セミイルカ.
spéctacled dólphin カマイルカ.

-dom /dəm/

接尾辞 **1**《名詞について名詞をつくる》(1)…の土地, 所領: king*dom*. (2)…界, の集団: official*dom*. (3)…の地位, 階級: prince*dom*. **2**《形容詞について名詞をつくる》…の状態, …権: free*dom*.
★ 現代ではやや軽蔑的な意味を伴うこともある.
◆ 古英 *-dōm*(*dōm*「判決」より).
[発音] 語幹の第 1 強勢が維持される.

Af·ri·ka·ner·dom 名 アフリカーナ民族主義; アフリカーナの領土[社会].
An·glo-Sax·on·dom 名 アングロサクソン民族の領土.
arch·duke·dom 名 大公国, 大公領(archduchy).
bach·e·lor·dom 名 (男性の)独身(の身分).
bea·dle·dom 名 小役人根性.
beg·gar·dom 名 こじき(仲間)(beggary).
best·sell·er·dom 名 ベストセラー(作家)であること.
bore·dom 名 倦怠(けんたい), 退屈.
boss·dom 名 政界のボス[大立て者]であること.
bum·ble·dom 名 小役人根性.
bur·ger·dom 名 ハンバーガー業界.
chief·dom 名 chief の地位[職務].
Chris·ten·dom 名 全キリスト教徒.
cock·ney·dom 名 ロンドン子の住む地域; ロンドン子.
com·mut·er·dom 名 ベッドタウン.
com·put·er·dom 名 コンピュータの仕事に直接関係している人たち.
cou·ple·dom 名 2 人だけの生活.
crip·ple·dom 名 身体障害.
czar·dom 名 czar の領土.
dev·il·dom 名 悪魔の王国, 魔界; 悪魔の支配力.
dog·dom 名 犬類.
duke·dom 名 公国, 公爵領(duchy).
earl·dom 名 伯爵の位[身分](earlship).
fan·dom 名 ファンたち.
fief·dom 名 (封建領主の)領地, 封土, 知行.
film·dom 名 映画界[産業]; 映画人[産業関係者].
free·dom 名 ☞
Goth·dom 名 〚音楽〛ゴスロックの文化的環境.

D

hack·er·dom 名 ハッカーの関心事 [生活態度].
hal·i·dom 名 《古》神聖な場所, 聖域.
heir·dom 名 相続人である地位; 相続権; 相続.
hip·dom 名 =hippiedom.
hip·pie·dom 名 ヒッピーの世界, その生活様式.
Jun·ker·dom 名 ユンカー階級 [社会].
king·dom 名 ☞
luv·vie·dom 名 《やや軽蔑的》俳優界.
Ma·o·ri·dom 名 マオリ世界 [文化].
mar·tyr·dom 名 殉教, 受難; 殉教者の苦痛 [死].
mas·ter·dom 名 master であること [の地位].
mo·tor·dom 名 (自動車・ユーザー・ディーラーを含めした)自動車の世界.
mov·ie·dom 名 映画界.
of·fi·cial·dom 名 官公吏, 官僚(officials).
pa·gan·dom 名 異教圏, 異教徒の世界.
pic·ture·dom 名 映画界(filmdom).
pope·dom 名 教皇の職 [権威].
prince·dom 名 prince の地位 [身分, 権威].
queen·dom 名 女王の地位 [身分].
reb·el·dom 名 反逆者たちが支配する地域.
saint·dom 名 聖人であること; 聖人の身分 [資格].
sav·age·dom 名 野蛮, 未開(状態)(savagery).
sec·re·tar·y·dom 名 秘書の世界, 秘書の仕事 [職].
self·dom 名 自我の本質, 自我の領域.
sheik·dom 名 (アラブ)首長国; sheik の管領地.
slac·ker·dom 名 無気力な若者たちの世界.
sports·dom 名 (プロ・アマを含めた)スポーツ界.
square·dom 名 《英俗》まじめくさった世界.
squire·dom 名 郷士連, (地方の)地主階級.
star·dom 名 (映画などの)スター界 [連].
su·mo·dom 名 相撲界, 角界. 力士, 相撲取り.
swell·dom 名 《話》上流社会.
thrall·dom 名 奴隷の身分 [境遇]; 束縛, 隷属.
top·sy-tur·vy·dom 名 逆さまの状態; 混乱した世界.
tsar·dom 名 =czardom.
tzar·dom 名 =czardom.
vil·la·dom 名 《英》郊外住宅, 別荘.
Wasp·dom 名 ワスプの特徴 [信条, 生活態度].
whore·dom 名 売春(行為).
wis·dom 名 ☞
Yan·kee·dom 名 ヤンキーの国.

do·main /douméin, də-/

名 **1** 分野, 範囲. **2**〘法律〙土地所有権.

búbble domàin 〘コンピュータ〙磁気バブル.
còdomáin 名 〘数学〙変域, 値域.
éminent domáin 〘法律〙収用権, 公用徴収権.
íntegral domáin 〘数学〙整域.
magnétic domáin 〘物理〙磁区.
príncipal idéal domáin 〘数学〙主イデアル整域.
públic domáin 《米・カナダ》〘法律〙公物, 公知.

dome /dóum/

名 **1**〘建築〙ドーム, 円蓋(えんがい). **2**〘結晶〙庇面(ひめん). **3** 《俗》(人の)頭; (特に)はげ頭.

aír dóme エア・ドーム, 空気膜工法 [構造].
áir-suppórted dòme 膜構造ドーム, エア支持構造ドーム.
ás·tro·dòme 名 アストロドーム, 天測窓; 《A-》米国ヒューストンの屋内競技場.
bíg dòme 要人; (特に)企業の役職員.
bráchy·dòme 〘結晶〙短軸庇面(ひめん).
chróme dòme 《俗》はげ頭の人, はげ.
cryp·to·dóme 名 〘地質〙潜在ドーム.
dóuble-dóme 《米話》知識人, インテリ.
geodésic dóme 〘建築〙フラードーム.
geodétic dóme =geodesic dome.
gé·o·dóme 名 =geodesic dome.
ívory-dóme 《米俗》ばか, まぬけ, あほう.
mác·ro·dòme 名 〘結晶〙長軸庇面(ひめん).
márble-dòme 《米俗》まぬけ, あほう.
Millénium Dòme 《the ～》(London の)ミレニアム [2000 年記念] ドーム.
ónion dòme 〘建築〙葱花(そうか)ドーム.
pícture dòme 映画館.
pléasure dòme 娯楽センタービル, 大遊園施設.
rá·dòme 名 レドーム: 航空機の機体外にあり, レーダー(rador)を格納するドーム型の構造物.
sált dòme 〘地質〙岩塩ドーム.
sáucer dòme 〘建築〙ソーサードーム: 皿状ドーム.
sém·i·dòme 名 半円蓋(えんがい), 半円ドーム.
smóke dòme 煙室の覆い.
Téapot Dóme 〘米史〙ティーポットドーム.
vis·ta·dome 名 〘鉄道〙(ビスタ)ドーム.

dom·i·nance /dámənəns | dɔ́m-/

名 **1** 支配, 統治, 統御; 権力; 権勢. **2**〘遺伝〙優性. ⇨ -ANCE[1].

ápical dóminance 〘植物〙頂芽優性.
cerébral dóminance (大脳)半球優位(性).
íncomplete dóminance 不完全優性.
o·ver·dom·i·nance 名 〘遺伝〙超優性, 過優性.
pre·dom·i·nance 名 優越, 優位, 卓越; 優勢, 支配.
sem·i·dom·i·nance 名 〘遺伝〙半優性.

-do·mos /dəməs, -màs | -mɔs/

連結形 家.
★ 語頭にくる関連形は dom(i)-: *dom*estic「家庭の」, *dimi*cile「居住地」.
◆ ギリシャ語 *dómos*「家」より. ⇨ -os[1].

op·is·thod·o·mos 名 オピストドモス: 財宝などを入れておく古代ギリシャ神殿内陣の小部屋.
pro·do·mos 名 〘建築〙(古代の神殿の入り口(pronaos)のような)入り口, 玄関広間.

-don /dən/

連結形 谷, 丘, 囲い.
★ 地名, 人名などに使われる.
★ 語末にくる関連形は -DEN[1].
◆ 古英 *dūn* 丘, または *denu* 谷.

Clar·en·don 名 クラレンドン(イングランドの地名または姓). ►字義は「クローバーの丘」.
Croy·don 名 クロイドン(イングランドの地名). ►字義は「カラスの巣くう谷[丘]」, または「野生のサフランの生い茂った谷」.
Hay·don 名 ヘイドン(姓). ►字義は「干草の谷[丘]」.
Hun·ting·don 名 ハンティンドン(姓). ►字義は「猟師の丘」.
Lin·don 名 リンドン(姓または男子の名). ►Lyndon の異形.
Lyn·don 名 リンドン(姓または男子の名). ►字義は「菩提樹(ぼだいじゅ)の丘」.
Shel·don 名 シェルダン(姓). ►字義は「棚状地層の谷 [丘]」.
Snow·don 名 スノードン(姓). ►字義は「雪のある丘」.
Swin·don 名 スウィンドン(イングランドの地名). ►字義は「豚の丘」.
Var·don 名 バードン(姓). ►字義は「ハンノキの丘 [要塞]」.
Wel·don 名 ウェルドン(姓). ►字義は「泉の丘」.

-don·ti·a /dánʃə | dɔ́n-/

連結形 -odontia の異形. ◇ -DENTAL, DENTATE.
★ 語頭にくる関連形は odont(o)-: *odont*algia「歯痛」, *odonto*logy「歯科医学」.

meg·a·don·tia 名 =macrodontia.

pol·y·don·tia 名 〘歯科〙過剰歯症, 多歯症.

doo·dle /dú:dl/

動自 ぼんやりいたずら書きをする. ━━名《米俗》くだらないもの, たわ言.

dip·sy-doo·dle 名 《米俗》素早く身をかがめる動作.
tim·ber-doo·dle 名 〘鳥類〙アメリカヤマシギ.
whang·doo·dle 名 《俗》得体の知れない想像上の生き物.
wing·dood·le 名 ＝whangdoodle.

doom /dú:m/

名 運命; 破滅. ━━動他〈人・事を〉(…するよう)運命づける.

ec·o·doom 名 環境破滅(予言).
fore·doom 動他 《受身》前もって運命づけられている.
pre·doom 動他 《古》運命をあらかじめ定める.

door /dɔ́:r/

名 **1** 戸, 扉, ドア. **2** 戸口; 軒.

accórdion dóor アコーディオンドア, 折りたたみ戸.
áir dòor エアカーテン: 圧縮空気の幕.
báck dóor (家の)裏戸, 裏口, 裏玄関.
báck·dóor 形 裏口の; 背後の.
bárn dóor 納屋の大きな両開き扉.
blínd dòor 鎧戸(よろいど).
bów dòor 〘海事〙バウ・ドア.
cásement dóor ＝French door.
cát dòor 猫用のドア.
clámshell dòor クラムシェルドア: 貨物輸送機の下側にある積み降ろし用の観音開きのドア.
clósed-dóor 形 〈会議などが〉非公開の.
combinátion dòor コンビネーションドア: 夏には網戸, 冬には強風よけのパネルなどをはめ込む, 取り替え可能な外部ドア.
króss-and-Bíble dòor 《米》6枚パネルの扉.
dóor-to-dóor 形 一軒ごとに調査する, 戸別の.
dóuble dóor 観音開きの戸[ドア].
dóuble-dóor 動自 《米俗》(ホテル代を踏み倒して)裏口から逃げる.
Dútch dóor 《米・カナダ》ダッチドア, 二段戸.
dwárf dóor 半戸, 小戸.
fálling dóor ＝flap door.
fíre dòor 炉口, たき口; 防火扉.
fláp dòor 落とし戸.
fóur-dòor 形名 4ドアの(車).
Frénch dóor フランス戸, フレンチドア.
frónt dóor 表出入り口, 正面玄関.
gúll-wíng dòor ガルウィング・ドア, 両側はね上げドア.
ìn-a-dóor 形 (ベッドが)ドアになる.
ín·door 形 屋内の, 室内の; 室内用の.
jíb dòor ジブドア: 壁との段差がないドア.
jóiner dòor 〘造船〙隔壁戸, 仕切り戸.
ńext-dóor 副 隣家へ[に, で], 隣へ[に, で].
ópen dóor 門戸解放, 機会均等.
ópen-dóor 形 門戸を解放した, 立ち入り自由の.
óut·door 形 戸外の, 野外の.
ó·ver·door 形 〈飾り物などが〉戸口の上にある.
óverhead dóor (車庫などの)オーバーヘッドドア.
pócket dòor 〘建築〙ポケットドア, 片引戸.
revólving dóor 回転ドア.
scréen dóor (蚊よけの)網戸.
síde dòor (正面でない)横の出入り口.
stáble dóor 馬小屋の入り口, オランダ扉.
stáge dóor 楽屋出入り口[通用口], 楽屋口.
stórm dóor 風よけ戸, 防風ドア.
swínging dóor 自在戸.
tráp·dóor 跳ね上げ戸, 落とし戸, 揚げ蓋(ぶた).
twó-dóor 形 (自動車が)2つドアの.
Venétian dóor ベニス風出入り口.

-doors /dɔ́:rz/

連結形 door「ドア」に -s[1] がついて副詞を作る; または door の複数形.

in·dóors 副 屋内で.
òut·dóors 副 屋外で.
óut-of-dóors 形 屋外の.
withóut-dòors 副 戸外に.

-dor /dɔ̀:r/

接尾辞「行為者, 道具, 場所」を表す名詞語尾. ◇ -ADOR.
★ 語末にくる関連形は -SOR, -TOR.
◆ スペイン語より.

cor·reg·i·dor 名 コレヒドール: スペインにおける都市の行政長官.
fia·dor 名 《米西部》端綱(はづな)につけられた綱.
mat·a·dor 名 マタドール: 主役の闘牛士.
mir·a·dor 名 (スペイン建築の)開き廊; 望楼.
po·bla·dor 名 (チリの)貧民街の住人.
tor·e·a·dor 名 闘牛士, (特に)騎馬闘牛士.

-do·ra /dɔ́:rə/

連結形 贈り物.
★ 女子の名をつくる.
★ 男性形は -dore: Theo*dore*(男子の名).
★ 語頭にくる関連形は Doro-: *Doro*thy(女子の名), *Doro*thea(女子の名で, 字義は「神の贈り物」).
◆ ギリシャ語 *dôron*「贈り物」より. ⇨ -A[2].

Do·ra 名 女子の名.
Eu·do·ra 名 女子の名. ►字義はギリシャ語で「幸運な贈り物」.
Is·a·do·ra 名 女子の名. ►Isidora の異形.
Is·i·do·ra 名 女子の名. ►男子の名 Isidor より.
Lyn·do·ra 名 女子の名.
Pan·do·ra 名 〘ギリシャ神話〙パンドラ. ►字義はギリシャ語で「すべての贈り物」.
The·o·do·ra 名 女子の名. ►字義はギリシャ語で「神の贈り物」.

-dorf /dɔ̀rf/

連結形 村.
★ 人名, 地名に用いられる.
★ dorf は, -by「村」より小さな集落で, 新たに開墾された場所のこと; 日本の新田(しんでん)にあたる.
◆ ＜独＜ゲルマン語**thurpam* 村; ゲルマン系の言語の地名に共通して存在する.

Düs·sel·dorf 名 デュッセルドルフ(ドイツの都市名).
Leins·dorf 名 ラインスドルフ(姓).
Pu·fen·dorf 名 プーフェンドルフ(姓).
Rog·gen·dorf 名 ロゲンドルフ(姓).
Tisch·en·dorf 名 ティッシェンドルフ(姓).
Wil·len·dorf 名 ウィレンドルフ(オーストリアの村名).
Zin·zen·dorf 名 ツィンツェンドルフ(姓).

dor·sal /dɔ́:rsəl/

形 背[背後]の, 背面に関する, 後ろにある. ⇨ -AL[1].
★ 語頭にくる関連形は dors(i)-, dorso-: *dorsi*flexion「〘解剖〙背屈」, *dorso*lumber「〘解剖〙背部腰部の」.

mid·dor·sal 形 〘生物〙背中中央(線)の[にある].
pre·dor·sal 形 背面部の前の.
sub·dor·sal 形 背部下方の.
ventr·o·dor·sal 形 〘解剖〙〘動物〙背腹側の.

-dos /dɑ̀s, dɔ̀s, dòus, dòu | dɔ̀s, dòu/

連結形 後ろ; 背中.
★ 語頭にくる関連形は dors(i)-, dorso-: *dorsi*flexion「〘解剖〙背屈」, *dorso*lumber「〘解剖〙背部腰部の」.
◆ フランス語 *dos*「背中」より.

dos-à-dos 副名 背中合わせに(2 席ある馬車).
e·pan·o·dos 名 〘修辞〙倒置反復.
ex·tra·dos 名 〘建築〙(アーチの)外輪, 外弧.
in·tra·dos 名 〘建築〙(アーチや丸天井(vault)など迫持(せり)の)内輪, 内弧.
par·a·dos 名 〘築城〙背土, 背墻(はいしょう).
rere·dos 名 (教会の祭壇背後の)飾り壁, 背障.
tour·ne·dos 名 厚い牛ヒレ肉.

dose /dóus/

名 **1** (1 回分の薬の)服用量; (薬の)一服. **2** 〘物理〙線量.

absórbed dóse 〘物理〙吸収線量.
acúte dóse (短期間に受けた)多量の放射線量.
efféctive dóse (薬剤または放射線治療の)有効量.
expósure dòse 〘物理〙照射線量.
í·so·dòse 形 等線量の.
máximum dóse 〘医学〙極量.
méan léthal dóse =median lethal dose.
médian léthal dóse 半数致死量.
még·a·dòse 名 高投与量, メガドーズ.
mín·i·dòse 名 微量の服用量.
mínimal dóse =minimum dose.
mínimum dóse 〘医学〙最小投薬量.
ó·ver·dòse 名 (麻薬などの)飲み [打ち] すぎ(OD).
radiátion dòse 放射線量.
whóle-bódy dòse 全身量: 体内に吸収される放射線量.

dot /dát | dɔ́t/

名 **1** 小さい丸い点. **2** 〘服装〙水玉模様.

blúe dót 《米俗》LSD.
flóck dòt 布地に張りつけた水玉などの模様.
mícro·dòt 名 〘写真〙マイクロドット.
pólka dòt 〘繊維〙ポルカドット, 水玉模様.

dou·ble /dʌ́bl/

形 **1** 〈重さ・強さ・数量などが〉倍の, 2 倍の. **2** 二重の; 対の. ── 動他 倍にする.

áutumn dóuble 《英》秋の二大競馬に同時に賭けること.
bódy dòuble 〘映画〙(ベッドシーンなどの)代役.
búsiness dòuble 〘トランプ〙=penalty double.
dáily dóuble (競馬などで)重勝式の賭け.
gróund rùle dóuble 〘野球〙エンタイトルツーベース.
infórmatory dòuble 〘トランプ〙=takeout double.
pénalty dòuble 〘トランプ〙ペナルティダブル.
re·dóu·ble 動他 2 倍にする; 倍加する, 強める.
sem·i·dou·ble 形 〘植物〙亜重弁の.
spríng dóuble 《英》春の二大競馬に同時に賭けること.
tákeout dòuble 〘トランプ〙テークアウトダブル.
twín dóuble 〘競馬〙2 組重勝式, 四重勝式.
ùn·dóu·ble 動他 〈折りたたんだ物を〉開く, 広げる.

doubt /dáut/

動他 …を疑う. ── 名 疑惑, 不信.

Cartésian dóubt 〘哲学〙デカルト的懐疑.
mis·dóubt 動他 《古》疑う; 怪しむ; 信用しない.
sélf-dóubt 名 自己不信.

dove /dʌ́v/

名 ハト.

cóllared dóve シラコバト.
cúckoo dòve オナガバト.
díamond dóve ウスユキバト.
gróund dòve 中南米の地上性の小形のハト類の総称.
hárlequin dòve シチホウバト(七宝鳩).
Ínca dóve インカバト.
Jáva dóve ギンバト(銀鳩).
móurning dóve ナゲキバト.
Nóah's Dóve 〘天文〙はと(鳩)座.
péace dóve 《主に米》ハト派の人.
quáil dòve ウズラバト.
ríng·dòve ジュズカケバト.
róck dóve カワラバト.
stóck dóve ヒメモリバト.
túrtle·dòve キジバト.
whíte-wínged dóve ハジロバト.

Down /dáun/

名 ダウン: イングランド南部の丘陵地帯(Downs)原産の羊の品種. ►down は「丘」の意.

Dórset Dówn ドーセットダウン種: 食肉用の羊.
Hámpshire Dówn ハンプシャー種の羊.
Óxford Dówn オックスフォードダウン種(の羊).
Sóuth·dòwn サウスダウン: 良質の肉をもつ羊.

down[1] /dáun/

副 下(方)へ [に], 降りて; 沈んで.

a·down 副 《古》=down[1].
báck·dòwn 名 退却, 撤収, 後退, 降伏.
blów·dòwn 名 (風などによる)倒木.
bréak·dòwn 名 (機械などの)破損, 故障.
bríng·dòwn 名 《話》失望, 落胆, 幻滅.
bróken-dówn 形 砕けた, 崩れた, 崩壊した.
brúsh-dówn 名 (ほこりなどを)払い落とすこと.
buíld-dòwn 名 〘軍事〙ビルドダウン方式.
bútton-dòwn 形 ボタンで留められる.
búy-dòwn 名形 《米》バイダウン方式(の).
cáll-dòwn 名 《米俗》非難.
cást·dòwn 形 意気消沈した, ふさぎ込んだ.
chánge-dòwn 名 シフトダウン.
clámp·dòwn 名 =crackdown.
clímb-dòwn 名 這(は)い降りること.
clóse·dòwn 名 操業停止 [終了], 工場閉鎖, 閉店.
cóme·dòwn 名 失墜, 転落, 没落, 零落.
cóunt·dòwn 名 秒読み, カウントダウン.
cráck·dòwn 名 《話》断固たる取り締まり [処置].
cút·dòwn 名 縮小, 削減; 減少.
déep-dówn 形 本当の, 本質的な.
dráw·dòwn 名 (貯水池・井戸などの)水位低下.
dréssing dòwn 《話》厳しくしかりつけること.
éasting dòwn 〘海事〙東航.
fáce-dòwn 副 うつぶせに, 顔を下向きにして.
fírst dòwn 〘アメフト〙ファーストダウン.
fóld-dòwn 形 折りたたみ式の.
gét·dòwn 形 《俗》楽しい; 気楽な.
gó·dòwn 名 (インド・アジア諸国で)倉庫.
gún·dòwn 名 銃で撃つこと, 銃撃; 銃殺, 射殺.
hánd-dòwn 名 =hand-me-down.
hánd-me-dòwn 名 (特に衣服の)お下がり, お古.
hánds-dówn 形 楽な, 容易な.
háng-dòwn 名 《米俗》陰茎, ちんぽ.
hóe·dòwn 名 《主・カナダ》ホーダウン: バイオリンによる陽気なヒルビリ(hillbilly)調の音楽の伴奏で, フォークダンスやスクエアダンスをにぎやかに踊るダンスパーティー.
hóld·dòwn 名 (金具部品の)締め具.

hóse-dówn 名 ホースの水で洗い流すこと.
íced-dòwn 形 〈魚などが〉冷凍された.
kíck-dòwn 名 〖自動車〗キックダウン.
knóck-dòwn 形 強力な, 圧倒的な.
knócked-dówn 形 分解可能な部品［部分］でできた.
láy-dòwn 名 〖トランプ〗(ブリッジで)レイダウン.
láy-dòwn 名 《英俗》(横になっての)一休み.
lét-dòwn 名 (分量・力・エネルギーなどの)減少.
líe-dòwn 名 《主に英》仮寝, うたた寝; 休息.
lóck-dòwn 名 《米》監房内への拘禁(期間).
lóok-dòwn 名 大西洋産のアジ科 *Selene* 属の銀白色の魚の総称.
lóok-dòwn 名 (光線を反射させて調べた)紙の地合い［外観］.
lów-dòwn 名 《話》実情, 真相; 秘密情報.
márk-dòwn 名 値下げ, 値引き.
mélt-dòwn 名 〖原子力〗メルトダウン, 炉心溶融.
míx-dòwn 名 ミックスダウン: マルチトラックのマスターテープを 2 トラックのステレオテープに再録すること.
móon-dòwn 名 月の入り(moonset).
páste-dòwn 名 〖製本〗(見返しの)糊(のり)入れ.
pát-dòwn 名 ボディーチェック.
pháse-dòwn 名 段階的削減［縮小］.
pín-dòwn 名 〖軍事〗ピンダウン.
pláy-dòwn 名 《主にカナダ》王座決定戦.
púll-dòwn 名 〖映画〗かきおとし.
púll-dòwn 形 〈机・椅子などが〉引き出し式の.
púsh-dòwn 名 〖航空〗押し下げ.
pút-dòwn 名 (航空機の)着陸, 着地.
réach-me-dòwn 名 《英話》=hand-me-down.
ríght-dówn 形副 完全な［に], 全くの, 全く.
rúb-dòwn 名 (運動の後などに行う)マッサージ.
rún-dòwn 名 《米》(口頭による, 情報の)要約.
rún-dówn 形 疲れた, 疲れ果てた, 消耗した.
scále-dòwn 名 (一定の規準・比率による)縮小.
scrúb-dòwn 名 ごしごし洗う［こする］こと.
sét-dòwn 名 やり込める［へこませる］こと.
sháke-dòwn 名 《米話》強奪, 強要, ゆすり.
shóot-dòwn 名 撃墜.
shów-dòwn 名 〖トランプ〗ショーダウン.
shút-dòwn 名 (霧などが)垂れ込めること.
síd-down 形 《発音綴り》=sit-down.
sít-dòwn 形 座って行う, 座り込みの.
sláp-dòwn 副 《英話》完全に, 全く.
slów-dòwn 名 (進歩・動作などの)速度が鈍ること.
spéll-dòwn 名 綴(つづ)り字競技.
spín-dòwn 名 〖天文〗スピンダウン.
spláshdòwn 名 (宇宙船の)着水.
spónge-dòwn 名 《英》スポンジバス: 濡らしたスポンジなどで体をぬぐうこと.
stánd-dòwn 名 〖軍事〗攻撃の一時休止, 停戦.
stép-dòwn 形 〖電気〗電圧を下げる.
strípped-dówn 形 必要最低限の装備しかついていない.
sún-dòwn 名 日没, 日暮れ; (特に)日没時刻.
táke-dòwn 形 容易に取り外しの利く.
tálk-dòwn 名 (航空機への無線による)着陸指示.
téar-dòwn 名 解体, 分解, 取り外し.
tíe-dòwn 名 物を縛りつける［つなぎ留める］装置.
tóp-dówn 形 上意下達方式の; 包括的な.
tóuch-dòwn 名 〖アメフト〗タッチダウン.
tríckle-dówn 名形 《主に米》〖経済〗通貨浸透(の).
túmble-dòwn 形 今にもつぶれそうな, 荒れ果てた.
túrn-dòwn 形 折り返しの(利く); 折り下げの.
twó-úp-twó-dówn 名 《英話》各階に 2 部屋ある 2 階建ての家.
úp-and-dówn 形 上がったり下がったりする.
úpside dówn 副 逆さまに, ひっくり返して.
wálk-dòwn 名 路面より低い［(半)地下の］店.
wárm-dòwn 名 ウォームダウン: ランニングや競走のあと, スピードを落としたり軽いストレッチをして, 筋肉をほぐし回復させること.
wásh-dòwn 名 きれいに洗う［洗い流す］こと, 洗浄.
wátered-dówn 形 (水を割って)薄めた.
wáve-dòwn 名 手を振って停車させること.
wé dówn 間 《米市民ラジオ俗》交信終了.
wínd-dòwn 名 《話》(強度などの)漸減.
wríte-dòwn 名 〖会計〗評価［価格］切り下げ, 償却.

down[2] /dáun/

名 **1** 綿毛. **2** 下羽. **3**〖植物〗冠毛.

éider-dòwn アイダーダウン: 雌のケワタガモの胸から採った柔らかい綿毛.
pówder dòwn 粉綿羽(こなわたばね), 粉羽.
swánsdòwn スワンズダウン: 白鳥の胸羽.
thístledòwn アザミの冠毛.

-dox /dɑ̀ks | dɔ̀ks/

連結形 意見.
★ 語頭にくる形は dox(a)-: *dox*ographer「(古代ギリシャ哲学の)学説誌家, 編纂(へんさん)注解者」.
◆ ギリシャ語 *dóxa* より.

het·er·o·dox 形 (特に神学で)非正統説の, 異端の.
or·tho·dox 形 ☞
par·a·dox 名 ☞

doz·en /dʌ́zn/

名 (同種の物の)12 個(一組), ダース.

báker's dózen 13 個組, パン屋の 1 ダース.
dáily dózen 《英話》日課として行う美容体操.
dévil's dózen 《俗》=long dozen.
díme-a-dózen 形 《米話》ありふれた, 二流の.
hálf-a-dózen 名形 =half-dozen.
hálf-dózen 名形 半ダース(の), 6 個(の).
lóng dózen 1 ダースプラス 1, 13(個).
prínter's dózen 《英》13.

draft /dræ̀ft, drɑ́:ft | drɑ́:ft/

名 **1** 下書き. **2** 通風. **3**〖金融〗為替手形. **4** 吸い込むこと. **5**〖海事〗(船の)喫水. ── 動他 …を起草する.

báck·dràft (火事場での)爆発の気流.
bánk dràft 〖銀行〗銀行為替手形.
déep-dràft 形 喫水の深い.
dówn·dràft 下降気流, 下向き風.
fórced-dràft 形 強制通風の.
fórce-dràft 動他 〈法律などを〉急遽立案する.
fóreign dràft 〖金融〗外国為替手形.
ín·dràft 名 (空気・水などの)流入, 吸入.
líght dràft 〖海事〗軽荷喫水.
lóad dràft 〖海事〗満載喫水.
o·ver·dràft 名 〖金融〗当座貸し［借り］越し.
ré·dràft 名 書き直した下書き.
reéntry dràft 〖野球〗リエントリードラフト.
sháre dràft 《米》〖金融〗シェア・ドラフト.
síght dràft 〖金融〗一覧払い為替手形.
tíme dràft 〖金融〗日付後定期払い手形.
ún·der·dràft 名 〖金工〗アンダードラフト.
úp·dràft 名 気体の上昇運動; 上昇気流.

drag /dræ̀g/

動他 〈重い物を〉引きずる, 引っ張る. ── 名 **1** (行進を)妨げるもの. **2** (重いものを)引っ張ること. **3**〖海事〗ドラグ. **4** 空気抵抗. **5** 自動車.

Á-dràg A 型砕土機(A-harrow).
áir dràg 〖物理〗空気抵抗(air resistance).
compressibílity dràg 〖航空〗造波［誘導］抗力.
díse-dràg 《米渡り労働者俗》貨車.

físcal drág 〘経済〙財政的歯止め.
fórm dràg 〘物理〙形状抵抗.
íce dràg 〘海事〙アイスアンカー.
indúced drág 〘航空〙誘導抗力［抵抗］.
interférence dràg 〘航空〙干渉抗力.
kéel-dràg 動他 〘海事〙〈規律違反者などを〉(網で縛って足に重りをつけ)船底をくぐらせる.
máin drág 《俗》(市・町の)本通り, 目抜き通り.
over-the-counter drag 処方箋なしで買える売薬.
párasite dràg 〘航空〙有害抗力［抵抗］.
préssure dràg 〘流体力学〙圧力抵抗［抗力］.
prófile dràg 〘航空〙プロファイル［翼形］抗力.
róad dràg 路面ならし機.
skín frìction dràg 〘航空〙表面摩擦抗力.
stóne dràg 石ぞり(stoneboat).
súrface frìction dràg 〘航空〙=skin friction drag.
tráiling vórtex dràg 〘流体力学〙渦抵抗, 伴流抵抗.
víscous drág 〘物理〙粘性抵抗.
vórtex dràg =trailing vortex drag.
wálly-dràg 《スコット》弱々しい発育不全の動物.
wínd dràg 空気抵抗.

drag·on /drǽgən/

名 竜, ドラゴン.

fíre-dràgon 名 火竜, 火吹き竜(fire-breathing dragon).
fláp-dràgon 名 燃えているブランデーの中から干しブドウ, スモモなどを取って食べる昔の遊戯.
flýing drágon トビトカゲ.
gránd drágon Ku Klux Klan 幹部.
gréen drágon 〘植物〙テンナンショウ.
gúm drágon アジア産マメ科ゲンゲ［レンゲ］属のとげの多い低木の総称.
Komódo drágon コモドオオトカゲ, コモドドラゴン.
pen-drágon 名 王, 首領.
relúctant drágon 衝突を避ける指導者.
Róuge Drágon (イングランド紋章院の)紋章官補の一職.
séa dràgon 〘魚類〙ヌメリゴチ.
shé-drágon 名 雌の竜; 厳格な［気の荒い］女性.
snáp-dràgon 名 〘植物〙キンギョソウ.

drain /dréin/

動他 〈液体を〉徐々に排出する. ―― 名 **1** 排水設備; 排水路. **2** 流出.

áir dràin ドライエリア: 地下室の採光・防湿・通風用に設ける空間.
bráin dráin 《話》頭脳流出.
bráwn dràin 労働者・運動選手の国外流出.
cátch dràin 承水路.
cátchwater dràin 傾斜地に設ける排水溝.
fíeld dràin 排水用の土管.
Frénch dráin めくら下水.
gúlly dràin 下水管.
móle dràin もぐら［弾道］暗渠(きょ).
stórm dràin 雨水管渠(きょ).
túrf dràin 芝を植えて覆った排水路.
ún·der·dràin 名 (耕した畑や街路の下の)暗渠(きょ).

dra·ma /drɑ́ːmə, drǽmə | drɑ́ːmə/

名 劇, 戯曲, 劇詩, 脚本. ⇨ -MA.

bío-dràma 名 〘テレビ〙伝記ドラマ.
chòreo-dráma 名 舞踊劇.
clóset dràma 《主に米》ドタバタ喜劇.
cómedy dràma コメディードラマ; 軽喜劇.
dánce dràma 舞踊劇.
díaper dràma (子供の成長を描いた)家族ドラマ.
dócu-dràma 名 ドキュ(メンタリー)ドラマ.
dróopy dráma 《米俗》昼の連続ドラマ.
dúo-dràma 名 二人芝居, デュオドラマ.
épic dràma 叙事戯曲.
heróic dráma 英雄劇.
hýpno-dràma 名 〘精神医学〙催眠劇.
litúrgical dráma 聖書劇.
mácho-dràma 名 《米俗》男っぽさを強調した劇映画.
mélo-dràma 名 (映画・劇などの)メロドラマ.
móno-dràma 名 一人芝居, モノドラマ.
músic dràma 音楽劇.
phóto-dràma 名 劇映画; 劇映画用脚本.
psỳcho-dráma 名 〘精神医学〙サイコドラマ, 心理劇.
Restorátion dráma 〘英演劇〙王政復古劇.
sátyr dràma サチュロス劇(satyr play).
sòcio-dráma 名 ソシオドラマ, 社会劇.
tánk dràma ごたまぜの通俗的な演劇.
téle-dràma 名 テレビドラマ.
vídeo dràma =teledrama.

draw /drɔ́ː/

動他 引く, 引っ張る, 〈帆を〉引き上げる, 〈はね橋を〉つり上げる; …を引き寄せる.

cold-draw 動他 〘金工〙冷間引き抜きする.
deep-draw 動他 〘金工〙深絞り形成する.
fine-draw 動他 〘裁縫〙掛けはぎにする.
hot-draw 動他 〘金工〙熱間引き抜きする.
out·draw 動自 (拳銃などを)…より早く引き抜く.
over·draw 動他 〈預金・割当額などを〉超過して借りる［引き出す］, 過振りする.
quárterback dráw 〘アメフト〙クォーターバック・ドロー.
re·draw 動他 …を再び引き出す; 描き直す.
scóre dràw (特にフットボールで)同点引き分け.
under·draw 動他 〈床・天井・屋根などの〉下側にしっくいを塗る［板を内張りする］.
un·draw 動他 〈カーテンなどを〉引いてあける.
wire·draw 動他 〈金属を〉線引きする.
with·draw 動他 …を(…から)引っ込める, 引き離す.

draw·er /drɔ́ːər/

名 **1** 引き出し. **2** (金などを)得る人. ⇨ -ER[1].

bóttom dráwer 《英》(結婚前に嫁入り道具をしまっておく)たんすのいちばん下の引き出し.
cásh-dràwer (レジなどの)現金引き出し.
dóle-dràwer 失業手当［給付］受給者.
o·ver·draw·er 銀行勘定で借り越しする人.
sécond-dráwer 形 《話》二流の, 次点の.
sóck dràwer 《主に英話》秘密の隠し場所.
tóp dráwer いちばん上の引き出し.
tóp-dráwer 形 最重要な.

drawers /drɔ́ːrz/

名複 drawer「ズボン下」の複数形.

dróopy dráwers 《英俗》だらしない女［男］.
Mággie's dràwers 《米軍俗》(射撃で)的を外れたとき振られる赤旗.
nícotine dràwers 《米俗》(糞のついた)茶色いパンツ.
únder·dràwers (特に少し長めの)ズボン下, ズロース, パンツ.

draw·ing /drɔ́ːiŋ/

名 **1** 引くこと; 引き出すこと; 引き伸ばすこと. **2** (ペン・鉛筆で描いた)線画・線描; (特にクレヨン・木炭で描いた)スケッチ, デッサン. ⇨ -ING[1].

blóod dràwing 《米》献血運動.

cáve dràwing 洞窟(どうくつ)壁画.
détail dràwing 〘工学〙(建築物・機械などの)詳細図.
líne dràwing 線画.
mechánical dráwing 機械製図; 用器画.
téchnical dráwing (特に学科としての)製図.
wásh dràwing 淡彩素描, ウォッシュ.
wórking dràwing 施行図, 作業図, 設計図.

drawn /drɔ́ːn/

動 draw「引く」の過去分詞形.

fíne-dráwn 形 細かく縫い合わされた.
hórse-dráwn 形 〈車が〉馬に引かせた.
ín·drawn 形 内気な; 内省的な.
sólid-dràwn 形 〈金属管などが〉引抜きの.
wíre-dràwn 形 長く細く引き伸ばされた.
with·dráwn 動 withdraw の過去分詞形.

dream /dríːm/

名 **1** 夢. **2** 夢を見ている状態. **3** (将来の)夢, 抱負, 理想. **4** 空想, 妄想.

Américan Dréam アメリカの夢(自由・平等・成功).
cárpenter's dréam 《英俗》言いなりになる女.
dáy·drèam 白日夢, 空想, 夢想.
lúcid dréam 〘心理〙明晰夢, 自覚夢.
pípe drèam (アヘン吸飲者が描くような)幻想.
pípe-drèam 動自 夢想する, 空想にふける.
pírate's dréam 《米学生俗》ぺちゃぱいの女.
wét dréam 睡眠時射精, 夢精.

dredge /drédʒ/

名 **1** 浚渫(しゅんせつ)機. **2** 浚渫船.

búcket drèdge =ladder dredge.
dípper drèdge ジッパー浚渫(しゅんせつ)船.
Ékman drèdge エクマン浚渫(しゅんせつ)機.
hópper drèdge 底開き浚渫(しゅんせつ)機.
ládder drèdge バケットドレッジャー, バケット船.

dress /drés/

名 **1** (ワンピース型の)婦人[子供]服, ドレス; (ツーピース型の)婦人服. **2** (一般の)衣服. **3** 正装. ― 動他自 (…に)服を着せる[着る].

básic dréss ベーシックドレス.
báthing drèss 《主に英》水着(bathing suit).
báttle drèss 戦闘用軍服, 戦闘服.
bíg drèss ビッグドレス: Big Look 風に仕上げた婦人服.
cóat·drèss コートドレス: コートのように前がすそまでボタンあきのワンピース.
cóurt drèss 宮中服, 参内(さんだい)服, 大礼服.
cróss-drèss 動自 異性用の衣服を着る.
dínner drèss ディナードレス, 婦人用略式夜会服.
díscotheque drèss ディスコドレス: 襟を大きくえぐり, すそにフリルのついた, 通例, 黒色のドレス.
évening drèss イブニングドレス, 夜会服.
fáncy dréss 仮装, 仮装舞踏会の衣装.
fúll dréss 正式の夜会服.
fúll-dréss 形 正装[礼装](着用)の.
gránny drèss グラニードレス: 通例, 長袖(そで), ハイネックで, くるぶし丈のゆったりしたドレス.
héad·drèss かぶり物, 頭飾り, ヘッドドレス.
Híghland dréss ハイランドドレス: スコットランド高地の民族衣装.
hóuse·drèss ホームドレス, 家庭着.
mín·i·drèss 名 ミニドレス.
mórning drèss モーニング.
níght·drèss 寝巻き.
ò·ver·dréss 動他自 過度に着飾(らせ)る.
pánt·drèss パンツドレス: 下がズボンになった婦人用ワンピース.
pétal drèss 〘服飾〙花びらのように布地を重ねた, または花弁のように切り込みの入ったドレス.
ráinbow drèss 〘海事〙満艦飾.
rátional dréss 《もと》合理的な服.
rè·dréss 動他 …に着直しさせる; 飾り直す.
sáck drèss サックドレス: 肩からすそ線までずんどうでベルトのないゆったりした婦人用ドレス.
sérvice drèss 制服, 軍服.
shírt-drèss シャツウエスト・ドレス: 上半身がワイシャツ型の前あきのテーラード風ワンピース(shirtwaist).
side-dress 名動他 側方施肥(をする).
súit-drèss スーツドレス: ドレスに同色・同素材のコートまたは上着を組み合わせたアンサンブルの婦人服.
sún·drèss サンドレス: 両腕, 肩, 背中を露出したデザインの夏用のドレス.
T́-drèss T シャツドレス: T シャツ風のワンピース; 丈の長いドレス.
tént drèss テントドレス: ウエストは絞らずに肩からすそにゆったりと広がるテント型のドレス.
tóp-drèss 動他 追肥を施す.
tráde drèss 商標ドレス: 赤と白(Marlboro タバコ), 黄と黒(Kodak)などの柄の服.
trapéze drèss トラペーズドレス: 肩からすそにかけて緩やかに広がった, ベルトなしのドレス.
túnic drèss チュニックドレス: 婦人用の短いシンプルなドレス.
ún·der·drèss 名 下着, 肌着(underclothes).
ùn·dréss 動他 …の衣類を脱がせる(disrobe).
wálking drèss (散歩用などの)外出着.
wíndow-drèss 動他 美しく見せる, …のうわべを整える[飾る].

dress·er /drésər/

名 着付け師; 髪結い; 飾りつけ人; 仕上げをする人. ⇨ -ER[1].

flý drèsser 〘釣り〙毛鉤(けばり)職人.
háir·drèsser (婦人髪の)美容師.
pówer drèsser 有能で信頼できるような印象を与える服装をする人.
stóne drèsser 石工(stonecutter).
víne·drèsser 蔓(つる)植物栽培者.
wíndow drèsser ショーウインドー装飾家.

dress·ing /drésiŋ/

名 **1** 着付け, 身支度; (種々の)仕上げ, 手入れ; (庭木などの)整枝; 装飾, 飾り付け; (食品の)下ごしらえ; (傷の)手当て; 〘採鉱〙(鉱石の)選鉱. **2** ドレッシング. **3** 肥料. ⇨ -ING[1].

bóiled dréssing 卵黄を加えて加熱した濃厚なソース.
Frénch dréssing フレンチドレッシング.
háir·drèssing (特に婦人髪の)調髪, 結髪.
méadow dréssing 《米俗》牛の糞(ふん).
míneral dréssing 〘鉱山〙選鉱.
óre drèssing 〘鉱物〙=mineral dressing.
pówer drèssing パワードレッシング: 女性の管理職や政治家の服装.
Rússian dréssing ロシア風ドレッシング.
sálad drèssing サラダドレッシング.
sánitary dréssing 《英》生理用ナプキン.

side drèssing 側方施肥(用の肥料).
Thóusand Ísland dréssing 〖米料理〗サウザンド・アイランド・ドレッシング.
tóp drèssing 追肥, 敷肥.
wéll-drèssing (英国のある地方で)きれいな水が豊富に与えられることに感謝して井戸や泉に花を飾る伝統的儀式.
wíndow drèssing ショーウインドーの飾り付け(の技術).

dried /dráid/

動 dryの過去・過去分詞形. ―― 形 乾燥させた. ⇨ -ED[1].

cút-and-dríed 形 《話》あらかじめ準備された.
fréeze-dríed 形 凍結乾燥された.
kíln-drìed 形 人工乾燥した.
sún-drìed 形 日干しにした.

drift /dríft/

名 **1** 衝動, 推進力. **2** 漂流.

a·drift 形副 〈船などが〉漂流して(いる).
béach drìft (波浪の作用による)海岸移動.
clóud drìft 流れる雲, 浮き雲, 飛雲.
continéntal dríft 〖地質〗大陸移動(説).
dóuble drìft 〖航空〗二偏流角法.
dówn·drìft 下降傾向.
genétic dríft 〖生物〗遺伝的浮動.
glácial dríft 〖地質〗漂礫土(ひょうれきど).
Gúlf Strèam Drìft 北大西洋海流.
líttoral dríft =beach drift.
lóngshore drìft =beach drift.
snów·drìft 雪の吹きだまり.
spín·drìft 波しぶき.
spóon·drìft =spindrift.
stár drìft 〖天文〗星流.
úp·drìft 緩やかな上昇(運動).
wáge drìft 〖経済〗賃金ドリフト.
Wést Wínd Drìft 周南極海流.

drill /dríl/

名 **1**〖機械〗〖建築施工〗穿孔機, 削岩機; ドリル, 錐(きり). **2**〖軍事〗訓練.

áir drìll 空気ドリル(pneumatic drill).
blánket drìll 《米軍俗》睡眠.
bóat drìll 〖海事〗(船上での)救命ボート訓練.
bów drìll 舞い錐, 弓錐.
bréast drìll 胸当て錐.
búrr drìll 〖歯科〗バードリル.
chúrn drìll 可搬式掘削 [削岩] 機.
clóse-òrder drìll 〖軍事〗(執銃でする)小隊教練, 密集部隊教練.
díamond drìll ダイヤモンドドリル.
fíre drìll 消防訓練; 火災避難訓練.
gáng drìll 多穿孔ドリル.
hámmer drìll 〖機械〗ハンマードリル.
hánd drìll ハンド [手回し] ドリル.
kérb drìll 《英》(横断歩道上での)左右の確認.
mónkey drìll 《米軍俗》体操.
múltiple drìll 複式ボール盤.
óyster drìll カキナカセガイ.
páck drìll 軍装して行軍させる軍隊での公的制裁.
pówer drìll パワードリル, 動力錐.
rátchet drìll ハンドドリル, 手動の穴あけ機械.
róck drìll 削岩機.
sáck drìll 《米俗》睡眠(時間).
sínker drìll シンカー(ドリル).
skéleton drìll 〖軍事〗仮設演習, 幹部実設演習.
stár drìll (石工・左官用の)星形穿孔(せんこう)錐.
stóp drìll 一定の深さ以上入らないようにつばのついたドリル.
Swédish dríll スウェーデン体操.
twíst drìll 〖機械〗ねじれ錐.

drill·ing /dríliŋ/

名 ドリル [錐(きり)] で穴をあけること, 穿孔(せんこう). ⇨ -ING[1].

diréct dríllíng 継続播種(はしゅ)栽培.
diréctional drílling (油井の)傾斜掘削.
slánt drílling =slant-hole drilling.
slánt-hòle drílling (油井の)傾斜穿孔(せんこう).

drink /dríŋk/

動他 …を飲む. ―― 名 飲物.

Bíg Drínk 《米俗》ミシシッピ川; 大西洋; 太平洋; 大海原.
cháin-drìnk 動他 立て続けに飲む.
hárd drínk (ウイスキーなどの)度の強い酒.
lóng drínk 深いグラスに入れて出す飲み物.
míxed drínk ミックスドリンク.
òver·drínk 動他自 飲みすぎる.
rúbber drìnk 《米俗》もどす原因となる一杯の酒.
shórt drínk ショートドリンク(食前酒など).
smárt drìnk 記憶力や頭の良くなる飲み物.
sóft drínk ソフトドリンク.
spórts drìnk スポーツドリンク.
stróng drínk 強い酒.
táll drínk 背の高いグラスに入ったカクテル.

drink·er /dríŋkər/

名 **1** 飲む人. **2** 酒飲み. ⇨ -ER[1].

díck·drìnker 《米俗》フェラチオをする人.
drám-drìnker (酒などを)ちびりちびり飲む人.
hárd drínker 酒の強い人, 酒豪, 大酒飲み.
nòn·drínk·er 名 酒を飲まない人.
twó-físted drìnker 《米話》大酒飲み.
wáter-drìnker 鉱泉を飲む人.

drip /dríp/

動自 ぽたぽた落とす, したたらせる. ―― 名 したたること.

dríp-drìp 名 ぽとぽと; 雨だれ.
fóg drìp 霧滴: 針葉樹から落ちる水滴.
intravénous dríp 〖医学〗点滴.
nó-drìp 形 〈容器の注ぎ口が〉液だれしない.
nòn·dríp 形 〈塗料が〉したたり落ちにくい.
póstnasal dríp 〖医学〗後鼻漏.

drive /dráiv/

動他 …を追う, 追い出す, 駆逐する. ―― 名 **1** 運転; ドライブ. **2**〖心理〗衝動. **3** 駆動装置; 駆動方式.

affíliative drìve 親和欲求.
áfternoon drìve 《米放送俗》(帰宅する車の)夕方のラッシュ時刻.
automátic drìve 自動変速機 [装置].
bélt drìve 〖工学〗(動力の)ベルト駆動.
bíg drìve 《米俗》麻薬の大量投与.
cárriage drìve 《英》(景勝地・公園などの)車道.
cáttle drìve 《米市民ラジオ俗》交通渋滞.
CD-RÓM drìve 〖コンピュータ〗CD-ROM 装置.
cháin drìve チェーン駆動.
cóver drìve 〖クリケット〗後衛を通過する打球.
dísc drìve =disk drive.
dísk drìve 〖コンピュータ〗ディスクドライブ.
fínal drìve 〖自動車〗終減速 [駆動] 装置.
flúid drìve 〖自動車〗流体伝動(装置).
flý-drìve フライドライブ: 飛行機とレンタカー

を用いる(パック)旅行.
fóur-wheel dríve 〘自動車〙四輪駆動(車), 4WD(車).
fríction dríve 〘自動車〙摩擦駆動, 摩擦伝動.
frónt-drìve 形 〘自動車〙フロントドライブの.
frónt-whèel dríve 〘自動車〙前輪駆動.
híre-and-dríve 《英》レンタカー.
líne dríve 〘野球〙ライナー.
mórning drìve 《米放送俗》朝のラッシュ時刻.
mótor drìve 〘機械〙モータードライブ.
óff-dríve 〘クリケット〙オフドライブ.
ón-dríve 〘クリケット〙オンドライブ.
óut·drìve 形名〘海事〙内外機式エンジンの(船).
ò·ver·dríve 動他 過度に働かせる, 酷使する.
réar-whéel dríve 〘自動車〙後輪駆動.
rím-drìve リムドライブ: レコードプレーヤーの駆動方式の一つ.
sélf-dríve 形 《主に英》〈自動車が〉レンタルの.
stérn drìve 〘海事〙= outdrive.
stérn-drìve 形 〘海事〙= outdrive.
stúnt-drìve 動自 スタントで車を運転する.
tápe drìve 〘コンピュータ〙テープドライブ.
tést drìve (車の)試乗, テストドライブ.
tést-drìve 動他〈車などの〉試乗をする.
wórm drìve 〘機械〙ウォーム駆動.

driv·en /drìvən/

動 drive「駆動する」の過去分詞形. ⇨ -EN[3].

áir-drìven 形 圧縮空気を原動力とする.
commánd-drìven 形 〘コンピュータ〙コマンド方式の.
demánd-drìven 形 〘経済〙需要主導型の.
láser-drìven 形 〘コンピュータ〙レーザー駆動の.
ménu-drìven 形 〘コンピュータ〙メニュー駆動型の.
pówer-drìven 形 動力[エンジン]で動く.
sèlf-dríven 形 〈機械が〉原動機付きの.
supplý-drìven 形 〘経済〙供給ドライブ[主導]型の.

driv·er /dráivər/

名 **1** 追う人[もの]. **2** (車の)運転手. ⇨ -ER[1].

báckseat dríver (後部座席から運転者に)おせっかいな助言や注意をする同乗者.
blíp drìver 《英俗》レーダーのモニター係.
cáb·drìver 《主に米》タクシーの運転手.
co-drív·er 名 (ラリーなどの)交替運転者.
désignated dríver 指定ドライバー.
drínk dríver 《英》酔っぱらい運転者.
drúnk dríver 酔っぱらい運転者.
drúnken dríver = drunk driver.
éngine drìver 《英》(鉄道関係の)技師.
háck-drìver 《米海軍俗》(二等)曹長.
Ĺ-drìver 《英》仮免許運転練習者.
máss drìver 〘宇宙〙宇宙機材打ち上げ装置.
nòn·drív·er 名 車を運転しない人.
ówner-dríver 個人トラック業者.
phótic dríver 光音波群衆退散装置.
píle drìver 杭(くい)打ち機.
quíll drìver 《おどけて》たくさん書物をする人.
scréw·drìver ねじ回し, ドライバー.
sláve drìver 奴隷監督[組頭].
stáge-drìver 駅馬車の御者.
Súnday dríver 日曜ドライバー.
táxi drìver タクシー運転手.
trúck·drìver トラック運転手.

-drome /dròum/

連結形 走ること[もの], 競走路.
★ 語末にくる関連形は -DROMIC, -DROMOUS.
★ 語頭にくる形は drom(o)-: *dromo*mania「放浪癖」.
◆ <仏<ラ *-dromos* <ギ *drómos* 競走.

ac·ro·drome 形 〈葉が〉縁に平行に走って先で集まる葉脈の.
ac·tin·o·drome 形 〈葉が〉掌状葉脈の.
aer·o·drome 名 《主に英》= airdrome.
air·drome 名 飛行場, 空港.
au·to·drome 名 自動車専用道路.
cam·pyl·o·drome 名 = acrodrome.
cos·mo·drome 名 (ロシアの)宇宙船発射基地.
hel·i·drome 名 ヘリドローム: ヘリコプター発着所.
hip·po·drome 名 馬術演技場, サーカス; 演芸場.
lox·o·drome 名 (船舶・飛行機の)航程線.
mo·tor·drome 名 (自動車やオートバイの)円形競走場.
pal·in·drome 名 回文(かいぶん).
pro·drome 名 序言, 序論.
roll·er·drome 名 《米》ローラースケート場[リンク].
sea·drome 名 〘航空〙水上機基地.
syn·drome 名 ☞
ve·lo·drome 名 (自転車・オートバイなどの)競走場.

-drom·ic /drάmik | drɔ́mik/

連結形 進路の.
★ 形容詞をつくる.
★ 語末にくる関連形は -DROME.
★ 語頭にくる関連形は drom(o)-: *dromo*mania「放浪癖」.
◆ ギリシャ語 *dromikós*「進路の」より. ⇨ -IC[1].

an·ti·drom·ic 形 〘生理〙逆方向性の.
lox·o·drom·ic 形 航程線の, 等角航路の.
or·tho·drom·ic 形 〘生理〙順方向性の.
pal·in·drom·ic 形 〈単語・句・文・楽曲・数字などが〉前から読んでも後からでも同一の.

-dro·mous /drəməs/

連結形 …に[を]走る[動く].
★ -drome で終わる名詞から形容詞をつくる.
◆ -DROME + -OUS.
[発音] 直前の音節に第 1 強勢.

ac·ti·nod·ro·mous 形 〘植物〙〈葉が〉掌状葉脈の.
a·nad·ro·mous 形 〈魚が〉産卵のため海から川を上る, 昇河回遊性の, 遡河(そか)性の.
ca·tad·ro·mous 形 〈魚が〉降流性の, 降河回遊性の.
di·ad·ro·mous 形 〘植物〙〈葉が〉扇状葉脈の.

drop /drάp | drɔ́p/

名 **1** 滴, 滴り. **2** あめ玉. **3** 滴ること. **4** 〘演劇〙垂れ幕, どん帳.

ácid dròp 《英》酸っぱい丸飴.
áir·dròp 動他 落下傘で空中投下する.
atómic dróp 〘プロレス〙アトミックドロップ.
báck·dròp 〘演劇〙背景幕.
bódy dròp (柔道で)体落とし.
bóok dròp 図書返却箱.
chócolate dròp 《米俗》黒人.
cóugh dròp 咳(せき)止めドロップ.
cút dróp 〘演劇〙切れ目のある垂れ幕.
déad dròp (スパイの)情報受け渡し場所.
deláyed dróp (パラシュートの)開傘遅延降下.
déw·dròp 露の滴(に似たもの).
dónkey dròp 《話》(テニスなどで)高く上がったゆるいボール.
drúg dròp 麻薬取引所.
éar·dròp 下げ飾り付きのイヤリング.
éaves·dròp 動自 立ち聞きする, 盗み聞きする.
eléctronhole dròp 〘半導体物性〙電子・正孔液滴.
éye·dròp 涙(tear).
fóot dròp 〘病理〙下垂足, 尖足.
frúit dròp 果物が枝から落ちること.

gúm·dròp 《米》【菓子】ガムドロップ.
Júne dròp 【園芸】ジューンドロップ: 未熟な果実が六月ごろ落ちること.
knée dròp 【プロレス】ニードロップ.
lég dròp 【演劇】袖(そで)幕.
lémon dròp 【菓子】レモンドロップ.
létter dròp (ドアなどの)郵便差し入れ口.
líne dròp 【電気】線路電圧降下.
máil dròp 《米》集合郵便受け口.
náme-dròp 動自 知人であるかのように有名人の名をひけらかす.
pára·dròp 動他 =airdrop.
péar dròp (西洋ナシ形の)キャンデー; 宝石.
pígeon dròp 《米俗》信用詐欺.
Prìnce Rúpert dróp =Rupert's drop.
ráin·dròp 雨滴, 雨垂れ.
róse·dròp 【病理】酒皶(しゅさ).
Rúpert's dróp 【ガラス】ルパート王子の滴.
skíd-dròp 《米俗》麻薬のパラシュート投下.
snów·dròp[1] 【植物】ユキノハナ.
snów·dròp[2] 動他《俗》〈衣類・下着を〉盗む.
tállow dròp 【宝石】タロードロップ.
téar·dròp 一滴の涙.
tóe·dròp 【病理】=foot drop.
wáter·dròp 水滴; 雨滴, 雨垂れ.
wríst·dròp 【病理】手根下垂, (下)垂手.

drop·per /drápər | drɔ́pə/

名 落とす人[もの]. ⇨ -ER[1].

díme drópper 《米俗》密告者.
éye·drὸpper 点滴器, (特に)点眼器.
médicine drὸpper 滴瓶, スポイト.
píll-drὸpper 《米話》(錠剤・カプセル状の)麻薬の常用者(pill popper).

drops /dráps | drɔ́ps/

名複 drop の複数形.

béech·dròps 名複【植物】ブナヤドリギ.
éar dròps 耳用の点滴剤, 点耳剤.
éye dròps 点眼薬, 目薬.
knóckout dròps 眠り薬, ミッキー・フィン(Mickey Finn).
nóse dròps 点鼻薬.
píne·dròps 名複 イチヤクソウ科の細長い, 葉のない草.
sún·dròps 名複 アカバナ科マツヨイグサ属の昼咲きの草の総称.

drug /drʌ́g/

名 **1** 薬, 薬品, 薬剤, 薬物. **2** 麻薬.

álkylating drùg 【薬学】アルキル化剤.
antianxíety drùg 【薬学】抗不安薬.
ànti-drúg 形 麻薬(使用)防止[禁止]の.
àntilábor drúg 【医学】出産抑制剤.
bódy drùg 《米》体にくる麻薬.
combinátion drùg 【薬学】複合薬, 配合抗菌薬.
cóunter drùg =over-the-counter drug.
cóunter·drùg 【薬学】対抗薬.
desígner drùg 《米》既存の薬剤の化学構造を一部改変して作られた, 薬理効果は変わらず副作用の少ない薬.
fertílity drùg 排卵誘発剤.
gáteway drùg (麻薬中毒へとのめり込む入り口となる)弱い薬物.
hárd drúg 【薬学】習慣性のある薬物.
héad drùg 《米俗》脳に影響を与える麻薬.
lóve drùg 《米俗》催淫(さいいん)剤, 媚薬(びやく).
máintenance drùg 中毒治療用麻薬.
mé-tóo drùg 《話》類似薬品.
míracle drùg =wonder drug.
móod drùg 【薬学】ムード薬, 気分薬.
órphan drúg 【薬学】孤児薬.
óver-the-cóunter drùg 処方箋なしで買える売薬.
pòly·drúg 形 多種の薬剤(特に麻薬)を同時に使う.
pró·drùg 【薬学】プロドラッグ.
smárt drúg 頭をよくする薬, 知能向上薬.
sóft·drúg (習慣性のない)弱い麻薬.
súlfa drùg 【薬学】サルファ剤.
trúth drùg 自白薬(truth serum).
wónder drùg 特効薬, 妙薬.

drum /drʌ́m/

名 **1** 太鼓, ドラム. **2**【解剖】【動物】鼓膜. **3** 両端が平らな円筒形の物; (機械の)円筒形部.

báss drúm バスドラム, 大太鼓.
bráke drùm 【機械】ブレーキドラム[胴].
Drake's Drum ドレークの太鼓: Sir Francis Drake の故郷 Plymouth 近郊に存在し, 英国の危機を告げ知らせるという.
éar·drùm 鼓膜(tympanic membrane).
Fòrt Drúm フォートドラム: 米国 New York 州北部にある Watertown 内の軍用地.
fréshwater drúm ニベ科の魚 *Aplodinotus grunniens*.
kéttle·drùm ケトルドラム.
magnétic drúm 【コンピュータ】磁気ドラム.
mémory drùm 【コンピュータ】記憶ドラム.
óil drùm 石油用ドラム缶.
réd drúm ニベ科の大形食用魚の一種.
síde drùm =snare drum.
slít-drùm 割れ目太鼓, くりぬき太鼓.
snáre drùm スネアドラム, 小太鼓.
stórm drùm (円筒形の)暴風(雨)警報標識.
wínding drùm (巻き上げ装置の)ワイヤロープを巻く回転胴.

drunk /drʌ́ŋk/

形 酔っ払った.

cóuntry drùnk 形《米俗》酔っ払った.
crýing drùnk 形《米俗》酔って泣く, 泣き上戸の.
déad-drúnk 形 酔いつぶれた, 泥酔した.
fálling-dòwn drúnk 《米話》泥酔した人.
fúnky-drúnk 形《米俗》べろんべろんに酔っ払った.
púnch-drùnk 形【ボクシング】パンチドランカーの.
skúnk-drùnk 形《米俗》酔っ払った.
stále drùnk 《米話》前の酒が覚めないうちに酔いを繰り返す状態.
ùn·drúnk 形 酔っていない.

dry /drái/

形 乾いた, 乾燥した. ――動自 乾燥する.

áir-drỳ 動他自 空気[自然]乾燥する, 風で乾かす.
blów-drỳ 動他〈髪を〉ヘアドライヤーで整髪する.
bóne-drý 形《話》からからに乾いた, 干からびた.
Cánada Drý 《商標》カナダドライ: 米国 Canada Dry Corp. 社製のジンジャーエール.
dámp-drý 形〈洗濯物が〉生乾きの.
dríp-drỳ 形 洗ってすぐ(乾いて)着られる(wash-and-wear). ――名 ノーアイロンの衣服.
éxtra drý 〈シャンパンが〉極辛口の.
fínger-drỳ 動他【美容】フィンガードライする.

fréeze-drý 動他 〈食品などを〉凍結乾燥させる.
kíln-drỳ 動他 窯[炉]で乾燥させる.
médium drý 〈ワインなどが〉辛口と甘口の中間の.
óil-drỳ (オートレースのコース用)油除去剤.
pále-drý 形 色が薄くてやや辛口の.
róugh-drý 動他 〈洗濯物を〉あら干しする.
sem·i·dry 形 半乾きの; ほどよく乾燥した.
smóke-drỳ 動他 〈肉などを〉燻製にする.
spín-drý 動他 〈洗濯物を〉遠心力で脱水する.
spráy-drý 動他 〈ミルク・卵・せっけんなどを〉吹きつけ乾燥して粉末状にする.
túmble-drý 動他自 (洗濯物を)回転乾燥機で乾かす.

-duce /djúːs | djúːs/

連結形 導く.
★ 語末にくる関連形は -DUCT, -DUCTION, -DUCTIVE, -DUCTOR.
★ 語頭にくる関連形は duct-: *duct*ule「〘解剖〙〘動物〙小導管」.
◆ ラテン語 *dūcere*「導く」より.

ab·duce 動他 〘生理〙外転させる.
ad·duce 動他 …を提出する; …を引用する.
con·duce 動自 (ある結果に)導く; 貢献する.
de·duce 動他 〈結論などを〉推定する.
e·duce 動他 《まれ》〈能力などを〉引き出す.
in·duce 動他 説いて[誘って](…)させる.
in·tro·duce 動他 紹介する.
pro·duce 動他 ☞
re·duce 動他 縮小する, 減じる, 切り詰める.
se·duce 動他 そそのかす, 誘惑する.
tra·duce 動他 中傷する; 〈事実などを〉ゆがめる.
trans·duce 動他 他の形に変換する.

duck /dʌ́k/

名 **1** カモ, アヒル. **2** 《話》人, やつ.

Beijíng dúck =Peking duck.
bláck dúck 羽毛の黒いカモ.
blúe dúck アオ(青)ヤマガモ.
cóld dúck コールドダック: 飲み物の一種.
dábbling dúck カモ.
Dáffy Dúck ダフィー・ダック: 米国漫画の主人公.
Dáisy Dúck Donald Duck のガールフレンド.
déad dúck 《話》救いようのない人[もの].
décoy dùck 〘狩猟〙おとりのカモ(の模型).
dérby dúck 《英話》=dead duck.
díving dùck 潜水ガモ.
Dónald Dúck ドナルド・ダック: Walt Disney のアニメーションに登場するアヒル.
éider dùck ケワタガモ.
éxtra dúck 《英俗》宴会用の臨時ウエートレス.
ferrúginous dúck メジロガモ.
físh dùck 《話》アイサ類; 魚食性のカモ.
gráy dúck 幼鳥や雌の羽毛が灰色がかったカモの総称.
hárlequin dùck シノリガモ.
Lábrador dúck カササギガモ.
láme dúck 《米》選挙後まだ任期の残る落選議員.
lóng-tàiled dúck 《米・カナダ》コオリガモ(氷鴨).
mándarin dúck オシドリ.
móck dúck まがいガチョウ.
Múscovy dúck バリケン, タイワンアヒル.
músk dùck =Muscovy duck.
páradise dùck ツクシガモ属の鳥.
Péking dúck 〘中国料理〙北京ダック.
pínk-hèaded dúck バライロガモ.
prégnant dúck 《米俗》=ruptured duck.
préssed dúck 〘料理〙プレストダック.
púddle dùck 水面で餌(えさ)を取るカモ.
ríng-necked dúck クビワキンクロ(首輪金黒).
ríver dùck 淡水カモ類.
rúddy dúck アカオタテガモ(赤尾立鴨).
rúptured dúck 《米俗》(満期除隊章の)翼を広げたワシの像.
Sálter dùck ソルターカム式波力発電装置. ►発明者 S.H.Salter の名より.
séa dùck ウミガモ(海鴨).
shél·dùck ツクシガモ, (特に)その雌.
sítting dúck 無防備でねらわれやすい標的, かも.
spírit dùck ヒメハジロ.
stéamer dùck フナガモ.
súrf dùck クロガモ, (特に)アラナミキンクロ.
tórrent dùck ヤマガモ.
trée dùck リュウキュウガモ.
túfted dúck キンクロハジロ.
vélvet dùck ビロードサンシチ(velvet scoter).
whístling dúck リュウキュウガモ.
wíld dúck 野生のカモ; (特に)マガモ.
wóod dùck アメリカオシドリ.

duct /dʌ́kt/

名 **1** 導管, ダクト. **2** 〘解剖〙〘動物〙導管, 管.

áir dùct エアダクト, 空気路.
áq·ue·dùct 名 〘土木工学〙送水路; 水路橋.
bíle dùct 〘解剖〙輸胆管.
cál·i·dùct 名 暖房用ダクト[配管].
cóchlear dùct 〘解剖〙蝸牛(かぎゅう)管, 渦巻き細管.
ejáculatory dùct 〘解剖〙射精管.
hepátic dúct 〘解剖〙肝管.
lácrimal dùct 〘解剖〙涙管[道].
nasolácrimal dúct 〘解剖〙鼻涙管.
ó·vi·dùct 名 〘解剖〙〘動物〙卵管.
parótid dùct 〘解剖〙耳下腺管(せんかん).
pneumátic dúct 呼吸管, 鰾気(ひょうき)管.
résin dùct 〘植物〙樹脂道.
séminal dúct 〘解剖〙精管.
spó·ro·dùct 名 (原生動物胞子虫類の)胞子管.
swéat dùct 〘解剖〙汗腺(かんせん)管.
téar dùct 〘解剖〙=lacrimal duct.
thorácic dúct 〘解剖〙胸管.
vén·ti·dùct 名 通風管, 空気抜き.
Wólffian dúct 〘発生〙ウォルフ管, 中腎(ちゅうじん)輸管.

-duct /dʌ̀kt, dʌ́kt/

連結形 導かれた(もの).
★ 語末にくる関連形は -DUCE.
★ 語頭にくる関連形は duct-: *duct*ule「〘解剖〙〘動物〙小導管」.
◆ <ギ *ductus*(*dūcere*「導く」の過去分詞).
[発音] 名詞では語頭の音節に, 動詞では基体(-duct)に第1強勢.

ad·duct 動他 〈手・足・指などを〉内転させる.
con·duct 名動他 ☞
de·duct 動他 〈一定の額を〉差し引く, 控除する.
e·duct 名 引き出されたもの, 抽出物.
in·duct 動他 (地位などに)就任させる, 任命する.
ob·duct 動他 (地殻運動が)〈地殻の一部を〉押し上げる.
prod·uct 名 ☞
re·duct 動他 …を(ある状態に)する.
sub·duct 動他 《まれ》取り去る, 除去する.

-duc·tion /dʌ́kʃən/

連結形 導かれたもの[こと].
★ 語末にくる関連形は -DUCE.
★ 語頭にくる関連形は duct-: *duct*ule「〘解剖〙〘動物〙小導管」.
◆ <ラ *ductus*(*dūcere*「導く」の過去分詞). ⇨ -TION.

D

[発音] -duction の第 1 音節に第 1 強勢が置かれる.

ab·duc·tion[1] 名 誘拐, 略取.
ab·duc·tion[2] 名 〘論理〙蓋然(がい)的三段論法.
ad·duc·tion 名 〘生理〙内転.
con·duc·tion 名 (水を管などで)導くこと, 引くこと.
de·duc·tion 名 差し引き, 控除, 天引き.
e·duc·tion 名 引き出すこと, 抽出; 析出.
in·duc·tion 名 ☞
in·tro·duc·tion 名 導入, 伝来; 採用; 提唱.
man·u·duc·tion 名 案内, 手引き, 指導.
pro·duc·tion 名 ☞
re·duc·tion 名 ☞
se·duc·tion 名 そそのかすこと, 誘惑.
sub·duc·tion 名 引く [減じる] こと; 除去.
trans·duc·tion 名 〘遺伝〙形質導入.

-duc·tive /dʌ́ktiv/

連結形 導かれた….
★ 形容詞をつくる.
★ 語末にくる関連形は -DUCE.
★ 語頭にくる関連形は duct-: *duct*ule「〘解剖〙〘動物〙小導管」.
◆ <ラ *ductus*(*dūcere*「導く」の過去分詞). ⇨ -IVE[1].

con·duc·tive 形 ☞
de·duc·tive 形 演繹(えんえき)的な.
e·duc·tive 形 引き出す; 推断する; 抽出する.
in·duc·tive 形 帰納(法)的な.
pro·duc·tive 形 ☞
re·duc·tive 形 縮小 [減少] する.
se·duc·tive 形 誘惑的な, 魅惑的な; 人を惑わす.

-duc·tor /dʌ́ktər/

連結形 導く人 [もの].
★ 名詞をつくる.
★ 語末にくる関連形は -DUCE.
★ 語頭にくる関連形は duct-: *duct*ule「〘解剖〙〘動物〙小導管」.
◆ ラテン語 *dūcere*「導く」より. ◇ CONDUCTOR. ⇨ -TOR.

ab·duc·tor 名 〘解剖〙外転筋.
ad·duc·tor 名 〘解剖〙内転筋.
con·duc·tor 名 ☞
e·duc·tor 名 エゼクタ, 放射器(ejector).
in·duc·tor 名 〘電気〙誘導子.

due /djúː | djúː/

形 〈手形などが〉支払期日がきた, 満期の.

o·ver·due 形 期限を過ぎた, 延滞の.
past-due 形 期限が過ぎた.
un·due 形 《限定的》過度の, むちゃな.

duke /djúːk | djúːk/

名 **1** (ヨーロッパ大陸で, 公国の)君主, (小国の)元首, 公. **2** 公爵.

àrch·dúke 名 大公.
gránd dúke 大公.
Íron Dúke 鉄の公爵: 1st duke of Wellington(英国の将軍・政治家)の異名.

dump /dʌ́mp/

1 …をどさっと落とす [降ろす, 置く, 投げ出す]. **2**〘コンピュータ〙…をダンプする, 打ち出す. ── 名 **1** 《主に米》ごみ捨て場. **2**〘コンピュータ〙ダンプ, 打ち出し.

bráin dùmp 動他 〈辞める人が〉〈事務の申し送りを〉後継者に伝える.
cíty dùmp ごみ捨て場.
córe dùmp ＝memory dump.
córe-dùmp 動他 〘コンピュータ〙メモリーダンプする, メモリー内容を出力する.
disáster dùmp 〘コンピュータ〙災害ダンプ.
mémory dùmp 〘コンピュータ〙メモリーダンプ.
réfuse dùmp (都市部の)廃棄物置場.
scréen dùmp 〘コンピュータ〙スクリーンダンプ.
Ś-dùmp S 字形落とし樋.
státic dùmp 〘コンピュータ〙静的ダンプ.

du·pli·cate /djúːplikət | djúː-/

名 (原本・原作の)写し; 謄本; 複写; 複製(物); (法律上同一の効力を持つ書類・手紙の)写し; (写真の)デュープ(複製のネガ, ポジ); 合い鍵(かぎ). ── 動他 …の写しをつくる. ⇨ -PLICATE.

con·dú·pli·cate 形 〘植物〙二つ折りの, 褶合状の.
in·dú·pli·cate 形 〘植物〙内向敷石状の.
phò·to·dú·pli·cate 名動他 写真複写. ── 名 写真複写する.
re·dú·pli·càte 動他 …を倍加する; 繰り返す.
táx dùplicate 課税額査定資料.

dust /dʌ́st/

名 **1** ちり, ほこり. **2** 粉状のもの.

ácid dúst 酸性塵(じん).
ángel dùst 《米俗》エンジェルダスト: 幻覚剤の一種.
ánther-dùst 花粉(pollen).
bláck dúst 《米黒人俗》きわめて黒い人.
bóne dùst 〘農業〙骨粉.
búll dùst 《豪》(奥地道路の)細かい砂ぼこり.
cóal dùst 石炭の粉, 炭塵(たんじん).
corrál dùst 《米俗》たわ言, でたらめ, ほら.
cósmic dúst 〘天文〙宇宙塵(じん).
cróp-dùst 動他 〈畑に〉農薬を散布する.
déath dùst (放射能の)死の灰, 殺人砂.
dévil dùst 《米俗》＝angel dust.
díamond dùst (研磨用の)ダイヤモンド粉末.
dréam dùst 《俗》ヘロイン.
drý-as-dúst 形 無味乾燥な, 面白みのない.
dúst-dúst 名 《米俗》昇級したての下士官.
góld dùst 砂金; 金粉.
háppy dúst 《米俗》コカイン(cocaine).
héaven dùst 《米麻薬俗》コカイン.
héifer dùst 《英俗・古風》でたらめ.
jóy dùst 《米俗》粉末 [結晶] 状のコカイン.
mágic dúst 《米俗》(幻覚剤の)PCP.
pímp dùst 《米俗》コカイン.
róck dùst 岩粉, 防爆岩粉.
sáw·dùst 名 〘獣医〙(牛の肝臓表面に生じる)おがくず状の斑点.
séa dùst 砂漠から海へ風で運ばれて降りそそぐ砂塵.
stár·dùst 名 星くず.
volcánic dúst 〘地質〙火山塵(じん).
zínc dùst 〘化学〙亜鉛末.

dust·er /dʌ́stər/

名 ほこりを払う人 [物]. ⇨ -ER[1].

bún dùster 《米俗》女性的な男.
cróp dùster 粉末農薬を散布する飛行士.
éar dùster 《米俗》打者すれすれの投球.
féather dúster 羽ぼうき, 羽はたき.
góld dùster 《米麻薬俗》コカイン常用者.
gólden dùster 《米麻薬俗》＝gold duster.
knúckle-dùster メリケンサック: 金属製の武器.

réd dúster 英国商船旗.

Dutch /dʌ́tʃ/

名 **1** オランダ人. **2** オランダ語. **3** アフリカーナー; アフリカーンス語. **4** ドイツ語.

Cápe Dútch 《古》アフリカーンス語.
Dóuble Dútch 『ゲーム』縄跳びの一種.
dóuble Dútch 《英話》(専門用語が多すぎて)分からない言葉, (外国人や赤ん坊などの)ちんぷんかんぷんな言葉.
Hígh Dútch 高地ドイツ語(High German).
Lów Dútch 低地ドイツ語(Low German).
Míddle Dútch 中(期)オランダ語.
Óld Dútch 古(期)オランダ語.
Pennsylvánia Dútch ペンシルベニアダッチ: ドイツ南西部およびスイスから Pennsylvania に移住した人々の子孫, またはそのドイツ語.
Sòuth Áfrican Dútch ボーア人, オランダ系アフリカ人.

du·ty /djúːti | djúː-/

名 (…に対する)(…する)義務, 本分; 義務感; 義理. ⇨ -TY[2].

áctive dúty 《米》『軍事』現役勤務, 常時勤務.
ád valórem dùty 従価税.
counterváiling dùty 相殺 [衡平] 関税.
déath dùty 《英》死亡税.
dóuble-dúty 形 2つの機能 [役目] を持つ.
estáte dùty 《英》遺産税.
féu-dùty 『スコット法』租借地に対する毎年の借地料.
guárd dùty 『軍事』警備 [歩哨(ほしょう)] 勤務.
héavy-dúty 形 耐久性の高い; 頑丈な; 強力な.
líght-dúty 形 軽量物(取扱)用の.
óff-dúty 形 勤務中でない, 非番の.
pád dùty 《米俗》就眠(時間).
póint dùty 《英》(巡査の)交通整理(勤務).
próbate dùty 『法律』動産相続税, 遺言検認料.
ráck dùty 《米軍俗》寝ること.
sáck dùty 《米海軍俗》睡眠(時間).
séa dùty 『米海軍』米国本土外での勤務.
stámp dùty 印紙税(stamp tax).
témporary dúty 暫定職務, 臨時勤務.
tránsit dùty (貨物の)通過税, 通行税.

dwarf /dwɔ́ːrf/

名 **1** 小人. **2** 矮小(わいしょう)体. **3** 『天文』矮星(わいせい).

bláck dwárf 『天文』黒色矮星.
brówn dwárf 『天文』褐色矮星.
póison dwárf 《英俗 / 軽蔑的》実に嫌なやつ.
réd dwárf 『天文』赤色矮星.
sèmi-dwárf 名 『植物』半矮小体.
whíte dwárf 『天文』白色矮星.
yéllow dwárf 『植物病理』黄化萎縮(いしゅく)病.

dwell·er /dwélər/

名 住人, 居住者. ⇨ -ER[1].

cáve dwèller 洞穴に住む人; (先史時代の)穴居人.
cíty dwéller 都市生活者.
clíff dwèller 岩棚居住者; アパート居住者.
láke dwèller 湖上生活者.
óut-dwèl·ler 名 (ある場所から)離れて住んでいる人.
slúm-dwèller スラム(街)居住者, スラムの住人.

-dy /di/

音象徴 音象徴語の重複形に見られる語末要素.

hándy-dándy 形 《話》〈物が〉便利な, 役立つ. ── 名 《英方言》どちらの手に物を持っているかを当てる子供の遊び.
hígledy-pígledy 副 雑然と, 乱雑に, 目茶に. ── 形 雑然とした, 乱雑な, めちゃくちゃな. ── 名 乱雑 [めちゃくちゃ] な状態.
húrdy-gúrdy 名 《話》手回し風琴.

dye /dáɪ/

名 染料, 染(料)液.

ácid dỳe 酸性染料.
ániline dỳe アニリン染料.
ánthraquinóne dýe アントラキノン染料.
ázine dỳe アジン染料.
ázo dỳe アゾ染料.
azóic dýe アゾイック染料.
básic dýe 塩基性染料.
diréct dýe 直接染料.
dispérse dỳe 分散染料.
háir-dỳe 毛染め剤, ヘアダイ.
ò·ver·dýe 動他 〈糸・布などを〉染めすぎる.
píece-dýe 動他 反染め [布染め, 後染め] する.
pyrázolone dýe ピラゾロン染料.
réd dýe 赤色の人工着色料.
sénsitizing dýe 『写真』増感色素.
súlfide dỳe =sulfur dye.
súlfur dỳe 硫化染料.
tíe-and-dýe くくり染め, 絞り染め.
tíe-dỳe 名動他自 くくり染め, 絞り染め(する).
trìàrylméthane dýe トリアリールメタン染料.
triphenylméthane dýe トリフェニルメタン染料.
vát dýe 建染(たてぞめ)染料, バット染料.
xánthene dýe キサンテン染料, ザンセン染料.

dyed /dáɪd/

形 〈布・衣服が〉染色されている, 着色された. ⇨ -D[1].

déep-dýed 形 純然たる, 骨の髄まで染み込んだ.
dóuble-dýed 形 二度染めの.
spún-dyed 形 スパン染色の.
un·dýed 形 着色 [染色] されていない.
wóol-dýed 形 全くの, 完全な.
yárn-dỳed 形 先染め織物の, 〈織物が〉糸染めの.

dye·ing /dáɪɪŋ/

名 (繊維・糸などの)染色; 染め物. ⇨ -ING[1].

drý dýeing 乾燥染色法.
resíst dỳeing 防染, 捺染(なせん).
tíe-dỳeing くくり染め, 絞り染め.
wáx-resíst dỳeing ろうけつ染め, ろうけち.

dyke /dáɪk/

名 《米俗》(男役の)レスビアン, 「たち」(dike). ── 動自 《米黒人俗》着飾る.

búll dỳke 《米同性愛俗》男役の女.
de-dýke 動他 《英俗》〈部屋の〉レスビアン風の飾りを目立たなくする.
desígner dỳke =glamour dyke.
díesel dỳke 《俗》男っぽいレズビアン.
drág dỳke 《俗》男装のレズ.
glámour dỳke (女性的な魅力のある)レズビアン.

-dy·nam·i·a /daɪnǽmiə, -néɪ-, dɪ- | daɪnǽmiə, -mjə/

連結形 『医学』…力(症).

★ 名詞をつくる.
★ 語末にくる関連形は -DYNE.
★ 語頭にくる関連形は dynam(o)-: *dynam*ite「ダイナマイト」, *dynamo*graph「力量記録器」.
◆ ギリシャ語 *dýnamis*「力」より. ⇨ -IA.

ad·y·na·mi·a 名 筋無力症(myasthenia).
hy·po·dy·nam·i·a 名 (病気による)活力減退, 脱力, 衰弱.

dy·nam·ic /dainǽmik/

形 **1** 動的な; 動態の. **2**【物理】(動)力学的な. ⇨ -IC[1].
★ 語頭にくる関連形は dynam(o)-: *dynamo*meter「動力計, 握力計」.

aer·o·dy·nam·ic 形 空力的な.
e·lec·tro·dy·nam·ic 形 動電気力の, 動態にある電力の.
hy·dro·dy·nam·ic 形 流体の力[運動]に関する.
id·i·o·dy·nam·ic 形 idiodynamics の理論の[に従う].
i·so·dy·nam·ic 形 等強度の.
tel·o·dy·nam·ic 形 機械動力長距離伝達の.
ther·mo·dy·nam·ic 形 熱力学の[に関する].

dy·nam·ics /dainǽmiks/

名複 《単数扱い》【物理】力学, 動力学. ⇨ -ICS.

aer·o·dy·nam·ics 名複 空気力学.
as·tro·dy·nam·ics 名複 宇宙力学, アストロダイナミクス.
bi·o·dy·nam·ics 名複 生活機能学, 生体力学, 生物動力学.
car·di·o·dy·nam·ics 名複 心臓力学.
chaótic dynámics 【物理】カオス理論(chaos theory).
chro·mo·dy·nam·ics 名複【物理】量子色(しょく)力学(quantum chromodynamics).
elas·to·hydro·dy·nam·ics 名複 加圧液体弾性学.
e·lec·tro·dy·nam·ics 名複 電気力学.
flúid dynámics 流体動力学.
gas·dy·nam·ics 名複 気体力学.
ge·o·dy·nam·ics 名複 地球力学.
gróup dynámics 集団力学, グループダイナミックス.
he·mo·dy·nam·ics 名複 血行[血流]力学.
hy·dro·dy·nam·ics 名複 流体力学.
id·i·o·dy·nam·ics 名複 刺激の選択や反応の組織化において, 個人の性格の影響を重視する心理学の一つの考え方.
mag·ne·to·plas·ma·dy·nam·ics 名複【物理】電磁流体力学(magnetohydrodynamics).
phar·ma·co·dy·nam·ics 名複 薬効学, 薬力学.
pho·to·dy·nam·ics 名複 光(こう)動力, 光力学.
pneu·mo·dy·nam·ics 名複【物理】空気力学, 気学(pneumatics).
psy·cho·dy·nam·ics 名複【心理】精神力学, 精神力動論.
quántum flávor dynàmics 【物理】量子電磁力学.
sígnature dynámics 署名力学.
sócial dynámics 【社会】社会動学.
sýstems dynàmics システムダイナミクス.
ther·mo·dy·nam·ics 名複 熱力学.
tráck-tráin dynàmics 軌道力学.
u·ro·dy·nam·ics 名複 排尿力学.
zo·o·dy·nam·ics 名複 動物力学.

dy·na·mom·e·ter /dàinəmɑ́mətər | -mɔ́mətə/

名 力(りょく)計, 検力器. ⇨ -METER.

absórption dynamòmeter 【電気】吸収[制動]動力計.
e·lec·tro·dy·na·mom·e·ter 名 【電気】電流力計.
oph·thal·mo·dy·na·mom·e·ter 名 網膜血管検圧計.
to·co·dy·na·mom·e·ter 名 =tokodynamometer.
to·ko·dy·na·mom·e·ter 名 陣痛計.

-dyne /dáin/

連結形 力, 動力.
★ 語末にくる関連形は -DYNAMIA.
★ 語頭にくる関連形は dynam(o)-: *dynam*ite「ダイナマイト」, *dynamo*graph「力量記録器」.
◆ ギリシャ語 *dýnamis*「力」より.

aer·o·dyne 名 重航空機.
am·pli·dyne 名 【電気】アンプリダイン.
au·to·dyne 名 【電子工学】オートダイン.
gy·ro·dyne 名 【航空】ジャイロダイン.
het·er·o·dyne 形 【無線】ヘテロダイン式の.
hom·o·dyne 形 【無線】ホモダイン受信法の.

E

-e[1] /i/

接尾辞 ギリシャ語の女性単数形語尾 -ē に由来.

a·nem·o·ne 名 ☞
a·stil·be 名 【植物】ショウマ(升麻), チダケサシ.
-cele 連結形 ☞
di·a·tribe 名 痛烈な非難, 酷評, こき下ろし.
He·be 名 【ギリシャ神話】ヘベ.
kel·e·be 名 【ギリシャ・ローマ遺物】ケレベ.
phi·a·le 名 【古代ギリシャ・ローマ】フィアレ.
Phoe·be 名 【ギリシャ神話】ポイベ.
ste·le 名 ☞
syl·la·ble 名 ☞
The·be 名 【ギリシャ神話】テベ.

-e[2] /i, iː, ei/

接尾辞 ラテン語の中性形の形容詞語尾.

car·pa·le 名 【解剖】手根(しゅこん)骨(部).
com·mune 名 ☞
o·ra·le 名 【教会】教室用上肩衣.
or·bi·ta·le 名 【頭骨測定】眼窩(がんか)点.
qua·le 名 【哲学】特質.
ra·tion·ale 名 根本的理由, 原理; 論理的根拠.
tib·i·al·e 名 【解剖】【動物】脛側(けいそく)骨.

-é /éi; *Fr.* e/

接尾辞 フランス語の男性形過去分詞語尾.
◆ ＜仏(*-er* で終わるフランス語動詞の過去分詞より).

a·bon·né 名 予約購読者; 定期予約者.
a·gré·gé 名 (リセ・国立大学の)教授資格(者).
a·li·go·té 名 アリゴテ: 白ブドウ品種の一種.
al·lon·gé 形 【バレエ】アロンジェ.
an·cré 形 【紋章】十字の各先端が錨(いかり)形をした.
ap·pli·qué 名 (手芸の)アップリケ.
ar·ri·vé 名 成り上がり者, 成金.
as·sem·blé 名 【バレエ】アサンブレ.
at·ta·ché 名 ☞
bal·ancé 名 【バレエ】バランセ.
bal·lon·né 名 【バレエ】バロネ.
bar·ré 名 【繊維】横縞(よこじま)模様.
bla·sé 形 飽き飽きした, 無感動になった.
bom·bé 形 【家具】外側に膨らんだ.
bor·né 形 偏狭な, 狭量な.
bou·clé 名 輪奈(わな)糸, ブークレ毛糸.
bri·sé 名 【バレエ】ブリゼ.
bro·ché 名 金襴(きんらん), 錦織り, ブロッシェ.
bru·lé 名 (北米太平洋沿岸北西部の)火事で焼けた森林地帯.
ca·bré 形 【紋章】〈馬が〉後足で跳ね上がった.
chaî·né 名 【バレエ】シェネ.
cham·bré 形 〈赤ワインが〉室温の.
champ·le·vé 形 シャンルヴェ, 彫金七宝(焼).
char·gé 名 【政府】代理大[公]使.
chas·sé 名 【ダンス】シャッセ.
chi·né 形 模様織りの織物の, シーヌ織りの.
ci·ré 名 シーレ: 織物の仕上げ法の一種.
ci·se·lé 形 紋ビロードの.
cli·ché 名 陳腐な決まり文句, 常套語句.
com·mu·ni·qué 名 公式発表, 公式声明, コミュニケ.
con·som·mé 名 【料理】コンソメ.
cou·ché 形 【紋章】〈盾形が〉向かって右上がりに傾いた.
cou·dé 形 【光学】【天文】〈望遠鏡・焦点が〉クーデ式の.
cou·é 形 【紋章】〈動物が〉尾を両足の間に巻いた姿の.
cou·pé 名 クーペ型(馬)車.
cri·blé 形 【美術】クリブレの(技法を施した).
da·mas·sé 形名 ダマスク織風の(布, 特にリネン).
dé·boî·té 名 【バレエ】デボアテ.
dé·bou·ché 名 【築城】(要塞などの)進出点.
dé·clas·sé 形 没落した, 落ちぶれた, 寂れた.
dé·col·le·té 形 襟ぐりの深い, 襟足を大きくくった.
dé·ga·gé 形 堅苦しくない, くつろいだ.
dem·i-dé·tour·né 名 【バレエ】ドミ・デトゥールネ.
dé·mo·dé 形 流行遅れの, 廃れた, 旧式な.
dé·pay·sé 形 故郷を喪失した; (環境に)なじまない.
dé·ra·ci·né 形名 根なし草の, 流浪の(人).
dé·tra·qué 名 精神障害者.
de·vel·op·pé 名 【バレエ】デベロペ.
di·a·man·té 名 ディアマンテ: シークイン, ライン石などぴかぴか光った装飾.
dis·tin·gué 形 気品のある, 高貴な, 優れた.
di·vor·cé 名 離婚した男性.
dou·blé 形 覆われた, 折り重ねた.
é·car·té 名 【トランプ】エカルテ.
é·chap·pé 名 【バレエ】エシャッペ.
é·cor·ché 名 【美術】エコルシェ: 皮膚を剝(は)いだ人体標本の模型.
é·cra·sé 形 〈革が〉ざらざらした効果を出すようにもまれた.
é·glo·mi·sé 形 金箔(きんぱく)ガラス装飾技法の.
é·lan·cé 名 【バレエ】エランセ.
em·boî·té 名 【バレエ】アンボワテ.
em·bus·qué 名 官職について徴兵を逃れる者.
é·mi·gré 名 国外移住者; 亡命者.
é·min·cé 名 【料理】エマンセ.
en·chan·té 副 はじめまして.
en·ga·gé 形 (社会・政治問題に)積極的に参加する.
é·pin·glé 名 エパングレ(織物名).
é·va·sé 形 上部が広くなっている, 広口の.
é·vo·lué 形名 《もとフランス・ベルギー植民地で》ヨーロッパ風の教育を受けた[考え方をする](アフリカ人).
ex·al·té 形名 有頂天の(人), 狂信的な(人).
ex·po·sé 名 (醜聞などの)暴露; 暴露記事.
fai·san·dé 形 気取った, わざとらしい.
fi·an·cé 名 婚約中の男性, フィアンセ.
fi·lé 名 【ニューオーリンズ料理】サッサフラスの葉の粉末.
flam·bé 形 〈魚・肉・菓子などが〉フランベした.
fouet·té 名 【バレエ】フェッテ.
four·ché 形 【紋章】先端が V 字形に分かれた.
frap·pé 名 フラッペ: 果汁を凍らせたもの.
fri·sé 名 フリゼ織り.
fu·mé 形 〈ガラスが〉煙ですすけた.
gla·cé 形 〈ケーキなどが〉糖衣を着せた.

glis·sé 名 【ダンス】滑り足, 滑歩, グライド.
gra·ni·té 名 【フランス料理】アイス, 氷菓.
gra·ti·né 動他〈食べ物・料理を〉グラタンにする.
gril·lé 形 焼き網で焼いた [あぶった].
ha·bit·u·é 名 (…の)常客, 常連; 住人.
jas·pé 形 (碧玉に似せた)縞模様の.
je·té 名 【バレエ】ジュテ.
man·qué 形 なり損ねた, 挫折した; 自称….
mar·te·lé 形 【音楽】マルテラート奏法の [で].
mas·sé 名 【ビリヤード】マッセ, 立てキュー.
mat·e·las·sé 名 マトラッセ織り, ふくれ織り.
moi·ré 形〈織物などが〉波紋 [雲紋] のある.
mouil·lé 形 【音声】湿音の, 口蓋(こうがい)音の.
né 形 本名 [旧名] は….
om·bré 形名【紡織】濃色から淡色へぼかした染[織]の(布地).
or·né 形 …の飾りのある [で飾った].
ou·tré 形 常軌を逸した, 過度な, 過激な.
pa·né 形〈食物が〉パンくずを使って調理した.
pas·sé 形 時代遅れの; 古風な, 旧式な.
pa·vé 名 舗道. ── 形〈宝石が〉敷石状にちりばめられた.
pen·ché 形 【バレエ】パンシェ.
pi·qué 名 **1** 綿 [スフ糸, 絹] の太い畝織り生地. **2**【バレエ】ピケ.
pi·sé 名 (建築材料としての)練り土.
pli·é 名 【バレエ】プリエ.
plis·sé 名 プリッス, プリセ: クレープに見えるように化学的処理をした生地.
po·ché 名 建築平面図などで壁や柱の部分を黒く斜線でハッチしたり, 塗りつぶすこと.
poin·til·lé 形〈本の表紙が〉砂目づけの.
po·sé 名 【バレエ】ポゼ.
pro·té·gé 名 保護を受けている人; 子分; 弟子.
ran·gé 形 整頓した, 秩序ある; 謹直な.
re·cher·ché 形 入念に選び出した; えり抜きの.
ris·so·lé 形〈食べ物が〉油でこんがりと焼かれた.
sa·cré 形 (神・宗教目的に)ささげられた.
sau·té 形 ソテーの, 少量の油で炒めた.
sau·til·lé 形副【音楽】スピッカート(奏法)の [で].
se·mé 形 【紋章】散らし模様の.
si·gni·fié 名 【言語】所記, 記号内容, シニフィエ.
soi·gné 形 念入りになされた, 行き届いた.
souf·flé 名 【料理】スフレ.
ten·né 名形【紋章】黄褐色がかったオレンジ色(の).
tom·bé 名 【バレエ】トンベ.
tou·ché 間 【フェンシング】トゥシェ.
vi·sé 名 (旅券の)査証, ビザ, 入国許可.

-e·a[1] /iə/

接尾辞 ラテン語からの借用語に見られる.
★ 名詞をつくる.
★ 語末にくる関連形は -AEA, -EUS.
◆ <ラ *-ēa, -aea, -ea* (*-ēus, -aeus, -eus* の女性単数形および中性複数形). ⇨ -A[1], -A[2].

cal·a·the·a 名 【植物】カラテア.
cen·tau·re·a 名 ヤグルマギク属の植物の総称.
col·lec·ta·ne·a 名複 抜粋, 名文集; (特に)選集.
co·lum·ne·a 名 【植物】コルムネア.
cor·ne·a 名 【解剖】(目の)角膜.
cu·phe·a 名 【植物】クフェア.
e·lo·de·a 名 トチカガミ科カナダモ属の水生植物の総称.
mis·cel·la·ne·a 名複 (特に文学作品の)雑録, 雑集.
ro·sa·ce·a 名 【病理】酒皶(しゅさ)(acne rosacea).
spi·re·a 名 【植物】シモツケ類.
zo·e·a 名 【動物】ゾエア.

-ea[2] /íː/

語尾 語末にくる同音形は -EE[7], -EY[7], -I[7].

flea 名 ☞
lea[1] 名 《詩語》草地, 草原; 牧草地.
lea[2] 名 リー, 綛(かせ): 織糸の長さの単位.
pea[1] 名 ☞
pea[2] 名 【海事】錨爪(いかりづめ)の先端.
plea 名 嘆願, 請願, 訴願.
sea 名 ☞
shea 名 【植物】シアバターノキ(shea tree).
tea 名 ☞

-ea[3] /éi/

語尾 語末にくる同音形は -AE[2], -AY[3], -EH[3], -EI[1], -EIGH, -EY[6].

lea 名 《詩語》草地, 草原; 牧草地.
shea 名 【植物】シアバターノキ(shea tree).
yea 副 《口頭による採決で, 肯定・同意を表して》はい, さよう, しかり.

-each /íːtʃ/

語尾 名詞 beach, peach と代名詞 each 以外は主に動詞をつくる.
★ 語末にくる同音形は -EECH.

beach 名 ☞
bleach 動他 (日光・化学薬品で)漂白する.
breach 名 破ること; ひび, 割れ目.
each 形 それぞれの, 各個の, 各….
leach[1] 動他〈土・鉱物などを〉濾(こ)す.
leach[2] 名 【海事】リーチ(leech).
peach[1] 名 ☞
peach[2] 動自 《俗》(共犯者・仲間を)密告する.
pleach 動他 《主に英》〈蔓植物などを〉絡ませる.
preach 動他〈福音などを〉伝道する.
reach 動他 ☞
teach 動他 ☞

-ead[1] /íːd/

語尾 語末にくる同音形は -EDE, -EED.

bead 名 ☞
knead 動他 こねる, 練る.
lead 動他 ☞ LEAD[1]
mead[1] 名 ミード, 蜂蜜(はち)酒.
mead[2] 名 《古》(放牧・干し草用の)牧草地.
plead 動自 嘆願する, 懇願する.
read[1] 動他 ☞
read[2] 名 【動物】皺胃(しゅうい).

-ead[2] /éd/

語尾 押韻表現に dead head「回送車」がある.
★ 語末にくる同音形は -ED[3].

a·head 副 ☞
bread 名 ☞
dead 形 ☞
dread 動他 ひどく怖がる; 極度に心配する.
head 名 ☞
-head 接尾辞 ☞
lead 名 ☞ LEAD[2]
read 動 read の過去・過去分詞形.
spread 動他 ☞
stead 名 ☞
thread 名 ☞
tread 動自 ☞

-eaf[1] /éf/

語尾 語末にくる同音形は -EF[1].

deaf 形 ☞

-eaf[2] /iːf/

語尾 語末にくる同音形は -EEF, -EIF[1], -IEF.

leaf 名 ☞
sheaf 名 (麦などの刈り取った)束.

-eag /iːg/

語尾

leag 名 〘植物〙コンブ属の一種.
peag 名 ウォンパム, 貝殻玉(wampum).

ea·gle /iːgl/

名 ワシ.

Américan éagle ハクトウ(白頭)ワシ.
báld éagle ハクトウワシ.
bateléur èagle ダルマワシ.
bláck éagle クロコシジロイヌワシ.
dóuble éagle 双頭のワシ模様金貨.
físh èagle ミサゴ.
físhing èagle 魚食ワシ.
gíer-èagle (旧約聖書に出てくる)ハゲタカ.
gólden éagle イヌワシ.
hálf éagle (米国の)5ドル金貨.
hárpy èagle オウギ(扇)ワシ.
háwk èagle クマタカ.
impérial éagle カタジロワシ.
kíng èagle ＝imperial eagle.
légal éagle (特にすご腕の)弁護士.
Pondichérry éagle シロガシラトビ.
quárter éagle 米国の金貨.
séa èagle ウミワシ(海鷲).
sérpent èagle カンムリワシ属の, 主にヘビを捕食する猛禽(もうきん)の総称.
shórt-tòed éagle チュウヒワシ, ハラジロワシ.
spréad éagle 翼を広げたワシ(米国の紋章).
spréad-èagle 形 翼を広げたワシのような.
táwny éagle ソウゲンワシ.
wédge-tailed éagle オナガイヌワシ.
whíte-tailed éagle 《英》オジロワシ.

-ea·gle /iːgl/

語尾

bea·gle 名 ビーグル犬.
ea·gle 名 ☞

-eak[1] /iːk/

音象徴 **1** キーキー; 鋭く高い音, きしむ音を表す: cr*eak*.
2 金切り声, ネズミ・サルなどの鳴き声を表す.
★ -eek[1] ともつづる.

creak 動自 キーキー[ギーギー, ギューギュー]鳴る, きしる, きしむ; キーキー声を出す.
screak 動自 金切り声で叫ぶ.
squeak 名 短く鋭い金切り声, 甲高い音, (赤ん坊の)ギャーギャー泣く声, (ネズミなどの)チューチュー鳴く声, (物の)キーキーきしる音.

-eak[2] /iːk/

語尾 ea は中英語の /ɛː/ を示す綴りの一つ; 近代英語で /eː/ を経て /iː/ へ到達した.
★ 語末にくる同音形は -EEK[2], -EKE, -IQUE[1], -IQUE[2].

bleak[1] 形 吹きさらしの; 荒涼とした.
bleak[2] 名 コイ科の淡水魚.
feak 名 《米俗》肛門; いやなやつ.
freak 名 変人; 熱狂的ファン, 心酔者.
peak 動自 〈人・動物が〉病み衰える.
phreak 名 (電子装置を用いて)電話回線を無料で使用する人(phone phreak).
speak 動自 ☞
-speak 連結形 ☞
streak 名 〘海事〙張り板, 条板(strake).
teak 名 〘植物〙チーク.
weak 形 〈物が〉弱い, 壊れやすい.
wreak 動他 〈罰・復讐(ふくしゅう)などを〉(…に)加える, 与える, 行う.

-eak[3] /éik/

語尾 中英語の ea は /eː/ から /iː/ となったが, -eak では break と steak が(その他では great と yea が)例外的に /ei/ と二重母音化した.
★ 語末にくる同音形は -AIK, -AKE.

break[1] 動他 ☞
break[2] 名 《英》大型馬車.
break[3] 名 (車輪の)制動機, 歯止め, ブレーキ(brake).
steak 名 ☞

-eal /iːl/

語尾 peal と squeal は音象徴.
★ 語末にくる同音形は -EEL, -EIL, -IEL.

deal[1] 動自 ☞
deal[2] 名 (いろいろな標準サイズに合わせて切った)モミ(樅)の板.
feal 形 《古》忠誠な, 誠実な.
heal[1] 動他 治す; いやす.
heal[2] 動他 《英》〘園芸〙覆土(ふくど)する.
leal 形 《スコット》誠実な, 義理堅い.
meal[1] 名 ☞
meal[2] 名 ☞
-meal 連結形 ☞
peal[1] 名 鐘[ベル]の響き.
peal[2] 名 《英》本年ザケ(grilse).
real 形 ☞
seal[1] 名 ☞
seal[2] 名 ☞
seal[3] 動他 〘タカ狩り〙〈タカの〉まぶたを縫う.
squeal 名 やや長い金切り声, 悲鳴.
steal 動他 〈物を〉(こっそり)盗む.
teal 名 ☞
veal 名 (ふつう生後3か月以下で乳で育てた)食肉用の子牛.
weal[1] 名 《古》安寧, 福利; 繁栄, 隆盛.
weal[2] 名 ＝wheal.
wheal 名 かゆい小さな腫(は)れ.
zeal 名 熱意, 熱心, 熱情, 熱中.

-ealth /élθ/

語尾 -eal でおわる形容詞, 動詞からきた抽象名詞; wealth は health にならってつくられた. ◇ -TH[1].

health 名 ☞
stealth 名 内密のやり方; 忍び, 隠密.
wealth 名 多量の財貨, 豊かな財産, 富, 財.

-eam /iːm/

語尾 scream は叫ぶの音象徴. beam, gleam, stream などに光線や流れの音象徴を感じる人がいる.

★ 語末にくる同音形は -EEM, -EME².

beam 名 ☞
bream¹ 名 【魚類】ブリーム.
bream² 動他 【海事】(ハリエニシダ, アシなどを燃やして)〈船底を〉掃除する.
cream 名 ☞
dream 名 ☞
fleam 名 【外科】静脈切開刀, 瀉血(しゃけつ)針.
gleam 名 輝き, きらめき, 閃光(せんこう).
ream¹ 名 連(れん): 紙の取引単位.
ream² 動他 〈穴を〉リーマ(reamer)で仕上げる.
scream 動自 (恐怖・苦痛・怒りなどで)叫ぶ.
seam 名 ☞
steam 名 ☞
stream 名 ☞
team 名 ☞

-e·an¹ /iːən, iən | jən/

接尾辞 …の (人, もの), …のような (人, もの).
★ -ea または -e で終わる名詞から形容詞・名詞をつくる.
◆ <ラ *-ē(us)*(ギ *-eios*), *-ae(us)*(ギ *-aios*), *-e(us)* + -AN¹.
[発音] 第 1 強勢は (1)-e•an と音節が分かれる場合はその初めの音節 /iː/ に, (2)-ean と 1 音節の場合はその直前の音節に置く.

Ab·be·vil·e·an 形 (旧石器時代に属する)アブビル期の.
A·chae·an 形 アカイア(人)の.
A·cheu·le·an 形 アシュール文化(特有)の.
Ae·ge·an 形 エーゲ文明の.
am·oe·be·an 形 【韻律】問答体の, 交互応答的な.
an·tip·o·de·an 形 【地理】(…にとって)対蹠(たいせき)地点の.
A·pach·e·an 名 【言語】アパッチ語(亜派).
Ar·a·me·an 名 アラム人.
Ar·che·an 形 【地質】始生代の岩石の.
Ar·gen·tin·e·an 形 アルゼンチン(Argentine)の.
As·mo·ne·an 名 =Hasmonean.
as·ter·oi·de·an 名 ヒトデ.
At·lan·te·an 形 巨人アトラス(Atlas)の.
Au·ge·an 形 アウゲイアス(Augeas)の.
au·ro·re·an 形 《文語》曙(あけぼの)の, 東雲(しののめ)の.
Cad·me·an 形 カドモス(Cadmus)の.
Cae·sar·e·an 形 シーザーの; ローマ皇帝の; 帝王の.
cal·li·o·pe·an 形 (蒸気オルガンのように)甲高い音の.
Car·ib·be·an 形 カリブ人 [語] の. ── 名 カリブ人.
Car·o·le·an 形 英国王チャールズ一・二世(Charles I, II)時代風の.
ce·ru·le·an 名形 《文語》濃青色(の), 空色(の).
Ce·sar·e·an 名 《米》帝王切開(術).
ce·ta·cean 形 クジラ目の.
Chal·de·an 名 カルデア人.
Chel·le·an 名形 アブビル期(文化)(の).
Co·man·che·an 形 【地質】(北米の)コマンチ世 [統] の.
Co·re·an 形 《古》=Korean.
crus·ta·cean 名 甲殻類の動物.
cu·ma·cean 名形 海に住む甲殻類(の).
Cy·clo·pe·an 形 一つ目の巨人 Cyclops の(ような).
Cyth·er·e·an 形 女神 Aphrodite の.
Dan·te·an 形 ダンテの; ダンテの作品の.
Del·a·war·e·an 名 米国 Delaware 州生まれの人.
em·py·re·an 名 《古》最高天.
e·pi·cu·re·an 形 〈人が〉享楽 [快楽] 主義の.
Eu·clid·e·an 形 【幾何】ユークリッドの.
Eu·ro·pe·an 形 ☞
Fich·te·an 形 フィヒテ(哲学)の.
Gal·i·le·an 形 ガリラヤ(Galilee)(人)の.
gal·li·na·cean 名 キジ目の鳥.
gi·gan·te·an 形 巨大な; 膨大な, 莫大な.
Goe·the·an 形 ゲーテの [に関する]; ゲーテ風の.
Guin·e·an¹ 名 ギニア人, ギニア共和国国民.
Guin·e·an² 名 ギニア・ビサウ人.
Has·mo·ne·an 名 ハスモン家: 紀元前 2－1 世紀のユダヤの支配者一族.
Her·a·cli·te·an 形 ヘラクレイトス(哲学)の.
her·cu·le·an 形 大力を要する; 非常に困難な.
hir·u·din·e·an 名 ヒル(蛭).
Hy·per·bo·re·an 名 【ギリシャ神話】ヒュペルボレ(イ)オス人.
Jac·o·be·an 形 英国王 James I (1603–25)(時代)の.
Ju·de·an 形 ユダヤ(Judea)の.
Ko·re·an 形 朝鮮の, 韓国の; 朝鮮人の.
Lab·ra·dor·e·an 形 ラブラドル(Labrador)の.
La·od·i·ce·an 形名 (信仰的・政治的に)冷めた(人).
Lock·e·an 名 ロック(John Locke)哲学の信奉者.
lyn·ce·an 形 オオヤマネコの(ような).
Mag·le·mo·se·an 形 (北ヨーロッパ中石器時代初期の)マグレモーゼ文化の.
Man·i·che·an 名 マニ教徒.
Mat·the·an 形 マタイによる福音書の, マタイ伝の.
mon·o·ge·ne·an 名 単生類.
Mo·zar·te·an 形 モーツァルトの; モーツァルト風の.
ne·mer·te·an 名 ヒモムシ(ribbon worm).
Oed·i·pe·an 形 オイディプス(Oedipus)の.
pam·pe·an 形 (南米)のパンパス(pampas)の.
Pan·de·an 形 牧神(Pan)の.
par·a·dis·e·an 形 【鳥類】フウチョウ科の鳥の.
pri·a·pe·an 形 プリアポスの; 男根(崇拝)の.
pro·bos·cid·e·an 形 長鼻の [を持った]; 長鼻目の.
Pro·me·the·an 形 プロメテウスの.
pro·te·an 形 (性質・形態が)変幻自在な.
Pyr·e·ne·an 形 ピレネー山脈の.
Py·thag·o·re·an 形 ピタゴラスの, ピタゴラス学派の.
Sa·be·an 形 サバ(Saba)の; サバ人 [語] の.
Saus·sur·e·an 形 ソシュール的な.
Shake·spear·e·an 形 シェークスピア(の作品)の.
Sho·sho·ne·an 形 ショショーニ語(派)の.
Sis·y·phe·an 形 (ギリシャの)Sisyphus 王の.
Tac·i·te·an 形 タキトゥス(Tacitus)の.
Tar·tar·e·an 形 タルタロス(Tartarus)の; 冥府(めいふ)の.
Tau·re·an 形 【天文】おうし(牡牛)座の.
Ten·nes·se·an 形 米国テネシー州(住民)の.
terp·si·cho·re·an 形 舞踏の.
-ter·ra·ne·an 連結形 ☞
tes·ta·cean 形 【動物】甲 [外殻] を有する.
Ti·ro·le·an 形 =Tyrolean.
Ty·ro·le·an 形 チロルの; チロルの住民の.
Ven·de·an 名 バンデ生まれの人 [住民].
Wild·e·an 形 オスカー・ワイルド的な.
zeph·yr·e·an 形 そよ風の(ような); そよ風の吹く.

-ean² /iːn/

語尾 語末にくる同音形は -EEN², -ENE², -INE¹, -INE², -INE³, -INE⁴, -INE⁵, -INE⁷.

bean 名 ☞
clean 形 ☞
dean¹ 名 【教育】(大学の)学部長.
dean² 名 《英》(海岸の)砂地, 砂浜.
dean³ 名 《英》(木の生い茂る)深い谷(dene).
gean 名 【植物】ハートミザクラ.
glean 動他 〈情報などを〉(…から)苦心して少しずつ集める.
jean 名 丈夫な綾(あや)織りの生地.
lean¹ 動自 〈人が〉(ある方向に)上体を曲げる.
lean² 形 〈人・動物が〉やせた.
mean¹ 動他 〈物・事・言葉などが〉…を意味する.
mean² 形 ☞ MEAN¹
mean³ 名 ☞ MEAN²
quean 名 《古》ずうずうしい女, あばずれ.
spean 動他 《主にスコット》乳離れさせる.
wean¹ 動他 乳離れ [離乳] させる.
wean² 名 《スコット》子供; 幼児.
yean 動自他 〈羊・ヤギが〉(子を)産む.

-ean^{3} /éin/

[語尾] 語末にくる同音形は -AIN^{2}, -AIN^{3}, -AINE, -ANE^{3}, -EIGN, -EIN^{2}.

skean [名] 桛(かせ), 一桛の糸(skein).
wean [名] 《スコット》子供; 幼児.

-ean^{4} /ən/

[語尾] 語末にくる同音形は -AN^{6}, -EN^{7}, -ON^{11}.

o·cean [名] 大海, 大洋.

-eant /ént/

[語尾] 語末にくる同音形は -ENT^{2}.

leant [動] 《主に英》lean の過去・過去分詞形.
meant [動] mean の過去・過去分詞形.

-eap /íːp/

[語尾] 語末にくる同音形は -EEP^{2}.

cheap [形] ☞
heap [名] ☞
leap [動][自] ☞
neap^{1} [形] 小潮の満潮と干潮の差が小さい.
neap^{2} [名] 《ニューイング》(二頭立て馬車などの)轅(ながえ).
reap [動][他] 〈作物を〉刈り取る.
sneap [動][他] 《英方言》たしなめる, しかる.
threap [名] 《スコット》論争, 争い, 口論.

ear /íər/

[名] **1** 耳; 耳殻. **2** 音感.

artifícial éar 【医学】人工耳.
áviator's éar 【病理】航空(性)中耳炎.
béar's-èar 【植物】アツバサクラソウ.
bóxer's èar 変形し, 肥厚した耳.
bútton èar 前に垂れた犬の耳.
cát's-èar 【植物】エゾノチチコグサ.
cáuliflower éar =boxer's ear.
clóud èar 【植物】アラゲキクラゲ(粗毛木耳).
cróp-èar 耳を切り取られた人.
déaf éar 家禽(かきん)の耳.
dóg-èar (本の)ページの隅の折れ.
dóg's-èar =dog-ear.
élephant èar 大きく平たい砂糖を振り掛けた菓子.
élephant's-èar タロイモ(taro).
extérnal éar 【解剖】外耳.
glúe èar 《英》【病理】中耳炎.
háre's èar 【植物】ミシマサイコ(三島柴胡).
ínner éar =internal ear.
intérnal éar 【解剖】内耳.
Jéw's-èar 【植物】キクラゲ(木耳).
míddle éar 【解剖】中耳.
móuse-èar ネズミの耳のような形をした毛のある小さな葉を持つ植物の総称.
óuter éar =external ear.
píg's éar 《話》出来そこないの物; へま.
prétty éar 《米俗》(ボクサーの)殴られてつぶれた耳.
sácred éar 中南米産の低木の一種.
scrámbled éar =cauliflower ear.
slíck-èar 耳印をつけていない家畜.
squírrel's-èar ヒメミヤマウズラ.
swímmer's éar 【病理】水泳者耳.
thírd éar 直観, 直覚(intuition).
tín éar 《俗》音痴(の人).
trée èar =Jew's-ear.
wóod èar =Jew's-ear.

-ear^{1} /íər/

[語尾] 語末にくる同音形は -EIR^{2}, -EER^{1}, -EER^{2}, -EER^{3}, -ERE^{2}, -IER^{1}, -IER^{2}, -IER^{3}, -IR^{2}.

blear [動][他] 〈目などを〉かすませる, 曇らせる.
clear [形] ☞
dear^{1} [形] 親愛な, いとしい, かわいい.
dear^{2} [形] 《古》つらい, 厳しい, ひどい.
drear [形] 《文語》悲しくさせる, わびしい.
ear^{1} [名] ☞
ear^{2} [名] (トウモロコシ・麦などの)穂.
fear [名] 恐れ, 恐怖, 恐怖心.
gear [名] ☞
hear [動][他] ☞
lear [名] 《スコット・北イング》学問.
near [副] (距離的に)(…の)近くへ[に].
rear^{1} [名] 背後, 背面, 裏側.
rear^{2} [動][他] 〈子供を〉育てる, 教育する.
schmear [名] 《米俗》(パンなどにつけるクリームチーズなどの)一塗り(分).
sear^{1} [動][他] 〈物の〉表面を焼く, 焦がす.
sear^{2} [名] (小銃の)逆鉤(さかかぎ), 掛け金.
shear [名] ☞
shmear [名] =schmear.
smear [動][他] 〈油などを〉塗りつける.
spear^{1} [名] 槍(やり); (魚を突く)銛(もり).
spear^{2} [名] (草などの)葉, 芽, 若枝, 幼根.
tear^{1} [名] 涙.
tear^{2} [動][他] ☞
wear [名] 堰(せき)(weir).
year [名] ☞

-ear^{2} /ɛ́ər/

[語尾] 語末にくる同音形は -AIR, -ARE, -EIR^{1}, -ER^{10}, -ERE^{1}.

bear^{1} [動][他] ☞
bear^{2} [名] ☞
pear [名] ☞
swear [動][他] ☞
tear [動][他] ☞
wear [動][他] ☞

eared /íərd/

[形] 《通例複合語》耳のある, …の耳をした. ⇨ -ED^{2}.

bát-èared [形] 〈犬などが〉こうもり耳を持った.
cróp-èared [形] 〈罪人が〉耳の端を切られた; 〈動物が〉耳印をつけられた.
dóg-èared [形] ページの隅が折れた.
fláp-èared [形] 〈犬などが〉垂れ耳の.
flóp-èared [形] 〈犬などが〉長く垂れた耳を持つ.
júg-èared [形] 水差しの取っ手のような耳をした.
lóng-éared [形] 耳の長い.
lóp-èared [形] 〈犬などが〉垂れ耳の, 耳の折れた.
ópen-éared [形] 傾聴する; 聞き入れる, 耳を貸す.
príck-èared [形] 〈犬などが〉耳の立った, 立ち耳の.
quíck-éared [形] 耳ざとい, 早耳の.
shárp-éared [形] 耳のとがった.

-earl /ə́ːrl/

[語尾] 語末にくる同音形は -ERLE, -IRL^{1}, -IRL^{2}, -URL^{2}.

earl^{1} [名] 《英》伯爵.
earl^{2} [動][自] 《米俗》吐く.
pearl^{1} [名] ☞
pearl^{2} [動][他] (編み物を)裏目に編む, 裏編みにする.

-earn /ə́ːrn/

語尾 語末にくる同音形は -ERN[2], -ERNE, -IRN, -URN.

earn[1] 動他〈金を〉(働いた報酬として)得る.
earn[2] 動自《廃》(…を)深く悲しむ.
learn 動他 ☞
yearn 動自 (…を)切望する, あこがれる.

earned /ə́ːrnd/

形 働いて得た, 稼いだ;《複合語》…して獲得した. ⇨ -ED[1].

hárd-éarned 形 苦労して手に入れた.
ùn·éarned 形 労せずして得た.
wéll-éarned 形 自分の力 [働き] で勝ち得た.

ears /íərz/

名複 ear「耳」の複数形.

clóth èars 《英俗》耳が遠いこと, 難聴.
dónkey's èars 《話》実に長い間.
élephant èars 《話》【宇宙】ミサイルの外殻につける部厚い金属板.
lámb's èars 【植物】ワタチョロギ.
lóng éars 早耳; まぬけ, おろか者.
Míckey Mòuse éars 《米学生俗》パトカーの屋根についたライト [サイレンなど].
múle-èars キク科 *Wyethia* 属の植物の総称.
pígs' èars 豚の耳に似た食用キノコ.
príck-èars (犬などの)立ち耳.
rábbit èars ラビット(イヤー)アンテナ.

earth /ə́ːrθ/

名 **1** 地球. **2** 土, 土壌. **3**【化学】土類(どるい).

álkaline éarth 【化学】アルカリ土類.
bláck èarth チェルノジョーム土(chernozem).
bóne èarth 骨灰, 骨土(bone ash).
brówn èarth 褐色森林土(brown forest soil).
cóunter·èarth 名 (ピタゴラス天文学で)対地球.
diatomáceous éarth 珪藻(けいそう)土(kieselguhr).
dówn-to-éarth 形 実際的な, 足が地についた.
fúller's éarth フーラー土: 油脂の精製, 脱色用.
gáll-of-the-éarth 【植物】フクオウソウ(福王草).
gréen éarth (天然の緑土を用いた)緑色絵の具, テールヴェルト(terre verte).
héavy éarth 【化学】重土(baryta).
in·éarth 動他《古・詩語》埋める, 埋葬する.
Itálian éarth シエナ(sienna)色, 赤茶色.
mán-of-the-éarth ヒルガオ科サツマイモ属の草 *Ipomoea pandurata*.
míddle-éarth 《古》(天国と地獄の間の)この世.
móther éarth 母なる大地.
rámmed éarth (建築材料としての)練り土.
ráre éarth 【化学】希土.
réd éarth 【地質】(熱帯地方特有の)赤色土.
séat èarth 【地質】下盤粘土.
sóap èarth 【鉱物】ソープストーン.
Spáceship Éarth 宇宙船地球号.
trans·éarth 形 【航空宇宙】地球に向かう軌道上の.
únder·èarth 形 地下の. ——名 地表下の土壌.
ùn·éarth 動他 …を掘り出す, 発掘する(dig up).
yéllow éarth 黄土色の一種.

ease /íːz/

名 (仕事・苦痛からの)解放; (肉体的な)楽, 安静, 休養, ほね休め, 安息, 休憩, 安らぎ.

dis·éase 名 ☞
héarts·èase 名 心の安らぎ, 平安.
líttle-èase 名 狭い監房.
mis·éase 名 《古》不愉快, 不安; 苦痛, 苦悩.
ùn·éase 名 不安, 苦悩, 心痛.

-ease[1] /íːs/

語尾

cease 動自 (…を)中止する, やめる.
crease 名 ☞
grease 名 ☞
lease[1] 名 ☞
lease[2] 名 【繊維】(織機において)経(たて)糸を綾棒(あやぼう)(lease rod)の上下に交互に通しておく方式.

-ease[2] /íːz/

語尾 語末にくる同音形は -EAZE, -EEZ, -ES[4], -ISE[3].

pease 名 《古・方言》エンドウ豆(pea).
please 副 《依頼・要求などに添えて丁重に》どうぞ, どうか, ぜひ.
tease 動他 しつこく悩ます, ねちねちいじめる.

-ea·son /íːzn/

語尾

rea·son 名 ☞
sea·son 名 ☞
trea·son 名 大逆(罪), 反逆(罪).
wea·son 名 《スコット》《古》のど(weasand).

east /íːst/

名 **1** 東, 東方. **2** 東部地方. **3** 東洋.

dówn Éast 副形 米国 New England 地方で(の).
Fár Éast 極東.
Míddle Éast 《広義に》中東.
Míd·éast 名 《主に米》=Middle East.
Néar Éast 近東.
nòrth·éast 名 北東.
Sóuth-Éast 名 南東地方.
sòuth·éast 名 南東.

-east /íːst/

語尾

beast 名 ☞
east 名 ☞
feast 名 ☞
least 形 最も少ない, 最小の.
reast 動自〈馬などが〉立ち止まる(reest).
yeast 名 ☞

eas·y /íːzi/

形 (…することが)易しい, たやすい, (…し)やすい. ⇨ -Y[4].

óver éasy 形 【料理】〈目玉焼きが〉ほぼ焼き上がったところでひっくり返して反対側を軽く焼いた.
spéak·èasy 《米俗》(特に禁酒法時代の)もぐり酒場 [ナイトクラブ].
ùn·éasy 形 楽でない, 窮屈な; 落ち着かない, 不安な.

-eat[1] /íːt/

語尾 語末にくる同音形は -EET, -ETE, -ITE[4].

beat 動他 ☞
bleat 動自 〈羊・ヤギなどが〉メーと鳴く.
cheat 動他 だまし取る, 詐取する, かたる.
cleat 名 転び止め.
eat 動他 食べる.
feat[1] 名 目覚ましい行為; 偉業, 功績.
feat[2] 形 《古》手際のよい, 巧妙な.
heat 名 ☞
keat 名 ホロホロチョウのひな.
meat 名 ☞
neat[1] 形 整頓された, 整った; きちんとした.
neat[2] 名 《まれ》牛; 畜牛.
peat[1] 名 ピート, 泥炭.
peat[2] 名 《廃》陽気な娘.
peat[3] 名 《米暗黒街俗》金庫; 財布.
pleat 名 ☞
seat 名 ☞
teat 名 《主に英》(単孔類以外の哺乳類動物の雌の)乳首.
treat 動他 ☞
wheat 名 ☞

-eat[2] /éit/

語尾 語末にくる同音形は -AIT, -ATE[4], -EIGHT[1].

great 形 大きい; 巨大な.

-eat[3] /ét/

語尾 語末にくる同音形は -ET[1], -ET[2], -ET[3], -ETT[2], -ETTE[1], -ETTE[2].

sweat 動自 ☞
threat 名 脅し, 脅迫, 恐喝, 威嚇, 脅威.

-eat·en /íːtn/

語尾 過去分詞形を含む. ◇ -EN[1], -EN[2], -EN[3].

beat·en 動 ☞
eat·en 動 eat の過去分詞.
nea·ten 動他 小ぎれいにする, きちんとする.
wheat·en 形 《文語》小麦(粉)で作った; 小麦の.

eat·er /íːtər/

名 食べる人 [動物]. ⇨ -ER[1].

ánt·èater ☞
áunt·èater 《米俗》男性の同性愛者, ホモ.
béan-èater 《米俗》《今はまれ》ボストン人.
bée-èater 【鳥類】ハチクイ.
béef·èater 英国王の護衛兵; ロンドン塔の守衛.
bíscuit èater 《米話》役立たずの犬, 雑種犬.
bóne-èater 《米俗》犬.
cáke èater 《古俗》プレーボーイ.
chálk-èater 《米競馬俗》人気馬にしか賭(か)けない人, 本命党.
chéese èater 《俗》密告者, スパイ.
chíli èater 《米俗》メキシコ人.
cláy èater 《通例軽蔑的》田舎出の貧しく無教育な人.
cráb·èater カニを食べる動物(cobia など).
dírt èater 《米俗》南部の貧しい白人.
fíg·èater 【昆虫】アオコフキコガネ.
fíre-èater 火食い術の奇術師.
físh·èater 魚を食べる人.
fóg·èater 霧から現れる満月.
fróg·èater 《俗》フランス人; フランス系の人.
gnát·èater 【鳥類】アリサザイ.
gráss·èater 《米俗》腐敗警官, 灰色警官.
háy·èater 《米黒人俗》白人.
hóney èater 【鳥類】ミツスイドリ(蜜吸鳥).
lémon èater 《米俗》英国人.
lótus-èater 【ギリシャ神話】ロトパゴス.
mán-èater 人食い動物(トラ, ライオンなど).
méat·èater 《米俗》(賄賂(ﾜｲﾛ)などを求める)悪徳警官.
míle-èater 《話》スピードを出すドライバー.
péter-éater 《米俗》(ホモで)フェラチオをする人.
píe-èater 《豪話》つまらない人.
plántain-èater 【鳥類】ハイイロエボシドリ.
quíche-èater 《米俗》めめしい男, ホモ.
sáwdust èater 《米伐採俗》製材所労働者.
séed·èater アトリ科の数種の鳥の通称.
sérpent èater ヘビクイワシ, ショキカンドリ.
sín-èater 罪食い人.
smóke-èater 《米俗》消防士.
snáke èater 《米軍俗》スネークイーター: ジャングルなどでの生残り訓練を受けた兵士.
snáke-èater ＝Serpent eater.
snów·èater 米国 Rockey 山脈の東側に時折吹き下ろす, 暖かく乾燥した風.
stóne èater 岩石に穴をあける動物の総称.
swíne èater 《米俗》白人.
tóad·èater おべっか遣い, ごますり.

-eath[1] /iːθ/

語尾 主に名詞をつくる.

eath 形副 《スコット》＝easy.
heath 名 ☞
neath 前 《主に文語》…の下に(beneath).
sheath 名 ☞
wreath 名 ☞

-eath[2] /éθ/

語尾 名詞をつくる.

breath 名 ☞
death 名 ☞

-eathe /iːð/

語尾 名詞形の -eath に対応する動詞形. ◇ -EATH[1], -EATH[2].

breathe 動自 呼吸する, 息をする.
sheathe 動他 〈刀剣類を〉鞘(さや)に収める; 《比喩的》…の争いを収める.
wreathe 動他 …を(花輪で)囲む, 飾る; 花冠をかぶせる, 花の輪で作る.

eat·ing /íːtiŋ/

名 食べること. ── 形 (…を)食べる. ⇨ -ING[1], -ING[2].

dírt-èating 名 《俗》土食症(geophagy).
fíre-èating 形 戦闘的 [攻撃的] な, けんかっ早い.
flésh-èating 形 肉食の.
mán-èating 形 人を食べる; 人肉を好む.
shít-èating 形 《米俗》くだらない, げすの.

-eau /ou; *Fr.* o/

接尾辞 フランス語の形容詞・名詞男性形語尾.
◆ ＜仏 *-eau*, 古形 *-el* ＜ラ *-ellus*(指小辞).

ban·deau 名 バンドー: (特に額に巻く)ヘアバンド.
ba·teau 名 《主にカナダ・米南部》平底川舟.
bat·teau 名 【海事】＝bateau.
beau 名 《米》(特定の)男友達.

E

ber·ceau 名 《フランス語》揺りかご(cradle).
big·ar·reau 名 ビガロー種［硬肉種］サクランボ.
bor·de·reau 名 (特に文献が列記されている)詳細な覚え書き, 目録.
bu·reau 名 ☞
chal·u·meau 名 【音楽】シャリュモー.
cha·peau 名 帽子.
châ·teau 名 (フランスの)城, 要塞.
che·neau 名 【建築】棟飾り.
cou·teau 名 ナイフ; (特に)両刃の大型ナイフ.
flam·beau 名 たいまつ.
fric·an·deau 名 【料理】フリカンドー.
gas·per·eau 名 《カナダ》エールワイフ.
gâ·teau 名 【フランス料理】ケーキ.
jam·beau 名 【甲冑】すね当て(greave).
man·teau 名 《廃》(特に婦人用の)マント.
mor·ceau 名 《フランス語》(食べ物・キャンデーなどの)一かじり, 一口.
nou·veau 形 最近現れた, 最近知られるようになった.
Pi·neau 名 (ブドウの)ピノ(種)(Pinot).
pla·teau 名 高原, 台地.
pon·ceau 名 鮮紅色から赤橙(せきとう)色までの色, 紅色.
port·man·teau 名 《主に英》旅行かばん, (特に)両開きの革製旅行用トランク.
ra·deau 名 (米国独立戦争当時, 水上砲台として用いた)武装はしけ.
re·seau 名 網状組織.
rin·ceau 名 唐草文, 唐草模様.
ron·deau 名 【韻律】【音楽】ロンドー.
rou·leau 名 (帽子の縁飾りなど)細長く巻いたもの(roll); (装飾用の)巻きリボン.
tab·leau 名 (情景などを描いた)絵画.
trous·seau 名 嫁入り衣装・道具一式, 嫁入り支度.
tru·meau 名 装飾壁掛け鏡.

-eave /iːv/

語尾 語末にくる同音形は -EEVE, -IEVE.

cleave[1] 動自 ぴったりとくっつく, 付着する.
cleave[2] 動他 割る, 裂く; そぐ, はがす.
deave 動他 《主にスコット》耳を聞こえなくする.
eave 名 (家の)軒, ひさし.
greave 名 【甲冑】すね当て.
heave 動他 (…へ)上げる, 持ち上げる.
leave[1] 動他 出発する, 去る: 出る.
leave[2] 名 ☞
leave[3] 動自 〈植物が〉葉を出す.
sheave[1] 動他 束ねる, 束にする; 集める.
sheave[2] 名 綱車, ロープ車.
sleave 動他 〈絹の撚り糸などを〉ほぐす, 解く.
weave 動他 ☞

-eaze /iːz/

語尾 語末にくる同音形は -EASE[2], -EEZ, -ES[4], -ISE[3].

feaze[1] 動他自 【海事】(ロープの端の撚(よ)りを戻して)ばらばらにほぐす.
feaze[2] 名 《方言》いらだち, 心配(feeze).
sleaze 名 《俗》見下げ果てたやつ, 下品な人.

-eb /éb/

語尾 主に短縮語の語尾.

bleb 名 【医学】(小さな)水膨れ, 水疱(すいほう).
deb 名 《話》(ある分野に初登場する)女性(debutante).
neb[1] 名 《スコット・北イング》くちばし.
neb[2] 名 取るに足らない人(nebbish).
peb 名 《豪俗》=pebble.
pleb 名 庶民; 普通の人, 並の人(plebian).
reb 名 《米話》(南北戦争時の)南軍兵士(rebel).
web 名 ☞

-ebe /iːb/

語尾 語末にくる同音形は -EEB.

glebe 名 《主に英》小教区教会所属耕地.
grebe 名 ☞
plebe 名 (米国陸軍［海軍］士官学校の)新入生.

-ec /ék/

語尾 主に短縮語の語尾.
★ 語末にくる同音形は -ECH[1], -ECK, -EK.

mec 名 《話》機械(修理)工(mechanic).
pec 名 《米話》胸の筋肉(pectoral muscle).
rec 名 《話》レクリエーション(recreation).
sec[1] 形 〈ワインが〉辛口の(dry).
sec[2] 名 《話》一刻, 瞬間(second).
sec[3] 名 秘書(secretary).
sec[4] 名 《米麻薬俗》セコナール(Seconal).
spec 名 《話》(建物・機械などの)仕様書(specification).
tec 名 《俗》探偵(detective).
-tec 接尾辞 ☞

-ech[1] /ék/

語尾 blech, ech, yech は間投詞で, 嫌悪の発声. ◇ -ECH[2].
★ 語末にくる同音形は -EC, -ECK, -EK.

blech 間 《不快・拒否を表して》げー, おえー.
ech 間 =yech.
mech 名 《話》機械修理工(mechanic).
tech 形 ☞
yech 間 《米俗》《嫌悪・反感を表して》ゲー, ウェー(yuck).

-ech[2] /éx/

語尾 主にスコットランド方言.

pech 名 《スコット》あえぐこと(pant).
stech 動他 《スコット・北イング》〈胃を〉食物でいっぱいにする.
yech 間 《米俗》《嫌悪・反感を表して》ゲー, ウェー(yuck).►/jʌ́x/ とも発音.

ech·o /ékou/

名 反響(音); こだま; エコー.

pérmanent écho 【電子工学】固定反射.
prè·éch·o 名 (録音のミスでできる)前エコー.
rè·éch·o 動自 〈音が〉反響する.

-eck /ék/

語尾 heck[1], keck[1] は嫌悪の間投詞; geck, dreck につながる; fleck, speck[1] などは点を表し, peck とともに音象徴的.
★ 語末にくる同音形は -EC, -ECH[1], -EK.

beck[1] 名 合図の身ぶり.
beck[2] 名 《北イング》小川.
beck[3] 動他 【金工】〈鉄片などを〉丸めて輪にする.

ceck 名 《米俗》マリファナタバコ.
check[1] 動他 ☞
check[2] 名 《米南部》西洋将棋(checker).
cleck[1] 動他 《スコット》〈鳥が〉卵をかえす.
cleck[2] 動自 《南ウェールズ》うわさ話をする.
deck 名 ☞
dreck 名 《俗》排泄(はいせつ)物.
feck[1] 名 《スコット》《廃》価値; 効能.
feck[2] 動他 《英俗》盗む, 無断借用する.
fleck 名 細片, 薄片, 少量.
geck 名 《米俗》とんま.
heck[1] 間 《拒絶・嫌悪などを表して》ちくしょう.
heck[2] 名 (織機の)経(たて)糸通し.
keck[1] 動自 吐くような音 [オエッ, ゲッ] を出す.
keck[2] 名 ハナウド(cow parsnip).
neck[1] 名 ☞
neck[2] 名 《英方言》収穫祭で最後に刈る麦束.
peck[1] 名 ペック: 乾量の単位.
peck[2] 動他 …を(くちばしで)つつく.
reck 動自 《詩語・古》気にする, 心配する.
schmeck 名 《米俗》一口(食べること).
shmeck 名 ＝schmeck.
smeck 名 《米俗》ヘロイン; 麻薬(schmack).
sneck[1] 名 《スコット》(ドアの)掛け金.
sneck[2] 名 〖石工〗(石積みのすき間を詰める)小さい割り石.
speck[1] 名 斑点(はんてん), 小さな点.
speck[2] 名 《米方言》脂身; ベーコン.
wreck 名 (建築物・乗り物などの)残骸(ざんがい).

-eck·le /ékl/

語尾 freckle と speckle は斑点の点在を表し音象徴的.

deck·le[1] 名 〖製紙〗デッケル漉桁(すけた).
deck·le[2] 名 《ハッカー俗》10 ビット.
freck·le 名 そばかす.
heck·le 動他 〈演説者・役者・演奏者などを〉野次り倒す; 妨害する.
speck·le 名 (皮膚などの)しみ, そばかす.

e·clipse /iklíps/

名 〖天文〗食(しょく); 日食, 月食; (星の)掩蔽(えんぺい).

ánnular eclipse 金環食.
lúnar eclipse 月食.
pártial eclipse 部分食.
sólar eclipse 日食.
tótal eclipse 皆既食.

e·col·o·gy /ikálədʒi | ikɔ́l-/

名 生態学, エコロジー. ⇨ -OLOGY.

àut·e·cól·o·gy 名 個生態学, 種生態学.
bì·o·e·cól·o·gy 名 生物生態学(ecology).
clínical ecòlogy 臨床生態学.
cy·to·e·cól·o·gy 名 細胞生態学.
déep ecólogy 深部 [全面的] 生態系保護.
gỳ·ne·cól·o·gy 名 婦人科学.
húman ecólogy 人間生態学, 社会生態学.
maríne ecólogy 海洋生態学.
mì·cro·e·cól·o·gy 名 ミクロ [狭域] 生態学.
mỳr·me·cól·o·gy 名 アリ(蟻)学.
pà·le·o·e·cól·o·gy 名 古生態学.
rà·di·o·e·cól·o·gy 名 放射線生態学.
sócial ecólogy 社会生態学.
sò·ci·o·e·cól·o·gy 名 ＝social ecology.
sỳn·e·cól·o·gy 名 群(集)生態学.

ec·o·nom·ic /èkənámik, ìːkə- | -nɔ́m-/

形 経済(上)の. ⇨ -NOMIC.
★ 名詞は economy「経済」.

ag·ro·ec·o·nom·ic 形 農業経済の.
mes·o·ec·o·nom·ic 形 メソエコノミック(中間経済)の.
non·ec·o·nom·ic 形 経済外の; 経済的価値のない.
so·ci·o·ec·o·nom·ic 形 社会経済(上)の, 社会経済的な.
un·ec·o·nom·ic 形 経済の原則に反する, 非経済的な.

ec·o·nom·ics /èkənámiks, ìːkə- | -nɔ́m-/

名㊥ 経済学. ⇨ -ICS.

clássical económics 古典派 [正統派] 経済学(派).
dis·èc·o·nóm·ics 名㊥ 負の経済学, 負の経済要因.
gè·o·ec·o·nóm·ics 名㊥ 地理経済学.
hóme económics 家政学, 家庭科.
Kéynesian económics ケインズ経済学(派).
màc·ro·ec·o·nóm·ics 名㊥ マクロ [巨視的] 経済学.
mì·cro·ec·o·nóm·ics 名㊥ 微視的 [ミクロ] 経済学.
néw económics 新経済学.
sócial económics ＝socioeconomics.
sò·ci·o·ec·o·nóm·ics 名㊥ 社会経済学.
supplý-side económics 供給側重視の経済学.
wélfare económics 厚生経済学.

e·con·o·my /ikánəmi | ikɔ́n-/

名 (金銭・時間などの)節約, 倹約; 節約の行為 [手段].
⇨ -NOMY.

bláck ecónomy ブラックエコノミー: 税制その他の政府規制から逃れて営まれる経済活動.
commánd ecònomy ＝planned economy.
còunt·er·e·cón·o·my 名 反対経済.
dis·e·cón·o·my 名 不経済.
frée ecónomy 自由(主義)経済.
fútures ecònomy 先物経済.
grèy ecónomy 〖経済〗グレーエコノミー.
márket ecònomy 〖経済〗市場経済.
míxed ecónomy 〖経済〗混合経済.
pínk ecònomy (団体としての)同性愛者の経済(活動).
plánned ecónomy 〖経済〗計画経済.
polítical ecónomy 政治経済学.
spót ecònomy 現物経済.
stàkeholder économy 《英》経済的発展により社会の全成員が利益を得るような経済.
subterránean ecónomy ＝underground economy.
tíger ecònomy 《話》(特に香港・シンガポール・台湾・韓国の)東アジアの成長経済.
tóken ecònomy 〖精神医学〗代用貨幣経済.
únderground ecónomy 地下経済(活動).

-ect /ékt/

語尾 主なものは *-cere* で終わるラテン語の動詞の過去分詞形 *-ctus* に由来し, 英語では屈折語尾が削除された.

-fect 連結形 ☞
-flect 連結形 ☞
-ject 連結形 ☞
-lect[1] 連結形 ☞
-lect[2] 連結形 ☞
-rect 連結形 ☞
sect 名 教派, 宗派.
-sect 連結形 ☞
-spect 連結形 ☞
-tect 連結形 ☞

-ec·ta·sis /éktəsis/

連結形 〖病理〗拡張.
★ 名詞をつくる.
★ 複数形は -ectases.
◆ ＜後期ラ＜ギ *ektasis* 拡張(*teínein*「伸ばす, 伸びる」よ

り). ⇨ -SIS.

at·e·lec·ta·sis 名 肺拡張不全, 無気肺.
bron·chi·ec·ta·sis 名 気管支拡張(症).
tel·an·gi·ec·ta·sis 名 毛細管拡張症.

-ec·to·mize /éktəmàiz/

連結形 〖外科〗摘出する, 切除する. ⇨ -IZE[1].
★ 動詞をつくる.
★ 語末にくる関連形は -ECTOMY.

bur·sec·to·mize 動他 …の嚢(のう)胞を切除する.
go·nad·ec·to·mize 動他 …の性腺を摘出する, 去勢する.
hys·ter·ec·to·mize 動他 …の子宮を摘出する.
ir·i·dec·to·mize 動他 …に虹彩の(一部)切除手術を行う.
ne·phrec·to·mize 動他 …に腎臓切除 [摘出] をする.
sple·nec·to·mize 動他 …に脾臓(ひぞう)切除を行う.
thy·roid·ec·to·mize 動他 …に甲状腺(せん)切除手術を施す.
vas·ec·to·mize 動他 …に精管切除術を行う.

-ec·to·my /éktəmi/

連結形 切除(術)(excision).
★ 名詞をつくる.
★ 語末にくる関連形は -ECTOMIZE.
◆ <近代ラ *-ectomia* <ギ *ektémnein* 切り取る. ⇨-TOMY.

ad·e·nec·to·my 名 〖医学〗腺(せん)切除(術).
ad·e·noid·ec·to·my 名 〖外科〗アデノイド切除(術).
ad·re·nal·ec·to·my 名 〖医学〗副腎(じん)摘出(術).
al·la·tec·to·my 名 〖昆虫〗アラタ体(corpus allatum)切除(術).
a·pi·co·ec·to·my 名 〖歯科〗歯根尖(せん)切除(術).
ap·pen·dec·to·my 名 《主に米・カナダ》〖外科〗虫垂切除(術).
ar·threc·to·my 名 〖外科〗関節切除(erasion).
ar·y·te·noi·dec·to·my 名 〖医学〗披裂軟骨切除(術).
bur·sec·to·my 名 〖医学〗嚢(のう)胞切除(術).
car·di·ec·to·my 名 〖外科〗心臓切除(術).
che·mo·pal·li·dec·to·my 名 〖外科〗化学的淡蒼球破壊(術).
cho·le·cys·tec·to·my 名 〖外科〗胆嚢(のう)摘出(術).
cir·sec·to·my 名 〖外科〗静脈瘤(りゅう)切除(術).
clit·o·ri·dec·to·my 名 〖外科〗陰核切除(術).
co·lec·to·my 名 〖外科〗結腸切除(術).
cos·tec·to·my 名 〖外科〗肋骨(ろっ)切除(術).
cys·tec·to·my 名 〖外科〗嚢切除(術), 膀胱切除(術).
em·bo·lec·to·my 名 〖外科〗塞栓除去 [摘出](術).
em·bry·ec·to·my 名 〖外科〗(特に子宮外妊娠における)胚胎切除(術), 胎児摘出(術).
end·ar·ter·ec·to·my 名 〖外科〗動脈内膜切除(術).
en·ter·ec·to·my 名 〖外科〗腸切除(術).
gan·gli·on·ec·to·my 名 〖外科〗神経節切除(術).
gas·trec·to·my 名 〖外科〗胃切除(術).
gin·gi·vec·to·my 名 〖歯科〗歯肉切除(術).
glos·sec·to·my 名 〖医学〗舌切除(術).
go·nad·ec·to·my 名 〖外科〗去勢, 性腺摘出(術).
gy·rec·to·my 名 〖外科〗脳回切除(術).
hem·or·rhoid·ec·to·my 名 〖外科〗痔核(じかく)切除(術).
hep·a·tec·to·my 名 〖外科〗肝(臓)切除(術).
hy·poph·y·sec·to·my 名 〖外科〗(脳)下垂体切除(術).
hys·ter·ec·to·my 名 〖外科〗子宮切除 [摘出](術).
ir·i·dec·to·my 名 〖外科〗虹彩(こうさい)切除(術).
je·ju·nec·to·my 名 〖外科〗空腸切除(術).
ker·a·tec·to·my 名 〖外科〗角膜切除(術).
lam·i·nec·to·my 名 〖外科〗椎弓(ついきゅう)切除(術).
lap·a·rec·to·my 名 〖外科〗腹壁切除(術).
lar·yn·gec·to·my 名 〖外科〗喉頭切除 [摘出](術).
li·en·ec·to·my 名 〖外科〗=splenectomy.
lip·ec·to·my 名 〖外科〗脂肪組織切除(術).
lo·bec·to·my 名 〖外科〗(肺臓・脳の一部などの)葉(よう)切除(術).
lump·ec·to·my 名 〖外科〗乳腺腫瘤切除 [摘出](術).
lym·phad·e·nec·to·my 名 〖外科〗リンパ節切除(術).
mam·mec·to·my 名 〖外科〗=mastecotomy.
mas·tec·to·my 名 〖外科〗乳房切除(術), 乳腺摘出(術).
mas·toid·ec·to·my 名 〖外科〗乳様突起 [乳突] 開放(術).
men·is·cec·to·my 名 〖外科〗半月板切除(術).
my·o·mec·to·my 名 〖外科〗筋腫(きんしゅ)摘出(術).
ne·phrec·to·my 名 〖外科〗腎臓切除 [摘出](術), 腎摘.
neu·rec·to·my 名 〖外科〗神経切除(術).
o·o·pho·rec·to·my 名 〖外科〗=ovariectomy.
or·chec·to·my 名 〖外科〗=orchiectomy.
or·chi·dec·to·my 名 〖外科〗=orchiectomy.
or·chi·ec·to·my 名 〖外科〗睾丸切除術, 除睾(術).
os·tec·to·my 名 〖外科〗骨切除(術).
o·var·i·ec·to·my 名 〖外科〗卵巣切除 [摘出](術).
pan·cre·a·tec·to·my 名 〖外科〗膵臓(すいぞう)切除(術).
pa·ra·thy·roid·ec·to·my 名 〖外科〗副甲状腺切除(術), 上皮小体摘出(術).
phar·yn·gec·to·my 名 〖外科〗咽頭切除(術).
phle·bec·to·my 名 〖外科〗静脈切除(術).
pi·ne·a·lec·to·my 名 〖医学〗松果体除去手術.
pneu·mec·to·my 名 〖外科〗=pneumonectomy.
pneu·mo·nec·to·my 名 〖外科〗肺切除(術).
pros·ta·tec·to·my 名 〖外科〗前立腺切除(術).
pulp·ec·to·my 名 〖歯科〗抜髄法.
py·lo·rec·to·my 名 〖外科〗幽門切除(術).
quad·ran·tec·to·my 名 〖医学〗四分の一の乳がん切除.
ra·dec·to·my 名 〖歯科〗〖外科〗歯根切除(術).
rec·tec·to·my 名 〖外科〗直腸切除(術).
rhyt·i·dec·to·my 名 〖外科〗皺皮(しゅうひ)切除(術).
sal·pin·gec·to·my 名 〖外科〗卵管切除 [摘除](術).
scle·rec·to·my 名 〖外科〗強膜切除(術).
sep·tec·to·my 名 〖外科〗(特に鼻の)中隔切除(術).
se·ques·trec·to·my 名 〖外科〗腐骨摘出(術).
sple·nec·to·my 名 〖外科〗脾臓(ひぞう)切除(術).
sta·pe·dec·to·my 名 〖外科〗あぶみ骨切除 [摘出](術).
stru·mec·to·my 名 〖外科〗るいれき切除(術).
sym·pa·thec·to·my 名 〖医学〗交感神経切除(術).
sym·path·e·tec·to·my 名 〖医学〗=sympathectomy.
syn·des·mec·to·my 名 〖外科〗靭帯(じんたい)切除(術).
syn·o·vec·to·my 名 〖解剖〗(関節の)滑膜切除(術).
tho·ra·cec·to·my 名 〖外科〗=costectomy.
throm·bec·to·my 名 〖外科〗血栓切除 [摘出](術).
thy·mec·to·my 名 〖外科〗胸腺切除 [摘出](術).
thy·roid·ec·to·my 名 〖外科〗甲状腺切除 [摘出](術).
ton·sil·lec·to·my 名 〖外科〗扁桃(へんとう)全摘除(術).
to·pec·to·my 名 〖外科〗前頭脳回切除(術).
tu·bec·to·my 名 〖外科〗=salpingectomy.
ty·lec·to·my 名 〖医学〗=lumpectomy.
u·re·threc·to·my 名 〖外科〗尿道切除(術).
u·vu·lec·to·my 名 〖外科〗口蓋(こうがい)垂切除(術).
vag·i·na·lec·to·my 名 〖外科〗睾丸鞘膜(しょうまく)切除(術).
vag·i·nec·to·my 名 〖外科〗膣(ちつ)切除(術).
var·i·co·ce·lec·to·my 名 〖外科〗精索静脈瘤(りゅう)切除(術).
vas·ec·to·my 名 〖外科〗精管切除(術).
ves·ti·bu·lec·to·my 名 〖医学〗耳前庭切除(術).
vit·rec·to·my 名 〖眼科〗硝子(しょうし)体切除(術).

-ed[1] /d, t, id/

接尾辞 **1** 規則変化動詞につけて過去分詞をつくる. **2** 規則変化動詞につけて, その行為の結果生じる状態・性質を表す分詞形容詞をつくる.
★ 名詞と動詞が同形の場合, 名詞につく -ed[2] と区別しにくいことがある.
★ *-ed*ness の形で名詞化できるものが多い.
★ 語末にくる関連形は -D[1], -T[1].
◆ 古英 *-ed*, *-od*, *-ad*.
[発音] 動詞の原形の語尾の発音により, 次の 3 つに区分される. (1)語尾の発音が /t/, /d/ の場合は /-id/, (2)語尾の発音が /t/ 以外の無声子音の場合は /-t/, (3)語尾の発音が有声音(子音, 母音ともに)の場合は /-d/ と発音. 強勢は原形と同じ. 次の語は例外的に /-id/ と発音する; blessed, crooked, jagged.

a·ban·doned 形 =deserted.
a·bashed 形 当惑した; 恥じ入った.
ab·sorbed 形 夢中の, 熱中した.
ab·stract·ed 形 心を奪われた; 思いにふけった.
ac·cept·ed 形 一般に認められている, 容認された.
ac·com·plished 形 成就した, 完成した; 既成の, 既定の.
ac·cost·ed 形 〖紋章〗〈シカが〉反対向きに並んだ.
ac·cred·it·ed 形 認定を受けた, 正式認可された.
ac·cus·tomed 形 いつもの, 例の.
ac·quaint·ed 形 《叙述的》知識がある; 知っている.
a·dapt·ed 形 (必要・状況などに)順応[適合]した.
add·ed 形 加えられた, 付加された, 足された.
ad·dict·ed 形 ふけっている; 常用の, 中毒の.
ad·dorsed 形 〖紋章〗〈動物などが〉背中合わせになっている(endorsed).
ad·dressed 形 話しかけられた, 呼びかけられた.
ad·just·ed 形 ☞
ad·mit·ted 形 認められた, 容認された, 明白な.
a·dopt·ed 形 養子[養女]にされた.
af·fect·ed[1] 形 影響[作用]を受けた(influenced).
af·fect·ed[2] 形 ☞
aid·ed 形 助けられた, 救援された, 助成された.
a·larm·ed 形 びっくりして.
a·ligned 形 一直線にそろった; 連合した.
al·lied 形 同盟している, 連合[提携]している.
al·lowed 形 許された; 認められた.
al·tered 形 変わってしまった. 変貌した.
an·chored 形 錨(いかり)を下ろした.
an·noyed 形 困って, 悩んで; 腹を立てて.
ap·palled 形 度を失って, 唖然として.
ap·plied 形 応用された, 実際に適用された.
ap·point·ed 形 任命[指名]された, 任じられた.
armed 形 ☞
as·sert·ed 形 (確証なしに)主張された, 断言された.
as·sort·ed 形 さまざまな種類の; 詰め合わせの.
as·ton·ied 形 《古》困惑した, ぼう然とした.
as·ton·ished 形 驚いた, びっくりした.
at·tached 形 取りつけてある, 添付の, 付属の.
at·test·ed 形 《英》(特に結核菌に)冒されていない.
aug·ment·ed 形 増大[増加]した[された].
a·vowed 形 自認した; 公言した, 公然の.
bal·ly·hooed 形 やかましく宣伝された.
band·ed 形 バンドをした[のついた]; 縞模様の.
ban·jaxed 形 《俗》破壊された.
bashed 形 《米話》壊れた, へこんだ.
bast·ed 形 《米俗》酔った.
bat·ted 形 《米俗》酔った.
bat·tered 形 殴られた, 虐待された.
be·furred 形 毛皮の飾りをつけた.
be·med·alled 形 勲章をつけた[受けた].
be·night·ed 形 善悪の区別がつかない, 暗愚な.
be·rib·boned 形 リボンで飾った.
be·sot·ted 形 《主に米》酔っ払った.
be·trothed 形 婚約した, いいなずけの.
be·wil·dered 形 当惑した, まごついた, 途方に暮れた.
be·witched 形 魅惑された; 《米俗》酔っ払った.
bi·ased 形 偏った, 先入観を持った, 偏見のある.
bi·assed 形 《特に英》=biased.
blank·ed 形 =damned.
blast·ed 形 しなびた; 枯れた; 台無しの.
bleached 形 漂白した.
bless·ed 形 聖別された, 清められた; 神聖な.
blind·ed 形 《米俗》酔っ払った.
blitzed 形 《米大学俗》酔っ払った.
bloat·ed 形 膨れた, むくんだ; 膨らみすぎた.
blocked 形 《米俗》酔っ払った.
bloomed 形 〈レンズが〉コーティングした.
blowed 形 《米俗》酔っ払った.
bobbed 形 断髪にした; 〈馬などが〉切り尾の.
boiled 形 ☞
bombed 形 《俗》酔っ払った.
booked 形 記帳した, 記入した.
boozed 形 《米話》酔った.
bot·tomed 形 ☞
bound·ed 形 境界のある, 仕切られた.
bowed 形 曲がった, 頭を下げた.
boxed 形 《米俗》《学生》酔っ払った.
brack·et·ed 形 〖印刷〗文字の垂直線と接する部分が曲線の, 支え付きの.
braid·ed 形 組みひもで飾った.
breeched 形 砲尾[銃尾]のついた.
brushed 形 毛羽のある; 毛羽仕上げの.
bucked 形 《話》幸福な, 楽しい, 元気づいた.
bud·ded 形 出芽した; つぼみを持った.
buf·fa·loed 形 《米俗》だまされた, 欺かれた.
bummed 形 《米話》がっかりした, 気が滅入った.
bur·dened 形 〖航海〗〈船が〉避航義務のある.
bur·ied 形 《米俗》終身刑に服役している.
burned 形 ☞
bushed 形 低木に覆われた; もじゃもじゃ頭の.
bust·ed 形 《米俗》逮捕された.
buz·zed 形 《米俗》酔っ払った.
called 形 呼ばれた; 招かれた; 名付けられた.
canned 形 《米》缶[瓶]詰の(《英》tinned).
capped 形 覆われた, 蓋をされた.
cashed 形 《米俗》金を使い果たした.
cer·ti·fied 形 証明書[免許]を持っている; 公認の.
chapped 形 ひびの切れた, (皮膚の)荒れた.
charged 形 強烈な, 情熱的な; 熱のこもった.
charmed 形 魅せられた, 心を奪われた; 狂喜した.
char·tered 形 特許を受けた, 特許済みの.
checked 形 市松模様の, 碁盤縞の.
check·ered 形 変化に富んだ, 多彩な; むらの多い.
chewed 形 《米俗》疲れた; 負けた; 壊れた.
chilled 形 冷却された; 冷蔵の.
chis·eled 形 のみで刻んだ[彫った, 彫刻した].
chis·elled 形 《特に英》=chiseled.
chopped 形 細かく切り刻んだ.
chucked 形 《話》酔った.
chuffed 形 《英話》喜んだ.
cinched 形 《米話》決まった.
Cit·i·fied 形 都会風の.
clanked 形 《米学生俗》疲れた; がっかりした.
clas·si·fied 形 分類[類別, 区分]された.
clipped 形 短く刈り込まれた; 省略された.
clois·tered 形 世を捨てた, 浮世を離れた.
clos·et·ed 形 ひそかに行う; 秘密の, 内緒の.
clot·ted 形 凝固した, 固まった; こびりついた.
cloud·ed 形 混乱した, ごたごたした, 乱れた.
clout·ed 形 《米話》逮捕された, 捕まった.
clus·tered 形 群がった, 群生した.
clutched 形 《米俗》落ち着かない, 神経質な.
col·lect·ed 形 落ち着いた, 冷静な.
com·mis·sioned 形 任命された; 任官した; 委任された.
com·mit·ted 形 打ち込んだ.
com·pact·ed 形 ぎっしりと詰まった; 堅く締まった.
com·plect·ed 形 《話》込み入った, 複雑な.
com·pressed 形 圧縮[圧搾]された.
con·ceit·ed 形 うぬぼれた, 思い上がった, 慢心した.
con·cerned 形 関心のある; 社会的意識を持った.
con·cert·ed 形 協定による, 申し合わせた, 合議の.
con·demned 形 非難された; 有罪を宣告された.
con·di·tioned 形 ☞
con·fessed 形 〈罪などが〉告白[白状]された.
con·firmed 形 確認された, 立証された.
con·flict·ed 形 《話》矛盾した, 葛藤のある.
con·gest·ed 形 密集した, 込み合った, 混雑した.
con·nect·ed 形 ☞
con·sid·ered 形 よく考えた, 熟慮の上での.
con·strained 形 強いられた, 強制された.
con·struct·ed 形 建設された.
con·tained 形 自制している, 控えめな, 落ち着いた.
con·tent·ed 形 満足した.
con·tort·ed 形 ひねられた, ねじ曲げられた.
con·tract·ed 形 締められた, 収縮された.
con·trolled 形 管理[統制, 制御]された; 控えめの.
con·vert·ed 形 回心[改宗, 転向]した.

E

cooked 形 ☞
cooled 形 冷えた.
corned 形 塩漬けの.
cor·rod·ed 形 腐食した.
coun·tri·fied 形 田舎臭い, やぼな.
coun·try·fied 形 ＝countrified.
coupled 形 つながった.
cov·e·nant·ed 形 契約した; 契約により義務を負った.
cov·ered 形 覆われた, 屋根のある, 有蓋の.
cracked 形 砕いた, 砕けた; 壊れた, 割れた.
crammed 形 《米俗》うんざりした.
cramped 形 窮屈な, 狭苦しい; 締め付けられた.
crapped 形 《俗》死んだ; 息絶えた.
crashed 形 《俗》酔った(drunk).
creamed 形 《米話》酔った.
cre·den·tialed 形 信用証明を得た, 信任された.
cred·it·ed 形 信用された.
crinched 形 《米俗》曲がった, へこんだ.
crocked 形 《米·カナダ俗》酔った.
crook·ed 形 〈道などが〉曲がった, 湾曲した.
cropped 形 〈植物が〉先端を刈り取られた.
crossed 形 交差した; 【数学】混合の.
crowd·ed 形 ぎっしり詰まった, 満員の.
crowned 形 《複合語》王位に就いた.
crutched 形 松葉杖にすがった.
curled 形 巻き毛の; 渦巻いた.
dagged 形 《俗》酔った.
damned 形 地獄落ちを宣せられた.
darned 形 《話》しゃくにさわる, いまいましい.
dashed[1] 形 ダッシュ(—)から成る, 破線の.
dashed[2] 形 《主に英》《婉曲的》＝damned.
de·bauched 形 肉欲にふけりすぎた.
decked 形 【海事】甲板が張られた.
de·ferred 形 延期された, 延引した.
de·flect·ed 形 下向きに曲がっている.
de·flexed 形 【生物】急に下方に曲がっている.
de·formed 形 形が損なわれた, 原形をとどめない.
de·frosted 形 《米俗》クールでない, 慌てた.
de·ject·ed 形 元気をなくした, 意気消沈した.
de·layed 形 【原子物理】遅延の.
de·light·ed 形 喜んで[楽しんで]いる.
de·ment·ed 形 気が狂った, 狂気の.
de·part·ed 形 死んだ, 亡くなった, 今はない.
de·pressed 形 元気のない, 意気消沈した.
de·scend·ed 形 伝わった, 子孫の, 系統の.
de·sert·ed 形 捨てられた, 見限られた.
de·signed 形 故意の, 計画的な, 計画された.
de·stroyed 形 《米俗》麻薬でラリった.
de·tached 形 〈物が〉分離した, 離れている.
de·tailed 形 細目にわたる, 複雑多岐な.
de·vel·oped 形 発達した, 先進の.
di·gest·ed 形 消化された; 系統立てられた.
dig·ni·fied 形 威厳のある, 堂々とした; 品位のある.
di·min·ished 形 減少[目減り]した.
dip·ped 形 《米俗》いくらか黒人の血を引く.
di·rect·ed 形 ☞
dis·ap·point·ed 形 落胆[失望]した.
dis·con·cert·ed 形 当惑した, まごついた, 心を乱された.
dis·con·nect·ed 形 連絡[接続]の切れた, とぎれとぎれしの.
dis·gust·ed 形 (…に)むかむかした.
dished 形 凹面の, 中くぼみの, へこんだ.
dis·mayed 形 狼狽する, うろたえる, 肝をつぶす.
dis·or·dered 形 秩序のない, 混乱した, 乱雑な.
dis·o·ri·ent·ed 形 見当識を失った, 失見当識の.
dis·pir·it·ed 形 元気のない, 意気消沈した.
dis·played 形 【紋章】〈鳥が〉翼と脚を広げた形の.
dis·sect·ed 形 細かく切り分けられた; 解剖した.
dissed 形 《俗》ばかにされた.
dis·tend·ed 形 広がった, 拡大した; 増大した.
dis·tilled 形 蒸留した, 蒸留して得られた.
dis·tin·guished 形 目立った, 際立った, 顕著な.
dis·tort·ed 形 (真意·事実を)ゆがめた, 曲げた.
dis·tract·ed 形 気を散らされた, 注意をそらされた.
dis·tressed 形 ＝depressed.
dis·turbed 形 【心理】神経症の.
dith·ered 形 混乱した, まごついた.
di·ver·si·fied 形 種々の形をした, 変化の多い.
dod·gast·ed 形 《俗》いまいましい, 不愉快な; ひどい(confounded).
don·nered 形 《スコット》ぼうっとした.
drat·ted 形 《話》いまいましい.
dressed 形 服を着た; 準備の整った; 化粧した.
dried 動形 ☞
dropped 形 《米俗》婚約した.
drugged 形 麻薬を飲んだ.
durned 形 《米話》＝darned.
Dutch·fied 形 《米》(ペンシルベニアで)ドイツ人風しの.
earned 形 ☞
ed·it·ed 形 編集された, 校訂された.
e·lect·ed 形 (投票によって)選ばれた.
e·lec·tri·fied 形 《米俗》酔った.
em·balmed 形 《俗》酔った.
em·bar·rassed 形 ばつの悪い, 恥ずかしい.
em·bowed 形 弓なりに曲がった, 湾曲した.
em·ployed 形 ☞
en·chant·ed 形 うっとりして, とてもうれしい.
en·dan·gered 形 危険にさらされた, 危機に瀕した.
en·dowed 形 ☞
en·grailed 形 【紋章】〈分割線や幾何学的図形が〉とがった波形になった.
en·grained 形 ＝ingrained.
en·grossed 形 夢中になって, 没頭して.
en·light·ened 形 啓発された, 開化した, 開けた.
en·riched 形 豊かな.
es·tab·lished 形 確立した[された]; 定評のある.
ex·alt·ed 形 地位[身分]の高い, 高貴な.
ex·haust·ed 形 使い尽くされた, 消耗した.
ex·pand·ed 形 拡大された, 膨らんだ, 膨張した.
ex·port·ed 形 【コンピュータ】転送された.
ex·sert·ed 形 〈雄蕊(ずい)などが〉突き出した.
ex·tend·ed 形 伸びた, ぴんと張った; 張り出した.
ex·tract·ed 形 引き抜いた, 引き出した; 抽出した.
fac·et·ed 形 《複合語》…の面をもった.
fail·ed 形 失敗した, 不首尾の.
fam·ished 形 飢えた, ひどく腹のすいた, 腹ぺこの.
fan·cied 形 想像上の, 実在しない, 架空の.
fan·ta·sied 形 空想上の, 架空の, 物語の中の.
fash·ioned 形 ☞
fa·vored 形 好意を持たれている; 人気のある.
fa·voured 形 《特に英》＝favored.
feigned 形 心にもない, うその, 見せかけの.
fetch·ed 形 《米南部ミッドランド》いまいましい.
filled 形 ☞
fil·let·ed 形 《英俗》＝gutted.
fin·ished 形 《話》し終わった, 完了した.
fit·ted 形 ぴったり合うように作られた.
fix·ed 形 固定した, 取りつけてある.
fla·vored 形 風味をつけた; 《複合語》…風味の.
fla·voured 形 《英》＝flavored.
flexed 形 【紋章】〈脚が〉ひざで曲げられた.
floored 形 床を張った, 床のある.
flur·ried 形 混乱した; 慌てた; 動揺した.
fold·ed 形 折られた.
formed 形 ☞
found·ed 形 創始された; 基礎がおかれた.
foxed 形 《話》だまされた, 欺かれた.
fract·ed 形 《廃》壊れた.
freaked 形 《米俗》ショックを受けた, 混乱した.
fren·zied 形 ひどく興奮した, 熱狂した.
fret·ted 形 雷文(らいもん)(模様)のある.
fried 形 ☞
friend·ed 形 《古》友達のある; 友達を連れた.
fright·ened 形 おびえた; どきりとする.
frost·ed 形 霜で覆われた, 霜が降りた.
fucked 形 《俗》つぶれた, 駄目になった.
fun·ki·fied 形 《米俗》ファンキーっぽい.
fur·nished 形 家具[調度]付きの.
fuzzed 形 《米俗》酔った.

gassed 形 《俗》(酒・麻薬で)酔っ払った.
gen·tri·fied 形 上品な, 洗練された; 高級化された.
gibbed 形 〘獣医〙〈猫が〉去勢された.
gild·ed 形 金[金箔]を張った, 金めっきした.
glo·ri·fied 形 《米話》見せかけの, いんちきの.
gob·smacked 形 《英俗》びっくり仰天した.
gol·darned 形 《話》いまわしい.
grat·i·fied 形 満足して.
groomed 形 髪や肌などを手入れした.
ground·ed 形 根拠のある, 基盤のある.
guard·ed 形 用心深い, 慎重な.
gummed 形 ゴム状物質を塗った; 粘着性の.
hab·it·ed 形 《古》=inhabited.
hacked 形 《俗》頭にきた; 悔しがった.
hack·neyed 形 使い古された, 陳腐な.
hal·lowed 形 神聖な; あがめられる; 神聖化された.
ham·mered 形 〈金属細工が〉打って装飾を施した.
ha·rassed 形 疲れきった; 悩み疲れた; 悩んだ.
hard·ened 形 堅くなった, 硬化された.
har·ried 形 困り果てた, 途方に暮れた.
haunt·ed 形 幽霊が出没する[よく出る].
heat·ed 形 熱せられた, 暖められた, 熱くなった.
hepped 形 《話》熱中した, 取りつかれている.
her·ald·ed 形 報道された, 予告された.
hip·poed 形 《米俗》だまされた; 裏切られた.
hogged 形 〈船・道路が〉中央が盛り上がった.
hoist·ed 形 《俗》盗まれた.
honked 形 《俗》酔った.
hon·ored 形 尊敬されている; 表彰された.
hooked 形 鉤(かぎ)形の; 鉤ホック付きの.
hor·ri·fied 形 すごい恐怖[ショック]を表す.
hu·mi·fied 形 腐植土化した.
hunt·ed 形 追われた, 追跡[迫害]された.
hur·ried 形 大急ぎの, 慌ただしい; がやがやした.
im·pact·ed 形 (楔(くさび)のように)割り込んだ.
im·paired 形 ☞
im·pas·sioned 形 情熱のこもった, 感動した.
im·plied 形 言外に示された, ほのめかされた.
im·pov·er·ished 形 貧窮化した, 貧困に陥った.
im·put·ed 形 帰属させた, 転嫁した.
in·debt·ed 形 借金[借財, 負債]がある.
in·dexed 形 〘経済〙物価指数による調整をした.
in·fect·ed 形 感染[伝染]している; 汚染した.
in·flect·ed 形 〈語形が〉屈折した.
in·flexed 形 〈葉などが〉内曲[内折]した.
in·formed 形 ☞
in·grained 形 深く染み込んだ; 生得の.
in·hab·it·ed 形 人が住んでいる, 住民がいる.
in·her·it·ed 形 相続した; 継承した; 遺伝の.
in·hib·it·ed 形 過度に抑制された; 内気な.
in·ject·ed 形 注入された.
in·sert·ed 形 差し込んだ; 書き入れた.
in·stalled 形 取りつけられた; 場所に落ち着いた.
in·struct·ed 形 教育を受けた, 教養のある.
in·tend·ed 形 意図された, 計画した; 故意の.
in·ter·est·ed 形 興味[関心]のある.
in·ter·rupt·ed 形 遮られた, 中断された, 妨げられた.
in·tort·ed 形 (内側へ)ねじれた; もつれた.
in·vect·ed 形 〘紋章〙〈分割線や幾何学的図形が〉下向きにとがった波形の.
jag·ged 形 ぎざぎざの, ジグザグの.
jammed 形 《米暗黒街俗》逮捕されて.
jel·lied 形 固化した, ゼリー化した.
jiffed 形 《英軍俗》いやな仕事を割り当てられた.
jig·gered 形 《俗》《ののしり》いまいましい.
joined 形 接合された; 参加した.
ker·flum·moxed 形 《米俗》当惑[困惑, 混乱]した.
killed 形 《米俗》酔っ払った.
knack·ered 形 《英俗》へとへとになった.
knit·ted 形 編んだ; 《複合語》…編みの.
knot·ted 形 節のある, 節の多い, 節だらけの.
la·bored 形 困難な, 骨の折れる, 苦しい.
la·dy·fied 形 貴婦人のような, 貴婦人らしい.
lagged 形 遅延の, 遅れた, 遅れて起こる.
la·ment·ed 形 哀悼される, 惜しまれる.
land·ed 形 土地[地所]を持っている.
learn·ed 形 《文語》《おおげさに》博学な.
light·ed 形 《複合語》…で照された.
lim·it·ed 形 限られた; 不足している; 一応の.
linked 形 連結した, 環(かん)でつないだ.
liq·ue·fied 形 《米話》酔った.
load·ed 形 荷を積んだ; 満員の.
-locked 連結形 ☞
logged 形 びしょ濡れの; 〈船が〉浸水した.
looped 形 《俗》酒に酔った; 輪[環]のある.
lum·bered 形 厄介な状況で, 困ったことになって.
maimed 形 身体障害の.
malt·ed 名 麦芽乳.
manned 形 人間の乗った, 有人の.
marked 形 著しく目立つ, 人目を引く, 際立った.
mar·ried 形 結婚で結ばれた; 結婚した, 既婚の.
mashed 名 《話》マッシュポテト.
mas·si·fied 形 大衆化された, 個性のない.
matched 形 匹敵した; 調和した, 付合した.
mat·ted 形 一面に密生した.
melt·ed 形 《米俗》=plotzed.
men·tioned 形 ☞
mer·i·ted 形 値する, 当然の, 正当な.
miffed 形 むっとして, しゃくにさわって.
milled 動 〈硬貨が〉打出機で造られた.
mixed 形 混合した, 混じり合った; 混成の.
mobbed 形 《米俗》組織犯罪に関係した.
mopped 形 《米俗》酔った.
mount·ed 形 馬に乗った, 動物の背に乗った.
need·ed 形 必要とされた, 必要な.
nipped 形 《米俗》酔った.
notched 形 刻み目のある.
nour·ished 形 栄養がゆきわたった, 肥えた.
num·bered 形 (確認のための)番号をつけた.
ob·sessed 形 取りつかれた; 強迫観念を持った.
oc·cu·pied 形 ☞
oiled 形 油を差した; 油で磨いた.
or·dered 形 整った, 整頓(せいとん)された.
-o·ri·en·ted 連結形 ☞
os·si·fied 形 骨化した, 骨となった.
out·ed 形 《米俗》死んだ, 殺された.
owned 形 ☞
packed 形 満員の, ぎゅうぎゅうに込んでいる.
pad·ded 形 《米俗》〈文章などが〉冗長な.
pained 形 痛がる; 感情を傷つけられた.
paint·ed 形 描かれた; 彩色した.
pan·si·fied 形 《米俗》めめしい, 柔弱な.
part·ed 形 分かれた; 分裂した, 割れた.
passed 形 ☞
peak·ed 形 青白い; 弱々しい; やせ衰えた.
pegged 形 木くぎで固定した.
pepped 形 《米話》《婉曲的》酔った.
per·ished 形 《話》やつれ切った, 疲れ切った.
perked 形 《米話》酔った.
per·plexed 形 当惑した, 途方に暮れた.
per·vert·ed 形 〘病理〙異常の, 変態の.
picked 形 精選された, 選抜された.
piffed 形 《米俗》死んだ.
pil·fered 形 《米話》酔った.
pissed 形 《俗》=plotzed.
pit·ted 形 〈果物が〉核を除いた.
planned 形 計画された, 立案された.
plas·tered 形 《俗》酔った.
plotzed 形 《俗》酔った.
ploughed 形 =plowed.
plowed 形 《米話》(酒, 麻薬で)酔った.
plugged 形 〈管などが〉詰まった.
point·ed 形 先[先端]のとがった.
pol·ished 形 つや[光沢]の出た, 磨き上げた.
pooped 形 《米話》くたくたの, へとへとの.
popped 形 《米俗》逮捕された, つかまった.
pos·sessed 形 ☞
pot·ted 形 鍋に入れられた. 《俗》酔った.

E

pow·dered 形 《米話》酔った.
pow·ered 形 ☞
pre·load·ed 形 〖コンピュータ〗〈ソフトが〉パソコン購入時にインストール済みの.
pressed 形 圧っされた; 圧縮された.
pre·tend·ed 形 振りをした, 空とぼけた.
proclaimed 形 宣言[公布, 布告, 発表]された.
pro·fessed 形 公言した; 公然の; 公称の.
pro·pelled 形 ☞
pro·por·tioned 形 釣り合いの取れた.
pro·tect·ed 形 保護された.
pub·lish·ed 形 公にされた; 発表された, 刊行された.
puffed 形 膨らんだ; 《米俗》妊娠した.
pum·meled 形 《米学生俗》=glued.
pumped 形 《米俗》妊娠した; 奮い立った.
pur·port·ed 形 …というわさの.
pushed 形 《米俗》酔った.
quacked 形 《米俗》不公平な.
qual·i·fied 形 資質のある; 適格の; 条件を満たした.
queered 形 《米俗》酔った.
quilt·ed 形 (縫い方などが)キルト風の.
rar·e·fied 形 〈地位・階級などが〉高い; 〈技術・思考などが〉高度な; 難解な.
reached 形 〖米政治〗収賄[買収]された.
rea·soned 形 道理[理屈, 思慮分別]に基づいた.
re·cord·ed 形 記録された, 録音[録画]された.
re·flexed 形 〈木の葉・花弁などが〉反り返った.
re·formed 形 改良[改善, 改革]された.
reg·is·tered 形 登録済みの, 届出済みの.
re·laxed 形 くつろいだ, ゆったりした.
re·newed 形 新しくなった; 回復[復活]した.
re·nowned 形 有名な, 名高い, 名声のある.
rent·ed 形 賃貸[賃借]の.
re·peat·ed 形 繰り返された, たびたびの.
re·pressed 形 (心理的に)抑圧された.
re·signed 形 黙って従う, 従順な.
re·spect·ed 形 立派な, 評判の, 高く評価される.
re·strained 形 節度のある, 控えめの; 抑制の利いた.
re·strict·ed 形 制限された, 限られた.
re·tard·ed 形 知的障害の; 遅滞の.
re·tort·ed 形 反り返った[よじれた].
ret·ro·vert·ed 形 後方に曲がった.
revert·ed 形 〖生物〗先祖返りした.
riffed 形 《米俗》解雇された, 首になった.
ringed 形 結婚[婚約]指輪をはめた.
ripped 形 《俗》酔った.
roached 形 《米俗》二日酔いで, 疲れ果てた.
road·killed 形 《米話》〈動物が〉(車道で車に)轢き殺された.
roast·ed 形 焼いた, あぶった.
root·ed 形 〈植物などが〉根づいた.
round·ed 形 丸い; 丸みのある, 曲線的な.
ruffed 形 襞(ひだ)襟をつけている.
ru·ined 形 《英俗》《まれ》酔った.
saint·ed 形 列聖された, 聖人とされた.
sanc·ti·fied 形 神聖にされた, 清められた.
sat·is·fied 形 ☞
sawed 形 《米話》酔った.
scarred 形 傷あとのある.
scat·tered 形 ばらまかれた, 散在している.
scent·ed 形 香水をつけた; 香りのよい.
schnock·ered 形 《米俗》酔っ払った.
scorched 形 焦げた(ような).
scraunched 形 《米俗》酔った.
screwed 形 ねじで留めた.
scronched 形 《米話》酔った.
scrooched 形 《米俗》酔った.
sealed 形 《豪・NZ》〈道路が〉舗装された.
sea·soned 形 調味した, 味付けした.
seat·ed 形 《複合語》椅子の座部が…の.
se·clud·ed 形 遮られた, 隠された, 隔離された.
seg·ment·ed 形 部分に分かれた, 仕切られた.
se·lect·ed 形 選ばれた; えり抜きの, 精選された.
se·ques·tered 形 引っ込んだ, へんぴな; 孤立した.
ser·ried 形 ぎっしり詰まった, 密集した.
shad·owed 形 〖印刷〗影付き活字の.
sheared 形 刈り込んだ, 刈り取った.
shel·lacked 形 《米俗》酔った.
shelled 形 殻[莢(さや)]を取り去った.
shel·tered 形 保護されている.
shick·ered 形 《話》酔った.
shift·ed 形 移動した, 変換した, 転移した.
shnock·ered 形 酔っ払った.
shoul·dered 形 肩にかついだ, 背負った.
shredded 形 ずたずたの; 《米俗》酔っ払った.
signed 形 ☞
sig·ni·fied 名 〖言語〗所記, 言語内容.
singed 形 《米学生俗》=scorched.
sis·si·fied 形 めめしい, 意気地なしの, 弱虫の.
sketched 形 《米俗》変な, おびえた.
skied[1] 動 ski の過去形・過去分詞形.
skied[2] 形 《米俗》興奮した; どぎまぎした.
skimmed 形 〈ミルクが〉脱脂された.
skulled 形 《米俗》酔っ払った.
slammed 形 《俗》酔った.
slashed 形 〈衣服などが〉切れ目の入った.
slipped 形 〖紋章〗茎の途中を切り取られた.
slopped 形 《米話》酔った.
sloshed 形 《俗》酔った.
slugged 形 《米話》酔った.
slushed 形 《米話》酔った.
smashed 形 《俗》酔っ払った.
smeared 形 《米話》=blinded.
smurfed 形 《米俗》マネーロンダリングされた.
snapped 形 《米話》酔った.
snock·ered 形 《俗》酔った.
snoo·za·mo·rooed 形 酔った.
snowed 形 《米俗》だまされた.
soaked 形 ずぶぬれの. ►rain-soaked ともいう.
socked 形 《米話》酔った.
soiled 形 よごれた, 染みがついた.
sort·ed 形 〖地質〗分級した.
sot·ted 形 酔った.
spec·i·fied 形 明記された, 指定された.
spiffed 形 《米俗》酔った.
sprayed 形 噴霧させられた, かけられた.
squiffed 形 《俗》酔った.
squizzed 形 《米俗》酔った.
stacked 形 《主に米俗》豊満な胸をしている.
stemmed 形 《複合語》茎[柄, 軸など]のある.
ste·nosed 形 〖医学〗異常に狭い.
stepped 形 段のついた, 階段状の.
stewed 形 とろ火で煮込んだ, シチューにした.
stitched 形 《米俗》酔った.
stonk·ered 形 《NZ 俗》疲れ切った; 打ちのめされた.
stopped 形 止められた; 阻止された.
strained 形 ぴんと張った; 緊迫した; 神経質な.
strapped 形 《話》金に困っている.
stripped 形 取り去られた.
stuc·coed 形 《米話》酔った.
stud·ied 形 《文語》故意の, 不自然な.
stuffed 形 詰め物をした; 剝製にされた.
stunned 形 《米・豪・NZ 話》酔った.
stunt·ed 形 無理に発育[成長]を止められた.
suit·ed 形 適した, ふさわしい; 似合いの.
sup·port·ed 形 支えられる; 扶養されいる.
sussed 形 《英俗》精通した, 事情に通じた.
swacked 形 《俗》酔っ払った.
swamped 形 《米話》忙殺された.
sweat·ed 形 低賃金労働で作られた.
swigged 形 《米話》ほろ酔いの.
tai·lored 形 〈服が〉注文仕立ての.
tanked 形 タンクに入れた; 《俗》酔っ払った.
tanned 形 なめした; 日に焼けた.
tap·es·tried 形 タペストリーを掛けた[で覆った].
tapped 形 《米俗》金欠の, 一文無しの.
teaed 形 《米俗》酔っ払った.
teched 形 少し気のふれた, 精神の平衡を失った.
tem·pered 形 ☞

tent·ed 形 天幕を張った; テントに住む.
ter·ri·fied 形 怖がる, ぞっとする.
test·ed 形 《複合語》 検査 [試験] 済みの.
tetched 形 =teched.
thawed 形 《米話》 酔った.
thrashed 形 《米俗》 くたびれた; ひどい.
threat·ened 形 絶滅の危険のある; 脅かされている.
thrilled 形 (恐怖・興奮で)ぞくぞくして.
ticked 形 《俗》 怒った, むかっ腹を立てた.
tinned 形 錫(すず) [ブリキ] を張った.
toast·ed 形 《米話》 酔った.
tossed 形 《英俗》 酔った.
to·taled 形 《米俗》 完全に破壊された.
touched 形 《叙述的》 感動した.
trained 形 教育・訓練を受けた; 調教された.
tram·meled 形 《米学生俗》 酔った.
trans·port·ed 形 我を忘れた, 夢中の; 有頂天の.
trashed 形 《俗》 =blinded.
trav·eled 形 旅行の経験がある, 旅慣れた.
trav·elled 形 《特に英》 =traveled.
treat·ed 形 《複合語》 (…のように)扱われた.
trich·i·nosed 形 〘病理〙 旋毛虫病(trichinous)の.
tried 形 試験して保証された; 信用できる.
tri·part·ed 形 3 つに分かれた, 3 分した.
trussed 形 〘紋章〙〈鳥が〉翼をすぼめた.
tucked 形 折り込んだ.
turned 形 逆の, 逆さまの, 逆向きの.
tweeked 形 《米学生俗》 酔った.
twinned 形 双生の, 双子で生まれた.
twist·ed 形 ねじれた, らせん状の.
twitched 形 《英俗》 いらいらした.
un·looked 形 調べられない; 注意されない.
up·hol·stered 形 《米話》 酔った.
var·ied 形 変化に富む, 多様な, 種々の.
var·nished 形 《米話》 酔った.
vault·ed 形 穹窿(きゅうりゅう)のかかった.
vaunt·ed 形 大げさに [過度に] 賞賛されている.
ver·i·fied 形 立証 [証明, 実証] された.
vest·ed 形 (完全かつ永続的に)確保された.
vexed 形 いらいらした, 困った, 立腹した.
vi·sioned 形 幻影の; 幻で見た; 幻影から生じる.
vis·it·ed 形 訪ねられた; 巡視された.
void·ed 形 《まれ》 空白にされた; すき間のある.
walled 形 壁のある; 《複合語》 …の壁のある.
want·ed 形 〘広告〙 …を求む.
warped 形 曲がった, 反った; 常軌を逸した.
washed 形 洗浄 [洗濯] された.
wa·tered 形 川のある, 水に恵まれた.
waxed 形 酔った.
weath·ered 形 風雨にさらされた.
wedded 形 夫婦として結ばれた, 結婚した.
weed·ed 形 雑草を取った, 除草した.
whipped 形 むち打たれた.
whis·key·fied 形 《ふざけて》 ウイスキーの効いた.
whis·pered 形 うわさされている, ささやかれている.
whooshed 形 《米話》 酔った.
with·ered 形 しなびた, なえた; 枯れた.
wiz·ened 形 しなびた, しおれた; しぼんだ.
worked 形 手の加えられた; 製作された; 飾られた; 考案された; 運営された.
wor·ried 形 困っている, 当惑した, 心配した.
wound·ed 形 傷を負った, 手負いの, けがをした.
wrapped 形 《豪話》 とても喜んだ, うれしがった.
wrecked 形 難破 [遭難] した; 壊れた.
wronged 形 不当な扱いを受けた, 虐待された.
zagged 形 《米話》 酔っ払った.
zapped 形 《米俗》 疲れ果てた, へとへとの.
zerked 形 《米俗》 麻薬でひどく酔っ払った.
zipped 形 《米俗》 =zerked.
zis·si·fied 形 《米俗》 酔った.
zonked 形 《俗》 酔っ払った.
zorked 形 《米俗》 酔った
zounked 形 《米俗》 酔っ払った.
zunked 形 《米麻薬俗》 =zerked.

-ed[2] /d, t, id/

接尾辞 …を備えた, …のある.
★ 名詞につけて形容詞をつくる; なお名詞と動詞が同形の場合, 動詞につく -ed[1] と区別しにくいことがある.
★ 複合語につく: kind-hearte*d*, long-haire*d*, one-hande*d*, well-mannere*d*; 複合語の第 1 要素が比較級・最上級をとることもある: kinder-hearte*d*, sweetest-tempere*d*.
★ 語末にくる関連形は -D[2], -EDLY.
◆ 中英; 古英 *-ede*.
[発音] 発音は -ED[1] と同じ. 例外として, -legged, scabbed, stubbed は /-id/ とも発音される. 次の語は常に /-id/ と発音される: cussed, dogged, jagged, ragged, scrubbed, wicked, wretched. 強勢は原形と同じ.

ac·ci·dent·ed 形 〈土地などが〉起伏のある.
af·fec·tioned 形 《古》 …の気持ちを持って.
an·guished 形 苦悩を感ずる [示す, 伴う].
a·no·raked 形 《英俗》 マニア的な, おたくっぽい.
ant·lered 形 枝角のある.
ar·bored 形 東屋(あずまや)をしつらえた.
ar·boured 形 《特に英》 =arbored.
arched 形 アーチ形に作られた.
ar·mored 形 鎧(よろい)を着た.
ar·moured 形 《英》 =armored.
ar·se·niu·ret·ted 形 〘化学〙 ヒ化の, ヒ素と化合した.
assed 形 ☞
backed 形 ☞
bal·co·nied 形 バルコニーのある.
barbed 形 〘紋章〙 バラの花弁の間に…色の葉をつけた.
barred 形 棒 [横木] で囲んだ; 棒 [桟] のある.
bar·reled 形 《通例複合語》 …の銃身の.
bead·ed 形 ビーズで飾った, ビーズ製の.
beaked 形 くちばしのある.
beard·ed 形 ひげのある [を生やした].
bed·ded 形 ☞
bel·lied 形 ☞
belt·ed 形 ベルトの(ついた).
ben·nied 形 《米麻薬俗》 ベンゼドリンで興奮した.
ber·ried 形 液果をびっしりとつけた.
big·ot·ed 形 固執する, 偏狭な, 偏屈な.
bill·ed 形 《通例複合語》 …のくちばしのある.
binged 形 《俗》 酔っ払った.
bit·ted 形 《複合語》〈斧などが〉…の刃を持った.
blood·ed 形 ☞
bod·ied 形 ☞
bond·ed 形 公債によって保証された; 担保付きの.
bon·goed 形 《米俗》 酔っ払った.
boot·ed 形 長靴を履いた.
bos·omed 形 《通例複合語》 …の胸(形)をした.
bot·tomed 形 ☞
boughed 形 《通例複合語》 (大)枝の(ある).
boun·tied 形 (政府の)補助 [奨励] 金がついた.
bowed 形 弓のように曲がった, 弓形の.
brad·ded 形 さっぱ釘(くぎ)を打ちつけた.
brained 形 ☞
brand·ed 形 焼き印のついた.
bran·died 形 ブランデーで風味をつけた.
breast·ed 形 …の胸部を持つ, …を胸につけた.
brim·med 形 縁までいっぱいの.
browed 形 ☞
brushed 形 毛羽のある; 毛羽仕上げの.
bud·ded 形 出芽した; つぼみを持った.
bugged 形 《話》 盗聴器を取りつけられた.
bulbed 形 球根状の; 球根を持った.
burled 形 毛糸の節玉のついた.
burred 形 〈織物が〉毛羽立った, 目の粗い.
bushed 形 低木に覆われた; もじゃもじゃ頭の.
bus·kined 形 (半)長靴を履いた.
cab·ined 形 船室のある; 小部屋のある.
calced 形 〈特定の修道会士が〉靴を履いた.

cal·i·coed 形 サラサ[キャラコ]を着た.
can·died 形 砂糖漬けの, 砂糖でくるんだ.
can·kered 形 道徳的に腐敗した, 堕落した.
capped 形 覆われた, 蓋をされた.
cat·a·phract·ed 形 〘動物〙甲[鱗板]で覆われた.
celled 形 《通例複合語で》…細胞の.
cen·tered 形 中心がある.
-cen·tered 連結形 ☞
cen·tu·ried 形 《まれ》何百年[何世紀]も続く.
cham·bered 形 室[部屋, 空洞]のある.
chasmed 形 割れ目[裂け目]のある.
cheeked 形 《複合語》…のほおをした.
chest·ed 形 《通例複合語》…の胸をした.
chinned 形 …のあごをした.
churched 形 教会付属の, 教会と提携した.
cit·ied 形 都市化した; 都市のようになった.
clawed 形 《時に複合語》…の爪を持った.
clinched 形 《米話》酔っ払った.
clubbed 形 こん棒状の.
coat·ed 形 上着を着た; 上塗りしてある.
cof·fered 形 〘建築〙格間(ごう)を施した.
col·ored 形 ☞
col·oured 形 《主に英》=colored.
com·mis·sioned 形 任命された; 任官した; 委任された.
com·plect·ed 形 《話》《複合語》=complexioned.
com·ple·ment·ed 形 補足物を有する; 補足する.
com·plex·ioned 形 《通例複合語》…の顔色をした.
cord·ed 形 ひものついた; ひも製の; ひも状の.
corked 形 コルク栓をした; 《俗》酔っ払った.
cor·nered 形 ☞
cor·o·net·ed 形 小冠[宝冠]をいただいた, 着冠した.
cowled 形 僧帽をかぶった; 通気帽のついた.
crab·bed 形 不機嫌な, 気難しい, すねた.
cramped 形 痙攣(けいれん)を起こした.
cran·nied 形 割れ目の入った; すき間の多い.
cre·den·tialed 形 信用証明を得た, 信任された.
creep·ered 形 蔓(つる)植物に覆われた.
crowned 形 《複合語》王位に就いた.
crust·ed 形 外殻[甲殻, 外皮]のある.
cupped 形 茶碗(ちゃわん)のようにへこんだ.
cusped 形 先端のある; 先のとがった.
cuss·ed 形 《話》呪われた(cursed).
cyl·in·dered 形 《通例複合語》…気筒の.
den·imed 形 デニムの服(ジーンズなど)を着た.
dit·tied 形 小歌として作った[歌われた].
dog·ged 形 容易に屈しない; 頑固な, 強情な.
doored 形 戸[ドア]のある.
dot·ted 形 点を打った, 点々のある.
dragged 形 《米俗》マリファナでハイになった.
eared 形 ☞
end·ed 形 ☞
-en·gi·neered 連結形 設計・建設された, 加工された.
ex·tra·dosed 形 〈アーチが〉内弧と外弧が平行している.
fac·et·ed 形 《複合語》…の面をもった.
fan·ta·sied 形 空想上の, 架空の, 物語の中の.
feath·ered 形 羽毛の生えた; 羽飾りのついた.
fend·ered 形 フェンダー[緩衝装置]のある.
fi·bered 形 〈壁土などが〉毛[繊維]の混ざった.
fin·gered 形 ☞
finned 形 《複合語》…のひれのある.
fist·ed 形 ☞
flagged 形 《俗》(すでに酔っていて)もう飲ませてもらえない.
fla·vored 形 風味をつけた; 《複合語》…風味の.
fla·voured 形 《英》=flavored.
flawed 形 割れ目のある; 欠点のある.
fleshed 形 《通例複合語》…の肉をした.
flight·ed 形 〘紋章〙〈矢が〉羽根のついた.
flow·ered 形 《複合語》…の花をつける.
flub·dubbed 形 《俗》下手な, どじな.
foiled 形 〘建築〙葉形[弁]飾りのある.
foot·ed 形 ☞
forked 形 フォークに似た; 二またに分かれた.
frag·ment·ed 形 破片になった, 断片的な.
friend·ed 形 《古》友達のある; 友達を連れた.
frost·ed 形 霜で覆われた, 霜が降りた.
fruct·ed 形 〘紋章〙〈木が〉果実などをつけて描かれた.
fruit·ed 形 実をつけた, 実のなった.
funked 形 《米南部》〈タバコが〉腐った.
furred 形 〈動物が〉柔毛の生えた.
gait·ed 形 《通例複合語》…の足取りの.
gal·ler·ied 形 回廊[桟敷]のある.
giffed 形 《米話》酔っ払った.
gift·ed 形 優れた才能[天分]のある.
ginned 形 《米俗》酔っ払った, 酩酊(めいてい)した.
glan·dered 形 〘獣病理〙鼻疽(びそ)にかかった.
gof·fered 形 ひだ飾りを施した(frilled).
gonged 形 《米俗》(麻薬で)酔った, ラリった.
gorked 形 《米医学俗》意識もうろうとした.
grained 形 ☞
grid·ded 形 方眼のある[のついた].
grid·locked 形 行き詰りの, 進展のめどのない.
grogged 形 《米俗》酔っ払った.
ground·ed 形 根拠のある, 基盤のある.
gummed 形 ゴム状物質を塗った; 粘着性の.
gunned 形 …の砲を備えた.
hab·it·ed 形 (特殊な階級・職業などの)衣服を着た.
hagged 形 《英・方言》女魔法使いのような.
haired 形 ☞
hand·ed 形 ☞
hand·i·capped 形 障害のある, ハンディのある.
head·ed 形 ☞
heart·ed 形 ☞
heeled 形 ☞
herped 形 ヘルペスに感染した.
hipped[1] 形 《複合語》腰[ヒップ]が…の.
hipped[2] 形 《米・カナダ話》熱中した.
hipped[3] 形 《英》ふさいでいる.
his·to·ried 形 歴史のある, 由緒ある.
hob·nailed 形 (靴底に)鋲釘(びょうくぎ)を打った.
hon·eyed 形 蜜(みつ)の入った.
hon·ied 形 =honeyed.
hood·ed 形 頭巾(ずきん)の付いている.
hoofed 形 《複合語》ひづめのある.
hooked 形 鉤(かぎ)形の; 鉤ホック付きの.
horned 形 《しばしば複合語》…の角がある.
hu·mored 形 《通例複合語》機嫌が…の.
humped 形 こぶ[隆肉]のある.
i·de·aed 形 《複合語で》…の思想[考え]のある.
il·lu·sioned 形 幻想を抱いた; 思い違いをした.
inched 形 インチの目盛りのある; …インチの.
inked 形 《俗》酔っ払った.
in·stru·ment·ed 形 (試験用)機器を装備した.
in·ten·tioned 形 《しばしば複合語》…のつもりの.
in·ter·est·ed 形 興味[関心]のある.
i·vied 形 ツタで覆われた, ツタの生い茂った.
i·vo·ried 形 《古》象牙製の.
jack·booted 形 ジャックブーツを履いた.
jag·ged 形 《主に米俗》酔った.
jawed 形 ☞
jeaned 形 ジーンズをはいた.
jet·ted 形 《英》〈ポケットが〉玉縁になった.
joint·ed 形 継ぎ目[関節]のある.
ju·ried 形 入選作の.
kegged 形 《主に米学生俗》酔っ払った.
ker·chiefed 形 カーチフをかぶった.
keyed 形 〈管楽器が〉有鍵(ゆうけん)の.
kilt·ed 形 キルトをはいた.
knick·ered 形 半ズボンをはいた.
knot·ted 形 節のある, 節の多い, 節だらけの.
knurled 形 ぎざぎざのある, つぶつぶのある.
K.O.ed 形 《米話》ノックアウトされて.
lan·cet·ed 形 鋭尖(えいせん)アーチのある.
land·ed 形 土地[地所]を持っている.
lashed 形 《通例複合語》…のまつげのある.
lead·ed 形 ☞
leafed 形 《主に複合語》…(枚)の葉のある.
leg·ged 形 〈家具などが〉脚付きの.

-leg·ged 連結形 ☞
le·gioned 形 《詩語》軍隊の, 隊を組んだ.
let·tered 形 学問のある; 読み書きのできる.
lil·ied 形 ユリでいっぱいの, ユリの多い.
limbed 形 《複合語》…の肢 [枝] のある.
lipped 形 ☞
li·vered 形 ☞
liv·er·ied 形 (使用人などが)仕着せを着た.
looped 形 《俗》酒に酔った; 輪 [環] のある.
lunged 形 肺がある.
lus·tered 形 光沢のある; 光沢仕上げをした.
mailed 形 鎖帷子(くさりかたびら)を着けた; 武装した.
man·nered 形 ☞
marked 形 著しく目立つ, 人目を引く, 際立った.
marled 形 泥灰土で肥やした, 泥灰土を入れた.
masked 形 仮面をかぶった, 覆面をした.
mast·ed 形 《通例複合語》…本マストの.
mem·bered 形 《複合語》…の構成員から成る.
mem·o·ried 形 《通例複合語》記憶(力)が…の.
mind·ed 形 ☞
mi·tered 形 司教冠形の; 頂上が司教冠状の.
mon·eyed 形 《文語》金のある, 金持ちの.
mon·ied 形 =moneyed.
mooned 形 月形 [三日月形] で飾った.
mo·tored 形 《通例複合語》モーター付きの.
mouthed 形 ☞
neaped 形 〈座礁した船が〉小潮で離礁できない.
-necked 連結形 ☞
nest·ed 形 【数学】(集合または区間の順序を持つ系列で)おのおのがその前のものに含まれ, かつ集合の直径や区間の長さが 0 に収束する.
net·ted 形 網で包んだ [張った]; 網状の.
night·ed 形 《古》(夜のように)暗い, 黒い.
notched 形 刻み目のある.
nowed 形 【紋章】〈ライオンの尾・蛇などが〉緩やかな結び目を作った.
num·bered 形 (確認のためなどの)番号をつけた.
oared 形 《複合語》…本オールの.
oiled 形 油を差した; 油で磨いた.
o·pin·ioned 形 (特別な)意見を持った.
or·na·ment·ed 形 【印刷】〈字体が〉華麗な, 装飾体の.
over·alled 形 オーバーオールを着た.
oys·tered 形 【家具】(カキの殻のような)環状に化粧張りした.
pal·let·ed 形 製本者名の捺印(なついん)のある.
palmed 形 《複合語》手のひらが…の形をした.
pal·sied 形 中風にかかった, 半身不随の.
pan·eled 形 羽目板をはめた.
pat·ent·ed 形 得意の, (人に)特徴的な.
peaked 形 先のとがった; 峰のある.
pearled 形 真珠で飾った [をちりばめた].
pegged 形 木くぎで固定した.
pen·ciled 形 〈特に家禽(かきん)の羽が〉細い線で特徴づけられた.
pe·o·nied 形 《米俗》酔っ払った.
pet·ti·coat·ed 形 ペティコートをはいた; 女性の.
phos·pho·ret·ed 形 【化学】=phosphureted.
phos·phu·ret·ed 形 【化学】リン化した.
picked 形 《主に方言》とがった.
pi·las·tered 形 柱形(はしらがた)のある.
pinked 形 《米話》(酒で)酔った.
pinned 形 ピンで留めた.
pit·ted 形 穴のいっぱいあいた.
plaid·ed 形 格子縞模様の.
plonked 形 《米俗》酔った.
plucked 形 《話》《通例複合語で》勇気のある.
pocked 形 =pitted.
point·ed 形 先 [先端] のとがった.
polled 形 遺伝的に角のない.
poop·ied 形 《米俗》酔っ払った.
pop·pied 形 ケシで覆われた, ケシで飾られた.
por·ti·coed 形 ポルチコ [前廊] のある.
pouched 形 袋がある, 有袋の; 袋の形をした.
pow·ered 形 ☞
prec·e·dent·ed 形 先例のある.
pro·grammed 形 プログラム化された.
pronged 形 《通例複合語》…本の叉(また)になった.
prop·er·tied 形 財産のある.
punked 形 《俗》(スタイル・行動が)パンク風の.
quar·tered 形 4 分された.
quilled 形 細い管状に巻いた.
rag·ged 形 ぼろを着た, みすぼらしい身なりの.
rayed 形 光線を出す; 後光を放つ, 輝いている.
reed·ed 形 アシの茂った; アシでふいた.
repped 形 横畝織りの(ある).
ribbed 形 肋骨(ろっこつ)のある.
rib·boned 形 《複合語》リボンで飾った.
-rigged 連結形 ☞
rimmed 形 縁 [へり] のついた.
rind·ed 形 《通例複合語》皮 [殻] が…の.
ringed 形 結婚 [婚約] 指輪をはめた.
riv·ered 形 川のある.
rod·ded 形 《しばしば複合語》避雷針のついた.
roofed 形 《複合語》屋根のある, …屋根の.
roomed 形 《複合語で》…の部屋がある.
root·ed 形 〈植物などが〉根づいた.
ru·bied 形 ルビー色の, 深紅色の.
rummed 形 《米話》酔っ払った.
rut·ted 形 〈道路などが〉車輪の跡だらけの.
sab·oted 形 木靴(sabot)を履いた.
sal·a·ried 形 俸給を受ける, 月給を取る.
salt·ed 形 塩で味をつけた, 塩味の; 塩漬けの.
scab·bed 形 かさぶたのついた [を生じた].
scalled 形 《古》かさぶただらけの.
scarred 形 傷あとのある.
scrub·bed 形 《古》いじけた; みすぼらしい.
sealed 形 《豪・NZ》〈道路が〉舗装された.
seat·ed 形 《複合語》椅子の座部が…の.
seed·ed 形 種がまかれた; 〈植物が〉種子のある.
seg·ment·ed 形 部分に分かれた, 仕切られた.
sexed 形 ☞
shoul·dered 形 肩にかついだ, 背負った.
sight·ed 形 ☞
signed 形 ☞
sized 形 ☞
skilled 形 特殊技能を持っている.
skinned 形 《通例複合語》…の皮膚 [皮] をした.
skirt·ed 形 《複合語》…のスカートの.
skunked 形 《米俗》酔っ払った.
slip·pered 形 スリッパを履いた.
snagged 形 沈み木が多い, 沈み木に妨げられた.
souled 形 《通例複合語》…の魂を持った.
spar·red 形 【海事】マスト用円材が付けられた.
spav·ined 形 〈馬が〉飛節内腫にかかった.
spir·it·ed 形 ☞
spon·sored 形 慈善事業の資金集めのための.
spot·ted 形 斑点(はんてん)のある, まだらの.
spout·ed 形 (注ぎ)口のついた.
spurred 形 拍車をつけた.
stained 形 よごれた, 染みがついた.
stalked 形 茎 [軸, 柄] のある.
starched 形 《米俗》酔っ払った.
starred 形 星をちりばめた(ような); 星月夜の.
state·ment·ed 形 《英》〈児童が〉特殊教育該当者と認定された.
stat·ured 形 《複合語》…背丈の; 身長が…の.
stemmed 形 《複合語》茎 [柄, 軸など] のある.
stepped 形 段のついた, 階段状の.
stilt·ed 形 堅苦しい; 誇張した, 大げさな.
sto·reyed 形 《特に英》《複合語》=storied[2].
sto·ried[1] 形 歴史 [伝説, 物語] に名高い.
sto·ried[2] 形 《複合語》…階 [層] の, …階建ての.
strand·ed 形 《複合語》ある数 [種類] の縄を撚(よ)り合わせた.
streaked 形 筋の(ある), 縞(しま)の(ある).
stressed 形 強調された, アクセントが置かれた.
stringed 形 《複合語》弦を備えた, …弦の.

E

stub·bed 形 切り株にした, 根元から切った.
stud·ded 形 切り株にした; 切り株だらけの.
sug·ared 形 砂糖をかぶせた, 砂糖で甘くした.
swayed 形 〘獣病理〙 脊柱湾曲した.
sys·temed 形 組織化された, 組織として動く.
tabbed 形 《米黒人俗》 おしゃれをした.
tail·ed 形 ☞
tal·ent·ed 形 =gifted.
tap·es·tried 形 タペストリーを掛けた [で覆った].
tat·tered 形 =ragged.
taut·ed 形 《スコット》 もつれた, 絡み合った.
tem·pered 形 ☞
tent·ed 形 天幕を張った; テントに住む.
thewed 形 (…な)筋肉を持つ.
thorned 形 とげのある; イバラの生い茂った.
thought·ed 形 《通例複合語で》 …な考えを持つ.
thread·ed 形 糸を通した, 糸で飾った.
throat·ed 形 《通例複合語》 …ののどをした.
tiered 形 《複合語》 …段 [例, 層] になった.
tim·bered 形 ☞
tinned 形 錫(すず) [ブリキ] を張った.
tin·seled 形 《米暗黒街俗》 偽造の, 模造の.
tint·ed 形 《複合語》 …の色合い [香り] がついた.
tipped 形 〈物の〉 先 [端] が(…で)覆われた.
tired 形 タイヤのある.
toothed 形 《複合語》 …本の歯がある, …の歯の.
trac·er·ied 形 トレサリーのある [で装飾した].
tranked 形 精神安定剤(tranquilizer)を飲んでぼうっとなった.
trel·lised 形 〘甲冑〙 〈鎧(よろい)が〉 格子造りの.
trenched 形 溝を掘った; 排水溝のある.
tressed 形 〈頭髪が〉 編んだ; …の髪の.
tro·phied 形 戦利 [記念] 品で飾った.
-tro·phied 連結形 ☞
trou·sered 形 ズボンをはいた.
trunked 形 《通例複合語》 …な幹 [胴] を持つ.
tuft·ed 形 飾り房がついた, 房で飾った.
tur·ret·ed 形 小塔のある; 砲塔のある.
twi·light·ed 形 ぼんやり照らされた, 薄明かりの.
u·ni·formed 形 制服を着た, 制服姿の, 制服常用の.
veiled 形 ベールのついた.
veined 形 木目 [縞模様] のある [入っている].
ve·ran·daed 形 ベランダのある [付きの].
vi·sioned 形 幻影の; 幻で見た; 幻影から生じる.
vis·taed 形 展望のある, 見通しの利く.
waist·ed 形 《通例複合語》 …の腰 [胴] を持った.
walled 形 壁のある; 《複合語》 …の壁のある.
ward·ed 形 〈錠が〉 中に突起がある.
wa·tered 形 川のある, 水に恵まれた.
webbed 形 〈手・足の指が〉 水かきのある.
weight·ed 形 重くされた, 重くなった.
wheeled 形 《複合語で》 車輪のある, 車輪付きの.
whelked 形 巻き貝形の.
whisk·ered 形 《複合語》 …のほおひげのある.
whorled 形 渦巻きのある.
wick·ed 形 よこしまな, 邪悪な, 不正な.
wigged 形 かつらをつけた.
willed 形 《通例複合語》 …の意志を持つ.
wind·ed 形 息を切らした.
win·dowed 形 《しばしば複合語》 …の窓のある.
winged 形 ☞
wit·ted 形 ☞
woad·ed 形 大青(たいせい)で染めた.
wont·ed 形 《米》 (環境に)慣れた, 習熟した.
wood·ed 形 樹木の茂った, 森林の多い.
wooled 形 羊毛のある; 《複合語》 羊毛が…の.
woolled 形 =wooled.
wretch·ed 形 不運な; 悲惨な; 哀れな.
zip·pered 形 ジッパーで締めた; ジッパー付きの.

-ed[3] /ed/

語尾 しばしば短縮語の語尾となる.
★ 語末にくる同音形は -EAD[2].

bed 名 ☞
bled[1] 動 bleed の過去・過去分詞形.
bled[2] 名 (北アフリカの)荒れ地, 不毛地域.
bred 動 ☞
cred 名 《俗》 最新の流行に明るいこと.
ed 名 《話》 教育(education).
fed[1] 動 ☞
fed[2] 名 《米俗》 連邦政府職員; 警察職員.
fled 動 flee の過去・過去分詞形.
ged 名 《スコット・北イング》 カワカマス科の魚(pikes)の総称.
ked 名 〘昆虫〙 ヒツジシラミバエ.
led 動 lead の過去・過去分詞形.
med 形 《話》 医学の(medical).
ned 名 《スコット俗》 ごろつき, ならず者.
ped[1] 名 〘地質〙 ペッド.
ped[2] 名 歩行者; 徒歩旅行者(pedestrian).
ped[3] 形 《話》 学者ぶった(pedagogical).
-ped 連結形 ☞
pled 動 plead の過去・過去分詞形.
red[1] 名 ☞
red[2] 動他自 整理する, 片付ける(redd).
shed[1] 名 ☞
shed[2] 名 ☞
shed[3] 動他 〈家畜を〉 群から分ける.
shred 名 (特に細長い)切れ端, 断片.
sked 名 《話》 定期航空路. ►schedule から.
sled 名 ☞
sned 動他 《スコット・北イング》 剪定(せんてい)する.
sped[1] 動 speed の過去・過去分詞形.
sped[2] 名 《米俗》 脳たりん.
ted 動他 〈草などを〉 干すために広げる.
wed 動他 《文語》 結婚する.
zed 名 《主に英》 Z, z の字.

-ed·dle /édl/

語尾 meddle, treddle の -dle は反復を表す. ◇ -LE[3].

hed·dle 名 綜絖: 織機の開口装置に用いる器具.
med·dle 動自 余計な世話をやく, 干渉する.
ped·dle 動他 〈商品を〉 売り歩く, 行商する.
red·dle 名 代赭石, 赭石, レッドオーカー.
tred·dle 名 (機械の)踏み子, 踏み木, ペダル.

-ede /iːd/

語尾 語末にくる同音形は -EAD[1], -EED.

brede 名 《古》 撚り合わせたもの; 編んだ髪.
cede 動他 譲る, 譲渡する.
-cede 連結形 ☞
-pede 連結形 ☞
rede 動他 《主に英方言・古》 忠告 [助言] する.

edge /édʒ/

名 **1** 端, へり, きわ. **2** (刃物の)刃.

absórption èdge 〘物理〙 吸収端.
cútting èdge 刃先, 切り刃.
déckle èdge (紙の)耳.
dis·édge 動他 …のへりを落とす [取る]; 鈍らせる.
édge-to-édge 形 《英》 (壁から壁まで)床一面を覆う.
féather·èdge そぎ端(は).
fóre èdge (書物の)前小口, 前余白.
frónt èdge 先頭, 最前線.
hárd-èdge 形 〘美術〙 ハードエッジの.
knífe èdge ナイフの刃.
léading èdge 〘航空〙 (翼・プロペラなどの)前縁.
óutside èdge 〘スケート〙 (刃の)外側のエッジ.

rágged édge 崖(がけ)っぷち, (絶壁・崖の)縁.
rázor-èdge かみそりのような鋭い刃.
rázor's édge =razor-edge.
stráight·èdge 直定規.
tráiling èdge 〘航空〙(プロペラ・翼の)後縁.
wíre èdge 刃返り.

-edge /édʒ/

語尾 edge, ledge, hedge, wedge に「縁」という語感があり, おそらく merge, verge, fringe, margin, bridge, ridge などの /dʒ/ とも意識下でつながりがあるように思われる.

dredge[1] 名 ☞
dredge[2] 動他 〘料理〙〈小麦粉を〉振りかける.
edge 名 ☞
fledge 動他 〈ひなを〉巣立ちまで育てる.
hedge 名 (低木や灌木(かんぼく)の)生け垣.
kedge 動他 〘海事〙ケッジ, 小錨(こいかり).
ledge 名 〘建築〙水平の出っ張り; 胴蛇腹.
pledge 名 誓約; 厳粛な協定; (政府の)公約.
sedge 名 〘植物〙スゲ.
sledge[1] 名 そり.
sledge[2] 名 (両手で使う)大ハンマー.
sledge[3] 動他 《豪》野次る, 野次って混乱させる.
vedge[1] 名 《俗》野菜(vegetable).
vedge[2] 動自 《俗》無気力な生活を送る(vegetate).
wedge 名 ☞

edged /édʒd/

形 《しばしば複合語》…の刃を持った. ⇨ -D[2].

déckle-èdged 形 〈紙が〉漉(す)かれたままの.
dóuble-édged 形 両刃の.
gílt-èdged 形 〈紙・書籍が〉金縁の.
hárd-édged 形 《話》徹底的に現実を描く.
kéen-édged 形 鋭利な; 鋭い刃の.
knífe-èdged 形 ナイフの刃のように鋭利な.
márble-èdged 形 〘製本〙小口マーブルの.
rázor-èdged 形 かみそりの刃のように鋭い.
sáw-èdged 形 鋸歯(きょし)状の, 縁がぎざぎざの.
shárp-édged 形 鋭い刃をした.
twó-édged 形 両刃の, もろ刃の.

ed·it /édit/

動他 〈新聞・雑誌・本などの〉編集をする.

co·éd·it 動他 共同編集する.
cópy·èdit 動他 〈原稿の〉入稿用整理をする.
rè·éd·it 動他 …を再編集する, 改訂する.
sùb·éd·it 動他自 編集補佐を務める.

e·di·tion /idíʃən/

名 (刊行物の)版. ►edit の名詞形. ⇨ -DITION.

áir edìtion (新聞・雑誌の)空輸版.
áuthor's edìtion 自選集.
búlldog edìtion 《米》(新聞の遠隔地向けの)早朝版.
cábinet edìtion 〘製本〙キャビネ版.
cíty edìtion (新聞の)地方版, 市内版.
cò·e·dí·tion 名 同時出版(物).
colléctéd edìtion (作家の)全集版, 著作集.
delúxe edìtion 豪華本.
fírst edìtion (書物の)第一版, 初版; 初版本.
lárge-páper edìtion 〘製本〙大判紙版, 大型判, 豪華版.
lárge-týpe edìtion 大活字本.
líbrary edìtion 図書館版.
límited edìtion (本・リトグラフなどの)限定版.
pócket edìtion 小型本, ポケットブック.
rè·e·dí·tion 名 再版, 改訂(版).
schóol edìtion =text edition.
subscríption edìtion (書籍の)予約(限定)版.
téxt edìtion 教科書版(school edition).
tráde edìtion 市販版, 普及版.

ed·i·tor /édətər/

名 **1** 主筆; 編集長; (新聞・雑誌の各部門の)部長. **2** 編集者. ⇨ -TOR.

bússiness èditor (新聞・雑誌の)経済部長.
cíty éditor 《米》(新聞社の)社会部長.
co·éd·i·tor 名 共同編集者, 共編者.
cópy·èditor 原稿整理編集者.
géneral éditor 編集長, 編集主幹.
línkage èditor 〘コンピュータ〙連結エディター.
mánaging éditor (新聞・雑誌・出版社の編集実務の主任となる)編集長 [局長].
néws èditor 《英》新聞社の地方記事編集長.
níght èditor 朝刊用に夜間記事をまとめる役の編集員.
spórting èditor =sports editor.
spórts èditor (新聞・通信・雑誌社などの)運動部長.
stóry èditor ストーリー・エディター: 映画・テレビ用台本に助言する人.
sùb·éd·i·tor 名 編集補佐.
téxt èditor 〘コンピュータ〙テキスト [文章] 編集プログラム.

-ed·ly /idli, əd- | əd-/

接尾辞 -ED[2] と -LY[1] の合成接尾辞. ⇨ -LY[1].
★ 様態の副詞をつくる.

ad·mit·ted·ly 副 明らかに, 疑いの余地なく.
a·larm·ed·ly 副 驚いて, びっくりして; 慌てて.
al·leg·ed·ly 副 申し立てによると, 伝えられるところによると.
al·low·ed·ly 副 許されて, 容認されて; 明らかに.
as·sum·ed·ly 副 たぶん, おそらく.
as·sur·ed·ly 副 確かに, 疑いなく.
bless·ed·ly 副 祝福されて; 幸いにも.
con·fess·ed·ly 副 自ら認めるように; 明らかに.
con·sum·ed·ly 副 《古風》非常に, 極度に, 甚だしく.
de·serv·ed·ly 副 功罪に応じて; 当然, 正当に.
fix·ed·ly 副 固定して, 定着して; 確固として.
pre·sum·ed·ly 副 推定されるように, おそらく, 多分.
pro·fess·ed·ly 副 自称して; 装って, 偽って.
re·port·ed·ly 副 報道 [報告] によれば, 評判 [風評] では.
re·put·ed·ly 副 評判では, 通説では; 世評では.
sin·gle-hand·ed·ly 副 独力で, 人の手を借りないで.
sup·pos·ed·ly 副 おそらく; 一般に信じられているところでは.
un·re·mit·ted·ly 副 絶えず, 中断せずに.

-e·do /íːdou/

接尾辞 ラテン語の名詞接尾辞.
◆ ラテン語 *-ēdō* より.

al·be·do 名 〘天文〙アルベド, 反射能 [係数].
u·re·do 名 〘病理〙皮膚搔痒(そうよう)感.

ed·u·cate /édʒukèit/

動他 〈人を〉教育する, 訓育する; 学校教育を授ける. ⇨ -ATE[1].

co·ed·u·cate 動他 男女共学の教育をする.
mis·ed·u·cate 動他 誤った教育をする.
o·ver·ed·u·cate 動他 必要以上に教育をする.
re·ed·u·cate 動他 …を再教育する.
un·der·ed·u·cate 動他 …に不十分な教育しか与えない.

ed·u·ca·tion /èdʒukéiʃən/

名 教育. ►educate の名詞形. ⇨ -ATION.

adúlt educátion 成人[社会人]教育.
básic educátion 《インド》基礎教育.
bilíngual educátion 二言語併用教育.
búsiness educàtion 実務教育.
cò·ed·u·cá·tion 名 (男女)共学.
commúnity educàtion (地方自治体による)地域教育.
condúctive educàtion 伝導教育.
contínued educátion 継続[成人]教育.
déath educàtion 【医学】死への準備教育.
devélopment educàtion 《英》児童社会関与教育.
distribútion educàtion 産学共同教育.
distríbutive educátion 《米》職業教育の特別科目.
dríver educátion (ハイスクールの学生などを対象とする)安全運転教育.
fúrther educátion 《英》継続教育.
géneral educátion 一般教育, 普通教育.
hígher educátion 高等教育.
in·èd·u·cá·tion 名 無学, 無教育.
líberal educátion 高等普通教育.
lífelong educátion 【教育】生涯教育.
ópen educátion 【教育】オープンエデュケーション.
phýsical educátion 体育.
póst-sécondary educàtion 【米教育】中等後教育.
progréssive educátion 進歩主義教育.
públic educátion 公教育, 学校教育.
recúrrent educátion 【教育】回帰教育.
sécondary educátion 中等教育.
spécial educátion 特殊教育.
tèle-educátion 電気通信を使った通信教育.
tértiary educátion 《英》第三次教育.
vocátional educátion 職業[実業]教育.

-ee[1] /íː, ìː/

接尾辞 **1** ある行為をされる人. **2** ある行為をする人. **3** あるものを所有している人. **4** ある状態にある人.
★ 動詞または名詞につけて名詞をつくる.
◆ <仏 *-é*(男性形), *-ée*(女性形), 過去分詞語尾<ラ *-ātus*, *-āta* -ATE[1].
[発音] -ee に第1強勢. 例外: comíttee.

〈**1**〉 ある行為をされる人.
a·ban·don·ee 名 【法律】被委付者.
ab·duct·ee 名 誘拐された人.
ac·cept·ee 名 (軍務などの)適格者.
ad·dress·ee 名 名あて人, 受取人, 受信人.
ad·mit·tee 名 入場[入学, 入会]を許可された者.
a·dopt·ee 名 adopt された人.
ad·vis·ee 名 【教育】指導学生.
al·ien·ee 名 【法律】譲受人, 被譲渡人.
al·lot·tee 名 割り当てを受ける人, 被配分者.
am·pu·tee 名 手足の切断手術を受けた人.
ap·pel·lee 名 【法律】被上訴人.
ap·point·ee 名 任命[指名]を受けた人, 被任命者.
ar·rest·ee 名 逮捕者, 被拘禁者.
as·sign·ee 名 【法律】(財産・権利などの)譲受人.
au·di·tion·ee 名 オーディション受験者.
a·ward·ee 名 受賞者; 裁定を受ける人.
bail·ee 名 【法律】受寄者.
bar·gain·ee 名 【法律】(土地売買契約の)買い手.
bi·o·gra·phee 名 伝記に書かれている人物.
brib·ee 名 収賄者.
call·ee 名 呼ばれる人; 訪問を受ける人.
com·mu·ni·ca·tee 名 コミュニケーションの受け手.
con·fer·ee 名 (称号・メダルの)受領者, 拝受者.
con·fer·ree 名 =conferee.
con·fin·ee 名 被監禁者, 幽閉者.
con·fir·mee 名 【法律】追認を受ける人.
con·script·ee 名 徴集された兵士.
con·sign·ee 名 (商品の)引受人, 荷受人; 受託者.
con·tact·ee 名 被接触者, 接触された人[もの].
coun·se·lee 名 カウンセリングを受ける人.
cov·e·nan·tee 名 【法律】受約者, 被契約者.
ded·i·ca·tee 名 (本などを)献呈された人.
de·por·tee 名 (国外などへの)被追放者.
des·ig·nee 名 指名された人, 被指名人.
de·tain·ee 名 (特に政治的な理由による)抑留者.
de·vi·see 名 【法律】(特に不動産の)受遺者.
dis·char·gee 名 (義務・責任などを)免除された人.
dis·sei·see 名 《特に英》=disseizee.
dis·sei·zee 名 【法律】不動産占有被侵奪者.
dis·trib·u·tee 名 《主に米》【法律】遺産分与を受ける人.
do·nee 名 【法律】受贈者.
draft·ee 名 《米》徴募兵, 召集兵.
draw·ee 名 【金融】手形名あて人.
ed·u·ca·tee 名 被教育者.
e·lect·ee 名 選ばれた人.
em·ploy·ee 名 従業員, 雇用人, 使用人; 社員.
en·dor·see 名 (手形などで, 裏書きされた)譲受人.
en·list·ee 名 志願兵, 現役応募兵.
en·roll·ee 名 登録者, 入会者; 入隊者.
e·vict·ee 名 立ち退かされた人.
ex·am·i·nee 名 試験[審理, 検査]される人, 受験者.
ex·chang·ee 名 交換学生[教授, 捕虜].
ex·pel·lee 名 追放者, (特に)国外追放者.
feoff·ee 名 封土[領地]受領者.
gar·nish·ee 名 【法律】債権差し押さえ通告をされた人.
gran·tee 名 【法律】被譲与者.
hon·or·ee 名 名誉を受ける人, 受賞[受勲]者.
im·por·tee 名 (外国からの)招請人物.
in·dem·ni·tee 名 《米》賠償を受ける人[会社].
in·duc·tee 名 《米》(選抜徴兵制による)徴集兵.
in·tern·ee 名 (捕虜など)被抑留者, 被収容者.
in·ter·view·ee 名 インタビューされる人, 被会見者.
lar·yn·gec·to·mee 名 喉頭(こうとう)切除手術を受けた人.
leg·a·tee 名 遺産受取人, 被遺贈者, 受遺者.
les·see 名 借地人, 借家人; 賃借人.
li·bel·ee 名 (宗教[海事]裁判所の)被申立人, 被告.
li·bel·lee 名 《特に英》=libelee.
li·cen·see 名 認可された人[店], 鑑札を受けた者.
list·ee 名 (名簿に)掲載された氏名[会社].
loan·ee 名 債務者, 借受人.
men·tee 名 優れた教師に指導を受けている人.
mug·gee 名 強盗に襲われた人, 強盗の被害者.
mur·der·ee 名 被殺害者, 殺される人.
nom·i·nee 名 (候補者に)指名された者.
ob·li·gee 名 【法律】債権者.
or·dain·ee 名 新任聖職者.
pa·rol·ee 名 仮釈放[出獄]者.
pay·ee 名 (金銭・手形・証券の)受取人.
pledg·ee 名 動産質権者.
poll·ee 名 世論調査を受ける人.
pres·en·tee 名 贈り物を受けた人, 被贈与者.
prom·is·ee 名 【法律】受約者, 被約束者.
pro·tec·tee 名 公式に他国に保護されている人.
purg·ee 名 被追放者
quiz·zee 名 《話》クイズ番組で出題される人.
re·cog·ni·zee 名 【法律】受誓約者.
re·ject·ee 名 《米》拒絶された人; 徴兵不合格者.
re·leas·ee 名 (債務の)被免除者; 【法律】(権利・財産などの)譲受人.
re·lo·cat·ee 名 移転[移動, 転勤]者.
re·mit·tee 名 送金受取人, 送金為替受取人.
re·train·ee 名 再訓練[再教育]を受けている人.
rush·ee 名 《米》学生社交クラブに加入勧誘されている学生.
say·ee 名 言う[話す]相手.
screw·ee 名 《米俗》セックスの相手の女性.
se·lect·ee 名 《特に米》選択徴集兵.
send·ee 名 (郵便物などの)受取人, 荷受人.
test·ee 名 受験者, 受験生; 受診者.
train·ee 名 訓練を受けている人, 訓練生.
trans·plant·ee 名 臓器移植手術を受ける[受けた]人.
troll·ee (パソコン通信などで)扇動的なメールの被害者.
trus·tee 名 trust された人.

tu·tee [名] 家庭教師のついている生徒.
vac·ci·nee [名] ワクチン接種を受けた人.
vend·ee [名] 〘主に法律〙=bargainee.
vouch·ee [名] 被保証人.
war·ran·tee [名] 被保証人, 被担保人.

〈**2**〉ある行為をする人.
ab·scond·ee [名] 逃亡者, 失踪(しっそう)者.
ab·sen·tee [名] 不参加者, 欠席者, 意図的欠勤者.
at·tend·ee [名] 出席者, 参列者.
co·hab·it·ee [名] 同棲(どうせい)者.
deb·au·chee [名] 放蕩(ほうとう)者, 道楽者.
de·part·ee [名] 故国を去る人.
dil·u·tee [名] 希釈工.
es·cap·ee [名] 逃亡者, 脱走者; (特に)脱獄者.
e·vac·u·ee [名] 避難者, 疎開者.
guard·ee [名] 《英話》近衛連隊.
ref·er·ee [名] 調停者, 仲裁人, 裁定者.
re·sign·ee [名] 退職者, 退職予定者.
re·tir·ee [名] 《米》退職者, 引退者; 年金受給者.
re·turn·ee [名] 帰還 [復帰, 帰国] 者; 帰還軍人.
sign·ee [名] (文書・記録などの)署名者, 調印者.
stand·ee [名] 《話》(劇場などで)立ち見客; (満員列車などで)立っている乗客.
trans·fer·ee [名] 転任 [転属, 転校] 者; 移籍する人.

〈**3**〉あるものを所有している人.
fran·chis·ee [名] 一手販売権所有(業)者.
mort·ga·gee [名] 抵当(債)権者, 譲渡抵当権者.
op·tion·ee [名] 〘商業〙選択権の保有者.
pat·ent·ee [名] 専売特許権所有者 [団体].

〈**4**〉ある状態にある人.
com·mit·tee [名] ☞
dev·o·tee [名] (仕事などに)熱中する人.
gran·dee [名] 身分の高い人, 高官, 貴人.
in·fec·tee [名] (病気に)感染している人.
merg·ee [名] 企業合併の当事者.
re·fu·gee [名] ☞
re·tard·ee [名] 《米》〘教育〙〘心理〙遅進児.

-ee[2] /íː/

[接尾辞] -y[2], -ie[1] の異形. **1** …に関係のある者: town*ee*. **2** …の小さな種類のもの: boot*ee*, **3** …に似ているもの: goat*ee*.

barg·ee [名] 《英》平底荷船(barge)の船員.
boot·ee [名] ブーティー: 子供用靴の一種.
coach·ee [名] 《話》(馬車の)御者.
coat·ee [名] 《特に英》コーティー: 乳幼児用上着.
goat·ee [名] (人が下あごに生やした)やぎひげ.
squee·gee [名] ゴムぞうきんで車のガラスをふき, 金をせびる人.
town·ee [名] 《主に英話》(田舎の人に対して)都会の人.
vest·ee [名] ベスティー: 上着の襟元を飾る胸当て.
Yan·kee [名] 《しばしば軽蔑的》米国人.

-ee[3] /íː, ei, i/

[接尾辞] -ée[1] の異形.
◆ フランス語の女性形過去分詞語尾より.

Ai·mee [名] エイミー(女子の名). ►字義はフランス語の愛称で「最愛の, 愛しい」.
che·vee [名] カメオに似た浮き彫りを施した宝石.
chor·dee [名] 〘病理〙尿道索.
fric·as·see [名] 〘料理〙フリカッセ.
lev·ee [名] 《米》堤防, 土手.
rep·ar·tee [名] 当意即妙の応答, 軽妙な即答.

-ee[4] /íː/

[音象徴間] **1** ピーッ, チーッ; 笛や小鳥の発する高い音 [声] を表す. **2** ワーイ, ヒャーッ, ヒーヒー; 歓喜・驚嘆・嘲笑などの声をあげること, また, その声を表す.

chick·a·dee [名] シジュウカラ科の鳥で, 主に米国のコガラ類.
fid·dle-de-dee [間] 《いらだち・軽蔑・冷淡を表して》ばかばかしい.
fid·dle-dee-dee [間] =fiddle-de-dee.
gee[1] [間] 《馬などに向けて》右へ, 右へ行け.
gee[2] [間] 《話》《驚き・熱意・落胆・単なる強調を示して》おやおや, おやまあ, ちぇっ, へえ.
hoop·ee [名] =whoopee.
jee [間] =gee[1].
kis·ka·dee [名] タイランチョウ科のキバラオオタイランチョウとキバラタイランチョウ.
kis·ki·dee [名] =kiskadee.
pe·wee [名] タイランチョウ科モリタイランチョウ属 *Contopus* の鳥の総称.
tee-hee [間] =te-hee.
te-hee [間] 《おかしさ・あざけりを表して》ウフフ, クックッ.
towee [名] トウヒチョウ(chewink).
tow·hee [名] =towee.
twee [間] ピーッ; 笛・小鳥などの高い声.
wee [間] ヒーヒー; 伝承童謡で子豚の鳴き声.
whee [間] 《喜び・興奮の表現》やった, ヒャーッ, ワーイ. ——[名] 《米俗》おしっこ(urine). ——[動][自] 甲高い声を上げる, ワーイ [ヒャーッ] と言う. ——[他] 《米話》大喜びさせる, 興奮させる.
whoop·ee [名] 《主に米話》《歓喜を表して》ワーッ, ワーイ.
wow·ee [間] 《驚き・喜びなどを表して》うおーっ, うわーっ, へー.
yip·pee [間] 《喜び・熱狂などのやや子供っぽい叫び声》うわーい, やったー.

-ee[5] /íː/

[音象徴間] 音象徴語の重複形に見られる語末要素.

gée-gèe [名] 《俗》《幼児語》おんま, ひんひん.
hée-hée [間] ヒッヒッヒ, イヒヒ. ►嘲笑(ちょうしょう)・ばか笑いなどを表す.
kítchee-kítchee-kítchee [名] コチョコチョ.
pée-pèe [名] 《米》ひよこ, (特にジャマイカで)七面鳥のひな; 《俗》おしっこ.
tálkee-tálkee [名] おしゃべり, 長話.
tée-tèe [動][自] 《幼児語》おしっこする. ——[名] おしっこ.
wée-wèe [名] 《俗》おしっこ.
wée-wée-wée-wée-wée [間] (小豚の鳴き声の)ヒーヒーヒーヒーヒー.

-ee[6] /íː/

[語尾] 語末にくる同音形は -EA[2], -EY[7], -I[7].

bee[1] [名] ☞
bee[2] [名] 〘海事〙ビー(ブロック), 支索環.
bee[3] [名] ☞ (アルファベットの)B, b の字.
dee[1] [形] 地獄に落とされた, 呪われた.
dee[2] [動][自] 《スコット》死ぬ(die).
dree [形] 《スコット・北イング文語》悲しくさせる.
ee [名] 《スコット》目(eye).
fee [名] ☞
flee[1] [動][自] 《やや文語的》逃げる, 避難する.
flee[2] [動][他][自] 《スコット》飛ばす; 飛ぶ(fly).
free [形] ☞
gee[1] [動][自] 《話》一致する, 折り合う.
gee[2] [名] 《米俗》1, 000 ドル; (一般に)金.
gee[3] [名] ☞

gee[4] 名 《米渡り労働者俗》1 ガロンの酒.
gee[5] 名 《米暗黒街俗》ピストル.
gee[6] 形 《米十代俗》胸くそ悪い.
gee[7] 名 ジー方式: 電波航法方式の一種.
gee[8] 動自 《米黒人俗》セックスする.
gee[9] 名 《もと米俗》アヘン, 麻薬.
ghee 名 ギー: 牛乳から作った液状バター.
glee 動自 《スコット・北イング》片目で見る.
gree[1] 名 《スコット古》優秀, 優越; 制圧.
gree[2] 名 《古・廃》好意, 善意, 恩恵.
gree[3] 動他自 《英古・方言》＝agree.
hee 代 彼が[は](he).
knee 名 ☞
lee[1] 名 (風などを防ぐ)物陰.
lee[2] 名 (液体, 特に酒類の)おり, かす.
pee 動自 《俗 / 幼児語》おしっこする.
pree 名 《スコット・北イング》検査, 吟味.
ree 名 【鳥類】シギ科のエリマキシギの雌.
schmee 名 《米麻薬俗》ヘロイン, 麻薬.
scree 名 【地質】(山腹の急斜面の)壊れた岩.
see[1] 動他 ☞
see[2] 名 ☞
shee 名 《アイル民間伝承》妖精の住む山.
shmee 名 ＝schmee.
skee[1] 名 ＝ski.
skee[2] 名 《米俗》ウイスキー.
spree 名 浮かれ騒ぎ, 遊興.
tee[1] 名 ☞
tee[2] 名 【ゴルフ】ティー(グラウンド).
tee[3] 名 傘蓋(さんがい), 傘形飾り.
tee[4] 名 《俗》茶(の葉)(tea).
thee 代 《古》《thou の目的格》汝を[に].
three 名 ☞
tree 名 ☞
twee 形 《主に英》ちょっと気取った.
vee 形 ☞
wee[1] 形 小さい; 微小な, ちっぽけな.
wee[2] 名動自 《主に英話 / 幼児語》おしっこ(する)(weewee).

-ée[1] /ei; *Fr.* e/

接尾辞 フランス語の女性形過去分詞形. ►-ee ともつづる. ◇ -EE[3].
★ 形容詞または名詞をつくる.
◆ ＜仏(-*er* で終わるフランス語動詞の過去分詞より).

al·lée 名 散歩道, 遊歩道, 並木道.
bot·o·née 形 【紋章】〈十字形が〉(各末端部で)三つ葉形になった.
bou·clée 名 【ビリヤード】人指し指と親指でできる突き棒を支える輪.
bour·don·née 形 【紋章】〈十字形の〉腕木の先端に丸こぶがついた.
bour·rée 名 ブーレ: 17 世紀フランスの舞踊.
cram·pon·née 形 【紋章】卍(まんじ)形の.
dis·tin·guée 形 〈女性が〉優れた; 上品な, 高貴な.
di·vor·cée 名 離婚した女性.
don·née 名 与件.
é·chap·pée 名 【音楽】エシャペ, 逸音.
en·trée 名 【料理】アントレ.
é·touf·fée 名 【料理】ザリガニと野菜のシチュー.
fi·an·cée 名 婚約中の女性, フィアンセ.
for·mée 形 【紋章】〈十字形が〉先端に向かって広がっている等しい長さの腕木を持つ.
ge·lée 名 (特に化粧品・食品の)ゼリー状物質.
pas·sée 形 〈女性が〉盛りを過ぎた.
pat·tée 形 【紋章】＝formée.
pom·mée 形 【紋章】＝bourdonnée.
pro·té·gée 名 女性の弟子.
pu·rée 名 【料理】ピューレ.
re·cer·ce·lée 形 【紋章】〈十字形の〉各末端が 2 つに分かれ, それぞれが羊の角のようにらせん状に外側に曲がっている.
soi·gnée 形 〈女性が〉身だしなみの整った.
un·dée 形 【紋章】〈区切り線が〉波状[形]の.
ur·dée 形 【紋章】〈十字が〉腕の先でひし形になってとがった.

-ée[2] /ei; *Fr.* e/

接尾辞 フランス語の名詞語尾. **1** 女性名詞: matin*ée*. **2** 男性名詞: coryphée.

bou·chée 名 一口パイ, ブーシェ.
chaus·sée 名 舗道; 車道, 街道.
cor·vée 名 (封建時代の)強制労働, 賦役.
cor·y·phée 名 【バレエ】コリフェ.
cu·vée 名 大桶(cuve)入り混合ワイン.
dra·gée 名 【菓子】ドラジェ.
ly·cée 名 リセ: フランスの国立高等(中)学校.
mat·i·née 名 マチネー: 演劇などの昼間の公演.
soi·rée 名 ソワレ: 特別な目的を持った夜会.

-eeb /iːb/

語尾 しばしば軽蔑的.
★ 語末にくる同音形は -EBE.

dweeb 名 《米俗》(十代の間で)ダサイやつ.
feeb 名 《米俗》あほう.
gweeb 名 《米学生俗》まじめな学生.
queeb 名 《米俗》小さな故障.
reeb 名 《英俗》ビール. ►beer の逆綴(つづ)り.

-eech /iːtʃ/

語尾 主に名詞をつくる; screech[1] は擬声語.
★ 語末にくる同音形は -EACH.

beech 名 ブナ(ノキ).
breech 名 《古》尻(しり).
fleech 動他 《スコット》〈人を〉丸め込む.
geech 名 《米俗》みにくい人.
leech[1] 名 ヒル(蛭).
leech[2] 名 《古》医者(physician).
leech[3] 名 【海事】リーチ: 横帆の縦縁.
screech[1] 動自 金切り声を上げる, 悲鳴を上げる.
screech[2] 名 《俗》《ニューファンドランド》黒っぽい強いラム酒.
speech 名 ☞

-eed /iːd/

語尾 語末にくる同音形は -EAD[1], -EDE.

bleed 動自 出血する.
breed 動他 ☞
-ceed 連結形 ☞
creed 名 教義, 信条; 宗教, 宗派.
deed 名 ☞
feed 動他 ☞
gleed 名 《古》真っ赤に燃えている石炭.
greed 名 意地汚い欲望, 貪欲(どんよく), 強欲.
heed 動他 気をつける, 注意する, 留意する.
keed 名 《米俗》ちび, がき, 小僧(kid).
meed 名 《古》報い, 償い, 報酬, 報償.
need 名 必要. ── 動他 …を必要とする.
reed[1] 名 ☞
reed[2] 名 【動物】皺胃(しわい).
screed 名 長たらしい話, 長談義, 長論文.
seed 名 ☞
speed 名 ☞
steed 名 《古・文語》馬, (特に)乗用馬.
tweed 名 ツイード.
weed[1] 名 ☞
weed[2] 名 (特に寡婦の)喪服.

-ee·dle /iːdl/

[語尾]

nee·dle [名] ☞
twee·dle[1] [動自] 甲高い調子の音［声］を出す.
twee·dle[2] [名] 《英犯罪俗》にせ指輪; 偽造, 詐欺.
whee·dle [動他] 〈人を〉おべっかでだまそうとする.

-eef /iːf/

[語尾] 語末にくる同音形は -EAF[2], -EIF[1], -IEF.

beef [名] ☞
queef [名] 《米俗》屁(へ).
reef[1] [名] ☞
reef[2] [名] 〘海事〙縮帆(部).
reef[3] [名] 《米俗》リーファ, 大麻(reefer).
shpleef [名] ＝spleef.
spleef [名] 《俗》(大きくて効きめの強い)マリファナ(タバコ); ハシシ(spliff).

-eek[1] /íːk/

[音象徴間] ＝-eak[1].

eek [間] 《驚きなどを表して》キャーッ, ヒェーッ, キーッ.
screek [動自] 金切り声で叫ぶ(screak).
skreek [動自] ＝screek.

-eek[2] /íːk/

[語尾] ee は中英語の /eː/ を示す綴りの一つ; 1500 年までには /iː/ となった.
★ 語末にくる同音形は -EAK[2], -EKE, -IQUE[1], -IQUE[2].

beek [動他自] 《スコット》日なたぼっこさせる［する］.
cheek [名] (人などの)ほお.
cleek [名] 《スコット》(物を引っ掛ける)大鉤(かぎ).
creek [名] 《米・カナダ・豪・NZ》小川, 支流.
deek [名] 《米俗》デカ, 刑事; 探偵.
eek [名] 《英俗》顔.
geek[1] [名] 《米俗》グロテスクなことをする芸人.
geek[2] [名] 《豪俗》見ること, 一目.
gleek[1] [動自] 《古》冗談を言う, (人を)からかう.
gleek[2] [名] グリーク: 英国のトランプ遊び.
jeek [形] 《米俗》すばらしい服装をした.
keek [動自] 《スコット》のぞく, 盗み見る.
leek [名] ☞
meek [形] 忍耐強く控え目な, 柔和な, 温和な.
peek [動自] (…を)ちらっと見る, 盗み見する.
reek [名] 強い臭気, 激しい悪臭.
seek [動他] 捜し求める, 尋ねる; 捜し出す.
sleek[1] [形] 滑らかな; つやつやした.
sleek[2] [動他] …を滑らかにする, のつやを出す.
smeek [名] 《スコット・北イング》濃い煙.
steek [動他] 《スコット》閉める, 錠をかける.
week [名] ☞
zeek [動自] 《米話》自制心を失う, 取り乱す.

eel /iːl/

[名] ウナギ: 無足目 Apodes の腹びれのない長い魚の総称.

blínd éel アンヒューマ.
bróiled éel かば焼.
cúsk-èel アシロ科のウナギに似た海水魚の総称.
eléctric éel デンキウナギ, シビレウナギ.
fráil éel 《米黒人俗》セクシーな女, いかす女.
gláss éel シラスウナギ, ハリウナギ.
gúlper èel フウセンウナギ.
lámper èel ヤツメウナギ.
Manháttan éel 《米俗》コンドーム.
múd èel オオサイレン.
róck-èel タウエガジ科の魚.
sánd èel イカナゴ.
snípe èel シギウナギ科の深海産のウナギの総称; 特にシギウナギ.
spíny éel ソコギス(底鱚).
vínegar èel スセンチュウ(酢線虫).
wólf-èel スズキ目オオカミウオ科の一種.

-eel /iːl/

[語尾] 一部に音象徴が認められる; reel, peel[1], keel[1] などは細く伸びるものをさし, eel とも暗示的につながる; heel[2], reel[2], kneel は傾くこと, よろめくことなどを表す.
★ 語末にくる同音形は -EAL, -EIL, -IEL.

creel [名] しょいかご.
eel [名] ☞
feel [動他] …に触る.
heel[1] [名] ☞
heel[2] [動自] 〈船などが〉一方に傾く.
heel[3] [名] 《米俗》卑劣漢, げす.
keel[1] [名] ☞
keel[2] [名] 《英東部》キールボート(keelboat).
keel[3] [動他] 《英方言》…を(特にかき混ぜて)冷やす.
keel[4] [名] (羊や木材などに印をつける)紅土, 代赭(たいしゃ)石.
keel[5] [名] 〘病理〙キール.
kneel [動自] ひざをつく; ひざまずく.
peel[1] [動他] 〈果物などの〉皮をむく.
peel[2] [名] (パン竈(がま)で出し入れに用いる)長柄の木べら.
peel[3] [名] (16 世紀にイングランドとスコットランド境界に造られた)住居付き保塁［砦(とりで)］.
reel[1] [名] ☞
reel[2] [動自] (強打・ショック・重荷などで)よろめく.
reel[3] [名] リール: スコットランド高地地方の軽快な踊り.
seel [動他] 〘タカ狩り〙〈タカの〉まぶたを縫う.
speel [動他自] 《スコット・北イング》登る.
steel [名] ☞
streel [名] 《アイル》だらしない女.
teel [名] ゴマ(til).
weel [形副間] 《スコット》＝well.
wheel [名] ☞

-eem /iːm/

[語尾] 語末にくる同音形は -EAM, -EME[2].

deem [動自] (…の)意見を持つ, 思う(think).
neem [名] ニーム: ニームノキの種子からつくる殺虫剤.
preem [名] 《俗》(芝居・オペラなどの)初日.
reem [動他] 〘海事〙〈板の継ぎ目を〉広げる(ream).
seem [動自] …のように見える, 思われる, …らしい.
teem[1] [動自] 《文語》〈場所が〉満ちる; 富む.
teem[2] [動他] 〈容器を〉空にする(empty).

-een[1] /iːn/

[接尾辞] 《アイル》…のちっちゃなもの, …のちっぽけなやつ.
◆ アイルランド語 *-in*(指小辞)より.

bo·reen [名] 《アイル》田舎の小道［細道］.

E

buck·een 名 《アイル》富裕階級の習慣や服装にあこがれる貧しい若者.
col·leen 名 《アイル》少女, 娘.
Do·reen 名 ドリーン(女子の名). ►字義は「小さな贈り物」.
dri·sheen 名 《アイル》ドリシーン: 羊の腸に肉と羊の血を詰めた腸詰め.
du·deen 名 (アイルランドの)短い陶製パイプ.
gom·been 名 《アイル英語》法外な利率 [高利] で金を貸すこと, 高利貸し.
Mau·reen 名 モリーン(女子の名). ►Mary のアイルランド語形.
No·reen 名 ナリーン(女子の名). ►Nora(女子の名)の指小形.
po·teen 名 (ウイスキー製造で)発酵させたマッシュ(mash)の 1 回目の蒸留.
Sho·neen 名 《アイル》イングランド風を気取るアイルランド人.
sleev·een 名 《アイル》ずるくて口がうまいやつ.
spal·peen 名 《アイル英語》少年, 男の子, 若造.
squi·reen 名 《まれ》《主にアイル英語》小地主.

-een[2] /iːn/

語尾 語末にくる同音形は -EAN[2], -ENE[2], -INE[1], -INE[2], -INE[3], -INE[4], -INE[5], -INE[7].

been 動 be の過去分詞形.
breen 名形 茶色がかった緑色(の).
green 形 ☞
keen[1] 形 〈刃物などが〉よく切れる, 鋭利な.
keen[2] 名 (死者のために)泣きながら歌う哀歌.
peen 名 ハンマーの頭.
preen[1] 動他 〈動物が〉〈毛を〉舌で整える.
preen[2] 名 《主にスコット》留め針, ピン.
queen 名 ☞
reen 名 《英俗》ロンドンの労働者階級の娘.
screen 名 ☞
seen 動 see の過去分詞形.
sheen[1] 名 光沢, つや; 輝き, 光輝, 光彩.
sheen[2] 名 《米俗》自動車(car).
spleen 名 脾臓(ひぞう).
steen[1] 動他 〈井戸・穴などの側壁に〉〈石・レンガ・セメントなどを〉積む.
steen[2] 名 水差し, ピッチャー.
steen[3] 形 《話》無数の, 多数の.
teen[1] 名 《主にスコット》いらだち, 怒り.
teen[2] 形 ☞
-teen 連結形 ☞
ween 動他 《古》…と思う, 考える.
wheen 形 《スコット・北イング》少しの.

-eep[1] /iːp/

音象徴 ツー, ピー; チーチー, ピーピー; ブザーや電子装置の音や, 鳥, 虫, ネズミなどの鳴き声を表す.

beep 名 (警笛, ブザーなどの)ビーッという音; (ピーッという)発信音, 信号音. ━━動自 ビーッという音を出す.
bleep 名 (電子装置などが呼び出し・警告を示す)ピーッ [ピッピッ] という音. ━━動他 (テレビ・ラジオ放送で)〈不穏当・猥褻な言葉を〉(ピーッという音や音声の中断によって)消す.
cheep 動自 〈ひな鳥・ネズミ・虫などが〉ピーピー [チューチュー] 鳴く(chirp, peep); ピーピー言う.
feep 名 《米話》コンピュータの発するビーという音(beep). ━━動自 〈コンピュータが〉ビーという音を発する.
peep 名 (ひな鳥・ネズミなどの鳴き声の)ピーピー, チューチュー.
weep 動自 泣く; (…に)涙を流す.
yeep 動自 ピーピー言う.

-eep[2] /iːp/

語尾 代表的な語尾の一つ; creep, peep, seep, steep, sweep に「広がり」「浸透」の音象徴を感じる人がいる; deep も心理的につながる; また, creep「嫌なやつ」, dreep などに軽蔑と嫌悪の響きがある.
★ 語末にくる同音形は -EAP.

creep 動自 ☞
deep 形 ☞
dreep 名 《話》役立たず, ふぬけ.
freep 名 《米俗》年寄りのホモ.
geep[1] 名 ギープ: ヤギと羊の混合種.
geep[2] 名 《米俗》水夫をやめた港湾労働者.
jeep 名 ジープ.
keep 動他 ☞
neep 名 《スコット》【植物】カブ.
peep[1] 動自 のぞく, のぞき見する.
peep[2] 名 =jeep.
peep[3] 動自 《幼児語》おしっこする(pee).
pleep 名 《英軍俗》空中戦を避ける敵パイロット.
reep 名 《米俗》代金未払い車の回収業者.
seep[1] 動自 〈水・光などが〉漏れる; 染み込む.
seep[2] 名 《米》水陸両用ジープ.
sheep 名 ☞
sleep 動自 ☞
steep[1] 形 傾斜の急な.
steep[2] 動他 浸す, つける; ふやかす.
sweep[1] 動他 ☞
sweep[2] 名 《俗》賞金レース; 投機; 競争.
threep 名 論争, 争い, 口論(threap).
veep 名 《米話》副会長 [総裁].

e'er /ɛər/

副 《詩語》=ever.

how·e'er 副接 《文語》=however.
ne'er 副 《文語》=never.
what·e'er 代形 《文語》=whatever.
when·e'er 接副 《文語》=whenever.
wher·e'er 接副 《文語》=wherever.
who·e'er 代 《文語》=whoever.

-eer[1] /iər/

接尾辞 **1** (専門的に)…を扱う人, …関係者, …を仕事にする人: engin*eer*, mountain*eer*. **2** (軽蔑的に)…と関係を持つ人, …を仕事にする人: fiction*eer*, racket*eer*. ►1, 2 は名詞につけて名詞をつくる. **3** …関係の仕事をする: election*eer*. ►名詞につけて動詞をつくる.
★ 語末にくる関連形は -ER[2], -IER[2].
◆ <仏, 古仏 *-ier*(<ラ *-ārius* -ARY).
[発音] 最後の音節(-eer)に第 1 強勢.

auc·tion·eer 名 競売人, 競り売り人.
bal·lad·eer 名 バラッド歌手; 《米話》流行歌手.
ban·do·leer 名 (肩から掛ける)弾薬帯, 負い革.
bas·ke·teer 名 バスケットボール選手.
buck·et·eer 名 から相場師, いんちき仲買人.
budg·et·eer 名 予算編成者, 予算委員.
cab·i·ne·teer 名 閣僚, 閣員.
can·non·eer 名 砲手, 砲兵.
car·a·bi·neer 名 =carbineer.
car·bi·neer 名 《もと》騎銃兵.
ca·reer 名 ☞
char·i·ot·eer 名 chariot「一人乗り軽二輪戦車」を駆る人.
con·ven·tion·eer 名 《米》大会出席 [参加] 者.
cou·po·neer 名 《英》公認候補者.
crotch·e·teer 名 奇想天外な人, 変人.

e·lec·tion·eer 動自 選挙運動をする.
en·gi·neer 名 ☞
eye·let·eer 名 小さな錐(きり), 千枚通し.
fic·tion·eer 名 小説家, (特に)二流作家.
fu·si·leer 名 《もと》火打ち石銃小銃兵.
gadg·e·teer 名 機械装置 [仕掛け] を考案する人.
gar·ret·eer 名 《古》(貧乏作家・画家・音楽家など) 屋根裏部屋の住人.
gaz·et·teer 名 地名辞典.
jun·ke·teer 名 行楽客.
leaf·let·eer 名 leaflet を書く [配る] 人.
mar·ke·teer 名 ☞
mis·sil·eer 名 ミサイルマン, ミサイル発射要員.
moun·tain·eer 名 山地の住人, 山国の人.
muf·fin·eer 名 薬味入れ, 振りかけ容器.
mu·le·teer 名 ラバ追い [人].
mus·ket·eer 名 マスケット銃兵.
mu·ti·neer 名 謀反者, 反逆者; 暴徒.
pam·phlet·eer 名 (特に議論の的になる問題についての)パンフレットの筆者 [出版者].
Pi·o·neer 名 《アイル》絶対禁酒をしている人.
pi·o·neer 名 (未開地の)開拓者.
pis·to·leer 名 《古》ピストルを使用する人.
pri·va·teer 名 私拿捕(だほ)船.
prof·it·eer 名 不当利得者, 暴利商人.
pul·pit·eer 名 《通例軽蔑的》説教屋, 説教坊主.
pup·pet·eer 名 操り人形師; 指人形使い.
rack·et·eer 名 不法者, ギャング, 密輸入, ゆすり.
rock·e·teer 名 ロケット発射員 [操縦者, 乗組員].
rou·ti·neer 名 型にはまった生活をする人.
scru·ti·neer 名 《主に英・カナダ》検査官.
slo·gan·eer 名 《主に米》(やたらに)スローガン [標語] を作って使う人.
son·net·eer 名 ソネット詩人.
sum·mit·eer 名 首脳会談 [会議] の参加者.
tar·get·eer 名 剣と丸盾で武装した兵.
vol·un·teer 名 (…の)志願者, 有志.
weap·on·eer 名 〔軍事〕核爆弾発射調整係.

-eer[2] /íər/

音象徴 愚弄(ぐろう), 冷笑を表す.

fleer 動自 (…を)あざ笑う, ばかにする, あざける, 愚弄(ぐろう)する.
jeer 動自 冷やかす, 野次る; あざける.
sneer 動自 (…を)あざ笑う, 冷笑する, せせら笑う.

-eer[3] /íər/

語尾 語末にくる同音形は -EAR[1], -EIR[2], -EER[1], -EER[2], -ERE[2], -IER[1], -IER[2], -IER[3], -IR[2].

beer 名 ☞
cheer 名 ☞
deer 名 ☞
heer 名 ヒア: 昔の長さの単位.
jeer 名 〔海事〕重い帆桁(ほげた)を上げ下げするための滑車装置.
leer 名 〔ガラス製造〕レア(lehr).
peer[1] 名 ☞
peer[2] 動自 じっと見る, 凝視する.
queer 形 奇妙な, おかしな.
schmeer 名 《米俗》(パンなどにつけるクリームチーズなどの)一塗り(分).
seer 名 サバ科サワラ属の食用魚.
sheer[1] 形 《主に米》透けるほど薄い.
sheer[2] 動自 〈船などが〉針路からそれる.
speer 動自他 《主にスコット》(…を)尋ねる.
steer[1] 動他 …の舵(かじ)を取る, を操縦する.
steer[2] 名 性成熟する前に去勢した雄牛.
sweer 形 《スコット・北イング》無精な.
veer[1] 動自 方向 [向き, 進路] を変える.
veer[2] 動他 〔海事〕〈綱・鎖などを〉緩める.

-eesh /íːʃ/

語尾 《米》では俗語をつくる.

creesh 名 《スコット》獣脂(grease).
heesh 名 《米俗》ハシシ(hashish).
sheesh[1] 間 《米俗 / 婉曲的》大便.
sheesh[2] 名 《米俗》ハシシ(hashish).
sneesh 名 《スコット・北イング》かぎタバコ.

-eet /íːt/

語尾 語末にくる同音形は -EAT[1], -ETE, -ITE[4].

beet 名 ☞
feet 名 foot の複数形.
fleet[1] 名 ☞
fleet[2] 形 《文語》〈動物・人が〉素早い.
fleet[3] 名 《英方言》入り江; 小川, 支流.
fleet[4] 形 《主に英方言》〈土が〉もろい.
gleet 名 〔病理〕(色の薄い病的な)分泌物.
greet[1] 動他 迎える, 歓迎する; あいさつする.
greet[2] 名 《スコット》《古》泣くこと.
keet 名 ホロホロチョウのひな.
leet[1] 名 〔英史〕領主裁判所.
leet[2] 名 《主にスコット》官職候補者リスト.
meet[1] 名 ☞
meet[2] 形 《古》(…に)ふさわしい, 当然の.
peet 名 《米俗》金庫; 財布; トランク.
reet 形 《米ジャズ俗》いい(right).
sheet[1] 名 ☞
sheet[2] 名 ☞
sheet[3] 間 《俗》くそ, ちくしょう(shit).
skeet[1] 名 スキート射撃(skeet shooting).
skeet[2] 名 〔トランプ〕スキート.
sleet 名 凍雨, 氷あられ.
street 名 ☞
sweet 形 ☞
tweet 名 (小鳥の)さえずり, チュッチュッ.
weet 動他自 《古》=know.

-eeve /íːv/

語尾 語末にくる同音形は -EAVE, -IEVE.

peeve 動他 《話》じらす, 悩ます. ——名 《米話》じらすもの.
queeve 動自 《米俗》(スケートボードで)勢いを失しう.
reeve[1] 名 ☞
reeve[2] 動他 〔海事〕〈穴などに〉ロープを通す.
screeve 動他 《主に英》〈無心の手紙を〉書く.
sleeve 名 ☞
steeve[1] 動他 〈船荷を〉(船倉に)詰め込む.
steeve[2] 動自 〔海事〕〈船のバウスプリットなどが〉(水平に張り出さず)仰角を持つ.

-eez /íːz/

語尾 俗語の語尾.
★ 語末にくる同音形は -EASE[2], -EAZE, -ES[4], -ISE[3].

Geez 間 《米俗》ちくしょう, あっ(Jesus).
geez 動自他 《米俗》(麻薬を)やる.
jeez 間 《驚き・失望などを表す穏やかな叫び声》おやおや, まあ.
sleez 名 《米俗》見下げ果てたやつ, 嫌な人.

-ef[1] /éf/

語尾 短縮語と外来語の語尾.
★ 語末にくる同音形は -EAF[1].

chef 名 コック長, 料理人頭, シェフ.
clef 名 ☞
def[1] 副 《米俗》確かに(definitely).
def[2] 形 《米俗》最高の(definitive).
kef 名 (中東で)(特に麻薬による)夢幻境.
nef 名 (中世の)食卓用舟形容器.
ref 名 《スポーツ俗》審判員(referee).
tref 名 《米俗》(極秘に開く)暗黒街の会合.

-ef[2] /éif/

語尾 語末にくる同音形は -AFE, -EIF[2].

kef 名 (中東で)(特に麻薬による)夢幻境.
tref 形 〖ユダヤ教〗食べるのに適さない.

ef·fect /ifékt/

名 結果; 影響; 効果. ⇨ -FECT.

Á-efféct 〖演劇〗異化効果(Alienation effect).
áfter·effèct 余波.
Augér efféct 〖物理〗二次光電効果.
autokinétic efféct 〖心理〗自動運動効果 [現象].
Bámbi efféct バンビ効果: 異性愛に目覚めること.
Bárkhausen efféct 〖物理〗バルクハウゼン効果.
Becquerél efféct 〖物理〗ベクレル効果.
Bernóulli efféct 〖水力学〗ベルヌーイ効果.
Bóhr efféct 〖生理〗ボーア効果.
bútterfly èffect チョウチョウ効果: 予想できない変化の仕方の比喩的表現.
cascáde efféct カスケード効果: あることが次々と影響を及ぼしていくこと.
cáuse-and-efféct 形 原因結果の関係にある, 因果関係の.
Cerénkov efféct 〖物理〗チェレンコフ効果.
Cherénkov efféct =Cerenkov effect.
Coánda efféct 〖流体力学〗コアンダ効果.
cócktail efféct 〖薬学〗カクテル効果.
Cómpton efféct 〖物理〗コンプトン効果.
Coriólis efféct 〖物理〗コリオリの効果.
díamond ríng efféct 〖天文〗ダイヤモンドリング効果.
dómino efféct ドミノ効果: 一つの出来事が一連の出来事を引き起こす累積的効果.
Dónald Dúck efféct 〖宇宙〗ドナルドダック効果.
Dóppler efféct 〖物理〗ドップラー効果.
écho efféct こだま効果, 一時遅れ現象.
édge efféct 〖生態〗際縁効果, 周辺効果.
Édison efféct 〖物理〗エジソン効果.
elèctrocalóric efféct 〖熱力学〗電気 [誘電] 熱量効果.
expérimenter efféct 〖心理〗実験者効果.
Fáraday efféct 〖物理〗ファラデー効果.
fíeld-efféct 形 〖電子工学〗電界効果の.
fóunder efféct 〖生物〗創始者 [先駆者] 効果.
galvanomagnétic efféct 〖電気〗〖物理〗電流磁気効果.
glásshouse efféct 《英》〖気象〗温室効果.
gréenhouse efféct 温室効果.
Gúnn efféct 〖物理〗〖電子工学〗ガン効果.
Háll efféct 〖物理〗〖電気〗ホール効果.
Hállwachs' efféct 〖物理〗ハルワックス効果.
hálo efféct 〖心理〗後光効果, ハロー効果.
Háwthorne efféct 〖心理〗ホーソン効果.
Héisenberg efféct ハイゼンベルク効果: 観察の対象とされることで対象そのものが本来の姿から変えられてしまうこと.
Hértz efféct 〖物理〗ヘルツ効果.
hórns efféct 〖心理〗マイナス効果.
hóthouse efféct =greenhouse effect.
inértia efféct 〖経済〗慣性効果.
Jánuary efféct 〖米株式〗1 月効果.
J-cúrve efféct 〖経済〗J カーブ効果.
Joséphson efféct 〖電子工学〗ジョセフソン効果.
Jóule efféct 〖物理〗ジュール効果.
Jóule-Thómson efféct 〖物理〗=Joule effect.
Júpiter Efféct 〖天文〗木星効果.
Kélvin efféct =Thomson effect.
Kérr efféct 〖物理〗(電気光学的)カー効果.
kéystone efféct 〖映画〗キーストン効果.
knóck-ón efféct 《主に英》連鎖反応.
Láke Wóbegon efféct レーク・ウォービゴン効果: 過大評価された基準をさす.
magnètocalóric efféct 〖物理〗磁気熱量効果.
Mágnus efféct 〖機械〗マグヌス効果.
Méissner efféct 〖物理〗マイスナー効果.
moiré efféct 〖光学〗モアレ効果.
Mössbauer efféct 〖物理〗メスバウアー効果.
múltiplier efféct 〖経済〗乗数効果.
Munróe efféct 〖軍事〗マンロー効果.
nongravitátional efféct 〖天文〗非動効果.
nótch éffect 〖金工〗切り欠き [ノッチ] 効果.
Ovshínsky efféct 〖電子工学〗オブシンスキー効果.
óxygen efféct 〖生物〗酸素効果.
pácking efféct 〖物理〗質量欠損.
Páschen-Báck efféct 〖物理〗パッシェン=バック効果.
Pastéur efféct 〖生物〗パスツール効果.
Péltier efféct 〖物理〗ペルチエ効果.
photoeléctric efféct 〖物理〗光電(こうでん)効果.
photovoltáic efféct 〖物理〗光起電力効果.
piezoeléctric efféct 〖物理〗ピエゾ電気効果, 圧電効果.
pínch efféct 〖物理〗ピンチ効果.
placébo efféct 〖薬学〗プラシーボ効果.
posítion efféct 〖遺伝〗位置効果.
Póynting-Róbertson efféct 〖天文〗ポインティング=ロバートソン効果.
prímary efféct 〖心理〗初頭効果.
Pygmálion efféct 〖心理〗ピグマリオン効果.
Ráman efféct 〖光学〗ラマン効果.
rátchet efféct 間欠的効果; 断続的増加.
rípple efféct 波及(効果), 連鎖作用.
Sabattíer efféct 〖写真〗サバチエ効果.
Sándwich efféct 〖超心理〗サンドイッチ効果.
Schóttky efféct 〖電子工学〗ショットキー効果.
Séebeck efféct 〖物理〗=thermoelectric effect.
shót efféct 〖電子工学〗散弾効果.
síde efféct (薬品類の, 特に有害な)副作用.
skín efféct 〖電気〗表皮効果.
sléeper efféct 〖心理〗スリーパー効果, 遅延効果.
sóund efféct 音響効果, 効果音, 擬声.
stáge efféct 舞台効果.
stár efféct 〖宝石〗スター [星彩] 効果.
Stárk efféct 〖物理〗シュタルク効果.
thermoeléctric efféct 〖物理〗熱電効果, 熱起電力の効果.
Thómson efféct 〖物理〗トムソン効果.
trénch efféct 火災の炎がエスカレーターなどの傾斜路を伝わり燃え移る現象.
túnnel efféct 〖物理〗トンネル効果.
Villári efféct 〖物理〗ビラーリ効果.
Vólta efféct 〖電気〗接触電位差.
wáll-attàchment efféct 〖流体力学〗=Coanda effect.
wéalth efféct 〖経済〗(株式市場上昇の)富裕効果.
Wígner efféct 〖物理〗ウィグナー効果.
Zéeman efféct 〖物理〗〖光学〗ゼーマン効果.

ef·fects /ifékts/

名複 **1** 品物, 物件; 動産; 個人資産, 身の回り品, (宝石, 衣服などの)所有物. **2** 効果. ►effect の複数形.

hóusehold effécts 家財道具.
óptical effécts 〖映画〗〖テレビ〗オプティカル効果.
pérsonal effécts (衣類・化粧道具などの)私物, 所持品.
spécial effécts 〖映画〗〖テレビ〗特殊効果, SFX.

ef·fi·cien·cy /ifíʃənsi/

名 効能のあること, 有効性; 有能さ; 能率, 効率. ⇨ -Y[3].

cóst efficiency 〘商業・会計〙費用効果性.
cúrrent efficiency 〘物理〙電流効率.
ecológical efficiency 〘生態〙生態効力, 生態的効率.
énergy efficiency エネルギー[燃料]効率.
húll efficiency 〘造船〙船体効率.
ìn·ef·fí·cien·cy 名 無能; 非能率; 効果のない点.
lúminous efficiency 〘光学〙発光効率.
quántum efficiency 〘物理〙〘化学〙量子効率.
rádiant efficiency 〘物理〙放射効率.
thérmal efficiency 〘熱力学〙熱効率.

ef·fi·cient /ifíʃənt/

形 **1** 有能な, 実力のある. **2** 能率的な. ⇨ -FICIENT.

cò·ef·fí·cient 名 ☞
cóst-efficient 形 費用効率の高い.
énergy-efficient 形 〈エンジンなどが〉燃費のよい.
fúel-efficient 形 燃費効率のよい, 低燃費の.
ìn·ef·fí·cient 形 効果のない, 能率の悪い.
volumétric efficient (エンジンなどの)容積効率.

-eft /éft/

語尾

cleft[1] 名 ☞
cleft[2] 動 cleave の過去・過去分詞形.
deft 形 器用な, 手際のよい, 熟練した.
eft[1] 名 〘動物〙(未成熟の)イモリ.
eft[2] 副 《古》再び.
heft 名 《米・英》重さ, 重量, 目方.
left[1] 形 ☞
left[2] 動 leave の過去・過去分詞形.
reft 動 reave の過去・過去分詞形.
theft 名 盗み, 窃盗; 窃盗罪.
weft 名 〘繊維〙緯(よこ)糸.

-eg /ég/

語尾 一部は短縮語の語尾.

beg[1] 動他 (人に)請う, 求める.
beg[2] 名 (オスマン帝国の)地方長官(bey).
cleg 名 《英》アブ(虻), ウシアブ.
dreg 名 (飲み物の)かす, おり(lees).
gleg 形 《スコット》鋭敏な, 鋭い.
keg 名 小樽(たる)(keg party).
leg 名 ☞
neg 名 《話》写真のネガ[陰画](negative).
peg 名 ☞
preg 形 《話》妊娠[受胎]している(pregnant).
-preg 連結形 ☞
reg 名 《話》規則, 規定(regulation).
seg[1] 名 《米話》人種差別主義者(segregation).
seg[2] 名 《米俗》にやにや笑い.
skeg 名 〘海事〙スケグ, かかと(shoe).
smeg 名 《英俗》薄汚いやつ(smegma).
squeg 動自 〈電子回路が〉間欠的に発振する.
teg 名 〘畜産〙テッグ.

egg /ég/

名 **1** (鳥類・爬虫(はちゅう)類・昆虫類の)卵; 鶏卵; (アリなどの)まゆ, さなぎ. **2** 鶏卵状の物. **3** 《俗 / 古風》人, やつ.

ánt ègg 「アリの卵」: ペットのエサにするアリのさなぎ.
bád égg 腐った卵.
chícken-and-égg 形 《話》因果関係がはっきりしない.
cúrate's égg 《英》看板倒れ.
dárning ègg (かがるときに穴や裂け目の下にあてがう)卵形のかがり台.
drópped égg 《ニューイング》落とし卵.
dúck(s)-ègg 〘クリケット〙得点できないこと, 0点.
Éaster ègg 復活祭の(飾り)卵.
fríed égg 《米軍俗》軍帽につける派手なバッジ.
góod égg 《話》感じのいい人, 信頼できる人.
góogy-ègg 《豪俗 / おどけて》卵.
góose ègg ガチョウの卵; 0点.
hén-and-égg 形 鶏が先か卵が先かといった〈問題など〉.
nést ègg (貯蓄などの)種銭.
Núremberg égg 〘時計〙ニュルンベルクの卵.
óne-égg 形 一卵性の.
páce ègg 《英》=Easter egg.
pówer égg (飛行船, まれに航空機の)エンジン収納部. ►卵形をしていることから.
ríghteous égg 《米俗》信用できるやつ.
rótten égg 《話》嫌なやつ.
Scótch égg 〘料理〙スコッチエッグ.
shéll ègg 殻のついた卵.
thóusand-yéar ègg 〘中華料理〙ピータン, 皮蛋.
thúnder ègg 〘地質〙(球状)団塊.
wínd ègg (殻が石灰質不足で柔らかい)無精卵.

eggs /égz/

名複 egg の複数形.

bácon and éggs ベーコンエッグ.
bácon-and-éggs 名複 ミヤコグサ.
bútter-and-éggs 名複 濃淡黄2色の花をつける植物の総称.
búttered èggs 《英》=scrambled eggs.
déviled éggs デビルドエッグ: かたゆで卵を半分に切り, 黄味をマヨネーズ, ドレッシング, 香味料などであえて白味に詰め直したもの.
scrámbled éggs スクランブルエッグ, いり卵.

e·go /íːgou, égou/

名 自我, 我, 自己, 自身.

álter égo 分身, もう一人の自己; 腹心.
nòn·é·go 名 〘哲学〙非我; 客体, 外界.
sù·per·é·go 名 〘精神分析〙超自我.
transcendéntal égo 〘哲学〙超越論的[先験的]自我.

e·gret /íːgrit, ég-, iːgrét, íːgret | íːgrit/

名 〘鳥類〙シラサギ. ⇨ -ET[1].

cáttle ègret アマサギ, ショウジョウサギ.
gréat égret ダイサギ(大鷺).
líttle égret コサギ.
réddish égret アカクロサギ.
snówy égret ユキコサギ(雪小鷺).

E·gyp·tian /idʒípʃən/

名 エジプト語. ⇨ -IAN.

Demótic Egýptian デモティック語.
Láte Egýptian =Demotic Egyptian.
Míddle Egýptian 中(期)エジプト語.
Néw Egýptian 新エジプト語.

-eh[1] /ei/

接尾辞 ヘブライ語の語尾要素.

feh 名 ペェ: ヘブライ語アルファベットの第17字(peh).
Jah·veh 名 =Yahweh.

E

Yah·weh 名 ヤハウェ: 旧約聖書中にある神の名.

-eh^{2} /éi/

間 擬声語と間投詞の重複形に見られる語末要素. ◇ -EH^{3}

béh-béh 間 《ヤギの鳴き声で》メーメー.
éh-éh 間 《オットセイ(seal)などの鳴き声で》エッエッ, オッオッ.
héh-héh 間 ヒッヒッヒ, イヒヒ. ►嘲笑(ちょうしょう)・ばか笑いなどを表す.

-eh^{3} /é, éi/

間 独立の eh も用いる. ◇ -EH^{2}.
★ 語末にくる同音形は -AE^{2}, -AY^{3}, -EA^{3}, -EI^{1}, -EIGH, -EY^{6}.

eh 間 《上昇調で用い驚き・疑い, または同意・確認を促す疑問や聞き直りの発声として》えっ. 「などを表す.
feh 間 へっ, ふん, ひどい. ►嫌気, 軽蔑(けいべつ)
heh 間 《驚き・質問・疑問》へえー, えっ.
yeh 間 《掛け声など》やー, えい.

-ei^{1} /éi/

語尾 語末にくる同音形は -AE^{2}, -AY^{3}, -EA^{3}, -EH^{3}, -EIGH, -EY^{6}.

hei 間 ねえ, やあ(heigh).
sei 名 イワシクジラ(sei whale).
vlei 名 《南アフリカ》低い沼沢地.

-ei^{2} /ái/

語尾 語末にくる同音形は -AI, -AY^{4}, -I^{6}, -IE^{3}, -IGH, -UY, -Y^{6}, -YE.

brei 名 【微生物】ブライ.
hei 間 ねえ, やあ(heigh).
vlei 名 《南アフリカ》低い沼沢地.

-eif^{1} /iːf/

語尾 語末にくる同音形は -EAF^{2}, -EEF, -IEF.

deif 形 《スコット》耳が遠い(deaf).
keif 名 (中東で)(麻薬による)夢幻境(kef).
reif 名 《スコット・廃》強奪物, 分捕り品.

-eif^{2} /éif/

語尾 語末にくる同音形は -AFE, -EF^{2}.

seif 名 セイフ砂丘, 縦列砂丘.
skeif 名 スケーフ: ダイヤモンド用の研磨皿.
treif 形 【ユダヤ教】不浄な(tref).

-eigh /éi/

語尾 語末にくる同音形は -AE^{2}, -AY^{3}, -EA^{3}, -EH^{3}, -EI^{1}, -EY^{6}.

heigh 間 《注意・励まし・喜び・驚きなど表して》おーい, よー, わー, わーい.
neigh 動自 〈馬が〉いななく.
sleigh^{1} 名 そり.
sleigh^{2} 名 (織機の)筬(おさ)(sley).
weigh 動他 ☞

eight /éit/

名形 8(の).

bént èight 《米俗》8 気筒エンジン(の車).
Bíg Éight 《米》8 大会計事務所.
éighty-éight 名形 88(の).
fígure éight 8 の字形.
fórked-éight 《米俗》V 型 8 気筒エンジン(の車).
fórty-éight 48.
míddle éight 【音楽】ミドルエイト.
nínety-éight 98; 98 歳.
númber éight 《米俗》ヘロイン.
séction éight 《米》兵役免除, 徴兵免除.
síx-éight 【音楽】8 分の 6 拍子.
skáty-éight 《米俗》多数, たくさん.
tréy-éight 《米俗》38 口径の銃.
V́-éight 名形 V 型 8 気筒エンジン(の).
wárd éight ウォードエイト: カクテルの一種.

-eight^{1} /éit/

語尾 語末にくる同音形は -AIT, -ATE^{4}, -EAT^{2}.

eight 名 ☞
freight 名 ☞
weight 名 ☞

-eight^{2} /áit/

語尾 -eight^{1} と異なり, high /hái/ や sly /slái/ の影響で /ait/ と発音される.
★ 語末にくる同音形は -IGHT, -ITE^{1}, -ITE^{2}, -ITE^{3}, -YTE.

height 名 ☞
sleight 名 《古》手練, 手腕; 器用さ, 巧妙さ.

-eign /éin/

語尾 /n/ の前でかつて発音された /g/ が落ちた.
★ 語末にくる同音形は -AIN^{2}, -AIN^{3}, -AINE, -ANE^{3}, -EAN^{3}, -EIN^{2}.

deign 動自 もったいなくも(…)してくださる.
feign 動他 …を装う, 振りをする.
reign 名 (人・物の)支配する期間.

-eil /iːl/

語尾 語末にくる同音形は -EAL, -EEL, -IEL.

ceil 動他 (しっくいで)塗る, 板を上張りする.
deil 名 《スコット》魔王; 悪魔(devil).
teil 名 《古》【植物】オウシュウシナノキ.

-ein^{1} /iːn/

連結形 【化学】**1** …化合物. ►-in, -ine で終わる名称の化合物と区別して塩基以外のものに用いる. **2** 無水…物: phthal*ein*.
★ 語末にくる関連形は -IN^{1}.
◆ -IN^{2}, -INE^{3} の変形.

bra·sil·e·in 名 =brazilein.
bra·zil·e·in 名 【化学】ブラジレイン.
gal·le·in 名 【染色】ガレイン.
or·ce·in 名 【化学】オルセイン.
phthal·ein 名 【化学】フタレイン.

-ein^{2} /éin/

語尾 語末にくる同音形は -AIN^{2}, -AIN^{3}, -AINE, -ANE^{3}, -EAN^{3}, -EIGN.

rein 名 ☞
skein 名 桛(かせ), 一桛の糸.

E

vein 名 ☞

-eir[1] /έər/

語尾 語末にくる同音形は -AIR, -ARE, -EAR[2], -ER[10], -ERE[1].

heir 名 ☞
their 代 彼ら［彼女ら］の；それら［あれら］の.

-eir[2] /íər/

語尾 語末にくる同音形は -EAR[1], -EER[1], -EER[2], -EER[3], -ERE[2], -IER[1], -IER[2], -IER[3], -IR[2].

keir 名 キアー(kier)：糸，布地を煮て漂白したり染めたりする高圧かま.
weir 名 堰(せき).

-eist /áist/

語尾

feist 名 《主に米南部》雑種の小犬；野良犬.
Geist 名 精神.►ドイツ語の借用.
heist 名 《主に米俗》強盗，押し込み.

-ek /ék/

語尾 語末にくる同音形は -EC, -ECH[1], -ECK.

drek 名 《俗》糞(ふん).
lek 名 【動物行動学】レック.
nek 名 《南アフリカ》(峰の間の)山道.
spek 名 《南アフリカ》豚肉の脂身.
trek 動自 旅する，前進する；集団移動する.
zek 名 旧ソ連の刑務所や強制収容所の収容者.

-eke /iːk/

語尾 語末にくる同音形は -EAK[2], -EEK[2], -IQUE[1], -IQUE[2].

deke 動他 【アイスホッケー】フェイントをかける.
eke[1] 動他 《古》…を増す，大きくする.
eke[2] 副 《古》また；その上，それに加えて.
geke 名 《米話》グロテスクなことをする見世物師.
peke 名 《話》ペキニーズ(犬).

-el[1] /əl, él/

接尾辞 主にラテン語系の語に用いられる指小辞.
★ 語末にくる関連形は -CEL[1], -ELL[1], -ELLA, -ELLUM, -REL.
◆ ＜古仏 *-el, -ele* ＜ラ *-ellus, -ella, -ellum.*
［発音］第1強勢は語頭の音節. 例外的に最後の音節 -el に置かれることがある：carousél, fontanél.

bar·bel 名 (魚の)ひげ，触鬚(しょくしゅ).
bev·el 名 ベベル，斜線，斜面，斜角.
bow·el 名 【解剖】腸，はらわた.
broc·a·tel 名 浮き織りの錦(にしき)，浮き織り.
bul·bel 名 【植物】小球根.
bush·el 名 ブッシェル：乾量単位.
car·ou·sel 名 《米》回転木馬，メリーゴーランド.
car·pel 名 【植物】心皮.
car·rou·sel 名 ＝carousel.
car·tel 名 カルテル，企業連合.
chap·el 名 ☞
chap·trel 名 【建築】迫台(せりだい).
chev·ron·el 名 【紋章】幅細の山形帯.
chis·el 名 ☞
cit·a·del 名 城砦，砦；(一般に)要塞.
colo·nel 名 ☞
cor·bel 名 【建築】コーベル，持送り積み.
cor·mel 名 【植物】子球.
cos·trel 名 腰下げ壺.
cren·el 名 (胸壁の)銃眼，狭間.
cu·pel 名 灰吹き皿.
ea·sel 名 画架，イーゼル；黒板台.
fon·ta·nel 名 【解剖】ひよめき，おどり，泉門.
grap·nel 名 引っ掛け道具，固定具.
grav·el 名 小石，砂利，礫(れき)，砂礫.
gru·el 名 薄粥(うすがゆ).
ho·sel 名 【ゴルフ】ホーゼル.
ker·nel 名 【植物】仁(じん).
la·pel 名 (背広襟などの)下襟，折り返し.
lev·el 形 ☞
li·bel 名 【法律】文書誹毀(ひき).
Li·o·nel 名 男子の名.►字義は「ちいさなライオン」.
lis·tel 名 【建築】(幅の狭い)平縁(ひらぶち).
man·go·nel 名 (中世の)投石器，大石弓.
mar·tel 名 槌，鉄槌.
mod·el 名 ☞
mo·rel 名 ナス(ヒヨドリジョウゴを含む).
mor·sel 名 一かじり，一口；軽食.
mos·cha·tel 名 レンプクソウ(連福草)，ゴリンバナ.
pan·el 名 ☞
pas·tel 名 ホソバタイセイ(細葉大青).
pim·per·nel 名 ルリハコベ.
pom·mel 名 (刀の柄(つか)などの)こぶ，柄頭(つかがしら).
pum·mel 動他 (こぶしで)繰り返したたく，連打する.
quad·rel 名 方形の石［れんが，タイル］.
quar·rel 名 (…との)口げんか，口論；仲たがい.
rad·i·cel 名 【植物】細根，小根；幼根.
ron·del 名 【韻律】ロンデル.
roun·del 名 (小さな)円いもの，円形のもの.
row·el 名 花車.
satch·el 名 小かばん，学生かばん.
sau·rel 名 マアジ.
scal·pel 名 外科［解剖］用メス.
sen·ti·nel 名 見張り，番人；見張り役をするもの.
sor·rel[1] 名 淡赤褐色，栗色.
sor·rel[2] 名 ギシギシ(スイバを含む).
span·drel 名 【建築】スパンドレル，三角小間(こま).
spi·nel 名 尖晶(せんしょう)石.
squir·rel 名 ☞
sti·pel 名 【植物】小托葉(たくよう).
suck·er·el 名 【魚類】サッカーの一種 *Cycleptus elongatus.*
tea·sel 名 ナベナ.
tim·brel 名 《古》ティンブレル.
trow·el 名 こて，金ごて.
tun·nel 名 ☞
Va·chel 名 男子の名.►字義はラテン語で「小さな雌牛」.
ven·nel 名 《スコット》小道.

-el[2] /əl/

連結形 《ヘブライ語》神.
★ 特に名前，地名を表す名詞をつくる.
◆ ヘブライ語 *el*「神」より.
［発音］3音節以下の語は語頭に第1強勢. 例外：Náthaniel. 4音節の語は語頭より2番目の音節に第1強勢.

Ar·i·el 名 エアリアル(女子，または男子の名).►字義は「神のライオン」.
beth·el 名 聖域，聖所，ベテル.
Dan·iel 名 ダニエル(男子の名).►字義は「神はわれを裁く者」.
E·man·u·el 名 エマニュエル(男子の名).►字義は「神はわれらと共に」.
Em·man·u·el 名 インマヌエル(男子の名).►字義は「神はわれらと共に」.

E·ze·ki·el 名 エゼキエル(男子の名). ►字義は「神は勇気を与えたまう」.
Ga·bri·el 名 ガブリエル: (カトリックで)大天使, (ギリシャ正教で)天使首. ►字義は「神の人」.
Ga·ma·li·el 名 ガマリエル(男子の名). ►字義は「神はわれに報いる者」.
Ish·ma·el 名 イシュマエル(人名). ►字義は「神は(願いを)叶えるだろう」.
Is·ma·el 名 =Ishmael.
Is·ra·el 名 イスラエル(国). ►字義は「神は屈しない」.
Lem·u·el 名 男子の名. ►字義は「神への献身」.
Mi·chael 名 ミカエル(男子の名). ►字義は「何者が神に似ているか? (似ている者などいない)」.
Na·than·iel 名 ナサニエル(男子の名). ►字義は「神は(すでに)与えられている」.
Oth·ni·el 名 オトニエル: イスラエルの士師(し).
Raph·a·el 名 ラファエル(男子の名). ►字義は「神は癒(いや)してくれる」.
Sam·u·el 名 サミュエル(男子の名). ►字義は「彼(神)は耳を傾けている」.

-el[3] /əl/

接尾辞 -AL[1] の変形したもの.
★ 主に名詞, 形容詞をつくる.

jew·el 名 宝石, 宝玉.
new·el 名 (階段の)親柱, 階段軸柱.
spi·ri·tu·el 形 〈人格・態度などが〉高雅な, 上品な.

-el[4] /él/

語尾 語末にくる同音形は -ELL[2], -ELLE[2].

bel[1] 名 【物理】ベル.
bel[2] 名 【植物】ベル(bael).
cel 名 セル: アニメーション映画製作用の透明なセルロイドのシート.
-cel[1] 接尾辞 ☞ -CEL[1]
-cel[2] 接尾辞 ☞ -CEL[2]
del 名 【数学】(ベクトル)微分演算子.
el 名 《話》高架鉄道(elevated railroad).
gel[1] 名 ☞
gel[2] 名 《英俗》女の子, 少女; 娘.
jel 名 《米俗》ばか, まぬけ.
mel[1] 名 《ラテン語》(処方箋(せん)で)蜂蜜(はちみつ).
mel[2] 名 メル: 音の高さの単位.
-mel 連結形 ☞
pel 名 【コンピュータ】【テレビ】画素.
-pel 連結形 ☞
sel 名形代 《スコット》=self.
-tel 連結形 ☞

e·las·tic /ilǽstik/

形 〈ゴム・ばねなどが〉伸縮性のある, 弾力のある. ⇨ -IC[1].
★ 語頭にくる関連形は elast(o)-: *elasto*meter「弾力計」.

àer·o·e·lás·tic 形 【航空】空力弾性の.
fi·bro·e·lás·tic 形 【解剖】【医学】弾性線維の.
gúm elàstic ゴム, 天然ゴム, 生ゴム.
ìn·e·lás·tic 形 弾力(性)のない, 柔軟性のない.
ì·so·e·lás·tic 形 【物理】(全体にわたって)等弾力性の.
nòn·e·lás·tic 形 弾性のない.
sù·per·e·lás·tic 形 【物理】超弾性の.
thèr·mo·e·lás·tic 形 【物理】熱弾性の.
vìs·co·e·lás·tic 形 【物理】粘弾性(物質)の.

el·bow /élbou/

名 ひじ; (衣服の)ひじの部分.

cápped élbow 【獣病理】馬蹄腫瘍, 肘腫.
cát's élbow はさみことばの一種.
dróp èlbow 【配管】突起付きひじ形継ぎ手.
ténnis èlbow テニスひじ, 上顆(じょうか)炎.

-elch /éltʃ/

語尾 けなすような響きがある. belch と squelch は音象徴から.

belch 動自 げっぷをする(eruct).
kelch 名 《英俗 / 侮蔑的》白人; 肌の色が白人としても通る黒人(kelt).
squelch 動他 打ち[押し]つぶす(squash).
welch 動自 《俗》(競馬などで)配当金をごまかす.

-eld /éld/

語尾

beld 形 《スコット》はげた(bald).
eld 名 《古》年齢, 年.
field 名 =fjeld.
fjeld 名 フィエルド: Scandinavia 半島の高原状台地.
geld[1] 動他 〈動物, 特に馬を〉去勢する.
geld[2] 名 【英史】税(tax).
geld[3] 名 《主に米俗》お金, 銭(gelt).
held 動 ☞
meld[1] 動他自 【トランプ】得点を宣言する.
meld[2] 動他自 《もと米》併合させる[する].
weld[1] 動他 ☞
weld[2] 名 【植物】キバナ(黄花)モクセイソウ.
yeld 形 《スコット・北イング》〈動物が〉子を産まない.

el·der /éldər/

名 【植物】ニワトコ.

bóx èlder ネグンドカエデ, トネリコバカエデ.
Européan élder セイヨウニワトコ(bourtree).
gróund èlder ビショップボーフウ(goutweed).
mársh èlder 《米》キク科 *Iva* 属の植物の総称.

e·lect /ilékt/

動他 選挙する. ——形 《通例複合語で》(まだ就任していないが)選挙された, 当選した. ⇨ -LECT[1].

góvernor-eléct 名 (就任前の)知事[総督].
prè·e·léct 動他 前もって選挙する; 予選を行う.
président-eléct 名 (就任前の)大統領当選者.
rè·e·léct 動他 再選[改選]する.

e·lec·tion /ilékʃən/

名 選挙. ►elect の名詞形. ⇨ -LECTION.

bý-elèction (英国国会などの)補欠選挙.
contésted eléction 《米》落選者から無効の異議申し立てのあった選挙. ►最近では controverted election という.
Cóupon Eléction 《英》公認証選挙.
dis·e·léc·tion 名 落選.
Éuro-eléction 欧州議会議員選挙.
géneral eléction 【米政治】(予備選挙に対し)本選挙.
kháki elèction カーキ色の選挙: 戦中または戦争直後の, 愛国心が高揚している時に行われる.
prè·e·léc·tion 名 あらかじめなされる選択[選抜].

prímary elèction 〘米政治〙予備選挙.

e·lec·tric /iléktrik/

形 電気の; 電気仕掛けの. ⇨ -IC[1].
★ 語頭にくる関連形は electr(o)-: *electro*static「〘電気〙静電気の」.

a·cous·to·e·lec·tric 形 電気音響(学)の.
all-e·lec·tric 形 〈住宅などが〉(光熱用にガスなどを用いず)電気のみ使用の, 完全電化の.
an·e·lec·tric 形 〘電気〙無電気性の.
bi·o·e·lec·tric 形 生体[生物]電気の.
di·e·lec·tric 名 〘電気〙誘電体, 電気絶縁体.
die·sel-e·lec·tric 形 ディーゼルエンジンを動力とする電気モーター付きの.
dy·na·mo·e·lec·tric 形 機械－電気の.
fer·ro·e·lec·tric 形 〘物理〙強誘電体の.
gas·o·line-e·lec·tric 形 ガソリン電気駆動の.
hy·dro·e·lec·tric 形 水力電気の.
i·so·e·lec·tric 形 電気的に同じの, 等電の.
mag·ne·to·e·lec·tric 形 磁気電気の.
my·o·e·lec·tric 形 筋電気の, 筋電性の.
pho·to·e·lec·tric 形 光電(こうでん)(効果)の.
pi·e·zo·e·lec·tric 形 〘物理〙圧電性[気]の.
py·ro·e·lec·tric 形 パイロ電気の, パイロ電気物質の.
ther·mo·e·lec·tric 形 熱電気の.
tur·bo·e·lec·tric 形 タービン発電(式)の.

e·lec·tric·i·ty /ilektrísəti, ìː-/

名 (物理的エネルギーとしての)電気. ⇨ -ITY.

atmosphéric electrícity 大気[気象, 空中]電気.
cóntact electrícity 接触電気.
fríctional electrícity ＝triboelectricity.
mag·nè·to·e·lec·tríc·i·ty 名 磁気電気.
négative electrícity 陰電気, 負電気[電荷].
phò·to·e·lec·tríc·i·ty 名 光(ひかり)電気.
piè·zo·e·lec·tríc·i·ty 名 圧電気, ピエゾ電気.
pósitive electrícity 陽電気, 正電気.
pỳ·ro·e·lec·tríc·i·ty 名 パイロ電気, ピロ電気, 焦電気.
státic electrícity 静電気.
thèr·mo·e·lec·tríc·i·ty 名 熱電気.
trì·bo·e·lec·tríc·i·ty 名 摩擦電気.
vítreous electrícity ＝positive electricity.
voltáic electrícity ボルタ電気, 動電荷.

e·lec·trode /iléktroud/

名 〘電気〙電極. ⇨ -ODE[2].

cálomel elèctrode 〘物理化学〙甘汞(かんこう)電極.
colléctor elèctrode 〘電子工学〙集電極.
contról elèctrode 〘電子工学〙制御電極.
hýdrogen eléctrode 〘化学〙水素電極.
mì·cro·e·léc·trode 名 〘物理化学〙微小電極, ミクロ電極.
phò·to·e·léc·trode 名 光電極.
réference eléctrode 〘物理化学〙照合電極, 基準電極.

e·lec·tron /iléktran | -trɔn/

名 〘物理〙〘化学〙エレクトロン, 電子. ⇨ -ON[1].

àn·ti·e·léc·tron 名 〘物理〙陽電子, ポジトロン.
èx·o·e·léc·tron 名 〘物理〙エキソ電子.
frée eléctron 〘物理〙自由電子.
órbital eléctron 〘物理〙軌道電子.
phò·to·e·léc·tron 名 〘物理〙光電子(こうでんし).
pósitive eléctron ＝antielectron.
se·léc·tron 名 超対称性電子(supersymmetry electron).
thèr·mo·e·léc·tron 名 〘物理〙熱電子.
válence elèctron 〘化学〙価電子, 原子価電子.

e·lec·tron·ics /ilektrániks, ìː- | -trɔ́n-/

名複 **1** 電子工学, エレクトロニクス. **2** 電子技術. ⇨ -ICS.

acòusto·electrónics 名複 音響電子工学.
bìo·electrónics 名複 〘生物〙生体電子工学.
crỳo·electrónics 名複 極温電子工学.
mìcro·electrónics 名複 超小型電子工学[技術].
molécular electrónics 〘電子工学〙分子[微小]電子工学.
òpto·electrónics 名複 光電子工学.
quántum electrónics 量子エレクトロニクス.
sólid-stàte electrónics 固体電子工学.

e·lec·tro·pho·re·sis /ilèktroufəríːsis/

名 〘物理化学〙電気泳動. ⇨ -PHORESIS.

còunt·er·e·lec·tro·pho·ré·sis 名 〘医学〙対向電気泳動法.
gél electrophorésis 〘生化学〙ゲル電気泳動法.
ìm·mu·no·e·lec·tro·pho·ré·sis 名 〘医学〙免疫電気泳動(法).
mì·cro·e·lec·tro·pho·ré·sis 名 〘化学〙微量電気泳動(法).
púlse-field electrophorésis 〘生化学〙パルスフィールド電気泳動.
zóne electrophorèsis 〘化学〙ゾーン電気泳動.

el·e·ment /éləmənt/

名 **1** 成分, 要素; 構成分子. **2** 〘化学〙元素.

cópia élement 〘生化学〙コピア因子.
esséntial élement 〘生化学〙不可欠元素.
fórmative èlement 〘文法〙成語要素.
fúel èlement 〘原子力〙(核)燃料要素.
héating èlement 発熱体, 電熱線.
héavy élement 〘化学〙重元素.
idéntity èlement ＝unit element.
insértion èlement 〘遺伝〙挿入因子.
magnétic élement 〘物理〙(地球表面の)磁気要素.
májor élement 〘地質〙主成分元素.
meteorológical élement 〘気象〙気象要素.
mì·cro·él·e·ment 名 〘生化学〙＝trace element.
mínor élement 〘地質〙微量元素.
móbile genétic èlement 〘遺伝〙可動遺伝要素.
Péltier èlement 〘電子工学〙ペルチエ素子.
pícture èlement 〘コンピュータ〙画素, ピクセル.
rà·di·o·él·e·ment 名 〘化学〙放射性元素(radio-active element).
ráre-éarth èlement 〘化学〙希土類元素.
stóp èlement 〘コンピュータ〙ストップエレメント.
sýmmetry èlement 〘結晶〙対称要素.
tráce èlement 〘生化学〙微量元素[要素].
trans·él·e·ment 動他 …の成分を変化させる, 変質させる.
transítion èlement 〘化学〙遷移元素, 遷移金属.
trànsuránic élement 〘化学〙〘物理〙超ウラン元素.
týping èlement 〘印刷〙タイピングエレメント.
únit èlement 〘数学〙単位元.

el·e·phant /éləfənt/

名 ゾウ.

Áfrican élephant アフリカゾウ.
Asiátic élephant アジアゾウ, インドゾウ.
dóuble élephant 《主に英》ダブルエレファント判: 画用紙または書き物用紙の大きさ.
Índian élephant インドゾウ.
pínk élephant 酒や麻薬による幻覚(で見るピンク色のゾウ).
rógue élephant 浮浪[はぐれ]象.
séa èlephant ゾウアザラシ(elephant seal).
whíte élephant 白象(albino elephant).

-elf /élf/

語尾

elf 名 (民間伝承で)エルフ, 小妖精(しょうようせい).
pelf 名 《文語》《侮辱的》(不正に得た)金銭.
self 名 ☞
shelf 名 ☞
skelf 名 《スコット・北イング》こっぱ.

-elk /élk/

語尾

elk 名 ヘラジカ(moose).
welk 動自 《英方言》〈花などが〉しおれる.
whelk[1] 名 エゾバイ(エゾボラを含む).
whelk[2] 名 にきび, 吹き出物.
yelk 名 《古風》(卵の)黄身, 卵黄(yolk).

-ell[1] /əl/

接尾辞 -EL[1] の異形.
★ 人名, 地名に見られる指小辞.

Chap·pell 名 チャペル(姓).►字義は「教会の近くに住む人」.
Lov·ell 名 ラベル(姓).►字義は「小さなオオカミ」.
Meyn·ell 名 メネル(姓).►字義は「郊外に住む人」.
Par·nell 名 パーネル(姓).►*Petrōnius*(ローマの人名)の指小形から由来.
Rus·sell 名 ラッセル(姓).►字義は「赤毛の人」.

-ell[2] /él/

語尾 bell[2] と yell は発声の擬声語, knell も音象徴的; bell[1], shell, swell[1] にふくらみを感じる人もいる.
★ 語末にくる同音形は -EL[4], -ELLE[2].

bell[1] 名 ☞
bell[2] 動自他 (さかりのついた雄ジカのように)鳴く.
cell[1] 名 ☞
cell[2] 名 セル(cel): アニメーション映画製作用の透明なセルロイドのシート.
dell[1] 名 (通例, 木立に覆われた)小さな谷.
dell[2] 動自 《英俗》こらしめる.
dwell 動自 《文語》住む, 居住する; 暮らす.
ell 名 エル: 尺度の単位.
fell[1] 動 fall の過去形.
fell[2] 動他 倒す, 殴り倒す, 打[撃]ち倒す.
fell[3] 形 《文語》激しい, 恐ろしい, 残忍な.
fell[4] 名 獣皮, 毛皮.
fell[5] 名 《スコット・北イング》(高地の)草原, 荒野, 荒地.
hell 名 ☞
jell 動自 固まる, ゼリー状になる.
knell 名 鐘音, 弔鐘.
kvell 動自 《米俗》有頂天になる; 自慢する.
mell 名動他 《スコット・北イング》木槌(で打つ).
quell 動他 《詩語》〈反乱・騒擾(そうじょう)などを〉鎮める, 鎮圧する.
sell[1] 動他 ☞
sell[2] 名形代 《スコット》=self.
sell[3] 名 《古》(乗用馬などの)鞍(くら).
shell 名 ☞
skell 名 《俗》浮浪者, ホームレス.
smell 動他 …のにおいを感じる, においをかぐ.
snell[1] 名 〖釣り〗鉤素(はりす).
snell[2] 形 《主にスコット》活発な, 元気のよい.
spell[1] 動他 ☞ SPELL[1]
spell[2] 名 呪文(じゅもん), 魔法.
spell[3] 名 ☞ SPELL[2]
swell[1] 動他自 ☞
swell[2] 名 《英俗》(女性の)独身貴族.
tell[1] 動他 ☞
tell[2] 名 テル: 古代の遺跡が累積してできる遺丘.
well[1] 副 ☞ WELL[1]
well[2] 名 ☞ WELL[2]
yell 動自 (人に)怒鳴る, わめく.

-el·la /élə/

接尾辞 **1** 小…; …ように小さなもの: fenest*ella*, gentian*ella*.►ラテン語の指小辞. ⇨ -A[1], -A[2]. **2** 特に分類学上の形成辞, 特にバクテリアの属名につける: pasteur*ella*, salmon*ella*. ⇨ -A[2].
★ 名詞をつくる.
★ 語末にくる関連形は -EL[1], -ELLUM.
◆ <近代ラ, ラ, *-ellus* -ELLE[1] の女性形, および中性複数形.

Ar·cel·la 名 〖植物〗ナベカムリ属.
bru·cel·la 名 〖細菌〗ブルセラ菌.
ca·nel·la 名 〖植物〗白肉桂(はくにっけい), 白桂.
Ca·pel·la 名 〖天文〗カペラ.
chlo·rel·la 名 〖植物〗クロレラ.
cit·ron·el·la 名 〖植物〗コウスイガヤ.
col·u·mel·la 名 〖生物〗殻軸, 軸主, コルメラ, 小柱.
fa·vel·la 名 (ある種の紅藻の)ゼラチン質の薄膜に包まれた嚢果(のうか).
fen·es·tel·la 名 〖建築〗小窓.
fla·gel·la 名 flagellum「〖生物〗(原生動物などの)鞭毛(べんもう)」の複数形.
frax·i·nel·la 名 〖植物〗ヨウシュハクセン(洋種白鮮).
gen·tian·el·la 名 高山性の小さいリンドウの総称.
gla·bel·la 名 〖解剖〗眉間(みけん), グラベラ.
kleb·si·el·la 名 〖細菌〗クレブシエラ菌.
la·mel·la 名 〖解剖〗(骨・組織・細胞膜などの)薄板, 薄葉, 薄膜, 薄層.
Le·gion·el·la 名 〖細菌〗桿(かん)状あるいは球状の好気性グラム陰性細菌の一属.
les·que·rel·la 名 〖植物〗レスクエレラ.
li·rel·la 名 〖菌類〗リレラ: 細長く伸びた裸子器.
Mar·cel·la 名 女子の名.►男子の名 Marcus の女性指小形.
Mor·ax·el·la 名 〖細菌〗モラクセラ属.
ni·gel·la 名 〖植物〗タロタネソウ.
pas·teu·rel·la 名 〖細菌〗パスツレラ菌.
pa·tel·la 名 〖解剖〗膝蓋(しつがい)(骨), 皿骨(さらぼね).
pru·nel·la 名 プルネラ属の多年草の総称.
ru·bel·la 名 〖病理〗風疹(ふうしん).
sal·mo·nel·la 名 〖細菌〗サルモネラ菌.
sel·a·gi·nel·la 名 〖植物〗イワヒバ(岩檜葉, 巻柏).
shi·gel·la 名 〖細菌〗シゲラ(菌).
tes·sel·la 名 小型のはめ石(tessera).
ve·lel·la 名 〖動物〗カツオノカンムリ属の浮遊群体を成すヒドロクラゲ.
vor·ti·cel·la 名 〖動物〗ツリガネムシ.
zo·o·xan·thel·la 名 〖生物〗褐虫藻.

-elle[1] /él/

接尾辞 **1** 名詞をつくる: フランス語からの借用語に見られる(もとは指小辞を形成): begat*elle*, rond*elle*. **2** 語尾が *-ella* のラテン語を英語化したもの: organ*elle*.
★ 語末にくる関連形は -EL[1].
◆ <仏<ラ *-ella*(指小接尾辞 *-ellus* の女性形).

aq·ua·relle 名 水彩絵の具.
bag·a·telle 名 つまらないもの, ささいなこと.
ca·delle 名 〖昆虫〗コクヌスト(穀盗人).
chan·te·relle 名 〖菌類〗アンズタケ.
cor·delle 名 (昔, カナダと米国の川で用いた)引き船用の綱.
den·telle 名 レース(lace).
fon·ta·nelle 名 〖解剖〗ひよめき, 泉門.
mi·celle 名 〖物理化学〗ミセル, 膠質粒子.
na·celle 名 ナセル: 飛行機[飛行船]のエンジン

室［乗務室, 積荷室］.
or·gan·elle 名 〔細胞生物〕細胞器官.
pru·nelle 名 スロージン: 果実酒の一種.
ron·delle 名 丸ガラス.
ru·bi·celle 名 〔鉱物〕ルビセル.
tou·relle 名 小塔.
ver·velle 名 〔甲冑〕乳(ち), 鐶(かん).
vil·la·nelle 名 〔韻律〕ビラネル.
vol·velle 名 〔天文〕ボルベル.

-elle[2] /él/

語尾 語末の -elle はフランス語からの借入語で発音もフランス語を受け継いだ.
★ 語末にくる同音形は -EL[4], -ELL[2].

belle 名 美人, 美女, 佳人.
ga·zelle 名 ☞
vielle 名 〔音楽〕ビエル.

el·lipse /ilíps/

名 〔幾何〕楕円(だえん), 長円.

paralláctic ellípse 〔天文〕視差楕円.
sèm·i·el·lípse 名 〔幾何〕半長円形, 半楕円.

-el·lo /élou/

接尾辞 小さい…; イタリア語の男性形指小辞.
◆ ラテン語 *-ellus* より. ⇨ -o[2].

al·ba·rel·lo 名 アルバーレロ壺(こ).
bor·del·lo 名 《主に米》売春宿(brothel).
mo·del·lo 名 美術の大作をまねた小品.
ni·el·lo 名 ニエロ, 黒金: 黒色の金属性物質.
ri·tor·nel·lo 名 〔音楽〕リトルネロ.
sga·bel·lo 名 〔イタリア家具〕スガベルロ.

-el·lum /éləm/

接尾辞 小…, 小さい….
★ 語末にくる関連形は -ELLA, -ELLE[1].
◆ ラテン語の指小辞.

cas·tel·lum 名 〔考古〕(古代ローマの)要塞陣地.
cer·e·bel·lum 名 〔解剖〕〔動物〕小脳.
cri·bel·lum 名 〔動物〕篩板(しばん).
fla·bel·lum 名 (特に宗教儀式に使用される)聖扇.
fla·gel·lum 名 〔生物〕鞭毛(べんもう).
gla·bel·lum 名 〔解剖〕眉間, グラベラ(glabella).
haus·tel·lum 名 〔動物〕吻管(ふんかん), 吸収管.
la·bel·lum 名 〔植物〕唇弁.
ros·tel·lum 名 〔生物〕小嘴(しょうし).
sa·cel·lum 名 小祈祷(きとう)所, 小礼拝所.
scu·tel·lum 名 〔植物〕胚盤(はいばん).

elm /élm/

名 〔植物〕ニレ(楡).

Américan élm アメリカニレ.
Dútch élm オランダニレ; 観賞用.
Énglish élm ヨーロッパニレ.
róck èlm ニレ.
slíppery élm アカニレ.
wáter èlm ミズニレ; planer tree ともいう.
whíte élm ＝American elm.
wínged élm ハネニレノキ.
wítch-èlm ＝wych elm.
wých èlm セイヨウ［オウシュウ］ハルニレ.

-elm /élm/

語尾

elm 名 ☞
helm[1] 名 〔海事〕ヘルム.
helm[2] 名 ☞
skelm 名 《南アフリカ話》悪漢, ごろつき.
whelm 動他 …を(水に)沈める.

-elp /élp/

語尾 skelp[1], yelp は擬声語.

gelp 名 《英俗》金.
help 動他 ☞
kelp 名 ケルプ: コンブ科の冷水産の大形褐藻の総称.
scelp 名 《スコット》＝skelp[1].
skelp[1] 名 《スコット》ピシャリと打つこと.
skelp[2] 名 スケルプ: 円筒状にし管を作るための鋼板.
whelp 名 イヌ・クマ・ライオン・などの子.
yelp 動自 〈犬などが〉キャンキャンほえる.

-elt /élt/

語尾

belt 名 ☞
celt 名 〔考古〕斧(おの).
delt 名 三角筋(deltoid).
felt 名 フェルト; フェルト製品.
gelt[1] 動 geld の過去・過去分詞形.
gelt[2] 名 《主に米俗》お金, 銭, ゲル(ト).
kelt[1] 名 産卵後のサケ.
kelt[2] 名 《英俗》お金.
melt[1] 動他 ☞
melt[2] 名 (特に牛・豚などの)脾臓.
pelt[1] 動他 (石などを)続けて投げつける.
pelt[2] 名 (ヤギ・羊などの)なめす前の毛皮.
smelt[1] 動他 〈鉱石を〉溶融［溶解］する.
smelt[2] 名 ☞
spelt 名 スペルト［ドイツ］コムギ.
welt 名 みみず腫れ, むち跡.

-elve /élv/

語尾 shelve[1] は名詞の shelf から.

delve 動自 (問題・資料などを)徹底的に調べる.
helve 名 (まさかり・槌(つち)などの)柄.
shelve[1] 動他 〈本などを〉棚に載せる［並べる］.
shelve[2] 動自 〈土地が〉なだらかに傾斜する.
twelve 名 (基数の)12.

-em[1] /əm/

接尾辞 行為の結果を表す接尾辞.
★ 名詞をつくる.
◆ ギリシャ語 *-ema* より.

di·a·stem 名 〔地質〕ダイアステム.
em·blem 名 象徴; 図案, 記章, 標章.
ep·i·them 名 〔植物〕被覆組織.
ex·an·them 名 〔病理〕(特に発熱を伴う)発疹, 皮疹.
per·i·blem 名 〔植物〕原皮層.
po·em 名 ☞
prob·lem 名 ☞
sys·tem 名 ☞
the·o·rem 名 ☞
xy·lem 名 ☞

-em[2] /ém/

語尾 chem, fem, grem, prem など短縮形の語尾にもなる.
★ 語末にくる同音形は -EM[1].

chem 名 《俗》化学(の授業)(chemistry).
dem 間 《主に英》《怒り・当惑・嫌悪などを表して》こんちくしょう, くそっ.
-dem[1] 連結形 ☞
-dem[2] 接尾辞 ☞
fem 形 《米俗》女性の, 女の, 婦人の(feminine).
gem 名 宝石, 宝玉.
grem 名 《豪俗》新米のサーファー(gremmie).
hem[1] 動他 へりを折り返して縫う.
hem[2] 間 へん, えへん.
mem 名 《英俗》ご婦人; 奥様, 奥さん.
prem 名 《話》未熟児(premature infant).
rem 名 【核工学】レム, 人体レントゲン当量.
stem[1] 名 ☞
stem[2] 動他 …を止める, 食い止める, 抑える.
stem[3] 動他 〈流れ・風などに〉逆らって進む.
stem[4] 名 【海事】船首材.
stem[5] 動他 〈商船の〉荷積みを指定期限内に済ませる.
them 代 《they の目的格》彼[彼女]らを[に, へ]; それら[あれら]を[に, へ].

em·bo·lism /émbəlìzm/

名 【病理】塞栓(そくせん)症. ⇨ -ISM[1].

àer·o·ém·bo·lism 名 空気塞栓症.
áir émbolism =aeroembolism.
pulmónary émbolism 肺塞栓症.
thròm·bo·ém·bo·lism 名 血栓塞栓症.

em·bry·o /émbriòu/

名 【動物】胚(はい), 胚子.

frózen èmbryo 凍結[冷凍]受精卵.
órphan èmbryo 所属不明の凍結受精卵.
prè-ém·bry·o 名 【医学】前期胚子.
pro·ém·bry·o 名 【植物】前胚(ぜんはい).

-eme[1] /-iːm/

接尾辞 【言語】…素. ►言語において, 機能的に区別のある音声・形態・意味的な要素.
★ 名詞をつくる.
★ 語末にくる関連形は -EMIC.
◆ phoneme「音素」から抽出.

cher·eme 名 動素.
glos·seme 名 言語形式素.
graph·eme 名 書記素.
lex·eme 名 語彙(ごい)素.
mo·neme 名 記号素, モネーム.
mor·pheme 名 形態素.
pros·o·deme 名 韻律素.
se·man·teme 名 意義素.
sem·eme 名 意義素.
tag·meme 名 タグミーム, 文法素.
tax·eme 名 文法特性素, 配列素.
ton·eme 名 声調素.

-eme[2] /iːm/

語尾 語末にくる同音形は -EAM, -EEM.

deme 名 (古代ギリシャの)部族の居住領地.
eme 名 《主にスコット》友達, 昔なじみ.
feme 名 【法律】女; 妻.
heme 名 【生化学】ヘム.
-reme 連結形 ☞
rheme 名 【言語】評言.
scheme 名 ☞
theme 名 題目, 論旨, 主題, 話題, テーマ.
xeme 名 【鳥類】クビワカモメ.

e·mer·gence /iməːrdʒəns/

名 出現, 発生, 浮上; 発芽. ►emerge の名詞形. ⇨ -ENCE[1].

post·e·mer·gence 形 (農作物の)発芽後から完熟前までの.
pre·e·mer·gence 形 植物が発芽する前に生じる[使用する].

-e·mi·a /íːmiə/

連結形 【医学】…血, 血症; 血液の状態.
★ 名詞をつくる.
★ 語末にくる関連形は -AEMIA, -HEMIA.
★ 語頭にくる関連形は hem(o)-, haem(o)-: *hemo*dialysis「血液透析」, *hemo*globin「ヘモグロビン」.
◆ <近代ラ<ギ -(*h*)*aimia*=*haim*-(*haîma*「血液」の語幹)+-*ia* -IA.

ac·e·to·ne·mi·a 名 アセトン血症(ketonemia).
al·ka·le·mi·a 名 アルカリ血症, アルカレミア.
a·ne·mi·a 名 ☞
an·hy·dre·mi·a 名 減水血症, 乏水血症.
az·o·te·mi·a 名 (高)窒素血(症).
bac·il·le·mi·a 名 【病理】菌血(症).
bac·te·re·mi·a 名 菌血(症).
cho·les·ter·e·mi·a 名 =cholesterolemia.
cho·les·ter·ol·e·mi·a 名 コレステロール血(症).
chy·lo·mi·cro·ne·mia 名 乳糜(にゅうび)血(症).
cop·re·mi·a 名 便秘性中毒症.
er·y·thre·mia 名 赤血病.
ga·lac·to·se·mi·a 名 ガラクトース血症.
-glob·u·li·ne·mi·a 連結形 ☞
gly·ce·mi·a 名 血糖(症).
gon·o·coc·ce·mia 名 淋菌(りんきん)敗血症.
his·ti·di·ne·mi·a 名 ヒスチジン血症.
hy·dre·mi·a 名 水血症.
hy·per·bil·i·ru·bi·ne·mi·a 名 高ビリルビン血症.
hy·per·cal·ce·mi·a 名 カルシウム過剰血(症).
hy·per·e·mi·a 名 充血.
hy·per·ka·le·mi·a 名 高カリウム血(症).
hy·per·lip·o·pro·tein·e·mi·a 名 高リポタンパク血症.
hy·per·na·tre·mi·a 名 高ナトリウム血(症).
hy·per·pot·as·se·mi·a 名 =hyperkalemia.
hy·per·tri·glyc·er·i·de·mia 名 トリグリセリド過剰血(症).
hy·per·u·ri·ce·mi·a 名 高尿酸血症.
hy·po·al·bu·min·e·mi·a 名 アルブミン過少血(症).
hy·po·cal·ce·mi·a 名 カルシウム過少血(症).
hy·po·ka·le·mi·a 名 カリウム減少血(症).
hy·po·po·tas·se·mi·a 名 =hypokalemia.
is·che·mi·a 名 局所貧血, 虚血.
ke·to·ne·mi·a 名 ケトン(体)血症(acetonemia).
leu·ce·mi·a 名 =leukemia.
leu·ke·mi·a 名 ☞
li·pe·mi·a 名 脂肪過剰血(症).
li·the·mi·a 名 尿酸血症(uricacidemia).
met·he·mo·glo·bi·ne·mi·a 名 メトヘモグロビン血症.
ol·i·ge·mi·a 名 (出血などによる)失血.
-ox·e·mi·a 連結形 ☞
-pro·tein·e·mi·a 連結形 ☞
py·e·mi·a 名 膿血(のうけつ)症, 膿毒症.
sa·pre·mi·a 名 腐敗血症, 敗血症性中毒.
sep·ti·ce·mi·a 名 敗血症(sepsis).
thal·as·se·mi·a 名 サラセミア, 地中海(性)貧血.
tox·e·mi·a 名 毒(素)血症.
tu·la·re·mi·a 名 【獣病理】ツラレミア, 野兎(やと)病.
ty·ro·si·ne·mi·a 名 チロシン血症.

u·re·mi·a 名 尿毒症.
u·ric·ac·i·de·mi·a 名 =lithemia.
vi·re·mi·a 名 ウイルス血症.

-em·ic /íːmik/

連結形 〖言語〗…素の.
★ 形容詞をつくる.
◆ -EME[1]＋-IC[1].

gra·phe·mic 形 書記素の.
lex·em·ic 形 語彙素の.
mor·phe·mic 形 形態素の.
pho·ne·mic 形 音素の [に関する].
pho·nes·the·mic 形 〖言語〗〈言語音が〉一群の擬声語・音表象語に共通な音声特徴を持つ.
prox·e·mic 形 空間学の.
se·me·mic 形 意義素の.
tag·me·mic 形 文法素(tagmeme)の.
tax·e·mic 形 文法特性素の, 配列素の.

e·mis·sion /imíʃən/

名 放出, 放射. ►emit の名詞形. ⇨ -MISSION.

fíeld emìssion 〖物理〗電界放出, 電界放射.
noctúrnal emíssion 睡眠時射精, 夢精(wet dream).
phò·to·e·mís·sion 名 〖物理〗光電効果.
sécondary emíssion 〖物理〗二次電子放出 [放射].
sólar rádio emission 〖電磁〗太陽電波放射.
spontáneous emíssion 〖物理〗自然 [自発] 放出.
thermiónic emíssion 〖電気〗熱電子 [イオン] 放出.

-emp /émp/

語尾 hemp が代表.

hemp 名 ☞
kemp[1] 名 《英方言》つわもの, 勇士.
kemp[2] 名 ケンプ: じゅうたん用の粗い繊維.
temp 名 《話》臨時雇いの人(temporary).

em·pha·sis /émfəsis/

名 強調, 力説, 重要視.
★ 複数形は emphases.

de-em·pha·sis 名 (…を)強調 [重視] しなくなること.
mis·em·pha·sis 名 誤って強調すること.
o·ver·em·pha·sis 名 過度の強調.
pre·em·pha·sis 名 〖電子工学〗プリエンファシス.
re·em·pha·sis 名 再強調.
su·per·em·pha·sis 名 超強調.
un·der·em·pha·sis 名 強調不足.

em·pha·size /émfəsàiz/

動他 〈事実などを〉強調 [力説] する, 重要視する(《英》emphasise). ⇨ -IZE[1].

de-em·pha·size 動他 これまでほど強調 [重視] しない.
o·ver·em·pha·size 動他自 強調しすぎる, 過度に強調する.
re·em·pha·size 動他 再び強調 [力説] する.
un·der·em·pha·size 動他 十分強調しない; 最小(限度)にする.

em·pire /émpaiər/

名 帝国.

Américan Émpire 〖家具〗アメリカ・アンピール様式.
Brítish Émpire 大英帝国.
Býzantine Émpire ビザンティン [ビザンツ] 帝国.
Celéstial Émpire =Chinese Empire.
Céntral Áfrican Émpire 中央アフリカ帝国.
Chínese Émpire 中華帝国.
Éastern Émpire =Eastern Roman Empire.
Éastern Róman Émpire 東ローマ帝国.
évil émpire 悪の帝国.
Fírst Émpire (フランス)第一帝政.
Fúlani Émpire フラニ帝国: 19 世紀にアフリカ西部で栄えたイスラム帝国.
Gérman Émpire ドイツ帝国.
Hóly Róman Émpire 神聖ローマ帝国.
Incáic Émpire インカ帝国.
Índian Émpire インド帝国.
Lówer Émpire 東ローマ帝国.
Míddle Émpire (古代エジプトの)中王国.
Móngol Émpire 蒙古(もうこ)帝国.
Néw Émpire (古代エジプトの)新王国.
Óttoman Émpire オスマン帝国, オスマントルコ.
Pérsian Émpire ペルシャ帝国.
Róman Émpire ローマ帝国.
Rússian Émpire ロシア帝国.
Sécond Émpire (フランス)第二帝政.
Sprínger émpire スプリンガー帝国: ドイツの Axel Springer が築いた新聞雑誌王国.
Túrkish Émpire =Ottoman Empire.
Wéstern Émpire =Western Roman Empire.
Wéstern Róman Émpire 西ローマ帝国.

em·pir·i·cal /impírikəl, em-/

形 経験 [実験] から得られた, 経験 [実験] による, 経験的な, 経験上の. ⇨ -ICAL.

met·em·pir·i·cal 形 経験外の, 経験を越えた.
sem·i·em·pir·i·cal 形 半経験的な.
sup·er·em·pir·i·cal 形 経験的方法を超えて得られた.
trans·em·pir·i·cal 形 経験を超えた, 超経験的な.

-em·ple /émpl/

語尾

sem·ple 形 《スコット》生まれの卑しい.
stem·ple 名 〖鉱山〗(立て坑に設置された)横木.
tem·ple[1] 名 ☞ TEMPLE
tem·ple[2] 名 〖解剖〗(人間の)こめかみ.
tem·ple[3] 名 伸子(しんし), テンプル: 織布を適当な幅に張っておくための装置.

em·ploy /implɔ́i, em-/

動他 〈人を〉雇う, 使う. ⇨ -PLOY.

dis·em·ploy 動他 …を解雇する. ── 形 失業中の.
mis·em·ploy 動他 誤用 [悪用] する.
re·em·ploy 動他 …を再雇用する.

em·ployed /implɔ́id, em-/

形 〈人が〉雇われた, 勤めている. ⇨ -ED[1], -ED[2].

sélf-emplóyed 形 自由業の, 自営の, 自家営業の.
sùb·emplóyed 形 半 [不完全] 雇用の.
ùnder·emplóyed 形 不完全就業の.
ùn·emplóyed 形 雇われていない, 失業した.

em·ploy·ment /implɔ́imənt, em-/

名 雇用; 勤務. ⇨ -MENT.

désignated emplóyment 《英》心身障害者向けの職種.
fáir emplóyment (能力だけに基づく)公平雇用.
prè·em·plóy·ment 形 雇用 [採用] 前に必要な [行われる].
sélf-em·plóy·ment 名 自営, 自由業, 自家営業.
sùb·em·plóy·ment 名 低所得雇用, 不完全雇用.

E

ùn·em·plóy·ment 名 ☞

-emp·tion /émpʃən/

連結形 取られたもの[こと].
★ 語末にくる関連形は -EMPTIVE.
◆ <ラ *emptus*(*emere*「取る」の過去分詞). ⇨ -TION.
[発音] -emption の第1音節に第1強勢が置かれる.

a·demp·tion 名 〖法律〗遺贈の撤回(行為).
co·emp·tion 名 《廃》(価格操作が目的の)買い占め.
di·remp·tion 名 乖離(かいり); 分離.
ex·emp·tion 名 (所得税の)控除の対象項目.
pre·emp·tion 名 先買; 優先買取権, 先買権.
re·demp·tion 名 買い[取り]戻し; (約束の)履行.

-emp·tive /émptiv, ém*p*tiv/

連結形 買う…, 得る….
★ 形容詞をつくる.
★ 語末にくる関連形は -EMPTION.
◆ <ラ *emptus*(*emere*「買う, 得る」の過去分詞より). ⇨ -IVE[1].

ex·emp·tive 形 免除の, 控除の, 特免する; 免税の.
pre·emp·tive 形 先買の, 先買権のある.
re·demp·tive 形 買い戻しの; 身請けの; 償却の.

-en[1] /ən/

接尾辞 **1** …(の状態)にする: bright*en*, sharp*en*, strength*en*. **2** …(の状態)になる: broad*en*, wid*en*.
★ 形容詞・名詞について動詞をつくる.
★ 主に単音節から成る語幹につく; 多くの場合, 語義1と2の両方の意味を持つ.
◆ 古英 -(*n*)*ian*.
[発音] 第1強勢は基語と同じ; 一つの例外(quíeten)を除き -en の直前の音節に第1強勢.

a·wak·en 動他 〈人の〉目を覚ます.
black·en 動他 黒くする; 暗くする.
bright·en 動他 〈場所を〉明るくする[照らす].
broad·en 動自 広くなる, 広がる.
chas·ten 動他 〈人を〉懲らしめる, 罰する.
cheap·en 動他 安くする.
chris·ten 動他 …に洗礼を施す(baptize).
coars·en 動他自 粗くする[なる].
crisp·en 動他自 縮らせる[縮れる].
damp·en 動他 《米》〈物を〉湿らせる.
dark·en 動他 …を暗くする.
dead·en 動他 〈活気・感情などを〉そぐ.
deaf·en 動他 (一時的に)…の耳を聞こえなくする.
deep·en 動他 (いちだんと)深くする, 深める.
di·zen 動他 《古》(着物・装身具で)飾りたてる.
em·bold·en 動他 《文語》〈人を〉大胆にする.
en·light·en 動他 …を啓発する, 啓蒙(けいもう)する.
en·liv·en 動他 …を活気[元気]づける.
fas·ten 動他 …を(ある場所・物に)固定する.
fat·ten 動他 …を太らせる, 肥えさせる.
flat·ten 動他 〈地面などを〉平らにする.
fresh·en 動他 新しくする, 新鮮にする.
fright·en 動他 …を怖がらせる, ぎょっとさせる.
glad·den 動他 …を喜ばせる, うれしがらせる.
glis·ten 動自 (光を反射して)きらきら輝く.
great·en 動他 《古》大きくする, 偉大にする.
hard·en 動他 ☞
hark·en 動自他 =hearken.
harsh·en 動他自 粗暴[がさつ]にする[なる].
has·ten 動自 急いで行く, (…へ)急ぐ.
heark·en 動自他 《古》(…に)耳を傾ける, 傾聴する.
heart·en 動他 元気[勇気]づける, 励ます.
height·en 動他 〈構造物を〉高くする, 高める.
hoars·en 動他 〈声を〉しわがれさせる.
im·bold·en 動他 =embolden.
lad·en 動他 〈荷物などを〉積む.
larg·en 動自他 《古・詩語》大きくなる[する].
lat·en 動他自 遅くする[なる].
length·en 動他 …を長くする, 伸ばす, 延長する.
less·en 動自 少なくなる, 小さくなる, 減る.
light·en[1] 動自 〈空などが〉明るくなる.
light·en[2] 動他 〈荷などを〉軽くする.
lik·en 動他 …を(…に)たとえる, なぞらえる.
limp·en 動自 へなへなになる, 気力が失せる.
loos·en 動他 〈結び目・足かせなどを〉解く.
loud·en 動他自 〈音・声を[が]〉大きくする[なる].
mad·den 動他 〈人を〉(…で)発狂させる.
mild·en 動他自 穏やかにする[なる].
mois·ten 動他自 湿らす, ぬらす; 湿る, ぬれる.
nea·ten 動他 小ぎれいにする, きちんとする.
pink·en 動自 ピンク色になる.
plump·en 動他自 ふっくらと太らせる[太る].
quick·en 動他 〈動作などを〉速める, 加速する.
qui·et·en 動自 《主に英》静かになる, 静まる.
red·den 動他 赤くする, 赤く染める; 赤面させる.
rich·en 動他自 豊かにする[なる].
right·en 動他 直立させる.
ri·pen 動自 〈果物・穀物などが〉熟する, 実る.
rough·en 動他自 (より)荒く[粗く]する[なる].
sad·den 動他 悲しませる; 憂鬱(ゆううつ)にする.
saf·en 動他 安全にする; …の毒性を緩和する.
sharp·en 動他 〈刃物・鉛筆などを〉鋭利にする.
short·en 動他 …の長さを短くする, 縮める.
sick·en 動他 …をむかむかさせる.
slack·en 動他自 不活発にする[なる].
smart·en 動他 きれいにする, きちんとする.
smooth·en 動他自 平らにする[なる].
soft·en 動他 〈物を〉柔らかくする.
steep·en 動他自 急勾配(きゅうこうばい)にする[なる].
stiff·en 動他 強化する, 強力にする.
stout·en 動他 強くする, 頑丈にする.
straight·en 動他 まっすぐにする.
strait·en 動他 …を(特に財政的に)困らせる.
strength·en 動他 …を増強する, 強固にする.
sweet·en 動他 〈食べ物・料理を〉甘くする.
taut·en 動他自 (綱などを)ぴんと張る.
thick·en 動他 厚く[太く]する.
threat·en 動他 〈人を〉脅して(…)させる.
tight·en 動他 〈つなぎ目などを〉堅くする.
tough·en 動他自 堅くする[なる].
wak·en 動他 〈人の〉目を覚まさせる.
weak·en 動他 …を弱くする, 弱める; 弱体化する.
whit·en 動他 白くする; 漂白する; 白く塗る.
wid·en 動他自 広くする[なる], 広げる[広がる].
wors·en 動他自 より悪くする[なる].

-en[2] /ən, in/

接尾辞 …でできた.
★ 以前, 物質名詞につけて形容詞をつくるのに用いられた.
◆ 中英, 古英.
[発音] 第1強勢は基語と同じで, すべて語頭の音節にある.

ash·en[1] 形 灰色[灰白色]の, ねずみ色の.
ash·en[2] 形 トネリコ(ash)の.
as·pen 名 ☞
beech·en 形 ブナ(材)の.
birch·en 形 カバの木の.
birk·en 形 《スコット・北イング》=birchen.
box·en 形 《古》ツゲ(材)の(ような).
earth·en 形 土で作った[築いた], 土でできた.
flax·en 形 アマ(亜麻)(製)の.
gold·en 形 金色の, 黄金色の, 金のように輝く.
hemp·en 形 麻の[に似た]; 麻製の.
lead·en 形 (鉛のように)重い.
Lent·en 形 四旬節(Lent)の; 四旬節に行われる.

lin·den 名 『植物』シナノキ, リンデンバウム.
lin·en 名 ☞
oak·en 形 オーク材製の.
oat·en 形 オートムギの [で作られた].
old·en 形 《文語》ずっと昔の, 古代の.
rush·en 形 イグサ [トウシンソウ(灯心草)] 製の.
silk·en 形 絹製の.
wax·en 形 蝋(ろう)製の, 蝋の詰まった.
Weald·en 形 『地質』ウィールデン層の.
wheat·en 形 《文語》小麦(粉)で作った; 小麦の.
wood·en 形 木でできた, 木製 [木造] の.
wool·en 形 羊毛製の, (特に)紡毛製の.
wool·len 形 《主に英》=woolen.

-en[3] /ən, in/

接尾辞 多くの不規則変化動詞と少数の規則変化動詞の過去分詞をつくる.
◆ 中英, 古英; 独 *-en* と同語源.

a·wo·ken 動 《主に英》awake の過去分詞形.
beat·en 動 ☞
been 動 be の過去分詞形.
be·got·ten 動 ☞
bid·den 動 bid の過去分詞形.
bit·ten 動 bite の過去分詞形.
bought·en 形 《米北部》《非標準》店から買った; 既製の.
bound·en 形 義務として負わされる.
brok·en 動 ☞
cho·sen 動 choose の過去分詞形.
clo·ven 動 cleave「割る, 裂く」の過去分詞形.
driv·en 動 ☞
drunk·en 形 酒に酔った, 酔っ払った.
eat·en 動 eat の過去分詞形.
fall·en 動 ☞
for·bid·den 動 forbid の過去分詞形.
for·got·ten 動 forget の過去分詞形.
for·sak·en 動 forsake の過去分詞形.
fro·zen 動 freeze の過去分詞形.
gaen 動 gae(《スコット》=go)の過去分詞形.
giv·en 動 give の過去分詞形.
got·ten 動 get の過去分詞形.
grav·en 動 grave「彫る」の過去分詞形.
grut·ten 動 《古・スコット》greet「嘆く, 泣く」の過去分詞形.
hid·den 動 hide の過去分詞形.
hold·en 動 《古》hold の過去分詞形.
hol·pen 動 《非標準・古》help の過去分詞形.
kep·pen 動 《スコット・北イング》kep「…を途中で遮る」の過去分詞形.
kip·pen 動 《英》=keppen.
lad·en 形 ☞
li·en 動 《古》lie「横たわる」の過去分詞形.
mol·ten 動 melt の過去分詞形.
prov·en 動 《英文語・米・スコット》prove の過去分詞形.
rid·den 形 ☞
ris·en 動 rise の過去分詞形.
riv·en 動 rive の過去分詞形.
rov·en 動 reeve「〈穴・輪などに〉〈ロープなどを〉通す」の過去分詞形.
shak·en 動 shake の過去分詞形.
shap·en 形 …の形をした.
shav·en 動 shave の過去分詞形.
shod·den 動他 《古》shoe の過去分詞形.
shot·ten 形 〈魚・特にニシンが〉産卵したばかりの.
shriv·en 動 shrive の過去分詞形.
shrunk·en 動 shrink の過去分詞形.
sit·ten 動 《古》sit の過去分詞形.
slid·den 動 《古・方言》slide の過去分詞形.
smit·ten 動 smite「…を強打する」の過去分詞形.
sod·den 動 《古》seethe の過去分詞形.
spo·ken 動 speak の過去分詞形.
-spo·ken 連結形 ☞
sto·len 動 steal の過去分詞形.
strick·en 動 ☞
sunk·en 形 沈んだ. ►sink の過去分詞形のひとつ.
swol·len 動 swell の過去分詞形.
swonk·en 動 swink の過去分詞形.
tak·en 動 take の過去分詞形.
trod·den 動 tread の過去分詞形.
wax·en 動 《文語》wax「〈勢力・感情などが〉増す」の過去分詞形.
wok·en 動 wake「目が覚める」の過去分詞形.
wo·ven 動 ☞
wreath·en 動 wreathe の過去分詞形.
writh·en 動 《古・詩語》writhe の過去・過去分詞形.

-en[4] /ən, in/

接尾辞 ある種の名詞の複数形をつくる.
★ children や brethren などは古い複数形にさらに -en が付いたもので, 二重複数と呼ばれる. 日本語の「子供たち」と似ている.
◆ 中英; 古英 *-an*.

breth·ren 名 ☞
chil·dren 名 child の複数形.
ey·en 名 《古・方言》eye の複数形.
ho·sen 名 《古》hose の複数形.
ox·en 名 ox の複数形.
wom·en 名 woman の複数形.

-en[5] /n/

接尾辞 指小辞.

kit·ten 名 子猫.
maid·en 名 ☞

-en[6] /én/

語尾 一部は短縮語の語尾.

ben[1] 名 《スコット》(2 間の家の)奥の部屋.
ben[2] 名 『植物』ワサビノキ.
ben[3] 名 《スコット・アイル》峰, 山.
den 名 (野獣, 特に捕食性動物の)ねぐら.
fen[1] 名 《英》沼地, 沼沢地.
fen[2] 間 たんま(fain).
fen[3] 名 《米麻薬俗》強力な鎮痛剤(fentanyl).
gen[1] 名 《英俗》一般 [内部] 情報(general information).
gen[2] 名 『テレビ』携帯発電機.
gen[3] 動自 《英俗》言い争う.
-gen 連結形 ☞
glen 名 (人里離れた)峡谷, 谷間.
hen 名 ☞
ken[1] 名 理解, 知識, 認識(の範囲); 視野.
ken[2] 名 《俗》(盗賊などの)巣窟(そうくつ).
men 名 man の複数形.
-men 接尾辞 ☞
pen[1] 名 ☞ -PEN[1]
pen[2] 名 ☞ -PEN[2]
pen[3] 名 《米・カナダ俗》監獄, 刑務所(penitentiary).
pen[4] 名 ハクチョウの雌.
shmen 名複 《米俗》新入生, 一年生(freshmen).
sken 動自 《北イング》ちらっと見る.
ten 名 ☞

then 副 あの時, あのころ, その時.
wen 名 〘病理〙 皮脂嚢腫(のうしゅ).
when 副 《疑問副詞》《時を尋ねて》いつ.
wren 名 ☞
yen 名 《米話》(…への)欲望, 熱望.

-en[7] /ən/

語尾 語末にくる同音形は -AN[6], -EAN[4], -ON[11].

-den[1] 連結形 ☞ -DEN[1]
-den[2] 連結形 ☞ -DEN[2]
-gen 連結形 ☞
lien 名 ☞
-men 接尾辞 ☞

-e·nal /íːnl/

語尾

pe·nal 形 刑の, 刑罰の, 懲罰の; 刑罰としての.
re·nal 形 ☞
ve·nal[1] 形 買収されやすい, 賄賂で自由になる.
ve·nal[2] 形 《古》静脈の, 静脈性の; 葉脈の.

e·nam·el /inǽməl/

名 エナメル, ほうろう.

Cánton enámel 広東(カントン)七宝.
móttled enámel 〘歯科〙 斑状歯.
náil enàmel 《米》マニキュア液.
pórcelain enámel ほうろう, 瀬戸引き.
stóve enàmel (ストーブの熱にも耐える)ほうろう.

-ence[1] /əns/

接尾辞 **1** …すること, …するもの: depend*ence*, exist*ence*. **2** …な性質(を持つこと), …なもの: excell*ence*.
★ 動詞につけて名詞をつくる. また形容詞語尾 -ent に対応する名詞をつくる.
◆ 中英＜古仏＜ラ *-entia*＝*-ent-* -ENT[1]＋*-ia* -Y[3].
[発音] 第 1 強勢は多くの語では基語, 基体と同じ. 例外: 語頭の音節に第 1 強勢が移る語: ábstinence, cónfidence, déference, éxcellence.

ab·hor·rence 名 嫌悪, 憎悪, 憎しみ.
ab·scond·ence 名 失踪(しっそう).
ab·sti·nence 名 (特定の飲食物を)断つこと; 禁酒.
ac·ci·dence 名 (学問などの)基本, 基礎, 初歩.
ad·ja·cence 名 隣接, 近接.
ad·vert·ence 名 気をつけること, 注意, 留意.
am·bi·ence 名 辺りの様子, 雰囲気.
ap·pe·tence 名 強い欲望 [欲求]; 本能的欲望.
au·di·ence 名 ☞
bel·lig·er·ence 名 好戦性 [的態度], けんか腰.
be·nev·o·lence 名 慈悲心, 情け深さ.
-ced·ence 連結形 ☞
co·ex·ist·ence 名 ☞
co·in·ci·dence 名 偶然の一致, 不思議な巡り合わせ.
com·pe·tence 名 ☞
con·cu·pis·cence 名 (通例, 感覚的な)強い欲望; 情欲.
con·do·lence 名 慰め, お悔やみ, 弔慰, 哀悼.
con·fi·dence 名 (…に対する)信用, 信頼; 自信.
con·gru·ence 名 適合(性), 一致, 調和.
con·sen·tience 名 同意, 意見の一致.
con·ti·nence 名 自制, 克己; 禁欲; 貞節.
con·tin·gence 名 接触.
con·ven·ience 名 便利, 便宜; 好都合.
con·ver·gence 名 ☞
cor·pu·lence 名 ずうたいの大きいこと; 肥満, 肥大.
cor·re·spond·ence 名 文通, 通信.
cre·dence 名 (物事の真実性に対する)信頼, 信用.
-cres·cence 連結形 ☞
-cur·rence 連結形 ☞
dec·a·dence 名 衰微, 衰退, 衰亡, 退廃.
def·er·ence 名 (人の判断・意見・意志などへの)服従.
de·fer·ves·cence 名 〘医学〙 熱の減退, 解熱; 解熱期.
de·fi·cience 名 《廃》欠乏, 不足.
de·his·cence 名 〘生物〙 (器官・組織の)披裂, 裂開.
del·i·ques·cence 名 潮解, 融化; 潮解液.
de·pend·ence 名 ☞
des·i·nence 名 終わり, 末行(詩の最終行など).
de·sip·i·ence 名 取るに足りないこと.
de·ter·rence 名 思いとどまらせること, 制止, 妨害.
dif·fi·dence 名 自信の欠如; 気後れ, 臆病, 内気.
dil·i·gence 名 不断の努力, 勤勉, 精励.
dis·sen·tience 名 反対; 不一致, 意見の相違.
dis·si·dence 名 (意見・性格などの)相違, 不一致.
di·ver·gence 名 分岐; (意見の)相違; 逸脱.
di·vul·gence 名 (秘密などの)暴露; 《古》公表.
e·bul·lience 名 情熱, 熱狂; (感情の)ほとばしり.
el·o·quence 名 雄弁を振るうこと; 雄弁術.
e·mer·gence 名 ☞
-es·cence 接尾辞 ☞
es·sence 名 ☞
ev·i·dence 名 ☞
ex·cel·lence 名 優秀さ, 優越.
ex·ist·ence 名 存在, 現存.
ex·pe·ri·ence 名 ☞
-fer·ence 連結形 ☞
-fi·cence 連結形 ☞
-flu·ence 連結形 ☞
fre·quence 名 しばしば起こること, 頻発, 頻繁.
gran·dil·o·quence 名 大げさな言葉遣い, 大言壮語.
-her·ence 連結形 ☞
im·per·ti·nence 名 出しゃばること, 無礼, 横柄.
im·pu·dence 名 厚かましさ, ずうずうしさ; 無礼.
in·ci·dence 名 発生率, (影響)範囲; 現われ方.
in·di·gence 名 ひどい貧しさ, 極貧, 赤貧.
in·do·lence 名 怠け, 怠惰なさま [性質], 無精.
in·dul·gence 名 耽溺, 放縦, 無節制, 欲望の満足.
in·no·cence 名 (心の)純潔, 清浄, 純真.
in·sip·i·ence 名 《古》無知, 愚鈍.
in·so·lence 名 横柄 [傲慢, 尊大] な態度 [言葉].
in·som·no·lence 名 眠れないこと, 不眠; 不眠症.
in·sur·gence 名 暴動(行為), 反乱, 謀反, 一揆.
in·tel·li·gence 名 ☞
li·cence 名 ☞
ma·lev·o·lence 名 悪意, 悪心, 憎悪.
mer·gence 名 結合; 混合; 同化, 一体化, 融合.
-mi·nence 連結形 ☞
neg·li·gence 名 怠慢; 不注意; (服装などの)無頓着.
o·be·di·ence 名 服従, 遵奉; 従順, 恭順.
ob·mu·tes·cence 名 《古》頑固な沈黙, 黙秘.
op·u·lence 名 富, 富裕.
pa·tience 名 辛抱, 忍耐; 我慢強さ.
pen·i·tence 名 悔い改め, 後悔, 懺悔(ざんげ).
per·ma·nence 名 永続(性), 耐久(性); 恒久不変.
pes·ti·lence 名 生命にかかわる流行病, 悪疫.
po·tence[1] 名 ☞
po·tence[2] 名 〘時計〙 下受け.
pre·tence 名 《主に英》見せかけ, 仮面, 虚為.
pre·ven·ience 名 先行.
pro·ve·ni·ence 名 《主に米》起源, 出所, 由来.
pru·dence 名 賢明さ, 思慮深さ; 用心深さ.
pu·ru·lence 名 うむこと, うみを持つこと, 化膿.
re·cip·i·ence 名 受領, 受納, 受容.
re·frin·gence 名 屈折度.
re·ful·gence 名 輝き, 光輝, 光彩.
rem·a·nence 名 〘電気〙 残留磁気.
rem·i·nis·cence 名 思い出すこと, 回顧, 回想, 追憶.
Re·nas·cence 名 文芸復興, ルネサンス.
res·i·dence 名 ☞
re·sil·ience 名 弾力, 弾性, 復元力.
res·i·pis·cence 名 改悛(かいしゅん), 悔悟; 改心.
re·splend·ence 名 まばゆさ, 輝き, 光輝.

re·spond·ence 名 応答, 反応; 相応, 一致.
re·sur·gence 名 蘇生(そせい), 復活.
ret·i·cence 名 無口, 寡黙; 控えめ, 遠慮.
rev·er·ence 名 畏敬(いけい)の念, 崇敬, 尊敬.
rev·i·vis·cence 名 《まれ》 よみがえり, 復活; 回復.
sa·li·ence 名 突出; 目立つ [際立つ] こと, 顕著.
-scend·ence 連結形 ☞
sci·ence 名 ☞
sen·tence 名 ☞
sen·tience 名 感じ得ること, 感覚性; 感覚(力).
se·quence 名 ☞
si·lence 名 音がしないこと, 無音; 静寂.
-sist·ence 連結形 ☞
sub·sid·ence 名 沈下, 沈降; 地盤沈下; 鎮静.
tran·sience 名 一時的であること, はかなさ, 無常.
trans·par·ence 名 透明(性), 透明度.
truc·u·lence 名 どうもう, 野蛮, 残酷.
tur·bu·lence 名 大荒れ; (感情などの)動揺; 騒乱.
va·lence 名 ☞
-va·lence 連結形 ☞
ve·he·mence 名 熱意, 熱情, 熱心.
ver·gence 名 〘眼科〙 両眼共同運動.
vi·o·lence 名 ☞
vir·u·lence 名 毒性, 有毒, 発病力.

-ence[2] /éns/

語尾 語末にくる同音形は -ENSE.

fence 名 ☞
-fence 連結形 ☞
hence 副 《文語》 この故に, したがって.
pence 名 ☞
spence 名 《英方言》 食料品貯蔵室, 食器室.
thence 副 《文語》 そこから.
whence 副 《文語・古》《疑問副詞》 どこから.

en·ceph·a·li·tis /ensèfəláitis | -kèf-, -sèf-/

名 〘病理〙 脳炎. ⇨ -ITIS.

epidémic encephalítis 流行性 [嗜眠性] 脳炎, 眠り病.
équine encephalítis 〘病理〙〘獣病理〙 馬脳炎.
lethárgic encephalítis =epidemic encephalitis.
me·nin·go·en·ceph·a·lí·tis 名 髄膜脳炎.
pàn·en·cèph·a·lí·tis 名 亜急性硬化性汎(はん) [全] 脳炎.
pnèu·mo·en·ceph·a·lí·tis 名 〘獣病理〙 ニューキャッスル病.
pò·li·o·en·ceph·a·lí·tis 名 脳灰白質炎, 灰白脳炎.
Sàint Lóuis encephalítis セントルイス脳炎.

en·ceph·a·lo·gram /enséfələgræ̀m | -kéf-, -séf-/

名 〘医学〙 脳造影 [撮影] 図. ⇨ -GRAM[1].

ech·o·en·ceph·a·lo·gram 名 脳エコー [超音波脳] 検査図.
e·lec·tro·en·ceph·a·lo·gram 名 脳電図, 脳波図.
mag·ne·to·en·ceph·a·lo·gram 名 核磁気脳撮影図.
pneu·mo·en·ceph·a·lo·gram 名 気脳図, 脳レントゲン写真像.

en·ceph·a·lon /enséfəlàn, -lən | enkéfəlɔ̀n, -séf-/

名 〘解剖〙 脳(brain). ⇨ -ON[3].
★ 語頭にくる関連形は encephalo-: *encephalo*graph 「〘医学〙 脳造影図」.

arch·en·ceph·a·lon 名 〘発生〙 原脳.
di·en·ceph·a·lon 名 間脳(betweenbrain, interbrain).
ep·en·ceph·a·lon 名 後脳(hindbrain).
mes·en·ceph·a·lon 名 中脳(midbrain).
met·en·ceph·a·lon 名 後脳.
my·el·en·ceph·a·lon 名 髄脳, 末脳.
ne·en·ceph·a·lon 名 新脳, 新生脳.
ne·o·en·ceph·a·lon 名 =neencephalon.
pa·le·en·ceph·a·lon 名 《廃》 旧脳.
pa·le·o·en·ceph·a·lon 名 =paleencephalon.
pros·en·ceph·a·lon 名 前脳(forebrain).
rhin·en·ceph·a·lon 名 嗅脳(きゅうのう).
rhom·ben·ceph·a·lon 名 後脳(hindbrain).
tel·en·ceph·a·lon 名 終脳, 端脳.
thal·a·men·ceph·a·lon 名 =diencephalon.

-ench /éntʃ/

語尾 clench, wrench に「圧迫」の音象徴を感じる人と, それを drench, blench, quench, stench にも認める人がいる.

bench 名 ☞
blench[1] 動自 《古》 (恐怖で)たじろぐ(flinch).
blench[2] 動他自 〈顔・肌を [が]〉 青ざめ(させ)る.
clench 動他 〈こぶしを〉 握り締める; 〈歯を〉 食いしばる; 〈目を〉 強く閉じる.
drench 動他 …をずぶぬれにする.
flench 動他 脂肪を取り除く(flense).
kench 名 塩漬け箱.
plench 名 プレンチ: 宇宙飛行士用のペンチとレンチを組み合わせた道具.
quench 動他 〈渇き・欲望・情熱などを〉 癒す.
shwench 名 《米学生俗》 女子新入生 [1 年生].
stench 名 (強烈な)嫌なにおい(stink).
tench 名 テンチ: コイ科の淡水魚.
trench 名 ☞
wench 名 田舎娘; 働く少女; 女中.
wrench 名 ☞
yench 動他 《米暗黒街俗》 金などをだまし取る.

-en·chy·ma /éŋkəmə, énk-/

連結形 〘植物〙 …組織; 細胞組織を表す.
★ 名詞をつくる.
◆ <ラ<ギ *parénchyma*, *parénkhuma* 「注ぎ込まれたもの」から抽出; 内臓組織はその臓器の血管によって注ぎ込まれて出来ると信じられたことから. ⇨ -MA.

aer·en·chy·ma 名 (浮葉・水生植物の)通気組織.
chlo·ren·chy·ma 名 緑色組織.
col·len·chy·ma 名 厚角組織.
pa·ren·chy·ma 名 柔組織.
pros·en·chy·ma 名 紡錘組織, 繊維組織.
scle·ren·chy·ma 名 厚膜組織.

en·clo·sure /inklóuʒər, en- | inklóuʒə/

名 囲い込むもの(柵(さく), 塀, 壁など). ⇨ CLOSURE.

pérsonal réscue enclòsure 《米》 軌道を回る宇宙船から宇宙飛行士を救助船に移すための一人乗りの球体.
Róyal Enclósure (Ascot 競馬場の)特設スタンド.
unsáddling enclòsure 〘競馬〙 脱鞍所.

en·coun·ter /inkáuntər, en-/

名 **1** 遭遇. **2** 遭遇戦. **3** 〘心理〙 出会い.

clóse encóunter (UFO との)接近遭遇.
márriage encòunter 〘心理〙 夫婦の感受性訓練.
ren·cóunt·er 名 《古》 遭遇戦, 戦闘, 決闘.
vérbal encóunter 会話, インタビュー.

-en·cy /ənsi/

接尾辞 …な性質(を持つこと)(-ence).
★ 多くは -ent で終わる形容詞について性質・状態を表す名詞をつくる.
★ 語末にくる関連形は -ENT[1].
◆ -ENCE[1] と -Y[3] の合成接尾辞.

[発音] 第 1 強勢は基語と同じ.

ab·sorb·en·cy 名 吸収力 [度], 吸収性.
ab·sti·nen·cy 名 (一定の飲食を)断つこと.
ad·ja·cen·cy 名 隣接, 近接.
ad·vert·en·cy 名 気をつけること; 注意深さ.
a·gen·cy 名 ☞
an·te·ced·en·cy 名 先行, 先任; 優先.
ap·pe·ten·cy 名 強い欲望, 欲求.
ar·den·cy 名 熱情, 熱烈, 熱心, 熱中.
as·cend·en·cy 名 優勢, 優越; 支配力 [権].
as·trin·gen·cy 名 収斂(れん)性; しんらつ, きびしさ.
bel·lig·er·en·cy 名 交戦国の立場; 交戦状態.
ca·den·cy 名 (一連の音や語の)律動的な流れ.
co·gen·cy 名 説得力; 妥当性.
con·sist·en·cy 名 堅さ, 硬度; 密度, 粘度; 一貫性.
con·stit·u·en·cy 名 (議員選挙区の)有権者, 選挙民.
con·tin·gen·cy 名 偶然性; 不測の事態.
cor·re·spond·en·cy 名 一致すること.
cur·ren·cy 名 ☞
de·cen·cy 名 礼儀正しさ, 上品さ; 良識.
de·fi·cien·cy 名 ☞
de·lin·quen·cy 名 (義務などの)不履行, 怠慢.
de·pend·en·cy 名 依存状態, 従属関係.
de·spond·en·cy 名 失望, 落胆, 意気消沈.
di·ver·gen·cy 名 逸脱.
e·mer·gen·cy 名 緊急 [非常] 事態, 危機(的)状態.
em·i·nen·cy 名 (地位・身分などの)高いこと; 高名 (eminence).
e·quiv·a·len·cy 名 (価値・力などの)同等, 等価.
Ex·cel·len·cy 名 閣下.
ex·cres·cen·cy 名 (動植物体に発生する)異常生成物 (excrescence).
ex·i·gen·cy 名 緊急, 危急, 緊迫, 火急.
ex·pe·di·en·cy 名 便宜, 有利, 好都合; 得策.
fer·ven·cy 名 感情の激しさ, 熱情, 熱意, 熱心.
im·per·ti·nen·cy 名 出しゃばること, 無礼.
in·cip·i·en·cy 名 始まり, 発端, 初期, 初期状態.
in·co·her·en·cy 名 筋道の立たないこと, 支離滅裂.
in·con·ti·nen·cy 名 矛盾, 無定見.
in·cum·ben·cy 名 もたれ掛かる [寄り掛かる] こと.
in·dif·fer·en·cy 名 《古》(…に対する)無関心, 無頓着.
in·dul·gen·cy 名 耽溺(たんでき).
in·her·en·cy 名 (性質などが)本来備わっている.
in·no·cen·cy 名 (心の)純潔, 清浄, 純潔.
in·sist·en·cy 名 強い主張; (…の)強調.
in·suf·fi·cien·cy 名 ☞
in·sur·gen·cy 名 暴動 [反乱] 状態.
lam·ben·cy 名 (炎・光が)ちらちらと揺らめくこと.
la·ten·cy 名 潜在, 潜伏.
le·ni·en·cy 名 寛大, 哀れみ深さ, 慈悲, 寛容.
non·bel·lig·er·en·cy 名 非交戦状態.
op·po·nen·cy 名 反対すること, 抵抗, 敵対.
pa·ten·cy 名 明白, 公然.
pen·den·cy 名 未決定, 未解決; ぶら下がった状態.
per·ma·nen·cy 名 永続的なもの [人], 永続する地位.
po·ten·cy 名 有力である [勢力がある] こと.
prec·e·den·cy 名 (位置的・時間的に)先行すること.
pres·i·den·cy 名 president「大統領」の地位.
pro·fi·cien·cy 名 進歩, 上達; 熟達, 堪能(たんのう).
pu·den·cy 名 内気, 謙遜(けんそん), はにかみ.
re·cen·cy 名 最近, 新しいこと.
re·gen·cy 名 摂政.
res·i·den·cy 名 居住, 滞在.
sa·li·en·cy 名 突き出ていること; 目立つこと.
se·quen·cy 名 続発, 連続; 順序.
sol·ven·cy 名 溶解力(を持つこと).
strin·gen·cy 名 容赦のなさ, 過酷さ, 厳しさ.
suf·fi·cien·cy 名 十分なこと, 足りること, 充足.
tan·gen·cy 名 接触状態.
ten·den·cy 名 ☞
trans·par·en·cy 名 透明(性), 透明度.
ur·gen·cy 名 差し迫ったこと, 切迫, 緊急.
va·len·cy 名 【化学】原子価.
vice·ge·ren·cy 名 代官 [代理人] の地位 [統治権, 職務].

end /énd/

名 (細長いものの)端; 終わり; 分担. ——動自 終わる. ——他 終える. ——形 終わりの.

áss énd (物の)後部, 尾部.
báck ènd 後端, 後部.
bést énd (料理用羊・子牛などの)首肉の肋骨(ろっこつ)に近い部分.
bíg ènd 【機械】ビッグエンド, 大端(部).
bín ènd (蔵出しした)最後のワイン.
bítter énd 苦難の果ての結末; 最後, ぎりぎり.
bláck énd 【植物病理】尻(しり)黒病.
bóok·ènd ブックエンド, 本立て.
bóttom-ènd 《米俗》(自転車の)ボトムエンド.
búsiness ènd 《俗》役目を果たす先端部分.
bútt ènd 棒の太いほうのはし.
bútt-end 動自 【アイスホッケー】スティックの端で相手を突く.
bý-ènd 名 付随的な目的; 私心.
clósed-énd 形 【証券】資本額固定式の.
cód ènd 【釣り】引網の先細の先端部.
déad énd (通路・水道管などの)行き止まり.
déad-énd 形 〈道路などが〉行き止まりの.
dóg ènd 《俗》タバコの吸殻.
Éast Énd イーストエンド(イングランドの地名).
énd-and-énd 形 色違いの糸を交互に経(たて)糸に編んで緯(よこ)模様にした.
énd-to-énd 形 端と端が接する [をつなぐ].
fág ènd 末端, 最後, 残りかす(end).
fóre-ènd 名 (銃の)前床.
frónt-ènd 形 下準備の, 前払い用の.
gáble ènd (建物の翼(wing)などの)切妻壁.
héad ènd (有線テレビの)電波(調整)中継局.
hígh ènd 高級品小売り販売.
hígh-énd 形 《話》最高級の; 高額・高性能の.
hínd ènd 《米俗》尻(しり)(ass).
knób-ènd 名 《英俗》ばかなやつ.
Lánd's Énd ランズエンド岬(イングランドの地名).
líving énd 極限.
lóose énd (布・ひも・縄などの)垂れ下がった.
lów-ènd 形 《話》安価なほうの, 低価格帯の.
móuth-ènd (タバコなどの)吸い口.
ópen-énd 形 【金融】追加債務を許容される.
póll ènd 風車の羽の腕を支えるこしき.
réar énd (物の)最後尾, 後部.
réar-énd 動他 〈別の車に〉車を追突させる.
recéiving ènd (信号などを)受け取る側, 受け手.
rópe ènd ＝rope's end.
rópe's ènd 縄のむち; 絞首索.
shárp énd 《話》船首, 《比喩的》先端; 前線.
síngle-énd 名 《スコット》シングルルームのみの宿泊設備.
smáll ènd 【機械】スモールエンド.
splít énd 【アメフト】スプリットエンド.
spréad énd 【アメフト】＝split end.
stícky énd 【生物工学】スティッキー末端.
supréme énd 最高善(summum bonum).
tág énd 《主に米・カナダ》最終部分, 最後尾.
táil énd (物の)後部, 末端; 尾の先端.
tíght énd 【アメフト】タイトエンド.
Tóp Ènd 《豪》ノーザンテリトリーの北部.
ùp·énd 動他 直立させる, 立てる; 逆さまにする.
wéek·ènd 名 ☞
Wést Énd ウエストエンド(イングランドの地名).
wórld's énd 世界の果て.
yéar-énd 名 年末, 歳末(year's end).
yéar's énd ＝year-end.

-end[1] /end, ənd/

[接尾辞] …されるもの[人].
★ 受動の意味の名詞をつくる.
◆ <ラ *-endus*, *-da*, *-dum*(*-ēre* および *-ĕre* の動詞状形容詞より).

ad·dend [名] 〘数学〙加数.
ad·her·end [名] 〘化学〙付着物, 接着面.
au·gend [名] 〘数学〙被加算数[量].
div·i·dend [名] ☞
min·u·end [名] 〘数学〙被減数, 引かれる数.
preb·end [名] 聖堂参事会員俸給.
rep·e·tend [名] 〘数学〙(循環小数の)循環節.
rev·er·end [形] 《聖職者の名前につける尊称》…師.
sub·tra·hend [名] 〘数学〙減数.

-end[2] /énd/

[語尾] 代表的語尾で, 動詞に多い.

bend[1] [動他] ☞
bend[2] [名] 〘紋章〙斜帯, 斜め帯.
blend [動他] 混ぜる, 混合する, ミックスする.
end [名] ☞
fend [動他] 〈打撃などを〉受け流す, 払う.
-fend [連結形] ☞
lend [動他] 〈金・物を〉貸す, 貸与する.
mend [動他] ☞
-mend [連結形] ☞
pend [動自] 未決定のままでいる, 未解決である.
-pend [連結形] ☞
rend [動他] 引き裂く, ずたずたにする, 砕く.
scend [動自] 〘海事〙〈船が〉波に持ち上げられる.
-scend [連結形] ☞
send[1] [動他] ☞
send[2] [動自] 〘海事〙＝scend.
shend [動他] 《古》恥をかかせる, 侮辱する.
spend [動他] ☞
tend[1] [動自] 生じやすい; …しがちである.
tend[2] [動他] 番をする; 栽培する, 育成する.
-tend [連結形] ☞
trend [名] ☞
vend [動他] 売る, 販売する; 売り歩く.
wend [動他] 《文語》〈進路を〉向ける, 転じる.

-en·da /éndə/

[接尾辞] ラテン語の動詞状形容詞の中性複数形語尾. ⇨ -A[1].
★ 名詞をつくる.

ad·den·da [名][複] addendum「付加物」の複数形.
a·gen·da [名] (議事)日程. ▶単数形は agendum.
de·len·da [名][複] 削除すべきもの. ▶単数形はラテン語で *delendum*.
pu·den·da [名] pudendum「〘解剖〙(女性の)外陰部」の複数形.

end·ed /éndid/

[形] 先端が…状の, …の端をもった. ⇨ -ED[2].

dóuble-énded [形] 両端が同形の.
ópen-énded [形] 制限のない; 大まかな, 自由な.
síngle-énded [形] 片面の.
un·énded [形] 終わりのない, 無限[永遠]の; 未完の.

end·ing /éndiŋ/

[名] **1** 終わりになる[する]こと, 終了, 終結, 終わり. **2** 最後の部分. ——[形] 終わりになる[する]. ⇨ -ING[1], -ING[2].

cáse ènding 〘文法〙格(変化)語尾.
féminine ènding 〘韻律〙女性行末.
néver-énding [形] 終わることのない, 果てしない.
tríck ènding 〘文学〙トリックエンディング.
ùn·énding [形] 終わりのない; 絶え間ない.
wéak ènding 〘韻律〙弱勢詩行末.

-en·do /éndou; *It.* éndo/

[接尾辞] もとはイタリア語の動詞状形容詞現在形を表す語尾.
★ 音楽の旋律に関連した語をつくる.
◆ <伊<ラ *-endum*.

cre·scen·do [名] クレッシェンド(の楽節).
de·cre·scen·do [形][副] 徐々に弱い[弱く].
di·min·u·en·do [形][副] 漸次弱声の[に].
mo·ren·do [形][副] しだいに音を弱める[て].
strin·gen·do [形][副] 漸次急速の[に].

en·dowed /indáud, en-/

[形] 〈大学・病院が〉寄付金を得た; 〈人が〉生まれつきの才能がある. ⇨ -ED[1].

ùnder·endówed [形] 寄付金収入が十分でない.
ùn·endówed [形] (…を)授かっていない.
wéll-endówed [形] (才能・資質に)恵まれた.

-ene[1] /iːn/

[連結形] **1** 〘化学〙不飽和炭化水素(hydrocarbons)を示す. ▶特にエチレン系のそれを示す. **2** 合成薬品などの商品名. **3** (地名・国名の語尾につけて)その土地の住人を示す.
★ 名詞をつくる.
◆ <ギ *-ēnē*(起源, 源泉を表す形容詞接尾辞 *-ēnos* の女性形).

〈**1**〉〘化学〙不飽和炭化水素(**hydrocarbons**)を示す.
a·cet·y·lene [名] ☞
al·kene [名] アルケン, オレフィン類.
am·yl·ene [名] アミレン.
an·thra·cene [名] アントラセン: 放射性物質の測定用.
an·ti·ven·ene [名] 〘医学〙抗蛇(ᵋ)毒素; 蛇毒血清.
as·phal·tene [名] アスファルテン.
benz·an·thra·cene [名] ベンズアントラセン.
ben·zene [名] ☞
ben·zyl·i·dene [名][形] ベンザル基(の).
buck·min·ster·ful·le·rene [名] フラーレン, 炭素 20 面体.
bu·ta·di·ene [名] ブタジエン.
bu·tene [名] ＝butylene.
bu·tyl·ene [名] ブチレン.
car·bene [名] カルベン.
car·o·tene [名] カロチン.
chlo·ro·tri·an·is·ene [名] 〘薬学〙クロロトリアニセン.
chry·sene [名] クリセン.
cin·na·mene [名] ＝styrene.
cu·mene [名] クメン, クモール: 有毒性; 溶剤用.
cy·clo·di·ene [名] シクロジエン: 主に殺虫剤用.
cy·clo·oc·ta·tet·ra·ene [名] シクロオクタテトラエン.
cy·clo·pen·ta·di·ene [名] シクロペンタジエン: 溶媒用.
cy·mene [名] シメン.
dan·tro·lene [名] 〘薬学〙ダントロレン.
di·ene [名] ジエン.
el·ae·op·tene [名] ＝eleoptene.
el·e·op·tene [名] エレオプテン, 精油分.
eth·ene [名] ＝ethylene.
eth·yl·ene [形] ☞
flu·o·rene [名] フルオレン: 樹脂, 染料の原料用.
foot·bal·lene [名] ＝buckminsterfullerene.
ful·le·rene [名] ＝buckminsterfullerene.
hex·ene [名] ヘキセン: 薬品, 樹脂, 殺虫剤用.
in·dene [名] インデン: 樹脂合成用.
i·so·bu·tene [名] イソブテン.
i·so·prene [名] イソプレン: 合成ゴムの原料.

ke·tene 名 ケテン: アスピリンなどの製造用.
leu·ko·tri·ene 名 〘生化学〙ロイコトリエン.
lim·o·nene 名 リモネン.
ly·co·pene 名 〘生化学〙リコピン.
mal·thene 名 =petrolene.
men·thene 名 メンテン.
me·sit·y·lene 名 メシチレン, トリメチルベンゼン.
meth·o·prene 名 メソプレン: 主に生物学的殺虫剤.
meth·yl·ene 名形 メチレン基(の).
naph·tha·lene 名 ☞
naph·thene 名 ナフテン.
par·y·lene 名 パリレン: 絶縁用被覆剤.
pen·tene 名 ペンテン: ガソリンの主要な成分.
pet·ro·lene 名 ペトローレン.
phe·nan·threne 名 フェナントレン: 主に薬品用.
phen·yl·ene 名形 フェニレン基(の).
pi·nene 名 ピネン: テレビン油の主成分.
pol·y·bu·ta·di·ene 名 ポリブタジエン: 主に潤滑油製造用.
pol·y·ene 名 ポリエン.
pol·y·is·o·prene 名 ポリイソプレン: 熱可塑性弾性剤.
pro·pene 名 =propylene.
pro·pyl·ene 名形 プロピレン基(の).
py·rene 名 ピレン.
re·tene 名 レテン: フェナントレン誘導体.
rhig·o·lene 名 リゴレン: もと局部寒冷麻酔剤用.
soc·cer·ene 名 =buckminsterfullerene.
squa·lene 名 〘生化学〙スクアレン.
ste·a·rop·tene 名 ステアロプテン: 揮発性油の固形部分.
stil·bene 名 スチルベン: 主に染料用.
sty·rene 名 スチレン, スチロール.
ter·e·bene 名 〘薬学〙テレベン: 去痰(たん)剤.
ter·pene 名 ☞
ter·pi·nene 名 テルピネン: 香料用.
tet·ra·zene 名 テトラゼン, テトラゾン.
thi·o·xan·thene 名 〘薬学〙チオクサンテン.
tol·u·ene 名 トルエン, トルオール.
tri·cho·the·cene 名 トリコセシン.
tri·ene 名 トリエン.
tri·meth·yl·ene 名 〘生化学〙シクロプロパン.
ve·nene 名 〘生化学〙ベニン.
vi·nyl·i·dene 名形 ビニリデン基(の).
xan·thene 名 キサンテン, ジベンゾピラン.
xy·lene 名 キシレン, キシロール.

〈**2**〉合成薬品などの商品名.

Fel·dene 名 《薬学・商標》フェルディン: ピロキシカム(piroxicam)の商品名.
Ter·y·lene 名 《英》《商標》テリレン: ポリエステル系合成繊維.

〈**3**〉(地名・国名の語尾につけて)その土地の住人を示す.

Cai·rene 形名 (エジプトの)カイロの(住民).
Dam·a·scene 形名 ダマスカスの(住人).
Gad·a·rene 形名 (パレスチナの)ガダラの(住民).

-ene[2] /iːn/

語尾 語末にくる同音形は -EAN[2], -EEN[2], -INE[1], -INE[2], -INE[3], -INE[4], -INE[5], -INE[7].

bene 名 《廃》(特に神への)祈り, 願い.
-cene 連結形 ☞
dene[1] 名 《英》(海岸の)砂地; 低い砂丘.
dene[2] 名 《英》(木の生い茂る)深い谷.
gene 名 ☞
phene 名 〘生物〙遺伝的表現型.
scene 名 ☞
skene 名 スキン刀(skean).
sphene 名 〘鉱物〙榍石(せっせき).
-tene 連結形 ☞
-vene 連結形 ☞

en·e·ma /énəmə/

名 〘医学〙浣腸(かんちょう), 注腸. ⇨ -MA.

★ 異形は oenema.

ápplesauce ènema 気を悪くさせない批判.
bárium ènema バリウム浣腸.
hígh énema 高圧[バリウム]浣腸(かんちょう).
hígh-préssure énema =high enema.

en·er·gy /énərdʒi/

名 活力, 精力; 活気, 元気, 気力; 活力[元気, 精力]の発揮. ⇨ -ERGY.

activátion ènergy 〘化学〙活性化エネルギー.
altérnative énergy 代替エネルギー.
atómic énergy =nuclear energy.
aváilable énergy 〘物理〙有効エネルギー.
bínding ènergy 〘物理〙結合[分離]エネルギー.
bì·o·énergy 名 バイオエネルギー.
cléan énergy 大気汚染を起こさないエネルギー.
frée énergy 〘熱力学〙自由エネルギー.
hígh-énergy 形 〘物理〙高エネルギーを持つ.
intérnal énergy 〘熱力学〙内部エネルギー.
kinétic énergy 〘物理〙運動エネルギー.
láttice ènergy 〘化学〙格子エネルギー.
lów-énergy 形 低エネルギーの.
lúminous énergy 〘物理〙光(light).
núclear énergy 核エネルギー, 原子力.
ócean ènergy 海洋エネルギー.
órgone ènergy オルゴン・エネルギー: Wilhelm Reich の説で, 宇宙に充満している非物質的な生命力.
poténtial énergy 〘物理〙位置エネルギー.
psýchic énergy 〘精神分析〙心的エネルギー.
rádiant énergy 〘物理〙放射エネルギー.
renéwable énergy 再生可能エネルギー.
rést ènergy 〘物理〙静止エネルギー.
separátion ènergy =binding energy.
sóft énergy =renewable energy.
sólar énergy 太陽エネルギー.
thérmal énergy 〘物理〙熱エネルギー.
tídal ènergy 潮汐(ちょうせき)エネルギー.
trásh-to-énergy 形 ごみエネルギーの.
unaváilable énergy 〘物理〙無効エネルギー.
wáve ènergy 波エネルギー.
wínd ènergy (電力・動力源としての)風力.
zéro-pòint ènergy 〘物理〙零点エネルギー.

-eng /éŋ/

音象徴間 音象徴語の重複形に見られる語末要素.

dénga-dènga-déng 間 《削岩機などの音》ガンガンガン, ダッダッダ, ズガガガ, バババババ.
twéng-twéng 間 《ギターの弦をはじいたときなどの音》ビーンビーン, ポーンポローン.

-enge /éndʒ/

語尾

henge 名 〘考古〙ヘンジ.
venge 動他 《古》復讐する(revenge).

en·gine /éndʒin/

名 エンジン, 機関, 発動機; 機関車.

àer·o·éngine 名 〘航空〙航空エンジン.
áir èngine エアエンジン, 空気機関.
árcjèt èngine アークジェット・エンジン.
atmosphéric éngine 大気圧機関.
bánk èngine 《英》上り坂で用いる補助機関車.
béam èngine (初期の)蒸気機関.
béer èngine 《英》ビールポンプ.

bóoster èngine 〖ロケット〗ブースターエンジン.
Bráyton éngine 〖機械〗ブレイトンエンジン.
býpass èngine 〖航空〗ターボファン.
Carnót èngine 〖熱力学〗カルノーの熱機関.
combústion èngine 燃焼機関.
cómpound éngine 〖機械〗多段膨張機関.
compréssion-ignítion éngine 圧縮点火機関.
contínuous-expánsion èngine 連続熱機関.
díesel èngine ディーゼル機関［エンジン］.
displácement èngine =reciprocating engine.
dónkey èngine 補助エンジン, 小型エンジン.
dúal displácement èngine 二段排気量エンジン.
fíre èngine 消防自動車.
fréight èngine 《米》貨物列車用機関車.
gás èngine ガス機関.
gásoline èngine 《米》ガソリンエンジン［機関］.
góods èngine 《英》貨車用機関車.
grásshopper èngine グラスホッパーエンジン［機関］.
héat èngine 〖熱力学〗熱機関.
Hésselman èngine ヘッセルマン・エンジン［機関］.
hót-áir èngine 〖機械〗熱気機関.
hót-búlb èngine 焼き玉機関［エンジン］.
ÌĆ èngine =internal-combustion engine.
Í-head èngine アイヘッドエンジン, 頭弁式機関.
inférence èngine 〖コンピュータ〗推論機構.
ín-lìne éngine 〖機械〗直列形機関.
intérnal-combústion èngine 内燃機関.
íon èngine 〖航空〗イオンエンジン.
jácking èngine 使っていないレシプロ・エンジンやタービンを検査・修理のために動かすエンジン.
jét éngine (航空機などの)ジェットエンジン.
Jórdan engine ジョルダン(エンジン), 精砕機.
Ĺ-hèad èngine L 形機関, 側弁式機関.
líght èngine 〖鉄道〗単行機関車, 単機.
líquid-còoled éngine 〖航空〗液冷エンジン.
míd·èngine 形 ミッドエンジンの.
mónkey èngine 杭(くい)打ち機.
nòncondénsing éngine 復水器なし機関.
oppósed-píston èngine 対向ピストン機関.
óscillating èngine 首振り［筒振り］機関.
óverhead-válve èngine =I-head engine.
petról èngine 《英》=gasoline engine.
petróleum èngine =gasoline engine.
píle èngine 杭(くい)打ち, パイルドライバー.
pílot èngine 先行機関車.
píston èngine =reciprocating engine.
plásma èngine 〖ロケット〗プラズマエンジン.
póny èngine 構内機関車.
propéller túrbine èngine =turbo-propeller engine.
própjet èngine =turbo-propeller engine.
púlsejèt èngine 〖航空〗パルスジェットエンジン.
rádial èngine 〖航空〗星形エンジン, 星形発動機.
reáction èngine 〖航空〗〖ロケット〗反動エンジン.
recíprocating èngine ピストン式機関, レシプロ・エンジン.
rè·én·gine 動他 エンジンを交換する.
résojet èngine 〖航空〗レゾジェット・エンジン.
résonant-jét èngine =resojet engine.
ré·tro-èn·gine 名 (ロケットの)逆推進エンジン.
rínging èngine 〖機械〗杭(くい)打ち機.
rócket èngine ロケットエンジン.
róse èngine ロゼット模様機.
rótary èngine 回転機関.
shúnting èngine 《主に英》=switch engine.
síde-vàlve èngine 〖機械〗側弁式機関.
státionary èngine 定置機関.
stéam èngine 蒸気機関; 蒸気機関車.
Stírling èngine 〖造船〗スターリングエンジン.
strátified chàrge éngine 成層燃焼エンジン.
swítch èngine 〖鉄道〗入れ換え機関車.
tánk èngine 〖鉄道〗タンク機関車.
tráction èngine 牽引(けん)機関車.
trúnk èngine トランク機関.
túrbojet èngine 〖航空〗ターボジェットエンジン.
túrbo-propèller èngine 〖航空〗ターボプロペラエンジン.
tùrbo-rámjet èngine 〖航空〗ターボラムジェットエンジン.
twín-cám èngine 〖自動車〗ツインカム・エンジン
twín-éngine 形 〈飛行機が〉双発(型)の.
úniflòw èngine ユニフロー［単流］機関.
válve-in-héad èngine =I-head engine.
V́-èngine 名 =V-type engine.
vérnier éngine 〖ロケット〗副［補助］エンジン.
V́-týpe éngine 〖自動車〗V 形エンジン.
Wánkel éngine 〖自動車〗ワンケルエンジン.
wínding-èngine 巻き揚げエンジン.

en·gi·neer /èndʒiníər/

名 技師, 技術者, エンジニア. ―― 動他 〈工事などの〉設計に当たる. ⇨ -EER[1].

chártered engineér 《英》公認技師.
cívil engineér 土木技師.
crówd engineèr 《米》群衆整理専門家; 警察犬.
desígn engineèr 設計技師, エンジニア.
eléctrical engineér 電気技師.
environméntal engineér 環境工学者.
flíght engineèr 〖航空〗航空機関士.
genètic engineér 遺伝子工学技術者.
lándscape engineèr 造園技師.
locomótive engineèr (機関車の)機関士.
maríne engineér 船舶機関士, 造船技師.
mechánical engineér 機械工学士［技師］.
pórt engineèr 船舶工務監督.
rè·én·gi·neer 動他 〈機械などを〉設計し直す.
rè·én·gi·neer 名 (企業の)業務革新の推進者.
revérse-engineér 動他 〈コンピュータ用のマイクロチップなどを〉分解して模倣する.
sáles engineèr 販売担当技術者.
sanitátion engineér 《米》《婉曲的》ゴミ収集作業員.
sérvice engineèr 《主に英》修理技術者, 修理工.
sóund engineèr 音響技師, 音響係.
státionary engineér 定置機関運転士.
superinténdent engineér =port engineer.
sýstems engineèr システムエンジニア.

en·gi·neer·ing /èndʒiníəriŋ/

名 工学, エンジニアリング. ⇨ -ING[1].

aeronáutical engineéring 航空工学.
áerospace engineéring 航空宇宙工学.
agricúltural engineéring 農業工学.
astronáutical engineéring 宇宙工学.
bìo·engineéring 生物［生体］工学.
biológical engineéring =bioengineering.
biomédical engineéring =bioengineering.
céllular engineéring 細胞工学.
cerámic engineéring 窯業(ようぎょう)(学).
chémical engineéring 化学工学.
cívil engineéring 土木工学.
compúter-àided engineéring 計算機支援エンジニアリング.
eléctrical engineéring 電気工学.
electrónic engineéring 電子工学.
énzyme engineèring 酵素(利用)工学.
gárbage engineéring 塵芥(じんかい)処理工学.
genétic engineéring 遺伝子工学.
húman engineéring 人間工学.
hydráulic engineéring 水力工学, 水工学.
ìmmuno·engineéring 免疫工学.
indústrial engineéring 生産管理工学, 産業工学, 経営工学.
knówledge engineèring 知識工学.
màcro·engineéring マクロエンジニアリング.
mánagement engineèring 経営工学.
maríne engineéring 造船工学.
mechánical engineéring 機械工学.

E

méthod engineéring 方法工学, メソッドエンジニアリング.
military engineéring 軍事工学, 工兵学.
míning engineèring 鉱山(工)学, 採鉱学.
ócean engineèring 海洋工学.
pálaeo-engineéring 古生物工学.
prócess engineèring プロセス工学.
prótein engineéring タンパク質工学.
sánitary engineéring 衛生工学.
sócial engineéring 社会工学.
strúctural engineéring 構造工学.
tóol engineèring 装備 [生産設営] 工学.
tráffic engineèring 交通工学.
válue engineèring 価値工学, VE.

E

Eng·land /íŋglənd, íŋlənd/

名 イングランド王国(Kingdom of England). ⇨ LAND.

Mérrie Éngland =Merry England.
Mérry Éngland 楽しきイングランド: 古き良きイングランドを指す呼称.
Middle Éngland (ロンドン以外の)中流階級英国人.
Nèw Éngland ニューイングランド(米国の地名).
Yóung Éngland 青年イギリス党.

Eng·lish /íŋgliʃ, íŋliʃ/

形 イングランドの; 英国の. ━━名 **1** 英国人, 英国民. **2** 英語. **3**(ビリヤードで)水平方向へのひねり. ⇨ -ISH[1].

Afro-Américan Énglish =Black English.
Àmer·Énglish 《英》=American English.
Américan Énglish アメリカ英語, 米語.
Àmero·Énglish =American English.
Austràlian Énglish オーストラリア英語.
bábu Énglish 《軽蔑的》堅苦しく飾りたてた英語.
Básic Énglish ベーシック・イングリッシュ.
Bláck Énglish 黒人英語: 米国の黒人が用いる英語.
bódy Ènglish 『スポーツ』球を打ったり, けったりした後で, あたかも自分の望む方向に行かせるかのようにする体の仕草.
bórough-Énglish 『英法』末子相続慣習法.
Brítish Énglish イギリス英語.
búsiness Ènglish 商業英語.
Canádian Énglish カナダ英語.
Éarly Énglish 名形 初期イギリス様式(の).
Énglish Énglish イギリス英語.
Èstuary Énglish (テムズ川の)河口地方特有の英語.
Éuro·Ènglish EC 域内で使われる英語.
Hibérno-Énglish 名形 アイルランド英語(の).
Írish Énglish アイルランド英語.
Kíng's Énglish 純正英語.
Lánkan Énglish スリランカ英語.
Míddle Énglish 中(期)英語(ME).
Módern Énglish 近代英語(Mod E).
nátural Énglish 『ビリヤード』=running English.
Néw Énglish =Modern English.
Nórman Énglish ノルマン英語.
Óld Énglish 古(期)英語(OE).
Óxford Énglish オックスフォード英語.
pídgin Énglish ピジン英語.
Pídgin Sígn Ènglish 聴覚障害者と聴者との間で用いられる, 英語順に手話を並べた手話と指文字による補助的言語.
pre-Énglish 形 英語が入って来る前の.
quéen's Énglish 純正英語.
revérse Énglish 《米》『ビリヤード』回転ひねり.
rúnning Énglish 『ビリヤード』順ひねり.
sígned Énglish アメリカ手話(ASL).
Sóuthern Brítish Énglish 南部英語(Southern English).
Sóuthern Énglish =Southern British English.
Stándard Énglish 標準英語.
ùn-Énglish 形 英国的でない, 英国人らしくない.
ÚS Énglish (国語としての)アメリカ英語.
Whíte Énglish 白人(の話す)英語.
wórld Énglish 世界英語, 国際英語.

en·grav·ing /ingréiviŋ, en-/

名 彫刻法 [術]. ⇨ -ING[1].

líne engràving 直刻凹版.
phòto·engráving 写真凸版技術.
stéel engràving 鋼板彫刻.
wóod engràving 木口(こぐち)木版技法.

-enne /ən, én/

接尾辞 女性の…の人.
★ フランス語から借用した名詞に見られる. *-en* の語尾を持つフランス語の男性名詞に対応する.

aes·the·ti·ci·enne 名 《英》女性の美容師.
al·ge·ri·enne 名 アルジェリア織.
A·thé·nienne 名 『フランス家具』(ルイ十六世時代および帝政時代の)三脚の小卓.
co·me·di·enne 名 女性コメディアン; 喜劇女優.
doy·enne 名 女性の長老(doyen).
eo·li·enne 名 エオリエンヌ: 絹と羊毛 [レーヨン, 綿] との交ぜ織りの布地.
e·ques·tri·enne 名 女性騎手, 女曲馬師.
mé·ri·di·enne 名 『フランス家具』(帝政時代の)休息用長椅子.
Pa·ri·si·enne 名 パリの女性 [娘], パリジェンヌ.
tra·ge·di·enne 名 悲劇女優.
Ty·ro·li·enne 名 チロリエンヌ: チロルの農民舞踊.

-en·nel /énl/

語尾

fen·nel 名 ☞
ken·nel[1] 名 犬 [猫] 小屋.
ken·nel[2] 名 《古》(道端の)溝(みぞ), どぶ.
ven·nel 名 《スコット》小道.

-en·ni·al /éniəl/

連結形 …年ごとの. ◇ ANNUAL.
★ 形容詞をつくる.
★ 語末にくる関連形は -ENNIUM.
★ 語頭にくる関連形は anni [u] -: *annu*al「一年の」, *annu*ity「年金」.
◆ <古仏 *-enial* <ラ *-ennium*(*annus*「年」より). ⇨ -IAL.

bi·en·ni·al 形 隔年の, 2 年に 1 回行う, 2 年ごとの.
cen·ten·ni·al 形 ☞
de·cen·ni·al 形 10 年周期の, 10 年目ごとの.
di·cen·ni·al 形 =decennial.
du·o·de·cen·ni·al 形 12 年周期の, 12 年目ごとの.
mil·len·ni·al 形 千年(間)の; 千年至福 [王国] の.
oc·ten·ni·al 形 8 年周期の, 8 年目ごとの.
per·en·ni·al 形 (不定の長い期間)持続する, 永続的な.
quad·ren·ni·al 形 4 年周期の, 4 年目ごとの.
quad·ri·en·ni·al 形 =quadrennial.
quin·de·cen·ni·al 形 15 年周期の, 15 年目ごとの.
quin·quen·ni·al 形 5 年周期の, 5 年目ごとの.
sep·ten·ni·al 形 7 年周期の, 7 年目ごとの.
sex·en·ni·al 形 6 年周期の, 6 年目ごとの.
tri·en·ni·al 形 3 年周期の, 3 年目ごとの.
vi·cen·ni·al 形 20 年周期の, 20 年目ごとの.

-en·ni·um /éniəm/

連結形 年, 年間.

★ 名詞をつくる.
★ 語末にくる関連形は -ENNIAL.
★ 語頭にくる関連形は anni-, annu-: *annu*al「一年の」, *annu*ity「年金」.
◆ <ラ *-ennium*(*annus*「年」より).

- **bi·en·ni·um** 名 2 年間.
- **de·cen·ni·um** 名 10 年間(decade).
- **mil·len·ni·um** 名 千年(間).
- **quad·ren·ni·um** 名 4 年間.
- **quad·ri·en·ni·um** 名 ＝quadrennium.
- **quin·quen·ni·um** 名 5 年間.
- **sep·ten·ni·um** 名 7 年間.
- **tri·en·ni·um** 名 3 年間.

-ens /énz/

語尾

- **dens** 名 【動物】歯(tooth); 歯状突起.
- **ens** 名 【形而上学】存在(者); 有.
- **gens** 名 (古代ローマの)ゲンス, 氏族.
- **lens** 名 ☞

-ense /éns/

語尾 語末にくる同音形は -ENCE[2].

- **cense** 動他 …のそば [前] で香をたく, 焼香する.
- **dense** 形 ☞
- **flense** 動他 〈鯨・アザラシなどの〉脂肪を取り除く, 皮をはぐ.
- **-pense** 連結形 ☞
- **sense** 名 ☞
- **spense** 名 《古・方言》食料品貯蔵室, 食器室.
- **tense**[1] 形 〈ひも・繊維などが〉強く張った.
- **tense**[2] 名 ☞
- **-tense** 連結形 ☞

en·sign /énsain; 【軍事】énsn/

名 (船・飛行機の国籍を示す)旗; 軍旗. ⇨ SIGN.

- **Blúe Énsign** 19 世紀までの英国軍艦旗.
- **nátional énsign** ＝ensign.
- **Réd Ensign** 英国商船旗(red duster).
- **whíte énsign** 【軍事】英国軍艦旗.

-en·sis /énsis, ən-/

接尾辞 …に属するもの, …に起源のあるもの.
★ 語末にくる関連形は -ESE.
◆ ラテン語 *-ēnsis* より.

- **a·man·u·en·sis** 名 筆記者, 筆耕者, 書記, 写字生.
- **mil·ia·ren·sis** 名 ミリアレンシス: 古代ローマの銀貨.

-ent[1] /ənt/

接尾辞 **1** …(を)する, …を示す, …の(ある): converg*ent*. ►形容詞をつくる. **2** …(する)人 [もの, こと]: stud*ent*. ►名詞をつくる.
★ 語末にくる関連形は -ENCE[1], -ENCY.
◆ <ラ *-ent-*(第二, 第三, 第四変化動詞の現在分詞接尾辞 *-ēns* の語幹).
[発音] (1) 第 1 強勢は, 2 音節の語では語頭の音節に付く, (2) 3 音節以上の語の場合, (ア) -ent の前の音節が短母音(「短母音＋1 つの子音字」この子音字はなくてもよく, また子音字にもう一つの子音 /r/ か /w/ が付いてもよい)ならば 2 つ前の音節に付き, (イ) -ent の前の音節が長音節(「長母音(または 2 重母音)」または「短母音＋2 つの子音字(後ろの子音が /r/, /w/ である場合は除く)」ならば直前の音節に付く. 例外: (ア) appárent, (イ) concúpiscent, éxcellent など.

- **ab·du·cent** 形 【生理】外転の.
- **ab·hor·rent** 形 嫌悪を催させる, 憎むべき.
- **ab·lu·ent** 形 洗浄の. ━━ 名 洗剤, 洗浄剤.
- **ab·sorb·ent** 形 吸収する力のある, 吸収性の.
- **ab·ster·gent** 形 洗浄の, 洗浄力のある.
- **a·cid·u·lent** 名 【化学】酸味 [酸性] を帯びたもの.
- **ac·qui·es·cent** 形 黙従的な, 黙認の, おとなしく従う.
- **ad·du·cent** 形 【生理】内転の.
- **ad·sorb·ent** 形 吸着性の. ━━ 名 吸着剤, 吸着媒.
- **ad·vert·ent** 形 注意深い.
- **a·gent** 名 ☞
- **an·nec·tent** 形 【動物】中間の, 連結の.
- **a·per·i·ent** 形 【医学】緩下作用のある. ━━ 名 緩下剤.
- **ap·par·ent** 形 はっきりと目に見える; 明らかな.
- **ap·pend·ent** 形 付加された, 付けられた.
- **ar·dent** 形 〈愛情などが〉熱烈な, 情熱的な.
- **as·trin·gent** 形 【医学】収斂性の, 収縮させる.
- **at·tin·gent** 形 《古》触れている, 接触した.
- **at·tra·hent** 形 引っ張る, 牽引する, 吸引性の.
- **au·di·ent** 形 聞く, 傾聴する. ━━ 名 聞く人.
- **bel·lig·er·ent** 形 好戦 [戦闘] 的な; けんか腰の.
- **be·nef·i·cent** 形 恩恵を与える; 親切な.
- **be·nev·o·lent** 形 好意的な, 優しい, 善意ある.
- **ca·dent** 形 リズムのある, 律動的な.
- **can·dent** 形 熱で輝いている, 白熱の.
- **-ce·dent** 連結形 ☞
- **-ci·dent** 連結形 ☞
- **-cip·i·ent** 連結形 ☞
- **cli·ent** 名 依頼人, 依頼主.
- **co·gent** 形 説得力のある, 効果的な.
- **com·pla·cent** 形 (現状に)満足して; 悦に入って.
- **con·cu·pis·cent** 形 情欲の盛んな, 好色の.
- **con·do·lent** 形 慰めの, お悔やみの, 哀悼する.
- **con·gru·ent** 形 (…と)適合する, 調和した.
- **con·niv·ent** 形 【植物】【動物】輻合(ふくごう)の.
- **con·sist·ent** 形 (…と)一致する.
- **con·stit·u·ent** 形 ☞
- **con·strin·gent** 形 締めつける, 圧縮する.
- **con·tin·gent** 形 …次第の, (…を)条件とする.
- **con·ven·ient** 形 便利な, 使いやすい.
- **con·ver·gent** 形 一点に向かう, 集中的な.
- **cor·re·spond·ent** 名 ☞
- **cor·ri·gent** 名 【医学】矯味薬, 矯正剤.
- **cor·ro·dent** 形 腐食性の. ━━ 名 腐食剤.
- **cre·dent** 形 《古》信用する.
- **-cum·bent** 連結形 ☞
- **cur·rent** 形名 ☞
- **-cur·rent** 連結形 ☞
- **dec·a·dent** 形 衰退していく; 退廃的な; 衰退期の.
- **de·cent** 形 まともな, 適正な; 適切な.
- **def·er·ent** 形 恭しい, 丁重な.
- **de·lin·quent** 形 怠慢な, 義務を怠る.
- **de·mul·cent** 形 痛みを鎮める. ━━ 名 緩和剤.
- **de·pend·ent** 形 (…に)頼っている, 依存している.
- **de·spond·ent** 形 落胆しきった, しょげかえった.
- **de·ter·gent** 名 ☞
- **de·ter·rent** 形 妨げる, 抑止する, 引き留める.
- **dif·fer·ent** 形 (…とは)違った, (…の点で)異なる.
- **dil·u·ent** 形 薄める, 希釈用の. ━━ 名 希釈剤.
- **dir·i·ment** 形 〈教会法の婚姻障害事由が〉絶対的な.
- **di·ver·gent** 形 分岐する; 相違する; 逸脱する.
- **dor·mi·ent** 形 睡眠中の.
- **e·bul·lient** 形 あふれ出る, 熱狂的な; 威勢のいい.
- **e·mer·gent** 形 〈隠れていたものが〉発現した.
- **e·mol·lient** 形 (身体の組織を)軟化する; (苦痛などを)和らげる.
- **e·qui·pol·lent** 形 等しい, 同等の, 等価の.
- **e·rod·ent** 形 浸食性の, 腐食を引き起こす.
- **e·rum·pent** 形 突き破って出る [現れる].
- **-es·cent** 連結形 ☞
- **e·su·ri·ent** 形 飢えている, 空腹の; 貪欲な.
- **ex·cel·lent** 形 優れた, 優秀な, 卓越した.
- **ex·i·gent** 形 差し迫った, 緊急の, 急迫した.

ex·ist·ent 形 実在[存在, 生存]する.
ex·pe·di·ent 形 (目的の達成に)役立つ, 適切な.
ex·plod·ent 名 爆薬, 火薬.
fa·cient 名 (何かを)する[行う]人.
-fa·cient 連結形 ☞
-fer·ent 連結形 ☞
fer·vent 形 熱心な, 熱意のある, 熱烈な.
-fi·cient 連結形 ☞
-fi·dent 連結形 ☞
flu·ent 形 流暢な, よどみのない, 滑らかな.
-flu·ent 連結形 ☞
ful·gent 形 《詩語》きらきら輝く, 燦爛たる.
ge·rent 名 《まれ》支配者, 統治者; 執行者.
gra·di·ent 名 ☞
gra·ve·o·lent 形 〈植物が〉強い悪臭を放つ.
-her·ent 連結形 ☞
hor·rent 形 (剛毛のように)逆立っている.
-i·ent 連結形 ☞
im·ma·nent 形 (…の)内にある, 内在する.
im·pel·lent 形 押しやる, 推進する, 駆り立てる.
im·pend·ent 形 〈危険などが〉差し迫った, 切迫した.
im·pen·i·tent 形 悔い改めない, 改心しない; 強情な.
im·pu·dent 形 厚かましい, 出すぎた, 軽率な.
in·ad·vert·ent 形 故意でない, 何気ない.
in·di·gent 形 生活必需品に事欠く; 窮乏した.
in·do·lent 形 怠け者の, 怠惰な, 無精な.
in·dul·gent 形 寛大な, 大目に見る, 甘やかす.
in·ex·ist·ent 形 存在[実在, 生存, 現存]しない.
in·gre·di·ent 名 成分, 要素, 原料, 材料.
in·no·cent 形 純潔な, 清浄な, 無垢の.
in·sist·ent 形 固執する; しつこい, 執拗な.
in·so·lent 形 横柄な, 傲慢な, 無礼な, 尊大な.
in·ter·mit·tent 形 一時的に中止する[やむ].
in·ter·ven·ient 形 介在する, 間に起こる; 仲裁する.
-ja·cent 連結形 ☞
ju·ris·pru·dent 形 法律に通暁した[詳しい].
lam·bent 形 〈炎などの先が〉ちらちら揺らめく.
la·tent 形 潜在性の, 潜在している.
le·ni·ent 形 寛大な, 哀れみ深い, 情け深い.
-li·gent 連結形 ☞
-lo·quent 連結形 ☞
lu·cent 形 ☞
mag·nif·i·cent 形 壮大な, 壮麗な, 堂々たる.
ma·lef·i·cent 形 悪事を働く, 害をなす; 有害な.
ma·lev·o·lent 形 他人の不幸を喜ぶ, 悪意のある.
-mi·nent 連結形 ☞
mu·nif·i·cent 形 非常に気前のよい.
nas·cent 形 生まれようとする, 発生期の.
neg·li·gent 形 怠りがちな, 怠慢な.
no·cent 形 有害な.
nu·tri·ent 名 ☞
o·be·di·ent 形 従順な, 忠実な, 素直な.
ob·stru·ent 形 〖医学〗閉塞性の, 閉鎖性の.
ob·tund·ent 形 〖医学〗苦痛を軽減する. ── 名 麻酔薬, 鎮痛剤.
om·nif·i·cent 形 万物を造り出す.
o·ri·ent 名 アジア諸国.
par·ent 名 ☞
par·tu·ri·ent 形 出産間近の.
pat·ent 名 専売特許権, パテント.
pa·tient 名 ☞
pend·ent 形 垂れ下がっている, ぶら下がった.
pen·i·tent 形 罪を悔いている, 悔い改めた.
per·ma·nent 形 永続する, 永久的な, 恒久不変の.
per·sist·ent 形 粘り強い; 不屈の, 根気強い.
-pe·tent 連結形 ☞
plan·gent 形 〈鐘などが〉(もの悲しく)鳴り響く.
-po·nent 連結形 ☞
po·tent 形 ☞
pre·em·i·nent 形 優位の; 秀でた, 傑出した.
pre·ven·ient 形 先行する, 先立つ, 先の, 前の.
pro·pel·lent 形 推進させる, 推進体となる.
prov·i·dent 形 先見の明のある, 将来に備える.
pru·dent 形 賢明な, 思慮深い; 用心深い.
pru·ri·ent 形 好色な, みだらな.
pun·gent 形 刺すような, 刺激性の.
re·cent 形 最近の, 近ごろの; 新しい.
red·o·lent 形 芳香のある, 香りのよい.
ref·er·ent 名 指示物.
re·frin·gent 形 屈折する, 屈折性の.
re·gent 名 ☞
rem·a·nent 形 《まれ》残っている, 残留する.
rem·i·nis·cent 形 思い出させる, 連想させる.
re·mit·tent 形 〈病状が〉弛張(しちょう)性の.
re·nas·cent 形 再生[復活]しつつある.
re·ni·tent 形 《まれ》(強制・圧力に)抵抗する.
re·pel·lent 形 嫌悪を催させる, 不快な.
re·pent 形 〖植物〗匍匐(ほふく)性の, 這う.
re·spond·ent 名 応答する人, 《主に米》回答者.
ret·i·cent 形 黙りがちの, 寡黙の, 口の重い.
rev·er·ent 形 畏敬している, 敬意に満ちた.
ri·dent 形 《古》笑っている; 上機嫌の.
rin·gent 形 口を大きくあけた.
sa·li·ent 形 顕著な, 目立つ; 抜群の.
sa·pi·ent 形 《文語》賢い, 知恵のある.
scan·dent 形 〈植物などが〉攀縁(はんえん)性の.
sca·tu·ri·ent 形 ほとばしり出る.
-scend·ent 連結形 ☞
-scient 連結形 ☞
sem·per·vi·rent 形 〖植物〗常緑の.
-sent 連結形 ☞ -SENT[2]
sen·tient 形 知覚力のある, 感じ得る.
-sen·tient 連結形 ☞
se·quent 形 次の, 続いて起こる; 必然の.
ser·pent 名 ヘビ.
-si·dent 連結形 ☞
si·lent 形 静かな, 静寂な, しんとした.
-sil·ient 連結形 ☞
sol·vent 形 ☞
sor·bent 名 〖化学〗吸収[吸着]剤.
splen·dent 形 《古》〈太陽などが〉光り輝く.
stri·dent 形 不快な音を出す, きしむ.
strin·gent 形 容赦のない, 過酷な, 厳しい.
stu·dent 名 ☞
sub·ser·vi·ent 形 補助的な働きをする, 副次的な.
sub·sist·ent 形 存在[実存]する, 存続する.
sub·stit·u·ent 名 〖化学〗置換分, 置換基.
su·per·in·tend·ent 名 ☞
-sur·gent 連結形 ☞
tan·gent 名 ☞
-ti·nent 連結形 ☞
tin·ni·ent 形 澄んだ音質を持つ, チリンと鳴る.
tor·rent 名 激しい流れ, 急流, 奔流.
tran·sient 形 長続きしない, 永久的でない.
trans·par·ent 形 〈物が〉透き通った, 透明な.
tur·gent 形 《廃》膨らんだ; 腫れ上がった.
ur·gent 形 急を要する, 緊急の, 切迫した.
-va·lent 連結形 ☞
vice·ge·rent 名 代官.
-vi·dent 連結形 ☞
vol·vent 名 〖動物〗巻着(かんちゃく)刺胞.

-ent[2] /ent/

語尾 語末にくる同音形は -EANT.

bent[1] 形 ☞
bent[2] 名 ☞
brent 名 《主に英》〖鳥類〗コクガン属の小形で黒色のガンの総称.
cent 名 ☞
dent 名 (歯車などの)歯.
gent[1] 名 《話》紳士, えせ紳士(gentleman).
gent[2] 形 《廃》優雅な, 上品な.
hent 動他 《古》…を捕まえる, 捕らえる.
pent 名 差し掛け屋根, 下屋; ひさし.
pschent 名 (古代エジプト王の)二重冠.
rent[1] 名 ☞

rent² 名 裂け目, ほころび; 亀裂.
rent³ 名 《米俗》親(parent).
scent 名 (独特の)におい; (特に)香り, 芳香.
sclent 名 《スコット・北イング》=sklent.
sent 名 セント: エストニアのかつての硬貨.
-sent 連結形 ☞ -SENT¹
sklent 名 《スコット・北イング》傾斜面.
splent 名 (骨折箇所を固定する)添え木.
sprent 形 《古》まき散らした.
tent¹ 名 ☞
tent² 動他 《主にスコット》…に注意する.
tent³ 名 〘外科〙探り針.
tent⁴ 名 《廃》(スペイン産の聖餐用)赤ワイン.
vent¹ 名 (壁などの)穴, 開孔, 通気孔.
vent² 名 ベント, ベンツ, 切り込み, 馬乗り.
vent³ 名 《米俗》腹話術師(ventriloquist).
-vent 連結形 ☞
went 動 go の過去形.

-ent³ /ənt/

語尾 強勢のない語末の -ent は /ənt/ となる.

ent 《方言》《話》=isn't.
-lent 連結形 ☞
-ment 接尾辞 ☞
-vent 連結形 ☞

en·ter·prise /éntərpràiz/

名 **1** (特に重要なまたは大胆さ・精力を要する)事業, 大仕事. **2** 企業(体), 会社. ⇨ -PRISE.

frée énterprise 自由企業(説).
prívate énterprise =free enterprise.
públic énterprise 公(共)企業.

en·trance /éntrəns/

名 **1** (…に)入ること, 入場; 入港; 入学, 入社, 入会. **2** 入口. ⇨ -ANCE¹.

cómmon éntrance 〘英教育〙パブリックスクール共通入学試験.
Gréat Éntrance 〘東方教会〙大聖入, 大入札.
Líttle Éntrance 〘東方教会〙小聖入, 小入札.
sérvice èntrance 業務用入り口, 通用口.
univérsity éntrance 《NZ》大学入学試験; その合格証書.

en·try /éntri/

名 (…へ)入ること; 入場, 登場, 参加, 加入, 入会(entrance). ⇨ -Y⁴.

ádded éntry 〘図書館学〙副出記入.
analýtical éntry 〘図書館学〙分出記入.
bíll of éntry 〘図書館学〙分出記入.
bréak and éntry 〘刑法〙《もと》破壊侵入.
dóuble éntry 〘簿記〙複式記帳法, 複式簿記.
léxical èntry 〘言語〙語彙(い)項目記載事項.
máin éntry 主見出し語.
póst èntry (競馬のレースなどの)追加申し込み.
rè·én·try 名 再び入ること, 再入国, 再登録.
síngle éntry 〘簿記〙単記項目.
súb·èn·try 名 (カタログ・簿記などで)小項目, 細目.
títle èntry 〘図書館学〙書名記入.
vocábulary èntry (辞書の)記載項目, 見出し語.

en·ve·lope /énvəlòup, á:n-|én-, ɔ́n-/

名 **1** 封筒, 状袋. **2** 包むもの; 〘植物〙(花冠などの)外被.

báck-of-the-énvelope 形 《話》〈計算が〉簡単な; 〈アイディアが〉思いつき的な.
búsiness ènvelope 商業用封筒.
búsiness replý ènvelope 営業用返信封筒.
flóral énvelope 〘植物〙花被, 花蓋(がい).
páy ènvelope 《米》給料袋.
shótgun ènvelope 《米話》(中身の取り残しがないようにするための)穴あき封筒.
wíndow ènvelope 窓付き封筒.

en·vi·ron·ment /inváiərənmənt, en-/

名 環境. ⇨ -MENT.

abiótic envíronment 〘環境〙非生物的環境.
mì·cro·en·ví·ron·ment 名 〘生態〙微環境.
pà·le·o·en·ví·ron·ment 名 先史時代の自然環境, 古環境.
phò·to·en·ví·ron·ment 名 〘生態〙明[光]環境.
sócial envíronment 〘社会〙社会的環境.

en·zyme /énzaim/

名 〘生化学〙酵素. ⇨ -ZYME.
★ 語頭にくる関連形は enzym-: *enzym*ology「酵素学」.

ángiotèsin-convèrting ènzyme 〘医学〙アンギオテンシン転換酵素.
àn·ti·én·zyme 名 抗酵素(抗体).
àp·o·én·zyme 名 アポ酵素.
co·én·zyme 名 補[助]酵素.
èc·to·én·zyme 名 =exoenzyme.
èn·do·én·zyme 名 細胞内酵素.
èx·o·én·zyme 名 (細胞)外酵素.
hòl·o·én·zyme 名 ホロ酵素.
ì·so·én·zyme 名 イソ酵素.
me·tál·lo·èn·zyme 名 金属イオン酵素.
mùl·ti·én·zyme 形 多酵素から成る.
prò·én·zyme 名 酵素前駆体.
réspiratory énzyme 呼吸酵素.
restríction ènzyme 制限酵素.
Témin énzyme テミン酵素.
yéllow énzyme 黄色酵素, フラビンタンパク質酵素.

-e·ous /iəs/

接尾辞 …のような, の性質を持つ.
★ ラテン語やフランス語からの名詞借用語から形容詞をつくる.
◆ <ラ *-eus* <ギ *-eos*.
[発音] 直前の音節に第 1 強勢.

a·e·ne·ous 形 青銅色の.
-a·ne·ous 接尾辞 ☞
a·que·ous 形 ☞
ar·bo·re·ous 形 樹木の多い, 木が茂った.
ar·gen·te·ous 形 銀のような; 銀白の; 銀を含んだ.
at·ro·ce·ru·le·ous 名 濃い暗青色.
beau·te·ous 形 《主に文語・詩》美しい, きれいな.
boun·te·ous 形 物惜しみしない, 気前のよい.
cal·car·e·ous 形 炭酸カルシウムの, 石灰質の.
car·ne·ous 形 肉のような; 肉色の.
ca·se·ous 形 チーズ[乾酪](状)の.
cer·e·ous 形 《廃》蝋(ろう)のような.
chla·myd·e·ous 形 ☞
ci·ne·re·ous 形 灰になった.
cit·re·ous 形 緑がかった黄色の.
con·san·guin·e·ous 形 血を分けた, 血縁の, 同族の.
cor·ne·ous 形 角質の; 角状の, 角のような.
cou·ra·geous 形 勇気のある, 勇敢な.
cour·te·ous 形 (人に対して)礼儀正しい, いんぎんな, 丁重な, 丁寧な; 思いやりの深い, 親切な.
cu·pre·ous 形 銅色[赤褐色]の.

cy·an·e·ous 形 濃紺色の, 濃青色の.
des·pit·e·ous 形 《古》悪意のある, 意地悪な.
dis·pit·e·ous 形 《古》悪意のある; 残酷な.
du·te·ous 形 《文語》本分を守る, 忠実な.
er·ro·ne·ous 形 〈判断・学説などが〉誤りのある.
fer·re·ous 形 鉄の; 鉄に似た; 鉄を含んだ.
gas·e·ous 形 気体 [ガス] として存在する.
gra·min·e·ous 形 草 [牧草] のような.
gris·e·ous 形 灰色の, 青灰色の.
gyp·se·ous 形 石膏(せっこう)の.
het·er·o·ge·ne·ous 形 異種の, 異質の, 異類の.
hid·e·ous 形 (感覚的に)恐ろしい, ぞっとする.
ho·moe·cious 形 【生物】単宿主性の.
ho·mo·ge·ne·ous 形 同種 [均質] の(ものから成る).
i·do·ne·ous 形 《古》適当な, ふさわしい.
ig·ne·ous 形 【地質】火成の.
lac·te·ous 形 《古》乳のような; 乳白色の.
lig·ne·ous 形 木のような, 木質の.
li·la·ceous 形 【植物】ライラック色の [に近い].
lu·te·ous 形 緑がかった黄色の.
nau·seous 形 〈人が〉(病気で)胸がむかつく, 吐き気のする.
nec·tar·e·ous 形 nectar のような.
niv·e·ous 形 雪の; (特に)雪のように白い.
os·se·ous 形 骨から成る; 骨を含む; 骨性の.
per·ga·me·ne·ous 形 羊皮紙のような.
pic·e·ous 形 ピッチ(pitch)の, ピッチ状の.
pit·e·ous 形 哀れを誘う, 哀れな, 気の毒な.
plen·te·ous 形 《詩語》豊富な, おびただしい.
plum·be·ous 形 鉛の(ような), 鉛を含む, 重い.
right·eous 形 正しい, 公正な, 正義の.
san·guin·e·ous 形 血の; 血を含む; 血から成る.
scol·o·pa·ceous 形 【鳥類】シギに似た.
se·ri·ceous 形 絹の(ような)(silky).
si·li·ceous 形 ケイ質の, ケイ酸 [シリカ] を含む.
spa·di·ceous 形 【植物】肉穂(すい)花性の.
stra·min·e·ous 形 わらの, わらのような; 無価値の.
su·be·re·ous 形 コルク質 [状] の, コルクのような.
sul·fu·re·ous 形 硫黄の; 硫黄を含む, 硫黄質の.
sul·phu·re·ous 形 =sulfureous.
ul·tro·ne·ous 形 【スコット法】〈証人が〉任意出頭の.
vi·min·e·ous 形 【植物】細長い柔らかい枝の.
vit·re·ous 形 ガラス質の; ガラス状の.

-ep /ép/

語尾 話語と俗語になりやすい力強さをもつ; 短縮語をかなり含む.

cep 名 ヤマドリタケ(山鳥茸).
dep[1] 名 《警察俗》免職(deposition).
dep[2] 名 《俗》代理人(deputy).
hep[1] 形 《俗》(…に)気づいている(hip).
hep[2] 間 いち. ►行進の掛け声.
hep[3] 間 19 世紀のユダヤ人迫害者たちの掛け声.
hep[4] 名 バラ, (特に)野バラの熟れた実.
kep 動他 《スコット・北イング》途中で遮る.
mep 名 《米俗》メペリジン(meperidine).
pep 名 《米話》活気, 元気, 精力, 活力. ►pepper から.
prep 名 《話》プレパラトリースクール(preparatory school).
rep[1] 名 畝織り, 横畝織り(の布).
rep[2] 名 《話》レパートリー劇場 [劇団](repertory theater [company]).
rep[3] 名 《主に米話》名声(reputation).
rep[4] 名 《話》代表(representative).
rep[5] 名 【核工学】レプ.
rep[6] 名 《学生俗》暗唱すべき詩句(repetition).
rep[7] 名 《話》道楽者(reprobate).
schlep 動他 《俗》〈厄介なものを〉運ぶ.
shlep 動他 =schlep.
skep 名 《主に方言》農作業用かご.
step 名 ☞
strep 名 《話》連鎖球菌(streptococcus).

yep 副名 《米話》=yes.

ep·i·the·li·um /èpəθí:liəm/

名 【生物】上皮(組織), 上覆(組織). ⇨ -IUM.
★ 語頭にくる関連形は epitheli(o)-: *epitheli*alize「〈傷口などを〉上皮で覆う」, *epithelio*muscular「【動物】上皮筋の」.

colúmnar epithélium 円柱上皮.
cubóidal epithélium 立方上皮.
nèu·ro·ep·i·thé·li·um 名 【解剖】神経上皮.
squámous epithélium 偏平上皮.

ep·och /épək, épɑk | í:pɔk/

名 (顕著な性格や出来事などで特徴づけられた)時代, 時期.

glácial èpoch 【地質】氷期.
Hólocene Époch 【地質】完新世.
magnétic épોch 【地質】極性期, 磁(気)極(性)期.
Pléistocene Époch 【地質】更新世.
postglácial époch 【地質】後氷期.
Récent Époch 【地質】現世, 完新世.

-ept /épt/

語尾

-cept 連結形 ☞
ept 形 能力がある, 器用な.
sept 名 (スコットランドの)氏族.

-ep·y /èpi/

連結形 言葉.
★ 名詞をつくる.
◆ ギリシャ語 *épos*「言葉」より. ⇨ -Y[3].
[発音] 語頭の音節に第 1 強勢; ただし, cacóepy, orthóepy となることもある.

cac·o·ep·y 名 不正発音(法).
or·tho·e·py 名 【言語】正音学.

e·qua·tion /ikwéiʒən, -ʃən/

名 **1** 等しくすること. **2**【数学】方程式. ►equate の名詞形. ⇨ -ATION.

àd·e·quá·tion 名 【言語】適応.
adjóint differéntial equátion 【数学】随伴微分方程式.
algebráic equátion 【数学】代数方程式.
Arrhénius equátion 【化学】アレニウスの式.
auxíliary equátion =characteristic equation.
Bernóulli equátion 【流体力学】ベルヌーイの定理.
characterístic equátion 【数学】特性 [固有] 方程式.
Chebyshév equátion =Tchebycheff equation.
Clairáut equátion 【数学】クレローの方程式.
continúity equátion 【力学】連続方程式.
de Bróglie equátion 【物理】ド・ブローイ方程式.
differéntial equátion 【数学】微分方程式.
diophántine equátion 【数学】ジオファンタス方程式.
Éinstein equátion 【物理】アインシュタイン方程式.
Éinstein's photoeléctric equátion 【物理】アインシュタインの光電方程式.
gás equátion 【物理】理想気体の法則.
héat equátion 【熱力学】熱伝導方程式.
Hermíte's equátion 【数学】エルミートの(微分)方程式.
húman equátion 偏見, 先入観.
hypergeométric equátion 【数学】超幾何微分方程式.
indícial equátion 【数学】決定方程式.
íntegral equátion 【数学】積分方程式.
Lapláce equátion 【数学】ラプラス方程式.

Legéndre equàtion	〘数学〙ルジャンドルの方程式.
línear differéntial equàtion	〘数学〙線形(常)微分方程式.
línear equátion	〘数学〙線型方程式.
máss-énergy equàtion	〘物理〙質量エネルギー方程式.
órdinary differéntial equátion	〘数学〙常微分方程式.
paramétric equátion	〘数学〙媒介度数表示方程式.
pártial differéntial equátion	〘数学〙偏微分方程式.
pérsonal equátion	個人差.
pólar equátion	〘数学〙極方程式.
Riccáti equàtion	〘数学〙リカッチの微分方程式.
Schrödinger equation	〘物理〙シュレディンガー方程式.
símple equátion	＝linear equation.
stáble equátion	〘数学〙すべての解が安定な微分方程式.
Tchebychéff equàtion	〘数学〙チェビシェフの方程式.
transcendéntal equátion	〘数学〙超越方程式.
trigonométric equátion	〘数学〙三角方程式.
ván der Wàals' equátion	〘熱力学〙ファン・デル・ワールスの(状態)方程式.
wáve equàtion	〘数学〙〘物理〙波動方程式.

e·qua·tions /ikwéiʒənz, -ʃənz/

名複 equation「(一連の)方程式」の複数形.

Cáuchy-Riemann equàtions	〘数学〙コーシー=リーマンの関係式.
consístent equátions	〘数学〙少なくとも1つの共通解を持つ2つ以上の方程式.
Máxwell's field equàtions	〘物理〙マクスウェル方程式.
simultáneous equátions	〘代数〙連立方程式.

e·qua·tor /ikwéitər/

名 (天体)赤道. ⇨ -ATOR.

celéstial equátor	〘天文〙〘航海〙天の赤道.
galáctic equátor	〘天文〙銀河赤道.
magnétic equátor	(地磁気の)無伏角線.
thérmal equátor	〘気象〙熱赤道.

e·qui·lib·ri·um /ìːkwəlíbriəm, èk-/

名 (物理的な力の)釣り合い, 平衡. ⇨ -IUM.

dis·è·qui·líb·ri·um 名	不均衡, 不安定.
dynámic equilíbrium	動的平衡.
púnctuated equilíbrium	〘生物〙断続平衡説.
stáble equilíbrium	〘機械〙安定釣り合い.
thérmal equilíbrium	〘熱力学〙熱平衡.
unstáble equilíbrium	〘物理〙不安定な平衡[釣り合い].

e·qui·nox /íːkwənɑ̀ks, ék-｜-nɔ̀ks/

名 昼夜平分時, 春分, 秋分.

autúmnal équinox	秋分(9月22日ごろ); 〘天文〙秋分点.
spríng équinox	春分(3月21日ごろ).
vérnal équinox	＝spring equinox.

eq·ui·ty /ékwəti/

名 公平, 公正, 不偏. ⇨ -TY².

in·éq·ui·ty 名	不公平; 不公平な事態[処置].
nègative équity	負の資産: ローンの額以下に不動産の評価が下がること.
retúrn on équity	〘会計〙自己資本利益率.
stóckholders' équity	株主持ち分, 純資産, 自己資本.
swéat èquity	労働提供[出資].

e·quiv·a·lence /ikwívələns/

名 (価値・力・重要性・意義などの)同等, 等価, 同値, 等量. ⇨ -VALENCE.

bì·o·e·quív·a·lence 名	〘薬学〙生物学的等価性.
matérial equívalence	〘論理〙二つの命題が互いに論理的に他を包括する関係.
nòn·e·quív·a·lence 名	不同, 不等.
topológical equívalence	〘数学〙位相同型.

e·quiv·a·lent /ikwívələnt/

形 同等の, 等しい; 等価値の. ――名 同等のもの; 〘物理〙〘化学〙当量, 等量. ⇨ -VALENT.

áir equìvalent	〘物理〙等価空気層.
dóse equìvalent	〘物理〙線量当量.
electrochémical equívalent	〘物理化学〙電気化学当量.
éwe equívalent	《NZ》家畜を数える基本単位.
grám equìvalent	〘化学〙グラム当量.
mílli·equívalent 名	〘化学〙ミリ当量.
móisture equìvalent	(土の)水分[含水]当量.
pyrométric cóne equìvalent	〘化学〙耐火度.

-er[1] /ər/

接尾辞 **1** ある事を(職業として)する人: teach*er*, paint*er*. **2** ある特徴を持っている人[もの]: strang*er*, side-wheel*er*. **3** …の(土地の)人: London*er*, New York*er*. **4** …主義[支持]者: fring*er*. **5** …する(ための)道具: blend*er*, rice cook*er*. **6** …される(に向いている)物: broil*er*, post*er*.

★ 動詞・名詞(まれに形容詞)につけて名詞をつくる.
★ 新造語力が高く, 複合語など複雑な要素にもつく: trick-or-treat*er*, back-to-school*er*. ◇ -OR².
★ 語末にくる関連形は -AR³, -ERLY, -IER¹, -YER.
◆ 中英 *-er(e)*; 古英 *-ere*(行為者を表す接尾辞).
[発音] 基語・基体の第1強勢と同じ.

ab·hor·rer 名	忌み嫌う人.
a·bras·er 名	磨耗試験機.
ab·sorb·er 名	吸収器, 吸収装置; 吸収する人.
ab·stain·er 名	節制家; (特に)禁酒家.
a·bus·er 名	乱用者, 悪用者, 誤用者.
a·but·ter 名	〘法律〙《主に米》隣接地の所有者.
ac·cept·er 名	受け取る人, 受領者; 受諾者.
ac·cus·er 名	非難する人; 告訴[告発]人.
a·chiev·er 名	成就する人, 達成する人.
ac·tion·er 名	《話》アクション映画.
a·dapt·er 名	適合する人; 改作者, 翻案者.
add·er 名	計算者; 加算器, 計算器.
ad·dress·er 名	(手紙などの)差出人, 発信人.
ad·just·er 名	調節[調整]する人, 調停人.
ad·mir·er 名	(…の)賛美者, 敬服者, 崇拝者.
a·dopt·er 名	採用[採択]者.
a·dul·ter·er 名	性的な不義を犯した者(特に男性).
ad·vanc·er 名	前進する人[もの].
ad·ven·tur·er 名	冒険家.
ad·ver·tis·er 名	広告者, 広告主.
ad·vis·er 名	忠告者, 助言者, 勧告者; 相談役.
aer·o·mod·el·ler 名	《英》(趣味で)模型飛行機を作る人.
af·fray·er 名	(公衆の前で)乱闘する者; 騒ぐ者.
Af·ri·can·er 名	＝Afrikaner.
Af·ri·ka·ner 名	アフリカーナ人, ボーア人(Boer).
a·gin·ner 名	《話》反対者; 保守的な人.
air·er 名	《英》物干し枠.
Air·por·ter 名	空港バス.
ale·con·ner 名	〘英史〙エール[ビール]検査官.
all-a·round·er 名	＝all-rounder.
all-night·er 名	《話》一晩じゅう続くもの.
all-round·er 名	多芸多才の人.
an·a·ly·ser 名	《特に英》分析者; 分析[解析]器.
an·gler 名	釣り師, 釣り人.
an·nounc·er 名	告知者, アナウンサー.
an·swer·er 名	回答者, 答弁者, 解答者.
an·ti·bus·er 名	《米話》強制バス通学(法)反対者.
an·ti·nu·ker 名	反核運動家.
an·ti·quer 名	古美術愛好家, 古物研究家.
ap·pe·tis·er 名	《特に英》＝appetizer.

E

ap·pe·tiz·er 名 アペタイザー, 食前酒, 前菜.
ap·prais·er 名 《米》不動産鑑定士; 査定官.
ap·prov·er 名 是認 [賛同] する人, 賛成者.
ar·rest·er 名 逮捕する人.
as·cend·er 名 上昇する人; 上昇させる人.
ask·er 名 尋ねる人, 質問者(inquirer).
as·sem·bler 名 組み立てる人 [もの]; 組立工.
as·sent·er 名 同意者, 賛同者(assentor).
as·sert·er 名 確言者; 主張者.
as·sign·er 名 割り当てる人(assignor).
as·sur·er 名 保証する人. (特に生命・養老)保険業者.
as·trin·ger 名 〖タカ狩り〗鷹匠(たかじょう).
as·trol·o·ger 名 占星術師, 星占い師.
as·tron·o·mer 名 天文学者.
at·om·iz·er 名 霧吹き, 噴霧器, スプレー.
at·test·er 名 証明者, 証人, 立証者.
at·tract·er 名 ひきつける人 [もの] (attractor).
aug·ment·er 名 増大させる人 [もの].
aus·trin·ger 名 =astringer.
a·veng·er 名 報復者, 復讐者.
awn·er 名 脱芒(だつぼう)機.
bab·bler 名 おしゃべり; 秘密などを漏らす人.
báby bòomer 名 ベビーブームに生まれた子 [世代].
báby búster 名 《米》ベビーバスター: ベビーブーム世代の次の世代.
ba·by·sit·ter 名 子守, ベビーシッター.
back-end·er 名 =rear-ender.
back·er 名 後援者, 支持者, 後ろ楯(だて).
báck-to-schóol·er 名 新学期の学童.
baf·fler 名 挫折(ざせつ)させるもの [人].
bag·ger 名 ☞
bait·er 名 〖漁業〗餌(えさ)切り機.
bak·er 名 (パンなどを)焼く人.
bal·anc·er 名 平均を保つ人 [もの, 装置].
bal·er 名 わら [干し草] などを束ねる農機具.
ball·er 名 ボールゲームの選手.
Ba·nan·a·ben·der 名 《豪話》Queensland 州の人.
bang·er 名 ☞
bank·er[1] 名 (Newfoundland 漁場の)タラ漁船.
bank·er[2] 名 (石工などの)作業台.
ban-the-bomb·er 名 《話》核兵器廃止論者.
bar·ber·shop·per 名 無伴奏の男声四重唱グループ(barbershop quartet)の一員.
bar·gain·er 名 取引する人.
bark·er[1] 名 ほえる動物; 怒鳴りたてる人.
bark·er[2] 名 樹皮をはがす人 [機器].
base·ball·er 名 (特に大リーグの)野球選手.
base·lin·er 名 〖テニス〗ベースラインプレーヤー.
bash·er 名 ☞
bast·er[1] 名 〖裁縫〗仮縫いする人 [もの].
bast·er[2] 名 (肉などをあぶりながら)たれ [バターなど] をつける人.
bath·er 名 入浴する人, 湯治者.
bat·ter 名 (野球・クリケットの)打者.
bat·ter·er 名 やかましくたたく人 [もの].
bat·tler 名 《豪話》生き抜くためになんでもやる人, 苦労人.
bead·er 名 〖木工〗刳形(くりかた)かんな.
beam·er 名 〖機械〗緒巻き機, 千巻き機.
bean·er 名 《米俗》ヒスパニック系外国人.
bear·er 名 ☞
beat·er 名 ☞
bed·der 名 《英話》ベッドの用意をする人.
beef·er 名 肉牛.
beem·er 名 《米俗》BMW 社製の自動車.
beep·er 名 《米》ポケットベル.
be·gin·ner 名 開始者, 創始 [創立] 者, 開祖.
be·liev·er 名 ☞
belt·er 名 《主に英北部方言》素晴らしい [優れた] もの [人].
bench·er 名 (英国で)法曹学院評議員.
bend·er 名 ☞
Ber·lin·er 名 ベルリンの人 [市民].
ber·serk·er 名 〖北欧伝説〗狂暴戦士, 猛勇士.
be·tray·er 名 裏切り者, 売国奴; 背信者.
bet·ter 名 賭けをする人(bettor).
be·witch·er 名 魔術師; 魔法使い.
bib·ber 名 常習的酒飲み, 飲み助, 酒豪.
bi·cy·cler 名 自転車にのる人(bicyclist).
bif·fer 名 《米黒人俗》簡単に寝る女.
bik·er 名 自転車に乗る人.
bil·an·der 名 〖海事〗ビランダー.
bill·er 名 勘定書を作る人, 請求書作成者.
bind·er 名 ☞
Birch·er 名 バーチ(米国の極右団体)主義者.
bird·er 名 鳥類飼育者.
bit·er 名 ☞
bit·ter·end·er 名 あくまで屈しない人, 頑張り屋.
blast·er 名 発破工.
blaz·er 名 燃え立つもの; 明るく輝くもの.
bleat·er 名 メーと鳴く羊 [ヤギ, 子牛].
bleed·er 名 《話》血が固まりにくくて異常出血する人, 血友病(患)者.
bleep·er 名 ポケットベル, ビーパー.
blend·er 名 混合する人 [もの].
blight·er 名 《英話》くだらない人(特に男).
blind·er 名 目をくらます人 [もの].
blink·er 名 まばたきする人.
bloat·er 名 ブローター: 薄塩の燻製ニシン.
block·er 名 ☞
bloom·er[1] 名 花の咲く植物.
bloom·er[2] 名 《主に英俗》大失策, どじ, へま.
blotch·er 名 《米俗》パンツの汚れるおなら.
blot·ter 名 吸い取り紙 [台, 器].
blow·er 名 ☞
blow·ser 名 《英俗》シンナー吸入者.
bludg·er 名 《豪·NZ 話》仕事をサボる人.
blung·er 名 混合容器.
blush·er 名 **1** 顔を赤らめる人. **2** ほお紅.
blus·ter·er 名 大声で叫ぶ人, 怒鳴り散らす人.
board·er 名 (食事付きの)下宿人.
boast·er 名 自慢家, ほら吹き.
boat·er 名 船遊びをする人, ボートに乗る人.
bob·ber[1] 名 ひょいと動く人 [もの].
bob·ber[2] 名 ボブスレーチームの一員.
bob·by·sox·er 名 《主に米話》(特に 1940 年代の)一時的流行を追う年ごろの娘.
body·build·er 名 車体製作者.
bog·gler 名 仰天させるもの, ぼう然とさせるもの.
bog·land·er 名 《米俗》アイルランド人.
boil·er 名 ☞
bolt·er[1] 名 逸走する馬; 別の男の所に走る女.
bolt·er[2] 名 篩(ふるい), 濾(こ)し器.
bomb·er 名 ☞
bond·er 名 保税倉庫留置商品預け主.
bon·er[1] 名 (肉の)骨を抜く人 [もの].
bon·er[2] 名 《俗》ばかげた明白な誤り, へま.
boo·dler 名 《米俗》腐敗政治家; 収賄者.
boof·er 名 《米俗》麻薬の売人.
book·er 名 (ホテル・乗車券などの)予約係.
boom·er 名 ☞
boost·er 名 後押しする人 [もの], 後援者.
boot·er 名 《話》サッカー選手.
booz·er 名 《話》大酒飲み.
bop·per 名 ☞
bor·der·er 名 国境地方に住む人; 辺境の住民.
bor·er 名 ☞
bor·row·er 名 借り手; ひょうせつ者.
botch·er 名 へぼ職人.
bot·tler 名 瓶詰めする人 [装置, 会社].
bot·tom-lin·er 名 純益を最重視する人.
bounc·er 名 跳び跳ねる人 [もの].
bound·er 名 《主に英俗》礼儀知らずの出しゃばり男; 下品な成り上がり者.
bow·er[1] 名 〖海事〗主錨(しゅびょう), 船首大錨.
bow·er[2] 名 頭を下げる人, 腰をかがめる人.
bow·er[3] 名 〖音楽〗弦楽器奏者.

bowl·er[1] 名 ☞
bowl·er[2] 名 《主に英》山高帽(Derby).
box·er[1] 名 (プロの)拳闘(けんとう)選手, ボクサー.
box·er[2] 名 箱製造人 [機械].
brack·brain·er 名 《米俗》ぼう然とさせるもの.
brag·ger 名 自慢屋.
braid·er 名 編む人 [もの].
brak·er 名 〖造船〗覆面(mask).
brand·er 名 焼き印を押す人; 焼き印押し器.
brat-pack·er 名 bratpack「若くして名声を得た芸能人 [作家] の仲間」の一員.
bray·er 名 〖印刷〗手刷り(インク)ローラー.
break·er 名 ☞
breath·er 名 《話》一休み, 一息.
breed·er 名 子孫を作る人, (特に)繁殖する動物 [植物].
breeng·er 名 《スコット中西部》せっかちな人.
breez·er 名 《豪話》屁(へ).
brew·er 名 (ビール)醸造者.
brick·field·er 名 ブリックフィールダー: オーストラリアの暑い北風.
bright·en·er 名 輝いている [はつらつとした] 人.
brim·mer 名 なみなみとついだコップ.
bring·er 名 持って来る人, もたらす人.
Brit·ish·er 名 《米》英国人, 英国の住民.
broach·er 名 ブローチで作業する人; 穴ぐり器.
broad·cast·er 名 放送出演者; 放送機器 [装置].
broil·er 名 《主に英》肉や魚などを焼く器具.
bronz·er 名 ブロンザー: 小麦色に日焼けしたように見せる化粧クリーム.
brood·er 名 育雛(いくすう)器, ひな保育箱.
Brówn Bágger 名 《英》勉強家の大学生.
brown-bag·ger 名 《米話》(倹約のため)弁当を持って会社に行く人.
brows·er 名 新芽などを食う牛 [シカなど].
bruis·er 名 《俗》プロボクサー.
bub·bler 名 飲用噴水(drinking fountain).
buck·er[1] 名 暴れ馬, 跳ね馬.
buck·er[2] 名 《カナダ》丸太を短くひく人.
buck·et·er 名 空相場師, いんちき仲買人.
buck·wheat·er 名 《米俗》(伐採人の間で)初心者, 新米; 青二才(buckwheat).
buff·er[1] 名 緩衝器 [装置].
buff·er[2] 名 (つや出し用の)バフ棒, バフ車.
buff·er[3] 名 《英俗》愚かな人, 無能な人.
bug·ger[1] 名 《話》《しばしば親しみを込めて》やつ, 野郎, 若者.
bug·ger[2] 名 盗聴の専門家.
build·er 名 ☞
bulk·er 名 《話》〖海事〗ばら積み貨物船.
bull·doz·er 名 ブルドーザー.
bull·stall·er 名 《米俗》仕事でお荷物となる人.
bum·mer[1] 名 《米俗》のらくら暮らす人; 浮浪者.
bum·mer[2] 名 《米俗》麻薬の不快な体験.
bump·er[1] 名 ☞
bump·er[2] 名 《豪·NZ 話》(くすぶっている)紙巻きタバコの吸い殻.
bunch·er 名 集める [まとめる] もの.
burgh·er 名 都市の住民; 市民, 公民.
bur·i·er 名 埋葬する人; 埋葬道具.
burn·er 名 ☞
burst·er 名 《豪》(オーストラリアおよびニュージーランドの東部沿岸地方を襲う)寒く激しい南風(buster).
bush·el·er 名 仕立直し屋.
bush·el·ler 名 《特に英》＝busheler.
busk·er 名 《英俗》旅回りの芸人, 大道芸人.
bust·er 名 ☞
bus·tler 名 せわしく動き回る人.
but·ter·fly·er 名 バタフライの選手 [泳者].
buy·er 名 買い手, 買い主, 買い方, 購入者.
buzz·er 名 ブンブンうなるもの.
byl·an·der 名 ＝bilander.
by·lin·er 名 署名記事 [論説] を書く記者.
by·stand·er 名 見物人, 傍観者.
by·wo·ner 名 (南アフリカの)小作人.
cack·ler 名 甲高い声で笑う人; おしゃべりな人.
cadg·er 名 《スコット》行商人, 呼び売り商人.
cag·er 名 《話》バスケットボール選手.
cal·cin·er 名 煆焼(かしょう)する人 [装置].
calk·er 名 (靴の)底がね.
call·er 名 呼ぶ人, 呼び出し人
camp·er 名 キャンプをする人, キャンパー.
ca·nal·ler 名 運河専用貨物船.
can·cel·er 名 取り消す人; 消す人 [もの].
can·cel·ler 名 《特に英》＝canceler.
can·er 名 籐(とう)細工師.
can·ner 名 缶詰製造業者.
cant·er 名 隠語 [通り言葉] ばかり使う人.
Càpe Hórner 名 ホーン岬(Cape Horn)巡りの船.
cap·per 名 蓋(ふた)をかぶせる人 [機械].
card·er 名 (羊毛·麻などを)すく人.
car·er 名 世話をする人.
car·pet·bag·ger 名 カーペットバッグを提げて旅行する人.
car·pool·er 名 カープール(carpool)のメンバー.
car·ri·er 名 ☞
cart·er 名 荷馬車の御者.
carv·er 名 彫刻家 [師].
cast·er 名 ☞
cat·a·log·er 名 (図書館などの)目録作製者.
catch·er 名 ☞
ca·ter·er 名 (パーティーなどの)賄い人.
cat-lick·er 名 《米中北部》カトリック教徒.
caulk·er 名 コーキン工.
cav·er 名 洞窟(どうくつ)学者; 洞窟探検家.
CB·er 名 《米話》CB radio「市民バンド通信機」の所有者 [交信者].
cel·lar·er 名 (修道院の)ワイン貯蔵室長.
chalk·er 名 《黒人俗》白人みたいに振る舞う黒人, やたら白人と付き合う黒人.
chal·leng·er 名 挑戦する人 [もの].
chanc·er 名 《主に英俗》よく運だめしをする人.
chang·er 名 ☞
chan·nel·er 名 溝を掘る人.
chan·nel·ler 名 《特に英》＝channeler.
chant·er 名 歌い手, 詠唱者.
charg·er 名 装填手; 装填器; 突撃者.
charm·er 名 魔法使い, 魔術師.
char·ter·er 名 用船者.
chas·er[1] 名 ☞
chas·er[2] 名 チェーザ: ねじを切る工具の一種.
chas·er[3] 名 彫金師.
chat·ter·er 名 おしゃべりな人.
chauf·fer 名 小ストーブ, ポータブルこんろ.
cheat·er 名 欺く人; 詐欺師, ぺてん師.
check·er 名 チェックする人; 検査係, 検査官.
cheer·er-up·per 名 《話》激励する人 [もの].
chee·ser 名 《米俗》たかり屋.
chee·zer 名 《米俗》特に臭いおなら.
chew·er 名 かむ人 [もの]; かみタバコをかむ人.
chill·er 名 冷たくする人 [もの].
chim·er 名 鐘を鳴らす人, 鐘楽手.
chip·per[1] 名 切る [摘む, 刈る] 人 [道具].
chip·per[2] 名 《アイル話》fish and chips の店.
chis·el·er 名 《俗》ぺてん師, 詐欺師.
chis·el·ler 名 《英俗》＝chiseler.
chok·er 名 息を止める人 [もの], ふさぐもの.
chop·per 名 切る人 [もの].
chor·is·ter 名 聖歌隊員.
chuck·er[1] 名 〖野球〗投手.
chuck·er[2] 名 《米話》北米産のリス科の動物.
chug·ger 名 〖釣り〗(水面に浮かべる)バス釣り用のプラグ型擬似餌(え).
cir·cuit·er 名 巡回区を巡行する人.
claim·er 名 (権利の)要求 [請求] 者; 原告.
clamp·er 名 締め具, かすがい; やっとこ.
clang·er 名 カーンと音をたてるもの [人].

E

clap·per 名 拍手喝采(かっさい)する人.
clasp·er 名 しがみつく人; 巻きつくもの.
class·er 名 (タバコなどを)分類する人.
clean·er 名 ☞
cleans·er 名 クレンザー, 磨き粉, 洗剤.
clear·er 名 clear にする人 [もの].
cleav·er 名 (特に肉屋の使う)大包丁.
click·er 名 カチッと音をたてるもの.
climb·er 名 ☞
clinch·er 名 釘(くぎ)を打ち曲げて締めつける人.
clink·er[1] 名 チリンと鳴るもの; チリンと鳴らす人.
clink·er[2] 名 《米俗》 ビスケット.
clip·per 名 ☞
clóak-and-súiter 名 《話》 洋服製造 [販売] 業者.
clock·er 名 (競走馬の試走で)記録を計る人.
clog·ger 名 木靴 [木底靴] 屋.
clos·er 名 閉じる人 [もの]; ドア.
club·ber 名 結束 [団結] する人 [もの].
clunk·er 名 《米話》 つまらないもの.
coach·er 名 (運動競技の)コーチ; 指導者.
coal·er 名 石炭船, 石炭輸送鉄道.
coast·er 名 《英》 沿岸航行者 [船]; 沿岸貿易船.
cob·bler 名 靴直し, 靴の修繕屋.
cock·er[1] 名 コッカースパニエル(cocker spaniel).
cock·er[2] 名 闘鶏家; 闘鶏好き.
cod·er 名 暗号を作る人 [機械].
codg·er 名 《話》 (特に老人の)変わり者.
cof·fee-ta·bler 名 卓上用大型豪華本.
co·her·er 名 密着する人 [もの].
coin·er 名 硬貨鋳造者; 《特に英》 偽金作り.
cok·er[1] 名 米国 West Virginia および Pennsylvania 州の炭鉱地帯の山の住民.
cok·er[2] 名 《俗》 コカイン中毒者(cokehead).
col·leg·er 名 英国 Eton College の給費生.
col·lid·er 名 〘物理〙 粒子加速器.
col·o·niz·er 名 〘動物〙 移住種.
comb·er 名 (綿・羊毛・亜麻などを)梳(す)く人.
com·er 名 ☞
com·fort·er 名 慰める人, 慰めとなるもの.
com·mand·er 名 ☞
com·mon·er 名 ☞
com·mut·er 名 (特に定期券による)通勤者.
com·pact·er 名 ゴミ圧縮機(compactor).
com·pand·er 名 〘電子工学〙 圧伸器.
com·per 名 競技 [コンテスト] の常連参加者.
com·plain·er 名 不平 [苦情] を言う人, 不平家.
com·ple·men·tiz·er 名 〘言語〙 補文標識.
com·pli·er 名 承諾 [応諾] 者.
com·pos·er 名 作曲家; (小説・詩などの)作者.
comp·trol·ler 名 =controller.
com·put·er 名 ☞
con·dens·er 名 ☞
con·di·tion·er 名 調整器; 調整者.
con·fec·tion·er 名 菓子製造 [販売] 人, 菓子屋.
con·jur·er 名 魔術師, 魔法使い.
con·nect·er 名 結合する人 [もの].
con·struct·er 名 建設者, 建設機械; 建設会社.
con·sum·er 名 ☞
con·tain·er 名 入れ物, 容器.
con·trol·ler 名 (会計などの)監査役; 会計検査官.
con·ven·tion·er 名 大会出席参加者(conventioneer).
con·vert·er 名 ☞
con·vey·anc·er 名 運搬人, 運搬業者; 伝達者.
cook·er 名 ☞
cool·er 名 ☞
coon·er 名 アライグマ狩り用猟犬(coon dog).
cop·er 名 《英》 (特に不正直な)馬商人, 博労.
cop·i·er 名 複写する人, 写字生, 筆耕, 模倣者.
cop·per 名 《俗》 警官, 巡査(cop).
cor·er 名 (果物の)芯(しん)抜きをする人.
cork·er 名 栓をする人 [器具].
cor·rupt·er 名 腐敗させるもの, 汚染するもの.
cos·tum·er 名 衣装屋.
cot·tag·er 名 小家屋 [田舎家] に住む人.
couch·er 名 〘製紙〙 コーチャー: 手すき伏工.
coun·ter·feit·er 名 偽金造り; 偽造者, 贋作(がんさく)者.
cou·pler 名 連結する人 [もの], 連結手.
cou·pon·er 名 割引券集めに精を出す人 [客].
cours·er 名 走り過ぎる [追跡する] 人 [もの].
cov·e·nant·er 名 契約者, 誓約者, 盟約者.
crab·ber[1] 名 カニ漁師.
crab·ber[2] 名 あら捜しをする人, 酷評家.
crack·er 名 ☞
cram·mer 名 詰め込む人 [もの].
cramp·er 名 〘カーリング〙 (石を投げるとき足を支える)スパイク付き金属板.
crank·er 名 《米麻薬俗》 アンフェタミンを大量に服用する人.
crap·per 名 《米俗》 (屋外の)トイレ, 便所.
crash·er 名 すさまじい音をたてるもの; 痛撃.
crawl·er 名 這(は)う者; はいはいする幼児.
creak·er 名 《米俗》 年寄り; 古いもの.
cream·er 名 クリームをすくい取る人 [もの].
creas·er 名 折り目をつける道具 [人].
creep·er 名 ☞
crib·ber 名 こそ泥; 盗作者, 剽窃(ひょうせつ)者.
cri·er 名 叫ぶ [泣く] 人; 泣き虫.
crisp·er 名 縮らせる人; 縮らせるもの [器械].
crit·i·ciz·er 名 批評家, 批判者; 酷評家, 非難者.
croak·er 名 ガーガー [カーカー] 鳴くもの.
croft·er 名 《英》 (特にスコットランド, 北イングランドの)小農, 小作人.
crop·per 名 刈り込む人; 刈り込み [切断] 機.
crown·er 名 戴冠(たいかん)させる人.
cruis·er 名 ☞
crul·ler 名 《米》 クルーラー: 菓子の一種.
crum·pler 名 crumple する人.
crunch·er 名 ☞
crush·er 名 ☞
cry·er 名 =crier.
cull·er 名 えり分ける人, 選別する人.
cup·per 名 〘医学〙 吸角(きゅうかく)法施術者.
curl·er 名 毛髪を巻き毛にする人 [もの].
cur·ri·er 名 (なめし皮の)仕上げ工, 製革工.
cus·tom·er 名 顧客, 買い手, 取引先, お得意.
cut·ter 名 ☞
cy·cler 名 自転車 [オートバイ, 三輪車] 乗り.
dab·ber 名 軽くたたく人, 塗る人.
dai·ly-bread·er 名 《英話》 通勤者; (一家の)大黒柱.
da·ma·ger 名 《英俗》 マネージャー.
dam·per 名 ダンパー: 炉などの通風調節弁.
danc·er 名 ☞
dan·gler 名 ぶら下がるもの.
darn·er 名 ほころびを繕う人 [もの].
dart·er 名 ☞
dash·er 名 突進する人 [もの].
deal·er 名 ☞
de·bug·ger 名 debug する人 [もの].
de·cant·er 名 デカンター: リキュール瓶.
de·cid·er 名 決定 [裁決] 者; 決定的な出来事.
deck·er 名 装飾する人 [もの].
-deck·er 連結形 ☞
de·clar·er 名 宣言者; 発表者; 申告者.
de·cod·er 名 (暗号文の)解読者.
deem·er 名 《米俗》 10 セント玉; 10.
de·fault·er 名 不履行者, 違反者; (裁判の)欠席者.
de·fend·er 名 防御者, 擁護者.
de·fi·er 名 反抗者, 無視する者; 挑戦者.
de·frost·er 名 霜 [氷] を除去する人 [もの].
de·gauss·er 名 消磁 [減磁] 装置; イレーザー.
de·liv·er·er 名 配達人, 引き渡し人, 交付者.
de·mul·ti·plex·er 名 〘コンピュータ〙 デマルチプレクサー.
de·mur·rer 名 異議申立人, 抗弁者, 反対者.
de·ni·er 名 否定者, 否認者.
den·ner 名 組長.
de·po·lar·iz·er 名 減極剤.

de·scend·er 名 降下する人[もの], 降りる人.
de·sert·er 名 見捨てる人; 義務[職場]放棄者.
de·sign·er 名 設計者, 立案者; 意匠図案家.
de·stroy·er 名 破壊者; 破壊するもの.
de·tail·er 名 (メーカーが派遣する)プロパー, 販売店支援担当者, D マン.
de·ter·min·er 名 **1** 決定する人[もの]. **2**〖文法〗決定詞, 限定詞.
de·vel·op·er 名 開発者, 啓発者; 宅地開発業者.
di·al·er 名 ダイヤルを回す人[もの].
dic·er 名 さいころ賭博(ばく)をする人.
dick·er 名 見張り人.
dif·fus·er 名 散布する人, 流布者; 散布器.
di·gest·er 名 ダイジェスト編集者.
dig·ger 名 ☞
di·mer 名 《米俗》密告者.
dim·mer[1] 名 薄暗くする人; 制光装置, 調光器.
dim·mer[2] 名 《米俗》10 セント(dime).
din·er 名 食事をする人, 食事の客.
ding·er 名 《俗》=humdinger.
dip·per 名 ☞
dis·count·er 名 割引をする人.
dis·cov·er·er 名 発見者, 創案者.
dis·patch·er 名 発送[発信]する人, 発送者.
dis·pens·er 名 分与者, 施与者, 分配者.
dis·pos·er 名 dispose する人[もの].
dis·sent·er 名 反対者, 異議申し立てをする人.
dis·taff·er 名 《話》(特に男性主流の分野や職場に進出した)女性.
dis·till·er 名 蒸留器; (蒸留装置の)凝縮器.
dis·tract·er 名 正解以外の選択肢; 《まれ》選択肢.
dis·trib·ut·er 名 分配者[もの], 配給者[もの].
ditch·er 名 溝を掘る人, 溝掘り人.
div·er 名 ☞
di·vid·er 名 ☞
di·vin·er 名 占い師, 易者; 予言者; 予測者.
Dix·ie·land·er 名 デキシーランド・ジャズ専門の音楽家.
dock·er[1] 名 《英》港湾労働者.
dock·er[2] 名 切り詰める人[もの].
dodg·er 名 ☞
do·er 名 ☞
doff·er 名 脱ぐ[捨てる]人[もの].
dog·ger[1] 名 ドッガー船.
dog·ger[2] 名 〖金工〗引き抜き台につく助手.
dog·ger[3] 名 《豪》ディンゴ(dingo)ハンター.
do-good·er 名 《話》空想的社会改良[政治改革]家.
do-it-your·self·er 名 自分でやる[作る]人, 日曜大工.
dok·er 名 《米俗》(見世物で)さくら.
don·ick·er 名 《古俗》便所, トイレ.
dop·er 名 《俗》ドーパー: 麻薬にふけっている人.
Dop·per 名 (南アフリカ生まれの)カルバン派に属する白人.
dos·ser 名 《英俗》安宿の常連(客).
dot·ter 名 点をつける人[もの]; 点描器具.
dóuble énder 名 〖海事〗両頭船.
dous·er 名 (水などを)浴びせる人[もの].
dout·er 名 (ろうそくの)芯(しん)切り.
dow·a·ger 名 貴族未亡人.
down·er 名 鎮静剤, (特に)バルビタール酸塩.
down·hill·er 名 〖スキー〗滑降競技の選手.
down·load·er 名 〖コンピュータ〗ダウンロードする人.
down·shift·er 名 よりきつくない仕事に変える人.
dows·er 名 (水脈・鉱脈探しのための)占い杖(つえ).
doz·er[1] 名 居眠り[うたた寝]する人.
doz·er[2] 名 《話》=bulldozer.
draft·er 名 (文書の)起草者, 立案者; 下図工.
drag·ger 名 引っ張る[引きずる]もの[人].
drain·er 名 下水(配管)工事人.
drap·er 名 《英》服地屋, 生地屋, 反物屋.
draw·er 名 ☞
dream·er 名 夢を見る人.
dredg·er[1] 名 《主に英》浚渫(しゅんせつ)機.
dredg·er[2] 名 粉振り器.
drei·kan·ter 名 三稜(りょう)石.
dress·er 名 ☞
dri·er 名 乾燥させる人[もの].
drift·er 名 漂流者[もの], 漂流船.
drill·er 名 《米俗》殺し屋.
drink·er 名 ☞
drip·per 名 ドリップペインティングをする画家.
driv·er 名 ☞
drop·per 名 ☞
dro·ver 名 牛・羊などを市場へ追って行く人.
drum·mer 名 鼓手; ドラマー, ドラム奏者.
dry·er 名 乾燥器, 乾燥装置, ドライヤー.
Dub·lin·er 名 アイルランドの Dublin の住人.
duck·er[1] 名 水に潜る人[もの]; 潜水夫.
duck·er[2] 名 カモ飼育者; カモ猟師.
duck·pluck·er 名 《米俗》いやなやつ.
duff·er 名 《話》へまばかりやらかす人.
dump·er 名 放下車(dumpcart).
dun·er 名 デューンバギー(dunebuggy)を乗り回す人.
Dunk·er 名 ダンカー派(の信徒).
dup·er[1] 名 だます人, かつぐ人.
du·per[2] 名 《俗》複写機[器](duplicator).
du·plex·er 名 〖電子工学〗送受切り換え器.
dúst bòwler 《話》黄塵(こうじん)地帯の住人.
dust·er 名 ☞
dwell·er 名 ☞
dy·er 名 染物屋[師], 染色業者.
dy·na·mit·er 名 (特に革命・テロ行為・犯罪などの目的による)ダイナマイト使用者.
earn·er 名 お金を稼ぐ人[もの].
eas·er 名 安らぎを与える人[もの].
east·ern·er 名 東部人, 東洋人.
Éast Síder 名 イーストサイド生まれの人.
eat·er 名 ☞
ech·o·er 名 反響[こだま]するもの.
e·con·o·miz·er 名 節約[倹約]家, つましい人.
edg·er 名 縁かがり工, 縁磨き工.
ef·fect·er 名 作動する人[もの](effector).
egg·er[1] 名 テンマクケムシ.
egg·er[2] 名 野鳥の卵取りをする人.
ein·kan·ter 名 風食作用で一面だけが削られた小石.
em·boss·er 名 浮き彫り[打ち出し]細工師.
e·mit·ter 名 (命令・意見などを)出す人.
em·ploy·er 名 雇い主, 雇用者[主].
en·chant·er 名 魅力のある人, 魅惑するもの.
en·cod·er 名 暗号器.
en·cum·branc·er 名 〖法律〗抵当権者, 負担の権利者.
end·er 名 終わりにする人[もの].
en·er·giz·er 名 元気[活気]づける人[もの].
en·forc·er 名 強制する人[もの].
Eng·land·er 名 イングランド人; 英国人.
Eng·lish·er 名 《特にスコット》イングランド人.
en·hanc·er 名 enhance する人[もの].
en·larg·er 名 〖写真〗引き伸ばし機.
en·list·er 名 (事業・運動などへの)協力者.
en·ter·tain·er 名 人を楽しませる人, (特に)芸能人.
en·vi·er 名 うらやむ人.
e·pis·co·tist·er 名 〖物理〗エピスコチスター.
e·pis·to·ler 名 書簡の筆者.
e·qual·is·er 名 《英》=equalizer.
e·qual·iz·er 名 同等にする人, 均一化する物.
e·ras·er 名 消しゴム, 黒板ふき, インク消し.
ex·am·in·er 名 ☞
ex·cit·er 名 刺激する人[もの]; 刺激[興奮]剤.
ex·e·cu·tion·er 名 死刑執行人.
ex·er·cis·er 名 運動する人[もの], 行使者.
ex·haust·er 名 排気機, 排風機, 排気装置.
ex·hib·it·er 名 (展覧会などの)参加者, 出品者.
ex·hi·bi·tion·er 名 《英》給費生, 奨学生.
ex·hort·er 名 勧める人, 勧告者; 訓戒者.
ex·pand·er 名 拡大する人[もの].
ex·pe·dit·er 名 促進する人[もの].

E

ex·pel·ler 名 追い出す人, 駆除するもの.
ex·pe·ri·enc·er 名 経験者, 感知者.
ex·ploit·er 名 利用者, 開発者; 搾取者.
ex·plor·er 名 調査者, 検査者; 検査機械 [装置].
ex·tend·er 名 extend する人 [もの].
ex·ter·nal·iz·er 名 〖心理〗外在化者.
ex·tin·guish·er 名 消す [消滅させる] 人 [もの].
ey·er 名 見る人, 観察者.
fac·er 名 化粧仕上げをする人 [もの].
fad·er 名 影の薄れた人; 色あせるもの.
fak·er 名 ☞
fall·er 名 倒れる人; 落ちるもの; 脱落者.
fan·ci·er 名 ☞
fan·ner 名 あおぐ [扇を使う] 人.
Far·down·er 名 《米》アイルランド南部からの移民.
far·er 名 旅人.
fash·ion·er 名 作る [形作る] 人.
fas·ten·er 名 ☞
fast-food·er 名 《話》ファーストフードの店.
feed·er 名 ☞
feel·er 名 触ってみる人 [もの], 感じる人.
fell·er[1] 名 《話》《軽蔑的・おどけて》男, 少年, 子供(fellow).
fell·er[2] 名 伐採者 [機].
fenc·er 名 剣士, 剣客.
fer·ti·lis·er 名 《特に英》=fertilizer.
fer·ti·liz·er 名 肥料, (特に)化学肥料.
fet·tler 名 《豪》鉄道線路保守係.
fid·dler 名 フィドル奏者.
field·er 名 ☞
-fi·er 接尾辞 ☞
fight·er 名 ☞
fil·er[1] 名 ファイル整理係, 書類 [文書] 係.
fil·er[2] 名 やすり [目立て] 師.
fill·er 名 (…を)満たす人 [もの].
find·er 名 ☞
fin·ish·er 名 やり終える人.
Fin·land·er 名 フィンランド人.
fire·ball·er 名 《俗》〖野球〗火の玉投手.
fir·er 名 発火者, 発砲者, 射撃者.
first·night·er 名 初日をよく見に行く人, 初日の常連.
first-tim·er 名 初めての人, 初心者.
fish·er 名 ☞
fit·ter 名 ☞
fiv·er 名 《俗》《米》5ドル紙幣; 《英》5ポンド紙幣.
fix·er 名 取りつけるもの [人].
fix·er-up·per 名 《話》ちょっとした修理がうまい人.
fizz·er[1] 名 シュー [パチパチ] という音を出すもの [人].
fizz·er[2] 名 警察への密告者.
flag·ger 名 《米俗》タクシーを呼び止める人.
flam·er 名 《俗》破廉恥なホモ, おかま.
flang·er 名 つば出し機, 縁曲げ機.
flank·er 名 側面に位置する人 [もの].
flap·per 名 (ばたばた打ったり音をたてる)幅広の平たいもの; ハエたたき.
flash·er 名 (一般に)点滅灯 [信号]; その装置.
flat-earth·er 名 地球は平面であると主張する人.
flat·ten·er 名 (金属・革・紙などを)平らに伸ばす職人 [機械].
flat·ter 名 平らに [平たく] する人 [もの].
fle·er 名 逃げる人, 逃げ去る者, 逃亡者.
flesh·er 名 生皮から肉をはぎ取る人.
fletch·er 名 《古》矢製造人, 矢羽根職人.
fli·er 名 (翼で)空を飛ぶもの.
fling·er 名 投げる人 [もの]; (特に)野球の投手.
flip·per 名 (アザラシ・鯨などの)ひれ足.
flit·ter 名 軽やかに飛び回る人 [もの].
float·er 名 浮かぶ人 [もの], 浮遊物; いかだ.
floor·er 名 床張り職人.
flop·per 名 《米俗》保険金詐欺者.
flow·er·er 名 花の咲く植物.
flush·er 名 下水の流し掃除夫.
flut·er 名 (柱・家具などに)縦溝をつける人.
fly·er 名 〖繊維〗フライヤー.
fog·ger 名 (殺虫剤などの)噴霧器.
fold·er 名 ☞
fol·low·er 名 ☞
fool·er 名 《米俗》勝ち目のないもの [馬].
foot·ball·er 名 アメリカンフットボールの選手.
foot·er 名 《古》歩く人, 徒歩者, 歩行者.
forc·er 名 強制者; (特に)作物を促成栽培する人.
for·eign·er 名 外国人, 外人, 異人.
forg·er 名 捏造(ねつぞう)者; 偽造者.
form·er 名 作る人, 作製者, 形成者.
for·ty-foot·er 名 長さ 40 フィートのヨット.
for·ward·er 名 発送者, 転送者, 運送業者.
found·er[1] 名 創設者, 建設者, 設立者; 元祖.
found·er[2] 名 鋳造者, 鋳物師; (特に)活字鋳造工.
four-point·er 名 《米学生俗》(成績の)A, 優; 優等生.
four·teen·er 名 〖韻律〗14 音節から成る詩行.
fou·ter 動(自)名 《スコット》ぶらぶらする(人).
fowl·er 名 野鳥を捕る人, 鳥撃ち, 鳥猟師.
fram·er 名 組み立てる人, 構成者, 考案者.
fran·chis·er 名 フランチャイザー: 一手販売権を与える人や会社.
fra·ter[1] 名 (同じ宗教団体・友愛組合の)教団員, 組合員; 仲間, 同志.
fra·ter[2] 名 《英俗》(被占領国の女と)仲良くするする人 [兵士].
freak·er 名 《米学生俗》びくっとさせること.
free·boot·er 名 略奪者, 海賊.
fre·er 名 自由にする [解放する] 人 [もの].
free·rid·er 名 万能型スノーボードに乗る人; どこでもスノーボードをする人.
frée schóol·er 名 自由学校制を主張する人.
frée spéecher 名 《米》(反体制活動の)過激派学生.
frée tráder 名 自由貿易主義者.
freez·er 名 ☞
freight·er 名 貨物船; 《米》貨物輸送車.
French·er 名 《俗》オーラルセックスをする人.
fres·co·er 名 フレスコ画家.
fresh·en·er 名 新鮮にするもの [人].
fri·er 名 =fryer.
fright·en·er 名 怖がらせる人 [もの], 脅す人.
fring·er 名 《話》(政党などの)非主流派の人.
fritz·er 名 《米暗黒街俗》まがいもの, 偽物.
front·ag·er 名 河川に接する土地に住む人.
front·er 名 (地下組織の)隠れみの団体(front group)に所属する人.
fruit·er 名 果物運搬船.
fruit·er·er 名 《主に英》青果商人, 果物商.
fry·er 名 フライ料理人; フライ料理の道具.
fuck·er 名 ☞
full·er[1] 名 (毛織物などの)縮絨(しゅくじゅう)工.
full·er[2] 名 (鍛造(たんぞう)用)半丸当てへし.
full-tim·er 名 全時間従業する人, 常勤者.
fur·nish·er 名 供給者, 調達者.
fur·ther·er 名 助長 [促進] する人 [もの].
gab·ber 名 《米話》おしゃべりな人.
gag·ger[1] 名 言論を抑圧する人 [もの].
gag·ger[2] 名 ギャグ作家; ギャグをとばす人.
gain·er 名 獲得者; 利益者; 勝利者, 勝ち馬.
gal·lop·er 名 (猟などで)馬を疾駆させる人.
gam·bler 名 博打(ばく)打ち, 賭博(とばく)師.
gam·er 名 ゲームをする人.
gang·bang·er 名 《米俗》(特に 1980 年代のロスアンゼルスの)街の暴力団.
gang·er 名 《英》(労働者の)頭, 親方.
gaol·er 名 《英》=jailer.
gap·er 名 大きく口を開ける人 [もの].
gap·per 名 《米俗》麻薬をやめてまだ間もない中毒患者.
gas·per 名 あえぐ人.
gas·ser 名 《俗》非常に楽しいこと.

gas·trol·o·ger 名 食通, 美食家, 食い道楽, グルメ.
gath·er·er 名 ☞
gaz·er 名 ☞
gee·zer 名 《俗》風変わりな人, 変わり者, 変人. ►男性, 特に老人について用いる.
ge·ol·o·ger 名 地質学者.
get·ter 名 獲得する人 [もの].
gild·er 名 めっき師, 箔(はく)置き師.
gimp·er 名 《米空軍俗》有能な航空兵.
gin·ner 名 綿繰り工.
gird·er 名 ☞
gir·dler 名 取り巻く人 [もの].
giv·er 名 ☞
glah·mer 名 《米俗》＝glommer.
glau·mer 名 《米俗》＝glommer.
glaz·er 名 (陶器・焼き物類の)施釉(せゆう)工.
gleam·er 名 顔のつやをよくする化粧品.
glean·er 名 落ち穂拾い(人); 集める人.
glid·er 名 ☞
glom·mer 名 《米俗》(物をつかむ)手.
gloss·er 名 光沢 [つや] を出すもの [人].
glov·er 名 手袋 [グローブ] 製造人.
glow·er 名 (ネルンスト灯の)発光体.
gnaw·er 名 かじるもの [人]; (特に)齧歯(げっし)動物.
gob·bler 名 がつがつ食べる人 [もの].
go·er 名 ☞
gog·gler 名 目をむいて見る人.
gólden áger 《米》老人, お年寄り.
gon·er 名 《話》死者; 駄目な人 [もの].
gong·er 名 アヘンパイプ(gong).
gon·gooz·ler 名 《俗》ぼんやり眺めている人.
good-look·er 名 《話》(特に女性について)顔立ちのよい人, 美人, 器量よし.
goof·er[1] 名 ばか者, まぬけ(goof).
goof·er[2] 名 《米南部》(黒人の間で)祈祷師.
goom·er 名 《米俗》(病院で)心気症患者.
goon·er 名 東洋人, 東南アジアの人(gook).
gos·pel·er 名 〖キリスト教〗福音誦読(しょうどく)者.
gos·pel·ler 名 《特に英》〖キリスト教〗＝gospeler.
grab·ber 名 ☞
grad·er 名 等級付けをする人 [もの]; 類別装置.
gra·di·ent·er 名 〖測量〗測斜計, 微角計.
graft·er 名 《英俗》(特にこつこつ)働く人.
-gra·pher 連結形 ☞
grass·er 名 《英俗》密告者(grass).
grat·er 名 下ろす人 [もの].
grav·er 名 (一般に)彫刻刀.
graz·er[1] 名 草食動物, グレーザー; 放牧家畜.
graz·er[2] 名 地球をかすめて飛ぶ流星.
greas·er 名 (機械・車両の)油さし(器).
green-card·er 名 《米》就労許可証を持っている人.
green·road·er 名 《英》農道を車で走る趣味の人.
grid·der 名 《米話》アメリカンフットボール選手.
griev·er 名 嘆き悲しむ人; 嘆き悲しませるもの.
grill·er 名 肉 [魚] を焼く人.
grind·er 名 ☞
grip·per 名 つかむ [握る] 人 [もの], つかむ道具.
groan·er 名 うなる [うめく] 人; 不平を言う人.
groov·er 名 溝切り器; 溝を切る人.
grop·er 名 grope する人 [もの].
gross·er 名 莫大(ばくだい)なもうけの出るもの.
ground·er 名 〖野球〗ゴロ.
group·er 名 団体旅行団の一員.
grou·ter 名 《豪俗》不公平な優位 [利点].
grow·er 名 栽培者; 飼育 [養殖] 者.
growl·er 名 うなる人 [もの], がみがみ屋.
grub·ber 名 木の根 [切り株など] を掘る人.
grung·er 名 グランジスタイルの若者.
grunt·er 名 豚.
guid·er 名 導くもの, 案内者; 指揮者.
guis·er 名 《スコット》(特に Halloween の)仮装する人.
gum·mer[1] 名 歯のない老羊(gummy).
gum·mer[2] 名 《話》へまなやつ.
gun·ner 名 砲手, 射手; 照準手.
gur·gler 名 gurgle する人 [もの].
gush·er 名 (湧出(ゆうしゅつ)量が大きい)噴油井.
gut·ser 名 《豪・NZ 俗》落下, 墜落; 不運.
guz·zler 名 guzzle する人 [もの].
gyp·per 名 《話》ペテン師.
hack·er 名 たたき切る人 [もの].
half-tim·er 名 規定時間の半分だけ働く人.
halt·er[1] 名 停止 [休止] する人.
halt·er[2] 名 (言葉・論理などで)つかえる人.
ham·fat·ter 名 《米俗》下手なくせに誇示癖のある演技者.
hand·er 名 ☞
han·dler 名 ☞
hang·er 名 ☞
har·bor·er 名 (ある考え・計画などを)抱く人.
hard·en·er 名 (物を)堅くする人 [もの].
hard-lin·er 名 信条を曲げない人, 理論に固執する人, 強硬路線支持者.
harp·er 名 ハープ奏者.
har·ri·er 名 ☞
har·ves·ter 名 収穫者; 刈り取り作業員.
hash·er 名 《米俗》給仕; 料理人.
ha·ter 名 嫌う [憎む] 人.
hat·ter[1] 名 帽子製造 [販売] 業者, 帽子屋.
hat·ter[2] 名 《豪話》遠隔地 [奥地] に独りで住んでいたために様子がおかしくなった人.
haul·er 名 ☞
hawk·er 名 鷹(たか)使い, 鷹匠(たかじょう).
haz·er 名 新入りをいじめる [しごく] 者.
head·er 名 ☞
head·lin·er 名 《米俗》立て役者, スター, 真打ち.
heal·er 名 治療する人, (特に)医師; 治すもの.
heart·break·er 名 悲痛な思いをさせる人 [もの, 事件].
heat·er 名 ☞
heav·er 名 持ち上げる人 [もの].
hedg·er 名 生け垣を作る人, 垣根を修理する人.
heel·er 名 靴にかかとをつける人.
help·er 名 助ける人, 手伝う人, 助力者.
hem·mer 名 へりをつける人 [もの].
herd·er 名 《主に米》(牛・羊などの)番人.
hew·er 名 (木・石を)切る人; 採炭夫.
hig·gler 名 行商人, 呼び売り商人.
high·jack·er 名 ＝hijacker.
High·land·er 名 スコットランド高地人.
hi·jack·er 名 輸送貨物をねらう強盗.
hik·er 名 ハイキングする人, ハイカー.
hip-hop·per 名 ヒップホップカルチャー愛好者.
hit·ter 名 ☞
hog·ger 名 (豚のように)むさぼり食う人 [もの].
hold·er 名 ☞
hol·i·day·er 名 休暇中の人.
Hol·land·er 名 オランダ人 [居住者] (Dutchman).
hom·er 名 《話》(野球の)本塁打.
home·stead·er 名 家産(homestead)の所有者.
honk·er[1] 名 (自動車の)警笛, ホーン.
honk·er[2] 名 《米俗》白人.
hon·or·er 名 栄誉を受ける人.
hooch·er 名 《米俗》飲んだくれ.
hoof·er 名 《俗》(タップ)ダンサー.
hook·er 名 (hook で)引っ掛ける人 [もの].
hoop·er 名 たがをはめる人; 桶(おけ)屋.
hoot·er 名 ホーホーという人 [もの]; 野次.
hoo·ver·er 名 乱獲する漁師.
hop·per[1] 名 ☞
hop·per[2] 名 ホップ採取者, ホップを摘む人.
horn·er 名 角細工職人 [商人].
Hos·pi·tal·er 名 ホスピタル騎士団員.
hot-desk·er 名 事務机の共用で仕事をしている人.
hot·lin·er 名 緊急身の上相談電話の担当者.
hót móoner 名 月の熱・火山活動の存在を信じる科学者(vulcanist).
hot·ter 名 《英俗》盗難車を乗り回して遊ぶ若

E

者.
hous·er 名 住宅計画立案者 [推進者].
how·itz·er 名 〖軍事〗曲射砲, 榴弾(りゅうだん)砲.
howl·er 名 吠える人 [動物, もの].
huck·ster·er 名 《古》(小物の)小売商人.
hug·ger 名 hug する人 [もの].
hum·ding·er 名 《話》素晴らしい人, 優れた人.
hum·mer 名 ブーンブーンいうもの; 鼻歌を歌う人.
hunt·er 名 ☞
husk·er 名 殻 [皮] をむく人; 脱穀機.
hus·tler 名 《話》精力的な実業家, やり手.
hy·per 名 《話》誇大宣伝をする人.
ice·boat·er 名 氷上ヨットに乗る人.
Ice·land·er 名 アイスランド人.
ic·er 名 《米俗》氷上 [アイス] ショー.
i·dler 名 怠け者, のらくら者, 無精者.
-i·er 接尾辞 ☞ -IER[1]
-i·fi·er 接尾辞 ☞
ig·nit·er 名 点火者; 点火器, 点火装置; 燃焼器.
im·pact·er 名 衝撃を与える人 [もの].
im·pel·ler 名 推進する人 [もの].
im·plead·er 名 第三当事者手続き.
im·print·er 名 imprint する人 [もの]; 押印機.
im·prov·er 名 改良 [改善] するもの, 改良 [改善] 者.
inch·er 名 (長さ・直径などが)…インチの物.
in·creas·er 名 大きくする人 [もの], ふやすもの.
in·duc·er 名 〖生化学〗誘導物質.
in·form·er 名 通報者, 密告者; スパイ.
in·hab·it·er 名 《古》ある場所に長期間住む人.
ink·er 名 〖印刷〗インクローラー, 印肉棒.
in·land·er 名 沿岸や国境から離れた地方に住む人.
in·sid·er 名 内部の人, 部内者, 部員, 会員.
in·sti·tut·er 名 設立者; 制定者; 創始者.
in·sur·er 名 保険業者, 保険会社.
in·ter·plead·er 名 競合権利者確定訴訟者.
in·ter·rupt·er 名 妨害者 [もの]; 止める人 [もの].
in·ter·ve·ner 名 仲介人; 〖法律〗起訴参考人.
in·ter·view·er 名 インタビューする人, 会見者.
in·trud·er 名 侵入者; 邪魔者; 乱入者, 強盗.
in·vad·er 名 侵略者, 侵入者; 侵害する人.
in·vent·er 名 《まれ》(特に特許の取れる)発明家.
in·vert·er 名 invert する人 [もの].
I·rish·er 名 《話》アイルランド(系)の人.
i·ron·er 名 アイロンをかける人 [もの].
íron lùnger 名 《米俗》220–250 馬力の自動車エンジン.
is·land·er 名 島民, 島の(先)住民; 島国民.
I·tal·ian·iz·er 名 イタリア化する人 [もの].
jab·ber 名 《米麻薬俗》(皮下)注射器.
jam·mer 名 ☞
jest·er 名 冗談好きな人, よくしゃれを言う人.
jig·ger 名 ジグ(jig)を操作する人 [もの].
jin·gler 名 《米話》飲んだくれ, アル中.
job·ber 名 ☞
jock·er 名 《米俗》連れの少年に物ごいさせて生活しているホモの渡り労働者.
jog·ger 名 ジョギングする人.
join·er 名 《主に英》指物師, 建具屋.
joint·er 名 接合する人 [道具], 接合工.
jok·er 名 冗談を飛ばす人, ふざける人.
jol·li·er 名 冗談を言ってご機嫌取りをする人.
jot·ter 名 メモする人.
jug·ger 名 《米俗》アルコール中毒(患)者.
jug·gler 名 手品 [奇術] 師; 曲芸師.
juic·er 名 ジュース搾り器, ジューサー.
jump·er[1] 名 ☞
jump·er[2] 名 《米・カナダ》ジャンパースカート.
junk·er 名 《米俗》スクラップ直前の自動車.
kar·a·bi·ner 名 =carabiner.
keep·er 名 ☞
kelp·er 名 《話》英領 Falkland 諸島の人.
key·not·er 名 基調演説をする人.
Key·ston·er 名 《話》米国 Pennsylvania 州(Keystone State)生まれの人 [の住民].
kib·itz·er 名 《話》トランプをしている人の持ち札を肩越しにのぞく人.
kick·er 名 ☞
kill·er 名 ☞
kin·der·gart·ner 名 幼稚園児.
Kin·kaid·er 名 〖米史〗(キンケード法で土地を与えられた)開拓民.
kiss·er 名 キスする人.
kitch·en·er 名 料理人, コック; 修道院料理番.
klunk·er 名 《俗》=clunker.
knack·er[1] 名 《英》廃馬処理業者.
knack·er[2] 名 カスタネット.
knap·per 名 砕く人, たたく人; 石割り用槌(つち).
kneel·er 名 ひざまずく人 [もの].
knit·ter 名 編む人; 毛糸編み機.
knob·ber 名 《米俗》女装したホモの男娼.
knock·er 名 ☞
knot·ter 名 結ぶ人 [もの]; 綱を作る人.
knuck·er 名 《米暗黒街俗》スリ.
knuck·le·ball·er 名 〖野球〗ナックルボールが得意な投手.
knuck·ler 名 〖野球〗ナックルボール.
kweef·er 名 《米俗》だらしない女.
la·bor·er 名 (肉体)労働者.
lag·ger[1] 名 ぐずぐずする人, 遅れる人.
lag·ger[2] 名 《主に英俗》囚人; 前科者.
lak·er 名 湖と密接な関係にある人.
lamp·er 名 (照明装置を使って)夜間狩猟する人.
lam·poon·er 名 風刺文を書く人, 風刺作家.
land·er 名 〖宇宙〗着陸船.
land·lop·er 名 《スコット》放浪者, 浮浪者.
land·scap·er 名 庭師, 造園家.
lap·per 名 (液体を)ぺちゃぺちゃとなめる人.
lar·ce·ner 名 窃盗犯(人).
lash·er[1] 名 むち打つ人; 非難する人.
lash·er[2] 名 (綱・ひもなどで)結ぶ人, 縛る人.
lath·er 名 木摺(きずり)を張る職人.
laugh·er 名 笑う人.
launch·er 名 発射装置, カタパルト; 発射係.
lay·er 名 ☞
lead·er 名 ☞
lea·guer 名 ☞
lean·er 名 寄りかかる人, 傾いている物.
leap·er 名 飛んだり跳ねたりする人 [もの].
learn·er 名 学習者; 初学者, 初心者; 弟子.
leav·er 名 去る [出発する] 人.
lech·er 名 好色漢, 色好みの男, 助平.
lec·tur·er 名 講演者, (講演会などの)講師.
ledg·er 名 ☞
leg·er 名 〖釣り〗=ledger.
lend·er 名 貸す人.
let·ter 名 《主に英》貸し手, 貸し主.
lev·el·er 名 水平 [平ら] にする人 [もの].
lev·el·ler 名 《特に英》=leveler.
lev·i·er 名 (税などを)課す人, 課税者, 徴税者.
lib·ber 名 解放運動の支持者.
li·bel·er 名 誹毀(ひき)者, 誹謗(ひぼう)者.
li·bel·ler 名 《特に英》=libeler.
li·cens·er 名 免許 [許可] を与える人.
li·er 名 横たわる人 [もの].
lif·er 名 《俗》終身懲役者, 無期刑囚.
lift·er 名 ☞
lig·ger 名 《英俗》(ロックや芸能で)押しかけ客.
light·er[1] 名 ☞
light·er[2] 名 (手でこぐ平底の)はしけ.
Lim·bur·ger 名 リンブルガーチーズ.
lim·it·er 名 制限する人 [もの].
lim·mer 名 《スコット・北イング》尻軽(しりがる)女.
lim·ner 名 絵やデッサンを描く人.
lin·er[1] 名 ☞

E

lin·er[2] 名 裏地, 裏.
link·er 名 連結する人[もの].
lip-slip·per 名 《米ジャズ俗》管楽器奏者.
liq·uid·iz·er 名 (料理用の)ミキサー(blender).
lis·ten·er 名 聞く人, 傾聴する人.
list·er[1] 名 《米・カナダ》畝立て機, 両へら鋤(すき).
list·er[2] 名 一覧表を作る人; (特に)評価官.
liv·er 名 ☞
load·er 名 ☞
loan·er 名 貸し付ける人[もの]; 貸与者.
lo·cal·iz·er 名 〖航空〗ローカライザー.
lock·er 名 ☞
lodg·er 名 下宿人, 間借り[同居]人.
loft·er 名 ロフト打ち用のアイアン.
log·ger 名 伐採者, 木こり.
loin·er 名 《英俗》Leeds 市民.
Lon·don·er 名 ロンドン市民, ロンドン子.
lon·er 名 《話》人と交わらない人.
long·lin·er 名 《カナダ》延縄(はえなわ)漁船.
long·tim·er 名 古参者.
look·er 名 ☞
loop·er 名 輪を作る[つける]人[もの].
lop·er 名 ゆっくり大またで歩く[走る]人.
lop·per 名 枝下ろし[刈り込み]をする人.
los·er 名 失う人, 損をする人.
loung·er 名 ぶらぶら歩く人; 怠け者.
lous·er 名 《アイル俗》卑しい[嫌らしい]やつ.
lov·er 名 ☞
low-down·er 名 《米俗》貧しい白人.
Low·land·er 名 スコットランド低地(生まれ)の人.
low·lif·er 名 自堕落な生活を送る嫌われ者.
Lu·ba·vitch·er 名 〖ユダヤ教〗ルバビッチ派の人.
lub·ber 名 でくのぼう, うどの大木.
lug·ger[1] 名 〖海事〗ラガー.
lug·ger[2] 名 《米俗》(競馬で)コースの内に切れ込む[ささる]馬.
lump·er 名 《米》波止場人足.
lung·er[1] 名 《話》(慢性)肺病患者.
lung·er[2] 名 lunge する人[もの].
lun·ker 名 ＝whopper.
lurch·er 名 《英》密猟者が用いた雑種犬.
lurk·er 名 lurk する人.
lush·er 名 《俗》大酒飲み, 飲んべえ(lush).
lus·ter 名 切望[熱望]する人; 好色漢.
lus·ter·er 名 (織物に)光沢仕上げ職人.
-lyz·er 連結形 ☞
mac·er·at·er 名 macerate する人; パルプ製造機.
mail·er 名 ☞
main·land·er 名 本土人, 本土の住民.
main·lin·er 名 《俗》麻薬を静脈注射する人.
mak·er 名 ☞
man·ag·er 名 ☞
man·u·fac·tur·er 名 製造業者, メーカー; 工場主.
mar·a·thon·er 名 マラソン選手[走者].
march·er[1] 名 (徒歩)行進者; デモ参加者.
march·er[2] 名 〖歴史〗国境[辺境]居住民.
mark·er 名 ☞
mar·ket·er 名 市場で売買する人[会社].
mash·er[1] 名 (食べ物などを)つぶす人[道具].
mash·er[2] 名 《俗》(肉体関係を持つ目的で女たちに近づく)色事師, 女たらし.
mask·er 名 仮面をかぶった[着けた]人.
-mas·ter 連結形 ☞
maul·er 名 傷つける人; (特に)ボクサー, (プロ)レスラー.
melt·er 名 溶かす[溶融する]人[もの]; 溶融剤.
mend·er 名 修繕[修理]者; 修繕[修理]するもの.
merg·er 名 合併, 合同, 吸収合併; 吸収.
me·ter 名 ☞ METER[3]
mid·dler 名 中間学年の生徒.
mil·er 名 《話》1マイル競走の参加者.
milk·er 名 乳搾り人, 搾乳者.
mill·er 名 工場主; (特に)製粉工場主.
mil·li·ner 名 婦人帽子屋.
milt·er 名 繁殖期の雄魚.
mind·er 名 ☞
min·er 名 鉱夫, 坑夫, 炭坑[鉱山]労働者.
min·er·al·iz·er 名 〖化学〗〖地質〗鉱化剤.
mint·er 名 貨幣鋳造者, 造幣者.
mis·sion·er 名 宣教師, 伝道師(missionary).
mist·er 名 (かん水用の)噴霧器, ノズル.
mi·ter·er 名 留め[斜め]継ぎをする人[もの].
mix·er 名 混合[結合, 調合]する人[もの].
mock·er 名 マネシツグミ属の数種の鳴き鳥の総称(mockingbird).
mois·tur·iz·er 名 モイスチャーライザー: 肌にうるおいを与える化粧品.
mold·er 名 (性格・思想などを)形作る人[もの].
mon·ger 名 ☞
mooch·er 名 《俗》うろつき回る人; 放浪者.
moon·er 名 ふらふらさまよう人.
moon·light·er 名 月光党(員).
moon·shin·er 名 《話》酒類密造[密売]者.
moot·er 名 《米俗》マリファナタバコ.
mosh·er 名 (ロックコンサートで)熱狂的な観客.
moss·er 名 コケ収集家.
mot·ter 名 《米俗》マリファナ使用者.
mount·er 名 取りつける[乗せる]人[もの].
mourn·er 名 嘆く人, 哀悼者.
mous·er 名 ネズミを捕らえる動物.
mouth·er 名 気取った口のきき方をする人.
mov·er 名 ☞
mow·er 名 ☞
muck·er 名 《俗》粗野な人; 信頼できない人.
muck·rak·er 名 醜聞を暴露する人.
mud·der 名 (競馬で)重(おも)上手馬.
mud·dler 名 《米》(飲み物の)攪拌(かくはん)棒.
muf·fler 名 マフラー, 襟巻き.
mug·ger 名 《話》(凶器を持って襲う)強盗.
mulch·er 名 根覆い(mulch)をする人.
mull·er 名 酒を温める[燗(かん)をする]人.
mul·ti·pli·er 名 増加させる人[もの]; 乗算機.
mum·mer 名 (クリスマスや祝祭日などに)仮面をつけたり仮装をして陽気に騒いだりパントマイムを演じたりする人.
munch·er 名 ムシャムシャ食べる人.
mu·ni·tion·er 名 軍需工.
mur·der·er 名 謀殺者[犯], 殺人者[犯], 人殺し.
mush·er 名 《アラスカ・カナダ北部》犬ぞりのクロスカントリー選手.
mus·tang·er 名 野生馬の密猟者.
mus·ter·er 名 集合[召集]させる人.
muz·zler 名 口輪をかける人; 口封じをする人.
nag·ger 名 うるさく小言を言う人.
nail·er 名 釘(くぎ)製造人.
nam·er 名 命名者; 指名者.
nap·per[1] 名 布に毛羽(nap)を立てる職人.
nap·per[2] 名 うたた寝する人, 居眠りする人.
nark·er 名 《英俗》密告者; 警官.
nee·dler 名 人をいらいらさせる[非難する]人.
nest·er 名 巣作りをしている鳥.
Neth·er·land·er 名 オランダ人.
net·ter 名 コンピュータネットワークの利用者.
Néw Ág·er 名 ニューエイジ音楽の愛好者.
New·found·land·er 名 Newfoundland 生まれの人[住人].
Nèw Yórk·er 名 New York 州人; New York 市民.
nib·bler 名 かじる人[もの].
nick·er 名 刻み目[傷]をつける人[もの].
-night·er 連結形 ☞
nin·er 名 《俗》9(nine).
nip·per 名 挟む人[もの]; 挟み切る人[もの].
noon·er 名 《話》昼食時に行われる行事.
nor·mal·iz·er 名 常態[標準, 正常]にする人[もの].
North·ern·er 名 北国生まれの人[住民], 北国人.
nóse ènder 名 〖海事〗強い向い風.
nosh·er 名 《話》《主に米》間食の多い人.
nurs·er 名 nurse する人[動物, もの].

E

Nut·meg·ger 名 《米》Connecticut 州出身者［住民］.
nut·ter 名 木の実を拾う人.
ob·serv·er 名 ☞
oc·cu·pi·er 名 《英》土地［建物］所有者; 賃借者.
of·fend·er 名 ☞
off·sid·er 名 《豪·NZ》助手, 手伝い, 仲間.
oil·er 名 油を差す［引く］人［もの］.
oink·er 名 《米俗》嫌なやつ, 強欲なやつ.
old-tim·er 名 《話》古顔, 古株, 古老, 古参.
onc·er 名 (主に義務的なことを)一度だけやる［やったことのある］人.
one-lin·er 名 《主に米》短い気の利いたジョーク.
one-lung·er 《俗》単気筒エンジン.
one-night·er 名 (巡業劇団などの)一晩興行.
on·er 名 《主に英俗》ずば抜けた人［もの］.
óne-súiter 名 《米》スーツ一着と下着, ソックスなどの小物がちょうど収納できる大きさのバッグ.
o·pen·er 名 ☞
op·pos·er 名 妨害［反対］する人.
or·bit·er 名 【宇宙工学】オービター: 軌道船.
or·dain·er 名 (牧師などの)任命者.
or·gan·is·er 名 《特に英》＝organizer.
or·gan·iz·er 名 組織者; 設立者; 主催者, 計画者.
ounc·er 名 (重さが)…オンスのもの.
out·land·er 名 外国人, 異国人, 異邦人.
out·sid·er 名 局外者, 第三者; 異端者.
o·ver·land·er 名 《豪·NZ》(家畜を追って)平原を移動する人.
o·ver·night·er 名 一泊旅行, 一泊.
o·ver·se·er 名 監督, 差配, 支配人, マネージャー.
own·er 名 ☞
ox·i·diz·er 名 【化学】酸化剤(oxidant).
o·zon·iz·er 名 【化学】オゾン発生器, オゾン管.
pac·er 名 歩測者; 歩調を取って歩く人.
pack·er 名 ☞
pad·dler 名 《スポーツ俗》卓球の選手.
paint·er 名 ☞
palm·er 名 (トランプなどの)いかさま師.
pa·per·er 名 壁紙張り職人; 表具屋.
par·don·er 名 許す人.
par·er 名 皮をむく［はぐ］人.
pa·rish·ion·er 名 教区民, 教区の住民.
par·ti·er 名 ＝partyer.
part·ner 名 ☞
part-tim·er 名 パートタイムで雇われた人.
par·ty·er 名 よくパーティーに行く［加わる］人, パーティーをよく開く人.
párty líner 名 (特に共産党の)党の路線に忠実な信奉者.
pass·er 名 通過する人; 通させるもの.
pas·teur·iz·er 名 (牛乳·チーズなどの)低温殺菌器.
pat·ter 名 軽くたたく人［もの］.
pav·er 名 舗装工; 敷石工; 舗装機械.
pay·er 名 支払う人; (手形·証券の)支払人.
pearl·er 名 真珠を採る人［船］.
peck·er 名 ☞
ped·dler 名 ☞
peel·er[1] 名 (皮などを)むく人［もの］, はぐ人［もの］.
peel·er[2] 名 《アイル·英古俗》警官, 巡査.
peep·er[1] 名 ピーピー鳴く鳥, ひよこ, ひな.
peep·er[2] 名 のぞき見する人(特に男性).
pelt·er 名 (石などを)投げる人［もの］.
pen·ny-a-lin·er 名 《主に英古》三文文士.
pep·per-up·per 名 《話》元気の出る薬［食べ物］.
per·cent·er 名 ☞
perch·er 名 高い所に置かれているもの.
per·fect·er 名 完成させる人(perfector).
per·form·er 名 実行［遂行, 成就］者.
per·fum·er 名 よいにおいのする人［もの］.
per·ish·er 名 死滅させるもの［人］.
per·suad·er 名 説得する人［もの］.
pe·ti·tion·er 名 請願者.
phiz·zer 名 《豪俗》警察へ密告する人.
phon·er 名 《話》電話をかける人.
pick·er[1] 名 ☞
pick·er[2] 名 【繊維】ピッカー.
pick·ler 名 ピクルスを作る人.
piec·er 名 織糸を継ぐ職人; 継ぎ当て職人.
pig·ger 名 《米俗》でぶ女.
pik·er 名 《米·豪·NZ 話》みみっちい人.
pin·ball·er 名 ピンボールばかりしている人.
pinch·er 名 つまむ［挟む, 摘む］人［もの］.
ping·er 名 (水中の定位表示, 地形の状況などの探査に用いる)波動音発振装置.
pin·ner 名 ピンで留める人［もの］.
pipe·lin·er 名 輸送管敷設専門家［業者］.
pip·er 名 ☞
pip·per 名 照星.
piss·er 名 《俗》とても厄介なこと［やつ］.
pitch·er 名 投げる［ほうる］人.
pit·i·er 名 哀れむ人, 気の毒がる人.
plac·er 名 置く［据える, 配置する］人.
plan·er 名 かんな工.
plan·ner 名 計画者, 立案者.
plant·er 名 植え付ける人, 種をまく人, 栽培者.
plas·ti·cis·er 名 《特に英》＝plasticizer.
plas·ti·ciz·er 名 可塑剤.
plat·er 名 plate する人［もの］; めっき工.
play·er 名 ☞
plead·er 名 【法律】(特に法廷の)弁論者.
pleas·er 名 (人を)喜ばす人［もの］.
pledg·er 名 誓約する人, 誓約者.
pli·er 名 やっとこ, ペンチ, プライヤー.
plonk·er 名 《英俗》(特に男性を指して)のろま.
plot·ter 名 陰謀を企てる人［もの］; 陰謀者.
plow·er 名 鋤(すき)で耕す人(plowman).
plug·ger 名 詰める人［もの］.
plump·er[1] 名 ドシンと落ちること(plumping).
plump·er[2] 名 (ほおを膨らませる)含み綿.
plunk·er 名 ポロンという音を出す人［もの］.
ply·er 名 《主に英》＝plier.
poach·er 名 他人の土地への侵入者; 密猟者.
point·er 名 ☞
pois·er 名 つり合いを保つ人［もの］.
poi·son·er 名 害毒を与える人［もの］, 毒殺者.
pok·er 名 突く人［もの］.
po·lar·iz·er 名 分極する物; 分裂させる人.
pol·er 名 棒で支える人［もの］.
pol·len·iz·er 名 授粉用植物［昆虫］.
pol·li·niz·er 名 【園芸】花粉樹, 授粉樹.
poop·er 名 《米俗》(女の)尻.
poot·er 名 吸虫管, 吸虫瓶.
pop·er 名 《米俗》ローマカトリック教徒.
pop·per 名 ☞
pork·er 名 豚; (特に太らせた)食用豚.
por·ter 名 運搬作業員; (駅などの)赤帽.
por·tion·er 名 分配を受ける者, 配当受領者.
port·sid·er 名 《米俗》左利きの人; 左腕投手.
pos·er[1] 名 ポーズを取る人; 《話》気取り屋.
pos·er[2] 名 難問, 難題; なぞなぞ.
po·si·tion·er 名 置く［位置を定める］人［もの］.
post·er[1] 名 ☞
post·er[2] 名 早馬, 駅馬.
pot·ter 名 陶器職人, 焼き物師.
pot·ter·er 名 不規則に動き回る［行動する］人.
poul·ter·er 名 《英》鳥(肉)屋, 家禽(きん)商.
pound·er[1] 名 ☞
pound·er[2] 名 《しばしば複合語》重さが…ポンドの人［もの］.
pout·er 名 唇を突き出す人, 不機嫌な表情の人.
pow·er·boat·er 名 動力船所有者［運転者］.
prac·ti·tion·er 名 (専門職·特殊技能などの)開業者.
pranc·er 名 馬, (特に)威勢のいい馬.
pray·er 名 祈る人.

prep·per 名 《米俗》予備チーム(の一員).
pre·sent·er 名 贈り物をする人; 提出者; 推薦者.
pre·serv·er 名 保護する人[もの].
press·er 名 圧搾する人[もの]; 圧搾機.
-press·er 名 ☞
pretéen àger 名 思春期前の子供. ►10-12 歳の子供を指す; preteen ともいう.
pre·tend·er 名 (…を)装う[見せかける]人.
pre·vent·er 名 防止する人[もの]; 妨害者[物].
pric·er 名 売値を決める専門の店員.
prick·er 名 (ちくりと)刺す人[もの].
pri·er 名 詮索(せんさく)する人.
prim·er 名 準備する人[もの].
print·er 名 ☞
pri·va·tiz·er 名 《主に英》民営化促進論者.
priz·er 名 《古》懸賞目当ての競技者.
pro·ba·tion·er 名 見習い生; 試補; 看護実習生.
pro·cur·er 名 獲得者; (特に)売春婦斡旋(あっせん)屋.
pro·duc·er 名 生産者[国], 産出するもの; 作者.
pro·fil·er 名 小伝を書く人.
prog·ger 名 《英学生俗》(Cambridge, Oxford 両大学の)学生監(prog).
pro·gram·mer 名 (コンピュータの)プログラマー.
prom·is·er 名 約束する人.
pro·mot·er 名 推進する人[もの].
prompt·er 名 激励する人[もの].
pro·pel·ler 名 (飛行機・船などの)推進器.
pros·er 名 散文作家(prosaist).
prov·er 名 試験する人, 試験器[装置].
pro·vid·er 名 供給者, 調達する人[店, 業者].
prowl·er 名 (餌(えさ)を探して)徘徊する動物.
pry·er 名 =prier.
pub·lish·er 名 発行者, 出版(業)者, 出版社.
puff·er 名 ぷっと吹く人[もの].
pull·er 名 ☞
pump·er 名 ポンプを使う人[もの].
punch·er 名 ☞
punk·er 名 《俗》パンクロック・ミュージシャン.
pun·ner[1] 名 地口(じぐち)[だじゃれ]を言う人.
pun·ner[2] 名 【建築】たこ突き, たこ.
punt·er[1] 名 パント舟の船頭.
punt·er[2] 名 《英話》賭(か)け事をする人.
purl·er 名 《英話》転落, 転倒.
purs·er 名 (船・飛行機などの)事務長.
pur·su·er 名 追跡者; 追求者; 従事者; 研究者.
push·er 名 ☞
putt·er[1] 名 【ゴルフ】パット(putt)する人.
put·ter[2] 名 置く人[もの].
put·ti·er 名 パテを盛る人, (特に)窓ガラス屋.
puz·zler 名 困らせる人; 不可解な人.
quack·er 名 《話》ガーガー鳴くもの.
quench·er 名 quench するもの[人].
quill·er 名 糸を巻く機械, 糸巻き機.
quit·ter 名 《米話》臆病(おくびょう)者, 卑怯(ひきょう)者.
quiz·zer 名 質問者.
rab·bit·er 名 《主に豪》ウサギ捕獲人.
rac·er 名 競走者, レーサー.
raft·er[1] 名 いかだ乗り愛好家.
raft·er[2] 名 (特に七面鳥の)群れ(flock).
rag·er 名 《米俗》大騒ぎをする人, 大盛会.
raid·er 名 侵略者, 襲撃者; 《主に英》強盗.
rais·er 名 ☞
rak·er[1] 名 熊手を使う人; かき集める人.
rak·er[2] 名 【建築】控え柱, 抱き控え.
ram·bler 名 ぶらぶら歩く人[動物].
ram·mer 名 打ち込む[打ち固める]道具, 突き棒.
ranch·er 名 《米・豪》牧場[農場]主; 牧童.
rang·er 名 ☞
rank·er 名 整列する[させる]人, 並べる人.
ran·som·er 名 =redeemer.
rant·er 名 怒鳴り散らす人; 大言壮語する人.
rap·per 名 トントンたたく人[もの].
rasp·er 名 削り取る人[もの].
rast·er·iz·er 名 【コンピュータ】(画像を)ラスター変換するプログラム.
rat·er 名 査定者, 評価者, 評定者, 採点者.
rat·ter 名 ネズミを捕る人; ネズミを捕る動物.
rat·tler 名 《米・カナダ》ガラガラヘビ.
rav·er 名 《主に英俗》勝手気ままに生きる人.
read·er 名 ☞
ream·er 名 リーマ: 金属にあけた穴の拡大や仕上に用いる工具.
reap·er 名 刈り取り機.
rear-end·er 名 追突(事故).
reav·er 名 強奪[略奪]する人.
re·bound·er 名 【バスケット】リバウンド(ボール)を上手につかむ選手.
re·but·ter 名 反駁(はんばく)者; 反論, 反証.
re·ceiv·er 名 ☞
reck·on·er 名 計算者; 清算人.
re·clin·er 名 寄りかかっている人[もの].
re·cord·er 名 ☞
re·deem·er 名 買い戻す人, 質請け人; 身請け人.
re·demp·tion·er 名 【米史】年期奉公人.
re·duc·er 名 reduce する人[もの].
reef·er 名 【海事】縮帆する人.
reel·er 名 巻く[たぐる]人.
re·fresh·er 名 気分を爽快(そうかい)にする人[もの].
re·fus·er 名 断る人, 拒否[辞退]者.
re·ha·ber 名 野生動物保護官.
re·in·forc·er 名 補強[強化]する人[もの].
re·leas·er 名 release する人[もの].
re·lief·er 名 【野球】救援投手.
re·li·er 名 (…に)依存する人[もの].
re·liev·er 名 救済者, 慰安となる人[もの].
re·li·gion·er 名 修道士.
re·mind·er 名 思い出させる人[もの]; 記念品.
re·mov·er 名 移動する[させる]人, 移転[転居]者.
rent·er 名 賃借している人, 借地人, 小作人.
re·pair·er 名 修理[修繕]する人[もの].
re·peat·er 名 繰り返す人[もの]; 暗唱者, 朗唱者.
re·plead·er 名 再訴答(手続き), 訴答のやり直し.
re·port·er 名 ☞
re·saw·yer 名 再びのこぎりを引く人.
res·i·dent·er 名 《スコット・米》住民, 居住者.
re·sist·er 名 抵抗する人; 反政府主義者.
res·o·lu·tion·er 名 決議に参加[署名]する人.
re·solv·er 名 決心する人, 解決者, 決議者.
re·sort·er 名 行楽地[盛り場]の常連.
re·spond·er 名 応答[反応]する人[もの].
re·spons·er 名 【電子工学】質問機受信部.
re·tail·er 名 小売商人.
re·tain·er 名 保有する人[もの], 保持者, 保有物.
re·tard·er 名 遅らせる人[もの].
re·triev·er 名 ☞
re·turn·er 名 帰る[戻る]人.
re·vers·er 名 (運命などを)逆転する人.
re·ver·sion·er 名 【法律】復帰権者.
re·vert·er 名 逆戻り[復帰]する人[もの].
re·view·er 名 再調整する人, 検閲者, 校閲者.
re·viv·er 名 (廃れた事などを)復活させる人.
re·volv·er 名 回転式連発拳銃(けんじゅう), リボルバー.
rhym·er 名 詩人, 作詩者; (特に)へぼ詩人.
ric·er 名 《米・カナダ》ライサー: ゆでた食材をつぶす台所用具.
rid·dler 名 なぞをかける人.
rid·er 名 ☞
rif·fler 名 波形やすり.
rig·ger 名 装備する人; 準備係, 支度係.
right·er 名 (悪を)正す人; 是正者, 矯正者.
ring·er[1] 名 輪になっている人[もの].
ring·er[2] 名 鐘[鈴, ベル]を鳴らす人.
ring·sid·er 名 リングサイドの観客.
rip·per 名 引き裂く[はぎ取る]人.
rip·pler 名 亜麻をこく人.
ris·er 名 立ち上がる[起きる]人[もの].
riv·er 名 割る人, 裂く人.
riv·et·er 名 リベット工; リベット締め機.

roar·er 名 ほえる［うなる］もの.
roast·er 名 焼く［炒(い)る］器具, ロースター.
rob·ber 名 ☞
rock·er 名 ☞
roll·er 名 ☞
romp·er 名 跳ね回る人［もの］.
roof·er 名 屋根職人, 屋根ふき工.
room·er 名 《米》宿泊人, 止宿人; 間借人.
roost·er 名 《主に米・カナダ》雄鶏.
root·er[1] 名 ほじくり回す人.
root·er[2] 名 《主に米話》応援者, 大ファン.
rop·er 名 縄製造人.
ross·er 名 皮はぎ人.
rot·ter 名 《主に英俗》ろくでなし, やくざ者.
rough·er 名 粗ごしらえする人［道具］.
round·er 名 丸くする人, 丸くする器具.
rous·er 名 覚醒(かくせい)させる人［もの］.
roust·er 名 《米》(Mississippi 川などの)波止場人足.
rout·er[1] 名 溝彫り用の器具［機械］, えぐり道具.
rou·ter[2] 名 (商品を仕分けする)発送係.
rov·er[1] 名 さまよう人, 放浪［流浪］者.
rov·er[2] 名 粗紡機, ローバ.
rub·ber 名 ☞
ruf·fler 名 威張り散らす人; 平安を乱す人.
rul·er 名 支配者, 統治者, 主権者.
rum·bler 名 タンブラー, 転摩機.
run·ner 名 ☞
rush·er 名 突進する人［もの］.
rus·tler 名 《主に米・カナダ話》牛泥棒.
sack·er[1] 名 =bagger.
sack·er[2] 名 (家・町などの)略奪者.
sad·dler 名 馬具製造［修理］人; 馬具販売人.
sail·er 名 帆船.
salt·er 名 製塩業者; 塩販売人, 塩商.
sal·ver 名 (飲食物などを載せる)盆.
sam·pler 名 見本(検査)係; 試食［試飲］者.
sand·bag·ger 名 sandbag する人.
sand·er 名 紙やすりをかける人［機械］.
san·i·tiz·er 名 (食品加工施設で使用する)殺菌剤.
sap·per 名 《英》土木工兵.
sat·u·rat·er 名 saturate するもの［人］.
sav·er 名 ☞
say·er 名 ☞
scald·er 名 熱湯消毒器, 煮沸器.
scal·er[1] 名 魚の鱗(うろこ)を落とす道具［人］.
scal·er[2] 名 天秤(てんびん)で量る人.
scal·er[3] 名 (塀などを)よじ登る人.
scal·lop·er 名 ホタテガイを採る人［船］.
scalp·er 名 頭皮をはぐ人.
scam·mer 名 《俗》犯罪者, 詐欺師.
scan·ner 名 ☞
schlep·per 名 《俗》どじ, まぬけ(Schlep).
schnoz·zler 名 《米麻薬俗》コカインを(鼻から吸って)使用する人.
school·er 名 …学校の生徒.
schoon·er 名 【海事】スクーナー.
Schwenk·feld·er 名 【プロテスタント】シュベンクフェルト派(の信者).
scoop·er 名 シャベルを使う人.
scorch·er 名 焦がす人［もの］.
scor·er 名 (競技の)記録係; 得点者.
scour·er[1] 名 こすって磨く人, 洗浄する人.
scour·er[2] 名 歩き回る［あさり歩く］人; 疾走者.
scout·er 名 内偵者, 偵察者.
scram·bler 名 ごちゃまぜにする人［もの］.
scrap·er 名 ☞
scrap·per[1] 名 スクラップを片づける［処理する］人.
scrap·per[2] 名 《話》プロボクサー.
scratch·er 名 scratch する人［もの, 道具］.
scrawl·er 名 ぞんざいに書く人.
scream·er 名 ☞
screev·er 名 《主に英》大道絵かき.
scrib·bler 名 三文文士, 三流作家.
scrib·er 名 (木・石・金属に印をつける)罫書(けが)き針, 罫引き.
scrive·ner 名 筆記者, 写字者(scribe).
scrub·ber[1] 名 ごしごしこすって洗う人.
scrub·ber[2] 名 雑種動物, (特に)雑種の去勢牛.
scrub·ber[3] 名 《英俗・豪俗》身持ちの悪い女; 売春婦.
scuff·er 名 《英俗》警官, お巡り.
scup·per 名 【海事】甲板排水口, 水落とし.
sea·jack·er 名 船舶乗っ取り犯人.
seal·er[1] 名 押印する人［もの］, 捺印(なつ)者.
seal·er[2] 名 アザラシ猟師［猟船］.
seam·er 名 【クリケット】ボールが縫い目で跳ね返って違う方向へ行くように投げる投球法.
seat·er 名 ☞
se·ced·er 名 分離者, 脱退［脱党］者.
sec·ond·er 名 支持［後援］する人, (提案の)賛成者.
seed·er 名 種をまく人［もの］.
seek·er 名 ☞
seem·er 名 うわべを繕う人, はったり屋.
se·er 名 見る人, 観察者.
sein·er 名 (地)引き網漁師.
sell·er 名 ☞
send·er 名 発送人, 送り主, (出)荷主, 出荷者.
sen·si·tiz·er 名 (特に)感光剤.
se·quenc·er 名 シーケンサー: 逐次制御装置.
ser·en·dip·per 名 偶然発見する才能のある人.
serv·er 名 ☞
set·ter 名 ☞
set·tler 名 片をつける人, 決定者, 調停者.
sev·en·teen·er 名 《米暗黒街俗》死体(corpse).
sew·er 名 縫う人, 裁縫師, お針子.
shag·ger 名 《米俗》尾行する人.
shak·er 名 ☞
sham·mer 名 ぺてん師, 詐欺師, 山師.
shap·er 名 形作る人［もの］.
shar·er 名 共にする人, 共有者, 参加者.
sharp·en·er 名 研ぐ［削る］人［物, 道具, 機械］.
sharp·er 名 (商取引などでの)詐欺［ぺてん］師.
shav·er 名 そる人, そり手, 理髪師.
shed·der 名 流す［注ぐ, 発散する］人［もの］.
shell·er 名 殻をむく人; 殻むき器.
shi·er 名 びくついて飛びのく癖のある馬.
shiev·er 名 《米暗黒街俗》裏切者, 密告者.
shift·er 名 ☞
shin·er 名 (ダイヤ・星などの)光る物.
ship·jack·er 名 船舶乗っ取り［シージャック］犯人.
ship·per 名 船荷主, 荷送り人, 船積み人.
shirk·er 名 仕事［義務］を忌避する人.
shit·ter 名 《俗》便所; 屋外便所.
shlep·per 名 =schlepper.
shock·er 名 《話》ショックを与える人［もの］.
sho·er 名 蹄鉄(ていてつ)をつける人.
shoot·er 名 ☞
shop·per 名 買い物をする人, 買い物客.
short-end·er 名 《米話》敗者.
short-tim·er 名 《話》在任期間が残り少ない人.
shov·el·er 名 シャベルですくう人; すくう装置.
shov·er 名 shover する人［もの］.
show·er 名 示す人［もの］.
shred·der 名 寸断する人［もの］.
shrimp·er 名 小エビ捕り漁夫.
Shrin·er 名 友愛結社の会員.
shrink·er 名 しりごみする人.
shuf·fler 名 足を引きずって歩く人.
shunt·er 名 《英》転轍(てんてつ)手［係］.
shut·ter 名 ☞
sick·en·er 名 あきあきさせるもの［こと, 経験］.
sift·er 名 篩(ふるい)にかける人; 精査する人.
sight·er 名 【弓術】【射撃】(競技会で出場者に許されている)6 本［発］の試射.
sig·nal·er 名 信号機.

sign·er 名 身ぶり [手まね] で伝える人.
si·lenc·er 名 沈黙させる人 [もの].
sil·ly-sid·er 名 《カナダ俗》左利きの人.
sing·er[1] 名 ☞
sing·er[2] 名 焦がす人 [もの], 毛焼きする人.
síngle-sùiter 名 =one-suiter.
sink·er 名 《主に北米》沈む [沈める] 人 [もの].
sin·ner 名 (道徳・宗教上の)罪を犯した人.
sip·per 名 ちびちび飲む人, すする人; 酒飲み.
sit·ter 名 ☞
six-foot·er 名 身長が約6フィートの人.
siz·er 名 整粒器, 分粒機, 寸法測定器.
siz·zler 名 ジュージュー音をたてるもの.
skam·mer 名 《米俗》=scammer.
skat·er 名 スケートをする人, スケーター.
ske·dad·dler 名 《話》逃亡者, 一目散に逃げる人.
skee·zer 名 《米俗》みだらな女; 誰とでも寝る人.
skel·e·ton·iz·er 名 skeletonize する人 [もの].
skid·der 名 横滑りする人 [もの].
ski·er 名 スキーヤー, スキーをする人.
skim·mer 名 上澄みをすくい取る人 [もの].
skink·er 名 《古》酌をする人; バーテン.
skin·ner 名 ☞
skip·per 名 ☞
skirt·er 名 《豪》羊毛のすそ毛処理人.
skiv·er 名 皮をそぐ人 [道具].
sky·er 名 【クリケット】高く飛ぶ打球.
slack·er 名 怠け者, サボり屋, ずる.
slak·er 名 和らげる人 [もの].
slam·mer 名 ばたんと閉める人.
slan·ger 名 《米俗》麻薬取引人.
slap·per 名 《英俗》売春婦; ふしだらな女.
slash·er 名 slash する人 [もの].
slat·er[1] 名 (屋根ふきなどの)スレート職人.
slat·er[2] 名 酷評する人; しかり飛ばす人.
slav·er 名 奴隷売買業者, 奴隷商人.
slay·er 名 殺す人 [もの].
sled·der 名 そりに乗る人, そりを操縦する人.
sleep·er 名 眠る人 [動物, 植物]; 寝坊.
slic·er 名 (食品薄切り用の)スライサー.
slick·er[1] 名 《主に米・カナダ》スリッカー: レーンコートの一種.
slick·er[2] 名 スリッカー: なめし剤を染み込ませるための道具.
slid·er 名 滑る人 [もの]; (機械の)滑動部.
sling·er 名 ☞
slip·per 名 ☞
slit·ter 名 細長く切る [裂く] 人 [器具].
slob·ber·er 名 よだれを垂らす人; 泣き事を言う人.
slog·ger 名 (野球・ボクシングなどの)強打者.
slop·er 名 傾斜をつける人 [もの].
slot·ter 名 溝をつける人 [もの], 溝削り機.
slug·ger 名 《主に米》強打者.
slum·mer 名 スラム(街)居住者.
smack·er 名 《米俗》1ドル; 《英俗》1ポンド.
smash·er 名 破砕するもの [人], 粉砕工 [機].
smeck·er 名 《米俗》ヘロイン中毒者, 「ペー中」.
smell·er 名 においをかぐ人, においのする人.
smelt·er 名 製錬する人 [機具]; 製錬所で働く人.
smok·er 名 タバコを吸う人, 喫煙家; 《俗》マリファナを吸う人; 発煙物, 煙を出すもの; 燻製(くんせい)業者; 燻煙器.
smudg·er 名 《英俗》仲間, 友.
snag·ger 名 《豪》手の遅い羊毛刈り職人.
snap·per 名 ☞
snarl·er[1] 名 snarl する [動物].
snarl·er[2] 名 《豪俗》失格除隊者.
snatch·er 名 ☞
sneak·er 名 《主に米・カナダ話》スニーカー; 《米俗》タイヤ.
sniff·er 名 ☞
snip·er 名 snipe する人.
snoop·er 名 《英話》社会福祉局に雇われた諸手当の不正受給調査員.
snoo·ser 名 《米俗》北欧人.
snoo·zer 名 snooze する人.
snor·er 名 snore する人.
snork·er 名 《豪俗》ソーセージ.
snort·er 名 鼻を鳴らす人 [動物].
snot·ter 名 《スコット》鼻水, 鼻汁, 鼻くそ.
snow·board·er 名 スノーボードをする人.
snub·ber 名 ひじ鉄を食らわせる人.
snuff·er[1] 名 鼻をフンフンいわせる人 [動物].
snuff·er[2] 名 ろうそくの芯(しん)切り鋏(ばさみ).
soak·er 名 《米話》大酒飲み, 飲んだくれ.
soap·er 名 せっけん製造 [販売] 人.
soc·ag·er 名 socage「【中世英法】農役土地保有制度」による土地保有者.
sock·er 名 《俗》強打する人.
soft·ball·er 名 ソフトボールをする人.
soft·en·er 名 【化学】軟化剤.
sol·u·tiz·er 名 【化学】ソリュタイザー.
so·ma·ti·zer 名 身体化障害患者.
Soon·er 名 米国 Oklahoma 州 (Sooner State)生まれの人 [住人] の異名.
soon·er 名 抜け駆け移住者.
sor·cer·er 名 (悪霊の力を借りる)魔法使い.
sort·er 名 ☞
sound·er[1] 名 音を出すもの, 鳴るもの.
sound·er[2] 名 深さを測る人; 水深測定器.
soup·er 名 《米俗》投手の利き腕(soupbone).
south·ern·er 名 南部人, 南部出身者 [の住民].
sow·er 名 種をまく人 [機械].
soz·zler 名 深酒する人, 痛飲する人.
spam·mer 名 《俗》【コンピュータ】スパムする人: いやがらせのために大量の E メールを送る人.
span·ner 名 ☞
spar·er 名 spare する人 [もの].
spark·er[1] 名 火花を出すもの; 小さな花火.
spark·er[2] 名 恋人, 愛人; 伊達(だて)男, 色男.
spar·kler 名 火花のように光るもの; 美人, 才人.
spaul·der 名 【甲冑】(鎧(よろい)の)肩当て.
speak·er 名 ☞
speed·er 名 高速で自動車を運転する人.
spell-check·er 名 【コンピュータ】スペルチェッカー.
spell·er 名 言葉を綴(つづ)る人, 綴り手.
spe·lun·ker 名 (素人の)洞窟(どうくつ)探検家.
spend·er 名 金を使う人, (特に)浪費家.
spi·er 名 偵察する人, スパイ; 見張り(人).
spik·er 名 スパイカー: 庭園用のホースにつなぎ, 地中深く灌水(かんすい)するために土に刺し込まれる先のとがった穴あき管.
spill·er 名 spill する人.
spin·ner 名 ☞
spit·ball·er 名 【野球】スピットボール投手.
spit·ter[1] 名 つばを吐く人.
spit·ter[2] 名 (角が未分岐の)2年目の雄アカシカ.
splash·er 名 (水などを)はね散らす人 [もの].
splic·er 名 スプライサー: テープつなぎ器.
split·ter 名 ☞
spoil·er 名 損じる人 [もの]; 甘やかす人; 強奪者.
spong·er 名 海綿で洗う [ふく] 人 [もの].
spoon·er 名 さじ入れ, スプーン立て.
sport·er 名 スポーツをする人; 浪費家.
spot·ter 名 ☞
spout·er 名 噴出したままの油井 [ガス井].
spray·er 名 ☞
spring·er 名 跳ぶ人 [もの], 跳ねる人 [もの].
sprin·kler 名 振りかける道具; 霧吹き, じょうろ.
spy·er 名 =spier.
squad·der 名 隊員.
squar·er 名 (石材・木材などを)四角にする人.
squat·ter 名 うずくまる人 [もの, 動物].
squawk·er 名 squawk する人 [もの].
squeal·er 名 《俗》告げ口をする人, 密告者.

squeez·er 名 締めつける人 [もの]; 搾取者.
stab·ber 名 刺す人 [もの]; 錐(きり), ナイフ.
sta·bi·liz·er 名 安定させる人 [もの, 手段].
sta·bler 名 馬屋番, 厩務(きゅうむ)員.
staff·er 名 《米話》 職員, 従業員.
Stáge-dìver 名 (ロックコンサートで) 舞台から客席に飛び降りるパフォーマー.
stag·er 名 経験 [体験] 者, ベテラン, 老練家.
stag·ger·er 名 よろめく人; よろめかせる物.
stain·er 名 染工, 染色職人.
stalk·er 名 狩猟管理人.
stamp·er 名 印 [刻印など] を押す人 [もの].
stand·er 名 立っている人 [もの].
sta·pler 名 (羊毛などの繊維の) 分類 [選別] 工.
star·board·er 名 《米野球俗》 右腕投手.
star·er 名 じっと [じろじろ] 見る人.
star·rer 名 《俗》 スターが主役の映画 [劇].
start·er 名 ☞
state·hood·er 名 (準州・植民地などが) 州への昇格を支持 [主張] する人.
state·sid·er 名 米国本土に住んでいる人.
stav·er 名 《米話》 精力家, 活動家.
stay·er 名 滞在者, とどまる人.
stead·i·er 名 しっかりとさせるもの.
steal·er 名 盗む人, 泥棒.
steam·er 名 蒸気で動くもの; 蒸気機関; 汽船.
steer·er 名 操縦する人 [もの], 舵(かじ)取り.
stem·mer[1] 名 茎 [柄] を取る人.
stem·mer[2] 名 込め棒; 詰め込む道具, ふさぐ道具.
step·per 名 歩を進める人 [動物].
stick·er[1] 名 たきぎ拾い人.
stick·er[2] 名 ☞
stick·ler 名 (…について) 自説を曲げない人.
stiff·en·er 名 堅くする人 [もの].
stig·ma·tiz·er 名 汚名を着せるもの.
sting·er 名 sting する人 [もの].
stink·er 名 臭い人 [動物].
stir·rer 名 かき混ぜる人 [もの]; 扇動者.
stock·er 名 stock する人 [もの].
stock·ing·er 名 靴下編み機で編む人.
stonk·er 名 注目すべき斬新な(stonking)もの.
stoop·er 名 stoop する人.
stop·er 名 ストーパ: 上向き穿孔(せんこう)用削岩機.
stop·per 名 ☞
storm·er 名 怒鳴り散らす [がなり立てる] 人.
strag·gler 名 落後者 [兵], はぐれた人 [鳥].
strain·er 名 引っ張るもの [人].
stran·ger 名 見知らぬ人, 他人.
stran·gler 名 strangle する人.
strap·per 名 ひも [革ひも] で縛る人 [器具].
streak·er 名 ストリーキングをする人.
stream·er 名 流れ(出)るもの.
stream·lin·er 名 流線形の物, (特に) 流線形の機関車.
street·er 名 《非標準》 【放送】 街頭インタビュー.
stretch·er 名 ☞
strik·er 名 打つ [たたく] 人 [もの].
string·er 名 ひもでつるす [縛る] 人 [もの]; 弦張り師.
strip·er 名 ☞
strip·per 名 はぐ [むく] 人, はぎ手, むき手.
strok·er 名 《米俗》 先頭に出ることより勝つことを目指すカーレーサー.
stroll·er 名 ぶらぶら歩く [散歩する] 人.
strop·per 名 (革砥(かわと)で) 研ぐ人.
stuff·er 名 詰める人 [もの].
stump·er 名 切り株を除く人 [もの], 抜根機.
stun·ner 名 気絶させる人 [もの, 一撃].
styl·er 名 (髪をセットする) ヘアースタイラー.
sub·soil·er 名 深掘鋤(すき)(subsoil plow) で耕す人.
sub·tract·er 名 引き去る [取り去る, 減じる] 人.
suck·er 名 ☞
suck·ler 名 哺乳(ほにゅう)動物.
suds·er 名 《米話》 ソープオペラ, 昼メロ: 主婦向けに昼間放送されるメロドラマ.
suf·fer·er 名 苦しんでいる人; 病人; 被害者.
sun·down·er 名 《主に英話》 夕暮れ時の一杯.
sup·pli·er 名 供給 [補充] する人 [もの].
sup·ply-sid·er 名 サプライサイダー: 供給側重視の経済学を主張する経済学者の一派.
sup·port·er 名 支持物; 扶養者; 脇役(わきやく).
surf·er 名 サーフィンをする人, サーファー.
sus·pend·er 名 《主に米》 ズボン [スカート] つり.
sus·pens·er 名 《話》 サスペンス [スリラー] 映画.
sus·tain·er 名 支持する人 [もの].
swag·ger 名 浮浪者, 渡り労働者(swagman).
swal·low·er 名 体内に飲み込んで麻薬を密輸入 [輸出] する人.
swamp·er 名 《米話》 湿地 [沼沢地] の住人, 湿地に働く人, 湿地に詳しい人.
swarm·er 名 群れの中の一人, 群衆の一人.
swat·ter 名 打つ [たたく] 人 [もの].
sweat·er 名 セーター.
sweep·er 名 ☞
sweet·en·er 名 甘くするもの, 砂糖, 人工甘味料.
swift·er 名 【海事】 車地(しゃち)小索.
swim·mer 名 ☞
swin·dler 名 詐欺師, かたり, ぺてん師.
swing·er[1] 名 ☞
swing·er[2] 名 《古》 むち打つ人 [もの].
Swiss·er 名 スイス人.
switch·er 名 切り替える人 [もの].
swot·ter 名 《英俗》 がり勉家(swot).
sym·pa·thiz·er 名 同情者.
syn·the·siz·er 名 総合 [統合, 合成] する人 [もの].
tack·er 名 tack するもの [人].
tag·ger 名 下げ札をつける人 [道具]
tail·er 名 後ろについて行く人 [もの]; 尾行者.
tail·gat·er[1] 名 他の車の直後にぴったりつけて走る人.
tail·gat·er[2] 名 テールゲート(tailgate)様式で演奏するトロンボーン奏者.
tak·er 名 ☞
talk·er 名 話す人, 話し手.
tam·er 名 (動物の) 調教師, …使い.
tam·per 名 (発破孔に) 粘土などを詰める人.
tank·er 名 ☞
tan·ner 名 皮なめし工; 製革業者.
tap·er 名 テープ録音 [録画, 編集] 者.
tap·per[1] 名 軽くたたく [打つ] 人 [もの].
tap·per[2] 名 樹液を採取する人 [器具]; 搾乳器.
tast·er 名 味見をする人, 味利き.
tat·ter 名 (職業として) タッチングをする人.
tat·tler 名 無駄口を利く人; 告げ口する人.
teach·er 名 ☞
team·er 名 (荷馬者などの) 御者(teamster).
tear·er 名 引き裂く人.
tear·jerk·er 名 《話》 (物語・劇・映画など) お涙ちょうだいもの; 哀れっぽい話.
teas·er 名 ☞
ted·der 名 (刈草などを) 広げて干す人.
teen·ag·er 名 13 歳から 19 歳の人.
teen·er 名 13 歳から 19 歳の人.
teeth·er 名 おしゃぶり.
tell·er 名 ☞
tempt·er 名 (特に悪事へ) 誘惑する人 [もの].
tend·er 名 ☞
ten·ter[1] 名 テンター, 張り枠.
ten·ter[2] 名 (工場の機械などの) 担当員.
term·er 名 服役者, (特に) 囚人.
test·er 名 試験者, 検査者; 試験器, 試験装置.
thatch·er 名 屋根をふく人.
thick·en·er 名 厚く [太く, 濃く] するもの.
think·er 名 考え方 [思考] が…な人.
thin·ner 名 シンナー, 薄め液, 希釈液.
thrash·er 名 むち打つ人; 脱穀者 [機].
thrée-súiter 名 男物のスーツケース.
thresh·er 名 脱穀機; 脱穀する人.

thrill·er 名 ぞっとさせる人［もの］.
throw·er 名 ☞
thrust·er 名 突く［刺す, 押す］人［もの］.
thump·er 名 ☞
thun·der·er 名 怒鳴る人.
tick·er 名 《米》チッカー: 自動的に印字する相場受信機.
tick·ler 名 むずむずさせる人［もの］.
tid·dler 名 《英俗》ごく小さなトゲウオ.
ti·er 名 縛る［結ぶ, くくる］人［もの］.
til·er 名 タイル工; 瓦(かわら)職, 屋根屋.
till·er 名 耕作者［人］; 農夫.
tim·er 名 ☞
tin·ner 名 ブリキ［錫(すず)］職人.
tint·er 名 染色者, 色合いをつける画家［機械］.
tip·per[1] 名 チップを与える人.
tip·per[2] 名 傾ける人［もの］.
tip·per[3] 名 (傘などの先に)金具を取りつける職人.
tip·pler[1] 名 飲んべえ, 飲んだくれ.
tip·pler[2] 名 放下車の荷降ろし場の労働者.
ti·tler 名 〖映画〗タイトル撮影装置.
TMer 名 《米》超絶瞑想者, 超絶瞑想の信者.
toast·er[1] 名 トースター.
toast·er[2] 名 乾杯する人, 乾杯の音頭を取る人.
toast·er[3] 名 (レゲエで)レコードをかけながら話したり叫んだりするパフォーマー.
tod·dler 名 危ない足取りの人.
tok·er 名 《米俗》マリファナ喫煙者.
toll·er[1] 名 (獲物を)おびき寄せる人［もの］.
toll·er[2] 名 通行料金徴収係員.
ton·er 名 調音［調律, 調色］する人［もの］.
ton·ner 名 …トン(級)のもの［船］.
toot·er 名 《米話》酒盛りをしている人.
top·er 名 大酒飲み, 飲んだくれ.
top·lin·er 名 《英》第一人者, 重要人物, 大物.
top·per 名 いちばん上側にいる人［あるもの］.
top·sid·er 名 上層部, 指導部, 首脳部(の人).
tosh·er 名 《英俗》学寮に入っていない大学生.
toss·er 名 投げる人［もの］.
to·tal·iz·er 名 合計する人; 《主に米》加算機.
toth·er·sid·er 名 《豪俗》オーストラリア東岸から来た人.
tot·ter 名 《英俗》古物［廃品］回収業者.
touch·er 名 触れる人［もの］.
tour·er 名 見て回る［周遊旅行する］人.
tout·er 名 《話》うるさく求める人.
tow·er 名 (船などを)引く人［もの］.
town·er 名 ☞
tow·ser 名 大きな犬.
trac·er 名 追跡者［もの］.
track·er[1] 名 追跡する人［もの］; (特に)警察犬.
track·er[2] 名 引き船; 船引き人.
trad·er 名 ☞
traf·fick·er 名 取引業者, 商人.
trail·er 名 ☞
train·er 名 (運動選手などの)訓練者, 教官.
tran·quil·iz·er 名 (心・感情を)静めてくれる人［もの］.
trans·duc·er 名 変換器, トランスデューサー.
trans·fer·er 名 ＝transferrer.
trans·fer·rer 名 移動［転写］する人［もの］.
trans·form·er 名 変形［変化, 変質］させる人［もの］.
trans·lat·er 名 翻訳者, 通訳者(translator).
trans·mit·ter 名 ☞
trans·port·er 名 運転者, 運送者; 運搬装置.
trap·per 名 わなを仕掛ける人［もの］.
trash·er 名 《話》(怒り・抗議の表示として)手当たり次第に物を壊す人.
trav·el·er 名 旅行する人, 旅行家, 旅行者, 旅人.
trav·el·ler 名 《特に英》＝traveler.
tra·vers·er 名 横断する人［もの］, 越える人.
trawl·er 名 トロール漁業者.
trem·bler 名 震える人［もの］.
trench·er 名 壕(ごう)を掘る人; 塹壕(ざんごう)兵.
tríck-or-tréater 名 ハロウィーンで菓子をもらい歩く子供.
tri·er 名 〖法律〗陪審員忌避審判員.
trill·er 名 trill するもの.
trim·mer 名 ☞
trin·ket·er 名 ひそかに画策する人, 陰謀家.
trip·per 名 つまずかせる［つまずく］人［もの］.
trof·fer 名 細長い蛍光灯の笠(かさ).
trol·ler 名 troll する人.
troop·er 名 ☞
trot·ter 名 ☞
troup·er 名 俳優, 劇団員, 座員.
truck·er[1] 名 《主に米・カナダ》トラック運転手.
truck·er[2] 名 《米》菜園業者.
trun·dler 名 《NZ》ゴルフバッグ.
trust·er 名 信頼［信用］する人; 信用貸しする人.
tub·ber 名 桶屋(おけや); 桶を使う人.
tub·er 名 管を作る人［もの］; 配管工.
tuck·er 名 ひだを取る人［もの］.
tum·bler 名 曲芸をする人, 軽わざ師.
tun·er 名 調子を合わせる人［もの］; 調律師.
turn·er 名 ☞
tusk·er 名 牙(きば)のある動物.
twan·ger 名 《米俗》(勃起した)ペニス.
tweak·er 名 《俗》(微調整用の)小型ねじまわし.
tween·er 名 トゥイナー: 富裕でも貧乏でもなく, 中程度の安定した生活を志向する人々.
tweet·er 名 ツィーター: 高周波音(高音域)を再生するための小型スピーカー.
twic·er 名 同じことを二度する人.
twin·er 名 巻きつくもの［人］; 蔓(つる)植物.
twirl·er 名 くるくる回る［回す］人［もの］.
twist·er 名 撚(よ)り手, 撚り糸機; ねじる人.
twitch·er 名 《英話》(趣味としての)野鳥(生態)観察者.
twixt·er 名 《米俗》女っぽい男, 男っぽい女.
twoc·cer 名 《俗》自動車泥棒(人).
two·fer 名 《米話》(劇場などの)1枚分の料金で2枚買える切符［引換券］.
two-lin·er 名 (質問と答えのように)2つの部分から成るジョーク.
twó-súiter 名 小型スーツケース.
tyl·er 名 (Freemason の集合所の)見張り番.
un·der·writ·er 名 保険業者, (特に)海上保険業者.
up-and-a-down·er 名 《英話》乱戦, 乱闘; 悪戦苦闘.
up-and-down·er 名 ＝up-and-a-downer.
up·hol·ster·er 名 室内装飾業者; 椅子張り職人.
up·per 名 《俗》覚醒(かくせい)剤, 興奮剤.
urg·er 名 urge する人［もの］.
us·er 名 ☞
va·ca·tion·er 名 《米・カナダ》＝holydayer.
van·ner[1] 名 《米・カナダ》(特に特別仕様の)バンのオーナーまたはドライバー.
van·ner[2] 名 〖採鉱〗選鉱夫［器］.
va·por·iz·er 名 蒸発させる人［もの］.
var·i·er 名 変化するもの［人］.
vault·er 名 飛び越す人; 棒高跳びの選手.
veal·er 名 《米・カナダ・豪》食肉用の子牛.
vein·er 名 V 字形の刃をした木彫り用小型のみ.
vend·er 名 売る人; 行商人(vendor).
ven·er·er 名 《古》猟師, 狩人(かりゅうど).
vent·er 名 (感情・意見などを)あらわにする人.
ven·tur·er 名 冒険者; 投機家, 山師.
verg·er 名 《主に英》堂務者, (聖)堂守.
Ver·mont·er 名 米国 Vermont 州生まれの人［住人］.
ves·tur·er 名 (教会の)祭服［聖具室］係.
view·er 名 見る人, 観覧者, 見物人.
vi·gnet·ter 名 〖写真〗(写真の画像の縁を無地の背景に溶け込むように)ぼかす装置.
vil·lag·er 名 村民, 村人.
vin·tag·er 名 ワイン醸造用のブドウの取り入れを

E

する人; ワイン醸造に従事する人.
virg·er 名 =verger.
vis·u·al·iz·er 名 目に見えない事物をイメージとして思い描ける人.
void·er 名 取り除く人 [もの], 取り消す人.
vol·u·mi·zer 名 髪のボリュームを増すムース.
vot·er 名 ☞
vouch·er 名 保証する人; 証人; 証拠.
voy·ag·er 名 航海者, 航行者; 旅行者.
wad·er 名 水の中などを歩いて渡る人 [もの].
wag·gler 名 【釣り】ワグラー.
wag·on·er 名 荷馬車の御者.
wait·er 名 ☞
wal·er 名 《豪俗》浮浪者.
walk·er 名 ☞
wal·lop·er 名 《話》打ちのめす人.
wal·low·er 名 転げ回る人 [動物, もの].
Wan·der·er 名 【スコット史】国外脱出の長老派.
wan·der·er 名 さすらう人, 旅人.
wang·er 名 《英学生俗》=wanker.
wan·ker 名 《主に英俗》自慰をするやつ.
war·bler 名 ☞
ward·er 名 《主に米》監視する人.
ware·hous·er 名 倉庫従業員.
warm·er 名 ☞
warp·er 名 ひずませる人 [もの].
war·ren·er 名 《廃》ウサギ飼育場の番人.
wash·er 名 ☞
wast·er 名 (時間・金などを)無駄にする人.
watch·er 名 ☞
wa·ter·er 名 水をまく人, 水まき器.
wa·ter·sid·er 名 《豪・NZ》港湾労働者, 荷揚げ人足 (longshoreman).
watt·er 名 《話》…ワットの電球 [放送局].
wav·er 名 ☞
wax·er 名 ワックスをかける人, 蝋(ろう)引き師.
way·far·er 名 《文語》旅人, (特に)徒歩旅行者.
way·wis·er 名 旅行 [走行, 航行] 距離計 [測定器].
wean·er 名 離乳したばかりの動物の子.
weath·er·cast·er 名 天気予報担当アナウンサー.
weath·er·proof·er 名 (建築の)耐候工事施工(業)者.
weav·er 名 織り手, 編む人; 織工, 織屋.
weed·er 名 草刈り人, 除草する人; 除草器.
week·end·er 名 週末旅行者.
weep·er 名 泣く人, 悲しむ人.
wel·ter 名 《話》ウェルター級のボクサー.
west·er 名 ☞
west·ern·er 名 西方に住む人, 西部人.
wet·ter 名 ぬらす人 [もの].
whack·er 名 ☞
whal·er 名 捕鯨者(whaleman).
whang·er 名 《俗》ペニス(whang).
wharf·in·ger 名 波止場 [埠頭(ふとう)] 所有者.
wheel·er 名 ☞
whif·fler[1] 名 意見をたびたび変える人, 変節漢.
whif·fler[2] 名 【英史】露払い, 先払い.
whing·er 名 《米話》発作的な怒り.
whirl·er 名 派手な付き合いをするファッショナブルな金持ちの社交界の人.
whis·per·er 名 ささやき声 [小声] で物を言う人.
whis·tler 名 口笛 [笛, 呼び子など] を吹く人.
whit·en·er 名 漂白剤, 白色染料 [塗料].
whiz·zer 名 ブーン [ヒュー, シュー] というもの.
whole·sal·er 名 卸売業者, 卸取次店.
whoop·er 名 喚声を上げる人.
whop·per 名 《話》ばかでかいもの.
wig·gler 名 揺れ動く人 [もの].
wild·cat·ter 名 《米・カナダ話》石油試掘者 [山師].
wild·lif·er 名 野生生物保護論者.
wil·low·er 名 ウィロー [開毛機] を扱う人, 製綿工.
wind·er[1] 名 ☞
wind·er[2] 名 角笛を吹く人.
wind·er[3] 名 (強打・疾走など)息切れさせるもの.
wind·surf·er 名 ウインドサーファー.
wing·er 名 《特に英》(ラグビー・サッカーなどの)ウイング(人).
wink·er 名 まばたきする人.
win·kler 名 《英俗》借地人を追い出す人.
win·ner 名 ☞
win·ter·er 名 冬を越す人 [鳥など].
wip·er 名 ☞
wir·er 名 針金を巻く人.
wolf·er 名 =wolver.
wolv·er 名 オオカミ狩りをする人.
wom·an·iz·er 名 女あさりをする人, 女たらし.
wood·craft·er 名 木工, 木彫り職人.
wood·land·er 名 森林に住む人, 森林居住者.
woo·er 名 《文語》求愛者, 求婚者.
woof·er 名 低いうなり声を上げる人 [もの].
wool·er 名 採毛用家畜(羊, ミンクなど).
work·er 名 ☞
work·shop·per 名 《話》(趣味のために家庭に)工作室 [作業場] を持っている人.
worm·er 名 (鳥獣用)駆虫剤 [薬].
wor·ri·er 名 悩む人; 苦労性の人.
wran·gler 名 《米西部・カナダ》(牧場などで)家畜の世話をする人.
wrap·per 名 包む人 [もの], 包装係; 包装機.
wreck·er 名 壊す人 [もの].
wrig·gler 名 のたうつ人 [もの].
wring·er 名 絞る人 [もの]; 搾取者.
writ·er 名 ☞
X·er 名 ジェネレーション X 世代(米国の 1965–77 年に生まれた世代)に属する人.
yawn·er 名 あくび癖の人, あくびをよくする人.
yeast·er 名 《米俗》ビールを飲む人.
yelp·er 名 キャンキャン鳴く犬.
Yid·dish·er 形名 イディッシュ語を話す(ユダヤ人).
yo·del·er 名 ヨーデル歌手.
yo·del·ler 名 《特に英》ヨーデル歌手.
yok·er 名 《米俗》強盗.
york·er 名 【クリケット】ヨーカー.
yowl·er 名 =howler.
zap·per 名 《米》マイクロ波で害虫・雑草などを除去する装置.
zig·zag·ger 名 ジグザグに進む人 [もの].
zip·per 名 《米・カナダ》ジッパー, チャック.
zon·er 名 《米俗》(特に麻薬の常用で)ぼうっとしている人.
zonk·er 名 《米俗》大酒飲み, 飲んだくれ.
zoom·er 名 ズームレンズ(zoom lens).
zóot sùiter 《主に米話》ズート服を着た人.

-er[2] /ər/

接尾辞 …と関係 [関連] のある人 [もの].
★ もともと中英期のフランス語からの借用語に見られる名詞接尾辞で, 仕事や職業の名称などに使われた.
★ 語末にくる関連形は -ARY, -EER[1].
◆ 中英 *-er(e)* <アングロ仏 *-er*(古仏 *-er*, *-ier* に相当<ラ *-ārius*, *-ārium*).
[発音] 基体の第 1 強勢と同じ.

al·mon·er 名 (施設・王家・修道院などの)施し物分配吏, 慈善係.
ar·bi·trag·er 名 さや取り商人, さや取り仲買人.
arch·er 名 射手, 弓術家(bowman). ► 女性形は archeress.
ar·mor·er 名 武器・鎧(よろい)製造 [修理] 人.
ar·tif·i·cer 名 考案者, 計画者, 発明家.
bank·er 名 銀行家; 銀行役員; 銀行員.
ban·ner 名 国旗, 軍旗, 団旗.
buck·ler 名 小さな丸盾.
bur·nish·er 名 磨く人.
butch·er 名 ☞
but·ler 名 (男性の)召使い頭, 執事.
car·pen·ter 名 大工.

cen·ser 名 (宗教儀式で用いる)つり香炉.
cham·ber·er[1] 名 《古》婦人の私室に足しげく通う者.
cham·ber·er[2] 名 《廃》部屋係のメイド.
chan·dler 名 ろうそく製造業者.
check·er 名 《米・カナダ》(チェスの)駒(こま).
cheq·uer 名 《英》=checker.
com·mis·sion·er 名 ☞
com·pil·er 名 (辞書などの)編集［編纂(へんさん)］者.
cord·wain·er 名 《古》コルドバ革靴職人.
cor·ner 名 ☞
cor·o·ner 名 検死官.
cot·ter 名 《スコット》(小屋に住むかわりに労働力を提供した)農業労働者.
cours·er 名 《文語》駿馬(しゅんめ); 軍馬.
cou·ter 名 【甲冑】(鎧(よろい)の)ひじ当て.
cro·sier 名 司教杖(しきょうじょう), 牧杖, 権杖.
cro·zier 名 =crosier.
crup·per 名 【馬具】鞦(しりがい).
cut·ler 名 刃物製造［販売, 修繕］人, 刃物屋.
dan·ger 名 危険, 危難, 危機.
fal·con·er 名 タカ狩りをする人.
farm·er 名 ☞
for·est·er 名 林学者, 山林学の専門家.
gar·den·er 名 植木屋, 庭師.
grang·er 名 《米北西部》農夫, 農場労働者.
gro·cer 名 食料雑貨商, 食料品商.
gut·ter 名 (道路の排水用)溝, どぶ, 排水溝.
gut·ter 名 魚などのはらわたを抜く人.
han·a·per 名 《英》(小枝編みの)書類入れかご.
har·bin·ger 名 《文語》先触れをする人, 先駆者.
haw·ser 名 【海事】(係船)大綱, 大索.
hom·ag·er 名 (封建時代の)家臣, 領臣.
hos·tel·er 名 (ユース)ホステルの管理者.
hos·tler 名 《米》(特に旅館の)馬の世話係.
in·tel·li·genc·er 名 情報を伝える人［もの］.
in·ter·pret·er 名 解釈者, 説明者.
jail·er 名 看守, 刑務官.
jew·el·er 名 宝石職人; 貴金属商.
jew·el·ler 名 《特に英》=jeweler.
jus·tic·er 名 《古》裁判官, 判事; 治安判事.
lanc·er 名 槍騎(そう)兵.
lar·der 名 食料貯蔵室, 食料品置き場.
laun·der 動他 洗う, 洗濯する.
lit·ter 名 散乱した［散らかった］もの.
lor·i·mer 名 《古》馬具の金物師.
man·ner 名 ☞
mar·i·ner 名 《詩・文語》船乗り, 水夫, 船員.
mer·cer 名 《主に英》反物商, 織物商.
mes·sen·ger 名 ☞
me·ta·yer 名 分益［刈分(かりわけ)］小作人.
mon·ey·er 名 《古》公認の貨幣鋳造人.
of·fic·er 名 ☞
paint·er 名 もやい綱, 係索.
palm·er 名 (中世の)聖地巡礼者.
par·ce·ner 名 【法律】相続財産共有者.
pas·sen·ger 名 乗客, 旅客, 船客.
pen·sion·er 名 年金［恩給, 傷病年金］受給者.
pew·ter·er 名 白目(しろめ)製の器物製造職人.
pitch·er 名 ピッチャー, 水差し.
plan·cer 名 (特に木製の)蛇腹の下端(したば).
plat·ter 名 (通例, 長円形の浅い)大皿.
plov·er 名 ☞
por·ter 名 《主に英》門番, 玄関番, 守衛.
pray·er 名 ☞
preach·er 名 福音を説く者, 説教師; 牧師.
pris·on·er 名 拘置された者, 囚人, 在監者.
quar·ter 名 ☞
re·mem·branc·er 名 《古》思い出させる人; 記録者.
sau·cer 名 受け皿, ソーサー.
sew·er 名 下水管［道］, 下水渠(きょ).
sum·mer 名 大梁(はり)(summertree).
tav·ern·er 名 《古》居酒屋［宿屋］の主人.
treas·ur·er 名 宝物保管係.
ush·er 名 (教会・劇場などの)案内係［役］.
u·su·rer 名 高利貸し.
ver·der·er 名 (英国の)王室領森林監理官.
vict·ual·er 名 食糧供給者, (特に)従軍商人.
vict·ual·ler 名 《特に英》=victualer.
vint·ner 名 ワイン醸造業者.

-er[3] /ər/

接尾辞 行動・過程・手順を表す名詞をつくる.
★ 語末にくる関連形は -ERIE, -ERY[1].
◆ <アングロ仏<ラ *-āre*, もとは不定詞接尾辞.
［発音］基語・基体の第 1 強勢と同じ.

at·tain·der 名 【法律】私権剥奪(はくだつ).
cal·en·der 名 光沢機, カレンダ.
ces·ser 名 【法律】終期の到来, 終了.
de·mur·rer 名 【法律】妨訴抗弁.
de·tain·er 名 【法律】拘禁継続令状.
din·ner 名 ☞
join·der 名 ☞
mis·no·mer 名 間違った名称, 誤称.
mis·us·er 名 【法律】(権利・職権・特権・恩典などの)乱用(abuse).
re·but·ter 名 【法律】被告の第 3 回の訴答.
re·join·der 名 (返答に対する)返答, 応答.
re·main·der 名 残り, 残余, 残り物, 残留物［者］.
re·mit·ter 名 【法律】権原回復.
slan·der 名 中傷(行為), 悪口, 誹謗(ひぼう).
ten·der 名 (正式な)提出; 【法律】(債務支払い等の義務履行のための)弁済の提供.
tro·ver 名 【法律】動産侵害訴訟.
waiv·er 名 【法律】権利放棄.

-er[4] /ər/

接尾辞 …する.
★ 動詞をつくる.
◆ 中英 -*(e)ren*; 古英 -*(e)rian*; 独 -*(e)r*- と同語源.

clam·ber 動他 (手足を使って)這(は)い登る.
flicht·er 動自 《スコット》〈鳥が〉弱々しく飛ぶ.
flight·er 動自 《スコット》=flichter.
hun·ker 動自 しゃがみ込む.
scun·ner 動自 《スコット・北イング》ひどく嫌う.
skee·ter 動自 =skitter.
skit·ter 動自 軽快に［速く］進む［走る, 滑る］.
ut·ter 動他 〈言葉を〉口で言う, 口に出す.
west·er 動自 〈天体が〉西(方)に動く［傾く］.

-er[5] /ər/

接尾辞 学生俗語をつくる.
★ 多くはもとの語から短縮したものにつけ, くだけた表現をつくる.
★ 語末にくる関連形は -ERS.
◆ おそらく -ER[1] の非行為者を表す用法にならったもの; 1875–80 年に Oxford 大学の University College で最初に流行したといわれる.

bed-sit·ter 名 《英話》アパートの寝室兼居間.
brek·ker 名 《英学生俗》朝食(breakfast).
bull·er 名 (Oxford, Cambridge 両大学の)学生補佐官(bulldog).
bush·er 名 《俗》【野球】マイナーリーグの選手(bush leaguer).
Chris·ter 名 《米学生俗》堅物.
fresh·er 名 《英俗》新入生, 一年生.
rug·ger 名 ラグビー, ラ式蹴球.
soc·cer 名 《話》サッカー.
sock·er 名 《主に英》=soccer.
tog·ger 名 《俗》トーピド(torpid): Oxford 大学内のボートレースで使用される 8 人こぎのボート.
wag·ger 名 《英俗》紙くずかご.

E

-er[6] /ər/

音象徴 「チカチカする」のような頻発・反復を表す; 発声にもよく用いる. ◇ -LE[3].

a·quiv·er 形副 震えおののいて, 震えて.
bat·ter 動他 〈人が〉連打［乱打］する, 強く打つ; 〈風・波などが〉激しく当たる.
bick·er 動自 (つまらないことで)口論する, 言い争う.
blab·ber 動自他 おしゃべりする, だべる.
blat·ter 動自 《米方言》べらべらしゃべる.
chat·ter 動自 ぺちゃくちゃしゃべる; 〈歯が〉ガチガチ鳴る; 〈サルが〉キャッキャッ鳴く.
chip·per 動自 ＝twitter.
chit·ter 動自 《主に米》＝twitter.
chun·ter 動自 《英話》ぶつぶつ言う, 不平［文句］を言う.
clat·ter 動自 ガタガタ音をたてる.
dack·er 動自 《スコット・北イング》よろめく, よちよち［よろよろ］歩く.
dod·der 動自 揺れる, ぐらぐらする; (老齢・中風で)震える; よろめく, よろよろ歩く.
fleck·er 動他 …に点在する(fleck).
flicht·er 動自 《スコット》〈鳥が〉弱々しく飛ぶ; 羽をパタパタさせる(flutter).
flick·er 動自 〈火・炎が〉揺らめく, 〈光が〉明滅する; 〈火・抵抗などが〉徐々に消える; 〈希望などが〉かすかである.
flit·ter 動自他 はためく(flutter).
floun·der 動自 もがく, あがく, のたうつ, じたばたする; (…を)もがきながら進む.
flut·ter 動自 〈旗・帆などが〉はためく, ばたばたする(flap); 翻る; 〈花びら・木の葉などが〉ひらひら舞う［揺れる, 震える］; 〈明かりが〉揺らめく.
gib·ber 動自 訳の分からないことをしゃべる, 〈サルが〉キャッキャッという.
glim·mer 名 ちらちらする［明滅する］光; かすかな［ぼんやりした］光, 微光.
glis·ter 動自 《古》ぴかぴか光る, きらきら輝く, きらめく.
glit·ter 動自 きらきらと照り映える, 照り輝く, (反射して)きらきら光る, ぴかぴか輝く, きらめく.
ha·ver 動自 《主に英》くだらないおしゃべりをする; 〈考えなどが〉ぐらつく.
hot·ter 動自 《スコット・北イング》上下に震動する; 〈棚の皿などが〉がたがたする.
jig·ger 動他 邪魔をする, 妨げる.
jud·der 動自 《主に英》激しく震動する.
maun·der 動自 だらだら話す［愚痴る］, とりとめもなく［たわいなく］しゃべる.
mi·ther 動他 《英俗》不平を言う, がみがみ言う, 悩ます, ごまかす.
mut·ter 動自 ぼそぼそ言う, (…に)ぶつぶつ文句を言う.
nick·er 動自 《主に米ミッドランド・南部》〈馬が〉いななく(neigh).
pat·ter 動自 パタパタ［パラパラ］と音をたてる.
put·ter 動自 パッパッ［パタパタ］という音を出す［音をたてて動く］(put-put).
qua·ver 動自名 ＝quiver.
quiv·er 動自 〈人・心・葉・声・などが〉ぶるぶる震える, (…で)振動する, 揺れる.
scamp·er 動自 慌てて走る; 走り読みをする.
scat·ter 名 まき散らすこと.
shim·mer 動自 かすかに［ちらちら］光る.
shi·ver[1] 動自 〈人が〉(寒さ・恐怖・興奮などで)震える, 身震いする, おののく.
shi·ver[2] 動自自 砕く［砕ける］, 粉々［ばらばら］にする［なる］.
shud·der 動自 (恐怖・寒さなどで)身震いする, (嫌で)ぞっとする, 身の毛がよだつ.
sim·per 動自 ばかみたいに作り笑いする, 照れ笑いする. ――他 一人でにやにや［にたにた］笑いながら言う.
snick·er 動自 《米・カナダ》(…を)くすくす笑う, 忍び笑いする.
spat·ter 動他 〈水・泥などを〉…にまき散らす.
splut·ter 動自 (混乱・興奮・困惑していくぶん支離滅裂に)早口でしゃべる, しどろもどろで言う; パチパチ音をたてる.
sput·ter 動自 プツプツ吹き出す, パチパチはねる.
sput·ter 動自 (粒・火花などを飛ばして)プツプツ吹き出す, パチパチはねる.
stam·mer 動自 口ごもる. ――他 …を口ごもって話す.
stut·ter 動他自 (…を)口ごもりながら言う.
tit·ter 動自 くすくす笑う, 忍び笑いをする.
twit·ter 動自 〈鳥が〉さえずる(chirp). ►ツバメ, ムクドリ, ツグミ, スズメなどの「チ, チ, チ」という断続的な鳴き声に用いる.
wa·ver 動自 揺れる, 揺れ動く; ひらひらする［舞う］; ちらつく; 震える.
wel·ter 動自 〈波・海が〉うねる, 逆巻く.
whim·per 動自 〈赤子などが〉(弱々しい声で)泣く.
whis·per 動自 ささやく, 小声で話す; (人に)耳打ちする; 〈木々, 水の流れ・微風などが〉サラサラ鳴る［流れる］.
――名 ささやき; サラサラ［カサコソ］いう音.
whit·ter 動自名 ＝witter.
wit·ter 動自 《話》長々とくだらない話をする.
yab·ber 名動自 《豪》おしゃべり(をする)(jabber).
yam·mer 動自 《話》鼻を鳴らす, すすり上げる; 〈子供が〉めそめそ泣く, だだをこねる; 不平を言う, こぼす.

-er[7]

音象徴間 音象徴語の重複形に見られる語末要素; -er[6] と同じく動きの反復を表す; /i/ と /æ/ および /iː/ と /ɑ/ の母音交替をもつものがある.

clat·ter-pat·ter 副 パタパタ, カタコト.
clítter-clátter 副 カタカタ［カタコト］と.
hélter-skélter 副 慌てふためいて. ――形 慌てふためいた, うろたえた. ――名 慌てふためくこと, 狼狽; 乱雑, 混乱. ――動自 《話》あたふたする, 大急ぎで動く.
húgger-mùgger 名 ごたごた, 乱雑, 混乱. ――形副 秘密の［に］, 内密の［に］. ――動他 …を秘密にしておく, 隠しておく, もみ消す. ――自 秘密に振る舞う, こっそりやる.
pítter-pátter 名 (早く連続的な雨音・足音などの)パタパタ［パラパラ］(という音). ――動自 パタパタ［パラパラ］音をたてる［たてて動く］. ――副 パタパタ［パラパラ］音をたてて.
splítter-splàtter 間名 パチパチ, パラパラ: はねる音.
súper-dúper 形 《話》すごい, かっこいい, いかした.
téeter-tòtter 名 シーソー(seesaw).
whóoper-dòoper 《米俗》大酒盛り, 大宴会, どんちゃん騒ぎ.

-er[8] /ər/

語尾 語末にくる同音形は -ER[1], -ER[2], -ER[3], -ER[4], -ER[5], -ER[6], -ER[7], -OR[1], -OR[2], -OR[4].

fer 前 《話》…のために［の］(for).
-fer 連結形 ☞
her 代 彼女を［に, へ］.

-mer 連結形 ☞
per 前 …につき(for), ごとに(for each).
-pter 連結形 ☞
-ster 接尾辞 ☞
yer 代 《非標準・方言》君[あなた]の, 君たち[あなたがた]の(your).
-yer 接尾辞 ☞

-er⁹ /ə:r/

語尾 語末にくる同音形は -IR¹, -UR¹, -URR¹, -URR².

er 間 えー, あー, あのう.
fer 前 《話》…のために[の](for).
her 代 《she の目的格》彼女を[に, へ].
-mer 連結形 ☞
per 前 …につき, ごとに.
ter 副 (処方箋(せん)で)3回, 三度.
wer 名 (アングロサクソン時代のイングランドおよび中世ゲルマン諸国で)贖罪(しょくざい)金.

-er¹⁰ /ɛ́ər/

語尾 語末にくる同音形は -AIR, -ARE, -EAR², -EIR¹, -ERE¹.

cher 形 《俗》容姿のよい; 魅力的な.
ter 名 《俗》(旧ローデシアの)黒人開放ゲリラ(terr).
wer 名 (アングロサクソン時代のイングランドおよび中世ゲルマン諸国で)贖罪(しょくざい)金.

-er¹¹ /ər/

語尾 名詞の語尾に多く見られる. 以下は代表例.
◆ 古英語起源のものが多いが, 古ノルド語などのゲルマン語にまでさかのぼるものも多い.

fin·ger 名 指.
gath·er 動他 (寄せ)集める.
ham·mer 名 金槌.
shoul·der 名 肩.
show·er 名 にわか雨.
sil·ver 名 銀.
sum·mer 名 夏.
wa·ter 名 水.
win·ter 名 冬.

e·ra /íərə, érə|íərə/

名 (歴史・政治上の)時代; (年号の)紀元.

Chrístian Éra キリスト紀元, 西暦紀元.
Cómmon Éra 共通紀元(Christian Era).
Islámic éra =Muslim Era.
Muhámmadan éra =Muslim era.
Múslim Èra イスラム[ヒジュラ]紀元.
vúlgar éra 西暦紀元, 西紀, キリスト紀元.

-erb /ə́:rb/

語尾 語末にくる同音形は -URB¹, -URB².

erb 名 《米・カリブ俗》マリファナ(herb).
herb 名 ☞
kerb 名 《英》縁石(curb).
verb 名 ☞

-erch /ə́:rtʃ/

語尾 語末にくる同音形は -IRCH, -URCH.

merch 名 《米警察俗》盗品.
perch¹ 名 (鳥の)止まり木.
perch² 名 ☞

-er·cise /ə:rsàiz/

連結形 …ダンス, …体操.
★ 名詞をつくる.
◆ exercise の短縮形. ◇ -CISE².

danc·er·cise 名 ダンササイズ: ジャズダンスの一種.
jaz·zer·cise 名 ジャザーサイズ, ジャズダンス.
sex·er·cise 名 性訓練, セクササイズ.

-erd /ə́:rd/

語尾 語末にくる同音形は -IRD, -URD.

herd¹ 名 家畜の群れ.
herd² 名 ☞
nerd 名 《米俗》まぬけ; 変わり者.
sherd 名 〘考古〙土器片.

-ere¹ /ɛ́ər/

語尾 語末にくる同音形は -AIR, -ARE, -EAR², -EIR¹, -ER¹⁰.

ere 前接 《古》=before.
there 副 《場所・方向の副詞》そこに, そこで, あそこで; そこへ, あそこへ, あちらへ.
-there 連結形 ☞
where 副 ☞

-ere² /íər/

語尾 語末にくる同音形は -EAR¹, -EER¹, -EER², -EER³, -EIR², -IER¹, -IER², -IER³, -IR².

cere¹ 名 〘鳥類〙蝋膜(ろうまく).
cere² 動他 《古》〈特に死体を〉蝋布(ろうふ)(cerecloth)で包む.
dere 形 つらい, 厳しい, ひどい(dear).
fere 名 《古・スコット》友達, 仲間.
here 副 ここに[へ], ここで[まで], こちらへ; この点で.
-here 連結形 ☞
mere¹ 形 《限定的》ほんの, 単なる, たったの; 全くの, ただの…にすぎない.
mere² 名 ☞
-mere 連結形 ☞
sere¹ 形 ひからびた, しなびた, しおれた.
sere² 名 ☞
sere³ 名 《古》(鳥獣の)鉤爪(かぎづめ)(claw).
sphere 名 ☞
stere 名 ☞
yere 副 《主に米》=here.

e·rect /irékt/

形 垂直の, 直立した. ── 動他 …を建設する, 直立させる. ⇨ -RECT.

rè·eréct 動他自 (…を)再び建てる[立てる].
séjant-eréct 形 〘紋章〙〈動物が〉前脚を上げて座っている姿勢の.
sèm·i·e·réct 形 半直立の, 中腰の.
sùb·e·réct 形 ほぼ直立の.

-erf /ə́:rf/

語尾 語末にくる同音形は -URF.

kerf 名 (斧・のこぎりなどがつけた)切り口.

nerf 動他 《俗》〈他車に〉(自分の車を)軽くぶつける.
serf 名 農奴.
snerf 動他 《米黒人俗》コカインを鼻から吸う.

-erge /ɔ́ːrdʒ/

語尾 縁やへりとその接続を表すと感じる人がいる. これから edge, ledge などの /dʒ/ の音を連想する人もいる. ◇ -EDGE.
★ 語末にくる同音形は -URGE.

merge 動他 …を(…に)合併［併合］する.
-merge 連結形 ☞
serge[1] 名 サージ: 実用的な織物の一種.
serge[2] 動他 〈織物・敷物の〉縫い目や縁を(ほつれ止めに)かがる, (特に)捨てミシン［端ミシン］をかける.
verge[1] 名 端, へり, 縁.
verge[2] 動自 ☞

-er·get·ic /ərdʒétik/

連結形 働く….
★ 形容詞をつくる.
★ 語末にくる関連形は -ERGIC, -ERGY.
★ 語頭にくる関連形は erg(o)-: *erg*atography「労働者政治」, *ergo*graph「作業記録器」.
◆ ギリシャ語 *ergeîn*「働く」より. ⇨ -TIC.

en·er·get·ic 形 精力的な, エネルギッシュな.
syn·er·get·ic 形 共同［共力］の, 共同［相乗］作用性の.

-er·gic /ɔ́ːrdʒik/

連結形 (ある物質・現象によって)活性化された, (…を)放出する, (…に)感受性のある, (…の)効果に似た.
★ 形容詞をつくる.
★ 語末にくる関連形は -ERGETIC, -ERGY.
◆ おそらく allergic「(…に対して)アレルギー(性)の, アレルギー体質の」にならって. ⇨ -IC[1].

ad·ren·er·gic 形 アドレナリン作用［作動］(性)の.
cho·lin·er·gic 形 【生化学】(アセチル)コリン作動性の.
do·pa·mi·ner·gic 形 【生化学】ドーパミン作動性の.
en·do·er·gic 形 【化学】吸エネルギー性の.
ex·o·er·gic 形 【物理化学】エネルギーを放出する.
his·ta·min·er·gic 形 【医学】ヒスタミン作動性の.
mon·o·am·in·er·gic 形 【生化学】モノアミン作動性の.
se·ro·to·ner·gic 形 セロトニン(serotonin)を含んだ.
syn·er·gic 形 共同［共働］する.

-er·gy /ərdʒi/

連結形 活動, 働き.
★ 語末にくる関連形は -ERGETIC, -ERGIC.
★ 語頭にくる関連形は erg(o)-: *erg*atography「労働者政治」, *ergo*graph「作業記録器」.
◆ ＜後期ラ *-ergia* ＜ギ *érgon* 活動. ⇨ -Y[3].
［発音］直前の音節に第 1 強勢.

al·ler·gy 名 【医学】アレルギー, 異常過敏症.
an·er·gy 名 【病理】無力体質, 精力欠乏.
a·syn·er·gy 名 【医学】協同運動不能(症), 失調.
en·er·gy 名 ☞
mon·er·gy 名 《英》(家庭における)省エネ.
syn·er·gy 名 (効果・作用・機能などの)協同.
tel·er·gy 名 【心理】遠隔精神作用.

-e·rie /əri; *Fr.* ʀi/

連結形 仕事, 製造所, 製品; 性質, 状態.
◆ ＜仏 *-erie*(*-ier* -ER[2] より). ◇ -ERY[1].

bat·te·rie 名 【バレエ】バトリー.
bi·zar·re·rie 名 怪奇［異様］(なもの); 異様な行為.
boi·se·rie 名 (特に 18 世紀フランス建築における)彫刻を施した鏡板.
bras·se·rie 名 (食事もできる)ビヤガーデン, ビヤホール.
brus·que·rie 名 そっけなさ, 無愛想, ぶっきらぼう(brusqueness).
cau·se·rie 名 おしゃべり, 雑談, 閑談.
char·cu·te·rie 名 (フランスで)豚肉屋, (特に豚肉の)調製食料品店(delicatessen).
chi·noi·se·rie 名 (中国の複雑な模様・モチーフを使った, 主として 18 世紀にヨーロッパで流行した)中国風装飾様式.
di·a·ble·rie 名 魔法, 魔術, 妖術(ようじゅつ).
gau·che·rie 名 無作法, 気が利かないこと; 不手際; ぎごちなさ, ぶざま.
gen·der·me·rie 名 (フランスの)憲兵, 憲兵隊.
gras·se·rie 名 膿(のう)病.
ja·po·nai·se·rie 名 日本的な芸術スタイル, 日本様式.
lin·ge·rie 名 婦人用肌着類, ランジェリー.
me·nag·er·ie 名 (特に見世物用に集められた)野獣［珍獣］たち.
passe·men·terie 名 (組みひも・ビーズなどで作られた)へり飾り, 金［銀］モール, 珠(たま)飾り.
pa·tis·se·rie 名 ペーストリー(特にフレンチペーストリー)の製造販売店, パン菓子店.
rev·er·ie 名 夢想; 沈思, 瞑想(めいそう), 物思い; 空想, 夢想, 白日夢.
ro·tis·ser·ie 名 (鶏肉・牛肉などを焼くのに使う電動串(くし)のついた)回転肉焼き器. —— 動他 (回転肉焼き器で)焼く.
tra·cass·e·rie 名 気苦労, 煩わしさ; 嫌がらせ.

-e·ri·no /ərí:nou/

接尾辞 《こっけい》ちっぽけな…, 小さな…, …の典型.
★ 名詞をつくる.
★ 語末にくる関連形は -EROO.
◆ おそらく＜伊 *-ino* 指小辞. ⇨ -O[2].

bitch·e·ri·no 名 こざかしいあま.
peach·er·i·no 名 《話・古風》すてきな人［もの］(peach).
po·ke·ri·no 名 《米俗》(賭(か)け金の少ない)ポーカー.

-erk /ɔ́ːrk/

語尾 berk, jerk, nerk, zerk は音象徴的に「ばか者」を表す.
★ 語末にくる同音形は -IRK, -ORK[2].

berk 名 《英俗》ばか, まぬけ.
clerk 名 ☞
erk 名 《英俗》空軍二等兵.
jerk[1] 名 ☞
jerk[2] 動他 〈牛肉などを〉乾燥して保存する.
nerk 名 《英俗》ばか, まぬけ.
perk[1] 動自 (落胆・病気の後などで再び)生き生きとする, 元気になる.
perk[2] 動自 《話》〈コーヒーが〉(パーコレーターで)沸く.
perk[3] 名 《話》(定収入以外の)特別給付.
perk[4] 動自 《豪話》食べたものを吐く.
yerk 動他 《主に英方言》打つ, むち打つ.
zerk[1] 名 グリース用付属品.
zerk[2] 名 《米俗》ばか者, 能無し.

-erle /ɔ́ːrl/

語尾 語末にくる同音形は -EARL, -IRL[1], -IRL[2], -URL[2].

merle[1] 名 《スコット・古》【鳥類】クロウタドリ

(blackbird).
merle[2] 形 〈特にコリー犬の〉(毛並みが)黒いぶちのある灰青色の.
perle 名 真珠形の医薬カプセル, 膠球(こうきゅう)剤, ゼラチンカプセル剤.

-er·ly /ərli/

接尾辞 -er[1] と -ly の合成接尾辞.
★ 主に形容詞をつくる.

butch·er·ly 形 と畜者のような; むごい, 残酷な.
eld·er·ly 形 〈人が〉やや年を取った, 実年の, 熟年の.
lov·er·ly 形副 恋人[恋をしている人]のような[に].
mas·ter·ly 形 《褒めて》大家[名人]の.
paint·er·ly 形 画家の; 画家らしい, 画家特有の.
Quak·er·ly 形副 クエーカー教徒のような[に].
read·er·ly 形 『文芸』(読者が)受け身に読む.
sol·dier·ly 形 〈服装・精神などが〉軍人らしい.
writ·er·ly 形 (読者が積極的に参加して)意味を作り上げていく.

-erm /ə́ːrm/

語尾 語末にくる同音形は -IRM.

berm 名 『築城』犬走り.
derm 名 ダーマ: 航海用レーダー表示器の一種.
-derm 連結形 ☞
germ 名 ☞
herm 名 ヘルメス柱像: 頭像または胸像を上部につけた四面の柱体の記念碑.
perm[1] 名 《米話》パーマ(ネント)(permanent).
perm[2] 名 《英話》(サッカー賭博(とばく)で)出場チームをいくつかのブロックに分けた組み合わせ.
scherm 名 《南アフリカ》(避難)小屋.
skerm 名 《南アフリカ》(野生の動物から身を守るための)灌木を積み上げて作った生垣.
sperm[1] 名 精液.
sperm[2] 名 『化学』『薬学』鯨蝋(げいろう).
-sperm 連結形 ☞
term 名 ☞
therm 名 『物理』サーム.
-therm 連結形 ☞

-ern[1] /ərn/

接尾辞 …の方(へ)の[からの].
◆ 中英, 古英 *-erne*.

east·ern 形 東の, 東方[東部]にある.
north·ern 形 北の, 北にある.
south·ern 形 南[南部]にある; 南に向かう.
west·ern 形 ☞

-ern[2] /ə́ːrn/

語尾 語末にくる同音形は -EARN, -ERNE, -IRN, -URN.

-cern 連結形 ☞
fern 名 ☞
hern 代 《非標準》=hers.
kern[1] 名 『印刷』(活字の)出張り, カーン.
kern[2] 名 『工学』断面の核.
kern[3] 名 《古》古代アイルランドの軽武装歩兵隊.
kern[4] 動自 《英方言》〈木・草が〉仁(じん)を生じる.
kern[5] 動他 《スコット・北イング》〈クリーム・ミルクを〉(攪乳器で)かき混ぜる.
kern[6] 名 《スコット・北イング》収穫祭(kirn).
pern 名 『鳥類』ハチクマ.
quern 名 ひき臼(うす), すり臼.
stern[1] 形 〈人・規律などが〉厳格な, 厳しい.
stern[2] 名 (船の)艫(とも), 船尾.
tern[1] 名 ☞
tern[2] 名 《まれ》三つ組み, 三つぞろい.
tern[3] 名 《米病院俗》インターン(intern).

-erne /ə́ːrn/

語尾 語末にくる同音形は -EARN, -ERN[2], -IRN, -URN.

erne 名 ウミワシ(海鷲)(sea eagle).
kerne 名 《古》(アイルランド・スコットランド高地で)兵士.
terne 名 『冶金』ターン合金(terne metal).

-e·ro /ərou; *Sp.* éro/

接尾辞 スペイン語, イタリア語に由来する名詞・形容詞接尾辞. ⇨ -o[2].

ban·de·ril·le·ro 名 バンデリリェロ: 牛にバンデリリャを刺す役目を持つ闘牛士.
ca·bal·le·ro 名 (スペインで)紳士, 騎士.
co·ci·ne·ro 名 《米南西部》(特にカウボーイに同行する)料理人.
co·man·che·ro 名 インディアン相手の交易商人.
com·pa·ñe·ro 名 (米南西部で)男の仲間[相棒].
cu·ran·de·ro 名 《スペイン語》(男性の)民間[心霊]治療家, 祈祷(きとう)師.
di·ne·ro 名 デネロ: ペルーの昔の銀貨.
frai·le·ro 名 『スペイン家具』フライレエロ.
gra·na·de·ro 名 (メキシコの)暴徒鎮圧部隊の隊員.
mon·te·ro 名 (耳覆いのついた丸い)鳥打ち帽.
no·vi·lle·ro 名 若い見習い闘牛士.
pam·pe·ro 名 『気象』パンペロ.
pis·to·le·ro 名 《主にメキシコ・中米》(あちこちを荒らす)騎馬盗賊団の一味.
pri·me·ro 名 『トランプ』プリメロ.
pun·til·le·ro 名 プンティリェーロ: 闘牛でとどめを刺すために雄牛の脊髄を切る短剣.
ran·che·ro 名 《中南米・米南西部》牧場[農場]主.
to·re·ro 名 (徒歩)闘牛士.
va·que·ro 名 《メキシコ・米南西部》カウボーイ.

-er·oo /ərúː/

接尾辞 名詞について親しさ, 軽蔑, こっけいさなどを表す俗語をつくる; 通例, 単音節の語につくか, -er で終わる語の語幹と結びつく.
★ 語末にくる関連形は -ERINO.
◆ おそらく buckaroo「カウボーイ」より.
[発音] 最後の音節 -oo に第1強勢.

booz·er·oo 名 《NZ 俗》乱痴気騒ぎ, 酒宴; 安酒場.
buck·e·roo 名 《米》カウボーイ(buckaroo).
check·er·oo 名 《俗》市松模様のもの.
flop·pe·roo 名 《俗》失敗; (本・劇などの)失敗作.
jack·e·roo 名 《豪話》(羊牧場の)新入りの雇い人.
pip·per·oo 名 《米俗》素晴らしい人[もの](pip).
puck·er·oo 形 《NZ 俗》役に立たない, 壊れた.
puk·er·oo 形 =puckeroo.
sap·pe·roo 名 《米俗》とんま.
smack·er·oo 名 《俗》激しい平手打ち, 強打.
smash·e·roo 名 《俗》大当りの興行, 大ヒット.
sock·er·oo 名 《俗》大成功, 大ヒット, 大当たり.
switch·er·oo 名 《米俗》予期せぬ変化, 急変.

e·ro·sion /iróuʒən/

名 **1** 腐食. **2** 侵食(作用). ►erode の名詞形. ⇨ -SION.

dównward erósion 〔地質〕下方浸食, 下刻(かこく)作用.
gúlly eròsion 〔地質〕ガリ浸食, 雨裂浸食.
shéet eròsion 〔地質〕面状[布状]浸食.
splásh eròsion 雨垂れによる浸食.
wínd eròsion 風食(作用).

e·rot·i·cism /irɑ́təsìzm | irɔ́t-/

名 エロチシズム; 性的傾向, 好色. ⇨ -ISM[1].

ánal eróticism 〔精神分析〕肛門(こうもん)愛.
àu·to·e·rót·i·cism 名 自己性欲[色情], 自体愛.
hò·mo·e·rót·i·cism 名 同性愛.

-erp /ə́ːrp/

語尾 主に俗語をつくる; 軽蔑の響きがある.
★ 語末にくる同音形は -IRP, -URP.

berp 名 《米俗》げっぷ, おくび(burp).
herp 名 《米俗》ヘルペス患者(herpie).
perp 名 《米警察俗》犯罪者(perpetrator).
terp 名 《俗》ダンサー, 踊り子.
twerp 名 《俗》くだらないやつ.

er·ror /érər/

名 **1** 誤り, 間違い. **2**〔数学〕誤差. ⇨ -OR[1].

ábsolute érror 〔数学〕〔コンピュータ〕絶対誤差.
barométric érror 〔時計〕気圧誤差.
círcular érror 〔時計〕円弧誤差.
clósing èrror 〔測量〕閉合誤差.
cúmulative érror 〔統計〕累積的誤差.
escápement èrror 〔時計〕脱進機誤差.
índex èrror 〔測量〕(器具の)目盛り誤差.
pílot èrror 《ハッカー俗》ソフトウェア使用者の誤操作によるミス.
prínter's érror 誤植, ミスプリント.
próbable érror 〔統計〕確率誤差.
rándom érror 〔統計〕確率的誤差, 偶然誤差.
resídual érror 〔物理〕〔コンピュータ〕有意の[残余]誤差, 見逃し誤り.
sóft érror 〔コンピュータ〕ソフトエラー.
stándard érror 〔統計〕標準誤差.
systemátic érror 〔統計〕定[系統]誤差.
Týpe I érror 〔統計〕第1種の誤り.
Týpe II érror 〔統計〕第2種の誤り.
typográphical érror (印刷の)誤植, 誤打.

-ers /ərz/

接尾辞 短縮した語につけて親しみの気持ちを込めた俗語の名詞・形容詞をつくる.
◆ おそらく -ER[5] と bonkers「気が違った, 狂気の」, crackers「夢中の」の語末の要素との融合.

cham·pers 名 《俗》シャンパン(champagne).
Hon·kers 名 《英俗》香港(Hong Kong).
preg·gers 形 《主に英話》妊娠している(pregnant).
sham·pers 名 《米俗》=champers.
spag·gers 名 《英俗》スパゲッティ(spaghetti).
stark·ers 形副 《英話》真っ裸の[で](stark-naked).

-erse /ə́ːrs/

語尾 語末にくる同音形は -URSE.

merse 名 《スコット》(河口などの)肥沃な低地.
-merse 連結形 ☞
perse 名形 濃青(紫)色(の).
-sperse 連結形 ☞
terse 形 〈文章・文体・演説などが〉簡潔な, 簡明な, 短くてきびきびした.
verse[1] 名 ☞
verse[2] 動他 …に熟知[精通, 熟達]した.
-verse 連結形 ☞

-ert /ə́ːrt/

語尾 短縮語の語尾を含む.
★ 語末にくる同音形は -IRT[1], -IRT[2], -URT[2].

cert 名 《英話》確実なこと, 本命馬. ►certain から.
chert 名 チャート: 微晶質の石英から成る硬石.
pert 形 ずうずうしい, 出しゃばりな.
-sert 連結形 ☞
vert[1] 名 〔英法〕シカの隠れ場所となる森林中の草木.
vert[2] 名 《英話》改宗者; 転向者; 背教者(convert).
vert[3] 名 《米俗》変人.
vert[4] 名形 垂直面(の)(vertical).
-vert 連結形 ☞
wert 動 《古》be の二人称単数直説法および仮定法過去形.

-erv /ə́ːrv/

語尾 語末にくる同音形は -ERVE.

derv 名 《英》ディーゼル用燃料(diesel fuel).
perv 名 《豪俗》好色そうな目つき. ►pervert から.
serv 名 serve の商業用綴(つづ)り.

-erve /ə́ːrv/

語尾 語末にくる同音形は -ERV.

nerve 名 ☞
perve 動自 《豪俗》(女性を)いやらしい目で見る(perv). ►pervert から.
serve 動自 ☞
-serve 連結形 ☞
swerve 動自 (…から)急にそれる[外れる]; 〈ボール・道などが〉(進路から)急に曲がる.
verve 名 (文学・美術作品などに見られる)熱情, 力, 活気, 気迫.

-er·y[1] /əri/

接尾辞 **1** …業, 仕事, 技術. **2** …(製造・販売)所[店・屋]. **3** 集合物, …類. **4** 性質・状態: brav*ery*.
★ 名詞・動詞・形容詞につけて名詞をつくる.
★ 3, 4 ではしばしば軽蔑や非難の響きを含む.
★ 語末にくる関連形は -ER[2], -RY[1].
◆ 中英 *-erie* ＜古仏. ⇨ -Y[3].
[発音] 第1強勢は基語, 基体と同じ.

ad hóccery 名 《俗》臨機応変の決定[政策, 規則].
ad hócery 名 =ad hocery.
ad hóckery 名 《俗》その場しのぎのやり方.
a·dul·ter·y 名 不義, 不倫, 姦通(かんつう).
al·los·ter·y 名 〔生化学〕アロステリック効果.
alm·er·y 名 《まれ》〔教会〕聖器棚(ambry).
ap·er·y 名 猿のような振る舞い; 猿まね.
ar·cher·y 名 弓術, 弓技, 弓道, アーチェリー.
ar·ter·y 名 ☞
ar·til·ler·y 名 ☞
ba·boon·er·y 名 粗野で醜い様子[態度, 行為].
bak·er·y 名 パン屋, パン・菓子類販売所.
bap·tis·ter·y 名 (教会の)洗礼堂, 授洗所.

bat·ter·y 名 ☞
bean·er·y 名 《米話》安レストラン, 大衆食堂.
beef·cak·er·y 名 男性ヌード写真技術 [撮影].
be·witch·er·y 名 魔法にかけること; 魅惑; 魔力.
bind·er·y 名 製本所(bookbindery).
bitch·er·y 名 みだら [わいせつ] なこと.
bleach·er·y 名 漂白場 [工場].
bloom·er·y 名 〖冶金〗錬鉄炉.
boot·er·y 名 靴店, 靴屋.
bow·er·y 名 (New York 市のオランダ移民の間で)農場, 田舎の土地.
brain·er·y 名 《米俗》大学.
brav·er·y 名 勇敢な精神 [行為]; 勇気, 勇壮.
brew·er·y 名 (ビールなどの)醸造所.
brib·er·y 名 賄賂行為(贈賄および収賄).
buf·foon·er·y 名 道化, おどけ; (特に)悪ふざけ.
bug·ger·y 名 男色, 獣姦(じゅうかん)(sodomy).
butch·er·y 名 食肉解体処理場, と場(とじょう).
but·ler·y 名 執事室, 配膳室; 食料貯蔵室.
but·ter·y 名 酒貯蔵室.
ca·jol·er·y 名 甘言で釣ること, たぶらかし.
can·ner·y 名 (肉・魚肉・果物などの)缶詰工場.
carv·er·y 名 客の好みに応じ, ローストミートなどを切り分けて出すレストラン.
cat·ter·y 名 《英》猫の飼育 [預かり] 所; 猫小屋.
cau·ter·y 名 〖医学〗(組織破壊用の)焼灼剤.
cem·e·ter·y 名 ☞
chan·cel·ler·y 名 chancellor「(ドイツなど議会政治の)首相」の地位.
chan·cer·y 名 ＝chancellery.
chan·dler·y 名 ろうそく倉庫 [置き場].
char·ac·ter·y 名 《古》(意味表現手段としての)文字 [記号] の使用.
chi·can·er·y 名 言い抜け, ごまかし; 言い逃れ.
chi·rur·ger·y 名 《古》外科医術 [医学](surgery).
clown·er·y 名 道化, こっけい; おどけた行為.
cok·er·y 名 コークス炉(coke oven).
col·lier·y 名 《英》(建物・設備などを含めた)炭鉱.
com·mand·er·y 名 commander「指導者」の地位.
com·put·er·y 名 コンピュータ施設; コンピュータ.
com·rade·ry 名 友情; 仲間であること.
Com·stock·er·y 名 《主に米》(芸術作品をも猥褻とみなすような)極端な道徳的見地からの検閲.
con·den·ser·y 名 加糖練乳製造所.
con·fec·tion·er·y 名 砂糖菓子, 菓子類.
con·niv·er·y 名 黙認.
cook·er·y 名 料理術 [法]; 料理業.
coop·er·y 名 桶屋の仕事, 桶・樽類の製造・修繕.
cos·tum·ery 名 服装; 服飾デザイン.
cream·er·y 名 乳製品製造 [加工] 所.
crock·er·y 名 瀬戸物, 陶器.
cur·ri·er·y 名 なめし革仕上げ業, 製革業.
cut·ler·y 名 刃物類.
cy·cler·y 名 自転車屋 [店].
daub·er·y 名 下手な絵; 下手な [粗雑な] 仕事.
dean·er·y 名 dean「(大学の)学部長」の地位.
de·bauch·er·y 名 肉欲にふけること, 放蕩, 道楽.
de·liv·er·y 名 ☞
dem·a·gogu·er·y 名 《主に米》(政治的)扇動, デマ.
di·cas·ter·y 名 (古代アテネで)(dicasts「民衆裁判初の審判人」が構成した)裁判, 法廷.
dis·cov·er·y 名 発見, (…の)発見.
disk·er·y 名 レコード会社; レコード店.
dis·till·er·y 名 蒸留所; (特に)蒸留酒製造場.
dodg·er·y 名 (責任などの)回避, 言い逃れ.
dog·ger·y 名 つっけんどんな振る舞い.
dow·er·y 名 持参金, 嫁入り道具(dowry).
dra·per·y 名 (優美なひだが出るように掛けた)覆い, 垂れ布, 掛け布.
drink·er·y 名 酒場, 居酒屋(tavern).
droll·er·y 名 おかしいこと [話], 冗談.
drudg·er·y 名 骨の折れる単調な仕事.
dry·salt·er·y 名 《英》乾物商, 乾物店; 乾物類.
duck·er·y 名 カモ飼育地 [所].
dup·er·y 名 だます [だまされる] こと; 詐欺.
dys·en·ter·y 名 〖病理〗赤痢.
eat·er·y 名 《話》料理店; 《米》軽食堂.
ef·fron·ter·y 名 ずうずうしさ, 鉄面皮, 厚顔無恥.
em·brac·er·y 名 〖法律〗陪審員 [裁判官] 抱き込み罪.
em·broi·der·y 名 刺繡(しゅう)(法), 縫い取り.
em·per·y 名 絶対支配権; 皇帝の統治権.
es·o·ter·y 名 難解性, 深遠(esotericism).
ew·er·y 名 《古》(水差し・ナプキンなどの)収納室.
fak·er·y 名 いかさま(行為); 偽造 [模造] 品.
farm·er·y 名 《主に英》農場施設.
far·ri·er·y 名 蹄鉄(ていてつ)術; 獣医外科.
fern·er·y 名 (庭・鉢植えなどの)シダの群生.
fes·toon·er·y 名 花綵(かさい)装飾.
fin·er·y[1] 名 華美な装い, 美しい装飾品.
fin·er·y[2] 名 〖冶金〗精錬炉 [所](refinery).
fish·er·y 名 ☞
flack·er·y 名 《時に軽蔑的》宣伝, 広告.
flat·ter·y 名 へつらい, 追従, お世辞, 甘言.
flum·mer·y 名 《主に英》(オートミールや小麦粉を煮詰めた, 冷たい)粥(かゆ).
fool·er·y 名 愚かな振る舞い, 愚行; 愚かさ.
fop·per·y 名 おしゃれ, 気取り, きざ.
for·ger·y 名 〖法律〗文書偽造 [改竄](罪).
for·get·ter·y 名 忘れやすさ.
frip·per·y 名 安くて派手な衣装 [装身具].
fuck·er·y 名 《米俗》売春宿.
fur·ri·er·y 名 毛皮業 [職]; 毛皮加工 [修理] 技術.
gad·zook·e·ry 名 気取った擬古体の言葉.
gal·ler·y 名 ☞
gaud·er·y 名 見せびらかし, 虚飾.
gim·crack·er·y 名 くだらない装飾品, 安ぴか物.
gin·ner·y 名 綿繰り工場.
gla·zier·y 名 ガラス工の仕事, ガラス(器)製造業.
grap·er·y 名 ブドウ栽培温室.
green·er·y 名 青葉, 新緑の草木, 緑樹.
grind·er·y 名 研ぎ屋の仕事場, 研磨工場.
gro·cer·y 名 《米》食料雑貨店, 食料品店.
grog·ger·y 名 少々いかがわしい酒場 [バー].
gro·tes·quer·y 名 グロテスクな性質 [もの].
gul·ler·y[1] 名 カモメ類の群棲(ぐんせい)地.
gul·ler·y[2] 名 《古》詐欺.
gun·ner·y 名 砲術; 射撃法.
guz·zler·y 名 酒場, バー.
hab·er·dash·er·y 名 《米》男性 [紳士] 用服飾品店.
hack·er·y[1] 名 《皮肉に》ジャーナリズム; 新聞雑誌.
hack·er·y[2] 名 (インドで)牛車.
ham-and-eg·ger·y 名 軽食堂, カウンター式食堂.
hash·ery 名 《米俗》ハシシ密売所.
hatch·er·y 名 (鶏・養殖魚などの大規模な)孵化場.
hell·er·y 名 《カナダ俗》乱暴な振る舞い.
hen·ner·y 名 養鶏場, 家禽(かきん)飼育場.
hog·ger·y 名 豚.
ho·sier·y 名 (種々の)靴下類, メリヤス類.
house·wif·er·y 名 主婦の役割 [仕事], 家政, 家事.
hug·ger-mug·ger·y 名 ごたごた, 乱雑, 混乱.
hug·gery 名 《英話》法廷弁護士と事務弁護士の癒着(ゆちゃく).
hum·bug·ger·y 名 ごまかし, ぺてん, いんちき.
hum·per·y 名 《米俗》性交, セックス.
im·age·ry 名 心に像を描くこと, 作像; 心象, 形象.
im·brac·er·y 名 〖法律〗＝embracery.
i·ron·mon·ger·y 名 《英》金物屋 [店], 金物商; 金物業.
jew·el·ler·y 名 《特に英》宝石類装身具.
jig·ger·y-pok·er·y 名 《主に英》偽り, ごまかし, ぺてん.
job·ber·y 名 汚職.
join·er·y 名 建具職; 建具屋 [指物師] の技術.
jug·gler·y 名 手品, 奇術, 曲芸.
knack·er·y 名 《英》畜産処理加工場.
knav·er·y 名 破廉恥漢のすること.
la·ma·ser·y 名 ラマ教の修道院 [僧院].

E

lam·poon·er·y 名 風刺文を書くこと.
lech·er·y 名 好色, 淫乱; 情欲, 色欲.
li·en·ter·y 名 〖病理〗完穀下痢.
liv·er·y 名 (封建時代の領主・富豪が家臣・従者に与えた)そろいの衣服, 仕着せ.
lot·ter·y 名 (公共事業・慈善事業などのための)宝くじ.
ma·chin·er·y 名 機械(類); 機械部分; 機械装置.
mad·cap·per·y 名 無謀, 向こう見ず, むてっぽう.
mag·is·ter·y 名 自然変成 [治癒] 物, 賢者の石.
mas·ter·y 名 熟達, 熟練, 通暁, 精通.
mer·cer·y 名 《英》反物店, 織物店.
mes·en·ter·y 名 〖解剖〗腸間膜.
mick·er·y 名 《豪》川床の水たまり, 小さな沼.
mid·wife·ry 名 助産術, 産婆術; 産科学.
mil·li·ner·y 名 婦人用服飾品.
mis·er·y 名 (状態・境遇の)惨めさ, 悲惨, 窮状.
mis·ter·y 名 =mystery².
mock·er·y 名 あざけり, 冷やかし, あざ笑い.
mon·as·ter·y 名 (主に男子の)修道院.
monk·er·y 名 修道士の生活(様式); 修道院制度.
mop·er·y 名 ふさぎ込んだ様子.
mum·mer·y 名 (mummer が演じる)仮面劇, 黙劇.
mys·ter·y¹ 名 神秘, 秘密, 不可思議; なぞ.
mys·ter·y² 名 《古》技術, 手芸; 手職, 手仕事.
nail·er·y 名 釘(くぎ)製造所.
na·per·y 名 《まれ》食卓用白布.
night·er·y 名 《米俗》ナイトクラブ.
nit·er·y 名 《米俗》=nightery.
nook·er·y 名 こぢんまりして安全な奥まった所.
nosh·er·y 名 《俗》軽食堂, (スナックなどの)調整食品販売店, デリカテッセン.
notch·er·y 名 《米俗》売春宿.
nun·ner·y 名 女子修道院, 尼僧院.
nurs·er·y 名 育児室, 保育室, 子供部屋.
nut·ter·y 名 《米俗》精神科病院(nut house).
or·ange·ry 名 (特に英国などの寒冷地で)オレンジの木を栽培する豪壮な温室 [建物].
patch·er·y 名 継ぎはぎ細工, パッチワーク.
PC-ery 名 表面的に差別を排除して, 言葉だけ取り繕うこと. ►PC は political correctness の略.
peat·er·y 名 泥炭産地, 泥炭採掘地.
ped·dler·y 名 行商, 呼び売り.
ped·ler·y 名 =peddlery.
perch·er·y 名 (養鶏場で取れる)卵.
per·fum·er·y 名 香料, 香水類.
pe·riph·er·y 名 外縁, 周辺; (都市の)周辺部.
pe·rip·ter·y 名 周柱式の古代神殿.
phal·an·ster·y 名 ファランステール: (フーリエ主義の)共産的自治団体(phalanx)の居住した住宅群.
phy·lac·ter·y 名 〖ユダヤ教〗経札, 経箱, 聖句箱.
pig·ger·y 名 《主に英》豚小屋, 豚舎; 養豚場.
pin·er·y 名 パイナップル栽培園.
plei·om·er·y 名 〖植物〗増数性, 多数性.
plumb·er·y 名 鉛細工場; 鉛管製造所.
plush·er·y 名 《米俗》豪華なホテル [ナイトクラブ, レストランなど].
pod·snap·per·y 名 ポドスナップ的態度 [生き方]: 不都合な事実をみまいとし, 自己満足に浸る姿勢.
pol·troon·er·y 名 臆病, 卑怯.
pop·er·y 名 《通例軽蔑的》ローマカトリック教; (特に)その教義.
pot·ter·y 名 窯業製品; (特に)陶器, 炻器(せっき).
prais·er·y 名 《米俗》PR 会社.
pres·by·ter·y 名 長老会.
prig·ger·y 名 口やかましさ, 堅苦しさ.
print·er·y 名 《もと》活版 [凸版] 印刷所.
prud·er·y 名 上品ぶること, 淑女ぶり.
psal·ter·y 名 プサルテリウム: ギリシャ・ローマ時代の弦楽器の一種.
pub·be·ry 名 《軽蔑的》出版業界.
pu·de·ry 名 《英》ポルノ.
puff·er·y 名 《話》大げさな賞賛, べた褒め.
quack·er·y 名 いんちき治療; いかさま.
quip·per·y 名 quip「気の利いた言葉」を口にすること.
rail·ler·y 名 (悪気のない)からかい, ひやかし.
rat·bag·ger·y 名 《豪・NZ 俗》ナンセンス, 愚かさ.
re·fin·er·y 名 精製所; 精製器具.
ret·ter·y 名 (亜麻の)浸水処理場.
rev·er·y 名 夢想; 沈想(reverie).
rob·ber·y 名 ☞
rock·er·y 名 ロックガーデン(rock garden).
ro·guer·y 名 悪事, 詐欺, 悪業.
rook·er·y 名 群居性の鳥獣の群生地 [繁殖場].
rop·er·y 名 縄製造所.
ros·er·y 名 バラ園.
sad·dler·y 名 馬具類.
salt·er·y 名 製塩所.
scen·er·y 名 (通例, 美しい)景色, 風景, 景観.
scroll·er·y 名 渦形装飾, 渦巻模様(scrollwork).
seal·er·y 名 アザラシ猟場.
se·ric·ter·y 名 〖解剖〗絹糸腺(せん)(silk gland).
serv·er·y 名 《主に英》(パブなどの)カウンター.
sev·er·y 名 〖建築〗セブリ, ベイ: ゴシック建築において, 4 本の柱で囲まれる一区画.
shin·ner·y 名 《米南西部》低木(特に scrub oak)の密生林.
shrub·ber·y 名 低木 [灌木] の植え込み [生け垣].
skin·ner·y 名 皮革加工所, 皮革工場.
slav·er·y 名 ☞
smelt·er·y 名 製錬所, 溶鉱所(smelter).
smith·er·y 名 鍛冶(かじ), 鍛冶職, 金属細工.
smut·ter·y 名 猥褻(わいせつ)もの, ポルノ.
snail·er·y 名 エスカルゴ飼養場.
snob·ber·y 名 俗物根性; 紳士気取り; 知ったかぶり.
snug·ger·y 名 《英》(こぢんまりして)居心地のよい場所 [部屋, 地位].
soap·er·y 名 せっけん工場.
sor·cer·y 名 魔法, 魔術, 妖術.
spic·er·y 名 薬味類, スパイス, 香味料.
spin·ner·y 名 紡績工場(spinning mill).
spiv·er·y 名 《英俗》spiv の渡世.
spiv·ver·y 名 《英俗》=spivery.
spoof·er·y 名 だまし, ぺてん.
sta·tion·er·y 名 書簡用紙, 便箋; 文房具.
stem·mer·y 名 タバコの葉柄を取り除く工場.
stitch·er·y 名 針仕事(の技術).
sub·dean·er·y 名 subdean「副学長」の地位 [職].
sur·ger·y 名 ☞
swan·ner·y 名 白鳥飼育所.
swin·er·y 名 養豚場, 豚小屋.
tan·ner·y 名 なめし革工場, 製革所.
thiev·er·y 名 盗み, 窃盗(theft).
thug·ger·y 名 殺人者(thug)の行為.
til·er·y 名 タイル [瓦] 工場, タイル [瓦] 焼成窯.
tin·ner·y 名 錫(すず)採掘所, 錫製錬所.
tog·ger·y 名 《話》衣服, 着物.
tom·fool·er·y 名 ばかげた言動, ばかなまね.
trac·er·y 名 ☞
trash·er·y 名 つまらないもの [こと]; くず.
treach·er·y 名 不信, 不実, 裏切り, 背信, 欺瞞.
trick·er·y 名 ごまかし, ぺてん, 詐欺.
trump·er·y 名 無価値なもの, 安ぴか物.
turn·er·y 名 旋盤 [ろくろ] 細工 [作業, 技術].
tush·er·y 名 古語を多用した気取った文体, 擬古体.
up·hol·ster·y 名 室内装飾用品(掛け布, カーテン, クッションなど); (椅子・クッションなどの)詰め物.
ven·er·y¹ 名 《古》性欲を満足させること; 性交.
ven·er·y² 名 《古》狩り, 猟, 狩猟; 猟の獲物.
vin·er·y 名 蔓(つる)植物栽培園 [温室]; 《主に米》(特に)ぶどう園 [畑].
vol·er·y 名 (大型の)取り小屋, 禽舎(volary).

wag·ger·y 名 こっけい, おどけ.
wash·er·y 名 洗い流して羊毛・鉱石・石炭などから不純物を取り除く場所.
waste·ry 名 《スコット・北イング》浪費, 乱費.
whal·er·y 名 捕鯨業.
wig·ger·y 名 かつら; かもじ.
win·er·y 名 《主に米・カナダ》ワイン醸造所.
witch·er·y 名 魔法, 魔術, 妖術.
worm·er·y 名 (特に釣り餌(え)用の)虫飼育場.
Wren·ner·y 名 《英軍俗》英国海軍婦人部隊(Wren)の兵舎.

-er·y[2] /əri, əri/

接尾辞 …する性質がある.
★ 形容詞をつくる.
◆ -ER[4] と -Y[1] の合成接尾辞.

clat·ter·y 形 ガタガタという, 騒々しい.
flut·ter·y 形 はためく, ひらひら[ぱたぱた]動く.
qua·ver·y 形 〈声などが〉震える, 顫音(せんおん)の.
shim·mer·y 形 かすかに[ちらちら]光る.
shiv·er·y 形 震える; 震えがちの.
slab·ber·y 形 =slobbery.
slav·er·y 形 《古》=slobbery.
slip·per·y 形 よく滑る, つるつるする.
slith·er·y 形 つるつるした, 滑るような.
slob·ber·y 形 よだれを垂らす, よだれでぬらす.
splut·ter·y 形 パチパチいう音がする.
stag·ger·y 形 よろめく, ぐらつく, 不安定な.
tot·ter·y 形 よろめく, よろよろ歩く; ぐらつく.
twit·ter·y 形 よくさえずる.
whis·per·y 形 ささやくような; サラサラいう.
win·ter·y 形 冬の; 冬に特有の(wintry).

-es[1] /iz, z, s/

接尾辞 複数形語尾 -s の異形.
★ 語尾が s, x, z, ch, sh, 子音字後の y(この場合は y が i に代わる), 子音字後の o, 子音字後の f, 母音字後の f (複数形では f が v に代わる)で終わる名詞につく.
◆ 中英 -*(e)s*, 古英 -*as*.
[発音] 基語の名詞の語尾の発音により次の 3 つに区分される. (1) 語尾の発音が /s/, /z/, /ʒ/, /tʃ/, /dʒ/ の場合は /iz/. (2) 語尾の発音が (1)以外の有声音の場合は /z/. (3) 語尾の発音が (1)以外の無声音の場合は /s/. 強勢は基語と同じ.

al·lies 名 ally の複数形.
a·mies 名 《俗》amy の複数形.
as·ses 名 ass の複数形.
ax·es 名 ax(e)の複数形.
bas·es 名 base の複数形.
beeves 名 beef の複数形.
breech·es 名 ☞
bus·ses 名 bus の複数形.
calves 名 calf の複数形.
cloth·es 名 ☞
corves 名 corf の複数形.
dwarves 名 dwarf の複数形.
elves 名 elf の複数形.
glass·es 名 ☞
goaves 名 goaf の複数形.
halves 名 half の複数形.
hooves 名 hoof の複数形.
knives 名 knife の複数形.
leaves 名 ☞
lives 名 life の複数形.
loaves 名 loaf の複数形.
lur·es 名 lur の複数形.
mon·ies 名 money の複数形.
oaves 名 《古》oaf の複数形.
pies 名 pi の複数形.
po·ta·toes 名 potato の複数形.
scarves 名 scarf の複数形.
selves 名 self の複数形.
sheaves 名 sheaf の複数形.
shelves 名 shelf の複数形.
skies 名 sky の複数形.
staves 名 staff の複数形.
stu·dies 名 ☞
tax·es 名 tax の複数形.
turves 名 《主に英》turf の複数形.
wharves 名 wharf の複数形.
wives 名 wife の複数形.
wolves 名 wolf の複数形.

-es[2] /ìːz, iːz/

接尾辞 ギリシャ語からの借用語にみられる複数形語尾.

-a·des 接尾辞 ☞
Asc·hel·min·thes 名 〘動物〙袋形(たいけい)動物.
at·lan·tes 名 atlas「〘建築〙男像柱」の複数形.
Bo·a·ner·ges 名複 〘聖書〙ボアネルゲ, 雷の子ら.
Char·i·tes 名複 〘ギリシャ神話〙カリスたち: 美と優雅の 3 人の女神(Graces).
Cy·clo·pes 名 Cyclops「(ギリシャ神話で)キュクロプス」の複数形.
cyl·i·ces 名 cylix「(古代ギリシャで)浅い酒杯」の複数形.
Gi·gan·tes 名複 〘ギリシャ神話〙ギガンテス, ギガス族.
Hec·a·ton·chi·res 名複 〘ギリシャ神話〙ヘカトンケイレス: 百手の巨人たち.
-i·des 接尾辞 ☞
ky·li·kes 名 kylix「(古代ギリシャで)浅い酒杯」の複数形.
me·nin·ges 名複 〘解剖〙髄膜.
Os·te·ich·thy·es 名 硬骨魚綱.

-es[3] /ìːz, iːz, iz/

接尾辞 ラテン語からの借用語にみられる複数形語尾.

ap·i·ces 名 apex「先端; 頂点」の複数形の一つ.
ap·pen·di·ces 名 appendix「(巻末の)付録」の複数形の一つ.
as·ses 名 as「(古代ローマの重さの単位で)アス」の複数形.
ax·es 名 axis「(回転体の)軸」の複数形.
cal·ces 名 calx「金属灰」の複数形.
cal·i·ces 名 calix「聖餐(せいさん)杯」の複数形.
cal·y·ces 名 calyx「〘植物〙萼(がく)」の複数形.
cer·vi·ces 名 cervix「〘解剖〙首, 頸部(けいぶ)」の複数形.
clas·ses 名 (改革派教会で)中会.
co·di·ces 名 codex「コデックス; 写本」の複数形.
com·i·tes 名 comes「〘天文〙伴星」の複数形.
cru·ces 名 crux「核心; 十字架」の複数形.
cus·to·des 名 custos「管理者」の複数形.
cu·tes 名 cutis「〘解剖〙真皮」の複数形.
den·tes 名 dens「〘動物〙歯」の複数形.
fla·mi·nes 名 flamen「(古代ローマの万神殿で特定の神に仕えた)神官」の複数形.
fol·les 名 follis「(古代ローマの後期の貨幣で)フォリス」の複数形.
for·ci·pes 名 forceps「(外科手術用などの)鉗子(かんし)」の複数形.
for·tes 名 fortis「〘音声〙硬(子)音」の複数形.
fron·tes 名 frons「(昆虫の)前額部」の複数形.
gen·tes 名 gens「(古代ローマで)氏族」の複数形.
hel·i·ces 名 helix「らせん」の複数形.
he·re·des 名 heres「〘大陸法〙相続人」の複数形.
-i·for·mes 連結形 ☞

im·bri·ces 名 imbrex「(古代ローマの)牡瓦(おがわら)」の複数形.
in·cu·des 名 incus「〖解剖〗きぬた骨」の複数形.
in·di·ces 名 index「索引」の複数形.
in·ter·re·ges 名 interrex「(空位期間中の)執政者」の複数形.
la·ryn·ges 名 larynx「〖解剖〗喉頭(こうとう)」の複数形.
lat·i·ces 名 latex「〖植物〗乳液」の複数形.
le·ges 名 lex「法律」の複数形.
le·nes 名 lenis「〖音声〗軟(子)音」の複数形.
lim·i·tes 名 limes「境界」の複数形.
lu·ces 名 lux「〖光学〗ルクス」の複数形.
ma·tri·ces 名 matrix「母体; 基盤」の複数形.
mon·a·des 名 monas「〖生物〗単細胞生物」の複数形.
mon·tes 名 mons「〖解剖〗山, 丘」の複数形.
mu·ri·ces 名 murex「アクキガイ」の複数形.
pe·des 名 pes「〖解剖〗〖動物〗足」の複数形.
pe·nes 名 penis「〖解剖〗〖動物〗ペニス」の複数形.
pha·lan·ges 名 phalanx「〖解剖〗〖動物〗指骨」の複数形.
Plat·y·hel·min·thes 名 扁形(へんけい)動物門.
pon·tif·i·ces 名 pontifex「〖ローマ宗教〗大神官」の複数形.
prin·ci·pes 名 princeps「主要なもの」の複数形.
pu·bes 名 pubis「〖解剖〗恥骨」の複数形.
py·ri·tes 名 ☞
rad·i·ces 名 radix「〖数学〗基」の複数形.
re·ges 名 rex「王, 国王」の複数形.
stri·ges 名 strix「〖建築〗(円柱の柱身についている)縦溝」の複数形.
tax·es 名 taxis「(自然科学などの)分類」の複数形.
tes·tes 名 testis「〖解剖〗〖動物〗精巣, 睾丸(こうがん)」の複数形.
var·i·ces 名 varix「〖病理〗静脈瘤」の複数形.
ver·mes 名 vermis「〖解剖〗小脳虫部」の複数形.
ver·ti·ces 名 vertex「頂点」の複数形.
vo·ces 名 vox「声」の複数形.
vor·ti·ces 名 vortex「渦, 渦巻き」の複数形.

-es[4] /íːz/

語尾 強勢のある場合, または強勢が直前にある場合, 語末の -es は /iːz/ となる.
★ 語末にくる同音形は -EASE[2], -EAZE, -EEZ, -ISE[3].

pes 名 〖解剖〗〖動物〗(人間の)足(foot).
res 名 〖主に法律〗(訴訟の)目的物, 物件; 事項, 事案, 事件; 財産.
-ses 接尾辞 ☞

es·cape·ment /iskéipmənt, es-/

名 〖時計〗脱進機. ⇨ -MENT.

ánchor escàpement アンクル脱進機.
cýlinder escàpement シリンダー脱進機, 水平脱進機.
grávity escàpement (塔時計の)重力脱進機.
léver escàpement レバー脱進機.
pínwheel escàpement ピン歯車脱進機.
récoil escàpement ＝anchor escapement.

-esce /és/

接尾辞 …し始める, …になりかける.
★ 動詞をつくる.
★ 語末にくる関連形は -ESCENCE, -ESCENT.
◆ ラテン語 *-ēscere*(起始動詞)より.

ac·qui·esce 動自 (…を)黙認する, おとなしく従う.
ad·o·lesce 動自 《米》青年 [青春] 期になる.
co·a·lesce 動自 合体する; 癒着 [合着] する.
con·va·lesce 動自 〈人が〉徐々に健康を回復する.
de·fer·vesce 動自 (病気の)熱が下がる.
del·i·quesce 動自 潮解する.
ef·fer·vesce 動自 気泡を発する; 泡立って音をたてる.
ef·flo·resce 動自 《主に文語》開花する, 花が咲く.
ev·a·nesce 動自 (しだいに)消えていく, 消散する.
flu·o·resce 動自 蛍光発光する, 蛍光を放つ.
in·can·desce 動自 白熱する, 赤熱する.
in·tu·mesce 動自 (熱などで)膨れ上がる, 膨張する.
li·quesce 動他自 液化する, 融解する.
lu·mi·nesce 動自 冷光を発する.
ob·so·lesce 動自 しだいに廃れていく; 退化する.
o·pal·esce 動自 オパールのような乳白光を放つ.
phos·pho·resce 動自 燐光(りんこう)を発する.
re·ca·lesce 動自 〖冶金〗再輝する.
re·cru·desce 動自 〈傷・病気などが〉再発 [再燃] する.
re·ju·ve·nesce 動自 若返る; 活力を取り戻す.
se·nesce 動自 老化する.
tu·mesce 動他 腫(は)れ上がらせる, 膨らす.

-es·cence /ésns/

接尾辞 …し始めの [… になりかかりの] 状態 [過程].
★ 名詞をつくる.
★ -esce で終わる動詞または -escent で終わる形容詞に対応.
◆ ＜仏＜ラ *-ēscentia* より. ⇨ -ENCE[1].

ac·qui·es·cence 名 (…の)黙認, 黙諾, 黙従.
ad·o·les·cence 名 青年期, 青春(期)(youth).
cal·o·res·cence 名 〖物理〗熱発光.
co·a·les·cence 名 癒着, 合着; 〖心理〗融合.
con·va·les·cence 名 (病後)徐々に健康を回復すること.
de·ca·les·cence 名 〖冶金〗減輝.
flo·res·cence 名 ☞
flu·o·res·cence 名 〖物理〗〖化学〗蛍光発光.
fron·des·cence 名 葉の発生状況 [時期].
in·can·des·cence 名 高温発光.
in·fruc·tes·cence 名 〖植物〗果実序.
ir·i·des·cence 名 イリデセンス: 光の変化や見る角度によって虹のように色が変わる現象.
lu·mi·nes·cence 名 ☞
mid·dl·es·cence 名 中高年期, 壮年.
ob·li·ves·cence 名 忘れること, 忘却.
ob·so·les·cence 名 廃れていること, 老朽, 衰微; 退化.
phos·pho·res·cence 名 燐光(りんこう)性.
pu·bes·cence 名 思春期, 青春期.
re·ca·les·cence 名 〖冶金〗再輝光, 回復光.
re·cru·des·cence 名 (痛み・病気・悪事などの)再燃, 再発.
re·ju·ve·nes·cence 名 若返り, 回春.
se·nes·cence 名 老化; 老齢, 老境.
-tu·mes·cence 連結形 ☞
va·por·es·cence 名 蒸発, 気化.
vi·res·cence 名 〖植物〗緑色変化.

-es·cent /ésnt/

連結形 …し始めた, …になりかかった.
★ 形容詞をつくる.
★ -esce で終わる動詞, -escence で終わる名詞にしばしば対応.
◆ ＜ラ, *-ēscēns*(*-escere* の現在分詞語尾の語幹). ⇨ -ENT[1].

a·ces·cent 形 酸っぱくなってきた; 少し酸っぱい.
ad·o·les·cent 形 青春の, 若々しい; 《話》未熟な.
ad·u·la·res·cent 形 〈特に氷長石が〉乳白色の青みがかった光沢のある.
al·bes·cent 形 白くなりかかっている; 白っぽい.
al·ka·les·cent 形 弱 [微] アルカリ性の.
ar·bo·res·cent 形 高木状の, 樹木のような.

ca·les·cent 形 熱くなる, 熱を増してくる.
can·des·cent 形 輝いている, 白熱の.
ca·nes·cent 形 〈植物が〉白(灰色)の軟毛のある.
cau·les·cent 形 〈植物が〉有茎の, 地上茎のある.
co·a·les·cent 形 癒着する, 合着性の.
con·va·les·cent 形 〈患者が〉快方に向かっている.
cres·cent 名形 ☞
del·i·ques·cent 形 潮解性の.
del·i·tes·cent 形 〈病気などが〉潜伏性の.
ef·fer·ves·cent 形 起泡性の, 発泡する, 沸騰する.
ef·flo·res·cent 形 《文語》咲き出る, 開花している.
ev·a·nes·cent 形 消えていく; 消えやすい.
fla·ves·cent 形 黄ばんでゆく; 黄色がかった.
flu·o·res·cent 形 蛍光性の; 蛍光を放つ.
fru·tes·cent 形 〈植物が〉低木[灌木(かんぼく)]性の.
ful·ves·cent 形 帯黄褐色の, 暗黄褐色をした.
gla·bres·cent 形 無毛になる.
glau·ces·cent 形 〈植物が〉やや帯白色の.
ig·nes·cent 形 《まれ》火花を発する.
in·gra·ves·cent 形 〈病気などが〉重くなる, 悪化する.
ir·i·des·cent 形 虹のように色が変化する; 虹色の.
ju·ve·nes·cent 形 若い; 若者になる, 青年期に近づく.
lab·ra·dor·es·cent 形 曹灰長石色に輝く.
lac·tes·cent 形 乳状の, 乳白色の.
lap·i·des·cent 形 石に似た, (特に)石碑に似た.
li·ques·cent 形 液化する, 融解する.
lu·mi·nes·cent 形 ルミネッセンスの; 冷光を発する.
mar·ces·cent 形 〈植物が〉落ちないでしおれた.
mol·les·cent 形 軟化しやすい, 柔らかくなる.
ni·gres·cent 形 しだいに黒くなる; 黒ずんだ.
ob·so·les·cent 形 廃れつつある, 衰微する.
o·pal·es·cent 形 オパール色に光る; 乳白光を放つ.
pal·les·cent 形 〈植物が〉うす色の.
pearl·es·cent 形 真珠光沢の, 虹色に輝く.
phos·pho·res·cent 形 燐光を発する, 燐光性の.
pu·bes·cent 形 思春期の, 年ごろの.
pu·tres·cent 形 腐敗しかかった; 腐敗しつつある.
qui·es·cent 形 静かな; 不活発な.
re·cru·des·cent 形 〈病気などが〉再発する; 再燃する.
ru·bes·cent 形 赤くなる; 赤面する.
ru·fes·cent 形 赤みを帯びた, 赤みがかった.
se·nes·cent 形 老境にかかった, 初老の.
spi·nes·cent 形 〈植物が〉とげ状の; とげのある.
spu·mes·cent 形 泡状の, 泡立った.
ta·bes·cent 形 衰弱する, 消耗する, やつれる.
tu·mes·cent 形 腫れる, 膨れる; 少し腫れた.
tur·ges·cent 形 膨れる, 腫れ上がる.
vi·o·les·cent 形 すみれ色がかった[を帯びた].
vi·res·cent 形 〈植物が〉緑変する.
vir·i·des·cent 形 緑色がかった, 淡緑色の.
vir·i·les·cent 形 〈老いた雌が〉雄性化する.
vi·tres·cent 形 ガラス質になる, ガラス化する.

-ese /íːz, íːs | íːz/

接尾辞 **1** …人(の), …の住民(の); …語(の). **2** …に特有の言い方, 言語. ►言語名の類推により, ある分野に特有な言葉遣いを表わし, しばしば軽蔑(けいべつ)的な響きを持つ.
★ 名詞につけて名詞・形容詞をつくる.
★ 語末にくる関連形は -ENSIS.
◆ おそらくもとは＜伊 *-ese*, 後にスペイン語, ポルトガル語 *-es*, 仏 *-ais*, *-ois* を表す. これらは＜ラ *-ēnsem* …に属す, …から始まる.
[発音] -ese に第1強勢がある. ただし, 形容詞として名詞の前に用いられる場合は語頭に第1強勢が移る: Jápanese árt.

〈**1**〉 **…人(の), …の住民(の), …語(の).**

A·che·nese 名 ＝Atjehnese.
A·chi·nese 名 ＝Atjehnese.
A·den·ese 名 (イエメン南西部の)アデン人[住民].
Am·bo·nese 名 (東インドネシアの)アンボン人[語].
A·mer·i·can·ese 名 アメリカ英語(語法).
An·da·man·ese 名 (ミャンマー南西方の)アンダマン島人.
An·go·lese 名 (アフリカ南西部の)アンゴラ共和国民.
An·na·mese 形 (ベトナム中部の)アンナンの; アンナン人[語]の. ──名 アンナン人.
Ar·a·go·nese 形 (スペインの)アラゴン地方の. ──名 アラゴン人.
As·sa·mese 形 (インド北東部の)アッサムの; アッサム人[語]の. ──名 アッサム人.
Atj·eh·nese 名 (スマトラ島最北部の)アチェー族[語].
Ba·li·nese 形 バリ島の; バリ族[語]の. ──名 バリ人.
Ben·ga·lese 形 (インド北部の)ベンガル(人)の. ──名 ベンガル人.
Be·nin·ese 名 (西アフリカの)ベニン共和国国民.
Ber·nese 形 (スイスの)ベルンの(人の). ──名 ベルンの人.
Bhu·tan·ese 名 ブータン王国国民.
Bo·lo·gnese 形 (イタリアの)ボローニャ(人)の.
Brook·lyn·ese 名 ブルックリン言葉[訛(なま)り].
Bug·i·nese 名 (インドネシア中部の)ブギス族(人); ブギ語.
Bur·mese 名 ビルマ人. ──形 ビルマの; ビルマ人[語]の.
Ca·na·rese 形名 ＝Kanarese.
Can·ton·ese 名 広東(カントン)語.
Cey·lon·ese 形 セイロンの(人)の; セイロン島の言語の. ──名 セイロン人.
Chi·nese 名 標準中国語, 北京官話(Mandarin).
Cin·ga·lese 形名 《古》＝Singhalese.
Con·go·lese 形 (アフリカ中部の)コンゴ(共和国)の; コンゴ人[語]の. ──名 コンゴ人[語].
Faer·o·ese 名 (英国とアイルランドとの間の)フェロー諸島生まれの(人[住民]).
Far·o·ese 名形 ＝Faeroese.
Fu·kien·ese 名 福建[フーチェン]語.
Gab·o·nese 形 (アフリカ西部の)ガボン共和国の; ガボン人[語]の. ──名 ガボン人.
Gen·e·vese 名 (スイスの)ジュネーブの人[住民]. ──形 ジュネーブの.
Gen·o·ese 形 (イタリアの)ジェノバの. ──名 ジェノバの人[市民]; ジェノバ方言.
Gen·o·vese 形名 ＝Genoese.
Gui·a·nese 形 (南米北東部の)ギアナ地方の; ギアナ人[語]の. ──名 ギアナ人[語].
Guy·a·nese 名 (南米北東岸にある)ガイアナ共和国国民.
Hóng Kòng·ese 名 香港人.
In·do·chi·nese 形 インドシナの; インドシナ人[語]の.
Jap·a·nese 形 日本の; 日本人[語]の. ──名 日本人[語].
Jav·a·nese 形 ジャワ島の; ジャワ人[語]の. ──名 ジャワ人.
Ka·na·rese 形 (インド南西部の)カナラの. ──名 カナラ人.
Kat·ang·ese 名 (ザイール南東部の)カタンガ人. ──形 カタンガ(人)の.
Leb·a·nese 形 レバノンの; レバノン人[住民]の. ──名 レバノン人[住民].
Mac·a·nese 名 マカオの住民. ──形 マカオの(住民)の.
Mad·u·rese 名 (ジャワ島北東岸の)マドゥラ族.
Ma·kas·sar·ese 名 (インドネシアのスラウェシ島の)マカッサル族.
Mal·tese 形 マルタ(島)(Malta)の; マルタ人[語]の. ──名 マルタ(島)生まれの人[の住民].
Mar·shall·ese 名 マーシャル諸島生まれのミクロネシア人.
Mil·an·ese 名 (イタリアの)ミラノ人. ──形 ミラノ(人)の.
Myan·ma·rese 形 ミャンマーの. ──名 ミャンマー人, ミャンマー語(ビルマ語).
Nep·a·lese 形 ネパールの; ネパール人[語]の. ──名 ネパール人.
Nèw Yórk·ese 名 ニューヨーク訛(なま)り[弁].

Nic·o·bar·ese 名 (ミャンマー南西方の)ニコバル島人; ニコバル語.
Nip·pon·ese 名形 =Japanese.
Pied·mon·tese 名 (イタリアの)ピエモンテ地方の人. ――形 ピエモンテ地方の(人の).
Por·tu·guese 形 ポルトガルの; ポルトガル人[語]の; ポルトガル系の. ――名 ポルトガル人; ポルトガル系の人.
Re·u·nio·nese 名 (アフリカ南東方の)仏領レウニオン島の住民.
Rwan·dese 形名 (アフリカ中部の)ルワンダ(の), ルワンダ人(の).
Sen·e·ga·lese 形 (アフリカ西部の)セネガル共和国の. ――名 セネガル人.
Si·a·mese 形 **1** シャムの, シャム人[語]の. **2** (シャム)双生児の, 密接な.
Si·en·ese 形 (イタリアの)シエナ(の人)の. ――名 シエナの人.
Sik·ki·mese 名 (インド北部の)シッキム人. ――形 シッキム(人)の.
Sin·gha·lese 名 =Sinhalese.
Sin·ha·lese 名 シンハラ人: スリランカの多数派民族.
Sou·da·nese 名形 =Sudanese.
Su·da·nese 名 (アフリカ北部の)スーダン人[原住民]. ――形 スーダン(人)の.
Sun·da·nese 名 (ジャワ島西部の)スンダ族.
Su·ri·na·mese 形 (南米北東岸の)スリナム(人)の. ――名 スリナム人.
Tai·wan·ese 形 台湾の; 台湾人の. ――名 台湾人.
Ti·mo·rese 形 (インドネシア南部にある)チモール(人)の. ――名 チモール(島の)人.
Tir·o·lese 形名 =Tyrolese.
To·go·lese 名 (アフリカ西部の)トーゴ(共和国)人. ――形 トーゴ共和国の; トーゴ人の.
Ton·kin·ese 形 (インドシナ北部の)トンキンの. ――名 トンキンの人; トンキン方言.
Trin·i·ba·gi·a·nese 名 トリニダード・トバゴ共和国の英語系クレオール語.
Tyr·o·lese 形名 (アルプス山岳地方の)チロル(の), チロル住民(の).
Ver·o·nese 形 (イタリアの)ベローナの. ――名 ベローナの人.
Vi·en·nese 形 ウィーンの; ウィーン風の.
Vi·et·nam·ese 名 ベトナム人. ベトナム語.

〈**2**〉…に特有の言い方, …言葉.
ac·a·de·mese 名 学者調の文体, 学者言葉.
Af·ro-A·mer·i·ca·nese 名 黒人英語(Black English).
bu·reau·crat·ese 名 官僚[官庁]用語, お役所言葉.
ca·blese 名 (海外)電報用語[文体].
chil·dren·ese 名 《米》幼児言葉, 幼児[小児]語.
cock·ney·ese 名 ロンドン訛(なま)りの英語.
com·put·er·ese 名 コンピュータ(関係)用語.
di·plo·ma·tese 名 外交(官)用語, 外交文書の文体.
ed·u·ca·tion·ese 名 教育用語.
en·gi·neer·ese 名 技術者専門語.
fash·ion·ese 名 ファッション界特有の言葉(遣い).
fed·er·al·ese 名 《米》官庁用語, お役所言葉.
Good·fel·la·ese 名 マフィア世界の隠語.
gov·ern·ment·ese 名 官庁用語, お役所言葉.
hack·er·ese 名 ハッカー語, ハッカー言葉.
Hol·ly·wood·ese 名 ハリウッド映画に特徴的な言葉遣い.
John·son·ese 名 サミュエル・ジョンソン流の文体: 大げさな言回しやラテン語系の語を多用した文体.
jour·nal·ese 名 新聞調(の文章), ジャーナリズム調(の表現).

-ese: -eseがつく国民名の世界分布

(資料作成：須永紫乃生)

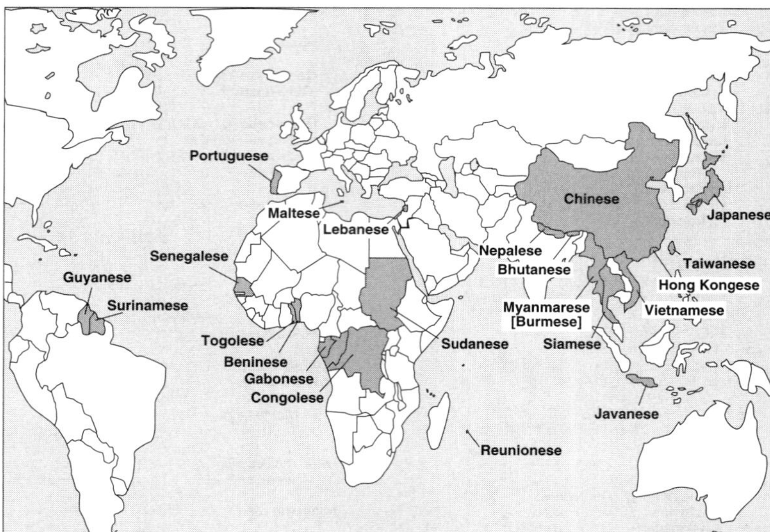

上の世界地図は**-ese**で示される国民名の分布図. 国民名につく**-ese**は, ポルトガル語の男性複数形語尾 *-êses* の末尾 *-s* が落ちて**-ese**になったとされる. 大航海時代のポルトガル人の航海線上に点在する国々に, **-ese**のついた国民名が多く見られる.

le·gal·ese 名 法律の文章 [文体], 法律用語.
men·u·ese 名 メニュー言葉 [用語].
moth·er·e·se 名 母親言葉.
NASAese 名 米国航空宇宙局に特有の言葉使い.
nov·el·ese 名 三文小説の陳腐な文体.
of·fi·cial·ese 名 官庁用語, 役人言葉.
ped·a·gese 名 《米話》学者 [公文書] 用の書き言葉.
Pen·ta·gon·ese 名 ペンタゴン文体: 特に米国軍部に独特の文体.
so·ci·ol·o·gese 名 社会学用語.
tel·e·graph·ese 名 《話》電文体.
Ti·mese 名 雑誌「タイム」の用語 [文体].
yup·pese 名 ヤッピー言葉.

〈**3**〉その他.
Pe·kin·ese 名 ＝Pekingese.
Pe·king·ese 名 ペキニーズ(犬).

-esh /éʃ/

語尾 presh, sesh は短縮語.

flesh 名 ☞
fresh 形 ☞
mesh 名 ☞
nesh 形 《ニューファンドランド》柔らかい; 痛い.
presh 名 《俗》＝pressure.
sesh 名 《英話》酒宴; 《米俗》＝session.
thresh 動他 〈穀物を〉脱穀する.

-e·si·mal /ésəməl/

連結形 序数を表す.
◆ ラテン語 *-ēsimus* より. ⇨ -AL[1].

cen·tes·i·mal 形 100 分の 1 の; 百分法の, 百進法の.
in·fin·i·tes·i·mal 形 微小の, 極微の, 非常に小さい.
mil·les·i·mal 形 1,000 分の 1 の.
Quad·ra·ges·i·mal 形 四旬節の.
sex·a·ges·i·mal 形 60 を基準にした, 60 単位の.
vi·ces·i·mal 形 ＝vigesimal.
vi·ges·i·mal 形 20 の; 20 を基礎にした.

-e·sis /íːsis/

接尾辞 動作, 進行過程.
★ ギリシャ語からの名詞借用語に見られる.
★ 複数形は -eses.
◆ <ギ *-ē-*(動詞構成辞)＋*-sis* -SIS.

an·am·ne·sis 名 追憶, 回想, 想起.
an·the·sis 名 【植物】開花期; 開花, (特に)雄蕊(ずい)の成熟.
a·phaer·e·sis 名 ＝apheresis.
a·pher·e·sis 名 【言語】語頭音消失.
aph·e·sis 名 【歴史言語学】語頭母音消失.
ap·o·si·o·pe·sis 名 【修辞】頓絶(とん)法.
as·ce·sis 名 ＝askesis.
as·ke·sis 名 厳格な自制, 自己鍛練; 苦行, 克己.
aux·e·sis 名 ☞
cat·e·che·sis 名 【キリスト教】教理教授: 昔, 特に洗礼や堅信の秘跡を受ける前に口頭で行われた宗教教育.
cen·te·sis 名 ☞
cy·e·sis 名 ☞
de·e·sis 名 デイシス: キリスト教美術の主題の一つ.
di·a·pe·de·sis 名 【生理】漏出(性出血), (血管外)遊出.
e·ce·sis 名 【生態】定着, 土着.
ec·pho·ne·sis 名 【修辞】エクホネシス.
ep·ex·e·ge·sis 名 【修辞】補足.
es·the·sis 名 感覚, 知覚, 感じ.
ex·e·ge·sis 名 (特に聖書の)評釈, 釈義, 解釈.
-gen·e·sis 連結形 ☞
hys·ter·e·sis 名 【物理】履歴現象, ヒステリシス.
i·on·to·pho·re·sis 名 電離療法: 投薬方法の一つ.
ki·ne·sis 名 【生理】キネーシス.
-ki·ne·sis 連結形 ☞
mi·me·sis 名 【修辞】模写, 模擬, ミメシス.
myth·o·po·e·sis 名 神話形成.
no·e·sis 名 【哲学】ノエシス.
och·le·sis 名 【病理】密集病, 雑踏症.
-pho·re·sis 連結形 ☞
phro·ne·sis 名 【哲学】実践知.
-poi·e·sis 連結形 ☞
syn·de·re·sis 名 【倫理】良知良能.
syn·i·ze·sis 名 【音声】合音, 母音融合.
syn·te·re·sis 名 ＝synderesis.
the·sis 名 議論, 陳述, 論旨, 論点, 主張.
-the·sis 連結形 ☞
tme·sis 名 【修辞】分語法, 合成語分割.
-u·re·sis 連結形 ☞

-esque /ésk/

接尾辞 …様式の, …風の, …に似た.
★ 名詞につけて形容詞をつくる.
★ 主として芸術と文学の分野で用いられ, その後, 政治家についてもよく用いるようになった.
◆ 仏<伊 *-esco* <ゲルマン**-iskaz*.
[発音]-esque に第 1 強勢.

Ad·am·esque 形 〈建築・家具などが〉アダム様式風の.
Al·ham·bresque 形 アルハンブラ宮殿風の.
ar·a·besque 名 【美術】アラベスク.
ar·bo·resque 形 樹木のような, 樹枝状の.
A·re·tha Frank·lin·esque 形 アレサ・フランクリン(米国の女性ソウル歌手)的な.
Au·den·esque 形 〈作風・文体などが〉オーデン風の.
Au·drey Hep·burn·esque 形 オードリー・ヘップバーン的な.
Bar·ba·resque 形 (アフリカ北部の)バーバリ地方の.
Bar·bie·esque 形 バービー人形風の.
Bar·num·esque 形 バーナム(米国のサーカス王)的な.
Baud·e·lair·esque 形 〈文体などが〉ボードレール風の.
Beards·ley·esque 形 〈画風などが〉ビアズレー風の.
blot·tesque 形 【美術】なぐり描きの.
Brown·ing·esque 形 ブローニング(英国の女流詩人)的な.
Bu·chan·an·esque 形 ブキャナン(1992, 96 年共和党米国大統領候補)的な; 極右的な.
Bun·yan·esque 形 ポール・バニヤン(米国民話の英雄)のような; 途方もなく大きい.
bur·lesque 名形 茶番仕立て(の), バーレスク(風の).
Bush·esque 形 ブッシュ(第 41 代米国大統領)的な; レーガン路線の, インテリ臭い.
By·zan·tin·esque 形 ビザンティン風の.
Cap·ra·esque 形 カプラ(米国の映画監督)的な.
Ca·ra·vag·gesque 形 〈画風が〉カラヴァッジョ風の.
Car·lyl·esque 形 カーライル(スコットランドの評論家)的な.
Car·ter·esque 形 カーター(第 39 代米国大統領)的な; 人権第一主義的な, 理想主義的な.
Cas·a·no·vesque 形 カサノヴァ(イタリアの文人)的な; 女たらしの, 漁色の.
Ce·zann·esque 形 〈画風が〉セザンヌ風の.
Chan·dler·esque 形 レイモンド・チャンドラー(米国の探偵小説家)的な.
Chap·lin·esque 形 チャップリン風の.
Chi·ca·go·esque 形 〈建築様式が〉シカゴ的な.
chur·ri·gue·resque 形 〈建築などが〉チュリゲーラ様式の.
Clin·ton·esque 形 クリントン(第 42 代米国大統領)的な; 優柔不断な, 口先だけの.
Da·li·esque 形 〈画風・着想などが〉ダリ風の; 奇抜な.
Dan·tesque 形 ダンテ風の; 荘重な.
Dan·ton·esque 形 ダントン(フランス革命期の政治家)風の; 豪胆な.

Di·ane Kea·ton-esque 形 ダイアン・キートン(米国の映画俳優)的な.
Dick·ens·esque 形 ディケンズ(英国の小説家)的な.
Dis·ney·esque 形 ディズニー的な.
Dol·esque 形 ドール(1996 年共和党米国大統領候補)的な, 悲哀的な, 哀愁をおびた.
Du·rer·esque 形 〈画風などが〉デューラー風の.
Fan·on·esque 形 ファノン(革命思想家)的な; 世界農民蜂起革命の.
Fel·li·ni·esque 形 〈映画が〉フェリーニ風の.
Gar·bo·esque 形 グレタ・ガルボ(スウェーデン生まれの映画女優)的な.
gar·den·esque 形 庭園風の.
Gau·guin·esque 形 〈画風などが〉ゴーギャン風の.
Gersh·win·esque 形 ガーシュウィン(米国の作曲家)的な.
gi·gan·tesque 形 巨大な, 超大形の; 巨人の.
Gin·grich·esque 形 ギングリッチ(共和党下院議長)的な; 過激な, 急進的な, 極論(者)の.
gob·lin·esque 形 悪鬼 [小鬼]のような(goblinish).
Go·ya·esque 形 〈画風が〉ゴヤ風の.
Gro·li·er·esque 形 グロリエ(フランスの愛書家)的な.
gro·tesque 形 奇怪な; グロテスクな, 異様な.
Hard-Cop·y·esque 形 ハードコピー(米国のタブロイド紙的情報番組)風の.
Har·dy·esque 形 〈文体などが〉トマス・ハーディ風の.
har·le·quin·esque 形 ハーレキンのような; 道化者のような.
Har·vard·esque 形 ハーバード(大学)風の.
Haw·thorn·esque 形 〈作風・文体などが〉ホーソン流の.
Hem·ing·way·esque 形 〈文体などが〉ヘミングウェイ流の; ハードボイルドの.
Hil·la·ry·esque 形 ヒラリー(クリントン大統領夫人)的な; 女性解放的な, 洗練された.
Hu·goesque 形 〈文体などが〉ビクトル・ユゴー的な.
hu·mor·esque 名 【音楽】ユーモレスク.
Ib·sen·esque 形 イプセン(ノルウェーの劇作家)的な.
Jap·a·nesque 形 日本式 [風]の.
John·son·esque 形 ジョンソン(第 36 代米国大統領)的な; 福祉重視の.
Ju·no·esque 形 〈婦人が〉(女神ユノのように)堂々とした, 威厳のある.
Kaf·ka·esque 形 カフカ(チェコの作家)的な; 悪夢のような.
Ken·ne·dy·esque 形 ケネディ(第 35 代米国大統領)的な; カリスマ的な, 活力のある.
Kip·ling·esque 形 〈文体などが〉キプリング風の.
K·mart·esque 形 K マート(米国の大型小売店)的な.
law·yer·esque 形 法律家(弁護士)的な.
Le·o·nar·desque 形 〈画法などが〉ダ・ビンチ風の.
Lin·coln·esque 形 リンカーン(第 16 代米国大統領)的な; 道徳的な, リーダーの.
Lon·don·esque 形 ロンドン風の; ロンドン特有の.
Ma·don·na·esque 形 マドンナ(米国のポップ歌手)的な.
Mau·resque 形 ＝Moresque.
Mc·Car·thy·esque 形 マッカッシー(米国共和党上院議員)的な; 反共産主義的な.
Mc·Lu·han·esque 形 マクルーハン(カナダのコミュニケーション理論家)的な.
Mi·chel·an·ge·lesque 形 〈建築・美術などが〉ミケランジェロ風の.
Mich·i·gan·esque 形 〈福祉政策が〉ミシガン(州)流の.
Mo·li·er·esque 形 モリエール(フランスの喜劇作家)的な.
Mon·ro·esque 形 マリリン・モンロー風の.
Mo·resque 形 ムーア人の; ムーア人風の.
Mt. Pi·na·tu·bo-esque 形 (フィリピンの)ピナツボ火山のような.
Nix·on·esque 形 ニクソン(第 37 代米国大統領)的な; 妄想的な, 自己嫌悪の, 隠匿の.
Nor·man·esque 形 〈建築が〉ノルマン様式の.
o·pal·esque 形 オパール色に光る; 乳白光を放つ.
Pau·la Ab·dul-esque 形 ポーラ・アヴドゥール(米国のポップ歌手)風の.
Pe·rot·esque 形 ペロー(1992, 96 年無所属米国大統領候補)的な, 理論的な, 経済重視の, とりとめもなく話す.
pic·a·resque 形 〈小説が〉ピカレスク風の, 悪漢を主人公とした.
pic·tur·esque 形 絵のような, 絵になる.
Pin·ter·esque 形 〈戯曲・舞台が〉ハロルド・ピンター的な.
plat·er·esque 形 プラテレスコ様式の.
Pyn·chon·esque 形 〈文体などが〉ピンチョン風の.
Py·tho·nesque 形 ばかげた, 奇想天外な.
Raf·fa·el·esque 形 ＝Raphaelesque.
Ram·bo·esque 形 ランボー(米国映画の主人公)的な.
Raph·a·el·esque 形 ラファエロ風の.
Rea·gan·esque 形 レーガン(第 40 代米国大統領)的な, 愛国主義の, レトリックの巧みな.
Rem·brandt·esque 形 〈画風などが〉レンブラント風の.
ro·bot·esque 形 ロボットのような.
Ro·din·esque 形 〈作品などが〉ロダン風の.
Ro·man·esque 形 〈建築などが〉ロマネスク様式の.
Rous·seau·esque 形 〈思想・文章などが〉ルソー的な.
Ru·ben·esque 形 〈画風などが〉ルーベンス風の; 〈女性が〉まるまると太った.
Ru·ben·sesque 形 ＝Rubenesque.
Run·yon·esque 形 ラニョン(米国のジャーナリスト)的な.
sculp·tur·esque 形 彫刻 [彫像]のような; 堂々たる.
set·te·cen·tesque 形 セッテチェント [イタリア 18 世紀]の美術や文学の.
Shaw·esque 形 バーナード・ショウ(英国の劇作家)風の; R. ノルマン・ショウ(英国の建築家)風の.
Shel·ley·esque 形 〈作品・文体などが〉シェリー風の.
Sher·man·esque 形 シャーマン(南北戦争時の北軍将軍)的な.
Simp·sons-esque 形 シンプソンズ(米国の子供向けアニメ)的な.
Stan·ford·esque 形 スタンフォード(大学)風の.
stat·u·esque 形 彫像のような; 威厳のある, 優雅な.
teach·er·esque 形 先生のような.
Thur·ber·esque 形 サーバー(米国の風刺漫画家)風の.
Ti·tan·esque 形 (ギリシャ神話の巨人)タイタンのような.
Tol·kien·esque 形 トルキーン(英国の中世研究家)的な.
Tru·man·esque 形 トルーマン(第 33 代米国大統領)的な; 頑固な, 淡泊な.
un·pic·tur·esque 形 非絵画的な.
Whit·man·esque 形 〈文体などが〉ホイットマン的な.
Zo·la·esque 形 〈作品・文体などが〉ゾラ的な.

-ess[1] /is/

接尾辞 **1** 女性の…. **2** …夫人: count*ess*, baron*ess*. **3** 雌の…: lion*ess*, tigr*ess*.
★ 名詞につけて女性名詞をつくる.
★ 男性中心の職業や専門と考えられる場合に, その女性名となる -ess はしばしば軽蔑の含みをもつ; 米国などでは職業名の場合, 男女平等の観点から使用を避け, 通性名詞で置き換える(例: stewardess → flight attendant)傾向がある.
◆ 中英 *-esse* ＜古仏＜後期ラ *-issa* ＜ギ. ◇ -ATRIX, -STRESS, -TRESS, -TRICE, -TRIX.
[発音] 第 1 強勢は基語と同じ. 例外: príncess.

ab·bess 名 女子大修道院長, 尼僧院長.
a·dul·ter·ess 名 姦婦(かんぷ).
ad·ven·tur·ess 名 あらゆる手段で富や地位を求める女性, 女山師.
am·bas·sa·dress 名 女性大使 [使節].
an·cho·ress 名 独住修女, 女の世捨て人.
an·cress 名 ＝anchoress.
as·tro·nau·tess 名 女性宇宙飛行士.
au·thor·ess 名 女流作家. ► 現在は女性にも author を用いるのが普通.
bar·on·ess 名 男爵夫人, 男爵未亡人.
can·on·ess 名 律修修女.

chap·ess 名 《英話》女, 女性.
cit·i·zen·ess 名 女性の citizen.
clerk·ess 名 女性事務員.
coun·tess 名 伯爵夫人, 伯爵未亡人.►ヨーロッパ大陸では count の, 英国では earl の夫人または未亡人をいう.
dau·phin·ess 名 フランス王太子妃の称号(dauphine).
dea·con·ess 名 (プロテスタントで)婦人奉仕団員.
dog·ess 名 《米俗》下品な女, 嫌な女.
drag·on·ess 名 雌の竜.
Dru·id·ess 名 ドルイド教徒の女性.
duch·ess 名 公爵(duke)夫人.
el·dress 名 (長老派教会で)長老(presbyter)を務める女性信徒.
em·broi·der·ess 名 女性刺繍(ししゅう)師.
em·press 名 (帝国の支配者としての)女帝, 女王.
found·ress 名 女性の founder.
gi·ant·ess 名 (想像上の)女の巨人.
god·dess 名 ☞
gov·ern·ess 名 女性の家庭教師.
he·bess 名 《俗》ユダヤ人の女.
heir·ess 名 女子相続人 [後継者].
host·ess 名 (客を接待する)女主人(役).
Jew·ess 名 《通例軽蔑的》ユダヤ娘 [女].
join·tur·ess 名 〘法律〙寡婦給与財産権(jointure)の設定を受けた女性.
laun·dress 名 (職業としての)洗濯女.
leop·ard·ess 名 雌ヒョウ.
li·on·ess 名 ライオンの雌, 雌獅子(じし).
man·ag·er·ess 名 《主に英》女性の manager.
mar·chion·ess 名 《英》 **1** (英国以外の国の)侯爵婦人 [未亡人]. **2** 女侯爵(marquise).
may·or·ess 名 女性の市 [町, 村] 長.
mil·lion·air·ess 名 女性の百万長者.
Mi·nor·ess 名 〘英史〙クララ童貞会として知られるフランシスコ会第二会の修道女.
mis·tress 名 ☞
mur·der·ess 名 女の謀殺 [殺人] 者 [犯], 女の人殺し.
Ne·gress 名 《通例軽蔑的》黒人の女 [娘].
o·gress 名 (童話・民話に出てくる大きな)女の人食い鬼, 鬼女.
par·son·ess 名 聖職者の妻.
pa·tron·ess 名 女性の顧客 [後援者, 守護聖人].
peer·ess 名 貴族の夫人 [未亡人].
po·et·ess 名 女流詩人.►現在では通例, 女性にも poet を用いる.
por·ter·ess 名 女性の門番 [玄関番, 受付].
prel·at·ess 名 女性の高位聖職者.
priest·ess 名 (特にキリスト教以外の宗教で)祭式を執行する女の聖職者, 女祭司.
prin·cess 名 ☞
pri·or·ess 名 女子小修道院長; 女子修道院副長.
pro·cur·ess 名 (女性の)売春婦斡旋屋, 女衒.
proph·et·ess 名 神意 [神託] を告げる女性.
py·tho·ness 名 巫女(みこ).
Quak·er·ess 名 女性のクエーカー教徒.
seer·ess 名 女性の seer.
shep·herd·ess 名 (特に牧歌に歌われる)女の羊飼い.
sor·cer·ess 名 女の魔法使い [魔術師].
stew·ard·ess 名 スチュワーデス.
-stress 接尾辞 ☞
sul·tan·ess 名 イスラム教国王妃.
ti·gress 名 雌トラ.
trai·tor·ess 名 女性の裏切り者 [反逆者].
-tress 接尾辞 ☞
tu·tor·ess 名 女性の tutor.
vil·lain·ess 名 女性の villain.
vis·count·ess 名 子爵夫人.
vo·ta·ress 名 《まれ》盛式立誓修女.
ward·ress 名 女性の監視人, (刑務所の)婦人看守.
ze·bress 名 雌のシマウマ.

-ess[2] /és/

語尾 代表的な語尾.
★ Dress for less.「安い服を」は専門店 Ross の標語.
★ 語末にくる同音形は -ESS[1].

bless 動他 〈食べ物・ぶどう酒などを〉聖別する; 祝福する.
cess[1] 名 《英》租税; 課税; 留置権.
cess[2] 名 《アイル話》運(luck).
cess[3] 名 汚物だめ, 糞壷(cesspool).
-cess 連結形 ☞
chess[1] 名 チェス, 西洋将棋.
chess[2] 名 橋板: 船橋にかける板.
chess[3] 名 《米》《まれ》〘植物〙カラスノチャヒキ.
cress 名 ☞
dress 名 ☞
fess[1] 名 〘紋章〙中帯, フェス.
fess[2] 動他 《話》白状する, (率直に)認める.
fess[3] 名 《米方言》先生(teacher).
-fess 連結形 ☞
fress 動自 食べる; (特に)大食する.
-gress 連結形 ☞
guess 動他 …を(通例十分な根拠なしに)推測 [憶測] する; 〈…であると〉推測 [推定] する.
jess 名 〘タカ狩り〙(タカの)足緒, 経緒(へお).
less 副 ☞
-less 接尾辞 ☞
mess 名 だらしない [汚い] さま, 混乱状態.
ness 名 ☞
press[1] 動他 ☞
press[2] 動他 強制的に兵役に就かせる(impress).
-press 連結形 ☞
sess[1] 名 ＝cess[1].
sess[2] 名 《米麻薬俗》シンサミラ, 種なしマリファナ(sinsemilla).
-sess 連結形 ☞
stress 名 ☞
tress 名 (特に婦人の束ねてない)長い髪 [巻き毛], ふさふさと垂れた髪.

-ess[3] /is/

語尾 強勢のない場合, 語末の -ess は /is/ となる.
★ 語末にくる同音形は -ESS[1], -ICE[1], -ICE[2], -IS[1], -ISS[2].

-gress 連結形 ☞
-less 接尾辞 ☞
-ness 接尾辞 ☞
-stress 接尾辞 ☞
-tress 接尾辞 ☞

es·sence /ésns/

名 **1** 本質, 真髄, 精髄; 根本, 核心. **2** (植物・薬物などから抽出された)精(粋), 精油, エキス. ⇨ -ENCE[1].

cóffee èssence コーヒーエッセンス.
péarl èssence 真珠箔(はく), 擬真珠粉.
quin·tés·sence 名 濃縮された物資の純粋な形; 本質, 精; 真髄, 化身, 典型.

es·sen·tial /isénʃəl, es-/

形 **1** (…にとって)絶対必要な, 必須の, きわめて重要な. **2** 本質の, 本質的な. ⇨ -IAL.

co·es·sen·tial 形 本質的に一致する, 同質の.
in·es·sen·tial 形 (…にとって)本質的でない.
non·es·sen·tial 形 非本質的な, 肝要でない, 不必要な.

sub·es·sen·tial 形 絶対的とまではいかないが重要な.
un·es·sen·tial 形 本質的ではない; なくてもいい.

-est[1] /ist/

接尾辞 形容詞・副詞の最上級をつくる.
★ 語末にくる関連形は -ST[1].
◆ 中英; 古英 *-est, -ost.*
[発音] 第 1 強勢は基語のままで, すべて語頭の音節にある.

bad·dest 形 《俗》bad の最上級.
best 形 ☞
damned·est 名 《話》最善; 最大限, 極限.
def·fest 形 《米俗》最高の.
dri·est 形 dry の最上級.
eas·i·est 形副 easy の最上級.
eld·est 形 最年長の, いちばん年上の; 長子の.
far·rest 形 《主に米ミッドランド・非標準》= farthest.
far·thest 形 いちばん [最も] 遠い.
fre·est 形 free の最上級.
fur·thest 形副 =farthest.
lat·est 形 最近の, 最新(式)の; 今の.
least·est 名 《俗》最少(の量).
lov·ing·est 形 《話》ものすごく愛している.
mad·dest 形 mad の最上級.
most·est 形名 《俗》=most.
on·li·est 形 《非標準》only の強調形.
shi·est 形 shy の最上級.
sli·est 形 sly の最上級.
spri·est 形 spry の最上級.
ver·i·est 形 《古》至極の, 全くの.
win·ning·est 形 《話》最も勝率の高い, 最多勝利の.
wri·est 形 wry の最上級.
young·est 形 young の最上級.

-est[2] /ést/

語尾

best 形 ☞
blest 動 bless の過去・過去分詞形.
chest 名 ☞
crest 名 ☞
drest 動 《廃》dress の過去・過去分詞形.
fest 名 《主に米北部》集まり; 祭り.
-fest 連結形 ☞
gest[1] 名 物語; 冒険物語, 武勇譚(たん).
gest[2] 名 《古》振る舞い, 品行, 行状.
-gest 連結形 ☞
guest 名 客, 泊まり客.
hest 名 《古》命令, 指令(behest).
jest[1] 名 冗談, しゃれ, ウィットに富む言葉.
jest[2] 副 《話・方言》たった今(just).
lest 接 …するといけないから, …しはしないかと心配して.
nest 名 ☞
pest 名 厄介者, 迷惑な人物; 厄介なもの.
prest[1] 形 《廃》用意 [準備] のできた.
prest[2] 名 《廃》貸付金(loan).
quest 名 《文語》探索; 探求.
rest[1] 名 ☞
rest[2] 名 残部, 残余.
rest[3] 名 【甲冑】槍支え(lance rest).
test[1] 名 ☞
test[2] 名 【動物】無脊椎動物の固い表皮.
-test 連結形 ☞
vest 名 ☞
-vest 連結形 ☞
west 名 ☞
wrest 動他 (激しく)ねじる, ひねる.
zest 名 熱中, 熱意, 興味.

es·tab·lish /istǽbliʃ, es-/

動他 〈国家・政府などを〉樹立する, 〈学校・会社などを〉設立する. ⇨ -ISH[2].

dis·es·tab·lish 動他 〈人を〉押しのける; 免官する.
pre·es·tab·lish 動他 あらかじめ設ける.
re·es·tab·lish 動他 再建する; 復職させる; 回復させる.

es·tate /istéit, es- | is-/

名 **1** 地所, 屋敷, 私有地. **2**【法律】財産; 不動産. **3** 《英》(都市近郊の)住宅群, 団地. **4** (政治上・社会上の)身分, 階級.

báse estáte 【古英法】隷属的保有権.
cóuncil estàte 《英》公営住宅団地.
decédent estàte 【法律】遺産.
fífth estàte 第五集団.
fírst estàte 第一階級 [身分].
fóurth estàte 第四階級 [身分].
hóusing estàte 《英》住宅団地.
indústrial estàte 《英》工業団地.
lífe estàte 生涯不動産(権), 生涯権.
réal estàte 不動産, (特に)土地.
sécond estàte 第二身分 [階級].
séparate estáte 【法律】(特に別居した妻の)特有財産.
thírd estáte 第三階級 [身分].
tráding estàte 《英》工業団地.

es·teem /istí:m, es- | is-/

名動他 尊重(する), 尊敬(する).

dis·es·teem 動他 低く評価する, 軽視する, 侮る.
mis·es·teem 動他 正しく評価しない, 過小評価する.
self-es·teem 名 自己尊敬, 自尊(心).

es·ter /éstər/

名【化学】エステル.
★ ドイツの化学者 L.Gmelin(1788–1853)の造語.

acrýlic éster アクリル酸エステル.
dí·ès·ter 名 ジエステル.
malónic éster マロン酸エチル.
mòn·o·és·ter 名 モノエステル.

es·ter·ase /éstərèis, -rèiz/

名【生化学】エステラーゼ. ⇨ -ASE[1].

al·i·es·ter·ase 名 アリエステラーゼ.
cho·lin·es·ter·ase 名 コリンエステラーゼ.
pec·tin·es·ter·ase 名 ペクターゼ(pectase).
phos·pho·mo·no·es·ter·ase 名 ホスホモノエステラーゼ.

es·the·sia /esθí:ʒə, -ʒiə, -ziə/

名 感覚, 知覚, 感受性(sensitivity). ⇨ -IA.
★ 異形は aethesia.
★ 語頭にくる関連形は(a)esthesio-: *esthesio*meter「触覚計」, *esthesio*physiology「感覚生理学」.

ac·mes·the·sia 名 【心理】鋭利感覚, 皮膚鋭感.
an·es·the·sia 名 ☞
bar·es·the·sia 名 【医学】圧覚; 重量感覚.
ce·nes·the·sia 名 【心理】=coenesthesia.
coe·nes·the·sia 名 【心理】体感.
crypt·es·the·sia 名 【心理】潜在性知覚力.
dys·es·the·sia 名 【医学】感覚障害, 知覚不全.
hy·per·es·the·sia 名 【医学】知覚過敏(症), 感覚過敏(症).
hyp·es·the·sia 名 【医学】感覚 [知覚] 減退(症).
hy·po·es·the·sia 名 =hypesthesia.

kin·es·the·sia 名 運動感覚, 筋(感)覚.
par·es·the·sia 名 〖医学〗知覚異常(症), 異常感覚.
pseud·es·the·sia 名 〖医学〗偽性感覚.
ra·di·es·the·si·a 名 放射(線)探知術 [法].
som·es·the·sia 名 〖生理〗(触覚・痛覚など)体性感覚.
syn·es·the·sia 名 共感覚.
tel·es·the·sia 名 遠感現象.
therm·es·the·sia 名 〖医学〗温覚, 温度感覚.

-es·tle /ésl/

語尾 反復を表す -le の語尾と合わせて接触, 摩擦の意味が感じられる.

nes·tle 動自 愛情を込めて(…に)寄り添う.
pes·tle 名 (乳鉢の中で用いる)乳棒. ━━動他 …を(乳棒・すりこぎなどで)すりつぶす.
tres·tle 名 うま, 架台.
wres·tle 動自 ☞

es·trous /éstrəs | íːs-, és-/

形 〖動物〗発情期の;〈雌が〉さかりのついた. ◇ ESTRUS. ⇨ -OUS.
★ 語頭にくる関連形は estr(o)-: *estro*gen「発情ホルモン」.

an·es·trous 形 無発情(期)の, 発情休止(期)の.
mon·es·trous 形 単発情性の.
pol·y·es·trous 形 多発情(性)の.

es·trus /éstrəs | íːs-, és-/

名 〖動物〗発情期; (雌の)さかり, 発情. ►oestrus とも綴る. ⇨ -US[1].
★ 語頭にくる関連形は estr(o)-, oestr(o)-: *estro*gen「発情ホルモン」.

an·es·trus 名 (メスの哺乳類の)発情休止(期).
di·es·trus 名 発情間期.
met·es·trus 名 発情後期.
pro·es·trus 名 発情前期.

-et[1] /it, et, ét/

接尾辞 小さい, 小型の. ►現在では hatchet, pocket など多くの語で本来の意味が失われている.
★ 主に名詞をつくる.
★ 語末にくる関連形は -ET[2], -ETT[1], -ETTE[1].
◆ 中英＜古仏 *-et*(男性形), *-ette*(女性形); その他ロマンス語系諸語などからの借用語にもみられる.

ag·let 名 アグレット: 靴ひもなどの先金具.
ai·glet 名 ＝aglet.
al·ka·net 名 〖植物〗アルカンナ.
ar·met 名 アーメット: かぶとの一種.
av·o·cet 名 〖鳥類〗ソリハシセイタカシギ.
ba·guet 名 〖宝石〗四角形カット.
bal·co·net 名 〖建築〗バルコネット.
bal·let 名 ☞
bal·lo·net 名 (気球などの)空気房, 気室, ガス袋.
ban·de·let 名 〖建築〗バンダリット.
ban·ner·et 名 小旗.
ban·quet 名 ごちそう.
bar·on·et 名 准男爵.
bar·ru·let 名 〖紋章〗(盾形の中の)普通より幅の狭い横帯.
bas·ci·net 名 ＝basinet.
bas·i·net 名 〖甲冑〗バシネット.
bas·net 名 〖甲冑〗＝basinet.
bas·si·net 名 (柳枝製の)ほろのついた揺りかご.
bay·o·net 名 銃剣.
bei·gnet 名 フリッター, ドーナツ.
bi·det 名 ビデ: 肛門・局部洗浄器.
bil·let[1] 名 (民家などから提供された)宿営.
bil·let[2] 名 (太い)棒切れ; (丸太を切った)薪.
blan·ket 名 ☞
blu·et 名 北米産のアカネ科トキワナズナ属の植物の総称.
bon·net 名 ☞
bos·ket 名 (庭園の)植え込み, 木立, 茂み.
bos·quet 名 ＝bosket.
bos·set 名 若いシカの枝角の根元.
bou·quet 名 花束.
brace·let 名 ☞
bract·let 名 〖植物〗小苞.
bre·vet 名 名誉進級(辞令).
bri·quet 名 練炭, 豆炭, たどん.
brock·et 名 〖動物〗ブロケットジカ.
bru·net 名 ブルネットの人. ►通例, 男性.
buck·et 名 ☞
budg·et 名 ☞
buf·fet 名 打撃, 殴打, 平手打ち.
bu·glet 名 小らっぱ.
bul·let 名 ☞
bur·go·net 名 〖甲冑〗バーゴネット.
bur·net 名 〖植物〗ワレモコウ(吾亦紅).
cab·a·ret 名 キャバレー.
cab·i·net 名 ☞
cab·ri·o·let 名 《古》キャブリオレー: 折りたたみ式ほろ馬車.
ca·chet 名 (手紙・文書の)封印.
ca·det 名 (米国陸・海・空軍の)士官候補生.
cal·u·met 名 カルメット, 平和のパイプ.
can·zo·net 名 カンツォネッタ: 軽い小歌謡曲.
car·ca·net 名 《古》カーカネット: 婦人用髪飾り.
car·net 名 カルネ: 無税関通行許可証.
cas·sou·let 名 〖フランス料理〗カッスーレ.
cas·ta·net 名 カスタネット: 打楽器の一種.
cel·lar·et 名 酒瓶棚, ワイン戸棚.
cha·let 名 シャレー: スイス山中の牧夫の小屋.
chap·let 名 (頭につける)花の冠, 花かずら.
che·va·let 名 (バイオリンなどの)駒(こま).
cir·clet 名 小円, 小環.
clar·i·net 名 〖音楽〗クラリネット.
clos·et 名 ☞
cof·fret 名 (宝石・貴重品用)小箱.
col·lar·et 名 〖服飾〗カラーレット.
col·let 名 物を囲む輪, 環, 帯状物.
co·quet 名 あだっぽい女(coquette).
cor·don·net 名 飾りひも.
cor·net 名 〖音楽〗コルネット.
cor·o·net 名 コロネット, 小冠宝冠.
cor·set 名 (女性用下着の)コルセット.
cou·plet 名 ☞
cren·el·et 名 小銃眼.
cres·set 名 かがり火の油壷.
crin·et 名 〖甲冑〗馬のたてがみの防具.
cro·chet 名 クロッシェ編み, 鉤針編み.
crock·et 名 〖建築〗葉飾り, 唐草浮き彫り模様.
cro·quet 名 〖スポーツ〗クロッケー.
crotch·et 名 気まぐれな考え, 奇想; たくらみ.
crown·et 名 《古》宝冠.
cru·et 名 《米》(食卓用の)薬味瓶.
cu·let 名 〖宝石〗キューレット.
cu·ret 名 〖外科〗キュレット.
cur·vet 名 〖調教〗クルベット, 騰躍.
cyg·net 名 白鳥のひな.
dos·se·ret 名 〖建築〗副柱頭.
dou·blet 名 ダブレット.
drag·on·et 名 小さい竜, 竜の子.
drug·get 名 ドラゲット: インド産の織物.
du·et 名 二重唱(曲), 二重奏(曲).
dul·cet 形 (耳に)快い, 甘美な.
du·plet 名 〖音楽〗二連符.
du·vet 名 羽毛掛け布団.
ea·glet 名 ワシの子, 子ワシ.

E

E

e·gret 名 ☞
ep·au·let 名 《米》(主に陸・海軍将校の)肩章.
eye·let 名 (布や皮にひもを通すための)小穴.
fac·et 名 (磨いた宝石などの)切り子面.
fal·co·net 名 アジア産の小形のハヤブサの総称.
fau·cet 名 《米》(樽・水道の)飲み口, 蛇口.
faun·et 名 《米俗》(同性愛対象の)青少年.
fer·ret 名 細幅リボン [テープ]; 平打ちひも.
Fer·ret 名 【軍事】フェレ衛星.
fi·let 名 =fillet.
fil·let 名 【料理】(魚・肉の骨のない)切り身.
flag·eo·let 名 【音楽】フラジョレット.
flan·nel·et 名 綿ネル.
flask·et 名 小型フラスコ.
flo·ret 名 小さな花; 紡績絹糸, フロレット.
flow·er·et 名 小さい花, 小花.
fresh·et 名 (海に注ぐ)淡水の流れ.
frip·pet 名 《英俗》軽薄で派手な女の子.
fris·ket 名 【美術】フリスケット.
ga·blet 名 (特に装飾用の)小破風, 小切妻形.
gib·bet 名 《古》さらし絞首台.
gob·bet 名 片, 断片, (特に生肉の)一切れ.
gob·let 名 ゴブレット: 取っ手のない酒杯.
go·det 名 まち(布).
gor·get 名 (鳥・虫の)のどの斑点, のど毛.
grom·et 名 =grommet.
grom·met 名 【機械】(種々の)金属環.
grum·met 名 =grommet.
gul·let 名 食道(►esophagus の日常語).
gus·set 名 まち, 三角切れ.
hatch·et 名 手斧(ちょうな).
hel·met 名 ☞
hock·et 名 《古》【音楽】ホケット.
hog·get 名 《英方言・豪・NZ》【海事】ほうき.
is·let 名 小島.
jack·et 名 ☞
kay·det 名 《俗》=cadet.
la·bret 名 唇飾り.
lan·cet 名 ランセット, 柳葉 [乱切] 刀.
lan·guet 名 《まれ》舌の形の物; 舌状突起.
lan·ner·et 名 【タカ狩り】ラナーハヤブサの雄.
lap·pet 名 (衣服などの)垂れ, 垂れひだ.
latch·et 名 《古》靴ひも.
lev·er·et 名 子ウサギ.
lin·net 名 ムネアカヒワ.
li·on·et 名 子獅子(じし), 子ライオン.
lock·et 名 ロケット.
lyn·chet 名 (山腹の)段丘.
mal·let 名 槌(つち), 小槌, 木槌.
man·tel·et 名 マントレット: 短いマント.
mant·let 名 =mantelet.
mar·mo·set 名 マーモセット, キヌザル.
mart·let 名 《英方言》イワツバメ.
med·al·et 名 小メダル.
midg·et 名 ちび, 小人.
mil·let 名 ☞
min·u·et 名 【音楽】メヌエット.
mol·et 名 =mullet[2].
mop·pet 名 《話》子供.
mo·tet 名 【音楽】モテット.
mul·let[1] 名 【魚類】ボラ.
mul·let[2] 名 【紋章】モレット.
Mus·ca·det 名 ミュスカデ: 白ブドウ品種.
mus·ket 名 マスケット銃.
mus·lin·et 名 《古》厚手のモスリン.
no·net 名 九重奏 [唱] 曲.
nug·get 名 (貴金属などの)塊.
nymph·et 名 ニンフェット, 若く美しいニンフ.
oc·tet 名 オクテット, 八重奏 [唱] 曲.
oc·tup·let 名 8 個から成る一組.
oil·let 名 (中世建築で)狭間(はざま)窓.
om·e·let 名 オムレツ.
owl·et 名 フクロウの子.
oye·let 名 (中世建築で)狭間(はざま)窓.
pack·et 名 ☞
pal·et 名 【紋章】=pallet[3].
pal·let[1] 名 わら布団.
pal·let[2] 名 パレット: すのこ状の荷台.
pal·let[3] 名 【紋章】縦帯の通常の幅の約半分のもの.
pam·phlet 名 パンフレット.
par·quet 名 寄せ木張りの床.
pel·let 名 (食べ物などの)小粒, 丸薬, 錠剤.
pel·met 名 カーテン飾り, ペルメット.
pick·et 名 杭(くい).
pic·quet[1] 名 【トランプ】ピケット.
pic·quet[2] 名 《英》=picket.
pi·et 名 《スコット》カササギ(magpie).
pil·lar·et 名 小柱.
pi·pet 名 【化学】ピペット.
pi·quet[1] 名 =picquet[1].
pi·quet[2] 名 =picket.
planch·et 名 貨幣地板.
plum·met 名 おもり, 下げ振り, 垂球.
pock·et 名 ☞
pop·pet 名 【機械】きのこ弁, ポペット弁.
pork·et 名 子豚.
prick·et 名 燭台の釘.
pul·let 名 (1 歳未満の)雌鶏.
pup·pet 名 操り人形.
quad·ruplet 名 4 個から成る一組.
quar·tet 名 四重奏 [唱] 曲, カルテット.
quin·tet 名 五重奏曲.
quin·tu·plet 名 5 個から成る一組.
ra·met 名 【植物】ラメート, ラミート.
reg·let 名 【建築】溝, 平条(ひらじょう).
rig·o·let 名 《米南部》小川, 細流.
rill·et 名 小流, 細流.
rip·plet 名 小さな波, さざ波.
riv·u·let 名 小川; 細い流れ.
rock·et[1] 名 ☞
rock·et[2] 名 ☞
ron·de·let 名 【韻律】ロンデレット, 小ロンド体.
round·let 名 小円, 小輪, 小円形物.
rund·let 名 ランドレット: 英国の昔の液体容量単位.
run·let 名 =rundlet.
rus·set 名 黄褐色, 薄茶色, 小豆色, 赤褐色.
sa·chet 名 (衣服に芳香を添える)におい袋.
sarce·net 名 サーセネット: 薄い絹の平織り.
sarse·net 名 =sarcenet.
sat·i·net 名 サティネット: 繻子(しゅす)織りの布.
sep·tet 名 七人組, 七つ組.
sep·to·let 名 【音楽】七連音符.
sep·tup·let 名 7 個から成る一組.
ses·tet 名 【韻律】六行連(句).
sex·tet 名 六重奏 [唱] 曲.
sex·tu·plet 名 6 個から成る一組.
shev·e·ret 名 =cheveret.
sig·net 名 (指輪などに彫った)小印, 認め印.
sin·glet 名 (競技用)ランニングシャツ.
si·phon·et 名 【昆虫】(アリマキ類の)吸蜜(きゅうみつ)管.
sip·pet 名 小片, 切れ端.
skip·pet 名 スキペット: 公印鑑用小箱.
snip·pet 名 小片, 切れ端; 少量.
sock·et 名 ☞
son·net 名 ☞
spin·et 名 【音楽】小型チェンバロ.
spin·ner·et 名 (クモ類の)出糸突起, 紡績乳頭.
sty·let 名 小刀, 短剣.
su·et 名 (牛・羊などの腰や腎臓の)脂肪.
swal·let 名 《英》地下水流.
swim·mer·et 名 遊泳肢, 泳脚, 腹脚.
tab·bi·net 名 =tabinet.
tab·i·net 名 タビネット: カーテン用布地の一種.
tab·let 名 ☞
tab·o·ret 名 スツール: 背のない腰掛.
tab·ret 名 小太鼓.

tap·pet 名 〘機械〙タペット.
tar·get 名 ☞
tas·set 名 〘甲冑〙タシット, 草摺(くさずり).
tem·plet 名 型版, テンプレート(template).
ter·cet 名 〘韻律〙三行連句.
ter·ret 名 (鞍(くら)の)手綱通し環.
tier·cet 名 ＝tercet.
tip·pet 名 (ふつう毛皮・毛織り製で, 両端を前に垂らす)襟巻き, 肩掛け, スカーフ.
toi·let 名 トイレ, 便所; 便器; 化粧室.
ton·let 名 〘甲冑〙足を保護する板金鎧の垂れ.
tou·can·et 名 〘鳥類〙チュウハシ(中嘴).
tran·chet 名 〘考古〙トランシェ.
treb·u·chet 名 (てこの原理を用いた中世の)投石機.
trick·let 名 細流, 小川.
tri·plet 名 三つ子の一人.
trip·pet 名 〘機械〙たたき金具, 打子(だし).
trum·pet 名 ☞
tuck·et 名 《古》華やかなトランペットの吹奏.
tur·ret 名 ☞
turt·let 名 子ガメ, 小ガメ.
-u·let 接尾辞 ☞
vers·et 名 〘韻律〙短い詩, 小詩.
vi·o·let 名 ☞
whif·fet 名 《米》小犬.
wick·et 名 ☞

-et[2] /ət, ɪt, et/

接尾辞 小….
◆ 女子の名に見られる指小辞 -ET[1].

Har·ri·et 名 ハリエット(女子の名).
Ja·net 名 ジャネット(女子の名).
Ju·li·et 名 ジュリエット(女子の名).
Vi·o·let 名 バイオレット(女子の名).

-et[3] /ét/

語尾 語末にくる同音形は -EAT[3], -ET[1], -ET[2], -ETT[2], -ETTE[1], -ETTE[2].

bet 名 ☞
blet 名 熟れすぎた果実の腐り.
et[1] 動 《主に北大西洋・米南部》eat の過去形.
et[2] 接 《ラテン語》＝and.
fret[1] 動自 いらいらする; ぶつぶつ言う.
fret[2] 名 雷文(らいもん)模様.
fret[3] 名 (弦楽器の)フレット, 駒(こま).
get 動他 所有する, …を得る.
het[1] 動 《方言・古》heat の過去・過去分詞形.
het[2] 名 《俗》異性愛の人(heterosexual).
jet[1] 名 ☞
jet[2] 名 黒玉(くろだま)(炭).
jet[3] 名 〘薬学〙ケタミン塩酸塩.
ket 名 〘物理〙ケット.
let[1] 動他 ☞
let[2] 名 〘テニス〙〘バトミントン〙レット.
met[1] 動 meet の過去・過去分詞形.
met[2] 名 《話》気象庁(Met office).
net[1] 名 ☞
net[2] 形 (諸費用を差し引いた)正味の.
pet[1] 名 ペット, 愛玩(あいがん)動物.
pet[2] 名 むずかり, すねること, 不機嫌.
ret[1] 動他 〈亜麻・大麻などを〉浸水する.
ret[2] 名 《米学生俗》タバコ. ►cigarette より.
set 動他 ☞
stet 動自 (校正刷りなどで)生きる, 「イキ」.
tret 名 《もと》入れ目, 歩増し.
vet[1] 名形 《話》獣医(veterinarian)(の).
vet[2] 名形 《米話》ベテラン(の)(veteran).
wet 形 ぬれた, 湿った.
whet 動他 〈刃物などを〉研ぐ, 磨く.
yet 副 まだ(…ない), いまだに.

-etch /étʃ/

語尾 いくつかの -etch は bletch, kvetch, retch のように音象徴的であり, letch, wretch とともにいずれも否定的な響きをもつ.

bletch 間 《米ハッカー俗》うひゃーっ, げっ.
etch 動他 〈金属・ガラスなどを〉(酸類, 腐食剤などで)食刻する.
fetch[1] 動他 …を取ってくる
fetch[2] 名 (死の前兆とされている)生霊(いきりょう).
fletch 動他 〈矢に〉羽根をつける.
ketch 名 〘海事〙ケッチ.
kvetch 動自 《俗》不平ばかり言う.
letch 名 《俗》(女性に対する)助平心.
quetch 動自 《俗》＝kvetch.
retch 動自 吐きそうになる.
sketch 名 スケッチ, 写生図 [画], 下絵.
stretch 動他 ☞
vetch 名 ☞
wretch 名 悲惨な境遇にある人, 不運な人.

-ete /iːt/

語尾 語末にくる同音形は -EAT[1], -EET, -ITE[4].

bete 動他 《英方言》〈火に〉燃料をくべる.
cete 名 (アナグマの)群れ, 集団.
mete[1] 動他 《文語》〈賞罰などを〉(程度に応じて) 分け与える.
mete[2] 名 境界標, 境界石.
pete 名 《俗》金庫; 財布; トランク; 包み.
-plete 連結形 ☞

-e·te·ri·a /ətíːriə/

連結形 …セルフサービス店; (セルフサービスの [最新式]) 小店舗, …ショップ.
★ 語末にくる関連形は -ATERIA, -TERIA.
★ 異形 -eria: taqu*eria*「(タコスを扱う)メキシコ料理店」.
★「料理店」から種々の最新式構造の店舗を表すまでに語法が拡大した.
◆ cafeteria「カフェテリア」から抽出.

health·e·te·ri·a 名 **1** ベジェタリアン・レストラン. **2** ジム, 体操場.
lunch·e·te·ri·a 名 選り取りランチ・ショップ.
road·e·te·ri·a 名 ロードサイド・レストラン.

-eth[1] /ɪθ/

接尾辞 《古》動詞の三人称単数・直説法現在をつくる.
★ 現在では古語の形, または詩語として用いる.
★ 語末にくる関連形は -TH[3].
◆ 古英 *-eth*, *-ath*, *-oth*, *-th*; ラ *-t* と同根.

com·eth 動 come の直説法三人称単数現在.
do·eth 動 do の直説法三人称単数現在.
goeth 動 go の直説法三人称単数現在.
hopeth 動 hope の直説法三人称単数現在.
sitteth 動 sit の直説法三人称単数現在.

-eth[2] /ɪθ/

接尾辞 -th[2] の異形.
★ -y で終わる基数について用いられる.
◆ 古英 *-tha*, *-the*.

eight·i·eth 形 第 80 の, 80 番目の.

E

fif·ti·eth 形 第50の, 50番目の.
for·ti·eth 形 第40の, 40番目の.
nine·ti·eth 形 第90の, 90番目の.
sev·en·ti·eth 形 第70の, 70番目の.
six·ti·eth 形 第60の, 60番目の.
thir·ti·eth 形 第30の, 30番目の.
twen·ti·eth 形 第20の, 20番目の.
ump·ti·eth 形 《話》非常に遅い順番の.

eth·ane /éθein/

名 〖化学〗エタン. ⇨ -ANE[2].
★ 語頭にくる関連形は ethan-: *ethan*olamine「〖化学〗エタノールアミン」.

chlo·ro·eth·ane 名 塩化エチル.
eth·o·xy·eth·ane 名 エーテル(ether).
ni·tro·eth·ane 名 ニトロエタン.
u·re·thane 名 ウレタン.

eth·a·nol /éθənɔ̀ːl, -nɑ̀l | -nɔ̀l/

名 〖化学〗アルコール, 酒精. ⇨ -OL[1].

di·eth·yl·am·i·no·eth·a·nol 名 ジエチルアミノエタノール.
mer·cap·to·eth·a·nol 名 メルカプトエタノール.
tri·bro·mo·eth·a·nol 名 トリブロムエタノール: 基礎麻酔剤.

e·ther /íːθər/

名 〖化学〗〖薬学〗エーテル, エチルエーテル(ethyl ether).

acétic ether 酢酸エチル(ethyl acetate).
bénzyl isoámyl éther ＝isoamyl benzyl ether.
crówn èther クラウンエーテル.
diéthyl éther ＝ether.
éthyl éther ＝ether.
isoámyl bénzyl éther イソアミルベンジルエーテル.
isoprópyl éther イソプロピルエーテル.
méthyl phényl éther アニソール(anisole).
nítric éther ＝nitrous ether.
nítrous éther 硝酸エチル(ethyl nitrate).
ozónic éther 過酸化水素のエチルエーテル溶液.
petróleum éther 石油エーテル.
pòly·éther 名 ポリエーテル(polymeric ether).
sulfúric éther ＝ether.
thìoállyl éther 硫化アリル(allylsulfide).
thì·o·é·ther 名 チオエーテル.
vínyl éther 〖薬学〗ビニル・エーテル.

eth·ic /éθik/

名 価値体系, 倫理, 道徳. ⇨ -IC[1].

lífeboat éthic 緊急時の論理, 緊急避難的倫理.
Prótestant éthic プロテスタンティズムの倫理.
Púritan éthic ＝work ethic. ► Puritan work ethic ともいう.
wórk èthic (勤勉・勤労を善とする)労働観.

eth·ics /éθiks/

名複 倫理[道徳]体系. ⇨ -ICS.

axiológical éthics 価値論的倫理学.
bì·o·éth·ics 名複 生命倫理.
compúter èthics コンピュータ倫理.
deontológical éthics 義務論的倫理学.
mèt·a·éth·ics 名複 道徳哲学, メタ倫理学.
situátion éthics 状況倫理学.

eth·nic /éθnik/

形 民族[種族, 人種](ethnic group)の[に関する]. ⇨ -IC[1].

in·ter·eth·nic 形 異人種[民族]間の.
mul·ti·eth·nic 形 多民族の.
non·eth·nic 形 民族的要素[民族色]を持たない.
pol·y·eth·nic 形 多様な民族[種族]の居住している.

eth·yl·ene /éθəliːn/

形 〖化学〗エチレンの, エチレン基[団]を含む. ──名 エチレン. ⇨ -ENE[1].
★ 語頭にくる関連形は ethyl-: *ethyl*amine「〖化学〗エチルアミン」.

chlo·ro·tri·fluor·o·eth·yl·ene 名 塩化三フッ化エチレン.
per·chlo·ro·eth·yl·ene 名 ＝tetrachloroethylene.
phen·yl·eth·yl·ene 名 スチレン, スチロール.
pol·y·eth·yl·ene 名 ☞
tet·ra·chlo·ro·eth·yl·ene 名 テトラクロロ[四塩化]エチレン.
tet·ra·flu·o·ro·eth·yl·ene 名 テトラフルオロエチレン.
tri·chlo·reth·yl·ene 名 ＝trichloroethylene.
tri·chlo·ro·eth·yl·ene 名 トリクロロエチレン.
vi·nyl·eth·yl·ene 名 ブタジエン(butadiene).

-et·ic /étik/

接尾辞 形容詞をつくる.
◆ ＜ラ *-eticus* ＜ギ *-etikos*, *-ētikos*＝*-et-*, *-ēt-* 名詞構成辞＋*-ikos* -IC[1].

al·get·ic 形 〖医学〗痛覚の, 痛覚を起こす.
ba·thet·ic 形 漸降法(bathos)の; 陳腐な, 平凡な.
ei·det·ic 形 〖心理〗(一度見たことが後になっても鮮やかに見える)直観像の[を持つ].
pa·thet·ic 形 ☞
phe·net·ic 形 〖生物〗表現的な.
sple·net·ic 形 脾臓(ひぞう)の.
toy·et·ic 形 キャラクター・グッズになりうる.
ze·tet·ic 形 疑問[探究心]を持って進む.

-ett[1] /it/

接尾辞 小….
★ 人名をつくる.
★ 語末にくる関連形は -ET[1].
◆ 中英 *-et* ＜古仏 *-et(e)*.

Beck·ett 名 ベケット(姓).
Cor·bett 名 コーベット(姓).
Crock·ett 名 クロケット(姓).
Em·mett 名 エメット(姓).
Gil·lett 名 ジレット(姓).
Hew·lett 名 ヒューリット(姓).
Jew·ett 名 ジューエット(姓).
Jow·ett 名 ジャウエット(姓).

-ett[2] /ét/

語尾 語末にくる同音形は -EAT[3], -ET[1], -ET[2], -ET[3], -ETTE[1], -ETTE[2].

nett 形 《英》正味の(net).
sett 名 《主に英》舗道用敷石.
yett 名 《主にスコット》門; 通用門.

-et·ta /étə/

接尾辞 小…. ◇ -ET[1], -ET[2].
★ 名詞をつくる.
★ 女子の名の愛称にも用いる.
★ 語末にくる関連形は -ETTO.
◆ イタリア語の女性形指小辞.

ar·i·et·ta 名 〖音楽〗アリエッタ, 小詠唱.

bur·let·ta 名 〘演劇〙ブルレッタ.
ca·ba·let·ta 名 カバレッタ: 単純な形式の歌.
ca·bret·ta 名 《主に米》カブレータ(レザー).
co·det·ta 名 〘音楽〙コデッタ, 小結尾.
co·me·di·et·ta 名 一幕物の喜劇 [笑劇], 小喜劇.
gon·do·let·ta 名 小型のベニス風ゴンドラ.
Hen·ri·et·ta 名 女子の名. ►男子の名 Henry より.
Lau·ret·ta 名 女子の名. ►Laura の指小形.
Lo·ret·ta 名 女子の名. ►Lauretta の異形.
mac·chi·net·ta 名 ドリップ式コーヒー沸かし器.
man·tel·let·ta 名 〘ローマカトリック〙マンテレッタ.
Mar·i·et·ta 名 女子の名. ►Maria の指小形.
mo·zet·ta 名 ＝mozzetta.
moz·zet·ta 名 〘ローマカトリック〙モゼタ.
op·er·et·ta 名 オペレッタ, 軽歌劇.
Ro·set·ta 名 女子の名. ►Rosa の愛称.
sin·fo·niet·ta 名 シンフォニエッタ, 小交響曲.

-ette[1] /ét, it/

接尾辞 **1** 小さい…, かわいい…. **2** 女性の…. **3** フランス系の女子の名をつくる.
★ 名詞につけて名詞をつくる.
★ 語末にくる関連形は -ET[1], -ET[2].
◆ 中英＜古仏 *-ete* (*-et* -ET[1] の女性形より).
[発音] -ette に第 1 強勢. 例外: 《米》では étiquette.

〈**1**〉小さい…, かわいい….

ai·grette 名 (羽毛で作った)髪飾り.
ai·guil·lette 名 (軍服の肩から吊る)垂れ飾り.
ai·lette 名 〘甲冑〙(騎士の)肩章.
am·ou·rette 名 行きずりの恋, 浮気.
an·i·sette 名 アニゼット酒, アニス酒.
ba·guette 名 **1** 〘宝石〙四角形カット(の宝石). **2** バゲット: 細長いフランスパン.
ban·ner·ette 名 小旗.
ban·quette 名 バンケット: 上張りした長椅子.
bar·bette 名 〘築城〙銃座, 砲座.
bar·quette 名 〘料理〙バルケット.
bar·rette 名 髪止めクリップ.
bea·ver·ette 名 ビーバーレット: ビーバーの毛皮に似せたウサギの毛皮.
blan·quette 名 〘料理〙ブランケット.
bou·lette 名 (チーズの)丸めたもの.
bri·o·lette 名 〘宝石〙ブリオレット型 [宝石].
bri·quette 名 練炭, 豆炭, たどん, ブリケット.
bro·chette 名 (料理用の)小串(ぐし), 焼き串.
bun·ion·ette 名 〘病理〙(足の)肉刺(まめ).
bu·rette 名 〘化学〙ビュレット.
ca·pette 名 ＝caponette.
ca·pon·ette 名 食肉用雄鳥.
car·a·van·ette 名 《英》キャンピングカー.
car·bon·ette 名 《NZ》燃料用に石炭粉を圧縮して丸めた球.
cas·sette 名 ☞
cas·sol·ette 名 カソレット: 1 人分の料理用の容器.
cau·li·flow·er·ette 名 カリフラワーの花蕾(からい).
chan·son·ette 名 短い歌, 小曲.
cha·rette 名 ＝charrette.
char·rette 名 (特に建築設計で締め切り前の)最後の追い込み.
chem·i·sette 名 シュミゼット: 婦人用胸飾り布.
chev·rette 名 シェブレット皮.
chub·bette 名 (特に小柄で)まるまると太った女性.
cig·a·rette 名 ☞
con·so·lette 名 小さな棚 [物入れ].
cor·vette 名 〘海軍〙コルベット艦.
cote·lette 名 薄くスライスした肉.
cou·chette 名 〘鉄道〙昼間は座席になる組立式寝台.
coup·ette 名 クープ用の(ガラスの)小皿.
cour·gette 名 《主に英》(野菜の)ズッキーニ.
croi·sette 名 ＝crossette.
cro·quette 名 〘料理〙コロッケ.
cros·ette 名 ＝crossette.
cross·ette 名 〘建築〙耳, クロセット.
cu·rette 名 〘医学〙有窓鋭匙(ゆうそうえいひ).
cur·vette 名 〘宝石〙＝cuvette.
cu·vette 名 カメオに似た浮き彫りを施した宝石.
di·nette 名 (台所のそばなど)略式の小食堂.
disk·ette 名 〘コンピュータ〙ディスケット.
ech·e·lette 名 〘分光学〙エシュレット格子.
es·pa·gno·lette 名 クレモン錠, イスパニア錠.
es·ta·fette 名 騎馬使者 [特使].
et·i·quette 名 礼儀, 作法, 礼法, エチケット.
farm·ette 名 小ファーム, 小農園付き住宅.
fea·tur·ette 名 短編映画.
flan·nel·ette 名 綿ネル.
flat·ette 名 《豪》小さいアパート.
flé·chette 名 〘軍事〙フレシェット, 矢弾.
fleu·rette 名 様式化された小さい花形の装飾.
fos·sette 名 小さなくぼみ; えくぼ.
four·chette 名 〘解剖〙陰唇小帯.
fri·sette 名 (婦人の)垂らした巻き毛の前髪.
fri·zette 名 ＝frisette.
ga·zette 名 新聞. ►現在は主に新聞名に用.
il·lu·sion·ette 名 大がかりでない, 簡単な手品.
kitch·en·ette 名 簡易台所, 小さな台所.
lan·guette 名 〘音楽〙ある種のオルガンのパイプの口につけられた薄い金属板.
laun·der·ette 名 コインランドリー.
lay·ette 名 新生児用品一式(産着, 布団など).
lead·er·ette 名 《英》(新聞の)小社説.
leath·er·ette 名 レザーレット, 模造革.
lon·guette 名 〘服飾〙ロンゲット.
lor·gnette 名 柄付き眼鏡 [オペラグラス].
lunch·eon·ette 名 《米・カナダ》軽食堂, 簡易食堂.
lu·nette 名 三日月形 [半円形] の物.
mai·son·ette 名 (特に共同住宅に付属した)小別棟.
man·chette 名 (ソファなどの)腕に入れる詰め物.
ma·quette 名 (彫刻・建築用の)模型.
mar·i·on·ette 名 マリオネット, 糸操り人形.
mar·qui·sette 名 (薄手の編みレースで)マーキゼット.
mi·gnon·ette 名 〘植物〙モクセイソウ(木犀草).
mi·nette 名 〘岩石〙ミネット: 煌斑岩の一種.
min·ion·ette 名 《米》〘印刷〙ミニオネット.
mo·bil·ette 名 小型バイク; スクーター.
mo·quette 名 (毛織物で)モケット.
mu·sette 名 《米》ミュゼット: 肩ひも付きの小さな革 [布] 製かばん.
na·vette 名 〘宝石〙ナベット [宝石].
net·i·quette 名 ネチケット: インターネット上での作法.
noi·sette 名 肉の赤身の部分.
nov·el·ette 名 中編小説.
ol·i·vette 名 〘演劇〙(電球 1 個だけの)大型フラッドライト.
oreil·lette 名 〘料理〙オレイエット.
ou·bli·ette 名 地下牢(ろう), 密牢.
pail·lette 名 〘服飾〙パイエット.
pal·ette 名 パレット, 絵の具板.
pal·lette 名 〘甲冑〙(エジプト美術で)パレット.
pal·mette 名 棕櫚(しゅろ)紋, パルメット.
park·ette 名 《カナダ》小公園, ミニ公園.
pau·piette 名 〘フランス料理〙ポピエット.
pi·a·nette 名 《英》ピアネット: たて型ピアノ.
pin·cette 名 ピンセット.
pi·pette 名動他 〘化学〙ピペット(で量る [移す]).
pir·ou·ette 名 〘ダンス〙〘スケート〙ピルエット.
plan·chette 名 プランシェット, 占い板.
pla·quette 名 プラケット, 浮き彫り小金属板.
po·chette 名 ポシェット.
pou·drette 名 下肥(しもごえ)に石膏・木炭を混ぜた肥料.
pous·sette 名 〘ダンス〙プーセット.
ra·clette 名 〘スイス料理〙ラクレット.
ranch·ette 名 ランチェット: 数エーカーほどの小規模(観光)牧場.
room·ette 名 《米・カナダ》(寝台車の)個室.

E

ro·sette 名 (形などが)バラに似た物.
rou·lette 名 ☞
sal·o·pette 名 サロペット, オーバーオール, つなぎ.
ser·i·nette 名 セリネッテ: 小鳥に歌を仕込むのに用いる小さい手回しオルガン.
ser·mon·ette 名 短い説教 [法話].
ser·vi·ette 名 《主に英》食卓用ナプキン.
sleep·er·ette 名 (列車・飛行機などの)大きなリクライニングシート.
slip·per·ette 名 使い捨てスリッパ.
snack·ette 名 《カリブ英語》簡易食堂, 軽食堂.
so·le·net·te 名 〖魚類〗体長 10 cm の小さなシタビラメの一種.
stat·u·ette 名 小彫像 [塑像].
sto·ri·ette 名 ごく短い小説, 掌編.
sto·ry·ette 名 =storiette.
sue·dette 名 模造 [代用] スエード.
su·per·ette 名 小型スーパーマーケット.
sym·pho·nette 名 シンフォネット, 小交響楽団.
tar·te·lette 名 タルトレット: 小型のタルト.
toi·lette 名 化粧, 身じまい, 身ごしらえ.
to·nette 名 トネット, 縦笛.
tow·el·ette 名 ペーパータオル, ぬれナプキン.
van·nette 名 〖自動車〗小型のバン.
ve·dette 名 《もと》(海軍の)小型哨戒艇.
vi·dette 名 =vedette.
vi·gnette 名 (書物などの)カット, 挿し絵, 図柄.
vin·ai·grette 名 ビネグレット, 気付け薬入れ.
vin·e·gar·ette 名 =vinaigrette.
wag·on·ette 名 軽四輪馬車.
win·cey·ette 名 《英》両面の毛羽立った綿ネル.

〈**2**〉女性の….

an·cho·rette 名 《米》女性ニュースキャスター.
bach·e·lor·ette 名 若い独身女性.
bim·bette 名 《俗 / こっけい》ばかな若い娘.
boz·ette 名 《米俗》(粗野な)娘, 女.
bru·nette 形名 (髪が)ブルネットの(女性).
cab·ette 名 《主に米》女性タクシー運転手.
ca·dette 名 (年齢 12 –14 歳の)ガールスカウトの隊員.
co·quette 名 あだっぽい女, 男たらし.
cos·mo·nette 名 (ロシアの)女性宇宙飛行士.
cu·jette 名 《米俗》女のいとこ.
du·dette 名 《俗》彼女; 《呼びかけ》きみ.
farm·er·ette 名 《古風》《主に米》農婦.
gig·o·lette 名 (ダンスや同伴の)相手として雇われる女性.
gri·sette 名 (フランスの)働く娘, 女店員.
hack·ette 名 《英俗》女性ジャーナリスト.
jock·ette 名 女性の競馬騎手.
ma·jor·ette 名 女性の鼓手 [軍楽] 隊長.
mid·i·nette 名 (Paris の)女売り子, 女店員; 針子.
Pi·er·rette 名 女性のピエロ.
pro·ette 名 (特にゴルフの)女子プロ選手.
punk·ette 名 パンクスタイルの女の子.
pur·ser·ette 名 (船・飛行機などの)婦人パーサー.
schlub·ette 名 《米俗》ばかな娘.
shack·er·ette 名 《豪話》同棲(どうせい)している女.
stud·ette 名 《米学生俗》もてる [いかす] 女の子.
suf·fra·gette 名 (特に 20 世紀初頭の英国の)女性の婦人参政権論者.
un·der·grad·u·ette 名 《英話》学部在学中の女子大学生.
ush·er·ette 名 (教会・劇場などの)女子案内係 [役].
yup·pette 名 女性のヤッピー.

〈**3**〉フランス系の女子の名をつくる.

An·dri·ette 名 女子の名.
An·nette 名 女子の名. ►フランス語 Anne の愛称.
An·toi·nette 名 女子の名. ►男子の名 Antoine (Anthony のフランス語)の女性形.
Bar·bette 名 女子の名. ►Barbara の愛称.
Clau·dette 名 女子の名. ►フランス語 Claude の女性形.
Fleu·rette 名 女子の名. ►フランス語 Fleur(女子の名)の派生形.
Geor·gette 名 女子の名. ►フランス語 Georges (男子の名)の女性形.
Jean·nette 名 女子の名. ►Janet の女性形を強調した異形.
Lyn·ette 名 女子の名. ►Lynn(女子の名)の派生形.
Na·nette 名 女子の名. ►Nan(女子の名, Ann の愛称)より.
Ni·co·lette 名 女子の名.
Ni·nette 名 女子の名. ►Nina(ロシア語の女子の名 Antonina の愛称)の派生形.
O·dette 名 女子の名. ►古仏 Oda(男子の名)の女性形.
Pau·lette 名 女子の名. ►男子名 Paul より.
Ro·sette 名 女子の名.
Su·sette 名 女子の名. ►フランス語 Suzanne の愛称.

〈**4**〉その他.

quar·tette 名 《特に英》4 つ組; 四重奏団.
quin·tette 名 5 人組, 5 個組; 五重奏団.

-ette² /ét/

語尾 フランス語の指小辞の役割を受け継ぐもの.
★ 語末にくる同音形は -EAT³, -ET¹, -ET², -ET³, -ETT², -ETTE¹.

rette 名 《米俗》タバコ(cigarette).
vette 名 《米俗》コルベット(corvette): 米国 GM 社製のスポーツカー.

-et·tle /étl/

語尾

fet·tle 名 (心身の)状態, 調子.
ket·tle 名 ☞
met·tle 名 元気, 気概, 勇気, 熱情, 剛毅.
net·tle 名 ☞
pet·tle 動他 《スコット》…をかわいがる.
set·tle¹ 動他 確定する, 決定する.
set·tle² 名 長椅子, ベンチ.

-et·to /étou; *It.* étto/

接尾辞 小….
★ 名詞をつくる.
★ 語末にくる関連形は -ETTA.
◆ イタリア語の男性形指小辞. ⇨ -O².

a·da·giet·to 形副 〖音楽〗アダージョより少し速い [速く]. ━━名 短いアダージョ曲.
al·le·gret·to 形副 〖音楽〗やや速い [く], 少し軽快な [に].
am·a·ret·to 名 アマレット: イタリア産のリキュール.
am·o·ret·to 名 小キューピッド, アモレット.
ar·chet·to 名 〖製陶〗弓.
ca·vet·to 名 〖建築〗四分円凹面刳形(くりかた).
cor·ne·tto 名 コルネット: 15, 6 世紀の古楽器.
du·et·to 名 〖音楽〗二重唱(曲), 二重奏(曲).
fal·set·to 名 (特に男性の)作り声, 裏声.
fi·an·chet·to 名 〖チェス〗フィアンチェットー.
grup·pet·to 名 〖音楽〗グルッペット.
lar·ghet·to 形副 〖音楽〗やや遅い [遅く].
li·bret·to 名 〖音楽〗リブレット: オペラなどの歌詞 [台本]. ►字義は「小冊子」.
neu·tret·to 名 〖物理〗中性中間子.
pal·met·to 名 〖植物〗パルメット.
pan·chet·to 名 〖イタリア家具〗パンチェット.
sti·let·to 名 (両刃で細い)短剣; 入れ子式ナイフ.
va·po·ret·to 名 (特にイタリアの Venice で運河の乗用船として用いる)モーターボート.

-e·tum /íːtəm/

接尾辞 植物の生育場所.
★ 名詞をつくる.
◆ ラテン語 *-ētum* より.

ar·bo·re·tum 名 (観賞・研究用の)樹木園, 植物園.
pi·ne·tum 名 松(樹)園, 松栽培園.
ta·pe·tum 名 【植物】じゅうたん組織.
vit·i·ce·tum 名 蔓植物の栽培地, (特に)ぶどう園.

-eu /júː/

語尾 語末にくる同音形は -EW², -UE¹.

feu 名 【スコット法】地代払い土地保有.
meu 名 白花をつけるセリ科の多年草.

-eud /júːd/

語尾 語末にくる同音形は -UDE².

feud¹ 名 不和.
feud² 名 【法律】相続不動産権.
leud 名 (中世初期の)封臣, 領臣.
pseud 名 《話》インテリぶる人, 気取り屋.

-eugh /úːx/

語尾 -ough の北部方言異形.

pleugh 名動 《スコット》(農耕用の)鍬(すき) (plough).
sheugh 名 《スコット・北イング》溝, 堀 (shough).

-eur /əːr/

接尾辞 フランス語に見られる; 動詞から派生した動作主を表す名詞に見られるのが一般的だが(entrepren*eur*, voy*eur*), 形容詞から派生した同様の名詞に使われることもある(agent provocat*eur*).
★ 語末にくる関連形は -EUSE.
◆ <仏; 古仏 *-o(u)r* <ラ *-ōr-* -OR², および *-eo(u)r* <ラ *-ātōr-* -ATOR.

ac·cou·cheur 名 《フランス語》助産夫.
am·a·teur 名 アマチュア, 素人.
au·teur 名 【映画】(自作の脚本を演出する)映画監督.
bla·gueur 名 ほら吹き.
cam·ou·fleur 名 【軍事】偽装工作兵.
car·il·lon·neur 名 カリオン(carillon)奏者.
chan·teur 名 (特にナイトクラブやキャバレーで歌う)男性歌手.
chas·seur 名 (フランス陸軍の)追撃兵.
coif·feur 名 《フランス語》(男性の)理髪師.
col·por·teur 名 書物行商人, (特に)聖書行商人.
con·glom·er·a·teur 名 複合企業経営者.
dan·seur 名 男性バレエダンサー.
de·man·deur 名 請願者, 依頼者.
de·rail·leur 名 (自転車の)変速機, 多段変速ギア.
di·seur 名 話し家, 朗吟家.
ec·o·teur 名 ecotage「反公害運動」実行者.
en·tre·pre·neur 名 起[企]業家.
far·ceur 名 笑劇作家; 笑劇俳優, 道化役者.
fron·deur 名 暴徒; 反体制者, 造反分子.
frot·teur 名 (人込みなどで)性器を他人にこすりつける人.
gran·deur 名 雄大さ, 壮大さ, 壮麗さ, 偉観.
mas·seur 名 (男性の)マッサージ師, あんま.
op·er·a·teur 名 オペラテュール: 効率に基づく価格対効果を重んじる新型の管理職.
pas·ti·cheur 名 《フランス語》パスティシュの作者.
plas·ti·queur 名 《フランス語》プラスチック爆弾製造者.
po·seur 名 気取り屋, 澄まし屋.
pro·sa·teur 名 《フランス語》散文作家.
pro·vo·ca·teur 名 扇動家.
rac·on·teur 名 話し上手な人, 談話家.
rai·son·neur 名 小説[劇]の説明役.
rap·por·teur 名 ラポルトゥール, 報告担当者.
re·gis·seur 名 《フランス語》(演劇, 特にバレエの)演出家, 舞台監督.
re·ni·fleur 名 【精神医学】悪臭嗜好(しこう)者.
re·pe·ti·teur 名 (特にオペラの)声楽指導者.
sab·o·teur 名 破壊[妨害]行為をする人. ► 女性形は saboteuse.
sa·breur 名 サーベルを持った騎士.
sei·gneur 名 領主, (特に)封建君主, 藩主.
sif·fleur 名 口笛吹き.
sou·te·neur 名 (売春婦の)ひも(pimp).
vo·ya·geur 名 《カナダ》熟練した船頭.
vo·yeur 名 観淫(かんいん)症の人, のぞきをする者.

Eu·ro·pe·an /jùərəpíːən, jəːr- | jùər-/

形 ヨーロッパの. ⇨ -EAN.

an·ti-Eu·ro·pe·an 形 西欧統一主義に反対の.
In·do-Eu·ro·pe·an 名 インド=ヨーロッパ語族, 印欧語族.
mid-Eu·ro·pe·an 形 中部ヨーロッパの, 中欧の.
non-Eu·ro·pe·an 形 非ヨーロッパ(人)の.
Pan-Eu·ro·pe·an 形 汎(はん)ヨーロッパの, 汎欧の.
pro-Eu·ro·pe·an 形 西欧統一主義の.
un-Eu·ro·pe·an 形 ヨーロッパ的でない.

-e·us /iəs/

接尾辞 ラテン語の科学名およびそれに対応する英語の借用語に見られる.
★ 名詞をつくる.
★ 語末にくる関連形は -EA¹.
◆ <近代ラ *-eus*, ラ *-us*. ⇨ -US¹.

cal·ca·ne·us 名 【解剖】踵骨(しょうこつ).
ce·re·us 名 ハシラサボテン.
clyp·e·us 名 【昆虫】額片, 頭盾(とうじゅん).
cu·ne·us 名 【解剖】楔状(けつじょう)葉.
glu·te·us 名 【解剖】臀筋(でんきん).
la·que·us 名 【解剖】毛帯, 絨帯(じゅうたい).
per·o·ne·us 名 【解剖】腓骨(ひこつ)筋.
pi·le·us 名 【菌類】キノコの傘, 菌傘(きんさん)(cap).
plu·te·us 名 (古代ローマ建築の)列柱の間の空間の低い部分を区切る障壁.
pop·lit·e·us 名 【解剖】膝窩筋(しっかきん).
rhom·boi·de·us 名 【解剖】菱形(りょうけい)筋 (rhomboid muscle).

-euse /ə́ːz/

接尾辞 …する女性.
★ フランス語からの借用語で語尾が -eur の語の女性形をつくる.
★ 語末にくる関連形は -EUR.
◆ <仏<ラ *-ōsa* [*-ōsus* -OSE¹(>仏 *-eux*)の女性形].

ac·cou·cheuse 名 助産婦, 産婆, (女性の)産科医.
bai·gneuse 名 【フランス家具】(フランス第一帝政時代の)寝椅子.
ber·ceuse 名 【音楽】子守歌.
bou·deuse 名 (背中合わせに座る)二人掛けの長椅子.
cau·seuse 名 【フランス家具】2人掛け小ソファー.
chan·teuse 名 (特にナイトクラブやキャバレーで歌う)女性歌手.
chauf·feuse 名 (女性の)運転手.
coif·feuse 名 (女性の)理髪師.
dan·seuse 名 女性ダンサー, バレリーナ.
di·seuse 名 女性の話し家[朗吟家].
dor·meuse 名 布製の婦人用室内帽の一種(mob-cap).

far·ceuse 名 (女性の)道化者, コメディエンヌ.
fu·meuse 名 【フランス家具】フュムーズ: 18 世紀に用いられた喫煙用の椅子.
mas·seuse 名 (女性の)マッサージ師; 売春婦.
pas·ti·cheuse 名 (女性の)追従者, 模倣者.
pre·cieuse 名 17 世紀フランスの文学かぶれの女.
rac·on·teuse 名 話し上手な女性.
veil·leuse 名 【フランス家具】両端の高さが著しく異なるソファー.
ven·deuse 名 女店員.
voy·euse 名 【フランス家具】(18 世紀の賭博(とばく)場の)見物用椅子.

E

eu·tha·na·sia /jùːθənéiʒə, -ʒiə, -ziə | -ziə, -zjə/

名 安楽死. ⇨ -THANASIA.

áctive euthanásia (機器・薬物による)積極的安楽死.
àuto·euthanásia 名 安楽自殺.
négative euthanásia =passive euthanasia.
pássive euthanásia 消極的安楽死.
pósitive euthanásia 積極的安楽死.

-ev /əf, ef, ev; *Rus.* jif/

接尾辞 ロシア系の人名, 地名に見られる接尾辞.
★ 父称にちなむ命名法として用いられる.
◆ ロシア語 *-ev*(元来は形容詞語尾)より.

An·dre·yev 名 アンドレーエフ(姓).
Brezh·nev 名 ブレジネフ(姓).
Gor·ba·chev 名 ゴルバチョフ(姓).
Khru·shchev 名 フルシチョフ(姓).
Ki·ev 名 キエフ(ウクライナの都市名).
Pro·ko·fiev 名 プロコフィエフ(姓).
Tu·po·lev 名 ツポレフ(姓).
Tur·ge·nev 名 ツルゲーネフ(姓).

eve /iːv/

名 (休祭日・教会祝日などの)前夜, 前日.

Allhállows Éve ハロウィーン: 万聖節の前夜.
Chrístmas Éve クリスマスイブ, クリスマス前夜.
Mídsummer Éve 《主に英》 Midsummer Day の前夜.
Néw Yèar's Éve 12 月 31 日の夜, 大みそかの夜.
Sàint Ágnes's Éve 聖アグネス前祭: ローマの処女殉教者 St.Agnes を祭る 1 月 21 日の前夜.
Sàint Jóhn's Ève =Midsummer Eve.
yéster·éve 《古》昨晩, 昨日の夜.

e·ven /íːvən/

形 **1** 平らな. **2** 偶数の. **3** 釣り合い [平衡] のとれた.

bréak-éven 形 損益の生じない, 収支がとんとんの.
ódd and éven =odd or even.
ódd-èven 形 《米》(石油不足下のガソリン販売で)偶数・奇数別販売方式の.
ódd or éven 丁か半か; 丁半遊び.
ùn·é·ven 形 平らではない, 凸凹の, 高低のある.

eve·ning /íːvniŋ/

名 夕べ, 夕方, 夕刻; 晩, 夜分(日没から就寝まで).

gòod évening 《夜のあいさつとして》こんばんは.
kítchen èvening 《豪・NZ》(女友達が贈り物用に台所用品を持ち寄り)結婚式の前に花嫁の家で行なわれるパーティー.
lárge évening 《米俗》愉快な晩, すてきな夕べ.
yéster·évening 《古》昨晩, きのうの晩.

e·vent /ivént/

名 **1** 出来事, 行事, 催し物. **2**【スポーツ】競技, 種目. ⇨ -VENT.

blèssed evént 出産, おめでた; 新生児.
fíeld evènt フィールド競技 [種目].
háppy evént 《話》出産, おめでた.
média evènt 【マスコミ】メディアイベント.
méga·evènt 名 巨大イベント.
nòn·e·vént 名 期待外れに終わった行事.
psèudo-evént 名 狂言事件.
thrée-dày evént (3 日間の)総合馬術競技会.
tráck evènt 【陸上】トラック競技.
Tríple Évent 《英》三冠競馬大会.
zóo evènt (天文学上の)原因不明の出来事.

ev·er /évər/

副 **1** いつも, 常に. **2** いったい; 全く.

for·ev·er 副 永遠に, 永久に.
for ever 副 《英》=forever.
how·ev·er 副 にもかかわらず, しかしながら.
nev·er 副 これまで一度も…ない.
nev·er·ev·er 副 決して…ない.
so·ev·er 副 ☞
what·ev·er 代 (…する)もの [こと] はなんでも.
when·ev·er 接 …する時はいつも, …する度に.
wher·ev·er 接 (…するところは)どこでも.
which·ev·er 代 …するどれでも(anyone that).
who·ev·er 代 …する人は誰でも.
whom·ev·er 代 …する人は誰を [に] も.
whos·ev·er 代 …するものは誰の…でも.
why·ev·er 接 …の理由がなんであれ.

ev·i·dence /évədəns/

名 (…の)証拠, (…という)証明;【法律】証拠, 証言, 証拠物件. ⇨ -ENCE[1].

circumstántial évidence 【法律】状況証拠, 間接証拠.
cóunt·er·év·i·dence 名 反対の証拠, 反証.
cúmulative évidence 【法律】累積 [相乗的] 証拠.
diréct évidence 【法律】直接証拠.
héarsay èvidence 伝聞証拠.
índirect évidence =circumstantial evidence.
kíng's évidence 【法律】訴追免除証言, 共犯証言.
príma fàcie évidence 一応の証拠, 疎明された証拠: 反証のない限り, ある事実を立証あるいは推定するのに十分な証拠.
quéen's évidence =king's evidence.
státe's évidence 《米》【法律】共犯証言.

e·vil /íːvəl/

形 悪い, 不道徳な; 邪悪な. ——名 **1** 悪. **2** 有害物.

kíng's évil 瘰癧(るいれき), 腺病.
póll èvil 【獣病理】項腫(こうしゅ).
róyal évil =king's evil.
sócial évil 社会悪.

ev·o·lu·tion /èvəlúːʃən, ìːv- | ìːv-, èv-/

名 発展, 進展, 進化. ►evolve の名詞形. ⇨ -VOLUTION.

cò·ev·o·lú·tion 名 【生物】共進化, 相互進化.
convérgent evolútion 【生物】収斂(しゅうれん)進化, 相近進化.
creátive evolútion 【哲学】創造的進化.
emérgent evolútion 【進化】創発的進化.
explósive evolútion 【生物】爆発的進化.
màc·ro·ev·o·lu·tion 名 【生物】大進化.

mi·cro·ev·o·lú·tion 名 〘生物〙小進化.
mìs·ev·o·lú·tion 名 〘生物〙(細胞やウイルス粒子などの)異常増殖 [進化].
molécular evolútion 〘生化学〙分子進化.
párallel evolútion 〘生物〙平行進化.
sócial evolútion 〘社会〙社会進化.

-ew[1] /júː/

音象徴間 **1** ヒューッ, ヒューッ: 口笛の音や驚き・不快などの感情をこめた呼気の音を表す. **2** ネコとカモメの鳴き声; 噴出の spew もこれとつながる.

mew[1] 名 ニャーニャー, ニャオ.
mew[2] 名 カモメ(sea gull).
phew 間 《呼気または吸気による短い口笛のような音》《驚き, いらだち, 不快, 嫌悪を表して》ヒャーッ, ヒェーッ.
spew 動自 あげる, 吐く, もどす(vomit).
whew 間 《驚き・落胆・狼狽(ろうばい)・安堵(あんど)などの気持ちを表す短い口笛音》ヒューッ.

-ew[2] /júː/

語尾 語末にくる同音形は -EU, -UE[1].

dew 名 ☞
few[1] 形 わずかの; ほとんど…ない.
few[2] 名 〘スコット法〙地代払い土地保有 [封与] (feu).
hew 動他 (斧・剣などで)切る; 切り刻む.
knew 動 know の過去形.
mew[1] 名 (換羽期に入れる)タカかご.
mew[2] 動他 〈シカが〉〈角を〉落とす.
mew[3] 名 白花をつけるセリ科の多年草(meu).
new 形 ☞
pew 名 聖堂信者席, 会衆席.
sew 動他 〘海事〙〈船を〉干潮で座礁させる.
skew 動自 外れる, それる, 斜めに進む.
smew 名 〘鳥類〙ミコアイサ.
stew[1] 名 ☞
stew[2] 名 《英》(魚を入れておく)生け簀(す).
stew[3] 名 《俗》財産管理人; (大家の)家令, 執事(steward).
tew 動自 《英方言・米》一生懸命に働く.
thew 名 《文語》筋肉; 腱(けん).
view 名 ☞

-ew[3] /úː/

語尾 しばしば過去形の語尾.
★ 語末にくる同音形は -AULT[2], -O[7], -OE[2], -OO[1], -OO[2], -OO[3], -OOH, -OU[1], -OUGH[7], -U[3], -UE[2].

blew 動 blow の過去形.
brew 名 ☞
chew 動他 (歯で)かみ砕く, かみこなす.
clew 名 (問題・神秘を解く)手がかり.
crew[1] 名 ☞
crew[2] 動 crow の過去形.
drew 動 draw の過去形.
flew[1] 動 fly の過去形.
flew[2] 名 漁網, (特に)引き網(flue).
grew 動 grow の過去形.
plew 名 《米西部・カナダ》《古風》(特に最上質の)ビーバー皮.
screw 名 ☞
sew 動他 〘海事〙〈船を〉干潮で座礁させる.
shrew[1] 名 口やかましい女, 気の荒い女.
shrew[2] 名 ☞
slew[1] 動 slay の過去形.
slew[2] 名 《米・カナダ話》たくさん, 大量(の…).
slew[3] 動他 〈帆柱などを〉(それ自身を軸として)回転させる(slue).
slew[4] 名 《米・カナダ》アシの茂った沼地.
slew[5] 動自 《米話》酔っ払うまで飲む.
strew 動他 〈砂・種子などを〉まき散らす.
threw 動 throw の過去形.
yew[1] 名 ☞
yew[2] 代 《視覚方言》=you.

-ew[4] /óu/

語尾 語末にくる同音形は -O[1], -O[2], -O[6], -OA, -OE[1], -OH, -OUGH[6], -OW[4], -OWE[2].

sew 動他 ☞
shew 動自他名 《古英》=show.

-ex /éks/

語尾 ラテン系の言葉に多い語尾.

chex 名 check「殻にひびがあるが, 中は無傷の鶏卵」の複数形.
dex 名 《俗》デックス: 覚醒薬 dextroamphetamine の錠剤.
ex[1] 前 〘金融〙…なし(で, の), …落ち(で, の).
ex[2] 名 《話》以前…の地位 [身分] にあった人; (特に)前の配偶者, 先妻, 先夫.
ex[3] 形 《俗》優れた(excellent).
ex[4] 名 費用(expense).
ex[5] 名 《米俗》(サーカスで)独占的営業権 [売店] (exclusive concession).
-fex 連結形 ☞
flex[1] 動他 〈関節などを〉曲げる.
flex[2] 形 《話》曲げやすい, しなやかな(flexible).
-flex 連結形 ☞
grex 名 グレックス: 繊維・糸の太さを表す単位.
hex[1] 動他 …に魔法をかける.
hex[2] 形 《話》六角 [六辺] 形の(hexagonal).
kex 名 《英方言》(ハナウド類やミツバ類など)セリ科の大きな植物.
lex 名 法, 法律(law).
-plex 連結形 ☞
Rex タイラノソーラス(Tyranosaurus, T-rex): 肉食恐竜の一種.
rex[1] 名 《ラテン語》王, 国王.
rex[2] 名 〘動物〙短上毛変異種 [動物].
sex[1] 名 ☞
sex[2] 形 《ラテン語》6(six).
sex[3] 名 《米麻薬俗》セコナール(Seconal, sec).
sphex 名 アナバチ.
-tex 連結形 ☞
vex 動他 いらいらさせる, うるさがらせる.
zex 間 《米俗》やばい, 逃げろ.

ex·am·i·na·tion /igzæ̀mənéiʃən/

名 **1** 検査, 調査, 審査. **2** 試験. **3** 〘法律〙尋問. ►examine の名詞形. ⇨ -ATION.

diréct examinátion 〘法律〙主尋問, 直接尋問.
éntrance examinátion 入学試験.
éssay examinátion 論文式テスト.
ópen-bòok examinátion 教科書持ち込み自由な試験.
phýsical examinátion 体格検査, 健康診断, 検診.
postmórtem examinátion 検死(autopsy).
Prévious Examinátion (ケンブリッジ大学の)文学士(B.A.)学位の第一次試験.
sélf-examinátion 自己検討, 反省, 内省, 自省.

E

ex·am·ine /igzǽmin/

動他 **1** …を検査[審査, 吟味, 検討]する. **2**〘法律〙〈証人・被告などを〉尋問する.

cross-ex·am·ine 動他 厳しく追及する, 詳しく詰問する.
di·rect-ex·am·ine 動他 …に直接[主]尋問をする.
pre·ex·am·ine 動他《まれ》あらかじめ調査する.
re·ex·am·ine 動他 …を再試験する, 再び調べる.

ex·am·in·er /igzǽmənər/

名 試験官; 審査官; 調査[検査]官. ⇨ -ER[1].

bánk exàminer 銀行検査[監査]官.
héaring exàminer 《米》審問官.
médical exàminer 《主に米》検死官, 検死医.
míne exàminer 〘鉱山〙保安係.
tríal exàminer 〘法律〙事実審理官.

ex·change /ikstʃéindʒ/

動他 …を(…と)交換する, 取り替える. ──名 **1** (…の)(…との)(…の間の)交換, 取り替え; 交易. **2** 交換所; (特に会員制の)商品[株式・証券]取引所. **3** 為替. ⇨ CHANGE.

báse exchànge 〘米空軍〙基地売店, 酒保.
cátion exchànge 〘化学〙陽イオン交換.
commódity exchànge 商品取引所.
córn exchànge 《英》穀物取引所.
cúltural exchánge (諸外国間の)文化交流.
emplóyment exchànge 《英》職業紹介所, 職業安定所.
fóreign exchánge 外国為替(foreign bill).
fórward exchánge 先物為替.
héat exchànge 〘機械〙熱交換.
íon exchànge イオン交換.
lábour exchànge 《英話》=employment exchange.
Lóndon Internátional Fináncial Fútures Exchànge ロンドン金融先物取引所(LIFFE).
Návy Exchànge 〘米海軍〙(海軍施設にある)売店.
párt-exchànge 名動他 (商品の)下取り(をする).
póst exchànge 〘米陸軍〙(駐屯地の)売店, 販売部.
recíprocal exchánge 協同保険組合.
rè·ex·chánge 名 戻り(為替)手形; 償還請求金額.
smóg exchànge スモッグ交換.
stóck exchànge 証券取引所.
télephone exchànge 電話交換局[室].

ex·e·cu·tion /èksikjúːʃən/

名 **1** 実行. **2** 死刑執行. ►execute の名詞形. ⇨ -TION.

dórmant execútion 〘法律〙強制管理.
in·èx·e·cú·tion 名 不実施, 不実行, 不履行.
sèlf-ex·e·cú·tion 名 自力執行; 自殺.

ex·er·cise /éksərsàiz/

名 **1** 運動, 体操. **2** けいこ, 練習, 実習; (軍隊の)演習. ──名 運動する; 練習する. ◇ -CISE[2], -ERCISE.

fíeld èxercise (陸軍の)野外演習.
flóor èxercise 床運動.
ìsokinétic éxercise アイソキネティック・エクササイズ: 特殊な器具を用いて, 筋肉の収縮を一定のスピードで行うトレーニング法.
isométric éxercise アイソメトリック・エクササイズ: 筋肉を長さを変えずに収縮させるトレーニング法.
isotónic éxercise アイソトニック・エクササイズ: 一定の負荷を与えて, 筋肉の長さを変えて行うトレーニング法.
mánagement tráining èxercise 経営者訓練.
ò·ver-éx·er·cìse 動他 過度の運動[練習]をする; 過度の権力[権限]を行使する.
progréssive-resístance èxercise 漸増抵抗運動.

ex·ile /égzail, éks- | éks-, égz-/

名 **1** (国家命令などによる)国外追放, 流罪. **2** (やむを得ない事情による長期の)国外生活, 亡命, 流浪; 国外生活者, 亡命者.

góvernment-in-éxile 亡命政権[政府].
intérnal éxile 国内追放.
sélf-éxile (自らの意志による)亡命[流浪](者).
táx èxile (納税を逃れるための)国外移住者.

ex·ist /igzíst/

動自 存在[現存, 実在]する.

co·ex·ist 動自 同時[同所]に存在する, 共存する.
pre·ex·ist 動自 以前から存在する, 先在する.

ex·pend·i·ture /ikspénditʃər/

名 (特に資金の)支出, 支払い; (労力・時間の)(…への)消費, 消耗. ⇨ -URE[1].

cápital expénditure 資本(的)支出.
públic expénditure 中央政府・地方自治体・公法人による支出.
révenue expènditure 収益支出.
táx expènditure 減税支出.

ex·pense /ikspéns/

名 費用, 支出, 物入り. ⇨ -PENSE.

accrúed expénse 未払費用.
áll-expénse 形 すべての必要経費を含む.
géneral expénse 一般経費, 一般管理費, 総経費.

ex·pe·ri·ence /ikspíəriəns/

名 (個々の具体的な)経験, 体験, 出来事. ⇨ -ENCE[1].

ahá expèrience 〘心理〙「ああそうか」体験.
colónial expérience 《豪・NZ》植民地経験.
ìn·ex·pé·ri·ence 名 未経験, 未熟, 不慣れ; 世間知らず.
kinesthétic expérience 《俗》「音を見る」「色を味わう」などのような錯覚現象の体験. ►LSD を吸ったときに現れる徴候.
néar-déath èxperience 臨死体験.
óut-of-bódy expérience 体外離脱[肉体脱離]体験.
óut-of-the-bódy expérience =out-of-body experience.
péak expérience 〘心理〙至高経験.

ex·per·i·ment /ikspérəmənt/

名 実地の試み, 試し, 実験, 試験. ⇨ -MENT.

binómial expèriment 〘統計〙二項測定.
Cávendish expèriment 〘物理〙キャベンディッシュの実験.
contról expèriment 対照実験.
Dávisson-Gérmer expèriment 〘物理〙デビッソン=ガーマーの実験.
Éötvös expériment 〘物理〙エートベッシュの実験.
Gedánken expèriment 〘物理〙=thought experiment.
Míchelson-Mórley expèriment 〘物理〙マイケルソン=モーリーの実験.

shótgun expèriment 【生化学】ショットガン実験.
thóught expèriment 【物理】思考実験.
Torricéllian expériment 【物理】トリチェリの実験.

ex·pert /ékspəːrt/

名 熟練者, 達人; 専門家.

effíciency èxpert 能率専門技師, 能率専門家.
ícing èxpert 《俗》フェラチオをする人.
in·éx·pert 形 未熟な; 下手な, 不得手な.
nòn·éx·pert 名 素人, 非熟練者.

ex·plo·sive /iksplóusiv, -ziv/

形 爆発を起こす[起こしやすい], 爆発性の; 爆発によって動く. ——名 爆薬, 火薬. ⇨ -IVE[1].

fúel àir explòsive 【軍事】気化爆薬.
hígh explósive 高性能爆薬.
ìn·ex·pló·sive 形 爆発しない, 非爆発性の.
lów explósive 弱火薬, 普通火薬.
nòn-ex·pló·sive 形 非爆発性の.
plástic explósive プラスチック爆薬.
sáfety explòsive 安全爆薬.

ex·po·sure /ikspóuʒər/

名 **1** さらすこと, あらわにすること. **2**【写真】露出, 露光. ⇨ -URE[1].

automátic expósure 自動露出.
dóuble expósure 二重露光[露出].
indécent expósure 【法律】公然猥褻(わいせつ)罪.
ò·ver·ex·pó·sure 名 (特に写真の)露出過度, 露出のかけすぎ; 過剰な露出.
prè·ex·pó·sure 名 前もって暴露する[見せる]こと.
tíme expòsure タイム露出.
ùn·der·ex·pó·sure 名 (フィルムなどの)露出不足.

ex·press /iksprés/

名 **1** (列車, バスなどの)急行. **2**《英》速達[急行]便; 《主に米・カナダ》運送会社. ⇨ -PRESS.

áir exprèss 航空特急便.
áir-exprèss 動他 〈小荷物を〉航空特急便で送る.
Américan Expréss アメリカンエキスプレス(カード).
Brénner expréss ブレンネル急行.
Féderal Expréss 米国の大手急送小包配達会社.
Órient Expréss オリエント急行.
Péople Expréss ピープルエキスプレス: 1981 年に米国に設立された新しい航空会社.
póny expréss 【米史】ポニー・エクスプレス, 早馬便.
Sibérian expréss 《米話》シベリア急行.

-ext /ékst/

語尾

next 形 次の, すぐあとの, それに続く.
sext 名 【教会】六時, 六時課.
text 名 ☞

ex·ten·sion /iksténʃən/

名 伸ばすこと, 広げること. ►extend の名詞形. ⇨ -TENSION.

algebráic exténsion 【数学】代数(的)拡大.
háir extènsion (自毛以外に)ヘアピースをつけること.
hỳ·per·ex·tén·sion 名 過伸展, 伸展過度.
ìn·ex·tén·sion 名 拡張[拡大, 伸張]しないこと.
símple algebráic exténsion 【数学】単純代数拡大.
símple exténsion 【数学】単純拡大.
símple transcendéntal exténsion 【数学】単純超越拡大.
univérsity exténsion 大学開放.

ex·tract /ikstrǽkt, eks-/

名 抽出物; エキス, せんじ汁, 精剤. ⇨ -TRACT.

béef èxtract 牛肉[牛血]エキス.
bóvine éxtract 《米俗》牛乳.
flúid·éxtract 【薬学】流エキス剤, 流動エキス.
líquid éxtract 【薬学】=fluidextract.
líver èxtract 【薬学】肝臓エキス, 肝エキス.
mált èxtract 麦芽エキス.
parathýroid èxtract 【薬学】副甲状腺(せん)抽出物.
pitúitary éxtract 【医学】下垂体エキス.

ex·trac·tion /ikstrǽkʃən, eks-/

名 抜き出す[抜き取る]こと. ►extract の名詞形. ⇨ -TRACTION.

cry·o·ex·trác·tion 名 【医学】凍結切除[除去].
e·lèc·tro·ex·trác·tion 名 【物理化学】電解抽出, 電解採取.
ménstrual extráction 【産科】生理摘出.
tóoth extràction 抜歯(術).

-ey[1] /i/

接尾辞 -y[1] の異形; しばしば話語と俗語の語尾で軽蔑の響きがある.

car·ney 形 巡回ショー[サーカス]の.
chok·ey 形 息が詰まる, 窒息させるような.
clay·ey 形 粘土で覆った, 粘土を塗った.
co·zey 形 (こぢんまりして暖かく)気持ちのよい, 居心地のよい(cozy).
dic·ey 形 《主に英話》予測できない; 危険な, 冒険的な.
dick·ey 形 《英話》欠陥のある, ぽんこつの.
fak·ey 形 《話》まがい物の, いんちきの.
flak·ey 形 《米俗》派手な; 風変わりな.
fluke·ey 形 《話》まぐれ当たりの.
goo·ey 形 ねばねばした, べたつく.
gru·ey 形 《英俗》不快な, いやな.
jok·ey 形 ふざけた, 軽薄な.
lac·ey 形 レースの; レースのような.
loon·ey 形 気のふれた, 気のいかれた.
mos·qui·to·ey 形 蚊でいっぱいの, 蚊の多い.
mul·ey 形 〈牛・シカが〉角のない.
mul·ley 形 =muley.
pac·ey 形 速度のある, スピードのある.
pok·ey 形 だらだらしている; のろい.
pric·ey 形 高価な, やたらと値の張る.
ric·ey 形 米の; 米に似た; 米入りの.
sky·ey 形 空の; 空からの.
snid·ey 形 《英俗》悪質な, 下劣な.
spac·ey 形 《俗》ぼうっとした; 麻痺した.
spice·y 形 香料を入れた.
spoon·ey 形 (特に女に)べたべたと甘い, でれでれした.
spray·ey[1] 形 (水)しぶきの; (水)しぶきのような.
spray·ey[2] 形 小枝の[から成る]; 小枝のような.
whey·ey 形 乳清(状)の[に似た].
yaw·ey 形 フランベジア(yaws)の.
zoo·ey 形 《米俗》動物園のような; ひどく汚い; 野蛮な; 混乱[ごちゃごちゃ]した.

-ey[2] /i/

接尾辞 -y[2] の異形; しばしば話語と俗語の語尾で軽蔑の響きがある.

E

ba·lo·ney 名 《俗》愚かさ；ばかげた考え.
bo·lo·ney 名 ＝baloney.
brak·ey 名 《米俗》(列車の)制動手(brakeman).
car·zey 名 《コックニー俗》便所, トイレ.
dink·ey 名 (特に車両入れ替え用)小型機関車.
do·gey 名 《米西部・カナダ》(牛の群れ中に入る)母なし子牛(dogie).
do·ley 名 《豪俗》失業手当てを得ている人.
don·key 名 ロバ.
dot·ey 名 《アイル》《呼びかけで》かわいい人(特に子供).
duck·ey 名 《英話》愛する人(ducky).
du·key 名 《俗／古風》(見世物で)食券；切符.
ga·ziz·zey 名 《米話》ばか.
goon·ey 名 《俗》ばか；とんま.
goos·ey 名 《幼児語》ガチョウ.
guin·ney 名 《米競馬俗》(競馬場の)厩務員.
hon·key 名 《米俗》白人.
i·key 名 《俗》男のユダヤ人.
ja·bo·ney 名 《米俗》新移住者, 新来の移民人.
jack·ey 名 《英俗》ジン, ジュニーパ(gin).
ji·bo·ney 名 《米俗》＝jaboney.
jock·ey 名 ☞
kar·sey 名 《英俗》トイレ, (屋外)便所.
kar·zey 名 トイレ, (屋外)便所.
lo·key 名 《俗》機関車.
loo·ey 名 《米軍俗》中尉, 小尉.
lou·ey 名 《米軍俗》中尉(lieutenant).
lov·ey 名 《主に英話》《呼びかけ》《愛人に》あなた, お前；《子供に》坊や, お嬢ちゃん.
Mick·ey 名 《俗》ミッキーフィン(Mickey Finn)：麻酔剤や下剤をこっそり入れた(アルコール)飲料.
pik·ey 名 《英俗》ジプシー；放浪者, 浮浪者.
ring-a-round-the-ros·ey 名 リング・アラウンド・ザ・ロージー(「バラの回りで輪になろう」)：「かごめかごめ」に似た遊び.
shan·tey 名 船頭歌, はやし歌(chantey).
shee·ney 名 《俗》ユダヤ人(sheeny).

-ey[3] /i/

連結形 英語化されたアイルランド人の姓に見られる語尾.

Cag·ney 名 キャグニー.
Demp·sey 名 デンプシー.
Gaff·ney 名 ガフニー.
Gar·vey 名 ガービー.
Hea·ney 名 ヒーニー.
Mea·ney 名 ミーニー.

-ey[4] /i/

連結形 島.
★ 地名, 地名起源の姓につく.
★ 語末にくる関連形は -AY[2].
◆ 古英 *ēg*; island のもとの形は *igland*. ◇ISLAND, ISLE.

Al·der·ney 名 オルダーニー島(Cannel 諸島の島).
An·gle·sey 名 アングル島(イングランドの地名).
Guern·sey 名 ガーンジー島(Cannel 諸島の島).
Hack·ney 名 ハクニー(イングランドの地名).►字義は「Haca(人名)の島」.
Hal·sey 名 ホールジー(地名起源の姓).►字義は古英で「岬から見える島」.
Jer·sey 名 ジャージー島(Cannel 諸島の島).
Ork·ney 名 オークニー(スコットランドの地名).
Pud·sey 名 パズィー(イングランドの地名).
Shep·pey 名 シェピ島(Thames 河口の島).
Wal·la·sey 名 ワラシー(イングランドの都市名).

-ey[5] /i/

連結形 囲い.
★ 地名に用いられる.
◆ 古英 *gehæg*.

Horn·sey 名 ホーンジー(イングランドの地名).
Sou·they 名 サウジー(イングランドの地名).

-ey[6] /éi/

語尾 語末にくる同音形は -AE[2], -AY[3], -EA[3], -EH[3], -EI[1], -EIGH.

bey 名 (オスマン帝国の)地方長官.
dey 名 (1830 年フランス占領以前の)アルジェリア(Algiers)の太守の称号.
drey 名 リスの巣.
fey 形 《英方言》死ぬ運命の, 死すべき.
fley 動他 《主にスコット》…をぎょっとさせる(frighten).
gey 形 《スコット》〈数量が〉かなりの.
gley 名 【地質】グライ(土)(gley soil).
grey 形 灰色の, グレーの(gray).
hey[1] 間 《喜び・驚き・当惑などを表して》へえ, おや, あーっ, うーん.
hey[2] 名 S 字状の輪になって踊るカントリーダンス；その踊りの輪(hay).
ley[1] 名 草地, 草原；牧草地(lea).
ley[2] 名 レイ：錫(すず)約 80 %, 鉛約 20 %の白目(しろめ).
prey 名 (特に肉食動物の)餌食(えじき).
quey 名 《スコット・北イング》若い雌牛.
sley 名 (織機の)筬(おさ)(reed).
stey 形 《スコット》傾斜の急な(steep).
they 名複 《he, she, it の複数形主格》彼ら[彼女ら]は[が]；それらは[が].
trey 名 (トランプ・さいころ・ドミノの)3.
wey 名 ウェイ：(昔の英国の地方で)重さの単位；チーズ, 羊毛, 塩などの計量に用いられた.
whey 名 乳清, 乳漿(にゅうしょう).

-ey[7] /íː/

語尾 key「かぎ」は発音変化上の特例.
★ 語末にくる同音形は -EA[2], -EE[7], -I[7].

key[1] 名 ☞
key[2] 名 (海上わずかに頭を出した)小島.
key[3] 名 《米俗》(麻薬, 特にマリファナの)1キログラム.►kilogram の ki- から.
ley 名 草地, 草原；牧草地(lea).

eye /ái/

名 目；眼；眼球.

artifícial éye 義眼.
báck éye 《俗》肛門(性交).
bád éye 《米黒人俗》＝evil eye.
bárrel·èye 【魚類】Opisthoproctidae 科の半深海性の魚の総称.
bátting èye 【野球】選球眼, バッティングアイ.
béad·èye 【魚類】黄褐色をしたナマズ亜目 Ictaluridae 科の一種(stonecat).
bíg·èye 【魚類】キントキダイ.
bírd's-èye 形 鳥瞰(ちょうかん)的な, 空から見た.
bláck éye (殴られてできた)目の周りの黒いあざ.
búck·èye 【植物】トチノキ.
búg·èye 【海事】バッグアイ.
búll's-èye (射撃・弓術の)標的の中心円, 黒点.
cámera-éye 正確公平な観察[報道](能力).
cát's-èye 【鉱物】猫目石, キャッツアイ.
cléar-èye 【植物】オニサルビア(clary).

E

cóck·eye 《話》斜視, やぶにらみ(squint).
cómpound éye 〘動物〙(昆虫などの)複眼.
cráb's èye 〘植物〙トウアズキ.
déad·eye 〘海事〙三つ目滑車, デッドアイ.
dóg èye 《米俗》非難の目; 嘆願の目つき.
drý éye 〘病理〙ドライアイ.
éagle èye 並み外れて鋭い視力; 鋭い観察眼.
eléctric éye 〘電子工学〙光電池(photocell).
évil éye 邪悪な目, 凶眼.
físh·èye (左官工事で)表面にできた斑点(はんてん).
físh-èye 形 魚眼レンズの.
fróg·èye 〘植物病理〙白星.
gímlet èye 鋭い視線[目], 刺すようなまなざし.
glád èye 《話》(関心を引くための)親しげな目つき; (特に)色目.
gláss éye 義眼(artificial eye).
Gód's Éye 神の目: 小枝で作った十字に彩色糸を巻きつけて幾何学模様としたもの.
góggle-èye 〘魚類〙クロマス科の淡水の釣り魚.
gólden·èye 〘鳥類〙ホオジロガモ.
góld·èye 北米中部の淡水域に分布する魚類.
gréen éye 嫉妬(しっと).
hárness èye 〘繊維〙メール.
háwk·èye 隙のない細かい詮索; 鋭敏な目.
háwk's-èye 鷹眼(おうがん)石, 鷹睛(ようせい)石.
hóok and éye ひじ壺(つぼ)金物, フック.
lázy éye 《話》斜視, やぶにらみ.
mínd's éye 心の目, 心眼, 想像力.
móon·èye 〘獣病理〙月盲症にかかった目.
móose èye 《米俗》非難[哀願]の目.
náked éye 肉眼, 裸眼.
óne-éye 〘トランプ〙片目札.
ópal·èye 〘魚類〙米国 California 州以南の沿岸の岩礁地帯に生息する, メジナ属の藻食性の魚.
óx·èye 周辺花のあるキク科植物の総称.
pád·èye 目付き板, アイ・プレート.
paríetal éye 〘動物〙頭頂眼.
péarl·èye 〘魚類〙デメエソ.
phéasant's-èye 〘植物〙フクジュソウ(福寿草).
píneal éye 松果眼.
pínk·èye 〘病理〙伝染性急性結膜炎.
pínk-èye 《豪》オーストラリア先住民の休日.
pópes éye 《スコット》1切れのステーキ.
pópe's-éye (牛・羊の)腿部(たいぶ)リンパ腺(せん).
póp·èye (びっくりして)大きく見開いた目.
prívate éye 《俗》私立探偵.
públic éye 世間の目[注目].
rábbit èye 〘植物〙アメリカスノキ(酢の木).
réd éye 《米話》赤信号.
réd·èye 〘魚類〙(北米産のスズキ科の淡水魚 rock bass のような)赤い目の魚の総称.
réd-èye (寝不足などによる)目の充血; 《話》夜行便(red-eye special).
ríb èye ロース芯(しん), リブ・アイ.
róund-èye 形 《俗》白人の.
scréw èye 丸環ねじ.
sécond éye 《米同性愛者俗》肛門.
séeing éye マジックアイ: ドアの開閉などに用いる, 光電セルを使った感光装置.
shút·èye 《話》眠り, 睡眠.
sílver-èye =white-eye.
símple éye 〘動物〙(節足動物, 特に昆虫の)単眼.
slánt-èye 《米俗》東洋人(特に中国人, 日本人).
stráight éye 物がまっすぐになって[ついて]いるかを見分ける能力.
swível èye 《話・俗》斜視[やぶにらみ]の眼.
thírd éye =pineal eye.
tíger·èye =tiger's-eye.
tíger's-èye 虎眼(とらめ)石.
wàll·éye 〘魚類〙スズキ目パーチ科の淡水産の大きな釣魚(pikeperch).
wátch·èye 〘獣病理〙星入り目.
wáx·èye 《豪・NZ》=white-eye.
wéather èye 天候の変化を見通す[予知する]目.
whén-eye 名 《俗》自分の経験や業績をくどくどと話して人をうんざりさせる人.
whíte-èye 〘鳥類〙メジロ.

eyed /áid/

形 **1** 目のある. **2** 《複合語》…の目をした. **3** 眼状紋のある. ⇨ -D[2].

álmond-èyed 形 アーモンド状の目をした.
Árgus-èyed 形 目の鋭い; 油断のない.
béady-èyed 形 小さくぎらぎらした目をした.
bíg-èyed 形 大きな目をした.
bírd-èyed 形 鳥のような目をした; 目ざとい.
bláck-èyed 形 目の黒い; 目の回りが黒あざになった.
bléar-èyed 形 =bleary-eyed.
bléary-èyed 形 かすみ目の, 目の曇った.
blúe-èyed 形 青い目の.
bóss-èyed 形 《英俗》片目が見えない; 斜視の.
bríght-èyed 形 明るい[澄んだ]目をした.
búg-èyed 形 出目の, 目玉の飛び出た.
cát-èyed 形 猫のような目をした.
cléar-èyed 形 澄んだ目をした; 視力のよい.
cóck·èyed 形 =squint-eyed.
ców-èyed 形 牛のような(大きな)目をした.
cróss-èyed 形 斜視の, 寄り目の.
déwy-èyed 形 純真な, 無垢(むく)な, 無邪気な.
dóve-èyed 形 ハトのように柔和な目をした.
drý-èyed 形 涙を流していない, 薄情な.
dúll-èyed 形 目のとろんとした.
éagle-èyed 形 観察眼の鋭い, 視力の優れた.
fíre-èyed 形 《古》燃えるようなまなざしの.
físh-èyed 形 《米俗》冷たい, 冷淡な, 冷酷な.
fóur-èyed 形 四つの目の(ように見える).
gazélle-èyed 形 ガゼルのように美しく輝いた目をした.
glássy-èyed 形 ぼんやりした表情の.
góggle-èyed 形 目を見開いた; 出目の.
góogly-èyed 形 =goggle-eyed.
gréen-èyed 形 緑色の目をした.
háwk-èyed 形 タカのように鋭い目をした.
hóary-èyed 形 《俗》酔っ払った.
hóllow-èyed 形 目のくぼんだ.
kéen-èyed 形 眼力[眼識]の鋭い.
lárge-èyed 形 目を大きく見開いた.
láser-èyed 形 目つきの鋭い, 射るような目つきの.
léaden-èyed 形 眠そうな目の, どんよりした目の.
lóbster-èyed 形 目の突き出た, 出目の.
lýnx-èyed 形 目の鋭い.
místy-èyed 形 (涙で)目が曇った[かすんだ].
móon-èyed 形 (驚きなどで)目を大きく見開いた.
óne-èyed 形 一つ目の, 片目の, 隻眼の.
ópen-èyed 形 目をあいた.
órie-èyed 形 《俗》=hoary-eyed.
órry-èyed 形 《俗》=hoary-eyed.
ówl-èyed 形 《米俗》=hoary-eyed.
ówly-èyed 形 《米俗》=hoary-eyed.
óx-èyed 形 牛の目のように大きくて丸い目をした.
phéasant-èyed 形 〈花が〉キジの羽のような斑点のある.
píe-èyed 形 《俗》=hoary-eyed.
pígeon-èyed 形 《米話》=hoary-eyed.
póp·èyed 形 《話》(病気や酒に酔って)目が突き出た.
quíck·èyed 形 目ざとい.
réady-èyed 形 《俗》事態がよく分かった.
réd-èyed 形 赤い目の, 目の(ふちの)赤い.
róund-èyed 形 (目を丸くして)びっくり仰天した.

E

shárp-èyed 形 目のいい, 目ざとい; 洞察力の鋭い.
shífty-èyed 形 《俗》ずるそうな目つきの.
síngle-éyed 形 単眼の.
skéw-èyed 形 斜視の.
slánt-èyed 形 つり目をした.
sléepy-èyed 形 寝ぼけまなこの.
slít-èyed 形 目が細い, 細長い目をした.
slóe-èyed 形 (濃い青または紫がかった)黒目の.
squíg·gle-èyed 副 横目で; 不審そうに.
squínt-èyed 形 斜視の, やぶにらみの.
stálk-èyed 形 有柄眼の.
stárry-èyed 形 《話》夢想 [空想] 的な目つきをした.
swível-èyed 形 やぶにらみ [斜視] の.
téary-èyed 形 目に涙があふれた [涙をためた].
ténder-éyed 形 優しい目をした; 視力の弱い.
wíde-èyed 形 目を大きく開いた; びっくり仰天した.
wíld-èyed 形 怒った [狂気じみた] 目をした.
yóung-èyed 形 =bright-eyed.

eyes /áiz/

名複 eye「目」の複数形.

báby-blúe-èyes ルリカラクサ.
cáts' èyes (タピオカで作った)プリン.
cróssed éyes 内斜視.
fóur-èyes 《俗/おどけて・軽蔑的》眼鏡をかけた人, 四つ目.
fróg's èyes 《米俗》タピオカのプディング.
góo-goo èyes 《俗》色っぽい目つき, 色目.
klíeg èyes 〖病理〗クリーグ眼(炎).
Óld Blúe Eyes Frank Sinatra のあだ名.
sáucer éyes (驚いたときなどの)皿のような丸い目.
shéep's èyes 色目.
shórt éyes 《米俗》子供に対する性犯罪者.
snáke èyes 《俗》(さいころ賭博(とく)で)1のぞろ目, ピンぞろ.
squáre-èyes 《英俗》テレビを見てばかりいる人.
télescope èyes (金魚などに見られるような)出目.
wólves' éyes ウルブズ・アイズ: 野生動物の飛び出し防止用の反射光を出す路面装置.

-ez /éz/

語尾 短縮, 綴り直しや発音綴りによるものが多い.

chez 名複 《米学生俗》マッチ(chas).
fez 名 フェズ, トルコ帽.
lez 名 《俗》同性愛の女性, レズ(lesbian).
pez 名 《米俗》濃い頭髪; 口ひげ.
prez 名 《米話》(米国など近代共和国の)大統領(president).
sez 動 《発音綴り》=says.

F

face /féis/

[名] **1** 顔. **2** 前面. **3** 表面. ── [動他] …の方へ向く. ── [自] 向く.

abóut-fàce 《米》〘軍事〙回れ右.
accéptable fàce (認め難い物事の)容認できる側面.
ángel·fàce 《米俗》美人; かわいい人.
áss·fàce 《米俗》まぬけ, 変わり者.
báby fàce 童顔, ベビーフェース; 童顔の人.
báld fàce 《米俗》安ウイスキー; 自家製[密造]ウイスキー.
báll-fàce 《米俗》むかつく[全く嫌な]白人.
béach fàce (海浜の)波をかぶる部分.
bláck·fàce 〘演劇〙(特に minstrel show で)黒人に扮(ふん)した芸人.
bóld·fàce 〘印刷〙ボールド体, 肉太活字(体).
brácket fàce みにくい人.
cát·fàce (猫の顔のように見える)材木や果物の瑕(きず).
chálk·fàce 《英話》(教育現場としての)教室.
clóck·fàce 時計の文字盤.
cóal·fàce 採炭切羽(きりは).
cráter-fàce 《米俗》にきび[あばた]顔の人.
cúnt·fàce 《米俗》卑劣なやつ, さもしいやつ.
de·fáce [動他] …の外観を損なう, 醜くする.
dísh fàce 三日月形の顔.
dóg·fàce 《特に米軍俗 / 古風》(米陸軍の)下士官兵.
dóll·fàce お人形さん顔.
dóugh·fàce 〘米史〙南北戦争前または戦争中に南部に同情的だった北部人.
ef·fáce [動他]〈記憶・印象などを〉ぬぐい去る, 消し去る.
en·fáce [動他] 表面に(…を)記入する.
fáce-to-fáce [副形] 向い合って[合った].
fálse fàce (仮装用の)面, 仮面(mask).
fárt-fàce 《俗》いやなやつ.
físh-fàce 《話》(無表情の)魚面(づら).
flánge-fàce 《米海軍俗》ぶ男の水兵.
fóre·fàce (特に四足獣で)前顔面.
fóx-fàce 金鉱石の三角形のかけら(fox's mask).
fróg-fàce カエル(のような)顔.
fúck-fàce 《米俗》いやなやつ.
fúngus-fàce 《俗》あごひげを生やした男.
fúnny fàce 《話 / おどけて》ねえ, おい(君).
fúzz-fàce 《米俗》あごひげを生やした男.
hálf-fàce (描かれた人物の)半面, 横顔.
hárd-fàce [動他]〈金属に〉耐磨耗加工を施す.
hátchet fàce とがった細面(の人).
héavy fàce 〘印刷〙ヘビーフェース.
hórse·fàce 馬みたいな顔, 馬面.
ín·ter·fàce [名] ☞
ìn-yòur-fáce [間] 《怒り・あざけりの意を表して》ふざけるな.
kíssy-fàce 《米学生俗》キス, 抱擁.
léft fàce 〘軍事〙左向け左.
líght·fàce 〘印刷〙ライトフェース, 肉細活字.
lóng fàce 悲しそうな表情, 浮かぬ顔つき.
mínister's fàce 《米渡り労働者俗》(ゆでた)豚の頭.
móon·fàce 丸顔.
óff-the-fáce [形]〈女性の帽子が〉つばなしの, つばの小さい.
óld fáce 《英》〘印刷〙旧体活字.
òut·fáce [動自] 直視してにらみ倒す; 脅す.
pále·fàce 《米インディアン》白人.
píe·fàce 《話》丸顔の人, のっぺら顔の人.
píg·fàce ザクロソウ科 *Carpobrotus* 属の地上を這(は)う多汁性の植物.
pízza fàce 《米俗》=crater face.
póker fàce 《話》ポーカーフェイス, 無表情な顔.
prúne·fàce 《米俗》貧相なやつ.
púdding fàce 《話》ふっくらした顔.
rát-fàce 《米俗》悪賢いやつ.
réd fáce 《米俗》きまり悪そうな顔.
rè·fáce [動他]〈建物・石などの〉表面を新しくする.
ríght fáce 〘軍事〙《号令》右向け右.
róck·fàce 岩壁.
shít fàce 《卑》ばか面したやつ, まぬけ.
síde fàce 横顔.
smíley fàce にこにこマーク[バッジ].
smóker's fàce (喫煙者の)タバコじわ.
spót-fàce [動他] 座ぐりする.
squáre-fàce 《英俗》ジン; (特に)シーダム.
stóne·fàce 〘植物〙ツルナ科リトプス属の多肉植物の総称(living stones).
stráight fáce まじめくさった[無表情な]顔, 真顔.
sur·face [名形動他] ☞
túrd fàce 《米俗》げす野郎.
týpe·fàce 〘印刷〙(活字の)書体; 字幅.
ú·ni·fàce [名] 裏面に模様のない貨幣[メダル].
vólte-fàce 方向転換; 逆転, 転向, 急変.
whátsis·fàce 《話》なんとかいう人.
whéy·fàce 《古》蒼白(そうはく)になった顔.
whíte·fàce **1** ヘレフォード種の牛. **2** 顔の白い動物.
wórking fàce 〘採鉱〙切羽(きりは)(face).

faced /féist/

[形] 《通例複合語》…の顔[表面]を持つ. ⇨ -D^{2}.

ánchor-fàced [形] 《英俗》海軍にこり固まった.
báld-fàced [形] 厚かましい.
báre·fàced [形] ひげのない; 厚かましい.
bláck·fàced [形] 黒い[黒ずんだ]顔の.
bóld-fàced [形] 厚顔の, 厚かましい, ずうずうしい.
boot-faced [形] 厳しい表情の, さえない顔の.
brázen-fàced [形] 面の皮の厚い, 鉄面皮の.
bríght-fàced [形] 利発そうな顔をした.
bróad-fàced [形] 幅の広い大きな顔の.
créam-fàced [形] 真っ青な顔色の, 青ざめた.
dírty-fàced [形] 顔のよごれた, 汚い顔をした.
dóg-fàced [形] 犬面の, 犬の顔のような.
dóuble-fàced [形] 裏表のある, 二心のある, 偽善的な.
fáir-fàced [形] 色白の; 美貌(びぼう)の.
fréckle-fàced [形] そばかすだらけの顔をした.
frózen-fàced [形] 表情がこわばった, 表情に動きのない.
fúll-fàced [形] 丸顔の; 〈月などが〉真ん丸の.
fúngus-fàced [形] 《米俗》いけ好かない, 気に食わない.
gláss-fàced [形] (前面・外面が)ガラス張りの.
háiry·faced [形] ひげぼうぼうの.
hálf-fàced [形]〈肖像画などが〉横顔を見せた.

hárd-fáced 形 ずうずうしい, 鉄面皮の.
hórse-fàced 形 馬面の.
Jánus-faced 形 (ヤヌス神のように)双面の.
léan-fàced 形 細面の, やせた顔の.
móon-fàced 形 真ん丸い顔の.
ópen-fáced 形 率直な顔つきの, 腹蔵のない.
óval-fáced 形 卵形の顔をした.
pásty-fàced 形 青白い顔をした, 顔色の悪い.
píe-fàced 形 《話》丸顔の; 間の抜けた顔の.
pissy-fáced 形 《米俗》酔っ払った.
pítch-fàced 形 【石工】〈石が〉野づらの.
pó-fàced 形 《英俗》無表情な.
qúarry-fàced 形 【石工】=pitch-faced.
rát-fàced 形 《俗》=pissy-faced.
réd-fáced 形 赤ら顔の.
róck-fáced 形 硬く無表情な顔の.
róot-fáced 形 《豪俗》くそまじめな顔をした.
róund-fáced 形 丸顔の.
rúbber-fàced 形 顔つきがいろいろに変わる.
sád-fáced 形 悲しそうな顔つきの.
scár-fàced 形 顔に傷跡のある.
sélf-fáced 形 〈敷石が〉切り出したままの.
sháme·fàced 形 つつましやかな; 恥ずかしがり屋の.
shéep·fàced 形 恥ずかしがる, はにかみ屋の.
shít·fàced 形 《俗》(ぐでんぐでんに)酔った.
símple-fáced 形 〈コウモリが〉鼻葉を持たない.
smóoth-fáced 形 ひげのない, ひげをきれいにそった.
stéel-fáced 形 鋼を張った; 鋼めっきをした.
stóny-fáced 形 硬く無表情な顔をした.
tállow-fàced 形 病的に青白い顔をした.
twó-fàced 形 両面 [2 面] のある.
un·faced 形 化粧仕上げを施してない.
wéasel-fàced 形 (イタチのような)ずるい顔つきの.
whíte-fàced 形 顔の青白い.

fa·cial /féiʃəl/

形 **1** 顔の, 顔面の. **2** 表面(上)の. ⇨ -IAL.

bi·fa·cial 形 二面ある, 正面が 2 つある.
cra·ni·o·fa·cial 形 頭顔の, 頭蓋顔面の.
in·ter·fa·cial 形 【結晶】二面間の, 二面に挟まれた.
max·il·lo·fa·cial 形 【解剖】顎(がく)顔面の.
tri·fa·cial 形 三叉(さ ん)神経の.

-fa·cient /féiʃənt/

連結形 …化する, …作用を起こす.
★ 形容詞をつくる.
★ 語末にくる関連形は -FICE.
★ 語頭にくる関連形は fact-, fect: *fact*ory「工場」, *facti*tious「人為的な」.
◆ <ラ *faciēns*(*facere*「する」の現在分詞). ⇨ -ENT[1].

a·bor·ti·fa·cient 形 流産を促す. ―― 名 堕胎薬.
ab·sor·be·fa·cient 形 吸収を促す. ―― 名 吸収剤.
cal·e·fa·cient 形 熱感を生じさせる. ―― 名 引熱薬.
ca·lor·i·fa·cient 形 〈食物が〉熱量を生じる.
feb·ri·fa·cient 形 熱を出す, 発熱する.
liq·ue·fa·cient 名 溶解剤. ―― 形 液化させる.
par·tu·ri·fa·cient 形 出産を促す. ―― 名 分娩促進剤.
ru·be·fa·cient 形 皮膚を赤くする. ―― 名 発赤剤.
som·ni·fa·cient 形 催眠性の. ―― 名 催眠剤, 睡眠薬.
sor·be·fa·cient 形 吸収を促す. ―― 名 吸収剤.
stu·pe·fa·cient 形 知覚を麻痺させる. ―― 名 麻酔剤.
tu·me·fa·ci·ent 形 腫れ上がらせる; 腫れ上がった.

fact /fǽkt/

名 事実, 真相.

attórney-in-fáct 名 【法律】代理人, 代人.
Frénch fáct 《カナダ》フランス語 [文化] の優位.
mátter-of-fáct 形 実際的な, 事実に即した; 事務的な.
un·fact 名 《話》作り話.

-fact /fǽkt/

連結形 作られた物.
★ 語末にくる関連形は -FICE.
★ 語頭にくる形は fact-, fect-: *fact*ory「工場」, *facti*tious「人為的な」.
◆ <ラ *factum* なされたこと, 行為(*facere*「する」より).

ar·te·fact 名 =artifact.
ar·ti·fact 名 (自然物に対して)製品, 手工品.
ec·o·fact 名 【考古】エコファクト.
ge·o·fact 名 人工物のような外形を呈する自然物.
ven·ti·fact 名 【地質】風食礫(れき).

-fac·tion /fǽkʃən/

連結形 …させること, …作用.
★ -fy で終わる動詞に対応する名詞をつくる.
★ 語末にくる関連形は -FICE.
★ 語頭にくる関連形は fact-, fect-: *fact*ory「工場」, *fac-ti*tious「人為的な」.
◆ 中英 *-facciou*n <ラ *-factiō*. ⇨ -TION.
[発音] -faction の第 1 音節に第 1 強勢が置かれる.

ben·e·fac·tion 名 恩恵を施すこと, 慈善; 善行.
cal·e·fac·tion 名 加熱(状態), 温熱.
lab·e·fac·tion 名 《文語》(秩序などの)弱体化.
liq·ue·fac·tion 名 液化, 融解; 液状化.
mal·e·fac·tion 名 悪事, 非行; 罪悪, 犯罪.
pet·ri·fac·tion 名 石化(作用, 状態).
pu·tre·fac·tion 名 腐敗.
rar·e·fac·tion 名 (空気・ガスなどの)希薄化.
ru·be·fac·tion 名 (発赤剤を使って)赤くすること.
sat·is·fac·tion 名 《文語》満足させること.
stu·pe·fac·tion 名 麻酔 [知覚麻痺] 状態.
tu·me·fac·tion 名 膨らすこと; 腫(は)れ上がること.

fac·tor /fǽktər/

名 **1** 要因, 要素. **2**【数学】因数, 因子. **3**【生化学】因子. **4**【機械】係数, 率. ⇨ -TOR.

absórption fàctor 【物理】吸収因子.
adhésive fàctor 【鉄道】粘着係数.
antihemophílic fàctor 【生化学】抗血友病因子.
átrial natriurétic fàctor 【生化学】心房性ナトリウム利尿因子.
bén·e·fàc·tor 名 恩恵を施す人, 恩人.
chíll fàctor 【気象】=windchill factor.
Chrístmas fàctor 【生化学】血液凝固 IX 因子.
clótting fàctor 【生化学】凝固因子.
coagulátion fàctor =clotting factor.
cóal fàctor 《英》石炭問屋 [仲買人].
có·fàc·tor 名 【生化学】共同因子, 補助要因.
cólony-stimulating fáctor 【生化学】コロニー刺激因子.
cómmon fàctor 【数学】公約数(common divisor).
córn fàctor 《英》穀物仲介人.
cúlture fàctor 【人類】【社会】文化的要因.
dáylight fàctor 【物理】昼光率.
díagram fàctor 【機械】線図係数.
elongátion fàctor 【生化学】延長 [伸長] 因子.
extrínsic fàctor 【生化学】ビタミン B_{12}.
Fálklands Fáctor 予期しない事件で政党支持率が高まる現象.
féel-bad fàctor 不況不安をひき起こす要因.
féel-good fàctor 好況の期待をひき起こす要因.
F́ fàctor 【菌類】F 因子, 稔性(ねんせい)因子.
fílter fàctor 【写真】フィルター係数.
finágle fàctor 《米俗》(正しい答えになるように)適当にうまくやること.

fúdge fáctor 《米話》(大工仕事で材料を切断する際などに)失敗を見込んで余裕を持たせること.
grówth fàctor 【生物】発育因子, 成長因子.
Hágeman fàctor 【生理】第十二因子.
hóuse fàctor 《スコット》土地 [不動産] 管理人.
Hr fàctor 【生化学】Hr 因子.
initiátion fàctor 【生化学】開始因子.
íntegrating fàctor 【数学】積分因子, 積分因数.
intrínsic fàctor 【生化学】内因子, 内因性要因.
judícial fàctor 《スコット》公認地所管理人.
Ḱ-fàctor 《豪》K ファクター: コアラ(koala)を外国に進呈することが外交上の有利になるというオーストラリア外交官の間でもたれている観念.
límiting fàctor 【生物】限定要因, 制限因子.
lóad fàctor 【航空】搭載量.
Mendélian fàctor 【生物】遺伝子, メンデル因子.
multiplicátion fàctor 【物理】(原子炉の)増倍率.
nóise fàctor 【無線】【電子工学】雑音指数.
páddy fàctor 《英俗》IRA のテロリストたちが残す手がかり.
páper fàctor 【化学】バルサムモミから採れるテルペン; 殺虫剤に用いる.
pellágra-prevéntive fàctor 【生化学】抗ペラグラ因子.
pówer fàctor 【電気】力率.
Ṕ.Ṕ. fàctor =pellagra-preventive factor.
préfàc·tor 名 【数学】前因子.
príme fàctor 【数学】素因数.
Q́-fàctor 名 【電子工学】Q 値.
quálity fàctor 【生物】線質係数.
refléction fàctor 【物理】【光学】反射率.
reléasing fàctor 【生化学】(ホルモン)放出因子.
reprodúction fàctor =multiplication factor.
Ŕ fàctor 【遺伝】R 因子.
Rhésus fàctor =Rh factor.
rhéumatoid fàctor 【生化学】リューマチ因子.
Ŕh fàctor 【生理】Rh 因子.
rísk fàctor 【医学】(病気の原因となる)危険因子.
sáfety fàctor 【機械】安全率.
sígma fàctor 【生化学】シグマ因子.
sléaze fàctor スキャンダル(的なこと).
spréading fàctor 【生化学】ヒアルロン酸分解酵素.
sún protèction fàctor 日焼け止め指数(SPF).
tíme fàctor 時間的要因, 時間の制約.
tránsfer fàctor 【免疫】伝達因子.
transmíssion fàctor 【物理】透過因子 [係数].
túmor necròsis fàctor 【生化学】腫瘍壊死因子.
únit fàctor 【生物】単位遺伝因子, 単一因子.
wíndchìll fàctor 【気象】体感温度.
x́-fàctor 名 未知のもの [人, 要因].

fac·to·ry /fǽktəri/

名 工場, 製作所. ⇨ -Y[3].

bómb fàctory 《話》(テロリストの)爆発物 [爆弾] 製造所 [隠し場所].
bóne-fàctory 《米俗》病院.
cáckle fàctory 《米俗》精神科病院.
córpse fàctory 《俗》「死体工場」: 戦場や強制収容所など.
crácker fàctory 《米俗》精神科病院.
dáiry fàctory 《NZ》乳製品工場.
dóughnut fàctory 《米俗》大衆食堂, 軽食堂.
dréam fàctory (特にハリウッドの)映画撮影所.
fág-fàctory 《米俗》ホモのたまり場.
gárgle-fàctory 《米俗》酒場, バー.
gín fàctory 《米俗》酒場.
glúe fàctory 《米話》スクラップ工場, 解体場.
jóint fàctory 《米麻薬俗》(かなりおおっぴらに)マリファナを売っている場所 [店].
líghts-óut fàctory (作業灯不用の)完全自動工場.
màn·u·fác·to·ry 名 《古》製造所, 工場.
méson fàctory 【物理】中間子工場 [発生装置].
nút fàctory 《米俗》精神科病院(nut house).
píss fàctory 《米俗》酒場, 飲み屋, バー.
smóke fàctory 《米俗》アヘン窟(くつ).
spóok fàctory 《米俗》米中央情報局(CIA).
thínk fàctory 頭脳集団, シンクタンク.

fade /féid/

動自 〈色・光・音などが〉消えていく, 薄れる, あせる, 弱まる.

bráin-fàde 《米俗》退屈.
bráke fàde 【自動車】ブレーキフェード.
cróss-fáde 動他 【映画】【テレビ】〈映像・音を〉クロスフェードさせる.
póst-fàde ポストフェード: テープレコーダーの消去ヘッドをつけたり切ったりする装置.
prè·fáde 動他 〈織物・衣服を〉脱色する.

fail·ure /féiljər/

名 (事業などの)失敗, 不首尾; (事態の)発生しないこと. ⇨ -URE[1].

héart fàilure 心臓麻痺(ひ); 心臓機能停止, 死.
reciprócity fàilure 【写真】相反則不軌.

fair /féər/

名 **1** 共進会. **2** 市(いち). **3** 博覧会. **4** 慈善市.
★ 伝統の古さを表して faire とすることがある.

bóok fàir 図書展, 書籍展示会.
cóunty fáir 《米》郡共進会.
fáncy fáir 《英》手芸品・小間物などの慈善市.
fléa fàir 蚤(のみ)の市(flea market).
fún fàir 《主に英》(祭りの)遊園地.
híring-fàir 《英》農作業の人手を雇う市.
jób-fàir (会社が開く)就職説明会.
rág fàir ぼろ市, 古着市.
schóol fàir 学校説明会.
stréet fàir 《俗》露店市.
tráde fàir (産業)見本市.
Vánity Fáir (Bunyan 作 *Pilgrim's Progress* の中の)虚栄の市.
wórld's fáir 万国博覧会.

faith /féiθ/

名 **1** 信頼, 信用. **2** 信仰. **3** 信念. **4** 教義.

áll-fáith 形 全宗派(用)の.
ánimal fáith 動物的信念.
Áttic fáith 侵すことのできない信義, 堅い信義.
bád fáith 不誠実, 不正直, 裏切り.
góod fáith 正直, 廉直, 誠実.
ìnter·fáith 形 異宗派 [教派, 教徒] 間の.
ùn·fáith 名 不信心(disbelief); 非宗教的信念.

fak·er /féikər/

名 偽造 [模造, 捏造(ねつぞう)] 者; 詐欺師. ⇨ -ER[1].

críp-fàker 《米渡り労働者俗》障害者の振りをしたこじき.
múg faker 《英俗》街頭写真家.
músh-fàker 《米渡り労働者俗》ペテン師, 詐欺師.
póodle-fàker 《俗》うぬぼれた新任の若い将校.
twát fàker 《米俗》好色な男, ポン引き.

fal·con /fɔ́:lkən, fǽl-, fɔ́:kən | fɔ́:lkən, fɔ́:kən/

F

名 ハヤブサ.

chánting fàlcon ウタオオタカ.
cúckoo fàlcon カッコウハヤブサ.
gér·fàlcon 名 ＝gyrfalcon.
gýr·fàlcon 名 シロハヤブサ.
jér·fàlcon 名 ＝gyrfalcon.
péregrine fálcon ハヤブサ.
práirie fàlcon ソウゲン(草原)ハヤブサ.
pýgmy fàlcon コビトハヤブサ.

fall /fɔ́ːl/

動自 〈人・物が〉(高所から)落ちる, 落下する. ━━名 **1** 落ちること; (…からの)落下. **2** 落ちるもの, 落下物.

ásh fàll 【地質】降(下火山)灰.
báck·fàll 後退するもの.
be·fáll 動自 《文語》〈通例, 悪いことが〉(第三者に)起こる, 生じる.
cát·fàll 【海事】吊錨(ちょうびょう)索.
cúrtain·fàll (芝居の)幕切れ, 終演.
déad fàll 《映画俗》(西部劇の)スタントマン.
déad·fàll 《米》(大きな獲物を捕る)落としわな.
déw·fàll 露の降りること, 結露.
dóg·fàll 【レスリング】両レスラー同時のフォール.
dówn·fàll 転落, 失脚; 転覆; 没落, 破滅.
dúst·fàll 降下煤塵(ばいじん).
éven·fàll 《文語》暮れ方, 夕暮れ, たそがれ.
flág·fàll (合図する)旗の振り下ろし.
fóot·fàll 歩み, 足取り.
frée fáll 自由落下.
frée-fàll 動自 (落下傘が開く前に)自由落下する.
íce·fàll 氷河表面の割れ目や凹凸の激しい部分.
ín·fàll 名 侵入, 侵略.
lánd·fàll (航海・飛行での)陸地初認.
móon·fàll 月着陸.
néar-fàll 【レスリング】ニアフォール.
níght·fàll 日暮れ, 夕暮れ, 夕方.
ón·fàll 攻撃, 襲撃.
óut·fàll 河口, 流れ口; (下水の)落ち口.
pín·fàll 【レスリング】ピンフォール.
pít·fàll (人・動物を捕らえる)落とし穴.
prat·fall 《米・カナダ》しりもち(をつくこと).
pratt·fall ＝pratfall.
ráin·fàll 降雨.
róck·fàll 落石.
shórt·fàll 不足高, 不足額, 不足量 [分].
snów·fàll 降雪.
táckle fàll (滑車装置の)引き綱.
tó-fàll 《スコット》日暮れ.
wáter·fàll 滝, 瀑布(ばくふ); 落水.
wínd·fàll 思いがけない授かり物.

fal·la·cy /fǽləsi/

名 間違った考え, 誤信, 謬見(びゅうけん). ⇨ -ACY.

afféctive fállacy 【文学】感情の誤謬(ごびゅう).
báse ràte fállacy 【統計】基準誤謬論.
gámbler's fàllacy ギャンブラーの誤信.
genétic fállacy 【論理】発生論的虚偽 [誤謬(ごびゅう)].
inténtional fállacy 意図についての錯誤.
pathétic fállacy 感情的虚偽, 感傷的誤謬.

fall·en /fɔ́ːlən/

動 fall の過去分詞形. ⇨ -EN³.

cháp·fàllen 形 《主に英》意気消沈した.
chóp·fàllen 形 ＝chapfallen.
crést·fàllen 形 意気消沈した, がっかりした.
dówn·fàllen 形 〈建物が〉老朽化した.
ùn·fállen 形 (道徳的に)堕落していない.

fame /féim/

名 名声, 高名, 令名, 声望. ━━動他 …の名声を広める.

de·fáme 動他 (口頭または文書によって)…の名誉を毀損(きそん)する, 中傷する, 誹謗(ひぼう)する.
íll fáme 悪評, 悪名.

fam·i·ly /fǽməli/

名 家族, 家庭, 一家. ⇨ -Y³.

Álu fàmily 【生化学】Alu ファミリー.
bìnúclear-fàmily 二重核家族, 複合核家族.
blénded fàmily 混合家族.
cóunty fàmily 州の旧家 [素封家], 地方の名門.
dysfúnctional fàmily 機能不全家族.
exténded fàmily ＝kinship family.
fírst fàmily (ある地域で)社会的に最も高い地位にある一家, 名門; 《F- F-》大統領一家.
háppy fàmily (仲のよい)幸福な一家.
Hóly Fámily 聖家族: キリスト教美術の主題の一つ.
jóint fàmily 合同家族, 複合家族.
kínship fàmily 【社会】同族 [親族, 拡大] 家族.
lánguage fàmily 語族.
mùl·ti·fám·i·ly 形 〈住宅が〉数 [多] 家族用の.
nòn-fám·i·ly 名 非家族, ノンファミリー.
núclear fàmily 核家族.
offícial fàmily (団体・政府の)首脳陣, 幹部連中.
póppy fàmily 【植物】ケシ科の植物の総称.
prò·fám·i·ly 形 人工中絶 [堕胎合法化] 反対の.
róyal fámily 王室, 皇室; 皇族.
stép·fàmily 複合 [義理, 混成] 家族.
sub·fám·i·ly 名 【生物】亜科.
sú·per·fàm·i·ly 名 【生物】上科.
twó-generátion fàmily 核家族.
yóung fàmily 成人していない子供のいる家庭.

fan /fǽn/

名 **1** 扇, うちわ. **2** 送風機, 扇風機.

allúvial fán 【地文】扇状地, 沖積丘.
dúcted fán ダクテッドファン.
exháust fàn 排気扇風機, 換気扇.
fáiry fàn 【植物】サンジソウ.
próp·fàn 【航空】プロップファン.
séa fàn ヤギ(海楊), イソバナ類.
táil fàn 【動物】(エビの後端の)尾扇(びせん).
túrbo·fàn 名 ターボファン.
vácuum fàn 吸い込み式ファン.
wínnowing fàn 唐箕(とうみ), 箕.

fan·ci·er /fǽnsiər/

名 愛好家, マニア, …狂. ⇨ -ER¹.

bírd fàncier 愛鳥家; 小鳥屋.
cát fàncier 愛猫家.
dóg-fàncier 愛犬家.
hórse fàncier 馬飼育家.
pígeon-fàncier (珍種の)ハトの飼育者.
róse fàncier バラ栽培 [愛好] 家.

far·ad /fǽrəd, -ræd/

名 【電気】ファラド: 静電容量の実用単位. 記号 F.

ab·far·ad 名 絶対ファラド; 10^9 ファラド.
mi·cro·far·ad 名 マイクロファラド: 10^{-6} ファラド.
mil·li·far·ad 名 ミリファラド: 10^{-7} ファラド.

nan·o·far·ad 名 ナノファラド: 10^{-9} ファラド.
pi·co·far·ad 名 ピコファラド: 10^{-12} ファラド.
stat·far·ad 名 スタットファラド, 静電ファラド.

fare /fέər/

名 (輸送・通行の)料金, 乗車賃, 運賃.

ádd·fàre 動自 (運賃の)精算をする, 不足分を支払う.
ádd-òn fáre 付加運賃.
áir·fàre 航空料金 [運賃], 飛行料金.
cár·fàre 《米》乗車賃, (バスの)運賃.
éel·fàre 川上りするウナギの稚魚の通り道.
ín·fàre 名 《スコット・英北部・米方言》(結婚式の後新居で行なう)結婚披露宴.
jóint fàre 結合運賃: 2 社以上の航空会社による運送に適用される運賃.
spóuse fàre 〘航空〙配偶者運賃.
wár·fàre ☞
wél·fàre 幸福, 健康, 安寧, 繁栄, 福利.
yóuth fàre ユースフェア: 青少年向け格安航空運賃.

-fa·ri /fáːri/

連結形 旅行.
★ 名詞をつくる.
◆ safari の短縮形.

sno·fa·ri 名 スノーファリ, 雪原探検.
sur·fa·ri 名 《話》サーフィンに適した場所を捜して歩く旅 [サーファーたち].

farm /fáːrm/

名 **1** 農場; 農家. **2** 飼育場, 養殖場. **3** …場, …施設.

ánt fàrm (観察用の)アリの飼育箱.
áq·ua·fàrm 名 (魚介類・海藻類の)養殖場, 養魚場.
Ármish fárm 《米》アーミッシュ農場.
báby fàrm 《話》有料託児所 [保育園].
banána fàrm 《英俗》精神科病院.
bírd fàrm 《俗》航空母艦.
boutíque fàrm 新種の作物 [家畜] の栽培 [飼育] を専門に行う農場.
Bróok Fárm ブルックファーム: 米国で 1841 年から 1847 年まで続いた共産主義共同体.
chérry fàrm 《俗》軽犯罪者を教化する農場.
colléctive fárm (特に旧ソ連の)集団農場, コルホーズ(kolkhoz).
coóperative fárm 協同農場.
cóunty fàrm 《米》郡営救貧農場(poor farm).
dáiry fàrm 酪農場.
dírt fàrm 《米話》自作の農場, 小農場.
dísk fàrm 《ハッカー俗》ディスクドライブ(disk drive)の並ぶ部屋.
drý-fàrm 動自 《主に米・カナダ》乾地農法を行う.
éc·o·fàrm 名 (化学薬品を用いない)自然農場.
fáctory fàrm 工場化した畜産農場.
fát fàrm 《米俗》(太った人がやせるための)健康管理クラブ, 減量道場.
físh fàrm 養魚場; 漁場.
fóx-fàrm 《カナダ》キツネ飼育場.
fúnny fàrm 《俗》精神科病院.
fúr fàrm (ミンクなどの)毛皮動物飼育場.
gíggle-fàrm 《俗》精神科病院.
ghránny fàrm 《英》(高くて質の悪い)老人ホーム.
héalth fàrm 保養地(の施設).
hóme fàrm 《英》(昔の地方大地主専用の)農場.
nòn·fárm 形 非農業の.
óstrich-fàrm (羽毛を取るための)ダチョウ飼育場.
óyster fàrm カキ養殖場.
póor fàrm 《米》貧民救済農場.
séwage fàrm 下水利用農場.
sólar fàrm ソーラーファーム: 太陽エネルギーを電力に変換する施設.
stóck fàrm 牧畜農場.
stríp fàrm 帯状栽培農場.
stúd fàrm 馬繁殖場, 種馬飼育場.
tánk fàrm 《米》石油貯蔵タンクの並んだ場所.
trée fàrm ツリーファーム: 材木が栽培対象作物として植えられている土地.
trúck fàrm 《米》市場向け青果物栽培農園.
wáter fàrm 《米》地下水をくみ上げるために確保された(公の)土地区画.
wínd·fàrm 風力発電基地.
wórk fàrm (少年犯罪者が更生のため送られる)労働農場.

farm·er /fáːrmər/

名 農業経営者, 農夫. ⇨ -ER[2].

báby fàrmer 《話》有料託児所 [保育園] 経営者.
dírt fàrmer 《米話》(作男や小作人を雇用する営農者に対して)自作農.
Fúture Fármer 米国農業教育振興会の会員.
géntleman-fármer 趣味で農業をする人.
Jóhn Fármer 《米俗》農民, 農夫.
Pítt Strèet fármer 《豪俗》農地に投資している都市居住者.
Quéen Stréet Fàrmer 《NZ》節税などのため農場を営む実業家.
sháre fàrmer 《主に豪・NZ》分益農場主.
shéep-fàrmer 《英》羊の飼育者(sheepman).
súitcase fàrmer 《米》通勤農場主 [農場経営者].
ténant fàrmer 小作人, 小作農.

farm·ing /fáːrmiŋ/

名 農業, 農業経営; 飼育, 養殖. ⇨ -ING[1].

divérsified fárming 多角 [複合] 農業経営.
drýland fàrming 乾燥地農業, 砂地栽培.
fúr fàrming 毛皮動物の飼育.
géne fàrming 遺伝子ファーミング.
hígh fàrming (主に大量施肥の)集約農法.
léy fàrming 穀草式輪作農法.
míxed fárming 混合 [混同] 農業, 穀草式(農法).
ócean fàrming 海洋 [海中] 栽培, 海中養殖.
séa fàrming 栽培漁業.
sèmi·fárming 名 (家畜の)放し飼い.
stríp fàrming 帯状栽培.
subsístence fàrming 自給農業.
tánk fàrming 水耕法, 水栽培.
trásh fàrming 《米》刈り株マルチ栽培法.

fart /fáːrt/

名 《俗》**1** 屁(へ). **2** 嫌なやつ. **3** つまらない物; 無.

bráin-fàrt 《米》一時的に頭が空白になること.
cátch-fàrt 《米》腰巾着, おべっか使い.
cúnt fàrt 《米》(性交中に)膣から出る空気音.
dóg·fàrt 《米》見下げはてたやつ.
fíddle-fàrt 動自 《米》のらくらする.
Írishman's fart 《米》音が大きく臭い屁(へ).
mónkey-fàrt 動自 《米》無駄に時間を過ごす.
óld fárt 老いぼれ, ろくでなし.
pússy fàrt 《米》=cunt fart.
spárrow·fàrt 《英》夜明け; 《米》つまらない人.
strút fàrt 《米》ごうまんな男, うぬぼれ屋.

fash·ion /fǽʃən/

名 **1**(一時的)流行(型). **2**《文語》方法.

Brístol fàshion 副 《英》ブリストル風に, 万事整頓して.
dóg fàshion 名副 《米俗》(セックスの体位で)後背位(で).
Gréek fáshion 副 《米俗》アナルセックスで.
hígh fáshion 〖服飾〗オートクチュール.
párrot fàshion 《話》ただ繰り返すこと.
rè·fásh·ion 動他 …を作り直す, 作り変える.
táilor-fàshion 副形 あぐらをかいて[かく].
télescope fàshion 玉突き(衝突).
thrífty fàshion 〖服飾〗スリフティー・ファッション.

fash·ioned /fǽʃənd/

形 《主に複合語》作った; …の形をした; …風[式]の. ⇨ -ED[1].

fúll-fáshioned 形 体にぴったり合うように編んだ.
fúlly fáshioned 形 =full-fashioned.
néw-fáshioned 形 今はやりの; 新式の, 新型の.
óld fáshioned オールドファッションド: カクテルの一種.
óld-fáshioned 形 流行[時代]遅れの.
ùn·fáshioned 形 整形されていない; 《古》粗野な.

fast /fǽst, fɑ́ːst | fɑ́ːst/

形 **1** 速い, 素早い. **2**〈生物が〉耐性の. **3** 固定した, ぐらつかない. **4**〈色・染料が〉(…に)あせない. ―― 副 しっかりと, 固く.

ácid-fàst 形 抗酸性の.
béd·fàst 形 《主にミッドランド・米西部》寝たきりの.
bréast fàst 〖海事〗ブレストライン.
cólor·fàst 形 変色[退色]しない.
drúg-fàst 形 〈菌が〉薬品に強い, 耐性のある.
hánd·fàst 名 《古》契約, 約束, (特に)婚約.
hárd-and-fást 形 非常に厳重な; 無視できない.
héad fàst 〖海事〗船首舫(もや)い, 先舫い.
hóld·fàst 名 止め具, 締め具; 歯止め, 止め金.
lánd·fàst 形 陸地[海岸]につながった[接した].
líght·fàst 形 耐光性の; (特に日光で)あせない.
lóck·fàst 形 《スコット》厳重に錠を下ろした.
máke·fàst 名 〖海事〗船をつなぐ係柱.
sít·fàst 名 〖獣医〗(馬の背の)鞍(くら)ずれ.
sóoth·fàst 形 《古》真実に基づく, 真実の.
stánd·fàst 名 《まれ》しっかり[安定]した位置.
stéad·fàst 形 〈視線などが〉じっと向けられた.
stéd·fàst 形 =steadfast.
stérn fàst 〖海事〗船尾索.
sún·fàst 形 《米》日光に当たっても変色しない.
ùltra·fást 形 超高速の.
wásh·fàst 形 〈衣類などが〉色落ちしない.
wáter-fàst 形 〈色が〉水によって変化しない.

fas·ten·er /fǽsnər, fɑ́ːs- | fɑ́ːs-/

名 締め具; 締める人. ⇨ -ER[1].

dóme fàstener 《カナダ》=snap fastener.
pátent fàstener 《アイル》=snap fastener.
préss fàstener 《英》=snap fastener.
slíde fàstener 《米・カナダ》=zip fastener.
snáp fàstener (衣服に用いる)スナップ, ホック.
zíp fàstener 《英》ジッパー, チャック, ファスナー.

fat /fǽt/

形 太った, 肥えた. ―― 名 脂肪, 脂, 油脂.

bíg fàt 《米俗》あからさまな, 厚かましい.
brówn fàt 褐色脂肪.
bútter·fàt バター脂肪.
déep fàt (揚げ物用に)煮立てた油.
de·fát 動他 脱脂する, 脂肪分を除く.
gréen fàt 海ガメの脂身.
hydrógenated fát 水素添加脂肪.
léaf fàt 《米》葉状脂肪.
márrow·fàt マローファット: エンドウの改良品種.
mówrah fàt イリッペ脂.
múd·fàt 形 《英・豪》〈動物が〉非常に肥えた.
múle-fàt バッカリス: キク科の低木.
nòn·fát 形 脂肪分のない, 脂身のない.
polyunsáturated fát 多飽和脂肪.
púppy fàt 子供のときの一時的な肥満.
sáturated fát 飽和脂肪.
unsáturated fát 不飽和脂肪.
wíne·fàt 《古》ぶどう絞り器.
wóol fàt ラノリン, 羊毛脂(lanolin).
yéllow fát 〖獣病理〗(豚の)黄色脂肪症.

fa·ther /fɑ́ːðər/

名 **1** 父. **2** 先祖. **3** 指導者的人物.

Áll-fàther (最高)神, 全父, (多神教で)主神.
chúrch fàther 〖キリスト教会〗神父, 聖職者.
cíty fáther 市の有力者[長老](市会議員など).
dén fàther カブスカウトの組の男性指導者.
fóre·fàther (通例, 遠縁の)先祖.
fóster fàther 育ての父.
gód·fàther 教父, 代父, 名づけ親.
gránd·fàther 祖父, おじいさん.
Gréat Whíte Fáther 《こっけい》米国大統領.
Hóly Fáther 〖ローマカトリック〗教皇聖下.
hóuse·fàther (寄宿舎・学生寮などの)寮父, 監督.
Míll Híll Fáther ミルヒル(聖ヨゼフ)外国宣教会員.
núrsing fàther =foster father.
Òur Fáther 主の祈り, 主祷(しゅとう)文.
róom fàther ルームファーザー: 小学校の先生を手伝うボランティアの男性.
stép·fàther 継父, 義父.
súrrogate fáther 代理父.

fa·thers /fɑ́ːðərz/

名複 father「父」の複数形.

Apostólic Fáthers 使徒直弟子の教父, 使徒教父.
cónscript fáthers 《文語》(古代ローマの)元老院議員.
désert fàthers 荒野の教父.
Fóunding Fáthers 〖米史〗「建国の父」, (1787 年の)合衆国憲法制定者.
Gréek fáthers ギリシャ教父.
Pílgrim Fáthers ピルグリムファーザーズ.

fa·tigue /fətíːg/

名 疲労, 疲れ.

áid fatìgue 〖政治〗〖経済〗対外援助拒否ムード.
báttle fatìgue 〖精神医学〗戦闘疲労, 戦争神経症.
búnk fatìgue 《米陸軍俗》(ベッドでの)休憩時間.
cómbat fatìgue =battle fatigue.
compássion fatìgue (慈善行為や寄付などが余りに頻繁で長期にわたる場合の)同情心減退.
corrósion fatìgue 〖冶金〗腐食疲労.
dónor fatìgue =aid fatigue.
jét fatìgue 時差ぼけ.
métal fatìgue 金属疲労.
operátional fatígue =battle fatigue.
ò·ver·fa·tígue 動他 …を過度に疲れさせる.

fault /fɔ́ːlt/

名 **1** 欠点, 欠陥. **2** 誤り. **3**〖スポーツ〗(テニスなどで)フォールト. **4**〖地質〗断層.

áctive fáult 活断層.
cómma fàult 〘文法〙コンマ誤用.
cómpound fáult 複褶曲(ふくしゅうきょく).
de·fáult 名 (義務などの)不履行, 怠慢.
díp fàult 傾斜断層.
díp-slìp fáult 傾斜移動断層.
dóuble fáult 〘テニス〙ダブルフォールト.
fóot fàult 〘テニス〙フットフォールト.
fóot·fàult 動自〘テニス〙フットフォールトを犯す.
grávity fàult 重力断層, 正断層.
gróund fàult 接地事故, 地絡.
nó-fàult 名 無過失責任保険.
nórmal fáult =gravity fault.
óblique-slìp fáult 斜め移動断層.
oblíque fáult 斜交断層.
revérse fáult 逆断層.
Sán Andréas fáult サンアンドレアス断層.
stép fàult 階段断層.
stríke fàult 走向断層.
thrúst fàult 衝上(しょうじょう)断層.
tránsform fàult トランスフォーム断層.

fau·na /fɔ́ːnə/

名 動物相, ファウナ. ⇨ -A[2].
★ 語頭にくる関連形は faun(e)-: *faun*el「ファウナの」, *faun*ist「動物相の」.

a·vi·fau·na 名 鳥相, 鳥類相.
en·to·mo·fau·na 名 (一地域の)昆虫相.
epi·fau·na 名 エピファウナ, 表在底生生物.
ich·thy·o·fau·na 名 魚類相.
in·fau·na 名 底質内生動物.
meg·a·fau·na 名 〘生態〙巨型動物類.
mi·cro·fau·na 名 〘生物〙(顕微鏡でしか見えない)微小「動物.

fa·vor /féivər/

名 **1** 親切な行為. **2** 好意. **3** 記章. ⇨ -OR[1].

dis·fá·vor 名 好意を持たないこと, 冷遇; 不快.
gráce-and-fávor 形 (英国で)〈住居が〉王室[政府]から終身貸与された.
wédding fàvor 《古》(結婚式で男性参列者がつける)白い花形記章[リボン].

fax /fǽks/

名〘通信〙ファクシミリ, ファックス. ►facsimile の短縮形の発音綴り. ⇨ -X[2].

júnk fàx (ダイレクトメールに代わる)宣伝広告ファックス.
téle·fàx 名 電話ファックス.

-fax /fǽks/

連結形 システム手帳の商品名などにつく語尾要素. ►おそらく facts より. ⇨ -X[3].

Fil·o·fax 名 《商標》ファイロファックス: 英国 Norman Hill 社製のシステム手帳.
Le·fax 名 《商標》リファックス: 米国製のシステム手帳.

fea·sance /fíːzns/

名〘法律〙作為, 行為, (約定・義務などの)履行. ⇨ -ANCE[1].

de·fea·sance 名 無効化, 失効, 破棄.
mal·fea·sance 名 不正行為, 違法行為, 背任行為.
mis·fea·sance 名 失当な行為, 権限失当行使.
non·fea·sance 名 義務不履行, 不作為, 懈怠(けたい).

feast /fíːst/

名 **1** ごちそう. **2** 祝祭, 祭礼. ◇ -FEST, FESTIVAL.

béan·fèast 名 《主に英俗》《もと》宴会.
lóve fèast 愛餐(あいさん).
móvable féast 移動祝祭日.

feath·er /féðər/

名 (鳥の 1 本 1 本の)羽.

cóck fèather 〘弓術〙矢を弦にかけたとき上に来る矢羽.
cóntour fèather 〘鳥類〙大羽.
cóq fèather (婦人帽子の縁取りに用いられる)鶏の羽根(に似た羽根).
flíght fèather 〘鳥類〙主翼羽, 風切り羽根.
gáy·fèather キク科ユリアザミ属の植物の総称.
párrot's-fèather 〘植物〙フサモ.
pén fèather 〘鳥類〙正羽, ペン羽.
pín·fèather 〘鳥類〙刺毛(しもう).
prínce's-féather 〘植物〙ホナガアオゲイトウ.
Réd Féather 形 赤い羽根の, 共同募金(運動)の.
séa fèather 〘動物〙ウミエラ.
sháft fèather 〘弓術〙矢羽根.
síckle fèather 〘鳥類〙鎌羽(かまばね).
ùn·féath·er 動他〈鳥の〉毛をむしる.
wáter fèather 〘植物〙オオフサモ, ヌマフサモ.
whíte féather 《主に英》臆病(おくびょう)の印; 臆病者.

feath·ers /féðərz/

名複 feather「羽」の複数形.

fróst fèathers =ice feathers.
fúss and féathers 《話》過度の見え, 虚飾, 凝った装飾.
hórse·fèathers 名複 《米俗》くだらないもの[こと].
íce fèathers 粗氷: 物体の風上に吹きつけられて付着する細かい氷の結晶.
Píttsburg fèathers 《米渡り労働者俗》ピッツバーグの羽布団. ►鉄道貨車に積まれた石炭のこと(この上に寝ることから).
plúg and féathers 〘石工〙矢割り.

fea·ture /fíːtʃər/

名 特徴, 特質, 特色; 要点, 主眼. ── 動他 …を特徴づける; 〈俳優を〉主演させる. ⇨ -URE[1].

acóustic féature 〘音声〙音響特性.
artículatory féature 〘音声〙調音素性.
có·fèa·ture 名 〘映画〙コーフィーチャー.
créature-féature 《英俗》恐怖映画; 妖怪(ようかい).
de·féa·ture 名 《古》外観を損なうこと, 破損.
dis·féa·ture 動他 …の外観を損じる, 姿を損なう.
distínctive féature 〘言語〙示差的特徴, 弁別的素性.
dóuble féature (映画の)二本立て.
fírst féature 〘映画〙本編, 呼び物の映画.
fúngus fèature 《俗》あごひげを生やした男, ひげ面.
mis·féa·ture 名 《古》ゆがんだ顔, 醜い目鼻だち.
tél·e·fèa·ture 名 〘テレビ〙テレフィーチャー.

-fect /fékt, fekt/

連結形 つくる(こと); つくられた(こと).
★ 語末にくる関連形は -FICE.
★ 語頭にくる形は fact-, fect-: *fact*ory「工場」, *facti*tious「人為的な」.
◆ <ラ *-fectus*(*facere*「する」の連結形 *-ficere* の過去分詞形または行為名詞形).
[発音] 名詞では語頭の音節に, 動詞では基体(-fect)に第 1 強勢; ただし, 名詞で deféct となることもある. 例外: 名

F

詞で efféct.

af·fect 動他 作用する，影響を及ぼす.
con·fect 動他 こしらえる，作り上げる，調製する.
de·fect 名 ☞
ef·fect 名 ☞
in·fect 動他 (病気を)うつす，感染させる.
per·fect 形 ☞
pre·fect 名 (古代ローマの)長官，司令官.
re·fect 動他 《古》飲食物で元気づける.

-fect·a /féktə, fèktə/

連結形 【競馬】連勝単式.
★ 名詞をつくる.
◆ perfecta の短縮形.

su·per·fect·a 名 四連勝単式勝馬投票法 [券].
tri·fect·a 名 《米・豪・NZ》三連勝単式.

-fec·tion /fékʃən/

連結形 **1** するもの [こと]. **2** なされたもの [こと]，作られたもの [こと].
★ 名詞をつくる.
★ 語末にくる関連形は -FICE.
★ 語頭にくる関連形は fact-, fect-: *fact*ory「工場」, *fac*titious「人為的な」.
◆ <ラ *-fectus*(*facere*「する」の過去分詞および行為名詞形より). ⇨ -TION, -ION[1].
[発音] -fection の第 1 音節に第 1 強勢が置かれる.

af·fec·tion 名 (…への)愛(情)，情愛，慈愛.
con·fec·tion 名 (果物などの)砂糖漬け；糖菓.
de·fec·tion 名 (党などからの)離党，脱会，離脱.
in·fec·tion 名 ☞
per·fec·tion 名 完全(にすること)，完全無欠.
re·fec·tion 名 (特に飲食による)元気回復.

-fec·tive /féktiv/

連結形 なされた….
★ 形容詞をつくる.
★ 語末にくる関連形は -FICE.
★ 語頭にくる関連形は fact-, fect-: *fact*ory「工場」, *fac*titious「人為的な」.
◆ <ラ *-fectus*(*facere*「する, なす」より). ⇨ -IVE[1].

af·fec·tive 形 感情の [による，を表す]，情緒的な.
de·fec·tive 形 欠点のある；(…に)欠ける.
ef·fec·tive 形 有効な，効果的な，効きめがある.
in·fec·tive 形 【医学】伝染性の，伝染病の.
per·fec·tive 形 《古》完全にする [なる]；進歩 [向上] の途上にある，よりよくなる.

fed /féd/

動 feed の過去・過去分詞形.

béan-fèd 形 元気いっぱいの，元気に満ちた.
bóttle-fèd 形 人工哺乳の.
bréast-fèd 形 母乳で育った.
clíp-fèd 形 〈ライフルが〉自動装填(そうてん)の.
córn·fèd 形 〈家畜が〉穀物で養った.
magazíne-fèd 形 〈銃が〉弾倉 [給弾] 式の.
réel-fèd 形 〈印刷機が〉巻取紙の；輪転の.
shéet-fèd 形 〈印刷機が〉枚葉紙印刷機の.
spóon-fèd 形 スプーンで食べさせられる.
stáll-féd 形 〈家畜が〉畜舎に閉じ込めて飼育された.
tréncher-féd 形 《英》〈猟犬が〉狩猟クラブの犬舎育ちでない.
ùnderféd 形 十分に食物が与えられていない.
ùn·féd 形 食物を与えられていない.
wéb-fèd 形 〈印刷機が〉巻き取り紙印刷用の.
wéll-féd 形 よく太った，肥えた；栄養の十分な.

fee /fíː/

名 **1** 手数料，報酬，謝礼(金). **2** (各種の)料金.

admíssion fèe 入場料.
advánce fèe 前渡し金(front money).
applicátion fèe 申込金.
appráisal fèe 鑑定料.
cápping fèe 【キツネ狩り】(会員以外の者が払う 1 日分の)キツネ狩り料金.
cómmon fée 《豪》普通診療代.
contíngency fèe =contingent fee.
contíngent fée 成功報酬 [謝金].
dróp-déad fèe 会社買い占めが失敗した時に資金提供者に戻す元金.
éntrance fèe 入場料.
flát fée 均一料金.
gréat fée 【英史】国王から直接授封され，保有する領地.
gréen fèe =greens fee.
gréens fèe グリーンフィー: ゴルフをする人が支払うコースの使用料.
introdúcer's fée 手数料，賄賂(わいろ).
kíll fèe 【出版】不採用報酬.
láte fée 《英》(電報・郵便などの)時間外特別料金；遅滞料.
mémbership fèe 会費.
registrátion fèe 登録料.
schóol fèe 授業料.
stóle fèe 【ローマカトリック】聖式謝礼.
stúd fèe (雄馬の)種付け料.
súrplice fèe 【英国国教会】ころも代.
tránsfer fèe (サッカー選手の)移籍料.
úser's fèe (公共サービスの)使用 [利用] 料金.

feed /fíːd/

動他 〈人・動物に〉食物 [餌(えさ)] を与える，栄養を与える. ──自〈牛，馬などが〉食べる. ──名 (家畜の)飼料；飼育；(機械などへの)供給.

bírd·fèed 鳥の餌.
bóttle-fèed 動他 〈赤ん坊を〉哺乳瓶で育てる.
bréast-fèed 動他 〈赤ん坊を〉母乳で育てる.
chícken fèed 《俗》わずかな金額.
créep-fèed 動他 〈動物を〉餌つけ柵のなかで飼う.
cróss-fèed 【機械】横送り.
cút shéet fèed 【コンピュータ】(プリンターの)用紙自動送り込み装置.
dríp-fèed 名形 《英》点滴注射(の).
flóat-fèed 形 浮球で燃料供給を調節する.
fórce fèed 燃料の強制注入，潤滑油の強制循環.
fórce-fèed 動他 無理やり食物を取らせる.
grávity fèed 重力を利用した燃料供給法.
gréen·fèed 《主に豪・NZ》緑色飼料.
hánd-fèed 動他 〈家畜に〉一定の間隔・量の飼料を与える.
líne fèed 【コンピュータ】改行(する).
mis·féed 動自 〈機械が〉誤った原料・燃料などを送り込まれる.
òver·féed 動他 食べさせすぎる，えさをやりすぎる.
réd fèed 海産の赤いカイアシ類の動物.
sélf-féed 動他 〈家畜に〉食べたいだけの飼料を与える.
spóon-féed 動他 …にさじで食べさせる.
stáll-fèed 動他 〈家畜を〉畜舎に入れて飼育する.
tráctor fèed 【コンピュータ】プリンタ印字で紙送りするための機構.
ùnder·féed 動他 十分に食べ物を与えない.
ùn·féed 形 報酬を与えられない，無報酬の.
wínter·fèed 動他自 〈家畜に〉冬の間飼料を与える.

feed·back /fíːdbæ̀k/

名 フィードバック. ⇨ BACK².

acóustic féedback 〘電子工学〙音響帰還.
bì·o·féed·back 名 生体自己制御, バイオフィードバック.
ínverse féedback 〘電子工学〙帰還.
négative féedback 〘電子工学〙負帰還.
pósitive féedback 〘電子工学〙正帰還.
regénerative féedback 〘電子工学〙再生帰還, 正帰還.

feed·er /fíːdər/

名 **1** 食料を供給する人[もの]. **2** 食物を取る人[動物, 植物]. ⇨ -ER¹.

créep fèeder 〘畜産〙餌つけ柵(さく).
édger-féeder 〘郵便〙書状分類機.
fílter fèeder 濾過(ろか)摂食動物.
méter-fèeder 駐車時間を不正に長びかせるためにパーキングメーターに多めに金を入れる運転者.
sélf-féeder 自動給餌(きゅうじ)装置.
shéet fèeder 〘コンピュータ〙シートフィーダー.
snáke fèeder 《米ミッドランド》トンボ.
súrface fèeder 〘鳥類〙カモ(dabbling duck).

feed·ing /fíːdiŋ/

名 給食, 飼育, 飼養; 給送; 採食. ── 形 食物[飼料]を食べている. ⇨ -ING¹, -ING².

demánd fèeding 泣き授乳.
fóliar féeding 〘園芸〙葉面補給.
násal féeding 〘医学〙鼻腔(びくう)栄養(法).
nòn-féeding 形 〈動物・昆虫などが〉(冬眠中に)餌(えさ)を食べない.
sélf-féeding 形 自動供給の, 自給(システム)の.

feel·ing /fíːliŋ/

名 感じ; 感情. ── 形 感覚のある. ⇨ -ING¹, -ING².

féllow féeling 同情, 共感.
íll féeling 悪感情, 敵意.
sélf-féeling 名 自己中心的な感情.
ùn·féeling 形 感じない, 感覚がない, 無感覚の.

fel·low /félou/

名 男, 少年, 子ども; やつ.

béd·fèllow 寝床を共にする人, 同衾(どうきん)者.
bést féllow ボーイフレンド, 恋人.
bláck·fèllow 《通例軽蔑的》オーストラリアの原住民; 黒人.
cláss·fèllow 《主に英》同級生, クラスメート.
cóach fèllow (同じ馬車を引く)馬同士; 仲間.
góod fèllow 親しめる人, 楽しく付き合える人.
háil-féllow 愛想のいい人.
Ódd Fèllow 相互扶助団体(Independent Order of Odd Fellows)の会員.
òld féllow 《主に英》《親しい友達への呼び掛け》やあ, やあ君.
pláy·fèllow (特に子供同士の)遊び友達.
príze fèllow 〘英大学〙prize fellowship を受けている学生.
schóol·fèllow 学校友達, 学友.
téaching fèllow (授業料などを免除される代わりに, なんらかの教職義務を負う)大学院生.
wórk·fèllow 仕事仲間, 職場の同僚.
yóke·fèllow 《古》(特に仕事の)相棒, 仲間.

fel·low·ship /félouʃìp/

名 **1** 仲間同士; 交際. **2**〘教育〙(特別研究員のための)奨学基金. ⇨ -SHIP.

dis·fél·low·shìp 名 〘プロテスタント〙除名, 陪餐(ばいさん)停止.
gòod-féllowship 社交性; 友情; 思いやり.
Gúggenheim Féllowship グッゲンハイム助成金.
príze fèllowship 〘英大学〙成績優秀者への奨学金.
tráveling fèllowship 研修旅行のための奨学金.

felt /félt/

動 feel の過去・過去分詞形. ⇨ -T¹.

heart·felt 形 深く心に感じた; 心からの.
home·felt 形 《古》しみじみと感じる.
in·felt 形 《まれ》深く感銘を受けた.
un·felt 形 感じられない.

fe·male /fíːmeil/

名 女性; 《おどけて》《侮辱的》女子, 婦人. ◇ MALE.

an·ti·fe·male 形 女性に敵対する.
me·ta·fe·male 名 〘遺伝〙=superfemale.
su·per·fe·male 名 〘遺伝〙超雌.
tail-fe·male 名 (特にサラブレッドの)雌系.

fence /féns/

名 柵(さく), 垣根, 囲い, フェンス, 塀; 柵[囲い]に似たもの.

báck-fénce 形 〈会話などが〉気安い; 陰口的な.
cháin-link fénce 金網塀.
cóckatoo fénce 《豪》丸太と枝で作った柵(さく).
déad-wood fénce 《主に豪》粗削りの丸太や枯れ枝などを並べた柵(さく).
dógleg fénce =snake fence.
dríft fènce (米国西部などの)放牧場の囲い.
físh-fènce 魚柵.
gálloping fénce 《米》ジグザクに横木を渡した柵.
hót fènce 《NZ》電流を通じたフェンス.
líving fénce 〘軍事〙リビングフェンス, 植生防壁.
lóuver fènce 鎧(よろい)塀, 羽板[ルーバー]垣.
óx-fènce 牛囲い(oxer).
pícket fénce 杭(くい)垣.
póst-and-ráil fènce 支柱に横木を通した柵.
rábbit-pròof fénce ウサギ通過防止用フェンス.
ráil fènce 《米》(横木を渡して作った)柵(さく), 横棒垣.
ríng fènce 囲い, 限定.
ríng-fènce 動他 〈資産などの安全を〉保証する.
snáke fènce 《米》ジグザグ形の塀.
snów fènce 防雪柵(さく).
spíte fènce 《米》悪意の塀[壁].
stockáde fènce 防御柵(さく).
stóne fènce 《米俗》ストーンフェンス.
súnk fènce 隠れ垣.
Virgínia fènce =snake fence.
Virgínia ráil fènce 《米》=snake fence.
wórm fènce 《主に米ミッドランド》=snake fence.

-fence /féns/

連結形 《特に英》打たれたもの[こと].
★ 語末にくる関連形は -FEND, -FENSE.
◆ <ラ *-fensus*(*-fendere*「打つ」の過去分詞).

de·fence 名 《特に英》防御, 守備, 防備, 防戦.

of·fence 名 (道徳的な)罪(offense).

-fend /fénd/

連結形 払いのける, 守る.
★ 語末にくる関連形は -FENCE, -FENSE.
◆ ラテン語 *-fendere*「払いのける, 守る, 追い返す」より.

de·fend 動他 …を守る, 防御する.
fore·fend 動他 =forfend.
for·fend 動他 《特に米》…を防護する, 守る.
of·fend 動他 感情を害する, 気に障る, 怒らせる.

fen·nel /fénl/

名 ウイキョウ(茴香).

dóg fènnel カミツレモドキ.
Flórence fénnel イタリア[フローレンス]ウイキョウ.
gíant fénnel オオウイキョウ(大茴香).
hóg's fènnel セリ科カワラボウフウ属の草木の一種.
séa fènnel クリスムム.

-fense /féns/

連結形 《特に米》打たれたもの[こと].
★ 語末にくる関連形は -FENCE, -FEND.
◆ <ラ *-fensus*(*-fendere*「打つ」の過去分詞).

de·fense 名 《特に米》防御, 守備, 防備, 防戦.
of·fense 名 《特に米》(道徳的な)罪(offence).

-fer /fər/

連結形 …を生み出す[生じる, 含む]もの.
★ 語末にくる関連形は -FERA, -FERENCE, -FERENT, -FEROUS, -LATE.
★ 語頭にくる形は fer-: *fer*tile「多産な」.
◆ ラテン語 *ferre*「運ぶ」より; ラテン語では一般に形容詞を形成; 英語の形容詞にするには -OUS をつける.
[発音] 2 つ前の音節に第 1 強勢.

an·ten·ni·fer 名 〘動物〙触角担節.
aq·ui·fer 名 〘地質〙帯水層.
con·fer 動自 (人と)相談する; 話し合う.
co·ni·fer 名 針葉樹, 球果植物.
cru·ci·fer 名 聖十字架捧持(ほう)者.
de·fer[1] 動他 〈実行・行動・考慮などを〉延期する.
de·fer[2] 動自 (人・意見に)従う, 尊重する.
dif·fer 動自 (…と)(…において)違う, 異なる.
for·a·min·i·fer 名 有孔虫.
in·fer 動他 …を推論する, 推断する.
la·tic·i·fer 名 〘植物〙樹脂道.
Lu·ci·fer 名 ルシフェル, ルシファー: 天から落ちた傲慢な大天使.
of·fer 動他 ☞
po·ri·fer 名 海綿動物.
pre·fer 動他 …を(…よりも)好む, 選ぶ.
re·fer 動他 〈人を〉(…に)行かせる.
suf·fer 動自 (…に)苦しむ, 悩む, 心痛する.
thu·ri·fer 名 持香者, 香炉奉持者, 香炉持ち.
trans·fer 動他 ☞

-fer·a /fərə/

連結形 …を生み出す生き物.
★ 名詞をつくる.
★ 語末にくる関連形は -FER.
★ 語頭にくる関連形は fer-: *fer*tile「多産な」.
◆ <ラ *ferre*「生む」; bear「生む」と同語源. ⇨ -A[1].
[発音] 直前の音節に第 1 強勢.

Po·rif·er·a 名 (無脊椎動物の)海綿動物門.
Ro·tif·er·a 名 〘動物〙ワムシ綱.
vi·nif·er·a 名形 (ワインの原料となる)ヨーロッパ系ブドウ *Vitis Vinifera*(の).

-fer·ence /fərəns, fərəns/

連結形 …とすること.
★ 名詞をつくる.
★ 語末にくる関連形は -FER, -FERA, -FERENT, -FEROUS.
◆ ラテン語 *ferre*「生む」より. ⇨ -ENCE[1].
[発音] 直前の音節に第 1 強勢.

cir·cum·fer·ence 名 外周, (特に)円周; 周辺, 周囲.
con·fer·ence 名 ☞
def·er·ence 名 (人の判断・意見・意志などへの)服従.
dif·fer·ence 名 ☞
in·fer·ence 名 推論, 推測, 推定.
in·ter·fer·ence 名 ☞
pref·er·ence 名 ☞
ref·er·ence 名 ☞
trans·fer·ence 名 移すこと; 移動, 転移, 転任; 譲渡.

-fer·ent /fərənt/

連結形 運ぶ(もの, こと).
★ 形容詞, 名詞をつくる.
★ 語末にくる関連形は -FER, -FERA, -FEROUS.
◆ <ラ *ferēns*(*ferre*「運ぶ」の現在分詞). ⇨ -ENT[1].
[発音] すべて 3 音節の語で, 語頭の音節に第 1 強勢.

af·fer·ent 形 〘生理〙輸入性の; 求心性の.
def·er·ent 形 〘解剖〙輸出の, 中心から離れた.
dif·fer·ent 形 (…とは)違った, 異なる.
ef·fer·ent 形 〘生理〙輸出性の; 遠心性の.
ref·er·ent 名 指示するもの[こと].

fer·ment /fə́ːrment/

名 **1** 発酵体. **2**〘生化学〙酵素. ⇨ -MENT.

co·fér·ment 名 〘生化学〙コエンチーム(coenzyme).
órganized férment 発酵体.
pro·fér·ment 名 酵素原(zymogen).
ùnórganized férment 酵素.

fern /fə́ːrn/

名 〘植物〙シダ.

aspáragus fèrn シダに似た蔓(つる)性のアスパラガス.
báll fèrn シノブ.
básket fèrn ラテンタマシダ.
béech fèrn ミヤマワラビ.
bírd's-nest férn シマオオタニワタリ.
bládder fèrn ナヨシダ属のシダの総称.
bóttle fèrn =brittle fern.
bríttle férn ナヨシダ.
búckler fèrn =shield fern.
cháin fèrn コモチシダ.
Chrístmas fèrn クリスマスシダ.
cínnamon fèrn ヤマドリゼンマイ.
Cláyton férn =interrupted fern.
clímbing férn カニクサ属の主に熱帯産の蔓(つる)性のシダの総称.
crápe fèrn ゼンマイ科のシダの一種.
dágger fèrn =Christmas fern.
déer fèrn ウラボシ科ヒリュウシダ属の常緑シダ.
fáncy férn シラネワラビ.
fílmy férn コケシノブ科のシダ植物の総称.
Góldie's férn ゴルディオシダ.
grápe fèrn ハナワラビ.
hárd fèrn ヒリュウシダ属の総称.
háre's-foot fèrn キンモウ(金毛)ウラボシ.
Hártford férn カニクサ科のシダの一種.

háy-scènted férn アメリカコバノイシカグマ.
hólly fèrn ヒイラギデンダ, カラフトデンダ.
interrúpted férn オニゼンマイ.
láce-fèrn イノモトソウ科エビガラシダ属のシダの一種.
lády fèrn セイヨウメシダ(西洋雌シダ).
mále férn オシダ, メンマ(綿馬).
mársh fèrn ヒメシダ.
móuntain fèrn オオバ(大葉)ショリマ.
Nèw Yórk férn ヒメシダ属のシダの一種.
óak fèrn ウサギシダ.
pársley fèrn リシリシノブ, イワシノブ.
rábbit's-foot férn =hare's-foot fern.
ráttlesnake fèrn ハナワラビ.
resurréction fèrn マキ(巻)デンダ.
róyal férn ロイヤルゼンマイ.
scále fèrn チャセンシダ属のシダの一種.
séed fèrn シダ種子植物.
sénsitive fèrn コウヤワラビ.
shíeld fèrn 盾形の包膜(indusium)を持つシダ.
sílver férn 《NZ》ヘゴ科の大形木生シダ.
squírrel's-fòot férn =ball fern.
stághorn fèrn ビカク(麋角)シダ, コウモリラン.
stóne fèrn =scale fern.
swéet fèrn ニセヤマモモ.
swórd fèrn =tuber fern.
trée fèrn 木生シダ.
túber fèrn タマシダ.
wálking fèrn チャセンシダ [トラノオシダ] 属のシダの一種.
wáll fèrn エゾデンダ.
wáter fèrn 水性・湿地性のシダ.
wóod fèrn オシダ属のシダの総称.

-fer·ous /fərəs/

連結形 …を生じる, 産出する, 生む, 含む, 運ぶ.
★ 形容詞をつくる; 通例 -i- を前に置いて -iferous となる.
★ 語末にくる関連形は -FER.
★ 語頭にくる関連形は fer-: *fer*tile「多産な」, *fer*ry「渡し場」.
◆ 中英. ⇨ -OUS.
[発音] 直前の音節に第 1 強勢.

aci·dif·er·ous 形 酸を含む.
aer·if·er·ous 形 (気管支のように)空気を運ぶ [含む].
a·lu·mi·nif·er·ous 形 アルミニウムを含む.
am·en·tif·er·ous 形 【植物】尾状花序をつける.
ar·gen·tif·er·ous 形 銀を生み出す, 銀を含む.
ar·gil·lif·er·ous 形 粘土質の, 粘土を産出する.
au·rif·er·ous 形 金を産する, 金を含む.
bac·cif·er·ous 形 【植物】漿果(しょうか)を生じる.
bal·sam·if·er·ous 形 バルサムを生じる.
bra·chif·er·ous 形 【動物】腕のある, 有手の.
bran·chif·er·ous 形 【動物】鰓(えら)のある.
bul·bif·er·ous 形 球根 [鱗茎(りんけい)] を生じる.
cal·ca·rif·er·ous 形 【生物】距 [蹴爪] のある.
cal·cif·er·ous 形 カルシウム塩を形成する.
Car·bon·if·er·ous 形 【地質】石炭紀 [系] の.
car·nif·er·ous 形 肉を生じる.
ce·rif·er·ous 形 〈腺などが〉蝋を生じる [分泌] する.
co·balt·if·er·ous 形 コバルトを含む [作り出す].
coc·cif·er·ous 形 〈植物が〉コチニールカイガラムシに寄生された.
con·chif·er·ous 形 貝殻を持つ [作る]; 貝殻を含む.
co·nif·er·ous 形 【植物】針葉樹の, 球果植物の.
cor·al·lif·er·ous 形 サンゴを含む [生じる].
cru·cif·er·ous 形 十字架を担った.
crys·tal·lif·er·ous 形 水晶を産出する [含む].
cul·mif·er·ous 形 【植物】稈(かん)を持つ.
cu·prif·er·ous 形 銅を含む; 銅を産する.
di·a·man·tif·er·ous 形 【採鉱】=diamondiferous.
dia·mond·if·er·ous 形 ダイヤモンドを含む [生じる].
dor·sif·er·ous 形 【植物】葉の裏面に生じる.
fe·brif·er·ous 形 熱を出す.
fer·rif·er·ous 形 鉄を含む [生じる].
fi·lif·er·ous 形 糸状部の(ついた).
flo·rif·er·ous 形 よく花をつける.
fo·li·if·er·ous 形 【植物】葉のある, 葉を生じる.
fos·sil·if·er·ous 形 化石を産出する, 化石を含む.
fruc·tif·er·ous 形 〈植物が〉結実性の.
gar·net·if·er·ous 形 ざくろ石 [ガーネット] を含んだ.
gem·mif·er·ous 形 芽 [無性芽] を有する.
gem·mu·lif·er·ous 形 【動物】芽球を生じる.
glan·du·lif·er·ous 形 小腺(せん)のある.
glob·u·lif·er·ous 形 小球体を含む [生じる].
gra·nif·er·ous 形 穀粒ができる, 粒状の実をつける.
gum·mif·er·ous 形 ゴムを生じる.
gyp·sif·er·ous 形 石膏(せっこう)を含有する.
her·bif·er·ous 形 草本をなす.
hi·lif·er·ous 形 へそ [核心, 門] を持っている.
jac·u·lif·er·ous 形 【植物】【動物】とげ状の.
lac·tif·er·ous 形 【解剖】乳汁を作る [分泌する].
la·nif·er·ous 形 羊毛のある, 羊毛状の毛の生えた.
lat·i·cif·er·ous 形 【植物】乳液(latex)を出す [含む].
le·thif·er·ous 形 《古》命取りの, 死を招く, 致死の.
lig·ni·tif·er·ous 形 褐炭 [亜炭] を含む.
lu·cif·er·ous 形 《古》光を発する [もたらす], 光る.
lu·mi·nif·er·ous 形 光を発する, 発光性の.
mam·ma·lif·er·ous 形 【地質】哺乳動物の化石を含む.
mam·mif·er·ous 形 乳房のある; 哺乳類に属する.
man·ga·nif·er·ous 形 【鉱物】マンガンを含む.
mel·lif·er·ous 形 蜜(みつ)のできる [を出す].
met·al·lif·er·ous 形 金属を含む; 金属を生じる.
mor·tif·er·ous 形 生命にかかわる, 致命的な.
mu·cif·er·ous 形 粘液を分泌する, 粘液を含む.
nec·tar·if·er·ous 形 【植物】蜜(みつ)を出す.
nick·el·if·er·ous 形 ニッケルを含む [生じる].
o·dor·if·er·ous 形 芳香を放つ.
o·le·if·er·ous 形 〈種子・菌糸が〉油(脂)を含んだ.
os·sif·er·ous 形 骨を含んでいる, (特に)化石骨を含んでいる.
o·vif·er·ous 形 【解剖】【動物】卵のある, 輸卵の.
o·zo·nif·er·ous 形 オゾンを含む [生じる].
pes·tif·er·ous 形 病気を運ぶ, 伝染させる.
pet·al·if·er·ous 形 花弁のある(petalous).
pet·ro·lif·er·ous 形 石油を産出する(oil-producing).
pi·lif·er·ous 形 〈特に植物が〉毛の生えた [生える].
pis·til·lif·er·ous 形 【植物】雌蘂(しずい)のある.
plat·i·nif·er·ous 形 白金を含む.
plum·bif·er·ous 形 鉛を生じる; 鉛を含む.
pol·le·nif·er·ous 形 =polliniferous.
pol·li·nif·er·ous 形 【植物】花粉生産 [保持] 型の.
po·mif·er·ous 形 【植物】ナシ状果(pome)がつく.
po·rif·er·ous 形 小穴のある, 有孔性の.
pro·lif·er·ous 形 増殖する, 増殖性の.
quartz·if·er·ous 形 石英から成る [を含む].
rac·e·mif·er·ous 形 【植物】総状花序の.
res·in·if·er·ous 形 樹脂を分泌する.
sac·cha·rif·er·ous 形 【化学】糖を含む [生じる].
sa·lif·er·ous 形 〈地層などが〉含塩の.
sal·u·tif·er·ous 形 《古》健康によい, 健康増進の.
san·guif·er·ous 形 〈血管などが〉血液を運ぶ.
se·bif·er·ous 形 脂肪分泌性の(sebaceous).
sel·e·nif·er·ous 形 セレン(selenium)を含む.
sem·i·nif·er·ous 形 【解剖】輸精の; 精液生成の.
sil·i·cif·er·ous 形 ケイ酸 [シリカ] を含有する; ケイ酸 [シリカ] を生じる.
som·nif·er·ous 形 《まれ》催眠(性)の; 眠い.
so·nif·er·ous 形 音を伝える, 音を出す.
sop·o·rif·er·ous 形 《古風》眠くする, 催眠(性)の.
spi·nif·er·ous 形 とげのある [多い].
spi·rif·er·ous 形 (巻き貝のように)殻塔を持つ.
splen·dif·er·ous 形 《話 / しばしば皮肉》素晴らしい.
spo·rif·er·ous 形 胞子を生じる.
stam·i·nif·er·ous 形 【植物】雄蕊(ゆうずい)をつけている.
stan·nif·er·ous 形 錫(すず)(tin)を含んでいる.
stel·lif·er·ous 形 星のある; 星の多い; 星印のついた.

sto·lo·nif·er·ous 形 【植物】匍匐枝を生じる［のある］.
su·dor·if·er·ous 形 汗を出す, 発汗の.
tan·nif·er·ous 形 タンニンを含む［生じる］.
thu·rif·er·ous 形 乳香(frankincense)を生じる.
ti·tan·if·er·ous 形 チタンを含む；チタンを生じる.
um·bel·lif·er·ous 形 【植物】散形花序を生じる.
um·brif·er·ous 形 《古》陰を作る［成す］.
u·ri·nif·er·ous 形 輸尿の.
vi·nif·er·ous 形 ワインに適した［を産する］.
vir·u·lif·er·ous 形 病原体を有する［産生する］.
vo·cif·er·ous 形 〈人が〉大声で叫ぶ, やかましい.
yt·trif·er·ous 形 イットリウム(yttrium)を産する.
zinc·if·er·ous 形 亜鉛を生じる［含む］.

F

fer·ry /féri/

名 フェリー(ボート)；渡し船, 連絡船；渡し場, 船着き場.

áir fèrry エアフェリー；その航空機［航空網］.
cár fèrry (人・車両を渡す)渡し船, 連絡船.
Hárpers Férry ハーパーズフェリー(米国の地名).
hóver·fèrry 《英》ホバーフェリー.
lúnar férry 月フェリー(米航空宇宙局が計画中のもの).
tráin fèrry 列車を運ぶフェリー［連絡船］.

fer·tile /fə́ːrtl | fə́ːtail/

形 **1**〈土地・土壌が〉肥えた, 肥沃(ひよく)な. **2**【生物】〈卵・卵子などが〉受精した. ⇨ -ILE[1].
★ 語頭にくる関連形は fer-: *fer*tile「多産な」, *fer*ry「渡し場」.

cross-fer·tile 形 交雑受精の, 他家受精の.
in·fer·tile 形 やせた, 不毛の；生殖［繁殖］力のない.
in·ter·fer·tile 形 【植物】【動物】異系交配できる.
self-fer·tile 形 【動物】自家妊性の；自家受精できる.
un·fer·tile 形 〈土地が〉肥沃(ひよく)でない.

fer·ti·li·za·tion /fə̀ːrtəlizéiʃən | -laiz-/

名 豊かにすること, 多産化. ►fertilize の名詞形. ⇨ -IZATION.

cróss-fertilizátion 【生物】他家受精, 交雑受精, 交配.
dóuble fertilizátion 【植物】重複受精.
extérnal fertilizátion 体外受精.
in vítro fertilizátion 【生物】体外受精.
sélf-fertilizátion 【植物】自家受精, 自家［自花］受粉.

fes·cue /féskjuː/

名 【植物】イネ科ウシノケグサ属の植物の総称.

Chéwings féscue オオウシノケグサの細葉の変種.
créeping féscue ＝red fescue.
méadow fèscue ヒロハノウシノケグサ.
réd féscue オオウシノケグサ.
shéep féscue ウシノケグサ.
shéep's féscue ＝sheep fescue.
táll féscue ヒロハノウシノケグサ.

-fess /fés/

連結形 認める.
◆ <ラ *fatērī* 認める, 告白する；ラ *fārī*「話す」と同根.

con·fess 動他 〈過ち・犯罪行為などを〉告白する.
fess 動他 《話》白状する, (率直に)認める.
pro·fess 動他 装う；偽る；公言する, 明言する.

-fest /fèst/

連結形 …集会, …大会.
★ 名詞をつくる.
◆ <独 *Fest* 祭り, 休日. ◇ FEAST, FESTIVAL.

bláb·fèst 名 《米俗》＝gabfest.
búll·fèst 名 《米俗》自由討論.
chín·fest 名 《俗》雑談会；自由討論.
fún·fèst 名 懇親会, 親睦(しんぼく)会.
gáb·fèst 名 《話》おしゃべりの会.
hít·fèst 名 《俗》(野球の)打撃戦.
hóoch·fèst 名 《米俗》酒飲みパーティー.
hóp·fèst 名 《米俗》ビールパーティー.
jáw·fèst 名 《米俗》おしゃべり.
róck·fèst 名 《米》ロックフェスティバル.
scándal·fèst 名 スキャンダル騒ぎ.
slúg·fèst 名 《主に米話》(野球の)打撃戦.
sóng·fèst 名 歌の集い.
tálk·fest 名 長々しい会話［議論, 討論］.

fes·ti·val /féstəvəl/

名 (宗教行事としての, または一般に定期的な)祝祭, 祭り, フェスティバル；祭日, 祝日. ◇ FEAST, -FEST. ⇨ -AL[1].

Chìchester Féstival チチェスター演劇祭.
Gréat Féstival 【イスラム教】犠牲祭.
hárvest féstival 《英》収穫祭, 感謝祭.
jób fèstival 《米》(大学内で行う)就職説明会.
mín·i·fès·ti·val 名 《特に米》小規模な催し, 小記念祭.
póp fèstival ポップミュージックなどの音楽祭.
séd-fèstival 古代エジプトの王位更新祭, セド祭.
Spríng Drágon Fèstival (中国で)春竜節.
Spríng Fèstival (中国で)春節.
Thrée Chóirs Féstival 三聖歌隊音楽祭.
víntage féstival ブドウの収穫を祝う祭.

fe·ver /fíːvər/

名 **1** 発熱. **2** 熱病. **3** 興奮；熱狂.

áphthous féver 【獣病理】口蹄疫［病］.
béaver fèver 《米西部》【病理】ジアルジア症.
bláckwater féver 【病理】黒水熱.
bóutonneuse féver 【病理】ボタン熱.
bráin fèver 【病理】脳脊髄膜炎.
bréakbòne fever 【病理】デング熱(dengue).
búck fèver 《米話》(獲物の接近に)猟の初心者が感じる興奮.
cábin fèver 《カナダ・米》閉所性発熱.
cámp fèver 野営地に蔓延(まんえん)する熱病.
canícola fèver 【病理】カニコラ熱.
Cápe Hòrn fèver 《俗》【海事】(天候の悪いときに使う)仮病.
catárrhal féver 【獣病理】ブルータング病.
chíldbed fèver 【病理】＝milk fever.
cóuntry fèver 《古風》【病理】マラリア.
dándy fèver 【病理】(西インド諸島で)デング熱.
déer flỳ fèver 【医学】【獣医】野兎(やと)病.
désert fèver 【病理】コクシジオイド症.
díno·fever 名 恐竜フィーバー, 恐竜熱.
Dúmdum fèver 【病理】カラアザール, 黒熱病.
éast cóast fèver 【獣病理】アフリカの東部・中部の牛が寄生虫の一種によってかかる熱病.
en·fé·ver 動他 熱狂［興奮］させる.
entéric féver 【病理】腸チフス(typhoid).
gáte fèver 《英俗》(刑期の)満期が近づいた時の興奮.
glándular féver 【病理】伝染性単核症.
góld fèver 黄金熱, 黄金欲.
háy fèver 【病理】枯草熱, 花粉症.
hemorrhágic féver 【病理】(ウイルスによる)出血熱.
hóspital fèver 病院チフス.
intermíttent féver 【病理】間欠熱.
jáil fèver 発疹(はっしん)チフス. ►以前は刑務所で

発生したことより.

Jápanese ríver fèver つつが虫病(scrub typhus).
júngle féver 〔病理〕ジャングル熱, やぶ熱.
Lássa féver 〔病理〕ラッサ熱.
Málta féver 〔病理〕ブルセラ症(brucellosis).
mársh fèver マラリア(malaria).
Mediterránean féver 〔病理〕地中海熱.
mílitary féver 腸チフス(abdominal typhus).
mílk fèver 〔病理〕授乳熱, 産褥(さんじょく)熱.
Oróya féver 〔医学〕オロヤ熱.
párrot fèver 〔病理〕オウム病(psittacosis).
phlebótomus féver 〔病理〕=sandfly fever.
Póntiac fèver 〔病理〕ポンティアック熱.
Potómac féver ポトマック出世熱: 米政府内で地位, 権力を得ようとする欲望.
príson fèver 発疹(はっしん)チフス(typhus).
puérperal féver 〔病理〕産褥(さんじょく)熱.
Q-fèver 〔病理〕Q 熱.
rábbit fèver 〔病理〕〔獣病理〕=deer fly fever.
rátbìte fèver 〔病理〕鼠咬(そこう)症, 鼠毒.
recúrrent féver 〔病理〕=relapsing fever.
relápsing féver 〔病理〕回帰［再帰］熱.
rheumátic féver 〔病理〕リューマチ熱.
Ríft Vàlley féver 〔病理〕リフト谷熱.
Róck fèver 〔病理〕ブルセラ症(brucellosis).
Rócky Móuntain spótted féver 〔病理〕ロッキー山紅斑(こうはん)熱.
róse fèver 〔病理〕ばら熱.
sándfly fèver 〔病理〕砂バエ熱, パパタチ熱.
Sàn Joaquín Válley féver 〔病理〕サンジョアキン谷熱.
scárlet féver 〔病理〕猩紅(しょうこう)熱.
sháck fèver 《米渡り労働者俗》疲労, 眠け.
shíp fèver 発疹(はっしん)チフス.
shípping fèver 〔獣病理〕輸送熱, 輸送性肺炎.
Sílicon Válley Féver 《米》シリコンバレー・フィーバー.
snáil fèver 〔病理〕住血吸虫病.
splénic féver 〔獣病理〕脾脱疽(ひだつそ).
spótted féver 〔病理〕斑点(はんてん)熱.
spríng féver 春先のものうい感じ, 春愁.
stáge fèver (俳優志望の)俳優熱, 舞台熱.
stálk fèver 《豪俗》《まれ》(男性の)強い性欲.
swámp fèver 〔病理〕〔獣病理〕レプトスピラ病.
swíne fèver 〔獣病理〕豚コレラ.
Téxas féver 〔獣病理〕テキサス熱.
thérmic féver 日射病(sunstroke).
tíck fèver ダニ熱.
trénch fèver 〔病理〕塹壕(ざんごう)熱.
úndulant féver 〔病理〕ブルセラ症(brucellosis).
válley féver 〔病理〕谷熱.
whíte líne féver 《米俗》コカイン中毒.
yéllow féver 〔病理〕黄熱［黒吐］病.

-fex /fèks/

連結形 作るもの［人］.
★ 名詞をつくる.
★ 語末にくる関連形は -FICE.
★ 語頭にくる関連形は fact-, fect-: *fact*ory「工場」, *fac*titious「人為的な」.
◆ <ラ *-fec-*(*facere*「作る」の連結形)+*-s* 主格単数形語尾. ⇨ -X[2].

pon·ti·fex 名 〔ローマ宗教〕大神官, 大神祇官.
spin·i·fex 名 〔植物〕イネ科 *Spinifex* 属の多年草の総称.
tu·bi·fex 名 イトミミズ類.

-ff[1] /f/

音象徴間 **1** ほえ声など空気の強い動き, 息を吸ったり吹いたりするさま, ふわふわするさまなどを表す. **2** 短い打撃を表す. **3** 気炎をあげること, おしゃべり, からかい, はったりなどを表す. **4** 一吹きからちょっとしたもの, つまらないものを表す. **5** 荒い息づかいから腹立ち, 不気嫌を表す.

baff 動自他 〔ゴルフ〕(ボールを)バッフする.
biff 名 《俗》一撃, パンチ.
bluff 動他 〈人を〉はったりでだます. ━━名 空威張り, はったり.
boff 名 〔演劇〕大当たり, 大入り.
buff 動他自 (…の)衝撃を和らげる. ━━名 打撃, 平手打ち.
chaff 動他 〈人を〉からかう, 冷やかす.
chuff 名 蒸気機関(車)の排気の音, シュッシュッという音.
cuff 動他 《話》〈人・頭・顔を〉平手で打つ, 殴る. ━━名 平手打ち.
daff[1] 動自 《スコット・北イング》ふざける.
daff[2] 動他 《古》…をわきへそらす, 押しのける.
daff[3] 名 《話》ラッパスイセン(daffodil).
doff 動他 《文語》〈着物・帽子などを〉脱ぐ.
draff 名 (食べ物の)くず, ビールかす.
faff 動自 《英話》おろおろ［おたおた］する.
fluff 名 軽くふわふわしたもの; 綿毛.
gaff 名 《英俗》おしゃべり, (特に)くだらぬ話.
gruff 形 うなるような声の.
guff 名 《英俗》ばか話, ほら話.
huff 名 むっとすること, 立腹.
jiff 名 《話》ちょっとの間, 瞬間(jiffy).
miff 名 《話》腹立ち; 不機嫌.
puff 名 **1** パイ皮; シュークリーム. **2** 膨れた部分. ━━動自 はあはあする.
quaff 動自 《文語》〈酒などを〉がぶ飲みする.
quiff 名 《米》(タバコの)一ふかしの煙.
ruff 間 (犬の)ワン, ウーッ.
sluff 名 (蛇などの)抜け殻(slough).
sniff 動自 鼻を鳴らして息を吸う.
snuff 動他 (フンフンと音をたて)鼻で吸う.
stuff 動他 〈入れ物に〉(…を)ぎっしり詰める.
tiff 名 《話》ちょっとしたけんか［口論］.
waff 名 《スコット》(空気・風などの)一吹き.
whiff 名 (風・蒸気・煙などの)一吹き, そよぎ.
yaff 動自 《スコット》〈犬などが〉ほえる.

-ff[2] /f/

音象徴間 重複形に見られる語末子音. ◇ -FF[1].

chíff-chàff 名 〔鳥類〕チフシャフムシクイ.
cóff cóff 間 (咳の)コンコン.
pff-pff 間 《空気を吹きこんで膨らます音・様子》プーップーッ, フーッフーッ.
púff-pùff 《英》(汽車の)ぽっぽっ(という音).

fi·ber /fáibər/

名 **1** 繊維. **2** 繊維組織. **3** 〔解剖〕繊維. ►《特に英》=fibre.

acrýlic fíber 〔化学〕アクリル繊維.
álgin fiber 〔化学〕アルギン酸繊維.
associátion fiber 〔解剖〕連合神経繊維.
bást fiber 〔植物〕靭皮繊維.
cárbon fiber 〔化学〕炭素繊維.
de·fí·ber 動他 〈木・紙などの〉繊維を離解する.
díetary fíber 〔栄養〕食物繊維, 繊維質食品.
gláss fíber 〔化学〕ガラス繊維.
gráphite fiber グラファイト布.
hígh-fíber 形 高繊維質の.
modacrýlic fíber アクリル系繊維.
múscle fiber 〔解剖〕筋繊維.
nérve fiber 〔解剖〕〔生物〕神経繊維.
ólefin fiber オレフィン繊維.
óptical fíber 〔電子工学〕光ファイバー.
Purkínje fiber プルキンエ繊維.
sóft fíber 軟質繊維.

F

triácetate fiber トリアセテート繊維.
vúlcanized fiber バルカンファイバー: 電気絶縁体, 容器などに用いる皮状の物質.

fi·bre /fáibər/

名《特に英》(綿・ジュート・石綿などの個々の)繊維; 細い線条, 単繊維; (特に)繊維ガラス. ◇ FIBER.

nérve fibre 《英》〖解剖〗〖生物〗神経線維.
wóod-fibre (製紙材料としての)木部繊維.

fi·bril /fáibrəl, fíb-|fáib-/

名 微小繊維, 細繊維. ⇨ -IL[1].
★ 語頭にくる関連形は fibr(o)-: *fibro*cyte「〖細胞〗繊維芽細胞」.

mi·cro·fi·bril 名 〖細胞生物〗ミクロフィブリル.
my·o·fi·bril 名 〖細胞生物〗筋原線維.
neu·ro·fi·bril 名 〖解剖〗神経原線維.

-fic /fik/

連結形 …を生み出す, …を起こす, …化する, …的な.
★ ラテン語からの借用語に見られ, 形容詞をつくる. 通例 -ific /ífik/ の形をとる.
★ 語末にくる関連形は -FICE.
★ 語頭にくる関連形は fact-, fect-: *fact*ory「工場」, *fac-titious*「人為的な」.
◆ <ラ *-ficus* 作る = *-fic-*(*facere*「作る」の連結形) + *-us* 形容詞接尾辞.
[発音] 直前の音節に第 1 強勢.

be·a·tif·ic 形 祝福 [幸福] を与える.
be·nef·ic 形 恵みを施す; よい影響を与える.
cal·cif·ic 形 〖動物〗〖解剖〗石灰塩類を作る.
cal·o·rif·ic 形 熱を生じる, カロリーの.
col·or·if·ic 形 色を生じる [発する].
de·if·ic 形 神に祭り上げる; 神格化する.
fe·brif·ic 形 発熱の, 熱のある.
fe·li·cif·ic 形 幸福にする, 喜びをもたらす.
frig·o·rif·ic 形 寒くする, 冷却の; 冷やす.
hon·or·if·ic 形 名誉を与える [表す, 伝える].
hor·rif·ic 形 身震いさせる, 恐ろしい, ぞっとする.
mag·ni·fic 形 《古》壮麗な, 立派な, 堂々とした.
ma·lef·ic 形 《文語》災いを引き起こす, 有害な.
mor·bif·ic 形 病気を起こす, 病原性の.
os·sif·ic 形 骨化の, 骨形成の.
Pa·cif·ic 名形 ☞
pa·cif·ic 形 和解的な.
pon·tif·ic 形 《古》大神官の, 教皇の(pontifical).
pro·lif·ic 形 〈人・動物が〉多産の.
sal·vif·ic 形 救いをもたらす.
sap·o·rif·ic 形 味を出す [与える], 風味を添える.
sci·en·tif·ic 形 科学の, 科学的な.
som·nif·ic 形 眠くする, 催眠の.
so·no·rif·ic 形 音を発する.
sop·o·rif·ic 形 眠くする, 催眠(性)の.
spe·cif·ic 形 ☞
su·dor·if·ic 形 発汗させる, 発汗を促進する.
ten·e·brif·ic 形 暗黒 [暗闇] を生じる.
ter·rif·ic 形 《話》ずばぬけた, すごい.
tor·por·if·ic 形 遅鈍にする, 麻痺させる.
u·nif·ic 形 一つ [一体] にする, 統合的な.
va·por·if·ic 形 蒸気を生じる, 気化する.
vi·vif·ic 形 生気を与える, 活気づける.

-fi·cate /fikət, -keit/

連結形 …する.
★ 動詞, 形容詞をつくる.
★ 語末にくる関連形は -FICE.
★ 語頭にくる関連形は fact-, fect-: *fact*ory「工場」, *fac-titious*「人為的な」.
◆ ラテン語 *-ficāre*「する(do, make)」より. ⇨ -ATE[1].
[発音] 第 1 強勢は直前の音節. 語尾の発音は, 動詞では /kèit/, 名詞では /kət/, 形容詞では /kət, kèit/.

cer·tif·i·cate 名 ☞
nid·i·fi·cate 動自 巣を造る, 巣くう, 営巣する.
pa·cif·i·cate 動他 …を静める, 和らげる, なだめる.

-fi·ca·tion /fikéiʃən/

連結形 …にすること, …化.
★ -fy で終わる動詞に対応する動作・状態を指す名詞をつくる; 多く -i- を伴って -ification となる.
★ 語末にくる関連形は -FICE.
★ 語頭にくる関連形は fact-, fect-: *fact*ory「工場」, *fac-titious*「人為的な」.
◆ ラテン語 *-ficātiō*「作ること」より. ⇨ -ATION.
[発音] -fication の第 2 音節に第 1 強勢が置かれる.

aer·i·fi·ca·tion 名 気(体)化.
am·mon·i·fi·ca·tion 名 アンモニア化成.
am·pli·fi·ca·tion 名 拡大, 拡張; 拡大率, 倍率.
a·rid·i·fi·ca·tion 名 (湿潤地域の)乾燥化.
au·then·ti·fi·ca·tion 名 確認, 承認; 批准.
be·at·i·fi·ca·tion 名 至福を与えること, 授福.
Blair·i·fi·ca·tion 名 ブレア(英首相・労働党)政策への転換.
cal·ci·fi·ca·tion 名 石灰化(作用).
car·ni·fi·ca·tion 名 〖病理〗肉変, 肉質化.
cer·ti·fi·ca·tion 名 証明, 保証, 認可, 認証.
clar·i·fi·ca·tion 名 清澄化; 浄化.
clas·si·fi·ca·tion 名 ☞
coal·i·fi·ca·tion 名 〖地質〗炭化作用.
cod·i·fi·ca·tion 名 体系化, 集大成.
cor·ni·fi·ca·tion 名 〖生物〗角質化.
crust·i·fi·ca·tion 名 〖地質〗累被(るいひ)構造.
de·i·fi·ca·tion 名 神(格)化; 神として祭ること.
de·sert·i·fi·ca·tion 名 〖生態〗砂漠化.
de·tox·i·fi·ca·tion 名 〖生化学〗解毒.
de·zinc·i·fi·ca·tion 名 〖冶金〗脱亜鉛.
Dis·ney·fi·ca·tion 名 《軽蔑的》ディズニー化.
di·ver·si·fi·ca·tion 名 多様化; 多様性.
ed·i·fi·ca·tion 名 (道徳的・宗教的な)啓発, 教導.
e·lec·tri·fi·ca·tion 名 帯電, 充電, 感電.
es·ter·i·fi·ca·tion 名 〖化学〗エステル化.
ex·em·pli·fi·ca·tion 名 例を挙げて証明すること, 例証.
firn·i·fi·ca·tion 名 雪がフィルン(firn)になる過程.
floc·ci·nau·ci·ni·hil·i·pil·i·fi·ca·tion 名 《まれ》無価値とみなすこと.
for·ti·fi·ca·tion 名 (都市などの)武装化, 要塞(ようさい)化.
fran·gli·fi·ca·tion 名 英語の単語のフランス語への移入.
fruc·ti·fi·ca·tion 名 (植物の)結実, 結果.
gas·i·fi·ca·tion 名 ガス化, 気化.
ge·lat·i·fi·ca·tion 名 ゼラチン化.
gen·tri·fi·ca·tion 名 (スラムなどの)高級化.
glo·ri·fi·ca·tion 名 (一般に)賛美, 賞揚.
grat·i·fi·ca·tion 名 満足(感), 大喜び.
hu·mi·fi·ca·tion 名 腐植土形成.
i·den·ti·fi·ca·tion 名 同一視する [されている] こと.
in·dem·ni·fi·ca·tion 名 保障, 賠償, 弁償, 補償; 免責.
jol·li·fi·ca·tion 名 浮かれ騒ぎ, 大はしゃぎ.
jus·ti·fi·ca·tion 名 正当化, 弁明; 正当とする理由.
li·chen·i·fi·ca·tion 名 〖医学〗苔癬(たいせん)化.
lith·i·fi·ca·tion 名 〖地質〗石化作用.
mag·ni·fi·ca·tion 名 ☞
met·ri·fi·ca·tion 名 《英》メートル法化 [移行].
mod·i·fi·ca·tion 名 ☞
mor·ti·fi·ca·tion 名 屈辱, 悔しさ, 無念.
ni·tri·fi·ca·tion 名 〖化学〗硝化.
no·ti·fi·ca·tion 名 (正式の)通告, 告示.
nul·li·fi·ca·tion 名 無効にすること, 無効化, 破棄.
os·si·fi·ca·tion 名 骨化(過程), 骨化作用, 骨形成.
pac·i·fi·ca·tion 名 静める [静まる] こと, 平穏, 平静.

F

Pep·si·fi·ca·tion 名 米国式商業主義.
per·son·i·fi·ca·tion 名 擬人[人格]化;〖修辞〗擬人法.
pu·ri·fi·ca·tion 名 浄化;(ナチスによる)人種の浄化.
qual·i·fi·ca·tion 名 (…する)資質, 適性, 能力, 技能.
quan·ti·fi·ca·tion 名 数量化, 定量化.
ram·i·fi·ca·tion 名 分枝化, 細分化, 分岐.
rat·i·fi·ca·tion 名 承認, 認可; 批准, 裁可.
rec·ti·fi·ca·tion 名 改正[修正, 矯正](すること).
sanc·ti·fi·ca·tion 名 〖神学〗聖化.
san·gui·fi·ca·tion 名 造血, 血液生成(hematopoiesis).
scar·i·fi·ca·tion 名 乱切(法), 乱刺(法).
sco·ri·fi·ca·tion 名 〖冶金〗焼溶試金法.
sig·ni·fi·ca·tion 名 意味, 意義, 趣旨; 語義, 含意.
spec·i·fi·ca·tion 名 明細に述べる[記す]こと, 明記.
strat·i·fi·ca·tion 名 層に配列すること, 層状にすること, 層化.
Swis·si·fi·ca·tion 名 〖政治〗スイス化.
tes·ti·fi·ca·tion 名 証明[立証, 証言]すること; 証言.
thu·ri·fi·ca·tion 名 焼香.
trust·i·fi·ca·tion 名 企業合同化, トラスト化.
u·ni·fi·ca·tion 名 統一, 合一, 結合, 統合(union).
ver·i·fi·ca·tion 名 確かめること, 確認, 照合.
ver·si·fi·ca·tion 名 作詩, 詩作; 韻文化.
vin·i·fi·ca·tion 名 ワイン醸造(の過程).
vit·ri·fi·ca·tion 名 ガラス化.

-fice /fis, fàis, fáiz/

連結形 …するもの[こと].
★ 名詞をつくる.
★ 語末にくる関連形は -FACIENT, -FACT, -FACTION, -FECT, -FECTION, -FECTIVE, -FEX, -FIC, -FICATE, -FICATION, -FICENCE, -FICIENT, -FY.
★ 語頭にくる関連形は fact-, fect-: *fact*ory「工場」, *fac*titious「人為的な」.
◆ <ラ *-ficāre* (*facere*「する」の連結形より).
[発音] 第1強勢は語頭の音節. 例外: suffíce. 語尾の発音は名詞では /fis/, 動詞では /fàis/. 例外: suffice では /fáiz/ となることもある.

ar·ti·fice 名 巧みな策略, 計略, ずるい手段, 手管.
ben·e·fice 名 受聖職禄(ろく)付き聖職.
ed·i·fice 名 建物, 大建造物, 殿堂.
of·fice 名 ☞
or·i·fice 名 (管・筒などの)口, 孔; 通気孔.
sac·ri·fice 名 ☞
sat·is·fice 動自 最低限度の条件を満たす.
suf·fice 動自 (…には)十分である; (…に)足りる.

-fi·cence /fəsəns, fəsns/

連結形 …すること.
★ 名詞をつくる.
★ 語末にくる関連形は -FICE.
★ 語頭にくる関連形は fact-, fect-: *fact*ory「工場」, *fac*titious「人為的な」.
◆ <ラ. ⇨ -ENCE[1].
[発音] 直前の音節に第1強勢.

be·nef·i·cence 名 善行; 恩恵, 慈善.
mag·nif·i·cence 名 壮麗, 壮大, 荘厳, 雄大.
ma·lef·i·cence 名 《文語》悪事を働くこと; 悪事, 悪行.
mu·nif·i·cence 名 気前のよさ.

-fi·cient /fíʃənt/

連結形 つくる, する.
★ 形容詞をつくる.
★ 語末にくる関連形は -FICE.
★ 語頭にくる関連形は fact-, fect-: *fact*ory「工場」, *fac*titious「人為的な」.
◆ <ラ *-ficiens*(*facere*「つくる, する」の連結形 *-ficere* の現在分詞). ⇨ -ENT[1].
[発音] 基体の第1音節(-fi-)に第1強勢.

de·fi·cient 形 欠けている, 不足している.
ef·fi·cient 形 ☞
pro·fi·cient 形 上達[熟達, 熟練]した, 堪能な.
suf·fi·cient 形 十分な, 足りる.

fic·tion /fíkʃən/

名 **1** フィクション. **2** 小説. ⇨ -TION.

áirport fíction (機内で読むような)短編大衆小説.
compúter fiction ＝interactive fiction.
hy·per·fic·tion 名 〖コンピュータ〗(ハイパーテキストの形で書かれた)ハイパーフィクション.
interáctive fíction 視聴者[読者]参加フィクション.
légal fíction 《米》法的擬制, 法的虚構.
met·a·fic·tion 名 〖文学〗メタフィクション.
non·fic·tion 名 ノンフィクション.
púlp fiction かすとり小説.
scíence fíction 空想科学小説, SF.
spáce fiction 宇宙を舞台にした SF 小説.

-fid /fid/

連結形 〖植物〗〈葉が〉分割された, 分裂した.
★ 形容詞をつくる.
◆ ラテン語 *-fidus*「分けられた」より.

bi·fid 形 二またの, 二裂の.
mul·ti·fid 形 多裂の, 多分岐の.
pal·mat·i·fid 形 掌状の.
pin·nat·i·fid 形 羽状中裂の.
quad·ri·fid 形 四分裂の.
quin·que·fid 形 裂片が5つある.
tri·fid 形 三裂の; 三叉の.

fid·dle /fídl/

名 フィドル: ビオール属の弦楽器.

báss fíddle ダブルベース, コントラバス: バイオリン属の最低音楽器.
bélly fiddle 《米ジャズ俗》ギター.
búll fíddle 《話》＝bass fiddle.
náil fiddle 1740–1850 ごろに用いた楽器.
nún's fíddle トロンバマリーナ: 長い木製のピラミッド型の胴にふつう1本の弦を張った古い弓奏楽器.
sécond fíddle 《話》第二バイオリン(奏者).
stéam fiddle 《米サーカス俗》蒸気オルガン.
Swédish fíddle 《米俗》(伐採で)横引きのこ.

-fi·dent /fədənt/

連結形 信じている.
★ 形容詞をつくる.
★ 語頭にくる関連形は fid-: *fid*elity「忠実」.
◆ <ラ *fidēns*(*fīdere*「信頼する」の現在分詞). ⇨ -ENT[1].
[発音] 語頭の音節に第1強勢.

con·fi·dent 形 確信して, 固く信じて.
dif·fi·dent 形 自信のない, 気後れしている.

field /fiːld/

名 **1** 野原; 牧草地; 田畑, 田園. **2** 《通例複合語》(ある用途に当てた)地面, 使用地, 広場. **3** 活動範囲, 領域. **4** 〖物理〗(電気・磁気などの力の)場(ば). **5** 〖電気〗界磁. **6** 〖数学〗体.

a·field 副形 外に, 家[故郷]から離れて.

F

áir·field 飛行場.
báck·field 名 【アメフト】バックフィールド.
báttle·field 戦場.
bríck·field 《英話》れんが工場.
bríght-field 形 〈顕微鏡下の物体が〉明視野の.
bróken field =open field.
bróken-field 形 【アメフト】オープンフィールドの.
cán·field 【トランプ】キャンフィールド.
cénter field 【野球】センター.
ches·ter·field 《主に米》チェスターフィールド: 男子用コート.
cóal field 炭田, 石炭埋蔵地帯.
cólor·field 形 カラー・フィールドの, 色彩の場の.
córn·field 《米》トウモロコシ畑.
Cóulomb field 【電気】クーロン電界.
dárk-field 形 【光学】暗視野照明の.
dówn·field 副 【アメフト】ダウンフィールドで.
dráin·field 排水地.
eléctric field 【電気】電界, 電場(でんば).
electromagnétic field 【電気】電磁場.
exténsion field 【数学】拡大体.
flýing field 【航空】小飛行場.
fúll field 《米》(FBI の)徹底した人物調査.
gás field 天然ガス産地, ガス田.
góld field 金鉱地, 採金地.
gráin·field 穀物畑.
gravitátional field 【物理】重力場.
gréen·field 形 《英》田舎の, 未開発地域の.
gúm field 《NZ》化石化したカウリ樹脂の埋まった土地.
háy·field 干し草畑, 牧草場.
íce field (浮)氷原.
ín·field 名 【野球】【クリケット】内野.
kílling field (特にポル・ポト派による)大量虐殺の現場.
lánding field 【航空】軽飛行場, 離着陸場.
léft field 【野球】レフト.
lèvel pláying field 【政治】【経済】どの陣営にとっても互角の活動領域.
lóng field 【クリケット】ロングフィールド.
magnétic field 磁場, 磁界.
mágnetizing field 【物理】磁器強度.
míd·field 名 ミッドフィールド: 競技場の中間部分.
míne·field 【軍事】地雷敷設区域, 地雷原.
mis·field 動他 【クリケット】【ラグビー】(ボールを)まずくさばく.
óil field 油田; 石油生産地域.
óld field かつての耕作地.
ópen field 【アメフト】オープンフィールド.
órdered field 【数学】順序体.
óut·field 名 【野球】外野.
páddy field 稲田, 水田.
pláy·field 運動場, 競技場.
pláying field 《主に英》競技場, 運動場.
pótter's field 無縁墓地.
príme field 【数学】素体.
ríght field 【野球】ライト.
róot field 【数学】=splitting field.
scálar field 【数学】【物理】スカラー場.
semántic field 【言語】意味の場.
shórt field 【野球】遊撃手の守備範囲.
skéw field 【数学】非可換体, 歪体(わいたい).
snów·field 【地質】(万年)雪原.
sóund field 【物理】音の場, 音場.
spínning field 【昆虫】(クモの)紡績区.
splítting field 【数学】最小分裂体.
stréwn field テクタイト(tektites)飛散地域.
strícken field 戦場, 激戦(地).
súb·field 名 サブフィールド: ある研究分野のさらに細分化された一分野.
tíle field タイルフィールド: 水気を多く含んだ土中の排水を行なう装置.
tráck and field 陸上競技.
tráck-and-field 形 陸上競技の.
úp·field 副形 【アメフト】アップフィールドで[への].
úrn·field (青銅器時代の)骨壺葬地.
véctor field 【数学】【物理】ベクトル場.
vísual field 視野.
whéat·field 小麦畑.
wíde-field 形 〈望遠鏡などが〉広視野の.

-field /fiːld/

連結形 field の連結形で, 人名, 地名に用いられる.

Bea·cons·field 名 ビーコンズフィールド(カナダの都市名).
Bosworth Field ボズワース・フィールド(イングランドの地名).
Brook·field 名 ブルックフィールド(米国の都市名).
Caul·field 名 コールフィールド(姓). ►字義は「寒い牧草地」.
Ches·ter·field 名 チェスターフィールド(姓).
En·field 名 エンフィールド(イングランドの地名).
Fair·field 名 フェアフィールド(米国の都市名). ►字義は「豚のいる牧草地」.
Gar·field 名 ガーフィールド(姓). ►字義は「三角野」.
Green·field 名 グリーンフィールド(米国の都市名). ►字義は「緑地」.
Had·field 名 ハドフィールド(姓).
Hat·field 名 ハットフィールド(イングランドの都市名).
Houns·field 名 ハウンズフィールド(姓).
Hud·ders·field 名 ハッダーズフィールド(イングランドの都市名).
Lich·field 名 リッチフィールド(イングランドの都市名). ►字義は古英で「Licced 森の中にある広野」.
Mac·cles·field 名 マックルズフィールド(イングランドの都市名). ►字義は「Mackley 森の中の広野」.
Mans·field 名 マンスフィールド(姓). ►字義は「Breast 丘のある牧草地」.
Marsh·field 名 マーシュフィールド(米国の都市名).
Mase·field 名 メースフィールド(姓). ►字義は「Mace(人名)の牧草地」.
Med·field 名 メドフィールド(米国の都市名).
Nuf·field 名 ナフィールド(姓).
Old·field 名 オールドフィールド(姓). ►字義は「古い牧草地」.
Pitts·field 名 ピッツフィールド(米国の都市名).
Plain·field 名 プレーンフィールド(米国の都市名).
Red·field 名 レッドフィールド(姓).
Rich·field 名 リッチフィールド(米国の都市名).
Ridge·field 名 リッジフィールド(米国の都市名).
Scho·field 名 スコーフィールド(姓). ►字義は「小屋のある牧草地」.
Sco·field 名 スコーフィールド(姓). ►字義は「小屋のある牧草地」.
Sel·la·field 名 セラフィールド(イングランドの都市名).
Shef·field 名 シェフィールド(イングランドの都市名). ►字義は「羊のいる牧草地」.
Smith·field 名 スミスフィールド(イングランドの都市名).
South·field 名 サウスフィールド(米国の都市名).
Spring·field 名 スプリングフィールド(米国の都市名).
Sut·ton-in-Ash·field 名 サットン=イン=アッシュフィールド(イングランドの都市名).
Val·ley·field 名 バリーフィールド(カナダの都市名).
Wake·field 名 ウェークフィールド(イングランドの都市名).
West·field 名 ウエストフィールド(米国の都市名).
Weth·ers·field 名 ウェザーズフィールド(米国の都市名). ►字義は「Wiohthere(人名)の牧草地」.

White·field 名 ホワイトフィールド(姓).►字義は「白い牧草地」.
Win·field 名 ウィンフィールド(姓).►字義は「川辺の牧草地」.

field·er /fíːldər/

名 **1**〘野球〙〘クリケット〙野手. **2**フィールドで…が定位置の人. ⇨ -ER[1].

ín·field·er 名 〘野球〙〘クリケット〙内野手.
léft fíelder 〘野球〙左翼手, レフト.
mid·field·er 名 ミッドフィールダー: サッカーなどでミッドフィールドでプレーする選手.
óut·field·er 名 〘スポーツ〙(特に野球で)外野手.
ríght fíelder 〘野球〙右翼手, ライト.

fiend /fíːnd/

名 **1**サタン, 魔王, 悪魔. **2**(麻薬などの)常習者.

àrch·fíend 大悪魔, 悪魔のかしら.
dópe fiend 《俗》麻薬常用[中毒]者.
fóul fíend 悪魔, 魔王.

-fi·er /fàiər/

接尾辞 -fy と -er[1] の合成接尾辞.
★ 名詞をつくる.
★ 語頭にくる関連形は fact-, fect-: *fact*ory「工場」, *fac*titious「人為的な」.

ca·lor·i·fi·er 名 (蒸気利用の)温水器, 液体加熱器.
clas·si·fi·er 名 分類する人[もの].
for·ti·fi·er 名 築城家.
fruc·ti·fi·er 名 実を結ばせる人[もの].
i·den·ti·fi·er 名 証明する人[もの], 鑑定者.
jus·ti·fi·er 名 正当化する人[もの].
mag·ni·fi·er 名 拡大する人[もの].
pac·i·fi·er 名 なだめる人[もの], 調停[仲裁]者.
sco·ri·fi·er 名 〘冶金〙スコリファイヤ, 焼溶皿.
ver·i·fi·er 名 立証[証明]者, 立証[証明]するもの.

fig /fíg/

名 〘植物〙イチジク.

Bárbary fíg ヒラウチワサボテン(prickly pear).
cápri·fig カプリイチジク.
créeping fíg オオイタビ.
Hóttentot fig 南アフリカ原産のツルナ科の多年草.
Índian fíg ウチワサボテンの一種
Jáva fíg =weeping fig.
Móreton Báy fíg オオバゴムノキ, オオバゴムビワ.
sácred fíg インドボダイジュ(pipal).
Smýrna fíg スミルナ型イチジク.
wéeping fíg ベンジャミン.
wíld fíg =caprifig.

fight /fáit/

名 戦闘; 闘争. ──動他 …と戦う.

búll·fight 闘牛.
bún-fight 《英俗》いさかい, 口論.
cát·fight (特に女性の)口げんか.
chícken fight 《俗》肩車で水に落とし合う遊び.
cóck·fight 闘鶏.
cúss·fight 《米南部》ののしりけんか.
dóg·fight 犬のけんか.
fíre·fight 〘軍事〙銃撃戦.
físh-fight 《米俗》女同士のけんか.
físt·fight げんこつでの殴り合い.
gún·fight 《主に米》拳銃の撃ち合い, 銃撃戦.
òut·fíght 動自 戦いで…に勝る; …と戦って勝つ.
píllow fight (子供がやる)枕合戦.
príze·fight 懸賞ボクシング試合.
próxy fight (株主総会の)委任状争奪合戦.
rúnning fight 〘軍事〙追撃退却戦闘.
séa fight 海戦.
stráight fíght 《英》〘政治〙二候補間の争い.
téa fight 《英話》いさかい, 口論.
títle fight 〘ボクシング〙タイトル戦.
túrf fight 《米俗》縄張り争い.

fight·er /fáitər/

名 **1**〘軍事〙戦闘機. **2**戦士, 闘士. **3**(プロ)ボクサー. ⇨ -ER[1].

búll·fighter 闘牛士.
clúb fighter 〘ボクシング〙クラブボクサー.
críme·fighter 犯罪と闘う人, 犯罪取締人.
dáy·fighter 昼間戦闘機.
éscort fighter (特に爆撃機のための)護衛戦闘機.
fíre·fighter 消防士[隊員].
fréedom fighter 自由の闘士.
gún·fighter (特に米国西部開拓時代の)拳銃(けんじゅう)の名人, ガンファイター.
gút·fighter 名 《米》手ごわい相手[敵].
níght fighter 〘軍事〙夜間戦闘機.
stréet fighter ストリート・ファイター.
tánk fighter 〘ボクシング〙八百長ボクサー.

fight·ing /fáitiŋ/

名 戦い, 戦闘. ⇨ -ING[1].

búsh·fighting 森林地戦, (森林地の)ゲリラ戦.
físt fighting 素手のなぐり合い.
fíre fighting 消防.
ín·fighting 〘ボクシング〙インファイト, 接近戦.
kíte fighting (マレーシアの)凧(たこ)合戦.
shóot·fighting (スポーツの)シュートファイティング.
stréet fighting 市街戦.
wár·fighting 戦闘.

fig·u·ra·tive /fígjurətiv/

形 比喩(ひゆ)的な; 比喩的表現を含む; …を表象[象徴]する. ⇨ -ATIVE.

co·fig·u·ra·tive 形 各世代[同輩集団]の価値観が強い影響力を持つような社会形態の.
non·fig·u·ra·tive 形 〘美術〙非具象的な.
post·fig·u·ra·tive 形 〘人類〙大人の価値観が支配的な.
pre·fig·u·ra·tive 形 予示[予想]の.

fig·ure /fígjər|-gə/

名 **1**姿: 姿, 体つき, スタイル, 体格, 容姿. **2**数. **3**図形. ──動他 …を数字で表す, …を表現する. ⇨ -URE[1].

acádemy figure 〘美術〙アカデミーフィギュア.
authórity figure 権威のある人, にらみが効く人.
bláck-figure 形 黒絵式の: 紀元前7世紀から6世紀にかけて行われたギリシャの壷(つぼ)の装飾手法.
Chládni fígure 〘物理〙クラドニ図形.
con·fíg·ure 動他 (特別の目的に沿って)設計する.
cúlt-figure 崇拝される人, 教祖; 大衆の人気の的.
dis·fíg·ure 動他 …の外観を損なう, 形を崩す, 醜くする.
dóuble-fígure 形 《英》〈特にインフレ・失業率などが〉2桁(けた)の(double-digit).
fáther figure 父親のような人; 理想の父親像.

fóur-fígure 形 〈数が〉4 桁(けた)の.
impóssible figure 不可能［あり得ない］図形.
láy figure (美術や服飾デザイン用の, 通例, 木製の)人体模型, 人台.
Líssajous figure 【物理】リサジューの図形.
móther figure 典型的［理想的な］母親像.
pláne figure 【数学】平面図形.
prè·fíg·ure 動他 あらかじめ形で表す, 予示する.
réd-figure 形 赤絵式の, 赤像式の: 紀元前 6 世紀末および 5 世紀, ギリシャで発達した壷(つぼ)の絵付け法.
schóol figure 【フィギュアスケート】スクール・フィギュア.
shádow figure シルエット(silhouette).
stíck figure 棒線画: 胴体・四肢をそれぞれ直線で, 頭を円で描いた人物・動物の図式的な表現.
trans·fíg·ure 動他 …の外形［外観］を変える.
Vénus figure 【考古】乳部, 腹部, 臀部(でんぶ)などが強調された女性裸像彫刻.

fil·a·ment /fíləmənt/

名 細糸; 繊維. ⇨ -MENT.

gíll filament 鰓糸(さいし).
mìcro·fílament 名 【細胞生物】微小繊維.
mòn·o·fíl·a·ment 名 モノフィラメント: 化学繊維の一種.
mùl·ti·fíl·a·ment 形 多繊維の, マルチの.
mỳo·filament 名 【細胞生物】ミオフィラメント.

file[1] /fáil/

名 (書類・手紙などの)整理保存用具, ファイル.

authórity file 【図書館学】典拠ファイル.
báck-file (新聞・雑誌などの)バックナンバー綴(つづ)り.
bátch file 【コンピュータ】バッチファイル.
cárd file カード索引(card index).
círcular file 《米俗》(特に事務所の)紙くずかご.
króss-file 動自他 二つ以上の政党の予備選挙に候補として登録する, 交差登録する.
electrónic file 電子ファイル.
énd-of-file 【コンピュータ】ファイルの終わり(EOF).
flíght dáta file 【宇宙工学】飛行データファイル.
Índian file 一列縦隊.
in·ter·file 動他 〈カード・書類などを〉(項目別に)ファイルして整理する.
létter file レターファイル, 書状ばさみ.
máster file 【コンピュータ】基本［親］ファイル.
MÍDI file 【音楽】ミディ用電子ファイル.
mis·file 動他 〈書類・文書・記録などを〉誤ってとじる, 誤った場所にとじ込む.
rándam file 【コンピュータ】ランダムファイル.
ránk and file (指導者・支配者を別にした)一般人, 一般国民, 庶民; 一般従業員［社員］; 下士官兵; 一般組合員.
róund file =circular file.
scrátch file 【コンピュータ】スクラッチファイル.
shared file 【コンピュータ】共用ファイル.
síngle file 一列(側面)縦隊(Indian file)(で).
spíndle file (卓上用または壁掛け式の)書類差し.
tíckler file 備忘録ファイル.
vértical file バーチカルファイル: パンフレット, 図絵, 切り抜きなど, 垂直に立てて保管される資料のコレクション.

file[2] /fáil/

名 やすり.

bánd·file 動他 …に(やすり帯で)目立てをする.
bástard file 粗目やすり.
crósscut file (のこぎりの)目立てやすり.
náil file 爪(つめ)みがき, 爪やすり.
rát-tail file (細長い)丸やすり.

fill /fíl/

動他 **1**〈人が〉〈容器などを〉(…で)満たす. **2**〈穴などを〉(…で)ふさぐ.

back·fill 名 (掘られた穴の)埋め戻し材料, 裏込め.
béam fill 【建築施工】間積み材料.
fi·ber·fill 名 ファイバーフィル, 繊維充填材.
ful·fill 動他 実行する, 果たす, 実現する.
in·fill 動他 〈空隙(くうげき)を〉埋める.
land·fill 名 (低地の)埋立地; ごみ投棄場.
o·ver·fill 動他 いっぱいにしすぎる, 詰めすぎる.
re·fill 動他 再び満たす, 詰め替える, 補充する.
sláck-fill 動他 〈穀類などの容器に〉ゆったり詰める.

filled /fíld/

形 (内容物が)一杯に詰まった. ⇨ -ED[1].

fún·filled 形 お楽しみがいっぱいの.
gás-filled 形 ガス入りの.
góld-filled 形 【宝石】金張りの, 金着せの.
un·filled 形 満たされていない.

fill·ing /fíliŋ/

名 (容器などを)満たすこと, (要求などに)応じること. ——形 満たす; 満足させる. ⇨ -ING[1], -ING[2].

éye-filling 形 《話》見た目に美しい.
ínter·filling 名 【建築施工】間詰め.
líne-filling 名 写本の行末余白に描く装飾模様.
móuth-filling 形 〈文句などが〉長ったらしい.

film /fílm/

名 **1** 薄い層, 被膜; (一般に)薄いもの. **2** (映画)フィルム; 映画. **3**【写真】フィルム. **4** (ラップ用の)フィルム.

árt film 芸術映画, 実験映画.
bíb·li·o·film 名 (図書転写用の)マイクロフィルム.
blówn film インフレーション・フィルム. ► 食品など買い物をするときに見かける諸種のビニール袋をさす.
blúe film ポルノ映画, ブルーフィルム.
cát film 《英俗》女二人が争うポルノ映画.
chopsócky film (流血場面の多い)カンフー映画.
cíne·film 《特に英》映画用フィルム.
clíng film (食品を包む)ラップ.
cólor film カラーフィルム.
disáster film パニック映画.
dísc film disc camera 用フィルム.
fúck film 《俗》(性交シーンの多い)ポルノ映画.
mág·film 【映画】(映画)フィルム.
máster film 【写真】原版, 陰画, ネガ.
mí·cro·film 名 マイクロフィルム.
molécular film 【物理化学】分子膜［層］.
móvie film 映画フィルム(cinefilm).
nítrate film 可燃性［ニトロセルロース］フィルム.
pílot film 【テレビ】パイロット(フィルム).
revérsal film 【写真】反転［リバーサル］フィルム.
róll film 【写真】ロール［巻き］フィルム.
sáfety film 【写真】安全(写真)フィルム.
shéet film 【写真】シートフィルム.
slíde·film 【写真】スライド用フィルム.

snúff film 《俗》(実際の殺人を撮った)猟奇ポルノ映画, スナッフムービー.
sóund film 〘映画〙サウンドフィルム.
splátter film 《俗》スプラッター映画.
stág film 《英》(男性向け)ポルノ映画.
stríp film 〘写真〙ストリップフィルム.
té·le·film 名 テレビ用映画.
theátrical fílm 〘映画〙劇場(用)映画.
thíck fílm 〘電子工学〙厚膜(まく).
thín fílm 薄膜.
thín-fílm 形 薄膜の.
20th Céntury-Fóx Fílm 20 世紀フォックス映画.
vídeo film ビデオフィルム.

fil·ter /fíltər/

名 **1** 濾過(ろか)材; 濾過器. **2**〘写真〙フィルター.

áir filter エアフィルター, 空気濾過(ろか)器.
bánd-pass filter 〘電気〙〘電子工学〙帯域フィルター.
cólor filter 〘写真〙色温度変換フィルター.
hígh-pàss filter 〘電子工学〙高域フィルター.
in·fílt·er 動自 漉(こ)し入れる, ふるい入れる.
lów-páss filter 〘電子工学〙低域フィルター.
pólarizing filter 〘写真〙偏光フィルター.
sánd filter サンドフィルター.
skýlight filter 〘写真〙スカイライトフィルター.
ùltra·filter 名 〘物理化学〙限外濾過(ろか)器.
ultravíolet filter 〘写真〙紫外線吸収フィルター.
ÚV filter 〘写真〙= ultraviolet filter.

fin /fín/

名 (魚などの)ひれ.

ádipose fín (サケ・マスなど硬骨魚の)脂びれ.
ánal fín (魚の)臀(しり)びれ.
blàck·fin 米国五大湖産のサケ科コレゴナス属の食用魚.
blóod·fin 〘魚類〙ブラッドフィン.
bów·fin 〘魚類〙アミア.
cáudal fín 尾びれ.
dórsal fín (魚などの)背びれ; 背びれ状部分.
órange fin マスの幼魚.
péctoral fín (魚の)胸びれ.
pélvic fín (魚の)腹びれ.
réd·fin ひれが赤い小形の淡水産のミノー(minnow)の総称.
skíd fin (複葉機の)主翼上垂直安定板.
swím fin 潜水用の足ひれ(の片方).
táil fin = caudal fin.
thréad·fin ツバメコノシロ.
véntral fín = pelvic fin.
vértical fín 魚類の正中びれ.
wóund·fin 米国 Colorado 川水系の支流に生息するコイ科の淡水魚.
yéllow·fin キハダマグロ.

fi·nal /fáinl/

形 最後の, 最終の, 末尾の. ── 名 決勝戦, 決勝ラウンド. ⇨ -AL[1].

co·fi·nal 形 〘数学〙共終の.
Cúp Fínal 《英》カップファイナル.
e·qui·fi·nal 形 〈違った出来事が〉同じ結果[効果]をもたらす.
gránd fínal 《豪》優勝の決まるシーズン最終戦.
quar·ter·fi·nal 名形 〘スポーツ〙準々決勝(の).
sem·i·fi·nal 名形 〘スポーツ〙準決勝(の).

fi·nance /finǽns, fáinæns/

名 財政, 財務, 理財; 財務管理, 財政金融学. ── 動他 …に融資する. ⇨ -ANCE[1].

compénsatory fínance (特に政府の)赤字財政.
hígh fínance 大型金融(操作的)取引.
rè·fi·nánce 動他 …に再度融資する.

fi·nanc·ing /finǽnsiŋ, fáinæn-/

名 資金調達; 資金供給. ⇨ -ING[1].

brídge financing (短・中期の)つなぎ金融[融資].
déficit fináncing (特に政府の)赤字財政.
mézzanine fináncing 〘金融〙メザニン融資.
sèlf-fínancing 形 〈事業・企画が〉自己投資の.

finch /fíntʃ/

名 〘鳥類〙フィンチ.

búll·finch ウソ.
cháf·finch 《英》ズアオ(頭青)アトリ.
chéstnut-bréasted fínch シマコキン.
cítril fínch シトロンヒワ.
cútthroat fínch イッコウチョウ(一紅鳥).
díamond fínch ダイヤモンドフィンチ, 大錦花鳥.
Européan fínch アオカワラヒワの俗名.
fíre finch アフリカ産のハタオリドリ(weaverbird)で雄の羽衣の赤いものの総称.
góld·finch ゴシキ(五色)ヒワ.
góuldian fínch コキンチョウ(胡錦鳥).
gráss finch キンセイチョウ(錦静鳥).
gréen·finch カワラヒワ.
háw·finch シメ(鴲).
hóuse finch メキシコマシコ.
páinted fínch コマチスズメ.
párrot finch カエデチョウ科セイコウチョウ属の鳥.
píne finch マツノキヒワ(pine siskin).
púrple finch ムラサキマシコ(紫猿子).
rósy finch ハギマシコ属の数種のマシコ類.
séaside finch ハマヒメドリ(seaside sparrow).
snów finch ユキスズメ.
stórm finch ウミツバメ(storm petrel).
stráwberry finch ベニスズメ(avadavat).
yéllow·finch キン(金)ノジコ.
zébra finch キンカチョウ(錦花鳥).

find·er /fáindər/

名 **1** 見つける人[物]. **2**〘写真〙ファインダー. ⇨ -ER[1].

diréction finder 〘無線〙方向探知機.
fáct finder 実情調査員; 調停者, 仲裁者.
fáult·finder 名 あら捜しをする人, 難癖をつける人.
físh·finder 名 (音響測深機を使った)魚群探知機.
páge finder (使い捨ての)しおり.
páth·finder 名 (未開地の)開拓者, 探検者.
ránge finder (銃砲・カメラの)距離計, 測遠器.
sónic dépth finder 音響測深機.
víew·finder 名 〘写真〙ファインダー.
wáter·finder 名 (特に占い杖を使って)水脈を探る人.

fine /fáin/

形 品質のすぐれた, 上等の; 高級の; えり抜きの, 卓越した. ── 動他 (精製して)細かくする.

chéwed fine 《米俗》(軽食堂で)ハンバーガー.
hyp·er·fine 形 〘物理〙超微細の, 微小な.
o·ver·fine 形 立派[見事]すぎる.
su·per·fine 形 〈商品・製品が〉極上の.

-fine /fáin/

連結形 終わる, 終える.
★ 語頭にくる形は fin-: *fin*ale「結末」, *fin*ance「財源」.
◆ ラテン語 *fīnīre*「終わる, 境をつける」より.

con·fine 動他 〈人・発言・努力などを〉とどめる, 限る, 限定する.
de·fine 動他 ☞
fine 形 ☞
re·fine 動他 〈石油・砂糖などを〉精製する.
ser·re·fine 名 〖医学〗止血小鉗子(かん).

fin·ger /fíŋgər/

名 手指; (形・働きが)指に似たもの. ◇ FINGERS.

elévenh fínger 《米俗》陰茎.
first fínger ＝forefinger.
fish finger 《主に英》フィッシュスティック: スティック状にした魚肉にパン粉をつけて揚げたもの.
fíve-finger バラ科キジムシロ属の植物の総称.
fóre·finger 名 人差し指, 食指.
góld·finger 《麻薬俗》合成ヘロインの一種.
índex finger ＝forefinger.
ìn·ter·fín·ger 動自 〖地質〗指交する.
lády·finger 《米》レディフィンガー: 指状の小さなカステラ風菓子.
lády's-finger 〖植物〗オクラ, オカレンコン.
líttle fínger (手の)小指.
lóng fínger 中指.
míddle fínger 中指.
ríng finger 薬指; (特に)左手の薬指.
spónge finger ＝ladyfinger.
stínk-finger ＝stinky finger.
stínky finger 《俗》女性器への愛撫(ぶ).
thírd fínger ＝ring finger.
trígger finger 引き金を引く指(通例, 人指し指).
twó-fínger 形 (ピアノ・タイプなどを)指2本でやる.
whíte fínger 〖病理〗白蝋(ろう)病.

fin·gered /fíŋgərd/

形 《通例複合語で》…指の, 指が…の. ⇨ -ED².

bútter·fin·gered 形 物をよく落とす; 不注意[不器用]な.
fíve-fingered 形 5指の; 5本の指を開いた.
fúmble-fín·gered 形 《米俗》不器用な.
líght-fín·gered 形 手の早い, 手癖が悪い; 不正な.
rósy-fín·gered 形 ばら色の指の[をした].

fin·gers /fíŋgərz/

名複 finger「指」の複数形.

bútter·fingers (不器用に)物をよく取り落とす人.
cléan fíngers 贈収賄しないこと, 清廉潔白.
déad fíngers 〖医学〗白蝋(ろう)病.
déad-man's fíngers マメザヤタケの子実体.
fíve fíngers 《米俗》泥棒; 万引き, すり.
gréen fíngers 《米・カナダ》園芸の才; 園芸熱.
stícky fíngers 《話》盗癖.
thrée fíngers 《米話》グラスに指幅3本分の高さだけ注がれた酒.
twó fíngers 《米話》グラスに指幅2本分の高さだけ注がれた酒.
wéb·fingers 水かき指.

fin·ish /fíniʃ/

名 **1** 終わり. **2** (競争などの)最後, 結末. **3** 立派な仕上がり. ⇨ -ISH².

blánket fínish 〖陸上〗〖競馬〗一団となったゴール.
déad fínish 《豪》《話》(忍耐などの)限界.
Énglish fínish 〖印刷〗イギリス式仕上げ.
Gárrison fínish 〖競馬〗追い込み勝ち, 逆転勝ち.
Hólland fínish 〖繊維〗オランダ仕上げ[加工].
machíne finish 〖製紙〗マシン仕上げ, 機械光沢.
míll finish (紙の)つや出し面.
mírror finish 鏡面仕上げ.
phóto fínish 〖スポーツ〗写真判定.
réady-to-fínish 形 〈家具が〉白木の.
rè·fínish 動他自 表面を新しくする.
schréiner finish 〖繊維〗シュライナー加工.

fi·nite /fáinait/

形 限界のある, 限定[制限]された, 有限の; 測定[列挙]可能な. ⇨ -ITE².

def·i·nite 形 ☞ ſ"の.
in·fi·nite 形 (程度が)計れないほど大きい; 無限
trans·fi·nite 形 有限を超える; 〖数学〗〈数が〉超限の; 〖論理〗超限的な.

fir /fə́ːr/

名 〖植物〗モミ(樅).

álpine fír ロッキーモミ.
bálsam fír バルサムモミ.
Dóuglas fír ベイマツ, アメリカ・トガサワラ.
gránd fír ＝lowland fir.
gróund fir 地面を這うヒカゲノカズラ科のシダの総称.
lówland fír ベイモミ, アメリカオオモミ.
Níkko fír ウラジロモミ, ニッコウモミ.
nóble fír ノーブルモミ.
Nóotka fír 《米太平洋沿岸》＝Douglas fir.
Óregon fír ＝Douglas fir.
réd fír 赤みがかった樹皮の米国西部産のモミ属の木の総称.
Scótch fír オウシュウアカマツ.
séa fir ヒドロポリプ(hydroid): 刺胞動物ヒドロ虫類の2形のうちのポリプ型.
sílver fír ヨーロッパモミ.
sprúce fír トウヒ; (特に)ドイツトウヒ.
whíte fír ＝lowland fir.

fire /fáiər/

名 **1** 火, 炎. **2** 火事, 火災. **3** (火器・鉄砲の)発射, 射撃, 砲火.

ásh fire 〖化学〗灰火, とろ火.
báck·fire 動自 〈内燃機関が〉(弁開閉時期の不整などのために)逆火[バックファイア]を起こす.
bále·fire 《英古》大たき火, 大かがり火.
Béngal fíre ベンガル花火(Bengal light).
bláck·fire 〖植物病理〗角点病細菌によって起こるタバコの病気.
bón·fire 大かがり火.
brúsh fire (大規模な山火事と区別して)低木地帯の火事.
brúsh-fire 形 〈労働紛争・戦闘などが〉局部的な.
búsh·fire (特にオーストラリアの)雑木林地帯の山火事.
cámp·fire キャンプファイア: 野営のたき火.
céase-fíre 戦闘中止, 停戦, 休戦.
cénter-fire 形 〈弾薬筒が〉基底部中央に雷管のある.
céntral-fire 形 ＝center-fire.
Cóconut Gróve Fíre ココナッツ・グローブ(ボストンのナイトクラブ)の火災(1942).
cóuncil fire (北米インディアンが会議中に絶やさない)会議のたき火.
króss fire 十字砲火; (一般に)集中攻撃.

crówn fire 樹冠火: 木の頂部伝いに広がる森林火災.
cúrtain fire 〖軍事〗弾幕, 砲火.
déad fire =Saint Elmo's fire.
dévil fire 《米南部》鬼火.
drúm·fire (突撃前の)連続集中砲撃.
fén fire (沼沢地方に見られる)鬼火, 燐光.
fóx·fire 《主に米方言》狐火(きつねび).
fríendly fíre 〖保険〗友愛火, 使用火.
gás fire 《英》ガスストーブ(の火).
Gréat Fíre ロンドン大火(1666).
Gréek fíre ギリシャ火薬.
gróund·fire (山火事の)地中火.
gún·fire 発砲, 砲火, 砲撃; 連続射撃.
háng·fire (火薬・ロケット用燃料などの)遅発.
héll·fire 地獄の火, 業火.
hígh-àngle fíre 高角射撃, 曲射.
hóme fire 炉の火.
hóstile fíre 〖保険〗敵対火, 非使用火.
índirect fíre 〖軍事〗間接(照準)射撃.
Kéntish fíre 《英》(いら立ちまたは反対の意志を表す)聴衆の長い拍手.
kíll fire 《米軍俗》抹殺的銃撃 [砲撃].
líquid fíre (火炎放射器の)液火.
mís·fíre 動自 〈銃砲・弾丸が〉不発に終わる.
néed·fire 自然発火 [燃焼].
níght fire 鬼火, きつね火.
pín·fire 形 〈弾薬筒・火器が〉撃針(撃発)式の.
plúnging fire 〖軍事〗瞰射(かんしゃ), 曲射.
pórt·fire (火縄)銃または花火の点火装置.
práirie fire 草原の火事.
quíck fire 速射, (特に)突然出された目標に対する速射.
quíck-fire 形 (特に動標への)速射の.
rápid fíre 〖軍事〗速射.
rápid-fíre 形 〈質問・冗談・命令などが〉矢継ぎ早の.
réd fíre 赤色花火.
ré·tro·fire 動他 〈逆推進ロケットに〉点火する.
rím·fire 形 〈弾薬筒が〉周縁起爆式の.
rúnning fíre 連続速射.
Sàint Ánthony's fíre 《もと》〖病理〗聖アントニー熱.
Sàint Élmo's fíre =St.Elmo's fire.
séa fire 海中生物による発光.
shéll·fire 〖軍事〗砲火, 砲撃.
shít·fire 《俗》かんしゃく持ち.
slów fire 緩射.
spít·fire かんしゃく持ち, 短気者.
St. Élmo's fíre セント・エルモの火: 雷雲が近づいた時に船や飛行機のコロナ放電による発行現象.
St. Úlmo's fíre =St.Elmo's fire.
súre·fire 形 《話》必ずうまくいく.
súrface fire 表土と下生えだけが焼ける山火事.
Swíng-fire 英国の対戦車ミサイル.
tést-fire 動他 〈銃・ロケットなどを〉試射する.
wátch fire (信号として, また番人たちに明かりと暖を取るための)かがり火, たき火.
wíld·fire 昔敵船に火を放つために用いた容易に発火してなかなか消えない燃焼物.

fired /fáiərd/

形 《複合語》〈動力が〉…を燃料とする; 〈銃火器が〉…で発射する. ⇨ -D[1].

áll-fired 形 《主に米俗》すごい, 大変な.
bíscuit-fired 形 締め焼きされた.
cóal-fired 形 石炭で熱した; 石炭で動く.
gás-fired 形 ガス燃料の.
héll-fired 形 《主に米ミッドランド・南部方言》=all-fired.
óil-fired 形 石油を燃料とする.
shórt-fired 形 焼きの不十分な.
shóulder-fíred 形 〈砲弾などが〉肩にかついで発射できる.
súb·fired 形 潜水艦発射の.
ùnder·fíred 形 下から燃料を供給される.
un·fíred 形 火をつけられていない.

fir·ing /fáiəriŋ/

名 **1** (鉄砲などの)発射, 発砲, 射撃; 火をたくこと, 点火, (炉の)火入れ. **2** 〖窯業〗焼成. ──形 発射する. ⇨ -ING[1], -ING[2].

cróss-fíring 〖医学〗多門 [十字火] 照射(法).
déad fíring 死焼.
glóst fíring 〖製陶〗本焼き, 釉(ゆう)焼き.
jóy-fíring (兵士などが)勝利や終結を祝って空に向けて銃を乱射すること.
quíck-fíring 形 (特に動標への)速射の.
státic fíring 〖航空〗地上噴射.

F

firm /fə́ːrm/

名 (合資の)商会, 会社, 商社, 商店.

ìnter·fírm 形 会社間の(intercompany).
làw fírm 《米》法律事務所.
lóng fírm 《英俗》(掛け買いした品物を代金未払いのまま割引値段で転売して姿をくらます)詐欺商法 [会社].

-firm /fə́ːrm/

連結形 強い.
★ 語頭にくる形は firm-: *firm*ament「大空, 天空」.
◆ <古仏 *ferme* <ラ *firmus*; 中英 *ferm* に取って代わる.

af·fírm 動他 断言する
con·fírm 動他 確認する

first /fə́ːrst/

形 第一の, 最初の. ──副 最初に. ⇨ -ST[1].

dóuble fírst 〖英大学〗2科目最優等(の学生).
Éarth Fírst 「地球第一」: 米国の自然保護団体.
féet·fírst 副 足から先に.
héad·fírst 副 頭を先にして, 真っ逆さまに.
sáfety fírst 安全第一.
stánd·fírst 動他 〈新聞記事に〉内容の要旨をつける.
táil·fírst 副 尾部を先にして, 後ろ向きに.

fish /fíʃ/

名 **1** 魚, 魚類. **2** 魚介, (魚以外の)水産動物. **3** 《話》《軽蔑的》人, やつ.

álligator·fish 細長い海水魚.
ámber·fish 《米》アジ科ブリ属の魚.
anémone fish アネモネフィッシュ, クマノミ.
ángel·fish エンゼルフィッシュ.
ángle·fish アンコウ(angler).
árcher·fish テッポウウオ.
báit·fish (大形魚の餌(えさ)となる)小魚.
ballóon·fish ハリセンボン.
bárrel·fish 米国 New England 沿岸産の魚.
básket fish オキノテヅルモヅル: クモヒトデ綱オキノテヅルモヅル属の棘皮(きょくひ)動物.
bát·fish アカグツ(赤苦津).
béard·fish ギンメダイ科の魚の総称.
bée·fish ビーフィッシュ: 牛のひき肉と魚のすり身を混ぜ合わせたもの.
béllows fish =snipefish.
bíg fish 《米俗》重要人物, 大物(big shot).
bíll·fish くちばしや鼻部が突き出た魚類の総

称(カジキ, サヨリなど).

bláck·fish (一般に)黒色の魚.

blínd·fish =cavefish.

blów·fish 体を膨らます魚; (特に)フグ.

blúe·fish アミキリ.

bóar·fish 口先の突き出た魚の総称; (特に)ヨーロッパ水域産ヒシダイ科の魚.

bóne·fish ソトイワシ(ladyfish).

bóny fish 硬骨魚.

bóttom fish 底魚(そこうお), 底生魚.

bóttom-fish 動自 〖釣り〗底魚を釣る.

bóx·fish =trunkfish.

búffalo·fish コイ目サッカー科 *Ictiobus* 属の魚.

búmblebee·fish *Brachygobius* 属の数種のハゼ.

búrr·fish ハリセンボン, ハリフグ.

bútter·fish バターフィッシュ.

bútterfly·fish チョウチョウウオ.

cándle·fish ロウソクウオ.

cárdinal·fish テンジクダイ(イシモチを含む).

cát·fish ☞

cáve·fish 洞窟(どうくつ)魚.

chérub·fish アブラヤッコ属のチョウチョウウオ.

clímbing·fish キノボリウオ.

clíng·fish ウバウオ.

cóal·fish =sablefish.

cóarse físh 雑魚(ざこ).

cód·fish タラ.

cóld físh 《話》打ち解けない人.

cónch·fish テンジクダイ属の魚の一種.

cónvict·fish アイナメ科の魚の一種.

cornét·fish ヤガラ.

ców·fish ハコフグ.

crámp·fish シビレエイ(electric ray).

cráw·fish 《米》=crayfish.

cráy·fish ザリガニ(の類).

créole-fish ハタ科の深海魚の一種.

crést·fish アカナマダ.

cútlass·fish タチウオ(太刀魚).

cúttle·fish イカ; 《広義に》頭足動物の総称.

dámsel·fish スズメダイ.

déal·fish フリソデウオ.

dévil·fish オニイトマキエイ, マンタ.

dóctor·fish ニザダイ科クロハギ属の魚の総称.

dóg·fish ホシザメ属およびツノザメ属などの小さなサメの総称.

dóllar·fish =butterfish.

dólphin·fish シイラ, マンビキ(dolphin).

drágon·fish 竜魚.

dríft·fish エボシダイ科スジハナビラウオ属の魚.

drúm·fish 《米》ニベ科の魚の総称(drum).

dún·fish 《米》塩漬けにした保存用タラ.

élephant fish テングギンザメ.

fáll·fish コイ科の大形淡水魚.

fán·fish ベンテンウオ科の海水魚の一種.

fíddler·fish サカタザメ(guitarfish)数種の総称.

fíghting fish トウギョ(闘魚), ベタ(betta).

fíle·fish カワハギ.

fín·fish (ひれのある)魚.

flág·fish (アメリカン)フラッグフィッシュ.

fláme·fish テンジクダイ属の小魚.

fláshlight fish 発光魚.

flát·fish カレイ目の魚の総称.

flý-fish 動他自 〖釣り〗毛鉤(けばり)釣りをする.

flýing fish トビウオ.

fóod fish (一般に人間が食べる)食用魚.

fóol·fish =filefish.

fóur-eyed físh ヨツメウオ.

fróg·fish イザリウオ.

fróst·fish タラ科マダラ属の小形の魚.

gáme fish 〖釣り〗ゲームフィッシュ.

gár·fish 鱗骨(りんこう)類ガーパイク属の淡水魚.

gefílite físh 〖ユダヤ料理〗川魚のすり身を団子にして野菜スープで煮込んだ料理.

ghóst·fish ハダカオオカミウオ(wrymouth).

gláss·fish グラスフィシュ.

glóbe·fish フグ(puffer).

góat·fish ヒメジ.

góld·fish キンギョ.

góose·fish (特に)米国大西洋岸産のアンコウ.

gráy·fish サメ; (特に)ツノザメ(dogfish).

gréen fish 《ニューファンドランド》(はらわたを裂き塩をまぶした段階で)まだ保存処理のされていない魚.

gréen·fish メジナ属の藻食性の魚(opaleye).

gróund fish =bottom fish.

guitár·fish サカタザメ(坂田鮫).

hág·fish メクラウナギ.

hárvest·fish イボダイ科 *Peprilus* 属の魚.

hátchet·fish ムネエソ.

héad·fish マンボウ(ocean sunfish).

hóg·fish ベラ科の大形の魚の一種.

hórn·fish ギマ.

hórse·fish =moonfish.

hóund·fish 種々のサメ類.

íce·fish シラウオ(白魚).

ínk·fish イカ(cuttlefish).

jáck·fish カワカマス科の魚(pike)数種の俗称.

jáckknife-fish ニベ科の魚の一種.

jáw·fish アゴアマダイ科の口の大きい魚.

jáwless fish 円口類の魚(ヤツメウナギなど).

jélly·fish 刺胞動物と有櫛(ゆうしつ)動物のうち, クラゲ形のものの総称; (特に)クラゲ.

jéwel·fish ジュエルフィッシュ.

jéw·fish ハタ科の非常に大きな数種の魚.

kélp·fish ケルプ(kelp)の間に生息するスズキ目イソギンポ科の数種の魚.

kílli·fish メダカ科の魚の数種.

kíng·fish ニベ科の食用海産魚.

lábyrinth fish 迷器類の数種の淡水魚の総称.

lády·fish カライワシ属の魚.

láncet·fish ミズウオ.

lántern·fish ハダカイワシ.

léather·fish =filefish.

lémon·fish 《米南部》スギ(須義).

líon·fish ミノカサゴ.

lízard·fish エソ.

lóbe-finned fish 総鰭(そうき)類.

lúmp·fish ダンゴウオ.

lúng·fish 肺魚.

lýe·fish 〖スカンジナビア料理〗灰汁(あく)に浸したタラの干物(lutefisk).

mán-of-wár fish エボシダイ, カツオノエボシウオ.

máy·fish 北米東海岸産のメダカに近い小魚.

medúsa·fish メドゥサフィッシュ.

mílk·fish サバヒー.

mónk·fish (特に)米国大西洋岸産のアンコウ.

móon·fish アジ科 *Selene* 属の海産魚の総称.

mosquíto·fish カダヤシ.

móuse·fish =sargassumfish.

múd·fish 泥の中にいる魚の総称.

mútton·fish ゲンゲ科の魚の一種(eelpout).

Napóleon fish ナポレオンフィッシュ.

néedle·fish ダツ.

néttle·fish =jellyfish.

nígger·fish ハタ属の魚(cony).

númb·fish シビレエイ(electric ray).

óar·fish リュウグウノツカイ.

ódd fish 《話》型破りの人, 変わり者.

óil·fish バラムツ.

òver·físh 動他 〈一定海域・川から〉魚を乱獲する.

óyster·fish バトラコイデス科のカジカに似た魚.

páddle·fish ヘラチョウザメ.

pán·fish 釣りの対象にはならない淡水産食用小魚の総称.

páradise fish パラダイス・フィッシュ.

párrot·fish ブダイ.

péarl·fish カクレウオ.
Péter's fish マトウダイ(的鯛)(John Dory).
píg·fish イサキ科の魚.
pílot·fish ブリモドキ.
pín·fish ピンフィッシュ.
pípe·fish ヨウジウオ(楊枝魚).
pláty·fish プラティー.
pólly·fish ＝parrotfish.
póor fish 《米俗》なんでもない人, やつ.
pórcupine·fish ハリセンボン, ハリフグ.
pórk·fish ポークフィッシュ.
príest·fish 青黒色のメバル属の魚.
prów·fish ボウズギンポ.
púp·fish メダカ科の淡水魚の総称.
quéen·fish 銀青色のニベ科の魚.
rábbit·fish カナフグ.
rág·fish イレズミコンニャクアジ.
ráinbow fish カダヤシ科の卵胎生の淡水小魚.
rát·fish ギンザメの一種 *Hydrolages colliei*.
rázor·fish ベラ科 *Hemipteronotus* 属の魚.
réd·fish (産卵期の放精前の)雄のサケ.
réef·fish サンゴ礁にいるスズメダイ科の魚.
ríbbon·fish フリソデウオ科の数種の海産魚の総称.
róck·fish **1** いわうお, 岩礁魚. **2** メバル.
róoster·fish アジ科の大形食用魚.
róse·fish ＝redfish.
róugh fish 粗魚.
rúdder·fish 船を追いかける習性の魚の総称.
sáble·fish ギンダラ(銀鱈).
sáil·fish バショウカジキ.
Sàint Péter's fish マトウダイ(的鯛)(John Dory).
sált·fish 《カリブ英語》塩漬けのタラ.
sánd·fish ハタハタ.
sargássum·fish ハナオコゼ.
sáw·fish ノコギリエイ.
scábbard fish タチウオ(太刀魚).
scáld·fish ダルマガレイ科の小形の魚.
scórpion·fish 有毒なとげがあるカサゴ科の魚.
séed fish 子持ち魚, 抱卵魚.
sérgeant·fish スギ(cobia).
shéat·fish ダニューブナマズ.
shée·fish サケ科の釣り魚(inconnu).
shéll·fish 甲殻類動物(エビ, カニなど); 貝.
shrímp·fish シュリンプフィッシュ.
sílver·fish シロキンギョ(白金魚).
sínging·fish アンコウに近縁の魚.
skíl·fish アブラボウズ.
sléeve-fish イカ(squid).
snáil·fish クサウオ.
snáke·fish エソ(lizardfish).
snípe·fish サギフエ.
sóap·fish スズキ科の *Rypticus* 属の魚の総称.
sóldier·fish イットウダイ(一等鯛).
sóup-and-físh 《話》(男子用の)正式の夜会服.
Sóuthern Físh 〘天文〙みなみのうお(南魚)座.
spáde·fish マンジュウダイ科 *Chaetodipterus* 属の体高の高い食用魚・釣り魚.
spéar·fish フウライカジキ.
spíny-ràyed físh 棘条(きょくじょう)魚.
spórt fish スポーツフィッシュ: スポーツフィッシングの対象となる魚.
squáw·fish コイ科 *Ptychocheilus* 属の魚.
squírrel·fish イットウダイ科の魚.
stár·fish ヒトデ(sea star).
stóck·fish 干し魚, 魚の干物.
stóne·fish オニダルマオコゼ.
stúd·fish メダカに似た, オレンジ色の斑点(はんてん)のある青みがかった２種の小魚.
súcker·fish コバンザメ(remora).
súck·fish ＝suckerfish.
sún·fish マンボウ.
súrf·fish ウミタナゴ(surfperch).
súrgeon·fish クロハギ(surgeon).
swámp·fish メダカ目の小さい魚.
swéet·fish アユ(鮎).
swéll·fish フグ(puffer).
swórd·fish メカジキ.
tágged físh 標識魚.
thréad·fish イトヒキアジ.
tíger·fish コイ目カラシン科の淡水魚.
tíle·fish アマダイの一種.
tín fish 《海軍俗》魚雷(torpedo); 潜水艦.
tóad·fish バトラコイデス科のカジカに似た魚.
tóngue·fish シタビラメ(舌鮃)(sole).
trásh fish くず魚.
trée·fish メバル属の魚.
trígger·fish モンガラカワハギ.
trópical físh 熱帯魚.
trúmpet·fish ヘラヤガラ.
trúnk·fish ハコフグ類(box fish).
únicorn fish イッカク(一角)(narwhal).
víper·fish ホウライエソ.
wálking fish 短時間, 陸上で生存して動くことのできる魚の総称.
wéak·fish ニベ科の食用魚の総称.
wéather·fish ドジョウ(loach).
whíp·fish ハタタテダイ.
whíte·fish ホワイトフィッシュ.
wíng·fish 翼状の胸びれを持つ魚.
wólf·fish オオカミウオ.
wórm·fish スズキ目の細長い魚数種.
wréck·fish ニシオオスズキ(stone bass).
yéllow·fish 《米俗》中国人の不法入国者 [移民].
zébra·fish ミノカサゴ.

fish·er /fíʃər/

名 **1** 魚を捕食する動物. **2** 漁夫. ⇨ -ER[1].

bóttom fisher 《米俗》〘証券〙底値株を専門にねらう投資家.
kíng·fisher カワセミ.
péarl-fisher 真珠採取業者 [採取人].
sún-fisher 《米西部》暴れ馬.

fish·er·y /fíʃəri/

名 〘漁業〙養魚場, (魚類・真珠の)養殖場. ⇨ -ERY[1].

búlk fishery 大量魚獲漁法.
dríve-in físhery 追い込み漁業.
lábyrinth fishery 箕(み)立て漁業.
péarl-fishery 真珠採取業; 真珠養殖場.
póle-and-líne físhery 竿(さお)釣り漁業.
séal fishery アザラシ狩り; その狩り場.
shéll·fishery 貝類・甲殻類の漁業 [漁穫(高)].
whále fishery 捕鯨.

fish·ing /fíʃiŋ/

名 魚釣り [捕り], 魚獲. ⇨ -ING[1].

drúm fishing ドラムフィッシング: 網・ロープ漁業の別名.
eléctro·fishing 電気 [電戟(でんげき)] 漁法.
flóat·fishing 浮き釣り.
gróund·fishing 水底に設置した釣具.
íce fishing 穴釣り. ── 動自 穴釣りをする.
líne fishing 糸釣り.
móp fishing 絡ませ網漁業.
nét-fishing 網漁.
nígger-fishing 《米俗》川岸に立って行う釣り.
péarl-fishing 真珠採取業.
púmp-fishing ポンプ漁業.
spín fishing スピニング, 投げ釣り(spinning).
spórt·fishing スポーツフィッシング.

thréad-lìne fishing ＝spin fishing.
tórch-fishing 夜間トーチ使用の漁.
wórm-fishing ミミズを餌(え)に使う釣り.

fis·sion /fíʃən/

名 分裂, 裂開. ⇨ -SION.

bínary físsion 〔生物〕二分裂.
múltiple físsion 〔生物〕多分裂, 複分裂.
núclear físsion 〔物理〕核分裂(fission).
phòto·físsion 名 〔物理〕光(ひかり)核分裂.
quási·físsion 名 〔原子物理〕準核分裂.
térnary físsion 〔物理〕核の三分裂, 三体核分裂.

fist /físt/

名 握りこぶし, げんこつ.

báck·fist 裏拳(うら).
hám·fist 《米俗》大きな手 [げんこつ].
íron físt 苛酷さ, 厳しい支配, 圧制.
máiled físt 武力, 暴力, 腕力, 兵力.
mónkey fist ＝monkey's fist.
mónkey's fist 球状の結び目.
mútton fist 大きなたくましい手 [こぶし].

fist·ed /fístid/

形 (握り)こぶしを作った; 《複合語》こぶし [握り] の…な. ⇨ -ED[2].

báre·físt·ed 形副 (ボクシングで)グローブなしの [で].
clóse·físt·ed 形 《俗》けちな, しみったれた.
hárd-físt·ed 形 けちな, 握り屋の.
í·ron·físt·ed 形 残虐非道な, 弾圧的な.
nárrow-físt·ed 形 けちな, にぎり屋の.
tíght-físt·ed 形 けちな, 財布のひもが固い.
twó-físt·ed 形 身構えた; 両手を握りしめた.

fit /fít/

形 適した. ── 動他 **1** …に合う. **2** …に(部品・備品を)供給する. ── 名 適合(性, 状態); 適合させる操作 [過程].

back·fit 動他 …の設備を更新する, を改造する.
be·fít 動他 …に適する, ふさわしい, 似合う.
dríve fit ＝press fit.
fórce fit ＝press fit.
interférence fit 〔機械〕締まりばめ.
kéep-fit 名形 健康体操(の), フィットネス(の).
méat-fit 《米渡り労働者俗》十分な食事.
mis·fít 動他自〈衣服などが〉うまく合わない.
óut·fit 装備一式.
phóto-fit 《英》〔写真〕フォトフィット.
préss fit 〔機械〕プレスばめ, 圧入.
púsh fit 〔工学〕＝sliding fit.
rè·fít 動他 修復する, 再装備する, 改装する.
ret·ro·fit 動他 装置 [装備] を改良 [改善] する.
shrínk fit 〔金工〕焼きばめ.
slíding fit 〔機械〕滑りばめ.
ùn·fít 形 適さない, 不適当な, 不向きの.

fit·ter /fítər/

名 (機器の)組み立て工; (家具・備品などの)取り付け工. ⇨ -ER[1].

gás fitter ガス工事業者.
óut·fit·ter 名 装身具商(人).
pípe fitter 配管(修理)工.
shíp·fitter 〔造船〕取付工.
shóp·fitter (台棚の設置を決める)店舗設計者.
stéam fitter 蒸気管取り付け [修理] 工.

fit·ting /fítiŋ/

形 《文語》適当な, ふさわしい; 〈衣服が〉(…に)ぴったりの. ── 名 調整; 合わせること; 取り付け. ⇨ -ING[2], -ING[1].

clóse-fítting 形 〈衣服が〉体にぴったり合った.
cópy·fitting 名 〔印刷〕割り付け, スペース取り.
cúrve fitting 〔統計〕曲線の当てはめ.
fórm·fitting 形 一定の形に合うように作られた.
gás fitting ガス工事(業); 灯用ガス器具.
lóose-fítting 形 〈衣服が〉緩い, ゆったりした.
pípe fitting 管継子, 管取付用具.
tíght·fítting 形 〈衣服などが〉体にぴったり合った.
ùn·fítting 形 適さない, 不適当な, 不似合いな.

five /fáiv/

名形 5; 5の, 5 個 [5 人] の.

bést-of-fíve 形 (野球などで)5 番勝負の.
Bíg Fíve 〔歴史〕(第一次世界大戦中および 1919 年のパリ講和会議の)五大国.
éighty-fíve 《米警察俗》ガールフレンド.
fíve-by-fíve 形 《俗》《おどけて》ずんぐりした.
fíve-fíve 《米俗》時速 55 マイル.
fórty-fíve (基数の)45; 45 回転レコード.
fóur-fíve 《米俗》45 口径の銃.
hígh-fíve 《俗》ハイファイブ: あいさつなどのために手のひらを高くかかげて互いに相手の手のひらを打ちあう動作.
lów fíve 《米俗》(あいさつ・賛意・友情の印に)腰の辺で手を打ち合わせること.
Míghty Fíve 《米》〔音楽〕マイティ・ファイブ.
níne-to-fíve 形 《話》9 時から 5 時までの勤務時間の.
séventy-fíve (基数の)75; 〔軍事〕75 ミリ砲.
spóil·five 〔トランプ〕スポイルファイブ.
twénty-fíve 名形 25(の); (ラグビー・フットボールの)25 ヤードライン.

fix /fíks/

動他 …を固定 [定着] させる. ── 名 **1** 修理, 解決. **2** 〔航海〕位置; 位置決定.

af·fix 動他〈物を〉(…に)添付する, 張る. ── 名 接辞.
an·te·fix 名 〔建築〕アンテフィックス, 瓦(かわら)端飾り.
cru·ci·fix 名 十字架像, キリスト磔刑(たっけい)像.
in·fix 動他 (物・人などの内部に)固定する, 取りつける; 突き刺す, 差し込む. ── 名 接中辞.
post·fix 動他 …を(あるものの)最後に付加する; 添加する.
pre·fix 名 〔文法〕接頭辞.
quíck fíx 《話》一時しのぎの解決, 応急策.
ràdio fíx 無線位置.
rúnning fíx 〔航海〕ランニングフィックス.
sub·fix 形 〔印刷〕下付きの.
suf·fix 名 〔文法〕接尾辞 [語].
su·per·fix 名 〔言語〕かぶせ辞.
trans·fix 動他 (驚き・恐れなどで)立ちすくませる.
un·fix 動他 …を外す, 解く, 緩める(unfasten).

fix·ture /fíkstʃər/

名 取りつけたもの, 造作, 備品, 設備. ⇨ -URE[1].

af·fíx·ture 名 添加, 付加; 添加物, 付加物.
gás fixture ガス栓, ガスロ.

prè·fíx·ture 名 〖文法〗接頭辞(をつけること).

fizz /fíz/

名 **1**《米》ソーダ水, 発泡性飲料. **2** フィーズ: レモンジュース, 炭酸水などを加えたアルコール飲料. ►擬声語. ◇ -ZZ[1], -IZZ[1].

búck's fízz バックスフィズ: オレンジジュースとシャンパンまたは発泡性白ワインのカクテル.
gín fízz ジンフィズ.
gólden fízz ゴールデンフィズ: 卵黄, ジン, レモンジュース, 砂糖と氷をシェイクしソーダ水を加える.
róyal fízz ロイヤルフィズ: ジン, レモンジュース, 砂糖, 卵で作る飲み物.
sílver fízz シルバーフィズ: ジン, レモン汁, 砂糖, 卵白で作ったアルコール飲料.
Vírgin Fízz 《英》フルーツジュース・フィズ.

flag[1] /flǽg/

名 **1**(国・組織・所属団体などを表す)旗. **2**(信号・合図などを表す)旗.

affírmative flág 〖海事〗肯定旗: C 旗.
be·flág 動他 旗で覆う [飾る].
bláck flág 海賊旗.
bláck-flág 動他 〖オートレース〗コースを離脱するように合図する.
Blúe Flàg 青旗賞: 水質と浜辺の清潔度が EC の基準に合致した海水浴場に送られる賞.
chállenge flàg (競技の)挑戦旗.
chéckered flàg 〖オートレース〗チェッカーフラッグ.
códe flàg 〖海事〗信号旗.
distréss flàg 〖海事〗遭難信号旗.
fóreign-flàg 形 〈船舶・航空機が〉他国籍 [外国籍] の.
gréen flág 〖オートレース〗グリーン・フラッグ.
guést flàg 〖海事〗ゲストフラッグ.
hánd·flàg (信号用の)手旗.
hígh·flàg 動自他 《米タクシー俗》料金メーターを倒さずに走る.
hóuse flàg 船主旗, 社旗.
jéw flàg ＝Jewish flag.
Jéwish flág 《米渡り労働者俗》1 ドル紙幣.
máil flàg 〖海事〗郵便旗: Y 旗.
mérchant flàg 商船旗.
mónkey flàg 《米俗》(陸海軍の)部隊旗.
négative flàg 〖海事〗否定旗: N 旗.
pílot flàg 〖海事〗水先旗: H 旗.
pówder flàg 〖海事〗赤い燕尾(えんび)旗.
práyer flàg 〖仏教〗チベットやヒマラヤの山麓(さんろく)で, 屋上や峠のケルンに立てられる旗.
príze flàg (ヨットレースで)勝利 [入賞] の旗.
prótest flàg (ヨットレースで)抗議旗.
quárantine flàg 〖海事〗検疫旗; Q 旗.
rácing flàg (ヨットレースで)識別旗; (自動車レースの)レース旗.
réd flág (左翼革命政党の象徴としての)赤旗.
réd-flág 動他 〈物・事に〉注意を向けさせる.
rè·flág 動他 〈商船の〉船籍を変更する.
síck flàg ＝quarantine flag.
Sún Flàg 日の丸, 日章旗; 日本の国旗.
Únion Flàg 英国国旗(union jack).
whíte flág (降伏・休戦の印としての)白旗, 白布.
yéllow flág ＝quarantine flag.

flag[2] /flǽg/

名 〖植物〗長い刀状の葉のある植物の総称; ショウブ(sweet flag), ガマ(cattail)など.

blúe flàg 北米産のアヤメ属の数種の植物の総称.
córn·flàg アヤメ科のグラジオラスの一種 *Gladiolus segetum*.
crímson flág アヤメ科スキゾティリス属の多年草.
swéet flág ショウブ.
swórd-flàg ＝water flag.
wáter flàg キ(黄)ショウブ.

flag·el·late /flǽdʒəlèit/

形 〖生物〗鞭毛のある; 鞭毛状の. ━━名 鞭毛虫. ⇨ -ATE[1].

bi·flag·el·late 形 〖動物〗双鞭毛の.
di·no·flag·el·late 名 焔色(えんしょく)植物, 渦鞭毛藻.
he·mo·flag·el·late 名 住血鞭毛虫.
phy·to·flag·el·late 名 植鞭毛虫類.
plántlike flágellate 植物性鞭毛虫.
u·ni·flag·el·late 形 単毛の, 1 本の鞭毛を持つ.
zoo·flag·el·late 名 動鞭毛虫.

flame /fléim/

名 炎, 火炎; 炎を上げて燃えている状態.

a·flame 形副 炎となって, 燃え立って(on fire).
blúe-grèen fláme 〖気象〗緑光, 緑閃光(せんこう).
en·flame 動他 ＝inflame.
in·flame 動他 〈激情・欲望などを〉たきつける.

flan·nel /flǽnl/

名 フランネル, ネル, フラノ.

Cánton flánnel 広東(カントン)フランネル.
cótton flánnel ＝Canton flannel.
fáce flànnel 《英》洗面用手ぬぐい.
gráy-flànnel 形 《米話》幹部連の, 管理職連中の.
óuting flànnel アウティング・フランネル.

flap /flǽp/

動自 **1** はためく. **2** …をぴしゃりとたたく. ━━名 **1**(一方を留めて)垂れ下がったもの. **2**〖航空〗下げ翼.

cóal flàp 《英》(歩道から石炭地下貯蔵庫に通じる)石炭投入口の上げ蓋.
dóuble-slótted flàp 〖航空〗二重透き間式フラップ.
éar·flàp (防寒用の)耳覆い.
flý·flàp 《米》虫叩き, ハエ叩き.
Fówler flàp 〖航空〗ファウラーフラップ.
hý·dro·flàp 名 〖航空〗ハイドロフラップ.
krúger flàp 〖航空〗クリューガー・フラップ.
lánding flàp 〖航空〗着陸フラップ.
múd-flàp 名 (自動車の)泥よけ.
ó·ver·flàp 名 (芸術作品などの)保護用の覆い紙.
splít flàp 〖航空〗スプリットフラップ.
táble-flàp (ちょうつがい式テーブルの)折り板.

flare /fléər/

名 ぱっと燃え上がること; 閃光.

magnésium flàre マグネシウム光: マグネシウムが燃焼時に出す強い白色光.
sólar fláre 〖天文〗太陽フレア.
súp·er·flàre 名 〖天文〗スーパーフレア.

flash /flǽʃ/

名 1 (…の)きらめき, 閃光(せんこう). 2 【写真】フラッシュ. 3 特報. 4 【軍事】着色記章. ▶擬声語. ◇ -ASH[1], -SH.

báck·flàsh フラッシュバック: 小説, 映画などで, 過去の出来事［場面］などを(瞬間的に)挿入する手法.
blúe flásh 【気象】=green flash.
bóunced flásh 【写真】バウンスフラッシュ.
bóunce flàsh 【写真】間接照明用フラッシュ.
electrónic flásh 【写真】ストロボ(flashtube).
gréen flásh 【気象】緑光, 緑閃光(せんこう).
héat-flàsh (原爆の爆発時のような)高熱の閃光.
hélium flàsh 【天文】ヘリウムフラッシュ.
hót flàsh 体熱感, ほてり.
múlti·flàsh 形 【写真】多閃光(せんこう)の.
néws flàsh ニュース速報.
ópen flàsh 【写真】オープンフラッシュ.
phóto·flàsh 【写真】閃光(せんこう)電球(flashbulb).
réd flàsh 赤色閃光(せんこう).
ríng flàsh 【写真】リングフラッシュ.
shóulder flàsh 【軍事】ひじ章.
sýnchro·flàsh シンクロフラッシュ, 同調発光.

flask /flǽsk, flɑ́ːsk | flɑ́ːsk/

名 1 フラスコ. 2 携帯用酒瓶.

distílling flàsk 蒸留用フラスコ.
Érlenmeyer flàsk 三角フラスコ.
Flórence flàsk フローレンスフラスコ.
híp flàsk (尻ポケットに入れる)携帯用酒入れ.
pórtrait flàsk 肖像をかたどった 19 世紀のガラス瓶.
pówder flàsk (兵士・猟師などが携帯した)小火薬入れ.
Refórm flàsk 1832 年の英国の選挙法改正案に関連のある人物をかたどった炻器(せっき)の瓶.
vácuum flàsk 《英》魔法瓶(vacuum bottle).

flat[1] /flǽt/

形 水平な. ── 名 1 平らなもの. 2 平原; 湿地, 砂州. 3 【音楽】変記号, フラット. 4 【演劇】書き割り.

adóbe flàt 《主に米》アドービ(粘土)平原.
álkali flát アルカリ平地［平原］.
bóok-flàt 【演劇】(二枚折り)の書き割り.
dóuble flát 【音楽】ダブルフラット, 重変記号.
flý-flàt 《英俗》利口ぶっているばか者.
Frénch flát 【演劇】(天井から吊る)書き割り.
mahógany flát 《英俗》ナンキンムシ.
múd flàt 干潟.
rún-flàt 形 〈自動車が〉パンクしたままで走ることができる.
sált flàt 塩類平原.
tídal flàt 干潟.
válley flàt 【地理】谷床平坦部.
wíng flàt 【演劇】舞台ソデから出ている書き割り.

flat[2] /flǽt/

名 1 《主に英》フラット. 2 《米北部》安アパート.

cóld-wàter flát 《主に米北東部》(セントラルヒーティングのない)アパート.
cóttage flàt 2 階建て 4 世帯住宅.
cóuncil flàt 公営アパート.
gárden flàt 庭付き集合住宅.
gránny flàt 老人用の別棟.
ráilroad flàt 《米》鉄道長屋.
sérvice flàt (食事などの)サービス付きアパート.
ský flàt 高層アパート［マンション］.
wálkup flát エレベータのないアパート.

-flate /fléit/

連結形 空気を送る.
★ 語頭にくる関連形は flatu-: *flatu*lent「〈食物などが〉腹にガスを生じさせる」.
◆ <ラ *flātus*(*flāre*「空気を送る」の過去分詞).

con·flate 動他 融合する, 合体［結合］させる.
de·flate 動他 〈気球・タイヤなどから〉空気を抜く.
in·flate 動他 1 〈風船・肺などを〉膨らませる. 2 【経済】…にインフレをもたらす.
in·suf·flate 動他 〈空気・薬品などを〉吹き入れる.
re·flate 動自 〈通貨と信用が〉再膨張する.
suf·flate 動他 =inflate.

-fla·tion /fléiʃən/

連結形 【経済】…インフレ.
◆ inflation の短縮形.
[発音] -flation の第 1 音節に第 1 強勢が置かれる.

boom·fla·tion 名 ブームフレーション.
glut·fla·tion 名 グラットフレーション.
hes·i·fla·tion 名 ヘジフレーション.
oil·fla·tion 名 石油価格上昇によるインフレ.
re·fla·tion 名 リフレーション, 通貨再膨張.
slump·fla·tion 名 スランプフレーション.
stag·fla·tion 名 スタグフレーション.
tax·fla·tion 名 ブラケット・クリープ.

flax /flǽks/

名 アマ(亜麻).

flówering fláx ベニバナアマ(紅花亜麻).
Nèw Zéaland fláx ニューサイラン, マオラン, ニュージーランドアサ.
púrging flàx アマ科アマ属の一年草の一種.
tóad·flàx ホソバウンラン.
wíld fláx ホソバウンラン.

flea /flíː/

名 ノミ; ノミのような小甲虫・小甲殻類の総称.

béach flèa トビムシ; ハマトビムシ.
cát flèa ネコノミ.
dóg flèa イヌノミ.
sánd flèa ハマトビムシ(beach flea).
snów flèa 初春に雪上に集まるトビムシ.
wáter flèa ミジンコ.

-flect /flékt/

連結形 曲げる; 曲がる.
★ 語末にくる関連形は -FLECTION, -FLECTIVE, -FLEX.
★ 語頭にくる形は flect-, flex-: *flect*ion「屈曲」, *flex*ibility「柔軟性」.
◆ ラテン語 *flectere*「曲げる, 曲がる」より.
[発音] 基体(-flect)に第 1 強勢. 例外: génuflect.

de·flect 動他自 向きをそらす, 向きがそれる.
gen·u·flect 動自 片ひざを折る, 恭しくひざまずく.
in·flect 動他 〈声の〉調子を変える.
re·flect 動他 反射する; 反響する.

-flec·tion /flékʃən/

連結形 曲げられたこと［もの］; 曲げること.
★ 名詞をつくる.
★ 語末にくる関連形は -FLECT, -FLECTIVE, -FLEX.

★ 語頭にくる関連形は flect-, flex-: *flec*tion「屈曲」, *flex*ibility「柔軟性」.
◆ ラテン語 *flectere*「曲げる」より. ⇨ -ION[1].

de·flec·tion 名 反らす[反れる]こと; 反り.
gen·u·flec·tion 名 片ひざを折ってひざまずくこと.
in·flec·tion 名 声[音調]の変化, 抑揚.
re·flec·tion 名 ☞

-flec·tive /fléktiv/

連結形 曲げられた.
★ 形容詞をつくる.
★ 語末にくる関連形は -FLECT, -FLECTION, -FLEX.
★ 語頭にくる関連形は flect-, flex-: *flec*tion「屈曲」, *flex*ibility「柔軟性」.
◆ ラテン語 *flectere*「曲げる, 曲がる」より. ⇨ -IVE[1].

de·flec·tive 形 ゆがみ・偏向を起こさせる.
in·flec·tive 形 屈曲[湾曲]する; それる.
re·flec·tive 形 反射する; 思慮深い.

fledged /flédʒd/

形 〈ひな鳥が〉羽毛が生えそろった, 飛ぶことができる, 巣立ちができる. ⇨ -D[1].

fúll-flédged 形 一人前になった, 十分資格のある.
fúlly flédged 形 《英》=full-fledged.
ùn·flédged 形 羽毛が生えそろっていない.

fleet /flíːt/

名 艦隊.

áir flèet 航空機隊, 空軍編隊.
Báltic flèet (旧ソ連の)バルチック艦隊.
Bláck Séa flèet (旧ソ連の)黒海艦隊.
Fírst Fléet 【豪史】最初の囚人船団(1788).
físhing flèet 《英俗》花婿探しに渡航する女性たち.
mérchant flèet (一国の)全(保有)商船.
mosquíto flèet 【軍事】モスキート艦隊.

flesh /fléʃ/

名 **1**(人間・動物の)肉. **2** 食肉. **3** 肌.

chícken-flèsh 《英話》=goose flesh.
góose flèsh (寒さ・恐怖で起こる)鳥肌.
hórse·flèsh 馬肉, 桜肉(horsemeat).
próud flésh 【病理】肉芽組織.
wóman-flèsh 《英俗》(性的対象としての)女体.

-flex /fléks/

連結形 曲げられた, 曲がった.
★ 形容詞をつくる.
★ 語末にくる関連形は -FLECT, -FLECTION, -FLECTIVE.
★ 語頭にくる関連形は flect-, flex-: *flec*tion「屈曲」, *flex*ibility「柔軟性」.
◆ <ラ *flexus* (*flectere*「曲げる, 曲がる」の過去分詞より).

bi·flex 形 2か所で曲がった.
cir·cum·flex 形 (発音記号に)曲折アクセント記号のついた.
mul·ti·flex 形 【アメフト】マルチフレックスの.
re·flex 形 反射的な.
ret·ro·flex 形 反り返った, 反転した.

flex·ion /flékʃən/

名 屈曲(作用); 屈曲[湾曲]部. ►flex の名詞形.
⇨ -XION.

an·te·flex·ion 名 【病理】(特に子宮の)前屈.
dor·si·flex·ion 名 【解剖】背屈, 背側湾曲.
gen·u·flex·ion 名 《特に英》(敬意を表したり礼拝のために)片ひざを折ること.
in·flex·ion 名 《特に英》声[音調]の変化, 抑揚.
in·tro·flex·ion 名 内側に曲がること, 内側への屈折.
re·flex·ion 名 《特に英》反射, 反照, 反響; 反映, 投影.
ret·ro·flex·ion 名 反転, 反り返り.

flick /flík/

名 《俗》映画. ►flicker「明滅(する)」の短縮形.

béaver-flìck 《俗》ポルノ映画.
bí·o·flìck 名 (テレビ・映画の)伝記物.
flésh flìck 《俗》=skin flick.
pórno·flìck ポルノ映画.
skín flìck 《米俗》ポルノ映画.
tríck flìck 《同性愛俗》ポルノ映画.

-flict /flikt, flə̀kt/

連結形 打たれた(こと); 打つ(こと).
★ 語末にくる関連形は -FLICTION.
◆ <ラ *flīctus*(*flīgere*「打つ」の過去分詞形, または行為名詞形).
[発音] 名詞では語頭の音節に, 動詞では基体(-flict)に第1強勢.

af·flict 動他 〈人を〉苦しめる, 悩ます.
con·flict 名 ☞
in·flict 動他 〈負担を〉負わせる.

-flic·tion /flíkʃən/

連結形 打つもの[こと]; 打たれたもの[こと].
★ 語末にくる関連形は -FLICT.
◆ <ラ *flīctus*(*flīgere*「打つ」の過去分詞または行為名詞). ⇨ -TION, -ION[1].
[発音] -fliction の第1音節に第1強勢が置かれる.

af·flic·tion 名 (心身の)苦痛; 難儀, 難渋.
con·flic·tion 名 争い, 衝突.
in·flic·tion 名 (苦痛・打撃などを)与えること.

flight[1] /fláit/

名 **1** 飛ぶこと, 飛行. **2**(飛行機の)予定便.

cóntact flìght 目視[地文]飛行.
frée flíght 【航空宇宙】自由飛翔.
ín-flìght 形 飛行中の, 機内の.
mércy flìght 救急飛行.
móon·flìght 月旅行.
núptial flìght 【昆虫】婚姻飛行, 結婚飛行.
o·ver·flìght 名 【軍事】上空通過; 領空侵犯.
phóto·flìght 形 航空写真撮影飛行の.
prè·flíght 形 飛行前の, フライト直前の.
Quéen's Flìght 英国王室専用機(全体).
schéduled flìght 定期便.
spáce·flìght 宇宙飛行.
tést flìght テスト[試験]飛行.
tóp flíght 最高位, 最優秀, 第一級, 一流.
vísual flíght 有視界飛行.

flight[2] /fláit/

名 逃走, 逃亡; 敗走; 逃避; 脱出.

cápital flìght 【経済】(外国への)資本の逃避.
whíte flìght 白人都市住民の郊外への移動.

flint /flínt/

名 **1** 火打ち石. **2**〘光学〙フリントガラス.

fláy·flìnt 《古》=skinflint.
gún·flìnt (火打ち石銃に用いる)火打ち石.
óptical flínt 〘光学〙光学フリント.
skín·flìnt けちん坊, 守銭奴.
whíte flínt 無色透明な瓶ガラス.

float /flóut/

動自 浮く, 浮かぶ. ── 名 **1** 浮くもの; 浮き. **2** 変動相場制.

a·flóat 副形 水上に浮かんで[だ].
báck flòat 〘水泳〙あおむけの浮き身.
bób·flòat 〘釣り〙浮き.
búbble flòat 〘釣り〙空洞の球状の浮き.
búll flòat (コンクリート舗装の)浮き仕上げ機.
Cárley flòat カレーゴム製の救命用いかだ.
cléan flóat 〘経済〙自動変動相場制.
déad-man's flóat 〘水泳〙伏し浮き.
fíre-flòat 消防船.
indepéndent flóat 〘コンピュータ〙独自余裕.
jóint flóat 〘経済〙共同変動相場制.
lífe flòat 救命浮器.
mílk flòat 《英》乳製品配達用の小型トラック.
próne flòat =dead-man's float.
rè·flóat 動他 再び浮上させる, 引き揚げる.
stíck flòat 〘釣り〙棒状の浮き.
wóod flòat 木ごて.

flood /flʌ́d/

名 洪水, 大水, 大出水.

fíre·flòod 名 〘石油〙火攻法.
flásh flóod 《米》(豪雨後の)鉄砲水.
wáter·flòod 名 〘採鉱〙水攻法.

floor /flɔ́ːr/

名 **1** 床. **2** 階. **3** (特別な用途のための)平坦面, 作業場.

blínd flòor =subfloor.
déep flóor 〘海事〙深肋板(ろくばん).
fáctory flòor (管理職に対して)平(ひら)工員.
féeding flòor 豚の給餌場.
fírst flóor 《米》(建物の)1 階.
fórest flòor 〘生態〙林床.
fóur-on-the-flòor 名 〘自動車〙フォア・オンザ・フロア.
gróund flóor 《英》(建物の)1 階, 階下.
kílling floor 《米俗》性交が行われる場所.
náked flóor 〘建築〙荒床(あらゆか), 下地床.
plánk flóor 〘造船〙厚板床(ゆか).
rínsing flòor 〘海事〙=deep floor.
séa·flòor 海底(seabed).
sécond flóor 《米・カナダ》2 階.
sélling flòor (工場・販売店などで, 事務室・倉庫などに対して)製造販売所.
shóp flòor 《英》(会社, 工場など)作業現場.
súb·flòor (仕上げ床の下に敷かれる)下張り床.
thréshing flòor 脱穀場.
ún·der·flòor 形 〈暖房装置が〉床下式の; 床下の.

flop /flɑ́p | flɔ́p/

動自名 突然音をたてて倒れる(こと). ▶擬声語. ◇ -OP[1], -P.

bélly flòp 《話》腹打ちダイビング.
bélly-flòp 動自 《話》腹打ちダイビングをする.
ców·flòp 《米俗》牛の糞(ふん).
flíp-flòp 《主に米話》突然の転換, 急変.
ker·flóp 副 《話》どたりと, どすんと.

flo·ra /flɔ́ːrə/

名 **1** 植物相, フロラ. **2** (ある状態[大きさ, 量]の)花. ⇨ -A[2].
★ 語頭にくる関連形は flor-: ***flor***al「花の」, ***flor***escence「草花栽培」.

gràndi·flóra 名 大輪咲き.
intéstinal flóra 〘医学〙腸内細菌叢(そう).
mìcro·flóra 名 〘生物〙(顕微鏡でしか見えない)微小植物.
mùlti·flóra 名 多花種.
mỳco·flóra 名 〘生態〙菌類フロラ, 菌類相.

flo·res·cence /flɔːrésəns, flə- | flɔː-/

名 開花(状態); 花時, 開花期. ⇨ -ESCENCE.
★ 語頭にくる形は flor(i)-: ***flor***al「花の」, ***flor***escence「草花栽培」.

ef·flo·res·cence 名 《主に文語》開花, 花盛り; 開花期.
in·flo·res·cence 名 花が咲くこと, 開花.
re·flo·res·cence 名 返り咲き, 二度咲き.

-flo·rous /flɔ́ːrəs/

連結形 〘植物〙…の花をつけた, 花を持つ.
★ 形容詞をつくる.
★ 語頭にくる形は flor(i)-: ***flor***al「花の」, ***flor***escence「草花栽培」.
◆ ラテン語 *-flōrus*「花のある, 花開いた」より. ⇨ -OUS.

gem·i·ni·flo·rous 形 対生花の.
mul·ti·flo·rous 形 多花の, 多くの花がついている.
noc·ti·flo·rous 形 夜に開花する.
tu·bi·flo·rous 形 =tubuliflorous.
tu·bu·li·flo·rous 形 筒状花の.
u·ni·flor·ous 形 単花の.

floun·der /fláundər/

名 〘魚類〙ヌマガレイ.

bláckback flóunder カレイ科ババガレイ類の総称.
léft-èyed flóunder ヒラメ.
ríght-èyed flóunder カレイ.
smóoth flòunder カレイの一種.
súmmer flóunder ヒラメ属の食用魚の一種.
wínter flóunder カレイ科ババガレイ類の総称.
wítch flòunder 北大西洋深海産のカレイの一種.

flow /flóu/

動自 流れる. ── 名 流れ, 流動; 流出.

áir·flòw (飛行機・自動車などの起こす)気流.
ásh flòw 〘地質〙(火山)灰流.
áudience flòw 《放送俗》(テレビ・ラジオの番組ごとの)視聴者数[視聴率]の変化.
áxial-flòw 形 軸流の.
báck·flòw (流体の)逆流, バックフロー.
cásh flòw 資金流入額, キャッシュ・フロー.
cón·tra·flòw 名 逆方向の流れ, 逆流.
Couétte flòw 〘力学〙クエットの流れ.
dáta flòw 〘コンピュータ〙データフロー.
dówn·flòw 名 下方に流れること[もの].
géne flòw 〘遺伝〙遺伝子流動[拡散].
hóney-flòw 花蜜(かみつ)の分泌.
ín·flòw 名 流入物[量]; 流入.
ìn·ter·flów 名動自 合流(する), 混流(する).

láminar flów 〚水力学〛層流.
múd·flòw 〚地質〛泥流, 土石流.
ón·flòw [名] 流れ, 奔流.
óut·flòw [名] (水・液体などの)流出.
òver·flów [動自] 〈川・水などが〉氾濫(はんらん)する.
plástic flów 〚物理〛塑性流動.
rádial-flów [形] 〚機械〛半径流の.
slíp flòw 〚物理〛すべり流.
stréam·flòw (特定の河川を)流れる水.
stréamline flów 層流, 流線流.
through·flow [名] (流体の)流通.
tídal flòw 人や交通の時間帯により変わる流れ.
turbulent flów 〚水力学〛乱流.
ún·der·flòw [名] 裏の意味, 底意, (意見などの)底流.
úni·flòw [形] 一方向にのみ流れる.
víscous flów =streamline flow.
wáter flòw 水流.
whíf·flow [名] 《英海事俗》なんとかいうもの.
wórk·flòw ワークフロー: 仕事の流れ[量].

flow·er /fláuər/

[名] 花; (花を観賞用とする)草花.

bág-flòwer ゲンペイクサギ.
báll·flòwer 〚建築〛玉花弁飾り, 花球.
ballóon·flòwer キキョウ.
básket flòwer アザミヤグルマギク.
béll·flòwer ホタルブクロ(イワギキョウを含む).
blánket-flòwer テンニンギク.
blóod·flòwer トウワタ.
blúe dáwn-flòwer トガリヒルガオ.
búnch·flòwer アメリカシライトソウ.
bútter flòwer 《米麻薬俗》マリファナ.
bútterfly flòwer マメ科ハカマカズラ属の低木.
cálico flòwer パイプカズラ, サラサバナ.
canárybìrd flòwer カナリアヅル.
cárdinal flòwer ベニバナサワギキョウ(紅花沢桔梗).
cárrion flòwer クササルトリイバラ.
cártwheel flòwer バイカルハナウド.
cáu·li·flòw·er カリフラワー, ハナキャベツ.
Chrístmas flòwer ポインセチア, ショウジョウボク.
cóat flòwer ペトロラギア.
cómpound flòwer (キク科植物の)頭花, 頭状花.
cóne·flòwer ハンゴンソウ(反魂草).
córkscrew flòwer =snailflower.
córn·flòwer ヤグルマソウ, ヤグルマギク.
crów·flòwer キンポウゲ.
cúckoo·flòwer タネツケバナ・センノウなどの植物.
cúp·flòwer ギンパイソウ, ニーレンベルギア.
dáy·flòwer ツユクサ(露草).
de·flów·er [動他] 処女性を奪う.
dísk flòwer 盤状花, 中心花.
élder-flòwer ニワトコの花.
everlásting flòwer 永久花, 乾燥花.
fénnel·flòwer キンポウゲ科クロタネソウ属の草の総称.
fínger·flòwer ジギタリス, キツネノテブクロ.
fírecracker flòwer イダマイア.
flamíngo-flòwer ベニウチワ.
flóss·flòwer カッコウアザミ(ageratum).
fóam·flòwer アメリカズダヤクシュ(頭陀薬種).
fróst·flòwer ナガエ(長柄)アマナ.
gílly·flòwer 《古》ナデシコ.
glóbe·flòwer *Trollius* 属の植物の総称.
guínea-hèn flòwer ヨーロッパバイモ(checkered lily).
háir-trìgger flòwer オーストラリア産 *Stylidium* 属の多年草.
Jápanese flòwer 水中花.
lýre·flòwer ケマンソウ.
Máy·flòwer メイフラワー号.
míst·flòwer キク科ヒヨドリバナ属の多年草.
móccasin flòwer アツモリソウ(敦盛草).
mónkey flòwer ミゾホオズキ.
móon·flòwer ヨルガオ, 《俗に》ユウガオ.
músk flòwer ジャコウミムルス, アメリカミゾホオズキ.
náked flòwer 裸花, 無花被花, 無被花.
níght flòwer 夜に開く花(月見草など).
nóon·flòwer キク科 *Tragopogon* 属の植物.
páradise flòwer ナス科の大きな蔓(つる)植物の一種.
páschal flòwer =pasqueflower.
pásch flòwer =pasqueflower.
pás·que·flòw·er セイヨウオキナグサ(西洋翁草).
pássion·flòwer トケイソウ, パッションフラワー.
péacock-flòwer ホウオウボク(鳳凰木).
pélican-flòwer ペリカンバナ.
píncushion flòwer ヤマモガシ科レウコスペルムム属の低木の総称.
pínkster flòwer =pinxter flower.
pínxter flòwer 野生のツツジの一種.
pópcorn flòwer クジャクルリソウ(孔雀瑠璃草).
príncess flòwer シコンノボタン(紫紺野牡丹).
próphet-flòwer アルネビア.
Quéen's-flòwer オオバナサルスベリ.
ráy flòwer 周辺花, 放射花.
rè·flów·er [動自] 〈花が〉返り咲く.
róck flòwer クロッソソマ.
rogátion flòwer ヒメハギ科ヒメハギ属の多年草の一種.
sáf·flòwer ベニバナ(紅花), サフラワー.
sátin-flòwer イロマツヨイグサ(色待宵草).
séa·flòwer イソギンチャク(sea anemone).
shéll·flòwer ゲットウ(月桃).
sídesaddle flòwer ムラサキヘイシソウ(瓶子草).
snáil·flòwer カラカラマメ.
spíder flòwer グレビレア(grevillea).
stárfish flòwer スタペリア(carrion flower).
stár·flòwer 星状の花をつける数種の草の総称.
státe flòwer 《米》(州を象徴する)州花.
stráw·flòwer 乾燥花, 永久花.
súlfur-flòwer =sulphur-flower.
súlphur-flòwer エリオゴヌス.
sún·flòwer ☞
swán·flòwer 白鳥の首を思わせる花をつける植物の総称; (特に)キクノケス属のラン.
tássel flòwer アマランス.
tréasure flòwer ガザニア, クンショウギク.
trúmpet flòwer らっぱ形の垂れ下がった花の咲く各種の植物.
túbe flòwer クルマバジョウサン.
Túdor flòwer チューダー様式の三葉飾り.
túnic flòwer =coat flower.
twín·flòwer 《米》スイカズラ科リンネーア属の常緑の匍匐(ほふく)植物.
wáll·flòwer 《話》壁の花.
wáx flòwer マダガスカル・シタキソウ.
wíld·flòwer 野生の草花, 野草.
wínd·flòwer アネモネ(anemone).
wíshbone flòwer ゴマノハグサ科ツルウリクサ属の草本の総称(torenia).

flu /flúː/

[名] インフルエンザ, 流感. ►influenza の短縮形.

Ásian flú 〚病理〛アジア風邪[流行性感冒].
blúe flú 《話》警察官[消防士]のずる休み. ►遵法闘争の一種.
exécutive flú 筋肉性脳脊髄(せきずい)炎.
gástric flú 《俗に》腹にきた流感.
Hóng Kòng flú 香港風邪.
intéstinal flú 〚病理〛腸管流感.
Máo flú =Hong Kong flu.
Síchuan flú 四川インフルエンザウイルス.
Spánish flú スペイン風邪.
swíne flú 〚病理〛豚風邪.
yéllow flú 《米》**1** 人種差別をなくすための強制バス通学(busing)に抗議するため仮病を使った白人学童の組織的欠席. **2** イエローキャブ(タクシー)のス

ト.

yúppie flù 《話》ヤッピーフルー: 筋肉性脳脊髄(せきずい)炎の俗称.

-flu·ence /fluəns, flúː- | flu-/

連結形 流れること.
★ 名詞をつくる.
★ 語末にくる関連形は -FLUENT.
★ 語頭にくる関連形は flu-: *flu*id「流動性の」, *flu*ctuate「波動する」.
◆ ラテン語 *fluere*「流れる」より. ⇨ -ENCE[1].
[発音] すべて 3 音節の語で, 語頭に第 1 強勢.

af·flu·ence 名 (物質的な)豊かさ, 富; 富裕, 裕福.
con·flu·ence 名 (河川などの)合流.
dif·flu·ence 名 流出, 分流.
dif·lu·ence 名 =diffluence.
ef·flu·ence 名 流出, 放出, 発出, 発散.
in·flu·ence 名 影響, 感化; 作用, 力, 効果; 説得.

flu·en·cy /flúːənsi/

名 (言葉・文体が)流暢であること. ⇨ -Y[3].

af·flu·en·cy 名 (思考・言葉などの)豊かさ, 豊富.
dis·flu·en·cy 名 訥弁(とつべん), (特に)吃音(きつおん).
dys·flu·en·cy 名 =disfluency.
non·flu·en·cy 名 流暢でないこと, 口下手.

-flu·ent /fluənt, flúː-/

連結形 流れる.
★ 形容詞をつくる.
★ 語末にくる関連形は -FLUENCE.
◆ <ラ *fluēns*(*fluere*「流れる」の現在分詞). ⇨ -ENT[1].
[発音] 直前の音節に第 1 強勢; ただし, /-flúː-/ となることもある: interflúent.

af·flu·ent 形 豊かな, 裕福な, 金持ちの.
cir·cum·flu·ent 形 周りを流れる, 環流性の; 取り巻く.
con·flu·ent 形 合流する; 一つになる.
def·lu·ent 形 流れ落ちる.
dif·flu·ent 形 流出性の, 分流性の.
ef·flu·ent 形 流出 [放出, 発出, 発散] する.
in·flu·ent 形 流入する, 流れ込む.
in·ter·flu·ent 形 合流する; 混ざり合う, 混合する.
mel·lif·lu·ent 形 美しく [滑らかに] 流れる.
prof·lu·ent 形 よどみなく流れる; 流暢な.
ref·lu·ent 形 逆流する; 引き潮の.

flu·id /flúːid/

名 流体, 流動体(液体, 気体など). ──形 流体の; 流動的な. ⇨ -ID[4]. ◇ -FLUENCE.

amniótic flùid 【解剖】【動物】羊水, 羊膜液.
bráke flùid 【自動車】ブレーキ液.
cerebrospínal flùid 【生理】脳脊髄(せきずい)液, 髄液.
Cóndy's flùid コンディ(消毒)液.
conversátion flùid 《米話》ウイスキー.
corréction flùid 文字修正液.
cútting flùid 【機械】切削剤.
embálming flùid 死体防腐処理液; 《米俗》(強い)コーヒー, ウイスキー.
hydráulic flùid 作動油 [液], 油圧油.
líghter flùid (タバコのライター用)揮発油.
Newtónian flùid 【流体力学】ニュートン型流体.
sèmi·flúid 形名 半流動体(の).
séminal flùid 精液.
sérous flùid 【生理】漿液(しょうえき).
supercrítical flùid 超臨海液体.
sùper·flúid 名 【物理】超流(動)体.
tíssue flùid 【生理】【動物】組織液.
wórking flùid 【力学】作業 [動作] 流体.

fluke /flúːk/

名 **1** ヒラメ. **2** 吸虫.

blóod flùke 住血吸虫(schistosome).
líver flùke 肝吸虫, 肝臓のジストマ.
lúng flùke 肺吸虫, 肺臓ジストマ.

flu·or·ide /flúəraid, flɔ́ːr-/

名 【化学】フッ化物. ⇨ -IDE[1].
★ 語頭にくる関連形は fluoro-: *fluoro*carbon「【化学】過フッ化炭化水素」.

bénzyl flúoride フッ化ベンジル.
bi·flú·or·ide 名 酸性フッ化物, 重フッ化物.
cálcium flúoride フッ化カルシウム.
chrómic flúoride フッ化第二クロム.
hèx·a·flú·or·ide 名 六フッ化物.
hýdrogen flúoride フッ化水素.
líthium flúoride フッ化リチウム.
potássium flúoride フッ化カリウム.
sílicon flúoride フッ化ケイ素.
sílver flúoride フッ化第一銀, フッ化銀.
sódium flúoride フッ化ナトリウム.
stánnous flúoride フッ化第一錫(すず), フッ化錫.
tèt·ra·flú·or·ide 名 四フッ(素)化物.
tri·flú·or·ide 名 三フッ化物.

flush /flʌ́ʃ/

名 【トランプ】フラッシュ.

fóur flùsh (もう 1 枚そろえばフラッシュになる)不完全なフラッシュ.
fóur-flùsh 動他 《米・カナダ》はったりをかける.
mónkey flùsh モンキーフラッシュ.
róyal flúsh ロイヤルフラッシュ.
stráight flúsh ストレートフラッシュ.

flute /flúːt/

名 【音楽】フルート.

álto flúte アルトフルート.
Énglish flúte リコーダー(recorder).
nóse flùte (タイ・フィジーの)鼻笛.
óctave flùte ピッコロ: 小型のフルート.
skín flùte 《米俗》陰茎.
tránsverse flúte 横型フルート, フラウトトラベルソ.

flux /flʌ́ks/

名 **1** 流れ, 流動. **2**【物理】束, 流束. **3**【化学】融剤.

áf·flux 名 (一か所に)流れ込むもの; 【医学】充血.
bláck flùx 【冶金】黒色融剤.
blóody flúx 赤痢(dysentery).
cón·flux 名 群衆, 会衆(confluence).
éf·flux 名 流出, 発散.
eléctric flúx 電気力線.
ín·flux 名 流れ込み, 流入.
lúminous flúx 【光学】光束.
Mág·na·flùx 名 《商標》マグナフラックス法.
mág·na·flùx 動他 マグナフラックス法で磁粉探傷する.
magnétic flúx 【電気】磁束.
óut·flùx 名 流れ出すこと, 流出.
rádiant flúx 【物理】放射束.
ré·flux 名 逆流; 退潮.
sù·per·flúx 名 過剰.

fly[1] /flái/

動自 〈鳥·虫などが〉飛ぶ；飛び回る；飛び去る；さっと飛んで行く．——名 **1** 飛ぶこと；〖野球〗フライ．**2** 上部屋幕．

Híghland flý スコットランドのフォークダンス．
ínfield flý 〖野球〗インフィールドフライ．
no-flý 形 〈地域が〉軍用機(時に民間機)が飛行禁止の．
òut·flý 動他 …より速く［遠くまで］飛ぶ．
ò·ver·flý 動他 上空を飛ぶ．
póp flý 〖野球〗小飛球，凡フライ．
sácrifice flý 〖野球〗犠牲フライ．
shóe·flỳ 《米》＝shoofly.
shóo·flỳ 《米》(動物の形を模した板が両側についた)子供用揺り椅子．
tént flỳ ＝fly.
test-fly 動他 …のテスト飛行をする．
ùp·fly 動自 飛び上がる，舞い上がる．

fly[2] /flái/

名 〖昆虫〗ハエ(true fly).

álder·flỳ センブリ(千振)．
ánt flỳ (釣りの餌用になる)ハアリ(羽蟻)．
assássin flỳ ＝robber fly.
bár·flỳ 《俗》バーに入り浸りの人，常連客．
bée flỳ ツリアブ．
béet·flỳ アカザモグリハナバエ．
bíting housefly ＝stable fly.
bláck flỳ ブユ，ブヨ，ブト．
blów flỳ クロバエ(キンバエを含む)．
blúebottle flỳ アオバエ．
bót·flỳ ウマバエ．
búlb flỳ (特に)スイセンハナアブ．
bútter·flỳ ☞
cáddice·flỳ ＝caddisfly.
cáddis·flỳ トビケラ．
cátch·flỳ ムシトリナデシコ．
chálcid·flỳ アシブトコバチ．
chéese flỳ チーズバエ．
clúster flỳ クロバエ科のハエの一種．
cráne flỳ ガガンボ．
dámsel·flỳ イトトンボ，カワトンボ．
dáy·flỳ ＝mayfly.
déer flỳ メクラアブ．
dóbson·flỳ 《米·カナダ》ヘビトンボ．
drágon·flỳ トンボ．
dráke flỳ 〖釣り〗カゲロウに似せて作った毛鉤(けばり)の一種．
drý flỳ 〖釣り〗ドライフライ，浮き毛鉤(けばり)．
drý-flý 形 〖釣り〗ドライフライを使う．
dún flỳ 〖釣り〗(カゲロウの亜成虫(dun)に似た)毛鉤(けばり)．
dúng flỳ フンバエ．
fáce flỳ ヨーロッパ産のハエの一種．
fíre·flỳ ホタル(glowfly).
físh·flỳ 脈翅(みゃくし)目ヘビトンボ科の昆虫．
flésh flỳ ニクバエ．
flówer flỳ ＝syrphid fly.
frít flỳ キモグリ(黄潜)バエ科の小さなハエ．
frúit flỳ (クダモノ)ミバエ．
gád·flỳ 家畜を刺したり，つきまとったりするハエ·アブ類の総称．
gáll·flỳ 植物に卵を産みつけて虫こぶを作る昆虫の総称．
glów·flỳ ＝firefly.
góut flỳ 双翅(そうし)目キモグリバエ科のハエの総称．
gréenbòttle flý キンバエ．
gréen·flỳ キクメダカアブラムシ．
háckle flỳ 〖釣り〗(雄鶏などの首回りの羽毛を用いて作った)擬餌鉤(ぎじばり)．
hánging·flỳ ガガンボモドキ．
hárvest flỳ エゾゼミ(dog-day cicada).
héel flỳ ウシバエ(cattle grub).
Héssian flỳ コムギタマバエ．
hóp flỳ ホップにつくアリマキ．
hórn flỳ ノサシバエ．
hórse flỳ アブ(虻)，ウシアブ．
hóuse·flỳ イエバエ．
hóver flỳ 空中に停止するアブの総称，(特に)ハナアブ(syrphus fly).
Húman Flý 「人間ハエ」：摩天楼登りをする人．
ichnéumon flỳ ヒメバチ(アメバチを含む)．
kég flỳ 《米俗》パーティーでビア樽(だる)から離れない人．
lántern flỳ ビワハゴロモ．
mángold flỳ ＝beetfly.
Márch flỳ ケバエ(毛蠅)．
máy·flỳ カゲロウ．
méat flỳ ＝flesh fly.
méd·flỳ 名 チチュウカイ(地中海)ミバエ．
mélon flỳ ウリミバエ．
nít·flỳ 《米ミッドランド·メキシコ湾岸州》＝botfly.
órl·flỳ 名 《英》脈翅(みゃくし)目センブリ科の昆虫．
pítch flỳ 《英俗》他人の出店場所を黙って取る人．
pómace flỳ ＝vinegar fly.
róbber flỳ ムシヒキアブ．
sánd·flỳ スナバエ，サシチョウ(蝶)バエ．
sáw·flỳ ハバチ(葉蜂)．
scórpion·flỳ シリアゲムシ(挙尾虫)．
scréw flỳ ＝screwworm fly.
scréwworm flỳ アメリカオビキンバエ．
sédge flỳ ＝caddisfly.
shád·flỳ 名 ＝mayfly.
shéep flỳ Muscoidea 上科の数種のハエ．
simúlium flỳ ブユ．
snáke·flỳ ラクダムシ．
snípe flỳ シギアブ科のアブの総称．
snów·flỳ 雪の上に見られる小さいシリアゲムシ類，カワゲラ類の総称．
sóldier flỳ ミズアブ(水虻)．
Spánish flỳ 〖薬学〗カンタリデス(cantharides).
spíder flỳ 〖釣り〗スパイダーフライ．
spónge·flỳ ミズカゲロウ．
spongílla·flỳ ＝spongefly.
stáble flỳ 〖昆虫〗サシバエ．
stéam flỳ 《米俗》大きなゴキブリ．
stínk flỳ クサカゲロウ．
stóne·flỳ カワゲラ．
stréamer flỳ ストリーマーフライ．
sú·per·fly 形 《米黒人俗》すごい，優れた．
sýrphid flỳ ＝flower fly.
táchina flỳ ヤドリバエ．
trúe flỳ ＝fly.
tsétse flỳ ツェツェバエ．
túbe flỳ 〖釣り〗チューブフライ．
túrnip flỳ ダイコンタマバエ．
twó-wìnged flỳ (ハエ，蚊などの)双翅(そうし)目の昆虫の総称．
tzétze flỳ ＝tsetse fly.
vínegar flỳ ショウジョウバエ．
wálnut húsk flỳ 双翅(そうし)目ミバエ科のミバエ(fruit fly)類の総称．
wárble flỳ ウシバエ．
wásp flỳ ＝flower fly.
wáter flỳ 水辺を飛ぶ昆虫(トンボなど)．
wét flỳ ウエットフライ．
whíte·flỳ コナジラミ．
wíllow flỳ カワゲラの一種．
wórm·flỳ 〖釣り〗ワームフライ．

fly·catch·er /fláikætʃər/

名 〖鳥類〗 **1** ヒタキ. **2** タイランチョウ. ⇨ CATCHER.

Acádian flýcatcher ミドリメジロハエトリ.
álder flýcatcher キタジロハエトリ.
crésted flýcatcher ムジタイランチョウ.
léast flýcatcher チビメジロハエトリ.
páradise flỳcatcher カワリサンコウチョウ.
réstless flýcatcher フタイロヒタキ.
Róyal Flýcatcher オウギタイランチョウ.
sátin flỳcatcher ビロウドヒラハシ.
shíning flýcatcher クロヒラハシ.
sílky flýcatcher レンジャクモドキ.
spótted flýcatcher ハイイロヒタキ.
swállow flỳcatcher モリツバメ(wood-swallow).
týrant flýcatcher タイランチョウ.
vermílion flýcatcher ベニタイランチョウ.
wíllow flýcatcher キタジロハエトリ.

F

fly·ing /fláiiŋ/

形 飛んでいる, 飛ぶことのできる. ——名 飛ぶこと; 飛ばすこと. ⇨ -ING[2], -ING[1].

Báker flỳing 《米俗》「立入禁止」,「危険」.
búnk flỳing 《英空軍俗》 自慢話, ほら.
hígh·flỳing 形 高く上がる[飛ぶ].
ínstrument flỳing 〖航空〗 計器飛行.
kíte·flỳing 凧(たこ)揚げ.
skí flỳing スキーフライング, フライング競技.

foam /fóum/

名 **1** 泡, あぶく. **2** (シェービングクリームなどの)稠密(ちゅうみつ)な泡状物質, フォーム. ——動他 …を泡立たせる.

de·fóam 動他 …から泡を除く, 消泡する.
flórists' fóam 生け花で花茎を固定するために用いる海綿状プラスチック.
plástic fóam 〖化学〗 発泡プラスチック.
póly·fòam 〖化学〗 ポリフォーム.
séa fòam 海の泡, 海泡石(sepiolite)
stý·ro·fòam 名 《化学・商標》 スタイロフォーム.
syntáctic fóam 〖化学〗 シンタクチックフォーム.
úrethane fòam ウレタンフォーム.

fo·cal /fóukəl/

形 焦点の, 焦点にある. ⇨ -AL[1].

a·fo·cal 形 〖光学〗〈望遠鏡などが〉無限焦点の.
bi·fo·cal 形 〖主に光学〗 複焦点の, 二焦点の.
con·fo·cal 形 〖数学〗 焦点を共有する, 同焦点の.
ep·i·fo·cal 形 〖地質〗 震央の.
mat·ri·fo·cal 形 母親中心の.
mul·ti·fo·cal 形 〈レンズなどが〉多(重)焦点の.
om·ni·fo·cal 形 〖光学〗 全焦点の.
par·fo·cal 形 〖光学〗〈接眼レンズが〉同一焦点の.
pat·ri·fo·cal 形 父親中心の.
tri·fo·cal 形 〖光学〗 焦点が3つある.
var·i·fo·cal 形 〈レンズが〉可変焦点の.

fo·cus /fóukəs/

名 〖光学〗 レンズの焦点. ——動他〈レンズなどの〉焦点を(…に)合わせる. ⇨ -US[1].

áu·to·fò·cus 形 〈カメラ・レンズなど〉自動焦点の.
báck fòcus 〖写真〗 バックフォーカス.
déep fócus 〖映画〗 パン・フォーカス.
de·fó·cus 動他 焦点をぼかす. ——名 ピンぼけ.
pre·fó·cus 動他 (あらかじめ)〈ライトの〉焦点を合わせる, 定焦点にする.
príncipal fócus 〖光学〗 焦点(focal point).
réal fócus 〖光学〗 実焦点.
re·fó·cus 動他 〈レンズの〉焦点を再び合わせる.
sóft fócus 〖写真〗 軟焦点, ソフトフォーカス.

fog /fɔ́ːg, fɑ́g | fɔ́g/

名 霧, 濃霧.

advéction fòg 移流霧.
ànti·fóg 形 曇り止めの.
be·fóg 動他 霧[暗い影など]で包む, 雲で覆う.
bío·fòg 動物または人間が冷たい空気の中で息を吐くとき生じる蒸気に似た霧.
bláck fóg (米国 Massachusetts 州 Cape Cod の)濃霧.
de·fóg 動他 (車の窓ガラスの)曇りや水滴を取り除く.
drý fóg 乾霧.
fróst fòg 《米・カナダ》 細氷混じりの濃霧.
frózen fóg ＝ice fog.
gróund fòg 低霧(ていむ).
íce fòg 氷霧.
radiátion fòg 放射霧.
séa fòg 海霧.
stéam fòg 蒸気霧.
túle fóg ツール霧.
Yórkshire fòg 〖植物〗 シラゲガヤ.

foil /fɔ́il/

名 **1** 金属の薄片[薄葉], フォイル, 箔(はく); (アルミ)ホイル. **2** 翼; 水中翼.

áer·o·fòil 名 《主に英》 ＝airfoil.
air·fòil 名 〖航空〗 エーロフォイル.
alúminum fòil アルミホイル, アルミ箔.
cínque·fòil 名 バラ科キジムシロ属の草または低木の総称.
cóun·ter·fòil 名 《主に英》 (小切手・為替などの)原符, 控え.
góld fóil 金箔.
hý·dro·fòil 名 〖造船〗 水中翼.
míl·fòil 名 セイヨウ(西洋)ノコギリソウ.
múl·ti·fòil 名 〖建築〗 (通例, 6弁以上の)多葉飾り.
óc·to·fòil 名 〖紋章〗 八つ葉.
pár·a·fòil 名 パラフォイル: 翼の役割をする部分のついた操縦可能なパラシュート.
pól·y·fòil 名 ＝multifoil.
quá·tre·fòil 名 四つ葉.
quín·que·fòl 名 ＝cinquefoil.
quínte·fòil 名 ＝cinquefoil.
sépt·fòil 名 〖建築〗 7フォイル, 七葉装飾.
séx·fòil 名 〖建築〗 6フォイル, 六葉装飾.
sílver fòil (包装用)銀箔, 銀色の金属.
tín·fòil 名 (包装用)錫箔(すずはく); 銀紙.
tré·fòil 名 ☞

fold[1] /fóuld/

動他 〈布・紙などを〉折る, 折り重ねる, 折り込む. ——名 **1** 〖地質〗 褶曲(しゅうきょく). **2** 〖解剖〗 ひだ, しわ, 折り目.

accórdiòn-fòld 動他 〈紙などを〉蛇腹状に折る.
accórdion-plèated fòld アコーディオン・プリーツ・フォールド: 表紙が開きやすいように見返しと表紙のつなぎ目の部分にひだを入れる方法.
bíll·fòld 名 (二つ折りの)札入れ.
cén·ter·fòld 名 (新聞・雑誌などで)中央見開きページ.
clóverleaf fòld 〖生化学〗 クローバー葉構造.
dówn·fòld 名 〖地質〗 向斜(syncline).
en·fóld 動他 (…で)包む, (…に)くるむ.
éye·fòld 名 〖解剖〗 肉眼角, 贅皮(ぜいひ).
fán fòld 〖地理〗 扇状褶曲(しゅうきょく).
fán·fòld 名 複写帳.
gáte·fòld 名 〖印刷〗 (書籍や雑誌の)折り込み.
in·fóld[1] 動他 ＝enfold.
in·fóld[2] 動他自 〈管状の器官の一部を〉陥入させる.

ìn·ter·fóld 動他 〈紙を〉折り合わせる, 折り込む.
lín·en·fòld 名 〚建築〛リネンフォールド.
Mongólian fóld 〚解剖〛＝eyefold.
ó·ver·fòld 名 〚地質〛過褶曲(しゅうきょく).
re·fóld 動他 再び折り重ねる [折りたたむ].
Scóttish Fóld 〚動物〛スコティシュフォールド.
thrée-fòld 名 三面飾り.
twó-fòld 名 〚演劇〛二枚折り書き割り.
un·fóld 動他 開く, 広げる;〈包みを〉あける.
up·fóld 動他 たたむ, たたみ込む.

fold[2] /fóuld/

名 (家畜, 特に羊を入れる)囲い, 檻(おり), 柵(さく).

pin·fold 名 (迷った動物を入れる)檻.
scaf·fold 名 (建築などの)足場; 足場組み.
sheep·fold 名 《主に英》羊を入れる囲い, 羊小屋.
un·fold 動他 〈羊を〉囲い [おり] から出す.

-fold /fòuld/

接尾辞 **1** …の部分 [重なり] を持つ: mani*fold*. **2** …倍の [に]: two*fold*.
★ 数詞につけて形容詞・副詞をつくる.
◆ 中英; 古英 *-fald*, *-feald*.

bi·fold 形 2つに折りたためる.
eight·fold 形 8つの部分から成る, 8倍の.
e·lev·en·fold 形 11の部分から成る, 11倍の.
five·fold 形 5つの部分から成る, 5倍の.
four·fold 形 4つの部分から成る, 4倍の.
hun·dred·fold 形 100倍の.
man·i·fold 形 ☞
man·y·fold 副 何倍も.
mil·lion·fold 形 百万の部分から成る.
mul·ti·fold 形 多種多様な.
nine·fold 形 9つの部分から成る, 9倍の.
one·fold 形 一重の; 全体の; それ自体で完全な.
sev·en·fold 形 7つの部分から成る, 7倍の.
sev·er·al·fold 形 幾重もの, 数部 [人] から成る.
six·fold 形 6つの部分から成る, 6倍の.
sixty·fold 形 60倍の.
ten·fold 形 10の部分から成る, 10倍の.
thirty·fold 形 30の部分から成る, 30倍の.
thou·sand·fold 形 1,000の部分から成る. 1,000倍の.
three·fold 形 3つの部から成る, 3倍の.
tri·fold 形 ＝threefold.
twelve·fold 形 12の部分から成る, 12倍の.
twen·ty·fold 形 20の部分から成る, 20倍の.
twi·fold 形 《古》＝twofold.
two·fold 形 2つの部分から成る, 2倍の.

fold·er /fóuldər/

名 **1** 折りたたみ式の印刷物. **2** 紙挟み. ⇨ -ER[1].

bíll·fòlder 《米方言》(革製・二つ折の)札入れ.
fíle fòlder (ファイルキャビネットに収納できる)ファイルホールダー.
Maníla fòlder マニラ・フォルダー: 軽い厚紙製の2つ折りのフォルダー.
shéll fòlder 旅行パンフレット, ブロッシャー.

fo·li·ate /fóuliət, -lièit/

形 〚植物〛葉で覆われた, 葉の茂った. ⇨ -ATE[1].
★ 語頭にくる関連形は foli-: *foli*ation「発葉」.

am·plex·i·fo·li·ate 形 抱茎葉の [を持った].
bi·fo·li·ate 形 二葉を持つ, 二葉の.
cur·vi·fo·li·ate 形 曲がり葉の.
de·fo·li·ate 動他 (木から)葉を落とす, 落葉させる.
ex·fo·li·ate 動他 …を薄片状にはぎ落とす.
mul·ti·fo·li·ate 形 多葉の.
per·fo·li·ate 形 〈葉が〉突き抜けの, 貫生の.
tri·fo·li·ate 形 〈複葉が〉三葉ある.
u·ni·fo·li·ate 形 単葉の.

fo·li·o·late /fóuliəlèit/

形 〚植物〛小葉の; 小葉のある, 小葉から成る. ⇨ -ATE[1].
★ 語頭にくる関連形は foli-: *foli*age「全部の葉」.

bi·fo·li·o·late 形 〈複葉が〉二小葉の.
quin·que·fo·li·o·late 形 五(小)葉の(quinate).
tri·fo·li·o·late 形 〈複葉が〉三小葉ある.
u·ni·fo·li·o·late 形 単小葉の.

folk /fóuk/

名 人々.

álms·fòlk 名複 施し物で暮らす人々.
Béaker fòlk ビーカー文化の担い手.
cóun·try·fòlk 名複 地方人, 田舎者.
gén·tle·fòlk 名 家柄のよい人々, 良家の人々.
góod fólk 妖精たち.
Hér·ring·fòlk 名 「ニシン民族」. ►Herrenvolk(君主的民俗)のもじり.
híll fòlk 山地の住民.
kín·fòlk 名複 《主に米南部》親族, 親類; 一族.
kíns·fòlk 名複 ＝kinfolk.
líttle fòlk (民間伝承で)小妖精たち.
mén·fòlk 名複 (特にある家族・地域の)男連中.
Nór·folk 名 ノーフォーク: イングランド東部の州. ►字義は「北部の人々」.
shów·fòlk 名複 興行界の人々, (特に)芸能人たち.
Súf·folk 名 サフォーク: イングランド東部の州. ►字義は「南部の人々」.
tówns·fòlk 名複 《米》都市居住者.
trádes·fòlk 名複 商人(tradespeople).
tráveling fólk ジプシー; 移動して生活する人々.
wóm·en·fòlk 名複 婦人, 女性(women).
wórk·fòlk 名複 (賃金)労働者, (特に)農場労働者.

fol·low·er /fálouər | fɔ́louə/

名 後から来る [後に続く] 人 [もの, こと]. ⇨ -ER[1].

cám fòllower 〚工学〛カム従動節.
cámp fòllower 非戦闘従軍者.
cáthode fòllower 〚電気〛陰極接地型増幅回路.
sóurce fòllower 〚電子工学〛ソースフォロワー.

food /fú:d/

名 飲食物, 食糧, 栄養物.

ámbient fóod 室温保存食品, 非保冷食品.
báby fòod ベビーフード, 離乳食.
béar fòod 《米市民ラジオ俗》速度違反の車.
bréakfast fòod 朝食用食品.
convénience fòod インスタント食品.
dóg fòod 犬の餌(えさ).
enginéered fòod 加工保存食料 [食品].
fábricated fóod 合成加工食品, コピー食品.
fást fòod ファーストフード.
fást-fòod 形 ファーストフードの.
fíne fòod 〚マーケティング〛精密食品.
fínger fòod 指でつまんで食べられる食物.
fúnctional fòod 機能性食品.
héalth fòod 健康食品.
júnk fòod ジャンクフード.
nátural fòod 自然食品.
nòn·fóod 形 食料品以外の.
órganic fóod 自然食品.
phárma·fòod 健康増進型食品, 機能性食品.

F

plánt fòod （肥料など）植物の栄養物.
pláy·fòod プラスチック模型の食品サンプル.
rábbit fòod 《米話》生野菜.
róad fòod 道路沿いの食堂などでの食事.
scúzz-fòod 《米俗》＝junk food.
séa·fòod 海産食物, 魚貝料理, シーフード.
skín fòod （肌を整えるための）化粧液.
sóul fòod 《米話》ソウルフード: 特に米国南部の伝統的な黒人料理.
squírrel-fòod 《米俗》頭のいかれたやつ, ばか.
whóle·fòod 《英》自然食品, 無添加食品.
wórm-fòod 《米話》死体.
zómbie fòod 《米俗》＝junk food.

F

fool /fúːl/

名 **1** ばか(者), 愚か者. **2** (昔, 王侯・貴族にかかえられた)道化師.

Ápril fóol 四月ばか: 万愚節で担がれた人.
arch·fool 名 うすのろ, ばか者.
be·fool 動他 ばかにする, だます, たぶらかす.
cóurt fòol 〖歴史〗宮廷の道化.
dam·fool 名 《話》とんでもない愚か者, 大ばか者.
tom·fool 名 大ばか者, たわけ者, あほう.

foot /fút/

名 **1** 足. **2** フート: 尺度の単位. **3**〖家具〗(椅子などの)脚(leg)の先端部分. ―― 動自他 歩く.

ácre-fóot エーカーフート: 灌漑の水量の単位.
a·fóot 副形 《文語》徒歩で, 歩いて.
áthlete's fóot 水虫, 皮膚真菌症.
athlétic fóot ＝athlete's foot.
báll-and-cláw fòot 〖家具〗球をつかんだ鳥の鉤爪の形をした脚.
báll fòot 〖家具〗ボールフット: 球状の脚.
báre·fòot 形副 素足の[で].
bár fòot 〖家具〗＝runner foot.
béar's-fòot 〖植物〗ヘレボルス.
Bíg Fòot ビッグフット: 米国とカナダの太平洋岸の山中に出るといわれる猿人.
bírd-fòot ＝bird's-foot.
bírd's-fòot 葉・花・豆莢(さや)が鳥の足や爪に似ている植物の総称.
Bláck·fòot ブラックフット族(の一人).
blíster·fòot 《米軍俗》歩兵.
bóard fòot 《米》〖建築施工〗ボードフート.
brácket fòot 〖家具〗(戸棚などの)持送り式の脚.
búmble·fòot 〖獣病理〗足球部炎, 趾瘤(しりゅう)症.
bún fòot 〖家具〗バンフット.
cándle-fòot 〖光学〗フート燭(しょく); 照度の単位.
cát-fòot 動自他 《主に米》(猫のように)忍び足で進む.
cát's-fòot 〖植物〗エゾノチチコグサ.
cláw-and-báll fòot 〖家具〗＝ball-and-claw foot.
cláw fòot 鉤爪のある足.
clúb fòot 〖家具〗接地面が円盤状の猫脚の末端部.
clúb·fòot 湾足, 尖足など足の奇形の総称.
cóck's-fòot 〖植物〗オーチャードグラス.
cólts·fòot 〖植物〗カントウ(款冬).
córd fòot コードフート: 米国で薪を数えるのに用いる単位.
cróss·fòot 動自 〖会計〗金額欄の横の数値を合計し, その正確性を検証する.
crów·fòot 〖植物〗キンポウゲ.
crów's-fòot 目じりのしわ.
dóugh·fòot 《米話》歩兵.
dóve's fòot フクロソウ類の野草.
dráke fòot 〖家具〗＝trifid foot.
dróp fòot 〖病理〗下垂足.
drý·fòot 副 足をぬらさずに.
dúck fòot 〖家具〗＝web foot.
élephant's-fòot 〖植物〗ツルカメソウ.
fán-fòot 《米南部》尻軽女.
féscue fòot 〖獣病理〗フェスキューフート症.
fín·fòot 〖鳥類〗ヒレアシ(鰭足).
fírst-fóot 《スコット》新年の初客.
fíve-fóot 5 フィートの.
flát·fòot 〖病理〗偏平足(状態).
fóre·fòot 名 〖動物〗前足, 前肢.
Frénch fóot 〖家具〗整理だんすの脚の一様式; 足の下部がカーブして外側に伸びているもの.
frónt fòot (建物や敷地の)間口.
góofy-fòot 《豪話》〖サーフィン〗グーフィ.
góose·fòot 〖植物〗アカザ.
gúm·fòot 《米俗》おまわり, 私服.
háre·fòot (ある種の犬の)ウサギの足に似た足.
héavy fóot 《話》車をぶっ飛ばす人.
hóllow fóot 〖医学〗凹足.
hóof fòot 〖家具〗曲がり脚(pied-de-biche).
Hóppus fóot 《英》ホッパス: 木材の材積単位.
hót·fòot 足あぶり.
íce fòot 〖自然地理〗氷脚.
immérsion fòot 〖病理〗浸足病.
léad·fòot 《話》スピード狂, 飛ばし屋.
líght-fòot 形 《詩語》軽やかな足取りの; 素早い.
mélon fòot 〖英家具〗メロンフット.
múle-fòot 形 〖動物〗単蹄(たんてい)の.
òut·fóot 動他 …より足が速い.
páddle fòot 《米軍俗》歩兵, ライフル銃兵.
pád fòot 〖家具〗猫脚の先端の平たい足.
pólt·fòot 名形 《古》湾曲足(clubfoot)(をした).
présser fòot (ミシンの)押さえ金.
púppy-dòg fòot 《米俗》＝puppyfoot.
púppy·fòot 《米俗》クラブのエース.
pússy·fòot 動自 《話》忍び足で歩く.
rábbit-fòot ＝rabbit's foot.
rábbit's fòot ウサギの左後ろ足: 幸運のお守り.
rát clàw fòot 〖家具〗ネズミの足が球をつかんだような形をした細長い猫脚の一種.
rè·fóot 動他 〈靴下の〉足の部分をつけ替える.
Róman fóot ローマフィート: 古代ローマの長さの単位.
rúnner fòot 〖家具〗ラナーフット.
sándal·fòot 形 〈女性の靴下が〉サンダルに適した.
scímitar fòot 〖家具〗短い湾曲脚.
scróll fòot ＝French foot.
sécond-fóot 立方フィート毎秒.
síde·fòot 動他自 〖サッカー〗サイドキックでける.
síngle-fòot (乗馬で)急歩調の速歩.
sléw·fòot 《米俗》まぬけ, へまなやつ.
slípper fòot 〖家具〗細長い先端が偏平になった脚.
slóugh-fòot 動自 《米俗》あらぬ方向へ歩く.
snáke fòot 〖家具〗(一本支柱の台座テーブルで支柱の下部を支える)S 字形の脚.
spáde fòot 〖家具〗スペードフット.
spáde·fòot 〖動物〗スキアシガエル.
Spánish fóot 〖家具〗凹面の丸溝に続いて底部が渦巻き模様になっている脚.
spláy·fòot (特に足底が外向きに傾斜した)広く平たい足.
squáre fóot 平方フィート(0.0929m^2).
stáir·fòot 階段の上がり場.
stúmp fòot 〖家具〗台座の下について外側に張り出した脚.
tángle·fòot 《米俗》強い酒.
ténder·fòot 未熟者, 未経験者, 初心者.
tén-fòot 形 10 フィートの.
térn fòot 〖家具〗下部に 3 つの渦巻き装飾がついた脚.
trénch fòot 〖病理〗塹壕(ざんごう)足炎.
trífid fóot 〖家具〗3つの爪が結合した形の猫脚.
túbe fòot 〖動物〗管足.
ùn·der·fóot 副 足もとに, 足の下で; 地面に, 下に.
wéb fòot 〖家具〗先端部が球をつかんだ水かき状の脚.
wéb·fòot 水かきのついた足.
wét fòot 《俗》新米, うぶな人.
whórl fòot ＝French foot.
wróng-fòot 動他 〖テニス〗〈相手に〉バランスを崩させ

るように打つ.

foot·ball /fútbɔ̀ːl/

名 **1** アメリカンフットボール. **2** 《主に英》サッカー; ラグビー. ── 動自 《話》(おとり商品として)安売り[特売]する. ⇨ BALL[1].

Américan fóotball アメリカンフットボール.
aréna fòotball 屋内サッカー, フットサル.
associátion fóotball 《英》サッカー.
Austrálian (Rùles) fóotball オーストラリア式フットボール.
Canádian fóotball カナディアンフットボール.
flág fóotball フラッグフットボール: touch football の一種.
Gáelic fóotball ゲーリック・フットボール.
guínea fòotball 《米俗》(特に手製の)小型爆弾.
Itálian fóotball 《米俗》爆弾; 手榴弾, 催涙弾.
léague fòotball 《主に豪》オーストラリアのリーグラグビー.
nátional fóotball 《豪》=Australian Rules football.
polítical fóotball 政治論争となる問題[たね].
tóuch fóotball = American football.

foot·ed /fútid/

形 《しばしば複合語》足のある; 足が…の, …足の. ⇨ -ED[2].

cát·fòoted 形 猫のような足を持った, 猫足の.
dúck·fòoted 形 偏平足の.
féather-fòoted 形 軽やかに静かに動く[進む].
fíddle-fòoted 形 《米話》さまよい歩く[放浪する].
fín-fòoted 形 〈鳥が〉足に水かきがある.
flát·fóoted 形 足を引きずるような歩き方の.
fléet-fóoted 形 《文語》俊足な.
fóur-fóoted 形 四つ足の; 四つ足動物の.
héavy-fóoted 形 鈍重な; ぎこちない.
léad·fòoted 形 《話》のろくさい, のろまな.
léft-fóoted 形 左足が利き足の.
líght-fóoted 形 足の速い; 軽やかな足取りの.
lóose-fóoted 形 〔海事〕〈縦帆が〉下端がブームに留めてない.
róugh-fóoted 形 〈鳥が〉脚に羽毛のある.
slów-fóoted 形 足の遅い[のろい], ゆっくり進む.
súre·fóoted 形 足元の確かな, 転ばない.
swíft-fóoted 形 走るのが速い, 足の速い.
tángle-fóoted 形 《米俗》酔っ払った.
wéb-fòoted 形 水かきのある足を持つ.
wíng-fòoted 形 《詩語》(ヘルメス神のように)足に翼のある.

for /fɔ́ːr/

前 **1** …のために[の]. **2** …を求めて. **3** …に対して.

díck-fòr 名 《米俗》まぬけ, ばか, あほ.
dóne-fòr 形 《俗》疲れ果てた(exhausted).
lóng·ed-fòr 形 待ち望んだ.
thère·fór 副 《古》〔法律〕その[この]ために.
tò díe fòr 形 素晴らしい, すてきな.
un·ac·count·ed-for 形 説明され(てい)ない.
ùn·cáred-fòr 形 世話されない, ほったらかしの.
ùn·hóped-fòr 形 予期しない, 思いがけない.
un·lóok·ed-fòr 形 予期[予測]しない, 思いがけない.
un·páid-fòr 形 代金が支払っていない, 未払いの.
un·wísh·ed-fòr 形 願われない; 歓迎されない.
whát-fòr 形 なぜなぜ….
wísh·ed-fòr 形 望んでいた, 望みどおりの.

force /fɔ́ːrs/

名 **1** (肉体的な)力, 体力, 腕力. **2** 暴力. **3** (国家などの)勢力; 〔軍事〕戦力, 兵力, 武力. **4** 〔物理〕力, エネルギー. ── 動他 強いる.

af·fórce 動他 〔英法〕〈陪審などを〉(専門家を加えて)強化する.
Áir Fòrce 米国空軍(1947 年 7 月 26 日設立).
blúe fórce 青軍, 友軍, 味方.
búoyant fórce 浮力.
centrífugal fórce 遠心力.
centrípetal fórce 向心力, 求心力.
coércive fórce 保磁力, 抗磁力.
cólor fòrce クオーク間に働く力(strong force).
Coriólis fòrce 〔物理〕コリオリ力.
Cóulomb fòrce 〔電子〕クーロン力.
cóunt·er·fòrce 名 逆の力, 反対勢力, 対抗勢力.
defléctíng fòrce コリオリの効果(Coriolis effect).
de·fórce 動他 〔法律〕〈不動産を〉不法占有する.
Délta Fòrce 《米》デルタ・フォース: 米国陸軍特殊部隊.
dówn·fòrce 下方に働く力, 車の下方重心.
electromótive fórce 起電力, 動電力.
en·fórce 動他 〈法律などを〉実施[施行, 執行]する.
exchánge fòrce 交換力.
fictítious fórce 慣性力(inertial force).
fífth fórce 第五の力.
gále-fòrce 形 〈風が〉強風級の.
Ǵ-fòrce =inertial force.
grám-fórce 重量グラム, グラム重量.
Hóme Sérvice Fórce 《英》(志願者から成る)国内予備軍(1985 年設立).
hýperwéak fórce 超弱作用.
inértial fórce 慣性力(force of inertia).
Jóint Fórce 《米》(陸・海・海兵隊・空軍の 2 つ以上の主要部隊から構成される)統合部隊.
kílogram-fórce キログラム重, 重量キログラム.
lábor fòrce 労働力(work force).
lánd fòrce 陸上部隊, 陸軍.
lánding fòrce (陸軍の)上陸部隊.
lífe fòrce (特にベルグソン哲学で)エラン・ビタル(élan vital), 生命の飛躍.
Lórentz fòrce 〔電気〕ローレンツ力.
magnétic fórce 磁力, 磁気力.
mágnetizing fórce 磁気強度(magnetic intensity).
magnetomótive fórce 起磁力, 動磁力.
mágnum-fòrce 形 《米俗》ものすごい力の.
máin-fórce 形 正規[通常]部隊の.
núclear fórce 核力.
per·fórce 副 《文語》《古》必然的に; やむを得ず.
políce fórce 警察(police).
póund-fórce 重量ポンド.
Rápid Deplóyment Fòrce 《米》緊急派遣軍, 緊急展開部隊.
rein·fórce 動他 …を(補強材料・支えなどで)補強する.
Secúrity Fòrce 国連軍.
stríke fórce (軍隊の)打撃軍, 打撃部隊.
stríking fórce =strike force.
stróng fórce 強い力: 素粒子間の力の一つ.
tásk fórce 機動部隊, 特別編成艦隊, 支隊.
thermoelectromótive fórce 熱起電力.
thírd fórce 第三勢力.
tíde-gènerating fórce 〔地震〕起潮力.
tón-fórce トン=フォース: フート=ポンド法による力の単位.
vítal fórce 生命力, 活力.
wéak fórce 弱い力: 素粒子間の力の一つ.
wínd-fòrce (風力階級(wind scale)における)風力.
wórk fórce 全従業員.

forc·es /fɔ́ːrsiz/

名複 force の複数形.

ármed fórces (陸・海・空を含む)国軍.
ármored fórces 〔軍事〕機甲部隊.
Lóndon fórces 〔物理〕〔化学〕ロンドンの力.
párallel fórces 〔力学〕平行力.

paramílitary fórces 〔軍事〕準軍事部隊.
Spécial Fórces 〔米軍〕特殊(勤務)部隊.
ván der Wàals' fórces 〔物理〕ファン・デル・ワールスの力.

-ford /fərd/

連結形 浅瀬, 渡り場.
★ 地名, 人名など固有名詞に使われる.
◆ 中英 *ford* 浅瀬.

Ab·bots·ford 名 アボッツフォード(スコットランドの地名).
Bed·ford 名 ベッドフォード(姓). ►字義は古英で「Bēda(人名)の渡り場」.
Chelms·ford 名 チェルムスフォード(米国の都市名).
Clif·ford 名 クリフォード(姓, 男子の名). ►字義は「傾斜した渡り場」.
Cran·ford 名 クランフォード(米国の都市名).
Craw·ford 名 クローフォード(姓). ►字義は「カラスの渡り場」.
Dept·ford 名 デットフォード(スコットランドの都市名). ►字義は「浅瀬の比較的深い部分」.
Far·ring·ford 名 ファリンフォード(姓).
Guild·ford 名 ギルフォード(米国の都市名). ►字義は「金色に輝く丘のそばの浅瀬」.
Guil·ford 名 ギルフォード(米国の都市名).
Han·ford 名 ハンフォード(米国の都市名).
Hart·ford 名 ハートフォード: 米国 Connecticut 州都. ►字義は「雄ジカの渡り場」.
Hert·ford 名 ハートフォード(スコットランドの都市名). ►字義は「雄ジカの渡り場」.
Il·ford 名 イルフォード(イングランドの都市名). ►字義は「Hyle 川の浅瀬」.
Lif·ford 名 リフォード(アイルランドの都市名).
Long·ford 名 ロングフォード(アイルランドの地名). ►字義は「長い浅瀬」.
Med·ford 名 メドフォード(米国の都市名).
Mil·ford 名 ミルフォード(米国の都市名). ►字義は「粉挽き場そばの渡り場」.
Mit·ford 名 ミットフォード(姓). ►字義は「合流地点の渡り場」.
Mum·ford 名 マンフォード(姓).
Ox·ford 名 オックスフォード(イングランドの都市名).
Pick·ford 名 ピックフォード(姓).
Rad·ford 名 ラドフォード(姓). ►字義は「赤くなった浅瀬」.
Red·ford 名 レッドフォード(姓). ►字義は「赤くなった浅瀬」.
Rock·ford 名 ロックフォード(米国の都市名). ►字義は「狩猟犬のいる渡り場」.
Rom·ford 名 ラムフォード(姓).
Rum·ford 名 ランフォード(姓).
Ruth·er·ford 名 ラザフォード(姓). ►字義は「仔牛のいる渡り場」.
Sal·ford 名 サルフォード(イングランドの都市名).
San·ford 名 サンフォード(米国の都市名).
Staf·ford 名 スタッフォード(姓). ►字義は「波止場の浅瀬」.
Stam·ford 名 スタンフォード(米国の都市名). ►字義は「石の渡り場」.
Stan·ford 名 スタンフォード(姓). ►字義は「石の渡り場」.
Straf·ford 名 ストラッフォード(姓).
Strat·ford 名 ストラトフォード(イングランドの都市名). ►字義は「ローマの道路沿いの浅瀬」.
Stret·ford 名 ストレットフォード(米国の都市名). ►字義は「ローマの道路沿いの浅瀬」.
Tel·ford 名 テレフォード(イングランドの都市名).
Wa·ter·ford 名 ウォーターフォード(アイルランドの地名).
Wat·ford 名 ウォットフォード(スコットランドの都市名).
Wex·ford 名 ウェックスフォード(アイルランドの地名).

fore /fɔ́ːr/

形 前に位置している; (特に乗り物の)前部の, 前面の, 前方の.

a·fore 副前接 《古風》 =before.
be·fore 前 ☞
here·to·fore 副 今まで, これまで; 以前は, もとは.
there·to·fore 副 《文語》その時以前に, その時まで.

for·est /fɔ́ːrist, fɑ́r-|fɔ́r-/

名 森林(地帯), 山林. ――動他 …に植林する.

af·fór·est 動他 〈荒地・畑を〉森林にする.
Bláck Fórest (ドイツ南西部の)シュワルツワルトの森.
clóud fòrest 雲霧林.
déer fòrest (自然林の)シカ猟場.
de·fór·est 動他 …から森林を切り払う.
dis·fór·est 動他 非森林化する(disaforest).
fóg fòrest 霧林.
frínging fòrest =gallery forest.
gállery fòrest 河谷林.
Gíant Fórest (米国の)ジャイアント・フォレスト.
nátional fórest 国有林.
Nèw Fórest (イングランドの)ニューフォレスト.
Óak Fórest オークフォレスト(米国の都市名).
ráin fòrest 多雨林, (特に)熱帯多雨林.
rè·fór·est 動他 再植林する.

forge /fɔ́ːrdʒ/

動他 〈鉄などを〉鍛えて(金属製品に)する; 〈製品を〉鍛造する.

dróp fòrge 〔金属加工〕落鎚(らくつい).
hóllow-fórge 動他 〈管・容器を〉中空鍛錬する.
re·fórge 動他 〈鉄などを〉再び鍛える; 作り直す.

fork /fɔ́ːrk/

名 **1** 食事用フォーク. **2** 熊手.

cárving fòrk (食卓用大型)肉切り用フォーク.
dessért fòrk デザート用フォーク.
dínner fòrk ディナー用フォーク.
dúng·fòrk 堆肥(たいひ)用の熊手.
físh fòrk 魚肉用フォーク.
fóndue fòrk フォンデュ用フォーク.
háy·fòrk 干し草用熊手 [フォーク].
Mórton's Fórk 〔英史〕モートンの二叉(さ)論法.
óyster fòrk カキフォーク.
pítch·fòrk (干し草などに用いる)フォーク.
sálad fòrk サラダ用フォーク.
shàke·fòrk 《英方言》=pitchfork.
súcket fòrk (一端がフォーク, 他端がスプーンの)砂糖菓子用の器具.
tóasting fòrk (パンなどを焼くための)長柄フォーク.

form /fɔ́ːrm/

名 形; 形態, 状態; 形式. ――動他 …を作る; …に形を与える. ◇ -FORM[1], -FORM[2], -IFORM[1].

àn·ti·fórm 名形 〔美術〕反定型(の).
application fòrm 申込用紙.
árt fòrm 〔芸術〕芸術形式 [形態].
attésted fórm 〔言語〕実証形式.

bád fórm 《英》不作法, 下品, はしたないこと.
bilínear fórm 〖数学〗双一次(形)式.
bínary fórm 〖音楽〗二部形式.
bóund fórm 〖言語〗拘束形式.
bỳ-fórm 名 〖言語〗副次形式.
canónical fórm 〖言語〗基準形式.
citátion fòrm 〖言語〗引用形.
clípped fórm 〖言語〗短縮語, 端折れ語.
combíning fòrm 〖文法〗連結形.
contínuous-fòrm 形 連続用紙の, 連続フォームの.
crýstal fórm 〖結晶〗結晶形.
dánce fòrm 〖音楽〗舞曲形式.
derívèd fórm 〖文法〗(…の)派生語.
dréss fòrm (衣服の仮縫いに用いる)人台(じんだい).
eléctro·fòrm 動他 〖冶金〗電気鋳造する, 電鋳する.
éntry fòrm (競技などの)参加申込書.
éntry-fòrm (辞書の)見出し語形(head form).
frée fórm (主に抽象美術・工業意匠で, 不規則な輪郭や左右の不均整を特徴とする)自由な型, 有機的形体.
héad fòrm ＝entry-form.
hesitátion fòrm 〖言語〗躊躇(ちゅうちょ)形.
hý·per·fòrm 名 〖言語〗過剰訂正形.
ín-fórm 形 《英》〈運動選手が〉調子のよい.
íng·fòrm 〖文法〗(動詞の)-ing 形.
ínner fórm 〖印刷〗裏版.
ínner spéech fòrm 〖言語〗内部言語形式, 内語.
ínside fórm ＝inner form.
lánd·fòrm 〖地質〗地形, 地勢.
létter·fòrm 便箋(びんせん), タイプ用紙.
Ĺ-fòrm 〖菌類〗L 型.
lífe fòrm 〖生態〗生活型, 生物形態.
linguístic fórm 言語形式 [形態].
mác·ro·fòrm 名 マクロフォーム: 肉眼で読める大きさに文献などを複製 [再現] したもの.
mí·cro·fòrm 名 マイクロフォーム: 多くの情報を極少サイズに収める縮小写真印刷(物).
mùltilínear fórm 〖数学〗多重線形形式.
órder-fòrm 注文用紙.
óuter fórm 〖印刷〗表版.
óutside fórm 〖印刷〗＝outer form.
plán·fòrm (飛行機・翼などの)平面図.
plát·fòrm 名 ☞
pró-fòrm 〖文法〗代用形.
próto-fòrm 〖言語〗推定形.
rácing fòrm 《米俗》競馬新聞 [専門誌].
rátional fórm 〖数学〗有理式.
rè-fórm 動他 …を再び作る; 新しい形にする; 〈特に軍隊を〉再編制する.
síxth fórm 〖英教育〗(主にパブリックスクールの)第 6 学年.
slíp fòrm 〖土木〗スリップフォーム.
slíp-fòrm 動他 〖土木〗…をスリップフォーム工法を用いて建設 [舗装] する.
sonáta fòrm 〖音楽〗ソナタ形式.
sóng fòrm 〖音楽〗歌曲形式, リート形式.
spéech fòrm ＝linguistic form.
súb·fòrm 名 従属的 [二次的] 形態.
térnary fórm 〖音楽〗三部形式.
thérmo·fòrm 動他自 (プラスチックなどを)熱形成する.
wáve-fòrm 名 〖物理〗波形.

-form[1] /fɔ̀ːrm/

連結形 …の形を持つ.
★ 語末にくる関連形は -FORM[2], -IFORM[1].
★ 語頭にくる形は form-: *form*ality「形式的であること」, *form*ulate「公式化する」.
◆ <仏 *-forme* <ラ *-fōrmis*(*fōrma*「形」より).

arc·form 形 〖海事〗(貨物船の構造で)アーチ形の.
au·ri·form 形 (ある種の軟体動物の外皮などのように)耳形の, 耳状の.
a·vi·form 形 鳥の形をした, 鳥形の.
bi·form 形 2つの形態 [性質] を併せ持つ.
bran·chi·form 形 鰓(えら)状の.
ca·lyc·i·form 形 萼(がく)状の.
ca·nal·i·form 形 溝状 [管状] を持つ.
co·ryn·e·form 形 〖細菌〗こん棒状の, 桿(かん)状の.
de·form 形 《古》奇形の; 醜い.
en·si·form 形 〖生物〗剣状の; 剣状突起の.
e·qui·form 形 同形の; 同じ目的にかなう.
frée-fòrm 形 (デザインなどが)自由な型の.
fun·gi·form 形 菌類状の, キノコ [ポリープ] 状の.
fun·nel·form 形 〈花冠が〉漏斗状の.
gan·gli·form 形 神経節の形をした.
-i·form 連結形 ☞ -IFORM[1]
in·form 形 《廃》(はっきりした)形のない.
mo·nil·i·form 形 〖植物〗〖動物〗数珠形の.
mul·ti·form 形 多くの形態 [様式] を持つ, 多形の.
o·vi·form 形 卵に似た形の, 卵形の(egg-shaped).
pis·ci·form 形 魚の形をした.
rep·la·mine·form 名形 金属・セラミック・重合体などを材料に生体諸器官の骨格組織を複製する技術工程(の).
res·ti·form 形 網の(ような), 索状の.
sal·ver·form 形 〖植物〗高坏(たかつき)状の.
sca·lar·i·form 形 〖植物〗階段状の, 階紋の.
se·cur·i·form 形 〖植物〗〖動物〗斧(おの)状の.
so·mat·o·form 形 心身型の.
ter·ra·form 動他 〈天体(の環境)を〉地球型に変化させる, 地球人が住めるようにする.
tra·pe·zi·form 形 台形 [梯形(ていけい)] の.
tri·form 形 3つの部分から成る.
um·bil·i·form 形 へその形をした, へそ状の.
un·gui·form 形 爪(つめ)状の.
u·ni·form 形 ☞
var·i·form 形 形がいろいろの, さまざまな形の.
ver·mi·form 形 虫状の; 細長い.

-form[2] /fɔ́ːrm/

連結形 形作る.
★ 語末にくる関連形は -FORM[1].
★ 語頭にくる形は form-: *form*ality「形式的な」, *for*-*m*ulate「公式にする」.
◆ ラテン語 *fōrmāre*「形作る」より.
[発音] 基語 -form に第 1 強勢; 例外: térrafòrm.

con·form 動自 〈人が〉(社会・集団の)基準 [態度] などに従って行動する; (規則・慣習などに)従う, 順応する.
de·form 動他 …の(自然の)形を損なう.
in·form 動他 ☞
per·form 動他 ☞
post·form 動他 〖工学〗二次成形する.
pre·form 動他 前もって形成する [形どる].
re·form 名 ☞
trans·form 動他 …の形を変える.
vac·u·um·ther·mo·form 動他 真空(熱)成形する.

-form[3] /fɔ̀ːrm/

連結形 〖化学〗クロロホルム.
★ 名詞をつくる.
◆ chloroform の短縮形.

bro·mo·form 名 ブロモホルム: 鎮静剤用.
i·o·do·form 名 ヨードホルム; 主に消毒用.

for·mal /fɔ́ːrməl/

形 **1** 〈言動が〉型にはまった, 月並みの; 慣習に従った, 因襲的な. **2** 正式の, 正規の. ⇨ -AL[1].

con·for·mal 形 (地図・写像変換で)正角の; 等角の.

in·for·mal 〖形〗 形式張らない, 打ち解けた, 気楽な.
sem·i·for·mal 〖形〗 半公式の, 準正式の; 略式の.

for·mat /fɔ́ːrmæt/

〖名〗 **1** (書籍の)判型. **2** (テレビ番組などの)形式. **3**〖コンピュータ〗書式. ──〖動他〗〖コンピュータ〗フォーマットする.

idéal fórmat 〖写真〗60×70 mm の判.
magazíne-fór·mat 〖形〗 〈テレビ番組が〉雑誌形式の.
re·fór·mat 〖動他〗 …に再び書式を設定する.
V́ fòrmat 〖コンピュータ〗可変長形式.

for·mate /fɔ́ːrmeit/

〖名〗〖化学〗ギ(蟻)酸塩, ギ酸エステル. ⇨ -ATE[2].
★ 語頭にくる関連形は form(o)-, formi-: *formi*cate「アリのように這(は)う」.

bórnyl fórmate 蟻酸(ぎさん)ボルニル.
méthyl fórmate ギ酸メチル.
òr·tho·fór·mate 〖名〗 オルトギ酸塩 [エステル].

for·ma·tion /fɔːrméiʃən/

〖名〗 **1** 形成(過程). **2** 形成物. ►form の名詞形. ⇨ -ATION.

báck formàtion 〖言語〗逆成.
biótic formátion 〖生態〗バイオーム, 生物群系.
còn·for·má·tion 〖名〗 組織, 構造; 形態, 形状.
dè·for·má·tion 〖名〗 本来の形を損なう [ゆがめる] こと.
dóuble wíngback formàtion 〖アメフト〗両翼攻撃隊形.
flíght formàtion 飛行編隊 [隊形].
Í formàtion 〖アメフト〗I(アイ), I 攻撃隊形.
màl·for·má·tion 〖名〗 (特に生体の)不格好; 奇形, 変形.
nè·o·for·má·tion 〖名〗 〖病理〗新生物, 腫瘍(しゅよう).
prè·for·má·tion 〖名〗 前もって形成されていること.
púnt formàtion 〖アメフト〗パントフォーメーション.
réaction formàtion 〖精神分析〗反動形成.
rè·for·má·tion 〖名〗 ☞
retícular formátion 網様体.
spréad formàtion 〖アメフト〗スプレッドフォーメーション.
T́ formàtion 〖アメフト〗T フォーメーション.
tràns·for·má·tion 〖名〗 ☞
wíngback formàtion 〖アメフト〗シングル・ウイングバック・フォーメーション.
wórd-fòrmation 〖名〗 〖言語〗語形成, 造語法.

formed /fɔ́ːrmd/

〖形〗《複合語》(…の)形をした; (…で)構成された. ⇨ -ED[1].

bi·fórmed 〖形〗 2つの形態を合わせもつ.
íll-fórmed 〖形〗 整っていない.
mal·fórmed 〖形〗 不格好な, 出来そこないの; 奇形の.
sélf-fórmed 〖形〗 自ら(の努力で)形成した.
twí·fòrmed 〖形〗 2つの形を持つ.
ùn·fórmed 〖形〗 定形のない, 無定形の.
wéll-fórmed 〖形〗 形のよい.

form·ing /fɔ́ːrmiŋ/

〖名〗 成形. ──〖形〗 作る; 形成する. ⇨ -ING[1], -ING[2].

ácid-fòrming 〖形〗 酸発生の, 造酸性の, 酸を出す.
drápe fòrming 〖プラスチック加工〗雄型成形.
eléctro·fòrming 〖冶金〗電気鋳造(法), 電鋳, 電形法.
explósive fórming 爆発成形.
hábit-fòrming 〖形〗 〈薬などが〉習慣性の, 常習性の.
vácuum fòrming 〖工学〗真空成形.

for·mu·la /fɔ́ːrmjulə/

〖名〗 式文; 決まり文句; 〖数学〗〖化学〗公式. ⇨ -ULA.

constitútional fórmula 〖化学〗構造式.
déntal fòrmula 〖動物〗歯式.
empírical fórmula 〖化学〗実験式, 経験式.
Éuler's fórmula 〖数学〗オイラーの公式.
Frenét fòrmula 〖数学〗フルネ [フレネ] の公式.
gráphic fórmula =structural formula.
Héro's fórmula 〖幾何〗ヘロンの公式.
idéntity fòrmula 等式.
Kekulé's fórmula 〖化学〗ケクレの式.
molécular fórmula 〖化学〗分子式.
recúrrence fòrmula 〖数学〗=recursion formula.
recúrsion fòrmula 〖数学〗漸化式, 回帰公式.
Stírling's fórmula 〖数学〗スターリングの公式.
strúctural fórmula 〖化学〗構造式.
wíng fòrmula 〖鳥類〗翼式.

-fort /fərt/

〖連結形〗 強い.
★ 語頭にくる形は fort-: *fort*ify「堅固にする」, *fort*ification「築城」.
◆ ラテン語 *fortis*「強い」より.

com·fort 〖動他〗〖名〗 ☞
ef·fort 〖名〗 努力, 骨折り, 尽力.

forth /fɔ́ːrθ/

〖副〗《文語》 **1**《動詞の後で》《場所・方向》前 [前方, 先方] へ; (内から)外へ. **2**《名詞の後で》《時間・順序》先へ, 以後, 以降. **3** (場所・家などから)離れて.

back-and-forth 〖形〗 前後 [左右] への.
far-forth 〖副〗 はるか遠くまで; 非常に.
hence·forth 〖副〗 《文語》今 [これ] からは, 今後は.
thence·forth 〖副〗 《文語》その時 [場所] から.

for·tress /fɔ́ːrtris/

〖名〗 (大規模で恒久的な)要塞(ようさい); 要塞地, 要塞都市(citadel).

Flýing Fórtress 空の要塞. ►B-17 の愛称.
Strat·o·for·tress 〖名〗 空飛ぶ要塞. ►B-52 の愛称.
Su·per·for·tress 〖名〗 超空の要塞. ►B-29 の愛称.

for·ward /fɔ́ːrwərd/

〖副〗 (時間的に)前に, 先に, …以降; (空間的に)前方へ. ⇨ -WARD[1].

cárry·fòrward (次期・次勘定へ)繰り越すもの.
cénter fórward 〖サッカー〗〖ホッケー〗センターフォワード.
fást fórward テープ早送り(機能).
fást-fórward 〖動自〗〖動他〗 テープを早送りする.
féed·fòrward 〖工学〗フィードフォワード.
flánk fórward 〖ラグビー〗フランクフォワード.
flásh-fòrward 〖映画〗フラッシュ・フォーワード.
fúll fórward 《豪》〖サッカー〗=center forward.
Gréat Léap Fórward (毛沢東の)大躍進政策.
hálf fórward 《豪》〖サッカー〗ハーフフォワード.
ínside fórward 〖サッカー〗インサイドフォワード.
léap fòrward 《俗》(物事の)発展, 飛躍.
lóck fòrward 〖ラグビー〗ロックフォワード.
móve fórward (文明などの)進歩, 前進.
óutside fórward 〖サッカー〗アウトサイド・フォワード.
pówer fórward 〖バスケット〗パワーフォワード.
smáll fórward 〖バスケット〗スモールフォワード.

stràight·fórward 形 まっすぐに進む [行く, 向かう].
stróng fórward 〖バスケット〗=power forward.
swépt-fórward 形 〖航空〗前進翼の.
wíng fórward 〖サッカー〗ウイングフォワード.

fos·sil /fásəl | fɔ́s-/

名 〖考古〗化石.

guíde fòssil =index fossil.
índex fòssil 〖地質〗示準 [標準] 化石.
líving fóssil 生きた化石(シーラカンスなど).
màc·ro·fós·sil 名 大形化石.
mì·cro·fós·sil 名 微(小)化石.
molécular fóssil 分子化石.
nàn·no·fós·sil 名 ナンノ化石, 超微化石.
nà·no·fós·sil 名 =nanno fossil.
sùb·fóssil 名形 準 [半] 化石(の).
tráce fòssil 生痕化石.

foul /fául/

形 〈物・におい・味などが〉むかつくほど嫌な. ——名 (スポーツ・ゲームなどの)規則違反, 反則.

a·fóul 副形 《米・古風》衝突して; 絡まって.
be·fóul 動他 よごす, 汚くする.
inténtional fóul 〖バスケット〗故意のファウル.
pérsonal fóul 〖スポーツ〗パーソナルファウル.
proféssional fóul 〖サッカー〗プロフェッショナル・ファウル.
téam fòul 〖バスケット〗チームファウル.
téchnical fóul 〖バスケット〗テクニカルファウル.

found /fáund/

動 find の過去・過去分詞形. ——形 見つけられた.

new·found 形 新たに発見された [見つかった].
un·found 形 見いだされていない, 知られていない.
well-found 形 設備の行き届いた.

foun·da·tion /faundéiʃən/

名 **1** 基礎, 土台. **2** 創設. **3** 財団; 維持基金. ►found「創立する」の名詞形. ⇨ -ATION.

flóating foundátion 〖建築〗いかだ [べた] 基礎.
Japán Foundàtion 国際交流基金.
Nátional Scíence Foundàtion 〖米政府〗全米科学財団.
néw foundátion (英国国教会で)宗教改革期(以降)に建てられた教会 [大聖堂].
óld foundátion (英国で)宗教改革以前に建てられた教会 [大聖堂].
Wónder Wóman Fòundation ワンダーウーマン財団: 教育・文筆・事業などの非政治的分野において意義のある活動をした 40 歳以上の女性に賞金を授与している米国の財団.

foun·tain /fáuntən/

名 噴水, 噴泉.

drínking fòuntain (公園などの)噴水式水飲み器.
ínk fòuntain インク壺(つぼ).
sóda fòuntain ソーダファウンテン: 軽食などを出す食堂やドラッグストアのカウンター.
Trévi Fóuntain トレビの泉: Rome 市内にある泉.
wásh·fòuntain (通例, 円形の)大型洗面台.
wáter fòuntain 噴水式水飲み所, 冷水器.

four /fɔ́ːr/

名 (基数の)4. ——形 4 の, 4 人 [個, 歳, 回] の.

báck fòur 〖サッカー〗バックフォア.
Bíg Fóur **1** (英国の)四大銀行. **2** 四大国.
Chánnel Fóur 《英》〖テレビ〗チャンネル・フォー.
Cláuse Fóur 《英》(英国労働党の党規約)第 4 条項.
cóach-and-fóur 四頭立て馬車.
éight-fóur 〖教育〗8－4 制の.
éighty-fóur 名形 84(の).
Fáb Fóur Beatles のあだ名.
flát-fòur 形 〈エンジンが〉水平 [対向] 四気筒の.
fórty-fóur (基数の)44.
fóur-by-fóur 四輪駆動車.
fóur-to-fóur 《米俗》警官の午後 4 時から午前 4 時までの勤務当番.
frónt fòur 〖アメフト〗フロントフォア.
Gúilford Fóur 《英》(冤罪事件の)ギルフォードの 4 人.
séventy-fóur (基数の)74.
tén-fóur 間 《米市民ラジオ俗》(tencode の一つで)了解.
twénty-fóur 名形 24(の).
twó-by-fòur 形 厚さ・幅が 2 対 4 の割合の.
V́-fóur 〖自動車〗V 型 4 気筒エンジン.

fowl /fául/

名 **1** (雄・雌共通に)ニワトリ; (食用にする老いた)雌鶏. **2** 鳥類, …鳥.

bárnyard fòwl (農場飼育の)ニワトリ.
bát·fòwl 動自 夜, たいまつなどをともし目をくらませた鳥を網で捕らえる.
doméstic fówl ニワトリ.
dúnghill fówl 合いの子鶏, 雑種鶏.
gáme fòwl (闘鶏用の)シャモ.
gàme·fówl 猟鳥.
gáre·fòwl オオウミガラス, オオウミスズメ.
guínea fòwl ホロホロチョウ.
héath-fòwl 《英》クロライチョウ(黒雷鳥).
júngle fòwl ヤケイ(野鶏).
mállee fòwl クサムラツカツクリ(草叢塚造り).
móor·fòwl 《主に英》アカライチョウ.
péa·fòwl クジャク.
práirie fòwl ソウゲンライチョウ(草原雷鳥).
scrúb fòwl 〖鳥類〗ツカツクリ(塚造).
séa·fòwl (カモメ・ウミスズメなどの)海鳥.
sílk fòwl 〖鳥類〗ウコツケイ(烏骨鶏).
spúr fòwl インドケヅメシャコ属の家禽の総称.
wáter·fòwl 水鳥; (特に)泳ぐ鳥.
wíld·fòwl 野禽(やきん), 猟鳥.

fox /fáks | fɔ́ks/

名 キツネ. ——動他 〈人を〉だます, 欺く; 出し抜く.

Áfghan fóx コサックギツネ.
Árctic fóx ホッキョクギツネ.
bág fòx 猟犬訓練用のキツネ.
bát-eared fóx オオミミギツネ.
bláck fóx 黒ギツネ.
blúe fóx **1** 青みがかった灰色の冬毛のホッキョクギツネ. **2** 夏毛も青灰色のホッキョクギツネ.
Cápe fòx ケープギツネ.
cráb-èating fóx カニクイイヌ.
cróss fóx ジュウジ(十字)ギツネ.
Désert Fòx 「砂漠の狐」: ドイツの Rommel 将軍のあだ名.
désert fòx =kit fox.
dóg fòx 雄ギツネ.
flýing fóx オオコウモリ.
gráy fóx ハイイロギツネ.
kít fòx キットギツネ.
Líttle Fóx 〖天文〗こぎつね(小狐)座(Vulpecula).
lóng-èared fóx オオミミギツネ.
mále fóx =dog fox.
òut·fóx 動他 《話》…の(計略の)裏をかく, 欺く.
póinted fóx ポインテッド・フォックス.

réd fóx アカギツネ.
séa fòx オナガザメ(thresher shark).
sílver fóx ギンギツネ.
swíft fòx スイフトギツネ.
Twentieth Century Fox 二十世紀フォックス映画社.
whíte fóx =Arctic fox.

fox·glove /fάksglʌ̀v, fɔ́ks-/

名 〘植物〙ジギタリス, キツネノテブクロ. ⇨ GLOVE.

fálse fóxglove ニセジギタリス.
púrple fóxglove ジギタリス, キツネノテブクロ.
yéllow fóxglove ゴマノハグサ科キツネノテブクロ(ジギタリス)属の多年草.

F

frac·tion /frǽkʃən/

名 **1**〘数学〙分数. **2** 分割. ⇨ -TION.

cómmon fráction 〘算数〙(常)分数.
cómplex fráction 〘数学〙繁分数, 重分数, 複分数.
cómpound fráction =complex fraction.
con·gel·i·frac·tion 名 〘地質〙コンジェリフラクション.
contínued fráction 〘数学〙連分数.
décimal fràction 〘数学〙小数.
dif·frác·tion 名 〘物理〙回折.
impróper fráction 〘数学〙仮分数.
in·frác·tion 名 (法律などの)違反, 違背, 反則.
móle fràction 〘化学〙(構成成分の)モル比.
próper fráction 〘数学〙真分数.
re·frác·tion 名 〘物理〙(光・音などの)屈折.
símple fráction 〘数学〙単分数.
vúlgar fráction =common fraction.

frac·ture /frǽktʃər/

名 〘医学〙骨折. ⇨ -URE[1].

clósed fràcture =simple fracture.
Cólles's fràcture コリース骨折.
cómminuted frácture 複雑骨折, 粉砕骨折.
compléte fràcture 完全骨折.
cómpound fràcture 複雑骨折.
fréeze-fràcture 動他 〈生物試料を〉フリーズフラクチャー法で電子顕微鏡用標本にする.
gréenstìck fràcture 若木骨折.
íncomplete fràcture 不完全骨折.
márch fràcture 行軍骨折.
mì·cro·frác·ture 名 微小破壊.
ópen fràcture =compound fracture.
Pótt's fràcture ポット骨折.
símple fràcture 単純骨折.
stréss fràcture ストレス[疲労]骨折.

frame /fréim/

名 (窓などの)枠, はめ枠, かまち; 額縁; (鏡の)縁; (眼鏡の)フレーム, 縁.

Á-fràme 〘建築〙A フレーム; 大屋根の家.
áir·fràme (飛行機・ロケットなどのエンジン部などを除いた)機体.
ÁTB fráme 全地形型自転車用フレーム. ►*a*ll-*t*ension *b*icycle より.
Bálkan fráme バルカン枠: 骨折して添え木を当てた手足を吊っておくためのベッドに取りつける枠.
ballóon fràme 〘建築〙バルーンフレーム, 間柱構造.
béd·fràme ベッド枠.
bóbbin and flý fràme 〘紡績〙粗紡機.
bóx fràme 〘建築〙壁(式)構造.
bráced fráme 〘木工〙筋交い入り構造.
cánt fràme 〘海事〙斜肋骨(ころっ).
cáse fràme 〘言語〙格の枠(組み).
clímbing fràme 《英》ジャングルジム.
cóke·fràme コカコーラの瓶のような女性の体形.
cóld fràme コールドフレーム, 冷床.
compósing fràme 〘印刷〙植字台.
cóunting fràme 計算器[盤].
dóor·fràme 戸枠, ドアフレーム.
dráwing fràme 〘繊維〙練条機.
fréeze fràme ストップモーション(stop motion).
frózen fràme (映画・ビデオなどの)静止画(像).
fúll fràme =braced frame.
gállows fràme 〘海事〙ガローズ(gallows bitts).
gárden fràme =cold frame.
hálf fràme ハーフサイズの写真.
héad·fràme =gallows frame.
hópper fràme 内倒し窓枠.
inértial fràme 〘物理〙慣性(座標)系, 惰性系.
jéweler's sáw fràme 宝石用加工具枠.
Láwrence fràme ローレンス額縁.
lóophole fràme 壁面の開口部の枠.
máin·fràme 〘コンピュータ〙本体.
másking fràme 〘写真〙イーゼル.
ópen fràme 〘ボウリング〙オープンフレーム.
Óxford fràme 《英》(絵・鏡などの)井桁(いげた)形の額縁, オックスフォードフレーム.
páck·fràme バックパックの金属枠.
plátform fràme 〘木工〙太神楽(だいかぐら)造軸組み, お神楽.
pórtal fràme 〘建築〙ポータル(portal).
prínting fràme 〘写真〙プリンター, 焼枠(やきわく).
réference fràme 〘物理〙基準系.
re·fráme 動他 …(の枠)を作り直す[再構成する].
rést fràme 〘物理〙静止座標.
rígid fràme 〘建築〙ラーメン, 剛節架構.
ríng fràme =ring-spinning frame.
ríng-spinning fràme 〘紡績〙リング精紡機.
sáw fràme (糸のこの)のこ枠.
spáce fràme 〘建築〙立体骨組工法[構造].
spínning fràme 〘紡績〙精紡機, 紡糸機.
stíll fràme (映画・テレビの)静止画像.
stócking fràme 靴下編み機.
tábernacle fràme 〘建築〙天蓋(てんがい)付きフレーム.
tíme fràme (特定の状況下で, ある仕事に要する)時期, 期間, 時間.
trée-fòrm fràme 〘建築〙木形骨組み.
ún·der·fràme 名 〘建築〙アンダーフレーム, 台枠.
wálking fràme 歩行補助器(walker).
wárping fràme 〘繊維〙整経(せいけい)クリール.
wáter fràme 〘紡績〙水力紡(績)機.
wéb fràme 〘海事〙ウェブフレーム, 桁肋骨(けたろっこつ), 特設肋骨(transverse).
wéstern fráme =platform frame.
wínding fràme 〘紡績〙繰り返し機.
wíndow fràme 窓枠.

fran·chise /frǽntʃaiz/

名 特権, 特許, 免許, 支配権. ——動他 《米・カナダ》〈個人・会社などに〉特権を与える. ⇨ -ISE[2].

dis·frán·chise 動他 〈人から〉公民権を奪う.
en·frán·chise 動他 …に公民[市民]権を与える.
hóusehold fránchise 〘英史〙戸主選挙権.
occupátion frànchise 《英》不動産賃借人投票権.

fra·ter·ni·ty /frətə́ːrnəti/

名 《米》友愛会(の人々). ⇨ -ITY.

àrchcon·fratérnity 〘ローマカトリック〙大兄弟会, 大信心会.
còn·fra·tér·ni·ty 名 (宗教・慈善などの)奉仕団体, (宗教目的を持った)信心会, 信者会.
Gréek-lètter fratérnity 《米》ギリシャ文字クラブ.
ìn·ter·fra·tér·ni·ty 形 友愛会間の.

free: freeがつく複合語の登場年表

(2006年改訂.資料作成:関根紳太郎)

表は-freeのつく複合語を,「生活・環境」と「コンピュータ・インターネット」の分野について,その初出年とその背景にある社会現象を年代別に並べたものです.(*印は2つの分野で重複するもの)

登場年	(1)生活・環境	(2)コンピュータ・インターネット
1980		
81		
82		
83		
84	アメリカンエリート[ヤッピー]を中心に小型通信機器がブーム.	**hands-free**
85		
86		
87		
88	**AIDS-free**	世界エイズデー制定.
89	**substance-free**	キャンパスや職場での飲酒・喫煙・麻薬問題等が深刻化.
90		
91		
92		
93	パソコンの移行期.	**legacy-free**
94	パソコンの普及とともにbugがコンピュータ用語として認知.	**bug-free**
95	スパム[迷惑]メールが氾濫.	**spam-free**
96	**harassment-free** アメリカでセクハラ訴訟が急増.	**password-free** サイトの生き残りをかけてユーザー獲得競争が激化.
97	**emission-free**	地球温暖化防止京都会議(京都議定書).
98	不正サイトが社会問題化.	**worry-free***
99		
2000	オンライン取引・カフェ・高速道路の料金所等で決済用端末が普及.コンピュータネットワークの無線化が促進.	**cash-free** **cable-free**
01	コンピュータ関連機器のモバイル化が過熱.	**battery-free**
02	**botox-free** **terrorist-free** **worry-free***	2002年アメリカFDAがbotoxをしわ治療薬として正式に認可.イスラム原理主義者を主犯とするテロ事件が世界各地で勃発.2001年アメリカ同時多発テロが旅行業界に大打撃.
03		
04		
05		
06	ブログサイトが飽和状態.	**blog-free**

freak /fríːk/

名 **1** 異常な現象. **2**《俗》逸脱者. **3**《俗》熱狂者.

ácid frèak 《米俗》LSD の常用者.
bárb frèak 《米俗》バルビツール酸塩常用者.
cóme frèak 《米》セックス狂.
cótton frèak 《米俗》(綿に染み込ませて吸う)アンフェタミン中毒者.
cúm frèak 《米俗》セックス好きの女, 色情女.
éagle frèak 《米俗》(特にワシの)保護論者.
éco·frèak 《俗》熱烈な環境保護論者.
fréon fréak 《米麻薬俗》フロンガス中毒者.
fróst frèak 《米俗》=freon freak.
fúck-frèak 《米俗》セックス狂い.
gárbage frèak 《米俗》複数の麻薬を混ぜて飲む人.
hárd-ròad frèak 《米俗》放浪生活を送る若者.
héalth frèak 《話》健康狂.
Jésus frèak 《話》ジーザスフリーク: 原理主義の青年団体 Jesus people の一員.
júice frèak 《俗》大酒のみ, のんだくれ.
kíck frèak 《米俗》常用癖のない麻薬使用者.
néedle frèak 《俗》(麻薬)注射マニア.
péek fréak 《米俗》のぞき魔.
phóne frèak (電子装置から)電話回線を無料使用する人.
píss frèak 《米俗》尿で性的快感を得る人.
sóap frèak 《米俗》昼メロファン(特に大学生).
spéed frèak 《米俗》覚醒(かくせい)剤常用者.

free /fríː/

形 **1** 〈人が〉(奴隷状態になく)自由の身の, 自由な. **2** …なしの, …を用いない, 入れない; …が伴わない; …から開放された; …(困難や障害などが)ない(転じて,「扱いやすい」の意になることがある).

★ 名詞について複合形容詞をつくる. ハイフン付きと, ハイフン無しの 2 種類を表現形態に持つ語があるが, 使用頻度の高い方を見出し語として選択した.

[発音] 第 1 強勢は前に付く語の第 1 強勢のまま; free に第 1 強勢, ときに第 2 強勢.

ac·id-free 形 酸を使っていない; 中性の.
ad·di·tive-free 形 添加物が入っていない.
AIDS-free 形 エイズ(AIDS)のない.
A·lar-free 形 発育促進剤が入っていない.
al·co·hol-free 形 アルコール抜きの.
an·i·mal-free 形 動物質を含まない.
bru·cel·lo·sis-free 形 ブルセラ菌のない.
BSE-free 形 牛海綿状脳症(BSE)に感染していない.
bug·free 形 『コンピュータ』デバッグされた.
care·free 形 心配のない, のんきな.
car·ri·er-free 形 『化学』〈放射性同位元素が〉無担体の.
CFC-free 形 フロンガス(CFC)を使ってない.
check·free 形 チェックする必要のない.
child·free 形 子供のいない; 子供を持たない.
cho·les·ter·ol-free 形 コレステロールを含まない.
con·tent-free 形 中味のない.
corn-free 形 コーン油を使ってない.

cru·el·ty-free 形 (動物に対する)残酷さがない.
cus·toms-free 形 関税のかからない.
cyn·i·cism-free 形 皮肉や冷笑的態度がない.
dair·y-free 形 乳製品抜きの.
dog-free 形 (公園など)犬を連れて入れない.
drug-free 形 薬物のない [入ってない].
duty-free 形副 関税のかからない, 無税の [で].
E-free 形 無添加の. ►E は E number のことで, EC の規則による食品添加物の認可番号.
en·zyme-free 形 酵素が入ってない.
fan·cy-free 形 束縛されていない, 想像力の豊かな.
fat-free 形 脂肪のない, 無脂肪の.
foot·free 形 歩行の必要がない.
fra·grance-free 形 香水など人工の匂いのしない.
free-free 形 〖天体物理〗〈光の吸収などが〉無制限な.
frost-free 形 霜が降りない [つかない].
germ·free 形 無菌の, 病原菌のいない.
glu·ten-free 形 グルテンが入っていない.
guilt-free 形 罪の意識のない.
hand·free 形 ＝handsfree.
hands·free 形 〈器具が〉手を用いなくてもよい.
heart-free 形 恋をしていない [知らない].
home-free 形 家庭がない, 家庭にとらわれない.
hu·man·i·ty-free 形 人情のない.
ice-free 形 氷の張らない.
in·ter·fer·ence-free 形 混信 [妨害] のない.
lead-free 形 無鉛の.
main·te·nance-free 形 保守不要の, 維持 [管理] 不要な.
man·free 形 人手がいらない.
meat-free 形 肉類を含まない, 肉抜きの.
milk-free 形 牛乳・乳製品を含まない.
nu·cl·ear·free 形 非核の.
pen·al·ty-free 形 罰金を免除された.
pes·ti·cide-free 形 害虫駆除剤を使ってない.
postage-free 形 《米》＝post-free.
post-free 形 郵税無料の.
rent-free 副 賃貸料 [使用料] なしで.
risk-free 形 (通信販売などで解約しても)買い手の損にならない.
roy·al·ty-free 形 使用料のかからない.
sal·mo·nel·la-free 形 サルモネラ菌を含まない.
scot-free 形 (当然の罰金・税金などを)免れて.
skill·free 形 基礎能力のない; 技術のない.
smog-free 形 スモッグがない.
smoke-free 形 無煙の; 禁煙の.
stress-free 形 ストレスのない.
sub·stance-free 形 (キャンパス・職場などでの)飲酒・喫煙・薬物等がない; 中身のない.
sug·ar-free 形 砂糖を含まない.
tax-free 形 免税の, 非課税の.
toll-free 形 無料の.
trou·ble-free 形 問題が起こらない.
TV-free 形 テレビのない.
val·ue·free 形 価値判断で影響 [変更] されない.
waste-free 形 ごみの出ない.
wheat-free 形 小麦(粉)を含まない.
wood·free 形 〈紙などが〉化学パルプでできた.
wor·ry-free 形 心配のいらない.
wrin·kle-free 形 しわのない [できない].

free·dom /fríːdəm/

名 自由な状態, 自由. ⇨ -DOM.

acadé mic fréedom 学問 [教育] の自由.
asymptótic fréedom 〖物理〗漸近的自由性.

free: freeのつく語の前置要素の分類

(2006年改訂.資料作成:関根紳太郎)

freeから成る語の前置要素に注目すると, (1)「～から免れた(免責)・～制限がない(解除)」と(2)「～からの解放(自由)」の2つの意味に大きく分けられる. さらに, (1)は, a「税金・料金などを免れた」と, b「困難・障害・束縛などがない」を含意する2つのグループに, (2)は, c「ダイエット関連」, d「(有害)物質などがない」, e「(非社会的)活動や行為などがない」, f「不安・心配・想いなどから解放された」を含意する4つのグループに分類される. (+印は2つのグループに重複するもの).

(1)免責・解除		(2)自由・解放			
a. 税金・料金・規制	b. 困難・障害・束縛	c. ダイエット関連	d. 病原菌・(有害)物質	e. 活動・行為	f. 不安・心配・想い
cash- 現金	**banner-** バナー(広告)	**alcohol-** アルコール	**acid-** 酸	**ad**(**vertisement**)**-** 広告	**care** 世話
commission- 手数料	**battery-** バッテリー	**animal-** 動物質	**additive-** 添加物	**commercial-** 商用	**child** 子供
customs- 関税	**bug** バグ	**cholesterol-** コルステロール	**AIDS-** エイズ	**cruelty-** 残酷さ	**fancy-** 空想
penalty- 罰金	**cable-** ケーブル	**corn-** コーン油	**Alar-** 発育促進剤	**drug-+** 麻薬	**guilt-** 罪
post- 郵便	**carrier-** 担体	**dairy-** 乳製品	**botox-** ボトックス	**emission-** 有害物質の放[排]出	**heart-** 心
rent- 家賃	**check** 検査	**fat-** 脂肪	**brucellosis-** ブルセラ菌	**harassment-** 迷惑行為	**smoke-+** 喫煙
royalty- 使用料	**cynicism-** 皮肉	**gluten-** グルテン	**BSE-** 狂牛病	**nuclear** 核	**home-** 家
scot- 支払	**foot** 歩行	**meat-** 肉	**CFC-** フロンガス	**smog-+**スモッグ	**humanity-** 人間性
tax- 税	**frost-** 霜	**milk-** 牛乳	**drug-+** 薬物	**smoke-+** 喫煙	**stress-** ストレス
toll- 使用料	**hands** 手	**substance-** 物質	**E-** 添加物	**TV-** テレビ	**terrorist-** テロリスト
transaction- 手数料	**installation-** インストール	**sugar-** 砂糖	**enzyme-** 酵素	**waste-+** 廃棄物	**worry-** 心配
	interference-妨害	**sweat-** 汗	**fragrance-** 匂い		
	legacy- 旧式の機器・規格	**wheat-** 小麦	**wheat-** 小麦		
	maintenance-保守	**workout-** 運動	**germ** 菌		
	password- パスワード		**ice-** 氷		
	risk- 危険		**lead-** 鉛		
	skill 技能		**pesticide-** 殺虫剤		
	spam- スパム		**salmonella-** サルモネラ菌		
	trouble- 厄介事		**smog-+** 煙		
	value 価値		**smoke-+** たばこ		
	wrinkle- しわ		**substance-** (総じて)酒・たばこ・薬物		
			waste-+ ごみ		
			wood 木材		

freeze /fríːz/

動自 〈液体などが〉凍る, 凍結[氷結]する, 冷えて固まる; 凍って(…の状態に)なる; 【物理】【化学】凝固する. ――名 氷結, 凍結.

ad·fréeze 動他 氷結力で固着させる.
án·ti·frèeze 名 不凍剤[液].
blást-frèeze 動他 (冷却空気で)急速冷却する.
CÓLA freeze 生計費調整条項の凍結.
déep fréeze 《話》凍結状態.
déep-frèeze 動他 =quick-freeze.
dé·hý·dro·frèeze 動他 〈食品を〉脱水冷凍処理する.
drý fréeze 【気象】霜ができずに氷点温度になること.
flásh-fréeze 動他 =quick-freeze.
fléxible frèeze 【経済】屈伸的支出凍結.
lánd frèeze 土地凍結.
quíck-fréeze 動他 〈食品を〉急速冷凍する.
re·fréeze 動自他 再び凍る[凍らせる].
shárp-fréeze 動他 =quick-freeze.
ùn·fréeze 動他 溶かす; 解凍する.
wáge frèeze (特に政府による)賃金凍結政策.

freez·er /fríːzər/

名 冷凍(冷蔵)庫. ⇨ -ER[1].

búm·frèezer 《主に英話》イートンジャケット.
chést frèezer チェストフリーザー, 箱型冷凍庫.
déep freezer (急速)冷凍冷蔵庫.
frídge-freezer 冷凍冷蔵庫.
refrígerator-fréezer (大型)冷凍冷蔵庫.

freez·ing /fríːziŋ/

形 **1** 氷点に近い, 氷点(下)の. **2** 凍結する. ――名 凍結すること. ⇨ -ING[2], -ING[1].

émbryo frèezing 受精卵の凍結保存.
mónkey-fréezing 形 《英俗》ひどく寒い.
nòn·fréezing 形 凍らない, 凍りにくい, 不凍(性)の.
sùb·fréezing 形 氷点下の, 凝固点下の.

freight /fréit/

名 **1** 《米・カナダ》(水・陸・空による)運送貨物. **2** 運賃. ――動他 運送する.

áir frèight 貨物空輸; 貨物空輸便[業].
áir·frèight 動自他 (貨物を)空輸する.
ballóon frèight 《米市民ラジオ俗》軽い積み荷.
cóst and fréight 【商業】運賃込み条件(C&F).
cóst insúrance and fréight 【商業】運賃保険料込み条件(CIF).
déad fréight 【商業】空荷運賃, 積み荷不足運賃.
ó·ver·frèight 名 ひどい重荷, 積みすぎ.
pássenger-cùm-fréight 形 貨客車混成の.

French /fréntʃ/

形 フランスの. ――名 **1** フランス人. **2** フランス語.

Ánglo-Frénch 形 英仏(両国民)の.
Canádian Frénch カナダフランス語.
Fíghting Frénch =Free French.
Frée Frénch 自由フランス.
láw Frènch 法律用フランス語.
Louisiána Frénch ルイジアナ・フランス語.
Míddle Frénch 中(期)フランス語.
Módern Frénch 近代フランス語.
Nórman Frénch ノルマンフランス語.
Óld Frénch 古(期)フランス語(OF).
Óld Nórth Frénch 古(期)北フランス方言.
Swíss Frénch スイスで話されるフランス語の方言.

fre·quen·cy /fríːkwənsi/

名 しばしば起こること, 頻発, 頻繁. ⇨ -CY.

alléle frèquency 【遺伝】対立遺伝子頻度.
ángular fréquency 【物理】角振動数, 角周波数.
áudio frèquency 【音響】【電子工学】可聴周波数.
characterístic fréquency 【電気】特性周波数.
cútoff frèquency 【電子工学】遮断周波数.
distréss frèquency 【無線】遭難信号周波数.
éi·gen·frè·quen·cy 名 【物理】固有振動数.
extrémely hígh fréquency 【無線】極高[長]周波.
extrémely lów fréquency 【通信】極低周波.
fundaméntal fréquency 【物理】基本振動数.
géne frèquency 【遺伝】遺伝子頻度.
gý·ro·frè·quen·cy 名 【物理】ジャイロ周波[振動]数.
hígh fréquency 【無線】高周波.
hígh-fréquency 形 【無線】高周波の.
in·fré·quen·cy 名 まれなこと, めったにないこと.
intermédiate fréquency 【無線】中間周波数.
lów fréquency 【無線】低周波.
médium fréquency 【無線】中周波, 中波.
nátural fréquency 【電気】固有周波数.
púlse repetition frèquency 【電気通信】パルス繰り返し周波数.
rà·di·o·fré·quen·cy 名 【無線】無線周波数.
rélative fréquency 【統計】相対頻度.
spátial fréquency 【電子工学】空間周波数.
súperhìgh fréquency 【無線】センチメートル波, 極超短波.
thréshold fréquency 【電気】限界振動数.
túrnover frèquency 【電気】遷[転]移周波数.
últrahigh fréquency 【無線】(周波数帯が 300－3,000 メガヘルツの)極超短波.
véry hìgh fréquency 【無線】超短波.
véry lòw fréquency 【無線】超長波.
vídeo frèquency 【テレビ】映像周波数.
vóice frèquency 【通信】音声周波数.

fres·co /fréskou/

名 【絵画】フレスコ(技法). ⇨ -O[2].

buòn frésco フレスコ技法.
drý frésco 【絵画】乾式フレスコ画法.
trúe frésco フレスコ技法.

fresh /fréʃ/

形 **1** できたての, 新しい. **2** (…から)手に入れたばかりの. ――動他 新しく[新鮮に]する.

a·frésh 副 新たに, 改めて(anew); 再び.
cóuntry-frésh 形 自然で新鮮な.
fárm-frésh 形 農家直送の.
óven-frésh 形 焼きたての.
re·frésh 動他 〈人を〉生き生きさせる.

fri·ar /fráiər/

名 【ローマカトリック】修道士, 会士.

Áustin fríar 聖アウグスティノ修道会の修道士.
Bláck Fríar ドミニコ会の修道士, ドミニコ会士.
Gráy Fríar フランシスコ会修道士.
Gréy Fríar =Gray Friar.
Whíte Fríar カルメル会修道士.

fric·a·tive /fríkətiv/

形 【音声】〈音声が〉摩擦で生じる; 摩擦音の. ――名 摩擦音. ⇨ -ATIVE.

af·frícative 名 破擦音. ――形 破擦音の.
gróoved fricative 溝型摩擦音.

F

slít frìcative 裂け目型摩擦音.

fric·tion /fríkʃən/

名〖力学〗〖物理〗摩擦. ⇨ -TION.

àn·ti·fríc·tion 名 減摩材, 潤滑材.
intérnal fríction 〖物理〗内部摩擦.
rólling fríction 〖工学〗ころがり摩擦.
slíding fríction 〖機械〗滑り摩擦.
tídal fríction 〖海洋〗潮汐(ちょうせき)摩擦.

Fri·day /fráidei, -di/

名 金曜日. ⇨ DAY.

Bláck Fríday 不吉な金曜日. ►特に 1869年 9 月 24日の金融恐慌の日.
drèss-down Fríday 《米》普段の職場の服装よりカジュアルなものでよい金曜日.
gál Fríday (雑用を行う)女性秘書 [事務員].
gírl Fríday = gal Friday.
Góod Fríday (カトリックで)聖金曜日, (正教会で)聖大金曜日, (聖公会で)受苦日, (一般に)受難日.
gúy Fríday = man Friday.
mán Fríday 忠実な召使い, 忠僕; 腹心の部下.

fried /fráid/

形 油で揚げた [いためた, 焼いた], フライにした. ⇨ -ED[1].

bráin-frìed 形 《米麻薬俗》麻薬で頭をやられた.
déep-fríed 形 油をたっぷり入れて揚げた.
Kentúcky fríed 形 = Southern-fried.
pán-frìed 形 フライパンでいためた.
Sóuthern-fríed 形 南部風に揚げた.
stír-frìed 形 強火で素早く炒めた.

friend /frénd/

名 (親しい)友, 友人, 友達, 仲よし; 知人.

be·friénd 動他 友 [味方] になる; 助ける.
bóy·frìend ボーイフレンド, 恋人.
fáir-wéather frìend まさかの時の頼りにならない友人.
géntleman frìend 《古風》恋人, ボーイフレンド.
gírl·frìend ガールフレンド, 恋人, 愛人.
néxt fríend 〖法律〗近友(prochain ami).
pén-frìend 《英》文通友達(pen pal).

-friend·ly /fréndli/

連結形 〈利用者・消費者などに〉親切な; 〈仕事・機械などに〉適した, 詳しい; 〈環境・動物などに〉やさしい, 無害な; 〈特定の政治家・政策などに〉有利な, ひいきの; 〈テレビ・子供などを〉もっぱら相手にしている.
★ 主にハイフン付きで複合形容詞をつくる.
★ 流行語・新語の造語能力が高い.
◆ user-friendly「使いやすい」にならって. ⇨ -LY.
[発音] 第 1 強勢は前に付く語の第 1 強勢のまま; 連結形の第 1 音節(-friend-)に第 1 強勢, ときに第 2 強勢.

au·di·ence-friend·ly 形 〈政治演説などが〉聴衆に分かりやすい.
bird-friend·ly 形 鳥にやさしい, 鳥の好みに合わせた.
boom·er-friend·ly 形 支持者にやさしい.
busi·ness-friend·ly 形 仕事好きの; 仕事に適した.
buy·er-friend·ly 形 買い手 [購入者] 本位の.
cart-friend·ly 形 カート(の使用)に適した.
e·co·log·i·cal·ly-friend·ly 形 生態系にやさしい.
cit·i·zen-friend·ly 形 〈公文書などが〉市民に分かりやすい.
cli·mate-friend·ly 形 気候に適した; 気風に合った.
com·put·er-friend·ly 形 コンピュータ(理論)に詳しい.
con·sum·er-friend·ly 形 消費者の必要 [好み] に合わせた.
cus·tom·er-friend·ly 形 顧客本位の.
Dad-friend·ly 形 父親の好みに合う; 父親と仲のいい.
deal·er-friend·ly 形 業者と癒着(ゆちゃく)している.
dog-friend·ly 形 犬に無害な; 犬好きの.
dol·phin-friend·ly 形 イルカにやさしい [害を与えない].
earth-friend·ly 形 地球にやさしい [無害の].
ec·o-friend·ly 形 環境にやさしい [無害の].
en·viro-friend·ly 形 = environment-friendly.
envi·ron·ment-friend·ly 形 環境にやさしい.
fam·i·ly-friend·ly 形 家族優先の; 家族向けの.
farm·er-friend·ly 形 農家優先の, 農家本位の.
gay-friend·ly 形 同性愛者好みの.
Gen X-friend·ly 形 X 世代向けの; X 世代と親しい.
girl-friend·ly 形 女性向けの; 女性好きの.
GOP-friend·ly 形 (米国)共和党ひいきの.
grass-friend·ly 形 芝生にやさしい.
green·house-friend·ly 形 温室に悪影響を与えない.
hit·ter-friend·ly 形 打者(hitter)有利の.
home-friend·ly 形 家庭優先の; 家庭好きの.
hu·man-friend·ly 形 障害者にやさしい; 汚染を起こさない.
in·dus·try friend·ly 形 産業優先の; 工業に精通した.
in·ves·tor-friend·ly 形 投資家に有利な.
job-friend·ly 形 仕事好きの; 仕事に有利な.
kid-friend·ly 形 子供の好みの; 子供ばかり可愛がる.
la·bour-friend·ly 形 労働者に有利な.
listen·er-friend·ly 形 〈ラジオ [テレビ] の番組が〉視聴者優先の.
Maas·tricht-friend·ly 形 《英》〈政治家が〉EU 参加に積極的な.
mel·a·nin-friend·ly 形 (紫外線の影響で)肌が黒ずみになりにくい.
na·ture-friend·ly 形 自然にやさしい, 自然を壊さない.
news·pa·per-friend·ly 形 新聞に詳しい; 新聞向けの.
nov·ice-friend·ly 形 初心者向けの.
o·zone-friend·ly 形 〈製品が〉オゾン層を破壊しない.
par·ent-friend·ly 形 親優先の; 親と仲のいい.
pe·des·tri·an-friend·ly 形 歩行者優先の.
peo·ple-friend·ly 形 人々の好みの; 誰とでも仲のいい.
pet-friend·ly 形 ペットにやさしい.
pitch·er-friend·ly 形 投手(pitcher)有利の.
plan·et-friend·ly 形 地球にやさしい.
ra·dar-friend·ly 形 (スピード違反の)レーダーによく捕まる.
ra·di·o-friend·ly 形 ラジオばかり聞いている.
read·er-friend·ly 形 読者本位の.
size-friend·ly 形 ゆったりとした, L サイズの.
speech-friend·ly 形 スピーチ向きの.
start·ing tod·dler-friend·ly 形 よちよち歩きを始めた幼児向けの.
su·per·mar·ket-friend·ly 形 スーパーマーケットが大好きな.
teen-friend·ly 形 十代の若者の好みに合わせた.
tel·e·vi·sion-friend·ly 形 テレビ好きの; テレビ向けの.
ter·ri·to·ry-friend·ly 形 専門ばかの; 地元主体の.
Thatch·er-friend·ly 形 (英国の政治家)サッチャーびいきの.
tooth-friend·ly 形 歯にやさしい, 虫歯になりにくい.
trav·el·er-friend·ly 形 旅行者のニーズに合う, 旅行者にやさしい.
TV-friend·ly 形 = television-friendly.
un·friend·ly 形 友情のない; 思いやりがない, 不親切な, 薄情な.
user-friend·ly 形 〖コンピュータ〗ユーザーフレンドリーの; 使いやすい.
view·er-friend·ly 形 見物人 [視聴者] 向けの.
vis·i·tor-friend·ly 形 来訪者向けの; 外面(そとづら)のいい.
vot·er-friend·ly 形 有権者に愛想のいい; 有権者優先の.
work·er-friend·ly 形 勤労者優先の; 勤労者にやさしい.
year 2000-friend·ly 形 〖コンピュータ〗西暦 2000 年問題に対応できる(Y2K-friendly).
yup·pie-friend·ly 形 ヤッピー世代向けの.

frock /frák | frɔ́k/

名 (農夫などの)仕事着. ── 動他 …を聖職に就かせる.

-friendly: -friendlyがつく新語の年別登場数

（2006年改訂. 資料作成：須永紫乃生）

1977年のuser-friendlyから2006年までの間に,英米の新聞·雑誌·新語辞典などに登場した新しい**-friendly**のつく語の数をまとめた. '80年代から少しずつ増え始めているが, '90年代になって爆発的に増加している.最近の代表的な例をあげた.（同一語の再登場,および関連の**-unfriendly,-hostile**のつく語も集計）2006年は7月までの登場数.

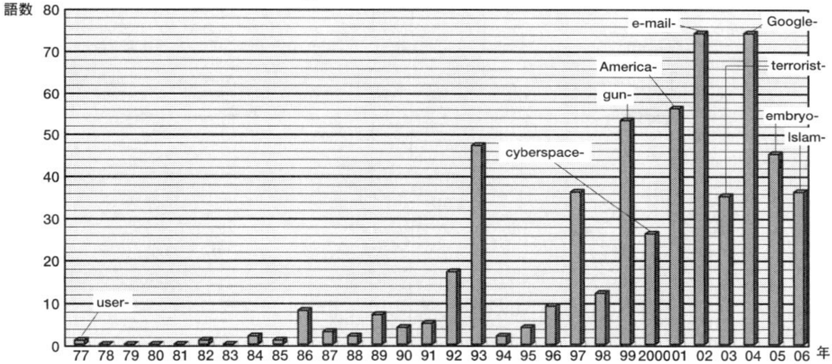

参照辞典：The Third Barnhart Dictionary of New English/Oxford English Dictionary Addition Series/Oxford Dictionary of New Words 1&2/Cobuild/

参照定期刊行物：Daily Yomiuri/Financial Times/Guardian/International Herald Tribune/The Japan Times/The Times The Atlanta Journal-Constitution/Christian Science Monitor/The Washington Post/TIME/USA TODAY/US NEWS & WORLD REPORT

de·fróck 動他 =unfrock.
dis·fróck 動他 =unfrock.
smóck fròck （ヨーロッパの農夫などの）仕事着.
ùn·fróck 動他 〈司祭などから〉聖位を剝奪(はくだつ)する.

frog /frɑ́g, frɔ́ːg | frɔ́g/

名 〖動物〗カエル.

bárking fróg コヤスガエル.
béll fròg ベルのような鳴き声を出すアマガエル(tree frog)の総称.
búll·fròg ウシガエル, 食用ガエル.
chórus fròg コーラスガエル.
crícket fròg コオロギガエル.
físhing fròg アンコウ(angler fish).
flýing fróg トビアオガエル.
golíath fròg ゴライアスガエル.
háiry fróg アフリカモリアオガエル.
hórned fróg ツノガエル.
léap·fròg 馬跳び, かえる跳び.
léopard fròg ヒョウガエル.
mídwife fròg =nurse frog.
núrse fròg 助産婦ガエル(midwife toad).
píckerel fròg アメリカトノサマガエル.
ráin fròg 《主に米南部》アマガエル.
róbber fròg 主にアメリカの熱帯地方に生息する *Eleutherodactylus* 属と *Hylactophryne* 属の小形のカエルの総称.
squírrel fròg 緑色で小形のアマガエル.
táiled fróg オ(尾)ガエル.
tóngueless fróg 無舌ガエル.
trée fròg =true fog.
trúe fróg アマガエル.
wóod fròg アメリカアカガエル.

front /frʌ́nt/

名 **1** 最前部; 表面. **2** 正面. **3**〖軍事〗戦線. **4**（道路·川などに面した）土地. **5**〖気象〗前線.

báckside-frónt 副 反対向きに［で］, 後ろ向きに［で］.
báck-to-frónt 形 〈話などが〉逆の, あべこべの.
báttle·frònt （戦闘の）最前線, 戦線.
béach·frònt 海辺, ビーチフロント.
blóck frónt 〖家具〗3 等分に仕切られたたんす（の正面）.
bów frònt 〖家具〗=swell front.
bréak·frònt 形 〖家具〗中央部がせり出した飾りだんすの（正面）.
cóld frònt 〖気象〗寒冷前線.
Confrontátion frònt アラブ強硬対決戦線.
cýlinder frònt 〖家具〗シリンダーデスクの前面.
dróp frònt 〖家具〗=fall front.
Éastern Frónt 東部戦線.
fáll frónt 〖家具〗（書き物机の）落下式甲板.
fálse frónt 〖建築〗見せかけの正面外観.
flý frónt 〖服飾〗比翼.
fóre·frònt 名 最前部［線, 面］, 先頭.
hóme frònt 銃後, 国内戦線.
hóuse·frònt 家の表(おもて), 正面.
íce frònt 氷前線, アイスフロント.
láke·frònt 湖岸, 湖水際に沿った土地.
Nátional Frónt 〖英史〗国民戦線.
occlúded frónt 〖気象〗閉塞(へいそく)前線.
ócean·frònt 臨海地.
out-frónt 形 《話》率直な, あけっぴろげの.
óxbow frònt 〖家具〗弓状形の前面部（のたんす）.
péople's frónt =popular front.
pólar frònt 〖気象〗寒帯前線.
pópular frónt 人民戦線.
rejéction frònt イスラエル拒否戦線.
ríver·frònt （都市の）河岸（地域）.
séa frònt 臨海地区; 海岸通り.
Sécond Frónt 第２戦線: ドイツ占領下のヨーロッパ上陸戦.
sérpentine frónt 〖家具〗中央部が張り出したたんす（の正面）.
shírt frònt 〖服飾〗シャツフロント.
shóck frònt 衝撃前線, ショックフロント.
shóre·frònt 岸［海岸］沿いの土地, 海辺.
slánt frónt 〖家具〗開閉式机の垂れ板の一種.
statíonary frónt 〖気象〗停滞前線.

stóre·frònt 《主に米》店舗の正面, 店頭, 店先.
swéll frònt 【家具】弓形に張り出したたんす(の前面).
uníted frónt 統一［共同］戦線.
úp frònt 《米俗》経営陣, 管理職.
úp-frónt 形 《話》前もっての, あらかじめの.
wárm frònt 【気象】温暖前線.
wáter·frònt 海岸［湖岸, 川岸］の土地.
wáve frònt 【物理】波面, (波の)等位相面［線］.
Wéstern Frónt (第一次世界大戦の)西部戦線.
wórk frònt 経済など特定の活動分野.
yóke frònt 【家具】=oxbow front.

frost /frɔ́ːst, frɑ́st | frɔ́st/

名 霜. ——動他 …を霜で覆う.

bláck fróst 【気象】黒霜.
de·fróst 動他 …の霜を除去する.
gróund fròst 地表［表土上層部］の霜.
hóar·fròst 名 霜, 白霜.
Jáck Fróst (擬人化された)霜, 厳寒.
kílling fróst 枯らし霜.
nó-fròst 名 (自動霜取り装置の付いた)冷蔵庫.
pér·ma·fròst 名 (北極の)永久凍土層.
sílver fróst 雨氷(うひょう)(glaze).
whíte fróst 白霜.

fruit /frúːt/

名 果実, 果物.

accéssory frùit 【植物】副果, 偽果, 仮果.
bréad·frùit (タネ)パンノキ.
búsh frùit 灌木(かんぼく)になる食用果実.
cáne frùit 《商用語》ラズベリーなどの木質茎になる実.
Déad Sèa frúit 美しく思われるが実際は幻でしかないもの.
drý frúit 乾果, 乾燥果.
fálse frúit 【植物】=accessory fruit.
forbídden frúit 禁断の木の実.
grápe·frùit グレープフルーツ.
hén frùit 《おどけて》(鶏の)卵.
jáck·frùit ジャックフルーツ.
kéy frùit 【植物】翼果(samara).
kíwi frùit キーウィフルーツ.
míracle frùit ミラクルフルーツ.
miráculous frùit =miracle fruit.
móss frùit 胞子嚢(のう).
múltiple frúit 【植物】複果, 多花果, 集合果.
óld frúit 《英俗 / 古風》《男への呼び掛けに用いて》おいお前さん.
pássion·frùit パッションフルーツ.
sháron frùit カキ(柿).
símple frúit 【植物】単果.
smáll frúit 《米》小果樹(イチゴなど).
sóft frúit 《主に英》=small fruit.
spóre frùit 【植物】【菌類】胞子嚢(のう)果.
stár frùit スターフルーツ, ゴレンシ(五斂子).
stóne frùit 【植物】核果, 石果.
tóp frùit 《英》=tree fruit.
trée frùit 《米》果樹に実る果実.
trúe frúit =simple fruit.
wáll frùit 垣根仕立ての樹に実った果実.

fry /frái/

動他 (通例, 油を用いてフライパンなどで)揚げる, フライにする.

bátter-frỳ 動他 …をころもをつけて揚げる.
chícken-frỳ 動他 (肉や野菜などを)衣をつけて揚げる.
déep-frý 動他 〈食品を〉たっぷりの油で揚げる.
físh frỳ 釣った魚を揚げて食べるピクニック.
Frénch-frỳ 動他 (鍋(なべ)にたっぷり入れた油で)素揚げにする.
Hángtown Frý ハングタウンフライ: オムレツの一種.
lámb's frỳ 《豪・NZ》小羊のレバー.
pán-frỳ 動他自 《主に米》フライパンでいためる.
píg's frỳ 豚の臓物のフライ.
stéam-frỳ 動他 ワインをかけて蒸し焼きにする.
stír-frỳ 動他 かき混ぜながら素早く炒(い)める. ——名 強火で素早く炒めた(肉・野菜)料理.

-fu /fuː/

連結形 しくじる.
★ 主に名詞, 形容詞をつくる.
◆ fuck-up から抽出.

bu·fu 名形 《米俗》男性の同性愛者(の), ホモ(の), ゲイ(の).
jan·fu 名 《米軍俗》(軍事的)大混乱.
sap·fu 名形 《米軍俗》めちゃめちゃ(の).
sna·fu 名 《俗》混乱状態. ——動他 《米・カナダ俗》…を混乱させる. ►*s*ituation *n*ormal *a*ll *f*ucked *u*p から.
tar·fu 名形 《米軍俗》めちゃめちゃ(の).
tu·i·fu 名 《米軍俗》どうしようもないへま.

fuck /fʌ́k/

動他 《卑・俗》…と性交する. ——名 性交.

áss-fùck 動他名 肛門性交(をする).
búll·fùck うそ, ほら, でたらめ.
búm·fùck 動他名 =ass-fuck.
búnny fùck 短時間の性交為.
bútt·fúck 動他名 =ass-fuck.
clúster fùck 集団暴行, 輪姦.
dóg·fúck 後背位.
drý fùck (服を着たまま)挿入しない疑似性交.
dúmb·fùck まぬけ; 変なやつ.
éye·fùck 動他 …をみだらな思いでじっと見る.
fást-fúck すばやい性交.
fínger·fùck 動他 指で愛撫(あいぶ)する.
físt fùck (主にホモの)こぶしファック.
flát-fùck (挿入しない)擬似セックス.
flýing-fúck (前技のない)飛び込みセックス.
Frénch-frìed-fúck =flying-fuck.
góat fùck ひどく混乱した状況.
hóney-fùck 動他自 ロマンチックなセックスをする.
mínd-fùck 動他 〈人を〉自由自在に操る; 混乱させる.
píss fùck 女性の同情でさせてもらったセックス.
rát fúck 形 けしからん, 容認できない; あきれた.
ràt-fúck 動自 のらくらする.
shít-fùck 動他自 肛門性交をする.
tóngue-fùck 動他 オーラルセックスをする.
túmmy-fùck (通例, 同性同士の)ペッティング.
wálk-ùp fúck 気軽にやらせてくれる女.

fuck·er /fʌ́kər/

名 《卑・俗》性交する人; つまらぬやつ, 嫌な人. ⇨ -ER[1].

búg-fùck·er 《米俗》(ペニスが)短小の男.
dúck·fùck·er 《米》動物とセックスするやつ.
fáther·fùck·er 《米俗》=mother fucker.
héad·fùck·er 《俗》強力な麻薬, LSD.
mínd-fùck·er 《米俗》人の心を操る者.
móther·fùck·er 《主に米俗》嫌な［むかつく］やつ.
múmble·fùck·er 《英俗》ひどく無器用なやつ.

múzz·fùck·er 《米俗》＝mother fucker.
píg·fúck·er 《米俗》ばか野郎, くそったれ.
stár·fùck·er 《米俗》セックス目的でスター[ロック歌手]にべったりくっついている人(特に若い女性), 追っかけ.

fuck·ing /fʌ́kiŋ/

形《強意》《卑・俗》**1** いまいましい, 不愉快な, ひどい. **2** 性交する. ――名 ぺてん; ひどい目に遭わせること.
◇ FUCK. ⇨ -ING², -ING¹.

fíddle·fúcking 形 《俗》(この)ろくでもない, いまいましい.
fínger·fúcking 名 指による性器愛撫.
frée-fúcking 形 〈人が〉すぐに性交をする.
rát-fúcking 名 《米俗》対立候補の選挙運動に対する妨害工作.
róyal fúcking 《米俗》最高にひどい扱い.

fu·el /fjúːəl, fjúəl/

名 (石炭・まき・油・ガスなど, 熱や動力を生み出すための)燃料.

bí·o·fùel 生物燃料.
de·fúel 動他 〈原子炉から〉燃料棒を取り出す.
díesel fùel ディーゼル燃料, ディーゼル油.
fóssil fùel 化石燃料, 埋蔵燃料(石油など).
hóg fùel おがくず, かんなくず.
jét fùel ジェット機用燃料.
mis·fúel 動自他 間違った種類のガソリンを給油する.
món·o·fùel 単元[一液]推進薬.
mùl·ti·fúel 形 2種以上の燃料を使用する, 多種燃料の, 混燃の.
núclear fúel 『物理』核燃料.
rè·fúel 動他 燃料を補給する.
rócket fùel ロケット燃料.
sólid fúel 固体燃料(石炭やコークスなど).
sýn·fùel ＝synthetic fuel.
synthétic fúel 合成燃料.
whíte fúel (エネルギー源としての)河川水.
zíp fùel 強力ジェット燃料.

-fu·gal /fjúːgəl/

連結形 逃げる.
★ 形容詞をつくる.
★ 語頭にくる関連形は fugi-: *fugi*tive「逃亡者」.
◆ <ラ *-fugus*(*fugere*「逃げる」より). ⇨ -AL¹.

ba·sif·u·gal 形 『植物』〈花弁などが〉求頂的な.
cen·trif·u·gal 形 遠心性の, 遠心的な.
fe·brif·u·gal 形 解熱性の, 解熱剤の.
so·ci·o·fu·gal 形 『社会』(椅子の配列が)離れ離れで話がしにくい.

-fuge /fjùːdʒ/

連結形 駆逐[除去]するもの.
◆ <仏<ラ *fugāre* 追い払う.

cal·ci·fuge 名 嫌(石)灰植物.
cen·tri·fuge 名 遠心(分離)機.
feb·ri·fuge 名 解熱剤.
in·sec·ti·fuge 名 駆虫剤.
ref·uge 名 (危険・災難などからの)避難, 保護.
sub·ter·fuge 名 ごまかし, 口実, 言い逃れ, 責任逃れ.
tae·ni·a·fuge 名 『医学』条虫駆除剤, 虫下し.
te·ni·a·fuge 名 『医学』＝taeniafuge.
ver·mi·fuge 名 駆虫剤, 虫下し.

-ful¹ /fəl/

接尾辞 **1** …に満ちた, …の多い(full of), …の性質の: beauti*ful*, care*ful*. ►名詞につけて形容詞をつくる. **2** …しがちな: forget*ful*. ►動詞につけて形容詞をつくる.
★ 反対の意を表す接尾辞は -less: care*ful* ↔care*less*, harm*ful* ↔harm*less*; -less のつく対応語のないもの: wonder*ful*.
★ 語末にくる関連形は -FULLY, -FULNESS.
◆ 古英 *-ful*[*ful*「いっぱいの(full)」を表す]; 独 *voll* と同語源.
[発音] 母音の発音 /ə/ が -ful² の場合と異なることに注意. 強勢は基語と同じ.

art·ful 形 〈人・手段などが〉狡猾な, ずるい.
aw·ful 形 恐ろしい, すさまじい.
bale·ful 形 有害な; 凶暴な; 悪意のある.
bane·ful 形 破滅させる, 滅亡を招く; 致命的な.
bash·ful 形 〈特に子供が〉恥ずかしがる, 内気な.
beau·ti·ful 形 美しい, きれいな; 上品な, 優雅な.
blame·ful 形 非難に値する, 非難すべき.
bliss·ful 形 至福の; 幸福に満ちあふれた.
blush·ful 形 赤面する, 恥ずかしがる.
boast·ful 形 〈人が〉(…を)自慢する; 自慢好きの.
bode·ful 形 不吉な, 凶兆の.
boun·ti·ful 形 気前のよい, 物惜しみしない.
brim·ful 形 縁までいっぱいの.
care·ful 形 〈人が〉注意深い, 用心深い, 慎重な.
chance·ful 形 波乱に富んだ.
change·ful 形 絶えず変化する, 変化に富む.
char·ac·ter·ful 形 (人・顔などの)特性をよく示す.
charge·ful 形 《廃》高価な, 費用のかかる.
cheer·ful 形 陽気な, 朗らかな; 上機嫌の.
col·or·ful 形 色彩に富んだ, 多彩な, カラフルな.
dare·ful 形 勇敢な, 大胆な.
death·ful 形 命にかかわる, 致命的な.
de·ceit·ful 形 人をだます, 詐欺の, うそつきの.
de·light·ful 形 とても喜ばしい; 魅力的な.
de·spite·ful 形 《古》悪意のある, 意地悪な.
dire·ful 形 恐ろしい, 怖い, すさまじい.
dis·dain·ful 形 軽蔑的な, 尊大な; (…を)軽視する.
dis·grace·ful 形 恥ずかしい, 不名誉な, 不面目な.
dis·gust·ful 形 胸の悪くなる[むかつく]ような.
dis·taste·ful 形 (…にとって)嫌な, 不快な.
dis·tress·ful 形 悲惨な, 痛ましい; 苦しい, つらい.
dis·trust·ful 形 信用しない; 自信がない.
dole·ful 形 悲嘆に暮れた; 憂鬱な, 陰気な.
doom·ful 形 先行きが暗い; 不吉な.
doubt·ful 形 疑問を抱かせる; 不確かな.
dread·ful 形 大きな恐怖を起こさせる.
dream·ful 形 夢の多い; 夢見がちな.
du·ti·ful 形 本分を守る, 義務を果たす.
ease·ful 形 《古》気楽な, 安楽な; のんきな.
ef·fort·ful 形 努力した, 苦心した(あとの見える).
e·vent·ful 形 出来事の多い, 多事な.
faith·ful 形 忠実な, 熱心な, 献身的な.
fan·ci·ful 形 風変わりな, 奇抜な.
fate·ful 形 運命を決する, 決定的に重大な.
fear·ful 形 恐ろしい, ぞっとするような.
feast·ful 形 《古》祭りの, 祝日の; 陽気な.
feel·ing·ful 形 感情あふれる.
fit·ful 形 発作的な, 断続的な; 気まぐれな.
fla·vor·ful 形 風味豊かな; おいしい, 味のよい.
force·ful 形 強力な, 有力な; 印象的な.
fore·thought·ful 形 深慮の, 先見の明がある; 用心深い.
for·get·ful 形 忘れっぽい.
form·ful 形 素晴らしいフォームを見せる.
fret·ful 形 いらいらする, 怒りっぽい.
fright·ful 形 恐ろしい, ものすごい; 怖い.
fruit·ful 形 好結果を生む, 実りの多い; 有益な.
gain·ful 形 もうかる, 金になる.
ghast·ful 形 《廃》＝frightful.
glee·ful 形 大喜びの, 陽気な, 上機嫌の.
grace·ful 形 優雅な, しとやかな, 上品な.
grate·ful 形 感謝する, 有り難く思う.
guile·ful 形 陰険でずるい, 悪知恵の働く.

harm·ful 形 (…に)有害な, 害になる; 危険な.
hate·ful 形 憎い, 憎むべき, いまいましい.
health·ful 形 健康によい; 有益な, 健全な.
heart·ful 形 心からの, 誠心誠意の.
heat·ful 形 高熱の, 余分な熱を放出する.
heed·ful 形 (…に対して)注意深い, 用心深い.
help·ful 形 (…の)助けになる, 役立つ.
hope·ful 形 〈物・事が〉希望に満ちた.
hurt·ful 形 傷をつける, 損害を与える, 有害な.
in·sight·ful 形 洞察力 [直観力] のある, 見識ある.
ire·ful 形 《文語》激怒した, 憤った.
joy·ful 形 うれしさでいっぱいの; 喜んでいる.
law·ful 形 法の許した, 合法の, 適法の.
life·ful 形 《古》生気にあふれた, 生き生きした.
loath·ful 形 《スコット》内気な, 引っ込み思案の.
lust·ful 形 欲望の強い, 貪欲な, がつがつした.
man·ful 形 男らしい; 大胆な; 勇敢な.
mar·i·jua·na·ful 形 《米俗》本当のマリファナらしい.
mas·ter·ful 形 〈人が〉支配者としての器量のある.
mean·ing·ful 形 意味のある, 意味深長な.
mer·ci·ful 形 (人に)慈悲深い, 哀れみ深い.
mind·ful 形 《文語》(…に)心を配る.
mirth·ful 形 楽しい, 陽気な, はしゃいだ.
mist·ful 形 霧の深い [立ち込めた].
mis·trust·ful 形 〈人が〉信用 [信頼] しない.
moan·ful 形 悲しげにうめく, 嘆き悲しむ.
mourn·ful 形 悲しげな, 悲しみに沈んだ.
muse·ful 形 《古》深く考え込んでいる.
need·ful 形 《まれ》《おどけて》(…に)必要な.
ne·glect·ful 形 怠りがちな, 怠慢な, ずぼらな.
of·fense·ful 形 無礼な, 腹立たしい.
pain·ful 形 痛い; 痛みを伴う.
peace·ful 形 平穏な, 静かな, 安らかな.
pit·i·ful 形 〈人・物などが〉哀れを催させる.
plaint·ful 形 《文語》悲しみに沈んだ.
play·ful 形 遊び好きな, 遊び戯れる.
plen·ti·ful 形 豊富な, 十分な, たくさんの.
pow·er·ful 形 強い, 強力な; 強烈な.
praise·ful 形 賛辞に満ちた.
prayer·ful 形 〈人が〉よく祈る, 信心深い.
pres·tige·ful 形 高名な, 誉れの高い, 信望がある.
pride·ful 形 思い上がった, 尊大な, 大得意の.
proud·ful 形 《主に米方言》誇り高い.
pur·pose·ful 形 目的のある; 意図を持った.
push·ful 形 進取の気性に富む.
re·fresh·ful 形 心身を爽快にする, 元気づける.
re·gard·ful 形 《文語》(…に)注意深い.
re·gret·ful 形 (…について)残念な, 後悔している.
re·mind·ful 形 思い出させる, 連想させる.
re·morse·ful 形 深く後悔している.
re·pose·ful 形 安らかな, 平穏な; ゆったりとした.
re·proach·ful 形 非難の, 非難を込めた, 叱責(しっせき)の.
re·search·ful 形 学究的な, 研究に打ち込んでいる.
re·sent·ful 形 怒りに満ちている, 憤慨している.
re·source·ful 形 才覚のある, 臨機応変の.
re·spect·ful 形 丁重な, 丁寧な, 尊敬の念に満ちた.
rest·ful 形 〈物が〉(…に)安らぎを与える, 休まる.
re·sult·ful 形 成果のある, 有効な, 成績のよい.
re·venge·ful 形 復讐心に燃えている, 執念深い.
right·ful 形 正当な権利を有する; 適法の.
rue·ful 形 哀れを催させる, 痛ましい.
ruth·ful 形 情け深い; 悲しむ, 悲しみに暮れる.
scorn·ful 形 軽蔑に満ちた, 嘲笑的な, 冷笑的な.
sense·ful 形 分別のある, 健全な.
shame·ful 形 恥ずべき, 恥ずかしい, 恥辱的な.
sigh·ful 形 悲しい, 悲しげな, 悲しみを誘う.
sin·ful 形 罪深い, 罪に汚れた; 邪悪な.
skil·ful 形 《特に英》=skillful.
skill·ful 形 熟練した, 腕のいい, 腕利きの.
sloth·ful 形 怠惰な, 無精な, ものぐさな.
song·ful 形 歌の多い, 歌うことが多い.
sor·row·ful 形 〈人が〉悲しむ, 嘆く, 悲嘆に暮れた.
soul·ful 形 感情 [魂] のこもった, 感動的な.
spite·ful 形 悪意に満ちた, 恨みを抱いた.
spleen·ful 形 不機嫌な; 悪意のこもった.
sport·ful 形 娯楽 [気晴らし] の(ための); 遊びの.
stress·ful 形 緊張に満ちた, 張り詰めた.
suc·cess·ful 形 (…に)成功した; 合格した.
tact·ful 形 機転の利く, 如才ない, そつのない.
taste·ful 形 趣味のよい; 審美眼のある.
tear·ful 形 涙でいっぱいの; 泣いている.
thank·ful 形 (…に)(…を)感謝している.
thought·ful 形 (人に)思いやりがある, 情け深い.
thrust·ful 形 《英》積極的 [攻撃的] な, 力ずくの.
time·ful 形 《古》時を得た, 好時機の, 折よい.
toil·ful 形 つらい, 苦しい, 骨の折れる.
trist·ful 形 悲しみに満ちた.
trust·ful 形 信頼の念に満ちた; 信用する.
truth·ful 形 〈人が〉(いつも)本当のことを言う.
tune·ful 形 旋律の豊かな [美しい].
use·ful 形 有用な, 役に立つ; 有効な, 有益な.
vaunt·ful 形 《古》=boastful.
venge·ful 形 復讐心に燃えた, 執念深い.
voice·ful 形 《詩語》(大きな)声を出す, 声高な.
wail·ful 形 嘆き悲しむ, 哀れを誘う.
wake·ful 形 〈人が〉眠れない, 眠る気がしない.
waste·ful 形 無駄の多い, 不経済な.
watch·ful 形 (…に)油断のない, 用心深い.
wea·ri·ful 形 疲労した, 疲れた, 疲れ果てた.
wil·ful 形 《英》=willful.
will·ful 形 計画 [意図] 的な, 故意の.
wish·ful 形 〈人が〉(…を)望んでいる.
wist·ful 形 物欲しそうな, 物言いたげな.
woe·ful 形 《文語》悲しむべき; 不幸な.
won·der·ful 形 素晴らしい, すてきな, 最高の.
wor·ship·ful 形 崇拝する, 敬う.
worth·ful 形 価値のある.
wrack·ful 形 破壊的な, 台無しにする.
wrath·ful 形 〈人が〉激怒した.
wreck·ful 形 《古》破壊をもたらす.
wrong·ful 形 悪い, 邪悪な, 正しくない, 不正な.
yawn·ful 形 あくびを催させる, 退屈させる.
youth·ful 形 若い, 若々しい.
zest·ful 形 風味 [香味] のある, 味わい深い.

-ful[2] /fùl/

接尾辞 …一杯(の量).
★ 名詞につけて名詞をつくる.
◆ 古英 *ful*. ◇ -FUL[1].
[発音] 母音の発音 /ù/ が -ful[1] の場合と異なり, しかも第 2 強勢がここに置かれる. 強勢は基語と同じ.

arm·ful 名 腕で抱えられる量, 一抱え(のまき).
bag·ful 名 (…の)袋 1 杯(の量).
bar·rel·ful 名 樽(たる) 1 杯分の量.
bar·row·ful 名 手押し車 1 台分(の荷).
ba·sin·ful 名 たらい [水盤] 1 杯(分).
bas·ket·ful 名 かご 1 杯分(の…).
bel·ly·ful 名 《話》満腹.
boat·ful 名 船 1 艘分の量 [数].
bot·tle·ful 名 瓶一杯(の量).
bowl·ful 名 ボール [どんぶり, 鉢] 一杯(の…).
box·ful 名 箱一杯分, (…の)一箱分(の量).
buck·et·ful 名 バケツ 1 杯(の量の…).
bush·el·ful 名 1 ブッシェル量, ブッシェル升一杯.
can·ful 名 缶一杯の量.
cap·ful 名 帽子一杯(の量).
car·ful 名 車 1 台分の量 [数] (の…).
cart·ful 名 荷車 [荷馬車] 1 台分(の量).
clos·et·ful 名 押し入れいっぱい(の量).
coach·ful 名 馬車 [バス] いっぱい(の乗客).
cup·ful 名 茶碗 1 杯分(の…).
des·sert·spoon·ful 名 デザート用スプーン 1 杯(の量).
dish·ful 名 皿一杯(の量).
draw·er·ful 名 引き出し一杯分(の…).
ear·ful 名 《話》(特に頼みもしないのに聞かされ

る)たくさんの情報, うわさ話.
eye·ful 名 目に一杯の量.
fist·ful 名 (…の)一握り, 一つかみ; 少数(量).
fork·ful 名 フォーク一杯(の…), 1フォーク分.
glass·ful 名 グラス[タンブラー]1杯の量.
hand·ful 名 一握り, 手いっぱい(の…).
hat·ful 名形 帽子1杯(の); たくさん(の).
horn·ful 名 角製の杯1杯(の分量).
house·ful 名 家いっぱいの数[量].
jar·ful 名 瓶[壺]1杯(の量).
jug·ful 名 水差し[ジョッキ]1杯(の…).
la·dle·ful 名 ひしゃく一杯(の量の…).
lap·ful 名 (つまみ上げるエプロン・スカートなどの)前の部分一杯(の…).
lung·ful 名 肺一杯の量.
mouth·ful 名 口一杯.
mug·ful 名 マグ1杯の量.
nee·dle·ful 名 (針に通す1回分の)糸の長さ.
nest·ful 名 1回分の産卵.
net·ful 名 網一杯(の量).
pail·ful 名 バケツ[手桶]1杯分.
palm·ful 名 手のひら1杯(の量), (…の)一握り.
pan·ful 名 (平)鍋一杯の量.
pen·ful 名 ペン一浸し分(のインク); インクに一浸ししたペンで書ける分量, 一筆.
pipe·ful 名 (タバコの)パイプ1杯分, 一服.
pitch·er·ful 名 水差し1杯分(の量).
plate·ful 名 皿1杯分, 1皿分.
pock·et·ful 名 ポケット一杯(分).
pot·ful 名 pot 一杯分(の量).
quiv·er·ful 名 矢筒一杯(の矢).
room·ful 名 部屋いっぱい(の…).
sack·ful 名 大袋一杯分, 一袋; たくさん, 多量.
sau·cer·ful 名 受け皿一杯(分).
scoop·ful 名 しゃくし1杯(の分量).
shelf·ful 名 一棚に入るだけの量(のもの).
shop·ful 名 店に入るだけの(品物の)量[お客].
shov·el·ful 名 シャベル一杯(分).
skep·ful 名 《主に方言》(柳細工または木製の)農作業用丸形かごの一杯(分の量).
skin·ful 名 革袋一杯(の量).
snoot·ful 名 《話》十分な量の酒.
spade·ful 名 鋤(すき)一杯(分の量).
spoon·ful 名 さじ一杯(分), 一さじ(分).
stick·ful 名 〖印刷〗植字器に入り得る最大限の組み活字.
stom·ach·ful 名 (…の)腹一杯(分).
ta·ble·ful 名 一食卓を囲める人数.
ta·ble·spoon·ful 名 テーブルスプーン[大さじ]一杯の量.
tank·ful 名 タンク1杯分.
tea·cup·ful 名 茶碗一杯分.
tea·spoon·ful 名 茶さじ一杯の量.
thim·ble·ful 名 指ぬき一杯の量.
tin·ful 名 錫[ブリキ]製の容器に入る量.
tooth·ful 名 《英俗》ほんの一口.
tray·ful 名 (…の)盆1杯の量.
trunk·ful 名 トランク一杯(の容量).
tub·ful 名 桶一杯(分の量).
tum·bler·ful 名 大コップ一杯(の量).
wine·glass·ful 名 ワイングラス1杯の量.

full /fúl/

形 …でいっぱいの.
★ 一部, -ful[1] の異形として使われる: bale*full*.

bále·fúll 形 有害な, 悪意のある; 不吉な.
brím·fúll 形 縁までいっぱいの.
búng·fúll 形 《英話》ぎっしり詰まった.
chóck·fúll 形 (…で)いっぱいの.
chóke-fúll 形 =chock-full.
crám·fúll 形 (…で)ぎっしりいっぱいの.
cróp-fúll 形 満腹の.
óver·fúll 形 (…が)詰まりすぎた.
rám-jàm fúll 形 《話》ぎゅうぎゅう詰めの.
ráp fúll 形 〖海事〗〈帆が〉いっぱいに膨らんだ.
tóp·fúll 形 《まれ》いっぱいの.

-ful·ly /fəli/

接尾辞 …でいっぱいに, …の性質を有して.
★ -ful で終わる形容詞に対応する副詞をつくる.
◆ -FUL[1] と -LY[1] の合成接尾辞.

aw·ful·ly 副 《話》とても, すごく, ひどく.
beau·ti·ful·ly 副 美しく, きれいに.
care·ful·ly 副 注意深く, 慎重に, 気をつけて.
cheer·ful·ly 副 陽気に, 快活に, 上機嫌で.
dread·ful·ly 副 恐ろしく; 恐る恐る, こわごわ.
faith·ful·ly 副 忠実に, 誠実に, 陰日向なく.
fright·ful·ly 副 恐ろしく, ものすごく.
hope·ful·ly 副 希望[期待]を持って.
pain·ful·ly 副 痛んで; 痛ましく, 悲惨なほどに.
re·spect·ful·ly 副 恭しく, 丁寧に, 謹んで.
wom·an·ful·ly 副 女性特有の辛抱強さ[気丈さ]で.
won·der·ful·ly 副 素晴らしく, すてきに; 驚くほど.

-ful·ness /fəlnis/

接尾辞 -ful[1] と -ness の合成接尾辞.
★ 名詞をつくる; -ful[1] の語について自由につくることができる.
◆ -FUL[1]＋-NESS.

art·ful·ness 名 狡猾(こうかつ)さ; 器用さ.
aw·ful·ness 名 恐ろしさ, すさまじさ.
bale·ful·ness 名 有害; 凶暴; 不吉.
bane·ful·ness 名 破滅, 滅亡; 有毒.
bash·ful·ness 名 恥ずかしさ, はにかみ.
beau·ti·ful·ness 名 美しさ.
blame·ful·ness 名 非難, 批判; 過失.
bliss·ful·ness 名 至福, 幸福.
blush·ful·ness 名 (恥ずかしさによる)赤面.
boast·ful·ness 名 自慢.
boun·ti·ful·ness 名 気前のよさ; 豊富さ.
brim·ful·ness 名 豊富にあること.
care·ful·ness 名 注意深さ, 用心深さ, 慎重さ.
change·ful·ness 名 不断の変化.
cheer·ful·ness 名 陽気, 朗らか; 上機嫌.
col·or·ful·ness 名 多彩なこと.
de·ceit·ful·ness 名 詐欺, 虚偽.
de·light·ful·ness 名 喜び; 魅力, 愛嬌.
de·spite·ful·ness 名 悪意, 意地悪さ; 無礼, 生意気.
de·vice·ful·ness 名 創意・工夫に満ちていること; 策謀にたけていること.
dire·ful·ness 名 恐怖; 苦難, 不吉.
dis·dain·ful·ness 名 侮蔑, 尊大.
dis·taste·ful·ness 名 不快, 嫌悪; まずさ.
dis·tress·ful·ness 名 悲惨さ, 痛ましさ.
dole·ful·ness 名 悲嘆に暮れていること; 憂鬱, 陰気.
doubt·ful·ness 名 疑わしさ; 曖昧さ.
dread·ful·ness 名 恐ろしさ, ひどさ.
dream·ful·ness 名 夢の多いこと; 夢見がちなこと.
du·ti·ful·ness 名 従順さ; 義理堅さ.
ease·ful·ness 名 気楽さ; 穏やかさ; 平和.
e·vent·ful·ness 名 出来事の多いこと, 波瀾(はらん)万丈.
faith·ful·ness 名 忠実さ, 誠実さ; 献身.
fan·ci·ful·ness 名 奇抜さ.
fate·ful·ness 名 (運命を決するほどの)重大さ.
fear·ful·ness 名 恐怖に満ちていること.
fit·ful·ness 名 断続的であること; 気まぐれ.
force·ful·ness 名 力にあふれていること; 強制.
fore·thought·ful·ness 名 先見の明があること; 用心深さ.
for·get·ful·ness 名 忘れっぽさ.
fret·ful·ness 名 いらいらする[怒りっぽい]こと.
fright·ful·ness 名 恐怖, 恐ろしさ, ものすごさ.
fruit·ful·ness 名 実りの多さ; 有益さ.
gain·ful·ness 名 儲けていること.

F

glee·ful·ness 名 大喜び, 陽気, 上機嫌.
grace·ful·ness 名 優雅さ, 上品さ, 気品のあること.
grate·ful·ness 名 感謝.
guile·ful·ness 名 陰険さ, 狡猾(こうかつ)さ.
harm·ful·ness 名 有害; 危険.
hate·ful·ness 名 憎さ, いまいましさ.
health·ful·ness 名 健康優良なこと, 健全さ.
heed·ful·ness 名 注意深さ, 用心深さ.
help·ful·ness 名 役立つこと, 有用なこと.
hope·ful·ness 名 希望に満ちていること.
hurt·ful·ness 名 傷つけること, 有害.
in·sight·ful·ness 名 洞察力があること.
ire·ful·ness 名 激怒; 短気.
joy·ful·ness 名 喜びに満ちていること.
law·ful·ness 名 合法, 適法.
lust·ful·ness 名 貪欲.
man·ful·ness 名 男らしさ; 大胆さ.
mas·ter·ful·ness 名 度量のあること; 横柄さ.
mean·ing·ful·ness 名 意味深長; 重要.
mer·ci·ful·ness 名 慈悲深いこと.
mind·ful·ness 名 よく気がつくこと.
mirth·ful·ness 名 楽しさ, 陽気.
mourn·ful·ness 名 悲しみに沈んでいること.
need·ful·ness 名 必要とすること.
ne·glect·ful·ness 名 怠慢; 投げやり.
pain·ful·ness 名 痛いこと; 不快さ.
pas·sion·ful·ness 名 感情が豊かなこと.
peace·ful·ness 名 平穏さ, 安らかさ.
pit·i·ful·ness 名 みじめさ, 痛々しさ.
plan·ful·ness 名 〖心理〗計画, 能力.
play·ful·ness 名 陽気; 冗談; はしゃぐこと.
plen·ti·ful·ness 名 豊富, たっぷりあること.
pow·er·ful·ness 名 強いこと; 強靱(きょうじん)さ.
praise·ful·ness 名 賛辞に満ちていること.
prayer·ful·ness 名 信心深さ.
pride·ful·ness 名 尊大さ.
pur·pose·ful·ness 名 目的がはっきりしていること.
push·ful·ness 名 進取の気性に富むこと.
re·gard·ful·ness 名 油断のなさ, 用意周到.
re·gret·ful·ness 名 後悔の念が満ちること.
re·morse·ful·ness 名 良心の呵責にさいなまれていること.
re·pose·ful·ness 名 安らかさ, 平穏さ.
re·proach·ful·ness 名 非難に値すること.
re·sent·ful·ness 名 怒りに満ちていること.
re·source·ful·ness 名 才能のあること; 資源に富むこと.
re·spect·ful·ness 名 丁寧, 尊敬の念に満ちていること.
rest·ful·ness 名 安らぎを与えること; 平穏.
re·venge·ful·ness 名 執念深さ.
right·ful·ness 名 正当な権利; 適法, 合法.
rue·ful·ness 名 哀れ, 痛ましさ, 悲惨.
ruth·ful·ness 名 情け深いこと; 悲しみ.
scorn·ful·ness 名 軽蔑されるべきこと.
self-for·get·ful·ness 名 無私無欲; 没頭.
self-fruit·ful·ness 名 (果実の)自家受粉.
shame·ful·ness 名 恥ずかしさ; 下品さ.
sin·ful·ness 名 罪深さ; 邪悪.
skil·ful·ness 名 =skillfulness.
skill·ful·ness 名 熟練, 腕利き.
sloth·ful·ness 名 怠惰, 無精, ものぐさ.
sneer·ful·ness 名 嘲笑 [皮肉] まじりのこと.
song·ful·ness 名 歌の多いこと; 旋律が美しいこと.
sor·row·ful·ness 名 悲しみ, 嘆き.
soul·ful·ness 名 感情 [魂] のこもっていること.
source·ful·ness 名 資源が豊かなこと.
speed·ful·ness 名 スピードに溢れていること.
spite·ful·ness 名 =despitefulness.
sport·ful·ness 名 娯楽性の高いこと, 遊ぶ価値のあること.
stress·ful·ness 名 (緊張で)張り詰めていること.
suc·cess·ful·ness 名 上出来, 大当たり; 盛大さ.
tact·ful·ness 名 機転が利くこと, 如才ないこと.
taste·ful·ness 名 趣味のよいこと, 上品さ.
tear·ful·ness 名 涙ぐんでいること; 涙を誘うこと.
thank·ful·ness 名 =gratefulness.
thought·ful·ness 名 思いやりがあること, 情け深いこと.
thrust·ful·ness 名 積極的なこと, 力ずく.
trist·ful·ness 名 悲しみに満ちていること, 憂鬱.
trust·ful·ness 名 信用するに値すること.
truth·ful·ness 名 正直, 誠実; 真実.
tune·ful·ness 名 旋律の美しさ.
un·art·ful·ness 名 率直; 拙劣.
un·sus·pect·ful·ness 名 信じる価値のあること.
un·tune·ful·ness 名 的外れ; 混乱.
use·ful·ness 名 有用, 有益, 役立つこと.
venge·ful·ness 名 復讐, 執念深さ.
voice·ful·ness 名 声高なこと; かまびすしいこと.
wake·ful·ness 名 不眠.
waste·ful·ness 名 無駄の多いこと, 不経済; 浪費.
watch·ful·ness 名 油断のないこと, 用心深いこと.
wea·ri·ful·ness 名 疲労; 退屈.
wil·ful·ness 名 =willfulness.
will·ful·ness 名 意図的なこと; 強情, わがまま.
wish·ful·ness 名 熱望, 強いあこがれ.
wist·ful·ness 名 充足感に欠けていること.
woe·ful·ness 名 悲惨; 不幸.
won·der·ful·ness 名 素晴らしさ.
wor·ship·ful·ness 名 崇拝, 尊敬, 敬愛.
wrath·ful·ness 名 激怒; 険悪.
wrong·ful·ness 名 邪悪, 不正, 不当.
youth·ful·ness 名 若々しさ.
zest·ful·ness 名 味わい深さ; 興味深いこと.

func·tion /fʌ́ŋkʃən/

名 **1** 機能, 働き; 職務. **2**〖数学〗関数. ⇨ -TION.

algebráic fúnction 〖数学〗代数関数.
álmost periódic fúnction 〖数学〗概周期関数.
Béssel fùnction 〖数学〗ベッセル関数.
béta fùnction 〖数学〗ベータ関数.
characterístic fúnction 〖数学〗特性関数, 特徴関数.
círcular fúnction =trigonometric function.
có·fùnc·tion 名 〖三角法〗余関数.
compósite fúnction 〖数学〗合成関数.
cómpound fúnction =composite function.
cóuntably ádditive fúnction 〖数学〗可算加法的関数.
délta fùnction 〖物理〗〖数学〗デルタ関数.
dénsity fùnction =probability density function.
deríved fúnction 〖数学〗導関数.
Dirác délta fùnction =delta function.
discríminant fúnction 〖統計〗判別関数.
dis·fúnc·tion 名 =dysfunction.
distribútion fùnction 〖統計〗分布関数.
dys·fúnc·tion 名 〖医学〗機能障害, 機能異常.
éi·gen·fùnc·tion 名 〖数学〗固有関数.
eleméntary fúnction 〖数学〗初等関数.
ellíptic fúnction 〖数学〗楕円関数, 長円関数.
entíre fúnction 〖数学〗整関数.
Éuler's phí-function 〖数学〗オイラーのファイ関数.
exponéntial fúnction 〖数学〗指数関数.
fínitely ádditive fúnction 〖数学〗有限加法的(集合)関数.
fréquency fùnction 〖統計〗確立密度関数.
fúll-fúnction 形 全機能を持つ.
gámma fùnction 〖数学〗ガンマ関数.
Gíbbs fùnction 〖熱力学〗ギブズ関数.
gréatest-ínteger fùnction 〖数学〗最大整数関数.
Héaviside únit fùnction 〖数学〗ヘビサイドの単位関数.
Hélmholtz fùnction 〖熱力学〗ヘルムホルツの自由エネルギー, (定積)自由エネルギー.
hùman resóurce fùnction 人的資源(管理)職, 人事職.
hyperbólic fúnction 〖数学〗双曲線関数.
hy·per·fúnc·tion 名 〖病理〗機能亢進(こうしん).
hypergeométric fúnction 〖数学〗超幾何関数.
hy·po·fún·ction 名 〖病理〗(腺(せん)などの)機能低下, 機能不全.
íntegral fúnction 《主に英》〖数学〗整関数.
ínverse fúnction 〖数学〗逆関数.
Lagrángian fúnction 〖物理〗ラグランジュ関数.

látent fúnction 〔社会〕潜在的機能.
línear fúnction 〔数学〕一次変換, 線形変換.
logaríthmic fúnction 〔数学〕対数関数.
lóss fùnction (決定理論で)損失関数.
mal·fúnc·tion 名 (器官などの)機能不全.
mánifest fúnction 〔社会学〕顕在的機能.
mis·fúnc·tion 名 =malfunction.
múltiple-válued fúnction 〔数学〕多価関数.
ódd fúnction 〔数学〕奇関数.
ónto fùnction 〔数学〕上への関数.
periódic fúnction 〔数学〕周期関数.
phí-fùnction =Euler's phi-function.
polymórphic fúnction 〔コンピュータ〕多形機能.
pówer fùnction 〔統計〕検出力関数.
probabílity dènsity fùnction 〔統計〕確率密度関数.
probabílity fùnction 〔数学〕確率関数.
próper fúnction =eigenfunction.
proposítional fúnction =sentential function.
rátional fúnction 〔数学〕有理関数.
senténtial fúnction 〔論理〕命題関数, 文関数.
sét fùnction 〔数学〕集合関数.
stándard fúnction 〔コンピュータ〕標準関数.
státe fùnction 〔物理〕状態量.
stép fùnction 〔数学〕階段関数.
stríctly decréasing fúnction 〔数学〕狭義の減少関数.
stríctly incréasing fúnction 〔数学〕狭義の増加関数.
symmétric fúnction 〔数学〕対称式.
transcendéntal fúnction 〔数学〕超越関数.
trapdóor fùnction 〔数学〕落とし戸[穴]関数.
tríg fùnction =trigonometric function.
trigonométric fúnction 〔数学〕三角関数.
trúth-fùnction 〔論理〕真理関数.
utílity fùnction 〔経済〕効用関数.
véctor fùnction 〔数学〕ベクトル関数.
vítal fúnction 〔生物〕〔生理〕生活機能.
wáve fùnction 〔物理〕波動関数.
wórk fùnction 〔物理〕仕事関数.

func·tion·al /fʌ́ŋkʃənl/

形 機能(上)の; 職能[職務](上)の. ⇨ -AL[1].

bi·func·tion·al 形 二機能[作用]を持つ.
mon·o·func·tion·al 形 〔化学〕〈化合物が〉単官能基の.
mul·ti·func·tion·al 形 多機能の.
non·func·tion·al 形 無機能の, 機能しない.
pol·y·func·tion·al 形 〔化学〕多官能(性)の.
tet·ra·func·tion·al 形 〔化学〕四官能基の, 四官能性の.
tri·func·tion·al 形 〔化学〕三官能基の.

fund /fʌ́nd/

名 (ある目的のための)資金, 基金, 基本金; (手形・小切手振り出し用の)預金.

appéal fùnd (慈善などの訴えで集まった)義援金.
bálanced fùnd 〔金融〕バランスファンド.
campáign fùnd 運動資金, 選挙資金.
Consólidated Fúnd 《英》コンソル基金, 統合基金.
contíngency fùnd 〔会計〕偶発損失積立金引当基金.
contíngent fùnd 〔会計〕=contingency fund.
cóunterpart fùnd 《米》〔経済〕見返り資金.
de·fúnd 動他 …の財源を枯渇させる.
dúal fùnd 〔証券〕デュアルファンド.
equalizátion fùnd =stabilization fund.
éthical fùnd 社会的倫理(型)基金.
évergreen fùnd 〔金融〕エバーグリーン・ファンド.
fíghting fùnd 闘争資金, 軍資金.
gó-go fùnd 〔証券〕ゴーゴーファンド.
grówth fùnd 成長型投資信託ファンド.
hédge fùnd 《米》〔証券〕ヘッジファンド.
ímprest fùnd 〔会計〕定額前渡(小口現金)資金.
íncome fùnd 〔金融〕インカムファンド.
índex fùnd 〔金融〕インデックス・ファンド.
Internátional Mónetary Fùnd 国際通貨基金(IMF).
invéstment fùnd 投資準備金, 投資基金.
lóad fùnd 〔証券〕手数料負荷投資信託.
mátching fùnd 個人・団体などが出す資金で, 政府などから同額の資金醵出(きょしゅつ)を誘導することを目的としたもの.
móney fùnd 〔証券〕=money-market fund.
móney-market fùnd 〔証券〕短期金融資産ファンド.
múni bónd fùnd 《話》=municipal bond fund.
munícipal bónd fùnd 《米》〔証券〕地方債ファンド.
mútual fùnd 《米》〔証券〕ミューチュアルファンド.
óff-bòok fùnd 帳簿外秘密資金; 帳簿外不正資金.
óffshore fùnd 〔証券〕国際投資信託.
ópen-énd bónd fùnd 〔証券〕オープン・エンド型債券ファンド.
pénsion fùnd (私的)年金基金.
rè·fúnd[1] 動他 〈特に金銭を〉払い戻す, 返済する.
rè·fúnd[2] 動他 …を再び[新たに]積み立てる.
revólving fùnd 回転資金[基金].
róad fùnd 〔英史〕道路基金.
Sáve the Chíldren Fùnd 児童救済基金.
sínking fùnd 減債基金, 償還積立金.
slúsh fùnd 不正政治資金, 贈賄資金.
sócial fùnd 《英》生活保護助成基金.
stabilizátion fùnd 為替平衡資金.
súper·fùnd スーパーファンド: 公害防止事業のための大形基金.
sustentátion fùnd (長老派教会などの)聖職者扶助基金.
trúst fùnd 信託資金[基金, 財産].
ùnder·fúnd 動他 十分な資金を供給しない.
Uníted Nátions Chíldren's Fùnd 国連国際児童緊急基金, ユニセフ.
vúlture fùnd 〔金融〕バルチャー・ファンド.
wélfare fùnd 厚生基金, 福利(厚生)資金.
wórking-capital fùnd 運転資本資金.

fun·gus /fʌ́ŋgəs/

名 真菌. ⇨ -US[1].
★ 語頭にくる関連形は fung(i)-: *fung*ate「菌状に育つ」, *fungi*cide「殺菌剤」.

bírd's-nest fúngus チャダイゴケ.
bláck téa fúngus 紅茶きのこ.
bláck trée fúngus キクラゲ.
bóotlace fúngus ナラタケ.
brácket fúngus サルノコシカケ.
cáuliflower fúngus ハナビラタケ.
céllar fúngus イドタケ(井戸茸).
clúb fúngus ホウキタケ類.
cúp fúngus チャワンタケ.
drý rót fúngus 乾腐真菌.
éar fúngus キクラゲの一種.
fáce-fùngus 名 《英話》ひげ, (特に)あごひげ (beard).
gíll fùngus 笠(かさ)の裏に襞(ひだ)のあるマツタケ類のキノコ.
hígher fúngus 高等菌(類).
hóney fúngus ナラタケ, ハリガネタケ.
hórsehair-blìght fùngus ウマノケタケ.
hórsehair fúngus シロヒメホウライタケ.
hóuse fúngus =dry rot fungus.
impérfect fúngus 不完全菌.
Índian pàint fúngus マンネンハリタケの一種.
jélly fúngus ゼリー状キノコ, 膠質(こう)菌.
lówer fúngus 下等菌類.
mìcro·fúngus 名 〔植物〕ミクロ菌, 極微菌.
pánther fúngus テングタケ.
póre fúngus 多孔菌(polypore).
ráy fúngus 〔細菌〕放線菌類(actinomycete).
sác fúngus 〔菌類〕子嚢(のう)菌.
stóne fúngus タマチョレイタケ(球猪苓茸)の偽菌核.

tóoth fùngus 〖菌類〗ハリタケ.

fu·ran /fjúəræn, fjuərǽn/

名 〖化学〗フラン, フルフラン. ►furfuran の頭音消失形.

benz·o·fu·ran 名 クマロン(coumarone).
Car·bo·fu·ran 名 カルボフラン: 作物用農薬の一種.
ni·tro·fu·ran 名 ニトロフラン.
tet·ra·hy·dro·fu·ran 名 テトラヒドロフラン.
thi·o·fu·ran 名 チオフェン, チオフラン.

fur·nace /fə́ːrnis/

名 窯, かまど, 〖物理〗〖冶金〗炉; 暖房炉; 溶鉱炉.

árc fùrnace アーク炉: 電弧によるを利用した電気炉.
ásh fùrnace (ガラス製造用)アッシュ炉.
atómic fúrnace 原子炉(reactor).
blást fùrnace (製鉄所の)溶鉱炉, 高炉, 衝風炉.
crúcible fùrnace るつぼ炉.
cýclone fùrnace サイクロン燃焼炉: 渦巻いている気柱の中で液体または粉炭を燃やす炉.
diffúsion fùrnace 〖電子工学〗拡散炉.
eléctric-árc fùrnace =arc furnace.
eléctric fúrnace 電気炉.
flóor fùrnace フロアーファーネス: 床下にとりつける暖房用炉.
gás fùrnace ガス炉.
hólding fùrnace 保持 [保温] 炉, 均熱炉.
indúction fùrnace 誘導炉.
recúperative fùrnace 復熱炉.
regénerative fùrnace 蓄熱炉.
revérberating fùrnace 反射炉.
revérberatory fùrnace =reverberating furnace.
Scótch fùrnace 鉱石吹床(ore hearth).
slág fùrnace スラグ炉.
sólar fùrnace 太陽炉.
tánk fùrnace (ガラス融解用の)タンク窯.
vácuum indúction fùrnace 真空誘導炉.
wínd fùrnace 〖機械〗風炉.

fur·ni·ture /fə́ːrnitʃər/

名 家具, 調度, 備品. ⇨ -URE[1].

árkwright fùrniture 英国中世後期の簡単な構造の家具.
campáign fùrniture 移動用組み立て式家具.
concéptual fúrniture 〖家具〗コンセプチュアル・ファニチャー.
dóor fùrniture ドアの付属品(錠・取っ手など).
gárbage fùrniture 《米俗》路上に捨てられた家具.
KD̀ fúrniture 組み立て式家具. ►KD は *k*nocked-*d*own の略.
QA fùrniture 速成組み立て家具. ►QA は *q*uick-*a*ssembly の略.
ŔT́Á fúrniture 既製組み立て家具. ►RTA は *r*eady-*t*o-*a*ssemble の略.
stréet fùrniture 〖建築〗ストリートファニチャー.

fuse[1] /fjúːz/

名 (爆薬などの発火に用いる)信管; 導火線. ── 動他 〈爆弾・爆雷などに〉起爆装置を取りつける. ◇ FUZE.

de·fúse 動他 〈爆弾・地雷などから〉信管を除去する.
ímpact fùse 〖軍事〗(爆弾などの)着発信管.
shórt fúse 《米話》短気, かんしゃく.

fuse[2] /fjúːz/

名 〖電気〗ヒューズ, 可溶片.

expúlsion fùse 放出ヒューズ.
tíme fùse 時限ヒューズ.

-fuse /fjúːz, -s/

連結形 注がれる, 溶ける.
★ 語末にくる関連形は -FUSION, -FUSIVE.
★ 語頭にくる形は fus-, fut-: *fus*ion「溶解」, *fut*ile「無効な」.
◆ <ラ *fūsus* (*fundere*「溶かす, 注ぐ」の過去分詞).

cir·cum·fuse 動他 周囲に注ぐ, まき散らす.
con·fuse 動他 〈人を〉困惑させる, まごつかせる.
dif·fuse 動他 散らす, 放散 [発散] させる.
ef·fuse 動他 放出する, 発散する.
in·fuse 動他 (人などに)注入する, 教え込む.
in·ter·fuse 動他 …に混ぜる, 染み込ます.
per·fuse 動他 (湿気・色などで)…を一面に覆う.
pro·fuse 形 〈人が〉気前のよい, 物惜しみしない.
re·fuse 動他 …を再び溶かす.
re·fuse[1] 動他 断る, 拒絶する.
re·fuse[2] 名 遺棄物, 廃物, がらくた.
suf·fuse 動他 (光・涙・色などで)覆う; (…で)覆われる.
su·per·fuse 動他 〈液体を〉氷点以下に冷却する, 過冷する(supercool).
trans·fuse 動他 教え込む, 吹き込む, 広める.

fu·sion /fjúːʒən/

名 融解, 溶融, 溶解, 融合; 統合. ►fuse「溶かす」の名詞形. ⇨-SION.

binócular fúsion 〖眼科〗融合.
céll fùsion 〖生物〗細胞融合.
cóld fúsion 常温核融合.
de·fú·sion 名 〖精神分析〗衝動解離, 衝動分離.
láser fùsion 〖物理〗レーザー核融合.
muon-cátalysed fùsion ミューオン触媒核融合.
núclear fúsion 〖物理〗核融合.

-fu·sion /fjúːʒən/

連結形 溶かされた [注がれた, 流し込まれた] もの [こと].
★ 語末にくる関連形は -FUSE.
★ 語頭にくる関連形は fus-, fut-: *fus*ion「溶解」, *fut*ile「無効な」.
◆ <ラ *fūsus*(*fundere*「溶かす, 注ぐ, 流し込む」の過去分詞). ⇨ -SION.

af·fu·sion 名 灌水(かん).
con·fu·sion 名 混乱させること, 混迷.
dif·fu·sion 名 ☞
ef·fu·sion 名 (液体などの)流出.
in·fu·sion 名 (思想・感情などの)(…への)注入.
per·fu·sion 名 振りかける [まき散らす] こと.
pro·fu·sion 名 おびただしさ, 豊富さ.
suf·fu·sion 名 いっぱいにすること, みなぎること.
trans·fu·sion 名 ☞

-fu·sive /fjúːsiv/

連結形 注がれる.
★ 形容詞をつくる.
★ 語頭にくる関連形は fus-, fut-: *fus*ion「溶解」, *fut*ile「無効な」.
◆ -FUSE＋-IVE[1].

dif·fu·sive 形 拡散しやすい, 普及しやすい.
ef·fu·sive 形 感情をあらわにした, おおぎょうな.
in·fu·sive 形 注入力のある, 鼓吹する, 吹き込む.
pro·fu·sive 形 惜しみなく与える; 浪費する.

fuze /fjúːz/

名 (砲弾・ミサイルなどの)起爆装置. ►FUSE[1] の異形.

proxímity fùze 〖軍事〗近接(電波)信管.
sáfety fùze 安全導火線, 安全ヒューズ.
váriable tíme fùze =proximity fuze.
VT́ fùze =proximity fuze.

-fy /fài/

接尾辞 **1** …にする, …化する: simpli*fy*, beauti*fy*. **2** 《しばしば軽蔑的》…に似させる, …の特徴を持たせる: cockney*fy*, lady*fy*.
★ 名詞・形容詞につけて動詞をつくる.
★ 古フランス語からの借用語に見られる: dei*fy*; 通例, ラテン語の語幹に添えて新造語をつくる: rei*fy*.
★ 規則的に -fication の形で名詞をつくる.
★ 語末にくる関連形は -FICE, -FIER, -IFIER, -IFY.
★ 語頭にくる関連形は fact-, fect-: *fact*ory「工場」, *fac*titious「人為的な」.
◆ 中英 *-fie(n)* <古仏 *-fier* <ラ *-ficāre* する, 作る.
[発音] 第1強勢は基語, 基体と同じで -fy の2つ前の音節にある. 例外: defý.

ar·gu·fy 動他自 《もと米方言》(…を)しつこく議論する.
beau·ti·fy 動他 美しくする, 美化する.
ca·se·fy 動他自 チーズ質にする [なる].
cit·y·fy 動他 都市 [都会] 化する.
clas·si·fy 動他 ☞
cock·ney·fy 動他自 ロンドン子(cockney)風にする [なる].
de·fy 動他 公然と反抗する, 平然と無視する.
dis·sat·is·fy 動他 〈人に〉不満を抱かせる.
-i·fy 接尾辞 ☞
la·dy·fy 動他 〈人を〉貴婦人風に仕立てる.
liq·ue·fy 動他自 液化する, 融解する.
ob·stu·pe·fy 動他 =stupefy.
pu·tre·fy 動他自 腐敗 [化膿] させる [する].
rar·e·fy 動他 〈空気・ガスなどを〉希薄にする.
ru·be·fy 動他 赤くする(rubify).
sat·is·fy 動他 〈人を〉満足させる.
sim·pli·fy 動他 …を単純にする; …を(より)簡単にする.
stu·pe·fy 動他 …の知覚を麻痺させる, 無感覚にする.
tep·e·fy 動他自 生ぬるくする [なる].
tor·pe·fy 動他 麻痺させる, 無感覚にする.
tor·re·fy 動他 焼く, あぶる, 焦がす.
tu·me·fy 動他 腫れ上がらせる. ━━自 腫れ上がる.
Yan·kee·fy 動他 ヤンキー化する, 米国風にする.

F

G

-g

[接尾辞] -ing¹, -ing² の省略形.

acctg accounting の略.
actg acting の略.
bg being の略.
bkg banking; booking; bookkeeping の略.
bldg building の略.
dwg drawing の略.

-gae·a /dʒíːə/

[連結形] 大地.
★ 名詞をつくる.
★ 語頭にくる関連形は geo-: *geo*chemistry「地球化学」, *geo*dynamics「地球力学」.
◆ ギリシャ神話の大地の女神 *Gaîa*「ガイア」(英語で Gaia, Gaea)より. ⇨ -A².

Arc·to·gae·a [名] 〘生態〙北界.
meg·a·gae·a [名] 〘生態〙＝Arctogaea.
Ne·o·gae·a [名] 新界.
No·to·gae·a [名] 南界.
Pan·gae·a [名] 〘地質〙パンゲア, 汎大陸.

gage¹ /géidʒ/

[名] **1** 中世の騎士が挑戦の印に地面に投げた手袋・帽子; 挑戦. **2** 質ぐさ, 担保. ── [動][他]《古》…を抵当に入れる; 賭ける.

en·gage [動][他]《文語》〈人を〉(…に)従事させる. ── [自] 従事する.
mort·gage [名] ☞

gage² /géidʒ/

[名] 測定[計量]の規格; 〘機械〙計器. ◇ GAUGE.

gó gàge 通りゲージ.
límit gàge 限界ゲージ.
márking gàge (各種の)(筋)罫(ケ)引き.
ríng gàge リングゲージ, 輪ゲージ.
thíckness gàge すき間ゲージ.
típe gàge 検潮器[儀]: 潮の水位を測定する計器.
tíre gàge (タイヤの空気圧を測る)タイヤゲージ.

gain /géin/

[動][他] 得る. ── [名] 獲得, 取得.

bráin gàin 《話》頭脳流入.
cápital gáin 資本利得, 資産売却所得.
líne to gáin 〘アメフト〙必須前進距離.
prímary gáin 〘精神医学〙一次疾病利得.
re·gáin [動][他] …を取り戻す[返す], 奪還する.
sécondary gáin 〘精神医学〙二次的利得.

-ga·lac·ti·a /gəlǽktiə/

[連結形] 〘病理〙乳分泌(に関する異常).
★ 名詞をつくる.
★ 語頭にくる関連形は galact(o)-: *galact*agogue「催乳の」, *galacto*poietic「乳の分泌を増す」.
◆ <ギ *galakto-* (*gála*「乳」の単数形 *galakt-* の連結形より). ⇨ -IA.

ag·a·lac·ti·a [名] (分娩後の)乳汁分泌欠如.
hy·per·ga·lac·ti·a [名] 乳汁分泌過多(症).

ga·lac·tic /gəlǽktik/

[形] 〘天文〙大星群[星雲](galaxy)の. ⇨ -IC¹. ◇ -GALACTIA, GALAXY.

cir·cum·ga·lac·tic [形] 星雲の周りの.
ex·tra·ga·lac·tic [形] 銀河系外の.
in·ter·ga·lac·tic [形] 銀河系間の.
in·tra·ga·lac·tic [形] 銀河内の.
pre·ga·lac·tic [形] 〈天体などが〉星雲形成以前の.

gal·ax·y /gǽləksi/

[名] 〘天文〙 **1** (銀河系外の)星雲, 銀河, 天の川. **2** 銀河系(Milky Way). ⇨ -Y³. ◇ -GALACTIA.

Andrómeda gàlaxy アンドロメダ星雲.
É gàlaxy ＝elliptical galaxy.
ellíptical gálaxy 楕円(だえん)銀河.
extérnal gálaxy 銀河系外星雲.
ínfrared gálaxy 赤外線銀河.
irrégular gálaxy 不規則型銀河.
Maffèi gálaxy マッフェイー銀河.
Markárian gálaxy マルカリアン星雲[銀河].
mèt·a·gál·ax·y [名] 全宇宙, メタギャラクシー.
Ń gálaxy N 星雲.
prò·to·gál·ax·y [名] 原始銀河.
rádio gàlaxy 電波銀河.
ríng gàlaxy リング[指輪]銀河.
Séyfert gàlaxy セイファート銀河.
spíral gálaxy 渦状銀河.
sú·per·gàl·ax·y [名] 銀河団.
tádpole gàlaxy タドポール[おたまじゃくし]銀河.
Zwícky gàlaxy ツビッキー銀河, コンパクト銀河.

gale /géil/

[名] 〘気象〙非常に強い風.

frésh gále 疾強風.
líne gàle 彼岸嵐(あらし).
móderate gále 強風.
néar gále ＝moderate gale.
stróng gále 大強風.
whóle gàle 全強風.

gal·ler·y /gǽləri, gǽlri | -ləri/

[名] (劇場・教会などの2階の)回廊, 桟敷. ⇨ -ERY¹.

flý gàllery 〘演劇〙フライギャラリー.
fóotmen's gàllery 《英》(特に17世紀後期から18世紀初期の劇場の)二階桟敷最後部の

観覧席.
infiltrátion gàllery 疎水［排水］暗渠(あんきょ).
ládies' gàllery 《英》(下院にある)婦人傍聴席.
lóng gàllery ロングギャラリー: Elizabeth I および James I 時代の邸宅・宮殿の最上階にある大きな画廊.
Nátional Gállery (London の)ナショナルギャラリー.
péanut gàllery 《米話》劇場の二階桟敷最後部の最も安い席.
pícture gàllery 美術館, 絵画陳列室, 画廊.
préss gàllery (特に議事堂内の)報道記者席.
públic gàllery (英国議会の)傍聴人席.
quárter gàllery 〘海事〙船尾回廊.
Quéen's Gállery 王室美術館, クイーンズギャラリー.
rógues' gàllery (警察署で保管する)被疑者写真票.
shóoting gàllery 射的場, 屋内射撃練習場.
stérn gàllery 〘海事〙(古い木造船の)船尾回廊.
stránger's gàllery =public gallery.
Táte Gállery (London の)テートギャラリー.
whíspering gàllery 〘建築〙ささやきの回廊.
wínning gàllery 〘コートテニス〙得点孔.

gal·va·nom·e·ter /gæ̀lvənάmətər | -nɔ́mətə/

名 (微弱な電流の)検流計. ⇨ -METER.

astátic galvanómeter 無定位検流計.
ballístic galvanómeter 衝撃検流計.
D'Ársonval galvanómeter ダルソンバール検流計.
psỳcho·galvanómeter 〘医学〙精神電流計.
tángent galvanómeter 正接検流計.
thèrmo·galvanómeter 熱電検流計.

-gam /gæ̀m/

連結形 〘植物〙ある特定の生殖法をもつ一群の植物.
★ 語末にくる関連形は -GAMIC, -GAMOUS, -GAMY.
★ 語頭にくる形は gam(o)-: *gamo*genesis「両性［有性］生殖」, *gamo*petalous「合弁の, 合生花弁の」.
◆ 近代ラ *-gamia* ＜ギ *gamía* 結婚.

cryp·to·gam 名 隠花植物.
phan·er·o·gam 名 顕花植物.

game /géim/

名 **1** 遊び, 娯楽, 遊戯. **2** (娯楽・興行としての)競技, 試合, ゲーム.

arcáde gàme アーケードゲーム: ゲームセンターにあるテレビゲームなどのゲーム.
bádger gàme 《俗》美人局(つつもたせ).
báll gàme 球技; (特に)野球, ソフトボール.
báseline gàme 〘テニス〙ベースラインゲーム.
bíg gáme (特にスポーツとしての狩猟で)大きな獲物, 大猟獣.
bláck gàme 黒い猟鳥, (特に)クロライチョウ.
bóard gàme (チェスなど)盤面上で駒(こま)を移動させて行うゲーム.
bówl gàme 選抜フットボール試合.
búsiness gáme 〘コンピュータ〙ビジネスゲーム.
cárd gàme トランプゲーム.
clósed gàme 〘チェス〙クローズドゲーム.
cóld gáme 勝ち目がまったくない八百長の賭.
compúter gàme コンピュータゲーム.
cónfidence gàme 《米》信用詐欺, 取り込み詐欺.
cón gàme 《俗》=confidence game.
cóurt gàme コートで行う球技.
cráp gàme さいころ賭博(とばく).
déep gáme 《話》術策, 駆け引き; 腹の探り合い.
dráw gàme 〘ドミノ〙ドローゲーム.
dróp gàme 《米俗》落とし物と言って人に財布を拾わせてからゆする詐欺.
éasy gáme 《話》すぐだまされる人.
electrónic gáme =video game.
énd gàme 〘チェス〙終盤, エンドゲーム.
exhibítion gàme 公開試合, エキジビション・ゲーム.
fáir gáme (攻撃・嘲笑(ちょうしょう)などの)格好の的.
fórfeited gáme 〘スポーツ〙没収試合.
gréat gáme ゴルフ.
gróund gàme 《英》ウサギ類の狩猟獣.
lémon gàme 《米俗》かもをだます賭(か)けのトリック.
lóng gàme 〘ゴルフ〙ロングゲーム.
lóve gàme 〘テニス〙ラブゲーム.
míddle gàme 〘チェス〙中盤戦.
múg's gàme 《主に英話》くだらないこと.
Múrphy gàme 信用詐欺の一種(murphy).
néw báll gàme 《話》新しい状況.
númbers gàme 《米》数当て賭博(とばく).
óld ármy gàme 《米俗》詐欺, ペテン; 信用詐欺.
ópen gáme 〘チェス〙オープンゲーム.
páintball gàme (命中したら破裂する塗料入りの弾丸で撃ち合う)戦闘シミュレーションゲーム.
pánel gàme 《米》売春宿での窃盗.
párlor gàme (言葉遊びやクイズなどの)室内遊戯.
pépper gàme 〘野球〙軽いトスバッティング.
pérfect gáme 〘野球〙完全試合.
pláy·gàme 児戯, 遊び.
pówer gàme パワーゲーム, (大国・権力者同士の)駆け引き.
próp gàme 《英俗》改築詐欺.
quálifying gàme 予選(試合).
quíz gàme (特にテレビ・ラジオの)クイズゲーム.
róaring gàme カーリング: スコットランド発生の氷上遊戯(curling).
róle-playing gàme ロールプレイング・ゲーム.
róund gáme 組にならずに順に行うゲーム.
rúbber gàme (奇数の試合のシリーズで勝ちゲームが同数のときの)決勝戦.
scíssors gàme じゃんけん.
shéll gàme 《米》豆隠し手品.
shórt gàme 〘ゴルフ〙ショートゲーム.
sínging gàme 歌詞に合わせて仕草をしたり動いたりする子供の遊び.
skín gàme 不正な企業運営, いんちき商法.
smáll gáme (狩猟の)小さい獲物.
smóther gàme 《英俗》すり(行為).
spót-bàrred gáme 〘ビリヤード〙spot stroke が連続二度までしか認められないルールでの試合.
survíval gàme サバイバル［コンバット］ゲーム.
swý-gàme 《豪》2枚の硬貨を投げて裏表のどちらが出るかを当てる遊戯(swy).
transítion gàme 〘バスケット〙互いに攻守の早い切り換えで試合を進めること; その試合.
TV gáme テレビゲーム.
vídeo gàme ビデオ［テレビ, コンピュータ］ゲーム.
wáiting gàme 待機戦術.
wáll gàme 《英》ウォールゲーム: Eaton 校式フットボール.
wár gàme 〘軍事〙机上作戦演習, 図上作戦.
wíng gàme 《英》猟鳥.
wórd gàme 語句遊び.
zéro-sum gáme 〘数学〙ゼロ和ゲーム.

games /géimz/

名複 game「競技大会」の複数形.

Áctian Gámes アクティウム競技会; アクティウム海戦勝利記念競技会.
Ásian Gámes アジア大会.
fún and gámes 《話》《しばしば皮肉》お楽しみ, 息抜き; いたずら, ふざけ, お遊び.
Híghland Gámes ハイランドゲーム, スコットランド高地競技会.
Ísthmian Gámes (古代ギリシャの)イストミア競技祭.
Neméan Gámes (古代ギリシャの)ネメア競技祭.
Olýmpic Gámes (古代ギリシャの)オリンピア競技祭.

G

Pàn Américan Gámes 全アメリカ競技大会.
Pýthian Gámes (古代ギリシャの)ピュティア競技祭.
tél·e·gàmes 名(複) テレゲーム: 離れた場所にいるプレーヤーが電話回線で同時に行うゲーム; チェスなど.

gam·ete /gǽmiːt, gəmíːt/

名 【細胞生物】配偶子, 生殖体. ◇ -GAM, -GAMIC.

a·gam·ete 名 非配偶体.
an·i·so·gam·ete 名 異型配偶子, 不等大配偶子.
a·plan·o·gam·ete 名 不動配偶子(卵(らん)や不動精子など).
het·er·o·gam·ete 名 異形配偶子 [接合子].
i·so·gam·ete 名 同形配偶子, 等大配偶子.
mac·ro·gam·ete 名 大配偶子.
me·ga·gam·ete 名 =macrogamete.
mi·cro·gam·ete 名 小配偶子.
o·o·gam·ete 名 異形配偶子.
plan·o·gam·ete 名 運動性配偶子.
pro·gam·ete 名 前配偶子.
zoo·gam·ete 名 =planogamete.

-gam·ic /gǽmik/

連結形 …の生殖器官を持つ; …の受精作用を持つ.
★ 形容詞をつくる.
★ 語末にくる関連形は -GAM, -GAMOUS.
★ 語頭にくる関連形は gam(o)-: *gamo*genesis「両性[有性]生殖」, *gamo*petalous「合弁の, 合生花弁の」.
◆ ギリシャ語 *gámos*「結婚」より. ⇨ -IC[1].

di·cho·gam·ic 形 【植物】雌雄異熟の(dichogamous).
mon·o·gam·ic 形 一夫一婦 [単婚] 主義の.
pol·y·gam·ic 形 一夫多妻の, 一夫多妻主義の.

-ga·mous /gəməs/

連結形 …(結)婚の.
★ 形容詞をつくる.
★ 語末にくる関連形は -GAM, GAMETE, -GAMIC, -GAMY.
★ 語頭にくる関連形は gam(o)-: *gamo*genesis「両性[有性]生殖」, *gamo*petalous「合弁の, 合生花弁の」.
◆ ギリシャ語 *-gamos*「結婚」より. ⇨ -OUS.
[発音] 直前の音節に第1強勢.

ag·a·mous 形 【生物】無配偶子の.
am·phig·a·mous 形 【植物】雌雄の別の明らかな生殖器官を欠いた.
an·i·sog·a·mous 形 【生物】異型配偶 [接合] の.
big·a·mous 形 重婚(罪)の.
chas·mog·a·mous 形 【植物】〈花が〉開花受精の.
cleis·tog·a·mous 形 【植物】閉花受精の [を行う].
di·chog·a·mous 形 【植物】雌雄異熟の.
het·er·og·a·mous 形 【遺伝】異形配偶子を有する [によって生殖する].
ho·mog·a·mous 形 【植物】両性の, 同性の.
i·sog·a·mous 形 【生物】同形配偶子の [による].
mo·nog·a·mous 形 一夫一婦主義の, 一夫一婦婚(制)の.
o·og·a·mous 形 【細胞生物】異形配偶子の.
po·lyg·a·mous 形 一夫多妻の, 一夫多妻主義の.
trig·a·mous 形 三重婚(trigamy)の, 配偶者が3人いる; 三度結婚している.

-ga·my /gəmi/

連結形 …(結)婚, …生殖.
★ 名詞をつくる.
★ 語末にくる関連形は -GAM, -GAMIC, -GAMOUS.
★ 語頭にくる関連形は gam(o)-: *gamo*genesis「両性[有性]生殖」, *gamo*petalous「合弁の, 合生花弁の」.
◆ <後期ラ *-gamia* <ギ *gámos* 結婚. ⇨ -Y[3].
[発音] 直前の音節に第1強勢.

ag·a·my 名 (ある社会集団において)婚姻を規制する規範や規則が存在しない状態.
al·log·a·my 名 【植物】他花受粉 [受精], 交雑受粉.
an·i·sog·a·my 名 【生物】異型配偶.
a·pog·a·my 名 【植物】【菌類】無配生殖.
au·tog·a·my 名 【植物】自家受粉; 自家受精.
big·a·my 名 【法律】重婚, 重婚罪.
chas·mog·a·my 名 【植物】開花受精.
cleis·tog·a·my 名 【植物】閉花受精.
deu·ter·og·a·my 名 =digamy.
di·chog·a·my 名 雌雄異熟.
dig·a·my 名 再婚, 再婚者.
en·dog·a·my 名 族内婚, 同族結婚.
ex·og·a·my 名 族外 [異族] 結婚(制度).
gei·to·nog·a·my 名 【植物】隣花 [自家] 受粉.
het·er·og·a·my 名 異形配偶 [接合].
ho·log·a·my 名 【菌類】全配偶性, 全融合.
ho·mog·a·my 名 雌雄同熟.
hy·per·ga·my 名 (上)昇婚, 昇嫁婚.
i·sog·a·my 名 【生物】同形配偶.
kar·y·og·a·my 名 【細胞生物】核合体.
mi·sog·a·my 名 結婚嫌い.
mo·nog·a·my 名 単婚, 一夫一婦婚.
plas·mog·a·my 名 【生物】細胞質融合.
po·lyg·a·my 名 一夫多妻, 複婚.
schi·zog·a·my 名 【生物】分離生殖, シゾガミー.
syn·er·ga·my 名 複数結婚, 共同結婚.
syn·ga·my 名 【生物】配偶子合体.
trig·a·my 名 三重婚.
xe·nog·a·my 名 【植物】異株 [異花] 受粉, 他家受粉.
zo·og·a·my 名 【生物】有性生殖.

gang /gǽŋ/

名 **1** 群れ, 連中, 集団. **2** ギャング.

bláck gáng (船の)汽缶室で働く乗組員たち.
cháin gàng 《米》(特に戸外労働護送中に)1本の鎖につながれた囚人たち.
Crázy Gáng クレージー・ギャング: 英国のコメディーグループ(1932–62).
déck gàng 【海事】(船で)待機中の当直船員たち.
flóating gàng 《米》(鉄道の)移動作業班.
héavy gàng 《英》(警察の取り調べなどの)拷問班.
íron gàng 《豪》=chain gang.
jérry gàng 《米鉄道俗》線路敷設工の一団.
kóller·gàng 【機械】円形の囲いの中でローラーが転動する粉砕 [圧砕] 機.
Óld Gáng 《英俗》頑固なトーリー党員たち.
préss gàng 強制徴募隊.
préss-gàng 動(他)〈人を〉強制徴募する.
rázor gàng (かみそりを持った)暴漢.
róad gàng 道路建設 [補修] 作業員たち.
séction gàng 《米》【鉄道】保線作業班.
shéaring gàng 《NZ》羊の毛の刈り取り, 分類, 梱包を請け負う巡回労働者の一団.
stréet gàng 町のつっぱり少年の組.

gan·grene /gǽŋgriːn, ―ˊ|ˊ―/

名 【病理】壊疽(えそ), 脱疽(だっそ).

drý gángrene 乾燥壊疽.
gás gàngrene ガス壊疽.
hóspital gángrene 病院壊疽.
móist gángrene 湿性壊疽.

gap /gǽp/

名 **1** 割れ目, 間隙(かんげき); 不足, 欠陥. **2** 格差.

áir gàp 【電気】エアギャップ, 空隙(くうげき).
bánd·gàp 【物理】バンドギャップ.
communicátions gàp コミュニケーションギャップ.

credibílity gàp (政府・大企業などに対する)不信感.
Cúmberland Gáp カンバーランド・ギャップ(米国の地名).
deflátionary gáp 〖経済〗デフレギャップ.
dóllar gàp 〖経済〗ドル不足.
énergy gàp 〖物理〗エネルギーギャップ.
fínancing gàp 供給資金ギャップ.
génder gàp 男女の性差に基づく行動の違い.
generátion gàp ジェネレーションギャップ.
inflátionary gáp 〖経済〗インフレギャップ.
ínterblòck gáp 〖コンピュータ〗ブロック間隔.
ìnterrécord gáp 〖コンピュータ〗レコード間隔.
mé·di·gàp 名 メディギャップ: メディケア(Medicare)補足保険.
míssile gàp ミサイル・ギャップ: ミサイル製造に関する二国間のギャップ.
móbility gàp 〖物理〗移動度ギャップ.
néedle gàp 〖電気〗針先ギャップ.
spárk gàp 〖電気〗火花距離.
stóp·gàp 間に合わせ(のもの).
tíme-gàp 時間の空白.
tráde gàp 貿易収支赤字.
wáter gàp 《米》水隙(すいげき).
wínd gàp 風隙(ふうげき).

gar·den /gáːrdn/

名 庭, 庭園; 菜園, 果樹園.

álpine gárden 高山植物園; ロックガーデン.
báck gàrden 《英俗》肛門(こうもん)(anus).
béar gàrden クマ園.
béer gàrden ビヤガーデン; 《英》パブの庭.
botánic gárden =botanical garden.
botánical gárden 植物園.
cómmon-or-gárden 形 《主に英話》ごく普通の.
Cóvent Gárden コベントガーデン: London 中央部の地区.
cútting gàrden (切り花用の)家庭花園.
flówer gàrden 花園, 花畑.
hánging gárden つり庭.
hóp-gàrden 《英》ホップ栽培園 [農園].
Itálian gárden イタリア式庭園.
Jápanese Téa Gàrden 日本庭園: San Francisco の Golden Gate Park 中のものなど.
kítchen gàrden 《英》家庭菜園, 野菜畑.
knót gàrden ノットガーデン, 結び花壇.
Mádison Squáre Gárden マディソンスクエア・ガーデン: New York 市にある屋内スポーツセンター.
márket gàrden (地元への)市場向け菜園 [農園].
núrse-gàrden 《古》(…を)はぐくむ場所.
pébble gàrden 《NZ》小石を敷きつめた小庭園.
phýsic gàrden 薬草園.
róck gàrden ロックガーデン, 岩石庭園.
róof gàrden 屋上庭園.
Róse Gárden ローズガーデン: 米国 White House の中庭.
róse gàrden バラ園.
Rúth Dráper gàrden 目下は駄目なもの. ►米国の Ruth Draper の独演話術から.
sánd gàrden (日本の)石庭.
súnken gárden 沈床園: 周囲より一段低く作られている幾何学的洋式庭園.
táble gàrden =kitchen garden.
téa gàrden 茶畑, 茶園.
tróugh gàrden 箱庭, ミニチュア庭園.
végetable gàrden =kitchen garden.
víctory gàrden 《米》(戦時中または食糧不足の折に庭園をつぶして作った)菜園.
wáter gàrden 池や小川を配した庭; 水生植物園.
wínter gàrden ウィンターガーデン: 冬季, 耐寒性植物の植栽で維持している庭園.
zoológical gárden 動物園(zoo).

gardens /gáːrdnz/

名複 庭園; 植物園; 動物園.

botánical gárdens 植物園(botanical garden).
Bútchart Gárdens ブッチャート・ガーデン: カナダ Vancouver の庭園.
hánging gárdens つり庭園, 空中庭園.
Kéw Gárdens キュー植物園(ロンドンの).
Zoológical gárdens 動物園(zoological garden).

gar·lic /gáːrlik/

名 ニンニク. ⇨ -IC[1].

crów gàrlic 野生のニンニク.
gíant gárlic アリウム, オオハナニラ.
hédge gàrlic カキネガラシ.
pil·gár·lic 名 哀れなやつ. ►「頭のはげた人」の意より.

gar·ment /gáːrmənt/

名 衣類の一点. ⇨ -MENT.

foundátion gàrment ファンデーション: 体の線を整えるための婦人用下着類.
ó·ver·gàr·ment 名 オーバーガーメント: 外衣.
ún·der·gàr·ment 名 肌着, 下着.
wédding gàrment 婚礼の礼服.

gas /gǽs/

名 〖物理〗気体, ガス. ── 動他 《米話》…にガスを供給する.

áir gàs 〖化学〗=producer gas.
assóciated gás 付随ガス.
áv·gàs 名 〖航空〗航空機用ガソリン.
bío·gàs 名 生物ガス.
blíster gàs 〖化学戦〗発泡性ガス, 糜爛(びらん)性ガス.
blúe gás 〖化学〗=water gas.
bóttled gás 携帯用シリンダー入りの圧縮ガス.
carbónic-ácid gàs 《古》二酸化炭素.
cásinghèad gàs 〖化学〗油井ガス.
cóal gàs 石炭ガス.
Có·gàs 名 石炭または石油を原料として作られるガスの総称.
ĆŚ gàs 催涙ガス.
de·gás 動他 …から(不要な)ガスを抜く.
díssolved gás 油溶性ガス.
Drý·gàs 名 《化学・商標》ドライガス, ドリギャス.
electrolýtic gás 爆鳴気.
eléctron gàs 〖物理〗電子気体 [ガス].
flúe gàs 煙道ガス, 排煙.
gréenhouse gàs 温室効果気体 [ガス].
idéal gás 〖物理〗理想気体.
inért gás 〖化学〗不活性ガス.
láughing gàs 亜酸化窒素(nitrous oxide).
lìquefied nátural gàs 液化天然ガス(LNG).
lìquefied petróleum gàs 液化石油ガス, LP ガス.
ĹṔ gàs 液化石油ガス, LP ガス(liquefied petroleum gas).
mársh gàs 沼気(swamp gas).
mústard gàs マスタードガス, イペリット(yperite).
nátural gás 天然ガス.
nérve gàs 神経ガス.
nóble gás 〖化学〗貴ガス, 希ガス.
Nórth-Séa gàs 《英》北海海底の天然ガス.
óff·gàs 名 〖化学〗オフガス(排気).
Óf·gàs 名 《英》ガス供給公社.
óil·gàs 名 オイルガス.
olefíant gás 〖化学〗エチレン(ethylene).
óut·gàs 動他 〖化学〗〈吸収または吸蔵された気体を〉除去 [放出] する.
pépper gàs 催涙ガス.
pérfect gás 〖物理〗=ideal gas.
pérmanent gás 〖物理〗永久気体.

G

Píntsch gás ピンチガス: けつ岩油や石油から製した照明力の高いガス. ►ドイツの発明家 R.Pintsch の名より.
póison gas 毒ガス.
pówer gàs 動力ガス.
prodúcer gàs 発生炉ガス.
ráre gás 【化学】希ガス(noble gas).
séwer gàs 下水ガス.
stún gàs (方向感覚を喪失させる)錯乱ガス.
swámp gàs =marsh gas.
sýn·gàs 名 合成ガス(synthetic natural gas).
sýnthesis gàs 【化学】合成(用)ガス.
téar gàs 催涙ガス.
téar-gàs 動他 催涙ガスを浴びせる.
tówn gàs 《主に英》石炭ガス, 都市ガス.
wár gàs 戦争用毒ガス.
wáter gàs 水性ガス(blue gas).
wét gás 湿性ガス.
wóod gàs 木(き)ガス, まきガス.

gas·o·line /gǽsəliːn, ⌐ー⌐ | ⌐ー⌐/

名 《米・カナダ》ガソリン, 揮発油(《英》petrol). ⇨ -INE[2].

aviátion gàsoline 航空ガソリン.
hígh-óctane gàsoline ハイオクガソリン.
jéllied gásoline 【化学】ナパーム.
léaded gásoline 加鉛ガソリン.
stráight-rún gásoline 直留ガソリン.
unleaded gasoline 無鉛ガソリン.
whíte gasolíne (直留)無鉛ガソリン.

gas·tric /gǽstrik/

形 胃の. ⇨ -IC[1].
★ 語頭にくる関連形は gastr(o)-: *gastro*ptosis「胃下垂」.

di·gas·tric 形 【解剖】〈筋肉が〉二腹の; 二腹筋の.
ep·i·gas·tric 形 上腹部にある, 上胃部の.
e·soph·a·go·gas·tric 形 食道および胃に関する.
hy·po·gas·tric 形 下腹部の[にある].
mon·o·gas·tric 形 【動物】単胃の, 胃が一つの.
na·so·gas·tric 形 【解剖】鼻腔(びこう)と胃の.
phy·so·gas·tric 形 〈女王アリなどが〉腹部の膨れた.
pneu·mo·gas·tric 形 【解剖】肺と胃の.

-gas·tri·um /gǽstriəm/

連結形 【解剖】胃, 腹部.
★ 名詞をつくる.
★ 語頭にくる関連形は gastr(i)-, gastro-: *gastri*loquist「腹話術師」, *gastro*camera「胃カメラ」.
◆ ギリシャ語 *gastḗr*「胃」より. ⇨ -IUM.

ep·i·gas·tri·um 名 上腹部, 心窩(しんか)部, みぞおち.
hy·po·gas·tri·um 名 下腹部.
mes·o·gas·tri·um 名 胃間膜.

gate /géit/

名 門; (城・都市・街路・公園などの出入り口に築いた)門状の建造物; 城門.

Bíllings·gàte ビリングズゲイト: Thames 川北岸にあった London 最大の魚市場.
dówn·gàte 【冶金】湯口(sprue).
dráw·gàte (水門の)制水弁, 引き上げ水門.
énd·gàte (特に荷馬車・トラックの)尾板.
fáre·gàte (鉄道などの)自動改札口.
fíeld·gàte 【石油】フィールドゲート.
fílm gàte (撮影機・映写機などの)フィルム保持枠.
fínger gàte 【冶金】枝堰(せき), 指堰, 分け堰.
flóod·gàte 【土木】防潮門, 水門, 流量調節門.
flúx gàte 【物理】フラックスゲート.
Gólden Gáte (米国 San Francisco の)ゴールデンゲート, 金門海峡.
héad gàte 取水ゲート: 運河上流端の調節水門.
Héll Gàte (New York の)ヘルゲート.
ín·gàte 名 【冶金】堰(せき).
kíssing gàte 《英》V[U]字形自在門.
lích gàte (特にイングランドで)墓地門, 駐棺門.
líft·gàte 【自動車】ハッチバック車のドア.
Líons Gáte ライオンズ・ゲート: カナダ Vancouver 港の入り口の海峡.
lóck gàte (運河・ダムなどの)水門, 閘門(こうもん).
lógic gàte 【電子工学】ゲート.
lých gàte =lich gate.
míter·gàte マイタゲート, 斜接扉, 合掌扉: 運河などで上流に向かって閉じる二枚扉ゲート.
móon gàte (中国建築の)ムーンゲート, 満月門.
Néw·gàte ニューゲート: London の the City の西門にあった著名な牢獄.
NÓR gàte 【コンピュータ】NOR 回路.
NÓT gàte 【コンピュータ】NOT 回路.
Nótting Hìll Gáte ノッティングヒルゲート: London の Notting Hill にある地下鉄駅.
ÓR gàte 【コンピュータ】論理和ゲート.
péncil gàte 【冶金】雨堰(あめぜき).
pénning gàte 引き上げ水門.
resurréction gàte 《英》=lich gate.
ríng gàte 【冶金】車堰(くるまぜき).
róller gàte (ダムの)ローラーゲート.
séa gàte 海に通じる航行用の水路.
sílicon gàte 【電子工学】シリコンゲート.
slám gàte 人が通り抜けた後でピシャリと締まる出入り口のゲート.
Sóuth Gáte サウスゲート(米国 California 州の都市名).
Sóuth·gàte サウスゲート(米国 Michigan 州の都市名).
stárting gàte (競馬の)スターティング・ゲート.
swínging gáte 《米俗》(完全にのめりこんで気分がのって)演奏しているジャズ演奏家.
táil·gàte[1] 《主に米》(荷馬車・トラック・ステーションワゴンなどの)尾板, 後部開閉板.
táil·gàte[2] 《米》【ジャズ】テールゲート.
tíde gàte 潮門, 防潮門[ゲート].
tóll·gàte (高速道路などの)料金所のゲート.
Tráitor's Gáte 反逆者門: ロンドン塔の Thames 川側の門.
wáste gàte 【自動車】ウェストゲート.
wáter gàte 水門(floodgate).
wícket gàte 小門; 天国への小門.

-gate[1] /gèit/

連結形 スキャンダル, 醜聞.
★ 名詞をつくる.
★ 政・財界などの有力者による汚職や隠蔽(いんぺい)工作を含む違法行為.
◆ 1972 年に米国で起きたウォーターゲート(Watergate)事件より抽出.

Ab·dul·gate 名 アブデュルゲート: 1980 年の米国の政治スキャンダル.
af·ter·gate 名 Watergate 事件後の米国政府.
Al·len·gate 名 アレンゲート: 1980 年の米国と日本の外交・政治スキャンダル.
Al·ter·gate 名 アルターゲート: 1983 年の米国の政治スキャンダル.
Ap·ple·gate 名 アップルゲート: 1977 年の New York (Big *Apple*) 市長の汚職疑惑.
Arms·gate 名 =Irangate.
A·sia·gate 名 =Chinagate
Bi·bi·gate 名 ビビゲート: 1996 年のイスラエル首相 Benjamin Natawyahu の女性をめぐるスキャンダル.
Bil·ly·gate 名 ビリーゲート: 1978 年の米国とリビ

-gate: -gateのつく新語の初出年表(地域別)

(2006年改訂. 資料作成:須永紫乃生・関根紳太郎)

表は**-gate**が指す事件の舞台をアメリカ国内・アメリカ対外国・アメリカ国外の3つに分けて,初出年別に並べたもの.(必ずしも当の事件の起きた年と同じとは限らない. その造語力は1972年のWatergate事件以来現在まで続いていると言えよう.

登場年	アメリカ国内(64語)	アメリカ対諸外国(17語)	アメリカ国外(30語) ( )内は事件の起きた国
1972	**Watergate**		
73			**Laborgate**(東南アジア) **Volgagate**(ソ連) **Winegate**(フランス)
75	**aftergate Dallasgate H_2Ogate Motorgate**		
76	**Cattlegate coalgate**	**Koreagate**(対韓国)	
77	**Applegate Lancegate**		**Nannygate**[1](カナダ)
78	**Floodgate Hollywoodgate Quakergate Scrantongate Teapot Domegate Wienergate Thorpe and Whitehall gate**		**Muldergate**(南アフリカ) **Oilgate**(イギリス) **Rashogate**(日本) **tailgate**(イギリス)
79	**Gategate**[1] **Goldingate NASAgate Pulitzergate**		**diamondgate**(フランス) **foodgate**(イラン) **lettergate**(カナダ) **Panagate**(パナマ) **Totegate**(イギリス)
80	**Abdulgate pajamagate troutgate**	**Allengate**(対日本) **Billygate**(対リビア) **Cartergate**(対リビア) **Libyagate**(対リビア)	
82	**wastegate**		
83	**Altergate Hearingsgate sewergate**		
84	**debategate Ferrarogate Meesegate**		**Kinnockgate**(イギリス)
85			**Danubegate**(ハンガリー対ユーゴスラビア) **Westlandgate**(イギリス)
86		**Contragate**(対ニカラグア) **Irangate**(対イラン)	**Guinnessgate**(イギリス) **Stalkergate**(イギリス)
87	**Gospelgate Pearlygate**	**Armsgate**(対イラン-ニカラグア) **Reagangate**(対イラン-ニカラグア)	**Milliongate**(シエラ・レオーネ)
88			
90	**Yuppiegate**		**Lawsongate**(イギリス)
92	**Rubbergate**	**Gulfgate**(対イラク?) **Iraqgate**(対イラク) **Saddamgate**(対イラク)	**Camillagate**(イギリス) **Dianagate**(イギリス) **Gorbygate**(ロシア)
93	**Sessionsgate Travelgate**		
94	**Whatevergate Whitewatergate**		
95	**Tantrumgate**		**Drugsgate**(コロンビア)
96	**Donorgate Feathergate Filegate Gategate**[2] **gatorgate Gurugate hookergate Paula Jonesgate Sexgate Teflongate Troopergate**	**Indogate**(対インドネシア) **Lippogate**(対インドネシア)	**Bibigate**(イスラエル) **Coppergate**(イギリス) **Nannygate**[2](イスラエル)
97	**Geezergate Heaven's gate-gate Missilegate Phonegate**	**Asiagate**(対中国) **Chinagate**(対中国)	
98	**Monica-gate**		
99	**funeralgate**		**Angolagate**(アンゴラ・フランス)
2000	**debategate**		
02	**Enrongate**	**Taiwangate**(対台湾)	
03	**Sosagate Turkeygate fajitagate**		
04	**Marthagate**		
05	**(Ohio-)coingate**		**Lexus-gate**(香港)
06	**Grimsley-gate**		**Moggi-gate**(イタリア)

参照辞書:The Second Barnhart Dictionary of New English/The Third Barnhart Dictionary of New English
Longman Dictionary of The English Language/The Longman Register of New Words 1&2/New Dictionary of American Slang
The Oxford English Dictionary, 2nd Ed./The Oxford Dictionary of New Words 1&2
Random House Historical Dictionary of American Slang/The New Shorter Oxford English Dictionary
参照定期刊行物:The Daily Yomiuri/The Independent/International Herald Tribune/The New York Post/The New York Times Weekly Review
USA Today/The Washington Post/The Economist/Newsweek/The New York Times Magazine/TIME/US News & World Report

アの外交スキャンダル.

Ca·mil·la·gate 名 カミラゲート: 1992 年の英国のチャールズ皇太子の女性問題.

Car·ter·gate 名 ＝Billygate.

Cat·tle·gate 名 キャトルゲート: 1976 年の米国の政治スキャンダル.

Chi·na·gate 名 チャイナゲート: 1996 年, 中国が政治献金により米国大統領の対中政策への働きかけを行ったとされる事件.

coal·gate 名 コールゲート: 1976 年の米国の経済疑惑.

Con·tra·gate 名 ＝Irangate.

Cop·per·gate 名 コッパーゲート: 1996 年に報道された英国における経済スキャンダル.

Dal·las·gate 名 ダラスゲート: 1975 年の米国の政治スキャンダル.

Dan·ube·gate 名 ダニューブ・ゲート: 1985 年のハンガリーとユーゴスラビアとの経済産業問題.

de·bate·gate 名 ディベートゲート: 1984 年の米国の政治スキャンダル.

dia·mond·gate 名 ダイヤモンドゲート: 1979 年のフランス大統領に関する報道規制.

Di·an·a·gate 名 ダイアナゲート: 1992 年の英国の王室スキャンダル.

Do·nor·gate 名 ドーナーゲート: 1996 年, 米国大統領選挙に中国からの資金が民間企業を経由して紛れ込んだとされる疑惑.

dou·ble·bill·ings·gate 名 ダブルビリングスゲート: 1966 年の米国のスキャンダル.

Drugs·gate 名 ドラッグズゲート: 1995 年のコロンビアの政治スキャンダル.

Feath·er·gate 名 フェザーゲート: 1996 年の米国の大統領選挙運動のスキャンダル.

Fer·ra·ro·gate 名 フェラーロゲート: 1984 年当時, 米国副大統領候補だった J.Ferraro 女史の夫のスキャンダル.

File·gate 名 ファイルゲート: 1996 年の米国の FBI の文書に関する政治スキャンダル.

Flood·gate 名 フラッドゲート: 1978 年の米国の経済スキャンダル.

food·gate 名 フードゲート: 1979 年のイランの経済スキャンダル.

Gate·gate[1] 名 ゲートゲート: 1979 年の米国の軍事スキャンダル.

Gate·gate[2] 名 ギリシヤ神話のトロイ戦争. ►Russel Baker による呼称(1996).

ga·tor·gate 名 San Francisco の池に住みついたワニ(alli*gator*)の騒動.

Gee·zer·gate 名 ギーザーゲート: 1997 年, Washington Post 紙の Maureen Dowd 記者が描いた空想話で, 2027 年になってもクリントン元大統領とその交友・女性関係を執拗に調査し続ける老いたスター元特別検査官の姿.

Gol·din·gate 名 ゴールディンゲート: 1979 年の米国の経済スキャンダル.

Gor·by·gate 名 ゴルビーゲート: 1992 年のロシア元大統領 Gorvachov の政治スキャンダル.

Gos·pel·gate 名 ＝Pearlygate.

Guin·ness·gate 名 ギネスゲート: 1986 年の英国の経済スキャンダル.

-gate: -gateの前置要素による分類

(2006年改訂. 資料作成:須永紫乃生・関根紳太郎)

表は-gateの前置要素を分類したもの. 事件の当事者・関係者を示す人名・団体名が最も多い. ＊印は2006年改訂.

地名・国名 + -gate 18語	国名	**China-**中国 **Indo-(Indonesia)**インドネシア **Iran-**イラン **Iraq-**イラク **Korea-**韓国 **Libya-**リビア **Pana-(Panama)**パナマ ＊**Angola-**アンゴラ ＊**Taiwan-**台湾
	都市名	**Apple-(Big Apple)**ニューヨーク **Dallas-**ダラス **Hollywood-**ハリウッド **Scranton-**スクラントン
	地名	**Asia-**アジア **Danube-**ドナウ川 **Volga-**ボルガ川 **Gulf-**湾岸 **Water-**ウォーターゲート
人名・団体 + -gate 44語	人名	**Allen-**アレン **Bibi-(Benjamin)**ベンジャミン首相 **Billy-**ビリー **Camilla-**カミラ **Carter-**カーター大統領 **Diana-**ダイアナ妃 **Ferraro-**フェラーロ下院議員 **Flood-**フラッド **Goldin-**ゴールディング **Gorby-(Gorbachov)**ゴルバチョフ大統領 ＊**Sosa-**サミー・ソーサ **Kinnock-**キノック労働党委員長 **Lance-**ランス **Lawson-**ローソン大蔵大臣 ＊**leak-** CIA ＊**Martha-**マーサ・ステュワート **Meese-**ミーズ **Monica-**モニカ **Mulder-**マルダー **Paula Jones-**ポーラ・ジョーンズ **Reagan-**レーガン大統領 **Saddam-**サダム・フセイン大統領 **Sessions-**セッションズ
	団体名	**Abdul-(Abdul)**アブデュル社 **Contra-**(ニカラグアの)反政府主義団体 **Guinness-**ギネス社 **Heaven's gate-**ヘブンズゲート教団 **Lippo-**リッポ銀行 ＊**Enron-**エンロン **Motor-(General Motor)**ゼネラルモーター社 **NASA-**米国航空宇宙局 **Pearly-**パーリー教団 **Pulitzer-**ピュリツアー賞 **Quaker-**クウェーカー教団 **Teapot Dome-**ティーポットドーム石油 **Thorpe and Whitehall-**ソープ・アンド・ホワイトホール **Travel-(Office in the White House)**ホワイトハウス事務局 **Westland-**ウエストランド社 **Whitewater-**ホワイトウォーター社
	その他	**Guru-**指導者 **hooker-**コールガール **labor-**労働者 **Nanny-**[1,2]ベビーシッター **Stalker-**ストーカー **Trooper-**州警察官 **Yuppie-**ヤッピー
生物・無生物 + -gate 31語	製品	**Arms-**武器 **Cattle-**家畜牛 **coal-**石炭 **Copper-**銅 **Drugs-**麻薬 **food-**食品 **Oil-**石油 **rubber-**ゴム **Wine-**ワイン ＊**Lexus-**車
	その他	**diamond-**ダイヤモンド **Donner-**献金 **Feather-**羽 **File-**ファイル **Gate-**[1]疑惑事件 **Gate-**[2]城門 **gator-(alligator)**ワニ **H_2O-**水 **Ice Cream-**アイスクリーム **letter-**手紙 **Million-**100万 **Missile-**ミサイル **Pajama-**パジャマ **Phone-**電話 **Rasho-(Rashomon)**羅生門 **sewer-**下水道 **tail-**しっぽ **Teflon-**テフロン **Tote-** 合計 **trout-**鱒 **wiener-**ちんぽこ
その他+-gate 12語		**after-**…後 **After-**変わる **debate-**論争する **doublebillings-**二重請求 **Gospel-**福音 **headach-**頭痛 **Hearings-**聴取 **Sex-**セックス **Tantrum-**立腹 **waste-**廃棄物 **Whatever-**なんでもかんでも ＊**funeral-**葬儀

Gulf·gate 名 ＝Iraqgate.
Gu·ru·gate 名 グールーゲート: 1996 年の米国の政治スキャンダル.
head·ache·gate 名 ヘッドエイクゲート: 米国のスキャンダル.
Hear·ings·gate 名 ヒアリングスゲート: 1983 年の米国の政治スキャンダル.
Heav·en's Gate·gate 名 ヘブンズゲート事件: 1997 年, 米国の Heaven's Gate 教団の信者 39 人が集団自殺した事件.
Hol·ly·wood·gate 名 ハリウッドゲート: 1978 年の米国の社会的スキャンダル.
hook·er·gate 名 フッカーゲート: 1996 年, 米国大統領の顧問がコールガール(hooker)の愛人に Filegate の犯人を大統領夫人だと語ったとされる事件.
H_2O·gate 名 H_2O ゲート: 1975 年の米国の科学スキャンダル.
Íce Crèam Gàte アイスクリームゲート: 1975 年の産業スキャンダル.
In·do·gate 名 ＝Lippogate.
I·ran·gate 名 イランゲート事件: 1987 年, 米国大統領の側近がイランへの武器売却代金を, ニカラグアの反政府主義(Contra)への支援に廻した疑惑.
I·raq·gate 名 イラクゲート: 1992 年の米国とイラクの外交・軍事スキャンダル.
Kin·nock·gate 名 キノックゲート: 1984 年の英国の政治スキャンダル.
Ko·re·a·gate 名 コリアゲイト事件: 1976 年の在米韓国人実業家による米国会議員の買収事件.
la·bor·gate 名 レイバーゲート: 1973 年の東南アジアのスキャンダル.
Lance·gate 名 ランスゲート: 1977 年の米国の政治スキャンダル.
Law·son·gate 名 ローソンゲート: 1988 年の英国の経済スキャンダル.
let·ter·gate 名 レターゲート: 1979 年のカナダの文化スキャンダル.
Lib·ya·gate 名 ＝Billygate.
Lip·po·gate 名 リッポゲート: 1996 年, インドネシアの Lippo 銀行を通して, クリントン大統領への接近を図った事件.
Mee·se·gate 名 ミーズゲート: 1984 年の米国の政治スキャンダル.
Mil·lion·gate 名 ミリオンゲート: 1987 年のシエラ・レオーネの経済スキャンダル.
Mis·sile·gate 名 ミサイルゲート: 1997 年, 米海軍のミサイルが米国ロングアイランド沖で誤って TWA 機を打ち落とし隠蔽した事件.
Mon·i·ca·gate 名 モニカゲート: クリントン大統領を弾劾する直前まで進展した Monica Lewinsky とのセックス疑惑.
Mo·tor·gate 名 モーターゲート: 1975 年の米国の経済スキャンダル.
Mul·der·gate 名 マルダーゲート: 1978 年の南アフリカの政治スキャンダル.
Nan·ny·gate[1] 名 ナニーゲート: 1977 年のカナダ運輸相のベビーシッターに関するスキャンダル.
Nan·ny·gate[2] 名 ナニーゲート: 1996 年のイスラエル首相夫人のベビーシッターに関するスキャンダル.
NASAgate 名 ナサ疑惑: 1979 年の NASA をめぐるスキャンダル.
Oil·gate 名 オイルゲート: 1978 年の英国の経済スキャンダル.
Pa·ja·ma·gate 名 パジャマゲート: 1980 年の米国の経済スキャンダル.
Pa·na·gate 名 パナゲート: 1979 年のパナマのスキャンダル.
Pàula Jònes·gáte ポーラ・ジョーンズゲート: 1996 年の米国大統領のセクハラ事件.
Pearl·y·gate 名 パーリーゲート: 1987 年の米国の宗教団体のスキャンダル.
Phone·gate 名 フォーンゲート: 1997 年, ホワイトハウス内で当時の大統領クリントンと副大統領ゴアが電話をかけて献金をはたらきかけたとする疑惑.
Pu·litz·er·gate 名 ピューリツァゲート: 1979 年の Pulitzer 賞めぐるスキャンダル.
Quak·er·gate 名 クェーカーゲート: 1978 年の米国の宗教団体のスキャンダル.
Ra·sho·gate 名 羅生門疑惑: 1978 年の日本の映画界スキャンダル.
Rea·gan·gate 名 レーガンゲート: 1987 年の米国の政治スキャンダル.
Rub·ber·gate 名 ラバーゲート: 1992 年の米国の経済スキャンダル.
Sad·dam·gate 名 ＝Iraqgate.
Scran·ton·gate 名 スクラントンゲート: 1978 年の米国のスキャンダル.
Ses·sions·gate 名 セッシオンズゲート: 1993 年の米国の政治スキャンダル.
sew·er·gate 名 ソワーゲート: 1983 年の米国の経済スキャンダル.
Sex·gate 名 セックスゲート: 1996 年の米国の政治スキャンダル.
Stalk·er·gate 名 ストーカーゲート: 1986 年の英国の政治スキャンダル.
tail·gate 名 テイルゲート: 1978 年の英国の経済スキャンダル.
Tan·trum·gate 名 トラントラムゲート: 1995 年の米国の社会スキャンダル.
Tea·pot Dome·gate ティーポット・ドームゲート: 1978 年の米国大統領のスキャンダルに関する態度.
Tef·lon·gate 名 テフロンゲート: 1996 年の米国の政治スキャンダル.
Thòrpe and Whitehall gáte ソープ・アンド・ホワイトホールゲート: 1978 年の経済スキャンダル.
Tote·gate 名 トウトゲート: 1979 年の英国の経済スキャンダル.
Trav·el·gate 名 トラベルゲート: 1993 年の米国の政治スキャンダル.
Troop·er·gate 名 トルーパーゲート: 1996 年の米国大統領の選挙運動に関するスキャンダル.
trout·gate 名 トラウトゲート: 1980 年の米国の経済スキャンダル.
Vol·ga·gate 名 ボルガゲート: 1973 年のソ連の政治スキャンダル.
waste·gate 名 公害ゲート: 1982 年の米国の政治スキャンダル.
West·land·gate 名 ウェストランドゲート: 1985 年の英国の政治スキャンダル.
What·ev·er·gate 名 何でもかんでも不祥事: 相次ぐスキャンダルを報道した週刊誌の見出し語(1994).
White·wa·ter·gate 名 ホワイトウォーターゲート: 1994 年の米国の政治スキャンダル.
Wie·ner·gate 名 ウィナーゲート: 1978 年の米国の経済スキャンダル.
wine·gate 名 ワインゲート: 1973 年のフランスの経済スキャンダル.
Yup·pie·gate 名 ヤッピーゲート: 1990 年の米国の政治スキャンダル.
zipper·gate 名 ＝Monica-gate. ►ジッパーを開いてオーラルセックスをしたことから.

-gate[2] /git, geit, gət/

連結形 小道, 峠.
★ 地名に使われる; gate「門」と区別できない例も多い.
◇ GATE.
◆ おそらく古スカンジナビア語 *gata*「道」より.
[発音] 語頭の音節に第 1 強勢.

G

Har·ro·gate 名 ハロゲート(イングランドの都市名). ►字義は「ねずみ色の丘へ続く道」.
Mar·gate 名 マーゲート(イングランドの地名). ►字義は「海へ続く小道」.
New·di·gate 名 ニューディギット(イングランドの地名). ►字義は「新しい森へ続く道」.
Rams·gate 名 ラムズゲート(イングランドの地名). ►字義は「*Hræfn*(人名)への道」.
Rei·gate 名 ライゲート(イングランドの都市名).
Win·gate 名 ウィンゲート(イングランドの地名). ►字義は「向かい風の峠」.

gath·er /gǽðər/

動他 (寄せ)集める. ── 自 集まる.

fore·gath·er 動自 =forgather.
for·gath·er 動自《文語》集合する.
in·gath·er 動他 取り入れる, 収穫する, 集める.
re·gath·er 動他自 再び集まる [集める].
up·gath·er 動他 集める, 寄せ集める.
wool·gath·er 動自 取り留めもない空想にふける.

gath·er·er /gǽðərər/

名 集める人, 収集者. ⇨ -ER[1].

frúit-gàtherer 果実採集器.
húnter-gátherer 【人類】狩猟採集民.
néws-gàtherer 報道用のニュースを集める人.
táx·gàtherer 《古》収税吏.
tóll·gàtherer 使用料 [使用税] 徴収人.

gath·er·ing /gǽðəriŋ/

名 **1** 収穫物. **2** 集める [集まる] こと. ── 形 集める. ⇨ -ING[1], -ING[2].

fóod-gàthering 形 〈原始的民族が〉狩猟採集生活の.
ín·gàthering 名 〈特に農産物の〉取り入れ, 収穫.
múshroom gàthering キノコ狩り.
wóol·gàthering 名 取り留めのない空想 [夢想]; 放心.

gauge /géidʒ/

動他 …の正確な大きさ [容量, 量, 力など] を測定する, 測る. ── 名 **1** 測定 [計量] の基準, 規格(gage). **2** ゲージ, 尺度, 標準寸法(規格). **3**【機械】計器, 測定器, 定規. **4**【鉄道】(レールの)軌間. ◇ GAGE[2].

áir gàuge 気圧計.
béta gàuge ベータゲージ: ベータ線の吸収量を測ることにより材料の厚さを測定する装置.
bít gàuge 【木工】ビットゲージ.
Bóurdon-tube gàuge 【化学】ブールドン管(式)圧力計.
bróad gáuge (レールの)広軌.
bróad-gàuge 形 (レールが)広軌の.
dépth gàuge 深さゲージ.
díal gàuge ダイヤルゲージ.
HÓ gàuge 模型鉄道の 16.5 mm の軌間.
ionizátion gàuge 電離真空計 [ゲージ].
lée gàuge (他船舶の)風下にいる.
líne gàuge 倍数尺: 活版組版用の物差し.
McLéod gàuge 【生化学】マクラウド真空計.
nárrow gáuge (レールの)狭軌.
Ń gàuge N ゲージ: 軌間 9 mm の鉄道模型.
Ó gàuge オーゲージ: 模型鉄道で軌間 1 ¼ インチ(32 mm)のもの.
óil-gàuge 油濃度計, 油脂比重計.
ÓÓ gàuge 《英》オーオー・ゲージ: 軌間 ¾ インチ (19 mm)の鉄道模型.
perforátion gàuge 【切手収集】目打ちゲージ.
plúg gàuge プラグゲージ: 穴の直径を調べる.
préssure gàuge (気体または液体の)圧力計.
Q́ gàuge 模型鉄道で軌間 1 $\frac{3}{16}$ インチのもの.
ráil gàuge (レールの)軌間.
ráin gàuge 雨量計 [器].
ríght-angle gàuge かね尺, 直角定規.
scrátch gàuge (金工の使う)罫書(けが)き針.
séa gàuge 自動海深測定器, 測深器.
Ś gàuge S ゲージ: 軌間 ⅞ インチ(22.2 mm)の鉄道模型.
síphon gàuge 曲管圧力計.
slíp gàuge 【計測工学】ブロックゲージ.
snów gàuge 雪量計, 積雪標, 雪尺.
stándard gàuge (レールの)標準軌.
stéam gàuge 蒸気圧力計.
stráin gàuge ひずみ計, ストレーンゲージ.
vácuum gàuge 真空計.
wáter gàuge 水面計, 水位計, 水量計.
wéather gàuge (他船舶の)風上にいる.
wínd gàuge 風速計, 風力計.
wíre gàuge 針金ゲージ.

ga·zelle /gəzél/

名【動物】ガゼル.

Clárke's gazélle ディバタグ: 首の長いレイヨウの一種.
Gránt's gazélle グラントガゼル.
Thómson's gazélle トムソンガゼル.

gaz·er /géizər/

名 (特に好奇心からじっと)見詰める人, 凝視する人. ⇨ -ER[1].

crýstal-báll gàzer 《話》占い師; 占う人.
shádow gàzer 《米俗》(病院で)レントゲン技師.
shóe·gàzer (自分の靴先を眺めるように)演奏に打ちこんでいる奏者.
ský·gàzer 空をじっと見詰める人.
stár·gàzer 星を見つめる人, 天文学者; スターを追う人.

gear /gíər/

名 **1**【機械】ギア, 歯車. **2** 道具, 装置. **3** 所持品.

alíghting géar (飛行機の)降着装置.
ánnular gèar 【機械】=internal gear.
arrésting gèar 《米》【航空】鉤引(こういん)装置.
báck gèar 【機械】バックギア.
bével gèar 【機械】ベベルギア, 傘歯車.
bóttom géar 《英》低速ギア.
búll gèar 【機械】ブルギア(bull wheel).
cháfing gèar 【海事】擦れ止め.
cháin gèar 【機械】チェーン駆動.
chánge gèar チェンジギア: 自動車機械装置などの回転速度を変える装置.
cómpensating gèar =differential gear.
crówn gèar 【機械】冠(かんむり)歯車.
differéntial géar 【機械】差動歯車.
dóuble-hèlical géar 【機械】=herringbone gear.
drágged géar 【機械】引き網用機材.
dráw gèar 《英》【鉄道】車両連結機.
epicyclóidal géar 【機械】外転サイクロイド歯車.
fáce gèar 【機械】フェースギア, 正面歯車.
fálling géar 【漁業】かぶせ網.
flotátion gèar (水上飛行機などの)フロート.
fóot·gèar 足に履くもの, 履き物.
héad·gèar 名 かぶり物, 帽子.
hélical géar 【機械】はすば歯車.
hérringbone gèar 【機械】やまば歯車, 複はすば歯車.
hígh géar (自動車の)トップギヤ.
hýpoid gèar 【機械】ハイポイド歯車.

ídle gèar 遊び歯車, 中間歯車, 仲立ち歯車.
intérnal gèar 〘機械〙内歯(歯)車.
ínvolute gèar 〘機械〙インボリュート歯車.
lánding gèar 〘航空〙着陸［着水］装置.
lántern gèar ランタンギア, ちょうちんギア.
lów géar (自動車の)ローギア, 低速ギア.
méss gèar 携帯用食品セット(mess kit).
míter gèar 〘機械〙マイタ歯車.
nóse gèar (航空機の)前輪.
plánet gèar 〘機械〙遊星歯車.
redúction gèar 〘機械〙減速歯車, 減速装置.
revérse géar (自動車の)バックギア.
ríng gèar 〘機械〙＝internal gear.
ríot gèar 暴動鎮圧用の装備.
rúnning gèar ランニングギア: 原動機と走行する車輪との間に設けられた動力伝導装置.
scréw gèar 〘機械〙ねじ歯車(装置).
scróll gèar 〘機械〙スクロール歯車.
sécond géar 〘自動車〙セカンドギア, 二速.
ségment gèar 〘機械〙セグメント［扇形］歯車.
spéed gèar 変速装置.
spíral bével gèar 〘機械〙はす歯傘歯車.
spíral géar 〘機械〙スパイラル歯車.
splít géar 〘機械〙割りプーリ［ベルト車］.
spúr gèar 〘機械〙平歯車.
stéering gèar 操舵(そう)装置, 舵(だ)取り装置.
sún-and-plánet gèar 〘機械〙遊星歯車装置.
sún gèar 〘機械〙太陽歯車.
swítch·gèar 名 〘電気〙(発電所の)開閉装置.
tíming gèar 〘機械〙(往復機関の)弁軸調時歯車.
túmbler gèar 〘機械〙逆転歯車.
ùn·géar 動他 …のギアをはずす.
válve gèar 〘機械〙弁装置.
wórm gèar 〘機械〙ウォーム歯車.

gee /dʒíː/

名 《古風》やつ, 男. ►guy「あいつ」の頭文字 g より.

frónt gée 《米暗黒街俗》すりの相棒.
híp gée 信頼できる人; 物知り.

gel /dʒél/

名 〘物理化学〙ゲル: 寒天, ゼラチンなど. ►gelatin の短縮形.

áer·o·gèl 名 多泡凝集体, 多孔集合体.
háir gèl 整髪用ゲル(styling gel).
hý·dro·gèl 名 ヒドロゲル.
orgáno·gèl オルガノゲル.
polyacrýlamide gél ポリアクリルアミドゲル.
sílica gèl シリカゲル, ケイ酸ゲル.
sóft·gèl 〘薬学〙ソフトカプセル.
sól·gèl 形 ゾルゲル的な.
xé·ro·gèl 名 キセロゲル, 乾膠(かんこう)体.

gel·a·tin /dʒélətn | -tin/

名 ゼラチン. ⇨ -IN[2].

blásting gèlatin 〘化学〙ブラスチングゼラチン.
Chínese gélatin ＝Japanese gelatin.
físh gèlatin アイシングラス, 魚膠(ぎょこう).
Jápanese gélatin 寒天(agar).
nìtro·gélatin 〘化学〙ゼラチン・ダイナマイト.
phò·to·gél·a·tin 形 感光ゼラチンの.
végetable gèlatin 寒天(状のもの).

-gen /dʒən, dʒèn/

連結形 …を生む[生じさせる]もの; 生じたもの: hydro*gen*.
★ 訳語の「原」は -gen のドイツ語読みに当てたもの.
★ 語末にくる関連形は -GENE, -GENESIS, -GENETIC, -GENIC, -GENIN, -GENIZE, -GENOUS, -GENY.
★ 語頭にくる形は gen(o)-: *geno*cide「大量殺戮」, *geno*type「遺伝子型」.
◆ ＜仏 *-gène* ＜ギ *-genēs* 生まれた, 産出された; ラ *genus*「親類(kin)」と同根.

ac·ro·gen 名 〘植物〙頂生植物.
ag·glu·tin·o·gen 名 〘免疫〙凝集原.
al·ler·gen 名 〘免疫〙アレルギー抗原.
a·lu·no·gen 名 〘化学〙アルノーゲン.
a·mi·do·gen 名 〘化学〙離アミド基, アミノ基.
a·myl·o·gen 名 〘化学〙可溶性澱粉(でんぷん).
an·dro·gen 名 〘生化学〙雄性ホルモン物質.
an·ti·gen 名 ☞
bi·o·gen 名 〘生化学〙ビオゲン, 活素, 生原体.
ca·lyp·tro·gen 名 〘植物〙根冠(こんかん)形成層, 原根冠.
car·cin·o·gen 名 〘病理〙発癌(がん)(性)物質.
ca·sei·no·gen 名 〘生化学〙カゼイノゲン.
chal·co·gen 名 〘化学〙カルコゲン, 酸素族元素.
chro·mo·gen 名 〘化学〙色原体, クロモゲン.
chy·mo·tryp·sin·o·gen 名 〘生化学〙キモトリプシノーゲン.
col·i·cin·o·gen 名 〘生物〙コリシノゲン.
col·la·gen 名 〘生化学〙コラーゲン, 膠原(こうげん)質.
cry·o·gen 名 冷寒剤.
cul·ti·gen 名 栽培型植物.
cy·an·o·gen 名 〘化学〙ジシアン, 青素.
der·mat·o·gen 名 〘植物〙原表皮, 原初表皮.
en·ceph·a·li·to·gen 名 〘医学〙脳炎誘発物質.
en·do·gen 名 〘植物〙内生植物.
es·tro·gen 名 〘生化学〙卵胞［発情］ホルモン.
ex·o·gen 名 〘植物〙外生植物.
fi·brin·o·gen 名 〘生化学〙フィブリノゲン, 線維素原.
flo·ri·gen 名 〘生化学〙花成［開花］ホルモン.
gly·co·gen 名 〘生化学〙グリコーゲン, 糖原.
goi·tro·gen 名 〘生化学〙甲状腺腫(せんしゅ)誘発物質.
hal·lu·ci·no·gen 名 幻覚剤.
hal·o·gen 名 〘化学〙ハロゲン(族元素).
his·to·gen 名 〘植物〙原組織.
hy·al·o·gen 名 〘生化学〙ヒアロゲン.
hy·dro·gen 名 ☞
i·mid·o·gen 名 〘化学〙(特に非連結状の)イミド基.
im·mu·no·gen 名 〘生化学〙免疫原.
i·on·o·gen 名 〘物理〙〘化学〙イオノゲン.
ker·o·gen 名 〘地質〙ケロゲン, 油母(ゆぼ).
ki·nin·o·gen 名 〘生化学〙キニノゲン.
ly·so·gen 名 〘微生物〙溶原菌［株］.
meth·an·o·gen 名 〘微生物〙メタン細菌.
mi·to·gen 名 〘生物〙幼若化物質, 分裂促進剤.
mor·pho·gen 名 〘発生〙モルフォゲン.
mu·ci·gen 名 〘生化学〙ムチン前駆体.
mu·ta·gen 名 〘発生〙突然変異原.
ni·tro·gen 名 〘化学〙窒素.
oes·tro·gen 名 ＝estrogen.
or·o·gen 名 〘地質〙造山帯.
ox·y·gen 名 酸素.
path·o·gen 名 病原菌, 病原体.
pec·tin·o·gen 名 〘生化学〙プロトペクチン.
pep·sin·o·gen 名 〘生化学〙ペプシノゲン.
phel·lo·gen 名 〘植物〙コルク形成層.
phos·pha·gen 名 〘生化学〙ホスファゲン, リン酸源.
pho·to·gen 名 フォトゲン: 軽油の一種.
plas·mal·o·gen 名 〘生化学〙プラズマロゲン.
plas·min·o·gen 名 〘生化学〙プラズミノゲン.
pre·cip·i·tin·o·gen 名 〘免疫〙沈降(素)原.
pro·ges·to·gen 名 〘薬学〙プロゲスティン.
psy·chot·o·gen 名 精神病発現剤.
py·ro·gen 名 ピロゲン, パイロジェン, 発熱物質.
sap·ro·gen 名 〘生物〙腐敗菌.
te·rat·o·gen 名 〘薬学〙テラトゲン, 催奇形性要因.
throm·bo·gen 名 〘生化学〙プロトロンビン.
tryp·sin·o·gen 名 〘生化学〙トリプシノーゲン.
vi·ol·o·gen 名 〘化学〙ビオロゲン.
zy·mo·gen 名 〘生化学〙酵素原, 酵素前駆体.

G

gene /dʒíːn/

[名]〘遺伝〙〘免疫〙遺伝子. ◇ -GENE.

ámplified géne アンプリファイド遺伝子.
artifícial géne 人工遺伝子.
cáncer gène ＝oncogene.
clóck gène 時計遺伝子.
cóat gène 外殻［被膜］遺伝子.
compleméntary gène 補足遺伝子.
dóminant géne 優性遺伝子.
gáy gène 《俗》ホモ［ゲイ］遺伝子.
HLÁ géne HLA 遺伝子.
Ir gène Ir 遺伝子, 免疫応答遺伝子.
júmping géne 《話》トランスポゾン(transposon).
léaky mùtant géne 漏出突然変異遺伝子.
léthal géne 致死遺伝子［因子］.
márker gène 標識遺伝子.
móvable géne 動く遺伝子.
mútator gène ミューテーター［突然変異誘発］遺伝子.
níf gène 窒素固定にかかわる遺伝子.
óligo·gène オリゴジーン: 質的遺伝形質の発現を支配する遺伝子.
ón·co·gène [名] 癌(がん)遺伝子.
plás·ma·gène [名] プラズマジーン, 細胞質遺伝子.
plás·to·gène [名] プラストジーン, 色素体遺伝子.
pól·y·gène [名] ポリジーン, 小遺伝子.
pséu·do·gène [名] 偽遺伝子.
recéssive géne 劣性遺伝子.
regulátor gene 制御遺伝子.
régulatory gène 調節［制御］遺伝子.
restórer gène (受精能力)回復遺伝子.
sélfish gène 利己的遺伝子.
splít géne 分断遺伝子.
strúctural gène 構造遺伝子.
strúctured géne ＝structural gene.
súicide gène 自殺遺伝子.
súp·er·gène [名] 超遺伝子, スーパージーン.
suppréssor gène サプレッサー遺伝子.
V́ gène V 遺伝子(variable gene).
ví·ro·gène ウイルス遺伝子部.

-gene /dʒən, dʒèn/

[連結形] -gen の異形.
★ 語頭にくる関連形は gen(o)-: *geno*cide「大量殺戮」, *geno*type「遺伝子型」.
◆ ＜仏＜ギ *-genēs* 生まれた.

cy·mo·gene [名]〘化学〙シモーゲン.
E·o·gene [名][形]《もと》＝Paleogene.
ep·i·gene [形]〈岩石が〉表成の.
gas·o·gene [名] ＝gazogene.
gaz·o·gene [名] ガス発生炉［機］.
hy·po·gene [形]〈岩石が〉深成の.
in·di·gene [名] 土着の人, 先住民; 土着種, 自生種.
Ne·o·gene [名]〘地質〙新第三紀.
Pa·le·o·gene [名][形]〘地質〙古第三紀［系］(の).
phos·gene [名]〘化学〙ホスゲン, 塩化カルボニル.
pho·to·gene [名]〘眼科〙(目の網膜の)残像.
pol·y·gene [形] 多源［多元, 複合］の.
su·per·gene [形]〈岩石が〉浅成(せんせい)の.
zy·mo·gene [名]〘生化学〙酵素原, 酵素前駆体.

-ge·ne·ic /dʒəníːik/

[連結形] 血族の, 家系の.
★ 形容詞をつくる.
◆ ギリシャ語 *geneiá*「血族」より. ⇨ -IC[1].

al·lo·ge·ne·ic [形]〘免疫〙〈細胞などが〉同種異系の.
syn·ge·ne·ic [形]〘生物〙〘医学〙同一遺伝子(型)の.
xen·o·ge·ne·ic [形]〘生物〙〈移植組織などが〉異種の.

gen·er·al /dʒénərəl/

[形] (ある集団・部類の)全員の, 全体の; 全般的な. ──[名] **1** 大将; 将軍. **2**《俗》(一般に)長. ⇨ -AL[1].

accóuntant géneral 会計課長, 経理［主計］局長.
ádjutant géneral 〘米陸軍〙(諸部隊の)軍務局長.
ágent-géneral 首席代表.
attórney géneral 法務長官［総裁］, 司法長官.
brígadier géneral 〘米陸軍・空軍・海兵隊〙准将.
búck géneral 《米軍俗》＝brigadier general.
cáptain géneral 〘陸軍〙総司令官.
cómmissary géneral 〘軍事〙兵站(へいたん)総監.
cónsulate géneral 総領事館.
cónsul géneral 総領事.
cóok-géneral 《英》(1920–30 年代の)炊事・家事専門の召使い.
diréctor géneral 長官, 総裁; (国際的組織の)社長.
Estátes Géneral 〘フランス史〙三部会.
fármer-géneral (フランス王制時代の)徴税請負人.
góvernor géneral (代理を有する)知事, 長官.
héir géneral (遺言の場合の不動産の)法定相続人.
inspéctor géneral 監察官, 査察官.
jùdge ádvocate géneral 〘軍事〙陸軍［海軍, 空軍］法務総監.
lieuténant géneral 〘米陸軍・空軍・海兵隊〙〘英陸軍〙中将.
Lòrd Jústice Géneral (スコットランドの)最高刑事裁判所長官の旧称.
májor géneral 〘米陸軍・空軍・海兵隊〙〘英陸軍〙少将.
òut·gén·er·al [動][他] …に作戦勝ちする.
póstmaster géneral 《米》郵政公社総裁.
prócurator géneral 《英》大蔵省の法務局長.
quártermaster géneral 〘軍事〙補給局長, 主計総監.
recéiver géneral 収入役, 出納長.
Régistrar-Géneral (英国の)戸籍本庁長官.
sécretary-géneral 事務総長, 事務局長, 書記長.
solícitor géneral 司法次官, 法務次長.
Státes-Géneral 旧オランダ議会.
supérior géneral 〘教会〙修道会総長［会長］.
súrgeon géneral 《米》軍医総監.
survéyor géneral 《米》公有地測量監督.
Váluer Gèneral 《豪》課税対象資産評価監督官.
vícar-géneral 〘ローマカトリック〙司教総代理.

gen·er·al·i·za·tion /dʒènərəlizéiʃən | -laiz-/

[名] 一般化; 〘心理〙般化. ►generalize の名詞形. ⇨ -IZATION.

médiated generalizátion 〘心理〙般化の一種で, 同一の誘因による異なる動因の充足.
ò·ver·gen·er·al·i·zá·tion [名] 過度の一般化.
respónse generalizàtion 〘心理〙般化の一種で, 同一の刺激に対する異なった反応.
stímulus generalizàtion 〘心理〙般化の一種で, 異なった刺激に対する同一の反応.

gen·er·ate /dʒénərèit/

[動][他] (生活過程・自然の変化で)…を創造する, 生み出す, 〈考え・感情・結果・状態などを〉引き起こす. ⇨ -ATE[1].

in·gen·er·ate[1] [形] 独立して存在する, 自存の.
in·gen·er·ate[2] [動][他] 生み出す, 生じさせる(engender). ──[形] 生まれながらの, 生得の.
re·gen·er·ate [動][他]〈人を〉(道徳的に)生まれ変わらせる.

gen·er·a·tion /dʒènəréiʃən/

名 **1** 同時代の人々; (一)世代, (一)時代. **2** 発生. ⇨ -ATION.

Béat Generátion ビート世代 [族].
cò·gen·er·á·tion 名 〖エネルギー〗熱・電併給.
de·gèn·er·á·tion 名 堕落, 退歩, 退化, 衰退, 退廃.
fífth generátion 〖コンピュータ〗第 5 世代.
fírst-generátion 形 《米》移民の子として生まれた.
fóurth-generátion 形 〖コンピュータ〗第 4 世代の.
Lóst Generátion 「失われた世代」: 第一次世界大戦のころに成人し, 情緒的安定を失った世代.
magnétohydrodynámic generátion 〖電気〗電磁流体発電.
mé generàtion ミージェネレーション: 1970 年代に成人になった米国の団塊の世代.
néxt-generátion 形 次世代の.
Nów Generátion (1960 年代後半の, 時代に敏感な)新しい世代.
paréntal generátion 〖遺伝〗親世代.
re·gèn·er·á·tion 名 ☞
sándwich generátion 《米》板挟み世代.
sécond-generátion 形 〈人間などが〉二世代目の, 二世の.
séxual generàtion 〖植物〗有性世代.
síxth generátion 〖コンピュータ〗第 6 世代.
spontáneous generátion 〖生物〗自然 [偶然] 発生.
tídal pòwer generátion 潮力発電.

gen·er·a·tor /dʒénərèitər/

名 **1** 発電機. **2** 産出する人 [もの]. ⇨ -ATOR.

àer·o·gén·er·a·tor 名 風力発電機.
cháracter gènerator 〖テレビ〗文字発生器.
electrostátic génerator ＝Van de Graaff generator.
homopólar génerator 〖電気〗単極発電機.
íon gènerator イオン発生器.
mag·nè·to·gén·er·a·tor 名 〖電気〗高圧磁石発電機.
mótor gènerator 〖電気〗電動発電機.
prógram gènerator 〖コンピュータ〗ほかのプログラムを作るのに役立つコンピュータ・プログラム.
re·gén·er·à·tor 名 再生者, 更生者; 改革者, 刷新者.
sígnal gènerator 〖電子工学〗信号発生器.
spárk gènerator 火花式発電機.
sýnc-gèn·er·a·tor 名 〖テレビ〗同期信号発生器 [回路].
túr·bo-gèn·er·a·tor 名 タービン発電機.
Ván de Gràaff génerator 〖物理〗〖電気〗バン・デ・グラーフ起電機.
wínd gènerator 風力発電機.

ge·ner·ic /dʒənérik/

形 〈性質などが〉属 [綱, 群, 類] の構成員すべてに当てはまる; 一般的 [包括的] な(general). ⇨ -IC[1].

bi·ge·ner·ic 形 属間雑種の, 2 つの属の特徴を持つ.
con·ge·ner·ic 形 (…と)同種の, 同属の.
in·ter·ge·ner·ic 形 属間に起こる, 属間の.

-gen·e·sis /dʒénəsis/

連結形 起源, 発生, 生成, 進化(genesis).
★ 名詞をつくる.
★ 語末にくる関連形は -GEN.
★ 語頭にくる関連形は gen(o)-: *geno*cide「大量殺戮」, *geno*type「遺伝子型」.
◆ ＜近代ラ「世代, 誕生」＜ギ *génesis* 起源, 源. ⇨ -ESIS.

ag·a·mo·gen·e·sis 名 〖生物〗無性生殖, 無性繁殖.
a·gen·e·sis 名 〖病理〗発育 [形成] 不全.
am·e·lo·gen·e·sis 名 〖解剖〗ameloblast によるエナメル質の生成.
an·a·gen·e·sis 名 〖生物〗向上 [改善] 進化.
an·dro·gen·e·sis 名 〖生物〗雄性 [雄核] 発生.
an·gi·o·gen·e·sis 名 〖生物〗血管形成.
an·thro·po·gen·e·sis 名 人類発生 [発達] 論.
ath·er·o·gen·e·sis 名 〖病理〗アテローム形成.
au·to·gen·e·sis 名 自然発生(abiogenesis).
bi·o·e·lec·tro·gen·e·sis 名 生体電気発生, 生物発電.
bi·o·gen·e·sis 名 生物発生.
blas·to·gen·e·sis 名 〖生物〗出芽増殖.
cac·o·gen·e·sis 名 〖医学〗奇形, 病変生成物.
car·ci·no·gen·e·sis 名 〖病理〗癌の発生, 発癌(現象).
cat·a·gen·e·sis 名 〖生物〗カタゲネシス, 退行的進化.
ce·no·gen·e·sis 名 〖生物〗変形発生, 新形発生.
clad·o·gen·e·sis 名 〖生物〗分岐進化.
coe·no-gen·e·sis 名 ＝cenogenesis.
cy·a·no·gen·e·sis 名 〖植物〗シアン発生 [生成].
cy·clo·gen·e·sis 名 〖気象〗低気圧の発生.
cy·to·gen·e·sis 名 〖細胞生物〗細胞発生.
di·a·gen·e·sis 名 〖地質〗〖化学〗続成作用.
di·gen·e·sis 名 〖動物〗世代交代 [交番].
dy·na·mo·gen·e·sis 名 〖心理〗運動 [動力] 発生.
dys·gen·e·sis 名 〖病理〗発育不全.
ec·to·gen·e·sis 名 〖生物〗体外発生.
e·lec·tro·gen·e·sis 名 〖生理〗生物発電, 電気発生.
ep·i·gen·e·sis 名 〖生物〗後成説.
e·ro·to·gen·e·sis 名 性的衝動の覚醒(かくせい).
eth·no·gen·e·sis 名 〖社会〗民族集団の形成 [発展].
fi·bro·gen·e·sis 名 〖生物〗線維組織の成長.
fro·nto·gen·e·sis 名 〖気象〗前線の発生 [発達].
ga·me·to·gen·e·sis 名 〖生物〗配偶子形成.
gam·o·gen·e·sis 名 〖生物〗両性 [有性] 生殖.
glu·co·gen·e·sis 名 〖生化学〗ブドウ糖生成.
gly·co·gen·e·sis 名 〖生化学〗グリコーゲン形成.
gon·o·gen·e·sis 名 〖生物〗生殖細胞形成.
gy·no·gen·e·sis 名 〖生物〗雌性発生.
he·ma·to·gen·e·sis 名 〖生理〗血液生成, 造血.
het·er·o·gen·e·sis 名 〖生物〗世代交替.
his·to·gen·e·sis 名 〖生物〗組織発生, 組織形成.
ho·mo·gen·e·sis 名 〖生物〗単純発生, 同様式生殖.
hyp·no·gen·e·sis 名 催眠状態にすること, 催眠.
hy·po·gen·e·sis 名 〖病理〗(特に胎児の, 器官や機能の)発育不全.
i·at·ro·gen·e·sis 名 〖医学〗医原性 [症].
im·mu·no·gen·e·sis 名 〖医学〗免疫発生, 免疫産生.
kai·no·gen·e·sis 名 ＝cenogenesis.
ke·no·gen·e·sis 名 ＝cenogenesis.
ke·to·gen·e·sis 名 〖医学〗ケトン体形成.
leu·ke·mo·gen·e·sis 名 〖医学〗白血病発生.
lip·o·gen·e·sis 名 〖生物〗脂質生(合)成.
ly·so·gen·e·sis 名 〖微生物〗溶原化.
me·lan·o·gen·e·sis 名 〖動物〗メラニン形成.
met·a·gen·e·sis 名 〖生物〗世代交代.
mon·o·gen·e·sis 名 〖生物〗単一起源説.
mor·pho·gen·e·sis 名 〖発生〗形態形成, 形態生成.
mu·ta·gen·e·sis 名 〖生物〗突然変異生成.
myth·o·gen·e·sis 名 神話の起源 [発生, 生成].
ne·o·gen·e·sis 名 〖生理〗新生, 組織の再生.
neu·ro·gen·e·sis 名 神経(組織)発生.
no·e·gen·e·sis 名 〖心理〗ノエジェネシス.
nos·o·gen·e·sis 名 病因.
nu·cle·o·gen·e·sis 名 〖物理〗〖天文〗核合成.
on·co·gen·e·sis 名 〖病理〗腫瘍(しゅよう)形成.
o·o·gen·e·sis 名 〖細胞生物〗(後生動物の)卵(子)形成.
or·ga·no·gen·e·sis 名 〖生物〗器官形成, 器官発生.
or·tho·gen·e·sis 名 〖生物〗定向選択.
os·te·o·gen·e·sis 名 〖生理〗骨形成.
pa·le·o·gen·e·sis 名 〖生物〗反復発生.
pal·in·gen·e·sis 名 再生, 生まれ変わること, 新生.
pan·gen·e·sis 名 〖生物〗パンゲネシス, パンゲン説, 汎生(はんせい)説.
par·a·gen·e·sis 名 〖地質〗共生.
par·the·no·gen·e·sis 名 〖生物〗単為生殖, 処女生殖.
path·o·gen·e·sis 名 病気の発生, 病因; 病原 [病因] 論.
pe·do·gen·e·sis[1] 名 〖生物〗幼生生殖.
ped·o·gen·e·sis[2] 名 土壌形成過程, 土壌生成論.

pet·ro·gen·e·sis 名 岩石成因論.
phy·lo·gen·e·sis 名 【生物】系統発生.
phy·to·gen·e·sis 名 植物発生学 [論].
pol·y·gen·e·sis 名 【生物】【人類】多元発生 [系統].
psy·cho·gen·e·sis 名 精神の発生.
py·o·gen·e·sis 名 【病理】化膿(かのう), 膿形成.
re·gen·e·sis 名 更生, 再生, 復活, 新生; 更新.
rhi·zo·gen·e·sis 名 【植物】発根, 根の生長.
schiz·o·gen·e·sis 名 【生物】分裂生殖.
sper·mat·o·gen·e·sis 名 【生物】精子発生 [形成].
sper·mi·o·gen·e·sis 名 【細胞生物】精子発生 [形成].
spo·ro·gen·e·sis 名 【生物】胞子形成.
ste·roi·do·gen·e·sis 名 【生化学】ステロイド産生 [生成].
syn·gen·e·sis 名 【生物】有性生殖.
ter·a·to·gen·e·sis 名 【生物】奇形発生.
ther·mo·gen·e·sis 名 (特に生理作用による動物体内での)熱発生.
trans·gen·e·sis 名 遺伝子移植 [操作].
tu·mor·i·gen·e·sis 名 【病理】腫瘍発生 [形成].
vi·tel·lo·gen·e·sis 名 【発生】卵黄形成.
xen·o·gen·e·sis 名 【生物】世代交代 [交番].
zy·go·gen·e·sis 名 【生物】接合子 [体] 形成.
zy·mo·gen·e·sis 名 【生化学】酵素化.

-ge·net·ic /dʒənétik/

連結形 …を発生する.
★ -genesis の語尾を持つ名詞に対応する形容詞をつくる.
★ 語末にくる関連形は -GEN.
★ 語頭にくる関連形は gen(o)-: *geno*cide「大量殺戮」, *geno*type「遺伝子型」.
◆ ギリシャ語 *génesis*「発生」より. ⇨ -TIC.

au·to·ge·net·ic 形 自己繁殖した(self-generated).
con·ge·net·ic 形 派生を同じくする.
en·do·ge·net·ic 形 【地質】内成的な.
ex·o·ge·net·ic 形 【地質】外生的な, 表生的な.
gly·co·ge·net·ic 形 【生化学】糖原形成 [合成] の.
het·er·o·ge·net·ic 形 世代交番 [交代] の.
ho·mo·ge·net·ic 形 【生物】単純発生の, 同様式生殖の.
mon·o·ge·net·ic 形 単一起源の.
or·tho·ge·net·ic 形 【生物】定向進化の [を示す].
par·the·no·ge·net·ic 形 【生物】単為生殖の, 処女生殖の.
pol·y·ge·net·ic 形 【生物】多元発生 [系統] の.
schiz·o·ge·net·ic 形 【生物】分裂生殖の [による].
so·ci·o·ge·net·ic 形 (社会の諸形態・制度の)発生上の.
ter·a·to·ge·net·ic 形 【生物】【病理】催奇(形)の.

ge·net·ics /dʒənétiks/

名複 《単数扱い》【生物】遺伝学. ⇨ -ICS.

àg·ri·ge·nét·ics 名複 農業遺伝学.
applíed genétics 応用遺伝学.
bì·o·ge·nét·ics 名複 【遺伝】遺伝子工学(genetic engineering).
cy·to·ge·nét·ics 名複 細胞遺伝学.
hìs·to·ge·nét·ics 名複 組織発生学.
ìm·mu·no·ge·nét·ics 名複 免疫遺伝学.
molécular genétics 分子遺伝学.
nèu·ro·ge·nét·ics 名複 神経遺伝学.
pà·le·o·ge·nét·ics 名複 古遺伝学.
phàr·ma·co·ge·nét·ics 名複 【薬学】薬理遺伝学, 遺伝薬理学.
populátion genètics 集団遺伝学.
quántitative genétics =population genetics.

-gen·ic /dʒénik/

連結形 **1** …生成の, …を作る [生み出す]: hallucino*genic*. **2** …から生まれた [作られた]: cosmo*genic*. **3** …の媒体(による製作)に適する: photo*genic*, tele*genic*. ⇨ -IC[1].
★ しばしば -gen, -geny の語尾を持つ名詞に対応する形容詞をつくる.
★ 語頭にくる関連形は gen(o)-: *geno*cide「大量殺戮」, *geno*type「遺伝子型」.

a·cid·o·gen·ic 形 【生化学】〈細菌などが〉酸発性の.
ac·ne·ge·nic 形 【病理】痤瘡(ざそう)の原因となる.
aer·o·gen·ic 形 〈細菌などが〉ガスを発生する.
al·lo·gen·ic 形 【地質】他生の.
am·pho·gen·ic 形 【生物】両性産出性の.
an·o·rex·i·gen·ic 形 食欲不振誘発性の.
an·thro·po·gen·ic 形 〈環境変化が〉人間の生み出した.
ath·er·o·gen·ic 形 【病理】動脈にアテロームを形成する.
au·di·o·gen·ic 形 音に起因する, 音による, 聴原性の.
au·to·gen·ic 形 自己生産 [繁殖] の(autogenous).
bi·o·gen·ic 形 生物活動の結果として生じる.
can·cer·o·gen·ic 形 【病理】発癌性の.
car·cin·o·gen·ic 形 【薬学】発癌(性)の.
car·di·o·gen·ic 形 心原性の.
car·i·o·gen·ic 形 齲蝕(うしょく) [虫歯] を発生させる.
car·po·gen·ic 形 実を結ぶ性質の, 結実性の.
chro·mo·gen·ic 形 色を生じる, 発色性の.
col·or·gen·ic 形 〈写真などが〉色がよく出ている.
com·e·do·gen·ic 形 【医学】にきびを発生させる.
com·mer·ci·o·gen·ic 形 商品的魅力のある.
cos·mo·gen·ic 形 宇宙線による.
crim·i·no·gen·ic 形 犯罪(者)を生む(傾向のある).
cri·no·gen·ic 形 分泌促進性の.
cry·o·gen·ic 形 極(ごく)低温の.
cryp·to·gen·ic 形 〈病気などが〉原因不明の.
crys·tal·lo·gen·ic 形 結晶生成の.
cy·a·no·gen·ic 形 シアン化水素を作ることができる.
di·a·be·to·gen·ic 形 糖尿病誘発(性)の.
dys·chron·o·gen·ic 形 反時間性の.
dys·gen·ic 形 【病理】非優生学的な, 劣性の.
ech·o·gen·ic 形 音波を生じる, 反響する.
ep·i·gen·ic 形 【生物】後成説の, 後成の.
ep·i·lep·to·gen·ic 形 【病理】癲癇(てんかん)の原因となる.
e·rot·o·gen·ic 形 性的に敏感な(erogenous).
es·tro·gen·ic 形 【生化学】発情促進の, 発情させる.
eu·gen·ic 形 優生学上の, 人種改良となる.
eu·pho·ri·gen·ic 形 病的快感 [多幸症] を引き起こす.
fi·brin·o·gen·ic 形 【生理】繊維素を作る働きをする.
gas·tro·gen·ic 形 【医学】胃性の, 胃原性の.
goi·tro·gen·ic 形 甲状腺腫をつくりがちな.
hal·lu·ci·no·genic 形 幻覚を起こさせる.
hep·a·to·gen·ic 形 肝由来 [起源, 発生] の, 肝性の.
hys·ter·o·gen·ic 形 【医学】ヒステリーを引き起こす.
i·at·ro·gen·ic 形 〈病気・障害が〉医師に原因する.
im·mu·no·gen·ic 形 免疫を生じる, 免疫性の.
in·tra·gen·ic 形 遺伝子内の.
i·so·gen·ic 形 同質遺伝子(型)の, 同種同系の.
lac·to·gen·ic 形 催乳性の; 乳腺(にゅうせん)刺激性の.
ly·so·gen·ic 形 【微生物】溶原性の, 溶原化した.
me·di·a·gen·ic 形 マスメディアに適した.
mon·o·gen·ic 形 【生物】単性の.
mu·ta·gen·ic 形 【遺伝】突然変異の発生率を高める.
my·e·lo·gen·ic 形 骨髄性の, 骨髄で生じた.
my·o·gen·ic 形 〈刺激感覚などが〉筋原性の.
myth·o·gen·ic 形 神話の起源 [生成] の.
nec·ro·gen·ic 形 【病理】死物から発生する.
neu·ro·gen·ic 形 【医学】神経(組織)に由来する.
or·o·gen·ic 形 造山の.
or·tho·gen·ic 形 【心理】精神遅滞児や行動障害児などの治療に関する, 適応指導の.
os·te·o·gen·ic 形 骨原性の.
path·o·gen·ic 形 【病理】発病させる, 病原となる.
pho·to·gen·ic 形 〈人が〉写真 [撮影] に向く.
phy·to·gen·ic 形 植物起源の, 植物から成る.
pol·y·gen·ic 形 【化学】原子価が1の原子と2種以上の化合物を作る.
pro·to·ge·nic 形 【化学】〈溶液などが〉プロトン性の.
psy·cho·gen·ic 形 【心理】心因性の, 精神性の.
py·o·gen·ic 形 【病理】化膿性の, 膿形成を伴う.
py·ro·gen·ic 形 熱を生じる, 発熱性の.
pyth·o·gen·ic 形 腐敗によって [汚物から] 生じる.

ra·di·o·gen·ic 形 〖物理〗放射崩壊による.
rhi·zo·gen·ic 形 〖植物〗根を生じる.
sac·cha·ro·gen·ic 形 糖を生じる.
sap·ro·gen·ic 形 〈バクテリアなどが〉腐敗性の.
schiz·o·phre·no·gen·ic 形 分裂病発源性の.
so·ci·o·gen·ic 形 社会的要因によって生じる.
so·mat·o·gen·ic 形 〖生物〗体細胞起原の.
su·i·ci·do·gen·ic 形 自殺誘発性の, 自殺を生み出す.
su·pra·gen·ic 形 超遺伝子的な.
tel·e·gen·ic 形 〈人・物が〉テレビ放送に適した.
ther·mo·gen·ic 形 熱発生を起こす [に関する].
tox·i·co·gen·ic 形 〖病理〗毒物を生産する.
tox·i·gen·ic 形 〈特に微生物が〉毒素産生性の.
trans·gen·ic 形 遺伝子組み換えの [による].
tu·mor·i·gen·ic 形 腫瘍(しゅよう)形成(性)の; 発癌性の.
ty·pho·gen·ic 形 〖病理〗腸チフス [チフス熱] を生じる.
ul·cer·o·gen·ic 形 〖病理〗潰瘍(かいよう)を作る働きのある.
vid·e·o·gen·ic 形 =telegenic.
vis·cer·o·gen·ic 形 〖心理〗臓器(因)的な, 体内発生の.
vol·ca·no·gen·ic 形 火山により生成された, 火山起源の.
xen·o·gen·ic 形 世代交代 [交番] (xenogenesis)の.
zo·o·gen·ic 形 〈細菌などが〉動物に関する.
zy·mo·gen·ic 形 〖生化学〗酵素原(zymogen)の.

-ge·nin /dʒénin, dʒǽnin/

連結形 〖生化学〗…から生じるもの.
★ 名詞をつくる.
★ 語頭にくる関連形は gen(o)-: *geno*cide「大量殺戮」, *geno*type「遺伝子型」.
◆ -GEN ＋ -IN[2].

an·gi·o·gen·in 名 アンギオジェニン.
dig·i·tox·i·gen·in 名 ジギトキシゲニン.
di·os·gen·in 名 ジオスゲニン.
sa·po·ge·nin 名 サポゲニン.
strep·o·gen·in 名 ストレポゲニン.

gen·i·tive /dʒénətiv/

形 〖文法〗属格の, 第二格の. ⇨ -ITIVE.

dóuble génitive 二重所有格, 二重属格.
gróup gènitive 群属格.
objéctive génitive 目的格的属格.
pártitive génitive 部分属格.
subjéctive génitive 主格属格.

gen·i·ture /dʒénətʃər/

名 誕生, 出生, 産出(birth, generation). ⇨ -URE[1].

pos·tre·mo·gen·i·ture 名 〖法律〗末子相続.
pri·mo·gen·i·ture 名 長子であること, 長子の身分.
pro·gen·i·ture 名 子孫を産むこと.
ul·ti·mo·gen·i·ture 名 =postremogeniture.
u·ni·gen·i·ture 名 〖神学〗キリストが唯一の神の子であるということ.

-gen·ize /dʒənàiz/

連結形 生じさせる.
★ 動詞をつくる.
★ 語頭にくる関連形は gen(o)-: *geno*cide「大量殺戮」, *geno*type「遺伝子型」.
◆ -GEN ＋ -IZE[1].
[発音] 直前の音節に第 1 強勢.

an·drog·en·ize 動他 (男性ホルモンを注射して)男性化する.
ho·mog·e·nize 動他 同質にする, 均質化する.
hy·dro·gen·ize 動他 …に水素添加する.
ly·sog·e·nize 動他 〖微生物〗…を溶原化する.
mu·ta·gen·ize 動他 〖生物〗〈細胞・生物に〉突然変異を起こさせる.
ni·trog·en·ize 動他 窒素と化合させる.
ox·y·gen·ize 動他 …を酸素で処理する.

-gen·ous /dʒənəs/

連結形 …を生じる.
★ -gen で終わる名詞に対応する形容詞をつくる.
★ 語頭にくる関連形は gen(o)-: *geno*cide「大量殺戮」, *geno*type「遺伝子型」.
◆ -GEN ＋ -OUS.
[発音] 直前の音節に第 1 強勢.

am·phig·e·nous 形 〈ある種の寄生菌類が〉葉の両面に生じる.
as·cog·e·nous 形 〖菌類〗子嚢の [を生じる].
au·tog·e·nous 形 自己生産 [繁殖] の.
bi·og·e·nous 形 生物から生じる [に住む].
cni·dog·e·nous 形 〖動物〗刺胞を生じる [含む].
ec·tog·e·nous 形 〈バクテリアなどが〉外生の.
en·dog·e·nous 形 内部から進行する [起こる].
e·pig·e·nous 形 〖植物〗表面生育性の.
e·rog·e·nous 形 性的に敏感な.
ex·og·e·nous 形 外部発生の, 外因的な.
he·ma·tog·e·nous 形 血液中に生じる.
hep·a·to·ge·nous 形 肝由来 [起源, 発生] の, 肝性の.
het·er·og·e·nous 形 〖生物〗〖病理〗外来 [外生] の.
ho·mog·e·nous 形 〖生物〗歴史的相同(homogeny)の.
hy·drog·e·nous 形 含水素の, 水素を含む.
hy·pog·e·nous 形 (クリなどの子葉が)地下性の.
in·dig·e·nous 形 (ある土地・国に)固有の, 国産の.
in·do·log·e·nous 形 〖生化学〗インドール(indole)を生じる.
i·sog·e·nous 形 〖生物〗同起源の.
ker·a·tog·e·nous 形 角(かく)を生じる.
li·thog·e·nous 形 〖地質〗岩石性の, 岩石形成の.
mo·nog·e·nous 形 〖生物〗単一起源の(monogenetic).
my·cog·e·nous 形 〖植物〗菌生の.
ne·phrog·e·nous 形 〖医学〗〖病理〗腎原性の, 腎由来の.
ni·trog·e·nous 形 窒素の.
om·nig·e·nous 形 あらゆる種類の.
pleu·rog·e·nous 形 〖解剖〗胸膜由来の.
po·lyg·e·nous 形 〖化学〗原子価が 1 の原子と 2 種以上の化合物を作る.
schi·zog·e·nous 形 〖生物〗分裂生殖の [による].
scle·rog·e·nous 形 〖病理〗〖植物〗硬化性の.
sper·ma·tog·e·nous 形 精子を作る.
ter·rig·e·nous 形 地から生じた.
ther·mog·e·nous 形 熱を発する; 熱発生を起こす.
tri·chog·e·nous 形 〖動物〗発毛の.
u·rog·e·nous 形 〖生理〗尿を分泌する.
xy·log·e·nous 形 〈昆虫・菌類などが〉木を好む.

gen·tian /dʒénʃən/

名 〖植物〗リンドウ. ⇨ -IAN.

bóttle gèntian =closed gentian.
clósed géntian アンドリウス・リンドウ.
frínged géntian リンドウ属の草.
gréen géntian ミドリセンブリ(緑千振).
hórse gèntian ツキヌキソウ(突貫草).
yéllow géntian キバナリンドウ(bitterwort).

gen·tle·man /dʒéntlmən/

名 紳士; 男の人; 男の召使い. ⇨ -MAN[1].

cóuntry géntleman 田舎の大邸宅に住む富豪.
géntleman's géntleman (貴人の)従者, 従僕.
Óld Géngtleman 《話》悪魔.
púss gèntleman 《米黒人俗》弱い男.
wálking gèntleman 〖演劇〗見かけが大切な端役者.

ge·nus /dʒí:nəs/

名〘生物〙属. ⇨ -US[1]. ◇ -GEN.

fórm gènus 〘生物〙形態属.
sùb·gé·nus 名 〘人類〙〘生物〙亜属.
súmmum génus 〘哲学〙最上類, 最高類.
týpe gènus 〘生物〙基準[模式]属.

-ge·ny /dʒəni/

連結形 発生, 起源(origin).
★ 名詞をつくる.
★ 語末にくる関連形は -GEN.
★ 語頭にくる関連形は gen(o)-: *geno*cide「大量殺戮」, *geno*type「遺伝子型」.
◆ <近代ラ *-genia* <ギ *-geneia*. ⇨ -Y[3].
[発音] 直前の音節に第1強勢.

au·tog·e·ny 名 自然発生(autogenesis).
col·i·ci·nog·e·ny 名 〘生化学〙コリシン産生性.
cry·og·e·ny 名 低温学(cryogenics).
dis·sog·e·ny 名 〘動物〙反復生殖, 反復発生.
em·bry·og·e·ny 名 〘発生〙胚(はい)形成, 胚発生.
en·dog·e·ny 名 〘生物〙内因性発育, 内生.
ep·ei·rog·e·ny 名 〘地質〙造陸運動[作用].
ep·i·rog·e·ny 名 〘地質〙=epeirogeny.
eth·nog·e·ny 名 〘人類〙民族発生学.
het·er·og·e·ny 名 〘生物〙世代交替(heterogenesis).
his·tog·e·ny 名 〘生物〙組織発生, 組織形成.
ho·mog·e·ny 名 〘生物〙歴史的相同.
hy·per·os·te·og·e·ny 名 〘病理〙骨発育過度.
ly·sog·e·ny 名 〘微生物〙溶原性.
mo·nog·e·ny 名 〘人類〙人類単一起源(説).
o·don·tog·e·ny 名 〘歯科〙歯牙(しが)発生[形成].
on·tog·e·ny 名 〘生物〙個体発生.
o·rog·e·ny 名 〘地質〙造山運動[作用].
phy·log·e·ny 名 〘生物〙系統発生.
phy·tog·e·ny 名 植物発生学[論].
po·lyg·e·ny 名 〘人類〙(人類の)多元[多原]発生.
prog·e·ny 名 《文語》子孫; 《おどけて》子供.
spo·rog·e·ny 名 〘生物〙胞子形成.
ter·a·tog·e·ny 名 〘生物〙奇形発生.

ge·og·ra·phy /dʒiάgrəfi | -ɔ́g-/

名 地理学. ⇨ -GRAPHY. ◇ -GAEA.

àn·thro·po·ge·óg·ra·phy 名 人文地理学.
bì·o·ge·óg·ra·phy 名 生物地理学.
cúltural geógraphy 文化地理学.
díalect geógraphy 方言地理学.
económic geógraphy 経済地理学.
húman geógraphy =anthropogeography.
linguístic geógraphy =dialect geography.
médical geógraphy 疾病地理学.
míning geògraphy 鉱業地理学.
nòs·o·ge·óg·ra·phy 名 疾病地理[分布]学.
pà·le·o·ge·óg·ra·phy 名 古地理学.
phýsical geógraphy 自然地理学, 地文学.
phỳto·geógraphy 名 植物地理学.
polítical geógraphy 政治地理学.
thèr·mo·ge·óg·ra·phy 名 温度地理学.
zò·o·ge·óg·ra·phy 名 動物地理学.

ge·ol·o·gy /dʒiάlədʒi | -ɔ́l-/

名 地質学. ⇨ -OLOGY. ◇ -GAEA.

às·tro·ge·ól·o·gy 名 天体地質学, 宇宙地質学.
económic geólogy 経済地質学.
engineéring geólogy 土木地質学.
histórical geólogy 地史学.
hydráulic geólogy 水理地質学.
hỳ·dro·ge·ól·o·gy 名 水文[水理]地質学.
maríne geólogy 海洋地質学.
míning geòlogy 鉱山地質学.
pà·le·o·ge·ól·o·gy 名 古地質学.
phò·to·ge·ól·o·gy 名 写真地質学.
sóft-ròck geólogy 軟岩地質学.
sólid geólogy 固体地理学.
strúctural geólogy 構造地質学.

ge·om·e·try /dʒiάmətri | -ɔ́m-/

名 〘数学〙〘幾何〙幾何学. ⇨ -METRY. ◇ -GAEA.

affíne geómetry アフィン幾何学.
algebráic geómetry 代数幾何学.
analýtic geómetry 解析幾何学.
coórdinate geómetry =analytic geometry.
descríptive geómetry 画法幾何学.
differéntial geómetry 微分幾何学.
ellíptic geómetry =Riemannian geometry.
Euclídean geómetry ユークリッド幾何学.
hyperbólic geómetry 双曲幾何学.
non-Euclídean geómetry 非ユークリッド幾何学.
pláne geómetry 平面幾何学.
projéctive geómetry 射影幾何学.
Riemánnian geómetry リーマン幾何学.
sólid geómetry 立体[空間]幾何学.
sphérical geómetry 球面幾何学.
synthétic geómetry 総合幾何学.
váriable geómetry 〘航空〙飛行中に形態を変更できる航空機形式の総称.

ge·ra·ni·um /dʒəréiniəm/

名 〘植物〙**1** ゼラニウム, フウロソウ. **2** テンジクアオイ. ⇨ -IUM.

cáctus gerànium トゲアオイ.
fáncy gerànium =show geranium.
féather gerànium エルサレムアカザ.
físh gerànium =zonal geranium.
ívy gerànium ツタバテンジクアオイ.
júngle gerànium ベニバナサンタンカ(山丹花).
Lády Wáshington gerànium =show geranium.
lémon gerànium レモンゼラニウム.
mínt gerànium ミントゼラニウムキク科の植物.
nútmeg gerànium ニオイゼラニウム.
óak-lèaved gerànium カシワバ(柏葉)テンジクアオイ.
róse gerànium ニオイテンジクアオイ.
shów gerànium ペラルゴニウム.
stráwberry gerànium ユキノシタ.
wíld gerànium モンイリゼラニウム..
zónal gerànium ゼラニウム.

germ /dʒə́ːrm/

名 **1** 微生物, 細菌; (特に)病原菌. **2**〘発生〙芽, 発芽; 種.

de·gérm 動他 …から病原菌[微生物]を取り去る.
món·o·gèrm 形 〘植物〙単胚の.
mùl·ti·gérm 形 〘植物〙多数の種子を発芽させる.
sù·per·gérm 名 耐性菌.
whéat gèrm コムギの麦芽.

Ger·man /dʒə́ːrmən/

名 **1** ドイツ人. **2** ドイツ語.

Ánglo-Gérman 形 英独の.
Fránco-Gérman 形 仏独の.
Hígh Gérman 高地ドイツ語.
Judéo-Gérman イディッシュ(Yiddish).
Lów Gérman 低地ドイツ語.
Pennsylvánia Gérman ペンシルベニアドイツ語(Pennsylvania Dutch).

Swíss Gérman スイスで話されるドイツ語の方言.

ger·man /dʒə́ːrmən/

[形]《通例複合語で名詞の後に置いて》同父母から生まれた. ⇨ -AN[1].

bróther-gérman 〘大陸法〙同父母兄弟(full brother).
cóusin-gérman いとこ(cousin).
síster-gérman 同父母姉妹(full sister).

-ger·ous /dʒərəs/

[連結形] 生む, 生じる.
★ 形容詞をつくる.
★ 通例 -i- を前に置いて -igerous となる.
★ 語末にくる関連形は -GEST, -GESTION.
★ 語頭にくる関連形は ger-, gest-: *gest*iculate「身ぶりを使う」, *gest*ure「身ぶり」.
◆ <ラ *-ger*(*gerere*「運ぶ, 身につけている」より). ⇨ -OUS.
[発音] 直前の音節に第 1 強勢.

ar·mig·er·ous [形] 紋章をつけている.
as·cig·er·ous [形] 〘菌類〙子嚢(ascus)を持った.
den·tig·er·ous [形] 〘解剖〙歯 [歯状構造] を持った.
se·tig·er·ous [形] 剛毛の生えた.

-gest /dʒést, dʒest/

[連結形] 運ばれた.
★ 語末にくる関連形は -GEROUS, -GESTION.
★ 語頭にくる関連形は ger-, gest-: *gest*iculate「身ぶりを使う」.
◆ <ラ *gestus*(*gerere*「運ぶ, する」の過去分詞).
[発音] すべて 2 音節の語で, 名詞では語頭の音節に, 動詞では基体(-gest)に第 1 強勢.

con·gest [動他] 充満させる, 過度に詰める.
di·gest [動他] 消化する. ━[名] ダイジェスト(版).
e·gest [動他] 排泄(はいせつ)する.
in·gest [動他] 摂取する ; 採集する.
sug·gest [動他] 提案する ; 勧める.

-ges·tion /dʒéstʃən/

[連結形] 運ばれたもの [こと] ; なされたもの [こと].
★ 語末にくる関連形は -GEROUS, -GEST.
★ 語頭にくる関連形は ger-, gest-: *gest*iculate「身ぶりを使う」.
◆ <ラ *gestus*(*gerere*「運ぶ」の過去分詞). ⇨ -TION.
[発音] -gestion の第 1 音節に第 1 強勢が置かれる.

con·ges·tion [名] 密集, 込み合い ; 混雑, 雑踏.
di·ges·tion [名] 消化, こなれ.
e·ges·tion [名] 排泄(はいせつ)作用 ; (消化の)廃物排出.
sug·ges·tion [名] (…という)提案, 示唆, ほのめかし.

-geu·si·a /gjúːziə, -ʒiə, -ʒə | -ziə, -zjə/

[連結形] 〘医学〙味覚(に関する異常).
★ 名詞をつくる.
◆ ギリシャ語 *geûsis*「味覚」より. ⇨ -IA.

a·geu·si·a [名] 無味覚(症), 味覚欠如 [消失].
dys·geu·sia [名] 異味症, 味覚障害.
hy·po·geu·si·a [名] 味覚減退(症).
par·a·geu·sia [名] 味覚錯誤, 味覚異常, 錯味症.

ghost /góust/

[名] 死者の霊, 亡霊.

gréy ghóst 《豪話》駐車違反取締りの警察官.
Hóly Ghóst 聖霊 ; (ギリシャ正教で)聖神.

gi·ant /dʒáiənt/

[名] **1** 巨人, 大男. **2** (才能・知力・権力などにおける)巨人, 巨匠. **3** 〘天文〙巨星.

blúe gíant 〘天文〙青白巨星.
Cèrne Gíant サーンジャイアント: イングランドにある古代の巨人像.
Flémish gíant フレミッシュ・ジャイアント: 大型ウサギの一種.
gás gìant ガス体巨大惑星(木星, 土星, 天王星, 海王星).
Jérsey Gíant ジャージー・ジャイアント: 肉用の鶏.
méntal gíant 《米俗》秀才.
réd gíant 〘天文〙赤色巨星.
sú·per·gì·ant [名] 〘天文〙超巨星.

gift /gíft/

[名] 贈り物, 贈与物.

fóre·gìft [名] 《英》権利金, 敷金, 前払金.
frée gíft (販売促進用の)景品.
Gód's gíft 《俗》天の賜物, 幸運な出来事.
Gréek gíft 油断できない贈り物.
Índian gíft 《米話》返礼目当ての贈り物.
lèaving gíft 《英》退職祝いの贈り物.
mórning gíft 《古》新婚初夜の翌朝に夫が妻にわたす贈り物.

gild /gíld/

[動他] …に金 [金箔] を張る, 金めっきする.

en·gild [動他] 《古》…にめっきする.
o·ver·gild [動他] 全体に金めっきする.
re·gild [動他] 再び金めっきする.
un·gild [動他] …のめっきをはがす.

gild·ing /gíldiŋ/

[名] 金めっき(術), 金付け. ⇨ -ING[1].

amálgam gìlding =fire gilding.
fíre gìlding 〘金工〙アマルガムめっき.
hóney gìlding 蜂蜜(はち)金被覆法.
óil gìlding オイル・ギルディング: ガラスや陶磁器の金付けの方法.
párcel gìlding (家具に施した金色の)箔置(はくおき).

gin /dʒín/

[名] ジン: 無色透明の蒸留酒.

báthtub gín 《米話》自家製ジン.
Hólland gín オランダジン.
Lóndon gín ロンドンジン.
pínk gín ピンクジン.
slóe gín スロージン.

gin·ger /dʒíndʒər/

[名] ショウガ.

bláck gínger ショウガの乾燥根茎.
cánton gínger (砂糖漬けなどにされる)良質のショウガ.
cóated gínger =black ginger.
Jamáica gínger ジャマイカ産のショウガ.
stém gìnger ショウガの根茎を砂糖またはシロップ漬けにした菓子.
stóne gínger [形名]《英俗》全く確かな(こと).
ùnpéeled gínger =black ginger.
ùnscráped gínger =black ginger.
whíte gínger ショウガ科シュクシャ属の多年草.

wíld gínger ウマノスズクサ科カンアオイ属の多年草の総称.

gird /gə́ːrd/

動他 《主に文語》〈人・腰などを〉(帯・ベルトなどで)巻く, 締める.

be·gird 動他 《文語》…を巻く; 囲む.
en·gird 動他 …を取り巻く, 囲む. 「る.
un·der·gird 動他 下側にロープや鎖をかけて補強す
un·gird 動他 …の帯を緩める [解く, 外す].

gird·er /gə́ːrdər/

名 〖土木〗〖建築〗桁(けた), 大梁(ばり), ガーダー. ⇨ -ER[1].

bóx gìrder 箱型梁 [桁].
húll gìrder 〖造船〗ハルガーダ.
láttice gìrder ラチス梁, 格子梁 [桁].
pláte gìrder プレートガーダー, プレート梁.
sándwich gìrder 合わせ梁, サンドイッチ桁.
Wárren gìrder ワーレン桁.

G

gir·dle /gə́ːrdl/

名 **1** (女性用)ガードル. **2** 〖解剖〗帯(たい), 肢帯.

en·gír·dle 動他 …を取り巻く, 囲む(engird).
híp gìrdle =pelvic girdle.
pántie gìrdle =panty girdle.
pánties gìrdle 《米》=panty girdle.
pánty gìrdle パンティーガードル.
péctoral gírdle **1** (脊椎(せきつい)動物の)胸帯, 前肢帯. **2** (人間の)肩帯.
pélvic gírdle (脊椎(せきつい)動物の)腰帯(ようたい), 後肢帯.
séa gìrdle =Venus's girdle.
shóulder gìrdle =pectoral girdle 2.
Vénus's gírdle 〖動物〗オビクラゲ(sea girdle).

girl /gə́ːrl/

名 **1** 女の子, 女児, 少女; 娘; (通例)十代の女の子. **2** 《話》《時に軽蔑的》(年齢・既婚・未婚を問わず)女.

át·ta·gìrl 間 《米話・英俗》いよう, いいぞ, でかした. ►That's the girl. より.
báchelor gìrl 《話》(自活する)若い独身女性.
báll gìrl 〖スポーツ〗ボールガール.
bár gìrl 《米》女性のバーテン.
Bát·gìrl バットガール: Batman の登場人物.
bát gìrl 〖野球〗バットガール
báttery gìrl 《俗》(しばしば麻薬を与えて)閉じ込められた売春婦.
bést gírl ガールフレンド, 恋人.
B́-gìrl 《米俗》ホステス; 商売女.
bóy-and-gírl 形 少年と少女の, 幼い(恋の).
bóy-mèets-gírl 形 《話》お決まりの, 月並みな恋愛の.
búnny gìrl バニーガール. 「手.
bús·gìrl 《米》バスガール: ウエーターの女助
búsiness gìrl 《俗》売春婦.
cábin gìrl (ホテルなどの)メイド.
cáll gìrl コールガール.
cásh·gìrl 現金取次係の女性.
chárity gìrl 《古》慈善学校の女生徒.
chóir·gìrl 少女聖歌隊員.
cigarétte gìrl (レストランなどの)タバコ売り娘.
continúity gìrl 〖映画〗撮影記録係の女性.
cópy·gìrl (新聞社の)女性の使い走り.
cóver gìrl カバーガール.
ców·gìrl (特に西部の)カウボーイと同等の仕事をこなす女性.
dáncing gìrl (職業的な)ダンサー, 踊り子.
dáy gìrl 《主に英》(寄宿学校の)自宅通学女生徒. 「ル.
Dódge Gìrl ダッジガール: Dodge 車の宣伝ガー
dréam gìrl 《米話》美女.
élevator gìrl =liftgirl.
flówer gìrl 《米・スコット》花娘.
Gíbson gìrl ギブソン流の細腰の美女.
glámour gìrl グラマーガール.
góose·gìrl ガチョウ飼いの女. 「嬢.
héllo gìrl 《米話》女性電話交換手, 電話交換
híred gìrl 雇い女, 女中, (特に)農家の雑役婦.
hóme·gìrl homeboy に相当する女性.
hóuse gìrl お手伝いさん, 家政婦.
ídiot gìrl テレビ出演者にせりふのカード(idiot card)を見せる女子テレビ局員.
Ít Gírl 女優 Clara Bow のあだ名.
ít gírl 《米俗》セクシーな若い女性.
Kélly gìrl ケリー・ガール, 女性派遣社員.
Kírchner gìrl キルヒナー娘.
lánd gìrl 《英》(戦場に出た男子に代わって仕事をする)若い農婦.
líft·gìrl 《英》エレベーターガール.
márching gìrl 《豪・NZ》ユニフォーム姿のパレードチームの女の子.
Matérial Gírl Madonna のあだ名; その歌の題.
néws·gìrl 新聞売り [新聞配達] の少女. 「員.
óffice gìrl (雑用や使い走りをする)女子事務
óld gírl 《英》(特に public school の)女子卒業生, 同窓生.
óomph gìrl 《俗》性的魅力に富んだ女(の子).
páper·gìrl (女性の)新聞の売り子 [配達人].
párty gìrl パーティー以外に興味のない若い女性 [女子学生].
pláy·gìrl 遊び好きな女性, 快楽を追う女; 《Playgirl》『プレイガール』(雑誌名).
pómpom gìrl (フットボールの試合などで大きな玉房を振って応援する)ポンポンガール.
pómpon gìrl =pompom girl.
príncipal gírl 英国のクリスマスのお伽芝居でヒロインを演じる女優.
sáles·gìrl (特に商店の)女子店員.
schóol·gìrl 女(子)生徒, 女(子)学生.
scrípt gìrl 〖映画〗スクリプトガール.
shóp·gìrl 《主に英》女子店員.
shów gìrl ショーガール.
síngsong gìrl (中国の)芸者.
sléepy-tíme gìrl 《米俗》みだらな女.
spáce·gìrl 《話》女性宇宙飛行士.
spórting gìrl 売春婦.
stáble·gìrl 馬小屋の世話をする女性.
stréet gìrl 街娼(がいしょう), 娼婦.
Súper·gìrl スーパーガール: 米国漫画のヒロイン.
swéater gìrl 《俗》特にぴったりと合ったセーターを着ている胸の豊かな若い女性.
swítch·gìrl 《主に豪話》電話交換嬢.
Téddy gìrl 《話》テディガール.
tóm·gìrl 男の子のような女の子, おてんば娘.
Válley gìrl 《米》バレーガール.
V́-gìrl 《米俗》(特に第二次世界大戦中)愛国心から進んで兵士と寝る女性.
wéather gìrl 《米》女性の天気予報担当アナウン
wórking gìrl 勤労女性, 働く女性. 「サー.
yéllow gìrl 《米俗》肌色が薄い黒人女性.
yés-gìrl 《米俗》誘いに簡単に乗る女.
yóung gìrl (未婚の)若い女性.
yúm-yúm gìrl 《俗》売春婦.

give /gív/

動他 〈人に〉〈物を〉与える, あげる, やる, くれる, 贈与する, 寄付する.

for·give 動他 〈人を〉許す.
mis·give 動他 …に不安を起こさせる.

re·give 動他 …を再び与える.

giv·er /gívər/

名 贈与者, 寄贈者, 施与者. ⇨ -ER[1].

álms·gìver 施しをする人, 慈善家.
cáre·gìver 介護奉仕者; 世話をする人.
Índian gìver 《米話》贈り物して後で取り戻す人.
láw·gìver 立法者, 法律制定者(legislator).
thánks·gìver 感謝をする人; 恩に報いる人.

giv·ing /gíviŋ/

名 与えること. ━━形 与える. ⇨ -ING[1], -ING[2].

álms·gìving 名 (習慣的な)施し, 慈善, 喜捨(行為).
bríbe-gìving 名 贈賄.
cáre-gìving 名 (老人などへの)介護[治療]奉仕.
gáin·gìving 名 《古》不安, 懸念, 心配.
lífe-gìving 形 生気を与える, 活気づける.
óut·gìving 形 社交的な, 外向性の; 好意的な.
páyroll gìving 天引き寄付制度.
príze-gìving 名 (学校などでの)表彰(式).
sélf-gíving 形 自分のことを考えない, 自己犠牲的な.
thánks·gìving 名 (特に神の恩恵に対する)感謝の表明.

gla·cial /gléiʃəl/

形 『地質』氷河の, 氷原の. ⇨ -IAL.

en·gla·cial 形 氷河の中の, 氷河に埋もれた.
flu·vi·o·gla·cial 形 融氷流水の, 河氷両成の.
in·ter·gla·cial 名形 間氷期(の).
in·tra·gla·cial 形 氷河中の[に生じる], 氷期中の.
per·i·gla·cial 形 周氷河の; 氷河周辺で起こる.
post·gla·cial 形 後氷期の; (特に)ウルム氷期以後の.
pre·gla·cial 形 氷河期前の, 前氷河期の.
sub·gla·cial 形 氷河下の[にある].
su·per·gla·cial 形 氷河上の, 氷河の表面の.

gla·cier /gléiʃər | glǽsjə, -siə/

名 『地質』氷河.

móuntain glàcier 山岳氷河.
róck glàcier 氷河様岩石流.
tídewater glàcier 潮間氷河.
válley glàcier 谷氷河.

glance[1] /glǽns, glɑ́:ns | glɑ́:ns/

動自 〈人が〉(…を)(意図的に)ちらっと見る; (…に)ざっと目を通す. ━━名 (…を)(意図的に)ちらっと見ること, (…への)一瞥.

o·ver·glance 動他 《古》ざっと目を通す.
side-glance 名 流し目, 横目.

glance[2] /glǽns, glɑ́:ns | glɑ́:ns/

名 『鉱物』輝鉱.

ántimony glánce 水素化アンチモン.
cópper glánce 輝銅鉱(chalcocite).
íron glánce 鏡鉄鉱(gray hematite).
léad glánce 方鉛鉱(galena).
sílver glánce 輝銀鉱(argentite).

gland /glǽnd/

名 腺: 分泌液[物]を出す細胞または器官.

adrénal glànd 副腎(ふくじん), 腎上体.
anténnal glànd ＝green gland.
Barthólin's glànd バルトリン腺.
Brúnner's glànd 十二指腸腺.
bulbouréthral glànd ＝Cowper's gland.
còlletérial glánd 生殖腺.
Cówper's glànd カウパー腺.
cóxal glànd 『昆虫』基節腺.
digéstive glànd 消化腺.
dúctless glánd ＝endocrine gland.
éndocrine glànd 内分泌腺.
éxocrine glànd 外分泌腺.
gréen glànd 緑腺(りょくせん), 触角腺.
lácrimal glànd 涙腺(るいせん).
lácteal glànd 乳腺(にゅうせん).
mámmary glànd ＝lacteal gland.
máster glànd ＝pituitary gland.
músk glànd (雄のジャコウジカの)麝香(じゃこう)袋.
óil glànd ＝uropygial gland.
parathýroid glànd 副甲状腺, 上皮小体.
parauréthral glànd 副尿導管腺.
perinéal glànd 会陰腺(えいんせん); 肛門周囲腺.
píneal glànd 松果体.
pitúitary glànd 脳下垂体.
préen glànd ＝uropygial gland.
próstate glànd 前立腺.
prothorácic glànd 『昆虫』前胸腺.
rácemose glánd ブドウ房状腺.
sált glànd 塩類腺.
scént glànd 臭腺.
sebáceous glànd 皮脂腺, 脂腺.
sérous glánd 漿腺(しょうせん).
séx glànd 性腺, 生殖腺(gonad).
sílk glànd 絹糸腺.
sínus glànd (甲殻類の)血洞腺.
sùbmandíbular glànd 顎下腺(がっかせん).
submáxillary glànd ＝submandibular gland.
suprarénal glànd ＝adrenal gland.
swéat glànd 汗腺(かんせん).
thorácic glánd ＝prothoracic gland.
thýroid glànd 甲状腺.
uropýgial glànd 『鳥類』尾腺(びせん).
wáx glànd 『昆虫』蝋腺(ろうせん).

glass /glǽs, glɑ́:s | glɑ́:s/

名 **1** ガラス. **2** グラス, コップ. **3** 鏡; レンズ.

Ámen glàss 18世紀中期の英国のコップ. ►王位継承権を主張する老僭王(ろうせんおう)(Old Pretender)を支持する文句が刻んであり, "Amen" で終わっていた.
Ánglo-Venétian glàss アングロベネチア・ガラス器.
ántique glàss るつぼ(pot)の中の溶融ガラスにステンドガラスを混ぜて色をつけたガラス.
árt glàss 工芸ガラス.
áurene glàss オーリングラス: 玉虫色に輝く工芸ガラス.
ballóon glàss 西洋ナシ形ブランデーグラス.
basált glàss 『岩石』玄武岩質玻璃(はり).
béll glàss 鐘形ガラス, ガラス鐘, ベルジャー.
bío·glàss 名 『医学』バイオグラス.
blówed-in-the-glàss 形 《米俗》本物の; 素晴らしい.
blówn-in-the-glàss 形 本物の.
Bohémian glàss ボヘミアガラス.
bónnet glàss (18世紀の)脚なし小グラス.
borosílicate glàss ホウケイ酸ガラス.
bóttle glàss 瓶ガラス.
Brístol glàss ブリストルガラス: 装飾器用色ガラス.
bróad glàss ＝cylinder glass.
Búrmese glàss 19世紀後期の米国の工芸ガラス.
búrning glàss 太陽熱取り[天日]レンズ.
cámeo glàss カメオガラス: 異なった2種の色ガラス.
cárnival glàss カーニバルガラス: 20世紀初期米国で流行した多彩な光彩の押型ガラス

G

器.

cáse glàss ケースガラス, (色)被(き)せガラス.

cathédral glàss ステンドグラス(stained glass).

chevál glàss 姿見, 大鏡.

cóaching glàss (19 世紀の初めに用いられた)足のない小さな酒杯(fuddling glass).

cócktail glàss カクテルグラス.

cónstable glàss (18 世紀の, 容量 1 クォート(約 0.946 ℓ)の)胴部が長く重い台足がついた酒杯.

cóver glàss カバーガラス, 覆いガラス.

cránberry glàss クランベリーガラス: 赤味を帯びたピンク色の透明ガラス器.

Cróokes glàss クルックスガラス: 紫外線を吸収し, 目を保護する.

crówn glàss クラウンガラス: 光の分散が低く, 多くは屈折率の低い光学ガラス.

crýstal glàss クリスタルガラス.

cúpping glàss 吸い玉, 吸角(きゅうかく).

cústard glàss カスタードグラス: あめ色の不透明なガラス.

cút glàss カットガラス, 切り子; カットグラス.

cýlinder glàss 円筒法板ガラス.

Depréssion glàss ディプレッション[大不況]ガラス器: 1920 年代から 40 年代にかけて, 米国で大量生産された半透明ガラス器.

dispénsing glàss 三角メスシリンダー, 円錐メートルグラス, 調剤グラス.

dóck-glàss [名] (もとワイン試飲用の)大型グラス.

drám glàss =joey glass.

dráwn glàss 機械引き板ガラス.

dréssing glàss 鏡台の鏡, 化粧鏡.

égg glàss エッグカップ, ゆで卵立て(eggcup).

éye-glàss [名] 眼鏡(glass).

fíber-glàss [名] 繊維ガラス, グラスファイバー.

fíeld glàss (野外用の)双眼鏡.

fígured glàss (片面に模様のついた)型板ガラス.

fínger glàss (食卓で指を洗う)ガラス製フィンガーボール.

fíring glàss 太い柄と末広がりの脚のついた円錐形をした 18 世紀の杯.

fláshed glàss 色被(き)せガラス: 色ガラスの薄い層または金属酸化物で被覆した透明ガラス.

flínt glàss 【光学】フリントガラス, 鉛ガラス.

flóat glàss フロートガラス: 表面のきわめて滑らかな, ほとんどゆがみのない板ガラス.

fóam glàss 泡ガラス, 泡沫(ほうまつ)ガラス.

fúddling glàss =coaching glass.

gréen glàss 青色[緑色]ガラス.

gróund glàss 【光学】(光を分散するための)ピントグラス.

hámmering glàss =firing glass.

hánd glàss 手鏡.

hóur-glàss [名] 砂[水銀]時計.

invísible glàss 無反射[不可視]ガラス.

Jácobite glàss 17 世紀末期または 18 世紀初期の英国の飲酒用グラス; James II 支持者のモットーや印が彫られている.

Jéna glàss 【ガラス製造】イエナガラス: ドイツ Jena 市で造られる理化学・光学用ガラス.

jóey glàss 17 世紀の小型タンブラー.

láce glàss レース模様ガラス器.

láminated glàss 合わせガラス.

léad glàss 鉛ガラス.

líme glàss 石灰ガラス.

liquéur glàss リキュール(用の小)グラス.

líquid glàss 【化学】ケイ酸ナトリウム.

lóoking glàss 鏡, 姿見(mirror).

lóoking-glàss [形] 《話》反対の, さかさまの.

mágnifying glàss 拡大鏡, 虫眼鏡.

metállic glàss ガラス状合金, 非晶質合金, アモルファス合金.

mílch glàss =milk glass.

mílk glàss 乳白ガラス, ミルクガラス.

mosáic glàss モザイクガラス.

móther-of-péarl glàss =satin glass.

múff glàss マフガラス: 吹き円筒を縦切りし平らに製作した板ガラス.

múrrhine glàss マーリンガラス: 古代ローマの蛍石(ほたるいし)製の杯に似るガラス器.

níght glàss 【海事】夜間用望遠鏡.

óbject glàss 【光学】対物レンズ.

ópal glàss オパールガラス, 乳白ガラス.

óptical glàss 【光学】光学ガラス.

óverlay glàss =case glass.

parfáit glàss パフェグラス.

péachblow glàss 桃花ガラス: 淡い色の, 時に下層が乳色ガラスになっている米国の美術ガラス.

photochrómic glàss フォトクロミック・ガラス: ふだんは透明で光が当たると色がつくガラス; 眼鏡用.

píer glàss 窓間(まど)鏡.

pláte glàss 板ガラス.

pláte-glàss [形] (特に 1960 年代に創立された)現代英国大学の.

pléxi-glàss [名] プレキシガラス(商標名 Plexiglas).

Pomóna glàss ポモナガラス: 片面を薄い琥珀(こはく)色に着色し, 他面を食刻した米国の工芸ガラス.

pót glàss るつぼガラス: るつぼで溶かされたガラス.

préssed glàss 押し型ガラス.

quártz glàss ルシャテリエ石.

quízzing glàss (柄付き)単眼鏡, 片眼鏡(monocle).

réading glàss 拡大鏡.

redúcing glàss 縮小レンズ.

rólled glàss ロール法(板)ガラス.

rúby glàss ルビーガラス: 調合物に金銅またはセレンを添加して得られる赤色のガラス.

sáfety glàss 安全ガラス.

sánd-glàss 砂時計(hourglass).

Sándwich glàss サンドイッチガラス: 1825 年から 1888 年ごろまで米国 Massachusetts 州 Sandwich で製造されたガラス器.

sátin glàss サティングラス, 米国の繻子(しゅす)仕上げの工芸ガラス器.

shéet glàss (薄)板ガラス.

shérry-glàss シェリーグラス.

shót glàss ウイスキー[リキュール]グラス.

síght glàss タンクやパイプなどで中身の量などを見るため, 透明になっている箇所.

sílica glàss 石英ガラス, シリカガラス.

sóluble glàss 【化学】ケイ酸ナトリウム.

spángled glàss 透明ガラス層の中に雲母(うんも)の薄片を入れ, 色ガラスをかぶせた米国の工芸ガラス.

spátter glàss くずガラスを溶かして作ったガラス.

spún glàss スパンガラス: 小孔から流出する溶けたガラスを高圧の空気または水蒸気で噴射してつくるガラスの短繊維.

spý-glàss 小型[携帯用]望遠鏡.

stáined glàss ステンドグラス.

stórm glàss 【気象】暴風雨予報器.

stúdio glàss スタジオガラス: 仕事場で職人が自由に制作した工芸ガラス.

sún-glàss[1] =burning glass.

sún-glàss[2] [形] サングラスの.

thréaded glàss 糸模様ガラス.

thúmb glàss サムグラス: しっかりつかめるように外面にぎざぎざのあるグラス.

Tíffany glàss =Favrile glass.

tóoth glàss 歯磨き[入れ歯]用コップ.

Venétian glàss ベネチア製装飾ガラス器, ベネチアガラス.

volcánic glàss 火山ガラス, 黒曜岩, 火山玻璃(はり).

wátch glàss 腕時計 [携帯時計] の文字盤を覆うガラス.
Wáterford gláss ウォーターフォードガラス: アイルランドの Warterford で製作された細かなカットまたは金付けを施したガラス.
wáter glàss ガラス製の水入れ [コップ].
wéather·glàss 気圧計, 湿度計, 晴雨計など, 大気の状態を測定する計器の総称.
wíne·glàss ワイングラス.
wíred gláss ＝wire glass.
wíre gláss 網入り(板)ガラス.

glass·es /glǽsiz, glɑ́ːs- | glɑ́ːs-/

名複 glass「ガラス」の複数形. ⇨ -ES[1].

áviator glàsses (軽い金属製フレームの)プラスチック製着色レンズの眼鏡.
bóp glàsses 《米俗》角製フレームの眼鏡.
cóke-bòttle glàsses 《米俗》分厚いレンズの眼鏡, 瓶底メガネ.
dárk glásses 色眼鏡.
gránny glàsses 細い金属製フレームの眼鏡.
hálf-glàsses 名複 ハーフグラス: 普通の眼鏡の下半分だけの半円形レンズの眼鏡; 読書用.
músical glásses ミュージカル・グラス: ガラスコップを並べ, それぞれ異なる量の水を入れて, 指先でその縁をこすって音を出す楽器.
nóse glàsses 鼻眼鏡(pince-nez).
ópera glàsses オペラグラス.
róse-colored glásses (通例, 確かな根拠のない)明るい物の見方, 楽観的な物の考え方.
sún·glàsses 名複 サングラス.

glau·co·ma /glɔːkóumə, glau-/

名 〖眼科〗緑内障, あおそこひ. ⇨ -OMA.

acúte glaucóma ＝angle-closure glaucoma.
ángle-closure glaucóma 閉塞隅角緑内障.
chrónic glaucóma ＝open-angle glaucoma.
clósed-àngle glaucóma ＝angle-closure glaucoma.
nárrow-àngle glaucóma ＝angle-closure glaucoma.
ópen-àngle glaucóma 開放隅角緑内障.

glaze /gléiz/

動他 **1** 〈窓・額縁などに〉板ガラスをはめる [張る]. **2** 〖製陶〗釉薬(ゆうやく)をかける. ━━名 **1** 光沢(のある表面). **2** 〖窯業〗釉(ゆう).

a·gláze 形 〈目が〉どんよりした, かすんだ.
de·gláze 動他 〈磁器などから〉釉薬を取り除く.
léad glàze 鉛釉薬, 鉛釉.
óilspòt glàze 油滴釉.
ón·glàze 形 〈絵付けなどが〉施釉した面になされる.
ó·ver·glàze 名 上釉(うわぐすり), 釉被覆.
re·gláze 動他 〈窓などの〉ガラスを入れ替える.
sált glàze 食塩釉, 塩釉(しおぐすり).
sált·glàze 形 食塩釉を施した.
tín glàze スズ釉(ゆう).
transmutátion glàze 変成釉.
ún·der·glàze 形 〈絵の具・絵が〉施釉前に素地に施した, 下絵付けの.

-gle·a /glíːə/

連結形 ゼラチン, 膠(にかわ).
★ 名詞をつくる.
★ 語末にくる関連形は -GLUTINATE.
★ 語頭にくる形は gli(o)-: *glio*sis「脳内神経膠細胞の増殖」, *glio*ma「神経膠腫(こうしゅ)」.
◆ ギリシャ語 *gliá*「膠」より.

mes·o·gle·a 名 間充ゲル, 中膠(ちゅうこう).
zo·o·gle·a 名 〖細菌〗粘着集落.

glide /gláid/

名 (ダンスの)すり足のステップ. **2** 〖音声〗推移音, わたり音.

hánd·glìde 〖アイスダンス〗ハンドグライド.
óff-glìde 〖音声〗出わたり音.
ón-glìde 〖音声〗入りわたり音.
paláis glìde パレグライド: 腕を組んで一列になって滑るようなステップで踊るダンス.

glid·er /gláidər/

名 **1** 〖航空〗グライダー, 滑空機. **2** 滑る(ように動く)人[もの]. ⇨ -ER[1].

féather-tàil glíder ＝pygmy glider.
háng glìder ハンググライダー.
pár·a·glì·der 名 パラグライダー.
pýgmy glìder チビフクロモモンガ.
súgar glìder フクロモモンガ.
Wínd·glìder 《商標》ウインドグライダー.

globe /glóub/

名 **1** 地球. **2** 球体.

celéstial glóbe 天体儀.
físh glòbe (ガラス製で球形の)金魚鉢.
terréstrial glóbe 地球儀.

glob·u·lin /glɑ́bjulin | glɔ́b-/

名 〖生化学〗グロブリン. ⇨ -IN[2].

álpha glóbulin α グロブリン.
àn·ti·glób·u·lin 名 〖免疫〗抗グロブリン.
béta glóbulin β グロブリン.
cry·o·glób·u·lin 名 クリオグロブリン.
eu·glób·u·lin 名 真正 [真性] グロブリン.
gámma glóbulin 〖免疫〗ガンマグロブリン.
ìm·mu·no·glób·u·lin 名 〖免疫〗免疫グロブリン.
làc·to·glób·u·lin 名 ラクトグロブリン.
màc·ro·glób·u·lin 名 マクログロブリン.
sérum glóbulin 血清グロブリン.
thy·ro·glób·u·lin 名 チログロブリン.

-glob·u·li·ne·mi·a /glɑ̀bjəlaníːmiə | glɔ̀b-/

連結形 〖医学〗グロブリン血症.
◆ GLOBULIN＋ -EMIA.

a·gam·ma·glob·u·li·ne·mi·a 名 無ガンマグロブリン血症.
cryo·glob·u·li·ne·mia 名 クリオ [寒冷] グロブリン血(症).
hy·po·gam·ma·glob·u·li·ne·mi·a 名 低ガンマグロブリン血(症).
mac·ro·glob·u·lin·e·mi·a 名 マクログロブリン血症.

glo·ry /glɔ́ːri/

名 賞賛, 称揚, 光栄, 名誉. ⇨ -Y[3].

kníckerbòcker glóry 背の高いグラスに入れて出される糖菓; 果物, クリーム, ゼリー, アイスクリームの層から成る.
mórning glòry 〖植物〗アサガオ(朝顔)(ヒルガオを含む).
Óld Glóry 《米話》星条旗: 米国国旗.

G

sélf-glóry 高慢, 見栄.
váin·glòry 《文語》強いうぬぼれ [虚栄心].

-glos·si·a /glɔ́ːsiə, glɑ́s- | glɔ́siə, -gjə/

連結形 舌 [言葉] の状態を表すもの [こと].
★ 名詞をつくる.
★ 語末にくる関連形は -GLOT.
★ 語頭にくる関連形は gloss(o)-: *glosse*ry「用語集」, *glosso*graphy「語彙注釈, 用語解説」.
◆ ギリシャ語 *glôssa*「舌」より. ⇨ -IA.

a·glos·si·a 名 【病理】無舌症.
an·ky·lo·glos·si·a 名 【病理】舌癒着症, 舌小帯短縮(症).
di·glos·si·a 名 ダイグロシア, 区別的二言語併用.
id·i·o·glos·si·a 名 小児特殊造語.
xen·o·glos·si·a 名 【心霊】異言, 異種言語発話現象.

-glot /glɑ̀t | glɔ̀t/

連結形 …語の, …か国語のできる [で書かれた].
★ 語末にくる関連形は -GLOSSIA.
★ 語頭にくる形は glott(o)-: *glotto*chronology「言語年代学」, *glotto*logy「言語学」.
◆ <ギ(アッティカ方言)-*glottos* …の舌を持つ(*glôtta*「舌」より).

di·glot 形 (自国語を含めて)2 か国語を話せる.
mon·o·glot 形 1 つの言語しか知らない.
pol·y·glot 形 多国語を話す.
tri·glot 形 3 か国語で書かれた.

glove /glʌ́v/

名 (5 指の分かれている)手袋.

ÁTB glóve 全地形型自転車用手袋.
báseball glòve (野球用)グラブ.
bóxing glòve ボクシング用グラブ.
dáta·glòve 【コンピュータ】データグローブ.
fáce-glòve 顔をふく四角いミット型のタオル.
fáiry glòve 【植物】ジキタリス, キツネノテブクロ.
fóx·glòve ☞
kíd-glòve 形 上品すぎる; 生ぬるい.
óven glòve オーブングラブ(oven mit).
ùn·glóve 動他自 (…の)手袋を取る.
vélvet glóve 外面的な柔和さ.
whíte-glóve 形 《話》細心の, 入念な, 詳細な.

glow /glóu/

名 (炎を上げずに燃える)輝き, 白熱, 赤熱; 白熱 [赤熱] 光.

áfter·glòw 夕焼け.
a·glów 形副 (赤く)輝いて.
áir·glòw 【気象】大気光.
ál·pen·glòw アルペングリューエン, アルペングロー.
ánode glòw 【物理】陽極グロー.
cáthode glòw 【物理】陰極グロー.
cóunt·er·glòw 名 【天文】対日照.
dáy·glòw 昼間大気光.
eléctric glów 【電気】コロナ放電.
négative glów 【物理】負 [陰極] グロー.
níght·glòw 【気象】夜間大気光.
sún·glòw 太陽光.
twílight glòw 【気象】薄明大気光.

glu·cose /glúːkous/

名 【生化学】グルコース, ブドウ糖. ⇨ -OSE[2].

dex·tro·glu·cose 名 D 型グルコース.
d-glu·cose 名 =dextroglucose.
i·so·glu·cose 名 イソグルコース: 砂糖の代用品の一つ.
le·vo·glu·cose 名 L 型グルコース.
l-glu·cose 名 =levoglucose.

glue /glúː/

名 膠(にかわ)質, 膠; 接着剤.

bée glùe 蜂蝋(ほうろう)(propolis).
cásein glùe カゼイン膠(にかわ).
físh glùe (魚から抽出した)膠(にかわ).
Krázy Glúe 《商標》クレージーグルー: 強力接着剤.
maríne glùe マリングルー: 木甲板の継ぎ目に詰め物をしたあと流し込むタール状の混合物.
ùn·glúe 動他 …を(…から)はがす, 引きはがす.

-glu·ti·nate /glúːtənèit/

連結形 膠(にかわ)でくっつける.
★ 動詞をつくる.
★ 語末にくる関連形は -GLEA.
★ 語頭にくる関連形は gli(o)-: *glio*sis「脳内神経膠細胞の増殖」, *gli*oma「神経膠腫(しゅ)」.
◆ ラテン語 *glūten*「膠」より. ⇨ -ATE[1].

ag·glu·ti·nate 動他自 接着 [膠着(こうちゃく)] させる [する].
con·glu·ti·nate 動他自 …を [が] (膠(にかわ)で)くっつける [くっつく], 膠着(こうちゃく)させる [する].
de·glu·ti·nate 動他 〈小麦粉などから〉グルテンを抽出する.

glyc·er·ide /glísəràid, -rid/

名 【化学】【生化学】グリセリド: グリセリンの脂肪酸エステル. ⇨ -IDE[1].

bo·ro·glyc·er·ide 名 ホウ酸グリセリン.
di·glyc·er·ide 名 ジグリセリド.
mo·no·glyc·er·ide 名 モノグリセリド.
tri·glyc·er·ide 名 トリグルセリド.

gly·col /gláikɔːl, -kɑ̀l | -kɔ̀l/

名 【化学】グリコール, エチレングリコール: 無色, 粘稠(ねんちゅう)な甘味のある有毒な液体. ⇨ -OL[1].

diéthylene glýcol ジエチレングリコール.
di·glýcol =diethylene giycol
éthylene glýcol グリコール, エチレングリコール.
polyéthylene glýcol ポリエチレングリコール.
própylene glýcol プロピレングリコール.

glyph /glíf/

名 **1** 絵文字, 象形文字(pictograph). **2** 彫像; 浮き彫り像. **3** 【建築】装飾用の(縦)溝. ◇ -GLYPHIC.

an·a·glyph 名 アナグリフ: 浅浮き彫り装飾(品).
der·ma·to·glyph 名 (一本の)皮膚条紋.
hi·er·o·glyph 名 (古代エジプトの)聖刻文字.
in·ter·glyph 名 【建築】縦溝間(すき).
pet·ro·glyph 名 (先史時代人の)岩石線画.
pho·to·glyph 名 写真彫刻板.
tri·glyph 名 ☞

-glyph·ic /glífik/

連結形 …を刻んだ. ◇ GLYPH.
★ 形容詞をつくる.
◆ ギリシャ語 *glyphḗ*「彫刻」より. ⇨ -IC[1].

coe·lan·a·glyph·ic 形 〈彫刻が〉陰刻(cavo-relievo)の,

hi·er·o·glyph·ic 形 (古代エジプトの)象形文字の.

gnat /nǽt/

名 双翅(そうし)類の吸血性の小さな昆虫の総称.

bláck gnát 『釣り』ブラックナット.
búffalo gnàt ブユ, ブヨ, ブト.
fúngus gnàt キノコバエ.
gáll gnàt タマバエ.
spént gnàt 『釣り』産卵後のカゲロウに似せたスピナー.

-gnate /gnèit/

連結形 …生まれ(の).
★ 名詞または形容詞をつくる.
◆ <ラ *gnātus*(*gnāscī*「生まれる」の過去分詞). ⇨ -ATE[1].
[発音] いずれも 2 音節の語で, 語頭の音節に第 1 強勢.

ag·nate 名 男系親族, 父系親族, 内戚(ないせき).
cog·nate 形 祖先が同じの, 同血族の; 女系親の.

-gnath /gnæ̀θ/

連結形 「顎」の意味の連結形.
★ 形容詞, 名詞をつくる.
★ 語末にくる関連形は -GNATHOUS.
★ 語頭にくる形は gnath(o)-; *gnath*ion「おとがい点」, *gnath*ite「上顎(じょうがく)」.
◆ ギリシャ語 *gnáthos*「顎」より.

chae·tog·nath 名 毛顎(もうがく)動物, ヤムシ類.
chi·log·nath 名 唇顎(しんがく)類の総称; ヤスデなど.
plec·tog·nath 形 癒顎(ゆがく)目の.

-gna·thous /gnəθəs/

連結形 …のあごを持つ.
★ 形容詞をつくる.
★ 語末にくる関連形は -GNATH.
★ 語頭にくる関連形は gnath(o)-; *gnath*ion「おとがい点」, *gnath*ite「上顎(じょうがく)」.
◆ <ギ *-gnathos* …のあごを持つ(*gnáthos*「あご」より). ⇨ -OUS.
[発音] 直前の音節に第 1 強勢.

ag·na·thous 形 『動物』あごのない.
hy·pog·na·thous 形 〈鳥・昆虫が〉下口式の, 下口形の.
me·sog·na·thous 形 『人類』中顎(ちゅうがく)の.
me·tag·na·thous 形 『鳥類』(イスカのように)くちばしが食い違っている.
op·is·thog·na·thous 形 『動物』後口式の.
or·thog·na·thous 形 『頭骨測定』正顎の, 直顎の.
prog·na·thous 形 『動物』口前式の.

-gno·my /gnəmi/

連結形 判断術 [学], 認識.
★ 名詞をつくる.
★ ギリシャ語からの借用語に見られ, ギリシャ語起源の他の要素につく.
★ 語末にくる関連形は -GNOSIA, -GNOSIS, -GNOSTIC.
★ 語頭にくる関連形は gnos-, gnot-: *gnos*is「霊的認知」, *gnos*tic「霊知の」.
◆ <後期ラ *-gnōmia* <ギ *gnṓmē* 意見, 判断. ⇨ -Y[3].
[発音] 直前の音節に第 1 強勢.

chi·rog·no·my 名 キログノミー, 手型学.
pa·thog·no·my 名 『医学』疾病徴候学, 診断学.
phys·i·og·no·my 名 人相学, 観相術.

-gno·sia /gnóuʒə, -ʒiə, -ziə/

連結形 『精神医学』認知すること(に関しての異常).
★ 名詞をつくる.
★ 語末にくる関連形は -GNOMY, -GNOSIS, -GNOSTIC.
★ 語頭にくる関連形は gnos-, gnot-: *gnos*is「霊的認知」, *gnos*tic「霊知の」.
◆ <ギ *gnôs*(*is*)認知 + *-ia* -IA.

ag·no·sia 名 認知不能(症), 失認(症).
dys·gno·sia 名 認識障害, 判断力不全.

-gno·sis /gnóusis/

連結形 知識, 認識, 認知.
★ 名詞をつくる.
★ 語末にくる関連形は -GNOMY, -GNOSIA, -GNOSTIC.
★ 語頭にくる関連形は gno-, gnot-: *gnos*is「霊的認知」, *gnos*tic「霊知の」.
◆ <近代ラ *-gnōsis* <ギ *gnôsis*. ⇨ -OSIS.

bar·ag·no·sis 名 『病理』重量感喪失, 圧覚喪失.
bar·og·no·sis 名 『生理』重量認知 [感覚].
di·ag·no·sis 名 ☞
prog·no·sis 名 『医学』予後.
psy·chag·no·sis 名 『心理』(催眠術を用いたり外面的な特徴からの)精神診断法.
ster·e·og·no·sis 名 立体認知 [知覚], 実体認知.
tel·eg·no·sis 名 超自然的知識; 透視力, 千里眼.

-gnos·tic /gnástik | gnɔ́s-/

連結形 認識の, 知識の.
★ -gnosis で終わる語の語幹から形容詞をつくる.
★ 語末にくる関連形は -GNOMY, -GNOSIA.
★ 語頭にくる関連形は gnos-, gnot-: *gnos*is「霊的認知」, *gnos*tic「霊知の」.
◆ <中世ラ *-gnōsticus* <ギ *gnōstikós*. ⇨ -TIC.

ag·nos·tic 名 不可知論者. ── 形 不可知論の.
di·ag·nos·tic 形 診断(上)の; 診察に用いる.
prog·nos·tic 形 『医学』予後の; 予後経過を示す.

go /góu | gə́u/

動自 行く, 進む; 去る. ── 名 行く [去る] こと, 進行; 試み.

a·gó 形 (今から)…前, …以前.
cóme-and-gó 名 行き来, 去来; 収縮と膨張.
fáir gó 《豪話》公正な扱い(方).
fore·gó[1] 動他自 (…に)先行する, 先立つ.
fore·gó[2] 動他 =forgo.
for·gó 動他 〈楽しみ・便宜などを〉慎む, 控える.
gét-ùp-and-gó 名 《話》進んでやろうという元気.
gó-gó 形 精力的な, やる気十分の, 活動的な; 進んだ. ── 名 ゴーゴー(ダンス).
gó màn gó 間 《米ジャズ俗》素晴らしい, いいぞ.
gó/nó-gò 形 (計画・行動の)継続か中止かを決める.
gó or nó-go 形 =go/no-go.
gréat gó 《英話》(特に)Oxford 大学で人文学課程(Literae Humaniores)の B.
háve-a-gó 形 犯人を押さえようとする.
líttle gò 《もと》一次試験, 予備試験.
nó-gó 形 《俗》中止になった, 行われない.
óut·gò 名 外に出ること, 外出, 出発; 流出.
páss-gó 動自 《米俗》困難 [危険] な仕事をうまくやり遂げる.
páy-as-you-gó 名 即金 [現金] 払い.
sén·try-gò 名 《英》見張り番交替の合図.
stóp-and-gó 形 信号規制の, ゴーストップの.
stóp-gó 名 《英》インフレとデフレが交互に起こる時期 [状態].
to gó 形 持ち帰りの.

G

tóuch and gó きわどい状態.
tóuch-and-gó 形 〈行動・状態などが〉危険な, きわどい.
ùn·der·gó 動他 経験する, 経る, 受ける.

goal /góul/

名 **1** 目的, 目標. **2**(競技の)決勝点[線], ゴール. **3**(球技の)得点場所, ゴール; (その)得点.

dróp góal =dropped goal.
drópped góal 〔ラグビー〕ドロップゴール.
fíeld gòal 〔アメフト〕フィールドゴール.
ín-gòal 〔ラグビー〕インゴール.
ówn góal 《英警察俗》自殺者.
pénalty gòal 〔サッカー〕〔ラグビー〕ペナルティーゴール.
tóuch-in-góal 〔ラグビー〕タッチインゴール.

goat /góut/

名 ヤギ(山羊).

Angóra góat アンゴラヤギ.
bílly gòat 《話》《通例幼児語》雄ヤギ.
bóer gòat 南アフリカ原産の頑丈なヤギの一種.
Cáshmere góat =Kashmir goat.
háiry góat 《豪話》成績の悪い競走馬.
hé-góat 雄ヤギ.
jáal góat ヌビアアイベックス.
Káshmir góat カシミールヤギ.
móuntain gòat =Rocky Mountain goat.
nánny gòat 雌ヤギ.
Núbian góat ヌビアン種.
óld góat 《話》口うるさい年輩者.
Rócky Móuntain góat ロッキーヤギ.
scápe·gòat 贖罪(しょく)のヤギ, 身代わり, 犠牲.
shé-góat 雌ヤギ.
Spánish góat ピレネーヤギ.
whíte góat =Rocky mountain goat.
yárd gòat 《米鉄道俗》入れ換え機関車.

god /gád | gɔ́d/

名 **1**(一神教, 特にキリスト教の)神, 創造[造物]主, 天主(►固有名詞扱い). **2**(特定の力を持った)神.

áct of Gód 〔法律〕不可抗力.
bélly-gòd 《古》大食家, 美食家.
blínd gód 愛の神.
démi·gòd 名 半神半人, 下級神.
éarth-gòd 大地の神.
gállery gòd (劇場の)天井桟敷の観客.
góat gòd 牧羊神.
Gréek gód ギリシャ神(のような美男子).
hóusehold gód (古代ローマの)家庭の守護神.
Jehóvah Gód (エホバの証人の)神.
nét. gód 《俗》インターネットの神様的名人.
ríver-gòd 川の神, 水神.
sún gòd 神格化された太陽.
tín gód 権力の座にあって尊大な人.

god·dess /gádis | gɔ́d-/

名 (特にギリシャ・ローマ神話の)女神. ⇨ -ESS[1].

bítch gòddess 《擬人化して》世俗的[物質的]成功.
dé·mi·gòd·dess 名 半神半人の女性.
éarth-gòddess 大地の女神, 地母神.
Gréat Góddess 太母, グレートマザー.
Gréen Góddess 《英》緊急警備用消防自動車.
Móther Gòddess 地母神.
Páphian Góddess 〔ギリシャ神話〕パポスの女神.
séa-gòddess 海の女神.
séx gòddess 《米俗》セックスシンボルの女性(特に女優), グラマー女優.

go·er /góuər/

名《通例複合語》(…へ)しばしば行く人, (…の)常連. ⇨ -ER[1].

béach·gò·er 名 海水浴客.
cháp·el·gò·er 名 《英》非国教徒(non-conformist).
chúrch·gò·er 名 (日曜日ごとに)教会に行く人.
cín·e·ma·gò·er 名 《特に英》=moviegoer.
cón·cert·gò·er 名 よく演奏会に行く人, 演奏会の常連.
fés·ti·val·gò·er 名 祭りに出かける人.
fílm·gò·er 名 映画を見に行く人; 映画の常連.
gál·ler·y·gò·er 名 よく美術館[画廊]に行く人.
móv·ie·gò·er 名 《話》映画をよく見る人, 映画ファン.
mu·sé·um·gò·er 名 博物館[美術館]によく行く人.
óp·er·a·gò·er 名 オペラの常連[愛好家].
pár·ty·gò·er 名 パーティーによく行く人.
píc·ture·gò·er 名 《英 / 古風》映画館の常連(《米》moviegoer).
pláy·gòer 名 よく劇場通いする人, 芝居好き.
ráce·gò·er 名 競馬(など)の常連.
thé·a·ter·gò·er 名 芝居の常連, 芝居通(playgoer).

go·ing /góuiŋ/

名 行く[立ち去る, 通う]こと; 出発; 旅行; 歩行; 《廃》足並み, 歩調. ――形 **1** 行く, 進む. **2** する. **3** 至る, 達する. ⇨ -ING[1], -ING[2].

a·góing 副形 《話・方言》動いて, 作動中で.
déep-góing 形 基本的な, 根本的な, 重要な.
éasy·góing 形 鷹揚(おう)な, おおらかな.
fóreign-gòing 形 〈船・飛行機などが〉外国へ行く.
ín·gòing 形 入って来る, 就任の.
móvie·gòing 名 映画見物. ――形 よく映画に行く.
ócean·gòing 形 〈船が〉外洋航行の.
ón·gòing 形 継続[進展]している, 進行中の. ――名 進行, 前進.
óut·gòing 形 出て行く, 出発する; 外向的な.
séa·gòing 形 〈船などが〉(遠洋)航海に適する.
stéady-góing 形 ぐらつかない, 不動の, 誠実な.
théater·gòing 名 観劇, 芝居見物.
thórough·gòing 形 〈人が〉(物事を)徹底的にやる.
wáy·gòing 形 《主にスコット・北イング》去り行く.

gold /góuld/

名 **1** 金(きん). **2** 《俗》(金色・黄褐色をした)極上品のマリファナ.

Abyssínian góld =Talmi gold.
Acapúlco góld 《俗》アカプルコゴールド: 大麻の一種.
básket-of-góld アブラナ科イワナズナ属の多年草.
Bethésda góld ベセスダゴールド: マリファナの一種.
bláck góld 《主に米話》石油; ゴム.
clóth-of-góld 〔園芸〕イトバサフラン.
Colómbian góld 《俗》コロンビアゴールド: 南米産のマリファナ.
Colúmbian góld =Colombian gold.
Dútch góld オランダ金箔.
fílled góld かぶせ金, 張り金.
fóol's góld フールズゴールド: 黄鉄鉱[黄銅鉱].
frée góld 《米》無拘束金(塊).
fúlminating gòld 〔化学〕雷金, 爆発性金.
Kóna cóast gòld 《米麻薬俗》ハワイ産の強力なマリファナの一種.
líquid góld 水金(すいきん), 光沢金.
Mánnheim góld マンハイム金: 模造金.

már·i·gòld 名 ☞
mosáic gòld 〘化学〙硫化第二錫(すず), 偽金.
óld gold 古金色.
Pánama góld 《米俗》パナマ産の良質マリファナ.
páper góld 《話》特別引出し権.
rólled góld =filled gold.
Sánta María gòld 《米俗》サンタマリアゴールド: マリファナの一種.
Sánta Márta gòld (コロンビア産の)強いマリファナ.
Tálmi gòld 金被(き)せ真鍮.
Tálon Góld 〘軍事〙タロン・ゴールド.
végetable gòld 〘植物〙サフラン(saffron).
whíte góld 〘化学〙白金(はっきん).

golf /gálf, gɔ́ːlf | gɔ́lf, gɔ́f/

名 ゴルフ.

Áfrican gólf 《米俗》クラップス(craps).
bárnyard gólf 《米話 / おどけて》蹄鉄投げゲーム.
clóck gòlf クロックゴルフ: 芝生の文字盤コースを順に回るパッティングゲーム.
Frísbee gòlf フリスビーゴルフ: フリスビーを投げて, ゴールまでの投擲(とうてき)回数を競う.
mídget gólf 《話》=miniature golf.
míniature gólf 小型ゴルフ, ベビーゴルフ, ミニゴルフ.

-gon /gàn, gən | gən, gɔ̀n/

連結形 〘幾何〙…角形.
★ 名詞をつくる.
★ 語末にくる関連形は -GONIC[1].
★ 語頭にくる形は goni(o)-: *gonio*meter「角度計」.
◆ ギリシャ語 *gōnía*「角度」より.

dec·a·gon 名 十角形, 十辺形.
do·dec·a·gon 名 十二角形, 十二辺形.
en·ne·a·gon 名 =nonagon.
hen·dec·a·gon 名 十一角形, 十一辺形.
hep·ta·gon 名 七角形, 七辺形.
hex·a·gon 名 六角形, 六辺形.
i·so·gon 名 等角形.
non·a·gon 名 九角形, 九辺形.
oc·ta·gon 名 八角形, 八辺形.
pen·ta·gon 名 五角形, 五辺形.
per·i·gon 名 360° の角度, 周角.
pol·y·gon 名 ☞
tet·ra·gon 名 四角形, 四辺形.
tri·gon 名 《古》三角形.
tri·met·ro·gon 形 〈航空写真の〉トリメトロゴン方式の.

gone /gɔ́ːn, gán | gɔ́n/

動 go の過去分詞形. ── 形 過ぎ去った, 過去の, 以前の, 遠い昔の.

be·góne 動自 《文語》(直ちに)立ち去る.
bý·gòne 形 《文語》過去の; 以前の; 旧式の.
far-góne 形 遠い, 遠隔の, 遠方の.
fore·góne 形 前の, 以前の, 過去の.
hére-and-gòne 形 存在していたかと思うとすぐ消える.

-gon·ic[1] /gánik | gɔ́nik/

連結形 角の.
★ 形容詞をつくる.
★ 語頭にくる関連形は goni(o)-: *gonio*meter「角度計」.
◆ -GON＋ -IC[1].

a·gon·ic 形 〘数学〙《今はまれ》角(かく)を成さない.
i·so·gon·ic 形 等角の.

-gon·ic[2] /gánik | gɔ́nik/

連結形 生殖の, 性の.
★ 形容詞をつくる.
★ 語末にくる関連形は -GONIUM, -GONY.
★ 語頭にくる関連形は gon(o)-: *gon*agium「生殖管」, *gono*phora「生殖体」.
◆ ギリシャ語 *gónos*, *gonḗ*「親子, 世代」より. ⇨ -IC[1].

dys·gon·ic 形 〘細菌〙(人工培地で)増殖が遅い.
eu·gon·ic 形 〘細菌〙発育良好の.

-go·ni·um /góuniəm/

連結形 生殖体.
★ 名詞をつくる.
★ 語末にくる関連形は -GONIC[2], -GONY.
★ 語頭にくる関連形は gon(o)-: *gon*agium「生殖管」, *gono*phora「生殖体」.
◆ 近代ラテン語より. ⇨ -IUM.

ar·che·go·ni·um 名 〘植物〙造卵器, 蔵卵器.
as·co·go·ni·um 名 〘菌類〙造嚢(のう)器.
car·po·go·ni·um 名 〘植物〙造果器.
hor·mo·go·ni·um 名 〘植物〙連鎖体.
o·o·go·ni·um 名 〘生物〙卵原細胞.
per·i·go·ni·um 名 〘植物〙雄花葉.
sper·ma·go·ni·um 名 〘植物〙〘菌類〙=spermogonium.
sper·mat·o·go·ni·um 名 〘細胞生物〙精原細胞.
sper·mo·go·ni·um 名 〘植物〙〘菌類〙精子器, 雄精器.
spo·ro·go·ni·um 名 〘植物〙(コケ類の)胞子嚢(のう).

-go·ny /gəni/

連結形 生産, 起源, 発生.
★ 名詞をつくる.
★ 語末にくる関連形は -GONIC[2], -GONIUM.
★ 語頭にくる関連形は gon(o)-: *gon*agium「生殖管」, *gono*phora「生殖体」.
◆ <ラ *-gonia* <ギ *-goneia*. ⇨ -Y[3].
[発音] 直前の音節に第 1 強勢.

ag·a·mog·o·ny 名 =schizogony.
bib·li·og·o·ny 名 書籍製作, 出版術, 書物作製術.
cos·mog·o·ny 名 宇宙 [天地] の創造 [発生].
glot·tog·o·ny 名 〘言語〙言語起源学 [論].
het·er·og·o·ny 名 〘生物〙ヘテロゴニー, 異状生殖.
ho·mog·o·ny 名 〘植物〙(両性花の) 雌雄蕊(ずい)同長.
i·sog·o·ny 名 〘生物〙比例成長.
mer·og·o·ny 名 〘発生〙卵片発生, メロゴニー.
mo·nog·o·ny 名 〘生物〙単性 [無性] 生殖.
schi·zog·o·ny 名 〘生物〙増員 [伝播] 生殖.
spo·rog·o·ny 名 〘生物〙スポロゴニー, 伝播生殖.
te·leg·o·ny 名 先夫遺伝, 感応遺伝.
the·og·o·ny 名 神々の起源.

good /gúd/

形 (質的に)よい, 申し分のない; (量的に)十分な, たっぷりした; (道徳的に)優れた. ── 名 **1** 福利; 善; 財産. **2** 善, (美)徳.

cómmon góod 《スコット》共有財産.
dístance màde góod 〘航海〙直航距離, 直航航程.
dó-gòod 形 空想的社会改良家の.
económic góod 経済財, 財.
féel·gòod (患者の気分をよくするために)覚醒剤などを処方する医師.
Jóhnny-bé-gòod 《米話》警官, おまわり.
máke-gòod 〘広告〙埋め合わせ広告.
nó-góod 形 《話》役立たずの, 駄目な.

scátter·gòod 浪費家.
supréme góod 〘哲学〙最高善.

goods /gúdz/

名複 財産, 所有物; 商品, 品物. ►good の複数形.

auxíliary góods ＝producer goods.
báke·gòods 焼き菓子類(ケーキ, パイなど).
bónus gòods 報奨品.
brówn gòods 「褐色物」: ラジオ, テレビ, ステレオなど褐色を基調とする電気製品.
cánned góods 缶詰製品.
cápital góods 〘経済〙資本財.
cáse gòods 収納家具(一式).
chárity gòods 《俗》ただでやらせる売春婦.
colléctive góods 共有財: 道路, 公共建物など.
consúmer gòods 〘経済〙消費財.
consúmption gòods ＝consumer goods.
convénience gòods 近くの店でいつでも買える品(タバコ, 雑誌, ガムなど); 日用雑貨.
cónvict gòods 囚人の製作品.
dispósable góods 非耐久消費財.
dréss gòods (婦人・子供服などの)軽い服地類, ドレス生地.
drý gòods 《主に米》(食料品, 金物類などと区別して)織物類, 反物, 糸.
dúrable góods (耐用年数が, 通例3年以上の)耐久消費材.
fáncy góods ファンシーグッズ; 新趣向の小物.
frée góods 無税品, 免税品.
gráve góods 〘考古〙副葬品.
gráy gòods グレー, 生機(きばた).
gréen góods 青物, 野菜類; 《俗》にせ札.
hárd gòods ＝durable goods.
indústrial góods 〘マーケティング〙産業用製品生産財.
inférior góods 〘経済〙下級財, 劣等財.
instruméntal góods ＝producer goods.
intermédiate góods ＝producer goods.
nárrow góods 《英》小幅物, 細い幅のもの(組みひも, リボンなど).
órange góods オレンジ商品: 消費高, かかる手間, 利益率などが中程度の商品.
páckage gòods 〘商業〙包装(容器)詰め商品.
píece gòods 尺度単位で小売りされる品物, (特に)反物(yard goods).
prodúcer gòods 〘経済〙生産財.
prodúction gòods 〘経済〙＝producer goods.
rúbber gòods 《婉曲的》ゴム製品, コンドーム.
shópping gòods 〘マーケティング〙買い回り品.
smáll·gòods 《豪・NZ》調製済みの肉(デリカテッセン(delicatessen)で売られているベーコン, ハムなど).
sóft gòods 《英》非耐久消費財, 繊維雑貨(織物, カーペット, 衣服など).
spécialty gòods 〘マーケティング〙専門品.
stráight góods 《米俗》真実, 事実.
supérior góods 〘経済〙優等財, 上級財.
wásh gòods 洗濯の利く織物.
wét gòods 樽(たる)や瓶に入った液体の商品.
whíte gòods 白布製家庭用品(シーツ, タオル, テーブル掛けなど).
yárd gòods 《米》＝piece goods.
yéllow góods イエローグッズ: 購入, 買い換えは頻繁ではないが, 利幅の大きい商品.

goose /gúːs/

名 〘鳥類〙(家禽(かきん)の)ガチョウ, (野生の)ガン.

bárnacle góose カオジロガン.
béan gòose ヒシクイ.
blúe góose アオハクガン.
Cánada góose カナダガン.
Canádian góose ＝Canada goose.
chánnel gòose カツオドリ.
Chínese góose サカツラガン(酒顔雁).
colónial góose 《豪・NZ》詰め物をして焼いたヒツジの肉.
gálloping góose 《米西部》小さな[ぼろの]客車.
gólden góose (イソップ物語の)金の卵を産むガチョウ.
góne góose 《俗》役立たずの人[もの].
gréen góose (生後4か月ごろまでに食用する)ガチョウのひな; まぬけ.
gréy góose ハイイロガン.
Hawáiian góose ネネ, ハワイガン.
mágpie gòose カササギガン.
Móther Cárey's góose オオフルマカモメ.
Móther Góose マザーグース: 英国古来のわらべ歌集の架空の作者.
píed góose ＝magpie goose.
pínk-fòoted góose ユーラシア大陸産のマガンの一種.
Róss's góose ヒメハクガン.
snów gòose ハクガン(白雁).
spúr-wìnged góose アフリカ産の Plectropterus 属のガン.
Strásbourg gòose ストラスブールグース: フォアグラ(foie gras)用に飼育したガチョウ.
swán góose サカツラガン.
Wéstern Cánada gòose ＝white-cheeked goose.
whíte-chèeked góose シジュウカラガンの変種.
whíte-frònted góose マガン.
wíld góose 野生のガン.
yárd gòose 《米鉄道俗》操車係, 転轍(てんてつ)手.

goose·ber·ry /gúːsbèri, -bəri, gúːz- | gúzbəri/

名 〘植物〙スグリ, グズベリー. ⇨ BERRY.

Barbádos góoseberry モクキリン.
cápe gòoseberry シマホオズキ.
Ceylón góoseberry キタンビラ(kitembilla).
Chínese góoseberry キーウィ.
Énglish góoseberry セイヨウ(西洋)スグリ, マルスグリ.
séa gòoseberry テマリクラゲ.

gorge /gɔ́ːrdʒ/

名 (特に水の流れる)険しい岩間; 小峡谷. ―動他 (食物を)詰め込む.

dis·górge 動他 吐く, 吐き出す, 嘔吐(おうと)する.
en·górge 動他 …をがつがつ食う; …を満腹させる.
Gréat Górge グレートゴージ: ナイアガラ滝の下の大峡谷.
rè·górge 動他 吐く; 投げ返す; 《まれ》再び飲み込む.

goth·ic /gáθik | gɔ́θ-/

名形 ゴシック様式(の); ゴート語(の). ⇨ -IC[1].

cárpenter góthic カーペンターゴシック.
Criméan Góthic クリミア・ゴート語.
Internátional Góthic 国際ゴシック様式.
nèo-góth·ic 形 ネオゴシックの.
Stéamboat Gòthic スチームボートゴシック.

gourd /gɔ́ːrd, gúərd | gúəd/

名 〘植物〙ウリ科植物の外皮の堅い果実の総称; (特に)ヒョウタンの実, ペポカボチャの実.

bóttle gòurd ヒョウタン(の実).
cránberry gòurd アボブラ.
díshcloth góurd ヘチマ(の実).

hédgehog gòurd =teasel gourd.
Missóuri góurd ミズリーカボチャ.
rág gòurd ヘチマ(の実).
sóur góurd オーストラリア北部産パンヤ科の木アダンソニアグレゴリーの果実.
tállow gòurd =wax gourd.
téasel gòurd アラビアウリ.
tówel góurd ヘチマ(の実).
wáx gòurd トウガン, トウガ(冬瓜).
whíte-flòwered góurd ヒョウタン(の実).
whíte góurd =wax gourd.
yéllow-flòwered góurd ペポカボチャ(の実).

gov·ern·ment /gʌ́vərnmənt, -vərmənt/

名 **1** 統治, 政治, 行政. **2** 政治体制. **3**《集合的に》政府. ⇨ -MENT.

àn·ti·gó·vern·ment 形 反政府(勢力)の.
cábinet gòvernment =parliamentary government.
compárative góvernment 比較政治学.
Féderal Góvernment 〘米政治〙連邦政府.
lócal góvernment 地方自治(制).
mílitary góvernment 軍政府.
nátional góvernment (超党派の)挙国一致政府[内閣].
parliaméntary góvernment 議会政治.
presidéntial góvernment 大統領制.
sélf-góvernment 名 自治, 自己統治.
stúdent góvernment 学生の自治.
sú·per·gòv·ern·ment 名 連邦政府(組織).
wórld góvernment 世界政府.

gov·er·nor /gʌ́vərnər/

名 **1** 支配者, 統治者. **2**〘機械〙調速機. ⇨ -OR[2].

inértia góvernor 〘機械〙慣性調速機.
isóchronous góvernor 〘機械〙等速調速機.
lieuténant góvernor 《米》州副知事.
mílitary góvernor 軍政府長官.
více-góv·er·nor 名 副総督; 副知事.

gown /gáun/

名 ガウン, 婦人用ドレス, 正服.

acadèmic gówn (大学の式服としての)ガウン.
báll·gòwn 夜会服.
béd·gòwn =nightgown.
dréssing gòwn 化粧着, 部屋着.
évening gòwn 夜会服, イブニングガウン.
Genéva gòwn ジュネーブガウン: 改革派教会の式服.
hóstess gòwn ホステスガウン: 婦人が家庭で接待時に着る長い部屋着.
níght·gòwn (婦人・子供用の)ナイトガウン.
sílk gówn 《英》勅選弁護士(の制服).
stúff gòwn 《英》(下級法廷弁護士が着用する)ラシャのガウン.
téa gòwn ティーガウン, 茶会服.

grab·ber /grǽbər/

名 ひっつかむ人; ひったくり. ⇨ -ER[1].

glóry gràbber 《米俗》場当たりをねらう人.
góober-gràbber 《米俗》落花生を摘む人.
lánd-gràbber 土地収奪者.
móther·gràbber 《米俗》嫌なやつ, くそったれ野郎.

grace /gréis/

名 **1** (姿・態度・動作などの)品のよさ, 上品, 気品; 優雅, しとやかさ; 優美; (文体・表現などの)美しさ, 洗練. **2**〘神学〙(神の)恵み, 恩恵, 恩寵(ちょう).

áctual gráce 助力の恩寵.
bów·gràce 〘海事〙船首防舷(げん)物.
dis·gráce 名 不名誉, 不面目; 恥, 恥辱.
hérb-gràce 《古》〘植物〙ヘンルーダ(rue).
hérb-of-gráce 《古》=herb-grace.
prevénient gráce 先行的恩寵.
sáving gráce (欠点を埋める)取り柄, 特質.
scápe·gràce やくざ者, ろくでなし, 厄介者.

grack·le /grǽkl/

名〘鳥類〙北米産のムクドリモドキ科の数種の鳥の総称.

bóat-tàiled gráckle キタオナガクロムクドリモドキ.
brónzed gráckle オオクロムクドリモドキの亜種.
púrple gráckle オオクロムクドリモドキ.

gra·da·tion /greidéiʃən, grə-|grə-/

名 漸次的移行[進展, 変化]. ⇨ -ATION.

àg·gra·dá·tion 名 〘自然地理〙埋積作用.
dèg·ra·dá·tion 名 地位[階級]を下げること, 降格.
ìn·ter·gra·dá·tion 名 (徐々に別段階へと移る)変移.
prò·gra·dá·tion 名 〘地質〙前進平衡作用.
rèt·ro·gra·dá·tion 名 後退.
vówel gradàtion 〘文法〙アプラウト, 母音交替.

grade /gréid/

名 階級, 階層, 等級, (食品の)品質等級. ——動他 …を等級分けする. ——自〈道路などが〉傾斜している.

áge-gràde 〘社会学〙年齢集団.
ag·gráde 動他 〘自然地理〙〈川底などを〉堆積(たいせき)物で上昇させる.
búbs gràde 《豪俗》保育園, 幼稚園; 小学1年生.
cén·ti·gràde 形 百分度の, 百度目盛りに分けた.
cómpany gràde 〘軍事〙尉官級.
de·gráde 動他 …の体面を傷つける, 評判を落とす.
dówn·gràde 名 《主に米・カナダ》下り坂.
fíeld gràde 〘軍事〙佐官: 陸軍将校の中級階級.
hígh gràde 優秀[高級](なもの).
hígh-gràde 形 上等の, 高級な.
ín·ter·gràde 名 中間段階, 中間の形式, 中間層.
lów-gràde 形 低級[下級, 下等]の, 品質の悪い.
múl·ti·gràde 形 〈オイルが〉マルチグレイドの.
Ó gràde 普通級(試験).
Órdinary gràde 《スコット》=O grade.
páy gràde (軍人の)基本給等級, 号給表.
rè·gráde 動他 〈道路・坂などの〉勾配(こうばい)をつけ直す.
resérve-gràde 《豪》二軍, 補欠チーム.
ré·tro·gràde 形 退行的な, 反動的な, 逆行的な.
rúling gràde 〘鉄道〙査定勾配(こうばい).
Stándard Gráde (スコットランドで)標準級(試験).
súb·gràde 名 〘土木工学〙〘建築施工〙路盤, 路床.
súp·er·gràde 名 〘米行政〙上級公務員職.
táble gràde 形 《俗》〈特に女性の胸・脚などが〉たまらなくセクシーな.
úp·gràde 名 《米・カナダ》上り勾配(こうばい).
wéak gràde 〘文法〙(母音交替の)弱階梯.
wéapon-gràde 形 〈プルトニウムなどが〉核兵器としての基準を満たす.

-grade /grèid/

連結形 …で歩く[動く].
★ 歩行の仕方を表す.
★ 語末にくる関連形は -GRESS, -GRESSION, -GRESSIVE.
★ 語頭にくる形は grad-: *grad*ation「段階」, *grad*uation「学位授与式」.

G

◆ ＜ラ -*gradus* (*gradus*「段階」または *gradī*「歩く」を表す連結形).

dig·i·ti·grade 形 【動物】趾行(しこう)の.
dor·si·grade 形 【動物】趾背(しはい)歩行性の.
lat·er·i·grade 形 横に移動する, 横歩きの.
or·tho·grade 形 直立歩行の.
pin·ni·grade 形 【動物】ひれ足(flipper)で動く.
plan·ti·grade 形 【動物】蹠行(しょこう)する.
pos·i·grade 形 【ロケット】補助推進用の.
pro·no·grade 形 水平歩行の, 伏位歩行の.
ret·ro·grade 形 退行的な, 反動的な, 逆行的な.
sal·ti·grade 形 〈昆虫・クモなどが〉跳躍して動く.
tal·i·grade 形 足の外側で歩く.
tar·di·grade 名 緩歩動物, クマムシ.
un·gu·li·grade 形 【動物】蹄行(ていこう)性の.
ver·mi·grade 形 【動物】蠕虫(ぜんちゅう)のように動く.

gra·di·ent /gréidiənt/

名 傾斜, 勾配(こうばい). ⇨ -ENT[1].

álternating-grádient 形 【物理】交番勾配の, AG の.
barométric grádient 【気象】＝pressure gradient.
geothérmal grádient 【地質】地温勾配.
grávity gràdient 【物理】重力傾度法.
ìso·grádient 名 【気象】等傾度線.
poténtial gràdient 【電気】電位の傾き, 電位勾配.
préssure gràdient 【気象】気圧傾度.
témperature gràdient 【気象】気温傾度, 温度勾配.

grad·u·ate /grǽdʒuət, -dʒuèit | -dʒu-, -dju-/

名 卒業生. ⇨ -ATE[1].

non·grad·u·ate 名 卒業生でない人.
post·grad·u·ate 形 大学院学生 [研究科生] の.
un·der·grad·u·ate 名 (まだ学士号を取得していない)学生.

graft /grǽft, grɑ́ːft | grɑ́ːft/

名 **1**【園芸】接ぎ木法. **2**【外科】移植片; 移植. ── 動自 接がれる.

ál·lo·gràft 名 【外科】同種移植(片).
áu·to·gràft 名 【外科】自家移植片.
crówn gràft 【園芸】割接(わりつぎ), 冠接(かんむりつぎ).
en·gráft 動自 【外科】〈生体組織が〉移植される.
hét·er·o·gràft 名 【外科】＝xenograft.
hó·mo·gràft 名 【外科】＝allograft.
in·gráft 動自 【外科】＝engraft.
ínlay gràft 【園芸】皮接ぎ.
ìn·ter·gráft 動自 【園芸】〈木が〉接ぎ木できる.
í·so·gràft 名 【外科】＝syngraft.
ìsoplástic gráft 【外科】＝syngraft.
nótch gràft 【園芸】切り接ぎ.
róot gràft 【園芸】根接ぎ.
sáddle gràft 【園芸】鞍(くら)接ぎ.
síde gràft 【園芸】腹接ぎ.
skín gràft 【外科】植皮用の皮膚片.
sýn·gràft 名 【外科】同系移植(片).
tóngue gràft 【園芸】＝whip graft.
whíp-and-tóngue gràft 【園芸】舌接ぎ.
whíp gràft 【園芸】斜め接ぎ.
xén·o·gràft 名 【外科】異種移植(片).

graft·ing /grǽftiŋ, grɑ́ːft- | grɑ́ːft-/

名 **1**【外科】移植片; 移植. **2** 接ぎ木(法). ⇨ -ING[1].

bárk gràfting 【園芸】袋接ぎ.
skín gràfting 【外科】植皮術, 皮膚移植術.
tóp gràfting 【園芸】高接ぎ法.
zóo·gràfting 【外科】動物組織移植(術).

grain /gréin/

名 **1** 堅い小粒の種子. **2** 木目.

bréad gràin パン用穀物.
cróss-gràin 名 (木材などの)板目.
énd gràin (木材の)横断面, 木口(こぐち).
en·gráin 動他 ＝ingrain.
féed·gràin 飼料用穀物.
fíli·gràin フィリグリー, 金 [銀] 線細工.
fíne-gràin 形 【写真】〈画像などが〉微粒子の.
fóod gràin (食料用)穀粒.
fúll-gràin 形 〈皮革が〉毛が生えたままの状態の.
grós·gràin 名 グログラン: 厚地畝織生地.
in·gráin 動他 (精神などに)深く染み込ませる.
interlócked gráin 【木工】【建築】縄目, 逆目.
póllen gràin 【植物】花粉粒.
quárter gràin (丸太を縦 4 つに割り, 板びきしたときにできる)柾目(まさ).
Scótch gráin 男物の靴に用いる石目模様の牛革.
sílver gráin 【林業】銀杢(ぎんもく).
slásh gràin 【木材】板目.
whóle-gràin 形 自然のままの [未精白の] 穀類の.
wóod·gràin 木目模様風(加工)材料, 木目調素材.

grained /gréind/

形 《通例複合語》 **1** 粒が…の. **2** …の木目のある. ⇨ -ED[2].

clóse-gráined 形 木目の細かい.
cóarse-gráined 形 きめ [粒子] が粗い.
cróss-gráined 形 交差状の木理の; 板目の.
édge-gràined 形 柾目(まさ)の.
fíne-gráined 形 《限定的》きめの細かい.
flát-gràined 形 板目の.

-gram[1] /grǽm/

連結形 書かれた物, …(文)書, …(描写)図, 記録.
★ 語末にくる関連形は -GRAMMATIZE.
★ 語頭にくる形は gram-: *gram*marian「文法学者」.
◆ ギリシャ語 *grámma*「書かれたもの」より. ◇ -GRAPH.

ac·cel·er·o·gram 名 (加速度計による)加速度記録図.
ac·tin·o·gram 名 自記日射計による記録.
aer·o·gram 名 《英》無線電報.
air·gram 名 航空書簡.
an·a·gram 名 アナグラム.
a·nem·o·gram 名 風速自記記録.
an·gi·o·gram 名 血管造影 [撮影] 図, 血管写(像).
ar·te·ri·o·gram 名 動脈造影 [撮影] 図.
ar·thro·gram 名 関節造影 [撮影] 図.
au·di·o·gram 名 【医学】オーディオグラム, 聴力図.
bar·o·gram 名 【気象】気圧自記記録.
bi·gram 名 【暗号解読】連字(digraph).
cal·li·gram 名 カリグラム: 名前や文字などを装飾的に図案化したもの
car·di·o·gram 名 ☞
car·to·gram 名 統計地図, カルトグラム.
cer·vi·gram 名 頸管(けいかん)写真.
Chris·to·gram 名 キリストのしるし [象徴].
chro·mat·o·gram 名 【化学】クロマトグラム.
chron·o·gram 名 年号表示銘.
clad·o·gram 名 【生物】分岐図, 系統的樹系図.
cryp·to·gram 名 暗号文.
cys·to·met·ro·gram 名 【医学】膀胱(ぼうこう)内圧測定図.
dac·tyl·o·gram 名 《主に米》指紋.
den·dro·gram 名 【生物】デンドログラム, 系統樹.
di·a·gram 名 ☞
di·gram 名 二重字: 2 つの隣り合った字・記号の連続.

ech·o·gram 名 音響測深図表.
e·lec·tro·cor·ti·co·gram 名 【医学】(大脳皮質)脳波測定図.
E·lec·tro·dy·no·gram 名 《商標》エレクトロダイノグラム, 電気動態計.
e·lec·tro·gram 名 【医学】電気記録 [曲線] 図.
e·lec·tro·oc·u·lo·gram 名 【眼科】電気眼位図.
e·lec·tro·pho·ret·o·gram 名 【物理化学】電気泳動図.
e·lec·tro·ret·i·no·gram 名 【眼科】電位網膜図.
en·ceph·a·lo·gram 名 ☞
en·gram 名 【生物】エングラム, 印象.
ep·i·gram 名 警句, 奇警的な表現.
e·tho·gram 名 エソグラム: ある種の動物の全行動様式を視覚的に詳しく記録したもの.
fath·o·gram 名 音響測深機が示す深度記録.
gam·ma·gram 名 ガンマグラム, シンチグラム.
gen·o·gram 名 心理学的家系図.
he·li·o·gram 名 日光反射信号 [通信].
he·mo·gram 名 血液図 [像], ヘモグラム.
hex·a·gram 名 六角の星形, 六線星形, かご目模様.
hi·er·o·gram 名 ヒエログラム: 印, 絵文字などで表された記号.
his·to·gram 名 【統計】ヒストグラム, 柱状グラフ.
hol·o·gram 名 【光学】ホログラム.
hy·gro·gram 名 湿度自記記録.
id·e·o·gram 名 表意文字.
in·ter·fer·o·gram 名 【光学】干渉写真.
i·so·gram 名 【気象】【地理】等位線, 等値線.
ky·mo·gram 名 キモグラム, カイモグラム: 診断用キモグラフを用いて心臓などの動態を撮影した画像記録.
lex·i·gram 名 レクシグラム, 絵文字.
lip·o·gram 名 除字体 [字忌み] の文 [詩].
log·o·gram 名 語標, 記号, 略符, 略字(dollar を示す$, and を示す & など).
lym·pho·gram 名 【医学】リンパ管 [節] 造影写真.
mag·ne·to·gram 名 磁力記録.
mam·mo·gram 名 乳房 [乳腺(にゅうせん)] 撮影写真.
mar·co·ni·gram 名 《古風》無線電報(radiogram).
mar·i·gram 名 潮候曲線.
me·te·or·o·gram 名 【気象】気象自記記録.
mi·cro·gram 名 【光学】顕微鏡写真; 顕微鏡的図.
mon·o·gram 名 モノグラム, 組み合わせ文字, 組字.
my·e·lo·gram 名 【医学】脊髄(せきずい) X 線写真.
my·o·gram 名 筋運動記録図.
neph·o·gram 名 雲の写真.
neu·ro·gram 名 【心理学】ニューログラム.
nom·o·gram 名 ノモグラム, ノモグラフ, 計算図表.
os·cil·lo·gram 名 オシログラム: oscillograph または oscilloscope の記録 [図形].
pal·a·to·gram 名 【音声】口蓋(こうがい)図.
pan·gram 名 パングラム: アルファベットのすべての文字を(なるべくなら 1 回ずつ)使った短文.
par·al·lel·o·gram 名 平行四辺形.
pen·ta·gram 名 五芒(ごぼう)星形.
pet·ro·gram 名 岩石線画, 線刻画.
phe·no·gram 名 【生物】表現図, 表現的樹状図.
phleb·o·gram 名 【医学】＝venogram.
pho·no·gram 名 表音文字.
pho·to·flu·o·ro·gram 名 X 線蛍光撮影写真, 間接 X 線像.
pho·to·gram 名 フォトグラム: 感光紙の上に直接物体を置き, カメラは使わずに光を当てて作るシルエット写真.
phra·se·o·gram 名 句記号.
pic·to·gram 名 絵文字, 象形文字(pictograph).
ple·thys·mo·gram 名 脈波図, 容積脈波 [曲線].
po·lar·o·gram 名 ポーラログラフ波, 加電圧電流曲線.
pol·y·som·no·gram 名 多極睡眠図.
pro·gram 名 ☞
pro·to·gram 名 頭字語.
py·e·lo·gram 名 腎盂(じんう)(レントゲン)像.
ra·di·o·gram[1] 名 無線電報.
ra·di·o·gram[2] 名 《英》レコードプレーヤー付きラジオ.
re·no·gram 名 【医学】レノグラム.
roent·gen·o·gram 名 レントゲン写真.
scal·o·gram 名 【心理】反応図, スケーログラム.
scin·ti·gram 名 【医学】シンチグラム.
seis·mo·gram 名 地震 [震動] 記象, 地震動記録.
ski·a·gram 名 シルエット画.
so·ci·o·gram 名 【社会】ソシオグラム.
son·o·gram 名 【医学】超音波グラム.
spec·tro·gram 名 スペクトル写真.
sphe·no·gram 名 楔形(くさび)文字.
sphyg·mo·gram 名 脈波記録図, 脈拍曲線.
ster·e·o·gram 名 実体画 [図表], 立体画.
tach·o·gram 名 タコグラム, 回転速度記録.
tan·gram 名 知恵の板: 中国のパズル.
tel·e·gram 名 ☞
tet·ra·gram 名 4 字から成る語.
ther·mo·gram 名 【医学】サーモグラム.
to·mo·gram 名 【医学】断層 X 線写真, 断面 X 線図.
tri·gram 名 3 文字の銘.
ve·no·gram 名 静脈造影図.
vid·e·o·gram 名 ビデオソフト.
xe·ro·gram 名 ゼロックスコピー.
zy·mo·gram 名 【生化学】ザイモグラム.

-gram[2] /græm/

連結形 …グラム: メートル法の重さの単位.
★ 名詞をつくる.
◆ ＜仏 *gramme* ＜後期ラ *gramma* ＜ギ *grámma* 少量の重さ.

cen·ti·gram 名 センチグラム.
dec·a·gram 名 ＝dekagram.
dec·i·gram 名 デシグラム.
dek·a·gram 名 デカグラム.
hec·to·gram 名 ヘクトグラム.
hek·to·gram 名 ＝hectogram.
kil·o·gram 名 キログラム.
mi·cro·gram 名 マイクログラム.
mil·li·gram 名 ミリグラム.
na·no·gram 名 ナノグラム: 10 億分の 1 グラム.
pi·co·gram 名 ピコグラム.

-gram[3] /græm/

連結形 …通信, 通知, 速報, 電報.
★ 名詞をつくる.
◆ telegram からの抽出.

Bal·loon-A-Gram 名 風船電報.
ca·ble·gram 名 海底電信, (海外)電報(cable).
cul·ture-gram 名 文化通信.
e·lec·tion-gram 名 選挙速報.
fam·i·ly·gram 名 《米》(潜水艦員の)家族電報.
Go·ril·la·gram 名 ゴリラグラム: ゴリラの格好をしたメッセンジャーが届けるお祝いなどの電報.
kiss·a·gram 名 お祝いキス代行サービス.
Mail·gram 名 《商標》メールグラム(サービス).
pi·geon·gram 名 伝書バトによって運ばれる手紙.
Strip-A-Gram 名 ストリップ電報.

gram·mar /grǽmər/

名 (学問としての)文法, 文法学.

cáse gràmmar 格文法.
categórial grámmar 範疇(はんちゅう)文法.
descríptive grámmar 記述文法.
géneral grámmar ＝universal grammar.
génerative grámmar 生成文法.
génerative-transformátional grámmar 生成変形文法.

Móntague gràmmar 〔言語〕〔論理〕モンタギュー文法.
phráse-strùcture gràmmar 句構造文法.
prescríptive grámmar 規範文法.
schóol gràmmar 学校文法.
stratificátional grámmar 成層文法.
systémic grámmar 体系文法.
tradítional grámmar 伝統文法.
transformátional-génerative grámmar 変形(生成)文法.
univérsal grámmar 普遍文法.

-gram·ma·tize /grǽmətàiz/

連結形 文字にする.
★ 動詞をつくる.
★ 語末にくる関連形は -GRAM[1].
★ 語頭にくる関連形は gram-: *gram*marian「文法学者」.
◆ ギリシャ語 *grámma*「文字」より. ⇨ -IZE[1].

an·a·gram·ma·tize 動他自 (語句を)綴(つづ)り換える.
di·a·gram·ma·tize 動他 …を図解[図示]する, 図形で示す.
ep·i·gram·ma·tize 動他 …を警句[風刺詩]で表現する.

gramme /grǽm/

名 《主に英》〖メートル法〗グラム(gram).

cen·ti·gramme 名 センチグラム.
dek·a·gramme 名 デカグラム.
hec·to·gramme 名 ヘクトグラム.
ki·lo·gramme 名 キログラム.
mi·cro·gramme 名 マイクログラム.
mil·li·gramme 名 ミリグラム.

grand /grǽnd/

名 《俗》グランドピアノ.

báby gránd 小型グランドピアノ.
bóudoir grànd 家庭用グランドピアノ.
cóncert gránd コンサート用グランドピアノ.
párlor gránd セミ・コンサート・グランド.

grant /grǽnt, grá:nt | grá:nt/

動他 授ける, 授与する. ── 名 援助されたもの, 交付金, 補助[奨学]金.

áction grànt 《米》市街地再開発のための政府補助金.
blóck grànt 定額の助成金.
capitátion grànt 人頭補助金.
chállenge grànt 見合い補助金.
déath grànt 《英》葬儀用給付金.
lánd grànt 《米・カナダ》無償払い下げ地.
rè·gránt 動他 …を再認可[再授与, 再交付]する.

grape /gréip/

名 〖植物〗ブドウ(の木).

Cóncord grápe コンコード・ブドウ.
dýer's gràpe ヨウシュ(洋種)ヤマゴボウ.
fóx gràpe アメリカヤマブドウ.
fróst gràpe =riverbank grape.
hólly·gràpe =Oregon grape.
Írish grápe 《おどけて》ジャガイモ.
mústang gràpe 米国 Texas 州産の小粒で渋い赤ブドウ.
Óregon grápe ヒイラギメギ.
pígeon gràpe =summer grape.
raccóon gràpe =riverbank grape.
ríverbank gràpe ニオイブドウ.
séa gràpe ハマベブドウ.
súmmer grápe サマーグレープ.
wíld grápe 野生のブドウ.

graph /grǽf, grá:f | grá:f, grǽf/

名 図表, グラフ, 図式.

bár gràph 棒グラフ, 棒図(bar chart).
círcle gràph 〔統計〕〔数学〕円グラフ.
línear gráph 〔数学〕(特に)線形[線分]グラフ.
líne gràph 〔数学〕(折れ)線グラフ.
píe gràph 〔統計〕〔数学〕円グラフ.

-graph /græ̀f, grà:f | grà:f, græ̀f/

連結形 **1** …文書, …記録(図), …グラフ: mono*graph*, litho*graph*. **2** 書くもの[道具], 記録計[器]: tele*graph*, phono*graph*.
★ 語末にくる関連形は -GRAPHA, -GRAPHER, -GRAPHIA, -GRAPHIC, -GRAPHICAL, -GRAPHY.
★ 語頭にくる形は graph(o)-; *graph*eme「書記素」, *grapho*motor「書字運動の」.
◆ ギリシャ語 *-graphos*「書かれたもの」より.

ac·cel·er·o·graph 名 (地震の)加速度計.
ac·ti·graph 名 (生物や物質の)挙動記録装置.
ac·tin·o·graph 名 自記日射計; 〔写真〕露出計.
ac·to·graph 名 =actigraph.
aer·o·graph 名 〔気象〕高層自記気象計.
ak·to·graph 名 (実験動物の)活動記録計.
al·lo·graph 名 〔言語〕異文字, 異書体.
al·ti·graph 名 自記高度計.
a·nem·o·graph 名 〔気象〕自記風速計.
an·o·pis·tho·graph 名 片面印刷本, 片面写本[書類].
ap·o·graph 名 (テープなどの内容を)文字化したもの.
arc·o·graph 名 〔幾何〕円弧規.
Ar·ta·graph 名 アルタグラフ: 非常に精密な油絵の複製方法.
as·tro·graph 名 〔天文〕アストログラフ.
au·to·graph 名 自署, 署名, サイン.
au·to·mat·o·graph 名 自発運動記載器.
bar·o·graph 名 〔気象〕自記気圧計.
bar·o·met·ro·graph 名 =barograph.
bib·li·o·graph 動他 〈書名などを〉書誌に加える.
bi·o·graph 名 バイオグラフ: 初期の米国無声映画.
bo·lo·graph 名 〔物理〕ボロメーターによる記録.
cal·li·graph 動他 達筆で書く; 花(飾り)文字で書く.
car·di·o·graph 名 ☞
car·to·graph 名 (特に絵入りの)地図.
ca·thod·o·graph 名 〔化学〕陰極線写真, X 線写真.
ce·ro·graph 名 蝋(ろう)版画.
chi·ro·graph 名 (自筆の)証書.
cho·re·o·graph 動他 (舞踊などで)…の振り付けをする.
chro·ma·to·graph 動他 〔化学〕…の混合物をクロマトグラフィーによって分離する.
chron·o·graph 名 クロノグラフ: (特に天文学で)ある事象の発生した正確な時刻を記録する.
chry·so·graph 名 (特に中世の)金泥による手書き写本.
cin·e·mat·o·graph 名 《主に英》映写機.
cli·no·graph 名 〔採鉱〕〔施工〕クリノグラフ.
cop·y·graph 名 =hectograph.
co·ro·na·graph 名 〔天文〕コロナグラフ.
co·ro·no·graph 名 〔天文〕=coronagraph.
cra·ni·o·graph 名 〔医学〕頭蓋(ずがい)描画器.
cryp·to·graph 名 暗号文(cryptogram).
cy·clo·graph 名 =arcograph.
cy·mo·graph 名 〔医学〕=kymograph.
den·dro·graph 名 樹径自記生長計.
der·ma·to·graph 名 〔医学〕皮膚鉛筆.
di·a·graph 名 拡大複写器, 図面拡大器.

G

di·graph 名 ダイグラフ, 連字.
dit·to·graph 名 (誤写による)文字重複語.
du·o·graph 名 〘印刷〙二色網板.
dy·na·graph 名 〘鉄道〙軌道試験器.
dy·nam·o·graph 名 〘物理〙力量記録器.
ech·o·graph 名 音響測深装置.
ei·do·graph 名 写図器.
e·lec·tro·graph 名 電気(記録)図.
e·lec·tro·no·graph 名 電子写真(機).
e·lec·tro·ret·i·no·graph 名 〘眼科〙電位網膜計.
el·lip·so·graph 名 楕円(だえん)コンパス, 長円規.
el·lip·to·graph 名 =ellipsograph.
en·ceph·a·lo·graph 名 〘医学〙脳造影 [撮影] 図(encephalogram).
ep·i·graph 名 碑銘, 碑文(inscription).
er·go·graph 名 作業記録器, エルゴグラフ.
flan·nel·graph 名 《米》フランネルボード: フランネル張りの板で, フランネル製のアルファベットや数字などを付着させる.
gal·van·o·graph 名 電鋳銅凹版(印刷物).
glyp·to·graph 名 (宝石などの)彫り模様.
gyro·graph 名 〘天文〙ジャイログラフ.
hec·to·graph 名 こんにゃく版 [ゼラチン版] 複写法.
hek·to·graph 名 =hectograph.
hel·i·co·graph 名 ヘリコグラフ: らせんを描くための器具.
he·li·o·graph 名 日光反射信号機, ヘリオグラフ.
hi·er·o·graph 名 ヒエログラム: 印, 絵文字などで表された神聖な記号(hierogram).
hod·o·graph 名 〘数学〙〘力学〙ホドグラフ.
hol·o·graph[1] 形 自筆の.
hol·o·graph[2] 動他 ホログラフィーで撮影 [記録] する.
hom·o·graph 名 同形異義語.
hy·a·lo·graph 名 〘彫刻〙ハイアログラフ.
hy·dro·graph 名 水位 [流量] 図, 量水曲線.
hy·et·o·graph 名 雨量図.
hy·gro·graph 名 〘気象〙自記湿度計.
hyp·no·graph 名 睡眠中の人体の活動を測定記録する器具.
hy·ther·graph 名 〘気象〙ヒザ [ハイサー] グラフ.
id·e·o·graph 名 表意文字(ideogram).
id·i·o·graph 名 個人・機関などに特有な記号; 商標.
in·te·graph 名 積算器; 積分器; 〘コンピュータ〙積分回路網.
i·so·graph 名 〘言語〙等語線.
ka·ma·graph 名 カーマグラフ: 絵の原画を複製できる特殊印刷機.
kin·e·mat·o·graph 名 =cinematograph.
ki·ne·to·graph 名 キネトグラフ: 初期の映画撮影機.
ky·mo·graph 名 〘医学〙キモグラフ, カイモグラフ.
lith·o·graph 名 石版画, リトグラフ.
mac·ro·graph 名 現寸図; (写真・画像による)拡大図.
mag·ne·to·graph 名 磁気記録計, 記録磁力計.
mam·mo·graph 名 乳房 [乳腺] 撮影写真.
mar·e·o·graph 名 〘海洋〙=marigraph.
mar·i·graph 名 〘海洋〙検潮器 [儀].
me·tal·lo·graph 名 金属顕微鏡.
me·te·or·o·graph 名 〘気象〙気象自記器, 自記気象計.
mi·cro·graph 名 **1** 細書 [細彫] 用具. **2** 顕微鏡写真.
mim·e·o·graph 名 〘印刷〙謄写版, 孔版.
mon·o·graph 名 モノグラフ: ある限られた主題または分野の詳細な研究 [専攻] 論文.
my·o·graph 名 ミオグラフ, 筋運動記録器.
neph·o·graph 名 雲の写真撮影機.
noc·to·graph 名 ノクトグラフ: 視覚障害者が字を書くための枠.
o·do·graph 名 オドグラフ: 自動車の走行距離とコースを地図上に記録する装置.
o·donto·graph 名 〘機械〙歯形規.
oleo·graph 名 油絵風石版画.
ol·o·graph 名 =holograph[1].
om·ni·graph 名 〘通信〙オムニグラフ.
on·do·graph 名 オンドグラフ, (交流)波形記録器.
o·pis·tho·graph 名 (パピルスや羊皮紙の)両面書き写本.
os·cil·lo·graph 名 〘電気〙オシログラフ, 振動記録器.
pan·ta·graph 名 =pantograph.
pan·to·graph 名 パントグラフ, 写図器, 縮図器.
pa·pyr·o·graph 名 〘印刷〙パピログラフ.
par·a·graph 名 節, 段落, 項, パラグラフ.
ped·o·graph 名 (紙にしるした)足形.
pet·ro·graph 名 (先史時代人の)岩石線画.
phleb·o·graph 名 〘医学〙静脈造影器.
pho·no·graph 名 《米》蓄音機(《英》gramophone).
pho·to·graph 名 ☞
phra·se·o·graph 名 (速記などで)句記号の定まっている句.
pic·to·graph 名 絵文字, 象形文字.
pla·ni·graph 名 〘医学〙X 線断層写真.
pla·no·graph 動他 …を平版印刷する. ── 名 平版印刷物.
ple·thys·mo·graph 名 脈波計, 体積変動記録器.
pneu·ma·to·graph 名 〘医学〙=pneumograph.
pneu·mo·graph 名 〘医学〙呼吸運動描写器.
pol·y·graph 名 〘医学〙多元記録器.
po·no·graph 名 〘医学〙疲労計.
pseu·do·graph 名 偽書; 偽造文書(forgery).
psy·cho·graph 名 〘心理〙サイコグラフ, 心誌.
py·ro·graph 名 焼画装飾物.
ra·di·o·graph 名 ☞
roent·gen·o·graph 名 レントゲン写真.
sce·no·graph 名 遠近画.
scot·o·graph 名 =radiograph.
seis·mo·graph 名 地震(記録)計.
se·le·no·graph 名 月面図.
ser·i·graph 名 セリグラフ: シルクスクリーンで刷られた創作版画.
shad·ow·graph 名 影絵.
ski·a·graph 名 レントゲン写真(radiograph).
son·o·graph 名 ソノグラフ: 音や地震の振動を図形として表示する装置.
spec·tro·graph 名 分光器, 分光写真機.
sphyg·mo·graph 名 〘医学〙脈拍計, 脈波記録器.
spi·ro·graph 名 〘医学〙呼吸運動記録器.
sta·bi·lo·graph 名 振幅計(stabilimeter).
sten·o·graph 名 速記タイプライター.
ster·e·o·graph 名 立体写真, ステレオ写真.
steth·o·graph 名 〘医学〙呼吸運動記録 [描画] 器.
Ste·ven·graph 名 絹の色糸で織られた小型の絵.
sty·lo·graph 名 尖筆(せんぴつ)型万年筆.
syn·thet·o·graph 名 (数種の標本の)合成図.
tach·o·graph 名 自記回転速度計, 速度記録器.
tach·y·graph 名 (特に古代ギリシャ・ローマの)早書き文字, 速記文書.
tel·e·graph 名 ☞
ther·mo·graph 名 自記 [記録] 温度計.
to·mo·graph 名 断層 X 線写真装置, 断面 X 線撮影器.
top·o·graph 名 トポグラフ: 物体, 特に結晶の表面などの精密 X 線写真.
tri·graph 名 三重字.
ty·po·graph 動他 〘印刷〙〈スタンプを〉活版で作る.
vec·to·graph 名 〘写真〙ベクトグラフ.
vi·bro·graph 名 振動記録計.
view·graph 名 オーバーヘッド・プロジェクターで使うシート.
xy·lo·graph 名 木版(画), 板目木版; 木版印刷物.
zin·co·graph 名 (印刷の)亜鉛凸版.

-gra·pha /ɡrəfə/

連結形 書かれているもの.
★ 名詞をつくる.
★ 語末にくる関連形は -GRAPH.
★ 語頭にくる関連形は graph(o)-; *graph*eme「書記素」, *grapho*motor「書字運動の」.
◆ ギリシャ語 *-graphos* の中性複数形. ⇨ -A[1].

G

[発音] 直前の音節に第 1 強勢.

ag·ra·pha 名複 (聖書外)聖言資料, アグラファ.
Hag·i·og·ra·pha 名複 ハギオグラファ, 聖文学, 聖文集.
pseud·e·pig·ra·pha 名複 (旧約聖書の)偽典.

-gra·pher /grəfər/

連結形 記録する人 [もの], 写す人 [器械], 描く人 [もの].
★ -graph で終わる語に対応する動作主名詞をつくる.
◆ -GRAPH ＋ -ER[1].
[発音] 直前の音節に第 1 強勢.

aer·og·ra·pher 名 〖米海軍〗上空気象観測兵.
bib·li·og·ra·pher 名 書誌学者; 書誌編纂(さん)者.
bi·og·ra·pher 名 伝記作家.
cin·e·ma·tog·ra·pher 名 映画撮影技師.
cryp·tog·ra·pher 名 暗号使用 [作成, 解説, 研究] 者.
dis·cog·ra·pher 名 音楽レコード目録編集者.
dox·og·ra·pher 名 《まれ》(古代ギリシャ哲学の)学説誌家, 編纂(さん)注解者.
ge·og·ra·pher 名 地理学者.
glos·sog·ra·pher 名 注釈者, 注解者.
hag·i·og·ra·pher 名 ハギオグラファの作者の一人.
his·to·ri·og·ra·pher 名 (通史的に叙述する)歴史家.
lex·i·cog·ra·pher 名 辞書の執筆者; 辞書編集者.
li·thog·ra·pher 名 石版印刷者, 石版工.
lo·gog·ra·pher 名 Herodotus 以前の古代ギリシャの散文史家.
my·thog·ra·pher 名 神話収集家, 神話編纂(さん)者.
or·thog·ra·pher 名 正字 [正書] 法学者.
par·a·graph·er 名 雑報記者, 小記事 [短評] 執筆者.
pho·tog·ra·pher 名 写真を撮る人, (特に)写真家.
por·nog·ra·pher 名 好色本の作者, ポルノ作家; 春画家.
ste·nog·ra·pher 名 《米》速記者.
ster·e·og·ra·pher 名 立体写真家.
to·pog·ra·pher 名 地形 [地誌] 学者.
ty·pog·ra·pher 名 活版植字工.
vex·il·log·ra·pher 名 旗のデザイナー, 旗製造業者.

-graph·i·a /grǽfiə | -fiə, -fjə/

連結形 書く…; 書法.
★ 名詞をつくる.
★ 語末にくる関連形は -GRAPH.
★ 語頭にくる関連形は graph(o)-; *graph*eme「書記素」, *grapho*motor「書字運動の」.
◆ ギリシャ語 *-graphia*「書く」より. ⇨ -IA.

a·graph·i·a 名 〖病理〗書字不能症, 失書症, 誤字症.
der·mat·o·graph·i·a 名 〖病理〗皮膚紋画症, 皮膚描記症.
der·mo·graph·i·a 名 〖病理〗＝dermatographia.
dys·graph·i·a 名 〖精神医学〗書字障害 [錯誤].
log·a·graph·i·a 名 〖精神医学〗失書(症).
mic·ro·graph·i·a 名 (手書きの)小さな字.
par·a·graph·i·a 名 〖精神医学〗錯字 [書] 症, 書字錯誤.

-graph·ic /grǽfik/

連結形 …を描く [写す].
★ 形容詞をつくる.
★ 語頭にくる関連形は graph(o)-; *graph*eme「書記素」, *grapho*motor「書字運動の」.
◆ -GRAPH ＋ -IC[1].

bib·li·o·graph·ic 形 図書目録の, 書誌学の.
bi·o·graph·ic 形 伝記(風)の.
cal·li·graph·ic 形 書道の, 能筆の; 筆記体の.
cin·e·mat·o·graph·ic 形 映画の; 映写の.
cryp·to·graph·ic 形 暗号の; 暗号書記法の.
crys·tal·lo·graph·ic 形 結晶 [学] の, 結晶学的な.
dem·o·graph·ic 形 人口学の, 人口統計の.
ep·i·graph·ic 形 題銘 [碑銘] の, 金石文の.
ge·o·graph·ic 形 地理学(上)の.
hag·i·o·graph·ic 形 聖人(列)伝の; 聖文学の.
hom·a·lo·graph·ic 形 ＝homolographic.
hom·o·graph·ic 形 同形異義語の.
hom·o·lo·graph·ic 形 同じ比率で各部分を表す.
i·con·o·graph·ic 形 図像学の; 図解の.
id·i·o·graph·ic 形 〖心理〗個性記述的, 個別例の.
log·o·graph·ic 形 語標 [略符] の; 語標 [略符] を用いた.
or·o·graph·ic 形 〖地質〗山岳学 [誌] の; 山岳の.
or·tho·graph·ic 形 正字 [正書] 法の; 綴(つづ)りの正しい.
par·a·graph·ic 形 節 [小記事] の.
pho·no·graph·ic 形 蓄音機の [のような, に特有の].
pho·to·graph·ic 形 写真撮影(術)の [に関する].
seis·mo·graph·ic 形 地震(記録)計の, 地震学の.
sty·lo·graph·ic 形 尖筆(せん)型万年筆の.
tel·e·graph·ic 形 電信機の; 電信の, 電報の, 電送の.
ty·po·graph·ic 形 (活版)印刷術の, 印刷上 [用] の.

-graph·i·cal /grǽfikəl/

連結形 記述法の, 表現法の.
★ 形容詞をつくる.
★ 語末にくる関連形は -GRAPH.
◆ -GRAPH(Y) ＋ -ICAL, または -GRAPHIC ＋ -AL[1]. ⇨ -ICAL.

bib·li·o·graph·i·cal 形 図書目録の, 書誌学の.
bi·o·graph·i·cal 形 伝記(上)の.
cin·e·ma·to·graph·i·cal 形 映画の, 映写の.
ge·o·graph·i·cal 形 地理学(上)の.

graph·ics /grǽfiks/

名複 《単数扱い》製図法, 製図学. ◇ -GRAPH. ⇨ -ICS.

compúter gráphics コンピュータグラフィックス.
dáta gràphics 〖コンピュータ〗データグラフィックス.
dèm·o·gráph·ics 名複 実態的人口統計.
mì·cro·gráph·ics 名複 マイクログラフィックス.
psỳ·cho·gráph·ics 名複 〖マーケティング〗サイコグラフィックス.
sù·per·gráph·ics 名複 スーパーグラフィックス.
túrtle gràphics 〖コンピュータ〗タートル,「亀」: ディスプレー上に表示される三角形.

-gra·phy /grəfi/

連結形 **1** 書式, 記述法, 表現法, 記録形式: choreo*graphy*, ortho*graphy*, photo*graphy*. **2** 記録する科学, 記述する学問: bio*graphy*, geo*graphy*. **3** 筆記法, 筆法: calli*graphy*.
★ 名詞をつくる.
★ 語末にくる関連形は -GRAPH.
★ 語頭にくる関連形は graph(o)-; *graph*eme「書記素」, *grapho*motor「書字運動の」.
◆ ギリシャ語 *-graphia*「書く方法・形式」より. ⇨ -Y[3].

ac·ti·nog·ra·phy 名 光量 [日射量] 測定(法).
aer·og·ra·phy 名 〖気象〗大気観測記録 [日誌].
ag·ros·tog·ra·phy 名 イネ科学; イネ学文献.
al·gra·phy 名 〖印刷〗《もと》アルミニウム平版.
a·lu·mi·nog·ra·phy 名 〖印刷〗＝algraphy.
am·ni·og·ra·phy 名 〖医学〗羊水造影(法).
an·e·mog·ra·phy 名 〖気象〗風力測定.
an·gi·og·ra·phy 名 ☞
an·thro·pog·ra·phy 名 人類誌.
a·or·tog·ra·phy 名 〖医学〗大動脈造影(法).
ar·te·ri·og·ra·phy 名 〖医学〗動脈造影 [撮影] (法).
ar·throg·ra·phy 名 〖医学〗関節造影 [撮影] (法).
au·tog·ra·phy 名 自筆で書く [自署する] こと; 筆跡.
a·zy·gog·ra·phy 名 〖医学〗奇静脈造影(法).
bib·li·og·ra·phy 名 著作 [図書] 目録, 書誌, 書目.
bio·bib·li·og·ra·phy 名 伝記付き著作目録.

bi·og·ra·phy 名 伝記, 一代記.
bron·chog·ra·phy 名 【医学】気管支造影(法).
ca·cog·ra·phy 名 悪筆.
cal·lig·ra·phy 名 筆跡, 運筆法(handwriting).
car·di·og·ra·phy 名 ☞
car·tog·ra·phy 名 地図製作(法).
ce·rog·ra·phy 名 蝋版刻印［彫刻］術, 蝋刻術.
cer·vi·cog·raph·y 名 【医学】頸管(けいかん)撮影.
chal·cog·ra·phy 名 銅［真鍮］彫刻術, 凹版術.
char·tog·ra·phy 名 ＝cartography.
che·mig·ra·phy 名 化学食刻法.
chi·rog·ra·phy 名 筆跡, 筆法, 書法; 書道.
chol·an·gi·og·ra·phy 名 【医学】胆管撮影法, 胆管造影法.
cho·le·cys·tog·ra·phy 名 【医学】胆嚢(たんのう)造影(法).
cho·reg·ra·phy 名 ＝choreography.
cho·re·og·ra·phy 名 (舞踊などの)振り付け; 構成, 演出.
cho·rog·ra·phy 名 【地理】地方地誌; 地勢図.
chro·ma·tog·ra·phy 名 ☞
chry·sog·ra·phy 名 金泥書き.
cin·e·ma·tog·ra·phy 名 映画撮影(技術).
cin·e·mi·crog·ra·phy 名 【顕微鏡】シネマイクログラフィ.
cos·mog·ra·phy 名 天地学, 宇宙地理学.
cra·ni·og·ra·phy 名 頭蓋(とうがい)描画法.
cryp·tog·ra·phy 名 暗号学.
crys·tal·log·ra·phy 名 結晶学.
cys·tog·ra·phy 名 【医学】膀胱(X 線)造影(法).
dac·ty·log·ra·phy 名 《主に米》指紋学［法］.
de·mog·ra·phy 名 人口の統計的研究, 人口(統計)学.
de·mon·og·ra·phy 名 魔神［鬼神］論［学］.
der·ma·tog·ra·phy 名 皮膚描記.
di·aph·a·nog·ra·phy 名 【医学】透過グラフ.
dis·cog·ra·phy 名 レコード目録, ディスコグラフィー.
dis·kog·ra·phy 名 ＝discography.
dit·tog·ra·phy 名 重複誤写.
dri·og·ra·phy 名 【印刷】乾平版印刷.
ec·ty·pog·ra·phy 名 【印刷】浮き彫り式エッチング.
e·lec·tro·cor·ti·cog·ra·phy 名 【医学】(大脳皮質)脳波測定法.
e·lec·tro·my·og·ra·phy 名 【医学】筋電図記録［検査］(法).
e·lec·tro·oc·u·log·ra·phy 名 【医学】電気眼球図記録(法).
e·pig·ra·phy 名 (特に昔の)碑銘研究, 金石学.
e·pis·to·log·ra·phy 名 手紙の書き方, 書簡文作法.
eth·nog·ra·phy 名 【文化人類】民族誌［学］.
film·og·ra·phy 名 映画関係文献.
flex·og·ra·phy 名 【印刷】フレキソ印刷(法).
gal·va·nog·ra·phy 名 【印刷】電気製版.
ge·og·ra·phy 名 ☞
glyp·tog·ra·phy 名 彫刻宝石学.
gyp·sog·ra·phy 名 石膏(せっこう)彫刻(術).
hag·i·og·ra·phy 名 聖人(列)伝; 聖人伝研究.
hap·log·ra·phy 名 重字脱落［誤脱］.
he·re·si·og·ra·phy 名 異端に関する論文.
het·er·og·ra·phy 名 変則［誤った］綴(つづ)り.
his·tog·ra·phy 名 組織記載.
his·to·ri·og·ra·phy 名 歴史文献, 史書; (記録された)史実.
ho·log·ra·phy 名 ホログラフィー, レーザー写真術.
ho·mog·ra·phy 名 一字一音主義の綴(つづ)り字法.
hy·a·log·ra·phy 名 ハイアログラフィー: ガラスに字や模様を彫刻する技法.
hy·drog·ra·phy 名 水路測量学.
hy·e·tog·ra·phy 名 雨量学, 降水学.
hym·nog·ra·phy 名 賛美歌［聖歌］の解説と書誌.
hyp·sog·ra·phy 名 ヒプソグラフィー, 測高学.
ich·nog·ra·phy 名 平面図法.
ich·thy·og·ra·phy 名 魚類誌, 魚類学, 魚論.
i·co·nog·ra·phy 名 図像(体系).
id·e·og·ra·phy 名 表意文字法.
ka·ma·gra·phy 名 カーマグラフ原画複製法.
lex·i·cog·ra·phy 名 辞書の執筆; 辞書編集.
lex·ig·ra·phy 名 漢字のような一字一語表記法.
li·pog·ra·phy 名 脱字, 音節脱落.
li·thog·ra·phy 名 ☞
lo·gog·ra·phy 名 【印刷】連字［合字］活字(logotype)による印刷.
lym·phog·ra·phy 名 【医学】リンパ管造影撮影(法).

ma·crog·ra·phy 名 【医学】肉眼検査.
mam·mog·ra·phy 名 【医学】乳房［乳腺］造影(法).
me·di·og·ra·phy 名 (ある決まった主題についての)メディア資料のリスト.
met·al·log·ra·phy 名 金相学, 金属組織学.
mi·crog·ra·phy 名 顕微鏡を通した対象物の記述［図解］.
mu·se·og·ra·phy 名 博物館［美術館］の分類・展示法.
my·e·log·ra·phy 名 【医学】脊髄造影［撮影］(法).
my·thog·ra·phy 名 神話集.
no·mog·ra·phy 名 法律起草術, 法律論.
no·sog·ra·phy 名 疾病学, 疾病記述(学).
o·cea·nog·ra·phy 名 海洋学.
or·e·og·ra·phy 名 ＝orography.
or·ga·nog·ra·phy 名 【生物】器官学.
o·rog·ra·phy 名 山岳学(orology), 山岳誌.
or·thog·ra·phy 名 正字法, 正書法, (正統な)綴り字法.
os·te·og·ra·phy 名 【医学】骨論.
pal·a·tog·ra·phy 名 【音声】口蓋(こうがい)図法.
pa·le·og·ra·phy 名 古文書学; 古文書.
pa·le·on·tog·ra·phy 名 記述古生物学, 古生物誌.
pan·tog·ra·phy 名 総論, 概論.
pa·thog·ra·phy 名 病跡(学), 病誌, パトグラフィー.
pe·trog·ra·phy 名 記載岩石学.
phi·log·ra·phy 名 (有名人の)サイン［自筆署名］収集.
phle·bog·ra·phy 名 ＝venography.
pho·nog·ra·phy 名 表音式綴り方; 表音(式)速記法, (特に)ピットマン式速記法.
pho·to·fluo·rog·ra·phy 名 X 線蛍光撮影(法).
pho·tog·ra·phy 名 ☞
phys·i·og·ra·phy 名 自然地理学, 地文学.
phy·tog·ra·phy 名 記載植物学.
pic·tog·ra·phy 名 ピクトグラフィー; 絵［象形］文字による記録法.
pla·cen·tog·ra·phy 名 【医学】胎盤造影(法).
pla·nog·ra·phy 名 【印刷】平版印刷術.
pneu·mo·en·ceph·a·log·ra·phy 名 【医学】気脳造影［撮影］(法).
pneu·mog·ra·phy 名 【医学】呼吸運動［曲線］描写法.
po·lar·og·ra·phy 名 【化学】ポーラログラフィー.
po·lyg·ra·phy 名 【医学】ポリグラフの使用(法).
pros·o·pog·ra·phy 名 (歴史・文学上の)人物研究.
pseud·e·pig·ra·phy 名 作品をある著者の作と偽ること.
psy·chog·ra·phy 名 【心霊】サイコグラフィー, 直接書記.
py·e·log·ra·phy 名 【医学】腎盂造影［撮影］(法).
py·rog·ra·phy 名 焼画術.
ra·di·og·ra·phy 名 ☞
re·nog·ra·phy 名 【医学】腎レ線描出法, レノグラフィー.
re·prog·ra·phy 名 (文書・絵・デザインなどの)複製.
ri·pog·ra·phy 名 《話》(本・雑誌の)複写コピー.
sce·nog·ra·phy 名 (演劇・祭典などの)舞台背景美術.
sci·a·gra·phy 名 ＝skiagraphy.
scin·tig·ra·phy 名 【医学】シンチグラフィー.
seis·mog·ra·phy 名 地震観測.
sel·e·nog·ra·phy 名 月理学, 月面誌.
se·mei·og·ra·phy 名 【医学】症候［徴候］学.
si·a·log·ra·phy 名 【医学】唾(だ)液腺(せん)造影.
sid·er·og·ra·phy 名 鋼凹版彫刻(法).
sig·il·log·ra·phy 名 印章学.
ski·ag·ra·phy 名 【医学】レントゲン写真撮影(法).
snob·og·ra·phy 名 スノッブな［についての］著作物.
so·ci·og·ra·phy 名 社会誌学.
so·nog·ra·phy 名 【物理】超音波.
spa·ti·og·ra·phy 名 宇宙地理学, 宇宙空間学.
sphe·nog·ra·phy 名 楔形文字で書く技術.
ste·nog·ra·phy 名 速記; 速記術［法］.
ster·e·og·ra·phy 名 立体［実体］画法.
stra·tig·ra·phy 名 【地質】層位［層序］学.
sty·log·ra·phy 名 尖筆(せんぴつ)画法.
syl·la·bog·ra·phy 名 音節文字の使用.
sym·bo·le·og·ra·phy 名 法律文書作成技術.
ta·chyg·ra·phy 名 (古代ギリシャ・ローマの)速記法.
tas·se·og·ra·phy 名 茶の葉占い, 紅茶占い.

G

tech·nog·ra·phy 名 技術史 [誌], 科学史 [誌].
te·leg·ra·phy 名 ☞
thal·as·sog·ra·phy 名 (沿岸)海洋学.
ther·mog·ra·phy 名 〖印刷〗盛り上げ印刷, 隆起印刷.
to·mog·ra·phy 名 ☞
to·pog·ra·phy 名 地勢図; 地形学; 地形図作製術.
ty·coon·og·ra·phy 名 実業界の大物の伝記.
ty·pog·ra·phy 名 活版(印刷)術.
ul·tra·so·nog·ra·phy 名 〖医学〗超音波診断 [検査](法).
u·ra·nog·ra·phy 名 天体学, 天体誌学.
u·rog·ra·phy 名 ＝pyelography.
ve·nog·ra·phy 名 〖医学〗静脈造影(法).
ven·tric·u·log·ra·phy 名 〖医学〗脳室撮影 [造影] 法.
war·nog·raphy 名 好戦ものの映画 [文学].
xe·rog·ra·phy 名 ゼログラフィー, 静電写真法.
xy·log·ra·phy 名 木版術, 木版印刷 [刷り].
zin·cog·ra·phy 名 《もと》〖印刷〗亜鉛(製)版術.
zo·og·ra·phy 名 動物誌(学).

G

grass /grǽs, grɑ́ːs | grɑ́ːs/

名 **1** イネ科の草. **2** (一般に)草; 牧草. **3** 《俗》マリファナ.

áfter·gràss (牧草の)二番生え, 二番刈りの草.
álfa gràss 《アフリカ》アフリカハネガヤ.
álkali gràss ジカデヌス.
árrow gràss シバナ.
bád gráss 《米麻薬俗》フェンシクリジン.
Baháma gràss ＝Bermuda grass.
bárn gràss ＝barnyard grass.
bárnyard gràss イヌビエ.
béach gràss 砂浜・砂丘に多いイネ科の草の総称.
béard gràss ヒエガエリ.
béar gràss イトラン(糸蘭).
bént gràss コヌカグサ(ヌカボを含む).
Bermúda gràss ギョウギシバ(行儀芝).
bírd gràss コイチゴツナギ.
blúe-eyed gráss アヤメ科ニワゼキショウ属の植物の総称; 花は通例, 青い.
blúe·gràss 《米》イチゴツナギ.
bóo gràss 《米俗》マリファナ(タバコ).
bóttlebrush gràss ブラシグサ.
bóttom gràss くぼ地や低地に生える草.
brístle gràss イネ科エノコログサ属の植物の総称.
bróme·gràss チャヒキ(chess).
búffalo gràss 米国 Rocky 山脈東部の平原に多いイネ科の牧草の一種.
búnch gràss バンチグラス, 束状草類.
cámel gràss ラクダグサ.
canáry gràss クサヨシ.
cárpet gràss イネ科のアクソノプス属の草.
céntipede gràss エレモクロア.
Chína gràss カラムシ, マオ, チョマ(ramie).
clúb gràss ガマ(蒲)(cattail).
córd·gràss ミクリ.
cótton gràss ワタスゲ.
cóuch gràss イネ科の雑草で根茎が横に広がる種類の総称.
ców gràss 《豪》ムラサキ [アカ] ツメクサ.
cráb gràss 《米》メヒシバ.
cút-gràss イネ科サヤヌカグサ属の草の総称.
cútting gràss カヤツリグサ科の数種の植物の総称.
cútty gráss ＝cutting grass.
Dállis gràss シマスズメノヒエ.
déer gràss アメリカ [バージニア] ノボタン.
dírt gràss 質の悪いマリファナ.
dódder-gràss ＝quaking-glass.
drónk·gràss イネ科コメガヤ属の植物.
dúne gràss ハマニンニク, テンキグサ.
éel·gràss アマモ, アジモ, ミオグサ.
élephant gràss アフリカチカラシバ.
élk gràss ＝bear grass.
féather gràss ハネガヤ.
fínger gràss ヒゲシバ.
Flínders gràss イセイレマ.
flóating gráss 湿地性・半水性のイネ科の植物.
fóuntain gràss ファウンテングラス.
gáma gràss ガマグラス.
góose gràss アメリカヤエムグラ.
guínea gràss ギニアキビ.
háir gràss 細長い茎と葉を持つイネ科の植物(特にコメススキ属)の総称.
héath gràss ヨーロッパ産イネ科の多年草.
hérd's-gràss アワガエリ(timothy); コヌカグサ(redtop).
hóly gràss コウボウ(香茅).
Hungárian gráss アワ(粟)(foxtail millet).
Jóhnson gràss ヒメモロコシ, セイバンモロコシ.
jóint gràss キシュウスズメノヒエ.
Júne gràss ナガハグサ(長葉草).
kangaróo gràss イネ科メガルカヤ属の多年草.
knót·gràss ニワヤナギ, ミチヤナギ.
láughing gràss 《米俗》マリファナ(marijuana).
lémon gràss レモングラス.
lóve·gràss スズメガヤ.
lýme gràss ハマニンニク.
maníla gràss ハリシバ, コウライシバ.
mánna gràss ドジョウツナギ.
márram gràss イネ科の雑草の一種.
mársh gràss ＝cordgrass.
mascaréne gràss コウライシバ(高麗芝), チョウセンシバ(朝鮮芝).
mát·gràss イワダレソウ.
méadow gràss イチゴツナギ.
Méans gràss ＝Johnson grass.
míllet gràss 〖植物〗イブキヌカボ類.
móndo gràss ユリ科ジャノヒゲ属の総称; 特にジャノヒゲを指す.
nápier gràss アフリカチカラシバ.
nút gràss カヤツリグサ属の草の総称; 特にハマスゲ.
óat gràss カラスムギに似た草の総称.
órchard gràss オーチャードグラス, カモガヤ.
páinted gráss ＝ribbon grass.
pámpas gràss シロガネヨシ, パンパスグラス.
pangóla gràss アフリカヒメシバ(姫芝).
pánic gráss キビ属の草の総称.
pépper·gràss コショウソウ.
pín gràss オランダフウロ.
pórcupine gràss イネ科ハネガヤ属の多年草.
quáck gràss シバムギ.
quáke gràss ＝quaking grass.
quáking gràss コバンソウ(小判草).
quíck gràss シバムギ.
réed gràss アシ(reed).
réscue gràss イヌムギ.
Rhódes gràss ガヤナシバ.
ríbbon gràss シマガヤ, シマクサヨシ.
ríb·gràss ヘラオオバコ.
rýe·gràss ライグラス.
sált gràss 《米》塩生草類.
sáw gràss タムラソウ(田村草)(sawwort).
scórpion gràss ワスレナグサ(forget-me-not).
scúrvy gràss トモシリソウ.
scútch gràss ＝couch grass.
séa gràss 海草.
sérpent gràss ムカゴトラノオ.
shéar·gràss 葉のとがった草の総称; couch grass, saw grass など.
shórt·gràss 短茎草本.
sílk gràss ハネガヤ.
smút gràss イネ科ネズミノオ属の植物.
snów gràss 《豪》イネ科イチゴツナギ属の草数種の総称.
spárrow·gràss 《話》《方言》アスパラガス.
spéar gràss 葉や花穂が槍先(やりさき)形のイネ科の草

の総称；イチゴツナギ(meadow grass), コヌカグサ(bent grass)など.

squírrel gràss =squirrel-tail grass.
squírrel-tàil gráss イネ科オオムギ属のふさふさした穂を持つ雑草の総称.
squítch gràss =couch grass.
stár gràss 花弁や葉が星形に配列している草の総称.
St. Áugustine gráss イヌシバ.
stéep·gràss ムシトリスミレ.
Sudán gràss 《米》スーダングラス.
súper·gràss 《米話》質のよいマリファナ.
swéet gràss 芳香を放つ植物数種の総称.
swítch gràss アメリカクサキビ.
swórd gràss (グラジオラスなど)刀状の葉をした草の総称.
tápe gràss セキショウモ(石菖藻), ヘラモ.
tússock gràss 叢生(そうせい)草本.
twítch gràss =couch grass.
vérnal gràss ハルガヤ(sweet vernal grass).
víper's-gráss キクゴボウ(菊牛蒡), キバナバラモンジン(黄花婆羅門参).
wárt gràss トウダイグサ.
wáter gràss 水中や水辺に生育するイネ科の草.
whéat·gràss カモジグサ(シバムギを含む).
whítlow gràss イヌナズナ.
wíndmill gràss =finger grass.
wíre gràss =Bermuda grass.
wítch gràss イネ科キビ属の雑草の一種.
wórm gràss フジウツギ科の草の一種.
yárd gràss オヒシバ, チカラグサ.

grass·hop·per /grǽshɑ̀pər, grɑ́ːs- | grɑ́ːshɔ̀pə/

名 草食の直翅(ちょくし)類昆虫の総称；特にバッタ, イナゴ, キリギリスなど. ⇨ HOPPER.

lóng-hòrned grásshopper キリギリス(tettigoniid).
lúbber gràsshopper =plains grasshopper.
pláins gràsshopper バッタ科のバッタの一種.
rédlègged grásshopper 直翅(ちょくし)目の移住性のバッタ.
shórt-hòrned grásshopper バッタ, イナゴ(locust).

grave /gréiv/

名 墓；〖考古〗墳墓, 塚；墓穴.

crádle-to-gráve 形 揺りかごから墓場までの, 生涯の.
cremátion gràve 火葬による墓.
éarly gráve 早死に.
máss gràve 合同墓所.
pássage gràve 羨道(せんどう)墓 [墳].
pít gràve 竪穴(たてあな)墳墓；墓坑.
sháft gràve 立て坑墓(pit tomb).
wár gràve 戦没者の墓.

-grave[1] /greiv/

連結形 小さな森(grove).
★ 人名に使われる(地名では GROVE).
◆ 古英 *grāf* 小さな森, 雑木林.
[発音] いずれも 2 音節の語で, 語頭の音節に第 1 強勢.

Cos·grave 名 コズグレーブ(姓).
Mus·grave 名 マズグレイブ(姓). ►字義は「ネズミの森」.
Pal·grave 名 ポールグレーブ, パルグレーブ(姓). ►字義は「突端 [頂上] にある森」.

-grave[2] /greiv/

連結形 伯爵.
◆ ドイツ語 *Graf*「伯爵」より.
[発音] すべて 2 音節の語で, 語頭の音節に第 1 強勢.

bur·grave 名 〖ドイツ史〗(12–13 世紀のドイツの市の)軍事長官.
land·grave 名 方伯, ラントグラーフ: 中世以来ドイツの大領地の支配権を持つ伯爵.
mar·grave 名 辺境伯:《もと》ヨーロッパの諸侯の世襲的称号の一つ.
pals·grave 名 《古》ドイツのパラティン伯.
wald·grave 名 (中世ドイツの)帝室所有林監理官.

grav·i·ty /grǽvəti/

名 〖物理〗重力, (地球)引力. ⇨ -ITY.

àn·ti·gráv·i·ty 名 〖物理〗反重力, 反引力.
artifícial grávity 人工重力.
mí·cro·gràv·i·ty 名 極微重力.
quántum grávity 〖物理〗量子重力(理論).
specífic grávity 形 〖物理〗比重.
sù·per·gráv·i·ty 名 〖物理〗超重力.
zéro grávity 〖物理〗無重力状態.

gra·vure /grəvjúər, gréivjər | grəvjúə/

名 〖印刷〗グラビア印刷(法). ⇨ -URE[1].

au·to·gra·vure 名 オートグラビア.
he·li·o·gra·vure 名 《もと》写真凸版技術.
pho·to·gra·vure 名 グラビア印刷(技術).
ro·to·gra·vure 名 輪転グラビア印刷.

gra·vy /gréivi/

名 肉汁, グレービー.

dísh gràvy (ローストした肉などから出る)肉汁.
mílk gràvy ミルクグレービー: 牛乳, 小麦粉, 牛脂などで作ったホワイトソース.
pán gràvy (ローストした肉などから出る)肉汁.
réd-eye grávy 〖米南部料理〗カントリーハムを焼いて出た肉汁に小麦粉でとろみをつけたグレービー.

gray /gréi/

形 灰色の, ねずみ色の, 薄墨色の, グレーの.

Áfrican gráy ヨウム(洋鵡)(gray parrot).
ásh gráy 灰色, 灰白色.
báttleship gráy 軍艦灰色.
chárcoal gráy チャコールグレー.
dápple-gráy 形名 灰色に黒みがかったはっきりしない斑紋(はんもん)のある(馬), 連銭葦毛(あしげ)の(馬).
dóve gráy 紫がかった灰色.
íron gráy 鉄灰色.
Óxford gráy オックスフォードグレー, 濃灰色.
péarl gráy パールグレー.
sílver gráy 銀灰色, シルバーグレー.
sláte gràv スレートグレー.
stéel gráy スチールグレー.
táttletale gráy 薄よごれた [灰色がかった] 白.

grease /gríːs/

名 (溶かして採った, 特に柔らかい状態の)獣脂. ── 動他 …にグリースを塗る.

áxle grèase 《俗》ポマード, べたべたする整髪料.
béar's grèase クマの脂肪の精製油で髪油の一種.
de·gréase 動他 …のグリース [油など] を除去する.
élbow grèase 《話》激しい力仕事；根気.
góober grèase 《米俗》(ピーナツ)バター.

G

góose grèase ガチョウ脂.
hót gréase 《米俗》(差し迫った)厄介事, 問題.
pálm grèase 《俗》賄賂(わいろ), 贈賄.
skíd grèase 《米俗》バター.
wóol grèase 〘化学〙羊毛脂, 羊毛蝋(ろう).

grebe /grí:b/

[名]〘鳥類〙カイツブリ, ニオ(鳰).

gréat crésted grébe カンムリカイツブリ.
líttle grébe カイツブリ.
píed-bìlled grébe オビハシカイツブリ.
sún grèbe ヒレアシ(finfoot).
wéstern grébe クビナガカイツブリ.

Greek /grí:k/

[形] ギリシャの. ——[名] ギリシャ人; ギリシャ語.

Áncient Gréek 古代ギリシャ語.
Clássical Gréek 古典ギリシャ語.
Láte Gréek 後期ギリシャ語.
Mediéval Gréek 中世ギリシャ語.
Míddle Gréek =Medieval Greek.
Módern Gréek 近代ギリシャ語.
Néw Gréek =Modern Greek.

green /grí:n/

[形] 緑の. ——[名] **1** 緑(色). **2** 草地. **3**《米俗》お金.

ápple gréen 青りんご色.
báck grèen 《スコット中部方言》裏庭.
béryl gréen 淡い青みがかった緑色.
Bíg Gréen 《米学生俗》Dartmouth College のニックネーム.
bíscay gréen 黄緑色.
blúe-gréen [名][形] 青緑色(の).
bóttle gréen 暗緑色.
bówling grèen (ローンボウリング用の)グリーン.
Bréckenridge grèen 《米俗》マリファナの一種.
cádmium gréen カドミウムグリーン.
chróme gréen クロム緑.
cóbalt gréen コバルトグリーン: 黄色がかった緑.
crówn grèen 《英》中央部が高くなった芝生の玉ころがし場.
dárk gréen [形] 濃緑色の; 生態環境維持に積極的な.
déep gréen 《話》緑化運動に熱心な人.
émerald gréen エメラルドグリーン.
éver·grèen [形]〈樹木が〉常緑の.
fáir grèen 〘ゴルフ〙フェアウェー.
fáiry gréen 黄緑色.
férn gréen (緑がかった)穏やかな緑黄色.
Fíddler's Gréen 水夫の楽園.
fólding gréen 《米話 / おどけて》たくさんの紙幣.
fórest gréen =Lincoln green.
Gáinesville gréen 《米話》(Florida の)ゲーンズビル産のマリファナ.
gráss-gréen [形] 若草色の, 萌黄(もえぎ)色の.
Guignét's gréen =chrome green.
Hóoker's gréen フッカースグリーン: 緑色から濃い黄緑色.
húnter gréen 黄色みを帯びた濃緑色.
Illinóis gréen 《米俗》マリファナの一種.
ìndocýanine gréen 〘化学〙インドシアニングリーン.
Jánus gréen 〘化学〙ヤヌスグリーン [緑].
Jérsey gréen 《米麻薬俗》マリファナの一種.
júngle grèen ダークグリーン(の服).
kélly gréen 濃い黄緑色.
Kéndal gréen ケンダル織り: 緑色の粗い毛織物.
léaf grèen 〘植物〙〘生化学〙葉緑素.
léan gréen 《米学生俗》お金, ドル紙幣.
léek-gréen [形] 薄く青みがかった緑色の.
líme gréen [名][形] 黄緑色(の), ライムグリーン(の).
Líncoln gréen リンカーングリーン: くすんだ黄緑色.
lóng gréen 《米俗》紙幣; (多額の)現金.
méan gréen 《米黒人俗》お金, 現金.
Méxican gréen メキシコ産のマリファナ.
móss gréen モスグリーン, コケ色.
Niágara gréen ナイアガラグリーン, 若竹色.
Níle gréen ナイルグリーン.
non·green [形] 緑でない; 葉緑素を含まない.
ólive-gréen [名][形] 暗い黄緑色(の).
Páris gréen 〘化学〙パリスグリーン.
péa gréen 青豆色, 浅緑色, 黄緑色.
phthalocýanine gréen フタロシアニン緑 [グリーン].
pistáchio gréen ピスタチオグリーン, 淡黄緑色.
pútting grèen 〘ゴルフ〙(パッティング)グリーン.
rè·gréen [動][他] 再緑地 [農地] 化する, 植林する.
rífle-grèen 《英》(ライフル銃兵の制服のような)暗緑色. ——[形] 暗緑色の.
ságe gréen セイジグリーン, 老緑(おいみどり).
sálad grèen サラダ用青菜(レタスなど).
sáp gréen クロウメモドキの果実(buckthorn berries)の液から採る緑色顔料.
Schéele's gréen (絵の具の)シェーレ緑.
séa gréen シーグリーン, 海緑色.
sén·green バンダイソウ(万代草).
Távern on the Gréen タバーン・オン・ザ・グリーン: New York の Central Park 内の高級レストラン.
túrquoise gréen 淡い青みを帯びた緑.
ùn·gréen [形]〈人が〉環境保全に無関心な.
vérdant gréen 穏やかな黄緑(色), 若緑.
víllage gréen (村の中心部にある)芝居をするための広場.
wínter·grèen トウリョクジュ(冬緑樹).
yéllow-gréen [名][形] 黄緑色(の).
zínc gréen 酸化コバルトと酸化亜鉛から作る緑色顔料.

greens /grí:nz/

[名][複] green「青野菜」の複数形.

Bótany Báy grèens 《豪》(アカザなどの)野生野菜.
cóllard grèens コラードの葉(collard).
dándelion grèens タンポポの若葉(►食用).
spríng grèens 《英》若いキャベツの葉.

-gre·gate /grigèit, -gət/

[連結形] 集められた.
★ 形容詞または動詞をつくる.
★ 語末にくる関連形は -GREGATIVE.
★ 語頭にくる関連形は greg-: *greg*arious「群居する, 集団の」.
◆ <ラ *gregātus* (*gregāre*「集める」の過去分詞). ⇨ -ATE[1].
[発音] 語頭の音節に第 1 強勢. 語尾の発音は, 動詞では /gèit/, 形容詞, 名詞では /gət, gèit/.

ag·gre·gate [形] ☞
con·gre·gate [動][自]〈人・物が〉集まる, 集合する.
dis·gre·gate [動][他][自] 離す [離れる], 分解させる [する].
seg·re·gate [動][他]〈人などを〉分ける; 差別する.

-gre·ga·tive /grigèitiv/

[連結形] 集められた.
★ 形容詞をつくる.
★ 語頭にくる関連形は greg-: *greg*arious「群居する, 集団の」.
◆ -GREGATE + -IVE[1]. ⇨ -ATIVE.
[発音] いずれも 4 音節の語で, 語頭の音節に第 1 強勢.

ag·gre·ga·tive [形] 集合(体)の [に関する].
seg·re·ga·tive [形] 人付き合いを避ける; 人種差別的な.

gre·nade /grinéid/

名 〖軍事〗手投げ［手榴(しゅりゅう)］弾, 擲弾(てきだん)(hand-grenade). ⇨ -ADE[1].

concússion grenàde 衝撃手榴弾.
fragmentátion grenàde (人員殺傷用)破片手榴弾.
hánd grenàde 手榴弾.
Míllls grenàde 卵形手榴弾.
rífle grenàde 小銃榴弾.
stún grenàde スタン擲弾(てきだん).
thúnderflash grenàde 轟音(ごうおん)閃光手投げ弾.

-gress /grés, grís, grəs | gres/

連結形 進む, 歩く, 行く.
★ 語末にくる関連形は -GRADE, -GRESSION, -GRESSIVE.
★ 語頭にくる関連形は grad-: *grad*ation「段階」, *grad*uation「学位授与式」.
◆ <ラ *-gredī* (*gradī*「踏む」の連結形より).
[発音]動詞では基体 gress に第 1 強勢.

ag·gress 動自 攻撃を仕掛ける, (特に)侵略行動に出る.
con·gress 名 ☞
di·gress 動自 〈人が〉(主題から)外れる, 脱線する.
e·gress 名 (特に囲いの中から)出て行くこと.
in·gress 名 入ること; 進入, 入来.
prog·ress 名 進行, 進展, 進捗(しんちょく).
re·gress 動自 後退する, 後戻りする, 帰る.
ret·ro·gress 動自 (以前より悪い状態に)逆戻りする.
trans·gress 動自 (法・命令などに)背く.

-gres·sion /gréʃən/

連結形 進むこと; 進められたこと.
★ 名詞をつくる.
★ 語末にくる関連形は -GRADE, -GRESS.
★ 語頭にくる関連形は grad-: *grad*ation「段階」, *grad*uation「学位授与式」.
◆ <ラ *gressus* (*gradī*「進む, 歩む」より). ⇨ -SION, -ION[1].
[発音]-gression の第 1 音節に第 1 強勢が置かれる.

ag·gres·sion 名 (他国への)侵略(行為), 侵犯, 攻撃.
de·gres·sion 名 下降(descent).
di·gres·sion 名 (話などが)主題からそれること.
e·gres·sion 名 退出, 退去.
in·gres·sion 名 入ること; 進入, 入来.
in·tro·gres·sion 名 〖遺伝〗遺伝質浸透, 移入交雑.
pro·gres·sion 名 前進(運動), 進行; 発達, 発展.
re·gres·sion 名 後戻り, 帰還, 回帰, 復帰.
ret·ro·gres·sion 名 逆戻り, 後退, 逆行.
trans·gres·sion 名 (範囲・限度・境界などからの)逸脱.

-gres·sive /grésiv/

連結形 歩く, 進む.
★ 形容詞をつくる.
★ 語末にくる関連形は -GRADE, -GRESS.
★ 語頭にくる関連形は grad-: *grad*ation「段階」, *grad*uation「学位授与式」.
◆ <ラ *gressus* (*gradī*「歩く」の過去分詞). ⇨ -IVE[1].

ag·gres·sive 形 ☞
de·gres·sive 形 逓減課税の.
di·gres·sive 形 脱線しがちな; 本題をそれた.
e·gres·sive 形 退出する, 退去の.
in·gres·sive 形 入来の, 進入の, 入場の; 入ってくる.
in·tro·gres·sive 形 〖遺伝〗遺伝質移入［浸透］の.
pro·gres·sive 形 ☞
re·gres·sive 形 後退する, 逆行的な; 回帰する.
ret·ro·gres·sive 形 後退［逆行］する; 退歩［退化］する.
trans·gres·sive 形 《古》違反しがちな, 犯しやすい.

grid /gríd/

名 格子; (一般に)格子状のもの. ►gridiron の短縮形.

contról grìd 〖電子工学〗(電子管の)制御格子.
día·grìd 〖建築〗ダイアグリッド.
nátional gríd 《英》〖電気〗全国電力系統網.
panléctal gríd 〖言語〗(諸)方言共通記述枠.
scréen grìd 〖電子工学〗遮蔽(しゃへい)格子.
stárting grìd (自動車レースで)スターティンググリッド.
suppréssor grìd 〖電子工学〗抑制格子.

grind /gráind/

動他 〈刃物などを〉研ぐ. ── 名 **1** (粒の)ひき具合. **2** がり勉.

búmp and grínd 動名 (ストリッパーが)尻をぐいぐいと突き出してぐるぐる回すようにする(こと).
dríp grìnd 細かくひいたコーヒー.
gréasy grínd 《米俗》くそまじめな生徒, がり勉.
róugh-grínd 動他 〈刃物を〉粗く研ぐ.

grind·er /gráindər/

名 《複合語》すり砕く［ひく, 磨く, 研ぐ］人［もの］; (特に)研ぎ師［屋］. ⇨ -ER[1].

áx-grìnder 《俗》腹に一物のある人.
cóffee grìnder コーヒーひき(器).
gérund-grìnder 《古》学者ぶった(特にラテン文法の)教師.
knífe grìnder 研ぎ師; ナイフ研ぎ器.
méat grìnder 肉挽き機.
órgan grìnder 手回しオルガン弾き.
sáusage-grínder ソーセージ練り器.

grip /gríp/

名 **1** しっかりつかむ［握る］こと. **2** ハンドル, 握り; 柄, 取っ手.

dévil's grìp 〖病理〗流行性胸膜痛.
háir grìp 《主に英》髪どめ, ヘアグリップ.
hánd·grìp 手の握り方; 握手.
kéy grìp 《主に米》〖映画〗〖テレビ〗技術班.
kírby-grìp 《英》板ばね付きヘアグリップ.
pístol grìp ピストル形の握り.
shákehand grìp (ピンポンのラケットの)握手型グリップ.
twíst grìp (ハンドルなどの)ツイストグリップ.

groove /grúːv/

名 (木材・石材・金属などの表面に刻んだ)溝, 溝筋; (レコード盤面の)溝.

ássay gròove 試金溝: 分析のために金属塊［片］に作る溝.
bránchial gróove 〖発生〗鰓溝(さいこう).
léad-in gróove (レコード盤の)リードイン, 導入溝.
mí·cro·gròove 名 (LP レコードの)微細溝.
ráre gróove レアグループ: 1970 年代初めの黒人ソウル音楽.
rún-in gróove =lead-in groove.
subclávian gróove 〖解剖〗鎖骨下溝.
vísceral gróove =branchial groove.

ground /gráund/

名 **1** 地面, 地表(面). **2** 土. **3** (特定の目的のための)場所. **4** 立場. **5** 根拠. **6** 地(じ); 下塗り; 地色.

abóve·gròund 形 地上にある, 地上の.
a·gróund 副 浅瀬に乗り上げて, 座礁して.
áir-to-gróund 形 〔軍事〕空対地の.
assémbly-gròund (鳥の)繁殖地.
báck·gròund 背景, 遠景, 後景.
báttle·gròund 戦場; 戦いの場.
belów·gròund 形 地下の [にある].
blúe gróund 〔鉱物〕キンバーレー岩.
bréeding gròund (家畜の)飼養場, 飼育所; 繁殖地.
búrial gròund 埋葬用地, 墓地.
búrying gròund 埋葬地, 墓地.
cámp·gròund キャンプ場, 野営地.
cámping gròund 野営地, キャンプ場.
cóllege gròund 《主に英》大学などの構内.
cómmon gróund 共通基盤, 共通点.
Dárk and Blóody Gróund 暗い流血の地: 米国 Kentucky 州の別称.
déad gróund 〔電気〕完全接地.
drópping gròund 〔軍事〕降下 [投下] 地域, 降着場.
dúmping-gròund 《主に米》ごみ捨て場.
étching gròund エッチングのグラウンド, 地塗り.
éye·gròund 〔解剖〕眼底.
fáir·gròund 共進会場.
féeding gròund (動物の)餌場(えさ), 採食地.
fígure-gróund 〔心理〕図と地.
fóre·gròund 名 前景.
gíll-òver-the-gròund 〔植物〕カキドオシ(垣通し).
grápple gròund (特に小船舶用の)投錨(とうびょう)地.
gróund-to-gróund 形 〔軍事〕地対地の, 地 [艦] 対水上の.
hárd gròund (エッチングの)ハードグラウンド.
hígh gróund 有利な立場, 優位.
hólding gròund 〔海事〕(錨(いかり)の効き具合からいう)底質; 錨地(びょうち).
hóme gróund 根拠地, 本拠地, ホームグラウンド.
húnting gròund 猟場, 狩り場; あさり場.
lów gróund 《米南部》鉱山の最下層の作業場.
míddle gróund 中間 [中立] の立場 [見方].
néutral gróund 《メキシコ湾岸諸州》中央分離帯.
néw·gròund 《米南部ミッドランド・南部》新開地.
óver·gròund 形副 地上の [に], 野外の [で].
paráde gròund 閲兵場, 観兵式場.
pláy·gròund 運動場; 遊び場, 公園.
pléasure gròund 遊園地.
próving gròund (新装置・理論などの)実験場.
ráce gròund 競馬場, 競走場.
recreátion gròund 《主に英》遊園地; 運動場.
shów·gròund 催し物広場.
sóft gròund (エッチングの)ソフトグランド.
spáwning gròund 産卵場所; 《比喩的》発祥の地.
spóil gròund (特に海中の)浚渫(しゅんせつ)物集積所.
spónge gròund 〔植物〕ヘチマ.
stámping gròund 《話》よく訪れる場所, たまり場.
stómping gròund =stamping ground.
téeing gròund 〔ゴルフ〕ティーグラウンド.
Tóm Tíddler's gròund 陣取り.
ùnder·gròund 名副 地下(に [で]); 地下鉄; アングラ.
vántage gròund 有利な地点, 地の利を得た位置.
vléi·gròund 《南アフリカ》(水草の茂る)沼地.
whíte-gròund 形 白地の.

group /grúːp/

名 **1** 集まり, 群れ, 集団. **2** 〔化学〕基.

Abélian gróup 〔数学〕アーベル群, 可換群.
ÁBÓ gròup ABO システム(ABO system): 血液型の分類の一つ.
acétyl gròup 〔化学〕アセチル基.
ácrylyl gròup 〔化学〕アクリロイル基.
áction gròup 闘う市民の会, 行動委員会.
ácyl gròup 〔化学〕アシル基.
ádditive gròup 〔数学〕加(法)群.
affíne gròup 〔数学〕アフィン変換群.
affínity gròup アフィニティー・グループ, 類縁団体.
áge gròup 同一年齢層.
áircraft gròup 〔軍事〕航空群.
áir gròup 〔米空軍〕航空群.
alkóxyl gròup 〔化学〕アルコキシル基.
álkyl gròup 〔化学〕アルキル基 [群, 原子団].
állyl gròup 〔化学〕アリル基.
álternating gróup 〔数学〕交代群.
amíno gròup 〔化学〕アミノ基.
ámyl gròup 〔化学〕アミル基.
árseno gròup 〔化学〕アルセノ基.
arsíno gròup 〔化学〕アルシノ基.
áryl gròup 〔化学〕アリール基.
ázido gròup 〔化学〕アジド基.
ázo gròup 〔化学〕アゾ基.
báttle gròup 〔米軍事〕戦闘群, 戦隊.
bénzal gròup 〔化学〕ベンザル基.
bénzoyl gròup 〔化学〕ベンゾイル基.
bénzyl gròup 〔化学〕ベンジル基.
blóod gròup 〔医学〕血液型.
Blóomsbury Gròup 〔文学〕ブルームズベリー・グループ.
Bów Gròup 〔英政治〕バウグループ.
bréath gròup 〔音声〕呼気段落.
bútylene gròup 〔化学〕ブチレン基.
bútyl gròup 〔化学〕ブチル基.
bútyryl gròup 〔化学〕ブチリル基, ブタノイル基.
cácodyl gròup 〔化学〕カコジル基.
Cámden Tówn Gròup 〔美術〕カムデン・タウン・グループ.
cárbonyl gròup 〔化学〕カルボニル基.
carbóxyl gròup 〔化学〕カルボキシル基.
códe gròup 暗号文字群, 符号群.
cómmutator gròup 〔数学〕交換子群.
Contadóra Gròup コンタドーラグループ: 中米地域の紛争の調停をしているグループ.
contról gròup 〔薬学〕対照のための非実験グループ.
cýano gròup 〔化学〕シアン基.
diazoamíno gròup 〔化学〕ジアゾアミノ基.
diázo gròup 〔化学〕ジアゾ基.
encóunter gròup 〔心理〕集団感受性訓練グループ.
éthylene gròup 〔化学〕エチレン基 [団].
éthyl gròup 〔化学〕エチル基 [団].
ethýnyl gròup 〔化学〕エチニル基.
Euclídean gròup 〔数学〕運動群, 合同変換群.
Éu·ro-gròup 名 欧州(NATO)諸国.
fáctor gròup 〔数学〕=quotient group.
fócus gròup (市場調査の)フォーカスグループ.
fórmyl gròup 〔化学〕ホルミル基.
frónt gròup (地下組織が使う)表向きの団体.
fúll línear gròup 〔数学〕一般一次変換群, 全線形群.
fúnctional gròup 〔化学〕官能基.
gínger gròup 《主に英》(組織内部の)強硬派.
glýceryl gròup 〔化学〕グリセリル基.
hábitat gròup 〔生物〕生態類.
héxyl gròup 〔化学〕ヘキシル基.
hóuse gròup 個人宅で礼拝・聖書研究などをするキリスト教徒のグループ.
hydróxyl gròup 〔化学〕水酸基, ヒドロキシル基.
ímino gròup 〔化学〕イミノ基.
íncome gròup (所得税額から見て同一の)所得層.
ín-gròup 名 派閥(clique).
ínterest gròup 〔社会〕利益集団.
ìn·ter·gròup 形 〔社会〕集団間の [にある].
isoámyl gròup 〔化学〕イソアミル基.
isocýano gròup 〔化学〕イソシア 1 基.
isoprópyl gròup 〔化学〕イソプロピル基.
kétone gròup 〔化学〕ケトン基.
láuroyl gròup 〔化学〕ラウロイル基.
Líe gròup 〔数学〕リー群.
línkage gròup 〔遺伝〕連鎖群, 連関群.
Lócal Gróup 〔天文〕局部星雲 [銀河] 群.
Lóndon Gròup 〔美術〕ロンドン・グループ.
málonyl gròup 〔化学〕マロニル基.

márathon gròup 〘心理〙マラソン療法集団.
mercápto gròup 〘化学〙メルカプト基.
methóxy gròup 〘化学〙メトキシ基, メトキシル基.
méthylene gròup 〘化学〙メチレン基.
méthyl gròup 〘化学〙メチル基.
methýlidyne gròup 〘化学〙メチリジン基.
minórity gròup 少数集団 [民族].
múltiplicative gròup 〘数学〙乗法群.
náphthyl gròup 〘化学〙ナフチル基.
néws·gròup ニューズグループ: インターネット上の分野別情報提示サービス.
nitramíno gròup 〘化学〙ニトラミノ基 [団].
nítro gròup 〘化学〙ニトロ基.
nitróso gròup 〘化学〙ニトロソ基.
opportúnity gròup 身障者援助団体.
óut-gròup 名 〘社会〙外集団.
Óxford Gròup 〘キリスト教〙オックスフォードグループ.
péer gròup 仲間集団.
péntyl gròup 〘化学〙ペンチル基.
permutátion gròup 〘数学〙置換群.
peróxy gròup 〘化学〙ペルオキシ基.
phénylene gròup 〘化学〙フェニレン基.
phényl gròup 〘化学〙フェニル基.
phósphate gròup 〘化学〙リン酸基.
phósphoryl gròup 〘化学〙ホスホリル基.
pláy·gròup 幼児たちの遊びの集団.
póint gròup 〘結晶〙点群.
préssure gròup 圧力団体.
prímary gròup 〘社会〙第一次集団, 一次的集団.
própenyl gròup 〘化学〙プロペニル基.
própylene gròup 〘化学〙プロピレン基.
própyl gròup 〘化学〙プロピル基.
prosthétic gròup 〘生化学〙補欠分子族.
quótient gròup 〘数学〙商群, 因子群.
ráp gròup 〘音楽〙ラップグループ.
réference gròup 〘社会〙準拠集団, 関係集団.
rè-gróup 動他 …を新しいグループに再編成する.
restrícted ùsers gròup 〘コンピュータ〙制限ユーザー集団.
right-to-chóose group 《米》妊娠中絶を選ぶ権利を主張する集団.
right-to-lífe group 《米》あらゆる妊娠中絶に反対する集団.
sécondary gròup 〘社会〙派生的集団.
sém·i·gròup 名 〘数学〙半群, 準群.
sensitívity gròup 〘心理〙感受性集団.
símple gròup 〘数学〙単純群.
sóil gròup 〘地質〙土壌群.
spáce gròup 〘結晶〙空間群.
spécies-gròup 〘生物〙種群.
splínter gròup 〘政治〙分派, 分裂グループ.
státus gròup 〘社会〙地位集団.
stúdy gròup 研究 [学習] グループ.
súb·gròup 名 (群を分割した)小群, 下位集団.
sulfánilyl gròup 〘化学〙スルファニリル基.
súlfinyl gròup 〘化学〙スルフィニル基.
súlfo gròup 〘化学〙スルホ基, スルホン酸基.
súlfuryl gròup 〘化学〙スルフリル基, スルホニル基.
sú·per·gròup 名 〘音楽〙スーパーグループ.
Súrface Áction Gròup 〘米軍事〙水上行動群
symmétric gróup 〘数学〙対称群.
synéctics gròup (創造工学の)シネクティクスグループ.
táil gròup 〘航空〙尾部, 尾翼.
T́-gròup 名 =sensitivity group.
thiocýano gròup 〘化学〙チオシアン基.
tólyl gròup 〘化学〙トリル基.
topológical gròup 〘数学〙位相群.
tórsion-frèe gròup 〘数学〙ねじれのない群.
tórsion gròup 〘数学〙ねじれ群.
Trójan gròup 〘天文〙トロヤ群.
úser gròup 〘コンピュータ〙ユーザー集団.
vínyl gròup 〘化学〙ビニル基.
vinýlidene gròup 〘化学〙ビニリデン基.
wórk·gròup 〘コンピュータ〙共同作業グループ.
yóuth gròup (教会・政党などの)青年部.

group·ing /grúːpiŋ/

名 (人・物の)グループ分け, 組分け. ⇨ -ING[1].

abílity gròuping 〘教育〙能力 [適性] 別クラス編制制度.
blóod gròuping 〘生理〙血液型分類 [判定](法).
fámily gròuping 《英》ファミリーグルーピング: 幼児学校で年齢の異なる児童を 1 つのグループにまとめる方法.
vértical gròuping =family grouping.

grouse /gráus/

名 〘鳥類〙ライチョウ(雷鳥).

bláck gròuse クロライチョウ(黒雷鳥).
blúe gròuse アオライチョウ.
dúsky gròuse =blue grouse.
házel gròuse エゾライチョウ.
réd gròuse アカライチョウ(赤雷鳥).
rúffed gròuse エリマキライチョウ(襟巻雷鳥).
ságe gròuse キジオライチョウ(雉尾雷鳥).
sánd gròuse サケイ(砂鶏).
shárp-tàiled gròuse ホソオライチョウ(細尾雷鳥).
snów gròuse ライチョウ(ptarmigan).
sóoty gròuse =blue grouse.
sprúce gròuse ハリモミライチョウ.
whíte gròuse =snow grouse.
wíllow gròuse ヌマ(沼)ライチョウ.
wóod gròuse 《英》オオライチョウ.

grove /gróuv/

名 小さな森, 木立ち.

Dówners Gróve ダウナーズグローブ(米国の都市名).
Gárden Gróve ガーデングローブ(米国の都市名).
Géneral Gránt Gróve グラント将軍の森(米国の地名).
Líme Gróve London の BBC スタジオ.
Mórton Gróve モートングローブ(米国の都市名).
Pacífic Gróve パシフィックグローブ(米国の都市名).
súgar gròve (米国・カナダの)サトウカエデ園.

grow /gróu/

動自 〈人・動植物などが〉(…から)(…に)育つ, 発育する, 成長 [生長] する; 〈草木が〉(場所に)生える, 茂る.

out·grow 動他 大きくなって〈衣服などを〉着られなくなる; …よりも大きくなる.
o·ver·grow 動他 …の上に生える [繁茂する].
re·grow 動自他 (間隔をおいて)再生長する [させる].

grown /gróun/

動 grow の過去分詞.

fúll-grówn 形 完全に成長した, 成熟した.
hígh-grówn 形 〈コーヒーが〉高地で栽培された.
hóme-grówn 形 〈特に野菜・果物が〉近郊産の.
ín·gròwn 形 《主に米》〈爪が〉肉に食い込んだ.
móss-gròwn 形 コケの生えた, コケむした.
òver·grówn 動 overgrow の過去分詞形.
shádе-gròwn 形 〘園芸〙日陰で育てた.
sláve-gròwn 形 奴隷が育てた〈綿花〉.
únder·gròwn 形 発育不十分な.
wéed-gròwn 形 雑草の茂った, 草ぼうぼうの.
wéll-grówn 形 よく発育 [発達] した.

growth /gróuθ/

名 **1** 成長, 生長, 発育; 成長段階. **2** 生長した物; 草木, 植物. ⇨ -TH¹.

áfter·gròwth 名 二番生えの草; 二番作.
detérminate grówth 〖植物〗限定生長.
dówn·gròwth 名 下方に成長［発達］したもの.
económic grówth 経済成長.
gráin gròwth 〖冶金〗結晶(粒)成長.
ín·gròwth 名 内部成長, 内方成長.
ínter·gròwth 名 〖生物〗合生, 群生, 雑生.
méga·gròwth 名 (日本などの)超高度成長.
négative grówth 負の経済成長, マイナス成長.
nó-gròwth 形 《話》ゼロ成長の, 発展のない.
óld grówth 〖植物〗老成立木(ろうせいりゅうぼく)群.
óut·gròwth 名 自然の結果［所産], 当然の成り行き.
óver·gròwth 名 (物を覆って)生い茂っている茂み.
pró-grówth 形 開発賛成の, 経済成長政策の.
sécond grówth 〖植物〗二番生え, 二次林, 再生林.
únder·gròwth 名 〖植物〗下草, 下木, 林下植物.
úp·gròwth 名 成長, 発育; 発達, 発展.
zéro ecónomic grówth 経済のゼロ成長.
zéro grówth ＝zero economic growth.
zéro populátion gròwth 人口ゼロ成長.

G

grub /grʌ́b/

名 **1** 地虫(grubworm). **2** 《俗》食べ物.

búnny-grùb 名 《英俗》新鮮な野菜.
cáttle grùb ウシバエの幼虫または成虫の総称.
púb grùb 《話》パブで出される食事.
whíte grúb 地虫(じむし), 根切り虫.
wítchetty grùb オーストラリア産のガおよび甲虫.

guard /gɑ́ːrd/

動他名 …を守る, 保護する(者, もの).

advánce guàrd 前衛(部隊), 先兵.
áfter·guàrd 名 《海事俗》ヨットの所有者.
árm·guàrd リストバンド, 腕当て.
bláck·guàrd 卑しい人; 悪漢; 口汚い人.
bódy·guàrd 護衛, 護衛兵, 用心棒.
búmper guàrd バンパーガード: 他の車のバンパーとかみ合うのを防ぐ.
cáttle guàrd 《米》家畜脱出防止溝.
Cóast Guàrd 〖米軍事〗沿岸警備隊(U.S.Coast Guard).
cólor guàrd (軍隊の閲兵式などでの)軍旗衛兵.
córporal's guàrd 〖軍事〗(伍長が率いる)小分隊.
cóunter·guàrd 名 〖築城〗堡障(ほしょう), 外塁壁.
cróss guàrd (剣の)十字形鍔(つば).
cróssing guàrd 《米》(通学路の)交通整理員.
dréss guàrd (女性用自転車などの)衣服防護装置.
dúst guàrd (自転車などの)泥よけ.
Elíte Guàrd ナチス・ドイツにおける親衛隊.
fáce guàrd 顔当て; ヘルメット, マスク.
fíre·guàrd 《主に英》炉格子.
Físh·guard フィッシュガード(ウェールズの地名).
góurd guàrd 《米俗》(運転者の)ヘルメット.
hóme guàrd 国防義勇兵.
hónor guàrd 儀杖兵(ぎじょうへい).
hórse guàrd ジガバチ科のハナダカバチ(鼻高蜂)の一種 *Bembix carolina*.
Íron Guàrd 鉄衛団: ルーマニアのファシスト政党.
lég-guàrd 〖クリケット〗〖野球〗すね当て.
lífe·guàrd (海水浴場・プールの)救助員, 監視員.
míddle guàrd 〖アメフト〗ミドルガード.
múd·guàrd ＝splash guard.
Nátional Guàrd 《米》州兵(軍).
néw guàrd 《米》ニューガード: 政界, 財界などで最近頭角を表した人々.
nóse guàrd 〖アメフト〗＝middle guard.
obstrúction guàrd (機関車の最前部につける)排障器.
Óld Guàrd ナポレオン I 世の親衛隊.
óut·guàrd 名 〖軍事〗歩哨(ほしょう), 外哨.
pálace guàrd (宮殿・宮邸の)護衛兵.
póint gùard 〖バスケット〗ポイントガード.
Praetórian Guàrd 〖ローマ史〗(皇帝の)近衛(このえ)軍.
próvost guàrd 《米》憲兵隊.
rát guàrd ラットガード: 船のネズミよけ.
réar guàrd 〖軍事〗後衛, しんがり軍.
réar·guàrd 形 〖軍事〗後衛の, しんがりの.
Réd Guàrd (中国の)紅衛兵.
róad·guàrd 〖軍事〗道路警戒員, ロードガード.
róof guàrd ＝snow guard.
sáfe·guàrd (危険・損失などから)保護するもの.
schóol guàrd 横断歩道補導員.
secúrity guàrd ガードマン, 警備員, 保安要員.
shín guàrd シンガード, すね当て.
snéeze guàrd くしゃみよけ.
snów guàrd 雪止め.
spláśh guàrd 泥よけ, マッドガード.
stóck guàrd 〖鉄道〗家畜よけ(柵(さく)).
Swíss Guàrd (教皇護衛隊の)スイス人護衛兵.
swórd-guàrd 刀の鍔(つば).
ùn·guárd 動他 …を無防備のままにする.
ván·guàrd 名 ＝advance guard.
wátch guàrd ウォッチガード: 時計を衣服に結びつけるための短い鎖など.
wáter guàrd 水上［港湾］警察.

guards /gɑ́ːrdz/

名複 guard の複数形.

Cóldstream Guàrds 英王室の近衛連隊.
Dragóon Guàrds 《英》近衛竜騎兵隊.
Fóot Guàrds (英国の)近衛歩兵連隊.
Grénadier Guàrds (英国の)近衛歩兵第一連隊.
Hórse Guàrds (護衛の任に当たる)騎兵隊.
Írish Guàrds (英国の)近衛歩兵第四連隊.
Lífe Guàrds (英国の)近衛騎兵連隊.
Scóts Guàrds スコッツガーズ: 近衛師団(Guards Division)を構成する連隊の一つ.
Wélsh Guàrds (英国の)近衛歩兵連隊の一つ; 1915 年設立.

guid·ance /gáidns/

名 指導, 案内, 指揮, 手引き, 指図; 〖航空〗(飛行進路の)誘導. ⇨ -ANCE¹.

ástro-inértial guídance ＝celestial guidance.
celéstial guídance 天文［天測］誘導.
chíld guídance 児童指導.
commánd guídance 〖電子工学〗指令誘導.
fíeld guìdance (重力場や電磁場などの)場の特性によるミサイル誘導.
inértial guídance 慣性誘導.
márriage guìdance 結婚指導.
terréstrial guídance 地球基準誘導.
vocátional guídance 就職［職業］指導.

guide /gáid/

動他 〈人・目印などが〉〈人を〉(目的地・未知の場所へ)道案内する; …を導いて(…を)通り抜けさせる. ━━名 案内人; 案内; 手引き.

Blúe Guíde ブルーガイド: 1918 年創刊の英国の

旅行ガイドブック.

cóurt guìde 貴顕紳士録.
fíeld guìde (鳥・植物・岩石などの)携帯用図鑑.
gírl guíde ガールガイド(The Girl Guides): 少女の善良な市民意識の育成と健康の向上を目指す英国の少女団体.
hóney guìde 〔鳥類〕ミツオシエ(蜜教え).
líght guìde 〔電子工学〕光ファイバー.
mis·guíde 動他 …の指導を誤る; 誤らせる.
protéctive áction guìde 〔原子力〕防護処置基準.
Quéen's Guíde 英国王認定ガールガイド.
sónic guíde ソニックガイド: 視覚障害者用の超音波送受信装置.
tóur guìde 《米麻薬俗》LSD の服用の手ほどきをする人.
wáve·guìde 〔電子工学〕〔光学〕導波管, 導波路.

guild /gíld/

名 (特に相互扶助・相互利益のために組織された)団体, 同業組合; (一般に)組合; (中世の)ギルド.

cráft guìld =trade guild.
mérchant guìld (中世の)商人ギルド.
Scréen Àctors Guìld (米国)映画俳優組合.
tráde guìld (中世の)職人ギルド.

guilt /gílt/

名 (特に道徳・刑法上の)罪のあること, 有罪.

blóod·guìlt 名 殺人の罪, 流血の罪.
survíval guìlt =survivor guilt.
survívor guìlt 〔精神医学〕生存者罪責感.
wár-guìlt 名 戦争責任, 戦争犯罪.

gui·tar /gitáːr/

名 ギター. ── 動自 ギターをひく.

acóustic guitár アコースティックギター.
áir guitár (音楽に合わせた)ギターを弾く格好.
báss guitár ベースギター.
eléctric guitár エレキギター.
hárp guitàr ハープギター.
Hawáiian guitár ハワイアンギター.
pédal stèel guitár ペダルスチール・ギター.
rhýthm guitàr リズムギター.
slíde guitàr ボトルネック奏法(bottleneck).
Spánish guitár =acoustic guitar.
stéel guitár スチールギター.
twélve-strìng guitár 12 弦ギター.

gull /gʌ́l/

名 カモメ: カモメ科の水鳥の総称.

bláck-backed gúll セグロカモメ.
bláck-headed gúll 頭の黒いカモメ類の総称.
Califórnia gúll カリフォルニアカモメ.
Fránklin's gúll アメリカズグロカモメ.
gláucous gúll シロカモメ.
Héermann's gùll オグロカモメ.
hérring gùll セグロカモメ.
ívory gùll ゾウゲカモメ.
láughing gúll ワライカモメ.
líttle gúll ヒメカモメ.
máckerel gùll アジサシ(鯵刺).
ríng-bìlled gúll クロワカモメ.
Róss's gúll バライロ [ヒメクビワ] カモメ.
Sabíne's gúll クビワカモメ.
séa gùll カモメ; (特に)海カモメ.
séa·gùll 動自 《米海軍俗》飛行機で行く [飛ぶ].
wínter gúll 《英》カモメ.

gum /gʌ́m/

名 **1** ゴム, ゴム質. **2** ゴム加工品. **3** チューインガム. **4** アラビア糊(gum arabic). **5** ゴムの木.

accróides gúm アカロイド樹脂.
bée gùm 《米南部ミッドランド》野生のハチの巣が入っている空洞のあるゴムの木.
be·gúm 動他 ゴム(状の物質)で塗る [詰める].
bláck gúm =sour gum.
blúe gùm ユーカリ樹(eucalyptus).
bríck gùm 《米麻薬俗》(れんが状の)未加工のアヘン.
búbble·gùm 風船ガム.
céllulose gùm セルロースガム.
chéwing gùm チューインガム.
cótton gùm ヌマミズキ属の木の総称.
de·gúm 動他 …からゴム(質)を除去する.
éster gùm エステルゴム.
fóssil gùm 化石樹脂.
ghóst gùm 《豪》〔植物〕ユーカリノキの一種.
karáya gùm カラヤゴム.
kíno gúm キノ(樹脂), 赤膠(せきこう).
réd gúm 材に赤みのあるユーカリノキ属の木.
sílk gùm セリシン(sericin), 結膠.
snów gùm スノーガム: ユーカリ属の木.
sóur gùm ヌマミズキ: ヌマミズキ属の木.
spírit gùm スピリットガム: ゴム糊の一種.
sprúce gùm スプルースガム: トウビ, モミから得られる含油樹脂.
stárch-gùm 糊精(こせい), デキストリン(dextrin).
stercúlia gùm =karaya gum.
súgar gùm ユーカリ属の植物の一種.
swéet gúm モミジバフウ: 北米産フウ属の木.
wáter gùm 水際に生えるフトモモ科の数種の木の総称.
whíte gúm 樹皮の白いユーカリの一種.
yéllow gúm 樹皮の黄色いユーカリの総称.

gun /gʌ́n/

名 大砲, ピストル; (銃に似た)器具.

affírming gùn =informing gun.
áir gùn 空気銃.
alárm gùn 警砲.
Áquapulse gùn (海底探査用の)圧縮空気銃.
batón gùn プラスティック弾(発射)銃.
ÐB gùn BB 銃: 口径 0.18 インチの空気銃.
bélly-gùn 銃身の短いピストル.
bíg gún 《話》有力者, 重要人物, 大物.
blów·gùn 吹き矢筒.
Bófors gùn 〔軍事〕ボフォース砲.
Brén gùn 〔軍事〕ブレンガン.
búll gùn (重い銃身の)射的用ライフル銃.
búrp gùn 《米軍俗》機関拳銃.
cáp gùn (紙火薬で音を出す)おもちゃのピストル.
cóil gùn コイルガン: 電磁誘導による宇宙船加速打ち上げ装置.
dázzle gùn 《英》目くらましレーザー銃.
díck gùn 《俗》ゴム弾の銃.
distréss gùn 〔海事〕遭難号砲.
dópe gùn 《米俗》麻薬用の注射器.
dúst gùn (殺虫剤の)手動式粉剤噴射銃.
eléctron gùn 〔電子工学〕〔テレビ〕電子銃.
élephant gùn 象撃ち銃.
énergy gùn 《米俗》(麻薬を打つ)注射器.
fíeld gùn 〔軍事〕野砲, 野戦砲.
fláme gùn 〔農業〕除草用火炎放射器.
flásh·gùn 〔写真〕同調発光装置.
flít gùn 携帯用殺虫スプレー.
fóg gùn 〔海事〕霧砲.

Gátling gùn 【軍事】ガットリング砲.
gláss gún 《米麻薬俗》皮下注射器.
gréase gùn グリースガン, グリース注入器.
gréat gún 《米俗》大物, 大立て者.
hánd·gùn 《米・カナダ》拳銃, 短銃.
harpóon gùn (捕鯨用の)銛(もり)打ち砲.
héat gùn ヒートガン: 急速乾燥などに用いる.
hígh-angle gún 【軍事】高角砲, 曲射砲.
híred gún 《俗》(プロの)殺し屋.
infórming gùn 【海事】探索通知砲.
jét gùn ジェットガン: 小型の注射器.
júnk gùn 《話》(入手が容易な)小口径短銃.
láser gùn 【コンピュータ】レーザーガン: レーザーディスクなどの読み書きに用いる.
Léwis gùn 【兵器】ルイス式軽機関銃.
machíne gùn 機関銃 [砲], 機銃.
machíne-gùn 動自 機関銃を撃つ.
Máxim gùn 【軍事】マキシム式速射機関銃.
Míni·gùn ミニガン: 米軍の航空機・ヘリコプター搭載用機関銃.
mínute gùn (危難警告のためなどの)分時砲.
mórning gún 【軍事】起床号砲(を撃つこと).
néutron gùn 【物理】中性子銃.
ópening gún 《話》(大事業などの)第一歩.
òut·gún 動他 …より銃砲装備 [火力] で勝る.
Ówen gùn 【軍事】オーエン銃.
pín gùn 《米俗》麻薬の安全ピン注射器.
póp·gùn おもちゃの鉄砲 [ピストル].
pró-gún 形 《米》鉄砲所持賛成の.
púmp gùn (散弾銃の)ポンプ式速射銃.
Quáker gùn 《米》木砲; 偽砲. ►クエーカー教徒の反戦主義を当てこすったもの.
ráil gùn 【軍事】レールガン.
ráy gùn 光線銃, ビームガン.
rífle gùn (特に先込め式の)ライフル銃.
ríot gùn 暴動鎮圧に用いる銃身の短い銃.
rívet gùn (自動)リベット打ち機.
rócket gùn 【軍事】ロケット砲.
rún-and-gùn 動自 《米バスケット俗》速攻とシュートで攻める.
scátter·gùn 《主に米》散弾銃.
sét gùn ばね銃.
shót·gùn 散弾銃, ショットガン, 猟銃.
shóulder gùn 肩撃ち火器.
síx-gùn 《米話》六連発拳銃.
slúm gùn 《英軍俗》野戦炊事場.
smóking gún 《米話》明白な証拠.
sóup gùn 《米軍俗》移動調理車.
spáce gùn スペースガン: 宇宙船外で使う, 携行式ジェット推進装置.
spéar gùn 水中銃.
spéed gùn スピードガン, 球速測定器.
splát gùn 【警察】【軍事】スプラット銃.
spráy gùn 吹きつけ器, スプレーガン.
spríng gùn 仕掛け銃(set gun).
squírrel gùn 22 口径のライフル銃.
squírt gùn =spray gun.
stáple gùn ステープルガン.
Stén gùn ステンガン: 英国の軽機関銃.
stún gùn スタン銃: 電気ショック銃.
sùbmachíne gùn 軽 [短] 機関銃, サブマシンガン.
sú·per·gùn 名 (化学兵器・核弾頭用)超大砲.
swível gùn (19 世紀までの)旋回砲 [銃].
tánk gùn 【軍事】戦車砲.
Tómmy gùn 《米》トンプソン式短 [自動] 機関銃.
tóp gún トップクラス [一流] の人.
wáter gùn 水鉄砲.
wélding gùn (潜弧溶接の)溶接ガン, 溶接頭.
whàling gùn 捕鯨銃, もり発射砲.
wíre gùn 【軍事】鋼線砲(wire-wound gun).
wíre-wòund gún =wire gun.
Ý-gùn Y 型(対潜水艦)爆雷発射機.
zíp gùn 《米・カナダ俗》手製のピストル.

gut /gʌ́t/

名 消化管; 腸. ——動他 …から内蔵を取る.

béer gùt ビール腹.
bélly-gùt 《米北東部》腹打ちダイビング.
blínd gút 盲腸.
blúbber gùt 《米俗》でぶ.
cást gùt てぐす, 釣り糸.
cát·gùt ガット, 腸弦, 腸線.
de·gút 動他 …の内臓を取り除く.
fóre·gùt 名 前腸.
hínd·gùt 名 後腸.
míd·gùt 名 中腸.
pínch·gùt 《俗》けち, しみったれ.
pót·gùt 《米俗》出た腹.
prímitive gút 【発生】原腸(archenteron).
pús-gùt 《米俗》出っ腹(の人).
pústle-gùt 《米俗》=pus-gut.
wóg gùt 《俗》吐き気; 下痢.

guts /gʌ́ts/

名複 gut の複数形.

blóod-and-gúts 形 〈映画・小説などが〉戦争ものの.
chícken gùts 《米軍俗》将校の制服の輪型モール.
gréedy·gùts 《米俗》大食家.
grúmble-gùts 《話・方言》不平家(grumbler).
gúzzle-gùts 《米話》大酒飲み, 飲んだくれ.
mísery-gùts 《英俗》むっつりしたやつ.

guy /gái/

名 《話》男, あいつ, やつ(fellow).
★ 通例, 形容詞を前に置く.

bád gúy 《俗》悪党, ならず者.
fáll gùy 《米俗》だまされやすい人, かも.
gít-'em-ùp gúy 《米俗》強盗(hold-up man).
jíggers gùy 《米俗》見張り(役)(jiggerman).
Míster Níce Gúy 《米俗》いい人. ►Mr. Nice Guy とも.
níce gúy 《話》いい男, ナイスガイ.
nód-gùy 《米俗》イエスマン; 追従者, おべっか使い(yes-man).
óne-wày gúy 《米俗》正直で礼儀正しい男.
páppy gùy 《米俗》(仕事などの)大先輩.
réal gùy 《米俗》素晴らしい人, 望みの人.
ríght gúy 《米俗》頼りになるやつ.
Sílicon Válley gúy 《米》シリコンバレーで働くビジネスマン.
slów-bèat gúy 《米俗》嫌なやつ.
smárt gùy 《話》嫌味な気取り屋.
táke-òut gúy 《俗》いかさま賭(と)博の勝ち役.
tóugh gúy 《話》強靭な男, タフな人.
wíse gùy 《話》うぬぼれの強い男, 高慢な男.

-gyne /dʒàin, dʒin/

連結形 雌, 女.
★ 語末にくる関連形は -GYNIC, -GYNOUS, -GYNY.
★ 語頭にくる形は gyneco-, gyno-: *gyne*coid「女の; 女性的な」, *gyno*phore「【植物】雌蕊(ずい)柄」.
◆ <仏 *-gyne* <ギ *gynḗ* 女性, 雌.
[発音] いずれも 3 音節の語で, 語頭の音節に第 1 強勢.

an·dro·gyne 名 雌雄同花序の植物.
trich·o·gyne 名 【植物】【菌類】受精毛 [糸].

-gy·nic /gáinik, -dʒín-/

連結形 女子の, 女性の. ⇨ -IC[1]. ◇ -ANDRIC.

★ 語末にくる関連形は -GYNE.

hol·o·gyn·ic 形 〘遺伝〙限雌性の.
mi·sog·y·nic 形 女嫌いの, 女性不信の.
mon·o·gyn·ic 形 一妻(主義)の, 一夫一妻(制)の.

-gy·nous /dʒənəs, dʒáinəs, gái-/

連結形 女性の, 雌の.
★ 形容詞をつくる.
★ 語末にくる関連形は -GYNE.
★ 語頭にくる関連形は gyneco-, gyno-: *gyne*coid「女の; 女性的な」, *gyno*phore「〘植物〙雌蕊(ずい)柄」.
◆ <ギ *-gynos*(*gynḗ*「女性」より). ⇨ -OUS.

a·crog·y·nous 形 〘植物〙頂生の.
an·drog·y·nous 形 男女 [雌雄] 両性具有の, 両性的.
de·cag·y·nous 形 〘植物〙十雌蕊(ずい)の.
e·pig·y·nous 形 〘植物〙〈花が〉子房上生 [下位] の.
gym·nog·y·nous 形 〘植物〙裸子房の.
het·er·og·y·nous 形 〘動物〙2 種の雌を持つ.
hy·pog·y·nous 形 〘植物〙子房下生の, 子房上位の.
mo·nog·y·nous 形 一妻(主義)の, 一夫一妻(制)の.
pen·tag·y·nous 形 〘植物〙五雌蕊(ずい)の.
pe·rig·y·nous 形 〘植物〙〈雄蕊(ゆうずい)・花弁が〉子房周位の, 子房中位の.
po·lyg·y·nous 形 一夫多妻(主義)の.
tet·ra·gy·nous 形 〘植物〙四雌蕊(ずい)の.
trig·y·nous 形 〘植物〙三雌蕊(ずい)の.

-gy·ny /dʒəni/

連結形 女性らしさ.
★ -gynous に対応する抽象名詞をつくる.
★ 語末にくる関連形は -GYNE.
★ 語頭にくる関連形は gyneco-, gyno-: *gyne*coid「女の; 女性的な」, *gyno*phore「〘植物〙雌蕊(ずい)柄」.
◆ -GYN(OUS) ＋ -Y[3].
[発音] 直前の音節に第 1 強勢.

an·drog·y·ny 名 《米》〘服飾〙アンドロジニー.
mi·sog·y·ny 名 女嫌い, 女性不信.
mo·nog·y·ny 名 一妻主義, 一夫一妻(制).
pe·rig·y·ny 名 〘植物〙子房周位, 子房中位.
phi·log·y·ny 名 《まれ》女好き.
po·lyg·y·ny 名 一夫多妻(主義).
pro·tog·y·ny 名 雌性先熟.

G

H

hab·it /hǽbit/

名 **1** 癖, 習癖, 習慣; 常用癖. **2**《文語》(婦人)乗馬服.

bóss hàbit 《米俗》(重症の)ヘロイン中毒.
Ć-hàbit 《米俗》コカイン常用癖.
chíckenshít hàbit 《米俗》ごく軽い麻薬常用癖.
chúck hàbit 《米俗》麻薬禁断時の激しい空腹感.
crýstal hábit 【結晶】晶癖, 晶相.
gárbage hàbit 《米俗》何種類もの麻薬を混ぜ合わせて飲む癖.
íce crèam hàbit 《米俗》(中毒にならない程度に)ときどき麻薬を使う習慣.
nóse hàbit 《米俗》コカインやヘロインを鼻から吸引する癖.
ríding hàbit (婦人)乗馬服.
twó-àrm hábit 《米俗》両腕に注射するほどの中毒.
wéekend hábit 《米俗》少量の不定期な麻薬使用.

hag /hǽg/

名 **1** (特に意地悪い)醜い老女, 鬼婆. **2**《俗》醜い女.

fág hàg 《米俗》ホモの男と結婚している女.
níght-hàg (夜空を飛ぶ)魔女(witch).
scág hàg 《米俗》ホモにつきまとう女.

hair /hέər/

名 毛, 髪, 頭髪; 体毛.

ángel hàir 【イタリア料理】極細のパスタ.
Bereníce's Háir 【天文】かみのけ座.
bíg háir 《米学生俗》逆毛を立てて膨らませた髪.
cámel·hàir =camel's hair.
cámel's hàir ラクダの毛; その織物.
crápe háir =crepe hair.
crépe háir (演劇などで用いる)付け毛.
cúnt-hàir 《米俗》ごくわずかの量 [距離].
de·háir 動他 〈動物の皮から〉毛を取り去る.
élephant hàir エレファント・ヘア: 装飾品の一種.
fróg hàir 《米俗》政治運動に使う金.
góod háir 《カリブ》(ヨーロッパ系の血が入っていることを示す)縮れてない髪の毛.
guárd hàir (動物の綿毛を保護する)長い上毛.
hórse·hàir 馬の毛, (特に)たてがみ [尾] の毛.
lóng·hàir 《話》《時に軽蔑的》知識人; 学者.
máiden·hàir 【植物】クジャクシダ.
Péle's háir ペレーの毛, 火山毛.
róot hàir 【植物】根毛.
shórt·hàir ショートヘア.
stínging hàir 【植物】刺し毛.
Téxas háir 《米俗》大きく膨らませた髪.
un·háir 動他 〈獣皮などから〉毛を抜く.
Vénus·hàir =Venus's-hair.
Vénus's-háir 【植物】ホウライ(蓬莱)シダ.
wíre·hàir 《米》ワイヤヘアード・フォックステリア: キツネ狩りに使われる犬.

haired /hέərd/

形 頭髪[毛]のある; 《複合語》頭髪[毛]が…の. ⇨ -ED².

Áfro-háired 形 アフロヘアスタイルの.
blúe·háired 形 《米俗》白髪を薄青く染めた.
fáir-hàired 形 金髪の.
gráy·hàired 形名 白髪の(人).
lóng-háired 形 長髪の.
ráven-háired 形 黒髪の.
shórt·hàired 形 ショートヘアードの.
sílver-háired 形 銀髪 [白髪] の.
tów-háired 形 亜麻色 [淡黄色] の髪の.
whíte-háired 形 白髪の.
wíre·hàired 形 (針金のような)粗く堅い毛のある.

half /hǽf, hɑ́ːf | hɑ́ːf/

名 **1** 半分. **2**【スポーツ】ハーフ. **3** (一対のものの)片方.

be·hálf 名 援助, 味方, 利益.
bétter hálf 妻, 家内.
bítter hálf 《話 / こっけい》連れ合い, 妻または夫.
flý hálf 【ラグビー】=standoff half.
hálf-and-hálf 名 半々の混合物.
óther hálf 正反対の立場にある階級.
scrúm hálf 【ラグビー】スクラムハーフ.
stándoff hàlf 【ラグビー】スタンドオフハーフ.
thírd hálf 《話》第三ハーフ: 試合後の懇親会.
wíng hàlf 【サッカー】ウイングハーフ.

hall /hɔ́ːl/

名 (住宅・建物の)入り口の広間, 玄関, ロビー.

áir hàll 《英》エアホール: 折りたたみ式のプラスチック製ドーム.
ánte·hàll (待合室や大広間の入り口の役をする)控えの間.
assémbly hàll 集会場; (学校の)講堂.
Ávery Físher Háll エーブリー・フィッシャー・ホール: New York にある演奏会場.
báchelor's háll 独身男性の住居.
béer hàll ビヤホール.
bóoking hàll 《英》切符売場.
bórough háll 自治町村の庁舎.
Cárnegie Háll カーネギーホール: New York にあるコンサートホール.
cíty háll 《米》市役所, 市庁舎.
cóncert hàll 《英》=music hall.
cóunty hàll 《英》州議会会館.
dánce hàll ダンスホール.
díning hàll (大学などの)大食堂.
éntrance hàll 玄関広間, 入り口ホール.
Féstival Háll =Royal Festival Hall.
fíre hàll 《米・カナダ》消防署 [詰め所].
gíld·hàll =guildhall.
guíld·hàll (英国でもとギルド集会所であった)市役所, 町役場.
híring hàll 組合員雇用事務所.
Indepéndence Háll インディペンデンス・ホール: 米国の独立宣言が起草された.
líberty háll 勝手気ままに振る舞える場所.
méss hàll (工場・軍隊などの)食堂.

móot háll (英国の村にある)昔, 人民集会が開かれた建物; 町庁舎, 町公会堂.
músic hàll 《主に米》音楽堂, 音楽会場.
Néw Háll ニューホール学寮: Cambridge 大学の女子学寮.
póol hàll 《米》賭(か)け玉突き場.
Preservátion Háll プリザベーション・ホール: New Orleans にある初期ジャズ保存のための部屋.
Róyal Féstival Háll (ロイヤル)フェスティバル・ホール: London にあるコンサートホール.
Státioners' Háll 《英》書籍出版業組合事務所.
stúdy hàll 《米》(学校の)勉強室, 自習室.
táxi dànce hàll タクシーダンサーのいるダンスホール.
tówn háll 町役場, 市庁舎, 市役所.
Trínity Háll トリニティーホール: Cambridge 大学の学寮.
túrn·hàll 体操練習場, 体育館.
víllage háll (多目的に使われる)村のコミュニティホール.
Whíte·hàll ホワイトホール: London の中心部にあった宮殿.
wóol-hàll 《英》羊毛取引所; 羊毛市場.

ha·lo /héilou/

名 **1** 光輪, 後光. **2**〖気象〗暈(かさ), ハロー.

Cellíni's hálo 〖気象〗稲田の後光: 特に露の多い芝生などで太陽光線の加減で頭の影の周りに白い光の輪が見える現象.
en·há·lo 動他 後光 [光背] で取り巻く.
Hevélian hálo 〖気象〗ヘーベルの暈(かさ).
pleochróic hálo 〖鉱物〗多色(性)ハロー.

ham /hǽm/

名 **1** 豚のもも. **2** ハム.

bón·ham 名 《アイル》子豚; 小豚.
cát hàm 《米》ふっくらしていないハム.
dáisy hàm デイジハム: 豚の肩肉のボンレスハム.
Virgínia hám バージニアハム: トウモロコシとピーマンで太らせて去勢した雄豚の肉を, ヒッコリーの木でいぶしたハム.
Westphálian hám ブナやビャクシンの木でスモークした独特の風味を持つ硬いドイツハム.

-ham[1] /əm/

連結形 境界; 囲い地; 村; 地所; 荘園.
★ 人名, 地名に使われる.
◆ 古英.
[発音] 語頭の音節に第 1 強勢.

Ben·tham 名 ベンサム(姓). ►字義は「コヌカグサ園」.
Bir·ming·ham 名 バーミンガム(イングランドの都市名).
Chat·ham 名 チャタム(イングランドの都市名). ►字義は「森のそばの土地」.
Cla·pham 名 クラッパム(イングランドの地名). ►字義は「丘のそばの土地」.
Dag·en·ham 名 ダゲナム(イングランドの地名).
Den·ham 名 デナム(姓). ►字義は「谷そばの土地」.
Dun·ham 名 ダンハム(姓). ►字義は「丘の上の土地」.
Fare·ham 名 フェアラム(イングランドの都市名). ►字義は「シダの生い茂る地域」.
Farn·ham 名 ファーナム(イングランドの都市名). ►字義は「シダの生い茂る地域」.
Gil·ling·ham 名 ジリンガム(イングランドの都市名).
Goth·am 名 ゴサム: New York City のニックネーム.
Gran·tham 名 グランサム(イングランドの地名). ►字義は「Granta(人名)の家」.
Gresh·am 名 グレシャム(姓). ►字義は「牧場の土地」.
Hey·sham 名 ヘイシャム(イングランドの地名). ►字義は「やぶの中の家」.
Hing·ham 名 ヒンガム(米国の都市名).
Im·ming·ham 名 イミンガム(イングランドの町名).
Lew·i·sham 名 ルーイシャム(イングランドの地名).
Mark·ham 名 マーカム(姓). ►字義は「国境地域」.
Mitch·am 名 ミッチャム(イングランドの地名). ►字義は「大きな土地」.
Need·ham 名 ニーダム(米国の町名).
New·ham 名 ニューアム(イングランドの地名).
Not·ting·ham 名 ノッティンガム(イングランドの都市名).
Oak·ham 名 オーカム(イングランドの町名).
Ock·ham 名 オッカム(姓).
Pel·ham 名 ペラム(姓).
Pink·ham 名 ピンクハム(姓).
Rack·ham 名 ラッカム(姓). ►字義は「丸太の家」.
Rock·ing·ham 名 ロッキンガム(姓).
rod·ham 名 イングランド East Anglia 地方の土手と枯れ川の隆起した地形.
Roth·er·ham 名 ロザラム(イングランドの都市名).
Stone·ham 名 ストーナム(米国の町名).
Tot·ten·ham 名 トテナム(イングランドの地名).
Wal·sing·ham 名 ウォールシンガム(姓).
Wal·tham 名 ウォルサム(米国の都市名).
Wyke·ham 名 ウィカム(姓).

-ham[2] /əm/

連結形 牧草地(hamm).
★ 地名に使われる.
★ 語末にくる関連形は -HEIM.
◆ 古英 *hamm*; 原義は「囲い込んだ牧場」.
[発音] 語頭の音節に第 1 強勢.

Buck·ing·ham 名 バッキンガム(イングランドの地名).
Chel·ten·ham 名 チェルテナム(イングランドの都市名).
Cul·ham 名 カラム(イングランドの村名).
Éast Hám イーストハム(イングランドの地名).
Eve·sham 名 イーブシャム(イングランドの町名).
Ful·ham 名 フラム(►日本の通称はフルハム)(イングランドの地名).
Twick·en·ham 名 トウィッカナム(イングランドの地名).
Wést Hám ウェストハム(イングランドの地名).

ham·mer /hǽmər/

名 金槌(かなづち), ハンマー, 槌.

áir hàmmer 〖機械〗(携帯式)空気ハンマー.
áss hàmmer 《米学生俗》オートバイ.
áx·hàmmer (石工用)斧槌(おのづち).
báll-pèen hàmmer 丸頭ハンマー.
bével-fàced hámmer 斜面ハンマー.
búsh·hàmmer 〖石工〗びしゃん.
cláw hàmmer 釘抜き付き金づち.
clúb hàmmer 《英》(通例木製の)小槌(こづち).
cóld-hàmmer 動他 冷鍛する.
gút-hàmmer 《米俗》(伐採人の間で)食事合図用のゴング.
háck hàmmer ハックハンマー.
jáck·hàmmer ジャックハンマー, 手持ち削岩機.
knápping hàmmer 石工用ハンマー.
láthing hàmmer 木摺(きずり)を整えたり釘打ちするための金槌兼用手斧(ちょうな).
nínny·hàmmer ばか, とんま, まぬけ.
pátent hàmmer 〖石工〗刃びしゃん.
pneumátic hámmer 〖機械〗=air hammer.

H

póle hàmmer 戦槌(つい).
ráising hàmmer (頭の丸い)打ち出し用ハンマー.
ráwhide hàmmer ローハイド・ハンマー.
sét hàmmer あてハンマー.
slédge-hàmmer (両手で使う)大ハンマー.
stéam hàmmer 〘機械〙蒸気槌, 蒸気ハンマー.
stúd-hàmmer 《米俗》色男, 女殺し.
táck hàmmer 鋲(びょう)打ちハンマー, 鋲槌(つい).
tílt hàmmer =triphammer.
tríp-hàmmer 〘機械〙はねハンマー.
túning hàmmer 〘音楽〙ピアノ調律用レンチ.
wár hàmmer =pole hammer.
wáter hàmmer 水撃作用, ウォーターハンマー.

hand /hǽnd/

[名] **1** (人の)手. **2** 人手, 労力. **3** 特殊な手腕を持った人; 専門家. **4** 仕方; 手腕, 技量. **5** 所有, 占有; 権力; 支配; 保管. **6** 作用, 働き. **7** 方, 側. **8** 筆跡, 書法. **9** 〘トランプ〙持ち札.

afóre-hànd [副][形] 《古風・方言》=beforehand.
báck-hànd 手の甲で打つこと.
befóre-hànd [副][形] あらかじめ(の), 前もって(の).
behínd-hànd [副][形] (時間に)遅れて, 遅くなって.
Bláck Hánd 黒手団: イタリアの犯罪秘密結社.
blóody hánd 〘紋章〙赤い手.
bów hand 〘弓術〙弓手(ゆん).
brídle hand (騎手の)手綱を取るほうの手.
Chámber-hand 《NZ》(畜殺場の)食肉冷凍室で働く人.
chárge-hànd 《英》職長; 職長の次に属する組長.
chárter hand =court hand.
clóse-at-hánd [形] (時間的に)すぐ先の, ごく近い将来の.
clúb-hand 湾曲手.
cóol hand [名][形] 《米俗》冷静沈着な(人).
cóurt hand 〘英史〙法廷書体, 公文書字体.
ców-hand 牛飼い, カウボーイ.
dáb hand (…の)名人, 達人, 名手.
déad hand 〘法律〙死体譲渡.
déad màn's hand 〘トランプ〙エース2枚と8の札2枚のツーペア.
déadman's hànd 〘植物〙ラン科ハクサンチドリ属のラン.
déck hand 〘海事〙甲板員.
dóck-hand 港湾労働者.
élder hand =eldest hand.
éldest hand 〘トランプ〙エルデストハンド.
énd-hand 〘トランプ〙エンドハンド.
fárm hand =hired hand.
fíeld hand 《米》=hired hand.
fírst-hánd [副] 直接に, じかに. ── [形] 元の.
flý hand 〘印刷〙《もと》紙取り工.
fóre-hand [形] (テニスなどで)フォアハンドの.
fóur-in-hand 《米》(前に垂らして結ぶ)ネクタイ.
frée hand 自由行動, 自由裁量.
frée-hand [形] (器具などを用いず)手だけで描いた.
glád hand 《話》親しみのこもった握手.
glád-hand [動他] 《話》…を温かく迎える, 歓迎する.
gráss hand (漢字・仮名の)草書.
hánd-in-hánd [形] 手に手を取り合った; 親密な.
hánd-to-hánd [形] 相手に接近[肉薄]した.
hélping hand 手助け, 救援; 支持.
híred hand 雇用労働者, 作男, 牧場労働者.
hóur hand (時計の)時針, 短針.
invísible hand 〘経済〙見えざる手.
íron hand 苛酷さ, 厳しい支配, 圧制.
Itálian hand イタリア式書体.
itálic hand Italian hand のもとを成す書体.
láw-hand 古い法律文書に用いられている書体.
léft-hand [形] 左側の, 左方の; 左側にある.
lóne hand 〘カード〙味方の手の援助なしで戦える強い手(を持つ人).
lóng-hand (速記に対して)普通の書き方.
máster hánd 名人, 大家, 専門家.
míddle-hand 〘トランプ〙ミドルハンド, 二番手.
míll hand 製粉工; 職工; 紡績工.
mínute hand (時計の)分針, 長針.
néar-at-hánd [形] すぐ近く[そば]の, 手近な, 隣接の.
néar hand 《主にスコット》ほとんど.
óff-hánd [副] 傲慢に, ぶっきらぼうに, ぞんざいに.
óld hand (ある分野における)熟練工, 専門家.
ópen hand 気前のよさ.
óut-of-hánd [形] 手に負えない.
óver-hand [形] 手を肩より上に上げてする.
prínt hand 印刷風の書体.
ránch hand 牧場[農場]従業員.
ríght hand 右手.
ríght-hand [形] 右の, 右側の, 右手の.
róund hand 円形書体(主に製図用文字).
róund-hand [形] 〘クリケット〙水平に腕を振った.
rúnning hand (ペンを紙から離さない)続け書き.
sécond hand (時計の)秒針.
sécond-hand [形] 間接の; また聞きの, 受け売りの.
séction hand 〘鉄道〙《米》保線作業員, 軌道係.
shéd hand 《主に豪・NZ》羊毛刈り小屋労働者.
shórt-hand (longhand と区別して)速記(法).
stáge-hand 舞台(転換)係, 裏方.
stóne-hand 〘印刷〙植字工, 組み付け工.
swéep hand 〘時計〙(中三針用の)秒針.
swórd-hand 剣を持つ手.
téxt hand 写字生書体.
thírd-hand [形] 〈物が〉再中古の.
únder-hand [形] 公明正大でない; 秘密の.
ùn-hánd [動他] 《古 / こっけい》…から手を放す.
úpper hand 優勢, 優越.
wásh-hand [形] 《英》手を洗う, 洗面用の.
wátch hand 携帯時計の針(時針, 分針, 秒針).
whíp hand (乗馬で)むちを持つほうの手.
yóunger hánd 〘トランプ〙後手の人.

hand-ed /hǽndid/

[形] 《通例複合語》 **1** 取っ手のついた; …の手を持った, …の手をした. **2** 〈仕事・遊びなどが〉…人を必要とする. ⇨ -ED[2].

báck-hànded [形] (テニスなどの)バックハンドの.
báre-hánded [形][副] 手をむき出しにした[して].
bóth-hánded [形] 両手利きの; 両手を使う.
càck-hánded [形] 《話》左利きの.
cléan-hánded [形] 悪いことをしない, 潔白な, 正しい.
cróss-hánded [形][副] 手を交差させた[て].
émpty-hánded [形] 手の空いている, 仕事のない.
éven-hánded [形] 公平な, 公正な, 公明正大な.
fóre-hánded [形] (テニスなどで)フォアハンドの.
fóur-hánded [形] 〈ゲームなどが〉4人でする.
frée-hánded [形] 気前のよい, 大まかな.
hám-hánded [形] 不器用な, ぎごちない.
hárd-hánded [形] 圧制的な; 暴君的な; 残酷な.
héavy-hánded [形] 厳しい, 過酷な; 厳しく罰しすぎる.
hígh-hánded [形] 高圧的な, 高慢な; 横暴な.
íron-hánded [形] 冷酷な, 厳しい, 圧制的な.
léft-hánded [形] 左利きの.
líght-hánded [形] 人手の足りない.
néat-hánded [形] 手先の器用な, 巧みな.
óne-hánded [形] 片手の; 片手だけを使う; 片手用の.
ópen-hánded [形] 気前のよい; 手に何も持たない.
réd-hánded [形][副] 現行犯の[で].
ríght-hánded [形] 右利きの.
shórt-hánded [形] 人手の足りない, 人手不足の.
síngle-hánded [形] 独力で[一人で]成し遂げた.
stéady-hánded [形] 指導力[統率力]に富む; 冷静な.
súre-hánded [形] 手先の器用な, 腕の確かな.
thrée-hánded [形] 手が3つの.
twó-hánded [形] 手が2本ある, 両手のある.
ùnder-hánded [形] 《米》公明正大でない; 秘密の.

wéak-hánded 形 手の力が弱い, 力のない手をした.
whíte-hànded 形 白い手をした; (動物の)前脚の白い.

hand·er /hǽndər/

名 …の手を持つ [利用する] 人. ⇨ -ER[1].

báck-hànder 名 《話》(顔を)手の甲で打つこと.
fórk-hànder 名 《米野球俗》左腕投手.
glád-hànder 名 親しみのこもった握手をする人.
léft-hánder 名 左利きの人; 左腕投手, 左バッター.
ríght-hánder 名 右利きの人, (特に野球の)右腕投手.
síngle-hánder 名 単独航海 [探検] 者.
twó-hánder 名 二人芝居 [演劇].

han·dle /hǽndl/

名 取っ手, 柄, つまみ, にぎり, ハンドル; 柄のついた果物かご. ── 動他 〈人が〉(物に)手で触れる. ⇨ -LE[1].

dóor hàndle ドアの取っ手.
dróp-hàndle (引き出しなどの)下がり取っ手.
gráb hàndle (車の乗降・発車時の支え用)手すり.
júg-hàndle 主要道路への出入り口の環状の道路.
mán-hàndle 動他 《主に英話》手荒く [乱暴に] 扱う.
mis·han·dle 動他 …の取り扱いを誤る; 手荒く扱う.
out·han·dle 動他 …に操作性能において勝る.
pán-hàndle フライパンの柄.
púmp-hàndle ポンプの柄. ── 動他 〈人の手を〉(大げさに)握りしめる, 握手する.
re·han·dle 動他 再び取り扱う.
róugh-hàndle 動他 手荒に(取り)扱う.
síghtseer hàndle 《米俗》(競馬で)少額の賭(か)け金.
stárting hàndle 《英》(自動車エンジンをかけるために昔用いられた)始動ハンドル, 始動クランク.

han·dler /hǽndlər/

名 扱う [統御する] 人 [もの]. ◇ HANDLE. ⇨ -ER[1].

bággage hàndler (列車・飛行機などの)荷物係.
dóg hàndler 犬の調教者.
stíck·hàndler ホッケーやラクロスの選手.

han·dling /hǽndliŋ/

名 手で触れる [つかむ, 操作する] こと. ⇨ -ING[1].

báll hàndling 巧みなボールの扱い, ボールさばき.
matérials hàndling 『経営』材料(運搬)管理.
spécial hàndling (米国郵便制度で)特殊取り扱い.
stíck·hàndling (ホッケー・ラクロスで)スティックハンドリング.

hands /hǽndz/

名複 hand「手」の複数形.

áll-hánds 形 《話》〈回覧・掲示などが〉全員 [全職員, 全会員] 向けの.
bóth hánds 《米俗》10 年の刑.
cléan hánds 廉直, 清廉, 潔白.
díshpan hánds (特に炊事, 洗濯などの家事のために)荒れて赤くなった手.
nó-hánds 形 手を使わない, 手で持たなくてよい.
sháke-hánds 握手.
sóft hánds 《米野球俗》(強い)ゴロをさばくうまさ.

hang /hǽŋ/

動他 〈物を〉(…に)掛ける; (…から)つるす. ── 自 (…から)ぶら下がる.

clíff-hang 動自 《話》はらはらして結果を待つ.
o·ver·hang 動他 …の上に懸かる, 頭上に懸かる.
re·hang 動他 〈絵・カーテンなどを〉掛け直す.
stráp-hang 動自 つり革につかまる.
un·hang 動他 〈掛けたものを〉取り外す.

hang·er /hǽŋər/

名 **1** 洋服掛け, えもん掛け. **2** 掛ける人, 張る人. ⇨ -ER[1].

ápe hànger 《米俗》(自転車・オートバイの)変形ハンドル. ► 上ぞりなのでサルがぶら下がっているように見える.
béll·hànger 釣り鐘師.
clíff-hànger 次回に興味を持たせるような場面で終わる連続ドラマ [連載小説].
clóthes hànger ハンガー, えもん掛け.
cóat hànger ＝clothes hanger.
co·háng·er 名 《米》(自動車購入契約の)連帯保証人.
crápe·hànger 《米俗》悲観論者; 興をそぐ人.
crépe·hànger ＝crapehanger.
fénce-hànger 《米俗》煮えきらない人.
páper·hànger 壁紙張り職人; 表具屋.
stráp·hànger 《話》つり革につかまって立っている乗客; 通勤者.

hap·py /hǽpi/

形 **1** (…して [するのが]) うれしい, 喜んで(…)する; (…に)満足な. **2** ふらふらした. ► 連結形は話語または俗語で用いる. これらの複合語では, happiness, happily を派生しない. ⇨ -Y[1].

bómb-hàppy 形 《話》爆弾恐怖症の; 爆弾好きの.
bónk-hàppy 形 《米俗》セックス好きの.
cár-hàppy 形 《話》カーマニアの, 車好きの.
clóthes-hàppy 形 《話》服装に夢中の.
cóck-hàppy 形 《米俗》〈女が〉尻軽(しりがる)の.
cóop-hàppy 形 《米俗》監禁されて気が狂った.
dóllar-hàppy 形 《話》ドル [お金] に夢中の.
drúg-hàppy 形 《話》麻薬にとりつかれた.
knífe-hàppy 形 《話》〈外科医が〉手術をしたがる.
púnch-hàppy 形 《話》パンチでふらふらの.
sáp-hàppy 形 《米俗》酔っ払った.
sláp-hàppy 形 《話》(パンチを食らって)ふらふらになった.
statístic-hàppy 形 《話》統計好きな.
súe-hàppy 形 《話》訴訟好きの.
trígger-hàppy 形 《話》すぐに発砲する.
ùn·háp·py 形 〈人が〉悲惨な, 不満な, 悲しい.

har·bor /há:rbər/

名 港. ── 動他 …に隠れ場所を提供する.

áir hàrbor 着水港, 水上飛行場; 水上基地.
Bár Hárbor バーハーバー(米国の町名).
Cóld Hárbor コールド・ハーバー(米国の地名).
Dútch Hárbor ダッチハーバー(米国の町名).
Péarl Hárbor パールハーバー, 真珠湾: ハワイ州オアフ島の港.
sáfe hárbor (戦時・荒天時用の)避難港.
tídal hárbor (高潮時にだけ出入港できる)高潮港.
ùn·hár·bor 動他 《英》(狩猟で)〈動物を〉隠れ場から追い出す.

hard /há:rd/

形 堅い, 固い, 硬い, 硬質の.

blów-hàrd 名形 《話》ほら吹き(の).

díe·hàrd 名 頑強な抵抗者, 頑固な保守主義者.
léather-hárd 形 〈粘土素地が〉半乾燥の.
sèm·i·hárd 形 半硬質の, ほどよく固い.

-hard /hɑːrd; *Ger.* hart/

連結形 頑丈な, 勇敢な, 強い.
★ 人名に使われる.
★ 語末にくる関連形は -ARD[1], -HART.
◆ <古英 *h(e)ard* <ゲルマン祖語 *harthus* 頑丈な, 勇敢な, 強い.

Er·hard 名 エアハルト(姓). ▶字義は「勇者の誉高い」.
Ger·hard 名 ゲールハルト(男子の名).
Prich·ard 名 プリチャード(姓).
Rich·ard 名 リチャード(姓). ▶字義は「突出した強さ」.

hard·en /hɑ́ːrdn/

動他 〈物を〉堅くする, 固める. ⇨ -EN[1].

cáse·hàrden 動他 【冶金】〈鋼を〉肌焼きする.
fáce-hàrden 動他 〈金属の〉表面を硬化させる.
fláme-hàrden 動他 【冶金】火炎焼き入れする.
óil-hàrden 動他 【冶金】〈鋼を〉油焼き入れする.
sùper·hárden 動他 〈軍事施設を〉防核補強する.
wáter-hàrden 動他 【冶金】〈鋼を〉水焼き入れする.
wórk hàrden 【金工】〈金属を〉加工硬化する.

hard·en·ing /hɑ́ːrdniŋ/

名 **1** 硬くする［なる］こと. **2** (鋼鉄などの)焼き入れ.
――形 固くなる, 硬化する. ⇨ -ING[1], -ING[2].

áge hàrdening 【冶金】【化学】時効硬化.
áir-hàrdening 形 【冶金】〈合金鋼が〉空気焼き入れの.
dispérsion hàrdening (合金の)分散強化.
indúction hàrdening 【冶金】誘導加熱焼き入れ.
precipitátion hàrdening 【冶金】析出硬化.
sèlf-hárdening 形 自硬性の.
stráin hàrdening 【金工】ひずみ硬化.

har·dy /hɑ́ːrdi/

形 〈人・動物などが〉疲労に耐えられる, 頑丈な.

fóol·hàrdy 形 向こう見ずな, むちゃな, 無謀な.
hálf-hárdy 形 【園芸】半耐寒性の.
nòn·hárdy 形 【園芸】非耐寒性の.
sèmi·hárdy 形 【園芸】半耐寒性の.
wínter-hàrdy 形 越冬性［耐寒性］の.

hare /hέər/

名 【動物】野ウサギ.

Árctic háre (カナダ産の)ホッキョクウサギ.
Bélgian háre ベルジャンヘア.
eléctric háre (ドッグレースで犬を走らせるためにおとりに用いる)電動式の模型ウサギ.
júgged háre 野ウサギのシチュー; ワインとカラントソースで煮る.
júmping hàre =springhare.
kangaróo hàre ウサギワラビー.
móuse hàre ハツカウサギ.
píping háre ナキウサギ.
réd háre アカウサギ.
róck hàre =red hare.
séa hàre アメフラシ.
shórt-èared háre スマトラウサギ.
snówshoe hàre カンジキウサギ.
spríng·hàre トビウサギ.
tín hàre 《豪俗》グレイハウンドレース用の電気仕掛けのウサギ.
váriable háre ユキウサギ, ユキノウサギ.
várying háre =snowshoe hare.

har·mon·ic /hɑːrmɑ́nik | -mɔ́n-/

形 【音楽】和声的(な). ⇨ -IC[1].
★ 名詞は harmony「和声」.

an·har·mon·ic 形 不調和の.
dis·har·mon·ic 形 不調和な, 不協和の.
en·har·mon·ic 形 【音楽】異名同音の.
in·har·mon·ic 形 〈音が〉非和声的な, 不協和の.
phil·har·mon·ic 形 音楽を好む, 音楽愛好の.
sub·har·mon·ic 名 【物理】分数調波, 低調波, 分周音.

har·mo·ni·ous /hɑːrmóuniəs/

形 調和のとれた. ⇨ -IOUS.

dis·har·mo·ni·ous 形 不調和な, 不協和の.
in·har·mo·ni·ous 形 〈音が〉不調和な, 調子外れの.
un·har·mo·ni·ous 形 調和のとれていない; 調子はずれの.

har·mo·ny /hɑ́ːrməni/

名 (意見・感情・思想などにおける)(…との)一致, 調和, 和合, 協和. ⇨ -MONY.

clóse hármony 【音楽】密集和声.
dis·hár·mo·ny 名 不調和, 不協和.
Nèw Hármony ニューハーモニー(米国の地名).
ópen hármony 【音楽】開離和声.
preestáblished hármony 予定調和.
quártal hármony 【音楽】四度和音.
vówel hàrmony 【言語】母音調和.

har·ness /hɑ́ːrnis/

名 (馬・牛・犬など引き荷用動物の)引き具, 馬具.
――動他 〈馬などに〉引き具をつける.

báby hàrness 赤ん坊用引き具.
bréast hàrness 【馬具】胸繫(むながい), 馬具の胸当て.
dóuble hàrness 二頭立て用馬具.
lég·hàrness (武具の)脚鎧(よろい), すね当て.
párachute hàrness パラシュートハーネス: パイロットなどが着用する落下傘装備帯.
sáfety hàrness (車の)シートベルト; 安全ベルト.
shóulder hàrness (自動車の安全用)肩ベルト.
ùn·hár·ness 動他 馬具を取り外す.
wíring hàrness 【電気】配線のまとめ取りつけ.

harp /hɑ́ːrp/

名 ハープ, 竪琴(たてごと).

aeólian hárp エオリアンハープ, エオルス琴.
dítal hárp ディタルハープ.
dóuble hárp ダブルハープ.
Frénch hárp 《主に米南部》ハーモニカ.
Írish hárp アイルランドハープ.
jáw's-hàrp 名 =Jew's harp.
Jéw's hàrp 口琴(こうきん), びゃぼん, むっくり.
móuth hàrp 《米南部》ハーモニカ.
ví·bra·hàrp 名 《主に米》ビブラハープ.
Wélsh hárp ウェルシュハープ.
wínd hàrp =aeolian harp.

har·ri·er /hǽriər/

名 【鳥類】チュウヒ. ⇨ -ER[1].

hén hàrrier =northern harrier.
mársh hàrrier チュウヒ.
Móntagu's hàrrier ヒメハイイロ(姫灰色)チュウヒ.
nórthern hárrier ハイイロチュウヒ.

har·row /hǽrou/

名 ハロー: 農具の一種.

brúsh hàrrow 丈夫な枝で作った軽い馬鍬(まぐわ).
búsh hàrrow =brush harrow.
dísc hàrrow ディスクハロー: トラクター用円板すき.
dísk hàrrow =disc harrow.
dríll hàrrow 〔農業〕筋まき除草機.
rést·hàrrow 〔植物〕ハリモクシュク.
spíke-tòoth hárrow 〔農業〕スパイク歯ハロー.

-hart /hɑːrt/

連結形 強い, 頑丈な, しっかりした.
★ 人名をつくる.
★ 語末にくる関連形は -ARD[1], -HARD.
◆ <古仏 *-ard* <古高地独 *-hart*「大胆な」; hard は同語源.
[発音] 語頭の音節に第 1 強勢.

Barn·hart 名 バーンハート(姓). ► 字義は「力強いクマ」.
Eck·hart 名 エックハルト(姓). ► 字義は「鋭い刃」.
Ger·hart 名 ゲアハート(男子の名).
Lock·hart 名 ロックハート, ロッカート(姓). ► 字義は「頑丈な鍵」.

haste /héist/

名 迅速, 急ぎ, スピード; 機敏さ.

o·ver·haste 名 急ぎ過ぎ, 性急, 大慌て, 軽率.
post·haste 副 大急ぎで. ── 名《古》大急ぎ.

hat /hǽt/

名 **1** 帽子(► cap, bonnet, beret と異なり, 山(crown)と縁(brim)とがある). **2**《話》仕事, 職業; 肩書き(► 職業を示す帽子から).

Álpine hát アルペン帽.
bád hát 《主に英俗》卑劣なやつ.
bíg hát 《米俗》州警察の警官.
bláck hát 《話》(西部劇などの)悪者, 悪漢.
bláck-hát 動自 悪役を演じる; 悪事を働く.
bóonie hàt 《米軍俗》柔い帽子.
bówler-hát 動他《英俗》…から引退する.
bráss hát 《話》高級将校.
búsh hàt ブッシュハット: 豪陸軍の制帽.
cábbage-trèe hàt 《豪》キャベツヤシの葉で作った帽子.
campáign hàt 戦闘帽, 従軍帽.
chímney-pòt hát 《英話》シルクハット.
cócked hát 縁反(ふちぞ)り帽.
cóolie hàt クーリーハット: 麦わら帽子の一種.
Cóssack hát コサック帽.
cówboy hàt カウボーイハット.
crúsh hàt =opera hat.
cúnt hàt 《英俗》フェルトの帽子.
dérby hát 山高帽.
fíre hàt 消防士のかぶるヘルメット.
flát-hàt 動自《話》超低空飛行をする.
Gárbo hàt ガルボハット: 幅広の縁を内側に折りまげた形の婦人帽.
hálo hàt ハローハット: 婦人帽の一種.
hárd hàt 保護用ヘルメット.
hárd-hàt 《主に米話》建設工事作業員.
hígh hát =top hat.
hígh-hát 動他《主に米・カナダ話》鼻であしらう.
hí-hát 〔音楽〕ハイハット(シンバル).
íron hát 〔地質〕焼け, ゴッサン(gossan).
kéttle hàt 〔甲冑〕帽子型鉄かぶと.
lúm-hàt 《スコット》=top hat.
óld hát 形《主に米話》時代遅れの.
ópera hàt オペラハット.
Pánama hát パナマ帽.
párty hàt パーティーでかぶる帽子.
pícture hàt ピクチャーハット: 婦人帽の一種.
píxie hát とがり帽子.
píxy hát =pixie hat.
plúg hát シルクハット.
pót hát =derby hat.
réd hát 〔ローマカトリック〕(枢機卿(すうきけい)の)赤帽子.
safári hàt サファリハット.
sáilor hàt 水夫帽.
scárlet hát =red hat.
shóvel hàt 〔英教会〕シャベル帽.
sílk hát シルクハット.
slóuch hát スローチハット.
sóft hát 《米》ソフトハット.
squásh hát (折りたためる)つば広のソフト帽.
stóvepipe hát 《俗 / 古風》(高い)シルクハット.
stráw·hàt 形《主に英》(郊外にある)夏期劇場の.
sún hàt (つばの広い)日よけ帽.
táll hát =top hat.
tén-gállon hát 《米・カナダ》テンガロンハット.
terái hàt タライ帽: フェルト製日よけ帽子.
tín hát 《主に軍俗》(兵士の使う)鉄かぶと.
tóp hàt (礼装用)シルクハット.
tóp-hát 形《話》〈人が〉上流社会の.
ùn·hát 動自《古》帽子を取る.
wár hàt =kettle hat.
whíte hát 《話》(西部劇の)勇敢な主人公.
wóol-hàt 粗毛フェルト製のつば広の帽子.

hatch /hǽtʃ/

名 **1**〔海事〕ハッチ, 倉口. **2** 出入り口, 窓. **3**〔航空〕ハッチ; 飛行機の出入り口 [非常口]. **4**(壁にあけた, または取りつけた)窓口, カウンター.

ástral hátch アストロドーム, 天測窓.
bóoby hàtch 〔海事〕えぼし形倉口蓋(そうこうがい).
búttery hátch 食料品受け渡し口.
compánion hàtch 〔海事〕甲板の天窓.
escápe hàtch 避難用非常口.
máintenance hàtch 〔海事〕整備ハッチ.
nút hàtch 《米俗》精神科病院(nut house).
sérvice hàtch (台所と食堂の間の)配膳(はいぜん)口.
sérving hàtch =service hatch.

hate /héit/

動他 憎む, 嫌悪する, …に極度の反感 [敵意] を抱く.

love-hate 形 愛憎の, 愛と憎しみの.
self-hate 名 自己憎悪.

haul /hɔ́ːl/

動他 **1** …を(力を入れて)引っ張る. **2**〈物を〉輸送する. **3**〔海事〕〈船の〉進路を風向きに合うように代える. ── 自(綱などを)引く; 輸送する; 〔海事〕〈船が〉(ある方向に)進路を向ける. ── 名 強く引っ張ること; 運搬, 輸送.

báck·hàul (貨物船・貨車の)帰路, 逆送.
bóx·hàul 動他〔海事〕下手小回りにする.
cát·hàul 動他《俗》尋問する, 問い詰める.
clúb·hàul 動他〔海事〕投錨(とうびょう)上手回しする.

cóld-hàul 動他 《米俗》〈人を〉だます.
dówn·hàul 〔海事〕ダウンホール, 降ろし綱.
ín·hàul 〔海事〕(帆船の)引索(ひきづな).
kéel·hàul 動他 〔海事〕〈規律違反者などを〉(綱で縛って足に重りをつけ)船底をくぐらせる.
líne-hàul 形 ターミナル間貨物輸送の.
lóng hául 比較的長い期間 [距離].
lóng-hàul 形 =line-haul.
mán-hàul 動他 (特に極地探検で)人力で引く.
óut·hàul 〔海事〕アウトホール, 出し綱.
òver·hául 動他 必要な修理を施す, 整備する.
púlly-hàul 動他自 力いっぱい引っ張る.
shórt hául 比較的短い期間 [距離].
shórt-hàul 形 短距離輸送の.
Ú-Hàul 《商標》ユーホール: 貸トラック.
wáter hàul 無駄な努力, (特に)無駄足.

haul·er /hɔ́ːlər/

名 引っ張る人 [機械]; 運搬人. ⇨ -ER[1].

béan·hàuler 《米俗》青果トラック運転手.
bédbug hàuler 《米俗》引っ越しトラック(運転手).
búll hàuler 《米市民ラジオ俗》おしゃべり.
líne-hàuler ターミナル間貨物輸送用のトラック.

ha·ven /héivən/

名 港.

Éast Háven イーストヘーブン(米国の町名).
Fáir·hàven フェアヘーブン(米国の都市名).
Nèw Háven ニューヘブン(米国の都市名).
Néw·hàven ニューヘブン(イングランドの地名).
sáfe hàven (宗教・民族上の)少数者保護区.
táx hàven 租税避難地域, 税金逃避国.
Wést Háven ウェストヘーブン(米国の町名).
Wínter Hàven ウィンターヘーブン(米国の都市名).

haw /hɔ́ː/

名 サンザシ(の実).

bláck háw スイガラ科ガマスミ属の低木の一種.
dówny háw サンザシ(山査子)(hawthorn).
póison háw ガマズミ属の低木の一種.
póssum hàw モチノキ属の低木の一種.
réd háw サンザシ(hawthorn).

hawk /hɔ́ːk/

名 **1** タカ. **2**《話》人を食い物にする人.

báll hàwk 〔野球〕名外野手.
bróad-wìnged háwk ハネビロノスリ.
chícken hàwk 《俗》家禽(かきん)を襲う各種のタカ.
Cóoper's háwk クーパーハイタカ.
dór·hàwk ヨタカ(nightjar).
dúck hàwk 《米俗》ハヤブサ.
éagle-hàwk ワシとタカの中間の大きさのワシタカ科の猛禽(もうきん)の総称.
físh hàwk ミサゴ(osprey).
gós·hàwk オオタカ.
Hawáiian háwk ハワイノスリ(io).
hén hàwk =chicken hawk.
jáy·hàwk 動他 《米話》略奪する. ── 名 略奪者.
Kítty·hàwk キティーホーク(米国の地名)
már·hàwk 〔タカ狩り〕へぼ鷹(たか)匠.
mársh hàwk ハイイロチュウヒ.
Mólly·hàwk 《NZ》ミナミオオセグロカモメ.
mosquíto hàwk =nighthawk.
néws·hàwk 《米話》(特に精力的な)新聞記者.
níght·hàwk アメリカヨタカ.
pássage hàwk 初の渡りをしている若タカ.
pígeon hàwk コチョウゲンボウ(merlin).
prívet hàwk 〔昆虫〕コエビガラスズメ.
réd-shòuldered háwk カタアカ(肩赤)ノスリ.
réd-tàiled háwk アカオ(赤尾)ノスリ.
Séa·hàwk シーホーク: 米国製艦載対潜ヘリコプター.
shárp-shìnned háwk アシボソハイタカ.
shíte-háwk 《英俗》卑劣なやつ.
shórt-tailed háwk ミジカオノスリ.
skéeter hàwk 《米南部》トンボ.
Ský·hàwk スカイホーク: 米国製ジェット攻撃機.
spárrow hàwk ハイタカ(雌), コノリ(雄).
squírrel hàwk アカケアシノスリ.
súper·hàwk 《米》超タカ派(の人).
Swáinson's háwk アレチノスリ.
swállow hàwk エンビトビ(swallow-tailed kite).
wár hàwk 《話》人を食い物にする人, 詐欺師.

haz·ard /hǽzərd/

名 **1** (生じる可能性があると考えられている)危険, 危難; 冒険. **2** (英国式ビリヤードで)ハザード.

bío·hàzard 名 生物学的有害物質.
éco·hàzard 名 生態系 [環境] への脅威.
hap·házard 形 でたらめの; 偶然の; 当てのない.
lósing házard (英国式ビリヤードで)ルージングハザード.
móral házard 〔保険〕モラルハザード, 道徳的危険.
occupátional házard (職種に固有の)職業上の危険.
wáter hàzard 〔ゴルフ〕ウォーターハザード.
wínd hàzard 風害.
wínning hàzard (英国式ビリヤードの)ウィニングハザード.

head /héd/

名 **1** (人の)頭, 頭部; (物の)頭部, 上部. **2** 指導的地位, 首席. **3**《能力・気質・地位などを表す語と共に用いて》人. **4** (文章や演説などの)要点, 論点. **5**《米俗》麻薬常用者. **6** 先端, 岬.

ácid-hèad 《米俗》LSD の常用者 [中毒者].
áir·hèad 《米俗》あほ, ばか.
ápple·héad ばか, まぬけ.
árch hèad 〔機械〕アーチヘッド.
árrow·hèad 矢じり, 矢の根.
áss·hèad =applehead.
báby's héad 《米俗》ステーキ・アンド・キドニーパイ.
báke·hèad 《米俗》=applehead.
báld·hèad はげ頭の人.
ballóon-hèad 《米俗》=applehead.
banána-hèad 《米俗》=applehead.
bánk·hèad 坑道の入り口, 坑口.
bánner hèad 〔新聞〕全段抜き大見出し.
báre·hèad 形副 頭がむき出しの [で], 無帽の [で].
bárrel·hèad (樽(たる)の)鏡板, 底板.
báse hèad 《米俗》クラック常用者.
B.B. hèad 《米黒人俗》短い縮れ毛の女.
béach·hèad 〔軍事〕海岸堡(ほ), 浜頭堡.
Béachy Héad ビーチー岬(イングランドの地名).
béan·hèad 《米俗》=applehead.
béef-hèad 《米俗》=applehead.
béetle·hèad =applehead.
be·héad 動他 首をはねる, 斬首(ざんしゅ)する.
bíg·héad 《米・カナダ話》自負心, 慢心.
bíllet·hèad 〔海事〕渦形船首飾り.
bíll·hèad 店名・氏名・住所付き請求書(用紙).
bláck·hèad 吹き出物, にきび.
blánket hèad 〔新聞〕全段抜き見出し.
blízzard hèad 《米テレビ俗》(スタジオの照明を落

とさなければならないほど)まばゆいばかりの金髪の人.
blóck·hèad ＝applehead.
blúbber·hèad 《俗》＝applehead.
blúe·hèad ベラ科の魚.
blúnder·hèad 《話》＝applehead.
bobóra·hèad 《米俗》白系移民; ハワイの住民.
bólt·hèad ボルトの頭.
bóne·hèad 《俗》applehead.
bónnet·hèad シュモクザメ属の軟骨魚.
bóof·hèad 《豪俗》＝applehead.
bóss·hèad 《話》親方, 職長, 主任.
bóttle·hèad 【動物】トックリクジラ.
bów·hèad 【動物】ホッキョククジラ.
bóx·hèad 【印刷】枠[囲み]見出し.
bréad·hèad 《俗》金もうけ主義の人.
brídge·hèad 【軍事】橋頭堡(ほ).
Brillo·hèad 《米学生俗》髪の毛がごわごわの人.
bróad·hèad 平たい三角の鋭い鉄矢じり.
búbble·hèad 《米俗》＝applehead.
búcket-hèad 《米俗》ばか, まぬけ; ドイツ人.
búddha·hèad 《米俗》アジア人, 中国人.
búd·hèad 《米黒人俗》ビール好き[中毒者].
búffalo hèad 《米俗》5セント硬貨.
búffle·hèad 【鳥類】ヒメハジロ.
búlk·hèad 【海事】【航空】隔壁.
búllet·hèad 弾丸頭.
búll·hèad アメリカナマズ.
bún·hèad 《米俗》＝applehead.
búrr·hèad 《米俗》黒人.
búst·hèad 《米俗》安物のウイスキー.
bútter·hèad 《米黒人俗》黒人の面よごし.
bútt·hèad 《米俗》ばかな[嫌な]やつ.
cábbage·hèad キャベツの結球[葉].
cát·hèad 【海事】吊錨(ちょうびょう)架.
cemént hèad 《米俗》＝rockhead.
C̀-hèad 《米麻薬俗》＝cokehead.
chéese·hèad 《米話》＝applehead.
chéese-hèad 形 円い頭をしたねじの.
chícken hèad 《米俗》＝applehead.
chíp·hèad 《米俗》コンピュータマニア.
chówder·hèad 《米俗》(十代の間で)まぬけ.
chúckle·hèad 《話》うすのろ, あほう; でか頭.
chúmp·hèad 《米話》＝applehead.
chúrn·hèad 《米西部俗》頑固なまぬけ馬.
cínder·hèad 《英俗》ガラス工.
clúnk·hèad 《俗》＝applehead.
cóck·hèad 《俗》＝dick-head.
cóke·hèad 《米麻薬俗》コカイン中毒[常習]者.
cóne·hèad 《俗》＝applehead.
cópper·hèad アメリカマムシ.
cráck·hèad 《俗》＝base head.
cróss·hèad 【印刷】中見出し.
cúbe·hèad 《米麻薬俗》＝acid-head.
cúnt·hèad 《米俗》卑劣なやつ, さもしいやつ.
cúrly·hèad 巻き毛[縮れ毛]の人.
cýlinder hèad 【機械】シリンダーヘッド.
dádo hèad 羽目切り刃物.
déad·hèad 《話》(無料乗車券を持つ)無賃乗客.
déath's-hèad しゃれこうべ, どくろ.
déck·hèad 【海事】デッキの裏面; 【新聞】袖見出し.
Díamond Hèad ダイヤモンドヘッド(ハワイの地名).
díck·hèad 《俗》亀頭(きとう).
díddle·hèad 《米俗》＝applehead.
dígit·hèad 《米俗》コンピュータ狂の人.
díp·hèad 《米俗》頭のおかしいやつ.
dóo-doo hèad 《米俗》＝applehead.
dóor·hèad ドアの上枠.
dópe·hèad 《俗》＝drughead.
dót·hèad 《米俗》ヒンズー教徒.
dóugh·hèad 《米俗》＝applehead.
drágon·hèad 【植物】ムシャリンドウ.
drágon's hèad ＝dragonhead.
drédge·hèad 《米俗》大酒飲み.
dróp·hèad 埋め込み式タイプ[ミシン]台.
drówsy-hèad 寝坊; けだるそうな人.
drúg·hèad 《米俗》麻薬常習者.
drúm·hèad 太鼓の皮.
dúck·hèad 《米俗》身だしなみの悪い女.
dúll·hèad ＝applehead.
dúmb·hèad 《米俗》applehead.
dúmmy héad ダミーヘッド: 両耳の部分にマイクロフォンを組み込んだ人頭型の.
dúnder·hèad ＝applehead.
dúst hèad 《米俗》エンジェルダストの常用者.
égg·hèad 《話》知識人, インテリ.
É-hèad 《俗》麻薬 ecstasy の使用者.
erásing hèad 消去ヘッド.
éxercise héad 【軍事】演習弾頭.
fát·hèad 《俗》＝applehead.
féather·hèad ＝applehead.
fíddle·hèad 【海事】船首の渦巻き装飾.
fígure·hèad 名目上の長, 表看板, お飾り.
fíllister hèad (ねじの)丸平頭.
Flámborough Héad フランバラ岬(イングランドの地名).
Flát·hèad (米国 Montana 州北西部の)セイリッシュ・インディアン.
flát hèad (ねじの)皿頭(さらあたま).
flát·hèad 【魚類】コチ.
flínt·hèad 【鳥類】アメリカトキコウ.
flówer hèad 【植物】頭状花序.
flúff·hèad 《米俗》ばか娘.
flýing héad (コンピュータの)フライングヘッド.
fórecastle·hèad 【海事】船首楼最前部.
fóre·hèad 名 額, 前額部.
fóuntain·hèad (川の)水源, 源泉.
fríction hèad 【水力学】摩擦(損失)水頭.
frínge·hèad コケギンポ属の魚の総称.
fúck·hèad 《俗》いけ好かないやつ.
gárbage hèad 《米俗》なん種類もの麻薬を混ぜ合わせて飲む人.
Gátes·hèad ゲーツヘッド(イングランドの地名). ►字義は「ヤギがたくさんいる丘」.
géar·hèad 《俗》＝applehead.
gílt·hèad 金色の斑点がある数種の海産魚の総称.
gín·hèad 《米俗》酔いどれ.
góod héad 《米俗》(特に十代の間で)楽しい人.
góop·héad 《米俗》にきび; いやなやつ.
gráss hèad 《米俗》マリファナ常習者.
gráy·hèad (白髪の)老人.
gréen·hèad マガモ(mallard)の雄.
gýpsy·hèad 【海事】ジプシーヘッド.
hámmer·hèad ハンマーの頭.
hándkerchief-hèad 《米黒人俗》頭にスカーフを巻いている黒人男性.
hárd hèad 【冶金】錫(すず)精錬の残渣(ざんさ).
hárd·hèad[1] 抜け目のない実際家, やり手.
hárd·hèad[2] スコットランドの合金銀貨.
hásh·hèad 《俗》ハシシ中毒者.
háy·hèad 《俗》＝grass head.
hélium hèad 《米俗》＝applehead.
hémi-hèad ヘミヘッド: 半球形の燃焼室を持つシリンダヘッドエンジン.
hóg·hèad 《俗》(蒸気機関車の)機関士.
hógs·hèad 大樽(たる), 大桶(おけ).
Hóllings·hèad ホリングスヘッド(姓).
Hóly·hèad ホリーヘッド(ウェールズの地名).
hóoch hèad 《米俗》大酒飲み, 飲んだくれ.
hóp·hèad 《主に米俗 / 古風》アヘン常用者.
hórse·hèad アジ科 *Selene* 属の海産物の総称.
hót·hèad せっかちな人; 怒りっぽい人.
índex hèad 【機械】割り出し台.
jár·hèad 《米俗》米海兵隊員.
jérkin·hèad 【建築】半切妻(はんきりづま).
jólter-hèad 《古》大頭; ばか.

júg·hèad 《米俗》＝applehead.
júice·hèad 《米俗》大酒飲み, のんだくれ.
júmp hèad 【新聞】飛び記事見出し.
Kíng Chárles's hèad ある人がいつも口にする話題.
kínky-héad 《米俗》黒人.
knight·hèad 【海事】船首副肋材(ろくざい).
knót·hèad 《俗》＝applehead.
knúckle·hèad 《話》＝applehead.
Láke·hèad レークヘッド(カナダの地名).
lárd·hèad 名形 《俗》とんま(な), まぬけ(な).
láthe-hèad 【機械】主軸台.
léader hèad 【建築】升樋(ますとい).
léather·hèad 《俗》＝applehead.
létter·hèad レターヘッド.
líght·hèad 軽率な人; 頭のもうろうとした人.
Lízard Héad リザード岬(イングランドの地名).
lógger·hèad 《古・方言》＝applehead.
lóng·hèad 【人類】長頭(の人).
lóose hèad 【ラグビー】フッカー左隣のプロップ.
lówli·hèad 《古》卑しい身分, 低い地位.
lúg·hèad 《米俗》＝applehead.
lúnk·hèad 《俗》＝applehead.
lúsh·hèad 《俗》大酒飲み.
machíne hèad ギターなどの金属製糸巻き部.
magnétic héad (テープレコーダーなどの)ヘッド.
Málin Héad マリンヘッド(アイルランドの地名).
Márble·hèad マーブルヘッド(米国の地名).
mást·hèad (新聞・雑誌などの)奥付欄, 発行人欄.
méat·hèad 《俗》＝applehead.
métal·hèad 《俗》ヘビメタ狂 [ファン].
méth-hèad 《米俗》メセドリン常用者.
Móor·hèad ムーアヘッド(米国の地名).
móp·hèad 《話》もじゃもじゃ頭(の人).
móss·hèad 《米俗》黒人.
mótor·hèad 《俗》オートバイ [高速車] ファン.
múddle·hèad 《話》＝applehead.
múd·hèad 《米俗》テネシー州人.
múggle·hèad 《米俗》＝grass head.
múllet·hèad 《米俗》＝applehead.
múscle·hèad 《米俗》＝applehead.
músh·hèad 《俗》＝applehead.
mútton·hèad 《話》＝applehead.
náil·hèad 釘(くぎ)の頭.
négro·hèad かみタバコ.
nét·hèad インターネット中毒者.
níb·hèad 《英俗》(特に 80 年代後半の)ペン先に似たヘアスタイルの若者.
nóodle·hèad 《話》＝applehead.
nóte·hèad 小型の letterhead.
númb-hèad 《米俗》＝applehead.
oíl-hèad 《米俗》大酒のみ, のんべえ.
óver·héad 副 頭の上に, 頭上に; 高く; 空高く.
pán hèad 【写真】雲台(うんだい).
pán·hèad (ねじの)鍋頭(なべあたま).
pécker·hèad 《米俗》＝dickhead.
Phíllips hèad 十字ねじ頭, プラスのねじ頭.
píer·hèad 桟橋の最先端部.
píg·hèad 《米俗》頑固者, 強情っぱり.
píll·hèad 《俗》覚醒剤 [睡眠薬] 常用者.
pín·hèad ピンの頭.
píss·hèad 《俗》酔っ払い; 飲みすけ.
pít·hèad 坑道入り口とその周辺.
pláyback hèad (テープレコーダーの)再生ヘッド.
plów·hèad 鋤(すき)の先.
póinted hèad 《米俗》空っぽの頭.
póint-hèad 《米俗》＝pointed head.
póo·hèad 《米俗》かんにさわるやつ.
póop·hèad 《米俗》＝applehead.
pópe's hèad 長柄のほうき.
póppet·hèad 心受け台.
póppy·hèad 【建築】けし飾り.
potáto·hèad 《俗》＝applehead.
pót·hèad 【動物】ゴンドウクジラ.
práwn·hèad 《豪俗》＝applehead.
préssure hèad 【物理】【水力学】水頭(すいとう).
prínt·hèad (プリンターの)印字ヘッド.
propéller·hèad 《米俗》＝ciphead.
púbe·hèad 《米俗》短い縮れ毛の頭.
púdding hèad 《話》(憎めない)おばかさん.
púder·héad 《米俗》期待はずれの人.
púmpkin hèad ＝applehead.
púppet·hèad 《米俗》だまされた人.
pútty-hèad 《米話》＝applehead.
rág·hèad 《米俗》ヒンドゥー教徒; アジア人.
ráil·hèad 【鉄道】終端駅; 軌道線の終端.
ráttle·hèad 《俗》ばかなおしゃべり屋, お調子者.
réad /wríte hèad 【コンピュータ】読み書き(両用)ヘッド.
récord hèad ＝recording head.
recórding hèad 録音ヘッド.
réd·hèad 髪の毛が赤い人, 赤毛の人.
reprodúce hèad 【オーディオ】＝playback head.
ríver·hèad 川の源, 源流.
rívet·hèad 《米陸軍俗》戦車乗組員.
róck·hèad 《米話》頑固者, 石頭.
rótor·hèad 《米軍俗》ヘリコプターのパイロット.
Róund·hèad 【英史】円頂党.
rúbble·hèad 《米俗》＝applehead.
rúdder·hèad 【海事】舵頭(だとう)材.
rúnning hèad 【印刷】柱, 欄外見出し, 欄外標題.
sáp·hèad[1] 《米俗》＝applehead.
sáp·hèad[2] 【軍事】左右から掘り進んでいるときの壕(ごう)の前端部.
Sáracen's héad (紋章などの)サラセン人の頭.
scáld hèad 《古》(子供などがかかる)しらくも.
scáre·hèad (新聞の)特大見出し.
scópe·hèad 《米俗》レーダー要員.
scréw·hèad ねじ頭.
scróll·hèad 【海事】＝billethead.
shéep·hèad ベラ科の大きな食用魚.
shéeps·hèad タイ科の魚 *Archosargus probatocephalus*.
shít·hèad 《俗》嫌なやつ, つきあいの悪いやつ.
shórt hèad 《英》【競馬】鼻差, 僅差(きんさ).
shórt·hèad[1] 短頭の人.
shórt·hèad[2] 動他 《英》【競馬】鼻差で勝つ.
shóvel·hèad ＝bonnethead.
shówer·hèad シャワーの噴水口.
shréad·hèad ＝jerkinhead.
shréwd·hèad 《豪・NZ 俗》抜け目ないやつ.
síde·hèad 【印刷】脇(わき)見出し, 袖(そで)見出し.
skín·hèad 《俗》はげ頭(の人).
sláp·hèad 《俗》頭のはげた人; スキンヘッドの人.
sléepy·hèad 眠たがり屋, ねぼすけ; 怠け者.
slópe·hèad 《米俗》東洋人, (特に)ベトナム人.
smáck·hèad 《米俗》ヘロイン常用者.
snáke·hèad ＝turtlehead.
snáke's-hèad 【植物】ヨーロッパバイモ.
sóft·hèad ＝applehead.
sóre·hèad 《主に米・カナダ話》怒りっぽい人.
sóund hèad 【映画】(映写機の)音響再生発端部.
spéar·hèad 槍(やり)の穂, 槍先.
Spít·héad スピットヘッド(イングランドの地名).
spríng·hèad 水源, 源流, 源泉.
squáre·hèad 《俗》＝applehead.
stágger hèad 【新聞】＝stephead.
stág·hèad 雄ジカの頭.
stáir·hèad 階段の頂上.
stéel·hèad 降海型のニジマス.
stém·hèad 船首.
stép·hèad 【新聞】字下がり見出し.
stúpe·hèad 《米俗》＝applehead.
súb·hèad (書き物・印刷物の)小見出し.
suéde·hèad 《英俗》スエードヘッド: スキンヘッドよりは頭髪が少し伸びた状態.
súgar·hèad 《米俗》密造ウイスキー.

swélled héad 《米》うぬぼれ, 思い上がり.
swéll·hèad 思い上がった傲慢(ごうまん)な人.
sýrup hèad 《米麻薬俗》コデイン入りの咳止めシロップ中毒者.
táck·hèad 《米俗》ばか, まぬけ; きざなやつ.
táco·hèad 《米俗》メキシコ人.
tálking héad 《テレビ俗》(画面いっぱいの)顔.
téa-hèad 《俗》=grass head.
thíck·hèad =applehead.
thúnder·hèad 《主に米・カナダ》〘気象〙鉄床雲.
tíde·hèad 潮先: 潮が河川などを上がる限界点.
tíght héad 〘ラグビー〙タイトヘッド.
tímber·hèad 〘海事〙(木船の)チンバヘッド.
Tintágel Héad ティンタジェル岬(イングランドの地名).
tóol·hèad 〘機械〙ツールヘッド.
tóot·hèad 《米麻薬俗》=cokehead.
tówel head 《俗》(ターバンを巻いた)アラブ人.
tów·hèad 亜麻色 [淡黄色] の髪.
tráil·hèad 足跡 [道] の起点.
tréad·hèad 《米陸軍俗》戦車の搭乗員.
Túrk's-hèad タークセット: ターバン状の飾り結び.
túrret·hèad 〘機械〙タレット刃物台.
túrtle·hèad 〘植物〙ジャコウソウモドキ.
vélcro·hèad 《俗》黒人.
velócity hèad 〘物理〙速度ヘッド, 速度水頭.
wár·hèad (ミサイル・爆弾・魚雷などの)弾頭.
wáter·hèad (川の)水源, 源流.
wátermelon·hèad 《米俗》田舎者.
wéed·hèad 《俗》=grass head.
wéll·hèad 水源, 源泉, 源.
wét·hèad 《米俗》鈍いやつ; 未熟者.
whále·hèad 〘鳥類〙ハシビロコウ.
Whíte·hèad ホワイトヘッド(姓).
whíte·hèad 〘医学〙稗粒腫(ひりゅうしゅ).
wíre·hèad 《米俗》コンピュータマニア.
wóoden·hèad 《話》=applehead.
wóod·hèad 《米俗》木こり.
wóolly·hèad 《米俗》黒人の.
wríte hèad 〘コンピュータ〙書き込みヘッド.
zípper·hèad 《米俗》アイディアのない人.

-head /hèd/

[接尾辞] …の存在, …性, …の状態.
★ 名詞をつくる. 古語または廃語に見られ, 現在では多くは -hood が用いられる.
◆ 中英 *-hede*, 古英*-*hǣdu*(-*hād* -HOOD の女性形).

God·head [名] 神, 至高 [至聖] の実在; 三位一体.
maid·en·head [名] 処女膜.

head·ache /hédèik/

[名] 頭痛(〘医学〙cephalagia). ⇨ ACHE.

clúster hèadache 群発性頭痛.
hístamine hèadache =cluster headache.
síck héadache 偏頭痛(migraine).

head·ed /hédid/

[形] …の頭 [頭部, 先端] を持った. ⇨ -ED[2].

báld·hèaded [形] 頭のはげた, はげ頭の.
báre-héaded [形][副] 頭がむき出しの [で], 無帽の [で].
búll·héaded [形] 頑固な, 強情な; ばかな.
búmble·hèaded [形] 下手な, 不細工な, まぬけな.
cléar·héaded [形] 頭脳明晰な, 頭の切れる.
cóol-héaded [形] 冷静な, 沈着な, 落ち着いた.
égg·hèaded [形] 《話》知識人の.
émpty-héaded [形] 知恵のない, 無知な, 頭のからっぽな.
fát·hèaded [形] =empty-headed.
flát·hèaded [形] 頭部の平らな, 平たい頭の.
fúzzy-héaded [形] はっきりと物が考えられない.
gíddy-hèaded [形] 《主に米南部》めまいがする.
gráy-héaded [形] ごま塩頭の, 白髪(混じり)の.
gréy-héaded [形] =gray-headed.
hámmer·hèaded [形] 槌(つち)状の頭をした.
hárd·héaded [形] 実際的な; しっかり者の.
Háthor-hèaded [形] 〈古代エジプトの柱が〉ハトホルの頭部の彫刻をした.
hén-héaded [形] =empty-headed.
hóary-héaded [形] (年老いて)白髪の, 白髪頭の.
hót·héaded [形] 短気な, せっかちな, がむしゃらな.
hýdra-héaded [形] 多くの問題を含んだ: 根絶しにくい.
ídle·héaded [形] 《米俗》=emptyheaded.
jíb-hèaded [形] 〈帆が〉ジブ形の, 三角形の.
lével·héaded [形] 分別のある, 穏健な.
líght·héaded [形] めまいがする; 頭の変な.
lóng-héaded [形] 〘人類〙長頭の.
mány-héaded [形] 多頭の.
múddle·hèaded [形] 頭の混乱した, ぼんやりした.
músh·y·hèaded [形] 《話》思慮深くない.
náppy-héaded [形] 《米俗》=empty-headed
píg·hèaded [形] =bullheaded.
pín·hèaded [形] =empty-headed.
póinty-héaded [形] 《俗》=emptyheaded.
póppy-héaded [形] 《米俗》アヘン [麻薬] 中毒の.
púzzle·héaded [形] =muddleheaded.
réd-héaded [形] 赤毛の, 赤い髪の毛をした.
róund·héaded [形] 頭の丸い; 短頭の; 短髪の.
shóck·héaded [形] もじゃもじゃ頭の, 乱髪の.
sláp·héaded [形] 《俗》頭のはげた; スキンヘッドの.
snáke-héaded [形] 《豪俗》怒りっぽい, いらいらした.
sóber-héaded [形] 筋道立った考え方をする, 論理的な.
sóft-héaded [形] ばかな, まぬけの; 非現実的な.
sóre·héaded [形] 怒った.
stróng·héaded [形] =bullheaded.
swóllen-hèaded [形] 《話》うぬぼれの強い; 気取った.
thíck·hèaded [形] =empty-headed.
wágon-héaded [形] 〘建築〙丸アーチ [半円筒] 形の.
wéak-héaded [形] 酒に弱い, すぐ酔っ払う.
whíte-héaded [形] 白髪の; 〈鳥などが〉頭部が白い.
wíld-héaded [形] とんでもない考えに取りつかれた.
wóoden-hèaded [形] 《話》=empty-headed.
wóolly-héaded [形] 髪が羊毛のような; 夢見がちな.
wróng·héaded [形] 判断を誤った; 片意地な.

head·er /hédər/

[名] **1** 頭(部)をつける人 [道具, 機械]. **2**〘建築施工〙ヘッダー. ⇨ -ER[1].

búll hèader 〘石工〙隅丸れんが.
búllnose hèader =bull header.
dóuble·héader [名] 《米・カナダ》〘スポーツ〙ダブルヘッダー.
tríple-héader [名] 〘スポーツ〙トリプルヘッダー.

heal·ing /híːliŋ/

[形] (傷・病気を)治す, 治療の. ―― [名] 治癒, 治療(法). ⇨ -ING[2], -ING[1].

ábsent héaling 〘心霊〙不在治療.
divíne héaling (祈祷(きとう)・信仰に応じた)神の力による治癒.
fáith hèaling 信仰 [信心] 療法(faith cure).
méntal héaling 精神治療法.
sèlf-héaling [形] 〈傷が〉自然治癒する.

health /hélθ/

[名] **1** (心身の)健康, 健全; 健康状態. **2** 衛生. ⇨ -TH[1].

méntal héalth 精神的健康.
públic héalth 公衆衛生(学).

heap /híːp/

名 (積み重ねた)山, 堆積(たいせき)物.

a·heap 副形 山をなして.
ánt hèap アリ塚.
ásh-hèap 《英》灰の山, 灰だまり.
cómpost hèap 堆肥(たいひ), 肥料積み.
dírt·hèap 掃きだめ; (鉱山の)ぼた山.
dúst·hèap ごみ[くず]の山.
júnk hèap 《俗》おんぼろ車.
múck·hèap こやし[堆肥(たいひ)]の山.
scráp·hèap ごみ[くず, くず鉄]の山.
shéll hèap 〖考古〗貝塚.
slág·hèap 《主に英》ぼた山.

hear /híər/

動他 …を聞く; …が聞こえる.

mis·hear 動他 聞き違える, 聞き漏らす.
o·ver·hear 動他 ふと耳にする, 漏れ聞く.
re·hear 動他 再び聞く.

H

heart /háːrt/

名 **1** 心臓. **2** 心, 感情. **3** 中心(部). **4**〖植物〗(木の)髄; (果物の)芯.

áthlete's héart 過度運動性心臓肥大.
athlétic héart =athlete's heart.
bláck·hèart 〖植物病理〗黒色芯(しん)腐れ病.
bléeding héart 〖植物〗ケマンソウ.
bróken héart 失望, 絶望; 幻滅; (特に)失恋.
brówn héart 〖植物病理〗褐色芯(しん)腐れ病.
búllock's-hèart 〖植物〗ギュウシンリ(牛心梨).
búrsting hèart 〖植物〗ムラサキマサキ.
chícken·hèart 《米俗》弱虫, 臆病者.
Déad Héart 《豪》(水不足で不毛の)奥地.
fáint·hèart 臆病者, 意気地なし.
flóating héart 〖植物〗アサザ.
gréen·hèart 〖植物〗リョクシンボク(緑心木).
héart-to-héart 形 心を打ち明けた, 腹蔵ない.
hóllow héart 〖植物病理〗(ジャガイモの)空洞病.
írritable héart 〖病理〗心臓神経症.
léft héart 〖解剖〗左心.
líon·hèart 大胆で勇気のある人, 勇猛果敢な人.
ópen-héart 形 〖外科〗直視下[開そう]心臓手術の.
óx·hèart 〖植物〗オックスハート.
Phóenix hèart 〖外科〗フェニックス心臓.
Púrple Héart 〖米軍〗パープルハート勲章.
púrple·hèart 名 南米産マメ科 *Peltogyne* 属の数種の木の材木.
réd héart クロウメモドキ科ソリチャ属の低木.
ríght héart 〖解剖〗右心.
Sácred Héart 〖ローマカトリック〗イエスの聖心.
smóker's héart 〖病理〗=tobacco heart.
sóldier's héart =irritable heart.
swéet·hèart 愛人, 恋人.
tobácco hèart 〖病理〗タバコ心臓.
whíte héart 〖植物〗カナダケマンソウ.

heart·ed /háːrtid/

形 《通例複合語》…の心[心臓]を持った, 心が…の. ⇨ -ED².

báse·héarted 形 卑しい心の, 根性の卑しい.
bíg-héarted 形 気持ちの大きい, 寛大な; 親切な.
bláck-héarted 形 腹黒い, 悪意のある, 邪悪な.
bóld·héarted 形 大胆な, 恐れを知らない.
bróken-héarted 形 悲嘆に暮れた, 失意の, 失恋した.
chícken-héarted 形 《話》内気な, 気の弱い, 臆病な.
cóld-héarted 形 薄情な; 冷淡な.
cópper·héarted 形 《米俗》密告しそうな; 信頼できない.
crúel·héarted 形 残酷な, 無情[薄情]な, 無慈悲な.
dóg-héarted 形 残酷な.
dóuble-héarted 形 裏表のある; 本心を偽った.
dówn·héarted 形 意気消沈した, 落胆した.
fáint·héarted 形 勇気のない, 臆病な, 意気地のない.
fálse-héarted 形 信義のない, 不実の, 裏切りの.
flínt-héarted 形 冷酷な, 無情な.
frée-héarted 形 心配のない; 率直な; 気前のよい.
fúll-héarted 形 胸がいっぱいの; 自信に満ちた.
góod-héarted 形 親切な, 心根の優しい, 情け深い.
gréat·héarted 形 《主に文語》心の広い, 寛大な.
hálf·héarted 形 身が入らない, 本気でない.
hárd-héarted 形 無情な, 無慈悲な.
háre·héarted 形 気の小さい, 臆病な.
héavy-héarted 形 悲嘆に暮れた; 憂鬱な; 元気のない.
hén-héarted 形 臆病な, 小心な, 気の弱い.
hígh-héarted 形 勇ましい; 威勢のよい; 高潔な.
hóllow·héarted 形 不誠実な, 不実な.
íron-héarted 形 無情な, 冷酷な, 薄情な.
kínd-héarted 形 親切心のある, 心の優しい.
lárge-héarted 形 気前のよい; 情け深い; 親切な.
líght·héarted 形 のんきな; 快活な; うきうきした.
líon·hèarted 形 勇猛な, 豪胆な.
márble-héarted 形 非情な, 薄情な, 冷酷な.
ópen-héarted 形 率直な, 腹蔵のない, 打ち明けた.
pígeon-héarted 形 臆病な, 気の小さい; おとなしい.
próud·héarted 形 誇り高い.
púre-héarted 形 心の清い, 純真な, 誠実な, 無邪気な.
shállow-héarted 形 薄情な.
sím·ple-héarted 形 純真な, うぶな, 無邪気な; 誠実な.
síngle-héarted 形 純情な, 誠実な; ひたむきな.
sóft-héarted 形 心の優しい, 思いやりのある, 温和な.
stíff-héarted 形 《古》強情な, 頑固な.
stóny-héarted 形 無情な, 冷酷な, 無慈悲な.
stóut-héarted 形 勇敢で決然とした; 気丈な; 強情な.
stróng-héarted 形 勇気のある, 勇敢な.
ténder-héarted 形 心の優しい, 情け深い.
trúe-héarted 形 忠実な, 忠誠な.
wárm-héarted 形 心の温かい, 優しい, 親切な.
wéak·héarted 形 勇気のない, 気の弱い, 臆病な.
whóle-héarted 形 心からの; 精魂を傾けた, 真剣な.

heat /híːt/

名 熱; 熱さ. ―― 動他 …を熱する, 温[暖]める.

áfter·hèat 〖物理〗余熱.
ánimal hèat 〖生理〗動物熱.
bláck héat 〖物理〗黒熱.
blóod hèat 〖医学〗血温.
bóttom hèat 〖園芸〗底熱(そこねつ).
cánned héat 缶入り燃料, 携帯燃料.
cóp-hèat 《米俗》警察の捜査, 手入れ.
déad héat デッドヒート, 接戦.
féver hèat 熱: 37 ℃を超える病的な体温.
látent héat 〖物理〗潜熱.
metabólic héat 〖生理〗=animal heat.
ò·ver·héat 動他 熱しすぎる; 過熱させる.
Péltier hèat 〖物理〗ペルチエ熱量.
pòst·héat 動他 〖溶接〗後熱する.
prè·héat 動他 前もって熱する, 予熱する.
príckly héat 〖病理〗紅色汗疹(かんしん).
rádiant héat 〖熱力学〗放射熱.
réd héat 赤熱温度.
rè·héat 動他 …を再加熱する, 再燃させる.
sólar-héat 動他 太陽熱で暖房する.
specífic héat 〖物理〗比熱.
stéam héat 蒸気熱.
sú·per·hèat 名 過熱[強熱](状態).
tótal héat 〖熱力学〗エンタルピー.

white héat 白熱状態.

heat·er /híːtər/

名 加熱[電熱]器, 暖房器具. ⇨ -ER[1].

Ármstrong héater 《米俗》恋人の体に腕を回すこと.
Báltimore héater ボルチモア式暖炉.
blóck hèater 〖自動車〗ブロックヒーター.
chíp hèater 《豪·NZ》(木片を燃やして湯を沸かす家庭用)湯沸かし器.
fán héater ファンヒーター, 温風器.
immérsion hèater (水に直接浸して加熱する)電気コイルでできた湯沸かし装置.
instantáneous héater 自動湯沸かし装置.
pébble hèater ペブルヒーター: 耐火性の小石状の材料を用いて, 熱を蓄え発散する装置.
quártz hèater 石英管式ストーブ.
Quebéc hèater 《カナダ》舟筒型の大きな室内用ストーブ.
re·héat·er 名 再熱器.
spáce hèater (局所用)暖房具, スペースヒーター.
stéam hèater 蒸気[スチーム]暖房装置.
stórage hèater 《英》蓄熱ヒーター.
wáter hèater 湯沸かし器, 給湯器[装置].

heath /híːθ/

名 **1**《英》荒野, 低木の茂った荒地. **2**〖植物〗ヒース.

séa hèath フランケニア科フランケニア属の匍匐(ほふく)性の一年草, 常緑多年草.
spíke hèath ブルケンタリア.
trée hèath ブライアー, エイジュ(brier).

heat·ing /híːtiŋ/

名 熱の発生[供給], 加熱(作用). ⇨ -ING[1].

báseboard hèating パイプ式暖房方式[装置].
céntral héating 集中[中央式]暖房(装置).
dieléctric héating 〖電気〗誘電加熱.
diréct héating 直接暖房.
dístrict héating 地域暖房.
hót-wáter hèating 温水暖房.
indúction hèating 誘導加熱.
pánel hèating 輻射(ふくしゃ)暖房.
rádiant héating 放射加熱.
rè·héat·ing 名 再加熱, 再熱(方式).
sólar héating 太陽熱暖房, ソーラーヒーティング.
spáce hèating 局所暖房.
stéam héating 蒸気[スチーム]暖房.

heav·en /hévən/

名 天国, 極楽; 至福の場所[状態].

blúe héaven 《俗》アミタル(鎮静·催眠剤).
crýstalline héaven 透明球体.
hámburger hèaven 《米俗》軽食堂.
hóg héaven 《俗》非常に幸福な場所[状態].
mid·héaven 〖占星〗中天.
nígger héaven 《俗》劇場の最も安い席.
péanut héaven 《米北部ミッドランド》=nigger heaven.
píg hèaven 《米俗》警察署.
séventh héaven 第七天(国).
téa-of-héaven 〖植物〗ヤマアジサイ.

heav·y /hévi/

形 重い, 重量のある. ⇨ -Y[1].

dírty hèavy 《米俗》(特に映画の)悪役.
ò·ver·héav·y 形 非常に重い, 重すぎる.
sù·per·héav·y 形 〖物理〗超重の.
táil-hèavy 形 〖航空〗〈航空機が〉尾部の重い.
tóp-hèavy 形 上部が重い; 頭でっかちの, 不安定な.

He·brew /híːbruː/

名形 ヘブライ語(の).

Bíblical Hébrew 聖書ヘブライ語.
Éarly Hébrew 古ヘブライ文字の.
Módern Hébrew 現代ヘブライ語.
nèo-Hébrew 近世[近代]ヘブライ語.
Néw Hébrew =Modern Hebrew.

-he·dral /híːdrəl | héd-, híːd-/

連結形 …の[な]面を持つ.
★ -hedron で終わる名詞に対応する形容詞をつくる.
◆ -HEDR(ON) + -AL[1].

an·he·dral 形 〖航空〗下反角の.
dec·a·he·dral 形 十面体の.
di·he·dral 形 〖幾何〗2 平面を持つ[から成る].
dip·lo·he·dral 形 〖生物〗複相(体)の, 二倍体の.
do·dec·a·he·dral 形 十二面体の.
en·ne·a·he·dral 形 九面体の.
eu·he·dral 形 〖記載岩石〗自形の.
hem·i·he·dral 形 〈結晶が〉半面像の, 半面儀の.
hen·dec·a·he·dral 形 十一面体の.
hex·a·he·dral 形 六面体の.
hol·o·he·dral 形 〈結晶が〉完面像の.
i·co·sa·he·dral 形 二十面体の.
mer·o·he·dral 形 〈結晶が〉欠面(像)の.
oc·ta·he·dral 形 〖幾何〗八面体の, 八面を有する.
pen·ta·he·dral 形 五面体の.
pla·gi·o·he·dral 形 〈結晶が〉偏形の.
pol·y·he·dral 形 多面体の.
py·ri·to·he·dral 形 五角十二面体の.
rhom·bo·he·dral 形 菱面(りょうめん)体の, 斜方六面体の.
sca·le·no·he·dral 形 偏三角面体の.
sub·he·dral 形 〖記載岩石〗半自形の.
te·tar·to·he·dral 形 〈結晶が〉四半面像の.
tet·ra·he·dral 形 〖幾何〗四面体の.
tra·pe·zo·he·dral 形 偏菱(へんりょう)二十四面体の.
tri·he·dral 形 〖幾何〗三面体の, 三面の.
tris·oc·ta·he·dral 形 二十四面体の.

-he·dron /híːdrən | héd-, híːd-/

連結形 …面体(face, surface).
★ 名詞をつくる.
★ 語末にくる関連形は -HEDRAL.
◆ <ギ *-edron*(*-edros*「底面を持った, 面(辺)を有する」の中性形). ⇨ -ON[3].

dec·a·he·dron 名 十面体.
di·he·dron 名 二面角.
dip·lo·he·dron 名 〖生物〗複相(体), 二倍体.
do·dec·a·he·dron 名 十二面体.
en·ne·a·he·dron 名 九面体.
hen·dec·a·he·dron 名 十一面体.
hep·ta·he·dron 名 七面体.
hex·a·he·dron 名 六面体.
i·co·sa·he·dron 名 二十面体.
oc·ta·he·dron 名 八面体.
pen·ta·he·dron 名 五面体.
pol·y·he·dron 名 多面体.
py·ri·to·he·dron 名 五角十二面体.
rhom·bo·he·dron 名 菱面(りょうめん)体, 斜方六面体.
sca·le·no·he·dron 名 偏三角面体.
tet·ra·he·dron 名 四面体.

tra·pe·zo·he·dron 名 偏菱(へんりょう)二十四面体.
tri·he·dron 名 三面体.
tris·oc·ta·he·dron 名 二十四面体.

heel /híːl/

名 (人間の)かかと.

Achílles héel (唯一の)弱点, 急所,「アキレス腱」.
bóot·hèel 米国 Missouri 州南西部の Arkansas 州に突き出た長靴のかかと状の部分.
ców·hèel 〘料理〙カウヒール.
Cúban héel (婦人靴の)キューバンヒール.
dówn-at-héel 形 《話》むさくるしい, みすぼらしい.
Frénch héel (婦人靴の)フレンチヒール.
gúm·hèel 名動自 デカ(をやる), 探偵(する).
lárk·hèel 〘植物〙ヒエンソウ(飛燕草).
Lóuis héel (婦人靴の)ルイヒール.
re·héel 動他 〈靴などに〉新しいかかとを付ける.
rúbber héel 《米俗》探偵.
shít-hèel 《俗》見下げ果てたやつ, 悪党, げす.
Spánish héel (婦人靴の)スパニッシュヒール.
spíke héel 《米》(婦人靴の)スパイクヒール.
stácked héel (靴の)スタックヒール.
stilétto héel ＝spike heel.
Tár Hèel 米国 North Carolina 州住民の異名.
tóe-and-héel 動他 (タップダンス, ジグダンスなどを)踊る.
wédge héel (婦人靴の)ウェッジヒール.

heeled /híːld/

形 《しばしば複合語》かかとのある; かかとが…の. ⇨ -ED[2].

háir·y-héeled 形 《俗》育ちの卑しい, 粗野な.
hígh-héeled 形 ハイヒールの.
líght-héeled 形 活発に歩く; きびきびした.
lów-héeled 形 ローヒールの.
wéll-héeled 形 《米話》裕福な, 金のある.

height /háit/

名 高さ, 高度; 海抜, 標高.

metacéntric héight 〘造船〙メタセンタ高さ.
slánt hèight 〘幾何〙斜高.
spót hèight 独立標高: ある地点の高さ, 海抜.
x́-hèight 名 〘活版印刷〙エックスハイト.

-heim /hàim/

連結形 村.
★ 地名, (地名に由来する)人名に使われる.
★ 語末にくる関連形は -HAM[2].
◆ ＜独 *-heim*(*Heim*「住家, 居宅」より); home と同語源.
[発音] 語頭の音節に第 1 強勢.

An·a·heim 名 アナハイム(米国の都市名).
Blen·heim 名 ブレンハイム, ブリントハイム(ドイツの村名).
Hil·des·heim 名 ヒルデスハイム(ドイツの都市名).
Mann·heim 名 マンハイム(ドイツの姓, 都市名).
Op·pen·heim 名 オッペンハイム(姓).
Stro·heim 名 シュトロハイム(姓).
Wald·heim 名 ワルトハイム(姓).

heir /ɛ́ər/

名 (遺産の)相続人, 受取人.

co·héir 名 共同法定相続人.
presúmptive héir 〘法律〙推定相続人.

held /héld/

動 hold の過去・過去分詞形.

be·held 動 behold の過去・過去分詞形.
hand-held 形 《限定的》手に持った.
lap·held 形 〈コンピュータなどが〉ひざの上で使えるほど小型の.
up·held 動 uphold の過去・過去分詞形.

he·lix /híːliks/

名 らせん; らせん状の物.

álpha hélix 〘生化学〙α ヘリックス [らせん].
ant·hé·lix 名 ＝antihelix.
àn·ti·hé·lix 名 〘解剖〙対耳輪, 対輪.
dóuble hélix 〘生化学〙〘遺伝〙二重らせん.
súper·hèlix 名 〘生化学〙超らせん.

hell /hél/

名 地獄, 奈落.

blúe héll 《米俗》最悪(の状態).
fáir héll 《米俗》すごいやり手, すご腕.
hóly héll 《米俗》激しい非難 [叱責], 大目玉.
mérry héll 《俗》激しい叱責(しっせき); 大騒ぎ; 激痛.
ráke·hèll 《古》放蕩者, 道楽者.
unshírted héll 《米俗》ひどいめ, 大目玉.

helm /hélm/

名 〘甲冑〙中世初期のかぶとの一種; 上部が平らまたは山形で, 頭全体を覆う; great helm ともいう.

dis·helm 動他 〈人の〉かぶとを脱がせる [奪う].
gréat hélm 中世初期のかぶとの一種.
Stahl·helm 名 《ドイツ語》シュタールヘルム, 鉄かぶと団.
Stech·helm 名 ステックヘルム: 15－16 世紀にドイツで使われた覆面かぶと.
un·helm 動他 …のかぶと [ヘルメット] を取る.
Wil·helm 名 男子の名. ► William のドイツ語形.

hel·met /hélmit/

名 ヘルメット; かぶと. ⇨ -ET[1].

bátting hèlmet 〘野球〙ヘルメット.
blúe hélmet (国連の)国際休戦監視部隊員.
clóse hèlmet 〘甲冑〙面具付きかぶと.
crásh hèlmet (保護用)ヘルメット帽.
díving hèlmet 潜水帽, 潜水用ヘルメット.
gás hèlmet 〘軍事〙防毒 [ガス] マスク.
lóbster-tàil hèlmet 〘甲冑〙ロブスターテイル形かぶと.
píth hèlmet (インドの)トーピー(topee).
polícemanʼs hèlmet ツリフネソウ(釣船草)の一種.
smóke hèlmet (消防用の)防煙 [ガス] マスク.
sún hèlmet 日よけヘルメット.

help /hélp/

名 **1** 助力. **2** 助けになる人 [もの] (helper).

hóme hélp 《英・NZ》家政婦, ホームヘルパー.
hýphen hélp 〘コンピュータ〙ハイフン指示機能.
lády-hélp 《英》(低賃金だが家族同様の扱いを受けて働く)家事手伝いの婦人.
múmʼs hélp 《英話》お手伝い, 家政婦, 子守.
sélf-hélp 自助, 自立, 自治.

-he·mi·a /híːmiə/

連結形 〘病理〙-emia の異形. ◇ ANEMIA.
★ 異形 -haemia.
★ 語頭にくる関連形は hem(o)-, haem(o)-: *hemo*dialysis「血液透析」, *hemo*globin「ヘモグロビン」.
◆ <ギ(*h*)*aimía*(*haîma*「血液」より). ⇨ -IA.

leu·co·cy·the·mi·a 名 白血病.
li·the·mi·a 名 尿酸血症(uricacidemia).
pol·y·cy·the·mi·a 名 多血球血症, 赤血球増加症.

hem·i·sphere /hémisfiər/

名 (地球・天の)半球; (地球の)半球の住民. ⇨ SPHERE.

cerébral hémisphere 大脳半球.
Éastern Hémisphere 東半球.
Mágdeburg hémisphere 〘物理〙マグデブルクの半球.
Nórthern Hémisphere 北半球.
Sóuthern Hémisphere 南半球.
Wéstern Hémisphere 西半球.

he·mo·glo·bin /hìːməglóubin, hèm-, ⌐ー ⌐ー | hìːməglóubin, hèm-/

名 〘生化学〙ヘモグロビン, 血色素. ►hematoglobulin の省略語. ◇ -HEMIA.

de·ox·y·he·mo·glo·bin 名 デオキシヘモグロビン.
fer·ri·he·mo·glo·bin 名 =methemoglobin.
fétal hémoglobin 名 胎児性ヘモグロビン.
leg·he·mo·glo·bin 名 レグヘモグロビン.
met·he·mo·glo·bin 名 メトヘモグロビン.
my·o·he·mo·glo·bin 名 ミオグロビン.
ox·y·he·mo·glo·bin 名 酸素ヘモグロビン.
redúced hémoglobin 還元血色素, 還元ヘモグロビン.

hemp /hémp/

名 アサ(麻), タイマ(大麻).

Bómbay hémp =sunn hemp.
bówstring hèmp チトセラン(蘭).
déccan hémp ケナフ(kenaf): アオイ科の一年草.
Índian hémp キョウチクトウ科バシクルモン属の低木.
jóy hèmp 《米俗》マリファナタバコ.
Madrás hémp =sunn hemp.
Maníla hémp マニラ麻, アバカ.
Mauritius hèmp オオマンネンラン(蘭).
sún hèmp =sunn hemp.
súnn hémp サンヘンプ: 東インド産の丈の高いマメ科の草.
Tampíco hémp タムピコアサ(麻).

hen /hén/

名 **1** 雌鶏; (鳥の)雌. **2** 《話》女.

bróod hèn 抱きどり.
cóck-and-hén 形 男女一緒の.
fát hèn アカザ科ハマアカザ属の草木または低木.
fóol hèn 《米》ライチョウ.
gór·hèn =moorhen.
gráy hén =heath hen.
gréy·hén 《英》クロライチョウの雌.
guínea hèn ホロホロチョウ(guinea fowl)の雌.
héath hèn ヒースヘン: 米国の絶滅したライチョウの一種.
júngle hèn ヤケイ(jungle fowl)の雌.
Máori hén 《NZ》ニュージーランドクイナ.
mársh hèn クイナ(rail).
móor·hèn バン: ヨーロッパ産の水鳥.
móther hén (グループで)人の面倒をよくみる人.
múd hèn 沼沢地に生息する鳥の総称.
péa·hèn 雌のクジャク.
ságe hèn キジオライチョウの雌鳥.
sédge hèn オニクイナ.
swámp·hèn セイケイ.
táppit-hèn 《スコット》鶏冠(とさか)のある雌鶏.
wáter hèn =moorhen.
wét hèn 《俗》気の荒い女, うるさい女.
wóod hèn アメリカヤマシギ(woodcock).

hen·ry /hénri/

名 〘電気〙ヘンリー. ►米国の物理学者 Joseph Henry から.

ab·hen·ry 名 アブ [絶対] ヘンリー.
mi·cro·hen·ry 名 マイクロヘンリー.
mil·li·hen·ry 名 ミリヘンリー.
nan·o·hen·ry 名 ナノヘンリー. 記号 nH.
stat·hen·ry 名 スタットヘンリー, 静電ヘンリー.

hep·a·ti·tis /hèpətáitis/

名 〘病理〙肝(臓)炎. ⇨ -ITIS.

délta hepatítis デルタ肝炎.
èn·ter·o·hep·a·tí·tis 名 腸肝炎.
inféctious cánine hepatítis 〘獣医〙ルーバルス病(Rubarth's disease).
inféctious hepatítis A 型肝炎.
sérum hepatítis B 型肝炎.

herb /ə́ːrb, hə́ːrb | hə́ːb/

名 草, 草本; 薬草; 香味草, ハーブ.

bítter hérb リンドウ科シマセンブリ属の草.
ców·hèrb ドウカンソウ(道灌草).
pót·hèrb 煮て食べる野菜.
swéet hérb (料理用の)香草, ハーブ, 香味野菜.
wíllow hèrb アカバナ.

herd /hə́ːrd/

名 《通例複合語》牧者, 牧夫.

ców·hèrd 名 牛飼い.
góat·hèrd 名 ヤギ飼い, ヤギの番人.
góose·hèrd 名 ガチョウ番.
néat·hèrd 名 《廃》=cowherd.
óx·hèrd 名 牛飼い.
shép·herd 名 羊飼い, 牧羊者.
swán·hèrd 名 白鳥の世話係.
swíne·hèrd 名 豚飼い, 豚飼育者.

-here /híər/

連結形 くっつく.
★ 語末にくる関連形は -HERENCE, -HERENT.
★ 語頭にくる形は hes-: *hes*itation「躊躇(ちゅうちょ)」.
◆ ラテン語 *haerēre*「くっつく」より.

ad·here 動自 (物に)しっかりとつく; 付着する.
co·here 動自 密着 [結合] する, まとまる.
in·here 動自 〈性質・属性・要素などが〉本来備わっている.

-her·ence /híərəns, hér- | híər-/

連結形 くっつくこと.
★ 名詞をつくる.

★ 語末にくる関連形は -HERE.
★ 語頭にくる関連形は hes-: *hes*itation「躊躇(ちゅうちょ)」.
◆ ラテン語 *haerēre*「くっつく」より. ⇨ -ENCE[1].

ad·her·ence 名 密着; 執着; 忠実; 愛着, 支持.
co·her·ence 名 密着(性).
in·her·ence 名 (性質・属性などが)本来備わっていること, 固有性, 内在, 生得.

-her·ent /híərənt, her-/

連結形 くっつく.
★ 形容詞をつくる.
★ 語末にくる関連形は -HERE.
★ 語頭にくる関連形は hes-: *hes*itation「躊躇(ちゅうちょ)」.
◆ <ラ *haerēns*(*haerēre*「くっつく」の現在分詞). ⇨ -ENT[1].

ad·her·ent 形 くっつく. ──名 追随者.
co·her·ent 形 首尾一貫した, 筋の通った.
in·her·ent 形 本来備わっている, 固有の.

her·it·age /héritidʒ/

名 (生まれながらに)受け継いだもの, 親譲りのもの; 継承物, 遺産; 伝承, 伝統. ⇨ -AGE[1].

Américan Héritage 米国の出版社: 歴史物と辞書が専門.
Énglish Héritage 《英》英国の史的建造物・記念物を保存維持するための委員会.
sócial héritage 【社会】社会的遺産.

her·ni·a /hə́ːrniə/

名 【病理】ヘルニア; (特に)脱腸. ⇨ -IA.
★ 語頭にくる関連形は hernio-: *hernio*plasty「ヘルニア根治術」, *hernio*tomy「ヘルニア切開術」.

hiátus hérnia (食道)裂孔ヘルニア.
ínguinal hérnia 鼠径(そけい)ヘルニア.
strángulated hérnia 絞扼(こうやく)性ヘルニア.
umbílical hérnia へそ[臍(さい)]ヘルニア.

he·ro /híərou/

名 **1** 英雄. **2** (男性)主人公.

an·ti·he·ro 名 英雄的資質を持たない主人公.
cúlture hèro 文化英雄: 神話上の人物または神話化された歴史上の人物.
non·he·ro 名 =antihero.
su·per·he·ro 名 スーパーヒーロー: 超人的能力を持ち悪と戦う漫画キャラクター.

he·ro·ic /hiróuik/

形 英雄[勇士](hero)(たち)の. ⇨ -IC[1].

ant·i·he·ro·ic 形 〈主人公が〉英雄的資質を持たない.
mock-he·ro·ic 形 英雄気取りの.
un·he·ro·ic 形 英雄らしくない, 臆病な.

her·on /hérən/

名 【鳥類】サギ(鷺).

blúe héron オオアオサギ, ヒメアカクロサギの総称.
gráy héron アオサギ.
gréen-backed héron =green heron.
gréen héron ササゴイ(笹五位).
Louisiána héron =tricolored heron.
níght hèron ゴイサギ.
púrple héron ムラサキサギ.
réef hèron クロサギ.
trícolored héron サンショクサギ.
whíte héron シラサギ(白鷺).

her·ring /hériŋ/

名 【魚類】ニシン. ⇨ -ING[3].

Bísmarck hérring 骨を抜いてマリネにしたニシンの切り身.
láke hèrring 米国五大湖産のニシン目コクチマス科の魚の一種.
mátjes hèrring 産卵前の若いニシンを酢, 砂糖, 塩, スパイスに漬けたもの.
réd hérring 燻製(くんせい)ニシン.
róund hérring ウルメイワシ.
wólf hèrring オキイワシ(dorab).

hertz /hə́ːrts/

名 【物理】ヘルツ. ►ドイツの物理学者 H. R. Hertz にちなむ.

gig·a·hertz 名 ギガヘルツ, 10 億ヘルツ.
kil·o·hertz 名 キロヘルツ.
meg·a·hertz 名 メガヘルツ.
mil·li·hertz 名 ミリヘルツ.
ter·a·hertz 名 テラヘルツ.

-hib·it /híbit/

連結形 与えられた, 保たれた.
★ 語末にくる関連形は -HIBITION.
★ 語頭にくる形は hab-: *hab*itual「習慣の」, *hab*itation「住居」.
◆ <ラ *hibitus*(*habēre*「持つ, 支える」の連結形 *-hibēre* の過去分詞).
[発音] 基体の第 1 音節(-hib-)に第 1 強勢.

ad·hib·it 動他 …を入れる, 通す, 受け入れる.
ex·hib·it 動他 展示する, 出品する.
in·hib·it 動他 制する, 抑制する; 妨げる.
pro·hib·it 動他 禁じる, 禁止する.

-hi·bi·tion /həbíʃən/

連結形 持たれたもの[こと].
★ 名詞をつくる.
★ 語末にくる関連形は -HIBIT.
★ 語頭にくる関連形は hab-: *hab*itual「習慣の」, *habi*tation「住居」.
◆ <ラ *-hibitus*(*habēre*「持つ」の連結形 *-hibēre* の過去分詞). ⇨ -ITION.
[発音] -hibition の第 2 音節に第 1 強勢が置かれる.

ex·hi·bi·tion 名 提示, 表示; 展示, 展覧, 公開.
in·hi·bi·tion 名 ☞
pro·hi·bi·tion 名 禁止, 差し止め, 禁制.
red·hi·bi·tion 名 【大陸法】売買契約取り消し.

hide /háid/

名 (牛・馬・水牛など大形獣の)皮革, 獣皮.

cow·hide 牛(の生)皮, 牛革.
green·hide =rawhide.
horse·hide 馬の皮; 馬のなめし革.
ox·hide 牛皮, 牛革.
raw·hide (牛などの)生皮, 原皮.
steer·hide 雄牛の皮.

hi·dro·sis /hidróusis, hai-/

名 〖病理〗(薬剤・病気などによる)発汗(過多), 過剰発汗.
⇨ -OSIS.

an·hi·dro·sis 名 無汗(症), 発汗減少.
brom·hi·dro·sis 名 臭汗症(osmidrosis).
chrom·hi·dro·sis 名 色汗症.
dys·hi·dro·sis 名 発汗異常(症), 発汗障害.
hy·per·hi·dro·sis 名 発汗過多(症), 多汗(症).
hy·po·hi·dro·sis 名 発汗減少(症).
pol·y·hi·dro·sis 名 多汗(症), 発汗過多(症).

high /hái/

形 高い. ――副 高く. ――名 **1** 〖気象〗高気圧(圏). **2** 高揚感; 幸福感.

áce-hígh 形 《米話》〈ポーカーの手が〉エースのある(ストレートの).
Azóres hígh 〖気象〗アゾレス高気圧.
Bermúda hígh 〖気象〗バーミューダ高気圧.
bréast-hígh 副形 胸までの高さに［の］.
chéap hígh 《米俗》亜硝酸アルミ: 覚醒剤.
cóntact hígh 《米俗》接触陶酔: 使用している人の周囲で関係ない人も薬物による陶酔を感じること.
drý hígh 《米俗》大麻(cannabis).
góing hígh 《米俗》効き目の長続きする麻薬.
Hawáiian hígh 〖気象〗＝Pacific high.
hóle-hìgh 形 〖ゴルフ〗〈ホールが〉ピンそばの.
knée-hígh 形 ひざまでの高さの.
létter-hígh 形 〖印刷〗＝type-high.
móuntain-hígh 形 〈波などが〉山のように高い.
nátural hígh 《米麻薬俗》合法的なものによる陶酔.
néw hígh **1**〖株式〗新高値. **2** 最高記録.
Pacífic hígh 〖気象〗太平洋高気圧.
pín-hìgh 名形 〖ゴルフ〗ピンハイ(の).
rúnner's hígh ランナーズハイ: 長いランニングの途中などに得られる多幸感.
shóulder-hígh 副形 肩の高さまで(ある).
Sibérian hígh 〖気象〗シベリア高気圧.
ský-hígh 副 空高く, 非常に高く.
subtrópical hígh 〖気象〗亜熱帯高気圧.
thígh-hìgh 形名 ももまでの長さの(靴下).
týpe-hígh 形 〖印刷〗〈鉛版などが〉活字と同じ高さの.
ùltra·hígh 形 きわめて高い, 超高(層)の.
wáist-hígh 形副 腰(まで)の高さの［に］.

high·way /háiwèi/

名 《主に米・カナダ》主要道路, 本街道(main road).
⇨ WAY.

Álcan Híghway ＝Alaska Highway.
bélt hìghway (都市近郊の)環状道路(beltway).
divíded híghway 《米・カナダ》分離帯付き(高速幹線)道路.
dúal híghway ＝divided highway.
ínfo hìghway ＝information highway.
informátion hìghway (マルチメディアの)高速情報ネットワーク.
kíng's híghway 《英》国道. ►女王の治世中は queen's highway.
límited-áccess hìghway (中央分離帯のある, 主に有料の)高速道路(expressway).
smárt híghway 交通状況をモニターで調べ, ドライバーに知らせる幹線道路.
sú·per·hìgh·way 名 《米》超高速道路.

hill /híl/

名 小山, 丘; 丘陵(地帯).
★ しばしば地名や人名をつくる.

ánt·hìll アリ塚, アリの塔.
Béacon Híll 米国 Boston 市のしゃれた盛り場.
bóot hìll 《米西部》(特に銃の名手たちを埋葬した)辺境開拓移民の墓地.
Búnker Híll バンカーヒル(米国の地名).
Cápitol Híll キャピトルヒル: 米国連邦議会議事堂がある Washington, D.C. の小さな丘.
Chápel Híll チャペルヒル(米国の都市名).
Church·ill チャーチル(姓). ►字義は「教会のある丘」.
dówn·híll 副 坂を下って; 下り坂に, 下方へ.
dúng·hìll 堆肥(たいひ).
fóol's hìll 青春の愚かさ, 若気の過ち.
fóot·hìll 山麓の丘.
Gads·hill ガズヒル(イングランド Kent 州にある丘).
Ha·ver·hill ヘーバーヒル(米国の都市名).
Lau·der·hill ローダーヒル(米国の都市名).
Málvern Híll マルバーンヒル(米国の地名).
móle·hìll モグラ塚.
múck·hìll こやし［堆肥(たいひ)］の山.
Nób Híll San Francisco の高級住宅地.
Nótting Híll ノッティングヒル: London の一地区.
óver-the-híll 形 人生の盛りをすぎて.
Párliament Híll パーリアメントヒル: カナダの首都 Ottawa で, 国会議事堂のある場所.
Prímrose Híll プリムローズヒル: London にある丘.
Ríchmond Híll リッチモンドヒル(カナダの都市名).
Róck Híll ロックヒル(米国の都市名).
Sám Híll 《米俗》地獄. ►hell の婉曲語法.
sánd hìll 砂山; 砂丘; 砂丘地帯.
Savóy Híll London 中央部の通り.
síde·hìll 《主に米》小山の山腹, 丘の斜面.
Smóky Híll スモーキーヒル川: 米国 Cololado 州に流れる川.
Súgar Híll 《米黒人俗》黒人の売春宿［売春街］.
Télegraph Híll テレグラフ・ヒル: 米国 San Francisco の中心部にある丘.
Thorn·hill ソーンヒル(姓). ►字義は「イバラの林のある丘」.
Tówer Híll タワーヒル: 英国の Tower of London 近くの広場.
úp·hill 副 坂を上って; 上に向かって.

hinge /híndʒ/

名 (ドアなどの)ちょうつがい, 丁番.

báckflàp hìnge ちょうつがい(flap).
bútt hìnge 背出し［突き合わせ］ちょうつがい.
contínuous hínge ＝piano hinge.
dóvetail hìnge 楔(くさび)形ちょうつがい.
grávity hìnge 自閉［重力］ちょうつがい.
H́ and Ĺ hìnge HL 形ちょうつがい.
héave-òff hìnge ＝loose-joint hinge.
H́-hìnge 蝶(ちょう)形［H 形］ちょうつがい.
H́Ĺ hìnge ＝H and L hinge.
líft-off hìnge ＝loose-joint hinge.
lóose-jóint hìnge 上げ外し丁番［ちょうつがい］.
párliament hìnge 持出丁番.
péw hìnge (小さな戸の)昇降ちょうつがい.
piáno hìnge ピアノヒンジ, 連続丁番.
rísing hìnge 昇降ちょうつがい.
spríng hìnge ばね付きちょうつがい.
stámp-hìnge 〖切手収集〗ヒンジ.
stráp-hìnge 帯ちょうつがい.
T́ hìnge T 型ちょうつがい.
ùn·hínge 動他 〈戸などを〉ちょうつがいから外す.

hire /háiər/

動他 **1**〈人を〉雇う, 雇用する. **2**〈物件を〉賃借りする, 借りる.

cóntract hìre 《英》契約賃貸，リース．
de·híre 動他《米》〈人を〉策を用いて解雇する．
for-híre 形 〈車などが〉賃貸の；〈人が〉雇われの．
hý·giene-híre 形 清潔さを売る．
re·híre 動他名 再雇用(する)．

his·tor·ic /histɔ́ːrik, -tɑ́r-|-tɔ́r-/

形 歴史(history)上有名［重要］な；歴史的な．⇨ -IC[1].

à·his·tór·ic 形 歴史［伝統］に無関心な．
èthno-históric 形 民族歴史学的な．
pást históric 〖文法〗歴史的過去．
prè·his·tór·ic 形 先史時代の，有史以前の．
pròto-históric 形 原史学的な．
psỳcho-históric 形 心理歴史学的な．
ùn·his·tór·ic 形 歴史的に重要でない．

his·to·ry /hístəri/

名 歴史，史実；歴史学．⇨ -Y[3].

áncient history 古代史；大昔のこと．
cáse history 事例史．
èth·no·hís·to·ry 名 〖文化人類〗民族歴史学．
lífe history 〖生物〗生活史．
médical history 病歴．
mediéval history 中世史．
módern history 近代史．
nátural history 博物学，自然研究．
óral history (史実の関係者の)声による歴史証言［記録］，録音史料；口述記録(本)．
prè·hís·to·ry 名 先史時代史，先史学；先史人類史．
prò·to·hís·to·ry 名 原史学．
psỳ·cho·hís·to·ry 名 心理歴史学．
tótal history (ある時代の)総合的歴史(書)．
wórld history 世界史．

hit /hít/

動他自 打つ，たたく，殴る．――名 **1** 〖野球〗ヒット，安打．**2** (興行などの)大当たり．

bánjo hìt 《米野球俗》ぼてんヒット．
báse hít 〖野球〗ヒット，安打．
bíg hít 《豪俗》うんこ．
córner hìt 〖ホッケー〗コーナーヒット．
éxtra-báse hít 〖野球〗長打．
gállery hìt (競技会などで)スタンドプレー．
ínfield hít 〖野球〗内野安打．
kíng-hìt 《豪話》ノックアウトパンチ．
lég hìt 〖クリケット〗レッグヒット．
még·a·hìt 名 超大ヒット作品．
mis·hít 動他 〖スポーツ〗打ちそこなう．
nó-hìt 形 〖野球〗無安打の，ノーヒットの．
nóse hìt 《米俗》鼻から吸い込むマリファナの煙．
óne-bàse hít 〖野球〗シングルヒット(single)．
òut·hít 動他 〖野球〗打ち勝つ．
ò·ver·hít 動自 〖スポーツ〗オーバーヒットする．
pínch hìt 〖野球〗代打安打．
pínch-hìt 動自《米》〖野球〗代打に出る．
sáfe hít 〖野球〗安打，ヒット．
scrátch hìt 〖野球〗テキサスヒット．
smásh hít 大当たりの興行，大ヒット，大成功．
swállow hìt 《米俗》マリファナの深い一吸い．
swítch-hìt 動自 〖野球〗左右いずれの構えでも打つ．
thrée-bàse hít 〖野球〗三塁打(triple)．
twó-bàse hít 〖野球〗二塁打(double)．

hitch /hítʃ/

動他 〈動物を〉(杭(くい)などに)つなぐ，結びつける；〈鉤(かぎ)・輪・縄などを〉引っかける．――名 つなぐ［引っかける，結びつける］こと．

Bláckwall hìtch ブラックウォール・ヒッチ．
clóve hìtch クラブヒッチ，巻き結び．
dóuble hítch 増し掛け結び．
hálf hítch (ひもなどの)一重結び．
hárness hìtch (特にはらみ綱の端の)綱の周りに環のできる結び方．
Mágnus hìtch 三重結び，枝結び．
rólling hìtch 枝結び．
tímber hìtch 撚(よ)り［ねじり］結び．
tímber-hìtch 動他 …をねじり結びで結ぶ．
ùn·hítch 動他 〈馬・車両などを〉(…から)外す．
wéaver's hìtch はた結び(sheet bend)．

hit·ter /hítər/

名 hit する人［もの］；〖野球〗打者．⇨ -ER[1].

bánjo hìtter 《米野球俗》非力な打者．
cóntact hìtter 〖野球〗当てるのがうまい打者．
créam-puff hìtter 《米野球俗》(打率の低い)ちょろいバッター．
désignated hítter 〖野球〗指名打者．
hárd hítter 《NZ》山高帽子(bowler hat)．
héavy hítter 〖野球〗長打者．
lóng hítter 《米俗》大酒飲み，飲んべえ．
nó-hítter 〖野球〗無安打試合，ノーヒットゲーム．
pínch hítter 《米・カナダ》〖野球〗代打者．
pláce hìtter 〖野球〗プレースヒッター．
pówer hìtter 〖野球〗長打力のあるバッター．
púll hìtter 〖野球〗引っ張り専門の打者．
shóulder-hìtter 《米話》無法者，乱暴者．
spráy hìtter 〖野球〗広角打者．
swítch hítter 《米・カナダ》〖野球〗スイッチヒッター．
twó ó'clock hìtter 〖野球〗打撃練習でよく打てて，試合になると打てなくなる選手．

ho /hóu/

間 《注意を引く叫びとして》おーい．

bung-ho 間 《主に英》元気で，さよなら；乾杯．
gee-ho 間 右へ，右へ行け(gee)．
heave-ho 名 《話》(恋人を)捨てること；追放．
heigh-ho 間 《驚き・歓喜・憂鬱・退屈・疲労などを表して》まあ，あーあ，やれやれ．
hi-de-ho 間 《ジャズマンの陽気な掛け声として》イヤッホー．
hi-ho 間 ハイホー(歌の掛け声)．
ho-ho 間 《驚き・賞賛・軽蔑などを表して》ほほう，へーッ；《笑い》ホッホ，ハハ．
o·ho 間 《驚き・嘲笑・喜びなどを表して》おほう，ほうっ，やあい．
smoke-ho 名 《豪・NZ話》短い休憩時間(smoko)．
so-ho 名 《猟師が獲物を発見したときなどの掛け声に用いて》そうれ，そうら．
tal·ly-ho 名 郵便馬車；四頭立て遊覧馬車．
yo-heave-ho 間 《綱を巻き上げるときなどの昔の水夫の掛け声》よいしょこらしょ，えんやこら，よいとまけ．
yo-ho 間 《呼びかけや力仕事の掛け声として》ヤッホー，おーい；えんやらや，よいしょ．

hock·ey /hɑ́ki|hɔ́ki/

名 《主に米・カナダ》アイスホッケー(ice hockey)．

fíeld hòckey 《米・カナダ》(陸上)ホッケー．

gráss hòckey 《カナダ》=field hockey.

íce hòckey アイスホッケー.

roád hòckey 《カナダ》路上ホッケー(遊び).

róller hòckey ローラーホッケー.

stréet hòckey 《カナダ》=road hockey.

tónsil hòckey 《米俗》フェラチオ.

hoe /hóu/

名 〘園芸〙(耕作・除草に用いる)鍬(くわ), ホー; 鍬形除草器.

báck·hòe 《米》バックホー.

dráw hòe 牽引(けんいん)式の鍬.

Dútch hòe 鋤(すき)状の手押し鍬.

grúb hòe 根掘り用鍬.

púsh hòe =Dutch hoe.

rótary hóe 回転草搔(くさかき)機.

thrúst hòe 押し鍬.

hog /hɔ́ːg, hɑ́g | hɔ́g/

名 **1** 豚; (特に去勢された)食用豚. **2** 《米俗》大型高級車.

bácon hòg ベーコン製造用の豚.

búsh hòg ブッシュホグ: トラクターで牽引(けんいん)して地上草木などを除去する器具.

búsh-hòg 動他自〈土地の〉木などを bush hog で取り去る[取り払う].

éarth-hòg 〘動物〙ツチブタ(aardvark).

gróund·hòg 〘動物〙ウッドチャック.

hédge·hòg 〘動物〙ハリネズミ.

músk hòg 〘動物〙クビワペッカリー.

róad hòg (高速)道路の二車線にまたがり, 他車の進行妨害をする悪質ドライバー.

sánd·hòg 砂掘り作業員.

séa hòg 〘動物〙ネズミイルカ(porpoise).

séwer hòg 《米俗》(工事の)溝掘り人.

sweát hòg 《米学生俗》どてっとしてブスな女.

swítch hòg 《米俗》(鉄道の)操作場長.

túsh hóg 《米俗》冥加金を取り立てるやくざ.

wárt·hòg 〘動物〙イボイノシシ.

wáter hòg 〘動物〙カピバラ(capybara).

whóle hóg 《話》すべて, 全体; 完全.

whóle-hóg 形 《話》徹底した, 完全な; 心からの.

wíld hòg 〘動物〙イノシシ.

hold /hóuld/

動他 …を握りしめる, つかむ. ── 名 **1** 握る[つかむ]こと. **2** 持つ所; つかまる所; 支え; 固定する[支える]物. **3** 《複合語》(土地などの)保有.

a·hóld 名 《話》(…を)つかむ[握る]こと.

ánchor·hòld[1] 〘海事〙錨(いかり)かき.

ánchor·hòld[2] 隠者のいおり.

be·hóld 動他 《文語》注視する, 見守る; 眺める.

bélly hòld 〘航空〙(客室の下にある)荷物室.

bútton·hòld 動他 《古》〈人を〉(ボタン穴をつかむようにして)引き止める.

chóke hòld (人の首を後ろから腕で)きつく締めつけること.

Chrístmas hòld 《豪俗》金つかみ.

cómmon·hòld 《英》(雑居ビルで)フラットを自由保有(freehold tenure)してはいても, ビル共通のサービスには皆が責任を負うという形.

cópy·hòld 《もと》〘英法〙謄本土地保有権.

dówn·hòld 名動他 《米》(出費などを)最小限に抑える(こと).

fóot·hòld 足掛かり, 足場, 足だまり.

frée·hòld 〘法律〙自由保有権.

gáte·hòld (飛行機の)客をゲートで待たせること.

hánd·hòld 握り, 把握.

hóuse·hòld 家族; 家の者; 世帯, 所帯, 家庭.

léase·hòld (不動産などの)賃貸借物件, 賃借地.

lówer hóld 〘海事〙下(船)倉.

róot·hòld 根付きのよい.

scíssors hòld 〘レスリング〙はさみ締め.

strángle·hòld 〘レスリング〙のどわ.

stróng·hòld 砦(とりで), 要塞(ようさい).

thróttle·hòld 締めつけ, 抑圧.

tóe·hòld 岩場の足掛かり, つま先掛かり.

ùp·hóld 動他 …を支持する, 守る, 弁護する.

with·hóld 動他 抑える; 引き止める, 制止する.

hold·er /hóuldər/

名 **1** 支える物[人]. **2** 所有者; 所持人. ⇨ -ER[1].

bág hólder 荷物運搬用台車.

bónd·hòlder 名 債券[公社債]所有者, 社債権者.

bóok·hòlder 名 書見台.

bóttle·hòlder 名 ボトルホルダー.

bóx·hòlder 名 (演劇・スポーツなどの)升席予約者.

cándle·hòlder 名 燭台(しょくだい), ろうそく立て.

cárd·hòlder 名 (組合・政党などの)会員証保持者.

cópy·hòlder 名 原稿掛け, 原稿押さえ.

cúp·hòlder 名 優勝(カップ保持)者; チャンピオン.

frée·hòlder 名 自由土地保有者.

fúnd·hòlder 名 《英》国債[公債]所有者.

gás·hòlder 名 ガスタンク.

hóuse·hòlder 名 家屋所有者, 持ち家居住者.

ínn·hòlder 名 宿屋の主人.

jób·hòlder 名 定職のある人.

kéttle-hòlder 名 (布製の)鍋(なべ)つかみ.

lámp hòlder 《特に英》(電灯の)ソケット.

lánd·hòlder 名 土地所有者, 地主, 土地占有者.

léase·hòlder 名 借家人, 借地人.

lóan·hòlder 名 社債券所有者, 抵当権者.

nóte·hòlder 名 中期証券の所有者.

óffice·hòlder 名 《主に米》公務員, 役人, 官吏.

pén·hòlder 名 ペン軸.

péw·hòlder 名 (教会の)座席借主, 指定席所有者.

pín·hòlder 名 剣山.

pláce·hòlder 名 〘数学〙〘論理〙プレースホルダー.

plán·hòlder 名 年金受給資格保持者.

pláte·hòlder 名 撮枠(とりわく), 乾板ホルダー.

pólicy·hòlder 名 保険契約者.

pót·hòlder 名 鍋(なべ)つかみ.

récord·hòlder 名 記録保持者.

sháre·hòlder 名 《主に英》(特に株式会社の)株主.

sláve·hòlder 名 奴隷所有者.

smáll hólder 《英》小自作農, 小農, 小作人.

stád·hòlder 名 総督, 都統.

stádt·hòlder 名 =stadholder.

stáke·hòlder 名 賭(か)け金の保管人.

stáll·hòlder 名 《英》売店[屋台店]の持ち主.

stóck·hòlder 名 株主(《英》shareholder).

stríng·hòlder 名 緒止め板.

títle·hòlder 名 肩書き[称号]を持っている人.

tóol·hòlder 名 ツール[バイト]ホルダー, バイト持たせ.

týpe·hòlder 名 〘印刷〙ホルダー(pallet).

únit·hòlder 名 《英》ユニット(投資)信託投資家.

hold·ing /hóuldiŋ/

名 **1** つかむ[握る, 支える]こと. **2** 所有権. ── 形 持っている, 所有している. ⇨ -ING[1], -ING[2].

hánd·hòlding 名 (好意のしるしとして相手の)手を握ること.

ín·hòlding 名 国立公園内の私有地.

lánd·hòlding 形 土地を所有[借用]している.

róad hòlding 〘自動車〙ロードホールディング.

smáll hólding 《英》小自作農地.

hole /hóul/

名 (壁などにあいた)穴, 割れ目; (衣類などの)破れ穴, 裂け目.

Á-hòle 《米俗》＝asshole.
áir hòle 通気孔, 風窓; 空気穴.
árm·hòle (服の)袖(そで)ぐり, アームホール.
árse·hòle 《主に英俗》けつの穴; ばかばかしい.
ásh-hòle 《英》(炉の)灰落とし穴.
áss·hòle 《俗》けつの穴. ━━ 形 愚かな.
Áubrey hòle 【英史】オーブリーホール.
bácon-hòle 《英空軍俗》口.
béam hòle 【原子力】ビーム孔.
bíg hóle 《米俗》(トラック運転手の間で)ローギア; 【鉄道】緊急手動ブレーキ.
bláck hóle 【天文】ブラックホール.
blást·hòle 発破孔(こう).
blínd hóle 【ゴルフ】ブラインドホール.
blów·hòle 通風孔, 換気孔.
bógey-hòle 《豪》(水泳に適した)水のよどみ, (川などの)泳ぎ場.
bóg hòle 【地文】沼沢孔 [穴].
bólt-hòle (動物の)逃げ込み穴, 抜け穴, 抜け道.
bóre·hòle 【採鉱】鑿井(さくせい).
brówn-hóle 動自他 《米俗》肛門(こうもん)性交する.
búm·hòle 《米俗》けつの穴; まぬけ; 嫌なやつ.
búng·hòle (樽(たる)の)口, つぎ口.
bútt·hòle 《米俗》肛門(こうもん).
bútton·hòle ボタン穴.
cáke-hòle 《英俗》(人の)口.
cát hòle 【海事】キャットホール.
chúck·hòle 《主に米方言》(道路の)穴, くぼみ.
chúg·hòle 《主に米南部》＝chuckhole.
cóal hòle 石炭投入口.
córn·hòle 動他 《俗》…と肛門(こうもん)性交をする.
córonal hóle 【天文】コロナホール.
créep·hòle (獣の)隠れ穴.
crúmp hòle 砲弾でできた穴.
cúbby·hòle 小さい押し入れ [戸棚].
cúlver hòle 【石工】材木端部を受ける穴.
déne·hòle 【考古】白亜坑.
dóg·hòle 犬が住むにふさわしい場所.
dóg-leg hòle 【ゴルフ】くの字形に曲っていてティーからグリーンをねらえないホール.
dówn·hòle 下げ孔.
dráw hòle 【採鉱】露天坑井(こうせい)法.
drý hóle 空井戸, 無出油井.
dúst hòle ごみための穴, ごみ入れ.
éar·hòle **1** 耳の穴. **2** 《英俗》ださいやつ.
éye·hòle (仮面・カーテンなどの)のぞき穴.
fág-hòle 《英俗》(人の)口.
fárt·hòle 《米俗》嫌なやつ; あほ, ばか.
f-hòle (バイオリン, チェロなどの表面の)f字孔.
fíd hòle 帆柱止め栓(fid)を受けるほぞ穴.
fínger hòle 指穴: 電話のダイヤルの穴.
flóss hòle 【冶金】(炉の灰や鉱滓(こうさい)を取りのけるための)かす穴.
fóx·hòle たこつぼ壕(ごう), 各個掩体(えんたい).
fúck-hòle 《米俗》膣(ちつ).
fúnk hòle (退避用または簡易居住用の)横穴.
glóry hòle 【海事】給仕室, 火夫室, 機関部員室; 《俗》フェラチオ用のトイレの穴.
gnámma hòle 《豪》(開口部が狭く底が広い)岩のくぼみ.
gúlly hòle (下水への)雨水の落下口.
gúnk hòle 風波の少ない投錨(とうびょう)地.
hánd hòle 【機械】ハンドホール, 手穴.
háwse·hòle 【海事】錨鎖孔(びょうさこう).
héll·hòle 非常に不潔な場所 [部屋].
hídey-hòle 《主に英話》人目につかない所.
hídy-hòle 《話》＝hidey-hole.
hìgh·hóle 【鳥類】ハシボソキツツキ.
húm-hòle 《米学生俗》口.
kéttle hòle 【地質】釜(かま)状凹地, ケトル.
kéy·hòle 鍵(かぎ)穴; 栓穴(せんけつ).
knée·hòle (机の下の)両ひざを入れる余地.
knót·hòle (木板の)節穴.
líghtening hòle 【造船】軽目穴(けいもくけつ).
límber hòle 【海事】淦水(あかみず)孔.
línnet hòle ガラスを溶かすタンクと炉を結ぶ小穴.
lóop·hòle (監視・通風・採光用の)小窓.
lúbber's hòle 【海事】檣楼(しょうろう)昇降口.
lúg·hòle 《英話》耳(の穴).
mán·hòle マンホール.
mémory hòle 過去の記録の抹殺 [書き換え].
míll hòle 【採鉱】＝drawhole.
míni-blàck-hóle 【天文】微小ブラックホール.
móuse·hòle ネズミの巣穴.
múck·hòle 《英俗》汚ない場所 [部屋].
múd·hòle 泥のたまる場所, 泥だまり.
múmp-hòle 《英俗》巡回する警官の非公認の休息場所.
námma hòle 《豪》＝gnamma hole.
néws hòle 《米》(新聞・雑誌で, 広告スペースに対して)記事スペース.
níneteenth hóle 《話》19番ホール(クラブハウスのバーなど).
óil·hòle 【機械】油穴.
ózone hòle オゾンホール: オゾン層中で極度のオゾン減少が観測される区域.
pée hòle 《米俗》(女性の)膣(ちつ).
péep·hòle ＝eyehole.
pérson·hòle manhole の非差別的言い換え.
pést·hòle 伝染病がよく発生する場所.
pígeon·hòle ハトの巣箱の出入り穴; ハトの巣箱.
pín·hòle ピンで刺した穴, ごく小さな穴.
píss-hòle 《俗》不快な場所; 《英俗》便所.
plúg·hòle 《英》【造船】栓孔, 栓穴, 水栓.
póle hòle 《俗》膣, 女陰.
póop·hòle 《米俗》肛門.
pórt·hòle 【海事】舷窓(げんそう).
póst·hòle ポストホール: 支柱 [柵棒(さくぼう)] を埋めこむために掘られた穴.
pót·hòle 深い穴.
príest·hòle 【英史】(カトリック禁教下の)司祭の隠れ家.
príest's hóle ＝priesthole.
púke hòle 《米俗》(人の)口.
púppy hòle 《英俗》生徒の勉強室.
rát·hòle (壁などにあいた)ネズミの穴.
sálly-hòle 鐘のロープを通す穴.
shéll hòle 漏斗(状)こう, 砲弾の地上炸裂(さくれつ)し孔.
shít-hòle 《俗》肛門.
shót hòle 穿孔(せんこう)病.
shót·hòle 発破孔, 爆破孔.
síght·hòle (四分儀などの)のぞき穴, 検査穴.
sínk·hòle ドリーネ, 落抜け穴, 落ち込み穴, すりばち穴.
snów·hòle 【登山】雪洞.
sóund hòle 響孔: 弦楽器の響板にあけた穴.
spíder hòle 【軍事】スパイダーホール.
spíle·hòle (樽(たる)やカエデの木などにあけた)通気孔(vent).
spóut hòle 【動物】噴気孔; 噴水孔(spiracle).
sprócket hòle 【映画】【写真】送り穴.
spý hòle のぞき穴(peephole).
stóke·hòle 【海事】ボイラー室, 機関室.
stróke hòle 【ゴルフ】ストロークホール.
súck-hòle 動自 《英卑》(…に)おべっかを使う.
swállow hòle 《主に英》＝sinkhole.
swímming hòle (川などの)泳げるくらいに深い所.
táp·hòle 【冶金】栓孔(せんこう), 出銑口.

thúmb·hòle (特に蓋(ふた)をあけるときに親指を入れるための)容器の穴.
tóad-in-the-hóle 《英・豪》〖料理〗衣(batter)をつけて焼いた牛肉［豚肉］ソーセージ.
tóp-hóle 形 《英俗》第一級の, 飛び切りの.
tóuch·hòle (旧式鉄砲の)火門, 点火孔.
utílity hòle マンホール. ►manhole の非性差別表現.
vént·hòle 通気孔, (ガス・空気の)出口.
wáter hòle (地面の)水たまり; (小さい)池.
wátering hòle 《話》(アルコールを出す)社交場.
wéep hòle 〖建築施工〗涙孔(なみだあな).
wéll·hòle 井戸穴.
whíte hóle 〖印刷〗白穴(pigeonhole).
wórm·hòle (木・木の実などの)虫食い穴.

-hol·ic /hɔ́ːlik, hál-｜hɔ́l-/

連結形 -aholic の異形.

book·hol·ic 名 本好きの人, 読書中毒者.
car·bo·hol·ic 名 炭水化物を異常に食べたがる人.
choc·o·hol·ic 名 チョコレート好きの人.
co·ca·hol·ic 名 コカイン中毒者.
cof·fee·hol·ic 名 コーヒー中毒者.
co·la·hol·ic 名 《米俗》コーラ中毒者.
com·put·er·hol·ic 名 《話》コンピュータ操作者.
cred·i·hol·ic 名 クレジット中毒者.
mar·i·hol·ic 名 《米俗》マリファナ中毒者［依存者］.
pet·ro·hol·ic 名 石油消費狂, 石油好き.

hol·i·day /hálədèi｜hɔ́lədèi, -di/

名 法定休日, 公休日, 祝日. ⇨ DAY.

bánk hòliday 《米》銀行法定休業日.
blíndman's hóliday 《こっけい》たそがれ時.
búsinessman's hóliday ＝busman's holiday.
búsman's hóliday 《話》(バスの運転手がドライブをするように)日常の仕事と似たことをして過ごす休日.
hálf-hóliday 半(日)休日, 半ドン.
légal hóliday 《米》法定休日.
nátional hóliday 祭日, 国民祝祭日.
públic hóliday (国民の)祝日, 祭日.
Róman hóliday 野蛮を特徴とする公の面前での見世物［論争］.
whóle hóliday 全休日.

hol·low /hálou｜hɔ́l-/

名 **1** 穴; くぼみ. **2** くぼ地.

fróst hòllow (夜間冷え込む)山間のくぼ地, 盆地.
Óxford hóllow 〖製本〗オックスフォードホロー.
quárter hòllow 〖建築〗小刳(こえぐり).
Sléeping Hóllow 眠り谷: W. Irving の小説に出てくる.

hol·ly /háli｜hɔ́li/

名 〖植物〗モチノキ(アオハダ, ウメモドキを含む).

Américan hólly アメリカヒイラギ.
désert hòlly ハマアカザ属の植物.
Énglish hólly セイヨウヒイラギ.
Jápanese hólly イヌツゲ(犬黄楊).
séa hòlly エリンギウム.

home /hóum/

名 **1** (家族と共に住んでいる)家, 自宅; 生家; 《米・カナダ・豪》(個人の建物としての)住宅, アパート. **2** 家庭, 家庭生活. **3** (家のない人・病人などの)収容施設, 療養所, 宿泊所.

adúlt hóme アダルトホーム: 州立精神科病院の元患者を預かる私立施設.
at-hóme 家庭招待会, 略式パーティー.
awáy-from-hóme 形 家を離れての; 旅先での.
bróken hóme 片親が欠けた家庭.
Chéshire hóme 《英》チェシャーホーム: 障害者用施設の一種.
commúnity hòme 《英》孤児院.
cóunty hóme 《米》郡営救貧院.
deténtion hòme 《米》少年拘置［鑑別］所.
dóme hóme ドームホーム: 軽量ドーム構造の家.
dówn-hóme 形 《米》素朴な, 飾り気のない.
éventide hòme 《英》《婉曲的に》老人ホーム.
fóster hóme 里子を預る家庭.
fúneral hóme 葬儀場, (特に)遺体安置所.
gróup hóme 代用収容施設, グループホーム.
hárvest hóme 収穫の運び込み.
hél·i·hòme 名 ヘリホーム: モーターホーム(motor home)式ヘリコプター.
hóliday hòme ホリデーホーム: 貧しい人々や両親が世話できない子供を預かり, 休日の期間だけ面倒をみる場所［家］.
hóme-and-hóme 形 〖スポーツ〗ホームアンドアウェーの.
ín-hòme 〖スポーツ〗インホーム.
léisure hòme レジャーホーム, 休暇用別荘.
lóng hóme 墓.
lów-rènt hóme (貧困者用の)低家賃住宅.
manufáctured hóme プレハブ住宅.
móbile hóme 移動住宅.
módular hòme 〖建築〗モジュラーホーム.
mótor hòme (旅行・キャンプ用の)移動住宅自動車.
núrsing hòme (老人などの)私設療養院.
paréntal hóme 問題児収容施設.
párk hòme (定住用)トレーラーハウス.
remánd hòme 《英》少年院, 少年教護院.
rést hòme (回復期患者・老人・病弱者の)保養所.
sécond hóme (週末・休暇用の)別荘.
sóldiers' hòme 廃兵院.
státely hóme 《英》(一般公開された)大邸宅.
stày-at-hóme 形 自宅［自国］にばかりいる.
táke-hòme 形 (家に)持ち帰りの; 家で行う.
tóurist hòme (観光)旅行者に, 通例, 一晩だけ部屋を貸す私宅; (一泊の)民宿.
tówn·hòme 《米・カナダ》連棟住宅.
túmble hòme 〖海事〗タンブルホーム.
vílla hóme 《豪》(以前の一戸建ての地所に建てた数戸の)平屋の一戸建て住宅.

hon·ey·suck·le /hʌ́nisʌ̀kl/

名 〖植物〗スイカズラ.

búsh hòneysuckle スイカズラ科タニウツギ属の低木の総称.
córal hóneysuckle ＝trumpet honeysuckle.
flý hóneysuckle ハエスイカズラ(蠅忍冬).
Jamáica hóneysuckle ミズレモン, キミトケイソウ.
Jápanese hóneysuckle スイカズラ, ニンドウ(忍冬).
smáll hóneysuckle ムラサキスイカズラ.
Tartárian hóneysuckle スイカズラ属の低木.
trúmpet hóneysuckle ツキヌキニンドウ.
wíld hóneysuckle 野生のツツジの一種.
yéllow hóneysuckle キスイカズラ.

hood /húd/

名 フード, 頭巾(ずきん), 僧帽.

léns hòod 〖写真〗(カメラの)レンズフード.
mónks·hòod 〖植物〗トリカブト.
ópera hòod 婦人の観劇［夜会］用フード.
rúfter hòod 〖タカ狩り〗捕らえたばかりのタカに一

時的にかぶせる頭巾の一種.
ùn·hóod 動他 …の頭巾を脱がせる, 覆いを取る.

-hood /hùd/

接尾辞 **1** 性質, 状態: false*hood*. **2** 時期: child*hood*.
3 特定の人々の集団: knight*hood*.
★ 名詞・形容詞につけて名詞をつくる.
★ 時に複合語について新造語をつくる: runaway-*hood*.
◆ 中英 *-hode, -hod*, 古英 *-hād*; 独 *-heit* と同語源.
[発音] 第 1 強勢は基語と同じで, すべて語頭の音節にある.

an·gel·hood 名 天使であること [地位・性質].
ba·by·hood 名 幼児期.
bach·e·lor·hood 名 独身.
boy·hood 名 少年時代, 少年期.
broth·er·hood 名 兄弟の間柄; 兄弟の愛情.
Bud·dha·hood 名 悟りの境地, 菩提(ぼだい); 仏性.
child·hood 名 幼年, 幼年時代, 幼児期, 幼少期.
Christ·hood 名 キリストであること; キリストの神性.
cub·hood 名 (獣の)子供の時代.
fair·y·hood 名 妖精らしさ; 妖精であること.
false·hood 名 虚言, うそ, 偽り, 虚偽; 欺瞞.
fa·ther·hood 名 《文語》父であること; 父親の資格.
gentle·hood 名 家紋を持つ権利のある人の地位.
girl·hood 名 少女であること; 少女期, 少女時代.
god·dess·hood 名 女神であること; 女神のような性格.
god·hood 名 神であること, 神性, 神格.
har·di·hood 名 大胆, 豪胆, 勇気.
king·hood 名 王であること, 王位, 王権.
knight·hood 名 騎士の身分 [爵位]; 騎士団.
la·dy·hood 名 貴婦人であること; 貴婦人の身分.
like·li·hood 名 ありそうなこと, 可能性, 公算.
live·li·hood 名 生計, 暮らし.
lust·i·hood 名 《古》元気, たくましさ, 活力.
maid·en·hood 名 処女であること; 処女時代.
maid·hood 名 =maidenhood.
man·hood 名 男 [大人] であること; 男盛り.
monk·hood 名 修道士の身分 [職].
moth·er·hood 名 母であること; 母性.
na·tion·hood 名 独立国家 [国民] であること.
neigh·bor·hood 名 近所, 近辺, 近隣, 付近.
nun·hood 名 修道女の身分 [使命, 責任].
par·ent·hood 名 親であること, 親の立場.
pa·tient·hood 名 病人 [患者] であること [状態].
peo·ple·hood 名 民族性; 民族帰属意識.
per·son·hood 名 人であること.
priest·hood 名 司祭職; 僧侶の職能 [身分, 地位].
queen·hood 名 女王の地位 [品位, 身分].
saint·hood 名 聖人であること; 聖人の身分 [資格].
scout·hood 名 ボーイスカウト [ガールスカウト] の団員の身分.
self·hood 名 個人としての存在, 個我, 自我.
sin·gle·hood 名 独身(の身分), 未婚(であること).
sis·ter·hood 名 姉 [妹] であること, 姉妹関係.
son·hood 名 息子であることの身分.
squire·hood 名 郷士連; 地方 [郷士] の身分.
state·hood 名 独立した国家であること.
tod·dler·hood 名 よちよち歩きの時期; 幼児期.
wid·ow·hood 名 未亡人の状態.
wife·hood 名 妻であること, 妻の身分.
wom·an·hood 名 女であること; 女らしい性格 [性質].

hoof /húf, hú:f | hú:f/

名 (牛・馬の)ひづめ.

clóven hóof 反芻(はんすう)動物の双蹄(そうてい).
fóre·hòof 名 (四足獣の)前蹄(ぜんてい).
hórse's hóof 《豪》(男の)同性愛者.

hook /húk/

名 鉤(かぎ), フック, 留め金. ——動他 …を引っ掛ける; 留める.

bágging-hòok 《英方言》小形の鎌.
bát·hòok 【登山】引っ掛け鉤.
bénch hòok 【木工】工作物滑り止め木片.
bíg hóok 《俗》【鉄道】救援クレーン.
bíll·hòok (剪定などに使う)なた鎌.
bóat hòok ボートフック, 鉤ざお.
bóot hòok ブーツフック: L 字型金属製の鉤.
brúsh hòok =bush hook.
búsh hòok 《方言》(やぶ刈り用)なた鎌.
bútton·hòok ボタンフック.
cábin hòok (飾り棚の)肘壺(ひじつぼ).
cánt hòok 木回し, 鉤てこ.
cát hòok 【海事】吊錨鉤(ちょうびょうかぎ).
chéck·hòok 止め手綱をつけるための鞍の鉤.
clíp hòok =sister hook.
clóthes·hòok オーバー [上着] 掛け.
crochét hòok 鉤針.
cúnt hòok 《俗》指; 指を突き出す下品な身振り.
déck hòok 【海事】船首・船尾甲板受材.
dóg hòok とび: 丸太を操るための鉤.
dóugh hòok パン生地を練るための付属品.
dúck hòok 【ゴルフ】ダックフック.
éye·hòok フックと丸環による構成物.
fífi hòok 【登山】エトリエの先端の鉤手.
fíre hòok 鳶口(とびぐち).
físh·hòok 釣り針.
flésh·hòok (鍋などから)肉を持ち上げる鉤.
fóul-hòok 動他 〈魚を〉口以外に引っかけて釣る.
frónt-hóok 形 〈ブラジャーなどが〉前ホックの.
gáng hòok 錨(いかり)針.
górge hòok 錨(いかり)形の釣り針.
gráss·hòok 鎌.
hínd hóok 《米鉄道俗》(列車の)制動手.
kéeper hòok 【演劇】かすがい.
látch hòok べら針に似た刺繍(ししゅう)道具.
lúnch·hòok 《俗》手.
múd·hòok 《俗》錨(いかり).
pélican hòok ペリカンフック, 滑り鉤.
pígtail hòok 鎖などを自在の角度に留めることのできるらせん形のねじフック.
pót·hòok 自在鉤(じざいかぎ).
prúning hòok 枝打機.
ráve hòok 【海事】レイブフック.
réap hòok =reaping hook.
réaping hòok (刈り入れ用の)鎌.
rípping hòok イカ釣り針.
sáfety hòok 安全フック, 丸環.
scréw hòok フックねじ.
shéep hòok 曲がった柄の牧羊杖.
shít-hòok 《俗》見下げ果てたやつ, 悪党.
síster hòok 【海事】姉妹鉤.
ský·hòok スカイフック: 空中にぶら下がっていると想像されている鉤.
slíp hòok =pelican hook.
snáp hòok =spring hook.
spóon hòok スプーン型ルアー付き釣り針.
spríng hòok ばね付き鉤.
swível hòok 回しフック.
ténter·hòok 布張り鉤(かぎ).
umbrélla hòok (いか釣針など)洋傘の骨のような釣針.
un·hook 動他 …のホック [留め金] を外す.

hoop /hú:p, húp | hú:p/

名 (金属・木などの)輪; たが.

flát hóop 退屈な人.
fúrry hòop 《俗》女陰.
Húla-Hòop 名 《商標》フラフープ.
quárter-hòop 名 クォーターフープ: 樽のたが.

trúss hòop たが.

hop /háp | hɔ́p/

動自 **1** ぴょんと跳ぶ, 跳ねる. **2**《米話》(…へ)飛行機で飛ぶ, 短い旅行をする. ―― 名 跳ぶこと.

air·hop 動自《米俗》飛行機で小旅行する.
bar·hop 動自《話》飲み歩く, はしごする.
bell·hop 《米・カナダ》ベルボーイ.
car·hop 《米・カナダ話》ドライブイン・レストランの給仕.
crow·hop 短い跳躍.
did·dly·hop 《米俗》けんかに強い番長.
hedge·hop 動自 超低空飛行をする.
he·li·hop 動自 ヘリコプターで短距離を移動する.
hip-hop 名 ヒップホップ(カルチャー).
hip·pe·ty-hop 形副 飛び跳ねるような[に].
hip·pi·ty-hop 形副 =hippety-hop.
is·land-hop 動自 島伝いに旅行する.
jet-hop 動自 (ジェット機で)(周遊)旅行する.
job-hop 動自 職を転々と変わる.
jóint hòp 動自《米俗》飲み歩く, はしごする.
kangaróo hòp 《英話》(車の)がくがくする発進.
lóng hóp 〖クリケット〗ロングホップ.
lor·ry-hop 動自《英》(トラックで)ヒッチハイクする.
múd hòp 《米鉄道俗》車両チェック係.
síde-stràddle hòp 〖スポーツ〗挙手跳躍運動.
sóck hòp 《話》〖ダンス〗ソックホップ.
spy·hop 〖動物行動〗スパイホップ.
ta·ble-hop 動自《話》おしゃべりをしながらテーブル間を歩き回る.
tríp hòp 名形 (ダンス音楽で)トリップホップ(の).

hope /hóup/

名 希望, 望み.

Búckley's hópe 《豪》見込みが(ほとんど)ないこと.
forlórn hópe 決死的行動.
whíte hópe 《話》大いに期待される人.

hop·per /hápər | hɔ́pː/

名 跳ぶ人[もの]. ⇨ -ER[1].

bóg-hòpper 《米俗》アイルランド人[出身者].
bríer hòpper 《米俗》農民.
clód·hòpper 《話》まぬけ, あほう(clod).
fróg·hòpper 〖昆虫〗アワフキムシ.
gráss·hòpper ☞
léaf·hòpper 〖昆虫〗ヨコバイ.
lót hòpper 《米俗》(映画の)エキストラ.
plánt·hòpper ウンカやアワフキムシなどの同翅(どうし)類の広範囲の昆虫の総称.
rock·hop·per イワトビペンギン.
sánd hòpper トビムシ: ヨコエビ科の小さいエビ.
trée·hòpper 〖昆虫〗ツノゼミ.
tríp hòpper (ダンス音楽で)トリップホップのアーティスト.
whóre-hòpper 《米俗》女郎買いばかりしている男.

hop·ping /hápiŋ | hɔ́p-/

形 **1** 跳躍. **2** (同じような)場所から場所へ動き回ること. ⇨ -ING[1].

béd-hòpping 多くの異性と寝てまわること.
clóud-hòpping 〖航空〗雲隠れ飛行.
Dísney-hòpping ディズニーランド巡り.
ísland-hòpping 島めぐり.
jób-hòpping 職を転々とすること.
póol-hòpping 《米話》夜間[営業時間外]に水泳プールに忍び込むこと.
quóta hòpping 割り当て飛ばし.

ho·ri·zon /həráizn/

名 **1** 地平線, 水平線. **2**〖地質〗層準. ⇨ -ON[5].

appárent horízon 〖天文〗視地平, 見掛けの地平線.
artifícial horízon 人工水平器.
B́ horízon 〖地質〗B 層位.
celéstial horízon 〖天文〗天球[天文]地平.
Ć horízon 〖地質〗C 層位.
D́-horízon 〖地質〗D 層.
evént horízon 〖天文〗事象の地平線.
fálse horízon (測量器などの)仮想の水平線[面].
gýro horízon 〖航空〗人工水平儀.
índex horízon 〖地質〗示準地層, 層準.
Ó horízon 〖地質〗O 層.
óver-the-hórizon 形 〖通信〗見通し外の.
rádio horízon 〖通信〗〖気象〗電波地平線.
rátional horízon 〖地理〗地心地(水)平.
Ŕ horízon 〖地質〗R 層.
sénsible horízon 〖天文〗地理地平.
vísible horízon 視地平.

hor·mone /hɔ́ːrmoun/

名〖生化学〗ホルモン, 天然ホルモン.

adipokinétic hórmone 脂質[脂肪]動員ホルモン.
adrenocorticotrópic hórmone 副腎皮質刺激ホルモン(ACTH).
antidiurétic hòrmone 抗利尿ホルモン.
bráin hòrmone 脳ホルモン.
córpus lúteum hòrmone 黄体(おうたい)ホルモン.
èx·o·hór·mone 名 外ホルモン.
fóllicle-stìmulating hòrmone 卵胞刺激ホルモン(FSH).
gonadotrópin relèasing hòrmone ゴナドトロピン放出ホルモン.
grówth hòrmone 成長ホルモン.
interstítial-céll-stìmulating hòrmone 間質刺激ホルモン(ICSH).
júvenile hórmone 幼若ホルモン, アラタタイホルモン.
lactogénic hórmone プロラクチン, 黄体刺激ホルモン.
lúteinizing hòrmone 黄体ホルモン.
melánocyte-stìmulating hòrmone 黒色素胞刺激ホルモン(MSH).
nèu·ro·hór·mone 名 神経(分泌)ホルモン.
parathýroid hòrmone 副甲状腺(せん)ホルモン.
phỳ·to·hór·mone 名 植物ホルモン.
plánt hòrmone =phytohormone.
prè·hór·mone 名 プレホルモン.
prò·hór·mone 名 プロホルモン.
séx hòrmone 性ホルモン.
somatotróphic hórmone 成長ホルモン.
thýroid-stìmulating hòrmone =planthormone.
thyrotrópin-relèasing hòrmone 甲状腺(せん)刺激ホルモン放出ホルモン.

horn /hɔ́ːrn/

名 **1** (牛などの)角. **2**〖音楽〗ホルン, 角笛.

áir hòrn (機関車・トラックの)気笛.
álpen·hòrn アルペンホルン.
álp·hòrn =alpenhorn.
ált·hòrn 〖音楽〗アルトホルン.
álto hórn =althorn.
Amalthéa's hórn アマルテイアの角, 豊饒(ほうじょう)の角.
bágsset hòrn 〖音楽〗バセットホルン.
báss hórn 〖音楽〗チューバ(tuba).
bíg·hòrn オオツノヒツジ, ビッグホーン.
búck·hòrn シカの角.
búck's hòrn =buckhorn.
búgle hòrn 軍隊らっぱ, 角笛(bugle).

H

búll·hòrn 《米・カナダ》携帯拡声器.

cóach hòrn 駅馬車らっぱ.

créam hòrn クリームホーン: 円錐形の菓子.

crúm·hòrn 〘音楽〙クルムホルン.

de·horn 動他 〈牛から〉角を取る.

dis·horn 動他 …の角を取る [除去する].

Dórset Hórn ドーセットホーン: 英国産羊の一種.

Énglish hórn 〘音楽〙イングリッシュホルン.

exponéntial hórn 指数曲線形らっぱ, 指数ホーン.

físh hòrn 《カナダ・米俗》サキソホーン.

flúgel·hòrn 〘音楽〙フリューゲルホルン.

fóg·hòrn フォグホーン, 霧中号笛, 霧笛.

Frénch hórn 〘音楽〙フレンチホルン.

Gjállar-hòrn 〘北欧神話〙ギャラル=ホルン.

gréen·hòrn 《通例おどけて》初心者, 青二才.

hárts·hòrn 雄ジカの角.

húnting hòrn 〘音楽〙狩猟ホルン.

ínk·hòrn インク壺(つぼ).

Ként hòrn 〘音楽〙有鍵(ゆうけん) [キー] ビューグル.

krúm·hòrn =crumhorn.

lóng·hòrn テキサスロングホーン種: 米国南西部産の角の長い肉牛.

móss hòrn =mossy horn.

móssy hórn 《米西部》(特にロングホーン種の)年取った雄牛.

péck hòrn 《英俗》(楽器の)メロフォーン.

póst hòrn ポストホルン, 馬車らっぱ.

pówder hòrn (牛の角で作った)火薬入れ.

próng·hòrn プロングホーン, エダツノレイヨウ.

ráms·hòrn ヨーロッパミズヒラマキガイ.

rám's hórn 〘ユダヤ教〙〘音楽〙ショーファ.

rhinóceros hòrn 犀角(さいかく).

sáddle hòrn (鞍の前橋部の)隆起部分.

sáx·hòrn 〘音楽〙サクソルン.

shóe·hòrn 靴べら.

Shórt·hòrn (英国産肉牛・乳牛の)ショートホーン種.

slíp·hòrn 《米ジャズ俗》トロンボーン.

stág·hòrn シカの(枝)角.

stínk·hòrn 〘植物〙スッポンタケ.

stóck·hòrn 〘音楽〙ピブゴーン(pibgorn).

ténor hórn 〘音楽〙テナーホルン.

tín·hòrn 《米俗》金・実力がないのに虚勢を張る人.

vámp·hòrn バンプホーン: 18 世紀ごろ教会の礼拝で用いられたメガホン.

hor·net /hɔ́ːrnit/

名 スズメバチ, クマンバチ.

báld-fàced hórnet 北米産のスズメバチの一種.

gíant hórnet モンスズメバチ.

Gréen Hórnet グリーン・ホーネット: 米国のラジオ・漫画・映画の正義の味方.

gréen hórnet 《米俗》緑色のアンフェタミン錠剤.

whíte-faced hórnet =bald-faced hornet.

yéllow hórnet スズメバチ.

horse /hɔ́ːrs/

名 〘動物〙ウマ. ── 動他 〈人や馬車に〉馬をあてがう.

a·hórse 副 《文語》馬に乗って, 騎馬で.

Arábian hórse アラブ(種の馬).

bát·hòrse 軍用荷馬.

béll hòrse 鈴をつけた先導役の馬.

blóod hòrse 《主に米》サラブレッド, 純血種の馬.

cárriage hòrse (馬車を引く)馬車馬.

cárt hòrse 荷馬車馬.

chárley hòrse 《米・カナダ話》(手足の筋肉が)つること, こむら返り.

círcle hòrse 《米西部》周辺から牛を駆り集めるための馬.

clóthes·hòrse 《話》服装の流行ばかりを追っている人.

cóach hòrse 馬車馬.

cóck·hòrse (子供の)揺り木馬.

ców hòrse 牧牛用の馬; カウボーイの乗る馬.

cútting hòrse 子牛や去勢した雄牛などを群れから分けるために調教された馬.

dándy hòrse 足で地面をけって走る昔の自転車.

dárk hórse ダークホース: 意外な勝ち馬, 穴馬.

dáwn hòrse 〘古生物〙エオヒップス, アケボノウマ.

déad hórse 《話》役に立たなくなったもの.

dráft hòrse 荷車用の馬, 輓馬(ばんば).

dráy hòrse 荷馬車馬.

fíre·hòrse 《もと》消防車を引いた馬.

flýing hórse ヒッポグリフ: griffin に似た伝説・神話上の動物.

gíft hòrse 贈り物の馬.

hárness hòrse 馬車用の馬.

hícky-hòrse 《米》シーソー遊び, シーソー台.

hígh hórse 傲慢(ごうまん)(な態度); 軽蔑(けいべつ)的な態度.

hóbby·hòrse (子供が乗って遊ぶ)棒馬; 木馬.

íron hórse 《古風》《おどけて》機関車.

líberty hòrse (サーカスでいろいろな芸をする)騎手のいない馬.

líght hórse 軽騎兵隊.

Líttle Hórse 〘天文〙こうま(小馬)座.

lóng hòrse =vaulting horse.

níght hòrse 《豪》夜間用牧畜馬.

óne-hórse 形 馬 1 頭だけを使う, 1 頭立ての.

páck·hòrse 荷馬, 駄馬.

páinted hórse =paint horse.

páint hòrse (白黒の)まだらの(小)馬.

páir-hòrse 形 二頭立ての, 2 頭の馬が引く.

Plantátion wálking hòrse =walking horse.

póle hòrse 先導馬.

pómmel hòrse 〘体操〙=side horse.

póst hòrse 《もと》早馬, 駅馬.

Prejeválsky's hórse =Przewalski's horse.

Prjeválsky's hórse =Przewalski's horse.

Przewálski's hórse モウコノウマ(蒙古野馬).

quárter hòrse アメリカン・クォーターホース種.

ráce·hòrse 競馬馬, 競走馬; 《米俗》コカイン.

réar·hòrse カマキリ.

réd hòrse 《米俗》コンビーフ.

réd·hòrse 〘魚類〙サッカー科 *Moxostoma* 属の魚の総称.

ríver hòrse カバ(河馬).

rócking hòrse 揺り木馬.

sáddle hòrse 乗用馬.

sált hórse 《海事俗》塩漬け肉.

sáw·hòrse (材木を載せて切る X 字形の)木びき台.

séa hòrse タツノオトシゴ.

sháft-hòrse 轅(ながえ)につけた引馬.

sháving hòrse 〘木工〙切削台.

shíre hòrse シャイア・ホース種.

síde hòrse 〘体操〙鞍馬(あんば).

stáke hòrse 主にステーク競走に出場する馬.

stálking-hòrse 猟師が獲物に近づく際, 隠れみのとして使う馬(のようなもの).

stóck hòrse 《米西部・豪・NZ》(牛を追い集めるための)カウボーイ用の馬, 牧畜馬.

stóne-hòrse 《主に方言》=studhorse.

stúd·hòrse 種馬.

Tártar hórse ターパン: 今日の家畜馬の原種と考えられる(tarpan).

tówel hòrse (浴室・台所などの)タオル掛け.

tráce hòrse 引き馬(坂道などで加勢する馬).

tríal hòrse 《話》練習台.

Trójan Hórse 〘ギリシャ神話〙トロイの木馬.

tróop-hòrse 騎兵馬.

ùn·hórse 動他 (戦いなどで)…を鞍(くら)から落とす, 〈馬が〉〈乗り手を〉振り落とす, 落馬させる.

váulting hòrse 〘体操〙跳馬.
wálking hòrse テネシーウォーキングホース種(の馬).
wár-hòrse 軍馬, 軍用馬.
whéel hòrse 後馬(あとうま).
whíte hórse 泡立って砕ける波頭, 白波.
wíld hórse 野生の馬.
Wínged Hórse 〘天文〙ペガサス座.
wóoden hórse ＝Trojan Horse.
wórk·hòrse 使役馬; よく働く人 [もの].

horse·pow·er /hɔ́ːrspàuər/

名 馬力. ⇨ POWER.

bóiler hórsepower 〘機械〙ボイラー馬力.
bráke hórsepower 〘機械〙ブレーキ馬力, 正味馬力.
efféctive hórsepower 〘造船〙有効馬力.
fríction hórsepower 〘機械〙摩擦馬力.
índicated hórsepower 〘機械〙図示馬力.
métric hórsepower 〘力学〙メートル馬力.
propéller hórsepower 〘機械〙プロペラ馬力.
sháft hórsepower 〘機械〙軸馬力, 軸出力.
wáter hòrsepower 〘力学〙水(すい)馬力.

hose /hóuz/

名 **1** ホース, 注水管. **2** 長靴下, ストッキング, 短靴下, ソックス.

áir·hòse 圧縮空気送出用ホース, エアホース.
áir hòse 《米話》素足.
fíre hòse 消防用ホース.
hálf hóse 短靴下, ソックス.
pánti·hòse ＝pantyhose.
pánty·hòse パンティーストッキング.
suppórt hòse 〘医学〙脚部保護用弾性ストッキング.
trúnk hòse トランクホーズ: 16－17 世紀の男子の短いズボン.

hos·pi·tal /háspitl | hɔ́s-/

名 病院. ⇨ -AL[2].

báse hòspital 〘軍事〙後方基地病院.
cléaring hòspital 〘軍事〙治療後送所.
cóttage hòspital 《英》(住み込み医師がいなくて近在の医師たちが診療を行う辺地の)小病院.
dáy hòspital 《英》(昼間だけの)外来(専用)病院.
deténtion hòspital 隔離病院.
fíeld hòspital 〘軍事〙野戦病院.
fóundling hòspital 捨て子養護施設, 孤児院.
géneral hòspital 総合病院.
lóck hòspital 《英》性病病院.
státion hòspital 衛戍(えいじゅ)病院, 基地病院.
téaching hòspital (大学)付属病院.
VÁ hòspital 復員軍人病院. ► Veterans Administration から.

host /hóust/

名 **1** (客を接待する)主人(役). **2** 〘生物〙(寄生動植物の)宿主. ── 動他 …の司会をする.

álternate hóst 〘生態〙代替寄主.
co-hóst 動他自 〘ラジオ〙〘テレビ〙共同司会する.
defínitive hóst 〘動物〙終結 [終末] 宿主.
intermédiate hóst 〘生物〙中間宿主.
nó-hóst 形 《主に米西部》会費制の.
nòn·hóst 名 〘生態〙非宿主植物.

hot /hát | hɔ́t/

形 熱い, 暑い.

réd-hót 形 真っ赤に焼けた; 灼熱(しゃくねつ)の.
scóne-hót 副 《豪》とても激しく.
shít-hót 形 《卑》過度に熱心な.
ùltra·hót 形 超高温の.
whíte-hót 形 極端に熱い.

ho·tel /houtél/

名 ホテル, 旅館; (中国の)大飯店, 飯店. ◇ -TEL.

apàrt·hotél 《英》(賃貸)アパート式ホテル.
apártment hotél 《米》＝aparthotel.
Béijing Hotél 北京飯店.
búsiness hotèl ビジネスホテル.
cápsule hotél カプセルホテル.
casíno-hotél カジノ・ホテル.
convéntion hotèl 大会開催用ホテル.
cróssbar hotèl 《米俗》留置場, 豚箱.
gránd hotél グランド・ホテル: 大規模な国際ホテル.
Hílton Hotél ヒルトン・ホテル.
lóve hotél (日本などの)ラブホテル.
mótor hotèl (都市にある完全なホテル機能を持つ)モテル(motel).
prívate hotél 予約なしの客を断ることのできるホテル.
Ś.R.Ó. hotél 《米》(高齢者・浮浪者のための)一室居住ホテル.
trúst hotèl 《NZ》トラストホテル: 公選による委員会が管理する認可ホテル.
wélfare hotél (生活保護受給者用の)一時宿泊施設, (福祉事業の)一時(的)宿泊所.

hound /háund/

名 《しばしば複合語》 **1** 猟犬. **2** 《主に米・カナダ話》熱中者, …狂.

Áfghan hóund アフガンハウンド.
Áfrican líon hòund ローデシアンリッジバック.
básset hòund バセットハウンド.
blóod·hòund ブラッドハウンド.
bóar·hòund ボアーハウンド.
bóoze·hòund 《米俗》大酒飲み, 飲んべえ.
bréw·hòund 《米学生俗》よく飲む人.
búck·hòund バックハウンド.
chów·hòund 《米俗》大食漢.
cóck·hòund 《米俗》女をうまくものにする男.
cóon·hòund アライグマ狩り猟犬.
cúlture hòund 《俗》えせ教養人.
cúnt hòund 《米俗》助平な人.
déer·hòund スコティッシュ・ディアハウンド.
drág·hòund 擬臭跡猟用の猟犬.
éntered hóund エンタードハウンド.
fóx·hòund フォックスハウンド.
gásh hòund 《米俗》漁色家.
gás hòund 《米渡り労働者俗》代用酒を飲む人.
gáze·hòund 視覚ハウンド: 嗅覚(きゅうかく)より視覚で獲物を狩る狩猟犬の総称.
gazélle hòund サルキー犬.
gráde·hòund 《米俗》点取り虫.
gráy·hòund ＝greyhound.
gréy·hòund グレーハウンド.
gróg·hòund 《米学生俗》酒飲み, 左党.
héll·hòund (神話の)地獄の番犬.
hóar·hòund 〘植物〙ニガハッカ.
Ibízan hòund イビザンハウンド.
júnk·hòund 《米麻薬俗》麻薬常用者 [中毒者].
líberty hòund 《米俗》できる限り休暇をとる人.
lúsh hòund 《米話》大酒飲み, 飲んだくれ.
lýam-hòund 《古》＝bloodhound.
lýme-hòund ＝bloodhound.

Norwégian élkhound ノルウェジアン・エルクハウンド.
núrse hòund 〔魚類〕ホシトラザメ.
ótter·hòund オッターハウンド.
pháraoh hòund ファラオハウンド.
Plótt hòund プロットハウンド.
pót hòund 《米俗》麻薬犬.
róck hòund 《話》地質学者.
sáuce hòund 《米俗》酔っぱらい.
séa·hòund ホシザメ属およびツノザメ属などの小さなサメの総称.
síght·hòund =gazehound.
sléuth·hòund =bloodhound.
smóoth·hòund ヨーロッパ沿岸に生息するドチザメ科ホシザメ属の一種 *Mustelus mustelus*.
smút·hòund 《米俗》ポルノ好きの人.
stág·hòund スタッグハウンド.
téa hòund お茶の会によく行く人.
tráck hòund 捜索犬, 警察犬.
trípe-hòund 《英俗》不愉快なやつ.
trúffle hòund トリュフ狩り用の豚.
Wálker hòund ウォーカーハウンド.
wólf·hòund ウルフハウンド.
wórd hòund 言葉の収集家.

hour /áuər/

名 **1** 1時間; (特定の)1時間. **2** 時刻, 時. **3** 勤務[営業]時間.

ámpere-hóur 〔電気〕アンペア時.
cándle hóur 〔光学〕燭時.
canónical hóur 〔教会〕聖務日課の8[7]定時課.
clóck-hòur (授業などの60分単位の)一時間.
cócktail hòur カクテルアワー: 夕食前の時間.
cóffee hòur コーヒーなどが出される社交的な集い.
crédit hòur (教科の)履修単位時間.
déad hóur 《米学生俗》授業のない空いた時間.
dínner hòur 《英》昼休み.
elévenh hóur 最後の機会, 瀬戸際.
elévenh-hóur 形 土壇場の, ぎりぎりの段階の.
fámily hòur 《話》〔テレビ〕ファミリーアワー.
hálf-hóur 半時間, 30分.
háppy hòur 《もと米》(バーなどの)サービスタイム.
H-hòur 行動[攻撃]開始時刻.
Hóly Hóur 〔キリスト教〕聖時間(の信心).
hórsepower-hóur 馬力時.
kílowatt-hóur キロワット時.
líght-hòur 〔天文〕光時.
lúmen-hóur 〔光学〕ルーメン時.
lúnch hòur 名形 昼食時間(の), 昼休み時間(の).
machíne-hóur 機械工数.
mán-hóur 人時(にんじ).
mégawatt-hóur メガワット時.
mílligram-hóur 〔放射線療法〕ミリグラム時.
nóon·hòur 正午の1時間.
óff-hóur 非番の時, 休みの時, 休憩時間.
péak hóur ピーク時, 最大稼働時.
quárter hóur 15分(間).
rúsh hóur (出勤・帰宅時などの)混雑時間.
seméster hóur 《米》〔教育〕学期履修単位.
sidéreal hóur 〔天文〕恒星時.
témporal hóur ローマ帝国とオスマン帝国で使用された時間の単位.
wátt-hóur 〔電気〕ワット時.
wítching hóur 真夜中(midnight).
wóman-hóur 女性の人時(にんじ).
wórk-hóur (通例9時から5時の)勤務時間.
wórking hóur =work-hour.
zéro hóur 〔軍事〕予定攻撃開始時間.

hours /áuərz/

名複 hour「時間」の複数形.

áfter-hóurs 形 〈バーなどが〉閉店(時刻)後の.
bánkers' hóurs 短縮労働日, 早退出勤日.
búsiness hóurs 営業時間.
connéct hóurs 〔コンピュータ〕接続時間.
éarly hóurs (夜明け前の)朝早い時間, 朝まだき.
éight hóurs (正当な労働時間とされる)8時間.
Fórty Hóurs 聖体顕示祈祷(きとう).
lícensing hóurs 《英》(パブの)営業時間.
líttle hóurs 〔ローマカトリック〕小時課(しょうじか).
lóng hóurs 夜中の11時・12時(など).
óffice hóurs (役所などの)業務時間.
shóp hóurs 店の(定められた)営業時間.
smáll hóurs 真夜中過ぎから夜明けまでの数時間.
stággered hóurs 時差勤務制, フレックスタイム.
stóre hóurs 《米》=shop hours.
Thrée Hóurs 〔ローマカトリック〕三時間御苦悶(くもん)追憶式(Three Hours' Agony [Service]).
unsócial hóurs 《英》(通常)時間外労働時間.
wórk-to-hóurs 名 《英》正規の勤務時間しか仕事をしないこと.

house[1] /háus/

名 **1** 家, 家屋, 住宅, 邸宅. **2** (特定の目的のための)建物. **3** 旅館, ホテル; レストラン. **4** 劇場; 観衆. **5** (特に二院制の)議会; 議員. **6** 商社, 商会. **7** (英国式大学の)学寮. ── 動他 …を家に入れる.

accéptance hòuse =accepting house.
accépting hòuse 《英》引受商社.
accommodátion hòuse 旅人用宿, 木賃宿.
áction hòuse 一般[大衆向]映画館.
Ádmiralty Hòuse (Sydney の)オーストラリア総督官邸.
áir·hòuse エアハウス: 圧搾空気でプラスチックやキャンバスを膨らませた, 柱のない建物.
ále·hòuse 《英古》居酒屋, パブ.
álms·hòuse 《主に英》貧窮者収容施設; 養老院.
ángular hòuse 〔占星〕アンギル室.
ánimal hòuse 《米俗》男子学生クラブ寮.
apártment hòuse 《米》共同住宅, アパート.
árt hòuse アートシアター.
assémbly hòuse 集会所.
báck·hòuse 《米》(母屋の後方の)裏屋, 離れ.
báke·hòuse 《主に英》パン焼き場; パン屋.
bánking hòuse 銀行.
Bánqueting Hòuse 《英》バンケティング・ハウス: London の Whitehall にある迎賓館.
bárrel·hòuse (特に20世紀初頭の New Orleans の)安酒場; 売春宿, 女郎屋.
báse hòuse 《米麻薬俗》フリーベース・コカイン吸飲器具密売所[家屋].
bástel hòuse 半要塞(ようさい)化した家屋.
bastílle hòuse =bastel house.
bástle hòuse =bastel house.
báth·hòuse (海水浴場などの)脱衣所.
báwdy·hòuse 売春宿, 女郎屋.
béad·hòuse 《もと》救貧院, 養老院.
béde·hòuse =beadhouse.
béd hòuse 《米俗》(鉄道で)車掌車.
bée·hòuse 養蜂(ようほう)所.
béer·hòuse 《英》ビール店.
bíg hòuse 《米俗》刑務所, 監獄.
bírd·hòuse 《米》(通例, 家の形をした)小鳥の巣箱.
blóck hòuse 〔証券〕ブロック売買取扱業者.
blóck·hòuse 〔軍事〕トーチカ, 小要塞(ようさい).
blóod·hòuse 《豪話》柄の悪いホテル.

Blúe Hòuse 青瓦(せいが)台: 韓国の大統領官邸.

bóarding·hòuse (賄い付きの)下宿屋.

bóat·hòuse 船 [ボート] 小屋, 艇庫.

bóttom hòuse 《カリブ》(高床式住居の)床下.

bréw·hòuse (ビールなどの)醸造所.

bríck·hòuse 《米俗》デカパイ女.

brídge hòuse 【海事】船橋楼, 船橋甲板室.

Bròadcasting Hóuse 《英》英国放送協会本部(建物).

bróiler hòuse ブロイラー飼育場, 養鶏場.

bróoder hòuse 《米中西部》鳥小屋.

Búck Hóuse 《英俗》(London の)バッキンガム宮殿.

búg·hòuse 《主に米俗》精神科病院.

búnk·hòuse 《米・カナダ》(牧童・渡り労務者・木こりなどの寝泊まりする)小屋, 飯場.

Búsh Hòuse ブッシュ・ハウス: London にある英国放送協会(BBC)のある建物.

búsh hòuse (オーストラリア, アフリカに見られる)ベランダ付き平屋の木造家屋.

cádent hòuse 【占星】カデント室.

cáll hòuse 《米俗》あいびき宿.

cán hòuse 《米俗》売春宿.

cárriage hòuse =coach house.

cáse-hòuse 《俗》=can house.

cát·hòuse 《米俗》《渡り労働者》安宿, どや.

céll·hòuse (1 人ないし 2 人ずつを監禁する, 刑務所の)互離棟.

chánge hòuse 《スコット》小さい宿屋; 居酒屋.

chápter hòuse 【教会】参事会会議場.

chárnel hòuse 死体安置所, 納骨所 [堂].

cháttel hòuse 《バルバドス》木造の可動家屋.

chíppy-hòuse 《米俗》売春宿.

chóp·hòuse[1] 《話》(肉料理専門の)レストラン.

chóp·hòuse[2] 《もと》中国の税関.

cléaring·hòuse 手形交換所.

Clíff Hòuse クリフ・ハウス(米国の地名).

clóth hòuse (タバコなどの植物を日差し・風雨・虫などから守る)布で覆った小屋.

clúb·hòuse クラブ会館.

cóach hòuse 馬車置き場.

cóal hòuse (大きな)石炭貯蔵所, 石炭小屋.

cóffee·hòuse 《米》コーヒー店: コーヒーなどの飲み物を出す店で, 軽いショーを提供することもある.

commíssion hòuse 【証券】取引所会員仲買業者.

cóok·hòuse 炊事場; (船の)料理室.

cóuncil-hòuse 《英》(低家賃の)公営住宅.

cóunting hòuse 《まれ》《主に英》会計事務所.

cóuntry hòuse (富豪などの)田舎の邸宅 [本宅]; 田舎の素封家 [大地主] の邸宅.

cóurt·hòuse 裁判所の庁舎; 《米》郡庁舎.

ców·hòuse 牛舎, 牛小屋.

cráck hòuse 《俗》クラック密売所.

cráp-hòuse 《米俗》(屋外の)トイレ, 便所.

crásh hòuse 《米俗・市民ラジオ》病院.

crázy hòuse 《俗》精神科病院.

críb hòuse (粗末な)売春宿.

cústom hòuse 税関.

déad·hòuse (警察署・病院の)死体仮置き場.

déath hòuse 《米》死刑囚棟.

déck·hòuse 【海事】甲板室.

díce hòuse 《米俗》(放牧場などの)宿泊小屋.

díscount hòuse 《主に米》割引商店, 安売り(の)店.

dis·hóuse 動他 〈人を〉家から追い出す.

disórderly hòuse 売春宿, 娼家(しょうか).

dóg·hòuse 《主に米・カナダ》犬小屋.

dóll·hòuse 《米》人形の家.

dóss hòuse 《主に英》=flophouse.

dóuble hòuse 玄関の両側に部屋のある家.

dóve·hòuse ハト小屋.

dówer hòuse 《英》寡婦の住居.

dúplex hòuse 《主に米・カナダ》二世帯住宅.

dwélling hòuse 住居, 住宅.

dýe·hòuse 染め物屋 [工場].

éarth hòuse ピクト人の地下住居(Picts' house).

éating hòuse 飲食店, 小料理屋; (特に)安食堂.

éngine hòuse 消防車庫; 機関庫.

fárm·hòuse 農場内の家屋.

férry-hòuse フェリー発着所.

fíeld hòuse 運動場に付属した建物.

fínance hòuse 《主に英》月賦ローン会社.

fíre·hòuse 《米》消防署(fire station).

fléa·hòuse 《米俗》安宿(fleabag).

flóp·hòuse 《米話》安宿, 簡易宿泊所, 「どや」.

fórcing hòuse 促成栽培(温)室; 促成飼育室.

fráme hòuse (木材の骨組みによる)木造家屋.

fratérnity hòuse (大学の)友愛会会館.

fréak hòuse 《米麻薬俗》メトアンフェタミンの売買・使用が行われる家.

Fréedom Hóuse フリーダムハウス: 米国の人権団体.

frée hòuse 《英》独立酒屋: 特定のビール醸造所との提携・契約のない酒場 [パブ].

fréight hòuse 貨物駅, 貨物置き場; 貨物集散場.

fúck-hòuse 《米俗》売春宿.

fúll hòuse **1** 大入り満員; (議会などの)ほぼ全員の出席. **2**【トランプ】フルハウス.

fún hòuse びっくりハウス, お化け屋敷.

galeríe hòuse ギャラリーハウス: 米国 Lousiana 州のフランス語地域の住宅.

gámbling hòuse 賭博(とばく)場.

gáming hòuse =gambling house.

gárden hòuse 《米》屋外便所.

gárrison hòuse 《米》ガリソンハウス: 2 階が 1 階より張り出した初期 New England の住宅様式.

gás·hòuse ガス製造所, ガス工場.

gáte·hòuse 門番小屋, 守衛詰所.

géar hòuse 《米南部》(農家の)道具小屋.

gíggle-hòuse 《豪・NZ 俗》精神科病院.

gín·hòuse 綿繰り工場.

gláss·hòuse ガラス工場 [製造所].

glébe hòuse 《英古》司祭館, 牧師館.

Góvernment Hòuse (英国植民地の)総督公邸.

gréat hóuse 《英・米南部》(村一番の)お屋敷.

gréen·hòuse 温室.

grínd hòuse 《米俗》(入場料の安い)休憩時間 [休日] なしで興行する大衆娯楽劇場.

guárd·hòuse 衛兵所, 警衛所.

guést·hòuse ゲストハウス: 来客宿泊用の建物.

háck hòuse 【タカ狩り】子ダカの餌付(えづ)け小屋.

háil-óver-the-hóuse 《米南部》家越しのボール投げ遊び.

hálfway hòuse (2 つの町などの)中間にある宿屋; 社会復帰用中間施設.

hásh hòuse 《主に米俗》簡易食堂, 安料理店.

hásh-hòuse 《米麻薬俗》ハシシ密売 [使用] 所.

hén·hòuse 家禽(かきん)用の小屋, 鶏小屋.

hót·hòuse 温室; (陶器などの)乾燥室.

hóuse-to-hóuse 形 〈調査・販売・訪問などが〉戸別の.

Húll Hòuse ハルハウス: 米国の社会改革運動家 Jane Addams が 1889 年 Chicago に建てた福祉施設.

húrricane hòuse 【海事】橋頭(きょうとう)の見張り小屋.

íce·hòuse 氷室, 氷貯蔵庫.

ín-hòuse 形副 一つの組織の [で].

íron hòuse 《米俗》豚箱, 監獄(jail).

íssuing hòuse 《英》証券引受業者, 証券発行商社.

jág hòuse 《米俗》ジャグハウス: 男性同性愛者のための売春宿.

jáil·hòuse 《米》刑務所(jail).

jám hòuse 《米黒人俗》コカインが吸える場所.

Jóhn o'Gróat's Hòuse ジョンオーグローツ・ハウス: ブリテン島の最北端とされる地点.

jóy·hòuse 《米俗》=canhouse.

júice hòuse 《米黒人俗》酒屋.

júke hòuse 《米南部》通りに面した安宿.

láth·hòuse 【園芸】ラスハウス.

léper hòuse らい［ハンセン病］療養所.
líght·hòuse 灯台.
lódging hòuse 間貸し屋, 下宿屋.
lóng hòuse ロングハウス: 北米インディアンの木造, 樹皮張りの長屋.
lówer hóuse (二院制の)下院.
lúsh hòuse 《米話》酒場, 居酒屋.
mád·hòuse 《話》精神科病院.
máil-order hòuse 通信販売会社［店, 商］.
mált·hòuse 麦芽製造所.
mánor hòuse 荘園(しょうえん)領主の邸宅.
mást hòuse 【海事】マストの周りに建てられた甲板室.
méat hòuse 《主に米》=smokehouse.
méeting hòuse 礼拝堂, 教会堂.
mílk hòuse (乳製品工場での)牛乳保存室［建物］.
míll·hòuse 製粉所.
mónkey-hòuse 《米鉄道俗》車掌車.
móther hòuse 【ローマカトリック】母院.
móuse hòuse 《米俗》セールスから契約まで流れ作業で処理をする(自動車)販売店.
móvie hòuse 《話》映画館, 映画劇場.
nárrow hóuse 墓.
néat-hòuse 《英》牛小屋.
néighborhood hòuse 《米》隣保館.
nóde hòuse 石油掘削装置を建設する期間中, 溶接工が使用するプレハブ小屋.
nótch-hòuse 《米俗》売春宿.
nút hòuse 《俗》精神科病院.
óast-hòuse 《主に英》乾燥がま, 乾燥炉.
óctagon hòuse オクタゴンハウス, 八角建築.
ópen hóuse 自宅開放のパーティー［集い, 催し］.
ópera hòuse 歌劇場, オペラ劇場.
Óuter Hóuse 《スコット》初審部, 第一審部.
óut·hòuse 名 《米》(昔の住宅の)屋外便所.
páck·hòuse 倉庫.
pácking·hòuse 《米・カナダ》食品包装工場, 缶詰め工場.
pálm hòuse ヤシ栽培用温室.
pánel hòuse 《米》売春宿.
páper hòuse 《米俗》無料入場客が大半の観客.
párish hòuse 信徒会館.
párlor hòuse 応接間付きの家.
pég·hòuse 《英俗》=public house.
pést·hòuse 《廃》伝染病病院.
pícture hòuse 《英 / 古風》映画館.
pígeon hòuse =dovehouse.
píg·hòuse 《俗》警察署.
pílot·hòuse 《米》【海事】操舵(そうだ)室.
píss-hòuse 《俗》便所.
pít hòuse 竪穴(たてあな)住居.
pláy·hòuse 劇場, 芝居小屋.
póle hòuse 《NZ》(地面に打ち込んだ丸太に支えられた)急斜面にある木造の家.
póor·hòuse 《もと》公立の救貧院.
pórter·hòuse ポーターハウス: サーロインとリブの間で作った最上のビーフステーキ.
póst hòuse 《もと》駅舎.
pót·hòuse 《英》《軽蔑的》パブ, 居酒屋.
pówer·hòuse 動力室; 【電気】発電所.
précinct hòuse (選挙区内の)選挙本部.
príson hòuse 獄舎, 人屋.
públic hòuse 《主に英》パブ, 酒場.
públishing hòuse 出版社.
púnch hòuse 《米黒人俗》乱交パーティー.
ránch hòuse ランチハウス: 牧場主の家.
rát-hòuse 《豪・NZ 俗》精神科病院.
rè·hóuse 動他 〈人を〉新住居に住まわせる.
relígious hòuse 修道院.
rést-hòuse (インドなどで旅人の)休憩所, 宿泊所.
róad·hòuse (都市郊外の)街道沿いの旅館.
róck hòuse 《米俗》クラック密売所.
róoming hòuse 《米・カナダ》下宿屋.
róugh·hòuse 《話》大騒ぎ, ばか騒ぎ.
róund·hòuse 《米》扇形機関車庫.
rów hòuse 《主に米》(似通った)家並み.
Rówton hòuse 《英》低所得者向けの改良型簡易宿泊所.
sáfe hòuse (スパイや活動家などの)隠れ家.
schóol·hòuse (特に小学校の)校舎.
scrátch hòuse =flophouse.
séction hòuse 《英》(管轄区)警察独身寮.
sénate hòuse 上院(議事堂).
sháft hòuse 鉱山の立て坑の上の機械類や備品の小屋.
shéll hòuse (内装が施されていない)骨格家屋.
shít·hòuse 《俗》屋外便所; 不潔な場所.
shórt-hòuse 《英俗》背の小さい人, ちび.
shóuse 名 《豪俗》便所, トイレ. ── 形 気分のよくない; 気の沈んだ.
shów hòuse 劇場.
skín hòuse 《米俗》ストリップ小屋, ポルノ映画館.
sláughter·hòuse 食肉処理場, と場(とじょう), と畜場.
smárt hòuse コンピュータにより総合的に環境管理されている家屋.
smóke·hòuse 《主に米・カナダ》燻製(くんせい)所.
sód hòuse 【米史】芝の家.
sóftware hòuse コンピュータソフト会社.
sólar hòuse 【建築】ソーラーハウス.
sorórity hòuse 《米》女子学生クラブ会館.
sóup hòuse 《米俗》安食堂.
spínning hòuse (もと英国の)売春婦更生施設.
spónging hòuse 【英法】債務者勾留(こうりゅう)所.
spórting hòuse 《米古風》売春宿.
spríng·hòuse 《主に米》肉類［乳製品］貯蔵所.
státe hòuse 《NZ》国営(賃貸)住宅.
státe·hòuse 《米》州議会議事堂.
státion hòuse 《主に米》警察署.
stéak·hòuse 《主に米》ステーキ専門のレストラン.
stóre·hòuse 倉庫, 貯蔵所.
stórm hòuse 《米》暴風［大竜巻］避難用地下室.
stróke hòuse 《米俗》ポルノ映画館.
succédent hòuse 【占星】サクシデント室.
súgar·hòuse 《米》カエデ糖製造所.
súmmer·hòuse (公園や庭園の)東屋(あずまや).
swéat·hòuse 熱した石に水をかけて蒸気を充満させた小屋; 北米インディアンが儀式や治療に使った.
sýstem hòuse システムハウス: システム設計, ソフトウェア開発やハードウェアの開発・販売も行う企業.
táp·hòuse 《英》《今はまれ》居酒屋, 飲み屋.
téa·hòuse (特に東洋の)茶店, 喫茶店.
térraced hòuse 《英》【建築】テラスハウス.
thírd hóuse 《米話》第三院: ロビイスト集団.
tíed hòuse 《英》(醸造会社の)直営酒場; 住宅.
tíring-hòuse 劇場の楽屋.
tóll·hòuse (高速道路などの)料金所.
tóol·hòuse 道具をしまう物置き, 道具小屋.
tówer hòuse (塁壁などのある中世の)砦, 城館.
tówn hòuse (田舎の本邸に対して)都会の別邸.
tráct hòuse 住宅団地の建て売り住宅.
tréasure hòuse 宝庫, 宝蔵, 宝物貯蔵室.
trée hòuse (子供が遊ぶための)樹上の家.
Trínity Hóuse 《英》水先案内協会.
twígloo hòuse ツイグルー: 環境保護派が抗議のために木の枝で作った小屋.
twó-fàmily hóuse 二家族用住宅.
unfólding hòuse 【建築】アンフォールディング・ハウス.
ùn·hóuse 動他 《まれ》…を家から追い出す.
únion hòuse 【英史】救貧院.
úpper hóuse (二院制の)上院.
wáre·hòuse 倉庫, 商品［製品］保管所.
Wár Hòuse 《英俗》(昔の英国の)陸軍省.
wásh·hòuse 洗濯所［屋］.

Wáshington Cóurt Hòuse ワシントンコートハウス(米国の都市名).
wátch·hòuse 見張り所, 番小屋.
wéather hòuse (おもちゃの)晴雨自動表示器.
wéigh·hòuse 貨物計量所.
wéll·hòuse 井戸を覆う屋根.
Wéndy hòuse 《英》(子供が中で遊べる)おもちゃの家. ►ピーターパンがウェンディのために造った木の上の家から.
whéel·hòuse ＝pilothouse.
Whíte Hòuse 《米》ホワイトハウス: 米国 Washington, D.C. にある合衆国大統領官邸.
whóre·hòuse 売春宿, 女郎屋. ──形《米俗》けばけばしい, 悪趣味な.
wíne·hòuse ワイン店.
wíre hòuse 〖証券〗ワイヤハウス.
wóoden hòuse 《主に英》＝frame house.
wóod·hòuse 木材貯蔵所, 貯木場, まき小屋.
wórk·hòuse 《米》感化院, 矯正院.

house[2] /háus/

名〖ポップス〗ハウス: 電子音楽の効果を生かした主にディスコダンス用の曲.

ácid hòuse 《英》アシッドハウス.
ámbient hòuse アンビエントハウス.
déep hòuse ディープハウス. ►ソウルの影響.
Dútch hòuse ダッチハウス.
gábber hòuse ガバーハウス. ►オランダ語 *gabber* は mate「仲間」, lad「《呼びかけで》きみ」の意.
híp hòuse ヒップ(ホップ)ハウス.
Itália hòuse イタリアンハウス.
rágga-hòuse ラガ(マフィン)ハウス.
ská hòuse スカハウス. ►ジャマイカ音楽の影響.
téchno-hòuse テクノハウス.

hous·ing /háuziŋ/

名 **1** 宿所; 住居. **2** 住宅, 家. ⇨ -ING[1].

béll hòusing 〖自動車〗トランス・クラッチ収納箱.
co-hóus·ing 《米》独立共住方式.
cóngregate hóusing 半共同住宅.
fáir hóusing ＝open housing.
ópen hóusing 《米》住宅開放政策.
públic hóusing 《米》公営住宅.
scáttersite hóusing 《米》分散住宅団地.
shéltered hóusing (老人や身障者などの)保護収容施設.
whéelchair hòusing 〖社会福祉〗車椅子使用者用住宅.

how /háu/

副《方法・手段・手順》どうやって, どういうふうに. ──名 仕方, 方法.

an·y·how 副《話》なんとしても, どうしても.
ev·er·y·how 副 あらゆる点で.
know-how 名 (物事のやり方に関する)専門的知識, ノウハウ; 専門[特殊]技能, こつ.

huck·le·ber·ry /hʌ́klbèri | -bèri, -bəri/

名〖植物〗ハクルベリー: 北米原産ツツジ科スノキ属の低木の総称; blueberry ともいう. ⇨ BERRY.

bláck húckleberry ゲイルサキア.
blúe húckleberry ハックルベリーの一種.
bóx hùckleberry ガイルサキア.
búsh hùckleberry ツツジ科のコケモモに似たハックルベリーの一種.
hé-húcklebèrry アメリカネジキ(swamp andromeda).
squáw húckleberry アメリカスノキまたはヌマスノキ.

hug /hʌ́g/

動他 抱擁する. ──名 抱擁.

béar hùg 力強い[熱烈な]抱擁.
béar-hùg 動他 力強く抱擁する.
búnny hùg バニーハグ: 20 世紀初頭に米国で流行した舞踏場用ダンス.

hull /hʌ́l/

名〖海事〗船殻(せんこく), 船体.

a·húll 形副〖海事〗〈帆船が〉(嵐に備えて)総帆をたたみ舵柄(だへい)を風下に縛った[て].
cathédral hùll 聖堂型船体.
displácement hùll 〖海事〗排水型船体.
móno·hùll 形 単胴船体の. ──名 単胴船.
múlti·hùll 形 〈船が〉マルチハルの.
pláning hùll 〖海事〗浮上性船体, 滑走性船体.
préssure hùll (潜水艇の)耐圧殻.

hu·man /hjúːmən, júː- | hjúː-/

形 人間の; 人間的な. ⇨ -AN[1].

an·ti·hu·man 形 反人間的な.
in·fra·hu·man 形 人間以下の; ヒトより下位の.
in·hu·man 形 冷酷な, 思いやりのない.
non·hu·man 形 人間でない, 人類以外の.
pan·hu·man 形 全人類の, 全人類に関する.
pre·hu·man 形 人類(出現)以前の.
pre·ter·hu·man 形 ＝superhuman.
pro·to·hu·man 形 原人の. ──名 原人.
sub·hu·man 形 人間として不完全な.
su·per·hu·man 形 人間の域を超えた, 超人間的な.
un·hu·man 形 人間でない.

hu·man·ize /hjúːmənàiz | hjúː-/

動他 …を人間らしく[親切に, 情け深く]する; 教化[洗練]する; 和らげる. ⇨ -IZE[1].

de·hu·man·ize 動他 …の人間性を失わせる.
re·hu·man·ize 動他 再び人間らしくする.
un·hu·man·ize 動他 ＝dehumanize.

-hume /júːm, hjúːm, júːm/

連結形 埋める.
★ 語頭にくる形は hum-: *hum*ilation「屈辱」, *hum*ility「卑下」.
◆ <ラ *humāre* 埋葬する(*humus*「大地」より).

ex·hume 動他 〈埋葬物・特に死体を〉掘り出す.
in·hume 動他 埋葬する, 土葬する.

hum·ming·bird /hʌ́miŋbə̀ːrd/

名 ハチドリ. ⇨ BIRD.

Állen's húmmingbird アレンハチドリ.
Ánna húmmingbird アンナハチドリ.
rúby-thròated húmmingbird ノドアカハチドリ.
rúfous húmmingbird アカフトオ(赤太尾)ハチドリ.

hu·mor /hjúːmər | hjúːmə/

名 **1** こっけい, ユーモア. **2** 気分, 機嫌. **3**〖生物〗体液.

⇨ -OR[1].

áqueous húmor 〖眼科〗水様液.
bláck húmor ブラックユーモア.
gállows hùmor 深刻なことをちゃかすユーモア.
góod húmor 上機嫌, 快活(な気分); 愛想のよさ.
íll húmor 不機嫌.
nèu·ro·hú·mor 名 〖生理〗神経(体)液.
vítreous húmor 〖解剖〗硝子(しょうし)体液.

hun·dred /hʌ́ndrəd/

名 100.

fíve húndred 〖トランプ〗五百, ノートランプ.
Fóur Húndred 《米》社交界の人々, 名士.
gréat húndred 120.
lóng húndred =long hundred.

hung /hʌ́ŋ/

動 hang の過去・過去分詞形. ── 形 **1** 掛かった, つるされた. **2**《俗》…の大きさのペニスの.

dóuble-húng 形 上げ下げ窓の.
òver·húng 形 上からつるした, ぶら下げた.
síngle-húng 形 〈窓が〉片つり上げ下げ式の.
tíle-hùng 形 〈家が〉タイルを張り詰めた.
ùnder·húng 形 〖解剖〗〈下あごが〉突き出た.
ùn·húng 形 つるされていない.
wáll-hùng 形 壁掛け式の, 壁取りつけ式の.
wéll-hùng 形 〈舌が〉よく回る; 巨大ペニスの.

hun·ger /hʌ́ŋgər/

名 **1** 飢え, 飢餓. **2** 切望, 渇望.

áir hùnger 空気飢餓 [渇望].
hídden húnger 隠れた飢餓: 栄養のアンバランスからくる栄養不良.
lánd-hùnger 土地所有欲.

hunt /hʌ́nt/

動他 狩る, 狩猟する. ── 名 狩り, 狩猟.

Calydónian húnt 〖ギリシャ神話〗カリュドンのイノシシ狩り.
cánned húnt 《米》(囲われた地域での)獲物狩り.
cóon·hùnt 動自 《米ミッドランド》アライグマ狩りに行く.
drág hùnt 擬臭跡猟.
élephant húnt 動自 《古俗》スラム街, 貧民窟(くつ).
fíre húnt 《米》たいまつを用いて行う狩猟.
fíre-húnt 動他自 《米》たいまつを用いて狩る.
fóx húnt キツネ狩り.
héad·hùnt 首狩り.
hóuse-hùnt 動自 家さがしをする.
jób-hùnt 動自 職を求める, 仕事を捜す.
mán·hùnt 犯人 [脱獄囚など] の集中的捜索.
scávenger hùnt 「借り集めゲーム」.
stíll hùnt (待ち伏せたりする)忍び狩猟.
stíll-hùnt 動他 待ち伏せる, こっそり近づく.
tréasure hùnt 宝捜し(ゲーム).
Wíld Húnt (北欧伝説で)幽霊狩猟.
wítch hùnt 魔女狩り.

hunt·er /hʌ́ntər/

名 **1** 狩人(かりゅうど), 狩猟家. **2** 捜し求める人. ⇨ -ER[1].

bárgain hùnter バーゲン品をあさる人.
bóok·hùnter 本をあさる人, 漁書家.
bóunty hùnter 賞金稼ぎ.
búg·hùnter 《話》昆虫学者, 昆虫採集家.
cáterpilar hùnter 〖昆虫〗カタビロオサムシ.
cúnny hùnter 《米俗》女たらし.
dé·mi-hùnt·er 名 窓のあるちょうつがい式の蓋(ふた)がついた懐中時計.
fórtune hùnter 《話》(特に財産目当てに結婚して)金持ちになろうとする人.
fóx hùnter キツネ狩りをする人.
Gréat Húnter 〖天文〗オリオン座(Orion).
hálf hùnter =demi-hunter.
héad·hùnter 首狩りをする蛮人.
húrricane hùnter ハリケーン観測機.
ívory-hùnter 《米俗》(野球の)新人スカウト.
jób·hùnter 職探しをする人.
kíng·hùnter 〖鳥類〗ワライカワセミ(kookaburra).
légacy-hùnter 遺産目当ての求婚者.
líon-hùnter ライオン狩りをする人.
mángo hùnter 《米俗》(特に麻薬常用の)放火窃盗犯.
míne hùnter 〖軍事〗(機雷を除去する)掃海艇.
pót·hùnter 手当たり次第に撃つ狩猟家.
shít·hùnter 《米俗》肛門性交をする人.
sláve hùnter (奴隷用の)黒人狩りをする人.
spíder·hùnter 〖鳥類〗クモサガシ, クモカリドリ.
túft·hùnter お世辞を言う人, 追従(ついしょう)者.
whíte hùnter (アフリカのサファリの)白人ガイド.

hunt·ing /hʌ́ntiŋ/

名 **1** 狩り, 狩猟. **2** 捜し求めること. ── 形 狩猟の; 捜し求める. ⇨ -ING[1], -ING[2].

béak-hùnting 《米渡り労働者俗》家禽(かきん)を盗むこと.
bów·hùnting (スポーツとしての)弓矢による狩猟.
cúb hùnting 子ギツネ狩り.
fóx-hùnting キツネ狩り.
grúb-hùnting 形 《英俗》博物学をしている.
héad·hùnting (未開蛮族の行う)首狩り; 幹部引き抜き.
hóuse hùnting 住居探し.
jób hùnting 職探し.
subsístence hùnting 生存のための狩猟.

hus·band /hʌ́zbənd/

名 夫.

hóuse·hùsband (主婦に対して)主夫.
shíp's húsband 船舶管理人.
Yóung·hùsband ヤングハズバンド(姓).

hut /hʌ́t/

名 小屋, あばら屋.

móuntain hùt 山小屋.
Níssen hùt 組み立て式かまぼこ形兵舎.
Quónset hùt 《商標》《米》かまぼこ形小屋.
síte hùt 工事現場などの小屋; 飯場.
stóck hùt 《豪・NZ》牧夫小屋.

hy·a·cinth /háiəsinθ/

名 〖植物〗ヒヤシンス.

grápe hỳacinth ムスカリ.
tássel hỳacinth フサムスカリ.
wáter hỳacinth ホテイアオイ, ホテイソウ.
wíld hýacinth カマス.
wóod hỳacinth 青い釣り鐘形の花をつける植物.

hy·brid /háibrid/

名 (動植物の)雑種. ⇨ -ID[2].

di·hýbrid 名形 二遺伝子雑種(の), 両性雑種(の).
gráft hýbrid 接ぎ木雑種.
mòno·hýbrid 名 一遺伝子雑種, 単性雑種.
tri·hýbrid 名 三遺伝子［三性］雑種.

hy·dran·gea /haidréindʒə, -dʒiə, -drǽn-｜-dréin-/

名 〖植物〗アジサイ(アマチャを含む). ⇨ -A².

clímbing hydrángea ゴトウヅル, ツルアジサイ, ツルデマリ.
óak-lèaf hydrángea アメリカアジサイ.
péegee hydrángea ミナヅキ(水無月).
wíld hydrángea アメリカアジサイ.

hy·drate /háidreit/

名 〖化学〗水和［水化］物. ⇨ -ATE².
★ 語頭にくる関連形は hydro-: *hydro*gen「水素」.

car·bo·hy·drate 名 炭水化物, 含水炭素.
cry·o·hy·drate 名 氷晶, 含氷晶.
dec·a·hy·drate 名 十水和物.
de·hy·drate 動他 〈化合物を〉脱水する.
di·hy·drate 名 二水和物.
hem·i·hy·drate 名 半水化物.
hep·ta·hy·drate 名 七水化物.
hex·a·hy·drate 名 六水和物.
líme hỳdrate 消石灰, 水酸化カルシウム.
mo·no·hy·drate 名 一水和物, 一水塩.
pen·ta·hy·drate 名 五水和物.
re·hy·drate 動他 〈乾燥食品などを〉水を加えて元に戻す.
térpin hýdrate 抱水テルピン.
tet·ra·hy·drate 名 四水和物.
tri·hy·drate 名 三水和物.

-hy·dric /háidrik/

連結形 〖化学〗水素を含む.
★ 形容詞をつくる.
★ 語頭にくる関連形は hydro-: *hydro*gen「水素」.
◆ ギリシャ語 *hýdōr*「水」より. ⇨ -IC¹.

di·hy·dric 形 〈アルコール・フェノールが〉水酸基 2 個を含む.
hex·a·hy·dric 形 〈アルコール・フェノールが〉水酸基 6「個を含む.
i·so·hy·dric 形 等しい水素イオン濃度の.
mon·o·hy·dric 形 〈アルコール・フェノールなどが〉水酸基 1 個を含む.
pen·ta·hy·dric 形 〈アルコール・フェノールが〉水酸基 5 個を含む.
pol·y·hy·dric 形 〈アルコール・フェノールが〉多価の.
tet·ra·hy·dric 形 〈アルコール・フェノールが〉水酸基 4 個を含む.
tri·hy·dric 形 〈アルコール・フェノールが〉水酸基 3「個を含む.

hy·dride /háidraid, -drid/

名 〖化学〗水素化物. ⇨ -IDE¹.
★ 語頭にくる関連形は hydro-: *hydro*gen「水素」.

alúminum borohýdride ホウ水素化アルミニウム.
ántimony hýdride スチビン水素化アンチモン.
bò·ro·hý·dride 名 ホウ化水素.
bóron hýdride 水素化ホウ素, ボラン.
líthium alúminum hýdride 水素化アルミニウムリチウム.
sódium borohýdride 水素化ホウ素ナトリウム.

hy·dro·chlo·ride /hàidrouklɔ́ːraid, -drə-, -rid/

名 〖化学〗〖薬学〗塩(化水素)酸塩, ヒドロクロリド. ⇨ CHLORIDE.

acriflávine hydrochlóride 塩酸アクリフラビン.
ániline hydrochlóride 塩酸アニリン, アニリン塩.
methóxamine hydrochlóride 塩酸メトキサミン.
methylphénidate hydrochlóride 塩酸メチルフェニデート.
metoclópramide hydrochlóride 塩酸メトクロプラミド.
quínacrine hydrochlóride 塩酸キナクリン(マラリア治療用).

hy·dro·gen /háidrədʒən/

名 水素. ⇨ -GEN.

áctive hýdrogen ＝atomic hydrogen.
arséniuretted hýdrogen アルシン, ヒ化水素.
atómic hýdrogen 原子状水素.
héavy hýdrogen 重水素.
òr·tho·hý·dro·gen 名 オルト水素.
òx·y·hý·dro·gen 形 酸水素の, 酸素と水素を混合した.
pàr·a·hý·dro·gen 名 パラ水素.
súlfureted hýdrogen 硫化水素.

hy·drox·ide /haidrɑ́ksaid, -sid｜-drɔ́k-/

名 〖化学〗水酸化物. ⇨ OXIDE.

alúminum hydróxide 水酸化アルミニウム.
ammónium hydróxide 水酸化アンモニウム.
bárium hydróxide 水酸化バリウム.
cálcium hydróxide 水酸カルシウム.
cobáltous hydróxide 水酸化第一コバルト.
cópper hydróxide 水酸化(第二)銅.
cúpric hydróxide ＝copper hydroxide.
férric hydróxide 水酸化鉄(III).
líthium hydróxide 水酸化リチウム.
magnésium hydróxide 水酸化マグネシウム.
potássium hydróxide 水酸化カリウム.
sódium hydróxide 水酸化ナトリウム.
stróntium hydróxide 水酸化ストロンチウム.

hy·drox·y /haidrɑ́ksi｜-drɔ́k-/

形 〖化学〗水酸基を含む. ⇨ -Y¹.

di·hy·drox·y 形 〈分子が〉2 個の水酸基を含む.
hex·a·hy·drox·y 形 〈分子が〉水酸基 6 個を含む.
mon·o·hy·drox·y 形 〈1 分子が〉一水酸基の［を含む］.
pen·ta·hy·drox·y 形 〈分子が〉5 個の水酸基を含む.
pol·y·hy·drox·y 形 多価の.
tet·ra·hy·drox·y 形 〈分子が〉4 個の水酸基を持つ.
tri·hy·drox·y 形 〈分子が〉3 個の水酸基を含む.

hy·e·na /haiíːnə/

名 〖動物〗ハイエナ, タテガミイヌ. ⇨ -A².

brówn hyéna チャイロハイエナ.
láughing hyéna ＝spotted hyena.
spótted hyéna ブチハイエナ.
stríped hyéna シマハイエナ.

hy·giene /háidʒiːn/

名 衛生学.

déntal hýgiene ＝oral hygiene.
gè·o·hý·giene 名 地球衛生.
óral hýgiene 口腔(こうこう)衛生, 歯口清掃.
pérsonal hýgiene 体を清潔に保つこと.
séx hỳgiene 性衛生学.

hyp·no·sis /hipnóusis/

名 (人為的な)催眠状態, 夢幻状態. ⇨ -OSIS.

H

àuto·hypnósis 名 自己催眠(術), 自己催眠状態.
híghway hypnòsis ハイウエーヒプノーシス: 高速走行を2時間以上続けた場合に眠くなる現象.
sélf-hypnósis 名 自己催眠(autohypnosis).

hy·poph·y·sis /haipáfəsis | -pɔ́f-/

名 〘解剖〙(脳)下垂体. ⇨ -PHYSIS.

ad·e·no·hy·poph·y·sis 名 下垂体腺(せん)部.
neu·ro·hy·poph·y·sis 名 神経下垂体.

hy·poth·e·sis /haipáθəsis | -pɔ́θ-/

名 仮説. ⇨ -THESIS.

altérnative hypóthesis 対立仮説.
atómic hypóthesis 〘哲学〙原子論(atomism).
contínuum hypòthesis 〘数学〙連続体仮説.
count·er·hy·poth·e·sis =alternative hypothesis.
efficient márket hypóthesis 〘株式〙効率的市場仮説.
endosýmbiont hypóthesis 〘生化学〙内部共生説.
Gáia hypóthesis ガイア説.
innáteness hypòthesis 〘言語心理〙生得仮説.
nébular hypóthesis 〘天文〙星雲説.
núll hypòthesis 〘統計〙帰無仮説.
Sapír-Whórf hypothesis 〘言語〙サピア・ウォーフの仮説.
wórking hypóthesis 作業仮説.

H

I

-i[1] /ai/

接尾辞 ラテン語の男性名詞, または形容詞の複数形語尾.
★ ラテン語では, *-us* でおわる単数形の複数形は *-i* になることが普通.

ab·a·ci 名複 abacus「そろばん」の複数形.
a·can·thi 名複 acanthus「ハアザミ」の複数形.
ac·a·ri 名複 acarus「コナダニ」の複数形.
a·lum·ni 名複 alumnus「(男子)卒業生」の複数形.
a·ni 名複 anus「肛門」の複数形.
as·ci 名複 ascus「〚菌類〛子嚢(しのう)」の複数形.
ba·cil·li 名複 bacillus「バチルス」の複数形.
bron·chi 名複 bronchus「気管支」の複数形.
cac·ti 名複 cactus「サボテン」の複数形の一つ.
car·pi 名複 carpus「手根(しゅこん), 手首」の複数形.
cir·ri 名複 cirrus「〚植物〛巻きひげ」の複数形.
coc·ci 名複 coccus「球菌」の複数形.
co·lo·ni 名複 colonus「小作人」の複数形.
co·los·si 名複 colossus「巨像」の複数形.
con·vol·vu·li 名複 convolvulus「サンシキヒルガオ」の複数形の一つ.
cu·mu·li 名複 cumulus「積み重ねた山」の複数形.
Dan·a·i 名複 〚ギリシャ神話〛ダナオイ. ► 単数形はラテン語で *Danaus*.
Di·os·cu·ri 名複 〚ギリシャ神話〛ディオスクロイ: Zeus と Leda の双子の息子 Castor と Pollux.
Dip·noi 名複 〚動物〛肺魚類. ► 単数形はラテン語で *dipnous*.
dis·ci 名複 discus「円盤」の複数形.
Do·mi·ni 名複 Dominus「神, 主」の複数形.
E·pig·o·ni 名複 〚ギリシャ神話〛エピゴノイ, 後裔(こうえい). ► 単数形は Epigonus.
e·pig·o·ni 名複 epigonus「(一流の芸術家・思想家などの)模倣[追随]者」の複数形.
floc·ci 名複 floccus「(動物の)房毛」の複数形.
fo·ci 名複 focus「中心, 焦点」の複数形の一つ.
fu·ci 名複 fucus「ヒバマタ」の複数形.
Fun·gi 名複 〚生物〛菌類界. ► 単数形はラテン語で *fungus*.
fun·gi 名複 fungus「真菌」の複数形.
Gem·i·ni 名複 〚天文〛ふたご(双子)座. ► 単数形はラテン語で *geminus*.
ge·ni·i 名複 genius, genie「霊」の複数形.
glu·te·i 名複 gluteus「臀筋(でんきん)」の複数形.
gy·ri 名複 gyrus「〚解剖〛(脳の)回」の複数形.
hi·li 名複 hilus「〚解剖〛門」の複数形.
hip·po·cam·pi 名複 hippocampus「〚解剖〛海馬」の複数形.
hip·po·pot·a·mi 名複 hippopotamus「カバ」の複数形の一つ.
I·ce·ni 名複 イケニ族.
il·lu·mi·na·ti 名複 悟り[啓示]を得た(と自称する)人. ► 単数形はラテン語で *illuminatus*.
in·cu·bi 名複 incubus「(睡眠中の女性を犯すという)悪魔」の複数形.
In·fer·i 名複 〚ローマ神話〛冥界の人々, 死者. ► 単数形はラテン語で *inferus*.
isth·mi 名複 isthmus「地峡」の複数形.
li·bri 名複 liber「公文書」の複数形.
lit·e·ra·ti 名複 学者, 文学者; 知識人. ► 単数形は literatus.
lo·bi 名複 lobus「〚解剖〛葉(よう)」の複数形.
lo·ci 名複 locus「場所, 位置」の複数形.
Ma·gi 名複 東方の博士. ► 単数形は Magus.
mal·le·i 名複 malleus「つち骨」の複数形.
me·di·i 名複 medius「中指」の複数形.
mo·di 名複 modus「方法, 様式」の複数形.
mor·bil·li 名複 〚病理〛麻疹(ましん), はしか. ► 単数形はラテン語で *morbillus*.
Mus·ci 名複 〚植物〛蘚類(せんるい). ► 単数形はラテン語で *muscus*.
my·thi 名複 mythus「ミュトス」の複数形.
nar·cis·si 名複 narcissus「スイセン」の複数形.
nim·bi 名複 nimbus「〚ギリシャ神話〛地上に降りた神の周囲を取り巻くという輝く雲」の複数形.
no·di 名複 nodus「結び目, 節」の複数形.
nu·cle·i 名複 nucleus「中心部分, 核心」の複数形.
oc·to·pi 名複 octopus「タコ」の複数形.
pal·pi 名複 palpus「口肢」の複数形.
Per·i·oe·ci 名複 ペリオイコイ. ► 単数形は Perioecus.
-pha·gi 連結形 ☞
pi·li 名複 pilus「〚生物〛線毛」の複数形.
pol·y·pi 名複 polypus「〚病理〛ポリプ, 茸腫(じょうしゅ)」の複数形の一つ.
pro·pos·i·ti 名複 propositus「〚法律〛祖先」の複数形.
ra·di·i 名複 radius「(円・球の)半径」の複数形.
ra·mi 名複 ramus「(植物, 血管, 骨, 神経などの)枝, 分岐」の複数形.
rec·ti 名複 rectus「直筋」の複数形.
rhom·bi 名複 rhombus「ひし型」の複数形.
so·ci·i 名複 socius「仲間」の複数形.
so·le·i 名複 soleus「ヒラメ筋」の複数形.
sol·i·di 名複 solidus「ソリドゥス(ローマ帝国の貨幣単位)」の複数形.
so·ri 名複 sorus「胞子嚢(のう)群」の複数形.
Spar·ti 名複 〚ギリシャ神話〛スパルトイ.
stim·u·li 名複 stimulus「刺激するもの」の複数形.
sty·li 名複 stylus「尖筆(せんぴつ)」の複数形.
Su·pe·ri 名複 〚ローマ神話〛天上の神々. ► 単数形はラテン語で *superus*.
syl·la·bi 名複 syllabus「概要」の複数形.
ta·li 名複 talus「距骨」の複数形.
tar·si 名複 tarsus「足根(骨)」の複数形.
ter·mi·ni 名複 terminus「終端」の複数形.
Thes·pro·ti 名複 古代 Epirus 最初の住民.
tho·li 名複 tholus「(古典建築の)円形建築物」の複数形.
to·ri 名複 torus「〚建築〛トーラス」の複数形.
tro·phi 名複 〚昆虫〛口器. ► 単数形はラテン語で *trophus*.
Tyr·rhe·ni 名複 エトルリア人(Etruscans). ► 単数形はラテン語で *Tyrrhenus*.
un·ci 名複 uncus「〚解剖〛鈎(こう)」の複数形.

va·gi 名複 vagus「迷走神経」の複数形.
Ven·e·ti 名複 ベネト人: イタリア北東部の古代部族.
vil·li 名複 villus「絨毛(じゅうもう)」の複数形.
Vol·sci 名複 ウォルスキ族.

-i[2] /ai/

接尾辞 ラテン語の男性名詞, または形容詞の属格形語尾.
★ 動植物の分類名にも使われる.

Chris·ti 形 キリストの. ►*Christus*「キリスト」の属格.
de·ca·ni 形 教会内陣南側合唱隊席の.
el·e·mi 名 エレミ: カンラン属の木.
laz·u·li 名 ラピスラズリ, 瑠璃(るり)(lapis lazuli).

-i[3] /i/

接尾辞 イタリア語の複数形語尾.
★ 名詞をつくる.

a·gno·lot·ti 名複 【料理】アニョロッティ. ►単数形はイタリア語で *agnolotto, agnelotto*.
bal·lo·ti·ni 名複 バロッティーニ: 蛍光染料に混ぜる小ガラス球. ►単数形はイタリア語で *ballotino*.
ban·dit·ti 名複 bandit「盗賊」の複数形.
bas·si 名複 【音楽】basso「低音歌手」の複数形.
bri·ga·tis·ti 名複 赤い旅団の団員たち.
broc·co·li 名複 ブロッコリ. ►単数形はイタリア語で *broccolo*.
cal·a·ma·ri 名複 イカ. ►単数形はイタリア語で *calamaro, calamaio*.
can·nel·lo·ni 名複 【料理】カネローニ. ►単数形はイタリア語で *cannellone*.
can·no·li 名複 【料理】カノーリ. ►単数形はイタリア語で *cannolo*.
ca·pi·tas·ti 名複 【音楽】capotasto「弦楽器の駒(こま)」の複数形.
cap·pel·let·ti 名複 【料理】カッペレッティ. ►単数形はイタリア語で *cappelletto*.
Car·bo·na·ri 名複 【西洋史】カルボナリ党, 炭焼き党. ►単数形は Carbonaro.
co·gno·scen·ti 名複 (美術・文学などに)通暁している人. ►単数形は cognoscente.
con·cer·ti 名複 【音楽】concerto「協奏曲」の複数形の一つ.
con·fet·ti 名複 コンフェティ, 紙吹雪. ►単数形はイタリア語で *confetto*.
co·no·scen·ti 名複 =cognoscenti. ►単数形は conoscente.
dil·et·tan·ti 名複 dilettante「ディレッタント」の複数形の一つ.
du·i 名複 【音楽】duo「二重唱[奏](者)」の複数形.
fan·toc·ci·ni 名複 操り人形. ►単数形はイタリア語で *fantoccino*.
fet·tuc·ci·ni 名複 フェットチーネ(パスタの一種). ►単数形はイタリア語で *fettuccina*; fettuccine ともいう.
fu·sil·li 名複 【料理】フュージリ.
ge·la·ti 名複 【料理】ジェラート. ►単数形はイタリア語で *gelato*.
graf·fi·ti 名複 (壁などに書かれた)落書き. ►単数形はイタリア語で *graffito*.
in·co·gno·scen·ti 名複 無知な人, 事情に疎い人. ►単数形は incognoscente.
laz·za·ro·ni 名複 lazzarone「こじき」の複数形.
lin·gui·ni 名複 リングィーニ(パスタの一種). ►単数形はイタリア語で *linguina*; linguine ともいう.
mac·a·ro·ni 名複 マカロニ.
mac·ca·ro·ni 名複 =macaroni.
ma·ni·cot·ti 名複 【料理】マニコッティ.
mil·le·fi·o·ri 名複 千花(せんか)ガラス, 万華(まんげ)ガラス.
mos·tac·cio·li 名複 モスタッチョーリ(パスタの一種). ►単数形はイタリア語で *mostacciolo*.
pa·laz·zi 名複 palazzo「豪壮な官公建築物」の複数形.
pap·ar·az·zi 名複 (自由契約の)探訪写真家. ►paparazzo の複数形.
pep·er·o·ni 名複 =pepperoni. ►単数形はイタリア語で *peperone*.
pep·per·o·ni 名複 ペパローニ(ソーセージの一種).
put·ti 名複 putto「少年」の複数形.
ra·vi·o·li 名複 ラビオリ(パスタの一種). ►単数形はイタリア語で *raviolo*.
rig·a·to·ni 名複 リガトーニ(パスタの一種).
rol·la·ti·ni 名複 【料理】ロラティーニ.
scam·pi 名複 【料理】エビ. ►単数形は scampo.
sol·di 名複 soldo「ソルド(イタリアの昔の貨幣単位)」の複数形.
so·li 名複 【音楽】solo「独唱[奏]曲(者)」の複数形.
so·pra·ni 名複 soprano「ソプラノ」の複数形.
spa·ghet·ti 名複 【料理】スパゲッティ. ►単数形はイタリア語で *spaghetto*.
tem·pi 名複 【音楽】tempo「テンポ」の複数形.
tim·pa·ni 名複 【音楽】ティンパニ. ►単数形はイタリア語で *timpano*.
tor·si 名複 torso「(人体の)胴」の複数形.
tor·tel·li·ni 名複 【料理】トルテッリーニ. ►単数形はイタリア語で *tortellino*.
tut·ti 名複形 【音楽】すべて(の), 全音声[全楽器](の). ►単数形はイタリア語で *tutto*.
tym·pa·ni 名複 =timpani.
vir·tu·o·si 名複 virtuoso「大家, 巨匠」の複数形の一つ.
zi·ti 名複 【料理】ジーティ. ►単数形はイタリア語で *zita, zito*.

-i[4] /iː/

接尾辞 フランス語で過去分詞形語尾.
★ 名詞, 形容詞をつくる.

bouil·li 名 【料理】ゆで肉.
dé·men·ti 名 (政府の)公式の否認.
far·ci 形 【料理】詰め物をした.
fi·ni 形 終わった; 完了した.
gar·ni 形 飾られた.
par·ti 名 【建築】建築物の設計の基本概念.

-i[5] /i/

接尾辞 …人, …族; …派; …語.
★ 主に中近東や南アジア地域の民族・住民・言語及びイスラム教の宗派などの名称に使われる.
★ 名詞, 形容詞をつくる.
◆ ペルシア語, アラビア語, ヒンディー語, ヘブライ語など中東の諸語に見られる付属をあらわす形容詞語尾.

Af·ghan·i 名 アフガニスタン人[住民](Afghan).
Af·ri·di 名 アフリディ人[住民].
A·za·ri 名 =Azeri.
A·zer·bai·ja·ni 名 アゼルバイジャン人[住民・族].
A·ze·ri 名 アゼリー人[語].
Bah·rain·i 名形 バーレーン人[住民](の).
Ban·gla·desh·i 名形 バングラデシュ人[住民](の).
Ben·ga·li 名 ベンガル人[住民].
Bhili 名 ビーリー語.
Bihari 名 ビハール人[語].
Far·si 名 現代ペルシア語.
Fu·la·ni 名 フラニ族.

-i: -iがつく国民・民族名の地域分布

（資料作成：須永紫乃生）

-iの語尾をもつ国民名・民族名の地域は，ほぼアラブ民族，アラビア語圏およびイスラム文化圏に集中している．例外は，セム語族のイスラエル人だけである．

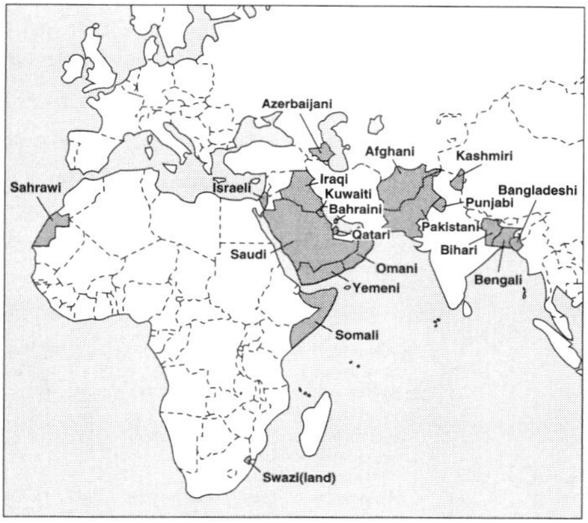

地域	国民名	
中東	**Bahraini**	バーレーン人
	Iraqi	イラク人
	Israeli	イスラエル人
	Kuwaiti	クウェート人
	Omani	オマーン人
	Qatari	カタール人
	Saudi	サウジアラビア人
	Yemeni	イエメン人
アフリカ	**Sahrawi**	西サハラ住民
	Somali	ソマリ族
	Swazi(land)	スワジ族
アジア	**Afghani**	アフガニスタン人
	Azerbaijani	アゼルバイジャン人
	Bangladeshi	バングラデシュ人
	Bengali	ベンガル人
	Bihari	ビハーリー人
	Kashmiri	カシミール人
	Pakistani	パキスタン人
	Punjabi	パンジャブ人

Gon·di 名 ゴーンディー語.
Gu·ja·ra·ti 名 グジャラート語.
Gur·kha·li 名 グルカ語.
Han·a·fi 名 【イスラム教】ハナフィー派.
Han·ba·li 名 【イスラム教】ハンバル派.
Hin·di 名 ヒンディー語.
Hin·doo·sta·ni 名 ＝Hindustani.
Hin·du·sta·ni 名 ヒンドスタニー語.
I·ra·ni 名形 イラン人［語］(の)(Iranian).
I·ra·qi 名形 イラク人(の).
Is·rae·li 名形 現代イスラエル人［住民］(の).
Is·tam·bu·li 名 イスタンブール人［住民］.
Kaf·i·ri 名 カーフィル(諸)語(Nuristani).
Kash·mir·i 名 カシミール人［住民］.
Kham·ti 名 カムティ族.
Kha·si 名 カーシ語.
Kon·ka·ni 名 コーンクニー語.
Ku·wai·ti 名形 クウェート人［住民］(の).
Ma·dras·i 名 マドラス生まれの人［住人］.
Mal·i·ki 名 【イスラム教】マーリク派.
Mish·mi 名 ミシュミ人.
Ne·pal·i 名 ネパール語(Nepalese).
Nu·ri 名 ヌリ族.
Nu·ris·ta·ni 名 カーフィル族(Kafir).
O·ma·ni 名 オマーン人［住民］.
Os·si 名 《話》旧東ドイツ国民.
Pa·ha·ri 名 パハーリ族.
Pa·ki·sta·ni 名形 パキスタン人［住民］(の).
Pa·mir·i 名 パミール高原に住むコーカサス族.
Pan·ja·bi 名 ＝Punjabi.
Pun·ja·bi 名 パンジャブ人.
Qa·tar·i 名形 カタール人［住民］(の).
Ra·ja·stha·ni 名 ラージャスターン語.
Sah·ra·wi 名 西サハラの住民.
Sau·di 名 サウジアラビア人［住民］.
Su·fi 名 【イスラム教】イスラム神秘主義者.
Sun·ni 名 (イスラム教の)スンニ派.
Swa·hi·li 名 スワヒリ語.
Wah·ha·bi 名 【イスラム教】ワッハーブ派.
Wes·si 名 《話》旧西ドイツ国民.
Yem·e·ni 名形 イエメン人［住民］(の).

-i[6] /ai/

語尾 -i が /ai/ となるのは，原則として単音節語の発音のためである；短縮語を含む.
★ 語末にくる同音形は -AI, -AY[4], -EI[2], -IE[3], -IGH, -UY, -Y[6], -YE.

bi 形 《俗》両性愛の(bisexual).
fi 名 《俗》ハイファイ(hi-fi).
hi[1] 間 《話》《あいさつ》やあ，こんにちは.
hi[2] 形 ＝high.
pi[1] 名 《米》ごちゃまぜになった活字.
pi[2] 形 《英俗》信心深い(pious).
psi 名 サイ，プシー：念力などの超常現象.
tri 名 三胴船(trimaran).

-i[7] /iː/

語尾 語末にくる同音形は -EA[2], -EE[7], -EY[7].

ghi 名 ギー(ghee)：一種の液状バター.
gi 名 柔道着，空手着.
ki 名 《米俗》(マリファナの)1キログラム.
ski 名 ☞
ti 名 【植物】センネンゾク.

-i·a /iə, jə/

接尾辞 ギリシャ語・ラテン語借用の名詞語尾. **1** 女子の名，ギリシャ神話の女神の名をつくる. **2** 医学用語をつくる. **3** 地名をつくる. **4** ギリシャ・ローマ時代の祭典名をつくる. **5** 動植物名などの生物用語をつくる.
★ 名詞をつくる.
◆ ＜近代ラ，ラ，ギ＝*-i-*(構成辞または連結辞)あるいは *-ī-*

(ギ *-ei-*) + *-a* (女性単数形または中性複数形の名詞, または形容詞の語尾). ⇨ -A¹, -A².
[発音] ゆっくりと発音される時は /iə/, 速く発音される時は /jə/ となる. 第 1 強勢は直前の音節.

〈**1**〉 女子の名, ギリシャ神話の女神の名をつくる.

An·to·ni·a 名 女子の名. ► 古代ローマの姓 *Antonius* より.
Cas·si·o·pe·ia 名 【ギリシャ神話】カシオペイア.
Ce·cil·i·a 名 女子の名. ► 字義はラテン語で「目が見えない」.
Cel·ia 名 女子の名. ► 字義はおそらくラテン語で「天国」.
Clau·di·a 名 女子の名. ► ラテン語の男子の名 *Claudius* の女性形.
Cor·nel·ia 名 女子の名. ► 古代ローマの姓 *Cornelius* より.
Cyn·thi·a 名 女子の名.
De·li·cia 名 女子の名. ► ラテン語の男子の名 *Delicius*(字義は「喜び」)の女性形.
E·ge·ri·a 名 【ローマ神話】エゲリア.
Eu·ge·ni·a 名 女子の名. ► ラテン語の男子の名 *Eugenius*(字義は「いい生まれの, 高貴な」)の女性形.
Eu·la·lia 名 女子の名. ► ギリシャ語 *eu*「よく」+ *laleîn*「話す」より.
Eu·phe·mia 名 女子の名. ► ギリシャ語 *eu*「よく」+ *phánai*「話す」のラテン語形.
Fe·li·cia 名 女子の名. ► 字義はラテン語で「幸福な」.
Fla·vi·a 名 女子の名. ► イタリア語の名. もとは古代ローマの姓 *Flavius*(字義は「黄色の, 黄髪の, 金色の」).
Glo·ri·a 名 女子の名. ► 字義はラテン語で「栄光」.
Her·mia 名 女子の名. ► ギリシャ神話の学芸, 商業, 雄弁の神 *Hermes* より.
Jul·ia 名 女子の名. ► Julius に由来する.
Jus·ti·ti·a 名 【ローマ神話】ユスティティア.
Lae·ti·tia 名 女子の名. ► 字義はラテン語で「幸せ」.
La·vin·i·a 名 女子の名. ► ローマ伝説の Latinus の娘で Aeneas の 2 人目の妻の名より.
Le·ti·tia 名 女子の名. ► 字義はラテン語で「喜び」.
Lu·cia 名 女子の名. ► 古代ローマの男子の名 *Lucius* の女性形.
Lu·cre·tia 名 女子の名. ► ローマ伝説に登場するルクレティア(Lucretia)より.
Lyd·i·a 名 女子の名. ► 字義は「リュディア(地名)の女」.
Mar·cia 名 女子の名. ► ラテン語の男子の名 *Marcius* の女性形.
Ma·ri·a 名 女子の名. ► Mary(人名)のラテン語形.
Oc·ta·vi·a 名 女子の名. ► ラテン語 *octāvus*(字義は「8 番目の息子」)に由来する *Octavius*(人名)の女性形.
O·liv·i·a 名 女子の名. ► Shakespeare が *Twelfth Night*(1599)で初めて使った名. おそらく Oliver から, またはラテン語 *oliva*(字義は「オリーブ」)から造語.
O·phel·ia 名 女子の名. ► おそらくギリシャ語 *Ōphelía*「助力」から.
Par·the·ni·a 名 【ギリシャ神話】パルテニア: Athena の添え名.
Pa·tri·cia 名 女子の名. ► 字義はラテン語で「貴族」.
Pe·la·gia 名 女子の名. ► ギリシャ語の男子の名 *Pelagios* の女性形.
Pi·a 名 女子の名. ► 字義はラテン語で「信心深い」.
Pom·pe·ia 名 女子の名. ► 古代ローマの姓 *Pompeius* より.
Pro·tia 名 女子の名. ► 古代ローマの姓 *Porcius* の女性形 *Porcia* より.
Ro·sa·li·a 名 女子の名. ► 字義はラテン語で「バラ」.
Sil·vi·a 名 女子の名. ► 字義はラテン語で「森」.
So·phia 名 女子の名. ► 字義はギリシャ語で「知」.
Triv·i·a 名 【ローマ神話】トリウィア.
Vic·to·ri·a 名 女子の名. ► 字義はラテン語で「勝利」.
Vir·gin·ia 名 女子の名. ► 古代ローマの姓 *Virginius* の女性形.
Ze·ni·a 名 女子の名. ► 字義はギリシャ語で「歓待」.
Ze·no·bia 名 女子の名. ► ギリシャ語の男子の名 *Zēnobíos* の女性形.

〈**2**〉 医学用語をつくる.

a·ba·sia 名 【医学】歩行不能(症), 失歩(症).
a·bou·li·a 名 = abulia.
a·bra·chi·a 名 【医学】無腕(症).
a·bu·li·a 名 【精神医学】無為, 意志欲動の喪失.
a·cal·cu·li·a 名 【精神医学】計算不能症, 失算症.
ach·a·la·sia 名 【医学】アカラジア, 弛緩(しかん)不能性.
ac·ro·mic·ri·a 名 【病理】先端 [末端] 矮小(わいしょう)症.
ad·ven·ti·ti·a 名 【解剖】外膜.
ak·a·this·ia 名 【病理】(長期)静座不能, アカシジア.
al·ge·si·a 名 ☞
-al·gi·a 連結形 ☞
al·o·pe·ci·a 名 【病理】脱毛症, 禿髪(とくはつ)症.
a·men·tia 名 【精神医学】アメンチア.
a·mim·i·a 名 【医学】無表情症, 表情喪失症.
a·mu·si·a 名 【医学】楽音聾(ろう), 失音楽(症).
a·neu·ri·a 名 【病理】神経衰弱(症).
an·he·do·ni·a 名 【心理】無快感症, 快感喪失.
an·i·so·co·ri·a 名 【眼科】瞳孔不同症.
a·no·mi·a 名 【医学】名称失語(症), 失名詞(症).
an·or·gas·mi·a 名 【医学】性興奮不全症, 無オルガスムス(症).
an·ox·i·a 名 【病理】無酸素(症), 酸素欠乏(症).
a·or·to·cla·sia 名 【病理】大動脈破裂.
a·pha·ki·a 名 【眼科】無水晶体(症).
a·pros·ex·i·a 名 【精神医学】注意散漫 [減退] 症.
ar·gyr·i·a 名 【病理】銀沈着症.
-ar·thri·a 連結形 ☞
ar·thro·di·a 名 【解剖】全動関節, 球状 [球面] 関節.
a·se·mi·a 名 【精神医学】伝達 [象徴] 不能(症).
a·so·ni·a 名 【病理】音痴.
as·phyx·i·a 名 【病理】窒息, (窒息による)仮死.
a·sta·sia 名 【医学】失立(症), 起立 [定位] 不能.
as·the·ni·a 名 ☞
a·tre·sia 名 【医学】閉鎖(症), 無開口, 無孔.
a·trich·i·a 名 【医学】(先天的)無毛(症).
a·tro·phi·a 名 消耗症, 萎縮.
bou·lim·i·a 名 = bulimia.
bra·chi·a 名 brachium「【解剖】上腕部」の複数形.
bron·chi·a 名 複 【解剖】気管支.
bu·lim·a·rex·i·a 名 【精神医学】大食拒否症.
bu·lim·i·a 名 【病理】多食症, 食欲異常亢進(こうしん).
ca·chex·i·a 名 【病理】カヘキシー, 悪液質.
-cap·ni·a 連結形 ☞
car·di·a 名 【解剖】噴門.
-chlor·hy·dria 連結形 ☞
-cho·li·a 連結形 ☞
-cne·mi·a 連結形 ☞
co·ri·a 名 corium「【解剖】【動物】真皮」の複数形.
-dac·tyl·ia 連結形 ☞
de·men·tia 名 【精神医学】認知症.

diph·the·ri·a 名 〖病理〗ジフテリア.
diph·thon·gi·a 名 〖病理〗複音, 二重声.
-dip·si·a 連結形 ☞
-dy·na·mi·a 連結形 ☞
dys·a·cou·sia 名 〖病理〗異聴覚(症), 不快聴覚.
dys·a·phi·a 名 〖病理〗触覚異常.
dys·au·to·no·mi·a 名 〖病理〗ディスオートノミア.
dys·cal·cu·li·a 名 ＝acalculia.
dys·cra·sia 名 《廃》〖病理〗異混和症, 悪液質.
dys·er·gia 名 〖病理〗異作動, 作動不全.
dys·met·ri·a 名 〖病理〗運動距離測定障害.
dys·pa·reu·ni·a 名 〖医学〗性交困難, 性交疼痛.
dys·sy·ner·gi·a 名 〖医学〗共同運動障害, 筋失調.
ec·lamp·si·a 名 〖病理〗子癇(しかん).
-e·mi·a 連結形 ☞
ep·i·loi·a 名 〖病理〗エピロイア, 結節性硬化(症).
fram·be·sia 名 〖病理〗フランベジア, いちご腫.
fram·boe·sia 名 〖病理〗＝frambesia.
-ga·lac·ti·a 連結形 ☞
gan·gli·a 名 ganglion「〖解剖〗神経節」の複数形.
gen·i·ta·li·a 名㊥ 〖解剖〗生殖器, 性器.
-geu·si·a 連結形 ☞
-gno·si·a 連結形 ☞
-he·mi·a 名 ☞
he·mo·di·a 名 〖歯科〗歯牙(しが)知覚過敏(症).
her·ni·a 名 ☞
hy·per·a·phi·a 名 〖病理〗触覚過敏(症).
hy·per·ox·i·a 名 〖病理〗酸素過剰(症), 高酸素(症).
hy·po·chon·dri·a 名 〖精神医学〗ヒポコンデリー, 心気症.
hy·po·chro·mi·a 名 〖病理〗血色素減少(症).
hys·te·ri·a 名 〖医学〗ヒステリー(発作).
in·som·ni·a 名 眠れないこと, 不眠.
ker·a·tec·ta·sia 名 〖病理〗円錐角膜.
-ki·ne·si·a 連結形 ☞
la·bi·a 名 labium「唇」の複数形.
-lag·ni·a 連結形 ☞
-la·li·a 連結形 ☞
-lex·i·a 名 ☞
lo·chi·a 名 〖医学〗(分娩後に排出される)悪露.
ma·la·cia 名 〖病理〗軟化症.
ma·lar·i·a 名 〖病理〗マラリア.
ma·zo·path·i·a 名 〖病理〗(一般に)胎盤疾患.
-me·li·a 連結形 ☞
men·o·pha·ni·a 名 〖医学〗初経, 初潮.
mil·i·a 名 milium「〖病理〗稗粒腫(ひりゅうしゅ)」の複数形.
mil·i·ar·i·a 名 〖病理〗汗疹(かんしん), 粟粒(ぞくりゅう)疹.
mis·o·pe·di·a 名 子供嫌い.
mon·o·chro·ma·sia 名 〖医学〗色盲.
mor·phi·a 名 〖薬学〗モルヒネ.
-my·e·li·a 連結形 ☞
my·o·clo·ni·a 名 〖病理〗間代性筋痙攣症.
my·o·kym·i·a 名 〖病理〗線維性筋痙攣.
-o·don·tia 連結形 ☞
-o·dyn·i·a 連結形 ☞
o·nych·i·a 名 ☞
oph·thal·mi·a 名 ☞
-o·pi·a 連結形 ☞
-op·si·a 連結形 ☞
-o·rex·i·a 連結形 ☞
-os·mi·a 連結形 ☞
os·ti·a 名 ostium「〖解剖〗〖動物〗口」の複数形.
-pe·ni·a 連結形 ☞
-pep·sia 連結形 ☞
per·i·o·nych·i·a 名 perionychium「〖解剖〗爪(そう)周囲部」の複数形.
-pha·gia 連結形 ☞
-pha·si·a 連結形 ☞
-phil·i·a 連結形 ☞
pho·bi·a 名 病的恐怖 [嫌悪], 恐怖症.
-phre·ni·a 連結形 ☞
-ple·gi·a 連結形 ☞
pneu·mo·nia 名 ☞
por·phyr·i·a 名 〖病理〗ポルフィリン症.
pres·by·cu·sia 名 〖医学〗老人性難聴.
pro·ge·ri·a 名 〖病理〗早老症.
py·rex·i·a 名 〖病理〗熱(病).
-rrha·gi·a 連結形 ☞
scot·o·din·i·a 名 〖医学〗失神性眩暈(げんうん).
ste·at·o·py·gi·a 名 〖医学〗臀部(でんぶ)脂肪蓄積.
-sto·mi·a 連結形 ☞
syn·ar·thro·di·a 名 〖解剖〗不動(関節)結合.
syn·ech·i·a 名 〖医学〗〖病理〗癒着症.
syn·o·vi·a 名 〖生理〗(関節の)滑液.
tib·i·a 名 〖解剖〗脛骨(けいこつ).
-to·ci·a 連結形 ☞
-to·ni·a 連結形 ☞
-tro·pi·a 連結形 ☞
-u·ri·a 連結形 ☞
vac·cin·i·a 名 〖獣病理〗牛痘.
xan·tho·chroi·a 名 〖病理〗皮膚黄変症.
xe·ra·sia 名 〖病理〗毛髪乾燥症.

〈**3**〉 地名をつくる.

Ab·ys·sin·i·a 名 アビシニア: Ethiopia の旧称.
Aca·dia 名 アカディア: カナダ Nova Scotia 州の旧称.
Al·ba·nia 名 アルバニア(共和国).
Al·ex·an·dri·a 名 アレクサンドリア(エジプトの都市名).
Al·ge·ria 名 アルジェリア(共和国).
Al·me·ria 名 アルメリア: スペインの港.
Am·azo·nia 名 アマゾニア: 南アメリカ北部 Amazon 川周辺の地域.
An·da·lu·sia 名 アンダルシア(スペインの地名).
An·gli·a 名 England のラテン語名.
Ap·pa·la·chia 名 アパラチア(米国の地名).
A·ra·bi·a 名 アラビア(半島): アジア南西部の半島.
Ar·ca·di·a 名 アルカディア(米国の都市名).
Ar·me·ni·a 名 アルメニア(共和国).
A·sia 名 アジア.
As·syr·i·a 名 アッシリア: アジア南西部にあった古代帝国.
As·to·ria 名 アストリア(米国の都市名).
Aus·tral·ia 名 オーストラリア大陸, 豪州.
Aus·tri·a 名 オーストリア(共和国).
Bab·y·lo·nia 名 バビロニア: アジア南西部にあった古代帝国.
Ba·ta·via 名 バタビア(米国の都市名).
Ba·var·ia 名 バイエルン, ババリア(ドイツの州名).
Bo·he·mia 名 ボヘミア(チェコスロバキアの地名).
Bo·liv·ia 名 ボリビア(共和国).
Bos·nia 名 ボスニア: 旧ユーゴスラビアのボスニア・ヘルツェゴビナ共和国の一部.
Bra·zil·ia 名 ブラジリア(ブラジルの都市名).
Bri·tan·ni·a 名 ブリタニア: Great Britain 島の古代ローマ名.
Bul·gar·ia 名 ブルガリア(共和国).
Bye·lo·rus·sia 名 ベロルシア [白ロシア](社会主義共和国).
Ca·la·bria 名 カラブリア(イタリアの州名).
Cal·e·do·ni·a 名 《主に文語》カレドニア: Scotland の古代ローマ名.
Cal·i·for·nia 名 カリフォルニア(米国の州名).
Cam·bo·dia 名 カンボジア(共和国).
Cam·bri·a 名 カンブリア: Wales の中世の呼び名.
Cam·pa·nia 名 カンパニア(イタリアの州名).
Cap·pa·do·cia 名 カッパドキア: 小アジア東部の古代の国.
Cau·lo·nia 名 カウロニア(イタリアの都市名).
Ceph·a·lo·nia 名 ケファリニア島: ギリシャ西海岸沖の島.
Cir·cas·sia 名 サーカシア, チェルケス(ロシアの地名).

Co·lom·bi·a 名 コロンビア(共和国).
Co·lum·bi·a 名 コロンビア川: カナダ, 米国を流れる川.
Con·cor·dia 名 コンコーディア(米国の都市名).
Cro·a·tia 名 クロアチア(共和国).
Cum·bri·a 名 カンブリア(イングランドの州名).
Da·ci·a 名 ダキア: 古代ローマの属州.
Es·to·nia 名 エストニア(共和国).
E·thi·o·pi·a 名 エチオピア(人民民主共和国).
E·tru·ri·a 名 エトルリア: イタリア西部にあった古代国家.
Eur·a·sia 名 ユーラシア, 欧亜(大陸).
Ga·la·tia 名 ガラテヤ, ガラティア: 小アジアの古代国家.
Ga·li·ci·a 名 ガリシア(スペインの地名).
Gal·li·a 名 ガリア: Gaul のラテン語名.
Gam·bi·a 名 ガンビア川: アフリカ西部を流れる川.
Gdy·ni·a 名 グディニア: ポーランドの港.
Geor·gia 名 ジョージア(米国の州名).
Ger·ma·ni·a 名 ゲルマーニア: 古代中部ヨーロッパの一地域.
Hel·ve·tia 名 ヘルベティア: 古代ローマ時代のアルプスの一地域の呼称.
I·be·ri·a 名 イベリア半島(Iberian Peninsula).
In·di·a 名 インド.
I·o·ni·a 名 イオニア: 小アジア西岸と隣接するエーゲ海諸島を含む古代ギリシャの地域.
Keph·al·li·ni·a 名 Cephalonia のギリシャ語名.
Kir·ghi·zia 名 キルギスタン(共和国)(Kyrgyzstan).
Lat·vi·a 名 ラトビア(共和国).
Le·mu·ri·a 名 レムリア: インド洋に存在したと考えられた仮想の古代大陸.
Li·be·ri·a 名 リベリア(共和国).
Lith·u·a·ni·a 名 リトアニア(共和国).
Lyc·a·o·ni·a 名 リカオニア: 小アジア南部 Taurus 山脈北にあった古代の地方.
Lyd·i·a 名 リュディア, リディア: 小アジア西部の古代の王国.
Mac·e·do·ni·a 名 マケドニア(共和国).
Ma·ke·dho·ni·a 名 Macedonia の現代ギリシャ語名.
Mau·ri·ta·nia 名 モーリタニア(イスラム共和国).
Mes·o·po·ta·mi·a 名 メソポタミア(イラクの地名).
Mol·da·via 名 モルダビア(ルーマニアの地名).
Mon·go·lia 名 モンゴル国.
Na·mib·i·a 名 ナミビア(共和国).
Nic·o·sia 名 ニコシア(キプロスの都市名).
Ni·ge·ria 名 ナイジェリア(連邦共和国).
North·um·bri·a 名 ノーサンブリア: アングロサクソン時代のイングランド七王国の一つ.
Nóva Scótia ノバスコシア: カナダ南東部の半島.
Nu·bi·a 名 ヌビア: エジプト南部およびスーダンの Khantoum 北方の地域.
O·ce·an·i·a 名 オセアニア, 大洋州.
O·lym·pi·a 名 オリンピア: 古代ギリシャ Peloponnesus 半島西部の平原.
Pao·nia 名 パオニア(米国の都市名).
Pat·a·go·ni·a 名 パタゴニア(アルゼンチンの地名).
Penn·syl·va·nia 名 ペンシルベニア(米国の州名).
Pe·o·ria 名 ピオリア(米国の都市名).
Per·sia 名 ペルシア帝国(Persian Empire).
Pe·ru·gia 名 ペルージア: イタリア Umbria 州の州都.
Phe·ni·cia 名 =Phoenicia.
Phil·a·del·phi·a 名 フィラデルフィア(米国の都市名).
Phoe·ni·cia 名 フェニキア: 現在のシリア, レバノン, イスラエル北部地中海沿岸に当たる地域の古称.
Phryg·ia 名 フリギア小アジア中部から北西部にわたっていた古代国家.
Pom·er·a·nia 名 ポメラニア, ポンメルン, ポモジェ: もとドイツ北東部の州.
Pre·to·ria 名 プレトリア(南アフリカの都市名).
Prus·sia 名 プロイセン(王国), プロシア: 旧ドイツ連邦の王国.
Rho·de·sia 名 ローデシア: 1924 年当時の英国自治領.
Ro·ma·ni·a 名 ルーマニア(共和国).
Ron·dô·nia 名 ロンドーニャ(ブラジルの州名).
Rou·ma·ni·a 名 =Romania.
Ru·ma·ni·a 名 =Romania.
Ru·me·lia 名 ルメリア: バルカン半島の旧オスマン・トルコの行政州.
Rus·sia 名 ロシア(共和国).
Sa·mar·i·a 名 サマリア: 古代 Palestine の一地方.
Sar·din·i·a 名 サルディニア: 地中海にある島.
Sar·ma·tia 名 サルマティア: 東欧の Vistula 川と Volga 川との間の地方の古代名.
Scan·di·na·via 名 スカンジナビア(半島).
Sco·tia 名 《文語》スコットランド(Scotland).
Se·go·via 名 セゴビア(スペインの都市名).
Sep·ti·ma·nia 名 セプティマニア: Rhone 川河口付近からピレネー山脈南部一帯の地域の旧称.
Ser·bia 名 セルビア(共和国).
Si·be·ria 名 シベリア(ロシアの地名).
Si·ci·lia 名 シチリア島: Sicily のイタリア語名.
Slo·va·kia 名 スロバキア(共和国).
Slo·ve·ni·a 名 スロベニア(共和国).
So·fia 名 ソフィア(ブルガリアの都市名).
So·phia 名 =Sofia.
So·ma·lia 名 ソマリア(民主共和国).
Syr·i·a 名 シリア.
Tan·za·ni·a 名 タンザニア(連合共和国).
Tar·qui·nia 名 タルクィーニア(イタリアの都市名).
Tas·ma·nia 名 タスマニア: オーストラリア南方の島.
Tu·ni·sia 名 チュニジア(共和国).
Um·bria 名 ウンブリア(イタリアの州名).
Val·da·via 名 ヴァルダイヴィア: チリ南部の港.
Va·len·cia 名 バレンシア(スペインの州名).
Va·len·tia 名 ヴァレンシア: フランスの自治行政地区.
Ve·ne·ti·a 名 ベネシア(イタリアの地名).
Vic·to·ria 名 ビクトリア(オーストリアの州名).
Vir·gin·ia 名 バージニア(米国の州名).
Yu·go·sla·via 名 ユーゴスラビア(連邦共和国).
Zam·bi·a 名 ザンビア(共和国).

〈**4**〉ギリシャ・ローマ時代の祭典名をつくる.
An·thes·te·ri·a 名 花と新酒を祝う春祭り.
Bac·cha·na·li·a 名 (古代ローマの)バッカス祭.
Di·o·ny·si·a 名 ディオニュソス祭.
El·eu·sin·i·a 名 エレウシスの祭り.
Le·mu·ra·li·a 名 (古代ローマの)死霊祭.
Lu·per·ca·li·a 名 ルペルカリア祭.
Ma·tra·li·a 名 マトラリア, マトゥタ祭り.
Ma·tron·al·i·a 名 マトロナリア祭.
Meg·a·le·sia 名 メガレーシア祭.
Par·en·ta·li·a 名 パレンタリア祭, 祖先祭.
Py·a·nep·si·a 名複 古代 Athens で毎年行われた Apollo の祭り.
Sat·ur·na·li·a 名 サトゥルナリア祭.

〈**5**〉動植物名などの生物学用語をつくる.
a·be·li·a 名 スイカズラ科ツクバネウツギ属の低木の総称.
ac·tin·i·a 名 (特にウメボシイソギンチャク属の)イソギンチャク.
af·ror·mo·si·a 名 〔植物〕アフロルモシア.
al·biz·zi·a 名 マメ科ネムノキ属の木の総称.
al·stroe·me·ri·a 名 アルストロメリア, ユリズイセン.
am·bro·sia 名 〔植物〕アンブロシア.
Am·phib·i·a 名 両生類.
An·i·ma·li·a 名複 〔生物〕動物界.
aq·ui·le·gi·a 名 〔植物〕オダマキ.
a·ra·li·a 名 ウコギ科タラノキ属およびその近縁属の植物の総称.
ar·te·mis·i·a 名 キク科ヨモギ属の植物の総称.

au·brie·tia 名 〘植物〙オーブリエチア.
ba·be·sia 名 バベシア: 原生動物の一種.
bac·te·ri·a 名複 ☞
bank·si·a 名 〘植物〙バンクシア.
ba·sid·i·a 名 basidium「〘菌類〙担子器」の複数形.
bau·hin·i·a 名 〘植物〙バウヒニア.
bed·so·ni·a 名 〘細菌〙ベドソーニア.
be·go·nia 名 〘植物〙ベゴニア, シュウカイドウ.
big·no·ni·a 名 ノウゼンカズラ科ツリガネカズラ属の植物の総称.
bil·har·zi·a 名 住血吸虫.
bill·ber·gi·a 名 〘植物〙ビルベルギア.
bol·to·ni·a 名 キク科アメリカギク属の数種の植物の総称.
bo·ro·nia 名 〘植物〙ボロニア.
bor·rel·i·a 名 〘細菌〙ボレリア菌.
bou·var·di·a 名 〘植物〙ブバルディア.
bran·chi·a 名 〘動物〙鰓(えら).
brun·fel·si·a 名 〘植物〙ナス科バンマツリ属の木の総称.
bud·dle·ia 名 フジウツギ(butterfly bush).
ca·mel·lia 名 ツバキ(椿).
cas·sia 名 カッシア, 桂皮(けいひ).
ce·lo·sia 名 〘植物〙ケイトウ(鶏頭), セロシア.
chla·myd·i·a 名 〘微生物〙クラミジア.
chon·dri·a 名 コンドリアフジマツモ科ヤナギノリ属の紅藻.
clark·i·a 名 〘植物〙サンジソウ, クラーキア.
clay·to·ni·a 名 スベリヒユ科属の丈の低い液汁の多い植物の総称.
clin·to·ni·a 名 〘植物〙ツバメオモト.
cli·vi·a 名 〘植物〙クンシラン(君子蘭).
col·lin·si·a 名 〘植物〙コリンソウ.
cra·ni·a 名 cranium「(脊椎動物の)頭骨」の複数形.
Cryp·to·gam·i·a 名 隠花植物類.
cryp·to·mer·i·a 名 〘植物〙スギ(Japan cedar).
dahl·ia 名 〘植物〙ダリア.
dan·tho·nia 名 ダントニア属の多年草の総称.
Daph·ni·a 名 ミジンコ属.
deut·zi·a 名 〘植物〙ウツギ(空木).
dief·fen·bach·i·a 名 〘植物〙シロガスリソウ.
Dif·flu·gi·a 名 原生動物の有殻アメーバ目の一属.
Di·no·sau·ria 名複 恐竜類.
e·lae·ni·a 名 〘鳥類〙シラギクタイランチョウ.
e·pi·sci·a 名 イワタバコ科エピスキア属の植物の総称.
Er·win·i·a 名 〘細菌〙エルビニア菌属.
es·cal·lo·nia 名 〘植物〙エスカロニア.
esch·scholt·zi·a 名 ケシ科ハナビシソウ属の草本の総称.
eu·cry·phi·a 名 〘植物〙ユークリフィア.
eu·ge·ni·a 名 〘植物〙ユージェニア.
fat·si·a 名 ヤツデ: ウコギ科の小低木.
fim·bri·a 名 〘生物〙房状へり.
fit·to·ni·a 名 〘植物〙オオアミメグサまたはベニアミメグサ.
Fla·court·i·a 名 〘植物〙イイギリ科の植物.
fo·li·a 名 folium「薄葉状の層」の複数形.
frank·lin·i·a 名 〘植物〙フランクリニア.
free·si·a 名 〘植物〙フリージア.
fuch·sia 名 〘植物〙フクシア, ホクシャ.
fun·ki·a 名 〘植物〙ギボウシ(plantain lily).
gail·lar·di·a 名 〘植物〙テンニンギク(天人菊).
gam·bu·sia 名 〘魚類〙カダヤシ, タップミノー.
gar·de·nia 名 〘植物〙クチナシ(の花).
gaul·the·ri·a 名 〘植物〙シラタマノキ.
ga·za·ni·a 名 〘植物〙ガザニア, クンショウギク.
ge·rar·di·a 名 ゴマノハグサ科属の植物の総称.
ges·ne·ri·a 名 イワタバコ科の熱帯植物の総称.
gi·ar·di·a 名 *Giardia* 属の鞭毛(べんもう)虫の総称.
glox·in·i·a 名 〘植物〙グロキシニア.
go·de·tia 名 〘植物〙イロマツヨイグサ, ゴデチャ.
grin·de·li·a 名 キク科 *Grindelia* 属の植物の総称.
har·den·ber·gi·a 名 マメ科ハーデンベルギア属の植物の総称.
hel·i·co·nia 名 〘植物〙ヘリコニア.
hor·ten·si·a 名 〘植物〙セイヨウ(西洋)アジサイ.
hous·to·ni·a 名 〘植物〙トキワナズナ.
In·fu·so·ri·a 名 滴虫類.
ix·i·a 名 〘植物〙イキシヤ, ヤリズイセン.
jus·ti·ci·a 名 キツネノマゴ科キツネノマゴ属の草と灌木(かんぼく)の総称.
kal·mi·a 名 〘植物〙カルミア.
ker·ri·a 名 〘植物〙ヤマブキ.
knip·ho·fi·a 名 〘植物〙トリトマ, シャグマユリ.
ko·chi·a 名 アカザ科ハハキギ属の数種の草本.
kra·me·ri·a 名 〘植物〙ラタニア(rhatany).
lae·li·a 名 〘植物〙ラン科レリア属の総称.
lat·i·me·ri·a 名 〘魚類〙ラチメリア: シーラカンス類の魚.
leish·man·i·a 名 〘動物〙リーシュマニア.
lis·te·ri·a 名 〘細菌〙リステリア菌.
lo·bel·ia 名 〘植物〙ロベリア.
lo·ga·ni·a 名 ホウライカズラ科ロガニア属の低木の総称.
mac·a·da·mi·a 名 〘植物〙マカダミア.
mag·no·lia 名 〘植物〙モクレン.
ma·ho·ni·a 名 メギ科ヒイラギナンテン属の常緑低木の総称.
Mam·ma·li·a 名複 哺乳(ほにゅう)綱; 哺乳類.
mer·ten·si·a 名 〘植物〙メルテンシア.
mil·to·ni·a 名 〘植物〙ミルトニア属のランの総称.
Mol·lie·ni·sia 名 〘魚類〙モリエニシア属.
mo·nil·i·a 名 不完全菌類モニリア属に属する菌類の総称.
mont·bre·ti·a 名 〘植物〙モントブレチア.
neis·se·ri·a 名 〘細菌〙ナイセリア.
ne·me·sia 名 ゴマノハグサ科ネメシア属の草本の総称.
no·car·di·a 名 〘細菌〙ノカルジア菌.
o·be·lia 名 オベリア属の群体性ヒドロポリプ.
Ophid·i·a 名複 〘動物〙ヘビ亜目(Serpentes).
o·pun·ti·a 名 〘植物〙ウチワサボテン.
pau·low·ni·a 名 〘植物〙キリ(桐).
pe·lo·ri·a 名 〘植物〙ペロリア, 正化.
pep·er·o·mi·a 名 〘植物〙ペペロミア.
pe·tu·ni·a 名 〘植物〙ペチュニア, ツクバネアサガオ.
pha·ce·li·a 名 ハゼリソウ科ファケリア属の一年草または多年草の総称.
pho·tin·i·a 名 バラ科カナメモチ属の高木および低木の総称.
pi·gno·li·a 名 マツの実.
po·go·ni·a 名 〘植物〙トキソウ(鴇草).
poin·set·ti·a 名 〘植物〙ポインセチヤ, ショウジョウボク.
Pro·to·the·ri·a 名 原獣類.
pyr·rhu·lox·i·a 名 〘鳥類〙ムネアカコウカンチョウ.
raf·fle·sia 名 〘植物〙ラフレシア.
rau·wol·fi·a 名 〘植物〙ラウウォルフィア.
re·di·a 名 〘動物〙レディア, レジア.
Rep·til·i·a 名複 爬虫(はちゅう)綱.
rhi·zoc·to·ni·a 名 リゾクトニア, 葉腐れ病菌.
rick·ett·si·a 名 〘微生物〙リケッチア.
ro·bin·i·a 名 〘植物〙ハリエンジュ(針槐).
Ro·den·tia 名 齧歯(げっし)目.
rud·beck·i·a 名 〘植物〙(オオ)ハンゴンソウ(反魂草).
saint·pau·li·a 名 イワタバコ科セントポーリア[アフリカスミレ]属の多年草.
sal·vi·a 名 〘植物〙サルビア(sage).
san·se·vi·e·ri·a 名 〘植物〙チトセラン(千歳蘭), サンセベリア.
sap·ro·leg·nia 名 〘植物〙ミズカビ.
sar·ra·ce·ni·a 名 〘植物〙サラセニア.
scle·ro·tin·i·a 名 〘菌類〙菌核菌.
shor·ti·a 名 〘植物〙イワウチワ.
sin·ning·i·a 名 イワタバコ科シンニンギア属の総称.
spre·ke·lia 名 〘植物〙ツハメズイセン.

sta·pe·li·a 名 【植物】スタペリア.
steg·o·my·ia 名 シマカ属のカ(蚊)の総称.
ster·cu·li·a 名 アオギリ科ステルクリア属の高木の総称.
ste·vi·a 名 キク科ステビア属の多年草.
sto·ke·sia 名 【植物】ストケシア, ルリギク.
stre·litz·i·a 名 【植物】ゴクラクチョウカ.
thun·ber·gi·a 名 【植物】ツンベルギア, ヤハズカズラ.
til·lands·i·a 名 パイナップル科ティランジア属の植物の総称.
ti·tho·ni·a 名 【植物】チトニア, ヒロハヒマワリ.
to·re·ni·a 名 ゴマノハグサ科ツルウリクサ属の草本の総称.
trad·es·can·ti·a 名 【植物】ムラサキツユクサ.
ve·da·li·a 名 【昆虫】ベダリヤテントウ.
vel·thei·mi·a 名 【植物】ベルティミア.
vrie·si·a 名 【植物】フリーセア.
Wash·ing·to·ni·a 名 ワシントンヤシ属のオニジュロとシラガヤシの総称.
wat·so·ni·a 名 【植物】ワトソニア.
wel·ling·to·ni·a 名 【植物】セコイア(sequoia).
wel·witsch·i·a 名 【植物】ウェルウィッチア.
wis·te·ri·a 名 フジ(藤).
wood·si·a 名 【植物】イワデンダ.
xe·ni·a 名 【植物】キセニア.
zin·ni·a 名 ヒャクニチソウ(百日草).
zoy·si·a 名 イネ科シバ属の多年草の総称.

〈**6**〉その他.

-a·bil·i·a 接尾辞 ☞
ac·a·de·mi·a 名 大学 [学園] の環境 [生活].
a·ce·di·a 名 怠惰, 無精, ものぐさ(sloth).
-a·de·ni·a 連結形 ☞
aes·the·si·a 名 ＝esthesia.
al·lu·vi·a 名 alluvium「堆積(たいせき)」の複数形.
am·phi·dro·mi·a 名 (古代アテネで)誕生祝い.
an·a·co·lu·thi·a 名 【修辞】破格.
Ant·li·a 名 【天文】ポンプ座.
a·po·ri·a 名 【修辞】アポリア.
-a·ri·a 連結形 ☞
at·a·rax·i·a 名 (Epicurus 派の解脱の条件としての)精神の平静 [安定], 冷静.
cac·o·de·mo·ni·a 名 悪霊に取りつかれること.
-car·di·a 連結形 ☞
Cas·ta·li·a 名 カスタリア: ギリシャの泉.
-che·zi·a 連結形 ☞
co·mi·ti·a 名 【ローマ史】民会.
cu·ri·a 名 クリア: 古代ローマの３段階の氏族制的社会組織の一単位.
dif·fer·en·ti·a 名 【論理】種差, 差異.
di·lu·vi·a 名 diluvium「【地質】洪積層」の複数形.
du·li·a 名 【ローマカトリック】聖人崇敬.
ec·cle·si·a 名 (古代ギリシャ民主制における市民の)政治集会.
en·cae·nia 名 (都市・教会の)創立記念祭.
en·ti·a 名 ens「【形而上学】存在(者)」の複数形.
es·the·sia 名 ☞
eu·de·mo·ni·a 名 幸福, 幸せ.
ex·o·nu·mi·a 名複 (収集対象としての)貨幣類似物; 記念品, メダルなど.
fan·tas·ma·go·ri·a 名 ＝phantasmagoria.
fas·ci·a 名 ファシア: 髪を束ねるバンド.
fe·ri·a 名 (古代ローマの)宗教的祭日, 祝祭日.
-glos·si·a 連結形 ☞
-graph·i·a 連結形 ☞
gym·na·si·a 名 gymnasium「体育館」の複数形.
gyn·e·co·mas·ti·a 名 【病理】(男性の)女性化乳房.
ha·gi·a 名複 【東方教会】聖祭品.
im·pe·ria 名 imperium「支配権」の複数形.
Im·pro·pe·ri·a 名複 【ローマカトリック】【英国国教会】インプロペリア(the Reproaches).
in·con·se·quen·ti·a 名複 取るに足りないこと, 些事(さじ).
in·di·ci·a 名複 料金別納郵便物の証印.
in·er·tia 名 不活発, ものぐさ, 惰性.
in·ju·ri·a 名 【法律】権利侵害, 起訴され得る行為.
in·sig·ni·a 名 (官職・階級・叙勲などを示す)記章.
is·ei·ko·ni·a 名 等像視.
ju·ve·nil·i·a 名複 若いころの作品 [著作], 初期作品.
la·tri·a 名 【ローマカトリック】ラトリア.
-lo·gi·a 連結形 ☞
mag·ne·sia 名 マグネシア, 苦土(くど).
ma·ni·a 名 異常な執心, 過度の熱中, 熱狂.
-ma·ni·a 連結形 ☞
mar·gi·na·li·a 名複 余白 [欄外] の書き込み, 傍注.
ma·ri·a 名 mare「【天文】(月・火星などの)海」の複数形.
me·di·a[1] 名 ☞
me·di·a[2] 名 (ギリシャ語の)有声破裂音.
me·lo·di·a 名 オルガンの８フィートの木製唇管音栓.
mi·li·tia 名 在郷軍.
mi·nu·ti·a 名 細目, 詳細; ささいな事情 [事柄].
-mne·sia 連結形 ☞
nau·ma·chi·a 名 (古代ローマで市民に観覧させた)模擬海戦.
-ne·si·a 連結形 ☞
-noi·a 連結形 ☞
no·ti·ti·a 名 (特に教会の管区を記した)記録簿.
nu·bi·a 名 ヌビア: 軽い毛編みのベッドスカーフ.
-o·no·ma·si·a 連結形 ☞
O·ri·en·ta·li·a 名複 東洋(文化)誌.
pan·mix·i·a 名 【動物行動】パンミクシー.
par·a·pher·na·lia 名複 設備, 装置, 道具一式.
-pe·dia 連結形 ☞
pen·e·tra·li·a 名複 《文語》(場所などの)奥まった所.
per·so·na·li·a 名複 個人の所持品, 個人的事柄.
phan·tas·ma·go·ri·a 名 一連の幻想, 去来する幻影.
-pho·bi·a 連結形 ☞
-pho·nia 連結形 ☞
-pho·ri·a 連結形 ☞
-pla·sia 連結形 ☞
-poe·ia 連結形 ☞
pon·tif·i·ca·li·a 名複 司教祭服.
-prax·i·a 連結形 ☞
psych·e·de·lia 名複 サイケデリックな世界 [作品].
ran·che·ri·a 名 (インディアンの保護居住地の)集落.
re·a·li·a 名複 【教育】実物教材.
re·ga·li·a 名複 王権 [王位] の表章(王冠など).
re·ti·a 名 rete「レーテ(昔の天体観測儀の一部品)」の複数形.
-rhyth·mi·a 連結形 ☞
scan·di·a 名 【化学】スカンジア, 酸化スカンジウム.
sco·ri·a 名 【冶金】かなくそ, からみ, 鉱滓(こうさい).
sco·tia 名 【建築】大えぐり, 欠き首.
se·pi·a 名 セピア: 褐色の絵の具の一種.
si·no·pia 名 【鉱物】シノピア: 赤鉄鋼の一種.
-sper·mi·a 連結形 ☞
sta·di·a[1] 名 スタジア測量.
sta·di·a[2] 名 stadium「スタジアム」の複数形.
sti·cho·myth·i·a 名 隔行対話.
stri·a 名 (特に平行に並んでいる)細い溝(畝, 縞(しま), 筋).
suo·ve·tau·ril·i·a 名 (古代ローマの)豚・雄羊・雄牛のいけにえ.
tae·ni·a 名 【ギリシャ・ローマ遺物】髪飾りバンド.
ta·lar·i·a 名複 【ギリシャ・ローマ神話】Hermes [Mercury] の両足についている翼 [有翼のサンダル].
-tax·i·a 連結形 ☞
te·ni·a 名 ＝taenia.
ter·bi·a 名 【化学】テルビア, 酸化テルビウム.
-tha·na·sia 連結形 ☞
-ther·mi·a 連結形 ☞
-thy·mi·a 連結形 ☞

-to·pi·a [連結形] ☞
un·ci·a [名] アンシア: 古代ローマの青銅貨.
u·ra·ni·a [名] 《俗》〘化学〙ウラニア.
ur·bia [名] 都市(部).
var·i·a [名][複] 種々の雑多な品目, (特に)詩文集.
yt·ter·bi·a [名] 〘化学〙イッテルビア(ytterbia).
yt·tri·a [名] 〘化学〙イットリア.
zir·co·ni·a [名] 〘化学〙ジルコニア.

-i·al /jəl, iəl/

[接尾辞] -al[1] の異形: …の(ような), …と関係のある.
★ 名詞につけて形容詞・名詞をつくる.
★ 語末にくる関連形は -IALLY.
◆ *i* で終わる語幹に *-ālis* -AL[1] のついたラテン語からの借用語から抽出.
[発音] 直前の音節に第 1 強勢.

ab·ba·tial [形] 大修道院長の; 大修道院の.
ac·tu·ar·i·al [形] 保険統計の; 保険計理上の.
ad·min·is·te·ri·al [形] 管理 [経営, 行政] 上の.
ad·ver·bi·al [形] 〘文法〙副詞の, 副詞的な.
ad·ver·sar·i·al [形] 二人の当事者が敵対関係にある.
ae·ci·al [形] 〘菌類〙サビ胞子器の.
aer·i·al [形] ☞
a·gen·tial [形] agent の; agency の.
al·lo·di·al [形] 完全私有の.
al·lu·vi·al [形] 堆積してできた, 沖積層 [物] の.
a·lo·di·al [形] =allodial.
al·tri·cial [形] 〘動物〙晩成性の, 晩熟性の.
am·bro·sial [形] この上なく美味な, かぐわしい.
ap·te·ryg·i·al [形] 〘動物〙無翅(ㇱ)の; 無翼の.
ar·te·ri·al [形] 〘生理〙動脈(血)の.
ar·ti·fi·cial [形] 人工の, 人造の, 人為的な; 模造の.
a·tri·al [形] 〘解剖〙心房の.
au·di·al [形] 聴覚の, 耳の [に関する].
aus·pi·cial [形] 占いの.
ax·i·al [形] ☞
bac·te·ri·al [形] 細菌の, 細菌から成る [による].
ba·si·al [形] 〘頭骨測定〙basion「バシオン: 大後頭孔の前縁の中点」の.
ben·e·fi·cial [形] 利益となる, ためになる, 有益な.
bes·tial [形] 野獣(beast)の; 獣の姿をした.
bi·mes·tri·al [形] 隔月の, 2 か月ごとの.
bi·no·mi·al [名] 〘代数〙二項式.
bra·chi·al [形] 〘動物〙腕の, 前足の, 翼の, 胸びれの, 前肢の.
bran·chi·al [形] 鰓(えら)の(ような).
bron·chi·al [形] 〘解剖〙気管支の.
bur·sar·i·al [形] 会計係の, 会計係に支払われる.
ca·den·tial [形] (音楽の)終止(形)(cadence)の.
car·di·al [形] 〘考古学〙カーディアル土器の.
-car·di·al [連結形] ☞
cat·e·go·ri·al [形] 〘言語〙範疇文法の [に関する].
ce·les·tial [形] 天空 [天球] の, 空の.
cem·e·te·ri·al [形] 共同墓地の; 埋葬に関する.
cen·tu·ri·al [形] 100 年の, 1 世紀の.
cir·cum·fer·en·tial [形] 円周の; 周辺 [周囲] の; 外周の.
cir·cum·stan·tial [形] 状況の, 状況による.
col·le·gial [形] 大学の, カレッジの.
com·mer·cial [形][名] ☞
con·fi·den·tial [形] 〈言葉・行為などが〉内緒の, 秘密の.
con·nu·bi·al [形] 結婚(生活)の, 夫婦の.
con·tro·ver·sial [形] 議論 [論争] 調の.
con·viv·i·al [形] 友好的な, 気持ちのいい.
cor·dial [形] 誠心誠意の, 真心のこもった.
cra·ni·al [形] ☞
cre·den·tial [名] (大使・公使・使節などの)信任状.
cru·cial [形] 重大な決定をする, 決定的な.
cur·so·ri·al [形] 〘動物〙走行に適した.
cus·to·di·al [形] 保管の; 保護管理上の.
def·er·en·tial [形] 恭しい, 丁重な, いんぎんな.
dif·fer·en·tial [形] ☞
di·lu·vi·al [形] 洪水の; (特に)Noah の洪水の.

ec·cle·si·al [形] 教会の, 教会の権能に関する.
e·lu·vi·al [形] 洗脱の, 洗脱的な; 残積層の.
en·cho·ri·al [形] 古代エジプトの民衆文字の.
en·do·the·li·al [形] 内皮の.
-en·ni·al [連結形] ☞
e·qui·noc·tial [形] 春分 [秋分] の; 昼夜平分の.
es·sen·tial [形] ☞
e·the·ri·al [形] 空気のような(ethereal).
ev·i·den·tial [形] 証拠の, 証拠上の; 証拠となる.
ex·e·qui·al [形] 葬儀の, 葬式に関する; 葬列の.
ex·is·ten·tial [形] 存在の, 存在に関する, 実在の.
ex·pe·di·en·tial [形] 便宜上の, 方便の; 便宜主義的な.
ex·pe·ri·en·tial [形] 経験上の; 経験的な.
ex·po·nen·tial [形] 説明者の; 代表的人物の, 典型の.
fa·cial [形] ☞
fal·cial [形] 〘解剖〙鎌(falx)の.
fa·mil·ial [形] 家族の, 親族の, 一族の.
fe·cial [形] =fetial.
fe·tial [形] 伝令僧の.
fi·du·cial [形] 基準と認められた, 標準の, 基点の.
fi·lar·i·al [形] 糸状虫の.
fil·i·al [形] 子(として)の, 子にふさわしい.
fi·nan·cial [形] 財務の; 会計の; 金銭上の.
fin·i·al [名] 〘建築〙フィニアル, 頂華(ちょうか).
flu·vi·al [形] 川 [河川] の.
fo·res·tial [形] 森林(地帯)の; 森林を成す.
fos·so·ri·al [形] 〘動物〙穴を掘る.
gen·ial [形] 愛想のよい, 陽気な, 元気のいい.
gen·ti·li·tial [形] 氏族 [民族] (固有)の.
gla·cial [形] ☞
gre·mi·al [名] 〘教会〙司教用ひざ掛け布.
il·lu·vi·al [形] 集積の; 集積物の.
im·pe·ri·al [形] 帝国の; 《英》大英帝国の.
in·di·cial [形] (…の)徴候がある; (…を)示す.
in·fer·en·tial [形] 推理(上)の, 推論(上)の.
in·flu·en·tial [形] (特に)影響 [感化] 力の大きい.
in·fo·pre·neur·i·al [形] 情報通信機器の [に関する].
in·i·tial [形] ☞
in·stan·tial [形] 具体例の, 例となる.
in·tel·li·gen·tial [形] 知性の, 知力の, 理知の.
in·ter·nun·cial [形] 仲立ちする.
in·ter·sti·tial [形] すき間 [裂け目] の; すき間にある.
jo·vi·al [形] 陽気な, 愉快な, 気持ちのよい.
ju·di·cial [形] 裁判 [司法] の; 公正な.
la·bi·al [形] 陰唇(labium)の; 陰唇状の.
lym·phan·gi·al [形] リンパ管の.
mag·is·te·ri·al [形] 主人の; 権威のある; 重要な.
man·a·ge·ri·al [形] 経営上の, 管理上の.
mar·su·pi·al [名] 有袋動物.
mar·tial [形] 戦争を好む, 好戦的な, 勇武の.
ma·te·ri·al [名][形] ☞
mat·ri·mo·ni·al [形] 結婚の; 結婚式の; 夫婦関係の.
mat·ri·mo·ni·al [形] 結婚の; 結婚式の; 夫婦関係 [間] の.
me·di·al [形] 中間の, 中間に位置する.
me·mo·ri·al [名] (人・事件などを)記念するための物.
mer·cu·ri·al [形] 変わりやすい, 移り気の; 流動的な.
me·si·al [形] 中央の, 縦行の.
mi·cro·bi·al [形] 微生物の.
min·is·te·ri·al [形] 聖職の; 聖職者の; 行政(上)の.
mond·i·al [形] 全世界の.
mo·nil·i·al [形] 〘病理〙モニリア属に属する.
mon·o·gy·noe·cial [形] 〈果実が〉単雌蕊(ずい)性の.
mo·no·mi·al [形] 〘代数〙単項の.
mon·o·po·di·al [形] 〘植物〙単軸(型)の.
mo·tor·i·al [形] 運動の, 運動に関係した.
nar·i·al [形] 〘解剖〙鼻孔の.
nos·o·co·mi·al [形] 〈感染が〉病院の, 病院生活による.
nup·tial [形] 結婚の, 結婚式の.
ob·se·qui·al [形] 葬式 [葬儀] の.
of·fi·cial [名][形] ☞
pa·la·tial [形] 宮殿の; 宮殿 [御殿] のような.
pal·li·al [形] (軟体動物の)外套膜の.
pa·ro·chi·al [形] 小教区 [教会区, 聖堂区] の.

par·tial 形 一部だけの; 中途半端な.
par·ti·cip·i·al 形 【文法】分詞の, 分詞に関する.
pa·tri·al 形 祖国の.
pe·ni·al 形 【解剖】ペニス(penis)の.
pen·i·ten·tial 形 悔悟の, 告解の, 悔悛の, 悔い改めた.
pes·ti·len·tial 形 悪疫を発生させる, 悪疫性の.
pe·te·chi·al 形 【病理】点状出血の.
plu·vi·al 形 雨の; 雨による, 雨が原因の.
pol·y·gy·noe·ci·al 形 【植物】融合雌蕊(ずい)の.
po·ten·tial 形名 ☞
prae·co·cial 形 =precocial.
prae·di·al 形 土地 [田畑, 地所] の; 不動産に関する.
pran·di·al 形 食事の.
prec·e·den·tial 形 前例となり得る, 前例になる.
pre·co·cial 形 【生物】〈ある動物種が〉早熟性の.
pre·di·al 形 =praedial.
pref·er·en·tial 形 優先の, 優先的な, 先取の.
prej·u·di·cial 形 偏見を抱かせる; (…に)不利となる, 損害を与える, 有害な.
pres·i·den·tial 形 大統領の; 大統領職の.
pre·sid·i·al 形 要塞の [を作る]; 守備隊の.
pri·ma·tial 形 大主教 [大司教] (primate)の.
pri·mor·di·al 形 最初の, 根源の, 原初の, 根本的な.
prin·cip·i·al 形 最初の, 第一の.
pro·ver·bi·al 形 ことわざ [格言] の; ことわざに似た.
prov·i·den·tial 形 摂理による, 神意の.
pro·vin·cial 形 ☞
pru·den·tial 形 慎重な, 思慮深い; 抜けめのない.
quad·riv·i·al 形 一点に集まる 4 つの道がある.
quin·cun·cial 形 五つ目型の.
ra·cial 形 ☞
ra·di·al 形 放射状の, 輻射(ふくしゃ)形の.
rap·ta·to·ri·al 形 〈動物が〉捕食性の, 肉食性の.
rap·to·ri·al 形 〈鳥獣などが〉生物を捕食する.
ra·so·ri·al 形 〈鳥が〉(餌(えさ)を求めて)地面をかき散らす習性の.
ref·er·en·tial 形 (…と)関係 [関連] のある.
re·me·di·al 形 治療の(ための), 治療上の.
rem·i·nis·cen·tial 形 (…を)思い出させる, 連想させる, 偲(しの)ばせる.
res·i·den·tial 形 居住の; 住宅の.
rev·er·en·tial 形 畏敬の念に満ちた, 崇敬の念から出た.
sac·ri·fi·cial 形 いけにえの; 犠牲的な; 投げ売りの.
sa·pi·en·tial 形 《文語》知恵の; 知恵のある.
sci·en·tial 形 知識のある; 学問のある, 博識の.
sei·gno·ri·al 形 君主 [領主] の.
sen·ten·tial 形 判決の.
se·quen·tial 形 (規則的に)連続して起こる.
se·ri·al 名形 ☞
sim·pli·cial 形 【数学】単体の.
so·cial 形名 ☞
sol·sti·tial 形 至(し)の.
so·re·di·al 形 粉芽の [に似た].
spa·cial 形 =spatial.
spa·tial 形 空間の [に関する].
spe·cial 形名 ☞
sple·ni·al 形名 【解剖】板状筋の(骨).
sta·di·al 形 【地質】亜氷期の [に属する].
sta·pe·di·al 形 【解剖】(中耳にある)あぶみ骨の.
stib·i·al 形 アンチモニー(antimony)の.
sub·stan·tial 形 ☞
su·per·fi·cial 形 〈傷などが〉表面にある.
sym·phys·i·al 形 〈骨が〉結合(symphysis)の.
sym·po·si·al 形 symposium「討論会」の.
tan·gen·tial 形 接線の; 接線の方向にある [動く].
te·li·al 形 telium「冬胞子層」の.
ten·u·ri·al 形 tenure「(一般に)保有, 保持」の.
ter·res·tri·al 形 ☞
ter·ri·to·ri·al 形 ☞
ter·tial 形 【鳥類】三列風切りの, 後列の.
tor·ren·tial 形 激流 [奔流] の(ような), 急流性の.
trans·fer·en·tial 形 移転の, 移転を伴う.
tri·al 名形 【文法】三数(の).
triv·i·al 形 〈事・物が〉ささいな, 取るに足りない.
tru·cial 形 休戦の, 休戦協定にかかわる.
tu·to·ri·al 形 tutor「個人教師」の [による].
un·ci·al 形 アンシェル(書)体の.
u·ro·pyg·i·al 形 【鳥類】腰(uropygium)の [に関する].
ux·o·ri·al 形 妻の; 妻にふさわしい.
ve·ni·al 形 〈罪が〉許される, 軽い.
ves·tig·i·al 形 痕跡的な, 名残の, 残存的な.
vi·car·i·al 形 《英》vicar「教区主管者代理」の.
xe·ni·al 形 主客関係の, 賓客と主人の(関係の).

-ial·ly /əli/

接尾辞 …に属して, …の性質で.
★ -ial で終わる形容詞に対応する副詞をつくる.
◆ -IAL と -LY[1] の合成接尾辞.

cir·cum·stan·tial·ly 副 詳しく, 一部始終.
com·mer·cial·ly 副 商業的に; 貿易上; 営利的に.
cor·dial·ly 副 心から, 心を込めて.
ed·i·to·ri·al·ly 副 編集上 [的に].
es·pe·cial·ly 副 特に, ことに, とりわけ; 著しく.
fi·nan·cial·ly 副 財政的に, 財政上.
ma·te·ri·al·ly 副 大いに; かなり, 相当, 著しく.
par·tial·ly 副 部分的に, 一部分は, ある程度.
po·ten·tial·ly 副 潜在的に.

i·am·bus /aiǽmbəs/

名 【韻律】(古典詩で)短長格; (英詩で)弱強格(iamb).
⇨ -US[1].

cho·li·am·bus 名 跛行(はこう)短長格.
cho·ri·am·bus 名 長短短長格, 強弱弱強格.

-i·an /iən, jən/

接尾辞 《子音の後で》-an[1] の異形.
★ 最近は -an[1] よりも多用される.
◆ *i* で終わる語幹に *-ānus* -AN[1] がついたラテン語からの借用語から抽出.
[発音] 直前の音節に第 1 強勢が置かれる.

Ab·be·vill·i·an 形名 アブビル期(文化)(の).
A·be·li·an 形 【数学】アーベルの(定理の).
ac·an·tho·di·an 名 棘魚(きょくぎょ)類.
Ac·ca·di·an 名 =Akkadian.
Ach·ae·me·ni·an 形 アケメネス(王)朝の.
A·cheu·li·an 形 アシュール文化の.
ac·tin·i·an 形 イソギンチャク目の.
Ad·di·so·ni·an 形 アディソン(Joseph Addison)の.
Ad·le·ri·an 形 アドラーの.
Ae·o·li·an[1] 形 アイオリス人の.
Ae·o·li·an[2] 形 アイオロス(Aeolus)の.
ae·o·li·an 形 風の; 風の作用による, 風成の.
ae·rar·i·an 形 【ローマ史】国庫の.
Ae·so·pi·an 形 イソップ(Aesop)の.
a·grar·i·an 形 土地の [に関する]; 土地保有の.
Ak·ka·di·an 名 アッカド語.
Al·a·bam·i·an 形 アラバマの; アラバマ(州)人の.
al·cy·o·nar·i·an 名 【動物】ウミトサカ.
A·leu·tian 形 アリューシャン列島の.
Al·gon·ki·an 形 【地質】アルゴンキア界の.
Al·gon·qui·an 名 アルゴンキン語族.
al·lo·phyl·i·an 形 《古》〈特にヨーロッパ・アジアの言語が〉インド=ヨーロッパ語(族)およびセム語(族)以外の.
Al·sa·tian 形 アルザス(Alsace)の; アルザス人の.
Am·a·zo·ni·an 形 〈女性が〉勇猛果敢な, 好戦的な.
Am·bro·sian 形 【ローマカトリック】アンブロジオ修道会の.

am·phib·i·an 名 両生類, 両生動物.
Am·ra·tian 形 アムラー文化の.
An·gli·an 形 アングル族(Angles)の.
an·ti·no·mi·an 名 反律法主義者, 律法不要論者.
An·to·ni·an 名 〘ローマカトリック〙アントニウス(修道)会士.
a·pi·an 形 ミツバチの.
A·quar·i·an 形 水瓶(みずがめ)座の.
Ar·au·ca·ni·an 名 アラウカノ族(の一人).
Ar·chi·lo·chi·an 形 〘韻律〙アルキロコス調の.
Ar·i·an[1] 形 アリウス [アレイオス] の.
Ar·i·an[2] 形名 牡羊(おひつじ)座(Aries)生まれの(人).
Ar·is·to·te·lian 形 アリストテレス(Aristotle)の.
ar·mar·i·an 名 〘歴史〙(修道院の)書庫や写本室を管理する修道士.
Ar·min·i·an 形 アルミニウス派の.
ar·te·sian 形 アルトワ式井戸の.
Ar·thu·ri·an 形 アーサー王の [に関する].
as·cid·i·an 名 ホヤ(海鞘)(sea squirt).
as·tro·lo·gi·an 名 占星術師, 星占い師.
A·te·ri·an 形 〘考古〙アテール(文化)の.
Ath·a·na·sian 形 アタナシウスの; アタナシウス派の.
A·the·ni·an 形 アテネ(Athens)の; 古代アテネの.
Au·gus·tin·i·an 形 聖アウグスティヌスの.
Au·ri·gna·cian 形 オーリニャック文化の.
Aus·tral·i·an 形 オーストラリア(人)の.
a·vi·an 形 鳥(類)の. ━━名 鳥.
A·zil·ian 形 〘考古〙アジール文化(期)の.
Bab·y·lo·ni·an 形 古都バビロン [バビロニア帝国] の.
bac·cha·na·li·an 形 酒神バッカスの.
Ba·co·ni·an 形 Francis Bacon(の学説, 学派)の.
Ba·ha·mi·an 名 バハマ人, バハマ連邦国民.
Bar·ba·di·an 名 バルバドス人, バルバドス国民.
bar·bar·i·an 名 野蛮人, 未開人, 蛮夷(ばんい), 夷狄(いてき).
Barth·i·an 形 バルト(Karl Barth)の.
Bar·tok·i·an 形 〘音楽〙バルトーク風の.
Ba·sil·i·an 形 聖バシリウス(Saint Basil)の.
ba·tra·chi·an 形 両生 [無尾] 類の.
Bayes·i·an 形 〘統計〙ベイズ的な.
Bel·gian 名 ベルギー人.
Berke·le·i·an 形 バークリー(George Berkeley)の.
Ber·mu·di·an 形 バミューダ諸島の.
bi·o·spher·i·an 名 バイオスフィア 2(人工自給生活圏)に隔離された 8 人の一人.
Bis·marck·i·an 形 ビスマルクの.
Bloom·field·i·an 形 〘言語〙ブルームフィールド言語理論の.
Bos·to·ni·an 形 ボストンの [的な]; ボストン市民の.
Bos·well·i·an 形 (忠実な伝記作家)ボズウェル流の.
Bra·zil·ian 形 ブラジル(人)の.
Brob·ding·nag·i·an 形 ブロブディンナグ [巨人] 国の.
Bru·no·ni·an 名 (米国の)ブラウン大学(Brown University)の卒業生.
Bu·chan·an·i·an 名形 ブキャナン(1992, 96 年共和党米国大統領候補)支持者(の).
Bush·i·an 名形 ブッシュ(第 41 代米国大統領)支持者(の).
cae·cil·i·an 名 アシナシイモリ, ハダカヘビ.
cal·li·pyg·i·an 形 尻の形のよい.
Cam·er·oo·nian 名 カメルーン人.
Cam·pi·gnian 名形 カンピニー文化(期)(の).
Ca·na·di·an 形名 ☞
Can·cer·i·an 名 〘占星〙蟹座(生まれ)の人.
Can·ta·brig·i·an 形 英国ケンブリッジ(Cambridge)の.
Càpe Vérdi·an 名 カボベルデ人.
Ca·pe·tian 形 カペー王朝の(987–1328).
Cap·si·an 名形 〘考古〙カプサ(文化)(の).
car·nel·ian 名 (宝石として用いる)紅玉髄.
Car·o·lin·gi·an 形 カロリング朝の.
Car·o·lin·i·an[1] 形名 (米国の)North [South] Carolina 州の(出身者 [住民]).
Car·o·lin·i·an[2] 形 =Carolingian.
Car·te·sian 形 デカルト(Descartes)の.
Cas·pi·an 形 カスピ海(Caspian Sea)の.
Cas·til·ian 名 カスティリャ地方(Castile)のスペイン語の一方言; 標準スペイン語.
Cau·ca·sian 形 〘人類〙コーカソイド [白色人種] の.
cem·e·te·ri·an 名 霊園管理人, 霊園業者.
cer·a·top·si·an 名 角竜(つのりゅう)類.
Ces·tri·an 形 (イングランドの)Chester の.
Chad·i·an 形 チャド共和国の, チャド人の.
Chau·ce·ri·an 形 チョーサー(Chaucer)の [に関する].
che·lo·ni·an 形 カメ目の. ━━名 カメ(turtle).
Ches·ter·field·i·an 形 英国の Chesterfield 伯爵に関する.
Chris·tian 形 ☞
Chu·ko·tian 名 チュクチ諸語.
Church·ill·i·an 形 チャーチル(Churchill)の(ような).
Cic·e·ro·ni·an 形 キケロ(Cicero)の.
Cis·ter·cian 名 シトー修道会の修道士 [修道女].
ci·vil·ian 名 (軍人・警察官に対して)一般市民.
Clac·to·ni·an 形 クラクトン文化の.
Cla·re·tian 名 〘ローマカトリック〙クラレト会員.
Clin·to·ni·an 名形 クリントン(第 42 代米国大統領)支持者(の).
coe·cil·i·an 名 =caecilian.
col·le·gian 名 大学の在学生 [卒業生].
Col·o·pho·ni·an 名 コロフォン生まれの人.
Co·los·sian 名 コロサイ(Colossae)の人 [住民].
Co·lum·bi·an 形 《文語》アメリカ大陸の; 米国の.
co·me·di·an 名 コメディアン, 喜劇役者 [俳優].
Com·ti·an 形 Comte 哲学の [に関する].
Con·fu·cian 名 孔子(Confucius)の教義の信奉者.
Co·rin·thi·an 形 (古代ギリシャの)コリントの.
cor·nel·ian 名 =carnelian.
croc·o·dil·i·an 名 〘動物〙ワニ.
Crom·wel·li·an 形 Oliver Cromwell の政策の.
cus·to·di·an 名 管理人, 保管者.
Cy·be·ri·an 名 電子テクノロジー信奉者.
Cyl·le·ni·an 形 キュレーネー(Cyllene)山の.
Cyp·ri·an 形 アフロディテ(Aphrodite)崇拝の.
dae·mo·ni·an 名 =demonian.
Dal·to·ni·an 形 Dalton(の原子理論)の.
Da·ni·an 形 〘地質〙ダン [デーン] 階の.
Dan·u·bi·an 形 ドナウ川(流域)の.
Dar·win·i·an 形 ダーウィン(Darwin)(説)の.
De·da·li·an 形 〘ギリシャ神話〙ダイダロスの.
De·li·an 形 デロス島(Delos)の.
Del·sar·ti·an 形 デルサルト(体操法)の.
de·mo·ni·an 形 鬼神 [悪魔] の(ような).
De·vo·ni·an 形 〘地質〙デボン紀 [系] の.
Dick·en·si·an 形 ディケンズ(Dickens)の(文体の).
Di·o·ny·sian 形 ディオニュソス祭の.
Dis·card·i·an 名形 〘仏政治〙ジスカー・デスタン支持者(の).
Do·ri·an 形 (古代ギリシャの一地方であった)ドリス(Doris)の; ドーリア人の.
Dra·co·ni·an 形 ドラコン(Draco)の.
Dra·vid·i·an 名 ドラビダ語族.
Dul·les·i·an 名形 ダレス(米国国務長官)支持者(の).
earth·i·an 名 地球に住む人 [生物].
Ed·ward·i·an 形 エドワード七世時代の.
E·gyp·tian 名 ☞
Ein·stein·i·an 形 アインシュタイン(Einstein)の.
El·eu·sin·i·an 形 エレウシス(Eleusis)の(秘儀の).
E·ly·sian 形 エリュシオン(Elysium)の(ような).
Em·er·so·ni·an 形 エマソン(Emerson)の.
E·o·li·an 形 =Aeolian[1,2].
e·o·li·an 形 =aeolian.
E·phe·sian 形 エフェソス(Ephesus)の.
E·pis·co·pa·lian 形 米国聖公会の [を信奉する].
e·ques·tri·an 形 乗馬者 [騎手, 馬術家] の; 馬術の.
E·ras·mi·an 形 エラスムス(Erasmus)(流)の.
E·ras·tian 形 エラストゥスの.
e·te·sian 形 〈地中海の風が〉毎年吹く.
E·to·ni·an 名 イートン校生徒 [卒業生].
Eus·kar·i·an 形 バスク(人)の(Basque). ►バスク地方を Euskadi と呼ぶ.

eu·the·ri·an 形名 真獣類の(動物).
ex·trop·i·an 名 エクストロピー信奉者.
Fa·bi·an 形 ローマの将軍 Fabius Maximus 流の.
Fa·ler·ni·an 形 〈ワインが〉(イタリアの)カンパニア地方(産, 製)の.
Fal·staff·i·an 形 フォルスタッフのような.
Faus·ti·an 形 ファウスト(Faust)の [に関する].
fa·vo·ni·an 形 西風の.
Fe·ni·an 名 フェニアン: IRA の前身となった秘密結社.
Freud·i·an 形 フロイト(Freud)の; フロイト派の.
Frie·sian 形 フリースランド(Friesland)の.
Fri·sian 形 =Friesian.
Fu·e·gi·an 形 Tierra del Fuego に属する.
Gal·we·gian 形 (スコットランドの)ガロウェー(Galloway)地方の.
gen·tian 名 ☞
Geor·gian 形 ジョージ王朝(時代)の.
Ge·phardt·i·an 名形 ゲップハート(米国民主党下院議員)支持者(の).
Gha·na·ian 名 ガーナ人. ━━形 ガーナ(人)の.
Gil·ber·ti·an 形 W. S. Gilbert 作の喜歌劇風の.
Gin·grich·i·an 名形 ギングリッチ(米国共和党下院議員)支持者(の).
Go·dard·ian 形 【映画】ゴダール(Godard)風の.
Gor·di·an 形 ゴルディオス(Gordius)の.
Gore·i·an 名形 ゴア(クリントン政府の副大統領)支持者(の).
Gor·go·ni·an 形 (ギリシャ神話の怪物の)ゴルゴンの[に似た].
gor·go·ni·an 名 ヤギ(海楊)(イソバナを含む).
gram·mar·i·an 名 文法学者, 文法家.
Gran·di·so·ni·an 形 勇気と礼節を知るきわめて紳士的な.
Gra·vett·i·an 形 グラベット文化の.
Gre·cian 形 ギリシャ(風)の, ギリシャ人(風)の.
Gre·go·ri·an 形 ローマ教皇 Gregory の.
Gre·na·di·an 名 グレナダ人, グレナダ国民.
gro·bi·an 名 やぼったい田舎者.
guard·i·an 名 《文語》保護者, 守護者; 管理者.
Ha·laf·i·an 形 ハラーフ文化 [期] の.
Hal·i·go·ni·an 形 (カナダの)ハリファックスの.
Ham·il·to·ni·an 形 ハミルトン主義の [を唱導する].
Han·o·ve·ri·an 形 (英国の)ハノーバー王家の.
Har·ro·vi·an 形 ハロー校(Harrow)の.
Har·var·di·an 形名 ハーバード大学の(学生, 出身者).
He·ge·li·an 形 ヘーゲル(Hegel)の; ヘーゲル哲学の.
Her·bar·ti·an 形 ヘルバルト学派の.
Her·cyn·i·an 形 【地質】ヘルシニア山地の.
He·ro·di·an 形 ヘロデ大王(の家族, 一味)の.
Hes·pe·ri·an 形 ヘスペリアの, 夕べの国の.
Hes·sian 形 (ドイツの)ヘッセン(Hesse)(州)の.
Hil·la·ry·i·an 形 ヒラリー(クリントン大統領夫人)の.
his·to·ri·an 名 歴史家, 歴史学者.
Ho·a·binh·i·an 形 【考古】ホアビン(文化)の.
Hobbes·i·an 名 ホッブズ(Hobbes)説の信奉者.
Hol·ly·wood·i·an 名 ハリウッドの映画産業で働く人.
hol·o·thu·ri·an 名 ナマコ.
Hòng Kóng·i·an 名 香港人.
Ho·ra·tian 形 ホラティウス(Horace)の.
Hous·to·ni·an 名 米国 Texas 州 Houston の住民.
Hy·gie·ian 形 【ギリシャ神話】ヒュギエイアの.
I·be·ro-Mau·ru·si·an 形 イベロ=マウル(文化)の.
I·car·i·an 形 イカロスの, イカロスのような.
Il·i·an 形名 イリウム(Ilium)の(住民).
I·ra·ni·an 形 イランの; イラン人の; イラン語の.
isth·mi·an 形 【地質】地峡(isthmus)の.
I·tal·ian 形 イタリアの; イタリア人 [語] の.
Jack·so·ni·an 形 A. Jackson(時代)の.
James·i·an 形 小説家 Henry James の(作品の).
Jef·fer·so·ni·an 形 Thomas Jefferson の政策・主義に関する [を信奉する].
Job·i·an 形 【聖書】ヨブ(Job)の.
John·i·an 名 《英》(Cambridge 大学の)St. John's College の学生 [卒業生].
John·so·ni·an 形 サミュエル・ジョンソンの.
Jor·da·ni·an 形 ヨルダンの. ━━名 ヨルダン人.
Jo·vi·an 形 ジュピターの.
Jul·ian 形 ローマの将軍・政治家 Julius Caesar の; ユリウス暦の.
Jung·i·an 形 ユング(Jung)の; (特に)ユング説の.
Jus·tin·i·a·ni·an 形 ユスティニアヌス一世(Justinian I)の.
Ka·bar·di·an 名 カバルダ語.
Kant·i·an 形 カント(Kant)(哲学, 学派)の.
Kash·mir·i·an 形 カシミール(に特有)の.
Ka·shu·bi·an 名 カシューブ語.
Keynes·i·an 形 ケインズ(Keynes)の.
Kier·ke·gaard·i·an 形 キルケゴール(Kierkegaard)哲学の.
Klein·i·an 形 クライン学説の.
Kor·do·fan·i·an 名 コルドファン語族.
Lac·e·dae·mo·ni·an 形 ラケダイモン [古代スパルタ] (人)の.
lac·er·til·i·an 形 トカゲ亜目の.
La·marck·i·an 形 ラマルク(Lamarck)の.
Lan·cas·tri·an 形 英国ランカスター王家の.
La·o·tian 名 ラオス人.
Laud·i·an 形 ロード(Laud)の; ロード主義の.
Lau·ren·tian 形 (カナダの)St. Lawrence 川(付近山地)の.
Law·ren·tian 形 D.H. ローレンス(Lawrence)の.
Les·bi·an 形 **1** レスボス島(Lesbos)の. **2** (女性間の)同性愛の, レズビアンの.
Les·ghi·an 名 =Lezghian.
Le·val·loi·si·an 形 ルバロワ技法の(特徴を持つ).
Lez·ghi·an 名 レズギ族(の一人).
Lil·li·pu·tian 形 Lilliput(人)の; きわめて小さい.
Lin·coln·i·an 形 Abraham Lincoln の.
Lock·i·an 形 ロック(John Locke)哲学の.
Lux·em·bourg·i·an 形 ルクセンブルク(大公国)の.
Mach·i·a·vel·li·an 形名 【政治】マキアベリの(信奉者).
Mag·da·le·ni·an 形 マドレーヌ文化(期)の.
Mah·ler·i·an 形 マーラー(Mahler)の.
Mal·div·i·an 名 モルディブ人.
Mal·thu·sian 形 マルサス(Malthus)の.
mam·ma·li·an 名 哺乳(ほにゅう)動物(mammal).
Man·cu·ni·an 名 (イングランドの)マンチェスター(Manchester)生まれの人 [の住民].
Mar·a·tho·ni·an 形 ギリシャの Marathon の.
Mar·lo·vi·an 形 マーロー(C. Marlowe)(風)の.
Mar·tian 形 火星(Mars)の; 火星人の.
Marx·i·an 形 マルクス(Marx)の.
Mau·ri·tian 名 モーリシャス人.
me·di·an 形 (物を)二等分する面の.
Me·gar·i·an 形名 メガラ(Megara)の(人).
me·la·ni·an 形 黒色の.
Me·li·an 形 ミロス(Melos)(島)の.
Men·de·li·an 形 メンデル(G. J. Mendel)の.
Mer·o·vin·gi·an 形 メロビング(王)朝(476–751)の.
met·a·the·ri·an 形 後獣類の. ━━名 後獣類.
-me·tri·cian 連結形 ☞
Mich·i·ga·ni·an 形 ミシガン州(人)の [に特有の].
Mi·co·qui·an 形 【考古】ミコク文化(期)の.
Mi·le·sian[1] 形 ミレトス(Miletus)の.
Mi·le·sian[2] 名 【アイルランド伝説】ミレシア人.
Min·gre·li·an 名 ミングレル族(の一人).
Mon·arch·ian 形 世襲君主制(擁護)の.
Mous·te·ri·an 形 【人類】ムスティエ文化の.
Nab·o·ko·vi·an 形 ナボコフ(Nabokov)的な.
Na·pier·i·an 形 英国将軍ネーピア(J. Napier)の.
nec·es·sar·i·an 名 必然 [決定, 宿命] 論者.
ne·o-Dar·win·i·an 形名 新ダーウィン説の(信奉者).
Nep·tu·ni·an 形 ネプトゥヌス(Neptune)の; 海の.
Ne·ro·ni·an 形 ローマ皇帝ネロ(の時代)の.
Nes·to·ri·an 名 ネストリウス派の信徒.
Ne·vis·i·an 名 (セントクリストファー・ネイビスの)ネイビス島の住民.

New·to·ni·an 形 ニュートン(Newton)の.
ni·co·tian 形 タバコの. ──名 喫煙者.
Nix·o·ni·an 名形 ニクソン(第 37 代米国大統領)支持者(の).
No·a·chi·an 形 族長ノア(Noah)(の時代)の.
Nor·we·gian 形 ノルウェー(人, 語)の.
nul·li·fid·i·an 名 無信仰[不信心]者; 懐疑論者.
ob·sid·i·an 名 〘岩石〙黒曜石, 黒曜岩.
O·gyg·i·an 形 〘ギリシャ神話〙オギュゴス(Ogyges)王の.
O·lym·pi·an 形 オリュンポス山(Mount Olympus)の.
o·phid·i·an 形 ヘビ亜目(Serpentes)の.
O·ran·i·an 形 オラン(文化)の.
Or·ca·di·an 形 Orkney 諸島(の人)の.
Or·do·vi·cian 形 〘地質〙オルドビス紀[系]の.
Or·le·an·i·an 名 ニューオリンズ人.
Or·well·i·an 形 オーウェル的な.
O·se·tian 形 =Ossetian.
Os·se·tian 形 オセティア(風)の; オセット人の.
Ot·to·ni·an 形 オットー朝の.
Ox·for·di·an 形 オックスフォード(Oxford)の.
Ox·o·ni·an 形 =Oxfordian.
O·zy·man·di·an 形 (エジプトの)Ramses II の巨像の(ような); 巨大な(スケールの).
pa·gu·ri·an 名 ヤドカリ(hermit crab).
Pal·es·tin·i·an 名 パレスチナ人.
Pal·la·di·an 形 女神パラス(Pallas)の.
Pan·a·ma·ni·an 形 パナマ(人)の. ──名 パナマ人.
Pan·gloss·i·an 形名 極端に楽天的な(人).
Pan·tag·ru·el·i·an 形 (ラブレーの書いた)パンタグリュエルのような.
Pa·phi·an 形 (キプロスの古代都市)パポス(Paphos)の.
Par·i·an 形 (白色大理石で有名な)パロス(Paros)島の.
Pa·ri·sian 名 パリの住民, パリ生まれの人.
par·kin·so·ni·an 形 〘病理〙パーキンソン病の.
Par·nas·si·an 形 (ギリシャの)パルナッソス山の.
pa·tri·cian 名 (一般に)高位の人; 貴族; 名門の士.
Pav·lov·i·an 形 パブロフ(Pavlov)の, 条件反射の.
Peck·sniff·i·an 形 偽善的な, 猫をかぶった; 信心ぶる.
pe·des·tri·an 名 歩行者; 徒歩旅行者.
Pe·la·gi·an 名 ペラギウス派.
pe·la·gi·an 形 海洋の, 遠洋の; 遠洋で行なわれる.
Per·i·gor·di·an 形 ペリゴール文化(期)の.
Per·mi·an 形 〘地質〙二畳紀の, ペルム紀の.
Pe·ro·ti·an 名形 ペロー(1992, 96 年無所属米国大統領候補)支持者(の).
Pe·ru·vi·an 形 ペルー(人)の. ──名 ペルー人.
Pet·ro·bru·sian 名 ペテロブリュイス派(の人).
phil·o·lo·gi·an 名 文献学者.
Phoe·ni·cian 名 フェニキア生まれの人[の住民].
Pi·a·get·ian 形 ピアジェ流[理論]の.
Pick·wick·i·an 形 (C. Dickens の小説 *The Pickwick Papers* の主人公)ピックウィックのような.
Pi·e·ri·an 形 ミューズの神々(the Muses)の.
ple·be·ian 形 大衆の, 平民の, 庶民の.
Plo·tin·i·an 形 プロティノス(Plotinus)の.
Plu·tarch·i·an 形 プルタルコス(Plutarch)の.
Plu·to·ni·an 形 プルート[プルトン](Pluto)の.
Po·la·bi·an 名 ポラブ人(の一人).
Pom·pe·ian 形 ポンペイの; ポンペイ文化の.
prac·ti·cian 名 経験者, 熟練者.
prae·to·ri·an 形 (古代ローマの)法務官の.
pre·ci·sian 名 (特に宗教上のことで)規則[形式]を厳守する人.
Pre·mon·stra·ten·sian 名 〘ローマカトリック〙プレモントレ会士.
Prince·to·ni·an 名 プリンストン大学の学生.
pro·le·tar·i·an 形 プロレタリア階級[無産階級]の.
pro·sim·i·an 形 〘動物〙原猿類の. ──名 原猿.
pro·to·the·ri·an 形 〘動物〙原獣類の.
Proust·i·an 形 プルースト(Marcel Proust)の.
Prus·sian 形 プロイセンの, プロイセン人[語]の.
-ptery·gi·an 連結形 ☞
Pyth·i·an 形 (古代ギリシャの都市)デルフォイ, デルポイ(Delphi)の.
quo·tid·i·an 形 毎日の, 日ごとの.
Rab·e·lai·si·an 形 ラブレー(Rabelais)の.
Ras·ta·far·i·an 名 (ジャマイカの)ラスタ主義者.
Rea·gan·i·an 名形 レーガン(第 40 代米国大統領)支持者(の).
rep·til·i·an 形 爬虫(はちゅう)綱に属する, 爬虫類の.
Rho·di·an 形 ロードス(Rhodes)島の.
rhyn·cho·ce·pha·lian 名 〘動物〙ムカシ(昔)トカゲ.
ri·par·i·an 形 《文語》河岸[湖岸]の, 水辺の.
Rip·u·ar·i·an 形 リプアリ族の. ──名 リプアリ族.
Ritsch·li·an 形 リッチュル神学[学派]の.
Roo·se·velt·i·an 形 ルーズベルト(Franklin Delano Roosevelt または Theodore Roosevelt)の主義[見解, 政策]の.
Ros·ci·an 形 演技の; 俳優の.
Ro·si·cru·cian 名 バラ十字会員.
Sab·ba·tar·i·an 名 土曜日を安息日として守る人.
Sa·bel·li·an 名 サベリー人.
Sac·ra·ment·ar·i·an 名形 〘プロテスタント〙礼典象徴説主張者(の).
Saint-Si·mo·ni·an 形 サン=シモン(の空想的社会主義)の.
Sa·le·sian 名 〘ローマカトリック〙サレジオ会の会員.
Sa·li·an 形 サリ族の. ──名 サリ族.
sa·li·en·tian 形 〘動物〙跳躍上目[亜綱, 類]の.
sal·pin·gi·an 形 卵管の; 耳管の.
Sa·mi·an 形 ギリシャのサモス(Samos)島の.
sar·co·din·i·an 形 肉質虫亜門の. ──名 肉質虫.
Sar·da·na·pa·lian 形 ぜいたく[放蕩]三昧の.
Sas·a·ni·an 名形 ササン朝(の).
Sa·tur·ni·an 形 土星の.
sau·ri·an 形 トカゲ類の[に関する].
sau·ris·chi·an 名 〘古生物〙竜盤類.
Scan·di·an 形 スカンジア(Scandia)の.
Schu·ber·tian 形 シューベルトの; シューベルト風の.
Scyth·i·an 形 スキタイの, スキタイ人の.
se·la·chi·an 形 (サメ・エイなど)軟骨魚類の.
sen·a·to·ri·an 形 上院(議員)の.
ses·qui·pe·da·li·an 形 〈人が〉長い語を使いたがる.
Shake·spear·i·an 形 シェークスピア(の作品)の.
Sha·vi·an 形 バーナード・ショー(G. B. Shaw)の.
Sher·lock·ian 形 シャーロック・ホームズの(ような).
Si·ca·ni·an 形 シチリア(人, 方言)の(Sicilian).
Si·lu·ri·an 形 シルレス族の.
sim·i·an 形 類人猿[サル]の.
si·re·ni·an 名形 海牛類動物(の).
Sir·i·an 形 〘天文〙シリウス(Sirius)の.
Skin·ner·i·an 名 スキナー学派.
So·cin·i·an 名 ソッツィーニ派教徒.
Sog·di·an 名 ソグド人, ソグディアナの住民.
sol·i·fid·i·an 名 〘神学〙唯信論者, 信仰絶対論者.
Sorb·i·an 形 ソルブ族[語]の, ウェンド人[語]の.
Spen·ce·ri·an[1] 形 スペンサー(H. Spencer)(哲学)の.
Spen·ce·ri·an[2] 形 〈ペン習字が〉スペンサー体の.
Spen·se·ri·an 形 Spenser の; スペンサー風[流]の.
St.Kittitian 名 (セントクリストファー・ネイビスの)セントキッツ島の住民.
sten·to·ri·an 形 〈声・音が〉非常に大きい.
Styg·i·an 形 (ギリシャ神話の)ステュクス(Styx)川の, 三途(さんず)の川の.
sub·cla·vi·an 形 〘解剖〙〈動脈などが〉鎖骨下の.
suc·to·ri·an 名 吸盤のある動物.
Sue·vi·an 名 スエービー人[族]: 古代ゲルマン民族の一群の部族の総称.
Sul·pi·cian 名 〘ローマカトリック〙シュルピス会士.
Su·me·ri·an 形 シュメールの; シュメール人の.
Su·si·an 名 スーサ(Susa)生まれの人[の住民].
Swe·den·bor·gi·an 形 スウェーデンボリ派の.
Tar·de·noi·sian 名形 〘考古〙タルドノワ文化期(の).

Tar·tar·i·an 形 タタール族 [人] (Tartar) の.
Ta·si·an 形 【考古】ターサ文化(期)の.
Te·ian 形 (古代 Ionia の都市) Teos の.
Teil·hard·i·an 形 ティヤール・ド・シャルダンの.
tel·lu·ri·an 形 地球 [地上] の; 地球人の [特有の].
Ten·ny·so·ni·an 形 テニスン(の作品)の [特有の].
Te·re·sian 名 カルメル会テレジア派(の一員).
ter·tian 形 【病理】〈発作・発熱が〉隔日の.
Teu·cri·an 形 古代トロイ人の.
The·o·do·sian 形 テオドシウス(Theodosius) I [II] の.
the·o·lo·gian 名 (特にキリスト教の)神学者.
the·ri·an 形 獣類動物の, 獣類亜綱に属する.
Ther·mi·do·ri·an 名 【フランス史】テルミドール派.
Thra·cian 形 トラキア(Thrace)の; トラキア人の.
Ti·be·ri·an 形 ティベリウス(Tiberius)帝の.
To·char·i·an 名 トカラ人(の一人).
Tof·fler·i·an 名形 トフラー信奉者(の).
To·khar·i·an 名 =Tocharian.
Trac·tar·i·an 形 【キリスト教】トラクト運動支持者.
tra·du·cian 名形 【神学】霊魂出生論者(の).
trib·u·ni·cian 形 護民官の(ような), 護民官の職の.
Trin·i·tar·i·an 形 三位一体説を信奉する.
Tsa·ko·ni·an 名 ツァコニア方言.
Tu·ra·ni·an 形 トゥラン語族の.
Tyr·i·an 形 (古代 Phoenicia の都市) ティルス [テュロス] (Tyre) の.
U·gri·an 形 ウゴル族の.
U·krain·i·an 形 ウクライナの; ウクライナ人 [語] の.
U·ra·li·an 形 ウラル山脈の.
U·ra·ni·an 形 天王星(Uranus)の.
U·rar·ti·an 形 ウラルトゥ(Urartu)の.
va·le·ri·an 名 【植物】カノコソウ.
Van·de·mo·ni·an 名 Van Diemen's land(現タスマニア)に住んだ白人.
Va·ran·gi·an 名 バラング人(の一人).
Var·so·vi·an 名 ワルシャワ(Warsaw)生まれの人.
vaude·vil·lian 名 ボードビリアン, 寄席芸人.
Veb·le·ni·an 名 ベブレン主義者.
Ve·ne·tian 形 ベニス(Venice)の; ベニス市民の.
Ve·nu·si·an 形 金星の. ── 名 (想像上の)金星人.
Ve·nu·tian 形名 =Venusian.
Ver·gil·i·an 形 (ローマの詩人) Vergil(風)の.
ver·mi·an 形 虫のような [に似た].
Ver·u·la·mi·an 形 Francis Bacon [Baron Verulam] の.
ves·per·til·i·an 形 コウモリの [に似た].
Ve·su·vi·an 形 Vesuvius 火山の(ような).
Vic·to·ri·an 形 ヴィクトリア女王の; ヴィクトリア朝の.
Vin·cen·tian 名 【ローマカトリック】ラザリスト, ビンセンシオ会会員.
Vir·gil·i·an 形 =Vergilian.
vi·rid·i·an 名 ビリジアン: 透明な青緑色顔料.
Vol·scian 形 ウォルスキ [ボルサイ] 人の.
Vul·ca·ni·an 形 (古代ローマの神) Vulcan の.
vul·gar·i·an 名 俗物, 下卑た人.
Wag·ne·ri·an 形 ワーグナー(R. Wagner)(の作品)の.
wa·li·an 形名 ウエールズ(Wales)の(人).
Wash·ing·to·ni·an 形 ワシントン州 [ワシントン特別区] に居住する [の出身の].
Web·ste·ri·an 形 Daniel Webster(の政治理論, 雄弁術)の.
Wer·ne·ri·an 形 Alfred Werner 理論 [配位説] の.
Wer·the·ri·an 形 ウェルテル的な.
Wil·so·ni·an 形 米国第 28 代大統領 Woodrow Wilson の [流の].
wolff·i·an 形 Kaspar Friedrich Wolff によって発見された.
Xan·thi·an 形 ザントス [クサントス] (Xanthus) の.
Za·ir·i·an 形 ザイール(人)の.
zo·an·thar·i·an 名形 六放サンゴ(の).
Zon·i·an 名形 パナマ運河地帯(Canal Zone)に住む米国市民(の).
Zon·ti·an 名 ゾンタクラブ(Zonta Club)の会員.
Zo·ro·as·tri·an 形 ゾロアスターの; ゾロアスター教の.

-i·a·na /iǽnə, iάːnə, iéinə | iάːnə/

接尾辞 -ana の異形.
◆ -i-(接中辞) + -ANA.

Aus·tra·li·a·na 名 オーストラリアの文物 [文献].
Ca·na·di·a·na 名 カナダ総記, カナダ誌.
cir·cus·i·a·na 名複 サーカス誌, サーカス関係の事物.
Lin·coln·i·an·a 名複 Abraham Lincoln に関するもの.
Sha·vi·an·a 名複 G. B. Shaw に関する資料集(成).
Vic·to·ri·an·a 名複 ビクトリア朝(風)の美術品.

-i·a·sis /áiəsis/

接尾辞 -asis の異形.
★ ギリシャ語からの借用語に見られ, 名詞をつくる.
★ 複数形は -iases.
◆ 近代ラテン語 *-iāsis* より. ⇨ -SIS.

ac·a·ri·a·sis 名 ダニ症.
am·e·bi·a·sis 名 アメーバ症.
am·oe·bi·a·sis 名 =amebiasis.
an·chy·los·to·mi·a·sis 名 =ankylostomiasis.
an·cy·lo·sto·mi·a·sis 名 =ankylostomiasis.
an·i·sak·i·a·sis 名 アニサキス症.
an·ky·lo·sto·mi·a·sis 名 鉤虫症.
as·ca·ri·a·sis 名 回虫病 [症].
ban·croft·i·a·sis 名 バンクロフト症.
bil·har·zi·a·sis 名 =schistosomiasis.
can·di·di·a·sis 名 カンジダ症.
el·e·phan·ti·a·sis 名 象皮病.
en·ter·o·bi·a·sis 名 蟯虫(ぎょうちゅう)症.
fas·ci·o·li·a·sis 名 【獣病理】(主に羊・牛の)肝蛭(かんてつ)症.
fas·ci·o·lop·si·a·sis 名 (肥大)吸虫症.
fil·a·ri·a·sis 名 糸状虫 [フィラリア] 症.
leish·man·i·a·sis 名 リーシュマニア症.
le·on·ti·a·sis 名 獅面症.
li·thi·a·sis 名 結石症.
lo·a·i·a·sis 名 =loiasis.
lo·i·a·sis 名 ロア糸状虫症.
mon·i·li·a·sis 名 モニリア症.
my·dri·a·sis 名 瞳孔(どうこう)散大, 散瞳.
o·don·ti·a·sis 名 【歯科】歯生(dentition).
on·cho·cer·ci·a·sis 名 オンコセルカ症.
ox·y·u·ri·a·sis 名 蟯虫(ぎょうちゅう)症.
phthi·ri·a·sis 名 シラミ(寄生)症.
pit·y·ri·a·sis 名 粃糠疹(ひこうしん).
pso·ri·a·sis 名 乾癬(かんせん).
sa·ty·ri·a·sis 名 【精神医学】ドンファン症(Don Juanism).
schis·to·so·mi·a·sis 名 住血吸虫病.
si·ri·a·sis 名 日射病, 熱射病(sunstroke).
stron·gy·loi·di·a·sis 名 【獣病理】糞線虫症.
tox·o·ca·ri·a·sis 名 トクソカリアシス, トキソカラ症.
trep·o·ne·mi·a·sis 名 トレポネーマ症(treponematosis).
tri·chi·a·sis 名 さかさまつげ, 睫毛(しょうもう)乱生症.
trich·i·ni·a·sis 名 旋毛虫病(trichinosis).
trich·o·mo·ni·a·sis 名 トリコモナス症.
trich·u·ri·a·sis 名 鞭虫(べんちゅう)症.
trom·bic·u·li·a·sis 名 ツツガムシ病.
try·pan·o·so·mi·a·sis 名 トリパノソーマ病.
un·ci·na·ri·a·sis 名 鉤虫症.

-i·at·rics /iǽtriks/

連結形 治療, 診療.
★ 第一要素は治療を受ける人の類型を表す.
★ 語末にくる関連形は -IATRIST.
★ 語頭にくる関連形は iatro-: *iatro*genic「医源性の」.
◆ -IATR(Y) + -ICS.

bar·i·at·rics 名複 肥満学.
em·por·i·at·rics 名複 旅行医学科.
ger·i·at·rics 名複 老年医学, 老人病学.
gy·ni·at·rics 名複 婦人病学.
hip·pi·at·rics 名複 (特に馬の)獣医学.
pe·di·at·rics 名複 小児科(医学).
pho·ni·at·rics 名複 〘言語病理〙音声病学.
phys·i·at·rics 名複 物療医学, 物療学(physical medicine).
the·ri·at·rics 名複 獣医学.

-i·at·rist /iǽtrist/

連結形 治療する人.
★ さまざまな分野の医者を示す名詞をつくる.
★ 語末にくる関連形は -IATRICS, -IATRY.
★ 語頭にくる関連形は iatro-: *iatro*genic「医源性の」.
◆ -IATR(Y) + -IST[1].

phys·i·at·rist 名 物理療法医.
po·di·a·trist 名 足専門医.
psy·chi·a·trist 名 精神科医, 精神医学者.

-i·a·try /áiətri, iǽtri/

連結形 〘医学〙治療, 医療(healing, medical practice).
★ 名詞をつくる.
★ 第一要素はふつう治療・医療の分野を表す.
★ 語末にくる関連形は -IATRICS, -IATRIST.
★ 語頭にくる関連形は iatro-: *iatro*geny「医源性の」.
◆ ギリシャ語 *iātreía*「治療」より. ⇨ -Y[3].

ho·li·a·try 名 全体観的治療.
phy·si·a·try 名 物療医学.
po·di·a·try 名 《主に米》足病学 [治療].
psy·chi·a·try 名 ☞

-ib /íb/

語尾

bib 名 (子供の)よだれ掛け; 前掛け.
crib 名 (枠付きの)幼児用寝台.
dib 名 《米俗》金.
drib 名 《主に方言》(水などの)一滴; 少量.
fib[1] 名 ささいなうそ, 罪のないうそ.
fib[2] 動他 《英俗》(特に握りこぶしで)連打する.
frib 名 《豪・NZ》(等級づけの際に刈り取る)脂肪分を含んだ短い羊毛の房.
gib[1] 名 (産卵期のサケやマスの雄の下あごの先にできる)鉤(かぎ)状屈曲.
gib[2] 名 猫, (特に)雄猫.
glib[1] 形 《軽蔑的》ぺらぺらよくしゃべる.
glib[2] 名 川などで魚を追込む手持ちかご.
guib 名 〘動物〙ブッシュバック(bushbuck).
jib[1] 名 ☞
jib[2] 動自 〘海事〙〈縦帆・帆桁(ほげた)などが〉(帆走中に)反対側の舷(げん)に移動する.
jib[3] 動自 《主に英》〈引き具をつけた動物などが〉前へ進もうとしない.
jib[4] 名 (荷物をつり下げる)クレーンの腕.
jib[5] 名 (米国 CIA の)替え玉人形.
lib[1] 名 ☞
lib[2] 名 《俗》〘薬学・商標〙リブリューム(Librium).
mib 名 はじき玉.
rib[1] 名 ☞
rib[2] 動他 《話》…をじらす, いじめる.
sib 形 《主にスコット》血縁関係のある.
snib[1] 名 《スコット・アイル》掛け金.
snib[2] 動他 《スコット》鼻であしらう(snub).
splib 名 《米俗》差別には反対だが現状を変えるほどの意志はない黒人.
squib 名 簡潔で機知に富んだ言葉, 風刺文.
strib 名 《米暗黒街俗》看守.

-ib·ble /íbl/

音象徴 繰り返しつつくような動きや小刻みな動きを表す.
◇ -LE[3].

crib·ble 動他 〘美術〙criblé にする.
dib·ble[1] 名 穴掘り具, 点まき器.
dib·ble[2] 動自 餌(え)を軽く水面に浮かせて釣る(dib).
drib·ble 動自 したたる, 滴下する.
frib·ble 動自 軽々しく振る舞う.
grib·ble 名 キクイムシ.
kib·ble[1] 動他 〈穀物などを〉粗くひく.
kib·ble[2] 名 《英》キブル: 立て杭で鉱石や水を入れてつり上げるバケツ.
nib·ble 動自 (…を)少しずつかじる.
scrib·ble[1] 動他 …を走り書きする, 殴り書きする.
scrib·ble[2] 動他 〈羊毛を〉粗すきする.

-ibe /áib/

語尾

bribe 名 賄賂(わいろ).
gibe[1] 動自 (…を)(…のことで)あざける.
gibe[2] 動自 ＝jibe[1].
jibe[1] 動自 〘海事〙〈縦帆・帆桁(ほげた)などが〉(追い風で帆走中に)反対側の舷(げん)に移動する.
jibe[2] 動自 ＝gibe[1].
jibe[3] 動自 《米話》(…と)調和する, 一致する.
kibe 名 〘医学〙(特にかかとの)ひび.
libe 名 《米学生俗》(大学の)図書館.
scribe[1] 名 筆記者, 写字者.
scribe[2] 動他 〈木・金属・れんがなどに〉印を(刻み)つける.
-scribe 連結形 ☞
tribe 名 部族.
-tribe 連結形 ☞
vibe 名 《話》動揺, ためらい, 迷い; 身震い.

-i·bil·i·ty /əbíləti/

接尾辞 -ability の異形.
★ -ible で終わる形容詞に対応する名詞をつくる.
◆ ラテン語 *-ibilitās* より. ⇨ -ITY.

ad·mis·si·bil·i·ty 名 容認できること.
au·di·bil·i·ty 名 はっきり聞こえること; 可聴(度).
com·pat·i·bil·i·ty 名 両立 [共存, 調和] の可能性.
com·press·i·bil·i·ty 名 圧縮性.
cred·i·bil·i·ty 名 信用できること, 信頼性, 確実性.
dis·tract·i·bil·i·ty 名 〘精神医学〙散漫性.
di·vis·i·bil·i·ty 名 分けられること, 可分性.
el·i·gi·bil·i·ty 名 適格(性), 適任; (特に)被選挙資格.
fea·si·bil·i·ty 名 実現可能性.
flex·i·bil·i·ty 名 しなやかさ, 屈曲性; 柔軟性.
fu·si·bil·i·ty 名 可溶性, 可融性.
in·fal·li·bil·i·ty 名 誤りのないこと, 不過誤.
in·tel·li·gi·bil·i·ty 名 理解できること, 明瞭性, 明白.
leg·i·bil·i·ty 名 (筆記・印刷の字体の)読みやすさ.
pos·si·bil·i·ty 名 可能な状態; 可能性, 見込み.
re·spon·si·bil·i·ty 名 (…に対する)責任, 責務, 義務.
ris·i·bil·i·ty 名 《文語》《まれ》笑えること.
sen·si·bil·i·ty 名 (感覚器官などの)感覚(能力).
sus·cep·ti·bil·i·ty 名 (病気などに)かかりやすいこと, 感染しやすいこと.
tor·si·bil·i·ty 名 捻転度; 抗捻転性; 捻転復元力.
vis·i·bil·i·ty 名 目に見えること [状態]; 可視性, 視界.

i·bis /áibis/

名 〖鳥類〗トキ.

glóssy íbis ブロンズトキ.
Jápanese crésted íbis トキ(朱鷺).
sácred íbis アフリカクロトキ.
scárlet íbis ショウジョウトキ.
stráw-nècked íbis ムギワラトキ.
whíte íbis シロトキ.
wóod ìbis トキコウ.

-i·ble /əbl/

接尾辞 -able[1] の異形. **1** ラテン語からの借用語にみられ, 形容詞をつくる: vis*ible*. **2** 動詞につけて形容詞をつくる. (1)…されることができる: reduc*ible*. (2)…されやすい: suggest*ible*. **3** 名詞について形容詞をつくる: sens*ible*. ►まれに複合語につく: commonsens*ible*.
★ *-ibl*ity の形で規則的に名詞化される.
★ 語末にくる関連形は -IBLITY, -IBLY.
◆ 中英<ラ *-ibil(is)*または *-ībil(is)*. ⇨ -BLE.
[発音] 第1強勢は基語, 基体と同じで, 多くの語では -ible の直前の音節にある. 例外: 基語の第1強勢と異なる語: accéssible, délible, néglegible. 第1強勢が -ible の2つ前の音節にある語: córrigible, éligible, intélligible など.

ac·ces·si·ble 形 ☞
ad·mis·si·ble 形 容認される, 許される; 考えられる.
al·i·ble 形 《古》栄養価のある(nutritive).
ap·pre·hen·si·ble 形 理解できる, (…に)感知され得る.
cog·nos·ci·ble 形 認識し得る, 知られる.
col·laps·i·ble 形 折りたためる, 組み立て式の.
col·lect·i·ble 形 収集できる; 集金できる.
com·bus·ti·ble 形 可燃性の, 燃えやすい.
co·mes·ti·ble 形 《まれ》食用に適した, 食べられる.
com·mon·sen·si·ble 形 常識のある, 常識に従う.
com·pact·i·ble 形 ぎっしり詰められる; 圧縮できる.
com·pat·i·ble 形 ☞
com·pre·hen·si·ble 形 理解できる, 分かる.
con·cu·pis·ci·ble 形 情欲に飢えた, 好色な.
con·den·si·ble 形 凝縮 [圧縮, 濃縮] できる.
con·tempt·i·ble 形 侮蔑(ぶっ)に値する, 下劣な.
con·tract·i·ble 形 縮まる, 収縮できる, 収縮性の.
con·tro·vert·i·ble 形 議論の余地のある.
con·vert·i·ble 形 ☞
cor·ri·gi·ble 形 〈誤りなどが〉直せる; 矯正可能な.
cor·rupt·i·ble 形 〈役人などが〉賄賂(ﾜｲﾛ)の効く.
cred·i·ble 形 信じられる, 信用 [信頼] できる.
de·duct·i·ble 形 差し引きのできる, 控除可能の.
de·fea·si·ble 形 無効にできる, 破棄 [解除] できる.
de·fect·i·ble 形 離脱可能な.
de·fen·si·ble 形 防御できる, 守備できる.
del·i·ble 形 削除 [抹消] できる.
de·ris·i·ble 形 嘲笑(ちょうしょう)される.
de·scend·i·ble 形 (子孫に)伝えられる, 遺贈できる.
de·struct·i·ble 形 壊せる; 破壊しやすい, 壊れやすい.
dif·fus·i·ble 形 広く散らされる; 広がる.
di·gest·i·ble 形 消化されやすい; 要約しやすい.
dir·i·gi·ble 形 可導設計の; 操縦可能の.
dis·cern·i·ble 形 認められる; 識別 [区別] できる.
dis·cerp·ti·ble 形 ばらばらにできる; 分離できる.
dis·pen·si·ble 形 《廃》なしでも済まされる, 必須(ひっす)でない, 重要でない(dispensable).
dis·ten·si·ble 形 広げられる, 伸張性の, 膨張性の.
di·vert·i·ble 形 方向転換ができる.
di·ves·ti·ble 形 〈土地・財産などが〉取り上げられる.
di·vis·i·ble 形 (…に)分けられる, 可分の.
ed·i·ble 形 食用になる, 食べられる.
el·i·gi·ble 形 (…に)選ばれるのにふさわしい.
e·ro·si·ble 形 浸食 [腐食] され得る(erodible).
e·ver·si·ble 形 外にめくり返せる, 裏返せる.
ex·haust·i·ble 形 使用し尽くせる, 消耗し尽くせる.
ex·i·gi·ble 形 (人に)強要し得る; 要求できる.
ex·pan·si·ble 形 広げられる; 膨張性の; 発展性のある.
ex·plo·si·ble 形 爆発させられる, 破裂させ得る.
ex·po·ni·ble 形 〖論理〗〈命題が〉説明を要する.
ex·press·i·ble 形 表現できる; しぼり出せる.
ex·ten·si·ble 形 広げることができる, 伸長性の.
fal·li·ble 形 〈人が〉誤りを犯しがちな.
fea·si·ble 形 実行できそうな, 実現可能な.
fen·ci·ble 形 《スコット》防御できる.
flex·i·ble 形 〈物が〉曲げられる; 曲げやすい.
for·ci·ble 形 力 [腕] ずくの, 強制的な, 強引な.
fran·gi·ble 形 壊れ [折れ, 砕け] やすい, もろい.
fun·gi·ble 形 〖法律〗〈特に動産が〉代替可能の.
fu·si·ble 形 溶けやすい, 可溶性の, 溶解できる.
gul·li·ble 形 だまされやすい, すぐ真に受ける.
hor·ri·ble 形 ひどく恐ろしい, ものすごい.
im·press·i·ble 形 感じやすい, 感受性の強い, 多感な.
in·com·bus·ti·ble 形 燃えない, 不燃性の.
in·del·i·ble 形 〈よごれ・印象・思い出が〉消すことのできない.
in·duc·i·ble 形 勧誘できる; 引き起こせる.
in·e·lud·i·ble 形 避けられない, 不可避の.
in·e·va·si·ble 形 避けられない, 不可避の; 確実な.
in·ex·haust·i·ble 形 尽きることがない.
in·ex·pung·i·ble 形 消すことのできない, ぬぐい去れない.
in·flex·i·ble 形 (堅くて)曲がらない; 硬直した.
in·fran·gi·ble 形 破壊できない; 〈精神が〉強い.
in·fu·si·ble 形 注入 [鼓吹] できる, 教え込み得る.
in·tel·li·gi·ble 形 〈話・文章が〉(人に)理解できる.
in·tro·ver·si·ble 形 裏返しにして内に引っ込められる.
in·vin·ci·ble 形 打ち負かせない, 無敵の.
i·ras·ci·ble 形 〈人が〉怒りっぽい, 短気な.
ir·re·mis·si·ble 形 〈罪などが〉許しがたい.
ir·re·press·i·ble 形 〈人・感情・行為が〉抑えきれない.
ir·re·sist·i·ble 形 〈事・物が〉抑えがたい; 圧倒的な; いやおうのない.
lap·si·ble 形 変わりやすい.
leg·i·ble 形 〈筆記・印刷の字体が〉読みやすい.
mis·ci·ble 形 〖化学〗〖物理〗〈物が〉(…と)混合できる, 混和性の.
neg·li·gi·ble 形 無視してよい; ごくわずかの.
o·mis·si·ble 形 省略 [割愛, 削除] できる, 省いてよい.
os·ten·si·ble 形 表向きの, 見せかけの, うわべだけの.
par·ti·ble 形 〈財産・遺産などが〉分けられる.
pas·si·ble 形 (特に宗教的に)感受できる.
per·cep·ti·ble 形 知覚 [認知] できる.
per·fect·i·ble 形 完全になり得る, 完成できる.
per·mis·si·ble 形 〈言動が〉許される, 許容….
per·sua·si·ble 形 説得 [納得] できる.
plau·si·ble 形 〈話などが〉もっともらしい.
pos·si·ble 形 ☞
pre·hen·si·ble 形 つかむ [握る] ことのできる.
pre·scrip·ti·ble 形 規定を受ける, うまく規定できる.
pre·vent·i·ble 形 止められる, 妨げられる, 防げる.
proc·ess·i·ble 形 加工できる, 処理できる.
pro·duc·i·ble 形 発生させられる; 生産できる.
pro·duct·i·ble 形 =producible.
pro·tru·si·ble 形 押し [突き] 出せる.
pu·tres·ci·ble 形名 腐敗しやすい(物質).
re·cep·ti·ble 形 受け入れるのに適当な.
re·con·struct·i·ble 形 再建 [改造, 復興] できる.
re·demp·ti·ble 形 買い戻しできる, 請け戻される.
re·duc·i·ble 形 減らせる, 還元されうる.
re·flex·i·ble 形 反射される, 反射性の.
re·fran·gi·ble 形 〈光線などが〉屈折できる, 屈折性の.
re·mis·si·ble 形 許し得る, 軽減できる, 免じられる.
rep·re·hen·si·ble 形 非難されるべき, 言語道断な.
re·pro·duc·i·ble 形 再生可能な.
re·scis·si·ble 形 廃止できる.
re·sist·i·ble 形 抵抗 [反抗] できる, 阻止し得る.
re·spon·si·ble 形 〈人が〉(人に)責任を負う.
re·vers·i·ble 形 逆にできる, 反対にできる.

ris·i·ble 形 笑いを引き起こす, 笑わせる.
sen·si·ble 形 〈人·行動が〉分別［良識］のある.
sub·mer·gi·ble 形 =submersible.
sub·mers·i·ble 形 水中に沈められる, 水に浸せる.
sug·gest·i·ble 形 暗示にかかりやすい.
sup·press·i·ble 形 抑制できる; 隠せる; 禁止できる.
sus·cep·ti·ble 形 ☞
sus·pen·si·ble 形 ぶら下げられる; 浮かべられる.
tan·gi·ble 形 〈物体などが〉触れることのできる.
ten·si·ble 形 伸びる, 張る［引っ張る］ことができる.
ter·ri·ble 形 悲惨な; 過酷な, 厳しい; 激しい.
trans·mis·si·ble 形 伝達できる, 伝えることができる.
trans·po·ni·ble 形 置き換えることのできる.
vend·i·ble 形 売ることのできる, 売れる.
vin·ci·ble 形 《まれ》征服できる.
vis·i·ble 形 ☞
vi·tres·ci·ble 形 ガラス化できる, ガラスにできる.

-i·bly /əbli/

接尾辞 -ably の異形.
★ -ble で終わる形容詞に対応する副詞をつくる.
◆ -IBLE と -LY[1] の合成接尾辞.

cred·i·bly 副 信頼できる筋から.
hor·ri·bly 副 恐ろしく, 身の毛もよだつほどに.
pos·si·bly 副 ことによると…, 多分.
ter·ri·bly 副 恐ろしく, 恐怖を感じさせるほどに.

-ic[1] /ik/

接尾辞 **1** …の(ような): poet*ic*. **2** …風の: Milton*ic*. **3** …でできた: metall*ic*. **4** …部族［語族］の(人, もの): German*ic*. **5** …を示す［にかかった］(人, もの): hyster*ic*. **6**〖化学〗…から抽出された(もの): citr*ic*.
★ 名詞につけて形容詞, 名詞をつくる.
★ 語末にくる関連形は -AC[1], -ICA[1], -ICA[2], -ICAL, -ICIAN, -ICS, -ICUM, -IQUE[1], -TIC.
◆ ＜ラ *-icus*; 多くの語では同族語のギリシャ *-ikos*(直接またはラテン語を経由)を表す; ある語では *-ique* に取って代わる＜仏＜ラ *-icus*.
［発音］原則として, -ic の直前の音節に第 1 強勢. 例外: 2 つ前の音節に第 1 強勢があるもの: Árab*ic*, rhétor*ic*.

Aa·ron·ic 形 アロン(Aaron)の［に関する］.
ac·a·dem·ic 形 学校［学園］の［に関する］.
a·cer·bic 形 (味の)酸っぱい, 渋い.
a·ce·tic 形 酢［酢酸］の; 酢酸から誘導された.
ac·e·tyl·ic 形 〖化学〗アセチル基の(特性を有する).
a·cid·ic 形 酸っぱい, 酸味のある.
ac·i·du·ric 形 〈細菌が〉酸性の環境で育つ.
ac·ro·me·gal·ic 形 巨端症の, 先端巨大症にかかった.
a·cryl·ic 形 〖化学〗アクリル酸の; アクリル性の.
ac·tin·ic 形 化学線の.
Ad·am·ic 形 (人間の祖)アダムの; アダムに似た.
A·don·ic 形 〖韻律〗アドニックの.
Ae·ol·ic 形 〖建築〗アイオリス式の.
aer·o·bic 形 〖生物〗好気［有気］性の.
aes·thet·ic 形 美感に関する; 美の; 美学の.
Af·ric 形 アフリカ(産)の; アフリカ人の.
a·gog·ic 名 〖音楽〗アゴージック(強勢).
-a·gog·ic 連結形 ☞
a·grav·ic 形 無重力状態の.
a·gres·tic 形 田舎(風)の, ひなびた.
Al·a·man·nic 形名 =Alemannic.
Al·ca·ic 形 アルカイオス(Alcaeus)の.
al·chem·ic 形 =chemic.
al·co·hol·ic 形 アルコール(性)の.
al·der·man·ic 形 (地方自治体議会の)議員の.
a·le·a·tor·ic 形 射幸的な, 偶然性の.
Al·e·man·nic 名形 (ドイツの)アレマン語(の).
a·le·thic 形 〖論理〗真理論の.
a·lex·i·phar·mic 形 〖医学〗中毒や感染を防ぐ.
al·ge·bra·ic 形 代数学の, 代数的な, 代数による.
-al·gic 連結形 ☞
al·i·phat·ic 形 〖化学〗脂肪族の.
al·kal·ic 形 〈火成岩が〉アルカリ質の.
al·kyl·ic 形 〖化学〗アルキル基の.
al·lan·to·ic 形 尿嚢(にょうのう)(allantois)の.
al·le·gor·ic 形 寓(ぐう)話(的)の, 寓意的な.
al·ler·gen·ic 形 アレルギーを起こす.
al·ler·gic 形 (…に対して)アレルギー(性)の.
al·lo·pat·ric 形 〖生物〗〖生態〗異所性の, 異域性の.
al·lyl·ic 形 〖化学〗アリル(基)の.
al·pha·bet·ic 形 アルファベット順の.
Al·ta·ic 名 アルタイ語族.
a·me·bic 形 アメーバの; アメーバのような.
Am·har·ic 名 アムハラ語.
am·ic 形 〖化学〗アミドの; アミンの.
am·mon·ic 形 アンモニアの.
am·ni·on·ic 形 〖解剖〗〖動物〗羊膜の.
a·moe·bic 形 =amebic.
am·phic·ty·on·ic 形 隣保同盟会議代議員の.
am·pho·lyt·ic 形 〖化学〗両性の(amphoteric).
am·phor·ic 形 〖医学〗空壺(こ)音性の.
am·yg·dal·ic 形 アーモンドの, 扁桃(へんとう)の.
an·a·clit·ic 形 〖精神分析〗依存性の.
A·nac·re·on·tic 形 アナクレオンの.
a·nae·mic 形 《英》=anemic.
an·aer·o·bic 形 〈生物·組織が〉嫌気性の.
an·aes·thet·ic 名 《英》=anesthetic.
an·al·ge·sic 名 〖医学〗鎮痛剤. ── 形 無痛覚の.
an·al·pha·bet·ic 形 アルファベットによらない.
an·ap·tot·ic 形 《古》語尾変化がなくなる傾向の.
a·nath·e·mat·ic 形 いまいましい; 憎らしい.
an·cho·ret·ic 形 隠者の; 隠者のような, 隠遁(いんとん)的な.
an·cho·rit·ic 形 =anchoretic.
-an·dric 連結形 ☞
an·ec·dot·ic 形 逸話の; 逸話の多い(anecdotal).
a·ne·mic 形 〖病理〗貧血(症, 性)の.
an·es·thet·ic 名 麻酔薬［剤］.
an·gel·ic 形 天使の.
An·glic 名 アングリック語(改良英語).
an·o·rec·tic 形 〈人が〉食欲のない.
an·o·rex·ic 名 食欲不振症の人.
an·or·thic 形 〖結晶〗三斜(晶系)の(triclinic).
an·throp·ic 形 ☞
an·ti·his·ta·min·ic 形 〖生化学〗〖薬学〗抗ヒスタミン剤の.
an·ti·leu·ke·mic 形 〖医学〗抗白血病の.
an·ti·mo·nic 形 〖化学〗(特に五価の)アンチモンの.
an·ti·neu·rit·ic 形 〖医学〗抗神経炎性の.
an·ti·ra·chit·ic 形 〖薬学〗抗くる病(性)の.
a·pla·net·ic 形 〖生物〗不動性の, 非遊泳性の.
ap·o·dic·tic 形 証明できる, 自明の, 疑う余地のない.
ap·o·laus·tic 形 快楽にふける, 耽美(たんび)的な.
ap·o·plec·tic 形 卒中の, 中風の.
ap·os·tol·ic 形 ☞
ap·o·tro·pa·ic 形 災難を避けるための, 厄払いの.
Ar·a·bic 形 アラビア語［文学, 数字］の.
ar·a·chid·ic 形 〖化学〗アラキン酸の.
Ar·a·ma·ic 名 (セム系の)アラム語.
Ar·cad·ic 形 アルカディア人［方言］の.
ar·cha·ic 形 〈考え·風習などが〉古風な, 廃れた.
-ar·chic 連結形 ☞
ar·chi·tec·ton·ic 形 建築術の.
arc·tic 形 ☞
ar·gen·tic 形 〖化学〗第二銀［二価の銀］の.
a·rith·me·tic 名 算数, 算術; 計算, 勘定; 計算能力.
ar·o·mat·ic 形 芳香［香気］のある, 香りのよい.
ar·se·nic 名 ヒ素.
ar·y·ep·i·glot·tic 形 〖解剖〗披裂軟骨と喉頭蓋(こうとうがい)の.
a·seis·mat·ic 形 〖地質〗地震の衝撃を和らげる.
A·si·an·ic 形 小アジア諸語の.
as·pic[1] 名 〖料理〗アスピック: 汁のゼリー.
as·pic[2] 名 《廃》アフリカの数種の毒蛇の総称.

as·ser·to·ric 形 【論理】実然的な，確定的な.
as·then·ic 形 【病理】無力(症)(asthenia)の.
asth·mat·ic 形 喘息(ぜんそく)にかかった.
as·tig·mat·ic 形 【眼科】乱視の；乱視矯正の.
as·ymp·tot·ic 形 【数学】漸近線の.
as·yn·det·ic 形 〈目録・カタログが〉相互参照のない.
at·a·rac·tic 形 精神安定作用のある，精神安定剤の.
at·a·rax·ic 名 精神安定剤.
a·tav·ic 形 遠い祖先の，先祖の.
ath·let·ic 形 (肉体的に)活発で丈夫な.
-at·ic 接尾辞 ☞
At·lan·tic 形 大西洋(上)の.
a·tom·ic 形 ☞
a·top·ic 形 アトピー(性)の.
au·lic 形 《まれ》宮廷の.
au·ric 形 【化学】金の；三価の金の.
au·then·tic 形 真正の，本物の.
au·thi·gen·ic 形 【地質】〈岩石が〉自生の.
au·to·mat·ic 形 〈機械などが〉自動(式)の.
a·xen·ic 形 【生物】〈実験動物が〉無菌の.
ax·i·o·mat·ic 形 公理の，公理的な；自明の.
a·zo·ic[1] 形 【地質】《もと》無生代の.
a·zo·ic[2] 形 【化学】アゾ基の.
a·zon·ic 形 一地帯［一局部］に限らない.
a·zot·ic 形 窒素の，窒素に関する.
Bac·chic 形 酒神バッカスの；バッカス神崇拝の.
bal·let·ic 形 バレエの；バレエのような.
bal·lis·tic 形 弾道学(ballistics)の.
bal·sam·ic 形 バルサムの(ような)，バルサムを含む.
Bal·tic 形 バルト海の；バルト海付近［沿岸］の.
ba·naus·ic 形 《侮辱的》実用本位の；機械的な.
bar·bar·ic 形 未開の，野蛮な，原始的な.
bar·bi·tu·ric 形 【化学】バルビツール酸の.
bar·ic[1] 形 【化学】バリウム性の；バリウムを含む.
bar·ic[2] 形 ☞
ba·sic 形 基礎の，基本的な，根本の.
-ba·sic 連結形 ☞
ba·sil·ic 形 王の；王らしい，堂々たる(royal).
-bath·ic 連結形 ☞
ba·thyb·ic 形 深海性の.
-bat·ic 連結形 ☞
be·hen·ic 形 【化学】ベヘン酸(behenic acid)の.
Bel·gic 形 ベルガエ人(Belgae)の.
ben·thic 形 水底［海底］の［に棲(す)む］，底生の.
ben·thon·ic 形 水底にすむ.
ben·zo·ic 形 【化学】安息香(酸)性の.
bis·mu·thic 形 【化学】ビスマス［蒼鉛(そうえん)］の.
-blas·tic 連結形 ☞
-bol·ic 連結形 ☞
bom·bas·tic 形 〈人・言葉・文体などが〉大げさな.
bom·bic 形 蚕(silkworm)の.
bo·rac·ic 形 【化学】＝boric.
bo·ric 形 【化学】ホウ素(boron)の.
bo·tan·ic 形 植物の；植物から作られた.
Bri·tan·nic 形 ブリタニアの，大ブリテン島の.
Brit·ton·ic 形 ＝Brythonic.
bro·mic 形 【化学】(五価の)臭素を含む.
bro·mid·ic 形 《俗》陳腐な，月並みの，ありきたりの.
Bry·thon·ic 形 ブリトン人の；ブリトン諸語の.
bu·bon·ic 形 【病理】横痃(おうげん)の，よこねの.
bu·col·ic 形 牧羊者の，羊飼いの.
bu·lim·ic 形 多食症［大食症］の(ような).
bu·tyr·ic 形 【化学】酪酸の［から誘導した］.
By·ron·ic 形 バイロンの.
cac·o·dyl·ic 形 【化学】カコジル基の.
cal·cic 形 カルシウムの；石灰質の.
ca·lor·ic 形 【生理】カロリーの.
cam·phor·ic 形 樟脳(しょうのう)(質)の；樟脳から採った.
Ca·no·pic 形 【天文】南極老人星(Canopus)の.
cap·ric 形 ヤギの(ような).
ca·pryl·ic 形 動物臭の(する).
car·bam·ic 形 カルバミン酸の.
car·bol·ic 形 【化学】石炭酸の［から誘導される］.
car·bon·ic 形 【化学】炭素の，炭酸の.
car·bon·yl·ic 形 【化学】カルボニル基の.
car·min·ic 形 カーマインの，洋紅色の(carmine).
ca·rot·ic 形 感覚のない［の麻痺(まひ)した］.
-car·pic 連結形 ☞
cat·a·clys·mic 形 (特に社会的・政治的)大変革の.
cat·e·gor·e·mat·ic 形 【論理】自立語の.
Cath·o·lic 形 ☞
cath·o·lic 形 偏らない；普遍的な.
caus·tic 形 ☞
cel·lu·lo·sic 形 【化学】セルロースの［を含む］.
Celt·ic 名 ケルト語派.
cen·tric 形 中心の；中心［中央］にある.
-cen·tric 連結形 ☞
ce·phal·ic 形 《限定的》頭(部)の，頭蓋(ずがい)の.
-ce·phal·ic 連結形 ☞
ce·ram·ic 形 ☞
cer·e·bric 形 脳の；(大)脳から出た［発した］.
ce·ric 形 【化学】セリウムの［を含む］.
ce·rot·ic 形 【化学】セロチン酸の.
ce·tic 形 クジラの.
Chad·ic 名 チャド語派.
char·is·mat·ic 形 カリスマ的な，カリスマ性を持つ.
chem·ic 形 錬金術の(alchemic).
che·ru·bic 形 ケルビムの；ケルビム［天使］のような.
chi·val·ric 形 騎士道の［に関する］；騎士的な.
chlo·ric 形 ☞
chol·er·ic 形 怒りっぽい，短気な.
cho·les·ter·ic 形 【化学】【物理】コレステロールの.
cho·reu·tic 形 コーラスの；(古代ギリシャ劇の)コロス［合唱隊］の.
cho·ric 形 (古代ギリシャ劇の)合唱曲(風)の.
-chro·ic 連結形 ☞
chro·mat·ic 形 ☞
-chro·mic 連結形 ☞
-chron·ic 連結形 ☞
cin·nam·ic 形 肉桂(にっけい)の.
cit·ric 形 【化学】クエン酸の.
civ·ic 形 都市の，市の；市民の.
clas·sic 形 古典の；一流の.
-clas·tic 連結形 ☞
clei·do·ic 形 【発生】〈(動物などの)卵が〉閉鎖的な.
cler·ic 名 聖職者，牧師.
cli·mac·ter·ic 名 【生理】(男女の)更年期.
cli·mac·tic 形 クライマックスの，最高潮の.
cli·mat·ic 形 気候(上)の.
-clin·ic 連結形 ☞
clin·ic 名 ☞
clon·ic 形 【病理】間代(かんたい)性(痙攣(けいれん))の.
co·bal·tic 形 【化学】第二コバルトの.
col·ic 名形 ☞
co·lon·ic 形 【解剖】結腸(colon)の.
co·lum·bic 形 【化学】ニオブの(niobic).
co·mat·ic 形 【光学】コマ(coma)の.
co·me·dic 形 喜劇(風)の，喜劇的な.
com·ic 形名 ☞
con·ic 形 円錐(えんすい)の；円錐形の.
Cop·tic 名 (エジプトの)コプト語.
cor·y·ban·tic 形 狂気じみた，熱狂した；激した.
cos·met·ic 名 化粧品.
cos·mic 形 宇宙の；宇宙現象に特有の.
-cra·nic 連結形 ☞
-crat·ic 連結形 ☞
cre·syl·ic 形 【化学】クレゾール(cresol)の.
cret·ic 名 (詩の)長短長格.
-crot·ic 連結形 ☞
cryp·tic 形 不可解な；訳の分からない.
cu·bic 形 三次元の，立体の.
Cu·fic 形 ＝Kufic.
cu·pric 形 第二銅の.
cy·an·ic 形 (特に花の色が)青色の.

cy·ber·net·ic 形 人工頭脳研究の.
Cy·clad·ic 形 キクラデス諸島の.
cy·clic 形 ☞
cy·clon·ic 形 〖気象〗サイクロンの, サイクロン性の.
cy·clo·stroph·ic 形 〖気象〗旋衡の.
Cym·ric 形 キムリック人種(Cymry)の.
cyn·ic 名 皮肉屋, 冷笑家.
Cyr·e·na·ic 形 キレナイカ(Cyrenaica)の.
Cy·ril·lic 形 キリル文字の.
cyst·ic 形 包嚢(ほうのう)の; 包嚢のある.
cy·to·me·gal·ic 形 〖病理〗巨細胞の, 巨細胞に関係した.
dac·tyl·ic 形 〖韻律〗長短短格 [強弱弱格] の.
dal·mat·ic 名 〖教会〗ダルマチカ: 祭服の一種.
Dar·dic 形 (インドの)ダルド諸語の.
dar·ic 名 ダリク: 古代ペルシアの金貨.
Da·vid·ic 形 (聖書に出てくる)ダビデの.
de·cad·ic 形 十進法の.
De·cam·er·on·ic 形 デカメロン的な, デカメロン風の.
deic·tic 形 〖論理〗直証的な.
Del·phic 形 デルフォイ(Delphi)の.
del·ta·ic 形 デルタ(Δ)形をしている, デルタ状の.
del·tic 形 ＝deltaic.
-dem·ic 連結形 ☞
de·mon·ic 形 魔力 [神通力] を持った, 天才的な.
de·mot·ic 形 〈言葉が〉日常の, 話し言葉の.
de·on·tic 形 〖言語〗義務的な.
der·mic 形 真皮の, 皮膚の(dermal).
-der·mic 連結形 ☞
des·pot·ic 形 専制 [独裁] 的な; 独断的な.
di·a·bat·ic 形 熱交換性のある.
di·a·bet·ic 形 糖尿病の; 糖尿病患者(用)の.
di·a·bol·ic 形 悪魔のような, 魔性の; 邪悪な.
di·ad·ic 形 ＝dyadic.
di·a·no·et·ic 形 思考に関する; 推論的な, 推理的な.
di·a·phrag·mat·ic 形 横隔膜の(ような), 横隔膜状の.
di·chro·mic 形 〖化学〗〈化合物が〉重クロムの.
di·dac·tic 形 教訓的な, 勧善懲悪の.
di·ner·ic 形 〖物理〗(水と油など)2つの互いに混ざりにくい液体の境界面の.
di·op·tric 形 〖光学〗光屈折学(dioptrics)の.
diph·the·rit·ic 形 〖病理〗ジフテリア(性)の.
dip·lo·mat·ic 形 外交(上)の, 外交に関する.
dith·y·ram·bic 形 酒神賛歌(dithyramb)(ふう)の.
doc·o·sa·no·ic 形 〖化学〗＝behenic.
dog·mat·ic 形 教義上の, 教理に関する.
Dor·ic 形 ドリス(Doris)地方の.
Dra·con·ic 形 ドラコン(Draco)の.
dra·con·ic 形 竜(dragon)の; 竜に似た.
dra·mat·ic 形 劇の [に関する]; 戯曲の, 脚本の.
dras·tic 形 猛烈 [激烈] な(violent).
-drom·ic 連結形 ☞
dy·ad·ic 形 2つの部分の [から成る].
dy·nam·ic 形 ☞
dy·nas·tic 形 王朝の.
e·cho·ic 形 反響音に似た, 反響性の.
ec·lec·tic 形 〈特に技術者・芸術家などが〉(種々の材料から)取捨選択 [吟味] する.
e·daph·ic 形 土壌の.
ei·ren·ic 形 ＝irenic.
e·las·tic 形 ☞
e·lec·tric 形 ☞
e·lec·tron·ic 形 電子工学の, 電子工学装置の.
em·blem·at·ic 形 象徴の, 象徴的な.
em·bry·on·ic 形 胚(はい)に関する; 胚の(ような).
e·met·ic 形 〈医薬などが〉嘔吐(おうと)を促す.
-em·ic 連結形 ☞
em·phat·ic 形 〈単語・音節などが〉強調された.
em·pir·ic 名 《古》経験的方法に従う人.
en·clit·ic 形 〈語が〉前接的な.
end·er·gon·ic 形 〖生化学〗〈反応が〉吸エルゴン的な.
en·do·rhe·ic 形 内湖の, 閉湖の.
en·ig·mat·ic 形 なぞのような, 不思議な, 解きがたい.
en·si·a·lic 形 〖地質〗シアル層で起こる [生じる].
en·ter·ic 形 腸の(intestinal).
en·tom·ic 形 昆虫の [に関する].
E·ol·ic 形 ＝Aeolic.
e·pei·ric 形 大陸性地殻の.
ep·ic 形 叙事詩(体)の, 史詩(体)の.
ep·i·gram·mat·ic 形 警句の, 警句的な.
ep·i·pas·tic 形 〖医学〗散布用の. ── 名 散布剤.
ep·i·ste·mic 形 知識 [認識様態] の.
-er·gic 連結形 ☞
er·is·tic 形 論争的な, 争論の.
er·o·te·tic 形 〖修辞〗修辞疑問に関する.
e·rot·ic 形 性欲をかき立てる [満足させる].
e·ryth·ro·cyt·ic 形 〖生理〗赤血球の.
es·sen·tic 形 感情を外に表す.
es·thet·ic 形 《米》＝aesthetic.
eth·ic 名 ☞
E·thi·op·ic 形 エチオピア(人)の(Ethiopian).
eth·nic 形 ☞
e·thyl·ic 形 〖化学〗エチル基の(特徴を持つ).
-et·ic 接尾辞 ☞
eu·de·mon·ic 形 幸福の; 幸福に資する.
eu·tec·tic 形 〖物理化学〗共晶の, 共融の.
ex·e·get·ic 形 (聖書)評釈の; 解釈的な, 注解の.
ex·er·gon·ic 形 〖生化学〗〈反応が〉発エルゴン的な.
ex·il·ic 形 追放された, 流浪(民)の.
ex·trin·sic 形 〈価値などが〉本質的でない.
fa·rad·ic 形 〖電気〗誘導電流の, 感応電流の.
fa·tid·ic 形 予言の, 予言的な.
feld·spath·ic 形 〖鉱物〗長石の, 長石質の.
fel·sic 形 〖地質〗〈岩石が〉珪長(けいちょう)質の.
fel·spath·ic 形 《主に英》＝feldspathic.
fem·ic 形 フェミックな: 鉄, マグネシウム, カルシウムを主要元素とする鉱物群の.
fer·ric 形 鉄の; 鉄を含む.
film·ic 形 映画の(ような).
Finn·ic 名 (フィンランドの)フィン諸語.
fist·ic 形 拳闘(けんとう)の, ボクシングの.
flu·er·ic 形 ＝fluidic.
flu·id·ic 形 流動性の, 流体の; 流体工学の.
flu·or·ic 形 〖化学〗フッ素の [から得られる].
fo·lic 形 葉酸の; 葉酸から誘導される.
folk·lor·ic 形 民間伝承の; 民俗学の.
fo·ren·sic 形 法廷の [で用いる].
for·mic 形 アリの.
for·mu·la·ic 形 公式 [定式] に従って書かれた.
fresh·man·ic 形 一年生 [新入生, 初心者] らしい.
ful·min·ic 形 爆発性の高い.
fu·mar·ic 形 フマル酸の; フマル酸から誘導された.
Ga·dhel·ic 形 ＝Goidelic.
Gael·ic 名 ゲール語.
ga·lac·tic 形 ☞
Ga·len·ic 形 (古代ギリシャの医学者)ガレノスの.
ga·le·nic 形 方鉛鉱(galena)の [を含んだ].
gal·li·am·bic 形 〖韻律〗ガリアンバス格の.
Gal·lic 形 ゴール(人)(Gaul)の.
gal·lic[1] 形 〖化学〗ガリウムの.
gal·lic[2] 形 没食子(もっしょくし)の, 五倍子(ふし)の.
Gal·li·on·ic 形 無頓着(むとんちゃく)な, のんきな, 不注意な.
gal·van·ic 形 直流電気の [による].
ga·met·ic 形 〖生物〗配偶子の.
gam·ic 形 〖生物〗有性の, 有性生殖の; 生殖の.
-gam·ic 連結形 ☞
gan·gli·on·ic 形 神経節の.
gar·lic 名 ☞
gas·tric 形 ☞
Ga·thic 名 (古代イランの)ガーサー語.
-ge·ne·ic 連結形 ☞
ge·ner·ic 形 ☞
ge·nes·ic 形 起源 [発生] に関する(genetic).
gen·ic 形 遺伝子(gene)の [に関する].
-gen·ic 連結形 ☞
ge·o·des·ic 形 測地的な, 測地(学)の, 測地….
ge·o·det·ic 形 測地学の.

ge·o·pon·ic 形 農耕［農業］の(agricultural).
geor·gic 形 ＝geoponic.
Ger·man·ic 形 チュートン族の; チュートン語の.
ger·man·ic 形 【化学】ゲルマニウムの.
ge·ron·tic 形 老人病(学)の; 老齢(期)の.
ges·tic 形 (特にダンスで)体の運動の.
gi·gan·tic 形 巨大な; 膨大な, 莫大(ばくだい)な.
Glag·o·lit·ic 形 (古スラブの)グラゴール文字の.
glot·tic 形 声門の(glottal).
gly·cer·ic 形 【化学】グリセリンの.
gly·co·gen·ic 形 【生化学】グリコーゲンの.
gly·col·ic 形 【化学】グリコールの［から誘導された］.
gly·con·ic 名 グリュコン詩体(の詩).
-glyph·ic 連結形 ☞
glyp·tic 形 (宝石などの)彫刻の.
gnath·ic 形 あごの.
gna·thon·ic 形 へつらう, おべっかを使う.
gno·mic[1] 形 地の精, 小鬼(gnome)の［に似た］.
gno·mic[2] 形 金言［格言］の, 金言［格言］的な.
gno·mon·ic 形 グノモンの, 日時計の.
Goi·del·ic 形 【言語】ゴイデリック諸語の.
-gon·ic[1] 連結形 ☞
-gon·ic[2] 連結形 ☞
goth·ic 形名 ☞
Go·thon·ic 形 ゲルマン基語の.
-graph·ic 連結形 ☞
Green·land·ic 名 グリーンランド語.
gy·ne·cic 形 女子の, 女性の.
-gy·nic 連結形 ☞
har·mon·ic 形 ☞
Ha·thor·ic 形 【エジプト宗教】ハトホル(Hathor)の.
Hat·tic 形 (アナトリアの)ハッティ族の.
He·bra·ic 形 ヘブライ人［語, 文化］の.
he·don·ic 形 快楽の, 享楽的な.
Hel·lad·ic 名形 ヘラディック文化［時代］(の).
Hel·len·ic 形 古代ギリシャ人［語, 文化, 思想］の.
hel·min·thic 形 蠕虫(ぜんちゅう)の［によって起こる］.
Hel·vet·ic 名 スイスの新教徒, ツウィングリ派.
he·mat·ic 形 血液の; 血液内に含まれる.
he·ma·tin·ic 名 造血剤.
he·mic 形 ＝hematic.
he·pat·ic 形 肝臓の, 肝性の.
he·ral·dic 形 《もと》王［公式］の使者(herald)の.
her·e·tic 名 (所属教会の教義に反する)異端者.
he·ro·ic 形 ☞
her·pet·ic 形 【病理】ヘルペス［疱疹(ほうしん)］性の.
het·er·o·thal·lic 形 【菌類】異株性の.
hi·er·at·ic 形 聖職者の; 聖職の; 聖職者らしい.
Hi·er·o·nym·ic 形 ヒエロニムス(St. Jerome)の.
His·pan·ic 形 スペインの; スペイン人［語］の.
his·tor·ic 形 ☞
his·tri·on·ic 形 俳優［役者］の; 演技の; 演劇の.
hol·mic 形 【化学】ホルミウム(holmium)の.
hol·o·phyt·ic 形 完全植物(性)栄養の.
hol·op·neus·tic 形 【昆虫】完気門式の.
Ho·mer·ic 形 ホメロス(風)の.
ho·mo·sce·das·tic 形 【統計】等分散的な, 同じ分散を持つ.
ho·mo·thal·lic 形 【菌類】同株性の.
hu·mic 形 【化学】腐植質から得られた.
hy·drau·lic 形 水力の.
hy·dra·zo·ic 形 【化学】窒化［アジ化］水素酸の.
hy·dric[1] 形 水素の［を含む］.
hy·dric[2] 形 湿気の多い環境の.
-hy·dric 連結形 ☞
hy·drop·ic 形 【病理】水腫(すいしゅ)［浮腫］の.
hy·gi·en·ic 形 衛生的な, 健康によい.
hy·gric 形 湿気に関する, 湿性の.
hy·lic 形 物質的な, 物に即した.
hy·per·gol·ic 形 自燃性の.
hyp·no·pom·pic 形 【心理】出眠(時)の, 半醒(はんせい)半睡の.
hys·ter·ic 名 ヒステリー発作(hysteria).
i·am·bic 形 【韻律】(古典詩で)短長格の.
i·at·ric 形 医師(physician)の; 医薬の.
Ice·lan·dic 形 アイスランド(人)の.
ich·thy·ic 形 魚の, 魚族の(piscine); 魚形の.
i·con·ic 形 像の, 肖像の; 聖像(画)の.
i·con·o·mat·ic 形 表音絵文字の.
ic·ter·ic 形 【病理】黄疸(おうだん)の.
i·den·tic 形 (二つのものが)全く一致した.
id·i·o·mat·ic 形 慣用的な, 慣用語法にかなった.
id·i·ot·ic 形 ばかげた.
i·dyl·lic 形 牧歌を思わせる(ような).
im·be·cil·ic 形 痴愚の, 愚かな, ばかな.
In·dic 形 インド(人, 半島)の.
Ing·ve·on·ic 形 (西ゲルマンの)イングベオーネン語の.
i·od·ic 形 【化学】ヨウ素の［を含む］.
I·on·ic 形 ☞
i·on·ic 形 イオン(ion)の［を含む］.
i·ren·ic 形 平和［協調］的な.
i·rid·ic 形 【化学】イリジウム(iridium)の.
i·ron·ic 形 皮肉［反語］を含む, 風刺的な.
is·chi·ad·ic 形 ＝sciatic.
is·en·thal·pic 形 【熱力学】等エンタルピーの.
is·en·trop·ic 形 【熱力学】等エントロピーの.
Is·lam·ic 形 イスラム教の.
i·so·ce·rau·nic 形 【気象】等雷雨(性)の.
i·so·dom·ic 形 【建築】〈切石積みが〉同じ寸法の石から成る, 真積みの.
i·so·ke·rau·nic 形 ＝isoceraunic.
i·so·pi·es·tic 形 等水蒸気圧の; 等圧の(isobaric).
i·so·ster·ic 形 【化学】等(配)電子の.
i·so·tim·i·c 形 【気象】同時の, 等時の.
isth·mic 形 地峡の(isthmian).
-is·tic 接尾辞 ☞
i·tal·ic 形 イタリック体の, 斜字体の.
ith·y·phal·lic 形 (古代の)酒神 Bacchus の祭礼で担いで歩く男根像(phallus)の.
-it·ic 接尾辞 ☞
Ja·phet·ic 形 ヤペテ(の子孫)の.
Ja·pon·ic 形 日本(人, 語)の.
Ju·da·ic 形 ユダヤ教の; ユダヤ教的な.
Ju·ras·sic 形 【地質】ジュラ紀の.
ke·ram·ic 形 ＝ceramic.
Ku·fic 形 クーファ(Kufa)の; クーファ住民の.
la·con·ic 形 〈言葉などが〉簡単明瞭な.
lac·tic 形 乳の; 乳から採れる.
la·ic 形 (聖職者に対して)俗人の(lay).
Lan·go·bar·dic 形 ロンバルディアの(Lombard).
la·ryn·gic 形 喉頭(こうとう)の(laryngeal).
La·tin·ic 形 ラテン語の.
lau·ric 形 【化学】ラウリン酸の.
le·nit·ic 形 ＝lentic.
len·tic 形 静水の; 静水に生息する.
-lep·tic 連結形 ☞
lep·to·kurt·ic 形 【統計】急尖(きゅうせん)的な.
lep·to·pro·so·pic 形 【人類】狭顔(型)の.
le·thar·gic 形 昏睡(こんすい)の, 嗜眠(しみん)状態にある.
Let·tic 形 レット［ラトビア］人(Lett)の.
li·en·ter·ic 形 〈便などが〉消化しない物を含んだ.
lim·bic 形 へりの, 縁の, 周辺の.
lim·net·ic 形 (陸水の)沖の.
lith·ic 形 石の; 石から成る.
-lith·ic 連結形 ☞
log·a·oe·dic 形名 【韻律】散文詩体の(詩).
log·a·rith·mic 形 【数学】対数の.
log·ic 名 ☞
-log·ic 連結形 ☞
lo·tic 形 流水の; 流水に生息する, 動水性の.
lu·bric 形 《古》(表面・塗りなどが)滑らかな.
lu·dic 形 遊びの, 遊び好きの.
lyr·ic 形 叙情詩の; 叙情詩を書く.
mac·a·ron·ic 形 雅俗混交体の.
maf·ic 形 【地質】苦鉄質岩の.
Mag·el·lan·ic 形 マジェラン(F. Magellan)の.
mag·ic 名 ☞

mag·net·ic 形 ☞
ma·jes·tic 形 威厳のある, 堂々とした.
mal·ic 形 リンゴの; リンゴから採った.
ma·lo·nic 形 〖化学〗マロン酸の.
man·gan·ic 形 〖化学〗マンガンの[を含む].
man·ic 形 躁(そう)病の; 躁病にかかった.
man·tic 形 占いの[に関する].
mar·gar·ic 形 真珠の, 真珠に似た.
Ma·son·ic 形 フリーメーソン(Freemason)の.
Mas·o·ret·ic 形 マソラ(Masorah)の.
Mas·so·ret·ic 形 =Masoretic.
mat·ro·nym·ic 形 =metronymic.
me·chan·ic 名 ☞
me·dal·lic 形 メダル[勲章]の(ような).
med·ic 名 《話》看護兵, 衛生兵.
Me·gar·ic 形名 メガラ(Megara)の(人).
mel·an·chol·ic 形 憂鬱(ゆううつ)な, ふさぎ込んだ.
me·lan·ic 形 〖病理〗黒色症(melanosis)の.
mel·ic 形 歌唱用の.
mer·cu·ric 形 〖化学〗水銀の.
-mer·ic 連結形 ☞
mer·i·ste·mat·ic 形 〖植物〗分裂組織の性質を持つ.
me·ris·tic 形 〖生物〗分節の, 分節的な.
mes·ic[1] 形 中生の, 中湿性の.
mes·ic[2] 形 〖物理〗中間子の.
mes·mer·ic 形 催眠術の[による].
Mes·sa·pic 名 (イタリアの)メッサピア語.
Mes·si·an·ic 形 メシアの, 救世主の[に関する].
me·tal·lic 形 ☞
met·a·phys·ic 名 形而上学(metaphysics).
me·te·or·ic 形 流星の[に関する]; 流星から成る.
me·thyl·ic 形 〖化学〗メチル(基)の.
me·top·ic 形 〖解剖〗前額の, 前頭の.
met·ric[1] 形 メートルの; メートル法の.
met·ric[2] 形 計量[測量]の; 計量用の.
-met·ric 連結形 ☞
me·tro·nym·ic 形 母親の名を採った[にちなんだ].
mi·cro·lit·ic 形 〖岩石〗マイクロリチック.
Mil·ton·ic 形 ミルトン(John Milton)の.
mim·ic 形 偽の, 偽りの, 模造の.
mne·mon·ic 形 記憶を助ける.
Moe·so·goth·ic 形 モエシアゴート人の.
mo·lyb·dic 形 〖化学〗モリブデンの.
mo·nas·tic 形 修道院の, 修道院と関係ある.
Mon·gol·ic 名形 モンゴル語(の).
mon·ic 形 〖数学〗1の.
mon·o·car·box·yl·ic 形 〖化学〗モノカルボン酸の.
mon·o·stroph·ic 形 単律(詩)の.
-mor·phic 連結形 ☞
Mo·sa·ic 形 モーセ(Moses)の.
mo·ti·vic 形 〖音楽〗モチーフの[による].
mo·tor·ic 形 原動機の.
Moz·ar·a·bic 形 モサラベ(Mozarab)の.
mu·cic 形 〖化学〗粘液酸(mucic acid)の.
mus·ca·rin·ic 形 ムスカリン(神経毒)の[に関する].
mu·sic 名 ☞
my·op·ic 形 〖眼科〗近視(性)の.
mys·tic 形 (聖霊などを)象徴する.
myth·ic 形 神話に(ついて)の; 神話的な.
myth·o·poe·ic 形 神話形成の; 神話を作る.
Na·po·le·on·ic 形 ナポレオン一世の.
-nau·tic 連結形 ☞
ne·an·ic 形 〖動物〗幼生期の; (特に)蛹期の.
Ne·grit·ic 形 黒人(Negroes)の; ネグリートの.
ne·mat·ic 形 〖物理化学〗〈液晶が〉ネマチックの.
ne·o·ter·ic 形 現代の, 最近の, 新式の, 新しい.
neph·ric 形 〖解剖〗腎臓(じんぞう)(部)の(renal).
ne·phrit·ic 形 腎炎の.
neur·as·then·ic 形 神経衰弱の; 神経衰弱にかかった.
nick·el·ic 形 〖化学〗ニッケルの.
nic·o·tin·ic 形 ニコチンの[を含む].
ni·o·bic 形 〖化学〗ニオブの.
ni·tric 形 〖化学〗(通例五価の)窒素の[を含む].
ni·trol·ic 形 〖化学〗ニトロールの.
no·mad·ic 形 遊牧の, 遊牧民的な.
nom·ic 形 普通の, 通例の.
-nom·ic 連結形 ☞
Nor·dic 形 北欧ゲルマン系(民族, 言語)の.
nu·mer·ic 形 数の[に関する], 数学上の.
Num·ic 名 〖言語〗(北米の)ヌーミック語派.
ob·scu·ran·tic 形 反啓蒙主義者, 蒙昧主義者.
o·ce·an·ic 形 大洋[海洋](性)の; 大洋中の.
od·ic[1] 形 オード(ode)の.
od·ic[2] 形 オッド(od)の.
-od·ic[1] 連結形 ☞
-od·ic[2] 連結形 ☞
o·le·ic 形 〖化学〗オレイン酸の.
O·lym·pic 形 (古代の)オリンピア競技会の; (近代の)国際オリンピック大会の.
O·mot·ic 名 (アフリカの)オモ語派.
o·nei·ric 形 《まれ》夢の; 夢幻的な.
on·tic 形 〖哲学〗存在にかかわる.
oph·thal·mic 形 目の; 眼科の.
op·son·ic 形 〖免疫〗オプソニンの.
op·tic 形 ☞
or·ches·tic 形 ダンスの, 舞踏の.
o·rec·tic 形 〖哲学〗願望の, 欲求の; 食欲の.
or·gan·ic 形 ☞
or·nith·ic 形 鳥(類)の.
Or·phic 形 オルフェウス(Orpheus)の.
or·tho·phy·ric 形 〖記載岩石〗正長斑岩(はんがん)状の.
O·set·ic 形 =Ossetic.
os·mic 形 〖化学〗(多価, 特に四価の)オスミウムの[を含む, から採った].
Os·set·ic 形 オセティア(風)の(Ossetian).
Os·si·an·ic 形 (ゲール伝説の)オシアンの.
o·tic 形 ☞
-ot·ic 接尾辞 ☞
ox·al·ic 形 〖化学〗シュウ酸の.
ox·y·to·cic 形 〖医学〗子宮(筋肉)収縮性の.
pal·lad·ic 形 〖化学〗パラジウムの.
Pan·ath·e·na·ic 形 全アテネ祭の.
pan·e·gyr·ic 名 賞賛の辞[文], 賛辞; 顕彰の辞.
pan·ic 名 恐慌(状態), パニック.
par·a·dig·mat·ic 形 理論的枠組(paradigm)の.
par·af·fin·ic 形 パラフィン(性)の.
par·e·gor·ic 名 〖薬学〗カンフル[樟脳(しょうのう)]カロアヘンチンキ(paregoric elixir).
par·o·tit·ic 形 (流行性)耳下腺(せん)炎の.
path·ic 名 《まれ》男色の対象の少年, 稚児(ちご).
-path·ic 連結形 ☞
path·o·for·mic 形 〖病理〗疾病発端の, 病発の.
pa·tri·ot·ic 形 愛国者の[に特有の].
pat·ro·nym·ic 形 〈名前が〉父の名を採った.
pe·dan·tic 形 学者ぶった, 物知り顔の.
-pe·dic 連結形 ☞
pe·lag·ic 形 ☞
pel·ar·gon·ic 形 〖化学〗ペラルゴン酸の.
pel·vic 形 骨盤(pelvis)の.
per·i·pher·ic 形 周囲[周辺]の[にある].
Per·mic 名 ペルム諸語.
pe·trol·ic 形 石油の, 石油から製造した.
phal·lic 形 陰茎[男根]の[に似た, をかたどった].
Phar·a·on·ic 形 ファラオ(Pharaoh)の(ような).
Phar·i·sa·ic 形 パリサイ人[主義]の.
-pha·sic 連結形 ☞
phat·ic 形 話しかけの, 儀礼的な.
-phil·ic 連結形 ☞
Phi·lip·pic 名 フィリッポス王攻撃演説.
phil·o·soph·ic 形 哲学の, 哲学に関する.
phleg·mat·ic 形 無精な, 不活発な, 無気力な.
phlo·gis·tic 形 〖病理〗怒り[敵意]をかきたてる, 刺激的な.
pho·bic 形 病的嫌悪の, 病的恐怖症の.
-pho·bic 連結形 ☞
pho·ne·mat·ic 形 〖言語〗音素の[に関する].

pho·net·ic 形 (言語の)音声の; 音声表記の.
phon·ic 形 ☞
-phor·ic 連結形 ☞
phos·phat·ic 形 リン酸塩の [を含む].
phos·phor·ic 形 【化学】リンの [を含む].
pho·tic 形 ☞
pho·ton·ic 形 フォトニックの, 光子的な.
phre·at·ic 形 【地質】地下水の [に関する].
phre·net·ic 形 《文語》逆上した, 狂乱の.
phren·ic 形 【解剖】横隔膜の.
phthal·ic 形 【化学】フタル酸の [から誘導された].
phthis·ic 名 《廃》【病理】結核.
pic·ric 形 【化学】ピクリン酸の.
Pin·dar·ic 形 ピンダロス(風)の.
plas·tic 形名 ☞
-plas·tic 連結形 ☞
pla·tin·ic 形 【化学】第二白金の.
Pla·ton·ic 形 プラトンの; プラトン哲学の.
plat·y·kur·tic 形 【統計】〈度数分布が〉正規分布よりも平均値に関して集中度が少ない.
-ple·gic 連結形 ☞
ple·thor·ic 形 多すぎる, 過多の; 大げさな.
plum·bic 形 【化学】(特に四価の)鉛を含む.
plu·ton·ic 形 【地質】深成の.
pneu·drau·lic 形 空気圧と水圧の作用を持つ機構の.
pneu·mat·ic 形 空気の; 気体の; 風の.
pneu·mon·ic 形 肺の; 肺を冒す(pulmonary).
po·dal·ic 形 【医学】足(feet)の.
po·et·ic 形 詩の; 韻文で書かれた; 詩のような.
po·lem·ic 名 反論, 論争.
pol·i·tic 形 ☞
pol·lin·ic 形 花粉の.
pol·y·ad·ic 名 【数学】ポリアディック.
pol·y·cis·tron·ic 形 【遺伝】多シストロン性の.
Pon·tic 形 ポンタス(Pontus)の.
pon·tic 名 【歯科】ポンティック加工歯.
por·ce·lan·ic 形 〈岩などが〉磁器の(ような).
po·tam·ic 形 河川の; 河川航行の.
po·tas·sic 形 カリウム(potassium)の.
poz·zo·lan·ic 形 〈セメント混合材が〉ポゾランの.
prag·mat·ic 形 実利的な, 実際的な, 実用的な.
pri·ap·ic 形 プリアポス(Priapus)の.
pri·on·ic 形 タンパク質性感染因子プリオンの.
pris·mat·ic 形 プリズムの(ような).
prob·lem·at·ic 形 問題のある [多い], 問題をはらむ.
proc·e·leus·mat·ic 形 鼓舞する, 励ます, 勇気づける.
pro·clit·ic 形 【文法】〈語が〉後接的な.
pro·gram·mat·ic 形 標題音楽(program music)の.
pro·pane·di·o·ic 形 【化学】=malonic.
pro·phet·ic 形 預言者の [に関する].
pro·pi·on·ic 形 【化学】プロピオン酸の.
pro·pyl·ic 形 プロピル基の.
pro·sa·ic 形 平凡な, 無味乾燥な.
-pro·tic 連結形 ☞
pru·rit·ic 形 【病理】かゆみ症の.
prus·sic 形 【化学】青酸(prussic acid)の.
psych·e·del·ic 形 サイケデリックな, 幻覚的な.
psy·chic 形 ☞
psy·cho·del·ic 形 =psychedelic.
Ptol·e·ma·ic 形 プトレマイオス(Ptolemy)の.
pu·bic 形 下腹部の, 恥丘の, 恥骨の.
pub·lic 形 ☞
pu·dic 形 【解剖】外陰部の(pudendal).
pul·mon·ic 形 肺の; 肺による; 肺を冒す.
Pu·nic 形 古代カルタゴ人(Carthaginian)の.
pur·pu·ric 形 【病理】紫斑(しはん)の, 紫斑病の.
pyc·nic 形名 =pyknic.
pyk·nic 形名 【心理】肥満型の(人).
py·ret·ic 形 熱の; 熱のある; 熱病の.
py·ric 形 燃焼による.
Pyr·rhic 形 (Epirus の王である)Pyrrhus の.
pyr·rhic 形 【韻律】2つの短格から成る, 短短格の.
py·ru·vic 形 【化学】ピルビン酸の.

py·thon·ic[1] 形 ニシキヘビの; ニシキヘビのような.
py·thon·ic[2] 形 予言の; 託宣の, 神託のような.
quad·ric 形 【数学】二次の.
quan·tic 名 【数学】斉次有理整関数.
quar·tic 形 【数学】四次の.
quin·tic 形 【数学】五次の.
quix·ot·ic 形 ドン=キホーテ式の [に似た].
Rab·bin·ic 名 ラビ(文字)ヘブライ語.
ra·ce·mic 形 【化学】ラセミ(化合物)の.
ra·chit·ic 形 くる病の.
rel·ic 名 昔の姿をとどめる物, 過去の記念物.
Rhae·tic 形 【地質】レート階の.
rhe·mat·ic 形 【言語】語形成の.
rhe·nic 形 【化学】レニウム(rhenium)の.
Rhe·tic 形 =Rhaetic.
rhet·o·ric 名 《しばしば軽蔑的》美辞麗句.
rheu·mat·ic 形 【病理】リューマチの.
rhiz·ic 形 【数学】(方程式の)根(root)の.
rho·dic 形 【化学】ロジウム(rhodium)の.
rhom·bic 形 ひし形の, 菱形(りょうけい)の, 斜方形の.
rho·tic 形 【音声】音節末尾や子音の前で r 音を発音する.
rhyth·mic 形 ☞
ro·bo·tic 形 ロボットの(ような).
Ro·ma·ic 名 現代ギリシャ日常語.
Ro·man·ic 形 古代ローマ人の.
ro·man·tic 形 伝奇 [冒険, 空想] 物語の.
ru·nic 形 ルーン文字(rune)の [から成る].
ru·then·ic 形 【化学】ルテニウムの.
sac·cad·ic 形 ぴくっと動く, 痙攣(けいれん)のように動く.
sac·char·ic 形 【化学】サッカリンの; 糖の.
Sal·ic 形 サリ族(Salian Franks)の.
sal·ic 形 〈鉱物が〉サリックの.
sal·i·cyl·ic 形 【化学】サリチル酸の.
Sam·o·yed·ic 形 サモエード族 [語] の.
Sap·phic 形 サッポー(Sappho)の.
sa·pro·bic 形 【生物】腐生菌の.
sar·cas·tic 形 〈言葉・口調などが〉皮肉な, 嫌みな.
sar·don·ic 形 冷笑的な, 嘲笑(ちょうしょう)的な.
sa·tan·ic 形 サタン(Satan)の, 悪魔の.
satt·vic 形 【ヒンドゥー教】サットバを体現した.
sa·tur·nic 形 【医学】鉛中毒の.
scan·dic 形 【化学】スカンジウム(scandium)の.
sce·nic 形 風景の, 景色の; 景色のいい.
sche·mat·ic 形 概要の, 図式の; 図表の.
schis·mat·ic 形 分離の, 分裂の.
sci·at·ic 形 【解剖】座骨の; 座骨神経の.
scle·rot·ic 形 【解剖】強膜の [に関する].
-scop·ic 連結形 ☞
scor·bu·tic 形 【病理】壊血病(scurvy)の.
Scot·ic 形 古代スコット族の.
se·bac·ic 形 【化学】セバシン酸の.
seis·mic 形 ☞
se·le·nic 形 【化学】セレンの.
se·man·tic 形 (言語・記号の)意味の, 語義の.
se·mat·ic 形 【生物】目標 [警戒] 色の.
sep·tic 形 ☞
se·raph·ic 形 熾(し)天使(seraph)の(ような).
Ser·ic 形 《古》中国の.
ser·mon·ic 形 説教の, 説教のような.
sex·tic 形 【数学】六次の. ── 名 六次の量.
sha·man·ic 形 シャーマンの, シャーマンを介した.
si·lic·ic 形 【化学】ケイ素(silicon)を含有する.
si·ren·ic 形 (神話の)セイレンの(ような).
Slav·ic 名 スラブ語派.
Sla·von·ic 形 スラボニア(人)の(Slavonian).
So·crat·ic 形 ソクラテスの; ソクラテス哲学の.
so·dic 形 【農業】ナトリウム分を含む.
Sol·o·mon·ic 形 (ヘブライ王である)ソロモンの.
so·mat·ic 形 体の, 肉体の.
-so·mic 連結形 ☞
son·ic 形 ☞
soph·o·mor·ic 形 《米》(高校・大学の)2 年生の.
So·thic 形 狼星(ろうせい)(Sirius, Dog Star)の.

spas·mod·ic 形 〈病気などが〉痙攣(けいれん)(性)の.
spath·ic 形 【鉱物】〈鉱物が〉ガラス光沢状の.
sper·mat·ic 形 精液の, 精子の; 精液に似た.
sper·mic 形 =spermatic.
sphe·nic 形 楔(くさび)状の.
sphe·ric 形 ☞
sphra·gis·tic 形 印章(seal)の[に関する].
sphyg·mic 形 【生理】【医学】脈拍(sphygmus)の.
splanch·nic 形 内臓の, 臓器の(visceral).
splen·ic 形 脾臓(ひぞう)の.
spon·da·ic 形 【韻律】長長格[強強格]の.
spo·rad·ic 形 散発的に[時折]起こる.
-spor·ic 連結形 ☞
sta·lac·tic 形 鍾乳(しょうにゅう)石の(ような).
stan·nic 形 【化学】錫(すず)の[を含む].
ste·ar·ic 形 羊脂[牛脂]の, 脂肪の.
sten·o·pe·ic 形 小さな穴[裂け目]の(ある).
ster·ic 形 【化学】立体の.
stich·ic 形 詩行の[から成る].
stig·mat·ic 形 汚名の, 不名誉な.
Sto·ic 形 ストア学派[哲学]の.
-stol·ic 連結形 ☞
sto·mach·ic 形 胃の. ── 名 胃薬, 健胃剤.
sto·mat·ic 形 口の.
stra·te·gic 形 戦略(上)の; 戦略的な.
strob·ic 形 ぐるぐる回る(ように見える).
stroph·ic 形 ☞
su·ber·ic 形 コルクの.
suc·cin·ic 形 琥珀(こはく)(amber)の[から採った].
Su·dan·ic 形 スーダン語群の.
sul·fon·ic 形 【化学】スルホ基の.
sul·fu·ric 形 ☞
sul·phu·ric 形 =sulfuric.
syc·o·phan·tic 形 へつらう, ごまをする.
syl·lab·ic 形 ☞
sym·pat·ric 形 【生物】【生態】同所性の, 同地域性の.
symp·to·mat·ic 形 徴候[症候, 症状]に関する.
syn·al·lag·mat·ic 形 【法律】〈契約などが〉双務的な.
syn·cat·e·gor·e·mat·ic 形 【伝統的論理】共義(語)の.
syn·det·ic 形 連結[接続]の働きをする.
syn·dic 名 《英》(大学などの)理事, 評議員.
syn·tag·mat·ic 形 【言語】統合的な.
syr·tic 形 流砂(quicksand)に関する[に似た].
sys·tal·tic 形 【生理】拍動性の, 拍動に関する.
sys·tem·at·ic 形 〈物・事が〉系統だった, 一貫した.
sys·tem·ic 形 体系の, 系統の, 組織の.
tan·nic 形 【化学】タンニンの; タンニン性の.
tan·tal·ic 形 【化学】タンタルの.
tar·tar·ic 形 酒石(tartar)の; 酒石から採れる.
-tax·ic 連結形 ☞
tech·nic 名形 ☞
tec·ton·ic 形 構造の; 建築の, 築造の.
tel·e·fer·ic 名 【運輸】テルハー: 鉱石などを運ぶ空中ケーブルカー(telpher).
tel·ic 形 ☞
tel·lu·ric[1] 形 地球[地上]の(terrestrial).
tel·lu·ric[2] 形 【化学】(特に六価の)テルルの.
te·reb·ic 形 【化学】テレピン酸の.
-ter·ic 接尾辞 ☞
ter·mit·ic 形 シロアリの[による, がついた].
te·tan·ic 形 【病理】テタニー性の, 強縮性の.
Teu·ton·ic 形 テウトニ[テウトネス]族の.
tha·lam·ic 形 【解剖】視床の.
tha·las·sic 形 海の, 大洋の.
thal·lic 形 【化学】タリウム(thallium)の.
thau·ma·tur·gic 形 奇術(師)の[に関する].
The·ba·ic 形 テーベ(Thebe)の.
the·mat·ic 形 主題[テーマ]の[に関する].
the·o·ret·ic 形 理論の[理論に関する].
ther·mic 形 ☞
ther·mo·dur·ic 形 【細菌】〈微生物が〉耐熱性の.
thet·ic 形 断定的な, 確言的な.
thi·on·ic 形 【化学】硫黄の, チオン酸の.
tho·rac·ic 形 胸(郭)の, 胸部の.
thor·ic 形 【化学】トリウム(thorium)の.
thre·net·ic 形 哀歌[悲歌, 哀悼]の.
thym·ic[1] 形 ジャコウソウに属する.
thym·ic[2] 形 胸腺の, 胸腺に関する.
-tic 接尾辞 ☞
tig·lic 形 【化学】チグリン酸の.
ti·tan·ic[1] 形 【化学】チタン(titanium)の.
ti·tan·ic[2] 形 ティタンの[に特有の].
to·lu·ic 形 【化学】トルイル酸の.
-tom·ic 連結形 ☞
ton·ic 名形 ☞
-ton·ic 連結形 ☞
top·ic 名 (会話・討論などの)中心問題, 題目.
-top·ic 連結形 ☞
to·reu·tic 形 金属工芸(toreutics)の.
tor·ic 形 円環状レンズの.
tox·e·mic 形 【病理】毒(素)血症(toxemia)の.
tox·ic 形 ☞
tra·chyt·ic 形 粗面岩状の.
trag·ic 形 悲劇にふさわしい, 悲劇風の.
trau·mat·ic 形 〈傷が〉外傷性の.
Tri·as·sic 形 【地質】三畳紀の, 三畳系の.
tri·car·box·yl·ic 形 【化学】トリカルボン酸の.
tri·pod·ic 形 三脚を用いる, 3本足がある.
tri·stig·mat·ic 形 【植物】三柱頭の.
tro·cha·ic 形 【韻律】長短格の, 強弱格の.
troph·ic 形 栄養(作用)の, 栄養に関する.
-troph·ic 連結形 ☞
trop·ic[1] 名 【地理】回帰線.
tro·pic[2] 形 【生物】屈性の, 向性の.
-trop·ic 連結形 ☞
tung·stic 形 【化学】タングステンの[を含む].
Tun·gus·ic 名 トゥングース諸語.
Tur·kic 名 チュルク諸語.
tym·pan·ic 形 太鼓の(ような).
ty·phon·ic 形 台風(性)の.
typ·ic 形 ☞
U·ga·rit·ic 形 ウガリト(Ugarit)の.
U·gric 名 ウゴル諸語.
U·ral·ic 名 ウラル語族.
u·ran·ic[1] 形 【化学】ウラン[ウラニウム]の.
u·ran·ic[2] 形 天の[に関する].
u·re·mic 形 【病理】尿毒症の.
u·ric 形 《限定的》尿の[に関する].
va·ler·ic 形 カノコソウの[から得られる].
va·nad·ic 形 【化学】バナジウムの[を含む].
van·dal·ic 形 バンダル族の[に特有の].
va·nil·lic 形 バニラの.
vas·sal·ic 形 封臣[家臣](制)の[に似た].
vat·ic 形 《まれ》予言者の, 予言者的な.
Ve·dic 形 ベーダの.
ve·lic 形 【音声】軟口蓋(なんこうがい)の[に関する].
ve·nat·ic 形 狩猟(用)の.
Ve·net·ic 名 (古イタリアの)ベネト語.
vib·ri·on·ic 形 ビブリオの, ビブリオに冒された.
vil·lat·ic 形 《文語》村[農村, 田舎]の.
vi·nic 形 ワインの[に含まれる, から得られる].
vit·ric 形 ガラス(質)の.
vit·ri·ol·ic 形 硫酸(塩)の; 硫酸(塩)に似た.
vo·cal·ic 形 ☞
vol·can·ic 形 火山の.
Vol·ta·ic 名 (アフリカの)グル語派(Gur).
vol·ta·ic 形 【電気】流電気の, 動電気の.
vul·can·ic 形 =volcanic.
wolf·ram·ic 形 【化学】=tungstic.
xan·thic 形 黄色の, 黄金(こがね)色の, 帯黄色の.
xe·nic 形 1つ以上の未確認の有機体を含む培養基の[を使った].
xe·ric 形 〈土地などが〉乾(燥)性の, 乾燥した.
xy·lic 形 【化学】キシリル酸の.
yo·gic 形 ヨーガの.
yt·ter·bic 形 【化学】イッテルビウムの.
yt·tric 形 【化学】イットリウム(yttrium)の.

Yu·go·slav·ic 形 ユーゴスラビア(人)の.
zinc·ic 形 亜鉛(製)の, 亜鉛を含む.
zir·con·ic 形 ジルコニウム(zirconium)の.
zo·ic 形 動物の; 動物生活の.
-zo·ic[1] 連結形 ☞
-zo·ic[2] 連結形 ☞
zy·go·mat·ic 形 〔解剖〕頬骨(きょうこつ)(zygoma)の.

-ic[2] /ɪk/

語尾 短縮語を含む.
★ 語末にくる同音形は -IC[1], -ICH[2], -ICK[5], -IK.

flic 名 《俗》警察官(cop).
hic 間 ひっく, うーい.
pic 名 《米俗》映画(picture).
sic[1] 動他 攻撃する, 攻める(attack).
sic[2] 形 《主にスコット》=such.
sic[3] 副 《ラテン語》原文のまま, ママ.
spic 名 《米俗》スペイン系アメリカ人, (特に)プエルトリコ人.
tic[1] 名 〔病理〕チック.
tic[2] 名 《米麻薬俗》テトラヒドロカナビノール: マリファナの活性成分の一種.
vic[1] 名 《米俗》罪人, 受刑者(convict).
vic[2] 名 《英》飛行機の V 字形編隊.
vic[3] 名 《米俗》ビクトローラ(Victrola).
vic[4] 名 《米俗》犠牲者, 被害者(victim).

-i·ca[1] /ɪkə/

接尾辞 ラテン語形容詞語尾 *-icus* -IC[1] の複数形. ⇨ -A[1].
★ 集合名詞として, 主に学術・芸術の分野の名称を表す.

e·rot·i·ca 名複 性愛を扱った文学 [絵画], 好色本, 春本, 春画.
es·o·ter·i·ca 名複 (選ばれた少数のための)深遠 [難解] なもの, 秘密のもの, 秘事, 秘奥.
ex·o·ter·i·ca 名複 公教的な教説 [教理, 著作].
ex·ot·i·ca 名複 珍奇な [異国風の] 品物 [風物].
Ju·da·i·ca 名複 (ユダヤ人の生活・慣習・宗教儀式などに関する)ユダヤ関係文 [資料].

-i·ca[2] /ɪkə/

接尾辞 ラテン語形容詞語尾 *-icus* -IC[1] の女性形. ⇨ -A[2].
★ 名詞をつくる.

an·gel·i·ca 名 〔植物〕アンゼリカ.
ba·sil·i·ca 名 バシリカ: 初期キリスト教の教会堂.
har·mon·i·ca 名 ハーモニカ(mouth organ).
he·pat·i·ca 名 キンポウゲ科スハマソウ属の草の総称.
ja·pon·i·ca 名 〔植物〕ツバキ(椿).
san·ton·i·ca 名 〔植物〕セメンシナなどのヨモギ(wormwood)類数種.
sci·at·i·ca 名 〔病理〕坐骨神経痛.
vom·i·ca 名 〔病理〕(肺の)うみのたまった空洞.

-i·cal /ɪkəl/

接尾辞 -ic[1] と -al[1] の結合形で名詞から形容詞をつくる.
★ -ic[1] で終わる語の同義語をつくる: poet*ical*; また -ic[1] で終わる語につけて別の意味を添える: econom*ical*.
◆ 中英<ラ *-icālis*. ⇨ -AL[1].
[発音] 直前の音節に第 1 強勢.

ac·a·dem·i·cal 形 学校の, 高等教育機関の, 大学の.
ag·nat·i·cal 形 男系親の; 男系の, 父方の.
al·ge·bra·i·cal 形 代数学の, 代数的; 代数による.
al·le·gor·i·cal 形 諷喩(ふうゆ)の, 寓話(的)の.
al·pha·bet·i·cal 形 アルファベット [ABC] 順の.
an·a·log·i·cal 形 類推による, 類推的な.
an·ar·chi·cal 形 無政府主義の.
a·nath·e·mat·i·cal 形 いやらしい; いまいましい.
an·a·tom·i·cal 形 解剖(学)の; 解剖組織上の.
an·ec·dot·i·cal 形 逸話の; 逸話的な; 逸話の多い.
an·gel·i·cal 形 天使の.
an·tho·log·i·cal 形 名詩選の, 名作集の, 詞華集の.
an·ti·typ·i·cal 形 対型的な.
a·poc·a·lyp·ti·cal 形 黙示録の, 天啓書の.
ap·os·tol·i·cal 形 使徒の; 使徒らしい; 十二使徒の.
ar·sen·i·cal 形 ヒ素の; ヒ素を含む.
as·tro·nom·i·cal 形 天文の, 天文学(上)の.
at·mos·pher·i·cal 形 大気(中)の; 大気よりなる.
au·to·crat·i·cal 形 専制(政治)の; 独裁的な.
au·to·nom·i·cal 形 《生理》自律神経の.
Bib·li·cal 形 聖書の, 聖書にある.
bom·bas·ti·cal 形 大げさな, 誇張した.
bo·tan·i·cal 形 植物の.
cat·e·gor·i·cal 形 例外のない, 無制限の; 明確な.
chem·i·cal 名 ☞
chi·mer·i·cal 形 非現実の; 架空の, 想像上の.
chron·i·cal 形 時間の.
clas·si·cal 形 ☞
clin·i·cal 形 臨床の; 臨床 [実地] 治療の.
cy·cli·cal 形 ☞
cy·lin·dri·cal 形 円柱の; 円筒形の, 円柱状の.
cyn·i·cal 形 誠実さを疑う, 冷笑的な.
di·a·bol·i·cal 形 悪魔のような; 極悪非道な, 邪悪な.
di·a·lec·ti·cal 形 問答的な; 弁証法の.
di·a·met·ri·cal 形 直径の; 直径に沿った.
dog·mat·i·cal 形 教義上の, 教理に関する.
dom·i·cal 形 ドーム状の, 丸天井式の.
do·min·i·cal 形 主イエス・キリストの.
dra·mat·i·cal 形 《古》劇の; 戯曲の, 脚本の.
drop·si·cal 形 水腫の; 水腫 [浮腫] に冒された.
ec·cle·si·as·ti·cal 形 (キリスト)教会の; 聖職者に関する.
ec·o·nom·i·cal 形 〈人が〉倹約する, つましい.
ec·u·men·i·cal 形 全般の, 全体の, 普遍の.
e·lec·tri·cal 形 電気の, 電気による(electric).
em·blem·at·i·cal 形 象徴の, 象徴的な, 象徴する.
em·pir·i·cal 形 ☞
eth·i·cal 形 倫理の, 道徳(上)の; 倫理学上の.
eth·ni·cal 形 民族 [種族, 人種] の [に関する].
e·van·gel·i·cal 形 福音(書)の.
fa·nat·i·cal 形 狂信的な, 熱狂的な.
far·ci·cal 形 笑劇の; 茶番劇風の.
fin·i·cal 形 いやにやかましい, ひどく気難しい.
ga·len·i·cal 形 方鉛鉱(galena)の [を含んだ].
gram·mat·i·cal 形 文法の, 文法的な.
-graph·i·cal 連結形 ☞
he·ro·i·cal 形 英雄 [勇士, 女傑] (たち)の.
hi·er·ar·chi·cal 形 階層制の; 位階組織の.
his·tor·i·cal 形 歴史の [に関する]; 歴史的な.
ho·mo·log·i·cal 形 一致 [相応] する.
hys·ter·i·cal 形 ヒステリー症 [特有] の.
i·den·ti·cal 形 〈2つのものが〉全く一致した.
in·dex·i·cal 形 索引の [に関する].
i·ron·i·cal 形 風刺 [反語] 的な; 皮肉な.
-is·ti·cal 接尾辞 ☞
Jes·u·it·i·cal 形 イエズス会(士)の.
ju·rid·i·cal 形 司法 [裁判] 上の.
ka·lei·do·scop·ical 形 万華(まんげ)鏡の.
lack·a·dai·si·cal 形 〈態度などが〉活気 [気力] のない.
la·con·i·cal 形 《古》簡単明瞭な, (鋭く)端的な.
li·tur·gi·cal 形 礼拝の.
log·i·cal 形 ☞
-log·i·cal 連結形 ☞
lyr·i·cal 形 叙情詩の, 叙情詩を書く(lyric).
mag·i·cal 形 魔法をかけられた(ような), 不思議な.
math·e·mat·i·cal 形 数学の, 数学上の, 数理的な.
me·chan·i·cal 形 ☞
med·i·cal 形 ☞
me·thod·i·cal 形 整然とした, 組織的な; きちんとした.
met·o·nym·i·cal 形 換喩(かんゆ)の(性質を持つ).
met·ri·cal 形 韻律の, 格調の; 韻律から成る.

mim·i·cal 形 《古》偽の, 偽りの, 模擬の(mimic).
mo·nar·chi·cal 形 君主の; 君主制の.
mu·si·cal 形名 ☞
myth·i·cal 形 神話(について)の; 神話的な.
nod·i·cal 形 〖天文〗交点(node)の.
non·sen·si·cal 形 ばかげた, 愚にもつかない, 無意味な.
nu·mer·i·cal 形 数の[に関する], 数字上の.
ob·stet·ri·cal 形 出産看護および処置の, 助産の.
oec·u·men·i·cal 形 ＝ecumenical.
or·a·tor·i·cal 形 演説者の; 弁舌の.
par·a·dox·i·cal 形 逆説の, 道理に合わない.
par·en·thet·i·cal 形 挿入された, 挿入句的な, 説明的な.
pe·ri·od·i·cal 名 (日刊以外の)定期刊行物, 雑誌.
phar·ma·ceu·ti·cal 形 薬学の, 薬局の; 薬剤師の.
phil·o·soph·i·cal 形 哲学の, 哲学に関する.
phthis·i·cal 形 《廃》(肺)結核の, 結核性の.
phys·i·cal 形 ☞
pos·ti·cal 形 〖植物〗後ろの, 後ろ側にある.
pu·ri·tan·i·cal 形 《通例軽蔑的》(極度に)厳格な.
pyr·a·mid·i·cal 形 ピラミッド[角錐(かくすい)]の.
quix·ot·i·cal 形 ドン=キホーテ式の[に似た].
quiz·zi·cal 形 奇妙な, こっけいな.
rab·bin·i·cal 形 (ユダヤの)律法学者の, ラビの.
rhe·tor·i·cal 形 修辞的な, 修辞的効果をねらった.
rhyth·mi·cal 形 周期的[律動的]な; リズムの整った.
Sab·bat·i·cal 形 安息日の; 安息日にふさわしい.
sa·tir·i·cal 形 風刺の; 当てこすりの, 皮肉な.
sod·o·mit·i·cal 形 男色の, 獣姦の.
spher·i·cal 形 ☞
ster·e·o·typ·i·cal 形 ステレオタイプの, お決まりの.
sto·i·cal 形 ストア哲学者のような; 自制的な.
sur·gi·cal 形 外科の, 外科医(術)の; 手術の.
sym·met·ri·cal 形 ☞
tech·ni·cal 形 ☞
the·at·ri·cal 形 劇場[舞台]の; 演劇の[に関する].
the·o·ret·i·cal 形 理論の[に関する]; 理論上の.
ther·sit·i·cal 形 口汚い, ひどく口の悪い, 毒舌的な.
thra·son·i·cal 形 《まれ》自慢する, うぬぼれの強い.
-ti·cal 接尾辞 ☞
top·i·cal 形 〈本・絵・漫画などが〉時事問題の.
trag·i·cal 形 悲劇にふさわしい, 悲劇的な.
trop·i·cal 形 ☞
tur·ri·cal 形 小塔[やぐら]の[に似た].
typ·i·cal 形 典型的[代表的, 模範的]な.
ty·ran·ni·cal 形 専制君主の; 圧制的な.
um·bil·i·cal 形 へその; へその緒の.
whim·si·cal 形 気まぐれな, むら気の.

-i·cal·ly /ikəli/

接尾辞 …のように, …に関して.
★ -ic, -ical で終わる形容詞から副詞をつくる.
◆ -ICAL＋-LY[1] の合成接尾辞.

aes·thet·i·cal·ly 副 美学的に, 美学上.
au·to·magi·cal·ly 副 《俗》魔法のように自動的に.
au·to·mat·i·cal·ly 副 自動的に; 無意識に, 思わず.
ba·si·cal·ly 副 根本的に, 本質的に; 元来は.
char·ac·ter·is·ti·cal·ly 副 特徴的に, 特質上(typically).
chem·i·cal·ly 副 化学的に.
clas·si·cal·ly 副 古典的に; 擬古的に.
crit·i·cal·ly 副 批判[批評]的に; 酷評して.
di·a·met·ri·cal·ly 副 正反対に; 全く; まさに.
ec·o·nom·i·cal·ly 副 倹約して, つましく, 経済的に.
el·lip·ti·cal·ly 副 楕円(だえん)形に; 楕円状に.
her·met·i·cal·ly 副 密閉[密封]するように.
or·gan·i·cal·ly 副 有機的に; 組織的に; 基本的に.
pa·cif·i·cal·ly 副 友好的に; 穏やかに, 静かに.
par·a·dox·i·cal·ly 副 逆説的に.
phys·i·cal·ly 副 身体[肉体]的に.
po·lit·i·cal·ly 副 政治上, 政治的に; 政略上.
prac·ti·cal·ly 副 実質的に, 事実上, 実際上.
rad·i·cal·ly 副 その起源からして, もともと, 元来.
spe·cif·i·cal·ly 副 明確に, はっきり限定して.
stra·te·gi·cal·ly 副 戦略的に.
typ·i·cal·ly 副 型的に; 例によって.

ice /áis/

名 氷.

ánchor ìce 〖海事〗錨(いかり)氷.
báll ìce 〖海事〗球氷.
báy ìce 〖海洋〗湾氷.
bláck íce 薄くて堅い氷.
blúe íce 〖地質〗青氷.
bóttom ìce ＝anchor ice.
brásh ìce (海岸に寄せられた)砕氷群.
bróken íce 〖海洋〗疎氷域.
cámphor ìce 樟脳(しょうのう)チック.
cándle ìce 《カナダ》つらら, 垂氷.
cát·ìce 《米北部》(湖面などの)薄氷.
chóc·ìce 《英》アイスクリームをチョコレートで包んだ菓子.
cléar ìce (特に航空機に凍結する)雨氷.
cóconut ìce 乾燥ココナッツの砂糖菓子.
créam ìce 《英》アイスクリーム.
de·íce 動他 〈飛行機の翼などの〉結氷を防ぐ.
drìft ìce 流氷, 浮氷.
Drý Íce 《化学・商標》ドライアイス.
fást íce 〖海洋〗定着氷.
fíeld ìce 〖地理〗野氷, 氷原, 流氷野.
gláre ìce 鏡のような面をした氷.
glímmer ìce グリマー氷: 古い氷のクラック, 穴, くぼみにできた新しい氷.
glítter ìce (急激に冷却した雨が地表についてできる)雨氷.
gróund ìce ＝anchor ice.
hót íce 《まれ》＝Dry ice.
ínland íce 内陸氷: グリーンランドの広域を覆う氷体.
ópen íce 〖海事〗オープンアイス.
páck ìce 〖海事〗積氷, 叢氷(そうひょう).
páncake ìce 〖海洋〗蓮(はす)葉氷.
préssure ìce 〖海洋〗起伏氷.
ráft ìce 〖海洋〗いかだ氷.
rótten íce 〖海事〗蜂(はち)の巣氷.
séa ìce 海氷.
shéet ìce 層氷: 水面の広い範囲にできた, 比較的うすく滑らかな氷の層.
shélf ìce 棚氷(たなごおり), 氷棚(ひょうほう).
snów ìce 雪氷, スノーアイス.
trásh ìce 水に浮かべた砕いた氷.
wáter ìce 水氷, ウォーターアイス.
whélping ìce 《カナダ》お産氷山.

-ice[1] /is/

接尾辞 フランス語からの借用語に見られ,「状態」「性質」などを表す抽象名詞をつくる.
★ 語末にくる関連形は -ISE[2].
◆ 中英 *-ise* ＜古仏 *-ice*, *-ise* ＜ラ *-itus*, *-itia*, *-itium*.

av·a·rice 名 飽くことを知らぬ金銭欲.
cow·ard·ice 名 勇気の欠如, 臆病(おくびょう).
gen·trice 名 《古》生まれ[育ち]のよさ.
jus·tice 名 ☞
lat·tice 名 ☞
no·tice 名 ☞
nou·rice 名 《廃》乳母.
nov·ice 名 (…の)未熟者, 初心者; 新参者.
prac·tice 名 ☞
prej·u·dice 名 (…に対する)偏見.
serv·ice 名 ☞

-ice[2] /is, íːs/

接尾辞 女性の行為者, または女性の名前につく名詞接尾辞.
◆ <ラ -*ix*, -*ic*-.

Can·dice 名 女子の名. ►民間語源によれば後期ラテン語 *canditia*「白さ」より.
Clar·ice 名 女子の名. ►ラテン語の名 *Claritia*(「名声」の意とされる)より.
Jan·ice 名 女子の名. ►Jane の派生形.
Jen·ice 名 女子の名. ►Janice の変形.

-ice[3] /áis/

語尾 語末にくる同音形は -YCE.

bice 名 青または緑色(絵の具).
dice 名複 ☞
fice 名 雑種の小犬; 野良犬.
-fice 連結形 ☞
grice 名 《主にスコット》豚, (特に)子豚.
ice 名 ☞
lice 名 louse の複数形.
mice 名 mouse の複数形.
nice 形 ☞
pice 名 パイス: 英領インド時代の旧貨幣単位.
price 名 ☞
rice 名 ☞
sice 名 (インドで)馬の世話係, 別当(syce).
slice 名 ☞
smice 名 氷霧.
spice 名 スパイス, 香辛 [香味] 料, 薬味.
splice 動他 ☞
thrice 副 《文語》三たび, 三度.
tice 名 【クリケット】ヨーカー(yorker).
trice[1] 名 瞬間, 瞬時(instant).
trice[2] 動他【海事】…を綱で引く [引っ張る].
twice 副 (あまり間をおかないで)2 回, 二度.
vice[1] 名 悪徳, 不道徳, 邪悪.
vice[2] 名 《英》万力(まんりき)(vise).

-ich[1] /ítʃ/

語尾 rich は代表で, 押韻表現に rich bitch「金持ち女」がある.
★ 語末にくる同音形は -ITCH[2].

lich 名 《英古・廃》体, 胴体; 死体.
mich 動自《英方言》学校をサボる(mitch).
pich 名 マメ科ベニゴウカン(紅合歓)属の木.
rich 形 ☞
-rich[1] 連結形 ☞
-rich[2] 連結形 ☞
tich 名 《英俗》ちび; 子供.
which 代 《疑問代名詞》どれ, どの人.
-wich 連結形 ☞

-ich[2] /ík/

語尾 -ch を /k/ と発音するのはギリシャ語起源の語の特徴(または類推による).
★ 語末にくる同音形は -IC[1], -IC[2], -ICK[5], -IK.

ich 名 白点病.
-rich 連結形 ☞ -RICH[2]
stich[1] 名 ☞
stich[2] 名 【トランプ】最後のトリック.
trich 名 《俗》【病理】トリコモナス症.
-trich 連結形 ☞

-icht /íxt/

語尾 スコットランド方言.

licht 名 《スコット》光(light).
micht[1] 助 《スコット》…だろう(might).
micht[2] 名 体力, 腕力(might).
nicht 名 《スコット》夜(night).
richt 形 《スコット》正しい(right).
sicht 名 《スコット》眺め(sight).

-i·cian /íʃən/

接尾辞 …の専門家, …家.
★ -ic[1] と -ian の結合形; -ic で終わる語から名詞をつくる.
◆ -IC[1] で終わる語に -IAN がついてできた musician, physician から抽出.
[発音] -ician の第 1 音節に第 1 強勢が置かれる.

ac·a·de·mi·cian 名 学士院 [芸術院] 会員.
ac·ous·ti·cian 名 音響技師(acoustic engineer).
aes·the·ti·cian 名 美学者.
a·rith·me·ti·cian 名 算数家, 算術の達人.
bal·lis·ti·cian 名 弾道学者; 発射体設計技術者.
beau·ti·cian 名 美容師; 美容院の経営者 [使用人].
cli·ni·cian 名 臨床家.
cos·me·ti·cian 名 化粧品製造 [販売] 業者.
di·ag·nos·ti·cian 名 診断専門医; (一般に)分析家.
di·a·lec·ti·cian 名 =logician.
di·e·ti·tian 名 栄養士 [学者].
e·kis·ti·cian 名 人間定住の科学専門家.
e·lec·tri·cian 名 電気技術者, 電気係, 電気工.
es·the·ti·cian 名 =aesthetician.
ge·om·e·tri·cian 名 幾何学者.
ge·o·pol·i·ti·cian 名 地政学者.
ger·i·a·tri·cian 名 老年医学者, 老人病学者, 老年学者.
lin·guis·ti·cian 名 言語学者(linguist).
lo·gi·cian 名 論理学者; 論法家.
lo·gis·ti·cian[1] 名 兵站(へいたん)学者.
lo·gis·ti·cian[2] 名 記号論理学者.
ma·gi·cian 名 奇術師, 手品師(conjurer).
math·e·ma·ti·cian 名 数学者.
mech·a·ni·cian 名 機械技師, 機械(修理)工.
met·a·phy·si·cian 名 形而上学者, 思弁哲学者.
mor·ti·cian 名 《米》葬儀屋(funeral director).
mu·si·cian 名 職業的な音楽家 [作曲家, 指揮者].
ob·ste·tri·cian 名 産科医.
op·ti·cian 名 眼鏡屋.
pe·di·a·tri·cian 名 小児科医.
pho·ne·ti·cian 名 音声学者.
phy·si·cian 名 医者, 医師.
pol·i·ti·cian 名 政治家; 政治屋.
pov·er·ti·cian 名 《米》(特に, 不当な利得をむさぼる)貧困対策の当局者.
rhet·o·ri·cian 名 修辞学 [作文法, 雄弁術] に長じた人.
ru·bri·cian 名 典礼規定の専門家.
stat·is·ti·cian 名 統計家, 統計学者.
tac·ti·cian 名 戦術家; 策士, 策略家.
tech·ni·cian 名 ☞
the·a·tri·cian 名 舞台芸術家, 演劇専門家, 演出家.
the·o·re·ti·cian 名 理論家, 理論通.

-i·cil·lin /əsílin/

連結形 【薬学】ペニシリン.
★ 名詞をつくる.
◆ penicillin の短縮形.

am·ox·i·cil·lin 名 アモキシシリン.
am·pi·cil·lin 名 アンピシリン.
meth·i·cil·lin 名 メチシリン.
phe·neth·i·cil·lin 名 フェネシシリン.

-ick[1] /ík/

《古》綴字 -ic の異形.

bal·drick 名 飾り帯(baldric).
med·ick 名 〖植物〗ウマゴヤシ(medic).
sick 動他 攻撃する, 攻める(sic).

-ick[2] /ɪ́k/

音象徴間 **1** カチッ, パチン, チッ; 鍵がかかる音や時計の音のような金属的で小さな音, また舌打ちの音を表す: sn*ick*, tch*ick*. **2** 素早く突いたり, つまみとる動きや, 痙攣(けいれん)のような一瞬の動きを表す: cr*ick*, pr*ick*.

click 名 カチッ [カチリ, パチン] という音; 《英》(無線通信の際の)大気の乱れから生じる雑音. ━━動自他 カチッと鳴る [鳴らす].
crick 名 (首や背中などの疼痛(とうつう)を伴う)筋肉痙攣(けいれん), ひきつり.
flick 名 (むち・指先などで)軽く打つこと, はじき. ━━動他 さっと動かす, 軽く打つ, はじく. ━━自 さっと動く.
hick 名 しゃっくり(hiccup).
ick 間 《嫌悪・恐怖などを表して》うえっ.
kick 動他 〈人・物を〉ける, け飛ばす; 〈人の〉(体の一部を)ける; 〈進路を〉けり分け [けちらし] ながら進む.
lick 動他 …を(舌で)なめる; …をなめて…にする.
nick 名 刻み目, 切り目. ━━動他 ちょっと切る.
pick 動他 〈人・物などを〉(…から)入念に選ぶ, 精選する; 〈…に〉〈…を〉運ぶ.
pin·prick 名 ピンで刺すこと; ピンで刺した(ような)小さな穴.
prick 名 (針・とげなどの)刺し傷 [跡, 穴]; (野ウサギの)足跡; (馬のひづめの)傷; 《俗》ペニス. ━━動他 刺す, 突く.
quick 形 動きの速い, 機敏な, 敏捷(びんしょう)に動く; 〈進行・手順などが〉即座の, 急速な; (…するのに)すばやい, 迅速な.
snick 動他 **1** 少し切る, (はさみなどで)チョキンと切る, 切り取る, …に少し刻み目をつける. **2** 〈引き金を〉引く; カチリと鳴らす. **3** 強打する. ━━名 カチッと鳴る音; 刻み目, 結び目.
tchick 間 《馬を励ます舌打ちの音》チチッ. ━━動自 チッと舌打ちする.
tick 名 **1** (時計などの)カチカチ [カッチカッチ] という音; (心臓の)ドキドキという音. **2** 《米俗》目盛り, 度.
tick·tick 名 (時計などの)カチカチという音; 《幼児語》時計(watch, clock).

-ick[3] /ɪ́k/

音象徴間 音象徴語の重複形に見られる語尾要素; 接中辞 -ety- や -a- をはさむ.

clíckety-clíck 間 カタカタ, カタコト, ガタンゴトン. ━━動自 カタカタ [ガタンゴトン] 音をたてる.
tícka-tìcka-tíck 間 《時計が針を刻む音・タイプライター, ガラガラヘビのしっぽの音などで》カチカチッ, カチャカチャッ, チャカチャカ, カタカタ, パチパチッ.
tíck-tìck-a-tíck 間 =ticka-ticka-tick.

-ick[4] /ɪ́k/

音象徴 音象徴語の重複形に見られる前半要素の語尾. ★ i と a または i と o の母音交替がある.

clíck-clàck 間 カチカチ, カタカタ, カタコト.
kníck-knàck 名 小間物; 小装身具, 小さい置物; ちょっとした骨董(こっとう)品.
tíck-tàck 名 (時計などの)カチカチ [チクタク, コツコツ, カチッカチッ, カチリカチリ] (という音); 心臓のどきどき(という音), 鼓動. ━━動自 カチカチ [チクタク, コツコツなど] と音をたてる. ━━他 《米》〈戸や窓を〉いたずら鳴子でコツコツ鳴らす.
tíck-tòck 名 (大時計の)カッチンカッチン(という音); (反復する)カチカチ [コツコツ, トントンなど] (という音); (足音の)コツコツ(という音). ━━動自 カッチンカッチン [カチカチ, コツコツなど] という音を出す.

-ick[5] /ɪ́k/

語尾 語末にくる同音形は -IC[1], -IC[2], -ICH[2], -IK.

brick 名 ☞
chick[1] 名 ☞
chick[2] 名 《インド》すだれ.
click[1] 名 カチッ [カチリ, パチン] という音.
click[2] 名 《俗》キロメーター(kilometer).
crick 名 《米北部》小川, 支流(creek).
dick[1] 名 ☞
dick[2] 名 《英俗》公表, 宣言(declaration).
dick[3] 動他自 見る.
flick 名 ☞
hick 名 《主に米》お人よしな田舎者.
kick 動他 ☞
klick 名 《俗》キロメーター(kilometer).
knick 名 《英俗》(下着の)パンツ; 水泳パンツ.
lick 動他 ☞
mick[1] 名 《豪俗》1 ペンスの表 [裏].
mick[2] 名 《米学生俗》履修の楽な科目.
nick 名 (木・陶器の数・時・型などを示す)刻み目.
pick[1] 動他 ☞
pick[2] 名 ☞
pick[3] 動他 〖繊維〗〈杼(ひ)を〉打つ(cast).
prick 名 ☞
rick 名 《主に米方言》干し草の山(hay-rick).
schtick 名 《俗》=shtick.
shtick 名 《米俗》ギャグ, 持ち芸.
sick[1] 形 ☞
sick[2] 動他 攻撃する, 攻める(sic).
slick 形 《主に米》てかてかした; 滑らかな.
spick 名 《米俗》スペイン系アメリカ人(spic).
strick 名 篠(しの)状に整えられる前の麻繊維の束.
thick 形 厚い, 厚みのある.
tick[1] 名 ☞
tick[2] 名 マットレス.
tick[3] 名 《主に英話》つけ, 借り, 勘定.
tick[4] 名 《米麻薬俗》テトラヒドロカナビノール(tetrahydrocannabinal).
tick[5] 名 子供のいる共働きの夫婦. ► *t*wo-*i*ncome *c*ouple with *k*ids.
trick[1] 名 ☞
trick[2] 名 《俗》トリコモナス症(trichomonia-sis).
wick[1] 名 芯(しん), 灯心.
wick[2] 名 〖カーリング〗ウィック.
wick[3] 名 《英方言》農場, (特に)酪農場.

-ick·le /ɪ́kl/

語尾 一部に細かい反復的な動きをさす音象徴がみられる. ◇ -LE[3].

brick·le 形 《米南部方言》壊れやすい, もろい.

fick·le 形 変わりやすい, 気まぐれな, 不安定な.
mick·le 形 《古・スコット・北イング》大きな, 大変な; たくさんの.
nick·le 名 (米国・カナダの)5セント白銅貨.
pick·le[1] 名 《主に米・カナダ》ピクルス.
pick·le[2] 名 《スコット・北イング》穀物の一粒.
prick·le[1] 名 とがった先, 尖端(せんたん).
prick·le[2] 名 枝編みかご.
sick·le 名 鎌(かま).
stick·le 動自 くどくど言い争う, しつこく論じる.
strick·le 名 斗掻(とか)き, 升ならし, 升掻き: 山盛りの穀粒を升のへりの線までかき落とす道具.
tick·le 動他 〈人の体などを〉軽く触れる.
trick·le 動自 〈液体が〉ほんの少しずつ流れる.

-i·con /ikɑ̀n | ikɔ̀n/

連結形 【テレビ】アイコノスコープ, 撮像管.
★ 名詞をつくる.
◆ iconoscope の短縮形.

or·thi·con 名 オルシコン.
plum·bi·con 名 プランビコン.
Sat·i·con 名 サチコン.
vid·i·con 名 ビジコン.

-ics /iks/

接尾辞 …学(science), …術(art), …原理(principle), …研究.
★ -ic, -ical で終わる形容詞に対応する名詞をつくる.
◆ -IC[1] の複数形.
[発音] 直前の音節に第1強勢. 例外: pólitics.

a·cous·tics 名複 ☞
ac·ro·bat·ics 名複 アクロバット, 曲芸, 軽業.
aer·o·bat·ics 名複 曲芸飛行.
aer·o·do·net·ics 名複 グライダー工学.
aer·o·e·las·tics 名複 【航空】空力弾性学.
aer·o·nau·tics 名複 航空学; 飛行術.
aer·o·pon·ics 名複 【農業】気耕法.
aes·thet·ics 名複 美学.
a·gog·ics 名複 【音楽】アゴーギク, 緩急法.
an·a·lyt·ics 名複 【論理】分析論; 【数学】解析学.
a·pol·o·get·ics 名複 (キリスト教の)弁証論[学], 護教論[学].
aq·ua·nau·tics 名複 (スキューバによる)海底探査.
a·qua·rob·ics 名複 アクアビクス.
as·tro·bal·li·stics 名複 【宇宙工学】宇宙弾道学.
as·tro·nau·tics 名複 宇宙航法, 宇宙航行学.
ath·let·ics 名複 《米》(競走・漕艇(そうてい)・ボクシングなどの)運動競技.
at·mos·pher·ics 名複 【ラジオ】【テレビ】空電障害.
a·tom·ics 名複 《話》原子学.
au·di·o·an·i·ma·tron·ics 名複 オーディオ・アニマトロニクス.
au·di·o·don·tics 名複 聴歯科学.
au·to·net·ics 名複 【機械】自動誘導制御学[論], オートネティクス.
au·to·nom·ics 名複 【電子工学】自動制御システム学.
a·vi·on·ics 名複 航空電子工学, アビオニクス.
bal·lis·tics 名複 弾道学; 弾道試験.
bib·li·ot·ics 名複 筆跡鑑定学.
bio·aero·nau·tics 名複 天然・生物資源の発見・開発・保護のための航空術.
bio·ho·lon·ics 名複 バイオホロニクス.
bi·o·log·ics 名複 【薬学】【生物学】生物製剤.
bi·o·ne·mics 名複 生態学.
bi·o·phar·ma·ceu·tics 名複 生物薬剤学.
cac·o·gen·ics 名複 =dysgenics.
cal·is·then·ics 名複 (特別な運動用具を用いない)美容健康体操, 柔軟体操, 徒手体操.
cal·lis·then·ics 名複 =calisthenics.
ca·non·ics 名複 正典学[論].
ca·top·trics 名複 反射光学.
ce·ram·ics 名複 陶磁工芸; 窯業(ようぎょう).
cho·reu·tics 名複 【ダンス】コロティックス, 舞踊[動作]分析.
chro·mat·ics 名複 色彩学, 色彩論.
cin·e·mat·ics 名複 映画製作[撮影]術.
civ·ics 名複 市政論[学], 公民研究.
com·bi·na·tor·ics 名複 【数学】組み合わせ論.
con·ics 名複 円錐(えんすい)曲線論.
cos·mo·nau·tics 名複 =astronautics.
cry·o·gen·ics 名複 低温学.
cy·ber·net·ics 名複 人工頭脳研究, サイバネティクス.
der·mat·o·glyph·ics 名複 皮膚(ひふ)紋, 皮膚紋理.
di·ag·nos·tics 名複 【医学】診断法, 診察術; (一般に)診断.
di·op·trics 名複 光屈折学.
dip·lo·mat·ics 名複 古文書学.
dog·mat·ics 名複 教義学, 教理学, (正教会で)定理学.
dra·mat·ics 名複 演出法, 演技術.
dy·nam·ics 名複 ☞
dys·gen·ics 名複 【生物】劣生学, 種属退化学.
ec·o·nom·ics 名複 ☞
ec·u·men·ics 名複 教会再一致運動の神学, 世界教会運動の神学.
e·kis·tics 名複 人間定住の科学, 人間居住工学.
e·lec·tron·ics 名複 ☞
e·lec·tro·ther·mics 名複 電熱化学[工学].
en·do·don·tics 名複 歯内療法(学).
en·er·get·ics 名複 エネルギー論.
ep·i·ste·mics 名複 エピステーメー論.
eth·ics 名複 ☞
eu·de·mon·ics 名複 幸福論.
eu·gen·ics 名複 優生学.
eu·phen·ics 名複 【医学】人間改造学, 表現型改良学.
eu·then·ics 名複 優境学.
ex·e·get·ics 名複 聖書評釈[解釈]学; 解釈的神学.
ex·o·don·tics 名複 抜歯術.
flu·er·ics 名複 【工学】=fluidics.
flu·id·ics 名複 流れ学, 流体工学.
ge·net·ics 名複 ☞
ge·o·pon·ics 名複 農業学, 農耕技術.
ger·o·don·tics 名複 老人歯科学.
glos·se·mat·ics 名複 【言語】言理学.
glyp·tics 名複 宝石彫刻術(glyptography).
gno·to·bi·ot·ics 名複 【動物】無菌生物学.
gra·phe·mics 名複 【言語】書記素論.
graph·ics 名複 ☞
gym·nas·tics 名複 (マットや棒など器具を用いる)体操.
gy·ro·scop·ics 名複 ジャイロスコープ力学.
hal·i·eu·tics 名複 魚釣り; 魚釣り論.
hap·tics 名複 触覚学.
har·mon·ics 名複 【音楽】ハーモニックス.
he·don·ics 名複 【心理】快楽論.
her·me·neu·tics 名複 (特に聖書の)論理的解釈法; 聖書解釈学.
his·tri·on·ics 名複 演劇, 芝居; 演技.
hom·i·let·ics 名複 説教法, 説教術.
hu·man·ics 名複 人間学.
hy·drau·lics 名複 水力学, 水理学, 応用流体力学.
hy·dro·nau·tics 名複 海洋開発工学.
hy·dro·pon·ics 名複 水耕法, 水栽培.
hy·gi·en·ics 名複 衛生学(hygiene).
-i·at·rics 連結形 ☞
i·con·ics 名複 図像[画像]学.
in·for·mat·ics 名複 情報科学, コンピュータサイエンス.
i·ren·ics 名複 和協[融和]神学.
i·sa·gog·ics 名複 序論的研究.
-is·tics 接尾辞 ☞
ke·ram·ics 名複 =ceramics.
kin·e·mat·ics 名複 【物理】運動学.
ki·ne·sics 名複 キネシクス, 動作学.

ki·net·ics 名複 ☞
la·rith·mics 名複 人口集団学［論］.
lee·rics 名複 《米話》性的な連想を持たせる歌詞.
li·tur·gics 名複 典礼学, 礼拝学.
log·o·pe·dics 名複 〖医学〗言語医学.
lox·o·drom·ics 名複 航程線航法.
mac·ro·bi·ot·ics 名複 マクロビオティックス.
mag·net·ics 名複 ☞
math·e·mat·ics 名複 数学.
me·chan·ics 名複 ☞
me·lod·ics 名複 旋律法, 旋律学.
met·em·pir·ics 名複 超経験論, 先験哲学.
me·te·or·it·ics 名複 〖天文〗流星学, 隕石(いんせき)学.
met·rics 名複 韻律学.
-met·rics 連結形 ☞
mne·mon·ics 名複 記憶術, 記憶力増進法.
mor·phe·mics 名複 〖言語〗形態(素)論.
mor·pho·to·ne·mics 名複 〖言語〗声調(tone)に関する形態音韻［音素］論.
no·et·ics 名複 〖論理〗知性学［論］, 理性論.
-nom·ics 連結形 ☞ -NOMICS[1]
nu·mis·mat·ics 名複 貨幣［古銭, メダルなど］の研究.
ob·stet·rics 名複 産科学.
o·ce·an·ics 名複 海洋［大洋］学.
ol·fac·tron·ics 名複 嗅覚工学.
on·o·mas·tics 名複 固有名詞学.
op·tics 名複 ☞
or·ches·tics 名複 舞踏法.
or·tho·don·tics 名複 歯科矯正学.
or·tho·pe·dics 名複 〖医学〗(特に子供の)骨格の整形, 整形外科(学).
or·thot·ics 名複 〖医学〗装具学.
os·mics 名複 嗅覚(きゅうかく)学.
O·von·ics 名複 オブシンスキー効果を利用する電子工学の一分野.
pa·thet·ics 名複 哀れを誘う表現［態度］.
ped·a·gog·ics 名複 教育学, 教授法.
pe·di·at·rics 名複 小児科(医学).
pe·do·don·tics 名複 小児歯科(医学).
per·i·o·don·tics 名複 歯周病［症］学.
phar·ma·ceu·tics 名複 薬学.
phe·net·ics 名複 〖生物〗表現学, 表現的分類.
pho·ne·mat·ics 名複 《主に英》＝phonemics.
pho·ne·mics 名複 音素論.
pho·net·ics 名複 ☞
phon·ics 名複 ☞
pho·tics 名複 光学.
pho·ton·ics 名複 フォトニクス: 光に関係したすべてを扱う科学技術・学問の分野.
pho·to·vol·ta·ics 名複 光電変換工学.
phy·let·ics 名複 〖生物〗系統発生的分類.
phys·ics 名複 ☞
plas·tics 名複 ☞
pneu·mat·ics 名複 空気力学, 気学.
po·et·ics 名複 詩論, 詩学.
poi·men·ics 名複 牧会学, 司牧神学.
po·lem·ics 名複 論争術, 論証法.
pol·i·tics 名複 ☞
prag·mat·ics 名複 〖言語〗語用論.
prob·lem·at·ics 名複 (計画などに内在する)複雑な諸問題, 不確実さ.
pros·thet·ics 名複 (人工物により体の欠損部を修復する歯科・外科の)補綴(ほてつ)術［学］.
pros·tho·don·tics 名複 補綴(ほてつ)歯科学.
prox·e·mics 名複 〖社会〗〖心理〗近接学, 近接空間論.
py·rog·nos·tics 名複 〖鉱物〗加熱反応.
quad·rat·ics 名複 二次方程式論.
rhyth·mics 名複 リズム学, 韻律学, 律動法.
ro·bot·ics 名複 ロボット工学, ロボティックス.
se·man·tics 名複 ☞
se·mei·ot·ics 名複 ＝semiotics.
se·mi·ot·ics 名複 記号論［学］.
Se·mit·ics 名複 セム学, セム語［文学］研究.
sig·nif·ics 名複 〖論理〗〖哲学〗意味論.
sil·vics 名複 森林生態学.
slim·nas·tics 名複 減量運動, 痩身(そうしん)体操.
son·ics 名複 ☞
spher·ics 名複 球面幾何学; 球面三角法.
stat·ics 名複 ☞
stra·te·gics 名複 (科学・技術としての)戦略, 兵法, 用兵学.
sym·bol·ics 名複 信条学.
syn·ec·tics 名複 シネクティクス, 創造工学.
syn·o·nym·ics 名複 同義語［類義語］研究.
syn·tac·tics 名複 〖言語〗文章論, (論理的)構文論, 統語論.
syn·thet·ics 名複 合成化学(工業).
sys·tem·at·ics 名複 体系学, 分類学, 体系研究.
tac·tics 名複 ☞
tag·me·mics 名複 〖言語〗文法素論.
-tech·nics 連結形 ☞
tec·ton·ics 名複 ☞
tel·e·mat·ics 名複 〖電子工学〗テレマティーク(télématique): 通信とコンピューターによるデータ処理との融合.
tel·e·ro·bot·ics 名複 遠隔ロボット工学.
the·at·rics 名複 演劇法, 演出法; 素人芝居.
the·o·ret·ics 名複 (学問の)理論.
ther·a·peu·tics 名複 ☞
therm·i·on·ics 名複 熱イオン［電子］学.
to·net·ics 名複 音調学.
to·reu·tics 名複 金属工芸, 金工技法, 金属細工.
vit·rics 名複 ガラス製造術［学］; ガラス加工術.

-ict /ɪkt/

語尾 *-cere* で終わるラテン語動詞の過去分詞形 *-ctus* に由来し, 英語には語末の屈折部が省かれた形で借用された.
★ 語末にくる同音形は -ECT[2].

-dict 連結形 ☞
-flict 連結形 ☞
strict 形 厳しい, 厳密な.
-strict 連結形 ☞

-i·cum /ɪkəm, əkəm/

接尾辞 《ラテン語》主に名詞をつくる中性形接尾辞.
★ 英語 -ic[1] に相当.
◆ ＜ラ, *-icus*(形容詞接尾辞)の中性形名詞的用法. ⇨ -UM[1].

cap·si·cum 名 トウガラシ.
do·ron·i·cum 名 キク科ドロニカム属の植物の総称.
mod·i·cum 名 少量［わずか］.

-id[1] /ɪd/

接尾辞 **1** …の子, …の子孫: Nere*id*. **2**《王朝始祖名について》…王朝の人: Abbas*id*. **3**《星座・天体名について》…座流星群: Perse*id*. **4** …性発疹: syphil*id*.
★ 名詞をつくる.
★ 語末にくる関連形は -ID[2], -IDA[1], -IDES.
◆ ＜ラ *-id-*(*-is* の語幹＜ギ *-id-*, *-ís*).

Ab·bas·id 名 アッバース朝のカリフ.
Ab·bas·sid 名 ＝Abbasid.
A·chae·me·nid 名 アケメネス王朝(の人).
At·ta·lid 名 (ペルガモンの)アッタリド王家.
ca·rot·id 名 〖解剖〗頸動脈.
Drac·o·nid 名 〖天文〗りゅう(竜)座流星群.
Her·a·clid 名 ヘラクレスの子孫と主張する人.
Le·o·nid 名 〖天文〗しし(獅子)座流星群.
leu·ke·mid 名 白血病性皮疹(ひしん).
Mel·a·ne·sid 名 メラネシア人.

Ne·re·id 名 〘ギリシャ神話〙ネレイス.
Ni·o·bid 名 〘ギリシャ神話〙ニオベイデス.
O·ce·a·nid 名 〘ギリシャ神話〙オケアニス.
Per·se·id 名 〘天文〙ペルセウス座流星群.
pyr·a·mid 名 ☞
Qua·dran·tid 名 〘天文〙竜座流星群.
Sa·fa·vid 名 サファビー朝(の人).
Sa·ma·nid 名 サーマーン朝(の人).
Sas·sa·nid 名 ササン朝(の人).
Se·leu·cid 名 (マケドニア系の)セレウコス朝(の人).
sylph·id 名 大気[空気]の小妖精.
syph·i·lid 名 梅毒疹(しん).

-id[2] /ɪd/

接尾辞 …類の一員[一片]; …類に属する.
★ 近代ラテン語の分類名, 特に動物学上の科および綱からの派生で名詞あるいは形容詞をつくる.
◆ <ギ *-idēs* -ID[1](近代ラ *-ida* -IDA[1] または *-idae* の単数形として).

ac·a·rid 名 〘動物〙コナダニ.
ac·ri·did 名 〘昆虫〙バッタ, イナゴ.
a·del·gid 名 〘昆虫〙カサアブラムシ.
ag·a·mid 名 〘動物〙アガマ科のトカゲの総称.
al·cid 形 〘鳥類〙ウミスズメ科の.
am·bys·to·mid 名 〘動物〙アンビストマ.
an·a·ban·tid 名 〘魚類〙キノボリウオ科の魚.
an·ne·lid 名 〘動物〙環形動物.
a·rach·nid 名 〘動物〙クモ形類動物.
a·ra·ne·id 名 〘動物〙真正クモ目に属する動物の総称.
Ar·chae·o·cy·a·thid 名 〘古生物〙古杯類の動物.
arc·ti·id 名 〘昆虫〙ヒトリガ(灯取蛾)科のガ.
ar·de·id 形 〘鳥類〙サギ科の.
ar·ga·sid 名 〘動物〙ヒメダニ.
as·ca·rid 名 〘動物〙カイチュウ(回虫)類.
bom·by·cid 名 〘昆虫〙カイコガ.
bo·vid 形 〘動物〙ウシ科の.
brac·o·nid 名 〘昆虫〙コマユバチ.
bu·pres·tid 名 〘昆虫〙タマムシ.
cam·e·lid 名 〘動物〙ラクダ科の動物.
cam·po·de·id 名 〘昆虫〙ナガコムシ(長小虫).
can·id 名 〘動物〙イヌ類.
cap·sid[1] 名 〘微生物〙キャプシド.
cap·sid[2] 名 〘昆虫〙メクラカメムシ.
car·a·bid 形名 〘昆虫〙オサムシ科の(各種の甲虫).
ca·ran·gid 名 〘魚類〙アジ(ブリを含む).
cer·vid 名 〘動物〙シカ類.
chi·ron·o·mid 名 〘昆虫〙ユスリカ.
chrys·o·mel·id 名 〘昆虫〙ハムシ(葉虫).
cich·lid 名 〘魚類〙シクリッド.
clin·id 名 〘魚類〙アサヒギンポ.
clu·pe·id 名 〘魚類〙ニシン科の魚の総称.
coc·cid 名 〘昆虫〙カイガラムシ.
col·u·brid 名 〘動物〙ナミヘビ科のヘビの総称.
co·mat·u·lid 名 〘動物〙ウミシダ類.
cot·tid 名 〘魚類〙カジカ.
cri·ce·tid 名 〘動物〙キヌゲネズミ類.
cten·i·zid 名 〘動物〙トタテグモ.
cu·lic·id 名 〘昆虫〙カ(蚊).
cy·pri·nid 名 〘魚類〙コイ科の魚.
Daed·a·lid 形 デダルス様式の; 紀元前 7 世紀のアッティカで発達した壺の装飾様式.
drep·a·nid 名 〘昆虫〙カギバガ(鉤羽娥).
dy·nas·tid 名 〘昆虫〙カブトムシ.
dy·tis·cid 名 〘昆虫〙ゲンゴロウ.
el·a·pid 名 〘動物〙コブラ科の毒ヘビの総称.
e·lat·er·id 名 〘昆虫〙コメツキムシ.
em·bi·id 名 〘昆虫〙シロアリモドキ.
em·bi·ot·o·cid 形 〘魚類〙ウミタナゴ科の.
e·phem·er·id 名 〘昆虫〙カゲロウ.
er·i·oph·y·id 名 〘動物〙フシダニ科 *Eriophyes* 属のダニ.
es·tril·did 形 〘鳥類〙カエデチョウ科の.
eu·gle·nid 名 〘生物〙ミドリムシ類.
eu·pat·rid 名 エウパトリデス: 古代アテネの世襲貴族.
eu·phau·si·id 名 〘動物〙オキアミ.
eu·ryp·ter·id 名 広翼類動物.
fe·lid 名 〘動物〙ネコ科の動物.
fi·lar·i·id 形名 〘動物〙糸状虫(の).
frin·gil·lid 形 〘鳥類〙アトリ科の.
ga·did 形 〘魚類〙タラ科の.
ge·lech·i·id 名 〘昆虫〙キバガ(牙蛾).
gem·pyl·id 名 〘魚類〙クロタチカマス科の魚の総称.
ge·om·e·trid 形 〘昆虫〙シャクガ科の.
gryl·lid 名 〘昆虫〙コオロギ.
gryl·lo·blat·tid 名 〘昆虫〙コオロギモドキ目に属する原始的な昆虫の総称.
hom·i·nid 形名 〘人類〙ヒト科の(一員).
hom·o·nid 名 =hominid.
hy·brid 名 ☞
hy·ol·i·thid 名 〘古生物〙ヒオリテス.
i·gua·nid 名 〘動物〙イグアナ類.
ix·od·id 名 〘動物〙マダニ.
ja·pyg·id 名 〘昆虫〙ハサミコムシ.
jas·sid 名 〘昆虫〙ヨコバイ.
la·brid 名 〘魚類〙ベラ科の魚の総称.
la·cer·tid 名 〘動物〙カナヘビ.
lam·py·rid 名 〘昆虫〙ホタル.
lep·o·rid 名 〘動物〙ウサギ.
lol·i·gin·id 名 〘動物〙ジンドウイカ類.
ly·co·sid 名 〘動物〙ドクグモ, コモリグモ.
ly·gae·id 名 〘昆虫〙ナガカメムシ.
mach·i·lid 名 〘昆虫〙イシノミ.
man·tid 名 〘昆虫〙カマキリ.
man·tis·pid 名 〘昆虫〙カマキリモドキ.
mel·oid 名 〘昆虫〙ツチハンミョウ.
mel·o·lon·thid 名 〘昆虫〙コフキコガネ.
mor·my·rid 名 〘魚類〙モルミルス.
mu·rae·nid 名 〘魚類〙ウツボ.
mu·rid 名形 〘動物〙ネズミ科の(ネズミ).
mus·cid 形 〘昆虫〙イエバエ科の.
mus·te·lid 名 〘動物〙イタチ科動物.
my·sid 名 〘動物〙アミ類.
ne·re·id 名 〘動物〙ゴカイ類.
noc·tu·id 名 〘昆虫〙ヤガ(夜蛾).
nym·pha·lid 名形 〘昆虫〙タテハチョウ(の).
o·le·threu·tid 名 〘昆虫〙ヒメハマキガ(姫葉巻蛾).
o·phid·i·id 名 〘魚類〙アシロ科魚類.
o·rib·a·tid 名 〘動物〙ササラダニ.
pa·gu·rid 名 〘動物〙ヤドカリ.
pen·ta·sto·mid 名 〘動物〙Pentasromida 門の無脊椎動物の虫の総称.
phas·mid 名 〘昆虫〙ナナフシ類.
pho·ro·nid 名 〘動物〙ホウキムシ.
pi·er·id 形名 〘昆虫〙シロチョウ科の(チョウ).
poe·cil·i·id 名 〘魚類〙カダヤシ(蚊絶やし).
pom·pi·lid 名 〘昆虫〙ベッコウバチ科のハチの総称.
pon·gid 名 〘動物〙類人猿.
pso·cid 名 〘昆虫〙チャタテムシ(茶点虫).
pyc·nog·o·nid 名 〘動物〙ウミグモ.
pyr·a·lid 名 〘昆虫〙メイガ(コクガを含む).
ran·id 形 〘動物〙アカガエル科の.
re·du·vi·id 名 〘動物〙サシガメ.
sal·mo·nid 形 〘魚類〙サケ科の.
sa·tur·ni·id 名 〘昆虫〙ヤママユガ.
sa·tyr·id 形名 〘昆虫〙ジャノメチョウ科の(チョウ).
scar·a·bae·id 形 〘昆虫〙コガネムシ科の.
scol·o·pen·drid 名 〘動物〙オオムカデ.
scom·brid 名 〘魚類〙サバ科の魚.
scor·pae·nid 形 〘魚類〙カサゴ[メバル]科の.
ser·pu·lid 形名 〘動物〙カンザシゴカイ科の(ゴカイ).
ser·ra·nid 名 〘魚類〙ハタ科の魚類の総称.
si·a·lid 名 〘植物〙センブリ.
si·gan·id 名 〘魚類〙アイゴ.

sil·phid 形名〘昆虫〙シデムシ科の(甲虫).
si·lu·rid 名〘魚類〙ナマズ.
si·pun·cu·lid 名〘動物〙星口動物, ホシムシ.
so·lif·u·gid 名〘動物〙クモ綱に属するヒヨケムシ目の総称.
sol·pu·gid 名〘動物〙=solifugid.
spar·id 名〘魚類〙タイ科の魚の総称.
sphe·cid 形〘昆虫〙ジガバチ科の.
sphe·nop·sid 名〘植物〙=equisetoid.
sphin·gid 名〘昆虫〙スズメガ(雀蛾).
staph·y·lin·id 名〘昆虫〙ハネカクシ科の甲虫の総称.
stro·ma·te·id 名〘魚類〙イボダイ科の小さな魚の総称.
sym·phi·lid 形名〘動物〙結合綱の(節足動物).
syr·phid 名〘昆虫〙ハナアブ, ヒラタアブ.
tab·a·nid 名〘昆虫〙アブ.
tach·i·nid 形〘昆虫〙ヤドリバエの.
tei·id 名〘動物〙テイウス科のトカゲの総称.
te·neb·ri·o·nid 名〘昆虫〙ゴミムシダマシ科の甲虫の総称.
tet·ti·go·ni·id 名〘昆虫〙キリギリス.
the·rid·i·id 名〘動物〙ヒメグモ.
tho·mi·sid 名〘動物〙カニグモ.
tin·e·id 名〘昆虫〙ヒロズコガ(広頭小蛾).
tor·tri·cid 名〘昆虫〙ハマキガ(葉巻蛾).
trich·o·not·id 名〘魚類〙ベラギンポ.
trif·fid 名 (SF 小説で)トリフィッド: 3つの頭のある歩く怪獣植物.
tu·bif·i·cid 名形〘動物〙イトミミズ科(の).
u·ra·nos·co·pid 名〘魚類〙ミシマオコゼ.
ur·sid 名〘動物〙クマ類.
ver·bid 名〘文法〙準動詞(形).
ves·pid 名〘昆虫〙スズメバチ.

-id[3] /id/

接尾辞 -ide[1] の異形.
★ 化合物および生物の細胞・器官を表す名詞をつくる.
◆ <仏 *-ide*; (ox)ide からの類推による.

ar·a·mid 名〘化学〙アラミド.
bro·mid 名〘化学〙臭化物.
chro·ma·tid 名〘遺伝〙染色分体.
cos·mid 名〘生化学〙コスミド.
i·pro·ni·a·zid 名〘薬学〙イプロニアジド.
i·so·car·box·a·zid 名〘薬学〙イソカルボキサジド.
i·so·ni·a·zid 名〘薬学〙イソニアジド.
li·pid 名〘生化学〙脂質.
o·o·tid 名〘細胞生物〙オオチッド.
plas·mid 名〘微生物〙プラスミド.
pro·teid 名〘生化学〙(複合)タンパク質.
sper·ma·tid 名〘細胞生物〙精子細胞.
tra·che·id 名〘植物〙仮道管.

-id[4] /id/

接尾辞 …の状態の.
★ しばしば -or[1] で終わるラテン語の名詞に対応する記述形容詞をつくる.
◆ ラテン語 *-idus*, *-ida*, *-idum* より.
[発音] 直前の音節に第 1 強勢. 例外: énergid.

ac·rid 形〈味・においが〉刺すような.
al·gid 形 寒い, 冷たい; 寒けがする, 悪寒の.
ar·id 形 湿気のない, 乾ききった.
av·id 形 熱心な, 熱烈な, 熱狂的な.
cal·id 形 暖かい.
can·did 形 率直な, 誠実な, あけすけな.
fer·vid 形 熱意に燃えた, 熱烈な, 熱情的な.
fet·id 形 悪臭のある, たまらなく臭い.
flac·cid 形〈身体・筋肉などが〉たるんだ.
flor·id 形 赤みがかった, 血色のよい.
flu·id 形名 ☞
foet·id 形《英》悪臭のある, たまらなく臭い.
frig·id 形 ひどく寒い, 厳寒の.
ful·gid 形《古 / 詩語》きらきら光る.
gel·id 形 極寒の; 氷のように冷たい.
grav·id 形《文語》妊娠した, 身重の.
his·pid 形〘植物〙〘動物〙剛毛のある.
hor·rid 形 恐ろしい, ひどく怖い; 忌まわしい.
hu·mid 形 湿っぽい, 湿気の多い.
in·sip·id 形 退屈な; 活気のない; 特徴のない.
lan·guid 形 (虚弱・疲労から)だるい, 物憂い.
lim·pid 形《主に文語》澄んだ, 透明な.
liq·uid 形 液体の; 液状の, 流動体から成る.
liv·id 形〈顔・皮膚が〉(打ったりして)青黒い, 土色の.
lu·cid 形 分かりやすい, 明快な; 明晰な.
lu·rid 形 ぞっとする, 気味の悪い, 恐ろしい.
mor·bid 形 (精神が)病的な;《話》憂鬱な.
mu·cid 形《古》かびの生えた.
nit·id 形《詩語》輝く; つや[光沢]のある.
ol·id 形 強い悪臭のある.
pal·lid 形 青ざめた; 青白い, くすんだ.
pav·id 形《まれ》臆病な; 恐れている.
pin·guid 形《おどけて》脂肪の多い; 油性の.
plac·id 形 穏やかな, 静かな, 落ち着いた.
pu·trid 形〈動植物が〉腐敗した.
rab·id 形〈言動などが〉過激な, 熱狂的な.
ran·cid 形〈油性食品などが〉(腐敗などにより)嫌なにおいのする.
rap·id 形 早い, 迅速な, めまぐるしい.
rig·id 形 堅い, こわばった; 曲がらない.
sap·id 形《文語》味のある; 味のよい.
scab·rid 形 表面がざらざらした[うろこ状の].
sol·id 形〈物質が〉固体(状)の.
sor·did 形 浅ましい, 卑しい, 下劣な.
splen·did 形 豪華な, 華麗な, 壮麗な.
squal·id 形 むさくるしい, 汚らしい.
stol·id 形 ぼんやりした, 鈍感な, 無感動な.
stu·pid 形 (生まれつき)ばかな, 愚鈍な.
tep·id 形《文語》微温の, 生ぬるい.
tim·id 形 自信のない, おどおどした.
tor·pid 形 鈍い, 動かない, 不活発な.
tor·rid 形 焼けつくように暑い; 灼熱(しゃくねつ)の.
trep·id 形 怖がる, おびえた, びくびくした.
tu·mid 形〈体の一部などが〉腫(は)れた.
tur·bid 形〈液体・色が〉濁った, よどんだ.
tur·gid 形 膨らんだ; 腫(は)れ上がった.
val·id 形 正当な根拠のある, 確かな, 正当な.
vap·id 形〈飲料などが〉風味のない.
vir·id 形 新緑の, 青々とした.
vis·cid 形 粘着性の, ねばねばする.
viv·id 形〈色・光などが〉鮮やかな, 強烈な.

-id[5] /id/

語尾 短縮語を含む.
★ 語末にくる同音形は -IDE[1].

bid[1] 動他 ☞
bid[2] 動《古》bide の過去分詞形.
bid[3] 名《俗》空騒ぎする[口うるさい]人.
cid 名《米麻薬俗》LSD. ►acid より.
did 動 do の過去形.
fid 名〘海事〙フィド.
-fid 連結形 ☞
gid 名〘獣病理〙暈倒(うんとう)病(giddiness).
grid 名 ☞
guid 形《スコット》=good.
hid[1] 動 hide の過去・過去分詞形.
hid[2] 形《米俗》ひどい, みにくい.
id[1] 名〘精神分析〙イド, エス.
id[2] 名〘生物〙特殊原形質, 遺伝基質.
id[3] 名〘病理〙アレルギー性皮膚疹(しん).
kid[1] 名 ☞
kid[2] 動自《話》からかう, 冷やかす.
kid[3] 名 水夫の飲食物用木製容器.
lid 名 ☞

mid[1] 形 真ん中の, 半ばの, 中部の.
mid[2] 前 《文語・詩語》…の真ん中に.
mid[3] 名 《話》海軍士官学校生徒; 候補生(midshipman).
quid[1] 名 (特にかみタバコの)一口分.
quid[2] 名 《英話》1ポンド英貨.
rid[1] 動他 (障害物などを)取り除く, 除去する; 取り去る.
rid[2] 動 《古》ride の過去・過去分詞形.
sid 名 《米麻薬俗》=cid.
skid 名 ☞
squid[1] 名 イカ.
squid[2] 名 【物理】超伝導量子干渉計.
thrid 動他自 《古》〈針に〉糸を通す.
vid 名 《話》(音楽用)プロモーションビデオ. ►video から.
whid 動自 《スコット》素早く静かに動く.
yid 名 《俗》ユダヤ人.

-i·da[1] /ədə/

接尾辞 【動物】(生物の分類で)…目(order), …綱(class).
★ 名詞をつくる.
★ 語末にくる関連形は -ID[1].
◆ <近代ラ〔ラ *-idēs*「…の子孫」(<ギ)の中性複数形と解釈された〕.

An·nel·i·da 名 環形動物門.
A·rach·ni·da 名 クモ形類動物.
ze·na·i·da 名 ハジロバト属のハト.

-i·da[2] /ədə/

接尾辞 スペイン, ポルトガル語の女性形容詞語尾.
★ 名詞をつくる.

cor·ri·da 名 闘牛(bullfight).
mor·di·da 名 《メキシコ》賄賂(わいろ), リベート.

-i·dal /áidl/

語尾 語末にくる同音形は -IDLE.

brid·al 形 花嫁の; 婚礼の, 新婚の.
tid·al 形 ☞

-id·den /ídn/

語尾 しばしば過去分詞をつくる.

bid·den 動 bid の過去分詞形.
hid·den 動 hide の過去分詞形.
mid·den 名 《古・方言》糞(ふん)の堆積(たいせき).
rid·den 形 ☞
slid·den 動 《古・方言》slide の過去分詞形.
swid·den 名 焼き畑.

-ide[1] /àid, id/

接尾辞 【化学】【薬学】【生化学】化合物を表す名詞をつくる. ►oxide「酸化物」から抽出.
★ 語末にくる関連形は -ID[3], -IDINE.

ac·et·an·i·lide 名 アセトアニリド.
a·cet·y·lide 名 アセチリド, アセチレン化物.
ac·ti·nide 名 アクチニド.
am·bret·to·lide 名 アンブレトリド.
am·ide 名 ☞
an·hy·dride 名 ☞
an·i·lide 名 アニリド.
an·ti·mo·nide 名 アンチモニド, アンチモン化物.
ar·se·nide 名 ヒ化物.
az·ide 名 アジ化物, アジド.
bi·gua·nide 名 ビグアニド.
bo·ride 名 ホウ(酸)化物.
bro·mide 名 ☞
car·bide 名 ☞
chal·co·gen·ide 名 カルコゲニド.
chlo·ride 名 ☞
cy·a·nide 名 ☞
dep·side 名 デプシド.
deu·ter·ide 名 重水素化物.
di·op·side 名 透輝(とうき)石.
flu·or·ide 名 ☞
ful·le·ride 名 フラライド.
glu·cide 名 糖質.
glu·cu·ron·ide 名 グルクロニド.
glyc·er·ide 名 ☞
gly·cur·o·nide 名 =glucuronide.
hal·ide 名形 ハロゲン化物(の).
hy·dride 名 ☞
i·o·dide 名 ☞
lan·tha·nide 名 ランタニド.
mac·ro·lide 名 マクロライド.
mer·cap·tide 名 メルカプチド.
meth·y·ser·gide 名 メチセルギド.
ni·tride 名 窒化物.
nu·cle·o·tide 名 ☞
nu·clide 名 【物理】核種, 特定核, (素)核体.
-o·side 接尾辞 ☞
ox·ide 名 ☞
o·zo·nide 名 オゾニド, オゾン化物.
pep·tide 名 ☞
per·i·o·dide 名 過ヨウ化物.
phos·pha·tide 名 リン脂質, ホスファチド.
phos·phide 名 リン化物.
sac·cha·ride 名 ☞
sel·e·nide 名 セレン化物.
sil·i·cide 名 ケイ化物.
sub·hal·ide 名 亜ハロゲン化物.
sul·fide 名 ☞
sul·fo·car·ba·nil·ide 名 チオカルバニリド.
sul·phide 名 =sulfide.
tel·lu·ride 名 テルル化物.
u·ra·nide 名 ウラン(uranium).
u·re·ide 名 ウレイド, アシル尿素.

-ide[2] /aid/

語尾 glide, slide, stride, ride などに移動を感じる人がいるが, 語頭の子音(群)の音象徴によるところが大きい.
★ 語末にくる同音形は -IDE[1].

bide 動他 待つ.
bride[1] 名 ☞
bride[2] 名 ブリード, ブリッド: 刺繍(ししゅう)用糸の一種.
chide 動他 〈人に〉小言を言う, たしなめる.
-cide 連結形 ☞
glide 名 ☞
gride 動自 すれ合う, きしる, きしむ.
guide 動他 ☞
hide[1] 動他 〈人・物を〉(…から)隠す; かくまう.
hide[2] 名 ☞
hide[3] 名 【古英法】ハイド.
ide 名 【魚類】コイ科キタノウグイ属の魚 *Idus idus*.
nide 名 (特にキジの)巣; 巣の中のひな.
pride 名 ☞
ride 動自 ☞
shnide 形 《英》=snide.
side[1] 名 面, 表面; 側面.
side[2] 形 《スコット・北イング》(特に, 女性の衣服・男性のあごひげが)長くだらりと垂れた.
-side[1] 連結形 ☞
-side[2] 連結形 ☞
slide 動自 ☞

snide 形 人の名誉［品位］を傷つけるような.
stride 動自 ☞
tide[1] 名 ☞
tide[2] 動自《古》起こる, 生じる.
wide 形 (幅の)広い.
-wide 連結形 ☞

i·de·a /aidíːə | -díə/

名 (一般的な)観念, 概念; 思想. ⇨ -A[2].
★ 語頭にくる関連形は ideo-: *ideo*logy「観念論」, *ideo*gram「表意文字」.

bíg idéa 《話》ばかげた大計画.
fíxed idéa 固定観念, 強い先入観.

i·de·al /aidíːəl | -díəl/

名 **1** 理想. **2**【数学】イデアル(►環についての話). ―形〈物・事が〉(…にとって)理想的な. ⇨ -AL[1].

béau idéal 美の極致, 理想美.
égo idèal 【精神分析】自我理想, 理想自我.
máximal idéal 【数学】極大イデアル.
nòn·i·dé·al 形 【物理】非理想の.
príme idéal 【数学】素イデアル.
príncipal idéal 【数学】主［単項］イデアル.
ùn·i·dé·al 形 理想的でない, 不完全な.

i·den·ti·ty /aidéntəti, id-/

名 一致, 同一であること; 同一人［物］であること. ⇨-ITY.

ádditive idéntity 【数学】加法的単位元.
cò·i·dén·ti·ty 名 (2つ以上のものの間の)同一性.
córe génder idèntity ＝gender identity.
córporate idéntity 企業イメージ統合戦略.
égo-idèntity 【心理】自我同一性.
génder idèntity 性別［性的］同一性.
múltiplicative idéntity 【数学】乗法的単位元.
óld idéntity 《NZ・南アフリカ》地方の名士.
quálitative idéntity 【論理】質的同一性.
sélf-idéntity 自己同一性(の意識).

-i·des /ədìːz/

接尾辞 学術用語におけるギリシャ語の複数形をつくる. ⇨ -ES[2].
★ 語末にくる関連形は -ID[1].

can·thar·i·des 名複 カンタリデス: ツチハンミョウ類を粉末にした製剤(Spanish fly).
Da·na·i·des 名複【ギリシャ神話】ダナイスたち.
E·lec·tri·des 名複【ギリシャ神話】エーレクトリデス(島), 琥珀(こはく)諸島.
Eu·men·i·des 名複【ギリシャ神話】エウメニデス: 復讐の女神たち.
Hes·per·i·des 名複【ギリシャ神話】ヘスペリデス: ヘスペリスたち.
ir·i·des 名複 iris「【解剖】虹彩」の複数形.
Mel·e·ag·ri·des 名複【ギリシャ神話】メレアグリデス.
Pi·e·ri·des 名複【ギリシャ神話】ピエリデス: (9人の)ミューズの女神たち(the Muses).
Pro·po·e·ti·des 名複【ギリシャ神話】プロポイティデス.
raph·i·des 名複【植物】束晶, 結晶束.
Tel·e·boi·des 名複 (古代地理で)イオニア海の一群の島.

-idge /ídʒ/

語尾 語末にくる同音形は -AGE[3].

bridge[1] 名 ☞
bridge[2] 名 ☞
fidge 動自《スコット》そわそわする; くよくよする.
fridge 名《主に英話》冷蔵庫(refrigerator).
midge 名 (双翅(そうし)目の蚊に似た)小昆虫.
nidge 動他【石工】〈特に花崗(かこう)岩を〉先のとがった槌(つち)で粗面仕上げする.
ridge 名 ☞
squidge 名《米俗》手先き.

-i·dine /ədìːn, -din, -dən/

接尾辞【化学】【薬学】ある化合物の名称につけて, その化合物から誘導された［に関する］新化合物の名称をつくる.
◆ -IDE[1]＋-INE[3].

a·cet·a·nis·i·dine 名 メタセチン, p- メトキシアセトアニリド.
ben·zi·dine 名 ベンジジン.
ceph·a·lor·i·dine 名 セファロリジン.
cin·chon·i·dine 名 シンコニジン.
cyt·i·dine 名 シチジン.
de·ser·pi·dine 名 デセルピジン.
di·de·ox·y·cyt·i·dine 名 ジデオキシシチジン(ddC).
guan·i·dine 名 グアニジン.
his·ti·dine 名 ヒスチジン.
phen·cy·cli·dine 名 フェンシクリジン.
phe·net·i·dine 名 フェネチジン.
pi·per·i·dine 名 ピペリジン.
pter·i·dine 名 プテリジン.
pyr·i·dine 名 ピリジン.
pyr·rol·i·dine 名 ピロリジン.
quin·i·dine 名 キニジン.
qui·nu·cli·dine 名 キヌクリジン.
sper·mi·dine 名 スペルミジン.
tol·i·dine 名 トリジン.
to·lu·i·dine 名 トルイジン.
u·ri·dine 名 ウリジン.
ve·rat·ri·dine 名 ベラトリディン.
xy·li·dine 名 キシリジン.

-id·i·on /ídiən/

接尾辞 ギリシャ語からの借用語にみられる指小辞.
★ 語末にくる関連形は -IDIUM.

en·chi·rid·i·on 名《まれ》手引書, 教本, 便覧.
sta·sid·i·on 名【ギリシャ正教】詠隊席.

-id·i·um /ídiəm/

接尾辞 -idion に対応する指小辞; 動物学, 生物学, 植物学, 解剖学, 化学用語に用いる.
★ 名詞をつくる.
◆ ＜近代ラ＜ギ *-idion* -IDION. ⇨ -UM[1].

ae·cid·i·um 名【菌類】サビ胞子器(aecium).
an·ther·id·i·um 名【植物】【菌類】造精器, 蔵精器.
as·cid·i·um 名【植物】【菌類】杯葉, 瓶状体.
ba·sid·i·um 名【菌類】担子器.
clos·trid·i·um 名【細菌】クロストリジウム.
coc·cid·i·um 名【動物】球虫.
co·nid·i·um 名【植物】(菌類の)分生子, 分生胞子.
cte·nid·i·um 名【動物】(軟体動物の)櫛鰓(くしえら).
cym·bid·i·um 名【植物】シンビジウム, シンビ.
cys·tid·i·um 名【菌類】剛毛体, 嚢状(のうじょう)体.
glo·chid·i·um 名 (サボテン・ナスなどの)とげ, 剛毛.
go·nid·i·um 名【植物】ゴニジア: 藻類の単細胞の無性生殖体.
hes·per·id·i·um 名【植物】ミカン状果実, 柑果(かんか).
mi·ra·cid·i·um 名【動物】ミラシジウム, 繊毛幼虫.
ne·phrid·i·um 名【動物】腎管(じんかん), 体節器.
o·id·i·um 名【植物】分裂子.
om·ma·tid·i·um 名【動物】個眼.

on·cid·i·um 名 〘植物〙オンシジウム: オンシジウム属のラン(蘭)の総称.
pe·rid·i·um 名 〘菌類〙子殻, 皮殻.
pyc·nid·i·um 名 〘菌類〙粉胞子器, 粉子器, 分生子殻.
py·gid·i·um 名 〘動物〙尾節.
spo·rid·i·um 名 〘菌類〙小生子.
tae·nid·i·um 名 らせん弾糸.

-i·dle /áidl/

語尾 語末にくる同音形は -IDAL.

bri·dle 名 馬勒(ばろく): 馬具の一部.
i·dle 形 〈人が〉働いていない, 遊んでいる.
si·dle 動自 横歩き[斜め歩き]で進む.

-ie[1] /i/

接尾辞 -Y[2] の異形. **1** …ちゃん. ►名前につける. **2** …な人[もの]. ►名詞・形容詞につける.
★ 一音節の語幹につけて通例, 口語を作る; 愛称や幼児語などに用いられる; また好意的でない人やものにつけて用いる場合もある; さらにやや軽蔑的な意味合いを込める場合もある.
◆ 中英 *-y, -i, -ie* <古仏 *-i, -e*.

〈**1**〉…ちゃん.
Ab·bie 名 女子の名. ►Abigail の愛称.
A·bie 名 男子の名. ►Abraham の愛称.
Ad·die 名 女子の名. ►Adeline の愛称.
Ag·gie 名 女子の名. ►Agatha, Agnes の愛称.
Al·fie 名 男子の名. ►Alf(Alfred の短縮形)の愛称.
An·die 名 男子または女子の名.
An·gie 名 男子または女子の名. ►Angus(男子の名), Angela(女子の名)の愛称.
An·nie 名 女子の名. ►Ann, Anna, Anne の愛称.
Ar·chie 名 男子の名. ►Archibald の愛称.
Ar·tie 名 男子の名. ►Arthur の愛称.
Ber·nie 名 男子の名. ►Bernard の愛称.
Bert·ie 名 男子または女子の名. ►Albert, Bertram(男子の名), Bertha(女子の名), Bert(男女の名)の愛称.
Bes·sie 名 女子の名. ►Elizabeth の愛称.
Bil·lie 名 男子または女子の名. ►William(男子の名)の別称, Bill の異形 Billy より.
Bob·bie 名 男子の名. ►Bob(Robert の短縮形)の愛称.
Bon·nie 名 女子の名. ►字義はラテン語で「よい, 申し分のない(good)」.
Brid·ie 名 女子の名. ►Bridget の愛称.
Car·ie 名 女子の名. ►Caroline の愛称.
Car·rie 名 女子の名. ►Caroline の愛称.
Cas·sie 名 男子の名または女子の名. ►Cass (Cassandra の短縮形)の愛称.
Cath·ie 名 女子の名. ►Catherine の愛称.
Char·lie 名 ☞
Cher·ie 名 女子の名.
Chris·sie 名 女子の名. ►Christine の愛称.
Con·nie 名 女子の名. ►Constance の愛称.
Craw·fie 名 《英》Miss Marion Crawford(エリザベス女王とマーガレット王女の家庭教師)の愛称.
Deb·bie 名 女子の名. ►Deborah の愛称.
Dol·lie 名 女子の名. ►Dorothy の愛称.
Don·nie 名 男子の名. ►Donald の愛称.
Dot·tie 名 女子の名. ►Dorothea, Dorothy の愛称.
E·die 名 女子の名. ►Edith の愛称.
El·sie 名 女子の名. ►Elspie(Elspeth の愛称)の短縮形.
Er·nie 名 男子の名. ►Ernest の愛称.
Fan·nie 名 女子の名. ►Frances の愛称.
Fer·gie 名 男子の名 Fergus と姓の Ferguson の愛称.
Flos·sie 名 女子の名. ►Florence の愛称.
Fran·cie 名 女子の名. ►Frances の愛称.
Frank·ie 名 男子の名. ►Frank の愛称.
Fran·nie 名 女子の名. ►Frances の愛称.
Fred·die 名 男子の名. ►Frederick の愛称.
Geor·gie 名 男子の名. ►George の愛称.
Gold·ie 名 女子の名. ►イディッシュ語の女子の名 Golda, Golde の英語形, 時に金髪の人の英語での愛称.
Gus·sie 名 女子の名. ►Augusta の愛称.
Hal·lie 名 女子の名.
Hugh·ie 名 男子の名. ►Hugh の愛称.
Jack·ie 名 女子の名. ►もとは Jack(男子の名)の愛称, 現在は主に Jacqueline の愛称.
Ja·mie 名 男子の名. ►James の愛称.
Ja·nie 名 女子の名. ►Jane の愛称.
Jean·nie 名 女子の名. ►Jean(女子の名)の愛称.
Jen·nie 名 女子の名. ►Jennifer の愛称.
Jes·sie 名 女子の名. ►スコットランドで Jean の愛称, または Jessica の別称.
Jo·sie 名 女子の名. ►Josephine の愛称.
Ju·die 名 女子の名. ►Judice の愛称.
Ka·tie 名 女子の名. ►Kate(Katherine の短縮形)の愛称.
Ken·nie 名 男子の名. ►Kenneth の愛称.
Kit·tie 名 女子の名. ►Katherine の愛称.
Las·sie 名 女子の名.
Lau·rie 名 女子の名または男子の名. ►Laura, Laurel, Laurence の愛称.
Les·lie 名 男子または女子の名. ►もとはスコットランドの地名 Lesslyn 起源の姓.
Let·tie 名 女子の名. ►Laetitia の愛称.
Lon·nie 名 男子の名. ►Alonzo の愛称.
Lor·rie 名 女子の名. ►Laura の愛称.
Lot·tie 名 女子の名. ►Charlotte の愛称.
Lou·ie 名 男子の名. ►Louis の愛称.
Mag·gie 名 女子の名. ►Margaret の愛称.
Mai·sie 名 女子の名. ►Margaret のケルト語形 *Mairead* のスコットランドの愛称.
Ma·mie 名 女子の名. ►Mary の愛称.
Man·nie 名 男子の名. ►Emanuel の愛称.
Mar·cie 名 女子の名. ►Marcia の愛称.
Mar·gie 名 女子の名. ►Margaret の愛称.
Met·tie 名 女子の名. ►Matilda, Martha の愛称.
Mil·lie 名 女子の名. ►Milicent, Mildred の愛称; Camilla の愛称.
Min·nie 名 女子の名. ►Mary の愛称.
Mol·lie 名 女子の名. ►Mary, Milicent の愛称.
Nel·lie 名 女子の名. ►Helen の愛称.
Net·tie 名 女子の名. ►-nette の音節をもつ女子の名の愛称.
Ol·lie 名 男子の名. ►Oliver の愛称.
Oz·zie 名 男子の名. ►Oz(Ozward など, Os-で始まる名の短縮形)の愛称.
Pen·nie 名 女子の名. ►Penelope の愛称.
Pris·sie 名 女子の名. ►Pricilla の愛称.
Ran·die 名 男子の名. ►Randolph の愛称.
Ron·nie 名 男子または女子の名. ►Ronald, Veronica の愛称.
Ro·sie 名 女子の名. ►Rose, Rosa, Rosemary の愛称.
Sa·die 名 女子の名. ►Sara, Sarah の愛称.
San·die 名 女子または男子の名. ►Alexand-

ra, Sandra(女子の名), Alexander(男子の名)の愛称.

Shar·rie 名 女子の名. ►Sharon の愛称.

Su·sie 名 女子の名. ►Suzan, Suzanna, Suzannah の愛称.

Su·zie 名 女子の名(Susie).

Syl·vie 名 女子の名. ►Sylvia の愛称.

Tes·sie 名 女子の名. ►Theresa の愛称.

Trix·ie 名 女子の名. ►Beatrix の愛称.

Wil·lie 名 ☞

Win·nie 名 男子の名. ►Winston の愛称.

〈**2**〉 …な人[もの].

ag·gie 名 《米話》農業大学(agriculture college).

al·kie 名 《米・豪俗》酔っ払い, アル中(患者).

A·rchie 名 〘コンピュータ〙アーチー.

Ar·gie 名 《主に英俗》アルゼンチン人.

aunt·ie 名 《話》おばちゃん.

Aus·sie 名形 《豪話》オーストラリア人(の).

back·ie 名 裏庭(back green).

bad·die 名 《俗》(特に映画・テレビに登場する)悪漢, 悪者; 《話》悪い子; 悪いこと.

bak·kie 名 《南アフリカ》バーキー車.

bald·ie 名 《話》頭のはげた人.

bar·bie 名 《豪話》バーベキュー.

beach·ie 名 《豪話》海辺で釣りをする人.

bean·ie 名 ビーニー: 特に 1940 年代の, 子供用, 大学進入生用の明るい色のつばなし帽子.

beard·ie 名 《英話》あごひげを生やした人; インテリ, 知識人.

beast·ie 名 《主に文語》小動物.

beek·ie 名 《米労働組合俗》会社のスパイ.

big·gie 名 《俗》有力者, 重要人物, 大物.

bik·ie 名 《豪俗》暴走族(の一員).

bik·kie 名 小型パン(biscuit).

bil·lie 名 《米俗》(カリフォルニアで)紙幣.

bird·ie 名 《話》小鳥.

bir·kie 名 《スコット》積極的で自主的な人.

black·ie 名 黒い動物[鳥]; 黒人.

blink·ie 名 《米俗》目の見えないふりをするこじき.

blon·die 名 《話》金髪[ブロンド]の人.

boat·ie 名 《豪・NZ 話》自家用ボートで楽しむ人.

bodg·ie 名 《豪・NZ》非行少年, 不良.

bo·gie[1] 名 〘自動車〙ボギー車.

bo·gie[2] 名 お化け, 子鬼; 悪霊.

Bol·shie 名 《俗》ボリシェビキ(Bolshevik).

book·ie 名 (スポーツの試合, 特に競馬を対象にした)賭(か)けの胴元, 呑(の)み屋.

boom·ie 名 《カナダ俗》1960 年代に青春を送った人.

boon·ie 名 《米俗》いなか者, 百姓.

boot·ie 名 ブーティ: くるぶしまでの短い長靴.

brak·ie 名 《米俗》(列車の)制動手.

brass·ie 名 〘ゴルフ〙ブラッシー, 2 番ウッド.

brek·kie 名 《主に豪俗》朝食(breakfast).

brick·ie 名 《英》れんが(積み)職人.

brief·ie 名 《米俗》短編映画.

brook·ie 名 〘魚類〙(北米東部産の)カワマス.

broom·ie 名 《豪・NZ 話》羊毛刈小屋の清掃員.

brown·ie 名 ブラウニー: 茶色の小妖精(ようせい).

Brum·mie 名形 《英話》(イングランドの)バーミンガムの住民[出身者](に特有の).

budg·ie 名 《話》セキセイ(背黄青)インコ.

bunk·ie 名 《俗》宿泊室を共にする人.

burn·ie 名 《米俗》(吸い残しの)マリファナタバコ.

bush·ie 名 《豪話》叢林(そうりん)地の住人.

bu·zhie 形名 《米俗》中産階級の(人).

chalk·ie 名 《豪俗》教師.

cheap·ie 名 《話》安物.

chew·ie 名 《豪話》チューインガム.

chick·ie 名 《俗》若い女, 女の子.

cloot·ie 名 《スコット・北イング》(豚・羊などの)割れたひづめ.

coast·ie 名 《米俗》Coast Guard の隊員.

cok·ie 名 《米俗》コカイン中毒者.

cold·ie 名 《豪俗》冷やしたビール 1 本.

col·lie 名 ☞

com·mie 名 《話》共産党員; 共産主義運動家.

con·chie 名 良心的兵役拒否者(conchy).

cook·ie 名 ☞

coo·lie 《英俗》不良グループに入っていない若者.

cor·bie 名 《スコット》カラス.

cos·sie 名 《主に豪話》水着.

crack·ie 名 《カナダ東岸州》キャンキャンなく子犬.

cream·ie 名 《米俗》白いおはじき, ビー玉.

crock·ie 名 《米俗》ビー玉.

crum·mie 名 《主にスコット》角の曲がっている牛.

crunch·ie 名 《米陸軍俗》歩兵.

crust·ie 名 《英》クラスティ: 若者文化の一つ.

cul·chie 名 《アイル話》肉体労働をする田舎者.

curb·ie 名 《米俗》ドライブインレストランのウエイトレス[ウエイター].

cut·ie 名 《話》かわいい人.

dachs·ie 名 《話》ダクスフント(dachshund).

dark·ie 名 《俗》黒人.

daut·ie 名 《スコット》かわいい人, 最愛の人.

dear·ie 名 かわいい人, いとしい人.

deb·bie 名 初めて社交界に出る女子.

dec·cie 名 《英俗》室内装飾を変えてばかりいる人.

deel·ie 名 《米)》名前のわからない[忘れた]もの.

dex·ie 名 《米俗》(特に錠剤の)デキセドリン.

Dix·ie 名 《米》米国南部諸州の異名.

dod·die 名 (特にスコットランド産の)無角牛.

dog·gie[1] 名 《米俗》小犬.

dog·gie[2] 形 犬の.

do·gie 名 《米西部・カナダ》母なし子牛.

don·sie 形 《米》弱々しい, 加減の悪い.

doo·lie 名 《俗》(米国空軍士官学校の)一年生.

douch·ie 名 《米俗》だまされやすい人, カモ.

down·ie 名 《俗》鎮静剤.

drap·pie 名 《スコット》少量の酒.

drug·gie 名 《俗》麻薬常用[中毒]者.

duck·ie 形 素晴らしい.

dum·pie 名 《米俗》ダンピー: 後は落ちぶれる一方の中年専門職の人.

fals·ie 名 《話》(胸を豊かに見せるためにブラジャーの下につける)パッド.

feel·ie 名 感覚美術作品: 視覚だけでなく, 触角・嗅覚・聴覚などを通して鑑賞する.

fem·i·nie 名 女性, 婦人.

flat·tie 名 《話》かかとの低い[ない]靴.

fluf·fie 名 《米俗》男に頼る女.

folk·ie 名 《話》民謡歌手, フォークシンガー.

food·ie 名 《俗》食いしん坊; 食い道楽.

fren·chie 名 《俗》コンドーム.

fresh·ie 名 《米学生俗》新入生, 一年生.

Frog·gie 名形 《英俗》フランス人(の); フランス語(の).

frum·pie 名 《米俗》もと過激派のヤッピー.

fund·ie 名 《話》根本主義者(fundamentalist).

glass·ie 名 ガラス製のおはじき.

goal·ie 名 〘スポーツ〙ゴールキーパー.

gold·ie 名 《米》ゴールドディスク.

gom·mie 名 《カナダ俗》ばか者, まぬけ.

good·ie 名 《話》特別なごちそう.

green·ie 名 〘ゴルフ〙グリーニー.

grem·mie 名 《米・豪俗》新米のサーファー, おかサーファー.

grumph·ie 名 《主にスコット》豚ちゃん. ►豚, 特に雌豚の愛称.

grum·pie 名 《話》円熟した人.

gy·nie 名 《米話》婦人科医(gynecologist).

hei·nie[1] 名 《軽蔑的》ドイツ人.

hei·nie[2] 名 《俗》尻(しり).

her·pie 名 《米俗》ヘルペス患者 [保菌者].

hip·pie 名 ヒッピー.

hood·ie 名 《スコット》【鳥類】ハイイロガラス.

hook·ie 名 《英俗》=Hymie.

host·ie 名 《豪話》スチュワーデス(air hostess).

hutch·ie 名 《豪》簡易テント用のシーツ.

Hy·mie 名 《俗》ユダヤ人(Jew).

in·die 名 《米話》インディー: 個人営業会社, 独立プロダクション.

in·nie 名 《話》特別な排他的グループのメンバー.

jeelie 名 《スコット》ゼリー.

jew·ie 名 《米俗》=Hymie.

job·bie 動他 よごす, 汚くする.

junk·ie 名 《俗》麻薬常習者; 麻薬密売者.

ju·vie 名 《俗》青少年, 未成年.

kid·die 名 《話》子供.

kilt·ie 名 キルトをはいた人, (特に)スコットランド高地人連隊の兵士.

knockie 名 《英俗》性交, セックス.

Krie·gie 名 《軍事俗》クリーギー.

lad·die 名 《主にスコット話》若者, 少年.

lamb·ie 名 《米俗》かわいい子; いとしい人.

las·sie 名 《主にスコット話》少女, 小娘.

left·ie 名 《話》左利きの人(lefty).

load·ie 名 《俗》飲んだくれ; 麻薬常習者.

loon·ie 形名 頭のおかしいやつ, ばか.

lou·ie 名 《米軍俗》中尉, 少尉.

luck·ie 名 《スコット》おばあちゃん.

lug·gie 名 《スコット》取っ手付きの木製の茶碗.

lunch·ie 形 《米俗》ばかな, のろまな.

luv·vie 名 《やや軽蔑的》俳優, 女優, タレント. ►呼びかけの意の lovey の再つづり.

mal·lie 名 《米俗》ショッピングセンター(mall)にたむろする若者 [十代の女性].

man·die 名 《英麻薬俗》Mandrax 錠剤.

man·kie 形 《英俗》悪い, だめな, ひどい.

mar·die 名 《英俗》弱虫, いくじなし.

mean·ie 名 《話》意地悪な人, 狭量な人.

Mex·ie 名 《米俗》メキシコ人.

mid·die 名 《話》(米海軍で)士官学校生徒.

Min·nie 名 《米俗》ミネアポリス(米国の都市名).

mock·ie 名 《米俗》マネシツグミ属の数種の鳴き鳥の総称(mocky).

mof·fie 名 《主に南アフリカ英語》女性的な男.

Moon·ie 名 (韓国の)統一教会の信者.

mov·ie 名 ☞

mox·ie 名 《米俗》活力, 精力.

mush·ie 名 《英俗》個人タクシー.

nem·mie 名 《米俗》バルビタール系薬剤.

Nes·sie 名 《話》ネッシー: ネス湖の怪獣.

new·bie 名 インターネットの初心者.

New·fie 名 《主にカナダ俗》Newfoundland 州.

new·ie 名 何か新しい [新奇の] もの.

news·ie 名 《米話》新聞販売 [配達] 人.

Newt·ie 名 Newton Gingrich(米国共和党下院議員)支持者.

night·ie 名 《話》寝巻き(nightgown).

nix·ie[1] 名 あて先不明郵便物.

nix·ie[2] 名 【ゲルマン民話】小さな女性の水の精.

noog·ie 名 《俗》(親密さの表現やいたずらとして)人の頭を軽くつつくこと.

nud·ie 名 《話》ヌード映画 [雑誌, ショー].

of·fie 名 《英俗》酒類販売免許.

oil·ie 名 《米俗》【政治】石油業界の利益を代表するロビイスト; 石油屋.

O·kie[1] 名 《米俗》オクラホマ野郎.

O·kie[2] 名 《俗》沖縄人.

old·ie 名 《話》昔はやった流行歌, なつメロ.

out·ie 名 《話》出べそ.

pant·ie 名 パンティー: 婦人・子供用の下ばきの総称(panties).

park·ie 名 《話》公園管理人(parky).

pee·nie 名 《米俗》陰茎.

pho·nie 名 《米俗》電話魔.

pig·gie 名 小豚, 子豚.

pink·ie 名 《話》安物のワイン(pinkeye).

pix·ie 名 (特にいたずら好きの)妖精.

plunk·ie 名 《米俗》(サーカスで)炊事テントの給仕係.

pog·gie 名 《米軍俗》新兵.

porn·ie 名 《俗》ポルノ映画.

pos·sie 名 《豪・NZ 俗》場所; 位置; 居住地.

post·ie 名 《スコット・豪・NZ 話》郵便集配人.

pree·mie 名 《米話》早産児, 未熟児(preterm).

pre·mie 名 =preemie.

prep·pie 形 prep school の.

pres·sie 名 《英話》贈り物, プレゼント.

pro·bie 名 《話》見習い生, 見習い看護婦.

pros·tie 名 《俗》売春婦, 売笑婦, 娼婦.

queen·ie 名 《英俗》なよなよした男; ホモ.

queer·ie 名 《英俗》変なやつ; 同性愛者.

quick·ie 名 《俗》急ごしらえのもの, やっつけ仕事.

reg·gie 名 《英俗》航空機の登録番号.

road·ie 名 《俗》地方公演マネージャー.

ron·chie 形 《米俗》卑猥(ひわい)な, 野卑な.

rook·ie 名 《米》新人選手, ルーキー.

room·ie 名 《話》同宿者, 同室者, 同居人.

rough·ie 名 《豪俗》失礼な [無礼な] やつ.

rum·pie 名 田舎ヤッピー.

salt·ie 名 《カナダ俗》大洋を航海する船乗り.

school·ie 名 《豪俗》教師; 《英俗》女生徒.

scoot·ie 名 《インド英語》3 輪タクシー, シクロ.

Scot·tie 名 《話》スコティッシュテリア.

sharp·ie 名 《話》(商取引などでの)詐欺師.

shav·ie 名 《スコット》たちの悪いいたずら.

shawl·ie 名 《アイル》《侮蔑的》ショールを掛けた労働者階級の女性.

shonk·ie 名 《俗》ユダヤ人.

shop·pie 名 《英俗》店員.

short·ie 名 《話》背の低い人(特に男子).

shrewd·ie 名 《豪・NZ 話》ずるいやつ.

sick·ie 名 《米俗》変質者, 精神障害者.

skip·pie 名 収入があって購買力のある学生・生徒.

smell·ie 名 (場面に応じて)においの出る映画.

smooth·ie 名 《話》あか抜けした人; 人当たりのよい人.

soft·ie 名 感傷的な人; 騙されやすい人.

spot·tie 名 《NZ》生後 3 か月までのシカ.

spunk·ie 名 《スコット》きつね火, 鬼火.

squad·die 名 《英話》分隊員; 新兵, 兵士.

sta·tie 名 《米俗》州警察官(state trooper).

steam·ie 名 《スコット》公衆洗濯場.

steel·ie 名 《話》降海型のニジマス.

stif·fie 名 《俗》(ペニスの)勃起(ぼっき).

stub·bie 名 《豪俗》ビールの小瓶(一本).

stuf·fie 名 《米話》ぬいぐるみ(の動物).

surf·ie 名 《豪・NZ 俗》サーフィン狂.

swag·gie 名 《豪・NZ 話》放浪者(swagman).

sweet·ie 名 《米話》愛人, 恋人(sweetheart).

talk·ie 名 《古風》発声映画, トーキー.

tank·ie 名 《英海軍俗》船倉係.

tass·ie 名 《主にスコット》(特に装飾的な)茶碗(ちゃわん), 小型の脚付きの杯.

tech·ie 名 《話》専門技術者.

thick·ie 名 《英俗》ばか, とんま.

tool·ie 名 《米俗》工学部の学生; 技術者.

top·pie 名 鳥の羽冠(topknot).

tot·tie 名 小さな子供(tiny tot).
tough·ie 名 《米話》たくましい人; 頑固な人.
town·ie 名 《話》(大学町で大学関係者以外の)町の人; 都会の人間.
tram·mie 名 《豪話》路面電車の車掌 [運転手].
troop·ie 名 《南アフリカ俗》最下級兵士, 兵卒.
truck·ie 名 《豪話》トラック運転手.
twil·lie 名 《英俗》ばかなやつ, まぬけ.
twink·ie 名 《米俗》若いセクシーな人.
-up·pie 連結形 ☞
veg·gie 名 《米話》野菜(vegetable).
wedg·ie 名 《話》ウェッジー: ウェッジヒールの婦人靴.
wee·nie 名 《米話》ウインナソーセージ.
weep·ie 名 《英話》泣かせる話 [映画, 歌など].
weird·ie 名 奇妙な人, 変人(weirdo).
wel·lie 名 《英俗》ウェリントンブーツ.
wharf·ie 名 《豪·NZ 俗》沖仲士, 港湾労働者.
wheel·ie 名 バッゲージキャリー.
wif·ie 名 《話》妻, 女房, 細君, 家内, 夫人.
win·ie 名 ワインマニア, ワインにうるさい人.
wink·ie 名 《英俗》おちんちん(winkle).
wood·ie 名 《米俗》木張りのステーションワゴン.
woo·fie 名 50 歳以上の金持ち.
woop·ie 名 《英話》裕福な老人.
yacht·ie 名 《豪·NZ 話》船(特にヨット)の所有者.
Yal·ie 名 《米俗》イエール [エール] 大生.
Yardie 名 《英俗》ヤーディー: ジャマイカおよび西インド諸島のギャングのメンバー(の一人).
yip·pie 名 《米》イッピー: 1960 年代後半の反体制的な hippie の急進派.
yon·nie 名 《豪》《幼児俗》石っころ.
york·ie[1] 名 ヨークシャーテリア.
yor·kie[2] 名 《米俗》New York のヤッピー.
yot·tie 名 《軽蔑的》金持ちのヨット族.
yuf·fie 名 《米俗》成功できなかったヤッピー.
yum·mie 名 《米俗》若くて上昇志向の母親.
yum·pie 名 《米》ヤンピー: 上昇志向の強い若手の知的職業人.
yup·pie 名形 ヤッピー(の): 大都市郊外に住む裕福なホワイトカラー.

-ie[2] /i/

接尾辞 フランス語から借用の女子の名などに見られる語尾.
★ 語末にくる関連形は -Y[5].

Ma·rie 名 女子の名. ►Mary のフランス語形.
Mel·a·nie 名 女子の名. ►もとはラテン語の名 Melania の古フランス語形.
Mel·o·die 名 女子の名.
Nath·a·lie 名 女子の名. ►Natalya のフランス語形.
So·phie 名 女子の名. ►Sophia のフランス語形.
Stef·a·nie 名 女子の名.
Steph·a·nie 名 女子の名.
Val·e·rie 名 女子の名.
Ju·lie 名 女子の名. ►Julia の愛称.
Nat·a·lie 名 女子の名. ►字義はラテン語で「誕生日」.
Ro·sa·lie 名 女子の名. ►字義はラテン語で「バラ祭」.

-ie[3] /ái/

語尾 語末にくる同音形は -AI[2], -AY[4], -EI[2], -I[6], -IGH, -UY, -Y[6], -YE.

die[1] 動自 ☞
die[2] 名 ☞
fie 間 《廃》《軽い不快·非難·迷惑などの感じを表して》はてさて, これはしたり.
hie 動自 《古·詩》(…へ)急ぐ, 急いで行く.
lie[1] 名 ☞
lie[2] 動自 ☞
pie[1] 名 ☞
pie[2] 名 ☞
pie[3] 名 《米》ごちゃまぜになった活字(pi).
pie[4] 名 赤黒文字典礼指導書, 日課表.
pie[5] 形 《NZ 話》(…に)熱心である.
tie 動他 ☞
vie 動自 〈競技者·企業が〉競う, 争う.

-ief /iːf/

語尾 語末にくる同音形は -EAF[2], -EEF, -EIF[1].

brief 形 ☞
chief 名 ☞
fief 名 (封建諸侯の)封土, 領地.
grief 名 深い苦悩, 深い悲しみ, 悲痛, 悲嘆.
kief 名 (中東で)(麻薬による)夢幻境.
lief 副 《文語·古》喜んで, 快く.
thief 名 ☞

-iel /iːl/

語尾 スコットランド語とドイツ語に由来.
★ 語末にくる同音形は -EAL, -EEL, -EIL.

shiel 名 《スコット》牧場, 放牧場.
spiel[1] 名 ☞
spiel[2] 名 《スコット》カーリングの試合 [競技会].

-ield /íːld/

語尾

bield 名 《スコット》隠れ場, 避難所; 保護.
chield 名 《スコット》若者; 男.
field 名 ☞
-field 連結形 ☞
shield 名 ☞
yield 動他 ☞

-i·ent /iənt/

連結形 行く.
★ 形容詞をつくる.
◆ <ラ *iēns* (*īre*「行く」の現在分詞). ⇨ -ENT[1].

ab·i·ent 形 【心理】背向的な.
ad·i·ent 形 【心理】対向性の, 対向的な.
am·bi·ent 形 周囲の, 環境の, 辺り一面の.

-i·er[1] /iər, jər/

接尾辞 -er[1] の異形.
★ 通例, 商売, 職業を指す名詞に用いる.
◆ 中英 *-ier(e)* (*-yer(e)*の異形); おそらく古仏 *-ier* によって強化される<ラ *-ārius* -ARY.

bra·zier 名 真鍮(しんちゅう)細工師.
cloth·ier 名 (特に男子用の)洋服小売業, 服屋; 服地製造業者.
col·lier 名 石炭 [運炭, 給炭] 船; その乗組員.
cour·ti·er 名 宮廷に仕える [出入りする] 人, 廷臣.
fur·ri·er 名 毛皮商人; 毛皮加工者.
gla·zier 名 ガラス工, ガラス屋.
gra·zier 名 《主に英》牧畜業者.
haul·ier 名 《英》引っ張る人 [機械] (hauler).
ho·sier 名 靴下·メリヤス類の製造 [販売] 業者.
kid·di·er 名 《英方言》(野菜などの)行商人.

spur·ri·er 名 拍車製造者.

-i·er[2] /íər/

接尾辞 -eer[1] の異形.
★ 語末にくる関連形は -IERE, -IÈRE.
◆ <仏, 古仏<ラ *-ārius*, *-āria*, *-ārium* -ARY.

an·i·ma·lier 名 動物画家 [彫刻家].
ar·que·bus·ier 名 =harquebusier.
at·el·ier 名 制作室, 仕事場, スタジオ.
ban·do·lier 名 弾薬帯.
bom·bar·dier 名 〖米軍事〗爆撃照準手, 爆撃手.
bou·le·var·dier 名 (Paris で)最新流行の場所に常に出入りしている人; 遊び人.
bou·ti·quier 名 ブティックの経営者.
bra·sier 名 (暖房用の金属製)火鉢.
bra·zier 名 =brasier.
brig·a·dier 名 〖英陸軍〗准将.
ca·no·tier 名 綾(あや)織りの織物; 帆布の製造用.
car·ton·nier 名 〖フランス家具〗(通例, 机の上に置く)装飾的な木製の書類整理箱.
cash·ier 名 (デパートなどの)現金出納係.
cav·a·lier 名 乗馬者; 《古》騎馬武者, 騎士.
chan·de·lier 名 シャンデリア.
chan·son·nier 名 シャンソン歌手 [作詞家].
char·cu·tier 名 (フランスで)豚肉屋, 豚畜殺者.
che·nier 名 (常緑のオークの木の生えている)沼地の丘.
chev·a·lier 名 (フランスの)勲爵士.
chif·fo·nier 名 西洋だんす.
cho·co·la·tier 名 《フランス語》チョコレート製造販売業(者).
cla·vier 名 (楽器の)鍵盤(けんばん).
com·po·tier 名 ガラス・陶器・銀製の脚付き盛り皿.
Cor·de·lier 名 コルドゥリエ.
cos·tum·i·er 名 衣装屋(costumer).
cot·ti·er 名 (もとアイルランドで)入札小作人.
cour·i·er 名 急使, 特使; 密使.
cou·tu·ri·er 名 男性の婦人服デザイナー.
crou·pi·er 名 賭け金清算係, 元締め.
cui·ras·sier 名 (16 世紀の)胴鎧(よろい)を着けた騎兵.
cui·si·nier 名 《フランス語》男性のコック.
des·tri·er 名 《古》(中世の騎士の)軍馬.
dos·si·er 名 (詳細な情報を盛り込んだ)人物 [事件] 調査書類, 「一件書類」.
es·pal·ier 名 垣根仕立て, 果樹牆(しょう).
far·ri·er 名 《主に英》蹄鉄(ていてつ)工.
fin·an·cier 名 財政家; 財務官; 金融業者.
fron·tier 名 (他国との)国境(地方).
fu·sil·ier 名 〖歴史〗火打ち石軽小銃兵.
gon·do·lier 名 ゴンドラの船頭.
gon·fa·lon·ier 名 旒旗(りゅうき)手.
gren·a·dier 名 (英国の)Grenadier Guards の兵士.
hal·berd·ier 名 矛槍(やり)で武装した兵.
har·que·bus·ier 名 火縄銃兵.
ho·tel·ier 名 ホテル経営者(hotelkeeper).
loup·cer·vier 名 カナダオオヤマネコ.
lu·thi·er 名 (バイオリンなどの)弦楽器製作者.
mil·lier 名 ミリヤー: 質量の単位; 1,000kg; 1 メートルトン.
pan·ier 名 =pannier.
pan·nier 名 荷かご, 大かご.
po·li·cier 名 (小説・映画などの)警察もの.
pom·pi·er 名 消防士.
pon·to·nier 名 《廃》〖軍事〗架橋兵 [将校].
quar·ri·er 名 採石工(夫), 石切り工.
ren·tier 名 《フランス語》不労所得収入で暮らしている人.
rou·ti·nier 名 型どおりのやり方で仕事をする人; 〖音楽〗保守的で型にはまった指揮者.
sau·cier 名 〖フランス料理〗ソーシエ.
se·mai·nier 名 〖フランス家具〗18 世紀の, 7 つの長い引き出しがついたたんす.
sol·dier 名 ☞
som·me·lier 名 ワイン専門の係, ソムリエ.
tar·si·er 名 メガネザル.
ter·ri·er[1] 名 ☞
ter·ri·er[2] 名 〖英法〗土地台帳.
vi·van·dier 名 (フランスなどの)従軍 [酒保] 商人.

-ier[3] /íər/

語尾 語末にくる同音形は -EAR[1], -EER[1], -EER[2], -EER[3], -EIR[2], -ERE[2], -IER[1], -IER[2], -IER[3], -IR[2].

bier 名 棺架, 棺台; 棺と棺台.
kier 名 キアー: 布地を煮て漂白したり染めたりする高圧かま.
pier 名 埠頭(ふとう), 桟橋, 波止場.
spier 動自他 (…を)尋ねる, 質問する(speer).
tier 名 (層状に並んだ)列, 段, 階.

-ierce /íərs/

語尾

fierce 形 荒々しい, どうもうな, 敵意のある.
pierce 動他 …を突き刺す [入れる, 通す].
tierce 名 ティアス: 英国の昔の容量の単位.

-iere /íər, jéər; *Fr.* jɛːr/

接尾辞 -ier[2] の女性形.
★ 名詞をつくる.
◆ フランス語 *-ière*(男性形 *-ier*)より.

bou·ton·niere 名 ブートニエール: 上着の襟の折り返しのボタンホールに差す花または小さな花束.
caf·e·tiere 名 カフェティエール: コーヒーポットの一種.
cor·se·tiere 名 コルセット製造 [販売] 人.
jar·di·niere 名 装飾用植木鉢, 花台.
por·tiere 名 仕切りカーテン.
pre·miere 名 (芝居・オペラなどの)初日, 初演.
tor·chiere 名 (間接照明用)フロアスタンド, 床上灯.

-ière /íər, jéər; *Fr.* jɛːr/

接尾辞 -iere と同じく -ier[2] の女性形.
★ 主に名詞をつくる.
◆ フランス語 *-ière*(男性形 *-ier*)より.

bon·bon·nière 名 菓子屋.
bonne·tière 名 〖フランス家具〗ボンチェ.
chif·fon·nière 名 〖フランス家具〗(18 世紀の)仕事台.
cou·tu·ri·ère 名 女性の婦人服デザイナー.
e·pau·lière 名 〖甲冑〗ポールドロン, 肩甲.
fi·nan·cière 形 〖料理〗〈ソース・シチューなどが〉フィナンシエールの.
gar·çon·nière 名 《フランス語》独身男性用アパート.
men·ton·nière 名 〖甲冑〗マントニエル, あご当て.
meu·nière 形 〖料理〗ムニエルの.
mi·nau·dière 名 ミノーディエール: 女性用の金属製小型化粧品入れ.
pan·e·tière 名 〖フランス家具〗特殊な装飾を施したそろいの小型食器棚.
pre·mière 名 (芝居・オペラなどの)初日, 初演.
tour·tière 名 《カナダ大西洋沿岸州》〖料理〗トゥルティエール.
ver·ri·ère 名 ベリエール: ポンチ用大鉢(monteith)に似たフランス鉢.
vi·van·dière 名 《フランス語》女の従軍酒保商人.

-ieve /iːv/

[語尾] 語末にくる同音形は -EAVE, -EEVE.

grieve[1] [動自] (…を)深く悲しむ, 悲しみ嘆く.
grieve[2] [名] 《スコット》農 [牧] 場監督.
nieve [名] 《スコット・北イング》こぶし; 手.
shrieve[1] [名] 《古》保安官, シェリフ(sheriff).
shrieve[2] [動他] 《古》〈司祭が〉〈告解者に〉罪の償いを課する; 罪の許しを与える.
thieve [動他] 〈物を〉盗む, 盗み取る.

-if[1] /íːf, ìːf; *Fr.* if/

[接尾辞] フランス語に由来する名詞・形容詞接尾辞.

a·pé·ri·tif [名] アペリチーフ, 食前酒.
ché·tif [形] (特に体格が)貧弱な.
di·ges·tif [名] 食後酒(の一杯).
mas·sif [名] マッシーフ: 山脈中の大山塊.
mo·tif [名] モチーフ, 動機.
rec·i·ta·tif [名] 〖音楽〗レチタティーボ, 叙唱.

-if[2] /if/

[語尾] 語末にくる同音形は -IFF[3], -IFFE, -YPH.

dif [名] 《話》違い, 相違(difference).
if [接] 《仮定・条件》もし [仮に] …ならば.
kif [名] (中東で)(麻薬による)夢幻境.
rif [動他] 《米話》〈人を〉解雇する.
spif [名] 《主に英話》イニシャル入り切手.
trif [名] 《米俗》暗黒街の会合(tref).

-ife /áif/

[語尾] trouble and strife「面倒と争い」が wife をさすという押韻俗語がある.

fife [名] ファイフ, 横笛.
kife[1] [動他] 《米俗》(サーカスで)〈人から〉だまし取る.
kife[2] [名] (性的対象としての)女性(kifer).
knife [名] ☞
life [名] ☞
nife [名] ニッケル(Ni)と鉄(Fe)から成ると考えられている地球の核.
rife [形] 《叙述的》〈好ましくない物・話・評判などが〉流行して.
strife [名] 不和, 反目, 敵対.
trife [副] 《米俗》まちがった仕方で.
wife [名] ☞
-wife [連結形] ☞

-iff[1] /if/

[接尾辞] -ive[1] の異形.

plain·tiff [名] 〖法律〗原告, 提訴人.
res·tiff [形] 強情な, 頑固な, 反抗的な(restive).

-iff[2] /if/

[音象徴] **1** フー, プー; 風や息などの一吹き; qu*iff*, wh*iff*.
2 ムカッ, フン, プン; 怒り・腹立ち: m*iff*, n*iff*.

biff [名] 《俗》一撃, パンチ.
miff [名] 《話》腹立ち; 不機嫌.
niff[1] [名] 《方言・話》憤り, 怒り.
niff[2] [名][動自] 《英俗・方言》臭気 [悪臭] (がする).
piff [名] 《英俗》(若者の間で)たわ言(piffle).
quiff [名] 《米・方言》(タバコの)一ふかし.
sniff [動自] 鼻を鳴らして息を吸う.
spliff [名] マリファナ(タバコ).
squiff [動自] 《俗》むやみに食べる.
tiff [名] 《話》ちょっとしたけんか [口論].
viff [動自] 〖航空〗垂直方向に急速に移動する.
whiff [名] (風・蒸気・煙などの)一吹き, そよぎ.

-iff[3] /if/

[語尾] 一部は短縮語.
★ 語末にくる同音形は -IF[2], -IFFE, -YPH.

cliff [名] 崖(がけ), 断崖(だんがい).
griff[1] [名] (インド・東洋への)新来者(griffin).
griff[2] [名] 《英俗》正確な報告.
riff[1] [名] 〖ジャズ〗リフ, 反復楽句(refrain).
riff[2] [動他] 《話》〈人を〉解雇する(rif).
riff[3] [名] 《米鉄道俗》冷蔵貨車.
riff[4] [名] 《米俗》マリファナタバコ.
siff [名] 《俗》梅毒(syph).
skiff [名] スキフ, 軽舟.
spiff[1] [動他] 《話》きちんとしたものにする.
spiff[2] [名] 《俗》売り上げ奨励賞 [奨励ボーナス].
stiff [形] ☞
tiff[1] [名] 《古》(特に弱い)酒.
tiff[2] [動自] 《インド英語》昼食を取る.
triff [形] 《英俗》(十代の間で)すごい.
whiff [名] コケビラメ.
wiff [名] 《米俗》妻.
ziff [名] 《豪話》あごひげ.

-iffe /if/

[語尾] 語末にくる同音形は -IF[2], -IFF[3], -YPH.

-cliffe [連結形] ☞
griffe[1] [名] 《主に米》黒人と白黒混血児との間の混血児.
griffe[2] [名] 〖建築〗蹴爪(けづめ)(spur).

-if·fle /ifl/

[音象徴] 細かい動きやこするような動き, 吹き払うような動きを表す.

pif·fle [名] 《話》くだらない話, たわ言.
rif·fle [名] 《米・カナダ》(川の)早瀬, 急流.
skif·fle[1] [動他] 〖石工〗玄能(げんのう)払いをする.
skif·fle[2] [名] スキッフル: 1920 年代に米国で流行したジャズの一形式.
skif·fle[3] [名] 《北アイル》こぬか雨.
snif·fle [動自] 鼻をすする; すすり泣く.
whif·fle [動自] 〈風などが〉軽く一吹きする.

-i·fi·er /əfàiər/

[接尾辞] -ify と -er[1] の合成接尾辞.
★ 名詞をつくる.

a·ce·ti·fi·er [名] 酢化器, 酢酸製造器.
am·pli·fi·er [名] ☞
e·mul·si·fi·er [名] 乳(化)剤; 乳化装置.
hu·mid·i·fi·er [名] 給湿 [加湿] 器; 湿度調節装置.
in·ten·si·fi·er [名] 強化 [増大] する人 [もの].
mod·i·fi·er [名] (部分的に)変更 [修正] する人 [もの].
qual·i·fi·er [名] 資格を与える人 [もの].
quan·ti·fi·er [名] 〖論理〗量化詞 [記号], 量記号.
rec·ti·fi·er [名] ☞
scar·i·fi·er [名] 乱切 [乱刺] する人.
sig·ni·fi·er [名] signify する人 [もの].

-i·fle /áifl/

[語尾]

ri·fle[1] 名 ☞
ri·fle[2] 動他 〈場所などを〉くまなく捜して盗む.
sti·fle[1] 動他 鎮圧する, 抑圧［弾圧］する.
sti·fle[2] 名 (馬・犬など四足獣の後ろ足の)ひざ関節(stifle joint).
tri·fle 名 つまらない［くだらない, 無価値な］物.

-i·form[1] /əfɔ̀ːrm/

連結形 …の形をもつ.
★ 接中辞 -i- と -form[1] の結合形で, 主に形容詞をつくる.
★ 語末にくる関連形は -FORM[1], -IFORM[2], -IFORMES.
［発音］3音節の語では直前の音節に第1強勢; 4音節の語でもふつう直前の音節に第1強勢があるが, 語頭にくることもある.

ac·e·tab·u·li·form 形 〔植物〕〔菌類〕皿形の, 杯形の.
ac·i·form 形 針状の(needle-shaped).
ac·i·nac·i·form 形 〔植物〕〈葉が〉なぎなた状の.
a·cin·i·form 形 ブドウの房状の.
ac·tin·i·form 形 〔動物〕放射(線)形の.
aer·i·form 形 気体(性)の.
al·i·form 形 翼状の(alar).
a·moe·bi·form 形 アメーバ状の.
a·myg·da·li·form 形 《まれ》アーモンド形の.
an·gui·form 形 ヘビの形の.
an·guil·li·form 形 ウナギの形をした.
an·si·form 形 環状の, ループ状の.
ar·bo·ri·form 形 木の形の, 木の形をした, 樹木状の.
ar·ci·form 形 アーチ形の, 弓状の, 弧状の.
bac·ci·form 形 〔植物〕漿(しょう)果状の.
ba·cil·li·form 形 バチルス状の, 桿状の.
ba·cu·li·form 形 〔生物〕棒状の, 桿(かん)状の.
ba·salt·i·form 形 (形が)玄武岩状の.
bulb·i·form 形 球根状の.
bur·si·form 形 〔解剖〕〔動物〕袋状の, 嚢(のう)状の.
ca·lam·i·form 形 葦(あし)の形をした.
cal·a·thi·form 形 コップ形の, 杯状の; 凹形の.
cal·ce·i·form 形 〔植物〕(ラン科の花の唇弁のように)靴の形に似た, スリッパ形の.
cam·pan·i·form 形 鐘形の.
cam·po·dei·form 形 (さなぎが)ナガコムシ型の.
can·cri·form 形 カニの形をした; 癌のような.
ca·ni·ni·form 形 犬歯状の, 犬歯の形をした.
ca·rin·i·form 形 竜骨形の.
ce·ci·form 形 盲腸(cecum)状の.
che·li·form 形 はさみ状の, はさみに似た.
cho·re·i·form 形 〔病理〕舞踏病(chorea)の［に似た］.
cir·ri·form 形 巻(けん)雲のような, 巻［絹］雲状の.
clav·i·form 形 こん棒状の.
col·i·form 形 大腸菌の.
col·u·mel·li·form 形 columella のような.
co·ni·form 形 円錐(えんすい)形の.
cor·di·form 形 心臓形の, ハート形の.
cra·ter·i·form 形 噴火口［じょうご］状の.
cru·ci·form 形 十字形の, 十字架状の.
cu·bi·form 形 立方形の, 正六面体状の.
cu·mu·li·form 形 積雲状の.
cu·ne·i·form 形 〈文字などが〉楔(くさび)形の.
cu·ni·form 形 ＝cuneiform.
cur·vi·form 形 湾曲状の.
cy·ath·i·form 形 〔植物〕〔動物〕杯状の, コップ状の.
cym·bi·form 形 〔植物〕〔動物〕ボート形の, 舟形の.
cys·ti·form 形 嚢胞(のうほう)(cyst)状の, 嚢状の.
de·i·form 形 神の姿をした, 神のような.
den·dri·form 形 樹木のような形の, 樹木状の.
den·ti·form 形 歯の形をした, 歯状の.
dig·i·ti·form 形 指に似た, 指の形をした.
dis·ci·form 形 丸い, 円板［円盤］状の.
di·ver·si·form 形 形が異なる; 多様な, 種々の形状の.
do·lab·ri·form 形 〔植物〕〔動物〕斧(おの)形の.
e·ru·ci·form 形 イモ虫形の, 毛虫形の.
fal·ci·form 形 鎌(かま)状の.
fi·bri·form 形 繊維状の.
fi·bril·li·form 形 微小繊維状の.
fil·i·form 形 糸［繊維］状の.
fla·gel·li·form 形 〔生物〕鞭毛(べんもう)状の.
for·nic·i·form 形 アーチ形［弓形］をした.
fu·si·form 形 〔植物〕〔動物〕紡錘状の.
ga·le·i·form 形 かぶと形の; galea に似た.
gas·i·form 形 ガス状の, 気体の.
gel·a·tin·i·form 形 ゼラチン［ゼリー］状の.
gem·mi·form 形 芽［無性芽］の形をした.
gra·ni·form 形 穀粒状の.
gut·ti·form 形 滴状の.
in·fun·dib·u·li·form 形 〔植物〕じょうご形の, 漏斗状の.
jan·i·form 形 2つの顔を持つ(Janus-faced).
la·gen·i·form 形 〔植物〕〔動物〕フラスコ形の.
la·mel·li·form 形 薄板形の, 薄片状の.
lan·ci·form 形 槍(やり)の穂形の, 槍状の.
len·ti·form 形 レンズの.
lig·ni·form 形 木の形をした; 木に似た.
lin·gui·form 形 舌の形をした, 舌状の.
lo·ris·i·form 形 〔動物〕ロリスの(ような).
lu·pi·form 形 〔病理〕狼瘡(ろうそう)(lupus)状の.
ly·ri·form 形 竪琴(たてごと)(lyre)の形をした.
mam·mi·form 形 乳頭［乳房］状の.
man·i·form 形 手の形をした.
mi·tri·form 形 司教冠のような形の, 僧帽状の.
mum·mi·form 形 ミイラのような(形の).
na·pi·form 形 〈根などが〉カブラ形の.
neu·ral·gi·form 形 〔病理〕神経痛様の.
nu·ci·form 形 堅果状の.
o·per·cu·li·form 形 蓋(ふた)の形をした, 蓋状の.
pan·du·ri·form 形 〈葉などが〉バイオリン形の.
pa·pil·li·form 形 乳頭状の, 小突起に似た.
pa·tel·li·form 形 小皿状の, 小盤状の.
ped·i·form 形 〈昆虫の器官が〉足状の, 足に似た.
pen·cil·i·form 形 鉛筆状の, 鉛筆形の.
pen·i·cil·li·form 形 〔生物〕房毛(penicil)を持った.
pen·ni·form 形 羽状の, 羽(毛)の形をした.
pil·i·form 形 毛状の, 毛のような.
pi·si·form 形 エンドウマメ形の, 豆粒大の.
pla·ni·form 形 〈体の関節などが〉平らな形をした.
plex·i·form 形 叢(そう)(plexus)の; 叢状の.
poc·u·li·form 形 コップ状の, コップ形の.
po·de·ti·i·form 形 子器柄(podetium)形の.
po·ri·form 形 (形が)小穴に似た, 孔状の.
pro·te·i·form 形 (性質・形態が)変幻自在な.
punc·ti·form 形 点状の, 点のような.
pu·ri·form 形 〔病理〕膿(うみ)に似た, 膿状の.
pyr·i·form 形 西洋ナシ形の.
ral·li·form 形 〔動物〕クイナに似ている［近い］.
ram·i·form 形 枝状の; 枝のような.
rem·i·form 形 櫓(ろ)の形をした.
ren·i·form 形 腎臓(じんぞう)の形をした.
re·ti·form 形 網状の; 網状組織の(reticulate).
ro·ti·form 形 輪状の, 輪形の.
sac·ci·form 形 嚢(のう)の形をした, 嚢状の.
sam·a·ri·form 形 〔植物〕翼果形の, 翅果(しか)形の.
scal·pri·form 形 〈ある種の齧歯(げっし)類の門歯などが〉のみ形の.
sca·pi·form 形 〔植物〕花茎状の.
scu·ti·form 形 盾状の.
scy·phi·form 形 〔植物〕杯形の.
ser·pen·ti·form 形 蛇の形をした.
ser·ri·form 形 鋸歯(きょし)状の, 刻み目の.
se·ti·form 形 剛毛の形をした; 剛毛状の.
spi·ni·form 形 とげ状の.
sple·ni·form 形 脾様の, 脾臓様の.
squa·mi·form 形 鱗(うろこ)形［状］の.
sta·lac·ti·form 形 鍾乳(しょうにゅう)石に似た.
stel·li·form 形 星形の, 放射(線)状の.
stil·li·form 形 《まれ》水滴状の; 小球状の.
stip·i·ti·form 形 柄(stipe)状の.
stip·u·li·form 形 〔植物〕托葉(たくよう)状の.
strat·i·form 形 〔地質〕層状を成している.

sty·li·form 形 尖筆(せんぴつ)状の.
tau·ri·form 形 雄牛(の頭, 角)のような形の.
tec·ti·form 形 屋根の形をした.
tu·bi·form 形 管状 [筒形] の.
tur·di·form 形 ツグミのような形をした.
un·ci·form 形 鉤(かぎ)形 [状] の.
ur·si·form 形 クマの形をした.
va·si·form 形 管状の, チューブの形をした.
vil·li·form 形 絨毛(じゅうもう)様の.
vi·per·i·form 形 マムシの [に似た]; 毒のある.
vit·ri·form 形 ガラスのような [状の] (glasslike).

-i·form[2] /əfɔ̀ːrm/

連結形 〘鳥類〙〘魚類〙…目の, …類の.
★ 形容詞をつくる.
◆ -IFORMES から.

crib·ri·form 形 (目の細かい)篩(ふるい)のような.
cu·cu·li·form 形 〘鳥類〙ホトトギス目の [に似た].
fal·con·i·form 形 〘鳥類〙ワシタカ目の.
gru·i·form 形 〘鳥類〙ツル目に属する.
pas·ser·i·form 形 スズメ目の.
strig·i·form 形 フクロウ類の.

-i·for·mes /əfɔ́ːrmiːz/

連結形 …の形をした.
★ 動物の分類名, 特に鳥類と魚類の目に用いられる.
★ 語末にくる関連形は -IFORM[1], -IFORM[2].
★ 語頭にくる関連形は form-: *form*ality「形式的な」, *form*ulate「公式にする」.
◆ <近代ラ, *-iformis* の複数形. ⇨ -ES[3].

An·ser·i·for·mes 名複 〘鳥類〙ガンカモ目.
Bery·ci·for·mes 名複 〘魚類〙キンメダイ目.
Pass·er·i·for·mes 名複 〘鳥類〙スズメ目.

-ift /ift/

語尾 swift にみられるように -ift には急速な動きが感じられる; drift, shift, sift, lift, rift[1] も急な動きを示す.

clift 名 《米南部ミッドランド》崖(cliff).
drift 名 ☞
gift 名 ☞
grift 名 《俗》ぺてん, いんちき, いかさま.
lift[1] 動他 ☞
lift[2] 名 《スコット》大空, 天空.
rift[1] 名 切れ目, 割れ目, 裂け目. ── 動他 裂ける.
rift[2] 名 《米》(川の)浅瀬; 急流.
rift[3] 形 《米俗》解雇された(riffed).
rift[4] 動自 《主に方言》げっぷをする.
shift 動他 ☞
shrift 名 《古》償いの賦課.
sift 動他 〈粉などを〉篩(ふるい)にかける.
swift 形 ☞
thrift 名 倹約, 節倹.

-i·fy /əfài/

接尾辞 **1** …にする, …化する: intens*ify*, simpl*ify*. **2**《しばしば軽蔑的に》…に似させる, …特徴を持たせる: person*ify*, speech*ify*.
★《子音のあとで》形容詞および名詞につけて動詞をつくる.
★ 規則的に -ification の形で名詞をつくる.
◆ 中英 *-ifien* <古仏 *-ifier* <ラ *-ificāre* …する. ⇨ -FY.
[発音] 直前の音節に第1強勢; ただし, álkalify, étherify となることもある.

a·ce·ti·fy 動自 酢化させる, 酢酸にする.
a·cid·i·fy 動他自 〘化学〙酸性化する.
a·dult·i·fy 動他 〈子供を〉大人びた状態にする.
aer·i·fy 動他 …を空気にさらす(aerate).
al·ka·li·fy 動他自 〘化学〙アルカリ性にする [なる].
am·mon·i·fy 動他 〘化学〙アンモニアと化合させる.
am·pli·fy 動他 …を拡大する, 広げる, 増強する.
An·gli·fy 動他 英国風にする(Anglicize).
au·ri·fy 動他 …を金色にする [染める, 塗る].
ba·si·fy 動他 〘化学〙アルカリ性化する.
be·at·i·fy 動他 この上なく幸福にする.
beau·ti·fy 動他 美しくする, 美化する.
bru·ti·fy 動他自 獣的にする(brutalize).
cal·ci·fy 動他自 〘生理〙石灰(質)化する.
car·ni·fy 動他自 〘病理〙肉変 [肉質化] する.
cer·ti·fy 動他 …を証明する, 認証する.
chon·dri·fy 動他自 軟骨化する; 軟骨になる.
cit·i·fy 動他 都市 [都会] 化する.
clar·i·fy 動他 〈思想・言説などを〉明確にする.
cod·i·fy 動他 成文化する, 法典に編む.
com·pac·ti·fy 動他自 コンパクトにする [なる].
cor·ni·fy 動自他 …を角化する, 角質化する.
coun·tri·fy 動他 田舎臭くさせる.
cre·ti·fy 動他自 〘地質〙＝calcify.
cru·ci·fy 動他 十字架に磔(はりつけ)にする.
dam·ni·fy 動他 〘法律〙損傷 [侵害] する, 損害を与える.
dan·di·fy 動他 しゃれさせる; ダンディーに見せる.
de·i·fy 動他 神格化する; 神聖視する.
de·mas·si·fy 動他 〈社会・体制を〉非画一化する.
de·mul·si·fy 動他 〘物理化学〙解乳化する.
de·na·zi·fy 動他 …からナチズム(Nazism)を取り除く.
den·si·fy 動他 …の密度を上げる, 濃くする.
de·tox·i·fy 動他 解毒する, 毒性を除く.
dig·ni·fy 動他 威厳をつける; 高貴にする.
dul·ci·fy 動他 《文語》(いっそう)快くする.
ed·i·fy 動他 …の徳性を養う, 啓発する.
e·lec·tri·fy 動他 帯電させる, 充電する; 電気を通す.
e·mul·si·fy 動他自 乳化する, 乳剤にする [なる].
es·ter·i·fy 動他自 〘化学〙エステル化する.
e·ther·i·fy 動他 〘化学〙エーテル化する.
ex·em·pli·fy 動他 …を例示 [例証, 実証] する.
fal·si·fy 動他 …を偽る, ゆがめる.
fan·ci·fy 動他 奇抜なものにする; 飾りたてる.
far·ci·fy 動他 笑劇 [茶番劇] にする; からかう.
fish·i·fy 動他 魚に変化する.
for·ti·fy 動他 〈都市などを〉守備を固める.
French·i·fy 動他自 フランス化する; フランス(語)風にする [なる].
fruc·ti·fy 動自 結実する; 実り豊かになる.
fuzz·i·fy 動他 《話》あいまいにする.
gas·i·fy 動他自 ガスにする [なる], 気化する.
gen·tri·fy 動他自 …を高級化する, 上品にする.
glo·ri·fy 動他 …を(実際以上に)美化する, 飾る.
grat·i·fy 動他 〈人を〉満足させる, 喜ばせる.
hor·ri·fy 動他 …をぞっとさせる, 怖がらせる.
hu·mid·i·fy 動他 湿らせる, ぬらす.
i·den·ti·fy 動他 (本人・同一物であると)確認する.
in·son·i·fy 動他 〘光学〙(特にホログラム作成のため)高周波の音波を当てる.
in·ten·si·fy 動他 …を強烈にする, 激しくする.
jel·li·fy 動他自 ゼリー(状)にする [なる].
jol·li·fy 動他自 陽気にする [なる].
jus·ti·fy 動他 〈主張・言動などを〉正当化する.
la·di·fy 動他 〈人を〉貴婦人風に仕立てる.
la·pid·i·fy 動他自 《古》石に変える [変わる].
la·ten·si·fy 動他 〘写真〙(露光後に)〈フィルムまたは乾板の潜像の〉現像性を高める.
lig·ni·fy 動他自 木質化させる [する].
liq·ui·fy 動他自 液化する, 融解する(liquefy).
lith·i·fy 動他自 石化する; 岩石化する.
mag·ni·fy 動他 〈レンズなどが〉大きく見せる.
mer·cu·ri·fy 動他 〘化学〙水銀(mercury)と混合する.
met·ri·fy[1] 動他 …を韻文にする; 作詩する.
met·ri·fy[2] 動他自 《英》〈メートル法を〉採用する.

mi·cri·fy 動他 小さくする, 縮小する.
min·i·fy 動他 小さくする, 縮小する; 少なくする.
mod·i·fy 動他 …の形 [性質] をいくぶん変える.
mol·li·fy 動他 〈人を〉なだめる, 慰める.
mor·ti·fy 動他 〈人に〉屈辱を感じさせる.
mum·mi·fy 動他 ミイラにする, 防腐保存する.
mun·di·fy 動他 〈傷などを〉洗浄 [消毒] する.
mys·ti·fy 動他 〈人を〉迷わす, 当惑させる.
myth·i·fy 動他 神話を作る, 神話化する.
na·zi·fy 動他 ナチの支配下に置く, ナチ化する.
nid·i·fy 動自 巣を作る(nidificate).
nig·ri·fy 動他 黒くする.
ni·tri·fy 動他 (特にバクテリアの作用で)硝化する.
no·ti·fy 動他 知らせる, 報告する, 届け出る.
nul·li·fy 動他 〈契約などを〉法律上無効にする.
ob·jec·ti·fy 動他 対象化する, 具体性を与える.
o·pac·i·fy 動他自 不透明にする [なる].
op·son·i·fy 動他 〘免疫〙オプソニン化する.
os·si·fy 動他 骨化させる [する]; 硬化させる [する].
pac·i·fy 動他 平和な状態に戻す, なだめる.
per·son·i·fy 動他 擬人 [人格] 化する.
pet·ri·fy 動他 〈植物・動物などを〉石化する.
plan·i·fy 動他自 《特に米・カナダ》(経済・市場政策などを)組織的に計画する.
preach·i·fy 動自 《話》くどくどと説教する.
pret·ti·fy 動他 《話》(特に)安っぽく飾りたてる.
pro·si·fy 動他 散文に変える.
pulp·i·fy 動他 パルプにする; どろどろにする.
pu·ri·fy 動他 浄化する; …から不純物を取り除く.
qual·i·fy 動他 〈人・経験・能力などが〉〈人を〉(職務・仕事などに)適させる; (…する)資格 [権限] を与える.
quan·ti·fy 動他 …の量を定める, …を定量化する.
ram·i·fy 動他自 枝状に分ける [分かれる].
rat·i·fy 動他 承認する, 認可する; 批准する.
rec·ti·fy 動他 改正 [修正] する, 調整する.
re·i·fy 動他 具体 [具象] 化する.
re·lex·i·fy 動他 〘言語〙〈言語(特にピジン語)の〉語彙(ごい)入れ替えを行う.
res·in·i·fy 動他 〘化学〙樹脂化する.
re·spec·ti·fy 動他 立派なものにする.
ri·gid·i·fy 動他自 堅くする [なる]; 厳しくする [なる].
ru·bi·fy 動他 赤くする(redden).
Rus·si·fy 動他 ロシア(人)化する.
sac·char·i·fy 動他 〈澱粉を〉糖化する.
sal·i·fy 動他 …を(化合などで)塩に変える [する].
sanc·ti·fy 動他 神聖にする, 聖別する; 神聖視する.
san·i·fy 動他 健康的にする.
sa·pon·i·fy 動他 〘化学〙鹸化(けんか)する.
scar·i·fy[1] 動他 〈皮膚などを〉乱切する, 乱刺する.
scar·i·fy[2] 動他 《話》〈人を〉…で怖がらせる.
sco·ri·fy 動他 スコリフィケーションにかける.
sig·ni·fy 動他 示す, 知らせる.
si·lic·i·fy 動他自 〘化学〙ケイ酸化する, ケイ化する.
sim·pli·fy 動他 …を単純にする; (より)簡単にする.
Sin·i·fy 動他 中国化する(Sinicize).
so·lem·ni·fy 動他 …を厳粛 [荘厳] にする.
so·lid·i·fy 動他 固める; 凝固 [凝結] させる.
spec·i·fy 動他 …を指定する, 明記 [詳述] する.
speech·i·fy 動自 (偉そうに)一席ぶつ.
stel·li·fy 動他 …星に変える.
strat·i·fy 動他 …を層に配列する, 層にする.
stul·ti·fy 動他 …を愚かに見せる, ばからしくする.
sub·jec·ti·fy 動他 主観的にする, 主観化する.
syl·lab·i·fy 動他 …を音節に分ける.
tack·i·fy 動他 〈合成樹脂などを〉ねばねばさせる.
tech·ni·fy 動他 《まれ》技術革新する.
ter·ri·fy 動他 〈人を〉ぞっとさせる, 恐れさせる.
tes·ti·fy 動自 証言 [証明] する; (…の)証拠となる.
tip·si·fy 動他 《話》ほろ酔い気分にさせる.
tor·pi·fy 動他 麻痺させる, 無感覚にする.
tor·ri·fy 動他 焼く, あぶる.
town·i·fy 動他 都会化する, 都会風にする.
trans·mog·ri·fy 動他 《おどけて》化けさせる.
trust·i·fy 動他 〘経営〙…を企業合同にする.
typ·i·fy 動他 …の典型となる, 代表する.
ug·li·fy 動他 醜くする.
u·ni·fy 動他 …を一つ [一体] にする, 統一する.
ver·bi·fy 動他 動詞化する, 動詞として使う.
ver·i·fy 動他 …が真実であることを証明する.
ver·si·fy 動他 詩で表現する [述べる, 扱う].
vil·i·fy 動他 …の悪口を言う, けなす, そしる.
vin·i·fy 動他 〈ワインを〉醸造する.
vit·ri·fy 動他自 ガラス質に変える [変わる].
viv·i·fy 動他 …に生命 [生気] を与える.
yup·pi·fy 動他 …をヤッピー風にする [変える].
zinc·i·fy 動他 〘化学〙亜鉛めっきする.

-ig /ɪg/

語尾 swig, jig, zig, frig など一部は音象徴を持つ; また, prig, spig, nig, jig, ig などは軽蔑の響きをもつ; かなりの短縮語を含む.
★ 語末にくる同音形は -IGG.

big[1] 形 大きい.
big[2] 動他 《スコット・英方言》建てる(build).
big[3] 名 《スコット・北イング》四条大麦.
brig[1] 名 ☞
brig[2] 名 《スコット》橋, 橋梁(きょうりょう).
cig 名 《話》(紙)巻きタバコ(cigarette).
dig[1] 動自 ☞
dig[2] 動他 《話》…が分かる, を理解する.
dig[3] 名 《豪・NZ 話》(第一次世界大戦の)オーストラリア兵, ニュージーランド兵(digger).
fig[1] 名 ☞
fig[2] 名 服装, 装い.
frig 動他 《俗》性交する, セックスする.
gig[1] 名 ギグ: 一頭立て二輪馬車.
gig[2] 名 引っかけ針.
gig[3] 名 《米軍俗》(学校・軍隊などでの軽い)規則違反の報告(書); 罰点.
gig[4] 名 《話》(ジャズ・ロックミュージシャンの, 特に1回だけの)雇用契約.
gig[5] 名 《英俗》女陰(giggy).
ig 形 無知な(ignorant).
jig[1] 名 ☞
jig[2] 名 ジグ: 動きが速く活発で, 不規則な, 通例, 3拍子のダンス.
jig[3] 名 《米俗》=nig[2].
jig[4] 動自 《豪俗》学校をずる休みする.
lig 名 《英話》しゃれた場所, 繁華街.
mig 名 《主に米北部》おはじき石(miggle).
nig[1] 動他 〘石工〙〈特に花崗(かこう)岩を〉先のとがった槌(つち)で粗面仕上げする(nidge).
nig[2] 名 《米俗 / 侮蔑的・不快》黒ん坊.
pig[1] 名 ☞
pig[2] 名 《スコット・北イング》陶器製の器.
prig[1] 名 《軽蔑的》うるさ型の人.
prig[2] 動他 《主に英古俗》盗む, くすねる.
rig[1] 動他 ☞
rig[2] 名 《スコット・北イング》山の背(ridge).
snig[1] 名 《主に英》ウナギの稚魚.
snig[2] 動他 《豪・NZ》〈丸太を〉(一方の端にチェーンをつけて)引っぱる.
spig 名 《米俗》スペイン系アメリカ人.
sprig 名 (葉や花のついた)小枝.
swig[1] 名 《話》(特に酒の)一飲み(の量).
swig[2] 動自 〘海事〙(ロープの緩みを直すのに)ロープの途中を横に弓のように引っ張る.

thig 動他自 《スコット》請う；(贈り物を)ねだる.
tig 名 《英話》鬼ごっこ.
trig[1] 名 《話》三角法(trigonometry).
trig[2] 形 《主に英》きちんとした.
twig[1] 名 (通例, 葉のついていない)細い若枝.
twig[2] 動他 《英話》見る, 注目する.
twig[3] 名 《英》流行, 流行型, 様式；やり方.
vig 名 《米俗》(競馬の胴元などに払う)手数料, 寺銭；その率(vigorish).
whig 動自 《スコット》きびきびと進む.
wig 名 ☞
zig 動自 (ジグザグな動きの)一方に動く.

-igg /íg/

語尾 語末にくる同音形は -IG.

bigg[1] 名 《スコット・北イング》四条大麦.
bigg[2] 動他 建てる(big).
igg 動自 《米俗》無視する.
jigg 名 《米俗》黒ん坊, 黒人(jig).

-ig·gle /ígl/

音象徴 **1** クスクス, クックッ；忍び笑いをすること, また, その声を表す. **2** くねくね, ひょいひょい, そわそわ；小刻みに揺れ動く動作を表す. ◇ -LE[1], -LE[3].

gig·gle 動自 くすくす笑う, 忍び笑いをする. ── 名 くすくす笑い, 忍び笑い, クックッ, イッヒッヒ；面白い人[もの], ジョーク.
jig·gle 動他自 左右[上下]に細かく急速に動かす[動く], 軽くゆする, ひょいひょい動く；そわそわする.
squig·gle 名 (文字・線などの)のたくり, 短く不規則な曲がり[よじれ]；なぐり書き.
wig·gle 動自 《話》〈体・尾などが〉(左右に)小刻みに揺れ動く, ちょこちょこ歩く；うねりくねって進む, のたくる；(…から)身をくねらせて逃れる.
wrig·gle 動自 のたくる, うごめく；身もだえする, のたうつ；そわそわ[もじもじ]する.

-igh /ái/

語尾 中英語で gh /x/ が落ちてその代わりに /iː/ が /ai/ へと二重母音化した. high はその代表.
★ 語末にくる同音形は -AI, -AY[4], -EI[2], -I[6], -IE[3], -UY, -Y[6], -YE.

high 形 ☞
nigh 副 《古・詩語・方言》(…の)近くに.
sigh 動自 ため息をつく, 嘆息する.
thigh 名 (人間の)もも, 大腿(だいたい)部.

-ight /áit/

語尾 gh /x/ が発音されなくなって, もとの /iː/ が /ai/ と二重母音化した；Might is right.「力は正義なり」のように同音反復に利用；また bright light も都会の歓楽街をさす同音反復表現である.
★ 語末にくる同音形は -EIGHT[2], -ITE[1], -ITE[2], -ITE[3], -YTE.

bight 名 ロープの中間部；湾.
blight 名 ☞
bright 形 輝いている, 光っている.
dight 動他 《主にスコット》きれいにする.
fight 名 ☞
flight[1] 名 ☞
flight[2] 名 ☞
fright 名 恐怖, 戦慄(せんりつ).
hight[1] 形 《古・詩語》…と呼ばれて.
hight[2] 名 高さ, 高度；海抜, 標高(height).
knight 名 ☞
light[1] 名 ☞
light[2] 形 ☞
light[3] 動自 (馬・車などから)降りる.
might[1] 助 may の過去形.
might[2] 名 体力, 腕力.
night 名 ☞
plight[1] 名 ありさま, 状態, 立場；苦境.
plight[2] 動他 誓う, 誓約する.
right 形 ☞
sight 名 ☞
slight 形 わずかの, 少しの, かすかな.
spright 名 《古》妖精, 小妖精, 小鬼(sprite).
tight 形 ☞
-tight 連結形 ☞
wight 名 《古・方言》人, 人間.
wright 名 ☞

-ight·en /aitn/

語尾 -en は「…にする」. ◇ -EN[1].

bright·en 動他 〈場所を〉明るくする[照らす].
fright·en 動他 …を怖がらせる, ぎょっとさせる.
light·en[1] 動自 〈空などが〉明るくなる.
light·en[2] 動他 〈荷などを〉軽くする.
right·en 動他 直立させる.
tight·en 動他 〈つなぎ目などを〉堅くする.

ig·ni·tion /igníʃən/

名 発火, 点火, 着火. ►ignite の名詞形. ⇨ -ITION.

àu·to·ig·ní·tion 名 『自動車』(内燃機関の)自己点火.
bréakerless ignítion ＝electronic ignition.
compréssion ignítion 圧縮点火.
electrónic ignítion 『自動車』エレクトロニック・イグニッション.
pílotless ignítion パイロットレス点火装置.
prè·ig·ní·tion 名 (内燃機関の)早期点火, 過早点火.

-i·go /áigou/

接尾辞 『病理』もとはラテン語で動詞について名詞をつくる接尾辞.
◆ ラテン語 *-igō* より.

im·pe·ti·go 名 膿痂疹(のうかしん), インペチゴ.
pru·ri·go 名 痒疹(ようしん).
ser·pi·go 名 《もと》白癬(はくせん)・たむし・輪癬など, 這(は)うように広がっていく皮膚病の総称.
ver·ti·go 名 めまい, 眩暈(げんうん).
vit·i·li·go 名 白斑(はくはん), 白皮.

-ik /ík/

語尾 語末にくる同音形は -IC[1], -IC[2], -ICH[2], -ICK[5].

blik 名 『哲学』個人的性向, 宗教上の信念.
-chik 接尾辞 ☞
-nik 接尾辞 ☞
sik 名 《米俗》働き手が 1 人で子供のいる夫婦.
skrik 名 《南アフリカ》(突然の)恐怖.
spik 名 《米俗》スペイン系アメリカ人(spic).

-ike /áik/

語尾 pike[1], pike[2], pike[4], pike[5], spike[1], spike[2] に尖ったものを感じる人がいる；これらから strike の打撃を連想する人もいる；shrike, yike[1], yike[2] は叫びの擬声語；

いくつかの短縮語を含む.
★ 語末にくる同音形は -YKE.

bike[1] 名 ☞
bike[2] 名 《スコット・北イング》(野生のミツバチなどの)群体(colony), 巣, 大群.
dike[1] 名 (海・河川の)堤, 堤防.
dike[2] 名 《俗》(男役の)レズビアン(dyke).
dike[3] 名 金属カッター.
fike 名 《スコット・北イング》(人を)そわそわさせるもの; (特に)かゆみ(itch).
grike 名 〘地質〙空隙(くうげき), 間隙.
hike 動自 長距離歩行する, 徒歩旅行する.
ike 名 《俗》アイコノスコープ: 撮像管.
kike 名形 《俗》ユダヤ人(の).
like[1] 形 ☞
like[2] 動他 ☞
-like 接尾辞 ☞
mike[1] 名 ☞
mike[2] 名 (帆船上の軽砲用の)フォーク状支柱.
mike[3] 名 《英俗》ほっつき歩き, 怠けること.
mike[4] 名 測微器(micrometer).
pike[1] 名 ☞
pike[2] 名 (もと歩兵の使った)槍(やり), 矛.
pike[3] 名 《主に米》有料(高速)道路.
pike[4] 名 《主に北イング》尖峰(せんぽう).
pike[5] 名 とがった突出部, 尖頭(せんとう)突起.
pike[6] 動自 《古俗》不意に去る; さっさと行く.
pike[7] 名 〘飛び込み〙〘体操〙えび型.
shrike 名 ☞
sike 名 《スコット・北イング》(特に, 夏に水がかれる)小川.
spike[1] 名 ☞
spike[2] 名 (小麦などの)穂.
strike 動他 ☞
tike 名 《豪俗》子供, (特に)わんぱくな男の子.
trike[1] 名 《話》三輪車, オート三輪(tricycle).
trike[2] 名 〘化学〙トリクロロエチレン(trichloroethylene).
yike[1] 名動自 《豪話》議論(する).
yike[2] 間 《恐怖・驚きなどの叫び声》ひゃあ, きゃあ, うわっ.

-il[1] /il, əl/

接尾辞 ラテン語, フランス語, イタリア語などのロマンス語の指小辞.
★ 名詞をつくる.
◆ <仏 *-il* <後期ラ *-ill(us)*.

bul·bil 名 〘植物〙むかご.
cod·i·cil 名 〘法律〙遺言補足書.
den·til 名 〘建築〙歯飾り.
fi·bril 名 ☞
ger·bil 名 アレチネズミ.
jer·bil 名 =gerbil.
jon·quil 名 キズイセン(黄水仙).
pas·quil 名 (公共の場に掲げた)風刺文, 落書き.
pen·cil 名 ☞
pen·i·cil 名 房毛, ブラシ状の毛の束.
pon·til 名 〘ガラス製造〙ポンテざお.
pu·pil[1] 名 生徒; 教え子, 弟子, 門人.
pu·pil[2] 名 〘解剖〙ひとみ, 瞳孔.
ron·quil 名 スズキ目メダマウオ科の数種の魚の総称.
sig·il 名 《まれ》印, 認め印, 封印.
tor·men·til 名 〘植物〙タチキジムシロ.
ver·ti·cil 名 〘植物〙〘動物〙輪生, 環生.

-il[2] /íl/

語尾 語末にくる同音形は -IL[1], -ILL, -ILLE[2], -YL[2].

dil 名 《豪・NZ 俗》ばか, あほう(dill).
il 冠 《イタリア語》男性単数名詞につく定冠詞.
lil 形副名 《話》=little.
mil[1] 名 ミル: 電線の直径測定に用いる長さの単位; 0.001 インチ(0.0254mm).
mil[2] 名 《俗》100 万(million).
nil 名 無, 皆無(naught).
-phil 連結形 ☞
til[1] 名 〘植物〙ゴマ.
til[2] 名 (ポルトガル語の)ティルデ(tilde).
'til 前接 =until.
zil 名 《俗》何兆億(の大きな数)(zillion).

-ilch /íltʃ/

語尾 filch と zilch は音象徴的.

filch 動他 〈物を〉盗む; くすねる.
milch 形 〈家畜が〉酪農用の, 搾乳向きの.
pilch 名 《英》《古》おむつカバー.
zilch 名 《米俗》ゼロ, 零, 無.

-ild[1] /íld/

語尾

gild[1] 動他 ☞
gild[2] 名 同業組合, ギルド(guild).
sild 名 シルド: (北欧で)ニシン.

-ild[2] /áild/

語尾

child 名 ☞
mild 形 おとなしい, 穏やかな.
wild 形 ☞

-ile[1] /əl, il, ail | ail/

接尾辞 主に能力, 感受性, 責任, 適性などを表す形容詞をつくる.
★ 語末にくる関連形は -ILITY.
◆ 中英<ラ *-ilis*, *-īlis*.

ae·dile 名 〘ローマ史〙按察(あんさつ)官, 造営司.
ag·ile 形 〈人・動作が〉素早い, 機敏な.
an·ile 形 もうろくしてよぼよぼの, 老婆の(ような).
au·dile 名 〘心理〙聴覚型(の人).
ax·ile 形 〘植物〙軸にある.
bis·sex·tile 形 閏(うる)の, 閏年の.
con·tract·ile 形 収縮できる; 収縮を引き起こす.
deb·ile 形 《古》ひ弱な, 虚弱な.
dis·ten·sile 形 広げられる, 伸張性の, 膨張性の.
doc·ile 形 扱いやすい, 御しやすい, 素直な.
duc·tile 形 〈金属などが〉可鍛性の.
e·dile 名 =aedile.
e·rec·tile 形 まっすぐに立てられる, 直立性の.
ex·pan·sile 形 膨張[伸張]する.
ex·ser·tile 形 〘生物〙突き出せる, 伸出できる.
ex·ten·sile 形 〘動物〙〘解剖〙伸ばせる.
fac·ile 形 すらすらと動く, 器用な; 軽々しい.
fe·brile 形 発熱(性)の; 熱のある.
fer·tile 形 ☞
fic·tile 形 塑造できる, 可塑性の.
fis·sile 形 分裂しやすい.
flex·ile 形 〈物が〉曲げやすい, しなやかな.
flu·vi·a·tile 形 川の; 河流作用によってできる.
frag·ile 形 壊れやすい, もろい; 弱い.
fu·tile 形 〈行為などが〉成果をもたらさない.
gen·tile 形 ユダヤ民族以外の, 非ユダヤ人の.

grac·ile [形] ほっそりとして優美な.
hab·ile [形] 《文語》巧みな, 器用な.
hos·tile [形] 敵の, 敵軍の, 敵国の.
im·be·cile [名] 〘心理〙痴愚.
in·duc·tile [形] 引き延ばせない, 展性のない.
in·fan·tile [形] 子供じみた, 幼稚な.
in·sec·tile [形] 昆虫の; 昆虫のような.
in·u·tile [形] 《まれ》無益の, 役に立たない.
ju·ve·nile [形] 年少者の; 少年少女向きの.
la·bile [形] 変わりやすい, 変化を起こしやすい.
mer·can·tile [形] 商人の; 商業の, 商売の.
mis·sile [名] ☞
mo·bile [名] ☞
mo·tile [形] 〘生物〙自動力のある, 自動性の, 運動性の.
nu·bile [形] 〈女性が〉結婚適齢期の, 年ごろの.
pe·nile [形] ペニス(penis)の.
pen·sile [形] 〈鳥の巣などが〉ぶら下がった.
pre·hen·sile [形] つかむ [握る] のに適している.
pre·nu·bile [形] 結婚適齢期前の.
pre·se·nile [形] 初老(期)の, 早老の.
pro·duc·tile [形] 延ばせる, 延長できる(extensile).
pro·trac·tile [形] 〘動物〙〈鳥類の舌などが〉伸ばせる.
pro·tru·sile [形] 〈舌などが〉突き出せる, 伸ばせる.
pro·jec·tile [形] 〘軍事〙発射体; 自動推進体.
pu·er·ile [形] 子供の.
pul·sa·tile [形] 脈打つ.
re·frac·tile [形] 屈折力のある.
rep·tile [名] 爬虫(はちゅう)類.
re·trac·tile [形] 〘動物〙(カメの頭, 猫の爪(つめ)などのように)伸縮可能な.
sax·a·tile [形] 岩間の, 岩間に生息する.
scis·sile [形] 切ることができる; 裂けやすい.
sec·tile [形] (ナイフで)滑らかに切れる.
se·nile [形] 老衰の, もうろくした, 認知症の.
ser·vile [形] 追従(ついしょう)的な, 卑屈な.
ses·sile [形] 〘植物〙無柄の.
sta·bile [形] 安定した, 固定した, しっかりした.
tac·tile [形] 触感の, 触覚の; 触覚を持つ.
ten·sile [形] 張力 [張り] の, 伸張の.
tex·tile [名] 織物, 編み物, フェルトなどの布地.
tor·tile [形] ねじれた, 曲がった; ぐるぐる巻いた.
trac·tile [形] 〈物が〉引き伸ばすことができる.
u·tile [形] (…に; …するのに)有用な, 役に立つ.
vag·ile [形] 〘生物〙自由運動性の, 移動性の.
ver·sa·tile [形] なんにでも向く, 多芸多才の.
vi·bra·tile [形] 揺れ動く; 振動することのできる.
vir·ile [形] 男性の, 男らしい.
vol·a·tile [形] 〈液体・油が〉揮発する, 揮発性の.

-ile[2] /ail, il/

[接尾辞] 〘統計〙…分の 1(の).
★ 名詞または形容詞をつくる.
◆ ラテン語 *quartilis*「4 分の 1 の」の語尾より抽出.

cen·tile [名] =percentile.
dec·ile [名形] 十分位数(の).
per·cen·tile [名] (変数の区間の)百分位数 [順位].
quan·tile [名] 変位値.
quar·tile [名形] 〘占星〙矩象(くしょう)(の).
quin·tile [名] (度数分布で)五分位数.
sex·tile [形] 〘天文〙2つの天体の位置 [視座] が互いに 60 度離れた.

-ile[3] /áil/

[語尾] guile と wile は同源であるが, これらから vile を連想する人がいる.
★ 語末にくる同音形は -ILE[1], -ILE[2], -YLE.

bile[1] [名] ☞
bile[2] [名] 《スコット》沸騰; 煮沸; 沸点.
file[1] [名] ☞
file[2] [名] ☞
file[3] [動他] 《古・方言》汚す, よごす(defile).
guile [名] 腹黒いずるさ, 悪知恵; 二枚舌.
mile [名] ☞
-phile [連結形] ☞
pile[1] [名] ☞
pile[2] [名] ☞
pile[3] [名] 毛, 髪, 頭髪; 体毛(hair).
pile[4] [名] 《話》痔核(じかく).
pile[5] [名] 手動貨幣圧印機の 2 つの印型の下側のもの.
rile [動他] 《主に米・カナダ方言》怒らせる.
sile [動自] 《北イング》下へ流れるように動く.
smile [動自] 微笑する, ほほえむ, にこにこする.
spile[1] [名] (特に樽(たる)などの)木栓.
stile[1] [名] スタイル: 柵, 塀などに設けた階段.
stile[2] [名] ☞
tile [名] ☞
vile [形] 〈物・事が〉ひどく悪い, ひどい.
while [名] ☞
wile [名] (人を陥れる)策略, 謀略, わな.

-il·i·ty /íləti/

[接尾辞] -(i)le と -ity の結合形; -ile で終わる形容詞の語幹から抽象名詞をつくる. ►なお, ability は -ity に所属.
◆ 中英 *-ility* ＜仏 *-ilité* ＜ラ *-ilitās*. ⇨ -ITY.

a·nil·i·ty [名] 老婆じみていること, もうろく.
beau·til·i·ty [名] 美と実用性の両方を備えていること.
con·trac·til·i·ty [名] 収縮; 収縮性.
de·bil·i·ty [名] (特に肉体的に)弱いこと, 虚弱.
do·cil·i·ty [名] 扱いやすいこと, 御しやすさ, 従順.
fer·til·i·ty [名] 肥沃(ひよく), 多産; 豊富.
fu·til·i·ty [名] 無駄, 無益, 無用, 無価値.
hos·til·i·ty [名] 敵意, 敵愾(てきがい)心; 敵対.
mo·bil·i·ty [名] ☞
mo·til·ity [名] 〘生理〙運動性, 運動能, 自動力.
ni·hil·i·ty [名] 無, 虚無.
ser·vil·i·ty [名] 奴隷状態.
tran·quil·li·ty [名] 静けさ, 静謐(せいひつ); 平安.
u·til·i·ty [名] ☞
vi·ril·i·ty [名] 男性であること, 男らしさ.

-ilk /ílk/

[語尾]

bilk [動他] (金を)だまし取る, 詐取する.
ilk[1] [名] 《スコット・古》家族; 同類, 同種.
ilk[2] [代形] 《スコット》おのおの(の)(each).
milk [名] ☞
silk [名] ☞
whilk [代] 《古・方言》=which.

ill /íl/

[名] 病気.

jóint ìll 〘獣病理〙関節症.
lóuping ìll 〘獣病理〙跳躍病.
nável ìll =joint ill.
quárter ìll 〘獣病理〙黒脚症, 気腫(きしゅ)病.

-ill /íl/

[語尾] 代表的な語尾で重要語が多い; 一部に音象徴的なものがある(◇ -RILL); さらに pill のように小さいものをさし, 軽蔑の響きを持つものもある; kill, chill, still, ill に停止や不活動を感じる人がいる; また, spill, swill には液体の流れを示す音象徴がある.
★ 語末にくる同音形は -IL[1], -IL[2], -ILLE[2], -YL[2].

bill[1] 名 ☞
bill[2] 名 ☞
bill[3] 名 (中世に用いられた)長柄の矛.
bill[4] 名 《英方言》サンカノゴイの鳴き声.
brill 名 ヨーロッパ産のヒラメ科の一種.
chill 名 ☞
cill 名 土台(sill).
dill[1] 名 〔植物〕イノンド, ヒメウイキョウ.
dill[2] 名 《豪·NZ 俗》ばか, あほう.
drill 名 ドリル: アフリカ西部産のサル.
fill 動他 ☞
gill[1] 名 (魚の)鰓(えら); (キノコの笠の)襞(ひだ).
gill[2] 名 ジル: ヤードポンド法の液量単位.
gill[3] 名 《古 / 侮辱的》愛人, 恋人; 若い娘.
gill[4] 名 〔繊維〕ギル.
hill 名 ☞
ill 名 ☞
jill 名 《俗》少女, 娘.
kill[1] 動他 ☞
kill[2] 名 《主に米ニューヨーク州》水路, 小川.
mill[1] 名 ☞
mill[2] 名 ミル: 米国·カナダの貨幣計算単位.
mill[3] 名 《米俗》100 万ドル.
nill 動他自 《古》嫌である, 好まない.
pill[1] 名 ☞
pill[2] 動他 《英方言》〈果物などの〉皮をむく.
pill[3] 動他 《古》略奪 [強奪] する.
quill 名 羽柄(うへい): おおばねの基部で羽板(web)のない部分の中空の軸
shill[1] 名 《米俗》さくら, おとり.
shill[2] 名 《米俗》(警官の)警棒.
sill 名 ☞
skill[1] 名 ☞
skill[2] 動自 《古》重要である; 役に立つ.
spill[1] 動他 …をこぼす; …を(…に)もらす.
spill[2] 名 (木·竹の)破片.
squill 名 カイソウ(海葱)(sea onion).
still[1] 形 静止した, 動かない.
still[2] 名 ☞
swill 名 (動物用の)流動飼料.
thill 名 《古》(馬車などの)轅(ながえ).
till[1] 前 …まで(ずっと), …になるまで.
till[2] 動他 〈土地を〉耕す, 耕作する.
till[3] 名 (商店, 銀行窓口などの)現金入れ引き出し [箱](の中の現金).
till[4] 名 〔地質〕漂礫(ひょうれき)土.
till[5] 名 (昔の手動印刷機の)横棒, 角筒支え.
twill 名 綾(あや)織物.
vill 名 村区, 村.
will[1] 助 …だろう.
will[2] 名 ☞
yill 名 《スコット》エール(ale).
zill 名 ジル: 親指と中指にはめて打ち鳴らす小さいシンバル.

-il·la[1] /ílə/

接尾辞 ラテン語に由来する女性形指小辞. ⇨ -A[2].
★ 名詞をつくる.

an·cil·la 名 付属品, 補助物; 補佐, 助手.
ax·il·la 名 〔解剖〕腋窩(えきか), 腋(わき)の下.
ble·til·la 名 〔植物〕ブレティラ.
ca·bril·la 名 〔魚類〕東太平洋の熱帯地方産のスズキ科マハタ属の食用魚の総称.
cam·a·ril·la 名 (権力者の)私設顧問団.
Dru·sil·la 名 女子の名.
hy·dril·la 名 〔植物〕クロモ.
max·il·la 名 〔動物〕(脊椎(せきつい)動物の)上あご.
pa·pil·la 名 〔生物〕乳頭突起, 乳頭.
po·ten·til·la 名 〔植物〕ポテンティラ.
Pris·cil·la 名 女子の名. ►ローマ人の姓より.
pul·sa·til·la 名 〔植物〕セイヨウオキナグサ.
ra·chil·la 名 〔植物〕小軸.
sal·sil·la 名 〔植物〕熱帯アメリカ産の *Bomarea* 属の植物.
sar·sa·pa·ril·la 名 〔植物〕サルサパリラ, サルサ.
scin·til·la 名 火花.
va·nil·la 名 バニラ.
vil·la 名 田舎の邸宅 [屋敷].

-il·la[2] /íːə/

接尾辞 スペイン語の指小辞.
★ 名詞をつくる.

ban·de·ril·la 名 バンデリリャ: 闘牛に使う槍(やり).
ba·ril·la 名 〔植物〕オカヒジキ(saltwort): ヨーロッパ産の海浜植物の一種.
cas·ca·ril·la 名 〔植物〕カスカリラ.
chin·chil·la 名 〔動物〕チンチラ.
guer·ril·la 名 (敵側の)ゲリラ兵, 不正規兵.
se·gul·dil·la 名 〔韻律〕セギディーリャ.
so·pai·pil·la 名 〔メキシコ料理〕ソパイピーヤ.

-ille[1] /íːl, íl | əl/

接尾辞 小….
★ フランス語からの借用語に見られる指小辞; 名詞をつくる.
★ 語末にくる関連形は -ILLON, -ILLUM.
◆ ラテン語指小辞 *-illus*, *-illa*, *-illum* より.

che·nille 名 シェニール糸, 毛虫糸.
pas·tille 名 (通例, 薬剤を入れた)香錠; トローチ.
va·nille 名 バニラ(エッセンス)(vanilla).

-ille[2] /íl/

語尾 フランス語からの借入語が多い.
★ 語末にくる同音形は -IL[1], -IL[2], -ILL, -YL[2].

grille 名 (時に装飾的意匠を施した)格子.
mille 名 1, 000.
ville 名 都会, 都市, 町, 市.
-ville 連結形 ☞
vrille 名 〔航空〕きりもみ急降下, ブリル.

-il·lion /íljən/

連結形 100 万; 多数.
★ 名詞をつくる.
◆ million から抽出.

bil·lion 名 《米》10 億, 10 の 9 乗.
cen·til·lion 名 センティリオン: (米国で)1, 000 の 101 乗.
de·cil·lion 名 デシリオン: (米国で)1, 000 の 11 乗(1 に 0 を 33 つけた数).
dil·lion 名 《米俗》莫大(ばくだい)な数.
dril·lion 形名 《米俗》莫大(ばくだい)な(数).
duo·de·cil·lion 名 ドゥオデシリオン: (米国で)10 の 39 乗; (英国で)10 の 72 乗.
gil·lion 名 《英》10 億.
jil·lion 名 《主に米話》莫大(ばくだい)な数.
no·vem·de·cil·lion 名 ノウバンデシリオン: (米国で)1, 000 の 20 乗; (英国で)1, 000 の 38 乗.
oc·til·lion 名 《米》オクティリオン: 1, 000 の 9 乗.
oc·to·de·cil·lion 名 オクトデシリオン: (米国で)1, 000 の 19 乗; (英国で)1, 000 の 36 乗.
quad·ril·lion 名形 (米国で)1, 000 の 5 乗(の), 千兆(の).
quat·tu·or·de·cil·lion 名 クワツーオーデシリオン: (米国で) 1, 000 の 15 乗.
quin·de·cil·lion 名 (米国で)1, 000 の 16 乗.
quin·til·lion 名形 クィンティリオン(の): (米国で)10

の 18 乗.
sep·ten·de·cil·lion 名 セプテンデシリオン:(米国で)1, 000 の 54 乗.
sep·til·lion 名 セプティリオン:(米国で)10 の 24 乗.
sex·de·cil·lion 名 セクスデシリオン:(米国で)1, 000 の 17 乗.
sex·il·lion 名 ＝sextillion.
sex·til·lion 名 セクスティリオン:(米国で)10 の 21 乗.
skil·lion 名 《米俗》莫大(ばく)な数.
squil·li·on 名形 《俗》何百万という数(の).
stil·lion 名 《俗》＝zillion.
tre·de·cil·lion 名 トレデシリオン:(米国で)1, 000 の 14 乗.
tril·lion 名 (米国で)兆.
un·de·cil·lion 名 アンデシリオン:(米国で)1, 000 の 12 乗.
vi·gin·til·lion 名 ビギンティリオン:(米国で)1, 000 の 21 乗.
zil·lion 名 《話》何兆億(という大きな数).

-il·lo /ílou/

接尾辞 小さい….
◆ スペイン語の男性形指小辞. ⇨ -o².

ar·ma·dil·lo 名 ☞
blan·qui·llo 名 アマダイ科 *Caulolatilus* 属の魚. ► 字義はスペイン語で「白い小さいもの」.
bo·lil·lo 名 〘メキシコ料理〙ボリーリョ.
cau·dil·lo 名 (スペイン語圏諸国の)元首.
cig·a·ril·lo 名 シガリーロ: 細い葉巻.
ma·mon·cil·lo 名 熱帯アメリカ産ムクロジ科の木.
mo·na·cil·lo 名 〘植物〙ヒメフヨウ.
Ne·gril·lo 名 ネグリロ: 中央アフリカの熱帯森林地帯に住む低身長の人種.
o·co·til·lo 名 米国南西部の乾燥地帯やメキシコに野生するとげの多い落葉低木.
pec·ca·dil·lo 名 微罪, 軽罪.
pi·ca·dil·lo 名 〘中南米・スペイン料理〙ピカディヨ.
tam·a·ril·lo 名 《主に豪・NZ》コダチトマト.
ta·sa·jil·lo 名 〘植物〙レプトカウリス.
to·ma·til·lo 名 〘植物〙オオブドウホオズキ.
tor·nil·lo 名 〘植物〙トルニジョ.

-il·lon /íljən/

接尾辞 フランス語由来の指小接尾辞. ⇨ -ON⁷.
★ 語末にくる関連形は -ILLE¹, -ILLUM.

co·til·lon 名 《米・カナダ》コティヨン:(特に初めて社交界に出る女子のために催される)正式大舞踏会.
prai·ril·lon 名 《廃》小草原, 小草地.

-il·lum /íləm/

接尾辞 小…, 小さい.
★ 語末にくる関連形は -ILLE¹, -ILLON.
◆ ラテン語の指小辞より. ⇨ -UM¹.

as·per·gil·lum 名 〘ローマカトリック〙撒水(さんすい)器, 聖水刷毛(はけ), 聖水盤.
sen·sil·lum 名 〘動物〙感覚子, 感覚小体.
spi·ril·lum 名 〘細菌〙らせん菌.

il·lu·sion /ilú:ʒən/

名 勘違い, 思い違い, 誤解; 幻想. ⇨ -LUSION.

dìs·il·lú·sion 動他 〈人の〉幻想を捨てさせる.
Müller-Lyer illùsion 〘心理〙ミュラー=リエル錯視.
óptical illúsion 〘心理〙錯覚.
síze-wéight illúsion 〘心理〙大きさ重さの錯覚.
Zöllner illúsion 〘心理〙ツェルナーの錯視.

-ilt /ílt/

語尾 一部の -ilt は音象徴的で, lilt と jilt が浮いた動きをさす例である; tilt「傾く」, wilt「しぼむ」にも似た動きを感じる人がいる.

gilt¹ 動 gild の過去・過去分詞形.
gilt² 名 若い雌豚.
hilt 名 (刀・短剣の)つか.
jilt 動他 〈恋人を〉捨てる, 拒絶する.
kilt 名 キルト: スコットランドの民族衣装.
lilt 名 軽く弾むような調子 [抑揚].
milt 名 魚精, 白子(しらこ).
quilt 名 ☞
silt 名 シルト, 微砂, 沈泥.
spilt 名 spill の過去・過去分詞形.
stilt 名 竹馬, 高足(たかあし).
tilt¹ 動他 ☞
tilt² 名 (馬車・ボートなどの)ほろ.
wilt¹ 名 ☞
wilt² 助 《古・方言》will の二人称単数直説法現在形.

-ilth /ílθ/

語尾 名詞をつくる. ◇ -TH¹.

filth 名 汚物, ごみ, くず.
spilth 名 こぼすこと(spillage).
tilth 名 耕作(作業)(tillage).

-i·ly /əli, ili/

接尾辞 -y¹ で終わる形容詞に(y を i に変化させて), -ly をつけて副詞をつくる. ⇨ -LY¹.

air·i·ly 副 陽気に, 浮き浮きと, 快活に.
char·i·ly 副 注意深く, 警戒して.
clunk·i·ly 副 ぎこちない; 趣きのない.
dain·ti·ly 副 優美に, 上品に.
hand·i·ly 副 手際よく, 器用に; 巧妙に.
hap·pi·ly 副 幸福(そう)に, 楽しく; 喜んで.
har·di·ly 副 たくましく, 力強く; 苦難に耐えて.
heart·i·ly 副 心から, 真心込めて.
heav·i·ly 副 重く, どっしりと.
i·ci·ly 副 冷淡に, よそよそしく.
lac·i·ly 副 レース状に, レース模様に.
luck·i·ly 副 幸いなことに, 運よく, 幸運にも.
might·i·ly 副 力を込めて, 勢いよく, 激しく.
pret·ti·ly 副 きれいに, かわいらしく; 上品に.
rac·i·ly 副 きびきびと; 痛快に, ぴりっと.
read·i·ly 副 すぐに, 直ちに; 容易に, たやすく.
show·i·ly 副 華やかに; 派手に, これ見よがしに.
sor·ri·ly 副 哀れに, 惨めに.
war·i·ly 副 注意深く, 慎重に, 警戒して.

-im¹ /im/

接尾辞 複数形をつくる.
★ ヘブライ語からの借用語にみられる.
◆ ヘブライ語より.

cha·da·rim 名複 cheder「ユダヤ人小学校」の複数形.
cher·u·bim 名複 cherub「ケルビム, 智天使」の複数形.
choz·rim 名複 (イスラエル建国により)パレスチナの地に戻ってきたユダヤ人.
E·lo·him 名 (特に旧約聖書ヘブライ語版に用いられて)神(God), エロヒム.
Ge·o·nim 名複 Gaon「賢者」の複数形.

gi·tim 名複 get「離婚状」の複数形.
ha·da·rim 名複《イディッシュ語》heder「ユダヤ人小学校」の複数形.
Ne·bi·im 名 =Neviim.
Ne·vi·im 名 預言者の書.
o·lim 名 イスラエルへのユダヤ人移住者.
Se·bo·im 名 【ドゥエー聖書】ゼボイム(Zeboim).
Se·da·rim 名複 Seder「過越(すぎこし)の祭りの儀式的正餐(せいさん)」の複数形.
Se·phar·dim 名複 セファルディム: スペイン・ポルトガルのユダヤ人, またはその子孫.
ser·a·phim 名複 seraph「熾(し)天使」の複数形.
shlosh·im 名 【ユダヤ教】シュロシーム.
Te·hil·lim 名 詩篇(しへん)(the Book of Psalms).
te·na·im 名 【ユダヤ教】婚姻条件 [契約].
ter·a·phim 名複 テラピム: 古代ヘブライ民族の家の守護神として崇敬された偶像.
yor·dim 名複 (外国, 特に米国に移住している)イスラエル人.

-im² /im/

接尾辞 ラテン語の副詞接尾辞.

gra·da·tim 副 (処方箋(せん)で)しだいに, 徐々に.
gut·ta·tim 副 (処方箋(せん)で)1 滴ずつ.
lit·e·ra·tim 副形 逐語的に [な], 原文どおりに [の].
lit·te·ra·tim 副 《廃》=literatim.
punc·ta·tim 副 一点一点, 逐一, 正確に.
se·ri·a·tim 副形 連続して [した]; 相次いで [だ].
ver·ba·tim 副 正確に言葉どおりに; 逐語的に.

-im³ /ím/

語尾 brim と rim は縁を表す; prim, vim, whim, quim, flim などは音象徴的であり, slim, skim, trim, dim などの「薄い」「細い」という語感ともつながる; skim は swim と連想される; grim も trim などの引き締まった感じをもつ.

bim 名 《俗》若い女性, 女, (時に)女友達.
blim 名 《英俗》ごく小量の麻薬 [ハシシ].
brim¹ 名 ☞
brim² 名 《米南部》クロマス科の淡水魚数種の総称(bream).
crim 名 《米・豪・NZ 俗》犯罪者, 罪人, 犯人(criminal).
dim 形 〈光・場所が〉薄暗い, ほの暗い.
flim 名 《英俗・古風》5 ポンド札. ━━形 《米俗》いかす.
glim 名 灯火, 明かり, ランプ, ろうそく.
grim 形 厳しい, 容赦のない; 断固とした.
-heim 連結形 ☞
him 代 《he の目的格》彼を [に, へ].
jim 動他 《米暗黒街俗》…を駄目にする.
nim¹ 動他 《古》かすめ取る; 盗む.
nim² 名 ニム: コインを使うゲームの一種.
prim¹ 形 形式張った; 取り澄ました.
prim² 名 【植物】ヨウシュ(洋種)イボタノキ.
quim 名 《英俗》女性器.
rim 名 (特に円形の物体の)縁, へり, 端.
scrim 名 スクリム: 綿または亜麻の粗い織物.
shim 名 詰め物; 楔(くさび), シム.
skim 動他 (液体から)すくい取る.
slim 形 ☞
swim 動自 泳ぐ, 水泳をする, 遊泳する.
trim 動他 〈芝・生け垣などを〉(刈り取ったり, 切り取ったりして)形を整える.
vim 名 《話》精力, 活力, 元気; 熱意.
whim 名 ふっと心に浮かんだ考え; むら気.

im·age /ímidʒ/

名 **1** (人・動物・物の)(肖)像. **2** (網膜上に結ばれる)像; (テレビ・映画などの)映像, 画像. **3** 【心理】心像, 表象, イメージ.

áfter·ìmage 【心理】残像.
bódy ìmage 身体(心)像.
bránd-ìmage (消費者が抱く)ブランドイメージ.
cárd ìmage 【コンピュータ】カードイメージ.
cómpany ìmage =corporate image.
compúter-génerated ímage 【航空】コンピュータ作像.
contrólling ímage 作品のテーマあるいは特定のシンボルを強調するために, 繰り返しを行う文学技法.
córporate ìmage 企業イメージ.
cóunter ìmage =inverse image.
dígital ìmage デジタル画像.
dóuble ímage ダブルイメージ: 同一の画像が全く異なった２つの像として認識されること.
Gáussian ìmage 【光学】ガウスの結像点.
ghóst ìmage 【写真】ゴースト.
gráven ímage (通例木製か石製の)偶像(idol).
hárd ímage 硬調像: コントラストの鋭い画像.
hypnagógic ímage 【心理】入眠時幻覚像.
idéalized ìmage 【心理】理想化イメージ.
ínverse ìmage 【数学】原像.
látent ìmage 【写真】潜像.
mícro-ìmage 【写真】微小複製.
mírror ìmage 鏡像: 左右対称の像 [図面].
mosáic ìmage 【昆虫】モザイク [複眼] 像.
móther ìmage 典型的 [理想的] な母親像.
réal ìmage 【光学】実像.
sélf-ím·age 名 自己像.
ster·e·o·im·age 名 立体像: 三次元的な単一像.
ultrasóund ìmage 超音波映像.
vérbal ìmage 【心理】言語心像.

-im·ble /ímbl/

語尾

fim·ble 名 雄麻(male hemp)(の繊維).
nim·ble 形 動きの速い, 敏捷(びんしょう)な.
wim·ble 名 【採鉱】きゅうれん.

-ime /áim/

語尾 grime と slime はしばしば連想される.
★ 語末にくる同音形は -YME.

chime¹ 名 チャイム; チャイムの音.
chime² 名 (樽(たる)の)縁.
clime 名 《詩語》気候(climate).
crime 名 ☞
dime 名 ☞
grime 名 よごれ, あか, すす, ほこり.
lime¹ 名 ☞
lime² 名 【植物】ライム.
lime³ 名 【植物】シナノキ, リンデンバウム.
lime⁴ 名 《話》ライムライト, 石灰光(limelight): 舞台前面に光を当てるのに用いた昔の照明器具.
lime⁵ 動自 《西インド》うろつき回る.
mime 名 マイム, パントマイム.
prime 形 ☞
slime 名 (薄い粘着性の)ねば土, 軟泥, へどろ.
stime 名 《スコット・アイル》ごく少量, 微量.
time 名 ☞
trime 名 トリム: 1851–73 年に米国で発行された 3 セント銀貨.

im·mune /imjúːn/

形 (伝染病・毒などに対して)免疫(性)の, 免疫になった.

al·lo·im·mune 形 同種免疫の.
au·to·im·mune 形 自己免疫の.
non·im·mune 形名 免疫性のない(人).

im·mu·ni·ty /imjúːnəti/

名 (病気・毒の)免疫, 免疫性; 抗体. ⇨ -ITY.

acquíred immúnity 〘免疫〙獲得免疫, 後天(性)免疫.
áctive immúnity 〘免役〙能動[活動]免疫.
adóptive immúnity 〘免役〙養子免疫.
antiblástic immúnity 〘免役〙(細菌)発育拮抗性免疫.
ántibody-médiated immúnity 〘免役〙抗体媒介性免疫.
céll-mediated immúnity 〘免役〙細胞(媒介)性免疫.
céllular immúnity =cell-mediated immunity.
coinféctious immúnity 〘免役〙相関免疫.
cróss-immúnity 〘医学〙交差免疫.
diplomátic immúnity 外交特権, 外交官免責特権.
húmoral immúnity 〘免役〙=antibody-mediated immunity.
nátive immúnity =natural immunity.
nátural immúnity 〘免役〙自然免疫.
pássive immúnity 〘免役〙受動[受け身]免疫.
úse immùnity 〘法律〙証言使用免責.

-imp /imp/

語尾 blimp はふくらみの音象徴から; crimp[1], gimp[1] のちぢれたひだひだ, primp, scrimp, skimp のこまごま, ちまちました感じは音象徴的; また, ばかや意気地なしをさす軽蔑の響きがある.

blimp 名 (観測用の)小型軟式飛行船.
chimp 名 《話》チンパンジー(chimpanzee).
crimp[1] 動他 …に規則的な襞(ひだ)をつける.
crimp[2] 名 (説得・脅迫などで船員や兵士を徴募する)誘拐斡旋(あっせん)業者.
gimp[1] 名 〘服飾〙笹縁(ささべり), ギンプ.
gimp[2] 名 《主に米北東部》元気, 活力, 活気.
gimp[3] 名 《俗》足の不自由な人.
gimp[4] 形 《スコット・北イング》=jimp.
imp 名 鬼の子, 小鬼; 悪魔.
jimp 形 《スコット・北イング》ほっそりした.
limp[1] 動自 足を引きずる(ように歩く).
limp[2] 形 〈物が〉締まりのない.
pimp 名 ☞
primp 動他 〈髪・服装などを〉きちんと整える.
scrimp 動自 けちけちする, 節約する.
shrimp 名 ☞
simp 名 《米話》ばか, まぬけ(simpleton).
skimp 動他 けちる, 節約する.
twimp 名 《米俗》(高校生の間で)まぬけ.
whimp 名 =wimp.
wimp 名 《話》意気地なし.

im·paired /impέərd/

形 正常に機能しない, 壊れた, 故障した. ⇨ -ED[1].

héaring-impàired 形 難聴の聴覚障害の.
orthopédically impáired 形 隻手の, 隻脚の.
ùn·impáired 形 損なわれていない, 弱められていない.
vísually impáired 形 視力[視覚]障害の.

im·per·a·tive /impérətiv/

形 避けられない, 逃れられない; 絶対必要な, 重要な.
——名 命令, 要請. ⇨ -ATIVE.

categórical impérative (カント哲学で)定言的命令.
fúnctional impérative 〘社会〙機能的要件[命令].
hypothétical impèrative (カント哲学で)仮言的命令.
práctical impérative (カント哲学で)実践的命令.
territórial impérative 〘生態〙縄張り意識.

im·pe·ri·al·ism /impíəriəlìzm/

名 帝国主義, 領土拡張主義; (共産主義から見た)資本主義. ⇨ -ISM[1].

cúltural impérialism 文化帝国主義.
dóllar impèrialism ドル帝国主義.
nè·o·im·pé·ri·al·ism 名 新帝国主義.
sócial impérialism 社会帝国主義.
technológical impérialism 技術帝国主義.

-im·ple /impl/

音象徴 ちぢれたものや小さくぶつぶつしたものを表す; wimple もひだや波立ちからきているが, simple はいちおう無関係である.

dim·ple 名 (人体の柔らかい部分にできる)小さなくぼみ, (特に)えくぼ.
pim·ple 名 〘病理〙丘疹(きゅうしん), にきび.
sim·ple 形 簡単な, 分かりやすい, 扱いやすい; 単純な, 簡潔な; 質素な, あっさりした; 気取らない, 控えめな; 純粋な, 単なる.
wim·ple 名 (修道女がかぶる)頭巾(ずきん).

im·pulse /impʌls/

名 (…したいと思う)衝動; 衝動的行為; 〘生理〙インパルス, 神経衝撃; 〘ロケット〙力積. ⇨ PULSE.

ángular ímpulse 角力積.
nérve ìmpulse 神経衝撃, インパルス.
specífic ímpulse 比推力.
tótal ímpulse 全力積, 全インパルス.

in /ín; 《弱》in, ən/

前 …の中に[で, の, へ], …に, …で.

ádd-ìn 名 〘コンピュータ〙付属品, 周辺機器.
áll-ín 形 《主に英》〘レスリング〙フリースタイルの.
blów-ìn 名 《米渡り労働者俗》新参者, 新顔.
bréak-ìn 名 (家宅・車などへの)不法侵入.
bróken-ìn 形 〈衣服が〉着慣らした.
buílt-ín 形 作りつけの, はめ込みの.
búrn-ìn 名 〘電子工学〙通電テスト.
búy-ìn 名 (一般に)買い戻し.
cáll-ìn 名 《米》視聴者電話参加番組.
cárry-ìn 形 (家電製品などを)修理[点検]に持ち込める.
cásh-ìn 名 (債券などの)償還(redemption).
cáve-ìn 名 (土地の)陥没, (鉱山の)落盤.
chéck-ìn 名 《主に米》(ホテル・宿屋の)記帳.
chúck-ìn 名 《豪》寄付.
círcle-ìn 名 =iris-in.
clóse-ìn 形 (共通の中心などに)近い.
cút-ìn 名 〘映画〙カットイン, 挿入カット.
dówn-and-ín 名 〘アメフト〙パスレシーバーのコースの一つ.
dráwing-ìn 名 引き込み, 綜絖(そうこう)通し.
dríve-ìn 名 《米・カナダ》ドライブイン.
dróp-ìn 名 《話》前触れなくやって来る人.
drópper-ín 名 =drop-in.
fáde-ìn 名 〘映画〙〘テレビ〙溶明.
féed-ìn 名 無料食糧受給者の群れ.
fíll-ìn 名 (空席・空白を)満たす人[もの].
gét-ìn 名 《英》〘演劇〙(小道具などの)搬入.
glássed-ín 形 ガラス張りの.
gúl·pìn 名 《俗》なんでもうのみにする人.
hánd-ìn 名 (バドミントン・スカッシュで)サーブ側(の選手).
hére·ìn 副 この場所に[へ].

ín-and-ín 副形 同系交配で［の］.
íris-ìn 名 〘映画〙〘テレビ〙絞り開き.
láugh-ìn 名 大笑いするような状況; お笑い番組.
léad-ìn 名 導入するもの; 導入部, 前置き.
lícker-ín 名 〘繊維〙リッカーイン.
líe-ìn 名 《英話》朝寝坊.
lístener-ín 名 ラジオ聴取者; 盗聴者.
lísten-ìn 名 (ラジオなどの)聴取.
líved-ìn 形 〈家が〉人の住んでいる(ような).
líve-ìn 形 〈従業員などが〉住み込みの.
líving-ín 形 ＝live-in.
lócked-ín 形 態度不変の.
lóck-ìn 名 《米》鍵を掛けて閉じ込めること.
lóok-ìn 名 さっと見ること, 一瞥(いちべつ).
lýing-ín 名 《主に文語》お産の床についていること; お産, 分娩.
máde-ìn 名 《英学生俗》引き分け.
máil-ìn 形 郵送の［による］.
mólded-ín 形 埋め込み成形された.
móve-ìn 名 《話》引っ越して入ること, 入居.
páid-ìn 形 (会費などを)支払い済みの.
páy-ìn 名 預金, 勘定への入金.
pháse-ìn 名 段階的導入［実施］.
phóne-ìn 名 ＝call-in.
plúgged-ín 形 《話》生活の重要部分を電気通信に依存している(wired).
plúg-ìn 形 〘電気〙差し込み式の.
póp-ìn 形 (ポンと)ほうり込めばオーケーの.
púller-ín 名 (商店の)客引き.
púll-ìn 名 《英》＝drive-in.
púsh-ìn 形 〈犯罪が〉押し込みの.
pút-ìn 名 〘ラグビー〙プットイン.
ríng-ìn 名 《豪》代用馬, 替え馬.
róll-ìn 名 〘ホッケー〙ロールイン.
róoming-ín 名 病院で新生児を母親と同室にする育児法.
róughing-ín 名 〘建築施工〙下地工事.
rún-ìn 名 けんか; 議論, 口論.
rúsh-ìn 名 《米渡り労働者俗》物乞いをして得た金で食べるレストランでの食事.
sét-ìn 形 差し込み式の, はめ込みの.
shóo-ìn 名 《米競馬俗》(八百長レースで)勝つことになっている馬.
shút-ìn 形 《主に米・カナダ》(家・病院などに)閉じこもった, 寝たきりの.
sítter-ín 名 《主に英》(親の留守中の)子守り.
slánt-ìn 名 〘アメフト〙スラント(slant).
sléep-ìn 形 〈雇人が〉住み込みの.
snáp-ìn 形 パチンと中にはめ込む.
stánd-ìn 名 (映画の)スタンドイン, 代役.
stáy-ín 名 座り込みストライキ.
stép-ìn 形 〈下着などが〉足を突っ込んで着る.
swéaring-ín 名 宣誓就任式.
táke-ìn 名 《話》take in すること.
táker-ín 名 ＝licker-in.
táp-ìn 名 〘バスケット〙タップイン.
thère·ín 副 (法律文書で)その中に.
thrów-ìn 名 《俗》おまけ.
tíe-ìn 形 《主に米》抱き合わせ(販売方式)の.
típ-ìn[1] 名 ＝tap-in.
típ-ìn[2] 名 〘製本〙張り込み.
tóe-ìn 名 〘自動車〙トーイン.
tráde-ìn 名 下取り［交換］品.
túck-ìn 名 《英話》素晴らしいごちそう.
túned-ín 形 《俗》現代的感覚のある.
túrn-ìn 名 turn in する［された］もの.
unlíved-ín 形 人が住んでいそうにない.
wálk-ìn 形 外から入って来た, 外部からの.
wásh·ìn 名 〘航空〙ねじり上げ.
wáy-ín 形 《英俗》型にはまった; 洗練された.
wéigh-ìn 名 〘スポーツ〙(試合前の)計量, 検量.
where·ín 副 《文語》《疑問副詞》何において.
whípper-ín 名 《主に英》〘キツネ狩り〙猟犬係.
with·ín 副 《古・文語》内部に［で］.
wríte-ìn 名 候補者名記入投票(の候補者).
zíp-ìn 形 ジッパーで取りつけできる.

-in[1] /in/

接尾辞 …に属する(pertaining to).
★ ギリシャ語, ラテン語起源の形容詞およびその派生名詞に見られる; またこれにならって英語起源の語にも用いられる.
★ 語末にくる関連形は -EIN[1], -IN[2], -INA[1], -INA[2], -INA[3], -INE[1], -INE[2], -INE[3], -INE[4].
◆ 中英 *-in*, *-ine* ＜古仏＜ラ *-inus*, *-ina*, *-inum* ＜ギ *-inos*, *-inē*, *-inon*.

ba·sin 名 ☞
cof·fin 名 棺, 柩(ひつぎ), 棺桶(かんおけ).
cous·in 名 ☞
mus·lin 名 綿モスリン, 新モス.
pel·la·grin 名 〘病理〙ペラグラ患者.
tab·o·rin 名 小太鼓.

-in[2] /in/

接尾辞 化学・鉱物学の学名などに用いられ, 名詞をつくる.
★ 綴りは -in とも -ine とも書き, 不定であるが, 化学においてはおおむね, 塩基性物質には -ine, 中性化合物, グリセリン脂肪酸エステル類, 配糖体物質, タンパク質物質には -in と, 区別される.
★ 語末にくる関連形は -IN[1].
◆ 近代ラテン語 *-ina* より.

ab·las·tin 名 〘免疫〙アブラスチン.
ab·scis·in 名 〘生化学〙アブシジン.
ab·sin·thin 名 〘化学〙アブシンチン.
ac·e·tin 名 〘化学〙アセチン.
a·cet·o·in 名 〘化学〙アセトイン.
a·cra·sin 名 〘菌類〙アクラシン.
a·cro·le·in 名 〘化学〙アクロレイン.
ac·ro·sin 名 〘生化学〙アクロシン.
ac·tin 名 〘生化学〙アクチン.
ac·ti·nin 名 〘生化学〙アクチニン.
A·dren·al·in 名 〘生化学〙アドレナリン.
a·dre·nin 名 〘生化学〙エピネフリン.
a·dre·no·dox·in 名 〘生化学〙アドレノドキシン.
ae·quor·in 名 〘生化学〙エクオリン.
aes·cu·lin 名 ＝esculin.
a·gar·i·cin 名 〘化学〙アガリシン.
ag·glu·ti·nin 名 〘免疫〙凝集素.
al·bu·min 名 ☞
al·drin 名 〘化学〙アルドリン.
a·lex·in 名 〘免疫〙補体(complement).
al·gin 名 〘化学〙アルギン.
a·liz·a·rin 名 〘化学〙アリザリン.
al·kan·nin 名 〘化学〙アルカンニン.
al·lan·to·in 名 〘薬学〙アラントイン.
al·le·thrin 名 〘化学〙アレトリン, アレスリン.
al·li·cin 名 〘生化学〙アリシン.
am·a·ni·tin 名 〘生化学〙アマニチン.
am·e·thop·ter·in 名 〘薬学〙メトトレキサート.
am·i·din 名 〘化学〙アミジン.
am·i·ka·cin 名 〘薬学〙アミカシン.
am·i·nop·ter·in 名 〘薬学〙アミノプテリン.
am·pho·ter·i·cin 名 〘薬学〙アンホテリシン.
a·myg·da·lin 名 〘化学〙〘薬学〙アミグダリン.
an·eu·rin 名 〘生化学〙チアミン(thiamine).
an·o·dyn·in 名 〘生化学〙アノジニン.
an·ti·fe·brin 名 〘薬学〙アンチフェブリン.
an·ti·py·rin 名 〘薬学〙アンチピリン.
as·pi·rin 名 〘薬学〙アスピリン.
au·re·o·lin 名 オーレオリン: 黄色の顔料.
au·ric·u·lin 名 〘生化学〙心房性ナトリウム利尿因子.
au·rin 名 〘化学〙アウリン.
aux·in 名 〘生化学〙オーキシン.
bac·i·tra·cin 名 〘薬学〙バシトラシン.

bac·te·rin 名 〖免疫〗バクテリン, 細菌ワクチン.
ben·zo·in 名 〖化学〗ベンゾイン.
bil·i·ru·bin 名 〖生化学〗ビリルビン, 胆赤素.
bil·i·ver·din 名 〖生化学〗胆緑素, ビリベルジン.
bind·in 名 〖生化学〗バインディン.
bi·o·tin 名 〖生化学〗ビオチン, ビタミン H.
bot·u·lin 名 〖生化学〗ボツリヌス毒素.
brad·y·ki·nin 名 〖生化学〗ブラジキニン.
bras·i·lin 名 =brazilin.
bras·sin 名 〖生化学〗ブラッシン.
braz·i·lin 名 〖化学〗ブラジリン.
bu·fa·lin 名 〖生化学〗ブファリン.
Bu·ta·zol·i·din 名 《薬学・商標》ブタゾリジン.
ca·chec·tin 名 〖生化学〗〖免疫〗カケクチン.
cal·ci·to·nin 名 〖生化学〗カルシトニン.
cal·mod·u·lin 名 〖生化学〗カルモデュリン.
camp·to·the·cin 名 〖薬学〗カンプトテシン.
cap·sa·i·cin 名 カプサイシン: トウガラシの成分.
car·bo·plat·in 名 〖化学〗カルボプラチン.
car·di·o·lip·in 名 〖生化学〗カルジオリピン.
ca·se·id·in 名 〖生化学〗カゼイジン.
ca·sein 名 〖生化学〗カゼイン, 乾酪素.
cat·e·chin 名 〖化学〗カテキン.
ca·thep·sin 名 〖生化学〗カテプシン.
cel·loi·din 名 〖顕微鏡〗セロイジン.
ceph·a·lex·in 名 〖薬学〗セファレキシン.
ceph·a·lin 名 〖生化学〗セファリン, ケファリン.
ceph·a·lo·spo·rin 名 〖薬学〗セファロスポリン.
cer·e·sin 名 〖化学〗セレシン.
ce·tin 名 〖生化学〗セティン.
chi·tin 名 〖生化学〗キチン質.
chlo·ro·hy·drin 名 〖化学〗クロロヒドリン.
Chlo·ro·my·ce·tin 名 《薬学・商標》クロロマイセチン, クロマイ.
chlo·ro·pic·rin 名 〖化学〗〖軍事〗クロロピクリン.
chlor·pic·rin 名 =chloropicrin.
chon·drin 名 〖生化学〗軟骨質 [素].
chon·droi·tin 名 〖生化学〗コンドロイチン.
chro·ma·tin 名 ☞
chrys·a·ro·bin 名 〖薬学〗クリサロビン.
chy·mo·sin 名 〖生化学〗キモシン.
cin·er·in 名 〖化学〗シネリン.
cit·rin 名 〖生化学〗ビオフラボノイド.
clath·rin 名 〖細胞生物〗クラスリン.
con·ca·nav·a·lin 名 〖生化学〗コンカナバリン.
con·chi·o·lin 名 〖生化学〗コンキオリン, 貝殻質.
co·nif·er·in 名 〖化学〗コニフェリン.
cop·u·lin 名 〖生化学〗コピュリン.
cor·tin 名 〖生化学〗コルチン.
Cou·ma·din 名 《薬学・商標》ワルファリン(warfarin)の商品名.
cou·ma·rin 名 〖化学〗クマリン.
cro·ce·in 名 〖化学〗クロセイン.
cu·ma·rin 名 =coumarin.
cy·an·in 名 ☞
cy·a·no·hy·drin 名 〖化学〗シアノヒドリン.
cy·to·cha·las·in 名 〖生化学〗サイトカラシン.
cy·to·ki·nin 名 〖生化学〗サイトカイニン.
cy·to·vi·rin 名 〖生化学〗サイトビリン.
Dec·a·lin 名 《化学・商標》デカリン.
del·phi·nin 名 〖化学〗デルフィニン.
den·tin 名 〖歯科〗(歯の)象牙(ぞう)質.
dex·trin 名 〖化学〗デキストリン, 糊精(こせい).
diel·drin 名 〖化学〗ディルドリン.
dig·i·tal·in 名 〖薬学〗ジギタリン.
di·os·cin 名 〖生化学〗ジオスシン.
di·ox·in 名 〖化学〗ダイオキシン.
dor·min 名 〖生化学〗ドルミン.
du·al·in 名 ニトロとおがくずとニトログリセリンを混ぜた爆薬.
dul·cin 名 〖化学〗ズルチン.
e·las·tin 名 〖生化学〗エラスチン, 弾性素.
e·lat·er·in 名 〖化学〗〖薬学〗エラテリン.
el·e·doi·sin 名 〖薬学〗エレドイシン.
em·o·din 名 〖化学〗エモジン.
en·ceph·a·lin 名 =enkephalin.
en·dor·phin 名 〖生化学〗エンドルフィン.
en·keph·a·lin 名 〖生化学〗エンケファリン.
e·o·sin 名 〖化学〗エオシン.
epi·der·min 名 〖生化学〗エピデルミン.
e·ryth·ro·poi·e·tin 名 〖生化学〗エリトロポエチン.
es·cu·lin 名 〖化学〗エスクリン.
es·trin 名 〖生化学〗〖薬学〗エストロン.
fer·re·dox·in 名 〖生化学〗フェレドキシン.
fer·ri·tin 名 〖生化学〗フェリチン.
fi·brin 名 〖生化学〗フィブリン, 線維素.
fi·bro·in 名 〖生化学〗フィブロイン, 絹素.
fi·bro·nec·tin 名 〖細胞生物〗フィブロネクチン.
fi·cin 名 〖生化学〗フィシン.
fla·gel·lin 名 〖生物〗フラジェリン.
fla·vin 名 〖生化学〗フラビン.
fla·vo·dox·in 名 〖生化学〗フラボドキシン.
flu·o·res·ce·in 名 〖化学〗フルオレセイン.
fol·a·cin 名 〖生化学〗葉酸(folic acid).
fol·lic·u·lin 名 =estrin.
for·ma·lin 名 〖化学〗ホルマリン.
ga·lac·tin 名 =prolactin.
Gan·tri·sin 名 《薬学・商標》ガントリシン.
gas·trin 名 〖生化学〗ガストリン.
gel·a·tin 名 ☞
-ge·nin 連結形 ☞
gib·ber·el·lin 名 〖生化学〗ジベレリン, ギベレリン.
git·a·lin 名 〖薬学〗ギタリン.
gli·a·din 名 〖生化学〗グリアジン.
glo·bin 名 〖生化学〗グロビン.
glob·u·lin 名 ☞
glon·o·in 名 〖化学〗〖薬学〗ニトログリセリン.
glu·co·sin 名 〖生化学〗グルコシン.
glu·te·lin 名 〖生化学〗グルテリン.
glyc·er·in 名 〖化学〗グリセロール, グリセリン.
gram·i·ci·din 名 〖薬学〗グラミシジン.
gran·u·lo·poi·e·tin 名 〖生化学〗白血球増多因子.
hel·le·bo·re·in 名 〖薬学〗ヘレボレイン.
hel·leb·o·rin 名 〖薬学〗ヘレボリン.
he·ma·tin 名 〖生化学〗ヘム(heme).
he·ma·tox·y·lin 名 〖化学〗ヘマトキシリン.
hem·er·y·thrin 名 〖生化学〗ヘムエリトリン.
he·min 名 〖生化学〗ヘミン.
he·mo·sid·er·in 名 〖生化学〗ヘモシデリン, 血鉄素.
hep·a·rin 名 〖生化学〗ヘパリン.
hes·per·i·din 名 〖生化学〗ヘスペリジン.
hor·de·in 名 〖生化学〗ホルデイン.
hy·a·cin·thin 名 〖化学〗フェニルアセトアルデヒド.
In·do·cin 名 《薬学・商標》インドシン.
in·do·meth·a·cin 名 〖薬学〗インドメタシン.
in·hib·in 名 〖生化学〗インヒビン.
in·su·lin 名 〖生化学〗インシュリン.
in·ter·leu·kin 名 〖生化学〗インターロイキン.
in·ter·me·din 名 〖生化学〗インテルメジン.
in·u·lin 名 〖化学〗イヌリン.
i·sa·tin 名 〖化学〗イサチン.
jal·a·pin 名 ヤラピン: 下剤の有効成分を成す樹脂.
kal·li·din 名 〖生化学〗カリジン.
kal·li·krein 名 〖生化学〗カリクレイン.
ki·ne·tin 名 〖生化学〗カイネチン, キネチン.
ki·nin 名 =cytokinin.
lac·to·fer·rin 名 〖生化学〗ラクトフェリン.
lam·i·nar·in 名 〖化学〗ラミナリン, ラミナラン.
lan·o·lin 名 ラノリン, 羊毛脂(wool fat).
lec·i·thin 名 〖生化学〗レシチン.
lec·tin 名 〖生化学〗レクチン.
le·gu·min 名 〖生化学〗レグミン.
leu·ko·ci·din 名 〖細菌〗ロイコシジン, 白血球毒.
li·chen·in 名 〖化学〗リケニン.
lip·o·fus·cin 名 〖生化学〗リポフスチン.
lo·ga·nin 名 〖化学〗ロガニン.
lov·as·ta·tin 名 〖薬学〗ロバスタチン.
lu·cif·er·in 名 〖生化学〗ルシフェリン, 発光素.
lu·pu·lin 名 ホップ粉, ルプリン.

lu·te·in 名 【生化学】ルテイン.
lu·te·o·lin 名 【化学】ルテオリン.
ly·sin 名 ☞
ly·so·staph·in 名 【生化学】リソスタフィン.
ma·ga·in·in 名 【薬学】【生化学】マガイニン.
me·dul·lin 名 【生化学】メデュリン.
mel·a·nin 名 【生化学】メラニン, 黒色素.
mel·a·to·nin 名 【生理】メラトニン.
mel·e·tin 名 =quercetin.
me·lit·tin 名 【生化学】メリチン.
mer·bro·min 名 【薬学】メルブロミン.
met·a·cor·tan·dra·cin 名 【薬学】プレドニゾン(prednisone).
mon·el·lin 名 モネリン: タンパク質甘味量の一種.
mo·nen·sin 名 【生化学】モネンシン.
mor·phac·tin 名 【生化学】モルファクチン.
mu·cin 名 【生化学】ムチン, 粘(液)素.
-my·cin 連結形 ☞
My·co·stat·in 名 《薬学・商標》マイコスタチン.
my·e·lin 名 【生物】ミエリン.
my·o·sin 名 ☞
Ne·o·spo·rin 名 《薬学・商標》ネオスポリン.
neuro·phys·in 名 【生化学】ニューロフィジン.
ni·a·cin 名 【生化学】ナイアシン.
nor·flax·in 名 【薬学】ノルフラクシン.
nor·flox·a·cin 名 【薬学】ノルフロキサシン.
nu·cle·in 名 【生化学】ヌクレイン.
nys·ta·tin 名 【薬学】ニスタチン.
o·le·fin 名 【化学】オレフィン.
op·so·nin 名 【免疫】オプソニン.
os·se·in 名 【生化学】オセイン, 骨質.
oua·ba·in 名 【薬学】ウアベイン.
ox·y·to·cin 名 【生化学】オキシトシン.
pa·cif·ar·in 名 【病理】パシファリン.
pal·mi·tin 名 【化学】パルミチン.
pan·cre·a·tin 名 【生化学】パンクレアチン.
pa·pa·in 名 【生化学】パパイン; パパヤ.
par·af·fin 名 パラフィン, 固形パラフィン.
pat·u·lin 名 【薬学】パツリン.
pec·tin 名 【生化学】ペクチン.
pen·i·cil·lin 名 【薬学】ペニシリン.
pep·sin 名 【生化学】ペプシン.
pep·stat·in 名 【生化学】ペプスタチン.
per·for·in 名 【免疫】ペーフォリン.
phal·loi·din 名 【菌類】ファロイジン.
phe·nac·e·tin 名 【薬学】フェナセチン.
phe·net·i·din 名 【化学】フェネチジン.
phe·ren·ta·sin 名 【生化学】フェレンタシン.
phlor·i·zin 名 【化学】フロリジン.
phthal·in 名 【化学】フタリン.
phy·co·e·ryth·rin 名 【生化学】フィコエリトリン.
Pi·to·cin 名 《薬学・商標》ピトシン.
plas·min 名 【生化学】フィブリノリジン.
pod·o·phyl·lin 名 ポドフィリン, ポドフィルム樹脂.
pol·y·myx·in 名 【薬学】ポリミキシン.
por·phy·rin 名 【生化学】ポルフィリン.
pre·cip·i·tin 名 【免疫】沈降素.
Pre·lu·din 名 《薬学・商標》フェンメトラジン.
Prem·a·rin 名 《薬学・商標》プレマリン.
pro·ac·cel·e·rin 名 【生化学】プロアクセレリン.
pro·ges·tin 名 【薬学】プロゲスティン.
pro·lac·tin 名 【生化学】プロラクチン, 黄体刺激ホルモン.
pro·lam·in 名 【生化学】プロラミン.
pro·per·din 名 【生化学】プロペルジン.
pros·ta·cy·clin 名 【生化学】プロスタサイクリン.
pros·ta·glan·din 名 【生化学】プロスタグランジン.
pro·tein 名 ☞
psi·lo·cin 名 【生化学】サイロシン, プシロシン.
psil·o·cy·bin 名 【薬学】サイロシビン.
pter·in 名 【化学】プテリン.
pty·a·lin 名 【生化学】プチアリン.
pur·pu·rin 名 【化学】プルプリン.
py·in 名 【生化学】ピイン, パイイン.
py·re·thrin 名 【化学】ピレトリン.
py·rox·y·lin 名 【化学】ピロキシリン.
quer·ce·tin 名 【化学】ケルセチン(黄色染料用).
re·lax·in 名 【生化学】【薬学】リラキシン.
re·nin 名 【生化学】レニン.
ren·nin 名 【生化学】レンニン, 凝乳酵素.
rho·dop·sin 名 【生化学】ロドプシン, 視紅.
ri·ba·vi·rin 名 【薬学】リバビリン.
ric·in·o·le·in 名 【化学】リシノレイン.
Rit·a·lin 名 《薬学・商標》リタリン.
ru·bre·dox·in 名 【生化学】ルブレドキシン.
ru·tin 名 【薬学】ルチン.
sac·cha·rin 名 【化学】サッカリン.
sal·i·cin 名 【薬学】サリシン.
san·to·nin 名 【化学】サントニン.
sap·o·nin 名 【生化学】サポニン.
scle·ro·tin 名 【生化学】スクレロチン.
scot·o·pho·bin 名 【生化学】スコトフォビン.
se·cre·tin 名 【生化学】セクレチン.
ser·i·cin 名 【化学】セリシン, 絹膠(けんこう).
ser·o·to·nin 名 【生化学】セロトニン.
sid·er·o·phil·in 名 =transferrin.
sin·al·bin 名 【化学】シナルビン.
sin·i·grin 名 【化学】シニグリン.
so·mat·o·me·din 名 【生化学】ソマトメジン.
so·mat·o·stat·in 名 【生化学】ソマトスタチン.
so·zin 名 【生化学】ソジン.
spec·trin 名 【生化学】スペクトリン.
spo·ro·pol·len·in 名 【生化学】スポロポレニン.
ste·a·rin 名 【化学】ステアリン.
stro·phan·thin 名 【薬学】ストロファンチン.
su·ber·in 名 【植物】コルク質.
sub·til·i·sin 名 【生化学】サブチリシン.
sym·pa·thin 名 【生化学】シンパシン, シンパチン.
tan·nin 名 【化学】タンニン(酸).
ta·rax·a·cin 名 【薬学】タラクサシン.
thau·ma·tin 名 【生化学】タウマチン, モネリン.
thee·lin 名 【生化学】テーリン.
throm·bin 名 【生化学】トロンビン.
throm·bo·plas·tin 名 【生化学】トロンボプラスチン.
throm·bos·the·nin 名 【生化学】トロンボステニン.
thy·mo·sin 名 【生化学】サイモシン.
tox·in 名 ☞
trans·fer·rin 名 【生化学】トランスフェリン.
tri·cho·san·thin 名 【薬学】トリコサンチン.
tro·pae·o·lin 名 【化学】トロペオリン.
tro·pe·o·lin 名 =tropaeolin.
-tro·pin 連結形 ☞
tro·po·nin 名 【生化学】トロポニン.
tryp·sin 名 【生化学】トリプシン.
tu·ber·cu·lin 名 【医学】ツベルクリン.
tu·bu·lin 名 【生化学】チューブリン.
ty·phoi·din 名 【医学】タイホイジン, チホイジン.
ty·ro·thri·cin 名 【薬学】チロトリシン.
u·biq·ui·tin 名 【生化学】ユビキチン.
ul·min 名 【化学】アルミン.
va·nil·lin 名 【化学】バニリン.
vas·o·pres·sin 名 【生化学】バソプレッシン.
ven·in 名 【生化学】ベニン.
vi·tel·lin 名 【生化学】ビテリン, 卵黄素.
vol·u·tin 名 【生物】ボルチン.
xan·thin 名 【生化学】キサンチン.
ze·in 名 【生化学】ゼイン, ツェイン.

-in[3] /in/

連結形 …集会, 抗議［支援］デモ.
★ 1960 年代の黒人の公民権運動から sit-in という言葉が生まれたように, 本来は政治・社会的目的を持った集まりを指すが, 最近は, 任意の動詞につけて組織的な文化活動なども表す.
◆ sit-in「座り込み」から抽出.
［発音］すべて 2 音節の語で, 語頭の音節に第 1 強勢, 連結形 -in に第 2 強勢がある.

be-in 名 (好きなことをするために)なんとなく

集まること.
come-in 名 《米俗》(サーカスで)チケットを買う人の列.
cook-in 名 料理番組.
dial-in 名 ダイヤルイン: ラジオ・テレビ番組で視聴者からの電話を受けつけること.
die-in 名 ダイイン: 特に核兵器に抗議して, 死者の振りをして地上に横たわる示威運動.
fish-in 名 フィッシュイン: アメリカンインディアンが, 当局の漁獲禁止に抗議して釣りを強行すること.
fly-in 名 《話》参加者が自家用機で集まる大会.
lie-in 名 (抗議・デモなどの)集団寝転び(戦術).
love-in 名 ラブイン: 人間愛を訴えたり残虐な政策に抗議するために愛し合う姿を見せる集会.
paint-in 名 ペイントイン: 地域の荒廃した外観の改善を訴えて建物の壁や塀に集団で絵を書くこと.
pray-in 名 プレイ=イン, 集団抗議祈祷(きとう).
puke-in 名 《米俗》抗議のために参加者が一斉にへどを吐く集会.
sign-in 名 (政府・関係当局への請願・要求などのための)署名運動.
sing-in 名 《米》歌声集会.
smoke-in 名 タバコを吸う社交の集い.
talk-in 名 抗議演説集会.
teach-in 名 《米》ティーチイン: 大学などでの長時間にわたる公演・演説・討論会.
think-in 名 《話》会議, 討論会(symposium).
work-in 名 ワークイン: 労働争議の一種.

-in^{4} /ín/

音象徴 重複語の語尾.

dín-dín 名 《小児語》ディナー(dinner).
wín-wín 形 どのみち成功の; 双方とも優利な.

-in^{5} /ín/

語尾 押韻表現に sin bin「【アイスホッケー】ペナルティーボックス」がある.
★ 語末にくる同音形は -IN^{1}, -IN^{2}, -IN^{3}, -INE^{1}, -INE^{2}, -INE^{3}, -INE^{4}, -INE^{5}, -INN.

bin 名 ☞
blin^{1} 名 blini「【ロシア料理】ブリニ」の単数形.
blin^{2} 形 《スコット》目の見えない(blind).
chin 名 (人の)下あご, あご先, おとがい.
-cin 連結形 ☞
din^{1} 名 (ひっきりなしの)大きなやかましい音.
din^{2} 名 【イスラム教】宗教, (特に)イスラム教徒の信仰と実践の総体.
djin 名 【イスラム教】精霊, 幽鬼, ジン.
drin 名 【化学】ドリン剤, ドリン系殺虫剤.
fin^{1} 名 ☞
fin^{2} 名 《米俗》5 ドル札(finnip); 5 ドル.
gin^{1} 名 ☞
gin^{2} 名 綿繰り機(cotton gin).
gin^{3} 動自 《古》始まる, 始める.
gin^{4} 名 【トランプ】ジン(ラミー).
gin^{5} 接 《主にスコット・米南アパラチア》たとえ…としても(even if).
gin^{6} 名 《豪話 / 侮辱的》原住民の女.
glin 名 《メーン州》グリン, 焼け(glinn).
grin^{1} 動自 (歯を見せて)明るくにこやかに笑う.
grin^{2} 名 《主にスコット》(綱をひっこき結びにしたような)わな.
hin 名 ヒン: 古代ヘブライの液量単位.
in 前 ☞
jin^{1} 名 【イスラム神話】精霊, 幽鬼, ジン(jinn).
jin^{2} 名 《豪話》=gin^{6}.
kin 名 ☞
-kin 接尾辞 ☞
lin 名 《主にスコット》小滝.
pin 名 ☞
qin 名 琴.
quin 名 《英話》五つ子の一人; 五つ子.
-quin 接尾辞 ☞
shin^{1} 名 向こうずね.
shin^{2} 名 シン(ש): ヘブライ語アルファベット第 21 字.
sin^{1} 名 ☞
sin^{2} 副 《スコット・北イング》=since.
sin^{3} 名 《米麻薬俗》合成マリファナ. ►synthetic より.
skin 名 ☞
spin^{1} 名 ☞
spin^{2} 名 《豪俗》5 ポンド札(spinnaker).
thin 形 ☞
tin 名 ☞
twin^{1} 名 双子 [双生児] の片方.
twin^{2} 動他自 《スコット》分かつ, 分かれる.
whin^{1} 名 《主に英》【植物】ハリエニシダ.
whin^{2} 名 《主に英》ホインストーン.
win^{1} 動自 ☞
win^{2} 動他 《アイル・スコット・北イング》〈干し草・木材などを〉干す, 乾かす.
-win 連結形 ☞
yin 形 《スコット》一つの, 一個の(one).
zin 名 【植物】ジンファンデル(zinfandel).

-i·na^{1} /íːnə/

接尾辞 名詞の女性形をつくる; 特に女性の名前, 称号, 職名につく.
★ 語末にくる関連形は -IN^{1}, -INE^{4}.
◆ <ラ *-īna*(*-īnus* の女性形より). ⇨ -A^{2}.

am·ber·i·na 名 アンバリーナ, 琥珀(こはく)ガラス.
An·ge·li·na 名 女子の名. ►Angela のラテン語形.
Car·o·li·na 名 カロライナ(米国の地名).
Ja·co·bi·na 名 女子の名.
Ma·ri·na 名 女子の名. ►古代ローマの姓 *Marīnus* より.
pis·ci·na 名 【教会】(初代教会の)洗礼盤.
Sa·bi·na 名 女子の名.
Sa·bri·na 名 女子の名.

-i·na^{2} /íːnə/

接尾辞 イタリア語の女性形接尾辞.
★ 名詞をつくる.
★ 指小辞で特に楽器を表す.
★ 語末にくる関連形は -IN^{1}, -INO.
◆ もとはラテン語 *-inus*, *-ina*, *-inum*. ⇨ -A^{1}, -A^{2}.

bal·le·ri·na 名 バレリーナ.
can·ti·na 名 《米南西部》バー, 酒場.
Cat·e·ri·na 名 女子の名.
cav·a·ti·na 名 【音楽】カバティーナ.
cer·to·si·na 名 チェルトジーナ: ルネサンス期イタリアのモザイクを象眼する様式.
con·cer·ti·na 名 コンサーティーナ: 手風琴の一種.
oc·a·ri·na 名 オカリナ: 細長い卵型の簡単な楽器.
pas·ti·na 名 パスティナ: スープ用の小さなパスタ.
Ro·si·na 名 ロジーナ(女子の名).
ses·ti·na 名 【韻律】六行六連体.
si·gno·ri·na 名 …様, さん; 令嬢, お嬢さん.
son·a·ti·na 名 【音楽】ソナティナ, ソナチネ.

-i·na^{3} /íːnə/

接尾辞 …類.
★ 生物の分類に用いられる.

★ 名詞をつくる.
★ 語末にくる関連形は -IN[1].
◆ <近代ラ(ラ -*īnus* の女性単数形または中性複数形).
⇨ -A[1], -A[2].

bla·ri·na [名] ブラリナトガリネズミ.
glo·big·er·i·na [名] グロビゲリナ: 有孔虫の一種.
glos·si·na [名] ツェツェバエ(tsetse fly).
i·an·thi·na [名] =janthina.
jan·thi·na [名] アサガオガイ: 巻き貝の一種.
spi·ru·li·na [名] 〘植物〙ラセンモ.

-i·nal /áinl/

[語尾] 語尾の -nal は前にアクセントがある場合, 母音が脱落した.

bi·nal [形] 二重の, 二倍の.
-cli·nal [連結形] ☞
fi·nal [形] ☞
rhi·nal [形] 鼻の, 鼻腔の.
si·nal [形] sinus「曲がり, 湾曲」の.
spi·nal [形] とげ状構造の; 〘解剖〙背骨の.
tri·nal [形] 三部分から成る, 三重の.
vi·nal[1] [形] ワインの.
vi·nal[2] [名] バイナル, ビニロン: ポリビニールアルコール繊維.

-ince /íns/

[語尾]

mince [動他] 〈肉・野菜などを〉細かく切る.
prince [名] ☞
quince [名] 〘植物〙マルメロ.
since [副] その時から現在まで, それ以来ずっと.
-vince [連結形] ☞
wince[1] [動自] しりごみする, ひるむ, たじろぐ.
wince[2] [名] 〘繊維〙ウインス, ウインチ.

inch /íntʃ/

[名] (単位として)インチ.

ácre-ínch エーカーインチ.
cólumn ínch 〘印刷〙(新聞・雑誌で)1インチコラム欄.
hálf-ínch 半インチ, ½インチ(1.27cm).
mícro·inch マイクロインチ: 長さの単位.
míner's ínch 流水量を測る単位.
squáre ínch 平方インチ(6.452cm²).
twélve-ínch (45回転の)12インチレコード盤.
wáter-ínch 〘水力学〙水インチ.

-inch /íntʃ/

[語尾] clinch, pinch, squinch に「圧迫, 締め付け」の音象徴を感じる人がいる. それに flinch[1], winch[2] を含める人もいる.

chinch [名] 《米》ナガカメムシ科の小さなカメムシ *Chinchilla laniger*.
cinch[1] [名] 《米・カナダ》(馬の)腹帯.
cinch[2] [名] 〘トランプ〙シンチ.
clinch [動他] 〈議論・問題などに〉決着をつける.
dinch [動他] 《米暗黒街俗》〈葉巻を〉もみ消す.
finch [名] ☞
flinch[1] [動自] (危険・困難なものから)身を引く.
flinch[2] [動他] 脂肪を取り除く(flense).
ginch [名] 《米俗》(性的対象の)女.
Grinch [名] 興をそぐ人.
inch[1] [名] ☞
inch[2] [名] 《スコット・アイル》島.
pinch [動他] …を挟んで締めつける, つねる.
squinch[1] [名] 〘建築〙隅迫持(すみせりもち).
squinch[2] [動他] 〈顔を〉しかめる; 〈目を〉細める.
winch[1] [名] クランク, 曲がり柄(crank).
winch[2] [動自] 《古》(怖さなどに)しりごみする.

in·come /ínkʌm/

[名] 所得, 収入. ⇨ COME.

accrúed íncome 未収収益.
discrétionary ìncome 〘経済〙裁量所得.
dispósable íncome 可処分所得: 個人所得から直接税を引いた手取り所得.
dispósal ìncome =disposable imcome.
dispósal pérsonal íncome =disposable imcome.
dúal íncome 夫婦の共働き.
éarned íncome 勤労所得.
fíxed-íncome [形] 定収のある; 定収入を生む.
fránked invéstment ìncome 《英》税引後配当所得.
gróss íncome 総所得 [収入].
guáranteed ánnual íncome 最低保証所得, 負の所得税.
nátional íncome 国民所得.
négative íncome 負の所得.
nét íncome 純利益, 純所得.
nótional íncome 《主に英》概念的収入.
óperating ìncome 営業収入.
operátions ìncome =operating income.
órdinary íncome 経常所得.
prívate íncome (給料所得以外の)不労収入.
psýchic íncome 心的利得, 心理的収入.
réal íncome 実質所得.
Suppleméntal Secúrity Ìncome 《米》補足的所得保障.
twó-íncome [形] 収入源が2つある, 共稼ぎの.
únearned íncome 不労所得.
unfránked invéstment íncome 《英》税引前配当所得.

-ind[1] /áind/

[語尾] wind と grind に回転を感じる人がいる.
★ 語末にくる同音形は -YND.

bind [動他] ☞
blind [形] ☞
find [動他] 見つける; 出会う, 出くわす.
grind [動他] ☞
hind[1] [形] 後ろの, 後方 [後部] の.
hind[2] [名] 〘動物〙(主にアカシカの)雌ジカ.
hind[3] [名] 農夫; 田舎者.
kind[1] [形] 親切な, 情深い, 寛大な, 寛容な.
kind[2] [名] ☞
mind [名] ☞
rind[1] [名] 皮, 外皮. ── [動他] …の皮をむく.
rind[2] [名] (ひき臼の)上臼の支持用鉄片.
wind[1] [動自] ☞ WIND[2]
wind[2] [動他] 〈角笛・らっぱなどを〉吹く.

-ind[2] /índ/

[語尾]

rind [名] (ひき臼の)上臼の支持用鉄片.
-scind [連結形] ☞
wind[1] [名] ☞ WIND[1]
wind[2] [動他] 〈角笛・らっぱなどを〉吹く.

in·de·pend·ence /ìndipéndəns/

[名] (…からの)独立, 自立, 自主, 独立心. ⇨ DEPENDENCE.

fíeld indepèndence 〘心理〙場独立性.
línear indepéndence 〘数学〙一次独立性.
statístical indepéndence 〘統計〙統計的独立.

stochástic indepéndence 〖統計〗=statistical independence.

in·dex /índeks/

(名) **1** 索引, インデックス. **2**(物価などの)指数; 〖数学〗指数. ── (動他)〈書物などに〉索引をつける.

arídity ìndex 乾燥指数[係数].
áuthor ìndex 〖図書館学〗著者(名)索引.
cárd ìndex カード索引.
cárd-ìndex (動他) …のカード索引を作る.
cephálic índex 〖人類学〗頭示数, 頭長幅示数.
cólor ìndex 〖天文〗色指数.
consúmer príce ìndex 消費者物価指数.
cóst-of-líving ìndex 生計費指数.
cránial índex 〖頭骨測定〗頭蓋(ずがい)示数.
cróss índex 相互参照(の指示).
cróss-índex (動他)〈本・原稿などの記事に〉相互参照をつける.
dèindex (動他) …のスライド制をやめる, …の指数化方式をやめる.
discómfort ìndex =Temperature-Humidity Index.
expósure ìndex 〖写真〗露出[露光]指数.
fácial ìndex 〖頭骨測定〗顔示数.
gnáthic índex 〖頭骨測定〗頤(おとがい)示数.
Háng Séng Ìndex 〖株式〗ハンセン株価指数.
hárvest ìndex 〖農業〗収穫係数[指数].
héat ìndex 体感温度.
Míller ìndex 〖結晶〗ミラー指数.
mísery ìndex (経済の)窮状指数.
násal índex 〖頭骨測定〗鼻示数.
opsónic índex 〖免疫〗オプソニン指数.
órbital índex 〖頭骨測定〗眼窩(がんか)示数.
phagocýtic índex 食菌指数, 食細胞指数.
Pollútant Stándards Ìndex 《米》大気汚染基準指標.
príce ìndex 〖経済〗物価指数.
refráctive índex 〖光学〗屈折率.
sháre ìndex 株価指数.
skélic índex 下肢胴長示数.
sùb·índex (名) (主要分類の細目の)副索引.
Tárget Gróup Ìndex ターゲット・グループ・インデックス.
témperature-humídity índex 温湿度指数.
therapéutic índex 〖薬学〗治療係数.
thúmb ìndex (本などの前小口に刻んだ半円形の)切り込み(索引), 爪(つめ)かけ.
thúmb-ìndex (動他)〈本に〉切り込み(索引)をつける.
viscósity ìndex 〖自動車・機械〗粘度指数.
vítal índex 人口指数.
volatílity ìndex 〖株式〗〖証券〗ベータ(beta)値.

In·di·an /índiən/

(名) インディアン; インド人. ⇨ -AN[1].

Américan Índian アメリカ先住民.
Àm·er·ín·di·an (名) =American Indian.
Án·glo-Ín·di·an (形) (特に政治的に連合した場合の)英国とインドの.
Brónx Índian 《米俗》ユダヤ人.
Búffalo Índian =Plains Indian.
cigár-store Índian =wooden Indian.
cópper Índian イエローナイフ族(の一人).
Éast Índian 《米・カリブ》(西インド諸島に住む)インド系[アジア系]の移民.
Pà·le·o-Ín·di·an (形) パレオ=インディアンの.
Pláins Índian 平原インディアン.
Réd Índian 《主に英》インディアン.
Wést Índian 西インド諸島[連邦]の(住民).
wóoden Índian 《米》北米インディアンの木彫りの立像.

in·di·ca·tor /índikèitər/

(名) 指示する人[もの]; 表示器. ⇨ -ATOR.

áirspeed ìndicator 〖航空〗(航空機の)対気速度計.
báll ìndicator =bank indicator.
bánk-and-túrn ìndicator 〖航空〗バンク旋回計.
bánk ìndicator 〖航空〗バンク計.
clímb ìndicator 〖航空〗昇降計.
coíncident ìndicator 《米》〖経済〗一致指標, 同時指標.
dépth ìndicator 測深器(fathometer).
diréction ìndicator 〖航空〗定針儀.
dríft ìndicator 〖航空〗航路偏流測定器, 偏流計.
flíght ìndicator 〖航空〗人工水平機.
lágging ìndicator 〖経済〗遅行指標.
móving tárget ìndicator 〖電子工学〗移動目標表示装置.
plán posítion ìndicator 図式位置指示器, 平面位置表示器.
ráte-of-clímb ìndicator 〖航空〗昇降計.
slíp ìndicator =bank indicator.
sócial ìndicator 〖社会〗社会指標.
spéed ìndicator (回転)速度計.
túrn-and-bánk ìndicator =bank-and-turn indicator.
túrn-and-slíp ìndicator =bank-and-turn indicator.
túrn ìndicator 〖航空〗旋回計.
wínd ìndicator (飛行場などで使用される大型の)風向指示標識.

in·di·go /índigòu/

(名) **1**(染料の)インジゴ藍(あい). **2**〖植物〗マメ科コマツナギ属の総称. ⇨ -O[2].

bástard índigo 〖植物〗クロバナエンジュ.
fálse índigo マメ科クロバナエンジュ属の低木の総称.
wíld índigo 〖植物〗ムラサキセンダイハギ.

-in·dle /índl/

(語尾) 一部に震え, 縮まり, 回転などの音象徴が認められる. ◇ -LE[3].

bin·dle (名) 《米俗》(浮浪者の持ち歩く)寝具や所持品の包み.
brin·dle (名) まだら色, ぶち.
din·dle (動他) 《スコット・北イング》震わせる, 震える; びりびり震動する[させる].
dwin·dle (動自) だんだん小さく[少なく]なる, 縮まる.
grin·dle (名) 〖魚類〗アミア.
kin·dle[1] (動他) ☞
kin·dle[2] (動他)(動自)〈動物, 特にウサギが〉(子を)産む.
spin·dle (名) ☞
swin·dle (動他)(金・財産などを)だまし取る.
trin·dle (名) 〖製本〗トリンドル.
win·dle (名) 《スコット・北イング》ウイヌル: 小麦など穀物を量る度量単位.

in·duc·tion /indʌ́kʃən/

(名) 引き起こすこと, 誘導. ►induce の名詞形. ⇨ -DUCTION.

electromagnétic indúction 〖電気〗電磁誘導, 電磁感応.
electrostátic indúction 〖電気〗静電誘導, 静電感応.
magnétic indúction 〖電気〗磁束密度.
mathemátical indúction 〖数学〗帰納法.
mútual indúction 〖電気〗(電気・磁気の)相互誘導.
prè·in·dúc·tion (形) 入隊[入営]前の, 徴兵前の.
sèlf-in·dúc·tion (名) 〖電気〗自己誘導.
óutplacement ìndustly 再就職斡旋産業.

in·dus·tri·al /indʌ́striəl/

(形) 産業の; 産業による. ⇨ -AL[1].

ag·ri·in·dus·tri·al (形) =agro-industrial.
ag·ro·in·dus·tri·al (形) 農工業(用)の; 農業関連産業の.

post·in·dus·tri·al 形 脱工業化の, 脱工業化時代の.
pre·in·dus·tri·al 形 産業化以前の.

in·dus·try /índəstri/

名 (ある特定分野の)生産業, 製造工業, 工業. ⇨ -RY[1].

advánced technólogy índustry 先進技術産業.
ágro-ìndustry 名 (大規模)農工業.
básic índustry 基幹産業.
cóttage ìndustry (手工芸品などを作って売る)家内工業.
énergy ìndustry エネルギー産業.
grówth ìndustry 成長産業.
hóme índustry 家内工業; 国内産業.
hospitálity ìndustry サービス業.
kéy índustry 基幹産業.
líght índustry 軽工業.
mùlti-índustry 形 複数の異なる産業活動をする.
pionéering ìndustry 先端産業.
prímary índustry 第一次産業.
secúrity índustry 警備産業, 安全産業.
sérvice ìndustry サービス(産)業.
smokestack ìndustry 煙突型産業, 構造不況型産業.
súnrise ìndusrty サンライズ産業: 先進技術産業の中でも, 成長性が期待できる産業.
thríft ìndustry 《米》貯蓄機関(の総称).
twílight ìndustry 斜陽産業.
wáste ìndustry 産業廃棄物処理業.

-ine[1] /ìːn, àin, in/

接尾辞 …に関する; …の性質のある; …から成る; …のような.
★ 主に形容詞をつくる.
★ 語末にくる関連形は -IN[1].
◆ <ラ *-īnus*, *-inus* <ギ *-inos*.

a·can·thine 形 【植物】ハアザミの.
a·cau·line 形 【植物】茎のない [の見えない].
ac·cip·i·trine 形 【鳥類】ワシタカ科の.
ad·a·man·tine 形 〈態度・意見が〉確固とした, 不動の.
a·dul·ter·ine 形 不純物を混和した; 不純の, 偽の.
Al·dine 形 【印刷】アルダス [アルダイン] 版の.
Al·ex·an·drine[1] 形 【韻律】アレクザンダー格の.
Al·ex·an·drine[2] 形 (特に, エジプトの)Alexandria の.
Al·ge·rine 形 アルジェリア(人)の.
al·ka·line 形 アルカリ性の, アルカリを含有する.
al·pes·trine 形 【植物】〈気候・植物が〉亜高山性の.
al·pine 形 ☞
al·vine 形 【医学】《廃》腹の, 腸の.
a·man·dine 形 〈料理が〉アーモンドを使った.
am·a·ran·thine 形 (伝説上, 不死の花として知られる)アマランサスの; 色のあせない.
am·e·thys·tine 形 アメシスト [紫水晶] の(ような).
a·myg·da·line 形 アーモンドの, 扁桃(へんとう)の.
an·a·tine 形 【鳥類】ガンカモ科の.
An·dine 形 アンデス山脈のような.
an·guine 形 蛇の [に似た].
an·i·sak·ine 形 アニサキスの.
an·ser·ine 形 【鳥類】ガンカモ科マガン亜科の.
ant·al·ka·line 形 反 [制] アルカリ性の.
aq·ui·line 形 かぎ鼻の, わし鼻の.
Ar·gen·tine 形名 アルゼンチン(の).
ar·gen·tine[1] 形 銀の [に似た]; 銀色の.
ar·gen·tine[2] 名 【魚類】銀色の海水魚; (特に)ニギス属の魚の総称.
as·i·nine 形 無知な, 愚かな, ばかな.
az·ur·ine 形 薄青の, 空色の.
bac·u·line 形 むちの; 棒の; むち打ち刑の.
ba·laus·tine 形 【植物】ザクロノキの.
Ben·e·dic·tine 形 【ローマカトリック】ベネディクト会の.
bo·vine 形 【鳥類】ウシ亜科の.
bu·ba·line 形 【動物】〈レイヨウが〉キタハーテビストに似た.
Byz·an·tine 形 ビザンティウムの; ビザンツ帝国の.
cal·y·cine 形 【植物】萼(がく)の; 萼状の.
can·crine 形 【韻律】逆さ読みしても同じの.
ca·nine 形 犬の(ような).
Cap·i·to·line 形 (ローマの)カピトリヌス丘の; カピトル神殿の; カピトル神殿の神々の.
cap·rine 形 ヤギ類(goats)の [に属する].
car·du·e·line 形 【鳥類】ヒワ亜科の. ── 名 ヒワ.
Car·o·line 形 Charles の, (特に)英国王チャールズ一・二世(時代風)の.
cau·line 形 【植物】茎の; (特に)茎生の, 茎上の.
cer·vine 形 シカのような.
cit·rine 形 シトロン [レモン] に似た; 淡黄色の.
-co·line 連結形 ☞
col·u·brine 形 蛇の [ような].
col·um·bine 形 ハトの [ような]; ハト色の.
cor·al·line 形 サンゴ性 [質] の.
cor·vine 形 カラスの [ような].
crys·tal·line 形 ☞
di·a·man·tine 形 ダイヤモンドの(ような).
di·vine 形 神の [関する]; 神からの; 天与の.
el·e·phan·tine 形 象の; 象のような [に似た].
em·er·al·dine 形 エメラルド色の, 鮮緑色の.
e·quine 形 【動物】馬の; ウマ科の; 馬に似た.
es·tu·a·rine 形 河口の, 河口にできた.
eu·ry·ha·line 形 【生態】〈生物が〉広塩性の.
Eux·ine 形 黒海(Black Sea)の.
ex·ine 名 【植物】外膜, 外皮, 外壁.
ex·tine 名 =exine.
fe·line 形 【動物】ネコ科の.
fem·i·nine 形 /-nən/ 女性の, 女の. ── 名 女らしさ.
fe·rine 形 〈動物・植物が〉自然のままの.
Fes·cen·nine 形 《まれ》古代イタリアの Fescennia の神祭で詠唱された.
Flor·en·tine 形 (イタリアの)フィレンツェの.
gen·u·ine 形 まがい物でない, 本物の.
greg·a·rine 形 【動物】ゾウチュウ目の.
hir·cine 形 《古》ヤギの [に似た].
hi·run·dine 形 【鳥類】ツバメの(ような, に似た).
hom·i·nine 形 人間に似た, 人間の特徴を持った.
hy·a·cin·thine 形 ヒヤシンスの(ような).
in·car·na·dine 形 《主に文語》肉色の, 薄桃色の.
in·fan·tine 形 子供じみた, 幼稚な; 赤ん坊のような.
in·qui·line 名 【動物】共生動物の; よその巣に棲む.
in·ter·ne·cine 形 内輪げんかの, 仲間同士で争う.
in·tes·tine 名 腸.
in·tine 名 【植物】(胞子の)内膜, 内壁.
Is·a·bel·line 形 (スペイン女王)Isabella I 時代の.
Jo·han·nine 形 【聖書】使徒ヨハネ(John)の.
lab·y·rin·thine 形 迷宮の; 入り組んだ; 曲がりくねった.
lac·er·tine 形 トカゲ亜目の.
la·cus·trine 形 湖の, 湖水の.
lar·ine 形 カモメ特有の [に似た].
laz·u·line 形 瑠璃(るり)色の, 紺碧(こんぺき)の.
leg·a·tine 形 教皇特使の(権限で行う).
le·o·nine 形 ライオンの, 獅子(しし)の.
lep·o·rine 形 ウサギの [に似た].
Le·van·tine 形 レバント地方: 地中海東部沿岸)の.
lib·er·tine 形 放蕩な, 道楽な.
lim·a·cine 形 ナメクジの; ナメクジに似た.
lu·pine[1] 形 オオカミの; オオカミに似た.
lu·pine[2] 形 《米》【植物】ルピナス, ウチワマメ.
mar·ga·rine 名 マーガリン.
ma·rine 形 ☞
mas·cu·line 形 男 [男子, 男性] の.
met·al·line 形 金属の; 金属質 [製] の.
mu·rine 形 【動物】ネズミ科の; ネズミに似た.
mur·rhine 形 ムラ石(murra)(製)の.
mus·te·line 形 【動物】イタチ科の(mustelid).
nec·tar·ine 名 【植物】ネクタリン, ズバイモモ.

nerv·ine 形 神経の.
o·pal·ine 形 オパールに似た; 乳白色をした.
os·cine 形 鳴禽(めいきん)類の.
o·vi·bo·vine 形名 〘動物〙ジャコウウシ(の).
o·vine 形 羊の(ような). ── 名 羊.
pal·a·tine[1] 形 ☞
pal·a·tine[2] 形 口蓋(こうがい)の; 口蓋の近くの.
pan·ther·ine 形 ヒョウの [に似た].
pas·ser·ine 形 スズメ目の [に属する].
Paul·ine 形 〘聖書〙使徒パウロの.
pav·o·nine 形 孔雀(くじゃく)の(ような).
pen·du·line 形名 (枝先に)つり巣を造る(鳥).
per·e·grine 形 《古》外国の; 外来の, 舶来の.
pet·al·ine 形 花弁の; 花弁状の.
Pe·trine 形 〘聖書〙使徒ペテロ(Peter)の.
pho·cine 形 〘動物〙アザラシの(ような).
pis·cine 形 魚の; 魚に似た.
pis·til·line 形 〘植物〙雌蘂(しずい)の.
pith·e·can·thro·pine 名形 ピテカントロプス(の).
Pon·tine 形 ポンティノ湿地の.
pon·tine 形 ☞
por·cine 形 豚の.
Prae·nes·tine 形 イタリアの古代都市 Praeneste の; (ラテン語の)Praeneste 方言の.
psit·ta·cine 形 〘鳥類〙オウム科の; オウムに似た.
quer·cine 形 《まれ》カシ(oak)の.
ral·line 形 〘鳥類〙クイナ科の.
reg·u·line 形 〘冶金〙鈹(ひ)の, 鈹質の.
riv·er·ine 形 川の, 川のような.
-rrhine 連結形 ☞
ru·pes·trine 形 〘生物〙岩上に生育する.
sac·cha·rine 形 糖 [糖質] の; 糖を含む [生じる].
sal·a·man·drine 形 火トカゲのような; 火に強い, 耐火の.
sa·line 形 食塩の; 塩を含む, 塩辛い.
sap·phir·ine 形 サファイアの; サファイア色の.
sat·ur·nine 形 《文語》〈人が〉土星の影響の下に生まれた; 気難しい; ひねくれた.
sci·u·rine 形 〘動物〙リス科の.
ser·pen·tine 形 (形・動きなどが)ヘビの(ような).
sib·yl·line 形 (古代の女予言者)シビラ(sibyl)の.
Sis·tine 形 ローマ教皇シクストゥス(Sixtus)の; (Vatican の)システィナ礼拝堂の.
Six·tine 形 ＝Sistine.
sma·rag·dine 形 エメラルドの.
sor·i·cine 形 〘動物〙トガリネズミの [に似た].
sten·o·ha·line 形 〘生態〙〈動植物が〉狭塩(度)性の.
tan·a·grine 形 〘鳥類〙フウキンチョウ(科)の.
tan·ge·rine 名 〘植物〙タンジェリン.
Tan·ge·rine 形 タンジール(Tangier)の.
tau·rine 形 雄牛の; 雄牛に似た.
ter·e·bin·thine 形 テルペンチン(状)の.
ther·mo·ha·line 形 〘海洋〙熱塩の.
Ton·tine 名 トンチン年金法 [制度]. ►イタリアの銀行家 Lorenzo *Tonti* の名より.
Tri·den·tine 形 Trent(イタリア北部の都市)の.
tur·dine 形 〘鳥類〙ツグミ科の.
ur·sine 形 クマの; クマ科の.
u·ter·ine 形 ☞
ves·pine 形 スズメバチの.
Vic·to·rine 名 サン・ビクトル律修修道会修士.
vi·per·ine 形 マムシの [に似た]; 毒のある.
vi·tel·line 形 卵黄の; 卵黄色の. ── 名 卵黄.
vit·u·line 形 子牛の; 子牛肉の [に似た].
vi·ver·rine 形 〘動物〙ジャコウネコ科の.
-vol·tine 連結形 ☞
vul·pine 形 キツネの [に特有の].
vul·tur·ine 形 ハゲタカの [に特有の].
Wil·hel·mine 形 ドイツ皇帝ウィルヘルム二世(流)の.
ze·brine 形 シマウマの(ような).

-ine[2] /iːn, ain, in/

接尾辞 抽象名詞をつくる名詞語尾. ►ギリシャ語・ラテン語・フランス語起源の名詞に見られる.
★ 語末にくる関連形は -IN[1].
◆ <仏<ラ *-ina*(もとは *-inus* の女性形); またはギ *-inē* (女性形名詞接尾辞)を表す. ◇ -INA[1].

cui·sine 名 ☞
dis·ci·pline 名 ☞
doc·trine 名 ☞
fam·ine 名 飢饉(ききん).
gas·o·line 名 ☞
ma·chine 名 ☞
med·i·cine 名 ☞
pis·cine 名 〘教会〙(初期教会の)洗礼盤.
rap·ine 名 《文語》強奪, 略奪, 分捕り. ► /-pain/ とも.
rou·tine 名 ☞

-ine[3] /iːn, ain, in/

接尾辞 〘化学〙〘薬学〙〘鉱物〙専門用語をつくる. ►特に塩基性物質の名称に用いる.
★ 語末にくる関連形は -IN[1].
◆ <仏<ラ *-ina*(もとは *-inus* の女性形); またはギ *-inē* (女性形名詞接尾辞)を表す. ◇ -INA[1].

a·con·i·tine 名 アコニチン.
ac·ri·dine 名 アクリジン.
ad·e·nine 名 アデニン.
a·dren·a·line 名 ＝epinephrine.
al·a·bam·ine 名 《もと》アラバミン(astatine).
al·a·nine 名 アラニン.
a·liz·a·rine 名 アリザリン.
al·kine 名 アルキン(alkyne).
al·man·dine 名 鉄礬(てつばん)ざくろ石.
am·i·dine 名 アミジン.
a·mine 名 ☞
-a·mine 連結形 ☞
a·mi·no·phyl·line 名 アミノフィリン.
am·i·trip·ty·line 名 アミトリプチリン.
am·mine 名 アンミン.
a·nab·a·sine 名 アナバシン.
a·nat·a·bine 名 アナタビン.
an·de·sine 名 中性長石.
an·i·line 名 ☞
a·re·co·line 名 アレコリン.
ar·gen·tine 名 銀(silver); 銀色金属.
ar·sine 名 アルシン, ヒ化水素, 水素化ヒ素.
as·par·a·gine 名 アスパラギン.
as·ta·tine 名 アスタチン.
at·ro·pine 名 アトロピン.
a·van·tu·rine 名 ＝aventurine.
a·ven·tu·rine 名 アベンチュリンガラス.
az·i·do·thy·mi·dine 名 アジドチミジン(AZT): エイズ患者の延命薬.
az·ine 名 ☞
az·ur·ine 名 〘染料〙アズリン: 暗青色の基染剤.
bar·bo·tine 名 〘地質〙粘土泥漿(でいしょう).
be·bee·rine 名 ベベーリン.
ben·zine 名 ベンジン.
ben·zo·di·az·e·pine 名 ベンゾジアゼピン.
ben·zo·line 名 ＝benzine.
ber·be·rine 名 ベルベリン.
be·ta·ine 名 ベタイン.
bis·muth·ine 名 ビスムチン, 水素化ビスマス.
bril·lian·tine 名 ブリリアンティーン: 頭髪につけるポマード類.
bro·mine 名 臭素.
bru·cine 名 ブルシン.
bu·fo·ten·ine 名 ブフォテニン.
ca·dav·er·ine 名 カダベリン.
caf·feine 名 カフェイン, 茶素.
cal·a·mine 名 カラミン.
cam·phine 名 カンフィン.
car·ni·tine 名 カルニチン.
chi·noi·dine 名 ＝quinoidine.

chlo·rine 名 塩素.
cho·line 名 ☞
chry·so·i·dine 名 クリソイジン.
chry·soph·e·nine 名 クリソフェニン.
cin·cho·nine 名 シンコニン.
cit·rul·line 名 シトルリン.
clon·i·dine 名 クロニジン.
co·balt·am·mine 名 コバルトアンミン.
co·deine 名 コデイン.
col·chi·cine 名 コルヒチン, コルキシン.
co·ni·ine 名 コニイン.
cre·a·tine 名 クレアチン, メチルグリコシアミン.
cre·at·i·nine 名 クレアチニン.
cryp·to·pine 名 クリプトピン.
cu·ra·rine 名 クラリン.
cy·a·nine 名 シアニン.
cys·tine 名 シスチン.
cy·tar·a·bine 名 シタラビン.
cyt·i·sine 名 シチシン.
cy·to·sine 名 シトシン.
del·phi·nine 名 デルフィニン.
dem·e·clo·cy·cline 名 デメクロサイクリン.
di·a·zine 名 ジアジン.
di·dan·o·sine 名 ヂダノシン.
di·de·ox·y·in·o·sine 名 ジデオキシイノシン(DDI).
dox·y·cy·cline 名 ドキシサイクリン.
em·er·al·dine 名 〘染料〙エメラルジン.
em·e·tine 名 エメチン.
e·phed·rine 名 エフェドリン.
ep·i·neph·rine 名 エピネフリン.
er·go·no·vine 名 エルゴノビン.
es·er·ine 名 =physostigmine.
eth·ine 名 アセチレン(acetylene).
fla·vine 名 塩酸アクリフラビン.
flu·cy·to·sine 名 フルシトシン.
flu·o·rine 名 フッ素.
fluoxetine 名 フルオクゼチン: 抗鬱剤.
fuch·sine 名 〘染料〙フクシン: 深紅色の染料.
glass·ine 名 グラシン紙.
gly·cine 名 グリシン, グリココル, アミノ酢酸.
gly·ox·a·line 名 イミダゾール, グリオキサリン.
guan·i·dine 名 グアニジン.
gua·nine 名 グアニン.
gua·no·sine 名 グアノシン.
har·ma·line 名 ハルマリン.
har·mine 名 =harmaline.
hy·a·line 名 ヒアリン, ガラス様 [状] 物質.
hy·dras·tine 名 ヒドラスチン.
hy·dras·ti·nine 名 ヒドラスチニン.
hy·dra·zine 名 ヒドラジン.
hy·drox·y·ly·sine 名 ヒドロキシリシン.
hy·os·cine 名 =scopolamine.
hy·os·cy·a·mine 名 ヒヨスチアミン.
i·bo·ga·ine 名 イボガイン.
-i·dine 接尾辞 ☞
i·mine 名 イミン.
in·du·line 名 インジュリン: 静塩基性染料の一群.
i·o·dine 名 ☞
ir·i·dos·mine 名 イリドスミン.
i·so·ha·line 名 〘海洋〙等塩分線.
i·so·leu·cine 名 イソロイシン.
i·sox·su·prine 名 イソクスプリン.
Lam·i·vu·dine 名 ラミブジン(3TC): エイズ治療薬.
leu·cine 名 ロイシン.
leu·co·line 名 =quinoline.
leu·ko·tax·ine 名 ロイコタキシン, 白血球走化因子.
lo·be·line 名 ロベリン.
ly·cine 名 =betaine.
ly·sine 名 リシン.
mel·a·mine 名 メラミン.
mep·a·crine 名 《英》=quinacrine.
mes·ca·line 名 メスカリン.
meth·an·the·line 名 メタンテリン.
mez·ca·line 名 =mescaline.
min·o·cy·cline 名 ミノサイクリン.
mor·phine 名 ☞
mor·pho·line 名 モルホリン.
mus·ca·rine 名 ムスカリン.
nar·ce·ine 名 ナルセイン.
ne·o·stig·mine 名 ネオスチグミン.
neph·e·line 名 カスミ石.
neu·rine 名 ニューリン.
nick·el·ine 名 紅砒(こう)ニッケル鉱.
nic·o·tine 名 ニコチン.
ni·gro·sine 名 ニグロシン.
ni·tra·tine 名 チリ硝石(chile niter).
nor·trip·ty·line 名 ノルトリプチリン.
ol·i·vine 名 橄欖(かんらん)石.
or·ni·thine 名 オルニチン.
ox·y·neu·rine 名 =betaine.
pa·pav·er·ine 名 パパベリン.
par·gy·line 名 パルジリン, パージリン.
pe·brine 名 微粒子病.
pe·rei·rine 名 ペレイリン.
phos·phine 名 ホスフィン: 水素化リン.
phy·so·stig·mine 名 フィソスチグミン, エゼリン.
pic·o·line 名 ピコリン, メチルピリジン.
pi·lo·car·pine 名 ピロカルピン.
pip·er·ine 名 ピペリン.
pri·mine 名 〘植物〙外珠皮.
pro·ma·zine 名 プロマジン.
pro·trip·ty·line 名 プロトリプチリン.
pto·maine 名 プトマイン.
pu·rine 名 プリン.
pu·tres·cine 名 プトレシン.
py·raz·o·line 名 ピラゾリン.
pyr·i·dine 名 ピリジン.
pyr·i·dox·ine 名 ビタミン B_6, ピリドキシン.
pyr·ro·line 名 ピロリン.
quin·a·crine 名 キナクリン.
quin·az·o·line 名 キナゾリン.
qui·nine 名 キニン, キニーネ.
qui·noi·dine 名 キノイジン.
quin·o·line 名 キノリン.
quin·ox·a·line 名 キノキサリン.
res·er·pine 名 レセルピン.
saf·ra·nine 名 サフラニン.
san·guin·a·rine 名 サンギナリン.
sar·co·sine 名 サルコシン, N-メチルグリシン.
sco·po·line 名 スコポリン.
ser·ine 名 セリン.
ser·pen·tine 名 蛇紋石.
sin·a·pine 名 シナピン.
so·la·nine 名 ソラニン.
spar·te·ine 名 スパルテイン: 有毒な液体アルカロイド.
sperm·ine 名 スペルミン.
sphin·go·sine 名 スフィンゴシン.
stib·ine 名 スチビン, 水素化アンチモン.
strych·nine 名 ストリキニーネ, ストリキニン.
stur·ine 名 スツリン.
sul·fa·di·a·zine 名 スルファジアジン, サルファダイアジン.
sul·fa·quin·ox·a·line 名 スルファキノクサリン.
tau·rine 名 タウリン.
tax·ine 名 タキシン.
ter·bu·ta·line 名 テルブタリン.
tet·ra·cy·cline 名 テトラサイクリン.
tet·ra·hy·dro·a·mi·no·ac·ri·dine 名 テトラヒドロアミノアクリジン.
tet·ra·hy·droz·o·line 名 テトラヒドロゾリン.
the·ba·ine 名 テバイン.
the·ine 名 テイン, カフェイン.
the·o·bro·mine 名 テオブロミン.
the·o·phyl·line 名 テオフィリン.
thre·o·nine 名 トレオニン, スレオニン.
thy·mi·dine 名 チミジン: DNA の構成成分の一つ.
thy·mine 名 チミン.

to·lu·i·dine 名 トルイジン.
trav·er·tine 名 温泉沈殿物, トラバーチン.
tri·meth·yl·gly·cine 名 ＝betaine.
tu·bo·cu·ra·rine 名 ツボクラリン.
tur·pen·tine 名 テルペンチン, テレビン, なま松やに.
ty·ro·sine 名 チロシン.
u·ri·dine 名 ウリジン.
vac·cine 名 ☞
val·ine 名 バリン.
ver·a·trine 名 ベラトリン.
vin·blas·tine 名 ビンブラスチン.
vin·cris·tine 名 ビンクリスチン.
xan·thine 名 キサンチン.
yo·him·bine 名 ヨヒンビン.
zal·ci·ta·bine 名 ザルチタビン: HIV 感染の治療に用いられるウィルス抗体薬 ddC.
zi·do·vu·dine 名 ＝azidothymidine.

-ine[4] /ìːn, àin, in/

接尾辞 女性名詞・洗礼名・称号を示す.
★ 語末にくる関連形は -IN[1].
◆ ＜仏＜ラ *-ina*(もとは *-inus* の女性形); またはギ *-inē* (女性形名詞接尾辞)を表す. ◇ -INA[1].

Ad·e·line 名 女子の名. ►フランス語の名 Adèle (字義は「高貴な」)の指小形.
Beg·uine 名 〔ローマカトリック〕ベギン会修道女.
Car·o·line 名 女子の名. ►ラテン語またはイタリア語の名 Carolina のフランス語形.
Cath·er·ine 名 女子の名. ►Katherine の綴り字異形.
Char·line 名 女子の名.
chat·e·laine 名 城主の妻; 女城主.
cho·rine 名 《主に米》コーラスガール.
Clau·dine 名 女子の名. ►フランス語の男子の名 Claude の女性指小形.
Clem·en·tine 名 女子の名. ►Clement(男子の名)の女性形.
Cym·be·line 名 女子の名.
dau·phine 名 フランス王太子妃の称号.
Do·rine 名 女子の名. ►Doreen の別称.
Em·e·line 名 女子の名.
Em·me·line 名 女子の名.
Er·nes·tine 名 女子の名. ►男子の名 Ernest より.
E·van·ge·line 名 女子の名. ►字義はラテン語で「福音」.
gam·ine 名 (女の)浮浪児.
her·o·ine 名 女傑, 女丈夫; 女主人公, ヒロイン.
Jac·que·line 名 女子の名. ►フランス語の男子の名 Jacques より.
Ja·nine 名 女子の名. ►フランス語の名 Jeannine の短縮形.
Jean·ine 名 女子の名.
Jus·tine 名 女子の名. ►男子の名 Justin より.
Kath·er·ine 名 女子の名. ►字義はギリシャ語で「純粋な」.
land·gra·vine 名 方伯(Landgrave)の夫人.
Le·o·tine 名 女子の名.
Mal·vine 名 女子の名. ►男子の名 Melvin より.
mar·gra·vine 名 辺境伯(margrave)の夫人 [未亡人].
Max·ine 名 女子の名. ►Max(Maximillian の短縮形)より.
pals·gra·vine 名 パラティン伯の夫人 [未亡人].
Pau·line 名 女子の名. ►Paulina のフランス語形.
Ur·su·line 名 〔ローマカトリック〕ウルスラ[童貞]会修道女.
vic·to·rine 名 ビクトリーン: 端に長い垂れのついた毛皮の婦人用の肩掛け.

-ine[5] /ìːn, àin, in/

接尾辞 -INA[1] の異形.
◆ ＜仏＜ラ *-ina*(もとは *-inus* の女性形); または伊 *-ino* (＜ラ *-ina*)に由来するものもある.

ac·a·rine 名 ダニ.
be·guine 名 〔ダンス〕ビギン.
ben·ga·line 名 ベンガリン, ベンガル織.
bom·ba·sine 名 ＝bombazine.
bom·ba·zine 名 ボンバジン: 綾(あや)織物の一種.
brank·ur·sine 名 〔植物〕ハアザミ(bear's-breech).
brig·an·dine 名 〔甲冑〕小札製の鎧下(よろいした).
brig·an·tine[1] 名 〔海事〕ブリガンチン.
brig·an·tine[2] 名 ＝bigandine
cap·e·line 名 〔甲冑〕(中世の射手がかぶった襟覆い付き)鉄かぶと.
clem·en·tine 名 〔植物〕クレメンタイン: ミカンの一種.
eg·lan·tine 名 〔植物〕エグランティンバラ.
fas·cine 名 〔築城〕粗朶(そだ)束.
fig·u·rine 名 (陶器・金属などの)装飾用小立像.
gren·a·dine[1] 名 グレナディン: 紗(しゃ)織りの織物の一種.
gren·a·dine[2] 名 グレナディン: ザクロのシロップ.
hel·le·bo·rine 名 〔植物〕キンラン, ギンラン.
lan·gous·tine 名 〔動物〕ヨーロッパアカザエビ.
lu·pine 名 《米》〔植物〕ルピナス, ウチワマメ.
mousse·line[1] 名 ムースリーン: 泡立てた生クリームを混ぜたオランダソース.
mousse·line[2] 名 モスリン(muslin).
nou·ga·tine 名 ヌガティーヌ: みじん切りのアーモンドやクルミ, 蜂蜜(はちみつ)の入った褐色の薄い砂糖菓子.
on·dine 名 ＝undine.
per·ca·line 名 パーケリン: 裏地用の軽い綿織物.
pop·e·line 名 ポプリン: ブロード, レプに似た織物.
sal·tine 名 (薄くてかりかりする)塩味のクラッカー.
tam·bou·rine 名 タンバリン: 打楽器の一種.
ter·rine 名 テリーヌ: 陶製の蒸し焼き鍋.
tram·po·line 名 トランポリン.
tric·o·tine 名 キャバルリー・トゥイル: 本来, 軍隊で使用した二重綾(あや)織りの綿, 紡毛, 梳毛(そもう)の丈夫な布.
un·dine 名 ウンディーネ, (女の)水の精.
vi·trine 名 ガラス張りの陳列棚 [ケース].

-ine[6] /áin/

語尾 押韻表現の wine and dine「大いにもてなす, 気前よく飲食する」は決まり文句.
★ 語末にくる同音形は -INE[1], -INE[2], -INE[3], -INE[4], -INE[5], -YNE.

bine 名 (ホップなどの植物の)蔓(つる).
brine 名 塩水.
chine[1] 名 (特に動物の)背骨.
chine[2] 名 (樽(たる)の)縁(chime).
cline 名 〔生物〕クライン.
-cline 連結形 ☞
crine 名 毛; 髪, 頭髪.
-crine 連結形 ☞
dine[1] 動自 正餐(せいさん)を取る.
dine[2] 名 《米俗》ダイナマイト.
dwine 動自 《古・方言》衰える, 衰弱 [衰退] する.
fine[1] 形 ☞
fine[2] 名 〔法律〕罰金, 科料, 制裁金.
-fine 連結形 ☞
gwine 名 《主に米南部》《非標準》go の現在分詞形.
kine[1] 名 《古》cow の複数形.
kine[2] 名 〔言語〕カイン.
line[1] 名 ☞
line[2] 動他 ☞
line[3] 動他 〈イヌ科の動物の雄が〉〈雌と〉交尾する, はらませる.

mine[1] 代 私のもの.
mine[2] 名 ☞
nine 名 ☞
pine[1] 名 ☞
pine[2] 動自 思い[恋い]焦がれる, 恋い慕う.
quine 名 《スコット》男の同性愛者, おかま.
shine 動自 ☞
shrine 名 聖堂, 聖廟(せいびょう).
sine 名 ☞
spine 名 〔解剖〕脊柱(せきちゅう), 背骨.
spline 名 細長い薄板, 小割り板, 木摺(きずり)板.
strine 名 《話》オーストラリア英語.
swine 名 《米》ブタ.
thine 代 《古・方言》汝(なんじ)のもの.
tine[1] 名 鋭くとがった先; (シカの)枝角.
tine[2] 動他 《主にスコット》失う, 無駄にする.
trine 形 〈事・物が〉3 部分から成る, 三重の.
twine[1] 名 ☞
twine[2] 動他自 《スコット》分かつ, 分かれる.
vine 名 ☞
whine 動自 〈子供が〉哀訴するような声を出す; 〈犬が〉哀れっぽく鳴く.
wine 名 ☞

-ine[7] /iːn/

語尾 語末にくる同音形は -EAN[2], -EEN[2], -ENE[2], -INE[1], -INE[2], -INE[3], -INE[4], -INE[5].

chine 名 《米俗》(十代の間で)機械, (特に)自動車(machine).
fine 名 フィーヌ: フランスの中品質のブランデー.
zine 名 《米》ファン雑誌(fanzine).
-zine 連結形 ☞

in·e·qual·i·ty /ìnikwáləti | -kwɔ́l-/

名 不同, 不平等; 〔数学〕不等式. ⇨ -ITY.

Bóole's inequálity 〔数学〕ブールの不等式.
Cáuchy-Schwárz inequálity 〔数学〕=Schwarz inequality.
Cáuchy's inequálity 〔数学〕=Schwarz inequality.
Chebyshév's inequàlity 〔数学〕=Tchebycheff's inequality.
Schwárz inequàlity 〔数学〕シュワルツの不等式.
Tchebychéff's inequálity 〔数学〕チェビシェフの不等式.
tríangle inequàlity 〔数学〕三角不等式.

in·fec·tion /infékʃən/

名 感染, 汚染. ►infect の名詞形. ⇨ -FECTION.

àu·to·in·féc·tion 名 〔病理〕自家感染.
dróplet inféction 〔医学〕飛沫(ひまつ)感染.
fócal infèction 〔病理〕〔歯科〕病巣感染.
ín-hospital inféction 院内感染.
rè·in·féc·tion 名 〔病理〕再感染.
slów inféction 〔病理〕スローウイルス感染.
sú·per·in·fèc·tion 名 〔病理〕重複感染, 菌交代症.
úrinary tràct infèction 〔病理〕尿路感染症.
víral infèction 〔コンピュータ〕ウイルス感染.

in·fin·i·tive /infínətiv/

名 〔文法〕不定詞[形]. ⇨ -ITIVE.

ábsolute infínitive 独立不定詞.
históric infínitive 歴史的不定詞.
splít infínitive 分離不定詞.

in·fla·tion /infléiʃən/

名 〔経済〕インフレーション. ⇨ -ATION.

bóttleneck inflàtion ボトルネック・インフレーション.
búyers' inflàtion =demand-pull inflation.
cóst inflátion =cost-push inflation.
cóst-push inflátion 費用圧力インフレーション.
créeping inflátion 忍び寄るインフレ.
demánd inflátion =demand-pull inflation.
demánd-pùll inflátion 需要牽引(けんいん)型のインフレ.
dìs·in·flá·tion 名 インフレ緩和.
hy·per·in·fla·tion 名 超インフレーション.
pèt·ro·in·flá·tion 名 石油インフレ.
sù·per·in·flá·tion 名 =hyperinflation.
wáge-pùsh inflàtion 賃金インフレーション.

in·form /infɔ́ːrm/

動他 〈人に〉(事実・事情などについて)知らせる, 告げる, 通知する. ⇨ -FORM[2].

dis·in·form 動他 …の情報を攪乱(かくらん)する.
mis·in·form 動他 誤った情報を伝える, 誤報する.
pre·in·form 動他 前もって知らせる.
re·in·form 動他 …に再び通知する.

in·formed /infɔ́ːrmd/

形 情報に通じた, 見聞の広い; 知っている; 情報に基づく. ⇨ -ED[1].

íll-in·fórmed 形 (…を)よく知らない.
mìs·in·fórmed 形 間違った情報を受けている.
ùn·in·fórmed 形 知らない, 知らされていない.
wéll-in·fórmed 形 博識の; 情報に通じた, 精通した.

-ing[1] /iŋ/

接尾辞 **1** 行為・過程: danc*ing*. **2** 行為・過程の一例: gather*ing*. **3** 行為・過程の産物: paint*ing*. **4** 行為・過程において用いられるもの: plumb*ing*. **5** あるものと関連のある行為・過程: roof*ing*. **6** ある概念と関連のあるもの: off*ing*.
★ 動詞・名詞(まれに副詞・前置詞)につけて名詞をつくる.
★ 語末にくる関連形は -G, -INGS.
◆ 中英; 古英 *-ing*, *-ung*; 独 *-ung* と同語源.
[発音] 第 1 強勢は基語と同じ.

ac·count·ing 名 ☞
act·ing 名 ☞
add·ing 名 追加.
ad·dress·ing 名 〔コンピュータ〕アドレス指定.
ad·ver·tis·ing 名 ☞
ad·ver·tiz·ing 名 広告を出すこと; 広告.
age·ing 名 《主に英》=aging.
ag·ing 名 (人間の)老化(現象).
air·ing 名 空気にさらすこと, 風に当てること.
a·li·as·ing 名 〔テレビ〕〔ラジオ〕偽信号.
an·gling 名 釣り, 魚釣り(術), 釣魚(ちょうぎょ).
ant·ing 名 アンチング, アリ浴び.
arch·ing 名 アーチ形(のもの).
arm·ing 名 〔海事〕アーミング.
ash·lar·ing 名 〔石工〕切石積み.
ask·ing 名 尋ねること; 求めること, 請求.
aud·ing 名 聴解.
au·dit·ing 名 〔会計〕会計検査[監査].
av·er·ag·ing 名 平均すること.
bab·bling 名 くだらないおしゃべり, 饒舌(じょうぜつ).
back·ing 名 後援, 支持, 支援.
back·pack·ing 名 backpack を背負った徒歩旅行.
back·slap·ping 名 人の背中をたたいて親しみや温情などを大げさに示すこと, 「にこぽん」.
bag·ging 名 (麻・ジュートなどの)袋地, 袋布.
bailing 名 〔漁業〕追い込み漁.
bait·ing 名 ☞
bak·ing 名 (パン・ケーキなどを)焼くこと, 焼き方.

bal·last·ing 名 (船の)底荷材料, 脚荷(あしに)材料.
ball·ing 名 《米黒人俗》浮かれ騒ぎ.
bal·loon·ing 名 気球操縦; 気球乗り競技.
band·ing 名 【家具】装飾的な象眼.
bank·ing 名 築堤, 土手盛り; 盛り土.
bar·gain·ing 名 ☞
bash·ing 名 ☞
bast·ing[1] 名 仕付け(縫い).
bast·ing[2] 名 (肉などをあぶりながら)たれをつけること.
bath·ing 名 水泳, 水浴び, 水遊び; 入浴.
bat·ting 名 (野球・クリケットなどの)打撃; 打球.
bead·ing 名 ビーズ(細工, 飾り).
bea·gling 名 《主に英》ビーグル犬を使ってのウサギ狩り.
bear·ing 名 ☞
beat·ing 名 ☞
bed·ding 名 寝具類.
bed·wet·ting 名 寝小便, おねしょ.
beg·ging 名 こじき生活, 物ごい.
be·gin·ning 名 初め, 始まり, 最初; 発端, 開始.
be·ing 名 ☞
be·liev·ing 名 信じること.
bel·ling 名 《主に米ミッドランド》鍋釜(なべかま)音楽.
be·long·ing 名 所属 [付属] するもの; 属性.
belt·ing 名 ベルト [帯] の材料, 帯布.
bend·ing 名 ☞
berth·ing 名 (船の)停泊; 係留位置.
bet·ting 名 賭(か)け(事); 賭け金; 賭け率.
bick·er·ing 名 (特に常習的な)口論, 口争い, 論争.
bid·ding 名 命令, 指図; 呼び出し, 召喚; 招待.
big·ging 名 《スコット・北イング》建物; 自宅.
bill·ing 名 (びら・ポスターなどに載る芸人の)番付(の位置).
bind·ing 名 ☞
bird·ing 名 バードウォッチング, 野鳥観察.
birl·ing 名 《主に米北部》丸太乗り競技.
birth·ing 名 出産, 自然出産.
bit·ting 名 鍵の歯の形 [刻み目].
black·bird·ing 名 《もと》黒人や太平洋諸島原住民(特に Kanaka 人)を誘拐し奴隷として売ること.
black·en·ing 名 =blacking.
black·ing 名 黒くするもの; (黒い)靴墨 [クリーム].
black·smith·ing 名 鍛冶屋仕事, 蹄鉄(ていてつ)作り.
blan·ket·ing 名 毛布類(blankets).
blast·ing 名 爆破, 発破.
bleed·ing 名 出血.
blend·ing 名 混合(物), 融合, 調合(法).
blet·ting 名 果実の成熟.
block·ing 名 妨害 [阻止] すること.
blond·ing 名 (髪を)金髪 [ブロンド] に染めること.
blood·ing 名 《主に英》【キツネ狩り】血塗り式.
blood·let·ting 名 放血, 瀉血(しゃけつ).
blow·ing 名 ☞
blue·ing 名 =bluing.
blu·ing 名 【化学】青み染料, 青みづけ剤.
board·ing 名 ☞
boat·ing 名 船遊び, ボートこぎ.
bob·bing 名 【レーダー】ボッビング.
bob·sled·ding 名 ボブスレー競技.
bod·ing 名 《まれ》前兆, 兆し; (悪い)予感.
boil·ing 名 ☞
bol·lock·ing 名 叱責(しっせき), 大目玉.
bomb·ing 名 ☞
bond·ing 名 ☞
bon·ing 名 (肉・魚などの)骨を取り除くこと.
book·ing 名 出演契約; (座席などの)予約.
boost·ing 名 《俗》万引き.
boot·ing 名 ブーティング: タイヤ止めをして車を動かせなくする警察の取り締まり方法.
bor·ing 名 【機械】穴あけ, 穿孔(せんこう).
bot·tling 名 瓶詰め(にすること).
bot·tom·ing 名 【製靴】中底に本底をつけ仕上げる作業.
boul·der·ing 名 玉石敷き舗道.
bow·ing[1] 名 【音楽】運弓法, ボーイング.
bow·ing[2] 名 おじぎをすること, 会釈.
bowl·der·ing 名 =bouldering.
box·ing[1] 名 箱の材料.
box·ing[2] 名 ボクシング, 拳闘(けんとう).
brack·et·ing 名 腕木, 持送り, ブラケット.
braid·ing 名 ブレード, (打ち, 組み)ひも.
brak·ing 名 ☞
branch·ing 名 分岐, 分枝.
bran·der·ing 名 (下地付けの)野物.
brat·tish·ing 名 (神殿の棟飾りなどの)透かし彫り.
break·ing[1] 名 ☞
break·ing[2] 名 ブレーク・ダンシング: アクロバット的動作や, 体操のような動きをリズムに合わせて断続的に行なう踊り.
breast·ing 名 (靴の)ブレスティング, 巻き上げ.
breath·ing 名 ☞
breech·ing 名 (馬の)尻帯, 鞦(しりがい).
breed·ing 名 ☞
brew·ing 名 (ビールなどの)醸造.
bridg·ing 名 【建築施工】ころび止め.
brief·ing 名 【軍事】(口頭での)戦闘概況.
broad·cast·ing 名 ☞
brok·ing 名 《英》仲買(業)(brokerage).
bronz·ing 名 (石膏像などに金属粉を塗布し)金属光沢を与えること.
brown·ing 名 《英》(褐色を加える)調理剤.
buf·fet·ing 名 【航空】バフェッティング.
build·ing 名 ☞
bulk·head·ing 名 隔壁建造物; 隔壁.
bump·ing 名 (航空会社の)バンピング.
bun·dling 名 婚約中の2人が服を着たまま同じ寝床で寝る慣習.
bun·gling 名 へまなやり方; 誤った処置, 失策.
bun·ting[1] 名 バンティング: 目の粗いざらざらした布地.
bun·ting[2] 名 《米》フード付きの乳児着, おくるみ.
burn·ing 名 ☞
bur·y·ing 名 埋葬.
bush·ing 名 【電気】套管(とうかん), 碍管(がいかん).
bus·sing 名 強制バス通学(busing).
bust·ing 名 ☞
but·ting 名 境界(部, 線), 接合点 [部], 限界(点).
buy·ing 名 購買, 買い付け, 仕入れ.
ca·bling 名 【建築】縄刳形(くりかた)装飾.
call·ing 名 呼ぶこと; 呼び声, 叫び; 点呼.
camp·ing 名 野営; キャンプ生活.
can·ing 名 杖で打つこと; 《話》惨敗.
can·ning 名 缶詰, [瓶詰] 製造(法, 業).
can·tling 名 (積み重ねた生れんがを直接覆う)焼成れんがの層.
cap·ping 名 【採鉱】表土(overburden).
card·ing 名 梳綿(そめん), 梳毛.
car·ing 名 社会 [医療] 事業の業務 [職業].
car·jack·ing 名 (乗車中・運転中の)車の強奪.
car·pen·ter·ing 名 大工の職, 大工仕事.
car·pet·ing 名 じゅうたん地.
carv·ing 名 ☞
cas·ing 名 ☞
cast·ing 名 ☞
ca·ter·ing 名 配膳業; 配膳業者が用意する料理.
caulk·ing 名 【工学】かしめ, コーキン(グ).
cav·ing 名 cave すること.
CBing 名 《米話》CB radio の使用 [操作].
ceil·ing 名 ☞
cen·ter·ing 名 迫枠(せりわく), アーチ枠.
cen·tring 名 《英》=centering.
chain·ing 名 【コンピュータ】連鎖, チェイニング.

cham·ber·ing 名 不倫, 私通; 性交.

chan·nel·ing 名 channel を通すこと.

chan·nel·ling 名 《特に英》=channeling.

chas·ing 名 金属に彫刻した[打ち出した]模様.

chip·ping[1] 名 (石などの)小片.

chip·ping[2] 名 《俗》非常用者が遊びで時おり麻薬を使用すること.

chop·ping 名 chop すること.

chord·ing 名 〖音楽〗合奏で和音が合っていること.

chris·ten·ing 名 洗礼式, 命名式.

chunk·ing 名 〖心理〗チャンキング.

churn·ing 名 かき回すこと, 攪拌(かくはん).

cir·cling 名 〖馬術〗輪乗り.

cis·sing 名 〖建築〗ペンキが塗装面に密着しないであばた状になること.

clad·ding 名 クラッド, 被覆(加工).

clang·ing 名 クランギング, だじゃれ.

clead·ing 名 《主にスコット》衣服, 衣類.

clean·ing 名 ☞

cleans·ing 名 (特に道徳的・霊的な)清め, 浄化.

clear·ing 名 清掃, 片づけ, 除去; 掃海.

clerk·ing 名 医師の問診記録.

climb·ing 名 ☞

clip·ping 名 ☞

clock·ing 名 〖自動車〗クロッキング.

clon·ing 名 〖生物〗クローン化.

clos·ing 名 (演説などの)終わり, 結び; 終了.

cloud·ing 名 (物の)曇り(X 線写真の影など).

coam·ing 名 〖建築〗上げ縁.

coat·ing 名 ☞

cob·bing 名 〖冶金〗炉から取り除いた古い耐火物.

co·coon·ing 名 人付き合いを避け, 家あるいは自分の殻に閉じこもって過ごすこと.

cod·ing 名 〖統計〗コーディング, 符号化.

col·or·ing 名 着色(法), 彩色(法).

com·ing 名 ☞

com·pand·ing 名 〖電気工学〗圧伸.

com·put·ing 名 コンピュータの使用.

con·di·tion·ing 名 ☞

con·fer·enc·ing 名 一連の会議[会合]の開催.

con·vey·anc·ing 名 (弁護士の)財産移転業務.

cook·ing 名 料理, 煮たき.

cop·ing 名 (れんが塀などの頂の)笠(かさ), 冠石.

cop·ping 名 円錐(えんすい)状に巻かれた糸を木管に巻き取ること; quilling ともいう.

cop·y·ing 名 コピー, 複写, 謄写.

cor·bel·ing 名 〖建築〗持送り積み構造.

cor·bel·ling 名 《特に英》〖建築〗持送り積み構造.

cord·ing 名 コーディング: 飾りひも.

cor·ing 名 芯を除くこと.

cost·ing 名 ☞

cos·tum·ing 名 衣装の材料.

cot·tag·ing 名 《英》公衆トイレでのホモ行為.

couch·ing 名 うずくまること.

coun·sel·ling 名 《特に英》カウンセリング; 相談.

cou·pling 名 ☞

cou·pon·ing 名 (販売促進のための)クーポンの配布.

cours·ing 名 走る[追う]こと.

cov·er·ing 名 覆うもの, 巻きつけるもの; 覆い.

cov·ing 名 〖建築〗出っ張り; 折り上げ.

cow·boy·ing 名 カウボーイ[牧童]のする仕事.

cowl·ing 名 (特に航空機の)エンジンカバー.

crab·bing 名 カニ漁(の仕事).

crack·ing 名 〖石油化学〗分解, クラッキング.

crack·ling 名 (連続的に)パチパチと音をたてること.

cra·dling 名 〖建築〗下地枠, 野縁(のぶち).

cra·ter·ing 名 クレーターの形成(過程).

crav·ing 名 (…への)(特に異常な)渇望.

crawl·ing 名 塗り立てのペンキ[ワニス]のむら.

cray·fish·ing 名 ザリガニ採り(の仕事).

crea·sing 名 〖建築〗雨押さえ, 水切り.

cre·den·tial·ling 名 証明書[資格認定書]発行.

crest·ing 名 〖建築〗頂飾り, 棟飾り.

crib·bing 名 〖獣医〗齰癖(さくへき).

crock·ing 名 〖繊維〗クロッキング.

croft·ing 名 《英》小農制度.

crop·ping 名 ☞

cross·ing 名 ☞

cruis·ing 名 (高速度でない)巡航速度.

cru·soe·ing 名 孤独な[社会と無縁な]生活. ► Robinson Crusoe の名より.

cub·bing 名 《主に英》子ギツネ狩り.

cue·ing 名 (レコードプレーヤーの)針の上げ下げ.

cun·ning 名 狡猾(こうかつ)さ, ずるさ, 悪知恵.

cup·ping 名 吸角(きゅうかく)法.

curb·ing 名 (道路の)縁石材料.

curl·ing 名 カーリング.

curs·ing 名 呪い; ののしり.

cush·ion·ing 名 緩衝材, クッション材.

cut·ting 名 ☞

cy·cling 名 自転車を乗り回すこと.

daf·fing 名 《スコット・北イング》浮かれ騒ぐこと; ふざけた仕草, 愚かな行為.

dair·y·ing 名 酪農業; 酪農場の仕事.

damp·ing 名 湿らせること, ぬらすこと.

danc·ing 名 ☞

dar·ing 名 (冒険的な)勇気, 大胆不敵, 豪胆.

darn·ing 名 かがること, 繕い.

dat·ing 名 ☞

dawn·ing 名 夜明け.

dead·en·ing 名 つや消し塗料.

deaf·en·ing 名 防音装置[材料], 音響止め.

deal·ing 名 ☞

dec·at·ing 名 〖繊維〗かま蒸し, ディケーティング.

deck·ing 名 ルーフィング材.

de·lust·er·ing 名 (繊維の)つや消し法.

de·siz·ing 名 〖織物〗糊(のり)抜き.

di·al·ing 名 ☞

dic·ing 名 さいころ遊び[賭博(とばく)].

die·sel·ing 名 《米》〖自動車〗ディーゼリング.

din·ing 名 正餐(せいさん)(を取ること).

dis·ci·pling 名 ディサイプリング: 新ペンテコステ派の活動方法.

div·ing 名 ☞

di·vin·ing 名 占い.

dock·ing 名 入渠(にゅうきょ), ドック入れ.

do·ing 名 ☞

dop·ing 名 〖スポーツ〗ドーピング: 競技成績を上げるための薬物使用.

dou·bling 名 倍増, 倍加.

down·wel·ling 名 〖海洋〗沈降.

draft·ing 名 機械製図(mechanical drawing).

draw·ing 名 ☞

dray·ing 名 荷車を動かすこと; 荷車運搬業.

dress·ing 名 ☞

drill·ing 名 ☞

drip·ping 名 したたり, 滴下.

drop·ping 名 (液体の)滴下; (物・人の)落下.

drub·bing 名 (棒で)打ちのめすこと(beating).

dub·bing[1] 名 ナイト爵位の授与(accolade).

dub·bing[2] 名 合成録音, ダビング; 吹き替え.

duck·ing 名 カモ猟.

duct·ing 名 管路: 空調用ダクトの配管.

du·et·ting 名 〖動物行動〗デュエット.

dump·ing 名 ダンピング, (余剰品の)投げ売り.

dunk·ing 名 水につかること.

dust·ing 名 軽く振りかけること, 散布.

Dutch·ing 名 《英》(食品業界で)ダッチング.

DXing 名 DX 通信, 遠距離放送聴取.

dye·ing 名 ☞

ear·ing 名 〖海事〗(帆船で)耳索(みみなわ).

earn·ing 名 収入[所得, 賃金]を稼ぐこと; 獲得.

eas·ing 名 〖建築〗緩和材(easement).

east·ing 名 〖航海〗東航東西距離, 東航行程.

eat·ing 名 ☞

edg·ing 名 縁をつけること, へり取り, 縁取り.
e·di·tion·iz·ing 名 (新聞の複数の)地域版の発行.
em·bed·ding 名 〖数学〗埋め込み.
e·nam·el·ing 名 エナメル細工(術).
e·nam·el·ling 名 《特に英》エナメル [ほうろう] 細工(術).
end·ing 名 ☞
en·gi·neer·ing 名 ☞
en·grav·ing 名 ☞
e·vent·ing 名 〖馬術〗総合馬術.
fac·ing 名 直面(すること); 直面した状態.
fac·tor·ing 名 〖商業〗問屋業務, 債権買取業.
fad·ing 名 〖無線〗フェージング.
fag·got·ing 名 《英》飾り [はしご] つなぎ.
fag·ot·ing 名 ファゴティング, 飾りつなぎ.
fail·ing 名 失敗, しくじり; 落第; 破産; 衰弱.
fair·ing[1] 名 整形.
fair·ing[2] 名 《主に英》(特に市で買った)土産物.
farm·ing 名 ☞
fas·ten·ing 名 締め具, 留め具.
fast·ing 名 断食, 絶食; 精進.
feath·er·ing 名 羽毛, 羽(plumage).
feaz·ing 名 〖海事〗(ロープの端の撚(よ)りを戻して)ばらばらにほぐした部分.
feed·ing 名 ☞
feel·ing 名 ☞
felt·ing 名 フェルト地.
fenc·ing 名 フェンシング, 剣術.
fet·tling 名 〖冶金〗フェットリング.
field·ing 名 〖野球〗〖クリケット〗守備.
fight·ing 名 ☞
fil·ing 名 書類のとじ込み [整理].
fil·let·ing 名 〖建築施工〗拈(ひね)り掛け.
fill·ing 名 ☞
film·ing 名 (映画の)撮影(期間).
fi·nanc·ing 名 ☞
find·ing 名 発見する [見いだす] こと, 発見.
fin·ger·ing 名 指で触れる [いじる] こと, つまぐり.
fin·ing 名 清澄.
fir·ing 名 ☞
fish·ing 名 ☞
fit·ting 名 ☞
flag·ging 名 板石, 敷石(flagstones).
flan·ning 名 〖建築〗左右の壁の側面(抱き)が斜めに室内側に開いている広がり.
flash·ing 名 〖建築施工〗雨押(あまお)さえ.
flat·ting 名 〖金属加工〗圧延, 展延.
fla·vor·ing 名 味つけ, 調味; 調味料, 薬味, 香料.
fletch·ing 名 矢羽根.
flit·ing 名 《スコット・北イング》口論.
flock·ing 名 フロッキング: ビロード様の模様.
flood·ing 名 洪水, 氾濫(はんらん).
floor·ing 名 床(floor).
flounc·ing 名 フラウンスの材料.
flush·ing 名 〖畜産〗フラッシング, 繁殖期増飼.
flut·ing 名 〖ギリシャ建築〗フルーティング.
fly·ing 名 ☞
fol·low·ing 名 随員; 家来, 従者, 配下, 部下.
fool·ing 名 おどけ; ふざけ.
foot·ing 名 安全な [不動の] 地歩, 地盤, 立脚地.
for·ag·ing 名 採集, 狩猟, 漁労による食物獲得.
forc·ing 名 強制; 暴行; 奪取.
fore·bod·ing 名 予言, 予報; 前兆.
fore·ground·ing 名 〖言語〗前景化.
forg·ing 名 鍛造.
form·ing 名 ☞
for·ward·ing 名 推進, 促進.
foul·ing 名 (船体への)付着物.
fowl·ing 名 野鳥を捕ること, 鳥撃ち, 野鳥狩り.
fox·ing 名 甲革(こうがわ).
frag·ging 名 《米軍俗》破片手榴(しゅりゅう)弾で味方の兵士を殺すこと.
free-bas·ing 名 《米麻薬俗》気分をすっきりさせるためにフリーベースをやること.
freez·ing 名 ☞
friez·ing 名 (特に16－17世紀の)船体の上部を飾った彫刻や絵.
frill·ing 名 襞(ひだ)飾り, 襞取り.
fring·ing 名 房(飾り)の材料.
frock·ing 名 仕事着など(frock)に適した生地.
frost·ing 名 糖衣, 卵白糖衣(icing).
fuck·ing 名 ☞
fund·ing 名 金, 賃金.
fur·nish·ing 名 備え付け家具, 造作, 調度.
fur·ring 名 毛皮をつけること; 毛皮の裏打ち.
ga·droon·ing 名 反りひだ [丸ひだ] 彫り装飾.
gal·let·ing 名 〖石工〗モルタル目地に詰め込まれた石屑(いしくず).
gam·ing 名 賭(か)け事, 博打(ばくち).
gam·mon·ing 名 〖海事〗船首斜檣(しゃしょう)を船首材に結びつける索 [鎖].
gap·ping 名 〖言語〗空所化変形.
ga·rag·ing 名 自動車の収容スペース.
gar·den·ing 名 園芸, 庭仕事; 庭番.
gar·net·ing 名 《英・ハンプシャーサリー》建物の壁面にガーネット色の小石を等間隔ではめ込むこと.
gas·sing 名 毒ガス攻撃; 毒ガス戦術; ガス中毒.
gath·er·ing 名 ☞
gat·ing 名 〖細胞生物〗通門.
ga·tor·ing 名 《米俗》(ダンスパーティーで)床の上をはい回る遊び.
gauf·fer·ing 名 ＝goffering.
gear·ing 名 〖機械〗伝動装置.
get·ter·ing 名 (ゲッターによる部分真空中の)残留ガス除去.
ghost·ing 名 〖テレビ〗ゴースティング.
gild·ing 名 ☞
gill·ing 名 〖繊維〗ギリング, ギル整条.
giv·ing 名 ☞
glaz·ing 名 ガラスの取り付け, ガラス工事.
glean·ing 名 収穫もれを集めること, 落ち穂拾い.
glid·ing 名 〖航空〗滑空, グライダー競技.
glim·mer·ing 名 ちらちらする光; かすかな光, 微光.
gloom·ing 名 《古》薄暮, たそがれ; 薄明かり.
gnaw·ing 名 かじる [かむ, 食い込む] こと.
goal·tend·ing 名 ゴールテンディング; ゴールの守備.
gof·fer·ing 名 装飾用のひだ; ひだ取り, ひだ飾り.
go·ing 名 ☞
gor·ing 名 〖海事〗ゴーリング.
grad·ing 名 〖商業〗等級 [格] 付け, 品等別.
graft·ing 名 ☞
grain·ing 名 (木材, 大理石, 皮革などの)木目.
grap·pling 名 引っ掛け道具, 固定具.
grat·ing 名 鉄格子, 格子; 格子窓, 格子戸.
graz·ing 名 放牧.
green·ing 名 青リンゴ.
greet·ing 名 あいさつ, 会釈, あいさつの口上.
grid·i·ron·ing 名 《NZ》格子状に土地を買うこと.
griz·zling 名 《英》不平を言うこと; 悲嘆.
groin·ing 名 2つの穹窿(きゅうりゅう)の交差.
ground·ing 名 基礎教授; 基礎学力.
group·ing 名 ☞
gru·el·ing 名 ひどい目, つらい思い, ひどい打撃.
gru·el·ling 名 《特に英》＝grueling.
gum·ming 名 ゴム状になること, ゴム液を塗ること.
gun·ning 名 射撃(法), 砲術; 発砲, 砲撃.
gun·stock·ing 名 〖海事〗砲座板.
gut·ter·ing 名 樋(とい)をつけること.
hack·ing 名 〖建築〗粗面仕上げ.
ham·mer·ing 名 槌(つち)で打つこと, 打ち延ばし.
hand·book·ing 名 《米》(競馬の)賭(か)け業.
han·dling 名 ☞
hang·ing 名 絞首刑.
han·ker·ing 名 (…への)あこがれ, 渇望.
hap·pen·ing 名 出来事, 事件, 偶発事.
hard·en·ing 名 ☞
harp·ing 名 〖海事〗船首部の厚い外板.

har·vest·ing 名 収穫(harvest).
hash·ing 名 〘無線〙ハッシング.
hatch·ing 名 アシュール, 線影(hachure).
hav·ing 名 所有, 所持.
hawk·ing 名 鷹狩り, 猛鳥を使う狩り.
haz·ing 名 新入りいじめ.
head·bang·ing 名 《俗》過激 [戦闘的] な政治思想.
head·ing 名 頭部, 先端部, 上部, 前面.
heal·ing 名 ☞
hear·ing 名 聴力, 聴覚.
heart·ing 名 中詰め.
heat·ing 名 ☞
heav·ing 名 持ち上げること.
help·ing 名 助力, 援助, 役立つこと.
hid·ing[1] 名 隠す [隠れる] こと, 隠匿, 隠蔽(いんぺい).
hid·ing[2] 名 《話》むち打ち.
hik·ing 名 ハイキング, 徒歩旅行.
hil·ding 名 《古》卑劣なやつ.
hir·ing 名 雇用; 賃貸借.
hiss·ing 名 シューという音をたてること.
hoard·ing[1] 名 (ひそかな)貯蔵, 秘蔵, 退蔵.
hoard·ing[2] 名 一時的板囲い, 仮囲い.
hob·bing 名 〘機械〙ホビング.
hold·ing 名 ☞
home·stead·ing 名 《米》都市入植(政策).
hop·ping[1] 名 ☞
hop·ping[2] 名 ホップの摘み取り [採集].
hos·ing 名 《俗》だまされること.
hos·tel·ing 名 ホステル宿泊.
hot·dog·ging 名 《俗》(スキー・サーフィンなどの)妙技.
hot·hous·ing 名 《米》〘教育〙早期開発教育.
hot·ting 名 《英俗》盗難車を乗り回す遊び.
hound·ing 名 〘海事〙ハウンディング.
hous·ing[1] 名 ☞
hous·ing[2] 名 馬衣(うまぎぬ).
hous·ing[3] 名 〘海事〙ハウスライン(houseline).
hull·ing 名 (船体構成の)骨組みと外郭の材料.
hunt·ing 名 ☞
hurl·ing 名 (力を入れて)投げること.
husk·ing 名 (トウモロコシなどの)皮をむくこと.
hy·dro·frac·tur·ing 名 水圧破壊(法).
ic·ing 名 (菓子などの)糖衣, アイシング.
im·ag·ing 名 〘心理〙イメージ化.
im·bed·ding 名 ＝embedding.
im·print·ing 名 〘動物行動〙〘心理〙刷り込み.
in·clin·ing 名 心の傾き, 傾向, 性向.
in·dex·ing 名 〘経済〙物価スライド制.
in·fer·en·cing 名 〘言語〙推論.
in·fill·ing 名 空隙(くうげき)を埋めること [もの].
in·fold·ing 名 鞘(さや)に収める [入る] こと.
ink·ing 名 〘印刷〙インク盛り, 肉盛り.
ink·ling 名 ほのめかし, 暗示.
in·ning 名 《米》〘野球〙回, イニング.
in·spir·ing 名 inspire すること.
in·ter·fer·ing 名 interfere すること.
in·ter·lin·ing[1] 名 (衣服の)芯.
in·ter·lin·ing[2] 名 行間挿入物, 行間注記.
i·ron·ing 名 アイロンかけ.
jam·ming 名 〘通信〙ジャミング, 妨害(電波).
jog·ging 名 ジョギング.
join·ing 名 結びつけること; 結合, 接合, 連結.
jot·ting 名 簡潔に [手早く] 書き留めること.
jump·ing 名 ☞
keen·ing 名 泣きながら哀歌を歌うこと.
keep·ing 名 ☞
keg·ling 名 《米話》ボウリング(bowling).
ken·ning 名 ケニング, (婉曲)代称法.
kerb·ing 名 《英》＝curbing.
kern·ing 名 〘印刷〙カーニング, くい込み詰め.
kill·ing 名 ☞
kilt·ing 名 (スカートに)キルトプリーツ [片ひだ] をつけること.
kin·dling[1] 名 たきつけ.
kin·dling[2] 名 (動物, 特にウサギの)お産.
kiss·ing 名 キスすること.
kit·ing 名 凧(たこ)揚げ.
knit·ting 名 ☞
knot·ting 名 節糸レース模様.
knull·ing 名 〘建築〙(玉飾りのように)一連の半球状に刻まれた部材から成る凸面の刳形(くりかた).
knurl·ing 名 (表面の)ぎざぎざ, つぶつぶ.
lac·ing 名 レース飾りをつけること.
lad·ing 名 荷を積むこと, 船積み.
lag·ging[1] 名 遅れること, ぐずぐずすること.
lag·ging[2] 名 ラギング: 断熱材で包むこと.
lag·ging[3] 名 《英俗》懲役の判決.
lamb·ing 名 羊の出産.
land·ing 名 ☞
lap·ping 名 トラック一周抜くこと(lap).
lash·ing[1] 名 駆り立てること, 鼓舞すること.
lash·ing[2] 名 (綱・ひもなどで)結ぶこと, 縛ること.
las·ing 名 〘光学〙レージング.
latch·ing 名 〘海事〙縄輪(loop).
lath·ing 名 木摺(きずり)打ち.
lat·tic·ing 名 格子の製作; 格子細工の取りつけ.
laugh·ing 名 笑うこと, 笑い(laughter).
law·ing 名 《スコット》勘定書, つけ(bill).
law·yer·ing 名 《しばしば軽蔑的》弁護士稼業.
lay·ing 名 置く [積む] こと.
lead·ing 名 ☞
lead·swing·ing 名 《英俗》(仮病で)仕事をずるけること.
lean·ing 名 傾き, 傾斜.
learn·ing 名 ☞
leav·en·ing 名 パン種(leaven).
leav·ing 名 残り, 残余.
leg·ging[1] 名 (兵士・労働者などの)脚絆(きゃはん).
leg·ging[2] 名 足けり.
lend·ing 名 貸すこと, 貸与; 貸された物.
let·ter·ing 名 レタリング: 文字を書くこと.
let·ting 名 《英》賃貸し; 貸家.
lick·ing 名 《話》打つこと, 打ちのめすこと.
lift·ing 名 ☞
light·en·ing 名 〘医学〙軽減感, 下降感.
light·ing 名 ☞
light·ning 名 ☞
lik·ing 名 (…を)好くこと, 好み, 愛好.
lim·ing 名 ライミング: 酸性雨対策として, 河川や湖に石灰を散布して中和すること.
lin·ing[1] 名 ☞
lin·ing[2] 名 ☞
lip·ping 名 〘医学〙リッピング, 骨辺縁.
list·ing[1] 名 表, 名簿, 目録, カタログ.
list·ing[2] 名 (板から切り落とされる)端材, 辺材.
load·ing 名 ☞
loath·ing 名 強い嫌悪感, 憎悪.
lob·ster·ing 名 ロブスター漁.
lock·ing 名 〘ブレークダンス〙ロッキング.
lodg·ing 名 (貸間の)宿泊設備.
loft·ing 名 〘空軍〙ロフト [トス] 爆撃.
log·ging 名 木材の切り出し, 伐採搬出.
long·ing 名 (…への)あこがれ, 熱望, 切望.
long·shor·ing 名 港湾労働.
loom·ing 名 ぼんやり見えてくること.
loop·ing 名 〘映画〙ルーピング.
loos·ing 名 《英ヨークシャー》21 歳の誕生祝い.
low·ing 名 (モーと鳴く)牛の鳴き声.
lum·ber·ing 名 《米・カナダ》製材 [材木伐採] (業).
lus·ter·ing 名 ラスタリング, つや出し.
lus·tring 名 ＝lustering.
lut·ing 名 封塗料, 封泥(ふうでい).
ly·ing 名 うそ(をつくこと), 虚言.
lynch·ing 名 リンチ, 私刑.
mail·ing[1] 名 1 回に送る同一郵便物.
mail·ing[2] 名 《スコット》小作地, 小作農地.
mak·ing 名 ☞

malt·ing 名 麦芽製造(法).
man·tling 名 〖紋章〗大紋章の盾の上部から左右に木の葉状に配された飾り.
man·u·fac·tur·ing 名 製造(業).
map·ping 名 ☞
mar·bling 名 マーブル染め.
mar·ket·ing 名 ☞
mark·ing 名 印; たくさんの点, 点々の模様.
mask·ing 名 〖演劇〗隠し帯.
mast·ing 名 〖海事〗(1 隻の船の)全帆柱.
match·ing 名 ☞
mat·ing 名 交合, 交配, 交接; 交尾期.
ma·trix·ing 名 〖録音の〗マトリックス方式.
mat·ting[1] 名 マッティング: イグサ, 草, わら, 麻などの粗い織物.
mat·ting[2] 名 つや消し(面).
mat·ting[3] 名 (額縁の中の)飾り縁.
May·ing 名 五月祭(May Day)の祝い.
mean·ing 名 ☞
meet·ing 名 ☞
men·tor·ing 名 〖経営〗経験豊かな社員が割り当てられた若手社員を指導すること.
mer·chan·dis·ing 名 マーチャンダイジング, 商品化計画.
mer·ing 名 《主にアイル》境界線(mere).
mes·sag·ing 名 伝達; 電気 [電子] 通信.
met·al·craft·ing 名 金属細工(術), 金属加工.
min·ing 名 ☞
mis·giv·ing 名 疑念; 不信の念; 懸念; 悪い予感.
mod·el·ing 名 模型製作(術), 模型製作業.
mod·el·ling 名 《英》模型作業(術), 模型製作業.
mold·ing 名 ☞
moon·ing 名 (建物や車の窓から)尻(しり)を丸出しにして見せるいたずら.
moon·light·ing 名 《話》夜間行動; 夜襲.
mosh·ing 名 《英俗》(ヘビーメタルロックに合わせた)もみ合いながらのダンス.
moth·er·ing 名 母親自身が乳幼児を世話すること.
mo·tor·boat·ing 名 モーターボート乗り.
mo·tor·ing 名 ドライブ, 自動車旅行.
moun·tain·eer·ing 名 (スポーツとしての)登山.
mount·ing 名 乗馬; 登壇; 据えつけ, 取りつけ.
mourn·ing 名 悲しむこと, 悲嘆, 哀悼.
mous·ing 名 〖コンピュータ〗マウス操作.
mow·ing 名 (機械や鎌(かま)による)刈り入れ.
mug·ging 名 (街頭などでの)強盗.
mul·ti·task·ing 名 〖コンピュータ〗マルチタスキング.
mump·ing 名 《英俗》ねだり, 物乞い.
-nap·ing 連結形 ☞
-nap·ping 連結形 ☞
neck·ing 名 《主に米話》ネッキング.
nee·dling 名 〖医学〗穿刺(せん).
nerv·ing 名 〖獣医〗(神経幹の)炎症部摘出手術.
nest·ing 名 野鳥の巣 [卵] の採取.
net·ting 名 網細工, 網製品, 網状織物.
net·work·ing 名 連絡網(形成).
news·pa·per·ing 名 新聞業務 [経営].
ni·trid·ing 名 〖冶金〗窒化処理.
nod·ding 名 《米俗》ばか, とんま, うすのろ.
nog·ging 名 木骨のれんが [石] 積み(工法).
noo·dling 名 魚の素手捕り.
noon·ing 名 《主に米中北部》真昼時, 正午.
north·ing 名 〖航海〗北進, 北行, 北航.
nos·ing 名 〖建築〗鼻, 段鼻.
nul·ling 名 =knulling.
nurs·ing 名 (職業としての)保育, 看護.
nut·ting 名 木の実拾い.
of·fer·ing 名 ☞
off·ing 名 沖, 沖合い.
oil·ing 名 (海・海鳥などの)油汚染.
o·pen·ing 名 ☞
or·chard·ing 名 果樹栽培; 果樹園.
out·ing 名 遠足, 遊山旅行, ピクニック, 散歩.
o·ver·draft·ing 名 〖農業〗過剰排水.
o·ver·top·ping 名 越水(えっすい).
oys·ter·ing 名 環状の模様になるように木材の薄板を化粧張りすること.
pack·ing 名 ☞
pad·ding 名 詰め物用の材料, 詰め物, 芯.
pag·ing 名 〖コンピュータ〗ページング.
paint·ing 名 ☞
pair·ing 名 対にする [なる] こと.
pal·ing 名 杭垣(picket fence).
pan·el·ing 名 鏡板材.
pan·el·ling 名 《特に英》=paneling.
pan·ning[1] 名 〖鉱山〗パンニング, 椀(わん)がけ.
pan·ning[2] 名 《話》激しい非難 [批判].
par·cel·ing 名 包むこと; 割り当て, 配分.
par·ent·ing 名 子育て, 育児, 親業.
par·get·ing 名 しっくい [プラスター, モルタル] 塗り.
parg·ing 名 つけトロ, 化粧塗り, 上塗り.
par·ing 名 皮をむく [はぐ] こと; 削り取ること.
park·ing 名 ☞
part·ing 名 別れ, 別離.
past·ing 名 《話》強打, パンチ; 猛攻撃; 敗北.
pat·tern·ing 名 パターニング, 図柄, 図案, デザイン.
pav·ing 名 舗装道路, 舗道; 舗床.
peb·bling 名 〖カーリング〗ペブリング.
peck·ing 名 《ジャズ》ペッキング.
peel·ing 名 皮むき, 皮はぎ.
peg·ging 名 〖登山〗人工登攀(とうはん).
pen·cil·ing 名 鉛筆画, 細線画; 鉛筆デッサン.
pen·ning 名 =pitching.
pet·ting 名 愛撫(あいぶ), ペッティング.
phas·ing 名 〖電気工学〗整相, 位相整合.
phras·ing 名 言葉遣い, 言い回し, 表現法.
pick·et·ing 名 ☞
pick·ing 名 摘み取り, 採集; 選抜.
pil·ing 名 杭, パイル.
pi·lot·ing 名 (船・航空機の)操縦, 操舵.
pipe·lin·ing 名 輸送管 [パイプライン] 敷設.
pip·ing 名 管; 管組織, 配管.
pitch·ing 名 石張り.
pit·ting[1] 名 穴をあける [掘る] こと.
pit·ting[2] 名 (果物から)種を取り除くこと.
piv·ot·ing 名 〖歯科〗《もと》合釘(ごうてい)継続.
plac·ing 名 置くこと; 位置; 状況; 順番, 配置.
plait·ing 名 編んだ [ひだをとった] 物.
plank·ing 名 (床などの)厚板.
plan·ning 名 ☞
plant·ing 名 植え付け, 種まき, 栽培; 造林, 植林.
plas·ter·ing 名 漆喰(しっくい)工事; 漆喰塗り.
plat·ing 名 (金銀などの)めっき; 金属の層.
play·ing 名 ☞
plead·ing 名 弁論, 弁解, 申し開き.
plot·ting 名 製図.
plug·ging 名 栓をすること.
plumb·ing 名 (建物などの)配管(系統).
poach·ing 名 密猟, 猟場荒らし.
pock·et·ing 名 ポケット裏地, ポケット地.
point·ing 名 ☞
poi·son·ing 名 ☞
pol·i·tick·ing 名 政治運動, 政治活動, 政治工作.
poll·ing 名 《主に英》投票(《米》voting).
pop·ping 名 ボディーポッピング(body-popping): ロボットのような動きをする 1980 年代のストリートダンスの一種.
port·ing 名 〖自動車〗〖機械〗ポーティング.
post·ing[1] 名 (職務の)任命.
post·ing[2] 名 〖会計〗転記.
post·ing[3] 名 〖プロレス〗ポスティング.
pound·ing 名 打つ [たたく] こと [音].
pow·der·ing 名 たくさんの小さい物の集まり.
preach·ing 名 説教すること; 伝道; 訓戒, 教戒.
pre·judg·ing 名 (コンテストなどの)予選.
pric·ing 名 ☞
prick·ing 名 (人や物が)ちくりと刺す [突く] こと.
prim·ing 名 点火薬, 起爆剤.

print·ing 名 ☞
pro·ceed·ing 名 進行；(特定の)行為；手続き，手順．
proc·ess·ing 名 ☞
pro·gram·ming 名 ☞
prompt·ing 名 刺激，誘発，鼓舞，促すこと．
proof·ing 名 ☞
prun·ing 名 (植木などの)刈り込み，剪定(せんてい)．
pub·lish·ing 名 ☞
pud·dling 名 水たまりを歩くこと；泥水にすること．
pug·ging 名 土をこねる作業．
pull·ing 名 ☞
pulp·ing 名 パルプ製造．
pump·ing 名 ポンプによる吸水［排水，揚水］．
push·ing 名 ☞
put·ting 名 パッティング．
quar·ry·ing 名 採石，石切り；採石業．
quar·ter·ing 名 4分すること；右往左往すること．
quill·ing 名 ひだ山；ひだ山のついた織物．
quilt·ing 名 キルティング(すること)．
rac·ing 名 ☞
rack·et·eer·ing 名 (ゆすりや密輸などの)組織的犯罪．
rack·ing 名 〘石工〙段逃げ．
raft·ing 名 (スポーツとしての)いかだ乗り．
rag·ging[1] 名 〘金工〙ラギング．
rag·ging[2] 名 《話》からかい，ひやかし；乱暴．
rail·ing[1] 名 ガードレール，手すり，欄干．
rail·ing[2] 名 悪態をつくこと，罵倒(ばとう)．
rail·road·ing 名 《米》鉄道敷設工事；鉄道事業．
rais·ing 名 ☞
ral·ly·ing 名 自動車ラリー競技．
rang·ing 名 ☞
rant·ing 名 《英俗》詩の朗唱．
rap·ping 名 (コツコツ・トントンと)たたくこと．
rat·ing[1] 名 ☞
rat·ing[2] 名 しかりつけること，叱責(しっせき)．
rav·el·ing 名 解きほぐされたもの；ほぐれ糸．
rav·el·ling 名 《特に英》＝raveling.
read·ing 名 ☞
rea·son·ing 名 推論，推理．
re·birth·ing 名 (心理療法の)リバーシング．
re·bound·ing 名 (小型のトランポリン(rebounder)で行う)跳躍運動，トランポリン運動．
re·ceiv·ing 名 受け取ること；盗品故買．
reck·on·ing 名 計算，勘定，集計．
re·cord·ing 名 ☞
re·cy·cling 名 再利用，リサイクリング．
red·lin·ing 名 《米金融俗》(銀行・保険会社による)特定警戒地区指定．
reed·ing 名 〘建築〙胡麻殻(ごまがら)筋．
re·form·ing 名 改質，リホーミング．
re·joic·ing 名 喜び，歓喜，喜悦；歓声，歓呼．
ren·der·ing 名 (劇の役・楽曲などの)解釈，役作り．
re·re·cord·ing 名 〘映画〙リーレコ．
re·tail·ing 名 小売り(業)．
rhu·barb·ing 名 〈俳優が〉(群集になって)がやがや［ざわざわ］言う声，騒音．
rib·bing[1] 名 肋骨(ろっこつ)；(船の)肋材．
rib·bing[2] 名 《話》じらす［いじめる，からかう］こと．
rid·ing 名 ☞
ri·fling[1] 名 (銃身などに)旋条溝を施すこと．
ri·fling[2] 名 くまなく捜して盗むこと，略奪．
rig·ging 名 《スコット》建物の屋根［へり，縁］．
ring·ing 名 ☞
rins·ing 名 すすぎ，ゆすぎ，リンス．
roar·ing 名 ほえる［怒鳴る］こと．
rock·plow·ing 名 ロックプラウィング農地化方式．
Rolf·ing 名 ロルフ式マッサージ．
rol·lick·ing 名 《英俗》＝rollocking.
roll·ing 名 ☞
rol·lock·ing 名 《英俗／婉曲的》ひどく怒ること．
roof·ing 名 屋根ふき．
rop·ing 名 〘海事〙縁綱(ふちづな)による補強．
rough·ing 名 〘スポーツ〙反則的妨害．
rout·ing 名 旅程決定，運送計画．
rov·ing 名 粗糸．
row·ing 名 ボートをこぐこと，漕艇(そうてい)．
rub·bing 名 こすること，摩擦；あんま．
ruch·ing 名 ルーシュ飾りの材料．
ruf·fling 名 〘生物〙波打ち運動．
rug·ging 名 ラッギング：かさばってきめの粗い織物．
rul·ing 名 (…の)決定，裁定，判定，裁決，判決．
rum·bling 名 不平［不満］の前兆．
run·ning 名 ☞
rush·ing 名 《米》学生社交クラブが，勧誘と入会約束に先立って主催する一連の社交的行事．
rus·set·ing 名 〘植物病理〙さび(russet)．
rus·ti·cat·ing 名 《NZ》古い家屋で用いられている幅の広い下見板．
sack·ing[1] 名 (袋に用いる)粗製麻布，ズック，袋地．
sack·ing[2] 名 略奪，強奪(plundering)．
sa·cring 名 《古》聖変化．
sail·ing 名 ☞
sail·or·ing 名 船乗り［海員，船員］生活．
salt·ing 名 塩漬けすること．
sam·pling 名 抜き取り，標本抽出，サンプリング．
sark·ing 名 《スコット》(sark の)生地．
sav·ing 名 ☞
say·ing 名 言う［言った］こと，言，説．
scaf·fold·ing 名 〘建築〙足場；足場組み．
scald·ing 名 煮沸，熱湯消毒；熱湯処理，湯通し．
scal·ing 名 スケーリング：魚からの鱗(うろこ)の除去．
scal·lop·ing 名 ホタテガイ採り．
scal·ping 名 〘冶金〙皮むき．
scan·ning 名 ☞
scat·ter·ing 名 ☞
schem·ing 名 陰謀，悪だくみ．
school·ing[1] 名 学校教育．
school·ing[2] 名 〘動物〙(魚などの)群泳．
scold·ing 名 しかること；叱責(しっせき)．
scop·ing 名 《俗》(値踏みのための)検査，調査．
scor·ing 名 試合の記録，得点記入；得点．
scour·ing 名 こすり取ったごみ，磨きかす．
scout·ing 名 偵察，斥候(活動)．
scrap·ing 名 こする［ひっかく，削る］こと．
scratch·ing 名 〘音楽〙スクラッチ(scratch)．
screech·ing 名 金切り声を上げること．
screen·ing 名 (志願者・従業員などの)審査，選抜．
sculp·ing 名 《カナダ・ニューファンド》アザラシの皮［脂肪］剝ぎ．
seam·ing 名 縫い目［継ぎ目］をつけること．
sea·son·ing 名 (薬味・香料などの)調味料；調味．
seat·ing 名 席に着かせること；座席指定．
see·ing 名 ☞
seis·ing 名 〘主に法律〙(不動産の)占有．
seiz·ing 名 つかむ［捕らえる］こと．
self·ing 名 〘生物〙自(己増)殖．
sell·ing 名 ☞
se·quenc·ing 名 〘生化学〙配列決定．
set·ting 名 ☞
set·tling 名 据えること，安定させること．
sew·ing 名 縫うこと，裁縫，針仕事；縫製業．
shad·ing 名 (色・音・質などの)微妙な相違［変異］．
shad·ow·ing 名 〘細胞〙シャドウイング(法)．
shaft·ing 名 シャフト，軸材(shafts)．
shak·ing 名 振ること，ゆさぶること；震動．
shar·ing 名 ☞
shav·ing 名 shave すること；そること．
shead·ing 名 Isle of Man の6つの行政区画のうちの一つ．
sheal·ing 名 《スコット》＝shieling.
shearing 名 切ること，剪断(せんだん)，剪毛．
sheath·ing 名 鞘(さや)に収めること；包むこと．
sheet·ing 名 薄板金にする［伸べる］こと．

shel·lack·ing 名 《米・カナダ俗》(スポーツで)完敗.
shell·ing 名 もみ殻を取った穀粒; 取った殻.
shelv·ing[1] 名 棚用材料.
shelv·ing[2] 名 なだらかな傾斜, 緩い勾配.
shield·ing 名 遮蔽(しゃへい).
shiel·ing 名 《スコット》牧場, 放牧場.
shin·gling 名 【地質】シングル[覆瓦]構造.
ship·ping 名 船積み; 積み込み, 積み出し.
shirt·ing 名 (目のつんだ)シャツ地.
shit·ting 名 shit すること.
shoot·ing 名 ☞
shop·ping 名 ☞
shor·ing 名 支柱, 突っかい.
short·en·ing 名 《特に米》【料理】ショートニング.
shot·ting 名 (shot tower での)鉛の散弾製造.
shout·ing 名 叫ぶこと, 歓呼, 喝采(かっさい).
show·ing 名 展示会, 展覧会.
shred·ding 名 面戸(めんど)板.
shuck·ing 名 =husking.
shut·ter·ing 名 《主に英》(コンクリートを流し込む)型枠, 仮枠(formwork).
sick·en·ing 名 病気にさせること.
side·walk·ing 名 《カナダ話》(店頭での)呼び込み.
sid·ing 名 ☞
sight·ing 名 (異常な物[現象]の)目撃.
sig·ni·fy·ing 名 =sounding.
sign·ing 名 (特にプロスポーツの)契約選手.
sil·ver·ing 名 銀着せ, 銀めっき.
sing·ing 名 ☞
sink·ing 名 沈没; 陥没.
sit·ing 名 【建築】キープラン(key plan).
sit·ting 名 座ること; モデルになること.
siz·ing 名 サイズを塗ること, 糊(のり)付け.
skank·ing 名 レゲエ音楽などに合わせて体をリズミカルに動かすダンス.
skat·ing 名 ☞
skew·ing 名 表面の余分の金箔を取り除く工程.
skid·ding 名 【自動車】横すべり.
ski·ing 名 ☞
skim·ming 名 乳脂をすくい取ること.
skip·per·ing 名 《俗》家賃を払わず無断で空き家に住みつくこと.
skip·ping 名 縄飛び.
skirt·ing 名 スカート地.
sky·jack·ing 名 航空機乗っ取り, ハイジャック.
slash·ing 名 《俗》小便(をすること)(slash).
slat·ing[1] 名 スレート[石板]ぶき(の仕事).
slat·ing[2] 名 《話》酷評, こき下ろし.
slat·ting 名 細長い薄片(slat)をつけること.
sled·ding 名 《主に米》そりの使用に適した地面[雪]の状態.
sleep·ing 名 眠り, 睡眠(状態); 不活発, 休止.
sleev·ing 名 【電気】スリービング.
sleigh·ing 名 そりに乗ること, そりで行くこと.
slim·ming 名 痩身(そうしん)法, スリミング.
slo·gan·eer·ing 名 《主に米》スローガンの作成[使用].
slub·bing 名 【紡績】スラッビング, 始紡.
sludg·ing 名 【病理】スラッジ(現象).
smash·ing 名 《俗》キス; 互いに首に抱きつくこと.
smat·ter·ing 名 浅薄な[初歩の, 生かじりの]知識.
smith·ing 名 鍛冶, 金属鍛造.
smock·ing 名 スモッキング(刺繍(ししゅう)).
smok·ing 名 ☞
sniff·ing 名 鼻を鳴らして息を吸うこと.
snor·kel·ing 名 【スポーツ】シュノーケリング.
snuff·ing 名 《米俗》殺人, (特に)謀殺.
soar·ing 名 (グライダーの)ソアリング.
soft·en·ing 名 柔らかくする[なる]こと, 軟化.
sol·dier·ing 名 軍隊生活, 兵役, 軍務.
sol·ing 名 =pitching.
sor·ing 名 (ショーで馬を高く跳ねさせたりするために)前脚を痛めさせてしまうこと.
sort·ing 名 区分, 分類; 【地質】分級, 分級過程.
sound·ing 名 (測鉛などによる)測深, 水底調査.
sourc·ing 名 【経済】(外部・海外からの)部品調達.
south·ing 名 【天文】南中, 正中, 子午線通過.
spac·ing 名 空間[間隔, 間(ま)など]を置くこと.
spank·ing 名 ピシャリと打つこと; 《英俗》殴打.
spar·ring 名 【ボクシング】スパーリング.
spawn·ing 名 (魚などの)産卵, 放卵.
spear·ing 名 【アイスホッケー】スピアリング.
speed·boat·ing 名 高速モーターボートに乗ること.
speed·ing 名 高速進行; (自動車の)スピード違反.
spend·ing 名 ☞
spil·ing 名 杭, 栓.
spin·dling 名 ひょろっとした人[もの].
spin·ning 名 ☞
spir·it·ing 名 《文語》精神作用, 精神の働き.
spir·ket·ting 名 【海事】(木船の)内部腰板.
split·ting 名 ☞
sports·cast·ing 名 スポーツ放送.
spread·ing 名 ☞
spring·ing 名 跳躍.
sprin·kling 名 まき散らすこと, 散布, 散水.
sput·ter·ing 名 【工学・電子工学】スパッタ蒸着法.
sta·bling 名 馬小屋[牛舎, 家畜小屋]に馬[牛, 家畜]を収容すること.
stack·ing 名 【航空】旋回待機.
stag·ing 名 (劇の)上演, 演出(方法).
stand·ing 名 ☞
sta·pling 名 ホッチキスでとじること.
stead·ing 名 《スコット・北イング》農場の建物.
steal·ing 名 こっそり盗むこと, 窃盗.
steer·ing 名 舵(かじ)取り(する人).
stick·ing 名 刺すこと, 突き刺すこと.
stitch·ing 名 縫う[ステッチで飾る, 閉じる]こと.
stoa·ting 名 縫い目を出さずに仕上げる方法.
stock·ing 名 ☞
stop·ing 名 【地質】ストーピング.
stop·ping 名 中止, 休止, 停止.
sto·ting 名 =stoating.
strap·ping 名 革ひも類, (革)ひも材料.
streak·ing 名 ストリーキング: 素っ裸で人前を走ること.
stream·ing 名 流れること; 流れ.
string·ing 名 (家具などの)細い象眼帯.
strip·ing 名 縞(しま)をつけること.
stud·ding 名 (1つの壁の)間柱(まばしら).
stuff·ing 名 詰めること.
styl·ing 名 様式[型, スタイル]をつけて飾ること.
sub·bing 名 【写真】フィルムのゼラチンの下塗り.
suck·ing 名 ☞
suds·ing 名 《米俗》ビールを飲むこと.
suf·fer·ing 名 苦しみ, 苦痛, 苦悩, 苦労.
suit·ing 名 【服飾】服地, スーツ地; スーツ一着.
sun·light·ing 名 《俗》2つの職の同時掛け持ち.
sur·fac·ing 名 面仕上げ; 磨き上げ.
surf·ing 名 ☞
sur·round·ing 名 取り囲んでいるもの, 周囲にあるもの.
swag·ging 名 《米俗》不正利得を得ること.
sweet·en·ing 名 甘味料(砂糖・サッカリンなど).
swell·ing 名 膨らませる[膨らむ]こと, 膨張.
swerp·ing 名 《米》(自動録音のテープの)スワーピング.
swill·ing 名 がぶ飲みすること.
swim·ming 名 泳ぐこと, 水泳; 【動物】遊泳.
switch·ing 名 ☞
ta·bling 名 (塀・壁の上に置く)笠石.
tack·ing 名 【海事】タッキング, 上手回し.
tack·ling 名 《古》道具; 滑車装置.
tail·gat·ing 名 《米》ステーションワゴンなどの尾板に飲食物を載せて行う(フットボールファンの)パーティー.
tail·ing 名 壁にはめ込んだ石やれんがの突出部.
tai·lor·ing 名 洋服仕立業, 裁縫業.
tak·ing 名 ☞

talk·ing 名 会話, 話, おしゃべり; 討論.
tamp·ing 名 充塡(じゅうてん)材料, 込め物.
tan·ning 名 なめし(法), 製革(法).
tap·ping[1] 名 軽くたたく[打つ]こと.
tap·ping[2] 名 樽の栓を抜くこと; 樹液採取.
tast·ing 名 (飲食物, 特にワインの)鑑定会.
tat·ting 名 (レース編みの)タッチング.
tax·i·ing 名 (航空機の)地上走行.
tea·bag·ging 名 《話》(ヨットでの)ティーバギング.
teach·ing 名 ☞
teeth·ing 名 〘歯科〙生歯(せいし).
tel·e·con·nect·ing 名 (電話回線利用の)電子通信.
tell·ing 名 ☞
tent-peg·ging 名 テントの杭抜き.
ter·mit·ing 名 シロアリ釣り.
ter·rac·ing 名 台地[テラス, 段丘]状のもの.
test·ing 名 ☞
thatch·ing 名 屋根ふき材料.
ther·mal·ing 名 〘スポーツ〙サーマリング.
thick·en·ing 名 厚く[太く, 濃く]すること[なること].
think·ing 名 ☞
thrash·ing 名 むち打ち.
tick·ing[1] 名 ティッキング: 布団地.
tick·ing[2] 名 (時計などの)カチカチいうこと[音].
til·ing 名 タイル張り[瓦(かわら)ぶき](工事).
tim·ber·ing 名 建築用材[木材].
tim·ing 名 〘演劇〙タイミング.
tin-cup·ping 名 《話》物ごい, (金の)無心.
tin·kling 名 チリンチリン[リンリン]という音.
tin·ning 名 錫(すず)を張ること[技術].
tint·ing 名 (版画, スライド・映画用フィルムの)着色, 色付け.
tith·ing 名 十分の一税(tithe).
ti·tling 名 (本の背の)箔(はく)押し; 背文字.
tongu·ing 名 〘音楽〙タンギング.
tool·ing 名 (道具を使った)手仕事, 細工.
tooth·ing 名 (のこぎりなどの)歯をつけること.
top·ping 名 上部を取り除くこと.
tot·ing 名 《米南部》(雇い人が主家の)食料を持ち帰ること; その食料.
tot·ting 名 《英》くず中からの掘り出し物収集.
tour·ing 名 tour に参加すること.
tow·el·ing 名 タオル地.
tow·el·ling 名 《特に英》=toweling.
trac·ing 名 跡を追うこと, 追跡, 捜索.
trad·ing 名 ☞
train·ing 名 ☞
tramp·ing 名 (ハイカー用の宿泊小屋に泊まりながらの)徒歩旅行, ハイキング.
trash·ing 名 《米俗》(特に抗議の表明としての)破壊(行為); 中傷.
trawl·ing 名 トロール[底引き網, はえ縄]漁業.
trem·bling 名 震え, 身震い, わななき.
trim·ming 名 (一般に)装飾材料, 装飾物, 装飾品.
trot·ting 名 《米》繋駕(けいが)速足(はやあし)競走.
trou·ser·ing 名 ズボン地.
truck·ing[1] 名 《主に米・カナダ》トラック運送(業).
truck·ing[2] 名 《米・カナダ》市場向け青果物栽培.
truck·ing[3] 名 《米俗》さっそうと歩くこと.
trun·king 名 〘通信〙電信中継回線.
truss·ing 名 トラスを形成する構材.
tub·bing 名 桶作り(用材).
tub·ing 名 管組織; 管材料.
tuft·ing 名 房を作ること.
tum·bling 名 宙返り, 空中回転, とんぼ返り.
tun·ing 名 チューニング, 調律.
turn·ing 名 ☞
twin·kling 名 きらめき, ひらめき.
twin·ning 名 双子[双生児]を産むこと.
twist·ing 名 〘保険〙(歪曲した勧誘による)生命保険の乗り換え契約取り.
typ·ing 名 ☞
un·ban·ning 名 《南アフリカ》言論活動制限の撤廃.
un·bund·ling 名 unbundle すること; (特に)会社買収併合後の周辺部門の整理.
un·der·pin·ning 名 〘土木〙アンダーピニング, 根継ぎ.
un·der·stand·ing 名 (…を)理解すること.
un·der·throat·ing 名 〘建築〙水切り(部分).
un·do·ing 名 元どおりにすること; 取り消し.
up·braid·ing 名 厳しく責めること, 激しい非難.
up·ris·ing 名 反乱, 暴動.
up·wel·ling 名 湧出(ゆうしゅつ), 噴出, 上昇.
ut·ter·ing 名 〘法律〙偽造通貨行使罪.
van·ning 名 ライトバンで行くキャンプ旅行.
vat·ting 名 バッティング: ワイン醸造過程の一つ.
vault·ing 名 穹窿(きゅうりゅう)を造ること.
veil·ing 名 ベール(のようなもの)で覆うこと.
vein·ing 名 脈形成(過程); 脈配列, 脈相.
vel·vet·ing 名 ベルベット素材.
ve·neer·ing 名 化粧張り[上張り, 合板作り]の作業.
vest·ing 名 モーニング・タキシードなど礼装用のベスト[チョッキ]用布地.
view·ing 名 見ること, 見物, 鑑賞; 故人との対面.
vi·gnet·ting 名 〘写真〙ビネット(技法).
vin·ing 名 マメ類の実を蔓や莢(さや)から離すこと.
vis·it·ing 名 訪問, 見舞い; 視察, 巡回.
vogue·ing 名 ボーギング: ダンスの一種.
vom·it·ing 名 嘔吐(おうと), 吐く[もどす]こと.
vot·ing 名 ☞
wad·ding 名 (綿・布などの)詰め物, 込め物.
wain·scot·ing 名 〘建築〙板張り, 木細工.
wain·scot·ting 名 《特に英》=wainscoting.
wait·er·ing 名 ウエーター[給仕]の職.
wait·ing 名 ☞
wait·ress·ing 名 ウエートレス[女給仕]の職.
wak·en·ing 名 目が覚める[目覚める]こと.
wal·ing 名 〘工学〙〘建築施工〙腹起こし.
walk·ing 名 ☞
wal·lop·ing 名 《話》したたか殴る[打つ]こと.
ware·hous·ing 名 倉庫に入れること.
warm·ing 名 ☞
war·mon·ger·ing 名 戦争挑発.
warn·ing 名 ☞
warp·ing 名 〘繊維〙整経.
wash·ing 名 ☞
watch·ing 名 ☞
wa·ter·ing 名 水まき, 散水.
wax·ing 名 ワックスをかける[擦り込む]こと.
weath·er·ing 名 〘建築〙水垂れ(勾配)(wash).
weav·ing 名 ☞
web·bing 名 (大麻・綿・黄麻で織った)帯ひも.
wed·ding 名 ☞
weight·ing 名 《特に英》付加されるもの.
weld·ing 名 ☞
west·ing 名 〘航海〙西方東西距.
whal·ing 名 捕鯨業; 鯨加工業.
whip·ping 名 むち打ち; むち打ちの刑罰, せっかん.
whis·per·ing 名 ささやき, 小声の話, ひそひそ話.
whis·tling 名 口笛[笛など]を吹くこと.
whit·en·ing 名 漂白剤.
whit·ing 名 胡粉(ごふん), 白亜.
whit·tling 名 削る[切る, 刻む]こと; 削減すること.
whole·sal·ing 名 卸売り.
wick·ing 名 (ろうそくなどの)芯の材料.
wid·en·ing 名 広げる[広がる]こと, 拡大, 拡張.
wig·ging 名 《英話》しかりつけること, 叱責(しっせき).
wind·ing 名 ☞
win·dow·ing 名 〘コンピュータ〙ウインドーイング.
win·ning 名 ☞
wir·ing 名 金網を張ること; 針金で縛ること.
wish·ing 名 望む[願う]こと.
witch·ing 名 魔法, 魔術, 妖術.
wit·ting 名 《北イング》知識; 情報, 消息.
woof·ing 名 《米俗》威嚇するような素振りをすること, 突っ張ること.

word·ing [名] 言葉で表現すること, 言表行為.
work·ing [名] ☞
wrap·ping [名] 包装材料, 包装紙, 包み紙.
wreck·ing [名] 難破; 破壊.
wres·tling [名] ☞
writ·ing [名] ☞
yacht·ing [名] ヨット操縦(術); ヨット遊び.
yank·ing [名] 《英俗》(基地の)米軍兵と付き合うこと.
yard·ing [名] (売るために集められた)動物の群れ.
yawp·ing [名] 無駄口; ぐち.
yearn·ing [名] (…への)あこがれ, 思慕.

-ing[2] /iŋ, in/

[接尾辞] **1** 動詞につけて現在分詞または形容詞をつくる; accompany*ing*, amus*ing*. **2** ときに名詞につけて形容詞をつくる; backlapp*ing*.
★ *-ing*ness の形で名詞化できるものが多い.
★ 語末にくる関連形は -G, -INGLY.
◆ 中英 *-ing*, *-inge*; 中英 *-inde*, *-ende*(古英 *-ende*)が動作名詞をつくる -ing[1] と混同されたためとされる.
[発音] 第 1 強勢は基語と同じ.

a·bid·ing [形] 《文語》持続的な, 不変の, 不動の.
ab·sorb·ing [形] 心を奪う, 夢中にする, 非常に面白い.
a·but·ting [形] 隣接した, 境を接した.
ac·cept·ing [形] (…を)快く受け入れる.
ac·com·mo·dat·ing [形] 人の言いなりになる.
ac·com·pa·ny·ing [形] 随伴する; 同封 [添付] の.
ac·cord·ing [形] 一致した.
ac·cus·ing [形] 非難するような, 弾劾するような.
ach·ing [形] (ずきずき)痛む, うずく.
act·ing [形] ☞
add·ing [形] 追加の.
ad·join·ing [形] (ある点・線に)接触している.
ad·mir·ing [形] 感じ入った, 感服した, うっとりした.
a·dor·ing [形] 崇拝 [賛美] する; 拝まんばかりの.
af·fect·ing [形] 感動させる, 感激的な; 哀れな.
af·flict·ing [形] ひどく苦しい, 苦痛な.
ag·gra·vat·ing [形] 悪化 [深刻化, 重大化] する.
ag·o·niz·ing [形] 苦痛を伴う, 苦悶(くもん)に満ちた.
ail·ing [形] 病んでいる; 病弱の.
a·larm·ing [形] 不安にさせる; 警報を発する.
al·lur·ing [形] 〈物・事が〉誘惑する, 誘い込む.
al·ter·nat·ing [形] 交互の, 互い違いの, 交替の.
a·maz·ing [形] 驚くべき, 驚嘆すべき.
a·mus·ing [形] 面白い, 興味をそそる, 楽しい.
an·noy·ing [形] 人を悩ます, いらいらさせる, 迷惑な.
an·ti·clot·ting [形] 【生化学】【薬学】(特に血液の)凝固を防止する, 抗凝固性の.
ap·pall·ing [形] 恐ろしい, ぞっとするような.
ap·peal·ing [形] 引きつける, 魅力的な.
ap·pear·ing [形] …らしい, …に見える(looking).
ap·pe·tiz·ing [形] 食欲をそそる, おいしそうな.
ap·prais·ing [形] 評価 [値踏み, 品定め] するような.
ap·proach·ing [形] 近づいている, 接近しつつある.
ap·prov·ing [形] 賛成する, 承認する; 満足そうな.
arck·ing [動] arc「電弧を成す」の現在分詞形.
ar·rest·ing [形] 注意を引く, 人目につく, 印象的な.
as·cend·ing [形] 上昇する, 上がって [登って] ゆく.
as·pir·ing [形] 大志 [野心] を抱いている.
as·sum·ing [形] ずうずうしい, 無遠慮な, 生意気な.
as·ton·ish·ing [形] 驚くほどの, びっくりさせるような.
as·tound·ing [形] びっくり仰天させるような.
at·tend·ing [形] 〈医師が〉主治医である.
a·wak·en·ing [形] 目を覚ましつつある.
back·slap·ping [形] きわめて愛想のよい.
baf·fling [形] 挫折(ざせつ)させる; 困惑させる.
bald·ing [形] 《話》はげかかった.
bark·ing [形] 《英俗》気の狂った.
bar·ring [前] …を除いては, …がなければ.
beam·ing [形] 輝いている, 明るい.
bear·ing [形] ☞
be·com·ing [形] 〈服装・髪形などが〉(…に)似合う.
bee·tling [形] 〈まゆ毛が〉突き出た.
be·fit·ting [形] 適している, ふさわしい, 適当な.
beg·ging [形] 物ごいの.
be·guil·ing [形] だます; 退屈しのぎの; おもしろい.
be·ly·ing [動] belie「…と矛盾する」の現在分詞形.
bend·ing [形] ☞
be·set·ting [形] 絶えずつきまとう.
be·wil·der·ing [形] 当惑 [困惑] させる, うろたえさせる.
be·witch·ing [形] 〈微笑などが〉魅惑的な.
bitch·ing [形] 《米俗》素晴らしい, いかす.
bit·ing [形] かむ, かみつく, 食いつく.
blaz·ing [形] 燃え立つ, 光り輝く; 燃えるような.
bleed·ing [形] 《傷が》出血している.
bleep·ing [形] いまいましい, ばか…(bloody).
blind·ing [形] 目をくらませるような.
blink·ing [形] まばたきする, 瞬く; ちらちらする.
blip·ping [形] ＝bleeping.
blis·ter·ing [形] 水疱(すいほう)を起こさせる.
blith·er·ing [形] 《話》ぺらぺらしゃべる.
bloom·ing [形] 花の咲いた, 開花中の.
blow·ing [形] ☞
blush·ing [形] 赤らんでいる.
boat·ing [形] ボートの, 船遊び(用)の.
bod·ing [形] 《まれ》前兆の; 不吉な.
bor·ing [形] 退屈な, うんざりする.
bounc·ing [形] 《話》《褒めて》たくましい, 強い.
brac·ing [形] 元気 [力] づける, 活気づいている.
break·ing [形] ☞
breath·ing [形] ☞
brok·ing [形] 《英》仲買(業)(brokerage)の.
brood·ing [形] ふさいでいる, 気がめいっている.
brush·ing [形] さっと [かすって] 通る.
bub·bling [形] 攪拌(かくはん)する, あふれる.
bud·ding [形] 芽を出しかけた, 発育期の.
bug·ging [形] 盗聴装置のある.
build·ing [形] ☞
bum·bling [形] 〈人が〉へまをしがちな.
bum·ming [形] 《米学生俗》気がめいった.
bust·ing [形] ☞
bus·tling [形] せわしく動き回る; 騒がしい.
cal·cu·lat·ing [形] (特に算数の)計算ができる.
cant·ing [形] 敬虔(けいけん)を装った, 偽善的な.
cap·ti·vat·ing [形] 人の心をとらえる, うっとりさせる.
car·ing [形] (親身になって)世話をする, 懇切な.
cark·ing [形] 《古》つらい, 苦しい, 悩ましい.
carp·ing [形] あら捜しの好きな, 口やかましい.
carry·ing [形] 《米俗》麻薬を持っている.
catch·ing [形] 〈病気が〉伝染性の, 移りやすい.
chal·leng·ing [形] 挑戦的な, 人の能力を試す; 大変な.
charm·ing [形] 〈人・物腰などが〉魅力的な.
child·ing [形] 《古》子を産む; 妊娠している.
chill·ing [形] 冷える, 冷えびえする.
chip·ping [形] 〈小鳥などが〉チュッチュッと鳴く.
chok·ing [形] 〈声が〉むせぶような.
clam·ber·ing [形] 【植物】匍匐(ほふく)性の, 登攀(とうはん)性の.
clasp·ing [形] 抱茎の.
clean·ing [形] ☞
cliff-hang·ing [形] はらはらさせる, 手に汗を握る.
cling·ing [形] 〈服などが〉体にぴったりした.
clink·ing [形] チリンと鳴る [音をたてる].
clod·hop·ping [形] 土くれのような; 気が重い; まぬけな.
cloy·ing [形] (いきすぎで)うんざりさせる.
clump·ing [形] 《俗》鈍重で不器用な.
com·fort·ing [形] 慰めとなる, なだめる; 元気づける.
com·ing [形] ☞
com·mand·ing [形] 〈人が〉指揮する立場にある.
com·pel·ling [形] 抵抗しがたい.
con·cern·ing [前] …に関して, について(は).
con·de·scend·ing [形] (目下の者に)腰の低い態度を取る.
con·fid·ing [形] 人を信じる; 個人的な事柄でも話す.
con·flict·ing [形] 相争う, 相反する, 相いれない.

con·fus·ing 形 紛らわしい, 混乱させる.
con·sid·er·ing 前 …を考慮すれば; …にもかかわらず.
con·sult·ing 形 専門的な助言を与える, 相談役の.
con·sum·ing 形 痛切な; 夢中にさせる.
con·vinc·ing 形 人を納得させるような, 説得力のある.
cop·y·ing 形 コピー用の, 複写用の, 謄写用の.
cork·ing 形 《主に英俗》素晴らしい, すてきな.
cor·re·spond·ing 形 (…に)一致する, 相応する; 対応する.
count·er·ro·tat·ing 形 【機械】二重反転の.
court·ing 形 恋愛中の, 恋仲の, 結婚しそうな.
crank·ing 形 《米俗》興奮させる, 素晴らしい.
crash·ing 形 《話》全くの, 完全な.
crawl·ing 形 《俗》ノミのたかった.
creep·ing 形 這(は)う, 這い回る.
crip·pling 形 ひどく損傷[負傷]した.
crown·ing 形 ずばぬけた, 無上の, 最高の.
cruis·ing 形 (高速度でない)巡航速度の.
crush·ing 形 圧倒的な; 屈辱的な; へこます.
cry·ing 形 大声で叫ぶ, 泣き叫ぶ; 涙を流す.
cut·ting 形 ☞
dam·ag·ing 形 損害を与える, 有害な; 中傷的な.
damn·ing 形 地獄に落とす; 破滅的な.
dar·ing 形 勇敢な, 大胆な, 恐れを知らぬ.
dash·ing 形 熱血の, 威勢のいい, はやり立つ.
daz·zling 形 目もくらむ[まばゆい]ばかりの.
deaf·en·ing 形 耳をつんざくような.
deal·ing 形 ☞
de·cid·ing 形 決め手となる, 決定的な.
de·creas·ing 形 減少[減退]する.
de·grad·ing 形 品格を下げる, 品位を落とす.
de·mand·ing 形 〈人が〉過度に要求する.
de·mean·ing 形 品位を傷つける, 名を汚す.
de·press·ing 形 元気を失わせる, 意気消沈させる.
de·scend·ing 形 下降する, 下向きの, 落下の.
de·serv·ing 形 (…を)受けて当然の, (…に)値する.
de·sign·ing 形 〈人が〉たくらみのある, 陰謀的な.
de·spair·ing 形 絶望した; 自暴自棄の, やけくその.
de·spond·ing 形 (…について)落胆しきった.
dev·as·tat·ing 形 〈事・物が〉荒廃させる, 荒らす.
de·vel·op·ing 形 発展[開発]途上の〈国〉.
dis·ap·point·ing 形 失望させるような.
dis·arm·ing 形 敵意[疑惑, 恐怖など]を除くような.
dis·cern·ing 形 眼力のある, よさの分かる.
dis·clos·ing 形 プラーク(歯垢(しこう))を染め出す.
dis·crim·i·nat·ing 形 区別[差別]する, 識別するための.
dis·gust·ing 形 胸の悪くなる, むかつくような.
dis·heart·en·ing 形 がっかりさせる[気落ちさせる].
dis·par·ag·ing 形 非難の; 見くびった; さげすんだ.
dis·qui·et·ing 形 (人を)不安にさせる, 心配させる.
dis·sent·ing 形 異議を唱える.
dis·tin·guish·ing 形 特徴的な, 特徴づける, 特徴をなす.
dis·tress·ing 形 悩ませる, 苦しめる. 痛ましいほど.
dis·turb·ing 形 平静を乱す, 騒がしい, 心配にさせる.
di·verg·ing 形 (一点から)分かれ出る, 分岐する.
di·vert·ing 形 気晴らしになる, 楽しい, 面白い.
di·vid·ing 形 区分[分割]する.
di·vin·ing 形 占いの.
diz·zy·ing 形 めまいがするような.
dod·der·ing 形 (老齢・中風などで)震える.
dom·i·neer·ing 形 〈人・態度などが〉傲慢(ごうまん)な.
dot·ing 形 愛におぼれている.
drag·ging 形 くたびれ果てて動きの鈍った.
drawl·ing 形 だらだら引き延ばす; まだるっこい.
drink·ing 形 〈水などが〉飲むのに適した, 飲める.
driv·ing 形 〈部下などを〉酷使する, こき使う.
dry·ing 形 よく乾かす, 乾燥させる; 乾燥用の.
dur·ing 前 (特定の期間の)始めから終わりまで.
dy·ing 形 死にかけている, 瀕死(ひんし)の.
eat·ing 形 ☞
em·bar·rass·ing 形 困らせる, 厄介な, 間[ばつ]の悪い.
e·merg·ing 形 (水面上などに)現れた, 出現した.
en·a·bling 形 【法律】権能付与的, 授権する.
en·chant·ing 形 魅惑的な, うっとりさせる.
en·cour·ag·ing 形 勇気づける, 励みになる, 激励の.
en·dear·ing 形 人に慕われるような, かわいい.
end·ing 形 ☞
en·dur·ing 形 永続的な; 耐久性のある; 不朽の.
en·gag·ing 形 人を引きつける, 愛嬌(あいきょう)のある.
en·gross·ing 形 〈物・事が〉心を奪う, 夢中にする.
en·su·ing 形 次の, 後に続く; すぐ後に起こる.
en·ter·pris·ing 形 〈人が〉進取的な, 冒険的な.
en·ter·tain·ing 形 (人を)楽しませる, 面白い, 愉快な.
en·tranc·ing 形 狂喜させる; 魂を奪う.
err·ing 形 道を踏み外した; 誤った, 間違った.
ev·er·last·ing 形 永久に続く, 永遠の, 不朽の.
ex·act·ing 形 〈人が〉厳しいことを要求する.
ex·ceed·ing 形 非常な, 並外れた, 並並ならぬ.
ex·cept·ing 前 …以外は, を除いて.
ex·cit·ing 形 人を興奮させる, 刺激的な.
ex·clud·ing 前 …を除いて[た].
ex·cru·ci·at·ing 形 拷問にかけられるような.
ex·haust·ing 形 ひどく心身を疲れさす, 疲労させる.
ex·hil·a·rat·ing 形 陽気にさせる, 気分を浮き浮きさせる.
ex·ist·ing 形 存在[生存]する; 現存する, 現在の.
ex·pir·ing 形 終了[満了, 満期]の[になる].
fas·ci·nat·ing 形 魅惑的な, 魅力的な, うっとりさせる.
fast·ing 形 断食の, 絶食の; 精進の.
fat·ten·ing 形 太る, 太らせる.
feed·ing 形 ☞
feel·ing 形 ☞
fes·ter·ing 副形 《英俗》《強意を表して》うんざりするほど(の).
fetch·ing 形 魅力的な, 人の心をとらえる.
fid·dling 形 つまらない, 取るに足りない.
fill·ing 形 ☞
fin·ish·ing 形 仕上げの(ための), 最後の.
fir·ing 形 ☞
fit·ting 形 ☞
flag·ging 形 〈精力・決心などが〉だれ気味の.
flam·ing 形 〈火・物が〉炎を出している.
flar·ing 形 ゆらゆら[めらめら]燃えている.
flat·ter·ing 形 〈言葉などが〉お世辞の, へつらいの.
fleet·ing 形 〈時・人生などが〉いつしか過ぎ去る.
flip·ping 形副 《主に英俗》《強意》ひどい[く].
float·ing 形 〈物が〉浮かんでいる.
flour·ish·ing 形 よく成育する, 繁茂する, 生い茂る.
flow·er·ing 形 花の咲いている, 花をつける.
flow·ing 形 流れる; わき出る.
fly·ing 形 ☞
fold·ing 形 折りたたみ[折り重ね](式)の.
foot·ling 形 《話》〈言葉・行為が〉愚かな.
foo·zling 形 《俗》不器用な, 不細工な.
for·ag·ing 形 採集狩猟(生活)の.
for·bear·ing 形 〈人が〉我慢強い, 自制心がある.
for·bid·ding 形 怖い; 近寄りがたい; 不吉な.
fore·bod·ing 形 (凶事)を予感する.
fore·go·ing 形 (時間・順序などが)先行の, 先立つ.
for·giv·ing 形 許す; 寛大な; 許しを示す.
fork·ing 形 《米俗》嫌な, いまいましい.
form·ing 形 ☞
for·ni·cat·ing 形 《強意》《英俗》非常な, どえらい.
frap·ping 形 《俗》ひどい, いまいましい.
freak·ing 形副 《俗》《強調》ひどい[ひどく].
freez·ing 形 ☞
frig·ging 形 《強調》全くの, 完全な.
fring·ing 形 房(飾り)のある; 縁を成す.
friz·zling 形 ジュージュー焼けた; 炎熱の.
fuck·ing 形 ☞
ful·gu·rat·ing 形 【医学】〈痛みが〉鋭く突き刺すような.
gall·ing 形 いらいらさせる, 腹の立つ.
gal·lop·ing 形 疾走する, 全速力の; 速く動く.
gath·er·ing 形 ☞
giv·ing 形 ☞
glanc·ing 形 〈打撃などが〉斜めに当たってはじか

れた.
glar·ing [形] 〈光が〉ぎらぎら輝く, ぎらぎらする.
glid·ing [形] 滑るような, 滑走 [滑空] する.
glit·ter·ing [形] 輝く, きらめく; きらびやかな.
glow·ing [形] 白熱の, 赤熱している.
go·ing [形] ☞
gov·ern·ing [形] 支配 [統治] する; 運営 [管理] する.
grasp·ing [形] 貪欲な, がめつい.
grat·i·fy·ing [形] 〈人に〉満足を与える, 満足のゆく.
grat·ing [形] いらいらさせる, かんに障る.
grip·ing [形] 間欠的な腹痛を与える.
grip·ping [形] 〈芝居・本などが〉注意を引く.
groov·ing [形] 《米俗》(リラックスして)楽しんでいる.
grop·ing [形] 〈動きが〉ぎごちない, よろよろする.
grov·el·ing [形] 這(は)う, 這って進む.
grov·el·ling [形] 《特に英》=groveling.
grow·ing [形] 大きくなる, 増大する.
grudg·ing [形] いやいやの, 不承不承の, しぶしぶの.
gru·el·ing [形] へとへとに疲れさせる; 厳しい.
gru·el·ling [形] 《特に英》=grueling.
grum·bling [形] ぶつぶつ言っている, こぼしている.
halt·ing [形] (言葉に)つかえる, もたもたする.
hand·bag·ging [形] 攻撃的な, 激しく論難する.
hard·en·ing [形] ☞
har·row·ing [形] 〈経験・試練などが〉悲惨な, 苦しい.
haunt·ing [形] 〈考えなどが〉絶えず心に浮かぶ.
heal·ing [形] ☞
heap·ing [形] 《米・カナダ》山盛りの.
hil·ding [形] 《古》卑劣な.
hold·ing [形] ☞
honk·ing [形] 《英俗》酔っ払っている.
howl·ing [形] 遠ぼえする; うなる, わめく, 怒鳴る.
hu·mil·i·at·ing [形] 恥をかかせる, 屈辱的な, 不面目な.
hum·ming [形] ブーンブーンいう; 鼻歌を歌う.
hunt·ing [形] ☞
hurt·ing [形] 《米俗》惨めな, 非常に困って.
hy·ing [動] hie「(…へ)急ぐ」の現在分詞形.
il·lu·mi·nat·ing [形] 照らす, 明るくする, 照明(用)の.
im·pend·ing [形] 今にも起ころうとしている; 切迫した.
im·pos·ing [形] たいへん印象的な, 堂々たる.
in·clud·ing [前] …を含む, 含めて.
in·cor·po·rat·ing [形] 結合 [合体] させる.
in·creas·ing [形] 増加 [増大] する, しだいにふえる.
in·fu·ri·at·ing [形] 激怒させる, ひどく腹立たしい.
in·gra·ti·at·ing [形] 気持ちのよい, 愛想のよい.
in·quir·ing [形] 事実を求める, 探求心のある.
in·sin·u·at·ing [形] (疑念・不信などを)それとなく起こさせるような; 不審な.
in·spir·ing [形] 鼓舞する, 奮起させる; 霊感を与える.
in·sult·ing [形] 侮辱的な, 失敬な.
in·tend·ing [形] (職業などを)希望する, 志す; 将来の.
in·ter·est·ing [形] (…に)興味 [好奇心] を起こさせる.
in·ter·fer·ing [形] 邪魔する; 干渉 [口出し] する.
in·tox·i·cat·ing [形] 酔わせる, 酔い [陶酔] をもたらす.
in·tri·guing [形] 興味 [好奇心] をそそる; 魅力的な.
in·vig·or·at·ing [形] 爽快(そうかい)な気分にする.
in·vit·ing [形] 誘う, 招く; 気をそそる, 心を奪う.
ir·ri·tat·ing [形] いらいらさせる, 癇(かん)にさわる.
i·so·lat·ing [形] 〖言語〗孤立的な.
itch·ing [形] かゆい, むずがゆい.
jam·ming [形] すばらしい(jammy).
job·bing [形] 片手間の, 臨時雇いの.
keep·ing [形] ☞
kill·ing [形] ☞
kiss·ing [形] 接吻(せっぷん)するほどの.
la·bor·ing [形] 労働に従事している.
lack·ing [前] 《文語》…がなく, …に欠けていて.
lag·ging [形] 遅い, のろい, ぐずぐずした.
lan·guish·ing [形] だんだん弱っていく; 活気のない.
lar·rup·ing [副] 《主に米西部》大いに, すごく.
last·ing [形] 長続きする, 耐久力のある; 永久の.
lead·ing [形] ☞
lech·ing [形] 身持ちの悪い, 自堕落な.
lift·ing [形] ☞
lim·it·ing [形] 制限する, 限定する.
liv·ing [形] ☞
look·ing [形] ☞
loom·ing [形] ぼうっと見えてくる, ぼんやり現れる.
los·ing [形] 負ける, 損をする, 失敗する.
loung·ing [形] 〈衣服が〉くつろぐための.
lour·ing [形] =lowering[2].
lov·ing [形] ☞
low·er·ing[1] [形] 低くする, 低下する; 品位を下げる.
low·er·ing[2] [形] 〈空・雲・天候などが〉険悪な, 曇った.
low·ing [形] 〈牛が〉モーと鳴く.
lum·ber·ing [形] (動きが)不格好な, ぶざまな.
lurk·ing [形] 潜んでいる, 秘められた, 隠れた.
mad·den·ing [形] (人を)狂わせる, 狂ったようにする.
mad·ding [形] 《詩・文語》気が狂った, 狂気の.
mak·ing [形] ☞
man·ag·ing [形] 管理 [経営] する; 首脳の.
man·u·fac·tur·ing [形] 製造(業)の; 製造に従事する.
ma·raud·ing [形] (略奪の目的で)襲う.
mar·ry·ing [形] 結婚しそうな.
match·ing [形] ☞
mean·ing [形] ☞
minc·ing [形] 〈立ち居振る舞いが〉気取った.
miss·ing [形] 見つからない, 欠けている; 紛失した.
moil·ing [形] 骨折って働いている; 骨の折れる.
mov·ing [形] ☞
muck·ing [形] 《英俗》=fucking.
mush·room·ing [形] 〈増加が〉急激な.
mus·ing [形] 物思いにふけっている.
naf·fing [形] 《英俗》《強意語》ものすごい.
nag·ging [形] 〈人が〉しつこく小言 [文句] を言う.
nail·ing [形] 釘打ち用の.
nau·se·at·ing [形] むかつかせる, 吐き気を催させる.
neigh·bor·ing [形] 近くに住む, 隣接地の, 近隣の.
nig·gling [形] ささいな, 取るに足りない.
nip·ping [形] ものを挟む [つまむ, つねる, かむ].
nour·ish·ing [形] 〈食品などが〉滋養になる, 滋養分の多い.
numb·ing [形] しびれさせる(ような), 無感覚にする.
nurs·ing [形] 保育する; 母乳を与える.
o·blig·ing [形] 喜んで人の世話をする; 丁重な.
ob·serv·ing [形] 観察的な, 観察力の鋭い.
o·pen·ing [形] ☞
op·er·at·ing [形] 動いている, 作用 [作動] している.
o·ver·arch·ing [形] 頭上でアーチ状になっている.
o·ver·ly·ing [形] 〖商業〗〈権利・担保などが〉低次の.
o·ver·pow·er·ing [形] 圧倒するような, 有無を言わせない.
o·ver·rid·ing [形] 最優先の, 最も重要な, 決定的な.
o·ver·ween·ing [形] 〈人が〉うぬぼれた, 尊大な, 横柄な.
o·ver·whelm·ing [形] 圧倒的な, 人を打ちのめす.
parch·ing [形] 乾ききらせる, からからにする.
pass·ing [形] 通りすがりの; 過ぎ行く, 経過する.
pa·tron·iz·ing [形] 後援 [支援] する, ひいきにする.
pay·ing [形] 支払いの; (金を)払う.
ped·dling [形] 行商の, 売り歩く.
pelt·ing [形] 《古》つまらない, 取るに足りない.
pend·ing [前] 《文語》…を待つ間, を待ちながら.
pen·e·trat·ing [形] 突き通す; 身にしみる; よく通る.
per·form·ing [形] 〈動物が〉芸をするよう仕込まれた.
per·ish·ing [形] 破壊を引き起こす; 滅びる, 死ぬ.
per·se·ver·ing [形] 忍耐強い, 根気のよい, 粘り強い.
pet·ti·fog·ging [形] 取るに足りない, 重要でない.
pid·dling [形] 《話》取るに足りない, ささいな.
pierc·ing [形] 〈声などが〉甲高い, 耳をつんざく.
pif·fling [形] 《話》取るに足りない, 意味のない.
pig·ging [形] 《俗》《強意語》とんでもない.
pis·sing [形] 《米俗》ほんのわずかの, 少しの.
pit·y·ing [形] 哀れみを表す, かわいそうに思う.
play·ing [形] ☞
pox·ing [形] 《英俗》いまいましい, 腹立たしい.

prac·tic·ing 形 (特定の専門的職業などに従事し)現役で活動している.
preach·ing 形 説教の; 説教調の.
pre·ced·ing 形 先行する, 先立つ.
pre·pos·ses·sing 形 好感を与える, よい印象を与える.
pre·sid·ing 形 議長 [座長, 監督] を務める.
press·ing 形 〈用務・問題などが〉緊急 [火急] の.
pre·sum·ing 形 差し出がましい, 出しゃばりの.
pre·tend·ing 形 見せかける, 偽の, (偽って)主張する.
pre·vail·ing 形 主だった, 優勢な, 支配的な; 有力な.
proc·ess·ing 形 ☞
pro·ject·ing 形 突き出した, 突き出た, 飛び出た.
prom·is·ing 形 《褒めて》前途有望な.
pro·nounc·ing 形 発音の [を示す].
pro·tect·ing 形 保護する, 防護する, 守る.
pro·test·ing 形 反対する, 抗議する.
pro·vid·ing 接 …という条件で, もし…ならば.
pro·vok·ing 形 挑発的な, 腹立たしい.
pry·ing 形 (好奇心を持って)のぞく.
pul·ing 形 しくしく泣いている, ピヨピヨ [クンクン] 鳴いている.
pulp·ing 形 パルプ製造の.
pun·ish·ing 形 苦痛を与える, 疲労困憊(こんぱい)させる.
puz·zling 形 困惑 [当惑] させる.
quak·ing 形 〈湿地・砂地などが〉歩きにくい.
ques·tion·ing 形 疑問を示す, いぶかるような.
quib·bling 形 言いのがれをする; あら捜しをする.
rack·et·eer·ing 形 ゆすりを働く, ぺてんの.
rag·ing 形 怒り狂う, 激しく怒る.
rais·ing 形 ☞
ram·bling 形 ぶらぶら歩く, 当てもなく歩く.
rang·ing 形 ☞
rank·ing 形 (序列・位階で)上位の, 上級の.
rar·ing 形 《話》(…に)熱心な, うずうずした.
rasp·ing 形 こする(ような), かきむしる.
rat·ing 形 ☞
rat·tling 形 ガタガタ [ガラガラ] いう [鳴る].
rav·en·ing 形 獲物をあさり回る, 略奪する, 強欲な.
rav·ing 形 うわごとを言う; 精神錯乱の.
rav·ish·ing 形 うっとりさせる, 魅惑的な.
read·ing 形 ☞
re·al·iz·ing 形 実現する.
re·ceiv·ing 形 受け取る; 受信の.
re·cord·ing 形 ☞
re·cur·ring 形 繰り返し起こる, 循環して発生する.
re·deem·ing 形 補う, 埋め合わせする.
re·fresh·ing 形 心身を爽快(そうかい)にする.
re·gard·ing 前 《文語》…に関して(は).
reign·ing 形 〈王・女王が〉君臨する.
re·sound·ing 形 鳴り響く, 響き渡る.
re·spect·ing 前 《文語》…に関して, …について.
rest·ing 形 休んでいる, 活動していない.
re·tir·ing 形 引退 [隠居] している, 退職する.
re·veal·ing 形 啓示的な, 意味深い.
re·volt·ing 形 (人に)嫌悪を催させる, ぞっとさせる.
re·volv·ing 形 巡ってくる, 循環 [回帰] する.
re·ward·ing 形 〈経験・行為が〉報いのある.
rhu·barb·ing 形 〈俳優が〉がやがや [ざわざわ] 言う.
rip·ping 形 《主に英話》素晴らしい, すてきな.
ris·ing 形 上昇する, 上がる, 登る.
riv·et·ing 形 《英話》魅惑的な, うっとりさせる.
roast·ing 形 焼くのに使う, ロースト用の.
rol·lick·ing 形 〈人が〉ふざけ回る, はしゃぎ回る.
roll·ing 形 ☞
round·ing 形 丸くなる; (ほぼ)丸い.
rous·ing 形 興奮させる, 刺激 [鼓舞] する.
rov·ing 形 放浪する, さまよう.
rub·bish·ing 形 《話》くず [がらくた] だらけの.
run·ning 形 ☞
rush·ing 形 (動きの)激しい; 性急な, 慌ただしい.
rus·ti·cat·ing 形 田舎で暮らす.
rus·tling 形 サラサラいうような音がする.
saf·ing 形 【宇宙工学】安全化の.
sat·is·fy·ing 形 満足な, 十分な; 得心のゆく.
sav·ing 形 ☞
scath·ing 形 〈言葉などが〉容赦のない, 痛烈な.
schem·ing 形 計画的な, 策を弄(ろう)する.
scin·til·lat·ing 形 生き生きした, 活発な.
scorch·ing 形 焼けつくような, 焦げるような.
scream·ing 形 〈人が〉鋭く叫ぶ, 金切り声を出す.
screech·ing 形 金切り声を上げる, 鋭い音を出す.
see·ing 形 ☞
seem·ing 形 《文語》外見上の, うわべの.
seeth·ing 形 沸き立つほどに熱い, 沸騰した.
self-re·gard·ing 形 自己中心的な; 利己的な.
self-right·ing 形 〈救命艇などが〉自動的に復原する.
sell·ing 形 ☞
sem·i·fluc·tu·at·ing 形 【医学】(触診において)波動様の.
set·ting 形 ☞
shar·ing 形 ☞
shelv·ing 形 なだらかな傾斜の, 緩い勾配の.
shin·ing 形 〈星・光などが〉輝く; 明るい, 輝いた.
shit·ting 形 嫌な, ひどい.
shock·ing 形 衝撃を与える; びっくりさせる.
shoot·ing 形 ☞
shop·ping 形 ☞
shud·der·ing 形 (恐怖・寒さなどで)震えている.
shuf·fling 形 足を引きずって歩く.
sick·en·ing 形 病気にさせる; 吐き気を起こさせる.
siz·zling 形 ジュージュー音をたてる.
skat·ing 形 《米話》麻薬で酔った.
skink·ing 形 《スコット》〈スープなどが〉水っぽい.
slid·ing 形 滑る [ような], 滑っている, 滑動する.
slight·ing 形 軽蔑する, 侮辱的な, 見くびる.
slim·ming 形 体重を減らす.
smack·ing 形 〈風などが〉きつい, 強い.
smash·ing 形 《話》素晴らしい, とびきり上等の.
smil·ing 形 微笑する, にこにこした.
smok·ing 形 ☞
sneak·ing 形 こそこそする, こっそりやる.
soak·ing 形 ずぶぬれの. ── 副 ぐっしょりと.
so·ber·ing 形 酔いを覚ます, しらふにさせる.
sod·ding 形 《英俗》ひどい, くそいまいましい.
sooth·ing 形 落ち着かせる, なだめる, 慰める.
sop·ping 形 びしょぬれの, ずぶぬれの.
sound·ing 形 〈物が〉音を出す [立てる].
spank·ing 形 〈馬などが〉勢いよく動く [走る].
spar·ing 形 〈人が〉我慢する, 自制心のある.
spar·kling 形 火花を出す; 輝く, きらめく.
spend·ing 形 ☞
spiff·ing 形 《英俗 / 古風》優秀な, すばらしい.
spin·dling 形 ひょろ長い.
spin·ning 形 ☞
split·ting 形 ☞
sport·ing 形 スポーツ [運動, 競技] をしている.
sprawl·ing 形 不規則に広がる.
spread·ing 形 ☞
stab·bing 形 〈痛みなどが〉貫通する.
stag·ger·ing 形 ふらふらする, よろめく, 千鳥足の.
stand·ing 形 ☞
star·ing 形 じっと見つめる, じろじろ見る.
star·tling 形 ぎょっとする, 驚くべき.
stav·ing 形 強力な, 素晴らしい.
steam·ing 形 湯気を立てる.
sti·fling 形 窒息させるような, 息苦しい; 窮屈な.
stim·u·lat·ing 形 刺激的な; 励ましとなる.
stink·ing 形 悪臭のある, 嫌なにおいのする, 臭い.
stir·ring 形 《褒めて》奮起させる, 鼓舞する.
stonk·ing 形副 ものすごい [く], めちゃくちゃな [に].
storm·ing 形 《英俗》活気ある, 猛烈な; 熟練した.
strag·gling 形 落後した, はぐれた.
strap·ping 形 《話》〈人が〉たくましい体格をした.
strik·ing 形 打つ, たたく, 打撃の.
strug·gling 形 もがく, あがく; 奮闘 [努力] する.
strut·ting 形 気取って歩く; 気取った.

stun·ning 形 気絶させる, 目を回させる.
suc·ceed·ing 形 続いて起こる, 次の.
suck·ing 形 ☞
sup·port·ing 形 支える, 援助する; 脇役の.
sup·pos·ing 接 …と仮定[想定]すると, もし…ならば.
sur·pass·ing 形 並々ならぬ; 非常に優れた.
sur·pris·ing 形 驚くべき, びっくりさせる, 意外な.
sur·viv·ing 形 生き残っている, 残存している.
sus·tain·ing 形 〈体力・気力・権勢などを〉支える.
swag·ger·ing 形 肩で風を切って歩く, 濶歩(かっぽ)する.
swash·ing 形 激しくぶつかる, ザブンと音をたてる.
sweep·ing 形 広範囲な, 大々的な; 包括的な.
swel·ter·ing 形 蒸し暑さに苦しんでいる.
swinge·ing 形 《主に英》=swinging.
swing·ing 形 〈打撃などが〉痛烈な.
tan·ta·liz·ing 形 人の期待[興味, 欲望]をかき立てる.
tax·ing 形 〈仕事などが〉厄介至極な, 荷の重い.
tax·y·ing 動 taxi「タクシーに乗る」の現在分詞形.
teach·ing 形 ☞
tear·ing[1] 形 涙を流す, 泣いている.
tear·ing[2] 形 《話》猛烈な, すさまじい, 激しい.
teem·ing[1] 形 (…の)満ちあふれる, たくさんいる.
teem·ing[2] 形 どしゃ降りの.
tell·ing 形 ☞
tempt·ing 形 誘惑する; うっとりさせる; 魅力的な.
ter·ri·fy·ing 形 恐れさせる, ぞっとさせる, 恐ろしい.
think·ing 形 ☞
threat·en·ing 形 脅迫的な, 脅すような.
thrill·ing 形 わくわくさせる, 感激させる.
thriv·ing 形 繁栄する, 繁盛する; 繁茂する.
thrust·ing 形 押しの強い; ひどく威張った.
thun·der·ing 形 〈天候・風雨などが〉雷鳴の.
tin·ing 動 tine「失う, 無駄にする」の現在分詞.
tin·kling 形 チリンチリン[リンリン]鳴る.
too·ting 形 《米俗》《強意的》ひどく.
tot·ter·ing 形 〈人などが〉よろよろ歩く, よろめく.
touch·ing 形 〈事・物が〉人の心を動かす, 哀れな.
tow·er·ing 形 非常に高い, そびえ立つ.
trail·blaz·ing 形 先駆的な, 草分けの.
trans·ac·ti·va·ting 形 トランス転写活性促進の.
trav·el·ing 形 旅行(用)の; 巡業する, 巡回の.
trav·el·ling 形 《特に英》=traveling.
tri·fling 形 〈事が〉重要でない, くだらない.
trip·ping 形 〈歩き方・ダンスのステップが〉軽快な.
trust·ing 形 すぐ信じる, 信頼する, 信じやすい.
try·ing 形 (人にとって)つらい, 苦しい, 疲れる.
tum·bling 形 〈牛の焼き印などが〉斜めになった.
ty·ing 動 tie「…を縛る」の現在分詞形.
un·be·seem·ing 形 似合わない, 不似合いの, 不相応な.
un·com·pro·mi·sing 形 〈人・意見・態度などが〉妥協しない.
un·der·ly·ing 形 (基層などのように)下に横たわる.
un·de·vi·a·ting 形 逸脱しない; 一貫した.
un·heed·ing 形 気をつけない, 不注意な.
un·hes·i·ta·ting 形 躊躇(ちゅうちょ)しない.
un·shrink·ing 形 躊躇(ちゅうちょ)しない, 恐れない.
un·sym·pa·thi·zing 形 同情を欠く, 共鳴しない.
un·ty·ing 動 untie の現在分詞形.
un·vary·ing 形 変わらない, 不変の, 一定の.
un·weary·ing 形 疲れ(させ)ない; 飽き(させ)ない.
un·winc·ing 形 たじろがない, ひるまない; 恐れない.
up·braid·ing 形 ひどくとがめだてする, 非難する.
up·set·ting 形 混乱[動揺]させるような.
vac·il·lat·ing 形 〈心・考えが〉ぐらつく, 動揺する.
va·por·ing 形 蒸発する, 気化する.
vas·o·di·lat·ing 形 〖生理〗〖薬学〗血管拡張性の.
vault·ing 形 飛び上がる, 飛び越える.
vaunt·ing 形 〈人が〉むやみに自慢する, 高慢な.
vot·ing 形 ☞
vy·ing 形 (…を得ようと)争う, 競争する.
waf·fling 形 《話》あいまいな, はっきりしない.
wail·ing 形 《米俗》素晴らしい, 最高の.
wait·ing 形 ☞
walk·ing 形 ☞
wan·der·ing 形 歩き回る, さすらう, さまよう.
want·ing 形 〈物・人が〉(…の点で)欠けている.
warm·ing 形 ☞
war·mon·ger·ing 形 戦争挑発の.
warn·ing 形 ☞
war·ring 形 闘争(中)の, 交戦中の; 相いれない.
wast·ing 形 体力を徐々に衰えさせる.
wa·ver·ing 形 揺れる, 揺らめく, 震える.
wear·ing 形 着る, 着用するための.
wed·ding 形 ☞
weep·ing 形 涙を流す, 涙を流して嘆く.
west·er·ing 形 西へ移動している.
whack·ing 形 《英話》大きい, でっかい.
whal·ing 形 《米俗》=wailing.
whop·ping 形 《話》非常に大きい, でっかい.
will·ing 形 《叙述用法》(…するのを)いとわない.
wind·ing 形 ☞
win·ning 形 ☞
wish·ing 形 願い事をかなえてくれる.
wit·ting 形 《まれ》知りながらの, 故意の.
wob·bling 形 ぐらぐら[よろよろ]する[させる].
won·der·ing 形 驚嘆した, 驚いた, 不思議に思う.
work·ing 形 ☞
wor·ry·ing 形 厄介な, 心配な; 苦しめる, 悩ませる.
wrap·ping 形 包装用の.
wring·ing 形 のたうつような; 苦しい; 激しい.
yawn·ing 形 〈割れ目などが〉大きく開いている.
yield·ing 形 すぐに譲歩する, 柔順な.
zon·ing 形 《もと米》(特に都市計画で)区域割りの, 地域[地区]制の.
zonk·ing 形副 ものすごい[すごく].

-ing[3] /iŋ/

接尾辞 …に属するもの, と同じもの, に由来するもの.
★ 名詞をつくる.
★ 時に指小辞の働きをし, 以前は父祖名を継承した名前をつくるのに用いられた.
◆ 中英, 古英 *-ing*.
[発音] 第 1 強勢の基語, 基体と同じだが, すべて語頭にある.

aeth·el·ing 名 =atheling.
ath·el·ing 名 〖英史〗(アングロサクソンの)王族.
bun·ting 名 ☞
far·thing 名 ファージング: 英国の旧硬貨.
Flem·ing 名 Flanders 地方の人, フラマン人.
geld·ing 名 去勢獣; (特に)去勢馬.
Ha·ver·ing 名 ヘーブリング(イングランドの地名). ►「雄ヤギ(he-goat)」から由来.
her·ring 名 ☞
jen·ne·ting 名 〖植物〗早生(わせ)リンゴの一種.
king 名 ☞
-ling 接尾辞 ☞ -LING[1]
lord·ing 名 《古》権利・権力・支配権を有する者.
pout·ing 名 〖魚類〗ビブ(pout).
shil·ling 名 ☞
sweet·ing 名 〖植物〗甘い品種のリンゴ.
urn·ing 名 (男性の)同性愛者, ホモ.
whit·ing 名 〖魚類〗ホワイティング.
wild·ing 名 野生リンゴ(の木).

-ing[4] /iŋ/

連結形 場所, 川, 草原.
★ 英国の地名をつくる.
◆ 古英 *-ing*「…の場所」.

Felling 名 フェリング(イングランドの都市名). ►字義は「新たに開墾された土地」.

Ket·ter·ing 名 ケッターリング(イングランドの地名). ►字義はおそらく「Cytra 一族が住んでいた土地」.
Stir·ling 名 スターリング(スコットランドの都市名).
Wap·ping 名 ワッピング(イングランドの地名). ►おそらく古英の *wapol*「低湿地, 沼地」から由来.
Wor·thing 名 ワージング(イングランドの地名). ►字義は「価値ある人々の集まる場所」.

-ing[5] /ɪŋ, ɪŋ/

音象徴間 **1** ピューン, ポーン, キューン; 物が勢いよく飛び出したり, 動いていくさまを表す. ►cling, fling, swing などは急な動きをさして音象徴的. **2** チリン, ガラン, リンリン; 金属がぶつかり合う時の高い調子で鳴り響く音を表す. ⇨ -NG.

cling[1] 動自 (…に)粘着する, ぴったりくっつく.
cling[2] 動自 チリン [チャリン] と鳴る. ━━名 チリン [チャリン] という音.
cling[3] 名 種離れの悪い果実; その核, 粘核.
ding[1] 動他自 〈鐘などを [が]〉続けてガランガラン [カーンカーン, ジャンジャン, キンコンカン] と鳴らす [鳴る].
ding[2] 動他 《話》…の表面をへこませる(dent).
ping 名動自 (弾丸が金属板に当たったときのような)鋭い金属音(を出す), ピシッ [ピン, ピューン, キーン] という音(を出す).
pling 名 軽く響く音(plink).
ring 動自 〈鐘・鈴・電話などが〉鳴る, 鳴り響く.
swing[1] 動他 ☞
swing[2] 名 スイング: ジャズの一形式.
ting 動自他 〈鈴などが [を]〉チリンチリン [リンリン] と鳴る [鳴らす]. ━━名 チリンチリン [リンリン](と鳴る音).
tzing 間 キューン, キーン.
zing 名 《もと米話》元気, 気力, 生気, 活気.

-ing[6] /ɪŋ/

音象徴間 音象徴語の重複形に見られる語末要素. ►接中辞 -a- を持つものがある. ◇ -ONG.

clíng-clìng 間 《フェンシングで剣を交えるときなどの音》チャカチャン, チャンチャン, チャキンチャキン.
díng-a-lìng 名 《俗》愚か者, 抜け作; 変り者. ━━形 風変わりな, とっぴな.
tíng-a-lìng (ベルなどの)リンリン [チリンチリン](と鳴る音).
wíng-dìng 名 《米・カナダ俗》どんちゃん騒ぎのお祭り. ━━形 お祭り騒ぎの, にぎやかな, 豪勢な.

-ing[7] /ɪŋ/

語尾 語末にくる同音形は -ING[1], -ING[2], -ING[3], -ING[4], -ING[5].

bing[1] 名 《英方言》山積み, 積み重ねた山.
bing[2] 動自 《廃》行く(go).
bing[3] 名 《米刑務所俗》独房(入り); 刑務所.
bring 動他 …を(場所へ)持って来る, 連れて来る.
ding 名 《豪俗》《軽蔑的》イタリア [ギリシャ] 移民; (一般に)外国人.
ging 名 《豪話》(子供用の)パチンコ.
ling[1] 名 【魚類】リング.
ling[2] 名 【植物】ギョリュウ(御柳)モドキ.
-ling 連結形 ☞ -LING[2]
pling 動自他 《米渡り労働者俗》(…に)たかる.
ring 名 ☞
schwing 間 (女性に対して)すてき.
sling 名 《米》スリング: ジンをベースにした飲料.
string 名 ☞
thing[1] 名 ☞
thing[2] 名 (アイスランド・スカンジナビア諸国で)公民集会, (特に)立法会議, 議会, 法廷.
ting 名 ＝thing[2].
wing 名 ☞

-inge /ɪndʒ/

語尾 くぼみやひだを表したり, にじみや縮むような感じを表す音象徴が含まれる; whinge はグジグジに近い感じをもつ; binge は浸す感じを表している.

binge 名 《話》暴食, 暴飲; はめはずし.
cringe 動自 〈人・動物が〉畏縮(いしゅく)する.
dinge[1] 名 殴ってできるへこみ; くぼみ.
dinge[2] 名 《米俗》薄汚いこと.
fringe 名 (衣服などのへりについた)房のふち飾り.
hinge 名 (ドアなどの)ちょうつがい, 丁番.
minge 名 《英》女性の外陰部.
singe 動他 …の表面を(少し)焼く, 焦がす.
springe 名 (小鳥や小動物を捕らえる)わな.
swinge[1] 動他 《英古・方言》むち打つ.
swinge[2] 動他 ＝singe.
tinge 動他 色合いを帯びさせる, 薄く色をつける.
twinge 名 発作的な鋭い痛み, うずき.
whinge 動自 《英・豪俗》(だらだら)不満を述べる.
winge 動自 《英俗》＝whinge.

-in·gle[1] /ɪŋgl/

音象徴 **1** (1)チリンチリン; 金属が軽くぶつかりあうこと, また, その音を表す. (2)ヒリヒリ, キリキリ, ピリピリ, ジンジン; (寒さや痛みで)体や傷が痛んだり, うずいたりすることを表す. **2** 小さな部品, 特に棒や環を表す. ◇ -LE[3].

a·tin·gle 形 ひりひりして, うずいて; 興奮して, うずうずして.
din·gle 動自 チリンチリン [ジャラジャラ] と鳴る; (寒さで)ジンジン [ビリビリ] する. ━━名 《米俗》ペニス, 陰茎, 男根(penis).
jin·gle 動自 〈硬貨・鍵(かぎ)など軽い金属製品が〉チリンチリン [リンリン, チンチン] 鳴る.
tin·gle 動自 〈人・体・傷などが〉(寒さ・強打などで)うずく, ひりひり [きりきり, ちくちく] する [痛む].

-in·gle[2] /ɪngl/

音象徴 音象徴語の重複形に見られる中間要素; i と a の母韻交替がある. ◇ -LE[3].

díngle-dàngle 形副 ぶら下がった [ぶら下がって], ぶらぶら.
jíngle-jángle 名 (鈴の音の)リンリン, (金属片の)チャリンチャリン, ジャリンジャリンという音. ━━形 《米俗》壊れかかった, がたがたの.
míngle-màngle ごたまぜ, 寄せ集め.

-ing·ly /ɪŋli/

接尾辞 動詞に -ing がついて形容詞化したものから副詞をつくる.

◆ -ING² と -LY¹ の合成接尾辞.

a·bound·ing·ly 副 豊富に, おびただしく, たくさん.
ac·cord·ing·ly 副 したがって, それゆえに.
as·ton·ish·ing·ly 副 驚くべきことに.
be·com·ing·ly 副 似合って, ふさわしく.
be·liev·ing·ly 副 確信して, 信頼して.
dream·ing·ly 副 夢を見るように.
ex·ceed·ing·ly 副 非常に, 大いに; 特別に, 抜群に.
gob·smack·ing·ly 副 《英俗》びっくり仰天させて.
in·creas·ing·ly 副 だんだん, ますます, いよいよ.
kiss·ing·ly 副 軽く, そっと; 優しく.
know·ing·ly 副 知ったかぶりをして; 抜目なく.
lov·ing·ly 副 愛情を込めて, かわいがって.
lump·ing·ly 副 重たそうに; ぎこちなく.
pass·ing·ly 副 一時的に; 付随的に, 大まかに.
ques·tion·ing·ly 副 いぶかるように.
re·sult·ing·ly 副 結果として, 結局.
seem·ing·ly 副 見たところ, 聞いたところでは.
skip·ping·ly 副 軽く [ぴょんぴょん] 飛び跳ねて.
soak·ing·ly 副 ずぶぬれに, びしょびしょに.
stonk·ing·ly 副 《俗》どぎもを抜いて.
stu·pe·fy·ing·ly 副 ぼうっと [仰天] させるほど.
sur·pris·ing·ly 副 驚くほど.
swim·ming·ly 副 《古・話》難なく, すいすいと, 楽に.
teas·ing·ly 副 しつこく, からかうように.

in·her·it·ance /inhérətəns/

名 **1** 相続物件 [財産]. **2**〔遺伝〕(両親から受け継がれる) 遺伝的性質; 親譲りの体質. ⇨ -ANCE¹.

blénding inhéritance 融合遺伝.
cò·in·hér·it·ance 名 共同相続.
Mendélian inhéritance メンデル(性)遺伝.
multifactórial inhéritance 多因子遺伝.
partículate inhéritance =Mendelian inheritance.
polygénic inhéritance ポリジーン遺伝.
quántitative inhéritance 量的遺伝.

in·hi·bi·tion /ìnhəbíʃən/

名 抑制, 禁止. ►inhibit の名詞形. ⇨ -HIBITION.

cóntact inhibìtion 〔生物〕接触阻止.
dis·in·hi·bí·tion 名 〔心理〕脱制止.
féedback inhibítion 〔生化学〕フィードバック制御.
proáctive inhibítion 〔心理〕順向抑制.
recíprocal inhibítion 〔精神医学〕逆制止.
retroáctive inhibítion 〔心理〕逆向抑制, 後退禁止.

in·hib·i·tor /inhíbitər/

名 **1** 抑制 [抑止] する人 [もの]. **2**〔化学〕抑制剤;〔生化学〕阻害物質. ⇨ -OR².

ÁCE inhíbitor 〔薬学〕アンギオテンシン転換酵素阻害剤.
MÀÓ inhíbitor =monoamine oxidase inhibitor.
monoamíne óxidase inhìbitor 〔薬学〕モノアミン酸化酵素阻害薬.
vas·o·in·híb·i·tor 名 〔生理〕〔薬学〕血管運動神経抑制剤 [因子].

in·i·tial /iníʃəl/

形 初めの, 最初の, 初期の. ──名 **1** 語頭の文字, 頭文字. **2** (章頭などの)特大文字, (古写本などの)飾り文字. ⇨ -IAL.

dróp inítial =inset initial.
ínset inìtial 〔印刷〕装飾頭文字, 差し込み頭文字.
míddle inítial middle name の頭文字.

in·jec·tion /indʒékʃən/

名 **1** 注入. **2** 噴射. ►inject の名詞形. ⇨ -JECTION.

áir injèction 〔機械〕空気噴射.
blást injéction 〔機械〕(ディーゼル機関の)空気噴射.
bóoster injèction 〔ロケット〕ブースター(booster).
diréct injéction =solid injection.
fúel injèction 〔機械〕燃料噴射.
léthal injèction (死刑の執行方法としての)致死注射.
méat injèction 《英俗》性交, セックス.
mì·cro·in·jéc·tion 名 〔生物〕顕微(鏡下)注射.
sólid injéction 〔機械〕無気噴射.
thróttle-bòdy injèction 〔自動車〕スロットルボデー・インジェクション.

ink /iŋk/

名 インク, インキ. ──動他 …にインクをつける.

bláck ínk 《米》利益, もうけ, 黒字.
cáke ìnk =India ink.
Chína ínk =India ink.
Chínese ínk =India ink.
de·ínk 動他 (再生利用のために)インクを抜く.
Índia ínk 墨.
Índian ínk 《英》=India ink.
invísible ínk =sympathetic ink.
magnétic ínk 磁気 [磁性] インク.
márking ìnk (布などに印をつける)不変色インク.
Múrder Ínk マーダーインク: 米国の推理小説専門書店.
pén-and-ínk 形 ペンで書いた; ペン描きの.
pínk ínk 《米俗》ロマンス [恋愛] 小説.
prínter's ínk 印刷インク.
prínting ìnk 印刷インク.
réd ínk 赤インク.
re·ínk 動他 再びインクを付ける.
sécret ínk 見えないインク.
sóy ìnk 大豆製インク.
sympathétic ínk 化学薬品などで見えるようになるインク.
tránsfer ìnk (石版印刷などの)転写インク.
wríting ìnk 筆記用インク.

-ink¹ /íŋk/

音象徴 **1** カチン, チリン; 固いものが触れ合うときの軽く響きのある音を表す: ch*ink*, cl*ink*. **2** ピン, ポロン: 張った糸や弦などをつまびく音を表す: p*ink*.

chink 動他自 (貨幣・ガラスなどを)チャリン [チリン] と鳴らす; チャリン [チリン] と鳴る. ──名 チャリン [チリン] という音.
clink 動自他 〈コップ・硬貨などが〉(接触によって)チリン [チャリン, カチン] と鳴る [鳴らす]. ──名 (コップ・陶器・金属などの)カチン [チャリン] と鳴る音.
dink 名 〔テニス〕ドロップショット;〔バレーボール〕スピードを殺して相手コートのネット際に落とす打球.
pink 動自 (糸が切れるときのような)プチン [プツン, ピン] という音をたてる; 〈エンジンが〉キンキンいう, ノッキングする.
plink 動自他 (楽器を)ポロン [ピン・ペン] と弾く; (ライフル銃などで)(…を)撃つ. ──名 ポロン [ピン, ペン, カツン, ポツン] という音.

-ink² /íŋk/

語尾 kink, shrink, slink, prink, wink などは細かい動きの音象徴と感じられる.

brink 名 (崖(がけ)・水辺の)縁.
chink[1] 名 裂け目, 割れ目(crack, cleft).
clink[2] 名 《俗》刑務所, 留置場, 監獄.
clink[3] 名 《米黒人俗》黒人.
crink 名 《米麻薬俗》アンフェタミン.
dink[1] 名 はしけ用の小舟(dinghy).
dink[2] 名 《米俗》アジア人; ベトナム人.
dink[3] 名 《米》頭にぴったりした小型の帽子.
dink[4] 動他 《豪・NZ》〈人を〉自転車に乗せる.
dink[5] 名 《俗》ディンクス.
drink 動他 ☞
fink[1] 名 《米・カナダ俗》ストライキ破り.
fink[2] 動自 《英》《発音綴り》=think.
gink 名 《俗》やつ, 野郎.
ink[1] 名 ☞
ink[2] 名 (大潮で冠水しやすい)低い牧草地.
jink 名 浮かれ騒ぎ, 戯れ, はしゃぎ.
kink 名 (糸・綱などの)もつれ, よじれ.
link[1] 名 ☞
link[2] 名 たいまつ.
link[3] 動自 《スコット》素早く動く.
mink 名 〚動物〛ミンク.
pink[1] 名 ☞
pink[2] 動他 (剣などで)突く, 刺す.
pink[3] 名 ピンク: 2本マストの小型船.
pink[4] 名 《英》サケの稚魚.
prink[1] 動他 めかし込む, 派手に飾る.
prink[2] 名 《英俗》女子校の校長.
rink 名 スケート場.
shrink 動自 避ける; ひるむ, たじろぐ.
sink[1] 動自 ☞
sink[2] 名 シンク: 働き手が一人で子供のいない夫婦.
skink 名 トカゲ.
slink 動自 こそこそ歩く, こっそり動く.
stink 動自 悪臭を放つ, (…の)においがする.
swink 動自名 《英古・方言》骨折って働く(こと).
think[1] 動自 ☞
think[2] 動自 《廃》…と思われる.
-think 連結形 ☞
twink 名 《米俗》若いセクシーな人.
wink[1] 動自 まばたきする, ウインクする.
wink[2] 名 〚遊戯〛小円盤, ウインク.

-in·kle /íŋkl/

音象徴 **1** 縮れたり, 細かくまき散らしたり, 小さく巻かれていることを表す. **2** ちかちかする光, ちりんちりんと鳴る音を表す. ◇ -LE[3].

crin·kle 動他 しわを寄らせる; 縮らせる.
in·kle 名 縁取り用のリンネルテープ.
kin·kle 名 小さなよじれ, もつれ, 縮れ.
sprin·kle 動他 〈液体・粉末などを〉(…に)まき散らす.
tin·kle 動自 軽い連続的な金属音を出す.
twin·kle 動自 〈星・遠い光などが〉ぴかぴか光る.
win·kle[1] 名 タマキビガイ: タマキビガイ科の小さな海産巻き貝の総称.
win·kle[2] 動自 =twinkle.
win·kle[3] 名 《南アフリカ》食品雑貨店; 商店.
wrin·kle[1] 名 ☞ WRINKLE
wrin·kle[2] 名 《話》名案, 妙案; 気の利いた助言.

inn /ín/

名 **1** 宿屋. **2** ホテル, モーテル.

Gráy's Ínn 英国の法曹学院の一つ.
Hóliday Ínn ホリデーイン(ズ): 世界最大のホテル(チェーン).
Líncoln's Ínn 英国の法曹学院の一つ.
mótor ìnn (都市にある完全なホテル機能を持つ)モテル.
Réd Lóbster Ínn レッドロブスター: 米国のシーフードレストランチェーン.
Spániards Ínn スパニャーズイン: London の Hampstead の丘にある 16 世紀からのパブ.

-inn /ín/

語尾 語末にくる同音形は -IN[1], -IN[2], -IN[3], -IN[4], -INE[1], -INE[2], -INE[3], -INE[4], -INE[5].

finn 名 《俗》5ドル[ポンド]紙幣(finnip).
glinn 名 《メーン州》グリン, 焼け.
inn 名 ☞
jinn 名 〚イスラム神話〛精霊, 幽鬼, ジン.
linn 名 《主にスコット》小滝(cascade).

-i·no /íːnou, ái-|íːnou; *It.* íno/

接尾辞 小さい…; イタリア語の指小辞. ⇨ -O[2].
★ 語末にくる関連形は -INA[2].

a·mo·ri·no 名 〚美術〛アモリーノ.
an·dan·ti·no 形副 〚音楽〛アンダンテよりもやや速い[く].
bam·bi·no 名 《話》幼児, 赤ん坊.
ca·si·no 名 カジノ; 賭博(とばく)場.
con·cer·ti·no 名 〚音楽〛小協奏曲.
pep·er·i·no 名 〚鉱物〛ペペリノ.
pi·a·ni·no 名 小型の竪(たて)型ピアノ(pianette).
si·gno·ri·no 名 …君, さん; 若だんな.
so·pra·ni·no 名 〚音楽〛ソプラニーノ.
vil·li·no 名 (田舎の)小別荘.

in·quest /ínkwest/

名 査問, 審問; 検死.

córoner's ínquest 検死審問.
gránd ínquest 大陪審, 起訴陪審.
gréat ínquest =grand inquest.

in·sect /ínsekt/

名 昆虫. ⇨ -SECT.

cóchineal ìnsect コチニールカイガラムシ.
lác ìnsect ラックカイガラムシ.
léaf ìnsect コノハムシ(木葉虫).
scále ìnsect カイガラムシ(介殻虫).
snów ìnsect 雪の上で見られるシリアゲムシ類, カワゲラ類の虫.
stíck ìnsect ナナフシ.
wáx ìnsect ロウカイガラムシ.

in·spec·tor /inspéktər/

名 調査[検査, 点検]する人. ⇨ -TOR.

céiling inspèctor 《英・豪俗》(正常位で)性交中の女性.
chíef inspéctor 《英》警部.
pólice inspèctor 《米》警視.
públic hèalth inspèctor 《英》《もと》環境衛生監視官.
schóol inspèctor 学校視察官, 視学官.

in·stinct /ínstiŋkt/

名 〚心理〛本能, 生得的な行動傾向. ⇨ -STINCT.

déath ìnstinct 自殺[自滅]の傾向.

hérd ìnstinct	群(居)本能, 集団本能.
kíller ìnstinct	殺人本能.
lífe ínstinct	生の本能.

in·sti·tute /ínstətjù:t | -tjù:t/

動他 〈制度・規則・慣例・会などを〉設立[設定]する, 設ける, 制定する, 組織する. ━━名 (文学・科学・教育などの研究・普及を目的とする)会, 協会, 学会, 研究機関, 研究所. ⇨ -STITUTE.

Cíty and Guílds Ìnstitute	《英》技術・技能検定協会.
collégiate ínstitute	(カナダで)州政府の監督下にあって普通科目を教授する完全認可の高等学校.
Geográphic Súrvey Ìnstitute	(日本の)国土地理院.
Wómen's Ínstitute	《英・カナダ》(小さな町や村に見られる)婦人会.

in·sti·tu·tion /ìnstətjú:ʃən | -tjú:-/

名 **1** 協会, 学会, 施設. **2** (社会)制度. ⇨ -STITUTION.

pecúliar institútion	(南北戦争以前の米国南部における)奴隷制度.
Róyal Institútion	(英国の)王立研究所.
Róyal Nátional Lífeboat Institútion	英国王立ライフボート協会.
Smithsónian Institútion	スミソニアン研究所.
yóung offénders' institútion	《英》青少年犯罪者収容所.

in·struc·tion /instrʌ́kʃən/

名 **1** 教授; 教育. **2** 指図, 命令. ►instruct の名詞形. ⇨ -STRUCTION.

dynámic instrúction	《米》〖法律〗ダイナマイト説示.
mác·ro·in·strùc·tion 名	〖コンピュータ〗マクロ命令.
mì·cro·in·strúc·tion 名	〖コンピュータ〗マイクロ命令.
prógrammed instrúction	〖教育〗プログラム学習.

in·stru·ment /ínstrəmənt/

名 **1** 器械, 器具, 道具. **2** 楽器. ⇨ -MENT.

átmosphere-méasurement ínstrument	〖宇宙工学〗(月面の)大気測定器.
bráss ìnstrument	金管楽器.
chósen ínstrument	団体の利益のために保護の対象になる人.
flíght ìnstrument	〖航空〗飛行[航空]計器.
léveling ìnstrument	〖測量〗ハンドレベル(hand level)の一種.
mechánical ínstrument	自動演奏楽器.
MÍDI ìnstrument	〖音楽〗ミディに連動する電子楽器.
percússion ìnstrument	打楽器.
réed ìnstrument	リード楽器.
rhýthm ìnstrument	リズム楽器.
strínged ínstrument	弦楽器.
tránsit ìnstrument	〖天文〗子午環.
transpósing ìnstrument	移調楽器.
trúst ìnstrument	〖法律〗信託証書.
vísual ínstrument	視覚楽器.
wínd ìnstrument	管楽器, 吹奏楽器.

in·suf·fi·cien·cy /ìnsəfíʃənsi/

名 **1** 不足, 不十分; 不適当[適切]; 力量不足, 無力. **2** 〖医学〗(器官の)機能不全. ⇨ -ENCY.

adrénal insufficiency	〖病理〗アジソン病(Addison's disease): 副腎(ふくじん)機能不全.
aórtic insufficiency	〖病理〗大動脈弁閉鎖不全(症).
córonary insufficiency	〖病理〗冠不全.
mítral insufficiency	〖病理〗僧帽弁(閉鎖)不全症.
válvular insufficiency	〖病理〗心弁不全.

in·sur·ance /inʃúərəns/

名 (…に対する)保険; 保険方式; 保険業. ⇨ -ANCE[1].

áccident insùrance	傷害[災害]保険.
automobíle insùrance	自動車保険.
bánk depòsit insùrance	銀行預金保険.
cásualty insùrance	災害[傷害]保険.
cò·in·súr·ance 名	共同保険, コインシュアランス.
collísion insùrance	(車の)衝突保険.
convértible insùrance	転換可能保険.
crédit insùrance	信用保険, 貸し倒れ保険.
decréasing térm insùrance	逓減定期保険.
depreciátion insùrance	減価(償却費)保険, 取替費[新価]保険.
disabílity insùrance	廃疾[高度障害]保険.
dóuble insúrance	重複保険.
endówment insùrance	養老保険.
éxcess insùrance	超過損害(担保)保険, 超過額保険.
exténded térm insùrance	延長保険.
fidélity insùrance	誠実[信用]保険.
fíre insùrance	火災保険.
flóod insùrance	洪水保険.
fratérnal insùrance	友愛組合保険, 共済保険.
fúll válue insùrance	全部保険.
gróup insùrance	《主に米》団体保険.
héalth insùrance	健康保険(制度).
hospitalizátion insùrance	入院(費)保険, 病院費用保険.
indústrial insùrance	労働者(簡易)生命保険.
ínland maríne insùrance	インランド・マリーン保険.
ìn·ter·in·súr·ance 名	=reciprocal insurance.
kéyman insùrance	経営者[企業幹部]保険.
liabílity insùrance	(損害賠償)責任保険.
lífe insùrance	生命保険(金, 料).
malpráctice insùrance	医療過誤保険.
maríne insùrance	=ocean marine insurance.
mórtgage insùrance	抵当保険.
mútual insúrance	相互保険.
Nátional Insúrance	《英》国民保険制度.
ócean maríne insùrance	(外航)海上保険.
ò·ver·in·súr·ance 名	超過保険.
partícipating insùrance	利益配当付保険.
portfólio insúrance	〖証券〗ポートフォリオ・インシュアランス.
próduct-liabílity insùrance	製造[生産]物責任保険.
próperty dámage insùrance	財物損壊保険.
públic-liabílity insùrance	一般損害賠償保険, 公共責任保険.
recíprocal insúrance	協同保険.
redúced páid-up insúrance	(減額)払済保険.
rè·in·súr·ance 名	再保険.
sálary sávings insùrance	給料積立保険.
sélf-insúrance	自家[自己]保険.
sócial insùrance	社会保険.
splít-dóllar insùrance	従業員生命保険.
térm insùrance	定期保険.
théft insùrance	盗難保険.
thírd-párty insùrance	第三者保険.
títle insùrance	権原[権利, 商号]保険.
ún·der·in·sùr·ance 名	一部保険.
unemplóyment insùrance	失業保険.
wár rìsk insùrance	《米》戦争[戦時]保険.
wórkmen's compensátion insùrance	労働者災害補償保険.

in·sure /inʃúər/

動他 **1** 保証する, 請け合う. **2** (損失・損害・死亡に備えて)〈人・法人が〉…に保険をつける. ⇨ SURE.

co·in·sure 動他自	(財産に)他人と共同で保険をかける.
o·ver·in·sure 動他	保険の対象物の評価額を超えて…に保険をかける.
re·in·sure 動他	…を再保証[再確保]する.
self-in·sure 動他	〈財産・利益を〉自家保険にする.

un·der·in·sure 動他 〈家などに〉一部保険をかける.

-int[1] /ìnt/

連結形 情報を集めること.
★ 政治的情報収集に関する名詞をつくる.
◆ intelligence の短縮形.

com·int 名 政治的[軍事]情報収集(communication intelligence).
el·int 名 電子偵察 [情報収集] (electronic intelligence).
hu·mint 名 スパイによる諜報活動(human intelligence).
sig·int 名 信号情報収集(signal intelligence).

-int[2] /ínt/

語尾 print, mint, tint などは語尾の収斂(しゅうれん)(convergence)によるもので，意味上もやや似ている；また splint, squint, stint, skint は別の収斂だが，意味上「わずかなもの」という類似が認められる.

bint 名 《英俗》娘；女；ガールフレンド.
clint 名 【地文】突出した岩，岩棚.
dint 名 力.
flint 名 ☞
lint 名 糸くず，糸毛羽.
mint[1] 名 ☞
mint[2] 名 貨幣鋳造所.
mint[3] 名 《スコット・北イング》意図，目的.
print 動他 ☞
skint 形 《英俗》文無しの，すってんてんの.
splint 名 (骨折箇所を固定する)添え木.
sprint 動自 (短距離を)全速力で走る［こぐ］.
squint 動自 (…を)目を細めて見る，細目で見る.
stint[1] 動自 (…を)節約する；切り詰めて暮らす.
stint[2] 名 *Calidris* 属の小形のシギ(sandpiper)の数種の呼び名.
tint[1] 名 ☞
tint[2] 動 tine の過去・過去分詞形.
vint[1] 動他 〈ワイン・果実酒を〉造る.
vint[2] 名 【トランプ】ビント，ロシアホイスト.

-int[3] /áint/

語尾

pint 名 パイント：液量単位.

in·te·gral /íntigrəl, intég-/

形 (統一体を構成する)一部分［要素］を成す. ──名 **1** 全体，総体. **2**【数学】積分，リーマン積分. ⇨ -AL[1].

cóntour integràl 閉曲線積分.
définite íntegral 定積分.
dóuble íntegral 二重積分.
ellíptic íntegral 楕円積分.
impróper íntegral 異常［仮性，特異］積分.
indéfinite íntegral 不定積分.
ínfinite íntegral =improper integral.
íterated íntegral 反復［累次］積分.
Lebésgue ìntegral ルベーグ積分.
líne ìntegral 線積分.
múltiple íntegral 重積分，多重定積分.
Ríemann ìntegral リーマン積分.
Ríemann-Stíeltjes ìntegral リーマン=スティールチェズ積分.
súrface ìntegral (三次元の)面積分.
tríple íntegral 三重積分.

in·te·gra·tion /ìntəgréiʃən/

名 統合，集大成. ►integrate の名詞形. ⇨ -ATION.

dis·ìn·te·grá·tion 名 分解，崩壊，分裂，解体.
horizóntal integrátion 【経営】水平統合.
lárge-scale integrátion 【電子工学】大規模集積(LSI).
médium-scàle integrátion 【電子工学】中規模集積(回路)(MSI).
red·ìn·te·grá·tion 名 《古》復原，復旧；再建，復興.
re·ìn·te·grá·tion 名 復旧，復原；再建，復興；再統合.
smáll-scàle integrátion 【電子工学】小規模集積回路(SSI).
vértical integrátion 垂直的統合.
véry lárge scàle integrátion 【電子工学】超大規模集積(VLSI).

in·tel·li·gence /intélədʒəns/

名 知性，知力；理知；【心理】知能. ⇨ -ENCE[1].

artifícial intélligence 【コンピュータ】人工知能.
còunt·er·in·tél·li·gence 名 対敵情報活動，スパイ防止活動.
distríbuted intélligence 【コンピュータ】分散知能.
electrónic intélligence 【軍事】電子偵察［情報収集］.
machíne intèlligence 《今はまれ》=artificial intelligence.
mílitary intélligence 軍事情報(部).

in·ten·si·ty /inténsəti/

名 強烈であること，強烈さ，熱烈(性)，激烈(性). ⇨ -ITY.

éarthquake inténsity =seismic intensity.
eléctric fíeld intènsity 【物理】=electric intensity.
eléctric inténsity 【物理】電界の強さ，電界強度.
fíeld intènsity 【物理】場(ば)の強さ.
lúminous inténsity 【光学】光度.
magnétic inténsity 【物理】磁気強度. 記号 H.
rádiant inténsity 【物理】放射強度.
rádio field inténsity 【物理】電波強度.
séismic inténsity 震度.

in·ten·sive /inténsiv/

形 激しい，強烈な；徹底的な，集中的な. ⇨ -IVE[1].

cápital-inténsive 形 【経済】資本集約型の.
énergy-inténsive 形 (工業生産で)大型エネルギー消費しの.
lábor-inténsive 形 【経済】労働集約的な.
matérials-inténsive 形 大量の材料を要する.

in·ten·tion /inténʃən/

名 **1** 意図. **2**【論理】概念. ►intend の名詞形. ⇨ -TENTION[2].

fírst inténtion 【論理】第一次概念.
prímary inténtion =first intention.
sécondary inténtion =second intention.
sécond inténtion 【論理】第二次概念.
spécial inténtion 【ローマカトリック】(ミサ・祈りやささげ物をするときの)意向.
súbjective inténtion 【哲学】【論理】主観的内包.

in·ter·course /íntərkɔ̀ːrs/

名 (社会的・文化的な)交わり，交流，交際；性交. ⇨ -COURSE.

ánal íntercourse 肛門(こうもん)性交.
nòn·ín·ter·course 名 相互関係の中断［停止］.
séxual íntercourse 性交，交接，セックス，性行為.

in·ter·est /íntərəst, -tərèst/

名 **1** 興味. **2** 利益. **3**【金融】利子，利息.

accrúed ínterest 【金融】未払［経過］利子, 未収利息.
ballóon ìnterest 【金融】尻上がりの金利.
cómpound ínterest 【金融】複利.
contrólling ínterest 【経済】企業支配力.
dis·ín·ter·est 名 公平無私, 私心のなさ.
èx ínterest 形 【証券】利(子)落ちの.
húman ínterest ヒューマンインタレスト: 人間的興味.
lífe ìnterest 【法律】生涯利益.
lóng ínterest 【株式】(強気筋の)買い持ち株数.
négative ínterest 【財政】負の利息, 逆金利.
ópen ínterest 【商業】未決済取引残高.
públic ínterest 公共の福祉, 公益.
secúrity ìnterest 【法律】先取特権, 担保権.
sélf-ínterest 名 利己主義, 利己心.
shórt ìnterest 【金融】空(から)売り総額.
símple ínterest 【金融】単利.
spécial ínterest 特殊利益(集団).
vésted ínterest 特権, 既得権利.

in·ter·face /íntərfèis/

名 **1**(境)界面. **2**【コンピュータ】インターフェース: 各プログラム間の情報伝達装置. ⇨ FACE.

centrónic ìnterface セントロニク・インターフェース.
communicátion ìnterface コミュニケーションインターフェース.
MÍDI ìnterface 【音楽】ミディ(MIDI)・インターフェース.
Musical Instrument Digital Interface ＝MIDI interface.
pén ìnterface ペンインターフェイス.
SĆSI ìnterface スカジー(scuzzy)インターフェース.
úser ìnterface ユーザー・インタフェース.

in·ter·fer·ence /ìntərfíərəns/

名 (…への)邪魔, 妨害, 干渉; 節介, 口出し, 介入; 衝突. ►interfere より. ⇨ -FERENCE.

constrúctive interférence 【物理】建設的干渉.
destrúctive interférence 【物理】相殺的干渉.
electromagnétic interférence 【電気】電磁妨害.
nòn·interférence 不干渉, 放任, 不干渉主義［政策］.

in·ter·val /íntərvəl/

名 **1**(時間の)間隔. **2** 休止期間. **3**(二物・地点・境界間の)空間, 距離. **4**【数学】区間. **5**【音楽】音程.

cláss ìnterval 【統計】階級間隔, 階級の幅.
cómpound ínterval 【音楽】複(合)音程.
cónfidence ìnterval 【統計】信頼区間.
cóntour ìnterval 等高線間隔.
harmónic ínterval 【音楽】音程.
lúcid ínterval 【精神医学】意識清明期.
lunitídal ínterval 月潮［高潮, 太陰潮］間隙.
melódic ínterval 【音楽】音程.
símple ínterval 【音楽】単(純)音程.
sùb·ínterval 名 【数学】部分区間.

in·ter·view /íntərvjùː/

名 (公式の)会見, 会談; 面接. ⇨ VIEW.

dépth ìnterview 深層面接.
strúctured ínterview 【経営】回答の選択肢が Yes, No, Don't know の3つに限定された質問方式による取材面接.

-inth /ínθ/

語尾 ギリシャ語系の語尾.

plinth 名 【建築】プリンス.

in·ver·sion /invə́ːrʒən, -ʃən | -ʃən/

名 逆にする［なる］こと. ⇨ -VERSION.

atmosphéric invérsion 【気象】(大気の)逆転.
populátion invèrsion 【物理】反転分布.
spáce invèrsion 【物理】空間反転.
témperature invèrsion ＝atmospheric inversion.

in·vest·ment /invéstmənt/

名 資本投下; 投資; 投資法. ⇨ -MENT.

cápital invéstment 資本投資, 設備投資.
cónscience invèstment 良心主義投資.
diréct invéstment 直接投資.
èthical invéstment 社会倫理的投資.
indiréct invéstment ＝portfolio investment.
portfólio invéstment 間接投資.
sòcially respónsible invèstment 社会的責任投資.

-inx /iŋks/

語尾

jinx 名 ジンクス, 縁起の悪い人［もの］.
minx 名 生意気な娘; おてんば.
sphinx 名 ☞

-i·o /ou, iòu/

接尾辞 ラテン語及びそこから派生したイタリア語, スペイン語などのロマンス語に見られる名詞接尾辞.
◆ ＜伊, スペイン *-io* ＜ラ *-ium*.

a·da·gio 名 【音楽】アダージョの楽曲.
ad·di·o 間 さようなら.
ag·i·o 名 打歩(うちぶ), 株式［社債］発行差金.
ar·peg·gi·o 名 【音楽】アルペッジョ.
ar·ric·cio 名 【美術】アリッチャート下塗り.
bar·ri·o 名 (スペインで)都市の一区域, 区.
brac·cio 名 ブラッチオ: 古代イタリアの長さの単位.
bri·o 名 活気; 元気, 生気, 陽気.
cam·bi·o 名 外国通貨の交換所.
ca·pric·ci·o 名 【音楽】カプリッチョ, 奇想曲.
com·pri·mar·i·o 名 (オペラで)準主役の歌手［ダンサー］.
cur·cu·li·o 名 シギゾウムシ.
em·bro·glio 名 ＝imbroglio.
ex·cus·si·o 名 【大陸法】検索.
fel·la·tio 名 フェラチオ, 吸茎.
im·bro·glio 名 もつれ, 紛糾, ごたごた.
in·tagl·io 名 インタリオ, 沈み彫り, 凹彫(おうちょう).
ju·bi·la·ti·o 名 【典礼】(ローマカトリックの音楽で)ユビルス.
la·ti·fun·di·o 名 スペインおよび中南米の広大な地所.
li·bec·cio 名 《イタリア語》(特にコルシカ島北部に吹く)南西の強風.
no·vi·o 名 (男性の)許婚者(いいなずけ).
nun·ci·o 名 ローマ教皇大使.
pas·tic·cio 名 (芸術・文学作品などの)構造.
pa·ti·o 名 パティオ: 《米》屋外での休憩・食事などに使われるテラス.
prae·cip·i·ta·ti·o 名 【気象】降水雲.
pre·sid·i·o 名 (守備隊のいる)砦(とりで).
punc·til·i·o 名 (儀式・手続きなどの)細部, 細目.
ra·tio 名 ☞
se·ne·ci·o 名 【植物】セネシオ.
se·ragl·io 名 (イスラム教国の)妻妾(さいしょう)部屋.
sol·feg·gio 名 【音楽】ソルフェージュ.

vib·ri·o 名 〖細菌〗ビブリオ, 弧菌.

i·o·dide /áiədàid, -did | -dàid/

名 〖化学〗ヨウ化物. ⇨ -IDE[1].

hýdrogen íodide ヨウ化水素.
méthylene íodide ヨウ化メチレン.
phosphónium íodide ヨウ化ホスホニウム.
potássium íodide ヨウ化カリウム, ヨードカリ.
sílver íodide ヨウ化銀.
sódium íodide ヨウ化ナトリウム.

i·o·dine /áiədàin, -din | -dì:n; 〖化学〗áiədì:n/

名 〖化学〗ヨウ素, ヨード. ⇨ -INE[3].

po·vi·done-i·o·dine 名 ポビドン=アイオジン.
ra·di·o·i·o·dine 名 放射(性)ヨウ素.

i·on /áiən, áiɑn | áiən, áiɔn/

名 〖物理〗〖化学〗イオン.

án·ion 名 陰[負]イオン, アニオン.
carbónium ìon カルボニウムイオン.
cómplex íon 錯イオン.
cóunter-ìon 名 対イオン, 反対イオン.
hýdrogen ìon 水素イオン.
hydrónium ìon ヒドロニウムイオン.
hydróxide ìon 水酸化物イオン.
hydroxónium ìon =hydronium ion.
hydróxyl ìon =hydroxide ion.
négative íon 陰イオン.
oxónium ìon オキソニウムイオン.
pósitive íon 陽イオン.
sól·ìon 名 ソリオン.
thérm·ìon 名 熱イオン[電子].
zwítter·ìon 双(極)性イオン.

-ion[1] /iən, jən, ən/

接尾辞 **1** …すること: evict*ion*. **2** …した状態: alluv*ion*. **3** …の結果・産物: connect*ion*.
★ ラテン語起源の語に見られ, (1)ラテン語の形容詞の語幹(commun*ion*), (2)動詞の語幹(leg*ion*), (3)特に過去分詞形(fus*ion*)について名詞をつくる.
◆ <ラ *-iōn-*(特に過去分詞形について名詞をつくる接尾辞 *-iō* の語幹); 中英 *-ioun*(<アングロ仏<ラ *-iōn-*)に取って代わる.
[発音] 直前の音節に第1強勢.

ac·cor·di·on 名 〖音楽〗アコーディオン, 手風琴.
al·lu·vi·on 名 〖法律〗増地, 堆積(たいせき)新生地.
ap·pre·hen·sion 名 (将来の逆境や災いに対する)不安.
bul·lion 名 金[銀]塊, 金[銀]地金.
cam·pi·on 名 ☞
car·bu·re·tion 名 (内燃機関での)気化.
cen·tu·ri·on 名 (古代ローマ軍隊の)百人隊長.
-ces·sion 連結形 ☞
cham·pi·on 名 (競技の)優勝者, 選手権保持者.
-cion 接尾辞 ☞
clar·i·on 形 甲高く鳴りわたる.
co·he·sion 名 粘着, 結合; 団結, つながり.
com·mun·ion 名 ☞
com·pan·ion 名 ☞
com·plec·tion 名 肌の色[きめ], (特に)顔の色つや.
con·di·tion 名 ☞
con·nec·tion 名 ☞
-cur·sion 連結形 ☞
de·cu·ri·on 名 〖ローマ史〗十人隊(decury)の長.
do·min·ion 名 支配権[力], 統治権, 主権.
dy·max·i·on 形 ダイマキシオン: 最小限のエネルギーと材料で, 最大に効率よく作業をすること.
e·ra·sion 名 こすって消すこと, 削除, 抹消.
eu·cho·lo·gi·on 名 〖東方教会〗エウコロギオン.
e·vic·tion 名 立ち退き, 立ち退きを食うこと.
-fec·tion 連結形 ☞
-flec·tion 連結形 ☞
-flic·tion 連結形 ☞
fru·i·tion 名 (希望・目的などの)達成, 実現.
-gres·sion 連結形 ☞
in·den·tion 名 字下げ.
in·farc·tion 名 〖病理〗梗塞(こうそく)形成.
-i·tion 接尾辞 ☞
-lec·tion 連結形 ☞
le·gion 名 ☞
men·tion 動他 …について言及する.
-mis·sion 連結形 ☞
ob·liv·i·on 名 (世間などから)忘れられている状態.
o·pin·ion 名 ☞
-pul·sion 連結形 ☞
qua·ter·ni·on 名 4つ一組, 四人組.
re·bel·lion 名 ☞
re·ces·sion 名 撤退, 後退, 退去, 退出.
re·gion 名 ☞
re·li·gion 名 ☞
scor·pi·on 名 ☞
-sion 接尾辞 ☞
sta·tion 名 ☞
su·per·sti·tion 名 (…という)迷信.
ter·ni·on 名 三つ組み, 三つぞろい.
-tion 接尾辞 ☞
-trac·tion 連結形 ☞
tra·gi·on 名 トラギオン.
un·ion 名 ☞
u·su·ca·pi·on 名 〖ローマ法〗所有権の時効取得.
vo·lu·tion 名 回転.

-ion[2] /iən/

接尾辞 小…, 小さい.
◆ ギリシャ語 *-ion*(中性形指小辞)より.

am·ni·on 名 〖解剖〗〖動物〗羊膜.
an·the·mi·on 名 〖植物〗アンテミオン.
cha·la·zi·on 名 〖眼科〗霰粒腫(さんりゅうしゅ).
hi·mat·i·on 名 〖古代ギリシャ〗ヒマチオン.
in·i·on 名 〖頭骨測定〗イニオン.
kel·li·on 名 〖ギリシャ正教〗小修道院.
-lim·ni·on 連結形 ☞
mi·to·chon·dri·on 名 〖細胞生物〗ミトコンドリア, 糸粒体.
na·si·on 名 鼻根点, ナジオン.
po·ri·on 名 ポリオン, 耳点.
pros·thi·on 名 プロスチオン, 歯槽(しそう)点.
re·cen·sion 名 校訂.
tel·lu·ri·on 名 地動儀.
trich·i·on 名 〖自然人類学〗トリキオン, 前頭部生え際.
tris·kel·i·on 名 三脚ともえ紋.

-ion[3] /iɑ̀n | iɔ̀n/

連結形 〖頭骨測定〗…点.
◆ inion「イニオン; 外後頭隆起の先端に相当する点」から抽出.
[発音] 語頭の音節に第1強勢.

gna·thi·on 名 グナチオン, 下顎(かがく)点.
go·ni·on 名 ゴニオン, 下顎(かがく)角点.

I·on·ic /aiɑ́nik | aiɔ́n-/

形 イオニア(Ionia)の. ⇨ -IC[1].

gréater Iónic 形 〖韻律〗(長長短短格の)イオニア韻脚の.

lésser Iónic 形 【韻律】(短短長長格の)イオニア韻脚の.
Óld Iónic *Iliad* と *Odyssey* の中に現れるギリシャ方言.
pròto-Iónic 形 プロト=イオニア式の.

-i·or[1] /iər/

接尾辞 より….
★ 形容詞の比較級を表す.
◆ <ラ *-ior*(形容詞比較級接尾辞の男性・女性形).
[発音] 直前の音節に第 1 強勢.

an·te·ri·or 形 (…の)前に置かれた, 前面の.
ex·cel·si·or 形 なおも高く.
ex·te·ri·or 形 外の, 外部の, 外側の.
in·fe·ri·or 形 (階級・等級などが)(…より)下の.
in·te·ri·or 形 〈場所などが〉内の, 内部にある.
jun·ior 形 (…)より年下の, 年少の, 若い.
pos·te·ri·or 形 (位置的に)後ろの.
pri·or 形 (時間的・順序的に)前の, 先の.
sen·ior 形 〈人が〉(…より)年上の, 年長の.
su·pe·ri·or 形 上位の, 上級の, 高位の, 上官の.
ul·te·ri·or 形 〈目的・動機などが〉隠された.

-i·or[2] /iər, jər/

接尾辞 -or[2] の異形.
★ 行為者を示す名詞をつくる.
◆ -i-(接中辞) + -OR[2].

pav·ior 名 舗装工, 舗床機.
sav·ior 名 救助者, 救い手, 救済者.
war·ri·or 名 ☞

-i·ous /iəs, əs/

接尾辞 -ous の異形.
★ ラテン語起源の語の語幹につき, しばしば -ity または -ion で終わる名詞に対応する形容詞をつくる.
◆ 中英<ラ *-iōsus*. ⇨ -OUS.
[発音] 直前の音節に第 1 強勢.

ab·ste·mi·ous 形 (飲食に)節度のある, 節食する.
ac·e·tar·i·ous 形 〈野菜などが〉サラダ用の.
ac·i·nar·i·ous 形 【植物】〈藻類などが〉(ブドウ状の)小気胞で覆われた.
ac·ri·mo·ni·ous 形 厳しい, 辛辣(しんらつ)な.
am·ba·gious 形 回りくどい, 遠回しの.
am·phib·i·ous 形 水陸両生の.
anx·ious 形 心配して, 懸念して.
-ar·i·ous 接尾辞 ☞
ar·se·ni·ous 形 【化学】第一ヒ素の, 亜ヒ酸の.
as·tu·cious 形 〈人・観察・判断などが〉鋭い, 鋭敏な.
at·ra·bil·ious 形 ふさぎ込んだ, 憂鬱(ゆううつ)な.
a·tro·cious 形 極悪非道の; 残忍きわまる, 凶暴な.
aus·pi·cious 形 さい先 [縁起] のよい, 吉兆の.
av·a·ri·cious 形 強欲な, 貪欲(どんよく)な, 欲張りな.
bi·far·i·ous 形 【植物】二縦列の, 直立した 2 列の.
bil·ious 形 【生理】【病理】胆汁(bile)の.
bur·glar·i·ous 形 押し込みの, 住居侵入窃盗(罪)の.
cae·si·ous 形 【植物】青灰色の, 青みを帯びた.
ca·lum·ni·ous 形 中傷の, 中傷的な, 中傷をする.
car·i·ous 形 カリエス(caries)にかかった.
cen·so·ri·ous 形 (検閲官のように)ひどく批判的な.
cer·e·mo·ni·ous 形 儀式を重んじる, 礼儀正しい.
com·mo·di·ous 形 〈家・部屋などが〉広くて便利な.
com·pen·di·ous 形 簡潔にまとめた, 概説 [概論] 的な.
con·sci·en·tious 形 良心的な, 実直 [誠実] な.
con·scious 形 ☞
con·ta·gious 形 〈病気が〉接触伝染性の.
con·tra·dic·tious 形 反駁(はんばく)を好む, 論争好きな.
con·tu·me·li·ous 形 傲慢(ごうまん)無礼な, 侮辱的な.
co·pi·ous 形 多量の, 多数の, 豊富な.
co·ri·ous 形 皮革の; 皮のような; 強靱な.
cu·ri·ous 形 知りたがっている, 好奇心の強い.
del·e·te·ri·ous 形 体に害のある, (…に)有毒な.
de·li·cious 形 たいへん風味のよい, 実にうまい.
de·lir·i·ous 形 【病理】譫妄(せんもう)状態の, うわごとを言う; 精神が錯乱した.
di·e·cious 形 【生物】=dioecious.
di·oe·cious 形 【生物】雌雄異体の.
dis·sen·tious 形 口論好きの, けんか好きの.
du·bi·ous 形 (真意の)はっきりしない.
e·gre·gious 形 名うての, 悪名高い; とてつもない.
en·vi·ous 形 うらやましそうな, ねたましげな.
ex·im·i·ous 形 《まれ》著名な, 優秀な, 卓越した.
fa·ce·tious 形 冗談で言った, 戯れの.
fas·tid·i·ous 形 気難しい, 好みの難しい.
fe·ra·cious 形 多産な, 実りの多い, 肥沃な.
fe·ro·cious 形 恐ろしい, どうもうな, 狂暴な.
fu·ri·ous 形 ひどく腹を立てた, 激怒した.
glo·ri·ous 形 名誉 [光栄] に満ちた, 栄誉ある.
gra·cious 形 親切な.
har·mo·ni·ous 形 ☞
hi·lar·i·ous 形 とてもおかしい, ひどく面白い.
ig·no·min·i·ous 形 不名誉な, 不面目な, 恥ずべき.
il·lus·tri·ous 形 〈人が〉傑出した, 著名な.
im·pe·cu·ni·ous 形 〈人が〉(常に)金のない, 無一文の.
im·pe·ri·ous 形 横柄な, 傲慢な, 専制的な.
im·pi·ous 形 不信心な, 神を敬わない.
in·dus·tri·ous 形 勤勉な, 精を出す; 熱心な.
in·gen·ious 形 〈発明品・装置・案などが〉巧妙な, 独創的な, 工夫に富む, 精巧な.
in·ju·ri·ous 形 (人・健康・名声などに)有害な.
in·sid·i·ous 形 人をだます; 油断のならない.
in·vid·i·ous 形 人を怒らせる, 人に憎まれる.
-i·tious 接尾辞 ☞
ju·di·cious 形 思慮分別のある, 慎重な.
la·bo·ri·ous 形 労力 [手間, 忍耐] を要する.
las·civ·i·ous 形 みだらな, 好色な, 猥褻な.
li·cen·tious 形 みだらな, 好色な, 猥褻な.
li·ti·gious 形 訴訟に関する, 訴訟上の.
lu·bri·cious 形 《文語》卑猥な, 好色な.
lu·gu·bri·ous 形 (特に大げさに)悲嘆にくれる.
lux·u·ri·ous 形 ぜいたくな, 豪華な, 豪奢(ごうしゃ)な.
ma·li·cious 形 悪意に満ちた, 悪意 [敵意] のある.
me·lo·di·ous 形 旋律的な.
mer·e·tri·cious 形 安っぽく飾りたてて人目を引く.
mer·i·to·ri·ous 形 賞(賛)に値する, 功績 [価値] のある.
mo·ne·cious 形 =monoecious.
mo·noe·cious 形 【植物】雌雄同株の.
mul·ti·far·i·ous 形 多くの異なる部分を有する.
ne·far·i·ous 形 極度に邪悪な, 極悪な; 不正な.
nim·i·ous 形 過剰な.
no·to·ri·ous 形 悪名高い, 札付きの, 名うての.
nox·ious 形 体に悪い, (…に)有害な, 有毒な.
nu·ga·cious 形 取るに足らない, ささいな.
ob·liv·i·ous 形 (…が)念頭にない; 気に留めない.
ob·se·qui·ous 形 こびへつらいを示す, おもねる.
oct·an·dri·ous 形 【植物】8 雄蕊(ゆうずい)の.
o·di·ous 形 憎らしい, 唾棄すべき, 嫌な.
of·fi·cious 形 〈人が〉おせっかいな, 世話好きな.
om·ni·far·i·ous 形 あらゆる形 [種類] の, 多彩な.
op·pro·bri·ous 形 〈言葉・話し手などが〉侮辱的な.
os·mi·ous 形 【化学】(低価の)オスミウムの.
par·si·mo·ni·ous 形 (極度に)けちな, しみったれた.
pe·nu·ri·ous 形 しみったれた, ひどくけちな.
per·fid·i·ous 形 不誠実な, 裏切りの; 人をだます.
per·ni·cious 形 破滅を招く, (…に)有害な.
per·spi·ca·cious 形 洞察力のある, 明敏な, 透徹した.
per·vi·ca·cious 形 ひどくわがままな, 意地っ張りの.
pi·ous 形 信心深い, 敬虔(けいけん)な.
plu·vi·ous 形 雨の; 雨の多い.
pre·car·i·ous 形 成り行き任せの; 不安定な.
pre·cious 形 非常に高価な, 希少価値の高い.
pre·co·cious 形 〈人が〉(特に知能面で)早熟の.
pres·tig·ious 形 高級の, 一流の, 立派な.

pre·ten·tious 形 〈人が〉うぬぼれた, 思い上がった.
pro·di·gious 形 並外れた, 巨大な, 莫大な.
quer·i·mo·ni·ous 形 不平たらたらの.
re·bel·lious 形 反体制の; 反対する; 反抗的な.
re·li·gious 形 ☞
rip·roar·i·ous 形 《話》大騒ぎの, 乱ちき騒ぎの.
ro·bus·tious 形 荒い, 粗野な, 荒々しい, 乱暴な.
ruc·tious 形 《米俗》大荒れの, 波乱に満ちた.
ru·the·ni·ous 形 【化学】ルテニウムの.
sac·ri·le·gious 形 神聖冒瀆の, 神を恐れない.
sa·lu·bri·ous 形 《文語》健康によい, 健康的な.
scar·i·ous 形 【植物】〈苞(ほう)などが〉乾膜質の.
se·le·ni·ous 形 【化学】亜セレンの.
sen·ten·tious 形 〈書物・話などが〉警句[教訓]の多い.
se·ri·ous 形 まじめな, 厳粛な, 重々しい.
sim·i·ous 形 《まれ》類人猿[サル]の[に特有の].
spa·cious 形 広々とした, ゆったりした.
spe·cious 形 まことしやかな, もっともらしい.
spu·ri·ous 形 偽の, まやかしの; 疑わしい.
sten·to·ri·ous 形 〈声・音が〉非常に大きい.
stru·thi·ous 形 ダチョウの(ような).
stu·di·ous 形 よく勉強する, 学問好きな.
su·per·cil·i·ous 形 傲慢な, 横柄な, 生意気な.
sus·pi·cious 形 疑いを起こさせる, 怪しい.
syn·e·cious 形 【植物】雌雄花が同一の頭状花にある.
syn·ge·ne·sious 形 【植物】葯で合着した.
te·di·ous 形 退屈な, 飽き飽きする.
ten·den·tious 形 《軽蔑的》〈本などが〉偏向的な.
-tious 接尾辞 ☞
tor·tious 形 【法律】不法な, 不法行為(tort)の.
tri·e·cious 形 【植物】=trioecious.
tri·oe·cious 形 【植物】三性花異株の.
up·roar·i·ous 形 騒々しい, 騒がしい, やかましい.
ux·o·ri·ous 形 奥さん孝行の, ひどく女房に甘い.
va·na·di·ous 名 =vanadous.
vi·cious 形 悪徳の, 不道徳な, 堕落した.
-vi·ous 連結形 ☞
yt·tri·ous 形 【化学】イットリウムの[を含む].

-ip[1] /íp/

音象徴 間 ヒュッ, サッ, チョン, ポン; 鋭く空を切るような瞬時の動作や軽くたたいたり, はじくような動作とその音; 小さな動き; 少量, 少しつまむこと; 小さな先端; 小さく甲高い鳴き声. ◇ -OP, -P.

chip[1] 名 小片, かけら, チップ. ――動他 かく, そぐ, 削る.
chip[2] 動自 〈小鳥が〉チュッチュッとさえずる, キーキー鳴く(cheep). ――名 チュッチュッ[キーキー]という鳴き声.
clip 動他 〈小枝などを〉(はさみなどで)切る.
flip 動他 …を(指先などで)はじく, はじき飛ばす[出す, 落とす].
nip[1] 動他 …を(強く)挟む, 締めつける; つまむ, つねる; 歯でかむ.
nip[2] 名 (アルコール飲料の)一飲み, 一口, 少量.
pip[1] 名 (特にリンゴなどの)小さな種.
pip[2] 動自 〈ひなが〉ピヨピヨ鳴く.
pip-pip 名 (警笛などの)ピッピッ, ピーピー. ――間 《英》《別れのあいさつとして》さようなら, ごきげんよう.
snip 動他 〈紙・布などを〉(はさみなどで)チョキンと[チョキチョキ]切る, 切り取る.
trip 名 旅行. ►本来は小旅行, ちょっと行って来ること.
whip-whap-whip 間 《旗などがはためく音・様子を表して》パタパタ, バタバタ.
yip 動自 《米語》〈小犬などが〉キャンキャンほえる.
zip 名 (弾丸が飛ぶときなどの)ピュッ(という音).

-ip[2] /íp/

語尾 軽蔑的な響きをもつことがある; また, 短縮語の俗語がいくつかある. ◇ -IP[1].
★ 語末にくる同音形は -YP.

blip 名 【電子工学】ブリップ, ピップ.
chip[1] 名 ☞
chip[2] 名 【レスリング】小股(また)すくい.
clip 名 ☞
crip 名 《米俗》手足の不自由な人.
dip[1] 名 《俗》アルコール中毒者; 麻薬中毒者.
dip[2] 名 《米俗》ばかなやつ.
dip[3] 名 《米俗》ジフテリア(diphtheria).
dip[4] 名 《英俗》外交官(diplomat).
drip 動自 ☞
fip 名 《米》フィップニービット(fippenny bit): 南北戦争前のスペイン銀貨.
flip[1] 名 フリップ: 飲み物の一種.
flip[2] 形 《話》口先のうまい, 生意気な.
gip[1] 名 《俗》ジプシー(Gypsy).
gip[2] 動他自 《俗》だます, ぺてんにかける.
grip[1] 名 《英》小溝, 排水溝, どぶ.
grip[2] 名 《もと》【病理】インフルエンザ(grippe).
hip[1] 名 臀部(でんぶ), 腰(haunch).
hip[2] 名 バラ, (特に)野バラの熟れた実.
hip[3] 形 《俗》最近のことに明るい.
hip[4] 名 【精神医学】ヒポコンデリー(hyp).
jip 動他自 =gip[2].
kip[1] 名 キップ: 家畜の幼獣皮(kipskin).
kip[2] 名 キップ: 重さの単位.
kip[3] 名 《俗》寝床; 宿; 下宿.
kip[4] 名 《豪・NZ》銅貨をはじき上げるのに用いる小型板.
lip 名 ☞
nip 名 ☞
pip[1] 名 (さいころ・トランプ札などの)目.
pip[2] 名 【獣病理】鳥の舌の伝染病.
pip[3] 名 【電子工学】ブリップ, ピップ.
pip[4] 動他 《英俗》…に反対投票する.
quip 名 警句, 名言, 名句.
rip 名 《話》やくざ者.
scrip[1] 名 受領証; 証明書.
scrip[2] 名 《古》合切袋, 胴乱, ずだ袋.
scrip[3] 名 《話》(特に麻薬の)薬物処方箋.
ship 名 ☞
-ship 接尾辞 ☞
skip[1] 名 (カーリングのチームの)主将.
skip[2] 名 【採鉱】装入バスケット.
slip[1] 名 ☞
slip[2] 名 スリップ, 泥漿(でいしょう).
slip[3] 名 【建築】(特に教会の)渡廊(slype).
strip 名 ☞
trip 名 ☞
tu·lip 名 ☞
zip[1] 名 《俗》(スポーツ・試験で)得点ゼロ.
zip[2] 名 《米話》郵便番号(zip code).
zip[3] 名 《米》《軽蔑的》ばか.

-ipe /áip/

語尾 語末にくる同音形は -YPE.

gripe 動自 《話》(…のことで)不平を言う.
hipe[1] 名動他 【レスリング】抱き投げ(で倒す).
hipe[2] 名 《米俗》派手な誇大宣伝.
hipe[3] 名 《英軍俗》小銃.
kipe 動他 《米俗》…を盗む, くすねる.
pipe[1] 名 ☞
pipe[2] 名 (特にワインや油を入れる)大樽(おおだる).
ripe 形 ☞
sipe[1] 動自 《スコット・北イング》〈液体が〉した

たる，ちょろちょろ流れる．
sipe[2] 名 タイヤのトレッドパターンの溝．
slipe 名 《スコット》そり(sledge)．
snipe 名 ☞
stipe 名 【植物】【菌類】柄．
stripe[1] 名 ☞
stripe[2] 名 《古》むちや棒で打つこと．
swipe 名 《話》大振りの打撃，強打．
tripe[1] 名 【動物】第一胃(瘤胃(りゅうい))と第二胃(蜂巣(ほうそう)胃)．
tripe[2] 名 《米俗》(行商人が用いる)三脚台．
wipe 動他 ☞
yipe 間 《恐怖・驚きなどの叫び声》ひゃあ，きゃあ，うわっ．

-ip·ple /ípl/

音象徴 **1** 小さい粒，点々としたものを表す．**2** ちびちび飲むこと，少しずつ傾くことなどを表す．◇ -LE[3].

crip·ple 名 《時に不快》手足の不自由な人．
fip·ple 名 【音楽】フィプル，詰め栓．
rip·ple 名 亜麻こき．
swip·ple 名 (殻ざおの)打ち棒，くるり棒．
tip·ple 名 《米》車体を傾けて積み荷を降ろす装置，放下装置．
trip·ple 名 《南アフリカ》(馬の)片側の足を同時に上げて進む歩き方．

-ique[1] /iːk/

接尾辞 《古》-ic[1] の異形．
★ 主にフランス語から借入した名詞に見られる．
◆ <仏<ラ *-icus* <ギ *-ikos*.
[発音] -ique に第 1 強勢．

an·a·ly·tique 名 【建築】(建物の)正面立面図．
an·tique 形 〈家具などが〉古美術の．――名 古美術，骨董品．
mys·tique 名 神秘性，不可思議さ，神秘的雰囲気．
phy·sique 名 体格，体つき，体形．
plas·tique 名 【バレエ】プラスティーク．
prob·le·ma·tique 名 複合矛盾，相互連関した諸困難．
Sa·lique 形 サリ族(Salian Franks)の(Salic)．
si·lique 名 【植物】長角果．
tech·nique 名 ☞
u·nique 形 ただ一つしかない，唯一の．

-ique[2] /iːk/

語尾 -ique はフランス語からの借入語の特徴を示す．
★ 語末にくる同音形は -EAK[2], -EEK[2], -EKE, -IQUE[1].

clique 名 (排他的な)小集団，徒党，派閥．
pique[1] 動他 憤慨させる，怒らせる．
pique[2] 名 【トランプ】ピク．

-ir[1] /ɔ́ːr/

語尾 語末にくる同音形は -ER[9], -UR[1], -URR[1], -URR[2].

fir 名 ☞
sir 名 《男性に対する敬称または改まった呼びかけの言葉》貴下，先生，あなた．
smir 名 《スコット》霧雨，こぬか雨．
stir[1] 動他 〈液体などを〉かき回す，混ぜる．
stir[2] 名 《俗》刑務所，「ムショ」．
thir 代 《スコット・北イング》＝these.
whir 動自 (素早く)ブンブン音をたてて動く．

-ir[2] /íər/

語尾 語末にくる同音形は -EAR[1], -EER[1], -EER[2], -EER[3], -EIR[2], -ERE[2], -IER[1], -IER[2], -IER[3].

pir 名 【イスラム教】ピール．
thir 代 《スコット・北イング》＝these.
vir 名 《ラテン語》夫(husband)．

-irch /ɔ́ːrtʃ/

語尾 語末にくる同音形は -ERCH, -URCH.

birch 名 ☞
smirch 動他 …を変色させる．

-ird /ɔ́ːrd/

語尾 語末にくる同音形は -ERD, -URD.

bird 名 ☞
gird[1] 動他 ☞
gird[2] 動自 《北イング》(…を)あざける．
gird[3] 名 《スコット》(子供の遊び道具の)輪．
third 形 第 3 の，3 番目の．
yird 名 《スコット・北イング》地球．

-ire /áiər/

語尾 語末にくる同音形は -YRE.

dire 形 恐ろしい，ものすごい；悲惨な．
fire 名 ☞
hire 動他 ☞
ire 名 《文語》怒り，憤怒，赫怒(かくど)．
mire 名 湿地，沼地，沼沢．
quire 名 《古》(教会の)聖歌隊，合唱隊．
-quire 連結形 ☞
quire 名 1 帖(じょう)．
shire[1] 名 ☞
shire[2] 動他 《アイル》元気づける，休ませる．
sire 名 (動物の)雄親，父獣；(特に)種馬．
spire[1] 名 尖塔(せんとう)．
spire[2] 名 渦巻き，コイル，らせん．
-spire 連結形 ☞
squire 名 (英国で)郷士；地方一の大地主．
tire[1] 動他 〈人などを〉疲れさせる．
tire[2] 名 ☞
tire[3] 動他 《古》〈頭・髪を〉(頭飾りで)飾る．
tire[4] 動自 《廃》〈猛禽(もうきん)類が〉がつがつと肉を引き裂く．
tire[5] 名 《廃》大砲の一斉射撃．
wire 名 ☞

i·ris /áiəris/

名 **1**【解剖】(眼球の)虹彩(こうさい)．**2**【植物】アヤメ属の植物の総称；アヤメ，イチハツ，ハナショウブなど．

cópper íris チャショウブ．
crésted íris ＝dwarf crested iris.
dwárf crésted íris 米国東部および中部産のアヤメ属の多年草 *Iris cristata*.
Énglish íris イギリスアヤメ．
Flórentine íris ニオイ [シロバナ] イリス．
Jápanese íris ハナショウブ(花菖蒲)．
móurning íris クロアヤメ．
róof ìris イチハツ．
Sibérian íris シベリアン・アイリス．
Spánish íris スペインアヤメ．
stínking íris ミナリアヤメ．
víolet íris アヤメ [イリス] 属の植物 *Iris verna*.
yéllow íris キ(黄)ショウブ(water flag)．

I·rish /áiəriʃ/

形 アイルランド(人)の．――名 **1** アイルランド人．**2**(ケルト語派の)アイルランド語. ⇨ -ISH[1].

Ánglo-Írish アイルランドに住むイギリス人.
bóg Írish 《軽蔑的》アイルランドの田舎者.
Míddle Írish 中(期)アイルランド語.
Óld Írish 古(期)アイルランド語.
Scótch-Írish 形 スコットランド系北アイルランド人の.
shánty Írish 《米俗》貧乏なアイルランド人(家庭).

-irk /ə́ːrk/

語尾 irk, quirk, shirk, smirk などにひねくれや困ったことをさす音象徴を感じる人がいる.
★ 語末にくる同音形は -ERK, -ORK[2].

birk 名 《スコット》カバノキ.
chirk 動自 〈鳥が〉鋭い鳴き声を上げる.
dirk 名 《スコット》短剣(dagger).
irk 動他 いらいらさせる, じらす.
kirk 名 《主にスコット》教会.
mirk 名 《文語》暗黒, 暗闇; 薄暗がり.
quirk 名 (挙動・性格などの)奇抜さ, 癖.
shirk 動他 〈仕事・義務・責任などを〉逃れる.
smirk 動自 にやにや笑う, 気取って笑う.
stirk 名 《英》(特に1歳以上2歳以下の)子牛.

-irl[1] /ə́ːrl/

音象徴 くるくる, ぐるぐる; 渦巻き状の動きや回転運動を表す.

a·swirl 形副 渦巻き状に動く[動いて], ぐるぐる回る[回って].
a·whirl 形 《通例, 叙述的》くるくる[速く]回って(whirring).
birl 動他 《主に米北部》〖製材〗〈浮かんでいる丸太を〉(その上に乗って足で)ぐるぐる回転させる.
squirl 名 《話》(特に手書き文字の)渦巻形の飾り書き.
swirl 動自 〈水・空気・ほこり・煙などが〉ぐるぐる回る, 渦を巻く; 〈人が〉飛び跳ねる.
tirl 名 《スコット》機械の回転装置[部分](車輪, カムなど).
twirl 動他 急速に回す, くるくる回す, 振り回す.
whirl 動自 ＝swirl.

-irl[2] /ə́ːrl/

語尾 語末にくる同音形は -EARL, -ERLE, -IRL[1], -URL[2].

birl 名 《俗》女っぽい男; 男っぽい女.
girl 名 ☞
thirl 名 《スコット》〖法律〗〖中世史〗製粉場利用制度(thirlage).
virl 名 《スコット》石突き(ferrule).

-irm /ə́ːrm/

語尾 chirm は擬声語. ◇ -IRP.
★ 語末にくる同音形は -ERM.

chirm 動自 〈鳥が〉チュンチュン鳴く, さえずる.
firm[1] 形 ☞
firm[2] 名 〈物が〉堅い, 引き締まった.

-irn /ə́ːrn/

語尾 語末にくる同音形は -EARN, -ERN[2], -ERNE, -URN.

girn[1] 動自 《スコット》明るくにこやかに笑う.
girn[2] 名 《スコット》(綱をひっこき結びにしたような)わな.
kirn[1] 動他自 《スコット・北イング》(ミルクやクリームを)かき回してバターを作る.
kirn[2] 名 《スコット・北イング》収穫祭.

i·ron /áiərn/

名 **1** 鉄. **2** 鉄製器具. **3** アイロン.

álpha ìron 〖冶金〗α 鉄, 地鉄.
ángle ìron アングル材, 山形鉄材.
bár ìron 鉄棒.
bárking ìron 《俗》樹皮をはぐ道具.
béta íron 〖冶金〗ベータ鉄.
bíck-ìron (金敷の)角(かど), からすロ.
bíg íron 《米俗》大型メインフレームコンピュータ.
blów·ìron 〖ガラス製造〗吹きざお.
bów-ìron 弓鉄.
bóx ìron 箱形アイロン.
bránding ìron 焼き印(いん), 焼き判, 烙印(らくいん).
bránd ìron 《主にスコット》三脚台.
búsheled íron 再製錬鉄.
cást íron 鋳鉄.
cást-íron 形 鋳鉄製の.
chánnel ìron 溝形鋼.
clímbing ìron (樹木・電柱などに登るとき靴裏につける)スパイク.
córrugated íron 生子(なまこ)鉄板, 波形鉄板.
crámp ìron かすがい.
cránce ìron 〖海事〗第一斜檣(しゃしょう)の先端に取りつける金属輪または檣帽.
cúrling ìron (頭髪用)カールごて, ヘヤアイロン.
délta íron 〖冶金〗デルタ鉄.
dríving ìron 〖ゴルフ〗一番アイアン.
dúctile íron 球状黒鉛鋳鉄, ダクタイル鋳鉄.
dúmb ìron 〖機械〗ばね支え.
fíring ìron 〖獣医〗烙鉄(らくてつ), 焼烙針.
flát·ìron (火であぶって使う)アイロン, こて.
gálvanized íron トタン, 亜鉛めっき鋼[鉄]板.
gámma ìron 〖冶金〗γ[ガンマ]鉄.
gém ìron 《NZ》(鋳鉄製の)オーブン皿.
grápplíng ìron 〖海事〗四つ爪錨(いかり), 引っ掛け鉤(かぎ).
gráy cást ìron ＝gray iron.
gráy ìron 〖冶金〗ねずみ銑[鋳鉄].
gríd·ìron (アメリカンフットボールの)競技場.
grózing ìron (鉛管工事のはんだづけ用)仕上げごて.
grúnt-ìron 《米音楽俗》テューバ(tuba).
hígh ìron 〖鉄道〗本線.
hóop ìron 帯鉄, 帯鋼.
hót ìron 《米俗》改造自動車.
íngot íron 鋳魂[インゴット]鉄.
lég-ìron 足かせ.
líly ìron 穂先が取り外しできる銛(もり).
lófting ìron 〖ゴルフ〗ロフト打ち用のアイアン.
lóng ìron 〖ゴルフ〗ロングアイアン.
málleable íron 可鍛鋳鉄.
máshie ìron 〖ゴルフ〗4番アイアン.
míd·ìron 〖ゴルフ〗2番アイアン.
nó-ì·ron 形 《話》アイロンがけ不要の.
nòn·í·ron 形 《英》洗ってすぐ着られる.
pállas ìron 〖鉱物〗パラサイト.
páring ìron (蹄鉄(ていてつ)工の使う)削蹄刀.
píg ìron 生子(なまこ)銑.
pínking ìron ピンキングアイロン.
pláne ìron 〖木工〗かんなの刃.
ra·di·o·i·ron 名 〖化学〗放射性鉄.
sád·ìron 《米方言》《古風》(両端がとがって柄が取り外せる)アイロン.
scráp ìron くず鉄.
séaring-ìron 焼きごて, 火のし.

shéet ìron 薄鋼板.
shóoting ìron 《米話》火器, 銃器.
shórt ìron 〖ゴルフ〗ショートアイアン.
smóothing ìron アイロン.
sóldering ìron はんだごて.
spáthic íron 〖鉱物〗菱(りょう)鉄鋼.
spécular íron 〖鉱物〗鏡(きょう)鉄鉱.
spónge ìron 海綿鉄(iron sponge).
stéam ìron 蒸気[スチーム]アイロン.
strúctural íron 〖建築〗(構造用)型鋼.
tímbale iron 〖料理〗タンバル型.
tíre ìron 〖自動車〗タイヤレバー.
tóggle ìron (捕鯨用の)獲物に刺さると十字に開く爪のついた銛(もり).
túrfing ìron 《英》芝土を切り取る道具.
wáffle ìron ワッフル焼き型.
whíte íron 白鋳鉄(white cast iron).
wróught íron 錬鉄, 鍛鉄.

-irp /ə́ːrp/

語尾 chirp は擬声語で, twirp の音象徴のもとになっている.
★ 語末にくる同音形は -ERP, -URP.

chirp 動自 〈鳥が〉チュンチュンと鳴く.
kirp 名 《英俗》ペニス. ►prick の逆綴(つづ)り.
stirp 名 〖人類〗血統.
twirp 名 下らない[下品な]やつ(twerp).

-irr /ə́ːr/

音象徴 **1** 素早く, 勢いのよい動きを表す. **2** ヒュー, ビューン, ブルルル, ゴロゴロ, カタカタ, チリリリ; 回転音や振動音, 動物のうなり声や虫が発する響きのある音を表す.
★ -ir とも綴る.

chirr 動自 〈コオロギ・キリギリスなどが〉チリッチリッ[キリッキリッ, ギーギー]と鳴く.
whirr 動自他名 (素早く)ブンブン音をたてて動く[飛ぶ, 回転する](whir).
yirr 動自 《スコット》(犬のように)うなる.

ir·ri·ga·tion /ìrəgéiʃən/

名 灌漑(かんがい); 注水. ►irrigate の名詞形. ⇨ -ATION.

cénter-pivot irrigátion 回転散水.
dríp irrigàtion 〖農業〗点滴灌漑, ドリップ灌漑.
mícrotube irrigation 細管灌漑.
tríckle irrigàtion =drip irrigation.

-irst /ə́ːrst/

語尾 語末にくる同音形は -URST.

first 形副 ☞
thirst 名 (口・のどの)渇き, 渇.

-irt[1] /ə́ːrt/

音象徴 ピュッ, シュッ; 一点から飛び出したり, 細い口から噴出するような勢いよい動きを表す.

spirt 動自他 (…から)噴出する, ほとばしる.
squirt 動自 (細い口から)液体を噴出する.

-irt[2] /ə́ːrt/

語尾 girt, shirt, skirt の -irt に「巻くもの」,「まとう」という音象徴を感じる人がいる. ◇ -IRT[1].
★ 語末にくる同音形は -ERT, -IRT[1], -URT[2].

dirt 名 汚物, 不潔なもの.
girt[1] 動 gird の過去・過去分詞形.
girt[2] 動他 (帯などで)巻く, 締める.
girt[3] 名 (物の)周囲の寸法[長さ].
girt[4] 名 〖木工〗胴差し.
shirt 名 ☞
skirt 名 ☞

-irth /ə́ːrθ/

語尾 名詞をつくる. birth は代表. ◇ -TH[1].
★ 語末にくる同音形は -ORTH.

birth 名 ☞
firth 名 《主にスコット》(両岸を急な高い谷壁にはさまれた)入り江, 河口, 峡湾.
girth 名 (物の)周囲の寸法[長さ], 胴回り.
mirth 名 (特に笑いを伴った)陽気, 上機嫌.

-is[1] /ís/

語尾 語末にくる同音形は -ESS[1], -ESS[3], -ICE[1], -ICE[2], -ISS.

bis[1] 副 二回, 二度.
bis[2] 名 ビス: 多く祭壇用布に用いる.
cris 名 《米俗》ベンゼドリン.
dis[1] 動他 《もと米俗》みくびる, さげすむ.
dis[2] 形 《英俗》こわれている.
sis 名 《米話》姉妹, 姉, 妹(sister).
-sis 接尾辞 ☞
this 代 これ, ここ; この人, こちら.
vis 名 《ラテン語》力.
wis 動他 《古》…を知っている, …が分かる.

-is[2] /íz/

語尾 語末にくる同音形は -IZ, -IZZ[2].

his[1] 代 《he の所有格》彼[その人, あの人]の.
his[2] 名 《米俗》ストローに詰めて売られるヘロイン.
mis 形 《英俗》みじめな. 哀れな.
vis[1] 名 《俗》人目をひくこと, 卓越すること, 目立つ[華やかな]存在(visibility).
vis[2] 代 =her /his. ►性差別のない代名詞として提唱されている.

-i·sa·tion /izéiʃən | aiz-/

接尾辞 《主に英》-ization の異形. ⇨ -ATION.
★ 語末にくる関連形は -ISE[1].
[発音] -isation の第 2 音節に第 1 強勢が置かれる.

ac·cli·ma·ti·sa·tion 名 新しい環境に慣れること.
am·or·ti·sa·tion 名 (債務・公社債などの)割賦(かっぷ).
au·thor·i·sa·tion 名 (…に対する)権限付与, 権能授与.
cap·i·tal·i·sa·tion 名 大文字で書くこと.
ex·ter·nal·i·sa·tion 名 (内部的なものの)外面化, 客観化.
fer·ti·li·sa·tion 名 豊かにすること, 多産化.
Fin·land·i·sa·tion 名 フィンランド化.
gen·er·al·i·sa·tion 名 一般化, 普遍化.
gran·it·i·sa·tion 名 花崗(かこう)岩化作用.
im·prov·i·sa·tion 名 即席に用意する[行う]こと.
or·gan·i·sa·tion 名 組織, 編成, 構成; 系統化.
pos·ter·i·sa·tion 名 〖印刷〗ポスタリゼーション.
sym·bol·i·sation 名 《特に英》象徴化.

-ise[1] /aiz, àiz/

接尾辞 《主に英》-ize[1] の異形.
★ -al で終わる形容詞を動詞化することが多い.
★ 規則的に -isation の形で名詞化される.
◆ 中英＜古仏 *-iser* ＜ギ *-izein.*

[発音] 第1強勢は基語と同じで, 多くは -ise の2つ前の音節にある. 例外: álcoholise, cháracterise.

ab·o·li·tion·ise 動他 奴隷制度廃止論に転向させる.
a·cad·e·mise 動他 〈問題を〉堅苦しく理論化 [規定] する.
ac·ces·so·rise 動他 …に(…の)アクセサリーをつける.
ac·cli·ma·tise 動他自 (新しい風土・環境に)順応させる [する].
ac·cu·rise 動他 〈拳銃(けんじゅう)の〉照準精度を高める.
a·chro·ma·tise 動他 …の色収差を補正する, を収色する.
ac·tu·al·ise 動他 …を現実のものとする.
ad·re·nal·ise 動他 …を興奮 [奮起] させる, 刺激する.
ad·ver·tise 動他 〈商品・サービスの〉宣伝広告をする.
ag·at·ise 動他 瑪瑙(めのう)(のよう)にする.
ag·gran·dise 動他 …を増大する.
ag·o·nise 動自 (…について)激しく苦しむ, もだえる.
al·bu·me·nise 動他 …をたん白で処理する.
al·che·mise 動他 (錬金術などで)…を変化させる.
al·co·hol·ise 動他 …をアルコールに変える.
al·ka·lin·ise 動他 …をアルカリ化する(alkalify).
al·ka·lise 動他自 〖化学〗アルカリ(性)にする [なる].
al·le·go·rise 動他 …を寓(ぐう)話に仕立てる.
al·pha·bet·ise 動他 …をアルファベット順に配列する.
A·mer·i·can·ise 動他 〈人・習慣・制度などを〉アメリカ化する, アメリカ風にする.
am·or·tise 動他 〖財政〗定期的に償還する.
an·a·gram·ma·tise 動他 〈語句を〉綴(つづ)りかえる.
a·nal·o·gise 動自 類推 [類測] する, 類比推理する.
a·nath·e·ma·tise 動他 (ローマカトリックで)…に破門を申し渡す; …を(公然と)非難する.
a·nat·o·mise 動他 〈動植物体を〉解剖する.
an·es·the·tise 動他 …に体の感覚を失わせる.
An·gli·cise 動他 イングランド風 [式, 流] にする.
an·i·mal·ise 動他 …の獣欲をかきたてる.
an·o·dise 動他 〖化学〗〈金属を〉陽極処理する.
an·tag·o·nise 動他 〈人に〉敵意を抱かせる.
an·thol·o·gise 動自 名詩選 [選集] を編む.
an·thro·po·mor·phise 動他自 (神・動物などを)擬人化する.
aph·o·rise 動自 警句を吐く; 格言を言う [書く].
a·pol·o·gise 動自 (人に)(…のことで)わびる, 謝る.
a·pos·ta·tise 動自 信仰を捨てる; 脱党する; 変節する.
a·poth·e·o·sise 動他 …を神として祭る; 賛美する.
a·ro·ma·tise 動他 …に芳香をつける.
a·sex·u·al·ise 動他 無性化する, 生殖能力をなくさせる.
at·om·ise 動他 〈物質などを〉原子 [微粒子] にする.
at·ti·cise 動自 アッティカ(人)のやり方をまねる.
at·ti·tu·di·nise 動自 体裁を飾る, もったいぶる.
aus·ten·it·ise 動他 〖冶金〗オーステナイト化する.
au·thor·ise 動他 〈人に〉権能 [権威] を与える.
au·tot·o·mise 動自 〖動物〗自切する.
az·o·tise 動他 …をアゾ化 [窒素化] する.
bac·ter·rise 動他 …を細菌によって変化させる.
bap·tise 動他 〈人に〉洗礼を施す.
bar·bar·i·an·ise 動他 野蛮にする.
bar·ba·rise 動他 …を野蛮にする.
bas·tard·ise 動他 〈子供を〉私生児と認定する.
bes·tial·ise 動他 獣(の姿)にする; 獣的にする.
bot·a·nise 動自 植物(の生態)を研究する.
bowd·ler·ise 動他 〈著作物の〉いかがわしい箇所を削除訂正する.
bru·tal·ise 動他自 獣的にする; 残忍な仕打ちをする.
cap·i·tal·ise 動他 大文字で書く [印刷する].
car·bon·ise 動他 〈有機物を〉炭化する; 炭にする.
car·tel·ise 動自他 〈産業などが [を]〉カルテル化する.
cat·e·go·rise 動他 …を(…の)範疇(はんちゅう)に分ける.
Ca·thol·i·cise 動他自 ローマカトリック教徒にする [なる].
chan·nel·ise 動他自 〈物を〉水路を通して送る [運ぶ].
chap·tal·ise 動他 〈ワインに〉砂糖添加処理を施す.
char·ac·ter·ise 動他 …を特徴づける; 描写する.
cha·ris·ma·tise 動他 カリスマ性を発揮して影響を及ぼす.
civ·i·lise 動他 文明化する; 生活を向上させる.
clit·i·cise 動自 〖言語〗接語化する.
col·o·nise 動他 〈ある地域に〉植民地を建設する.
con·sti·tu·tion·al·ise 動他 合憲化する, 憲法に組み入れる.
con·sum·er·ise 動他 大量消費に適するようにする.
crit·i·cise 動他 〈人などの〉あら捜しをする.
de·o·dor·ise 動他 …の臭気を取り除く, 脱臭する.
de·pro·fes·sion·al·ise 動他 非専門(職)化する.
di·a·gram·ma·tise 動他 …を図解する, …の図面を作成する.
di·az·o·tise 動他 〖化学〗ジアゾ化する.
die·sel·ise 動他 …をディーゼル化する.
dram·a·tise 動他 〈小説・事件などを〉劇化 [脚色] する.
eb·on·ise 動他 …を黒檀(こくたん)まがいに着色する.
e·di·tion·al·ise 動自 〖ジャーナリズム〗版を重ねる.
e·go·tise 動自 自己を吹聴(ふいちょう)する.
E·gyp·tian·ise 動他 …をエジプト風にする.
em·blem·a·tise 動他 …の象徴となる; …を象徴で表す.
em·bo·lise 動他 〈血管に〉塞栓(そくせん)を起こす.
em·er·ise 動他 〈織物を〉エメリー研磨剤で仕上げる.
e·mo·tion·al·ise 動他 …を情緒 [感情] 的にする.
em·pa·thise 動自 (…に)感情移入をする.
em·pha·sise 動他 〈事実などを〉強調 [重要視] する.
en·car·nal·ise 動他 …に肉体を備えさせる.
en·er·gise 動他 …にエネルギー [精力] を与える.
e·no·lise 動他 〖化学〗(…を)エノール化する.
e·piph·a·nise 動他 〖文学〗エピファニーで表現する.
ep·i·the·li·al·ise 動他 〈傷口などを〉上皮で覆う.
e·qual·ise 動他 …を(他のものと)等しくする.
es·sen·tial·ise 動他 …からエキスを抽出する.
e·ther·ise 動他 《廃》〖医学〗…にエーテル麻酔をかける.
et·y·mol·o·gise 動他 〈語の〉語源を調べる [示す].
eu·he·mer·ise 動他自 (神話を)エウヘメロス説に基づいて解釈 [説明] する.
eu·lo·gise 動他 …を褒めたたえる; …を称揚する.
eu·nuch·ise 動他 〈男を〉去勢する; 無気力にする.
eu·phe·mise 動他 …を遠回しに言う.
Eu·ro·pe·an·ise 動他 …をヨーロッパ化する, 欧化する.
eu·tha·nise 動他 …を安楽死させる.
e·van·ge·lise 動他 …に福音を説く.
ex·pert·ise 動他自 (…を)鑑定する; 専門に研究する.
ex·ter·nal·ise 動他 〈内部的なものを〉外面化する.
fac·tor·ise 動他 〖数学〗…を因数分解する.
fa·mil·iar·ise 動他 〈人を〉(物・事に)慣れ親しませる.
fa·nat·i·cise 動他 …を狂信的にする, 熱狂させる.
fan·ta·sise 動自 空想にふける, 途方もない夢を抱く.
far·a·dise 動他 〖医学〗…に感応電流療法を施す.
fas·cist·ise 動他 ファシスト化する.
fed·er·al·ise 動他 連邦政府の支配下に置く.
fem·i·nise 動他自 〈男性を [が]〉女らしくする [なる].
fer·ti·lise 動他 〖生物〗…を受精 [受胎] させる.
fet·ish·ise 動他 盲目的に崇拝する, 熱狂的にあがめる.
feu·dal·ise 動他 封建化する, 封建制にする.
fic·tion·al·ise 動他 …を虚構 [物語] 化する; 脚色する.
fi·na·lise 動他 最終的 [決定的] な形にする.
Fin·land·ise 動他 〈ソ連が〉〈他諸国を〉フィンランド化する, 対ソ友好政策を取らせる.
fis·tu·lise 動自 〖病理〗瘻管(ろうかん)が生じる.
flu·id·ise 動他 …を流体化する, 流動性にする.
fo·cal·ise 動他 〈光などを〉焦点に集める(focus).
for·mal·ise 動他 《文語》…を正式のものにする.
for·mu·lar·ise 動他 …を明確に表す.
for·mu·lise 動他 =formularise.
fos·sil·ise 動他 〖地質〗…を化石化する.

frac·tion·ise 動他自 …を[が]小部分に分ける[分かれる].
frat·er·nise 動自〈人が〉(…と)兄弟のように交わる.
gal·li·cise 動他自〈言語・人などを[が]〉フランス風にする[なる], フランス化する.
gen·er·al·ise 動他〈一般論を〉導き出す, 帰納する.
gen·teel·ise 動他《しばしばふざけて》…を上品[優雅]なものにする.
ge·ol·o·gise 動自 地質学を研究する; 地質の調査をする.
ge·o·met·ri·cise 動他 …を幾何学的にデザインする.
Ger·man·ise 動他自(…を)ドイツ化する, ドイツ風[式]にする[なる].
glut·ton·ise 動自 大食する, たらふく食べる.
Gnos·ti·cise 動自 グノーシス説を採用[支持]する.
Goth·i·cise 動他 ゴシック様式にする.
Graecise 動他自 ギリシャ式にする, ギリシャ化する.
gram·mat·i·cal·ise 動他〖言語〗〈内容語などを〉文法化する.
grang·er·ise 動他〈本に〉原本にない写真[版画, 挿し絵など]を別刷り挿入する.
graph·i·tise 動他 黒鉛化する.
ho·mog·e·nise 動他 同質にする, 均質化する.
hy·a·lin·ise 動自 ガラス質になる; 透明になる.
hy·brid·ise 動他〈動植物を〉交配させる.
hy·per·bo·lise 動自 誇張法を用いる; 誇張して言う.
hy·phen·ise 動他 ハイフンでつなぐ.
i·de·al·ise 動他 理想化する, 完全なものとして描く.
i·de·ol·o·gise 動他〈物事を〉イデオロギーで表現する.
id·i·ot·ise 動他〈人を〉ばかにする.
i·dol·ise 動他〈人・物などを〉偶像化[視]する.
il·le·gal·ise 動他 違法とする, 非合法化する.
im·ma·te·ri·al·ise 動他 非物質的にする, 無形にする.
im·mo·bi·lise 動他 不動にする, 動けなくする.
im·mu·nise 動他〈人・動物を〉免疫にする.
im·per·son·al·ise 動他 非個人的[非人格的]にする.
In·di·an·ise 動他 アメリカインディアン的にする.
in·dig·e·nise 動他 土地固有のものとする.
in·di·vid·u·al·ise 動他 …の個性[特性]をはっきりさせる.
in·dus·tri·al·ise 動他〈国・地域を〉産業[工業]化する.
in·fin·i·tise 動他 無限にする, 無窮にする.
in·i·tial·ise 動他〖コンピュータ〗〈変数・カウンター・スイッチなどを〉初期設定する.
in·sti·tu·tion·al·ise 動他 制度化する, 慣例化する; 規定する; 画一化する.
in·ter·nal·ise 動他〈ある集団の文化的価値・習俗・動機などを〉自己の一部とする.
in·ter·na·tion·al·ise 動他 …を国際的にする.
i·on·ise 動他 イオン化する, 電離させる.
I·ri·cise 動他《古》=Irishise.
I·rish·ise 動他〈性質・風習などを〉アイルランド化する, アイルランド風にする.
Is·lam·ise 動他 イスラム教に改宗させる.
I·tal·ian·ise 動自 イタリア風になる, イタリア化する.
i·tal·i·cise 動他 イタリック体で印刷する.
Jac·o·bin·ise 動他 過激主義を鼓吹する.
jar·gon·ise 動自 専門語で話す; たわ言を言う.
jar·o·vise 動他 …に春化処理する.
jeop·ard·ise 動他 …を危うくする, 危険に陥れる.
Jes·u·it·ise 動他自 イエズス会士風にする[なる].
jour·nal·ise 動他 …を日記風に物語る[書く].
ju·ve·nil·ise 動他 幼稚化する; かみくだく.
ka·o·lin·ise 動他(風化させて)カオリンに変える.
ker·a·tin·ise 動他自 ケラチン状にする[なる], 角質化する.
ky·an·ise 動他〈木材を〉昇汞(しょうこう)処理する.
ly·oph·i·lise 動他〖生化学〗〈組織・血液・血清などを〉減圧下で凍結乾燥する.
ly·sog·e·nise 動他〖微生物〗…を溶原化する.
mal·le·a·blise 動他 可鍛化する.
mar·gin·al·ise 動他 …を無視する, わざと過小評価する.
mas·cu·lin·ise 動他〖生物〗〈雌を〉雄性化する.
ma·te·ri·al·ise 動自 目に見えるものとなる; 事実となる.
ma·ter·nal·ise 動他 母(親)らしくする.
ma·tron·ise 動他 …を品よく落ち着いた婦人らしくする.
max·i·mise 動他 最大にする, 極限まで増す.
mech·a·nise 動他 …を機械的にする; 自動的にする.
me·di·a·tise 動他(神聖ローマ帝国で)〈公国・君主を〉直属から属国の地位に落とす.
mel·o·dise 動他 …を旋律的にする.
mel·o·dram·a·tise 動他〈作品の場面を〉メロドラマ調にする.
me·mo·ri·al·ise 動他〈人・物事を〉記念する, 祝う.
mem·o·rise 動他 記憶[暗記]する, 覚える.
mer·cer·ise 動他〈綿糸・綿布を〉シルケット加工する.
mes·mer·ise 動他 …に催眠術をかける.
me·tab·o·lise 動他自(…を)(新陳)代謝させる[する].
me·tal·li·cise 動他〖電気〗〈電気回路を〉(アースに針金をつけて)金属化させる.
met·al·lise 動他〈プラスチック・フィルム・紙などに〉金属が被覆する.
me·tas·ta·sise 動自〖病理〗転移する.
me·tath·e·sise 動自他 音位[字位]転換する[させる].
meth·od·ise 動他 …を方式化する.
met·ri·cise 動他 …をメートル法で表す.
min·er·al·ise 動他〈物を〉鉱化する; 石化する.
min·i·a·tur·ise 動他〈物を〉小型に製造[設計]する.
min·i·mal·ise 動他 最小限にする.
min·i·mise 動他 …の量[数]をできる限り少なくする.
mis·sion·ise 動自 伝道を行う, 宣教師の務めを行う.
mo·bi·lise 動他〈軍隊・予備兵・徴兵年齢の民間人などを〉動員する.
mod·ern·ise 動他 …を現代化する, 現代風にする.
mod·u·lar·ise 動他 モジュール化する.
mon·e·tise 動他〖経済〗通貨基準[法貨]に定める.
mon·grel·ise 動他〈ある品種・群れを〉(特に劣ったものと)交配する, 雑種にする.
mon·u·men·tal·ise 動他(記念碑などによって)長く記念する.
mor·al·ise 動自 道徳的考察をする; 道徳を論じる.
mo·tor·ise 動他〈車・機械などに〉動力設備をつける.
mu·tu·al·ise 動他 相互的にする.
mys·ti·cise 動他 …を神秘的[玄妙]にする.
myth·i·cise 動他 神話にする, 神話化する.
my·thol·o·gise 動自 神話を分類する; 神話について書く.
na·sal·ise 動他〖音声〗鼻音で発音する.
na·tion·al·ise 動他〈産業・土地などを〉国営化する.
nat·u·ral·ise 動他〈外国人を〉帰化させる.
neb·u·lise 動他〈薬剤などを〉霧状にする.
Ne·gro·ise 動他 黒人の特徴を与える, 黒人的にする.
ne·phrec·to·mise 動他〖外科〗…に腎臓(じんぞう)切除をする.
Ne·ro·nise 動他〈人を〉ネロ(Nero)に似た人物として描写する[特徴づける].
neu·tral·ise 動他 …を中立にする.
New·man·ise 動自 ニューマン説を取り入れる.
nick·el·ise 動他 ニッケルをかぶせる.
ni·trog·en·ise 動他 窒素と化合させる.
nor·mal·ise 動他 標準的にする, 常態にする.
North·ern·ise 動他 北部風にする, 北部地方化する.
no·ta·rise 動他〈証書・契約などを〉(公証人を通して)公証する, 証明させる.
nov·el·ise 動他〈戯曲・映画・テレビなどを〉小説形式[体]にする.
nu·cle·ar·ise 動他〈軍隊・国家に〉核装備を施す.
ob·e·lise 動他〈語・句などに〉疑句標をつける.
ob·jec·tiv·ise 動他 具体[客観]的にする, 具体化する.
Oc·ci·den·tal·ise 動他 西洋風にする, 西洋[西欧]化する.
o·dor·ise 動他 …ににおいを添加する.
of·fi·cial·ise 動他 官庁化する, 公式のものにする.
on·tol·o·gise 動他 本体[存在]論の用語で表現する.
op·er·a·tise 動他 オペラ化する, オペラに仕立てる.
op·so·nise 動他〈微生物を〉オプソニン化する.

op·ti·mise 動他 できるだけ効果的［能率的］にする．
or·gan·ise 動他〈団体などを〉組織［編成］する．
O·ri·en·tal·ise 動他自 東洋化する，東洋風になる．
or·phan·ise 動他〈事が〉〈子供を〉孤児にする．
or·thog·ra·phise 動他〈語を〉正しく綴(つづ)る．
os·tra·cise 動他 締め出す，排斥する．
ox·i·dise 動他【化学】酸化させる．
ox·y·gen·ise 動他 …を酸素で処理する．
o·zon·ise 動他 オゾンで飽和させる．
pa·gan·ise 動他 …を異教徒にする，異教化する．
pan·e·gy·rise 動他 …の賛辞を述べる．
pan·the·on·ise 動他 パンテオンに埋葬する．
pa·ral·o·gise 動自 誤謬(ごびゅう)推理をする．
parch·ment·ise 動他〈紙などを〉羊皮紙状に変える．
pa·ren·the·sise 動他〈語句を〉挿しはさむ．
par·tial·ise 動他 …に偏らせる；偏見を与える．
pas·teur·ise 動他〈牛乳・チーズ・ヨーグルト・ビール・ワインなどを〉低温殺菌する．
pa·tron·ise 動他〈商店・レストラン・ホテルなどを〉ひいきにする，顧客になる．
pau·per·ise 動他〈人を〉貧乏にする．
pe·des·tri·an·ise 動自 歩く，徒歩旅行をする．
pe·nal·ise 動他〈人を〉(…の理由で)罰する．
pep·tise 動他 解膠(かいこう)させる．
pep·to·nise 動他〈タンパク質を〉ペプトン化する．
per·fec·tiv·ise 動他 完了［完結］相にする．
per·ox·i·dise 動他自【化学】(…を)過酸化する．
per·son·al·ise 動他 …を個人のものとする．
phe·nom·e·nal·ise 動他【哲学】…を純粋に現象として扱う．
phi·lan·thro·pise 動他〈人を〉慈愛深く扱う．
phi·los·o·phise 動自 不正確に理論づける；哲学者ぶる．
phle·bot·o·mise 動他自 放血［瀉血］する，静脈切開する．
phos·pho·rise 動他【化学】…をリンと化合させる．
pho·to·sen·si·tise 動他（写真感光乳剤を用いて）〈物質に〉感光性を与える．感光性にすること．
pic·to·ri·al·ise 動他 …を絵画化する；絵画的に表現する．
pic·tur·ise 動他 絵に描く［で飾る］．
pidg·in·ise 動他〈言語を〉(外国人同士の伝達のため崩して)補助言語化する．
pla·gia·rise 動他〈他人の文章・表現・着想などを〉剽窃(ひょうせつ)する．
plas·ti·cise 動他自 可塑性を持たせる．
Pla·to·nise 動自 プラトン哲学を奉じる［採用する］．
plu·ral·ise 動自 複数形で表す，複数(形)にする．
pod·sol·ise 動他 ポドゾル化する．
po·et·i·cise 動他〈思想・感情などを〉詩にする．
po·et·ise 動自 詩を書く，作詩する．
po·lar·ise 動他〈光を〉偏光させる．
po·lem·i·cise 動自 論争術を行使する．
pol·e·mise 動自 ＝polemicise.
po·lit·i·cal·ise 動他 …を政治化する，政治色をつける．
po·lit·i·cise 動他 …に政治色を加える．
Po·lo·nise 動他〈風俗・文化・考え方などを〉ポーランド風にする．
pop·u·lar·ise 動他 …を大衆化［通俗化］する；普及させる．
pos·tur·ise 動自 ある姿勢を取る，ポーズを取る．
prac·tise 動他 …を練習する；…を実践する．
prag·ma·tise 動他〈実在しない物事，想像上の物事を〉現実化［具現化］する．
pre·co·nise 動他 …を宣言［布告］する；推賞する．
prel·a·tise 動他〈教会を〉監督制のもとに置く．
prel·ud·ise 動自 前奏曲を演奏［作曲］する．
pre·mil·len·ni·al·ise 動自 前千年王国説を信奉する．
pres·sur·ise 動他〈高高度を飛ぶ飛行機の操縦席・客席などを〉加圧する，与圧する．
pri·or·i·tise 動他〈仕事・計画などに〉優先順位をつける，重要なものから順に並べる．
pri·va·tise 動他 …を民営化する．
pro·fes·sion·al·ise 動他 職業［専門］化する，プロとして扱う．
pro·le·tar·i·an·ise 動他 プロレタリア化する，無産者にする．
pro·le·tar·ise 動他 ＝proletarianise.
pro·logu·ise 動自 序言［序文］を書く［つける］．
pro·nom·i·nal·ise 動他 代名詞化する．
prop·a·gan·dise 動他 宣伝する［布教］する．
Prot·es·tant·ise 動他〈人を〉プロテスタントに改宗させる．
pro·vin·cial·ise 動他 地方化する，田舎風にする．
psy·chol·o·gise 動他 心理学的に分析する．
pub·li·cise 動他 公にする，公表する．
pul·ver·ise 動他 粉末［粉々］にする．
quan·tise 動他【数学】【物理】量子化する．
rad·i·cal·ise 動他（特に政治的に）急進［過激］化する．
ran·dom·ise 動他 …からランダムに選ぶ．
ra·tion·al·ise 動他〈自分の行為・意見などを〉合理［正当］化する．
re·al·ise 動他（はっきり）と理解する，実感する．
rec·og·nise 動他〈人・物・事を〉(同一・既知であると)認める，認識する．
re·flec·tor·ise 動他 …を光が反射するようにする．
re·flex·i·vise 動他〈動詞・代名詞を〉再帰的にする．
re·gion·al·ise 動他自（…を）地方に分割する［される］．
reg·u·lar·ise 動他《文語》…を規則正しくする．
re·ju·ve·nise 動他 …を若返らせる，回春させる．
rel·a·tiv·ise 動他 …を相対的に考える，相対化する．
re·pri·va·tise 動他（いったん国営化したものを）再民営化する．
re·pub·li·can·ise 動他 共和国［政体，主義，党員］にする．
rev·o·lu·tion·ise 動他 …に革命を起こす．
rhap·so·dise 動自（…を）熱狂的に語る；〈叙事詩を〉朗唱する．
rho·ta·cise 動他〈s 音を〉r 音に変える．
rig·id·ise 動他（特殊加工を施したり，化学薬品・プラスチックなどを加えて）硬くする．
rit·u·al·ise 動自 儀式的になる，典礼主義になる．
ro·bot·ise 動他〈人を〉ロボット化する．
roent·gen·ise 動他《もと》…にレントゲン線をかける．
Ro·man·ise 動他〈異教徒などを〉ローマカトリック教に帰依させる．
ro·man·ti·cise 動他《しばしば軽蔑的》〈物語・出来事を〉空想的に表現する．
rou·tin·ise 動他〈事柄を〉慣例化［日常化］する．
rub·ber·ise 動他 ゴムを引く［染み込ませる］．
ru·ral·ise 動他 田舎風にする，田園化する．
Rus·sian·ise 動他 ロシア(人)化する，ロシア風にする．
Sab·ba·tise 動自 安息日を守る．
sac·cha·ri·nise 動他 …にサッカリンを加えて甘くする．
sac·cha·rise 動他〈澱粉(でんぷん)を〉糖化する．
sac·er·do·tal·ise 動他 …を聖職制にする．
sa·cral·ise 動他 神聖化する．
san·i·tise 動他《主に米・カナダ》衛生的にする．
sat·i·rise 動他 …を風刺する；皮肉る．
sche·ma·tise 動他 …を図式化する，組織的に配置する．
schrei·ner·ise 動他〈織物に〉シュライナー加工する．
sci·en·tise 動他 科学的原理を適用する．
Scot·ti·cise 動他〈言葉，習慣などを〉スコットランド風にする．
scru·ti·nise 動他 精細に調べる，吟味する．
sec·tar·i·an·ise 動他 派閥［分派・宗派・学閥］の下に置く．
sec·tion·al·ise 動他 部分［部門］に分ける．
sen·sa·tion·al·ise 動他 扇情的［センセーショナル］に表現する．
se·ri·al·ise 動他 連載する，続きもので出版する．
ser·mon·ise 動自 説教する；小言を言う．
ser·pen·tin·ise 動他【鉱物】〈鉱物・岩石を〉蛇紋岩化する．
sex·u·al·ise 動他 …に男女［雌雄］の別をつける．
sig·nal·ise 動他自 …を目立たさせる，際立たせる．
sim·i·lise 動自他《まれ》なぞらえる．
si·mon·ise 動他〈車を〉ぴかぴかになるまで磨く．
sin·gu·lar·ise 動他 目立たせる．
Sin·i·cise 動他 中国化する；中国風にする．
sir·o·nise 動他《豪》〈毛織物に〉防縮加工する．
skel·e·ton·ise 動他 …を骸骨(がいこつ)にする；葉脈を残す．
slen·der·ise 動他《主に米・カナダ話》…を細くする．
slo·gan·ise 動他 …をスローガンで表す．
so·ber·ise 動他 酔いを覚まさせる．

so·ci·ol·o·gise 動他自 社会学的理論づけをする.
so·lar·ise 動他 〘写真〙露出しすぎる.
sol·em·nise 動他 〈結婚式を〉挙げる, 挙式する.
sol·i·da·rise 動自 結束[団結]する.
so·lil·o·quise 動自 (劇で)独白する; 独り言を言う.
spe·cial·ise 動自 〈人が〉(…を)専攻する.
sta·bi·lise 動他 ぐらつかないようにする.
stand·ard·ise 動他 〈大きさ・重さ・品質・強さなどを〉基準に合わせる, 標準[規格]化する.
sten·cil·ise 動他 (加工して)ステンシルにする.
ster·i·lise 動他 …を滅菌する, 殺菌消毒する.
struc·tur·al·ise 動他 構造化する, 組織の一部を成す.
styl·ise 動他 〈表現・手法などを〉ある特定の型[様式]に一致させる; 因襲化する.
su·ber·ise 動他 〘植物〙コルク質に変える.
su·bi·tise 動自他 〘心理〙(提示された物の数を)一目で認知する, 即座に把握する.
sub·jec·tiv·ise 動他 主観化する.
sub·stan·tial·ise 動他 実体[実在]化する, 実現する.
sub·til·ise 動他 〈人格などを〉高尚にする, 高める.
sub·ur·ban·ise 動他 〈地域などを〉郊外化する.
sul·phat·ise 動他 〈鉱石などを〉(焙焼(ばいしょう)などによって)硫酸塩化する.
sul·phu·rise 動他 硫化する, 硫黄と化合させる.
sum·ma·rise 動他 要約する, かいつまんで言う.
su·per·sen·si·tise 動他 過敏にする; 高感度にする.
sym·bol·ise 動他 …を象徴する, …の象徴である.
sym·me·trise 動他 …を対称的にする.
sym·pa·thise 動自 同感[共鳴]する; 同意[賛成]する.
sym·pho·nise 動自 〘音楽〙調和する, 諧調になる.
syn·chro·nise 動他 〈時計などの〉時間を合わせる.
syn·cre·tise 動他 〈反対の説・党派などを〉統合[融合]しようとする.
syn·on·y·mise 動他 〈語・名称などに〉同義語を与える.
syn·the·sise 動他 …を総合[綜合]する, まとめ上げる.
syn·the·tise 動他自 =synthesise.
syn·to·nise 動他 …を同調させる.
sys·tem·a·tise 動他 …を体系化する; 分類する.
sys·tem·ise 動他 =systematise.
tab·u·lar·ise 動他 …を表にする, 一覧表で表す.
tar·tar·ise 動他 〘化学〙…に酒石を注入する.
tau·tol·o·gise 動自 〘論理〙トートロジーを用いる.
te·lep·a·thise 動他 〈人と〉テレパシーで交信する.
tel·lu·rise 動他 …をテルルと混合する.
tem·po·rise 動自 ぐずぐずする.
ten·der·ise 動他 〈肉などを〉柔らかくする.
ter·ror·ise 動他 …を恐れさせる.
tet·a·nise 動他 〘生理〙〈筋肉に〉強縮性[持続性]痙攣(けいれん)を起こす.
Teu·ton·ise 動他自 チュートン風にする[なる].
tra·di·tion·al·ise 動他 …を伝統にする; 伝統を浸透させる.
tran·sis·tor·ise 動他 〘電子工学〙トランジスタ化する.
trich·i·nise 動他 〘病理〙…を旋毛虫に冒させる.
trop·i·cal·ise 動他 …を熱帯(地方)的にする.
tu·ber·cu·lin·ise 動他 ツベルクリンを接種する.
tyr·an·nise 動自 (…に)暴虐を加える, 虐げる.
u·ni·form·ise 動他 一様にする, 均一化する.
un·ion·ise 動他 連合する, 合体する.
u·nit·ise 動他 (部品を組み立てて)一つの物にする.
u·ni·ver·sal·ise 動他 一般[普遍]化する, 普及させる.
ur·ban·ise 動他 都会化する, 都会風にする.
u·ti·lise 動他 …を(…に)利用する, 役立たせる.
vas·cu·lar·ise 動自 〘生物〙血管を発達[延長]させる.
ven·tril·o·quise 動自他 腹話術をする, 腹話術で話す.
vis·u·al·ise 動自 思い浮かべる, 心に描く.
vi·tal·ise 動他 …に生命を与える.
vit·ri·ol·ise 動他 …を硫酸(塩)化する.
vo·cal·ise 動他 声に出す; 〈気持ちなどを〉はっきり述べる.
weath·er·ise 動他 〈家・建物に〉耐候性を与える.
win·ter·ise 動他 〈自動車・住宅・植木などに〉冬支度をする, 冬期装備を施す.

-ise² /aiz/

接尾辞 …の性質, …の条件, …の機能.
★ フランス語から借用した名詞に見られる.
◆ 中英＜古仏 *-ise*(-ICE¹ の異形).

bê·tise 名 愚かさ, 愚鈍.
ex·per·tise 名 専門的技術[知識・経験].
fran·chise 名 ☞
gour·man·dise 名 食い道楽; 美食三昧(ざんまい).
mer·chan·dise 名 商品.
mor·tise 名 〘木工〙枘(ほぞ)穴.
vo·ca·lise 名 ボーカリーズ: 母音や意味のない音節でメロディーを歌う音楽形態.

-ise³ /iːz/

語尾 フランス語からきた語にみられる.
★ 語末にくる同音形は -EASE², -EAZE, -EEZ, -ES⁴.

bise 名 (フランス南東部, スイスおよびその近隣の地方に吹く)冷たい北または北東の風; (一般に)寒風.
crise 名 《フランス語》転機, 決定的な時[局面](crisis).
mise 名 **1** 協定, 協約. **2**〘法律〙権利令状の争点: 不動産権を回復するための訴訟を開始する令状(writ of right)に示された争点.

-ise⁴ /áiz/

語尾 語末にくる同音形は -ISE¹, -IZE¹, -IZE².

-cise¹ 連結形 ☞
-cise² 連結形 ☞
guise 名 外観, 外見, 見かけ.
mise 名 協定, 協約.
-mise 連結形 ☞
prise 動他 てこで上げる, こじ開ける(prize).
-prise 連結形 ☞
rise 動自 ☞
-vise 連結形 ☞
wise¹ 形 ☞
wise² 名 《文語・古》やり方, 方法, 流儀.
wise³ 動他 《主にスコット》教える, 教育する.
-wise 連結形 ☞

-ish¹ /iʃ/

接尾辞 **1** 名詞につけて形容詞をつくる. (1)《特に国名や地域名につけて》…に属する: Span*ish*. (2) …のような, …の性質を持つ: boy*ish*. (3) …の傾向がある: freak*ish*. (4)《年齢や時刻を表す数詞につけて》およそ…くらい: forty*ish*. ►通例, 悪い意味で「…の性質を持つ」: child*ish*. 一方, -like は良い意味で「…の性質を持つ」: child*like*. **2**《形容詞につけて形容詞をつくる》…っぽい, …がかった: blu*ish*. **3**《動詞につけて形容詞をつくる》…する傾向がある: snapp*ish*. **4** 不変化詞につけて形容詞をつくる: upp*ish*.
◆ 古英 *-isc*, 独 *-isch*, ギ *-iskos* と同語源. ◇ -ESQUE.
[発音] 原則として, 第1強勢は基語と同じで, 多くは語頭の音節にある; 第1強勢の位置が基語と異なる語: amatéur*ish*, outlánd*ish*; 第1強勢が語頭の音節にない語: coquétt*ish*, magazín*ish* など.

ac·tor·ish 形 俳優のような, 芝居がかった.
a·gu·ish 形 瘧(おこり)のような, 悪寒に襲われた.
air·ish 形 《米南部》気取った, 生意気な.
all-o·ver·ish 形 《話》どことなく不安な.
am·a·teur·ish 形 素人の; 素人臭い, 未熟な(inept).
A·mish 形 アーミッシュの, アマン派の.
a·no·rak·ish 形 《英俗》マニア的な, おたくっぽい.

ap·ish 形 (性質・外観・行動が)猿のような.
ba·by·ish 形 赤ちゃんのような; 幼稚な.
Bab·y·lon·ish 形 古都バビロン[バビロニア帝国]の; バビロニア人[語]の.
bad·dish 形 やや悪い, あまりよくない.
bald·ish 形 ややはげた, はげかかった.
bank·er·ish 形 銀行家のような, 堅い感じの.
bar·ish 形 はげ気味の; (内容などに)乏しい.
beam·ish 形 明るい; ご機嫌な, のんきな.
bear·ish 形 クマのような; 粗暴な.
big·gish 形 大きめの, かなり大きい.
bit·ter·ish 形 ほろ苦い, やや苦い.
black·ish 形 黒っぽい, 黒みがかった.
blimp·ish 形 尊大で反動的な.
block·ish 形 愚鈍な, ばかな.
bloke·ish 形 《話》平凡な男に(よく)見られる.
blond·ish 形 (髪の毛などが)ブロンドがかった.
blue·ish 形 ＝bluish.
blu·ish 形 青みを帯びた, 薄青い.
boar·ish 形 豚の(ような); 肉欲的な; 残忍な.
bog·gish 形 沼沢性の, 低湿の; 沼の多い.
book·ish 形 読書好きな, 学問好きな.
boor·ish 形 田舎者の; 無作法な; 鈍感な.
boy·ish 形 少年のような; 少年用[向け]の.
brack·ish 形 やや塩辛い; 塩味の, 塩気のある.
brain·ish 形 《古・スコット》落ち着きのない.
bright·ish 形 やや明るい.
Brit·ish 形 英国(人)の; 英連邦の, 大英帝国の.
brown·ish 形 茶色がかった.
brut·ish 形 《軽蔑的》野獣の(ような); 残忍な.
buck·ish 形 雄ジカのような; 威勢のよい.
bull·ish 形 雄牛のような.
cad·dish 形 育ちの悪い; 不作法な.
carl·ish 形 《方言・古》＝churlish.
cat·tish 形 猫のような, 敏捷(びんしょう)な.
child·ish 形 子供の; 子供っぽい; 子供向きの.
churl·ish 形 田舎者の; 無作法な; 無愛想な.
clan·nish 形 《軽蔑的》氏族(clan)の.
clean·ish 形 こぎれいな, こざっぱりした.
cli·quish 形 排他的な, 党派的な.
clod·dish 形 土くれのような; 気が重い; まぬけな.
clot·tish 形 《英話》ばかな, あほな, まぬけな.
clown·ish 形 田舎者じみた; 粗野な(rude).
cock·ish 形 生意気な, 身のほど知らずの.
cold·ish 形 少し寒い, うすら寒い.
colt·ish 形 いたずらな, ふざけたがる.
cool·ish 形 やや涼しい, やや冷たい.
co·quet·tish 形 男たらしの; あだっぽい.
Cor·nish 形 (英国)コーンウォール(Cornwall)地方の; コーンウォール人[語]の.
cub·bish 形 幼獣のような.
cur·rish 形 《文語》雑種犬(cur)の.
cy·ber·ish 形 コンピュータによるコミュニケーションの.
cy·ber·punk·ish 形 サイバーパンク(風)の: コンピュータネットワークが管理する未来社会を描く SF 分野の.
Dan·ish 形 デンマークの, デンマーク人[語]の.
dark·ish 形 やや暗い, 薄暗い.
dead·ish 形 死んだような, 活気のない.
dev·il·ish 形 悪魔の(ような); 邪悪な, 残忍な.
dim·mish 形 やや薄暗い, ほの暗い.
dog·gish 形 (特に悪い意味で)犬のような.
doll·ish 形 人形のような, 取り澄ました.
dolt·ish 形 ばかな, まぬけな.
don·nish 形 しかつめらしく学者ぶった.
dov·ish 形 ハトの(ような).
dry·ish 形 生乾きの, やや乾燥した.
dull·ish 形 少し鈍い; 薄ぼんやりの.
dump·ish 形 憂鬱(ゆううつ)な, ふさぎ込んだ.
dusk·ish 形 ほんの少し暗い; やや黒っぽい.
dwarf·ish 形 小人のような; 小型[小柄]の.
elf·ish 形 小妖精のような; 不思議な力を持った.
elv·ish 形 ＝elfish.
Eng·lish 形 ☞
fad·dish 形 一時的流行の(ような).
fair·ish 形 まあまあよい, なかなかの, 相当の.
fast·ish 形 やや速い.
fat·tish 形 やや肥満した, 太り気味の.
fea·tur·ish 形 『ジャーナリズム』主要記事的な扱いの; 特集記事を掲載した.
fe·ver·ish 形 発熱している, (特に)微熱のある.
fiend·ish 形 悪魔[鬼畜]のような; 極悪非道な.
Finn·ish 形 フィンランドの; フィンランド人[語]の.
flat·tish 形 いくぶん平らな, やや平板な.
Flem·ish 形 フランドルの; フラマン人[語]の.
folk·ish 形 民間の, 庶民の.
fool·ish 形 思慮分別のない, 愚かな.
fop·pish 形 気取り屋の, おしゃれな, きざな.
for·ty·ish 形 40 歳がらみの.
Frank·ish 形 フランク族(the Franks)の.
freak·ish 形 奇妙な, 一風変わった, 怪奇な.
frump·ish 形 (特に, 女性が)薄汚くて魅力のない.
fu·el·ish 形 《主に米・カナダ》燃費が悪い.
gar·ish 形 けばけばしい, 派手すぎる.
Gaul·ish 形 古代ガリア地方の; ガリア人[語]の.
geek·ish 形 《俗》時代遅れで退屈な; 社会に不適応な.
Ger·man·ish 形 ドイツ[ゲルマン]風の(Germanic).
ghoul·ish 形 悪魔的[残忍]な; 奇怪な.
gib·ber·ish 名 訳の分からないおしゃべり.
girl·ish 形 少女の; 少女時代の; 少女らしい.
gnom·ish 形 地の精のような; 小人のような.
goat·ish 形 ヤギの; ヤギのような.
good·ish 形 かなりよい, まあまあの.
gout·ish 形 痛風にかかりやすい.
gray·ish 形 灰色[ねずみ色]がかった.
green·ish 形 緑色を帯びた.
grey·ish 形 ＝grayish.
gull·ish 形 愚かな, まぬけな.
hag·gish 形 鬼婆(hag)の(ような); 老醜の.
haim·ish 形 《俗》ゆったりと落ち着ける.
hard·ish 形 やや堅い.
hawk·ish 形 タカの(くちばしの)ような.
hea·then·ish 形 異教[邪教](徒)の.
heav·y·ish 形 やや重い.
heim·ish 形 ＝haimish.
hell·ish 形 地獄の(ような); 身の毛のよだつ.
hip·pish 形 《英》憂鬱(ゆううつ)症にかかった.
hog·gish 形 豚のような, 豚に似た.
Hol·ly·wood·ish 形 ハリウッド(風)の.
hom·ish 形 《米話》わが家のような.
hot·tish 形 少し暑い.
huff·ish 形 気難しい, 怒りっぽい.
Hun·nish 形 フン族の(ような).
if·fish 形 《話》不確かな, あやふやな.
imp·ish 形 小鬼の(ような), いたずらな.
I·rish 形 ☞
Is·ra·el·it·ish 形 古代イスラエル(人)の, ヘブライ(人)の; ユダヤ(人)の.
jad·ish 形 〈馬が〉癖の強い, たちの悪い.
Jew·ish 形 ユダヤ人の, ユダヤ的な; ユダヤ教の.
Jut·ish 形 ジュート族[人]の.
Kent·ish 形 ケント(人)の.
kid·dish 形 ＝childish.
kit·ten·ish 形 子猫のような.
knav·ish 形 無頼の; 不正な, 不正直な, ずるい.
kook·ish 形 《米俗》風変わりな, 妙な.
Kurd·ish 形 クルド族(Kurds)の; クルド語の.
lad·dish 形 《英》(男子らしく)乱暴な, 攻撃的な.
lam·ish 形 少し足の不自由な.
Lap·pish 形 ラップランドの; ラップ人[語]の.
larg·ish 形 やや大きい[広い], 大きめの.
lat·ish 形副 少し遅い[遅く].
left·ish 形 左翼的な, 左がかった.

Let·tish 形 レット[ラトビア]人[語]の.
lick·er·ish 形 《古》うまい物好きの.
light·ish[1] 形 〈色が〉やや明るい.
light·ish[2] 形 〈重量が〉やや軽い.
li·quor·ish 形 酒好きな, 飲みたそうな.
lit·tlish 形 やや少ない, 比較的小さい.
liv·er·ish 形 (特に色が)肝臓に似た.
long·ish 形 やや長い, 長めの.
loud·ish 形 やや声高い[騒々しい]; 派手気味な.
lout·ish 形 無骨な; 不器用な, 粗野な.
lud·dit·ish 形 機械化に反対の.
lump·ish 形 《話》〈物が〉塊のような.
luv·vy·ish 形 《俗》俳優[女優]のような.
mad·dish 形 まるで正気を失った.
mag·a·zin·ish 形 雑誌的な; やや浅薄[皮相的]な.
Mah·ler·ish 形 (Mahler の持つ)後期ロマン派風の.
man·nish 形 〈女性が〉男のような, 男性的な.
mawk·ish 形 うんざりするほど感傷的な.
miss·ish 形 (少女のように)取り澄ました.
mod·ish 形 流行の, 当世風の, いきな.
Mon·day·ish 形 《主に英》働く気がしない, 月曜病の.
mon·key·ish 形 サルのような; 猿まねの; いたずらな.
monk·ish 形 修道士の, 修道生活の, 修道院の.
moon·ish 形 気まぐれな, 移り気の.
Moor·ish 形 ムーア人(Moor)の.
moor·ish 形 《古》荒れ地の(多い).
mop·ish 形 ふさぎ込みがちの; ふさぎ込んだ.
more·ish 形 《英話》(もっと食べたくなるほど)おいしい.
mor·ish 形 =moreish.
mul·ish 形 ラバの(ような); 強情な, 頑固な.
nag·gish 形 しつこく小言を言う傾向のある.
Neth·er·land·ish 形 オランダの; オランダ人[語]の.
new·ish 形 やや新しい, 使用[消耗]の跡のない.
nice·ish 形 ちょっと感じのよい, 人当たりのよい.
night·mar·ish 形 悪夢のような[を思わせる].
nun·nish 形 修道女の, 尼僧らしい.
odd·ish 形 ちょっと風変わりな, やや奇妙な.
off·ish 形 《話》気取って澄ましている.
old·ish 形 やや年取った, もう若くはない.
old-maid·ish 形 口やかましい, こうるさい.
out·land·ish 形 《話》異様な, 奇異な, 風変わりな.
owl·ish 形 フクロウのような.
pa·gan·ish 形 異教徒に似た; 異教的な.
pal·ish 形 やや青白い, いくぶん青ざめた.
peck·ish 形 《主に英話》(少し)腹の減った.
pet·tish 形 いらついて怒りっぽい, 気難しい.
Pict·ish 形 ピクト人[語]の.
pig·gish 形 豚のような; 貪欲(どんよく)な, 不潔な.
pimp·ish 形 《米俗》(服装が)派手な, おしゃれな.
pink·ish 形 桃色がかった, 薄桃色の; (政治的に)やや左寄りの.
plump·ish 形 ふっくらとした, 太り気味の.
Po·lish 形 ポーランドの; ポーランド人[語]の.
poor·ish 形 多少貧乏な, やや貧しい.
Poot·er·ish 形 俗物的な, 気取った, うぬぼれた.
pop·ish 形 ローマカトリックの.
pos·er·ish 形 《話》もったいぶった, 気取った.
pound·note·ish 形 《英話》尊大な, 気取った.
prank·ish 形 いたずらの, ふざけた, 戯れの.
pret·ty·ish 形 ちょっとかわいい, 小ぎれいな.
prick·ish 形 《米俗》鼻持ちならない, 嫌な.
prig·gish 形 堅苦しい; 物知り振った.
prud·ish 形 上品ぶった, 取り澄ました.
pru·nish 形 《米俗》取り澄ました.
puck·ish 形 いたずら好きの, 小悪魔のような.
pur·plish 形 紫がかった.
qualm·ish 形 (…について)気がとがめる.
raff·ish 形 評判の悪い, 放蕩(ほうとう)な, 問題児の.
rak·ish[1] 形 不品行な, 道楽な; みだらな.
rak·ish[2] 形 しゃれた; 威勢のいい; 派手な.
ram·mish 形 雄羊のような.
rat·tish 形 ネズミの; ネズミのような.
raw·ish 形 生(なま)っぽい, 半生の; 未熟な.
red·dish 形 赤みを帯びた.
Rhe·mish 形 ランス(Reims)の.
Rhen·ish 形 ライン川(流域)の, ライン地方の.
right·ish 形 〖政治〗右寄りの, 右翼がかった.
ro·guish 形 悪漢の; 不正な.
Ro·man·ish 形 《軽蔑的》ローマカトリックの.
Rom·ish 形 《侮蔑的》ローマの.
romp·ish 形 ふざけ回る; はねっかえりの.
rough·ish 形 やや荒い, 粗めの; いくらか粗野な.
round·ish 形 丸みのある, 丸っこい.
row·dy·ish 形 騒々しい, やかましい.
rud·ish 形 粗暴な, 無作法な; 荒々しい.
rut·tish 形 好色な, 猥褻(わいせつ)な.
sad·dish 形 やや悲しげな.
salt·ish 形 やや塩辛い, 塩気のある.
school·teach·er·ish 形 教師臭い.
Scot·tish 形 スコットランドの; スコットランド人[英語]の.
self·ish 形 利己的な, 自分本位の, わがままな.
sharp·ish 形 《話》少々鋭い[きびしい].
sheep·ish 形 (失敗をして)恥ずかしがる.
short·ish 形 やや短い, やや背の低い.
shrew·ish 形 がみがみ言う; 意地の悪い.
sick·ish 形 少し気分が悪い, 少し吐き気がする.
skit·tish 形 〈特に馬が〉驚きやすい, 臆病(おくびょう)な.
slav·ish 形 奴隷の; 奴隷的な.
slim·mish 形 ややほっそりした[弱い].
Sloane·ish 形 《英話》スローン族のような.
slug·gish 形 ものぐさな, 無精な, 怠惰な.
slut·tish 形 〈女が〉自堕落な, 身持ちの悪い.
small·ish 形 小さめの, 小柄[小ぶり]の.
smart·ish 形 かなり頭のよい, かなり機転の利く.
snap·pish 形 〈犬などが〉かみつく癖のある.
sniff·ish 形 鼻持ちならない, 横柄な.
snob·bish 形 俗物の, 上にへつらい下に威張る.
soft·ish 形 いくぶん柔らかい, 柔らかめの.
sot·tish 形 酔いしれた; 酔っ払った; まぬけの.
sour·ish 形 少し酸っぱい, やや酸味のある.
Span·ish 名 ☞
spof·fish 形 《英俗》騒がしい, 小うるさい.
squar·ish 形 ほぼ四角の, 四角張った, 角張った.
squeam·ish 形 より好みする, 気難しい.
squirm·ish 形 《米話》落ち着かない(squirly).
stock·ish 形 まぬけの, とんまな.
stout·ish 形 やや太った, 太り気味の.
strong·ish 形 強めの.
styl·ish 形 流行の, 流行に合った, 当世風の.
Swed·ish 形 スウェーデンの; スウェーデン人[語]の.
sweet·ish 形 やや甘い; やや愛らしい.
swell·ish 形 《話》流行の, しゃれた, いきな.
swin·ish 形 豚(swine)のような.
syc·o·phant·ish 形 へつらう, ごまをする.
tall·ish 形 背がやや高めの.
tan·nish 形 黄褐色の.
text·book·ish 形 教科書的な, 模範的な.
thiev·ish 形 盗癖のある, 手癖の悪い.
thin·nish 形 やや薄い[細い, まばらな, 弱い].
tick·lish 形 むずむず感じる; くすぐったがる.
ti·ger·ish 形 トラのような; 激しい.
ti·grish 形 =tigerish.
ton·ish 形 流行の, 当世風の, ハイカラな.
ton·nish 形 =tonish.
To·ry·ish 形 トーリー党員の; 保守的な.
tough·ish 形 やや堅い; やや粘りのある.
town·ish 形 都会の; 都会特有な.
trick·ish 形 ずるい, 油断ならない, 狡猾(こうかつ)な.
tub·bish 形 桶(おけ)に似た; ずんぐりした.
Turk·ish 形 トルコ(人)の, トルコ風の.
up·pish 形 《英話》高慢な, 出しゃばりな.
vamp·ish 形 妖婦(ようふ)の, 男たらしの.
va·por·ish 形 蒸気のような, 蒸気を思わせる.
vin·e·gar·ish 形 〈味・においが〉酢に似た.
vi·per·ish 形 マムシの性質を持つ.
vogu·ish 形 流行の, はやっている; いきな.

wag·gish [形] 〈人が〉こっけいな, おどけた.
waif·ish [形] 《俗》ストリートチルドレン風の, よれよれの.
wan·nish [形] やや青白い.
warm·ish [形] やや暖かい, 暖かめの.
Wasp·ish [形] WASP(アングロサクソン系白人新教徒)の[に属する].
wasp·ish [形] スズメバチのような; すぐ腹を立てる.
wa·ter·ish [形] やや湿った, じとじとする.
weak·ish [形] 柔弱な; 〈味などが〉やや薄目の.
Wend·ish [形] ウェンド人[語]の.
wet·tish [形] 少しぬれた, 湿っぽい.
whey·ish [形] 乳清のような.
Whig·gish [形] ホイッグ党[主義]の[に特有の].
whit·ish [形] やや白い, 白っぽい, 白みがかった.
whor·ish [形] 売春婦のような; みだらな.
wid·ish [形] かなり[やや]広い.
wild·ish [形] 少々荒っぽい.
wolf·ish [形] オオカミに似た; 貪欲(どんよく)な.
wolv·ish [形] 《古》=wolfish.
wom·an·ish [形] 〈男性が〉女みたいな, めめしい.
yel·low·ish [形] 黄ばんだ, 黄色っぽい.
Yer·kish [形] ヤーキー語の.
Yid·dish [名][形] イディッシュ語(の).
yoof·ish [形] 《話》若者のような.
young·ish [形] やや若い; まだ中年にならない.
yup·py·ish [形] ヤッピー風の[的な].

-ish[2] /iʃ/

[接尾辞] フランス語から借用の -ir で終わる動詞の語幹につけて動詞をつくる; またはこれにならって一般的に動詞をつくる.
◆ <仏 *-iss-*(不定詞が *-ir* で終わる動詞の現在分詞語幹) <ラ *-isc-*(始動相動詞において).
[発音] 直前の音節に第 1 強勢を置く. 例外: impóverish.

ac·com·plish [動他] 成し遂げる, 果たす, 成就する.
ban·ish [動他] 追放する, 国外追放を宣告する.
blan·dish [動他] 甘言でまるめ込む, 籠絡(ろうらく)する.
blem·ish [動他] 〈名声などを〉傷つける.
bran·dish [動他] 〈剣・むちなどを〉振り回す.
bur·nish [動他] 〈金属を〉磨く, 研ぐ.
cher·ish [動他] 大事にする; かわいがる, 慈しむ.
de·mol·ish [動他] 〈建物を〉破壊する, 取り壊す.
dis·tin·guish [動他] (…と)(…によって)区別する.
em·bel·lish [動他] …を(…で飾って)美しくする.
em·pov·er·ish [動他] 《廃》=impoverish.
es·tab·lish [動他] ☞
e·van·ish [動自] 消失する, 消える.
ex·tin·guish [動他] 〈火・明かりなどを〉消す.
fam·ish [動他] 《古》飢えさせる.
fin·ish [名] ☞
flour·ish [動自] 栄える, 盛んである, 最盛期である.
fur·nish [動他] 〈家・部屋に〉備える, 取りつける.
gar·nish [動他] 〈物・事を〉(…で)装飾する.
im·pov·er·ish [動他] 〈人・家・国などを〉貧しくする.
lan·guish [動自] 弱る, 衰弱する; しおれる.
min·ish [動他][自] 《古》…を[が]少なくする[なる].
nour·ish [動他] …に滋養物を与える; 養う.
per·ish [動自] 《主に文語》〈人が〉(無残に)死ぬ.
plan·ish [動他] 〈金属を〉滑らかに仕上げる.
plen·ish [動他] 《主にスコット》満たす.
pol·ish [動他] ☞
pub·lish [動他] ☞
pun·ish [動他] …を罰する, 処罰する.
rav·ish [動他] うっとりさせる, 我を忘れさせる.
re·lin·quish [動他] 〈所有物・権利などを〉放棄する.
tar·nish [動他] 曇らせる, 変色させる, あせさせる.
van·ish [動自] 消える, 見えなくなる; 薄れる.
van·quish [動他] 《文語》征服する, 降服させる.

-ish[3] /iʃ/

[語尾] pish, splish, squish, swish, whish は音象徴から, bish[2], ish, tish は短縮形で俗語.
★ 語末にくる同音形は -ISH[1], -ISH[2].

bish[1] [名] 《英俗》誤り, 間違い(mistake).
bish[2] [名] 《英俗》主教; 司祭(bishop).
cuish [名] (鎧(よろい)の)もも当て(cuisse).
dish [名] ☞
fish[1] [名] ☞
fish[2] [名] (ゲームの点数計算用の)チップ.
ish [名] 《俗》(雑誌の)号(issue).
kish [名] 〖冶金〗キッシュ.
-lish [連結形] ☞
pish [間] 《軽蔑・じれったさなどを表して》へん, ふん.
splish [名][間] ピチャ.
squish [動他] 《話》圧搾する; 押しつぶす.
swish [動自] 〈棒などが〉ヒューと音をたてる, 〈小波などが〉サーッと音をたてる.
tish [動他] 《米俗》…にティッシュを詰める.
whish [動自] ピューッと鳴る.
wish [動他] ☞

-isk[1] /ísk/

[音象徴] サッ, パッ; 素早く勢いのよい動きを表す.

brisk [形] 〈人・動作が〉きびきびした, 活発な, 元気のよい, 威勢がよい; 〈商売が〉活況の.
frisk [動自] (はしゃいで)飛び跳ねる, 飛び回る; ふざける, じゃれる; ボディーチェックする.
whisk [動他] 〈物を〉さっと動かす[振る, 払う].

-isk[2] /ísk/

[語尾]

bisk [名] ビスク(bisque).
disk [名] ☞
fisk [名] 《スコット》国庫, 財務府.
risk [名] ☞

is·land /áilənd/

[名] 島. ⇨ LAND.

bárrier ísland 堡礁(ほしょう)島.
Bíg Ísland 米国ハワイ諸島中最大の島.
continéntal ísland 大陸島.
désert ìsland (通例熱帯地方の)無人島.
Dévil's Ísland (南米ギアナ北岸の)悪魔島.
flóating ísland フローティングアイランド: メレンゲが浮き島のように置かれたデザート.
Gárden Ìsland 米国ハワイ州カウアイ島の異名.
héat ìsland 〖気象〗ヒートアイランド, 熱島.
íce ìsland 卓状氷山, 氷島.
ìnter·ísland [形] 島と島との間の.
Lángerhans ìsland 〖解剖〗ランゲルハンス島.
mónkey ìsland 《海事俗》(操舵(そうだ)室または海図室の上にある)露天船橋.
mónkey's ísland =monkey island.
Nórth Ísland 北島(ニュージーランドの地名).
oceánic ísland 大洋島.
óff-ísland [形] 島の沖合いの.
Píg Ísland 《NZ 話》ニュージーランドの異名.
sáfety ìsland 《米》(歩行者のための)安全地帯.
Sóuth Ísland 南島(ニュージーランドの地名).
spéech ìsland 〖言語〗言語島.
Thóusand Ísland [形] Thousand Island の.
Thrée Míle Ísland (米国の)スリーマイル島.
tráffic ìsland 交通島: 安全地帯.
Túrtle Ísland 北米大陸.
wórk ìsland ワークアイランド: 職場内の「島」.

Wórld Ísland 世界島.
wríting ìsland (銀行などの)記入用の台.

isle /áil/

名 《文語》小島. ◇ ISLAND.

Ápple Ísle 《豪話》タスマニア.
Bélle Ísle ベルアイル海峡(カナダの地名).
Émerald Ísle 《文語》エメラルド島: Ireland の異名.
en·ísle 動他 《文語》…を島にする.
Fáir Ísle (スコットランド北東の)フェア島.
Gréen Ísle 緑の島: Ireland の異名.
in·ísle 動他 《古》=enisle.
Prèsque Ísle プレスクアイル(米国の都市名).

-ism[1] /ìzm/

接尾辞 **1** 《名詞につけて名詞をつくる》 (1)行為: terror*ism*. (2)性質・状態: pauper*ism*. (3)…中毒: alcohol*ism*. (4)…差別: rac*ism*. (5)教義・学説: Darwin*ism*.
2 《形容詞につけて名詞をつくる》 (1)主義: real*ism*. (2)…特有の言い方: American*ism*.
★ 最近では差別主義を表すのによく用いられる: sex*ism*, male chauvin*ism*.
★ 語末にくる関連形は -ISMO.
◆ <ギ *-ismos*, *-isma* 名詞接尾辞; しばしばラ *-ismus*, *-isma* 経由で, ときに仏 *-isme*, 独 *-ismus* を経由して.
[発音] 基語・基体の第1強勢と同じ.

a·ble·ism 名 健常者の身障者差別.
ab·o·li·tion·ism 名 廃止論[主義, 政策]; (特に米国の)黒人奴隷制度[死刑]廃止論.
abor·tion·ism 名 妊婦の堕胎する権利の擁護.
ab·sen·tee·ism 名 常習欠勤[欠席]; ずる休み; (特に労働争議の)計画的欠勤.
ab·sinth·ism 名 アブサン酒中毒.
ab·so·lut·ism 名 (政治上の)絶対主義; 絶対王政.
ab·sten·tion·ism 名 自制[節制]主義.
ab·strac·tion·ism 名 【美術】抽象主義[派]; 抽象技法.
ab·surd·ism 名 【哲学】(実存主義的)不条理主義.
ac·a·dem·i·cism 名 (芸術・文学などにおける)伝統(尊重)主義; 形式主義.
a·cad·e·mism 名 =academicism.
ac·ci·den·tal·ism 名 【哲学】偶発説.
ac·me·ism 名 アクメイズム: 20世紀初頭のロシアの詩人運動.
ac·ro·tism 名 【病理】脈拍欠損[微弱], 脈なし症.
ac·tin·ism 名 化学線作用.
ac·tiv·ism 名 (政治目標達成の)積極的行動主義.
ac·tu·al·ism 名 【哲学】アクチュアリズム.
ad·i·aph·or·ism 名 (聖書で自由裁量に任せられた行為・信条に対する)寛容な態度.
a·dop·tion·ism 名 【神学】養子論.
a·dult·ism 名 大人優先主義, 大人のエゴ.
Ad·vent·ism 名 キリスト再臨派, アドベンティスト派.
ad·ven·tur·ism 名 冒険主義.
ad·ver·sar·y·ism 名 (労使交渉などにおける)対決姿勢.
aes·thet·i·cism 名 【哲学】耽美(たんび)主義, 唯美主義.
Af·ghan·i·stan·ism 名 《米話》(新聞記者などが)国内問題から目をそむけて遠い外国の問題ばかりを扱うこと.
Af·ri·can·ism 名 アフリカ文化の特質.
Af·ri·ka·ner·ism 名 アフリカーンス語特有の語法[語句].
Af·ro·ism 名 黒人アフリカ(中心)主義.
age·ism 名 年齢(層)差別, 年齢主義.
ag·ism 名 =ageism.
ag·nos·ti·cism 名 【哲学】不可知論.
a·gram·ma·tism 名 【病理】文法錯誤(症), 失文法(症).
a·grar·i·an·ism 名 土地均分論[運動].
a·larm·ism 名 (不必要な, 根拠のない)人騒がせ.
Al·bi·gen·si·an·ism 名 (キリスト教異端カタリ派に属する)アルビ派の教義.
al·bi·nism 名 白皮症, 先天性色素欠乏症.
Al·bright·ism 名 アルブライト(米国国務長官)流.
al·co·hol·ism 名 【病理】アルコール依存症[中毒].
al·do·ster·on·ism 名 【病理】アルドステロン(過剰)症.
a·le·a·to·rism 名 偶然性(音楽).
al·ien·ism 名 外国人[在留外国人]であること.
al·le·go·rism 名 寓意を用いること; 寓意的解釈.
al·lel·ism 名 【遺伝】対立性.
al·lom·er·ism 名 【化学】異質同形, 同形異体.
al·pha·bet·ism 名 《こっけい》アルファベット(順)差別.
al·pin·ism 名 登山, (特に)アルプス登山.
al·tru·ism 名 愛他主義, 愛他心; 利他的行為.
am·a·teur·ism 名 素人風; アマチュア精神; 素人芸.
a·men·sa·lism 名 【生態】片害作用.
A·mer·i·can·ism 名 アメリカ的特質[習慣], アメリカ精神.
a·nach·o·rism 名 その国になじまない[場違いな]もの,
a·nal·o·gism 名 類推論法, 類推, 推理, 推論.
an·ar·chism 名 無政府主義, アナーキズム.
an·ec·do·tal·ism 名 逸話主義.
An·gli·can·ism 名 英国国教会の教義[主義, 制度].
An·gli·cism 名 イギリス語法(Briticism).
An·glo-Sax·on·ism 名 アングロサクソン精神.
an·i·mal·cu·lism 名 精子論.
an·i·mal·ism 名 動物的生き方, 獣欲[肉欲]主義.
an·i·ma·tism 名 アニマティズム, 有生観.
an·i·mism 名 アニミズム.
an·nex·a·tion·ism 名 (武力による)併合論, 合併主義.
an·ni·hi·la·tion·ism 名 【神学】霊魂絶滅説.
a·nom·a·lism 名 《まれ》変則, 異状, 変態.
an·tag·o·nism 名 敵意, 反抗心; 反目, 敵対(行動).
an·ti-A·mer·i·can·ism 名 反アメリカ主義.
an·ti-Dar·win·ism 名 反ダーウィン進化論.
an·til·o·gism 名 【論理】反論理主義.
an·ti-Sem·i·tism 名 反ユダヤ主義, ユダヤ人排斥運動.
aph·o·rism 名 アフォリズム, 金言, 格言, 警句.
a·poc·a·lyp·ti·cism 名 【神学】終末論, 黙示信仰.
a·pri·o·rism 名 先天[先験]主義, 先天的認識論.
Ar·ab·ism 名 アラビア風の生活習慣; アラビア語[文化]の影響.
ar·cha·i·cism 名 =archaism.
ar·cha·ism 名 古語, 古文体, 古風な表現.
Árchie Búnkerism 名 (Archie Bunker のような人物の用いる)間の抜けた教養のない言い回し.
Ar·i·an·ism 名 【神学】アリウス[アレイオス]主義.
ar·is·toc·rat·ism 名 貴族主義; 貴族政治主義.
Ar·is·to·te·lian·ism 名 アリストテレス(学派)の哲学.
Ar·min·i·an·ism 名 【神学】アルミニウス説.
ar·ri·vism 名 出世第一主義.
as·cet·i·cism 名 (宗教上の)苦行, 禁欲(生活), 修徳.
Ash·'a·rism 名 【イスラム教】アシュアリー派神学.
as·sim·i·la·tion·ism 名 (異民族・異文化の)同化政策.
as·so·ci·a·tion·ism 名 【心理】観念連合説, 連合主義.
as·ter·ism 名 【天文】星群.
a·stig·ma·tism 名 【眼科】乱視.
at·a·vism 名 【生物】隔世遺伝, 先祖返り.
ath·let·i·cism 名 (専門としての)運動競技.
At·lan·ti·cism 名 汎(はん)大西洋主義.
at·om·ism 名 【哲学】原子論[説].
a·ton·al·ism 名 【音楽】無調(性).
at·ro·pism 名 【病理】アトロピン中毒.
At·ti·cism 名 (古典ギリシャ語の)アッティカ語法.
Au·gus·tin·i·an·ism 名 アウグスティヌス哲学.
Au·gus·tin·ism 名 =Augustinianism.
Aus·tral·ian·ism 名 オーストラリア英語特有の語[句].
au·te·cism 名 =autoecism.
au·teur·ism 名 【映画】監督中心主義.
au·tism 名 【心理】自閉症.
au·toe·cism 名 【植物】(特にコケ類の)雌雄同株.
au·tom·a·tism 名 自動作用, 自動性; 機械的行為.
au·to·mo·bil·ism 名 《米》(特に)自家用車の運転[使用].
au·ton·o·mism 名 自治論, 自治運動, 自治制賛成論.
a·vant-gard·ism 名 前衛主義.
Av·er·ro·ism 名 【哲学】アベロエス説.

Ba·al·ism 名 バール神崇拝.
Ba·bel·ism 名 (考え・話などの)混乱.
Bab·ism 名 バーブ教: 19 世紀に興ったペルシアの宗教.
ba·bou·vism 名 バブーフ主義: 先駆的共産主義.
ba·by·ism 名 大人げないこと; 子供じみた行為.
bach·e·lor·ism 名 (男性の)独身(の身分).
Ba·ha·'ism 名 バハーイ教.
bal·lism 名 〘病理〙バリスムス, バリスム.
Ban·ting·ism 名 〘医学〙バンチング療法.
bap·tism 名 ☞
bar·ba·rism 名 野蛮, 未開(状態).
bar·bi·tur·ism 名 〘病理〙バルビタール中毒(症).
barn·yard·ism 名 下卑た [みだらな] 言葉.
Barth·i·an·ism 名 バルト神学.
Bat·in·ism 名 〘イスラム教〙バーティン派.
beard·ism 名 髭を剃(そ)っていない人に対する偏見.
be·hav·ior·al·ism 名 行動科学主義.
be·hav·ior·ism 名 〘心理〙行動主義.
Beh·men·ism 名 =Boehmenism.
bel·li·cism 名 好戦的傾向, 好戦性.
Benn·ism 名 (英国の)ベン政策 [主義].
Ben·tham·ism 名 ベンサム学説, ベンサムの功利主義.
Berg·son·ism 名 ベルクソン哲学.
Berke·ley·ism 名 バークリー哲学説.
Bev·an·ism 名 〘英政治〙英労働党左派の指導者 Aneurin Bevan の提唱する政策.
Bib·li·cism 名 聖書主義.
bi·cam·er·al·ism 名 〘政治〙二院制, 両院制.
bi·cul·tur·al·ism 名 (同一国・同一地域での)二文化併存.
Bíg Brótherism 全体主義的独裁, 独裁管理主義.
bi·lat·er·al·ism 名 〘生物〙左右相称, 両側相称.
bi·lin·gual·ism 名 二か国語 [二言語] 駆使(能力).
bi·lo·qui·al·ism 名 二方言使用.
bi·me·di·al·ism 名 同時に二種類のマスメディアに関わること.
bi·met·al·lism 名 (金・銀)複本位制.
bi·na·rism 名 〘言語〙二項対立原理.
bi·ol·o·gism 名 生物学主義.
bi·ped·al·ism 名 二足歩行.
Birch·ism 名 バーチ主義: 米国の極右反共主義.
black·guard·ism 名 ごろつきの振る舞い, 悪口雑言.
Blair·ism 名 ブレア(英首相・労働党)の政策.
bleph·a·rism 名 〘病理〙眼瞼痙攣(がんけんけいれん).
Blimp·ism 名 =Colonel Blimpism.
body·ism 名 体格 [体形・スタイル] による差別.
Boeh·men·ism 名 ベーメニズム: Jakob Böhme の神秘主義的教義.
Bol·she·vism 名 ボルシェビズム: ロシア社会民主労働党多数派(the Bolsheviks)の主義.
Bo·na·part·ism 名 Napoleon I の統治に似た政治体制.
bon·ism 名 善世説: 現世は善であるとする.
boost·er·ism 名 (都市・催し物・生活様式などの)自己推奨宣伝(主義).
boss·ism 名 ボスの支配; (特に)ボス政治.
bot·u·lism 名 〘病理〙ボツリヌス中毒.
Boul·war·ism 名 《米》〘労働〙ブルワリズム.
Bour·bon·ism 名 ブルボン家 [朝] 支持.
bo·va·rism 名 過大な自己評価, うぬぼれ.
Brah·man·ism 名 バラモン教.
Brah·min·ism 名 =Brahmanism.
brig·and·ism 名 山賊行為.
Brit·i·cism 名 イギリス語法.
Brit·ish·ism 名 =Briticism.
bro·mism 名 《米》〘病理〙ブロム [臭素] 中毒症.
Broth·er·ism 名 兄弟 [同志・同業者] の間の連帯.
bru·tal·ism 名 獣性, 残忍性, 無慈悲(brutality).
brux·ism 名 〘病理〙歯ぎしり(teeth grinding).
Bu·chan·an·ism 名 ブキャナン(1992, 96 年共和党米国大統領候補)流.
Buch·man·ism 名 ブックマン主義 [運動].
Bud·dhism 名 仏教, 仏法, 仏道.
buff·er·ism 名 現代的なことを軽蔑(けいべつ)し受け入れないこと.
Bull·ism 名 頑固で愚かな態度.
Bunk·er·ism 名 《米》=Archie Bunkerism.
bu·reau·crat·ism 名 官僚制 [政治, 支配].
Bush·ism 名 ブッシュ(第 41 代米国大統領)流.
Buts·kel·lism 名 政敵同士が同じ政策を支持する状態.
By·zan·tin·ism 名 〘東方教会〙皇帝教皇主義.
cab·a·lism 名 カバラの教理, カバラ主義.
ca·ciqu·ism 名 (スペイン, ラテンアメリカの)地方政界のボスによる統治.
Cae·sar·ism 名 専制 [独裁] 政治, 専制君主制.
caf·fe·in·ism 名 カフェイン中毒.
Cal·vin·ism 名 〘神学〙カルビニズム, カルビン主義.
Camp·bell·ism 名 〘神学〙キャンベリズム.
Ca·na·di·an·ism 名 カナダ(第一)主義.
can·na·bism 名 大麻中毒(症).
can·ni·bal·ism 名 共食い; 人肉嗜食(ししょく).
Can·non·ism 名 《米》下院議長の職権乱用.
Ca·nut·ism 名 《英》カヌート [クヌート] 的態度, 変化に抗しようとする頑固な企て.
Cao·da·ism 名 カオダイ教, 高台教.
cap·i·tal·ism 名 ☞
ca·pit·u·la·tion·ism 名 投降 [降伏] 主義.
ca·reer·ism 名 立身出世主義, 出世第一主義.
Car·ter·ism 名 カーター(第 39 代米国大統領)流.
Car·te·sian·ism 名 デカルト哲学 [数学]; デカルト主義.
Cas·tro·ism 名 Fidel Castro の主唱する理論.
cas·u·al·ism 名 〘哲学〙偶然論.
ca·tab·o·lism 名 〘生物〙〘生理〙異化作用, 分解代謝.
ca·tas·tro·phism 名 〘地質〙激変説, 天変地異説.
cat·e·chism 名 〘キリスト教〙教理 [信仰] 問答書.
Cath·a·rism 名 (キリスト教異端の)カタリ派.
Ca·thol·i·cism 名 ☞
cau·sa·tion·ism 名 因果論 [説].
Celt·i·cism 名 ケルト的習俗, ケルト風.
cen·tral·ism 名 中央集権主義 [制度].
cen·trism 名 (政治上の)中道主義.
-cen·trism 連結形 ☞
cer·e·mo·ni·al·ism 名 儀式尊重(主義); 形式主義.
char·la·tan·ism 名 はったり, 大ぼら; いんちき, ぺてん.
Chart·ism 名 チャーティスト [人民憲章] 運動.
chau·vin·ism 名 熱狂的愛国主義; ショービニスム.
chem·ism 名 化学作用.
chi·me·rism 名 〘生物〙キメラ現象.
Chris·tian·ism 名 キリスト教の信仰 [教義, 実践].
chro·mat·i·cism 名 〘音楽〙半音階音の使用.
chro·ma·tism 名 〘光学〙色(しき)収差.
-chro·ma·tism 連結形 ☞
-chro·nism 連結形 ☞
church·ism 名 教会儀式を固守すること, 教会主義.
Cic·e·ro·ni·an·ism 名 キケロの文体や論調の模倣.
ci·cis·be·ism 名 (特に 17 – 18 世紀にイタリアで行われた)cicisbeo を持つ風習.
cin·chon·ism 名 〘病理〙シンコナ中毒, キニーネ中毒.
civ·ism 名 《まれ》公民精神. ►フランス革命(1789)の時に革命精神の意で用いられた.
clad·ism 名 〘生物〙分岐論的分類法.
clas·si·cism 名 古代ギリシャ・ローマの文学・芸術の原則 [様式], 古典精神.
class·ism 名 階級主義. 階級的偏見; 階級差別.
cler·i·cal·ism 名 聖職権主義; 聖職権重視主義.
Clin·ton·ism 名 クリントン(第 42 代米国大統領)流.
cli·quism 名 徒党傾向, 派閥根性.
cloi·son·nism 名 〘美術〙クロイゾニズム.
co·a·li·tion·ism 名 (特に政治上の)連合 [連立] 主義.
Cob·den·ism 名 〘歴史〙コブデン主義.
co·cain·ism 名 〘病理〙コカイン中毒.
cock·ney·ism 名 ロンドン子の特性 [気質].
cog·ni·tiv·ism 名 〘哲学〙認知主義.

Col·bert·ism 名 コルベール主義.
col·lec·tiv·ism 名 〖政治〗集産主義.
col·lo·qui·al·ism 名 口語的表現; 方言的な言い回し.
Cólonel Blímpism 名 尊大で反動的な態度.
co·lo·ni·al·ism 名 植民地支配主義.
col·or·ism 名 肌の色による差別.
com·men·sal·ism 名 (動植物の)片利共生.
com·mer·cial·ism 名 コマーシャリズム, 営利 [商業] 主義.
com·mu·nal·ism 名 地方自治 [コミューン] 主義.
com·mun·ism 名 共産主義, コミュニズム.
Comt·ism 名 Comte の哲学; 実証主義哲学.
con·cep·tu·al·ism 名 〖哲学〗概念論.
con·cet·tism 名 変わった故事や珍奇な比喩の使用.
con·cret·ism 名 具体詩の理論 [実践].
con·fes·sion·al·ism 名 信条主義.
con·fig·u·ra·tion·ism 名 形態心理学, ゲシュタルト心理学.
Con·fu·cian·ism 名 孔子の教え, 儒教.
con·gre·ga·tion·al·ism 名 組合教会制.
con·nec·tion·ism 名 〖心理〗結合説.
con·se·quen·tial·ism 名 〖哲学〗結果主義.
con·serv·a·tism 名 保守的傾向, 保守性.
con·so·nant·ism 名 〖言語〗(ある特定言語の)子音体系.
con·sti·tu·tion·al·ism 名 立憲主義, 憲政擁護, 護憲主義.
con·struc·tiv·ism 名 〖美術〗構成主義.
con·sum·er·ism 名 〖経済〗消費者主義 [(保護)運動].
con·tex·tu·al·ism 名 (映画評論で)関連主義.
con·ti·nen·tal·ism 名 大陸式, 大陸風, (特に)ヨーロッパ大陸特有の表現.
con·ven·tion·al·ism 名 因習尊重 [固執], 慣例主義 [踏襲].
Co·per·ni·can·ism 名 コペルニクス地動説 [信奉].
Cop·per·head·ism 名 親南部主義.
cor·po·rat·ism 名 (都市・国家などの)協調組合主義.
cor·po·rat·iv·ism 名 =corporatism.
cos·mism 名 宇宙進化論, 宇宙論.
cos·mo·pol·i·tan·ism 名 世界主義; コスモポリタン気質.
cos·mop·o·lit·ism 名 =cosmopolitanism.
Cou·é·ism 名 クーエ療法: 自己暗示療法.
cre·a·tion·ism 名 特殊創造説.
cre·den·tial·ism 名 (雇用の際の)資格 [学歴] 偏重主義.
cre·tin·ism 名 〖病理〗クレチン病.
crit·i·cism 名 ☞
cro·ny·ism 名 《主に米》(特に官職の任命で)友人を引き立てること, 友人びいき.
cryp·tor·chi·dism 名 〖病理〗停留睾丸(こうがん).
cub·ism 名 〖美術〗立体主義, キュービズム.
cult·ism 名 (礼拝などに)熱中すること, 熱狂的な傾倒.
cu·ri·al·ism 名 バチカン [教皇絶対権] 主義.
cyn·i·cism 名 皮肉な性向; 皮肉癖; 皮肉な考え方.
Cyr·e·nai·cism 名 (古代ギリシャの)キレネ学派.
czar·ism 名 専制政治, 独裁政治, ツァーリズム.
dal·ton·ism 名 〖病理〗先天性(赤緑)色盲.
Dao·ism 名 =Taoism.
Dar·win·ism 名 ダーウィン説, ダーウィニズム.
dat·u·rism 名 チョウセンアサガオ中毒.
Deal·ism 名 =New Dealism.
de·con·struc·tiv·ism 名 脱構築, 非構成主義.
de·feat·ism 名 敗北主義(的行為).
de Gáull·ism 名 =Gaullism.
de·ism 名 デイズム, 理神論.
dem·a·gogu·ism 名 《主に米》(政治的)扇動, デマ.
de·moc·ra·tism 名 民主主義理論 [制度, 原理].
de·mon·ism 名 魔神 [鬼神] 信仰.
de·nom·i·na·tion·al·ism 名 分派 [派閥] 主義, 教派心; 名目主義.
de·part·men·tal·ism 名 (総合大学などの)専門部局化.
de·re·ism 名 〖心理〗デレイズム.
des·pot·ism 名 専制(政治), 独裁(政治).
de·ter·min·ism 名 ☞
de·vi·a·tion·ism 名 偏向.
de·vil·ism 名 魔性; 悪魔的振舞い; 悪魔崇拝.
de·vo·tion·al·ism 名 (宗教に)献身 [没頭] した状態.
di·ab·o·lism 名 〖神学〗悪魔信仰, 悪魔崇拝.
di·a·lec·ti·cism 名 方言; 方言の影響 [効果].
di·al·o·gism 名 対話式討論法.
di·as·tro·phism 名 〖地質〗地殻変動.
di·a·ton·i·cism 名 全音階法.
di·chro·ism 名 〖物理〗二色性.
dif·fu·sion·ism 名 〖人類〗伝播(でんぱ)説 [論].
dig·i·tal·ism 名 〖病理〗ジギタリス中毒症.
dil·et·tant·ism 名 ディレッタント風 [流].
di·plo·ma·ism 名 学歴偏重主義.
Dis·cor·di·a·nism 名 《ハッカー俗》ディスコルディア崇拝.
dis·eas·ism 名 病人 [病気] 差別, 病人を嫌うこと.
dis·pen·sa·tion·al·ism 名 天啓的史観.
dis·trib·u·tism 名 〖政治〗私有財産分配論, 土地均分論.
di·ver·sion·ism 名 政治的偏向.
di·vi·sion·ism 名 =pointillism.
Do·ce·tism 名 キリスト仮現説.
doc·tri·nair·ism 名 空理空論; 教条主義.
doc·trin·ism 名 《米》教義至上主義.
do·dec·a·pho·nism 名 〖音楽〗十二音音楽(技法).
dog·ma·tism 名 独断性; (根拠を欠いた)独断論.
do-good·ism 名 《通例軽蔑的》空想的社会改良主義.
Don·a·tism 名 〖キリスト教〗ドナトゥス派の教義.
Dón Jùanism 名 〖精神医学〗ドンファン症.
do-noth·ing·ism 名 無為無策主義; 計画的妨害政策.
Dra·co·ni·an·ism 名 ドラコン主義, 厳罰主義.
dram·a·tism 名 (演)劇的性格, 芝居がかったやり方.
dru·id·ism 名 ドルイド教(の儀式).
du·al·ism 名 二重性, 二元性.
dwarf·ism 名 〖医学〗侏儒(しゅじゅ)症, 小人症.
dy·na·mism 名 〖哲学〗力本説, 力動説.
dy·na·mit·ism 名 (違法行為, 特にテロを目的とする)ダイナマイト [爆発物] 使用.
dys·bar·ism 名 〖医学〗減圧症, 潜函(せんかん)病.
eb·ul·lism 名 〖医学〗体液沸騰.
ec·cle·si·as·ti·cism 名 キリスト教会の主義 [慣行, 伝統].
ech·o·ism 名 擬声 [擬音](語形成).
ec·lec·ti·cism 名 (建築・装飾芸術の)折衷主義.
e·con·o·mism 名 経済主義.
ec·tro·dac·tyl·ism 名 〖医学〗先天性指欠損症.
ec·u·men·i·cal·ism 名 世界教会運動の教義および実践.
ec·u·men·i·cism 名 =ecumenicalism.
ec·u·me·nism 名 世界教会主義.
Ed·ward·si·an·ism 名 J. Edwards の説いた修正カルビン主義.
e·go·ism 名 利己主義, 利己心, わがまま.
e·go·tism 名 自己中心癖, 自己吹聴(ふいちょう)癖.
El·e·at·i·cism 名 エレア学派哲学.
elec·tor·al·ism 名 《通例軽蔑的》有権者迎合主義.
El·gin·ism 名 エルギン式文化財盗み出し.
e·lit·ism 名 エリート主義; エリートによる支配.
E·lo·hism 名 エロヒム崇拝.
em·bo·lism 名 ☞
e·mo·tion·al·ism 名 情緒性, 感激性, 感情本位.
e·mo·tiv·ism 名 〖論理〗情緒理論.
em·pir·i·cism 名 (一般に)経験に基づく手法.
em·pi·rism 名 〖哲学〗経験論.
en·cy·clo·pe·dism 名 百科全書的知識.
en·er·gism 名 〖倫理〗エネルギズム, 活動主義.
Eng·lish·ism 名 (米語に対して)イギリス語法.
en·try·ism 名 破壊活動を目的として組織に加盟 [潜入] すること, 偽装加盟 [潜入].
en·vi·ron·men·tal·ism 名 環境説, 環境決定論.
e·on·ism 名 〖精神医学〗(男性の)服装倒錯.
Ep·i·cu·re·an·ism 名 〖哲学〗エピクロス主義 [哲学].
E·pis·co·pal·i·an·ism 名 =episcopalism.
e·pis·co·pal·ism 名 監督 [主教, 司教] 制主義.
E·ras·tian·ism 名 エラストゥス主義.
er·e·thism 名 〖医学〗過敏症.
er·got·ism 名 〖病理〗麦角 [エルゴチン] 中毒.
e·rot·i·cism 名 ☞
e·ro·tism 名 =eroticism.
e·ryth·rism 名 赤髪症, 赤羽症.

es·cap·ism 名 現実逃避(癖).
es·o·ter·i·cism 名 難解性, 深遠.
es·o·ter·ism 名 ＝esotericism.
Es·sen·ism 名 〔ユダヤ教〕エッセネ派, クムラン教団.
es·sen·tial·ism 名 〔教育〕エッセンシャリズム.
es·thet·i·cism 名 ＝aestheticism.
e·tat·ism 名 国家社会主義(state socialism).
eth·ni·cism 名 民族性重視(主義).
eu·de·mon·ism 名 〔倫理〕幸福説, 幸福主義.
eu·he·mer·ism 名 エウヘメロス(Euhemerus)の説.
eu·nuch·ism 名 去勢された状態, 宦官であること.
eu·nuch·oid·ism 名 〔病理〕類宦官(かんがん)症.
eu·phe·mism 名 婉曲(えんきょく)語法.
eu·phu·ism 名 ユーフュイズム, 誇飾体.
Eu·ro·pe·an·ism 名 ヨーロッパ的特質, 欧州風.
e·van·gel·i·cal·ism 名 福音主義.
e·van·ge·lism 名 福音の伝道［説教］.
ex·cep·tion·al·ism 名 例外論.
ex·clu·sion·ism 名 排他主義, 排外主義.
ex·clu·siv·ism 名 排他主義; 党派主義; 独占主義.
ex·em·plar·ism 名 〔神学〕範型論.
ex·hi·bi·tion·ism 名 (能力などの)誇示癖, 自己顕示癖.
ex·is·ten·tial·ism 名 〔哲学〕実存主義.
ex·li·brism 名 蔵書票収集.
ex·og·e·nism 名 外因性, 外来性.
ex·or·cism 名 悪霊を払うこと, 悪魔払い, 厄払い.
ex·ot·i·cism 名 外国［異国］趣味, 外国かぶれ.
ex·pan·sion·ism 名 (領土などの)拡張政策［主義］.
ex·pe·ri·en·tial·ism 名 〔認識論〕実験主義, 経験主義.
ex·per·i·men·tal·ism 名 実験主義, 実験的経験論.
ex·pert·ism 名 熟練, (特に)専門的知識［技術］.
Ex·pres·sion·ism 名 表現主義.
ex·ter·nal·ism 名 (特に宗教上の)形式尊重主義.
ex·trem·ism 名 (特に政治的に)極端に走る傾向, 極端な行為［思考］; 極端論, 過激主義.
ex·trop·i·an·ism 名 エクストロピー信奉主義.
Fa·bi·an·ism 名 フェビアン主義.
fa·cad·ism 名 ファサディズム: 都市の景観を損なわないように歴史的建物の正面を装飾的に保存しつつ新しく大きなビルに建て替える方式.
face·ism 名 容貌(ようぼう)による差別.
fac·tu·al·ism 名 事実重視［依存］, 事実絶対主義.
fair·y·ism 名 妖精らしさ, 妖精的性質, 魔性.
fal·li·bi·lism 名 〔哲学〕可謬(かびゅう)論.
fam·i·lism 名 〔社会〕家族主義.
fa·nat·i·cism 名 狂信, 熱狂; 狂信的［熱狂的］行為.
fan·tas·ti·cism 名 (特に文学・美術などの)怪奇幻想趣味.
fas·cism 名 ファシズム.
fa·tal·ism 名 諦観(ていかん), あきらめ.
fat·ty·ism 名 《話》太った人に対する差別.
fa·vism 名 〔病理〕ソラマメ中毒(症).
fa·vor·it·ism 名 偏愛; 情実, えこひいき.
fed·er·al·ism 名 連邦主義; 連邦制度.
fem·i·nism 名 男女同権主義(論).
fem·me·nism 名 フェメニズム: 男性によるフェミニズム実践.
Fe·ni·an·ism 名 (アイルランド民族派の)フェニアン団.
fet·ich·ism 名 呪物(じゅぶつ)崇拝; フェティシズム.
fet·ish·ism 名 ＝fetichism.
feu·dal·ism 名 封建制度, 封建主義, 封建組織.
fi·de·ism 名 信仰主義.
Fi·del·ism 名 ＝Castroism.
fi·nal·ism 名 〔哲学〕究極目的論.
fi·nit·ism 名 〔哲学〕有限論［主義］.
Fletch·er·ism 名 フレッチャー式食事法.
Fo·ïsm 名 (中国に伝来した)仏教.
folk·lor·ism 名 民間伝承研究, 民俗学; 民間伝承.
food·ie-ism 名 《話》食い道楽.
for·eign·ism 名 外国の風習［風俗］.
for·mal·ism 名 《しばしば軽蔑的》(極端な)形式主義.
for·mu·lism 名 定式［公式］の固守, 方式［公式］主義.
for·tu·i·tar·i·an·ism 名 自然死・事故死した動物と自然落果のみを食用にする主義.
for·tu·i·tism 名 〔哲学〕偶然論［説］.
foun·da·tion·al·ism 名 既定事実を頭から正しいと決めてかかる考え方.
Fou·ri·er·ism 名 フーリエ主義.
Free-Soil·ism 名 〔米史〕自由土地党［派］.
Freud·i·an·ism 名 フロイトの精神分析理論.
func·tion·al·ism 名 〔主に建築〕〔家具〕機能主義.
fun·da·men·tal·ism 名 根本主義.
fu·sion·ism 名 〔政治〕(政党・党派の)連合主義.
fu·tur·ism 名 〔美術〕未来派.
Ga·len·ism 名 ガレノス式医術.
Gal·li·can·ism 名 ガリア主義, ガリカニズム.
Gal·li·cism 名 〔言語〕ガリシズム.
gal·va·nism 名 〔電気〕ガルバーニ電気, 直流電気.
Gan·dhi·ism 名 ガンジー主義, 非暴力的抵抗主義.
gang·ster·ism 名 ギャング的［暴力, 脅迫］行為.
gar·goyl·ism 名 〔病理〕脂肪軟骨ジストロフィー.
Gaull·ism 名 (フランスの)ド・ゴール主義.
gen·der·ism 名 性差別(主義).
gen·teel·ism 名 上品な振る舞い; お上品言葉.
gen·til·ism 名 《廃》(特に)異教(風), 異教精神.
ge·o·cen·tri·cism 名 地球中心説, 天動説.
Ge·phardt·ism 名 ゲップハート(米国民主党下院議員)流.
Ger·man·ism 名 ドイツ語風言い回し［表現］.
ghet·to·ism 名 少数民族の集中居住, スラム化.
gi·ant·ism 名 〔病理〕＝gigantism.
gi·gan·tism 名 〔病理〕巨大症, 巨大発育, 巨人症.
Gin·grich·ism 名 ギングリッチ(米国共和党下院議員)流.
glob·al·ism 名 世界的干渉主義, 全世界主義, 世界化.
Gnos·ti·cism 名 グノーシス主義.
go-ahead·ism 名 進取の気性.
Gold·wyn·ism 名 ゴールドウィニズム, Samuel Goldwyn 流の言い回し.
Gon·go·rism 名 ゴンゴリズム: スペインの詩人 Góngora y Argote 風の文体.
Gore·ism 名 ゴア(クリントン政府の副大統領)流.
Goth·i·cism 名 ゴシック様式.
gov·ern·men·tal·ism 名 〔政治〕政府主導［権限拡大］主義.
grad·u·al·ism 名 漸進主義.
gram·mat·i·cism 名 《まれ》文法上の項目［原則］.
Gre·cism 名 (芸術などに現れた)ギリシャ精神.
group·ism 名 集団への順応［同化］.
Grun·dy·ism 名 上品ぶった因襲固執, 過度の因襲尊重.
Ham·il·to·ni·an·ism 名 〔政治〕ハミルトン主義.
hand·i·cap·ism 名 障害者差別(主義).
hand·ism 名 利き手による差別［区別］.
hard·hat·tism 名 《米》保守反動主義.
Has·i·dism 名 〔ユダヤ教〕ハシディズム.
hawk·ism 名 対外強硬［タカ派］政策.
hea·then·ism 名 異教［邪教］の信仰.
He·bra·ism 名 ヘブライ語風表現［語法］.
He·brew·ism 名 ＝Hebraism.
he·don·ism 名 ヘドニズム, 快楽主義［説］.
He·gel·i·an·ism 名 ヘーゲル哲学［主義］.
he·gem·o·nism 名 覇権主義.
height·ism 名 (特に女性が男性を選ぶ際に)背の高い人を好むこと［態度］.
Hel·len·ism 名 ヘレニズム.
hel·ot·ism 名 (古代ラコニアなどの)農奴制度.
Her·a·cli·te·an·ism 名 ヘラクレイトス哲学.
her·maph·ro·dism 名 ＝hermaphroditism.
her·maph·ro·dit·ism 名 雌雄同体性［現象］.
Her·met·i·cism 名 (Hermes Trismegistus の)神秘的教理, 秘伝, 秘法.
her·o·ism 名 英雄的資質; 壮烈, 勇壮, 武勇.

he·tae·rism 名 内縁関係, 同棲(どうせい).
het·er·o·au·to·troph·ism 名 〘植物〙異型独立栄養.
het·er·oe·cism 名 〘生物〙異種寄生.
Hi·ber·ni·cism 名 アイルランド英語に特有の語法.
hi·er·ar·chism 名 階層制の組織 [原理, 主義].
Hil·la·ry·ism 名 ヒラリー(クリントン大統領夫人)流.
Hin·doo·ism 名 =Hinduism.
Hin·du·ism 名 ヒンドゥー教.
hip·py·ism 名 ヒッピー主義.
hip·ster·ism 名 進んでいること.
hir·sut·ism 名 〘医学〙(特に女性の)多毛症.
His·pan·i·cism 名 スペイン語風表現 [語法].
his·pa·nism 名 ヒスパニズム, スペイン主義.
his·tor·i·cism 名 歴史主義.
Hit·ler·ism 名 ヒトラー主義, ドイツ国家社会主義.
Hob·bism 名 ホッブズ(Hobbes)の哲学.
ho·bo·ism 名 浮浪生活.
ho·lism 名 〘哲学〙全体論, ホーリズム.
Hol·ly·wood·ism 名 ハリウッド映画独特の言い回し.
hoo·doo·ism 名 ブードゥー教(voodoo)の儀式.
hoo·li·gan·ism 名 無法な蛮行; ごろつきかたぎ.
Hop·kins·i·an·ism 名 〘神学〙ホプキンズ主義.
hos·pi·tal·ism 名 患者に悪影響を与える病院の状態.
huck·ster·ism 名 押し売り, 強引な手段を用いること.
Hu·gue·not·ism 名 (フランスプロテスタントの)ユグノー
hu·man·ism 名 ヒューマニズム, 人間 [人文] 主義.
hu·man·i·tar·i·an·ism 名 人道 [博愛] 主義.
Hum·ism 名 ヒューム主義 [哲学(説)].
Huss·it·ism 名 〘キリスト教〙(チェコの)フス派.
hy·brid·ism 名 雑種 [交配種] であること, 雑種性.
hy·drar·gy·rism 名 〘病理〙水銀中毒(症).
hy·lo·zo·ism 名 〘哲学〙物活論.
hy·per·al·do·ster·o·nism 名 〘病理〙=aldosteronism.
hy·per·bo·lism 名 誇張法(hyperbole)の使用.
hy·per·di·a·lect·ism 名 〘言語〙過剰方言使用 [形].
hy·per·in·su·lin·ism 名 〘病理〙過インシュリン症.
hy·per·par·a·thy·roid·ism 名 〘病理〙副甲状腺機能亢進(こうしん)(症).
hy·per·pi·tu·i·ta·rism 名 〘病理〙脳下垂体機能亢進(こうしん)(症).
hy·per·splen·ism 名 〘病理〙脾機能亢進症.
hy·per·thy·roid·ism 名 〘病理〙甲状腺(せん)機能亢進(こうしん).
hyp·no·tism 名 催眠 [睡眠] 学, 催眠 [睡眠] 研究.
hy·po·a·dre·nal·ism 名 〘病理〙副腎(ふくじん)不全, 副腎皮質機能低下症.
hy·poc·o·rism 名 愛称(pet name).
hy·po·cri·nism 名 〘病理〙腺分泌不足症.
hy·po·gon·ad·ism 名 〘病理〙生殖腺機能減退(症).
hy·po·par·a·thy·roid·ism 名 〘病理〙副甲状腺機能不全.
hy·po·pha·lan·gism 名 短指症, 減指骨症.
hy·po·pi·tu·i·ta·rism 名 〘病理〙(脳)下垂体(前葉)機能不全.
hy·po·thy·roid·ism 名 〘病理〙甲状腺(せん)機能減退.
Ib·sen·ism 名 (劇の)イプセン的手法.
i·con·ism 名 (崇拝対象として)偶像を用いること.
i·de·al·ism 名 理想主義, 〘哲学〙観念論.
i·de·ol·o·gism 名 教条主義.
id·i·ot·ism[1] 名 愚行, 愚かな言動.
id·i·ot·ism[2] 名 《廃》成句, 慣用句, 熟語.
i·dol·ism 名 偶像礼拝, 偶像崇拝.
il·lu·mi·nism 名 光明会(Illuminati)の主義 [教義].
il·lu·sion·ism 名 (目を惑わすための)だまし絵技法.
im·ag·ism 名 〘文学〙イマジズム.
im·ma·nent·ism 名 〘神学〙内在論 [説].
im·me·di·a·tism 名 〘米史〙即時奴隷制廃止論.
im·mer·sion·ism 名 〘キリスト教〙浸礼主義.
im·mo·bi·lism 名 (政治・企業活動の)現状維持政策.
im·mor·al·ism 名 〘哲学〙背徳主義.
im·pe·ri·al·ism 名 ☞
im·per·son·al·ism 名 非人格主義.
im·pos·si·bi·lism 名 社会改革不可能論.
im·pres·sion·ism 名 〘美術〙〘音楽〙印象主義.
in·cen·di·a·rism 名 火付け, 放火.
in·clu·siv·ism 名 〘神学〙包括主義.
in·cre·men·tal·ism 名 (社会的・政治的な)漸進主義.
In·di·an·ism 名 アメリカインディアン(文化)復興運動 [政策].
in·dif·fer·ent·ism 名 無関心主義.
in·di·vid·u·al·ism 名 個人主義.
in·dus·tri·al·ism 名 産業 [工業] 主義.
in·fal·li·bi·lism 名 〘ローマカトリック〙教皇無謬説.
in·fan·ti·lism 名 幼稚症.
in·fla·tion·ism 名 通貨膨張論; インフレ政策.
in·fu·sion·ism 名 〘神学〙霊魂注入説.
in·i·tial·ism 名 〘言語〙頭文字語(acronym).
in·sti·tu·tion·al·ism 名 (社会・慈善事業などのための)組織.
in·stru·men·tal·ism 名 〘哲学〙道具主義.
in·te·gral·ism 名 〘政治〙インテグラリズム.
in·tel·lec·tu·al·ism 名 知的追求への専念 [傾倒].
in·ten·siv·ism 名 (狭い地域での)集中畜産(飼育).
in·ter·ac·tion·ism 名 〘哲学〙相互影響論 [作用説].
in·te·ri·or·ism 名 〘哲学〙内観主義.
in·ter·ven·tion·ism 名 (他国の内政や自国の経済に対する)干渉主義.
In·ti·mism 名 〘美術〙アンティミスム.
in·tra·pre·neu·ri·al·ism 名 企業内事業推進主義.
in·tra·pre·neur·ism 名 =intrapreneurialism.
in·tro·spec·tion·ism 名 〘心理〙内観 [内省] 主義.
in·tu·i·tion·al·ism 名 =intuitionism.
in·tu·i·tion·ism 名 〘倫理〙直覚説.
in·tu·i·tiv·ism 名 (倫理的)直覚説.
in·va·lid·ism 名 (長期にわたる)病弱, 病身, 虚弱.
i·o·dism 名 〘病理〙ヨード [ヨウ素] 中毒(症).
I·ri·cism 名 《古》=Irishism.
I·rish·ism 名 アイルランド風; アイルランド語法.
Ish·ma·el·it·ism 名 (聖書の)イシュマエル族の気質.
Íslam fundaméntalism 名 イスラム原理主義.
Is·lam·ism 名 イスラム教(信仰); イスラム文化.
i·so·la·tion·ism 名 孤立主義(政策).
i·som·er·ism 名 ☞
i·sos·ter·ism 名 〘化学〙等(配)電子性.
I·tal·ian·ism 名 イタリア風 [式]; イタリア語法.
I·tal·i·cism 名 イタリア風 [式], (特に)イタリア語法.
i·vo·ry-tow·er·ism 名 超俗 [脱俗] (主義), 非現実的態度.
Jack·son·ism 名 ジャクソン主義.
Jac·o·bin·ism 名 〘仏史〙ジャコバン主義.
Jac·o·bit·ism 名 〘英史〙ジャコバイト主義.
Jah·vism 名 =Yahwism.
Jain·ism 名 ジャイナ教, 耆那(じゃな)教.
Jan·sen·ism 名 〘キリスト教〙ジャンセニズム.
Ja·pan·ism 名 (芸術・様式などの)日本式 [風].
Jap·o·nism 名 =Japanism.
Jen·sen·ism 名 ジェンセン主義.
Jes·u·it·ism 名 イエズス会の教説.
Jím Crówism 黒人差別(政策)(Jim Crow).
jin·go·ism 名 好戦的愛国精神 [主義].
Jóhn Búllism 名 英国人気質(Bullism).
jour·nal·ism 名 ☞
Juan·ism 名 〘教会〙洗礼.
Ju·da·ism 名 ユダヤ教.
jun·gl·ism 名 (ダンス音楽の)ジャングルミュージックと結びついた文化.
Jun·ker·ism 名 ユンカー主義.
kai·ser·ism 名 (kaiser 的な)独裁支配.
Kant·i·an·ism 名 カント哲学.
Ka·ra·ism 名 〘ユダヤ教〙カライ派.
ka·tab·o·lism 名 =catabolism.
Keynes·ian·ism 名 ケインズ(経済)学派.
ki·net·i·cism 名 運動性, 運動状態.
Klan·ism 名 =Ku kluxism.
Klux·ism 名 =Ku kluxism.
Krish·na·ism 名 〘ヒンドゥー教〙クリシュナ崇拝.
Kú klúxism 名 Ku Klux Klan の主義 [説, 行動].
la·bi·al·ism 名 〘音声〙唇音化傾向.
La·bor·ism 名 労働者階級の政治経済支配(を主張する政治理論).
lac·o·nism 名 《まれ》表現の簡潔さ; 簡明な表現.
la·i·cism 名 世俗主義, 俗人主義.
La·ma·ism 名 ラマ教.
La·marck·ism 名 ラマルク説, 用不用説.

land·lord·ism 名 地主制度.
lath·y·rism 名 〔病理〕ラチリスム.
lat·i·fun·dism 名 大土地所有.
Lat·in·ism 名 ラテン語風［語法］.
Laud·i·an·ism 名 ロード主義.
lax·ism 名 〔ローマカトリック〕緩和説.
le·gal·ism 名 法律尊重［万能］主義.
Le·nin·ism 名 レーニン主義.
les·bi·an·ism 名 女性の同性愛.
let·trism 名 〔文学〕レトリスム, 文字主義.
lib·er·al·ism 名 (行動・立場などが)寛大なこと.
lib·er·a·tion·ism 名 《英》国教廃止論.
Li·ber·man·ism 名 〔経済〕リーベルマン主義.
lib·er·tin·ism 名 放蕩, 道楽, 身持ちの悪さ.
li·chen·ism 名 地衣化.
li·on·ism 名 花形をもてはやすこと.
Lis·ter·ism 名 リスター無菌手術［消毒］法.
lit·er·al·ism 名 文字どおりに解すること, 直訳主義.
lit·er·ar·ism 名 文学［人文学］重視(の態度).
lob·by·ism 名 《主に米》〔政治〕陳情団活動方式; 院外運動.
lo·cal·ism 名 (話し方・語法・語句などの)地方色.
Lo·co·fo·co·ism 名 〔米史〕ロコフォコ主義.
lo·co·ism 名 〔獣病理〕ロコ病, ロコ草中毒.
log·i·cism 名 〔論理〕〔数学〕論理主義.
Lol·lard·ism 名 〔キリスト教〕(英国の)ロラード派.
Lon·don·ism 名 ロンドン風の習慣; ロンドン訛り.
look·ism 名 容ぼうによる差別.
Lud·dit·ism 名 **1** 19 世紀のラッダイト主義. **2** (一般に)機械化［合理化］反対主義.
lu·min·ism 名 〔美術〕ルミニズム.
Lu·ther·an·ism 名 ルター主義.
Lu·ther·ism 名 ＝Lutheranism.
lyr·i·cism 名 リリシズム, 叙情性, 叙情詩風［体］.
lyr·ism 名 ＝lyricism.
Ly·sen·ko·ism 名 〔生物〕ルイセンコ学説.
Mach·i·a·vel·lism 名 マキアベリ主義, マキアベリズム.
Ma·gi·an·ism 名 ＝Zoroastrianism.
mag·net·ism 名 ☞
Mah·dism 名 Mahdi 降臨を信じる信仰.
Ma·jor·ism 名 メイジャー(英国前首相)の政策.
ma·jor·i·tar·i·an·ism 名 多数決主義.
mal·a·prop·ism 名 音が類似した語のこっけいな誤用.
ma·lism[1] 名 現世悪世説.
ma·lism[2] 名 男性中心主義, 男権主張.
Mal·thu·sian·ism 名 マルサス主義［学説］.
mam·mon·ism 名 拝金主義, 金銭至上主義.
Man·i·chae·an·ism 名 ＝Manichaeism.
Man·i·chae·ism 名 マニ教.
ma·nism 名 マニズム, 霊魂崇拝, 祖霊崇拝.
man·ner·ism 名 (言動などの)癖, 特徴; マンネリズム.
ma·no·ri·al·ism 名 (中世の)荘園制, 荘園制度.
man·u·al·ism 名 手話主義, 手話法.
Mao·ism 名 毛沢東思想［主義］.
Mar·cion·ism 名 〔神学〕マルキオン主義.
Mar·i·an·ism 名 〔神学〕マリア(中心)主義.
Ma·ri·nism 名 (Giambattista Marini の詩のように)とりわけ奇抜で技巧的な文体.
Mar·ran·ism 名 Marrano 特有の慣習［教義, 状態］.
Marx·ism 名 マルキシズム, マルクス主義.
Márx-Léninism 名 マルクスレーニン主義.
mas·och·ism 名 〔精神医学〕マゾヒズム, 被虐症.
ma·te·ri·al·ism 名 ☞
Maz·da·ism 名 ＝Zoroastrianism.
Mc·Car·thy·ism 名 〔米史〕マッカーシズム.
mech·an·ism 名 ☞
me·cism 名 〔病理〕身体の一部分が異常に長くなること.
me·di·e·val·ism 名 中世の精神［慣習, 流儀］.
me·ism 名 ミーイズム, 自分主義.
mel·a·nism 名 〔人類〕黒性.
mel·io·rism 名 〔哲学〕改善説, メリオリズム.
Men·del·ism 名 〔生物〕メンデル学説.
Men·she·vism 名 〔ロシア史〕メンシェビキ主義.
men·tal·ism 名 〔哲学〕唯心論.
mer·can·til·ism 名 商業主義, 営利主義; 商人根性.
mer·ce·nar·ism 名 傭兵(ようへい)制度.
mer·cu·ri·al·ism 名 〔病理〕水銀中毒.
mes·mer·ism 名 〔心理〕動物磁気催眠(術).
mes·o·dont·ism 名 〔歯科〕中歯型を持つ状態.
mes·si·a·nism 名 メシア信仰.
me·tab·o·lism 名 〔生物〕〔生理〕物質交代, (新陳)代謝.
me·tam·er·ism 名 〔動物〕体節形成.
met·a·so·ma·tism 名 〔地質〕交代作用.
me·te·or·ism 名 〔病理〕鼓腸, 腹部膨張.
Meth·od·ism 名 メソジスト教徒の教義.
me-too·ism 名 《俗》模倣［追従］主義.
Mi·chu·rin·ism 名 ミチューリン農法.
mi·cro·phon·ism 名 〔電子工学〕マイクロフォニック効果.
mil·i·ta·rism 名 軍人精神; 武断政策.
mil·len·ni·al·ism 名 千年至福［王国］説.
mim·e·tism 名 まねること, 物まね, 模倣.
min·i·mal·ism 名 〔音楽〕ミニマリズム.
mi·sog·y·nism 名 女嫌い, 女性不信.
mis·o·ne·ism 名 新しい物［改革］嫌い, 保守主義.
Mith·ra·ism 名 ミトラ教.
mith·ri·da·tism 名 ミトリダート法: 耐毒性を得る方法.
mod·er·at·ism 名 (政治・宗教の)穏健主義.
mod·ern·ism 名 現代［近代］的性格, 現代［近代］風.
Mo·ham·med·an·ism 名 イスラム教(Islam).
Moh·ism 名 墨家の思想.
Mo·hock·ism 名 〔英史〕モーホク団.
Mo·ism 名 ＝Mohism.
Mo·li·nism 名 〔神学〕モリニズム.
mom·ism 名 《米》モミズム, 母親中心主義.
mon·a·chism 名 ＝monasticism.
mon·ad·ism 名 〔哲学〕単子論, モナド論.
Mo·nar·chi·an·ism 名 〔神学〕単一神論, モナルキア主義.
mon·ar·chism 名 君主制の原理.
mo·nas·ti·cism 名 修道院制度; 修道院生活.
mon·er·gism 名 〔神学〕単働説.
mon·e·ta·rism 名 〔経済〕マネタリズム.
Mon·go·li·an·ism 名 ＝mongolism.
mon·gol·ism 名 《俗に》〔病理〕ダウン症候群.
mon·ism 名 〔哲学〕一元論.
mo·nog·e·nism 名 人類単一起源説.
mo·nop·o·lism 名 独占状態, 専売制度, 独占主義.
mon·o·psy·chism 名 〔心霊〕心霊一元説, 一霊説.
Mon·roe·ism 名 〔米史〕モンロー主義.
Mon·ta·nism 名 〔キリスト教〕モンタノス主義.
Moon·ism 名 統一原理運動. ►教祖 Sun Myung Moon の名から.
mor·al·ism 名 教訓主義, 説教癖; 説法.
Mor·mon·ism 名 モルモン教徒.
mo·ron·ism 名 〔心理〕軽度精神薄弱.
mor·phin·ism 名 〔病理〕慢性モルヒネ中毒.
-mor·phism 連結形 ☞
mo·sa·i·cism 名 〔生物〕モザイク現象.
Mos·lem·ism 名 イスラム教.
Mu·ham·mad·an·ism 名 イスラム教(Islam).
mul·ti·cul·tur·al·ism 名 多文化, いくつかの異文化の併存.
mul·ti·lat·er·al·ism 名 多角主義.
mul·ti·na·tion·al·ism 名 多国籍企業設立［経営］.
mul·ti·ra·cial·ism 名 〔社会〕多民族平等［共存］主義.
mul·ti·tu·di·nism 名 多数福利主義.
Mun·dell·ism 名 〔経済〕マンデリズム.
mu·nic·i·pal·ism 名 市制［地方自治］主義; (一般に)市制.
mu·ral·ism 名 (メキシコ)壁画運動.
Mu·rid·ism 名 イスラム復興運動.
mut·ism 名 〔精神医学〕緘黙(かんもく)症, 無言症.
mu·tu·al·ism 名 〔生物〕相利［双利］共生.
my·al·ism 名 西インド諸島の黒人が行う魔術の一種.
my·ce·tism 名 キノコ中毒.
mys·ti·cism 名 神秘主義者の信仰［観念］.
myth·i·cism 名 神話的解釈.

Na·der·ism 名 消費者(保護)運動. ►消費者運動の指導者 R. Nader の名から.
na·nism 名 〖医学〗小人(こびと)症.
Na·po·le·on·ism 名 ナポレオン的専制政治.
nar·cis·sism 名 自己愛, 自愛.
nar·co·tism 名 麻薬[睡眠薬]常用; 麻薬中毒.
na·tion·al·ism 名 ☞
na·tiv·ism 名 《米》移民排斥主義[政策].
nat·u·ral·ism 名 〖文学〗自然主義.
Na·zi·ism 名 =Nazism.
Naz·i·rit·ism 名 (古代ヘブライの)ナジル人(じん).
Na·zism 名 ナチズム, ドイツ国家社会主義.
ne·ces·si·tar·i·an·ism 名 必然論, 決定論, 宿命論.
neg·a·tiv·ism 名 否定的[悲観的]な態度.
Ne·gro·ism 名 黒人主義.
ne·o·i·sm 名 新しい思想[政策], 革新的な考え.
ne·ol·o·gism 名 新(造)語(句); (在来語の)新用法.
Neo·pla·to·nism 名 新プラトン主義.
ne·ot·er·ism 名 言語上の革新.
neph·a·lism 名 完全禁酒主義.
nep·o·tism 名 (事業・政治などでの)縁故者びいき.
Nes·to·ri·an·ism 名 〖キリスト教〗ネストリウス派.
neu·rot·i·cism 名 神経症的傾向.
neu·tral·ism 名 (外交問題で)中立主義, 中立政策.
Néw Déalism 名 〖米史〗ニューディール主義.
New·man·ism 名 〖神学〗ニューマン説.
nice-nel·ly·ism 名 《米・カナダ話》お上品ぶること.
nic·o·tin·ism 名 ニコチン中毒.
Nie·tzsche·ism 名 ニーチェ哲学.
ni·hil·ism 名 ニヒリズム, 虚無主義.
Nix·o·nism 名 ニクソン(第 37 代米国大統領)流.
noc·tam·bu·lism 名 夢中歩行, 夢遊病(somnambulism).
nom·i·nal·ism 名 (中世哲学で)唯名論, 名目論.
no·mism 名 〖宗教〗律法(厳守)主義.
non-ism 名 ノンイズム: 健康に悪い食品, 薬などを使用しない主義.
Nor·di·cism 名 北欧ゲルマン系であること.
Nor·man·ism 名 ノルマン的特質; ノルマン人びいき.
nów-nów·ism 名 目先中心主義[思考].
nu·cle·ar·ism 名 核保有主義.
nud·ism 名 裸体主義, ヌーディズム.
ob·jec·tiv·ism 名 客観主義.
Ob·lo·mov·ism 名 怠惰, 無気力; オブローモフ的生活. ►ロシアの Ivan Goncharov の小説 *Oblomov* の主人公から.
ob·scu·rant·ism 名 反啓蒙主義, 蒙昧(もうまい)主義.
ob·so·let·ism 名 廃れた習慣; (語・表現の)廃用.
oc·ca·sion·al·ism 名 〖哲学〗偶因論, 機会原因論.
Oc·ci·den·tal·ism 名 西洋精神[文化], 西洋風, 西洋趣味.
oc·cult·ism 名 オカルティズム, 神秘学(研究).
Ock·er·ism 名 《豪》(労働者の)独りよがりの反抗. ►オーストラリア人のがさつさを言い表した語.
of·fi·cial·ism 名 お役所風, 官庁的形式主義.
old-boy·ism 名 同窓の連帯, 学閥主義.
Óld Guárdism 政治上の保守主義.
o·nan·ism 名 (膣外射精のための)性交中断; オナニー, 手淫.
on·tol·o·gism 名 〖神学〗本体論主義.
op·er·a·tion·al·ism 名 〖哲学〗操作主義.
op·er·a·tion·ism 名 =operationalism.
o·pi·um·ism 名 アヘン中毒(症状).
op·por·tun·ism 名 日和見[御都合]主義.
op·ti·mism 名 楽天[楽観]主義, 楽観.
o·ral·ism 名 口話主義, 口話法: 難聴者のコミュニケーションを専ら読唇術と発話訓練によって行おうとする理念および指導法.
Or·ange·ism 名 オレンジ党の主義[運動].
or·gan·i·cism 名 〖哲学〗有機体説.
or·gan·ism 名 ☞
O·ri·en·tal·ism 名 東洋人の特殊性, 東洋風.
or·na·men·tal·ism 名 オーナメンタリズム, 装飾主義.
Or·phism 名 〖哲学〗オルフェウス教.
Or·well·ism 名 (宣伝のための)事実の歪曲や操作.
os·tra·cism 名 (多数の同意による社会的な)追放.
o·vism 名 〖生物〗卵子論.
Ow·en·ism 名 オーエニズム, オーエン主義.
pa·cif·i·cism 名 《英》=pacifism.
pac·i·fism 名 戦争反対, 暴力否定.
pa·gan·ism 名 異教精神, 異教徒の信仰.
Pais·ley·ism 名 〖英政治〗ペイズリー運動.
Pal·la·dian·ism 名 (英国建築の)パラディオ主義.
pal·u·dism 名 〖病理〗マラリア.
Pan-Af·ri·can·ism 名 汎アフリカ主義.
Pan-Amer·i·can·ism 名 汎アメリカ主義.
Pan-Ar·ab·ism 名 汎アラブ主義.
Pan-A·sian·ism 名 汎アジア主義.
pan·cos·mism 名 〖哲学〗汎宇宙論.
Pan-Ger·man·ism 名 (特に 19 世紀の)汎ゲルマン主義.
pan·lo·gism 名 〖哲学〗汎論理主義, 汎理論.
pan·psy·chism 名 〖哲学〗汎心論.
pan·soph·ism 名 汎知主義.
Pan·tag·ru·el·ism 名 パンタグリュエル主義.
Pan·ther·ism 名 (米国の)黒豹党(Black Panther)の信条(の実践).
pa·pal·ism 名 教皇中心主義; 教皇制支持.
pap·ism 名 《通例軽蔑的》ローマ教皇制; ローマカトリック教.
par·al·lel·ism 名 平行位置[関係].
pa·ral·o·gism 名 〖論理〗誤謬(ごびゅう)推理, 背理.
par·a·sit·ism 名 〖生物〗寄生.
par·a·sit·oid·ism 名 〖生物〗捕食寄生, 擬寄生.
par·kin·son·ism 名 〖病理〗パーキンソン病.
par·lia·men·tar·i·an·ism 名 議会政治主義[制度].
pa·ro·chi·al·ism 名 小教区制度, 教区制; 小教区の特色.
Par·see·ism 名 パールシー教; その教徒の慣習.
Par·si·ism 名 =Parseeism.
par·tic·u·lar·ism 名 個別主義, 排他主義.
par·ti·san·ism 名 徒党的行動; 党派心.
par·ty·ism 名 党派心, 派閥根性.
pas·siv·ism 名 受動的であること, 受動性.
pas·teur·ism 名 パスツール法(Pasteur treatment).
pas·to·ral·ism 名 牧畜(文化), 遊牧(生活).
pa·ter·nal·ism 名 父子主義, 温情主義, 父親的干渉.
pa·tri·ar·chal·ism 名 家長[族長]政治制[主義].
pa·tri·ot·ism 名 愛国心, 愛国, 憂国.
Pat·ri·pas·si·an·ism 名 〖キリスト教〗天父[聖父]受難説.
Paul·in·ism 名 パウロ主義.
pau·per·ism 名 貧窮, 赤貧, 貧困状態.
ped·a·gog·ism 名 教師気質, 教育者気取り.
pe·dan·ti·cism 名 学者物知りぶること, 衒学.
pe·des·tri·an·ism 名 徒歩, 徒歩旅行; 徒歩主義.
Péeping Tómism 名 =voyeurism.
Pe·la·gi·an·ism 名 〖キリスト教〗ペラギウス派.
Pel·man·ism 名 ペルマン式記憶術[法].
pen·ta·ton·ism 名 〖音楽〗五音音階書法.
Pen·te·cos·tal·ism 名 聖霊降臨運動: 20 世紀初頭, 米国ロサンゼルスに起こった聖霊派の一つ.
per·fec·tion·ism 名 〖哲学〗完全論.
Per·i·pa·tet·i·cism 名 〖哲学〗ペリパトス[逍遥]学派.
pe·riph·er·al·ism 名 〖心理〗末梢(まっしょう)主義.
per·mis·siv·ism 名 (性や道徳上の規制に関して)寛大なこと, 寛大主義(permissiveness).
Pe·ro·nism 名 ペロン主義.
Pe·ro·tism 名 ペロー(1992, 96 年無所属米国大統領候補)流.
per·son·al·ism 名 人格主義.
per·spec·tiv·ism 名 〖哲学〗遠近法主義.
pes·si·mism 名 悲観, 厭世(えんせい).
Pe·trarch·ism 名 ペトラルカ詩風.
Pe·trin·ism 名 ペテロ神学.
pe·yot·ism 名 ペヨティズム: 北米インディアンのキリスト教.

phal·an·ste·ri·an·ism 名 ファランステール主義.
phal·li·cism 名 男根［生殖器］崇拝.
Phar·i·sa·ism 名 パリサイ派の教義および慣習.
phe·nom·e·nal·ism 名 【哲学】現象論, 現象主義.
phe·nom·e·nism 名 ＝phenomenalism.
-phi·li·sm 連結形 ☞
phi·los·o·phism 名 えせ［いかさま, いんちき］哲学.
phos·pho·rism 名 【病理】（慢性）リン中毒.
pho·tism 名 【心理】視覚性共感覚.
pho·to·pe·ri·od·ism 名 【生物】光周性, 光周期現象.
phys·i·cal·ism 名 【哲学】物理主義.
pi·a·nism 名 ピアニズム：ピアノ演奏技巧［様式］.
Pick·wick·i·an·ism 名 Pickwick 流の陳述［表現, 言葉など］.
pic·to·ri·al·ism 名 【美術】（分かりやすいまたは具体的な）絵を描く［用いる］こと.
Pi·e·tism 名 敬虔(けいけん)派.
Pil·ger·ism 名 ピルジャー式ジャーナリズム.
pla·gia·rism 名 剽窃(ひょうせつ), 盗作, 盗用.
Pla·to·nism 名 プラトン哲学.
ple·och·ro·ism 名 多色性.
Plo·ti·nism 名 【哲学】プロティノス学派.
plum·bism 名 【病理】鉛中毒(lead poisoning).
plu·ral·ism 名 【哲学】多元論.
plu·to·nism 名 【地質】深成活動.
po·et·i·cism 名 陳腐な［不自然な］詩的表現.
poin·til·lism 名 【絵画】点描画法.
pol·y·dae·mon·ism 名 多くの悪霊への信仰［崇拝］.
po·lyg·e·nism 名 多原説, 多元論.
po·lym·er·ism 名 【生物】＝polymorphism.
pol·y·mor·phism 名 多形：さまざまな形を有すること.
pol·y·syl·lo·gism 名 【論理】連結推理, 複合三段論法.
pol·y·syn·the·sism 名 種々な要素の総合.
pop·ism 名 《話》【美術】ポップアート.
Pop·lar·ism 名 《英》貧民救済税政策. ►政策が実施された場所の地名 Poplar から.
Pop·u·lism 名 【米史】人民党の主義・政策.
po·rism 名 【数学】不定命題.
pos·i·tiv·ism 名 積極性；明確性；確信；独断.
Pou·jad·ism 名 【仏政治】プジャード主義.
Pow·ell·ism 名 【英政治】パウエリズム.
prac·ti·cal·ism 名 実践［実地］主義.
prae·to·ri·an·ism 名 （特に有名無実の官僚と少数独裁による）力による専制；腐敗した軍部独裁政治.
prag·mat·i·cism 名 実用主義哲学, プラグマティシズム. ►W. James の心理主義的方法としての実用主義哲学(pragmatism)と区別するため, C. S. Peirce が命名.
prag·ma·tism 名 （一般に）実用［実利］主義.
pre·ci·sion·ism 名 プレシジョニズム：1920 年代米国の都会的感覚の絵画様式.
pre·dat·ism 名 【生態】捕食生活［習性］.
prel·a·tism 名 《通例軽蔑的》（教会の）監督制度.
Pre-Raph·a·el·it·ism 名 【美術】ラファエロ前派.
Pres·by·te·ri·an·ism 名 長老制(度).
pre·scrip·tiv·ism 名 規範文法主義.
pres·en·ta·tion·al·ism 名 【演劇】即物主義.
pres·en·ta·tion·ism 名 【哲学】表象主義.
pres·en·tee·ism 名 （解雇を恐れて）規定の就労時間より長く職場にいること.
pres·en·tism 名 現代的生き方［考え方］.
pri·a·pism 名 【病理】持続勃起(ぼっき)(症).
prig·gism[1] 名 堅苦しい［口やかましい］性格.
prig·gism[2] 名 《古》こそこそすること；詐欺, 悪事.
prim·i·tiv·ism 名 原始主義, 尚古主義.
pri·va·tism 名 私事本位.
prob·a·bil·i·o·rism 名 【神学】厳格蓋然(がいぜん)説.
prob·a·bi·lism 名 【哲学】蓋然(がいぜん)論.
pro·fes·sion·al·ism 名 職人かたぎ, 専門家気質, プロ意識.
pro·gres·siv·ism 名 進歩［革新］主義.
pro·hi·bi·tion·ism 名 禁酒運動.
pro·le·tar·i·an·ism 名 プロレタリアの慣習［境遇, 身分］.
pro·na·tal·ism 名 出産促進論, 出生率増加賛成論；（特に政府の）出産促進政策.
pro·sa·ism 名 平凡さ, 単調さ.
pros·e·lyt·ism 名 改宗, 転向, 変節.
pros·ta·tism 名 前立腺(せん)症.
pro·tec·tion·ism 名 【経済】保護貿易主義［政策］.
Prot·es·tant·ism 名 【キリスト教】新教.
pro·vin·cial·ism 名 （地方人特有の）偏狭, 無知, 粗野.
Prus·sian·ism 名 プロイセン［プロシア］主義［精神］.
psel·lism 名 【病理】吃音(きつおん)症.
psi·lan·thro·pism 名 キリスト人間説.
psit·ta·cism 名 機械的に繰り返される無意味な言葉.
psy·chol·o·gism 名 《しばしば軽蔑的》心理主義.
pty·a·lism 名 【病理】流涎(りゅうぜん)症.
pu·er·il·ism 名 【精神医学】小児症, 幼児症.
pu·gi·lism 名 《気取って》拳闘, ボクシング.
punc·tu·a·tion·al·ism 名 【生物】断続平衡説.
pur·ism 名 （言語・文体などの）純粋主義.
Pu·ri·tan·ism 名 清教徒の信条・慣習；清教主義.
Pu·sey·ism 名 《侮辱的》オックスフォード運動.
Pyr·rho·nism 名 【哲学】ピュロン説, ピュロニズム.
Py·thag·o·re·an·ism 名 ピタゴラス学説［主義］.
Quak·er·ism 名 クエーカー教徒の信条［教義, 慣習］.
qui·et·ism 名 【宗教】静寂主義.
quix·ot·ism 名 ドン・キホーテ的性格.
rab·bin·ism 名 【ユダヤ教】ラビニズム.
rac·e·mism 名 【化学】ラセミ性.
Rach·man·ism 名 《英》老朽化した貸家の住人を追い出すための家主の法外な家賃の強要. ►ロンドンにあったスラム街の家主 P. Rachman の名から.
ra·cial·ism 名 ＝racism.
rac·ism 名 人種差別［偏見］, 人種的優越感.
rad·i·cal·ism 名 急進的［過激］であること.
Ra·mism 名 ラムス哲学.
Raph·a·el·it·ism 名 【美術】ラファエロ派.
Ras·ta·far·i·an·ism 名 ラスタ主義, ラスタファリアニズム：ジャマイカでの宗教・政治的運動.
ra·tion·al·ism 名 理性［合理］主義.
Ray·on·ism 名 【美術】光線主義.
Rea·gan·ism 名 レーガン政策, レーガン流の考え方.
re·al·ism 名 ☞
realm·ism 名 動物・植物・鉱物間の差別.
re·cep·tion·ism 名 【神学】信受主義.
re·cid·i·vism 名 犯罪を重ねること；常習的な悪行.
Re·con·struc·tion·ism 名 ユダヤ教再建主義.
re·duc·tion·ism 名 【哲学】還元主義.
re·duc·tiv·ism 名 ＝reductionism.
re·gal·ism 名 帝王教権［国王高権］主義.
Reg·ge·ism 名 【原子物理】レッジェ理論.
re·gion·al·ism 名 【政治】地方分権主義.
rel·a·tiv·ism 名 【哲学】相対主義.
re·li·gion·ism 名 宗教に凝ること, 狂信.
rep·re·sen·ta·tion·al·ism 名 【認識論】表象主義.
rep·re·sen·ta·tion·ism 名 【哲学】＝representationalism.
re·pub·li·can·ism 名 共和政治, 共和制.
res·to·ra·tion·ism 名 【神学】究極的和解説.
re·stric·tion·ism 名 （輸入量, 移民数などの）制限主義政策.
res·ur·rec·tion·ism 名 《もと／おどけて》（特に解剖のための）死体盗掘.
re·treat·ism 名 【社会】退避主義.
re·trib·u·tiv·ism 名 応報刑主義［論］.
re·vi·sion·ism 名 修正支持, 改正是認.
re·viv·al·ism 名 信仰復興運動, リバイバル運動.
rheu·ma·tism 名 【病理】リューマチ, ロイマチス.
right·ism 名 （政治などにおける）保守主義, 右派.
rig·or·ism 名 極度の厳格［厳正］さ.
rig·our·ism 名 《特に英》＝rigorism.
rit·u·al·ism 名 典礼［儀式］(尊重)主義.
Ro·man·ism 名 《しばしば軽蔑的》ローマ(カトリック)教.
ro·man·ti·cism 名 ロマン主義.

Ro·si·cru·cian·ism 名 バラ十字会[団]の教義または活動.
Rous·seau·ism 名 ルソー主義.
rou·tin·ism 名 日常性を守ること, しゃくし定規.
row·dy·ism 名 乱暴(な振る舞い), 騒々しい行為.
roy·al·ism 名 勤王主義, 王政主義.
ruf·fi·an·ism 名 無頼漢らしい行い, 乱暴な行為.
ru·ral·ism 名 田舎風, 田園風; 田園生活.
Sa·ba·ism 名 (バビロニアなどの)星辰崇拝.
Sab·ba·tar·i·an·ism 名 (安息日を守る)サバト主義.
Sa·bel·li·an·ism 名 サベリウス主義, 様態論的単一神論.
sac·er·do·tal·ism 名 聖職制度; 聖職者の慣行.
sac·ra·men·tal·ism 名 〘ローマカトリック〙秘跡主義.
Sa·dat·ism 名 〘政治〙サダト路線.
Sad·du·cee·ism 名 〘ユダヤ教〙サドカイ派; 物質主義.
sa·dism 名 〘精神医学〙サディズム, 加虐性愛.
sa·do·mas·och·ism 名 〘精神医学〙サドマゾヒズム.
Sai·vism 名 〘ヒンドゥー教〙バクティ派.
Sak·tism 名 〘ヒンドゥー教〙=Shaktism.
sal·ta·tion·ism 名 〘生物〙跳躍進化説.
sans·cu·lot·tism 名 過激共和主義.
sap·phism 名 =lesbianism.
Sa·tan·ism 名 悪魔[魔力]崇拝.
sat·ur·nism 名 〘病理〙鉛中毒(lead poisoning).
sav·ag·ism 名 野蛮, 蛮行.
Sax·on·ism 名 アングロサクソン語法.
scape·goat·ism 名 罪[責任]の転嫁.
scent·ism 名 香水などをかぎたくない人にかがせること, 香水公害.
scep·ti·cism 名 =skepticism.
sche·ma·tism 名 (物の)特殊な形態.
scho·las·ti·cism 名 スコラ(哲)学.
Scho·pen·hau·er·ism 名 ショーペンハウアー哲学.
sci·en·tism 名 科学者的態度[方法].
scil·lism 名 〘病理〙カイソウ(海葱)中毒.
sci·o·lism 名 《まれ》浅薄な知識; 知ったかぶり.
Scot·i·cism 名 =Scotticism.
Sco·tism 名 〘哲学〙スコトゥス説.
Scot·ti·cism 名 スコットランド語に特有の語.
scrip·tur·al·ism 名 聖書主義.
sec·tar·i·an·ism 名 (特に宗教上の)派閥主義; 党派心.
sec·tion·al·ism 名 派閥主義, セクト主義.
sec·u·lar·ism 名 世俗尊重, 現世主義.
seis·mism 名 地震現象.
Sem·i·tism 名 セム風, (特に)ユダヤ人風[気質].
sen·sa·tion·al·ism 名 扇情的題材[用語, 文体].
sen·sa·tion·ism 名 〘心理〙感覚主義.
sen·su·al·ism 名 肉欲にふけること, 好色; 官能主義.
sen·su·ism 名 〘哲学〙感覚論.
sen·ti·men·tal·ism 名 感情[感傷]的傾向.
se·ri·al·ism 名 〘音楽〙十二音技法.
sex·ism 名 性差別主義的な態度[行為].
Shaikh·ism 名 〘イスラム教〙シャイヒー派の教義や儀礼.
Shak·er·ism 名 シェーカー教徒の信念と実践.
Shake·spearean·ism 名 〘文学〙シェイクスピア風[主義].
Shak·tism 名 〘ヒンドゥー教〙シャクティズム, 性力(しょうりき)派, 性力崇拝.
sha·man·ism 名 シャーマニズム.
Shi·'ism 名 〘イスラム教〙シーア派.
Shin·to·ism 名 神道.
short-term·ism 名 〘経済〙短期主義.
sig·ma·tism 名 歯擦音(sibilant)の欠陥発音.
Sikh·ism 名 シーク教.
si·mo·nism 名 聖職売買行為(の擁護).
sim·plism 名 極端に割り切った態度.
sin·a·pism 名 〘医学〙からし軟膏.
Sin·ar·quism 名 (メキシコの)国粋的全体主義.
Sin·i·cism 名 《まれ》中国的風物[風習], 中国風.
sin·is·tro·man·u·al·ism 名 左利き差別.
sit·u·a·tion·ism 名 〘心理〙状況主義.
size·ism 名 太った人を差別すること.
skep·ti·cism 名 《米》懐疑的な態度, 疑い深い気質.
Slav·i·cism 名 =Slavism.
Slav·ism 名 スラブ人気質; スラブ的なもの.
slum·ism 名 スラム化.
smel·lism 名 体臭[わきが]による差別.
snob·bism 名 俗物根性; 紳士気取り.
so·cial·ism 名 ☞
So·cin·i·an·ism 名 〘キリスト教〙ソッチィーニ派教.
so·ci·ol·o·gism 名 社会学主義.
So·fism 名 =Sufism.
Soil·ism 名 土地主義; 大地主義.
so·lar·ism 名 太陽神話説.
sol·e·cism 名 文法違反, 破格.
sol·i·da·rism 名 連帯主義.
sol·ip·sism 名 〘哲学〙独在論, 独我論, 唯我論.
som·nam·bu·lism 名 夢中遊行, 夢遊(病).
soph·ism 名 もっともらしい議論, 詭弁; へ理屈.
south·ern·ism 名 米国南部(諸州)の発音[言い回し].
So·vi·et·ism 名 (最高会議へと連なる各種会議体系から成る)ソビエト式政治組織[機構], 共産主義.
Spar·tan·ism 名 スパルタ精神, スパルタ主義.
spe·cial·ism 名 (学問などの)専門(化), 専攻(分野).
spe·cies·ism 名 種差別, 種偏見.
spec·ta·tor·ism 名 (スポーツなどで)観戦[傍観]者主義.
Spen·ce·ri·an·ism 名 〘哲学〙スペンサー主義.
Spi·no·zism 名 スピノザ哲学; スピノザ主義.
spir·it·ism 名 心霊論; 心霊術, 降霊術.
spir·it·u·al·ism 名 スピリチュアリズム, 心霊[神霊]主義.
spoon·er·ism 名 頭音転換.
spread-ea·gle·ism 名 《主に米》自慢, 誇張.
Sri-Vaish·na·vism 名 〘ヒンドゥー教〙シュリーバイシュナバ派.
Sta·kha·nov·ism 名 (ソ連の)スタハーノフ運動.
Sta·lin·ism 名 スターリン主義.
stand·pat·tism 名 (特に政治で)現状維持主義.
stat·ism 名 国家主義.
stig·ma·tism 名 〘光学〙無非点収差.
Sto·i·cism 名 ストア哲学, ストア主義.
struc·tur·al·ism 名 構造主義.
struc·tur·ism 名 〘美術〙構造主義.
strych·nin·ism 名 〘病理〙ストリキニーネ中毒.
Stun·dism 名 〘キリスト教〙時祷(じとう)派.
sub·jec·tiv·ism 名 〘認識論〙主観論, 主観主義.
sub·or·di·na·tion·ism 名 〘神学〙従属主義.
sub·stan·tial·ism 名 〘哲学〙実体論.
sue·ism 名 訴訟主義.
Su·fism 名 〘イスラム教〙イスラム神秘主義.
Sun·nism 名 〘イスラム教〙スンニ派.
su·per·nat·u·ral·ism 名 超自然性, 超自然的作用, 超自然力.
su·prem·a·tism 名 〘美術〙シュプレマティスム, 絶対主義.
sur·viv·al·ism 名 生存主義: 生存のための待避施設を作ったり, 食糧を備蓄したりすること.
Swe·den·bor·gi·anism 名 スウェーデンボリ派.
syc·o·phant·ism 名 へつらい, おべっか, ごますり.
syl·la·bism 名 音節文字の使用.
syl·lo·gism 名 〘論理〙三段論法, 三段推論式.
sym·bol·ism 名 象徴化, 象徴による表示, 象徴的表現.
sym·met·al·ism 名 複本位制.
syn·chro·mism 名 〘美術〙シンクロミズム.
syn·cre·tism 名 〘哲学〙混合主義.
syn·di·cal·ism 名 〘仏政治〙サンディカリスム.
syn·ec·do·chism 名 提喩法の文体; 提喩法の使用.
syn·e·chism 名 連続主義, シネキズム.
syn·er·gism 名 (一般に)相乗作用, 相互強化作用.
syn·oe·cism 名 (町・村の)合併.
syn·thet·i·cism 名 合成的[統合的]手法.
Syn·the·tism 名 〘美術〙サンテティスム, 総合主義.
syn·to·nism 名 〘電気〙同調, 合調(syntony).
Syr·i·a·cism 名 シリア語法, シリア語特有の表現法.
sys·tem·a·tism 名 体系[組織]化, 体系[組織]づけ.
tach·ism 名 〘美術〙タシスム.
Tam·many·ism 名 〘米政治〙タマニー主義.
Tan·trism 名 タントリズム.
Tao·ism 名 老荘哲学; 道教.

tar·ant·ism 名 タラント病, 舞踏病.
tar·ent·ism 名 ＝tarantism.
tau·tol·o·gism 名 トートロジーを用いること; その例.
Tay·lor·ism[1] 名 〘神学〙テーラー主義.
Tay·lor·ism[2] 名 テーラリズム, 科学的管理法.
tech·ni·cism 名 テクノロジー万能主義, 技術偏重.
tech·nism 名 ＝technicism.
tec·to·nism 名 〘地質〙＝diastrophism.
Tem·in·ism 名 〘生化学〙テミン理論.
Ten·e·brism 名 〘美術〙テネブリズム.
ter·a·tism 名 怪物[奇形]崇拝[趣味].
ter·min·ism 名 〘哲学〙名辞説.
ter·ri·to·ri·al·ism 名 地主制度.
ter·ror·ism 名 ☞
Teu·ton·i·cism 名 ＝Teutonism.
Teu·ton·ism 名 チュートン[ドイツ]民族の文化[精神]; ゲルマン(語)風.
tex·tu·al·ism 名 (特に聖書の)原文固執, 原典主義.
than·a·tism 名 霊魂死滅説.
Thatch·er·ism 名 〘英政治〙サッチャーリズム.
the·an·thro·pism 名 キリスト神人一体説, 神人論.
the·at·ri·cal·ism 名 芝居がかった振る舞い, 大見え.
the·at·ri·cism 名 ＝theatricalism.
the·ism 名 有神論, 人格神論.
-the·ism 連結形 ☞
thing·ism 名 (文学・美術の)事物主義.
Tho·mism 名 トマス・アクイナス説, トマス説.
ti·ger·ism 名 《古》(やたらと)威張ること.
Ti·tan·ism 名 (伝統・因襲などへの)反逆心, 反逆精神.
Ti·to·ism 名 〘政治〙チトー主義.
Tof·fler·ism 名 トフラー(米国の未来学者)流.
to·ken·ism 名 名目主義.
Tom·ism 名 ＝Uncle Tomism.
To·ry·ism 名 〘英史〙トーリー党員であること.
to·tal·ism 名 ＝totalitarianism.
to·tal·i·tar·i·an·ism 名 全体主義; 全体主義的支配.
to·tem·ism 名 トーテム崇拝[信仰].
tour·ism 名 ☞
Trac·tar·i·an·ism 名 〘神学〙トラクト運動.
tra·di·tion·al·ism 名 伝統(第一)主義, 伝統の墨守.
tra·du·cian·ism 名 〘神学〙霊魂出生説.
tran·scen·den·tal·ism 名 〘哲学〙超越論的な特徴[思考].
trans·for·ma·tion·ism 名 〘言語〙変形文法論(研究).
trans·form·ism 名 〘生物〙生物変移説.
trans·ves·tism 名 (特に男性の)服装倒錯.
trau·ma·tism 名 〘病理〙外傷性傷害.
trib·a·dism 名 女性間の同性愛.
trib·al·ism 名 部族生活[組織, 社会].
tri·chro·ism 名 〘結晶〙三色性.
tri·go·neu·tism 名 〘昆虫〙三世代性.
tri·lat·er·al·ism 名 (西ヨーロッパ・北米・日本の先進国間の)相互経済協力促進政策.
tri·lit·er·al·ism 名 三文字性, 三子音性, 三文字根式.
Trin·i·tar·i·an·ism 名 三位一体説信仰; 三位一体説.
tri·um·phal·ism 名 勝ち誇ること, 勝ち誇った精神.
triv·i·al·ism 名 つまらなさ; くだらなさ.
trop·i·cal·ism 名 トロピカリズム: ブラジルのポピュラー音楽にジャズ, ロック, カリブ音楽の要素が加わること.
tro·pism 名 〘生物〙屈性.
-tro·pism 連結形 ☞
Trot·sky·ism 名 トロツキズム, トロツキー主義.
tru·ism 名 自明の理, 分かりきったこと.
Tru·man·ism 名 トルーマン(第 33 代米国大統領)流.
tsar·ism 名 ＝czarism.
Turk·ism 名 《まれ》トルコ人の文化・信仰・慣習.
tu·ti·or·ism 名 〘ローマカトリック〙安全重視説.
ty·chism 名 (Peirce 哲学で)偶然容認説.
tzar·ism 名 ＝czarism.
ul·ti·ma·tism 名 非妥協的態度; 過激主義.
ul·tra·ism 名 過激[急進]主義, 極端[過激]論.
ul·tra·mon·ta·nism 名 教皇権至上[強化]主義.
Úncle Tómism (黒人の)白人へのへつらい[迎合].
u·ni·lat·er·al·ism 名 (軍縮などにおける)一方的政策の提唱.
un·ion·ism 名 ☞
u·ni·ver·sal·ism 名 一般性, 普遍性(universality).
u·ra·nism 名 (特に男性の)同性愛.
ur·ban·ism 名 《米》都市生活(様式), 都会風.
u·til·i·tar·i·an·ism 名 功利主義, 功利説, 公衆的快楽主義.
u·to·pi·an·ism 名 ユートピア的理想主義.
u·to·pism 名 ＝utopianism.
val·e·tu·di·nar·i·an·ism 名 病身, 病弱, 虚弱.
vam·pir·ism 名 吸血鬼の存在を信じること.
van·dal·ism 名 (芸術, 文化の)破壊.
van·guard·ism 名 前衛思想, 先駆的行動.
Van·sit·tart·ism 名 バンシタート主義.
Vat·i·can·ism 名 《通例軽蔑的》教皇権至上主義.
Veb·len·ism 名 〘経済〙ベブレン主義.
Ve·dan·tism 名 (インド哲学の)ベーダーンタ派.
veg·e·tar·i·an·ism 名 菜食主義.
ven·tril·o·quism 名 腹話術.
ver·bal·ism 名 言語表現, 語, 句.
ver·ism 名 真実主義.
ver·nac·u·lar·ism 名 ある地方特有の表現, 土地言葉.
Vic·to·ri·an·ism 名 ビクトリア朝風.
vig·i·lantism 名 《米》自警主義.
vir·i·lism 名 (女性の)男性化.
vi·tal·ism 名 〘哲学〙生気論.
vo·cal·ism 名 〘音声〙音節における母音・二重母音・三重母音あるいは母音の性質.
vo·ca·tion·al·ism 名 (大学生・高校生に対する)職業[実務]教育重視主義[政策].
vol·can·ism 名 〘地質〙火山活動[現象]; 火山性.
Vol·stead·ism 名 ボルステッド主義, 禁酒政策[主義].
Vol·tair·i·an·ism 名 ボルテール哲学[主義].
vol·ta·ism 名 流電気学.
vol·un·ta·rism 名 〘哲学〙主意説.
vol·un·tar·y·ism 名 (教会・学校・病院などの)自立主義.
vol·un·teer·ism 名 自由志願制(voluntarism).
voo·doo·ism 名 ブードゥー教儀式[礼拝儀式, 風習].
vor·ti·cism 名 ボーティシズム, 渦動主義.
vo·yeur·ism 名 観淫(かん)症, 窃視症.
vul·can·ism 名 ＝volcanism.
vul·gar·ism 名 粗野な振る舞い, 下品な性格.
Wagner·ism 名 オペラ作法上の Wagner の理論と実践.
Wah·ha·bism 名 〘イスラム教〙ワッハーブ派の教義[実践].
Wal·lace·ism 名 〘米政治〙ウォーレス主義.
weight·ism 名 体重による差別.
Weis·mann·ism 名 〘生物〙ワイスマン説.
wel·far·ism 名 福祉(厚生)主義, 福祉政策.
Wel·ler·ism 名 名言[名句]を面白く引用すること. ►C. Dickens の小説の登場人物の名から.
Wer·ther·ism 名 ウェルテル的性格, 強度の感傷(性).
Wes·ley·an·ism 名 (John Wesley の福音主義的な)ウェスリー主義; メソジスト主義.
west·ern·ism 名 西洋風, 西部(地方)風.
Whig·gism 名 〘英史〙ホイッグ主義,
who·lism 名 ＝holism.
Wil·son·ism 名 〘米政治〙ウィルソン主義.
wom·an·ism 名 (黒人の)フェミニズム.
xan·thism 名 (皮・毛・羽の)黄色化.
xan·thoch·ro·ism 名 〘獣病理〙黄変症.
Yah·wism 名 (古代ヘブライの)ヤハウェ崇拝.
Yan·kee·ism 名 ヤンキーかたぎ[風].
Yid·dish·ism 名 イディッシュ語特有の語句[語法].
yo·gism 名 ヨーガの教理.
youth·ism 名 若者優先主義.
yup·pie·ism 名 ヤッピー風, ヤッピー的生き方.
Zer·van·ism 名 ＝Zurvanism.
Zhda·nov·ism 名 (スターリン時代の)ジダーノフ批判.
Zi·on·ism 名 シオニズム.
Zo·la·ism 名 ゾラ主義, (ゾラ風の)自然主義.
zom·bi·ism 名 ゾンビー信仰; ゾンビー儀式の実践.
Zo·ro·as·tri·an·ism 名 ゾロアスター教.
Zur·van·ism 名 ズルワン教.

Zwing·li·an·ism 名 【キリスト教】ツウィングリ主義.

-ism[2] /ízm/

語尾 ism は -ism の独立したもの.

chism 名 《米俗》精液(jism).
chrism 名 【教会】聖香油, 聖油.
gism 名 《俗》生気, 精力; 強さ(jism).
ism 名 《しばしば軽蔑的》主義主張, 学説.
prism 名 ☞
schism 名 (対立する団体などへの)分離, 分裂.

-is·mo /í(ː)zəmou, íːs-/

接尾辞 スペイン語, イタリア語に由来する「制度, 体系, 主義, 主張」を表す接尾辞.
★ 名詞をつくる.
★ 語末にくる関連形は -ISM[1].
◆ <スペイン, 伊 *-ismo* <ギ *-ismos*. ⇨ -O[2].

a·per·tu·ris·mo 名 (スペインの)対共産圏鎖国緩和政策.
chi·ca·nis·mo 名 《スペイン語》メキシコ系米国人としての誇り.
cu·ran·de·ris·mo 名 《スペイン語》民間 [心霊] 治療.
fa·scis·mo 名 絶対権力を持つ独裁者に指導される政治体制(fascism).
Fi·de·lis·mo 名 カストロ主義に基づいた南米の共産革命運動(Castroism).
ma·chis·mo 名 男らしさ; 男性優位; 男意気.
po·chis·mo 名 《メキシコスペイン語》スペイン語に借用された英語(句); 米国の影響を受けたスペイン語.
ve·ris·mo 名 ベリズモ, 真実主義.

i·so·mer /áisəmər/

名 【化学】異性体. ⇨ -MER.

núclear ísomer 【物理】異性核, 核異性体.
óptical ísomer 光学異性体.
posítion ìsomer 位置異性体.
stèreo·ísomer 立体異性体.

i·som·er·ism /aisámərìzm | -sɔ́m/

名 【化学】異性. ⇨ -ISM[1].

cìs-tráns isómerism 【化学】シス=トランス異性.
geométrical isómerism 【化学】幾何異性.
núclear isómerism 【物理】核異性.
óptical isómerism 【化学】光学異性.
stèreo·isómerism 【化学】立体異性.
strúctural isómerism 【化学】構造異性.

-i·son[1] /ízn/

語尾

gri·son 名 【動物】グリソン.
pris·on 名 ☞

-i·son[2] /áisn/

語尾

bi·son 名 ☞
gri·son 名 【動物】グリソン.

-isp /ísp/

語尾 摩擦と破断の音象徴が含まれる.

crisp 形 〈食べ物が〉かりかり [ぱりぱり] した.
lisp 名 舌足らずの話し方.
whisp 名 =wisp.
will-o'-the-wisp 名 鬼火; 幻.
wisp 名 (干し草などの)一握り, 小束; 断片.

-iss[1] /ís/

音象徴 シュー, ヒュー; 気体が噴き出す音, ヘビが発する音を表す.

hiss 動自 長く引き伸ばした /sː/ (スー), /ʃː/ (シュー)のような音を出す. ── 名 (非難・ののしり・怒りの)発声; (ガス・蒸気・動物の出す)シューという音.
piss 名 小便(をすること).

-iss[2] /ís/

語尾 語末にくる同音形は -ESS[1], -ESS[3], -ICE[1], -ICE[2], -IS[1].

bliss 名 無上の幸福, 至福; この上ない喜び.
diss 動他 みくびる, さげすむ(dis).
kiss 動他 ☞
miss[1] 名 ☞
miss[2] 名 ☞
priss 名 《話》こうるさい人, 堅苦しい人(prissy person).

-is·si·mo /ísəmòu; *It.* íssimo/

接尾辞 もとイタリア語で形容詞の最上級を表す語尾.

al·tis·si·mo 形 【音楽】アルティッシモ.
bra·vis·si·mo 間 《最大級の称賛の叫び》ブラビッシモ, 世界一.
for·tis·si·mo 形副 【音楽】きわめて強い [く].
for·tis·sis·si·mo 副形 【音楽】最大限に強く [い].
gen·er·al·is·si·mo 名 総司令官, 大元帥, 総統.
len·tis·si·mo 形副 【音楽】きわめて遅い [く].
pi·a·nis·si·mo 形副 【音楽】きわめて弱い [く].
pres·tis·si·mo 副形 【音楽】最も急速に [な].

is·sue /íʃuː/

名 **1** (通貨・公債・切手・出版物などの)発行, (為替・手形などの)振り出し, (法令などの)公布, 発布, (ニュースなどの)公表, (品物の)配付; 発送. **2** (訴訟の当事者間などの)争点; 論点, 問題点.

báck íssue (新聞などの)バックナンバー.
bónus ìssue 《英》無償株式.
capitalizátion ìssue =rights issue.
débt ìssue 債券, 債務証書.
Éuro-íssue ユーロ債(Eurobond).
fidúciary ìssue (紙幣の)信用発行, 保証発行.
frée issúe 《英》株式配当.
géneral íssue 【法律】一般答弁.
glámor ìssue 成長株.
góvernment ìssue 《米》政府支給の, 官給の; 官給品.
hot-bútton ìssue (消費・投票などの)決め手.
hót íssue 《米》【株式】公開後急速に値が上がる魅力的な株.
jóint íssue 【切手収集】共同発行切手.
mùl·ti-ís·sue 形 多くの問題のある [を抱えた].
néw íssue 【株式】新株, 新規発行債券.
nòn·ís·sue 名 取るに足りないこと [問題].
ó·ver·ìs·sue 名 (株券・債券などの)過大発行, 乱発.
rè·ís·sue 名 再発行されるもの, 重版, 覆 [復] 刻.
ríghts íssue 【証券】(新株の)株主割当発行.
scríp ìssue =bonus issue.
síngle-íssue 形 単一争点 [主張] の.
táp ìssue 《英》イングランド銀行など政府機関で直接引き受けられる特別発行の英

国政府証券.
wéb ìssue 〘政治〙網型争点.
wédge ìssue くさび型争点.

-ist[1] /ist/

接尾辞 **1** …の創作家, 演奏家: novel*ist*, pian*ist*. **2** 学問における研究者: biolog*ist*. **3** 学説・主義の支持者: liberal*ist*, social*ist*. **4** ある特徴を持っている人: sad*ist*.
★ 名詞・形容詞について名詞をつくる; また, -ist のまま形容詞ともなる.
★ しばしば -ism で終わる名詞に対応する.
★ 語形成は活発で, 本来語起源の -er とともに「人」を表わす多くの名詞をつくる.
★ 語末にくる関連形は -ISTIC, -ISTICAL, -ISTICS.
◆ 中英 *-iste* <ラ *-ista* <ギ *-istēs*; 語によっては仏 *-iste*, 独 *-ist*, 伊 *-ista* などを表す.

ab·a·cist 名 そろばん(abacus)のうまい人.
a·ble·ist 形名 身障者を差別する(人).
ab·o·li·tion·ist 名 奴隷制度廃止論者.
a·bor·tion·ist 名 妊娠中絶を行う医者, 堕胎医.
ab·so·lut·ist 名 絶対主義者, 絶対専制主義者.
ab·strac·tion·ist 名 抽象主義の芸術家.
ab·surd·ist 名 不条理主義者 [作家].
ac·cel·er·a·tion·ist 名 加速度原理を主張するエコノミスト.
ac·cen·tu·al·ist 名 (特に単旋律聖歌の解釈に関して)アクセントの特殊理論を唱導する人.
ac·com·mo·da·tion·ist 名 《米》(生き残る手段として)多数派に妥協する人 [黒人].
ac·com·pa·nist 名 伴奏者.
ac·com·pa·ny·ist 名 ＝accompanist.
ac·cor·di·on·ist 名 アコーディオン奏者.
ac·tion·ist 名 行動的な人 [政治家].
ac·tiv·ist 名 (特に政治的な)運動家, 活動家.
ac·u·punc·tur·ist 名 鍼(はり)師, 鍼医.
Ad·vent·ist 名 キリスト再臨派の信徒.
aer·i·al·ist 名 《米》(綱渡りなどの)空中曲芸師.
Af·ri·can·ist 名 アフリカ文化 [言語] 研究家.
ag·o·nist 名 ☞
ag·ri·cul·tur·al·ist 名 ＝agriculturist.
ag·ri·cul·tur·ist 名 農家.
a·larm·ist 名 人騒がせな人; 心配性の人.
al·che·mist 名 アルケミスト, 錬金術師.
al·co·hol·ist 名 アルコール中毒者.
al·ge·bra·ist 名 代数学者.
al·ge·brist 名 代数学者.
al·ien·ist 名 《もと》精神病医.
al·le·go·rist 名 寓話作者; 寓意的解釈者.
al·ler·gist 名 アレルギー専門医.
al·lop·a·thist 名 対症療法医.
al·pin·ist 名 アルペン競技のスキーヤー.
al·to·ist 名 アルトサクソホーン奏者.
al·tru·ist 名 愛他 [利他] 主義者.
A·mer·i·can·ist 名 アメリカ研究者.
am·o·rist 名 好色家, 色事師.
an·aes·thet·ist 名 《英》麻酔学専門医.
a·nal·o·gist 名 〘論理〙類推者, 類推論者.
an·ar·chist 名 無政府主義者, アナーキスト.
a·nat·o·mist 名 解剖学者, 解剖専門家.
an·ec·dot·ist 名 逸話の語り手; 逸話収集家.
an·es·the·tist 名 麻酔専門医 [看護婦], 麻酔士.
An·gli·cist 名 英国通; 英語 [英文] 学者.
An·glist 名 ＝Anglicist.
an·i·mal·ist 名 肉欲主義者, 快楽主義者.
an·i·mist 名 アニミズム論者, 聖霊崇拝論者.
an·nal·ist 名 年代記作者, 年譜作者.
an·nex·a·tion·ist 名 併合論者, 領土合併論者.
aph·o·rist 名 金言 [格言] 作者.
a·pi·a·rist 名 養蜂(ようほう)家.
a·pi·cul·tur·ist 名 ＝apiarist.
a·poc·a·lyp·tist 名 黙示録の作者 [注釈者].
a·quar·ist 名 水族館の管理者; 魚類学者.
Ar·ab·ist 名 アラビア語 [文化] 研究者.
ar·bor·ist 名 林木専門家.
ar·can·ist 名 陶磁器造りの秘伝を体得した職人.
ar·cha·ist 名 (文学・美術の)擬古主義者.
ar·chi·vist 名 アーキビスト, 記録係.
ar·til·ler·ist 名 砲兵.
art·ist 名 ☞
as·sem·blag·ist 名 アッサンブラージュ主義芸術家.
as·sim·i·la·tion·ist 名 (異民族・異文化の)同化政策論者.
As·sump·tion·ist 名 〘ローマカトリック〙被昇天会士.
At·lan·tic·ist 名 汎大西洋主義者.
au·rist 名 耳科医.
au·to·ist 名 ＝motorist.
au·to·mo·bil·ist 名 《米》自動車運転手, ドライバー.
au·ton·o·mist 名 自治論者, 自治制賛成論者.
a·vant·ist 名 前衛派の人.
a·vi·a·rist 名 鳥小屋(aviary)の管理をする人.
Ba·ha·ist 名 〘イスラム教〙バハーイ派信者.
bal·lad·ist 名 バラッド作者 [作曲者・歌手].
bal·loon·ist 名 気球に乗る人.
Bap·tist 名 ☞
bass·ist 名 低音 [バス] 歌手.
be·hav·ior·ist 名 行動主義心理学者; 行動主義者.
Beh·men·ist 名 ヤコブ・ベーメ思想の支持者.
bel·let·rist 名 純文学作者 [研究家].
bel·let·trist 名 ＝belletrist.
Bib·li·cist 名 聖書主義者.
Bib·list 名 聖書至上主義者.
bi·cy·clist 名 自転車に乗る人; 競輪選手.
big·a·mist 名 重婚者.
bi·lin·guist 名 二か国語 [二言語] に通じた人.
bi·ol·o·gist 名 生物学者.
Birch·ist 名 バーチ(米国の極右団体)支持者.
Blair·ist 名 ブレア(英首相・労働党)政策支持者.
Bol·land·ist 名 〘キリスト教〙ボランディスト.
Bol·she·vist 名 〘ロシア史〙ボルシェビキ党の一員.
Bo·na·part·ist 名 〘仏政治〙ボナパルト家の支持者.
bot·a·nist 名 植物学者.
Brah·man·ist 名 バラモン教徒.
Braill·ist 名 ブライユ点字の熟練者.
Bruge·ist 名 ブルージ(英国の保守政治団体)支持者.
Bu·chan·an·ist 名 ブキャナン(1992, 96 年共和党米国大統領候補)支持者.
Bud·dhist 名 仏教徒, 仏教家, 仏教信者.
bul·lion·ist 名 地金主義者.
Bush·ist 名 ブッシュ(第 41 代米国大統領)支持者.
Byz·an·tin·ist 名 ビザンティン文化 [歴史] 研究者.
cab·a·list[1] 名 カバラ学者, カバラ主義者.
cab·a·list[2] 名 秘密結社員.
Cae·sar·ist 名 専制独裁主義者, 帝国主義者.
Cal·vin·ist 名 〘プロテスタント〙カルバン派信者.
cam·bist 名 〘金融〙為替手形売買業者.
cam·er·a·list 名 カメラリスト, 官房学派経済学者.
cam·er·ist 名 《話》写真家.
can·on·ist 名 教会法に通じている人.
cap·i·tal·ist 名 資本家.
ca·reer·ist 名 職業人, 専門職に就いている人.
Car·list 名 〘スペイン議会〙カルロス党員.
car·tel·ist 名 カルテル(企業連合)の一員.
Castro·ist 名 F. カストロ(キューバの政治指導者)支持者.
cas·u·ist 名 詭弁家.
cat·e·chist 名 問答式教授者.
Cath·ar·ist 名 (キリスト教異端の)カタリ派信者.
caus·ist 名 (特に社会改良)運動家.
cel·list 名 チェロ奏者, チェリスト.
cen·trist 名 中道派議員; 穏健な人.
ce·ram·ist 名 陶芸家, 製陶業者.
cha·ol·o·gist 名 カオス理論家.
cha·ot·i·cist 名 ＝chaologist.
char·tist 名 (特に株式の動向を)図表を用いて研究する人.

chau·vin·ist 名 熱狂的愛国主義者.
chem·ist 名 化学者.
cho·ral·ist 名 合唱［聖歌］隊員.
cho·rist 名 《古》合唱［聖歌］隊員.
chut·ist 名 《話》落下傘降下兵(parachutist).
clas·si·cist 名 古典主義者.
class·ist 名 階級的偏見を持つ人.
Clin·ton·ist 名 クリントン(第 42 代米国大統領)支持者.
coif·fur·ist 名 (特に女性のための)理容師.
col·lab·o·ra·tion·ist 名 〚軍事〛対敵協力者.
col·lo·quist 名 対話［談話］者.
col·o·nist 名 植民地住民, 海外移住者.
col·or·ist 名 彩色の巧みな人.
col·um·nist 名 コラムニスト.
com·e·dist 名 喜劇作家.
com·mer·cial·ist 名 商業主義者; 商人.
com·mun·ion·ist 名 〚教会〛聖餐(せいさん)について特別な考え, 解釈を持った人.
com·mun·ist 名 共産党員; 共産主義運動家.
com·par·a·tist 名 比較言語学［文学］者［研究家］.
com·par·a·tiv·ist 名 ＝comparatist.
com·ple·tist 名 完全主義者; 完全収集家.
com·pre·hen·siv·ist 名 統合［包括］主義者.
com·put·er·ist 名 コンピュータマニア.
Comt·ist 名 コント主義哲学者, 実証主義者.
con·cep·tu·al·ist 名 概念論者.
con·clav·ist 名 〚ローマカトリック〛教皇選挙会議員随員.
con·fes·sion·al·ist 名 告解者, 懺悔(ざんげ)をする人.
con·form·ist 名 (集団や社会の慣行などに疑念を持たず)従う人.
con·fron·ta·tion·ist 名 対決主義者.
Con·fu·cian·ist 名 儒者, 儒教家.
con·gress·ist 名 議会派支持者; 国会［議会］議員.
con·scrip·tion·ist 名 徴兵主義者, 徴兵制度擁護者.
con·ser·va·tion·ist 名 (環境)保護論者.
con·sti·tu·tion·al·ist 名 立憲主義者, 護憲論者, 憲法擁護者.
con·struc·tion·ist 名 《米》(法律などの)解釈者.
con·sum·er·ist 名 消費者(保護)運動家.
con·tor·tion·ist 名 軽業師, 曲芸師.
con·tra·band·ist 名 密売業者.
con·tra·pun·tist 名 対位法に熟達した作曲家.
con·ver·sa·tion·al·ist 名 話好きな人; 座談のうまい人.
cop·y·ist 名 複写係, 謄写係, 写字生, 筆耕.
cor·net·ist 名 コルネット奏者.
cor·rup·tion·ist 名 贈［収］賄者, (特に)汚職政治家.
cre·ma·tion·ist 名 火葬を主張する人.
crim·i·nal·ist 名 犯罪学の権威.
cub·ist 名 立体派の芸術家, キュビスト.
cul·tur·ist 名 栽培［養殖, 培養］者.
cu·ne·i·form·ist 名 楔形(くさび)文字研究者.
cy·clist 名 自転車乗り.
czar·ist 名 ロシア帝政［ツァーリズム］支持者.
Daoist 名 ＝Taoist.
De·cem·brist 名 〚ロシア史〛デカブリスト, 十二月党員.
de·cli·nist 名 情況を悪く見がちな人.
de·cre·tist 名 (中世の大学で)法学部の学生.
de·feat·ist 名 敗北主義者.
deip·nos·o·phist 名 《まれ》食卓での会話の名人.
Deng·ist 名 鄧小平支持者.
den·tist 名 歯科医, 歯医者.
den·tur·ist 名 《米・カナダ》義歯技工士.
de·scrip·tiv·ist 名 記述文法家, 記述言語学者.
de·struc·tion·ist 名 破壊主義者, 革命主義者.
de·tec·tor·ist 名 金属探知機を使った地中の埋蔵金探しが趣味の人.
Deu·ter·on·o·mist 名 〚聖書〛申命(しんめい)記の作者［編者］.
de·vel·op·men·tal·ist 名 発達主義者, 発達心理学者.
di·al·o·gist 名 対話［対談］者.
di·a·rist 名 日記をつける人; 日記担当者.
di·et·ist 名 栄養士［学者］.
di·plo·ma·tist 名 《英・古風》外交官.
Dis·card·ist 名 〚仏政治〛ジスカー・デスタン支持者.
dis·cov·er·ist 名 発見学習法支持者.
dis·eas·ist 名 病気差別主義者.
dis·tor·tion·ist 名 物の自然な形をゆがめて描く画家.
di·ver·sion·ist 名 陽動作戦を取る人.
Do·ce·tist 名 〚神学〛キリスト仮現論者.
doc·u·men·tal·ist 名 文献の収集・分類・整理の専門家.
dog·ma·tist 名 独断的な人, 独断家, 独断論者.
Don·a·tist 名 〚キリスト教〛ドナトゥス派の信者.
dram·a·tist 名 劇作家, 脚本家.
drug·gist 名 《主に米・スコット・カナダ》薬剤師.
eb·on·ist 名 黒檀(こくたん)職人［細工師］.
e·con·o·mist 名 経済学者, エコノミスト.
ec·u·men·i·cist 名 世界教会運動唱道者.
ed·u·ca·tion·al·ist 名 ＝educationist.
ed·u·ca·tion·ist 名 教育専門家; 教育屋.
e·go·ist 名 利己主義者, エゴイスト.
e·go·tist 名 うぬぼれの強い人, 自負過多の人.
el·e·gist 名 哀歌の作曲家, 挽歌(ばんか)詩人.
E·lo·hist 名 〚聖書〛エロヒスト.
e·man·ci·pa·tion·ist 名 解放論者; 奴隷解放論者.
em·blem·a·tist 名 標章図案家［製作者, 使用者］.
e·mo·tion·al·ist 名 (理性よりはむしろ)感情に訴える人.
em·pir·i·cist 名 経験主義者; 経験を偏重する人.
en·arch·ist 名 (フランスの国立行政学院(ENA)優等卒業生から選ばれた)高級官僚.
en·cy·clo·pe·dist 名 百科事典編集者［寄稿家］.
en·vi·ron·men·tal·ist 名 環境問題専門家.
é·pée·ist 名 エペ(épée)競技者, エペの使い手.
e·phem·er·ist 名 カゲロウ類の昆虫採集家.
ep·i·cist 名 叙事詩人.
e·pil·o·gist 名 エピローグの作者.
e·pit·o·mist 名 摘要の作者.
e·quil·i·brist 名 曲芸師, 軽業師; 綱渡り芸人.
e·rot·i·cist 名 《特に英》好色家, 性欲異常者.
es·say·ist 名 随筆家, エッセイスト.
eth·i·cist 名 倫理学者, 道徳家.
Eu·cha·rist 名 〚教会〛聖体.
Eu·dist 名 〚ローマカトリック〛ユード会会員.
eu·gen·i·cist 名 優生学者.
eu·lo·gist 名 褒めたたえる人, 賛辞を述べる人.
Eu·ro·com·mun·ist 名 〚政治〛ユーロコミュニスト.
Eu·ro·pe·an·ist 名 ヨーロッパ(統一)主義者.
e·van·ge·list 名 巡回牧師, 宣教師, 使徒.
ev·o·lu·tion·ist 名 進化論者.
ex·cur·sion·ist 名 遊覧旅行者; 遠足者.
ex·hi·bi·tion·ist 名 自己顕示欲の強い人, 自己宣伝家.
ex·o·don·tist 名 抜歯専門家.
ex·o·nu·mist 名 通貨類似物(exo-numia)収集家.
ex·or·cist 名 悪魔払い師, エクソシスト.
ex·plo·ra·tion·ist 名 地下資源探査技師, 地質学者.
Ex·pres·sion·ist 名 表現主義芸術家.
ex·tor·tion·ist 名 強要者, 恐喝者; 暴利をむさぼる者.
ex·trem·ist 名 (特に政治上の)極端論者, 過激派.
Fa·bi·an·ist 名 〚英政治〛ファビアン主義者.
fab·u·list 名 寓話作者.
fad·dist 名 一時的流行を追う人; 気まぐれ者.
Fa·lan·gist 名 〚スペイン議会〛ファランヘ党員.
fan·ta·sist 名 幻想的な作風の作家［詩人・作曲家］.
fas·cist 名 ファシスト, ファシズム信奉者.
fat·ist 名 太った人を差別する人.
fau·nist 名 動物相研究者.
fed·er·al·ist 名 連邦主義者; 連邦制度支持者.
fem·i·nist 名 男女同権論者; 女権拡張論者.
feud·ist[1] 名 《米》(2 つの家族間の)宿恨で争う人.
feud·ist[2] 名 封建法学者, 封建法の権威.
fic·tion·ist 名 小説家, 短編作家.
fi·nal·ist 名 決勝戦出場(資格)者.
fis·cal·ist 名 〚経済〛フィスカリスト.
flau·tist 名 《米》＝flutist.
flo·rist 名 花屋(の主人).

flut·ist 名 フルート奏者; 笛吹き.
for·mal·ist 名 形式主義者, 形式尊重主義者.
Fou·ri·er·ist 名 〖フランス政治〗フーリエ主義者.
fu·nam·bu·list 名 綱渡り芸人.
func·tion·al·ist 名 〖建築〗〖家具〗機能主義者.
fu·tur·ist 名 未来派の芸術家; 未来学者.
Gal·li·can·ist 名 ガリア主義, フランス教会独立主義.
ga·ra·gist 名 《英》自動車修理工場の所有者.
gas·tril·o·quist 名 =ventriloquist.
Gaull·ist 名 〖仏議会〗ド・ゴール支持者.
gen·er·al·ist 名 ゼネラリスト: 分野全体あるいは多方面に知識［技能］を発揮する人.
gen·er·a·tiv·ist 名 生成文法学者.
ge·net·i·cist 名 遺伝学者.
Ger·man·ist 名 ドイツ文化［文学］研究者.
Gin·grich·ist 名 ギングリッチ(米国共和党下院議員)支持者.
Gi·ron·dist 名 〖フランス史〗ジロンド党員.
gla·cial·ist 名 氷河学者.
gno·mist 名 金言［格言］作家.
Gore·ist 名 ゴア(クリントン政府の副大統領)支持者.
Goth·i·cist 名 ゴシック様式芸術家, ゴート語研究家.
graph·i·cist 名 コンピュータ・グラフィックス専門のプログラマー.
Gue·var·ist 名 ゲバラ(キューバの革命家)主義者.
gui·tar·ist 名 ギター奏者, ギタリスト.
gym·nos·o·phist 名 裸行者.
hag·ga·dist 名 アガダー(Aggadah)の作者の一人.
ha·la·chist 名 =halakhist.
ha·la·khist 名 ハラハー(Halakhah)の作者の一人.
Har·mo·nist 名 〖キリスト教〗ハーモニー会派信者.
har·mo·nist 名 和声学者; 和声法に優れた音楽家.
harp·ist 名 ハープ奏者, ハープ弾奏家.
He·bra·ist 名 ヘブライ語［文学］学者.
he·don·ist 名 快楽主義者.
Hel·len·ist 名 (特にヘレニズム時代の)ギリシャ文化受容者.
herb·al·ist 名 植物(特に薬草)採集者; 薬草商.
her·bo·rist 名 =herbalist.
he·red·i·tist 名 遺伝論者, 遺伝説信奉者.
hi·er·o·glyph·ist 名 象形［聖刻, 神聖］文字研究家.
Hi·na·ya·nist 名 小乗仏教徒.
hip·poph·a·gist 名 馬肉を食べる人.
His·pan·i·cist 名 =Hispanist.
His·pa·nist 名 スペイン［ラテンアメリカ］文学［文化］研究者.
Hob·bist 名 〖哲学〗〖政治〗ホッブス主義者.
ho·me·op·a·thist 名 同種療法専門家; その支持者.
hom·i·list 名 説教をする人, 説教家.
horn·ist 名 ホルン奏者; 角笛吹き.
hu·man·ist 名 人間［人道］主義者.
hu·mor·ist 名 ユーモアの表現に巧みな人［作家］.
hy·brid·ist 名 雑種育成者, 交配する人.
hy·drop·o·nist 名 水耕法専門家; 水耕農家.
hy·gien·ist 名 衛生士［技師］.
hym·nist 名 賛美歌［聖歌］作者.
hy·pas·pist 名 (特にマケドニア軍の)盾持ち.
-i·at·rist 連結形 ☞
ich·thy·oph·a·gist 名 魚類を常食としている人.
i·de·al·ist 名 理想家, 理想主義者; 観念論者.
i·dyl·list 名 田園詩作家, 田園詩人.
il·lu·sion·ist 名 手品師, 奇術師; だまし絵画家.
im·pe·ri·al·ist 名 帝国主義者.
im·pres·sion·ist 名 印象主義［派］の芸術家.
in·clu·siv·ist 名 〖神学〗〖建築〗包括主義者.
in·de·pend·ent·ist 名 独立主義者, 独立論者.
In·di·an·ist 名 アメリカインディアン復興運動家.
in·dis·sol·u·bil·ist 名 (教会による)離婚者再婚反対論者.
in·di·vid·u·al·ist 名 独立的［個性的］な人.
in·dus·tri·al·ist 名 企業経営者, 工業家, 実業家.
in·er·ran·tist 名 聖書全面信奉者.
in·fla·tion·ist 名 インフレ政策主張者.
in·qui·si·tion·ist 名 取り調べ人; 調査官, 審問官.
in·stru·men·tal·ist 名 器楽奏者.
in·tar·sist 名 象眼細工師.
in·te·gra·tion·ist 名 人種的差別待遇撤廃論者.
in·ter·na·tion·al·ist 名 国際［世界］主義者.
in·tern·ist 名 《米》(特に成人を扱う)内科専門医.
i·ro·nist 名 皮肉屋, 風刺作家.
ir·re·den·tist 名 イレデンタ回収の主張者, 領土回復主義者.
Is·lam·ist 名 イスラム教徒, イスラム文化研究者.
i·so·la·tion·ist 名 (国家の)孤立主義政策論者.
I·tal·ian·ist 名 イタリア学者; イタリア語学者.
Jah·vist 名 =Yahwist.
Jain·ist 名 ジャイナ教徒.
Jan·sen·ist 名 〖キリスト教〗ジャンセン派信者.
Je·ho·vist 名 =Yahwist.
jour·nal·ist 名 新聞雑誌業者, ジャーナリスト.
Ju·da·ist 名 ユダヤ教徒［主義者］.
jun·gl·ist 名 (ダンス音楽の)ジャングル愛好者.
ju·rist 名 《米》弁護士; 裁判官.
ki·ne·si·ol·o·gist 名 運動科学者.
La·ma·ist 名 ラマ教徒.
land·scap·ist 名 風景画家.
lap·i·dist 名 宝石細工人.
Lat·in·ist 名 ラテン語学者; ラテン文化研究家.
Laz·a·rist 名 〖ローマカトリック〗ビンセンシオ会会員.
left·ist 名 左翼［左派, 急進派］の人.
leg·end·ist 名 聖者伝作者; 伝説収集家.
le·gist 名 (古代の)法律学者, ローマ法学者.
le·git·i·mist 名 (王位継承権の)正系主義者.
Le·nin·ist 名 レーニン主義者.
lib·er·al·ist 名 自由主義者, リベラリスト.
lib·er·a·tion·ist 名 女性解放論者.
li·bret·tist 名 リブレット(libretto)の作者.
lin·guist 名 言語学者.
lit·ur·gist 名 典礼学者, 礼拝学者.
lob·by·ist 名 《米》〖政治〗ロビイスト.
-lo·gist 連結形 ☞
loy·al·ist 名 忠臣, 愛国者; 王党員.
lu·ta·nist 名 《米・カナダ》=lutenist.
lu·te·nist 名 リュート奏者.
lut·ist 名 《米・カナダ》=lutenist.
lyr·i·cist 名 歌詞作者, 作詞家.
lyr·ist 名 リラ(lyre)弾奏者.
Mach·i·a·vel·li·an·ist 名 〖政治〗マキアベリスト.
ma·chin·ist 名 機械運転者, 工作機械熟練工.
mag·a·zin·ist 名 雑誌編集者［記者, 寄稿者］.
Mah·dist 名 〖イスラム教〗マフディー信者.
man·a·ge·ri·al·ist 名 〖経済〗管理統制主義者.
man·i·cur·ist 名 マニキュア師.
man·ist 名 男性中心主義の人［作家］.
man·ner·ist 名 癖［特徴］のある人.
man·u·al·ist 名 手話主義者, 手話法の主唱者.
Mao·ist 名 毛沢東主義者.
Mar·i·an·ist 名 〖ローマカトリック〗マリア会士.
Mar·ist 名 〖ローマカトリック〗マリスト会士.
Marx·ist 名 マルクス主義者.
Marx·ist-Le·nin·ist 名 マルクス＝レーニン主義者.
mas·cu·lin·ist 名 男権主義者.
ma·te·ri·al·ist 名 物質［実利］主義者.
Mau·rist 名 〖ローマカトリック〗サン・モール会士.
max·i·mal·ist 名 (一般に)過激主義者.
mech·a·nist 名 〖哲学〗機械論者.
Mech·i·tar·ist 名 =Mekhitarist.
med·al·ist 名 メダリスト, 被叙勲者.
me·di·e·val·ist 名 中世研究家, 中世史の専門家.
Mekh·i·tar·ist 名 〖ローマカトリック〗メヒタル会士.
mel·o·dist 名 旋律に優れた音楽家.
mem·oir·ist 名 回顧録［回想録］の筆者.
me·mo·ri·al·ist 名 請願書［請願書］起草［署名］者.
mem·o·rist 名 非常に記憶力のよい人.
Men·del·ist 名 メンデルの学説［遺伝法則］の信奉者.

Men·she·vist 名 〖ロシア政治〗メンシェビキ党員.
men·tal·ist 名 〖哲学〗唯心論者.
met·al·ist 名 金属細工師, 金属細工をする人.
met·al·list 名 ＝metalist.
met·al·lur·gist 名 冶金(やきん)家, 冶金学者.
Meth·od·ist 名 〖キリスト教〗メソジスト派信徒.
met·rist 名 韻文作家, 詩人; 韻律学者 [研究家].
mil·i·ta·rist 名 軍国主義者.
min·er·al·o·gist 名 鉱物学者.
min·i·a·tur·ist 名 細密画家.
min·i·mal·ist 名 最小限のことしかしない人; ミニマリスト芸術家.
min·is·te·ri·al·ist 名 〖英政治〗与党議員; 与党支持者.
mis·cel·la·nist 名 雑文家.
Mith·ra·ist 名 ミトラ教徒.
mod·el·ist 名 飛行機などの模型を作る人.
mod·er·a·tion·ist 名 穏健主義者; 極端を嫌う人.
mod·ern·ist 名 現代 [近代] 主義者.
mon·o·chrom·ist 名 単彩画家, モノクロ写真家.
mon·o·dist 名 モノディの作者 [歌手, 作曲家].
mo·nog·a·mist 名 一夫一婦 [単婚] 主義者.
mon·o·log·ist 名 ＝monologuist.
mon·o·logu·ist 名 独り言を言う人; 独白劇俳優.
mo·nop·o·list 名 独占者, 専売人; 独占企業.
Mon·ta·nist 名 〖キリスト教〗モンタヌス主義者.
mor·al·ist 名 道徳を説く人; モラリスト.
mo·sa·i·cist 名 モザイク師 [工]; モザイク商人.
mo·tor·ist 名 自家用車で旅行する人.
mu·ral·ist 名 壁画家; 壁画運動に加わった画家.
na·ta·list 名 人口増加提唱者.
na·tion·al·ist 名 国家主義者.
na·tion·ist 名 国家主義者.
nat·u·ral·ist 名 博物学者, 動物 [植物] 学者.
na·tur·ist 名 自然主義者; 自然崇拝者.
Ne·o·pla·to·nist 名 〖哲学〗新プラトン主義者.
neu·tral·ist 名 中立主義者.
Néw Féderal·ist 〖米政府〗新連邦主義者.
Néw Jóurnal·ist 〖文学〗ニュージャーナリズム作家.
No·bel·ist 名 《米》ノーベル賞受賞者.
nos·tal·gist 名 骨董品収集家.
nov·el·ist 名 長編作家.
nu·mis·ma·tist 名 貨幣 [古銭] 研究家.
nu·tri·tion·ist 名 栄養学者, 栄養士.
o·bo·ist 名 オーボエ奏者.
ob·scu·rant·ist 名 反啓蒙主義者.
ob·struc·tion·ist 名 (組織的)妨害者.
Oc·ci·den·tal·ist 名 西洋文化の擁護者, 西洋趣味の人.
Oc·to·brist 名 〖ロシア政治〗十月党員.
oc·u·lar·ist 名 義眼技工士.
oc·u·list 名 眼科医.
od·ist 名 オード詩人, 頌詩(しょうし)作者.
oe·cist 名 (古代ギリシャの)入植者.
o·pin·ion·ist 名 異端的な信仰の持ち主.
op·po·si·tion·ist 名 反対者; 反対陣営の人.
op·ti·cist 名 《まれ》光学者, 光学研究者.
op·ti·mist 名 楽天家, のんき者.
op·tom·e·trist 名 《主に米》視力検定者, 検眼士 [医].
o·ral·ist 名 口話主義者.
Or·ange·ist 名 〖アイルランド史〗オレンジ党員.
or·char·dist 名 果樹園主, 果樹栽培者.
or·gan·ist 名 オルガン奏者.
Or·le·an·ist 名 〖仏史〗オルレアニスト.
Or·phist 名 (古代ギリシャの)オルフェウス教徒.
or·tho·pe·dist 名 整形外科医.
out·ist 名 《米》ある著名人が同性愛者であることを公表 [暴露] した人.
pac·i·fist 名 平和主義者, 反戦論者.
pal·in·gen·e·sist 名 〖生物〗原形 [反復] 発生論者.
Pan-A·sian·ist 名 汎アジア主義者.
pan·e·gyr·ist 名 顕彰の辞の起草者.
pan·el·ist 名 パネラー, パネリスト, パネルディスカッションの討論参加者.
pan·el·list 名 《特に英》＝panelist.
Pan-Slav·ist 名 汎スラブ主義者.
pan·to·mim·ist 名 パントマイムを演じる人.
pa·pist 名 ローマカトリック教徒.
par·a·chut·ist 名 落下傘兵.
par·a·dox·ist 名 逆説家.
par·a·graph·ist 名 《主に英》(新聞などの)雑報記者.
par·al·lel·ist 名 比較する [したがる] 人.
par·o·dist 名 パロディの作者.
par·ti·tion·ist 名 分離独立主義者.
Pas·sion·ist 名 〖ローマカトリック〗御受難会の会士.
pas·tel·ist 名 パステル画家.
pas·tel·list 名 《特に英》＝pastelist.
pas·to·ral·ist 名 田園詩人.
Paul·ist 名 〖ローマカトリック〗使徒聖パウロ会士.
Pen·te·cos·tal·ist 名 〖キリスト教〗ペンテコスタ派信者.
per·cus·sion·ist 名 打楽器奏者.
per·fec·tion·ist 名 完全論者.
per·i·o·don·tist 名 歯周病専門医, 歯槽膿漏専門医.
Pe·ro·nist 名 ペロン(アルゼンチン大統領)支持者.
Pe·rot·ist 名 ペロー(1992, 96 年無所属米国大統領候補)支持者.
pes·si·mist 名 悲観的な人, 厭世(えんせい)家.
pe·tau·rist 名 〖動物〗フクロモモンガ [ムササビ].
Pe·trarch·ist 名 ペトラルカの文体を模倣した詩人.
Pha·lang·ist 名 〖政治〗ファランジュ党員.
phar·ma·cist 名 薬剤師; 製薬者; 薬学者.
phi·lan·thro·pist 名 慈善家, 博愛家; 博愛主義者.
phil·lu·men·ist 名 マッチ箱 [紙マッチ] の収集家.
phil·o·bib·list 名 愛書家, 蔵書家.
phle·bot·o·mist 名 〖外科〗瀉血(しゃけつ)専門医.
pho·net·i·cist 名 音声学者; 方言学者.
pho·ne·tist 名 表音式綴(つづ)り字主義者.
phys·i·cist 名 物理学者.
pi·an·ist 名 ピアノ演奏家, ピアニスト.
Pi·a·rist 名 〖ローマカトリック〗ピアリスト.
pic·co·lo·ist 名 ピッコロ奏者.
Pla·to·nist 名 プラトン主義哲学者.
pol·e·mist 名 論争者, 論客.
pol·y·an·drist 名 夫を 2 人以上持つ女性.
po·lyg·a·mist 名 多くの妻を持つ人; 多妻主義者.
po·lyg·y·nist 名 一夫多妻主義者, 多妻を有する人.
pop artist 名 ポップアーチスト.
pop·u·lar·ist 形 一般 [大衆] 受けを求める.
Pop·u·list 名 〖米史〗人民党党員.
por·trait·ist 名 肖像画家, 似顔絵描き, 人物写真家.
pos·si·bil·ist 名 〖政治〗現実的改革派.
Post·im·pres·sion·ist 名 後期印象派の画家.
Pow·el·list 名 〖英政治〗パウエリズム支持者.
prag·ma·tist 名 実利主義者, 実務家.
pre·scrip·tiv·ist 名 規範文法学者 [支持者].
pres·en·tist 名 〖神学〗黙示録預言実現論者.
pres·er·va·tion·ist 名 (自然環境)保護主義者, (歴史的遺物)保存主義者.
pret·er·ist 名 〖神学〗黙示録預言既成説論者.
prob·lem·ist 名 チェスの問題の研究家, 作局者.
pro·ce·dur·al·ist 名 手続きにうるさい人.
pro·gres·sion·ist 名 進歩 [進化] 論者.
prog·ress·ist 名 〖政治〗革新主義者, 進歩論者.
pro·hi·bi·tion·ist 名 《主に米》酒類製造販売禁止論者.
pro·jec·tion·ist 名 (映画・スライドの)映写技師.
prop·a·gan·dist 名 宣伝者; 伝道 [布教] 者.
pro·por·tion·al·ist 名 〖政治〗比例代表制論 [主義] 者.
pro·sa·ist 名 散文作家.
pros·o·dist 名 韻律学者, 詩形学者.
pros·the·tist 名 〖歯科〗補綴(ほてつ)専門医.
pros·tho·don·tist 名 ＝prosthetist.
pro·tist 名 〖発生〗原生生物.
pro·vin·cial·ist 名 地方の住民; 地方第一主義者.
psalm·ist 名 聖歌 [賛美歌] の詩作者.
psy·chop·a·thist 名 精神科医.
Ptol·e·ma·ist 名 〖天文〗プトレマイオス体系信奉者.
pub·li·cist 名 広報係, 新聞係.
pu·gi·list 名 (プロ)ボクサー(boxer).

putsch·ist 名 反乱参加者.
Pyr·rho·nist 名 【哲学】ピュロン主義者; 懐疑論者.
que·rist 名 《文語》質問者, 尋問者, 質疑者.
qui·et·ist 名 静寂主義者, 宗教的神秘主義者.
ral·ly·ist 名 (自動車)ラリー参加者.
Ra·mist 名 【哲学】ラムス主義者.
rap·ist 名 強姦(ごうかん)者.
Rapp·ist 名 =Harmonist.
Rea·gan·ist 名 レーガン(第 40 代米国大統領)支持者.
re·al·ist 名 現実主義者, 実際家.
Re·al·tist 名 《商標》(少数民族中心の)全米公認組合不動産業者.
re·cep·tion·ist 名 応接係, 受付係.
Re·con·struc·tion·ist 名 【米史】再建主義者; ユダヤ教再建主義者.
re·cord·ist 名 【映画】録音係.
rec·re·a·tion·al·ist 名 =recreationist.
re·cre·a·tion·ist 名 自然環境保護主義者.
Re·demp·tor·ist 名 【ローマカトリック】救世主会士.
re·dis·tri·bu·tion·ist 名 【経済】所得再分配論を主張する人.
re·form·ist 名 改革論者, 改革家.
re·jec·tion·ist 名 イスラエル拒否のアラブ指導者.
re·jec·tiv·ist 名 =minimalist.
rel·a·tiv·ist 名 相対主義者; 相対性理論家.
re·mov·al·ist 名 《豪》引っ越し業者.
res·er·va·tion·ist 名 (航空会社などの)予約受付係.
re·serv·ist 名 在郷軍人, 予備兵, 後備兵, 補充兵.
res·ur·rec·tion·ist 名 復活させる人, 復興者.
re·ten·tion·ist 名 (特に死刑の)存続支持者.
re·vanch·ist 名 失地回復論者, 報復戦政策の主唱者.
rev·e·la·tion·ist 名 【キリスト教】啓示論者.
re·ver·sion·ist 名 (昔の状態への)復帰主義者.
re·vi·sion·ist 名 修正[改正]論者.
re·viv·al·ist 名 信仰復興運動者.
rev·o·lu·tion·ist 名 革命論者, 革命主義者; 革命家.
Rex·ist 名 (ベルギーの)親ファシスト.
rhap·so·dist 名 ラプソディーの作者.
rhym·ist 名 (特に押韻詩の)作詩者.
rhyth·mist 名 《まれ》リズム感のいい人.
right·ist 名 権利拡張論者[擁護論者]; 保守主義者, 右派.
rit·u·al·ist 名 典礼研究家, 典礼通.
ro·bot·i·cist 名 ロボット研究家[技術者].
ro·manc·ist 名 ロマンス作家.
Ro·man·ist 名 ローマカトリック教徒.
ro·man·ti·cist 名 (文学・芸術の)ロマン主義者.
Rous·seau·ist 名 ルソー主義者, 啓蒙主義者.
roy·al·ist 名 王党派, 王政主義者.
ru·ral·ist 名 田舎の住民, 田舎の人.
sac·ra·men·tal·ist 名 礼典[聖餐]重視主義者.
sac·rist 名 (教会などの)聖具室係.
Sai·va·ist 名 【ヒンドゥー教】バクテイ派信者.
sa·lon·ist 名 (社交界の)サロンの常連.
Sal·va·tion·ist 名 救世軍の一員.
san·i·ta·tion·ist 名 (公衆)衛生学者[改良家].
sat·i·rist 名 風刺作家, 風刺文[詩]作者.
sax·ist 名 《話》=saxophonist.
Sax·on·ist 名 古英語学者; サクソン史[文化]学者.
sax·o·phon·ist 名 サクソホーン奏者.
sce·nar·ist 名 脚本家, シナリオライター.
sci·en·tist 名 ☞
Sco·tist 名 【哲学】【神学】スコトゥス主義者.
scrip·tur·al·ist 名 聖書(本位)主義者.
se·ces·sion·ist 名 分離論者, 脱党論者; 分離派.
se·di·tion·ist 名 (反政府感情・暴動などの)扇動者.
seg·re·ga·tion·ist 名 分離主義者; 人種差別主義者.
se·lec·tion·ist 名 【生物】選択主義者.
Se·mit·i·cist 名 =Semitist.
Sem·i·tist 名 セム学者, セム語[文学]研究家.
sen·su·al·ist 名 肉欲[官能]にふける人, 好色家.
sen·ti·men·tal·ist 名 感情家; 感傷的な[涙もろい]人.
sep·a·ra·tist 名 (国教会からの)脱退者.
Sep·tem·brist 名 (フランス革命での)九月虐殺扇動者.
se·ri·al·ist 名 連載物を書く作家.
sex·ist 名 性差別主義者.
Shin·to·ist 名 神道の研究者[信者].
shoot·ist 名 ピストル[ライフル]の名手.
short-term·ist 形名 目先の事だけを考える(人).
si·mo·nist 名 聖職売買者, 沽聖(こせい)者.
Sin·ar·quist 名 メキシコファシスト党員.
size·ist 名 肥満や背の低い人を差別する人.
Slav·i·cist 名 スラブ語学者, スラブ文化研究者.
Sla·vist 名 =Slavicist.
so·cial·ist 名 社会主義者.
so·da·list 名 【ローマカトリック】兄弟会会員.
so·lil·o·quist 名 独り言を言う人, 独白する人.
so·lo·ist 名 独奏[独唱, 独演]者, ソリスト.
so·ma·tist 名 身体論者, 肉体主義精神科医.
soph·ist 名 (古代ギリシャの)ソフィスト.
so·pra·nist 名 ソプラノ歌手.
Sor·bon·ist 名 ソルボンヌ大学の学生[卒業生].
so·rop·ti·mist 名 ソロプティミストクラブの会員.
sov·er·eign·tist 名 (カナダの)主権連合支持者.
Spar·ta·cist 名 【独政治】スパルタクス団員.
spas·mo·dist 名 発作的な人; 痙攣派の芸術家.
spe·cial·ist 名 専門家, スペシャリスト.
Spi·no·zist 名 【哲学】スピノザ主義者.
spir·it·u·al·ist 名 心霊術者; 心霊主義者.
Sta·lin·ist 名 スターリン主義者.
stat·ist[1] 名 国家統制主義者, 国家主権主義者.
stat·ist[2] 名 統計学者(statistician).
stig·ma·tist 名 聖痕を持つ人.
stock·ist 名 《英》仕入れ業者.
strat·e·gist 名 戦略家, 戦術家, 兵法家; 策略家.
styl·ist 名 文体に凝る人, 名文家.
suf·fra·gist 名 参政権拡張論者.
sum·mist 名 中世の哲学・神学大全の著者.
su·prem·a·cist 名 (特定の集団[民族])至上主義者.
syl·lo·gist 名 三段論法の推理に熟達した人.
sym·bol·ist 名 象徴[記号, 符号]を用いる人.
sym·pho·nist 名 交響曲作曲家.
syn·er·gist 名 【生理】【医学】共力器官[筋].
syn·on·y·mist 名 同義語学者.
syn·op·tist 名 共観福音書の作者マタイ, マルコまたはルカ.
syn·the·sist 名 =synthetist.
syn·the·tist 名 総合[統合]する人.
sys·tem·a·tist 名 (哲学など)体系[組織]立てる人.
sys·tem·ist 名 =systematist.
Tal·mud·ist 名 【ユダヤ教】タルムード学者.
tan·ist 名 ケルト人族長の後継者.
Tan·trist 名 タントリスト, (性的な)密教行者.
Tao·ist 名 タオイスト, 老荘思想の実践者.
tech·ni·cist 名 専門技術者(technician).
te·lep·a·thist 名 テレパシーを研究する人.
te·leph·o·nist 名 《主に英》電話交換手.
te·les·co·pist 名 望遠鏡で天体観測をする人.
tel·e·van·ge·list 名 《米》【キリスト教】テレビ伝道師.
ten·nist 名 テニスをする人, テニス選手.
ten·or·ist 名 テノール歌手.
ter·ror·ist 名 テロリスト, テロ行為[支持]者.
Teu·ton·ist 名 チュートン[ドイツ]民族研究者.
tex·tu·al·ist 名 (聖書の)原文固執者, 原典主義者.
the·ist 名 有神論者.
-the·ist 連結形 ☞
the·o·rist 名 理論家.
the·os·o·phist 名 神智学者, 神智学信奉者.
ther·a·peu·tist 名 治療技術の専門家.
ther·a·pist 名 治療専門家, セラピスト.
Tho·mist 名 トマス・アクイナス主義者.
tim·pa·nist 名 ティンパニ奏者.
ti·tlist 名 《米》【スポーツ】選手権保持者.
Ti·to·ist 名 (ユーゴスラビアの)チトー主義者.
to·bac·co·nist 名 《主に英》タバコ商人.

ton·al·ist 名 〖音楽〗調性主義者.
to·tem·ist 名 トーテム制社会に属する人.
tour·ist 名 旅行者.
tra·di·tion·al·ist 名 =traditionist.
tra·di·tion·ist 名 伝統主義者.
trail·er·ist 名 ハウストレーラーで旅行する人.
trans·for·ma·tion·al·ist 名 変形文法論者.
trans·for·ma·tion·ist 名 =transformist.
trans·form·ist 名 〖生物〗生物変移論者, 進化論者.
tra·pez·ist 名 空中サーカス師.
Trap·pist 名 〖ローマカトリック〗トラピスト会修道士.
tre·cen·tist 名 (特にイタリアの)14 世紀の詩人 [美術家].
tri·al·ist 名 裁判にかけられている人.
Trot·sky·ist 名 トロツキスト.
tsar·ist 名 =czarist.
tub·ist 名 チューバ奏者.
tym·pa·nist 名 =timpanist.
typ·ist 名 タイピスト, タイプライターを打つ人.
tzar·ist 名 =czarist.
un·ion·ist 名 ☞
u·ni·ver·sal·ist 名 万能の人, 博識家.
ur·ban·ist 名 都市計画専門家.
U·tra·quist 名 〖プロテスタント〗カリクスト派(Calixtine).
va·ri·e·tist 名 (欲求などが)標準から外れた人.
vec·tur·ist 名 代用硬貨収集家.
Ve·dan·tist 名 〖インド哲学〗ベーダーンタ学者.
ven·tril·o·quist 名 腹話術者 [師].
ver·bal·ist 名 美文家, 雄弁家.
vers-li·brist 名 自由詩(free verse)作者.
vi·bra·phon·ist 名 ビブラホン奏者.
vi·brist 名 《話》=vibraphonist.
vine·yard·ist 名 ぶどう園所有 [経営] 者.
vi·o·lin·ist 名 バイオリン奏者.
vi·ol·ist[1] 名 ビオール(viol)奏者.
vi·o·list[2] 名 《米》ビオラ(viola)奏者.
vi·o·lon·cel·list 名 =cellist.
vis·u·al·ist 名 〖心理〗視覚型の人.
vo·cal·ist 名 音楽家, 歌手.
vol·can·ist 名 火山学者.
vul·can·ist 名 =volcanist.
wel·far·ist 名 福祉国家信奉 [主義] 者.
Wyke·ham·ist 名 ウィンチェスター校在学生 [卒業生].
Yah·wist 名 〖聖書〗ヤハウィスト.
Yid·dish·ist 名 イディッシュ語 [文化] の復興運動家.
York·ist 名 〖英史〗(ばら戦争での)ヨーク党員, 白ばら党員.
Zen·ist 名 〖仏教〗禅の実践者, 禅僧.
Zen·nist 名 =Zenist.
Zhda·nov·ist 名 旧ソ連の将軍ジダーノフの文化政策支持者.
Zi·on·ist 名 シオニスト, ユダヤ主義者.
Zo·la·ist 名 (ゾラ風の)自然主義者.
Zwing·lian·ist 名 〖キリスト教〗ツウィングリ派信者.

-ist[2] /íst/

語尾 hist と whist[2] は発声の擬声語; 語頭音から twist と wrist にねじまげの音象徴が感じられる; 別に「握る」の fist と「傾く」の list があるが, -ist はいずれも終末部の動きの急停止を表すようである; 一方, mist を音象徴的と感じる人が多いが, grist[1] と同様にこちらの -ist はごく細かいものをさすのかもしれない.
★ 語末にくる同音形は -IST[1], -YST.

bist 動 《イングランド中部・南部》be の二人称単数現在形.
cist[1] 名 (ギリシャ・ローマの)聖具箱.
cist[2] 名 (先史時代の)箱形石棺.
fist 名 ☞
gist 名 (事の)要点, 骨子, 主意.
grist[1] 名 製粉用の穀物; ひいた穀物.
grist[2] 名 グリスト: 糸・ロープの太さ.
hist 間 《注意・沈黙などを促して》シーッ.
kist[1] 名 《スコット》箱, ひつ; 金庫.
kist[2] 名 =cist[2].
list[1] 名 ☞
list[2] 名 へり, 縁; (織物の)耳.
list[3] 名 (船・建物などが)傾くこと, 傾斜.
list[4] 動他 《古》気に入る.
list[5] 動自 《古・詩語》耳を傾ける.
mist 名 ☞
schist 名 ☞
-sist 連結形 ☞
twist 動他 ☞
whist[1] 名 〖トランプ〗ホイスト.
whist[2] 間 しっ, 静かに.
wist 動 《古》wit の過去・過去分詞形.
wrist 名 手首; 手首の関節.

-is·ten /ísn/

語尾 s と en にはさまれた /t/ は発音されなくなる.

chris·ten 動他 (洗礼を施して)キリスト教徒として受け入れる(baptize).
glis·ten 動自 (光を反射して)きらきら輝く.
lis·ten 動自 聞く, 耳を傾ける, 傾聴する.

-is·tic /ístik/

接尾辞 主に -ist, -ism で終わる名詞の語幹について形容詞をつくる.
★ しばしば軽蔑的な響きをもつ; -ist で終わる形容詞に比べ軽蔑的な響きを持つことがある.
★ 語末にくる関連形は -ISTICAL.
◆ -IST[1]+-IC[1] または＜ラ *-isticus* ＜ギ *-istikos*; 語によっては *-istique* に取って代わる＜仏＜ラ(上記のとおり).
⇨ -IC[1], -TIC.
[発音] -istic の第 1 音節に第 1 強勢が置かれる.

ab·so·lut·is·tic 形 絶対(専制)主義の.
ac·tu·al·is·tic 形 〖哲学〗アクチュアリズムの; 現実主義の.
ad·i·aph·o·ris·tic 形 〖聖書〗アディアフォリズムの; 無関心主義の.
ad·ven·tur·is·tic 形 冒険主義の.
ag·o·nis·tic 形 争い好きの, 好戦的な.
al·bi·nis·tic 形 〖病理〗白皮[先天性色素欠乏]症の.
al·le·go·ris·tic 形 寓話(ぐう)を書く [用いる].
al·tru·is·tic 形 愛他的な, 利他主義的な.
A·mer·i·can·is·tic 形 アメリカ研究(者)の.
am·er·is·tic 形 〖植物〗〈ある種のシダ類が〉分裂組織(meristem)を持たない.
am·o·ris·tic 形 好色(家)の, 色事(師)の.
a·nach·ro·nis·tic 形 時代錯誤の, 時代遅れの.
a·nal·o·gis·tic 形 〖論理〗類推者の, 類推論者の.
an·ar·chis·tic 形 無政府主義の, アナーキストの.
an·i·mal·is·tic 形 獣欲 [肉欲] 主義的な.
an·i·mis·tic 形 アニミズム論者の, 聖霊崇拝論者の.
an·nal·is·tic 形 年代記作者の, 年譜作者の.
a·nom·a·lis·tic 形 変則的な, 異例の, 例外的な.
an·tag·o·nis·tic 形 (…と)反対の, 相反 [対立] する.
an·ti·en·er·gis·tic 形 反 [抗] エネルギーの.
an·til·o·gis·tic 形 〖論理〗反論理主義の.
a·o·ris·tic 形 〖文法〗不定過去の.
aph·o·ris·tic 形 アフォリズムの, 金言の; 警句的な.
a·pri·o·ris·tic 形 先天 [先験] 主義の, 先天的認識論の.
ar·cha·i·cis·tic 形 =archaistic.
ar·cha·is·tic 形 (文学・美術の)擬古主義者の.
Ar·i·an·is·tic 形 〖神学〗アリウス [アレイオス] 主義の.
ar·tis·tic 形 芸術的な, 美術的な.
at·a·vis·tic 形 隔世遺伝の; 先祖返りの.
at·om·is·tic 形 原子(論)の.

a·ton·al·is·tic 形 【音楽】無調(性)の.
au·ton·o·mis·tic 形 自治論(者)の, 自治運動の.
Av·er·ro·is·tic 形 【哲学】アベロエス説の.
Ba·al·is·tic 形 バール神崇拝の.
Bap·tis·tic 形 バプテスト(派)の.
be·hav·ior·al·is·tic 形 行動科学主義の.
be·hav·ior·is·tic 形 行動主義の.
bel·let·ris·tic 形 純文学作者［研究家］の.
bel·let·tris·tic 形 =belletristic.
Bib·li·cis·tic 形 聖書主義者の.
big·a·mis·tic 形 重婚者の.
Bol·she·vis·tic 形 【ロシア史】ボルシェビキ党の.
bo·va·ris·tic 形 自己評価の過大な, うぬぼれた.
Bud·dhis·tic 形 仏教徒の, 仏教家の, 仏教信者の.
cab·a·lis·tic 形 カバラ(cabala)の.
Cal·vin·is·tic 形 【プロテスタント】カルバン派の.
cam·er·a·lis·tic 形 国家財政の.
can·ni·bal·is·tic 形 共食いの; 人肉嗜食(しょく)の.
can·on·is·tic 形 教会法に通じている.
cap·i·tal·is·tic 形 資本の; 資本家の.
cas·u·is·tic 形 決疑論者的な; 決疑論の.
cat·e·chis·tic 形 問答式教授の.
Cath·ar·is·tic 形 (キリスト教異端の)カタリ派の.
cen·tral·is·tic 形 中央集権主義［制度］の.
cen·tris·tic 形 (政治的に)中道主義の.
char·ac·ter·is·tic 形 (…に)特有の, 独特の, 特徴的な.
chau·vin·is·tic 形 熱狂的愛国主義の.
chre·ma·tis·tic 形 理財的な, 利殖の, 蓄財的な.
clad·is·tic 形 【生物】分岐論的分類法の.
clas·si·cis·tic 形 古典的な型［規則］に忠実な.
col·lec·tiv·is·tic 形 【政治】集産主義の.
co·lo·ni·al·is·tic 形 植民地支配主義の.
col·or·is·tic 形 彩色の巧みな.
com·mer·cial·is·tic 形 商業主義の; 商人の.
com·mu·nal·is·tic 形 地方自治［コミューン］主義の.
com·mun·is·tic 形 共産党の; 共産主義運動の.
con·cep·tu·al·is·tic 形 概念論の.
cre·a·tion·is·tic 形 特殊創造説の.
crim·i·nal·is·tic 形 犯罪学の.
cub·is·tic 形 立体派の; 立体派風の.
Dar·win·is·tic 形 ダーウィン説の, ダーウィニズムの.
de·is·tic 形 デイズムの, 理神論の.
de·re·is·tic 形 【心理】デレイズムの.
de·ter·min·is·tic 形 【哲学】決定論の.
di·al·o·gis·tic 形 対話［対談］者の.
di·a·ris·tic 形 日記の; 日記担当者の.
Don·a·tis·tic 形 【キリスト教】ドナトゥス派の.
du·al·is·tic 形 二元論［二元説］の; 二元論的な.
dy·na·mis·tic 形 【哲学】力本説の, 力動説の.
e·go·is·tic 形 利己的な, 利己主義の.
e·go·tis·tic 形 自己中心癖の; 独りよがりの.
El·o·his·tic 形 エロヒスト(Elohist)の.
e·mo·tion·al·is·tic 形 (理性よりはむしろ)感情に訴えた.
em·pi·ris·tic 形 【哲学】経験論の.
en·er·gis·tic 形 【倫理】エネルギズムの, 活動主義の.
e·quil·i·bris·tic 形 曲芸の, 軽業の; 綱渡り芸人の.
es·say·is·tic 形 随筆［エッセイ］風の.
Eu·cha·ris·tic 形 【教会】聖体の.
eu·de·mon·is·tic 形 【倫理】幸福説の, 幸福主義の.
eu·he·mer·is·tic 形 エウヘメロス(Euhemerus)の.
eu·lo·gis·tic 形 褒めたたえる, 賛辞を述べる.
eu·phe·mis·tic 形 婉曲(えんきょく)語法の.
eu·phu·is·tic 形 ユーフュイズムの, 誇飾体の.
e·van·ge·lis·tic 形 福音伝道［説教］者の.
ex·clu·siv·is·tic 形 排他主義の; 党派主義の; 独占主義の.
ex·hi·bi·tion·is·tic 形 自己顕示欲の強い, 自己宣伝家の.
ex·is·ten·tial·is·tic 形 【哲学】実存主義の.
ex·pan·sion·is·tic 形 (領土などの)拡張政策［主義］の.
ex·pe·ri·en·tial·is·tic 形 【哲学】実験主義の, 経験主義の.
Ex·pres·sion·is·tic 形 表現主義芸術の.
fac·tu·al·is·tic 形 事実重視［依存］の, 事実絶対主義の.
fam·i·lis·tic 形 【社会】家族主義の.
fa·tal·is·tic 形 諦観(ていかん)の, あきらめの.
fau·nis·tic 形 動物地理学上の, 動物相研究上の.
fem·i·nis·tic 形 男女同権主義の; 女権拡張論の.
fet·ich·is·tic 形 呪物(じゅぶつ)崇拝の; フェティシズムの.
fet·ish·is·tic 形 =fetichistic.
feu·dal·is·tic 形 封建制度［主義］の.
fi·de·is·tic 形 信仰主義の.
fil·i·o·pi·e·tis·tic 形 【人類】過度に祖先を崇拝する.
flo·ris·tic 形 花に関する; 植物区系研究の.
folk·lor·is·tic 形 民俗学の; 民間伝承の.
for·mal·is·tic 形 形式主義的な; 形式論を主唱する.
for·mu·lis·tic 形 定式の固守の, 方式主義の.
Fou·ri·er·is·tic 形 フーリエ主義の.
fu·tur·is·tic 形 未来の.
Gon·go·ris·tic 形 【韻律】ゴンゴリズムの.
grad·u·al·is·tic 形 漸進主義の.
hag·ga·dis·tic 形 アガダー(Aggadah)の.
Har·mo·nis·tic 形 【キリスト教】ハーモニー会派の.
har·mo·nis·tic 形 和声の; 和声学者の.
He·bra·is·tic 形 ヘブライ学者の; ヘブライ語の.
He·brew·is·tic 形 =Hebraistic.
he·don·is·tic 形 快楽主義者の.
he·gem·o·nis·tic 形 覇権主義の.
Hel·len·is·tic 形 ギリシャ文化受容者の.
he·tae·ris·tic 形 内縁関係の, 同棲(どうせい)の.
heu·ris·tic 形 発見［習得］に役立つ.
ho·lis·tic 形 全体論的［ホーリズム］の.
hu·man·is·tic 形 人間［人道］主義の.
hu·mor·is·tic 形 ユーモアの表現が巧みな.
hy·lo·zo·is·tic 形 【哲学】物活論の.
hyp·no·tis·tic 形 催眠［睡眠］学の, 催眠［睡眠］研究の.
hy·po·co·ris·tic 形 愛称の, 親愛を表す.
i·de·a·is·tic 形 概念の.
i·de·al·is·tic 形 理想主義(者)の, 理想［夢想］家の.
il·lu·sion·is·tic 形 手品［奇術］師の; だまし絵画の.
im·ag·is·tic 形 【文学】イマジズムの.
im·pe·ri·al·is·tic 形 帝国主義の.
im·pres·sion·is·tic 形 【美術】印象主義［派］の.
in·di·vid·u·al·is·tic 形 独立的［個性的］な.
in·tel·lec·tu·al·is·tic 形 知的追求へ専念［傾倒］する.
Jah·vis·tic 形 =Yahwistic.
Jah·wis·tic 形 =Yahwistic.
Jan·sen·is·tic 形 【キリスト教】ジャンセン派信者の.
Je·ho·vis·tic 形 =Yahwistic.
jin·go·is·tic 形 好戦的愛国精神［主義］の.
jour·nal·is·tic 形 ジャーナリズムの［に特有の］.
Ju·da·is·tic 形 ユダヤ教徒［主義者］の.
ju·ris·tic 形 法律専門家の, 裁判官［弁護士］の.
kab·a·lis·tic 形 =cabalistic.
La·bor·is·tic 形 (労働者階級の)政治経済支配論の.
La·ma·is·tic 形 ラマ教徒の.
le·gal·is·tic 形 法律尊重［万能］主義の.
lib·er·al·is·tic 形 自由主義者の, リベラリストの.
lin·guis·tic 形 言語の［に関する］.
lit·er·al·is·tic 形 直訳主義の.
lit·ur·gis·tic 形 典礼［礼拝］学者の.
lo·cal·is·tic 形 (話し方などが)地方色豊かな.
lo·gis·tic 名 記号論理学(symbolic logic).
-lo·gis·tic 連結形 ☞
mal·a·prop·is·tic 形 音が類似した語のこっけいな誤用の.
mam·mon·is·tic 形 拝金主義の, 金銭至上主義の.
man·ner·is·tic 形 癖のある; 型にはまった.
mas·och·is·tic 形 【精神医学】マゾヒズムの, 被虐症の.
ma·te·ri·al·is·tic 形 物質［実利］主義の.
mech·a·nis·tic 形 機械論(者)の; 機械的に決定された.
me·di·um·is·tic 形 霊媒の, 降霊［降神］術の.
mel·a·nis·tic 形 【人類】黒性の.
mel·io·ris·tic 形 【哲学】改善説の, メリオリズムの.
men·tal·is·tic 形 【哲学】唯心論者の.
mer·can·til·is·tic 形 商業［営利］主義の; 商人根性の.
Meth·od·is·tic 形 【キリスト教】メソジスト派の.
mil·i·ta·ris·tic 形 軍国主義の.

mi·sog·y·nis·tic 形 女嫌いの, 女性不信の.
mis·o·ne·is·tic 形 新しい物[改革]嫌いの, 保守主義の.
mod·ern·is·tic 形 現代の, 近ごろの, 当今の.
mon·ad·is·tic 形 【哲学】単子論の, モナド論の.
mon·ar·chis·tic 形 君主制の原理の.
mon·er·gis·tic 形 【神学】単働説の.
mon·is·tic 形 【哲学】一元論の.
mo·nog·a·mis·tic 形 一夫一婦[単婚]主義者の.
mo·nog·e·nis·tic 形 人類単一起源説の.
mo·nop·o·lis·tic 形 独占者の, 専売人の; 独占企業の.
mor·al·is·tic 形 道徳家の.
mu·tu·al·is·tic 形 【生物】相利[双利]共生の.
nar·cis·sis·tic 形 自己愛の, 自愛の.
na·tiv·is·tic 形 《米》移民排斥主義[政策]の.
nat·u·ral·is·tic 形 自然描写の, 自然に似せた.
neg·a·tiv·is·tic 形 否定的[悲観的]な.
ne·ol·o·gis·tic 形 新(造)語(句)の; (語の)新用法の.
ni·hil·is·tic 形 ニヒリズムの, 虚無主義の.
noc·tam·bu·lis·tic 形 =somnambulistic.
nom·i·nal·is·tic 形 (中世哲学で)唯名論の, 名目論の.
no·mis·tic 形 【宗教】律法(厳守)主義の.
nov·el·is·tic 形 長編作家の.
nu·cle·ar·is·tic 形 核保有主義の.
ob·jec·tiv·is·tic 形 客観主義の.
ob·struc·tion·is·tic 形 (組織的)妨害者の.
oc·ca·sion·al·is·tic 形 【哲学】偶因論の, 機会原因論の.
oc·u·lis·tic 形 眼科医の.
o·nan·is·tic 形 (膣外射精のための)性交中断の; 手淫の.
op·er·a·tion·al·is·tic 形 【哲学】操作主義の.
op·por·tun·is·tic 形 便宜主義的な; 日和見[御都合]主義の.
op·ti·mis·tic 形 〈人・計画・考えが〉楽天的な.
or·gan·i·cis·tic 形 【哲学】有機体説の.
or·tho·pe·dis·tic 形 整形外科医の.
pa·cif·i·cis·tic 形 《英》=pacifistic.
pac·i·fis·tic 形 平和主義(者)の.
pa·gan·is·tic 形 異教精神の, 異教徒の信仰の.
pa·pal·is·tic 形 教皇中心主義の; 教皇制支持の.
pa·pis·tic 形 ローマカトリック教徒の.
par·al·lel·is·tic 形 平行位置[関係]の.
pa·ral·o·gis·tic 形 【論理】誤謬(ごびゅう)推理の.
par·o·dis·tic 形 もじり詩文[歌曲](parody)の.
par·tic·u·lar·is·tic 形 個別主義の, 排他主義の.
pa·ter·nal·is·tic 形 父子主義の, 温情主義の.
pa·tris·tic 形 (初期キリスト教の)教父の.
Paul·in·is·tic 形 パウロ主義の.
per·fec·tion·is·tic 形 完全論者の.
per·son·al·is·tic 形 人格主義の.
pes·si·mis·tic 形 悲観的な, 厭世(えんせい)的な.
phe·nom·e·nal·is·tic 形 【哲学】現象論の, 現象主義の.
phi·lan·thro·pis·tic 形 慈善家の, 博愛家の; 博愛主義者の.
phys·i·cal·is·tic 形 【哲学】物理主義(physicalism)の.
pi·a·nis·tic 形 ピアノの, ピアノに関する.
Pi·e·tis·tic 形 敬虔(けいけん)派の.
pla·gia·ris·tic 形 剽窃(ひょうせつ)の, 盗作の.
plu·ral·is·tic 形 【哲学】多元論の.
poin·til·list·ic 形 【絵画】点描画法の; 点描画家の.
pol·y·dae·mon·is·tic 形 多くの悪霊への信仰[崇拝]の.
po·lyg·a·mis·tic 形 多くの妻を持つ; 多妻主義の.
po·lyg·e·nis·tic 形 多原説の, 多元論の.
pol·y·mor·phis·tic 形 多形の.
pol·y·syl·lo·gis·tic 形 【論理】連結推理の, 複合三段論法の.
pos·i·tiv·is·tic 形 積極性の; 確信の; 独断の.
Post·im·pres·sion·is·tic 形 後期印象派の.
prag·mat·i·cis·tic 形 実用主義哲学の, プラグマティシズムの.
prag·ma·tis·tic 形 実利主義の, 実務家の.
pre·ci·sion·is·tic 形 【美術】プレシジョニズムの.
prim·i·tiv·is·tic 形 原始主義の, 尚古主義の.
pri·va·tis·tic 形 引きこもりがちな, 引っ込みがちな.
prob·a·bi·lis·tic 形 【統計】確率(論)的な.
pro·na·tal·is·tic 形 出産促進論[政策]の.
prop·a·gan·dis·tic 形 宣伝者の; 伝道[布教]者の.
pros·e·lyt·is·tic 形 改宗の, 転向の, 変節の.
pro·tec·tion·is·tic 形 【経済】保護貿易主義[政策]の.
pro·tis·tic 形 【発生】原生生物の.
psit·ta·cis·tic 形 機械的に繰り返される無意味な言葉の.
psy·chol·o·gis·tic 形 《しばしば軽蔑的》心理主義の.
pu·gi·lis·tic 形 《気取って》拳闘の, ボクシングの.
pu·ris·tic 形 純粋主義の, 純正論の.
Pu·sey·is·tic 形 《侮辱的》オックスフォード運動の.
Pyr·rho·nis·tic 形 【哲学】ピュロン主義の; 懐疑論の.
qui·et·is·tic 形 静寂主義の, 宗教的神秘主義の.
ra·cial·is·tic 形 =racistic.
rac·is·tic 形 人種差別[偏見]の, 人種的優越感の.
ra·tion·al·is·tic 形 理性[合理]主義の.
re·al·is·tic 形 現実主義の, 現実的な[に即した].
re·cid·i·vis·tic 形 犯罪を重ねた; 常習的な悪行の.
re·duc·tion·is·tic 形 【哲学】還元主義の.
re·form·is·tic 形 改革論の.
re·gion·al·is·tic 形 【政治】地方分権主義の.
rel·a·tiv·is·tic 形 相対主義の; 相対性理論の.
re·li·gion·is·tic 形 宗教に凝った, 狂信的な.
rep·re·sen·ta·tion·al·is·tic 形 【哲学】表象主義の.
rep·re·sen·ta·tion·is·tic 形 【哲学】=representationalistic.
re·viv·al·is·tic 形 信仰復興運動の.
rhap·so·dis·tic 形 ラプソディーの作者の.
rig·or·is·tic 形 極度に厳格[厳正]な.
rig·our·is·tic 形 《特に英》=rigoristic.
rit·u·al·is·tic 形 典礼研究家の, 典礼通の.
Ro·man·is·tic 形 ローマカトリック教徒の.
ro·man·ti·cis·tic 形 (文学・芸術の)ロマン主義の.
Rous·seau·is·tic 形 ルソー主義の, 啓蒙主義の.
roy·al·is·tic 形 王党派の, 王政主義の.
sa·dis·tic 形 【精神医学】サディズムの, 加虐性愛の.
sa·do·mas·och·is·tic 形 【精神医学】サドマゾヒズムの.
sci·en·tis·tic 形 科学万能主義の.
sci·o·lis·tic 形 《まれ》知識が浅薄な; 知ったかぶりの.
Sco·tis·tic 形 【哲学】【神学】スコトゥス主義の.
sec·u·lar·is·tic 形 世俗尊重の, 現世主義の.
sen·sa·tion·al·is·tic 形 扇情的題材[用語, 文体]の.
sen·sa·tion·is·tic 形 【心理】感覚主義の.
sen·su·al·is·tic 形 肉欲[官能]にふける, 好色の.
sen·su·is·tic 形 【哲学】感覚論の.
sha·man·ist·ic 形 シャーマニズムの.
Shin·to·is·tic 形 神道の研究者[信者]の.
sim·plis·tic 形 過度に単純化した.
Sin·ar·quis·tic 形 メキシコファシスト党の.
so·cial·is·tic 形 社会主義者の; 社会主義の.
sol·e·cis·tic 形 文法違反の; 破格の.
so·lo·is·tic 形 独奏[独唱, 独演]者の.
som·nam·bu·lis·tic 形 夢中遊行の, 夢遊(病)の.
so·phis·tic 形 詭弁(きべん)的な.
spe·cial·is·tic 形 専門(家)の; 専門的な.
Spi·no·zis·tic 形 【哲学】スピノザ主義の.
spir·it·is·tic 形 心霊論の; 心霊[降霊]術の.
spir·it·u·al·is·tic 形 =spiritistic.
sta·tis·tic[2] 名 【統計】統計量[値].
struc·tur·al·is·tic 形 構造主義の.
sty·lis·tic 形 文体(上)の, 様式の; 文体論の.
sub·jec·tiv·is·tic 形 【哲学】主観論の, 主観主義の.
Su·fis·tic 形 【イスラム教】スーフィズムの, イスラム神秘主義の.
su·per·nat·u·ral·is·tic 形 超自然的作用による.
syl·lo·gis·tic 形 三段論法の推理に熟達した.
sym·bol·is·tic 形 象徴[記号, 符号]を用いる.
syn·chro·mis·tic 形 【美術】シンクロミズムの.
syn·di·cal·is·tic 形 【仏政治】サンディカリスムの.
syn·er·gis·tic 形 相乗作用の[を持つ].
syn·op·tis·tic 形 【聖書】共観福音書の作者マタイの, マルコまたはルカの.

Tao·is·tic 形 タオイストの, 老荘思想の.
ter·ror·is·tic 形 テロリズムの, テロ行為の.
the·is·tic 形 有神論(者)の.
Tho·mis·tic 形 〖哲学〗〖神学〗トマス・アクイナス主義の.
to·ken·is·tic 形 名目主義の.
to·tal·is·tic 形 全体主義の, 一党独裁主義の.
to·tem·is·tic 形 トーテム制社会に属する.
tour·is·tic 形 (観光)旅行の; (観光)旅行者の.
tra·di·tion·al·is·tic 形 伝統(第一)主義の, 伝統の墨守の.
tra·du·cian·is·tic 形 〖神学〗霊魂出生説の.
trans·for·ma·tion·is·tic 形 =transformistic.
trans·form·is·tic 形 〖生物〗生物変移論の, 進化論の.
trib·al·is·tic 形 部族生活 [組織, 社会] の.
tro·pis·tic 形 〖生物〗屈性の.
tru·is·tic 形 自明の, 分かりきった.
tsar·is·tic 形 (ロシアの)帝政の.
tzar·is·tic 形 =tsaristic.
ul·tra·is·tic 形 過激 [急進] 主義, 極端 [過激] 論.
un·ion·is·tic 形 合同主義の; 労働組合主義の.
u·ni·ver·sal·is·tic 形 全体の, 普遍的な; 全人類的な.
ur·ban·is·tic 形 都市生活(様式)の [に関する].
u·to·pi·an·is·tic 形 ユートピア的理想主義の.
u·to·pis·tic 形 =utopianistic.
van·dal·is·tic 形 (芸術, 文化で)破壊的な.
ven·tril·o·quis·tic 形 腹話術者 [師] の.
ver·bal·is·tic 形 美文家の, 雄弁家の.
ver·is·tic 形 真実主義の.
vi·tal·is·tic 形 〖哲学〗生気論の.
vol·un·ta·ris·tic 形 〖哲学〗主意説の.
vol·un·teer·is·tic 形 自由志願制の.
voo·doo·is·tic 形 ブードゥー教儀式 [礼拝儀式, 風習] の.
voy·eur·is·tic 形 のぞき症の; 観淫(かんいん)者の.
who·lis·tic 形 =holistic.
Yah·wis·tic 形 ヤハウィストの; ヤハウェ信仰の.
Zi·on·is·tic 形 シオニストの, ユダヤ主義者の.

-is·ti·cal /ístikəl/

接尾辞 -istic と -al[1] の結合形. ⇨ -ICAL, -TICAL.
★ しばしば -ist, -ism に終わる名詞に対応する形容詞をつくる; さらに -ly がついて, linguistically などを派生する.

ag·o·nis·ti·cal 形 争い好きの, 好戦的な, 議論好きな.
a·nach·ro·nis·ti·cal 形 時代に合わない; 時代錯誤の.
ar·tis·ti·cal 形 芸術的な; 芸術のわかる.
a·the·is·ti·cal 形 無神論(者)の; 不信心の.
at·om·is·ti·cal 形 原子の.
com·pu·tis·ti·cal 形 (コンピュータによる)計量的統計の.
lin·guis·ti·cal 形 《俗に》言語の.
pa·pis·ti·cal 形 《通例軽蔑的》ローマカトリック教の.
sta·tis·ti·cal 形 統計(学)の, 統計(学)上の.

-is·tics /ístiks/

接尾辞 -ist[1] と -ics の結合形.

Ang·lis·tics 名複 英語 [英文学] 研究.
chre·ma·tis·tics 名複 蓄財(利殖)論, 理財学.
cla·dis·tics 名複 〖生物〗分岐論.
crim·i·nal·is·tics 名複 《特に米》犯罪証拠学.
flo·ris·tics 名複 〖植物〗植物相 [誌] 学, 植物区系学.
folk·lor·is·tics 名複 フォークロア研究, 民俗学.
fu·tur·is·tics 名複 (特に科学技術, 芸術などの分野の)未来学, 未来の予知(法).
lin·guis·tics 名複 ☞
lo·gis·tics 名複 兵站(へいたん)学.
pa·tris·tics 名複 教父(神)学, 教父文献学.
sphra·gis·tics 名複 印章学.
sta·tis·tics 名複 ☞
sty·lis·tics 名複 文体論.

-is·tle /ísl/

語尾 bristle と thistle は別語源だが,「とげ」の音象徴的連想を生じている; whistle は口笛の擬声語から.

bris·tle 名 (動物の)粗毛; (植物の)とげ.
gris·tle 名 (特に料理した)軟骨(cartilage).
this·tle 名 ☞
whis·tle 動自 ☞

-is·tor /ístər/

連結形 〖電気〗抵抗器.
★ 名詞をつくる.
◆ resistor の短縮形.

hy·gris·tor 名 〖電子工学〗湿度測定素子.
therm·is·tor 名 〖電子工学〗サーミスター.
tran·sis·tor 名 ☞
var·is·tor 名 バリスター.

it /ít/

代 《人称代名詞三人称中性単数主格・目的格》それは [が]; それを [に].

al·be·it 接 《主に文語》…であろうとも.
fix-it 形 《米話》修理の, 改装の.
god·damn·it 間 《怒り・当惑・驚きなどを表して》くそっ, ちくしょう.
how·be·it 副 《古》にもかかわらず.
how·go·zit 形名 〖航空〗燃料の残量を表示する(装置). ►how goes it より.
pop-it 名 =poppit.
pop·pit 名 (ネックレスなどの)留め玉.
Post-it 名 付せん紙.
so·be·it 接 《古》もし…ならば.
wha·cha·ma·call·it 名 《話》(名前が思い出せない)例のもの [人], あれ, あの人.
whas·sit 名 =whatsit.
what·cha·ma·call·it 名 =whachamacallit.
what-do-you-call-it 名 =whachamacallit.
whats·it 名 どう呼んでいいか分からないもの, 例のもの. ►what is it より.
what-you-may-call-it 名 =whachamacallit.
who·dun·it 名 《話》(殺人事件を扱った)推理小説. ►Who done it? より.
who·sit 名 《俗》なんとかいうもの [人]. ►who's it より.
why·dun·it 名 《話》(犯罪の動機を中心に扱った)推理小説.
with-it 形 《俗》流行に通じた, 当世風の.
you-name-it 名 その他なんでも.

-it[1] /it/

接尾辞 ラテン語動詞の屈折形の一つ. **1** 直説法三人称単数現在形: defic*it*. **2** 直説法三人称単数完了形: affidar*it*. **3** 接続法三人称単数現在形: pros*it*.
◆ <ラ *-it* (*-ere* で終わる不定形の三人称単数現在形など).

af·fi·da·vit 名 〖法律〗宣誓供述書. ►字義は he has declared on oath.
as·sump·sit 名 〖法律〗引受訴訟, 単純契約違反訴訟. ►字義は he has undertaken.
cog·no·vit 名 〖法律〗被告の認諾 [自白]. ►字義は he has recognized.
def·i·cit 名 不足額; 欠損, 損失, 赤字. ►字義は it lacks.
de·li·ne·a·vit 動 …これを描く(he [she] drew (this)).
di·rex·it 動 …がこれを監督した(he [or she] supervised (this)).

dix·it 名 (特に独断的な)発言, 断言.
e·le·git 名 〖法律〗強制管理令状. ►字義は he has chosen.
ex·cu·dit 動 …これを刻めり(he [she] engraved (this)).
in·ci·pit 名 (中世の写本などの章節の)書き出し. ►字義は here begins.
in·ve·nit 動 …の発明による(he [she] invented (it)).
o·bi·it 動 …死せり(he [she, it] died). ►通例 ob と略す.
pinx·it 動 … 描く, … 作 (he [she] painted (it)). ►pinx., pxt. と略す.
pro·sit 間 乾杯, 健康を祝す(may it benefit).
scrip·sit 動 …著(he [she] wrote (it)).
sculp·sit 動 …これを彫る(he [she] sculptured (it)).

-it[2] /ít/

音象徴間 **1** シャッ, パッ, ピッ; 打つ, 割る, 切るといった急で短い動作を表す. **2** ピッ, チッ; (1)鳥の鳴き声を表す. (2)軽蔑・いらだちなどの発声を表す. **3** 小さなもの・少量を表す.

banana·quit 名 〖鳥類〗マミジロミツドリ.
bit 名 (…の)小片, 小部分; 少量, 少し(の…), わずか(な…).
brit 名 ヒゲクジラ類の餌(えさ)になる海産小動物群.
chit[1] 名 《おどけて・軽蔑的》子供, (特に)生意気な小娘; 幼獣.
chit[2] 名 芽, 若芽. ―― 動自 《英方言》若芽を出す, 芽吹く. ―― 他 若芽を摘み取る.
chit[3] 間 ちぇっ.
dit 名 トン: モールス信号などの短点(dot)を表す擬声語.
flit 動自 〈人・物が〉軽快に動く; 〈雲などが〉素早く [矢のように, かすめ] 飛ぶ.
nit 名 (しばしば毛髪や衣服の繊維に付着した)寄生虫(特にシラミ)の卵.
pee·wit 名 ＝pewit.
pe·wit 名 〖鳥類〗タゲリ.
pip·it 名 〖鳥類〗タヒバリ. ►擬声語.
pit 名 種.
quit 名 中米, 西インド諸島, 南米西北部産の数種の小鳥の総称.
slit 動他 …を(線に沿って)切り開く; 細長い切り込みをつける.
spit 動自 つばを吐く, (…に)つばを吐きかける. ―― 名 唾液(だえき); つばを吐くこと.
split 動他 縦に(層状に)割る, 断ち割る, 裂く, そぐ; 〈革などを〉(薄く)はぐ. ―― 名 割る [裂く] こと, 割れる [裂ける] こと.
squit 名 《英俗》くだらないやつ.
tit 名 **1** 〖鳥類〗カラ類(titmouse); シジュウカラ科の鳥. **2** (種々の)小鳥.
tur·bit 名 〖鳥類〗イエバトの一種.
twit[1] 名 《話》くだらないやつ, 厄介なやつ.
twit[2] 名 《米・カナダ話》いらだち.
whit[1] 間 《鳥の鳴き声・弾丸の当たる音などを表して》ヒュー, ホー; ビシッ, バシッ.
whit[2] 名 《文語》少量, 微量, 僅少(bit).

-it[3] /ít/

音象徴間 音象徴語の重複形に見られる語末要素.

fít-fít 間 《ナイフを革砥で研ぐ音》シャッシャッ, シュッシュッ.
guít-guìt 名 熱帯アメリカ産のフウキンチョウ科のミツドリ(honeycreeper)数種の総称.
twít-twít 間 《ひな鳥などの鳴き声》ピーピー, ピッピッ, チーチー.
zít-zít 間 《鋭く切れ込みを入れる音》シャッシャッ, ザッザッ.

-it[4] /ít/

語尾 fit「合う」と knit「編む」に「細かい組み合わせ」の音象徴がある; なお, clit, kit[3] のような短縮語でも -it が「小さいもの」をさす.
★ 語末にくる同音形は -IT[1], -IT[2], -IT[3], -ITT.

bit[1] 名 ☞ BIT[1]
bit[2] 名 ☞ BIT[2]
bit[3] 名 ☞ BIT[3]
bit[4] 動 bite の過去・過去分詞形.
chit[1] 名 チット: 食堂の注文伝票.
chit[2] 名 〖ヒンドゥー教〗＝cit[1].
cit[1] 名 〖ヒンドゥー教〗知, 精神, 心.
cit[2] 名 市民; 《俗》一般の人.
clit 名 《俗》クリトリス(clitoris).
crit 名 《話》批評家, 評論家(critic).
fit[1] 形 ☞
fit[2] 名 《古》歌, 物語.
fit[3] 動 《主に古風》fight の過去形.
frit 名 〖製陶〗白玉(しらたま).
it[1] 代 ☞
it[2] 名 《英話》(イタリア産の)甘口食前酒.
kit[1] 名 ☞
kit[2] 名 ポシェット(pochette).
kit[3] 名 子猫(kitten).
kit[4] 名 《NZ》亜麻を編んで作ったかご.
knit 動他 ☞
lit[1] 動 ☞
lit[2] 名 リータス(litas): リトアニア共和国の旧銀貨で旧貨幣単位.
mit 名 《俗》手(hand).
-mit 連結形 ☞
nit[1] 名 〖物理〗ニト.
nit[2] 名 〖コンピュータ〗ニット.
nit[3] 名 《英・豪話》人が来たことを知らせる叫び声.
pit[1] 名 ☞
pit[2] 名 《主に米・カナダ》種(たね).
pit[3] 動 《スコット》＝put.
quit 動他 《主に米》やめる, 中止する.
shit 名 ☞
sit[1] 動自 ☞
sit[2] 動 《ラテン語》(処方箋で)(必要あらば)そうせよ.
skit 名 《英話》たくさん, どっさり.
smit 名 《スコット・北イング》感染.
spit[1] 名 ☞
spit[2] 名 (焼き肉用などの)串.
split 動他 ☞
sprit 名 〖海事〗スプリット.
tit 名 ☞
twit[1] 動他 あざける, からかう.
twit[2] 名 糸の細い [弱い] 部分.
whit 名 聖霊降臨節(Whitsuntide).
wit[1] 名 ☞
wit[2] 動他自 《古》知る, 知っている.
writ[1] 名 令状.
writ[2] 動 《古・方言》write の過去・過去分詞形.

-i·ta /íːtə/

接尾辞 小….
★ 語末にくる関連形は -ITO[2].
◆ スペイン語の女性形指小辞.

ca·si·ta 名 カシータ: (米南西部でメキシコ人労

働者が住む)貧民街の粗末な小屋.
co·pi·ta 名 コピータ：チューリップの形をしたシェリー酒用グラス.
man·za·ni·ta 名 〘植物〙ツツジ(シャクナゲ)科 *Arctostaphylos* 属の低木の総称.
sam·pa·gui·ta 名 〘植物〙アラビアジャスミン.
se·ño·ri·ta 名 …嬢；お嬢様.

itch /ítʃ/

名 **1** かゆみ. **2** うずうずする欲望.

bárber's ítch 〘病理〙白癬(はくせん)性毛瘡(もうそう).
cúnt ìtch 《米俗》女の性欲.
dhóbie ítch 〘病理〙ドービー痒疹(ようしん).
grócer's ítch 〘病理〙乾物屋かゆみ症.
gróund ìtch 〘病理〙土壌かゆみ症.
jóck ìtch 《米俗》いんきんたむし.
jóckstrap ítch 《米俗》=jock itch.
séven-yèar ítch 〘病理〙〘獣病理〙疥癬(かいせん).
swímmer's ítch 〘病理〙水泳者瘙痒(そうよう).
Swíss ítch 《米俗》テキーラなどの強い酒を, 塩をなめてからあおり, 次にライムをかじる飲み方.
vág·itch 名 《米俗》膣(ちつ)内外のかゆみ.

-itch[1] /ɪtʃ/

音象徴 ひっかける, つなぐ, 引く, 張る, ひねるなどの動作を表す.

hitch 動他 ☞
pitch 動他 ☞
snitch 動他 《話》ひったくる, かっさらう, 盗む, ちょろまかす. ── 名 《米暗黒街俗》盗み, 窃盗.
stitch 名 ☞
switch 名 ☞
twitch 動他 ちょんと引く [引っ張る]; 急に引く, ぐいと引く.

-itch[2] /ɪtʃ/

語尾 bitch と witch の連想から, 否定的な響きで pitch[2] などが生まれたのだが, glitch, gritch, snitch などの否定的な語とも関連する; smitch, titch は小さいものを表す.
★ 語末にくる同音形は -ICH[1].

bitch 名 ☞
ditch 名 排水溝, 灌漑(かんがい)用水路.
fitch 名 〘動物〙ヨーロッパケナガイタチ.
flitch 名 塩漬けにした豚脇腹(わきばら)肉の燻製.
glitch 名 《俗》(機械などの)欠陥, 不調.
gritch 動自 《米話》不平 [文句] を言う.
hitch[1] 名 〘魚類〙ヒッチ(minnow).
hitch[2] 動他 《話》ヒッチハイクをする.
itch 名 ☞
pitch[1] 名 ピッチ.
pitch[2] 名 《米学生俗》いやな女.
quitch 名 イネ科の根茎が横に広がる雑草.
skitch 動他 《NZ》〈犬が〉攻撃する.
smitch 名 《話》ごくわずかな量(smidgen).
snitch 動自 《話》告げ口する, 密告する.
titch 名 《英俗》ちび, 子供(tich).
witch 名 ☞

-ite[1] /àit/

接尾辞 **1** 場所・部族・指導者・主義・組織などに関係する人. **2** 〘鉱物〙〘岩石〙…石, …鉱, …岩. **3** …薬. ►爆薬名. **4** 〘化学〙…化合物. ►特に -ous で終わる酸塩: phosph*ite*, sulf*ite*. **5** 〘動物〙手足・体の一部, 器官.
★ 名詞, 形容詞をつくる.
★ 語末にくる関連形は -ITIC, -ITOL.
◆ 中英＜ラ *-ita* ＜ギ *-ītēs*; しばしばギリシャ語に直接由来; 語によっては仏 *-ite*, 独 *-it* など(＜ラ＜ギ, 上記のとおり)を表す.

〈**1**〉場所・部族・指導者・主義・組織などに関係する人.
Aa·ron·ite 名 〘聖書〙アロンの子孫である祭司.
Ad·am·ite 名 アダムの子孫; 人間.
A·dul·lam·ite 名 〘英史〙アダラム党員.
'Al·a·wite 名 〘イスラム教〙アラウィー派.
Am·a·lek·ite 名 〘聖書〙アマレク人(じん).
A·man·ite 名 (ルーテル教会の)アマナ会の会員.
Am·mon·ite 名 〘聖書〙アンモン人(じん).
Am·o·rite 名 〘聖書〙アモリ人(じん).
An·na·mite 名 アンナン(安南)の; アンナン人の, アンナム語の.
an·thro·poph·a·gite 名 人肉を食う人, 人食い.
An·zan·ite 名 =Elamite.
ar·chi·man·drite 名 〘東方教会〙掌院: 大修道院長.
Ar·e·op·a·gite 名 〘ギリシャ史〙アレオパゴス会議員.
Ash·er·ite 名 〘聖書〙アシラ部族の人.
bed·lam·ite 名 《古》精神障害者.
Bev·an·ite 名形 ベバン(英労働党左派の指導者)支持(の).
Blair·ite 名 ブレア(英首相・労働党)政策支持者.
bleach·er·ite 名 外野席の見物人.
Broad·way·ite 名 ブロードウェーの劇場街の常連.
Cain·ite 名 〘キリスト教〙カイン主義者.
Ca·leb·ite 名 〘聖書〙カレブの子孫. ── 形 カレブの子孫の.
Camp·bell·ite 名 キャンベル派信者.
Ca·naan·ite 名 〘聖書〙カナン人(じん).
Car·mel·ite 名 〘ローマカトリック〙カルメル会修道士.
Cas·site 名 =Kassite.
Cas·tro·ite 形名 カストロ(キューバの革命家)支持の(人).
ce·no·bite 名 (初期キリスト教で原始共産制的共同生活を営んだ)修道士, 共住修道士.
coe·no·bite 名 =cenobite.
con·vert·ite 名 《古》回心者, 改宗者, 転向者.
cos·mop·o·lite 名 コスモポリタン, 世界人, 世界市民.
Cush·ite 名形 クシ人(の): Somalia, Ethiopia を含むハム語族に属する民族.
Dan·ite 名 ダン団員: 米国モルモン教徒の秘密結社の一員.
Dar·by·ite 名 ダービー派(の一人).
Der·by·ite 名 (第一次世界大戦時の Derby 計画(1915)による)志願兵.
Dy·oph·y·site 名 〘神学〙キリスト両性論者.
Ebi·o·nite 名 〘キリスト教〙エビオン派の人.
Eb·la·ite 名 エブラ語.
E·dom·ite 名 〘聖書〙Jacob の兄で, Edom [Esau] の子孫, エドム人(じん).
E·lam·ite 名 エラム人: 古代 Babylonia 東方にあった王国エラムの住人.
E·phra·im·ite 名 〘聖書〙Joseph の次男で, エフライム(Ephraim)の子孫.
Eu·chite 名 〘キリスト教〙ユーカイト.
Ex·chang·ite 名 《米》ナショナルエクスチェンジクラブ(社会奉仕団体)の会員.
ex·ur·ban·ite 名 (特に都市から移住した)準郊外居住者.
Fried·man·ite 名 〘経済〙フリードマン主義者.
Gad·ite 名 〘聖書〙ガド族(の人).
gal·ler·y·ite 名 天井桟敷の観客; 観客.
Gib·e·on·ite 名 〘聖書〙ギベオンの住民.
Gil·e·ad·ite 名 〘聖書〙ギレアデ人(じん).
Gur·ney·ite 名 〘キリスト教〙ガーニー派信奉者.
Ham·ite 名 〘聖書〙Noah の次男 Ham の子孫, ハム族(の一人): 古代エジプト人や現代のペルシア人など.

Har·lem·ite 名 ハーレム生まれの人 [の居住者].
Hash·i·mite 名 〘イスラム教〙ハーシム家.
Hicks·ite 名 米国クエーカー自由派, ヒックス派.
Hi·er·on·y·mite 名 〘キリスト教〙ヒエロニムス隠修団修士: St.Jerome の名にちなむ隠者.
Him·yar·ite 名 ヒムヤル族: 11 世紀頃までアラビア南部に住んでいたセム語系の民族.
Hit·ler·ite 名 ヒトラー主義者, ヒトラー主義信奉者.
Hit·tite 名 ヒッタイト人: 小アジアおよびシリアに強大な帝国を築いた古代民族.
Hi·vite 名 ヒビ人: イスラエル人に制服された Canaan の先住古代民族.
hop·lite 名 (古代ギリシャの)重装歩兵.
Ho·rite 名 ホリ人: 死海地域に住んでいた Edom の古代人.
Huss·ite 名 〘キリスト教〙フス派(の一人).
Hut·ter·ite 名 〘キリスト教〙ヒュッテル派の人.
hyp·o·crite 名 偽善者, (特に)言行不一致の人.
I·mam·ite 名 〘イスラム教〙12 イマーム派.
Ir·ving·ite 名 《しばしば軽蔑的》公同使徒教会の信徒, アービング派の人.
Ish·ma·el·ite 名 〘聖書〙イシュマエル族.
Is·lam·ite 名 イスラム教徒, 回教徒, ムスリム.
Is·ra·el·ite 名 〘聖書〙Jacob の子孫, イスラエル人.
Is·sa·char·ite 名 〘聖書〙イサカル人(ﾋﾞ).
Jac·o·bite 名 〘英史〙ジャコバイト.
Jane·ite 名 Jane Austen の賛美者.
Jar·ed·ite 名 ジェレドの民(の一人): モルモン経(ｷｮｳ)の中で, バベルの塔の崩壊後, 離散して米国に定住した部族.
Jar·mo·ite 名 〘考古〙ジャルモ人.
Jeb·us·ite 名 〘聖書〙エブス人(ﾋﾞ).
Jo·seph·ite 名 〘ローマカトリック〙聖ヨセフ会員.
Ju·dah·ite 名形 ユダ族 [ユダ王国] の(人).
Kar·a·ite 名 〘ユダヤ教〙カライ(派ユダヤ教徒).
Kas·site 名 カッシート人: 紀元前 1150 年ごろまで Babylonia を支配した古代民族.
Kha·ri·jite 名 〘イスラム教〙ハワーリジュ派の信徒.
La·bor·ite 名 《米》労働党員.
La·bour·ite 名 英国労働党員; 英国労働党支持者.
Lea·vi·site 名形 リービス(英国の文芸評論家)の信奉者(の).
lo·cal·ite 名 (ある)土地の人, 地元住民.
Lud·dite 名 〘英史〙ラダイト.
Majorite 名 メイジャー(英国元首相)支持者.
Ma·nas·site 名 〘聖書〙マナセ族(の一人).
Man·hat·tan·ite 名 米国 New York 市 Manhattan 区生まれの人 [住民], ニューヨークっ子.
Mar·cion·ite 名 〘キリスト教〙マルキオン派信徒.
Mar·o·nite 名 〘キリスト教〙マロン派(の一人).
Mel·chite 名 〘キリスト教〙メルキ教徒.
Mem·phite 形名 (古代エジプトの)メンフィスの(人).
Men·non·ite 名 〘キリスト教〙メノー派.
Mer·o·ite 名 メロイト: (古代エチオピアの)Merowë 王国の住人.
Mid·i·an·ite 名 〘聖書〙ミデアン人(ﾋﾞ).
Mill·er·ite 名 〘キリスト教〙ミラー説信奉者.
Mi·nor·ite 名 〘ローマカトリック〙フランシスコ会士.
Mo·ab·ite 名 モアブ人: 死海の東方にあった古代王国の人.
Mo·noph·y·site 名 〘神学〙キリスト単性論者.
Mos·ley·ite 名 〘英政治〙モーズレー信奉者.
Murj·ite 名 〘イスラム教〙ムルジア派.
Mus·co·vite 名 モスクワ市民, モスクワっ子.
Mu·ta·zi·lite 名 〘イスラム教〙ムータジラ派(の一人).
Na·der·ite 名 (特にネーダーの主唱する)消費者運動の支持者.
Naph·ta·lite 名 〘聖書〙ナフタリ人(ﾋﾞ).
Nax·a·lite 名 インドの極左毛沢東主義グループの一人.
Naz·a·rite 名 〘聖書〙ナジル人(ﾋﾞ).
Naz·i·rite 名 ＝Nazarite.
New·man·ite 名 〘英国国教会〙J.H.Newman およびその説の支持者.
Pais·ley·ite 名 (アイルランドの政治家・宗教指導者)Ian Paisley の信奉者.
Peel·ite 名 〘英史〙ピール党員.
pit·tite 名 《主に英》ピット席の常連客.
Pre-Raph·a·el·ite 形 〘美術〙ラファエロ前派の.
Qad·a·rite 名 〘イスラム教〙カダル派(の一人).
Rab·bin·ite 名 〘ユダヤ教〙タルムードに執着し, ラビの教義・伝統を信奉した人々.
Rech·ab·ite 名 〘聖書〙レカブ人(ﾋﾞ).
Reu·ben·ite 名 〘聖書〙ルベン族(の一人).
rub·ur·ban·ite 名 遠郊外居住者.
Rus·sell·ite 名 《軽蔑的》ラッセル宗徒:『ものみの塔』を機関誌にもつエホバの証人教団の信者.
Sa·ite 名 (エジプト古代都市の)サイス(Saïs)生まれの人, サイス住民.
Schen·gen·ite 名 シェンゲン協定加盟国の住民.
Sem·ite 名 セム族, セム人: Noah の長男 Shem の子孫とされる種族.
Ser·vite 名 〘ローマカトリック〙聖母マリア下僕会(会員).
Shem·ite 名 セム族の人(Semite).
Shi·'ite 名 〘イスラム教〙シーア派.
Sim·e·on·ite 名 〘聖書〙シメオン人(ﾋﾞ).
Si·va·ite 名 〘ヒンドゥー教〙シバ神に帰依するバクティ派(Shaiva).
so·cial·ite 名 《主に米話》(社交界の)知名人, 名士.
Sod·om·ite 名 〘聖書〙ソドムの住民; 男色家.
Stag·i·rite 名 (ギリシャの古代都市)スタゲイロス生まれの人.
Stag·y·rite 名 ＝Stagirite.
Sta·kha·nov·ite 名 スタハーノフ運動参加者.
sty·lite 名 〘教会〙柱頭隠者 [行者].
sub·ur·ban·ite 名 郊外居住者.
Sun·nite 名 (イスラム教の)スンニー派(Sunni).
Syb·a·rite 名 奢侈(ｼｬｼ)にふける人, 快楽主義者.
Syd·ney·ite 名 《豪》シドニー生まれの人.
Ta·bor·ite 名 〘キリスト教〙タボル派(の一人).
Thatch·er·ite 名 サッチャーの政策の支持者.
To·ky·o·ite 名 東京都民.
to·tem·ite 名 トーテムによって表象される氏族の構成員, トーテム制社会に属する人.
tox·oph·i·lite 名 弓術家(archer), 弓術の名手.
trans·ves·tite 名 (特に男性の)服装倒錯者.
Trib·u·nite 名 《英》トリビューン派の人, 左派党員.
Trot·sky·ite 名 トロツキスト: トロツキーまたはトロツキズムの支持者.
turf·ite 名 競馬狂; (競馬馬の)馬主(turfman).
ur·ban·ite 名 《米》都市居住者, 都会人.
Van·cou·ver·ite 名 (カナダの)バンクーバー市民.
Vi·chy·ite 名 ビシー派の人: 第二次世界大戦中ナチスドイツに経済協力した政府側の人.
wel·far·ite 名 《米 / 軽蔑的》生活保護を受けて暮らしている人.
Wil·bur·ite 名 〘キリスト教〙ウィルバー派.
Wyc·lif·fite 名 〘キリスト教〙ウィクリフの追随者.
Yem·en·ite 名 イエメン(Yemen)生まれの人 [の住民].
Zeb·u·lun·ite 名 〘聖書〙ゼブルン族の人.

〈**2**〉〘鉱物〙〘岩石〙…石, …鉱, …岩.
a·can·thite 名 (斜方晶系の)硫銀鉱.
ach·ro·ite 名 無色電気石.
ac·mite 名 錐(ｽｲ)輝石.
ad·i·poc·er·ite 名 ＝hatchettite.
ae·gir·ite 名 エジリン輝石.
al·a·ban·dite 名 硫 [閃(ｾﾝ)] マンガン鉱.
al·bert·ite 名 アルバート鉱.
al·bite 名 曹長石, ソーダ長石.

al·ex·an·drite 名 アレキサンダー石.
al·lan·ite 名 褐簾(かつれん)石.
al·le·mont·ite 名 アレモン鉱.
al·lo·mor·phite 名 異形石.
al·man·dite 名 鉄礬(てつばん)ざくろ石.
a·lu·mi·nite 名 礬土(ばんど)石.
al·u·nite 名 明礬(みょうばん)石.
am·a·zon·ite 名 アマゾン石, 天河(てんが)石.
am·blyg·o·nite 名 アンブリゴナイト, 燐礬(りんばん)石.
am·mo·nite 名 アンモナイト, 菊石, アンモン貝.
am·o·site 名 アモサ石綿.
am·phib·o·lite 名 角閃(かくせん)岩.
a·nal·cite 名 方沸石.
an·da·lu·site 名 紅柱石.
an·des·ite 名 安山岩.
an·dra·dite 名 灰鉄(かいてつ)ざくろ石.
an·gle·site 名 硫酸鉛鉱.
an·hy·drite 名 無水石膏(せっこう), 硬石膏.
an·ker·ite 名 アンケル石.
an·na·berg·ite 名 ニッケル華.
an·o·mite 名 アノマイト, 異常黒雲母(うんも).
an·or·thite 名 灰(かい)長石.
an·or·tho·site 名 斜長岩.
an·tho·phyl·lite 名 直閃(ちょくせん)石.
an·thra·cite 名 無煙炭.
an·tig·o·rite 名 板温石(ばんおんせき).
an·ti·mo·nite 名 ＝stibnite.
ant·ler·ite 名 アントレライト, アトラ石.
ap·a·tite 名 リン灰石.
aph·a·nite 名 非顕晶質岩, 密岩.
ap·lite 名 アプライト, 半花崗(かこう)岩.
a·poph·yl·lite 名 魚眼石.
a·rag·o·nite 名 霰石(あられいし), アラゴナイト.
ar·e·nite 名 ＝psammite.
arf·ved·son·ite 名 アルベゾン閃(せん)石.
ar·gen·tite 名 輝銀鉱.
ar·gil·lite 名 (珪質(けいしつ))粘土岩.
ar·mal·co·lite 名 アーマルコライト: 米国アポロ 11 号乗組員が月から採取した新鉱物.
as·phal·tite 名 アスファルト鉱, アスファルタイト.
at·a·cam·ite 名 アタカマ鉱, 緑塩銅鉱.
a·tax·ite 名 角礫(かくれき)状溶岩.
at·ta·pul·gite 名 アタパルジャイト: 粘土鉱物の一種.
au·gite 名 普通輝石.
aus·ten·ite 名 〘冶金〙オーステナイト.
aus·tra·lite 名 オーストラライト: オーストラリア産のガラス質隕石(いんせき).
au·tun·ite 名 リン(燐)灰ウラン石.
ax·i·nite 名 アキシナイト, 斧石(ふせき).
az·ur·ite 名 藍(らん)銅鉱.
bac·u·lite 名 バクライト, バクリテス: 白亜期の *Baculites* 属のアンモナイトの総称.
bad·de·ley·ite 名 バデレー石, バデレアイト.
bain·ite 名 〘冶金〙ベイナイト.
bar·ber·ite 名 〘冶金〙バーベライト.
bar·ite 名 バライト, 重晶石(heavy spar).
bast·naes·ite 名 バストネス石.
baux·ite 名 ボーキサイト.
bel·em·nite 名 矢石, 箭石(やいし), 雷石.
be·ni·to·ite 名 ベニト石, ベニトアイト.
ben·ton·ite 名 ベントナイト: 火山灰の分解でできた粘土.
be·ryl·lon·ite 名 ベリロナイト: ベリリウムを含む結晶鉱物.
bet·a·fite 名 ベタファイト, ベタフォ石.
bind·heim·ite 名 含水アンチモン鉱, ビンドハイム石.
bi·o·tite 名 黒雲母(うんも).
bis·muth·in·ite 名 輝蒼鉛(きそうえん)鉱.
bis·mut·ite 名 泡蒼鉛(あわそうえん), 蒼鉛華.
boehm·ite 名 ベーム石.
bo·ra·cite 名 方硼(ほうほう)石 [鉱].
born·ite 名 斑(はん)銅鉱, クジャク銅鉱.
bou·lan·ger·ite 名 ブーランジェ鉱.
bour·non·ite 名 車骨鉱(cogwheel ore).
bow·en·ite 名 ボーエン石, ボーエナイト.
braun·ite 名 褐マンガン鉱, ブラウン鉱.
bra·zil·ian·ite 名 ブラジリアナイト: 黄緑色の結晶.
bro·chan·tite 名 ブロシャン銅鉱, 水胆礬(たんばん).
bro·my·rite 名 臭銀鉱.
bronz·ite 名 古銅輝石.
brook·ite 名 ブルッカイト, 二酸化チタン.
bru·cite 名 水滑石, ブルース石, ブルーサイト.
by·town·ite 名 バイタウナイト, 亜灰長石.
cal·a·mite 名 カラミテス, ロボク(蘆木): 化石植物.
cal·a·ver·ite 名 カラベラス鉱, カラベライト.
cal·cite 名 方解石(calc-spar).
cal·i·for·nite 名 ベシュビアナイトゼード, カリフォルナイト: ベスブ石の一種.
camp·ton·ite 名 キャンプトン岩.
can·cri·nite 名 カンクリナイト, 灰カスミ石.
can·dite 名 カンダイト, 青尖晶石.
car·bon·a·tite 名 カーボナタイト, 貫入炭酸塩岩.
car·nall·ite 名 カーナライト, 光鹵(こうろ)石.
car·no·tite 名 カルノー石 [鉱], カルノタイト.
cas·sit·er·ite 名 スズ石: スズの原鉱.
cau·da·ite 名 コーダイト: 小隕石の一種.
cel·es·tite 名 天青石.
ce·ment·ite 名 〘冶金〙セメンタイト.
ce·rar·gy·rite 名 角銀鉱.
ce·rite 名 セライト, セル石.
ce·rus·site 名 白鉛鉱.
cer·van·tite 名 セルバンタイト, セルバンテス石.
chab·a·zite 名 菱沸(りょうふつ)石.
chal·co·stib·ite 名 輝安銅鉱.
chal·co·trich·ite 名 毛状赤銅鉱, カルコトリカイト.
chal·y·bite 名 ＝siderite.
cham·o·site 名 シャモス石.
chlo·an·thite 名 砒(ひ)ニッケル鉱.
chlor·ar·gyr·ite 名 ＝cerargyrite.
chlo·rite 名 緑泥石.
chon·drite 名 〘天文〙球粒隕石(いんせき).
claus·thal·ite 名 セレン鉛鉱.
cleve·ite 名 クレーブ石.
co·bal·tite 名 輝コバルト鉱.
coes·ite 名 コーサイト: 高温・高圧で合成される高密度の同質異象.
cof·fin·ite 名 コフィン石, コフィナイト.
co·hen·ite 名 コヘナイト, コーヘン鉱.
cole·man·ite 名 灰硼(かいほう)石 [鉱].
col·o·rad·o·ite 名 コロラド石.
co·lum·bite 名 コルンブ石, コロンバイト.
coop·er·ite 名 クーパー鉱.
cor·di·er·ite 名 菫青(きんせい)石.
co·tun·nite 名 塩化鉛鉱, コトン石.
co·vel·lite 名 銅藍(どうらん).
cri·nite 名 ウミユリ(crinoid)の化石.
cris·to·bal·ite 名 クリストバル石, 方ケイ石.
cro·co·ite 名 クロコアイト, 紅鉛鉱.
crookes·ite 名 クルックス石鉱.
crys·tal·lite 名 晶子, 結晶子.
cum·ming·ton·ite 名 カンミングトン石.
cu·prite 名 赤銅鉱.
cu·rite 名 キュリー石, キュライト.
cy·a·nite 名 ＝kyanite.
cyl·in·drite 名 円柱スズ鉱.
da·na·ite 名 デーナ鉱.
dan·bur·ite 名 ダンブリ石, ダンビュライト.
daw·son·ite 名 ドーソン石, ドーソナイト.
den·drite 名 模樹(もじゅ)石, しのぶ石.
des·cloi·zite 名 バナジン鉛鉱.
di·al·o·gite 名 ＝rhodochrosite.
di·chro·ite 名 ＝cordierite.
dick·ite 名 ディッカイト: カリオン鉱物の一種.
di·mor·phite 名 ダイモルファイト: ヒ素の硫化鉱物.
di·o·rite 名 閃緑(せんりょく)岩.
dol·er·ite 名 粗粒玄武岩.
do·lo·mite 名 ドロマイト: 苦灰石, 白雲石.
dra·vite 名 ドラバイト, 褐電気石.

du·mor·ti·er·ite 名 デュモルチール石.
du·nite 名 ダナイト, ダン橄欖(かんらん)岩.
ech·i·nite 名 ウニの化石.
ec·lo·gite 名 エクロジャイト, 榴輝(りゅうき)岩.
e·lat·er·ite 名 弾性瀝青(れきせい), エラテル石.
em·bo·lite 名 エンボライト, 含臭素角銀鉱.
em·plec·tite 名 エンプレクタイト: 石英とともに見出される鉱物.
en·ar·gite 名 硫ヒ銅鉱.
en·cri·nite 名 ウミユリ(crinoid)の化石.
en·sta·tite 名 頑火輝石.
ep·som·ite 名 瀉利(しゃり)塩.
e·ryth·rite 名 コバルト華.
es·so·nite 名 エソナイト, 黄ざくろ石.
eu·crite 名 ユークライト: 斑糲(はんれい)岩の一種.
eu·cryp·tite 名 ユークリプタイト: リチウムの原石.
eux·e·nite 名 ユークセナイト: 黒褐色の希有鉱物.
e·vap·o·rite 名 蒸発残留岩.
fa·ma·ti·nite 名 ファマチナイト: 赤灰色の結晶を成す鉱物.
fay·al·ite 名 鉄橄欖(かんらん)石.
fel·site 名 珪長(けいちょう)岩.
fer·ber·ite 名 鉄重石.
fer·gu·son·ite 名 フェルグソン石.
flu·o·rite 名 蛍石.
for·ster·ite 名 苦土橄欖(かんらん)石.
frank·lin·ite 名 フランクリン石.
fuchs·ite 名 クロム雲母(うんも).
ful·gu·rite 名 フルグライト, 閃電(せんでん)岩.
gad·o·lin·ite 名 ガドリン石, ガドリナイト.
gahn·ite 名 亜鉛尖晶(せんしょう)石.
ga·lac·tite 名 ガラクタイト: ソーダ沸石の一種.
ga·le·nite 名 方鉛鉱(galena).
gar·ni·er·ite 名 珪(けい)ニッケル鉱.
gay·lus·site 名 ゲイリュサック石.
geh·len·ite 名 ゲーレン石, ゲーレナイト.
ger·ma·nite 名 ゲルマナイト, ゲルマニウム鉱.
gers·dorff·ite 名 ゲルスドルフ鉱, 硫ヒニッケル鉱.
gey·ser·ite 名 間欠石.
gibbs·ite 名 ギブザイト, 水礬土(すいばんど)石.
gil·son·ite 名 ＝uintaite.
glau·ber·ite 名 グラウバー石, 石灰芒硝(ぼうしょう).
glau·co·nite 名 海緑石.
goe·thite 名 針鉄鉱.
gra·ham·ite 名 グラハム石, グラハマイト.
gran·ite 名 花崗(かこう)岩, みかげ石.
gran·it·ite 名 黒雲母花崗(うんもかこう)岩.
gran·u·lite 名 白粒岩, グラニュライト.
graph·ite 名 グラファイト, 石墨, 黒鉛.
green·ock·ite 名 硫カドミウム鉱.
gros·su·lar·ite 名 灰礬(かいばん)ざくろ石.
gum·mite 名 グンマイト: ウラニウムの原石.
Gun·ite 名 グナイト: セメント, 砂, 砕いたスラグを水と混ぜ合わせたもの.
hal·ite 名 (カリ)岩塩(rock salt).
hal·loy·site 名 ハロイサイト: 粘土鉱物の一種.
hap·lite 名 ＝aplite.
hatch·ett·ite 名 ハチェット鉱.
hau·er·ite 名 ハウエライト: 黄鉄鉱の一種.
ha·üy·nite 名 藍方(らんぽう)石.
hed·en·berg·ite 名 灰鉄輝石, ヘデンベルグ輝石.
hel·ic·tite 名 ヘリクタイト: 洞穴内上壁から枝状に伸びた炭酸カルシウム.
he·ma·tite 名 ヘマタイト, 赤鉄鉱.
hem·i·mor·phite 名 異極鉱, ヘミモルファイト.
her·cy·nite 名 鉄スピネル.
hes·site 名 ヘッス鉱, テルル銀鉱.
hes·so·nite 名 ＝essonite.
heu·land·ite 名 輝沸(きふつ)石.
hex·a·hy·drite 名 ヘクサハイドライト, 六水石.
hid·den·ite 名 ヒッデナイト: リチア輝石の一種.
hueb·ner·ite 名 マンガン重石.
hy·a·lite 名 ハイアライト, 玉滴石.
ich·nite 名 化石に残る(恐竜などの)足跡.
ig·nim·brite 名 熔結(ようけつ)凝灰岩.
il·lite 名 イライト: イライト白雲母(うんも)に類似した粘土鉱物の一つ.
il·men·ite 名 チタン鉄鉱.
im·pact·ite 名 インパクタイト: 隕石が大地に当たった時の衝撃により生じたと考えられるガラス状または結晶状物質.
imp·son·ite 名 インプソン石.
ir·ghiz·ite 名 イルギス石, イルガザイト.
it·a·col·u·mite 名 撓曲(とうきょく)石英片岩.
ja·cobs·ite 名 ヤコブス鉱, マンガン鉄鉱.
jade·ite 名 翡翠(ひすい)輝石, 硬玉.
jame·son·ite 名 硫安鉛鉱, 毛鉱, ジェイムソン鉱.
jar·o·site 名 鉄明礬(みょうばん)石.
kai·nite 名 カイナイト: カリ塩類の原料.
kam·a·cite 名 カマサイト: 隕石の中に見られるニッケルと鉄の合金.
ka·o·lin·ite 名 カオリナイト, 高陵石.
ker·mes·ite 名 ケルメサイト, 紅安鉱.
kern·ite 名 カーナイト, ケルナイト, カーン石.
kie·ser·ite 名 キーゼル石, キーゼライト.
kim·ber·lite 名 キンバーレー岩, キンバーライト.
kunz·ite 名 クンツァイト: リチア鉱石の一種.
ky·a·nite 名 藍晶石.
lab·ra·dor·ite 名 曹灰長石.
lang·bein·ite 名 ラングバイン石; カリ肥料.
lat·er·ite 名 ラテライト: 紅土.
lau·mont·ite 名 濁沸石.
lau·rite 名 ラウラ鉱, ラウリット.
laz·u·lite 名 天藍(てんらん)石.
laz·u·rite 名 青金石.
le·cha·te·lier·ite 名 ルシャテリエ石.
lep·i·do·cro·cite 名 鱗鉄鉱(りんてっこう).
leu·cite 名 白榴(はくりゅう)石.
lig·nite 名 褐炭, 亜炭.
li·mo·nite 名 褐鉄鉱.
li·na·rite 名 青鉛鉱.
loel·ling·ite 名 ＝löllingite.
löl·ling·ite 名 ヒ鉄鉱.
lux·ul·lia·nite 名 電気石花崗(かこう)岩.
mag·ne·site 名 菱苦土(りょうくど)石 [鉱].
mag·net·ite 名 磁鉄鉱.
mal·a·chite 名 マラカイト, 塩基性炭酸銅.
man·ga·nite 名 水マンガン鉱.
mar·ga·rite 名 真珠雲母(うんも).
mar·ma·tite 名 鉄閃(てっせん)亜鉛鉱.
mar·tens·ite 名 『冶金』マルテンサイト.
mei·o·nite 名 メイオナイト, 灰柱石.
mel·a·nite 名 黒ざくろ石.
men·i·lite 名 メニライト, 珪乳石.
met·a·cinnabarite 名 黒辰砂(しんしゃ).
me·te·or·ite 名 ☞
mig·ma·ti·te 名 ミグマタイト: 二種類の岩石が混合した岩体.
mill·er·ite 名 針(しん)ニッケル鉱.
mim·e·tite 名 ミメット鉱, 黄鉛鉱, ミメタイト.
mi·rab·i·lite 名 ミラビル石, 芒硝(ぼうしょう).
mol·da·vite 名 モルダバイト, モルダウ石.
mo·lyb·de·nite 名 輝水鉛鉱, モリブデナイト.
mon·a·zite 名 モナズ石, モナザイト.
mon·te·bra·site 名 モンブラ石, モンテブラサイト.
mon·ti·cel·lite 名 モンティチェリ石.
mont·mo·ril·lon·ite 名 モンモリロン石, モンモリロナイト.
mon·zo·nite 名 モンゾニ岩, モンゾナイト.
mor·den·ite 名 モルデン沸石.
mor·gan·ite 名 モルガナイト: ばら色の緑柱石.
mot·tram·ite 名 モットラマイト: バナジン鉛鉱の固溶体.
mull·ite 名 ムライト, ムル石.
my·lo·nite 名 圧砕岩, マイロナイト.
nau·mann·ite 名 ナウマン鉱, セレン銀鉛鉱.
neph·e·lin·ite 名 カスミ岩.
neph·rite 名 軟玉.
nic·co·lite 名 紅砒(こうひ)ニッケル鉱.

ni·o·bite 名 ＝columbite.
nor·ite 名 紫蘇(しそ)輝石斑糲(はんれい)岩.
no·vac·u·lite 名 ノバキュライト: 堆積(たいせき)岩の一種.
num·mu·lite 名 貨幣石, 銭石: 化石化した *Camerina* [*Nummulites*] 属の有孔虫の総称.
oc·ta·he·drite 名 鋭錐(えいすい)石.
o·liv·en·ite 名 オリーブ銅鉱.
om·pha·cite 名 緑輝石, オンファス輝石.
oph·ite 名 オーファイト: 緑輝石の一種.
or·thite 名 オーサイト, 褐簾(かつれん)石.
o·zo·ce·rite 名 臭蝋(しゅうろう), 地蝋.
pag·o·dite 名 パゴダイト: ピナイトに似た軟質の石.
pal·las·ite 名 パラサイト: 石鉄隕石(いんせき)の一種.
pa·rag·o·nite 名 パラゴナイト, ソーダ雲母.
par·gas·ite 名 パーガス角閃(かくせん)石.
pearl·ite 名 【冶金】パーライト.
peg·ma·tite 名 ペグマタイト: 粗粒な結晶をもつ火成岩に一種.
pe·lite 名 泥土岩, 泥質岩.
pen·ni·nite 名 苦土緑泥石.
pent·land·ite 名 硫鉄ニッケル鉱, ペントランド鉱.
per·i·do·tite 名 橄欖(かんらん)岩.
pe·ris·te·rite 名 ペリステライト: 真珠色の曹長石の一種.
per·lite 名 パーライト, 真珠岩.
per·mu·tite 名 パームチット: イオン交換用の人工ゼオライト.
pe·rovsk·ite 名 灰チタン石.
perth·ite 名 パーサイト: 曹長石の結晶を含んだカリ長石.
pet·al·ite 名 葉長石.
phan·er·ite 名 顕晶質岩.
phen·a·cite 名 フェナサイト: ケイ酸ベリリウム鉱石.
phen·gite 名 フェンジャイト: 少量の鉄・マグネシウムを含む白雲母(うんも).
phil·lips·ite 名 灰十字フッ石.
phlog·o·pite 名 金雲母(うんも).
phos·ge·nite 名 ホスゲン石.
phos·pho·rite 名 リン酸鉱物を多量に含む堆積(たいせき)岩; 肥料用リン酸塩の原料.
phyl·lite 名 フィライト, 千枚岩.
pick·er·ing·ite 名 苦土明礬(みょうばん).
pic·rite 名 ピクライト: 輝石・橄欖(かんらん)を含む火成石.
pied·mont·ite 名 紅簾(こうれん)石.
pi·geon·ite 名 ピジョン輝石.
pin·ite 名 ピナイト: 菫青(きんせい)石などの変質物.
plin·thite 名 プリンサイト: 赤レンガ色の粘土.
po·li·a·nite 名 黝(ゆう)マンガン鉱, ポリアナイト.
pol·lu·cite 名 ポルサイト: セシウム原料鉱物.
pol·y·ba·site 名 ポリバス鉱, 輝安銅銀鉱.
por·ce·lain·ite 名 ＝mullite.
prehn·ite 名 ぶどう石.
prop·y·lite 名 プロピライト, 粒状 [変朽] 安山岩.
proust·ite 名 淡紅銀鉱.
psam·mite 名 砂岩, 砂質岩.
pse·phite 名 礫(れき)質岩.
psit·ta·cin·ite 名 ＝mottramite.
pum·ic·ite 名 火山塵; 軽石.
py·rar·gy·rite 名 濃紅銀鉱.
py·rite 名 黄鉄鉱.
py·ro·lu·site 名 軟マンガン鉱.
py·ro·mor·phite 名 緑鉛鉱.
py·ro·phyl·lite 名 葉蝋(ようろう)石.
py·rox·e·nite 名 輝岩.
pyr·rho·tite 名 磁硫鉄鉱.
quartz·ite 名 珪(けい)岩.
ram·mels·berg·ite 名 ランメルスベルグ鉱.
rens·se·laer·ite 名 レンセラー石.
ret·i·nite 名 樹脂石.
rho·do·chro·site 名 菱(りょう)マンガン鉱.
rho·do·nite 名 ばら輝石.
rie·beck·ite 名 曹閃(そうせん)石.
ru·bel·lite 名 ルーベライト, 紅電気石.
ru·man·ite 名 ルーマナイト: 琥珀(こはく)に似た化石化樹脂.
saf·flor·ite 名 サフロ鉱, サフロライト.
sag·e·nite 名 針状金紅石.
sa·mar·skite 名 サマルスキー石, サマルスカイト.
san·u·kite 名 サヌカイト, 讃岐岩, かんかん石.
sap·o·nite 名 サポナイト: モンモリロン石に類する粘土鉱物の一種.
saus·su·rite 名 ソーシュライト: 曹長石, 緑簾(りょくれん)石および他のカルシウムやアルミニウムのケイ酸塩鉱物の集合体.
scawt·ite 名 スコータイト: 北アイルランド産の石灰の結晶.
scheel·ite 名 灰重石.
schef·fer·ite 名 シェフェル輝石.
schrei·ber·site 名 シュライベルス鉱.
scol·e·cite 名 スコレス沸石.
sel·e·nite 名 透(明)石膏(せっこう).
sen·ar·mon·tite 名 方安鉱.
ser·i·cite 名 絹雲母, セリサイト.
si·be·rite 名 シベライト, シベリア石.
sid·er·ite 名 菱(りょう)鉄鉱.
sid·er·o·na·trite 名 曹鉄鉱, シデロナトライト.
sil·li·man·ite 名 シリマナイト, ケイ線石.
sin·o·pite 名 赤鉄粘土.
skut·te·rud·ite 名 方コバルト鉱.
smalt·ite 名 スマルト鉱, 砒(ひ)コバルト鉱.
sma·rag·dite 名 緑閃石.
smec·tite 名 ＝montmorillonite.
smith·son·ite 名 炭酸亜鉛鉱.
sor·bite 名 【冶金】ソルバイト.
spes·sart·ite 名 マンガンざくろ石.
sphal·er·ite 名 閃(せん)亜鉛鉱.
spher·u·lite 名 球粒, 球石.
spo·ra·do·sid·er·ite 名 鉄の粒子を含んだ隕石(いんせき).
sta·lac·tite 名 鍾乳(しょうにゅう)石.
sta·lag·mite 名 石筍(せきじゅん).
stan·nite 名 黄シャク(錫(すず))鉱, 硫シャク石.
stass·fur·tite 名 塊硼(かいほう)石.
ste·a·tite 名 ソープストーン(soapstone).
steph·an·ite 名 脆(ぜい)銀鉱.
stib·nite 名 輝安鉱.
stil·bite 名 束(そく)フッ石.
stish·ov·ite 名 スチショフ石.
streng·ite 名 ストレンジャイト: リン酸鉄を含む淡紅色の鉱物.
stro·mey·er·ite 名 輝銅銀鉱.
stron·ti·an·ite 名 ストロンチアン石.
svan·berg·ite 名 スバンベルジャイト: 粒状菱面結晶.
swartz·ite 名 スウォルツァイト: ウラニウムの原鉱.
sy·e·nite 名 閃長(せんちょう)岩.
syl·van·ite 名 シルバニア鉱, 針状テルル金鉱.
syl·vin·ite 名 シルビナイト: カリ岩塩と岩塩から成る鉱物.
syl·vite 名 カリ岩塩.
tac·o·nite 名 タコナイト: 27 %の鉄と 51 %のケイ酸を含む低品位鉄鉱石.
tae·nite 名 テーナイト: 隕鉄中に含まれるニッケルと鉄の合金.
tan·ta·lite 名 タンタル石, タンタライト.
tan·za·nite 名 タンザナイト: 淡青紫色の透明のゾイナイト.
tar·butt·ite 名 ターブット石.
tas·ma·nite 名 タスマナイト: Tasmania 島の頁岩(けつがん)中に存在する炭素・水素・酸素・硫黄の化合物.
tax·ite 名 タキサイト: 火山岩の一種.
tek·tite 名 テクタイト: 天然ガラス質物質.
ten·nant·ite 名 砒(ひ)四面銅鉱, 砒黝(ひゆう)銅鉱.
ten·o·rite 名 黒銅鉱.
teph·rite 名 テフライト, テフル岩.
teph·ro·ite 名 テフロ石, テフロカンラン石.
tesch·en·ite 名 テッシェン岩.

te·trad·y·mite 名 硫テルル蒼鉛(そうえん)鉱.
tet·ra·he·drite 名 四面銅鉱.
the·nard·ite 名 芒(ぼう)硝石, テナルド石.
ther·mite 名 テルミット: 金属アルミニウムと酸化第二鉄の細かい粉末の混合物.
tho·lei·ite 名 ソレアイト: ケイ素に富む玄武岩.
tho·ri·a·nite 名 トリアン石, 方トリウム石.
tho·rite 名 トール石, トーライト.
thort·veit·ite 名 トルトバイト石.
tie·mann·ite 名 セレン水銀鉱.
till·ite 名 漂礫(ひょうれき)岩.
ti·tan·ite 名 榍石(せっせき), チタン石.
tor·ban·ite 名 トルバナイト: 黒褐色の油頁(ゆけつ)岩の一種.
tor·bern·ite 名 リン銅ウラン石(copper uranite).
tran·quil·li·ty·ite 名 トランキライト: 米国アポロ 11 号で月面より持ち帰った鉱物.
trem·o·lite 名 透角閃石(とうかくせんせき).
trich·ite 名 毛状晶子, トリカイト.
trid·y·mite 名 鱗珪(りんけい)石, トリジマイト.
triph·y·lite 名 トリフィライト: リチウム, 鉄, マンガンを含むリン酸塩鉱物でまれに産する.
trip·lite 名 トリプライト: 鉄およびマンガンを含むフッ素リン酸塩鉱物.
tro·i·lite 名 トロイリ鉱, 単硫鉄鉱.
trond·hjem·ite 名 トロニエム岩.
troost·ite[1] 名 トルースタイト: α 鉄とセメンタイトの最も微細な混合組織.
troost·ite[2] 名 トルースタイト, マンガン珪酸亜鉛鉱.
tsa·vo·rite 名 ツァボライト: 緑色透明のグロッシュラーライト・ガーネットの宝石種.
tung·stite 名 酸化タングステン鉱.
tur·bi·dite 名 タービダイト: 浅海から深海に運ばれた堆積物.
u·in·ta·ite 名 ユインター石.
u·lex·ite 名 曹灰ホウ鉱.
u·nak·ite 名 ユナカイト: 主に緑簾(りょくれん)石, 正長石, 石英から成る変質火成岩.
u·ral·ite 名 ウラル石, ウラライト.
u·ran·i·nite 名 閃(せん)ウラン鉱.
u·ra·nite 名 ウラン雲母(うんも), ウラナイト.
u·va·rov·ite 名 灰クローム柘榴(ざくろ)石.
val·en·tin·ite 名 バレンチン鉱, アンチモン華, 白安鉱.
va·nad·i·nite 名 褐鉛鉱.
var·i·o·lite 名 球顆(きゅうか)玄武岩; あばた石.
var·is·cite 名 バリシア石.
ver·mic·u·lite 名 バーミキュライト, 苦土ひる石.
ve·su·vi·an·ite 名 ベスブ石(idocrase).
viv·i·an·ite 名 藍(らん)鉄鉱.
vul·pi·nite 名 石膏(せっこう)玉.
wa·vell·ite 名 銀星石, ウェーベライト.
web·ster·ite 名 =aluminite.
wells·ite 名 灰重十字沸(ふっ)石.
wer·ner·ite 名 ウェルネル石, ウェルネライト.
whew·ell·ite 名 蓚酸(しゅうさん)カルシウム一水化物.
wil·lem·ite 名 ケイ亜鉛鉱.
with·er·ite 名 毒重(どくじゅう)石.
wolf·ram·ite 名 鉄マンガン重石.
wol·las·ton·ite 名 ケイ灰石.
wul·fen·ite 名 水鉛鉛鉱, モリブデン鉛鉱, 黄鉛鉱.
wurtz·ite 名 ウルツ鉱, 繊維亜鉛鉱.
yt·ter·bite 名 =gadolinite.
yt·tro·ce·rite 名 イットロセライト: ほたる石の一種.
zar·a·tite 名 翠(すい)ニッケル鉱.
zinc·ite 名 紅(こう)亜鉛鉱.
zinck·en·ite 名 =zinkenite.
zin·ken·ite 名 ジンケナイト, 輝安鉛鉱.
zin·ko·site 名 硫酸亜鉛鉱.
zinn·wald·ite 名 チンワルド雲母(うんも).
zois·ite 名 灰簾石(かいれんせき).

〈**3**〉 …薬. ►爆薬名.

am·ber·ite 名 アンバーライト, 無煙火薬.
chedd·ite 名 チェダイト, シェジット: 爆薬.
cord·ite 名 コルダイト爆薬.
dunn·ite 名 D 爆薬(explosive D).
dy·na·mite 名 ダイナマイト.
forc·ite 名 フォーサイト: 爆薬の一種.
gel·ig·nite 名 ゼリグナイト(gelatin dynamite).
glyc·er·ite 名 グリセリン製剤.
lydd·ite 名 リダイト: 高性能爆薬.
max·im·ite 名 マキシマイト: 強力な爆薬.
mel·i·nite 名 メリナイト: 強力な爆薬.
mel·lite 名 蜂蜜(はちみつ)剤.
pen·to·lite 名 ペントライト: 四硝酸ペンタエリトリットと TNT を混合した強力な爆薬.
ro·bur·ite 名 ロブライト: 無炎, 無煙の爆薬.
to·nite 名 雷薬, トーナイト.

〈**4**〉〖化学〗…化合物.

ad·ams·ite 名 〖軍事〗アダムサイト.
ar·se·nite 名 亜ヒ酸塩.
ber·trand·ite 名 ベルトランダイト: ベリリウムの含水ケイ酸塩.
cel·lu·lite 名 《俗》脂肪.
chal·can·thite 名 胆礬(たんばん), 硫酸銅.
che·mo·nite 名 ケモナイト: 木材の防腐剤となる.
chlo·rite 名 亜塩素酸塩.
chro·mite 名 亜クロム酸塩.
di·thi·o·nite 名 次亜硫酸塩, ヒドロ亜硫酸塩.
eb·on·ite 名 エボナイト, 硬質 [硬化] ゴム.
fer·rite 名 フェライト, 鉄(Ⅲ)酸塩.
hy·dro·sul·fite 名 亜ジチオン酸塩.
hy·po·ni·trite 名 次亜硝酸塩 [エステル].
kal·i·nite 名 カリナイト, カリ明礬(みょうばん).
lew·is·ite 名 ルイサイト: 化学兵器用びらん性毒ガス.
man·nite 名 マンニトール(mannitol).
ni·trite 名 ☞
phos·phite 名 《広義に》亜リン酸塩 [エステル].
sul·fite 名 亜硫酸塩 [エステル].
sul·phite 名 =sulfite.
tel·lu·rite 名 亜テルル酸塩.
vul·can·ite 名 硬化ゴム, エボナイト.
y·per·ite 名 イペリット(mustard gas).

〈**5**〉〖動物〗手足・体の一部, 器官.

en·dite 名 〖動物〗肢内葉, 肢内突起.
gna·thite 名 〖解剖〗顎肢(がくし).
mad·re·por·ite 名 〖動物〗多孔体 [板].
pleu·rite 名 側片.
pod·ite 名 〖動物〗節足動物の脚.
-po·dite 連結形 ☞
scle·rite 名 〖動物〗骨片, 針骨.
so·mite 名 〖動物〗体節.
ster·nite 名 〖動物〗腹板.
ter·gite 名 〖動物〗背板.
-zo·ite 連結形 ☞
zo·nite 名 〖動物〗ヤスデの体節.

〈**6**〉 その他

a·nab·o·lite 名 〖生物〗〖生理〗同化産物.
ath·o·nite 形 〖東方教会〗アトス(Athos)山の, アトス山の修道院の.
ca·tab·o·lite 名 〖生物〗〖生理〗異化作用(分解)産物.
cor·al·lite 名 〖動物〗(単一の)サンゴポリプの骨格.
cri·nite 形 毛髪状の, 毛のような.
dy·no·mite 形 《話》最高の. ── 間 《俗》いかす.
fav·o·site 名 ハチノスサンゴ: トコイタ(床板)サンゴ目ファボシテス属 *Favosites* の絶滅サンゴの総称.
lith·o·trite 名 〖外科〗膀胱(ぼうこう)砕石機.
lu·na·rite 名形 〖天文〗月の高地部(の).
me·tab·o·lite 名 〖生物〗〖生理〗代謝産物.
tri·lo·bite 名 三葉虫.

-ite[2] /ait, it/

接尾辞 形容詞およびある種の動詞から形容詞・名詞・動詞

をつくる.
★ 語末にくる関連形は -ITION.
◆ ＜ラ -*itus* または -*ītus*(過去分詞接尾辞).

er·u·dite 形 博学な; 衒学(げんがく)的な.
ex·pe·dite 動他 〈事を〉促進する, 早める.
ex·quis·ite 形 非常に美しい, 魅力あふれる.
ex·tra·dite 動他 〈逃亡犯人などを〉引き渡す.
fa·vor·ite 名 お気に入り; 好きなもの, 好物.
fi·nite 形 ☞
ig·nite 動他 火をつける, 点火する; 燃やす.
in·con·dite 形 《まれ》推敲(すいこう)されていない. ► /-dət/ とも.
mu·nite 動他 《廃》要塞(ようさい)化する.
par·tite 形 ☞
po·lite 形 丁寧な, 親切な; 丁重な.
-po·site 連結形 ☞
rat·ite 形 平胸(骨)の [を有する]; 走鳥類の.
rec·on·dite 形 非常に深遠な主題を扱った.
req·ui·site 形 (…に)要求される; 必要な.
u·nite 動他 …を合わせて一つにする, 結びつける.

-ite[3] /áit/

語尾 語末にくる同音形は -EIGHT[2], -IGHT, -ITE[1], -ITE[2], -YTE.

bite 動他 ☞
blite 名 【植物】マツナ(松菜)(sea blite).
cite[1] 動他 ☞
cite[2] 名 引用; 引用文; 例文, 用例.
flite 動自 《スコット・北イング》(…と)口論する; (…を)しかる.
kite[1] 名 ☞
kite[2] 名 《スコット・北イング》胃, 腹.
lite 形 〈食物が〉すぐ消化される, 軽い.
-lite 連結形 ☞
mite[1] 名 ☞
mite[2] 名 少額だが精いっぱいの寄付.
nite 名 《発音綴り》=night.
quite 副 完全に, すっかり, 全く, 全然.
rite 名 ☞
shite 名 《英俗》大便, 糞(ふん), くそ.
site 名 ☞
skite[1] 名 《スコット・北イング》(横からの)急な一撃 [一打].
skite[2] 動自 《豪・NZ 話》自慢する, 威張る.
smite 動他 〈人・動物などを〉強打する.
spite 名 悪意, 意地悪(malice); 恨み, 遺恨.
sprite 名 妖精(ようせい), 小妖精, 小鬼.
trite 形 陳腐な, 古臭い, 新鮮味のない.
twite 名 【鳥類】キバシヒワ.
white 形 ☞
wite[1] 名 (アングロサクソンの法律で)罰金.
wite[2] 動 wit「知る, 知っている」の現在複数形の一つ.
write 動他 ☞

-ite[4] /íːt/

語尾 フランス語からきた語.
★ 語末にくる同音形は -EAT[1], -EET, -ETE.

e·lite 名 選ばれた者, えり抜きの人々.
gite 名 (フランス(語圏)で)休暇を過ごすための田舎の貸家.
vite 副 【音楽】活発に, 勢いよく, 急に.

i·tem /áitəm/

名 (個別的な)事項, 項目, 条項, 箇条; (商品・製品などの)品目, 種目; (容貌・性格・習慣などの個別の)特徴.

collèctor's ìtem 収集品, 収集に価する高価な [珍しい] 品物.
énd ìtem 最終商品(end article).
hót ìtem 《米俗》とてもセクシーな男 [女].
líne ítem 【経済】勘定項目; 【商業】品目名.

-i·tes /áitiːz/

接尾辞 病名などに用いるギリシャ語起源の名詞語尾.
★ -itis の複数形.
◆ ＜近代ラ(またはラ) -*ītis* ＜ギ.

as·ci·tes 名 【病理】腹水(症).
phrag·mi·tes 名 イネ科ヨシ属の総称; 特にヨシ.
tym·pa·ni·tes 名 【病理】鼓腸, 腹部膨張.

-ith /iθ/

語尾 主に名詞をつくる. ◇ -TH[1].

frith 名 《主にスコット》入り江, 河口(firth).
grith 名 《主にスコット》(教会・王権などによる)一時的保護.
kith 名 《集合的》知人; 友達; 隣人.
-lith 連結形 ☞
pith 名 【植物】髄, ピス.
sith 副接前 《古》=since.
smith 名 ☞
swith 形 《主に英方言》すぐさま, 急いで.
with 前 ☞

-ithe /áið/

語尾 古英語からきた語にみられる.
★ 語末にくる同音形は -YTHE.

blithe 形 快活な, 陽気な; 楽しそうな.
kithe 動他自 《スコット・北イング》(行動によって)知らせる; 示す; 証明する.
lithe 形 よく曲がる; しなやかな, 柔軟な.
tithe 名 十分の一税: 古代の神への供物や慈善行為のために献じた財産または収穫の 10 分の 1 の税金.
withe 名 柳の小枝; それを撚(よ)り合わせた縄 [輪].
writhe 動自 (苦痛・激しい奮闘などで)身をよじる.

-it·ic /ítik/

接尾辞 -ite[1] と -ic[1] の結合形.
★ -ite で終わる名詞の語幹につけて形容詞をつくる.
◆ ＜ラ -*iticus* ＜ギ -*itikos*(-*itēs* -ITE[1] より); 語によっては仏 -*itique*(＜ラ＜ギ, 上記のとおり)を表す.

ar·thrit·ic 形 関節炎の [にかかった].
aus·ten·it·ic 形 【冶金】〈鋼鉄が〉主にオーステナイトから成る.
Cush·it·ic 名形 (ハム系の)クシ語(の).
den·drit·ic 形 模樹(もじゅ)石形の.
E·lam·it·ic 名 エラム語(Elamite).
gra·nit·ic 形 花崗岩の.
Ham·it·ic 形 ハム(語)族の.
Him·yar·it·ic 形 ヒムヤル族の; ヒムヤル文明の.
Jac·o·bit·ic 形 James II 支持派の.
Jes·u·it·ic 形 イエズス会(士)の.
Kush·it·ic 名形 =Cushitic.
me·phit·ic 形 嫌なにおいの, 悪臭のある.
ne·rit·ic 形 浅海の, 沿岸の, 近海の.
pal·mit·ic 形 【化学】パルミチン酸の.
par·a·sit·ic 形 寄生動物 [植物] の [に属する].
poi·ki·lit·ic 形 【記載岩石】ポイキリチックの.
por·phy·rit·ic 形 斑岩(はんがん)(porphyry)の.
Se·mit·ic 名 セム語(派).
Si·nit·ic 名 シナ語派(中国語, 漢語).

stal·ac·tit·ic 形 鍾乳(しょうにゅう)石の(ような).
Syb·a·rit·ic 形 遊蕩(ゆうとう)児の.
var·i·o·lit·ic 形 〘記載岩石〙バリオリチックの.

-i·tion /íʃən/

接尾辞 「動作」「状態」を表す名詞をつくる.
★ 語幹が語形成の過程で母音で終わると -ition になる; あるいは -ite² と -ion の結合形.
◆ <ラ *-itiōn-* または *-ītiōn-*(*-itiō* または *-ītiō* の語幹). ⇨ -ION¹.
[発音] -ition の初めの音節に第 1 強勢.

ab·o·li·tion 名 (法律・制度・慣習などの)廃止; 廃棄.
ad·di·tion 名 加えること, ふやすこと.
ap·pa·ri·tion 名 (人・物が)超自然的に現れること.
au·di·tion 名 聴取テスト, オーディション.
cog·ni·tion 名 ☞
com·pe·ti·tion 名 ☞
def·i·ni·tion 名 ☞
de·glu·ti·tion 名 〘生理〙嚥下(えんげ)(力).
dem·o·li·tion 名 破壊, 取り壊し, 解体; 粉砕, 打破.
den·ti·tion 名 歯の状態.
de·si·tion 名 終わり, 終焉(しゅうえん); 消滅; 結論.
dis·po·si·tion 名 (人の)気質, 性質, 気性, 性分.
eb·ul·li·tion 名 (熱情・感情などの)ほとばしり.
er·u·di·tion 名 該博な知識, 学殖, 博識.
ex·pe·di·tion 名 旅, 遠征, 探検 [調査] 旅行.
for·ti·tion 名 〘音声〙硬音化.
-hi·bi·tion 連結形 ☞
ig·ni·tion 名 ☞
im·bi·bi·tion 名 吸収, 吸入.
in·a·ni·tion 名 飢餓; 栄養不足による衰弱.
le·ni·tion 名 〘音声〙軟音化.
mic·tu·ri·tion 名 放尿, 排尿.
mo·ni·tion 名 《文語》訓戒; 警告.
mu·ni·tion 名 (特に武器・弾薬などの)軍需品.
nu·tri·tion 名 ☞
op·po·si·tion 名 反対, (…に対する)抵抗, 抗争.
par·ti·tion 名 分配, 配分.
par·tu·ri·tion 名 〘生物〙出産, 分娩(ぶんべん).
pe·ti·tion 名 (正式な)請願書, 嘆願書, 陳情書.
po·si·tion 名 ☞
-po·si·tion 連結形 ☞
pret·er·i·tion 名 看過, 見落とし; 無視.
pu·ni·tion 名 罰.
-qui·si·tion 連結形 ☞
rep·e·ti·tion 名 繰り返し, 重複, 反復; 再演.
re·po·si·tion 名 貯蔵, 保管.
req·ui·si·tion 名 (…を)要求 [請求, 命令] すること.
sor·ti·tion 名 くじ引き, 抽選(による決定).
tu·i·tion 名 授業料, 月謝(tuition fee).
vo·li·tion 名 意欲, 意志作用, 意志の働き.

-i·tious /íʃəs/

接尾辞 **1** ラテン語起源の形容詞に見られる: adven*titious*. **2** -ition で終わる名詞に対応する形容詞をつくる: ambi*tious*, expedi*tious*.
◆ <ラ *-icius*, *-īcius*; または<ラ *-itiōsus*, *-ītiōsus*. ⇨ -IOUS.

ad·sci·ti·tious 形 外部から付け加えられた, 外来の.
ad·ven·ti·tious 形 偶然に付け加えられた, 偶然の.
am·bi·tious 形 野心のある, 大望を抱いた.
ce·men·ti·tious 形 セメント質の.
ex·cre·men·ti·tious 形 糞便(ふんべん)の(ような).
ex·pe·di·tious 形 〈人・行動などが〉急速な, 迅速な.
fac·ti·tious 形 〈笑いなどが〉不自然な, わざとらしい.
fic·ti·tious 形 偽りの, 嘘の, 虚構の.
fla·gi·tious 形 《主に文語》凶悪な, 破廉恥な.
lat·er·i·tious 形 れんが色の.
nu·tri·tious 形 栄養に富んだ, 滋養分の多い.
pro·pi·tious 形 (…に)都合のよい.
rec·re·men·ti·tious 形 不純物の入った [から成る].
rep·e·ti·tious 形 (特に退屈な)繰り返しの多い.
se·di·tious 形 治安攪乱(こうらん)の, 暴動的な.
su·per·sti·tious 形 迷信的な; 迷信に特有の [から来る].
sup·po·si·tious 形 仮定 [推定] による.
sup·pos·i·ti·tious 形 すり替えた, 偽の, 偽りの.
sur·rep·ti·tious 形 こっそりなされた; 内密の, 内緒の.

-i·tis /áitis/

接尾辞 **1** 〘病理〙…炎. ►器官の炎症を表す. **2** 《話》…熱, …中毒. ►「異常な状態・状況」,「過度」,「性癖」などの意を表す.
★ 名詞をつくる.
★ 複数形は -ites.
◆ <近代ラ(またはラ)*-ītis* <ギ.

〈**1**〉〘病理〙…炎.
ad·e·ni·tis 名 =lymphadenitis.
ad·e·noid·i·tis 名 アデノイド咽頭(いんとう)炎.
an·gi·i·tis 名 血管 [脈管] 炎.
a·or·ti·tis 名 大動脈炎.
ap·pen·di·ci·tis 名 虫垂炎, 《俗に》盲腸炎.
arach·ni·tis 名 =arachnoiditis.
a·rach·noid·i·tis 名 くも膜炎.
ar·te·ri·tis 名 動脈炎.
ar·thri·tis 名 関節炎.
bal·a·ni·tis 名 亀頭(きとう)炎.
bleph·a·ri·tis 名 眼瞼(がんけん)炎.
bron·chi·tis 名 急性 [慢性] 気管支炎.
bur·si·tis 名 滑液嚢(のう)炎.
car·di·tis 名 ☞
ce·ci·tis 名 《米》盲腸炎.
cel·lu·li·tis 名 蜂窩(ほうか)織炎.
ceph·a·li·tis 名 =encephalitis.
cer·e·bri·tis 名 脳炎, (特に)大脳炎.
cer·vi·ci·tis 名 子宮頸(けい)(管)炎.
chei·li·tis 名 (口)唇炎.
cho·roid·i·tis 名 〘眼科〙脈絡膜炎.
clo·a·ci·tis 名 〘獣病理〙家禽の排出腔の炎症.
cob·i·tis 名 《英刑務所俗》食欲不振.
co·li·tis 名 大腸炎, 結腸炎.
col·o·ni·tis 名 =colitis.
col·pi·tis 名 膣炎(ちつえん)(vaginitis).
con·junc·ti·vi·tis 名 〘眼科〙結膜炎.
cor·o·ni·tis 名 〘獣病理〙馬蹄輪 [上縁] 炎, 蹄冠炎.
cys·ti·tis 名 膀胱(ぼうこう)炎.
de·cid·u·i·tis 名 脱落膜炎, 脱落膜性子宮内膜炎.
der·ma·ti·tis 名 皮膚炎.
der·mat·o·my·o·si·tis 名 皮膚筋炎.
des·mi·tis 名 靱帯(じんたい)炎.
di·ver·tic·u·li·tis 名 憩室炎.
du·o·de·ni·tis 名 十二指腸炎.
en·ceph·a·li·tis 名 ☞
end·an·ge·i·tis 名 血管内膜炎.
end·a·or·ti·tis 名 大動脈内膜炎.
en·ter·i·tis 名 (特に小腸の)腸炎, 腸カタル.
ep·i·con·dy·li·tis 名 (ひじ)上顆(じょうか)炎症.
fas·ci·i·tis 名 筋膜炎.
fi·bro·si·tis 名 結合組織炎.
fol·lic·u·li·tis 名 毛嚢(もうのう)炎, 毛包炎.
gas·tri·tis 名 胃炎.
gin·gi·vi·tis 名 歯肉炎.
glo·mer·u·li·tis 名 糸球体炎.
glos·si·tis 名 舌炎.
hep·a·ti·tis 名 ☞
hos·pi·ta·li·tis 名 病院病.
il·e·i·tis 名 回腸炎.
ir·i·do·cap·su·li·tis 名 虹彩(こうさい)被膜炎.
ir·i·do·cho·roid·i·tis 名 虹彩(こうさい)脈絡膜炎.
i·ri·tis 名 虹彩(こうさい)炎.
ker·a·ti·tis 名 角膜炎.

lab·y·rin·thi·tis 名 迷路炎, 内耳炎(otitis interna).
lam·i·ni·tis 名 〖獣病理〗馬蹄薄層炎, 蹄葉炎.
lar·yn·gi·tis 名 喉頭(こうとう)炎.
li·en·i·tis 名 脾臓(ひぞう)炎(splenitis).
lym·phad·e·ni·tis 名 リンパ節 [腺(せん)] 炎(adenitis).
lym·phan·gi·tis 名 リンパ管炎.
mas·ti·tis 名 乳腺(せん)炎, 乳房炎.
mas·toid·i·tis 名 乳様突起炎, 乳突炎.
men·in·gi·tis 名 髄膜炎.
me·tri·tis 名 子宮(筋層)炎.
my·e·li·tis 名 脊髄(せきずい)炎.
ne·phri·tis 名 ☞
neu·ri·tis 名 神経炎.
nym·phe·ti·tis 名 (性的)早熟恐怖.
o·o·pho·ri·tis 名 卵巣炎(ovaritis).
oph·thal·mi·tis 名 〖眼科〗眼炎(ophthalmia).
or·chi·tis 名 睾丸(こうがん)炎.
os·te·i·tis 名 骨炎.
os·te·o·chon·dri·tis 名 骨軟骨炎, 骨端炎.
o·ti·tis 名 耳炎.
o·va·ri·tis 名 =oophoritis.
pan·cre·a·ti·tis 名 膵(すい)(臓)炎.
pa·rot·i·di·tis 名 =parotitis.
par·o·ti·tis 名 耳下腺(せん)炎.
per·i·o·don·ti·tis 名 歯周炎.
per·i·os·ti·tis 名 骨膜炎.
per·i·to·ni·tis 名 腹膜炎.
phar·yn·gi·tis 名 咽頭(いんとう)炎; 咽頭痛.
phle·bi·tis 名 静脈炎.
phre·ni·tis 名 《もと》脳炎(encephalitis).
pneu·mo·ni·tis 名 間質性肺炎, 肺臓炎.
pri·a·pi·tis 名 陰茎炎.
proc·ti·tis 名 直腸炎.
pros·ta·ti·tis 名 前立腺(せん)炎.
pulp·i·tis 名 〖歯科〗歯髄炎(odontitis).
py·e·li·tis 名 腎盂(じんう)炎.
ra·chi·tis 名 くる病, 骨軟化症(rickets).
ra·dic·u·li·tis 名 (脊髄(せきずい))神経根炎.
ret·i·ni·tis 名 〖眼科〗網膜炎.
rhi·ni·tis 名 鼻炎, 鼻カタル.
sal·pin·gi·tis 名 卵管炎.
scle·ri·tis 名 (目の)強膜炎.
scle·ro·ti·tis 名 =scleritis.
scro·ti·tis 名 陰嚢(いんのう)炎.
se·ro·si·tis 名 漿膜(しょうまく)炎.
si·nus·i·tis 名 洞炎; (特に)静脈洞炎, 副鼻腔炎.
sple·ni·tis 名 =lienitis.
spon·dy·li·tis 名 脊椎(せきつい)炎.
staph·y·li·tis 名 口蓋(こうがい)垂炎.
sto·ma·ti·tis 名 口内炎, 口腔(こうこう)炎.
syn·o·vi·tis 名 滑膜炎.
syr·in·gi·tis 名 耳管炎.
ten·di·ni·tis 名 腱炎(けんえん).
ten·do·ni·tis 名 =tendinitis.
ten·o·ni·tis 名 =tendinitis.
the·li·tis 名 乳頭炎.
thy·roid·i·tis 名 甲状腺(せん)炎.
ton·sil·li·tis 名 扁桃腺(へんとうせん)炎.
tra·che·i·tis 名 気管炎.
tym·pa·ni·tis 名 鼓室炎, 中耳炎(otitis media).
typh·li·tis 名 盲腸炎.
u·re·ter·i·tis 名 尿管炎.
u·re·thri·tis 名 尿道炎.
u·ter·i·tis 名 子宮炎.
u·tric·u·li·tis 名 (内耳の)卵形嚢炎; 前立腺小嚢炎.
u·ve·i·tis 名 ぶどう膜炎.
u·vu·li·tis 名 口蓋(こうがい)垂炎.
vag·i·ni·tis 名 =colpitis.
val·vu·li·tis 名 (心臓)弁膜炎.
vul·vi·tis 名 陰門炎, 外陰炎.

〈**2**〉《話》…熱, …中毒.

base·ball·i·tis 名 野球中毒.
sen·ior·i·tis 名 《米学生俗》学問に興味を失って卒業ばかり考える症状.
spec·ta·tor·i·tis 名 観戦 [傍観] 者症.
tel·e·pho·ni·tis 名 《おどけて》電話中毒, 電話魔.

-i·tive /itiv, ət-/

接尾辞 ラテン語起源の名詞・形容詞に見られる.
★ 主に形容詞をつくる.
◆ もとはラテン語 *-itīvus* または *-ītīvus*. ⇨ -IVE[1].

ac·quis·i·tive 形 取得しようとする; 貪欲(どんよく)な.
ad·di·tive 名 ☞
af·fin·i·tive 形 密接な関係にある, 親密な.
a·per·i·tive 形 〖医学〗穏やかに通じをつける.
ap·pe·ti·tive 形 食欲の; 食欲増進の.
au·di·tive 形 〖解剖〗聴力の; 耳の(auditory).
ca·pac·i·tive 形 〖電気〗静電容量の, 容量性の.
car·i·tive 形 (ある種の屈折語の)欠格の.
cog·ni·tive 形 認識の [に関する]; 認識による.
cog·nos·ci·tive 形 認識能力を持つ.
com·pet·i·tive 形 競争の; 競合する.
de·fin·i·tive 形 〈テキスト・版・著者・批評・研究などが〉最も信頼のおける; 完成した.
dor·mi·tive 形 催眠性の.
ex·hib·i·tive 形 展示の; (…を)表示する.
fac·ti·tive 形 〖文法〗作為の, 作為動詞の.
fru·i·tive[1] 形 実を結べる; 成果の上がる.
fru·i·tive[2] 形 楽しめる.
fu·gi·tive 名 逃亡者, 逃避者; 亡命者.
gen·i·tive 形 ☞
im·ped·i·tive 形 〈物が〉妨げとなる, 障害の.
in·fin·i·tive 名 ☞
in·quis·i·tive 形 質問好きの; 知識を求める.
in·tu·i·tive 形 直観 [直覚] により認識する.
in·ves·ti·tive 形 投資の.
len·i·tive 形 〈薬が〉緩和性の, 鎮痛性の.
nu·tri·tive 形 栄養になる, 栄養を供給する.
par·ti·tive 形 分ける, 分割 [区分] する.
pre·ter·i·tive 形 〖文法〗過去時制だけで用いられる.
prim·i·tive 形 原初の; 原始の; 原始段階の.
pro·gen·i·tive 形 生殖 [繁殖] 力のある.
pro·hib·i·tive 形 禁止する, 押さえる.
pu·ni·tive 形 ☞
quan·ti·tive 形 計量化可能な; 量の.
re·pet·i·tive 形 繰り返しの, 反復的な.
sen·si·tive 形 ☞
trad·i·tive 形 伝統の(traditional).
tran·si·tive 形 ☞
u·ni·tive 形 結合させ得る, 結合 [合同] に役立つ.
vol·i·tive 形 意志の, 意志による.

-i·to[1] /íːtou/

接尾辞 イタリア語の男性形過去分詞.
★ 名詞, 形容詞をつくる.

fi·ni·to 形 《話》完了した, 終了した.
graf·fi·to 名 〖考古〗掻(か)き絵 [字].
in·cog·ni·to 形副 匿名の [で], 変名の [で].
sgraf·fi·to 名 スグラッフィート: 建築壁面や陶器の装飾技法の一種.
so·fri·to 名 〖カリブ料理〗トマト, タマネギ, ニンニク, コショウ, コズイシなどを入れたソース.

-i·to[2] /íːtou; *Sp.* íto/

接尾辞 スペイン語の指小辞. ⇨ -O[2].
★ 語末にくる関連形は -ITA.

bur·ri·to 名 《米》〖メキシコ料理〗ブリート.
ca·bri·to 名 〖メキシコ料理〗若いヤギの肉.
car·na·va·li·to 名 小カーニバル; 中南米民謡の一種.
hor·ni·to 名 〖地質〗ホーニト.
mos·qui·to 名 カ(蚊).

ran·chi·to 名 (スペイン系アメリカ人の)小さな家畜農場, 小放牧場.
ta·qui·to 名 小タコス.

-i·tol /ətɔ̀ːl, ətòul, ətɑ̀l | itɔ̀l/

接尾辞 〖化学〗水素基 1 個以上を含むアルコール.
★ 名詞をつくる.
◆ -ITE[1] ＋-OL[1].

cy·cli·tol 名 シクリトール, 環式糖.
dul·ci·tol 名 ズルシトール, ガラクチトール.
e·ryth·ri·tol 名 エリトリット, エリトリトール.
in·o·si·tol 名 イノシトール, 筋肉糖.
man·ni·tol 名 マンニトール, マンニット.
pi·ni·tol 名 ピニトール, ピニット.
sor·bi·tol 名 ソルビトール, ソルビット.
xy·li·tol 名 キシリトール.

-i·tous /ətəs, it-/

接尾辞 -ity で終わる名詞に対応する形容詞をつくる.
◆ -IT(Y) ＋ -OUS, またはラテン語 *-ītus* より.
[発音] 直前の音節に第 1 強勢.

ac·cliv·i·tous 形 上り坂 [傾斜] の.
a·lac·ri·tous 形 敏活な; きびきびした, 活発な.
ca·lam·i·tous 形 災難をもたらす, 不幸な, 悲惨な.
com·plic·i·tous 形 共謀の, 連座の, 共犯の.
de·cliv·i·tous 形 (いくぶん急な)下り傾斜の.
du·plic·i·tous 形 二枚舌の, 不誠実な; いかさまの.
fa·tu·i·tous 形 愚鈍な, まぬけな, うすばかの.
fe·lic·i·tous 形 〈表現などが〉その場に即した, 適切な.
for·tu·i·tous 形 偶然に起こる, 偶然の, 偶発性の.
gra·tu·i·tous 形 無料の, 無報酬の.
in·iq·ui·tous 形 ひどく不正な; 邪悪 [非道] な.
ne·ces·si·tous 形 困窮している, 貧乏な, 貧窮の.
pre·cip·i·tous 形 崖(がけ)のような, 断崖絶壁の.
ser·en·dip·i·tous 形 偶然見つけた; 運のよい; 偶発性の.
u·biq·ui·tous 形 (同時に)至る所に存在する, 遍在する.

-its /íts/

語尾

grits 名複 ゆでた粗びきのトウモロコシ.
its 代 《it の所有格》それの, その, あれの, あの.
quits 形 貸し借りのない, (人と)五分五分の.
tits 形 《米俗》素晴らしい, すてきな, すごい.

-itt /ít/

語尾 語末にくる同音形は -IT[1], -IT[2], -IT[3], -IT[4].

bitt 名 〖海事〗ビット, 係住.
britt 名 〖魚類〗ブリット.
fritt 名 〖製陶〗白玉(しらたま)(frit).
mitt 名 〖野球〗ミット.

-it·ten /ítn/

語尾 主に過去分詞をつくる.

bit·ten 動 bite の過去分詞形.
fit·ten 形 《主に米南部・英方言》適切な, …に合った.
kit·ten 名 子猫.
lit·ten 形 《古》照らされた(lighted).
mit·ten 名 (親指だけ分かれている)二また手袋.
sit·ten 動 《古》sit の過去分詞形.
smit·ten 動 smite の過去分詞形.
wit·ten 名 《英俗》動物の尻(しり)にぶら下がっている小さな糞などの塊.
writ·ten 動 ☞

-it·tle /ítl/

語尾 一部に小さく細かいものを表す音象徴が認められる.

brit·tle 形 もろい, 壊れ [砕け] やすい.
lit·tle 形 ☞
skit·tle 名 《主に英》スキトルズ, 九柱戯.
smit·tle 名形 《スコット・北イング》感染(性の).
spit·tle 名 唾液(だえき); つば.
tit·tle 名 文字の上または下につける点やその他の小記号(i, j の点など).
vit·tle 名 食糧, 糧食(victual).
whit·tle 動他 〈木などを〉少しずつ削る.

-i·ty /əti/

接尾辞 **1** 性質・状態: complex*ity*, elastic*ity*. **2** (ある異常な性質を持っているものの)例: odd*ity*. **3** 程度・量: humid*ity*, solubil*ity*.
★ ラテン語・フランス語起源の形容詞につけて抽象名詞をつくる.
★ 規則的に -able, -ible で終わる形容詞を名詞化する; -ABILITY, -IBILITY.
★ 語末にくる関連形は -TY.
◆ 中英 *-ite* ＜古仏 *-ité* ＜ラ *-itās*. ⇨ -TY[2].
[発音] 直前の音節に第 1 強勢.

-a·bil·i·ty 連結形 ☞
ab·nor·mal·i·ty 名 異常, 破格, 変則.
ab·nor·mi·ty 名 ＝abnormality.
ab·sorp·tiv·i·ty 名 〖物理〗吸収係数, 吸収率, 消衰係数.
ab·stru·si·ty 名 難解 [深遠] さ; 難解なもの.
ab·surd·i·ty 名 不合理; ばからしさ, たわいなさ.
a·cer·bi·ty 名 (渋みのある)酸っぱさ.
ach·ro·ma·tic·i·ty 名 〖光学〗無色(achromatism).
a·cid·i·ty 名 ☞
-ac·i·ty 接尾辞 ☞
ac·tiv·i·ty 名 ☞
ac·tu·al·i·ty 名 ＝reality.
a·cu·i·ty 名 (先端の)鋭さ; (感覚・知覚の)鋭さ.
ad·ver·si·ty 名 逆境, 不運, 不幸.
aer·i·al·i·ty 名 空疎, 空虚, 夢幻.
af·fec·tiv·i·ty 名 情動性, 感情性; 〖心理〗情動状態.
af·fin·i·ty 名 好み, 心を引かれること, 親近感.
Af·ri·can·i·ty 名 黒人アフリカの伝統 [文化(遺産)].
a·gil·i·ty 名 (動作の)敏捷さ, 素早さ, 機敏さ.
a·lac·ri·ty 名 敏活さ, 機敏さ, 気軽さ, 乗り気.
al·co·hol·ic·i·ty 名 (酒の)アルコール強度.
al·gid·i·ty 名 寒気; 悪寒(おかん).
al·ka·lin·i·ty 名 〖化学〗アルカリ性, アルカリ度.
al·ter·i·ty 名 他者であること; 他のものであること.
am·bi·dex·ter·i·ty 名 両手利き.
am·bi·gu·i·ty 名 あいまいさ, 不明確さ; 両義性.
a·men·i·ty 名 感じのいい応接, 礼儀正しい行為.
am·i·ty 名 友好, 友情; 和親, 親睦(しんぼく).
a·nal·i·ty 名 〖精神分析〗肛門(こうもん)愛.
an·gu·lar·i·ty 名 角のあること, 角を形作ること.
an·i·mal·i·ty 名 動物であること.
an·nu·i·ty 名 ☞
an·o·nym·i·ty 名 匿名(性), 無名, 作者不明.
an·te·ri·or·i·ty 名 前であること; 前の時.
an·thro·po·cen·tric·i·ty 名 人間 [人類] 中心(の状態).
an·tiq·ui·ty 名 年代を経ていること, 古さ, 古色.
a·rid·i·ty 名 乾燥; 不毛.
ar·o·ma·tic·i·ty 名 芳香のあること, 香りのよいこと.
ar·ti·fi·ci·al·i·ty 名 人工的なこと, 人為, 作為.
a·se·i·ty 名 〖形而上学〗自存性.
as·i·nin·i·ty 名 愚かさ, 愚鈍.
as·per·i·ty 名 (音調・気質・態度などの)荒々しさ.

as·si·du·i·ty 名 たゆみない努力, 勤勉, 精励.
as·ymp·to·mat·ic·i·ty 名 【医学】無症状性, 無症侯.
at·o·mic·i·ty 名 【化学】原子数; 原子価.
at·o·nic·i·ty 名 【病理】無緊張性, 弛緩(しかん)性.
au·dac·i·ty 名 大胆; むてっぽう, 向こう見ず.
aus·ter·i·ty 名 (態度・生活などの)厳しさ, 厳格さ.
au·then·tic·i·ty 名 確実性, 信憑性; 真正であること.
au·thor·i·ty 名 ☞
a·vid·i·ty 名 貪欲(どんよく), 強欲.
ba·nal·i·ty 名 陳腐(さ); 陳腐な表現 [考え].
bar·bar·i·ty 名 残忍, 非道, 暴虐, 残酷.
bar·o·clin·i·ty 名 【気象】傾圧性.
ba·sic·i·ty 名 【化学】塩基 [アルカリ] 性.
be·nig·ni·ty 名 仁愛, 温情; (気候などの)温暖.
bes·ti·al·i·ty 名 獣性, 残忍性(sodomy).
big·gi·ty 形 《主に米南部ミッドランド・南部》うぬぼれた, 尊大な, 無礼な.
bi·me·di·a·li·ty 名 二種類のマスメディアの併用(テレビとラジオ, 新聞と放送など).
bi·nar·i·ty 名 【言語】二項対立原理 [主義].
brev·i·ty 名 (時・期間の)短さ.
bru·tal·i·ty 名 獣性, 残忍性, 無慈悲.
ca·du·ci·ty 名 老衰.
cal·lid·i·ty 名 巧妙さ.
cal·o·ric·i·ty 名 温熱力.
can·on·ic·i·ty 名 教会法にかなうこと.
cap·il·lar·i·ty 名 【物理】毛管現象, 毛細引力.
cap·tiv·i·ty 名 とらわれの身, 監禁状態 [期間].
car·di·nal·i·ty 名 【数学】濃度.
car·nal·i·ty 名 肉欲; 淫蕩, 肉欲にふけること.
cath·o·lic·i·ty 名 (趣味・見解・関心などが)広いこと.
cau·sal·i·ty 名 因果関係, 因果性.
caus·tic·i·ty 名 腐食性, 焼灼性, 苛性度.
cav·i·ty 名 ☞
ce·city 名 《まれ》盲目(blindness).
ce·leb·ri·ty 名 有名人, 名士; (有名)芸能人.
ce·ler·i·ty 名 《文語》敏速さ, 機敏, 素早さ.
cen·tral·i·ty 名 中心の位置.
char·i·ty 名 慈善, 施し, 救恤(きゅうじゅつ).
chas·ti·ty 名 純潔, 貞節; (文体・趣味などの)簡素.
chlo·rin·i·ty 名 【海洋化学】塩素量.
Chris·ti·an·i·ty 名 キリスト教.
chro·ma·tic·i·ty 名 色度.
church·i·an·i·ty 名 (特定の教会に対する)宗派的愛着.
cir·cu·i·ty 名 迂遠(うえん)なこと, 回りくどさ.
cir·cum·stan·ti·al·i·ty 名 詳しさ, 委曲を尽くしていること.
ci·vil·i·ty 名 礼儀正しさ, 丁重, 丁寧, いんぎん.
clar·i·ty 名 (論理・意味などの)明瞭, 明快.
clas·si·cal·i·ty 名 (文学・芸術の)古典的特質, 典雅.
-cliv·i·ty 連結形 ☞
co·er·civ·i·ty 名 【磁気】飽和保磁力.
col·lec·tiv·i·ty 名 集合性, 集団性.
col·le·gi·al·i·ty 名 同僚間の協調・協力関係.
co·lo·ni·al·i·ty 名 【動物行動学】コロニー性.
com·i·cal·i·ty 名 喜劇的性質; こっけいみ, おかしさ.
com·i·ty 名 ＝civility.
com·men·sal·i·ty 名 食事を一緒にすること; 親交.
com·mer·ci·al·i·ty 名 営利性, 営利 [興業] 的価値.
com·mod·i·ty 名 商品, 産物; 日用品, 必需品.
com·mon·al·i·ty 名 共通の性質[特徴]を持っていること.
com·mu·nal·i·ty 名 共有 [公共] (性).
com·mu·ni·ty 名 ☞
com·ple·men·tar·i·ty 名 相補的状態; 【物理】相補性.
com·plex·i·ty 名 複雑さ, 複雑性, 錯綜(さくそう).
com·plic·i·ty 名 共謀, 共犯, 連累, 荷担, 連座.
con·cin·ni·ty 名 【修辞】文章の各部分を調和の取れるように配列すること; 文体の優美.
con·dig·ni·ty 名 【スコラ神学】功徳.
con·duc·tiv·i·ty 名 ☞
con·form·i·ty 名 ☞
con·ge·ni·al·i·ty 名 (気質・性質・趣味などの)合致, 相性.
con·gru·i·ty 名 (…との)一致, 適合(性), 調和.
con·san·guin·i·ty 名 血族(関係), 血縁, 親族(関係).
con·sti·tu·tion·al·i·ty 名 立憲的であること, 立憲性.
con·ti·gu·i·ty 名 接触, 近接, 隣接.
con·ti·nen·tal·i·ty 名 大陸度.
con·ti·nu·i·ty 名 連続(性, 状態), 継続.
con·ven·tion·al·i·ty 名 因習性, 習慣性; 慣例尊重.
con·vex·i·ty 名 凸状, 中高. 凸面; 凸面体.
co·op·er·a·tiv·i·ty 名 【生化学】共同性.
cor·dial·i·ty 名 誠心誠意, 真情, 至誠; 真心.
cor·po·ral·i·ty 名 有体 [有形] 性, 有体的存在.
cor·po·re·i·ty 名 肉体的存在 [性質], 物質性, 有形性.
cre·a·tiv·i·ty 名 創造性.
cre·du·li·ty 名 信じやすい性質, だまされやすさ.
crim·i·nal·i·ty 名 犯罪性, 有罪(guiltiness).
cru·di·ty 名 生(き)の状態 [性質]; 未熟, 粗雑.
cu·pid·i·ty 名 (特に富・食物に対する)貪欲, 強欲.
de·form·i·ty 名 形が損なわれていること; 奇形.
de·i·ty 名 (多神教の)神; 女神.
den·si·ty 名 ☞
de·prav·i·ty 名 堕落, 腐敗; 邪悪.
dex·ter·i·ty 名 器用さ; 敏捷さ.
dex·tral·i·ty 名 右利き.
di·aph·a·ne·i·ty 名 透明度.
dif·fu·siv·i·ty 名 【物理】温度伝導度, 熱拡散率.
dig·ni·ty 名 威厳, 重々しさ, 荘重さ.
di·rec·tiv·i·ty 名 方向性.
dis·per·siv·i·ty 名 【化学】分散度.
di·ver·si·ty 名 相違, 不同.
di·vin·i·ty 名 【形而上学】神の性質, 神性.
do·mes·tic·i·ty 名 家庭的であること, 家庭的な性格.
du·al·i·ty 名 二重性, 二元性.
du·plic·i·ty 名 (言動に)裏表があること, 二枚舌.
ec·cen·tric·i·ty 名 常軌を逸した行為, 奇行, 奇癖.
ech·o·ge·ni·ci·ty 名 【医学】(超音波探査などで)エコー源性.
ec·u·me·nic·i·ty 名 (特に世界教会運動の目的を促進助長するものとしての)キリスト教各派の世界的連帯.
e·gal·i·ty 名 平等(égalité).
e·las·tic·i·ty 名 弾力性, 弾性, しなやかさ.
e·lec·tric·i·ty 名 ☞
el·lip·tic·i·ty 名 【数学】長円率, 楕円(だえん)率.
em·is·siv·i·ty 名 【熱力学】放射率.
e·mo·tion·al·i·ty 名 情緒性; 感動性.
en·mi·ty 名 《文》憎悪, 恨み, 悪意; 敵対.
en·ti·ty 名 (客観的・観念的な)存在 [実在] 物.
e·phem·er·al·i·ty 名 短命; はかなさ.
e·qua·nim·i·ty 名 (特に緊張状態での精神の)落ち着き.
er·ga·tiv·i·ty 名 【言語】能格性.
es·sen·ti·al·i·ty 名 不可欠性, 必要性; 本質, 本性.
e·ter·ni·ty 名 永遠, 永劫(えいごう), 無窮.
eth·nic·i·ty 名 民族性, 民族的忠誠心.
e·vap·o·ra·tiv·i·ty 名 蒸発性; 蒸発率 [度].
e·ven·tu·al·i·ty 名 偶発的な出来事; 起こり得る事柄.
ex·i·gu·i·ty 名 乏しさ, わずかなこと, 僅少.
ex·pan·siv·i·ty 名 膨張(性); 発展(性); 広大さ.
ex·pres·siv·i·ty 名 表現性, 表現能力.
ex·ten·si·ty 名 拡張性, 空間性; 広がり, 範囲.
ex·te·ri·or·i·ty 名 外面性, 外在性; 外にあるもの.
ex·ter·nal·i·ty 名 外在していること; 外面 [外在] 性.
ex·tral·i·ty 名 《話》治外法権.
ex·trem·i·ty 名 端, 末端, 先端(end).
fa·cil·i·ty 名 便宜を図るもの, 設備, 施設.
fac·tic·i·ty 名 事実性.
fal·si·ty 名 偽りであること, 欺瞞性, 虚偽性.
fa·mil·i·ar·i·ty 名 よく知っていること, 熟知, 精通.
fa·tal·i·ty 名 (事故・災害などによる)死; 死者(の数).
fa·tu·i·ty 名 愚鈍, まぬけ, ばかさ加減.
fe·bric·i·ty 名 《まれ》熱のあること, 発熱状態.
fe·cun·di·ty 名 多産性.
fem·i·nal·i·ty 名 ＝femininity.
fem·i·ne·i·ty 名 婦人の特質, 女らしさ.

fem·i·nin·i·ty 名 女性の特質; 女らしさ.
fe·min·i·ty 名 ＝femininity.
fer·i·ty 名 野生状態, 未開状態.
fe·roc·i·ty 名 どうもう, 残忍, 狂暴(性); 蛮行.
fes·tiv·i·ty 名 祝祭, 祭礼.
fe·tid·i·ty 名 悪臭(を放つこと).
feu·dal·i·ty 名 封建的状態; 封建性. 領地, 封地.
fi·del·i·ty 名 (約束・義務などの)厳守.
fi·nal·i·ty 名 最終的な状態, 決定的であること.
fis·cal·i·ty 名 財政最優先; 財政政策; 財政問題.
fix·i·ty 名 定着, 固定, 安定; 永続性, 不変性.
flac·cid·i·ty 名 締まりなさ; 軟弱, 無気力.
flu·id·i·ty 名 流動性.
for·mal·i·ty 名 形式的であること.
fra·ter·ni·ty 名 ☞
fri·gid·i·ty 名 寒冷; 冷淡, 冷酷; 堅苦しさ.
fri·vol·i·ty 名 軽薄, 浅薄, 軽率, 不まじめ.
fron·tal·i·ty 名 【美術】正面性, フロンタリティー.
fu·tu·ri·ty 名 未来, 将来.
gar·ru·li·ty 名 おしゃべり, 饒舌(じょう), 多弁.
gen·er·al·i·ty 名 一般論, 概説.
gen·i·tal·i·ty 名 異性間性交でオルガスムに達する能力があること.
gen·til·i·ty 名 生まれ[育ち, 家柄]のよさ; 上品さ.
gig·man·i·ty 名 上品ぶった中流階級, 俗物連中.
gram·mat·i·cal·i·ty 名 文法性.
gran·u·lar·i·ty 名 粒状; ざらざらしていること.
grav·i·ty 名 ☞
haec·ce·i·ty 名 個体原理.
he·lic·i·ty 名 【物理】ヘリシティ.
he·red·i·ty 名 【生物】(形質)遺伝; 遺伝的形質.
het·er·o·ge·ne·i·ty 名 異種, 異質(性); 異種混交状態.
hi·lar·i·ty 名 愉快, 陽気.
his·to·ric·i·ty 名 史実性; 史的典拠; 歴史性.
ho·mo·ge·ne·i·ty 名 同質(性), 同種(性), 等質(性).
hos·pi·tal·i·ty 名 厚遇, 歓待, 心のこもったサービス.
hu·man·i·ty 名 人間, 人類.
hu·mid·i·ty 名 湿っている状態, 湿気.
-i·bil·i·ty 接尾辞 ☞
i·de·al·i·ty 名 理想的であること; 理想的な性質.
i·den·ti·ty 名 ☞
-il·i·ty 接尾辞 ☞
il·le·gal·i·ty 名 不法, 違法, 非合法.
il·log·i·cal·i·ty 名 不合理なこと, 不条理なもの.
im·be·cil·i·ty 名 【心理】痴愚.
im·ma·te·ri·al·i·ty 名 非物質性; 実体のないもの.
im·men·si·ty 名 広大, 巨大, 莫大(ばく).
im·mo·ral·i·ty 名 不道徳(性), 不品行; 悪徳, 邪悪.
im·mu·ni·ty 名 ☞
im·por·tu·ni·ty 名 しつこさ, うるさいこと.
im·pro·bi·ty 名 無節操.
im·pu·dic·i·ty 名 不謹慎, みだら; 恥知らず.
im·pu·ni·ty 名 刑罰を免れること, 無事.
in·an·i·ty 名 愚かさ, 愚鈍, まぬけ.
in·ci·vil·i·ty 名 非礼, 無礼, 無作法; 粗野, 野卑.
in·cor·po·re·i·ty 名 形態[実体]のないこと, 無形.
in·dem·ni·ty 名 (将来の損害・損失に対する)保護.
in·dig·ni·ty 名 軽蔑, 無礼, 侮辱的待遇[言動].
in·di·vid·u·al·i·ty 名 (個人・個体物の)特性, 個性, 人格.
in·e·qual·i·ty 名 ☞
in·fe·ri·or·i·ty 名 劣っていること, 劣等(性); 下位.
in·fir·mi·ty 名 病気, 疾患.
in·ge·nu·i·ty 名 発明の才, 工夫, 創意.
in·iq·ui·ty 名 ひどい不正[不法]; 邪悪, 非道.
in·stru·men·tal·i·ty 名 助け, 尽力, おかげ; 仲介, 媒介.
in·su·lar·i·ty 名 島であること, 島嶼(とう)性.
in·teg·ri·ty 名 正直, 誠実, 高潔, 清廉潔白.
in·tel·lec·tu·al·i·ty 名 知的であること; 聡明(そう).
in·ten·si·ty 名 ☞
in·ter·tex·tu·al·i·ty 名 【哲学】【言語】間テクスト性, テクスト間相互関連性.
in·tim·i·ty 名 《古》個人の秘め事.
in·va·lid·i·ty[1] 名 無価値, 無効力.
in·va·lid·i·ty[2] 名 (長期にわたる)病弱, 病身.
i·on·ic·i·ty 名 【化学】イオン性.
ir·ra·tion·al·i·ty 名 不合理な行動[考え].
ir·reg·u·lar·i·ty 名 ＝abnormality.
joc·u·lar·i·ty 名 こっけいさ, ひょうきんさ.
jo·cun·di·ty 名 陽気, 快活, 楽しさ; 陽気な言動.
jo·vi·al·i·ty 名 ＝jocundity.
jun·ior·i·ty 名 年下[後輩]であること.
ju·ve·nil·i·ty 名 年少, 若年; 子供っぽさ, 若さ.
la·ic·i·ty 名 俗人の身分; 非聖職者による統治.
la·i·ty 名 (聖職者に対して)平信徒, 俗人.
lat·e·ral·i·ty 名 右[左]利き.
La·tin·i·ty 名 ラテン語の知識[使用].
lax·i·ty 名 緩いこと; 手ぬるさ; だらしなさ.
le·gal·i·ty 名 適法[合法](性).
le·ger·i·ty 名 (身心の)敏捷さ, 俊敏さ.
lib·er·al·i·ty 名 気前のよさ; 惜しみなく与えること.
lim·i·nal·i·ty 名 【人類】リミナリティ.
lin·e·ar·i·ty 名 線形性.
li·quid·i·ty 名 流動状態, 液状, 流動性; 流麗.
lit·er·al·i·ty 名 字義どおりであること.
li·thot·ri·ty 名 【外科】膀胱砕石術.
lo·cal·i·ty 名 場所, (市の)一区域, 土地, 地方.
lon·gev·i·ty 名 長命, 長寿, 長生き.
lu·bric·i·ty 名 《まれ》滑らかさ.
lu·cid·i·ty 名 (特に思想・文体などの)明晰(めいせき)さ, 明快さ.
mag·na·nim·i·ty 名 度量の大きいこと, 寛大, 雅量.
ma·jor·i·ty 名 ☞
ma·lig·ni·ty 名 強い悪意, 激しい憎悪, 根深い恨み.
ma·te·ri·al·i·ty 名 物質的性質, 物質性, 具体性.
ma·ter·ni·ty 名 母であること, 母性.
ma·tu·ri·ty 名 成熟, 円熟, 完熟.
me·di·oc·ri·ty 名 平凡, 普通, 月並み, 凡庸.
mel·ior·i·ty 名 ＝superiority.
men·dic·i·ty 名 物乞いをすること.
men·tal·i·ty 名 ☞
mi·nor·i·ty 名 少数; 半分以下の数.
mo·dal·i·ty 名 様式, 形式; 様式を有すること.
mo·der·ni·ty 名 現代[近代]性, 当世風.
mod·u·lar·i·ty 名 モジュール方式.
mo·lal·i·ty 名 【化学】重量モル濃度.
mo·lar·i·ty 名 【化学】(容積)モル濃度.
mo·lec·u·lar·i·ty 名 【化学】分子数.
mon·o·clo·nal·i·ty 名 【生物】単一クローン性.
mo·ral·i·ty 名 道徳的であること; 徳行, 徳性.
mor·bid·i·ty 名 病的状態; (特に)過度の鬱状態.
mo·ron·i·ty 名 【心理】軽度精神薄弱.
mor·tal·i·ty 名 死すべき運命, 死を免れないこと.
mo·tiv·i·ty 名 原動力, 動力.
mu·li·eb·ri·ty 名 女らしさ, 女性的資質.
mul·te·i·ty 名形 ＝multiplicity.
mul·ti·plic·i·ty 名形 多数(の…).
mul·ti·ver·si·ty 名 《主に米》多元[マンモス]大学.
mun·dan·i·ty 名 現世, 俗世.
mu·nic·i·pal·i·ty 名 (市・町などの)地方自治体, 市制.
mu·ta·ge·nic·i·ty 名 【生物】突然変異誘発力[性].
mu·tu·al·i·ty 名 相互関係, 相関; 相互依存; 親交.
nar·ra·tiv·i·ty 名 物語性.
na·tal·i·ty 名 出生率.
na·tion·al·i·ty 名 (人の)国籍.
na·tiv·i·ty 名 《文語》《おおげさ》誕生, 出生.
ne·ces·si·ty 名 必需品; 必要不可欠なもの.
neu·tral·i·ty 名 (国家の)中立, 局外中立, 中立政策.
no·bil·i·ty 名 (一国の)貴族(nobles), 貴族階級.
nor·mal·i·ty 名 正規(性), 常態, 正常性.
nu·di·ty 名 裸の状態, 裸でいること; 赤裸々.
nul·li·ty 名 無効; 無価値, 無益, 無用.
nup·ti·al·i·ty 名 婚姻率.
ob·jec·tiv·i·ty 名 客観性.
o·bliq·ui·ty 名 傾斜していること, ゆがんだ状態.
ob·scen·i·ty 名 猥褻, みだら, 卑猥.
ob·scu·ri·ty 名 あいまいな状態; 不明瞭.
ob·tu·si·ty 名 無神経; 鈍感.
o·cea·nic·i·ty 名 海洋度.

odd·i·ty 名 変人; 異常な物; 奇異な出来事.
on·co·ge·nic·i·ty 名 〘医学〙腫瘍(しゅよう)原性.
o·pac·i·ty 名 不透明; 不透明な物 [部分].
op·por·tu·ni·ty 名 適時, 好機, 格好の状況 [条件].
o·ral·i·ty 名 〘精神分析〙口唇愛.
o·rig·i·nal·i·ty 名 本物 [原物] であること; 本物.
-os·i·ty 接尾辞 ☞
o·val·i·ty 名 卵形 [長円形] (であること).
par·i·ty[1] 名 ☞
par·i·ty[2] 名 〘産科〙出産経歴, 出産児数.
par·ti·al·i·ty 名 一部であること, 局部性; 不完全さ.
par·tic·u·lar·i·ty 名 特定性, 個別性, 独自性.
pas·siv·i·ty 名 〘心理〙受動 [消極] 性.
Pat·a·vin·i·ty 名 (ローマの歴史家 Livy の文体に見られる) Padua 地方の方言の特徴.
pa·ter·ni·ty 名 父であること, 父性.
path·o·ge·nic·i·ty 名 〘医学〙病原性.
pau·ci·ty 名 《文語》少数, 少量; 欠乏, 不足.
pe·cu·li·ar·i·ty 名 異常な態度; 奇癖.
pe·ren·ni·ty 名 永続; 永久(性); 不滅.
pe·ri·o·dic·i·ty 名 周期性; 定期性.
per·mit·tiv·i·ty 名 〘電気〙誘電率.
per·pe·tu·i·ty 名 永続性, 永遠性.
per·plex·i·ty 名 当惑, 困惑, 混乱, 不安.
per·se·i·ty 名 (中世哲学で) 現実の対象から独立した実体を持った事物の性質.
per·son·al·i·ty 名 ☞
per·spi·cu·i·ty 名 (表現・陳述などの) 分かりやすさ.
per·ver·si·ty 名 つむじ曲がり, 強情, 邪悪.
phys·i·cal·i·ty 名 (特に発達しすぎたときなどの) 身体的特徴, 体つき.
plas·tic·i·ty 名 可塑性.
plu·ral·i·ty 名 《米》(3 人以上の候補者のいる選挙で) 当選者と次点者との得票差, 超過得票数; 相対多数.
po·lar·i·ty 名 〘物理〙両極性(があること).
pol·i·ty 名 政治形態, 統治組織.
pol·y·ver·si·ty 名 =multiversity.
pop·u·lar·i·ty 名 評判, 人気; 大衆性; 流行.
pos·i·tiv·i·ty 名 明瞭さ; 確信; 積極性.
pos·te·ri·or·i·ty 名 (位置・順序・時間的に) 後にあること, 次であること.
pos·ter·i·ty 名 後代, 後世(の人々).
po·ten·ti·al·i·ty 名 潜在的可能性.
prav·i·ty 名 《古》(食物などの) 腐敗; 堕落.
pre·coc·i·ty 名 早熟(性), 早成性.
prin·ci·pal·i·ty 名 prince「王子」が支配する国, 公国.
pri·or·i·ty 名 (時間的・順序的に) 前であること.
priv·i·ty 名 内々の知識, (特に同意を含んで) 内密に関知 [関与] すること.
pro·bi·ty 名 高潔, 廉潔, 廉直.
prod·i·gal·i·ty 名 浪費癖; 放蕩(ほうとう)性.
pro·duc·tiv·i·ty 名 生産力; 生産性.
pro·fan·i·ty 名 神聖を汚すこと, 冒瀆(ぼうとく).
pro·fun·di·ty 名 深いこと; (知的な) 深さ; 深遠.
prom·is·cu·i·ty 名 入り交じった状態, 混乱(状態).
pro·pen·si·ty 名 傾向, 性向, 性癖.
pro·pin·qui·ty 名 《文語》=proximity.
pros·per·i·ty 名 (特に財政的な) 繁盛, 隆盛; 幸運.
pro·vin·ci·al·i·ty 名 地方的性格, 田舎根性, 粗野, 偏狭.
prox·im·i·ty 名 近いこと, 近接, 接近.
pseu·do·nym·i·ty 名 署名が偽名であること, (特に) 筆者名がペンネームであること.
pub·lic·i·ty 名 周知, 世間の注目; 公表, 発表; 評判.
pu·dic·i·ty 名 謙虚; 純潔.
pu·er·il·i·ty 名 子供であること; 〘大陸法〙幼年.
punc·tu·al·i·ty 名 時間厳守.
pu·pil·lar·i·ty 名 〘大陸法〙〘スコット法〙被後見年齢, 未成熟 [未成年] 期.
pu·ri·ty 名 清らかさ, 清浄.
pu·sil·la·nim·i·ty 名 意気地のなさ, 臆病, 小心.
quad·ru·plic·i·ty 名 四重性.
qual·i·ty 名 ☞
quan·ti·ty 名 (特定の, 不定の, 相当の) 量.
qua·ter·ni·ty 名 四人組, 四人グループ; 4 つ一組.
quid·di·ty 名 (物の) 本質, 実質.
ran·dom·ic·i·ty 名 不均一 [質] 性, 不ぞろい.
ra·pid·i·ty 名 素早さ; 敏捷; 速度.
rar·i·ty 名 めったにないもの [人], 珍しいもの.
ras·cal·i·ty 名 破廉恥, 卑劣, 非道(knavery).
ra·tion·al·i·ty 名 合理性, 論理的であること.
re·al·i·ty 名 現実性, 実在(性), 真実性.
rec·i·proc·i·ty 名 相互依存, 助け合い; 相互関係.
re·flec·tiv·i·ty 名 (光・熱などの) 反射性, 反射力.
re·frac·tiv·i·ty 名 屈折度.
re·gal·i·ty 名 王位, 帝王の身分; 王権.
rel·a·tiv·i·ty 名 関連性, 相対性, 相関性; 相互依存.
rel·uc·tiv·i·ty 名 〘電気〙磁気抵抗率.
re·sis·tiv·i·ty 名 抵抗力, 抵抗性.
re·ten·tiv·i·ty 名 保持力, 維持力.
rhyth·mic·i·ty 名 リズムの整っていること.
ro·tun·di·ty 名 丸いこと, 円形; 丸いもの; 肥満.
ru·ral·i·ty 名 田舎 [田園, 地方] 風.
rus·tic·i·ty 名 素朴, 純真; 粗野, 無作法.
sa·lin·i·ty 名 塩分, 塩度.
sanc·ti·ty 名 清らかさ, 高潔さ.
san·i·ty 名 正気, 気の確かなこと.
scar·ci·ty 名 (特に生活必需品の供給の) 不足, 欠乏.
scur·ril·i·ty 名 下劣, 下卑たこと, 口汚いこと.
sea·son·al·i·ty 名 〘航空〙(運賃の) 季節間格差.
sec·u·lar·i·ty 名 世俗 [現世] 主義.
se·cu·ri·ty 名 ☞
sed·di·ty 名 《米黒人俗》黒人が白人を模倣すること.
se·du·li·ty 名 勤勉, 精励.
seis·mic·i·ty 名 地震活動度, サイスミシティ.
se·lec·tiv·i·ty 名 選択性 [能力], 精選; 淘汰(とうた).
se·nil·i·ty 名 老衰, 老化, もうろく; 老年.
sen·ior·i·ty 名 年上, 年長(であること).
sen·si·tiv·i·ty 名 敏感さ, 感じやすさ; 感受性, 感性.
sen·su·al·i·ty 名 官能 [肉欲, 肉感] 性.
sen·ti·men·tal·i·ty 名 感情 [感傷] 的なこと, 感傷性.
ser·en·dip·i·ty 名 (偶然に) ものをうまく見つけ出す能力; 運よく見つけたもの.
se·ren·i·ty 名 静けさ, 平穏; 安らかさ, 落ち着き.
se·ri·al·i·ty 名 連続(していること), 連続性.
se·ro·neg·a·tiv·i·ty 名 〘医学〙血清陰性.
se·ro·pos·i·tiv·i·ty 名 〘医学〙血清陽性.
se·ver·i·ty 名 厳しさ, 厳格, 過酷.
sex·u·al·i·ty 名 性的特質, 性徴; 有性, 性別.
sim·i·lar·i·ty 名 類似, 相似, (…と) 似ていること.
sin·cer·i·ty 名 真実を言っていること, 率直, 正直, 誠実さ.
sin·gu·lar·i·ty 名 単独(性), 単一(性).
sin·is·tral·i·ty 名 (手などの) 左利き.
so·ci·al·i·ty 名 (人間・動物などの) 社会性, 集団性.
so·dal·i·ty 名 仲間であること, 僚友関係.
so·lem·ni·ty 名 まじめ, 重々しさ, 厳粛さ, 荘厳.
Sol·i·dar·i·ty 名 連帯.
sol·i·dar·i·ty 名 団結, 結束, 仲間意識, 連帯感.
so·lid·i·ty 名 堅いこと, 固体 [固形] 性; 立体性.
sol·u·bil·i·ty 名 溶けること, 可溶性; 溶解度.
so·nor·i·ty 名 響き渡る [鳴り響く] こと; とどろき.
so·ror·i·ty 名 《主に米》女性だけのクラブ; (特に大学の) 女子学生クラブ.
spe·ci·al·i·ty 名 《主に英》特性, 特質.
spec·i·fic·i·ty 名 特殊性; 専門性.
sphe·ric·i·ty 名 球体, 球形, 球状, 球面; 丸さ.
sphe·roi·dic·i·ty 名 回転楕円(だえん)状 [形].
spir·it·u·al·i·ty 名 精神性; 霊的な性質, 霊性.
spon·ta·ne·i·ty 名 自然発露的なこと; 自発性; 自然発生.
stu·pid·i·ty 名 愚かさ, 愚鈍; 愚かな行い [考え].
suav·i·ty 名 人当たりのよさ.
sub·jec·tiv·i·ty 名 主観的であること, 主観性.
sub·lim·i·ty 名 崇高, 壮厳, 雄大; 壮厳なもの.

sub·sid·i·ar·i·ty 名 (特に EU で)決定事項を組織全体ではなく関係国で行う方式.
sub·sti·tu·tiv·i·ty 名 〘論理〙〘哲学〙置換(可能)原理.
sub·ur·ban·i·ty 名 郊外であること; 郊外の特徴 [性格].
su·per·flu·i·ty 名 多すぎること, 過剰, 過多.
su·pe·ri·or·i·ty 名 優位, 上位, 優越, 卓越, 優勢.
syl·la·bic·i·ty 名 音節を成すこと.
syn·chro·ne·i·ty 名 同時(代)性.
syn·chro·nic·i·ty 名 〘心理〙共時性.
syn·tal·i·ty 名 〘社会〙シンタリティ.
sys·te·mic·i·ty 名 体系的であること, 組織 [系統] 性.
tac·i·tur·ni·ty 名 無口, 口数の少なさ, 寡黙, 寡言.
tac·tic·i·ty 名 〘化学〙立体規則性.
tech·ni·cal·i·ty 名 専門的であること, 専門的性質.
te·mer·i·ty 名 《文語》向こう見ず, 無謀, 無分別.
tem·po·ral·i·ty 名 一時的なこと, 一時性, はかなさ.
ten·seg·ri·ty 名 〘建築〙テンセグリティー.
ten·si·ty 名 ぴんと張っている状態, 張り; 緊張.
ter·ri·to·ri·al·i·ty 名 領土であること, 土地所有, 領土権.
to·nal·i·ty 名 ☞
to·nic·i·ty 名 緊張性, 緊張状態.
top·i·cal·i·ty 名 話題(性), 話題になること.
to·tal·i·ty 名 完全(無欠), 全体性.
tox·ic·i·ty 名 (有)毒性.
trans·mis·siv·i·ty 名 〘物理〙透過率.
Trin·i·ty 名 (カトリック, 英国国教会で)三位一体の神, (東方正教会で)聖三者, (その他で)三一神.
tri·plic·i·ty 名 3倍 [三重] になった状態 [性質].
tri·u·ni·ty 名 三つ組, 三人組(trinity).
triv·i·al·i·ty 名 ささいなこと [もの].
u·biq·ui·ty 名 遍在(omnipresence).
u·na·nim·i·ty 名 全員異議のないこと, 満場一致.
u·nic·i·ty 名 単一性; 独自性.
u·ni·form·i·ty 名 一様であること; 均一(性); 不変性.
uni·tar·i·ty 名 〘原子物理〙ユニタリ性, 単一性.
u·ni·ty 名 一つであること, 単一, 唯一, 単独.
u·ni·ver·sal·i·ty 名 普遍性, 一般性, 遍在, 普及.
u·ni·ver·si·ty 名 ☞
ur·ban·i·ty 名 都会風; 洗練されていること.
va·cu·i·ty 名 空(くう), 空虚, 空, からっぽ.
va·gil·i·ty 名 〘生物〙自由運動能, 分散力.
va·lid·i·ty 名 妥当(性), 正当(性); 有効(性).
van·i·ty 名 うぬぼれ, 慢心, 虚栄心.
va·pid·i·ty 名 風味のないこと; 活気のないこと.
vas·ti·ty 名 広大, 巨大, 莫大.
vel·le·i·ty 名 《文語》きわめて微弱な意欲.
ve·nal·i·ty 名 買収されやすいこと, 金銭ずく.
ver·bal·i·ty 名 多言, 冗長, 冗漫.
ver·i·ty 名 真実, 真実性.
ver·tic·i·ty 名 〘物理〙《まれ》磁気を帯びた物体が外からの磁場により整列する傾向.
vi·cin·i·ty 名 近所, 付近, 近辺, 周辺.
vi·du·i·ty 名 未亡人, やもめ暮らし.
vir·a·gin·i·ty 名 口やかましい女であること.
vir·gin·i·ty 名 処女 [童貞] であること; 処女性.
vi·rid·i·ty 名 青々としていること, 新緑.
vir·tu·al·i·ty 名 virtual「実質上の」であること.
vis·u·al·i·ty 名 視覚性; 目に見えること, 可視性.
vi·tal·i·ty 名 旺盛な体力 [精神的活力].
vo·cal·i·ty 名 発声能力, 発声(行為).
vor·tic·i·ty 名 〘力学〙渦度(うずど).
vul·ca·nic·i·ty 名 〘音声〙音節における母音・二重母音あるいは母音の性質(volcanism).
vul·gar·i·ty 名 下品, 粗野, 卑俗(性), 俗悪.
whim·si·cal·i·ty 名 気まぐれ [むら気] な性質 [性格].

-i·um /iəm, jəm/

接尾辞 **1** ラテン語からの借用語に見られる. (1)動詞派生名詞: od*ium*. (2) 動詞以外の品詞につく: equilibri*um*. (3)《人を表す名詞などにつけて》…の地位, …職: colleg*ium*. **2**〘化学〙〘物理〙…イウム. ►化学元素名などをつくる: bar*ium*. **3**〘生物〙小形…, …塊. ►植物名や器官・組織名などを表す: pollin*ium*.
★ 名詞をつくる.
◆ <近代ラ, ラ(中性形接尾辞). ⇨ -UM[1].
[発音] 直前の音節に第1強勢.

〈**1**〉 …の地位, 職; 権利; 集団; 学科.
bi·sel·li·um 名 (古代ローマの)二人用名誉席.
col·le·gi·um 名 〘教会〙(共同生活をする)僧団.
col·lo·qui·um 名 専門家会議 [協議, 討議].
con·sor·ti·um 名 コンソーシアム: 合弁企業.
di·ver·bi·um 名 ディベリビウム: 古代ローマ戯曲において, 言葉で語られたパート.
do·min·i·um 名 〘法律〙(絶対的)所有権, 領有権.
im·pe·ri·um 名 支配権, 帝権, 至上権, 絶対権.
lat·i·fun·di·um 名 ラティフンディウム: 古代ローマの大土地所有制.
mag·is·te·ri·um 名 〘ローマカトリック〙教導権, 教導職.
min·is·te·ri·um 名 聖職者または宗教的指導者から成る組織.
pe·cu·li·um 名 私有財産, 私財.
po·di·um 名 壇, 演壇; 指揮台.
post·li·min·i·um 名 〘国際法〙戦前復帰権, 原状回復権, 戦後復権.
prae·sid·i·um 名 ＝presidium.
pre·sid·i·um 名 (旧ソ連の)最高会議幹部会.
quad·riv·i·um 名 (中世の大学の)四学科.
sym·po·si·um 名 討論会, シンポジウム.
triv·i·um 名 (中世の)三学科.

〈**2**〉〘化学〙〘物理〙元素・イオン・素粒子・化合物・薬品名などを表す.
ac·tin·i·um 名 アクチニウム.
al·u·min·i·um 名 《主に英》アルミニウム(aluminum).
am·er·i·ci·um 名 アメリシウム.
am·mo·ni·um 名 アンモニウムイオン [塩基].
bar·i·um 名 バリウム.
bar·y·on·ium 名 バリオニウム.
bdel·li·um 名 ブデリウム, デリアム: ゴム樹脂の一種.
ber·ke·li·um 名 バークリウム.
be·ryl·li·um 名 ベリリウム.
cad·mi·um 名 カドミウム.
cae·si·um 名 ＝cesium.
cal·ci·um 名 カルシウム.
cal·i·for·ni·um 名 カリホルニウム.
cel·ti·um 名 ＝hafnium.
ce·ri·um 名 セリウム.
ce·si·um 名 《米》セシウム.
chro·mi·um 名 クロム.
col·lo·di·um 名 コロジオン(collodion).
col·lu·nar·i·um 名 〘医学〙点鼻剤(nose drops).
col·lu·to·ri·um 名 〘医学〙含嗽剤(collutory).
col·lyr·i·um 名 〘医学〙目薬, 点眼 [洗眼] 水 [液].
col·o·pho·ni·um 名 ロジン, コロホニウム.
co·lum·bi·um 名 コルンビウム.
cra·ni·um 名 ☞
cu·ri·um 名 キュリウム.
deu·te·ri·um 名 ジュウテリウム, 重水素.
di·dym·i·um 名 ジジム, ジジミウム.
do·pi·um 名 《米俗》アヘン.
dys·pro·si·um 名 ジスプロシウム.
ef·flu·vi·um 名 (目に見えない)発散気, 蒸発気.
ein·stein·i·um 名 アインスタイニウム.
ek·a·haf·ni·um 名 エカハフニウム.
el·a·te·ri·um 名 〘薬学〙エラテリウム.
er·bi·um 名 エルビウム.
e·thid·i·um 名 〘生化学〙エチジウム臭化物.
eu·ro·pi·um 名 ユーロピウム.
fer·mi·um 名 フェルミウム.
fran·ci·um 名 フランシウム.
gad·o·lin·i·um 名 ガドリニウム.
gal·li·um 名 ガリウム.
ger·ma·ni·um 名 ゲルマニウム.
haf·ni·um 名 ハフニウム.
hahn·i·um 名 ハーニウム.

he·li·um 名 ヘリウム.
hol·mi·um 名 三価のホルミウム.
il·lin·i·um 名 《もと》イリニウム.
in·dium 名 インジウム.
i·o·ni·um 名 イオニウム.
i·rid·i·um 名 イリジウム.
ka·li·um 名 カリウム.
kur·cha·to·vi·um 名 クルチャトビウム.
law·ren·ci·um 名 ローレンシウム.
lith·i·um 名 リチウム.
lu·te·ci·um 名 ＝lutetium.
lu·te·ti·um 名 ルテチウム.
mag·na·li·um 名 マグナリウム.
mag·ne·si·um 名 マグネシウム.
ma·su·ri·um 名 ＝technetium.
men·de·le·vi·um 名 メンデレビウム.
min·i·um 名 鉛丹, 光明丹(red lead).
na·tri·um 名 《もと》＝sodium.
ne·bu·li·um 名 ネブリウム.
nep·tu·ni·um 名 【物理】ネプツニウム.
ni·o·bi·um 名 ニオブ.
no·bel·i·um 名 【物理】ノーベリウム.
nu·cle·o·ni·um 名 ニュークレオニウム.
-o·ni·um 連結形 ☞ -ONIUM[1]
o·pi·um 名 アヘン.
os·mi·um 名 オスミウム.
pal·la·di·um 名 パラジウム.
pi·on·i·um 名 パイオニウム.
plu·to·ni·um 名 プルトニウム.
po·lo·ni·um 名 ポロニウム.
pos·i·tro·ni·um 名 ポジトロニウム.
po·tas·si·um 名 カリウム.
pro·me·thi·um 名 プロメチウム.
pro·ti·um 名 プロチウム.
ra·di·um 名 ラジウム.
rhe·ni·um 名 レニウム.
rho·di·um 名 ロジウム.
ru·bid·i·um 名 ルビジウム.
ru·the·ni·um 名 ルテニウム.
ruth·er·for·di·um 名 ラザフォルジウム.
sa·mar·i·um 名 サマリウム.
scan·di·um 名 スカンジウム.
se·le·ni·um 名 セレン, セレニウム.
si·li·ci·um 名 《もと》ケイ素(silicon).
so·di·um 名 ☞
stib·i·um 名 アンチモン(antimony).
stron·ti·um 名 ストロンチウム.
tech·ne·ti·um 名 テクネチウム.
tel·lu·ri·um 名 テルル.
ter·bi·um 名 テルビウム.
tet·ra·zo·li·um 名 テトラゾリウム.
thal·li·um 名 タリウム.
thu·li·um 名 ツリウム.
ti·ta·ni·um 名 チタン.
too·to·ni·um 名 《米麻薬俗》(実在はしない)強力なコカイン. ►titanium にかけた造語.
trit·i·um 名 三重水素, トリチウム.
un·nil·hex·i·um 名 ウンニルヘキシウム.
un·nil·pen·ti·um 名 ウンニルペンチウム.
un·nil·qua·di·um 名 ウンニルクアジウム.
un·nil·sep·ti·um 名 ウンニルセプチウム.
u·ra·ni·um 名 ☞
va·na·di·um 名 バナジウム.
vir·gin·i·um 名 《もと》フランシウム.
yt·ter·bi·um 名 イッテルビウム.
yt·tri·um 名 イットリウム.
zir·co·ni·um 名 ジルコニウム.

〈**3**〉【生物】植物名や器官・組織名などを表す.
ae·ci·um 名 【菌類】サビ胞子器.
aer·o·bi·um 名 【生物】好気性生物(細菌)(aerobe).
ae·tha·li·um 名 【菌類】団塊子実体, 着合子実体.
al·li·um 名 ネギ属の植物の総称.
an·aer·o·bi·um 名 【生物】嫌気性生物, 嫌気菌.
an·dro·clin·i·um 名 【植物】＝clinandrium.
an·dro·co·ni·um 名 【昆虫】発香鱗(りん), 香鱗.
an·droe·ci·um 名 【植物】雄蕊(ずい)群, 雄しべ.
an·tho·di·um 名 【植物】(キク科植物の)頭状花.
an·thu·ri·um 名 【植物】アンスリウム.
ap·te·ri·um 名 【鳥類】無羽域, 裸区.
ar·che·spo·ri·um 名 【植物】胞原細胞(群)(archespore).
a·sple·ni·um 名 【植物】チャセンシダ.
bac·te·ri·um 名 ☞
bro·ma·ti·um 名 ブロマチア: キノコの菌糸の膨らんだ先端部.
bron·chi·um 名 bronchia「気管支」の単数形.
ca·la·di·um 名 【植物】カラジウム, ハニシキ.
cam·bi·um 名 【植物】形成層.
-car·di·um 連結形 ☞
ce·no·bi·um 名 【生物】＝coenobium.
ce·ras·ti·um 名 ミミナグサ(耳菜草).
cil·i·um 名 cilia「まつげ」の単数形.
cli·nan·dri·um 名 【植物】葯床(やくしょう)(androclinium).
coe·no·bi·um 名 【生物】連結生活体, 連生体.
co·ni·um 名 【植物】ドクニンジン(poison hemlock).
con·ta·gium 名 【病理】伝染[感染]病原体.
co·re·mi·um 名 【菌類】分生子柄束.
cy·ath·i·um 名 【植物】杯状(集散)花序.
del·phin·i·um 名 ヒエンソウ(飛燕草).
den·dro·bi·um 名 【植物】デンドロビウム, セッコク.
den·ta·li·um 名 【貝類】ツノガイ.
di·cha·sium 名 【植物】二枝[二出]集散花序.
ech·i·um 名 【植物】エキウム.
end·ar·te·ri·um 名 【解剖】動脈内膜.
en·do·don·ti·um 名 【歯科】(人・動物の)髄, 髄質.
e·phip·pi·um 名 【動物】卵殻包, 卵殻膜, 卵皮膜.
ep·i·my·si·um 名 【解剖】筋外膜, 筋上膜.
ep·i·o·nych·i·um 名 【発生】＝eponychium.
ep·i·the·li·um 名 ☞
ep·i·trich·i·um 名 【発生】周皮(periderm).
ep·o·nych·i·um 名 【発生】胎生爪皮(そう).
e·ryn·gi·um 名 【植物】エリンギウム, エリンジウム.
er·y·thro·ni·um 名 【植物】エリトロニウム, エリスロニウム.
eu·pa·to·ri·um 名 【植物】ヒヨドリバナ.
ex·o·spo·ri·um 名 【植物】外膜, 外皮, 外壁(exine).
fo·li·um 名 【植物】薄葉状の層(lamella).
gam·e·tan·gi·um 名 【植物】(蘚苔類などの)配偶子嚢.
-gas·tri·um 連結形 ☞
gel·se·mi·um 名 ゲルセミウム: フジウツギ科の蔓(つる)植物の一種.
ge·ra·ni·um 名 ☞
go·nan·gi·um 名 生殖管.
go·ni·um 名 【細胞生物】生殖原細胞, 性原細胞.
-go·ni·um 連結形 ☞
gym·no·din·i·um 名 【植物】ハダカオビムシ.
gy·ne·ci·um 名 【植物】＝gynoecium.
gy·noe·ci·um 名 【植物】雌蕊(しべ)群.
gyn·o·ste·gi·um 名 【植物】肉柱体, 蕊冠(ずいかん).
gyn·o·ste·mi·um 名 【植物】蕊柱(ずいちゅう).
he·le·ni·um 名 キク科マツバハルシャギク属の植物の総称(sneezweed).
hy·me·ni·um 名 【菌類】子実層.
hy·pan·thi·um 名 【植物】花托(かたく)筒, 萼(がく)筒.
hy·po·chon·dri·um 名 【解剖】季肋(ろく)部, 下肋部.
il·i·um 名 【解剖】腸骨.
in·du·si·um 名 【植物】包膜, 胞膜.
is·chi·um 名 【解剖】座骨.
i·sid·i·um 名 【植物】裂芽.
la·bi·um 名 唇; 唇状部.
la·mi·um 名 【植物】シソ科オドリコソウ属の総称.
ma·nu·bri·um 名 【解剖】【動物】胸骨柄.
mar·su·pi·um 名 【動物】育児嚢(のう).
mas·tig·i·um 名 【昆虫】鞭(べん)状器.
mil·i·um 名 【病理】稗粒腫(ひりゅうしゅ).
my·ce·li·um 名 【菌類】菌糸体.
nas·tur·tium 名 キンレンカ(金蓮花).

-neu·ri·um 連結形 ☞
os·me·te·ri·um 名 〘昆虫〙臭角.
os·ti·um 名 〘解剖〙〘動物〙口, 小孔.
pan·a·ri·ti·um 名 〘病理〙瘭疽(ひょうそ).
par·a·me·ci·um 名 ゾウリムシ.
par·a·moe·ci·um 名 ＝paramecium.
par·o·don·tium 名 〘歯科〙＝periodontium.
pa·ta·gi·um 名 〘生物〙飛膜, 翼膜.
pen·i·cil·li·um 名 ペニシリウム, アオカビ.
per·i·chae·ti·um 名 〘植物〙雌花葉.
per·i·chon·dri·um 名 〘解剖〙軟骨膜.
per·i·my·si·um 名 〘解剖〙筋鞘(きんしょう), 筋周膜.
per·i·neph·ri·um 名 〘解剖〙腎(じん)周(囲)組織.
per·i·o·don·tium 名 〘歯科〙歯周組織.
per·i·o·nych·i·um 名 〘解剖〙爪(そう)周囲部.
phor·mi·um 名 〘植物〙ニューサイラン.
phyl·lo·di·um 名 〘植物〙仮葉, 偽葉(phyllode).
plas·mo·di·um 名 〘生物〙変形体.
po·de·ti·um 名 〘植物〙〘菌類〙(地衣類の)子器柄.
-po·di·um 連結形 ☞
Pol·e·mo·ni·um 名 〘植物〙ハナシノブ属.
pol·lin·i·um 名 〘植物〙花粉塊.
pri·mor·di·um 名 〘発生〙原基.
pro·sto·mi·um 名 (環形動物の)口前［前口］葉.
pro·thal·li·um 名 〘植物〙前葉体, 原葉体, 偏平体.
psal·te·ri·um 名 〘動物〙重弁胃, 葉胃(ようい).
psyl·li·um 名 〘植物〙アメリカオオバコ.
pte·ryg·i·um 名 〘眼科〙翼状(贅(ぜい))片.
pyc·ni·um 名 (サビ菌類の)柄(へい)胞子器.
pyx·id·i·um 名 〘植物〙蓋果(がいか), 横裂果.
scle·ro·ti·um 名 〘菌類〙菌核, (変形菌類で)皮体.
Scol·o·pen·dri·um 名 〘植物〙コタニワタリ属のシダ.
so·ra·li·um 名 〘生物〙地衣の表面の粉芽(soredium)ができる箇所.
so·re·di·um 名 〘生物〙粉芽, ソレジア.
sper·ma·ti·um 名 〘植物〙不動精子.
spo·ran·gi·um 名 ☞
stam·i·no·di·um 名 〘植物〙仮［退化］雄蕊(ゆうずい).
stra·mo·ni·um 名 《米》シロバナ洋種チョウセンアサガオ.
sy·co·ni·um 名 〘植物〙隠頭花序, イチジク花序.
syn·cy·tium 名 〘生物〙シンシチウム, 合胞体.
sy·no·vi·um 名 〘解剖〙(関節の)滑膜.
te·li·um 名 〘菌類〙冬胞子層.
the·ci·um 名 〘菌類〙子実層.
-the·ci·um 連結形 ☞
-the·li·um 連結形 ☞
-the·ri·um 連結形 ☞
to·mi·um 名 (鳥のくちばしの)嘴縁(しえん).
tri·fo·li·um 名 シャジクソウ属の植物の総称.
tril·li·um 名 ☞
u·re·din·i·um 名 〘菌類〙夏胞子層［堆(たい)］.
u·re·di·um 名 〘菌類〙＝uredinium.
u·ro·pyg·i·um 名 〘鳥類〙腰(rump).
ver·ti·cil·li·um 名 〘菌類〙バーティシリウム.
ves·tig·i·um 名 〘解剖〙痕跡(vestige).

〈4〉〘建築〙建造物・建築装飾や場所などを表す.
ac·ro·te·ri·um 名 〘建築〙アクロテリウム, 露盤.
an·te·pen·di·um 名 〘教会〙祭壇の前飾り.
-ar·i·um 接尾辞 ☞
a·tri·um 名 〘建築〙アトリウム.
bal·li·um 名 (城の外庭の)防御壁, 外壁.
bu·cra·ni·um 名 〘建築〙ブクラニア.
ca·vae·di·um 名 〘建築〙＝atrium.
char·to·phy·la·cium 名 (中世の教会の)記録文書保管所.
com·plu·vi·um 名 (古代ローマ建築で, 広間式中庭(atrium)中央の屋根にあいた)大きな正方形の開口部.
cy·ma·ti·um 名 〘建築〙冠刳形(くりがた), 反曲.
el·ae·o·the·si·um 名 (古代ローマの風呂の)塗油室.
gym·na·si·um[1] 名 体育館, 屋内競技場, ジム.
gym·na·si·um[2] 名 ギムナジウム: 古典語教育の中等学校.
hos·pi·ti·um 名 (巡礼者・参拝者などのための)宿泊所.
im·plu·vi·um 名 (古代ローマの住宅建築で)中庭の中央に設けた雨水だめ.
la·se·ri·um 名 レーザ展示館.
mar·tyr·i·um 名 殉教(者)の遺跡.
pa·la·ti·um 名 (特に)古代ローマ帝国皇帝の宮殿.
Pal·la·di·um 名 パラディオン: 女神 Pallas Athene の像.
par·a·sce·ni·um 名 パラスケニオン: 古代ギリシャの劇場の構成部分.
pen·e·tra·li·um 名 建物の内部; 《比喩的》秘密の部分.
per·i·sty·li·um 名 (列)柱廊, 柱列(colonnade, peristyle).
pro·sce·ni·um 名 〘演劇〙プロセニアム.
sphae·ris·te·ri·um 名 古代ローマの球技場.
sta·di·um 名 スタジアム.
su·per·cil·i·um 名 〘建築〙軒蛇腹の波刳形(くりがた)の上部にある平縁(ひらぶち).
tha·la·mi·um 名 (古代ギリシャの)婦人部屋.
tra·che·li·um 名 〘建築〙トラケリウム.
tri·clin·i·um 名 〘ローマ史〙トリクリニウム, 食堂.

〈5〉〘天文〙(近代以降に発見された)星座名や天体現象を表す.
ap·o·se·le·ni·um 名 遠月点(apolune).
co·ro·ni·um 名 コロニウム.
Mi·cro·sco·pi·um 名 けんびきょう(顕微鏡)座.
mys·te·ri·um 名 ミステリウム.
per·i·se·le·ni·um 名 近月点(perilune).
sat·el·lit·i·um 名 十二宮(zodiac)の同一宮にある3つ(以上)の星群.
Tel·e·sco·pi·um 名 望遠鏡座.

〈6〉(古代ギリシャ・ローマの)都市名・地名などを表す.
E·ly·si·um 名 〘ギリシャ神話〙エリュシオン: 理想郷.
I·co·ni·um 名 イコニウム: Konya の古代名.
Il·i·um 名 イリウム: Troy のラテン名.
La·ti·um 名 ラティウム: 古代イタリアの都市国家.
Lu·gu·val·li·um 名 ルグワリウム: Carlisle のラテン名(イングランドの地名).
mu·ni·cip·i·um 名 〘歴史〙ムニキピウム: 古代ローマの地方自治都市.
Sam·ni·um 名 サムニウム: 古代イタリアの国家名.
Tau·ro·me·ni·um 名 タウロメニウム: Taormina の古代名(シチリアの地名).
Ver·u·la·mi·um 名 ベルラミウム: St. Albans の古代名(イングランドの地名).

〈7〉その他.
al·lo·di·um 名 〘歴史〙完全私有地.
a·lo·di·um 名 〘歴史〙＝allodium.
an·ti·men·si·um 名 〘ギリシャ正教〙代案, アンティミンス.
at·mo·sphe·ri·um 名 気象変化投影装置.
-a·to·ri·um 連結形 ☞
cli·mac·te·ri·um 名 〘医学〙更年期(の症状・障害).
com·pen·di·um 名 概論, 概説.
de·lir·i·um 名 〘病理〙譫妄(せんもう)(状態).
des·i·de·ri·um 名 (失われたものを)惜しむ気持ち.
do·li·um 名 ドリウム: 古代ローマ人の陶製大壷.
en·co·mi·um 名 公式の大賛辞, 賞賛の演説.
ep·i·ce·di·um 名 葬送歌, 挽歌(ばんか), 哀歌.
ep·i·tha·la·mi·um 名 祝婚歌(epithalamion).
e·qui·lib·ri·um 名 ☞
ex·or·di·um 名 (物事の)初め.
fas·tig·i·um 名 〘医学〙極期.
flo·ri·le·gi·um 名 名詩選, 詞華集(anthology).
har·mo·ni·um 名 ハルモニウム: 小型のリードオルガン.
hem·i·cy·cli·um 名 (古代に使われた)半球日時計.
hor·o·lo·gi·um 名 時計台［塔］.
in·di·ci·um 名 (特に郵便物に印字された)指示.
lix·iv·i·um 名 灰汁, あく(lye).
-lu·vi·um 連結形 ☞
me·co·ni·um 名 〘生理〙胎便.
me·di·um 名 ☞

o·di·um 名 憎悪, 憎しみ.
op·pro·bri·um 名 不名誉, 不面目, 恥辱.
-o·ri·um 接尾辞 ☞
pal·li·um 名 パリウム: 古代ギリシャ・ローマの男子が用いた一種の外衣.
pan·cra·ti·um 名 パンクラティオン: 古代ギリシャの格闘競技.
pan·de·mo·ni·um 名 大混乱, 大騒ぎ, 無秩序, 混沌.
pre·mi·um 名 ☞
prin·cip·i·um 名 原理, 原則; 基礎.
pro·tha·la·mi·um 名 祝婚歌(prothalamion).
pu·er·pe·ri·um 名 〘産科〙産褥(さんじょく)(期).
pur·do·ni·um 名 石炭運搬用バケツの一種.
re·fu·gi·um 名 〘生態〙レフュジア, 退避地.
scho·li·um 名 (ギリシャ・ローマの古典に後代の者がつけた)欄外注解, 古注.
scrin·i·um 名 (古代ローマで使われた)円筒形の巻物入れ.
ses·ter·ti·um 名 セステルティウム: 古代ローマの貨幣単位.
so·la·ti·um 名 賠償(金), 見舞金.
sub·sel·li·um 名 ミゼリコルディア, 慈悲の支え.
syl·la·bar·i·um 名 音節 [字音] 表(syllabary).
tau·ro·bo·li·um 名 雄牛の供犠.
te·di·um 名 退屈さ; 倦怠, 単調.
-to·ri·um 接尾辞 ☞
tra·pe·zi·um 名 〘幾何〙トラペジウム.

-iv /ív/

語尾 俗語の語尾.
★ 語末にくる同音形は -IVE[1], -IVE[3].

chiv 名 《俗》刃物, ナイフ(shiv).
div 名 《英刑務所俗》まぬけ, 阿呆.
priv 名 《英俗》特権(privilege).
shiv 名 《俗》(飛び出し)ナイフ.
spiv 名 《英俗》定職もなくしゃれた身なりをして悪事や悪知恵で暮らす者.
ziv 動他自 《米俗》(麻薬を)買う.

-i·val /áivəl/

接尾辞 -ive[1] に -al[1] がついたもの; すべて文法用語と言語学用語.
★ 形容詞をつくる.

ac·cu·sa·ti·val 形 対格の, 直接目的格の.
ad·jec·ti·val 形 形容詞の, 形容詞的な.
a·gen·ti·val 形 動作主を示す(形の).
di·min·u·ti·val 形 指小辞 [語] の.
gen·i·ti·val 形 属格(形)の.
im·per·a·ti·val 形 命令法の.
in·fin·i·ti·val 形 不定詞の.
nom·i·na·ti·val 形 主格の.
ob·jec·ti·val 形 目的語の.
rel·a·ti·val 形 関係詞の, 関係詞的な.
sub·stan·ti·val 形 実詞の, 名詞の(働きを持つ).

-ive[1] /iv/

接尾辞 **1** …する傾向・性質がある: attract*ive*. **2** …の, …と関係のある: instinct*ive*. **3** 形容詞から派生して名詞をつくる; …する人: detect*ive*.
★ 動詞や名詞につけて形容詞をつくる.
★ -tion, -sion で終わる名詞に対応する形容詞が多い: act*ion* ↔act*ive*, illus*ion* ↔illus*ive*.
★ 限定的に複合語につく: stick-to-it-*ive*, go-ahead*ive*.
★ 語末にくる関連形は -IFF[1], -IVAL, -IVELY.
◆ <ラ *-īvus*; 語によっては仏 *-ive*(*-if* の女性形)を表す.
[発音](1) 第 1 強勢は, 2 音節の語では語頭に付く. (2) 3 音節以上の語の場合, (ア) -ive の前の音節が短音節(「短母音＋1つの子音字」この子音字はなくてもよく, また子音字の後ろにもう 1 つの子音 /r/ か /w/ が付いてもよい)ならば 2 つ前の音節に付き, (イ) -ive の前の音節が長音節(「長母音(または 2 重母音)＋子音(この子音はなくてもよい)」または「短母音＋2つの子音字(後ろの子音が /r/, /w/ である場合は除く)」)ならば直前の音節に付く. ただし substantive は語頭の音節に第 1 強勢が付くこともある.

ab·es·sive 名形 〘文法〙欠格(の).
a·bor·tive 形 〈計画などが〉不成功の.
a·bra·sive 名 研磨材. ―― 形 すり減らす.
ab·sorp·tive 形 吸収する, 吸収力のある; 吸収性の.
ab·ster·sive 形 洗浄(性)の, 洗浄力のある.
a·bu·sive 形 口汚い, 悪罵(あくば)の.
ac·cre·tive 形 自然にまたは徐々に成長する.
ac·tive 形 ☞
a·dap·tive 形 適応する, 適応できる.
ad·es·sive 形 〘文法〙位(置)格の, 所格の.
ad·he·sive 形 粘着性の, べとべとする.
ad·jus·tive 形 調節 [調整] (用)の.
a·dop·tive 形 採用の, 選択の, 借用の.
ad·sorp·tive 形 吸着性の, 吸着(作用)の.
af·flic·tive 形 (…を)苦しめる; 悲惨な.
af·fron·tive 形 《古》侮辱的な, 無礼な.
a·gen·tive 形 〘文法〙動作主を示す(形の).
a·mu·sive 形 面白い, 興味をそそられる.
ap·poin·tive 形 任命 [指名] による.
ap·prais·ive 形 評価 [値踏み] する.
ar·res·tive 形 人目を引く; 阻止する.
as·cen·sive 形 上昇する; 進歩的な.
as·saul·tive 形 襲いかかりそうな, 攻撃的な.
as·sen·tive 形 賛成の, 承諾の.
as·ser·tive 形 断言的な, 断定的な.
as·sis·tive 形 援助を与える; 助けになる.
as·tric·tive 形 〘医学〙収斂(しゅうれん)性の.
-a·tive 接尾辞 ☞
at·ten·tive 形 注意深い; (…に)よく注意している.
a·ver·sive 形 嫌悪の.
ben·e·fac·tive 名形 〘言語〙受益者格(の).
cap·tive 名 とらわれ人, 囚人, 捕虜.
ca·ress·ive 形 愛撫(あいぶ)する; 甘えた.
-cep·tive 連結形 ☞
-ces·sive 連結形 ☞
-clu·sive 連結形 ☞
co·ac·tive 形 強制的な; 威圧的な, 高飛車な.
co·er·cive 形 《まれ》強制的な.
co·he·sive 形 粘着性を持つ, 結合力のある.
com·plaint·ive 形 よく不平をこぼす, ぐちの多い.
con·cre·tive 形 凝固 [凝結] 性の.
con·du·cive 形 《通例, 叙述的》資する.
con·nec·tive 形 〈言葉が〉結び付ける, 結合する.
con·sec·u·tive 形 連続した, 引き続く.
con·serv·a·tive 形名 ☞
con·stric·tive 形 締めつける, 圧縮する.
con·ten·tive 名 〘言語〙内容語(content word)(のその語根となる形態素).
con·tor·tive 形 ねじれた, 曲がった; 曲がりくねった.
con·tras·tive 形 (…と)対照 [対比] 的な.
con·vul·sive 形 痙攣(けいれん)性の, 発作的な.
cor·rec·tive 形 《文語》矯正する, 正しくする.
cor·re·spon·sive 形 努力 [刺激] に反応する.
cor·ro·sive 形 腐食する, 腐食 [浸食] 性の.
cos·tive 形 〈人が〉便秘している.
cres·cive 形 しだいに増大する; 成長可能な.
cur·sive 形 〈筆跡が〉筆記体の, 草書体の.
-cur·sive 連結形 ☞
da·tive 形 〘文法〙与格の.
de·ci·sive 形 解決を与える, 決定的な.
de·cre·tive 形 法令の(効力を持った).
de·fen·sive 形 防御に役立つ, 自衛上の; 防戦の.
de·func·tive 形 死者の; 葬式の; 死にかけている.
de·no·tive 形 (…を)表示 [指示] する.
de·ri·sive 形 嘲笑(ちょうしょう)的な.
destructive 形 〈物・事が〉破壊的な.
de·tec·tive 名 ☞

de·ter·sive 形 洗浄性の, 洗浄力のある.
-dic·tive 連結形 ☞
dif·frac·tive 形 回折を生じる; 回折性の; 回折の.
di·min·u·tive 形 小さい, 小形の, 小柄の; ちっぽけな.
dis·per·sive 形 分散させる; 散布の; 伝播(でんぱ)性の.
dis·sua·sive 形 思いとどまらせる, 制止的な.
dis·tinc·tive 形 他との区別を表す; 示差的な.
di·ver·tive 形 気晴らしの, 面白い.
di·vi·sive 形 《古》区分をなす; 区別する.
-duc·tive 連結形 ☞
em·brac·ive 形 完全包囲の, 包括的な.
-emp·tive 連結形 ☞
en·ac·tive 形 立法 [制定] 権のある [を持った].
e·ro·sive 形 腐食する; 破壊する; 浸食的な.
es·sive 形 〖文法〗態格(的)の. ── 名 態格.
e·va·sive 形 回避的な; 責任回避の; 逃避する.
e·vin·cive 形 明らかに示す; (…を)証明する.
ev·o·lu·tive 形 進化の, 発展の; 進化を促進する.
ex·ec·u·tive 名 経営幹部(団), 経営陣, 役職員(団).
ex·er·tive 形 努力する, 働く; 影響を及ぼす.
ex·haus·tive 形 〈調査などが〉徹底的な, 完全な.
ex·pan·sive 形 広大な; 広範囲の, 包括的な.
ex·pen·sive 形 費用のかかる; 高価な.
ex·plo·sive 形 ☞
ex·ten·sive 形 〈場所が〉広い, 広大な.
ex·tinc·tive 形 消滅性の, 消滅 [死滅] させる.
ex·tor·sive 形 〖法律〗強要 [強請] する, 強要的な.
fac·tive 形 〖文法〗事実的な, 叙実的な.
-fec·tive 連結形 ☞
fes·tive 形 祝祭の, 祭日の; 祝祭にふさわしい.
fic·tive 形 《まれ》架空の, 偽りの, 想像上の.
-flec·tive 連結形 ☞
fur·tive 形 〈行為などが〉ひそかな.
-fu·sive 連結形 ☞
ge·run·dive 名 (ラテン語の)受動分詞, 動詞状形容詞.
go-a·head·ive 形 前向きな; 進取的な, 野心的な.
-gres·sive 連結形 ☞
im·pac·tive 形 衝突 [衝撃] による.
in·cen·dive 形 燃やすのに用いる, 発燃用の.
in·cen·tive 名 (…への)誘因; (…させる)動機.
in·ci·sive 形 〈声などが〉切りさくような, 鋭い.
in·es·sive 形名 〖文法〗内格(の).
in·flic·tive 形 苦痛を与える, 苦痛の, 苦しみの.
in·stinc·tive 形 本能の [に関する].
in·ten·sive 形 ☞
in·ter·pre·tive 形 説明に役立つ, 解釈的な.
in·tro·ver·sive 形 内向 [内省] 的な.
in·tro·ver·tive 形 ＝introversive.
in·va·sive 形 侵略的な; 〖医学〗転移する.
in·vec·tive 名 非難 [攻撃]; 悪口, 悪罵(あくば).
in·ver·sive 形 逆の, 正反対の; 転倒させる.
-i·tive 接尾辞 ☞
-jec·tive 連結形 ☞
-junc·tive 連結形 ☞
jus·sive 形 〖文法〗指示形 [法, 格, 構文, 語] の.
-lec·tive 連結形 ☞
-lu·sive 連結形 ☞
mas·sive 形 大きな塊から成る [を成す].
mis·sive 名 《しばしばこっけい》手紙, 書状.
-mis·sive 連結形 ☞
mo·tive 名 (行為の)動機, 動因, 誘因, 刺激.
-mo·tive 連結形 ☞
-mu·ta·tive 連結形 ☞
na·ive 形 無邪気な, 天真爛漫(らんまん)な.
ob·ses·sive 形 強迫観念のような.
of·fen·sive 形 ☞
os·ten·sive 形 明示する; 指示的な.
ox·i·da·tive 形 〖化学〗酸化の; 酸化力のある.
pas·sive 形 ☞
pen·den·tive 名 〖建築〗穹隅(きゅうぐう), 隅折り上げ.
pen·sive 形 ぼんやりと考え込んだ.
per·cus·sive 形 衝突の; 衝撃的な, 打撃的な.
per·sua·sive 形 (人を)納得させる, 説得力のある.
per·ver·sive 形 誤らせる; (…を)曲解する.
plain·tive 形 もの悲しい, 憂いを帯びた, 哀れな.
plau·sive 形 拍手喝采(かっさい)する.
-ple·tive 連結形 ☞
pos·i·tive 形 ☞
pos·ses·sive 形 所有の. 〈人が〉所有欲の強い.
pre·ci·sive[1] 形 (人・物を)他と分離 [区別] する.
pre·ci·sive[2] 形 正確な, 厳密な.
-pre·hen·sive 連結形 ☞
pre·sen·tive 形 〖言語〗〖哲学〗概念語の.
-pres·sive 連結形 ☞
pre·ten·sive 形 《カリブ英語》〈人が〉うぬぼれた.
pro·tec·tive 形 ☞
pro·ten·sive 形 《古》寸法 [期間] がのびた.
pul·sive 形 推し進める; 強制的な.
-pul·sive 連結形 ☞
pur·pos·ive 形 目的のある, 目的意識を持った.
re·ac·tive 形 反作用の; 反発する; 受け身の.
-rec·tive 連結形 ☞
re·flex·ive 形 反射する; 〖文法〗再帰用法の.
re·frac·tive 形 屈折の, 屈折による.
re·sis·tive 形 抵抗する, 抵抗力のある, 抵抗性の.
re·sol·u·tive 形 解決能力のある; 解決するための.
re·spon·sive 形 答える, 応答する.
res·tive 形 いらいらした, 落ち着きのない.
re·stric·tive 形 制限的な, 制限 [限定] する.
re·ten·tive 形 ☞
re·vul·sive 形 〖医学〗誘導する.
-rup·tive 連結形 ☞
-scrip·tive 連結形 ☞
se·cre·tive[1] 形 隠し立てする; 打ち解けない; 無口の.
se·cre·tive[2] 形 分泌(作用)の(secretory).
-spec·tive 連結形 ☞
spor·tive 形 陽気な, ふざけた, 冗談の.
stick-at-it-ive 形 《話》＝stick-to-it-ive.
stick-to-it-ive 形 《米話》粘り強い, 根気のよい.
-sti·tu·tive 連結形 ☞
-struc·tive 連結形 ☞
sub·stan·tive 名 〖文法〗名詞(noun).
sub·ver·sive 形 覆す, 転覆 [滅亡] させる, 破壊する.
-sump·tive 連結形 ☞
sup·por·tive 形 支える; 応援する, 協力的な.
sus·pen·sive 形 停止の; 決断のつかない; 不安定な.
tar·dive 形 成長 [発達] の遅い, (病気が)遅発性の.
ten·sive 形 ☞
trac·tive 形 引く, 牽引(けんいん)する.
-trac·tive 連結形 ☞
-trib·u·tive 連結形 ☞
-tru·sive 連結形 ☞
tus·sive 形 〖病理〗咳(せき)の [による].
veg·e·tive 形 〈植物が〉成長する, 成長能力がある.
-ven·tive 連結形 ☞
vin·dic·tive 形 〈人が〉復讐(ふくしゅう)心のある.
vi·sive 形 《古》見る [見られる] ことができる.
vo·tive 形 (祈願成就の印として)ささげられた.

-ive[2] /áiv/

語尾 rive, shive[1], shive[2], skive[1] は「もぐ, はぐ」と「断片」の意で連想される.

chive 名 〖植物〗エゾネギ, エゾアサツキ.
dive[1] 動自 ☞
dive[2] 名 diva「著名な女性歌手」の複数形.
drive 動他 ☞
five 名 ☞
hive 名 ミツバチの巣箱, ハチの巣.
jive 名 スイングミュージック, 初期のジャズ; それに合わせて踊るダンス.
live 形 ☞
rive 動他 …を(…から)もぎ取る.
shive[1] 名 断片, 破片, かけら; 木片.
shive[2] 名 亜麻・麻などの外皮の断片.
shrive 動他 《古》〈司祭が〉〈告解者に〉罪の償

いを課する; 罪の許しを与える.
skive[1] 動他〈革などを〉薄く裂く, 薄くはぐ.
skive[2] 動他自《英俗》(義務を)怠る, (仕事を)サボる.
strive 動自 懸命に試みる, 奮起する, 骨折る.
swive 動他自《廃》(…と)交接する.
thrive 動自〈人・国・産業などが〉栄える, 繁栄する;〈人・事業などが〉成功する.
-vive 連結形 ☞
wive 動自《古》妻をめとる, 結婚する.

-ive[3] /ív/

語尾 語末にくる同音形は -IV, -IVE[1].

give 動他 ☞
live 動自 ☞
ol·ive 名 ☞
shive 名 亜麻・麻などの外皮の断片.
waive 動他〈権利などを〉要求するのをやめる.

-ive·ly /ivli/

接尾辞 …の傾向で, …の性質をもって.
★ -ive で終わる形容詞に対応する副詞をつくる.
◆ -IVE[1] と -LY[1] の合成接尾辞.

ab·so·ti·ve·ly 副 《俗》完全に; すっかり.
ac·tive·ly 副 活発に; 活動して.
de·mon·stra·tive·ly 副 感情を表して, あらわに, 心から.
ef·fec·tive·ly 副 効果的に, 有効に.
ir·re·spec·tive·ly 副 (…に)かかわりなく.
pos·i·tive·ly 副 確かに, きっぱりと.
rel·a·tive·ly 副 他と比べて, 比較的に, 割合に.
re·spec·tive·ly 副 それぞれ, 各自に, 個々に.

-i·ver /ívər/

音象徴 ブルブル; 身震いを表す.

a·quiv·er 形副 震えおののいて, 震えて.
a·shiv·er 形 (…に)身震いして, おののいて.
quiv·er 動自〈人・心・葉・声などが〉ぶるぶる震える, (…で)震動する, 揺れる.
shiv·er 動自〈人が〉(寒さ・恐怖・興奮などで)震える, 身震いする, おののく.

-i·vo /íːvou/

接尾辞 イタリア語, スペイン語の男性形形容詞や名詞をつくる接尾辞.
★ 英語の -ive に相当.

co·lec·ti·vo 名 (中南米で)小型乗合バス.
es·pres·si·vo 形副〖音楽〗表現的な[に], 表情豊かな[に].
rec·i·ta·ti·vo 名〖音楽〗レチタティーボ, 叙唱.

i·vo·ry /áivəri/

名 象牙(ぞうげ)(質).

bláck ívory ブラックアイボリー: 黒色顔料.
végetable ìvory 植物象牙.

i·vy /áivi/

名〖植物〗セイヨウ(西洋)キヅタ.

Américan ívy バージニアヅタ(Virginia creeper).
Bóston ívy ツタ.
Énglish ívy =ivy.
Gérman ívy ツタギク.
grápe ìvy シッサス.
gróund ìvy カキドオシ(垣通し).
Jápanese ívy =Boston ivy.
Lóndon ívy ロンドンの煤煙(ばいえん)[濃霧].
maríne ìvy ブドウ科の蔓(つる)植物.
Méxican ívy ツルコベア(cup-and-saucer vine).
póison ívy アメリカ産ウルシ属の植物のうち, 触れるとかぶれる種類の総称.
Swédish ívy シソ科ヤマハッカ属の多年草の総称.
wéeping ívy ベンジャミン(weeping fig).

-ix /íks/

語尾 crix, pix[2], tix などは複数 -ics の略式綴り.

crix 名複 《芸能俗》批評家たち(critics).
fix 動他 ☞
flix 名 《古》(水鳥の)綿毛.
mix 動他 ☞
nix[1] 名 《俗》何もないこと, 無, 皆無.
nix[2] 名〖ゲルマン民話〗ニックス: 水の精.
pix[1] 名〖キリスト教〗聖体容器, 聖体匣(こう)(pyx).
pix[2] 名 pic「映画」の複数形.
pix[3] 名 《米俗》ホモ(pixie).
six 名 ☞
strix 名〖建築〗(円柱の柱身についている)縦溝, (円柱の溝と溝の間の)あぜ.
tix 名 《発音綴り》切符, 入場券(tickets).
-trix 接尾辞 ☞

-iz /íz/

語尾 短縮や綴り直しによる音形が多い.
★ 語末にくる同音形は -IS[2], -IZZ[2].

biz 名 ☞
chiz 動自《米学生俗》くつろぐ, 楽にする.
friz 動他 (毛髪などを)ちりちりに縮らす.
phiz 名 《主に英俗》顔(face).
quiz 名 《主に米》(簡単な)質問, 尋問.
schiz 名 《話》統合失調症患者(schizo).
squiz 動他《豪・NZ 俗》…を盗み見る.
viz 名 《米俗》(Levi's の)ブルージーンズ.
whiz 名 ☞
wiz 名 《話》驚くべき才能の持ち主, 鬼才.

-i·za·tion /izéiʃən | aiz-/

接尾辞 -ize で終わる動詞の名詞をつくる.
◆ -IZE[1]+-ATION.
[発音] -ization の第 2 音節に第 1 強勢が置かれる.

ac·cli·ma·ti·za·tion 名 新しい環境に慣れる[慣らす]こと.
ac·tu·al·i·za·tion 名 実現化.
Al·ba·ni·za·tion 名 アルバニア式鎖国.
am·or·ti·za·tion 名 (債務・公社債などの)割賦償還.
ar·bor·i·za·tion 名 (鉱物・化石の)樹枝状(の部分).
a·ro·ma·ti·za·tion 名〖化学〗芳香族化.
at·ro·pin·i·za·tion 名〖医学〗アトロピン投与.
au·thor·i·za·tion 名 (…に対する)権限付与, 権能授与.
bas·tard·i·za·tion 名 (言葉の)転訛, 通俗化.
bru·tal·i·za·tion 名 獣的にする[なる]こと, 獣化.
ca·nal·i·za·tion 名 運河を作ること, 運河開設.
cap·i·tal·i·za·tion 名 大文字で書く[印刷する]こと.
car·bon·i·za·tion 名 炭化.
cas·u·al·i·za·tion 名 (常勤から)臨時雇用へ変わること.
cen·tral·i·za·tion 名 集中(化).
ceph·a·li·za·tion 名〖動物〗頭化(とうか).
chap·tal·i·za·tion 名 砂糖添加.
char·ac·ter·i·za·tion 名 (特質・特性・特色・性格などの)描写.
civ·i·li·za·tion 名 ☞
Clin·to·ni·za·tion 名 クリントン(第 42 代米国大統領)政策の実施.
co·lo·ni·al·i·za·tion 名 植民地化; 植民, 入植.

col·o·ni·za·tion 名 植民, 植民地化; 移住, 移植.
com·mer·cial·i·za·tion 名 商業化, 営利化, 企業化.
com·pre·hen·siv·i·za·tion 名 《英》(中等学校の)総合化.
con·tain·er·i·za·tion 名 【運輸】(船舶貨物の)コンテナ輸送.
cra·ter·i·za·tion 名 【医学】穿頭(せんとう)術.
crys·tal·li·za·tion 名 結晶作用, 晶化, 結晶過程.
cy·cli·za·tion 名 【化学】環化.
de·com·mun·i·za·tion 名 (特に東欧諸国での)脱共産主義化.
des·er·ti·za·tion 名 【生態】砂漠化(desertification).
di·az·o·ti·za·tion 名 【化学】ジアゾ化.
dig·i·tal·i·za·tion 名 【医学】ジギタリス剤投与.
dol·lar·i·za·tion 名 ドル化(現象).
do·lo·mit·i·za·tion 名 【地質】ドロマイト [苦灰岩] 化作用.
dram·a·ti·za·tion 名 (事件・小説などの)戯曲化, 脚色.
e·con·o·mi·za·tion 名 経済化, 経済的使用, 節約(化).
em·bo·li·za·tion 名 (血管やリンパ管の)塞栓(そくせん)形成.
en·ven·om·i·za·tion 名 (ヘビやクモの)咬刺(こうし)による中毒.
e·phem·er·al·i·za·tion 名 (資源の再利用促進のための)短期消耗商品製造.
e·qual·i·za·tion 名 同等化; 均一化.
ex·ter·nal·i·za·tion 名 (内部的なものの)外面化, 客観化.
fer·ti·li·za·tion 名 ☞
film·i·za·tion 名 (小説・戯曲などの)映画化.
Fin·land·i·za·tion 名 フィンランド化.
gal·va·ni·za·tion 名 直流電気を通す [かける] こと.
gen·er·al·i·za·tion 名 ☞
gran·it·i·za·tion 名 花崗(かこう)岩化作用.
her·it·i·za·tion 名 文化遺産の商業 [産業] 化.
hom·i·ni·za·tion 名 ヒト化.
hos·pi·tal·i·za·tion 名 入院; 入院期間.
hy·a·lin·i·za·tion 名 【病理】ヒアリン [ガラス様] 変性.
hy·dro·pneu·ma·ti·za·tion 名 水力タービンの架構において, 水位が上がって回転翼の妨害になるのを防ぐために, 空気の圧力を利用すること.
i·de·al·i·za·tion 名 理想化.
im·mu·ni·za·tion 名 免疫法.
in·dus·tri·al·i·zation 名 工業化.
in·ter·nal·i·za·tion 名 内面化, 内在化.
in·thron·i·za·tion 名 即位させること.
ju·ve·nil·i·za·tion 名 【生化学】幼若化.
lat·er·al·i·za·tion 名 【生理】側性.
lat·er·i·za·tion 名 【地質】ラテライト化, 紅土化.
lo·cal·i·za·tion 名 地方化, 局部化, 地方分権.
Los Àngelizátion 名 ロサンゼルス化.
mag·net·i·za·tion 名 磁化; 磁性を帯びること.
mar·ke·ti·za·tion 名 自由主義市場経済への移行.
mar·su·pi·al·i·za·tion 名 【外科】造袋術.
ma·te·ri·al·i·za·tion 名 具体化, 体現, 実現.
math·e·ma·ti·za·tion 名 数式化.
mo·bi·li·za·tion 名 動員; 戦時体制化.
mod·ern·i·za·tion 名 現代化, 近代化.
neu·tral·i·za·tion 名 中立 [無効, 中性] にすること.
nor·mal·i·za·tion 名 標準化, 正常化.
o·cean·i·za·tion 名 【地質】海洋化現象.
op·ti·mi·za·tion 名 最大限の利用 [活用].
or·gan·i·za·tion 名 ☞
pas·siv·i·za·tion 名 【文法】受身化.
pe·ri·od·i·za·tion 名 時代区分, 時代分け.
po·lar·i·za·tion 名 ☞
po·lym·er·i·za·tion 名 【化学】重合.
por·phy·ri·za·tion 名 粉砕化, 粉状に砕くこと.
pos·ter·i·za·tion 名 【印刷】ポスタリゼーション.
pres·sur·i·za·tion 名 与圧, 加圧; 与圧 [加圧] 状態.
rac·e·mi·za·tion 名 【化学】ラセミ化, 失旋.
ra·ster·i·za·tion 名 【コンピュータ】(画像の)ラスター変換.
re·al·i·za·tion 名 (空想・計画などを)実現すること.
rit·u·al·i·za·tion 名 儀式化; 典礼 [儀式] 主義化.
sal·i·ni·za·tion 名 塩類化(作用).
sat·el·li·za·tion 名 衛星(国)化, 従属化.
scle·ro·ti·za·tion 名 【動物】(節足動物の表皮の)硬化.
se·cu·ri·ti·za·tion 名 証券化, セキュリタイゼーション.
seg·men·tal·i·za·tion 名 区分すること, 分割.
sen·si·ti·za·tion 名 敏感にすること, 増感.
se·ri·al·i·za·tion 名 (ラジオ・テレビの)連続物の放送.
so·cial·i·za·tion 名 社会化.
so·lar·i·za·tion 名 【写真】ソラリゼーション.
sol·mi·za·tion 名 【音楽】階名唱法.
spe·cial·i·za·tion 名 ☞
sple·ni·za·tion 名 【医学】(肺の)脾変(ひへん), 脾様変化.
sta·bi·li·za·tion 名 安定(化).
ster·i·li·za·tion 名 (主に動植物の)断種, 不妊.
sto·lon·i·za·tion 名 【植物】匍匐(ほふく)茎形成; 走根形成.
su·ber·i·za·tion 名 【植物】コルク形成, コルク化.
sym·bol·i·za·tion 名 象徴化.
tel·o·mer·i·za·tion 名 【化学】テロメル化.
the·ma·ti·za·tion 名 【文法】主題化.
vac·ci·ni·za·tion 名 【医学】完全種痘法.
va·por·i·za·tion 名 蒸発, 気化.
vas·cu·lar·i·za·tion 名 【生物】血管を発達させること.
Vi·et·nam·i·za·tion 名 ベトナム化.
vil·lag·i·za·tion 名 土地の村有化.
vir·tu·al·i·za·tion 名 (コンピュータで)仮想現実を作り出すこと.
vis·u·al·i·za·tion 名 視覚化, 具象化.

-ize[1] /aiz, àiz/

接尾辞 **1** ギリシャ語起源でラテン語またはフランス語経由の語を動詞にする: bapt*ize*. **2** 名詞や形容詞につけて他動詞をつくる. (1) …にする: real*ize*. (2) …の形や特徴を与える: drama*tize*. (3) …の行為, 処置を受けさせる: hospital*ize*. (4) …を化合させる: oxid*ize*. **3** 名詞や形容詞につけて自動詞をつくる. (1)(…のよう)になる: crystall*ize*. (2) …に従事する: botan*ize*.
★ 米語用法(《英》-ise[1]).
★ -al で終わる形容詞を動詞化することが多い.
★ 規則的に -*iz*ation の形で名詞化される.
★ 語末にくる関連形は -ISATION, -IZATION.
◆ 中英 *-ise(n)* <後期ラ *-izāre* <ギ *-izein*.
[発音] 第1強勢は基語と同じで, 多くは -ize の2つ前の音節にある. 例外: álcoholize, cháracterize.

ab·o·li·tion·ize 動他 奴隷制度廃止論に転向させる.
ab·so·lut·ize 動他 絶対化する; 絶対的なものとみなす.
ac·a·dem·i·cize 動他 ＝academize.
a·cad·e·mize 動他 〈問題を〉堅苦しく理論化 [規定] する.
ac·ces·so·rize 動他 …に(…の)アクセサリーをつける.
ac·cul·tur·ize 動他 〈人・集団を〉文化変容させる.
ac·cu·rize 動他 〈拳銃(けんじゅう)の〉照準精度を高める.
a·cet·y·lize 動他自 【化学】〈化合物を〉アセチル化する.
a·chro·ma·tize 動他 〈レンズを〉色消しにする.
ac·id·ize 動他 酸で飽和させる, 酸性にする. ── 自 酸性化する; 酸で処理する.
a·cron·y·mize 動自他 頭(文)字語をつくる.
ac·tiv·ize 動他 活動的にする, 活発にする.
ac·tu·al·ize 動他 実現する, 具体化する.
ad·o·nize 動他 〈特に男性に〉おしゃれをさせる.
ad·re·nal·ize 動他 …を興奮 [奮起] させる, 刺激する.
ad·ver·tize 動他 〈商品・サービスの〉宣伝広告をする.
aer·o·bi·cize 動自 エアロビックス体操をする.
aer·o·sol·ize 動他 エーロゾル [煙霧質] 化する.
Af·ri·can·ize 動他 …をアフリカ化する.
Af·ri·ka·ner·ize 動他 《南アフリカ》…をアフリカーナ人の影響下に置く.
ag·at·ize 動他 瑪瑙(めのう)(のよう)にする.
a·ge·nize 動他 〈小麦粉を〉熟成させる.
ag·gran·dize 動他 …を拡大 [拡張] する.
ag·nize 動他 《古》認める; 自認する.
ag·o·nize 動自 (…について)激しく苦しむ.
al·bu·me·nize 動他 …をタンパクで処理する.
al·bu·mi·nize 動他 ＝albumenize.
al·che·mize 動他 (錬金術で)…を変化させる.
al·co·hol·ize 動他 【化学】アルコールに変える.

Algerianize 動他 (…を)アルジェリア化する.
al·i·mo·nize 動他 〈前配偶者に〉扶養料を払う.
al·ka·lin·ize 動他 …をアルカリ化する.
al·ka·lize 動他自 【化学】アルカリ(性)にする[なる].
al·le·go·rize 動他 …を寓話(ぐうわ)に仕立てる.
al·lom·er·ize 動自 【化学】異質同形化する.
al·pha·bet·ize 動他 アルファベット順に配列する.
a·lu·mi·nize 動他 〈プラスチックフィルム・紙などを〉アルミニウム箔(はく)と張り合わせる.
A·mer·i·can·ize 動他 (…を)アメリカ化する.
am·or·tize 動他 【財政】〈抵当・負債その他の債務を〉定期的に償還する.
an·aes·the·tize 動他 ＝anesthetize.
a·nal·o·gize 動自 類推[類測]する, 類比推理する.
a·nath·e·ma·tize 動他 …に破門を申し渡す; 呪(のろ)う.
an·es·the·tize 動他 …に(麻酔をかけて)体の感覚を失わせる, 麻痺(まひ)させる.
An·gli·cize 動他 英国風[式, 流]にする.
an·i·mal·ize 動他 獣欲をかき立てる, 動物的にする.
an·nu·al·ize 動他 〈統計数値を〉年間で計算する.
an·o·dize 動他 【化学】〈金属を〉陽極処理する.
an·thol·o·gize 動自 名詩選[選集]を編む. ━━他 名詩選の中に加える.
an·thro·po·mor·phize 動他 (神・動物などを)擬人化[人格化]する.
an·ti·sep·ti·cize 動他 …を消毒する, 防腐加工する.
a·part·ment·ize 動他 〈場所に〉アパートを建てる.
aph·o·rize 動自 警句を吐く; 格言を言う[書く].
a·pol·o·gize 動自 (人に)(…のことで)わびる, 謝る.
a·pos·ta·tize 動自 信仰を捨てる, 棄教する; 変節する.
a·pos·tro·phize[1] 動自他 【修辞】(…に)頓呼(とんこ)法(apostrophe)で呼びかける.
a·pos·tro·phize[2] 動他 …に(省略符号をつけて)省略する.
a·poth·e·o·size 動他 …を神として祭る; 賛美する.
A·rab·i·cize 動他 〈言語を〉アラビア語化する.
Ar·ab·ize 動他自 (…を)アラブ化する.
ar·bo·rize 動自他 樹枝状になる[する].
ar·cha·ize 動他 古風にする; 擬古調にする.
ar·mor·ize 動他 …を装甲化する.
a·ro·ma·tize 動他 …に芳香をつける.
ar·te·ri·al·ize 動他 【生理】〈静脈血を〉動脈血化する.
Ar·y·an·ize 動他 (ナチズムで)すべての非アーリア人(特にユダヤ人)を追放する.
At·a·rize 動他 《米話》〈人を〉アタリ・デモクラットに転向[同調]させる.
at·om·ize 動他 〈物質などを〉原子[微粒子]にする.
at·ti·cize 動自 アッティカ(人)のやり方をまねる.
at·ti·tu·di·nize 動自 体裁を飾る, もったいぶる.
au·ral·ize 動他 …を心で聞く; …の音を想像する.
aus·ten·it·ize 動他 【冶金】〈鋼鉄を〉オーステナイト化する.
Aus·tral·ian·ize 動他 オーストラリア人化する.
au·thor·ize 動他 〈人に〉権能を与える, 委任する.
au·tom·a·tize 動他 …を自動式にする.
a·vian·ize 動他 【微生物】鶏胎化する.
az·o·tize 動他 窒素化する, アゾ化する.
Ba·bel·ize 動他 〈習慣・言語などを〉混乱させる.
bac·ter·ize 動他 …を細菌によって変化させる.
Bal·kan·ize 動他 〈国・領土などを〉相敵視する弱小諸国家に分裂させる.
bal·lad·ize 動他 バラッドにする, …のバラッドを書く.
ba·nal·ize 動他 陳腐なものにする, 新鮮味を奪う.
bap·tize 動他 〈人に〉洗礼を施す.
bar·bar·i·an·ize 動他 野蛮にする, 野蛮人のようにする.
bar·ba·rize 動他 …を野蛮にする; 〈言語を〉不純にする.
bar·on·et·ize 動他 …を准男爵に叙する.
bar·on·ize 動他 …を男爵に叙する.
bas·tard·ize 動他 …の質を低下させる, 粗悪にする.
bat·tol·o·gize 動他自 (同じ語句などを)しつこく繰り返す.
bes·tial·ize 動他 獣(の姿)にする; 獣性化する.
bi·tu·mi·nize 動他 瀝青(れきせい)化する.

bol·she·vize 動他 …を過激主義化する; 赤化する.
bond·er·ize 動他 【金属加工】〈鉄鋼に〉ボンデライト処理をする, リン酸被膜化する.
bos·well·ize 動他自 (記事などを)ボズウェル流に細大漏らさず書く.
bot·a·nize 動自 植物(の生態)を研究する.
bov·ri·lize 動他 《英》…を圧縮[要約]する.
bowd·ler·ize 動他 〈著作物の〉いかがわしい箇所を削除訂正する.
bro·mize 動他 【化学】臭素[臭化物]で処理する.
bru·tal·ize 動他自 獣的[非人間的]にする[なる].
bu·reauc·ra·tize 動他 〈行政機関を〉局に分ける.
bur·glar·ize 動他自 《主に米・カナダ》(…に)押し込んで盗む, 泥棒に入る.
bur·net·tize 動他 〈材木などに〉バーネット処理を施す.
cal·o·rize 動他 【冶金】〈炭素鋼・合金鋼を〉カロライジングする.
Ca·na·di·an·ize 動他自 カナダ化する, カナダ風にする.
ca·nal·ize 動他 運河を作る[切り開く].
can·ni·bal·ize 動他 〈人の〉肉を食う; 共食いする.
can·on·ize 動他 【教会】列聖する, 聖者の列に加える.
Can·ta·brize 動自 ケンブリッジ(大学)のまねをする.
can·ton·ize 動他 区画に分ける.
cap·i·tal·ize 動他 ☞
ca·pon·ize 動他 〈雄鳥を〉去勢する.
cap·sul·ize 動他 要約する, 簡略化する.
car·a·mel·ize 動他自 〈砂糖を[が]〉カラメルにする[なる].
car·bo·lize 動他 【化学】フェノールで処理する.
car·bon·ize 動他 〈有機物を〉炭化する.
car·bu·rize 動他 …に炭素を結合させる.
car·tel·ize 動自他 〈産業などが[を]〉カルテル化する.
ca·tab·o·lize 動他 〈栄養物などを〉異化する. ━━自 異化作用を受ける.
ca·tas·tro·phize 動自 《米》小さな問題をあたかも破局が近いように大騒ぎする.
cat·e·chize 動他 〈人に〉教理などを問答式に教授する.
cat·e·go·rize 動他 …を(…の)範疇(はんちゅう)に分ける, 分類する.
cath·e·ter·ize 動他 …にカテーテルを挿入する.
Ca·thol·i·cize 動他自 ローマカトリック教徒にする[なる].
cau·ter·ize 動他 【医学】…を焼灼(しょうしゃく)する.
cen·tral·ize 動他 ☞
cen·trif·u·gal·ize 動他 …を遠心(分離)機にかける.
cham·pen·ize 動他 〈普通のワインを〉シャンペンに変える.
chan·nel·ize 動他 〈物を〉水路を通して送る.
chap·tal·ize 動他 〈ワインに〉砂糖添加処理を施す.
char·ac·ter·ize 動他 …を特徴づける; …を描写する.
cha·ris·ma·tize 動他 カリスマ性を発揮して影響を及ぼす. ━━自 カリスマ性を発揮する.
Chil·e·an·ize 動他 チリ化する; チリ政府の統制に置く.
chlo·ri·dize 動他 〈鉱石の金属を〉塩化物にする.
Chris·tian·ize 動他 キリスト教化する, キリスト教徒にする.
chro·mize 動他 〈特に鋼鉄に〉クロムめっきをする.
chro·nol·o·gize 動他 年代順に並べる, …の年表を作る.
cic·a·trize 動他 【生理】〈傷などを〉瘢痕(はんこん)を作って治す. ━━自 瘢痕ができて治る.
cin·cho·nize 動他 〈マラリア患者などを〉キナ皮[キニーネ]で治療する.
cin·e·ma·tize 動他自 (小説・戯曲などを)映画化する.
cir·cu·lar·ize 動他 〈手紙などを〉回覧する.
ci·vil·ian·ize 動他 文民の管理下に置く; 軍事色を薄める.
civ·i·lize 動他 文明化[社会化]する.
clas·si·cize 動他 古典風にする, 古典に擬する.
cler·i·cal·ize 動他 聖職者にする.

cli·ma·tize 動他 …を新しい環境に順応させる.

clit·i·cize 動自【言語】接語化する.

co·cain·ize 動他 コカインで処理する.

cog·nize 動他 認識[認知]する, 知る.

col·lec·ti·vize 動他〈国民・産業などを〉集産主義によって組織する, 集産化する.

co·lo·ni·al·ize 動他 植民地化する.

col·o·nize 動他 ☞

col·or·ize 動他 カラーにする.

com·mer·cial·ize 動他 商業化する; 営利目的で利用する.

com·mon·ize 動他《米》〈固有名詞を〉普通名詞化する.

com·mu·nal·ize 動他 共有化[公共化]する.

com·mu·nize 動他〈国・国民を〉共産主義化する.

com·part·men·tal·ize 動他 部門[区画]に分ける.

com·prize 動他 含む, 包含する.

com·put·er·ize 動他〈分類・計算・情報を〉コンピューターで処理[管理]する.

con·cep·tu·al·ize 動他 概念にまとめる; 概念的に解釈する.

con·cert·ize 動自 職業的に音楽会・独奏会を開く.

con·cre·tize 動他 具体[実体]化する, 実際的にする.

con·do·ize 動他〈建物を〉condominium「分譲式建物」に改造する.

con·glom·er·a·tize 動他自 複合企業[コングロマリット]化する.

con·serv·a·tize 動他自 保守的にする[なる], 保守化する.

con·so·nan·tal·ize 動他自【音声】(母音を)子音化する.

con·so·nan·tize 動他自 =consonantalize.

con·sti·tu·tion·al·ize 動他 合憲化する, 憲法に組み入れる.

con·sum·er·ize 動他〈商品・製品を〉大量消費に適するようにする, 普及商品化する.

con·tain·er·ize 動他〈貨物・商品を〉コンテナに入れる.

con·tem·po·rize 動他 …を(…と)同時期のものとみなす.

con·tex·tu·al·ize 動他〈言語学的な要素・行為などを〉(適当な)文脈に入れる[当てはめる].

con·ti·nen·tal·ize 動他 大陸風[的]にする.

con·ven·tion·al·ize 動他 因習[習俗]化する.

con·vey·or·ize 動他〈工場などに〉コンベヤーを設備する.

co·op·er·a·tiv·ize 動他 共同組合化する.

cor·po·ra·tize 動他 大事業に発展させる.

cos·met·i·cize 動他〈醜いものなどの〉上面だけをよく見せる.

cos·me·tize 動他 =cosmeticize.

cos·mo·pol·i·tan·ize 動他 …を全世界的にする.

cre·o·lize 動他 クレオール化する;〈言語を〉混交させる, 混交語にする. ── 自 クレオール風になる.

cre·tin·ize 動他自 クレチン病にする[なる].

crim·i·nal·ize 動他〈行為を〉法で処罰する.

crit·i·cize 動他〈人などの〉あら捜しをする.

crys·tal·lize 動他 結晶[晶化]させる.

Cu·ban·ize 動他 キューバ化する.

cul·tur·al·ize 動他【人類】文化の影響下に置く.

cu·ra·rize 動他 クラーレ(curare)で麻痺(まひ)させる.

cus·tom·ize 動他 …を特別注文で作る, あつらえる.

cu·tin·ize 動他 クチン化[角皮素化]する.

cy·clize 動他自【化学】環化する.

de-aes·thet·i·cize 動他〈芸術から〉美的要素を除く.

de·am·i·nize 動他【化学】…からアミノ基を除く.

de·cas·u·al·ize 動他〈臨時工の〉雇用を減らす[なくす].

dec·i·mal·ize 動他 …を十進法[制]にする.

de·com·mu·nize 動他 (特に東欧諸国を)脱共産主義化する.

def·i·nit·ize 動他 …を明確化する.

de·gen·der·ize 動他〈雇用・言葉などから〉性による区別[差別, 偏見]を取り除く.

de·le·thal·ize 動他〈自動車の座席などを〉生命に安全な設計にする.

de·moc·ra·tize 動他自 民主化する, 民主的にする[なる].

de·mon·e·ta·rize 動他〈金銀など本位貨幣の〉資格を失わせる.

de·mon·ize 動他 …を悪魔化する, 悪魔のようにする.

de·na·der·ize 動他〈製品を〉無公害にする.

de·na·tur·ize 動他〈物の〉本性を変える.

den·tal·ize 動他【音声】歯音化する.

de·part·men·tal·ize 動他 部門別に分ける, 細分化する.

de·pro·tein·ize 動他【生化学】…からタンパク質(protein)を除去する.

dep·u·tize 動他《主に米》〈人に〉代理を命じる. ── 自 (…の)代理を務める.

de·ra·cial·ize 動他 人種差別をなくす.

de·rat·ize 動他〈船の〉ネズミ駆除をする.

des·po·tize 動自 専制君主である, 独裁支配を行う.

de-Sta·lin·ize 動自他 非スターリン化する.

de·trib·al·ize 動他 …に部族意識や風習を失わせる.

de·vir·gi·nize 動他《米俗》〈人の〉初体験の相手をする.

di·ab·o·lize 動他 悪魔化する, 悪魔的にする.

di·ag·o·nal·ize 動他【数学】対角化する.

di·al·o·gize 動自 対話する, 会話する.

di·a·rize 動自他 日記を[に]つける.

die·sel·ize 動他 …をディーゼル化する.

dig·i·tal·ize 動他【医学】〈人に〉ジギタリス剤を投与する.

dig·i·tize 動他【コンピュータ】…をデジタル[計数]化する.

di·men·sion·a·lize 動他〈抽象概念などを〉立体的に示す.

di·mer·ize 動自他【化学】二量体になる[する].

diph·thong·ize 動他【音声】〈単母音を〉二重母音化する.

di·plo·ma·tize 動自 外交折衝をする.

dis·il·lu·sion·ize 動他〈人の〉幻想を捨てさせる.

Dis·ney·ize 動他 ディズニー化する.

div·i·nize 動他 神格化する; 神に祭る.

dock·ize 動他〈川・港湾などに〉ドックを設ける.

dog·ma·tize 動自 独断的な主張をする. ── 他 …を教理として主張する.

do·lo·mit·ize 動他【地質】〈石灰岩を〉苦灰岩化する.

do·mes·ti·cize 動他〈動物を〉飼いならす, 手なずける.

dram·a·tize 動他〈小説・事件などを〉劇化する.

du·al·ize 動他 二重にする.

dy·na·mize 動他 活性化する, 活気づける.

east·ern·ize 動他 東洋化する, 東洋的にする.

eb·on·ize 動他 …を黒檀(こくたん)まがいに着色する.

e·con·o·mize 動他 …を経済的に運営[処理]する.

-ec·to·mize 連結形 ☞

e·di·tion·al·ize 動自【ジャーナリズム】版を重ねる.

ed·i·to·ri·al·ize 動自他 (…について)社説で論じる.

ef·fem·i·nize 動他 めめしくする.

e·go·tize 動自 自己を吹聴(ふいちょう)する.

E·gyp·tian·ize 動他 …をエジプト風にする. ── 自 エジプト的になる.

e·las·ti·cize 動他 …に伸縮性を持たせる.

elec·tron·i·cize 動他 …を電気装置で装備する.

el·e·gize 動他 …を挽歌(ばんか)を作って哀悼する.

em·blem·a·tize 動他 …の象徴となる; …を象徴で表す.

em·bo·lize 動他〈血管に〉塞栓(そくせん)を起こす.

em·er·ize 動他〈織物を〉エメリー研磨剤で仕上げる.

e·mo·tion·al·ize 動他 …を情緒[感情]的にする.

em·pa·thize 動自 (…に)感情移入をする.

em·pha·size 動他 ☞

en·car·nal·ize 動他 …に肉体を備えさせる.

en·er·gize 動他 …にエネルギー[精力]を与える.

e·nig·ma·tize 動他 …をなぞめかせる, 不可解にする.

e·no·lize 動他自【化学】(…を)エノール化する.

en·to·mol·o·gize 動自 昆虫学を研究する; 昆虫採集をする.

ep·i·mer·ize 動他【化学】エピ化する.

e·piph·a·nize 動他【文学】エピファニーで表現する.

e·pis·co·pize 動他 監督[主教, 司教]に任命する.

e·pis·to·lize 動自他 (人に)手紙を書く, 書簡を送る.

ep·i·the·li·al·ize 動他〈傷口などを〉上皮で覆う.

ep·i·the·lize 動他 上皮で覆う; 上皮(組織)化する.

e·qual·ize 動他 …を等しくする, 同等にする.

e·rot·i·cize 動他 性欲をかき立てる．
es·sen·tial·ize 動他 …からエキスを抽出する．
e·ter·nal·ize 動他 ＝eternize.
e·ter·nize 動他 …に永遠性を与える；永続させる．
e·the·re·al·ize 動他 (肉体・物質を捨て)霊化する．
e·ther·ize 動他《廃》〖医学〗…にエーテル麻酔をかける．
eth·i·cize 動他 倫理性を付与する．
et·y·mol·o·gize 動他〈語の〉語源を調べる［示す］．
eu·he·mer·ize 動他自 (神話を)エウヘメロス説に基づいて解釈［説明］する．
eu·lo·gize 動他 …を褒めたたえる．
eu·nuch·ize 動他〈男を〉去勢する；無気力にする．
eu·phe·mize 動他 …を遠回しに言う．━━自 婉曲語(法)を用いる．
eu·pho·nize 動他 …の音調［口調］をよくする．
Eu·ro·pe·an·ize 動他 …をヨーロッパ化する，欧化する．
eu·tha·nize 動他 …を安楽死させる．
e·van·ge·lize 動他 …に福音を説く．
ex·per·i·men·tal·ize 動自 実験する．
ex·pert·ize 動他自 (…を)鑑定する；専門に研究する．
ex·tem·po·rize 動自 (下原稿などなしで)即席に演説する．
ex·te·ri·or·ize 動他 ＝externalize.
ex·ter·nal·ize 動他〈内部的なものを〉外面化する．
fac·tion·al·ize 動他《主に米》〈政党などを〉派閥化する．━━自 派閥に分かれる．
fac·tor·ize 動他〖数学〗因数分解する．
fa·mil·iar·ize 動他〈人を〉(物・事に)慣れ親しませる．
fa·nat·i·cize 動他 狂信的にする，熱狂させる．
fan·ta·size 動自 空想にふける，途方もない夢を抱く．
far·a·dize 動他〖医学〗…に感応電流療法を施す．
fas·cist·ize 動他 ファシスト化する．
fed·er·al·ize 動他 連邦政府の支配下に置く［ゆだねる］．
fem·i·nize 動他自〈男性を［が］〉女性的にする［なる］．
fer·ti·lize 動他〖生物〗…を受精［受胎］させる．
fet·ish·ize 動他 盲目的に崇拝する．
feu·dal·ize 動他 封建化する；〈土地を〉封土にする．
fi·ber·ize 動他 ほぐして繊維にする，繊維化する．
fic·tion·al·ize 動他 (事実の記録を)虚構［物語］化する．
fic·tion·ize 動他 ＝fictionalize.
film·ize 動他 映画化する，映画に撮る．
fi·na·lize 動他 最終的な形にする；仕上げる．
Fin·land·ize 動他 …に(フィンランドのような)対ソ友好政策を取らせる．
fis·tu·lize 動自〖病理〗瘻管(ろうかん)が生じる．━━他〖外科〗…に瘻管を作る．
Fletch·er·ize 動自他〈食物を〉ゆっくりと十分に咀嚼(そしゃく)する．
flu·id·ize 動他 …を流体化する，流動性にする．
flu·o·ri·dize 動他〈歯を〉フッ化物で処理する．
fo·cal·ize 動他自〈光などを〉焦点に集める．
for·mal·ize 動他《文語》…を正式のものにする．
for·mu·lar·ize 動他 …を明確に表す．
for·mu·lize 動他 ＝formularize.
fos·sil·ize 動他〖地質〗…を化石にする，化石化する．
frac·tion·al·ize 動他自 ＝fractionize.
frac·tion·ize 動他自 小部分に分ける，細分する，分裂する．
frag·ment·ize 動他 …を断片にする，ばらばらにする．━━自 壊れてばらばらになる．
fran·ci·cize 動他 ＝francize.
fran·cize 動他《カナダ》…をフランス化する．
frat·er·nize 動自 (…と)兄弟のように交わる．
fric·tion·ize 動他 摩擦で…に作用を及ぼす．
func·tion·al·ize 動他 …を機能的なものにする．
fu·ner·al·ize 動他 …の葬儀［追悼式］を執り行う．
Gal·li·cize 動他自〈言語・人などを［が］〉フランス風にする［なる］，フランス化する．
gal·va·nize 動他 …に電流を通す，を電流で刺激する．
ge·lat·i·nize 動他自 ゼラチン状にする，ゼラチン化する．
ge·ne·al·o·gize 動他自 系図をたどる；系図を作る．
gen·er·al·ize 動他〈一般論を〉導き出す，帰納する．
ge·nial·ize 動他 …を快適にする；温和にする．
-gen·ize 連結形 ☞
gen·teel·ize 動他《しばしばふざけて》…を上品［優雅］なものにする．
ge·ol·o·gize 動自 地質学を研究する；地質の調査をする．━━他〈ある土地を〉地質学的に調査する．
ge·o·met·ri·cize 動他 …を幾何学的にデザインする．
ge·om·e·trize 動自 幾何学を研究する．
Ger·man·ize 動他自 (…を)ドイツ化する，ドイツ風にする．
ghet·to·ize 動他自 ゲットーに閉じ込め(られ)る；〈ある地区などを［が］〉ゲットー化する．
glam·or·ize 動他 魅惑的にする，魅力を添える．
glob·al·ize 動他 世界化する；世界的規模に広げる．
glot·tal·ize 動他〖音声〗声門音で発音する．
glut·ton·ize 動自 大食する，たらふく食べる．
Gnos·ti·cize 動自 グノーシス説を支持する．━━他 グノーシス説の教義に基づいて解釈を下す．
gor·gon·ize 動他 にらんで石に変える；すくませる．
gor·mand·ize 動自他 がつがつ食う，大食する．
Goth·i·cize 動他 ゴシック様式にする．
Grae·cize 動他 ギリシャ式［風］にする．
gram·mat·i·cal·ize 動他〖言語〗〈内容語などを〉文法化する．
gram·mat·i·cize 動他 文法的にする，文法の規則に合わせる．
-gram·ma·tize 連結形 ☞
grang·er·ize 動他〈本に〉原本にない写真［版画，挿し絵など］を別刷り挿入する．
gran·it·ize 動他 花崗(こう)岩化させる．
graph·i·tize 動他 黒鉛化する．
Gre·cize 動他 ギリシャ式にする，ギリシャ化する．
gut·tur·al·ize 動他 **1** のどで発音する．**2**〖音声〗喉頭(こうとう)音化する．
Han·sard·ize 動他《英古》議事録をもとに〈国会議員を〉詰問する．
har·mo·nize 動他 …を(…と)調和させる，調停する．
Har·vey·ize 動他〖冶金〗…をハーベイ法で処理する．
hea·then·ize 動他 …を異教徒にする；異教的にする．
He·bra·i·cize 動自他 ＝Hebraize.
He·bra·ize 動自 ヘブライ語を用いる．
Hel·len·ize 動他 ギリシャ化する，ギリシャ風にする．━━自 ギリシャ文化を受容する．
hep·a·tize 動他〈肺などを〉肝変させる．
her·bo·rize 動自 ＝botanize.
her·mit·ize 動自 独りで［孤独に］暮らす．
he·ro·i·cize 動他 ＝heroize.
he·ro·ize 動他 英雄化［視］する，英雄扱いする．
Hi·ber·ni·cize 動他 …をアイルランド［人］風にする．
hi·er·ar·chize 動他 階層組織にする，階層化する．
Hin·du·ize 動他 ヒンドゥー教化する．
His·pan·i·cize 動他 (…を)スペイン化する．
his·tor·i·cize 動自 史実として解釈する．━━他 歴史化する．
Hol·ly·wood·ize 動他 ハリウッド的にする．
hom·i·nize 動他〈土地・環境を〉人間になじみやすいものに変える．
ho·mol·o·gize 動他 …を相応［一致］させる．
hor·i·zon·tal·ize 動他 …を水平に配列する［置く］．
hor·mon·ize 動他 …をホルモンによって処理する．
hos·pi·tal·ize 動他〈人を〉入院させる．
hu·man·ize 動他 ☞
hy·a·lin·ize 動自 ガラス質になる；透明になる．
hy·brid·ize 動他〈動植物を〉交配させる．
hy·per·bo·lize 動自 誇張法を用いる；誇張して言う．
hy·phen·ize 動他 ハイフンでつなぐ(hyphenate).
hyp·no·tize 動他〈人を〉催眠状態にする．
iar·o·vize 動他 ＝vernalize.
i·co·nize 動他 崇拝［偶像視］する．

i·de·al·ize 動他 理想化する，完全なものとして描く.
i·de·ol·o·gize 動他〈物事を〉イデオロギーで表現する.
id·i·ot·ize 動他〈人を〉ばかにする.
i·dol·a·trize 動他 ＝idolize.
i·dol·ize 動他〈人・物などを〉偶像化［視］する.
im·mo·bi·lize 動他 不動にする，動けなくする.
im·mor·tal·ize 動他 …に不朽の名声を与える.
im·mu·nize 動他〈人・動物に〉免疫性を与える.
im·pe·ri·al·ize 動他〈国民・国家を〉帝国主義の支配下に置く.
In·di·an·ize 動他〈性格・習慣・外見などを〉アメリカインディアン化する.
in·dig·e·nize 動他 土地固有のものとする.
in·di·vid·u·al·ize 動他 …の個性［特性］をはっきりさせる.
in·dus·tri·al·ize 動他〈国・地域を〉産業［工業］化する.
in·fa·mize 動他《古》…に汚名を着せる.
in·fan·til·ize 動他 初期発達段階に留めておく［戻す］.
in·fin·i·tize 動他 無限にする，無窮にする.
in·i·tial·ize 動他〖コンピュータ〗〈変数・カウンター・スイッチなどを〉初期設定する.
in·sol·u·bil·ize 動他 …を溶けないようにする.
in·stant·ize 動他〈材料を〉(料理などが)できるばかりにしておく；インスタント化する.
in·sti·tu·tion·al·ize 動他 制度化する；画一化する.
in·su·lar·ize 動他 島にする；島として表す.
in·su·lin·ize 動他 インシュリンで治療［処理］する.
in·sur·rec·tion·ize 動他〈国などに〉暴動［反乱］を起こす.
in·tel·lec·tu·al·ize 動他 …の合理性を求める［考える］.
in·te·ri·or·ize 動他 内面化する.
in·ter·jec·tion·al·ize 動他 間投詞にする，感嘆詞化する.
in·ter·nal·ize 動他〈ある集団の文化的価値・習俗・動機などを〉自己の一部とする.
i·o·dize 動他 …を［に］ヨード(iodine)で処理する.
i·on·ize 動他 イオン化する，イオンにする.
I·ri·cize 動他《古》＝Irishize.
ir·i·dize 動他 …にイリジウムをかぶせる.
I·rish·ize 動他〈性質・風習などを〉アイルランド化する.
i·ro·nize[1] 動自他 皮肉に使う，皮肉を言う.
i·ron·ize[2] 動他 …に(栄養分として)鉄分を混ぜる.
ir·ra·tion·al·ize 動他 不合理にする；…の理性をなくする.
Is·lam·ize 動他 イスラム教に改宗させる.
i·soch·ro·nize 動他 等時的にする.
i·som·er·ize 動自他〖化学〗(…を)異性化する.
I·tal·ian·ize 動自 イタリア風になる，イタリア化する.
i·tal·i·cize 動他 イタリック体で印刷する.
i·tem·ize 動他 項目別に述べる；…の明細を示す.
Jac·o·bin·ize 動他 ジャコバン主義を吹き込む，過激主義を鼓吹する.
Jap·a·nize 動他 …を日本(人，語)風にする.
jar·gon·ize 動自 専門語で話す；たわ言を言う.
jar·o·vize 動他 ＝vernalize.
jeop·ard·ize 動他 …を危うくする，危険に陥れる.
Jes·u·it·ize 動他自 イエズス会士風にする［なる］.
jour·nal·ize 動他 …を日記風に物語る［書く］.
Ju·da·ize 動自他〈習慣などが［を］〉ユダヤ教化する.
jum·bo·ize 動他〈タンカーなどを〉大型化する.
ju·ve·nil·ize 動他 幼稚化する；かみくだく.
ka·o·lin·ize 動他〈特定の鉱物を〉カオリンに変える.
ker·a·tin·ize 動他自 ケラチン状にする［なる］，角質化する.
ky·an·ize 動他〈木材を〉昇汞(しょうこう)処理する.
la·bi·al·ize 動他〖音声〗〈音を〉唇音化する.
la·bi·lize 動他 不安定にする；化学変化を起こしやすくする.
lac·to·nize 動他自 (…を)ラクトン(lactone)化する.
la·i·cize 動他 世俗化する.
la·ryn·ge·al·ize 動他〖音声〗喉頭(こうとう)音化する.
lat·er·al·ize 動他 ☞
Lat·in·ize 動他〈習慣・伝統などを〉ラテン民族風にする，ラテン化する.
le·gal·ize 動他 合法化する；法律上正当と認める.
leg·end·ize 動他 …を伝説的に扱う；伝説にする.
le·git·i·ma·tize 動他 合法の，適法の.
le·git·i·mize 動他 ＝legitimatize.
lem·ma·tize 動他〈表・テキストの中の語を〉(見出しとする語を決めるため)分類整理する.
leth·ar·gize 動他 昏睡(こんすい)させる.
lex·i·cal·ize 動他〖言語〗〈接辞・句などを〉語彙(ごい)(項目)化する.
lib·er·al·ize 動他 自由主義化させる；寛大にする.
li·bid·i·nize 動他〈器官などを〉性的満足を与えるものと見なす.
lin·e·ar·ize 動他 線状［形］にする；線形に投影する.
li·on·ize 動他〈人を〉名士扱いする.
liq·uid·ize 動他 液化する.
Lis·ter·ize 動他〈患者・病気などを〉リスター式無菌手術法で処置する.
lit·er·al·ize 動他 文字どおりに解釈する.
lo·cal·ize 動他 …に地方色を与える，地方化する.
log·i·cize 動他 論理的にする.
Lon·don·ize 動他 ロンドン風にする.
-lo·quize 連結形 ☞
lu·te·in·ize 動他 …の中に黄体を形成する. ――自 黄体化する.
ly·oph·i·lize 動他〖生化学〗〈組織・血液・血清などを〉減圧下で凍結乾燥する.
lyr·i·cize 動自 叙情詩を書く.
mac·ad·am·ize 動他〈道路を〉マカダム工法で舗装する.
mag·net·ize 動他 …に磁性を与える.
Mag·yar·ize 動他 マジャール(語)化する.
mal·le·a·blize 動他 可鍛化する.
Man·hat·tan·ize 動他〈都市を〉マンハッタン化する，高層化する.
ma·no·ri·al·ize 動他〈土地を〉荘園(しょうえん)制下に置く.
Mao·ize 動他〈人を〉毛沢東主義者にする.
mar·bel·ize 動他 大理石模様にする.
mar·ble·ize 動他 ＝marbelize.
mar·gin·al·ize 動他 …を無視する，わざと過小評価する.
mar·tial·ize 動他 …に戦意を持たせる.
mar·tyr·ize 動他 殉教者［犠牲者］にする.
mas·cu·lin·ize 動他〖生物〗〈雌を〉雄性化する.
ma·te·ri·al·ize 動自 目に見えるものとなる：事実となる. ――他 …に形体を与える；具体化する.
ma·ter·nal·ize 動他 母(親)らしくする.
ma·tron·ize 動他 …を品よく落ち着いた婦人らしくする.
max·i·mize 動他 (数量・程度・価値などを)最大にする.
Mc·Lu·han·ize 動他 マスメディアの強大な支配のもとに置く.
mech·a·nize 動他 …を機械的にする；自動的にする.
me·di·a·tize 動他 (神聖ローマ帝国で)〈公国・君主を〉直属から属国の地位に落とす.
med·i·cal·ize 動他 …を治療する，治療を施す.
me·di·e·val·ize 動他 中世のようにする，中世風にする.
me·di·oc·ri·tize 動他 …を平凡にする；凡庸化する.
mel·a·nize 動他 (メラニンをためて)…を黒化する.
mel·o·dize 動他 …を旋律的にする.
me·mo·ri·al·ize 動他〈人・物事を〉記念する，祝う.
mem·o·rize 動他 記憶［暗記］する，覚える.
mer·chan·dize 動自 取引を行う.
mer·cu·ri·al·ize 動他〈特に気分を〉快活［活発］にする.
mer·cu·rize 動他〈有機化合物に〉水銀を化合させる.
mes·mer·ize 動他 …に催眠術をかける.
me·tab·o·lize 動他自 (…を)(新陳)代謝させる［する］.
met·al·ize 動他 金属で被覆する，金属化する.
me·tal·li·cize 動他〖電気〗〈電気回路を〉(アースに針金をつけて)金属化させる.
met·al·lize 動他 ＝metalize.
met·a·phys·i·cize 動自 形而上(けいじじょう)学的に表現する.
meth·od·ize 動他 …を方式化する.

met·ri·cize 動他 …をメートル法で表す.
met·rize 動他 〘数学〙…に距離空間と同相な位相を与える.
met·ro·pol·i·tan·ize 動他 大都市化する.
Mex·i·can·ize 動他 メキシコ風にする. ── 自 メキシコ風になる.
micron·ize 動他 (直径数ミクロン程度の)微粉状にする.
mil·i·ta·rize 動他 〈国・地域などに〉軍隊を配置する.
min·er·al·ize 動他 〈物を〉鉱化する, 鉱物状にする.
min·i·a·tur·ize 動他 ☞
min·i·mal·ize 動他 最小限にする.
min·i·mize 動他 …の量[数]をできる限り少なくする.
Mi·ran·dize 動他 《米警察俗》Miranda 警告(被逮捕者に与える黙秘権などについての注意)を言って聞かせる.
mis·an·thro·pize 動自 人間嫌いである.
mis·sion·ize 動自 伝道を行う, 宣教師の務めを行う. ── 他 …に伝道を行う.
mith·ri·da·tize 動他 〈人の〉耐毒性を高める.
mo·bi·lize 動他 〈軍隊・予備兵・徴兵年齢の民間人などを〉動員する.
mod·ern·ize 動他 …を現代化する, 現代風にする.
mod·u·lar·ize 動他 モジュール化する.
Mo·ham·med·an·ize 動他 イスラム教化する(Islamize).
mois·tur·ize 動他 …を湿らせる, …に湿気を与える.
mo·nas·ti·cize 動他 修道院のようにする, 禁欲的にする.
mon·e·tize 動他 〘経済〙通貨基準[法貨]に定める.
mon·grel·ize 動他 〈ある品種・群れを〉(特に劣ったものと)交配する, 雑種にする.
mo·nol·o·gize 動自 独白する; 話を独占する.
mon·oph·thong·ize 動他 〘音声〙単母音化する. ── 自 単母音になる.
mo·nop·o·lize 動他 …の独占権を持つ; 独占する.
mo·not·o·nize 動他 単調[一本調子]にする, 退屈にする.
mon·u·men·tal·ize 動他 長く記念する, 長く伝える.
mor·al·ize 動自 《通例侮辱的》(…について)道徳的考察をする; 道徳を論じる.
mor·phin·ize 動他 …にモルヒネを投与[注射]する.
mo·tor·ize 動他 〈車・機械などに〉動力設備をつける.
mu·nic·i·pal·ize 動他 市[町]制を敷く.
mu·si·cal·ize 動他 〈物語・劇などを〉ミュージカル化する.
mu·tu·al·ize 動他 相互的にする.
mys·ti·cize 動他 …を神秘的[玄妙]にする.
myth·i·cize 動他 神話にする, 神話化する.
my·thol·o·gize 動自 神話を分類する.
naph·tha·lize 動他 …にナフサを混ぜる[浸み込ます].
nar·co·tize 動他 〈人・動物に〉麻酔をかける.
na·sal·ize 動他 〘音声〙鼻音で発音する. ── 自 鼻音化して発音する.
na·tion·al·ize 動他 〈産業・土地などを〉国営化する.
na·ti·vize 動他 土着化する.
nat·u·ral·ize 動他 〈外国人を〉帰化させる.
neb·u·lize 動他 〈薬剤などを〉霧状にする. ── 自 ぼやける.
nec·ro·tize 動自 壊死(ㄝ)を起こす, 壊死する.
nec·tar·ize 動他 …に花蜜(ぷっ)を混ぜる.
Ne·gro·ize 動他 黒人の特徴を与える, 黒人的にする.
ne·ol·o·gize 動自 新語(句)を造る; 新語義を造る.
ne·ot·er·ize 動他 〈語・表現を〉新しく造る.
Ne·ro·nize 動他 〈人を〉ネロ(Nero)に似た人物として描写する[特徴づける].
ness·ler·ize 動他 〈水・溶液などのアンモニアを〉ネスラー試薬で調べる.
neu·tral·ize 動他 …を中立にする.
New·man·ize 動自 ニューマン説を取り入れる.
nick·el·ize 動他 ニッケルをかぶせる.
nic·o·tin·ize 動他 ニコチンを混入する[含ませる].
no·mad·ize 動自 遊牧生活をする; 放浪[流浪]する.
nom·i·nal·ize 動他 〘文法〙〈別の品詞を〉名詞化する.
nor·mal·ize 動他 標準的にする, 常態にする.
Nor·man·ize 動他自 〈風習・言語などを[が]〉ノルマン風にする[なる].
North·ern·ize 動他 北部風[向き]にする.
no·ta·rize 動他 〈証書・契約などを〉(公証人を通して)公証する.
nov·el·ize 動他 〈戯曲・映画・テレビなどを〉小説形式[体]にする.
nu·cle·ar·ize 動他 〈軍隊・国家に〉核装備を施す.
ob·e·lize 動他 〈語・句などに〉疑句標をつける.
ob·jec·tiv·ize 動他 具体[客観]的にする, 具体化する.
Oc·ci·den·tal·ize 動他 西洋風にする, 西洋[西欧]化する.
o·dor·ize 動他 …ににおいを添加する.
of·fi·cial·ize 動他 官庁化する, 公式のものにする.
on·tol·o·gize 動他 本体[存在]論の用語で表現する.
op·er·a·tion·al·ize 動他 …を操作できるようにする.
op·er·a·tize 動他 オペラ化する, オペラに仕立てる.
op·so·nize 動他 〘免疫〙〈微生物を〉オプソニン化する.
op·ti·mize 動他 できるだけ効果的にする, 最善にする.
or·gan·ize 動他 ☞
O·ri·en·tal·ize 動他自 東洋化する, 東洋風になる.
or·phan·ize 動他 〈事が〉〈子供を〉孤児にする.
or·thog·o·nal·ize 動他 〘数学〙〈ベクトル・関数などを〉直交させる.
or·thog·ra·phize 動他 〈語を〉正しく綴(つ)る. ── 自 正しい綴り方に従う.
os·tra·cize 動他 (多数の同意により社会的に)締め出す.
ox·i·dize 動他 ☞
o·zon·ize 動他 オゾンで飽和させる.
pa·gan·ize 動他 …を異教徒にする, 異教化する. ── 自 異教徒になる.
pal·a·tal·ize 動他 〘音声〙〈子音を〉口蓋(こう)音化する.
pal·la·di·nize 動他 …の(表面を)パラジウム処理する.
pal·la·dize 動他 ＝palladinize.
pal·let·ize 動他 〈貨物・商品を〉パレットに載せる.
pam·phlet·ize 動自 小論説を書く.
pan·e·gy·rize 動他 …の賛辞を述べる; …の賞賛文を書く. ── 自 賞賛する.
pan·the·on·ize 動他 パンテオンに埋葬する.
pa·pal·ize 動自他 教皇集権[中心]化する.
pa·rab·o·lize[1] 動他 たとえ話で話す.
pa·rab·o·lize[2] 動他 放物線[面](状)にする.
par·af·fin·ize 動他 パラフィンを塗る[沁み込ませる].
par·al·lel·ize 動他 …を平行にする.
pa·ral·o·gize 動自 誤謬(びゅう)推理をする.
pa·ram·e·ter·ize 動他 〈現象・問題・曲線・曲面などを〉パラメーター(parameter)で表す.
pa·ram·e·trize 動他 ＝parameterize.
par·a·si·tize 動他自 (…に)寄生する.
parch·ment·ize 動他 〈紙などを〉羊皮紙状に変える.
pa·ro·chi·al·ize 動他 …を小教区に分ける.
par·tial·ize 動他 …に偏らせる; 偏見を与える. ── 自 部分にこだわる.
par·ti·cip·i·al·ize 動他 〈動詞を〉分詞形にする.
par·tic·u·lar·ize 動他 …を特定化する, 個別化する.
pas·teur·ize 動他 〈牛乳・チーズ・ヨーグルト・ビール・ワインなどを〉低温殺菌する.
pas·to·ral·ize 動他 …を田園的[田舎風]にする.
pat·i·nize 動他 〘金属加工〙〈銅器などを〉緑青付けする(patinate).
pa·tron·ize 動他 (…を)ひいきにする, 顧客になる.
pat·tern·ize 動他 型にはめる[合わせる].
pau·per·ize 動他 〈人を〉貧乏にする.
pec·tize 動他自 ゼリー状にする[なる].
pe·cu·liar·ize 動他 特殊化する, …に特性を与える.
pe·des·tri·an·ize 動自 歩く, 徒歩旅行をする. ── 他 〈道路を〉車両通行止めにする.
Pe·la·gi·an·ize 動自他 ペラギウス派になる[する].
pel·let·ize 動他 〈精鉱を〉造粒する, ペレットにする.
Pel·man·ize 動他 …をペルマン式記憶術[法]で覚え

る.
pel·o·rize 動他『植物』…にペロリアを起こさせる.
pe·nal·ize 動他〈人を〉(…の理由で)罰する.
pep·tize 動他 解膠(かいこう)させる.
pep·to·nize 動他〈タンパク質を〉ペプトン化する.
per·fec·tiv·ize 動他 完了[完結]相にする.
per·i·to·ne·al·ize 動他『外科』…を腹膜で覆う.
per·son·al·ize 動他 …を個人のものとする.
pes·si·mize 動他《米ハッカー俗》…を最悪なものにする.
phag·o·cyt·ize 動他〈食細胞が〉〈細菌を〉食べる.
phan·ta·size 動自 ＝fantasize.
pha·ryn·gal·ize 動他 ＝pharyngealize.
pha·ryn·ge·al·ize 動他『音声』…を咽頭(音)化する.
phe·no·lize 動他『化学』フェノールで処理する.
phe·nom·e·nal·ize 動他『哲学』…を純粋に現象として扱う.
phi·lan·thro·pize 動他〈人を〉慈愛深く扱う. ――自 慈善を施す.
phi·lol·o·gize 動自 文献学[言語学]を研究する. ――他 …を言語学的に研究する.
phi·los·o·phize 動自 不正確に理論づける; 哲学者ぶる. ――自〈事・物を〉哲学的にする.
pho·ne·mi·cize 動他 音素記号に書き換える.
pho·net·i·cize 動他〈談話を〉表音式で記す.
phos·pha·tize 動他 リン酸塩で処理する.
phos·pho·rize 動他『化学』…をリンと化合させる.
phys·i·cal·ize 動他 …を物理用語で表す.
pic·to·ri·al·ize 動他 …を絵画化する.
pic·tur·ize 動他 絵に描く, (特に)映画化する.
pidg·in·ize 動他〈言語を〉補助言語化する.
pil·grim·ize 動自 巡礼をする. ――他 巡礼者にする.
pla·gia·rize 動他〈他人の文章・表現・着想などを〉剽窃(ひょうせつ)する.
plas·ti·cize 動他自 可塑性を持たせる.
plat·i·nize 動他 白金めっきする.
plat·i·tu·di·nize 動自 陳腐[平凡]な文句を並べ立てる.
Pla·to·nize 動自 プラトン哲学を奉じる[採用する].
plu·ral·ize 動他 複数形で表す, 複数(形)にする.
pod·sol·ize 動他 ポドゾル化する. ――自 ポドゾルになる.
po·et·i·cize 動他 …を詩的にする, 詩的に考える.
po·et·ize 動自 詩を書く, 作詩する. ――他 詩的に表現する.
po·lar·ize 動他〈光を〉偏光させる.
po·lem·i·cize 動自 論争術を行使する.
pol·e·mize 動自 ＝polemicize.
po·lit·i·cal·ize 動他 …を政治化する, 政治的にする.
po·lit·i·cize 動他 …に政治色を加える.
pol·li·nize 動他『植物』…に授粉する.
Po·lo·nize 動他〈風俗・文化・考え方などを〉ポーランド風にする.
po·lym·er·ize 動他自『化学』(…を)重合させる[する].
pop·u·lar·ize 動他 …を大衆化する; 普及させる.
por·ce·lain·ize 動他 …を磁器(のよう)にする.
por·phy·rize 動他 …を粉状に砕く, 砕いて粉にする.
pos·tur·ize 動自 ある姿勢を取る, ポーズを取る.
po·ten·tial·ize 動他 …を可能にする.
prag·ma·tize 動他〈実在しない物事, 想像上の物事を〉現実化[具現化]する.
pre·co·nize 動他 …を宣言する; 推賞する.
prel·a·tize 動他〈教会を〉監督制のもとに置く.
prel·ud·ize 動自 前奏曲を演奏[作曲]する.
pre·mil·len·ni·al·ize 動自 前千年王国説を信奉する.
pres·sur·ize 動他〈高高度を飛ぶ飛行機の操縦席・客席などを〉加圧する, 与圧する.
pri·or·i·tize 動他〈仕事などに〉優先順位をつける.
pri·va·tize 動他 …を民営化する.
proc·tor·ize 動他《古》〈学生監が〉〈学生を〉しかる. ――自 学生監を務める.
prod·i·gal·ize 動他 浪費する, 無駄遣いする.
pro·fes·sion·al·ize 動他 職業[専門]化する, プロとして扱う.
pro·le·tar·i·an·ize 動他 プロレタリア化する, 無産者にする.
pro·le·tar·ize 動他 ＝proletarianize.
pro·log·ize 動自 ＝prologuize.
pro·logu·ize 動自 序言[序文]を書く[つける].
pro·nom·i·nal·ize 動他 代名詞化する.
prop·a·gan·dize 動他 宣伝[布教]する.
pros·e·lyt·ize 動他自 改宗[変節]させる[する].
Prot·es·tant·ize 動他〈人を〉プロテスタントに改宗させる.
pro·vin·cial·ize 動他 地方化する, 田舎風にする.
prus·sian·ize 動他 プロイセン化する, 軍国主義化する.
psy·che·del·i·cize 動他〈絵画・音楽などを〉サイケ調にする.
psy·chol·o·gize 動他 心理学的に分析する. ――自 心理学的な考察をする.
pub·li·cize 動他 公にする, 公表する.
pul·ver·ize 動他 粉末[粉々]にする.
pu·ri·tan·ize 動他 清教徒にする; 清教徒風にする.
py·ro·lize 動他『化学』〈物質を〉熱分解する.
quan·tize 動他 …を量子化する.
qui·et·ize 動他 …に防音装置を施す.
rad·i·cal·ize 動他 (特に政治的に)急進的にする.
ran·dom·ize 動他 …からランダムに選ぶ.
ra·ster·ize 動他『コンピュータ』(画像を)ラスター処理する.
ra·tion·al·ize 動他〈自分の行為・意見などを〉合理[正当]化する.
re·al·ize 動他 (はっきり)と理解する, 実感する.
rec·og·nize 動他〈人・物・事を〉認める, 認識する.
re·flex·i·vize 動他〈動詞・代名詞を〉再帰的にする.
re·gion·al·ize 動他自 (…を)地方に分割する[される].
reg·u·lar·ize 動他《文語》…を規則正しくする.
re·ju·ve·nize 動他 …を若返らせる, 回春させる.
rel·a·tiv·ize 動他 …を相対的に考える[扱う].
re·li·gion·ize 動他 …に信仰心を起こさせる.
re·pub·li·can·ize 動他 共和国[政体, 主義, 党員]にする.
re·trib·al·ize 動他 伝統的な部族の状態[慣習]へ戻す.
rev·o·lu·tion·ize 動他 …に革命を起こす.
rhap·so·dize 動自 (…を)熱狂的に語る[書く].
rho·ta·cize 動他〈s 音を〉r 音に変える, r 音転換する.
rhyth·mize 動他 リズムをつける.
rig·id·ize 動他 (特殊加工を施したり, 化学薬品・プラスチックなどを加えて)硬くする.
rit·u·al·ize 動自 儀式的になる, 典礼主義になる. ――他 儀式化する.
ro·bot·ize 動他〈人を〉ロボット化する.
roent·gen·ize 動他《もと》…にレントゲン線をかける.
Ro·man·ize 動他〈異教徒などを〉ローマカトリック教に帰依させる.
ro·man·ti·cize 動他《しばしば軽蔑的》〈物語・出来事を〉空想的に表現する.
rou·tin·ize 動他〈事柄を〉慣例化[日常化]する.
rub·ber·ize 動他 ゴムを引く[染み込ませる].
rug·ged·ize 動他〈電子装置・カメラ・精密機械を〉衝撃[振動など]に耐えるように作る.
ru·ral·ize 動他 田舎風にする, 田園化する. ――自 田舎で時を過ごす.
Rus·sian·ize 動他 ロシア(人)化する, ロシア風にする.
Sab·ba·tize 動自 安息日を守る.
sac·cha·ri·nize 動他 …にサッカリンを加えて甘くする.
sac·cha·rize 動他〈澱粉(でんぷん)を〉糖化する.
sac·er·do·tal·ize 動他 …を聖職制にする.
sa·cral·ize 動他 神聖化する.
sa·li·nize 動他 …を塩で処理する; 塩辛くする.
san·i·tize 動他《主に米・カナダ》衛生的にする.
sat·i·rize 動他 …を風刺する; 皮肉る. ――自 風刺文を書く.
Sax·on·ize 動他自 (アングロ)サクソン風にする[なる].
scan·dal·ize 動他〈人を〉憤慨させる.
sche·ma·tize 動他 …を図式化する, 組織的に配置する.
schil·ler·ize 動他〈結晶に〉閃光(せんこう)(schiller)を生じさせる.
schis·ma·tize 動自 分裂を図る; 教会分離を企てる.
schrei·ner·ize 動他〈織物に〉シュライナー加工する.
sci·en·tize 動他 科学的原理を適用する.

Scot·ti·cize 動他〈言葉, 習慣などを〉スコットランド風にする.
scru·ti·nize 動他 精細に調べる, 吟味する.
sec·tar·i·an·ize 動他 派閥[分派・宗派・学閥]の下に置く.
sec·tion·al·ize 動他 部分[部門]に分ける, 区分する.
sec·u·lar·ize 動他 世俗化する.
seg·men·tal·ize 動他 分割する, 分裂させる, 細分化する.
seg·men·tize 動他 =segmentalize.
sem·i·tize 動他〈言語などを〉セム[ユダヤ]化する.
sen·sa·tion·al·ize 動他 扇情的に表現する.
sen·si·tize 動他 ☞
sen·su·al·ize 動他 官能的にする, 肉欲にふけらせる.
sen·ti·men·tal·ize 動自 感傷に浸る, センチメンタルになる.
se·ri·al·ize 動他 連載する, 続きもので出版する.
ser·mon·ize 動自 説教する; 小言を言う. ──他 …に訓戒を与える.
ser·pen·tin·ize 動他〖鉱物〗〈鉱物・岩石を〉蛇紋岩[石]化する.
sex·u·al·ize 動他 …男女[雌雄]の別をつける.
sher·ard·ize 動他〖冶金〗〈鉄鋼を〉亜鉛焼きをする.
sig·nal·ize 動他 …を目立たせる; …を祝う.
sil·ver·ize 動他 銀をかぶせる, 銀めっきをする.
sim·i·lize 動自他《まれ》なぞらえる.
si·mon·ize 動他〈車を〉ぴかぴかになるまで磨く.
sin·gu·lar·ize 動他 目立たせる.
Sin·i·cize 動他 中国化する; 中国風にする.
skel·e·ton·ize 動他 …を骸骨(がいこつ)にする.
slen·der·ize 動他《主に米・カナダ話》…をほっそりさせる, 細くする.
slo·gan·ize 動他 …をスローガンで表す, 標語化する.
so·ber·ize 動他 酔いを覚まさせる. ──自《古》酔いが覚める.
so·cial·ize 動他〈人を〉社会化する; 社交的にする.
so·ci·ol·o·gize 動他自 社会学的理論づけをする.
sod·om·ize 動他 男色にふけらせる.
so·lar·ize 動他〖写真〗〈画像を〉過度の露光により反転現像させる, 露出しすぎる.
sol·em·nize 動他〈結婚式を〉挙げる, 挙式する.
sol·i·da·rize 動自 結束[団結]する.
sol·u·bi·lize 動他〖化学〗可溶化する, 溶解度を増す.
so·mat·i·cize 動他〖精神医学〗身体化する.
son·net·ize 動自 ソネットを作る[書く]. ──他 …に当ててソネットを書く.
south·ern·ize 動他 …を(特に米国の)南部風にする.
So·vi·et·ize 動他 (旧)ソ連の影響[支配]の下に置く.
spe·cial·ize 動自〈人が〉(…を)専攻する.
spi·rant·ize 動他 摩擦音に変える[で発音する].
spir·it·u·al·ize 動他 霊的にする, 浄化する, 脱俗させる.
sta·bi·lize 動他 ぐらつかないようにする.
stand·ard·ize 動他〈大きさ・重さ・品質・強さなどを〉基準に合わせる, 標準[規格]化する.
-sta·size 連結形 ☞
sten·cil·ize 動他 (加工して)ステンシルにする.
ster·i·lize 動他 …を滅菌する; …不妊にする.
stig·ma·tize 動他〈人に〉(…の)汚名を着せる.
strat·e·gize 動自《米》戦略を練る[決定する].
struc·tur·al·ize 動他 構造化する, 組織の一部を成す.
struc·tur·ize 動他〈複雑なものを〉組織的に配列する.
styl·ize 動他〈表現・手法などを〉ある特定の型[様式]に一致させる; 因襲化する.
sty·lo·pize 動他〖昆虫〗スチロプス去勢する.
su·ber·ize 動他〖植物〗コルク質に変える.
su·bi·tize 動自他〖心理〗(提示された物の数を)一目で認知する, 即座に把握する.
sub·jec·tiv·ize 動他 主観化する;〈事実などを〉主観的に見る.
sub·si·dize 動他〈政府が〉…に助成金を支給する.
sub·stan·tial·ize 動他 実体[実在]化する, 実現する.
sub·stan·tiv·ize 動他〈動詞・形容詞などを〉名詞として用いる; 名詞に変える.
sub·til·ize 動他〈人格などを〉高尚にする, 高める.
sub·ur·ban·ize 動他〈地域などを〉郊外化する.
sul·fat·ize 動他〈鉱石などを〉硫酸塩化する.
sul·fu·rize 動他 硫化する, 硫黄と化合させる.
sum·ma·rize 動他 要約する, かいつまんで言う.
sum·mer·ize 動他〈住宅・自動車などに〉夏の暑さをしのげる設備を施す.
syl·la·bize 動他 …を音節に分ける.
syl·lo·gize 動自 三段論法を用いる. ──他 …三段論法で推論する.
sym·bol·ize 動他 …を象徴する, …の象徴である.
sym·me·trize 動他 …を相称的[対称的]にする.
sym·pa·thize 動自 (人・考え・主張などに)同感する.
sym·pho·nize 動自〖音楽〗調和する, 諧調になる.
symp·tom·a·tize 動他 …の徴候[兆し]を示す.
symp·tom·ize 動他 =symptomatize.
syn·chro·nize 動他〈時計などの〉時間を合わせる.
syn·cre·tize 動他〈反対の説・党派などを〉統合[融合]しようとする.
syn·er·gize 動自 共力[相乗]作用を示す.
syn·oe·cize 動他 …を合体する.
syn·on·y·mize 動他〈語・名称などに〉同義語を与える. ──自 同義語を使う.
syn·op·size 動他《米》…の要約を作る, 大意を書く.
syn·the·size 動他 …を総合[綜合]する, まとめ上げる.
syn·the·tize 動他自 =synthesize.
syn·to·nize 動他 …を同調させる.
syph·i·lize 動他 …を梅毒に感染させる.
sys·tem·a·tize 動他 …を体系化する; 分類する.
sys·tem·ize 動他 =systematize.
tab·u·lar·ize 動他 …を表にする, 一覧表で表す.
tan·ta·lize 動他 じらして苦しめる; 期待をかき立てる.
tar·tar·ize 動他〖化学〗…に酒石を注入する.
tau·tol·o·gize 動自〖論理〗トートロジーを用いる.
tau·tom·er·ize 動自他〖化学〗互変を受ける[受けさせる].
tech·ni·cal·ize 動他 専門[技術]化する.
tech·nol·o·gize 動他 技術革新する, 高度技術化する.
te·lep·a·thize 動他〈人と〉テレパシーで交信する.
tel·lu·rize 動他 …をテルルと混合する.
tem·po·ral·ize 動他 時間的に位置づける[限定する].
tem·po·rize 動自 ぐずぐずする.
ten·der·ize 動他〈肉などを〉柔らかくする.
ter·ri·to·ri·al·ize 動他 …の領土を拡張する.
ter·ror·ize 動他 …を恐れさせる.
tes·ti·mo·ni·al·ize 動他 …に証明書[推薦状]を書く.
tet·a·nize 動他〖生理〗〈筋肉に〉強縮性[持続性]痙攣(けいれん)を起こす.
Teu·ton·ize 動他自 チュートン風にする[なる].
tex·tur·ize 動他 …をある織り方にする.
the·at·ri·cal·ize 動他 …を劇化する.
the·ol·o·gize 動自 神学上の問題について思考する. ──他 …を神学的に取り扱う.
the·o·rize 動自 学説[理論]を立てる. ──他 …を理論化する.
the·os·o·phize 動自 神智学的に考える.
ther·mal·ize 動他〖物理〗熱運動化する.
-the·size 連結形 ☞
-to·mize 連結形 ☞
top·i·cal·ize 動他〖言語〗…を話題にする.
Tor·ren·ize 動他〈財産などを〉トレンズ式登記制度に基づいて登記する.
to·tal·i·tar·i·an·ize 動他 全体主義化する.
to·tal·ize 動他 合計する.
tra·di·tion·al·ize 動他 …を伝統にする; 伝統を浸透させる.
trag·e·dize 動他《古》悲劇化する.
tran·quil·ize 動他自 静かにする[なる], 落ち着かせる.
tran·scen·den·tal·ize 動他〖哲学〗超越論的なものとして扱う.
tran·sis·tor·ize 動他〖電子工学〗トランジスタ化する.
trans·par·ent·ize 動他 透明にする.
trau·ma·tize 動他〖病理〗〈身体組織に〉外傷を起こさせる;〖精神医学〗〈人に〉(永続的に残る)精神的衝撃を与える.
trich·i·nize 動他〖病理〗…を旋毛虫に冒させる.
triv·i·al·ize 動他 …をささいな[陳腐な]ものにする.
trop·i·cal·ize 動他 …を熱帯(地方)的にする.

tryp·sin·ize 動他『生化学』トリプシンを用いて消化する.
tu·ber·cu·lar·ize 動他 ＝tuberculinize.
tu·ber·cu·lin·ize 動他 ツベルクリンを接種する.
tu·ber·cu·lize 動他 ＝tuberculinize.
tyr·an·nize 動自 (…に)暴虐を加える, 虐げる.
u·ni·form·ize 動他 一様にする, 均一化する.
un·ion·ize 動他 連合する, 合体する.
u·nit·ize 動他 (部品を組み立てて)一つの物にする.
u·ni·ver·sal·ize 動他 一般[普遍]化する, 普及させる.
ur·ban·ize 動他 都会化する;《まれ》上品にする.
u·ti·lize 動他 …を(…に)利用する, 役立たせる.
vac·u·um·ize 動他 真空にする, 真空化する.
vag·a·bond·ize 動自 放浪する, 放浪者のように流れ歩く.
val·or·ize 動他〈商品の〉価値を維持[設定]する.
van·dal·ize 動他〈芸術・文化などを〉破壊する.
va·por·ize 動他 蒸発させる, 気化させる.
vas·cu·lar·ize 動自『生物』〈組織・胎児が〉血管を発達[延長]させる.
veg·e·tab·lize 動自 単調な生活を送る, 無為に過ごす.
ve·lar·ize 動他『音声』軟口蓋(なんこうがい)で発音する.
ver·bal·ize 動他〈思考・感情を〉言葉に表す.
ver·nac·u·lar·ize 動他 自国語に直す, 土地言葉に直す.
ver·nal·ize 動他『植物』…に春化処理する.
vic·tim·ize 動他〈人に〉損害を与える; だます.
Vic·to·ri·an·ize 動他 ビクトリア朝風[様式]にする.
vid·e·o·ize 動他 (ビデオ化して)テレビ放映用にする.
Vi·et·nam·ize 動他 ベトナム人の支配[管理]のもとに置く.
vir·tu·al·ize 動他『コンピュータ』仮想現実化する.
vis·u·al·ize 動自 思い浮かべる, 心に描く. ━━他 …を視覚化する.
vi·tal·ize 動他 …に生命を与える.
vi·ta·min·ize 動他〈食品に〉ビタミンを添加する.
vit·ri·ol·ize 動他 …を硫酸(塩)化する.
vo·cal·ize 動他 声に出す;『音声』〈無声音を〉有声化する; 母音化する.
vol·a·til·ize 動自 揮発性になる, 揮発[蒸発]する. ━━他 揮発性にする.
vol·can·ize 動他 …に火山熱を作用させる.
vow·el·ize 動他『音声』母音符号をつける.
vul·can·ize 動他〈生ゴムを〉加硫[硫化]する.
vul·gar·ize 動他〈程度・価値・品位などを〉落とす.
weap·on·ize 動他 …を武器化する, 武器に応用する.
weath·er·ize 動他《米》〈家・建物に〉耐候性を与える.
west·ern·ize 動他 西洋化する. ━━自《まれ》西洋的になる.
win·ter·ize 動他自 冬支度をする, 冬期装備を施す.
wom·an·ize 動他 女のようにする, めめしくする. ━━自《話》〈男が〉女を追い回す.
yar·o·vize 動他 ＝vernalize.

-ize² /áiz/

語尾 語末にくる同音形は -ISE¹, -ISE⁴, -IZE¹.

prize¹ 名 ☞
prize² 動他 ☞
prize³ 動他 てこで上げる[動かす], こじあける.
size¹ 名 ☞
size² 名 サイズ, 陶砂(どうさ), 糊(のり).
-size 連結形 ☞

-izz¹ /íz/

音象徴 シュー, ジュー; ソーダ水の発泡やフライパンで肉を焼くときの肉汁の音を表す. ◇ -ZZ.

fizz 動自 シューシュー[パチパチ]音をたてる; シューと泡を出す. ━━名 **1** シューという音. **2**《米》発泡性飲料.
frizz 動自他 (揚げたり焼いたりするときなど)ジュージューいう, パチパチいう(frizzle); ちりちりにする.
whizz 名 ＝wizz.
wizz 名《英俗》覚醒剤, スピード.

-izz² /íz/

語尾 短縮や綴り直しによる音形が多い; 俗語の語尾で音象徴的; zizz は擬声語.
★ 語末にくる同音形は -IS², -IZ.

chizz 動他《英俗》ぺてんにかける(chisel).
frizz 動他 (毛髪などを)ちりちりに縮らす.
jizz¹ 名《俗》生気, 精力; 強さ(jism).
jizz² 名 (ある動物[植物]を他の動物[植物]と区別する)特徴的な印象.
smizz 名《米麻薬俗》ヘロイン.
swizz 名《英俗》ぺてん; 失望; 不公平なこと.
zizz 名《英話》うたた寝, 居眠り.

-iz·zle /ízəl, ízl/

音象徴 シューシュー, ジュージュー, ジャージャーなどの連続的雑音を表す. ◇ -LE³.

driz·zle 動自 霧雨が降る, しとしと降る. ━━他〈霧雨を〉降らす. ━━名 霧雨, こぬか雨.
fiz·zle 動自 (特に弱く消えてしまうような)シューという音を出す.
friz·zle 動自 (揚げたり焼いたりするときなど)ジュージューいう, パチパチいう;〈肉などが〉(油でいためられて)かりかりになる. ━━他〈食物を〉油でいためてかりかりにする; …を(熱で)焼く.
griz·zle 動自《主に英話》〈子供などが〉だだをこねる; しくしく泣く.
miz·zle 動自《米南部》こぬか雨[霧雨]が降る.
siz·zle 動自 (油で揚げたり, 熱した鉄板に水を落としたときなどのように)ジュージューいう音をたてる, シューシューいう.

J

-j /dʒ/

東・西アジアの言語, 特にヒンディー語やアラビア語からの外来語に見られる語尾.
★ Taj Mahal「タージ・マハル」の Taj は「壮麗な建物」の意.

hadj 名 ＝hajj.
hajj 名 メッカ巡礼 [参拝].
kal·ij 名 (ヒマラヤ地域で見られる)コシアカキジ属の鳥.
Kha·wa·rij 名 〖イスラム教〗ハワーリジュ派.
kil·ij 名 キーリッジ: トルコの三日月形のサーベル.
Mi·'raj 名 〖イスラム教〗ミーラージュ.
raj 名 (インドで)1947 年以前の英国支配.
sa·maj 名 サマージ: ヒンドゥー教の革新的宗教団体 [運動] の総称.
swa·raj 名 (インドで)自治.
taj 名 タージ: 男子がかぶる帽子の一種.

-ja·cent /dʒéisnt/

連結形 横たわっている; 置かれている; ある; いる.
★ 形容詞をつくる.
◆ <ラ *jacēns*(*jacēre*「横たわる, ある, いる」の現在分詞). ⇨ -ENT[1].

ad·ja·cent 形 近くの, 近隣の; 隣り合った.
cir·cum·ja·cent 形 周辺にある; 取り巻いている.
in·ter·ja·cent 形 中間にある, 介在する.
sub·ja·cent 形 すぐ下にある; 下方にある.
su·per·ja·cent 形 上にある, 上方にある.

jack /dʒǽk/

名 **1** ジャッキ, 起重機. **2**〖トランプ〗ジャック. **3**《話》男, やつ.

ámber·jàck 《米》アジ科ブリ属の魚.
ápple·jàck 《米》アップルブランデー.
bílly-jàck 形 《米黒人俗》いなか者の.
bláck·jàck 《主に米》黒皮で包んだ短いこん棒.
blúe·jàck 米国南部産のカシの一種.
bóot·jàck (乗馬靴などの)長靴脱ぎ.
bóttle-jàck 《NZ》大型起重機.
bráce jàck 〖演劇〗人形立て.
búmper jàck (自動車の)バンパージャッキ.
chéap-jàck 《主に英話》呼び売り商人.
chímney jàck 回転式の煙突笠(かさ).
clóck jàck 時計のベルをハンマーで打つ機械人形.
Cóusin Jáck コーンウォール生まれの人.
crácka·jàck ＝crackerjack.
crácker·jàck 《米話》素晴らしく優秀な人 [もの].
creválle jàck アジ科の数種の魚の総称.
cróss·jàck 〖海事〗後檣(こうしょう)大横帆.
dóor jàck ドアジャッキ.
fláp·jàck 《米》ホットケーキ.
hálf-jàck 《話》(南アフリカで)携帯用酒瓶.
héavy jàck 《俗》大金.
hígh-lòw-jàck 〖トランプ〗セブンアップ.
jábber·jàck 《米俗》たわ言, でたらめ.
júmping jàck 踊り人形.
lánce-jàck 《英軍俗》上等兵.
lázy jàck 〖機械〗レイジージャッキ.
lúmber·jàck 《米・カナダ》木こり.
mán jáck 《話》個人, 男.
Mónterey Jáck モンテレージャック: チェダーチーズの一種.
nátter·jàck 〖動物〗ナタージャックヒキガエル.
néw jáck (ダンス音楽で)ニュージャック.
pílot jàck 水先旗として掲げる連合国旗.
potáto jàck 《米俗》(刑務所内の)密造酒.
quárter-jàck 〖時計〗15 分ごとに時を打つ人形.
rátchet jàck 〖機械〗ラチェットジャッキ.
sánd jàck 〖造船〗サンドジャッキ.
scíssors jàck 〖自動車〗シザーズジャッキ.
scréw jàck 〖機械〗ねじジャッキ.
síngle-jàck 《米俗》片目 [片足, 片腕] の物ごい.
skíp·jàck 水面に飛び上がる魚.
sláp·jàck 〖トランプ〗スラップジャック.
smóke·jàck 焼き串(くし)回し.
Sonóna Jáck チーズの一種.
stéeple·jàck 尖塔職人, とび職.
súpple·jàck 強くてしなやかなステッキ.
táper jàck ＝wax jack.
tímber·jàck 木こり, 伐木者.
únion jàck ユニオンジャック, 連合国旗.
wáx jàck ワックスジャック, 封蠟(ろう)溶かし.
whískey jàck 〖鳥類〗カナダカケス(gray jay).
yéllow jàck 《話》検疫旗(quarantine flag).

-jack /dʒǽk/

連結形 (飛行機などの)乗っ取り(をする).
★ 名詞, 動詞をつくる.
◆ hijack, highjack の短縮形.

car·jack 名 カージャック.
sea·jack 名 船の乗っ取り, シージャック.
sky·jack 動他名 《話》ハイジャック(する).

jack·et /dʒǽkit/

名 **1** (スポーツ)ジャケット; 背広の上着. **2** 被覆物, ジャケット. **3** 金属製の被甲; (エンジンなどの)水ジャケット, 冷却筒. ⇨ -ET[1].

áir jàcket 〖航空〗(遮熱用の)エアジャケット.
assáult jàcket 防弾服.
báttle jàcket 〖米軍事〗戦闘服.
béd jàcket ベッドジャケット: 部屋着の一種.
blúe·jàcket 〖米・英海軍〗水兵.
bómber jàcket ボンバージャケット.
bóok jàcket (本の)カバー.
búsh jàcket ＝safari jacket.
cómbat jàcket ＝battle jacket.
cóolie jàcket クーリー(苦力)ジャケット.
dínner jàcket 《主に英》ディナージャケット.
dónkey jàcket 《英》ドンキージャケット.
dréssing jàcket ドレスジャケット: 部屋着の一種.
dúst jàcket ＝book jacket.
Éisenhower jàcket ＝battle jacket.
Éton jàcket イートンジャケット.
fíeld jàcket 〖軍事〗野戦用ジャケット.

flák jàcket 〖米空軍〗防弾チョッキ.
flíght jácket フライトジャケット.
hácking jàcket 《主に英》(一種の)乗馬用上着.
Íke jàcket 《話》=bomber jacket.
léather·jàcket 〖魚類〗カワハギ.
lífe jàcket 救命胴衣; 《米俗》コンドーム.
Líndbergh jàcket リンドバーグジャケット.
lúmber jàcket ランバージャケット.
Máo jàcket 人民服.
méss jàcket メスジャケット, 男子用準儀礼服.
mónkey jàcket モンキージャケット.
Néhru jàcket ネールジャケット: 細身で丈が長く立ち襟のコート.
Nórfolk jácket ノーフォークジャケット.
péa jàcket ピージャケット, ピーコート.
pílot-jàcket =pea jacket.
rácket jàcket 《米黒人俗》ももまでの上着.
rágged jàcket 《ニューファウンドランド》(もとの毛が抜けて)白黒まだら模様になった子供のアザラシ [アシカ, オットセイ].
réefing jàcket リーフィング・ジャケット.
safári jàcket サファリジャケット.
shéll jàcket シェルジャケット: 略式礼服の一種.
shírt jàcket シャツジャケット.
shóoting-jàcket 《英》狩猟服.
smóking jàcket スモーキング・ジャケット.
spéncer jàcket スペンサージャケット.
spórts jàcket スポーツジャケット.
stádium jàcket スタジアムジャケット.
stéam jàcket 〖機械〗蒸気ジャケット.
stráight·jàcket =straitjacket.
stráit·jàcket 拘束服.
wáter jàcket 〖機械〗水ジャケット.
wáter-jàcket 動他 …に水ジャケットをつける.
yéllow jàcket 《米・カナダ》〖昆虫〗スズメバチ.

jade /dʒéid/

名 〖宝石〗翡翠(ひすい), 翠玉. (青緑色から黄緑色にわたる)緑色, 翡翠色.

Búrmese jáde ビルマ翡翠(ひすい), 本翡翠.
gárnet jàde =Transvaal jade.
gém jàde =imperial jade.
impérial jáde インペリアルジェード.
Méxican jáde メキシコひすい.
sérpentine jáde 蛇紋翡翠(ひすい).
Sòuth Áfrican jáde =Transvaal jade.
Tránsvaal jáde トランスバール翡翠(ひすい).
vesúvianite jáde ベシュビアナイトジェード.

jam /dʒǽm/

名 (場所などがいっぱいに)詰まること, 混雑.

Ć-jàm 名 《米俗》コカイン.
íce jàm 狭い河道に集積し, 流れを妨げる氷.
lóg·jàm 《主に米・カナダ》(川の１か所に集まって動かなくなった)丸太のつかえ.
tóe jàm 《米俗》足の爪(つめ)のあか.
tráffic jàm (事故・混雑による)交通渋滞.

jam·mer /dʒǽmər/

名 妨害物, 邪魔な物 [人]. ⇨ -ER[1].

cámel-jàmmer 《米俗》アラブ [イラン] 人.
géar jàmmer 《米俗》トラック [バス] 運転手.
mámmy-jàmmer 《米俗》嫌なやつ.
stánd-òff jámmer 〖軍事〗スタンドオフ電子妨害機.
wínd·jàmmer 《話》《もと》帆走商船; 大型帆船.

Jane /dʒéin/

名 女子の名.
★ 男子の名 John より.

Áunt Jáne 《米俗》熱心な黒人女性のキリスト教信者.
Máry Jáne メアリージェーン: 小さな丸形のスポンジケーキ.
pláin Jáne 《話》平凡な女.
pláin-Jáne 形 《話》簡素な, 地味な, 飾りのない.
Salvátion Jáne 《豪》〖植物〗シベナガムラサキ.

jar /dʒɑ́ːr/

名 (ガラスまたは陶製の)広口瓶, 壺(つぼ).

apóthecary jàr 薬瓶.
báttery jàr 蓄電池槽, 電槽.
béll jàr 鐘形ガラス, ガラス鐘, ベルジャー.
canópic jár カノーポスの壺(つぼ): 古代エジプトでミイラの内臓を収めるのに使用した壺.
cóokie jàr クッキーを入れる瓶.
frúit jàr 果物瓶.
gínger jàr 糖菓壺(つぼ).
jám·jàr ジャムを入れる瓶.
Léyden jàr 〖電気〗ライデン瓶.
Máson jàr メーソンジャー: 家庭瓶詰め用のねじ蓋(ふた)式の広口密閉ガラス瓶.
slóp jàr (寝室用)便器, (台所用)汚水桶(おけ).
stírrup jàr 疑似アンフォラ: ミケーネ時代の壷(つぼ).
stráwberry jàr 側面に栽培植物を差し込むポケット型の口がついている大型の陶器製プランター.

jas·mine /dʒǽzmin, dʒǽs-/

名 〖植物〗ジャスミン.

Arábian jásmine マツリカ, マリカ(茉莉花).
blúe jásmine ブルージャスミン.
Cápe jàsmine クチナシ.
Carolína jásmine カロライナジャスミン.
Catalónian jásmine =Spanish jasmine.
Conféderate jásmine =star jasmine.
crápe jàsmine サンユウカ(三友花).
dáy jàsmine シロバナチョウジ(白花丁字).
Itálian jásmine ヒマラヤソケイ.
Madagáscar jásmine マダガスカル・シタキソウ.
níght jàsmine ヨルソケイ(夜素馨).
prímrose jásmine 中国産のジャスミンの一種.
réd jásmine インドソケイ.
róck jàsmine サクラソウ科チシマザクラ [トチナイソウ] 属の高山植物の総称.
Spánish jásmine タイワンソケイ, オオバナソケイ.
stár jásmine テイカカズラ.
wínter jásmine オウバイ(黄梅).
yéllow jásmine =Carolina jasmine.

jaw /dʒɔ́ː/

名 **1** あご(の骨). **2** 《俗》無駄話, おしゃべり.

bíg jáw =lumpy jaw.
chín·jaw 《米俗》(伐採で)無駄話.
cráck·jaw 形名 《話》発音しにくい(単語 [語句]).
dróp jàw (狂犬病による)下顎(かがく)下垂症.
fláp·jàw 《米俗》おしゃべり, 雑談.
gláss jáw 形 (特にボクサーの)ガラスのあご.
Héidelberg jáw ハイデルベルク人下顎(かがく)骨.
jáw·jàw 《英俗》長談義, 長い討議.
lántern jàw 著しく突き出た下あご.
lócked jáw =lockjaw.
lóck·jàw 〖病理〗咬痙(こうけい), 開口障害, 牙関(がかん)緊急(trismus).

lúmpy jáw 〘病理〙〘獣病理〙放射菌症.
ópen jàw 帰りが到着点とは違う地点から帰る往復旅行.
phóssy jáw 《話》〘医学〙燐顎(りんがく).
pí·jàw 名 《英俗》(長くてうんざりする)お説教.
rátchet-jàw 《米俗》おしゃべりな人.
sóft jáw 《米俗》(断わりきれずに)誰とでも寝る女.
stíck·jàw 《主に英話》粘ってかみにくいキャンデー[プディング,ケーキなど].
únder·jàw 下あご.
wápper·jàw 《米話》突き出た下あご.

jawed /dʒɔ́ːd/

形 《しばしば複合語》あごのある,…のあごをした. ⇨ -ED².

agée-jáwed 形 《米俗》ゆがんだ.
fláp·jàwed 形 《米俗》おしゃべりな,話好きの.
íron-jáwed 形 鉄の(ような)あごを持つ.
sláck-jáwed 形 口をぽかんとあけている.
squáre-jàwed 形 角張ったあごをした.

jay /dʒéi/

名 〘鳥類〙カケス(懸巣).

blúe jày アオカケス.
Cánada jáy カナダカケス.
gráy jáy ＝Canada jay.
gréen jáy ミドリサンジャック.
piñon jay ＝pinyon jay.
pínyon jày マツカケス.
scrúb jày アメリカカケス.
Stéller's jáy ステラーカラス.

jazz /dʒǽz/

名 ジャズ.

ácid jázz アシッドジャズ.
cóol jázz クールジャズ.
frée jázz フリージャズ.
fúnk-jàzz ファンクジャズ.
lóft jàzz ロフトジャズ.
módern jázz モダンジャズ.
Nèw Órleans Jàzz ニューオーリンズ・スタイル(New Orleans style).
póp-jàzz 形 ポップジャズの.
progréssive jázz プログレッシブジャズ.

-ject /dʒékt, dʒikt, dʒekt/

連結形 投げられた.
★ 語末にくる関連形は -JECTION, -JECTIVE.
★ 語頭にくる関連形は jacu-: *jacu*late「〈槍・矢などを〉投げる,ほうる」.
◆ <ラ *-jectus*(*jacere*「投げる」の過去分詞連結形).
[発音] 名詞,形容詞では語頭の音節に,動詞では基体(-ject)に第1強勢;ただし,abjéct となることもある.

ab·ject 形 絶望的な;屈辱的な;惨めな.
ad·ject 動他 《古》(付け)加える.
de·ject 動他 気落ちさせる,落胆させる.
dis·ject 動他 散らす,散乱させる,離散させる.
e·ject 動他 追い出す,追い払う,放逐する.
in·ject 動他 〈液体を〉注入する,注射する.
in·ter·ject 動他 〈言葉などを〉不意に差し挟む.
in·tro·ject 動他自 〘精神分析〙(他人の行動様式・考えなどを)取り入れる.
ob·ject 名 ☞
proj·ect 名 ☞
re·ject 動他 拒絶する,断る,辞退する.
sub·ject 名 ☞
tra·ject 動他 《古》輸送する,運ぶ,移す.

-jec·tion /dʒékʃən/

連結形 投げられたもの[こと].
★ 名詞をつくる.
★ 語末にくる関連形は -JECT.
★ 語頭にくる関連形は jacu-, jet-: *jacu*late「〈槍・矢などを〉投げる,ほうる」, *jet*tison「投棄する」, *jet*ty「突堤」.
◆ <ラ *-jectus*(*jacere*「投げる」の連結形 *-jecere* の過去分詞). ⇨ -TION.
[発音] -jection の第1音節に第1強勢が置かれる.

ab·jec·tion 名 (身分の)卑しさ,下賤(げせん).
bi·jec·tion 名 〘数学〙(写像の)全単射.
de·jec·tion 名 元気のないこと,意気消沈,落胆.
e·jec·tion 名 追い出し,追い立て;追放,放逐.
in·jec·tion 名 ☞
in·ter·jec·tion 名 挿入,投入;差し挟まれた言葉.
in·tro·jec·tion 名 〘精神分析〙取り入れ,取り込み.
ob·jec·tion 名 異議,異論,異存,反対,不服.
pro·jec·tion 名 ☞
re·jec·tion 名 拒絶,却下,否定,排除.
sub·jec·tion 名 支配下に置くこと,征服すること.
sur·jec·tion 名 〘数学〙上への関数.
tra·jec·tion 名 《古》輸送;通過;透過,伝導.

-jec·tive /dʒéktiv, dʒiktiv/

連結形 投げられた.
★ 形容詞をつくる.
★ 語末にくる関連形は -JECT.
★ 語頭にくる関連形は jacu-: *jacu*late「〈槍・矢などを〉投げる,ほうる」.
◆ <ラ *jec-*(*jacere*「投げる」の連結形)＋-IVE¹.

ab·jec·tive 形 不面目な;風俗を乱す.
ad·jec·tive 名 ☞
e·jec·tive 形 放出に役立つ,放出する.
ob·jec·tive 名 ☞
pro·jec·tive 形 射影[投影]の[に関する].
sub·jec·tive 形 主観的な;個人的な.
sur·jec·tive 形 〘数学〙〈写像・関数が〉上への.

jel·ly /dʒéli/

名 ゼリー(菓子).

álmond jélly (中華料理の)杏仁豆腐.
cálf's-fòot jélly 子牛足ゼリー.
cómb jèlly 〘動物〙クシクラゲ.
míneral jèlly 〘化学〙ミネラルゼリー.
mínt jèlly ミントゼリー.
petróleum jélly 〘化学〙ワセリン,ペトロラタム.
róyal jélly ロイヤルゼリー,王乳.
Whárton's jèlly 〘解剖〙ワルトン膠質(こうしつ).

jerk /dʒɔ́ːrk/

名 **1** ぐいと引っぱること. **2** (無意識の)痙攣性筋肉運動.

ánkle jèrk アキレス腱(けん)反射.
círcle jèrk 《米俗》サークルジャーク:輪になってする集団マスターベーション.
knée jèrk 膝蓋腱(しつがいけん)反射.
knée-jèrk 形 反射的な.
sóda jèrk 《米話》soda fountain の売り子.

Je·sus /dʒíːzəs, -zəz | -zəs/

名 イエス,イエズス.

Chríst-all-Jésus 間 《米話》おや,とんでもない,ちくしょう.

Christ Jésus イエス, イエズス.
créeping Jésus 《英俗》逃げ隠れする人, 卑怯者.
East Jésus 《米俗》(ありきたりの)小さな田舎町.
mónkey Jésus 《カリブ俗》醜い人.
sléeping Jésus 《米俗》退屈なやつ.
swéet Jésus 《米俗》モルヒネ.

jet /dʒét/

名 **1**(液体・ガス・粉末などの)噴出, 噴流, 噴射, ジェット. **2**ジェット機. ◇ -JECT.

e·léc·tro·jèt 名 〘地球物理〙高層電流.
fán·jèt 名 〘航空〙ファンジェット.
gás jet (ガス装置の)火口, ガスバーナー.
íon jet 《米》〘航空〙イオンエンジン.
júmbo jet 《話》〘航空〙ジャンボジェット機.
júmp jet 〘航空〙ジャンプジェット.
méga-jèt 名 〘航空〙超大型ジェット機.
plásma jet 〘溶接〙プラズマジェット.
próp·jèt 名 〘航空〙プロペラジェット機.
púl·so·jèt 名 〘航空〙パルスジェットエンジン.
rám·jèt 名 〘航空〙ラムジェット.
re·sís·to·jèt 名 〘宇宙〙レジストエンジン.
sú·per·jèt 名 〘航空〙超音速ジェット機.
trí·jèt 名 〘航空〙三発ジェット機.
túr·bo·jèt 名 〘機械〙ターボジェットエンジン.
twín·jèt 名 〘航空〙ツイン [双発] ジェット機.
wá·ter·jèt 名 噴出する水, 噴水.

Jew /dʒúː/

名 **1**ユダヤ人, イスラエル人. **2**ユダヤ教徒.

Consérvative Jéw 保守派ユダヤ教徒.
Oriéntal Jéw (ヨーロッパ出身者と区別して)中東などで生まれ育った(イスラエルの)ユダヤ人.
Órthodox Jéw 正統派ユダヤ教徒.
Refórm Jéw 改革派ユダヤ教徒.
réf·u·jèw 名 《俗》(特に 1930 年代の)ユダヤ人避難民.
Wándering Jéw さまよえるユダヤ人.

jib /dʒíb/

名 〘海事〙ジブ, 船首三角帆.

cáp jìb キャップジブ.
flýing jìb フライングジブ.
Génoa jìb ゼノアジブ(genoa).
ínner jìb インナージブ.
mítered jìb マイタージブ, 斜め継ぎ三角帆.
óuter jìb アウタージブ.
réaching jìb =Genoa jib.
stórm jìb ストームジブ.

jig /dʒíg/

名 〘機械〙ジグ, 治具. ── 動他 **1**ジグで切る [処理する, 作る]. **2**〈井戸を〉振動削岩機で掘る.

jig-a-jig 名動自 =jig-jig.
jig-jig 名動自 激しい反復上下動(をする).
re·jig 動他 〈工場に〉新しい設備を入れる.
thing·a·ma·jig 名 《話》(名を忘れたり知らなかったりしたときの)なんとかいうやつ.

job /dʒáb | dʒɔ́b/

名 **1**仕事; 請負仕事; 《米》職. **2**《主に英話》事, 事件; 《話》難しい仕事. **3**《主に英俗》(役職などを利用した)不正行為. **4**《話》(際立った)もの [人]; (特に)自動車.

áx jòb 《話》=hatchet job.
bád jób 厄介なこと.
bág jòb 《主に米俗》不法侵入行為.
bláck-bág jòb 《米》秘密情報収集活動.
blów jòb 《俗》オーラルセックス.
brówn jób 《英俗》軍人, 兵隊.
bý-jòb 名 副業, アルバイト.
chúmp jòb 《英俗》薄給の定職.
cóffee-and-cáke jòb 《米俗》報酬の乏しい仕事.
cón jòb 《話》詐欺, ぺてん; 信用詐欺.
cówboy jòb 《米暗黒街俗》無鉄砲な強奪.
críb jòb 《米俗》老人をねらって襲う犯罪.
fráil jób 《米俗》セクシーな女(とのセックス).
gób jòb 《英》オーラルセックス.
gów jòb 《米俗》改造自動車(hot rod).
hánd jòb 《俗》手淫(しゅいん).
hátchet jòb 《話》悪意に満ちた批評 [振る舞い].
héad jòb 《俗》オーラルセックス.
hóspital jòb 《英》簡単な家の修繕仕事.
húm jòb 《米俗》オーラルセックス.
jáck jòb 《米学生俗》不当な扱い.
jóe-jòb 《話》退屈な [つまらない] 仕事.
júiced-ùp jób 《米俗》改造自動車(hot rod).
knób jòb 《米俗》フェラチオ.
méntal jòb 《米俗》精神障害者, 神経症患者.
nóse jòb 《話》(美容整形による)鼻形成(術).
ódd-jòb 動自 いろいろな片手間仕事をする.
óff-the-jób 形 仕事外の, 就業時間外の.
ón-the-jòb 形 実地の, 実習の; 職場での, 勤務中の.
páper bàg jób 《俗》醜い男 [女].
páste jòb 切り張り作品; 寄せ集め, ごたまぜ.
plástic jób 《話》形成外科(plastic surgery).
rám-jòb 《米俗》(強引な)セックス.
rázor jòb 《英話》手厳しい攻撃 [批判].
réam jòb 《俗》肛門接吻(analingus).
rím-jòb (オーラルセックスとしての)肛門接吻.
séx jòb 《俗》性欲をそそる人.
sháck jòb 《米俗》内縁の妻, 情婦.
slótted jób 《米俗》女.
snów jòb 《米俗》聞こえのいいことを言うこと.
sóup jòb 《米俗》(スピードの上がる)改造車.
stráight jòb 《米俗》(セミトレーラーと区別して)普通のトラック.
stréet jòb 《米俗》改造自動車(hot rod).
tánk jòb 《米俗》八百長ボクシング試合.
tápemèasure jòb 《米野球俗》特大ホームラン.
tóngue-jòb 《俗》フレンチキス, ディープキス.
tórch jòb 《米俗》放火.
wáll jòb 《米話》ウォールジョブ: 車検整備を請け負いながら, 整備はせずに料金を請求するインチキ.

job·ber /dʒábər | dʒɔ́b-/

名 **1**仲買人. **2**臨時作業員. ⇨ -ER[1].

désk jòbber 直送配給元.
dóuble-jóbber 仕事を掛け持ちする人.
lánd-jòbber 土地投機師, 土地仲買人.
ódd-jóbber 半端仕事をする人; 臨時雇い.
stóck·jòbber 《米》《しばしば軽蔑的》相場師.
trúck jòbber トラック積み卸売商.
wágon jòbber =truck jobber.

jock /dʒák | dʒɔ́k/

名 《話》**1**(競馬の)騎手. **2**ディスクジョッキー. ►jockey の短縮形.

lóx jòck 《俗》ユダヤ人.
róck jòck 《俗》山登り愛好家, 登山家.
shóck jòck 冒瀆的な言葉でわざと聴取者を怒ら

	せるディスクジョッキー番組.
vídeo jòck	《米俗》ビデオジョッキー.

jock·ey /dʒáki \| dʒɔ́ki/

名 **1** (競馬の)騎手. **2** 運転者, 操縦者. **3** (手の込んだものを)扱う人, 操作する人. ▶俗語で用いる. ⇨ -EY².

bénch jòckey	〖主に野球〗ベンチから盛んに審判や相手選手を野次る選手.
blíp jòckey	《米軍俗》レーダー探知機のモニター係.
cár jòckey	《米》駐車場の操車係.
désk jòckey	《米俗》事務職員.
dísc jòckey	ディスクジョッキー.
dísco jòckey	《米》ディスコジョッキー: ディスコのレコード係.
dísk jòckey	=disc jockey.
gín jòckey	《豪俗》原住民の女を妻とする白人の男.
jéep-jòckey	《米軍俗》トラック運転手.
júmp jòckey	《英》障害物競馬の騎手.
òut·jóck·ey 動他	奇計を用いて勝つ, 出し抜く.
píng jòckey	《米俗》=blip jockey.
pípe-jòckey	《米空軍俗》ジェット戦闘機のパイロット.
plów jòckey	《米俗》田舎者.
psých-jòckey	《米俗》サイクジョッキー: テレビ・ラジオの視聴者参加番組のホスト役または相談相手.
púmp jòckey	《英俗》ガソリンスタンドの店員.
róad jòckey	《米俗》トレーラーの運転手.
sóup jòckey	《米俗》ウエーター, ウエートレス.
swáb jòckey	《米俗》甲板掃除をする水兵; 水兵.
tálk jòckey	《米》トークジョッキー: 電話で聴取者が参加するラジオ番組の司会.
vídeo jòckey	ビデオジョッキー: テレビ音楽番組・ディスコなどで, ビデオテープをかけながらおしゃべりする人.

Joe /dʒóu/

名《話》やつ, 男.

cóuntry Jòe	《米俗》地元の警官.
GÍ Jòe	《米話》(特に第二次世界大戦中の)米陸軍の徴募兵, アメリカ兵.
góod Jóe	《話》心の温かい気立てのよい人.
Hóly Jóe	《俗》(特に米軍の)従軍牧師.
líttle Jóe	リトルジョー: さいころ博打(ばくち)で, 一振りで合計4を出すこと.
óld Jóe	《米俗》性病, 梅毒.
Póor Jóe	《米》サギ: サギ科の鳥.
quálity Jòe	《米俗》まともな(男の)人.
Rándom Jóe	《米俗》誰かさん.
síx-pàck Jóe	《米話》平均的な米国人.
Slóppy Jóe	《俗》スラッピージョー: トマト[バーベキュー]ソースなどで味付けした牛のひき肉をのせた丸パン.
St. Jóe	《話》セントジョーセフ(米国の都市名).

John /dʒán \| dʒɔ́n/

名 **1** 男子の名. **2**《時に j-》男, やつ.

Ámy-Jòhn	《米同性愛俗》(特に男役の)レズ.
bíg Jóhn	《犯罪俗》警官, お巡り.
blúe jòhn	青または紫色のほたる石.
Déar Jóhn	《米話》(女性が恋人・婚約者にあてた)絶交状, 婚約破棄状.
dúmb·jòhn	《米俗》だまされやすい人,「かも」.
fírst jóhn	《軍俗》中尉(first lieutenant).
hárd Jóhn	《米暗黒街俗》FBI 捜査官.
Hónest Jóhn	《話》正直で誠実な男, 正直者.
hópping Jòhn	《米南部》ホッピングジョン: シチューの一種.
Líttle Jóhn	ちびのジョン, リトル・ジョン: Robin Hood の部下で巨体怪力の郷士.
mén's jòhn	《米俗》男トイレ.
Préster Jóhn	プレスター・ジョン: 中世の伝説上のキリスト教修道君主.
Sàint Jóhn	セントジョン(カナダの都市名).
sécond jóhn	《米陸軍俗》少尉.
squáre Jóhn	《米暗黒街俗》正直者; 善良な市民.
swéet Jóhn	《古》アメリカナデシコ.

join /dʒɔ́in/

動他〈物を〉(…に)接合する, 留める.

ad·join 動他	〈家などが〉…に近接している.
con·join 動他自	結合[連接, 連合, 合同]する.
dis·join 動他	引き離す, 切り離す, 分離する.
en·join 動他	…を(…に)指示する, 申しつける.
in·ter·join 動他自	結合する, 結びつける[つく].
re·join¹ 動他	〈仲間・団体に〉再び加わる.
re·join² 動他	…と答える.
sub·join 動自	…を(…に)追加[付言, 付記]する.
un·join 動他	〈結合物を〉分離する, 分ける.

join·der /dʒɔ́indər/

名 結合, 接合, 連合, 合同. ⇨ -ER³.

mis·join·der 名	〖法律〗誤った併合.
non·join·der 名	〖法律〗(必要当事者の)不併合.
sub·join·der 名	追加されたもの, 付言, 付記.

joint /dʒɔ́int/

名 **1** 接合箇所, 継ぎ目; 〖機械〗継ぎ手. **2**〖解剖〗〖動物〗関節(部). **3**《俗》マリファナタバコ. **4**《俗》不潔な[いかがわしい]遊興場所. ── 動他 …を継ぎ合わせる.

ád·joint 名	〖数学〗随伴行列.
artículated jóint	〖解剖〗関節.
báll-and-sócket jòint	〖解剖〗球関節, 球窩(きゅうか)関節.
báll jòint	〖機械〗玉継ぎ手.
béaking jòint	〖木工〗芋継ぎ.
béer jòint	《俗》居酒屋.
bével jòint	〖木工〗そぎ継ぎ.
bílk jòint	《米俗》(客から)ぼる店.
bóoze jòint	《米俗》酒場, 飲み屋.
brídle jòint	〖木工〗嚙接(かみあわ)ぎ.
búst-out jòint	《米俗》いかさま賭博場.
bútt jòint	〖建築施工〗突き合わせ継ぎ手.
cáll jòint	《米俗》あいびき宿.
Cárdan jòint	〖機械〗カルダン自在継ぎ手.
chíli·jòint	《米俗》安食堂.
chíppy jòint	《俗》売春宿.
Ć-jòint 名	=coke joint.
clíp jòint	《俗》ぼる店.
cóffin jòint	〖獣医〗(馬などの)蹄(ひづめ)関節.
cóke jòint	《米麻薬俗》コカインの密売場所.
colúmnar jòint	〖地質〗柱状節理.
cómpromise jòint	〖鉄道〗異形継ぎ目.
con·jóint 形	結合[連合]した, 合同の.
cónstant-velócity jòint	〖自動車〗コンスタント・ベロシティ・ジョイント.
contráction jòint	〖建築〗〖土木〗収縮目地(めじ).
cóopered jòint	〖木工〗多角形の細工物に用いる継ぎ手.
créep jòint	(毎晩, 場所を変える)賭博場.
cróaker jòint	《米俗》病院.
crúmb jòint	《米渡り労働者俗》安宿, 木賃宿.
crýstal jòint	《米俗》(幻覚剤で)PCP.

dis·jóint 動他 …の継ぎ目を離す, 関節を外す.
dúmmy jòint 〘建築〙めくら目地(めじ).
Énglish jóint 《米俗》麻薬入りタバコ.
expánsion jòint 〘建築〙伸縮 [膨張] 継ぎ手.
fácet jòint 〘解剖〙面関節.
fág-jòint 《米俗》ホモのたまり場 [酒場].
féather jòint 〘木工〙雇い実矧(さねはぎ).
fínger jòint 〘木工〙フィンガージョイント.
físh jòint 〘機械〙添え継ぎ, 添接.
flát-jòint 《米俗》(金目当ての)ゲーム, 賭博.
Ǵ-jòint 《米俗》連邦刑務所.
glíding jòint 〘解剖〙全動関節, 球状 [球面] 関節.
gráb-jòint 《米俗》露店, 出店.
gréase jòint 《米俗》料理小屋, 食事用テント.
gýp jòint 《米話》(客から)ぼる店.
hálf-blìnd jóint 〘建築〙包み蟻(あり).
hálf-làp jóint 〘建築〙相欠き(接合).
hám jòint 《米俗》(犯罪者のたまり場の)安食堂.
hásh jòint 《米俗》安食堂 [下宿].
héavy jóint 《米俗》PCP を先端に塗ったマリファナタバコ.
hínge jòint 〘解剖〙ちょうつがい関節.
híp jòint 〘解剖〙股(こ)関節.
Hóoke's jóint 〘機械〙フック継ぎ.
hóp-jòint 《米俗》安酒場.
júice-jòint 《米俗》バー, クラブ.
júke jòint 《米俗》大衆食堂, 酒場.
knée jòint 〘解剖〙膝(ひざ)関節.
knúckle jòint 〘解剖〙指関節; 指の付け根の関節.
krístal jòint =crystal joint.
krýstal jòint =crystal joint.
láp dóvetail jòint =half-blind joint.
láp jòint 〘建築〙〘木工〙重ね継ぎ手.
léad jòint 《米俗》(遊園地などの)射的場.
lóbster jòint 〘建築〙(パイプの)自在接合部.
míter jòint 〘建築〙留(とめ), 合掌継ぎ手.
mítt jòint 《米俗》手相見小屋.
mórtise jòint 〘建築〙ほぞ差し, ほぞ接ぎ.
múg jòint 《米俗》スピード写真を撮る仮小屋.
mùltiáxial jóint 〘解剖〙多軸関節.
óne-àrm jòint 《米俗》(ひじ掛けに小テーブルが付いた椅子を用いる)小食堂.
pín jòint 〘機械〙ピン継手.
pívot jòint 〘解剖〙滑車 [車軸] 関節.
plúmb jòint 〘板金〙はんだ継ぎ.
rábbet jòint 〘木工〙実(さね)接ぎ.
ríb-jòint 《米俗》売春宿.
ríght jòint 《米暗黒街俗》まともな賭博場.
róll jòint 〘建築〙薄板金の巻き合わせ目.
rúb jòint 《米俗》ホステスのいる安ダンスホール.
rúg jòint 《米俗》豪華なナイトクラブ.
rúle jòint 〘木工〙ひじ継ぎ.
rústic jòint 〘石工〙面取り目地.
rúst jòint 〘建築〙さびで水密性を保つ継ぎ手.
sáddle jòint 〘石工〙鞍(くら)目継ぎ.
scárf jòint 〘建築〙台持ち継ぎ.
scátter-jòint 《米暗黒街俗》ナイトクラブ.
sháckle jòint 〘機械〙シャックル継手.
shéar jòint 〘地質〙剪断(せんだん)節理.
slíp jòint 〘石工〙滑り継ぎ手.
squáre jòint 《俗》(普通の)紙巻きタバコ.
squéezed jòint 〘建築施工〙圧搾継ぎ.
stráight jòint 〘建築施工〙芋目地(いもめじ).
strúck jòint 〘石工〙こての一なでで仕上げたしっくいの目地.
súb·jòint 名 〘動物〙(節足動物などの)副関節.
Súnday jòint 英国で日曜日に食べる伝統的昼食.
sú·per·jòint 名 =crystal joint.
sýpher jòint 〘建築〙削(そ)ぎ接(は)ぎ.
tée-jòint 〘機械〙=T-joint.
T́-jòint 〘機械〙T 継ぎ手.
tóggle jòint 〘機械〙トグル継ぎ手 [装置].
tóngue-and-gróove jòint 〘木工〙実矧(さねはぎ), 実継ぎ.
Ú-jòint =universal joint.
univérsal jóint 〘機械〙自在 [万能] 継ぎ手.
ùn·jóint 動他 …の結び目を解く, 継ぎ目を外す.
V́ jòint 〘石工〙薬研(やげん)接ぎ.
wáter jòint 〘機械〙水密 [防水] 継ぎ手.
wéather jòint 〘建築〙水切り目地, 鎬(しのぎ)目地.

joist /dʒɔ́ist/

名 〘建築〙(床・天井などを支える)小梁(こばり), 根太(ねだ).

bár jòist 上弦材と下弦材の間に 1 本の鋼材をジグザグ状に渡してある合成梁.
cómmon jóist 根太.
ín·ter·jòist 名 小梁と小梁 [根太と根太] との間隔.
kéystone jòist 底面よりも上の方が広く側面が傾斜した鉄筋コンクリートの床梁.
náiler jòist 木製床板を釘打ちできるように, 細材の取りつけられている鋼鉄製の根太.
rólled-stéel jòist I 形鋼.
táil jòist 半端根太.

joke /dʒóuk/

名 冗談, しゃれ; おどけ, ふざけ; 冷やかし, からかい.

dírty jóke ひわいなジョーク.
ín-jòke 仲間うちのジョーク(inside joke).
knock-knock jóke ノック・ノック・ジョーク, 掛け合いの言葉遊び.
práctical jóke (実害を及ぼす)いたずら, 悪ふざけ.
rúnning jóke 繰り返し用いられる冗談.

-journ /dʒə́ːrn/

連結形 日を…する.
★ 語末にくる関連形は -DIAN.
★ 語頭にくる形は journ-, di-: *journ*alism「新聞, 雑誌」, *di*ary「日記」.
◆ 後期ラテン語 *diurnum*「日」より.

ad·journ 動他 〈議会などを〉(次回まで)休会する.
so·journ 名 (一時的な)逗留(とうりゅう), 滞在.

jour·nal·ism /dʒə́ːrnəlìzm/

名 報道業(界), ジャーナリズム. ⇨ -ISM[1].

ádvocacy jòurnalism 特定の主義を支持する報道.
bónk jòurnalism 《軽蔑的》ゴシップジャーナリズム.
bróadcast jòurnalism 放送ジャーナリズム.
chéckbook jóurnalism 札束報道主義, 小切手ジャーナリズム.
cútting-ròom jóurnalism 《軽蔑的》(記事の切り抜きを基に記事を書く)切り抜きジャーナリズム.
drìve-by jóurnalism 《米》わっと来てすぐに立ち去るジャーナリズム.
electrónic jóurnalism 《特に米》テレビ報道.
gónzo jòurnalism 独断と偏見に満ちた報道.
invéstigative jóurnalism (新聞・放送などの)調査[追跡]報道.
Néw Jóurnalism ニュージャーナリズム.
páck jòurnalism 寄り合い報道, 報道軍団.
pàra·jóurnalism パラジャーナリズム: 記者や編集者の見解を色濃く反映した報道スタイル.
péople jòurnalism 有名人・話題の人を扱った写真中心の雑誌ジャーナリズム.
phòto·jóurnalism 写真を主体にした新聞・雑誌.
print jòurnalism 新聞・雑誌ジャーナリズム, 活字メディア.
sílk-pajáma jòurnalism 有名人訪問インタビュー番組.
vídeo jòurnalism 〘テレビ〙映像ジャーナリズム.
yéllow jóurnalism イエロージャーナリズム: 19 世紀末

J

New York 州の日曜版新聞の一面に掲載されたこま割り漫画.

jour·ney /dʒə́ːrni/

名 (通例長期間の)旅行, 旅.

Níght Jòurney 【イスラム教】夜の旅.
Sábbath day's jóurney (ユダヤ人に許された)安息日の旅行行程; 約⅔マイル.

joy /dʒɔ́i/

名 喜び, うれしさ, 歓喜; 意気揚々, 大得意.

cócky's jòy 《豪俗》ゴールデンシロップ: 調理用・食卓用の精製シロップ.
en·jóy 動他 …を面白く[楽しく]味わう, 楽しむ.
kíll-jòy 興をそぐ人[もの].
Móunt Jóy 《米俗》女陰.
ò·ver·jóy 動他 大喜びさせる.
pówder jòy 《米俗》麻薬.
tráveler's-jòy 【植物】キンポウゲ科センニンソウ属の蔓(つる)性低木ヴィタルバ.

ju·bi·lee /dʒúːbəlìː, ⌐ − ⌐/

名 記念祭.

chérries júbilee バニラアイスクリームに黒いサクランボを載せたデザート.
díamond júbilee 60 年または 75 年祭.
extraórdinary júbilee 特別臨時の聖年.
gólden júbilee 50 年祭.
órdinary júbilee 【ローマカトリック】(通例 25 年ごとの)聖年.
sílver júbilee 25 年祭.

judge /dʒʌ́dʒ/

名 **1** 裁判官, 判事; 治安判事. **2** (競技・討論などの)審査員, 審判員. ── 動他 …を裁く. ── 自 判定を下す.

admínistrative-láw jùdge 《米》行政法審判官.
báck jùdge 【アメフト】バックジャッジ, 後審.
Chíef Júdge 《米》【法律】首席裁判官.
círcuit júdge 《米》巡回裁判官.
dístrict cóurt jùdge 《豪・NZ》微罪[下級]裁判所の裁判官.
dístrict jùdge 《米》地方裁判所裁判官.
fíeld jùdge 【陸上】フィールド審判員.
fore·júdge[1] 動他 …を前もって判断する, 予断を下す.
fore·júdge[2] 動他 =forjudge.
for·júdge 動他 【法律】〈人を〉失権させる.
líne jùdge 【スポーツ】線審, ラインジャッジ.
mis·júdge 動他自 誤った[公正を欠いた]判断をする.
prè·júdge 動他 前もって判断する.
rént-a-jùdge (引退した元判事で係争の調停をする)民間判事.
tóuch jùdge 【ラグビー】タッチジャッジ, 線審.
tríal jùdge 【法律】事実審[第一審]裁判官.

judg·ment /dʒʌ́dʒmənt/

名 **1** 判定; 審査. **2** 【法律】判決. ⇨ -MENT.

ad·júdg·ment 名 【法律】判決, 宣告; 判定.
compárative júdgment 【心理】比較判断.
consént jùdgment 【法律】和解判決, 裁判上の和解.
decláratory júdgment 【法律】宣言的判決, 確認判決.
defíciency jùdgment 【法律】不足金[残債務]判決.
Fínal Júdgment 【キリスト教】最後の審判.
Lást Júdgment 【キリスト教】=Final Judgement.
Partícular Júdgment 【キリスト教】部分審判.
prívate júdgment 個人的意見[判断].
sélf-júdgment 【心理】自己判断[評価, 批判].
súmmary júdgment 【法律】事実審理なしの判決.
válue jùdgment 価値判断.

jug /dʒʌ́g/

名 **1** 水差し, 壺(つぼ). **2** 《俗》刑務所.

féderal júg 《米俗》連邦刑務所.
púzzle jùg パズルジョッキ, びっくり瓶.
stóne jùg 《俗》刑務所(jug).
vácuum jùg 魔法瓶(vacuum bottle).

ju·gate /dʒúːgeit, -gət/

形 **1** 【植物】(羽状(うじょう)複葉のように)〈葉が〉対になっている. **2** 【生物】対になった, 共軛(きょうやく)した, 隆起のある. ⇨ -ATE[1].
[発音] 語尾の発音は, 動詞では /dʒugéit/, 名詞, 形容詞では /dʒugət, dʒugeit/.

ad·ju·gate 名 《まれ》【数学】随伴行列.
bi·ju·gate 形 〈葉が〉2 対の小葉のある.
con·ju·gate 名 ☞
sub·ju·gate 動他 支配[統治]下に置く, 征服する.
tri·ju·gate 形 3 対の小葉を持つ.
u·nij·u·gate 形 〈羽状葉が〉一対の小葉から成る.

juice /dʒúːs/

名 (果物・野菜・肉などの)汁, 液, ジュース.

ballóon jùice 《米俗》中味のないおしゃべり.
bíg júice 《米黒人俗》悪(わる)の大物.
B.Ó. júice 《米学生俗》わきが止め. ►B.O. は body odor の略
búg·jùice 《米俗》(下等な)アルコール飲料.
cáctus júice 《米話》テキーラ(tequila).
cáper-jùice 《米俗》ウイスキー.
córn júice 《話》ウイスキー, (特に)コーンウイスキー(corn whiskey).
ców-jùice 《俗》牛乳, ミルク.
cúbe júice 《米俗》モルヒネ.
cúnt júice 《米俗》愛液.
dóg júice 《米黒人俗》安酒.
gástric júice 胃液.
gó-jùice 《俗》ガソリン.
gorílla júice 《米俗》(筋肉増強用)ステロイド.
háppy-júice 《米俗》酒.
ídiot júice 《米話》ひいたナツメグに水を加えた飲料.
jóy-jùice 《俗》酒, (特に)ビール.
júngle jùice 《俗》(自家製の)強いアルコール飲料.
júniper júice 《米俗》ジン, ジュニーパ(gin).
lífer júice 《米俗》コーヒー.
líme júice ライムジュース.
lóve júice 愛液; 《米俗》精液.
móo júice 《おどけて》牛乳.
pancreátic júice 【生化学】膵液(すいえき).
pán júice 肉を焼いている間に出てくる肉汁.
pánther júice 《主に米俗》強い酒, (特に)密造酒.
prúne-júice プルーンジュース; 強い酒.
snáke júice 《主に豪俗》(特に自家製の)強いアルコール飲料; (一般に)きつい酒.
tarántula júice 《米話》質の悪い強いウイスキー.
tíger júice 《米話》強い酒; 安酒.
tobácco júice かみタバコ・喫煙のために茶色になった唾液.
tornádo júice 《米話》(強い)ウイスキー.
torpédo júice 《米軍俗》(有り合わせの材料で作っ

た即席の)アルコール飲料. ►本来は torpedo fuel から抽出された.

vagína jùice 《米俗》愛液.

vér·jùice 名 ベルジュース: 酸っぱい果汁から作る飲料.

ju·jube /dʒúːdʒuːb/

名 〖植物〗ナツメ.

Chínese jújube ナツメ(Chinese date).

cóttony jújube ＝Indian jujube.

Índian jújube クロウメモドキ科ナツメ属の常緑低木.

jump /dʒʌ́mp/

動自 跳ぶ, 跳躍する. ──他 跳び越える. ──名 跳躍; ジャンプ競技.

báck jùmp 《米黒人俗》肛門性交.

BÁSE júmp (航空機からでなく)高いビルや崖からのパラシュート降下.

bróad jùmp 〖陸上競技〗＝long jump.

bróad-jùmp 動自 〖陸上競技〗＝long-jump.

búck·jùmp 動自名 〈馬が〉跳ね上がる(こと).

búngee-jùmp 動自 バンジージャンプをする.

cénter júmp 〖バスケット〗センタージャンプ.

dóuble júmp 〖チェス〗ポーン(pawn)が最初だけ一度に 2 ます進むこと.

flíp jùmp 〖フィギュアスケート〗トウサルコウ・ジャンプ.

flýing júmp 走り(幅)跳び.

hígh jùmp 〖陸上競技〗走り高跳び.

hígh-jùmp 動自 〖陸上競技〗走り高跳びをする.

lóng júmp 〖陸上競技〗走り幅跳び.

lóng-jùmp 動自 〖陸上競技〗走り幅跳びをする.

òut·júmp 動他 …よりも高く[上手に]跳ぶ.

òver·júmp 動他自 (…を)飛び越える.

píg-jùmp 動自名 《豪俗》〈馬が〉跳ねる(こと).

póle jùmp 〖陸上競技〗棒高跳び.

póle-jùmp 動自 〖陸上競技〗棒高跳びをする.

púddle-jùmp 動他自 《話》(短距離を)軽飛行機を飛ばす.

quántum jùmp 〖物理〗量子飛躍.

quéue-jùmp 動自 《話》列に割り込む.

rúnning júmp 走り(幅)跳び.

shów·jùmp 動自 〖馬術〗障害飛越(ひえつ)をする.

skí jùmp スキージャンプ場, シャンツェ.

táp lòop júmp 〖スケート〗トループ.

tóe jùmp 〖スケート〗トージャンプ.

tríple júmp 〖陸上競技〗三段飛び. ►hop, step and jump ともいう.

wáter jùmp 〖馬術〗水濠(すいごう).

jump·er /dʒʌ́mpər/

名 跳ぶ人[動物]. ⇨ -ER[1].

bóunty jùmper 米国南北戦争のころ, 入隊奨励金をもらうと脱走してしまった兵士.

búck·jùmper 《豪》暴れ馬, 跳ね馬.

cláim-jùmper 《米》権利奪取者.

cóunt·er·jùmp·er 名 《古風》《英俗》店員, 売り子.

gúlly-jùmper 《米俗》百姓, 農夫.

gúm jùmper 〖植物〗サンダラックノキ.

hígh jùmper 走り高跳びの選手.

jólly júmper 〖海事〗ジョリージャンパー.

móther·jùmper 《米俗》嫌なやつ.

párlor jùmper 押入り強盗.

púddle-jùmper 《俗》軽飛行機, 短距離用飛行機.

smóke·jùmper 森林消防降下隊員.

stúbble-jùmper 《主にカナダ俗》大草原の農夫.

stúmp-jùmper 《米》農夫, 百姓.

trée jùmper 《米刑務所俗》痴漢.

jump·ing /dʒʌ́mpiŋ/

名 ジャンプすること. ⇨ -ING[1].

búck·jùmping 《豪》ロデオの暴れ馬乗り競技.

búngee jùmping バンジージャンプ.

shów jùmping 〖馬術〗障害飛越(ひえつ)(競技).

skí jùmping スキージャンプ, ジャンプ競技.

-junct /dʒʌŋkt, dʒʌ́ŋkt/

連結形 つながれた(もの).

★ 語末にくる関連形は -JUNCTIVE.

★ 語頭にくる関連形は junc-: *junc*ture「(重大な)時点, 時期」.

◆ <ラ *junctus*(*jungere*「つなぐ」の過去分詞).

[発音] 名詞では語頭の音節に, 動詞, 形容詞では基体(-junct)に第 1 強勢; ただし, 形容詞で cónjunct となることもある.

ad·junct 名 (…の)付加物, 付属物, 添え物.

con·junct 形 (…と)結合[連結]した.

dis·junct 形 離れた, 分離した.

in·junct 動他 《話》禁じる, 差し止める.

junc·tion /dʒʌ́ŋkʃən/

名 連結, 接合, 結合. ⇨ -TION.

ab·júnc·tion 名 〖菌類〗緊扼(きんやく), 隔壁分離, 隔裂.

ad·júnc·tion 名 付加, 付属, 添付.

álloyed júnction 合金接合.

bóx júnction 《英》ボックス交差点.

con·júnc·tion 名 ☞

diffúsed júnction 〖電子工学〗拡散接合.

dis·júnc·tion 名 離すこと, 離れていること; 分離.

gáp jùnction 〖生物〗〖細胞生物〗ギャップ結合.

hètero·júnction 〖電子工学〗ヘテロ接合.

in·júnc·tion 名 〖法律〗(…に対する)差し止め命令.

Jósephson jùnction 〖電気工学〗ジョセフソン接合.

p̍-ń jùnction 〖電子工学〗pn 接合.

sándwich jùnction 《英》立体型ジャンクション.

spaghétti jùnction 《英》高速道路が複雑に交差したインターチェンジ.

sub·júnc·tion 名 追加, 増補, 付記; 追加された状態.

thèrmo·júnction 名 〖電気〗熱電接点.

T̍-jùnction T 字路; T 字型接合部.

tuxédo jùnction 《米俗》ジャズファンの集まる場所.

-junc·tive /dʒʌ́ŋktiv/

連結形 つながれた….

★ 形容詞をつくる.

★ 語末にくる関連形は -JUNCT.

★ 語頭にくる関連形は junc-: *junc*ture「(重大な)時点, 時期」.

◆ <ラ *junctus*(*jungere*「つなぐ」の過去分詞). ⇨ -IVE[1].

ad·junc·tive 形 付加の, 付属の, 付属的な; 補助の.

con·junc·tive 形 結合[連結]する.

dis·junc·tive 形 分離する, 引き離す; 区別する.

in·junc·tive 形 命令的な, 指示する; 勧告的な.

sub·junc·tive 形 〖文法〗仮定法の, 叙想法の.

junc·ture /dʒʌ́ŋktʃər/

名 **1** (重大な)時点, 時期, 転機; 重大な情勢[局面], 危機. **2** 〖音声〗連接. ⇨ -URE[1].

clóse júncture 〖音声〗閉連接.

con·júnc·ture 名 巡り合わせ, 局面, 状況.

dis·júnc·ture 名 分離すること(disjunction).

J

ópen júncture 〖音声〗開放連接.
plús jùncture =open juncture.
términal júncture 〖音声〗末尾連接.

jun·gle /dʒʌ́ŋgl/

名 (熱帯の)密林(地帯), ジャングル; (一般に)植物の密生地, 湿地帯.

ásphalt júngle 《米話》アスファルトジャングル, (犯罪と暴力がはびこる)大都会.
bláckboard júngle 《話》暴力学園.
hóbo jùngle 《米俗》スラム街.
intélligent jùngle (ダンス音楽で)インテリジェント・ジャングル.

ju·ni·per /dʒúːnəpər/

名 〖植物〗ビャクシン(柏槙).

Chínese júniper イブキ, イブキビャクシン.
créeping júniper アメリカハイネズ.
néedle jùniper ネズ.
Rócky Móuntain júniper トショウ(杜松).

-jure /dʒúər, dʒər/

連結形 誓う.
◆ ラテン語 *jūrāre*「誓う」より.

ab·jure 動他 …を断固として放棄する [捨てる].
ad·jure 動他 (…するように)厳命する.
con·jure 動他 魔法をかける [かけたようにする].
ob·jure 動自他 《まれ》誓う, 誓わせる.
per·jure 動他 (正式の宣誓の上で)偽証する.

ju·ry /dʒúəri/

名 〖法律〗(宣誓の上, 諸問事項について評決または回答する)答申委員団, 審査員団. ◇ -JURE.

blúe-rìbbon júry 《米》特別陪審.
cómmon júry 普通陪審, 小陪審.
córoner's júry 検死陪審.
gránd júry 《米》大陪審, 起訴陪審.
húng júry 評決不能の陪審, (陪審の)評決不能.
nòn·jú·ry 形 陪審員なしで行われる.
pér·ju·ry 名 偽証(罪).
pétit júry =petty jury.
pétty júry 《米》小陪審, 審理 [公判] 陪審.
spécial júry =struck jury.
strúck júry 《米》特別(選定)陪審.
tráverse júry =petty jury.
tríal jùry =petty jury.

jus·tice /dʒʌ́stis/

名 **1** 正義; 正直; 公平. **2** 司法官, 裁判官; 治安判事.
⇨ -ICE[1].

chíef jústice 〖法律〗首席裁判官, 裁判長.
córridor jùstice 《カナダ》(正規の手続きを踏まない)司法取引.
díscount jústice 《米法》割引有罪取引.
in·jús·tice 名 不正; 不法, 不当; 不公平.
Lórd Chìef Jústice (英国高等法院王座部の)首席裁判官.
Lòrd Jústice (英国の)控訴院裁判官.
nátural jústice 〖法律〗自然的正義.
poétic jústice (詩や小説に見られる)因果応報の理念.
polı́ce jústice 警察裁判所判事.
róugh-jústice ほぼ公平な扱い.

K

kale /kéil/

名 〘植物〙ケール, ハゴロモカンラン(羽衣甘藍).

cúrly kàle	葉にしわがあるキャベツ.
rúvo kàle	ブロッコリカブ(broccoli rabe).
Scótch kále	スコッチケール.
séa kàle	ハマナ(浜菜).
thóusand-hèaded kále	サウザンド・ヘッデッド・ケール.
Wèst Índian kále	テンナンショウ科の植物(malanga).

kan·ga·roo /kæ̀ŋgərúː/

名 〘動物〙カンガルー.

gréat gráy kangaróo	オオカンガルー.
Lúmholtz's kangaróo	カオグロキノボリカンガルー.
rát-kangaròo	ネズミカンガルー.
réd kangaróo	アカカンガルー.
róck kangaròo	イワワラビー(rock wallaby).
trée kangaròo	キノボリカンガルー.

-kar·y·on /kǽriàn | -ɔ̀n, -riən/

連結形 〘生物〙核.
★ 語頭にくる形は caryo-, karyo-: *caryo*psis「穀果」, *karyo*logy「(細胞)核学」.
◆ ギリシャ語 *káryon* より.

am·phi·kar·y·on 名	倍数核, 複相核.
hem·i·kar·y·on 名	半数核.
het·er·o·kar·y·on 名	ヘテロカリオン, 異核共存体.
per·i·kar·y·on 名	細胞体, 周核体(cell body).
pro·kar·y·on 名	原核生物の核(膜).
syn·kar·y·on 名	〘細胞生物〙(融)合核.

keel /kíːl/

名 〘海事〙竜骨, キール.

bílge kèel	湾曲部竜骨, ビルジキール.
bóx kèel	箱形キール, ダクトキール.
búlb kèel	球状竜骨.
dócking kèel	ドッキングキール, 入渠(にゅうきょ)竜骨.
dróp kèel	センターボード, 垂下竜骨.
dúct kèel	=box keel.
fálse kéel	張り付けキール, 仮竜骨.
fín kéel	深竜骨.

keep /kíːp/

動他 保有する. ——名《古》保存[管理](者).

bar·keep 名	《米》酒場の主人.
house·keep 動自	家事を切り盛りする.
up·keep 名	(家具・土地・機械などの)維持, 保存.

keep·er /kíːpər/

名 **1** (刑務所・門などの)番人. **2** 店主, 経営者. **3** 世話[手入れ]をする人. **4**《主に英》管理者. ⇨ -ER[1].

bár·kèeper	《米》酒場の主人, バー経営者.
bée·kèeper	養蜂(ようほう)家.
bóok·kèeper	簿記係.
bóx·kèeper	(劇場の)ボックス席係, 桟敷係.
cáse·kèeper	〘トランプ〙(ファロで)出てくるカードの得点数を casebox に記録する人.
cóst kèeper	原価計算係.
crów·kèeper	《英方言》カラス追い.
dóor·kèeper	守衛, 門衛.
gáme·kèeper	猟場管理人.
gáte·kèeper	門番, 門衛, 守衛; 踏切番.
góal·kèeper	〘スポーツ〙ゴールキーパー.
gréen·kèeper	=greenskeeper.
gréens·kèeper	グリーンキーパー.
gróund·kèeper	=groundskeeper.
gróunds·kèeper	(公園・共同墓地などの)用地管理人.
hotél·kèeper	ホテル経営者[所有者].
hóuse·kèeper	(しばしば雇われて)家事をする人.
ínn·kèeper	宿屋[居酒屋]の主人[経営者].
líghthouse kèeper	灯台守.
lóck·kèeper	水門管理人.
nét·kèeper	=goalkeeper.
párk kèeper	《英》公園管理人.
péace·kèeper	調停者, 執りなし役.
quárterback kéeper	〘アメフト〙クォーターバック・キーパー.
salóon kèeper	《米》酒場[バー]の主人.
scóre·kèeper	公式記録員, 記録係.
shóp·kèeper	《主に英》=storekeeper.
stóck·kèeper	在庫品管理者.
stóre·kèeper	《主に米》商店経営者, 商店主.
tíme·kèeper	時間を記録する人[もの].
tóll·kèeper	(料金所の)通行料金徴収係.
wátch·kèeper	見張り人.
wícket·kèeper	〘クリケット〙ウイケットキーパー.
zóo·kèeper	(動物園の)飼育係; 動物園職員.

keep·ing /kíːpiŋ/

名 **1** 保有, 維持, 保存. **2** 扶養, 飼育. ——形 守り続ける, 閉じこもる. ⇨ -ING[1], -ING[2].

bée·kèeping 名	ミツバチ飼育, 養蜂(ようほう).
bóok·kèeping 名	簿記.
hóme·kèeping 形	家にばかりいる, 出不精な.
hóuse·kèeping 名	所帯を持つこと.
péace·kèeping 名	平和維持.
récord·kèeping 名	(活動の)記録を取ること.
sáfe·kéeping 名	保管, 保護, 世話.
státion-kèeping 名	巡航適正位置の維持.

-keit /kàit/

接尾辞 形容詞について名詞をつくる.
◆ ドイツ語より.

e·wig·keit 名	《英》永遠.
Ge·müt·lich·keit 名	温かい友情; 居心地のよさ.
In·nig·keit 名	情感の深さ.
nar·resh·keit 名	《米俗》ばかばかしさ.
Sach·lich·keit 名	即物性.
Schreck·lich·keit 名	(国家政策としての)恐怖.

Yid·dish·keit 名 ユダヤ人の伝統.

ke·tone /kíːtoun/

名 【化学】ケトン. ⇨ -ONE[1].

di·ké·tone 名 ジケトン.
di·mèth·yl·ké·tone 名 ジメチルケトン.
diphényl kétone ジフェニルケトン.
hy·dròx·y·ké·tone 名 ヒドロキシケトン, オキシケトン.
methylisobútenyl kétone メシチルオキシド(mesityl oxide).
phényl méthyl kétone アセトフェノン(acetophenone).

ket·tle /kétl/

名 **1** 鍋(なべ), 釜(かま). **2** 湯沸かし, やかん. ⇨ -LE[1].

físh kèttle (魚を丸煮する)長円形の鍋(なべ).
gíant's-kéttle 巨大甌穴(おうけつ).
téa·kèttle やかん, 湯沸かし.
whístling kéttle 笛吹きケトル [やかん].

key /kíː/

名 鍵, キー.

ásh·kèy 【植物】トネリコの翼果.
béd·kèy ベッドキー: 調節用スパナの一種.
bít kèy 棒鍵, 丸鍵.
cárd-kèy カードキー.
chánge kèy 子鍵(こかぎ), チェンジキー.
chúrch kèy 《米俗》(缶に穴をあけるときに用いる)先が三角形にとがった器具.
cólor-kèy 動他 (電線・水道などを)色で塗り分ける.
contról kèy 【コンピュータ】コントロールキー.
cúrsol kèy 【コンピュータ】カーソルキー.
déad kéy (タイプライターで)押しても自動的にカートリッジが作動しないキー.
escápe kèy 【コンピュータ】エスケープキー.
féather kèy 【機械】フェザーキー, 平行キー, 滑りキー, 案内キー(spline).
fúnction kèy 【コンピュータ】操作キー, ファンクションキー.
gólden kéy 【聖書】天国の鍵.
hígh kéy 【映画】ハイキー.
hígh-kéy 形 【写真】ハイキーの, 明るい調子の.
hót·kèy 《コンピュータ俗》アクセサリープログラムを呼び出すのに割り当てられたキー.
ignítion kèy イグニッションキー.
látch·kèy 名 (戸などの)掛け金の鍵; 玄関の鍵. ── 動他 〈戸の〉掛け金の鍵をあける.
lów-kéy 形 〈表現・文体などが〉抑制された.
májor kéy 【音楽】長調.
máster kèy 親鍵(おやかぎ), マスターキー.
mínor kéy 【音楽】短調.
mìs·kéy 動他 キーボードで間違って入力する.
níght kèy ナイトラッチ(night latch)用の鍵.
óff-kéy 形 〈音が〉調子外れの.
páss·kèy =latchkey.
prívate kèy 個人用暗号キー.
próng kèy スパナ.
públic kéy 開かれた暗号キー [ナンバー].
rè·kéy 動他 …の鍵を取り [付け] 替える.
shíft kèy (キーボードの)シフトキー.
Sílver kéy 賄賂(わいろ), 袖の下.
skéleton kèy 万能鍵.
sóft·kèy 【コンピュータ】ソフトキー.
spáce kèy 【コンピュータ】スペースキー.
táb kèy 【コンピュータ】タブキー.
téar-strìp kèy (tear strip を巻き取ってあけるイージーオープン式の缶の)開封キー.
túning kèy 【音楽】ピアノ調律用キー.
túrn·kèy 名 《古》看守, 牢番. ── 形 (建設・プラント輸出契約などで)完成品受け渡し方式の.
úser-defíned kéy 【コンピュータ】ユーザー定義キー.
wátch kèy (旧式の懐中時計の)巻きねじ.
wóodruff kèy 【機械】ウッドラフ [半月] キー.

key·board /kíːbɔ̀ːrd/

名 (ピアノ・オルガンなどの)鍵盤(けんばん). ⇨ BOARD.

azérty kéyboard 【コンピュータ】アゼルティキーボード.
Hérzog kéyboard 【コンピュータ】ハーツォグキーボード.
MÍDI kèyboard 【音楽】ミディに連動する電子ピアノ.
pédal kèyboard オルガンなどの足踏み鍵盤.

-kha·na /kɑ́ːnə/

連結形 家; 建物; 競技場.
★ 名詞をつくる.
◆ <ヒンディー語 *khānā* <ペルシア語「家」.

gym·kha·na 名 《主に英》馬術競技会; (スポーツカーによる)ジムカーナ.
ice·kha·na 名 (氷上の)オートレース.
top·kha·na 名 《インド英語》軍需工場.

kick /kík/

動他 …をける. ── 名 けり, キック.

áss-kìck 動自 《俗》(…を)痛い目にあわせる.
bícycle kìck バイシクルキック: 自転車をこぐように脚を動かす運動.
chíp-kìck 《英》【サッカー】チップキック.
córner kìck 【サッカー】コーナーキック.
cróss kìck 【ラグビー】クロスキック.
dólphin kìck 【水泳】ドルフィンキック.
dróp kìck 【アメフト】ドロップキック.
dróp-kíck 動他 【アメフト】ドロップキックする.
flútter kìck 【水泳】(クロール・背泳の)ばた足.
frée kíck 【サッカー】フリーキック.
fróg kìck 【水泳】かえる足, フロッグキック.
góal kìck 【サッカー】ゴールキック.
hígh kíck 【ダンス】ハイキック.
karáte-kíck 動他 …に空手のけりを入れる.
mis·kíck 動他 〈ボールなどを〉ミスキックする.
ónside kíck 【アメフト】オンサイドキック.
pénalty kìck 【サッカー】ペナルティーキック.
pláce kìck (球技で)プレースキック.
pláce-kìck 動他 (球技で)プレースキックする.
prát kìck 《米俗》尻ポケット.
psýcho·kìck 《米俗》激しい性的興奮.
quíck kíck 【アメフト】クイックキック.
scíssors kìck 【水泳】あおり足.
síde·kìck 《俗》親友.
spót kìck 《話》【サッカー】=penalty kick.
squíb kìck 【アメフト】スクイーブキック.
stáb kìck 《豪》素早く行う短いキックパス.
tóp kìck 《米俗》曹長(master sergeant).

kick·er /kíkər/

名 ける人 [動物]. ⇨ -ER[1].

áss·kìcker 《俗》活動的な人.
báby kìcker 【テレビ】【映画】小型のメインライト.
bútt-kìcker 《米学生俗》素晴らしい人 [もの].
clóver kìcker 《米俗》百姓, 農民; 田舎の男の子.
múd·kìcker 《米俗》街娼.
shít·kìcker 《俗》(あか抜けない)農夫, カウボーイ, 田舎者; 白人.
síde·kìcker 親友; 相棒.
tín kìcker 航空事故の調査員.

tíre-kìcker 《米俗》(買わずに)見て歩く人.

kid /kíd/

名 《話》子供.

bóomerang kìd 都会から実家に戻って来る若者.
grand·kid 名 孫(grandchild).
grúnge kìd グランジスタイルの若者.
púnk kìd 《米俗》未熟な若者, 青二才.
quíz kìd 《話》並みはずれて賢い子供, 神童.
schóol·kìd 《話》学童, 児童.
squéegee kìd 交差点で止まっている車のフロントガラスをスクィジーで洗ってチップを得る若者.
súper·kìd 英才教育を受ける子供.
víd·kìd 《米》テレビ[ビデオ]っ子.
whíz kìd 《話》ずばぬけて頭のよい若手実力者.
wíz kìd =whiz kid.

kid·ney /kídni/

名 〖解剖〗腎臓(じんぞう).

artifícial kídney 人工腎(臓).
séa kìdney ウミシイタケ(sea pansy).

kill /kíl/

動他 〈人・動物を〉殺す, 殺害する; 〈植物を〉枯らす.

buzz-kill 名 《米俗》興ざめさせるもの[やつ].
fish-kill 名 汚染により大量の魚が突然死ぬこと.
ímpulse kìll 〖軍事〗衝撃破壊.
lamb-kill 名 ナガバハナガサ(長葉花笠)シャクナゲ.
o·ver·kill 名 過剰核殺戮力, 大量核破壊力.
road-kill 名 車にはねられて死んだ動物.
un·der·kill 名 敵を撃破する能力の欠如; 撃破不能.
win·ter·kill 動他自 《主に米・カナダ》〈小麦などを[が]〉冬枯れさせる[する].

kill·er /kílər/

名 殺す人[動物, 物]. ⇨ -ER[1].

bée kìller 〖昆虫〗ムシヒキアブ.
Chríst-kìller 《米俗》ユダヤ人.
cicáda kìller 〖昆虫〗セミクイバチ.
cóntract kìller 殺し屋.
cóp-kìller 《米俗》防弾チョッキも貫く銃弾.
ców kìller 〖昆虫〗雌アリバチ.
cúrve kìller 《米学生俗》優等生.
fóol kìller 《米》《おどけて》ばかを殺して回るという伝説上の人物.
gérm kìller 殺菌剤.
gíant kìller 巨人退治者; (スポーツなどで)大物食い.
húnter-kíller 形 対潜掃討の, 対潜水艦攻撃の.
ínsect kìller 殺虫剤.
lády-kìller 《話》《しばしば軽蔑的》色男.
mán-kìller 人を殺すもの.
páin·kìller 痛みを和らげる薬[治療].
pénalty kìller 〖アイスホッケー〗ペナルティーキラー.
píg kìller 《米俗》エンジェルダスト(angel dust): phencyclidine の俗名.
rábbit-kìller 《豪》〖ボクシング〗ラビットパンチ.
sátellite kìller 衛星攻撃衛星.
sèrial kíller (明白な動機をもたない)連続殺人者.
sílent kìller 高血圧症, 狭心症など.
snáke kìller 〖昆虫〗ミチバシリ.
spárk-kìller 〖電気〗火花消し.
sprée kìller 突然, 動機もなく無差別・無目的に大量の殺人をする人.
tánk kìller 戦車攻撃機[ヘリ].
tíme kìller 暇を持て余している人.
tráined kíller 兵士, 軍人.
vírus kìller 〖コンピュータ〗ウィルスキラー.
wéed-kìller 除草剤.

kill·ing /kíliŋ/

名 殺すこと, 殺害; 殺人. ―― 形 殺す. ⇨ -ING[1], -ING[2].

mércy kìlling 安楽死(euthanasia).
páin·kìlling 形 鎮痛の, 痛みを和らげる.
twín kílling 《野球俗》ダブルプレー, 重殺, 併殺.
wéed·kìlling 除草.

kiln /kíl, kíln/

名 〖窯業〗特に陶器・れんがの焼成や石灰石の煆焼(かしょう)などに用いる窯, 炉.

bríck·kìln れんが焼成窯.
drý kìln 製材用乾燥炉.
hóp kìln ホップ乾燥炉.
líme·kìln 石灰窯.
túnnel kìln トンネルガマ.

kin /kín/

名 親族, 親類; 血族関係.

a·kin 形 (…と)同族の, 血族の.
kíssing kín 会えばキスを交わす程度の遠縁の者.

-kin /kin/

接尾辞 小(little)….
★ 名詞をつくる.
★ 語末にくる関連形は -KINS.
◆ 中英 *-kin*, *-ken* <中オランダ *kijn*, 中低地独 *-ken*; 独 *-chen* と同語源.

boom·kin 名 =bumpkin[2].
bum·kin 名 =bumpkin[2].
bump·kin[1] 名 《話/通例軽蔑的》無骨な田舎者.
bump·kin[2] 名 〖海事〗バンプキン.
can·a·kin 名 =cannikin.
can·i·kin 名 =cannikin.
can·ni·kin 名 小さな缶[コップ].
cat·kin 名 〖植物〗(ヤナギなどの)尾状花序.
ci·der·kin 名 弱いりんご酒.
dev·il·kin 名 小悪魔, 小鬼(imp).
fir·kin 名 英国の容量単位; 通例¼バレル.
gri·mal·kin 名 ネコ(cat).
gris·kin 名 《英》肉の一切れ, (特に)豚肉.
la·dy·kin 名 お嬢さん(little lady).
lamb·kin 名 小さい子羊.
limp·kin 名 〖鳥類〗ツルモドキ.
man·a·kin 名 〖鳥類〗マイコドリ(舞子鳥).
man·i·kin 名 小人, 一寸法師(dwarf, pygmy).
man·ni·kin 名 =manikin.
min·i·kin 名 ちっぽけな[きゃしゃな]人[物].
munch·kin 名 非常に小柄な人, 小人のような人.
nap·kin 名 (食卓用の)ナプキン.
pan·ni·kin 名 《主に英・豪》小鍋, 小皿, 小杯.
pip·kin 名 小さな土瓶[土鍋].
prince·kin 名 幼少の王子, 小公子, 小君主.
pump·kin 名 〖植物〗カボチャ, ポンキン.
pun·kin 名 =pumpkin.
sis·kin 名 〖鳥類〗マヒワ.
thumb·kin 名 親指ねじ締め責め具(thumbscrew).
wolf·kin 名 オオカミの子.

ki·nase /káineis, -neiz, kín-/

名 〘生化学〙キナーゼ. ►kin(etic)「運動の」+-ASE[1].

as·par·to·ki·nase 名 アスパラギン酸トキナーゼ.
créatine kínase クレアチンキナーゼ.
en·ter·o·ki·nase 名 エンテロキナーゼ.
fruc·to·ki·nase 名 フルクトキナーゼ.
ga·lac·to·ki·nase 名 ガラクトキナーゼ.
glu·co·ki·nase 名 グルコキナーゼ.
he·xo·ki·nase 名 ヘキソキナーセ.
phos·pho·ki·nase 名 =kinase.
prótein kìnase タンパク質リン酸化酵素.
strep·to·ki·nase 名 ストレプトキナーゼ.
throm·bo·ki·nase 名 トロンボプラスチン.
u·ro·ki·nase 名 ウロキナーゼ.

kind /káind/

名 **1**(人·物などの)種類, 部類. **2**(動植物の)族, 類, 種.

gav·el·kind 名 〘英法〙ガベルカインド土地保有態様.
hu·man·kind 名 人間, 人類.
in-kind 形 現物支給の.
man·kind 名 人類; 人間.
one-of-a-kind 形 特別な, ユニークな.
per·son·kind 名 人類; 人間.
wo·man·kind 名 女; 女性; (ある集団の)女たち.
wo·men·kind 名 =womankind.

K

kin·dle /kíndl/

動他 〈火を〉起こす, たく; 〈炎を〉上げさせる.

en·kin·dle 動他 …を燃やす, …に火をつける.
re·kin·dle 動他自 再び火をつける [火がつく].

-ki·ne·si·a /kiníːʒə, -ʒə, -ziə, kai-/

連結形 〘医学〙運動, 筋(肉)機能.
★ 名詞をつくる.
★ 語末にくる関連形は -KINESIS.
★ 語頭にくる関連形は kinesi(o)-, kinet(o)-: *kinesim*eter「身体運動測定器」, *kinesio*logy「運動科学, 運動生理学」.
◆ ギリシャ語 *kī́nēsis*「運動」より. ⇨ -IA.

ad·i·ad·o·cho·ki·ne·sia 名 拮抗(きっこう)(運動)反復不能(症).
a·ki·ne·sia 名 無動(症), 失動(症).
di·ad·o·cho·ki·ne·sia 名 交互運動機能, 拮抗(きっこう)運動反復.
dy·s·ki·ne·sia 名 運動障害, ジスキネシア.
hy·per·an·a·ki·ne·sia 名 (特に胃腸の)運動機能亢進.
hy·per·ki·ne·sia 名 運動過剰 [亢進](症), 多動.
hy·po·ki·ne·si·a 名 運動機能減退(症), 運動低下(症).

-ki·ne·sis /kiníːsis, kai-/

連結形 運動(性)(movement, activity). **1** 刺激への反応: photo*kinesis*. **2** 物理的原因不明の運動, 念力: tele*kinesis*. **3** 細胞分裂: karyo*kinesis*.
★ 名詞をつくる.
★ 語末にくる関連形は -KINESIA, -KINETIC.
★ 語頭にくる関連形は kinesi(o)-, kinet(o)-: *kinesim*eter「身体運動測定器」, *kinesio*logy「運動科学, 運動生理学」.
◆ <近代ラ *kīnēsis* <ギ *-kīnēsis*. ⇨ -ESIS.

au·to·ki·ne·sis 名 〘生理〙随意運動.
che·mo·ki·ne·sis 名 化学運動性.
cy·to·ki·ne·sis 名 〘細胞生物〙細胞質分裂.
di·a·ki·ne·sis 名 〘細胞生物〙移動期.
in·ter·ki·ne·sis 名 〘細胞生物〙中間期.
kar·y·o·ki·ne·sis 名 〘細胞生物〙有糸(核)分裂.
o·o·ki·ne·sis 名 〘細胞生物〙卵核動, 卵子分裂.
pho·to·ki·ne·sis 名 〘生理〙光(ひかり)活動性, 光線運動.
psy·cho·ki·ne·sis 名 サイコキネシス, 念力, 念動.
py·ro·ki·ne·sis 名 (SF で)念火.
syn·ki·ne·sis 名 〘生理〙(筋肉の)共同運動.
tel·e·ki·ne·sis 名 =psychokinesis.

-ki·net·ic /kinétik, kai-/

連結形 運動の, 動的な.
★ -kinesia や -kinesis に対応する形容詞をつくる.
★ 語頭にくる関連形は kinesi-, kinet(o)-: *kinesi*meter「身体運動測定器」, *kinesio*logy「運動科学, 運動生理学」.
◆ ギリシャ語 *kīnētós*「動かせる」より. ⇨ -ETIC.

brad·y·ki·net·ic 形 ゆっくり動く, 動作の緩慢な.
cho·le·cys·to·ki·net·ic 形 胆嚢(たんのう)運動性を亢進する.
e·lec·tro·ki·net·ic 形 動電学上の [的な].
hy·dro·ki·net·ic 形 流体の運動に関する, 流体動力の.
op·to·ki·net·ic 形 〘眼科〙視動性の, 視線運動性の.

ki·net·ics /kinétiks, kai-/

名複 〘物理〙動力学. ►kinesis より. ⇨ -ICS.

aq·ua·ki·net·ics 名複 (小児用の)浮遊訓練法.
bi·o·ki·net·ics 名複 生物動力学.
chémical kinétics 〘化学〙反応速度論.
e·lec·tro·ki·net·ics 名複 動電学.
eu·ki·net·ics 名複 〘舞踊〙ユーキネティックス.
hy·dro·ki·net·ics 名複 流体動力学, 動水力学.
phar·ma·co·ki·net·ics 名複 〘薬学〙薬物動態学.

king /kíŋ/

名 王, 国王, 君主, 帝王. ⇨ -ING[3].

érl·kìng (ドイツ·北欧神話で)エールキング.
gód-kíng 神君主, 神王.
hérring kìng 〘魚類〙リュウグウノツカイ.
péarly kíng 《英》「貝ボタンの王様」: 祝祭などに, 真珠貝などで飾った服(pearlies)を着た London の商人.
séa kìng (中世スカンジナビアの)海賊王, バイキングの首領.
sílver kíng イセゴイ科の魚の一種.
ùn·kíng 動他 〈人から〉王位を奪う.
více-kíng 副王, (植民地の)総督(viceroy).

king·dom /kíŋdəm/

名 **1** 王国; 王の国土, 王領; 王政. **2**(自然界を三大区分した)界. **3**〘生物〙界: 生物の分類における最高の区分. ⇨ -DOM.

ánimal kìngdom (博物学上の区分としての)動物界.
Hérmit Kìngdom 中国以外の諸外国との接触を断っていた 1637–1876 年ごろの朝鮮につけられた名.
Míddle Kíngdom (古代エジプトの)中王国.
míneral kìngdom 鉱物界; 《集合的》鉱物.
Néw Kíngdom (古代エジプトの)新王国.
Óld Kíngdom (古代エジプトの)古王国時代.
plánt kìngdom 植物界; 植物.
Sílla Kìngdom 新羅(しんら)(しらぎ).
sub·kíng·dom 〘生物〙亜界.
thírd kíngdom 〘生物〙(動物界でも植物界でもない)第三生物界.
Uníted Kíngdom イギリス(連合王国), 英国.
végetable kìngdom =plant kingdom.

-ki·ni /kíːni/

連結形 ビキニ: ツーピースの婦人用水着.
★ 名詞をつくる.
◆ bikini の短縮形.

mon·o·ki·ni 名 モノキニ: ビキニのパンツ.
tri·ki·ni 名 3部分から成る女性用水着.
ze·ro·kin·i 名 《俗》すっぱだか.

-kins /kinz/

連結形 -kin の異形. 姓のほか愛称で用いる.

Archie·kins 名 アーチーちゃん.
At·kins 名 アトキンズ(姓).
bod·i·kins 間 《古》ちくしょう, ちぇっ.
daddy·kins 名 《話》とうちゃん.
Daw·kins 名 ドーキンズ(姓).
Din·kins 名 ディンキンズ(姓).
Ea·kins 名 イーキンズ, エイキンズ(姓).
Har·kins 名 ハーキンズ(姓).
Haw·kins 名 ホーキンズ(姓).
Hop·kins 名 ホプキンズ(姓).
Jen·kins 名 ジェンキンズ(姓).
mon·kins 名 《話》かあちゃん.
Per·kins 名 パーキンズ(姓).
Tomp·kins 名 トンプキンズ(姓).
Wil·kins 名 ウィルキンズ(姓).

kiss /kís/

動他 (あいさつ・愛情・敬意などの印として)…にキスする. ──名 キス.

bútterfly kìss 《米俗》まばたきして, まつげで相手の顔に触れること.
déep kíss =soul kiss.
déep-kíss 動他自 =soul-kiss.
Dútch kíss 《米》相手の両耳をつかんでするキス.
Éskimo kìss (エスキモー流の)鼻をこすり合わせるあいさつ.
físh-kíss 動自他 《米学生俗》口をすぼめてキスする.
Frénch kíss =soul kiss.
Frénch-kíss 動他自 =soul-kiss.
Glásgow kíss 《英俗》(レスリングで)頭付き, ヘッドバット(headbutt).
Górbals kìss 《英俗》頭突き.
Hóllywood kìss 《米俗》お払い箱, 解雇(kiss-off).
sóul kìss ディープキス(deep kiss).
sóul-kìss 動他自 激しくキスをする, ディープキスをする.

kit /kít/

名 **1** (特定の目的のための道具などの)一そろい, 一式. **2** 組み立て用部品一式.

flíght kìt 〖宇宙工学〗飛行用キット.
héad kìt 《米俗》麻薬用具一式.
húsh kìt 《英》〖航空〗消音装置.
Idénti-Kìt 《商標》(警察の)似顔絵合成器.
méss kìt 携帯用食品セット.
préss kìt 報道資料(一式).
pró-kìt 名 《米軍俗》性病予防器具.
survíval kìt 〖軍事〗救命装備品.
tóol·kìt 〖コンピュータ〗ツールキット.
tráuma kìt 外傷キット.

kitch·en /kítʃən/

名 台所, 炊事場; 調理場.

cóuntry kítchen (食堂兼用の)広い台所.
díet kìtchen (病院の)特別食調理室.
éat-ín kìtchen ダイニング・キッチン.
fíeld kìtchen 〖軍事〗(携帯用の)野外調理具.
Hóllywood kìtchen システムキッチン.
púllman kìtchen (壁に埋め込み式になった)簡易台所.
rólling kítchen (野外の軍隊用)移動式炊事車.
sóup kìtchen スープ接待所, 無料食堂.
súmmer kìtchen 暑い気候のときに用いる台所.
thíeves' kìtchen 《英俗》泥棒の巣窟(そうくつ).

kite /káit/

名 **1** 凧(たこ). **2** 〖鳥類〗トビ.

bláck kíte トビ.
bláck-shòuldered kíte ハイイロトビ.
bów kíte 曲がり[そり]だこ.
bóx kìte 箱(形)凧(たこ).
céntipede kìte (中国の)むかでだこ.
drágon kìte (中国の)竜だこ.
fíghting kíte けんかだこ.
flát kìte (尾つきの)平だこ.
fléx·i·kìte 名 骨無しだこ, ロガロ(Rogallo).
flýing kíte 〖海事〗フライングカイト.
héll·kìte 極悪非道な人, 冷血漢.
pár·a·kìte 名 パラシュート凧(たこ).
swállow-tailed kíte エンビトビ.
whíte-tailed kíte オジロトビ.

knee /níː/

名 ひざ, ひざ関節; ひざ頭, ひざ小僧.

búck knèe 〖獣病理〗(馬などの)外反膝(しつ), X脚.
cýpress knée 〖植物〗ラクウショウ(ヌマスギ)の根から水面上に出る呼吸根.
dróp knèe 〖サーフィン〗両ひざを低く落としたターン.
hóusemaid's knée 〖病理〗女中ひざ.
knóck-knèe 〖病理〗X脚, 膝(しつ)内反.
lódging knèe 〖造船〗横ニー, 横肘材(ちゅうざい).
ó·ver·knèe 形 〈靴・靴下などが〉ひざの上まで届く.
rúnner's knée 〖病理〗走者ひざ.
stérn knèe 〖海事〗(木造船の)曲材.
thíck-knèe イシチドリ(石千鳥).
tríck knée ひざ関節が急に硬直または弛緩(しかん)する状態.

kneed /níːd/

形 《しばしば複合語で》ひざが…の. ⇨ -D[1], -D[2].

báre-knèed 形 ひざを出した.
bróken-knèed 形 《俗》〈女が〉もてあそばれた.
knóck-knèed 形 X脚の, 内わに足の.
spláy-knèed 形 ひざが外に開いた.
wéak-knèed 形 ひざの弱い, 弱いひざをした.

knife /náif/

名 小刀, ナイフ, 包丁; 柄のついた刃物.

bóning knìfe 骨抜き用小型ナイフ.
bówie knìfe ボーイ刀: 鞘(さや)付きの猟刀.
bréad knìfe パン切りナイフ.
bútcher knìfe (肉屋の使う)大形肉切り包丁.
bútter knìfe バターナイフ.
cárving knìfe カービングナイフ: 肉切り用ナイフ.
cáse knìfe 鞘(さや)入りナイフ.
cásing knìfe 壁紙用ナイフ.
chópping knìfe (肉・野菜の)こま切り用包丁.
clásp knìfe 大型の折りたたみナイフ.
dessért knìfe デザート用ナイフ.
díathermy knìfe 高周波メス.
dínner knìfe ディナー用ナイフ.
dráw·knìfe 〖木工〗引き削り刀, ドローナイフ.
físh knìfe 魚肉用ナイフ.
flíck-knìfe 《主に英》飛び出しナイフ.
frúit knìfe 果物ナイフ.
háy knìfe 干し草切り(の大ナイフ).
húnting knìfe 狩猟用ナイフ.

K

ínk knìfe (印刷インク練り用の)インクべら.
jáck·knìfe ジャックナイフ.
lóng knífe 《米話》殺し屋; 手先, 脅し屋.
móon knìfe 【製革】銑刀(せんとう).
óyster knìfe カキナイフ.
pálette knìfe 【絵画】パレットナイフ.
pállet knìfe 【料理】パレットナイフ.
páper knìfe ペーパーナイフ, ページ切り.
páring knìfe 果物ナイフ.
pén·knìfe ペンナイフ.
pístol-hàndle knìfe ピストル形握り食卓用ナイフ.
pócket·knìfe ポケットナイフ.
prúning knìfe 刈り込みナイフ, 剪定(せんてい)刀.
pútty knìfe パテナイフ.
rádio knìfe 【外科】ラジオナイフ, 電気メス.
shéath knìfe 鞘(さや)付きナイフ.
stéak knìfe 《主に米》ステーキナイフ.
táble knìfe (特に肉切り用の)テーブルナイフ.
trénch knìfe (接近戦用)短剣.
Válentin's knìfe 【医学】バレンティン・ナイフ [メス].

knight /náit/

名 (中世ヨーロッパの封建君主に仕えた)騎士, 騎馬武者.

bláck kníght 【商業】ブラックナイト.
cárpet knìght じゅうたんの騎士: 実戦も経ず, 柔弱に時を過ごす騎士.
Gréen Knight 緑の騎士: 14 世紀の詩の登場人物.
gréy knight 《英話》灰色の騎士: 会社乗っ取りに暗躍する介入者.
quéen's knight 【チェス】クイーン側のナイト.
whíte knight 白い騎士: (民間伝承の中で)救助に現れる勇士.

knit /nít/

動他 編む, (毛糸などで)編んで作る. ──名 **1** メリヤス生地. **2** 編むこと, 編み方. ──形 《複合語で》編まれた.

círcular-knít 形 丸編みの; 丸編み生地で作った.
clóse-knít 形 (特に人間関係が)緊密な.
dóuble-knít 二重編み.
flát-knìt 形 平編みの.
hánd·knít 動他 手で編む, 手編みで作る.
in·ter·knít 動他 編み合わせる.
lóck-knìt 形 両面編みをした.
pláin knít 平編み.
rè·knít 動他自 編み直す; 再結合する.
ríbbed-knìt 畝模様の衣服.
ríb-knìt 形 畝模様の.
síngle-knìt シングルニット.
tíght-knít 形 堅く編んだ; 緊密な.
ùn·knít 動他 解く, ほどく; ほぐす.
wárp knìt 経(たて)糸編み.
wéll-knít 形 関係の密な, まとまりの取れた.

knit·ting /nítiŋ/

名 (人・機械などが)編むこと. ⇨ -ING[1].

círcular knítting 輪編み, 丸編み.
fílling knìtting =weft knitting.
flát knítting 平編み.
wárp knìtting 経(たて)編み, 経メリヤス.
wéft knìtting 横編み.

knob /náb | nɔ́b/

名 **1** (ドアなどの)ノブ, つまみ; スイッチ. **2** こぶ, 節.

dóor·knòb ドアの握り [取っ手], ノブ.
jóy knòb 《米俗》ペニス.
nécker's knòb 《米俗》車のハンドルに取りつけたノブ.
stóp knòb (パイプオルガンの)音栓.
súrfer's knób 波乗りだこ.

knock /nák | nɔ́k/

動自 ノックする. ──名 打つこと; ノックの音.

àn·ti·knóck 名 アンチノック剤, 耐爆剤.
cárbon knòck (エンジンの)不完全燃焼時の音.
dóor·knòck 動自 《豪》(寄付や選挙で)戸別訪問をする.
hárd-knóck 形 困難だらけの, 苦境ばかりの.
knóck-knóck 《米》【警察】強制侵入権.
nó-knòck 形 耐爆性の.
póstman's knóck 《英》【遊戯】郵便局遊び.

knock·er /nákər | nɔ́kə/

名 ノックする人. ⇨ -ER[1].

ápple·knòcker 《俗》《米北部》田舎者.
cár knòcker 鉄道車両検査人.
dóor-knòcker (ドアの)ノッカー.
Néwgate knócker 《英》(行商人たちの生やす)こめかみから耳の方への巻き毛.
stúmp·knòcker クロマス科の魚.

knot /nát | nɔ́t/

名 **1** (ひも・綱などの)結び(目). **2** (リボンなどの)結び目. **3** (茎の)節, (根の)こぶ. ──動他 …を結ぶ.

ánchor knòt 【海事】錨結び.
bárrel knòt 【釣り】筒形結び.
bláck knót 【植物病理】黒瘤病, 黒節病.
blóod knòt 【釣り】=barrel knot.
bów·knòt 蝶結び.
buílder's knòt 【海事】巻き結び.
cúckold's knót 【海事】(マストなどの)円材を保持するための結索法の一つ.
Énglishman's knòt =fisherman's knot.
físherman's knót てぐす結び.
flát knòt 【海事】=reef knot.
Ghiórdes knót ギオルド結び.
Górdian knót (古代フリギアの)ゴルディオスの結び目; 難問.
gránny knòt 【海事】=lubber's knot.
hángman's knòt 絞首刑用の縄の結び目.
ìn·ter·knót 動他自 (…を)結び合わせる.
lóop knòt 【海事】ループ結び.
lóose knót 【建築】抜け節(ぶし).
lóve knòt ラブノット, 恋結び.
lóver's knòt =love knot.
lúbber's knòt 【海事】逆さ結び, 縦結び.
mésh knòt 【海事】また結び.
nérve-knòt 《古》【解剖】神経節(ganglion).
nétting knòt 【海事】=mesh knot.
ópen hànd knót 【海事】=loop knot.
óverhand knót 一つ結び.
Pérsian knót =Sehna knot.
pín knòt 【建築】ピンノット.
pórter's knót 《英》荷物担ぎ人の用いる肩当て.
prolónge knòt 【海事】曳索(えいさく)結び.
Psýche knòt サイキノット: 婦人の髪型の一種.
réef knòt 【海事】本目結節, 本結び.
róot knòt 【植物病理】根こぶ線虫病.
rúnning knót 引けば締まる輪縄の結び目.
sáilor's knòt 【海事】セーラーノット.
sáilor's-knòt 【植物】モンイリゼラニウム.
Séhna knòt (じゅうたん織りの)セーナノット.
Sénna knòt =Sehna knot.
Shélby knòt (ネクタイの)シェルビー結び.
shóulder knòt ショルダーノット: 肩飾り.
síngle knòt =overhand knot.
slíde knòt 【海事】滑り結び.

slíp·knòt	〖海事〗ひっこき結び, 引き結び.
squáre knòt	《米》こま結び.
stévedore's knòt	〖海事〗沖仲仕結び.
stópper knòt	ストッパーノット: 滑車などでロープが抜けないように先端に作られた結び目.
súrfer's knót	〖病理〗波乗りだこ.
súrgeon's knòt	〖外科〗外科結び.
swórd knòt	(剣の柄の)下げ緒.
thíef knòt	〖海事〗=reef knot.
thúmb knòt	=overhand knot.
tóp·knòt	(頭頂部の)髪の毛の房.
tréfoil knòt	三つ葉形の飾り結び.
trúelove knòt	真心結び, 愛の結び目.
Túrkish knót	=Ghiordes knot.
túrle knòt	〖釣り〗タール結び.
ùn·knót 動他	…を解く, ほどく.
wále knòt	〖海事〗=wall knot.
wáll knòt	〖海事〗畝結び.
wáterman's knòt	=fisherman's knot.
Wíndsor knót	(ネクタイの)ウィンザーノット.

know /nóu/

動他 …を知っている, …が分かる; …を理解している.

dón't-knów 名	質問に対して明確な返事をしない人.
fore·knów 動他	…を前もって知る, 予知する.
mis·knów 動他	理解しそこなう; 誤解する.
ríght-to-knów 形	知る権利の [に関する].

knowl·edge /nálidʒ | nɔ́l-/

名 知っていること [状態], (一般的な)知識, 学識.

cárnal knówledge	〖主に法律〗性交, 情交.
cómmon knówledge	誰でも知っていること, 周知の事.
fóre·knòwl·edge 名	予知, 先見の明, 洞察.
sélf-knòwl·edge 名	(自分に対する)知識, 自己認識.

kum·quat /kʌ́mkwɑt | -kwɔt/

名〖植物〗キンカン(金柑). ⇨ -QUAT.

marúmi kúmquat	=round kumquat.
nagámi kúmquat	=oval kumquat.
óval kúmquat	ナガ(ミ)キンカン(長実金柑).
róund kúmquat	マルミキンカン(丸実金柑).

K

L

lab /lǽb/

名《話》実験室, 研究室, 実習室. ►laboratory の短縮形.

hýdro·làb 名 〖海洋〗海中実験室.
míni·làb 名 (経営規模の小さい)フィルム現像所.
Séa·làb 名 海底居住実験(計画).
Ský·làb 名 スカイラブ: 米国の有人宇宙実験室.
sórtie làb 宇宙実験室.
Spáce·làb 名 宇宙実験室.

la·bel /léibəl/

名 **1** 札, 標札, 張り紙; ラベル. **2** (特にレコード・カセットテープなどの製造者の)商標, レーベル; (商標を持つ)レコード会社. ── 動他 …にラベルを貼る.

cáre làbel (衣類・織物の)注意ラベル.
èco·lábel (製品の)環境安全ラベル.
mis·lábel 動他 …にラベルを張り違える.
ówn-lábel 形 《英》(小売り店が商品に)自家商標を張った.
pírate làbel 海賊版レコード会社 [録音].
prívate làbel 自家商標, 商業者商標.
ràdio·lábel 動他 〖物理〗〖化学〗標識化する.
réd lábel 火気厳禁ラベル.
re·lábel 動他 …に札 [レッテル] を再貼付する.
spín làbel 〖物理化学〗スピンラベル.
únion làbel 組合ラベル, 組合符標.
úsage làbel 語句の使用域表示.
zébra làbel 〖図書館学〗ゼブララベル.

la·bor /léibər/

名 **1** (利潤追求の)生産活動, 労働; (精神・肉体的)労力. **2** 労働者(階級). **3** 労働組合. ⇨ -OR[1].

àn·ti·lá·bor 形 労働組合に反対する; 労働者の利益に反する.
be·lá·bor 動他 〈議論・仕事などを〉長々とする.
bláck làbor (政府黙認の)不法な労働.
chíld làbor 児童 [年少者] 就労.
cóntract làbor 請負労働(者), 契約労働(者).
dáy làbor 日雇い労働者, (特に)未熟練労働者.
diréct lábor 直接労働.
fálse làbor 〖産科〗仮性陣痛.
frée lábor (奴隷労働に対して)自由民の労働.
hárd lábor (刑罰としての)重労働, 強制労働.
índirect lábor 間接労働.
órganized lábor 《米》組織労働者.
ò·ver·lá·bor 動他 過度に働かせる; 凝りすぎる.
skílled lábor 熟練を要する作業, 熟練労働.
sláve lábor (特に, 大集団の)強制労働者.
stóop làbor (特に低賃金の未熟練労働者が行う, 耕作や収穫など)前かがみになってする仕事; その労働者.
únskilled lábor 不熟練労働.

-lab·o·ra·tion /læ̀bəréiʃən/

連結形 なされたこと [もの], 作られたもの.
★ 名詞をつくる.
◆ <ラ *labōrātus*(*labōrāre*「働く」の過去分詞). ⇨ -ATION.
[発音] -laboration の第 3 音節に第 1 強勢が置かれる.

col·lab·o·ra·tion 名 共同, 協力; 共同制作 [研究].
e·lab·o·ra·tion 名 苦心して仕上げること.

lab·o·ra·to·ry /lǽbərətɔ̀ːri | ləbɔ́rətəri/

名 (科学の)研究所, 試験所; (薬品・化学製品などの)製造所. ⇨ -TORY[2].

Cávendish Láboratory キャベンディッシュ研究所: 英国 Cambridge 大学内にある物理学研究所.
críme làboratory 警察の鑑識, 科学捜査研究所(forensic laboratory).
hót láboratory ホットラボ: 放射性物質を取り扱う設備のある実験室や施設など.
ìn·ter·láb·o·ra·to·ry 形 研究室間の.
Jét Propúlsion Làboratory (米国 California 州の)ジェット推進研究所.
lánguage làboratory 語学演習室, ラボ教室, LL.
reséarch làboratory 研究所.
spáce làboratory (一般に)(宇宙船内の)宇宙実験室.
usabílity làboratory 〖コンピュータ〗ユーザビリティ(ソフトウェアの使い易さ)の試験所.
wóund làboratory 〖米軍事〗戦傷研究施設.

lace /léis/

名 **1** レース(lacework). **2** 締めひも. ── 動他 締めひもで締める. ── 他 締めひもで締まる.

bóbbin làce 〖繊維〗ボビンレース.
bóot·làce (長靴を締める)靴ひも.
Brússels láce 〖繊維〗ブラッセルレース.
Clúny làce 〖繊維〗クリュニーレース.
cútwork làce 〖繊維〗ポワンクッペのレース.
duchésse làce 〖繊維〗Brussels 産ボビンレースの一種.
en·láce 動他 〈糸を〉組み [撚(よ)り] 合わせる.
filét làce 〖繊維〗フィレレース.
góld làce 金モール.
Hóniton làce 〖繊維〗ホニトンレース.
in·láce 動他 ＝enlace.
ìn·ter·láce 動自 組み合わされる, 絡み合う.
Méchlin làce 〖繊維〗メクリンレース.
néck·lace ネックレス, 首飾り.
néedle-làce 〖繊維〗ニードルポイントレース.
píllow làce ＝bobbin lace.
póint làce 〖繊維〗ポイントレース, 手編みレース.
Quéen Ánne's láce 〖植物〗野生ニンジン.
séa làce 〖植物〗ツルモ(蔓藻).
Shétland làce 〖繊維〗(縁取り用の)シェットランドレース.
shóe·làce 靴ひも.
stáy·làce コルセットのひも.
stráit-làce 動他 ひもで堅く縛る; 拘束 [束縛] する.
thréad làce 〖繊維〗亜麻糸製のレース.

tórchon láce 〖植物〗トーションレース.
ùn·láce 動他 〈靴·コルセットなどの〉ひもを緩める[解く].
Vál làce 〖繊維〗バレンシエンヌレース.
yák làce 〖繊維〗ヤク毛製のレース.

lad·der /lǽdər/

名 はしご, 縄ばしご.

accommodátion làdder 舷梯(げんてい), 舷側はしご, タラップ.
áerial làdder 《米·カナダ》(消防用はしご車の)折りばしご.
búcket làdder 〖機械〗バケットラダー.
chícken làdder 〖建築施工〗登り桟橋.
compánion làdder 〖海事〗昇降用はしご, 昇降階段.
córporate ládder (会社での)役職の(階層的)序列.
exténsion làdder (消防用の)機械[繰り出し]ばしご.
fíre làdder (火災時の)非常[避難]ばしご.
físh làdder 魚ばしご, 魚梯(ぎょてい).
hóok and ládder (消防の)はしご車.
jáck làdder 〖海事〗縄ばしご.
Jácob's ládder 〖聖書〗ヤコブのはしご.
Jácob's-ládder 〖植物〗ハナシノブ.
pílot làdder 〖海事〗=jack ladder.
pómpier ládder (先端に鉤(かぎ)のついた)消防はしご.
rópe làdder 縄ばしご.
sálmon làdder 鮭梯(さけてい).
scáling làdder 攻城ばしご.
séa làdder (船の)舷側(げんそく)のはしご.
squásh làdder スカッシュのステップラダー·トーナメント表.
stép·làdder 段ばしご.
túrntable làdder =aerial ladder.

lad·en /léidn/

形 (荷を)積んだ; 《複合語》…を積んだ. ►lade の過去分詞. ⇨ -EN[3].

cáre-làden 形 心配[苦労]の多い.
héavy-láden 形 重荷を積んだ.
théory-làden 形 (表現などが)特定の学説に準拠した.
ùn·lád·en 形 積み荷のない, 空荷の.

la·dy /léidi/

名 貴婦人; 淑女, (気品がある優雅な)レディー.

bág làdy 《主に米》女の浮浪者[ホームレス], 宿なしの女性.
bláck lády 〖トランプ〗スペードのクイーン.
blúe làdy 《米俗》合成ヘロインの一種.
bóttom lády 《米俗》(ひもが自分のかかえる売春婦の中で)最も頼りにしている女.
Cháined Lády 〖天文〗アンドロメダ座.
cháir·làdy 女性の議長.
chár·làdy 《英》(通例, 通いの)家政婦.
Dárk Lády 黒婦人: Shakespeare 作の *Sonnets* に出てくる女性.
dínner làdy 《英》学校の給食係の婦人.
dóg's làdy 雌犬.
drágon làdy (東洋の)猛女, ドラゴンレディー: 米国の続き漫画の登場人物.
fáiry làdy 《米俗》女役のレスビアン.
fírst lády 《米》大統領夫人; 州知事夫人.
fóre·làdy 名 (工場などの)婦人職長.
Gráy Làdy 米国赤十字社の女性ボランティア.
íron lády 鉄の女; 厳格非情な女性.
lánd·làdy 女将(おかみ), 女主人.
léading lády 主演女優.
lóllipop làdy 《英》学童交通整理員.
mi·lá·dy 名 英国貴婦人.
náked lády 〖植物〗アマリリス.
òld lády 《話》おふくろ, 母; 女房, 妻.
Òur Lády 聖母マリア(Virgin Mary).
páinted lády 〖昆虫〗ヒメアカタテハ.
pínk lády ピンクレディー: カクテルの一種.
sáles·làdy 女性販売員(saleswoman).
scárlet lády 身持ちの悪い女, 売春婦.
Sécond Lády 《米》副大統領夫人.
spórting làdy 《米古風》売春婦.
téa làdy 《英》(会社·工場などで休憩時間に)お茶を用意する女性.
whíte lády 《俗》コカイン.
wícked lády 《英刑務所俗》九尾のむち.
yóung lády 令嬢; (一般に)若い婦人.

lag /lǽg/

名 **1** 遅れる[遅い]こと, 遅延. **2** 時間の隔たり[ずれ].

cúltural lág 〖社会〗文化遅滞.
cúlture làg =cultural lag.
gráy·làg 〖鳥類〗ハイイロガン.
gréy·làg =graylag.
jét làg 時差ぼけ.
tíme-làg 時間的ずれ, 遅れ, タイムラグ.

-lag·ni·a /lǽgniə/

連結形 〖精神医学〗性欲, 交接.
★ 名詞をつくる.
◆ ギリシャ語 *lagneía*「性交, 性欲」を表す連結形. ⇨ -IA.

al·go·lag·ni·a 名 苦痛性愛, アルゴラグニー.
cop·ro·lag·ni·a 名 糞便発情症, 愛糞(症).
u·ro·lag·ni·a 名 排尿性愛; 愛尿行為, 嗜尿(症).

laid /léid/

動 lay の過去·過去分詞形.

cáble·làid 形 〖製綱〗九つ撚(よ)りの.
créam·làid 形 〈簀(す)の目紙が〉クリーム色の.
déep-láid 形 ひそかにたくらんだ, 周到な.
hárd-láid 形 〈綱の撚り(よ)目が〉堅打ちの.
háwser-làid 形 〖製綱〗=cablelaid.
ín·làid 形 〈模様などが〉表面にはめ込んだ.
léft-làid 形 〈綱が〉左巻きの, 左撚(よ)りの.
néw-làid 形 〈卵が〉産みたての, 新鮮な.
òut·láid 動 outlay の過去·過去分詞形.
òver·láid 動 overlay の過去·過去分詞形.
pláin-làid 形 〈綱が〉平撚(よ)りの.
ríght-làid 形 〈綱が〉右撚(よ)りの.
shórt-làid 形 〖製綱〗=hard-laid.
shróud-làid 形 〖海事〗シュラウドレイドの.
stráp-làid 形 〖製綱〗平打ちの, 平綱の.
twíce-láid 形 〈綱が〉撚(よ)り直しの.
ùnder·láid 形 〈土台·基礎などが〉下に置かれた.
un·láid 形 置かれていない, 並べていない.
wáter-làid 形 〖製綱〗水撚(よ)りの.
wáy·làid 動 waylay の過去·過去分詞形.

lake[1] /léik/

名 湖, 湖水, 池, 沼.
★ 湖名は通例, Lake Tahoe「タホ湖」のように lake が前につくが, カナダやアメリカ西部の湖には〜 Lake となるものが少なくない.

bítter láke =salt lake.
cráter làke 火口湖, クレーター湖; ほぼ円形で急傾斜の壁をもつ火口やカルデラにたまった水; 《C- L-》米国 Oregon 州の火山湖.

drý láke	乾湖.
Gréat Béar Láke	グレートベア湖: カナダ Northwest Territories 西部の湖.
Gréat Láke	グレートレーク: タスマニア島中央の湖.
Gréat Sált Láke	グレートソルトレーク: 米国 Utah 州北西部の浅い塩水湖.
Gréat Sláve Láke	グレートスレーブ湖: カナダ Northwest Territories 中南部にある湖.
sált láke	塩湖.
sóda làke	高濃度のナトリウム塩を含む塩水湖.
Swán Láke	「白鳥の湖」: Tchaikovsky 作曲のバレエ音楽.

lake[2] /léik/

名 レーキ: 水溶性の顔料に金属化合物を反応させて水不水溶性にした有機顔料の総称.

crímson láke	クリムソンレーキ: 紅色顔料.
mádder láke	濃い赤紫色.

-la·li·a /léiliə/

連結形 〖精神医学〗言語障害, 発話の異常.
★ 語頭にくる関連形は lalo-: *lalo*pathy「発語 [言語] 障害」, *lalo*plegia「発語(筋)麻痺(まひ)」.
★ 名詞をつくる.
◆ ＜ギ *laliá*「話, おしゃべり」(*laleîn*「おしゃべりをする, ぺちゃくちゃ言う」より). ⇨ -IA.

a·la·li·a 名	発語不能(症), 構語障害.
cop·ro·la·li·a 名	汚言症.
dys·la·lia 名	(発音器官の障害による)発音不全.
ech·o·la·li·a 名	反響言語.
glos·so·la·li·a 名	異言, 舌がかり.
mog·i·la·li·a 名	言語障害, 発音困難症.
mol·i·la·li·a 名	＝mogilalia.
pal·i·la·li·a 名	同語反復症(paliphrasia).
par·a·la·li·a 名	言語錯誤.

lamb /lǽm/

名 子羊, ラム, 子綿羊.

báa-làmb	《英小児語》メーメー羊ちゃん.
Cánterbury làmb	(NZ から輸入された)羊肉.
éwe làmb	雌の子羊.
fát lámb	《豪·NZ·南アフリカ》食肉用子羊.
Hóly Lámb	〖紋章〗神の小羊.
hóthouse làmb	秋 [初冬] に生まれる子羊.
páschal lámb	〖ユダヤ史〗過越(すぎこし)の祭り (Passover)の最初の夜に犠牲となる小羊.
Pérsian lámb	ペルシア子羊.
Scýthian lámb	〖植物〗タカワラビ, ヒツジシダ.
spríng lámb	晩冬か早春に生まれ 7 月前に肉用に売られる子羊.

lamp /lǽmp/

名 明かり, 灯火, ランプ.

Aláddin's lámp	アラジンの(魔法の)ランプ.
ánglepoise làmp	《英》卓上ランプ.
Árgand làmp	アルガン灯: 石油ランプの一種.
ástral lámp	無影灯: 灯下に影のできないランプ.
bánquet làmp	宴会用の卓上ランプ.
béd·làmp	ベッドランプ.
Bétty làmp	ベティランプ: 米国の英領植民地時代に使われた小型オイルランプ.
bítch làmp	《米俗》(空き缶製)簡易ランプ(slut lamp).
blást làmp	(吹きガラス用)ブローランプ.
blów·làmp	《英》ブローランプ, トーチランプ.
bouillótte làmp	〖フランス家具〗ブヨットランプ: (18 世紀の)テーブルランプ.
brázing làmp	＝blowlamp
brídge làmp	(調節できる腕木を持つ)フロアスタンド.
Dávy làmp	デービー灯: 坑夫が用いた安全灯.
díscharge làmp	放電ランプ.
excíter làmp	エキサイターランプ.
fáiry làmp	飾りランプ.
físh làmp	集魚灯.
flásh làmp	〖写真〗フラッシュ(ランプ).
flóod làmp	フラッドライト; 投光照明器.
flóor làmp	《米》フロアーランプスタンド.
fluoréscent lámp	蛍光灯.
gás làmp	(特に街路の)ガス灯.
glów làmp	グロー電球.
góoseneck lámp	首が自在に曲がる卓上電気スタンド.
hálogen làmp	ハロゲンランプ.
héad·làmp	ヘッドライト(headlight).
héat làmp	赤外線ランプ.
húrricane làmp	ハリケーンランプ: 防風の火屋(ほや)の付き.
incandéscent lámp	白熱電球.
kén-ten làmp	《米俗》(アヘン吸引用)ランプ.
Mórse lámp	モールス信号灯.
néon làmp	ネオン放電管.
nít-làmp	《カナダ》携帯用照明.
péarl làmp	つや消し電球.
phótoflash lámp	閃光電球.
phótoflòod lámp	写真電球.
pílot làmp	パイロットランプ, 表示灯.
pít-làmp	《カナダ》ピットランプ: 炭坑用.
póle làmp	(時に床から天井まである)柱上灯.
quártz-íodine làmp	石英ヨウ素電球.
quártz làmp	石英水銀灯.
réading làmp	読書灯.
réd lámp	《英》(医師の表示としての)赤灯.
sáfety làmp	(坑道内で用いる)安全灯.
sánctuary làmp	〖キリスト教〗内陣灯.
síde làmp	《英》(車の)サイドライト.
sinúmbra làmp	astral lamp の一種.
slít làmp	〖眼科〗細隙(さいげき)灯.
smóking làmp	喫煙灯.
sódium làmp	〖電気〗ナトリウム灯.
spírit làmp	アルコールランプ.
stándard làmp	《英》(高さが調節できる)フロアスタンド.
stúdent làmp	読書用電気スタンド.
sún·làmp	太陽灯: 紫外線発生装置.
táil làmp	テールランプ, 尾灯.
tíme làmp	時間単位の目盛りがついた油壺が時計の役目をする石油ランプ.
túngsten làmp	タングステンランプ.
vápor làmp	蒸気を燃やすランプ.

lance /lǽns, lá:ns｜lá:ns/

名 (槍騎(そうき)兵の)槍(やり).

áir lànce	〖機械〗エアランス, 空気べら.
áir-lànce 動他	…をエアランスで掃除する.
bómb lànce	〖漁業〗頭部に爆薬を装着した銛(もり).
frée lànce	(中世の)傭兵(ようへい), 野武士.
frée·lànce	フリーランサー, 自由契約者.
óxygen lànce	〖機械〗酸素ランス, 酸素やり.

land /lǽnd/

名 **1** (海や空に対して)陸(地). **2** (性質·組成から見た)土地; 土壌. **3** 地域, 地方; 国, 国土. **4** 領域, …の国.
—— 動他 …を着陸させる.

Advénture·lànd (Disneyland の中の)冒険の国.
Áuck·land オークランド(ニュージーランドの地名).
Áussie·lànd オーストラリア.
áuto·lànd 名 〘航空〙自動［計器］着陸.
báck·lànd 名 奥地, 後背地.
Banána-lànd 《豪話》＝Queensland.
Básel-Lànd バーゼル・ラント(スイスの半州).
Bèchuána·lànd ベチュアナランド: ボツワナ共和国の旧称.
béd-sìtter-lànd 一室アパートの多い地区.
bélly-lànd 動他 〈飛行機を〉胴体着陸させる.
bláck lànd 黒い粘土状の土壌.
bóok·lànd 〘英史〙勅許保有地.
bórder·lànd 国境地方, 境界地.
bóttom lànd (河岸)沖積層低地.
brówn lánd 工業［商業］用に使われたあと荒れたままになっている土地.
brúsh·lànd 低木が群がっている状態.
búsh·lànd 《主にカナダ》森林地帯.
Býrd Lànd バードランド(南極大陸の地名).
Cárt·land カートランド(姓).
Clé·land クレランド(姓). ►字義は「粘土状の土地」.
Cléve·land クリーブランド(姓). ►字義は「断崖(だんがい)の地」.
clóud-cúck·oo-lànd 空想の世界.
clóud·lànd 空.
clúb·lànd (London の)クラブランド.
cóast·lànd 沿岸地帯, 海岸(地帯).
cómmon·lànd 〘法律〙公共用地.
commúter·lànd ベッドタウン.
Cópe·land コープランド(姓).
córn·lànd トウモロコシ農地［生産地］.
Córt·land コートランド: リンゴの一品種.
crásh-lánd 動他 〈飛行機を〉強行着陸させる.
cróp·lànd 作付け適地; 農耕地.
Crós·land クロスランド(姓). ►字義は「十字架のある土地」.
crówn lànd 王領, 王室直属領, 王室御料地.
cúckoo·lànd 夢想の国.
Cúmber·land カンバーランド(イングランドの地名).
dáiry·lànd 酪農地帯.
Damára·lànd ダマーラランド(ナミビア共和国の地名).
De Hávil·land デ・ハビランド(姓).
De Lánd デランド(米国の都市名).
Dísney·lànd ディズニーランド.
dístil·lànd 蒸留される［蒸留中の］物質.
Díxie·lànd 〘音楽〙デキシーランド.
dóck·lànd 《主に英》波止場周辺地域.
donátion lànd (米国で)州や連邦政府が無償で付与または寛大な条件で譲渡した土地.
Dów·land ダウランド(姓).
dówn-lànd 《英》なだらかな草地の丘陵地帯.
dréam·lànd 夢の国, 幻想の国, ユートピア.
drý·lànd (砂地などの)乾燥地帯.
dúne·lànd (しばしば海岸につながる)砂丘地帯.
élf·lànd (想像上の)エルフの国, 小妖精の国.
Éllsworth Land エルズワースランド(南極大陸の地名).
Énderby Lànd エンダビーランド(南極大陸の地名).
Éng·land ☞
fáiry·lànd 妖精(ようせい)の国, 魔法の国.
Fántasy·lànd (Disneyland の)おとぎの国.
fántasy·lànd 空想［想像上］の世界, 夢の世界.
fárm·lànd 農地, 耕地.
fáther·lànd 祖国.
Fáulk·land フォークランド(姓).
fén·land 沼沢低地, 沼沢低地方.
fílm·lànd 映画界［産業］; 映画人.
Fín·land フィンランド(共和国).
Fíord·lànd フィヨルドランド(ニュージーランドの国立公園).
flát·lànd 平地, 平坦(へいたん)地.
fólk·lànd 〘英史〙慣習保有地.
fórce-lànd 動他自 〈飛行機を〉緊急着陸させる.
fóre·lànd 名 岬.
fórest·lànd 森林地(帯).
Fránk·land フランクランド(姓). ►字義は「自由な土地」.
frínge lànd 《カナダ》鉄道から遠く離れた土地.
Frontíer·lànd (Disneyland の)開拓時代の国.
gáng·lànd 暗黒街, 組織犯罪［犯罪者］の世界.
Gípps·lànd ギプスランド(オーストラリアの地名).
Gót·land ゴトランド島(スウェーデンの地名).
Gótt·land ＝Gotland.
Gráce·lànd グレースランド: E. プレスリーの生地.
Gráham Lànd グレアムランド(南極大陸の地名).
gráss·lànd 草原(地帯).
Gréen·lànd グリーンランド(デンマーク領の島).
háppy lánd 天国.
héad·lànd 岬, 出鼻.
héart·lànd 中核地域, 心臓地帯.
héath·lànd 《英》ヒースの生い茂る荒野.
Héligo·lànd ＝Helgoland.
Hígh·land ハイランド(スコットランドの地名).
hígh·land 高地, 台地.
hínter·lànd 奥地, 田舎, 地方.
Hól·land ホランド(姓).
Hóly Lànd パレスチナ王国のこと.
hóme·land 故国, 本国(native land).
Íce·land アイスランド(共和国).
ín·land 形 沿岸から離れた, 内陸の, 内地の.
íre·land アイルランド.
ís·land 名 ☞
Jút·land ユトランド［ユーラン］半島.
láck·lànd 土地を持たない人.
lánd-to-lánd 形 〘軍事〙〈攻撃などが〉地対地の.
Látte·lànd ラテランド: 米国シアトルの愛称.
lótus lànd 桃源郷.
lów·land 低地.
máin·lànd (付近の島や半島と区別して)本土.
Máit·land[1] メートランド(姓).
Máit·land[2] メートランド(オーストラリアの地名).
Máori·lànd ニュージーランド. ►字義は「マオリ人の国」.
márch·lànd ＝borderland.
mársh·lànd 湿地帯, 沼沢地域.
Máry·lànd メリーランド(米国の州).
méadow·lànd 牧草地.
métro·lànd ロンドン都心の地下鉄地区.
Míd·land ミッドランド(米国の都市名).
míd·land 中部地方, 内陸部, 内地.
móor·lànd 《主に英》(ヒースの多い)荒野地帯.
móther·lànd 母国; 先祖の地, 祖国.
móvie·lànd 映画製作の盛んな所, 映画の都.
múck·lànd 〘農業〙肥沃(ひよく)地.
Nága·lànd ナーガランド(インドの地名).
Namáqua·lànd ナマクアランド, ナマランド: ナミビア南部から南アフリカにかかる地域.
nátive lànd ＝homeland.
Négro·lànd アフリカの黒人地方; 米国南部諸州.
néver·lànd ＝never-never land.
néver-néver lànd (架空の)理想郷; 理想的な場所.
Néw·found·lànd ニューファンドランド島(カナダの地名).
nó màn's lànd 相対峙(じ)する軍隊の間のどちらの支配下にもならない中間地帯.
nór·land 《主に英方言》北国, 北部地方.
Nórse·land ＝Norway.
nórth·lànd 北国, 北方地帯, 北部地域.
Northúmber·lànd ノーサンバーランド(イングランドの地名).
Núyts Lànd ニューツ・ランド: オーストラリア南部

L

海岸地方の旧称.

Nyása·lànd ニアサランド: マラウィ共和国の旧称.
Óak·land オークランド(米国の地名).
óut·lànd 名 遠隔の地, 地方, 辺地, 僻地(へきち).
óver·lànd 副 (海路に対して)陸路で.
párk·lànd 樹林草原.
péat·lànd 泥炭地.
Píg Lànd 《NZ 話》=New Zealand.
píne·land 松に覆われた地帯, 松の生育地域.
plátte·lànd 《話》(未開の)僻地(へきち).
pláy·lànd 遊び場, 遊園地, (特に)児童遊園地.
plów·lànd 耕作地, 田畑(arable land).
Pó·land ポーランド(共和国).
Póndo·lànd ポンドランド(南アフリカの地名).
Pórt·land ポートランド(姓).
Prómised Lánd 約束の国, 天国.
públic lánd 公有地, 国有地.
Púre Lánd 〘仏教〙浄土.
Quéen Máud Lànd クイーンモードランド(南極大陸の地名).
Quéens·lànd クイーンズランド(オーストラリアの地名).
rádio·lànd 《しばしばこっけい》ラジオ放送の受信可能範囲(の聴取者).
ránge·lànd 《主に米・カナダ》放牧区域.
** Rích·land** リッチランド(米国の都市名).
rím·lànd 〘政治〙リムランド: 政治的・戦時的に重要な地域の周辺部.
Róse·lànd ローズランド: 米国 New York 市 Manhattan にある大ダンスホール(1919 年開設).
Rów·land 男子の名.
Rúpert's lánd 〘カナダ史〙Charles II から Hudson Bay Company に授与され(1670), その後カナダ政府に割譲された(1870)領土.
Rút·land ラトランド(米国の都市名).
Rýe·land (羊の)ライランド種.
scab·lànd 〘自然地理〙スカブランド.
Schéngen·lànd (EU の)シェンゲン協定に調印した 12 か国地域.
Scót·land スコットランド.
scréen·lànd 映画界 [産業]; 映画人.
scrúb·lànd 低木地, 叢林(そうりん)地.
Sée·land ゼーラント島(ドイツの地名).
shádow·lànd 幽冥(ゆうめい)界; 架空の世界.
Shét·land シェトランド(スコットランドの地名).
slúmber·lànd 眠りの国.
sóft-lànd 動他 〈宇宙船などを〉軟着陸させる.
Somáli·lànd ソマリランド: アフリカ北東部の海岸地域.
sóuth·land 南部地域.
swámp·lànd 湿地, 沼沢地.
Swázi·lànd スワジランド(王国).
Swítz·er·land スイス(連邦).
táble·lànd 《単数扱い》高原, 台地.
Tássy·land 《豪俗》タスマニア(オーストラリアの州名).
Thái·lànd タイ(王国).
tíde·lànd 《米》干潟.
tímber·lànd 《米》(木材を産出する)森林地.
Tómorrow·lànd 《商標》(Disneyland の)未来の国.
tówn·lànd 《アイル》区画地.
tóy·lànd おもちゃの国.
úp·land 名 他の土地より高い所, 高地, 高台.
vacátion·lànd 《米》休暇利用者が多く訪れる所.
Van Díemen's Lànd ファン・ディーメンズ・ランド: タスマニアの旧称.
Victória Lànd ビクトリア・ランド(南極大陸の地名).
vídeo·lànd テレビ界 [業界]; テレビ事業.
Víne·land バインランド(米国の都市名).
víne·lànd ぶどう栽培適地.
Vín·land ビンランド: 古代スカンジナビア人の北米東部の呼称.
Vrée·lànd ブリーランド(姓).
wárp lànd 〘地質〙沖積による肥沃な土地.
wásh·lànd 周期的に冠水する土地.
wáste·lànd 荒れ地, 未耕作 [不毛] の土地.
Wáy·land 〘北欧民話〙ウェーランド: 妖精たちの王で鍛冶(かじ)の名人.
Wérge·land ベルゲラン(姓).
Wést·land ウェストランド(米国の都市名).
wét·lànd 湿地帯.
whéat·lànd 小麦生産地, 小麦適作地.
whíte lánd 《英俗》開発禁止指定地.
Wíe·land 〘ドイツ神話〙=Wayland.
wíld·lànd (特に保護地として残す)原野.
Wílkes Lànd ウィルクスランド(南極大陸の地名).
wónder·lànd 不思議 [おとぎ] の国.
Wóod·land ウッドランド(米国の地名).
wóod·lànd 森林地(帯).
Yánkee·lànd 《主に米南部》米国北部諸州.
yárd·lànd ビアゲート(virgate): 面積の単位.
Yóruba·lànd ヨルバランド: もと西アフリカにあった王国.
Zéa·land シェラン島(デンマークの地名).
Zét·land Shetland の旧称.
Zúlu·lànd ズールーランド(南アフリカ共和国の地名).

land·ing /lǽndiŋ/

名 上陸; 荷揚げ; 着地; 着水; 下車. ⇨ -ING[1].

bélly lànding 胴体着陸.
Chínese lánding 《米軍俗》片側の翼を下げたままの着陸.
déad-stìck lánding 〘航空〙〘航空宇宙〙エンジン停止着陸.
hálf-lànding 《英》(階段の)踊り場.
hárd lánding 硬着陸.
ínstrument lànding 〘航空〙計器着陸.
páncake lànding 平落とし着陸, ドシン着陸.
sóft lánding 《米》〘経済〙ソフトランディング; 軟着陸.
thrée-pòint lánding 〘航空〙三点着陸.

lands /lǽndz/

名複 land「土地」の複数形.

bád·lànds 《米》バッドランド, 悪地.
Bárren Lánds カナダ Hudson 湾西方のツンドラ地方.
Bróok·lànds ブルックランズ・カーレース場.
cóurt lànds 〘英法〙(荘園領主の)直属地.
gúm·lànds 《NZ》(カウリ樹脂採掘のために木を焼き払った)やせた土地.
hígh·lands 高地, 山岳地方.
Míd·lands イングランド中部地方; イングランド中部諸州.
míneral lànds (通例, 米連邦政府が保有する)鉱物資源埋蔵地区.
Néth·er·lands オランダ(王国).
Píne·lands パインランズ: Pine Barrens の公式名.
Réd·lands レッドランズ(米国の地名).

lane /léin/

名 (垣根・塀・壁などの間の)細道, 小道.

áir làne 航空路(airway, skyway).
bús làne バス専用 [優先] 車線.
bý-làne 脇道(わきみち), 抜け道, 横町.
Chérry Trèe Láne チェリーツリー街: Mary Poppins

物語中の London の架空の地名.
cráwler làne (高速道路での)登板[低速]車線.
decelerátion làne (特に高速道路の)減速車線.
escápe làne 《英》幹線道路の退避路.
expréss làne =fast lane.
fást láne 追い越し車線, 高速車線.
fóur-làne 形 〈高速道路が〉片側二車線の.
frée thrów làne 【バスケット】フリースローレーン.
hámmer làne 《米俗》(高速道路の)追い越し車線.
ínside láne 【陸上】(トラックの)内側.
lánd làne 【海事】(氷原の割れ目で)海から陸に通ずる水路, 接岸水路.
lóvers' láne 愛の小道.
mémory láne 懐かしい数々の思い出.
mùl·ti·láne 形 〈道路が〉多車線の.
ócean làne 遠洋航路帯, オーシャンレーン.
overtáking làne 《英》=fast lane.
pássing làne =fast lane.
réd láne 《英俗》のど(throat); 膣.
séa làne (海上の)航路, 海上交通[輸送]路.
shípping làne =sea lane.
thrée-làne 形 〈道路が〉3 車線の.

lan·guage /lǽŋgwidʒ/

名 (一国家・一民族の)言語; 【言語】【コンピュータ】(個別の)言語, …語. ⇨ -AGE[1].

accúsative lànguage 対格言語.
algoríthmic lànguage 【コンピュータ】アルゴル(ALGOL).
Américan lánguage アメリカ英語(American English).
Américan Sígn Lànguage 米式手話言語.
artifícial lánguage 人工言語, 人造語.
assémbler lànguage =assembly language.
assémbly lànguage 【コンピュータ】アセンブリ言語.
áureate lánguage 【英文学】華麗体.
auxíliary lànguage 補助言語.
bódy lànguage 身振り言語, 身体言語.
clíck lànguage 吸着音言語.
cómmon búsiness òriented lànguage 【コンピュータ】コボル(COBOL).
compíler lànguage 【コンピュータ】コンパイラ言語.
compúter lànguage コンピュータ言語.
cóntact lànguage 接触用言語.
dánce lànguage ダンス言語.
dáughter lànguage 娘語.
dúal-lánguage 形 (演劇で)手話併用の.
érgative lánguage 能格言語.
fínger lànguage 手話言語.
fírst lánguage (生まれて最初に学ぶ)第一言語, 母語.
fórmal lánguage 形式言語.
hánd lánguage (聴覚障害者が用いる)指話術.
hígh-lèvel lánguage 【コンピュータ】高級言語, 高水準言語.
Hýpertext Màrk-up Lànguage (インターネットで)ホームページを記述する言語(HTML).
inclúsive lánguage 両性包括用語.
ín·ter·làn·guage 名 国際語.
jób contròl lànguage 【コンピュータ】ジョブ制御言語.
líp lànguage 唇による視話; 読唇言語.
lów-lével lánguage 【コンピュータ】低水準言語.
machíne lànguage 【コンピュータ】機械(言)語.
mét·a·làn·guage 名 メタ言語.
míxed lánguage 混合[混成]言語.
módern lánguage 近代語, 現代語.
móther lànguage 母語.
nátural lánguage 自然言語.
óbject lànguage 対象言語.
ÓV́ language OV 言語: 直接目的語(objective)が動詞(verb)の前にくるタイプの言語.
pár·a·làn·guage 名 パラ言語, 発話付随音声現象.
prívate lánguage 私的言語.
prógram lànguage =programming language.
prógramming lànguage プログラミング言語, プログラム言語.
pró·to·làn·guage 名 祖語, 共通基語.
quéry lànguage 問い合わせ[照会]言語.
róbot lànguage 【コンピュータ】ロボット言語.
sécond lánguage 第二言語.
sígn lànguage 手話.
sílent lánguage 沈黙の言語: 対人の距離や身振りによる伝達.
síster lànguage 姉妹言語.
slánguage 俗語.
sóurce lànguage 起点言語, 資料言語.
ŚÒV́ language SOV 言語: 主語(subjective)・目的語(objective)・動詞(verb)の語順を持つ言語.
stróng lánguage 激しい言葉, 極端な表現.
súb·làn·guage 名 (特定集団内で用いる専門語, 隠語などの)二次[特殊]用語.
ŚV̀Ó language SVO 言語: 主語(subjective)・動詞(verb)・目的語(objective)の語順を持つ言語.
symbólic lánguage 記号言語.
sýntax lànguage 統語論[構文論]上の言語.
tárget lànguage 目標言語: (原語に対して)訳文の言語.
tóne lànguage 声調言語.
tráde lànguage 通商語.
únion lànguage 統合語.
univérsal lánguage 世界(共通)語.
vehíclar lànguage 媒介語.
V́Ó lànguage VO 言語: 直接目的語(objective)が動詞(verb)の後にくるタイプの言語.
V́ŚÓ lánguage VSO 言語: 動詞(verb)・主語(subjective)・目的語(objective)の語順を持つ言語.
wórld lánguage 国際語, 世界語.

lan·tern /lǽntərn/

名 ランタン, ちょうちん, 角灯.

Áristotle's lántern 【動物】アリストテレスのちょうちん: ウニ類の咀嚼器官.
báttle làntern (軍艦で非常用の)電池式携帯ランプ.
Chínese lántern ちょうちん.
dárk lántern 龕灯(がんどう)ちょうちん, 遮眼灯.
fríar's lántern 鬼火, きつね火.
ídiot's lántern 《英俗》テレビ.
jáck-a-làntern =jack-o'-lantern.
jáck-o'-làntern カボチャちょうちん.
Jápanese lántern =Chinese lantern.
mágic lántern 幻灯機. ►今の projector.
párish lántern 《英方言・俗》月(moon).
stóne lántern (日本の)石灯籠(どうろう).
stórm làntern 《英》風よけ用火屋のついたランプ.
tornádo làntern =storm lantern.

lap[1] /lǽp/

動他 …に覆いかぶさる. ——名 **1** (トラックを数周する競走で)一周. **2** 包むこと; 重ねること.

béll làp (鐘が合図の)ラスト一周.
cróss·làp 【建築】重ね継ぎ手.
Dútch láp 【建築】一文字ぶき.
énd làp 【建築】かね相欠き継ぎ.
gún làp (号砲で知らせる)最後の一周.
hálf làp (レール・軸などの)重ね継ぎ.
ìnter·láp 動他 =overlap.
òver·láp 動他 …に重なる; …の一部を覆う.
páce làp (オートレースの)ペースラップ.

pláin láp 〔建築〕重ね継ぎ手.
shíp·làp 〔木工〕合い欠き, 合いじゃくり.
ùnder·láp 動他自 (…の)下に一部はみだす.

lap² /lǽp/

名 **1** 小波の打ち寄せること. **2**《俗》水っぽい飲み物.

cát làp 《英俗》水っぽい飲みもの.
óff·làp 名 〔地質〕海退(かいたい).
ón·làp 名 〔地質〕海進(かいしん).

-lap·sar·i·an /læpsέəriən/

連結形 堕罪についての考え方を支持する人(の).
★ 形容詞, 名詞をつくる.
★ 語末にくる関連形は -LAPSE.
◆ ラテン語 *lapsus*「堕落」より. ⇨ -ARIAN.

in·fra·lap·sar·i·an 名 堕罪以後論者, 後定論者.
post·lap·sar·i·an 形 堕罪[堕落]以後の; 堕罪後予定論(者)の.
pre·lap·sar·i·an 形 〔神学〕堕罪以前の.
sub·lap·sar·ian 名 堕罪以後論者.
su·pra·lap·sar·i·an 名 堕罪前予定論者.

-lapse /lǽps/

連結形 落ちる.
★ 語末にくる関連形は -LAPSARIAN.
◆ <ラ *lāpsus*(*lābī*「落ちる」の過去分詞).

col·lapse 動自 〈建物・足場などが〉(急に)つぶれる, 倒れる.
e·lapse 動自 〈時が〉経過する, 過ぎ去る.
re·lapse 動自 戻る, 逆戻りする, 再び陥る.

large /lάːrdʒ/

形 (形・面積・体積などが)大きい, 広い.

at-large 形副《米》全州[全地域]を代表した[て].
en·large 動他 …を大きくする, 増大[拡大]する.
ex·tra-large 形 特大の.
o·ver·large 形 大きすぎる, 特大の.

lark /lάːrk/

名 ヒバリ; ヒバリに似た鳥の総称.

crésted lárk カンムリヒバリ.
désert làrk =sand lark.
fée làrk 《米南部》=meadowlark.
fíeld làrk 《米南部》=meadowlark.
hórned lárk ハマヒバリ.
mágpie làrk ツチスドリ(土巣鳥).
méadow·làrk マキバドリ.
múd·làrk 《主に英》どぶさらい(人).
sánd làrk スナヒバリ.
séa làrk ヨーロッパタヒバリ.
shóre làrk =horned lark.
ský·làrk ヒバリ.
tít·làrk ヒバリに似た小鳥の総称.
wóod·làrk モリヒバリ.

la·ser /léizər/

名 〔物理〕〔光学〕レーザー. ►*l*ightwave *a*mplification by *s*timulated *e*mission of *r*adiation より.

chémical láser 〔光学〕化学レーザー.
crýstal làser 〔物理〕結晶レーザー.
dýe làser 〔光学〕色素レーザー.
éxcimer làser 〔光学〕エキシマーレーザー.
gámma-ray láser 〔物理〕ガンマ線レーザー.
gàsdynámic làser 〔物理〕ガスダイナミックレーザー.
gás láser 〔物理〕気体レーザー.
Hé-Né làser 〔光学〕ヘリウム=ネオン=レーザー.
semicondúctor làser 〔電子工学〕半導体レーザー.
spín-flip láser 〔物理〕スピンフリップレーザー.
X́-ray làser 〔物理〕X 線レーザー.

lash /lǽʃ/

名 **1** むちひも; むちのしなやかな部分, むちの先; むち. **2** まつげ.

báck·làsh 反発, (急激な)反動, 跳ね返り.
éye·làsh (1 本の)まつげ.
frónt·làsh (反動に対する)反対運動.
whíp·làsh むちひも; むち打ち症.

last /lǽst, lάːst | lάːst/

動自 (時間的に)続く, 継続する.

òut·lást 動他 …より長持ちする, より長く続く.
tráde·làst 《米話 / 古風》(誰かが褒めていたと言われたお返しに持ち出す)第三者の褒め言葉.

latch /lǽtʃ/

名 (戸や門などにつける)掛け金, かんぬき; (ばね式の)錠(前), ラッチ. ——動他 掛け金で閉じる, 掛け金をかける.

déad·làtch ばね付き錠.
knób làtch 握り玉付き空錠(からじょう).
níght làtch 夜錠(やじょう).
thróat·làtch のど革.
ùn·látch 動他自 掛け金を外す(が外れる).

-late /léit, leit/

連結形 持ってくる, 運ぶ.
★ 語末にくる関連形は -FER, -LATIVE.
★ 語頭にくる関連形は fer-: *fer*ry「渡し場」, *fer*tile「多産な」.
◆ <ラ *-lātus*(*ferre*「運ぶ」の補充法過去分詞より).

col·late 動他 〈書物・冊子などの〉ページを正しくそろえる, 丁合いを取る.
di·late 動他 〈特に体の器官を〉広げる.
e·late 動他 …を有頂天にさせる; 元気づける.
ob·late 形 偏球の, 回転楕円(だえん)の.
pro·late 形 〈球体が〉長形の.
re·late 動他 ☞
trans·late 動他 〈文・言語などを〉訳す, 翻訳する.

-la·ter /lətər/

連結形 崇拝者(worshiper).
★ -latry に対応する人を表す名詞をつくる.
★ 接中辞 -o- を伴うことがある.
◆ ギリシャ語 *-latrēs*「崇拝者」より.
[発音] 直前の音節に第 1 強勢.

an·thro·pol·a·ter 名 人間崇拝者.
bard·ol·a·ter 名 シェークスピア崇拝者.
bib·li·ol·a·ter 名 狂信的聖書崇拝者; 狂信的書籍崇拝者.
de·mon·ol·a·ter 名 魔神[鬼神]崇拝者.
ec·cle·si·ol·a·ter 名 教会崇拝者.
hag·i·ol·a·ter 名 聖人崇拝者.
he·li·ol·a·ter 名 太陽崇拝者.
i·co·nol·a·ter 名 聖像崇拝者.

L

i·dol·a·ter 名 偶像崇拝者; 異教徒.
Mar·i·ol·a·ter 名 聖母マリア崇拝者; 女性崇拝者.
mo·nol·a·ter 名 一神崇拝者.
oph·i·ol·a·ter 名 蛇崇拝者.
zo·ol·a·ter 名 動物崇拝者; 動物偏愛.

lat·er·al /lǽtərəl/

形 **1** 横の, 側面にある. **2**〈家系が〉傍系の. **3**〔解剖〕(体の正中面から)外側の. ⇨ -AL[1].

am·bi·lat·er·al 形 両側の, 両面の; 両側に関係する.
bi·lat·er·al 形 双方の, 二派の, 両党の.
col·lat·er·al 名 担保(物件).
con·tra·lat·er·al 形 (体の)(反)対側の, 反対に位置する.
dor·so·lat·er·al 形 〔解剖〕〔動物〕背部側部の.
e·qui·lat·er·al 形 〈図形が〉等辺の.
ex·tra·lat·er·al 形 鉱脈追求の, 鉱区外採掘の.
ip·si·lat·er·al 形 〔解剖〕同側の.
mat·ri·lat·er·al 形 〈親類などが〉母方の.
mul·ti·lat·er·al 形 多くの辺 [面] を持つ.
pat·ri·lat·er·al 形 父方の.
pos·te·ro·lat·er·al 形 後側面 [部] の.
quad·ri·lat·er·al 形 四辺(形)の.
quin·que·lat·er·al 形 5 面の [ある].
sep·ti·lat·er·al 形 7 辺の, 7 面の.
tri·lat·er·al 形 〈図形などが〉3 辺の.
u·ni·lat·er·al 形 片側だけの, 一方(的)の; 一面のみの.
ven·tro·lat·er·al 形 腹部側面の, 腹部と側部の.

lat·er·al·ize /lǽtərəlàiz/

動他 横(の方)へ向ける, 横向けにする. ⇨ -IZE[1].

col·lat·er·al·ize 動他 〈貸付金を〉担保物件で保証する.
mul·ti·lat·er·al·ize 動他 多国間のものとする, 多角化する.

lathe /léið/

名 〔機械〕旋盤, レース. ── 動他 …を旋盤にかける [で工作する].

bénch làthe 卓上旋盤, ベンチレース.
cápstan làthe ＝turret lathe.
crý·o·làthe 名 〔眼科〕冷凍旋盤.
geométric làthe 模様出し旋盤.
scróll làthe 渦巻きを切るろくろひき旋盤.
túrret làthe 《米》タレット旋盤, 砲塔旋盤.

Lat·in /lǽtən/

名 ラテン語. ── 形 ラテン民族の.

Àfro-Látin 形 アフロ=ラテン(音楽)の.
Ánglo-Látin 名形 (英国で用いられたような)中世ラテン語(の).
Bíblical Látin 聖書ラテン語.
Clássical Látin 古典ラテン語.
dóg Làtin 変則 [破格] なラテン語.
hóg Làtin ＝Pig Latin.
Láte Látin 後期ラテン語.
láw Látin 法律用ラテン語.
Litúrgical Látin 典礼用ラテン語.
Lów Látin 非古典ラテン語.
Mediéval Látin 中世ラテン語.
Míddle Látin ＝Medieval Latin.
Módern Látin ＝Neo-Latin.
Nèo-Látin 近代ラテン語.
Néw Látin ＝Neo-Latin.
Óld Látin 古(期)ラテン語.
Píg Làtin ピッグラテン: 子供がふざけて使う言葉; 各語の最初の子音・子音群を語尾に回し, さらに /ei/ の音を付け加える(例: boy → oyb*ay*).
Pópular Látin ＝Vulgar Latin.
sílver Látin silver age のラテン語.
Vúlgar Látin 俗ラテン語.

lat·i·tude /lǽtətjù:d | -tjù:d/

名 〔地理〕〔天文〕緯度. ⇨ -TUDE.

celéstial látitude 黄緯.
co·lát·i·tude 名 余緯度.
galáctic látitude 銀緯.
geocéntric látitude 地心緯度: 地球中心から見た天体の天球緯度.
méan látitude ＝middle latitude.
míddle látitude 中分 [中間] 緯度.
pà·le·o·lát·i·tude 名 古緯度.

-la·tive /lətiv, léit- | léit-/

連結形 運ぶ, 得る, もたらす.
★ 形容詞, 名詞をつくる.
★ 語末にくる関連形は -LATE.
★ 語頭にくる関連形は fer-: *fer*ry「渡し場」, *fer*tile「多産な」.
◆ <ラ *lātus*(*ferre*「運ぶ, もたらす」の過去分詞). ⇨ -ATIVE.

ab·la·tive[1] 名形 〔文法〕奪格(の).
ab·la·tive[2] 形 除去できる, 融除できる.
al·la·tive 名形 〔文法〕向格(の).
col·la·tive 形 比較照合的な, 対照調査的な.
de·la·tive 名形 〔文法〕降格(の).
e·la·tive 名形 〔文法〕分離格 [出格](の).
il·la·tive 形 推理の, 推論による, 推定された.
leg·is·la·tive 形 立法権のある.
pro·la·tive 形 〔文法〕叙述補助の.
rel·a·tive 名 ☞
su·per·la·tive 形 最高 [最上] の; 無比の; 極度の.
trans·la·tive 形 移転の, 移動の.

-la·try /lətri/

連結形 崇拝, 礼賛(worship).
★ 名詞をつくる.
★ 語末にくる関連形は -LATER.
◆ ギリシャ語 *latreía*「崇拝」より. ⇨ -Y[3].
[発音] 直前の音節に第 1 強勢.

an·gel·ol·a·try 名 天使崇拝.
an·thro·pol·a·try 名 人間神格化, 人間崇拝.
as·trol·a·try 名 星座崇拝, 天体崇拝.
au·tol·a·try 名 自己崇拝.
bard·ol·a·try 名 シェイクスピア崇拝.
bib·li·ol·a·try 名 《文語》狂信的聖書崇拝.
de·mon·ol·a·try 名 魔神 [鬼神] 崇拝.
den·drol·a·try 名 樹木崇拝.
ec·cle·si·ol·a·try 名 教会崇拝.
hag·i·ol·a·try 名 ＝hierolatry.
he·li·ol·a·try 名 太陽崇拝.
hi·er·ol·a·try 名 聖人 [聖物] 崇拝.
i·co·nol·a·try 名 聖像礼拝, 聖像崇拝.
i·dol·a·try 名 偶像礼拝, 偶像崇拝.
lord·ol·a·try 名 貴族崇拝.
Mar·i·ol·a·try 名 《軽蔑的》聖母マリア崇敬.
mar·tyr·ol·a·try 名 殉教者崇拝.
Mar·y·ol·a·try 名 ＝Mariolatry.
mo·nol·a·try 名 一神崇拝 [礼拝], 拝一神教.
ne·crol·a·try 名 死霊 [死者] 崇拝.
oph·i·ol·a·try 名 蛇崇拝.
phys·i·ol·a·try 名 自然崇拝.
plu·tol·a·try 名 金権 [拝金](主義).
py·rol·a·try 名 拝火(fire worship).
stat·ol·a·try 名 《まれ》国家崇拝.

L

sym·bol·ol·a·try 名 シンボル崇拝.
the·ol·a·try 名 神の崇拝.
zo·ol·a·try 名 (特に古代・原始宗教で)動物崇拝.
dog·ol·a·try 名 《軽蔑的に》ペット犬崇拝.

lat·tice /lǽtis/

名 (木・金属の細片を, 通例, 斜めに組んだ)ラチス, 格子.
⇨ -ICE[1].

Brávais làttice 〔結晶〕格子.
crýstal làttice ＝Bravais lattice.
réd láttice 《廃》ビール店, 居酒屋.
spáce làttice ＝Bravais lattice.
súb·làt·tice 名 〔数学〕部分束.
súp·er·làt·tice 名 〔金属〕超格子.

laugh /lǽf, lá:f | lá:f/

名 笑い.

bélly làugh 哄笑, 大笑い.
hóly làugh 《米》霊的に高まった人の笑い.
hórse·làugh 高笑い, ばか笑い.
líquid làugh 《米話》嘔吐(おう); 嘔吐物, へど.

launch /lɔ́:ntʃ, lá:ntʃ | lɔ́:ntʃ/

動他 〈ボートなどを〉水面に降ろす, 浮かべる; 発進する.
――名 **1** (ロケットなどの)発射. **2** 新製品の売り出し.

áir-làunch 動他 〈ロケット・ミサイルなどを〉発射する.
cóld láunch (火薬によらない)ガス圧発射.
prè·láunch 形 〈宇宙船などが〉発射用意段階の.
rólling láunch 〔商業〕新製品の漸進的市場導入.

lau·rel /lɔ́:rəl, lár- | lɔ́r-/

名 ゲッケイジュ(月桂樹).

báy láurel ゲッケイジュ.
bíg láurel 《米南部ミッドランド方言》ロドデンドロン(rhododendron).
Califórnia láurel カリフォルニアゲッケイジュ.
chérry làurel セイヨウバクチノキ(博打木).
díamond-lèaf láurel オーストラリア原産のトベラ属の木
dwárf láurel ＝sheep laurel.
Énglish láurel ＝cherry laurel.
gréat láurel オオバシャクナゲ.
Jápanese láurel アオキ(青木).
Japán láurel ＝Japanese laurel.
móuntain làurel アメリカシャクナゲ.
pále láurel ホソバハナガサシャクナゲ.
shéep làurel ナガバハナガサシャクナゲ.
spúrge làurel ローレルジンチョウゲ.
swámp láurel ＝pale laurel.

-laut /làut/

連結形 音.
★ 名詞をつくる.
◆ ドイツ語 *Laut*「音」より.

ab·laut 名 〔文法〕アプラウト, 母音交替.
ach-laut 名 〔言語〕ach 音.
an·laut 名 〔言語〕語頭.
aus·laut 名 〔言語〕語末.
ich-laut 名 〔言語〕ich 音.
in·laut 名 〔言語〕語中位置.
um·laut 名 〔言語〕ウムラウト符号(¨).

law /lɔ́:/

名 **1** (一般に)法, 法規範, 法律. **2** 規則, 規定. **3** 法則, 原則.

admínistrative láw 行政法.
ádmiralty làw ＝maritime law.
áll-or-nóne làw 〔生理〕すべてか無かの法則, 悉無(しつ)律.
Ampère's law 〔物理〕アンペールの法則.
attórney-at-láw 〔法律〕《米》法律家, 弁護士.
Avogádro's láw 〔化学〕アボガドロの法則.
binómial làw 〔遺伝〕＝Hardy-Weinberg law.
Bíot-Savárt law 〔物理〕ビオ=サバールの法則.
blúe law 《米》清教徒的厳法, 日曜厳守法.
blúe-ský làw 《米》ブルースカイ法, 青空法.
Bóyle's làw 〔熱力学〕ボイルの法則.
Brágg's làw 〔物理〕ブラッグの法則.
Bréwster's làw 〔光学〕ブルースターの法則.
bróther-in-làw 配偶者の兄弟, 義兄 [弟].
Búys-Ballót's làw 〔気象〕ボイス=バロットの法則.
býe·làw ＝bylaw.
bý·làw (協会・団体・会社などの)内規.
býr·làw 地方慣例法規.
cancellátion làw 〔数学〕簡約 [消約] 法則.
cánon láw 教会法, 教会法典.
cáse law 判例法.
Chárles' láw 〔熱力学〕シャルルの法則.
cívil láw 民事法, 私法.
commércial làw 商取引法, 商事法.
cómmon láw 英米法, コモンロー法系.
cómmon-láw 形 普通法による; 慣習法上の.
commútative làw 〔論理〕交換則.
compúter láw コンピュータ法.
conservátion làw 〔物理〕〔化学〕保存則.
Córn Làw 〔英史〕穀物法.
cósine làw 〔光学〕＝Lambert's law.
Cóulomb's láw 〔電気〕クーロンの法則.
cóunselor-at-láw 《米・アイル》弁護士, (特に)法廷専門弁護士.
cóusin-in-làw 義理のいとこ.
críminal láw 刑(事)法.
crówn law 《英》刑法.
Cúrie's láw 〔物理〕キュリーの法則.
Cúrie-Wéiss làw 〔物理〕キュリー=ワイスの法則.
cý·ber·law 名 〔コンピュータ〕(情報空間での)法律 [慣習].
Dálton's láw 〔物理〕〔化学〕ドルトンの(分圧の)法則.
Dáne·làw 〔英史〕デーン法.
Dárcy's làw 〔物理〕ダルシーの法則.
dáughter-in-làw 息子の妻, 嫁.
decrée-làw 法令, 省令, 政令, 緊急命令.
Descártes' láw 〔光学〕＝Snell's law.
díetary làw 〔ユダヤ教〕食物の規定.
drámashop làw 《米》酒類提供者責任法.
drý làw 《米》禁酒法.
Dúlong and Petít's láw 〔物理〕デュロン・プティの法則.
ecclesiástical láw (教会自体が作る)教会律法.
Éngel's láw 〔経済〕エンゲルの法則.
fáir-tráde làw 公正取引法.
fáther-in-làw 配偶者の父, 義父, 舅(しゅうと), 岳父.
Férrel's láw 〔気象〕フェレルの法則.
fundaméntal láw 基本法, (特に)憲法.
gág làw 言論統制法; 報道禁止令.
gáme làw 狩猟法.
gás làw 〔物理〕＝ideal gas law.
Gáuss làw 〔物理〕ガウスの法則.
Gay-Lussác's láw 〔熱力学〕ゲイ=リュサックの法則.
Góod Samáritan làw よきサマリア人法, 救助者免責法.
Grássman's láw 〔言語〕グラースマンの法則.
Grésham's láw 〔経済〕グレシャムの法則.
Grímm's láw 〔言語〕グリムの法則.
Hárdy-Wéinberg Làw 〔遺伝〕ハーディー・ワインバーグの法則.
harmónic láw 〔天文〕ケプラーの第 3 法則.

héartbreak láw 失恋法, 嘆きの法律: 南アフリカで白人と黒人など異人種間での結婚を禁ずる法律の俗称.
héir at láw (遺言の場合の不動産の)法定相続人.
Hénry's láw 【熱力学】ヘンリーの法則.
Héss's láw 【化学】ヘスの法則.
hígher láw 優越原理.
hómestead làw 《米・カナダ》家産差し押さえ免除法.
Hóoke's láw 【物理】フックの法則.
Húbble's láw 【天文】ハッブルの法則.
Húme's làw ヒュームの法則.
idéal gás làw 【物理】理想気体の法則, ボイル=シャルルの法則.
ín-làw 《話》姻戚(いんせき); 《米》身内部屋.
in·láw 動他【法律】〈法益を剝奪された者を〉法の恩恵と保護のもとに帰す.
internátional láw 国際法.
ínverse squáre làw 【物理】【光学】逆二乗(法)則.
Jénna's Láw ジェンナ法: 凶悪犯の刑期前釈放を認めない法律.
Jím Crów làw 【米史】(州法中の)黒人差別法.
Jóhn Láw 《米渡り労働者・サーカス俗》警官, ポリ公; 警察.
Jóule's láw 【物理】ジュールの法則.
júngle làw ジャングルの法則.
Júvenile Láw (日本の)少年法.
Kírchhoff's láw 【電気】キルヒホッフの法則.
knówn défect làw 《米》欠陥通告義務法.
Lámbert's láw 【光学】ランバートの法則.
lánd làw 土地法.
léash làw 犬綱条例, 引き綱法.
lémon làw 《米》欠陥車買主保護法.
Lénz's láw 【物理】レンツの法則.
Lúcy Láw 《同性愛俗》警察, 警官.
lýnch làw リンチ, 私刑.
Malús' láw 【光学】マリュスの法則.
Mariótte's láw 【熱力学】=Boyle's law.
máritime làw 海事法.
mártial làw 戒厳令.
máss áction làw 【化学】質量作用の法則.
Mégan's Làw 《米》メーガン法: 性犯罪者の居所周知.
Mendeléev's láw 【化学】=periodic law.
Méndel's láw 【遺伝】メンデルの法則.
mércantile làw 【法律】商事法.
mílitary làw (軍人に適用される)軍法, 軍律.
Móore's láw 【電子工学】ムーアの法則.
Mosáic Láw モーセの律法.
Móseley's láw 【物理】モーズリーの法則.
móther-in-làw 義母, 姑(しゅうとめ).
Múrphy's láw マーフィーの法則.
nátural láw 自然法, 自然法則.
Óhm's láw 【電気】オームの法則.
Ókun's láw 【経済】オーカンの法則.
Óral Láw 【ユダヤ教】口伝律法.
óut·làw 無法者, 無頼漢, やくざ者.
parallélogram làw 【数学】【物理】平行四辺形の法則.
párent-in-làw 配偶者［義理］の親.
Párkinson's láw パーキンソンの法則.
parliaméntary láw 議院法規, 議会法.
Pascál's láw 【物理】パスカルの原理.
páss làw パス法; (南アフリカ共和国で)黒人の移動制限法.
periódic láw 【化学】周期律.
phonétic láw 【歴史言語学】音法則.
Plánck's radiátion làw 【物理】プランクの放射法則.
Poiseuílle's láw 【物理】【力学】ポワズイユの法則.
póor làw 救貧法, 貧民救済法.
pósitive láw 実定法.
prè·láw 形《米》法学準備教育の.
préss làw 新聞条令; 出版法.
prevéntive láw 【法律】予防法学.
prívate láw 私法.
públic-ínterest làw 公共的法分野, 公益的法領域.
públic láw 一般法律.
Raóult's láw 【物理化学】ラウールの法則.
reciprócity làw 【写真】相反(法)則.
ríght-to-wórk làw 《米》自由労働権法.
Róman láw ローマ法.
Sálic láw サリカ法(典).
Sáy's láw セーの法則.
scáling làw 【物理】スケーリング則.
scóff·làw 《主に米話》法律をばかにする人.
shíeld làw 《米》取材源秘匿法.
síster-in-làw 義理の姉妹.
Snéll's láw 【光学】スネルの法則.
són-in-làw 娘の夫, 女婿(じょせい), 養子.
sóund làw =phonetic law.
spáce làw 宇宙法.
squáre-làw 形【電子工学】二乗検波の.
squeál làw 《米話》密告法.
státute làw =statutory law.
státutory láw 制定法, 成文法.
Stéfan-Bóltzmann làw 【物理】シュテファン=ボルツマンの法則.
Stókes' láw 【物理】ストークスの法則.
súmptuary láw 倫理規制法令.
súnset làw 《米》サンセット法.
súnshine làw 《米》サンシャイン法, 情報公開法.
sús làw 《英話》容疑者法.
swórd-làw 軍事支配, 軍政.
thrée-stríkes làw 三振法: 3回目は軽罪でも終身刑.
Títius-Bóde làw 【天文】ボーデの法則(Bode's law).
Torricélli's láw 【物理】トリチェリの法則.
úncle-in-làw おばの夫.
unwrítten láw 不文法, 慣習法, 判例法, 非制定法.
van't Hóff's láw 【化学】ファントホッフの法則.
Vérner's láw 【言語】ベルネルの法則.
wáger of láw 【古英法】(告訴に対する)無罪・免責の立証, 雪冤(せつえん)宣誓方式.
Wéber-Féchner làw 【心理】ウェーバー=フェヒナーの法則.
Wéber's láw 【心理】ウェーバーの法則.
Wrítten Láw 【ユダヤ教】律法(Torah).
Zípf's làw ジップの法則.
Búbba Láw 明らかに飲酒運転と分かる場合以外, 警官が違反切符を切ることができないテキサス州の法律.

laws /lɔ́ːz/

名複 law「法」の複数形.

blúe làws 《米》清教徒的厳法; 日曜厳守法.
combinátion làws 【英史】組合禁止法.
De Mórgan's láws 【論理】ド・モルガンの法則.
Képler's láws 【天文】ケプラーの法則.
Lícensing Láws 《英》事前許可制法: アルコール飲料を販売してよい時間と場所を規制した法律.
Núremberg Làws ニュルンベルク法.

law·yer /lɔ́ːjər, lɔ́iər/

名 弁護士, 法律家. ⇨ -YER.

bárrack-ròom làwyer =barracks lawyer.
bárracks làwyer 《通例おどけて》(軍法・規律などの)細かい点に詳しい兵士.
búsh-làwyer 《豪・NZ 話》法律に詳しい振りをする人; 議論好きな人.
clúbhouse làwyer 《米野球俗》もの知り顔の選手.
corporátion làwyer 《米》会社の顧問弁護士.
críminal láwyer 刑事専門弁護士, 刑事法専門家.
cýber·làwyer 名 コンピュータ通信に関する法律専門家; 法律を運用するためのコンピュータの影響を調べる研究者.
de·láw·yer 動他〈法律問題に〉弁護士を必要でなく

する.

fórecastle làwyer 《米船員俗》小うるさいやつ,「講釈師」.

guárdhouse láwyer 《俗》【軍事】(軍隊法や軍人の諸権利に詳しいと自称する, 特に)営倉収監中の兵士.

jáilhouse láwyer 《米》「牢獄の法律家」: 受刑期間中に独学で法知識を身につけ, 他の受刑者に法的助言を与える囚人.

latríne làwyer 《米陸軍俗》細かなことに口出しする[不平を言う]兵士.

óffice làwyer 事務所弁護士.

Philadélphia láwyer 《米》《しばしば軽蔑的》(法律上の微妙な点や専門的な事項に詳しい)やり手の弁護士.

séa làwyer 《船員俗》理屈っぽい水夫.

tríal làwyer 《米》法廷弁護士.

lay /léi/

動他 …を(…に)(水平に)置く, 据える; …を横たえる. ──名 **1** 方向, 位置, 配置. **2**《俗》セックスの相手. **3** 編み方.

be·láy 動他【海事】〈ロープを〉綱留め栓に(8字形に)巻き留める.

de·láy 動他 …を延期する, 遅らす.

éasy lày 《俗》すぐに体を許す女.

góoseberry láy 《米俗》物干しひもの干し物を盗みに行くこと.

ín·lày 動他 はめ込み細工で飾る, 象眼で飾る.

ìn·ter·láy 動他 …の間に入れる, 差し込む.

láng láy 【製鋼】ラング撚(よ)り, 共撚り.

mis·láy 動他 置き忘れる.

ón·lày 名 (浮彫り状の)装飾用上張り.

óut·lày 名 (金などの)出費, 支出, 経費.

ò·ver·láy 動他 (…の上に)載せる, 置く, かぶせる.

régular láy 【製綱】(plain-laid rope のような)右撚(よ)り, 普通撚り.

rè·láy 動他 =re-lay.

rè-láy 動他 〈物を〉再び置く, 置き直す.

ùn·der·láy 動他 …の下に置く[据える, 敷く].

ùn·láy 動他 〈ロープの小縄(strand)を〉ほぐす; 〈ロープの〉撚りを戻す.

wáy·lày 動他 待ち伏せる, 途中で襲う.

lay·er /léiər/

名 **1** (表面を覆う)層, 重ね. **2** 地層; 階層. **3** 置く[積む, 敷く]人[もの]. ⇨ -ER[1].

áctive layer (北極・亜北極圏で)活動層.

áir layer 高取り法によって繁殖された苗.

Áppleton layer 【地球物理】電離圏の中の最上層の上部の F 2 層.

bí·làỳ·er 名 【生化学】二重膜.

bóundary layer 【物理】境界層.

bríck·layer れんが(積み)職人.

clóud layer 【気象】雲層.

déep scáttering layer 【海洋】深海音波散乱層, 偽底像.

D́ layer 【地球物理】D 層.

Ékman layer 【海洋】エクマン(境界)層.

É layer 【地球物理】E 層.

embryónic layer 【生物】=germ layer.

epitáxial layer 【電子工学】エピタキシャル層.

fíeld layer (植物群落の)階層.

F́ layer 【物理】【無線】F 層.

fríction layer 【気象】摩擦層.

gérm layer 【生物】胚葉(はいよう).

gróund layer 【気象】表面境界層.

gún·layer 【英海軍】(大砲の)照準手.

hálf-válue layer 【物理】半減の厚さ, 半減層.

Héaviside-Kénnelly láyer =E layer.

Héaviside láyer =E layer.

hérb layer 【生態】(植物群落の階層で)草木層.

ín·ter·làỳ·er 名 (2層間の)中間層.

invérsion layer 【気象】逆転層.

Kénnelly-Héaviside layer 【物理】=E layer.

Lánghans' layer 【発生】細胞栄養芽層.

lów-velócity layer 【地震】低速(度)層.

Malpíghian layer 【解剖】マルピーギ層, 胚芽層.

márzipan layer 中間管理者層.

míne·layer 【海事】機雷敷設艦艇.

míxed layer 【海洋】混合層.

mòn·o·láy·er 名 【物理化学】分子膜[層].

mùl·ti·láy·er 形 多層の(multilayered). ──名【写真】多層フィルム.

népheloid layer 【海洋】雲状層, ネフェロイド層.

occupátion layer 【考古学】文化層.

ózone layer オゾン層.

pípe-layer 輸送管の敷設工[業者].

pláte·layer 《英》=tracklayer.

prismátic layer 【動物】角柱層, 小柱層.

scáttering layer 【海洋】散乱層.

separátion layer 【植物】離層.

shrúb layer 【植物】灌木(かんぼく)層.

tráck·layer 《米》【鉄道】保線作業員, 軌道係.

trée layer 【生態】(植物群落の階層で)高木層.

ún·der·làỳ·er 名 他の層の下になっている層, 基層.

-le[1] /l/

接尾辞 **1** 動詞の語幹につけて「〜しがちな」の意を表す形容詞をつくる: brit*tle*, fick*le*. **2** 本来小さいことを意味する名詞をつくる: speck*le*. **3** 動作主または道具を示す名詞をつくる: bead*le*, hand*le*.

◆ 中英 *-el*, 古英 *-ol*(形容詞); 中英 *-el*, 古英 *-il*(指小形); 中英 *-el*, 古英 *-ol*, *-ul*(行為者を表す).

[発音] ほとんどが 2 音節の語で, 語頭の音節に第 1 強勢.

bar·na·cle 名 (馬の)鼻挟み.

bea·dle 名 《英》教会区典礼部役員.

bog·gle 名 =bogle.

bo·gle 名 《英方言》お化け, 幽霊; 怖いもの.

bris·tle 名 (動物の)粗毛; (植物の)とげ.

brit·tle 形 もろい, 壊れ[砕け]やすい.

bub·ble 名 ☞

bun·dle 名 ☞

can·tle 名 【解剖】後部鞍骨(あんこつ), 後橋.

dot·tle 名 タバコの燃えかす, 吸いさし.

fick·le 形 変わりやすい, 気まぐれな; 浮気な.

gog·gle 名 (防風用・潜水用などの)ゴーグル.

hack·le 名 頸羽(けいう): 雄鶏などの首回りの細長い羽毛.

hand·le 名 ☞

hop·ple 名 (馬・牛などの)脚を縛る綱, 足架.

ken·speck·le 形 《スコット・北イング》目立つ.

ket·tle 名 ☞

kin·kle 名 (糸・綱などの)小さなよじれ, もつれ.

knuck·le 名 指関節, (特に)指の付け根の関節.

lit·tle 形 ☞

mas·cle 名 【紋章】マスクル.

nee·dle 名 ☞

net·tle 名 ☞

nip·ple 名 (特に女性・雌の)乳首, 乳頭.

noz·zle 名 (液体・気体などの)吹き出し口.

pad·dle 名 ☞

pick·le 名 《スコット・北イング》穀物の一粒.

piz·zle 名 動物(特に雄牛)の陰茎.

prick·le 名 とがった先, 尖端(せんたん).

puz·zle 名 ☞

rad·dle 名 =ruddle.

red·dle 名 =ruddle.

rid·dle 名 なぞ, 判じ物, なぞめいた文句.

rud·dle 名 代赭(たいしゃ)石, 赭石, レッドオーカー(red ocher).

sad·dle 名 ☞

shut·tle 名 ☞

span·gle 名 スパンコール.
speck·le 名 (皮膚などの)しみ, そばかす.
spin·dle 名 ☞
spur·tle 名 《主にスコット》料理用へら.
stee·ple 名 尖塔(せんとう).
stop·ple 名 《主に米北部》栓, 詰め.
tack·le 名 ☞
thim·ble 名 (裁縫用)指ぬき, シンブル.
throt·tle 名 スロットル, 絞り, スロットルレバー(throttle lever).
trea·dle 名 (機械の)踏み子, 踏み木, ペダル.
tred·dle 名 ＝treadle.
wrin·kle 名 《話》巧妙な工夫; 入れ知恵.

-le[2] /l/

接尾辞 小…, 小さい….
◆ 中英＜仏＜ラ *-ulus*, *-ula*, *-ulum*; -ULE[1] の異形(指小辞).

ap·pen·di·cle 名 小付属物.
buck·le 名 ☞
cir·cle 名 ☞
ves·i·cle 名 ☞

-le[3] /l/

音象徴 反復する動作を表す. ◇ -LE[1], -ER[6].

-ab·ble 音象徴 ☞
-ack·le 音象徴 ☞ -ACKLE[1]
-ad·dle 音象徴 ☞
-ag·gle[1] 音象徴 ☞
-ag·gle[2] 音象徴 ☞
-am·ble 音象徴 ☞
-an·gle 音象徴 ☞ -ANGLE[1]
-at·tle 音象徴 ☞
bob·ble 名 ひょいひょいと反復する動作, (上下に)動くこと; 荒れている波の動き.
bog·gle 動他 びっくり仰天させる, ぼう然とさせる. ──自 …にためらう; 失敗する.
bran·gle 名 《英古・方言》くだらないけんか[口論]. ──動自 くだらないけんか[口論]をする, やかましく[激しく]言い争う.
bub·ble 動自 泡立つ, ぶくぶく音を立てる. ──名 泡, あぶく.
bur·ble 動自 〈小川などが〉ブクブク[ゴボゴボ]音をたてる.
chor·tle 動自 《話》うれしげに[声高らかに]笑う, 有頂天になって話す[歌う]. ►Lewis Carroll の造語.
chuck·le 動自 (おかしくて)くすくす笑う, (満足そうに)含み笑いをする; 独り笑いする.
cran·kle 動自 《古》曲がりくねる.
crim·ple 動他自 縮らせる[縮れる]; しわを寄らせる[しわが寄る]; 〈髪を[が]〉カールさせる[する].
crin·kle 動他 しわを寄らせる; 〈紙・髪などを〉縮らせる; 波立たせる; うねらせる.
crum·ple 動他 〈紙などを〉もみくちゃ[くしゃくしゃ]にする.
cur·dle 動他自 〈牛乳を[が]〉凝乳にする[なる]; 〈血などを[が]〉凝固させる[する].
dan·dle 動他 〈赤ん坊・小児を〉(ひざにのせたり抱いたりして)揺する, あやす.
dar·tle 動他自 何度も投げる[射る], 連射する; 繰り返し突進する.
daz·zle 動他 〈強烈な光が〉…の目をくらませる.
din·dle 動他自 《スコット・北イング》震わせる, 震える; びりびり震動する[させる], びんびん響く.
drib·ble 動自 したたる, 滴下する.
fe·na·gle 動他 ＝finagle.
fi·na·gle 動他 〈人を〉欺く; 〈人を〉だまして(…を)取る.
fon·dle 動他 〈人・物を〉愛情を込めて扱う[触れる], なで回す, 愛撫する, 抱き締める, かわいがる, 慈しむ.
gan·gle 動自 ひょろひょろ[ぶざまに]動く.
gar·gle 動自 (…で)うがいする.
gob·ble[1] 動他 急いで[がつがつ]食べる[詰め込む, 飲み込む]; 食い尽くす; 丸飲みする, うのみにする.
gob·ble[2] 動自 〈雄の七面鳥が〉ゴロゴロ鳴く; 雄の七面鳥のような声を出す. ──名 七面鳥の鳴き声,「ゴロゴロ」.
gug·gle 動自 ドクドク音をたてる, ゴクゴク[ゴボゴボ]という[流れる].
gur·gle 動自 〈水などが〉ドクドク[ゴボゴボ]流れる.
gut·tle 動自他 意地汚く[がつがつ]食べる[飲む].
heck·le 動他 〈演説者などを〉野次り倒す, 妨害する.
hob·ble 動自 足をひきずって歩く.
hock·le[1] 動自 〈ロープの糸が〉伸びてよじれる. ──名 (ロープの糸の)伸び, よじれ.
hock·le[2] 動自 《英俗》咳(せき)払いをしてつばやたんを吐く.
hur·tle 動自 〈石・矢・車などが〉突進する, 高速で動く.
-ig·gle 音象徴 ☞
-in·gle[1] 音象徴 ☞
-in·gle[2] 音象徴 ☞
-iz·zle 音象徴 ☞
jan·gle 動自 (小さい[薄い, 中空の]金属片が触れ合うように)ジャンジャン[ガチャガチャ](と耳障りに)鳴る, やかましい[調子外れの]音をたてる.
jog·gle 動他 …を軽く揺する, 揺り動かす.
jos·tle 動他 …を乱暴に(ひじで)突く; 激しくぶつかる.
jug·gle 動他 ジャグリング芸をする.
keck·le 動自 〈雌鶏が〉(甲高く)クワックワッ[コッコッ]と鳴く.
kin·dle[1] 動他 〈火を〉起こす, たく; 〈炎を〉上げさせる.
kin·dle[2] 動他自 〈特にウサギが〉(子を)産む. ──名 (猫・ウサギなどの)腹の子.
kit·tle 動他 《英方言》…を指でくすぐる.
ky·oo·dle 動自 〈犬が〉やたらに騒がしくほえたてる.
nes·tle 動自 (…に)気持ちよく横たわる[休む]; 愛情を込めて(…に)寄り添う.
nib·ble 動自 (…を)少しずつかじる.
nod·dle 動自 軽くうなずく, 何度もうなずく.
pad·dle 動自 水遊びをする; パチャパチャ水をはねる.
pet·tle 動他 《スコット・北イング》…をかわいがる, 愛撫(あいぶ)する.
pop·ple 動自 (湯が沸騰するように)沸き立つ, 泡立つ, 波立つ, 逆巻く.
rim·ple 動他自 しわを寄らせる[が寄る].
rip·ple 動自 さざ波立つ.
roo·tle 動自 《英》〈豚などが〉(食べ物をあさるため)鼻で地を掘る.
ruck·le 動自名 《英》(いまわのきわの人が)のどをゴロゴロ鳴らす(音).
rum·ple 動他 〈紙・衣類などを〉しわにする, しわくちゃにする.
run·kle 名 《スコット・北イング》しわ.
scut·tle 動自 (ややぎごちなく)急いで走る, 急ぐ.
snif·fle 動自 (鼻風邪などで)鼻をすする.
snug·gle 動自 (心地よさを求め, また愛情から)(…に)すり寄る, 寄り添う.
spar·kle 動自 〈火・光などが〉火花のように光る, ぴかっと光る, ぱっと輝く.
sprin·kle 動他 〈液体・粉末などを〉(…に)まき散ら

す, 振りかける.
star·tle 動他 どきりとさせる, ぎくっとさせる.
stick·le 動自 (特にささいな問題で)くどくど言い争う, しつこく論じる.
stip·ple 動他自 (…を)点彩[点刻, 点描]する.
strug·gle 動自 ☞
suck·le 動他 …に乳を飲ませる, 授乳する.
swob·ble 動自他 《米俗》がつがつ食う.
throt·tle 動他 …ののどを締めつけて窒息させる.
tick·le 動他 〈人の体などを〉軽く触れる[なでる], 軽く触れて[なでて]むずむず[ちくちく, ひりひり]させる, くすぐる.
tin·kle 動自 軽い連続的な金属音を出す, チリンチリン[リンリン, チャリンチャリンなど]と鳴る; 音をたてて行く[進む, 流れる].
tip·ple 動自 (特に常習的にまたは少し度を過ごして)(強い)酒を飲む, 酒浸りになる. ── 他 〈(特に強い)酒を〉飲む, (特に)少量ずつ何度も飲む, ちびりちびり飲み続ける. ── 名 《俗》(特に強い)酒; 酒の1杯.
tod·dle 動自 〈幼児などが〉よちよち歩く.
too·tle 動自 (笛などを)緩やかに[繰り返し]吹く, ピューピュー[ピーピー]吹き続ける.
top·ple 動自 つんのめる, 倒れる, 崩れ落ちる.
tou·sle 動他 〈髪・衣服などを〉かき乱す, くしゃくしゃにする; 〈庭などを〉荒らす.
tram·ple 動自 ドシンドシンと歩く, 足を踏み鳴らす.
trem·ble 動自 (恐怖・興奮・臆病(おくびょう)・寒さなどで)(小刻みに)震える, 身震いする.
trick·le 動自 〈液体が〉ほんの少しずつ流れる; 〈涙・汗・雨などが〉少しずつゆっくり落ちる.
trip·ple 名 《南アフリカ》(馬の)片側の足を同時に上げて進む(amble に似た)歩き方. ── 動自 tripple で歩く[進む].
tus·sle 動自 (…と)激しく争う, 格闘[乱闘]する. ── 名 激しい取っ組み合い, 組み打ち, 乱闘.
twan·gle 名 ビーンと鳴る[鳴らす]こと.
twee·dle 動自 〈歌手・鳥・楽器などが〉甲高い調子の音[声]を出す, キーキーいう音を出す.
twin·kle 動自 〈星・遠い光などが〉ぴかぴか[きらきら, ちらちら]光る.
-ub·ble 音象徴 ☞ -UBBLE[1]
-ud·dle 音象徴 ☞
-uf·fle 音象徴 ☞
-um·ble 音象徴 ☞
-us·tle 音象徴 ☞
waf·fle[1] 動自 《主に英話》(…について)言葉を濁す, 言い抜けをする, あいまいな[煮えきらない]ことを言う.
waf·fle[2] 動自 《英》たわ言を並べ立てる; おしゃべりをして時を無駄に過ごす. ── 名 《話》中身のない話, 無駄口, おしゃべり, 駄弁.
whif·fle 動自 〈風などが〉軽く一吹きする; ヒュッと音をたてる, (剣舞で)剣を振ってヒュッと音を出す.
whit·tle 動他 〈木などを〉少しずつ削る.
win·kle 動自 ＝twinkle.
wob·ble 動自 〈車輪・コマなどが〉よろめく, 交互に傾く, 〈物が〉ぐらぐら[がたがた]する; 〈人などが〉ふらつく, よろよろする.

lead[1] /lí:d/

動他 …を導く. ── 名 **1** 導くもの. **2** (犬の)引き綱.

chéer·lèad 動他 《米》…のチアリーダーをする.
dóg lèad 犬の鎖[綱].
dówn-lèad 〖電気〗ダウンリード(lead-in).
Dútch léad 《英ジャーナリズム俗》(読者を引き込むための)記事のまやかし導入部.
fáir·lèad 〖海事〗フェアリーダ, 導索器.
fríendly léad 《英》慈善募金の催し.
mis·léad 動他 〈人を〉誤った方向に導く.

lead[2] /léd/

名 **1** 〖化学〗鉛. **2** 鉛製品; 測鉛; 〖印刷〗インテル.

bláck léad 〖鉱物〗黒鉛, 石墨.
cóasting lèad 〖海事〗沿岸測鉛.
de·léad 動他 除鉛する.
dríft lèad 〖海事〗ドリフトレッド, 流落測鉛.
hánd léad 〖海事〗手用測鉛.
páper-and-léad 形 《主に英》〖印刷〗従来の植字方法で行った.
píg lèad 鉛地金, 生子(なま)鉛.
pót lèad 〖海事〗黒鉛.
réd léad 鉛丹, 光明丹.
réd-léad 動他 …を鉛丹で塗る.
sóunding lèad 〖海事〗測鉛.
téa lèad ティーレッド: 硬い鉛板.
tètraethyl·léad 〖化学〗＝tetramethyldelead.
tetramèthyl·léad 〖化学〗テトラメチル鉛, 四メチル鉛.
ùn·léad 動他 〖印刷〗インテルを抜く.
whíte léad 鉛白.

lead·ed /lédid/

形 **1** 〈ガソリンが〉四エチル鉛を含む, 有鉛の. **2** 〖印刷〗(行間に)インテルを入れた. ⇨ -ED[2].

dóu·ble-léad·ed 形 行間にインテルを2枚入れた.
nòn·léad·ed 形 ＝unleaded.
ùn·léad·ed 形 〈ガソリンが〉無鉛の.

lead·er /lí:dər/

名 **1** 先導者, 指導者; 先頭[筆頭, 優位]に立つ人[もの]. **2** 《主に米・カナダ》特売品. **3** 《英》社説. **4** 《英》院内総務. ⇨ -ER[1].

bánd·lèader (特にダンスバンドの)指揮者.
béar lèader 《もと》《話》(富豪や貴族の子弟について旅行する)付き添い家庭教師.
bránd lèader (特定分野の売り上げの)トップ商品.
cáttle lèader 牛につける鼻輪.
chéer·lèader 《米・カナダ》チアリーダー.
destróyer lèader 大型駆逐艦, 嚮導(きょうどう)駆逐艦.
dístrict léader 《米》(政党の)地方支部長.
flíght lèader 編隊長.
flóor lèader 〖米政府〗院内総務.
fóurth léader 第四社説.
lóss lèader (客寄せのための)目玉商品, 特価品.
majórity lèader 〖米政治〗多数党院内総務.
minórity lèader 《米》少数派政党の院内総務.
opínion lèader 世論指導者, オピニオンリーダー.
patról lèader (ボーイスカウトの)パトロール班長.
príce lèader 〖マーケティング〗価格先導品.
ríng·lèader 指導者; 首謀者, 張本人.
squádron lèader 〖英空軍〗少佐.

lead·ing /lí:diŋ/

形 導く. ── 名 案内すること; 指揮. ⇨ -ING[2], -ING[1].

chéer·lèading チアリーダー[チアガール]の指揮.
mis·léading 形 人を惑わせる; 誤解を招きかねない.
vóice lèading 〖音楽〗(多声音楽における)声部進

行.

leaf /líːf/

名 **1** 葉. **2** (書物などの)紙葉一枚. **3** 金属の薄片. ◇ LEAVES.

- **báy lèaf** ベイリーフ, ローリエ.
- **bróad·lèaf** (葉巻用の)広葉タバコ.
- **clóver·lèaf** クローバー形立体交差.
- **cómpound léaf** 複葉.
- **cópper-lèaf** エノキグサ.
- **crínkle lèaf** 〘植物病理〙縮葉病.
- **dróp lèaf** 〘家具〙垂れ板.
- **énd lèaf** 〘製本〙見返し.
- **fálling léaf** 〘航空〙木の葉落とし.
- **fán·lèaf** 〘植物病理〙ブドウの木の病気の一種; 葉が扇形に変形するのが特徴.
- **fíg lèaf** イチジクの葉.
- **flóral léaf** 〘植物〙花葉.
- **flý·lèaf** 遊び紙.
- **gólden léaf** 《米麻薬俗》上物のマリファナ.
- **góld léaf** (ごく薄い)金箔(きんぱく).
- **ínter·lèaf** 名 間紙(あいがみ), 差し込み(白)紙.
- **láce·lèaf** 〘植物〙レースソウ.
- **láttice·lèaf** ＝laceleaf.
- **léather·lèaf** ヤチツツジ, ホロムイツツジ.
- **Lésbian léaf** (ギリシャ建築・彫刻で)中央脈の目立つハート形の葉模様(water leaf).
- **líttle léaf** 〘植物病理〙小葉病, 萎葉(いよう)病.
- **lív·er·lèaf** スハマソウ(ミスミソウを含む).
- **lóose-lèaf** 形 〈ノートなどが〉ルーズリーフ式の.
- **Máple Lèaf** メイプルリーフ(カナダの金貨).
- **máple lèaf** カエデの葉. ►カナダの国章.
- **móttle-lèaf** 〘植物病理〙(柑橘類の)斑葉(はんよう)病.
- **mýriad-lèaf** フサモ: アリノトウグサ科の水草.
- **nóse lèaf** (コウモリの)鼻葉.
- **óver·lèaf** 副 (ページ・用紙などの)裏に, 裏ページに.
- **pálm lèaf** シュロの葉.
- **réd léaf** (ナシやブドウなどの)赤葉枯れ病.
- **róse·lèaf** バラの花弁; バラの葉.
- **scále lèaf** 鱗片(りんぺん)葉.
- **séed lèaf** 〘植物〙子葉.
- **shín·lèaf** 〘植物〙イチヤクソウ.
- **sílver lèaf** 銀箔(ぎんぱく).
- **sílver·lèaf** バッファローグミ.
- **símple léaf** 〘植物〙単葉.
- **swéet·lèaf** キハイノキ.
- **téa-lèaf** 茶の葉, (特に)茶殻; 《英押韻俗》泥棒(thief).
- **thíck·lèaf** 〘植物〙フチベニベンケイ.
- **trúmpet-lèaf** キバナヘイシソウ(黄花瓶子草).
- **twín-lèaf** アメリカ・タツタソウ(立田草).
- **umbrélla lèaf** サンカヨウ(山荷葉).
- **vélvet·lèaf** アオイ科イチビ属の背の高い一年生野草.
- **wálking lèaf** コノハムシ(木葉虫).
- **wáter lèaf** 〘製紙〙水漉(すき)紙.
- **wáter·lèaf** ハゼリソウ科ヒドロフィルム属の草の総称; 北米東部産.

league /líːg/

名 (人・団体・国などの)同盟, 盟約, 連盟; 〘スポーツ〙リーグ, 競技連盟. ━━動他 …を同盟[連合]させる, (…と)団結させる.

- **Américan Léague** 〘野球〙アメリカンリーグ.
- **Árab Léague** アラブ連盟: 1945 年, 西アジア諸国間で結成された連帯協力機構.
- **bíg léague** ＝major league.
- **bíg-léague** 形 ＝major-league.
- **búsh lèague** 〘野球〙マイナーリーグ.
- **búsh-lèague** 形 〘野球〙マイナーリーグの.
- **Fóotball Lèague** サッカー連盟: イングランドとウェールズのプロサッカーチーム統合機構.
- **grápefruit lèague** 〘野球〙《話》グレープフルーツリーグ.
- **Hóly Léague** 〘フランス史〙カトリック教徒同盟.
- **hot-stóve lèague** 《米》シーズンオフに集まって談論するスポーツ(特に野球)愛好家たち.
- **Ívy Léague** アイビーリーグ: 米国北東部にある名門大学の一群.
- **Jápanese-Américan Cítizens Léague** 日系市民連盟(JACL).
- **Júnior Léague** 《米》女子青年連盟.
- **Líttle Lèague** リトルリーグ.
- **májor léague** メジャーリーグ.
- **májor-léague** 形 メジャーリーグの.
- **mínor léague** 《米》マイナーリーグ.
- **mínor-léague** 形 《米》マイナーリーグの.
- **Nátional Léague** 〘野球〙ナショナルリーグ.
- **Nonpártisan Léague** ノンパルティザンリーグ, 超党派農民同盟: 1915 年, 北ダコタで設立された農民の政治組織.
- **Póny Lèague** ポニーリーグ: リトルリーグと同類の, 13－14 歳の選手で編成された米国の野球リーグ.
- **spártacus léague** スパルタクス団: もとドイツの急進的社会主義団体.
- **stóve léague** 《俗》＝hot-stove league.
- **Wár Resíster's lèague** 戦争抵抗者同盟(WRL).

lea·guer /líːgər/

名 同盟[連盟]の構成メンバー. ⇨ -ER[1].

- **án·ti-Lèa·guer** 名 〘歴史〙反国際連盟主義者.
- **bíg-léaguer** 〘野球〙大リーガー.
- **búsh lèaguer** 〘野球〙＝minor leaguer.
- **Ívy Léaguer** アイビーリーグ大学の学生.
- **májor-léaguer** ＝big leguerer.
- **mínor-léaguer** 《米》マイナーリーグ所属選手.
- **Téxas léaguer** 〘野球〙テキサス[ポテン]ヒット.

leap /líːp/

動自 飛ぶ, 飛び跳ねる. ━━他 …を飛び越す. ━━名 跳躍.

- **flýing léap** 助走をつけて飛ぶジャンプ.
- **lóver's léap** 悲恋の恋人たちが投身自殺する場所.
- **òut·léap** 動他 先の方へ跳ぶ, 跳び越す.
- **ò·ver·léap** 動他 跳び越える, 跳び越す.
- **quántum lèap** 〘物理〙量子飛躍.

learn /lə́ːrn/

動他 …を(勉強・練習などで)習う, 学ぶ.

- **o·ver·learn** 動他 〘教育〙習熟後もさらに勉強[練習]をし続ける.
- **re·learn** 動他 再び習う[学ぶ], 学び直す.
- **un·learn** 動他 〈学んだことを〉忘れる, 忘れようと努める.

learn·ing /lə́ːrniŋ/

名 **1** 学問, 学識. **2** 学習. **3** 学んだこと. ⇨ -ING[1].

- **bóok lèarning** 読書によって得た知識.
- **discriminátion lèarning** 〘心理〙弁別学習.
- **dístance lèarning** 通信教育, 放送教育.
- **electrónic léarning** 電子学習.
- **hígher léarning** 高等教育(higher education).
- **instruméntal léarning** 〘心理〙〘教育〙道具的学習(法).
- **látent léarning** 〘心理〙潜在学習.
- **machíne lèarning** 〘コンピュータ〙機械学習.
- **néw léarning** 15, 16 世紀のヨーロッパにおける新

L

たな学問, 思想の動向.

ópen léarning 独学, 独習; (特に)通信教育.
páired-assóciate léarning 【教育】対(つい)連合学習(方式).
sléep-lèarning (録音教材による)睡眠学習.
Téle·Lèarning 《米》テレラーニング: 本部と電話回線で結ばれたホーム・コンピュータ上で大学レベルの講義が受けられる在宅学習システム.
vísceral léarning 内臓学習, 不随意器官制御能力.

lease /líːs/

名 (土地・建物などの)賃貸借契約, 借地 [借家] 契約; 賃貸借契約書.

buílding lèase 建設用地の賃貸借; その期間.
chánnel lèase (有線テレビの)チャンネルリース.
lénd-léase (第二次世界大戦中の, 米国の同盟諸国に対する)武器貸与.
léveraged léase 【経営】レバレッジド・リース.
lóng léase 【英法】長期不動産賃貸借権.
prè·léase 動他 賃貸借契約を建築前に結ぶ.
rè·léase 動他 〈土地・家屋を〉再び賃貸しする.
re·léase 動他 ☞
repáiring léase 《英》維持費込みの賃貸契約.
súb·lèase 名 【法律】転貸, 又貸し; 転借, 又借り.
ún·der·lèase 名 【法律】=sublease.

leath·er /léðər/

名 (動物の)革, なめし革; 皮製品.

Américan léather オイルクロス, 油布(oilcloth).
chróme léather クロム革.
Dóngola léather ドンゴラ革.
gráin léather グレーンレザー, 銀面皮.
hálf lèather 半革装(本).
héavy léather ヘビーレザー.
héll-for-léather 形 《話》猛スピードの, 猛烈な.
kíd lèather キッド革.
móuntain lèather 【鉱物】山柔皮(さんじゅうひ).
óak lèather 【菌類】カシの木の割れ目にできる菌糸の板.
óoze lèather ウーズレザー.
pátent léather エナメル革, パテントレザー.
prát lèather 《米俗》尻ポケットの財布.
róck lèather =mountain leather.
Rússia léather ロシアレザー.
sáddle lèather サドルレザー.
séa lèather サメ [フカ, イルカなど] の革.
shóe lèather 靴用革; 靴.
sóle lèather (靴の)底革(用の革).
stírrup lèather (鞍(くら)から鐙(あぶみ)をつるす)鐙革.
thóng lèather 革ひもを作る生皮.
Túrkey lèather 《英》トルコ革.
úpper léather (靴の)表甲用の革; 甲革(uppers).
wásh-lèather ウォッシュレザー: 柔らかいなヤギ革.
whíte léather 白なめし革(tawed leather).
whít·lèather =white leather.

leave /líːv/

名 **1** 許し, (…する)許可. **2**(軍隊・職場・学校などで許可される)休暇.

admínistrative léave 賜暇, 公務休養, 休職.
bý-your-léave 許可を求めなかったことに対する陳謝 [申し訳] の言葉.
chíldcare lèave 育児休暇.
disabílity lèave 《米》【労働】一時的労働不能休暇.
Dútch léave 《米》=French leave.
Frénch léave 無断退出.
máss lèave (インドで)同盟罷業, ストライキ.
matérnity léave 出産休暇, 産休.
paréntal lèave 育児休暇.
patérnity lèave 父親の出産・育児休暇.
pócket lèave 《米軍俗》休暇を取って基地内にいること.
shóre lèave 【海事】上陸許可.
síck lèave 病気休暇(期間).
términal léave 除隊休暇.
wáy·lèave 【法律】通行 [通過] 権.

leaves /líːvz/

名複 leaf「葉」の複数形. ◇ LEAF. ⇨ -ES[1].

bóiled lèaves 《米俗》(軽食堂で)お茶(tea).
cábbage lèaves 《米俗》ドル札(greenback).
stráwberry lèaves 《英》公爵の身分 [位階] (dukedom). ►公爵の冠にはイチゴの葉が8枚飾られていることから.

lec·i·thal /lésəθəl/

形 【発生】(卵に)卵黄(yolk)のある. ⇨ -AL[1].
★ 語頭にくる関連形は lecith-: *lecith*in「【生化学】レシチン」.

a·lec·i·thal 形 無黄卵(性)の.
cen·tro·lec·i·thal 形 心黄の, 中卵黄の.
het·er·o·lec·i·thal 形 不等黄の, 不等卵黄の.
ho·mo·lec·i·thal 形 等黄の.
i·so·lec·i·thal 形 =homolecithal.
mac·ro·lec·i·thal 形 =megalecithal.
meg·a·lec·i·thal 形 多卵黄の, 多量の卵黄を持つ.
mes·o·lec·i·thal 形 =centrolecithal.
mi·cro·lec·i·thal 形 微(量)卵黄の, 微量の卵黄を持つ.
tel·o·lec·i·thal 形 端黄の, 偏黄の.

-lect[1] /lékt/

連結形 集められた, 選ばれた; 集めること, 選ぶこと.
★ 語末にくる関連形は -LEGE.
★ 語頭にくる関連形は leg-: *leg*end「言い伝え, 伝説」, *leg*ibility「読みやすさ」.
◆ ＜ラ *lēctus*(*legere*「集める, 選ぶ」より).
[発音] 基体(-lect)に第1強勢. 例外: íntellect.

col·lect 動他 集める, 集合させる.
e·lect 動他 ☞
in·tel·lect 名 (感情・意志に対して)知性.
ne·glect 動他 …を無視 [軽視] する; 軽んずる.
se·lect 動他 ☞

-lect[2] /lèkt/

連結形 **1** 方言. **2** 専用語, 隠語.
★ 名詞をつくる.
★ 語頭の関連形は lect-: *lect*ure「講義, 講演」.
◆ dialect の短縮形.
[発音] 語頭の音節に第1強勢.

ac·ro·lect 名 上層方言.
ba·si·lect 名 下層方言.
cryp·to·lect 名 隠し言葉, 内密語.
gen·der·lect 名 性差方言.
id·i·o·lect 名 個人言語.
mes·o·lect 名 中層方言.
so·ci·o·lect 名 社会方言.

-lec·tion /lékʃən/

連結形 集められたもの [こと], 選ばれたもの [こと]; 選ぶもの [こと].
★ 名詞をつくる.
★ 語末にくる関連形は -LEGE.
★ 語頭にくる関連形は leg-: *leg*end「言い伝え, 伝説」, *leg*ibility「読みやすさ」.

◆ ラテン語 *legere*「選ぶ」より. ⇨ -ION[1], -TION.
[発音] -lection の第 1 音節に第 1 強勢が置かれる.

col·lec·tion 名 ☞
e·lec·tion 名 ☞
in·tel·lec·tion 名 理解, 知力 [推理力] の行使.
se·lec·tion 名 ☞

-lec·tive /léktiv/

連結形 選ばれた; 集められた.
★ 形容詞をつくる.
★ 語末にくる関連形は -LECT, -LEGE.
★ 語頭にくる関連形は leg-: *leg*end「言い伝え, 伝説」, *leg*ion「軍勢, 多数」.
◆ <ラ *lēctus*(*legere*「選ぶ, 集める」より). ⇨ -IVE[1].

col·lec·tive 形 集合的な; 蓄積された; 全体を成す.
e·lec·tive 形 選挙の, 選挙に関する.
in·tel·lec·tive 形 知性 [知力] のある; 理知的な.
se·lec·tive 形 〈人が〉選択能力を持つ, 目の肥えた.

lec·ture /léktʃər/

名 講義, (…についての)講演, 講話. ⇨ -URE[1].

cúrtain lècture 《古風》妻が夫に内々に言う小言.
tel·e·lec·ture 名 電話線に連結したスピーカー.

ledg·er /lédʒər/

名 〘簿記〙元帳, 原簿, 台帳. ⇨ -ER[1].

cóst lèdger 原価元帳.
púrchase lèdger 〘商業〙仕入元帳.
sélf-bálancing lédger 〘会計〙独自平均元帳.
stóck lèdger 株式台帳, 株式元帳, 株式原簿.
stóres lèdger (製造工場などの)材料 [在庫] 元帳.
subsídiary lédger 〘会計〙補助元帳.

leek /líːk/

名 〘植物〙セイヨウネギ.

gréen léek 〘鳥類〙ミカヅキインコ.
hóuse·lèek バンダイソウ(万代草).
líly lèek キバナノギョウジャニンニク.
sánd lèek ヒメニンニク(rocambole).
wíld léek ヒラタマネギ(ramp).

left /léft/

形 **1** 左の, 左側の. **2** (政治上)左派の, 左翼の. ──名 **1** 左, 左側. **2** 〘政治〙左翼.

a·left 副 左へ; 左側に.
flúsh léft 〘印刷〙行頭ぞろえ.
guíde léft 《号令》〘軍事〙嚮導(きょうどう)左.
Néw Léft ニューレフト, 新左翼.
Óld Léft (新左翼に対して)旧左翼.
quád léft 〘印刷〙左ぞろえの.
rádical léft 極左派.
ríght-and-léft 形 左右の.
stáge léft 〘演劇〙上手.
ul·tra·left 形 極左の.

leg /lég/

名 **1** (人間・動物の)脚, 下肢. **2** 脚に似た物.

bláck·lèg 〘獣病理〙黒脚症, 気腫疽(そ).
blúe·lèg ムラサキシメジ(blewit).
bóot·lèg 長靴の胴.
bów·lèg 〘病理〙O 脚, 内反膝(しつ).
bútt·lèg 動他自 《米俗》(紙巻きタバコを)大量に密輸する.
clúster lèg 〘家具〙数本の支柱を束ねて 1 本にした脚, 束ね柱状の脚.
cornucópia lèg 〘家具〙角(つの)形脚.
dírty·lèg 《米俗》誰とでも寝る女, 売春婦.
dóg·lèg 急角度に曲がった道.
fóre·lèg 名 (四足獣・昆虫などの)前肢, 前脚.
gáte lèg 〘家具〙折りたたみ式テーブルの垂れ板を支える脚.
hóck lèg 〘家具〙ホックレッグ.
hóg·lèg 《米カウボーイ俗》(特に大きい)拳銃.
hóg's lèg =hogleg.
hóllow lég 食べても太らない人.
jáck·lèg[1] 形 《主に米南部》(仕事上で)未熟な.
jáck·lèg[2] 〘機械〙ジャックレッグ.
jáke·lèg 《米俗》泥酔.
lóng lég 〘クリケット〙ロングレッグ.
Márlborough lèg 〘家具〙マールバラ型の脚.
míddle lèg 《米俗》真ん中の足(陰茎のこと).
míd·lèg 名 脚の中央部.
mílk lèg 〘病理〙白股腫(はっこしゅ).
pánt lèg ズボンの片足部分.
pánts-lèg 《米俗 / 古風》(飛行場などの)吹き流し(windsock).
pég lèg 名形 《話》(木製の)義足(の).
pró·lèg 名 腹脚, (イモ虫などの)前脚.
quíver lèg 〘家具〙丸く先細の椅子の脚.
Réd·lèg 〘米史〙レッドレッグ.
séa·lèg カニの脚の形をしたかにかまぼこ.
shórt lég 〘クリケット〙ショートレッグ.
squáre lèg 〘クリケット〙スクエアレッグ.
stráight-lég 形 〈ズボン・ジーンズが〉ストレートの.
swíng lèg 〘家具〙垂直状の甲板(こうはん)を水平の位置に戻したとき, それを支える脚.
thírd lég 《俗》=middle leg.
trúmpet lèg 〘家具〙トランペット脚部.
wét lég 《英俗》自分を哀れむ人.
whíte lég 〘医学〙=milk leg.
wóoden lég 木製義足.

le·gal /líːgəl/

形 **1** 法的に正当な, 適法の, 合法的な. **2** 弁護士の. ⇨ -AL[1].
★ 語頭にくる関連形は legis-, legiti-: *legis*late「法律を制定する」, *legiti*mate「合法の」.

ex·tra·le·gal 形 法の領域 [権限] 外の, 法制外の.
il·le·gal 形 法で禁じられた, 不法の, 違法の.
med·i·co·le·gal 形 法医学の; 法学と医学に関する.
non·le·gal 形 (illegal と区別して)非法律的な.
par·a·le·gal 名 弁護士補助員.
pre·ter·le·gal 形 法律の範囲を超えた, 法律外の.
su·pra·le·gal 形 超法規的.

-le·gate /legət, -gèit/

連結形 代理に命じられた(もの).
★ 名詞, 動詞をつくる.
★ 語頭にくる関連形は leg-: *leg*ation「使節の派遣」, *leg*acy「遺産」.
◆ <ラ *lēgātus*(*lēgāre*「代理に命じる」の過去分詞). ⇨ -ATE[1].
[発音] 語頭の音節に第 1 強勢. 語尾の発音は, 動詞では /gèit/, 名詞では /gèit, gət/.

ab·le·gate 名 〘カトリック〙教皇特使.
del·e·gate 名 ☞
rel·e·gate 動他 …を追いやる, 退ける, 左遷する.

-lege /lidʒ/

L

連結形 盗む; 集める; 読む.
★ 語末にくる関連形は -LECT¹, -LECTION, -LECTIVE, -LIGENT.
★ 語頭にくる形は leg-: *leg*end「言い伝え, 伝説」, *leg*ion「軍勢; 多数」.
◆ ラテン語 *legere*「盗む; 集める; 読む」より.
[発音] 語頭の音節に第 1 強勢.

col·lege 名 ☞
sac·ri·lege 名 瀆聖(とくせい), 神聖なものを汚すこと.
sor·ti·lege 名 (占いのための)くじ引き; くじ占い.

leg·end /lédʒənd/

名 (古くからの)言い伝え, 民間伝承. 伝説.

Gólden Légend 「黄金伝説」: イタリアのドミニコ会士 Jacobus de Voragine が編んだラテン語の聖人伝.
nét. lègend 《俗》インターネットの伝説的人物.
úrban lègend アーバンレジェンド: 出所の分からない現代都市生活の言い伝え.

-leg·ged /légid, légd/

連結形 《複合語》…足の, …本足の. ⇨ -ED².
★ 形容詞をつくる.

báker-lègged 形 《英俗》X 脚の.
bándy-lègged 形 (外側に)足の曲がった, 外湾脚の.
báre·lègged 形副 はだしの [で].
bénch-légged 形 《米南部》〈犬が〉がに股の.
bów·lègged 形 O 脚の, がに股の.
clóss-légged 形副 脚を組んだ [で].
dóg-légged 形 (犬の後脚のように)曲がった.
dúck-lègged 形 〈人・動物が〉並外れて短い足の.
féather-lègged 形 《米南部》臆病な, 卑怯な.
fíve-légged 形 〈スクーナー船が〉5 本マストの.
fóur-légged 形 四つ足の.
lóng-légged 形 足長の.
lóop-legged 形 《米話》(酔っ払って)足のもつれた.
óne-légged 形 一本足の, 片足の, 隻脚の.
róugh-lègged 形 〈動物が〉足に毛のある.
sprádle-lègged 形 両脚を広げた, 大またの.
thrée-légged 形 3 本の足のある.
twó·légged 形 2 本足の, 両脚の.

le·gion /líːdʒən/

名 レギオン: 古代ローマの軍団. ⇨ -ION¹.

Américan Légion 米国在郷軍人会.
Árab Légion (トランスヨルダンの)アラブ軍団.
Brítish Légion 英国在郷軍人会連盟.
Canádian Légion 《カナダ》カナダ在郷軍人会.
fóreign légion 外人部隊, 外国人義勇軍.
Róyal Brítish Légion ＝British Legion.
Thúndering Légion (古代ローマの)雷軍団.

legs /légz/

名複 leg「脚」の複数形.

báby lègs 【テレビ】【映画】小三脚.
banána lègs X 脚, 内鰐(わに)足.
bírd lègs 《米俗》やせた [細い] 脚.
dáddy lónglegs メクラグモ, ガガンボ; 足の長い人 (Daddy-Long-Legs『足長おじさん』).
féather-lègs 《米俗》卑怯者, ずるいやつ.
háiry-lègs 《英・豪俗》野蛮な人, (特にすね毛をそらない)ウーマンリブの連中.
hárd légs 《米黒人俗》人, 男, やつ.
hóllow légs 食べても太らない人.
lánd lègs (航海や飛行機旅行の後)地上を歩く能力.
lóng·lègs 【鳥類】セイタカシギ(stilt).
pég lègs ペッグレッグズ: 足首のところで絞ったズボン.
piáno lègs (特に女性の)太い足, 「大根足」.
réd·lègs 【植物】ヒメフウロ(herb Robert).
séa lègs 《話》揺れる船上で平衡を保つ能力.
shéar lègs 二またクレーン.
shéer·lègs ＝shear legs.
sóft légs 《米俗》少女, 女.
spíndle·lègs 細長い脚.
tángle-lègs 《米》スイカズラ科ガマズミ属の木.
thóusand-légs ヤスデ類の陸性節足動物の総称.
yéllow·lègs キアシ(黄足)シギ.

lem·ma /lémə/

名 〖医学〗鞘(しょう); 〖植物〗外花穎(がいかえい), 外穎. ⇨ -MA.

ax·i·lem·ma 名 【解剖】軸索鞘.
ax·o·lem·ma 名 ＝axilemma.
neu·ri·lem·ma 名 【解剖】神経鞘, 神経線維鞘.
plas·ma·lem·ma 名 【細胞生物】細胞膜.
sàrco·lémma 名 【解剖】筋(線維)鞘.

length /léŋkθ, lénθ | léŋkθ/

名 **1** (端から端までの)長さ, 丈(たけ); (横に対して)縦; (泳いだ距離の単位としての)プールの縦(の長さ). **2** (ある物を尺度とした)長さ. ⇨ -TH¹.

árm's léngth 手を伸ばせば届く所 [距離, 長さ].
árm's-lèngth 形 (あまり)親密でない; よそよそしい.
bíshop's léngth 【絵画】約 147 cm × 239 cm のキャンバス.
blóck·lèngth 【コンピュータ】ブロック長(ちょう).
bónd lèngth 【物理】【化学】結合距離.
cáble lèngth ＝cable's length.
cáble's lèngth 鏈(れん), ケーブル.
cálf-léngth 形 〈外衣・ブーツなどが〉ひざ下の.
dáy lèngth 【生物】光周期(photoperiod).
dréss lèngth ドレスを 1 着分の長さの布.
féature-léngth 形 〈映画・記事などが〉長編の.
fíxed-lèngth 形 【コンピュータ】固定長の.
flóor-lèngth 形 床まで届く長さの.
fócal lèngth 【光学】焦点距離.
fréeboard lèngth 【海事】満載喫水線における船体の長さ.
fúll-léngth 形 標準の長さの; 〈映画・本などが〉削除なしの.
hálf-lèngth 名 正常の長さの半分のもの; 半身像.
híp-lèngth 形 〈上衣などが〉尻(しり)に達する.
knée-lèngth 形 〈靴・スカートなどが〉ひざまでの.
máxi·lèngth 名 マキシの長さ.
sáiling lèngth ヨットの長さ.
shóulder-lèngth 形 〈髪の毛などが〉肩に届く.
stréet-lèngth 形 〈スカートが〉外出に適した長さの.
wáltz-lèngth 形 〈衣服が〉ふくらはぎまでの.
wáve·lèngth 【物理】波長.
whóle-lèngth 形 元来の長さの, 短縮してない.

lens /lénz/

名 レンズ.

achromátic léns 【光学】色消しレンズ.
anamórphic léns 【映画】【光学】円柱レンズ.
cómpound léns 【光学】複合レンズ.
cóntact lèns コンタクトレンズ.
convérging léns 【光学】収束レンズ.
convértible léns 【写真】焦点可変レンズ.
crówn lèns 【光学】クラウンレンズ.
crýstalline léns 【解剖】(眼球の)水晶体.
dieléctric léns 【物理】誘電体レンズ.
divérging léns 【光学】発散 [散開, 散光] レンズ.
dóuble-cóncave léns 両凹レンズ.

dóuble-cónvex léns 両凸レンズ.
eléctron léns 電子レンズ.
electrostátic léns 静電［電界］レンズ.
éye léns 〖光学〗アイレンズ, 眼レンズ.
fíeld léns 〖光学〗対物レンズ, 視域レンズ.
físheye léns 〖写真〗魚眼レンズ.
Fresnél léns 〖光学〗フレネルレンズ, フレネルの帯状(たいじょう)レンズ.
gás-pèrmeable léns 気体透過性ソフトコンタクトレンズ.
gravitátional léns 〖天文〗重力レンズ.
hánd léns (柄のついた)拡大鏡, 虫眼鏡.
hárd léns ハードコンタクトレンズ.
intraócular léns 〖眼科〗眼球内レンズ.
mácro léns 〖写真〗接写用［マクロ］レンズ.
magnétic léns 〖物理〗磁界レンズ, 電磁レンズ.
metal lens =metallic lens.
metállic léns 金属レンズ: 電波や音波の集中化あるいは方向の制御に用いる金属製器具.
mìcro-córneal léns 小角膜レンズ: 角膜だけを覆うコンタクトレンズ.
mí·cro·lèns 名 〖写真〗極［微］小写真撮影用レンズ.
mírror léns 〖写真〗ミラーレンズ.
négative léns 〖光学〗=diverging lens.
objéctive léns 〖光学〗対物レンズ.
óbject léns =objective lens.
pérmanent léns 永久レンズ.
pórtrait léns 〖写真〗ポートレート用レンズ.
pósitive léns 〖光学〗=converging lens.
progréssive léns 進行性レンズ: 多焦点眼鏡用レンズ.
rétrofòcus léns 〖写真〗レトロフォーカスレンズ.
sóft léns ソフトコンタクトレンズ.
táking léns 〖写真〗(二眼レフカメラの)撮影用レンズ.
tèleobjéctive léns 〖写真〗=telephoto lens.
télephoto léns 〖写真〗望遠レンズ.
tóric léns 〖光学〗トーリックレンズ.
víewing léns 〖写真〗(二眼レフカメラの)ファインダー用レンズ.
wáter léns 水レンズ: 透明な容器に入った水が屈折媒体の役目をするもの.
zóom léns 〖写真〗ズームレンズ.

-lent /lənt/

連結形 -ulent の異形.

pes·ti·lent 形 伝染病を発生させる.

leop·ard /lépərd/

名 ヒョウ(豹).

Américan léopard 《俗に》ジャガー(jaguar).
bláck léopard クロヒョウ(panther).
clóuded léopard ウンピョウ(雲豹).
húnting léopard チーター(cheetah).
séa lèopard アザラシ(seal)数種の総称.
snów lèopard ユキヒョウ.
wóod lèopard 〖昆虫〗ゴマフボクトウ.

-lep·sis /lépsis/

連結形 〖修辞〗…用法.
★ 名詞をつくる.
★ 複数形は -lepses.
★ 語末にくる関連形は -LEPSY, -LEPTIC.
◆ <ギ *lēp-*(*lambánein*「つかむ, 取る」の異形語幹) + -SIS.

ep·a·na·lep·sis 名 エパナレプシス, 隔語句反復.
met·a·lep·sis 名 メタレプシス, 代替用法.
par·a·lep·sis 名 逆言法, 逆力説(paralipsis).
pro·lep·sis 名 予弁法.
syl·lep·sis 名 くびき語法, 兼用法.

-lep·sy /lèpsi/

連結形 発作.
★ 名詞をつくる.
★ 語末にくる関連形は -LEPSIS, -LEPTIC.
◆ <近代ラ *-lepsia* <ギ *lêpsis* 発作(*lambánein*「急に襲う」より). ⇨ -SY.
［発音］2つ前の音節に第1強勢.

a·cat·a·lep·sy 名 〖哲学〗(古代懐疑主義の)不可知論.
cat·a·lep·sy 名 〖病理〗〖精神医学〗強梗症.
ep·i·lep·sy 名 〖病理〗癲癇(てんかん).
nar·co·lep·sy 名 〖病理〗ナルコレプシー, 発作性睡眠, 居眠り病.
nym·pho·lep·sy 名 (ニンフに霊感・啓示を授かったときに生じると古代人が想像していた)法悦, 恍惚(状態).

-lep·tic /léptik/

連結形 …を取る….
★ 形容詞をつくる.
★ 語末にくる関連形は -LEPSIS, -LEPSY.
◆ <ギ *-lēptikos* (*lambánein*「取る」の派生語より). ⇨ -IC[1], -TIC.

an·a·lep·tic 形 〖医学〗興奮性の; 気付けの.
ep·i·lep·tic 形 〖病理〗癲癇(てんかん)(症, 性)の.
neu·ro·lep·tic 形 〖薬学〗抗精神病(性)の.
or·ga·no·lep·tic 形 感覚を刺激する.

less /lés/

副 (数量・程度が)いっそう少なく, もっと［さらに, より］下回って.

Fóod 4léss 米国のスーパーチェーン; 4less は for less(他よりも安価で)の意.
nathe·less 副 《古》それでも(nevertheless).
nev·er·the·less 副 それにもかかわらず.
none·the·less 副 =neverthless.
un·less 接 …のほかは, もし…でなければ.

-less /lis/

接尾辞 **1** …のない: care*less*, child*less*. ►名詞につけて形容詞(まれに副詞)をつくる. **2** …できない, …しがたい: count*less*, tire*less*. ►動詞につけて形容詞をつくる.
★ -ful[1] の反対の意を表すが(例: care*ful* ↔care*less*, harm*ful* ↔harm*less*), -ful[1] のつく対応語がないものも多い(例: head*less*, child*less*); -ful[1] と並び, 語形成力は大きい.
★ 語末にくる関連形は -LESSLY.
◆ 中英 *-less*(*e*), 古英 *-lēas*(*lēas*「…から解放された, …のない, 偽りの」の特殊用法).

ac·cent·less 形 強勢のない; 訛りのない.
ad·less 形 《話》〈雑誌などが〉無広告の.
af·fect·less 形 情のない, 無情な, 冷淡な.
age·less 形 不老の, 不死の; 年に似ず若い.
aim·less 形 目的［当て］のない.
air·less 形 空気のない.
aitch·less 形 《英》h を発音しない.
arm·less[1] 形 腕のない, 無肢の.
arm·less[2] 形 武器のない, 無防備の.
art·less 形 ずるくない, 狡猾さのない.
awe·less 形 =awless.
aw·less 形 恐れを知らない.
back·less 形 背部［背打ち, 裏張り］のない.
barb·less 形 〈釣り針などが〉あご［かえり, かかり, 逆とげ］のついていない.
base·less 形 基部［基底］のない.

bath·less 形 風呂に入らない, 入浴しない.
beard·less 形 ひげのない; ひげをそった.
blame·less 形 非難の余地のない; なんの罪もない.
blood·less 形 無血の; 流血のない.
bod·i·less 形 体のない; 実体のない, 無形の.
bone·less 形 骨のない; 骨抜きの.
boot·less 形 《文語》無益の, 無駄な.
bot·tom·less 形 〈箱などが〉底のない, 底の抜けた.
bound·less 形 無限の, 限りない; 広大な(vast).
brain·less 形 脳なしの, 頭の弱い, 知恵のない.
bra·less 形 ブラジャーを着けない.
breath·less 形 息切れした.
breech·less 形 〘兵器類〙〈銃砲が〉砲尾のない.
brief·less 形 書類を持っていない.
brush·less[1] 形 (塗るのに)刷毛(はけ)の要らない.
brush·less[2] 形 やぶのない, 低木を刈り取った.
but·ton·less 形 ボタンのない, ボタンの取れた.
car·bon·less 形 カーボン紙不要の, ノーカーボンの.
care·less 形 不注意な, 軽率な, そそっかしい.
cash·less 形 現金のない; 現金不要の.
cease·less 形 絶え間ない, 間断ない, 不断の.
change·less 形 変わることのない; 一定不変の.
char·ac·ter·less 形 特色, 特徴のない, 個性のない.
charm·less 形 魅力のない, 人を引きつけない.
chart·less 形 海図に記載されていない; 無名の.
cheer·less 形 喜び [楽しみ] のない, 面白くない.
child·less 形 子供のない.
chin·less 形 あごが引っ込んでいる; あごのない.
Christ·less 形 キリスト教の精神を持たない.
church·less 形 教会のない.
class·less 形 〈社会が〉階級制度を持たない.
cloud·less 形 一点の雲もない; 晴天の.
clue·less 形 手がかりがない, 跡を残していない.
coin·less 形 コインを必要としない.
col·lar·less 形 襟のない, カラーをつけない.
col·li·sion·less 形 〘物理〙〘天文〙(原子の)衝突の起こらない.
color·less 形 色のない, 無色の.
com·fort·less 形 慰め [楽しみ] のない; わびしい.
com·plex·ion·less 形 顔色の悪い, 色つやのない.
cord·less 形 ひものない.
cor·rupt·less 形 (道徳的に)腐敗 [堕落] しない.
cost·less 形 費用 [手数, 時間] のかからない.
count·less 形 数えきれない, 無数の.
crest·less 形 (かぶとの)羽根飾りのない.
date·less 形 日付のない.
daunt·less 形 びくともしない, 恐れを知らない.
death·less 形 死ぬことのない, 不死の, 不滅の.
de·gree·less 形 度を示す目盛りがない.
de·sert·less 形 長所のない; 褒めるに値しない.
desk·less 形 専用机が不要の, ラップトップの.
dick·less 形 《米俗》陰茎のない; 《ハッカー俗》〈ワークステーションが〉ディスクのない.
doubt·less 副 確かに, なるほど. ── 形 疑いのない.
dough·less 形 《米俗》文無しの.
dow·er·less 形 寡婦産 [嫁資] のない.
drain·less 形 尽きない, 無尽蔵の.
dream·less 形 〈眠りが〉夢を見ない.
drift·less 形 目的のない, 当てのない(aimless).
drip·less 形 滴が垂れない.
drug·less 形 薬を用いない.
ease·less 形 《古》心の安まらない, 不安な.
edge·less 形 刃のない; 鋭利でない, なまくらの.
ef·fort·less 形 努力を要しない, 骨の折れない.
e·lec·tro·less 形 〘化学〙(金属析出で)無電解の.
e·mo·tion·less 形 感情に動かされない.
end·less 形 終わりのない, 無限の; 絶え間のない.
e·vent·less 形 平穏な.
ex·haust·less 形 尽きることがない.
ex·pres·sion·less 形 表情のない, 表情に乏しい.
eye·less 形 〈生物・針などが〉目のない.
face·less 形 顔のない.
fade·less 形 色のあせない, 退色しない.
faith·less 形 (…に)不忠実な, 不誠実な.
fan·ci·less 形 空想 [想像] 力のない; 現実的な.
fa·ther·less 形 父のない.
fath·om·less 形 深さの測り知れない, 底なしの.
fat·less 形 〈食べ物が〉脂肪(分)のない.
fault·less 形 欠点がない, 無傷の; 完全な.
fear·less 形 恐れを知らない; (…を)恐れない.
fea·ture·less 形 特徴のない, 平凡な, 単調な.
feck·less 形 役に立たない, 無能な, 無力な.
feel·ing·less 形 感情のない, (正常な)感覚を欠いた.
fin·ger·less 形 指のない; 指を失った.
fire·less 形 火の(気の)ない, 火の消えた.
flaw·less 形 〈宝石・食器などが〉傷のない.
flight·less 形 〈鳥が〉飛べない, 無飛力の.
flow·er·less 形 花の咲かない, 花のない.
food·less 形 〈人・動物が〉食べ物のない.
foot·less 形 足のない.
ford·less 形 浅瀬のない.
form·less 形 はっきりした形のない.
frame·less 形 枠のない; 額縁なしの.
friend·less 形 友達のない, 寄る辺のない.
front·less 形 《古》厚顔無恥の, 厚かましい.
fruit·less 形 〈努力などが〉無益な, 無駄な.
fu·ture·less 形 将来性 [前途] のない, 見込みのない.
gain·less 形 利益のない, もうからない.
gaum·less 形 《主に英話》のろまな, まぬけの.
god·less 形 神を持たない; 神の存在を認めない.
gorm·less 形 《主に英》＝gaumless.
grace·less 形 優雅 [優美] さの欠けた, 品のない.
grain·less 形 粒のない; 木目のない.
gram·mar·less 形 〈言語が〉文法のない.
grave·less 形 正式に埋葬されない.
Greek·less 形 ギリシャ語を知らない.
ground·less 形 根拠 [理由] のない, 事実無根の.
guide·less 形 案内人のいない; 指導者のいない.
guile·less 形 たくらみ [悪意] のない, 誠実な.
guilt·less 形 (…について)罪のない, 潔白な.
gun·less 形 銃 [砲] を持たない.
gut·less 形 《英話》勇気 [意気地] のない.
hair·less 形 毛のない; 毛髪のない, はげた.
ham·mer·less 形 槌(つち)のない.
hand·less 形 手を失った.
hap·less 形 不幸な, 不運な.
harm·less 形 害を及ぼさない; 悪意のない.
hate·less 形 憎まない, 憎悪の念のない.
hat·less 形 帽子をかぶっていない, 無帽の.
head·less 形 頭(部)のない.
heart·less 形 無情な, 不人情な, 無慈悲な.
heed·less 形 構わない, 無頓着(むとんちゃく)な.
help·less 形 〈病人などが〉体の自由が利かない.
home·less 形 家のない; 住むところのない.
hope·less 形 望み [見込み] のない, 絶望的な.
ho·ri·zon·less 形 地平線のない.
house·less 形 〈場所が〉家のない.
hu·mor·less 形 ユーモアのセンスのない.
hurt·less 形 無傷の, 傷を受けていない.
job·less 形 仕事のない, 失業(中)の.
joint·less 形 関節のない, 無関節の.
joy·less 形 〈人・生活が〉喜びのない; 不幸な.
key·less 形 鍵のない; 〈管楽器が〉無鍵の.
kind·less 形 《まれ》不親切な, 思いやりのない.
kin·less 形 身寄りのない.
land·less 形 土地を持たない, 地所のない.
law·less 形 法律に反する, 法律を無視する.
lead·less 形 〈ガソリンが〉無鉛の.
leaf·less 形 葉のない; 葉の落ちた.
leg·less 形 脚がない.
let·ter·less 形 読み書きのできない, 非識字の.
lid·less 形 〈物が〉蓋(ふた)のない.
life·less 形 生命のない(inanimate).
light·less 形 光のない, 灯火 [明かり] のない.
lim·it·less 形 制限のない, 無制限の; 無限の.
list·less 形 (疲れて)気のない, 気乗りしない.

lit·mus·less 形 どちらにもつかない, 中立の.
lord·less 形 主君[主人]のない.
love·less 形 愛のない, 愛情の伴わない; 冷たい.
luck·less 形 《文語》不運な, 不幸な.
make·less 形 《古》配偶者のない, 連れのない.
man·less 形 人のいない; 夫[男]のいない.
man·ner·less 形 行儀の悪い, 無作法な.
mass·less 形 【物理】静止質量ゼロの素粒子の.
match·less 形 《文語》並ぶもののない, 無比の.
mean·ing·less 形 無意味な; 無益な; 価値のない.
meas·ure·less 形 《主に文語》測り知れない.
mind·less 形 《侮辱的》知性のない, 愚かな.
money·less 形 金のない, 一文なしの.
moon·less 形 〈夜などが〉月のない, 闇の.
moth·er·less 形 母のない; (特に)母に死なれた.
mo·tion·less 形 動かない, 不動の, じっとしている.
move·less 形 《文語》動きのない, 不動の.
name·less 形 名[名称]のない, 名前の分からない.
need·less 形 不必要な, 無駄な, 無用の.
nerve·less 形 取り乱さない, 冷静な.
night·less 形 (極圏で)夜のない.
noise·less 形 音がしない; 静かな, ひっそりした.
note·less 形 無名の, 名もない; 目立たない.
num·ber·less 形 数えきれない, 無数の.
ob·ject·less 形 目的を持たない, 漫然とした.
of·fense·less 形 罪[害]のない.
oil·less 形 油のない; 油を差してない.
op·pose·less 形 《古》抗しがたい.
own·er·less 形 所有者のいない, 持ち主のない.
pain·less 形 〈治療・分娩などが〉痛くない, 無痛の.
pa·per·less 形 (コンピュータなどにより)紙によらず情報・資料を流す.
pas·sion·less 形 感情に動かされない; 熱意のない.
pass·less 形 道のない, 通行できない.
path·less 形 道のない, 人跡[前人]未踏の.
peer·less 形 比類のない, 無比の, 無双の.
pen·ni·less 形 文無しの, 無一文の, 赤貧の.
pi·lot·less 形 〈航空機が〉パイロット不要の.
pit·i·less 形 情け容赦のない, 薄情な, 無慈悲な.
Plan·less 形 目標[あて]のない, 無関係な.
plot·less 形 計画のない; 〈小説など〉筋のない.
pluck·less 形 (特に困難に直面して)勇気のない.
plumb·less 形 〈水深などが〉測れない.
point·less 形 先のとがってない, 先のない.
pow·er·less 形 効果がない, 効き目がない.
price·less 形 とても高価な; 非常に貴重な.
print·less 形 痕跡(こんせき)を残さない, 跡のない.
prof·it·less 形 利益にならない; 無駄な.
proof·less 形 証拠のない; 証明されない.
pulse·less 形 脈拍のない, こと切れた.
punch·less 形 〈ファイルなどが〉パンチレスの.
pur·pose·less 形 目的のない, 意図のない; 無益な.
quench·less 形 消すことのできない; いやせない.
ques·tion·less 形 問題のない, 明白な, 疑問のない.
rain·less 形 雨のない, 乾燥した.
ray·less 形 光線のない, (光線状)射線のない.
reach·less 形 達することができない.
rea·son·less 形 理性を欠いた; 道理に合わない; 根拠のない.
reck·less 形 (…に)全く無関心な, 気にかけない.
re·coil·less 形 〈銃などが〉ほとんど跳ね返らない.
re·gard·less 形 注意しない, 無頓着な.
re·lent·less 形 〈人が〉ひどく厳格な, 過酷な.
re·li·gion·less 形 宗教のない, 無宗教の, 非宗教的な.
rem·e·di·less 形 不治の; 矯正できない.
re·morse·less 形 後悔していない; 無情な, 残忍な.
re·proach·less 形 非の打ちどころのない.
re·sist·less 形 《古・詩語》抵抗できない.
rest·less 形 落ち着きのない.
re·sult·less 形 成果のない, 無駄な, 効果のない.
re·turn·less 形 帰ることのできない.
rib·less 形 肋骨(ろっこつ)のない.
right·less 形 権利のない, 資格のない.
r-less 形 【音声】r 脱落音(r-dropping)の.
roof·less 形 〈建物が〉屋根のない.
root·less 形 〈植物が〉根のない.
rule·less 形 (法律によって)規制[抑制]されない.
rump·less 形 〈ニワトリ(の品種)が〉尾骶(びてい)骨のない.
run·less 形 【野球】得点なしの.
rust·less 形 さびついていない.
ruth·less 形 哀れみのない, 無慈悲な, 無情な.
sack·less 形 《スコット》気力のない; 気の弱い.
sail·less 形 帆のない; 〈海が〉帆影のない.
salt·less 形 塩[塩気, 塩味]のない; 味のない.
sap·less 形 樹液のない; 汁気のない.
sate·less 形 《古》飽くことを知らない.
score·less 形 (両チームとも)無得点の.
seam·less 形 縫い目[継ぎ目]なしの.
search·less 形 捜索できない; 不可解な.
self·less 形 無私無欲の.
sense·less 形 感覚のない, 意識を失った.
sex·less 形 無性の(ような); 中性の.
shame·less 形 〈人が〉恥知らずな; 厚かましい.
shape·less 形 《通例けなして》はっきりした形のない, 定形のない; まとまりのない.
shift·less 形 策のない, 才覚のない; 無能な.
shit·less 形 《俗》くそが出ない. ――副 ひどく.
shore·less 形 無限の, 果てしない.
sight·less 形 目の見えない(blind).
sink·less 形 〈船舶などが〉沈まない, 不沈の.
sin·less 形 罪のない, 潔白な.
skil·less 形 ＝skill-less.
skill-less 形 熟達していない, 未熟な, 下手な.
skin·less 形 皮をはがれた; 皮のない.
sky·less 形 空の見えない, 曇った.
sleep·less 形 眠れない; 不眠症の.
sleeve·less 形 袖(そで)なしの.
smile·less 形 ほほえみを見せない; 澄ました.
smoke·less 形 (ほとんど)煙の出ない, 無煙の.
soap·less 形 せっけんのない.
soil·less 形 土壌を用いない.
song·less 形 歌のない; 〈鳥などが〉歌えない.
soul·less 形 〈人が〉魂[霊魂, 心]のない.
sound·less[1] 形 音のない, 静かな.
sound·less[2] 形 《主に詩語》〈海などが〉深さの測り知れない, 底知れない.
space·less 形 《主に文語》(空間的に)限界のない.
span·less 形 計ることのできない, 計り知れない.
speech·less 形 〈人が〉(強い感情・疲労などのために一時的に)物が言えない.
spine·less 形 とげのない.
spir·it·less 形 元気のない; 生気のない.
spit·less 形 (恐怖などで)口がからからの.
spot·less 形 染み[よごれ]のない; 全く清潔な.
spring·less 形 ばね[スプリング]のない.
stain·less 形 染み[よごれ]のない; 汚点のない.
stalk·less 形 茎のない.
stanch·less 形 液体の流出(特に出血)の止まらない.
state·less 形 国のない, 国家のない.
stay·less[1] 形 動き続けている, たえず動いている.
stay·less[2] 形 《廃》支持されない.
stock·less 形 〈錨(いかり)が〉ストックのない.
stone·less 形 石[宝石]のない.
storm·less 形 暴風(雨)のない, しけない.
strap·less 形 つまみ革[つり革]がついていない.
strength·less 形 力のない.
stress·less 形 強勢のない; 圧迫のない.
strike·less 形 ストライキのない.
struc·ture·less 形 構造[組織]のない, 無構成の.
sum·less 形 《古》計算できない; 計り知れない.
sun·less 形 日当たりが悪い, 日光が差さない.
symp·tom·less 形 徴候[症候]のない, 不顕性の.
tact·less 形 機知を欠く, 機転の利かない.
taint·less 形 よごれのない, 汚点のない; 潔白な.
tame·less 形 飼いならされていない.
taste·less 形 〈食物が〉味[風味]のない.

L

tear·less 形 涙を流さない, 泣かない.
term·less 形 無制限の; 無条件の.
thank·less 形 感謝されない, 評価されない.
thew·less 形 気が小さい, 臆病な.
thieve·less 形 《スコット》〈態度が〉冷たい.
thought·less 形 《しばしば軽蔑的》思いやりのない.
thow·less 形 《スコット》大儀そうな; 元気のない.
thrift·less 形 金遣いの荒い, 浪費する.
tide·less 形 潮の干満のない.
time·less 形 《主に文語》永遠の, 永久の.
tint·less 形 無色の.
tire·less[1] 形 疲れない, 飽きない, 根気強い.
tire·less[2] 形 〈車輪が〉タイヤのない.
toil·less 形 楽な, 苦労のない.
tooth·less 形 歯がない, 歯が生えていない.
top·less 形 〈女性の水着などが〉トップレスの.
trace·less 形 〈犯罪などが〉跡のない.
track·less 形 (雪で)道の覆い隠された, 道のない.
trust·less 形 《文語・古》信頼できない, 不実な.
truth·less 形 真実でない; 正直 [誠実] でない.
tune·less 形 旋律的 [音楽的] でない, 調子外れの.
use·less 形 無益な, 無駄な, かいのない.
val·ue·less 形 価値のない, つまらない.
verb·less 形 動詞なしの [のつかない].
vice·less 形 悪徳 [邪気, 欠陥] のない.
view·less 形 見晴らし [見通し] の利かない.
vi·sion·less 形 視力のない, 目の見えない.
voice·less 形 声のない, 口が利けない.
vote·less 形 投票 [選挙] 権のない.
wage·less 形 賃金 [給料] をもらえない, 無給の.
wake·less 形 〈睡眠が〉深い, 妨げられない.
want·less 形 〈事・物が〉不足 [不自由] のない.
war·less 形 戦争のない.
watch·less 形 用心深くない, 用心 [警戒] を怠る.
wa·ter·less 形 水(気)のない, 干上がった.
way·less 形 道のない; 人跡未踏の.
wea·ri·less 形 疲れない, 飽くことを知らない.
weed·less 形 〈庭などが〉雑草のない.
weight·less 形 重さのない, 重さのほとんどない.
will-less 形 〈人が〉意志のない.
wind·less 形 風のない; 静かな, 穏やかな.
wing·less 形 翼のない, 羽のない; 飛べない.
win·less 形 勝ちのない, 無勝の.
wire·less 形 針金のない.
wit·less 形 機知に欠けている; 愚鈍な, ばかな.
word·less 形 無言の; 口のきけない; 無口な.
work·less 形 仕事のない, 失業した.
wor·ri·less 形 悩み [苦労] のない, のんきな.
worth·less 形 価値のない, 値打ちのない.
zip·less 形 《米俗》性に関してあけすけな.

-less·ly /lisli/

接尾辞 …なしで, …を欠いて.
★ -less で終わる形容詞に対応する副詞をつくる.
◆ -LESS と -LY[1] の合成接尾辞.

aim·less·ly 副 あてもなく.
blame·less·ly 副 非の打ちどころなく; 潔白で.
care·less·ly 副 不注意に, 軽率に, うっかりと.
help·less·ly 副 どうしようもなく, 頼るものなく.
hope·less·ly 副 絶望して, 希望を失って.

les·son /lésn/

名 (教科書などの)課; (学校の)課業.

fírst lésson 〖英国国教会〗第一日課.
óbject lèsson 実物教育.
tél·e·lès·son 名 テレビ学習.

let /lét/

動他 **1** …を(ある状態に)させる, する. **2** 《主に英》〈土地・建物・家財などを〉(人に)貸す. ── 名 貸家, 貸間.

in·let 名 入り江, 入り海.
off·let 名 排水管.
out·let 名 ☞
re·let 名 《英》改めて賃貸される住居.
sub·let 動他 転貸 [又貸し] する.
un·der·let 動他 (実際の価格より)安く貸す.

-let /lit/

接尾辞 **1** 小さい…, 子どもの…: book*let*, pig*let*. **2** …に付ける物, 装身具: ank*let*, arm*let*.
★ 名詞をつくる.
◆ 中英 *-let*, *-lette* ＜中仏 *-elet*＝*-el*＋-ET[1]; *-el* ＜ラ *-āle* (*-ālis* -AL[1] の中性形), または＜ラ *-ellus*(指小接尾辞).

an·klet 名 アンクレット, 足輪.
ap·plet 名 〖コンピュータ〗単一作業のみを行うコンピュータ・プログラム. ►app(lication)＋-LET.
arm·let 名 腕輪, ブレスレット(bracelet).
auk·let 名 〖鳥類〗オークレット.
band·let 名 〖建築〗バンダリット(bandelet).
blade·let 名 細石刃(さいせきじん): 石器の一種.
bob·let 名 二人乗りボブスレー.
bomb·let 名 小型爆弾.
book·let 名 小冊子, パンフレット.
boom·let 名 小景気, 小人気, 小ブーム.
branch·let 名 小枝, 再分した枝.
brook·let 名 小川.
bud·let 名 幼芽, 小芽, 小つぼみ.
bulb·let 名 〖植物〗むかご(bulbil).
cant·let 名 小詠歌.
cape·let 名 ケープレット: 婦人用小ケープ.
chain·let 名 小鎖.
chart·let 名 〖航海〗小海図.
chick·let 名 《米俗》若い女, 娘っ子, 女の子.
ci·gar·let 名 シガーレット.
cloud·let 名 小さな雲, 小雲.
cor·se·let 名 コルセット: 女性用下着の一種.
cors·let 名 〖甲冑〗半甲冑.
cra·ter·let 名 小クレーター.
cross·let 名 小十字形.
cut·let 名 薄くスライスした肉.
dove·let 名 小さなハト.
drib·let 名 少量, 小部分; 少額.
drop·let 名 小さな滴.
drupe·let 名 小核果, 小石果.
film·let 名 短編映画.
fin·let 名 〖魚類〗小(しょう)離れびれ.
flake·let 名 (雪などの)小さな薄片.
flat·let 名 《英》小さな賃貸部屋.
flow·er·let 名 小さな花.
foot·let 名 婦人用ショートソックス.
front·let 名 (額につける)飾りバンド.
fruit·let 名 小さい果実, (特に)小果.
gaunt·let 名 (中世の甲冑の)籠手(こて), 手袋.
gig·let 名 はすっぱ娘.
gim·let 名 木工錐, ねじ錐, コルク抜き.
goon·let 名 《米俗》ちんぴら, 若いならず者.
green·let 名 〖鳥類〗ミドリモズモドキ.
ham·let 名 小さな村, 村落, 集落.
hars·let 名 《主に米南部》＝haslet.
has·let 名 《主に米南部》(豚などの)臓物.
hook·let 名 小さいフック.
kid·let 名 《英話》(幼い)子供, 幼児.
king·let 名 小王, 小国の王.
knee·let 名 (保護用の)ひざカバー.
lake·let 名 小さな湖.
lance·let 名 〖魚類〗ナメクジウオ(amphioxus).
lan·dau·let 名 《米》ランドレー型自動車.
leaf·let 名 リーフレット, ちらし, びら.
moon·let 名 (自然または人工の)小衛星.

murre·let 名 〖鳥類〗ウミスズメ.
neck·let 名 (飾りとして首に巻く)襟巻き.
Nip·let 名 《俗》日本人の子供.
note·let 名 短い手紙.
nut·let 名 小堅果.
os·se·let 名 〖獣病理〗骨腫(こっしゅ).
part·let 名 パートレット: 婦人用襟付き肩衣.
pic·u·let 名 〖鳥類〗ヒメキツツキ.
pig·let 名 子豚, 小豚.
pike·let 名 小形の若いカワカマス(pike).
plant·let 名 小植物; 苗(木).
plate·let 名 〖細胞生物〗小さな板状体, 小板.
play·let 名 短い劇, 寸劇.
plume·let 名 小羽毛.
prog·let 名 《英ハッカー俗》小プログラム.
quid·let 名 《英話》1 ポンド(札).
ray·let 名 かすかな光線, 微光.
rib·let 名 子牛 [子羊] の胸肉の切り身.
ring·let 名 巻き毛.
rock·let 名 小岩, 小岩石.
rod·let 名 小さな棒 [杖(つえ), さお].
root·let 名 小根, 幼根.
run·let 名 小川, 細流(runnel).
sam·let 名 サケの幼魚.
sleeve·let 名 スリーブレット, 袖カバー.
snake·let 名 小さなヘビ, 子ヘビ.
snig·let 名 (巧みな)新造語.
spark·let 名 小さい火花.
spike·let 名 〖植物〗小穂.
spire·let 名 小尖塔(せんとう).
spring·let 名 小さな泉.
star·let 名 《米》売り出し中の若手女優.
stream·let 名 小さな流れ, 小川, 細流.
swift·let 名 〖鳥類〗アナツバメ.
tart·let 名 小さいタルト [パイ].
tongue·let 名 小舌, 舌状(小)突起.
tooth·let 名 小さい歯; 小歯状突起.
town·let 名 小さな町.
tribe·let 名 小部族 [種族].
tri·o·let 名 〖韻律〗トリオレ.
trout·let 名 マスの幼魚.
val·et 名 従者, そば仕え, 近侍.
valve·let 名 小弁.
var·let 名 《古》ならず者, 悪漢.
vein·let 名 小静脈, 小脈.
verse·let 名 小詩, 短詩.
wave·let 名 小波, さざ波.
wig·let 名 ヘアピース, つけ毛.
wing·let 名 小さな翼.
wrist·let 名 〖服飾〗リストレット.

let·ter /létər/

名 **1** 手紙; 公式文書. **2** 字, 文字. **3** 活字; 字体.

áir lètter 航空郵便.
Bellerophóntic létter 〖ギリシャ神話〗ベレロフォンの手紙.
bláck létter 〖印刷〗ドイツ字体.
blóck lètter 〖印刷〗ブロック式字体.
cápital létter 大文字.
cásh lètter (銀行間の)現金送り状.
cháin lètter 幸福 [不幸] の手紙.
cómfort lètter 〖証券〗コンフォート・レター.
cóvering létter 添え状, 証明書.
cránk lètter 誹謗(ひぼう)の手紙, 脅迫状.
crédit lètter 信用状(letter of credit).
dáy lètter 《米》即日電報, 昼間書信電報.
déad létter (法律などの)死文, 空文.
dímissory létter 受品(じゅひん)許可状.
dóg lètter =dog's letter.
dóg's lètter 犬音文字: 特に顫動(せんどう)音を表すときの *r* 字.
domínical létter 〖キリスト教〗主日(しゅじつ)文字.
dóuble létter 〖印刷〗合字, 連字(ligature).
dróp lètter 《米》配達のない地方局に出された郵便物で, 受取人がその局に取りに来なければならないもの.
fán lètter (著名人への)ファンレター.
fórm lètter 同文の手紙.
fóur-lètter 形 4 文字の; 汚い言葉を使う.
Frénch létter 《英話》コンドーム.
hánd létter (手とじ本などに手で箔(はく)押しするための)柄付きの真鍮(しんちゅう)文字.
hánd-létter 動他 …を活字体で手書きする.
lóng létter 〖印刷〗長音符文字, 長母音字.
lóve lètter ラブレター, 恋文.
márket lètter 市場便り, 市況案内.
móon lètter 〖アラビア語文法〗月文字.
néws·lètter 社報, 公報, 回報, PR 誌.
níght lètter 《米》overnight telegram の旧称.
ópen létter 公開(質問)状.
óvernight lètter 《米》翌日配達郵便.
páschal létter 復活祭の手紙.
pástoral létter 霊的教書; 司教教書.
prímary létter 〖印刷〗プライマリーレター.
pýramid lètter =chain letter.
réd-létter 形 〈教会暦で祝祭日などが〉赤文字の.
scárlet létter 《米》緋(ひ)文字: 緋色の布で作った adultery「不義, 不倫, 姦通」の頭文字の A; 姦通罪の印.
séa lètter (戦時中の)中立船通行許可証.
smáll létter 小文字(lower-caseletter).
Súnday létter =dominical letter.
sún lètter 〖アラビア文法〗太陽文字.
swásh lètter スワッシュレター, 巻きひげ文字.

let·ters /létərz/

名複 letter の複数形.

béautiful létters 《米》(芸術的な)文学, 純文学.
cáll létters 《米・カナダ》(放送局などの)呼び出し符号.
canónical létters 昔, キリスト教の聖職者が(特に旅先などで)信仰を証明するため交換した手紙.
Páston Létters 《the ～》パストン家書簡: 15 世紀の往復書簡で大英博物館に保存.

let·tuce /létis/

名 〖植物〗レタス, チシャ.

Bóston léttuce ボストンレタス.
cábbage lèttuce =head lettuce.
cós léttuce 《英》タチチシャ(romaine).
crísphèad léttuce クリスプヘッド・レタス.
fólding léttuce たくさんの紙幣, お札(さつ).
héad lèttuce タマヂシャ.
íceberg léttuce アイスバーグレタス.
lámb's lèttuce コーンサラダ: オミナエシ科ノヂシャ属の数種の植物の総称.
léaf lèttuce サラダナ.
límestone lèttuce ライムストーンレタス.
míner's léttuce ツキヌキヌマハコベ.
pócket léttuce 《米俗》お金, 銭.
séa lèttuce アオサ.
wáter lèttuce ボタンウキクサ.
wíld léttuce 野生チシャ.

leu·ke·mi·a /luːkíːmiə | ljukíːmiə, -mjə/

名 〖病理〗白血病. ⇨ -EMIA.
★ 語頭にくる関連形は leukem(o)-: *leukemo*genesis「白血病」, *leukem*oid「類白血病」.

a·lèu·ké·mia 名 無白血病.
erỳthro·leukémia 名 赤(血)白血病.

L

granulocýtic leukémia 顆粒球(性)白血病.
háiry cèll leukémia ヘアリー細胞白血病.
myelocýtic leukémia ＝myelogenous leukemia.
myelógenous leukémia 骨髄性白血病.

lev·el /lévəl/

形 **1** 平らな, 凹凸(おうとつ)のない. **2** 水平な. **3** (階級・身分・能力・学力など)(…の)水準の. ―名 **1**〘測量〙レベル, 水準器. **2** 水平面, 水平線; (建物の)階. **3** (ある)高さ, 高度. **4** (価値・地位などの)水準. ⇨ -EL¹.

áction lèvel (政府が販売禁止措置の取れる, 食品に含まれる有害物質の)限界レベル.
advánced lèvel 《英》〘教育〙学力検定上級試験.
Á lèvel 〘英教育〙A レベル.
À/Ś level 《英》AS レベル, 補充 A レベル.
báse lèvel 〘地質〙(浸食)基準面.
bi-lével 形 〈客車などの座席が〉二階になった.
blóod lèvel 血中濃度.
dúmpy lèvel 〘測量〙短肥水準儀.
énergy lèvel 激しく活動する能力.
éntry-lèvel 形 〈職業が〉下級の, 単純な, 初歩的.
éye-lèvel 目の高さ.
flíght lèvel 〘航空〙フライトレベル.
fóot lèvel 水準器付き物差し.
gróund lèvel 〘物理〙基底状態.
gróundwater lèvel 地下水面.
gút-lèvel 形 好悪の [生理的な] レベルでの.
hánd lèvel 〘測量〙ハンドレベル.
hígh-lèvel 形 上層の人々による [で構成された].
lógic lèvel 〘電子工学〙ロジックレベル.
lów-lèvel 形 地位 [身分] の低い(人の).
mézzanine lèvel 〘金融〙メザニン・レベル.
míddle-lèvel 形 中位の, 中間に位置する.
míd-lèvel 形 中位の(middle-level).
mùlti·lèvel 形 重層の, 多くの階層から成る.
nóise lèvel 〘通信〙雑音レベル.
Ó lèvel 《もと》〘英教育〙オーレベル: 教育修了一般試験の第 1 段階試験.
Órdinary lèvel 〘英教育〙普通課程, 普通級.
póverty lèvel 貧困線: 最低限度の生活を維持するのに必要な所得水準.
replácement lèvel 〘統計〙人口補充出生率.
resístance lèvel 〘証券〙上値抵抗線.
saturátion lèvel 〘生態〙飽和密度, (環境)収容力.
schólarship lèvel ＝S level.
séa lèvel 海水面, 平均海面.
signíficance lèvel 〘統計〙有意水準.
Ś lèvel 〘英教育〙S レベル: 教育修了一般試験の一つ.
spírit lèvel 〘測量〙(アルコール)水準器.
splít-lèvel 形 〈建物が〉スキップフロアのある.
súb-lèvel 〘採鉱〙中段坑道.
subsístence lèvel 生存 [最低生活] 水準.
súmmit-lèvel (道路・鉄道などの)最高地点.
suppórt lèvel (株式相場の)下値支持線.
survéyor's lèvel 〘測量〙＝spirit level.
tóp-lèvel 形 《話》トップレベルの, 最高水準の.
trí-lèvel 形 〈家などが〉三階建ての.
tróphic lèvel 〘生態〙栄養段階.
trúe lèvel 真正水準線.
ùn·lèvel 形 平らでない, 凹凹の.
wáge lèvel 賃金水準.
wáter lèvel (一般に)水位.
wýe lèvel ＝Y level.
Ý lèvel 〘測量〙Y レベル, Y 字形水準器.

lev·er /lévər, líːv- | líːvə/

名 〘機械〙梃子(てこ), レバー.

cán·ta·lè·ver 名 ＝cantilever.
cán·ti·lè·ver 名 〘建築〙片持ち梁(ばり).
cócking lèver (火器の)撃発 [撃鉄] 作動桿(かん).
colléctive pítch lèver 〘航空〙コレクティブ・ピッチ・レバー.
cýclic pítch lèver 〘航空〙サイクリックピッチレバー.
flóating léver 〘鉄道〙浮きレバー, 遊動てこ.
géar lèver 《英》〘自動車〙＝shift lever.
shíft lèver 〘自動車〙シフトレバー, 変速梃子(てこ).
thróttle lèver スロットル, 絞り.
upsétting lèver 〘造船〙転覆てこ.

lev·y /lévi/

名 (税金・罰金などの)取り立て, 徴収; (…に対する)徴税. ⇨ -Y³.

bétterment lèvy 《英》改良税, 改善税.
cápital lèvy 資本課税, 資本税.
táx lèvy 課税, 税徴収.

-lex·i·a /léksiə | -siə, -sjə/

連結形 話すこと; 語ること.
★ 病理関係の名詞をつくる.
◆ ギリシャ語 *léx(is)*「話すこと」より. ⇨ -IA.

a·lex·i·a 名 読字不能症, (中枢性)失読(症).
dys·lex·i·a 名 読書障害, 失読症.
par·a·lex·i·a 名 錯読症.

-ley /li/

連結形 林, 林の空き地.
★ 地名, 地名起源の姓につく.
◆ 古英 *lēah* 森の空き地, 森.

Barns·ley 名 バーンズリー(イングランドの都市名). ►字義は「Beornheaard(人名)の林」.
Beards·ley 名 ビアズリー(地名起源の姓). ►字義は「斜面の牧草地」.
Bod·ley 名 ボドリー(姓, もとはイングランドの地名). ►字義は「甲虫の森」.
Charn·ley 名 チャーンリ(地名起源の姓).
Chat·ter·ley 名 チャタレー(姓, もとはイングランドの地名). ►字義は「森の番人」.
Chor·ley 名 チョーリー(イングランドの都市名).
Cop·ley 名 コプリー(地名起源の姓). ►字義は「Coppa(人名)の林」.
Crow·ley 名 クローリー(米国の都市名).
Finch·ley 名 フィンチリー(イングランドの地名). ►字義は「Finch(地名)の林」.
Han·ley 名 ハンリー(イングランドの地名). ►字義は「高地の林」.
Har·ley 名 ハーリー(イングランドの地名). ►字義は「野ウサギの森」.
Hay·ley 名 女子の名(もとは地名起源の姓). ►字義は古英で「干し草と林」.
Hea·ley 名 ヒーリー(姓, もとはイングランドの地名). ►Harley の異形.
Hinch·ley 名 ヒンクリー(イングランドの地名).
Ilk·ley 名 イルクリー(イングランドの地名). ►字義は「Illica(人名)の森」.
Kim·ber·ley 名 キンバリー(南アフリカ共和国の都市名).
Mar·ley 名 マーリー(イングランドの地名). ►字義は「国境の森」.
Mose·ley 名 モーズリー(イングランドの地名). ►字義は「Mall(人名)の林」.
Nut·ley 名 ナットリー(米国の都市名).
Rid·ley 名 リドリー(イングランドの地名). ►字義は「水路沿いの林」.
Row·ley 名 ローリー(イングランドの地名). ►字義は「荒々しい森」.
War·ley 名 ウォーリー(イングランドの地名).

Week·ley 名 ウィークリー(イングランドの地名). ►字義は「セイヨウハルニレの森」.
Welles·ley 名 ウェルズリー(姓). ►字義は「外国人の森」.
Wem·bley 名 ウェンブリー(イングランドの地名). ►字義は「Wemba(人名)の森」.
Wheat·ley 名 ホイートリー(イングランドの地名). ►字義は「麦の生い茂る森」.
Win·stan·ley 名 ウィンスタンリー(姓, もとはイングランドの地名). ►字義は「Wynstān の森」.
Wool·ley 名 ウーリー(イングランドの地名). ►字義は「Wolves(人名)の森」.
Wors·ley 名 ワーズリー(イングランドの地名).
Yard·ley 名 ヤードレー(イングランドの地名).

li·a·bil·i·ty /làiəbíləti/

名 借金, 負債, 債務. ⇨ -ABILITY.

accrúed liabílity 見越[未払]負債.
contíngent liabílity 不確定[停止条件付き]責任.
drám shòp liabílity 《米》〖法律〗種類提供者責任.
fíxed liabílity 固定負債, 長期負債.
límited liabílity (会社などの)有限責任.
próduct liabìlity 製造物責任.
thírd-párty liabílity 〖法律〗第三者損害賠償責任.

lib /líb/

名 《話》権利拡張運動, 差別廃止運動, 解放運動. ►liberation の短縮形.

ánimal líb 急進的動物保護運動.
Fém Líb 女性解放運動.
Gáy Líb ゲイ解放, 同性愛者差別撤廃運動.
Mén's Líb 《米》男性解放運動; そのグループ.
Wómen's Líb 女性解放運動, ウーマンリブ.

lib·er·al /líbərəl/

形 **1** 自由主義の. **2** 偏見のない, 偏狭でない; 寛大な; 慣習にとらわれない. ⇨ -AL[1].

il·lib·er·al 形 狭量な, 偏狭な; 偏屈な.
límousine líberal 《米》金持ちでリベラルな立場を取る人(wealthy liberal).
o·ver·lib·er·al 形 あまりに自由な, 寛大すぎる.
ul·tra·lib·er·al 形 急進的自由主義の; 極端に自由な.

lib·er·a·tion /lìbəréiʃən/

名 解放, 釈放. ►liberate の名詞形. ⇨ -ATION.

ánimal liberátion 動物解放運動.
de·lìb·er·á·tion 名 熟考, 熟慮, 思案.
gáy liberátion ゲイ解放, 同性愛者差別撤廃運動.
wómen's liberátion 女性解放運動, ウーマンリブ.

lib·er·ty /líbərti/

名 (圧政・暴力的支配からの)自由; (外国の支配からの)自由, 独立. ⇨ -TY[2].

Cinderélla líberty 《米海軍俗》真夜中に期限がくる外出許可[パスなど].
cívil líberty 市民的自由.
indivídual líberty 個人の自由.
pérsonal líberty 個人的自由.
polítical líberty 政治的自由.
Rádio Líberty 自由放送.

li·brar·y /láibrèri, -brəri, -bri | -brəri/

名 図書館, 図書室; (個人の)書庫, 書斎. ⇨ -ARY.

Brítish Líbrary 英国国立図書館.
círculating líbrary 《まれ》貸し出し図書館.
cópyright líbrary 《英》納本図書館.
depósitory líbrary 寄託図書館.
fílm líbrary フィルムライブラリー.
Fólger Shákespeare Líbrary (Washington の)フォルジャー・シェークスピア図書館. ►米国の首都 Washington にある; 収集家 Henry Clay Folger の死後 1932 年に設立.
frée líbrary 《英》(無料の)公立図書館.
Hárleian Líbrary ハリー文庫: 英国国立図書館に保存されている Harleian MSS から成る写本文庫.
Húntington Líbrary ハンティングトン図書館: 米国 Los Angels 近郊にある私立図書館.
júnior líbrary 《英》児童図書館.
lénding líbrary 貸出文庫, 貸本屋.
Mágnet Líbrary マグネット文庫: 英国の作家 F. Richards の少年向け週刊読み物.
móbile líbrary 移動図書館(bookmobile).
Módern Líbrary (Random House 社の)近代(名作)文庫.
nátional líbrary 国立図書館.
Perénnial Líbrary Harper Collins 社のペーパーバック双書.
Pópular Líbrary 米国のペーパーバック双書.
públic líbrary 公共[公立]図書館.
réference líbrary 参考図書館. ►貸し出しはしない.
régional líbrary 《米》(近隣地域共同の)地方図書館.
réntal líbrary 《米》=lending library.
reséarch líbrary 学術図書館, 研究図書館.
spécial líbrary 門図書館.
subscríption líbrary 会員制貸し出し図書館.
tráveling líbrary 学校や図書館などに貸し出される図書.

li·cence /láisəns/

名 《英》=license. ⇨ -ENCE[1].

dríving lícence 自動車運転免許(証).
occásional lícence 臨時酒類販売許可.
óff-lìcence 酒類販売免許.
ón-lìcence 店内酒類販売許可.
róad fùnd lìcence 自動車税納付証明書.
spécial lícence 〖英法〗結婚特別許可証.
táble lìcence (食事で出すときのみの)酒類販売許可.
véhicle lìcence 自動車検査証.

li·cense /láisəns/

名 《米》(営業・開業などに関して法的機関が与える)認可, 免許, 官許(《英》=licence).

Cláss 2 lìcense 《米》第 2 種運転免許.
cróss lícense クロスライセンス, 見返り特許権.
dríver's lìcense 自動車運転免許(証).
gáme lìcense 狩猟免許; 猟鳥獣販売免許(状).
márriage lìcense (政府職員・聖職者の発行する)結婚許可書.
poétic lícense 詩的許容, 詩的自由.
síx-pàck lícense 《俗》6 人乗りまでのボートの免許.
sùb·lí·cense 名 副免許状.

lick /lík/

動他 **1** …をなめる. **2** 《話》打ち負かす. ―名 (舌での)一なめ.

bóot·lìck 動他自 《話》おべっかを使う, へつらう.
cát·lìck 《話》ざつに洗うこと.

L

ców·lick 逆毛, 立ち毛.
díck-lick 動自《米俗》フェラチオをする.
dónkey-lick 動他《豪俗》(特に競馬で)…を打ち負かす.
hót lick 〖ジャズ〗リック.
sált lick 《主に米》干上がった塩沢 [塩湖].

lid /líd/

名 蓋(ふた); 《俗》帽子; ヘルメット.

déck lid 自動車の後部トランクの蓋.
éye·lid まぶた.
skíd·lid 《話》(バイク用)ヘルメット.
téapot lid ティーポットの蓋.

lie[1] /lái/

名 (故意の)虚言, うそ, 偽; でたらめ, 虚妄.

be·líe 動他 …が偽りであることを示す.
bíg líe 大うそ, はったり; 大虚偽宣伝.
whíte líe たわいないうそ.

lie[2] /lái/

動自 〈人・動物が〉横たわる; もたれる.

hánging líe 〖ゴルフ〗ハンギングライ.
òut·líe 動自 外で寝る; 野営する.
ò·ver·líe 動他 〈覆い・地層などが〉上にある.
preférred líe 〖ゴルフ〗プリファードライ.
ùn·der·líe 動他 …の下にある [横たわる].

lied /lí:d; *Ger.* li:t/

名 リート, ドイツ歌曲. ►ドイツ語より.

Kunst·lied 名 芸術歌曲.
volks·lied 名 フォークソング, 民謡.
Wie·gen·lied 名 子守り歌.

lien /lí:n, lí:ən | líən/

名 〖法律〗先取特権, 留置権.

fírst líen =prior lien.
mechánic's líen (自動車修理などの)先取特権.
príor líen 優先担保権.

lieu·ten·ant /lu:ténənt |〖陸軍〗leftén-,〖海軍〗lətén-/

名 **1** (1)〖米陸軍・空軍・海兵隊〗中尉, 少尉. (2)〖海軍〗大尉. (3)〖英陸軍〗中尉. **2** 副官. ⇨ -ANT[1].

députy lieuténant 《英》州副統監.
fírst lieuténant 〖米空軍・陸軍・海兵隊〗中尉.
flág lieutènant 〖海軍〗将官付きの副官.
flíght lieutènant 〖英空軍〗大尉.
Lórd Lieuténant 《英》(国王から権能を委任された)イングランドの州統監.
sécond lieuténant 〖米陸軍・空軍・海兵隊〗〖英陸軍〗少尉.
sùb lieuténant 〖英海軍〗中尉.
thírd lieuténant 《米俗》少尉より位が下の将校.

life /láif/

名 **1** (一般に)生命, 生命現象. **2** 人生, 実生活.

áfter·life 死後の生, 来世, あの世.
a-life =artificial life.
àn·ti·life 形 ありきたりの生活を嫌う.
artifícial life 人工生命研究: コンピュータ操作により自然の生命活動と同じ知性や行動を作り出す過程の研究.
áverage life =mean life.
báby life 《米俗》(仮保釈が審査されるまでの)6年4か月の刑務所暮らし.
bráin life (生命の始まりとしての)脳の活動.
chármed life 全く不幸のない生活; 不死身.
dóg's life 単調で惨めな生活.
dóuble life 二重生活.
fatígue life (金属の)疲れ [疲労] 寿命.
fólk·life (ある地域・時代の)一般民衆の生活.
fúture life =afterlife.
góod life 恵まれた生活, 裕福な暮らし.
gróup life 団体生命保険.
hálf-life 〖物理〗半減期.
hígh·life ぜいたくな生活, 優雅な生活.
lárger-than-life 形 実物より大きい; 並外れた, 伝説的な.
lóng-life 形 〈消耗品が〉長くもつ.
lóve life 性生活.
lów·life 《俗》軽蔑(けいべつ)すべき人間.
méan life 〖物理〗平均寿命.
míddle life 中年, 初老(middle age).
míd·life 名 =middle life. ——形 中年の, 初老の(middle-aged).
nátural life 天寿, 寿命.
níght·life (ナイトクラブなどでの)夜の娯楽.
nòn·life 名 生命がないこと, 生命の欠如.
pónd life 池に生息する生物 [動物].
président-fòr-life 終身大統領.
prò-life 形 《主に米》成長中の胎児の生存権を尊重する.
públic life (政府関係者の)公的生活, 公務.
réal-life 形 現実の, 実在の, 実際に起こる.
sérvice life (器具や装置などの)耐用年数.
séx life 性生活.
shélf life 貯蔵寿命, 在庫商品の有効期間.
shórt-life 形 《英》長持ち [長続き] しない; 短命の.
stíll life (絵画や写真の題材としての)静物.
stórage life =shelf life.
stréet life 街頭暮らし, 路上生活.
trúe-life 形 実際の, リアルな, 生々しい.
trúe-to-life 形 真に迫った, 本物に近い.
wíld·life 野生生物.

lift /líft/

動他 **1** 〈人・物などを〉(地面・台などから)上げる, 引き上げる. **2** …を空輸する. ——名 **1** 持ち上げる [上がる] こと. **2** リフト, 昇降機. **3** 空輸, 輸送.

áir·lift (特に緊急時の)空輸組織.
áuto lift オートリフト.
bár lift (スキー場の)バー型リフト.
bóat·lift (船舶による)人 [物資] の緊急輸送.
cháir·lift (スキー場などの)リフト.
Cúba·lift キューバからの難民の空輸.
déad lift 力いっぱいの引き上げ.
éye·lift 〖美容整形〗アイリフト.
fáce-lift 美容 [若返り] 整形術.
fórk·lift フォークリフト.
háy·lift (深い雪に閉じ込められた動物に対する)干し草の空輸.
héli·lift 動他 (緊急時に)ヘリコプターで輸送する.
hydráulic lift 水圧エレベーター.
pússy·lift 《米俗》膣の締まりをよくする手術.
séa·lift (特に緊急時の)海上輸送.
sérvice lift 《主に英》料理運搬用エレベータ.
skí lift スキー場のリフト.
stráight árm lift 〖レスリング〗ストレートアームリフト.
tóp lift 化粧革.
tópping lift 〖海事〗つり綱, つり鎖.

up·lift 動他 …を揚げる, (持ち)上げる.

lift·er /líftər/

名 持ち上げる人 [もの]. ⇨ -ER[1].

áir-lifter 大型貨物輸送機.
báby-lifter 《米鉄道俗》制動手; 補助車掌.
cáttle-lifter 家畜 [牛] 泥棒.
pán-lifter 《米話》鍋(なべ)つかみ.
shírt-lifter 《豪俗》男の同性愛者, ホモ.
up·lift·er 名 上げる [揚げる] 人 [もの].
válve lifter 【自動車】【機械】バルブリフター.

lift·ing /líftiŋ/

名 **1** 上げること; 上がること. **2** しわ取りの美容成形をすること. ── 形 上げる; 上がる. ⇨ -ING[1], -ING[2].

fáce-lifting 美容 [若返り] 整形術.
táble lifting 霊的な力でテーブルが持ち上がる現象.
ùp·lífting 形 霊感を与える, 鼓舞する.
wéight·lifting ウエートリフティング, 重量挙げ.

li·gate /láigeit/

動他 〈出血する動脈などを〉縛る, 結紮(けっさつ)する. ⇨ -ATE[1].
★ 語頭にくる関連形は lig-: *lig*ature「くくること」, *liga*ment「【解剖】【動物】靱帯」.

al·li·gate 動他 《廃》…をくっつける; 結ぶ.
col·li·gate 動他 〈事例などを〉結びつける, 結合する.
ob·li·gate 動他 〈人に〉(…する)義務を負わせる.

-li·gent /lədʒənt/

連結形 選ぶ.
★ 形容詞をつくる.
★ 語末にくる関連形は -LEGE.
★ 語頭にくる関連形は leg-: *leg*end「言い伝え, 伝説」, *leg*ibility「読みやすさ」.
◆ <ラ *-ligēns*(*legere*「選ぶ」の連結形 *-legere* の現在分詞). ⇨ -ENT[1].
[発音] 直前の音節に第 1 強勢.

dil·i·gent 形 勤勉な, 精を出して, まめな.
in·tel·li·gent 形 高い知能を持つ, 頭のよい.

light[1] /láit/

名 **1** 光. **2** 発光体, 光源. **3** 窓. ── 動他 **1** 〈窓・光源が〉〈場所を〉照明する. **2** 〈ろうそくなどに〉火をつける.

áfter·light 残照, 夕焼け, 夕映え.
áir·light 【気象】(もやなどによる)散乱光.
a·light 副形 燃えて, 火がついて.
álternating light 【航海】互光.
ánchor light 【海事】停泊灯.
ángel light 【建築】(窓の)三角形の小間(こま).
appróach light 【航空】進入灯, アプローチライト.
árc light アーク灯, 弧光灯.
áshen light 【天文】アシェン光.
aváilable light 【美術】(対象に当たる)自然光.
bácking light 【演劇】バックライト.
báck·light 【映画】【テレビ】バックライト.
báckup light 《米・カナダ》(自動車の)後退灯.
bátement light 【建築】(ゴシック建築の)垂直窓.
béanie light 緊急車両の回転灯.
béd·light ベッドランプ(bedlamp).
Béngal light ベンガル花火.
bláck light ブラックライト.
blúe light (信号用の)青花火.
bórder light 【演劇】ボーダーライト.
bórrowed light 窓などから入る光; 反射光.
bóunce light 【写真】バウンス光.
bóundary light (飛行場などの)境界灯.
bráke·light 【自動車】ブレーキライト.
búg light 集中灯.
búnch light 束光.
cálcium light 【化学】カルシウム光, 石灰光.
cándle·light ろうそくの光 [明かり].
cárry light 【軍事】追随用照空灯.
cátch·light 反射光.
círcular light 【光学】円偏光.
cóbalt víolet light 明るい紫色.
cohérent light 【光学】(可)干渉光.
cóld light 冷光(蛍光・燐光(りんこう)など).
cóunter·líght 動他 向かい合った両側の照明で照らす.
cóurtesy light (ドアの開閉によって自動的に点滅する)車内灯.
króss·light 交差光線.
dásh light 【自動車】ダッシュライト.
dáy·light 昼の光, 日光, 自然の光.
déad·light 【海事】内蓋(ふた), めくら蓋.
díve light (ダイバーが水中で用いる)ライト.
dóme light (自動車などの)室内灯.
dówn·light 天井から下方を照明する明かり.
drágon light 《英》目つぶし閃光.
dróp·light つり電灯, 移動式つりランプ.
Drúmmond light =calcium light.
earth·light 【天文】地球照, 地球の照り返し.
eléctric light 白熱(電)灯.
ellíptical light 【光学】楕円(だえん)光.
fáir·light 《英》【建築】欄間(らんま)窓.
fán·light 【建築】扇形窓.
fíll light 【写真】補助光.
fíre·light 炉端明かり, 炉火の光.
fírst light 《米南部》夜明けの時刻, 明け方.
flásh·light 《米》懐中電灯.
flát light 【写真】平面光.
flóating light ブイにつけた灯火, 浮標灯.
flóod·light フラッドライト, 投光照明.
flóor light 【建築】ガラス床窓.
fly-by-light 【航空】フライバイライト.
fóg light 霧灯, フォッグランプ.
fóot·light 【演劇】フットライト.
gás·light ガス灯(の光).
gréen light (交通信号としての)緑灯, 青信号.
grów light 植物育成 [生長促進] ランプ.
gúmp light 《米俗》ランプ, ランタン.
hálf-light 薄明り, 薄明.
hárd light 【映画】ハードライト.
héad-and-táil light 【魚類】ヘッドアンドテール・ライト.
héad·light 前灯, ヘッドライト.
hígh·light 動他 強調する; 目立たせる, 際立たせる.
Hólmes light ホルムスライト, 救命炎.
hóspital light 【建築】内倒し窓.
hót light 【テレビ】ホットライト.
ídiot light 《自動車俗》イディオットライト.
Ínner Líght (クエーカー教徒で)内なる光.
Ínward Líght =Inner Light.
jáck·light 携帯用照明.
kéy light 【写真】【映画】主光線.
kléig light =klieg light.
klíeg light 【映画】クリーグ灯.
lámp·light 灯火の明かり, 灯光.
láncet light 【建築】上端が鋭く尖っている窓.
lánding light 【航空】着陸灯.
lándscape light 庭園灯.
léading light 【海事】=range light.
líme·light 【演劇】ライムライト, 石灰光.
lów·light 《話》最も目立たない部分.
magnésium light 【化学】マグネシウム光.
máking light 【航海】初認灯.
móon·light 月光.
navigátion light 【海事】航海灯.

L

néw líght 【宗教】ニューライト.
níght-lìght 終夜灯.
níght-skỳ light 夜光.
nórth light 北明かり, 北光線.
occúlting light 【航海】明暗光.
ówl-light たそがれ.
oxycálcium light =calcium light.
párking light (自動車の)駐車灯.
pávement light =vault light.
pén·light ペンライト.
pílot light 点火用補助バーナー, 種火.
pípe light パイプの点火用こより.
posítion light 【航空】位置灯.
quárter light 《英》(自動車の)三角窓.
ránge light 【海事】導灯(航路標識).
réd líght 赤信号; 停止信号.
réd-líght 動他 《話》赤信号で停止させる.
rè·líght 動他自 再び火をつける[火がつく].
revérsing light 【自動車】後退灯.
ríding light =anchor light.
ríng·light 【写真】リングライト.
rúnning light 夜間(航行)灯, 航海[航空]灯.
rúsh light 灯心草ろうそく.
sáfe·light 【写真】(暗室用の)安全灯.
séarch·light サーチライト, 探照灯, 照空灯.
síde·light (側面からの)付随的な情報.
ský·light 【建築】天窓, 明かり取り.
sóund-and-líght 形 音と光の, ソンエリュミエールの.
spéed light 放電閃光器, ストロボライト.
spót·light スポットライト.
stár·light 星の光り, 星明かり.
stóp·light 《英》=traffic light.
stráy light 【光学】(光学機器で現れる)迷光.
stréet·light 《米》街灯.
stríp·light 【演劇】ストリップライト.
sún·light 太陽の光, 日光.
táil·light 《米・カナダ》テールライト, 尾灯.
táxi light (空港の)誘導灯.
ténsor light 伸縮自在金具付きの照明器具.
tídal light 【海事】潮流信号灯.
tóp light 【海事】檣楼(しょうろう)灯.
tórch·light たいまつ(の光).
tráffic light (交差点の)交通信号.
twí·light 名 トワイライト, 薄明, 薄明かり.
ultravíolet light 【光学】紫外線光, 紫外線放射.
úp·light アップライト照明(灯), 上方照明.
váult light 【建築】舗道窓.
vígil light 【教会】常灯明.
wáx light 小ろうそく, ろうそく.
whíte light 白色光.
wíndow·light (1枚の)窓ガラス.
yéllow light (交通信号の)黄信号.
zodíacal light 【天文】黄道光.

light² /láit/

形 軽い; 普通[平均]の重さ以下の. ——名 軽い製品.

Arábian light 【経済】アラビアンライト.
féather·light 形 非常に軽い, 羽のように軽い.
mícro·light 名 マイクロライト, 超軽量航空機.
ùltra·light 形 超軽量の.

light·er /láitər/

名 点灯夫, 点火者; 点火器. ⇨ -ER¹.

cándle·lighter (教会の長柄の)ろうそくともし.
Cápe Còd lighter (炉などの)火つけ道具.
cigarétte lighter ライター.
cigár-lighter (特に自動車の)シガレットライター.
gás lighter (ガス器具用)点火器; ガスライター.
hígh·lighter ハイライト: 目鼻立ちをくっきりさせるための化粧品, またはテクニック.
jáck·lighter 携帯用照明で夜間に釣りをする人.
lámp·lighter (街灯, 特にガス灯の)点灯夫.

light·ing /láitiŋ/

名 **1** 点火, 点灯. **2** 照明. ⇨ -ING¹.

báck·lighting バック[逆光]照明(技法).
cóve lighting 間接照明.
diréct lighting 直接照明.
gréased lighting 《米話》強い酒.
índirect lighting 間接照明.
pánel lighting パネルライティング.
rím lighting =backlighting.
stríp lighting 細長い棒状蛍光灯による照明.
stróbe lighting (ディスコなどの)ストロボスコープ.
tráck lighting トラック照明.

light·ning /láitniŋ/

名 **1** 稲光, 稲妻. **2** 《俗》粗悪な[低級]ウイスキー[ジン]. **3** 火をつけること. ⇨ -ING¹.

Ándes lightning 【気象】アンデス電光[放電].
báll lightning 球電光.
béad lightning 数珠電光.
cháin lightning 《主に米北東部・西部》稲妻.
Chicágo lightning 《米俗》銃火.
fórked lightning =chain lightning.
glóbe lightning =ball lightning.
héat lightning 稲光, 稲妻, 熱の電光.
Jérsey lightning 《米俗》アップルブランデー.
Jéwish lightning 《米俗》保険金目当ての建物への放火.
mìcro·líghtning マイクロライトニング: コンピュータに損傷を与える衣服などの静電気放電.
péarl lightning =bead lightning.
ríbbon lightning リボン(状)電光.
scárlet lightning 【植物】アメリカセンノウ(仙翁).
shéet lightning 幕(状)電光.
súmmer lightning =heat lightning.
thúnder-and-lightning 形 〈衣装が〉色彩の対照効果をねらった.
whíte lightning 《主に米ミッドランド・南部》密造酒.

lights /láits/

名複 light の複数形.

áncient lights 【英法】(窓の掲示文句で)「採光権所有」; またその窓.
béam lights 【演劇】ビームライト: 劇場または講堂の天井に取りつけられたスポットライト.
bríght lights 《話》(歓楽の場としての)都市; 都会の華やかさ.
éarthquake lights 【地球物理】地震発光現象.
fáiry lights 飾りランプ; (装飾用)豆電球.
házard wàrning lights 【自動車】故障[警告]表示灯.
hóuse·lights 名複 【演劇】劇場内の客席の照明.
nórthern lights 【気象】北極光: 北半球のオーロラ.
pólar lights 【気象】極光.
sóuthern lights 【気象】南極光: 南半球のオーロラ.
Vérey lights =Very lights.
Véry lights ベリー式信号光.

like¹ /láik/

形 〈形・外見・種類・性質が〉同じの; 〈数量・額・価値が〉等しい, ほぼ同じの[等しい].

a·like 副 ☞
be·like 副 《古》どうも(…らしい), おそらく.

eas·y·like 副 楽に, 簡単に; そっと, 注意して.
such·like 形 かような, このような, 同様な.
un·like 形 違った, 異なった, 似ていない.

like² /láik/

動他 〈物・人を〉好む, 好く, 気に入る, 〈人に〉好意を抱く, 好感を持つ.

dis·like 動他 嫌う, 嫌がる, 反感を持つ.
mis·like 動他 《古》嫌う, 嫌がる, 不快に思う.

-like /làik/

接尾辞 …に似た, …のような, …にふさわしい.
★ 名詞につけて形容詞をつくる; 自由に作ることができるが, 新造のものはハイフンをつけることが原則である. ただし -ll で終る語は, bull-like のように常にハイフンをつける.
★ 類似の意味をもつ接尾辞 -ish に対して, 良い意味で使われる: child*like* ↔child*ish*.
★ 複合語につく: stateman*like*.
◆ 中英 *lik*(*e*), *lich*(*e*), 古英 *ġelīc* 同じような.
[発音] 第 1 強勢は基語と同じで, ほとんどの語で語頭の音節にある. 例外: machínelike.

ant·like 形 アリの(ような).
bird·like 形 鳥のような; 素早い, 軽快な, か弱い.
bull·like 形 雄牛のような.
busi·ness·like 形 業務に向いた; 仕事熱心な.
cat·like 形 猫の; 猫に似た, 猫のような.
child·like 形 子供のような [らしい]; 子供向きの.
Chris·tian·like 形 キリスト教徒らしい.
Christ·like 形 〈心・行為・性格が〉キリストのような.
church·like 形 教会のような; 教会に特有の.
clock·like 形 時計のように正確な, 規則正しい.
coun·try·like 形副 田舎 [田園] 風の [に]; 粗野な [に].
court·like 形 優雅な, 上品な; 宮廷風の.
cow·ard·like 形 臆病(おくびょう)な, 意気地なしの.
cup·like 形 コップ [杯] 状の.
dea·con·like 形 《話》聖人ぶる, 信心家ぶった.
death·like 形 死に似た, 死(人)のような.
dog·like 形 (外観・特色などが)犬に似た.
dove·like 形 ハトに似た; 優しい, 柔和な; 清純な.
dream·like 形 夢のような; 夢幻的な, 非現実的な.
fish·like 形 魚のような, 魚のに似た, 魚臭い.
flow·er·like 形 花に似た; 優美な, しとやかな.
god·like 形 神のような, 神聖な, 神々しい.
ha·lo·like 形 後光に似た, 暈(かさ)状の.
ho·me·like 形 わが家のような; 打ち解けた.
lady·like 形 淑女のような; 気品のある, 上品な.
lamb·like 形 子羊のような; おとなしい, 温順な.
life·like 形 生きているような; 生き写しの.
ma·chine·like 形 機械のような; 正確な, 規則正しい.
man·like 形 人のような, 人に似た.
nymph·like 形 妖精のような.
pea·like 形 エンドウ豆大 [状] の.
plant·like 形 〈動物が〉植物に似た.
proof·like 形 (特別に磨いた)プルーフコインに似た標準純金 [銀] 片のような.
scis·sor·like 形 はさみのような.
sea·man·like 形 船乗りらしい; 船舶の操縦に巧みな.
shell-like 名 《話》耳. ►shell-like ear の短縮.
sol·dier-like 形 軍人の; 機敏な; 勇敢な.
sphinx·like 形 スフィンクスのような; なぞのような.
spring·like 形 春のような, 春めいた, 春らしい.
star·like 形 星のような, 星形の.
states·man·like 形 政治家らしい.
sum·mer·like 形 夏のような, 夏特有の, 夏らしい.
vow·el-like 形名 母音に似た(音).
waif·like 形 みなし児のような, 浮浪者のような.
war·like 形 戦争に適した; 好戦的な, 戦闘的な.
waz·zock-like 形 愚か者の; いらいらさせる.
wife·like 形 妻の; 妻らしい [にふさわしい].
wing·like 形 (形状などが)翼に似た, 翼状の.
wom·an·like 形 女のような, 女らしい, 女向きの.
work·man·like 形 職人らしい, 職人かたぎの, 職人の.

li·lac /láilək, -lɑːk, -læk | -lək/

名 ライラック, リラ, ムラサキハシドイ.

nódding lílac シセン(四川)ハシドイ.
Pérsian lílac ペルシアハシドイ.
Pòint Réyes lílac クロウメモドキ科ソリチャ属の低木.
Rouén lílac コバノシナハシドイ.

lil·y /líli/

名 〖植物〗ユリ(百合).

África lily ムラサキクンシラン.
Annunciátion lily ＝Madonna lily.
árum lily カラ(calla): サトイモ科オランダカイウ(海芋)属の総称.
atamásco lily アタマスコ.
ávalanche lily ユリ科カタクリ属の一種.
Áztec lily ＝Jacobean lily.
belladónna lily アマリリス.
Bermúda lily テッポウユリの一変種.
bláckberry lily ヒオウギ(檜扇).
blóod lily ヒガンバナ科ヘマンサス属の球根植物の総称.
bóat lily ラテンムラサキオモト.
Cánada lily カナダユリ.
Carolína lily ミチャウキシユリ.
Caucásian lily コーカサスユリ.
chaparrál lily ヤブユリ.
chéckered lily ヨーロッパバイモ.
Chínese sácred lily フサザキスイセンの一変種.
clímbing lily ＝gloriosa lily.
córal lily イトハユリ(糸葉百合).
córn lily アフリカ南部原産のアヤメ科ヤリズイセン属の数種の植物; 観賞用.
ców lily コウホネ(spatterdock): スイレン科コウホネ属の水生植物の総称.
dáy·lily カンゾウ(甘草).
Éaster lily 早春開花用に改良され復活祭に飾る白ユリ.
fáiry lily テキサスタマスダレ.
fáwn lily カタクリ.
fláme lily ＝wood lily.
fláx lily ニューサイラン, マオラン.
fróg lily コオホネ(河骨).
gínger lily ショウガ科シュクシャ属の植物.
glácier lily スノーリリー.
glorióso lily ユリ科キツネユリ属の蔓性のユリ.
Guérnsey lily ヒガンバナ科ヒメヒガンバナ属の球根植物.
Jacobéan lily スプレケリア.
Jérsey Lily ジャージーの百合: Jersey 生まれの美人女優 Lilie Langtry の愛称.
Káffir lily クンシラン(君子蘭)(clivia).
Lént lily 《英方言》ラッパズイセン.
léopard lily レオパルドユリ.
Madónna lily マドンナリリー, ニワシロユリ.
maripósa lily マリポーサ・チューリップ.
Mártagon lily ＝Turk's-cap lily.
méadow lily ＝Canada lily.
nánkeen lily ユリの一種.
órange lily 南ヨーロッパの山岳地帯に産するユリ科の球根植物.
pánther lily ＝leopard lily.
péace lily サトイモ科スパティフィルム属の植物の総称.
plántain lily ギボウシ.
pónd lily コウホネ(河骨)類とスイレンの一種.
práirie lily ＝sand lily.
róyal lily オウカン(王冠)ユリ.

rúbrum lily ヤマユリまたはカノコユリの栽培品種; 花は鮮やかな赤色.
sánd lily 茎のない小さなユリ.
Scárborough lily スカーバロウリリー.
séa lily ウミユリ(海百合).
ségo lily セゴユリ, チョウユリ.
Siérra lily ユリの一種.
snáke lily ユリ科ハナニラ属の植物.
snów lily =glacier lily.
spíder lily ヒガンバナ科ヒメノカリス属の植物の総称; 花は管形で芳香がある.
stár lily ヒメユリ.
stóne lily ウミユリの化石.
swórd lily グラジオラス(gladiolus).
tíger lily オニユリ.
tóad lily ホトトギス.
tórch lily トリトマ, シャグマユリ(赤熊百合).
tríplet lily ユリ科ハナニラ属の草.
tróut lily 北米産カタクリ属の数種のユリの総称.
trúmpet lily テッポウユリ.
túrban lily =Turk's-cap lily.
Túrk's-càp lily マルタゴンリリー.
Wáshington lily ワシントンユリ.
wáter lily スイレン(睡蓮).
whíte glóbe lily カロコルツス.
wóod lily モリユリ.

lime /láim/

名 〖化学〗石灰.

búrnt líme 焼き石灰.
cáustic líme =burnt lime.
chlórinated líme 漂白粉, さらし粉.
hýdrated líme =slaked lime.
nítro·líme 石灰窒素.
quíck·líme 生石灰.
shéll-líme 貝殻を焼いて得られる上質な石灰.
sláck líme =slaked lime.
sláked líme 消石灰, 水酸化カルシウム.
sóda líme ソーダ石灰.
unsláked líme 生石灰.
whíte líme 水しっくい.

lim·it /límit/

名 (程度・範囲・数量などの)極限(点), 限界点 [線]; (行為などの)限界, 限度. …に限界を設ける.

áge limit 停年, 定年.
cásh limit 〖政治〗(全般的な)支出制限.
Chandrasékhar limit 〖天文〗チャンドラセカール限界.
débt limit 〖政治〗公債発行限度.
de·lím·it 動他 …の限界 [範囲] を定める.
Éddington limit 〖天文〗エディントン限界光度.
elástic limit 〖物理〗弾性限度, 弾性限界.
endúrance limit =fatigue limit.
fatígue limit 〖工学〗疲れ限度.
Háyflick limit 〖生物〗ヘイフリック限界.
liabílity limit 責任限度.
pót limit (ポーカーで)賭け金の限度額.
prè·lím·it 動他 あらかじめ制限する.
propórtional limit 〖物理〗=elastic limit.
Róche limit 〖天文〗ロッシュの限界.
spéed limit (最高または最低)制限速度.
súb·lim·it 名 副限界.
thrée-míle limit 〖国際法〗3 海里海領.
tíme limit 制限時間, 時限, 日限.
twélve-míle limit 〖国際法〗12 海里領海.

-lim·ni·on /límniàn, -niən | -niɔ̀n, niən/

連結形 小さな池.
★ 語頭にくる関連形は limn-: *limn*ology「湖沼学」.
◆ ギリシャ語 *límnion*「小さな池」より. ⇨ -ION[2].

ep·i·lim·ni·on 名 表水層.
hy·po·lim·ni·on 名 深水層.
mes·o·lim·ni·on 名 水温躍層, 温度躍層.
par·a·lim·ni·on 名 〖植物〗湖の沿岸の根のある植物が生える範囲.

line[1] /láin/

名 **1** (ペン・鉛筆などで引いた)線. **2** (筆記・印刷された文字の)行. **3** 進行方向, 道筋, 経路; (行動・手順・思考・政策などの)方向, 方針. **4** (鉄道・バス・船・飛行機などの)路線・航路・航空路. **5** (つながっている状態の)電話. **6** 列, 行列.

abóve-the-líne 形 標準 [水準] 以上の.
accommodátion line 〖保険〗営業政策的契約引き受け.
aclínic líne (地磁気の)無伏角線, 無傾角線.
áction line (ニュースメディアによる)電話相談室.
ádded líne 〖音楽〗=ledger line.
advánced-declíne line 〖証券〗騰落線.
ágate line 《米・カナダ》広告面の 1 行.
agónic líne (地磁気の)無偏 [無方位] 角線.
áir·line (通例, 定期の)航空路線 [便].
áir-line 形 一直線の; 直行の; 最短の.
Á-line 〖服飾〗A ライン.
Ándesite líne 〖地質〗安山岩線.
ápse line 〖天文〗長軸.
áshlar line 〖建築〗外壁外廓線.
assémbly line 流れ作業配置 [態勢].
atténtion line (ビジネスレターで)あて名(inside address)の下に書く受取人の指示.
báit line 〖釣り〗餌糸(えさ).
bálanced líne 〖電気〗バランストライン, 平衡線路.
bálk·line 〖スポーツ〗スタートライン.
bállast line 〖海事〗脚荷(ぎに)喫水線.
ballóon line 〖服飾〗バルーンライン.
bánk line 〖釣り〗海岸に仕掛けておく釣り糸.
bánner line 〖ジャーナリズム〗(第一面の)全段抜き大見出し.
bár line 〖音楽〗縦線, 小節線.
báse·line 〖野球〗ベースライン.
báttle line 前線, 戦線.
báy-line 《英》〖鉄道〗引込線.
Bédpan líne 《英俗》ロンドンの Bedford と St. Pancras 間の通勤路線.
bée·line 直線コース, 最短路.
belów-the-líne 形 標準 [水準] 以下の.
bélt line 《米》環状線.
bélt·line ウエストライン, 胴回り.
béta line 〖株式・証券〗ベータ値.
Blákiston line 〖生物〗ブラキストン線.
blóck line 滑車の間を走るロープ [鎖].
blóod·line (通例, 動物の)血統.
blúe line 〖アイスホッケー〗ブルーライン.
blúe·line 〖印刷〗写真製版前の青焼き.
bódy-line 名形 〖クリケット〗打者の体を狙って投げられた速球(の).
bórder line 境界線, 国境線.
bórder·line 形 国境[境界]線上の, 国境[境界]近くの.
bóttom líne 決算表の最終行の数字; 純利益.
bóttom-líne 形 ぎりぎりの; 正味の, 肝心かなめの.
bóttom-of-the-líne 形 《話》(同種の製品の中で)最も安価な.
bóundary line 境界線.
bów line 〖造船〗バウライン.
bów·line 舫(もや)い結び, ボウライン.
bránch line (鉄道の)支線.
bréad line 食糧の無料配給を待つ貧しい人の列.
bréak line 〖印刷〗行末空きの行.
bréast line 〖海事〗ブレストライン.
bríght·line 動他 目立たせる, 強調する.

Brísbane Lìne (第２次世界大戦の)ブリズベン防衛線.
bróad-líne 形 広範囲の商品を揃えた.
bróken líne (ダッシュなどによる)破線(---).
buílding lìne 建築線.
búngee lìne (柔軟な)バンジージャンプ用ロープ.
búnt·lìne 〖海事〗バントライン.
búsh·lìne 《カナダ》〖航空〗ローカル線.
búsh-lìne 《豪·NZ》樹木［森林］限界.
bús lìne バス路線.
búst·lìne 〖服飾〗バストライン.
búttock lìne 〖造船〗船尾線図.
bý·lìne 〖ジャーナリズム〗新聞·雑誌の記事のタイトルの下の筆者名を記す行.
cár lìne ＝trolley line.
cárriage lìne ＝coach line.
cátch·lìne 宣伝［歌い］文句.
céll lìne 〖細胞生物〗細胞系(統).
cénter·lìne 中心線, 真墨(しんずみ).
chálk lìne 〖建築施工〗白墨線.
chánge-of-dáy lìne 日付変更線.
chéck lìne 2頭の馬のはみ(bit)を結ぶ手綱.
chórus lìne コーラスライン.
círc·lìne 形 (蛍光灯が)サークラインの.
cléaring lìne 〖航海〗避険線.
clóthes·lìne 洗濯用ロープ, 物干し綱.
cóach lìne 自動車の車体の装飾的な線.
cóast·lìne 海岸線.
cód·lìne 〖漁業〗鱈綱(たらづな), 鱈釣り糸.
cólor lìne 白人と有色人種との差別.
cónt·lìne (みこ糸·ロープなどの)絇(こ)と絇の間.
cóntour lìne 等高線: 地図·海図·天気図上に表された同じ高さの点を連ねた線.
convérgence lìne 〖気象〗収束線.
crédit lìne クレジットライン: 出版物·展示物などに添えてある提供者の名前.
cróss·lìne 横断線; (離れた2点を結ぶ)連絡線.
cúrtain lìne 〖演劇〗場や幕のせりふの最後の一行.
Cúrzon lìne 〖政治〗カーゾン線.
cút·lìne (出版物の)挿し絵·写真の説明文.
dánger lìne 危険ライン.
dáte lìne (国際)日付変更線.
dáte·lìne 日付記入線.
déad-bàll lìne 〖ラグビー〗デッドボールライン.
déad·lìne 最終期限, 締め切り.
deláy lìne 〖電子工学〗遅延線路.
DÉW lìne デューライン, 遠隔早期警戒網［線］.
Dódge lìne 〖経済〗ドッジライン.
dótted lìne 点線.
dówn·lìne 〖鉄道〗下り線.
dówn-the-líne 形 完全な; 隠さない; 心を込めた.
drág·lìne 引き綱.
dríft lìne 〖漁業〗浮き縄.
dríve·lìne 〖自動車〗動力伝達装置.
dróp·lìne 〖ジャーナリズム〗字下がり見出し.
drópper lìne 〖漁業〗枝縄.
Duránd Lìne 〖政治〗デュアランド線.
dýe·lìne 〖写真〗線画の密着焼き付け.
énd lìne 〖スポーツ〗エンドライン.
equinóctial lìne 〖天文〗〖航海〗天の赤道.
exclúsive lìne 《英》(電話の)専用回線.
fáll lìne 瀑布(ばく)線, 滝線.
fáthom lìne 〖海事〗尋(ひろ)数測深索.
fáult lìne 〖地質〗断層線.
féeder lìne (鉄道·航空路の)支線.
fíeld lìne 〖物理〗力線(りきせん).
fínish lìne (競走の)フィニッシュライン, 決勝線.
fíre lìne (森林·草原などの)防火帯［線］.
fíring lìne 〖軍事〗火線, 射線, 砲列線.
fírst-líne 形 最前線［第一線］の.
físhing·lìne 《英》＝fish line.
físh·lìne 《米》釣り糸.
flát·lìne 生命モニター画面の平坦線(►死亡をさす).
flíght lìne 〖航空〗フライトライン, 飛行列線.
flúx lìne 〖物理〗力線.
flýback lìne 〖電子工学〗帰線, フライバック.
flý lìne 〖釣り〗フライライン.
fóot lìne 〖印刷〗フットライン, 脚行.
forbídden lìne 〖物理〗(分光学で)禁制線.
fóul lìne 〖野球〗ファウルライン.
fráme lìne 〖映画〗こま線.
frée thrów lìne 〖バスケット〗フリースローライン.
frónt lìne 戦線.
frónt-lìne 形 (戦場で)前線用の.
fróst·lìne 凍結線.
fúll-líne 形 〖商業〗完全な品ぞろえをした.
gáb lìne 《米》(不特定多数の人との会話ができる電話サービスの)パーティーライン.
gánt·lìne 〖海事〗ガントライン.
geodésic lìne 測地線.
geodétic lìne ＝geodesic line.
gérm lìne 〖生物〗生殖系列.
gírt·lìne 〖海事〗＝gantline.
góal lìne 〖スポーツ〗ゴールライン.
gráde lìne 〖建築施工〗建造物の基礎と接する地盤面の高さ(grade).
Gráy Líne 《商標》グレイライン: 米国の観光バス会社.
gréen lìne グリーンライン: レバノン Beirut 東部のキリスト教徒区と西部のイスラム教徒区の境界.
guíde·lìne 指針, (指導)目標, ガイドライン.
Gút·lìne ガットライン: 消化器医療相談電話.
háir·lìne 非常に細い線.
hálf-lìne 〖数学〗半直線.
hálfway lìne 〖サッカー〗〖ラグビー〗ハーフウェーライン.
hánd·lìne (さおを用いない)手釣り用糸.
hárd lìne (特に政治上の)強硬路線.
hárd-líne 形 〈人が〉信条を曲げない, 筋金入りの.
héad·lìne (新聞などの)大見出し.
hélp·lìne 《英》(慈善団体の)ヘルプライン: 悩みや訴えを聞く電話サービス.
hém·lìne 〖服飾〗ヘムライン: すそ線, 縁線.
hígh·lìne 〖印刷〗〖ジャーナリズム〗キッカー.
Híndenburg lìne ヒンデンブルク線: 第1次世界大戦時のドイツ軍の要塞線.
híp·lìne 〖服飾〗ヒップライン.
hóg's lìne 〖カーリング〗ホッグスコア.
hót lìne ホットライン: 国際的な危機に際し各国首脳が緊急連絡を行うための直通通信回線.
hót·lìne 形 《主にカナダ》(テレビ·ラジオの)電話による視聴者参加番組の.
hóur-glàss lìne 〖服飾〗アワーグラス·ライン.
hóuse·lìne 〖海事〗ハウスライン.
Húdson Líne 《the ～》ハドソン線: New York の北方行き鉄道線.
ínbóunds lìne 〖アメフト〗インバウンズライン.
íncoming lìne 〖電気〗(送電線の)引込線.
ín·lìne 名 〖印刷〗袋字(ふくろじ).
ín-lìne 形 〈内燃機関が〉シリンダーが直列の.
instabílity lìne 〖気象〗不安定線.
ìn·ter·líne 動他 〈語句などを〉行間に挿入する.
isoclínic lìne 等伏角線, 等傾角線.
isodynámic lìne 〖物理〗等水平分力線.
isógonal lìne 等偏角線, 等方位角線.
íso·lìne 〖気象〗〖地理〗等位線·等値線.
isométric lìne 〖物理〗等容線.
jáw·lìne 下あごの輪郭.
júmp lìne (新聞·雑誌で)続きページ指示(行).
Ḱ-lìne 〖物理〗K 線.
lág lìne (おはじきで)玉を転がす.
lánd·lìne (衛星中継通信に対して)地上通信

線.
lásh line 舞台の背景に使う張り物や大道具などの端をつなぎ合わせる綱 [ひも].
Las Végas line 《米》フットボール賭博で, 胴元間で取り決めた賭け率.
láteral líne 〖魚類〗側線(器官).
láugh line 《話》目じりのしわ.
léad line 〖海事〗測鉛線 [索], 測深線.
lédger line 〖音楽〗加線.
léech line 〖海事〗リーチライン.
léger line 〖音楽〗=ledger line.
lével line =contour line.
lífe·line 救命索, 命綱.
líght line 〖海事〗軽荷喫水線.
límit line 《米》横断歩道の白線,「停止線」.
Ĺ-line 〖物理〗L 線.
lóad line 〖海事〗満載喫水線.
lóg line 〖海事〗測程線, 測程索.
lógo line 標語(tag line).
lóng·line 〖漁業〗延縄(はえなわ).
lóop line (鉄道の終点の)ループ線.
lúbber line =lubber's line.
lúbber's line 〖海事〗(コンパスの)基線.
lúre-line 浮魚類を集めるために使うロープ.
Lýman-álpha line 〖物理〗〖天文〗ライマンアルファ線.
mágistral line 〖築城〗主線.
Máin Lìne 米国 Philadelphia 西方の上流住宅地域.
máin líne (鉄道の)本線, 幹線.
máin·line 動自 《俗》麻薬を静脈注射する.
márgin line 〖海事〗区画満載喫水線.
már·line 〖海事〗マーリン, 巻きつけ綱.
Máson and Díxon line =Mason-Dixon line.
Máson-Díxon line メーソン=ディクソン線: 米国 Pennsylvania と Maryland 両植民地の境界争いを解決するため 1763 年から 67 年に英国人 C.Mason と J. Dixon が測量した境界線.
meánder line 〖測量〗(河川・湖沼などの縁を示すために引かれる)曲がりくねったトラバース(traverse).
méan line 〖印刷〗ミーンライン.
MÉD·LÌNE 《米》直接医学情報提供システム.
míd·line 名 〖動物〗正中線.
míl·line 名 (定期刊行物の発行部数 100 万部当たりの)アゲートライン (agate line)の広告スペース.
Ḿ-line 〖物理〗M 線.
mórning line 《話》競馬予想表, 予想新聞.
néat line 掘削予定線.
néck·line ☞
nét line =neat line.
níght-line 〖釣り〗夜釣り糸.
númber line 数直線.
óff-line 形 〖コンピュータ〗オフラインの.
óld-line 形 《米・カナダ》保守的な; 古風な.
ón-line 形 〖コンピュータ〗オンラインの.
ópen-line 形 視聴者が電話で参加できる.
óut·line 形 輪郭の, 外郭線の.
ó·ver·line 形 〖印刷〗〖ジャーナリズム〗 **1** 説明文の. **2** (大見出しの上に添える)小見出しの.
párent·line 《英》《商標》ペアレントライン.
párting line 〖金属加工〗見切り線, 分割線.
partítion line 〖紋章〗分割線.
párty line (政党, 特に共産党の)綱領, 党是.
pénalty line 〖サッカー〗ペナルティーライン.
pénny-a-líne 形 1 行 1 ペニーの; 〈著作(の文学価値)が〉安っぽい.
pícket line (ストライキやデモのときに張る)ピケ(ット)ライン, 監視線.
pípe·line パイプライン, 輸送管路, 導管路.
pítch line 〖機械〗歯車の歯を側面から見たときの仮想の円.
Plímsoll line 〖海事〗=load line.
plót line (台本で)筋を進行させる会話.
plúmb line 垂球糸, 測鉛線, 下げ振り糸.
posítion line 〖航海〗位置の線.
pót·line 〖冶金〗電解槽列.
póverty dátum line 《英》=poverty line.
póverty line 〖経済〗貧困線.
pówer line 〖電気〗電力線, 送電線.
prodúction line (大量生産における)流れ作業.
próduct line (企業の取り扱い)製品・商品種目.
púnch line (ジョーク・演説・広告・笑い話などの)急所となる文句, さわり, 落ち.
púre líne 〖遺伝〗純系.
quárter line 〖海洋〗(船隊の)雁(がん)行隊形.
rándom line 〖測量〗ランダムライン.
ránge line (米国の公有地測量で)タウンシップ[町]の東と西の境界を決める南北の平行線の一つ.
réal líne 〖数学〗=number line.
recéiving line (舞踏会・レセプションなどで客を歓迎するため)主人・主賓などが並んだ列.
réd line 〖アイスホッケー〗レッドライン.
réd·line 動他 《米》〈金融機関が〉〈老朽化・スラム化した市街地を〉特定警戒地区に指定する.
réference line (座標を定める際の)基準線.
restráining line 〖アメフト〗制限ライン.
rhúmb line (船舶・飛行機の)航程線.
róof·line 屋根線, 屋根の輪郭.
rópe·line 《米俗》(選挙運動の作戦として)張られたロープの後ろの支持者と握手したり話したりする人気取り行為.
rúsh line 〖アメフト〗前衛; ライン.
sáfety line (登山の際などに使う)命綱.
scánning line (陰極線管やテレビのブラウン管における)走査線.
scrátch line (レースの)スタートライン.
scrímmage line 〖アメフト〗スクリメージライン.
séa line 海岸線; 水平線.
sécond líne 《俗》(認めてもらいたくて)目上の人などにつきまとう.
sérvice line 〖テニス〗サービスライン.
sét·line 《米》〖釣り〗はえ縄.
shéred line 《主に英》(電話の)共同回線.
shóre·line 海岸線, 汀線(ていせん).
shórt line (バス・鉄道で)2 点間の最短路線.
shóut·line (広告記事で太字や傍線による)セールスポイントの強調部.
síde·line 横線, 側線.
síght·line (劇場などで観客が舞台を見る)視線.
símian líne サルの手相線.
síngle-líne 形 〈交通が〉一方通行の.
síx-yàrd line 〖サッカー〗6 ヤードライン.
ský·line 空際(くうさい)線, 地平線, 水平線.
slím·line 形 〈姿が〉ほっそりした, やせた.
snów line 〖気象〗雪線.
sóck line 《米俗》=punch line.
sóft líne 柔軟路線, 柔軟路線の人.
sóunding line 測深綱, 測深線.
spéctral líne 〖光学〗スペクトル線.
spót line 〖演劇〗天井から直接吊られたロープ.
spríng line 〖海事〗舫(もや)い綱.
squáll line 〖気象〗スコールライン.
stág line 女性を同伴しないでダンスパーティーに出席している男性たち.
státic line 〖軍事〗自動(曳(えい))索.
stépped line =dropline.
stóry line (劇・小説・詩などの)筋, 構想.
stráight-líne 形 〖機械〗直列形の. 「線.
stránd line (特に水と岸の接触線としての)沿岸
stráp·line (新聞・雑誌・広告の)小見出し.
stráy line 〖海事〗贅(ぜい)索, 漂遊線.

stréam·line 流線形.
stríng line 【ビリヤード】台上の線.
súb·line [名] 1つの系統[血統]の下位区分.
tág line 最後の一節, 結び文句, 落ち.
tálk line ＝gab line.
tápe·line (布または金属製の)巻き尺.
tellúric line 【天文】地球大気線.
thrée-quárter line 【ラグビー】スリークォーターバック陣が一直線に並んだ列.
tíe line 【通信】(私設電話交換支局方式で2つ以上の内線をつなぐ)連絡線.
tímber·line 【植物】高木限界.
tíme-line (分秒まで精密に予定された)時刻表.
tóll line 長距離電話線.
tóp·líne [形] (新聞などの)トップに載るような.
tóp-of-the-líne [形] 最高級品の; 最新鋭の.
tóuch-in-góal line 【ラグビー】タッチインゴールライン.
tóuch·line 【ラグビー】【サッカー】タッチライン.
tów·line (船・車などを引っ張るための)引き綱.
tównship line 【測量】タウンシップの南と北の境界を決める東西の平行な基線の一つ; 米国の郡区に見られる.
tráin·line 貫通制動用圧気配分管.
trám·line 《英》市街[路面]電車の路線.
transmíssion line 【電気】伝送線, 送電線.
trapéze line 【服飾】トラペーズ・ライン.
tráwl line 【漁業】はえ縄.
trée line ＝timberline.
trénd·line 傾向[趨勢(すうせい)]線.
Trím·line 《商標》トリムライン.
tríp line (製材業で)離れた所にある丸太からとび(dog hook)を外す網.
trípping line 【海事】引き綱.
trólley line 路面電車路線; トロリーバス路線.
trót·line 【釣り】流し釣り糸.
trúck·line 定期便トラック輸送会社.
trúnk line (長距離輸送の)幹線, 本線.
túbe line 【服飾】チューブライン.
túmp·line 《米・カナダ》タンプライン.
twó-line [形] 【印刷】〈活字が〉2行取りの.
ún·der·line [動他] 〈語などの〉下に線を引く.
ván line 《米》長距離引っ越し運送業者.
wáist·line 胴回り(線).
wálking line (回り階段の設計図上の)歩行線.
Wállace's line 【動物地理】ウォーレス線, ワラス線.
wáshing-line 物干し綱.
wáter line 【海事】(船側と水面とが接する)水線.
whále line (キャッチャーボートの)銛(もり)綱.
whíte line 白線.
wórld line 【物理】(相対性理論で)世界線.
x́-line 【印刷】＝mean line.
yárd line 【アメフト】ヤードライン.
yéllow líne 【交通】《英》前方に駐車区域のあることを示す道路わきの黄色い線.
Ź line 【生物】Z 線.
zóne line 【アイスホッケー】＝blue line.

line[2] /láin/

[動他] 〈衣服・箱・かばんなどに〉(…の)裏をつける; …の内側を(…で)覆う.

in·ter·line [動他] 〈衣服に〉芯(しん)を入れる.
re·line [動他] 〈着物などを〉裏打ちし直す.

lin·e·age /líniidʒ/

[名] 《主に文語》血統, 血筋, 家系. ⇨ -AGE[1].

céll líneage 【生物】細胞系譜.
mat·ri·lin·e·age [名] 母系譜.
pat·ri·lin·e·age [名] 父系.

lin·e·al /líniəl/

[形] **1**〈子孫・先祖が〉直系の,〈伝承が〉正統の. **2** 線の, 線上の. ◇ linear「線の」. ⇨ -AL[1].

in·ter·lin·e·al [形] (本などの)行間にある[挿入された].
mat·ri·lin·e·al [形] 母系[女系]の.
pat·ri·lin·e·al [形] 父系(制)の.
u·ni·lin·e·al [形] 【文化人類学】単性系譜の, 単系の.

lin·e·ar /líniər/

[形] 線から成る; 線の. ◇ LINEAL. ⇨ -AR[1].

bi·lin·e·ar [形] 【数学】双一次の.
co·lin·e·ar [形] ＝collinear.
col·lin·e·ar [形] 同一直線上にある, 共線的の.
cur·vi·lin·e·ar [形] 曲線から成る; 曲線で囲まれた.
in·ter·lin·e·ar [形] (本などの)行間にある.
mon·o·lin·e·ar [形] 単線的な, 単純な.
non·lin·e·ar [形] 直線状でない, 線状[糸状]でない.
pat·ri·lin·e·ar [形] 父系(制)の.
rec·ti·lin·e·ar [形] 直線の[を成す].
tri·lin·e·ar [形] 3つの線の[に囲まれた].
u·ni·lin·e·ar [形] 着実にまっすぐ伸びる[発展する].

lin·en /línin/

[名] リンネル, リネン, 亜麻布. ⇨ -EN[2].

béd linen (リネン製の)シーツと枕カバー.
bútcher linen 厚地の丈夫な平織りの亜麻布.
Cánton línen グラスクロス(grass cloth).
dírty línen 外聞の悪いこと, 内輪の恥.
Írish línen アイリッシュリネン.
táble linen 食卓用リネン(テーブル掛けなど).
ún·der·lin·en [名] (リンネルなどの)肌着, 下着.

lin·er /láinər/

[名] 定期船; 定期航空(旅客)機[列車]; コンテナ列車. ⇨ -ER[1].

áir·liner (大型の)定期航空機[旅客機].
cárgo liner 定期貨物船.
cóast-liner 沿岸定期船.
dáy-lin·er 日中の定期便.
dóme·lin·er 展望車のある列車.
éye·lin·er アイライナー: 化粧品の一種.
féed·er·lin·er 支線専用旅客機, ローカル線専用機.
fréight·lin·er 《主に英》コンテナ(輸送)列車.
hígh·lin·er 《米・カナダ》大型漁船(の船長).
hót·liner ホットライン(hot line)の電話を受ける人.
ínter·liner [名] 他航空会社(路線)への乗り換え客.
jét·lin·er ジェット旅客機.
Mé·tro·lin·er [名] 《米》《商標》メトロライナー.
ócean liner 大洋航路(定期)船.
sú·per·lin·er [名] スーパーライナー: 比較的スピードのある大型外洋定期船.
túr·bo·lin·er [名] ターボライナー: 高速軽量の郊外型列車.

lines /láinz/

[名複] line「線」の複数形.

Bálmer lines 【物理】バルマー線.
cúnt·lines 綱の寄り合わせの線.
Fráunhofer lines 【天文】フラウンホーファー線.
hárd línes 《主に英俗》不運, 苦境.
márriage lines 《英》結婚証明書.

Násca lìnes （ペルー南部の高地にある）ナスカの地上線画［地上絵］.
Názca lìnes ＝Nasca lines.
pánty lìnes パンティーライン.
skéw lìnes 〘幾何〙ねじれの位置の直線.
spíder lìnes 〘光学〙（光学機械の焦点面につけた）十字線(cross hairs).
yóke·lìnes 〘海事〙舵(だ)取り索, 横舵柄(だへい)索.

-ling[1] /lɪŋ/

接尾辞 **1** …にかかわり合いのある人［もの］.►しばしば軽蔑の意を含む: hire*ling*, under*ling*. **2** 小…; 子….►指小辞: duck*ling*, prince*ling*.
★ 名詞をつくる.
◆ 中英, 古英; 独 *-ling* と同語源.

au·thor·ling 名 （三文）作家.
bant·ling 名 《古》小僧, ちび, がき.
bard·ling 名 小詩人, へぼ詩人(poetaster).
bit·ter·ling 名 〘魚類〙ヨーロッパタナゴ.
bram·bling 名 〘鳥類〙アトリ.
brand·ling 名 シマミミズ.
cage·ling 名 かごの鳥.
cat·ling 名 《まれ》腸線, 腸弦, ガット.
change·ling 名 取り替えっ子.
chick·ling 名 ひよこ, 小さなひな.
cod·ling[1] 名 《英》（料理用の）細長い形のリンゴ.
cod·ling[2] 名 小ダラ, タラの幼魚.
dag·ling 名 《俗》軽蔑すべきやつ.
dap·per·ling 名 小柄で活発な人.
dar·ling 名 最愛の人, かわいい人, いとし子.
duck·ling 名 カモ［アヒル］の子.
dump·ling 名 ダンプリング: 練った小麦を丸めてゆでたもの.
ean·ling 名 《廃》子羊; 子ヤギ.
earth·ling 名 地球に住むもの.
east·er·ling 名 《古》東方の国の住民, 東邦人.
fat·ling 名 食肉用に肥育した子羊.
fin·ger·ling 名 幼魚, 小魚, （特に）サケやマスの幼魚.
first·ling 名 《文語》初物, はしり.
fledge·ling 名 《特に英》＝fledgling.
fledg·ling 名 羽の生えそろったばかりのひな鳥.
fon·dling 名 愛児; 愛玩(がん)動物.
fos·ter·ling 名 里子, 預り子(foster child).
found·ling 名 捨て子, 拾い子.
goat·ling 名 《英》（1－2 歳の特に雌の）子ヤギ.
god·ling 名 小神.
gos·ling 名 ガチョウのひな.
gray·ling 名 〘魚類〙カワヒメマス.
green·ling 名 〘魚類〙アイナメ.
ground·ling 名 地上に生息する動物［生える植物］.
grunt·ling 名 子豚.
hatch·ling 名 孵化(ふ)幼生.
hire·ling 名 《しばしば軽蔑的》雇われ人.
king·ling 名 小国の王.
kit·ling 名 《英方言》動物の子, （特に）子猫.
lord·ling 名 《まれ》弱小君主, 小貴族.
mort·ling 名 《英》死んだ羊から採る羊毛.
nest·ling 名 （巣立ち前の）ひな鳥.
nurse·ling 名 ＝nursling.
nurs·ling 名 乳幼児, 乳飲み子.
pig·ling 名 子豚, 小豚(piglet).
priest·ling 名 若い司祭, 小坊主.
prince·ling 名 幼少の王子, 小公子, 小君主.
ridge·ling 名 〘獣医学〙陰睾(いんこう).
rock·ling 名 北大西洋産スズキ・ナガガジ属とタラ・ヤマトヒゲダラ属の小さい魚の総称.
saint·ling 名 《通例軽蔑的》小聖人.
sand·er·ling 名 〘鳥類〙ミユビシギ(三指鴫).
sand·ling 名 〘魚類〙マコガレイ(dab).
sap·ling 名 若木, 苗木.
scant·ling 名 小角材, 小割材.
seed·ling 名 実生(みしょう), 芽生え, 実生え.
shave·ling 名 《古》《軽蔑的》頭をそった聖職者.
shear·ling 名 《主に英》1 回毛刈りをした羊.
sib·ling 名 〘文化人類学〙きょうだい.
slave·ling 名 （奴隷のように）こき使われている人.
spi·der·ling 名 クモの子.
spore·ling 名 〘植物〙〘菌類〙（胞子からの）芽生え.
sprout·ling 名 小(新)芽.
squire·ling 名 小地主.
star·ling 名 〘鳥類〙ムクドリ.
starve·ling 名 《古》やせこけた人［動物, 植物］.
ster·ling 名 英国の通貨.
strip·ling 名 若者, 青年, 若僧, 青二才.
suck·ling 名 ＝nursling.
tit·ling 名 ヒバリに似た小鳥の総称(titlark).
tril·ling 名 三つ子の一人.
un·der·ling 名 《軽蔑的》下の者, 従属者, 部下.
vetch·ling 名 〘植物〙レンリソウ(連理草).
weak·ling 名 虚弱者, 病身者; 知力の弱い人.
wean·ling 名 乳離されたばかりの幼児［幼獣］.
wild·ling 名 野生植物［動物］, 野の花.
wise·ling 名 《古》利口ぶる人.
wit·ling 名 《古》《侮蔑的》利口ぶる人, 小才子.
world·ling 名 俗物, 俗人.
wrap·ling 名 〘料理〙ギョーザ.
yean·ling 名 子羊(lamb), 子ヤギ(kid).
year·ling 名 （動物の）満 1 年の子, 1 年子.
young·ling 名 《詩語》若い人, 青年.

-ling[2] /lɪŋ/

接尾辞 「方向」「位置」「状態」などを表す副詞をつくる.
★ 語末にくる関連形は -LINGS, -LINS.
◆ 中英, 古英; *lang*「長い」の母音交替異形の副詞用法.

dark·ling 副 《詩》暗中に, (薄)暗がりに.
flat·ling 副 《英・古方言》平らに; （刀剣などの）ひらで.
mid·dling 形 中くらいの, 中等の, ころあいの.
side·ling 副 横へ, 横に; 斜めに, はすに.

-lings /lɪŋz/

連結形 -ling[2] の異形.
◆ 中英 *-linges*. ⇨ -S.

back·lings 副 後方へ, 後ろへ; 後ろ向きに.
dark·lings 副 暗中に.
east·lings 副 東方へ.
half·lings 副 半ば.
side·lings 副 横へ.

lin·gual /líŋgwəl/

形 **1** 舌の; 舌状部分の. **2** 《まれ》言語の, 言葉の. ⇨ -AL[1].
★ 語頭にくる関連形は ling(u)-, lingui-, linguo-: *lin-gui*form「舌の形をした」.

a·cu·ti·lin·gual 形 〘動物〙尖舌(せんぜつ)の.
au·di·o·lin·gual 形 耳と口を使う, 口頭練習による.
bi·lin·gual 形 二か国語［二言語］を話せる.
buc·co·lin·gual 形 〘解剖〙ほおと舌［頬舌］の.
den·ti·lin·gual 形 〘音声〙歯音の.
dis·to·lin·gual 形 〘歯科〙遠心面舌面の.
in·ter·lin·gual 形 言語間の.
mon·o·lin·gual 形 単一言語の.
mul·ti·lin·gual 形 多数の言語を話せる.
quad·ri·lin·gual 形 4 か国語を用いる［から成る］.
ret·ro·lin·gual 形 〘解剖〙舌後方の, 舌根部付近の.
ses·qui·lin·gual 形 《主にカナダ》1.5 言語が使える.
sub·lin·gual 形 〘解剖〙舌下(側)の.
tri·lin·gual 形 3 か国語を用いる［話す］.
tu·bi·lin·gual 形 〘鳥類〙〈鳥が〉管状の舌を持つ.

u·ni·lin·gual 形 1か国語だけの.

lin·guis·tics /liŋgwístiks/

名複 言語学. ◇ -LINGUAL. ⇨ -ISTICS.

anthropológical linguístics 人類言語学.
applíed linguístics 応用言語学.
áreal linguístics 地域言語学.
bì·o·lin·guís·tics 名複 生物言語学.
cógnitive linguístics 認知言語学.
compárative linguístics 比較言語学.
computátional linguístics 数理言語学, 計量言語学.
contrástive linguístics 対照言語学.
descríptive linguístics 記述言語学.
diachrónic linguístics 通時言語学.
èth·no·lin·guís·tics 名複 民族言語学.
èx·o·lin·guís·tics 名複 後段言語学.
géneral linguístics 一般言語学.
gè·o·lin·guís·tics 名複 地理言語学, 言語地理学.
histórical linguístics 史的 [歴史] 言語学.
màc·ro·lin·guís·tics 名複 マクロ言語学.
mèt·a·lin·guís·tics 名複 メタ言語学.
nè·o·lin·guís·tics 名複 新言語学, ネオリングィスティカ.
nèu·ro·lin·guís·tics 名複 神経言語学.
pàr·a·lin·guís·tics 名複 パラ言語学.
psỳ·cho·lin·guís·tics 名複 心理言語学, 言語心理学.
sò·ci·o·lin·guís·tics 名複 社会言語学.
strúctural linguístics 構造言語学.
synchrónic linguístics =descriptive linguistics.
systémic linguístics 体系文法.

lin·ing[1] /láiniŋ/

名 **1** 裏地, 裏当て. **2**【機械】ライニング, 内 [裏] 張り. ⇨ -ING[1].

báck·lining 【建築】(上げ下げ窓の箱枠の)裏板.
bráke lining ブレーキライニング: 耐熱性の強い石綿を主材としたブレーキの裏張り.
sóck lining (靴の)中敷き, 敷き革.
únder·lining 裏布, 裏地; 裏張り.

lin·ing[2] /láiniŋ/

名 **1** 線で印 [飾り] をつけること. **2**【印刷】ライニング. **3** (…でする)魚釣り. ⇨ -ING[1].

árt lining 【印刷】アートライニング.
lóng-líning 延縄(はえなわ)漁業.
sílver lining 雲の白い縁.
stándard lining 【印刷】標準並び線そろえ.
títle lining 【印刷】見出し組み.

link /líŋk/

名 **1** (鎖の)輪, 環(かん). **2** 連絡路. ── 動他 …を連結する.

cháin-link 形 編み目がダイヤモンド状の.
cróss-link 【化学】交差結合, 架橋, 橋かけ.
cúff link 【服飾】カフリンクス.
dáta link 【コンピュータ】データリンク.
de·línk 動他 …を独立させる; 別個のものとする.
down·link 名形 【通信】ダウンリンク(の).
drág link 【機械】(2つのシャフトのクランクをつなぐ)引き棒.
fúse link 【電気】ヒューズの可溶部.
hy·per·link 名動他 【コンピュータ】ハイパーリンク(する).
índex-link 動他 《主に英》〈賃金などを〉生計費指数に連動させる.
ìnter·línk 動他 …を(…に)結びつける, 連結する.
láp link 2本の鎖を結ぶ開閉口付きの環.
micromáinframe línk 【コンピュータ】マイクロメインフレームリンク.
míssing línk 【生物】ミッシングリンク.
mónkey línk =lap link.
núll línk 【コンピュータ】空白連係.
permíssive áction línk 【軍事】(大統領の)許可制核弾頭安全装置解除機構.
rádio línk 【通信】無線リンク.
sléeve línk 《英》=cuff link.
snáp línk 一端がかんぬき状に開閉できる環.
Thàmes·línk テムズリンク: London のテムズ川を南北にトンネルで結んだ鉄道路線.
ùn·línk 動他 (輪を)外す.
úp·línk 【通信】アップリンク.
wáll línk 【植物】チャセンシダ属のシダの一種 *Asplenium rhizophyllum*.

link·age /líŋkidʒ/

名 (…との)結合, 連合, 接合; 結合 [連合, 接合] の仕方 [状態]. ⇨ -AGE[1].

flúx línkage 【電気】磁束鎖交.
péptide línkage 【生化学】ペプチド結合.
séx-línkage 【遺伝】性リンケージ, 伴性(遺伝).

-lins /linz/

連結形 方向や位置を示す.
★ 副詞をつくる.
◆ -lin(-LING[2] の異形) + -s.

ab·lins 副 《スコット》たぶん(possibly).
ai·blins 副 《スコット》=perhaps.
aught·lins 副 《スコット》=oughtlins.
back·lins 副 《スコット・北イング》後方へ.
ought·lins 副 《スコット》わずかに, ほんの少し.
stown·lins 副 《スコット》ひそかに, こっそり.

li·on /láiən/

名 ライオン, 獅子(し).

Américan líon 《主に米・カナダ》アメリカライオン.
ánt líon 【昆虫】ウスバカゲロウ.
áphid líon アリマキを食べるクサカゲロウ・テントウムシなどの幼虫.
dán·de·lí·on 名 【植物】セイヨウタンポポ.
Hénry the Líon ハインリヒ獅子公(1129? –95).
Líttle Líon 【天文】こじし(小獅子)座.
mér·lí·on 名 マーライオン: 伝説上の動物でシンガポールの象徴.
móuntain líon =American lion.
Neméan líon 【ギリシャ神話】ネメアのライオン.
séa líon アシカ(海驢).

lip /líp/

名 唇.

cléft líp =harelip.
dórsal líp 【発生】(原口)背唇(はいしん).
fát líp 腫(は)れ上がった口 [唇].
Hápsburg líp 突き出した下唇.
háre·líp 名 兎唇(としん), みつくち(cleft lip).
sáucer·líp 名 《米俗》黒人.
únder·líp 名 下唇.

lipped /lípt/

形 唇を持った; 《複合語》…口の. ⇨ -ED[2].

clóse-lípped 形 =tight-lipped.
flíp-lípped 形 《俗》おしゃべりな, 口達者な.
róse-lípped 形 ばら色の唇をした.

L

tíght-lípped 形 口数の少ない, 無口な.
whíte-lípped 形 唇の白い; 唇の色がうせた.

lips /líps/

名複 lip の複数形.

blúe lips オオバナ(大花)コリンソウ.
bóot·lips 《米俗》黒人.
físh lips 《米俗》厚くてとがった唇.
latríne lips 《米話》汚い言葉を使う人.
rúbber lips 《俗》おしゃべりな人.
thíck·lips 《米俗》黒人; アフリカ人.

-lip·sis /lípsis/

連結形 離れる［取り除くこと］こと.
★ 名詞をつくる.
◆ ＜ギ *leip-*(*leípein*「離れる」の語幹)＋-SIS.

e·clip·sis 名 〘言語〙(ゲール語で)先行語の影響による語頭子音の音声変化.
el·lip·sis 名 〘文法〙省略.
par·a·lip·sis 名 〘修辞〙逆言法, 逆力説.

liq·uor /líkər/

名 **1** アルコール飲料, (特に)蒸留酒. **2** 液状のもの. ⇨ -OR[1].

ammónia líquor 〘化学〙アンモニア液.
bláck líquor 黒液: 木材から製紙用パルプを採った後の廃液.
córn líquor コーンウイスキー.
gás líquor 〘化学〙＝ammonia liquor.
hárd líquor 蒸留酒.
mált líquor 麦芽(醸造)酒.
móther líquor 母液, 原液.
pót líquor 《米南部》肉と青菜を煮たスープ料理.
réd líquor 酢酸アルミニウムの酢酸溶液.
whíte líquor 白液: 製紙用パルプを採るために木材をほぐす化学薬品.

-lish /liʃ/

連結形 英語(の). ◇ -ISH[3].
★ 名詞, 形容詞をつくる.
★ -glish, -nglish の場合もある.
◆ English の抽出形.

Freng·lish 名形 フランス語交じりの英語(を話す).
Fring·lish 名形 ＝Frenglish.
Hing·lish 名 ヒングリッシュ: ヒンディー語と英語が交じり合った言語.
Jang·lish 名 ＝Japlish.
Jap·lish 名 英語混じりの日本語.
Mang·lish 名 男性中心の英語.
Sing·lish 名 シンガポール英語.
Spang·lish 名 スペイン式英語.
Tag·lish 名 タガログ語・英語混合語.
Yeng·lish 名 イディッシュ語混じりの英語.
Ying·lish 名 ＝Yenglish.

-li·sion /líʒən/

連結形 打たれたもの［こと］, 傷つけられたもの［こと］.
◆ ＜ラ *-lisus*(*laedere*「打つ」の連結形 *-lidēre* の過去分詞). ⇨ -SION.
［発音］-lision の第 1 音節に第 1 強勢が置かれる.

al·li·sion 名 〘法律〙船舶衝突.
col·li·sion 名 ☞
e·li·sion 名 〘音声〙〘文法〙音脱落.

list /líst/

名 表, 一覧表, リスト; 目録; 名簿. ── 動他 …を(表, 名簿などに)記載する.

áctive list 〘軍事〙現役軍人名簿.
Á-list (ある分野における)最重要人物リスト.
ármy list 《英》現役・予備役の全将校名簿.
báck·list 既刊書, 在庫本(リスト).
bínnacle list 《米海軍俗》船酔いで任務につけない水兵のリスト.
bláck·list ブラックリスト: 要注意人物名簿.
bóok list 本の一覧表, ブックリスト.
cáuse list 《英》〘法律〙事件目録, 公判日程表.
cháined list 〘コンピュータ〙連鎖リスト.
chéck·list 照合表; 目録.
cívil list 《英》(議会で承認された)年間王室費.
cláss-list 〘英大学〙学級名簿, 受講者名簿.
cráp-list 《米俗》＝shit-list.
dánger list (病院の)重症病患者リスト.
déan's list 優等生名簿.
de·líst 動他 …を目録［リスト］から削除する.
dróp-déad list 《米話》処分対象［予定］者リスト.
énemies list 反対者［邪魔者］の一覧表.
en·líst 動自 (軍隊に)(志願して)入隊する.
fáir list ＝white list.
flág list 〘海軍〙現役将官名簿.
frée list 〘商業〙無税［免税］品目表.
frónt·list (出版社の)新刊本リスト.
guést·list 参加者［列席者］リスト.
hánd·list (参考図書などの)簡単な一覧表.
hít list 《俗》(ギャングの)暗殺者リスト.
hónours list 《英》叙勲者一覧.
Índian list 《カナダ話》酒類販売禁止客リスト.
ínterdict list ＝Indian list.
júry list 〘法律〙陪審員候補者［資格者］名簿.
láundry list 《主に米》(単に長々と並べただけの)リスト.
légal list 〘米法律〙法定銘柄.
lífe list 野鳥の観察記録.
línked list 〘コンピュータ〙連係済みリスト.
mátch·list 相手探しの表.
móst wánted list 緊急に必要な人名一覧; 緊急指名手配一覧.
Návy List 《英》海軍要覧, 海軍将校名簿.
pácking list 〘商業〙梱包(内容)証明書.
párty list 〘政治〙比例代表制.
pláy·list 〘ラジオ〙放送予定録音表.
príce list 定価表, 価格表, 相場表.
púnch list 《話》未決事項の表.
púshdown list 〘コンピュータ〙プッシュダウンリスト.
resérved list 〘英史〙海軍予備役将校名簿.
retíred list (年金受給)退役軍人名簿.
sháre list 《英》〘金融〙株式相場表.
shélf·list 〘図書館〙書架目録.
shít·list 《米俗》嫌いな人物リスト.
shópping list 買い物リスト.
shórt list 《主に英》最終的選抜候補者名簿.
shórt-list 動他 《主に英》最終的選抜候補者名簿に載せる.
síck list 患者名簿.
stóck list 《米》〘金融〙株式相場表.
súcker list 《米話》上得意客名簿.
tóast list (乾杯される人の)乾杯用名簿.
tránsfer list (サッカーの)移籍可能選手リスト.
únion list 〘図書館〙逐次刊行物総合目録.
wáiting list 補欠人名簿.
wáit·list 動他 ウエーティングリストに記入する.
wánt list 必要品目録, 希望品表.
wátch list 要注意人物リスト, ブラックリスト.

wédding lìst ウェディングリスト.
whíte lìst ホワイトリスト: 優良小説[映画]リスト.
wíne lìst ワインリスト, ワイン銘柄表.
wísh lìst 願い事のリスト.

lit /lít/

動 light の過去・過去分詞形. ──形《俗》酒に酔った.

can·dle·lit 形 ろうそくの火に照らされた.
gas·lit 形 ガス灯で照らされた.
half-lit 形《米俗》酒に酔った.
moon·lit 形 月に照らされた, 月明りの.
star·lit 形 星に照らされた, 星明かりの.
sun·lit 形 日の当たっている.
twi·lit 形 ぼんやり照らされた, 薄明かりの.
un·der·lit 形 照明不足の, 暗い.
un·lit 形 明かりのついていない.

-lite /làit/

連結形〘鉱物〙〘岩石〙…石;〘古生物〙…化石;〘天文〙…隕石.
★ 語末にくる関連形は -LITH.
★ 語頭にくる関連形は lith(o)-; *lith*iasis「結石症」, *litho*graphy「石版印刷(術)」.
◆ <仏, *-lithe*(<ギ *líthos* 石)の簡略形.

ac·tin·o·lite 名 陽起石, 緑閃(りょくせん)石.
aer·o·lite 名 エーロライト, 石質隕石(いんせき).
ag·a·lite 名 アガライト.
ar·sen·o·lite 名 ヒ華.
car·po·lite 名 種子化石, 化石果実.
chal·co·lite 名 リン銅ウラン石.
ches·sy·lite 名 藍(らん)銅鉱.
chi·as·to·lite 名 空晶石, キアストライト.
chrys·o·lite 名 橄欖(かんらん)石.
cop·ro·lite 名 (動物の)糞化石, 糞石, コプロライト.
cro·cid·o·lite 名 クロシドライト, 青石綿.
cry·o·lite 名 氷晶石.
dat·o·lite 名 ダトライト, ダトー石(せき).
fi·bro·lite 名 シリマナイト, ケイ線石.
grap·to·lite 名 フデイシ(筆石).
ich·no·lite 名 足跡 [痕跡(こんせき)] 化石, 生痕.
ich·thy·o·lite 名 魚の化石.
in·dic·o·lite 名 インジゴライト, ブルートルマリン.
in·di·go·lite 名 =indicolite.
i·o·lite 名 菫青(きんせい)石.
ix·i·o·lite 名 イキシオライト, イキシオン石.
jas·pi·lite 名 ジャスピライト.
le·pid·o·lite 名 鱗雲母(りんうんも), 紅雲母.
ma·ri·a·lite 名 マリアライト, 曹柱(そうちゅう)石.
mar·mo·lite 名 マーモライト.
mel·i·lite 名 メリライト, 黄(おう)長石.
mes·o·lite 名 中フッ石.
me·te·or·o·lite 名 隕石(いんせき).
mi·cro·lite 名 微結晶, 微晶.
nah·co·lite 名 ナーコライト, 天然重曹.
nat·ro·lite 名 ソーダフッ石.
o·don·to·lite 名 歯トルコ石(bone turquoise).
o·o·lite 名 魚卵岩(egg stone), オーライト.
oph·i·o·lite 名 オフィオライト.
ot·tre·lite 名 オットレ石.
pec·to·lite 名 ペクトライト, 曹灰針石(そうかいしんせき).
phac·o·lite 名 斜方フッ石の一種.
phar·mac·o·lite 名 毒石.
pho·no·lite 名 響岩(きょうがん), フォノライト.
phy·to·lite 名 植物化石.
pis·o·lite 名 豆石, ピソライト.
rho·do·lite 名 ロードライト.
rhy·ac·o·lite 名 玻璃(はり)長石.
rhy·o·lite 名 流紋岩.
ros·coe·lite 名 バナジン雲母(うんも).
sap·ro·lite 名 腐食岩石, サプロライト.
scap·o·lite 名 柱石, スカポライト.
scye·lite 名 スキーライト.
se·pi·o·lite 名 海泡石.
sid·er·o·lite 名 シデロライト, 石鉄隕石(いんせき).
so·da·lite 名 方ソーダ石, ソーダライト.
sper·ry·lite 名 スペリー鉱, ヒ白金鉱.
stau·ro·lite 名 十字石.
stro·mat·o·lite 名 ストロマトライト.
sty·lo·lite 名 柱状突起, スティロライト.
tap·i·o·lite 名 タピオライト, タピオ石.
tet·ra·lite 名 テトリル(tetryl).
the·ra·lite 名 テラライト.
to·paz·o·lite 名 黄(色)ざくろ石, トパゾライト.
Tran·quil·ite 名 トランキライト: アポロ 11 号が月面より地球へ持ち帰ったもの.
wurtz·i·lite 名 ウルツ石.
ze·o·lite 名 沸石, ゼオライト.
zir·co·no·lite 名 ジルコノライト.

li·ter /líːtər/

名 リットル: 容量の単位. ◇ LITRE.

cen·ti·li·ter 名 センチリットル.
dec·a·li·ter 名 =dekaliter.
deic·i·li·ter 名 デシリットル.
dek·a·li·ter 名 デカリットル.
half-li·ter 名 ½リットル(500 cc).
hec·to·li·ter 名 ヘクトリットル.
hek·to·li·ter 名 =hectoliter.
kil·o·li·ter 名 キロリットル.
mi·cro·li·ter 名 マイクロリットル.
mil·li·li·ter 名 ミリリットル.

lit·er·al /lítərəl/

形 アルファベットの, 文字の. ⇨ -AL[1].

bi·lit·er·al 形 2 文字から成る.
plu·ri·lit·er·al 形〘文法〙語根が 3 文字以上の.
quad·ri·lit·er·al 形 4 文字から成る.
tri·lit·er·al 形 3 文字から成る.
u·ni·lit·er·al 形 1 文字から成る.

lit·er·ate /lítərət/

形 読み書きができる. ⇨ -ATE[1].

a·lit·er·ate 名 活字離れした人, 疑似文盲者.
bi·lit·er·ate 形 二か国語 [二言語] の読み書きができる.
il·lit·er·ate 形 読み書きのできない, 非識字の.
non·lit·er·ate 形 =preliterate.
post·lit·er·ate 形 (電子メディア登場による)文字メディア後の.
pre·lit·er·ate 形〘人類〙〈社会・集団などが〉文字を持たない, 文字使用以前の.
se·mi·lit·er·ate 形名 読み書きがわずかしかできない(人).
sub·lit·er·ate 形 読み書きが十分できない.

lit·er·a·ture /lítərətʃər, -tʃùə | -tʃə/

名 文学, 文芸; 文学 [文芸] 作品. ⇨ -URE[1].

compárative lìterature 比較文学.
il·lít·er·a·ture 名 非文学(的な文章).
púlp lìterature パルプフィクション: 低俗で猟奇的な小説.
Rabbínic lìterature ラビ文学.
súb·lìt·er·a·ture 名 水準以下の文芸作品, 三文小説.
Wísdom lìterature 知恵文学, 知恵の書: 古代エジプト・バビロニアで, 格言, 寓話などにより人生や世界の秩序を説く文学の総

L

称.

-lith /liθ/

[連結形] …石.
★ 名詞をつくる.
★ 語末にくる関連形は -LITE, -LITHIC, -LYTE[2].
★ 語頭にくる形は lith(o)-; *lith*iasis「結石症」, *litho*graphy「石版印刷(術)」.
◆ ギリシャ語 *líthos*「石」より.

ac·ro·lith 名 (古代ギリシャの)頭と手足は石, 胴はその他の材料で作った彫像.
aer·o·lith 名 石質隕(いん)石.
bath·o·lith 名 〖地質〗バソリス, 底盤(pluton).
bath·y·lith 名 =batholith.
bi·lith 名 バイリス, 二石建造物.
cho·le·lith 名 〖病理〗胆石(gallstone).
chol·o·lith 名 〖病理〗=cholelith.
coc·co·lith 名 コッコリス: ある種の海洋性のプランクトン藻の一部を成している石灰質の小さな板状, リング状のもの.
cys·to·lith 名 〖植物〗鍾乳(しょうにゅう)体, 房状体.
e·o·lith 名 〖考古〗原石器, 曙(あけぼの)石器.
gas·tro·lith 名 〖病理〗胃結石, 胃石.
gran·o·lith 名 (舗装用の)花崗(こう)コンクリート.
hol·o·lith 名 〖宝石〗ホロリットリング.
lac·co·lith 名 〖地質〗餅盤(へいばん).
lop·o·lith 名 〖地質〗ロポリス, 盆盤, 盆状岩体.
mac·ro·lith 名 〖考古〗30 cm 位の長さの石器.
meg·a·lith 名 〖考古〗(新石器時代以降の)巨石.
mi·cro·lith 名 〖考古〗細石器.
mon·o·lith 名 モノリス: 建築・彫刻用の一枚石.
ne·o·lith 名 〖考古〗新石器.
neph·ro·lith 名 〖病理〗腎(じん)臓結石.
o·o·lith 名 〖地質〗オーライト.
o·to·lith 名 〖解剖〗耳石, 平衡石.
pa·le·o·lith 名 〖考古〗旧石器.
pe·ris·ta·lith 名 〖考古〗ペリスタリス.
phac·o·lith 名 〖地質〗ファコリス, 弧盤.
pis·o·lith 名 〖岩石〗ピソリス.
reg·o·lith 名 〖地質〗表層土(mantle rock).
stat·o·lith 名 〖動物〗平衡石, 耳石(じせき).
u·ro·lith 名 〖病理〗尿(結)石.
xen·o·lith 名 〖記載岩石〗捕獲岩.

-lith·ic /líθik/

[連結形] 石の…; 〖考古〗…石器時代の(lithic).
★ 形容詞をつくる.
★ 語末にくる関連形は -LITH.
★ 語頭にくる関連形は lith(o)-; *lith*iasis「結石症」, *litho*graphy「石版印刷(術)」.
◆ ギリシャ語 *líthos*「石」より. ⇨ -IC[1].

A·e·ne·o·lith·ic 形 =Chalcolithic.
an·ti·lith·ic 形 〖薬学〗抗結石(性)の.
Chal·co·lith·ic 形 金石(きんせき)併用時代の.
en·do·lith·ic 形 岩石などの表層の中に生える.
E·ne·o·lith·ic 形 =Chalcolithic.
e·o·lith·ic 形 =protolithic.
ep·i·lith·ic 形 〈植物が〉石上性の, 石の上に生える.
he·li·o·lith·ic 形 〈文明などが〉太陽崇拝と巨石を特色とした.
hy·po·lith·ic 形 〈植物などが〉岩の下に生育する.
Mes·o·lith·ic 形 〖考古〗中石器時代の.
mi·cro·lith·ic 形 〈人・文化などが〉細石器使用の.
mon·o·lith·ic 形 モノリス(monolith)の.
Ne·o·lith·ic 形 〖人類〗新石器時代の.
Pa·le·o·lith·ic 形 〖考古〗旧石器(時代)の.
pro·to·lith·ic 形 〖考古〗原始石器(時代)の.

li·thog·ra·phy /liθágrəfi|-θɔ́g-/

名 〖印刷〗石版印刷(術). ◇ -LITH. ⇨ -GRAPHY.

àu·to·li·thóg·ra·phy 名 自画石版, 描き版.
chrò·mo·li·thóg·ra·phy 名 多色 [クロモ] 石版術.
íon-béam lithógraphy 〖電子工学〗イオンビーム・リソグラフィー.
óffset lithógraphy オフセット印刷(法)(offset).
pho·to·li·thog·ra·phy 名 写真平版技術.
X́-ray lithògraphy 〖電子工学〗X 線露光.

li·tre /líːtər/

名 《特に英》リットル.

cen·ti·li·tre 名 センチリットル.
dec·i·li·tre 名 デシリットル.
dek·a·li·tre 名 デカリットル.
kil·o·li·tre 名 キロリットル.
mic·ro·li·tre 名 マイクロリットル.
mil·li·li·tre 名 ミリリットル.

lit·tle /lítl/

形 〈物が〉小さい; 〈人・動植物が〉背の低い, 小柄な; ほんのわずかな. ⇨ -LE[1].

be·líttle 動他 過小評価する, 見くびる, けなす.
Chícken Líttle 不吉な警鐘を鳴らしてばかりいる人.
dó·little 名 《話》怠け者. ── 形 怠惰な.
smáll líttle 《南アフリカ》小さな.

live /lív/

動自 〈人・動植物が〉生き(てい)る, 生存する [している].

a·live 形 ☞
out·live 動他 …より長生きする, 生き延びる.
o·ver·live 動他 《古》〈他人より〉長生きする, 〈時代より〉長く続く.
re·live 動他 (想像の中で)…を追体験する.
un·live 動他 〈過去の生活・経験などを〉元に戻す.

liv·er /lívər/

名 (…の)生活をする人, 生活者. ⇨ -ER[1].

frée líver 道楽者, 美食家.
góod líver 有徳の人; 美食家.
hígh líver 《話》浪費家.
lóose líver 放蕩者.
óver·líver 長生きする人.

li·vered /lívərd/

形 《通例複合語》…の肝臓 [気質] がある. ⇨ -ED[2].

chíck·en-lí·vered 形 《話》内気な, 気の弱い, 臆病な.
líl·y-lí·vered 形 《古風》臆病な.
mílk-lí·vered 形 臆病な, 気の小さい, 小心の, 内気な.
pí·geon-lí·vered 形 おとなしい, 温和 [柔和] な.
whíte-lí·vered 形 臆病な.

liv·ing /líviŋ/

形 **1** 生命のある. **2** (ある生き方で)暮らす. ⇨ -ING[2].

clean-liv·ing 形 (道徳的に)清い生活を送る.
free-liv·ing 形 好きなように暮らす; 食道楽の.
long·er-liv·ing 形 長生きの.
non·liv·ing 形 生きていない, 死んでいる.

liz·ard /lízərd/

名 〖動物〗トカゲ(ヤモリ, カナヘビを含む).

álligator lìzard アリゲータートカゲ.
Árkansas lìzard 《米渡り労働者俗》シラミ.
béaded lìzard メキシコドクトカゲ.
béarded lìzard アゴヒゲトカゲ.
blúe-tòngued lízard アオジタトカゲ(青舌蜥蜴).
cáiman lìzard カイマントカゲ.
cóllared lìzard クビワトカゲ.
crésted lìzard サバクイグアナ.
dráco lìzard トビトカゲ.
drágon lìzard コモドオオトカゲ.
éarless lìzard ミミナシトカゲ.
fénce lìzard カキネトカゲ.
flýing lìzard トビトカゲ.
frílled lìzard エリマキトカゲ. ►frill lizard ともいう.
frínge-toed lìzard フサアシトカゲ.
gíant lìzard コモドオオトカゲ.
gírdle-tàiled lìzard ヨロイトカゲ.
gláss lìzard アシナシトカゲ, ヘビガタトカゲ.
góod mòther lízard マイアサウルス(maiasaur).
grídiron-tàiled lìzard =zebra-tailed lizard.
hórned lìzard ツノトカゲ.
jéw lìzard =bearded lizard.
Komódo lìzard コモドオオトカゲ.
léaping lìzard 《米俗・古風》ぶったまげた.
léopard lìzard ヒョウトカゲ.
lóunge lìzard 《古俗》(特に金持ちの女性目当てにホテルのラウンジなどでぶらぶらしている)めかし込んだ男.
níght lìzard ヨルトカゲ.
pít lìzard 《米俗》(カーレーサーの)女性ファン.
sánd lìzard スナカナヘビ.
séa lìzard アオミノウミウシ.
sérpent lìzard セプス: トカゲの一種.
sófa lìzard 《米学生俗》デート費用を浮かして自宅でいちゃつくけちなやつ.
spíny lìzard ハリトカゲ.
stríped lìzard レースランナー, ハシリトカゲ.
térrible lìzard 恐竜.
thórn lìzard トゲトカゲ.
thúnder lìzard ブロントザウルス.
tíger lìzard カナヘビの一種 *Nucras delalandi*.
wáll lìzard イワカナヘビ.
wórm lìzard ミミズトカゲ.
zébra-tàiled lìzard シマオ(縞尾)トカゲ.

load /lóud/

名 **1** (運搬・輸送用の)荷(物). **2** 積載量. **3** 重さ; 重圧. **4**〖電気〗負荷;〖力学〗荷重. **5**〖証券〗オープンエンド型投資信託の販売手数料. ―― 動他 …に積む; …を積み込む.

áir·lòad 航空機の総積載重量.
árm·lòad 《主に米ミッドランド方言》腕で抱えられる量.
báck-lòad 動他 〈賃上げなどを〉延期する, 据え置く.
báse lòad 《主に英》(発電所の)ベース負荷.
béd lòad 〖地質〗掃流土砂.
bóat·lòad 一船分の船荷 [積載量].
bómb·lòad (一機の)爆弾搭載量.
bús·lòad バス一台分の最大収容能力.
cár·lòad (特に)貨車一両分の貨物.
cárt·lòad 荷(馬)車 1 台分の荷.
cáse·lòad (裁判所・行政機関・ソシアルワーカーなどの一定期間の)取り扱い件数.
cóach·load 旅行に出かけるバスの乗客たち.
déad lóad 〖工学〗死荷重, 静荷重.
déck lòad 〖海事〗甲板積み荷.
dówn·lòad 動他 〖コンピュータ〗〈データなどを〉(他のコンピュータに)移す.
dúmmy lòad 〖電気〗擬似負荷.
frée·lóad 動自 《話》(酒食を人に)たかる.
frónt-end lóad 〖証券〗販売手数料の先取り方式.
frónt lòad 〖証券〗=front-end load.
frónt-lòad 形 〈機器が〉前面投入 [挿入] 式の.
fúnctional lóad 〖言語〗機能負荷 [負担] 量.
gáy·lòad 《英学生俗》男の同性愛者.
genétic lóad 遺伝(的)荷重.
hálf lóad 《米俗》(コカインなどの)15 包.
hánd·lóad 動他 〈弾薬を〉手で込める.
héad-lòad 動他 〈荷物を〉頭に乗せて運ぶ.
hígh-lòad 形 〖遺伝学〗高荷重の.
líne-lòad 《米俗》売春宿地区への客.
líve lóad 〖工学〗活荷重, 動荷重.
lórry·lòad タンクローリー 1 台分の積載量.
nó-lóad 形 原価の.
óff-lòad 動他 =unload.
ón·lòad 動他 〈荷物を〉積む.
òver·lóad 動他 荷を積みすぎる; 負担をかけすぎる.
páying lòad =payload.
páy·lòad 収益荷重.
péak lòad (発電所などの)最大稼働量.
pláne·lóad 飛行機一機分の積み荷 [搭載量].
ráted lóad 定格負荷, 定格荷重.
rè·lóad 動他自 (…に)再び荷を積む.
shíp·lòad 船一隻分の積み荷量.
shít·lòad 《米俗》多くのもの.
súper·lòad 〖土木・建築〗積載荷重.
tráin·lòad 一列車分の貨物 [乗客].
trúck·lòad トラック 1 台分の積み荷 [貨物].
últimate lóad 〖航空〗終極 [極限] 荷重.
ùn·lóad 動他 荷 [乗客] を降ろす.
úp·lòad 動他 〖コンピュータ〗〈データなどを〉小型コンピュータから大型コンピュータへ移す.
úseful lóad 〖航空〗有効搭載重量.
wágon·lòad 荷馬車一台分の積み荷.
wínd lòad 〖土木〗風(ふう)荷重.
wórking lòad 〖機械〗使用荷重.
wórk lòad 作業負荷, 標準仕事量.

load·er /lóudər/

名 荷を積む人 [物]; 装填(そうてん)者 [器]. ⇨ -ER[1].

áuto·lòader 名 自動装填(そうてん)式火器.
bréech·lòader 名 後装銃 [砲], 元込め銃 [砲].
clápper·lòader 名 〖映画〗〖テレビ〗撮影助手.
frónt-end lòader フロントエンドローダー: 車体前方に取りつけたアームの先端にシャベルやバケットなどを持つ積込機.
frónt lòader フロントローダー: 前面から物を出し入れする機械・装置.
frónt-lòader 名 **1** =front-end loader. **2** =front loader.
lów-lòader 名 (積み降ろしが楽な)低荷台トラック.
múzzle·lòader 名 前装砲, 口装砲, 先込(さきこ)め銃.
páy·lòader 名 ペイローダー: 可動式の垂直ブレードまたショベルを搭載した牽引車.
sélf-lóader 名 半自動装填火器.
síngle-lóader 名 単発手動装填(そうてん)火器.
tóp lòader トップローダー: 上から物を出し入れする機械・器具.

load·ing /lóudiŋ/

名 荷積み, 積み込み, 積載; 装填(そうてん), 装弾. ⇨ -ING[1].

àuto·lóading 形 〈銃が〉自動装填(そうてん)(式)の.
bréech·lòading 形 後装式の, 元込め式の.
carbohýdrate lòading カーボローディング: マラソンなどの持久性のスポーツを行う直前に, エネルギー源のグリコーゲンを蓄える目的で炭水化物中心の食事をとること.

cárbo-lòading 《話》=carbohydrate loading.
frónt-lòading 形 〈機器が〉前面挿入［投入］式の.
jóint lòading 共同混載: 混載貨物をさらに併合して, より大きな割引運賃で輸送すること.
pówer lòading 〖航空〗動力荷重.
sélf-lóading 形 〈火器・銃砲などが〉自動装填(そうてん)(式)の.
spán lòading 〖航空〗翼幅荷重.
wíng lòading 〖航空〗翼面荷重.

loaf /lóuf/

名 (上側を丸くして長方形に焼いた)パン［ケーキ］の一塊.

cób·lòaf 名 小さな丸いパン.
cóttage lòaf 《英》カテージローフ: 大小2つのパンを重ねたもの.
Dánish lóaf 《英》デニッシュローフ.
Frénch lóaf (丸くて長い)フランスパン.
méat lòaf ミートローフ.
mílk lòaf ミルクローフ.
pán-lòaf 名 《アイル・スコット》平たい容器で焼いたパン.
pén-lòaf 名 =pan-loaf.
súgar-lòaf 名 (円錐(えんすい)形の)棒砂糖.
súgar-lòaf 形 棒砂糖形の, 円錐(えんすい)形の.

loan /lóun/

名 貸与, 貸し出し, 貸し付け.

bánk lòan 銀行ローン.
brídge lòan =swing loan.
brídging lòan =swing loan.
bróker's lòan ブローカー貸し付け.
búllet lòan 〖金融〗利息だけは債務期間中に支払い, 元金全額(ときに元利金とも)一括して返済期日に支払う方式.
cáll lòan コールローン: 請求しだい, 返還することが条件の貸付金.
cléaring lòan =day loan.
consolidátion lòan 統合ローン.
constrúction lòan 〖金融〗建設(短期)融資.
dáy lòan デイローン, 当日返済貸し付け.
demánd lòan =call loan.
Éuro-lòan ユーロ債(Eurobond).
évergreen lòan エバーグリーン・ローン: 自動継続的な資金貸付.
hóme lòan 住宅ローン.
ímpact lòan 〖金融〗インパクト・ローン, 使途無制約の外貨借款.
ìnterlíbrary lóan 図書館相互貸し出し(制度).
júice lòan 《米暗黒街俗》高利貸しからの借金.
Líberty lòan 自由借款.
mórning lòan =day loan.
mórtgage lòan 抵当［担保付き］融資.
nònrecóurse lòan 〖金融〗無償還請求金融.
pólicy lòan 〖保険〗保険証券貸し付け.
prémium lòan 〖保険〗保険料の振替貸し付け.
récourse lòan 遡及償還請求権付き融資.
sígnature lòan 信用貸し, 無担保貸付金.
swíng lòan つなぎ融資.
tíed lóan 〖経済〗(国家間の)ひも付き融資.
tíme lòan 定期貸付(金).
untíed lóan 〖金融〗不拘束融資.
wár lòan 《英》戦時国債.

lobe /lóub/

名 〖解剖〗葉(よう).

éar·lòbe 耳たぶ, 耳垂(じすい), 耳朶(じだ).
fróntal lóbe 前頭葉.
occípital lòbe 後頭葉.
olfáctory lòbe 嗅葉(きゅうよう).
óptic lóbe (脳の)視葉, 四丘体上丘.
paríetal lòbe 頭頂葉.
quádrate lóbe (肝臓の)方形葉.
Róche lóbe 〖天文〗ロッシュの突出.
séed lòbe 子葉(seed leaf).
témporal lòbe (大脳の)側頭葉.

-lo·bite /ləbàit/

連結形 …虫.
★ 名詞をつくる.
★ 語頭にくる関連形はlob(o)-: *lob*ectomy「(肺臓・脳の一部などの)葉切除術」, *lob*otomy「脳の葉の切開術」.
◆ ＜後期ラ *lobus* 外皮, 殻, 莢(さや)＜ギ *lobós*.

mon·o·lo·bite 名 二葉虫.
tri·lo·bite 名 三葉虫.
trog·lo·bite 名 洞窟の暗部に住む動物.

lob·ster /lábstər｜lɔ́bstə/

名 ロブスター, ウミザリガニ. ⇨ -STER.

Nórway lóbster ヨーロッパアカザエビ.
Réd Lóbster レッドロブスター.
róck lóbster =spiny lobster.
spíny lóbster イセエビ科の食用エビの総称.

lo·cal /lóukəl/

形 場所の, 位置の; 場所［位置］に関する; 一定の空間を占める. ━━名 普通列車［電車・バス］. ⇨ -AL[1].

ìnter·lócal 形 地方間の, 場所間の.
Írish lócal 《米俗》(一輪の)手押し車, ねこ車.
màtri·lócal 形 〖人類〗母処の, 妻方居住制の.
nèo·lócal 形 〖人類〗新居住の.
pàtri·lócal 形 〖人類〗父方居住の.
uxòri·lócal 形 〖人類〗=matrilocal.
vìri·lócal 形 〖人類〗=patrilocal.

-lo·cate /ləkèit, loukeit/

連結形 置かれた.
★ 動詞をつくる.
★ 語頭にくる関連形は loc(o)-: *loc*ality「場所」, *loc*ation「位置選定」, *loco*motive「機関車」.
◆ ＜ラ *locātus*(*locāre*「所定の場所に置く, 据える」の過去分詞). ⇨ -ATE[1].
［発音］語頭の音節に第1強勢. 例外: dislócate となることもある. relocate は /⌐ー⌐/ または /⌐⌐ー/.

al·lo·cate 動他 …を取っておく; 配分する.
col·lo·cate 動他 (特に並べて)一緒に置く.
co·lo·cate 動他自 (2つ以上の部隊などを)同じ場所に配置する［させる］.
dis·lo·cate 動他 他の場所へ移す, 置き換える.
mis·lo·cate 動他 …の置き場所を誤る, 置き間違える.
re·lo·cate 動他 〈建物・会社などを〉移転させる.
trans·lo·cate 動他 …の場所を移す, を置き換える.

lo·ca·tion /loukéiʃən/

名 落ち着き場所, 活動場所, 居住地, 居所. ►locate の名詞形. ⇨ -ATION.

al·lo·ca·tion 名 割り当て, 配付; 配分(量).
bi·lo·ca·tion 名 同時に2地点に存在すること.
col·lo·ca·tion 名 一緒に置くこと.
dis·lo·ca·tion 名 位置を変えること.
ech·o·lo·ca·tion 名 反響位置決定法.
mul·ti·lo·ca·tion 名 (霊的存在・物質などが)世界の多くの場所に同時に存在すること.

ra·di·o·lo·ca·tion 名 無線測位, 電波探知法.
re·lo·ca·tion 名 (建物・会社などの)移転.
trans·lo·ca·tion 名 場所の移動, 位置の変更.

lock[1] /lák|lɔ́k/

名 **1** 錠, 錠前. **2** 停止装置. **3** 閘門(こうもん). ── 動他 …に錠を掛ける. ── 自 かみ合う.

áir lòck 〘土木〙気閘(きこう).
áir-lòck 動他 エアロックに入れる [閉じ込める].
árm·lòck 〘レスリング〙アームロック.
cóin lòck 硬貨投入式の錠, コインロック.
combinátion lòck ダイヤル錠, 組み合わせ錠.
cróssbòlt lòck クレモンボルト.
cýlinder lòck シリンダー錠.
déad·lòck 膠着(こうちゃく)状態, 行き詰まり.
dóuble-lóck 動他 …に二重に錠を下ろす.
dráwback lòck 内側からは取っ手を回すだけで, 外からは鍵であけられる錠.
dúplex lóck 複式錠.
fermentátion lòck (ワイン樽の)発酵栓.
fíre·lòck 火縄銃(の引き金).
flásh-lòck 仮堰, 流し堰(stanch).
flínt·lòck (銃の)火打ち石式発火装置.
fóre·lòck 割り栓, 割り楔(くさび).
gén·lòck 〘テレビ〙ビデオ同期装置.
gríd·lòck 《主に米》都市部の交通渋滞.
guárd lòck 水閘(すいこう).
gún·lòck (火器の)引き金.
hámmer·lòck 〘レスリング〙ハンマーロック.
héad·lòck 〘レスリング〙ヘッドロック.
ìnter·lóck 動自 〈機械などが〉互いにかみ合う.
jób lòck 健康保険などで転職できないこと.
kéep-lòck 《刑務所俗》独房での監禁.
kéy·lòck 鍵(かぎ)で開閉される錠.
knób lòck 握り玉付き錠, ひねり錠.
létter-lòck 文字合わせ錠.
lóad lòck 〘電子工学〙ロードロック.
mán lòck マンロック, 中間圧力室.
mátch·lòck (銃器の)火縄式(発火装置).
mórtal lóck 《米俗》(賭博で)絶対確実.
mórtise lòck 彫り込み錠, 箱錠.
óar·lòck 《米》(U 字形をした)オール受け.
pád·lòck なんきん錠.
percússion lòck (火器に用いる)撃鉄止め, 撃発止め.
píck·lòck 錠前をこじあける人; (特に)泥棒.
políce lòck ドアから床へ対角線にかける金属棒状の防犯用鍵.
póund lòck (水位を保つための)水門.
rím lòck 面(つら)付け錠.
rów·lòck 〘建築〙石造アーチの同心円弧の層(の一つ).
sáfety lòck (盗難予防用の)安全錠.
shíft lòck シフトロックキー.
snáp lòck ＝springlock.
spríng·lòck ばね錠.
stóck lòck (ドアの外側の)木箱で覆った錠.
tíde lòck 潮水閘(こう), 潮閘.
tíme lòck 時限錠, 時間(鎖)錠.
úni·lòck 形 ユニロック式の.
ùn·lóck 動他 〈ドア・箱などの〉錠をあける.
vápor lòck 蒸気閉塞, ベーパーロック.
wéigh-lòck 《米》(船体重量を計測する運河の)計量水門.
whéel lòck 車輪式引き金.
wríst·lòck 〘レスリング〙リストロック.
Yále lóck シリンダー錠.
zíp-lòck 形 ジップロック式の.

lock[2] /lák|lɔ́k/

名 (一房の)巻き毛, 垂れ髪.

cur·ly·lock 名 巻き毛の人.
dag·lock 名 《スコット》垂れてもつれた羊の毛.
ear·lock 名 耳の前に垂れている髪の房.
elf·lock 名 (妖精のいたずらと考えられた)乱れ髪.
fore·lock 名 前髪, 額髪.
love·lock 名 額やほおに垂らした巻き毛.
scálp lòck (北米インディアンが敵への挑戦として頭皮に残した)一房の髪.
side·lock 名 ＝earlock.
soap-lock 名 《米俗》ならず者, ちんぴら.
tag·lock 名 (羊毛・頭髪の)もつれた房毛.

-locked /lákt|lɔ́kt/

連結形 (鍵などで)閉じられた; …で囲まれた. ⇨ -ED[1].
★ 形容詞をつくる.

lánd·lòcked 形 〈港湾などが〉陸地に囲まれた.
móde-lòcked 形 モード同期になった.
wáter·lòcked 形 周囲を水 [海] で囲まれた.

lock·er /lákər|lɔ́kə/

名 ロッカー, 錠前付きの箱 [引き出し, 仕切り, 戸棚など]. ⇨ -ER[1].

cháin lòcker 〘海事〙チェーンロッカー.
Dávy Jónes's lócker (特に墓場としての)海底.
fóot·lòcker (特に兵士が手回り品を入れて寝台脇(わき)に置く)小型トランク.
lúggage lòcker 手荷物用一時預けロッカー.
ráin lòcker 《米俗》(市民ラジオで)シャワー室.
shíft lòcker 《俗》腸.

lo·co·mo·tive /lòukəmóutiv|ーーーー/

名 機関車. ⇨ -MOTIVE.

cóg locomòtive ＝rack locomotive.
eléctric locomótive 電気機関車.
ráck locomòtive 歯軌条式機関車.
stéam locomòtive 蒸気機関車.
tánk locomòtive タンク機関車.

loc·u·lar /lákjulər|lɔ́kjulə/

形 〘生物〙小室 [小胞, 小房] の(ある).
★ 語頭にくる関連形は loc(u)-: *locality*「場所」, *loculus*「〘植物〙(小)室」. ⇨ -ULAR.

bi·loc·u·lar 形 〘植物〙二室の, 二房の.
mul·ti·loc·u·lar 形 多数の室から成る; 多室の, 多房の.
tri·loc·u·lar 形 〘植物〙〈子房が〉三室の.
u·ni·loc·u·lar 形 〘生物〙単室の, 一室の.

lo·cust /lóukəst/

名 **1** バッタ, イナゴ. **2** 《米》セミ. **3** ハリエンジュ, ニセアカシア.

bláck lócust 〘植物〙ハリエンジュ, ニセアカシア.
brístly lócust 〘植物〙ハナエンジュ.
désert lòcust 〘昆虫〙ワタリバッタ.
hóney lòcust 〘植物〙アメリカサイカチ.
mígratory lócust 〘昆虫〙移動バッタ, ワタリバッタ.
móss lócust 〘植物〙ハナエンジュ.
mòssy lócust ＝moss locust.
Rócky Móuntain lócust 〘昆虫〙ロッキー山イナゴ.
séventeen-year lócust 〘昆虫〙ジュウシチネンゼミ.
swámp lòcust ＝water locust.
thórny lócust 〘植物〙メキシコハリエンジュ.
wáter lòcust 〘植物〙ヌマサイカチ.
yéllow lócust ＝black locust.

lo·cu·tion /loukjúːʃən/

名 (特にある人・集団などに特有な)言い回し, 慣用語法.
◇ -LOCUTOR. ⇨ -TION.

al·lo·cu·tion 名 (特に論争の余地のない)公式演説.
cir·cum·lo·cu·tion 名 遠回しな言い方.
el·o·cu·tion 名 演説[朗読]の調子.
in·ter·lo·cu·tion 名 《文語》会話, 対話, 問答.

-lo·cu·tor /lákjutər, ləkjùːt- | lɔ́kjuːtə/

連結形 話す人.
★ 名詞をつくる.
★ 語末にくる関連形は -LOG, -LOQUENT, -LOQUIZE.
★ 語頭にくる関連形は log(o)-: *log*arithm, *logo*graphy.
◆ ラテン語 *loquī*「話す」より. ⇨ -TOR.

col·lo·cu·tor 名 対談の相手, 対談者, 話し相手.
in·ter·loc·u·tor 名 《文語》会話者, 対話者.
pro·loc·u·tor 名 議長, 司会者.

lodge /ládʒ | lɔ́dʒ/

名 (スキー・狩猟などのシーズンに一時的に使用する)小屋, バンガロー; 避暑用の小別荘.

dis·lódge 動他 〈人・物を〉取り除く, のける.
éarth lòdge アースロッジ: 一部の北米インディアンのドーム形住居.
gránd lódge (Freemason で)グランドロッジ.
húnting lòdge 狩猟小屋.
médicine lòdge 呪医(じゅい)小屋: 北米インディアンがさまざまな巫術(ふじゅつ)や宗教儀礼に用いる建物.
mótor lòdge モテル(motel).
shóoting lòdge 《英》(狩猟期に使われる)狩猟小屋.

loft /lɔ́ːft, láft | lɔ́ft/

名 《主に英》屋根裏(部屋, 物置).

a·lóft 副 高く(high up); 空中に, 空高く.
chóir lòft (教会の)聖歌隊席.
cóck·lòft 《古風》小さな屋根裏部屋.
córn·lòft 穀物倉, 穀倉(granary).
flý lòft 〖演劇〗(吊物を収納する)舞台天井.
háy·lòft (干し草を置く)馬小屋の二階.
jázz lòft 《米》ジャズロフト: ジャズ演奏をするクラブやホールのあるビルの上の階.
móld lòft 現図場.
órgan·lòft (教会の)オルガン席.
rígging lòft (造船所の)索具(綱具)作業場.
róod lòft (教会の)内陣桟敷, 高廊.
sáil lòft 製帆工場[小屋].

log[1] /lɔ́ːg, lág | lɔ́g/

名 **1** 丸木, 丸太; まき. **2** 〖海事〗(速力を測る)測程儀[器]. **3** (機械の)運転記録.

áir lòg 〖航空〗飛行距離記録装置.
báck·lòg 注文の手持ち分, 注文残高, 受注残.
chíp lòg 〖海事〗手用測程器[具].
cón·lòg SF 大会の日程.
déck lòg 〖海事〗甲板部航海日誌.
dóg-lòg 《米俗》棒のように細長い犬の糞(ふん).
Dútchman's lòg 〖海事〗ダッチマン測程法.
fóot·lòg 《米南部》丸木橋の丸太.
gás lòg 丸太に似せた暖炉用ガスバーナー.
gróund lòg 〖海事〗グランドログ.
hánd lòg =chip log.
núrse lòg 倒木: 幼樹を育てる種がその上に落ちて芽を生やして育つ.
pátent lóg 〖海事〗曳航(えいこう)測程器[儀].
sáw lòg 《米》ひいて板にする丸太, 板材.
scréw lòg =patent log.
wéll lòg (井戸掘りの)工程記録[日誌].
yúle lòg クリスマスに炉の台木として用いた大まき.

log[2] /lɔ́ːg, lág | lɔ́g/

名 〖数学〗対数(logarithm).

an·ti·log 名 真数(antilogarithm).
co·log 名 余対数(cologarithm).
log-log 名形 対数の対数(の).

-log /lɔ̀ːg, làg | lɔ̀g/

連結形 -logue の異形.
★ 語末にくる関連形は -LOCUTOR, -LOGIA, -LOGIC, -LOGIST, -LOGY, -LOQUENT, -LOQUIZE.
★ 語頭にくる形は log(o)-: *log*arithm「対数」, *logo*graphy「連字[合字]活字」.
◆ <仏 *-logue* <ラ *-logus* <ギ *-logos* 談話.

an·a·log 名 《米》類似性を持つもの, 類似物.
cat·a·log 名 ☞
ho·mo·log 名 相応するもの, 相当物(homologue).
mag·a·log 名 ファッション雑誌風カタログ.
spe·cia·log 名 専門分野の雑誌風商品カタログ.
the·o·log 名 《話》神学生(theologue).

log·a·rithm /lɔ́ːgərìðm, -rìθm-, lág- | lɔ́g-/

名 〖数学〗対数. ◇ -LOG.

àn·ti·lóg·a·rithm 名 真数.
co·lóg·a·rìthm 名 余対数.
cómmon lógarithm 常用対数.
Napíerian lógarithm =natural logarithm.
nátural lógarithm 自然対数.

-lo·gi·a /lóugiə, -dʒiə, lágiə | lɔ́giə/

連結形 話すこと; 言葉.
★ 名詞をつくる.
★ 語末にくる関連形は -LOG.
★ 語頭にくる関連形は log(o)-: *log*arithm「対数」, *logo*graphy「連字[合字]活字」.
◆ <ギ *lóg*(*os*)「言葉」+*-ia* -IA.

a·lo·gia 名 〖病理〗失語症(aphasia).
ap·o·lo·gi·a 名 (信仰・思想などのための)弁明.
dys·lo·gia 名 〖病理〗談話困難, 理解力不全.
eu·lo·gi·a 名 〖キリスト教〗エウロギア.

log·ic /ládʒik | lɔ́dʒ-/

名 **1** 論理学. **2** 論理. ◇ -LOGIC. ⇨ -IC[1].

afféctive lógic 〖心理〗感情論理.
Aristotélian lógic アリストテレス論理学.
Bóolean lógic 〖コンピュータ〗ブール論理.
distríbuted lógic 〖コンピュータ〗分散論理回路.
fórmal lógic 形式論理学.
fúzzy lógic 〖数学〗あいまい理論, ファジー理論.
indústrial lógic 企業論理.
íntegrated injéction lògic 〖コンピュータ〗集積注入論理.
mathemátical lógic =symbolic logic.
philosóphical lógic 哲学的論理学.
symbólic lógic 記号論理(学).

ténse lógic 〚論理〛時制論理学.
tradítional lógic 伝統的［古典的］論理学.
transcendéntal lógic 〚カント哲学〛先験的論理学.

-log·ic /lɑ́dʒik | lɔ́dʒ-/

連結形 -logy で終わる名詞に対応する形容詞をつくる.
★ 語末にくる関連形は -LOG, -LOGICAL.
★ 語頭にくる関連形は log(o)-: *log*arithm「対数」, *lo-go*graphy「連字［合字］活字」.
◆ ギリシャ語 *lógos*「論理」より. ⇨ -IC[1].

an·a·log·ic 形 類推による, 類推的な.
an·thro·po·log·ic 形 人類学(上)の.
ar·chae·o·log·ic 形 考古学的な, 考古学上の.
ar·che·o·log·ic 形 ＝archaeologic.
bac·te·ri·o·log·ic 形 細菌学(上)の.
chop·log·ic 形 詭弁を弄(ろう)する, へ理屈の.
di·a·log·ic 形 対話の, 対話的な; 問答体の.
e·ti·o·log·ic 形 因果関係の(ある).
ge·o·log·ic 形 地質学(上)の, 地質の.
hor·o·log·ic 形 時計学上の; 測時法の［に関する］.
i·de·o·log·ic 形 イデオロギーに関する, 観念学の.
il·log·ic 名 不合理, 不条理, 非論理性.
met·a·log·ic 名 メタ論理.
o·cea·no·log·ic 形 海洋科学(上)の.
path·o·log·ic 形 病理学の; 病理上の.
ra·di·o·tox·o·log·ic 形 〚物理〛放射性毒素研究の.

log·i·cal /lɑ́dʒikəl | lɔ́dʒ-/

形 論理的な. ⇨ -ICAL.
★ 語頭にくる形は log(o)-: *log*arithm「対数」, *logo*graphy「連字［合字］活字」.

a·log·i·cal 形 論理を超えた, 超［没］論理的な.
il·log·i·cal 形 非論理的な, 不合理な.
non·log·i·cal 形 非論理的な, 論理的(思考)でない.

-log·i·cal /lɑ́dʒikəl | lɔ́dʒ-/

連結形 …学［主義, 理論, 学説］に関する.
★ 形容詞をつくる.
★ 語末にくる関連形は -LOGIC.
★ 語頭にくる関連形は log(o)-: *log*arithm「対数」, *lo-go*graphy「連字［合字］活字」.
◆ -LOGY＋-IC[1]＋-AL[1]. ⇨ -ICAL.

ar·chae·o·log·i·cal 形 考古学的な, 考古学(上)の.
ar·che·o·log·i·cal 形 ＝archaeological
as·tro·log·i·cal 形 占星術の, 占星術に関する.
bac·te·ri·o·log·i·cal 形 細菌学(上)の; 細菌使用の.
bi·o·log·i·cal 形 ☞
chron·o·log·i·cal 形 年代順に配列した, 年代［日付］順の.
cos·mo·log·i·cal 形 宇宙論的な.
e·co·log·i·cal 形 生態学の; 生態(上)の.
en·to·mo·log·i·cal 形 昆虫(学)の.
ge·ne·a·log·i·cal 形 系図［系譜］(学)の.
lu·ni·log·i·cal 形 月研究の, 月学の, 月の地質研究の.
me·te·or·o·log·i·cal 形 気象の, 気象学上の.
myth·o·log·i·cal 形 神話学(上)の; 神話の.
path·o·log·i·cal 形 病理学の; 病理上の.
phys·i·o·log·i·cal 形 生理学の, 生理学的な.
psy·cho·log·i·cal 形 心理学(上)の, 心理学的な.
ra·di·o·log·i·cal 形 放射線(医)学の.
rhe·o·log·i·cal 形 流動学の.
so·ci·o·log·i·cal 形 社会学的な, 社会学上の.
tech·no·log·i·cal 形 科学技術の; 技術上の.
ter·mi·no·log·i·cal 形 術語(学)の, 用語(上)の.
the·o·log·i·cal 形 神学の, 神学的(性質の).
zo·o·log·i·cal 形 動物学(上)の, 動物学的.

-lo·gist /lədʒist/

連結形 …学者, …の研究者.
★ 名詞をつくる.
★ 語末にくる関連形は -LOG.
★ 語頭にくる関連形は log(o)-: *log*arithm「対数」, *lo-go*graphy「連字［合字］活字」.
◆ -LOGY「…学」＋-IST[1].
［発音］直前の音節に第 1 強勢.

A·mer·i·can·ol·o·gist 名 (米国以外の)米国研究家.
an·es·the·si·ol·o·gist 名 麻酔学専門医.
an·thol·o·gist 名 名詩選［名作集］編者.
an·thro·pol·o·gist 名 人類学者.
a·pol·o·gist 名 弁明する人; 弁護する人.
bi·ol·o·gist 名 生物学者.
bor·bo·rol·o·gist 名 汚い言葉を使う人.
chro·nol·o·gist 名 年代学者, 年表学者.
cos·me·tol·o·gist 名 メーキャップ専門家, 美容師.
Cu·ba·nol·o·gist 名 キューバ問題専門家.
der·ma·tol·o·gist 名 皮膚科学者［専門医］.
di·a·be·tol·o·gist 名 糖尿病専門医.
di·a·lec·tol·o·gist 名 〚言語〛方言研究家［学者］.
e·col·o·gist 名 生態学者.
e·lec·trol·o·gist 名 〚医学〛電気分解法の専門家.
em·bry·ol·o·gist 名 発生学者, 胎生学者.
gar·bol·o·gist 名 ごみ収集人, 清掃局員.
gem·el·lol·o·gist 名 双生児研究者.
ge·ol·o·gist 名 地質学者.
gla·ci·ol·o·gist 名 氷河学者(glacialist).
gy·ne·col·o·gist 名 婦人科医.
hair·ol·o·gist 名 《米》毛髪(専門の)美容師.
he·re·si·ol·o·gist 名 異端研究者.
his·tol·o·gist 名 組織学者.
ho·rol·o·gist 名 時計学者.
i·de·ol·o·gist 名 あるイデオロギーの研究者.
Jo·vi·ol·o·gist 名 木星研究専門の天文学者.
Mar·i·ol·o·gist 名 聖母神学(Mariology)の研究家.
Mar·tian·ol·o·gist 名 火星学者.
mix·ol·o·gist 名 《米俗》カクテルを作るのが上手な人.
mon·o·log·ist 名 独白する人, 独白劇俳優.
my·thol·o·gist 名 神話学者.
neu·rol·o·gist 名 神経(病)学者, 神経科医.
on·col·o·gist 名 腫瘍(しゅよう)学者.
oph·thal·mol·o·gist 名 眼科医, 目医者.
pa·trol·o·gist 名 教父学研究家, 教父学者.
phi·lol·o·gist 名 文献学者.
pho·nol·o·gist 名 音韻・音素学者.
phra·se·ol·o·gist 名 言葉遣い［語句］研究家.
phys·i·ol·o·gist 名 生理学者.
ple·bi·o·col·o·gist 名 大衆におもねる人.
psy·chol·o·gist 名 心理学者; 臨床心理士, 精神分析医.
rheu·ma·tol·o·gist 名 リューマチ専門医［学者］.
Si·nol·o·gist 名 中国学者, 中国研究家, 中国通.
so·ci·ol·o·gist 名 社会学者.
tech·nol·o·gist 名 科学技術者; 工学者.
than·a·tol·o·gist 名 死学［死の科学］研究家.
u·fol·o·gist 名 UFO 研究家.
ul·tra·so·nol·o·gist 名 〚医学〛超音波検査技師.
Vat·i·can·ol·o·gist 名 バチカン研究者, 教皇庁研究家.
Wash·ing·to·nol·o·gist 名 (外国の)米国政治研究者.
zo·ol·o·gist 名 動物学者.

-lo·gis·tic /lədʒístik/

連結形 話法の; 論法の.
★ 形容詞をつくる.
★ 語末にくる関連形は -LOGIST.
★ 語頭にくる関連形は log(o)-: *log*arithm「対数」, *lo-go*graphy「連字［合字］活字」.
◆ ギリシャ語 *logía*「話法」より. ⇨ -ISTIC.

eu·lo·gis·tic 形 賛美［称賛］の, 褒めたたえる.
so·ci·ol·o·gis·tic 形 社会学主義の.
syl·lo·gis·tic 形 三段論法の, 三段推論式の.

L

-logue /lɔ̀ːg, lɑ̀g | lɔ̀g/

[連結形] **1** 談話, …集, 編集物. ► 口頭, 執筆どちらも指す: ana*logoue*, mono*logue*. ► 英語用法(米語では -log). **2** 学者, 研究者: Sino*logue*.
★ 語頭にくる形は log(o)-: *log*arithm「対数」, *logo*graphy「連字 [合字] 活字」.
◆ ＜仏＜ラ *-logus* ＜ギ *-logos* 言葉.

- **an·a·logue** [名] 類似性を持つもの, 類似物.
- **ap·o·logue** [名] 教訓的なたとえ話.
- **cat·a·logue** [名] カタログ, 目録, 一覧表.
- **Dec·a·logue** [名] 〖ユダヤ教〗十戒.
- **di·a·logue** [名] 対話, 対談, 問答, 会話.
- **dra·ma·logue** [名] (観客への)戯曲の朗読.
- **du·a·logue** [名] ＝dialogue.
- **du·o·logue** [名] ＝dialogue.
- **ep·i·logue** [名] エピローグ: (小説などの)結び, 終章; 巻末の付録, 付表, 補遺.
- **gram·ma·logue** [名] 符号や単一文字で表された語; その符号(logogram).
- **hom·o·logue** [名] 相応するもの, 相当物.
- **i·de·o·logue** [名] 理論家, 論客; 理論指導者.
- **i·so·logue** [名] 〖化学〗同級体.
- **mon·o·logue** [名] 一人芝居, 独白劇.
- **philo·logue** [名] 文献学者(philologist).
- **pol·y·logue** [名] (劇などで)多人数で行う会話.
- **pro·logue** [名] 序言, 序文; 序詩, 序詞; 序編.
- **Si·no·logue** [名] 中国学者, 中国研究家.
- **the·o·logue** [名] 《話》神学生.
- **trav·e·logue** [名] (スライド・展示品などを使って行う)旅行談.

-lo·gy /lədʒi/

[連結形] **1** 学問, 学説, 教理: paleonto*logy*, theo*logy*. **2** 文章, 談話, 収集: tri*logy*, marryo*logy*. **3** 話法, 言葉遣い: tauto*logy*.
★ 語末にくる関連形は -LOG, -OLOGY.
★ 語頭にくる関連形は log(o)-: *log*arithm「対数」, *lo*-*go*graphy「連字 [合字] 活字」.
◆ 中英 *-logie* ＜ラ *-logia* ＜ギ *lógos* 言葉, ことわり. ⇨ -Y[3].
[発音] 直前の音節に第 1 強勢.

- **a·nal·o·gy** [名] (部分的な特徴の)類似, 類似性.
- **an·til·o·gy** [名] (名辞・概念上の)矛盾.
- **don·to·pe·dal·o·gy** [名] 傍若無人なことを言う性癖.
- **ge·ne·al·o·gy** [名] (個人・家族・集団などの)系図, 系譜.
- **ge·neth·li·al·o·gy** [名] 〖占星〗誕生の際の天体の位置を算出する科学.
- **mam·mal·o·gy** [名] 哺乳(ほにゅう)類学.
- **min·er·al·o·gy** [名] 鉱物学.
- **-ol·o·gy** [連結形] ☞
- **pa·le·on·tol·o·gy** [名] 古生物学.
- **pa·lil·o·gy** [名] 〖修辞〗畳語(じょうご)法.
- **pe·dol·o·gy**[1] [名] 土壌学.
- **pe·dol·o·gy**[2] [名] 育児学.
- **pen·tal·o·gy** [名] 相互に関連した 5 冊の出版物.
- **si·tol·o·gy**[1] [名] 食品学, 食餌(しょくじ)学, 栄養学.
- **si·tol·o·gy**[2] [名] 〖建築〗立地学.
- **tau·tol·o·gy** [名] トートロジー, 類語反復.
- **te·tral·o·gy** [名] (劇・オペラ・小説などの)四部作 [曲].
- **tril·o·gy** [名] (劇・オペラ・小説などの)三部作 [曲].
- **u·fol·o·gy** [名] 未確認飛行物体 [UFO] 研究.

loin /lɔ́in/

[名] **1** (人間・動物の)腰. **2** (食用の)腰肉.

- **shórt lóin** ショートロイン: 牛の腰肉の前半部.
- **sir·loin** [名] サーロイン: 牛の腰肉の上部最上肉.
- **sur·loin** [名] ＝sirloin.
- **ten·der·loin** [名] テンダーロイン: 牛肉・豚肉の腰の上部から肋骨にかけての柔らかい肉.

long /lɔ́ːŋ, lɑ́ŋ | lɔ́ŋ/

[形] **1** 〈物・距離が〉長い. **2** (時間的に)長い. **3** …の長さ [距離・時間] の, 合計…の.

- **age·long** [形] 《文語》長年続く, 古くからの.
- **a·long** [前] …に沿って, …沿い [伝い] に.
- **day·long** [形] 一日中 [終日] の.
- **ere·long** [副] 《古・詩語》やがて, まもなく.
- **fur·long** [名] ファーロン(グ): 長さの単位.
- **go-long** [名] 《米黒人俗》護送車.
- **half-long** [形] 〖音声〗〈言語音が〉半長の.
- **hour·long** [形] 1 時間続く, 1 時間に及ぶ.
- **life·long** [形] 一生 [終生] の, 生涯にわたる.
- **live·long**[1] [形] 長い長い, 久しい; まる…, …じゅう.
- **live·long**[2] [名] 〖植物〗ムラサキベンケイソウ.
- **mile·long** [形] 1 マイル続く, 1 マイルの長さの.
- **month·long** [形] 1 か月続く.
- **night·long** [形] 終夜の, 夜通しの, 徹夜の.
- **ob·long** [形] 〈方形・円などが〉引き延ばされた.
- **side·long** [形] 横への, 横に向けた; 斜めの, はすの.
- **sò lóng** 《話》さようなら, じゃ(また).
- **week·long** [形][副] 1 週間に及ぶ [及んで].
- **year·long** [形] 1 年続く, 1 年間の.

look /lúk/

[動][自] 見る, 注目する. ── [名] **1** 外観. **2** (ファッションの)型.

- **bíg lóok** 〖服飾〗ビッグルック.
- **Ívy lòok** 〖服飾〗アイビールック.
- **láyered lóok** 〖服飾〗重ね着ルック.
- **móds lòok** 〖服飾〗モッズルック. ► mods は moderns の短縮形.
- **néw lóok** 新型, 新流行, ニュールック.
- **óut·lòok** [名] 眺め, 展望, 景色, 光景.
- **òver·lóok** [動][他] 見落とす, 見過ごす.
- **pírate lòok** 〖服飾〗海賊ルック.
- **préppy lòok** 〖服飾〗プレッピールック
- **survíval·lòok** 〖服飾〗サバイバルルック.
- **wáif lòok** 〖服飾〗浮浪児ルック.
- **wét lóok** (髪型などの)つや, 光沢仕上げ.

look·er /lúkər/

[名] **1** 《話》(…を)見る [観察する, 調べる] 人. **2** 《英》検査官. ⇨ -ER[1].

- **góod-lóoker** [名] 美人.
- **léave·lòoker** [名] 《英》(市の)市場監視員.
- **ón·lòoker** [名] 見物人, 傍観者; 観察者, 目撃者.
- **óver·lòoker** [名] 《英》監督, 取締人.

look·ing /lúkiŋ/

[形] **1** …に見える, の顔つきの. **2** …を見る, 見ている. ⇨ -ING[2].

- **báckward-lòoking** [形] 回顧的な; 退嬰(たいえい)的な.
- **búsiness·y-lòoking** [形] ビジネスマンふうの.
- **dówn-lòoking** [形] 〈レーダーが〉(低空飛行の航空機 [ミサイル] の対策として)下(方)に電波を送信する.
- **fórward-lòoking** [形] 将来を考えての, 先見の明のある.
- **góod-lóoking** [形] 〈人が〉器量のよい, 美しい.
- **íll-lóoking** [形] 《古風》醜い, 見苦しい.
- **níce-lóoking** [形] 《話》かわいい, かっこいい, いかす.
- **ón·lòoking** [形] 傍観している, 傍観的な, 観察する.
- **síde-lòoking** [形] 〖軍事〗側方監視(用)の.
- **sólid-lòoking** [形] いかにもしっかりした, 堅固そうな.
- **wéll-lóoking** [形] ＝good-looking.

loom /lúːm/

形 機(はた), 織機.

bóx lòom 杼替(ひか)え織機.
broad·loom 広幅織りじゅうたん.
dóbby lòom ドビー機: ドビーのついた織機.
dráw-lòom 空引(そらびき)機.
flóor lòom フロアー [ペダル] 織機.
hand·loom 手織り機, 手機.
ínkle lòom 装飾用の長いひもや帯を織るための, 簡単な幅の狭い織機(loom).
Jácquard lòom ジャカード(紋織)機.
pówer-lòom 力織機(りきしょっき).
tréadle lòom =floor loom.
wáter-jèt-lóom 無杼(ひ)織機.

loop /lúːp/

名 **1**(糸などの)輪. **2**〘電気〙閉 [環状] 回路.

artículatory lóop 〘心理〙反復暗誦式短期記憶法.
clósed lóop 〘コンピュータ〙閉ループ.
clósed-lóop 形 クローズドループの: 製造工程で出る廃棄物を再利用するシステムの.
Cýgnus Lòop 〘天文〙白鳥座のループ.
féedback lòop 〘コンピュータ〙フィードバック・ループ.
frúit lòop 《米俗》変人.
gróund lòop 〘航空〙グラウンドループ.
Hénle's lóop 〘解剖〙ヘンレ係蹄(けいてい).
hysterésis lòop 〘物理〙ヒステリシスループ.
ínside lóop 〘航空〙(内回りの)宙返り.
Líppes lòop リッペスリング: 避妊具の一種.
lóop-the-lóop 名 (飛行機の)宙返り.
ópen lóop 〘コンピュータ〙開回路, 開ループ.
óutside lóop 〘航空〙逆宙返り.
páragraph lòop 〘フィギュアスケート〙パラグラフループ.
shóulder lòop (陸軍・空軍・海兵隊で)肩章.
tóe lòop 〘スケート〙トーループ.
Várley lòop 〘電気〙バーレーループ.

loose /lúːs/

形 **1**〈糸・ひもなどが〉結び [くくり] つけてない; 解けて [離れて] いる. **2**(…の束縛から)解放された, 自由な.

fóot·lòose 形 どこへでも自由に行ける.
háng-lóose 形 《話》くつろいだ; 気楽な.
scréw-loose 名 《俗》常軌を逸した人; 狂気; 故障.
un·lòose 動他〈握り・つかみ・指などを〉緩める.

loose·strife /lúːsstràif/

名〘植物〙オカトラノオ.

fálse lóosestrife チョウジタデ(ミズキンバイを含む).
gárden lóosestrife オカトラノオ属の多年草.
púrple lóosestrife エゾミソハギ.
spíked lóosestrife =purple loosestrife.
swámp lóosestrife アメリカミズヤナギ.
whórled lóosestrife オカトラノオ属の草.
yéllow lóosestrife =garden loosestrife.

-l·o·quent /ləkwənt/

連結形 話す.
★ 形容詞をつくる.
★ 語末にくる関連形は -LOCUTOR, -LOG, -LOQUIZE.
★ 語頭にくる関連形は log(o)-: *log*arithm「対数」, *logo*graphy「連字 [合字] 活字」.
◆ <ラ *loquēns*(*loquī*「話す」の現在分詞). ⇨ -ENT[1].
[発音] 直前の音節に第 1 強勢.

el·o·quent 形 雄弁な, 能弁な, 筆が立つ.
gran·dil·o·quent 形 大げさな, 仰々しい, 誇大な.
mul·til·o·quent 形 おしゃべりな.

-lo·quize /ləkwàiz/

連結形 話す.
★ 動詞をつくる.
★ 語末にくる関連形は -LOCUTOR, -LOG, -LOQUENT.
★ 語頭にくる関連形は log(o)-: *log*arithm「対数」, *logo*graphy「連字 [合字] 活字」.
◆ ラテン語 *loquī*「話す」より. ⇨ -IZE[1].
[発音] 直前の音節に第 1 強勢.

col·lo·quize 動自 対話する, 話をする.
so·lil·o·quize 動自 (劇で)独白する; 独語する.
ven·tril·o·quize 動自他 腹話術をする, 腹話術で話す.

lord /lɔ́ːrd/

名 (他者に)権威・権力・支配権を有する者; 主人, 首長, 支配者, 主(しゅ).

Cívil Lórd 《英》海軍本部の文官委員.
drúg lòrd 《米俗》麻薬密売組織の大物.
Fírst Lórd 《英》第一卿(きょう), 長官, 総裁.
Gáy·lòrd ゲイロード(男子の名).
Írish lórd 〘動物〙ヨコスジカジカ.
lánd·lòrd (下宿屋などの)主人; 家主, 大家.
Láw Lòrd 法官貴族.
láy lórd 《英》(貴族院の)非法律貴族.
mésne lórd 〘古英法〙家臣, 中間領主.
mi·lórd 《英国貴族への呼びかけ》閣下.
Òur Lórd イエス・キリスト.
óver·lòrd 上級領主; 大君主, 皇帝, 大君.
préss lòrd 新聞業界のボス, 新聞王.
Séa Lòrd 英海軍本部の委員会の役職名.
slúm·lòrd 《主に米・カナダ》スラム街住宅の家主.
tréasury lòrd 《英》国家財政委員会委員.
wár·lòrd 《主に文語》将軍, 軍指令官.
Yóung Lórd 《米》ヤングロード(党員).

lore /lɔ́ːr/

名 (特定の事項に関する伝承的または俗信的な)知識, 言い伝え, 口碑, 伝承.

bírd·lòre 鳥類伝承.
bóok lòre 読書によって得た知識.
fólk·lòre 民間伝承, 民俗.
wóod·lòre 森林に関する知識.
wórd-lòre 語とその語源の研究.

lor·ry /lɔ́ːri, lári | lɔ́ri/

名 《英》貨物自動車, (特に)大型トラック(《米・カナダ》truck).

artículated lórry 《英》トレーラートラック.
bréakdown lòrry 《英》レッカー車.
mótor lòrry 《英》(特に側面の開く)貨物自動車.
típper lòrry 《英》ダンプカー.

loss /lɔ́ːs, lás | lɔ́s/

名 失う [失われる] こと, 損失, 損害, 不利益, 欠損.

cápital lóss 資本損失, キャピタルロス.
déad lóss 丸損, 全損.
dieléctric lóss 〘電気〙誘電損(失).
háir lòss 脱毛, 抜け毛.

héaring lòss 難聴, 聴力損失, 失聴.
hysterésis lòss 〖物理〗履歴損失, ヒステリシス損.
íron lòss 〖電気〗鉄損, 磁損.
pówer lòss 〖電気〗電力損失.
stóp-lòss 形 〖証券〗〖保険〗損切りの.
tótal lóss 《米俗》全くくだらないやつ [もの].
transmíssion lòss 〖電気〗伝送 [透過] 損失, 送電損.
wáter lòss 〖気象〗蒸発散量.
wéight lòss 体重減少, やせること.
wíndfall lòss 偶発損失, 意外の損失.

lot /lát | lɔ́t/

名 **1** 《米・カナダ》一区画; 用地. **2** 一組, 一山; 《話》やつ, 代物.

báck lòt 〖映画〗バックロット.
bád lót 《俗》うそつき, 信頼できないやつ.
bárn·lòt 《主に米南部》納屋の前庭.
bróken lót ＝odd lot.
búsh lòt 《カナダ》小森林区.
cárload lòt 《米》貨車貸し切り扱い標準量.
drý lót 〖農業〗(牛などの)囲い地.
féed·lòt 〖農業〗(家畜を集めて市場向けに肥育するための)飼育場.
íron lòt 《米俗》くず鉄置場.
jób lòt 一括取引される大量商品.
ódd lót 半端物, 端物.
párking lòt 《米・カナダ》駐車場.
róund lót 〖証券〗取引単位.
sánd·lòt 《米》空き地.
tót lòt 幼児用小運動場, ちびっこ広場.
trúck·lòt 《米》トラック一杯分の商品.
wáste·lòt 《主にカナダ》空き地, 空閑地.
wóod lòt 農場に付属する森林地帯.
ź-lòt 交互配置敷地.

lo·tion /lóuʃən/

名 **1** 〖薬学〗洗浄剤 [液]. **2** 化粧水. ⇨ -TION.

móisture lótion モイスチャーローション.
mótion lòtion 《米市民ラジオ俗》ガソリン.
sétting-lòtion (髪用の)セットローション.
sháving lòtion シェービングローション.

lo·tus /lóutəs/

名 〖植物〗ハス. ⇨ -US[1].

Américan lótus キバナ(黄花)ハス.
blúe lótus エジプトハスで淡青色の花をつけるもの.
Éast Índian lótus ＝Indian lotus.
Egýptian lótus エジプトハス.
Índian lótus ハス.
sácred lótus ＝Indian lotus.
whíte lótus エジプトハスで白い花をつけるもの.

lounge /láundʒ/

名 (ホテル・劇場・空港などの)休憩室, ラウンジ, ロビー, 待合室.

cócktail lòunge (ホテルなどの)カクテルラウンジ.
ský·lòunge スカイラウンジ: 市中の旅客ターミナルと空港との間をヘリコプターで運搬する待合室型の乗り物.
sún lòunge サンルーム, 日光浴室(sun parlor).
tránsit lòunge (空港の)トランジット[乗り継ぎ]ラウンジ.

louse /láus/

名 シラミ. ►複数形は lice.

bárk·lòuse チャタテムシ.
bírd lòuse ハジラミ.
bíting lòuse ハジラミ.
bódy lòuse キモノジラミ.
bóok·lòuse 嚙虫(ごきゅう).
chéwing lòuse ハジラミ.
chícken lòuse ニワトリハジラミ.
cráb lòuse ケジラミ.
de·lóuse 動他 …のシラミを駆除する.
físh lòuse ウオジラミ.
héad lòuse アタマジラミ.
léns lòuse 《俗》野次馬.
lót lòuse 《米俗》(サーカスで)見てるだけで金を遣わない客.
plánt lòuse アリマキ.
púbic lóuse ケジラミ.
shéep lòuse ヒツジシラミバエ.
shórt-nòsed cáttle lòuse ウシジラミ.
súcking lòuse シラミ.
wáter lòuse ミズムシ, アセルムシ.
whále lòuse クジラに寄生する生物; クジラジラミ属の甲殻類.
wóod lòuse ワラジムシ.

love /lʌ́v/

名 愛, 愛情, 恋心.

be·lóve 動他 …を愛する.
cálf lòve ＝puppy love.
cóurtly lóve 宮廷ロマンス, 貴婦人崇拝.
cúpboard lòve 《主に英》欲得ずくの愛情 [恋愛].
frée lóve 自由恋愛(主義), フリーセックス.
Gréek lóve 《俗》アナルセックス.
lád's-lòve 〖植物〗キダチヨモギ.
lády·lòve 《今はまれ》最愛の女性; 情婦.
light-o'-love 愛人.
Platónic lóve 〖哲学〗プラトン的な愛; 理想主義的愛.
púppy lòve 幼い恋.
púre lóve 《米俗》LSD.
sélf-lóve (本能的な)利己心, 自分本位, 自己愛.
Stránge·lòve 核戦争狂.
tóugh lóve (友人や家族の麻薬中毒などを治すために)厳しい態度を取ること.
trúe·lòve 恋人, 愛する人; 誠実な愛.
túg of lóve 《話》親権者争い.
ùn·lóve 動他自 (…を)愛さなくなる.

lov·er /lʌ́vər/

名 …の愛好者; …を愛する人. ⇨ -ER[1].

bódy lòver 《俗》体の愛撫を好むホモ.
bóok·lòver 本好き, 愛書家, 読書家.
cóon lòver 《米俗》黒人の肩をもつ白人.
dríp-drý lòver 《米俗》ペニスの小さい男.
lády Lòver 《米俗》レズ.
móther·lòver 《米俗》嫌なやつ, くそったれ野郎.
nígger lòver 《米俗》「黒ん坊」の肩を持つやつ.

lov·ing /lʌ́viŋ/

形 情愛深い, 愛情のある; …を愛する, …好きの. ⇨ -ING[2].

ácid-lòving 形 〈植物が〉好酸性の.
álka·li-lòving 形 〈植物が〉好アルカリ性の.
fún-lóving 形 楽しいことが好きな, よく遊ぶ.
un·lóving 形 愛情がない, 優しくない.

low /lóu/

形 低い. ——副 低く. ——名 **1** 安値. **2**〖気象〗低気圧.

Aléutian lów アリューシャン低気圧.
be·lów 副 下に[へ, を, で], 低い所に[へ].
gúlly-lów 形 《米ジャズ俗》感覚に訴える.
hígh-lów 〖トランプ〗ハイローポーカー.
mónsoon lów 季節風低圧部.
néw lów (株取引で)新安値.
stráight lòw 《米刑務所俗》真相, 真実.

-low /lou/

連結形 丘, 山.
★ 地名などをつくる.
◆ 古英 *hlāw* 丘.

Car·low 名 カーロー(アイルランドの地名).
Har·low 名 ハーロー(イングランドの地名). ►字義は「人民の山」.
Lud·low 名 ラドロー(イングランドの地名). ►字義は「急流のそばの丘」.
Thur·low 名 サーロー(イングランドの地名). ►字義は「人々の集まる丘」.
Wick·low 名 ウィックロー(アイルランドの地名).
Wins·low 名 ウィンズロー(イングランドの地名). ►字義は「Wine(人名)の所有する山」.

lu·cent /lúːsnt/

形 **1** 光る, 輝く. **2** 半透明の; 透明な. ⇨ -ENT[1].
★ 語頭の関連形は luc-: *luc*id「明瞭な」, *luc*iferin「〖生化学〗ルシフェリン(発光素)」.

noc·ti·lu·cent 形 夜光る; 〖気象〗夜光雲の.
ra·di·o·lu·cent 形 放射線(半)透過性の.
re·lu·cent 形 《古》きらきら輝く, 光り輝く.
trans·lu·cent 形 半透明の, 曇った.

luck /lʌ́k/

名 **1** 運命, 運. **2** 幸運.

begínner's lúck ビギナーズ・ラック.
chúck-a-lúck 名 3個のさいころで行う賭け.
chúck-lùck 名 =chuck-a-luck.
hárd lúck 不幸, 不運.
Lády Lúck 運命の女神.
pót·lùck 《話》ありあわせの食べ物.
shít-àss lúck 《米俗》不運, 不幸.

-lude[1] /lúːd/

連結形 欺く, 競技する.
★ 語末にくる関連形は -LUDE[2], -LUSION, -LUSIVE.
★ 語頭にくる形は ludi-: *ludi*crous「こっけいな」.
◆ ラテン語 *lūdere*「欺く, 競技する」より.

al·lude 動自 (…について)さりげなく言及する.
col·lude 動自 結託する, ぐるになる; 共謀する.
de·lude 動他 〈人の〉心[判断]を(…で)惑わす.
e·lude 動他 うまく避ける, かいくぐる, かわす.
il·lude 動他 《文語》だます, 欺く; 錯覚させる.

-lude[2] /lùːd/

連結形 劇; 演奏.
★ 名詞をつくる.
★ 語末にくる関連形は -LUDE[1].
★ 語頭にくる形は ludi-: *ludi*crous「こっけいな」.
◆ ラテン語 *lūdus*「芝居」より.
[発音] 語頭の音節に第1強勢.

in·ter·lude 名 合間, (演劇の)幕間(まくあい).
post·lude 名 〖音楽〗(曲の)終末部, 最終楽章.
prel·ude 名 前触れ, 先触れ, 前兆.

lum·ber /lʌ́mbər/

名 《主に米・カナダ》(製材された)挽材(ひきざい).

diménsion lùmber 標準[特定]寸法にひいた建築用材木.
stéel lúmber 薄鋼板でできた金属板.
wórked lúmber 加工木材.

lu·mi·nes·cence /lùːmənésns/

名 〖物理〗ルミネッセンス: 冷光現象. ⇨ -ESCENCE.
★ 語頭にくる関連形は lumin(i)-, lumino-: *lumin*ary「発光体」.

bio·lu·mi·nes·cence 名 生物発光.
cath·o·do·lu·mi·nes·cence 名 陰極線ルミネセンス, 陰極線発光.
chem·i·lu·mi·nes·cence 名 化学ルミネセンス, 化学発光.
e·lec·tro·lu·mi·nes·cence 名 エレクトロルミネッセンス.
pho·to·lu·mi·nes·cence 名 光(ひかり)ルミネセンス, 光冷光.
ra·di·o·lu·mi·nes·cence 名 放射線ルミネセンス.
so·no·lu·mi·nes·cence 名 音ルミネセンス.
ther·mo·lu·mi·nes·cence 名 熱ルミネッセンス.
tri·bo·lu·mi·nes·cence 名 摩擦ルミネッセンス.

lu·nar /lúːnər/

形 **1** 月の. **2** 月に似た. ⇨ -AR[1].
★ 語頭にくる関連形は lun(a)-, luni-: *lun*arian「月の住人」, *luni*solar「月と太陽の」.

cir·cum·lu·nar 形 月の周りを回る.
cis·lu·nar 形 〖天文〗地球・月間の(軌道空間の).
ex·tra·lu·nar 形 月以外に起源を持つ, 月の外の.
in·ter·lu·nar 形 月の見えない期間の, 無月期間の.
sem·i·lu·nar 形 半月状の; 三日月様の.
so·lu·nar 形 日と月の出と入りの時刻に関する.
trans·lu·nar 形 月の向こう側の.

-lu·nar·y /lunèri, lúːnəri | lúːnəri/

連結形 月の.
★ 語頭にくる関連形は lun(a)-, luni-: *lun*arian「月の住人」, *luni*solar「月と太陽の」.
◆ <仏 *lunaire* <ラ *lūnāris*. ⇨ -ARY.

sub·lu·nar·y 形 月面下の; 月が子午線上にある; 地球と月の間にある; 月の軌道内にある; 月の影響下の.
su·per·lu·na·ry 形 月の上[かなた]にある.
trans·lu·nar·y 形 月の向こう側の; 月の上にある.

lunch /lʌ́ntʃ/

名 昼食, ランチ; 昼食会. ►luncheon の短縮形.

bóx lúnch 箱詰め弁当.
búsiness lùnch ビジネスランチ.
cút lúnch 《豪・NZ》サンドイッチの弁当.
Dútch lúnch 薄切り冷肉とチーズを盛った料理.
frée lúnch (もとバーや酒場であらかじめ用意した)無料の食べ物.
líquid lúnch 《話》飲み物に重点を置いた昼食.
pláy-lùnch 《NZ》学校生徒の午前のおやつ.
plóughman's lùnch 《英》(パンとチーズ, 時にオニオンのピクルスが加わる)軽い昼食.
pówer lùnch 昼食をとりながらの精力的な会議.
quíck-lúnch 軽食[ファーストフード]の店.
thrée-martìni lúnch 《米》(業務上の交際費でまかなう)ぜいたくな昼食.
wórking lùnch 仕事[会議]をしながらの昼食.

L

lune /lúːn/

名 新月形 [半月形] の物. ◇ LUNAR.

ap·o·lune 名 〖天文〗遠月点.
de·mi·lu·ne 名 三日月(crescent).
per·i·lune 名 〖天文〗近月点.

lung /lʌ́ŋ/

名 肺, 肺臓.

Áqua-Lùng 《商標》アクアラング.
bláck lúng 〖病理〗炭肺(症), 炭粉(沈着)症.
bóok lùng 書肺, 肺書, 気管肺.
brówn lúng 〖病理〗褐色肺, 線系肺.
cóal mìner's lung 《話》炭粉症: 炭塵(たんじん)を吸って肺に炭粉が沈着する疾患.
fármer's lúng 農夫肺.
gréen lúng 《英》(都市部の)緑地.
íron lúng 鉄の肺.
óne-lùng 形 肺が 1 つしかない, 片肺の.
whíte lúng 〖病理〗石綿肺, 白色肺炎.

-lu·sion /lúːʒən/

連結形 遊ばれたもの [こと], 演じられたもの [こと].
★ 名詞をつくる.
★ 語末にくる関連形は -LUDE[1].
★ 語頭にくる関連形は ludi-: *ludi*crous「こっけいな」, *ludi*fication「欺くこと, あざけること」. ☞-SION.
◆ <ラ *lūsus*(*lūdere*「遊ぶ, 演じる」の過去分詞). ⇨
[発音] -lusion の第 1 音節に第 1 強勢が置かれる.

al·lu·sion 名 (…の)さりげない言及, ほのめかし.
col·lu·sion 名 共謀, 結託.
de·lu·sion 名 惑わし, だまし, 欺き; 惑い, 迷い.
e·lu·sion 名 《まれ》回避, 言い抜け.
il·lu·sion 名 ☞
pre·lu·sion 名 (重要な行動・事件などの)前触れ.
pro·lu·sion 名 序文, 序説, 緒言.

-lu·sive /lúːsiv/

連結形 振る舞う; 遊ぶ.
★ 形容詞をつくる.
★ 語末にくる関連形は -LUDE[1].
★ 語頭にくる関連形は ludi-: *ludi*crous「こっけいな」, *ludi*fication「欺くこと, あざけること」. ☞-IVE[1].
◆ <ラ *lūsus*(*lūdere*「振る舞う; 遊ぶ」の過去分詞). ⇨

al·lu·sive 形 〈話などが〉(…を)暗示する.
col·lu·sive 形 共謀した, なれ合いの, 談合による.
de·lu·sive 形 惑わす, だます, まぎらわしい.
e·lu·sive 形 とらえ所のない; 表現しがたい.
il·lu·sive 形 錯覚 [幻想] を起こさせる.
pre·lu·sive 形 前置きの; 前奏曲の; 前兆的な.

-lu·vi·um /lúːviəm/

連結形 流れるもの.
★ 名詞をつくる. ☞-IUM.
◆ ラテン語からの借用語に見られる動詞派生名詞. ⇨

al·lu·vi·um 名 (流水による砂礫(されき)・泥土などの)堆積(たいせき).
col·lu·vi·um 名 〖地質〗崩積成土.
di·lu·vi·um 名 《今はまれ》〖地質〗洪積層.
e·lu·vi·um 名 〖地質〗残積層 [物], 風化残留物.
il·lu·vi·um 名 (illuviation による)集積物.

-lux /lʌ̀ks/

連結形 Luxemburg「ルクセンブルグ」または Benelux「ベネルックス」の短縮形.

Ben·e·lux 名 ベネルックス関税協定: 1948 年 1 月 1 日に始まった Belgium, the Netherlands, Luxembourg 3 国間の関税協定.
Car·go·lux 名 航空貨物会社.
Frit·a·lux 名 フリタルックス: Benelux 3 か国に France, Italy を加えたもの.

-ly[1] /li/

接尾辞 **1** …(なやり方)で, …の様子で: happi*ly*, quick*ly*.
2 …に関しては: financial*ly*.
★ 形容詞につけて副詞をつくる.
★ 複合形容詞にも使われる: word-initial*ly*.
★ -ic で終わる語幹につく場合は -ic*ally* となる.
◆ 中英 *-li*, *-lich*(*e*), 古英 *-līce*(*-līc* 形容詞接尾辞＋*-e* 副詞接尾辞).
[発音] 第 1 強勢は基語と同じ.

a·bly 副 上手に, 見事に.
-a·bly 接尾辞 ☞
ab·rupt·ly 副 急に, 突然.
ab·sent·ly 副 ぼんやり(して), 上の空で.
ab·so·lute·ly 副 完全に; 全く; 全然.
ab·sti·nent·ly 副 質素に.
a·bun·dant·ly 副 豊富に, 十分に.
ac·ci·dent·ly 副 偶然(に).
-al·ly 接尾辞 ☞
am·ply 副 十分に, たっぷり, 存分に; 広々と.
an·ger·ly 副 《古》怒って.
an·i·mal·ly 副 肉体的に.
an·tic·ly 副 奇妙に, 異様に; こっけいに.
ap·par·ent·ly 副 外見上, どうも…らしい.
apt·ly 副 適切に, ふさわしく, ぴったりと.
arch·ly 副 いたずらっぽく, ひょうきんに.
-ar·i·ly 接尾辞 ☞
-ate·ly 接尾辞 ☞
bad·ly 副 悪く, 間違って, 不完全に.
bald·ly 副 あからさまに, 露骨に.
bare·ly 副 わずかに, やっと, かろうじて.
big·ly 副 広範囲に(わたって), 包括的に.
bit·ter·ly 副 ひどく, 激しく, 身を切るように.
black·ly 副 黒く, 暗く; 陰気に.
blank·ly 副 ぼかんとして, ぼんやりして.
blind·ly 副 目が見えないように, 手探りで.
blithe·ly 副 思慮を欠いて, 無分別に, 不注意に.
bold·ly 副 ずうずうしく, 大胆に; あえて.
brave·ly 副 勇敢に, 勇ましく.
brief·ly 副 しばらくの間.
bright·ly 副 輝いて, 光輝を放って; 明るく.
bril·liant·ly 副 きらきらと, 輝いて; 立派に.
brisk·ly 副 活発に, 元気よく, きびきびと.
broad·ly 副 大ざっぱに, 大まかに.
bus·i·ly 副 忙しく, 忙しそうに; せっせと.
calm·ly 副 静かに, 穏やかに; 落ち着いて.
cer·tain·ly 副 確実に, 必ず, きっと, 疑いなく.
cheap·ly 副 安く, 安価に.
cheer·ly 副 《古》陽気に, 快活に.
chief·ly 副 主として, 主に; 本質的に.
choice·ly 副 入念に選んで, 精選して.
civ·il·ly 副 礼儀正しく, 丁重 [丁寧] に.
clear·ly 副 平明に, 分かりやすく.
clev·er·ly 副 利口に, 如才なく; 器用に, 上手に.
close·ly 副 密接に, 密に; 親密に.
com·mon·ly 副 普通に; 普通程度に, 世間並みに.
com·par·a·tive·ly 副 比較的, いくぶん.
com·plete·ly 副 完全に, すっかり; 全く; 十分に.
con·crete·ly 副 具体的に, 実際的に, 有形的に.
con·se·quent·ly 副 その結果として, したがって.
con·stant·ly 副 絶えず, しきりに.
con·ven·ient·ly 副 便利よく, 都合よく, 差し支えなく.

cool·ly 副 涼しく, 冷たく.
cor·rect·ly 副 正しく, 正確に, 間違いなく.
crim·a·nent·ly 間 《米北部・西部》おやまあ.
crim·a·net·ly 間 =crimanently.
cross·ly 副 不機嫌に, むっつりして; 片意地に.
cur·rent·ly 副 《主に米》現在は, 今は.
cur·so·ri·ly 副 そそくさと, ざっと, ぞんざいに.
dark·ly 副 暗く, 黒く, 黒ずんで; 陰気に.
deep·ly 副 深く, かなり下方で[へ].
def·i·nite·ly 副 はっきりと限定して, 確定して.
de·liv·er·ly 副 《古》敏速に, 素早く; 巧みに.
dif·fer·ent·ly 副 異なって, 相違して.
di·rect·ly 副 まっすぐに, 一直線に, 直線的に.
dis·tant·ly 副 遠く隔たって, 離れて.
dis·tinct·ly 副 はっきりと, 明瞭, ありありと.
dou·bly 副 2倍に, 倍加して.
dri·ly 副 =dryly.
dry·ly 副 乾燥して; 無味乾燥に; 冷淡に.
du·ly 副 正式に, 正当に; ふさわしく.
dumb·ly 副 押し黙って, 無言で.
ear·ly 副 早期に, 初期に, 早く.
eas·i·ly 副 容易に, たやすく; 手軽に, 楽々と.
-ed·ly 接尾辞 ☞
eighth·ly 副 8番目に.
Eng·lish·ly 副 英国人風[式]に.
en·tire·ly 副 完全に, すっかり.
-er·ly 接尾辞 ☞
ev·i·dent·ly 副 《文中で》明らかに, 明白に.
ex·act·ly 副 正確に(は), 厳密に(は).
ex·press·ly 副 特に, わざわざ.
ex·te·ri·or·ly 副 外部に, 外面(的)に; 屋外(用)に.
ex·treme·ly 副 極度に; 非常に, きわめて.
fair·i·ly 副 妖精のように; 優雅に.
fair·ly 副 公平に, 公正に, 正しく.
fan·ci·ly 副 空想的に, 空想[想像]を凝らして.
fat·ly 副 肥満して, 太って, でぶでぶして.
feat·ly 副 《古》適切に, ぴったりと.
fel·ly 副 =fiercely.
fierce·ly 副 どうもうに; 激しく, ひどく.
fi·er·i·ly 副 火のように; 激しく, 熱烈に.
fine·ly 副 立派に, 見事に.
first·ly 副 まず第一に.
fit·ly 副 適切に, ぴったりと.
flat·ly 副 きっぱりと, にべもなく.
fond·ly 副 優しく, 愛情を込めて, 情愛深く.
for·mer·ly 副 昔は, かつては, 以前は.
foul·ly 副 みだらに, 汚らわしく; 不快に.
fourth·ly 副 (列挙して)第四(番目)に.
frank·ly 副 率直に, あからさまに, 腹蔵なく.
free·ly 副 自由に; 進んで, 快く.
fre·quent·ly 副 頻繁に, たびたび, しきりに.
fresh·ly 副 新たに; 新しく, 近ごろ.
-friend·ly 連結形 ☞
ful·ly 副 十分[十二分]に, 完全に, 全く.
-ful·ly 接尾辞 ☞
gai·ly 副 陽気に, 愉快に, 浮かれて.
gal·lant·ly 副 雄々しく, 勇敢に.
game·ly 副 (不利な状況下で)果敢に, 勇敢に.
gam·i·ly 副 =gamely.
gay·ly 副 =gaily.
geek·ish·ly 副 いかにも変屈で人づきあいに向かないほどマニアックに.
gen·tly 副 親切に, 優しく, 丁寧に.
gin·ger·ly 副 非常に慎重に, 用心深く.
great·ly 副 大いに, 非常に, 甚だ, ずっと.
hand·some·ly 副 立派に, 見事に, 首尾よく.
hap·haz·ard·ly 副 偶然[無計画]に, でたらめに.
hap·ly 副 《古》たぶん, おそらく; 偶然に.
hard·ly 副 ほとんど…ない[しない].
harsh·ly 副 荒々しく; 厳しく.
high·ly 副 高度に, 非常に, 大いに.
ho·li·ly 副 信心深い態度で, 敬虔(けいけん)に.
hon·est·ly 副 正直に; 実際, 正直なところ.
hu·man·ly 副 人間らしく, 人間的に.
hum·bly 副 謙遜(けんそん)して, 謙虚に.
-ial·ly 接尾辞 ☞
-i·bly 接尾辞 ☞
-i·cal·ly 接尾辞 ☞
i·de·al·ly 副 理想的に, 理想に従って; 完璧に.
i·dly 副 何もしないで, 怠けて, ぼんやり.
il·ly 副 悪く, まずく.
-i·ly 接尾辞 ☞
in·con·ti·nent·ly[1] 副 だらしなく, みだらに, 軽率に.
in·con·ti·nent·ly[2] 副 《古》即座に, 直ちに.
in·de·pend·ent·ly 副 独立して, 自主的に, 自立的に.
-ing·ly 接尾辞 ☞
in·ly 副 内で, 内心で, 心のうちで.
in·stant·ly 副 すぐに, 直ちに, 即座に, 即刻.
-ive·ly 接尾辞 ☞
joint·ly 副 一緒に; 共同で; 共通して; 連合で.
just·ly 副 正しく; 正直に; 公正[公平]に.
keen·ly 副 鋭く, 強烈に, 激しく; 熱心に.
lag·gard·ly 副 遅れて, ぐずぐずとして.
large·ly 副 大部分は; 大いに; 一般に, 広く.
last·ly 副 終わりに(際し), 最後に.
late·ly 副 このごろ, 近ごろ, 最近.
lat·ter·ly 副 最近, 近ごろ, このごろ.
-less·ly 接尾辞 ☞
light·ly 副 軽く, そっと, 静かに.
loath·ly 副 いやいやながら, 気が進まずに.
lo·cal·ly 副 (今話題になっている)この辺りで.
loose·ly 副 緩く; だらりと; ばらばらに.
loth·ly 副 《まれ》=loathly.
mad·ly 副 気が狂って, 狂乱して.
main·ly 副 主に, 主として, もっぱら.
mean·ly[1] 副 みすぼらしく, 貧弱に, 質素に.
mean·ly[2] 副 《古》適度に, かなり.
meet·ly 副 ふさわしく, 上品に.
mere·ly 副 ただ, 単に.
mess·i·ly 副 散らかって, 汚らしく.
mild·ly 副 穏やかに; 控えめに.
mi·nute·ly 副 微細に, 詳細に, 綿密に; 正確に.
mo·ment·ly 副 刻々と, 絶えず.
mor·al·ly 副 道徳的に見て.
most·ly 副 大部分は, だいたい, おおかた.
much·ly 副 《おどけて》大いに.
mul·ti·ply 副 何倍も, 多様に, 複雑に, 複合的に.
name·ly 副 すなわち, 言い換えれば.
nar·row·ly 副 狭く, 細く.
na·sal·ly 副 〖音声〗鼻音で; 鼻声で.
near·ly 副 ほとんど, ほぼ, もう少しで.
neat·ly 副 きちんと, 小ぎれいに, 手際よく.
new·ly 副 最近, 近ごろ.
nice·ly 副 《話》うまく, 申し分なく.
no·bly 副 高潔に, 高尚に, 気高く.
o·be·di·ent·ly 副 従順に; 素直に.
ob·lique·ly 副 斜めに, 傾いて; 遠回しに.
odd·ly 副 =strangely.
on·ly 副 ただ…だけ, …しか～しない.
o·pen·ly 副 あからさまに, 率直に; 公然と.
oth·er·ly 副 ほかの仕方で.
-ous·ly 接尾辞 ☞
o·ver·ly 副 《主に米・スコット》あまりにも.
o·vert·ly 副 公然と, あからさまに, 明白に.
par·tic·u·lar·ly 副 とりわけ, 特に; 際立って, 格別に.
part·ly 副 一部分, 部分的に; ある程度は.
patch·i·ly 副 所[場所]によって.
pat·ent·ly 副 =openly.
pa·tient·ly 副 辛抱強く, 根気よく, 気長に.
per·fect·ly 副 完全に, 申し分なく; 見事に.
pink·ly 副 ピンク色に.
plain·ly 副 明白に, はっきりと, 分かりやすく.
plu·ral·ly 副 複数形で; 複数の意味で.
po·lar·ly 副 極の方向に.
poor·ly 副 貧しく, みすぼらしく, 惨めに.
pop·u·lar·ly 副 大衆に, 一般に, 広く, 世間では.
pre·cise·ly 副 正確に, 明確に, 精密に.
pres·ent·ly 副 やがて, ほどなく, まもなく.

L

prime·ly 副 《話》優れて, 素晴らしく.
prin·ci·pal·ly 副 主に, 主として.
priv·i·ly 副 《古》ひそかに, こっそり, 秘密に.
prop·er·ly 副 適切なやり方で, 適当に, ほどよく.
pros·i·ly 副 散文体で.
proud·ly 副 威張って, 高慢に.
pub·lic·ly 副 人前で, 公然と, おおっぴらに.
pure·ly 副 純粋に, 混ぜ物なしに.
pur·pose·ly 副 わざと, 故意に, 意図的に.
quick·ly 副 速く, 急いで, 敏速に, 急速に.
qui·et·ly 副 静かに, 黙って, そっと.
rare·ly 副 まれに; たまにしか…しない.
re·al·ly 副 実際に(は), 本当に [は].
re·cent·ly 副 近ごろ, このごろ, 最近; 新しく.
red·ly 副 赤く.
reg·u·lar·ly 副 定期的に, 規則正しく.
re·luc·tant·ly 副 いやいやながら, しぶしぶ.
re·mote·ly 副 遠く離れて; 遠く隔たって.
res·o·lute·ly 副 堅い決意で, 断固 [決然] として.
rich·ly 副 富裕に, 裕福に.
right·ly 副 正しく, 正確に, 間違いなく.
ros·i·ly 副 ばら色に.
rough·ly 副 手荒く, 乱暴に.
round·ly 副 丸く, 円 [球] 形に.
rou·tine·ly 副 ごく普通に, 決まって.
roy·al·ly 副 王によって; 王にふさわしく.
sad·ly 副 悲しんで; 悲しそうに, 物悲しく.
safe·ly 副 安全に, 無事に; 差し支えなく.
scarce·ly 副 やっと, ようやく; ほとんど…ない.
sec·ond·ly 副 第二に, 次に.
sec·u·lar·ly 副 俗人 [平信徒] として; 世俗的に.
se·vere·ly 副 厳しく, 厳格に, 容赦なく; 激しく.
sharp·ly 副 鋭く.
short·ly 副 まもなく, すぐに.
sil·ver·ly 副 銀のように; 澄んだ美しい音色で.
sim·ply 副 単純 [簡単] に; 平明に.
sin·cere·ly 副 心から, 真心込めて.
sin·gly 副 1つ [1人] だけになって, 単独に.
sin·gu·lar·ly 副 非凡に; 目立って; 著しく, 非常に.
slight·ly 副 わずかに, 少し, 軽く; いささか.
sli·ly 副 =slyly.
slow·ly 副 ゆっくり, 遅く, 徐々に.
sly·ly 副 ずるく; 陰険に; いたずらそうに.
smart·ly 副 厳しく, 激しく, 強く.
soft·ly 副 さっと, 軽く, 穏やかに.
sole·ly 副 ただ一人で, 単独で.
sol·id·ly 副 がっしり [しっかり] と.
sore·ly 副 痛ましく, 痛々しく.
sound·ly 副 しっかりと, 確実に, 堅実に.
square·ly 副 四角に, 方形に; 角張って; 直角に.
stil·ly 副 《古・文語》静かに; 穏やかに.
strange·ly 副 妙に, 変に; 不思議なことに.
strict·ly 副 厳密に, 厳格に; きっぱり.
strong·ly 副 頑丈に; しっかりと; 強力に.
sud·den·ly 副 突然, 急に, 出し抜けに.
sup·ple·ly 副 =supply.
sup·ply 副 しなやかに, 柔軟に; おとなしく.
sure·ly 副 しっかりと; 着実に; 間違いなく.
tenth·ly 副 10番目に.
term·ly 副形 定期的に [な], 毎期(の).
thick·ly 副 厚く; 深く; 濃く.
through·ly 副 《古》徹底的に.
thus·ly 副 《話》上に述べたように.
tight·ly 副 きつく, しっかりと; 堅く.
trip·ly 副 3倍に.
tru·ly 副 事実のとおりに, 偽りなく.
un·du·ly 副 過度に, 度外れに, 甚だしく.
u·nique·ly 副 独特に, 独自に, 比類なく.
u·ni·ver·sal·ly 副 普遍的に, 全般に; あまねく.
ut·ter·ly 副 全く, 完全に, すっかり, 徹底的に.
vain·ly 副 効果なく, 無駄に, 不成功に.
veg·e·ta·bly 副 植物のように; 単調に, 活気なく.
ver·i·ly 副 《古》本当に, まことに, 実際.
-verse·ly 連結形 ☞
-ward·ly 接尾辞 ☞
warm·ly 副 暖かく, ぽかぽかと.
white·ly 副 白く.
whole·ly 副 =wholly.
whol·ly 副 完全に, 全く.
wide·ly 副 (幅が)広く; 大きく開いて.
wil·ly-nil·ly 副 無秩序に, 手当たりしだいに.
'zact·ly 副 《発音綴り》=exactly.

-ly² /li/

接尾辞 **1** …のような, …にふさわしい: brother*ly*. ►通常, 良い意味を表す. **2** 《時間の単位につけて》…ごとの: month*ly*.
★ 名詞につけて形容詞をつくる; 時に形容詞にもつく: dead*ly*.
◆ 中英 *-li*, *-ly*, *-lich*(*e*), 古英 *-līc*.

bas·tard·ly 形 全く価値のない, 取るに足りない.
beast·ly 形 獣の(ような), 残忍な; 汚らわしい.
beg·gar·ly 形 赤貧 [極貧, 無一文] の.
black·guard·ly 形 ならず者の(ような); (特に)口汚い.
bod·i·ly 形 体の, 身体 [肉体] 上の.
bris·tly 形 剛毛質の; 剛毛の多い.
broth·er·ly 形 兄弟の(ような); 愛情の深い.
buird·ly 形 《スコット》大きくて強い, 丈夫な.
bur·ly 形 体が大きい, がっしりした.
butt·ly 形 《米学生俗》ぶす [ぶおとこ] の.
child·ly 形 《まれ》子供らしい.
chill·y 形 冷え冷えする; 肌寒い.
Christ·ly 形 〈心・行為が〉キリストのような.
church·ly 形 教会の; 教会にふさわしい.
clean·ly 形 《文語》身ぎれいな, きれい好きな.
clerk·ly 形 事務員 [書記] の(ような).
come·ly 形 《古風》器量のよい, 見目麗しい, 端正な.
com·rade·ly 形 仲間 [同志] の [にふさわしい].
cost·ly 形 高価な, 値段の高い.
court·ly 形 礼儀正しい, 洗練された, 優雅な.
cous·in·ly 形 いとこの [らしい, にふさわしい].
cow·ard·ly 形 勇気のない, 臆病な, 意気地のない.
crack·ly 形 ぱりぱりする, かりかりする.
crea·ture·ly 形 被造物の; 生物の(creatural).
dai·ly 形 毎日の, 日常の; 平日の; 日刊の.
das·tard·ly 形 卑怯な, 臆病な, こそこそした.
daugh·ter·ly 形 娘としての; 娘らしい, 娘のような.
dead·ly 形 致命的な, 命にかかわる.
death·ly 形 死をもたらす, 致命的な.
dow·ly 形 《北イング》悲しい; 活気のない.
drum·ly 形 《もとスコット》〈天候が〉陰鬱な.
earth·ly 形 地球の, 地上の; この世の.
east·er·ly 形 東の, 東への; 東方にある.
es·car·tel·ly 形 【紋章】〈線や図形の一辺が〉一か所凸形になった.
fa·ther·ly 形 父の; 父親らしい.
fel·low·ly 形 友好的な, 人付き合いのよい.
fer·ly 形名 《スコット》奇妙な(もの).
flan·nel·ly 形 フランネル製の; フランネルに似た.
flesh·ly 形 肉体の, 肉体上の, 肉体的な.
freck·ly 形 そばかすの多い, そばかすだらけの.
fri·ar·ly 形 修道士の(ような).
friend·ly 形 友人らしい; 友情のこもった.
frill·y 形 フリルのついた, 襞飾りのある.
gain·ly 形 〈態度・動作などが〉優美な.
gen·tle·man·ly 形 紳士らしい, 紳士的な, 礼儀正しい.
ghast·ly 形 ぞっとする.
ghost·ly 形 幽霊の(ような); 幽霊の出そうな.
god·ly 形 神を敬う, 信心深い, 敬虔な.
good·ly 形 かなり大きい, 相当な量の.
grav·el·ly 形 砂利の; 砂利のような; 砂利の多い.
gris·ly¹ 形 身の毛のよだつような.
gris·ly² 形 《廃》=gristly.
gris·tly 形 軟骨から成る, 軟骨質の.
griz·zly 形 =grisly¹.
growl·y 形 ほえる声のような, うなり声の.

hack·ly 形 ぎざぎざの, ざらざらの, 凸凹の.
heav·en·ly 形 天空の, 空の, 天の.
hill·y 形 小山 [丘陵] の多い.
home·ly 形 《主に米・カナダ》不器量な.
hoo·ly 形 《スコット》注意深い; 穏やかな.
host·ly 形 主人役の, 主人役にふさわしい.
hour·ly 形 毎時間の, 1 時間ごとの.
house·wife·ly 形 主婦の; 主婦にふさわしい.
hub·bly 形 凸凹(でこぼこ)の, ざらざらの.
hu·ly 形 《スコット》=hooly.
hun·ger·ly 形 《古》空腹そうな, ひもじそうな.
jea·sly 形 《米俗》取るに足りない, ささいな.
jol·ly 形 上機嫌の, 浮き浮きした, 陽気な.
jowl·y 形 下あごの張った; 二重あごの.
kind·ly 形 親切な, 心の優しい; 思いやりのある.
king·ly 形 王者らしい; 堂々たる.
knight·ly 形 騎士らしい, 高潔で勇気のある.
knurl·y 形 節のある, こぶ [節] だらけの.
lei·sure·ly 形 ゆっくりした, 悠々とした.
like·ly 形 ありそうに思われる, (…)しそうな.
live·ly 形 生き生きとした, 活発な, 快活な.
loath·ly 形 《古》嫌でたまらない, ぞっとする.
lone·ly 形 孤独感を抱いた; 寂しい, 心細い.
lord·ly 形 君主 [貴族] にふさわしい; 壮麗な.
love·ly 形 うっとりするほど美しい.
low·ly 形 《今はまれ》(地位が)低い, 卑しい.
lub·ber·ly 形 不器用な, 無骨な.
maid·en·ly 形 少女 [娘, 処女, 乙女] の.
man·ly 形 男らしい, 雄々しい; 勇ましい.
man·ner·ly 形 《古・文語》礼儀正しい, 丁寧な.
ma·tron·ly 形 matron「既婚の婦人」の [らしい].
meal·y 形 粗びき粉の(ような); 粉状の.
mea·sly 形 《話》卑小な, ちっぽけな.
min·ute·ly 形 1 分おきの; 不断の, 間断ない.
mi·ser·ly 形 守銭奴の, けちん坊の; 欲深の.
month·ly 形 ひと月の, 毎月の, 月々の.
moth·er·ly 形 母の; 母親らしい; 優しい.
neb·u·ly 形 〖紋章〗雲形線の.
neigh·bor·ly 形 隣人らしい; 親切な.
nig·gard·ly 形 けちな, (金などを)惜しむ.
night·ly 形 毎夜の, 毎晩の, 夜ごとの.
north·er·ly 形 北の; 北方にある, 北方の.
or·der·ly 形 整頓した, 整然とした.
oth·er·world·ly 形 あの世の; この世のものならぬ.
pal·ly 形 《話》親しい, (…と)仲よしの.
pee·ly-way·ly 形 《スコット》青白い顔の.
pim·ply 形 にきび [吹き出物] だらけの.
port·ly 形 〈年配の人が〉太った, 肥満した.
prick·ly 形 とげの多い, とげをつけた.
priest·ly 形 祭司の, 司祭の, 僧侶(そうりょ)の.
prince·ly 形 王子にふさわしい; 気前のよい.
quar·ter·ly 形 年 4 回の, 季ごとの.
queen·ly 形 女王の, 女王としての.
ras·cal·ly 形 悪党の, 卑劣漢の; 下劣な.
rat·tly 形 ガタガタ音のする, がたぴしする.
rip·ply 形 さざ波のような; さざ波の立っている.
ruf·fi·an·ly 形 無頼の; 残忍な.
rum·ply 形 しわくちゃな; すぐしわになる.
sail·or·ly 形 船乗り [海員, 船員] らしい.
saint·ly 形 聖人のような [らしい]; 神聖な.
scal·y 形 鱗(うろこ)に覆われた.
schol·ar·ly 形 学者の; 学者らしい; 学究的な.
scoun·drel·ly 形 《文語》不道徳な, 不埒(ふらち)な.
scrag·gly 形 不規則な; 不ぞろいな, 凸凹の.
scrawl·y 形 殴り書き [走り書き] の, 悪筆の.
seem·ly 形 たしなみのよい, 上品な.
shape·ly 形 《文語》格好のよい.
sick·ly 形 気がちの, 病弱な, 病身の.
sight·ly 形 見て感じがよい, 見た目のよい.
sis·ter·ly 形 姉妹の(ような); 仲のよい.
slat·tern·ly 形 だらしない, 無精な.
slov·en·ly 形 〈身なりが〉不潔な, だらしない.
slug·gard·ly 形 のらくらした, ものぐさな, 怠惰な.
smell·y 形 《話》きつい [不快な] においのする.
son·ly 形 子(として)の, 子にふさわしい.
south·er·ly 形 南の; 南方にある.
south·ern·ly 形 《ややまれ》=southerly.
spar·kly 形 火花を発する; 活発な.
spin·dly 形 ひょろ長い, きゃしゃな.
sprawl·y 形 不格好に広がった.
spright·ly 形 活発な, 元気のよい, 陽気な.
squal·ly 形 疾風(はやて)の, 風の吹きすさぶ.
squirl·y 形 《米話》落ち着かない.
state·ly 形 威厳のある, 風格のある; 荘重な.
stud·ly 形 《米俗》かっこいい, いかす.
sum·mer·ly 形 夏のような, 夏特有の.
sur·ly 形 無愛想な, ぶっきらぼうな.
swirl·y 形 ぐるぐる回る, 回転する, 渦巻く.
this·tly 形 アザミ(thistle)の多い.
tick·ly 形 むずむず感じる.
time·ly 形 時を得た, 適時の, 折りよい.
tin·sel·ly 形 金ぴかで飾りたてた [覆われた].
tip·ply 形 《米話》酔っ払った.
train·spot·ter·ly 形 《英俗》おたく [マニア] の.
trick·ly 形 したたり落ちる, ちょろちょろ流れる.
ug·ly 形 ☞
un·ru·ly 形 規則に従わない; 御しがたい.
veal·y 形 子牛(肉)のような.
vic·ar·ly 形 vicar「教区主管者代理」の(ような).
wal·ly 形 《スコット》素晴らしい, 見事な.
weak·ly 形 体が弱い, 強健でない, 病弱な.
wea·sel·ly 形 イタチのような, ずる賢そうな.
weath·er·ly 形 〖海事〗〈船・ボートが〉風上に詰めて走ることができる.
week·ly 形 ☞
wee·vil·y 形 (コク)ゾウムシのついた.
west·er·ly 形 西へ動く, 西向きの, 西方にある.
wife·ly 形 妻の; 妻らしい [にふさわしい].
wil·y 形 手練手管の, 策略に富む; ずるい.
win·ter·ly 形 冬の, 冬特有の.
wiz·ard·ly 形 魔法使いの(ような); 不思議な.
wom·an·ly 形 女のような, 女性らしい.
wo·nel·ly 形 《米俗》すごくいい, 最高の.
wool·ly 形 羊毛から成る.
world·ly 形 この世の, 地上 [現世, 浮世] の.
year·ly 形 1 年(間)の, 1 年限りの.
yeo·man·ly 形 yeoman「(王室・貴族などの)従者, 衛士」の地位 [階層] の.

-ly[3] /li/

音象徴 音象徴語の重複形に見られる語末要素.

dílly-dàlly 動自 (特に, 決心がつかず)ぐずぐずする; ぶらぶら過ごす, のらくら暮らす.
húrly-búrly 名 大騒動, 大騒ぎ, ごたごた. ── 形 騒がしい, 混乱した.
róly-póly 形 〈動物の子・人などが〉小さくてまるまるとした. ── 名 ずんぐりむっくりした人 [動物], まるまる太った子供.
shílly-shàlly 動自 決断しない, 煮えきらない, 迷う, ためらう, ぐずぐずする. ── 名 優柔不断, ためらい, ぐずつき. ── 形 優柔不断の, ためらう, ぐずぐずする. ── 副 ぐずぐずして.
wílly-nílly 副 無秩序 [無計画] に, 行き当たりばったりに, 手当たりしだいに; 乱雑に. ── 形 ぐずぐずする, 煮えきらない.
wílly-wìlly 名 《豪》西海岸の熱帯性低気圧.

lymph /límf/

名 〖解剖〗〖生理〗リンパ(液).
★ 語頭にくる関連形は lymph(o)-: *lympho*cyte「リンパ細胞」.

en·do·lymph 名 〖解剖〗内リンパ(液).
he·mo·lymph 名 〖解剖〗血リンパ.

kar·y·o·lymph 名 (細胞核の)核液; 核質.
per·i·lymph 名 〖解剖〗外リンパ(液).

-lyn /lin/

接尾辞 女子の名前などに見られる接尾辞要素.
◆ 中英 *-lyn(e)*, *-lin*.

Car·o·lyn 名 女子の名.
Em·lyn 名 女子の名. ►Emily の別称.
Eve·lyn 名 女子の名. ►Eve の別称.
Jac·a·lyn 名 女子の名.
Jack·e·lyn 名 女子の名.
Joc·e·lyn 名 女子の名. ►Joyce の別称.
Jos·e·lyn 名 女子の名.
Mad·a·lyn 名 女子の名. ►Magdalen の別称.
Mad·lyn 名 女子の名. ►Magdalen の別称.
Mar·i·lyn 名 女子の名. ►Mary の別称.
Mer·ri·lyn 名 女子の名.
Ros·lyn 名 女子の名.

lynx /líŋks/

名 〖動物〗オオヤマネコ, リンクス.

báy lỳnx ボブキャット(bobcat), アカオオヤマネコ(赤大山猫).
Cánada lýnx カナダリンクス.
désert lỳnx カラカル(caracal).

ly·sate /láiseit/

名 〖生化学〗溶菌液, 溶解産物, ライセート. ◇ -LYSE. ⇨ -ATE[1].

au·tol·y·sate 名 自己分解物質.
hy·drol·y·sate 名 加水分解物, 加水生成物, 水解物.
py·rol·y·sate 名 熱分解生成物.

-lyse /làiz/

連結形 《特に英》-lyze の異形.
★ -lysis で終わる名詞に対応する動詞をつくる; 英語用法(米語では -lyze).
★ 語頭にくる関連形は lys(i)-, lyso-: *lys*in「〖免疫〗〖生化学〗リシン, リジン」, *lyso*cline「〖海洋〗炭酸塩溶解度躍層」.
◆ 近代ラテン語 *-lysis* より.

an·a·lyse 動他 …を(構成要素に)分析 [分解] する.
au·to·lyse 動他自 〖生化学〗(…を)自己分解させる [する].
breath·a·lyse 動他自 (人の)酒気検査をする.
di·a·lyse 動他 (…に)透析をする [される].
hy·dro·lyse 動他自 加水分解する.
kat·a·lyse 動他 〖化学〗…に触媒作用を及ぼす.
par·a·lyse 動他 〈手・足などを〉麻痺(まひ)させる.
pho·to·lyse 動他 〖化学〗〈分子を〉光(ひかり)分解する.
plas·mo·lyse 動他 〖植物〗原形質分離を起こさせる.

ly·sin /láisin/

名 〖免疫〗〖生化学〗リシン, リジン, 溶解素. ◇ -LYSIS. ⇨ -IN[2].

au·to·ly·sin 名 自己分解 [溶菌] 酵素.
bac·te·ri·o·ly·sin 名 〖医学〗溶菌素.
cy·tol·y·sin 名 〖生化学〗細胞溶解素.
fi·bri·nol·y·sin 名 〖生化学〗フィブリノリジン, 線維素溶解酵素.
he·mol·y·sin 名 〖免疫〗溶血素.
lu·te·o·ly·sin 名 〖生化学〗ルテオリジン.
strep·to·ly·sin 名 〖細菌〗ストレプトリシン.
ther·mol·y·sin 名 〖生化学〗サーモリシン.
vi·rol·y·sin 名 〖生化学〗ビロリシン.

-ly·sis /ləsis/

連結形 破壊, 緩和, 分解, 溶解.
★ 名詞をつくる.
★ 複数形は -lyses.
★ 語末にくる関連形は -LYSE, -LYTE[1], -LYTIC, -LYZE, -LYZER, -OLYSIS.
★ 語頭にくる関連形は lys(i)-, lyso-: *lys*in「〖免疫〗〖生化学〗リシン, リジン」, *lyso*cline「〖海洋〗炭酸塩溶解度躍層」.
◆ <近代ラ<ギ *lýsis* 緩めること, 発散. ⇨ -SIS.
[発音] 直前の音節に第 1 強勢.

ac·i·dol·y·sis 名 〖化学〗酸分解.
al·co·hol·y·sis 名 〖化学〗アルコール分解.
am·mo·nol·y·sis 名 〖化学〗加安分解, アンモノリシス.
am·y·lol·y·sis 名 〖生化学〗澱粉(加水)分解.
a·nal·y·sis 名 ☞
at·mol·y·sis 名 分気, 気体分析, 拡散分気法.
au·tol·y·sis 名 〖生化学〗自己分解, 自己消化.
bac·te·ri·ol·y·sis 名 溶菌現象 [作用].
bi·o·ly·sis 名 〖生物〗生物分解, 生体分解.
ca·tal·y·sis 名 〖化学〗触媒作用, 接触反応.
che·mo·nu·cle·ol·y·sis 名 化学的核融解.
chro·ma·tol·y·sis 名 〖細胞生物学〗〖病理〗染色質融解.
cy·clol·y·sis 名 〖気象〗低気圧の消滅 [衰弱].
cy·tol·y·sis 名 〖生理〗細胞溶崩, 細胞崩壊.
di·al·y·sis 名 〖物理化学〗透析.
e·lec·trol·y·sis 名 〖物理化学〗電気分解, 電解.
en·zy·mol·y·sis 名 〖生化学〗酵素性分解.
fi·bri·nol·y·sis 名 〖生化学〗(特に酵素による)線維素溶解(現象).
fron·tol·y·sis 名 〖気象〗前線の消滅 [衰弱].
glyc·er·ol·y·sis 名 グリセロール分解.
gly·col·y·sis 名 〖生化学〗糖分解, 解糖(作用).
he·ma·tol·y·sis 名 〖生理〗=hemolysis.
he·mol·y·sis 名 溶血(現象, 反応).
het·er·ol·y·sis 名 異種溶解.
his·tol·y·sis 名 組織分解 [溶離].
ho·mol·y·sis 名 〖化学〗ホモリシス, 均一開裂.
hy·dro·gen·ol·y·sis 名 〖化学〗水素添加, 水素化分解.
hy·drol·y·sis 名 加水分解.
kar·y·ol·y·sis 名 〖細胞生物〗核崩壊 [融解].
ka·tal·y·sis 名 =catalysis.
ker·a·tol·y·sis 名 角質溶解.
ke·tol·y·sis 名 〖化学〗ケトン分解.
li·pol·y·sis 名 〖化学〗脂肪分解.
lym·pha·tol·y·sis 名 〖病理〗リンパ組織溶解.
ly·ol·y·sis 名 〖化学〗=solvolysis.
neph·rol·y·sis 名 〖病理〗腎剝離(術); 腎細胞溶解.
neu·rol·y·sis 名 〖病理〗神経溶解.
o·zo·nol·y·sis 名 〖化学〗(オゾン化に伴う)オゾン分解.
pa·ral·y·sis 名 ☞
phos·pho·rol·y·sis 名 〖化学〗加リン酸分解.
pho·tol·y·sis 名 光(ひかり)分解.
plas·mol·y·sis 名 〖植物〗原形質分離.
pneu·ma·tol·y·sis 名 〖地質〗気成作用.
pro·te·ol·y·sis 名 〖生化学〗タンパク質分解.
py·rol·y·sis 名 〖化学〗(有機化合物の)熱分解.
ra·di·ol·y·sis 名 〖化学〗放射線分解.
sol·vol·y·sis 名 〖化学〗加溶媒分解, 溶媒化分解.
spas·mol·y·sis 名 〖医学〗鎮痙(ちんけい).
ste·a·tol·y·sis 名 〖生理〗脂肪融解.
ther·mol·y·sis 名 〖生理〗(体からの)放熱, 体温消散.
throm·bol·y·sis 名 〖医学〗血栓溶解 [崩壊].
u·ri·col·y·sis 名 〖生化学〗尿酸分解.
zy·mol·y·sis 名 〖生化学〗酵素分解.

-lyte[1] /làit/

連結形 分解されてできた物.
★ -lysis で終わる名詞に対応する.
★ 語頭にくる関連形は lys(i)-, lyso-: *lys*in「〖免疫〗〖生化

学】リシン, リジン」, *lyso*cline「【海洋】炭酸塩溶解度躍層」.
◆ <ギ *lytós* 解かれ得る, 緩められ得る, 溶解され得る(*lýein*「解く, 溶かす」より).

e·lec·tro·lyte 名 【物理化学】電解液.
hy·dro·lyte 名 加水分解質.

-lyte² /láit/

連結形 -lite の異形.
★ 語末にくる関連形は -LITH.
★ 語頭にくる関連形は lith(o)-; *lith*iasis「結石症」, *litho*graphy「石版印刷(術)」.
◆ <仏 *-lite* <ギ *líthos* 石.

tach·y·lyte 名 【記載岩石】玄武岩質玻璃(はり).

-lyt·ic /lítik/

連結形 **1** 溶解の, 分解の, …で溶ける. ►-lysis で終わる名詞に対応する形容詞をつくる: ana*lytic*, para*lytic*. **2** 【生化学】酵素で加水分解される.
★ 語頭にくる関連形は lys(i)-, lyso-: *lys*in「【免疫】【生化学】リシン, リジン」, *lyso*cline「【海洋】炭酸塩溶解度躍層」.
◆ ギリシャ語 *lytikós*「ゆるめることができる」より. ⇨ -TIC.

ad·re·no·lyt·ic 形 【薬学】抗アドレナリン(性)の.
an·a·lyt·ic 形 分析の, 分解の, 解析の.
anx·i·o·lyt·ic 形 不安を緩解する.
aux·i·lyt·ic 形 【生化学】(細胞の)分解を促進する.
bi·o·lyt·ic 形 生物 [生体] 分解の.
cel·lu·lo·lyt·ic 形 【生化学】セルロースを加水分解できる.
cho·li·no·lyt·ic 形 【生化学】【薬学】抗コリン性の.
col·la·gen·o·lyt·ic 形 【生化学】コラーゲン溶解 [分解] 性の.
di·a·lyt·ic 形 透析的な, 透析の.
e·lec·tro·lyt·ic 形 【化学】電気分解の, 電気分解による.
gly·co·lyt·ic 形 【生化学】糖分解 [解糖作用] の.
hy·dro·lyt·ic 形 加水分解の; 加水分解を起こす.
mu·co·lyt·ic 形 【生化学】ムコ多糖類加水分解酵素の.
neph·ro·lyt·ic 形 【病理】腎細胞溶解性の.
par·a·lyt·ic 形 (手・足などが)麻痺した, 麻痺状態の.
pep·ti·do·lyt·ic 形 【生化学】ペプチド分解の.
pep·to·lyt·ic 形 【生化学】ペプトン分解の.
pro·to·lyt·ic 形 【化学】陽子の移行をもたらす.
sac·cha·ro·lyt·ic 形 【化学】糖分解の.
spas·mo·lyt·ic 形 【医学】鎮痙(ちんけい)(性)の.
sym·pa·tho·lyt·ic 形 【生理】【薬学】交感神経遮断性の.

-lyze /làiz/

連結形 …で分解する; …を分析する.
★ -lysis で終わる名詞に対応する動詞をつくる.
★ 語頭にくる関連形は lys(i)-, lyso-: *lys*in「【免疫】【生化学】リシン, リジン」, *lyso*cline「【海洋】炭酸塩溶解度躍層」.
◆ ly(sis)溶解 + -(I)ZE¹.

am·mo·no·lyze 動他 【化学】…を加安分解する.
an·a·lyze 動他 ☞
au·to·lyze 動他 【生化学】(…を)自己分解させる.
breath·a·lyze 動他 (酒気検知器で)(人の)酒気検査をする.
cat·a·lyze 動他 …に触媒作用を及ぼす.
di·a·lyze 動他 …に透析をする.
e·lec·tro·lyze 動他 【物理化学】…を電気分解する.
he·mo·lyze 動他 〈赤血球を〉溶血させる.
hy·dro·lyze 動他自 加水分解する.
kat·a·lyze 動他 【化学】=catalyze.
par·a·lyze 動他 〈手・足などを〉麻痺(まひ)させる.
pho·to·lyze 動他 【化学】〈分子を〉光(ひかり)分解する.
plas·mo·lyze 動他 【植物】原形質分離を起こさせる.
py·ro·lyze 動他 熱分解する.

-lyz·er /làizər/

連結形 …で分解する人 [もの]; …分析器.
★ 語末にくる関連形は -LYSIS.
★ 語頭にくる関連形は lys(i)-, lyso-: *lys*in「【免疫】【生化学】リシン, リジン」, *lyso*cline「【海洋】炭酸塩溶解度躍層」.
◆ -LYZE + -ER¹; または analyzer の短縮形.

an·a·ly·zer 名 ☞
breath·a·lyz·er 名 体内アルコール分測定器.
cat·a·lyz·er 名 触媒; 触媒の働きをする人 [もの].
di·a·lyz·er 名 (半透膜を備えた)透析器 [装置].
e·lec·tro·lyz·er 名 電解槽.
eye·lyz·er 名 飲酒眼球検知器.
par·a·lyz·er 名 麻痺(まひ)させるもの.

L

M

-ma /mə/

[接尾辞] もとはギリシャ語で，行為の結果をあらわす中性形接尾辞.
★ 名詞をつくる.

a·cous·ma 名 〖精神医学〗アコアスマ，要素性幻聴.
a·nath·e·ma 名 忌み嫌われる人［もの］.
an·the·ma 名 〖病理〗(熱を伴う)発疹(ほっしん)；皮疹.
asth·ma 名 ☞
be·ma 名 〖東方教会〗聖堂内陣(sanctuary).
blas·te·ma 名 〖発生〗芽株，芽体.
cha·ris·ma 名 〖神学〗カリスマ.
chlo·as·ma 名 〖病理〗褐色斑(はん)，肝斑.
co·ma 名 ☞
com·ma 名 ☞
cy·ma 名 〖建築〗サイマ.
der·ma 名 〖解剖〗〖動物〗真皮(dermis).
-der·ma [連結形] ☞
des·ma 名 〖動物〗海綿の不規則な針骨.
di·a·ste·ma 名 〖細胞生物〗隔膜質.
di·plo·ma 名 卒業［修了］証書；大学(院)学位.
dog·ma 名 (教会の)教義，信条，教理.
dra·ma 名 ☞
ec·thy·ma 名 〖獣病理〗羊痘.
ec·ze·ma 名 〖病理〗湿疹(しっしん).
e·de·ma 名 〖病理〗浮腫(ふしゅ)，水腫，むくみ.
em·phy·se·ma 名 〖病理〗肺気腫(きしゅ).
em·py·e·ma 名 〖病理〗蓄膿(ちくのう)(症)，膿胸.
em·py·reu·ma 名 密閉器で有機物を燃やしたときの特有のにおい.
-en·chy·ma [連結形] ☞
en·e·ma 名 ☞
e·nig·ma 名 なぞ，不可解な出来事［状況］.
ep·en·dy·ma 名 〖解剖〗上衣.
ep·i·pho·ne·ma 名 〖修辞〗エピフォネーマ，感嘆的要約.
er·y·the·ma 名 〖病理〗紅斑(こうはん). 「歌.
hy·por·che·ma 名 ヒュポルケマ：古代ギリシャの合唱
ka·this·ma 名 カディズマ，カフィズマ，坐誦(ざじゅ)経.
ke·ryg·ma 名 ケリュグマ：宣教者がもたらす使信.
lem·ma[1] 名 補助定理，レンマ，補題.
lem·ma[2] 名 ☞
mag·ma 名 〖地質〗マグマ，岩漿(がんしょう).
mi·as·ma 名 毒気，瘴気(しょうき).
-o·ra·ma [連結形] ☞
phan·tas·ma 名 復活.
phy·ma 名 〖病理〗瘤腫(りゅうしゅ).
plas·ma 名 ☞
pla·tys·ma 名 〖解剖〗広頸(こうけい)筋.
pneu·ma 名 精神，霊(vital spirit, soul).
reg·ma 名 《英》〖植物〗弾分朔果(さくか).
sche·ma 名 図式，図表，図解，シェーマ.
sco·to·ma 名 〖病理〗暗点(blind spot).
-so·ma [連結形] ☞
stem·ma 名 単眼(ocellus).
ste·rig·ma 名 〖菌類〗(キノコの)小柄(しょうへい).
stig·ma 名 不名誉の印；汚名，恥辱，不面目.
sto·ma 名 〖植物〗気孔.
stro·ma 名 〖細胞生物〗ストロマ，ゴースト.
syn·tag·ma 名 〖言語〗統合体. 「題.
the·ma 名 (論述・討論などの)題目，論旨，主
try·ma 名 〖植物〗クルミ果.
zeug·ma 名 〖文法〗〖修辞〗くびき語法.
zy·go·ma 名 〖解剖〗頬骨弓(zygomatic arch).

ma·caque /məkǽk, -kɑ́ːk/

名 〖動物〗マカク：主としてアジア・北アフリカ産のサル科マカク属のサルの総称.

cráb-eating macàque カニクイザル(croo monkey).
Japanése macáque ニホンザル.
píg-tàiled macáque ブタオザル.
stúmp-tàiled macáque ベニガオザル.
tóque macàque トクモンキー(toque monkey).

ma·chine /məʃíːn/

名 機械. ⇨ -INE[2].

accóunting machìne 会計［計算］機［器］.
ádding machìne 加算器.
addréssing machìne あて名印刷器.
ánswering machìne 留守番電話，電話自動応答装置.
Átwood's machìne 〖物理〗アトウッドの器械.
automated-téller machìne (銀行の)現金自動預け払い機.
báthing-machìne 《もと》(海水浴用)更衣車.
bílling machìne 勘定［請求］書作成機.
bóring machìne 〖冶金〗中ぐり盤.
Brinéll machìne 〖冶金〗ブリネル試験器.
búsiness machìne 事務機器.
cálculating machìne 計算機.
cárding machìne 梳毛(そもう)機.
càsh dispensing machíne 現金自動支払機.
cásh machíne ＝automated-teller machine.
centrífugal machìne 〖機械〗遠心力応用機械.
cóin machìne (硬貨投入式)自動販売機.
collíding-béam machìne 〖物理〗粒子衝突装置，コライダー.
cómbing machìne 梳毛(そもう)機，コーマー.
cómplex machíne 〖力学〗複合機械.
compósing machìne 〖印刷〗鋳植［植字］機.
cópying machìne 複写機.
deláy machìne 〖音楽〗ディレイマシーン. 「置.
díctating machìne (口述筆記に用いる)録音(再生)装
Dítto machìne 《商標》ディット：特にインク転写式複写機.
Dóomsday Machìne 〖軍事〗人類を破滅させる凶器.
dréam machìne テレビ産業［業界］.
drédging machìne 浚渫(しゅんせつ)機.
drúm machìne ドラムマシーン.
dúplicating machìne (特に文書・手紙などの)複写機.
fáx machìne ファクシミリ送受信機.
flýing machìne 《主に古》飛行機，ヘリコプターなど.
fránking machìne 《英》(料金別納郵便物に切手の代わりの証明印を押す)別納証印刷機.
frúit machìne 《英》フルーツマシーン：スロットマシーンの一種.
fúcking-machíne 《米俗》(想像上の)セックスマシーン.
géne machìne 遺伝子合成機.
gréen machìne 《米俗》米軍.
gróund-efféct machìne エアクッション・ビークル(ACV).
héart-lúng machìne 人工心肺. 「機.
hóle-in-the-wàll machìne (壁にはめ込まれた)現金自動支払
íce machìne 製氷機.
inférnal machìne 《古》偽装爆破装置，時限爆弾.

karaóke machìne カラオケ装置.
kídney machìne 人工腎(じん)(臓).
knífe machìne ナイフ研磨器.
máiling machìne メーリングマシン.
méan machìne 《俗》すばらしい新型車 [バイク].
méga·machìne 巨大機構.
mìcro·machíne 〖機械〗マイクロ [微細] 機械.
mílking machìne (電気)搾乳器.
mílling machìne フライス盤, ミーリング.
móney machìne ＝automated-teller machine.
mówing machìne 刈り取り機, 草刈り機.
númbering machìne ナンバリング(マシーン), 番号印字器.
pínball machìne ピンボール [コリントゲーム] の電動式機械; パチンコ台.
pítching machìne 〖野球〗ピッチングマシーン.
pláyback-only vídeo machìne 再生専用ビデオデッキ.
póker machìne 《豪·NZ》＝slot machine.
pópcorn machìne 《米俗》パトカーの回転灯.
prínting machìne 《英》(動力)印刷機.
projéction machìne 映写機.
réaping machìne 自動刈り取り機.
revérse vénding machìne 空き瓶 [缶] 回収機.
ríng machìne 〖印刷〗ライノタイプ.
rówing machìne ローイングマシーン: ボートの漕法(そうほう)を練習する器具.
sáusage-machìne ソーセージ製造器.
séwing machìne ミシン.
shórthand machìne (21 のキーから成る)速記録機.
símple machíne 〖力学〗単一機械.
síng-along machìne ＝karaoke machine.
slót machìne 《主に米》スロットマシン, 自動賭博(とばく)機.
smáshing machìne 〖製本〗締めつけ [ならし] 機.
sóunding machìne 〖航海〗測深機.
spínning-machìne 紡績機.
stámp machìne (郵便局にある)自動切手販売機.
státic machìne 〖電気〗静電機械.
súicide machìne (医師介助の)自殺装置.
sýnchronous machíne 〖電気〗同期機.
tálking machìne 《古風》蓄音機.
tápe machìne テープレコーダー.
téaching machìne ティーチングマシン, 教育機器.
télephone ánswering machìne 留守番電話.
thréshing machìne 〖農業〗脱穀機.
tíme machìne タイムマシン.
tránsfer machìne トランスファーマシーン.
Túring machìne 〖数学〗チューリング機械.
vénding machìne 自動販売機.
vóting machìne 《主に米》(自動式)票数計算機.
wáshing machìne (特に家庭用の)洗濯機.
wáshing-up machìne 《英》自動皿洗い機.
wáve machìne 人工波発生装置.
wéighing machìne (特に重量物用の)計量機.
wét machìne 〖製紙〗漉取(すきとり)機.
Wímshurst machìne 〖電気〗ウィムズハースト超電機.
wínd machìne 〖演劇〗風(の音)を出す装置.
X́-ray machìne X 線機器.

-ma·chy /məki/

連結形 …戦, の戦い(fighting).
★ 名詞をつくる.
◆ ギリシャ語 *máchē*「戦闘」より. ⇨ -Y³.
[発音] 直前の音節に第 1 強勢.

gi·gan·tom·a·chy 名 〖ギリシャ神話〗巨人の戦い.
lo·gom·a·chy 名 言葉 [用語法] についての論争.
sci·am·a·chy 名 仮想の敵との戦い.
sci·om·a·chy 名 ＝sciamachy.
ski·am·a·chy 名 ＝sciamachy.
tau·rom·a·chy 名 闘牛術.
the·om·a·chy 名 神々の間の戦い.
Ti·tan·om·a·chy 名 〖ギリシャ神話〗ティタノマキア.

mack·er·el /mǽkərəl/

名 〖魚類〗タイセイヨウサバ.

Átka máckerel キタノホッケ, チシマホッケ.
chúb màckerel マサバ(真鯖).
frígate máckerel ヒラソウダ.
hóly máckerel 《俗》おや, まあ, なんてこった.
hórse màckerel マグロ, クロマグロ.
jáck màckerel マアジ属の魚の一種.
kíng màckerel サバ科サワラ属の魚の一種.
skíp màckerel アミキリ.
snáke màckerel クロタチカマス.
Spánish máckerel サワラ.

mad /mǽd/

形 **1** 気の狂った; 狂わんばかりに興奮した. **2** 《話》…に夢中の.
★ m の頭韻をもつものがある.

hópping màd 形 ものすごく怒った.
hórn-mád 形 《古》〈牛が〉角で突かんばかりに怒っている.
mán-màd 形 《話》男に夢中の.
móney-màd 形 お金に夢中の.
mýs·ter·y-mád 形 《英俗》新しい女に夢中の.

made /méid/

動 make の過去·過去分詞. ── 形 《複合語》…製の; 体つきが…の, …な作りの.

bénch-máde 形 〈革製品·木製品などが〉手作りの.
cústom-máde 形 《米》＝tailor-made.
hánd·máde 形 手製の, 手作りの.
hóme·máde 形 自家製の, 手作りの.
júdge-màde 形 裁判官作成の, 司法立法の.
machíne-máde 形 機械製の.
mán-máde 形 人の手による [起こした], 人造の.
néw-máde 形 作りたての; 作り変えた.
precísion-máde 形 〈品物が〉精密な仕上げの.
púrpose-máde 形 (ある目的のために)特に作られた.
réady·made 名 〖美術〗レディーメイド.
réady-máde 形 〈服などが〉出来合いの, 既製の.
sélf-máde 形 〈人が〉独力で立身 [成功] した.
táilor-máde 形 あつらえの, 注文仕立ての.
únion-máde 形 労働組合員が製造 [製作] した.
ùn·máde 形 作られていない, できていない.
wéll-máde 形 巧みな作りの.

mag·a·zine /mæ̀gəzíːn, ⊥ー⊥ | ⊥ー⊥/

名 雑誌; 倉庫; 弾薬庫. ◇ -ZINE.

Áll Sóuls' Párish Magazíne (英国の)タイムズ紙のあだ名.
búsiness magazìne ビジネス誌, 経済誌.
cíty magazíne 《米》シティーマガジン.
cláss magazìne クラスマガジン, 専門(雑)誌.
consúmer magazìne 消費者雑誌.
cóntact magazíne (男女または同性間の)交際雑誌.
dísk magazìne 〖コンピュータ〗ディスクマガジン.
fán magazìne ファン雑誌.
géneral magazíne 一般(大衆)雑誌.
hóuse màgazine ハウスオーガン, 機関誌.
líttle magazíne リトルマガジン.
máss-circulátion magazìne 一般大衆向け雑誌.
metropólitan magazíne 《米》＝city magazine.
mín·i·mag·a·zìne 名 (少数読者向けの)ミニ雑誌.
néws·magazìne 時事雑誌.
párish magazíne 《英》(教区教会発行の)教区誌.
pówder magazìne 火薬庫, 弾薬庫.

M

régional magazíne タウン誌; 地方誌.
skín magazìne 《俗》ポルノ雑誌.
spécialized magazìne (特定の読者を対象とした)専門誌.
tráde magazíne 業界誌.
TV-magazíne 雑誌型テレビ報道番組.

mag·got /mǽgət/

名 うじ(虫).

ápple màggot ミバエの一種 *Rhagoletis pomonella* の幼虫.
chéese màggot チーズバエの幼虫.
rát-tailed mággot オナガウジ.
réd mággot 麦に害を与えるムギアカタマバエのオレンジ色の幼虫.

mag·ic /mǽdʒik/

名 **1** 奇術, 手品. **2** 魔法, 魔術. ⇨ -IC[1].

àu·to·mág·ic 形名 (コンピュータなどが)複雑高度な自動操作をする(こと).
bláck mágic 黒魔術.
contágious mágic 感染呪術.
homeopáthic mágic =imitative magic.
ímitative mágic 模倣呪術.
nátural mágic 自然魔術.
sympathétic mágic 共感呪術.
trágic mágic 《米麻薬俗》ヘロイン.
whíte mágic 白魔術.

mag·net /mǽgnit/

名 磁石.

bár màgnet (永久)棒磁石.
cómpound mágnet 複合磁石.
dí·a·màg·net 名 反磁性体.
e·lec·tro·mag·net 名 電磁石.
fér·ri·màg·net 名 フェリ磁性体.
fèr·ro·mág·net 名 強磁性体.
fíeld màgnet 界磁石.
hórseshoe màgnet 馬蹄形(永久)磁石, U 字形磁石.
nátural mágnet 天然磁石.
pàr·a·mág·net 名 常磁性体.
pérmanent mágnet 永久磁石.
tránsverse mágnet 磁極が端ではなく側辺にある磁石.

mag·net·ic /mægnétik/

形 磁石(magnet)の; 磁気[磁性](magnetism)の. ⇨ -IC[1].
★ 語頭にくる関連形は magnet(o)-: *magneto*sphere「磁気圏」.

aer·o·mag·net·ic 形 航空[空中]磁気調査の[による].
an·ti·mag·net·ic 形 反磁気の, 反磁性の.
di·a·mag·net·ic 形 【物理】反磁性的な, 逆磁気の.
e·lec·tro·mag·net·ic 形 電磁石の; 電磁気の.
fer·ri·mag·net·ic 形 【物理】フェリ磁性の.
fer·ro·mag·net·ic 形 【物理】強磁性の.
gal·va·no·mag·net·ic 形 【電気】【物理】電(流)磁気の.
ge·o·mag·net·ic 形 地磁気の; 地磁気学の.
gy·ro·mag·net·ic 形 【物理】磁気回転の.
hy·dro·mag·net·ic 形 流体磁気学の, 磁気流体力学の.
i·so·mag·net·ic 形 等磁(点)の; 等磁線の.
non·mag·net·ic 形 〈物質が〉磁気を帯びていない.
par·a·mag·net·ic 形 【物理】常磁性の.
py·ro·mag·net·ic 形 《もと》【物理】=thermomagnetic.
ther·mo·mag·net·ic 形 【物理】熱磁気の.

mag·net·ics /mægnétiks/

名複 磁気学. ⇨ -ICS.

bì·o·elèc·tro·magnétics 名複 生体電磁気学.
bì·o·magnétics 名複 生物磁気学.
elèc·tro·magnétics 名複 電磁気学.
hỳ·dro·magnétics 名複 電磁流体力学.

mag·net·ism /mǽgnətìzm/

名 磁性, 磁気; 磁力; 磁気学. ⇨ -ISM[1].

ánimal mágnetism 【医学】動物磁気.
bì·o·mágnetism =animal magnetism.
dì·a·mágnetism 【物理】反磁性(力); 反磁性現象.
elèc·tro·mágnetism 電磁気.
fèr·ri·mágnetism 【物理】フェリ磁性.
fèr·ro·mágnetism 【磁気】強磁性.
gè·o·mágnetism 地(球)磁気.
pà·le·o·mágnetism 【地質】古地磁気.
rémanent mágnetism 【地質】残留磁気, 残留磁化.
resídual mágnetism 【電気】残留磁気.
tèc·to·no·mágnetism 【地質】地殻磁気(学).

mag·ni·fi·ca·tion /mæ̀gnəfikéiʃən/

名 **1** 拡大. **2** 拡大力. ►magnify の名詞形. ⇨ -FICATION.

ángular magnificátion 【光学】角倍率.
biológical magnificátion 生物(学的)濃縮.
bì·o·mag·ni·fi·cá·tion 名 =biological magnification.
láteral magnificátion 【光学】横倍率.
nórmal magnificátion 【光学】通常倍率.
transvérse magnificátion =lateral magnification.

mag·ni·tude /mǽgnətjù:d | -tjù:d/

名 (数量的な)大きさ, 大小, 規模; 【天文】(星の)光度, 等級. ⇨ -TUDE.

ábsolute mágnitude 絶対等級.
appárent mágnitude 見掛けの等級, 視等級.
bolométric mágnitude 放射等級.
photográphic mágnitude 写真等級.
vísual mágnitude 光度.

ma·hog·a·ny /məhɑ́gəni | -hɔ́g-/

名 【植物】マホガニー.

Áfrican mahógany アフリカマホガニー.
bástard mahógany バンガレー(bangalay).
fórest mahògany 《豪》ユーカリの一種.
Índian mahógany アジア産センダン科チャンチン(香椿)属の木(toon).
móuntain mahògany バラ科の *Cercocarpus* 属の低木.
Phílippine mahógany フィリピンマホガニー: アカラワン.
whíte mahógany シロマホガニー.

maid /méid/

名 **1** 《しばしば複合語》女中, お手伝い, メイド. **2** 《文語》少女, 娘.

bár·màid 女性のバーテンダー; バーのホステス.
betwéen-màid 《英》見習女中.
bónd·màid (女の)奴隷.
brídes·màid (結婚式で)花嫁に付き添う若い娘.
chámber·màid 《英》(ホテルなどの)部屋係のメイド.
dáiry·màid 酪農場で働く女性, 乳搾りの娘.
dréssing màid 化粧係.
hánd·màid 《文語》従属的[補充的]なもの.
hóuse·màid 家政婦, お手伝いさん, 女中.
kítchen·màid 勝手女中, おさんどん.

M

lády's máid	(貴婦人の)小間使, 侍女, 腰元.
mér·màid	人魚.
méter màid	メーターメイド, 婦人交通警察官.
mílk·màid	《文語》乳搾り女, 酪農婦.
núrse·màid	子守女.
núrsery·màid	=nursemaid.
óld máid	《通例侮蔑的》年輩の未婚女性.
párlor·màid	部屋付きのメイド.
séa-màid	人魚; 海の女神.
wáiting màid	侍女, 腰元.
wárd màid	(病院の)雑役婦.

maid·en /méidn/

名《文語》少女, 娘, 乙女. ⇨ -EN[5].

íce màiden	《米俗》冷たく高慢な女.
íron máiden	鉄の処女: 拷問具の一種.
swán màiden	(伝説上の)白鳥の乙女.
wícket màiden	〖クリケット〗無失点 [無得点] でかつ打者が最低 1 人アウトの回.

mail /méil/

名 郵便物.

áir·màil	(特に国の制度としての)航空郵便.
búlk máil	《米》料金別納割引郵便.
búlk-màil 動他	…を料金別納郵便で送る.
cértified máil	《米》配達証明郵便.
déad máil	(法律などの)死文, 空文.
diréct máil	ダイレクトメール.
electrónic máil	〖電子工学〗電子郵便 [メール].
é-mail	=E-mail.
É-mail	=electronic mail. ►e-mail とも綴る.
Expréss Màil	《米》速達便.
fán màil	《集合的》ファンレター.
fránked máil	〖郵便〗(議員用)無料速達郵便.
háte màil	中傷文書, 抗議の投書.
íncoming máil	《米軍俗》敵の砲火.
júnk màil	《米話》ダイレクトメール.
métered máil	〖郵便〗(料金)計器郵便(物).
óverland máil	〖米史〗大陸横断郵便.
Priórity Màil	〖米郵便〗優先扱郵便.
régistered máil	書留郵便(物).
Róyal Máil	英国の郵政公社の公式名称.
séa màil	〖郵便〗船便.
s-máil	=snail mail.
snáil máil	《米ハッカー俗》カタツムリ郵便, (電子郵便)に対しての普通郵便.
súrface màil	陸上船便.
V́-màil	《米》V 郵便, 航空縮写郵便.
vóice màil	ボイスメール, 音声メール.
whíte máil	〖出版〗ホワイトメール.

mail·er /méilər/

名 **1** 郵便物発送者, 郵送者. **2** 電子メール作成ソフト. ⇨ -ER[1].

diréct-máiler	ダイレクトメール業者.
e-máiler 名	電子メール利用者.
júnk màiler	ダイレクトメール発送会社.
sélf-máiler	あて先・切手貼付(ちょう)の余白があり, 封筒に入れずそのまま郵送できる広告, 小冊子など.

main /méin/

形 主要な, 主な, 中心的な. ━━名(水道・ガスなどの配管で)主管, 本管.

a·máin 副	《古》全力を挙げて, 力いっぱい.
gás màin	(道路下に埋められた)ガス本管.
ríng màin	〖電気〗環状主回路.
Spánish Máin	南米北部のカリブ海沿岸地方.
wáter màin	給水本管, 水道本管, メーン.

main·te·nance /méintənəns/

名 持続, 続行; 維持, 整備, 保全, 営繕, 管理, メインテナンス; 支持, 擁護; 主張, 固執. ◇ maintain「〈行為を〉継続する」. ⇨ -ANCE[1].

corréctive máintenance	〖コンピュータ〗修理保守.
íncome màintenance	生活扶助金.
méthadone màintenance	〖医学〗メタドン治療 [維持] 法.
prevéntive máintenance	〖コンピュータ〗予防保守.
résale price màintenance	《英》〖経済〗再販売価格維持.
séparate máintenance	〖法律〗別居手当 [扶養料].

ma·jor /méidʒər/

名 **1**〖軍事〗陸軍 [空軍] 少佐. **2**〖音楽〗長調.

brigáde májor	〖英陸軍〗旅団副官.
drúm màjor	《主に米》(男性の)鼓手[軍楽]隊長.
état-májor	〖軍事〗参謀(部), 幕僚(部).
Phántom Májor	「幽霊大佐」: SAS の創始者 David Stirling のあだ名.
pípe májor	〖英軍事〗連隊付きバグパイプ隊の隊長.
quárt májor	〖トランプ〗ピケット(piquet)で, エース, キング, クイーン, ジャック, の同じ組み札の 4 枚続き.
quínt májor	〖トランプ〗ピケット(piquet)で, エース, キング, クイーン, ジャック, 10 の同じ組み札の 5 枚続き.
rélative májor	〖音楽〗関係長調.
sérgeant májor	〖米陸軍〗部課最先任上級曹長.
tówn májor	〖英軍〗(駐屯(ちゅうとん)都市で治安, 交通統制などに当たった)士官.
trúmpet màjor	(騎兵連隊の)らっぱ長.

ma·jor·i·ty /mədʒɔ́:rəti, -dʒár-|-dʒɔ́r-/

名《単数・複数扱い》大多数, 過半数, 大部分(の…). ⇨ -ITY.

ábsolute majórity	絶対多数.
cléar majórity	《英》(絶対)過半数.
Móral Majórity	モラル・マジョリティ: 米国の Protestant fundamentalist の政治団体.
rélative majórity	《英》相対多数.
sílent majórity	声なき大多数, 声なき声; 大衆.
símple majórity	単純多数.
sú·per·ma·jòr·i·ty 名	圧倒的多数, 過半数を超える大多数.

make /méik/

動他〈物を〉(…のために)作る; …を(…で)作る; …を(…に)する.

có·màke 動他	連署する, 共同で署名する (co-sign).
cústom-máke 動他	個人の注文で作る, あつらえる.
éasy màke	《俗》すぐだまされる人, かも.
rè·máke 動他	作り直す, 再製する, 改造する.
táilor-máke 動他	特殊な事態の要求に添うようにする.
ùn·máke 動他	…を元の形に戻す, 元どおりにする.

mak·er /méikər/

名 作る人 [物, 道具]; 製作者, 製造機. ⇨ -ER[1].

àu·to·mák·er 自動車製造会社［業者］.
Básket Màker バスケットメーカー文化: かつてかご細工を使用していたインディアンの文化.
béd·màker ベッドの用意をする人, 寝室係.
bóiler·màker ボイラーなど重金属製品の製造人.
bóok·màker 賭(か)けの胴元, 呑(の)み屋.
bóot·màker 《英》靴屋, 靴製造人.
búzz·màker 《米俗》強いカクテル.
cábinet·màker 高級家具職人, 高級指物師.
cár·màker 自動車製造業者.
cáse·màker (特に書物の)ケースを作る人［機械］.
chánge·màker 両替をする人.
chéese·màker チーズ製造業者［製造器］.
chíp·màker 半導体(素子)製造業者.
clóck·màker 時計製造［修理］人, 時計士.
cóffee màker コーヒー沸かし器.
co·mák·er 名 〖金融〗連帯保証人.
cóntact màker 〖電気〗(電流の)接触子.
córe·màker 〖冶金〗鋳物の中子(なかご)を造る人.
dréss·màker 婦人服の仕立屋, ドレスメーカー.
drúg·màker 製薬業者［会社］.
fílm·màker 映画製作者［会社, 監督］.
gún·màker 鉄砲鍛冶(かじ), 銃砲製造者.
hát·màker 帽子製造人［業者］.
háy·màker 干し草を作る人; 乾草機.
hóliday·màker 《英》休暇を取っている人.
hóme·màker 《主に米・カナダ》家事をつかさどる人(主婦など).
íce·màker (特に角氷を作る)製氷機.
ímage·màker 広告［宣伝］をする人.
infínitive màker 〖文法〗指示語.
kíng·màker 実力者, キングメーカー.
láce·màker レース製造業者, レース工.
láugh·màker 《話》お笑いタレント; お笑い作家.
láw·màker 立法者.
lóck·màker 錠前屋［修理人］(locksmith).
lóss·màker 《主に英》欠損続きの企業.
mántua-màker ドレスメーカー, 婦人服洋裁師.
máp·màker 地図製作者(cartographer).
márket màker 《英》〖証券〗相場維持業者.
mátch·màker[1] 男女の縁を取り持つ人, 結婚の仲人.
mátch·màker[2] マッチ製造(業)者.
mérry·màker (宴会・お祭りなどで)浮かれ騒ぐ人.
míschief-màker 人の仲を裂く人, 中傷者.
móney·màker 金もうけをしている人; 蓄財家.
móvie·màker ＝filmmaker.
mýth·màker 神話作者.
néws·màker ニュースになる人［出来事］.
nóise·màker 騒音をたてる人［物］.
ódds·màker オッズメーカー,「ハンデ師」.
páce·màker 〖医学〗脈拍調整器.
páper·màker 製紙工, 製紙業者; 製紙機.
páttern·màker 原型製作者; 図案家.
péace·màker 仲裁人; 調停者［団, 国］.
phráse·màker 名言を造るのに長じた人.
pláte·màker 〖印刷〗製版機.
pláy·màker 〖スポーツ〗(バスケットボールやアイスホッケーで)攻撃に際し, 中心となってリードする選手.
pólicy·màker 政策担当［立案］者.
prínt·màker print 製作者; (特に)版画家.
ráin·màker (北米インディアンの)雨ごい師.
sáil·màk·er 製帆［縫帆］員; 帆の修理者.
shírt·màker ワイシャツ［シャツ］製造者.
shóe·màker 靴屋; 靴直し.
spéech·màker 演説者, 講演者, 弁士.
stéel·màker 製鋼業者.
táste·màker 流行を作り出す人［もの］.
téa màker (穴のあいたスプーン状の)茶漉(こ)し.
tént·màker テント製造人［業者］.
thíng·màker 《話》ものを作る人, 生産する人.
tóol·màker 工具製作者; 工具修理工.
tóy·màker おもちゃ［玩具(がんぐ)］製作者.
tróuble·màker ごたごたを起こす人, 迷惑者.
violín·màker バイオリン製作者.
wár·màker 主戦論者, 戦争挑発者.
wáste-màker 不必要に大量の廃棄物を出す人［会社, 工場］.
wátch·màker 時計屋［職人］.
wáve-màker 《米俗》波風をたてる人.
wídow-màker 《米俗》(伐採で)命にかかわるほど危険なもの.
wíg·màker かつら販売［製造］業者.
wíne·màker ブドウ栽培兼ワイン醸造者.

mak·ing /méikiŋ/

名 製作(すること), 製造［形成, 生産］(過程). ━━ 形 《複合語》 **1** 《話》…にする［なる］ような; …を引き起こすような. **2** …をつくる, する. ◇ MAKER. ⇨ -ING[1], -ING[2].

bríck·màking 名 れんが製造(職).
cábinet·màking 名 家具製作.
crínge-màking 形 《英話》狼狽(ろうばい)させる.
decísion-màking 名形 意思決定(の).
dréss·màking 名 婦人服仕立て(業).
époch-màking 形 新紀元を開く, 新時代を画する.
éra-màking 形 ＝epoch-making.
gláss·màking 名 ガラス(器)製造術［法, 業］.
hístory-màking 形 歴史的な, 歴史に残る.
hóme·màking 名形 家庭管理(の); 家事(の).
ímage-màking 名形 イメージづくり(の).
láce·màking 名 レース編み(法).
lóve·màking 名 性行為, セックス.
mérry·màking 名 浮かれ騒ぐこと; お祭り騒ぎ.
móney·màking 形 金がもうかる, 有利な(profitable).
móuntain màking 造山運動.
prínt·màking 名 print 製作術［法］, (特に)版画製作.
rópe·màking 名 縄製造, 製綱(法).
shót·màking 名 (ゴルフなどの)ショットの腕.
síck·màking 名 《英話》病気にさせること.
snów·màking 名 (スキー場の)人工雪製造.
sóap·màking 名 せっけん製造(業).
spéech·màking 名 演説すること.
stéel·màking 名 製鋼.
wíne·màking 名 ワイン造り.

male /méil/

名 男, 男子, 男性.

Dead White European Mále 《軽蔑的》ヨーロッパの権威(DWEM).
dwárf mále 〖動物〗矮雄(わいゆう).
fé·male 名 ☞
mèt·a·mále 名 〖遺伝〗＝supermale.
parasític mále 〖動物〗寄生雄.
shé·male 《米俗》女; 女装する男.
súp·er·màle 名 〖遺伝〗超雄.
táil-mále (特にサラブレッドの)雄系.
whíte·màle 名形 白人男子(の). ►差別者の代表.

mal·low /mǽlou/

名 〖植物〗アオイ科ゼニアオイ属の草の総称; 庭に植えるジャコウアオイなど.

cómmon mállow ハイアオイ(cheese).
dwárf mállow ウスベニアオイ; ハイアオイ.
Índian mállow アオイ科イチビ属の背の高い一年生野草の一種.
mársh màllow ビロードアオイ, ウスベニタチアオイ.
mársh·màllow マシュマロ.
músk màllow ジャコウアオイ.
róse màllow ハイビスカス.
swámp màllow アメリカフヨウ(芙蓉).

trée màllow モクアオイ.
vérvain màllow ヨーロッパゼニアオイ.

ma·ma /máːmə/

名 《話》《幼児語》ママ, お母ちゃん.

Bahàma-máma 《米話》太った黒人女性.
bíg máma 《話》(女の)恋人; 妻.
réd-hót máma 《米俗》元気のよい魅力的な女性.
swéet máma 《米俗》情婦(female lover); 恋人.

man /mǽn/

名 男, 男子; 成年男子, 男性. ━━ 動他 人を配置する.

Ábraham-màn 〖英史〗気違いのふりをしたこじき.
advánce màn 《米》宣伝要員, (販売)促進員.
ádvertising màn 広告製作者, 広告業者.
áircrafts·màn 《英》(英国空軍の下士官の地位にある)航空兵, 航空機整備員.
álias màn 《西インド俗》いかさま野郎.
ápe-màn 猿人.
Arágo màn 〖人類〗アラゴ人.
áss màn 《俗》女好きの男.
áuntie màn 《カリブ海沿岸・話》めめしい男.
báck màn (タンデム自転車などで)後ろに乗る人.
bád màn 《婉曲(えんきょく)的》悪魔.
béat màn =district man.
bénch màn 仕事台で仕事をする人.
bést mán (結婚式で)新郎の付添人.
bíg mán 《米俗》重要人物.
bláck màn 黒人.
blúe màn 《米俗》制服警官.
Bóskop màn 〖人類〗ボスコプ人.
bóttle-màn 《米俗》飲んべえ, 大酒飲み; 高級ブドウ酒入りと称する紙袋を人にぶつけて壊し, 弁償金をせしめる詐欺師.
Bóxgrove mán 〖人類〗ボックスグローブ人.
bóx màn 《米俗》《暗黒街》(専門の)金庫破り.
búg màn 《米俗》(サーカス・見世物で)カメやカメレオンを売る商人.
bútter-and-égg màn 《古俗》(大都会へきて)派手に金を遣う田舎の金持ち.
bútton màn 《米俗》(犯罪組織の)下っ端.
býre-man 《英》牛を飼育[世話]する人.
cándy màn 《米俗》麻薬の売人.
caréer màn 職業人, プロ.
cát màn (サーカスのライオンなどの)調教師.
cáve màn (特に石器時代の)穴居人, 原始人.
Cíty màn (the City の)実業家, 資本家.
cláss-man 〖英大学〗優等試験合格者.
cólor màn 《米》〖ラジオ・テレビ〗生き生きとした描写をするアナウンサー.
Cómbe-Capélle màn 〖人類〗コムカペル人.
cómpany màn 会社寄り[べったり]の社員.
cónfidence màn (取り込み)詐欺師, ぺてん師.
cónjure màn (米国南部や西インド諸島で)魔法使い; (病気治療の)祈祷(きとう)師.
cón màn 《俗》=confidence man.
cóntact màn (取引などの)仲介者.
córporate mán 《主に米》組織人間, 会社人間.
cósh màn こん棒[警棒]を持ち運ぶ[使用する]男.
críb màn 《米俗》家屋侵入どろぼう.
cróss màn 《米黒人俗》人を利用する人.
crúelty màn 《英》英国児童愛護会の係員.
dánger màn 〖スポーツ〗(相手にとって)脅威となる選手, 怖い相手.
dáwn màn 原始人, 原人.
dáy màn 甲板荷扱いをする船員.
déad màn 《英話》(酒の)空き瓶.
de-mán 動自他 《英》人員整理[削減]する.
dístrict màn ある地域の取材担当の新聞記者.
dóllar-a-yéar màn 《米》年俸1ドルといった名目的俸給しか受けていない連邦政府の職員.
énd màn 列の一方の端の人.
enlísted màn 〖米軍〗志願兵.
Éssex Màn 《英》エセックス人.
fáce màn 《米学生俗》ハンサムだが中身のない若者.
fámily màn 妻子のある男性, 所帯持ち.
fáncy màn 《俗》(特に既婚女性の)愛人, 情夫.
féeble mán 《米》《おどけて》薬指.
fínger màn 《米犯罪俗》殺害・強盗などの対象を指示する悪漢; 密告者.
fírst mán 《米軍俗》先任下士官, 曹長.
Fólsom màn フォルサム人.
forgótten mán 世間から忘れられてしまった人.
fóur-lètter mán 《米俗》ばか(►dumb の 4 文字より).
gétaway màn 〖軍事〗V 字隊形の偵察隊の先頭.
G-mán 《米話》連邦捜査局所属の捜査官.
gombéen-màn 《アイル英語》高利貸し.
góod-time mán 《米麻薬俗》ヤクの売人.
góvernment màn 官吏; (特に)FBI 捜査官.
gréen mán グリーンキーパー.
hátchet màn 《話》殺し屋.
héadache mán 《話》警察官, 法執行官.
héavy mán 《米俗》(武装した, 暴力的な)犯罪者.
Héidelberg màn 〖人類〗ハイデルベルク人.
hé-mán 《話》たくましく男性的な男.
hít màn 《俗》(特にプロの)殺し屋, 暗殺者.
hóldup màn 追いはぎ.
hóney màn 《米俗》かこわれ男; ひも.
íce-cream màn アイスクリーム屋.
idéa màn アイディアマン, 創意着想家.
idéas màn 《英》=idea man.
ínner mán 心, 霊魂.
ínside mán 《米俗》(詐欺・強盗などの)一味.
íron mán 粘り強く仕事のできる人.
Íslington màn 《英》イズリントン人: 左翼的中流階級.
Jáva màn 〖人類〗ジャワ原人.
júg màn 《米麻薬俗》頸静脈以外に麻薬を打つ血管の残っていない麻薬中毒患者.
júice màn 《俗》強奪者, ゆすり.
kíck màn 《米麻薬俗》(男の)麻薬密売人.
kíte màn 《俗》空手形の振出人.
ládies' màn 女好きの男, 女たらし.
lády's màn =ladies' man.
Lántian mán 〖人類〗藍田(らんでん)原人.
léading mán 主演男優.
límit màn (スポーツやゲームで)最大のハンディキャップを持つ競技者.
Líndow Màn 〖人類〗リンドウ人.
líttle gréen mán 「緑の小人」: 知性のある想像上の宇宙人.
líttle màn 平凡な人, 普通の人.
Lóng Mán 巨人像.
lóng màn 〖アメフト〗ロングマン.
máin màn 《米黒人俗》親友.
máintenance màn 用務員, 保守係; (機械の)補修工.
mán-on-mán 副 《米・カナダ》(守備側が相手の攻撃に対して)1 対 1 でマークして.
mán-to-mán 形 率直な, 腹蔵のない.
márginal màn 〖社会〗境界人, 周辺者, マージナルマン.
Mármes màn 〖人類〗マーメス人.
máss mán 大衆的人間.
medállion màn 「メダル男」: 1970 年代の大型メダルを下げた流行衣裳の男.
médicine màn 呪医(じゅい).

mérry màn 〔歴史〕従者, 家来.
míracle màn 奇跡を行う(と信じられている)人.
míssionary màn 《米俗》退屈な人.
Mónday màn 《米俗》洗濯物泥棒.
mónkey màn 《米俗》言いなりになる夫.
móuntain màn 山地の住人, 山国の人.
Mòunt Cármel màn 〔人類〕カルメル山人.
múd màn 敵に脅威を与えるために, 顔に泥を塗り, 粘土で作った奇怪な仮面をつけるパプアニューギニアの先住民.
múffin-màn 《英》マフィン売り.
nátural mán 〔聖書〕自然の人.
Neánderthal màn 〔人類〕ネアンデルタール人.
néar-màn ＝ape-man.
néedle màn 《米俗》麻薬注射常習者.
Nèw Mán (家庭生活で)女性と同様に世話をしたり, 日常的に家事をしたりする男性.
néw mán 〔聖書〕改宗者.
níght màn 夜番の人; 夜警; 夜勤の人.
níneteenth mán 〔豪式フットボール〕第一補欠選手.
Nobél mán (長編を書く)小説家, 長編作家.
nó-màn 《米俗》すぐには承知しない人.
nútcracker màn 〔人類〕ジンジャントロプス属.
ódd màn (賛否同数時の)裁決権を持つ者.
òld mán 老人.
óne-a-dáy màn 《米俗》セックス好きの男.
óne-màn 形 単独(操業, 演奏)の, 個人用の.
óther mán (既婚女性の)愛人.
óunce màn 《米麻薬俗》ヘロインに混ぜ物を入れて売る売人(の元締め).
óuter mán 肉体.
òut·mán 動他 …より人数が多い, に人数で勝る.
óutside màn 《英俗》詐欺［強盗］の手伝い役.
Óxford màn オックスフォード大学出身者.
páce màn 〔クリケット〕(緩急自在の)好投手.
Paleolíthic mán 〔人類〕旧石器時代人.
pánts màn 《豪俗》女たらし.
páper màn 《米俗》ペーパーマン: 即興演奏が下手なミュージシャン.
párty màn 政党員; (特に)盲信的で忠実な党員.
Péking mán 〔人類〕ペキン(北京)原人.
phóny màn 模造宝石売り.
píck-up mán 《話》泥棒, (特に)置き引き犯.
Píltdown màn 〔人類〕ピルトダウン人.
pócket màn 《米俗》追求をかわすため強盗やすりの直後に金を受け取る共犯者.
póint màn 〔米軍〕パトロール［斥候］隊の先頭に立つ兵.
póst màn 〔バスケット〕ポスト(マン).
póstman's knóck màn 《英話》下手な猟師.
próperty màn (演劇・映画・テレビの)小道具係.
próp màn 《英俗》改築詐欺をする業者.
ráce màn 《米話》(黒人の権利拡張を支持する)黒人.
rág-and-bóne màn 《主に英》くず物行商人, くず物屋.
réd màn 《古》北米インディアン.
rè·mán 動他 〈船・飛行機などに〉新たに人員を乗り組ませる.
remíttance màn 《主に英》《軽蔑的》本国からの送金に頼って外国で生活している人.
Rénaissance mán ルネサンス期の万能型教養人.
répo màn 《米話》代金未払いの車の回収業者.
retúrned mán 《カナダ》(海外勤務後カナダで除隊になる)帰還兵.
Rhodésian mán 〔人類〕ローデシア人.
ríde màn 《米俗》ジャズのリードソロ演奏家.
ríght-hand mán 最も信頼できる人, 右腕, 片腕.
rím màn 《米》〔ジャーナリズム〕整理部(員).
ríng màn 〔印刷〕ring machine「ライノタイプ」の操作者.
rúbber màn 《サーカス俗》風船売り.
sáfety màn 〔アメフト〕セーフティー(マン).
sándwich màn サンドイッチマン.
scíssor-man はさみで腕を振るう人.
sécond màn (電車の)運転助手.
sétup màn 《米》(仕事の)おぜん立てをする人.
sháck màn 《米俗》女と同棲している男.
shé-màn 《米俗》女性的な［ゲイの］男.
sínging-màn (特に教会の聖歌隊の)歌い手.
síngle màn 〔チェッカー〕前進しかできない駒.
síxth mán 〔バスケット〕6 人目の男.
slót màn (新聞の)原稿整理部長.
Sólo màn 〔人類〕ソロ人.
sóund màn 音響効果係.
spáce màn 活字になった原稿の分量に応じて原稿料を受ける原稿の筆者.
spórtin' mán 《黒人話》女友達・麻薬・高価な服などを持っている男性, 「もてる男」.
squáw màn 《軽蔑的》北米インディアンの女と結婚した白人の男.
Stéinheim màn 〔人類〕シュタインハイム人.
stíckup màn 《主に米話》ピストル強盗.
stráight màn 《米俗》(通例, 喜劇役者の引き立て役の)まじめ役.
stráw mán わら人形(おもちゃ・かかしなど).
stúnt màn 〔映画〕〔テレビ〕スタントマン.
Swánscombe màn 〔人類〕スウォンズカム人.
tambouríne màn 《米麻薬俗》(麻薬の)売人.
tárget màn 《英》〔サッカー〕ターゲットマン.
Táutavel màn ＝Arago man.
téam màn (スポーツ)チームの一員.
Tepexpán màn 〔人類〕テペスパン人.
thírd mán 〔クリケット〕サードマン(の位置).
thírty-yéar mán 《米軍俗》職業軍人.
thrée-lètter mán 《俗》同性愛者. ►gay, fag より.
tícktack màn 《英俗》(競馬場で)独自の身ぶり手ぶり(tictac)で賭けの状況を合図する胴元の手先.
Tín Mán ブリキのきこり(Tin Woodman).
tít màn 《米俗》女性の乳房を好む男.
T́-màn 《米話》(米国財務省(Treasury Department)の)特別税務調査官.
Tóllund màn 〔人類〕トルンド人.
Tómmy màn 《米俗》小型機関銃で武装したギャング.
tóol màn 《俗》錠前をこじあける人.
tráil màn 馬に乗って牛の群れを追うカウボーイ.
Trínil màn ＝Java man.
tróuble màn (機械・送電線などの)故障検査員.
twéntieth mán 〔豪式フットボール〕第二控え選手.
un·mán 動他 …の勇気をくじく, 気落ちさせる.
utílity màn 《主に米》多種の仕事をこなせる人.
vént màn 《米俗》地下鉄などの路上の換気孔のそばで寝る浮浪者.
wáiting màn 下男, 執事.
whérry-màn 《英》はしけ(wherry)の船頭.
whíte màn 白人.
wíld màn 野蛮人, 未開人.
wórd-màn 言葉遣いが巧みな人.
yés-màn 《話》イエスマン: 追従(ついしょう)者.
yóung mán 青年, 若い男子; 雇い(人)の青年.
mónster màn 〔アメフト〕(セットポジションにいない)ラインバッカー.

-man[1] /mən, mæ̀n/

連結形 …人, 者, 員, 官.

★(1)ある役割を果たす男女両性を指す用例は減少しつつある: anchor*man*, chair*man*, spokes*man*. ただし, 特定の男性を示す場合は依然, 広く用いられる: Roy Johnson, Channel 83 news anchor*man* 83 チャンネルのニュースキャスターのロイ・ジョンストン. (2)個人の性別が不明あるいは問題にされない場合は -man に代り, 中性的な -person を使う: anchor*person*, chair*person*, spokes*person*. ただし特定の女性を指す場合 -woman が使われる: Doris Powell, Channel 83 news anchor*woman*. 83チャンネルのニュースキャスターのドリス・パウエル. 語尾に何もつけない場合もある: Roy Johnston, Channel 83 news anchor. (3) 1977年米国労働省出版の『職業名辞典』(DOT)では, 歴史的に -man がつく特定の職業を示す語(fore*man*, mail*man*, police*man*, repair*man* など)は全て中性的な語に代えられている: superviser, mail [letter] carrier, (police) officer, repairer (radio repairer など). 多くの産業・企業でも同様の中性的な職業名を用いている. (4) 日常の口語では, 例えば mail [letter] carrier という堅い公式の表現ではなく, 親しみのある mailman がはるかによく使われる. (5) fresh*man* はまだ一般的に高校・大学・議会で男女両性を指すのに使われ, 単数形のまま単数・複数名詞の修飾語になる: a fresh*man* athlete, fresh*man* legislators.

★ 名詞をつくる. ◇ -PERSON, -MAN[3].

◆ MAN の接尾辞用法.

ád·màn 広告制作者, 広告業者.
áid·màn (軍隊で)衛生兵, 救護員.
áircràft·man 〖英空軍〗二等兵, 航空機整備員.
áircrèw·man 航空機乗組員(aircrew)の一員.
áir·man 飛行家, 飛行士(aviator).
álder·man 《米・カナダ・豪》(地方自治体議会の)議員, (特に)市会議員.
álms·man 施しを受ける人.
ánchor·man 〖スポーツ〗アンカー(anchor).
áquaspàce·màn 水中生活者 [作業員].
artíllery·man 砲兵, 砲手.
ásh·màn 《米》ごみ取り清掃人.
assémbly·man 州議会議員.
attáck·màn (ラクロスなどで)攻撃位置の選手.
au·to·man 自動車製造会社 [業者].
áxe·man =axman.
áx·man 斧(おの)を使う人; 木こり.
báckcòurt·man 〖バスケット〗ガード(guard).
bád·màn 《米話》無法者, ならず者.
bággage·man (鉄道・ホテルなどの)手荷物係.
bág·man 《米俗》悪徳役人; (金の)運び屋.
báils·man 〖法律〗保釈保証人.
bánds·man バンドマン, 楽団員, 楽手; 軍楽兵.
bánks·man (地上での)炭坑監視人.
bánner·man 旗手, 旗持ち.
bárge·man 《米・カナダ》平底荷船の船員.
bár·man 《主に英》(男性の)バーテンダー.
bárrow·man 《英》(手押し車の)呼売り商人.
báse·man 〖野球〗…塁手.
bát·man (英国陸軍の将校の)従卒, 従兵.
báts·man (特にクリケットの)打者.
bátty·màn 《西インド俗》同性愛者.
bazóoka·màn バズーカ砲兵.
béades·man =beadsman.
béads·man 《古》人の安寧を祈る人.
béast·man 《英》=herdsman.
béde·man =beadsman.
bédes·man =beadsman.
bée·man 養蜂(ようほう)家(beekeeper).
béll·man 《米・カナダ》ベルボーイ(bellhop).
bélt·man (機械の)ベルトの検査係員.
bíll·man 長柄の矛で武装した人(bill).
bín·màn 《英》《話》=dustman.
bírd·màn 鳥類研究家, 鳥学者.
blínd·man 《英》(郵便局の)あて名判読係.
blúes·man ブルース歌手 [演奏家].
bóard·man 板 [盤] を使って仕事をする人.
bóat·man ボート操作に巧みな人.
bóats·man =boatman.
bógey·màn ブギーマン: 悪霊の一種.
bóg·màn 〖考古〗ボッグマン.
bógy·màn =bogeyman.
bónd·man (男の)奴隷.
bónds·man[1] 〖法律〗(捺印債務証書の)保証人.
bónds·man[2] =bondman.
bóoger·màn 《米南部方言》=bogeyman.
bóogey·màn =bogeyman.
bóogie·màn 《米俗》=bogeyman.
bóok·man 学問好きの人, 読書人; 博学な人.
bóss·màn 《話》親分; (政界の)ボス.
bów·man 艇首でこぐ人.
bráke·man 《米・カナダ》(列車の)制動手.
brákes·man 《英》=brakeman.
brídes·man (結婚式で)新郎の付添人.
brídge·man 架橋工夫.
brínk·man 瀬戸際政策を推し進める人.
bróads·man 《俗》トランプ詐欺師.
búmp·màn 《米暗黒街俗》殺し屋.
búshel·man (服の)仕立て直し屋.
búsh·man 森林居住者; 猟師, 木こり, 森番.
búsiness·màn 実業家, 経営者; 実務家.
bús·man バスの運転手.
cáb·man タクシーの運転手.
cádre·man (軍隊の)将校, 幹部.
cámera·man (映画・テレビの)撮影技師.
cár·man 《米・カナダ》電車乗務員.
cáttle·man 《主に英》牛を育てる [世話する] 人.
cávalry·man 騎兵.
céllar·man (ホテル・レストランなどの)アルコール飲料供給係.
cháin·man 〖測量〗チェーン測定員.
cháins·man 〖海事〗=leadsman.
cháir·man ☞
cháp·man 《英》行商人, 呼び売り商人.
chécker·man 《米・カナダ》(チェッカーの)駒.
Chína·man 《古》中国人.
chóre·man (工場・木材伐採場などの)雑役夫.
chúrch·man 牧師, 聖職者.
cláims·man (特に災害保険の)損害額調査人.
cláns·man 氏族の一員, 一族 [一門] の人.
clérgy·man 聖職者, 牧師.
clóthes·màn 古着商.
clúb·man クラブ員; (特に)一流クラブの会員.
cóach·man (馬車の)御者.
cóal·man 石炭商人 [配達人].
cócks·màn 《米》女をうまくものにする男.
cólor·man 《英》絵の具屋, 塗料店, 顔料商.
commíttee·man 委員会の一員, 委員.
cóngress·man (米国の)連邦議会議員.
córner·màn 〖バスケット〗フォワード.
Córnish·man コーンウォール人.
córps·man 〖米海軍〗衛生下士官.
cóuncil·man 《主に米》(地方議会)議員.
cóunter·màn カウンターマン: カウンターの内側から客に給仕をする人.
cóuntry·man 同国人, 同郷人.
ców·man 《米・カナダ》牧畜業者, 牧場主.
crácks·man 《俗》盗賊, 押し込み強盗.
cráfts·man 職人, 工人.
crágs·man 岩登りに慣れた人, 岩登りの名人.
créw·man 搭乗員 [乗組員] の一員.
cróssbow·man (中世の戦闘で)石弓で武装した兵士.
dáiry·man 酪農場主 [経営者].
dáles·man (特にイングランド北部地方の)谷間の住人.
dáys·man 《古》裁定人, 仲裁人, 調停者.
déad·màn 〖建築施工〗デッドマン.
déaths·man 《古》死刑執行人.
defénse·man 〖スポーツ〗自分の防御区域に位置するプレーヤー.
delívery·man (通例, トラックによる)商品配達人.
déntal·man 〖米海軍〗歯科医助手の下士官.
désk·man 〖ジャーナリズム〗デスク.
dóg·man 《豪》クレーン作業指揮者.
dóles·man 施しを受ける人.
dólly·man 〖映画〗〖テレビ〗ドリー(dolly)の操作技師.
dónkey·man donkey engine の操作係.
dóoms·man 《古》裁判官.

dóor·man (ホテルなどの)ドア係, ドアマン.
dóry·man ドリー(dory)に乗る人[漁師].
dówns·man 高原地の住人.
dráeger·man 〘採鉱〙炭鉱救護隊員.
dráfts·man 製図工, 製図者, ドラフトマン.
drágo·màn (近東の)プロの通訳.
drágs·man 四輪馬車の御者.
dráughts·man 《英》(チェッカーの)駒(こま).
dráy·man 荷(馬)車(dray)を引く人.
dúst·man 《英》清掃作業員, ごみ運搬人.
Dútch·man オランダ人.
éarth·man (SF で)地球人.
éngine·man 《古》機関士, 機関助士.
Énglish·man (男性の)イングランド人; 英国人.
évery·màn 普通の人, 並の人.
éxcise·màn 《英》(昔の)消費[物品]税収税吏.
expréss·man 《米》至急便貨物集配人.
fáce·man (鉱山の)切羽(きりは)作業員.
féllow·mán (人類の)仲間; 同民族, 同胞.
fén·man 《英》(イングランド東部の)沼沢地(方)の住民.
férry·man 渡船業者; 渡し守.
fíelds·man 《英》(クリケットの)野手.
fíre·man 消防士[隊員].
físher·man 漁夫, 漁師; (楽しみに)魚を捕る人.
flág·man (踏切などの)信号手, 踏切番.
flóor·màn 売り場主任.
flúgel·man =fugleman.
flý·man 〘演劇〙(舞台天井で道具を操作する)大道具係.
fóe·man 《文語》(戦争での)敵, 敵兵.
fóils·man 〘フェンシング〙フォイル(foil)でフェンシングをする人.
fóot·man (お仕着せの服を着て, ドアの開閉・食卓の給仕などをする)召使い.
fóre·man (工事現場・工場などの)監督, 職長.
fóretòp·man フォアトップに配置された船員.
fréed·man (奴隷の身分から解放された)自由民.
frée·man (奴隷でない)自由な人.
Frénch·man フランス人; フランス系の人.
frésh·man (大学などの)新入生, 一年生.
fróg·man 潜水工作員[兵], フロッグマン.
frontíers·man 国境[辺境]の住民.
frónt·màn (バンドなどの)リーダー.
frónts·man 《英》店頭で立ち売りする店員.
fúgle·màn 《もと》嚮導(きょうどう)兵.
fúnny·màn 《米話》道化師, 喜劇役者.
gág·màn ギャグ作家.
gámes·man (政財界で)駆け引き上手な人.
garáge·màn 自動車修理工.
gár·bage·màn ごみ収集人.
gás·màn ガス会社の職員[工員].
gáte·man 門番; 踏切番.
géntle·man ☞
gláss·man ガラス製造人; ガラス商, ガラス屋.
glée·man (中世の)吟遊詩人, 吟遊楽人.
glóve·man 〘野球〙〘クリケット〙野手.
Gód·mán イエス・キリスト; 神人.
góod·man 《古》一家のあるじ, 家長; 夫.
gówns·man 正服[ガウン]を着る人(法律家など).
gránts·man (研究)助成金獲得のうまい人.
gríp·man ケーブルカーの運転手.
grócery·man 食料雑貨品商, 食料品商.
gróoms·man 《古》(結婚式の)花婿付添人.
gróund·man 地上作業員.
gróunds·man 《米》(公園などの)用地管理人.
guárds·man 《米》州民軍の兵士, 州兵.
guílds·man ギルド組合員.
gún·man 《米》銃器携帯者.
gútter·man (安物を売る)街頭[露天]商人.
háck·man 《米・カナダ》貸し馬車の御者.
hámmer·man ハンマー工; 鍛冶(かじ)職人.
hándcraft·man 手職人, 手工芸者.
hándy·màn 雑役夫, 小使い; なんでも屋.
háng·man 絞首刑執行人.
hárdware·man 金物製造者; 金物商, 金物屋.
hárvest·man 《米・カナダ》ザトウムシ, メクラグモ.
Háwk·màn ホークマン: 米国の漫画の超人.
héad·màn 首長, かしら, 長(おさ).
héads·man 首切り役人, 死刑執行人.
hélms·man 〘海事〙舵取り, 舵手, 操舵員.
hénch·man ごろつきの手先[手下], 子分, 三下.
hérd·màn 《古》=herdsman.
hérds·man 牧夫; 牛・羊の群れの飼い主.
híghway·man (特に17-18世紀の英国で馬に乗り公道に出没した)追いはぎ.
híll·man 山地生まれの人, 山国の人.
hílls·man =hillman.
hód·man 《米》れんが職人[石工]の下働き.
hóop·man 〘スポーツ〙《俗》バスケットボールの選手.
hórse·man 乗馬の名手, 馬術家.
hóspital·man 〘米海軍〙看護兵.
hotél·man ホテル経営者[所有者].
hóuse·man (家庭・ホテルなどの)雑役係, 下男.
húnts·man 《英》(特にキツネ狩りの)猟犬係.
húsband·man 《古》農夫.
íce·màn 《主に米》氷屋, 採氷者, 製氷者.
ínfantry·man (個々の)歩兵.
ínfields·man 〘クリケット〙内野手.
Írish·man アイルランド(系)人.
Íron·màn アイアンマン, 鉄人.
ísland·man 《アイル》島民, 島の住人.
jázz·man ジャズマン, ジャズ演奏者.
Jérsey·man ジャージー島(Jersey)生まれの人.
jígger·màn 機械ろくろを回す職人.
jóurney·man (一人前になった)職人.
júnk·man[1] 《米・カナダ》廃品回収業者.
júnk·man[2] ジャンクの乗組員.
júry·man 陪審員(juror).
kéelboat·man キールボートの船員.
Kéntish·man ケント人.
kéy·màn (企業・組織体の)幹部, 主要人物.
kíns·man (特に男子の)血族, 親類.
kírk·man 《スコット・北イング》スコットランド教会(the Kirk)の信者.
Kláns·man Ku Klux Klan の団員.
klóotch·man 《カナダ北西部》インディアンの女.
knúcks·man 《米暗黒街俗》スリ.
ládder·man (はしご車の設備のある消防団の)消防士.
lánd·man =landsman[1].
lánds·man[1] 陸上生活者[労働者].
lánds·man[2] 《イディッシュ語》同じ町の出身者.
láundry·man 洗濯屋; 洗濯屋の店員.
láw·man 《主に米話》法執行官.
láy·man (聖職者に対して)平信徒.
léads·man 〘海事〙測鉛手, 投鉛手.
léase·man 土地の使用権を持っている借地人.
léather·màn 《米野球俗》優秀な外野手.
lég·man (下働きの)外勤事務[連絡]員.
lém·an 《古》愛人, 恋人; 情婦, 情夫.
léngth·màn 《英》(ある区間の)道路管理人.
léns·man 《話》写真屋, 撮影技師.
létter·man (優秀選手として)母校の頭文字をつけることを許された選手.
líberty·màn 《英》上陸許可を受けた船員.
líege·man 家臣, 臣下.
lífeboat·man 救助艇[救命いかだ]の乗組員.
líft·màn 《主に英》エレベーター運転係.
líghter·man はしけの船頭.
líne·man (電線・電話線の)架線工事人.
línes·man 〘スポーツ〙ラインズマン, 線審.
línk·man 《もと》たいまつ持ち.
línks·man ゴルファー(golfer).
lívery·man 貸し馬屋[貸し馬車屋]の経営者.
lóbster·man ロブスター捕りの漁師.

lóck·màn 水門管理人.
lócks·man =lockman.
lóco·man 《英話》(機関車の)機関士.
lófts·man 〖造船〗現図工.
lóngbow·man 大弓 [長弓] の射手.
lóngshóre·man 《米・カナダ》港湾労働者.
low·er·class·man =underclassman.
lúmber·man 《米・カナダ》木材商, 製材業者.
Lúrk·màn 《豪俗》詐欺師; いかさまをする人.
machíne·man 機械工; 《英》印刷工.
máck·man 《米俗》ぽん引き, ひも.
mád·man 正気を失った人.
mágs·man 《英俗》詐欺師, ぺてん師.
máil·man 《米・カナダ》郵便配達人 [集配人].
mált·man 麦芽(酒)製造人; 麦芽(酒)商.
Mánx·man マン島生まれの人 [の住民].
márks·man 射撃の名手, 名射手.
mát·man 《俗》レスラー.
méat·màn 肉屋.
média·man 記者, 通信員, レポーター.
mér·màn (民話で, 男の)人魚.
mérry·man 《古》道化師.
méss·man 〖海軍〗給食係下士官.
míddle·màn 中間商人, ブローカー.
Mídget·màn 〖米空軍〗ミジェットマン.
mídshìp·man 〖米海軍〗海軍士官学校生徒.
milítia·man 在郷軍人; 州兵, 国民兵; 民兵.
mílk·man 牛乳屋; 牛乳配達(人).
míll·man 工場 [製作所] の労働者 [所有者].
Mínute·màn 《米》緊急召集兵.
míssile·man ミサイル発射 [操作] 要員.
móbs·man 暴徒 [群衆] の一人.
móney·màn 金融投資家, 投資者.
móon·man (想像上の)月人.
mótor·man 《主に米》(電車の)運転手.
mounds·man 《野球俗》投手(pitcher).
múscle·man 《話》筋肉隆々たる男性.
Mússul·man 《古》イスラム教徒(Muslim).
nép·man ネップマン: 旧ソ連の個人企業家.
nét·man テニス選手.
néws·man 記者, 報道記者.
néwspaper·màn 新聞記者; 記事執筆者.
níght·man 《英・豪》(夜間の)くみ取り人.
nóble·man 高貴の生まれ [身分] の人; 貴族.
Nórse·man =Northman.
nórth-cóuntryman 《英》スコットランド [北英] 人.
Nórth·man 古代スカンジナビア人.
nózzle·man (ホースの)筒先係; 消防士.
núrsery·man 苗畑の所有者, 養樹園主, 養樹係.
óars·man (ボートその他の船の)こぎ手.
óffshóre·man 沖合い(の油田掘削装置)で働く人.
óil·man 油井 [油田] 所有者, 油井経営者.
ómbuds·màn オンブズマン.
Órange·man オレンジ党員: アイルランドの秘密結社 the Orange Society の党員.
órg·màn 《米》組織人, 会社人間.
outdóors·man 野外スポーツ愛好家.
ó·ver·man 職長, 班長, 監督.
óyster·man 《主に米》カキ採取 [養殖, 販売] 人.
páck·man 行商人(peddler).
pán·man 《米俗》(西インド諸島の Steel band の)ドラマー.
pántry·man (船・病院などの)配膳係.
páss·man 《英》普通及第学生.
patról·man 《主に米》警邏(けいら)官.
pén·man 書く人; 《まれ》筆写する人.
péte·man 《俗》=peterman.
péter·man 漁師.
píck·man (つるはしを使う)工夫.
píe·man パイ売り, パイ製造人.
píke·man 矛兵, 槍(やり)兵.
pítch·man 《米・カナダ》行商人, 大道商人.
pít·man 坑夫, (特に)炭坑夫.
pívot·man 〖バスケット〗フロントコートでのオフェンスの中心となる選手.
pláce·man 《英》《軽蔑的》(選挙の協力見返りとして任命された)役人, 官吏.
pláinclóthes·man 私服警官 [刑事].
pláins·man 平原の住民.
plánts·man 植木 [苗木] 屋.
plów·man 鋤(すき)で耕す人, 耕夫, 農夫.
póint·man =pointsman.
póints·man 《英》(鉄道の)転轍(てんてつ)手.
políce·man 警官, 巡査.
póst·man[1] 郵便集配 [配達] 人.
póst·man[2] 〖古英法〗優先申し立て弁護士.
pót·man 《英》(パブなどの)給仕, ボーイ.
póultry·man 養禽(ようきん)家; (特に)養鶏農家.
pówder·man (ビル取り壊し業者の)爆薬担当者.
pré·mán 〖人類学〗先行人類.
préss·man 印刷工.
privatéers·man 私拿捕 [私掠] 船乗組員 [船長].
príze·man 《主に英》(特に学問的業績に対する賞の)受賞者.
próp·màn 〖演劇〗小道具係.
púmp·man 動力ポンプを動かす人.
quárry·man 採石工(夫).
rádar·man レーダー技師.
ráddle·man =ruddleman.
ra·di·o·man (船・航空機などの)無線技師.
ráfts·man いかだ乗り, いかだ師.
rág·man 廃品回収業者.
ráil·man 鉄道(従業)員; 鉄道会社経営者.
ráilway·man 《特に英》鉄道職員.
rálly·màn (自動車)ラリー参加者 [選手].
ránch·man 《米・豪》牧場 [農場] 主.
réddle·man =ruddleman.
réed·màn リード楽器奏者.
réel·màn 《豪・NZ》救命綱巻き取りリール操作係.
réins·man 騎手, 乗り手, 御者.
remáinder·man 〖法律〗残余権者.
repáir·man 修理工, 修繕屋.
réwrite·màn 《米》リライト専門記者.
Ríbbon·màn Ribbon Society(19 世紀のアイルランドの秘密結社)の会員.
rífle·man ライフル銃兵, 小銃兵.
ríg·man (漁船の)漁労員.
róad·man ロードマン: 公道における, 特に自転車競走の出場選手.
ród·man ロッドマン: 鉄筋を組む [入れる] 人.
róunds·man (監視のためなどに)巡回する人.
róute·man (郵便配達人などの)特定区域担当者.
rúddle·man 代赭(たいしゃ)石販売人.
sáilor·màn =seaman.
sálarymàn (日本の)サラリーマン.
sáles·man 《主に米》男子販売員, 男子店員.
sánd·màn 睡魔, 眠りの精.
sanitátion·màn ゴミ収集作業員.
sán·màn 《米話》=sanitationman.
sáucer·màn 宇宙人, 空飛ぶ円盤の乗組員.
scéne·man 《廃》(芝居の)道具方.
schóol·man スコラ(哲)学者 [神学者].
Scótch·man 《時に不快》=Scotsman.
Scóts·man (特に男の)スコットランド人.
scrátch·màn 《米俗》偽造者.
scréws·màn 《英俗》押し込み強盗.
séa·man ☞
séat·man 《米俗》プロのトランプディーラー.
séed·man =seedsman.
séeds·man 種をまく人.
seléct·man (Rhode Island 州を除く米国 New England 各州における)都市行政委員.
sérvice·man 軍人.
sérving·màn 男の使用人.
séssion·màn セッションマン: 特定のバンドに所属

しないで, さまざまなアーティストと共演するミュージシャン.
séwer·màn 《米俗》大型ヨットの甲板下で競走巾に帆を出し入れする人.
shánty·man 木の掘っ建て小屋に住む人.
shéep·man 《米》羊の飼育者, (特に)牧羊業者.
shíp·man 船員, 水夫.
shóp·man 店員, 売り子.
shóvel·man シャベルを使う人.
shów·man 興行師, 見世物師.
síde·man (特にジャズバンド・オーケストラの)奏者, 楽団員.
sídes·man 〘英国国教会〙教区委員補.
sígnal·man (鉄道や軍隊の)信号係, 信号手.
ský·man 《話》飛行士; 落下傘部隊員.
sláp·màn 《米暗黒街俗》私服警官, 「私服」.
sláughter·man 食肉解体処理業者 [作業員].
snów·màn 雪だるま.
sóke·man ソーケージによる土地保有農.
sónar·man 〘米海軍〙水測員.
spáce·man 宇宙飛行士, 宇宙科学 [技術] 者.
spéar·man 槍持ち; 槍兵(そうへい); 槍の使い手.
spíder·màn 《主に英》建築現場の高所作業者.
spóils·man 《主に米》猟官者, 政治利権屋.
spókes·man スポークスマン, 代弁者; 首唱者.
spórts·man スポーツマン, 運動家.
squáds·man チームの一員, 隊員.
stáble·man 馬小屋 [牛舎, 家畜小屋] で働く人.
stáff·màn 《米話》職員, 従業員.
státes·man 政治家.
stéel·man 製鋼業者.
stéers·man =helmsman.
stíck·man ディーラーの補佐役, 賭け金清算係.
stíll·man 蒸留所所有 [経営] 者.
stóck·man 《米・豪》畜産業者, 牧畜業者.
stóne·man 石工, 石屋.
stóre·màn 倉庫 [在庫] 管理人.
stréet·màn 《米俗》街頭で悪事を働く人.
strókes·man 〘漕艇〙整調(手), ストローク.
stróng·màn 力持ち, 怪力男.
súb·màn 《軽蔑的》人でなし, ばか.
súndries·man 《主に英》雑貨商.
súper·màn 《話》超人的力を持つ人.
súrface·man 保線工夫; 坑外(作業)夫.
súrf·man 磯船(いそぶね)を操るのが巧みな人.
swág·man 《豪・NZ 話》浮浪者; 渡り労働者.
swéet·màn 《米俗》情夫.
swíng·màn 〘バスケット〙スイングマン.
swítch·man (鉄道の)転轍(てんてつ)手.
swórd·man =swordsman.
swórds·man 剣を使う人, 剣術の上手な人.
tácks·man 《スコット》借地人.
táles·man (一人の)補欠陪審員.
tálly·man (荷役などの)計数係, 検数係.
tánk·man (工場の)タンク係.
tápe·man 〘測量〙テープ係, テープ引き.
táxi·man 《主に英》タクシー運転手.
táx·màn 《話》収税吏, 税務署員.
téa·màn 茶商人.
téle·màn 〘米海軍〙信号兵曹.
ténder·man 《カナダ》〘漁業〙(捕った魚を生け簀(す)から陸に運ぶ)運搬専用要員.
tíller·man =helmsman.
tímber·man 鉱山の木枠をつくる人; 製材業者.
tín·man ブリキ(錫(すず))職人.
tít·man 一腹の豚の中でいちばん小さい豚.
tóll·man (料金所の)通行料金徴収係.
tóng·man (在米中国人の)秘密結社の一員.
tóp·man 〘海事〙檣楼(しょうろう)員.
tóps·man 《英》絞首刑執行人.
torpédo·man 魚雷下士官.
tówer·man 〘鉄道〙信号係.
tówns·man 町の住民, 都会人.
tóy·man おもちゃ屋.
tráck·man 《米・カナダ》(鉄道の)保線要員.
trádes·man 商人, 貿易商.
tradév·man (米海軍の)訓練用具係の下士官.
tráil·man =trailsman.
tráils·man 小道をたどる人; 追跡者.
tráin·man 《米》列車乗務員.
tránsit·man 〘測量〙トランシット測量士 [係].
trásh·man 《米》(トラックを使用する)ごみ収集人.
tráwler·man トロール網(trawl)を使う漁師.
tréncher·man 《こっけい》食べる人.
tríbes·man 部族 [種族] 民, 原住民, 土民.
trígger·man 《話》(ピストル・銃を使う)殺し屋.
trípe·man 牛の胃袋売り(商人).
trólley·man 《米》路面 [市街] 電車乗務員.
trúck·man トラック運転手.
túb·man 〘古英法〙桶側(おけがわ)弁護士.
Túr·co·man =Turkoman.
túrf·man 競馬狂 [通]; (競馬馬の)馬主.
Túrk·man トルクメン人.
Túr·ko·man トルコマン人, トルクメン人.
Úlster·man アルスター生まれの人.
ùn·der·cláss·man 《米》(大学・高校の)下級生(1 年生(freshman), 2 年生(sophomore).
úp·per·cláss·man 《米》(大学・高校の)上級生.
ván·man 箱形貨物自動車乗務員.
VÁT·man 《話》(税関などの)VAT 徴収係.
vát·man 〘製紙〙(丸網)紙漉(す)き工.
veníre·man 《主に米》〘法律〙(陪審召集令状で呼び出された)陪審員.
vérse·man 詩人, 作詩家.
véstry·man 教区委員.
wánds·man 《英》権標捧持(ほうじ)者(verger).
wárehòuse·man 倉庫業者; 倉庫従業員 [管理人].
wásher·man =laundryman.
wátch·man (ビルなどの)夜警, 警備員.
wáter·man =boatman.
wéather·màn 《話》天気予報官; 気象学者.
wéigh·man (商品・製品などの)計量係, 検量係.
wéight·màn (商品・製品の)計量係.
Wélch·man =Welshman.
Wélsh·man ウェールズ(Wales)生まれの人.
whále·man 《米》捕鯨者, 捕鯨船(員).
whéel·man 《米》=helmsman.
wínch·man 〘海事〙ウインチ操作係.
wíng·man 〘空軍〙編隊僚機.
wíre·man 《主に米》電線架設技術者.
wítch·man 呪術(じゅじゅつ)医, まじない師.
wólf·màn 〘民俗〙狼男, 人狼.
wóm·an ☞
wóod·man =woodsman.
wóods·man 森の住人, 森で働く人.
wóol·man 羊毛商人.
wórking·màn 労働者, 勤労者; 職人, 職工, 工員.
wórk·man 工員, 職人, 職工; 熟練者.
yáchts·man ヨット所有者 [操縦者].
yárd·man[1] 〘海事〙帆桁(ほげた)係.
yárd·man[2] (鉄道などの)構内作業員, 操車係.
yégg·man 《米俗》金庫破り(yegg).
yéo·man 《英》〘海軍〙倉庫 [通信] 係下士官.
Yórkshire·man Yorkshire 生まれの人.
zóo·man (動物園の)飼育係; 動物園職員.

-man[2] /mən/

連結形 …船. ►man-of-war「軍艦」の用法に注意.
★ 名詞をつくる.
[発音] 第 1 強勢は基語と同じですべて語頭にある.

cód·man 名 タラ漁船.
Éast Índiaman 〘歴史〙東インド貿易船.
Ín·di·a·man 名 〘歴史〙かつてのインド交易船.
mér·chant·man 名 商船.

Wést Índiaman 〘歴史〙西インド諸島通いの貿易船.

-man[3] /mən/

連結形 …の人.
★ 人名をつくる -man[1].
[発音]すべて2音節, または3音節の語で, 語頭の音節に第1強勢.

Chap·man 名 チャップマン(姓). ►字義は「物品の取引に従事する人」.
Clur·man 名 クラーマン(姓).
Cole·man 名 コールマン(姓). ►字義は「炭坑夫」.
Cot·man 名 コットマン(姓).
Ed·el·man 名 エーデルマン(姓). ►字義は「高貴な人」.
El·man 名 エルマン(姓). ►字義は「石油商」.
Feyn·man 名 ファインマン(姓).
Flax·man 名 フラックスマン(姓). ►字義は「アマ(亜麻)を栽培, 販売したり布に加工する人」.
Forss·man 名 フォルスマン(姓).
Free·man 名 フリーマン(姓). ►字義は「(農奴でなく)自由の身に生まれた人」.
Fried·man 名 フリードマン(姓). ►字義は「平和の人」.
Gil·man 名 ギルマン(姓).
Gold·man 名 ゴールドマン(姓). ►字義は「金を扱う職の人」.
Good·man 名 グッドマン(姓). ►字義は「家長」.
Grass·man 名 グラースマン(姓).
Guz·man 名 グスマン(姓). ►字義はスペイン語で「*Gaut*(部族名)の人」.
Hack·man 名 ハックマン(姓). ►字義はイディッシュ語で「木こり」.
Hell·man 名 ヘルマン(姓). ►字義はイディッシュ語で「金髪あるいは色白の人」.
Her·man 名 ハーマン(姓). ►字義はイディッシュ語で「軍人」.
Hill·man 名 ヒルマン(姓).
Hoff·man 名 ホフマン(姓). ►字義はイディッシュ語で「希望を持つ人」.
Hous·man 名 ハウスマン(姓). ►字義はイディッシュ語で「家屋所有者」.
Leh·man 名 リーマン(姓). ►字義はドイツ語で「封臣」.
Let·ter·man 名 レターマン(姓).
Ly·man 名 ライマン(男子の名). ►字義は「森の人」.
Mer·man 名 マーマン(姓).
New·man 名 ニューマン(姓). ►字義は「新来者」.
Park·man 名 パークマン(姓). ►字義は「Park(人名)の使用人」.
Perl·man 名 パールマン(姓). ►字義は「真珠を売る人」.
Pit·man 名 ピットマン(姓). ►字義は「くぼ地のそばに住む人」.
Ries·man 名 リースマン(姓).
Schur·man 名 シュアマン, シャーマン(姓).
Sea·man 名 シーマン(姓). ►字義は「海の人」.
Sher·man 名 シャーマン(姓). ►字義は「羊毛刈り取り人」.
Spell·man 名 スペルマン(姓). ►字義は「朗読者」.
Stein·man 名 スタインマン(姓). ►字義は「石のような人」.
Tas·man 名 タスマン(姓).
True·man 名 トルーマン(姓). ►字義は「信頼できる人」.
Tru·man 名 トルーマン(姓). ►字義は「忠実, 誠実な人」.
Tub·man 名 タブマン(姓).
Tuch·man 名 タクマン(姓). ►字義は「布を扱う人」.
Waks·man 名 ワックスマン(姓).
Well·man 名 ウェルマン(姓). ►字義は「泉, 小川のそばに住む人」.
Wes·ter·man 名 ウエスターマン(姓). ►字義は「西に住む人」または「西方から来た人」.
White·man 名 ホワイトマン(姓). ►白髪, 顔色の悪い人のあだ名より.
Whit·man 名 ホイットマン(姓). ►Whiteman の異形.
Wig·man 名 ウィグマン(姓).
Wirg·man 名 ワーグマン(姓).
Wise·man 名 ワイズマン(姓). ►「賢い人, 博学の人」のあだ名より.
Wool·man 名 ウールマン(姓). ►字義は「羊毛を扱う人」.
Zuck·er·man 名 ズッカーマン(姓). ►字義はイディッシュ語で「砂糖商人」あるいは「菓子屋」.
Zuk·er·man 名 ズーカーマン(姓). ►Zuckerman の異形.

man·age /mǽnidʒ/

動他 首尾よく〈…〉し遂げる; 管理する, 運営する, 監督する. ◇ MANAGEMENT.

co-man·age 動他自 共同経営する.
micro·man·age 動他 微細管理する.
mis·man·age 動他自 管理を誤る; 不正に管理する.
stage-man·age 動他 舞台監督として働く.

man·age·ment /mǽnidʒmənt/

名 **1** 取り扱い(方), 操作; 経営, 管理. **2** 経営者, 管理者. ⇨ -MENT.

báttle mànagement 〘軍事〙戦闘管理.
bòttom-úp mànagement ボトムアップ経営.
Cáesar mànagement シーザー型経営管理方式.
chánge manágement 〘コンピュータ〙〘経営〙改革管理.
contíngency mànagement 〘心理〙随伴性管理.
crísis mànagement 危機管理.
dátabase mànagement 〘コンピュータ〙データベース管理.
demánd mànagement 〘経済〙需要管理政策.
èco·mánagement 〘生物〙生態系(自然環境)管理.
héalth mánagement 健康管理.
hùman resóurce mànagement 〘経営〙人的資源管理(部).
mán-mánagement 人材管理.
mìcro·mánagement 〘政治〙〘軍事〙微細管理.
míddle mánagement 中間管理職.
rísk mànagement リスクマネジメント, 危機管理.
sénior manágement ＝top management.
tóp mánagement トップ・マネージメント.
total qúality mànagement トータルクオリティ・マネージメント(TQM).
utilizátion mànagement 操業管理技術.

man·ag·er /mǽnidʒər/

名 経営者, 支配人; 管理人. ⇨ -ER[1].

áctor-mánager 制作者兼主役.
bánk mànager 銀行支店長.
cíty mánager 《米》市政管理者.
crédit mànager 信用管理担当者, 信用調査係.
fíeld mànager 〘野球〙監督.
flóor mànager 《米》議事進行係; 司会者.
géneral mánager 〘野球〙ゼネラルマネージャー.
hóusehold mánager 《米》家庭管理者, 主婦.
hóuse mànager 劇場支配人.
míddle mánager 中間管理者[職].
róad mànager 地方公演マネージャー.
séction mànager 売場監督.
stáge mànager 舞台監督.

M

tówn mánager 《米》タウンマネージャー.
tráffic mànager 貨物輸送を監督・管理する人.

-man·cy /mǽnsi/

連結形 …占い(divination).
★ 名詞をつくる.
◆ 中英 *-manci(e)* ＜古仏 *-mancie* ＜ラ *-mantīa* ＜ギ *manteía* 予言. ⇨ -CY.

aer·o·man·cy 名 気象［天気, 大気］占い.
a·lec·try·o·man·cy 名 雄鶏占い.
a·leu·ro·man·cy 名 (古代の)粉占い.
al·phit·o·man·cy 名 大麦占い.
ar·ith·man·cy 名 数占い.
as·tro·man·cy 名 星占い, 星易占.
ax·in·o·man·cy 名 斧(おの)占い.
bel·o·man·cy 名 矢占い.
bib·li·o·man·cy 名 書物占い, 聖書占い.
car·to·man·cy 名 トランプ占い.
chi·ro·man·cy 名 手相術.
cle·ro·man·cy 名 さいころ占い.
ge·o·man·cy 名 土占い.
gy·ro·man·cy 名 旋回占い.
hy·dro·man·cy 名 水占い.
nec·ro·man·cy 名 降霊術, 口寄せ.
nig·ro·man·cy 名 ＝necromancy.
o·nei·ro·man·cy 名 夢占い, 夢判断.
on·o·man·cy 名 姓名判断.
or·nith·o·man·cy 名 鳥占い.
psy·cho·man·cy 名 精神感応, 霊通.
py·ro·man·cy 名 火占い(術).
rhab·do·man·cy 名 棒占い.
scap·u·li·man·cy 名 太占(ふとまに).
sci·o·man·cy 名 心霊占い.
the·o·man·cy 名 神託占い.
zo·o·man·cy 名 動物占い.

-mand /mǽnd, mɑ́ːnd | mɑ́ːnd/

連結形 命令(する); 要求(する).
★ 語末にくる関連形は -MEND.
★ 語頭にくる形は mand-: *mand*amus「職務執行令状」, *mand*ate「要求, 指図; 委任, 権能付与, 付託」.
◆ ラテン語 *mandāre*「命じる, 委託する」より.

com·mand 動他 ☞
coun·ter·mand 動他 〈命令などを〉撤回する.
de·mand 動他 …を要求する.
re·mand 動他 〈人を〉送り返す, 送還する.

-ma·ni·a /méiniə, -njə/

連結形 **1**〖精神医学〗…狂, (性)癖, の強迫観念(mania): megalo*mania*, mono*mania*. **2** …熱, 礼賛, 狂. ►しばしば度が過ぎたつかのまの熱狂: Anglo*mania*, bibli*omania*, Pope*mania*.
★ 名詞をつくる.
◆ ＜ラ＜ギ *maníā*「狂気」(*ménos*「心, 怒り, 力強さ」からの派生). ⇨ -IA.

ag·ro·ma·ni·a 名 〖精神医学〗田園狂, 田舎狂.
An·glo·ma·ni·a 名 英国狂, 英国心酔, 親英熱.
Be·atle·ma·nia 名 ビートルズへの熱狂.
bib·li·o·ma·ni·a 名 蔵書癖, 猟書癖, 書狂.
clep·to·ma·ni·a 名 〖心理〗＝kleptomania.
con·do·ma·ni·a 名 《話》コンドーム狂.
de·cal·co·ma·ni·a 名 《米》デカルコマニー: 特殊用紙に形成された絵や図案をガラス, 陶磁器などに転写する方法.
dip·so·ma·ni·a 名 飲酒癖, 嗜酒(しゅ)癖, 渇酒症.
disc·o·ma·ni·a 名 ディスコ狂い, ディスコマニア.
drom·o·ma·ni·a 名 放浪癖.
ec·o·ma·ni·a 名 環境保護へのヒステリー的熱中.
e·go·ma·ni·a 名 異常なまでの自己中心癖.
e·ro·to·ma·ni·a 名 淫乱症, 色情狂.
Fran·co·ma·ni·a 名 (外国人の)フランス熱, フランスかぶれ.
Ger·man·o·ma·ni·a 名 ドイツ狂, ドイツかぶれ.
Gor·by·ma·ni·a 名 ゴルバチョフ心酔.
graph·o·ma·ni·a 名 〖精神医学〗書(字)狂.
hy·dro·ma·ni·a 名 ひどく水を飲みたがること.
hy·per·ma·ni·a 名 〖精神医学〗重症［重篤］躁病.
hy·po·ma·ni·a 名 〖精神医学〗軽(症)躁(病).
in·fo·ma·ni·a 名 情報収集癖.
klep·to·ma·ni·a 名 〖心理〗窃盗強迫, 窃盗狂.
log·o·ma·ni·a 名 〖病理〗語漏(ろう), 病的多弁症状.
meg·a·lo·ma·ni·a 名 誇大妄想(狂).
mel·o·ma·ni·a 名 異常なほどの音楽愛好［家］, 音楽狂.
merg·er·ma·ni·a 名 《米金融俗》(企業間の)合併熱.
met·ro·ma·ni·a 名 異常なほどの作詩愛好, 詩作狂.
mon·o·ma·ni·a 名 《俗に》偏執狂, モノマニア.
mor·phi·no·ma·ni·a 名 〖医学〗(慢性)モルヒネ中毒［嗜好］.
myth·o·ma·ni·a 名 〖精神医学〗虚言症, 誇張症.
nar·co·ma·ni·a 名 〖精神医学〗麻薬嗜癖(しき).
nec·ro·ma·ni·a 名 死体姦症, 死体嗜好症.
nos·to·ma·ni·a 名 ノストマニア, 強度のホームシック.
nym·pho·ma·ni·a 名 〖病理〗ニンフォマニア, 慕男狂.
o·ni·o·ma·ni·a 名 乱買癖, 異常購買欲.
phag·o·ma·ni·a 名 貪食症.
pho·no·ma·ni·a 名 殺人鬼.
phyl·lo·ma·ni·a 名 〖植物〗葉の異状発生.
Po·pe·ma·ni·a 名 法王狂, 熱烈な教皇支持.
py·ro·ma·ni·a 名 放火狂, 放火癖.
si·to·ma·ni·a 名 〖病理〗貪食症, 病的飢餓.
squan·der·ma·ni·a 名 (特に財政上の)浪費, 乱費.
tech·no·ma·ni·a 名 技術優先主義, 技術狂信.
the·o·ma·ni·a 名 宗教(妄想)狂, 神狂症.
tox·i·co·ma·ni·a 名 〖病理〗毒薬嗜癖(しき); 麻薬中毒.
trich·o·til·lo·ma·ni·a 名 〖精神医学〗抜毛癖.
tu·lip·o·ma·ni·a 名 チューリップ栽培熱, チューリップ狂.
ver·bo·ma·ni·a 名 単語好き, 言葉の過度の使用.
xen·o·ma·ni·a 名 舶来品崇拝, 外国かぶれ.

ma·ni·ac /méiniæ̀k/

名 **1**《話》狂人, …狂. **2**熱狂的な愛好家. ⇨ -AC[1].

Àn·glo·má·ni·ac 名 英国心酔者［かぶれ, 狂］.
bìb·li·o·má·ni·ac 名 書狂, 蔵書狂, 猟書家.
dì·no·má·ni·àc 名 恐竜マニア, 恐竜おたく.
dìp·so·má·ni·ac 名 アルコール中毒者.
èc·u·má·ni·ac 名 世界教会主義の熱狂的信者.
klèp·to·má·ni·ac 名 〖心理〗窃盗強迫症患者, 窃盗狂.
lòg·o·má·ni·ac 名 病的多弁症患者.
mèg·a·lo·má·ni·ac 名 誇大妄想狂患者, 誇大妄想者.
mòn·o·má·ni·ac 名 偏執狂者.
mòr·phi·no·má·ni·ac 名 モルヒネ中毒者.
nym·pho·má·ni·ac 名 色情症の女性.
sà·tyr·o·má·ni·ac 名 好色家.
séx mànìac 色情狂.

man·i·fold /mǽnəfòuld/

形 種々の. ──名 さまざまな部分［面, 特徴］を持つもの. ⇨ -FOLD.

differéntiable mánifold 〖数学〗微分可能多様体.
exháust mànifold 〖自動車〗排気多岐管.
íntake mànifold 〖機械〗吸い込みマニフォールド.
línear mánifold 〖数学〗部分空間.

man·ner /mǽnər/

名 **1**(…の)仕方. **2**態度. ⇨ -ER[2].

bédside mánner 医者の患者に接する態度.

gránd mánner 堅苦しい[儀式張った]態度.

man·nered /mǽnərd/

形《通例複合語》〈人が〉行儀が…な. ⇨ -ED².

íll-mánnered 形 行儀の悪い, 無作法な, ぶしつけな.
míld-mánnered 形 おとなしい.
ùn·mánnered 形 行儀を心得ない, 無作法な, 無礼な.
wéll-mánnered 形 行儀のよい, 礼儀正しい, 丁寧な.

-man·ship /mənʃìp/

連結形 技量, 腕, 手腕.
★ 名詞をつくる.
◆ -MAN¹＋ -SHIP.
[発音] 語頭の音節に第 1 強勢. 例外として, 語頭より 2 つめの音節に第 1 強勢を置くこともある: colléaguesmanship.

air·man·ship 名 飛行(技)術.
boat·man·ship 名 ＝boatsmanship.
boats·man·ship 名《話》(ボートの)漕艇術.
brink·man·ship 名 (特に外交上の)瀬戸際政策.
brinks·man·ship 名 ＝brinkmanship.
col·leagues·man·ship 名 優秀な同僚との付き合いを力説して大学などに有能な人材を招くこと.
games·man·ship 名 (特にスポーツ競技などで)ルール違反すれすれの巧妙な手段を用いること.
grants·man·ship 名 助成金獲得術.
life·man·ship 名 人生に成功する力.
niche·man·ship 名 〔経営〕すき間[ニッチ]市場の利用.
one-up·man·ship 名《話》相手を出し抜く術.
one-ups·man·ship 名 ＝one-upmanship.
up·man·ship 名 ＝one-upmanship.
words·man·ship 名 文章技術[作法].

man·tle /mǽntl/

名《古》ゆったりした袖(そで)なしの外套(がいとう), マント; 包む[隠す]もの.

Blúe Mántle 英国紋章院の紋章官補のうちの一つ.
dis·mán·tle 動他〈建物・船から〉設備を取り除く.
gás màntle (ガス灯の)火炎覆い.
lády's-màntle 〔植物〕バラ科ハゴロモグサ属の草の総称.
ùn·mán·tle 動他 …の外套(がいとう)を脱がす.

many /méni/

形 多くの, 多数の, たくさんの.

óne-mány 形 〔論理〕〔数学〕一対多の.
óne-to-mány 形 一対多の.
òver-mány 形 多すぎる, 過剰の.

map /mǽp/

名 **1** 地図; 天体図. **2** 地図式の図表.

áir màp (航空写真による)航空地図.
báse màp 基(本)図, 白(地)図.
bít màp 〔コンピュータ〕ビットマップ.
chrómosome màp 〔遺伝〕染色体地図.
cógnitive máp 〔心理〕認知地図.
cóntour màp 等高線(地)図.
dríft màp 〔地質〕氷[漂]礫(ひょうれき)土分布図.
fáte màp 〔発生〕原基分布図.
genétic máp 〔生物〕遺伝地図.
inclúsion màp 〔数学〕包含写像.
kéy màp 概略を示した地図.
línkage màp 〔遺伝〕連鎖地図.
mosáic máp ある地域の連続写真地図.
múd màp 《豪》棒で地面に描いた地図.
Órdnance màp 英国陸地測量部制作地図.
óutline màp ＝base map.
phó·to·màp 名 写真地図, フォトマップ.
relíef màp 起伏図, レリーフマップ.
rè·máp 動他 …の地図を書き換える.
restríction màp 〔生化学〕制限(酵素)地図.
róad màp 道路地図, ロードマップ.
sít·màp 名《米軍俗》状況地図.
skétch màp 見取り図, 略図, 案内図, 概略図.
sóil màp 〔土木〕土壌図, 土性図.
stár màp 星座表, 星地図.
stríp màp (細長い)進路要図.
topográphic máp 地勢図, 地形図.
wéather màp 天気図, 気象図.

ma·ple /méipl/

名〔植物〕カエデ, モミジ.

ásh-lèaved máple ネグンドカエデ, トネリコバカエデ.
bíglèaf máple オオバカエデ.
bírd's-eye máple 鳥木目カエデ材.
bláck máple クロサトウカエデ.
bróad-lèaved máple ヒロハノカエデ.
flówering máple イチビ.
fúll-moon máple ＝Japanese maple.
hárd máple 《米中北部》サトウカエデ.
Jápanese máple イロハモミジ, イロハカエデ.
móuntain màple キザキ(木咲)カエデ.
Nórway máple ノルウェーカエデ.
Óregon máple ＝bigleaf maple.
páperbark máple ヒロハカエデ.
Quéensland máple クイーンズランドメープル.
réd máple ベニカエデ, アメリカハナノキ.
róck màple 《ニューイング》＝sugar maple.
Schwédler's máple ノルウェーメープルの一変種.
sílver máple ウラジロサトウ(裏白砂糖)カエデ.
stríped máple ペンシルベニアカエデ.
súgar màple サトウカエデ.
swámp màple ＝red maple.
sýcamore máple シカモア.
víne màple ツタカエデ.

map·ping /mǽpiŋ/

名 地図製作; 計画, 割り当て. ⇨ -ING¹.

dígital mápping 〔コンピュータ〕デジタルマッピング.
géne màpping 〔遺伝〕遺伝[連鎖]地図作製.
intérior mápping 〔数学〕開写像(open map).
mémory mápping 〔コンピュータ〕メモリーマッピング.
mínd màpping 右脳訓練法.

mar·ble /mɑ́ːrbl/

名 (狭義の)大理石.

Carrára márble カララマーブル.
dólomite márble 粗粒質の苦灰岩[白雲岩].
em·már·ble 動他 …を大理石に刻む[で飾る].
en·már·ble 動他 ＝emmarble.
lándscape màrble 自然の風景を思わせるような樹木状の縞(しま)柄のある大理石.
ónyx márble メキシコ縞瑪瑙(しまめのう).
státuary márble きめの細かい白い大理石.

march /mɑ́ːrtʃ/

動自〈兵士などが〉行進する, 進撃する; 行進を始める.
━━名 行進; 進行, 進展; 行進曲.

cóunter·màrch 名 〔軍事〕回れ右前進; 逆行.

M

déad màrch (特に軍隊の)葬送行進曲.
déath màrch 死の行進.
fórced márch 〔軍事〕強行軍.
fréedom màrch 自由への行進.
fróg·màrch 動他名《特に英》むりやり歩かせる(こと).
gránd márch (舞踏会の)客全員の開会行進.
húnger màrch 失業者の行列[デモ].
Lóng Márch (中国共産党と紅軍の)長征.
mílitary márch 活発な行進曲, 軍隊行進曲.
ón·màrch 名 (歴史などの)流れ, 進行.
òut·márch 動他 …より速く[遠く]進む.
quíck màrch 速歩行進, 速歩.
rógue's márch 放逐曲.
róute màrch (徒歩部隊の)途歩(とほ)(行進).
slów márch 〔軍事〕ゆっくりした行進.
wédding màrch 結婚行進曲.

mare /méər/

名 成熟したロバ・ラバなどの雌, (特に)雌馬.

bróod·màre 繁殖用雌馬.
gráy máre 《比喩的》亭主を尻(しり)に敷く女.
shánks' máre 《米・カナダ話》自分の足.
stúd màre 繁殖用雌馬.

mar·ga /máːrgə/

名〘ヒンドゥー教〙救済への道.

Ánanda Márga アーナンダ・マールガ教.
bhákti-márga 特定の神への信愛の道.
jnána-márga 知への信愛の道.
kárma-márga 行為への信愛の道.

mar·gin /máːrdʒin/

名 **1**(ページの)余白, 欄外. **2**へり, 縁.

continéntal márgin 〔地文〕大陸縁辺.
héad màrgin 天余白.
prófit màrgin 利ざや, 利潤差額.
rè·már·gin 動自〔証券取引〕追加証拠金を入れる.
táil·màrgin (本の)ページ下部の余白.

mar·i·gold /mǽrigòuld/

名〔植物〕マリーゴールド. ⇨ GOLD.

Áfrican márigold センジュギク(千寿菊).
Áztec márigold ＝African marigold.
búr màrigold センダングサ(タウコギを含む).
Cápe màrigold ディモルフォセカ, アフリカキンセンカ.
córn màrigold アラゲシュンギク, クジャクギク.
fíg màrigold マツバギク, メセンブリアンテマ.
Frénch márigold コウオウソウ(紅黄草), クジャクソウ.
mársh màrigold キンポウゲ科リュウキンカ属の多年草.
pót màrigold キンセンカ(calendula).
wáter màrigold キク科センダングサ属の水生植物 *Bidens beckii*.

ma·rine /məríːn/

形 海の; 海にある, 海産の, 海洋に棲(す)む;〔気象〕海洋性(の). ⇨ -INE[1].

àer·o·ma·ríne 形〔航空〕洋上飛行の.
àq·ua·ma·ríne 名 アクアマリン, 藍玉(らんぎょく).
déad maríne 《俗》(酒の)空き瓶(dead soldier).
flùvio·maríne 形 川と海の両方の作用でできた; 河口にできた, 河口にある(estuarine).
hórse maríne 《もと》騎馬水兵.
mércantile maríne ＝merchant marine.
mérchant maríne 《米》(一国の)全(保有)商船.
sùb·ma·ríne 名 潜水艦.
tràns·ma·ríne 形 海の向こう側の[から来た]; 海外の.
trúmpet maríne トロンバマリーナ: 長い木製のピラミッド形の胴にふつう 1 本の弦を張った古い弓奏楽器.
ùltra·maríne 形 群青色の, 濃青色の.

mark /máːrk/

名 **1** 印, 跡. **2** 指標. **3** 記号, 符号. ── 動他 **1** …に印をつける. **2** …に注意する.

áccent màrk アクセント[強勢]符号.
áir·màrk 動他〈都市などに〉対空標識をつける.
báck·màrk 《米黒人俗》望ましくない性格.
béauty màrk ほくろ.
bénch màrk 水準点, ベンチマーク.
bénch·màrk (優秀性・達成度の)尺度, 基準.
bírth·màrk 出産斑(はん), 新生児斑(nevus).
bláck márk 黒星, 罰点.
bóok·màrk (本のページの間に挟む)しおり.
brúsh·màrk 刷毛[筆]の跡.
cádency màrk 〔紋章〕血統のマーク.
cáll màrk 〔図書館学〕請求記号.
cáste màrk (インドで)カーストの標識.
certificátion màrk 保証マーク.
chátter màrk 〔機械〕びびりマーク[模様].
chéck màrk 検査基準.
chéck·màrk 動他 チェックマークをつける.
chóp màrk 刻印.
cláss màrk 〔統計〕階級値.
cléaring màrk 〔航海〕避険標.
colléctive màrk (会社などの)団体マーク.
cóunter·màrk (鋳造後の貨幣に価値の変動があったときなどに押す)付加刻印.
dáte·màrk 日付印.
dáy·màrk 昼標, 昼間航空標識.
de·márk 動他 …の境界(線)を定める.
dévil's màrk 悪魔の印.
dítto màrk 繰り返し符号(〃).
dráft màrk 〔海事〕喫水標.
éar·màrk 他の物との区別を示す目印, 特徴.
éasy márk 《俗》すぐだまされる人, お人よし.
èco·márk エコマーク, 環境保護のマーク.
expréssion màrk 〔音楽〕発想記号.
fínger màrk 指跡, (特に)指でつけたよごれ.
fíre màrk (金属板の)火災保険証.
flóod·màrk ＝high-water mark.
fóot·màrk 足跡(footprint).
fóx-màrk (湿気による本などの)褐色の染み.
gráde·màrk (製品の品質を表す)等級標示.
háll·màrk 《英》貴金属品位証明極印.
hásh màrk 《話》(軍服につける)年功袖章.
héx màrk ヘックスサイン: 図式化された魔法の記号.
hígh-wáter màrk 最高水位標; (海岸の)高潮線.
hóuse màrk 会社マーク, 製造元マーク.
Kíng's màrk 《英》金銀の純分を検証した認証極印の一種.
kíte·màrk 《英》英国規格院検査証.
lánd·màrk 陸標.
léading màrk 〔航海〕導標.
líne màrk ラインマーク, 共通商標.
lóad-line màrk 〔海事〕満載喫水線標.
lóng màrk 長音符, 長音記号(macron).
lów-wáter màrk 低水標, 低潮水位標.
máker's màrk 製作者印.
máson's màrk 石工の印.
mátch·màrk 合印(あいじるし), 組み合わせ記号.
métal·màrk 〔昆虫〕シジミタテハ.
mínt·màrk 鋳造した造幣所を示す硬貨上の刻

(…)印.
mínute màrk 分(ふん)符号(′).
móno·màrk 《英》モノマーク: 商品や動産の登録に用いる文字と数字を組み合わせた記号.
múltiple màrk 掛け算記号(×).
òver·márk 動他 …に甘すぎる点をつける.
páragraph màrk 段落標(pilcrow)(¶).
pássion màrk 《米話》キスマーク.
páss màrk 合格[及第]点.
pín màrk (活字の)ピンマーク, 針標.
pláte màrk =hallmark.
Plímsoll màrk 〖海事〗=load-line mark.
póck·màrk (天然痘などの)膿疱(のうほう)の跡.
póst·màrk (郵便物の)消印.
préss·màrk 《主に英》〖図書館学〗書架記号.
prínter's màrk 印刷所標章.
próduct màrk 製品商標.
próof·màrk 試験済みを表す刻印[検印].
púg·màrk 《インド英語》(特に猟獣の)足跡.
punctuátion màrk 句読点.
púncture màrk (特に麻薬などの)注射針の跡.
quéstion màrk 疑問符.
quotátion màrk 引用符.
réference màrk 基準点.
re·márk 動他 〈…と〉述べる, 短評する.
rípple màrk 〖地質〗砂紋, 風紋.
róad-màrk 道路上の記号.
sánction màrk (家具の)品質合格証.
scént márk 〖動物行動〗嗅覚標識.
scént-màrk 動自他 〖動物行動〗(…に)嗅覚標識を付ける.
séa·màrk (陸上の)航路標識.
sécond màrk (角度, 時間の)秒の記号(″).
séction màrk 節標, 文節記号(§).
sérvice màrk サービスマーク, 職標, 職章.
shélf màrk 〖図書館〗書架記号.
shílling màrk シリング記号(/)(solidus).
shórt màrk 〖音声〗短音記号(breve).
shóulder màrk 〖米海軍〗肩章.
skíd màrk ブレーキをかけたときのタイヤ跡.
sóund·màrk 音の目印, サウンドマーク.
spáce màrk スペース記号(#).
staccáto màrk 〖音楽〗スタッカート記号.
stráwberry màrk 〖病理〗イチゴ状血管腫(しゅ)母斑(ぼはん).
stréss màrk =accent mark.
strétch màrk 〖病理〗皮膚線条.
swán·màrk 鑑別のために白鳥の上くちばしに刻んだ印.
thúmb·màrk 拇印(ぼいん); 親指の跡.
tíde·màrk 最高[最低]到達点[水準].
tóuch·màrk 〖冶金〗極印, 刻印.
tráde·màrk (登録)商標, トレードマーク.
víew màrk 検認印.
wáter·màrk (川・入り江などの)水位標.
wáymàrk 道しるべ, 道路標識.
wítch's màrk =devil's mark.
wóol·màrk 羊に打つ所有者の刻印.

mark·er /mάːrkər/

名 **1** 印[符号]をつける人[道具]. **2** 目印となるもの. ⇨ -ER[1].

báck·màrker 〖スポーツ〗《英》(競走・競馬などで)ハンディを背負って戦う競技者.
bílliard màrker 玉突きのゲーム取り.
bóok·màrk·er しおり; 蔵書票.
cáse màrker 〖言語〗格標識.
fán màrker 〖無線〗扇形無線[ビーム]位置標識.
félt màrker フェルトマーカー.
genétic màrker 遺伝子標識[マーカー].
míle-màrker 《米》(州間高速道路沿いに設けられた)マイル標.
phráse màrker 〖言語〗句構造表示, 句標識.
P̍ màrker =phrase marker.
ránge màrker 〖海事〗導標(航路標識).
skÿ màrker 〖軍事〗パラシュート付き照明弾.

mar·ket /mάːrkit/

名 **1** 市場(いち). **2** 市場(しじょう); 取引の場. ——動他 〈商品を〉市場に出す.

áfter·màrket アフターサービス市場.
béar màrket 下降相場, 弱気市場.
bláck márket やみ取引.
bláck-márket 動自 やみ取引する.
búll màrket 強気市場, 上昇相場.
búyers' màrket 買い(手)市場.
cáll màrket コール市場.
cápital màrket 資本市場, 長期金融市場.
cáptive màrket 専属市場.
Cómmon Márket ヨーロッパ共同市場.
cónsol màrket (ロンドン取引所にある)コンソル(公債)市場.
cúrb màrket 《英》場外取引市場.
cúrbstone màrket =curb market.
dérivatives màrket 〖金融〗デリバティブ市場.
díscount màrket (手形)割引市場.
dówn-màrket 形 《主に英話》大衆向けの, 安物の.
edutáinment màrket エデュテイメント産業.
Èurocúrrency màrket ユーロカレンシー市場.
Éurodollar màrket ユーロダラー市場.
Èuro·màrket =Common Market.
fármers màrket 農作物直売マーケット; 青物市.
fárm-to-màrket 《米南部》農業用道路, 農道.
fináncial màrket 金融市場.
físh màrket 魚市場; 鮮魚店.
fléa màrket 蚤の市.
fórward màrket 先物市場.
fóurth màrket 《米》第四市場.
frée màrket 自由市場.
fútures màrket (商品・債券の)先物市場.
gráy màrket グレーマーケット, 灰色市場.
hý·per·màr·ket 名 《主に英》大型スーパーマーケット.
indústrial màrket 産業用品市場, 生産財市場.
ìn·ter·már·ket 名 市場間取引.
jób màrket 求人数; 求人市場.
kérb màrket =curb market.
lábor màrket 労働市場.
márriage màrket 結婚市場.
máss màrket 名形 大量市場(の), マスマーケット(の).
matúrity màrket 熟年層市場.
méat màrket 《米俗》セックス相手を探すたまり場.
méga·màrket 〖経済〗(国際的な)巨大市場.
míddle-màrket 形 価格・品質が中程度の.
míni·màrket 食料雑貨店, 調製食品販売店.
móney màrket マネーマーケット, (短期)金融市場.
mùl·ti·már·ket 形 多くの市場に関係する.
néar-màrket ニアマーケット: 開発中の商品が商業生産に近づいた状態.
níche màrket ニッチ市場: (製品などを売るには)規模は小さいが有用な市場.
nòn·már·ket 形 労働市場に組み込まれていない.
óffshore màrket オフショアマーケット.
ópen màrket 公開市場.
párallel màrket 《英》(特に統制経済国での)消費材または外貨の非公式売買取引(市場).
prímary màrket 第一市場.
sécondary màrket 流通市場, 第二市場.
séllers' màrket 売り手市場.
síngle màrket (ヨーロッパの)単一市場.
sláve màrket 奴隷市場.
spót màrket 現物市場, スポット市場.
stóck màrket 株式[証券]取引所.
sú·per·màr·ket 名 スーパーマーケット.
tárget màrket 標的市場.
términal màrket 中央卸売市場.

M

tést màrket テストマーケット, 市場実験.
tést-màrket 動他 〈商品を〉試験［テスト］販売する.
thíeves' màrket 泥棒市場: 盗品などが売られる.
thírd márket 《米》(証券の)第三市場.
úp·màr·ket 形 高級品市場向けの, 高級で高価な.
whíte márket 合法的市場.

mar·ke·teer /mὰːrkitíər/

名 市場で物を売る人; (もと, 英国の)欧州共同市場参加支持者. ⇨ -EER[1].

àn·ti-Mar·ke·téer 名 (英国の)欧州共同市場加盟反対者.
bláck-marketéer 動自 やみで商品を売る.
Cómmon Marketéer (特に英国内の)ヨーロッパ共同市場参加支持者.

mar·ket·ing /máːrkitiŋ/

名 **1** 市場での売買, 市場取引, 《米》(日用品などの)ショッピング. **2** マーケティング. ⇨ -ING[1].

ámbush màrketing 他の企業が公認のスポンサーになっている大きなイベントなどで, 自社の商品を暗に宣伝する便乗商法.
de·márketing 名 ディマーケティング, 逆拡販運動.
diréct márketing ダイレクト・マーケティング.
máss márketing マスマーケティング: 大量生産, 大量流通, 大量販売によるマーケッティング形態.
prè·márketing 形 市場に出荷する前の.
sócial márketing ＝demarketing.
socíetal márketing 社会マーケティング: 社会の長期的福利を考慮したマーケティング.
téle·màrketing 名 テレマーケティング.

mar·lin /máːrlin/

名 〔魚類〕カジキ.

blúe márlin ニシクロカジキ.
stríped márlin マカジキ(spear fish).
whíte márlin ニシマカジキ.

mar·mot /máːrmət/

名 マーモット: リス科マーモット属の齧歯(げっし)動物の総称.

hóary mármot シラガ［ロッキー］マーモット.
póuched mármot 地上性のリスの総称.
práirie màrmot プレーリードッグ(prairie dog).

mar·riage /mǽridʒ/

名 結婚, 婚姻, 縁組み. ◇ marry「結婚する」. ⇨ -AGE[1].

arránged màrriage 見合い結婚.
Bóston marriage ボストン式結婚.
celéstial márriage 永遠の結婚.
cívil márriage 〔法律〕民事婚.
cómmon-làw márriage コモンロー上の婚姻.
commúnal márriage ＝group marriage.
commúter márriage 別居結婚.
compánionate márriage 《米》友愛結婚.
cóntract marriage 契約結婚.
króss-cousin márriage 交差いとこ婚.
Fléet marriage 〔英史〕フリート監獄の結婚式.
gáy márriage 同性愛者による結婚.
Grétna Gréen màrriage 《英話》駆け落ち結婚; 駆け落ち.
gróup marriage 群婚, 集団婚.
ìn·ter·már·riage 名 通婚異民族間の結婚.
Máy-Decémber márriage メイ・ディセンバーマリッジ: 年齢が離れすぎて釣り合わない結婚.
mis·már·riage 名 不釣り合いな縁組み, 不幸な結婚.
míxed márriage 雑婚, 異人種間結婚.
ópen márriage 開放結婚, 自由結婚.
párallel cóusin màrriage 姉妹の子［兄弟の子］同士の結婚.
plúral márriage 一夫多妻.
próxy márriage 代理結婚.
pútative márriage 〔法律〕誤想婚, 想定婚.
róyal márriage 〔トランプ〕ロイヤルマリッジ.
sáme-séx màrriage 同性結婚.
sérial márriage 連続結婚: 8–10 年ごとに配偶者を変える結婚形態.
shótgun márriage 妊娠［性的関係］が発覚して, しかたなくさせられる結婚.
spríng-wínter màrriage 若い女性と年老いた男性との結婚.
tríal márriage 試験結婚.

mar·row /mǽrou/

名 〔解剖〕髄, 骨髄.

bóne màrrow 髄, 骨髄.
réd márrow 〔解剖〕赤色(骨)髄.
spínal màrrow 〔解剖〕脊髄(せきずい).
végetable màrrow 種々のペポカボチャの総称.

mar·shal /máːrʃəl/

名 **1** (陸軍の)元帥; 軍の高官, 司令官. **2** 《英》判事付き事務官. **3** 《米》(いくつかの都市で)警察署長, 消防署長; 警察官. **4** 《英史》王廷の高官.

áir chíef márshal 〔英空軍〕大将.
áir márshal 〔英空軍〕中将.
áir vice márshal 〔英空軍〕少将.
Éarl Márshal 〔紋章〕(英国で)紋章院総裁.
fíeld màrshal 〔軍事〕(英・独・仏などの)陸軍元帥.
fíre màrshal 消防本部長.
júdge's márshal 《英》判事付き事務官.
knìght márshal 〔英史〕宮廷裁判官.
próvost màrshal 〔陸軍〕憲兵司令官, 憲兵隊長.
ský màrshal 《米》航空警官.

mar·ten /máːrtən | -tin/

名 〔動物〕テン.

Américan márten アメリカテン.
báum màrten ＝pine marten.
béech màrten ＝stone marten.
fóul márten ケナガイタチ(polecat).
píne màrten マツテン.
stóne màrten ムナジロテン.
swéet márten ＝pine marten.
yéllow-thròated márten キエリテン.

mar·tin /máːrtən | -tin/

名 数種のツバメの総称.

bée màrtin タイランチョウ科タイランチョウ属の総称.
hóuse màrtin ニシイワツバメ.
púrple mártin ムラサキツバメ.
sánd màrtin 《英》ショウドウツバメ(小洞燕).

Mar·y /mέəri/

名 聖母マリア(Virgin Mary).

Áunt Máry マリファナ(marijuana).
Blóody Máry (カクテルで)ブラディマリー.
blúe-eyed Máry 〔植物〕アメリカコリンソウ.
cóst·màry キク科の植物; サラダ材料や風味料として用いる.
Háil Máry アベマリア(Ave Maria).

M

hóly Máry	《アイル》信心深い人. ►男性にも用いる.
líttle Máry	《英話》おなか(stomach).
Péter Pául and Máry	ピーター・ポール・アンド・マリー; フォークソングの三人組.
Quéen Máry	クイーンメリー号: 英国の大型客船.
swéet Máry	《米俗》=Aunt Mary.
Týphoid Máry	伝染病の保菌者として悪名高かった女性のあだ名.
Vírgin Máry	聖母マリア.

-mas /məs/

連結形 …祭, 祝祭日: キリスト教の祭日をあらわす.
★ 名詞をつくる.
◆ 中英 *masse*; 古英 *mæsse* ミサ＜俗ラ**messa*, 後期ラ *missa*(ラ *mittere*「送り出す」の過去分詞より).
[発音] 語頭の音節に第 1 強勢.

All·hal·low·mas 名	《古》諸聖人の祝日, 諸聖徒日, 万聖節.
Can·dle·mas 名	(ローマカトリックで)聖燭(せいしょく)祭, 聖母お潔(きよ)めの祝日.
Chil·der·mas 名	《主に英古》無辜聖嬰児(むこせいえいじ)の記念日, 幼子の日(Holy Innocents' Day).
Christ·mas 名	☞
Hal·low·mas 名	《古》=Allhallowmas.
Lam·mas 名	収穫祭, ラマス.
Mar·tin·mas 名	(聖)マルティヌス祭.
Mich·ael·mas 名	《主に英》聖ミカエル祭.
Xmas 名	=Christmas.

ma·ser /méizər/

名 メーザー, 電気衝撃増幅器. ►*m*icrowave *a*mplification by *s*timulated *e*mission of *r*adiation より.

ammónia màser	〚物理〛アンモニアメーザー.
gás màser	〚物理〛気体メーザー.
hýdrogen màser	〚物理〛水素メーザー.
óptical máser	〚物理〛レーザー.
sólid-stàte máser	〚電子工学〛固体メーザー.

mask /mǽsk, mɑ́ːsk | mɑ́ːsk/

名 **1** 覆面; 仮面. **2** マスク. **3** 顔形. ――動他 …を仮面で覆う.

ánti·màsk	(仮面劇の)幕あいの道化狂言.
áperture màsk	〚テレビ〛=shadow mask.
déath màsk	デスマスク, 死面.
dis·másk 動他自	《古》=unmask.
fáce màsk	〚スポーツ〛フェースマスク.
gás màsk	防毒マスク.
gráss màsk	マリファナ吸引マスク.
lífe màsk	生きている人から取る顔型.
lóo màsk	《廃》(顔の上半分を覆う)半マスク.
óxygen màsk	酸素マスク.
shádow màsk	〚テレビ〛シャドーマスク.
skí màsk	スキーマスク.
stócking másk	(強盗などの)ストッキングの覆面.
swím màsk	水中マスク.
ùn·másk 動他	…の仮面をはぐ, 変装を暴く.

ma·son /méisn/

名 **1** 石工, 石屋. **2** フリーメーソン.

Anti-Máson	〚米史〛フリーメーソン秘密結社反対党(Anti-Masonic party)の党員.
bríck·màson	れんが(積み)職人(bricklayer).
Frée·màson	フリーメーソン.
máster máson	第三級に達したフリーメーソン.
stóne·màson	石工, 石屋.

Mass /mǽs/

名 ミサ, ミサ聖祭.

Bláck Máss	黒ミサ.
Convéntual Máss	修道院の日々のミサ.
fólk màss	フォークミサ: フォークミュージックを用いて行うミサ典礼.
Hígh Máss	〚ローマカトリック〛盛式ミサ, 荘厳歌ミサ, 大ミサ(Solemn Mass).
Lów Máss	読唱ミサ: ミサ文を読むだけのきわめて単純化された形式のミサ.
Máry·màss 名	聖母マリアの祝日.
núptial máss	〚ローマカトリック〛婚姻のミサ.
Pontífical Máss	〚ローマカトリック〛司教盛儀ミサ.
Réd Máss	〚ローマカトリック〛赤ミサ: 殉教者を記念するミサ; 祭服が赤色であることから.
Sólemn Máss	=High Mass.
súng Máss	〚ローマカトリック〛歌ミサ.
Tridéntine màss	感謝の祈祷(きとう)書.
vótive Máss	〚ローマカトリック〛随意ミサ.

mass /mǽs/

名 **1** 塊. **2** 集まり. **3** かさ, 大きさ; 〚物理〛質量.

áctive máss	〚化学〛活動量.
ád·màss 名	《主に英》アドマス: マスコミ宣伝方式による大衆向けの強力な市場活動; 大量広告による販売促進.
áir màss	〚気象〛気団.
atómic máss	〚化学〛原子質量.
bí·o·màss 名	〚生態〛生物量, 現存量.
blúe máss	〚薬学〛水銀練剤, 青塊.
Crítical Máss	《米》省エネ自転車推進運動[デモ].
crítical máss	〚物理〛臨界質量.
gravitátional máss	〚物理〛重力質量.
gróund·màss	〚岩石〛石基.
hárd máss	〚宝石〛ハードマス.
inértial máss	〚物理〛慣性質量.
lánd·màss	〚地質〛陸塊.
lúnar máss	〚天文〛月の質量.
mércury màss	〚薬学〛=blue mass.
míssing máss	〚天文〛ミッシングマス, 見えない質量.
piláster màss	〚建築〛扶壁柱, 控壁柱.
redúced máss	〚力学〛換算質量.
rélative molécular máss	〚化学〛分子量.
relativístic máss	〚物理〛相対論的質量.
rést màss	〚物理〛静止質量.
sólar máss	〚天文〛太陽質量.
wáter màss	〚海洋〛(水温・塩分などが)ほぼ同一の性質を持った海水の集まり.

mas·sa·cre /mǽsəkər/

名 (戦争・迫害などにおける, 無差別な)大虐殺; 大量殺戮(さつりく), 皆殺し.

Beirút mássacre	ベイルート虐殺事件(1982).
Bóston Mássacre	〚米史〛ボストン虐殺事件.
Gléncoe Mássacre	〚英史〛グレンコウの虐殺.
Peterlóo Mássacre	〚英史〛ピータールーの虐殺.
Sàint Barthólomew's Dày Mássacre	〚仏史〛サン・バルテルミーの大虐殺.
Septémber Mássacre	〚仏史〛九月虐殺事件.
St. Válentine Dày mássacre	〚米史〛聖バレンタインデーの虐殺.

mast /mǽst, mɑ́ːst | mɑ́ːst/

名 〚海事〛マスト, 帆柱. ――動他 …にマストを立てる.

áfter màst 後部マスト, 後檣(こうしょう)後マスト.
blóck mást 滑車付きマスト.
buílt-up mást =made mast.
cáptain's màst 〖米海軍〗艦内法廷.
cárgo màst カーゴマスト.
dis·mást 動他 〈船から〉マストを取り去る.
fóre·màst 名 フォアマスト, 前檣(ぜんしょう).
hálf-mást 名 (弔意を示す)半旗の位置(マストや柱などの中程まで下げた旗の位置).
jígger·màst ジガーマスト.
lówer mást ロワーマスト, 下檣(かしょう).
máde màst 寄せ木[組み立て]マスト.
máin·màst メーンマスト, 大檣(だいしょう).
Marcóni màst マルコーニマスト.
míz·zen·màst ミズンマスト, 後檣(こうしょう).
móoring màst (気球の)係留塔[柱].
néu·ro·màst 名 神経小丘.
póle màst (一本)棒マスト, 棒檣(ぼうしょう).
róyal mást ロイヤルマスト.
topgállant màst トゲルンマスト, ゲルンマスト.
tóp·màst 中檣(ちゅうしょう), トップマスト.
trýsail màst 《古》トライスルマスト.

mas·ter /mǽstər, mɑ́ːs-|mɑ́ːstə/

1 (物を)自由に駆使できる人, 精通者, 熟達者. **2** 支配者. **3** 師. **4** 《主に英》(男の)教師.

bággage·màster 手荷物係.
bállet màster バレエマスター, バレエ教師.
bánd·màster 楽団指揮者, 楽長, バンドマスター.
béach·màster 縄張りを持つオットセイの雄.
béast·màster 《米学生俗》いつもブスとデートするやつ.
bée·màster 養蜂(ようほう)家.
bréw·màster (醸造所の)醸造監督.
búrgo·màster (オランダ・フランドル地方・ドイツ・オーストリアの)市長.
búsh·màster ブッシュマスター: 毒ヘビの一種.
caréers màster 《英》(中等学校で)職業の進路指導教師.
céllar·màster ワインの醸造主任.
chápel·màster =choirmaster.
chóir·màster 聖歌隊指揮者.
cóal màster 炭鉱主(coal owner).
cóncert·màster 《米・カナダ》〖音楽〗(管弦団の)第1バイオリンの首席奏者.
dáncing màster 男性のダンス教師.
díve·màster ダイブマスター: ダイバーの安全を確認する有資格の監視員.
dóck·màster 〖海事〗船渠(せんきょ)長.
dríll·màster 訓練者, 訓練教師.
fág·màster 《英》(パブリックスクールで)雑用をさせる下級生(fag)を持っている上級生.
flóck·màster 牧羊業者; 羊飼い.
fórge-màster 鍛造屋, 鍛造工場主.
fórm-màster 《英》学級担任.
gámes màster 《英》体育[体操]教師.
Gránd Máster (騎士団・秘密結社・友愛会などの)団長, 会長.
hárbor màster 港長.
héad·máster 《英》(小・中学校の)校長.
hórse màster 馬の調教師.
hóuse·màster (主に私立男子学校の)寮監, 舎監.
Internátional Máster 〖チェス〗インターナショナルマスター.
íron·màster 《主に英》製鉄業者, 鉄工場主.
jób·màster 《英》貸し馬[馬車]屋の主人.
júmp·màster 落下傘部隊降下指揮官.
lánguage màster 語学の教師.
lóad·màster 〖航空〗搭載管理者.
lóck·màster 閘門(こうもん)監視長.
mínt·màster 造幣局長.
múster-màster 船員名簿記載担当官.
óld máster (特にヨーロッパでの15–18世紀の)絵画の巨匠.
ò·ver·mást·er 動他 圧倒する, 制圧する, 打ち勝つ.
pássed máster =past master.
pást máster (…の)名人, 達人, 大家.
páy·màster 給料支払係; (軍隊の)主計官.
póst·màster[1] 郵便局長.
póst·màster[2] 《英》(Oxford 大学 Merton College などの)給費生.
quárter·màster 〖軍事〗補給係将校.
quéstion·màster 《英》=quizmaster.
quíz·màster ゲームの中で参加者に質問する人; クイズ番組の司会者.
rálly·màster ラリーマスター: 自動車ラリーの主催者.
ránge·màster 射撃場主任, 射撃練習場長.
ráttlesnake màster キク科ユリアザミ属の植物の総称.
rè·más·ter 動他 再録する, リマスターする.
ríding màster 馬術教官.
ríng·màster (サーカスの)演技主任[監督].
sáiling màster 《英》(大型ヨットの)航海長; 《米》(軍艦の)航海長.
scéne màster 〖演劇〗(配電盤の, 数個の照明回路を制御する)親スイッチ.
schóol·màster (男の)教師, 先生.
scóut·màster 偵察隊長, 斥候隊長.
shéep·màster 《英》牧羊業者.
shíp·màster 船長(captain).
shípping-màster 《英》海員監督官.
spín màster 《米俗》(ニュースなどで)ある政策に偏った分析をする助言者.
spý·màster スパイ網を指揮する人.
státion·màster (鉄道の)駅長.
sub·mas·ter 《英》助教諭; 副校長.
tálk·màster ラジオ[テレビ]のトークショーの司会.
tásk·màster 仕事割当係.
táxing màster 《英》訴訟費用を査定する官吏.
tóast·màster 宴席の司会者.
tráin·màster 列車長.
trúck·màster 《古》(特に初期米国入植者の)インディアン交易担当者.
wágon màster ほろ馬車隊の隊長.
wárdrobe màster (劇場などの)男性衣装係.
Wéb·màster 〖コンピュータ〗ウェブマスター: ワールドワイドウェブの情報サイトの管理責任者.
wéigh·màster 検量官, 検量人.
wháling-màster 捕鯨船の船長.
wréck màster 難船貨物管理官.
wríting màster 習字の教師.
yárd·màster (鉄道の)構内作業主任.

-mas·ter /mǽstər, mɑ́ːs-|mɑ́ːstə/

連結形 〖海事〗…本マストの船. ⇨ -ER[1].

four-mast·er 名 4本マストの船.
three-mast·er 名 3本マストの帆船.
two-mast·er 名 2本マストの船.

mat /mǽt/

名 **1** (わら・麻などの)マット; むしろ. **2** 敷物.

báth màt バスマット, 浴室用マット.
béer màt (ビアグラス用)コースター.
có·co·màt 名 ヤシござ.
collísion màt 《米海軍俗》ワッフル, パンケーキ.
córking màt 《米海軍俗》マットレス(mattress).
dísh·màt 鍋敷き.
dóor·màt ドアマット; いいようにされる人.
dríp màt コップ敷き, コースター.
mahála mát クロウメモドキ科ソリチャ属の匍匐

(ᵍˢ̌ₖ)性常緑低木.

pláce màt プレースマット.
práyer màt 〖イスラム教〗礼拝用敷物.
séa màt 〖動物〗葉状・平板状のコケムシの総称.
slíp·màt 滑り止めマット.
súrf màt 《豪話》サーフマット.
táble màt テーブルマット.
wélcome màt ドアマット.

match[1] /mǽtʃ/

名 マッチ(1本), マッチ棒.

bóok màtch ブックマッチ: 二つ折り携帯紙マッチ.
fármer màtch 《米中北部》こすると点火するマッチ.
fríction màtch 摩擦マッチ.
kítchen màtch 台所マッチ.
lúcifer màtch =friction match.
páper màtch =book match.
sáfety màtch 安全マッチ.
slów màtch 火縄, 燃えの遅い導火線.
stríke-ánywhere màtch どこでこすっても火がつくマッチ.

match[2] /mǽtʃ/

名 **1** (1)(性質・外観などの点で)(…に)似通った人[もの]. (2) よく釣り合う一対. **2** 試合; 競走. **3** 結婚. ——動他 **1**〈人・物などに〉(…の点で)匹敵する. **2** …と調和する; …を調和させる.

bést-báll màtch 〖ゴルフ〗ベストボールマッチ.
cróss-màtch 動他〈関連する項目を〉組み合わせる.
fóur-báll màtch 〖ゴルフ〗フォアボールマッチ.
lóve màtch 恋愛結婚.
mis·mátch 名動他 不釣り合いな組み合わせ(をする).
míx-and-mátch 形 種々雑多の物を組み合わせて作った.
òut·mátch 動他 …より勝る, に勝つ, をしのぐ.
òver·mátch 動他 《主に米》勝る; 打ち勝つ.
re·mátch 動他 再び取り組む; …の複製を作る.
rúbber màtch 形 〖スポーツ〗決勝戦の(rubber).
scratch'n match 削って照合するくじ.
shíeld màtch 《豪》シェフィールド・シールド(Sheffield Shield)争奪の試合.
shóoting màtch 射撃の競技会.
shóuting màtch 大声でやり合う口論.
slánging màtch 《英》ののしり合い.
slúgging màtch (野球の)激しい打撃戦.
tést màtch 国際クリケット優勝決定戦.
thrée-báll màtch 〖ゴルフ〗スリーボールマッチ.
Univérsity Màtch 英国のOxford大学とCambridge大学のラグビー対校試合.

match·ing /mǽtʃiŋ/

形〈特に色・外観が〉調和する, (釣り)合っている. ——名 調和すること, 釣り合うこと. ⇨ -ING[2], -ING[1].

cróss màtching 〖医学〗交差(適合)試験.
fúzzy mátching 〖コンピュータ〗ファジーマッチング.
impédance màtching 〖電気〗インピーダンス整合.
nòn·mátching 形 うまくマッチしない, 釣り合わない.

mate[1] /méit/

名 **1**《話》配偶者(夫または妻), 連れ合い. **2**《しばしば複合語》連れ, 仕事仲間, 同僚, 相手, 相棒.

áge·màte 同年齢(層)の人, 同年配の人.
a·máte 動他《廃》…の連れ合い[相手]になる.
béd·màte 寝床を共にする人.
búnk·màte 《米話》宿泊室を共にする人.
cást·màte 出演者仲間.
céll·màte 同房者, 房仲間.
chíef máte 〖海事〗=first mate.
cláss·màte 同級生, クラスメート.
co·máte 名 仲間, 相棒, 連れ.
cópe·màte 《廃》反対者, 敵対者, 相手, 敵手.
créw·màte 同僚乗務員, (特に)宇宙船乗組員仲間.
cróss-máte 動他自 (…と)交雑をする, 異種交配する.
dáte màte 《米俗》(1940年代の十代の間で)(特に決まった)デートの相手.
désk·màte (教室で)同じ机で学ぶ友達.
fírst máte 〖海事〗一等航海士.
flát·màte 《英》フラット(flat)の同居人.
hélp·màte 援助者, 協力者, 仲間.
hóuse·màte 同居人.
ín·màte 名 (病院・施設・刑務所などの)被収容者.
lábel màte 《米話》(レコード業界で)(自分と)同じレコード会社で吹き込みをする人.
lít·ter·màte (動物の)一腹(ᵖᵃ̃ₖᵘ)の子.
méss·màte (軍隊の)食事仲間.
mis·máte 動他自 不適当に組み合わせる; 不似合いな結婚をさせる[する].
nést·mate (蜂などの)同じ巣の仲間.
pén·màte 《豪・NZ俗》同じ囲いの羊を刈る仲間.
pláy·màte (特に子供同士の)遊び友達, 遊び仲間.
róom·màte 同宿者; 同棲(どうせい)相手.
rúnning máte 同じ厩舎(きゅうしゃ)の重要な出場馬のためにペースメーカーとしてレースに参加する馬.
schóol·màte 学校友達, 学友.
séat·màte 隣の人, 隣席者, 同席者.
sécond máte (商船の)二等航海士.
shíp·màte (同じ船の)乗組員, 水兵仲間.
sóul màte (特に異性で)相性のいい人.
stáble·màte 同じ馬小屋の馬, 同厩馬(どうきゅうば).
táble·màte 一緒に食事する人.
téam·màte チームの一員, チームメート.
thírd máte (商船の)三等航海士.
wórk·màte 《主に英》仕事仲間.
yóke·màte 仲間, 相棒.

mate[2] /méit/

名 〖チェス〗チェックメート, 詰み(checkmate).

chéck·màte =mate.
schólar's máte スカラーズメート: 白が4手目でf-7のクィーンで詰む.
sélf-màte セルフメート: 自分のキングが詰めになる手.
smóthered máte 窒息メイト: キングが味方の駒で逃げられず, ナイトで詰められる状態.
stále·màte ステールメイト: キングを動かす以外に指し手がない状態.
súi·màte =self-mate.

ma·te·ri·al /mətíəriəl/

名 **1** 物質, 物; 材料; (物の)構成要素. **2**(小説・調査・報告などの)資料, データ. ——形 **1** 物質からできている. **2** 重要な. ⇨ -IAL.

bì·o·ma·té·ri·al 生物活性物質, 生体適合物質[材料].
ìm·ma·té·ri·al 形 重要でない, 取るに足りない.
nòn·ma·té·ri·al 形 非物質の, 物質でできていない.
ráw matérial 原料, 材料, 未製品, 未加工品.
sóurce matèrial (研究, 調査用)資料.
ùn·ma·té·ri·al 形 非物質的な, 実体のない, 無形の.

M

whácking matérial 《米俗》=whanking material.
whánking matérial 《米俗》女性ヌード雑誌.

ma·te·ri·al·ism /mətíəriəlìzm/

名 **1** (精神的価値を軽視または否定する)物質偏重(主義). **2** 唯物論. ⇨ -ISM[1].

dialéctical matérialism 弁証法的唯物論.
históríical matérialism 史的唯物論, 唯物史観.
ìm·ma·té·ri·al·ism 名 非物質論, 唯心論.

-math /mæθ/

連結形 学問をする人.
★ 名詞をつくる.
★ 語頭にくる形は math-: *math*ematics「数学」.
◆ ギリシャ語 *math*(*eîn*)「学ぶ」より.

op·si·math 名 《文語》晩学の人.
phil·o·math 名 学問好きの人; 学者, (特に)数学者.
pol·y·math 名 博識家.

ma·trix /méitriks, mǽt-/

名 **1** (他のものの発生・形成・発展のもととなる)母体, 基盤. **2** 【数学】マトリックス, 行列.

diágonal mátrix 【数学】対角(線, 型)行列.
dót mátrix 【コンピュータ】ドット・マトリックス.
Hermítian mátrix 【数学】エルミート行列.
idéntity màtrix 【数学】単位行列.
máster mátrix (写しを取るための)原図, 元原稿.
scáttering mátrix 【数学】=S matrix.
Ś màtrix 【数学】【物理】S 行列.
squáre mátrix 【数学】正方行列.
stochástic mátrix 【数学】確率行列.
sùb·mátrix 名 【数学】部分行列, 小行列.
symmétric mátrix 【数学】対称行列.
triángular mátrix 【数学】三角行列.

mat·ter /mǽtər/

名 **1** (物体を構成する)物質, 成分; (実体を持つ)物. **2** (筆記・印刷・出版された)物; 郵便物.

án·ti·màt·ter 名 【物理】反物質.
báck màtter 【印刷】後付け.
cóloring màtter 絵の具; 着色剤 [塗料]; 色素.
condénsed mátter 固形, 固体; 濃縮液.
dárk mátter 【天文】暗黒物質, ダークマター.
déad màtter 【印刷】解版して差し支えない組み版.
degénerate mátter 【物理】縮退物質.
énd màtter 【印刷】=back matter.
fóul màtter 【印刷】使用済み原稿.
frónt màtter 【印刷】(書籍の)前付(まえづけ).
gráy màtter 【解剖】灰白質.
óbject màtter =subject matter.
ó·ver·màt·ter 名 【印刷】次号回しの過剰原稿.
prínted màtter 【郵便】印刷物.
réading màtter (定期刊行物などの)記事, 読み物.
stráight màtter 【印刷】本文の普通組み版.
súbject màtter (議論・文章などの)内容.
whíte màtter 【解剖】白質.

mat·tress /mǽtris/

名 マットレス.

áir màttress 空気マット, エアマットレス.
spríng máttress スプリングマットレス.
wíre màttress (枠に張った)針金で補強したマットレス.

ma·ture /mətjúər, -tʃúər | -tjúə, -tʃúə/

形 〈生物が〉十分に成長 [発育] した, 成長しきった. ⇨ -URE[1].

im·ma·ture 形 未熟の; 未完成の.
o·ver·ma·ture 形 熟しすぎの, 盛り [成熟期] を過ぎた.
post·ma·ture 形 【産科】過熟の, 晩熟の.
pre·ma·ture 形 早すぎる, 時期尚早な; 早まった.

max·i·mum /mǽksəməm/

名 最大量, 最大数. ⇨ -UM[1].

ábsolute máximum 【数学】絶対最大(値).
lócal máximum 【数学】極大; 極大値, 最大値.
rélative máximum 【数学】=local maximum.

may·or /méiər, méər | méə/

名 市 [町, 村] 長, 地方自治体の行政長官.

Lòrd Máyor (英国の特定の都市や主要な自治都市の)市長, 長官.
stróng máyor 《米》強い市長.
tówn máyor 《英》(議会選出の)町長; 町会議長.
wéak máyor 《米》弱い市長.

meal[1] /míːl/

名 **1** (定時の)食事; 食事の時間. **2** 一度の食べ物.

básket mèal (パブなどで)かごに入れて出す食事.
blóod mèal 動物の乾燥血液.
tést mèal (胃液の分泌を調べるための)試験食.

meal[2] /míːl/

名 (ふるいにかけない)粗びき粉; ひき割り穀粉.

álmond mèal アーモンドミール.
bóne mèal 【農業】骨粉.
córn·mèal ひき割り(粗びき)トウモロコシ粉.
cóttonseed mèal 粉にした綿の実のしめかす.
físh mèal 魚粉.
glácial méal 氷河岩粉.
Índian méal 《主に英》=cornmeal.
línseed mèal ひき割り亜麻仁, 亜麻仁かす.
mátzo mèal 【ユダヤ料理】マツァミール.
méalie mèal 《南アフリカ》=cornmeal.
óat·mèal オートミール, ひき割りカラスムギ.
óil mèal (家畜飼料・肥料用の)油かすの粉末.
swéet·mèal 形 〈クッキーなどが〉甘く全粒粉製の.
wáter·mèal ミジンコウキクサ(微塵粉浮草).
whéat·mèal 《英》全粒(小麦)粉.
whóle·mèal 形 《主に英》全粒小麦(粉)の.

-meal /mìːl/

連結形 一時に一定量ずつ.
★ 副詞をつくる.
◆ 中英 *-mele*, 古英 *mǣlum*(*mǣl*「定められた時間」より).

inch·meal 副 少しずつ, しだいに, 徐々に.
piece·meal 副 一つ一つ, 少しずつ, 断片的に.

mean[1] /míːn/

形 〈人・行為が〉いやな, 卑劣な.

be·mean 動他 《古》卑しく [下劣に] する.
de·mean 動他 《まれ》…の品位を落とす.

M

piss-mean 形 《米俗》とても下劣［卑劣］な.

mean[2] /míːn/

名 **1** 手段. **2**〘数学〙平均, 中数.

arithmétic méan 〘統計〙算術平均, 相加平均.
geométric méan 〘数学〙相乗平均, 幾何平均.
gólden méan 中道, 中庸.
harmónic méan 〘統計〙調和平均.
wéighted méan 〘統計〙加重平均.

mean·ing /míːniŋ/

名 (言葉などの)意味; 趣旨, わけ. ── 形 意味する, 表す. ⇨ -ING[1], -ING[2].

cláss mèaning 〘文法〙類の意味.
cógnitive méaning 〘言語〙知的意味.
dóuble-méaning 形 二様の意味に取れる.
emótive méaning 感情的含蓄, 情緒的含意.
grammátical méaning 文法的意味.
léxical méaning 辞書的意味, 語彙(ごい)的意味.
referéntial méaning =cognitive meaning.
ùn·méaning 形 何も意味しない, くだらない.
wéll-méaning 形 〈人が〉善意の, 悪気のない.

mea·sles /míːzlz/

名複 〘病理〙はしか, 麻疹(ましん)(rubeola).

bástard méasles 風疹(ふうしん).
bláck méasles 黒色麻疹(ましん), 出血性麻疹.
Gérman méasles 風疹(ふうしん).
hemorrhágic méasles =black measles.
shéep mèasles 〘家畜病理〙羊嚢(のう)虫症.
thrée-dày méasles 三日はしか.

meas·ure /méʒər/

名 **1** 測定, 計測, 測量, 計量. **2** (比較・評価・判断などの)基準, 尺度. ⇨ -URE[1].

ad·méas·ure 動他 …を計り分ける; 配分する; 測定する.
ángular measure 〘数学〙角度を測るのに用いられる単位.
apóthecaries' mèasure 薬(剤)用液量法.
báluster mèasure 手すり子形液量計.
bínary méasure 〘音楽〙2 拍子.
bóard méasure 〘建築施工〙ボード尺.
cháin mèasure チェーン測定.
círcular méasure 円の中心角度.
clóth mèasure 布尺(ぬのじゃく).
com·méas·ure 動他 (量・広さ・長さ・大きさなどが)…と同等である.
cómmon méasure 〘音楽〙普通拍子, 4 分の 4 拍子.
cóunt·er·mèas·ure 名 対(抗)策, 対案; 報復手段, 逆手.
cúbic méasure 体積度量.
drý mèasure 乾量.
dúple méasure 〘音楽〙2 拍子.
hálf mèasure その場しのぎの手［策］.
lánd mèasure (土地測量に用いる)平方計量法.
línear méasure 尺度法.
líquid méasure 液量(単位).
lóng méasure 〘韻律〙賛美歌調.
máde-to-méasure 形 〈衣服・靴などが〉体型にぴったりの.
mis·méas·ure 動他 間違って測定する［見積もる］.
òut·méas·ure 動他 …に量で勝る, …より量が多い.
ó·ver·mèas·ure 名 過度, 余剰, 過剰.
póulter's méasure 〘韻律〙鳥屋律.
rè·méas·ure 動他 計り直す, 再び測定する.
símple méasure 〘音楽〙単純拍子.
squáre méasure 面積を表す単位; 平方積.
stríke mèasure =struck measure.
strúck méasure 斗掻(とかき)きでならした升目.
survéyor's mèasure (測鎖による)測量単位.
tápe mèasure (布または金属製の)巻き尺.
tríple méasure 〘音楽〙3 拍子(triple time).
wíne mèasure ワインなどに用いた英国の液体体積の旧単位系.
yárd mèasure ヤード尺.

meas·ures /méʒərz/

名複 measure「尺度」の複数形.

cóal mèasures 〘地質〙夾炭(きょうたん)層.
Cúlm Mèasures 〘地質〙クルム層(culm).
Wínchester méasures ウィンチェスターブッシェル(Winchester bushel)の基準になった昔の英国の度量単位.

meat /míːt/

名 (食用の)獣肉, 食肉.

ádder's-mèat 〘植物〙ハコベの一種.
báked méat 《廃》=bakemeat.
báke·mèat 《廃》パイ, 練り粉菓子.
bútcher's mèat (肉屋で売る)食用肉, 食肉.
cárcass mèat 生肉, 鮮肉.
cát's-mèat 《英》猫の餌の肉.
cóld méat コールドミート, 冷肉.
cóld-mèat 形 《俗》死人の.
cráb·mèat かに肉(身).
cúnt mèat 《米俗》女; 女性的なもの［性質］.
dárk mèat 調理すると外側が黒っぽくなる肉.
déad méat 《俗》死体.
dóg mèat 《米俗》死体.
dóg's mèat 犬にやる肉(馬肉など).
éasy méat 《主に英俗》すぐだまされる人.
fárce·mèat =forcemeat.
fórce·mèat フォースミート, 味付け肉.
góvernment-ínspected méat 《米俗》同性愛の対象としての兵士.
líght mèat 白肉.
lúncheon mèat ランチョンミート: 角形ソーセージ.
lúnch·mèat =luncheon meat.
mínce·mèat ミンスミート: sweet meat の一種.
mónkey mèat 《米陸軍俗》かたい肉.
mýstery mèat 《米学生俗》得体の知れない肉.
nút·mèat 《米》堅果の仁(じん).
píg mèat 《英》豚肉, ハム, ベーコン.
ráw mèat 《俗》性器; 性行為.
réd méat 赤肉.
sáusage mèat (ソーセージ用の)味付けひき肉.
shéep mèat 《英》羊肉, マトン, ラム.
síde mèat 《主に米南部》豚バラ肉の塩漬け.
sóup·mèat スープストックに使われる牛肉.
spóon mèat (特に, 幼児・病人用の)流動食.
stréet-mèat 《米俗》街角の売春婦, 街娼.
stróng méat 堅い肉.
swéet·mèat (砂糖・蜂蜜などで作る)甘い菓子.
tíger mèat 《俗》牛肉(beef).
varíety mèat 《主に米》くず肉.
whíte mèat 白肉, 白身の肉.

me·chan·ic /məkǽnik/

名 機械(修理)工, 整備士. ⇨ -IC[1].

àero·mechánic 航空技師, 飛行機修理［整備］工.
áir mechànic 《英》航空技工(兵).
déntal mechànic 歯科技工士(dental technician).
máster mechánic 熟練工; (特に)職工長, 職長.

me·chan·i·cal /məkǽnikəl/

形 **1** 機械(上)の, 機械に関係のある; 工具の. **2** 機械で製造した. ⇨ -ICAL.
★ 語頭にくる関連形は mechan(o)-: *mechan*ician「機械技師」.

e·lec·tro·me·chan·i·cal 形 電気機械の, 電気機械に関する.
mi·cro·me·chan·i·cal 形 微小機械的な.
phot·o·me·chan·i·cal 形 写真製版(印刷)の.
un·me·chan·i·cal 形 機械的ではない.

me·chan·ics /məkǽniks/

名複 力学. ►kinetics, statics, kinematics を含む. ⇨ -ICS.

àer·o·me·chán·ics 名複 空気 [航空] 力学.
bì·o·me·chán·ics 名複 生物機械学, 生体 [生物] 力学.
bódy mechànics ボディーメカニックス, 機能体操.
celéstial mechánics 天体力学.
clássical mechánics 【物理】古典力学.
e·lèc·tro·me·chán·ics 名複 電気機械技術.
flúid mechánics 流体力学.
gè·o·me·chán·ics 名複 地力学.
hy·dro·me·chán·ics 名複 流体力学(hydrodynamics).
mátrix mechànics 【物理】行列力学.
mì·cro·me·chán·ics 名複 マイクロ工学.
Newtónian mechánics 【物理】=classical mechanics.
quántum mechánics 【物理】量子力学.
róck mechànics 岩石力学.
sóil mechànics 土質力学.
statístical mechánics 【物理】統計力学.
tél·e·me·chàn·ics 名複 (機械類の)遠隔操作法.
wáve mechànics 【物理】波動力学.

mech·an·ism /mékənìzm/

名 **1** (大型機械の)連動装置. **2** 機構, 構造. **3**【精神分析】無意識的手段. ⇨ -ISM[1].

àu·to·méch·an·ism 名 自動(機械)装置.
cóping mèchanism 【心理】能動 [対処] 機制.
defénse mèchanism 【生理】防御機構.
escápe mèchanism 【心理】逃避機制.
Exchánge Ràte Méchanism 為替相場メカニズム.
nèu·ro·méch·an·ism 名 神経機構.
reléasing mèchanism 【動物行動】リリーシングメカニズム.
sér·vo·mèch·an·ism 名 【機械】サーボ機構(servo).
trígger mèchanism 【心理】【生理】トリッガー機構.

med·al /médl/

名 メダル, 記章, 勲章.

Áirman's Mèdal 《米》航空兵記章.
Áir Mèdal 《米》航空勲章.
brónze médal (競技などの)銅メダル, 銅賞.
campáign mèdal =service medal.
Distínguished Cónduct Mèdal 【英軍事】功労章.
Distínguished Sérvice Mèdal 【米軍事】殊勲章.
góld médal (競技などの)金メダル, 金賞.
Góod Cónduct Mèdal 【米軍事】善行記章.
léather médal 《米俗》最下位賞(booby prize).
nò-cláp médal 《米軍俗》=Good Conduct Medal.
pútty mèdal 《英・こっけい》ささいな貢献に対するつまらない報酬.
Quéen's Gállantry Médal 《英》女王の勇敢章(1974 年創設).
scápular mèdal 【ローマカトリック】スカプラリオ(scapular)の代わりにつける略章.
sérvice mèdal 《米》【軍事】従軍記章.
sílver médal (競技などの)銀メダル, 銀賞.
Sóldier's Mèdal 【米軍事】軍人勲章.
Spám mèdal 《英軍俗》軍人の勲章.
Víctory Mèdal 《米》戦勝記念章.

me·di·a /míːdiə/

名 **1** medium「中位, 中間」の複数形. **2** マスメディア, (広告)媒体. ⇨ -IA.

bi-média 名 両用メディア: ラジオとテレビの共用.
frée média 《米》無料メディア.
hýper·mèdia 名 【コンピュータ】ハイパーメディア: 異なるメディアを総合的に組み立てて提示する方法.
ìnter·média[1] 名 インターメディア.
ìnter·média[2] 名複 intermedium「仲介物」の複数形.
máss média mass medium「マスメディア」の複数形.
míxed média =multimedia.
mùlti·média 名複 マルチメディア, 多元媒体.
néws mèdia マスメディア, (公告)媒体.
nòn-média 名 ノンメディア: マスメディア以外の情報伝達手段の個別契約によって配信されるサービス.
páid média 《米》有料メディア.
prínt mèdia (新聞・雑誌など)印刷媒体.
téle·mèdia 名 有料案内電話メディア.

med·i·cal /médikəl/

形 医学 [医療, 医術] の; 医師の; 医用の. ⇨ -ICAL.
★ 語頭にくる関連形は medic(o)-: *medico*chirurgical「外科・内科学の」.

àero·médical 形 航空医学の.
májor médical 高額医療費保険.
pàra·médical 形 医師の手伝いをする.
prè·médical 形 医学部進学課程 [医科大学予科] の.

med·i·cine /médəsin | médsin/

名 **1** (内服)薬, 医薬品, 薬剤, 薬物. **2** 医術, 医学, 医療. ⇨ -INE[2].

àer·o·méd·i·cine 名 =aviation medicine.
altérnative médicine 代替医学.
ànti-sénse mèdicine アンチセンス医学.
aviátion mèdicine 航空医学.
bì·o·méd·i·cine 名 生体臨床医学: 生物学, 生理学などの臨床医学への応用.
commúnity médicine 地域医療.
compleméntary médicine =alternative medicine.
defénsive médicine 医師の自己防御措置.
Dútch médicine 《南アフリカ》(特に薬草で作った)特許医薬品.
fámily médicine =community medicine.
fólk mèdicine 民間療法.
forénsic médicine 法医学.
frínge mèdicine 補助医療.
geográphical médicine 地理医学, 気候環境医学.
gè·o·méd·i·cine 名 =geographical medicine.
Gód's mèdicine 《米麻薬俗》麻薬.
gróup médicine 集団医療.
indústrial médicine (企業労働者の健康維持のための)産業医療.
intérnal médicine 内科(学).
légal médicine =forensic medicine.
núclear médicine 核医学.
occupátional médicine 職業 [労働] 病医学.
pátent médicine (医師の処方箋(せん)なしで販売される)売薬.
phýsical médicine 物療医学, 物療学.
preventive médicine 予防医学.
sócialized médicine 《米》公営医療制度.
spáce mèdicine 宇宙医学.

spórts mèdicine スポーツ医学.
státe médicine ＝socialized medicine.
tél·e·mèd·i·cine 名 遠隔［通信］医療.
trópical médicine 熱帯医学.
véterinary médicine 獣医学(特に家畜関係).

me·di·um /míːdiəm/

名 **1** 中位, 中間. **2** 媒体. **3**(伝達・媒体の)機関, (マス)メディア. **4**〘細菌〙培地. ⇨ -IUM.

Bávister's médium 〘医学〙バビスター培地.
círculating mèdium 流通貨幣［手段］.
cóntrast mèdium 〘医学〙造影剤.
cúlture mèdium 〘細菌〙培地, 培養基.
dispérsion mèdium 〘物理化学〙分散媒.
dispérsive médium 〘物理〙分散性媒質.
èpi·médium メギ科イカリソウ属の植物の総称.
háppy médium 中庸, 中道, 折衷(案).
ìn·ter·mé·di·um 名 仲介物, 媒介物.
máss médium 《通例 mass media》マスメディア.
vírgin médium 〘コンピュータ〙無穿孔媒体.

med·ley /médli/

名 **1**(特に種類の異なる要素の)寄せ集め, ごた混ぜ; 種々雑多な人々の集まり. **2**《古》乱闘.

chánce-mèdley 〘法律〙(自己防衛のための)防衛殺人; (広く)偶発的殺人.
cháud-mèdley 〘法律〙激情殺人.
dístance mèdley 〘陸上競技〙ディスタンス・メドレー.
indivídual médley 〘水泳〙個人メドレー.
sprínt médley 〘陸上競技〙スプリントメドレー.

meet /míːt/

名《主に米》(スポーツなどの)競技会, 大会.

cómfield mèet 《米鉄道俗》列車の正面衝突.
swáp mèet 《米》(中古品などの)交換即売会.
swím mèet 水泳［ダイビング］競技会.
tráck mèet 《米・カナダ》陸上競技大会.

meet·ing /míːtiŋ/

名 **1** 集まること, 集合; (偶然の, または約束による)出会い, 遭遇; (意見などの)一致, 触れ合い. **2** 会, 会合; (仕事のための)会議. ⇨ -ING[1].

básket mèeting 《米》バスケット集会.
cámp mèeting 《米》(テント内または野外で開かれる)伝道集会.
electrónic méeting テレビ会議.
expérience mèeting ＝testimony meeting.
gó-to-méeting 形 〈服装が〉教会行きの, よそ行きの.
indignátion méeting (国民, 市民)抗議集会, 決起集会.
jóint méeting (二院制議会の両院の)合同会議.
máss méeting 大衆集会.
mónthly méeting 日会: クエーカー教徒の地区集会.
móthers' méeting 《英》(教区などの)母の会.
práyer mèeting 祈祷(きとう)会.
protrácted méeting 〘キリスト教〙信仰復興伝道集会.
Quàker mèeting クエーカー教徒の集会.
Quárterly Méeting 〘キリスト教〙四季集会.
ráce mèeting 《主に英》競馬大会.
shérpa mèeting シェルパ会議: 先進国首脳会議の準備担当官会議.
súmmit mèeting (国家の元首の)首脳会談, 頂上会談.
Súnday-gò-to-méeting 形 《話》いちばん上等の, ぱりっとした.
tént mèeting ＝camp meeting.
téstimony mèeting 証(あかし)会: 教会などで, 信仰もしくは信仰体験を語る集会.
tówn méeting 《米》町民会議; 寄合い.
wátch mèeting 除夜の集会［礼拝］.
wínter méeting 《米》〘野球〙(シーズン後の大リーグの)選手トレード会議.
Yéarly Méeting 〘キリスト教〙(クエーカー教徒の)年会.

-meg·a·ly /mégəli/

連結形 部分的拡大, 肥大.
★ 名詞をつくる.
★ 語頭にくる関連形は mega-, megalo-: *mega*lith「巨石記念物」, *megalo*polis「巨大都市」.
◆ 近代ラテン語 *-megalia* より. ⇨ -Y[3].

ac·ro·meg·a·ly 名 先端巨大症, 末端肥大症.
car·di·o·meg·a·ly 名 心臓肥大症, 巨心症.
dac·ty·lo·meg·a·ly 名 巨大指症.
hep·a·to·meg·a·ly 名 肝腫(かんしゅ), 肝腫脹.
neph·ro·meg·a·ly 名 腎肥大(症).
sple·no·meg·a·ly 名 脾臓(ひぞう)肥大症.

-meis·ter /máistər/

連結形《米俗》…が得意な人, …の大家.
★ 名詞をつくる.
◆ ドイツ語 *Meister*「親方」の俗語用法.

chéese·mèister 《米俗》ばか.
Kapéll·mèister カペルマイスター: 聖歌隊指揮者.
pérk·mèister 《米俗》(政治機構で)人事や特権の配分を取りしきる人.
schlóck·mèister 《米俗》安物［がらくた］を売る人.
Wéb·mèister 〘コンピュータ〙ウェブマイスター, ウェブマスター: ワールドワイドウェブの情報サイトの管理責任者.

-mel /mèl, məl/

連結形 蜂蜜.
★ 名詞をつくる.
★ 語頭にくる関連形は melli-: *melli*ferous「蜜のできる」.
◆ ラテン語 *mel*「(薬用の)蜂蜜」より.
［発音］すべて 3 音節の語で, 語頭の音節に第 1 強勢.

oe·no·mel 名 ぶどう酒に蜜を混ぜた飲み物.
ox·y·mel 名 〘薬学〙肺気腫その他の心肺疾患を有する患者のための携帯用の酸素タンク.

-me·li·a /míːliə, -ljə/

連結形 〘病理〙四肢の特定の状態.
★ 名詞をつくる.
◆ ＜近代ラ(ギ *mélos*「四肢」を表す連結形). ⇨ -IA.

a·mel·i·a 名 無肢症.
dys·mel·i·a 名 肢異常, ディスメリア.
ec·tro·me·li·a 名 先天性四肢欠損(症).
pho·co·me·li·a 名 アザラシ状奇形, アザラシ(肢)症.
pho·ko·me·li·a 名 ＝phocomelia.

mel·on /mélən/

名 メロン.

cítron mèlon 丸く肉の堅いスイカの一品種.
Crénshaw mèlon クレンショーメロン.
hóneydew mèlon 甘露メロン.
mángo mèlon マンゴーメロン.
músh·mèlon 《古風》＝muskmelon.
músk·mèlon マスクメロン.
nétted mélon ネットメロン, アミ(網)メロン.
nútmeg mèlon ＝netted melon.
Pérsian mélon ペルシアメロン.

M

róck mèlon 《米・豪・NZ》カンタループ(メロン).
séa mèlon 〖動物〗ナマコ.
wáter·mèl·on スイカ.
wínter mélon フユ(冬)メロン.

melt /mélt/

動他 〈固体を〉溶かす, 融解する. ―― 名 溶解[溶融]作用[状態].

córe mèlt 〖原子力〗メルトダウン, 炉心溶融.
déad-mélt 動他 〈鋼を〉完全脱酸した完全鎮静鋼に溶製する.
hót·mèlt 製本用接着剤.
rè·mélt 動他 再び溶かす[溶解する].
snów·mèlt 雪解け.

mem·ber /mémbər/

名 **1** (集団の)一員, 構成員[要素]. **2** (人・動物の)体の一部; 手足.

cárd·mèmber クレジットカード保有者.
chárter mémber 《主に米》(団体・協会などの)創立委員.
cóngress·mèmber 国会議員, (特に)米国下院議員.
cóuncil·mèmber (評議会などの)委員; (特に)議員.
dis·mém·ber 動他 …の手足を切り取る[もぎ取る].
énd mèmber 〖鉱物〗端成分.
fóunder mèmber 創立会員.
lífe-mèmber (図書館・団体などの)終身会員.
nòn·mém·ber 名 会員外の人, 非組合員, 非党員.
Prívate Mémber 《英》(下院の)平議員, 一般議員.
viríle mèmber 男根(penis).
wéb mèmber 〖土木〗腹材, ウェブ材.

mem·brane /mémbrein/

名 〖解剖〗薄膜, 膜. ⇨ -ANE[1].

básement mèmbrane 基底膜.
básilar mémbrane 基底膜.
bì·o·mém·brane 名 生体膜.
céll mèmbrane 細胞膜.
cy·to·mém·brane 名 ＝cell membrane.
embryónic mémbrane ＝extraembryonic membrane.
én·do·mèm·brane 名 細胞内の小器管を包んでいる膜.
extraembryónic mémbrane 胚(はい)体外膜, 胚膜.
hýaloid mèmbrane 硝子(しょうし)体膜.
líquid mémbrane 液状膜; 液体油膜.
múcous mémbrane 粘膜.
níctitating mémbrane 瞬膜, 第三眼瞼(がんけん).
núclear mémbrane 核膜.
peridéntal mémbrane ＝periodontal membrane.
periodóntal mémbrane 歯根膜.
plásma mémbrane ＝cell membrane.
púrple mémbrane 紫細胞膜.
sérous mémbrane 漿膜(しょうまく).
tectórial mémbrane 蓋膜(がいまく).
trans·mém·brane 形 〈膜電位, イオン・ガスの運搬が〉膜を通しての, 膜を通して発生する.
tympánic mémbrane 鼓膜.
únit mémbrane (細胞の)単位膜.
vírginal mémbrane 処女膜(hymen).
vitélline mémbrane 卵黄膜.

mem·o·ry /méməri/

名 記憶; 想起, 回想; (大脳の)記憶作用. ⇨ -Y[3].

auxíliary mémory 〖コンピュータ〗補助記憶装置.
búbble mèmory 〖コンピュータ〗バブルメモリー.
cáche mèmory 〖コンピュータ〗キャッシュメモリ.
Cómpact Disc Rèad-Only Mémory 読み取り専用光記憶ディスク(CD-ROM).
compúter mèmory 〖コンピュータ〗記憶容量.
cóntent-addrèssable mémory 〖コンピュータ〗連想記憶装置.
córe mèmory 〖コンピュータ〗磁心記憶装置.
drúm mèmory 〖コンピュータ〗ドラムメモリー.
échoic mèmory 〖心理〗音響記憶.
fàlse mémory 〖精神医学〗虚偽記憶.
fólk mémory 〖社会〗一民族[集団]の共通の記憶.
icónic mémory 〖心理〗映像的記憶.
láser mèmory 〖コンピュータ〗レーザーメモリー.
légal mémory 法的記憶の及ぶ期間.
lóng-tèrm mémory 〖心理〗長期記憶.
magnétic búbble mèmory 〖コンピュータ〗磁気バブルメモリ.
magnétic-córe mémory 〖コンピュータ〗＝core memory.
máin mémory 〖コンピュータ〗主記憶装置.
ón-bóard mémory 〖コンピュータ〗オンボード・メモリ.
óptical mémory 〖コンピュータ〗光メモリー.
photográphic mémory 正確で細密な記憶.
plástic mémory プラスチックメモリー: 熱可塑性プラスチックが内蔵する潜在的な弾性復元力.
prímary mémory 〖コンピュータ〗＝main memory.
rácial mémory 〖心理〗種記憶, 人種・民族記銘.
rándom-access mémory 〖コンピュータ〗ラム, ランダムアクセス(RAM).
réad-ónly mèmory 〖コンピュータ〗読み取り[出し]専用記憶装置, ロム.
récoverd mèmory 〖精神医学〗(抑圧から)回復した記憶.
scréen mèmory 〖精神分析〗隠蔽(いんぺい)記憶.
sécondary mémory 〖コンピュータ〗補助記憶装置.
sérial-àccess mémory 〖コンピュータ〗順次アクセス記憶装置.
shápe mèmory 形状記憶.
shórt-tèrm mémory 〖心理〗短期記憶.
vírtual mémory 〖コンピュータ〗仮想記憶(機構).
wórking mèmory 〖心理〗作動記憶.

-men /mən/

接尾辞 名詞形成接尾辞.
◆ ラテン語より.

ab·do·men 名 〖解剖〗〖動物〗(哺乳動物の)腹.
a·cu·men 名 明敏, 鋭敏, 慧眼(けいがん).
al·bu·men 名 卵の白身, 卵白.
ca·cu·men 名 頂上, 頂点, 絶頂.
cy·cla·men 名 〖植物〗シクラメン.
du·ra·men 名 〖林業〗赤み, 心材.
ex·a·men 名 〖教会〗(良心などの)糾明, 吟味.
fla·men 名 (古代ローマの万神殿(pantheon)で特定の神に仕えた)神官, 祭司.
fo·ra·men 名 (骨や植物の胚珠(はいしゅ)皮などの)穴.
gra·va·men 名 〖法律〗(訴えなどの)最重要点.
le·gu·men 名 マメ, マメ科の植物の総称.
nu·men 名 (自然物に宿ると考えられる)霊.
pu·ta·men 名 〖植物〗果核.
reg·i·men 名 〖医学〗養生法.
ru·men 名 〖病理〗こぶ胃, 瘤胃(りゅうい).
se·men 名 精液, ザーメン.
spec·i·men 名 (動植物・鉱物・部品などの)見本.
sta·men 名 〖植物〗雄蕊(ゆうずい), 雄しべ.
teg·men 名 覆い, 外被.
ve·la·men 名 〖解剖〗被膜, 膜.
vi·men 名 〖植物〗長柔枝.

mend /ménd/

動他 …を直す, 修繕する; 改める; 改善する.

a·mend 動他 〈動議・法案・憲法などを〉修正する.
e·mend 動他 〈原稿・書籍の〉本文を校訂する.

-mend /ménd/

M

[連結形] 命ずる, 委託する.
★ 語末にくる関連形は -MAND.
★ 語頭にくる形は mand-: *mand*amus「職務執行令状」, *mand*ate「要求, 指図; 委任, 権能付与, 付託」.
◆ ＜ラ *-mendāre*(*mandāre* の連結形より).

com·mend 動他 推薦する.
rec·om·mend 動他 推薦する; 助言する; 示唆する.

men·or·rhe·a /mènəríːə/

名 〖医学〗(正常な)月経. ⇨ -RRHEA.

a·men·or·rhe·a 名 無月経.
dys·men·or·rhe·a 名 《米》月経困難(症), 月経疼痛(とうつう).
hy·per·men·or·rhe·a 名 月経過多(症).
hy·po·men·or·rhe·a 名 過少月経, 月経過少(症).
ol·i·go·men·or·rhe·a 名 過少月経.

-ment /mənt/

[接尾辞] **1** 動作・過程: accomplish*ment*. **2** 行為の結果・産物: assign*ment*. **3** 手段: reinforce*ment*. **4** 行為をする場所: ambush*ment*.
★ 名詞をつくる.
★ 語末にくる関連形は -MENTATION, -MENTO, -MENTUM.
◆ 中英 *-ment* ＜古仏 *-ment* ＜ラ *-mentum*(通常, 動詞から名詞をつくる接尾辞).
[発音] 基語の第 1 強勢と同じ.

a·ban·don·ment 名 捨てること, 放棄.
a·bate·ment 名 減少, 減退; 軽減, 緩和.
a·bonne·ment 名 (劇場などの切符の)定期予約.
a·bridge·ment 名 ＝abridgment.
a·bridg·ment 名 (書物などの)縮約版, 抄本.
a·but·ment 名 〖建築〗迫台(せりだい), 迫持受(せりもちうけ).
ac·com·pa·ni·ment 名 付き物, 付随物; (料理の)つまみ.
ac·com·plish·ment 名 完成, 成就, 仕上げ; 実行, 遂行.
ac·couche·ment 名 産褥(さんじょく); 出産, 分娩.
ac·cou·ple·ment 名 結合, 連結; 結びつけるもの.
ac·cou·ter·ment 名 (個人の)衣服, 装身具.
a·char·ne·ment 名 残忍さ; (憎悪などの)激しさ.
a·chieve·ment 名 達成したもの, 業績; 功績, 偉業.
ac·knowl·edge·ment 名 ＝acknowledgment.
ac·knowl·edg·ment 名 認めること; 認知; 白状.
ac·quire·ment 名 取得, 獲得, (特に学問の)習得.
ad·dit·a·ment 名 付加物, 添加物(addition).
ad·journ·ment 名 延期, 日延べ; 休会.
ad·just·ment 名 ☞
ad·meas·ure·ment 名 計量, 測定.
a·dorn·ment 名 装飾品, アクセサリー.
ad·vance·ment 名 前進, 進出.
ad·ver·tise·ment 名 (商品の)広告, 宣伝.
ad·ver·tize·ment 名 ＝advertisement.
ad·vise·ment 名 《主に米・英古》熟慮, 熟考; 審議.
af·freight·ment 名 船積み契約, 用船.
a·gist·ment 名 《廃》(家畜の)有償飼育.
a·gree·ment 名 ☞
a·gré·ment 名 〖音楽〗アグレマン, 装飾音.
ail·ment 名 《文語》(軽い, または慢性の)病気.
a·lign·ment 名 並べる [並ぶ] こと, 整列.
al·i·ment 名 栄養物, 滋養物; 食物.
a·line·ment 名 ＝alignment.
al·lot·ment 名 割り当て, 配分, 分配, 配付.
al·lure·ment 名 魅力, 誘惑.
a·maze·ment 名 驚嘆, 仰天, びっくり.
am·bush·ment 名 待ち伏せ場所 [地点].
a·mend·ment 名 改心, 改善; 好転.
am·or·tize·ment 名 (控え壁・柱の)傾斜した上端部.
a·muse·ment 名 楽しみ, 慰み, 気晴らし, 遊び.
an·nex·ment 名 添加; 併合, 合併.
an·nounce·ment 名 公告, 告知, 布告, 予告.
an·nul·ment 名 取り消し, 廃止, 廃棄.
a·noint·ment 名 塗油; 〖キリスト教〗聖別, 塗油.
a·part·ment 名 ☞
ap·pease·ment 名 慰撫(いぶ); 鎮静, 緩和.
ap·point·ment 名 約束, 予約; 面会, 会合.
ap·por·tion·ment 名 分配, 配当, 分担, 割り当て.
ap·praise·ment 名 評価, 値踏み, 品定め, 査定.
ar·bit·ra·ment 名 仲裁, 調停.
ar·bit·re·ment 名 ＝arbitrament.
ar·gu·ment 名 ☞
ar·ma·ment 名 軍備, 兵器.
ar·raign·ment 名 〖法律〗起訴 [罪状] 認否手続き.
ar·range·ment 名 配列, 配置; 整頓, 整理.
ar·rest·ment 名 〖スコット法〗仮差し押さえ.
ar·ron·disse·ment 名 (フランスで)郡, アロンディスマン.
as·sess·ment 名 ☞
as·sign·ment 名 課せられたもの, 割り当て; 任命.
as·sort·ment 名 分類, 仕分け, 種別, 類別.
as·ton·ish·ment 名 驚き, 仰天, 驚愕(きょうがく).
a·tone·ment 名 (罪・過ちなどの)償い, 賠償.
at·tach·ment 名 取りつけ, 連結, 結合; 付着, 接着.
at·tain·ment 名 達成, 獲得, 到達.
at·tire·ment 名 《廃》服装, 衣装.
a·vale·ment 名 〖スキー〗アバルマン.
a·ver·ment 名 断言, 確言.
bab·ble·ment 名 はっきり聞き取れない言葉.
baf·fle·ment 名 挫折, 失敗; 困惑, 混乱.
bail·ment 名 〖法律〗(動産の)寄託.
bal·lotte·ment 名 〖医学〗浮球感, バロットマン.
ban·ish·ment 名 追放, 流刑, 流罪, 島流し.
base·ment 名 ☞
batte·ment 名 〖バレエ〗バットマン.
bat·tle·ment 名 〖築城〗頂銃眼, 銃眼付き胸壁.
be·reave·ment 名 (喜び・望みなどを)奪われること.
be·troth·ment 名 《文語》婚約.
bet·ter·ment 名 向上, 改良, 改善, 出世.
be·wil·der·ment 名 うろたえた様子, 当惑, 困惑.
be·witch·ment 名 魔力, 魔術, 呪文.
blan·dish·ment 名 こび, へつらい, 甘言, 手管.
blast·ment 名 《古》爆破, 発破.
bode·ment 名 兆候, 前兆; 予言.
bom·bard·ment 名 砲撃, 爆撃; 質問攻め.
can·ton·ment 名 (軍隊の通例, 大規模な)宿営.
case·ment 名 開き窓の枠.
catch·ment 名 集水 [貯水] (量).
ce·ment 名 ☞
cere·ment 名 《文語》蝋引き布.
com·mand·ment 名 命令, 指令.
com·mence·ment 名 開始, 始まり, 最初.
com·mit·ment 名 委託, 委任, 付託行為 [状態].
com·part·ment 名 区画部分, 仕切り; 分室.
com·ple·ment 名 ☞
com·pli·ment 名 賛辞, 褒め言葉; お世辞.
com·port·ment 名 《文語》態度, 振る舞い, 挙措.
con·ceal·ment 名 隠すこと, 隠匿, 隠蔽.
con·cern·ment 名 重要性, 重大さ.
con·di·ment 名 調味料, 薬味.
con·do·vest·ment 名 コンド式ホテル投資.
con·fer·ment 名 授与; 叙勲.
con·fine·ment 名 ☞
con·front·ment 名 《古》対決, 直面.
con·sign·ment 名 委託, 託送; 委託販売.
con·tain·ment 名 抑制, 束縛; 〖軍事〗牽制.
con·tent·ment 名 満足, 安堵, 心の安らぎ.
con·trol·ment 名 《古》取り締まり, 統制.
con·vince·ment 名 確信; 説得.
cou·ple·ment 名 《古》連結, 結合.
de·bouch·ment 名 (軍隊の)狭い所から広い所への進出.
de·bride·ment 名 〖外科〗デブリードマン, 創傷清拭(せいしき).
dec·re·ment 名 減少, 漸減, 減衰, 消耗.
de·cruit·ment 名 《米》(高齢者・不要人員の)出向.
de·fer·ment 名 延期, 繰り延べ(postponement).
de·noue·ment 名 (劇・小説などの)大団円, 大詰め.

M

de·part·ment 名 ☞
de·ploy·ment 名 〚軍事〛(部隊の)展開; 配置.
de·port·ment 名 態度, 振る舞い; 行状.
de·rail·ment 名 (列車の)脱線.
de·range·ment 名 攪乱(かくらん); 混乱, 乱調.
de·sign·ment 名 《廃》計画, 企図.
de·tach·ment 名 分離, 脱離, 剝離; 孤立.
de·ter·ment 名 制止, 阻止.
det·ri·ment 名 損害, 損失, 損傷, 不利益.
de·vel·ope·ment 名 =development.
de·vel·op·ment 名 ☞
dev·il·ment 名 悪魔的所行, 悪行; 悪ふざけ.
dis·a·gree·ment 名 (行動・状態・事実の)不一致.
dis·ap·point·ment 名 失望; 期待外れ, 幻滅.
dis·burse·ment 名 支払い, 支出.
dis·cern·ment 名 認識力; 識別力; 明敏さ.
dis·cour·age·ment 名 がっかりさせること.
dis·en·gage·ment 名 離脱, 遊離, 撤退.
dis·fig·ure·ment 名 外観を損なうこと.
dis·in·vest·ment 名 〚経済〛ディスインベストメント, 負の投資.
dis·par·age·ment 名 非難, 誹謗; 軽視, 軽蔑.
dis·place·ment 名 ☞
dis·sep·i·ment 名 〚解剖〛(組織の)隔壁, 隔膜.
dis·till·ment 名 《古》蒸留.
dis·til·ment 名 《特に英》《古》=distillment.
di·ver·tisse·ment 名 気晴らし, 楽しみ, 娯楽.
di·vorce·ment 名 離婚, 離縁.
doc·u·ment 名 ☞
ease·ment 名 〚法律〛地役権.
e·ject·ment 名 追い立て, 放逐, 排除; 排出.
em·bank·ment 名 堤, 堤防, 土手.
em·bark·ment 名 積載, 積み込み, 乗船, 搭乗.
em·bar·rass·ment 名 当惑, 困惑, 狼狽; きまり悪さ.
em·bat·tle·ment 名 =battlement.
em·bay·ment 名 湾, 湾状の地形 [構造].
em·bel·lish·ment 名 装飾(物), 飾り.
em·bla·zon·ment 名 紋章を描くこと; 賞揚.
em·bod·i·ment 名 具体化(されていること); 具象.
em·bour·geoise·ment 名 中産階級化, ブルジョワ化.
em·branch·ment 名 分かれること, 分岐.
em·brit·tle·ment 名 〚金属加工〛脆化(ぜいか).
e·mol·u·ment 名 報酬, 給与, 俸給.
em·place·ment 名 〚築城〛砲座, 砲床, 銃座.
em·ploy·ment 名 ☞
Em·power·ment 名 (人権運動の)エンパワーメント.
en·act·ment 名 立法(化); 法案の成立.
en·camp·ment 名 野営, 露営.
en·case·ment 名 箱詰め, 包装.
en·chaîne·ment 名 〚バレエ〛アンシェヌマン.
en·chant·ment 名 魔法にかけること.
en·cour·age·ment 名 激励, 奨励, 鼓舞, 助長.
en·croach·ment 名 侵犯, 侵害; 侵略; 浸食.
en·dear·ment 名 いとしさ, 慕わしさ, 親愛, 敬愛.
en·dorse·ment 名 是認, 承認, 認可.
en·dow·ment 名 (基金の)寄付行為, 寄贈; 贈与.
en·feoff·ment 名 知行 [封土] 下賜(状).
en·force·ment 名 (法令などの)実施, 施行; 強制.
en·gage·ment 名 約束, 予約, 取り決め.
en·gross·ment 名 専心, 没頭, 熱中.
en·gulf·ment 名 飲み込むこと.
en·hance·ment 名 高めること.
en·jamb·ment 名 〚韻律〛句跨(またがり).
en·joy·ment 名 楽しむこと, 享楽.
en·large·ment 名 拡大, 増大; 拡張; 増補; 詳説.
en·light·en·ment 名 啓発, 啓蒙, 教化.
en·list·ment 名 (兵役)服務期間.
en·rich·ment 名 富ませること; 豊かにすること.
en·roll·ment 名 記録, 登録; 入隊; 入学; 入会.
en·ta·ble·ment 名 〚建築〛像台.
en·tail·ment 名 〚法律〛相続人限定; 世襲財産.
en·tan·gle·ment 名 もつれさせること, 混乱, 紛糾.
en·ter·tain·ment 名 楽しみ, 気晴らし, 娯楽.
en·throne·ment 名 即位させること.
en·tice·ment 名 (特に悪への)誘惑.
en·ti·tle·ment 名 〚法律〛権利の付与.
en·tomb·ment 名 埋葬, 埋没.
en·trap·ment 名 《主に米》おとり捜査, わな.
en·trench·ment 名 塹壕(ざんごう)の構築.
en·vel·op·ment 名 包むこと, 封入, 包囲.
en·vi·ron·ment 名 ☞
e·quip·ment 名 備品, 設備, 用具類.
es·cape·ment 名 ☞
es·carp·ment 名 〚地質〛断崖, 断層崖.
es·tab·lish·ment 名 設立; 樹立; 達成; 制定; 立証.
ex·cite·ment 名 興奮(状態); 騒ぎ; 動揺.
ex·cre·ment 名 排泄物.
ex·per·i·ment 名 ☞
feoff·ment 名 領地 [封土] 授与(証書).
fer·ment 名 ☞
fig·ment 名 想像の産物, 空想, 幻想.
fil·a·ment 名 ☞
fir·ma·ment 名 《詩語》天空.
fit·ment 名 (特に作り付けの)調度, 家具.
flesh·ment 名 《廃》興奮, 感激.
frag·ment 名 破片, かけら; 断片.
ful·fill·ment 名 実現, 実行, 履行, 成就, 遂行.
fun·da·ment 名 原景観.
fun·ni·ment 名 冗談, おどけ, こっけい.
gar·ment 名 ☞
gar·nish·ment 名 〚法律〛債権差し押さえ通告.
glaze·ment 名 防水施釉(せゆう).
gov·ern·ment 名 ☞
ha·bil·i·ment 名 衣服; ふだん着.
har·ass·ment 名 苦しめる [悩ませる] こと; 迷惑.
har·di·ment 名 《古》大胆, 豪胆, 勇気.
her·e·dit·a·ment 名 〚法律〛相続財産.
hut·ment 名 仮兵舎宿泊 [宿営地].
im·pair·ment 名 (精神・身体能力の)損傷.
im·peach·ment 名 (司法機関での公務員の)弾劾.
im·ped·i·ment 名 妨害, 障害; 〚教会〛婚姻の障害.
im·pound·ment 名 (貯水池などに)ためられた水.
im·press·ment 名 強制徴募, 徴兵; 徴用, 徴発.
im·pris·on·ment 名 投獄, 収監; 監禁; 〚法律〛自由刑.
im·prove·ment 名 改良, 改善; 進歩, 上達, 向上.
in·cite·ment 名 激励, 刺激, 鼓舞; 扇動, 誘発.
in·cre·ment 名 増加, 増大, 増殖, 増強.
in·dict·ment 名 起訴, 告発.
in·duce·ment 名 誘導, 誘引, 勧誘.
in·fringe·ment 名 違反, 違背; 侵害.
in·stall·ment 名 取りつけ, 設置; 就任させること.
in·stru·ment 名 ☞
in·teg·u·ment 名 〚動物〛外皮, 包皮; 〚植物〛珠皮.
in·tend·ment 名 〚法律〛真義, 真意, 法的意義.
in·ter·ment 名 埋葬, 土葬.
in·tern·ment 名 抑留, 監禁.
in·vest·ment 名 ☞
in·volve·ment 名 かかわり合い.
judge·ment 名 《特に英》=judgment.
judg·ment 名 ☞
lan·guish·ment 名 《古》衰弱; やつれ; 倦怠.
lig·a·ment 名 〚解剖〛靭帯(じんたい), 索; 間膜.
lin·e·a·ment 名 顔だち, 容貌; 体つき.
lin·i·ment 名 〚薬学〛リニメント剤, 擦剤.
lodg·ment 名 泊まること, 宿泊, 滞在.
lo·ment 名 〚植物〛節果(せっか).
man·age·ment 名 ☞
meas·ure·ment 名 測定, 測量, 計量.
me·dic·a·ment 名 薬物, 薬剤, 医薬.
mer·ri·ment 名 陽気な騒ぎ, 浮かれ騒ぎ, 歓楽.
mo·ment 名 ☞
mon·u·ment 名 記念建造物, モニュメント.
move·ment 名 ☞
mu·ni·ment 名 〚法律〛証拠書類.
nour·ish·ment 名 食物, 滋養物, 栄養(物).
nu·tri·ment 名 栄養分, 栄養素; 栄養物.
ob·li·ge·ment 名 《主にスコット》親切(な行為).
odd·ment 名 がらくた, 残り物.

M

oint·ment 名 ☞
or·na·ment 名 装飾用の付属品, 装飾品, 装身具.
out·place·ment 名 アウトプレースメント: 再雇用斡旋業.
par·a·ment 名 (つづれ織りなどの)室内装飾品.
parch·ment 名 羊皮紙, パーチメント.
par·lia·ment 名 ☞
passe·ment 名 服の襞(ひだ)飾り [縁取り].
pave·ment 名 《米》舗装道路, 舗道.
pay·ment 名 ☞
ped·i·ment 名 (ギリシャ建築の)ペディメント.
pig·ment 名 ☞
place·ment 名 置く [据える] こと, 布置, 配置.
-ple·ment 連結形 ☞
preach·ment 名 説教をすること; 説論.
pre·dic·a·ment 名 苦境, 窮地, 窮境.
pre·fer·ment 名 (他より)高い評価; 優先(権).
pre·sent·ment 名 心に思い浮かべること, 想起.
pro·cure·ment 名 入手, 獲得, 調達.
pro·nounce·ment 名 公告, 宣言, 発表.
pro·por·tion·ment 名 比例させること, 釣り合わせること.
pub·lish·ment 名 《古》出版, 刊行, 発行.
pun·ish·ment 名 ☞
puz·zle·ment 名 困惑, 当惑, 閉口.
rab·ble·ment 名 騒動, 騒乱.
rap·proche·ment 名 (国家間の)親交関係の確立 [回復].
rav·el·ment 名 もつれること; 混乱, 紛糾.
rav·ish·ment 名 歓喜, 有頂天, 恍惚.
re·ap·por·tion·ment 名 再配当, 再配分; 割り当て変更.
rec·re·ment 名 〖生理〗再帰液.
re·cruit·ment 名 新兵徴募; 補強; 元気回復.
re·dou·ble·ment 名 〖フェンシング〗ルドゥブルマン.
re·fine·ment 名 上品, 高尚, 優雅.
re·fresh·ment 名 気分を爽快にするもの.
re·gale·ment 名 もてなし, 供応, ごちそう.
reg·i·ment 名 〖軍事〗連隊.
re·in·force·ment 名 強化, 増強, 補強, 増援; 強化材.
re·place·ment 名 返済, 返却; 復職, 代替.
re·quire·ment 名 必要条件, 要件.
re·sent·ment 名 怒り, 憤慨; 敵意, 恨み.
re·tire·ment 名 退去, 退却.
re·trench·ment 名 短縮, 縮小; 除去.
re·veal·ment 名 暴露, 露呈; 顕現, 示現, 啓示.
re·vet·ment 名 (堤防などを強化する)護岸舗装.
ru·di·ment 名 基本, 基礎, 初歩.
sac·ra·ment 名 〖キリスト教〗サクラメント.
scarce·ment 名 (壁の)足掛かり, 犬走り.
se·cond·ment 名 《英》臨時 [一時] 派遣.
se·cure·ment 名 確保; 保証.
sed·i·ment 名 沈殿物; おり, かす.
se·duce·ment 名 誘惑; 性的な誘惑.
seg·ment 名 ☞
sen·ti·ment 名 感想, 所感; 情緒, 情趣, 感傷.
set·tle·ment 名 ☞
ship·ment 名 船積み, 積み込み; 発送, 出荷.
sig·nal·ment 名 (通例, 警察用の)人相書.
state·ment 名 ☞
strew·ment 名 《古》まき散らされたもの.
sup·ple·ment 名 ☞
ta·pote·ment 名 軽くたたくマッサージの一種.
teg·u·ment 名 覆い, 外被.
tem·per·a·ment 名 気質, 気性, 性分.
ten·e·ment 名 《米・スコット》安アパート.
tes·ta·ment 名 〖法律〗遺言(書); 旧約 [新約] 聖書.
tour·na·ment 名 勝ち抜き試合, トーナメント.
treat·ment 名 ☞
vest·ment 名 衣服(の一品), (特に)外衣.
vire·ment 名 〖財政〗(予算の)流用, 費目転換.
weld·ment 名 溶接物.
won·der·ment 名 驚き, 驚異.
wor·ri·ment 名 《主に米・カナダ話》心配, 不安.

men·tal·i·ty /mentǽləti/

名 知能, 知力; 精神力. ⇨ -ITY.

búnker mentálity / **Máginot mentàlity** / **síege mentàlity** (政治的に)追いつめられる孤立した防衛戦略に頼る心的傾向. し心境. (絶えず攻撃や圧迫を受けているとか, 孤立していると感じる)強迫観念.
thúg mentálity 凶暴で低級な精神構造.

-men·ta·tion /mentéiʃən/

接尾辞 -ment と -ation の合成.
★ 名詞をつくる.
[発音] -mentation の第 2 音節に第 1 強勢が置かれる.

al·i·men·ta·tion 名 栄養, 滋養.
ar·gu·men·ta·tion 名 立論, 論法; 推論, 論証.
aug·men·ta·tion 名 増加, 増強, 増大, 拡大; 増加率.
ce·men·ta·tion 名 セメント接合 [塗り]; 接合, 結合.
com·part·men·ta·tion 名 〖海事〗船体の区画化.
com·ple·men·ta·tion 名 〖言語〗相補的分布.
doc·u·men·ta·tion 名 証拠書類 [文書] の使用.
ex·per·i·men·ta·tion 名 実験, 実験作業 [演習]; 実験法.
frag·men·ta·tion 名 (多くの破片に)分裂すること, 破砕.
in·stru·men·ta·tion 名 (オーケストラのための)器楽編成法.
or·na·men·ta·tion 名 飾り付け, 装飾(すること).
pig·men·ta·tion 名 (特に皮膚の)色.
reg·i·men·ta·tion 名 連隊編成 [編入, 配属]; 組織化.
sed·i·men·ta·tion 名 堆積(たいせき), 沈殿 [沈積] (作用).
seg·men·ta·tion 名 区分, 分割.
sup·ple·men·ta·tion 名 補足すること.

men·tioned /ménʃənd/

形 《複合語》…で言及される. ⇨ -ED[1].

abóve·méntioned 形 上述 [前述, 前記] の.
afóre·mèntioned 形 〖法律〗前述の, 前記の.
áfter-mèntioned 形 後で述べる, 後述の.
fore·méntioned 形 前述の, 前に述べた.
ùnder·méntioned 形 下記の, 次に言う, 後述の.

-men·to /méntou; *It.* ménto/

接尾辞 イタリア語の名詞接尾辞. ⇨ -O[2].
★ 英語 -ment に相当.

ag·gior·na·men·to 名 改訂, 手直し, 近代化.
an·da·men·to 名 〖音楽〗アンダメント.
di·ver·ti·men·to 名 〖音楽〗嬉遊(きゆう)曲.
pen·ti·men·to 名 〖絵画〗ペンティメント.
por·ta·men·to 名 〖音楽〗ポルタメント.
ri·fa·ci·men·to 名 (文学作品などの)改作, 書き直し.
Ri·sor·gi·men·to 名 イタリア統一運動 [時代] (1750–1870).

-men·tum /méntəm/

接尾辞 ラテン語の名詞接尾辞. ⇨ -UM[1].
★ 英語 -ment に相当.

ar·gu·men·tum 名 立論(の方法), 論理, 推論, 論法.
in·du·men·tum 名 〖生物〗被物.
lig·a·men·tum 名 〖解剖〗靭帯(じんたい), 索.
mo·men·tum 名 速力; はずみ, 勢い, 趨勢(すうせい).
o·men·tum 名 〖解剖〗網(もう).
pa·lu·da·men·tum 名 パルダメントゥム: 古代ローマの支配者・将軍が特に戦時に着たマント.
ra·men·tum 名 薄片, 削りくず, かんなくず.
sar·men·tum 名 〖植物〗蔓茎, 葡萄(ぶどう)茎.

men·u /ménjuː, méin-｜mén-/

名 献立表, メニュー; 〖コンピュータ〗メニュー. ⇨ -U[1].

dróp-down mènu ＝submenu.
máin mènu 〖コンピュータ〗メインメニュー.
póp-up mènu 〖コンピュータ〗ポップアップメニュー.
púll-down mènu ＝submenu.
súb·mènu 名 〖コンピュータ〗下位メニュー.
tóp-level mènu ＝main menu.
tóurist mènu 旅行者用定食.

-mer /mər, mə̀ːr/

連結形 〖化学〗ある特定の部類に属する化合体.
★ 名詞をつくる.
★ 語末にくる関連形は -MERE.
★ 語頭にくる形は mer(o)-: *mero*blast「部分 [不全] 割卵」, *mero*gony「卵片発生」.
◆ ギリシャ語 *méros*「部分, 一部」より.

con·cat·e·mer 名 〖生化学〗コンカテマー, 鎖状体.
di·mer 名 二量体.
e·las·to·mer 名 エラストマー.
e·lec·tro·mer 名 電子異性体.
en·an·ti·o·mer 名 鏡像(異性)体, エナンチオ異性体.
ep·i·mer 名 エピマー, エピ異性体.
i·on·o·mer 名 イオノマー.
i·so·mer 名 ☞
met·a·mer 名 異性体.
mon·o·mer 名 単量体, モノマー.
oc·ta·mer 名 〖生化学〗八量体.
o·lig·o·mer 名 オリゴマー, 低重合体.
phy·to·mer 名 〖植物〗フィトマー.
pol·y·mer 名 ☞
tau·to·mer 名 〖化学〗互変異性体, 互変異性の異性体.
tel·o·mer 名 〖化学〗テロマー, 短鎖重合体.
tet·ra·mer 名 〖化学〗四量体.
tri·mer 名 〖化学〗三量体.

mer·chant /mə́ːrtʃənt/

名 **1** 商人. **2** 商店主. **3** やつ, 男. **4**《複合語》《俗》(ある特殊な方面に)のめり込む人, …狂. ⇨ -ANT[1].

cóal mèrchant 石炭小売り商人.
dóom-and-glóom mèrchant 《話》悲観好きの人, 悲観論者.
dréam mèrchant (大衆に)夢を売る人.
fánny mèrchant 《英俗》優柔不断なやつ.
féather mèrchant 《古俗》責任や努力を避ける人.
héat mèrchant 絶えず不平 [文句] を言う人.
láw mèrchant 商慣習法; 商法.
lúsh mèrchant 《米話》大酒飲み, 飲んだくれ.
pétticoat mèrchant 《米俗》ポン引き; 売春婦.
rúg mèrchant 《米俗》スパイ.
scráp mèrchant くず鉄 [廃物] 回収業者.
spéed mèrchant 《俗》(車の)スピード狂.

mer·cu·ry /mə́ːrkjuri/

名 〖化学〗水銀.

dóg's mèrcury トウダイグサ科ヤマアイ属の有害植物.
fúlminating mèrcury 〖化学〗雷酸水銀.
mèthyl·mércury 〖化学〗メチル水銀.
orgánic mércury 有機水銀.

mere /míər/

名 《古・英方言》湖, 池.
★ イングランドの地名に使われる.

Gras·mere 名 グラスミア湖. ► 字義は「草原(の中)の湖」.
Thirl·mere 名 サールミア湖. ► 字義はおそらく「水がなくなってただのくぼみになった湖」.
Win·der·mere 名 ウィンダミア湖. ► 字義は「Vinand (人名)の湖」.

-mere /mìər/

連結形 〖生物〗〖細胞生物〗部分(part).
★ 語末にくる関連形は -MER, -MERIC, -MEROUS.
★ 語頭にくる形は mer(o)-: *mero*blast「部分 [不全] 割卵」, *mero*gony「卵片発生」.
◆ ギリシャ語 *méros*「部分」より.

ac·tin·o·mere 名 ＝antimere.
an·ti·mere 名 体輻(ふく).
ar·thro·mere 名 (体節動物の)体節.
blas·to·mere 名 割球, 分割球, 卵割球.
cap·so·mere 名 キャプソメア.
cen·tro·mere 名 動原体, 中心粒.
chrom·o·mere 名 染色(小)粒.
ec·to·mere 名 エクト [外分泌] ホルモン.
ep·i·mere 名 上分節.
hy·al·o·mere 名 透明質, 硝子(しょうし)質.
mac·ro·mere 名 大割球.
mes·o·mere 名 中割球.
me·ta·mere 名 (ミミズ・昆虫などの)体節.
mi·cro·mere 名 小割球.
pod·o·mere 名 肢節.
rhab·do·mere 名 感桿(かん)分体 [小体].
sar·co·mere 名 筋節, 筋線維分節.
tel·o·mere 名 末端小粒.
u·ro·mere 名 節足動物の腹部環節.

-merge /mə́ːrdʒ/

連結形 沈める.
★ 語末にくる関連形は -MERSE.
★ 語頭にくる形は merg-: *merge*nce「没入」.
◆ ラテン語 *mergere*「水の中に潜る, 沈む, 飛び込む」より.

e·merge 動自 出現する, 現れる.
im·merge 動自 (水などに)飛び込む, 沈む.
mail-merge 〖コンピュータ〗メールマージ.
sub·merge 動他 表面下に沈める, 水中に入れる.

-mer·ic /mérik/

連結形 …の部分の.
★ 形容詞をつくる.
★ 語末にくる関連形は -MERE.
★ 語頭にくる関連形は mer(o)-: *mero*blast「部分 [不全] 割卵」, *mero*gony「卵片発生」.
◆ ギリシャ語 *méros*「部分」より. ⇨ -IC[1].

di·mer·ic 形 〈染色体などが〉二部分から成る.
i·so·mer·ic 形 異性(体)の [を示している].
met·a·mer·ic 形 〖動物〗体節(metamere)の.
mul·ti·mer·ic 形 〖化学〗〈分子団の結合が〉多重結合の.
pol·y·mer·ic 形 〖化学〗重合の, 重合体の.

me·rid·i·an /mərídiən/

名 〖地理〗子午線. ⇨ -DIAN.

àn·te·me·ríd·i·an 形 正午前に起こる; 午前(中)の.
cìr·cum·me·ríd·i·an 形 〖天文〗子午線近くの.
fírst merídian ＝prime meridian.
magnétic merídian 磁気子午線.
pòst·me·ríd·i·an 形 午後の [に起こる].
príme merídian 本初子午線.
príncipal merídian 〖測量〗主経線, 標準子午線.

mer·i·stem /mérəstèm/

名〘植物〙分裂組織.

ápical méristem (根や芽の)頂端分裂組織.
gróund mèristem 基本分裂組織.
intércalary méristem 節間分裂組織.
láteral méristem 側部分裂組織.
prímary méristem 一次分裂組織.
sécondary méristem 二次[第二期]分裂組織.

-mer·ous /mərəs/

連結形 …の部分から成る(having parts), …部分に分かれた(partite).
★ 形容詞をつくる.
★ 語末にくる関連形は -MERE.
★ 語頭にくる関連形は mer(o)-: *mero*blast「部分[不全]割卵」, *mero*gony「卵片発生」.
◆ ギリシャ語 *méros*「部分, 分け前」より. ⇨ -OUS.
[発音] 直前の音節に第 1 強勢.

de·cam·er·ous 形〘植物〙〈花が〉10 の部分から成る.
dim·er·ous 形 2 つの部分から成る, 2 つの部分に分かれた.
hep·tam·er·ous 形 7 つの部分から成る.
het·er·om·er·ous 形〘植物〙異数の.
oc·tam·er·ous 形 8 つの部分から成る.
oc·tom·er·ous 形 =octamerous.
pen·tam·er·ous 形 5 片[部]から成る.
te·tram·er·ous 形 4 つの部分から成る.

-merse /mə́ːrs/

連結形 水の中に潜った, 沈んだ.
★ 語末にくる関連形は -MERGE.
★ 語頭にくる関連形は merg-: *merg*ence「没入」.
◆ <ラ *mersus* (*mergere*「潜る, 沈む」の過去分詞).

im·merse 動他 …を突っ込む, 浸す, つける.
sub·merse 動他 表面下に沈める, 水中に入れる.

mesh /méʃ/

名 メッシュ; 網; 網の目;〘機械〙(歯車の)かみ合い.

en·mesh 動他 …を網にかける; 陥れる.
im·mesh 動他 =enmesh.
in·mesh 動他 =enmesh.
in·ter·mesh 動自〘機械〙〈歯車が〉かみ合う.
mi·cro·mesh 形名 網目の非常に細かい(素材).
syn·chro·mesh 名形〘自動車〙同期かみ合い装置(の).

me·son /míːzɑn, mézɑn, -sɑn | míːzɔn/

名〘物理〙中間子. ◇ -ON[4]. ⇨ -ON[1].

B́ mèson B 中間子(Bparticle).
D́ mèson D 中間子.
éta mèson エータ中間子.
káppa méson =K meson.
Ḱ méson K 中間子(kaon).
mú méson ミューオン, μ 中間子(muon).
oméga méson オメガ中間子.
phí méson ファイ中間子.
phòto·méson 光中間子.
pí méson パイオン, パイ中間子(pion).
rhó mèson ロー中間子.
véctor méson ベクトル中間子.
Yukáwa mèson 湯川中間子.

mes·quite /meskíːt, ⁻⁻/

名〘植物〙メスキート: マメ科プロソピス属の木の総称.

hóney mesquìte とげのあるマメ科の低木.
scréw-pòd mesquíte トルニジョ: マメ科の低木.

mes·sage /mésidʒ/

名 伝言, 言づて, メッセージ; 伝達[連絡]事項, 音信, (…という)通信. ⇨ -AGE[1].

Búdget Mèssage 予算教書.
mèt·a·més·sage 名 非言語的意味.
té·le·mès·sage 名《商標》電話電報.
vóice mèssage (ファックスや他のデータ通信に対して)音声メッセージ.

mes·sen·ger /mésəndʒər/

名 **1** 使者. **2**〘遺伝〙メッセンジャー: 遺伝情報を伝える物質. ⇨ -ER[2].

córbie méssenger 《スコット》行ったきり戻って来ない使い,「鉄砲だま」.
fírst méssenger 〘生化学〙一次メッセンジャー.
Kíng's Méssenger 《英》外交特使.
sécond méssenger 〘生化学〙第二メッセンジャー.

me·tab·o·lous /metǽbələs/

形〘昆虫〙変態[変質]の. ⇨ -OUS.

hem·i·me·tab·o·lous 形 不完全変態の, 半変態の.
het·er·o·me·tab·o·lous 形 不完全変態の.
hol·o·me·tab·o·lous 形 完全変態の.

met·al /métl/

名 **1** 金属. **2**〘化学〙(純)金属; 金属元素. **3** 合金. **4** 形成物質, 材料.
★ 語頭にくる関連形は metal(l)i-, metallo-: *metallo*enzyme「〘生化学〙金属イオン酵素」.

ádmiralty mètal 錫(すず)入り黄銅.
álkali mètal 〘化学〙アルカリ金属.
álkaline-éarth mètal 〘化学〙アルカリ土類金属.
antifríction mètal =white metal.
Bábbitt mètal 〘冶金〙バビット合金.
báse mètal 卑金属.
básis mètal ベースメタル加工・合金用の金属.
béll mètal 鐘(青)銅.
bi·métal 〘金属〙バイメタル.
blúe mètal (道路舗装用の)砕いた青石.
brázing mètal 〘金属材料〙硬ろう.
Británnia mètal ブリタニアメタル: 白色の合金.
cérium mètal 〘化学〙セリウム金属.
déad mètal 〘印刷〙込め物.
délta mètal 銅, 鉄, 亜鉛などから成る合金.
dicyclopentadiényl mètal 鉄以外の金属を含むフェロセン(ferrocene)と似た構造の化合物の総称.
Dútch métal オランダ金箔(きんぱく).
expánded métal 〘金属材料〙エキスパンドメタル.
fíller métal 〘金属〙(溶接に用いる)溶加材[棒].
fóamed métal 発泡金属, 泡入りメタル.
fúsible métal 可融合金, 易融合金.
gún·mètal 〘金属〙ガンメタル.
héavy métal **1** 重金属. **2**〘音楽〙ヘビーメタル.
hót métal 〘印刷〙ホットメタル, 鋳造活字.
líght métal 〘化学〙軽金属.
mísch mètal ミッシュ・メタル.
Mú·mètal ミュー合金[メタル].
Múntz mètal アルファ=ベータ黄銅.
nóble métal 貴金属.
nòn·métal 非金属: 金属の性質を持たない元素.
orgánic métal 〘化学〙有機金属.
plátinum métal 白金属: プラチナを含む, 6 種類の貴金属元素の総称.

M

plý mètal 合わせ板.
pót mètal 銅と鉛の合金.
précious métal (金・銀・プラチナなどの)貴金属.
prímary métal 〚冶金〛処女金属, 更地金, 新金.
Prince Rúpert's métal 〚金属〛王金.
quéen's mètal 〚冶金〛クイーンズメタル.
ráre-éarth mètal 〚化学〛希土類元素.
róad mètal 《英》道路建設用材料.
Róse's mètal 〚冶金〛ローズ[ローゼ]合金.
scráp mètal くず鉄.
sécondary métal 〚冶金〛二次金属, 再生金属.
sèmi·métal 〚化学〛半金属.
shéet mètal シートメタル, 板金, (金属の)薄板.
shót mètal 散弾用鉛.
spéculum mètal スペキュラム合金.
spéed-mètal 〚音楽〛スピードメタル.
sýn·mètal 合成金属.
térbium mètal 〚化学〛テルビウム金属(類).
térne mètal ターン合金.
thrásh mètal 〚音楽〛スラッシュ(メタル).
transítion mètal 〚化学〛遷移元素, 遷移金属.
týpe mètal 活字合金.
vírgin métal =primary metal.
whíte métal ホワイトメタル: 白色合金の総称.
yéllow métal = Muntz metal.
yttérbium mètal =yttrium metal.
ýttrium mètal 〚化学〛イットリウム金属(類).

me·tal·lic /mətǽlik/

形 金属の; 金属質[製]の. ⇨ -IC[1].
★ 語頭にくる関連形は metall(i)-, metallo-: *metallog-raphy*「金属組織学」.

bi·me·tal·lic 形 〚冶金〛2種の金属から成る.
mon·o·me·tal·lic 形 単一金属の[から成る].
or·ga·no·me·tal·lic 形 〚化学〛有機金属の.
sub·me·tal·lic 形 半[不完全]金属の.
tri·me·tal·lic 形 3つの金属から成る.

met·al·lur·gy /métələ:rdʒi | metǽlədʒi/

名 冶金(やきん)(学): 金属を特定の形にしたり, 熱処理をして特定の性質を与えたりする科学[技術]. ⇨ -URGY.

e·lèc·tro·mét·al·lur·gy 名 電気冶金.
extráctive métallurgy 生産冶金, 抽出冶金.
hy·dro·mét·al·lur·gy 名 湿式製錬, 湿式冶金.
mechánical métallurgy 機械冶金.
pówder mètallurgy 粉末冶金.
py·ro·mét·al·lur·gy 名 乾式精錬, 乾式冶金.

met·a·morph·ism /mètəmɔ́:rfizm/

名 〚地質〛(岩石の)変成, 変成作用. ◇ -MORPHOSIS. ⇨ -MORPHISM.

cóntact metamórphism 接触変成作用.
dy·na·mo·met·a·mórph·ism 名 動力変成作用.
lócal metamórphism 接触変成(作用).
régional metamórphism 広域変成作用.
ùl·tra·met·a·mórph·ism 名 超変成作用.

me·te·or /mí:tiər, -tiɔ̀:r/

名 **1** 〚天文〛流星. **2** 《もと》(あられ・台風などの)大気現象, メテオール.

e·lec·tro·me·te·or 名 電気的大気現象, 大気電気現象.
hy·dro·me·te·or 名 大気水象.
lith·o·me·te·or 名 大気塵(じん)象, リソメテオル.

me·te·or·ite /mí:tiəràit/

名 隕石(いんせき). ⇨ -ITE[1].

Allénde méteorite アジェンデ隕石.
íron méteorite 鉄とニッケルを主成分とする隕石.
mì·cro·mé·te·or·ite 名 微小隕石.
stóny méteorite 主に珪酸塩から成る隕石.

me·te·or·ol·o·gy /mì:tiərɑ́lədʒi | -rɔ́l-/

名 気象学. ⇨ -OLOGY.

àg·ro·me·te·or·ól·o·gy 名 農業気象学.
às·tro·me·te·or·ól·o·gy 名 天文気象学.
bì·o·me·te·or·ól·o·gy 名 生物気象学, 生物環境学.
dynámic meteorólogy 気象力学.
hy·dro·mè·te·or·ól·o·gy 名 水文気象学.
màc·ro·me·te·or·ól·o·gy 名 大気象学, 巨視的気象学.
maríne meteoròlogy 海洋気象学.
mès·o·me·te·ór·ol·o·gy 名 メソ気象学, 中気象学.
mì·cro·me·te·or·ól·o·gy 名 微気象学.
phýsical meteorólogy 物理気象学.
synóptic meteorólogy 総観気象学.

me·ter[1] /mí:tər/

名 メートル, メーター: 長さの基本単位.

cándle mèter 〚光学〛ルクス: 照度の単位.
cén·ti·mè·ter 名 センチメートル.
déc·a·mè·ter 名 =dekameter.
déc·i·mè·ter 名 デシメートル.
dék·a·mè·ter 名 デカメートル.
di·ám·e·ter 名 ☞
fém·to·mè·ter 名 〚物理〛フェルミ(fermi).
héc·to·mè·ter 名 ヘクトメートル.
hék·to·mè·ter 名 =hectometer.
kílo·gram-mé·ter 名 〚物理〛キログラムメートル.
kil·ó·me·ter 名 キロメートル.
még·a·mè·ter 名 メガメートル, 100万メートル.
mí·cro·mè·ter 名 ミクロン(micron); 長さの単位.
míl·li·mè·ter 名 ☞
mýr·i·a·mè·ter 名 1万メートル.
nán·o·mè·ter 名 ナノメートル.
néw·ton-mè·ter 名 〚物理〛ジュール(joule).
squáre méter 平方メートル.
tér·a·mè·ter 名 テラメートル: 1兆メートル.

me·ter[2] /mí:tər/

名 〚韻律〛韻律, 格調; 歩格.

bállad mèter 〚詩学〛バラッド格調[律].
de·cám·e·ter 名 〚詩学〛十歩格の詩.
dím·e·ter 名 〚韻律〛二歩格.
hep·tám·e·ter 名 〚韻律〛七歩格, 七脚律.
hex·ám·e·ter 名 〚韻律〛長短短六歩格(の詩行).
hy·pér·me·ter 名 〚韻律〛音節余剰詩句.
lóng méter 賛美歌調(long measure).
mo·nóm·e·ter 名 〚韻律〛一歩格, 単脚句.
oc·tám·e·ter 名 〚韻律〛八歩格(の詩).
oc·tóm·e·ter 名 =octameter.
pèn·e·tróm·e·ter 名 =penetrameter.
pen·tám·e·ter 名 〚韻律〛五歩格, 五脚律.
shórt méter 〚韻律〛短韻律連.
te·trám·e·ter 名 〚韻律〛四歩格.
trím·e·ter 名 〚韻律〛三歩格(の詩行).

me·ter[3] /mí:tər/

名 (ガス・水道・電気などの)メーター, (自動)計量[計測]器. ⇨ -ER[1].

áir mèter 微風計.
ángle mèter 角度計; (特に)傾斜計.

expósure mèter 〖写真〗露出[露光]計.
extínction mèter 〖光学〗エクスティンクション・メーター.
gás mèter ガス量計, ガスメーター.
grávity mèter 〖地質〗重力計(gravimeter).
íntegrating mèter 〖工学〗積算計器.
líght mèter =exposure meter.
órifice mèter 〖工学〗オリフィス流量計.
párking mèter パーキングメーター.
péople méter 《米》ピープルメーター: テレビの視聴率調査用装置.
photoeléctric méter 〖写真〗光電(こうでん)計.
póstage mèter 《主に米・カナダ》別納証印刷機.
póstal mèter =postage meter.
spót mèter 〖写真〗スポットメーター[露出計].
thróugh-the-léns mèter 〖写真〗TTL 露出計.
tórsion mèter トルク(測定)計(torquemeter).
transmíttance mèter 透過率計, 視程計.
T́T́Ĺ mèter 〖写真〗=through-the-lens meter.
visibílity mèter 視程計.
V́Ú mèter ブイユー計, 音声レベル計.
wáter mèter 水量計.
whíte méter 《英》〖電気〗白メーター.
wínd mèter 風速計(anemometer).

-me·ter /mətər/

[連結形] 計量器[装置](measure).
★ 語末にくる関連形は -METRIC, -METRICIAN, -METRICS, -METROPIA, -METRY.
★ 語頭にくる関連形は metro-: *metro*nome「メトロノーム」.
◆ ギリシャ語 *métron*「寸法」より.
[発音] 直前の音節に第 1 強勢.

ab·sorp·ti·om·e·ter [名] 吸光光度計, 吸収計.
ac·cel·er·om·e·ter [名] (航空機・ロケットなどの)加速度計.
ac·e·tim·e·ter [名] 〖化学〗=acetometer.
ac·e·tom·e·ter [名] 〖化学〗酢酸(比重)計.
ac·i·dim·e·ter [名] 〖化学〗酸滴定器, 酸定量器.
ac·i·dom·e·ter [名] =acidimeter.
a·cou·me·ter [名] =audiometer.
ac·ous·tim·e·ter [名] 携帯用(交通)騒音測定器.
ac·ti·nom·e·ter [名] 〖物理〗化学光量計, 日射計.
ad·ap·tom·e·ter [名] 〖眼科〗順応計.
aer·om·e·ter [名] 気量[気体]計.
ag·gre·go·me·ter [名] 〖医学〗(血小板)凝集測定器.
al·be·dom·e·ter [名] アルベド測定装置, 反射能測定器.
al·co·hol·om·e·ter [名] アルコール計.
al·com·e·ter [名] =drunkometer.
al·ge·sim·e·ter [名] 痛覚計.
al·gom·e·ter [名] 痛覚計, 圧痛計.
al·ka·lim·e·ter [名] 〖物理化学〗炭酸定量器.
al·tim·e·ter [名] (航空機の)高度計.
am·me·ter [名] ☞
am·pere·me·ter [名] アンペア計, 電流計.
an·e·mom·e·ter [名] 〖気象〗風速計; 流体速度計.
an·es·the·sim·e·ter [名] 〖医学〗麻酔剤検量計.
an·thro·pom·e·ter [名] 〖人類〗人体測定器, 身長計.
ap·er·tom·e·ter [名] 〖光学〗開(放)角測定計, 開口計.
ar·e·om·e·ter [名] =hydrometer.
ar·ith·mom·e·ter [名] 計数器.
as·tig·mom·e·ter [名] 〖眼科〗乱視計.
at·mom·e·ter [名] 蒸発計.
au·di·om·e·ter [名] 〖医学〗聴力計.
au·to·me·ter [名] (複写機の)自動枚数記録装置.
aux·a·nom·e·ter [名] (植物)生長計.
bar·o·cy·clon·om·e·ter [名] 〖気象〗熱帯低気圧計.
ba·rom·e·ter [名] ☞
ba·thom·e·ter [名] 〖海洋〗深海測深機, 測深儀[器].
bi·om·e·ter [名] 生体(炭酸ガス)測定器.
bo·lom·e·ter [名] 〖物理〗ボロメーター.
cal·o·rim·e·ter [名] 熱量計, 熱量測定装置.
cam·pim·e·ter [名] 〖眼科〗視野計.
cath·e·tom·e·ter [名] 〖機械〗カセトメーター.
ceil·om·e·ter [名] 〖気象〗雲高計, シーロメーター.
ceph·a·lom·e·ter [名] 頭部測定器.
chro·nom·e·ter [名] マリン・クロノメーター, 経線儀.
clap·om·e·ter [名] 〖テレビ〗拍手計量器.
cli·nom·e·ter [名] クリノメーター, 傾斜計.
co·er·ci·met·er [名] 保磁[抗磁]力計.
col·or·im·e·ter [名] 比色計, 測色計, 色彩計.
cou·lom·e·ter [名] 〖電気〗=voltameter.
cra·ni·om·e·ter [名] 頭骨[頭蓋(ずがい)(骨)]測定器.
cry·om·e·ter [名] 〖物理〗低温計.
cryp·tom·e·ter [名] クリプトメーター: 顔料の下透明測定機.
cy·a·nom·e·ter [名] 〖光学〗シアン計, 青度計.
cy·clom·e·ter [名] 円弧測定器.
cys·tom·e·ter [名] 〖医学〗膀胱(ぼうこう)計.
da·sym·e·ter [名] ガス[気体]密度計.
de·cel·er·om·e·ter [名] (車の)減速計.
dec·re·me·ter [名] (電磁波動の)減幅計, 減衰計.
de·for·me·ter [名] 〖建築〗応力計, ひずみ測定器.
den·drom·e·ter [名] 測樹計, 樹径生長計.
den·sim·e·ter [名] 〖化学〗〖物理〗密度計, 比重計.
den·si·tom·e·ter [名] 写真濃度計.
den·som·e·ter [名] 〖製紙〗デンソメーター.
di·aph·a·nom·e·ter [名] 透明度測定器.
dif·frac·tom·e·ter [名] 〖物理〗自動回折計.
dil·a·tom·e·ter [名] 〖物理〗膨張計.
di·op·sim·e·ter [名] =campimeter.
di·op·tom·e·ter [名] 〖眼科〗眼屈折計.
do·lo·rim·e·ter [名] 〖医学〗痛覚計.
do·sim·e·ter [名] 〖物理〗(放射線の)線量計.
do·som·e·ter [名] =dosimeter.
dro·som·e·ter [名] 〖気象〗露量計.
drunk·om·e·ter [名] 《米》飲酒検知器.
du·rom·e·ter [名] デュロメータ, 硬度計.
dy·nam·e·ter [名] 〖光学〗ダイナメーター.
dy·na·mom·e·ter [名] ☞
e·bul·li·om·e·ter [名] 〖物理〗沸点測定器.
ef·fu·si·om·e·ter [名] 〖物理〗噴散計.
el·as·tom·e·ter [名] 弾力計.
e·lec·trom·e·ter [名] 電位計.
el·lip·som·e·ter [名] 〖光学〗偏光解析装置.
E-me·ter [名] 皮膚の電気抵抗の変化を測る電位計.
er·gom·e·ter [名] エルゴメーター, エルゴグラフ.
er·go·me·ter [名] (トレーニング用)ボート漕ぎマシーン.
e·ryth·ro·cy·tom·e·ter [名] 〖医学〗赤血球計.
es·the·si·om·e·ter [名] 〖医学〗触覚[知覚]計.
eu·di·om·e·ter [名] 〖化学〗水電量計.
e·vap·o·rim·e·ter [名] =atmometer.
ex·plo·sim·e·ter [名] 爆発力計.
ex·ten·sim·e·ter [名] =extensometer.
ex·ten·som·e·ter [名] 伸縮計.
fa·do·me·ter [名] 〖化学〗退色試験機.
far·ad·me·ter [名] 〖電気〗静電容量計.
fer·rom·e·ter [名] 〖物理〗フェロメーター.
flash·me·ter [名] タキストスコープ, 瞬間露出器.
flood·om·e·ter [名] (差し潮の)水位記録器, 満潮計.
flow·me·ter [名] 流量計.
flu·o·rim·e·ter [名] =fluorometer.
flu·o·rom·e·ter [名] 蛍光計.
flu·vi·om·e·ter [名] (自記)河川水量記録計.
flux·me·ter [名] 〖物理〗磁束計.
fo·com·e·ter [名] 〖光学〗焦点計, フォコメーター.
gal·ac·tom·e·ter [名] 乳汁比重[濃度]計.
gal·va·nom·e·ter [名] ☞
gas·om·e·ter [名] ガス測定[計量]器, ガス貯蔵器.
gauss·me·ter [名] 〖電気〗ガウスメーター.
gloss·me·ter [名] 光沢計.
go·ni·om·e·ter [名] ゴニオメーター, 測角器, 角度計.
gra·di·om·e·ter [名] 〖物理〗グラジオメーター.
gra·vim·e·ter [名] (固体・液体の)比重計.
hap·tom·e·ter [名] 触覚計.
haze·me·ter [名] =transmissometer.

he·li·om·e·ter 名 ヘリオメーター, 太陽儀.
he·ma·cy·tom·e·ter 名 =hemocytometer.
he·mo·cy·tom·e·ter 名 〖医学〗血球計算器.
ho·dom·e·ter 名 《米》=odometer.
hy·drom·e·ter 名 浮き秤(ばかり), 液体比重計.
hy·e·tom·e·ter 名 雨量計(rain gauge).
hy·grom·e·ter 名 湿度計.
hyp·som·e·ter 名 沸点気圧計(thermobarometer).
i·co·nom·e·ter 名 〖写真〗イコノメーター.
il·lu·mi·nom·e·ter 名 照度計.
in·fil·trom·e·ter 名 〖農業〗吸水速度計.
in·ten·si·tom·e·ter 名 〖写真〗X 線強度測定装置, 線量計.
in·ter·fer·om·e·ter 名 〖光学〗干渉計.
in·ter·val·om·e·ter 名 自動露出計, インターバロメーター.
Jolt·me·ter 名 道路の凸凹を感知して舗装面の状態をグラフ化する, 米国自動車協会(AAA)開発の装置.
ker·a·tom·e·ter 名 〖眼科〗角膜測定器, 角膜計.
ko·nim·e·ter 名 コニメーター: 工場や鉱山などの塵(ちり)の量を測定するために使われる空気採取器.
lac·tom·e·ter 名 乳汁比重計, 検乳器, 牛乳計.
ly·sim·e·ter 名 浸漏計, ライシメーター.
mach·me·ter 名 〖航空〗(飛行機の)マッハ計.
mac·rom·e·ter 名 〖光学〗測距器[儀], 測遠機.
mag·ne·tom·e·ter 名 磁気計, 磁力計.
ma·nom·e·ter 名 液柱計, 圧力計, マノメーター.
me·com·e·ter 名 〖医学〗新生児身長測定器.
mi·crom·e·ter 名 マイクロメーター.
mile·om·e·ter 名 (自動車・車の)走行マイル計.
mi·lom·e·ter 名 《英》マイル(走行)計.
mul·tim·e·ter 名 〖電気〗マルチメーター.
neph·e·lom·e·ter 名 〖細菌〗比濁計.
ne·phom·e·ter 名 雲量計.
Ni·lom·e·ter 名 ナイル川水位測定標.
ni·trom·e·ter 名 窒素計, ニトロメーター.
o·dom·e·ter 名 (自動車などの)走行距離計.
ohm·me·ter 名 〖電気〗オーム計, 抵抗計.
o·le·om·e·ter 名 油比重計.
ol·fac·tom·e·ter 名 嗅覚(きゅうかく)計.
o·pa·cim·e·ter 名 〖機械〗不透明度計.
oph·thal·mom·e·ter 名 〖眼科〗角膜曲率計, 眼球計.
op·i·som·e·ter 名 オピソメーター, 曲線計.
op·tom·e·ter 名 屈折計, オプトメーター; 視力計.
o·rom·e·ter 名 山岳高度[気圧]計.
os·cil·lom·e·ter 名 〖医学〗振動計, 振動測定器.
os·mom·e·ter 名 浸透圧計.
ox·im·e·ter 名 〖医学〗酸素濃度計.
o·zo·nom·e·ter 名 オゾン計.
pa·chym·e·ter 名 厚み計.
pa·ram·e·ter 名 〖数学〗パラメーター, 補助変数.
pas·som·e·ter 名 歩数計, 万歩計.
pa·thom·e·ter 名 身体の電気インパルスを測定するうそ発見器.
pe·dom·e·ter 名 万歩計, 歩数(記録)計.
pen·e·tram·e·ter 名 (X 線の)透過度計.
pe·rim·e·ter 名 (平面的なものの)周囲; 外辺部.
per·me·a·me·ter 名 透磁率計.
pho·nom·e·ter 名 測音器, フォノメーター.
pho·tom·e·ter 名 ☞
pic·nom·e·ter 名 〖物理〗=pycnometer.
pi·co·me·ter 名 ピコメーター.
pi·e·zom·e·ter 名 ピエゾメーター, 圧度計.
Pitch·om·e·ter 名 《商標》ピッチ計.
pla·nim·e·ter 名 プラニメーター, 面積計, 測面器.
pla·nom·e·ter 名 〖機械〗定盤(じょうばん).
plas·tom·e·ter 名 可塑度計, プラストメーター.
plex·im·e·ter 名 〖医学〗打診板.
plu·vi·om·e·ter 名 雨量計[器](rain gauge).
pneu·ma·tom·e·ter 名 肺活量計.
po·lar·im·e·ter 名 〖光学〗偏光計, 旋光計.
po·ten·ti·om·e·ter 名 〖電気〗電位差計.
po·tom·e·ter 名 〖気象〗吸水計, 蒸散計.
Pro·fi·lom·e·ter 名 《商標》粗面計.
psy·chrom·e·ter 名 乾湿球湿度計, 乾湿計.
pul·mom·e·ter 名 =spirometer.
pul·sim·e·ter 名 脈拍計.
pul·som·e·ter 名 =pulsimeter.
pyc·nom·e·ter 名 比重瓶.
py·ra·nom·e·ter 名 全天日射計.
pyr·ge·om·e·ter 名 〖物理〗夜間放射計.
py·rom·e·ter 名 高温計, パイロメーター.
qua·lim·e·ter 名 =penetrameter.
quan·tom·e·ter 名 〖金属工学〗カントメータ.
ra·di·om·e·ter 名 ラジオメーター, 放射計.
rate·me·ter 名 〖物理〗計数率計.
ra·ti·om·e·ter 名 レシオメーター.
re·flec·tom·e·ter 名 〖光学〗反射率計.
re·frac·tom·e·ter 名 〖光学〗屈折計.
rhe·om·e·ter 名 流量計; (特に)血流計.
roent·gen·om·e·ter 名 X 線強度計.
ro·tam·e·ter 名 ロータメーター: 液体の流量を測定する器具.
sac·cha·rim·e·ter 名 〖化学〗検糖計, 糖量計.
sac·cha·rom·e·ter 名 〖化学〗糖分計, サッカロメーター.
sal·im·e·ter 名 〖化学〗=salinometer.
sal·i·nom·e·ter 名 〖化学〗塩分計, 検塩器[計].
sa·lom·e·ter 名 〖化学〗=salinometer.
scat·ter·om·e·ter 名 レーダー様の装置で, 数本のアンテナを備え, 電波を広域に放射して全方向にわたり反射波を受信する.
scent·om·e·ter 名 呼気汚染分析装置.
scin·til·lom·e·ter 名 放射能の測定用器具.
scle·rom·e·ter 名 ひっかき硬度計.
sei·chom·e·ter 名 湖水水位計.
seis·mom·e·ter 名 地震計.
sen·si·tom·e·ter 名 〖写真〗感光計.
so·lar·im·e·ter 名 =pyranometer.
so·nom·e·ter 名 〖医学〗=audiometer.
spec·trom·e·ter 名 〖光学〗分光計, スペクトル計.
speed·om·e·ter 名 速度計.
sphe·rom·e·ter 名 球面計, 度弧器, 球指(きゅうし).
spi·rom·e·ter 名 肺活量計.
sta·bi·lim·e·ter 名 振幅計.
stac·tom·e·ter 名 =stalagmometer.
sta·dim·e·ter 名 視距儀.
sta·di·om·e·ter 名 スタジオメーター.
stal·ag·mom·e·ter 名 〖化学〗〖物理〗滴数計, 測滴計.
ste·thom·e·ter 名 ステトメーター, 測胸器.
strain·me·ter 名 〖機械〗〖地質〗ひずみ計.
swing·om·e·ter 名 〖テレビ〗総選挙中の政党間の票の動きを示す装置.
tach·e·om·e·ter 名 〖測量〗=tachymeter.
ta·chom·e·ter 名 速度計, タコメータ.
ta·chym·e·ter 名 〖測量〗スタジア測量器, 視距儀.
tax·i·me·ter 名 タクシーメーター.
te·lem·e·ter 名 測距儀, 測遠儀.
tel·lu·rom·e·ter 名 テルロメーター.
ten·der·om·e·ter 名 (果物・野菜の)熟度計測装置.
ten·sim·e·ter 名 =manometer.
ten·si·om·e·ter 名 引っ張り計, 張力計.
ten·som·e·ter 名 =tensiometer.
ther·mom·e·ter 名 ☞
tilt·me·ter 名 〖地質〗傾斜計, ティルトメーター.
tint·om·e·ter 名 色度計.
to·com·e·ter 名 陣痛計(tokodynamometer).
to·nom·e·ter 名 トノメーター.
torque·me·ter 名 〖機械〗トルク(測定)計.
trans·mis·som·e·ter 名 〖気象〗透過率計, 視程計.
tri·bom·e·ter 名 摩擦計.
trig·o·nom·e·ter 名 直角三角計, トリゴノメーター.
trip·me·ter 名 〖自動車〗トリップメーター.
tro·chom·e·ter 名 (自動車の)走行距離計.
tro·mom·e·ter 名 微震計.
tur·bi·dim·e·ter 名 濁度計, 比濁計.
tyn·dall·om·e·ter 名 〖気象〗ティンダルメーター.
u·dom·e·ter 名 =hyetometer.
u·ri·nom·e·ter 名 尿比重計.

va·por·im·e·ter 名 蒸気圧計.
var·i·om·e·ter 名 〖電気〗バリオメーター.
ve·lo·cim·e·ter 名 〖物理〗速度計.
vi·brom·e·ter 名 振動計(vibrograph).
vin·om·e·ter 名 ワイン酒精計.
vis·com·e·ter 名 粘度計.
vol·tam·e·ter 名 〖電気〗ボルタメーター, 電解電量計.
volt·me·ter 名 〖電気〗電圧計.
vol·u·me·nom·e·ter 名 (圧力計を備えた)体積[容積]計.
vo·lu·me·ter 名 体積[容積]計.
watt·me·ter 名 〖電気〗電力計, ワット計.
wave·me·ter 名 (電波の)周波計, 波長計.
weath·er·om·e·ter 名 ウェザロメーター, 耐候性試験機.
yaw·me·ter 名 〖航空〗偏(へん)揺れ計.
zy·mom·e·ter 名 =zymosimeter.
zy·mo·sim·e·ter 名 発酵計, 発酵度測定器.

meth·ane /méθein | míːθ-/

名 〖化学〗メタン. ◇ METHYL. ⇨ -ANE^{2}.

bro·mo·chlo·ro·meth·ane 名 =chlorobromomethane.
bro·mo·meth·ane 名 臭化メチル(methyl bromide).
chlo·ro·bro·mo·meth·ane 名 クロロブロムメタン.
chlo·ro·flu·o·ro·meth·ane 名 クロロフルオロメタン, フレオナガス.
chlo·ro·meth·ane 名 塩化メチル(methyl chloride).
chlo·ro·tri·fluor·o·meth·ane 名 塩化三フッ化メタン.
di·az·o·meth·ane 名 ジアゾメタン.
di·chlo·ro·di·fluor·o·meth·ane 名 ジクロロジフルオルメタン.
di·chlo·ro·meth·ane 名 (二)塩化メチレン, ジクロロメタン.
di·i·o·do·meth·ane 名 ジヨードメタン.
di·me·thox·y·meth·ane 名 メチラール, ホルマール(methylal).
di·me·thyl·meth·ane 名 ジメチルメタン.
ha·lo·meth·ane 名 ハロメタン.
me·thyl·meth·ane 名 エタン(ethane).
ni·tro·meth·ane 名 ニトロメタン.
per·chlo·ro·meth·ane 名 四塩化炭素, テトラクロルメタン.
phen·yl·meth·ane 名 トルエン, トルオール(toluene).
sul·fon·meth·ane 名 〖薬学〗スルホンメタン.
tet·ra·chlo·ro·meth·ane 名 =perchloromethane.
tri·chlo·ro·fluor·o·meth·ane 名 =chlorotrifluoromethane.
tri·chlo·ro·meth·ane 名 クロロホルム(chloroform).
tri·chlo·ro·ni·tro·meth·ane 名 クロロピクリン(chloropicrin).
tri·flu·o·ro·chlo·ro·meth·ane 名 =chlorotrifluoromethane.
tri·hal·o·meth·ane 名 トリハロメタン.
tri·i·o·do·meth·ane 名 ヨードホルム(iodoform).
tri·phen·yl·meth·ane 名 トリフェニルメタン, トリタン.

meth·od /méθəd/

名 方法, やり方, 手立て; (専門的)方式; (論理的)方法.

áccess mèthod 〖コンピュータ〗アクセス法.
Árgentine mèthod アルゼンチン方式: 反政府活動家を秘密裏に誘拐し, 裁判をせずに処刑する中南米諸国の政府のやり方.
Bacónian méthod 〖論理〗帰納法.
báttery méthod 〖畜産〗バタリー式養育法.
Béssel mèthod 〖測量〗ベッセル法.
Bíllings mèthod 〖医学〗ビリングズ法.
cáse mèthod ケースメソッド, 事例研究法.
compárative mèthod 比較研究法.
Delsárte mèthod デルサルト式(柔軟)体操.
dideóxy mèthod 〖生化学〗ジデオキシ法, 鎖停止法.
diréct mèthod (外国語の)直接教授法.
discóvery mèthod 〖教育〗発見学習法.
Erícsson mèthod エリクソン法: 人工受精の一種.
gráduated léngth mèthod しだいに長い板に変えていくスキー指導法.
Gráeffe mèthod 〖数学〗グレッフェ法.
grámmar-translátion mèthod 〖語学〗文法=訳読教授法.
Grám's mèthod 〖医学〗グラム染色法.
históric‌al mèthod 史的(研究)方法.
Hóffmann mèthod 〖民事法〗ホフマン方式.
horizóntal Brígdeman mèthod 〖物理〗水平ブリッジマン法.
Hórner's mèthod 〖数学〗ホーナーの方法.
hypothético-dedúctive mèthod 〖論理〗仮説演繹(えんえき)法.
Kénny mèthod 〖医学〗ケニー法.
Lagránge's méthod 〖数学〗ラグランジュの未定係数法.
Lamáze mèthod 〖産科〗ラマーズ法.
lóok-and-sày mèthod =look-say method.
lóok-sày mèthod ルックアンドセイ・メソッド: リーディング教授法の一つ.
manípulative méthod 賄賂(わいろ).
mícro·mèthod 〖物理化学〗マイクロメソッド.
Mílne mèthod 〖数学〗ミルンの方法, ミルン法.
Mònte Cárlo mèthod 〖統計〗モンテカルロ法.
Montessóri mèthod 〖教育〗モンテッソーリ法.
Néwton's mèthod 〖数学〗ニュートンの方法.
Nórthern méthod 〖医学〗ノーザン法.
núll mèthod 〖計測〗零位法, 零点法.
ovulátion mèthod 〖医学〗=Billings method.
pówder mèthod 〖結晶〗粉末法.
próject mèthod 〖教育〗構案教授法.
próne préssure mèthod 〖医学〗俯位(ふい)圧除法.
ráw-pack mèthod コールドパック: 低温缶詰法.
rhýthm mèthod 〖医学〗オギノ式避妊法.
Rúnge-Kútta mèthod 〖数学〗ルンゲ=クッタ法.
Schäfer mèthod 〖医学〗=prone pressure method.
schlíeren mèthod 〖物理化学〗脈理法.
scientífic mèthod 科学的方法.
símplex mèthod 〖数学〗単体法, シンプレックス法.
síngle-ánswer mèthod 〖調査〗賛否質問法.
Socrátic mèthod 〖論理〗ソクラテス式問答法.
Sóuthern mèthod 〖医学〗サザン法.
stácked-dríft mèthod スタック・ドリフト法: トンネル工法の一つ.
Stanislávski Mèthod 〖演劇〗スタニスラフスキーシステム.
súction mèthod (人工妊娠中絶で)吸引掻爬(そうは)法.
summátion mèthod 〖数学〗総和法.
Wéstern mèthod 〖医学〗ウエスタン法.
wórd mèthod 〖言語〗(言語の)単語中心教授法.

meth·yl /méθəl/

形 〖化学〗メチル基を含む. ── 名 メチル(基).
★ 語頭にくる関連形は meth(o)-, methyl-: *metho*prene「〖化学〗メソプレン」, *methyl*amine「〖化学〗メチルアミン」.

a·zin·phos·meth·yl 名 アジンホスメチル: 殺虫剤.
bi·meth·yl 名 =dimethyl
di·meth·yl 名 エタン(ethane).
tet·ra·meth·yl 形 分子中にメチル基4個を含む.
tri·meth·yl 形 3つのメチル基をもった.

me·tre /míːtər/

名 《英》メートル, メーター. ◇ METER^{1}.

cen·ti·me·tre 名 センチメートル.
dec·i·me·tre 名 デシメートル.
dek·a·me·tre 名 デカメートル.
kil·o·gramme-me·tre 名 〖物理〗キログラムメートル.
kil·o·gram-me·tre 名 〖物理〗キログラムメートル.
kil·o·me·tre 名 キロメートル.
mi·cro·me·tre 名 マイクロメーター.
mil·li·me·tre 名 ミリメートル.
ter·a·me·tre 名 テラメートル.

-met·ric /métrik/

連結形 -meter または -metry で終わる名詞に対応する形容詞をつくる.
★ 語頭にくる関連形は metro-: *metro*nome「メトロノーム」.

M

◆ ギリシャ語 *-metrikos* より. ⇨ -IC[1].

am·per·o·met·ric 形 〘電気〙電流測定に関する.
ax·o·no·met·ric 形 〘製図〙不等角投影(図法)の.
bar·o·met·ric 形 気圧の; 気圧計に示された.
bath·y·met·ric 形 深海測深の; 測深学の.
cli·no·met·ric 形 〈結晶体が〉結晶軸間に傾斜がある.
cra·ni·o·met·ric 形 頭骨測定(法)の.
dec·a·met·ric 形 〘無線〙デカメートル(10 m)の.
dec·i·met·ric 形 デシメートルの.
dek·a·met·ric 形 ＝decametric.
di·a·met·ric 形 直径の
di·met·ric 形 四角形の, 四辺形の(tetragonal).
gal·va·no·met·ric 形 検流計の [で測った].
ge·o·met·ric 形 幾何学の, 幾何学の原理に関する.
gran·u·lo·met·ric 形 〘地質〙(土壌などの)粒度(分布)の.
grav·i·met·ric 形 重量 [比重] 測定の [による].
hy·gro·met·ric 形 湿度計の; 湿度測定(法)の.
i·so·met·ric 形 同じ大きさ [容積など] の, 同寸法の.
or·o·met·ric 形 山岳測量の [による].
plan·i·met·ric 形 面積測定(法)の.
stoe·chi·o·met·ric 形 ＝stoichiometric.
stoi·chi·o·met·ric 形 〘化学〙化学量論の [に関する].
sym·met·ric 形 ☞
ther·mo·met·ric 形 温度計 [で計った] の; 温度測定の.
ti·tri·met·ric 形 〘化学〙滴定(法)の [による].
tri·met·ric 形 〘韻律〙三歩格の [から成る].
vol·u·met·ric 形 容積 [体積] 測定の.

-me·tri·cian /mitríʃən, mə-/

連結形 …測定学 [計測学] 者.
★ 名詞をつくる.
★ 語末にくる関連形は -METER.
★ 語頭にくる関連形は metro-: *metro*nome「メトロノーム」.
◆ -METRIC(S) ＋-IAN.

bi·o·me·tri·cian 名 生物測定学者, 生体統計学者.
cy·ber·me·tri·cian 名 コンピュータに強い人.
e·còn·o·me·trí·cian 名 計量経済学者.
ge·om·e·tri·cian 名 幾何学者.
pol·i·me·tri·cian 名 計量政治学者.

-met·rics /métriks/

連結形 測定学, 計量学.
★ 語末にくる関連形は -METER.
★ 語頭にくる関連形は metro-: *metro*nome「メトロノーム」.
◆ -METRIC より. ⇨ -ICS.

bi·o·met·rics 名複 〘生物〙生物測定法(biometry).
cli·o·met·rics 名複 計量経済史, クリオメトリックス.
e·con·o·met·rics 名複 〘経済〙計量経済学.
ge·o·met·rics 名複 ジオメトリックス, 幾何学的なもの.
i·so·met·rics 名複 〘医学〙アイソメトリックス.
ju·ri·met·rics 名複 ジュリメトリックス, 計量法律学.
neu·ro·met·rics 名複 〘医学〙ニューロメトリックス.
ply·o·met·rics 名複 プライオメトリクス: 筋肉トレーニング方法の一種.
pol·i·met·rics 名複 計量政治学.
psy·cho·met·rics 名複 〘心理〙計量心理学.
sa·ber·met·rics 名複 コンピュータによる野球データの分析法.

-me·tro·pi·a /mitróupiə/

連結形 〘眼科〙眼の異常を表す.
★ 名詞をつくる.
★ 語末にくる関連形は -METER
★ 語頭にくる関連形は metro-: *metro*nome「メトロノーム」.
◆ ＜ギ *métron*「測定」＋*-opia* -OPIA.

am·e·tro·pi·a 名 屈折異常(症).
an·i·so·me·tro·pi·a 名 不同視, 屈折不同, 不同像症.
em·me·tro·pi·a 名 正視(眼), 正常視.
hy·per·me·tro·pi·a 名 遠視(hyperopia).
i·so·me·tro·pi·a 名 両眼屈折力均等, 同等視, 同視眼.

-me·try /mətri/

連結形 測定(法).
★ 名詞をつくる.
★ 語末にくる関連形は -METER.
★ 語頭にくる関連形は metr(o)-: *metro*nome「メトロノーム」.
◆ ＜ギ *-metria*(*métron*「寸法」より). ⇨ -Y[3].
[発音] 直前の音節に第 1 強勢.

ac·i·dim·e·try 名 〘化学〙酸滴定, 酸定量法.
ac·ti·nom·e·try 名 〘化学〙化学光量測定(法), 放射エネルギー測定(学).
aer·om·e·try 名 〘化学〙気体測定(法).
al·co·hol·om·e·try 名 アルコール定量, 酒精定量.
al·ka·lim·e·try 名 〘化学〙アルカリ定量法.
al·lom·e·try 名 〘生物〙アロメトリー, 相対成長.
al·tim·e·try 名 (高度計による)高度測量(術).
an·e·mom·e·try 名 〘気象〙風速 [風力] 測定, 測風法.
an·thro·pom·e·try 名 人体計測(法), 人体測定(学).
ar·chae·om·e·try 名 考古標本年代測定学 [法].
ar·che·om·e·try 名 ＝archaeometry.
as·trom·e·try 名 位置天文学, 天体 [天文] 測定学.
at·mom·e·try 名 〘化学〙蒸発率測定法 [学].
au·di·om·e·try 名 〘医学〙聴力測定 [検査] (法).
ax·o·nom·e·try 名 結晶軸測定学.
ba·rom·e·try 名 〘気象〙気圧測定法.
ba·thym·e·try 名 水深測量(法); 測深学.
bi·om·e·try 名 〘生物〙生物測定法 [学].
cal·o·rim·e·try 名 〘物理化学〙熱量測定(法).
cam·pim·e·try 名 〘眼科〙視野測定(法).
ceph·a·lom·e·try 名 〘解剖〙頭部測定法.
chro·nom·e·try 名 時刻測定法.
com·plex·om·e·try 名 〘化学〙錯滴定.
cou·lom·e·try 名 〘化学〙電量分析, クーロメトリー.
cra·ni·om·e·try 名 〘解剖〙頭骨測定, 頭蓋(骨)計測法.
cys·tom·e·try 名 〘医学〙膀胱(ぼうこう)検査法.
cy·tom·e·try 名 〘医学〙血球計算.
do·lo·rim·e·try 名 〘医学〙痛覚測定(法).
do·sim·e·try 名 線量測定(法).
dy·na·mom·e·try 名 〘物理〙(dynamometer による)動力測定(法).
e·lec·trom·e·try 名 〘物理〙電気測量術.
en·thal·pi·met·ry 名 〘化学〙エンタルピー計測(法).
eu·di·om·e·try 名 〘化学〙ユージオメトリー.
gal·va·nom·e·try 名 〘化学〙電流測定(法).
gas·om·e·try 名 〘化学〙ガス定量.
ge·om·e·try 名 ☞
gra·vim·e·try 名 重量 [密度] 測定(法).
hy·grom·e·try 名 〘気象〙湿度測定(法).
hyp·som·e·try 名 測高法.
i·o·dim·e·try 名 〘化学〙＝iodometry.
i·o·dom·e·try 名 〘化学〙ヨウ素(還元)滴定.
i·som·e·try 名 同じ大きさ [容積など], 同寸法.
li·chen·om·e·try 名 〘地質〙地衣計測(法).
mi·crom·e·try 名 測微法.
mor·phom·e·try 名 外形計測.
o·dor·im·e·try 名 〘化学〙臭度測定(法).
op·tom·e·try 名 〘医学〙(目の)屈折計測, 検眼.
o·rom·e·try 名 山岳測量.
os·mom·e·try 名 〘物理化学〙浸透圧測定(法).
os·te·om·e·try 名 〘解剖〙骨計測, 骨測定(法).
ox·i·dim·e·try 名 〘化学〙酸化滴定.
ox·im·e·try 名 〘医学〙酸素測定(法).
pel·vim·e·try 名 〘解剖〙骨盤計測.
pho·to·gram·me·try 名 (特に航空写真による)写真測量(法).
pho·tom·e·try 名 測光(法), 光度測定(法).

phys·i·om·e·try 名 〘医学〙身体の生理機能測定(法).
pi·e·zom·e·try 名 〘物理化学〙圧縮率測定, 圧力測定(法).
pla·nim·e·try 名 (平面)面積測定(法).
pro·gram·me·try 名 〘コンピュータ〙プログラムメトリー.
psy·chom·e·try 名 〘心理〙計量心理学.
psy·chrom·e·try 名 乾湿計の使用.
res·pi·rom·e·try 名 〘医学〙呼吸測定学.
sac·cha·rim·e·try 名 〘生化学〙検糖法, 糖計測法.
sen·si·tom·e·try 名 〘写真〙(写真材料の)感度測定(法).
so·ci·om·e·try 名 〘社会〙ソシオメトリー.
so·ma·tom·e·try 名 〘医学〙人体測定, 生体計測(法).
ster·e·om·e·try 名 体積測定(法), 求積法.
sti·chom·e·try 名 行分け法.
stoe·chi·om·e·try 名 =stoichiometry.
stoi·chi·om·e·try 名 化学量論.
sym·me·try 名 ☞
te·lem·e·try 名 遠隔測定(法).
ten·si·om·e·try 名 〘物理〙張力学.
ther·mo·gra·vim·e·try 名 〘物理化学〙熱重量測定(法).
ther·mom·e·try 名 〘物理〙温度測定学.
trig·o·nom·e·try 名 〘数学〙三角法.
tyn·dall·im·e·try 名 〘化学〙比濁分析.
u·ra·nom·e·try 名 〘天文〙天球図.
vol·tam·met·ry 名 〘化学〙ボルタンメトリー.
zo·om·e·try 名 動物測定(法).

mi·cro /máikrou/

形 微小な, 微力な. ►micro- の独立用法, または語頭要素が micro- である語の短縮形. ⇨ -O[1].

sem·i·mi·cro 形 〘化学〙半微量の.
sup·er·mi·cro 名 〘コンピュータ〙スーパーマイクロコンピュータ(supermicrocomputer).
ul·tra·mi·cro 形 極微の(ultramicroscopic).

mi·cron /máikrɑn | -krɔn/

名 ミクロン. ⇨ -ON[3].

chy·lo·mi·cron 名 〘生化学〙カイロミクロン.
mi·cro·mi·cron 名 〘メートル法〙マイクロミクロン.
mil·li·mi·cron 名 〘メートル法〙ミリミクロン.
sub·mi·cron 形 1ミクロン未満の, サブミクロンの.

mi·cro·phone /máikrəfòun/

名 マイクロホン, マイク. ◇ MIKE. ⇨ -PHONE.

cárbon mìcrophone 炭素マイクロホン.
crýstal mìcrophone クリスタルマイク.
diréctional mìcrophone 指向性マイクロホン.
láp mìcrophone ラペルマイク(lapel mike): 小型マイクロフォンの一種.
lavalíere mìcrophone 首かけマイク; 小型マイクロホン.
líp mìcrophone リップマイクロフォン.
ríbbon mìcrophone リボンマイクロホン.
shótgun mìcrophone ショットガン型マイクロホン.
thróat mìcrophone のど当てマイク(ロホン).
velócity mìcrophone ベロシティ・マイクロフォン.

mi·cro·scope /máikrəskòup/

名 顕微鏡. ⇨ -SCOPE.

compárison mìcroscope 比較顕微鏡.
cómpound mícroscope 複合顕微鏡.
dárk-field mícroscope =ultramicroscope.
eléctron mìcroscope 電子顕微鏡.
fíeld-emission mìcroscope 電界放射顕微鏡.
fíeld-ìon mìcroscope 電界イオン顕微鏡.
interférence mìcroscope 干渉顕微鏡.
íon mìcroscope =field-ion microscope.
líght mìcroscope =microscope.
óptical mícroscope 光学顕微鏡.
pháse-còntrast mícroscope =phase microscope.
pháse mìcroscope 位相差顕微鏡.
phò·to·mí·cro·scope 名 写真用顕微鏡, 顕微鏡写真機.
pólarizing mìcroscope 偏光顕微鏡.
próton mìcroscope 陽子顕微鏡.
símple mícroscope 単レンズ拡大鏡.
spèctro·mícroscope 分光顕微鏡.
stèr·e·o·mí·cro·scope 名 =stereoscopic microscope.
stereoscópic mícroscope 立体[実体]顕微鏡.
ùl·tra·mí·cro·scope 名 限外顕微鏡.
ultravíolet mícroscope 紫外線顕微鏡.

mid·dle /mídl/

形 真ん中の; 中央の.

exclúded míddle 〘論理〙排中律, 排中原理.
undistríbuted míddle 〘論理〙不周延の中概念.
úpper-míddle 形 中流の上の.

mi·grant /máigrənt/

名 移住[入植]者, 移動動物; 季節労働者. ⇨ -ANT[1].

em·i·grant 名 (他国への)移住者.
im·mi·grant 名 (外国からの)移民.
in-mi·grant 名 (国内の他の地域への)移入者.
out-mi·grant 名 (外国・他地域への)移住者.
rem·i·grant 名 (移民の)帰国者.
trans·mi·grant 名 (特に目的地に向かう途中である国を通過中の)移住者.

mi·grate /máigreit, ━ˊ | ━ˊ, ˊ━/

動自 〈人が〉(たびたび集団で)移住する; (…から)(他国・他の地方・居住地へ)移民する, 移転する, 移動する. ⇨ -ATE[1].

em·i·grate 動自 (自国から)(他国・他郷に)移住する.
im·mi·grate 動自 (永住の目的で)(他国へ)移住する.
in-mi·grate 動自 (特に産業の拡大に伴って)〈労働者が〉同一国内で移動する.
out-mi·grate 動自 (外国・他地域へ)移住する, 移出する.
re·mi·grate 動自 再び移動[移住]する.
trans·mi·grate 動自 移動する, 移転する.

mi·gra·tion /maigréiʃən, məgréiʃən/

名 (人の)移住, 移動(活動). ►migrate の名詞形. ⇨ -ATION.

count·er·mi·gra·tion 名 逆方向への移動[移住].
im·mi·gra·tion 名 移住する[させる]こと, 移住, 入植.
in·ter·mi·gra·tion 名 相互移住.
trans·mi·gra·tion 名 移住, 移転.

mike /máik/

名 《話》マイク, マイクロホン. ━━動他 《話》マイクをつける[使わせる]. ◇ MICROPHONE.
★ 短縮および綴(つづ)り直しによる.

bódy mìke 《話》ボディーマイク.
bódy-mìke 動他 〈人に〉ボディーマイクをつける.
lapél mìke ラペルマイク: 上着の下襟などに留める小型マイク.
óff-míke 形 オフマイクの.
ón-míke 形 マイクロフォンに向かっての.
ò·ver·míke 動他 《米》〈音量を〉大きくしすぎる.
spíke mìke 壁に打ち込んで隣室を盗聴するマイク.

M

mile /máil/

名 マイル: 英米のヤード=ポンド法による距離の単位; 1 mi は 1,690m.

Ádmiralty mìle 《英》=nautical mile.
áir mìle =international nautical mile.
cár-mìle 〖鉄道〗カーマイル.
cóuntry míle 《特に米話》長距離.
geográphical míle =nautical mile.
hálf-míle 半マイル(0.8 km).
lást míle 独房から処刑場まで罪人が歩く距離.
Magníficent Míle 「壮大なマイル」: 米国 Chicago の Michigan Avenue の中心.
métrical míle (陸上競技・水泳の競走・競泳種目の)1,500m.
míracle míle 流行の先端を行く高級ブティックやレストランが軒を並べる目抜き通り.
náutical míle 海里.
pássenger mìle 旅客マイル.
póund míle 1ポンドの重さの郵便物[速達]を1マイル運ぶこと.
Róman míle ローママイル: 古代ローマ人が用いた長さの単位.
Róyal Míle ロイヤル・マイル: Edinburgh の旧市街を走る中央通り.
séa mìle =nautical mile.
séat mìle 〖航空〗=passenger mile.
squáre míle 平方マイル(2.59 km²).
státute mìle (法定)マイル(mile).
Swédish míle スウェーデンマイル.
tón-míle トンマイル.
tráin-mìle 列車走行マイル.

mil·i·tant /mílətənt/

形 (目的・大義のために)攻撃的な; 戦闘的な. ―名 闘争的な人. ⇨ -ANT[1].

àn·ti·míl·i·tant 形 反軍国主義の.
chúrch mílitant 〖神学〗戦う教会, 戦闘の教会.
non-míl·i·tant 形 非戦闘的な, 争いを好まない.
ùl·tra·míl·i·tant 形 極端に闘争的[好戦的]な.

milk /mílk/

名 **1** 乳, ミルク; 牛乳. **2** 樹乳; 乳液.

acidóphilus mìlk 乳酸菌牛乳.
álmond mìlk アーモンドミルク.
bútter·mìlk バターミルク.
cértified mílk (公定衛生基準に合致した)保証牛乳.
chócolate mìlk チョコレートミルク.
cóconut mìlk ココナツミルク.
condénsed mílk 加糖練乳, コンデンスミルク.
cróp mìlk (ハト類の)嗉嚢(そのう)乳.
dríed mílk =dry milk.
drý mílk 《米》ドライミルク, 粉乳.
eváporated mílk 無糖練乳, エバミルク.
fílled mílk フィルドミルク.
fóre·mìlk (産婦の)初乳(colostrum).
glácial mílk 氷河水, 氷河乳.
íce mìlk アイスミルク(iced milk).
imitátion mílk (食養生用の)代用ミルク.
málted mílk 麦芽乳.
Méxican mílk 《米俗》テキーラ(tequila).
móose·mìlk 《米・カナダ》自家製のウイスキー.
móther's mìlk 母乳.
Óf·mìlk 乳製品製造業監督団体.
pígeon mìlk =crop milk.
pígeon's mìlk =pigeon milk.
pówdered mílk =dry milk.
róck mìlk 〖鉱物〗粉乳状方解石.
schóol mìlk 〖英福祉〗スクールミルク.
séparated mílk =skim milk.
skím mílk スキムミルク, 脱脂乳.
sóya mìlk =soybean milk.
sóybean mìlk 豆乳.
sóy·mìlk =soybean milk.
Swíss mílk 甘いコンデンスミルク, 加糖練乳.
thíck mílk 《米》固まった酸っぱい牛乳, 凝乳.
Tíger Mílk タイガーミルク: ワインの一種.
tóp mílk 〖畜産〗濃くなったミルクのうわずみ.
tówn mìlk 《NZ》(酪農製品用に対して)飲用牛乳.
trée mìlk ガガイモ科ギンネマ属の植物の乳液: 食用にもされる.
whóle mílk 全乳.
wólf's-mìlk 〖植物〗タカトウダイ属の植物の総称.

mill /míl/

名 **1** (紙・鉄鋼・織物など特定の製品を作る)工場. **2** ひき臼(うす), 臼; 粉砕機, 製粉機; 籾(もみ)すり機; (コーヒーなどの)ひき器, ミル. **3** (往復運動を利用した)装置.

báll mìll ボールミル, 玉入り粉砕機.
bánd mìll 帯のこ盤.
béam mìll 〖金工〗ビーム圧延機.
blóoming mìll 〖冶金〗分塊圧延機.
bóring mìll 〖冶金〗立て中ぐり盤.
cóffee mìll コーヒー豆ひき, コーヒーミル.
córn mìll 《英》小麦製粉機.
cótton mìll 紡績[綿織, 製糸]工場.
degrée mìll =diploma mill.
diplóma mìll 《俗》もうけ主義でいい加減に資格を与える高等教育の学校.
divórce mìll 《話》離婚裁判所.
dráft mìll 焼き串(くし)回し.
énd mìll 〖機械〗(フライス盤の)底フライス.
fánning mìll 〖農業〗唐箕(とうみ), 精選機.
fíll·mìll 酒場.
flóur mìll 製粉機; 製粉所.
flútter mìll 《主に南部ミッドランド・米南部》(特に子供の遊び用の小さな)水車.
fóod mìll 濾(こ)し器.
fúlling mìll (毛織物の)縮絨(しゅくじゅう)機.
gáng mìll (製材用の)竪(たて)のこ盤.
gástric mìll 〖動物〗胃咀嚼器.
gíg mìll 起毛機.
gín mìll 《米俗》酒場.
gríst·mìll (特に, 客が持ち込む穀物をひく)製粉所.
grógmìll 《米俗》バー, 酒場, 居酒屋.
hámmer mìll 〖採鉱〗ハンマーミル.
hánd mìll 手回し式コーヒーミル.
lóoping mìll 〖金工〗並列式線材圧延機.
lúmber·mìll 製材所.
Médicaid mìll 《米俗》(私立の)医療扶助悪用病院.
míni·mìll 〖冶金〗ミニミル, 小規模製鋼所.
óil mìll 搾油機.
páper mìll 製紙工場.
pépper mìll (卓上用の)胡椒ひき.
pláning mìll 製材所, 木工所.
póst·mìll 回転式風車.
pówder mìll 火薬製造所, 火薬工場.
púg mìll 土こね機, 混和機, パグミル.
ród mìll 〖金工〗ロッドミル, 線材圧延機.
róller mìll ローラーミル.
rólling mìll 圧延工場.
róughing mìll 〖冶金〗粗圧延機.
rúmor mìll うわさを流す元.
sáw·mìll 製材所[工場].
slábbing mìll 〖機械〗スラブミル.
sláb mìll 〖機械〗平削りフライス.
smóck mìll 主柱式風車.

smút-mìll 黒穂を除去する機械.
stámping mìll =stamp mill.
stámp mìll 〖採鉱〗スタンプミル, 砕鉱機.
stéel mìll 製鋼工場, 製鋼所.
strétch mìll 〖金属加工〗(製管で)ストレッチレデューサー.
stríp mìll 幅広帯鋼を作る圧延機[工場].
súgar mìll サトウキビ圧搾機.
Sútter's Mìll サッターズミル(米国の地名).
tíde mìll 潮力を利用した水車場.
tímber mìll (建築用材などの)製材所.
tówer-mìll 塔形風車.
tréad·mìll 足踏み車.
univérsal mìll 〖冶金〗ユニバーサル圧延機.
wáter mìll 水車場, 水力を用いる製粉所.
wínd·mìll 風車(ふうしゃ).

mil·let /mílit/

名 〖植物〗アワ(粟). ⇨ -ET[1].

Áfrican míllet シコクビエ, カラビエ.
fóxtail míllet アワ(粟).
Índian míllet アズキモロコシ(durra).
Itálian míllet =foxtail millet.
Jápanese míllet ヒエ(稗).
péarl mìllet トウジンビエ(唐人稗).
sháma míllet インドヒエ.
spráy mìllet トウキビの実.

mil·li·me·ter /mílimìːtər/

名 〖メートル法〗ミリメートル. ⇨ METER[1].

éight míllimeter 8ミリ映画(フィルム).
mìcro·míllimeter マイクロミリメートル.
squáre míllimeter 平方ミリメートル.
sùb·míl·li·me·ter 形 1ミリメートル未満の.

mi·met·ic /mimétik, mai-/

形 模倣(mimesis)の;模倣的な;模倣癖のある. ⇨ -ETIC.

cho·li·no·mi·met·ic 形 〖生化学〗〖薬学〗コリンに似た作用の.
òn·o·màt·o·mi·mét·ic 形 〖言語〗擬態語の.
par·a·sym·pa·tho·mi·met·ic 形 〖生理〗〖薬学〗副交感神経作用の.
psy·cho·mi·met·ic 形 =psychotomimetic.
psy·chot·o·mi·met·ic 形 〖薬学〗精神疾患に類似の精神状態を起こす.「の.
ra·di·o·mi·met·ic 形 〖物理〗〖医学〗放射線類似[様]作用
sym·pa·tho·mi·met·ic 形 〖生理〗〖薬学〗交感神経様作用の.

mind /máind/

名 **1** (思考・判断などの働きをする)精神, 心. **2** 考え, 気持ち. **3** 〖ローマカトリック〗死者追悼記念式.
——動他 (…に)注意を払う; 思い出す.

dírty mínd 《米俗》みだらな考えでいっぱいの頭.
Divíne Mínd (クリスチャンサイエンスで)神を意味する心.
gróup mìnd ある社会集団全体の信条や要求.
máster·mìnd 動他 〈計画・行動などを〉立案[指揮]する.「サ.
mónth's mínd 〖ローマカトリック〗30日後の追悼ミ
mórtal mínd (クリスチャンサイエンスで)滅びる心.
nèver·mìnd 《古風》《通例否定文》注意, 留意.
re·mínd 動他 …を思い出させる, 気づかせる.
splít mínd (精神)分裂病.
yéar's mínd 〖ローマカトリック〗一周年追悼ミサ.

mind·ed /máindid/

形 《通例複合語》〈人が〉…の心[気質]をもった. ⇨ -ED[2].

ábsent-mínded 形 ぼんやりした, 放心状態の.
áir-mìnded 形 航空や飛行術に興味を持った.
blóody-mínded 形 暴力[流血]を好む, 殺伐[残忍]な.
bróad-mínded 形 心の広い, 寛大な; 偏狭でない.
cívic-mínded 形 社会の福祉に関心のある.
clósed-mínded 形 狭量な, かたくなな.
cómpany-mínded 形 会社優先[第一]の.
dírty-mínded 形 みだらな考え方をする, 好色な.
dóuble-mínded 形 心がぐらついている, 決心のつかない.
éar-mìnded 形 〖心理〗聴覚型の.
éven-mínded 形 心が落ち着いた; 偏見のない, 公正な.
évil-mínded 形 意地の悪い; 悪意のある, 腹黒い.
éye-mínded 形 (印象を)目で覚える, 視覚型の.
fáir-mínded 形 公正な, 公平な, フェアな.
féeble-mínded 形 《俗に》知能の低い, 低能の.
fíckle-mínded 形 気の変わりやすい, 移り気な.
héaven·ly-mínded 形 信心深い, 敬虔(けいけん)な.
hígh-mínded 形 高潔な, 高尚な, 気高い.
lárge-mínded 形 寛容な, 度量の広い, おうような.
líberal-mínded 形 心の広い, 寛大[寛容]な.
líght-mínded 形 軽率な, 軽薄な, 不まじめな.
líke-mínded 形 同じ意見を持った, 同心の, 同好の.
líteral-mìnded 形 想像力の乏しい, 面白みがない.
lów-mínded 形 心の卑しい, 下劣な, 浅ましい.
Máginot-mìnded 形 現状を守ることに取りつかれた. ►フランスの陸軍大臣 A. Maginot(1877–1972)にちなむ.
míni·mínded 形 考えのない, 浅はかな; 無知な.
mótor-mìnded 形 運動型の.
mýriad-mínded 形 無数の相を持った.
nárrow-mínded 形 心が狭い, 偏狭頑迷な.
nóble-mínded 形 高潔な; 廉潔な, 正直な; 立派な.
ópen-mínded 形 (新しい思想などを)受け入れやすい.
ótherwise-mínded 形 意見の異なった; 世論に反する.
públic-mínded 形 公共のことをまず考える.
ríght-mínded 形 心の正しい, 正直な, 律義な; 穏健な.
sérious-mínded 形 まじめな, 本気の, 真剣な.
símple·mínded 形 純真な, 実直な, あどけない.
síngle-mínded 形 一つの目的を持った.
smáll-mínded 形 利己的な, わがままな; けちな.
sóber-mínded 形 自制心のある, 落ち着いた, 冷静な.
sócial-mínded 形 社会状態[福祉]に関心のある.
stróng-mínded 形 心のしっかりした, 自主的な.
ténder-mínded 形 理想に走りやすい, 情にもろい.
tóugh-mínded 形 現実的な, 実際的な考え方の.
wéak-mínded 形 断固としたところがない; ためらう.
wóolly-mínded 形 頭がもやもやした.
wórldly-mínded 形 俗っぽい, 世俗的な, 俗物の.

mind·er /máindər/

名 《主に英》世話をする人, 番人. ⇨ -ER[1].

báby-mìnder 名 《英》子守(babysitter).
chíld·mìnder 名 《英》保母, 子守り.
góal·mìnder 名 〖アイスホッケー〗ゴールキーパー.
hóme·mìnder 名 《英》(家の)留守番.「番をする人.
hóuse·mìnder 名 《英》長期不在者の家に住んで留守

mine /máin/

名 (鉱石・石炭などを掘り出す)採掘坑, 鉱坑; 〖軍事〗機雷, 地雷; (敵地まで掘った)坑道.

acóustic míne 音響機雷.
áctivated míne 活性化地雷[機雷].
áerial mìne 航空機雷, 航空機搭載型機雷.
antipersonnél mìne 対人地雷.
cláymore mìne クレイモーア地雷, 指向性破片地雷.
cóal mìne 炭鉱, 炭山.

M

cóntact mìne 触発地雷 [機雷].
cóunt·er·mìne 名 (陸軍で)対敵坑道.
dríft mìne 沿層鉱山, 鏈押(ひ)し鉱山.
góld mìne 金坑, 金山.
lánd mìne 地雷.
magnétic míne 磁気機雷.
nával míne 機雷(mine).
préssure mìne 水圧機雷.
sált mìne 岩塩坑.
séa mìne 機雷.
sónic míne =acoustic mine.
spáce mìne 宇宙機雷.
stríp-mìne 動他自 露天掘りする.
ùn·der·míne 動他 …を徐々に衰えさせる [害する].

-mi·nence /mənəns/

連結形 突き出ているもの [こと]; 盛り上がっているもの [こと].
★ 名詞をつくる.
★ 語末にくる関連形は -MINENT.
◆ ラテン語 *-minēre*「突き出ている」より. ⇨ -ENCE[1].
[発音] いずれも 3 音節の語で, 語頭の音節に第 1 強勢.

em·i·nence 名 (地位・身分などが)高いこと, 高名.
im·mi·nence 名 差し迫った状態, 危急, 切迫.
prom·i·nence 名 目立つこと; 卓越; 著名; 重要性.

-mi·nent /mənənt/

連結形 突き出す, 立ち上がる.
★ 形容詞をつくる.
★ 語末にくる関連形は -MINENCE.
◆ <ラ *minēns*(*minēre*「突き出す, 立ち上がる」の現在分詞). ⇨ -ENT[1].
[発音] どれも 3 音節の語で, 語頭の音節に第 1 強勢.

em·i·nent 形 地位 [身分] の高い; 有名な.
im·mi·nent 形 差し迫った, 切迫した, 一触即発の.
prom·i·nent 形 目立った, 顕著な.

min·er·al /mínərəl/

名 **1** 鉱物. **2** 採掘物; 鉱石. ── 形 鉱物性の. ⇨ -AL[1].

ágaric míneral 粉乳状方解石.
cláy mìneral 粘土鉱物.
dárk mìneral 暗色鉱物.
gél mìneral ゲル状の鉱物.
líght mìneral 白色鉱物, 軽鉱物.

min·gle /míŋgl/

動自 混ざる, 一緒になる, 解け合う; 〈人・物が〉(…と)混じる.

co·min·gle 動他自 混合する, 混じり合う.
com·min·gle 動他 《文語》(…と)混ぜ合わせる.
im·min·gle 動他自 混和 [融合] させる [する]; 混合する.
in·ter·min·gle 動他自 混ぜる, 混ざる.

min·i /míni/

名 **1** 《話》ミニ(スカート). **2** ミニコン. ── 形 小型の. ► 語頭要素として mini- を持つ語の短縮形.

dèm·i·míni 形名 超ミニの(スカート).
mì·cro·míni 形名 《話》超小型の(物).
míni-míni 形 超ミニの.
sú·per·míni 名 スーパーミニコンピュータ.

min·i·a·ture /míniətʃər, -tʃùər, mínətʃər | -nətʃə/

名 縮小画, 小画像; 縮小模型. ⇨ -URE[1].

mi·cro·min·i·a·ture 形 〈特に電子装置が〉超小型の.
sub·min·i·a·ture 名形 超小型カメラ(の).
ul·tra·min·i·a·ture 形 〈電子装置などが〉超小型の.

min·i·a·tur·ize /míniətʃəràiz, -nə- | -nə-/

動他 〈物を〉小型に製造 [設計] する; 〈特に電子機器を〉小型化する. ⇨ -IZE[1].

mi·cro·min·i·a·tur·ize 動他 超小型化する.
sub·min·i·a·tur·ize 動他 超小型に設計 [製作] する.
ul·tra·min·i·a·tur·ize 動他 =microminiturize.

min·i·mum /mínəməm/

名 最小の量 [数], 最低限(度). ⇨ -UM[1].

ábsolute mínimum 【数学】絶対最小(値).
lócal mínimum 【数学】極小.
Máunder mínimum マウンダー極小期.
rélative mínimum 極小.
sùb·mínimum 形 最低限度以下の.

min·ing /máiniŋ/

名 採鉱, 採炭; 鉱業, 鉱山業. ⇨ -ING[1].

cóal mìning 採炭, 石炭鉱業.
góld mìning 金採掘, 金採鉱.
hydráulic míning 水力採鉱.
solútion mìning 溶解採鉱法.
stríp mìning 露天採鉱.

min·is·ter /mínəstər/

名 聖職者, 牧師; 大臣. ── 動他 …の聖務を執行する.

ad·mín·is·ter 動他 治める, 統治 [支配] する.
Áir Mìnister 《英》航空大臣.
cábinet mìnister (英国などの)閣僚.
députy mínister 《カナダ》上級公務員.
fóreign mínister 外務大臣, 外相.
óil mìnister (産油国の)石油担当相 [大臣].
prìme mínister 首相, 総理大臣.

min·now /mínou/

名 【魚類】ミノウ.

cútlips mínnow コイ科の魚の一種.
Dévon mìnnow 【釣り】生きたミノウ, またはミノウに似せた擬似餌.
fáthead mínnow コイ科の魚の一種.
múd·mìnnow *Umbra* 属および *Novumbra* 属の肉食性の小魚の総称.
tóp·mìnnow タップミノー, カダヤシ.

mi·nor /máinər/

形 小さい(ほうの). ── 名 **1**【音楽】短調. **2**【数学】小行列式.

Ásia Mínor 小アジア.
Cánis Mìnor 【天文】こいぬ(小犬)座.
Fríar Mínor 【ローマカトリック】フランシスコ会士.
Léo Mínor 【天文】こじし(小獅子)座.
quárt mínor 【トランプ】ピケット(piquet)で, キング, クイーン, ジャック, 10 の同じ組み札の 4 枚続き.
quínt mínor 【トランプ】ピケット(piquet)で, キング, クイーン, ジャック, 10, 9 の同じ組み札の 5 枚続き.
rélative mínor 【音楽】関係短調.
sígned mínor 【数学】前 [後] 因子(cofactor).

Úrsa Mínor 〘天文〙こぐま(小熊)座.

min·ster /mìnstər/

名 修道院, 大聖堂, 大寺院. ►地名に用いられる.

Kíd·der·mìn·ster 名 キッダーミンスター(イングランドの都市名). ►字義は「Cydda, Cydela (人名)の大聖堂」.
Wést·mìn·ster 名 ウェストミンスター(イングランドの地名). ►字義は「西の大聖堂」.
Yórk Mìnster (英国の)ヨーク大聖堂: 英国国教会北管区の本山.

mint /mínt/

名〘植物〙**1** ハッカ, ミント. **2** (一般に)シソ科の植物の総称.

bérgamot mìnt ベルガモット・ハッカ.
brándy mìnt =peppermint.
cát·mìnt 《主に英》チクマハッカ.
córn mìnt ハッカ: ユーラシア大陸産の多年草.
fíeld mìnt ハッカ: 北米産の草.
hórse·mìnt 名 ヨーロッパから米国へ入った野生ハッカの一種.
lémon mìnt シソ科ハッカ属の植物.
móuntain mìnt シソ科 *Pycnanthemum* 属の草.
pépper·mìnt ペパーミント.
spéar·mìnt スペアミント.
stóne mìnt シソ科の植物(dittany).
wáter mìnt 湿地性のハッカ属の植物の総称.

min·ute /mínit/

名 (時間単位の)分.

lást mínute 最後の瞬間, ぎりぎりの瞬間, 土壇場.
líght-mínute 〘天文〙光分.
mád mínute 《英軍俗》1分間の猛烈なライフル発射[銃剣訓練].
mán-mìnute 人分(にんぷん).
míle-a-mínute 形 1分1マイルの速度で旅する.
úp-to-the-mínute 形 《主に米》今にまで及んでいる.

mir·ror /mírər/

名 鏡, 手鏡, 姿見, 鏡台; 鏡面.

búll's-eye mírror 円形の装飾用凸面鏡.
Constitútion mìrror 〘米家具〙縦長のチッペンデール風の鏡.
cóurting mìrror 〘米家具〙コーティングミラー.
dóor mìrror 〘自動車〙ドアミラー.
magnétic mírror ミラー磁場, 磁気鏡.
Mártha Wáshington mìrror =Constitution mirror.
péllicle mìrror 〘写真〙半透明鏡, ペリクルミラー.
réarview mírror (自動車などの)バックミラー.
rúbber mìrror (天体撮影用の)ラバーミラー.
síde mìrror 《米》=sideview mirror.
sídeview mìrror 〘自動車〙サイドミラー.
spáce mìrror 宇宙反射鏡.
tábernacle mìrror (1800年ごろの)飾り鏡台.
wíndscreen mìrror 《英》=rearview mirror.
wíng mìrror 《英》=sideview mirror.

-mise /máiz, mis/

連結形 送る.
★ 語末にくる関連形は -MIT.
★ 語頭にくる形は mess-, miss-: *mess*age「音信」, *mis*sile「ミサイル」.
◆ ラテン語 *mittere*「送る」より.

com·pro·mise 名 (相互の)妥協, 歩み寄り, 互譲.
de·mise 名 《文語》死亡, 死去, 逝去, 崩御.
prem·ise 名 /-mis/〘論理〙前提.
prom·ise 名 /-mis/ 約束, 誓い, 契約.
sur·mise 動他 推量[推測, 憶測]する.

miss[1] /mís/

名 失敗, ミス.

áir mìss 《英》(航空機の)ニアミス.
a·míss 副 (正常状態などから)それて, 外れて.
hít-and-míss 形 調子にむらがある; いい加減な.
hít-or-míss 形 不注意な, ぞんざいな.
nèar míss **1** 至近弾. **2** (航空機の)ニアミス.

miss[2] /mís/

名 《話》若い未婚女性, 娘, 少女. ►mistress の短縮形.

júnior míss 《話》十代の少女.
Óld Míss 《米俗》ミシシッピー大学.
óld míss 《米古学生俗》ルームメイト(男女とも).
schóol mìss 女子学生.

mis·sile /mísəl | -sail/

名 **1** 飛び道具. **2**〘軍事〙誘導ミサイル, 誘導弾. ━━形 投げることができる, 発射できる. ◇ -MISSIVE. ⇨ -ILE[1].

áir-làunched crúise mìssile 空中発射巡航ミサイル(ALCM).
áir-to-gróund mìssile 空対地ミサイル.
àn·ti·mís·sile 形 対ミサイルの, ミサイル防御用の.
antimíssile mìssile 対ミサイル用ミサイル.
ballístic míssile 弾道弾, 弾道ミサイル.
cóunt·er·mìs·sile 名 =antimissile missile.
crúise mìssile 巡航ミサイル.
dúmb míssile 《米俗》(誘導式でない)在来型爆弾.
Éu·ro·mìs·sile 名 ユーロミサイル: 米国が欧州 NATO 諸国に配備した戦域核ミサイルの総称.
guíded míssile 誘導ミサイル, 誘導弾.
héat-sèeking míssile 熱線追尾式[赤外線誘導]ミサイル.
móbile míssile 移動式ミサイル.
séa-làunched crúise mìssile 海上発射巡航ミサイル(SLCM).
súrface-to-áir mìssile 地対空ミサイル(SAM).

mis·sion /míʃən/

名 **1** 使節団. **2** 任務. **3** 伝道. ⇨ -SION.

Crípps míssion 〘英史〙クリップス使節団.
fóreign míssion 伝道団, 布教団, 伝道[布教]組織.
hóme míssion 国内伝道, 内地伝道.
ínner míssion 内国伝道.
réscue mìssion (教会その他の組織の)社会救済施設.
suppórt mìssion 支援任務.

-mis·sion /míʃən/

連結形 **1** 送られたもの[こと]. **2** 送ること[もの].
★ 名詞をつくる.
★ 語末にくる関連形は -MIT.
★ 語頭にくる関連形は mess-, miss-: *mess*age「音信」, *miss*ile「ミサイル」.
◆ ラテン語 *mittere*「送る」より. ⇨ -SION, -ION[1].

ad·mis·sion 名 (…に)入る許可[承認, 資格].
com·mis·sion 名 ☞
de·mis·sion 名 《まれ》辞退, 退職, 退位.
e·mis·sion 名 ☞
in·ter·mis·sion 名 《主に米》(演劇などの)休憩時間.
man·u·mis·sion 名 奴隷[農奴]解放.

M

o·mis·sion 名 省略(すること); 遺漏, 手落ち.
per·mis·sion 名 許可(すること).
re·mis·sion 名 許す[免じる]こと; 軽減すること.
sub·mis·sion 名 服従, (…への)屈服, 帰順, 降服.
trans·mis·sion 名 ☞

-mis·sive /mísiv/

連結形 送られた…. ◇ MISSILE.
★ 形容詞をつくる.
★ 語末にくる関連形は -MIT.
★ 語頭にくる関連形は mess-, miss-: *mess*age「音信」, *miss*ile「ミサイル」.
◆ <ラ *missus* (*mittere*「送る」の過去分詞より). ⇨ -IVE¹.

ad·mis·sive 形 入場許可の; 許容[容認]的な.
dis·mis·sive 形 否認する; 退去させる; 忘れさせる.
e·mis·sive 形 放射[放出]性の.
in·ter·mis·sive 形 絶え間[休み]のある, とぎれる.
o·mis·sive 形 怠っている; 省いた, 脱落の.
per·mis·sive 形 大目にみる; 許された; 自由を許す.
re·mis·sive 形 和らぐ, 静まる, 弱まる; 軽減する.
sub·mis·sive 形 〈人が〉(…に)服従する, 従順な.

mist /míst/

名 霧, かすみ, もや; 《米》こぬか雨. ―― 動他 霧で覆う.

ácid míst 酸性霧, 硫酸霧.
bláck míst 〔政治〕黒い霧, 政治の腐敗.
blúe míst 《米俗》LSD.
de·míst 動他 〈窓などの〉曇り[霜]を取る.
Írish Míst 《商標》アイリッシュ・ミスト: 蜂蜜・薬草入りリキュール.
lóve-in-a-míst 〔植物〕クロタネソウ(黒種草).
mágic míst 《米俗》(麻薬の)PCP.
Scótch míst 《英》霧雨, こぬか雨.
séa mìst 海霧.

mis·tress /místris/

名 権威[支配権, 権力]を有する女性, 女性支配者; (特に家・機関・施設などの)女主人, おかみ. ⇨ -ESS¹.

bállet mìstress バレエミストレス, バレエ女教師.
dáncing mìstress 女性のダンス教師.
gámes mìstress 《英》女性体育[体操]教師.
héad·místress 《英》(小・中学校の)女校長.
hóuse·mìstress 女主人.
pást místress 女性の名人[達人, 大家].
páy-mìstress 女性の給料支払係.
póst·mìstress 女性の郵便局長.
schóol·mìstress 女性の教師[校長].
tásk·mìstress 仕事割当係の女性.
tóast·mìstress 宴席の司会をし, しばしば乾杯の音頭を取る女性.
wárdrobe mìstress (劇場などの)女性衣装係.
Wéb·mìstress (インターネットで)女性のウェブマスター.

-mit /mít/

連結形 送る.
★ 語末にくる関連形は -MISE, -MISSION, -MISSIVE, -MITTANCE.
★ 語頭にくる形は mess-, miss-: *mess*age「音信」, *mis*sile「ミサイル」.
◆ ラテン語 *mittere*「送る」より.
[発音] 基体(-mit)に第1強勢.

ad·mit 動他 入ることを許す, 入れる, 通す.
com·mit 動他 任せる, 委任する, 委託する.
de·mit¹ 動他 《主にスコット古》辞する.
de·mit² 動他 下に降ろす.
e·mit 動他 発する, 放つ, 吹き出す, 放射する.
in·ter·mit 動他 一時停止する, 中断する.
in·tro·mit 動他 《古》通す; 差し込む, 挿入する.
o·mit 動他 省略する, 省く; 抜かす.
per·mit 名 ☞
pre·ter·mit 動他 見過ごす, 看過する; 無視する.
re·mit 動他 送る, 送付する.
sub·mit 動他 服従[屈服, 降服]させる.
trans·mit 動他 送る, 発送する; 運ぶ, 渡す.

mite /máit/

名 〔動物〕ダニ.

búlb mìte ネダニ.
chéese mìte アシブトコナダニ.
fóllicle mìte Demodicidae 科のダニの一種.
fówl míte トリダニの総称.
gáll mìte フシダニ.
gráin ìtch mìte =straw mite.
hárvest mìte ツガムシ.
ítch mìte ヒゼンダニ.
púrple míte ミカンハダニ.
rát mìte イエダニ.
réd míte 赤色のダニの総称.
rúst mìte サビダニ.
spíder mìte ハダニ.
stráw mìte シラミダニ.
súgar mìte サトウダニ科 *Glycyphagus* 属の数種のダニの総称.
wídow's míte 〔聖書〕寡婦の乏しい賽銭(さいせん).

mi·to·sis /maitóusis/

名 〔細胞生物〕有糸(核)分裂, 間接核分裂. ⇨ -OSIS.
★ 語頭にくる関連形は mito-: *mito*chondrion「ミトコンドリア」.

am·i·to·sis 名 〔生物〕無糸[直接核]分裂.
c-mi·to·sis 名 〔生物〕C 有糸分裂.
en·do·mi·to·sis 名 〔遺伝〕核内有糸分裂.

-mit·tance /mítns/

連結形 伝えるもの[こと].
★ 名詞をつくる.
★ 語末にくる関連形は -MIT.
★ 語頭にくる関連形は mess-, miss-: *mess*age「音信」, *miss*ile「ミサイル」.
◆ ラテン語 *mittere*「伝える」より. ⇨ -ANCE¹.

ad·mit·tance 名 (…への)入場許可; 入場権.
e·mit·tance 名 〔光学〕発散度.
re·mit·tance 名 (現金・小切手などの)送金.
trans·mit·tance 名 移動, 移送, 伝送, 伝達, 送信, 伝導.

mix /míks/

動他 〈材料・要素などを〉混ぜる, かき混ぜる; …を(…と)混合する. ―― 自 混ざる. ―― 名 混合物. ►mixt「混ざった」からの逆成.

ad·mix 動他 (…と)混合する.
cáke-mìx 名 ケーキミックス.
com·mix 動他自 《まれ》混ぜ合わせる; 混じり合う.
fíxed míx 〔株式〕(保有株の種類ごとに配当率を固定させる)低リスク投資術.
im·míx 動他 …を混ぜる, 混入する, 混合する.
ìn·ter·míx 動他自 混ぜる, 混ざる, 混合する.
márketing mìx 〔経済〕マーケティング・ミックス.
média mìx メディアミックス.
prè·míx 名 (販売・使用前に)混合してあるもの.
réady-mìx 名 レディーミックス.
re·míx 動他 再び混ぜる.
scrátch-mìx 名 〔音楽〕スクラッチミックス.
Tóm Míx 《英麻薬俗》麻薬の注射.

M

tráil mìx ゴープ(gorp): ハイカー, 登山者などの栄養補給[軽食]用の食品.
trí·mìx 名 (深海ダイバー用の)トライミックス.
vísion·mìx 動自 〘テレビ〙〘映画〙ビジョンミックスする.

-mi·xis /míksis/

連結形 交配, 接合.
★ 名詞をつくる.
★ 語頭にくる関連形は mixo-: *mixo*ploid「〘遺伝〙混数体」.
◆ ギリシャ語 *míxis*「混ざること」より.

am·phi·mix·is 名 〘生物〙融合生殖.
ap·o·mix·is 名 〘生物〙無配偶生殖, 単性生殖.
en·do·mix·is 名 〘生物〙内混, 単独混合.

mix·ture /míkstʃər/

名 (…の)混合物; 〘薬学〙混合(水)薬. ⇨ -URE[1].

Bordéaux mìxture 〘園芸〙ボルドー(混)液.
Brómpton mìxture 〘薬学〙ブロムプトン合剤.
cólor mìxture 〘染色〙〘照明〙混色.
cóugh mìxture 咳(せき)止め薬.
dólly mìxture (さまざまな)小菓子の取り合わせ.
Dúke's mìxture 《米》混血の人; ごちゃごちゃ.
fréezing mìxture 〘化学〙寒剤, 起寒[凍結]剤.
ìn·ter·míx·ture 名 混合[混入]物.

-mne·sia /mníːʒiə | -ziə, -zjə/

連結形 …という状態[型]での記憶.
★ 名詞をつくる.
★ 語頭にくる関連形は mnem(o)-: *mnemo*n「記憶素」.
◆ <ギ *mnês*(*is*)「記憶」+-*ia* -IA.

am·ne·sia 名 記憶喪失, 健忘(症).
cryp·tom·ne·sia 名 他人のアイディアの模倣; 意識下にあるものが現れたもの.
dys·mne·sia 名 〘精神医学〙記憶障害, 記憶不全.
hy·perm·ne·sia 名 〘心理〙記憶増進(症).

-mo /mòu/

連結形 …折り(判): 本の大きさを表す.
◆ duodecimo「12 取り判, 12 枚折り判」から抽出.

eigh·teen·mo 名形 18 折判(の).
eight·mo 名形 オクタボ判(の), 八つ折判(の).
for·ty-eight·mo 名形 48 折り判(の).
oc·to·dec·i·mo 名形 ＝eighteenmo
sex·to·dec·i·mo 名形 ＝sixteenmo.
six·mo 名 六つ折り判, 12 ページ取り(sexto).
six·teen·mo 名形 16 折り判(の).
six·ty-four·mo 名形 64 折り判(の).
thir·ty-two·mo 名形 32 折り判(の).
twelve·mo 名形 12 取り判(の), 12 枚折り判(の).
twen·ty-four·mo 名形 24 折り判(の).
twen·ty·mo 名形 20 折り判(の).
vi·ges·i·mo 名形 ＝twentymo.

mob /mɑ́b | mɔ́b/

名 《集合的》無秩序の[騒々しい]群衆, 暴徒; 野次馬連.

fínger mòb 《米暗黒街俗》密告の代償として警察の保護下に入る犯罪者グループ.
rént-a-mòb 《英俗》(金を払って集めた)野次馬.
swéll mób 《英俗》紳士風の犯罪者連中.
whízz-mòb 《英俗》集団すり.

mo·bile /móubəl, -biːl | -bail/

形 移動しやすい, 動きやすい, 可動[移動]性の. ⇨ -ILE[1].
★ 語頭にくる関連形は mobili-: *mobili*ary「動産の」.

air·mo·bile 形 〘米軍事〙空輸される; 空輸部隊の.
im·mo·bile 形 動かない, 不動[不変]の.
land-mo·bile 形 〘軍事〙〈ミサイル・武器が〉陸上移動式の.

-mo·bile /moubìːl, mə-/

連結形 …用の車[車両].
★ 主に名詞をつくる.
◆ automobile「自動車」から抽出.
[発音] 第 1 強勢は, 3 音節の語では語頭の音節に, 4 音節の語では連結形の -mo- にある. 例外: àutomobíle のほか, /ˏ – – ˎ/, /ˎ – ˏ –/ もある.

art·mo·bile 名 《米》移動美術館, アートモービル.
blood·mo·bile 名 《米》(移動)採血車.
blow·mo·bile 名 (プロペラ式の)雪上車.
book·mo·bile 名 自動車文庫, 移動[巡回]図書館.
club·mo·bile 名 クラブモービル: クラブルームのような装備を持つバスまたはトレーラー.
cruise·mo·bile 名 《米俗》ハント用の車.
cunt·mo·bile 名 《米俗》＝pimpmobile.
dune·mo·bile 名 デューンモービル: 砂浜用特殊自動車.
lo·co·mo·bile 名 自動推進車[機関など].
nerd·mo·bile 名 《米俗》(十代の間で)ばかでかい車.
pig·mo·bile 名 《米俗》パトカー.
pimp·mo·bile 名 《米俗》ぽん引きが乗る特注高級車.
pope·mo·bile 名 ローマ教皇[法王]専用車.
re·lay·mo·bile 名 移動設備車.
skate·mo·bile 名 ローラーを取りつけた板の上に箱を載せたスクーター状の子供の乗り物.
ski·mo·bile 名 ＝snowmobile.
snow·mo·bile 名 スノーモビル.
spazz·mo·bile 名 《英俗》傷病者用車両.
tax·mo·bile 名 《米》巡回税金相談車.
tray·mo·bile 名 《豪話》手押し車.
yup·mo·bile 名 ヤッピー好みの乗用車.

mo·bil·i·ty /moubíləti/

名 **1** 動きやすさ, 移動性, 可動性; 機動性; 変動性; 流動性. **2** 〘社会〙社会的流動性. ⇨ -ILITY.

horizóntal mobílity 〘社会〙水平(的)移動.
ìm·mo·bíl·i·ty 名 不動性; 固定, 静止.
ióníc mobílity 〘化学〙イオン移動度.
pòp·mobílity ポップミュージック・フィットネス体操.
sócial mobílity 〘社会〙社会的流動性.
vértical mobílity 〘社会〙垂直的移動. 垂直移動.

mod·al /móudl/

形 **1** 様式(上)の. **2** 〘交通〙単一輸送機関の. **3** 〘統計〙典型的な, 並数の. ◇ MODE[1]. ⇨ -AL[1].

bi·mód·al 形 2 つの様式[方法]を持つ, 二方式性の.
dóuble módal 二重法助動詞.
ìn·ter·mód·al 形 〘交通〙協同一貫(輸送)の.
mùl·ti·mód·al 形 数種の方式の, いろいろな形態の.
síngle mòdal 形 〘交通〙単一輸送機関の.
tri·mód·al 形 〘統計〙3 つの並数(mode)を持つ.
ù·ni·mód·al 形 〘統計〙〈分布が〉単一モードの.

mode[1] /móud/

名 **1** やり方, 方法, 方式; 振る舞い方, 流儀. **2** (仕事・問題処理に関する)ある特定の状態. **3** 〘音楽〙音階, 旋法.
► 音階を形成する一定の音組織を意味する.

Aeólian móde エオリア旋法.

M

básing mòde 〖軍事〗配備方式.
chúrch mòde 教会旋法.
Dórian mòde ドリア旋法.
ecclesiástical mòde =church mode.
Gregórian mòde =church mode.
hỳpoaeólian móde ヒポエオリア旋法.
hỳpodórian móde ヒポドリア旋法.
hypoiónian móde ヒポイオニア旋法.
hỳpolýdian móde ヒポリディア旋法.
hỳpomixolýdian móde ヒポミクソリディア旋法.
hỳpophrýgian móde ヒポフリギア旋法.
Iónian mòde イオニア旋法.
Lýdian móde リディア旋法.
májor móde 長音階(major scale).
mínor móde 短音階(旋法).
mixolýdian móde ミクソリディア旋法, 第七旋法.
món·o·mòde 形 モノモードの: 中心部の直径が 10 μ 以下の光ファイバーについていう.
níght mòde 《米俗》夜間モード.
Phrýgian mòde フリギア旋法.
sléep mòde 《俗》〖コンピュータ〗スリープモード.
tálk mòde 《米ハッカー俗》(端末の)通信できる状態, 会話モード.

mode[2] /móud/

名 (行動様式・服装などの)はやり, 流行; モード, ファッション. ◇ MODE[1].

à la mode 流行中の; アイスクリーム添えの.
al·a·mode 名 アラモード絹布: 薄手で光沢のある絹織物の一種.
out·mode 動他自 時代 [流行] 遅れにする [なる].

mod·el /mádl | mɔ́dl/

名 **1** 手本. **2** モデル; 模型; 見本; 型. ⇨ -EL[1].

bréad-and-bútter mòdel 〖造船〗平板積層式船体模型.
cassétte mòdel 〖生化学〗カセットモデル.
compúter mòdel コンピュータモデル.
cónfluence mòdel 〖社会〗知的成長は家族の大きさと兄弟の年齢差に関連するという説.
demonstrátion mòdel デモ用モデル.
económic mòdel 〖経済〗経済モデル.
Éinstein mòdel 〖天文〗アインシュタイン・モデル.
flóor mòdel (テレビ・ラジオなどの)床置型.
Fríedmann mòdel 〖天文〗フリードマン宇宙(模型).
hólliday mòdel 〖生化学〗ホリディモデル.
límits-to-grówth mòdel 〖経済〗成長限界説.
mìcro-económic mòdel ミクロ経済モデル.
moléculár mòdel 〖物理〗〖化学〗分子(構造)模型.
néw-mòdel 動他 新しい型にする, 改造する.
quárk mòdel 〖物理〗クォーク模型.
rè·mòdel 動他 作り直す; …の型を変える.
róle mòdel 〖社会〗役割モデル.
séagull mòdel 《米俗》最初だけ指示をして後の手当てをしないコンサルタント.
stándard mòdel 〖物理〗標準模型.
Wátson-Crík mòdel 〖生化学〗ワトソン=クリックのモデル.
wórking mòdel (実物と同じ働きの)実用模型.

mod·ern /mádərn | mɔ́d-/

形 現代の, 近ごろの, 当今の.

Dánish módern デニッシュモダン: デンマーク製家具の様式.
depréssion mòdern 〖建築〗ディプレッション・モダン.
Fránce Módern 〖紋章〗青色の地に 3 つの金色のユリの紋を描いた紋章. ►1380 年ごろ以後のフランス王の紋章.
pòst·módern 形 ポストモダンの.
ùltra·módern 形 超現代的な, 最先端の.

mod·est /mádist | mɔ́d-/

形 控えめな, 謙遜(けんそん)した, 遠慮がちな; 内気な.

im·mod·est 形 不謹慎な, 下品な, みだらな.
o·ver·mod·est 形 控えめすぎる, 内気すぎる.

mod·i·fi·ca·tion /màdəfikéiʃən | mɔ̀d-/

名 (部分的)変更, 修正. ►modify の名詞形. ⇨ -FICATION.

behávior modificàtion 〖心理〗行動修正 [変容].
com·mòd·i·fi·cá·tion 名 (スポーツ・文化などの)商品化.
pòst·mod·i·fi·cá·tion 名 〖文法〗後置 [後位] 修飾.
prè·mod·i·fi·cá·tion 名 〖文法〗前置 [前位] 修飾.

mod·u·la·tion /màdʒuléiʃən | mɔ̀dju-/

名 調節, 調整, 加減. ⇨ -ATION.

ámplitude modulátion 〖電子工学〗振幅変調.
de·mòd·u·lá·tion 名 〖通信〗検波, 復調.
fréquency modulátion 〖電子工学〗周波数変調(FM).
inténsity modulàtion 〖電気〗輝度変調.
ìn·ter·mod·u·lá·tion 名 〖通信〗相互変調.
ò·ver·mod·u·lá·tion 名 〖通信〗過変調.
pássing modulátion =transient modulation.
pháse modulàtion 〖電子工学〗位相変調.
púlse-ámplitude modulàtion 〖電気通信〗パルス振幅変調.
púlse-còde modulàtion 〖電気通信〗パルス符号変調.
púlse modulàtion 〖電気〗パルス変調.
púlse-tìme modulàtion 〖電子工学〗パルス時変調.
suppréssed cárrier modulàtion 〖通信〗搬送波抑圧電送.
tránsient modulátion 〖音楽〗経過的 [中間] 転調.
velócity modulàtion 〖電子工学〗速度変調.

mod·ule /mádʒu:l | mɔ́dju:l/

名 (工業製品などの規格化された)ユニット, モジュール, 構成単位. ⇨ -ULE[1].

áirlock mòdule 気密制御 [気閘(きこう)] モジュール, 気密区画.
commánd mòdule 〖米航空宇宙〗(同着陸船の)司令船.
knówledge mòdule ノレッジ・モジュール: Telelearning 用の接続のための特殊装置.
lóad mòdule 〖コンピュータ〗ロードモジュール.
lúnar excúrsion mòdule 〖米航空宇宙〗=lunar module.
lúnar módule 〖米航空宇宙〗(アポロ宇宙船の)月着陸船.
mìcro·módule 〖電子工学〗マイクロモジュール.
páyload assist mòdule 〖航空宇宙〗ペイロード・アシスト・モジュール.
sérvice mòdule 〖米航空宇宙〗機械船, サービス船.
Síngle In-líne Mémory Mòdule 〖コンピュータ〗シングル・イン・ライン・メモリー・モジュール(SIMM).
sléeping mòdule カプセルホテル.

mod·u·lus /mádʒuləs | mɔ́dju-/

名 〖物理〗係数, 率. ⇨ -ULUS.

búlk mòdulus 体積弾性率.
elástic módulus 弾性係数, 弾性率.
shéar mòdulus 剪断(せんだん)弾性係数, 剛性率.
tórsion mòdulus =shear modulus.
Yóung's módulus ヤング率, 伸び弾性率.

mold[1] /móuld/

名 **1** 鋳型, 型. **2** 型にはめて作った物.

blów mòld 吹き型, 吹き込み成形用金型.
bútton·mòld ボタンモールド: くるみボタンの芯.
chíll mòld 〘冶金〙チル, 冷やし金.
móck móld 〘造船〙型板.
páste mòld 〘ガラス製造〙ペースト型.
pérmanent móld 〘金属加工〙永久鋳型, 永久型.
pícture mòld 額長押(なげし), 画桟.
rè·móld 動他 …を改造[改鋳]する; 作り直す.
ùn·móld 動他 …を型から取り出す.

mold[2] /móuld/

名 **1** かび. **2** かびを生じさせる菌類の総称.

bláck móld ＝bread mold.
blúe móld 青かび.
bréad mòld パンカビ.
gráy móld 〘植物病理〙灰色かび病.
gréen móld ＝blue mold.
íron mòld 鉄さびや鉄化合物のインクのよごれ.
íron-mòld 動自 鉄さび[インク]でよごす.
léaf mòld 腐葉土.
slíme mòld 粘菌, 変形菌.
snów mòld 〘植物病理〙雪腐れ病.
sóoty móld 〘植物病理〙すす病.
wáter mòld 〘菌類〙水生菌類.

mold·ing /móuldiŋ/

名 **1** 型で作ること, 鋳[塑]造; 形作ること. **2**〘建築〙〘家具〙刳形. ⇨ -ING[1].

báck mòlding 縁取り用蛇腹[刳形].
béad mòlding 〘建築〙〘家具〙玉縁(たまぶち).
béd mòlding 〘建築〙(ギリシャ建築のコーニスのうち)コロナのすぐ下の刳形.
blów mòlding 吹き込み成型, ブロー成型.
bráce mòlding 〘建築〙竜骨刳形.
cáble mòlding 〘建築〙(柱身の)縄形刳形.
cháin mòlding 〘建築〙鎖形の刳形.
chúrn mòlding 山形刳形.
compréssion mòlding (プラスチック・金属加工で)圧縮成形.
dríp mòlding 〘建築〙(ひさしの)雨押え石.
édge mòlding 凸状の丸い刳形の一種.
hóod mòlding 〘建築〙雨押さえ刳形.
injéction mòlding 射出成形.
líp mòlding 〘家具〙扉や引き出しの前板の周囲にある玉縁(たまぶち)飾り.
péarl mòlding 〘建築〙玉縁刳形.
rópe mòlding 〘建築〙縄形刳形.
rotátional mólding 回転成形.
shéll mòlding 〘鋳造〙シェルモールド法.
spríng mòlding ＝sprung molding.
sprúng mòlding 〘木工〙曲面刳形.
tránsfer mòlding トランスファー成形, 移送成形.
wáll mòlding ＝back molding.
wéather mòlding ＝drip molding.

mole[1] /móul/

名 〘動物〙モグラ.

gólden móle キンモグラ.
háiry-tàiled móle モグラヒミズ.
marsúpial móle フクロモグラ.
póuched móle ＝marsupial mole.
shréw mòle アメリカヒミズ(日不見).
stár-nòsed móle ホシバナモグラ.
Téle-Móle 〘土木工学〙テレモール: 遠隔操作するトンネル掘削機.
wáter mòle デスマン(desman): モグラ科の動物で水生適応した2種の総称.
wháck-a-móle モグラたたき.

mole[2] /móul/

名 〘化学〙モル, グラム分子(gram molecule).

mi·cro·mole 名 ミクロモル.
mil·li·mole 名 ミリモル.
nan·o·mole 名 ナノモル.
pi·co·mole 名 ピコモル(10^{-12}mole).

mo·lec·u·lar /məlékjulər/

形 〘化学〙分子の[から成る]. ⇨ -CULAR[1].

bi·mo·lec·u·lar 形 二分子の, 2つの分子を持つ.
e·qui·mo·lec·u·lar 形 等分子[等モル]の.
in·ter·mo·lec·u·lar 形 分子間にある[起こる], 分子間の.
in·tra·mo·lec·u·lar 形 分子内の[で起こる].
mon·o·mo·lec·u·lar 形 単分子の.
or·tho·mo·lec·u·lar 形 〘医学〙分子濃度調整論の.
su·pra·mo·lec·u·lar 形 超分子の.
tri·mo·lec·u·lar 形 三分子の; 三分子を持つ.

mol·e·cule /máləkjù:l | mɔ́l-/

名 〘化学〙〘物理〙分子. ⇨ -CULE[1].

bí·o·mòl·e·cule 名 生体分子.
grám mòlecule グラム分子.
màc·ro·mól·e·cule 名 巨大分子, 高分子.
núclear mólecule 原子核分子.
pólar mólecule (有)極性分子.
quá·si·mól·e·cule 名 準分子.
sóccer-ball mòlecule サッカーボール分子.
sùp·er·mól·e·cule 名 ＝macromolecule.

moll /mál | mɔ́l/

名 **1**《俗》ギャングの情婦; 女共犯者. **2**《豪》売春婦. **3**《米》女.

bánd mòll 《豪俗》(ロックグループのメンバーと親密になった)親衛隊の女の子.
chárity mòll 《豪俗》素人売春婦.
fággot's mòll 《米俗》ホモと付き合う女.
gún mòll 《俗》ギャングの情婦; 女共犯者.
múscle mòll 《米俗》筋肉のある女性.

mo·ment /móumənt/

名 **1** 瞬間, 一瞬. **2**(ある特定の)時. **3**〘機械〙回転偶力, モーメント. ⇨ -MENT.

bénding mòment 〘物理〙曲げモーメント.
bíg móment 《米学生俗》恋人.
cápsizing mòment ＝upsetting moment.
céntral móment 〘統計〙中心積率.
dípole móment 〘電気〙双極子モーメント.
magnétic móment 〘物理〙磁気[磁力]モーメント.
psychológical móment 〘心理〙所期の心理的効果を収めるのに最適の時間.
rólling mòment 〘航空〙横揺れモーメント.
spúr-of-the-móment 形 思いつきの, 衝動的な, 出来心の.
upsétting mòment 〘造船〙転覆モーメント.

mon·ad /mánæd, móun- | mɔ́n-, móun-/

名 **1**〘生物〙単細胞生物; モナス. **2**〘哲学〙単子. ⇨ -AD[1].

chi·lóm·o·nàd 名 〘微生物〙キロモナス.
chry·sóm·o·nàd 名 〘生物〙黄金色植物門 *Chrysomo-*

M

nadales 綱の藻類.
cryp·tóm·o·nàd 名 〘生物〙クリプトモナド.
trìch·o·món·ad 名 〘生物〙トリコモナス原虫.
wíndowless mónad (ライプニッツ哲学で)窓のない単子.

mon·ar·chy /mánərki | mɔ́nəki/

名 君主制, 君主政治 [政体]; 君主国. ⇨ -ARCHY.

ábsolute mónarchy 絶対君主制 [政体].
constitútional mónarchy ＝limited monarchy.
despótic mónarchy ＝absolute monarchy.
Dúal Mónarchy オーストリア＝ハンガリー(二重)帝国 (1867-1918).
fífth mónarchy 〘聖書〙第五王国.
límited mónarchy 立憲君主制.

-mond /mənd/

連結形 守護者.
★ 人名に使われる.
★ 語末にくる関連形は -MUND.
◆ 古英 *mund*「守護」.

Ed·mond 名 エドモンド(男子の名). ►字義は古英で「富, 幸福の守護者」.
Es·mond 名 エスモンド(姓, 男子の名). ►字義は「気品, 美の守護者」.
Ham·mond 名 ハモンド(姓). ►字義は「高貴な守護者」.
Ray·mond 名 レーモンド(姓, 男子の名). ►字義は「知恵の守護者」.
Red·mond 名 レドモンド(姓). ►Raymond の異形.

Mon·day /mʌ́ndei, -di/

名 月曜日. ⇨ DAY.

Bláck Mónday 《学生俗》休暇明け直後の登校日.
blúe Mónday (仕事の始まる)憂鬱月曜日.
Éaster Mónday 〘キリスト教〙復活の月曜日: 復活祭の翌日.
Gréen Mónday 《豪》大きな緑色のセミ.
Plów Mónday Epiphany(1 月 6 日)後の最初の月曜日.
Sáturday-to-Mònday 形名 土曜日から月曜日(にかけての).
Shróve Mónday 〘キリスト教〙懺悔(ざんげ)月曜日.
St. Món·day 《英》《おどけて》聖月曜日.
Whít·mónday Whitsunday 後の第 1 月曜日. ►英国では 1960 年代までは一般公休日.

-mone /móun/

連結形 〘生化学〙…ホルモン.
★ 名詞をつくる.
◆ hormone「ホルモン」の短縮形.
[発音] 語頭の音節に第 1 強勢.

al·lo·mone 名 アロモン.
ec·o·mone 名 自然環境の調和に働くホルモン.
par·a·thor·mone 名 パラトルモン, 上皮小体ホルモン.
pher·o·mone 名 フェロモン.

mon·ey /mʌ́ni/

名 (硬貨・紙幣などの)通貨, 貨幣; 金(かね), 金銭.

áctive móney 〘経済〙活動 [取引] 貨幣.
appéarance mòney (スポーツ大会などで, 有名選手に支払われる)出場謝礼金.
báld·mòney 〘植物〙白花をつけるセリ科の多年草.
bánk mòney 〘銀行〙預金通貨.
béer mòney 《英》酒手; (一般に)ポケットマネー.
bíg móney 多額(の金); 高利益; 高給.
bláck móney 《米俗》黒い金, ブラックマネー.
blóod mòney 殺人謝礼金.
bóot mòney ブーツマネー: スポーツ選手に対して, スポーツ用具メーカーが自社製品(運動靴など)を使用してもらうことに対して支払う謝礼金.
bróad móney 《英》広義の通貨.
cáll mòney コールマネー: 短期借入資金.
cásh mòney 《米南部・南部ミッドランド》(小切手・為替と区別して)現金, 現なま.
cáution mòney 《主に英》(特に大学新入生が自己の責任で損害を与えた場合に備えて払う)保証金.
chéap móney 〘金融〙低利の資金.
chímney mòney チムニーマネー, 煙突税.
Chínese móney 《話》(インフレ・通貨切り下げで)ほとんど無価値になった通貨.
cób mòney ペソ硬貨: 新大陸のスペイン領植民地で 17 世紀初頭から 1820 年まで発行された粗製銀貨.
cónduct mòney (証人に支払われる)出頭費.
cónscience mòney (しばしば匿名の)罪滅ぼしの献金.
cút mòney 《米》分割貨幣.
dálly·mòney 《米俗》(裁判所の命令によりかつて同棲した相手に支払う)慰謝料.
dánger mòney 危険手当.
déar móney 〘金融〙高金利資金.
depósit mòney 〘銀行〙預金通貨.
dírty móney 卑しい金, 不正な金.
dóor mòney 入場料, 木戸銭.
drínk mòney 《古》祝儀, 心づけ, 酒手.
éarnest mòney 〘法律〙手付(金), 内金, 保証金.
éasy móney 楽に手に入った金, あぶく銭(ぜに).
electrónic mòney 電子マネー(e-money).
é-money 名 ＝electronic money.
Éuro·mòney ユーロカレンシー(Euro-currency): 自国外(必ずしも欧州とは限らない)の銀行に預金され, 融資その他に利用されている各国通貨の総称.
éven móney 同額の賭け金.
fáiry mòney (民話やお伽話などで)妖精からもらったお金.
fáll mòney 《米暗黒街俗》(保釈金・弁護士料など)逮捕されたときに備えての蓄え.
fíat mòney 《米》名目紙幣, (法定)不換紙幣.
flásh mòney 見せ金.
fólding móney 《米話》(特に高額な)たくさんの紙幣, お札(さつ).
frónt mòney 《米》(仲買人などに支払う)前金.
fúnk mòney 《英》＝hot money.
fúnny mòney 《俗》偽金, 偽造紙幣; おもちゃのお金; 出所の怪しい金.
gáte mòney 入場料による総額.
gréen móney 《米俗》お札; 現金, 即金.
hánd mòney ＝earnest money.
háppy móney 《米俗》個人的な楽しみ事のためにためた [稼いだ] 金.
hárd móney (紙幣に対しての)硬貨.
héad mòney 人頭税.
héarth mòney 〘英史〙炉税.
héavy móney 《米俗》大金.
hígh-pówered mòney 〘経済〙ハイ・パワード・マネー, 高権貨幣.
hót móney 《話》ホットマネー, 短期資金.
húsh mòney 口止め料, 内済金.
kéy mòney キーマネー: 主にヨーロッパで, 住居の賃貸借契約時に鍵(かぎ)と交換に家主に支払う権利金 [保証金].
lóadsa·móney 《英話》うなるほどの金, 大金.
lúck-mòney 《英》縁起を担いで持っている金銭.
mád mòney 《話》不時の出費, 衝動買い用の金.

nárrow móney 〖経済〗狭義の通貨.
néar móney 近似通貨, 準貨幣.
óld móney 代々受け継がれた財産.
óut-of-the-móney 形 (競技などで等外に落ちて)賞金のない.
páper móney 紙幣, 銀行券; 有価証券.
pétro·mòney 名 〖経済〗オイルダラー.
píllow móney 枕銭.
pín mòney (臨時の出費のための)小額の金.
plástic móney クレジットカード.
pláy móney (ゲームで賭けに使う)模造紙幣.
pócket móney 小遣い銭, ポケットマネー.
préss móney 《英廃》=prest money.
prést móney 《英廃》(海軍または陸軍に入隊した兵士に契約金として支払われる)前払金, 前渡金.
príze mòney 賞金.
púsh móney 《米俗》売り上げ奨励賞.
quási-mòn·ey 〖金融〗準貨幣.
réady móney 現金, 即金; 手持ちのお金.
réal móney 実価貨幣.
ríght móney 《米俗》=smart money.
rísk-mòney (銀行などで出納係に出す)不足金補償費.
rún-mòney ポケットマネー, 小遣い.
scrám mòney 《米俗》急な出立に備えての金.
séed mòney (新事業の)元手, 着手(資)金.
shéll mòney 貝殻貨幣.
shíp mòney 〖古英法〗建艦税, 船舶税.
síde mòney 〖トランプ〗(ポーカーで)サイドポット(side pot)の金[チップ].
sít-down móney 《豪話》先住民(Aborigine)が受給する社会福祉手当.
smárt móney 最も情報通の相場師[賭博(とばく)師].
sóft móney **1** 軟貨, 交換不能通貨. **2** =paper money.
spénding mòney 《米》=pocket money.
stándard móney 本位貨幣.
stréet móney (票集めのための)選挙運動資金.
subsístence mòney (新兵・新規雇用者に支給する)支度金, 入隊[入社]手当.
táble mòney (英軍高級将校にのみ支給される)接待費手当.
tálent mòney (特にプロスポーツで成績優秀選手に与えられる)特別賞金, ボーナス.
téa mòney (特に中国の一部で)賄賂, 袖の下.
thrów-mòney 《米俗》小銭, ばら銭.
tíght móney 金融引締め; 金融逼迫.
tíll mòney 〖銀行〗窓口現金, 出納係現金.
tíme mòney 定期借入金.
tóken móney 名目貨幣.
velócity of móney 〖経済〗貨幣の流通速度.
wálking-aróund mòney (いつも携帯している)小遣い銭.
whíte móney 《米俗》非合法に取得したにもかかわらず出所を隠して合法的に見せかけた(政治)資金.

mon·ger /mʌ́ŋgər, mɑ́ŋ-|mʌ́ŋgə/

名 **1** 《通例複合語》つまらない[くだらない]ことに熱を上げる人, …屋. ►軽蔑的な響きがある. **2** 《主に英》(小売り)商人. ⇨ -ER[1].

bállad·mònger 名 バラッド売り[作者].
bórough·mònger 名 《古》〖英史〗(選挙区の)議席を売買する人.
chéese·mònger 名 (バターなども売る)チーズ屋.
cóster·mònger 名 《主に英》行商人, 呼び売り商人.
cúlture·mònger 名 《俗》えせ教育[文化]人.
fáshion·mònger 名 流行研究家; 流行を追う[作る]人.
féll·mònger 名 《主に英》獣皮商, (特に)羊皮商.
físh·mònger 名 《主に英》魚商人, 魚屋.
góssip·mònger 名 ゴシップ好きな人, おしゃべり屋.
háte·mònger 名 (人の心に)憎悪を燃え立たせる人.
idéa·mònger 名 《話》アイディアを売る人.
íron·mònger 名 《主に英》金物屋.
néws·mònger 名 《古風》うわさをまき散らす人.
pánic-mònger 名 恐怖を引き起こす人.
péace·mònger 名 《軽蔑的》(売名のため)平和を唱える人.
phráse·mònger 名 意味のない美辞麗句を並べ立てる人.
rúmor·mònger 名 うわさを広める人.
scándal·mònger 名 悪口を言いふらす人.
scáre·mònger 名 デマを飛ばして世間を騒がす人.
sensátion-mònger 名 センセーションを巻き起こす人.
sléaze·mònger 名 《米俗》低俗な娯楽の作り手.
vérse·mònger 名 へぼ詩人, 三文詩人.
wár·mònger 名 主戦論者, 戦争挑発者, 戦争屋.
whóre·mònger 名 売春婦と遊ぶ男; 好色家.
wónder·mònger 名 奇術的見世物師.
wórd·mònger 名 気取って語句を使う作家や雄弁家.

mon·i·tor /mɑ́nətər|mɔ́nətə/

名 **1** 忠告者; 監視者. **2** 監視装置. ⇨ -TOR.

ad·món·i·tor 名 忠告者, 説諭者, 訓戒者, 警告者.
Hólter mònitor ホルターモニター: 心臓機能を調べる方法.
pre·món·i·tor 名 前もって警告する人; 兆候, 前兆.
préview mònitor 〖テレビ〗放映直前に映像モニターする装置.
wáter mònitor 〖動物〗ミズオオトカゲ.

monk /mʌ́ŋk/

名 (キリスト教の)修道士, 修士.

Bláck Mónk ベネディクト会修道士.
híero·mònk 〖東方教会〗修道司祭.
Mád Mónk 怪僧ラスプーチン(Rasputin).
séa mònk 〖動物〗モンクアザラシ.
whíte mónk シトー修道会の修道士.

mon·key /mʌ́ŋki/

名 〖動物〗サル(猿).

Béngal mónkey ベンガルザル, アカゲザル.
bláck-crested mónkey シンパイ(simpai).
bráss-mónkey 形 《英・豪俗》とても寒い, 厳寒の.
cómpany mònkey 《米陸軍俗》会社員.
cróo mònkey カニクイザル.
crówn mònkey カニクイザル(bonnet monkey).
Diána mònkey ダイアナザル.
gréase mònkey 《米俗・英話》(特に自動車・飛行機の)機械工, 整備士.
gréen mónkey サバンナモンキー, ミドリザル.
hówling mònkey ホエザル(howler).
léaf mònkey ラングール, ヤセザル(langur).
Néw Wòrld mónkey 新世界サル.
níght mònkey ヨザル(夜猿).
nóse mònkey テングザル.
Óld Wòrld mónkey 旧世界ザル.
ówl mònkey ヨザル(douroucouli).
pówder mònkey 《もと》(軍艦で, 火薬庫と艦砲の間を往復した)少年火薬運搬員.
probóscis mónkey テングザル.
ríngtail mónkey オマキザル(capuchin).
róad mònkey 《米俗》(伐採人の間で)道路作業員.
savánna mónkey サバンナモンキー.
slóth mònkey スレンダーロリス, ヤセドウケ(道化)ザル(loris).
spíder mònkey クモザル.
squírrel mònkey リスザル.
tántalus mónkey タンタルスモンキー.

M

wáter mònkey (熱帯地方で飲料水を蒸発作用で冷やす)首の細長い素焼き瓶.
wóolly mónkey ヨウモウザル(羊毛猿).

mon·ox·ide /manáksaid, mə-｜mɔnɔ́k-, mə-/

名 『化学』一酸化物. ⇨ OXIDE.

cárbon monóxide 一酸化炭素, 酸化炭素.
íron monóxide 酸化第一鉄, 酸化鉄.
léad monóxide 一酸化鉛, 密陀僧(みつだそう).
níckel monóxide 酸化ニッケル(nickel oxide).
nítrogen monóxide 一酸化窒素, 酸化窒素.
sódium monóxide (一)酸化ナトリウム.

mon·ster /mánstər｜mɔ́nstə/

名 怪物, モンスター.

búg-èyed mónster ぎょろ目の宇宙人, ベム.
Cóokie Mónster クッキーモンスター: (Sesame Street で)クッキー好きの怪物.
Gíla mònster アメリカドクトカゲ.
gréen-eyed mónster 嫉妬(しっと), ねたみ.
hópeful mónster 『生物』期待される怪物.
hóse mònster 《米俗》セックス好きの女, 色情狂.
Lóch Néss mónster (スコットランドの)ネス湖の怪獣.
méth mónster 《米俗》メアンフェタミン常用者.
óne-èyed mónster 《米俗》テレビ(受像機).
ráck mònster 眠気; 眠くなるほどの全身疲労.
séa mònster 大きな海獣.

mon·tane /mántein｜mɔ́n-/

形 山地(性)の, 山地に育つ[生息する]. ―名 山地帯. ⇨ -ANE[1].

cis·mon·tane 形 山脈(特にアルプス山脈)のこちら側の.
in·ter·mon·tane 形 山間の, 山脈中にある.
sub·mon·tane 形 山下の, 山脈の下にある.
tra·mon·tane 形 山の向こうの, 山のかなたの.
trans·mon·tane 形 =tramontane.
ul·tra·mon·tane 形 =tramontane.

month /mʌ́nθ/

名 (1 年を 12 か月に分けた)月, 暦月(calendar month).

anomalístic mónth 『天文』近点月.
cálendar mónth 暦月: 暦で定めた月.
dracónic mónth =nodical month.
fénce mònth 《英》(シカの)禁猟期.
líght-mònth 『天文』光月.
lúnar mónth 『天文』(太陰暦の)ひと月(month).
mán-mònth 1 人 1 か月間の仕事量.
móon mònth 太陰月, 朔望(さくぼう)月.
nódical mónth 『天文』交点月.
ódd mònth 大の月: 太陽暦で 31 日ある月.
Ŕ mònth R のつく月: oyster がおいしい季節.
sidéreal mónth 『天文』恒星月.
sólar mónth 『天文』(太陽暦の)ひと月(month).
synódic mónth 『天文』朔望月(さくぼうげつ).
twélve·mònth 《主に英古》1 年, 12 か月.

-mo·ny /mòuni｜məni/

連結形 **1** 地位, 役割, 機能: matri*mony*, testi*mony*. **2** 人の特性, 行動の種類: acri*mony*, sancti*mony*.
★ ラテン語からの借用後の抽象名詞に見られる.
◆ ＜ラ *-mōnium*, *-mōnia*. ⇨ -Y[3].

ac·ri·mo·ny 名 (気質・言葉・態度などの)辛辣さ.
al·i·mo·ny 名 『法律』前配偶者扶養料, 別居[離婚]後扶養料.
cer·e·mo·ny 名 (公的・国家的な)儀式, 式典.
har·mo·ny 名 ☞
he·gem·o·ny 名 (連盟などの間での)主導権, 覇権.
mat·ri·mo·ny 名 結婚(生活), 夫婦関係.
o·var·i·mo·ny 名 女性の証言.
pal·i·mo·ny 名 《主に米話》パリモニ: 同棲していて別れた相手(特に女性)への金や財産.
par·si·mo·ny 名 (過度の)倹約; (極度の)けち.
pat·ri·mo·ny 名 世襲財産, 家督.
sanc·ti·mo·ny 名 信心家ぶること, 信心ぶり.
tes·ti·mo·ny 名 『法律』(通例, 法廷での)宣誓証言.

moon /múːn/

名 (天体の)月, 太陰.

blúe móon **1** 青い月: 高層大気の微粒子によって起こる現象. **2** 《話》長い間.
fúll móon 満月.
gíbbous móon 凸月.
hálf·mòon イスズミ科の食用魚.
hálf-móon 半月.
hárvest móon 中秋の満月.
hóney·mòon 新婚旅行[休暇].
húnter's móon 狩猟月.
móck móon 『気象』幻月: 内側の月暈(げつうん)の左右に特に輝いて見える光点.
néw móon 新月.
óld móon =waning moon.
quárter mòon 《米俗》ハシシ.
wáning móon 欠けていく月.
wáxing móon 漸大月.

moor /muər, mɔ́ːr/

名 荒野.
★ 地名にも用いる.

Cullóden Móor カロデンムーア(スコットランドの地名).
Dárt·moor 名 ダートムア(イングランドの地名).
Éx·moor 名 エクスムア(イングランドの地名).
Márston Móor マーストンムーア(イングランドの地名).
Sédge·mòor 名 セッジムア(イングランドの地名).

mop /máp｜mɔ́p/

名 モップ, 柄付きぞうきん.

dámp-móp 動自他 (…を)水気のあるモップでふく.
dísh·mòp 皿洗い用モップ.
drý mòp =dust mop.
dúst mòp ダストモップ, 化学モップ.
rág·mòp 《米俗》だらしない女.
róll·mòp ロールモップ.
wét mòp 水でぬらして使う清掃用モップ.
wét-mòp 動他 …をぬれたモップで清掃する.

mo·raine /məréin｜mɔ-, mə-/

名 『地質』モレーン; 氷堆石(ひょうたいせき).

láteral moráine 側堆石.
médial moráine 中堆石.
recéssional moráine 後退堆石.
términal moráine 末端堆石, 終堆石.

mor·al /mɔ́ːrəl, mɑ́r-｜mɔ́r-/

形 道徳(上)の; 善悪の判断に関する; 道徳律の, 倫理上の. ⇨ -AL[1].

a·mor·al 形 正邪[道徳]と無関係な.
im·mor·al 形 社会的倫理に反する; 不道徳な.
non·mor·al 形 道徳[倫理]に無関係の.
un·mor·al 形 超道徳的な, 道徳に関係がない.

mor·dent /mɔ́ːrdənt/

名 〔音楽〕モルデント: 装飾音の一種. ►イタリア語で「かみつく」の意で, 英語の mordant に相当.

dóuble mórdent 複モルデント.
invérted mórdent 転回モルデント.
lówer mórdent モルデント.
úpper mórdent ＝inverted mordent.

more /mɔ́ːr/

形 (量・額・規模・程度などが)(…よりも)もっと大きい[多い].

an·y·more 副 今ではもう, もはや.
ev·er·more 副 常に, いつも, 絶えず; 永久に.
for·ev·er·more 副 《文語》(今後)永久に.
fur·ther·more 副 その上に, さらに.
nev·er·more 副 《文語》二度と…しない.

morn·ing /mɔ́ːrniŋ/

名 午前(夜明けまたは真夜中から正午まで); 朝, 夜明け.

cóffee mórning (通例, 募金のために開く)朝のコーヒーの集い.
gòod mórning おはよう, こんにちは.
míd·mórning 午前の中ごろ, 早朝と正午の中ごろ.
Mónday-mórning 形 (働く気の起きない)月曜朝の; 週末の試合を後から批評する.
yéster·mórning 《古》昨朝, きのうの朝.

-morph /mɔ̀ːrf/

連結形 …形(態), …構造(を持つもの).
★ 名詞をつくる.
★ 語末にくる関連形は -MORPHIC, -MORPHISM, -MORPHOSIS, -MORPHOUS, -MORPHY.
★ 語頭にくる形は morph(o)-; *morph*eme「形態素」, *morpho*logy「形態論」.
◆ ギリシャ語 *-morphos* より.

al·le·lo·morph 名 〔遺伝〕対立遺伝子, 対立因子.
al·lo·morph 名 〔化学〕異形仮像.
bi·morph 名 〔電子工学〕バイモルフ(素子).
bi·o·morph 名 〔絵画〕〔彫刻〕有機的形態.
di·morph 名 (鉱物などが呈する)同質二像の一方.
dry·o·morph 名 〔人類〕ドリオピテクス類.
ec·to·morph 名 〔心理〕外胚葉(はいよう)性体型の人.
en·an·ti·o·morph 名 〔結晶〕エナンチオモーフ.
en·do·morph 名 〔鉱物〕内包鉱物.
gy·nan·dro·morph 名 〔生物〕雌雄モザイク.
ho·me·o·morph 名 〔結晶〕類質同像結晶.
hy·per·morph 名 〔心理〕長肢体型.
hy·po·morph 名 〔医学〕矮小(わいしょう)体型.
hys·tri·co·morph 形 〔動物〕ヤマアラシ類の.
i·so·morph 名 〔生物〕同形体.
lag·o·morph 名 〔動物〕ウサギ.
mes·o·morph 名 〔心理〕中胚葉(はいよう)型の人.
nem·a·to·morph 名 〔生物〕線虫, 線形虫.
ne·o·morph 名 〔生物〕突然変異型対立遺伝子.
pach·y·os·te·o·morph 名 〔古生物〕パキオステウス型.
par·a·morph 名 〔鉱物〕多形仮晶, 同質異像仮晶.
per·i·morph 名 〔鉱物〕外囲鉱物.
pol·y·morph 名 〔生物〕多形体.
pseu·do·morph 名 偽形, 不正形.
ra·ma·morph 名 化石類人猿の一種.
rhi·zo·morph 名 〔菌類〕(根状)菌糸束.
skeu·o·morph 名 スキューオモルフ: 本来の材質・方法を, 他の方法で模造した装飾.
tet·ra·morph 名 〔キリスト教〕四福音書の著者を象徴する有翼の組み合わせ形像.
the·ri·o·morph 名 獣の姿をした神, 獣神.
tri·morph 名 〔結晶〕同質三像[形]物質.

-mor·phic /mɔ́ːrfik/

連結形 -morphous の異形.
★ 名詞は morph「形態」.
★ 語頭にくる関連形は morph(o)-; *morph*eme「形態素」, *morpho*logy「形態論」.
◆ -MORPH＋-IC[1].

ac·tin·o·mor·phic 形 〔生物〕放射相称を成す.
al·lo·mor·phic 形 〔化学〕異形仮像の.
al·lot·ri·o·mor·phic 形 〔記載岩石〕＝xenomorphic.
an·a·mor·phic 形 〔光学〕結像異常の, 歪像(わいぞう)の.
an·thro·po·mor·phic 形 神人同形論の, 擬人観の.
au·to·mor·phic 形 〔記載岩石〕＝idiomorphic.
ec·to·mor·phic 形 外胚葉(はいよう)性体型の.
en·do·mor·phic 形 〔鉱物〕内包鉱物の形で産する.
eu·mor·phic 形 ＝mesomorphic.
ge·o·mor·phic 形 地表の[に関する].
hal·o·mor·phic 形 〔土壌〕塩類(土壌)の.
hem·i·mor·phic 形 〈結晶が〉異極像の, 異極儀の.
het·er·o·mor·phic 形 〔生物〕異形[変形]の, 異構造の.
hol·o·mor·phic 形 〔数学〕分析の, 分解の, 解析の.
ho·mo·mor·phic 形 〔数学〕準同形の.
hy·dro·mor·phic 形 湿潤土的な.
hy·lo·mor·phic 形 〔哲学〕質料形相(論)の, 霊肉の.
id·i·o·mor·phic 形 〔記載岩石〕〈岩石が〉自形の.
i·so·mor·phic 形 〔生物〕(異種)同形の.
mer·o·mor·phic 形 〔数学〕有理型の.
mes·o·mor·phic 形 中胚葉(はいよう)型の.
met·a·mor·phic 形 変形の, 変容の; 変質の; 変態の.
mon·o·mor·phic 形 〔生物〕単一形の, 不変態の.
pan·to·mor·phic 形 あらゆる姿[形, 形態]になる.
ple·o·mor·phic 形 〔生物〕多形態性の.
pol·y·mor·phic 形 〔生物〕多形性の.
pro·to·mor·phic 形 〔生物〕原始形の, 原始性の.
ra·to·mor·phic 形 ネズミ式の.
ro·bot·o·mor·phic 形 ロボット型の.
the·o·mor·phic 形 神の姿をした, 神に似た.
the·ri·o·mor·phic 形 〈神が〉獣の姿をした; 獣神の.
xen·o·mor·phic 形 〔記載岩石〕他形の.
xe·ro·mor·phic 形 〔植物〕乾生形態の.
zo·o·mor·phic 形 〈神・超自然力が〉動物形態の.
zy·go·mor·phic 形 〔生物〕左右相称の, 左右同形の.

mor·phine /mɔ́ːrfiːn/

名 〔薬学〕モルヒネ. ⇨ -INE[3].

ap·o·mor·phine 名 アポモルヒネ.
di·a·ce·tyl·mor·phine 名 ジアセチルモルフィン.
di·a·mor·phine 名 ヘロイン(heroin).
hy·dro·mor·phine 名 ヒドロモロヒネ.
par·a·mor·phine 名 テバイン(thebaine).

-mor·phism /mɔ́ːrfizm/

連結形 特定の形態を持っている状態.
★ -morphic, -morphous で終わる形容詞に対応する名詞をつくる.
★ 語頭にくる形は morph(o)-; *morph*eme「形態素」, *morpho*logy「形態論」.
◆ -MORPH＋-ISM[1].

al·lo·mor·phism 名 〔化学〕同質異形.
a·mor·phism 名 無定形, 形のないこと.
an·a·mor·phism 名 〔地質〕変成作用.
an·thro·po·mor·phism 名 神人同形[同性]論, 擬人観.

M

au·to·mor·phism 名 〔数学〕自己同形.
bi·o·mor·phism 名 有機的形態造形, ビオモーフィズム.
di·mor·phism 名 〔動物〕二形性.
en·an·ti·o·mor·phism 名 〔結晶〕対掌体, 左右像.
en·do·mor·phism 名 〔岩石〕混成作用.
ep·i·mor·phism 名 〔数学〕全射.
ho·me·o·mor·phism 名 〔結晶〕類似型.
ho·mo·mor·phism 名 〔生物〕同形性.
hy·lo·mor·phism 名 〔哲学〕質料形相論.
i·so·mor·phism 名 同形.
kat·a·mor·phism 名 〔地質〕カタモルフィズム.
mech·a·no·mor·phism 名 〔哲学〕万有機械論.
met·a·mor·phism 名 ☞
mon·o·mor·phism 名 〔数学〕単射.
par·a·mor·phism 名 〔鉱物〕多形仮像形成.
path·o·morph·ism 名 異常形態学, 奇形学.
pe·do·mor·phism 名 〔生物〕幼形保有.
ple·o·mor·phism 名 〔生物〕多形態性, 多形性, 多態性.
pol·y·mor·phism 名 多形.
rhe·o·mor·phism 名 〔地学〕レオモルフィズム.
tet·ra·mor·phism 名 〔結晶〕四形.
the·ri·o·morph·ism 名 神に獣の姿と特徴を付与すること.
tri·mor·phism 名 〔動物〕三形性.
zo·o·mor·phism 名 (装飾などで)動物をかたどること.

mor·phol·o·gy /mɔːrfɑ́lədʒi | mɔːfɔ́l-/

名 形態学; 〔言語〕形態論. ⇨ -OLOGY.

cy·to·mor·phol·o·gy 名 細胞形態学.
ge·o·mor·phol·o·gy 名 地形学.
his·to·mor·phol·o·gy 名 組織学.
mi·cro·mor·phol·o·gy 名 〔土壌〕微(細)形態 [構造].
se·le·no·mor·phol·o·gy 名 〔宇宙〕月面形態学.

-mor·pho·sis /mɔ̀ːrfəsis/

連結形 …の形態発達, …の形態変化.
★ 名詞をつくる.
★ 複数形は -morphoses.
★ 語末にくる関連形は -MORPH.
★ 語頭にくる関連形は morph(o)-; *morph*eme「形態素」, *morpho*logy「形態論」.
◆ ＜近代ラ *morphōsis* ＜ギ *mórphōsis* 形成. ⇨ -OSIS.

an·a·mor·pho·sis 名 〔美術〕歪像(ゆがみぞう), 歪像描法.
an·thro·po·mor·pho·sis 名 人の形を取らせること, 人間化.
ep·i·mor·pho·sis 名 〔動物〕前成, 前形成.
ge·ron·to·mor·pho·sis 名 〔生物〕成体進化.
me·di·a·mor·pho·sis 名 歪曲(わいきょく)報道.
met·a·mor·pho·sis 名 〔生物〕変態.
pae·do·mor·pho·sis 名 〔生物〕幼形進化.

-mor·phous /mɔ́ːrfəs/

連結形 …形態を持つ.
★ -morph で終わる名詞に対応する形容詞をつくる.
★ 語頭にくる関連形は morph(o)-; *morph*eme「形態素」, *morpho*logy「形態論」.
◆ ＜ギ *-morphos*(*morphḗ*「形」の形容詞派生語より). ⇨ -OUS.

a·mor·phous 形 決まった形のない, 無定形の.
an·thro·po·mor·phous 形 神人同形論の.
de·lo·mor·phous 形 定形の.
di·mor·phous 形 〔結晶〕同質二像の; 〔生物〕二形の.
gyn·e·co·mor·phous 形 雌 [女性] 形の.
i·so·mor·phous 形 〔化学〕〔結晶〕〈化合物・鉱物・元素などが〉同形の, 等晶形の.
met·a·mor·phous 形 変形の, 変容の; 変質の; 変態の.
pol·y·mor·phous 形 種々の形態 [性質, 機能など] を持つ.
rhi·zo·mor·phous 形 〔植物〕(形状が)根のような, 根形の.

-mor·phy /mɔ̀ːrfi/

連結形 …形態(をしていること).
★ 名詞をつくる.
★ 語末にくる関連形は -MORPH.
★ 語頭にくる関連形は morph(o)-; *morph*eme「形態素」, *morpho*logy「形態論」.
◆ ギリシャ語 *-morphos*「形が…の」より. ⇨ -Y[3].

ho·me·o·mor·phy 名 ＝homomorphy.
ho·mo·mor·phy 名 〔生物〕同形性(homomorphism).

mort·gage /mɔ́ːrgidʒ/

名 〔法律〕(譲渡)抵当; 住宅ローン. ―― 動他 …を抵当に入れる. ⇨ GAGE[1].

adjústable-ràte mórtgage 変動金利抵当貸し付け.
ballóon mòrtgage 〔金融〕バルーンモーゲージ.
cháttel mòrtgage 《米・カナダ》動産譲渡抵当.
clósed-énd mòrtgage 閉鎖型担保, 閉鎖式モーゲージ.
endówment mòrtgage 《英》生命保険契約付き抵当権.
équity mórtgage 持ち分抵当.
fírst mórtgage 第一抵当.
fíxed-ràte mórtgage 定額償還の抵当貸付.
fléxible-rate mórtgage ＝adjustable-rate mortgage.
gráduated páyment mòrtgage 《米》累進的割賦償還抵当物件.
grówing-équity mòrtgage 返済額漸増型譲渡抵当.
ópen-énd mòrtgage 開放型担保, 追加借入権付担保.
óption mórtgage 《英》(税法上の)抵当融資利子補給対所得減税選択制.
pénsion mòrtgage 〔金融〕年金基金住宅抵当貸し付け.
rè·mórt·gage 動他自 再び抵当に入れる.
rènegótiable-ràte mórtgage 定期金利見直し条項付き住宅抵当貸し付け.
revérse annúity mòrtgage 《米・カナダ》逆住宅抵当貸し付け.
revérse mórtgage ＝reverse annuity mortgage.
róllover mòrtgage ＝renegotiable-rate mortgage.
sécond mórtgage 二番抵当.
shâred-appreciátion mòrtgage 〔金融〕低当物件増価分共有条件貸付.
váriable ráte mòrtgage 《米》〔金融〕変動利付抵当証券.
wráparound mòrtgage ラップアラウンドモーゲージ, 包括抵当権.

mo·sa·ic /mouzéiik/

名 モザイク, 寄せ木細工.

áerial mosáic 〔測量〕継ぎ合わされた航空写真の集成. ┌図.
áir mosàic (航空写真をつなぎ合わせた)航空地
cúcumber mosàic 〔植物病理〕キュウリモザイク病.
phòto·mosáic ＝aerial mosaic.
tobácco mosàic 〔植物病理〕タバコモザイク病.

moss /mɔ́ːs, mɑ́s | mɔ́s/

名 スギゴケ類, セン(蘚)類.

béard mòss サルオガセ.
bóg mòss ＝peat moss.
cáribou mòss ＝reindeer moss.
Ceylón móss セイロンゴケ.
clúb mòss ヒカゲノカズラ.
dítch-mòss トチカガミ科カナダモ属の水生植物の総称(elodea).
dýer's móss リトマスゴケ.
Flórida móss ＝Spanish moss.
flówering móss イワウメ科の木.
Íceland móss エイランタイ, アイスランドゴケ.

Írish móss トチャカ.
lóng móss =Spanish moss.
óak·mòss ツノマタゴケ.
péat mòss ピート(モス), 泥炭ごけ.
réindeer mòss ハナゴケ, トナカイゴケ.
ríghteous móss 《米黒人俗》(白人の)縮れていない髪の毛.
róse mòss マツバボタン.
scále mòss 鱗(うろこ)状のコケ.
séa mòss 葉状紅藻.
snáke mòss ヒカゲノカズラ.
Spánish móss サルオガセモドキ.
spíke mòss クラマゴケ(鞍馬苔).
splít móss クロゴケ目のコケ.
sún mòss =rose moss.

-most /mòust, məst/

接尾辞 **1** 最も…の, 最…: inner*most*. **2** …に最も近い: after*most*.
★ 形容詞・名詞・前置詞・副詞の語尾について最上級をつくる.
◆ 中英 *-most*; 中英, 古英 *-mest*(二重最上級接尾辞)に取って代わる =*-ma* 最上級接尾辞 + -EST[1]; 後に *most* と同化.
[発音] 基語の第1強勢と同じで, ほとんどの語は語頭の音節に第1強勢. 例外: nòrthwésternmòst.

af·ter·most 形 〘海事〙(船の)最後部の.
aft·most 形 〘海事〙=aftermost.
back·most 形 最後部 [後方] の.
bet·ter·most 形 《主に方言》最良の, 最上の(best).
bot·tom·most 形 最底部の [にある].
cen·ter·most 形 まん中の.
down·most 副形 いちばん低く [低い].
east·ern·most 形 最東端の, 極東の.
east·most 形 =easternmost.
end·most 形 いちばん端の; 最後尾の(last).
far·ther·most 形 最も遠い.
fore·most 形 先頭の; 第一級の, 主要な.
fur·ther·most 形 《文語》最も遠い(most distant).
head·most 形 先頭の; 最も進んだ.
hin·der·most 形 《古》=hindmost.
hind·most 形 《文語》いちばん後ろの, 最後部の.
hith·er·most 形 《まれ》いちばん近くの.
in·most 形 最も内部の, 最も深い.
in·ner·most 形 =inmost.
lat·ter·most 形 最近の; 最後の.
left·most 形 最も左の.
low·er·most 形 最低の, 最下の(lowest).
mid·dle·most 形 =midmost.
mid·most 形 真ん真ん中の, ど真ん中の.
neth·er·most 形 《文語》いちばん下の, 最下部の.
north·ern·most 形 最北(端)の, 極北の.
north·most 形 =northernmost.
north·west·ern·most 形 最北西部の.
out·er·most 形副 最も外部の [に], 最も遠い [遠く].
out·most 形 いちばん遠くの, 最も外部の.
rear·most 形 最後尾の; 最後の.
right·most 形 最も右(側)の.
south·ern·most 形 最南(端)の, 極南の.
south·most 形 =southernmost.
stern·most 形 〘海事〙最後部の.
top·most 形 最高の, いちばん高い.
un·der·most 形 最低の, 最下位の(lowest).
up·most 形 =uppermost.
up·per·most 形 最も高い, 最上 [最高] の.
ut·most 形 最大の, 最高度の.
ut·ter·most 形 最も遠く離れた.
weath·er·most 形 〘海事〙最も風上の.
west·ern·most 形 西端の, 最西の, 極西の.
west·most 形 =westernmost.

-mote /móut/

連結形 動く.
★ 語末にくる関連形は -MOTIVE.
★ 語頭にくる形は mot-: *mot*ion「動き」, *mot*ivation「動機」.
◆ <ラ *mōtus* (*movēre*「動く」の過去分詞).

de·mote 動他 格下げをする.
pro·mote 動他 助長する, 促進する; 奨励する.
re·mote 形 (空間的に)遠い, 遠く離れた, 遠方の.

moth /mɔ́ːθ, mɑ́θ | mɔ́θ/

名 〘昆虫〙ガ(蛾).

ailánthus móth シンジュサン(神樹蚕).
ántler mòth マキバヤガ(牧場夜蛾).
bágworm mòth ミノガ.
bée mòth ハチミツガ.
brówn-tail móth シロバネドクガ.
cábbage mòth =diamondback moth.
cáctus mòth マダラメイガ.
cárpenterworm mòth ボクトウガ科のガの総称.
cárpet mòth モウセンガ.
Cecrópia mòth アカスジシンジュサン.
clóthes mòth イガ(衣蛾).
códling mòth コドリンガ.
déath's-head móth ドクロメンガタスズメ.
díamondback móth コナガ.
drínker mòth カレハガ科の大きなガ.
émperor mòth ヤママユガ(山蚕蛾).
érmine mòth スガ科 *Yponomeuta* 属の小形ガ.
fóx mòth ヨーロッパカレハガ.
ghóst mòth コウモリガ(swift).
Gípsy Móth 《米話》共和党のリベラル派.
góat mòth オオボクトウ.
góld-tàil móth モンシロドクガ.
gýpsy mòth マイマイガ.
háwk mòth スズメガ(雀蛾).
hóneycomb mòth =bee moth.
húmmingbird mòth =hawk moth.
impérial móth ヤママユガ科の大形の黄色いガ.
Ío mòth ヤママユガ科のガ.
láckey mòth オビカレハ.
lámbda mòth 羽に Λ 形の模様があるガ.
láppet mòth カレハガ科の数種のカレハガの総称.
léopard mòth ゴマフボクトウ.
lóbster mòth シャチホコガ.
lúna mòth ヤママユガ科のミズアオガの一種.
nún mòth ノンネマイマイ.
ówlet mòth ヤガ(夜蛾)(noctuid).
péach mòth ナシノヒメシンクイ.
péppered móth オオシモフリエダシャク.
Polyphémus mòth ヤママユガ科の大きいガの一種.
potáto mòth ジャガイモ(キバ)ガ.
procéssionary móth ギョウレツケムシガ(行列毛虫蛾).
Prométhea mòth カイコガ科のガの一種.
púss mòth ギンシャチホコガの一種.
régal mòth ヤママユガ科の大きなガ.
séa·mòth ウミテング(dragonfish).
sílkworm mòth カイコガ.
sphínx mòth 《米・カナダ》=hawk moth.
stíng mòth オーストラリア産のガの一種.
tápestry mòth =carpet moth.
tíger mòth ヒトリガ.
túsock mòth ドクガ.
únicorn mòth シャチホコガ科のガの一種.
váporer mòth =tussock moth.
venéer mòth メイガ科の小形のガの総称.
wáter mòth トビケラ(caddisfly).
wáve mòth シャクガ科の波形の模様があるガ.
wáx mòth =bee moth.
wínter móth シャクガ(尺蛾)の一種.
wítch mòth エレブスオオヤガ.

Ý mòth ヤガ科ウワバ属のガ.
yúcca mòth イトランモグリガ.

moth·er /mʌ́ðər/

名 母, 母親.

ÀFDĆ mòther 児童扶養扶助を受ける親.
bírth mòther 生み役の母親.
dén mòther (カブスカウトの)デンマザー.
Divíne Móther 〖ヒンドゥー教〗聖なる母.
éarth mòther 母なる大地.
fóre·mòther 女性の先祖.
fóster mòther 育ての母.
gód·mòther 代母, 教母, 名づけ親.
gránd·mòther 祖母, おばあさん.
Gréat Móther 太母, グレートマザー.
Hóly Móther 聖母.
hóuse·mòther 寮母.
Jéwish móther ユダヤ人の母親のように過保護でうるさい母親.
líttle móther 母親代りをする娘.
núrsing mòther 乳飲み子の母.
quéen móther 皇太后: 現王または女王の母である先王の未亡人.
róom móther ルームマザー: 小学校の先生を手伝うボランティアの女性.
síngle móther 未婚の母.
sólo móther 《NZ》母子家庭の母親.
stém mòther 〖昆虫〗幹母(かんぼ).
stép·mòther 継母, 義母.
súrrogate móther 代理母.
wélfare mòther 《米》政府から生活保護を受けている母子家庭の母親(ADC mother).

mo·tion /móuʃən/

名 (物の)動き, 運動. ⇨ -TION.

a·mó·tion 名 〖病理〗(胎盤・網膜などの)剝離(はく).
ápsidal mótion 〖天文〗楕円(だえん)軌道面上での長軸の回転.
com·mó·tion 名 (嵐・波などの)激動.
cóntrary mótion 〖音楽〗反進行.
diúrnal mótion 〖天文〗日周運動.
e·mó·tion 名 (理性や意志に対して)感情.
fást mótion 〖映画〗こま落とし.
harmónic mótion 〖物理〗調和[単弦]運動.
línk mòtion 〖機械〗リンク装置.
lò·co·mó·tion 名 移動, 移行, 転位; 歩行; 移動力.
lóst mótion 〖機械〗(特に往復運動をする機械・装置の)空(から)動き.
mí·cro·mò·tion 名 (特に周期的な)極少時間の微細動作.
oblíque mótion 〖音楽〗斜進行.
paralláctic mótion 〖天文〗視差運動.
párallel mótion 〖物理〗平行運動機構.
periódic mótion 〖物理〗周期運動.
perpétual mótion 〖力学〗永久運動.
prè·mó·tion 名 前もっての行動[衝動].
prévious mótion 〖議会〗先決問題動議.
pro·mó·tion 名 昇進, 昇級, 昇格, 進級.
próper mótion 〖天文〗固有運動.
rádial mótion 〖天文〗放射状運動, 視差速度.
re·mó·tion 名 移動, 除去.
rígid mótion 〖数学〗剛体運動.
sèlf-mótion 名 自発(的)運動.
símple mótion 単純運動.
slów mótion スローモーション(効果).
slów-mótion 形 スローモーションの.
stéady mótion 定常運動.
stóp mótion 〖映画〗〖テレビ〗ストップ・モーション.
sún-and-plánet mòtion 〖機械〗(歯車の)遊星運動.
tangéntial mótion 〖天文〗接線速度.
vàs·o·mó·tion 名 〖生理〗血管運動.
wáve mòtion 波動.

-mo·tive /móutiv/

連結形 motive「動機, 動因, 誘因, 刺激」の連結形.
★ 主に形容詞をつくる.
★ 語末にくる関連形は -MOTE.
★ 語頭にくる関連形は mot-: *mot*ion「動き」, *mot*ivation「動機」.
◆ MOTE＋-IVE[1].

au·to·mo·tive 形 《主に米》自動車の.
e·lec·tro·mo·tive 形 電動の, 動電の, 起電の, 起電的な.
e·mo·tive 形 情緒[感情]の; 情緒的な.
lo·co·mo·tive 名 ☞
mag·ne·to·mo·tive 形 起磁性の, 動磁力の.
pro·mo·tive 形 助長する; 奨励する; 販売促進の.
ther·mo·mo·tive 形 熱動力の, 熱動の.

mo·tor /móutər/

名 **1** 小型強力エンジン; (特に, 自動車などの)内燃機関, モーター; 発動機, 原動機. ── 形 **1** 動かす. **2**〖心理〗〖生理〗運動(性)の. ⇨ -TOR.

ág·ri·mò·tor 名 農耕用トラクター.
bí·mò·tor 名 双発飛行機, 双発機.
de·près·so·mó·tor 形 〖生理〗〖医学〗運動機能を抑制する.
dý·na·mò·tor 名 発電動機, 回転変流機.
eléctric mótor 〖電気〗電動機.
elèctro·mótor 名 ＝electric motor.
excìto·mótor 形 〖生理〗運動促進性の.
gás mòtor ガス機関(gas engine).
gràph·o·mó·tor 形 〖医学〗書字運動の.
hydráulic mótor 水力電動機, 油圧モーター.
ìdeo·mótor 形 〖心理〗観念運動する, 観念運動の.
indúction mòtor 誘導モーター[電動機].
kíck mòtor 軌道投入用ロケット.
línear indúction mòtor 〖電気〗〖鉄道〗直線型電動機.
línear mótor ＝linear induction motor.
lò·co·mó·tor 形 運動[転位, 移動, 移行]の.
nèu·ro·mó·tor 形 神経・筋肉の(neuromuscular).
òculo·mótor 形 動眼の, 眼球運動を起こさせる.
óutboard mótor 船外機.
psy·cho·mó·tor 形 精神運動性の.
ráil mòtor (エンジン・小型機関車のついた)鉄道車両.
sángui·mòtor 形 血液循環の.
sèn·so·ri·mó·tor 形 〖心理〗感覚運動的[性]の.
sér·vo·mò·tor 名 サーボモーター, 間接調速装置.
squírrel-càge mótor かご型電動機.
sýnchronous mótor 〖電気〗同期電動機.
tél·e·mò·tor 名 テレモータ.
thèrmo·mótor 名 熱機関, 熱気機関.
trí·mò·tor 名 三発機.
univérsal mótor 交直両用電動機.
vàs·o·mó·tor 形 〖生理〗血管運動性の.
vìs·cer·o·mó·tor 形 内臓運動の.
wáter mòtor 水力原動機, 水力機関.
wínd mòtor (風車などを利用した)風力原動機.
wóbble mòtor (摩擦の少ない)ゆらぎマイクロモーター.

mound /máund/

名 (自然の)小山, 小丘.

búrial mòund 墓所の上の盛り土, 塚.
Cráter Mòund クレーターマウンド(米国の地名).
éffigy mòund 〖考古〗動物の形の有史前の墳墓.
Mónks' Móund モンクスマウンド: 北米インディアンの建築群の土台跡.
shéll mòund 〖考古〗貝塚.
tómb mòund 〖考古〗古墳.
váginal móund 恥丘, 陰阜(いんぷ).
Vénus mòund ＝vaginal mound.

M

mount[1] /máunt/

動他 **1**〈丘・階段などに〉登る. **2**〈馬に〉乗る. **3** …に(火器などを)装備する. ——自 **1** 上がる. **2** 馬[自転車など]に乗る. ——名 (写真などの)台紙.

a·mount 名 総計, 総数, 総額.
de·mount 動他〈大砲などを〉取り外す.
dis·mount 動自 (馬・自転車などから)降りる.
mi·cro·mount 名 〖鉱物〗微小標本.
pho·to·mount 名 写真用枠紙[台紙].
re·mount 動他〈馬・自転車などに〉再び乗る.
sur·mount 動他〈山・丘などに〉登る.

mount[2] /máunt/

名 《古》山, 丘.

Mérry Mòunt 〖米史〗メリーマウント(植民地名).
Pár·a·mòunt 名 パラマウント(米国の都市名).
Rócky Móunt ロッキーマウント(米国の都市名).
séa·mòunt 名 〖地質〗海山(かいざん).
táble·mòunt 名 〖地質〗平頂海山(へいちょうかいざん).

moun·tain /máuntən/

名 山, 山岳.

Bláck Móuntain 〖文学〗ブラック・マウンテン派(の).
blóck mòuntain 〖地質〗地塊山地.
búrning móuntain 火山.
càt·a·móun·tain 名 ヨーロッパ産のヤマネコ.
càt-o'-móuntain =catamountain.
Mágic Móuntain マジックマウンテン: 米国 Los Angeles の遊園地.
ón-mòuntain 形 (スキーなどで)山上の.
snów-on-the-móuntain 〖植物〗ハツユキソウ(初雪草).
Táble Móuntain テーブル山: 南アフリカ共和国にある山.
táble mòuntain 卓状山地.
trans·móun·tain 形 山を越える[抜ける].
Wélsh Móuntain ウェルシュマウンティン: 羊の一種.

mouse /máus/

名 ネズミ, ハツカネズミ. ►複数形は mice.

chúrch mòuse 教会に棲(す)むネズミ. ►貧しい人.
déer mòuse =white-footed mouse.
dór·mòuse ヤマネ.
fát móuse *Steatomys* 属の尾の短いネズミ.
fíeld mòuse 野ネズミ.
flítter·mòuse 《まれ》コウモリ.
flýing móuse チビフクロモモンガ.
grásshopper mòuse バッタネズミ.
hárvest mòuse カヤネズミ.
házel mòuse ヨーロッパヤマネ.
hóney mòuse フクロミツスイ.
hóuse mòuse ハツカネズミ.
júmping mòuse トビハツカネズミ.
kangaróo mòuse 跳びはねる小さいネズミ類.
marsúpial móuse フクロマウス.
méadow mòuse ハタネズミ.
Míckey Móuse ミッキー・マウス.
míckey mòuse 形 《話》ミッキーマウスの漫画のような.
mìckey-móuse 動他〈映画に〉バックグラウンドミュージックをつける.
Míghty Móuse マイティー・マウス: 米国漫画のネズミのスーパーヒーロー.
Mínnie Móuse ミニーマウス: ミッキーマウスのガールフレンド.
núde móuse 〖医学〗ヌードマウス: ほとんど毛がない, 実験用の近交系マウス.
píne mòuse マツネズミ.
pócket mòuse ポケットマウス.
póuched móuse =pocket mouse.
réar·mòuse =reremouse.
réd-bàcked mòuse ヤチネズミ.
rére·mòuse 《古》コウモリ.
ríce mòuse コメネズミ.
séa mòuse ウミネズミ.
shréw·mòuse トガリネズミ(ジネズミを含む).
spíny móuse アフリカトゲネズミ.
súp·er·mòuse 名 スーパーマウス: ラットの遺伝子を移植した通常の2倍の大きさのマウス.
trée mòuse 樹上性の小形のネズミの総称.
vésper mòuse =white-footed mouse.
wáltzing móuse ハツカネズミの異種; 一直線に進むことはできず, 小さな円を描くように動く.
wáter mòuse (半)水生の小形の齧歯(げっし)動物の総称.
whíte-fòoted móuse シロアシネズミ.
whíte móuse ヨーロッパハツカネズミの白子.
wóod mòuse モリネズミ.

mouth /máuθ/

名 **1** (人間・動物の)口; 口腔(こうこう); 口腔器官. **2** 河口; 地名としても用いられる.

ádder's-mòuth 〖植物〗ヤチラン(野地蘭).
áll·mòuth 〖魚類〗アンコウ(angler).
bád-mòuth 動他 《主に米俗》手厳しく批判する.
Bétty Bóop mòuth おちょぼ口.
bíg·mòuth 《俗》おしゃべりな人; ほら吹き.
bírd's mòuth 〖木工〗鳥嘴(ちょうし).
blábber·mòuth 《話》おしゃべり屋.
Bóurne·mouth ボーンマス(イングランドの都市名). ►字義は「川の河口」.
brístle·mòuth ヨコエソ科の数種の深海魚の総称.
búcket mòuth 《米俗》言葉遣いの汚い人.
cótton·mòuth 〖動物〗マムシ属の毒ヘビ.
Dárt·mouth 名 ダートマス(イングランドの地名). ►字義は「Dart 川の河口」.
déad móuth 馬銜(はみ)に合わなくなった馬の口.
dípper·mòuth 《米俗》口のでかい人.
dírty-móuth 下品なことばかりしゃべる人.
dówn-in-the-móuth 形 がっくりした.
dówn·mòuth 動他 《米俗》否定的に言う.
drágon's mòuth 〖植物〗アレツーサ.
Éx·mouth 名 エクスマス(イングランドの町名). ►字義は「Exe 川の河口」.
Fál·mouth 名 ファルマス(イングランドの地名). ►字義は「Fal 川の河口」.
fát-mòuth 動自 《米俗》しゃべりまくる.
flánnel·mòuth 話が不明瞭(ふめいりょう)な人.
fóot-in-móuth 形 失言の, 失言しがちな.
fróg·mòuth 〖鳥類〗ガマグチヨタカ.
gárbage mòuth 《米話》下品な言葉を使う人.
gáte·mòuth 《米黒人俗》他人事を言いふらす人.
góal·mòuth (サッカーなどの)ゴール前.
Gránge·mouth グレンジマス(スコットランドの地名).
hánd-to-móuth 形 食うや食わずの, その日暮らしの.
líon's móuth 非常に危険な所, 虎口(ここう).
lóud·mòuth 《話》ほら吹き; おしゃべり.
métal·mòuth 《米俗》歯列矯正具をはめた人.
Mon·mouth 名 モンマス(ウェールズの地名).
mótor-mòuth 形名 《米俗》のべつ幕なししゃべる(人).
móuth-to-móuth 形 口移し式の.
múle mòuth 《米黒人俗》密告者.
músh·mòuth 《米俗》口の中でもぐもぐ言う人.
páp·mòuth 《米俗》めめしい男.
péa·mòuth コイ科の小魚.
píg·mòuth 《米俗》でぶ女.
Plým·outh 名 プリマス(イングランドの都市名). ►字義は「Plym 川の河口」.
póor mòuth 《アイル話》金欠ばかりぼやく人.
póor-mòuth 動自 《話》貧乏を嘆く.

M

Pórts·mouth 名 ポーツマス(イングランドの都市名). ►字義は「港湾出入口」.
pótty-mòuth 《米》下品な言葉遣い(をする人).
ríver mòuth 河口, 川口.
sátchel·mòuth 《米俗》口の大きなやつ.
séwer-mòuth 《米話》言葉遣いの下品な人.
shád-mòuth 《米俗/軽蔑的》上唇のぶ厚い人.
shárk's móuth 【海事】ボートの天幕の穴.
Síd·mouth 名 シドマス(イングランドの地名). ►字義は「広い河口」.
sléight-of-móuth 形 口先がうまい.
smárt·mòuth 《米話》(利口ぶった)生意気なやつ.
snáke·mòuth 【植物】アメリカトキソウ.
sóre mòuth 【獣病理】羊痘(ecthyma).
swéet·mòuth 動他 《米黒人俗》おべっかをつかう.
tóad's-mòuth 【植物】キンギョソウ(snapdragon).
tóilet mòuth 《米話》=potty-mouth.
trásh mòuth 《米話》下品なことを言う人.
trénch mòuth 【病理】バンサン[ワンサン]口峡炎.
Tyne·mouth 名 タインマス(イングランドの都市名). ►字義は「Tyne 川の河口」.
wár·mòuth サンフィッシュ科の淡水魚の一種.
wrý·mòuth 【魚類】ハダカオオカミウオ.
Yár·mouth 名 ヤーマス(米国の都市名).

mouthed /máuðd, máuθt/

形《通例複合語》**1**(…の)口を持った, 口が…の. **2**(…の)話し方をする. ⇨ -ED[2].

béll-mòuthed 形 鐘形の口をした.
bíg-mòuthed 形 大口の.
clóse·mòuthed 形 口数が少ない, 無口な; 打ち解けない.
déep·móuthed 形 〈犬が〉太い声で低くほえる.
fóul·móuthed 形 猥褻な言葉を使う, 口汚い, 口の悪い.
fúll-móuthed 形 〈牛・羊などが〉完全な歯並びの.
gólden·mòuthed 形 雄弁な, 能弁な.
hárd·mòuthed 形 〈馬が〉馬銜(はみ)の利かない.
hóney·móuthed 形 口のうまい, 甘言を弄する.
lóud·mòuthed 形 《話》声の大きな; おしゃべりな.
méaly-mòuthed 形 遠回しに言う; 口先だけで誠意のなしい.
ópen-móuthed 形 口をあけた.
rábbit-mòuthed 形 兎唇(としん)の.
tíght-móuthed 形 口数の少ない, 無口な.
wíde·mòuthed 形 大きな口を持つ; 〈河口などが〉広い.

move /múːv/

動自 動く, 移動する, (…に)位置を変える; 〈人が〉姿勢を変える, 体[手足など]を動かす; 〈物が〉揺れる. ━━名 動き, 運動, 移動; (チェスなどの)手, 番, 指し手.

amóve 動他 【法律】〈人を〉罷免する.
com·móve 動他 激動させる; 攪乱(かくらん)する.
cóun·ter·mòve 名 反対運動, 対抗手段, 報復行動.
fálse móve 威嚇[攻撃]的な動作.
kéy·mòve 名 (チェスの)解.
mis·móve 名 間違った手; 禁じ手; 誤った処置.
re·móve 動他 〈置いてある物を〉(…から)取り去る.
séaled móve (チェスの)封じ手.

move·ment /múːvmənt/

名 **1** 動くこと, 動き; 移動. **2**(…を目指す)(政治的・社会的)運動; 政治[社会]運動に携わる人々の一団, 運動組織. ⇨ -MENT.

ànti-abórtion mòvement 《米》妊娠中絶反対運動.
ànti-búsing mòvement 《米》強制バス通学反対運動.
appárent móvement 【心理】仮現運動.
Árts and Cráfts Mòvement 【美術】【工芸】アーツアンドクラフト運動.
bówel mòvement 排便, 排泄(はいせつ); 便通.
Brównian móvement 【物理】ブラウン運動.
charismátic mòvement 【キリスト教】カリスマ派.
ecuménical mòvement 【キリスト教】世界教会運動.
equátion mòvement 【時計】均時差時計の作動装置.
euglénoid móvement 【微生物】ユーグルナ運動.
Gránger Mòvement 【米史】グレンジャー運動.
hómelands móvement 《豪》オーストラリア原住民の本来の土地への再定住計画.
húman poténtials mòvement 潜在能力回復[開発]運動.
Indepéndence Péace mòvement 自主平和運動.
Intáct Bàby Mòvement (幼児の)割礼に反対する運動.
inténtion mòvement 【行動学】志向運動[行動].
Jésus Mòvement 【キリスト教】ジーザス運動.
Khílafat mòvement 【イスラム教】ヒラーファト運動.
lábor mòvement 労働組合.
máss móvement 大衆運動.
Máy Fóurth Mòvement 【中国政治】五・四運動.
mén's mòvement 男性解放運動.
mythopoétic men's mòvement 《米》ミソポエティク男性解放運動.
Nèw Áge Mòvement ニューエイジ運動: 西洋的な価値感を拒否する総合的文化運動.
óutstation móvement 《豪》=homelands movement.
Óxford mòvement 【英史】オックスフォード運動.
píncers mòvement 【軍事】挟み撃ち, 挟撃.
quártz mòvement 水晶振動子時計の作動装置.
rápid éye mòvement 【眼科】急速眼球運動.
Romántic Móvement 【文学】ロマン主義運動.
sánctuary mòvement 《米》非合法入国者保護運動.
sélf-awáreness mòvement 自己認識(運動).
wíse use mòvement 《米》天然資源の使用規制を推進する環境保護運動.
wómen's mòvement 女性解放運動.

mov·er /múːvər/

名《話》動く人[物], 動かす人[物]. ⇨ -ER[1].

éarth·mòver (ブルドーザーなど)掘った土を押し集めたり運搬したりする機械.
fást móver 《米軍俗》ジェット戦闘機.
fírst móver 【哲学】(アリストテレスの)第一原因.
fíve-mìnute móver 《米俗》性交にすぐのる女.
líp mòver 《米俗》ばか, うすのろ, 低能.
péople mòver (決まった区間での)大量旅客輸送手段.
príme móver 【機械】原動力.
ùnmóved móver 【哲学】(アリストテレスの)第一動者.

mov·ie /múːvi/

名《主に米》映画; 映画のシナリオ. ⇨ -IE[1].

blúe móvie ポルノ映画, ブルーフィルム.
B́-mòvie B 級映画.
búddy mòvie 二人の友人の人間関係と冒険を描く映画.
chóp sócky mòvie 《米俗》空手[カンフー]映画.
cúlt mòvie カルトムービー.
hóme móvie 自宅[自分]で製作した映画.
róad mòvie ロードムービー: 主人公が逃走などで旅に出るというあらすじの映画.
splát mòvie 《俗》スプラッター映画.
stág mòvie 《米》(男性向け)ポルノ映画.
únderground móvie アンダーグラウンド映画.

mov·ing /múːviŋ/

形 **1** 動く, 動いている; 進行している. **2** 動きを生じさせる. ⇨ -ING[2].

éarth·mòving 形 地ならし(機)の.

M

fást-móving 形 高速の, 高速を出せる.
sélf-móving 形 自動の.
slów-móving 形 のろのろ進む, 動きの遅い.
ùn·móving 形 動かない, 不動の, じっとしている.

mow·er /móuər/

名 **1** 芝刈り機. **2** 刈り取り[草刈り]機. ⇨ -ER[1].

Ármstrong mówer 《米俗》草刈り鎌(がま).
hánd mòwer 手動式芝刈り機.
láwn mòwer 芝刈り機.
mótor mòwer 電動芝刈り機.
pówer mòwer 動力芝刈り機.

much /mʌ́tʃ/

形 (量が)多い; 多額の; (程度が)甚だしい; (時間が)長い. ——副 多く, 甚だしく.

in·so·much 副 …の程度まで, …ほど, …だけ.
o·ver·much 形 多すぎる, 過大な, 過分の.

mu·cous /mjúːkəs/

形 粘液(状, 性, 質)の; 粘液から成る[を分泌する]. ⇨ -OUS.
★ 語頭にくる関連形は muc(o)-: *muc*ilage「ゴムのり」, *muco*cutaneous「粘膜皮膚の」.

se·ro·mu·cous 形 〘医学〙漿粘(しょうねん)液性の.
sub·mu·cous 形 〘解剖〙粘膜下の[にある].

mud /mʌ́d/

名 泥, ぬかるみ.

blúe múd 〘地質〙〘海洋〙青泥(せいでい).
dríllng mùd 掘穿(くっせん)泥水.
Méxican múd メキシコ産の褐色のヘロイン.
séa mùd 海泥(かいでい).
stíck-in-the-mùd 名 旧弊な人; ぐず; 座を白けさせる人.

muf·fin /mʌ́fin/

名 《米・カナダ》マフィン.

córn mùffin コーンマフィン.
Énglish múffin イングリッシュ・マフィン.
stúd-mùffin 《米俗》かっこいい[いかす]男.

mug /mʌ́g/

名 マグ: 通例, 取っ手付きで, 多くは陶製の筒型カップ.

chámber mùg 《主にニューイング / 古風》溲瓶(しびん), おまる(chamber pot).
flý mùg 《米俗》私服刑事,「でか」.
thúnder mùg 《俗》寝室用便器, 溲瓶(しびん).
tóoth mùg 歯磨き用マグ.

mul·ber·ry /mʌ́lbèri, -bəri | -bəri/

名 〘植物〙クワ(桑)の実. ——形 桑色の, 暗紫[赤紫]色の. ⇨ BERRY.

Américan múlberry =red mulberry.
bláck múlberry クロクワ.
Frénch múlberry アメリカムラサキシキブ.
Índian múlberry ヤエヤマアオキ.
páper múlberry カジノキ.
réd múlberry アカミグワ.
whíte múlberry トウグワ.
wíld múlberry 熱帯アメリカ産アカネ科の草.

mule /mjúːl/

名 ラバ(騾馬).

cóm mùle 《米俗》(特に自家製の)コーンウィスキー(corn whiskey).
drúg mùle (違法)薬物のための案内人.
gráy múle 《俗》=white mule.
Móscow múle モスコミュール.
séa mùle ディーゼル駆動の箱型引き舟.
spínning mùle ミュール精紡機.
whíte múle 《主に米方言》密造酒.

-mund /mənd/

連結形 守護(者).
★ 人名に使われる.
★ 語末にくる関連形は -MOND.
◆ 古英 *mund*「守護」.

Os·mund 名 オスモンド(姓, 男子の名). ►字義はゲルマン語で「神のご加護」.
Ros·a·mund 名 ロザモンド(姓, 女子の名).
Sig·is·mund 名 ジギスムント(姓, 男子の名).
Sig·mund 名 〘北欧伝説〙シグムンド.

mun·dane /mʌndéin, ˊ–/

形 **1** 現世の, 俗世の, 浮世の. **2** 宇宙の, 世界の, 地球の. ⇨ -ANE[1].

an·te·mun·dane 形 天地創造以前の.
ex·tra·mun·dane 形 地球外の; この世のものでない.
in·ter·mun·dane 形 二つの世界の間にある; 天体間にある.
in·tra·mun·dane 形 物質界にある, この世の, 現世の.
pre·mun·dane 形 世界創造以前の.
su·per·mun·dane 形 超世俗的な, 浮世離れした, 超俗的な.
su·pra·mun·dane 形 超現世的な, 霊界の.
trans·mun·dane 形 この世のものでない, 彼岸の.
ul·tra·mun·dane 形 地球外の, 惑星軌道外の, 太陽系外の.

mu·ral /mjúərəl/

名 壁画, 天井画. ——形 壁の. ⇨ -AL[1].

ex·tra·mu·ral 形 2 校以上の学校の代表が参加する.
in·ter·mu·ral 形 学校間[対抗]の, 市町村対抗の.
in·tra·mu·ral 形 《米・カナダ》学内[校内]の.
pho·to·mu·ral 名 壁面写真, 写真壁画.

mur·der /mə́ːrdər/

名 殺人; 〘法律〙謀殺.

blóody múrder 《米俗》大敗, 完敗.
blúe múrder 《話》=bloody murder.
félony múrder 重罪謀殺.
fírst-degrée múrder 第二級謀殺.
rítual múrder 儀礼的殺害.
sécond-degree múrder 第一級謀殺.
sélf-múrder 自殺(suicide).
tórso mùrder 胴体切断による殺害(事件).
trúnk mùrder トランク殺人.

mus·cle /mʌ́sl/

名 〘解剖〙筋肉, 筋(きん); 筋性器官, 筋組織. ⇨ -CLE[1].

abdóminal mùscle 腹筋.
bulbospongiósus múscle 球海綿体筋(bulbocavernosus).

M

cárdiac mùscle 心筋.
cíliary mùscle 毛様体筋.
èxtraócular múscle =extrinsic eye muscle.
extrínsic éye mùscle 外眼筋.
hámstring mùscle 膝腱の付着する筋肉.
láughing múscle 笑筋.
lóve-mùscle 《米俗》肉茎, ペニス.
òut·mús·cle 動他 …を力で圧倒する [打ち負かす].
pápillary múscle 乳頭筋.
péctoral múscle 胸筋(pectoralis).
smóoth múscle 平滑筋.
stríated múscle 横紋筋.
stríped mùscle =striated muscle.
vóluntary múscle 随意筋.

mu·se·um /mjuːzíːəm/

名 博物館, 美術館, 記念館, 資料館. ⇨ -UM[1].

automobíle musèum 《米》=motor museum.
Brítish Mùseum 大英博物館.
chíldren's múseum 児童 [子供] 博物館.
fólk musèum 民芸博物館, 民芸館.
imáginary muséum 空想美術館.
mótor muséum 自動車博物館.
nátural hístory musèum 自然史博物館.
ráilroad musèum 鉄道博物館.
scíence mùseum 科学博物館.
tóy musèum 玩具博物館.
wár musèum 戦争博物館.
wáx musèum 蝋(ろう)人形館.

M

mush·room /mʌ́ʃruːm, -rum/

名 キノコ.

béefsteak múshroom カンゾウ(肝臓)ダケ.
bútton mùshroom かさの開いていない若いキノコ.
chícken mùshroom マスタケ(鱒茸).
fíeld mùshroom =meadow mushroom.
flý mùshroom ベニテングダケ, アカハエトリタケ.
hóney mùshroom ナラタケ.
hórse mùshroom シロオオハラタケ.
mágic múshroom 《話》シビレタケの一種でもつ覚醒.
méadow mùshroom ハラタケ(field mushroom).
mílk mùshroom チチタケ.
óyster mùshroom ヒラタケ.
sácred mùshroom メスカルボタン.
snów pùff mùshroom エノキダケ.
stráw mùshroom フクロタケ.

mu·sic /mjúːzik/

名 音楽. ⇨ -IC[1].

ábsolute músic 絶対音楽.
ábstract músic =absolute music.
áleatory mùsic =chance music.
ámbient mùsic 環境音楽, アンビエントミュージック.
árt mùsic (民俗音楽などに対して)創作音楽.
báckground mùsic (映画・テレビ・演劇などの)背景音楽.
béach mùsic ビーチミュージック.
Bíg Bánd mùsic スイング(swing): ジャズの一形式.
búbblegùm mùsic 《俗》バブルガム: ティーンエージャー向けの軽いロックンロール.
chámber mùsic 室内楽.
chánce mùsic 偶然(性の)音楽(aleatory music).
chín mùsic 《古俗》雑談; ゴシップ.
cólor mùsic 〖照明〗色彩楽.
cóncrete músic ミュージック・コンクレート.
cóuntry mùsic カントリーミュージック.
cúrtain mùsic 〖演劇〗カーテンミュージック.
éarly mùsic 中世・ルネッサンス期の音楽.
éarly-mùsic 形 復元した古楽器で当時のままに演奏した.
éar mùsic 《米俗》楽譜を見ないで演奏する音楽.
electrónic músic 電子音楽.
élevator mùsic きれいだが個性のない音楽.
fíeld mùsic 野戦音楽隊(員).
físh mùsic 《米俗》初期のロックンロール.
fólk mùsic フォークミュージック, 民俗音楽, 民謡.
fóreground mùsic フォアグラウンド・ミュージック. ▶ background music に対し, 大きな音で演奏される場合をいう.
góspel mùsic ゴスペル・ミュージック.
hándbag mùsic 大衆的で覚えやすいダンス音楽.
híllbilly mùsic ヒルビリーミュージック: 大衆音楽の要素を取り入れた民俗音楽.
hóuse mùsic ハウス・ミュージック.
incidéntal músic 付随 [伴奏] 音楽.
Jánissary mùsic ヤニチャール音楽: トルコ式軍隊(風)の音楽.
júngle mùsic (ダンス音楽で)ジャングルミュージック.
Kapéllmeister mùsic 《軽蔑的》カペルマイスター音楽: 正確一点張りで独創性のない音楽.
Karnátak mùsic 南インドの古典音楽.
líght mùsic 軽音楽.
ménsural músic 定量音楽: 13–16 世紀の多声音楽.
móod mùsic ムードミュージック [音楽].
móuth mùsic 《俗》クンニリングス.
Ńew Áge mùsic ニューエイジミュージック.
pálm wìne músic パームワイン・ミュージック: 初期のアフリカンポップス.
párt mùsic 和声的楽曲, 多声合唱音楽.
prógram mùsic 標題音楽, 標題楽.
ráce mùsic 《古風》レースミュージック: 1920–30 年代の米国黒人によるブルースをベースとした音楽 [ジャズ].
ráp mùsic ラップ(ミュージック).
róck mùsic ロック音楽.
róots mùsic =world music.
róugh músic 《もと》(抗議のため)人の家の外でブリキなべなどで出した騒音.
salón mùsic 《時に侮辱的》サロン音楽.
sándwich mùsic サンドイッチ・ミュージック: (ジャズやロックなどの)異なったスタイルを融合した音楽.
shéet mùsic シートミュージック, ピース: ばらばらの紙に印刷してある通俗的な音楽.
sóul mùsic ソウルミュージック.
súrfing mùsic サーフィンミュージック: 1960 年代初期 California で起こった.
súrf mùsic =surfing music.
swíng mùsic スウィング・ミュージック(swing).
synthétic músic 電子音楽, 合成音楽.
tránce mùsic (ダンス音楽で)トランスミュージック.
tríp-hòp mùsic (ダンス音楽で)トリップホップ音楽.
Túrkish mùsic =Janissary music.
wállpaper mùsic 《英》(レストランなどの)バックグラウンドミュージック.
wórld mùsic ワールドミュージック.

mu·si·cal /mjúːzikəl/

形 音楽の; 音曲の; 音を出す, 演奏の. ――名 ミュージカル. ⇨ -ICAL.
★ 語頭にくる関連形は musico-: *musico*logy「音楽学」.

èx·tra·mú·si·cal 形 音楽以外の.
im·mú·si·cal 形 =unmusical.
nón-stár músical ノン=スター=ミュージカル.
ùn·mú·si·cal 形 音楽的でない, 調子はずれの.

mus·tard /mʌ́stərd/

名 **1** からし, マスタード. **2**〖植物〗カラシ. ⇨ -ARD[1].

bláck mústard 〖植物〗クロガラシ.
córn mùstard 〖植物〗ノハラガラシ.

Díjon mústard ディジョンマスタード.
fíeld mustard 〖植物〗アブラナ.
Frénch mústard 《英》フレンチマスタード.
gárlic mùstard 〖植物〗アリアリア.
hédge mùstard 〖植物〗カキネガラシ.
Índian mústard 〖植物〗=leaf mustard.
léaf mùstard 〖植物〗カラシナ.
nítrogen mùstard 〖化学〗ナイトロジェンマスタード.
quínacrine mústard 〖医学〗キナクリンマスタード.
tówer mùstard アブラナ科ヤマハタザオ属の雑草.
tréacle mùstard 〖植物〗エゾスズシロ属の植物.
wáll mùstard 〖植物〗悪臭を放つ植物の総称.
whíte mústard 〖植物〗シロガラシ.
wíld mústard アブラナ科アブラナ属の数種の雑草の総称.

mu·ta·tion /mjuːtéiʃən/

名 **1**〖生物〗突然変異. **2** 変化. ►mutate の名詞形. ⇨ -ATION.

báck mutàtion 〖遺伝〗復帰[逆]突然変異.
búd mutàtion 〖遺伝〗芽条突然変異.
còm·mu·tá·tion 名 取り替え, 代替; 交換.
géne mutàtion 〖遺伝〗遺伝子突然変異.
léthal mutátion 〖遺伝〗致死突然変異.
màc·ro·mu·tá·tion 名 〖遺伝〗複合突然変異.
póint mutàtion 〖遺伝〗点突然変異.
revérse mutátion =back mutation.
tràns·mu·tá·tion 名 姿[性質など]を変化させること.
vówel mutàtion 〖言語〗母音変異.

-mu·ta·tive /mjúːtətiv, mjutèitiv/

連結形 取り替えられた.
★ 形容詞をつくる.
★ 語末にくる関連形は -MUTE.
★ 語頭にくる関連形は mut-: *mut*ation「突然変異」, *mut*agen「突然変異原」.
◆ <ラ *mūtātus*(*mūtāre*「取り替える」の過去分詞より). ⇨ -ATIVE.

com·mu·ta·tive 形 取り替えの; 振替の; 相互的な.
trans·mut·a·tive 形 変化する, 変性の, 変形の.

-mute /mjúːt/

連結形 取り替える.
★ 語末にくる関連形は -MUTATIVE.
★ 語頭にくる形は mut-: *mut*ation「突然変異」, *muta*gen「突然変異原」.
◆ ラテン語 *mūtāre*「取り替える」より.

com·mute 動他 〈刑罰・責務などを〉(軽いものに)代える.
per·mute 動他 …を変更する; …の順序を変える.
trans·mute 動他 …の性質を(…に)変える.

mut·ton /mʌ́tn/

名 (食用の)羊の肉, マトン.

lég-of-mútton 形 羊の脚の形をした.
shóulder-of-mútton 形 =leg-of-mutton.
úndergound mútton 《豪俗》ウサギ.
Wélsh mútton ウェルシュマウンティン: 羊の一種.

-my·ces /máisiːz/

連結形 真菌; カビ.
★ 語末にくる関連形は -MYCETE, -MYCIN, -MYCOTA.
★ 語頭にくる関連形は myc(o)-: *myc*logy「菌学」, *myco*phagist「菌食生物」.
◆ ギリシャ語 *mýkēs*「菌」より.

ac·tin·o·my·ces 名 〖細菌〗アクチノミセス, 放線菌.
sac·cha·ro·my·ces 名 〖生化学〗サッカロミセス.
Strep·to·my·ces 名 〖細菌〗ストレプトミセス属.

-my·cete /máisiːt, ─⸍/

連結形 〖菌類〗キノコ, 菌.
★ 名詞をつくる.
★ 語末にくる関連形は -MYCES, -MYCETES.
★ 語頭にくる関連形は myc(o)-: *myc*logy「菌学」, *myco*phagist「菌食生物」.
◆ <近代ラ *-mycetes* <ギ *mýkēs* 菌.

ac·tin·o·my·cete 名 放線菌類.
as·co·my·cete 名 子嚢(のう)菌.
ba·sid·i·o·my·cete 名 担子菌.
blas·to·my·cete 名 分芽菌.
deu·ter·o·my·cete 名 不完全菌類.
dis·co·my·cete 名 盤菌類.
myx·o·my·cete 名 変形菌(類), 粘菌(類).
o·o·my·cete 名 卵菌類.
schiz·o·my·cete 名 分裂菌(バクテリアを含む).
strep·to·my·cete 名 ストレプトミセス菌.
zy·go·my·cete 名 接合菌類.

-my·ce·tes /maisíːtiːz/

連結形 菌類(fungi), 粘菌類(slime molds).
★ 特に分類の命名上「綱」の名に用いる.
★ 語末にくる関連形は -MYCETE.
★ 語頭にくる関連形は myc(o)-: *myc*logy「菌学」, *myco*phagist「菌食生物」.
◆ <近代ラ<ギ *mykḗtes*(*mýkēs*「菌」の複数形).

Eu·my·cet·es 名複 真菌類.
Myx·o·my·ce·tes 名複 変形菌類, 粘菌類.
Phy·co·my·cet·es 名複 藻菌類.

-my·cin /máisn | -sin/

連結形 〖薬学〗菌類から得た抗生物質.
★ 名詞をつくる.
★ 抗生物質の命名に用いる.
★ 語末にくる関連形は -MYCES.
★ 語頭にくる関連形は myc(o)-: *myc*logy, *myco*phagist.
◆ myc- 菌 + -IN².

Ach·ro·my·cin 名 アクロマイシン.
ac·tin·o·my·cin 名 アクチノマイシン.
A·dri·a·my·cin 名 アドリアマイシン.
Al·ba·my·cin 名 アルバマイシン.
al·bo·my·cin 名 〖生化学〗アルボマイシン.
an·i·so·my·cin 名 アニソマイシン.
an·ti·my·cin 名 〖生化学〗アンチマイシン.
Au·re·o·my·cin 名 オーレオマイシン.
ble·o·my·cin 名 ブレオマイシン.
clin·da·my·cin 名 クリンダマイシン.
dac·ti·no·my·cin 名 ダクチノマイシン.
dau·no·my·cin 名 〖生化学〗ダウノマイシン.
Dec·lo·my·cin 名 デクロマイシン.
e·ryth·ro·my·cin 名 エリスロマイシン.
hy·bri·my·cin 名 ハイブリマイシン, 混合マイシン.
ka·na·my·cin 名 カナマイシン.
lin·co·my·cin 名 リンコマイシン.
mi·to·my·cin 名 マイトマイシン.
ne·o·my·cin 名 ネオマイシン.
ole·an·do·mycin 名 〖生化学〗オレアンドマイシン.
ol·i·go·my·cin 名 オリゴマイシン.
par·o·mo·my·cin 名 パロモマイシン.
pu·ro·my·cin 名 〖生化学〗ピューロマイシン.
ri·fa·my·cin 名 リファマイシン.
spec·ti·no·my·cin 名 スペクチノマイシン.
strep·to·my·cin 名 ストレプトマイシン.

M

Ter·ra·my·cin 名 テラマイシン.
to·bra·my·cin 名 トブラマイシン.
val·in·o·my·cin 名 バリノマイシン.
van·co·my·cin 名 バンコマイシン.
vi·o·my·cin 名 バイオマイシン.
vir·gin·ia·my·cin 名 バージニアマイシン.

my·co·sis /maikóusis/

名 〖病理〗かび寄生. ◇ -MYCOTA. ⇨ -OSIS.

ac·ti·no·my·co·sis 名 〖獣病理〗〖病理〗放線菌症.
blas·to·my·co·sis 名 分芽菌症, ブラストミケス症.
bot·ry·o·my·co·sis 名 ボトリオミセス症.
coc·cid·i·oi·do·my·co·sis 名 クシジオイド症.
der·mat·o·my·co·sis 名 皮膚真菌症.
schiz·o·my·co·sis 名 分裂菌症, バクテリア症.
vag·i·no·my·co·sis 名 膣(ちつ)寄生菌病.

-my·co·ta /maikóutə/

連結形 菌類.
★ 名詞をつくる.
★ 語末にくる関連形は -MYCES.
★ 語頭にくる関連形は myc(o)-: *myc*logy「菌学」, *my-co*phagist「菌食生物」.
◆ <ギ *myc*-(*mýkēs*「キノコ, 菌類」より) +-*ota* -OTA.

ba·sid·i·o·my·co·ta 名 複 担子菌類(マツタケ, シイタケなど).
dis·co·my·co·ta 名 複 盤菌類.
Eu·my·co·ta 名 真菌類(Eumycetes).
o·o·my·co·ta 名 複 卵菌類.
zy·go·my·co·ta 名 接合菌類.

-my·e·li·a /majíːliə, -éliə, mi- | liə, -ljə/

連結形 〖医学〗脊髄 [骨髄] の異常.
★ 名詞をつくる.
★ 語頭にくる関連形は myel(o)-: *myel*encephalon「髄脳, 末脳」, *myelo*cyte「骨髄細胞, 骨髄球」.
◆ ギリシャ語 *myelós*「髄」より. ⇨ -IA.

am·y·e·li·a 名 無脊髄症, 先天性脊髄欠如.
sy·rin·go·my·e·li·a 名 脊髄空洞症.

my·o·sin /máiəsin/

名 〖生化学〗ミオシン. ⇨ -IN².
★ 語頭にくる関連形は my(o)-「筋肉」: *myo*cardial「心筋の」.

àcto·mýosin 名 アクトミオシン.
mèro·mýosin 名 メロミオシン.
pàra·mýosin 名 パラミオシン.
tròpo·mýosin 名 トロポミオシン.

myr·tle /mə́ːrtl/

名 〖植物〗ギンバイカ(銀梅花).

blúe mýrtle カリフォルニアライラック.
bóg mỳrtle ヤチヤナギ.
cándleberry mỳrtle =wax myrtle.
crápe mỳrtle サルスベリ, ヒャクジツコウ.
créeping mýrtle (ツル)ニチニチソウ(日々草).
crépe mỳrtle =crape myrtle.
gúm mỳrtle フトモモ科ガムテンニカ属の数種の木の総称.
móor mỳrtle =bog myrtle.
Óregon mýrtle カリフォルニアゲッケイジュ.
rúnning mýrtle ヒメツル(姫蔓)ニチニチソウ.
sánd mỳrtle イソツツジモドキ.
trée mỳrtle キダチソリチャ.
wáx mỳrtle ヤマモモ.

M

N

-na /nə/

《発音綴り》文中で～ to の短縮. ►漫画や口語の表記などで用いる. なお, inna (=in a [the]) という別の例もある.

gon·na 《特に米話》=going to.
wan·na 《話》=want to.

nail /néil/

[名] 釘, 鋲(びょう); (手足の)爪(つめ). ——[動他] …に釘を打つ.

ág·nàil =hangnail.
bóat nàil 釘の一種; 頭が中高で, 先端がたがね形.
bóx nàil 箱釘(はこくぎ).
cásing nàil (仕上げ木工用の)ケーシングネイル.
clásp nàil =cut nail.
cóffin nàil 《米俗》紙巻きタバコ.
cómmon náil 並釘.
cút nàil 無頭釘.
dáting nàil 日付入りの釘.
dóg nàil 犬釘.
dóor·nàil 鋲釘(びょうくぎ).
fáce-nàil [動他] 脳天打ちにする.
fíne nàil 鋼鉄の仕上げ釘.
fínger·nàil 指の爪.
fínishing nàil 仕上げ用の釘.
fórm nàil =scaffold nail.
háng·nàil (爪の根元の)ささくれ, 逆むけ.
hób·nàil 頭の大きな鋲釘(びょうくぎ).
róofing nàil 屋根釘.
rósehèad nàil 花頭釘.
róse nàil =rosehead nail.
scáffold nàil 二重頭釘.
scréw nàil ねじ釘.
spóon nàil 『医学』さじ状爪(つめ).
stúb nàil 太くて短い釘.
thírtypènny náil 長さ 4 ½インチ(11.4cm)の釘.
thúmb·nàil 親指の爪.
tóe·nàil 足指の爪.
tóoth and náil [副] 全力で, 必死に.
trée·nàil (木造船に用いる)木釘.
tré·nàil =treenail.
trúnk nàil トランク用の釘.
ùn·náil [動他] …から釘を抜く.
wíggle nàil 波釘.
wíre nàil 鉄丸釘, 普通釘.

na·ked /néikid/

[形] 〈人が〉衣服をつけていない, 裸の.

bállock-nàked [形] =bollock naked.
bóllock náked [形] 《英俗》すっぽんぽんの. ►stark bollock naked ともいう.
búck-náked [形] 《米南部》素っ裸の.
móther-náked [形] 生まれたときのように裸の.
stárk-náked [形] 真っ裸の, 全裸の.

name /néim/

[名] 名, 名前, 姓名; 名称, 呼称. ◇ NOMEN.

baptísmal nàme クリスチャンネーム, 洗礼名.
be·náme [動他] 《廃》…に名をつける, 命名する; …を名前で呼ぶ.
bíg náme 《話》権威者, 名士; 有名なもの.
bíg-nàme [形] 《話》高名な, 有名な, 知名の.
bírth nàme (女性の結婚前の)旧姓.
bránd nàme ブランド名, 商標名.
bránd-nàme [形] ブランド名の; 名の通ったブランドの.
bý-name [名] またの名; 姓, 家名.
Chrístian náme 《英》=baptismal name.
códe nàme コード名.
dáy nàme 《もと, 特にクレオール語を話す人々の間で》誕生日名.
fámily nàme 姓, 名字.
fíle·nàme 『コンピュータ』(検索用の)ファイル名.
fírst náme =given name.
fírst-nàme [形] 洗礼名の; 親しい, 親密な.
fónt nàme 洗礼名, (姓に対して)名.
fore·name [名] =first name.
frónt nàme 《米俗》=font name.
gíven náme 《米》(姓に対する)名.
Hóly náme 『キリスト教』キリストの御名.
lást náme =surname.
máiden náme (女性の)結婚前の姓, 旧姓.
míddle náme ミドルネーム.
mis·náme [動他] …の名を呼び違える; ののしる.
místake nàme 誤記 [誤読] による地名.
níck·nàme あだ名, 異名, 通り名, ニックネーム.
nó-nàme [形] 〈商品が〉ノーブランドの, 無印の.
pén nàme ペンネーム, 筆名, 雅号.
pét nàme (人・物などの)愛称, ペットネーム.
pláce·nàme 地名.
práise nàme 《アフリカ》首長や有力者を大げさに褒め上げた名称.
pré·nàme [名] =first name.
rè·náme [動他] …に新しく名をつける; 改名する.
sécond náme 姓, 名字.
stáge nàme 芸名, 舞台名.
stréet nàme 『証券』証券業者名儀.
súr·nàme [名] 姓, 氏, 名字.
tó-nàme 《主にスコット》(特に同姓同名の人を区別するための)別名, あだ名.
tráde nàme 屋号, 商号, のれん(名).
tráde-nàme [動他] 商用名で示す, 商用名で登録する.
whátsis·nàme 《話》なんとかいう人.

nap /nǽp/

[名] (日中にとる)短い眠り, 昼寝, 仮眠.

cát·nàp 居眠り, うたた寝, 仮眠.
dóg nàp うたた寝.
pówer nàp 重要な仕事中にとる, 気分を新たにするための昼寝.

-nap /nǽp/

[連結形] かどわかす, 誘拐する.
★ 語末にくる関連形は -NAPING, -NAPPING.
◆ kidnap「誘拐する」からの抽出形.

N

árt·nàp 動他〈美術品を〉盗む.
báby·nàp 動他〈赤ん坊を〉さらう.
dóg·nàp 動他 (特に売るために)〈犬を〉盗む.
pét·nàp 動他〈ペットを〉盗む.
spáce nàp 宇宙人による人間の誘拐.
stár·nàp 動他〈スターを〉誘拐する.

naph·tha·lene /nǽfθəlìːn, nǽp-/

名〖化学〗ナフタレン, ナフタリン. ⇨ -ENE[1].

chlo·ro·naph·tha·lene 名 クロロナフタレン.
dec·a·hy·dro·naph·tha·lene 名 デカヒドロナフタレン.
hyd·ro·xy·naph·tha·lene 名 ヒドロキシナフタレン.
meth·yl·naph·tha·lene 名 メチルナフタレン.

-nap·ing /nǽpiŋ/

連結形 誘拐(kidnaping).
★ 名詞をつくる.
★ 語末にくる関連形は -NAP.
◆ (kid)naping からの類推. ⇨ -ING[1].

dog·nap·ing 名 犬さらい.
pet·nap·ing 名 ペット泥棒.

-nap·ping /nǽpiŋ/

連結形 -naping の異形.
★ イギリス英語の綴り.
★ 語末にくる関連形は -NAP.
◆ (kid)napping からの抽出形. ⇨ -ING[1].

cart·nap·ping 名 (スーパーなどの)カートの持ち出し.
child-nap·ping 名 (離婚手続き前に)一方の親が子供を奪うこと.
fax·nap·ping 名《英俗》Filofax を盗んで脅迫すること.
horse·nap·ping 名 馬を盗むこと, 馬泥棒.
pet·nap·ping 名 ペット泥棒.

nar·cis·sus /nɑːrsísəs/

名 スイセン(水仙). ⇨ -US[1].

hóop-pètticoat narcìssus =petticoat narcissus.
páper-white narcíssus ニホンズイセン(日本水仙).
pétticoat narcíssus スイセンの一種.
póet's narcíssus クチベニスイセン(口紅水仙).

na·sal /néizəl/

形 **1** 鼻の. **2**〖音声〗鼻音の. ⇨ -AL[1].
★ 語頭にくる関連形は nas(i)-, naso-: *naso*lacrimal「〖解剖〗鼻涙の」.

gut·tur·o·na·sal 名形〖音声〗喉鼻音(の).
in·tra·na·sal 形 鼻腔内の.
la·bi·o·na·sal 名形〖音声〗唇鼻音(の).
non·na·sal 形 鼻に属さない, 鼻に関しない.
o·ri·na·sal 名形〖音声〗口鼻音(の).
o·ro·na·sal 形 口と鼻の.
par·a·na·sal 形〖解剖〗鼻旁(ぼう)の.
post·na·sal 形 鼻後の, 後鼻部の.

-nas·ty /nǽsti/

連結形〖植物〗圧力による細胞の成長の不規則性, 傾性運動 [生長].
★ 名詞をつくる.
◆ ギリシャ語 *nast(ós)*「押しつけられた」より. ⇨ -Y[3].

chemo·nasty 名 化学傾性.
ep·i·nas·ty 名 上偏生長, 上位生長性.
hy·po·nas·ty 名 下偏生長, 下位生長性.
nyc·ti·nas·ty 名 昼夜 [就眠] 運動.
pho·to·nas·ty 名 傾光性, 光傾性.
ther·mo·nas·ty 名 温度傾性, 傾熱性.

na·tal /néitl/

形《主に文語》誕生の, 出生の. ⇨ -AL[1].
★ 語頭にくる関連形は nat-: *nat*ality「出生率」, *nat*ion「国民」.

an·te·na·tal 形 =prenatal.
ne·o·na·tal 形 新生児の.
per·i·na·tal 形 (妊娠 20 週間目から分娩後 28 日目までの)周産期の, 分娩前後の.
post·na·tal 形 生後に起こる, 出生後の.
pre·na·tal 形 出生 [出産] 前の.

-nate /neit/

連結形 生まれた(もの); 生じた(もの).
★ 語頭にくる形は nat-: *nat*ality「出生率」, *nat*ion「国民」.
◆ <ラ(*g*)*nātus* (*gnāscī*「生まれる」の過去分詞).

ad·nate 形〖生物〗沿着 [側着, 着生] の.
con·nate 形 初めからある, 生得の, 先天的な.
e·nate 形 母方の親戚の, 外戚の.
in·nate 形 生まれながらの, 生来の, 生得の.
ne·o·nate 名 新生児.

na·tion /néiʃən/

名 **1** 国民. **2** 国, 国家. ⇨ -ATION.

Cárrie Nátion 《米俗》コカイン.
cárrier nàtion 海運国.
hìp-hóp nàtion ヒップホップカルチャー集団.
móst fávored nátion 最恵国.
móst-fávored-nátion 形 最恵国(待遇)の.
mul·ti·na·tion 形 多国家の [にまたがる].
Òne Nátion 《英》社会的不平等のない国家 [国民].
Quéer Nàtion キュアネイション: 米国の同性愛者の権利獲得運動団体.

na·tion·al /nǽʃənl/

形 国家の; 国民の. ⇨ -AL[1].

an·ti·na·tion·al 形 反国家的な, 国家主義に反対の.
bi·na·tion·al 形 二国 [二国民] の.
cross-na·tion·al 形 2 か国以上の [にわたる].
Gránd Nátional 《英》グランドナショナル: 有名な大障害競馬.
in·ter·na·tion·al 形 国際間の, 国際上の, 国家間の.
in·tra·na·tion·al 形 国内にある [で起こる].
mul·ti·na·tion·al 形 多国家間の; 多国籍(企業)の.
su·per·na·tion·al 形 国家の枠を越えた, 超国家的な.
su·pra·na·tion·al 形 超国家的な.
trans·na·tion·al 形 国境を越えた; 国内問題を越えた.
un·na·tion·al 形 特定の国に属さない.

na·tion·al·ism /nǽʃənəlizm/

名 **1** 国民意識. **2** 愛国心. **3** 民族主義. **4** (国家利益を第一と考える)国粋主義. ⇨ -ISM[1].

bláck nátionalism 黒人民族主義.
ìn·ter·ná·tion·al·ism 名 (国家主義に対して)世界 [国際] 主義.
nè·o·ná·tion·al·ism 名 ネオナショナリズム, 新国家主義.
sù·per·ná·tion·al·ism 名 世界連邦主義; 国際連合主義.
ùl·tra·ná·tion·al·ism 名 超国家主義, 国粋主義.

N

na·tu·rae /nətúəri/

形《ラテン語》自然の; 野生の.►英語 of nature に相当.

dómitæ natúrae	〖法律〗(野生動物と区別して)家畜.
férae natúrae	〖法律〗(家畜と区別して)野生動物.
lúsus natúrae	出来損ない; 〖医学〗先天性奇形.
vís mèdicatríx natúrae	《ラテン語》自然の治癒力.

nat·u·ral /nǽtʃərəl/

形〈物が〉自然の, 自然に存在する. ⇨ -AL[1].
★ 語頭にくる関連形は naturo-: *naturo*pathy「自然療法」.

con·nat·u·ral 形	生来の, 生得の, 生まれつきの.
non·nat·u·ral 形	自然から離れた, 自然の理に背く.
pre·ter·nat·u·ral 形	並み外れた, 尋常ならざる, 異常な.
sub·ter·nat·u·ral 形	《まれ》やや不自然な.
su·per·nat·u·ral 形	超自然の, 不可思議な; 異常な.
su·pra·nat·u·ral 形	超自然的な.
trans·nat·u·ral 形	超自然の, 自然を超える.
un·nat·u·ral 形	不自然な; 異常な.

na·ture /néitʃər/

名 **1** 自然, 自然界; 物質界; (山・木・動物・川など)自然界の要素, 万物; 自然の景色 [景観]. **2**《文語》(人・動物・事物などの)本質, 特性, 本性. ⇨ -URE[1].

báck-to-náture 形	《標語》「自然に帰れ」.
débt-for-náture 形	自然保護をすれば債務を減額する方式の.
de·ná·ture 動他	〈物の〉特性を奪う, 本性を変える.
dis·ná·ture 動他	〈物から〉固有の性質[外観]を奪う.
góod náture	よい気立て, 人のよさ, 温厚さ.
húman náture	(特に他の生物と対照した場合の)人間性.
íll náture	つむじ曲がり, 意地悪.
Móther Nàture	母なる自然; 《米俗》マリファナ.
rè·ná·ture 動他	〈一度, 変性化したものを〉再生する.
sécond náture	第二の天性, 後天的性格.
súp·er·nà·ture 名	超自然(界).

-naut /nɔ̀ːt/

連結形 航行する人.
★ 名詞をつくる.
★ 語末にくる関連形は -NAUTIC.
★ 語頭にくる関連形は nauti-, navi-: *nauti*cal「海員の; 船舶の」, *navi*gate「航行する」.
◆ aeronaut「飛行船操縦者」の短縮形.

aq·ua·naut 名	アクアノート, 海中生活者, 潜水士.
as·tro·naut 名	宇宙飛行士.
cos·mo·naut 名	(特にロシアの)宇宙飛行士.
cy·ber·naut 名	サイバーノート, 電子空間航行者.
hy·dro·naut 名	ハイドロノート, 深海潜水艇乗員.
in·fo·naut 名	情報ハイウェイ航行者.
lu·na·naut 名	=lunarnaut.
lu·nar·naut 名	月を探索する宇宙飛行士.
mi·gro·naut 名	無国籍放浪者, 難民.
o·cea·naut 名	潜水士, 海洋作業士.
wom·a·naut 名	女性宇宙飛行士.

-nau·tic /nɔ́ːtik/

連結形 航行者の.
★ 形容詞をつくる.
★ 語頭にくる関連形は nauti-: *nauti*cal「海員の; 船舶の」.
◆ -NAUT＋-IC[1].

aer·o·nau·tic 形	航空(術, 学)の; 飛行船操縦者の.
Ar·go·nau·tic 形	アルゴー船一行の.
as·tro·nau·tic 形	宇宙飛行(士)の, 宇宙航法の.
cos·mo·nau·tic 形	宇宙飛行士(cosmonaut)の.

nav·i·ga·tion /nævəgéiʃən/

名 **1** 航行; 飛行. **2** 航法.►navigate の名詞形. ⇨ -ATION.

área navigátion	〖航空〗エリア・ナビゲーション.
às·tro·nav·i·gá·tion 名	〖海事〗〖航空〗天文 [天測] 航法.
celéstial navigátion	〖海事〗〖航空〗=astronavigation.
cè·lo·nav·i·gá·tion 名	=celestial navigation.
dóppler navigàtion	〖航空〗ドップラー航法.
gè·o·nav·i·gá·tion 名	〖航空〗地文航法, 地測航法.
hyperbólic navigátion	〖海事〗〖航空〗双曲線航法.
intérnal navigátion	〖海事〗内地航行.
rádio navigátion	〖航空〗〖海事〗無線航法 [航行].

na·vy /néivi/

名 (一国の)全海軍艦船. ⇨ -Y[3].

Frénch návy	くすんだ濃紺色.
Fréshwater Nàvy	《米俗》沿岸警備隊 (Coast Guard).
hóoligan Nàvy	《米海軍俗》=Freshwater Navy.
mérchant návy	《英》(一国の)全(保有)商船.
Róyal Nàvy	英国海軍.
Uníted Státes Návy	米国海軍.
Wávy Návy	《英話》英国海軍義勇予備隊(Royal Naval Volunteer Reserve).

-ndo /ndou; *It.* ndo/

接尾辞 もとはイタリア語の動詞状形容詞現在形を表す語尾.
★ 音楽の旋律に関連した語をつくる.
◆ <伊 *-ando*, *-endo* <ラ *-andus*, *-endum*.

ac·cel·er·an·do 副	アッチェレランド, しだいに速く.
al·lar·gan·do 形副	アラルガンドの [で].
ca·lan·do 形副	しだいに緩やかにそして弱い [く].
cre·scen·do 名	クレッシェンド(の楽節).
de·cre·scen·do 形副	徐々に弱い [弱く].
di·min·u·en·do 形副	漸次弱声の [に].
for·zan·do 形副	=sforzando.
glis·san·do 形副	グリッサンドで奏される [奏して].
lar·gan·do 形副	=allargando.
len·tan·do 副形	レンタンド, しだいに遅く(なる).
mar·can·do 形副	強いアクセントをつけた [つけて].
mo·ren·do 形副	しだいに音を弱める [て].
par·lan·do 形副	物語るような [に], 朗唱するような [に].
ral·len·tan·do 形副	しだいに緩やかに [遅く] (なる).
rin·for·zan·do 形副	=sforzando.
ri·tar·dan·do 形副	徐々に緩やかな [に].
sal·tan·do 形副	スピッカート(奏法)の [で].
scher·zan·do 形副	戯れ気味な [に].
sfor·zan·do 形副	突然強いアクセントをつけた [て].
smor·zan·do 形	徐々に音を弱め速度を遅くする.
strin·gen·do 形副	漸次急速の [に].
trem·o·lan·do 副形	顫音(せん)で; 顫音の.

-n·dum /ndəm/

接尾辞 ラテン語の動詞状形容詞の中性形名詞用法. ⇨ -UM[1].

ad·den·dum 名	付加物.
a·gen·dum 名	(議事)日程; 議題, 協議事項.
av·i·zan·dum 名	〖スコット法〗裁判官の私的判断.
cor·ri·gen·dum 名	(特に印刷の)ミスプリント, 誤植.

N

cre·den·dum 名 信条, 信仰箇条.
de·den·dum 名 〖機械〗(歯車の)歯元(の丈).
ex·pli·can·dum 名 (哲学的論議などで)説明されねばならぬ名辞[命題].
ha·ben·dum 名 〖法律〗物権表示条項.
mem·o·ran·dum 名 覚え書き, 控え, メモ, 備忘録.
no·tan·dum 名 記入[注意]事項, メモ.
pu·den·dum 名 《通例 pudenda》〖解剖〗外陰部.
red·den·dum 名 《古》〖法律〗保有条件条項.
ref·er·en·dum 名 国民投票; その制度.
se·cun·dum 前 《ラテン語》…によって, に従って.

neb·u·la /nébjulə/

名 〖天文〗星雲. ⇨ -A².
★ 語頭にくる関連形は nebul-: *nebul*ar「星雲の」, *nebul*ous「はっきりしない, ぼんやりした」.

absórption nèbula =dark nebula.
Cráb Nèbula かに星雲.
dárk nébula 暗黒星雲.
diffúse nébula 不定形星雲(nebula).
Dúmbbell nèbula 亜鈴星雲.
emíssion nèbula 発光星雲.
extragaláctic nébula 《もと》(銀河系外の)星雲, 銀河.
galáctic nébula (銀河の内部または近くにある)銀河星雲.
Hórsehead Nèbula 馬頭星雲.
Oríon Nèbula オリオン大星雲.
Nórth América Nèbula 北アメリカ星雲.
plánetary nébula 惑星状星雲.
refléction nèbula 反射星雲.
Ríng Nèbula (こと座の)リング[環状]星雲.
spíral nébula 《もと》渦状銀河(spiral galaxy).
Tarántula nébula タランチュラ星雲.

neck /nék/

名 **1** 首. **2** 襟(えり).

batéau nèck =boat neck.
bóat nèck 〖服飾〗ボートネック.
bóttle·nèck 瓶の首; 隘路(あいろ), ネック.
bráss nèck 《英話》ずうずうしさ, 厚かましさ.
bréak·nèck 形 (危険なまでに)速い速度の.
búll·nèck 雄牛の首の皮で作った革.
cówl·nèck 〖服飾〗カウルネック.
créw nèck 〖服飾〗クルーネック.
cróok·nèck 〖植物〗ヘチマカボチャ.
déad·nèck 《米俗》ばか, まぬけ; ぐず.
dírty-néck 《米俗》労働者, 百姓.
éwe-nèck (馬などの)雌羊首.
fíddle·nèck 〖植物〗ハゼリソウ.
Fréd Nèck 《英・豪俗》ばかもの.
góose·nèck 雁首(がんくび)(様のもの).
hálter·nèck 形 〖服飾〗ホルターネックの.
hárd nèck 《アイル話》大胆; 無謀.
hórse's nèck ホースネック: 飲み物の一種.
hýdro·nèck 《英》油圧装置付きセミトレーラー前部.
léather·nèck 《米俗》米国海兵隊員.
límber·nèck 〖獣病理〗リンバーネック.
líttle·nèck ホンビノスガイの稚貝.
lóng·nèck 《主にテキサス》長首瓶入りビール.
nó-nèck 《米俗》野蛮なやつ, 低俗人間.
pínk·nèck 《米俗》教育のある南部の白人労働者.
pólo nèck 《英》〖服飾〗とっくり襟.
réd·nèck 《米話》無学な南部の白人の労働者.
ríng·nèck 首の周りに帯模様のある鳥[動物].
róll nèck 《英》〖服飾〗ロールネック.
róugh·nèck 《米》《話》無作法者, 無頼漢.
rúbber·nèck 動自 《米話》(首を伸ばして)見回す.
scóop nèck 〖服飾〗スクープネック.
stíff nèck (リューマチなどで)曲げると痛い首.
stráight·nèck 〖植物〗ナタウリの一栽培品種.
swán nèck =swan's neck.
swán·nèck 白鳥の首のような花をつける植物の総称.
swán's nèck 白鳥のように細長く白い首.
swível-nèck 《米俗》ださいやつ.
túrkey nèck 《米俗》陰茎, ペニス.
túrtle·nèck 〖服飾〗タートルネック.
V́ nèck 〖服飾〗V ネック.
volcánic néck 〖地質〗火山岩頸, 岩栓.
wrý·nèck 《話》首曲がり, 斜頸(しゃけい).

-necked /nékt/

連結形 《複合語》…な[の]首のついている, …の首の. ⇨ -ED².
★ 形容詞をつくる.

búll-nècked 形 首のずんぐりした, 猪首(いくび)の.
hígh-nécked 形 〈服が〉ハイネックの.
lów-nécked 形 〈服が〉ローネックの, 襟ぐりの深い.
réd-nècked 形 赤い首の. ►特に鳥の名前に用いる.
ríng-nècked 形 〖動物〗首の周りに帯模様のある.
stíff-nécked 形 首が曲がらない, 肩が凝った.
wrý-nècked 形 《話》首が曲がった, 斜頸(しゃけい)の.

neck·line /néklàin/

名 〖服飾〗(特に婦人服の)ネック(ライン), 襟ぐり線. ⇨ LINE¹.

cámisole néckline キャミソールネックライン.
cárdigan nèckline カーディガン(V 字)ライン.
créw néckline クルー・ネックライン.
fáraway nèckline ファーラウェイ・ネックライン.
héart-shaped nèckline ハートシェイプ・ネックライン.
mándarin néckline マンダリン・ネックライン.
pétal néckline ペタル・ネックライン.
plúnging néckline プランジング・ネックライン.
scálloped néckline スカラップド・ネックライン.
sláshed néckline スラッシュド・ネックライン.
swéetheart nèckline スイートハート・ネックライン.

nee·dle /níːdl/

名 (裁縫用の)針, 縫い針, ミシン針, 刺繍(ししゅう)針; (一般に)針状のもの. ⇨ -LE¹.

Ádam's-néedle 〖植物〗イトラン.
Cleopátra's Néedle クレオパトラの針: 古代エジプトの Heliopolis にあった二つのオベリスク.
dárning nèedle かがり針.
dévil's dárning nèedle 《主に米北部・西部》トンボ.
díp nèedle 伏角計, 傾針.
dípping nèedle =dip needle.
eléctric néedle 〖外科〗電気針.
hypodérmic nèedle 〖医学〗皮下注射針; 皮下用注射器.
knítting nèedle (手編み用の)棒針, 編み棒[針].
lárding-nèedle 〖料理〗ラーディング用の刺し針[棒].
látch nèedle (編み機)べら針, 舌針, メリヤス針.
magnétic néedle (磁気コンパスの)磁針.
mícro·nèedle 顕微針, マイクロニードル.
pácking nèedle (荷作り用の)からげ針.
píne nèedle 松葉.
sétting nèedle (標本を固定するための)針.
séwing nèedle 《米北部》=devil's darning needle.
shépherd's néedle 〖植物〗セリ科の多年草.
Spáce Nèedle 米国 Seattle の万博シンボルタワー.
súrgical néedle 〖外科〗外科用縫合針.
tóuch nèedle 試金針.

neg·a·tive /négətiv/

形〈意見・答えなどが〉否定の, 否定的な,〈表現・仕草などが〉否定を表す;〖文法〗否定の. ⇨ -ATIVE.

cópy nègative 〖写真〗原板, 陰画, ネガ.
dóuble négative 〖文法〗二重否定.
e·lèc·tro·nég·a·tive 形 〖物理化学〗陰電気を含む, 陰性の.
fálse-négative 形名 〖医学〗偽陰性(の).
Grám-négative 形 〈細菌が〉グラム陰性の.
HIV-négative 形 〖医学〗HIV 陰性の.
ìn·ter·nég·a·tive 名 〖写真〗中間ネガ, インターネガ.
nòn·nég·a·tive 形 〖数学〗非負の.
partícular négative 〖論理〗特殊［特称］否定判断.
phòto·négative 形 〖物理〗光(ひかり)陰性の.
Ŕh négative 〖医学〗Rh 陰性(の血液, 人).
separátion nègative 〖写真〗分解ネガ.
sè·ro·nég·a·tive 形 〖医学〗血清陰性の.
sèx-nég·a·tive 形 (特に女性が)性的欲求に対して消極的な.
univérsal négative 〖論理〗全称否定判断.

nel·son /nélsn/

名〖レスリング〗ネルソン, 首攻め.

fúll nélson フルネルソン.
hálf nélson ハーフネルソン.
quárter nélson クォーターネルソン.
thrée-quárter nélson 首返し, スリークォーター・ネルソン.

-ne·ma /ní:mə/

連結形〖生物〗糸.
★ 名詞をつくる.
★ 語頭にくる関連形は nem(a)-, nemo-: *nem*acide「殺線虫剤」, *nem*atocyst「刺胞, 刺糸胞」.
◆ ギリシャ語 *nêma*「糸」より.

chro·mo·ne·ma 名 染色糸, 螺旋(らせん)糸.
dip·lo·ne·ma 名 複糸, ディプロネマ.
nu·cle·o·lo·ne·ma 名 核小体糸, 仁糸(じん).
pro·to·ne·ma 名 原糸体, 糸状体.
syn·ne·ma 名 分子柄束.
trep·o·ne·ma 名 トレポネーマ.

nem·a·tode /némətòud/

名 線虫(nematode worm). ◇ -NEMA. ⇨ -ODE[1].

gólden nématode バレイショシストセンチュウ.
méadow nèmatode ネグサレセンチュウ(根腐れ線虫).
róot-knòt nématode 根こぶ線虫.
sóybean cýst nèmatode ダイズシストセンチュウ.

neph·ew /néfju: | névju:, néfju:/

名 甥(おい).

grand·neph·ew 名 甥(おい)の息子, 兄弟の孫息子.
great-grand·neph·ew 名 甥(おい)［姪］の孫息子.
great-neph·ew 名 ＝grandnephew.

ne·phri·tis /nəfráitis/

名〖病理〗腎炎(じんえん). ◇ -NEPHROS. ⇨ -ITIS.

glo·mer·u·lo·ne·phri·tis 名 糸球体腎炎.
pseu·do·ne·phri·tis 名 偽腎炎.
py·e·lo·ne·phri·tis 名 腎盂(じんう)腎炎.
py·o·ne·phri·tis 名 化膿(かのう)性腎炎.

-neph·ros /néfrɑs/

連結形 腎臓, …腎(じん).
★ 名詞をつくる.
★ 語頭にくる関連形は nephr(o)-: *nephr*algia「腎臓痛」, *nephros*is「ネフローゼ」. ◇ NEPHRITIS.
◆ ギリシャ語 *nephrós* より. ⇨ -OS[1].

mes·o·neph·ros 名 〖発生〗中腎(ちゅうじん).
met·a·neph·ros 名 〖発生〗後腎(こうじん).
par·a·neph·ros 名 〖解剖〗副腎(ふくじん).
pro·neph·ros 名 〖発生〗前腎(ぜんじん).

nerve /nə́:rv/

名 **1**〖解剖〗神経; 神経線維. **2** 勇気, 度胸, 剛気.

abdúcens nèrve 外転神経.
accéssory nèrve 副神経.
acóustic nèrve 聴神経.
cránial nèrve 脳神経.
fácial nèrve 顔面神経.
glossopharýngeal nérve 舌咽(ぜついん)神経.
hypoglóssal nérve 舌下神経.
in·nérve 動他 活気を与える, 鼓舞する.
míxed nèrve 混合神経.
mótor nèrve 運動神経.
oculomótor nèrve 動眼神経.
olfáctory nèrve 嗅(きゅう)神経.
óptic nèrve 視神経.
pneumogástric nérve 《もと》肺胃神経.
sácral nèrve 仙骨神経.
sciátic nèrve 座骨神経.
spínal nèrve 脊髄(せきずい)神経.
splánchnic nèrve 内臓神経.
sympathétic nèrve 交感神経.
tróchlear nèrve 滑車神経.
úlnar nèrve 尺骨神経.
ùn·nérve 動他 勇気を失わせる; 気を転倒させる.
vágus nèrve 迷走神経.
vestíbular nèrve 前庭神経, 平衡神経.

-ne·sia /ní:ʒə, -ʒə, -ziə, -zjə/

連結形 島.
★ 名詞をつくる.
★ 語頭にくる関連形は neso-: *neso*gaean「ポリネシア亜区の」.
◆ ギリシャ語 *nês(os)*「島」より. ⇨ -IA.

Aus·tro·ne·sia 名 オーストロネシア.
In·do·ne·sia 名 インドネシア.
Mel·a·ne·sia 名 メラネシア.
Mi·cro·ne·sia 名 ミクロネシア.
Pol·y·ne·sia 名 ポリネシア.

ness /nés/

名 岬. ►今は特に固有名詞で用いる.

Caith·ness 名 ケースネス(スコットランドの地名).
Foul·ness 名 ファウルネス(イングランドの地名). ►字義は古英で「鳥たちの訪れる岬」.
Fur·ness 名 ファーネス(イングランドの地名).
Hark·ness 名 ハークニス(姓).
Ho·vha·ness 名 ハバネス(姓).
In·ver·ness 名 インバネス(スコットランドの地名).
Sheer·ness 名 シェアネス(イングランドの地名). ►字義は古英で「輝く岬」.
Wil·der·ness 名 ウィルダーネス(米国の地名).

-ness /nis/

接尾辞 **1**《性質, 状態》…性, …であること: clever*ness*. **2**《程度・度合》…さ: bright*ness*. **3**《事例》…な行為: kind*ness*.
★ 形容詞・分詞(まれに数詞・不変化詞)につけて名詞をつ

くる.
★ 英語本来の形容詞につく; 複合語やイディオムなどの複雑な要素につく: kind-hearted*ness*, up-to-date*ness*.
★ -ing², -ed¹ で終わる分詞形の形容詞から規則的に抽象名詞をつくる: belonging*ness*, unexpected*ness*.
◆ 中英 *nes(se)*, *nis(se)*, 古英 *-nes*, *-nis*.
[発音] 第 1 強勢は基語と同じ.

---

air·i·ness 名 風通し [通風] のよさ.
all·ness 名 普遍性, 一般性; 全体性, 完璧.
arch·ness 名 ちゃめ, いたずらっぽいこと.
a·ware·ness 名 気づいていること, 自覚, 認識.
back·ward·ness 名 進歩の遅いこと, 後進性.
bad·ness 名 悪い状態, 劣悪; 悪いこと, 悪.
be·long·ing·ness 名 (会社・グループへの)帰属.
bit·ter·ness 名 苦み.
bi·u·nique·ness 名 一対一の対応.
black·ness 名 黒さ, 黒; 暗さ, 暗闇(やみ).
bless·ed·ness 名 至福, 神の恵みの深いこと; 幸福.
blind·ness 名 ☞
blue·ness 名 (色の)青さ, 青み.
bold·ness 名 大胆さ, 厚かましさ, 図太さ.
bright·ness 名 輝き, 明るさ; 華々しさ; 鮮やかさ.
Brit·ish·ness 名 《政治的意味で》英国人風 [気質].
broad·ness 名 幅の広さ; 広大さ.
bush·i·ness 名 低木の茂み.
busi·ness 名 ☞
bus·y·ness 名 忙しいこと, 多忙, 繁忙; せわしさ.
calm·ness 名 穏やかさ, 静けさ; 平穏; 沈着.
char·i·ness 名 (人の)注意深さ, 用心深さ.
cheap·ness 名 安いこと, 安価, 低廉, 安上がり.
child·ness 名 《古》子供らしさ.
chro·mat·ic·ness 名 彩度.
clean·li·ness 名 きれい好き, 潔癖.
clear·ness 名 明るさ, 透明, 清澄.
clev·er·ness 名 利口なこと, 頭の良いこと.
close·ness 名 親密さ, 親しさ.
cloud·i·ness 名 曇り, 曇天.
club·bi·ness 名 クラブ的雰囲気.
clue·less·ness 名 《米俗》あきれたばかさかげん.
con·cise·ness 名 簡潔, 簡明.
con·scious·ness 名 ☞
cool·ness 名 涼しさ, 涼気; 冷たさ.
cor·rect·ness 名 正しいこと, 誤りのないこと.
cross·ness 名 ひねくれ, 片意地; 不機嫌.
cur·rent·ness 名 通用; 普及, 流布; 一般性.
dark·ness 名 暗さ, 黒さ, 暗黒; 闇, 暗闇.
done·ness 名 《俗》(食べ物が)ほどよく調理された状態, (料理の)できぐあい.
dop·i·ness 名 《NZ》羊の栄養欠乏病.
dou·ble·ness 名 2 倍(大); 二重, 重複(性).
dull·ness 名 愚鈍; 遅鈍; 鈍感; 無気力.
dul·ness 名 =dullness.
dumb·ness 名 口の利けないこと.
ea·ger·ness 名 切望, 熱望, (…を)切望すること.
earth·i·ness 名 土質, 土性.
earth·li·ness 名 地上のものの性質; 現世的なこと.
eas·i·ness 名 (物事の)容易さ; 心地よさ.
faced·ness 名 人の顔の左右どちらかの側が優性であること.
fast·ness 名 要塞(ようさい), 堡塁(ほうるい).
fat·ness 名 太っていること, 肥満.
fed-up·ness 名 《話》うんざりしていること, 食傷.
few·ness 名 僅少, わずか.
fine·ness 名 立派さ, 優良; 上品, 優美.
fit·ness 名 健康(状態),; 体力, 持久力, 筋力.
fond·ness 名 好きな状態, 愛好心.
for·ev·er·ness 名 永遠.
for·give·ness 名 許すこと, (罪などの)容赦, 勘弁.
for·ward·ness 名 出しゃばり, 無遠慮, ずうずうしさ.
foul·ness 名 不潔; 悪臭; 粗悪さ; 下品, 卑猥.
frank·ness 名 率直さ, 正直.
free·ness 名 自由であること.
full·ness 名 充満, 充足, 十分; 完全; 飽満.
ful·ness 名 =fullness.
-ful·ness 接尾辞 ☞
game·ness 名 勇気, 勇敢さ, 忍耐.
gam·i·ness 名 鳥獣肉が少し腐りかけたときの味.
gast·ness 名 《廃》恐怖, 恐れ.
gee·ki·ness 名 社会に適応できないこと.
go-a·head·a·tive·ness 名 《俗》積極的な気性; 積極性.
gone·ness 名 気力の衰え, 滅入った気分.
good·ness 名 (一般に)よい状態, 優秀な性質.
green·ness 名 緑(色), 青々としていること, 新鮮.
half·ness 名 半分; 中途半端, 不完全.
hand·ed·ness 名 利き手.
hand·i·ness 名 手際よさ, 器用さ; 上手さ, 巧みさ.
hap·pi·ness 名 幸福, 幸せ, うれしさ.
har·di·ness 名 たくましさ, 強健; 忍耐力.
hard·ness 名 堅いこと, 堅さ.
heav·i·ness 名 重いこと, 重さ, 重量.
high·ness 名 高さ; 高度, 高率; 高位; 高価.
ho·li·ness 名 神聖; 高潔, 清浄.
hu·mane·ness 名 人道主義, 人命尊重.
i·ci·ness 名 氷のような冷たさ; 冷たい態度.
i·dle·ness 名 無為, 怠惰; 怠けていること.
ill·ness 名 気分がすぐれないこと, 不快; 病気.
in·debt·ed·ness 名 負債 [借金] があること.
In·di·an·ness 名 アメリカインディアンであること.
in-ness 名 《話》ファッショナブルであること.
in·va·sive·ness 名 『医学』侵入力, 侵襲性.
in·ward·ness 名 内 [内部] にあること.
Jew·ish·ness 名 ユダヤ人であること, ユダヤ人気質.
just·ness 名 正しさ, 正当, 公正; 合法, 適法.
kind·heart·ed·ness 名 親切心のあること, 心の優しいこと.
kind·li·ness 名 親切, 優しさ, 温情, 思いやり.
kind·ness 名 親切; 優しさ, 思いやり.
light·ness¹ 名 軽いこと; 軽さ.
light·ness² 名 明るいこと; 明るさ.
like·ness 名 《古》画像, 似顔絵, 写真, 肖像.
lone·li·ness 名 孤独, 寂しさ; 孤立.
loose·ness 名 緩み, 緩いこと; (機械の部品などの)遊び, がた.
low·ness 名 (位置などの)低いこと.
luv·vi·ness 名 《軽蔑的》俳優であること, 俳優らしさ.
mad·ness 名 精神錯乱.
mean·ness 名 (身分の)卑しいこと; (質の)低劣.
might·i·ness 名 力があること, 強力, 強大.
milk·i·ness 名 乳状(性), (液体の)不透明性.
much·ness 名 《古・話》(数量の)おびただしさ, たくさん, たっぷり; (程度の)甚だしさ.
nar·row·ness 名 狭いこと, 狭さ, 細さ.
need·i·ness 名 貧困, 窮乏, 貧窮(indigence).
Ne·gro·ness 名 黒人であること.
no·ble·ness 名 地位 [身分, 階級] の高いこと.
noth·ing·ness 名 無の状態.
one·ness 名 単一性.
o·blig·ing·ness 名 喜んで人の世話をすること.
o·pen·ness 名 開けている [広々としている] 状態.
oth·er·ness 名 他 [別] のものであること, 異なること.
out·ness 名 外部性, 客観性.
pain·ter·li·ness 名 画家らしさ.
past·i·ness 名 糊(のり)状, 練り粉質.
past·ness 名 過去(であること).
PC-ness 名 差別的でないこと(political correctness).
pre·par·ed·ness 名 準備のできていること; 覚悟.
pret·ti·ness 名 きれいなこと, かわいらしいこと.
prince·li·ness 名 王子らしい振る舞い [性格].
pub·lic·ness 名 公になっていること; 公共性.
puf·fi·ness 名 はれ, 膨れ; 肥満.
qui·et·ness 名 静けさ, 静寂, 平穏; 落着き.
read·i·ness 名 用意 [準備] のできている状態.
red·ness 名 赤いこと, 赤さ.
rel·a·tive·ness 名 関係のあること, 相関性, 相対性.
re·spon·sive·ness 名 敏感さ, 反応性.
right·eous·ness 名 廉直, 高潔.

right·ness 名 正確, 的確; 適当, 適切.
rock·i·ness[1] 名 岩石が多いこと, 石ころだらけの状態.
rock·i·ness[2] 名 (人が)ふらふらしていること [状態].
sad·ness 名 悲しさ, 悲しみ, 悲哀; 不幸, 悲惨.
salt·ness 名 塩気, 塩辛さ; (機知などの)痛快さ.
same·ness 名 同じであること, 同一, 一様; 類似.
self·ness 名 個人としての存在, 個我, 自我.
sen·si·tive·ness 名 敏感であること.
se·ri·ous·ness 名 まじめさ, 本気さ, ゆゆしさ.
short·ness 名 (長さ・距離・時間の)短いこと.
show·i·ness 名 華やかさ; 派手なこと, けばけばしさ.
sick·ness 名 ☞
sin·gle·ness 名 単一性, 単独性.
skew·ness 名 〘統計〙(度数分布の)ひずみ, 非対称.
smart·ness 名 いき, ハイカラ, 洗練.
sore·ness 名 痛み, うずき, 苦痛.
still·ness 名 静けさ, 静寂, しじま; 沈黙.
strange·ness 名 奇妙なこと.
such·ness 名 基本的性格, 本質, 特質.
thick·ness 名 厚い [太い] こと, 厚み.
thing·ness 名 客観的実在性 [事実性].
this·ness 名 〘哲学〙個性原理.
thus·ness 名 《話 / 戯言》かくあること.
tight·ness 名 堅いこと, 引き締まっていること.
to·geth·er·ness 名 親睦(しんぼく), 団らん, 親交.
touch·y-feel·i·ness 名 《軽蔑的》スキンシップ [触れ合い] 中心.
two·ness 名 2つであること; 二重性.
un·eas·i·ness 名 不快; 不安, 心配; 困惑.
un·expect·ed·ness 名 思いもよらないこと.
up-to-date·ness 名 当世風なこと, 現代風なこと.
vague·ness 名 はっきりしない [あいまいな] こと.
war·i·ness 名 注意深さ, 慎重さ, 用心.
wash·i·ness 名 水っぽいこと; 色の薄いこと.
wa·ter·i·ness 名 水の多いこと, 湿っぽいこと.
weak·ness 名 弱さ, 無力さ; 虚弱; もろさ; 気弱さ.
well·ness 名 (心身ともに)絶好の健康状態, 好調.
white·ness 名 白さ, 白いこと, 白色, 純白.
wick·ed·ness 名 邪悪, 不正, 不道徳.
wil·der·ness 名 (人の住まない)荒野, 荒れ地.
wit·ness 名 ☞
wit·ti·ness 名 機知あふれること, 才気煥発.

nest /nést/

名 (鳥の)巣; (昆虫・魚類・カメ・ウサギなどの)巣, すみか. ── 動自 巣をつくる. ── 他 …を巣に入れる.

Bée's Nést 《豪》〘天文〙プレアデス星団, すばる星.
bírd's nèst 鳥の巣.
bírd's-nèst 動自 鳥の巣を探す.
bóar's nést 《米》男だけの飯場 [宿所].
búbble nèst (キノボリウオ目トウギョ科の魚などが作る)泡状の巣.
crów's-nèst 〘海事〙檣頭(しょうとう)見張り座.
Éagle's Nést 「ワシの巣」: A. Hitler の山荘の名.
émpty nést 子供が巣立った家庭.
hórnet's nèst スズメバチの巣.
lóve nèst 愛の巣.
máre's-nèst 見掛け倒しのもの.
rát's nèst 大混乱の場所.
tráp·nèst 〘養鶏〙トラップネスト.
túrkey nèst 《豪》家畜の水飲み桶などに水を落とす小さなダム.
ùn·nést 動他 …を巣から追い出す.

net /nét/

名 **1** (魚・鳥・昆虫などを捕らえる)網. **2** (コンピュータ・遠隔通信機器を用いた)連絡網, 通信網, ネット.

Ápple·Nèt 名 《商標》アップルネット.
ÁRPA·NÈT 名 アーパネット: インターネットの発端となった実験ネットワーク (Advanced Research Project Agency Network).
Àu·to·nét 名 オートネット.
bág·nèt 名 すくい網.
BÍT·NET 名 ビットネット: 研究者用の国際コンピュータネットワーク (Because It's Time Network).
bob·bi·net 名 ボビネット: 機械編みネット地.
bów nèt (タカ捕り用の)ハマグリ形の網.
bútterfly nèt 捕虫網.
cánnon nèt 〘狩猟〙キャノン網.
cásting nèt 〘漁業〙投網(とあみ).
cást nèt ＝casting net.
cláp·nèt 名 (捕鳥・昆虫採集用の)わな網.
Cóm·nèt 名 コムネット: 米国の通信ネットワークに関する講習・展示会.
Cỳ·ber·nét 名 サイバーネット.
díp nèt 〘漁業〙たも(網), 敷き網.
dráft nèt 〘漁業〙引き網, 地引き網.
drág·nèt 名 〘漁業〙地引き網, (底)引き網.
dráw·nèt (昔の大きな野鳥捕獲用の)引き網.
dríft nèt 〘漁業〙流し網.
E·co·Net 名 環境論者のネットワーク.
encírcling nèt 〘漁業〙巻き網.
entángling nèt 〘漁業〙絡み網.
É·ther·nèt 名 《商標》イーサーネット.
ex·tra·net 名 〘インターネット〙エクストラネット.
Eú·ro·nèt 名 ユーロネット.
Fído·nèt 名 フィドネット: 電子伝言板システムに接続されたネットワーク.
físh·nèt 〘漁業〙魚網.
flý nèt 虫よけ網.
gíll nèt 〘漁業〙刺し網.
Gréen·Nèt 名 ＝EcoNet.
háir nèt 〘服飾〙ヘアネット.
hý·per·nèt 名 ハイパーネット.
ín·fo·nèt 名 情報ネットワーク.
Ín·sti·nèt 名 〘証券〙インスティネット.
Ín·ter·nèt 名 インターネット.
ín·tra·nèt 名 イントラネット.
JÁ·NET 名 英国の大学を結ぶコンピュータネットワーク (Joint Academic Network).
kéep·nèt 〘釣り〙ふらし.
lánding nèt 〘釣り〙たも(網), たま.
lífe nèt (消防士などが張る)救助網.
mosquíto nèt 蚊帳(かや).
nérve nèt 〘解剖〙神経網.
néural nèt ニューラルネット.
Peace·Net 名 核開発反対者のネットワーク.
póund nèt 〘漁業〙定置網, 壺網(つぼあみ).
púrse nèt 巾着(きんちゃく)網.
ríng nèt purse net の一種.
sáfety nèt 安全網, 転落防止網.
scóop nèt 〘漁業〙手網(たも), 叉手網(さであみ).
semántic nét 意味ネット(ワーク).
shárk nèt 《主に豪》サメ防除網.
Snéak·er·nèt 名 スニーカーネット.
spóon-nèt 〘釣り〙手網(たも).
stáke nèt 〘漁業〙立て網.
súb·nèt 名 〘数学〙部分有向点族.
swéep nèt 〘漁業〙地引き網.
Tél·e·nèt 名 〘通信〙テレネット.
tél·net 名 〘インターネット〙テルネット.
torpédo nèt 〘軍事〙魚雷防御網, 防雷網.
tówing nèt ＝townet.
tów·nèt 〘漁業〙引き網.
tráil nèt 〘漁業〙船引き網.
trámmel nèt 〘漁業〙トランメル網.
tráwl nèt 〘漁業〙トロール網.
trý·nèt 〘漁業〙けた網の類.
túnnel nèt 長い円錐形の袋網.
úl·tra·nèt 名 〘数学〙極大な網.
Úse·nèt 名 ユーズネット: インターネットのニューズグループの総称 (User's Net-

N

work).
wárning nèt 〖軍事〗(防空)警報網.

net·tle /nétl/

名〖植物〗イラクサ. ⇨ -LE[1].

fálse néttle カラムシ, マオ.
hédge nèttle シソ科オオイヌゴマ.
hémp nèttle チシマオドリコソウ.
hórse nèttle ナス属の植物の一種.
réd déad néttle ヒメオゴリコソウ.
séa nèttle 大形の有毒クラゲ類; アカクラゲ, サナダクラゲ, レンタイキクラゲなど.
stínging néttle ニセホウレンソウ.

net·work /nétwə̀ːrk/

名 **1** 網状組織. **2** 放送網. **3** 回路網. ⇨ WORK.

cróssover nètwork 〖電気〗クロスオーバー回路.
lócal área nétwork 〖コンピュータ〗地域ネットワーク.
néural nétwork 〖コンピュータ〗ニューラルネットワーク.
óld-bóy nètwork (男子の卒業生の)同窓意識.
óld-gírl nètwork (女子の卒業生の)同窓意識.
shópping nètwork (ケーブルテレビの)ショッピング放送.
stár nètwork 〖電気〗星形回路.
válue-ádded nètwork 〖通信〗付加価値通信網.
wíde área nètwork 〖コンピュータ〗広域ネットワーク.

neu·ral /njúərəl | njúər-/

形 神経の, 神経系の. ⇨ -AL[1].
★ 語頭にくる関連形は neur(o)-: *neur*osis「神経症」, *neuro*active「〖生理〗神経刺激性の」.

my·o·neu·ral 形 筋神経の, 筋肉と神経の.
sen·so·ri·neu·ral 形 知覚神経の.

neu·ral·gia /nurǽldʒə, nju- | uju-/

名〖病理〗神経痛. ⇨ -ALGIA.

fácial neurálgia 有痛性チック, 発作性三叉神経痛.
mỳo·neurálgia 名 筋痛症(myalgia).
trifácial neurálgia 三叉(さ)神経痛.
trigéminal neurálgia =facial neuralgia.

-neu·ri·um /njúəriəm/

連結形〖解剖〗神経.
★ 名詞をつくる.
★ 語頭にくる関連形は neuro-: *neuro*active「〖生理〗神経刺激性の」, *neuro*coele「〖発生〗神経腔(こう)」.
◆ <近代ラ *neuro-* 神経(の) + -IUM.

en·do·neu·ri·um 名 神経内膜.
ep·i·neu·ri·um 名 神経上膜, 神経鞘(しょう).
per·i·neu·ri·um 名 神経周膜, 神経(外)鞘.

neu·ron /njúəran | njúərɔn/

名〖細胞生物〗ニューロン, 神経単位(nerve cell). ⇨ -ON[3].

assóciative néuron 〖解剖〗結合ニューロン.
ín·ter·nèu·ron 名〖生物〗介在ニューロン, 介在神経.
mò·to·néu·ron 名 =motor neuron.
mótor nèuron 〖細胞生物〗〖生理〗運動ニューロン.
sénsory nèuron 〖生物〗感覚ニューロン.

neu·ro·sis /njuəróusis | njuər-/

名〖精神医学〗神経症, 精神神経症. ⇨ -OSIS.
★ 複数形は neuroses.
★ 語頭にくる関連形は neuro-: *neuro*active「〖生理〗神経刺激性の」, *neuro*coele「〖発生〗神経腔(こう)」.

àer·o·neu·ró·sis 名 航空神経症.
anxíety neuròsis 不安神経症.
cárdiac neuròsis 〖病理〗心臓神経症.
cómbat neuròsis 戦闘[戦争]神経症.
compensátion neuròsis 賠償[災害]神経症.
obséssional neurósis 強迫神経症.
psỳ·cho·neu·ró·sis 名 =neurosis.
traumátic neurósis 外傷(性)神経症.
tròph·o·neu·ró·sis 名〖病理〗栄養神経症.
wár neuròsis 戦争神経症.

neu·tral /njúːtrəl | njúː-/

形〈国・立場などが〉(第三者間の争議・戦争などに対して)中立の, 局外中立の. ⇨ -AL[1].

dáy-nèutral 形〖植物〗中日(ちゅう)性の.
elèctro·néutral 形〖電気〗中性の.
génder-nèutral 形〈語などが〉性中立的な.
Ídiom Néutral イディオムニュートラル: 人工国際補助語の一つ.
révenue-néutral 形 税収[歳入]増にならない.
séx-nèutral 形 =gender-neutral.
trypaflávine néutral 〖化学〗アクリフラビン: 消毒剤.

neu·tri·no /njuːtríːnou | njuː-/

名〖物理〗ニュートリノ, 中性微子.

àn·ti·neu·trí·no 名 反中性微子.
electrónic neutríno =electron-neutrino.
e·léc·tron-neu·trì·no 名 電子ニュートリノ.
é-neu·trì·no 名 =electron-neutrino.
mú-neu·trì·no 名 =muon-neutrino.
mú·on-neu·trì·no 名 ミューオン中性微子.
táu neutrìno タウニュートリノ, タウ中性微子.

neu·tron /njúːtran | njúːtrɔn/

名〖物理〗中性子. ⇨ -ON[1].

àn·ti·néu·tron 名 反中性子.
di·néu·tron 名 重中性子.
fást néutron 高速[速い]中性子.
phò·to·néu·tron 名 光(こう)中性子.
slów néutron 低速中性子.
thérmal néutron 熱中性子.

new /njúː | njúː/

形 新しい, 最近の; 新作の, 新刊の, 新興の. ——副 新たに. ——名 新しい事柄[物].

a·néw 副 もう一度.
bránd-néw 形 真新しい, 新品の, できたばかりの.
brán-néw 形 =brand-new.
cùm néw 副形〖証券〗権利付きで[の], 新株引受権付きで[の].
èx néw 形《英》〖証券〗新株落ちの.
fíre-néw 形 真新しい, できたての.
lìke-néw 形 新品同様の.
néw-néw 形 全く新しい.
re·néw 動他 …を再び始める, 再び続ける.
spán-néw 形 =brand-new.
splít-nèw 形《スコット》真新しい.

news /njúːz | njúːz/

名単 **1** (新しい事件の)知らせ, 情報. **2** 報道番組; 報道事項.

bád néws	《話》厄介なもの[人]; 不運な出来事.
Dáily Néws	ニューヨークの日刊紙.
góod néws	よい知らせ, 吉報.
hárd néws	『ジャーナリズム』硬派記事.
hót néws	最新ニュース.
mánaged néws	《俗》(発表者側に都合のいいように)事実や数値を歪曲したニュース; 政府[警察]発表のニュース.
nét·néws	(インターネットで)情報内容.
Néwport Néws	ニューポートニューズ(米国の都市名).
Níne O'clòck Néws	(英国 BBC テレビの)夜 9 時のニュース.
spót néws	『ジャーナリズム』スポットニュース: 速報される最新のニュース.

-ng /ŋ/

音象徴間 衝突・打撃・爆発などの強い反響音や鐘・鈴が鳴り響く音を表す; または強いにおいや味をさす.

-ang 音象徴	☞ -ANG[1]
bang 名	**1**《間投詞的にも》バン[ドン, ドカン, ズドン, バタン]という音, 轟音(ごう); 銃声. **2**(大きな音を伴う)一撃; (核)爆発; 砲撃. ──動他(強い音をたてて)〈物を〉打つ, たたく. ──自 激しくたたく.
-ing 音象徴	☞ -ING[5]
-ong 音象徴	☞ -ONG[1]
ping 名動自	(弾丸が金属板に当たったときのような)鋭い金属音(を出す), ピシッ[ピン, ピューン, キーン]という音(を出す).
tang[1] 名	(ニンニクなどの)強い味[風味], (からしなどの)ぴりっとした辛み.
tang[2] 名	鋭く響く音, 高く鳴る音, ガーン[ビーン]と鳴り響く音(clang). ──動他〈鐘・弦などを〉鋭く鳴り響かせる, ガーンと打ち鳴らす(ring), ビーンと響かせる(twang).
twang[1] 動自	〈弓・楽器の弦などが〉ビーン[ブーン]と鳴る.
twang[2] 名	長く残るにおい[味].

nice /náis/

形 愉快な, 楽しい, 感じのよい, 快い, 快適な; 魅力のある, かわいい, すてきな.

nás·ty-níce 形	〈人が〉表向きだけ親切そうな, 慇懃(いんぎん)無礼な.
níce·y-níce 形	《俗》愛想のよさ[健全さ]を気取った.
ó·ver·níce 形	きちょうめんすぎる, 潔癖すぎる.

nick·el /níkəl/

名 **1**『化学』ニッケル. **2**(米国・カナダの)5 セント白銅貨; 小額の金.

bíg níckel	《米俗》(賭(か)け金としての)5, 000 ドル(►もと 500 ドル).
chróme-nìckel 形	クロムニッケルの.
cúpro·nìckel	キュプロニッケル.
dóuble-níckel	《米俗》ダブルニッケル: 全国的な高速道路の制限速度(55 マイル).
fèrro·níckel	フェロニッケル, ニッケル鉄.
kúpfer·nìckel	『鉱物』紅砒(こうひ)ニッケル鉱.
pumper·nìckel	ライ麦パン, 黒パン.
smáll níckel	《米俗》(特に賭け金の)500 ドル.
wóoden níckel	《米俗》無価値な[つまらない]もの.

nig·ger /nígər/

名《侮蔑的》黒人. ►黒人自身が用いると本物の黒人をさす.

bád-àss nígger	《米黒人俗》=bad nigger.
bád nígger	《米黒人俗》(白人の抑圧を退け, 黒人同胞の尊敬を得る)黒人.
bóat nìgger	『航海』外洋ヨットに一人だけ認められるフルタイムのクルー.
búck nìgger	《米俗 / 侮蔑的》でかい黒人の男.
hóuse nìgger	《米俗 / 侮蔑的》(家事をする)黒人の召使い.
whíte nígger	《米俗 / 侮蔑的》黒人の公民権運動を支持する白人.
yéllow nígger	《米俗 / 侮蔑的》(東南)アジア人.

night /náit/

名 **1** 夜, 夜間; 晩; 日暮れ, 夕方. **2**(特定の行事・祝典などの)夜, 夕べ.

áll-nìght 形	終夜の, 夜通しの, 徹夜の.
ámateur nìght	《米》素人演芸会.
bánk nìght	《話》『映画』くじ付き夜間興行.
béggar's nìght	《米》子供がこじきの格好で物ごいをする行事.
bírth·nìght	誕生の夜, 生まれた晩.
Bónfire Nìght	《英》ボンファイヤー・ナイト: Guy Fawkes の人形を焼く祭り.
Búrns Níght	バーンズ・ナイト: Robert Burns の誕生を祝う英国の祭典.
cáll-nìght	《英》『法律』(法学院の学生に)法廷弁護士免許状が授与される夜.
commánd nìght	御前演奏[演劇]の夕べ.
dísh nìght	『映画』客寄せに無料で皿などを配った夜間興行.
fíeld nìght	重要討議を行う夜.
fírst níght	=opening night.
flý-by-nìght 形	〈特に業務などが〉信頼できない.
fort·night	《英》2 週間.
gòod níght	《話》おやすみなさい.
gòod-níght	(夜の)別れのあいさつ.
hén nìght	《話》女性向けパーティー.
karaóke nìght	カラオケナイト[デー].
ládies' nìght	(男性専用のクラブなどに)女性が招待される夜.
lády-of-the-nìght	『植物』アメリカバンマツリ.
Las Végas nìght	《米》ラスベガス・ナイト: 非営利団体が行なう合法賭博の夜会.
láte-nìght 形	深夜(営業の).
míd·nìght	真夜中, 夜の 12 時.
míschief nìght	ハロウィーン(Halloween).
níght-nìght 間	《話》=good night.
níghty-nìght 間	《話》=good night.
ópening nìght	『演劇』初日, オープニング・ナイト.
ó·ver·níght 副	一晩中, 夜通し, オールナイトで.
sén·night	《古》1 週間.
stág nìght	男子だけの社交的集まり.
tícket nìght	慈善興行.
to·níght	今夜, 今晩. ►to-night は古い形.
Twélfth Níght	『キリスト教』十二夜.
twí-nìght 形	『野球』ダブルヘッダーの.
Walpúrgis Nìght	(特に中世ドイツ民間伝承で)ワルプルギスの夜祭り.
Wátch Nìght	大みそかの夜, 除夜.
wédding nìght	結婚式の夜.
wéek·nìght	平日[ウイークデー]の夜.
whíte níght	眠られぬ夜(sleepless night).
yéster·níght	《古》昨夜, ゆうべ.

-night·er /náitər/

N

連結形 …の夜を過ごす人［もの］. ⇨ -ER[1].

áll-nighter 名 《話》一晩中続くもの.
fírst-nighter 名 初日をよく見に行く人, 初日の常連.
óne-nighter 名 (巡業劇団などの)一晩興行.
òver-nighter 名 一泊旅行, 一泊.

night·in·gale /náitngèil, -tiŋ- | -tiŋ-/

名 〖鳥類〗ナイチンゲール.

Jápanese níghtingale ソウシチョウ(相思鳥).
Scótch níghtingale スゲヨシキリ.
Swédish Níghtingale 「スウェーデンのウグイス」: ソプラノ歌手 Jenny Lind の異名.

night·shade /náitʃèid/

名 〖植物〗ナス属の植物の総称. ⇨ SHADE.

bláck níghtshade イヌホオズキ.
Cósta Ríca níghtshade ウェンドランド・ツルナス.
déadly níghtshade ベラドンナ, セイヨウハシリドコロ.
enchánter's níghtshade ミズタマソウ(タニタデを含む).
stínking níghtshade ヒヨス.
wóody níghtshade ツルナス.

-nik /nik, nɪk/

接尾辞 …な人, …に関心の強い人, …狂. ◇ -AHOLIC (表).
★ 政治運動や団体に参加する人, 特定の思想や活動を支持する人などをからかったり, 批判する側の人が用いる (例: beat*nik*); 1957 年に旧ソ連が打ち上げた人類初の人工衛星の名前 *Sputnik*(ロシア語で「旅の道連れ」の意)から -nik が接尾辞として流行した.
★ 名詞をつくる.
◆ <イディッシュ<スラブ *-nik*(人を表す接尾辞).

ar·cade·nik 名 ゲームセンターの常連.
beat·nik 名 ビート族(の一人).
cin·e·nik 名 映画ファン, 映画狂.
cit·y·nik 名 都会生活者, 都会族.
com·put·er·nik 名 コンピュータ化推進者.
dope·nik 名 麻薬常用者
draft·nik 名 《米俗》徴兵忌避者［反対者］.
dru·zhin·nik 名 (旧ソ連の)人民パトロール隊.
film·nik 名 ＝cinenik
folk·nik 名 《俗》フォークソングファン.
freeze·nik 名 《米俗》核兵器の生産凍結の支持者.
Freud·nik 名 フロイト主義者.
gate-nik 名 ゲート語マニア. ►スキャンダルを表す連結形 -gate[1] より.
good·will·nik 名 お人好し.
job·nik 名 事務屋.
kib·butz·nik 名 キブツ(イスラエルの生活共同体)の一員.
kol·khoz·nik 名 コルホーズの一員.
neat·nik 名 《主に米話》きちょうめんな人.
no-good·nik 名 《俗》役立たず, 駄目なやつ.
nood·nik 名 《米俗》＝nudnik.
nud·nik 名 《米俗》まぬけ, ばか者.
nuke·nik 名 《俗》原水爆［原発］反対運動家.
peace·nik 名 《米俗》反戦運動家.
pro·test·nik 名 (特に社会的)抗議をする人, 抗議屋.
Ras·kol·nik 名 岐(ᵉ)教徒, 古儀礼派信徒.
re·fuse·nik 名 (旧ソ連で)出国が許可されない人.
re·turn·ik 名 帰国亡命者.
sick·nik 名 (精神が)病的な人; 悪趣味な人.
space·nik 名 宇宙開発推進者.
trom·be·nik 名 《米俗》自慢する人.
Vi·et·nik 名 《米俗》ベトナム戦争反対派.

nine /náin/

名形 9(の); 9 歳(の), 9 時.

báck níne 〖ゴルフ〗バックナイン.
clóud níne 《話》この上ない幸福, 至福(bliss).
frónt níne 〖ゴルフ〗フロントナイン.
níne-nìne-níne 《英》緊急電話番号, 999.
númber níne 《英軍俗》第 9 号丸薬.
Sácred Níne 〖ギリシャ神話〗ミューズの神々.
síxty-níne 名形 69(の); (セックスの体位で)シックスナイン.

nin·ny /níni/

名 ばか, とんま, まぬけ(fool). ⇨ -Y[2].

blíss nínny 《米俗》有頂点の人, 恍惚状態の人.
pic·a·nin·ny 名 ＝pickaninny.
pic·ca·nin·ny 名 《主に英》＝pickaninny.
pick·a·nin·ny 名 《主に米》黒人の子供; (オーストラリアの)先住民の子供.

nip /níp/

名 《英方言》〖植物〗チクマハッカ(capnip).

cat·nip 名 チクマハッカ(nip).
pars·nip 名 ☞

ni·trate /náitreit, -trət/

名 〖化学〗硝酸塩［エステル］. ⇨ -ATE[2].

alúminum nítrate 硝酸アルミニウム.
ammónium nítrate 硝酸アンモニウム, 硝安.
cálcium nítrate 硝酸カルシウム, 硝酸石灰, ノルウェー硝石.
céllulose nítrate ニトロ［硝酸］セルロース.
éthyl nítrate 硝酸エチル.
hèx·a·ní·trate 名 六硝酸塩.
ìsosórbide dinítrate 硝酸イソソルビド.
léad nítrate 硝酸鉛.
peròxyacétyl nítrate 硝酸過酸化アセチル.
potássium nítrate 硝酸カリウム.
sílver nítrate 硝酸銀.
sódium nítrate 硝酸ナトリウム.
sùb·ní·trate 名 亜硝酸塩.
tèt·ra·ní·trate 名 四硝酸塩［エステル］.
thíamine mono·nítrate チアミンモノニトレート.
úranyl nítrate 硝酸ウラニル.

ni·trile /náitril, -triːl, -trail/

名 〖化学〗ニトリル.

ac·ry·lo·ni·trile 名 アクリロニトリル.
ad·i·po·ni·trile 名 アジポニトリル.
ben·zon·i·trile 名 ベンゾニトリル.
26-di·chlo·ro·ben·zon·i·trile 名 ジクロベニル.

ni·trite /náitrait/

名 〖化学〗亜硝酸塩［エステル］. ⇨ -ITE[1].

ámyl nítrite 亜硝酸アミル.
bútyl nítrite 硝酸イソブチル.
éthyl nítrite 亜硝酸エチル.
isoámyl nítrite ＝amyl nitrite.
isobútyl nítrite ＝butyl nitrite.
potássium còbalti·nítrite 亜硝酸コバルトカリウム.
sódium nítrite 亜硝酸ナトリウム.

ni·tro·phe·nol /nàitroufínoul, -nɑl, -nɔl/

名 〖化学〗ニトロフェノール. ⇨ PHENOL.

di·ni·tro·phe·nol 名 ジニトロフェノール.
met·a·ni·tro·phe·nol 名 ニトロフェノールの異性体.
or·tho·ni·tro·phe·nol 名 ニトロフェノールの異性体.
par·a·ni·tro·phe·nol 名 ニトロフェノールの異性体.

-nk /ŋk/

音象徴間 音象徴語の重複形に見られる語尾要素.
★ 接中辞-ety-を持つものがある; また /i/ と /æ/ および /ʌ/ と /ɑ/ の母音交替がある.

clíckety-clánk 間 カタカタ, カタコト, ガタンゴトン. ━動自 カタカタ [ガタンゴトン] 音をたてる.
kóink-kóink 間 《ブリキの油差しで油を注すときの音で》ペコンペコン, ペコペコ.
plúnkety-plúnk 名間 ボコボコ, コトコト, ポロンポロン.
plúnk-plónk 間 《しずくが水面にしたたり落ちる音で》ポタンポトン.

-no·ble /nóubl/

連結形 高貴な.
★ 形容詞, 動詞をつくる.
◆ ラテン語 *nobilis*「高貴な」より. ⇨ -BLE.

dis·no·ble 形 卑しい.
en·no·ble 動他 …を高める, 高尚にする, 高揚する.
ig·no·ble 形 〈性格・目的などが〉卑しい, 下劣な.
pre·no·ble 形 とりわけ高貴な.
un·no·ble 形 (生まれつき)高貴でない.

node /nóud/

名 **1** (根・枝などの)こぶ, 節くれ, **2**〘解剖〙結節, **3**〘天文〙交点. ◇ NODULE.

ác·node 名 〘数学〙孤立点.
án·ti·nòde 名 〘物理〙波腹.
ascénding nóde 〘天文〙昇交点.
atrioventrícular nóde 〘解剖〙房室結節.
Á-V nòde 〘解剖〙=atrioventricular node.
crú·node 名 〘数学〙(曲線上の)結節点, 節特異点.
descénding nóde 〘天文〙降交点.
ín·ter·nòde 名 〘植物〙節間.
lýmph nòde 〘解剖〙リンパ節.
nórth nóde 〘占星〙(月の)上昇交点.
sìnoátrial nóde 〘解剖〙(右心房の)洞房結節.
sínus nòde 〘解剖〙=sinoatrial node.
sóuth nóde 〘占星〙月の下降交点.
spí·node 名 〘幾何〙尖点(cusp).
tác·node 名 〘幾何〙(2つの接触曲線などの)接触.

nod·ule /nádʒuːl | nɔ́djuːl/

名 小さな節 [こぶ]. ◇ -NODE. ⇨ -ULE[1].

lýmph nòdule 〘解剖〙リンパ小節.
mánganese nódule 〘地質〙マンガンノジュール [団塊].
róot nòdule 〘植物〙根粒, 根こぶ.

-noi·a /nɔ́iə/

連結形 思考.
★ 名詞をつくる.
★ ギリシャ語からの借用語にみられる.
★ 語頭につく関連形は noo-: *noo*sphere「人間生活圏」.
◆ ギリシャ語 *nóos*「精神」より. ⇨ -IA.

a·noi·a 名 (重度の)精神薄弱.
di·a·noi·a 名 〘ギリシャ哲学〙思考能力.
met·a·noi·a 名 心境の変化, 改心, 回心, 改宗, 転向.
par·a·noi·a 名 〘精神医学〙パラノイア, 偏執病.

noise /nɔ́iz/

名 (やかましい, 不快な)音; 雑音, 騒音; (都会の)喧騒(けんそう).

ámbient nòise 環境騒音 [雑音].
àn·ti·nóise 形 騒音防止の.
appróach nòise 〘航空〙(着陸)進入騒音.
bíg nóise 《話》名士, 大物, 大立て者, 有力者.
cósmic nóise 〘物理〙宇宙雑音.
Jóhnson nòise 〘電子工学〙ジョンソン雑音, 熱雑音.
pínk nóise 〘物理〙ピンクノイズ.
réd nóise 《米俗》(軽食堂で)トマトスープ.
Schóttky nòise 〘電子工学〙散弾効果.
sélf-nóise 〘海事〙自生雑音.
shót nòise 〘電子工学〙散弾雑音.
sídeline nòise 〘航空〙サイドライン・ノイズ.
sólar rádio nòise 〘電磁〙太陽電波雑音.
súrface nòise 〘音響〙(レコードの針や溝の磨耗などで生じる)雑音, 針の音.
thérmal nóise 〘熱力学〙〘電気〙熱雑音.
T́-Ó nòise 〘航空〙離陸騒音値.
whíte nóise 〘物理〙白色雑音, ホワイトノイズ.

no·men /nóumen/

名 名前(name).
★ 語頭にくる関連形は nom(i)-: *nomi*nalize「名詞化する」.

ag·no·men 名 (古代ローマ人の)第四名.
cog·no·men 名 名字, 姓(surname).
prae·no·men 名 (古代ローマ市民の3つの名前の)第一名(the first name). ►個人を示す名; 例えば Gaius Julius Caesar の Gaius.
pre·no·men 名 =praenomen.

-no·mi·al /nóumiəl/

連結形 …項から成る, …項式に関する.
★ 形容詞, 名詞をつくる.
◆ binomial「2項から成る, 二項式に関する」から.

pol·y·no·mi·al 形 ☞
quad·ri·no·mi·al 形 〘代数〙四項の, 四項式の.
tri·no·mi·al 形 〘代数〙三項の, 三項式の.

-nom·ic /námik | nɔ́mik/

連結形 規則の; 法の.
★ 形容詞をつくる.
★ 語末にくる関連形は -NOMICS[1], -NOMY.
★ 語頭にくる関連形は nomo-: *nomo*thetic「立法の」.
◆ ギリシャ語 *nómos*「規則, 法, 習慣」より. ⇨ -IC[1].

as·tro·nom·ic 形 天文学(上, 用)の.
au·to·nom·ic 形 (国家などが)自治の; 独立の.
Deu·ter·o·nom·ic 形 (旧約聖書の)申命(しんめい)記の.
ec·o·nom·ic 形 ☞
met·ro·nom·ic 形 メトロノームの.

-nom·ics[1] /námiks | nɔ́m-/

連結形 -nomy と -ics の結合形.
★ 名詞をつくる.
★ 語末にくる関連形は -NOMIC.
★ 語頭にくる関連形は nomo-: nomothetic「立法の」. ⇨ -ICS.

ag·ro·nom·ics 名複 農耕学.
bi·o·nom·ics 名複 生態学.
er·go·nom·ics 名複 人間工学(human engineering).

-nom·ics[2] /námiks | nɔ́m-/

連結形 …の経済政策.
★ 名詞をつくる; 特定の理論の下で経済政策を行う大統領など指導者の名前につけることが多い.
◆ ECONOMICS の省略形.

Clin·to·nom·ics 名⑱ クリントンの経済政策.
Rea·gan·om·ics 名⑱ 米国大統領レーガンの経済政策.
Rog·er·nom·ics 名⑱ ロジャーノミクス: ニュージーランドのロジャーダグラス蔵相が実施した経済政策.
That·cher·nom·ics 名 サッチャー(元英首相)の経済政策.
ur·ban·o·mics 名⑱ 都市経済政策.

nom·i·nal /námənl | nɔ́m-/

形 **1** 名[氏名]の. **2**〘文法〙名詞の. ⇨ -AL[1].

ad·nom·i·nal 形 〘文法〙連体修飾語の, 連体的な.
ag·nom·i·nal 形 (古代ローマ人の)第四名の.
bi·nom·i·nal 名形 〘生物〙二名法(によった).
cog·nom·i·nal 形 名字[姓]の; 名前[名称]の.
de·nom·i·nal 形 名称的な, 名を示す.
mul·ti·nom·i·nal 形 名前[名称]の多い.
prae·nom·i·nal 形 =prenominal.
pre·nom·i·nal 形 第一名の.
pro·nom·i·nal 形 〘文法〙代名詞の, 代名詞的な.
u·ni·nom·i·nal 形 一選挙区から一名選出の.

nom·i·nate /námənèit | nɔ́m-/

動他 〈人を〉(ある地位・職・選挙などに)適任者として推薦する, 指名する, 推挙する. ⇨ -ATE[1].

de·nom·i·nate 動他 …に名をつける; …を(…と)称する.
in·nom·i·nate 形 名前のない, 無名の; 匿名の.
pre·nom·i·nate 形 《廃》前述[既述]の, 前に言及した.
re·nom·i·nate 動他 再指名[任命]する.

-no·my /nəmi/

連結形 …の知識体系, 分類, 配置, 管理, 法則.
★ 名詞をつくる.
★ 語末にくる関連形は -NOMIC, -NOMICS[1].
★ 語頭にくる関連形は nomo-: *nomo*thetic「立法の」.
◆ <ギ *-nomia*(*nomós*「法」より). ⇨ -Y[3].
[発音] 直前の音節に第 1 強勢.

ae·ron·o·my 名 高層(大気)物理学.
a·gron·o·my 名 作物(栽培)学; 農学.
an·thro·pon·o·my 名 人類発達法則学, 人間法則学.
an·tin·o·my 名 (2つの法則・原則・規則などの間の)対立, (自己)矛盾.
as·tron·o·my 名 ☞
au·ton·o·my 名 自律[自主](性), 自由; 自治(権).
bi·on·o·my 名 生理学(physiology).
Deu·ter·on·o·my 名 (旧約聖書の)申命(しんめい)記.
e·con·o·my 名 ☞
gas·tron·o·my 名 美食法[学]; 料理学.
gra·phon·o·my 名 書字学.
he·ter·on·o·my 名 他律, 他律性.
i·son·o·my 名 政治的権利の平等; 市民同権.
plu·ton·o·my 名 政治経済学; 経済学.
ta·phon·o·my 名 〘古生物〙〘人類〙化石化(作用).
tax·on·o·my 名 ☞
tel·e·on·o·my 名 〘哲学〙目的論(teleology).
the·on·o·my 名 〘神学〙神律.

noo·dle /nú:dl/

名 **1**《主に米・カナダ俗》頭. **2**《話》ばか, まぬけ. ⇨ -LE[1].

ca·noo·dle 動他自 《俗》抱き締める, 愛撫(あいぶ)する.
limp-nood·le 名形 《米俗》ぱっとしない(もの).
wét nòodle 《米話》意気地なし, 弱虫, カモ.

noon /nú:n/

名 真昼.

àf·ter·nóon 名 午後(►noon から evening まで).
fòre·nóon 名 《古》正午前, 午前, 昼前.
hígh nóon 正午.
méan nóon 〘天文〙平均正午.
míd·nóon 名 真昼, 正午(midday).
yés·ter·nóon 名副 《古》きのうの正午(に).

nor·mal /nɔ́:rməl/

形 **1** 標準の; 普通の; 正常の. **2**〘数学〙〈直交系を成す実関数系が〉正規の. **3**〘化学〙〈溶液が〉1 規定の. ── 名 **1** 正常; 平均水準. **2**〘数学〙法線. ⇨ -AL[1].

ab·nor·mal 形 異常な; 常軌を逸した.
bi·nor·mal 名 〘幾何〙従法線, 陪法線.
dec·a·nor·mal 形 〘化学〙〈溶液が〉10 規定の.
dec·i·nor·mal 形 〘化学〙〈溶液が〉10 分の 1 規定の.
Nórman Nórmal 《英俗》体制にどっぷり漬かって何の疑問も持たないありきたりの人.
or·tho·nor·mal 形 〘数学〙正規直交の.
par·a·nor·mal 形 パラノーマルな, 超常的な.
sub·nor·mal 形 普通[正常]以下の.
su·per·nor·mal 形 正常の域を超えた, 異常な.
trans·nor·mal 形 正常[普通]の域を超えた, 特異な.

Norse /nɔ́:rs/

形 古代スカンジナビア(人, 語)の.

Néw Nórse 新ノルウェー語(Nynorsk).
Óld Nórse 古(期)ノルド語.
Pròto-Nórse 〘言語〙ノルド祖語[基語].

north /nɔ́:rθ/

名 北, 北方.

cómpass nórth 〘航海〙コンパスノース, 羅北.
Fár Nórth 北極・亜北極の地方.
geográphic nórth =true north.
magnétic nórth 磁北.
Métro-Nòrth メトロノース: 米国 New York 市北部郊外と Manhattan を結ぶ通勤線.
trúe nórth 〘航海〙〘測量〙真北.
úp nórth 副 《米》北部諸州に[で].

nose /nóuz/

名 鼻; 形が鼻に似たもの. ◇ NOSED.

áquiline nóse わし鼻.
bént·nose 麻薬中毒の犯罪者.
blád·der·nòse 〘動物〙ズキンアザラシ.
blúe·nòse 《米俗》清教徒的な人.
bót·tle·nòse 〘動物〙バンドウイルカ.
bróad·nòse 《米俗》黒人.
brówn-nòse 動自他 《俗》(人に)へつらう, ごまをする.
búg·ger nòse 《米俗》鼻くそ野郎.
búl·bous nòse 団子鼻.
búll nòse 〘獣病理〙壊疽(えそ)性鼻炎.
búll·nòse 〘建築〙丸みを帯びた壁などの出隅.
búll's nòse =bullnose.
bút·ton nòse (子供の)小さい鼻.
cám·el's nòse 《米》(特に, 難しい大きな問題の)ほんの一部, 氷山の一角.

Cleopátra's nóse クレオパトラの鼻: 重大な影響を及ぼす小さな事柄.
cóne·nòse 〘昆虫〙オオサシガメ.
cópper·nòse (飲酒家などの)赤鼻; 大酒飲み.
dóg's nòse 《主に英》ビールとジンのカクテル.
dróop nòse 〘航空〙ドループスヌート.
electrónic nòse 電子臭覚.
hárd-nòse 《米俗》(特に仕事上で)実際的でやり手の人,「すご腕」; 強情者.
háwk·nòse かぎ鼻.
hóok·nòse わし鼻, かぎ鼻.
párson's nóse 《英話》《おどけて》=pope's nose.
pópe's nóse 《俗》(料理した)家禽(かきん)の尻.
púg nóse 短くて幅の広い上向きの鼻.
réd nòse 〘獣病理〙ウシ伝染性鼻気管炎.
retroussé nose 上向きの鼻.
Róman nóse ローマ鼻: わし鼻ほどではないが, 鼻梁(びりょう)が高く直線的.
rúnny nòse 水っ鼻.
shóvel·nòse 体の前端がシャベル状の動物の総称.
snót·nòse 《俗》はな垂れ小僧; 若い人.
snúb nòse しし鼻.
stúmp·nòse 《アフリカ》〘魚類〙ヘダイ.
tóffee-nòse 《英俗》お高くとまった人.
túbe·nòse 〘魚類〙クダヤガラの一種.
túrned-up nóse 天井を向いた鼻.
wár nòse (魚雷·砲弾などの)弾頭.
wét-nòse =snotnose.

nosed /nóuzd/

形 《複合語》…のような鼻の[を持つ]. ⇨ -D². ◇ NOSE.

bóttle-nòsed 形 だんご鼻の; 大きな赤鼻の.
búll-nòsed 形 〈角が〉丸みを帯びた.
cób-nòsed 形 《話》だんご鼻の.
flát-nòsed 形 獅子(しし)鼻の, 鼻の平たい.
hárd-nòsed 形 《米俗》鼻っ柱の強い; 抜け目のない.
hígh-nòsed 形 《比喩的》鼻高々の.
shárp-nòsed 形 細いとがった鼻をした.
shóvel-nòsed 形 シャベル状の鼻[くちばし]を持った.
snót·nòsed 形 《話》鼻の垂れた, 若い, 未熟な.
snúb-nòsed 形 鼻が低くてそり上がった, しし鼻の.
tóffee-nòsed 形 《英俗》うぬぼれた, 気取った.
túbe-nòsed 形 管状くちばしの.

not /nát | nɔ́t/

副 (…で)ない, (…し)ない.

can·not 助 can not の複合形.
forgét-me-nòt 名 〘植物〙ワスレナグサ.
háve-nòt 名 《話》(財産·社会的地位などを)持たない者.
thrée-stícks-nòt 名 〘中国料理〙サンプーチャン(三不粘).
tóuch-me-nòt 名 〘植物〙ツリフネソウ(釣船草).
whát·nòt 名 飾り棚, 置き棚.

no·ta·tion /noutéiʃən/

名 **1** (特定の記号体系を用いる)表記法. **2** 書き留めること. ▶notate の名詞形. ⇨ -ATION.

algebráic notátion 〘チェス〙代表的記号表示.
àn·no·tá·tion 名 (本文につけられた)注釈, 注解.
bínary notátion 〘数学〙〘コンピュータ〙二進(記数)法.
còn·no·tá·tion 名 言外の意味を暗示する[含む]こと.
décimal notátion 〘数学〙十進記数[表記]法.
dè·no·tá·tion 名 明示的[直接的]意味.
ménsural notátion 定量記譜法.
posítional notátion (数字の)位取り記数法.
scientífic notátion 科学的記数法.
stáff notàtion 〘音楽〙譜表記譜法.

note /nóut/

名 **1** 覚え書き, メモ, 書き込み. **2** 〘金融〙紙幣. **3** 特徴, 特色; 様子, 雰囲気. **4** 〘音楽〙音符; 音色(ねいろ).

áir consígnment nòte 《主に英》航空貨物受取証.
auxíliary nòte 補助音.
ballóon nòte 〘金融〙バルーン·ノート.
bánk nòte 銀行券, 紙幣.
bìg-nóte 動他 《豪話》自慢する.
blúe nòte 〘ジャズ〙ブルーノート.
búckwheat nòte =shape note.
cáll nòte 地鳴き.
cáse nòte 《米俗》1 ドル札.
céntury nòte 《米俗》100 ドル紙幣.
círcular nóte 信用状.
Ć-nòte 《米俗》=century note.
còn·nóte 動他 暗示[意味]する; …の意味である.
consígnment nòte 《主に英》航空貨物受取証.
cóver nòte 《英》〘保険〙仮証書, 保険引受証.
crédit nòte 負担額通知書.
críb·nòte とらの巻, カンニングペーパー.
cúrrency nòte 《英》第一次世界大戦以降英国政府が発行した 1 ポンド及び 10 シリング紙幣(Treasury note).
delívery nòte 物品書[証], 受領証.
demánd nòte 《米》要求[一覧]払い約束手形.
de·nóte 動他 〈記号·現象などが〉表示する, 示す.
díme nòte 《米俗》10 ドル札.
dispátch nòte (外国あて郵便)小包送り状.
dóuble nóte =double whole note.
dóuble whóle nóte 二全音符.
éighth nòte 《通例米·カナダ》八分音符.
énd·nòte 巻末[章末]の注, 後注.
escápe nòte エシャッペ(échappée), 転過音.
Féderal Resérve nòte 連邦準備銀行券.
físt·nòte 指印(☞)注.
fíve-càse nóte 《米俗》5 ドル札.
flóating ráte nòte 〘金融〙変動利付債.
fóot·nòte 脚注; 《広義に》補注.
góld nòte 《もと米》金貨兌換(だかん)紙幣.
góvernment nòte 政府(発行)紙幣.
gráce nòte 装飾音.
gróund nòte 基音, 根音.
hálf nòte (全音符の半分の)2 分音符.
héad nòte (歌唱で)頭声.
héad·nòte 頭注: 章, ページなどの前に置かれる要約, 解説, 説明など.
húm nòte 〘鳴鐘転調〙ハムトーン(hum tone).
Jóhnny-óne-nòte 《話》狭量な人.
júdgment nòte 〘法律〙認諾文書記載約束手形.
kéy·nòte 主音(tonic).
léading nóte 導音.
lét-ìn nóte 〘印刷〙割注.
líner nòte 《米》(レコードの)ライナーノーツ.
másh nòte (短い)恋文.
níne-bòb nóte 《英俗》性的異常者; まやかし物.
pássing nòte 経過音.
pátent nòte =shape note.
pédal-nòte 保続(低)音, ペダル音.
póstal nòte 《豪·NZ》為替, 郵便為替.
póund nòte 1 ポンド紙幣; 《米俗》5 ドル札.
prémium nòte 〘保険〙保険料支払約束手形.
prójéct nòte 《米》個別事業計画短期債券.
prómissory nóte 約束手形.
quárter nòte 《米》4 分音符.
recíting nòte (単旋聖歌唱中の)朗唱音.
requést nòte 《英》〘法律〙(通関前に税関に提出する)課税品陸揚げ[移出]許可願.
shápe nòte シェープノート: 符頭の形で音階の各音を表す音符.
shóulder nòte 〘印刷〙肩注.

N

síck nòte 《英話》(従業員が提出する4日以上の)病欠証明書.
síde·nòte 側注, 傍注.
sìxtéenth nòte 16分音符.
síxty-fóurth nòte 《主に米・カナダ》64分音符.
sléeve nòte 《英》=liner note.
stámp nòte (税関での)貨物積み込み許可書.
stríke nòte 鐘を打ったときに出る音調.
thírty-sécond nòte 《米・カナダ》32分音符.
tíme nòte 〘商業〙一覧後定期払い約束手形.
T́-nòte 《話》=Treasury note.
Tréasury nòte 《米》(米国の)財務省中期証券.
twélve-nòte 形 十二音(組織)の, 十二音技法に基づく.
ún·der·nòte 名 低音, 小声, 静かな口調, 抑えた語調.
vérbal nóte (急を要しない件についての)無署名の覚書き.
víctualling nòte 〘英海軍〙(水兵用の)食事伝票.
whóle nòte 《米・カナダ》全音符.
wólf nòte ウルフ(音): 不等分平均律.
wóod·nòte 森の調べ(小鳥や動物の鳴き声など).

noth·ing /nʌ́θiŋ/

代 何も…ない, 少しも…(し)ない. ——名 **1** 無. **2** 価値のないもの[こと]. **3** 零, ゼロ. ⇨ THING.

áll-or-nóth·ing 形 一か八(ばち)かの, すべてか無かの.
dó-nòth·ing 名 何もしようとしない人, 怠け者.
É-nóth·ing 名 《米軍俗》最下級.
góod-for-nóth·ing 形 値打ちのない, つまらない.
knów-nòth·ing 名 何も知らない人, 無学の人.
stíck-at-nóth·ing 形 何事にも躊躇(ちゅうちょ)しない.

no·tice /nóutis/

名 (…の)通達, 通告; 予告, 警告; (…という)通知, 通報, 《米》成績不良の通知. ⇨ -ICE[1].

bóok nòtice 書籍案内[批評], 新刊案内.
Defénce nòtice =D-notice.
D́-nòtice 《英》国防秘密記事出版禁止通達.
enfórcement nòtice 《英》(違反開発[建築]などに対して市当局などが出す)違反通告.
fóre·nò·tice 名 予告; (事前の)警告.
ráve nòtice 《俗》非常に好意的な劇評.
réading nòtice リーディングノーティス, 通知広告.

noun /náun/

名 〘文法〙名詞.

ábstract nóun 抽象名詞.
ád·nòun 名 絶対形容詞.
ágent nòun 動作主名詞.
bóunded nóun 個体名詞.
cláss nòun =common noun.
colléctive nóun 集合名詞.
cómmon nóun 普通名詞.
cóncrete nóun 具象名詞.
cóunt nòun 可算名詞.
máss nòun 質量名詞.
nòn-cóunt nóun 不可算名詞.
pássive nóun 受動名詞.
prédicate nóun 叙述[述部]名詞.
pró·nòun 名 ☞
próper nóun 固有名詞.
unbóunded nóun 非個体名詞.
vérbal nóun 動詞的名詞.

-nounce /náuns/

連結形 知らせること.
★ 語末にくる関連形は -NUNCIATE, -NUNCIATION.
◆ ラテン語 *nūntiāre*「知らせる」より.

an·nounce 動他 …を(人に)公表する; 名乗る.
de·nounce 動他 〈人・行為を〉公然と非難する[責める].
e·nounce 動他 《古》〈言葉を〉言う.
ob·nounce 動自 (古代ローマで)不吉な予言を告げる.
pro·nounce 動他 〈言語音・語・文などを〉(特にはっきり, 正しく)発音する, 読む.
re·nounce 動他 (自発的に)捨てる, やめる, 絶つ.

no·va /nóuvə/

形 新しい. ——名 〘天文〙新星. ⇨ -A[2].

Árs Nóva 〘音楽〙アルス・ノバ.
sùper·nóva 〘天文〙超新星.
Tychós Nóva 〘天文〙ティコの星, カシオペア B 星.
X́-ray nòva 〘天文〙X 線新星.

nov·el /nɑ́vəl | nɔ́v-/

名 小説, 長編小説.

ánti·nòvel 反小説, アンチロマン(anti-roman).
díme nóvel 《米》10セント[三文]小説.
gráphic nóvel グラフィック・ノベル, 漫画小説.
históríical nóvel 歴史小説.
phóto·nòvel フォトノベル.
psychológical nóvel 心理小説.
ríver nòvel 大河小説.
shórt nóvel 中編小説.

nu·cle·ar /njúːkliər | njúːkliə/

形 **1** 核兵器の. **2** 〘生物〙(細胞)核の; 〘物理〙原子核の.
★ 語頭にくる関連形は nucle(o)-: *nucleo*protein「〘生化学〙核タンパク質」. ◇ NUKE. ⇨ -AR[1].

an·ti·nu·cle·ar 形 核兵器反対の, 反核の.
a·nu·cle·ar 形 〘細胞生物〙無核の.
bi·nu·cle·ar 形 〘細胞生物〙二核の.
che·mo·nu·cle·ar 形 核化学の, 核による化学反応の.
ex·tra·nu·cle·ar 形 〘細胞生物〙核外の, 核の外側の.
ho·mo·nu·cle·ar 形 〘化学〙等核[同核]の.
in·ter·nu·cle·ar 形 〘解剖〙神経細胞群の間の.
in·tra·nu·cle·ar 形 (原子・細胞の)核内の.
mon·o·nu·cle·ar 形 〘細胞生物〙〈細胞が〉単核の.
mul·ti·nu·cle·ar 形 〈細胞などが〉多核の.
non·nu·cle·ar 形 非核の.
per·i·nu·cle·ar 形 〘細胞生物〙核周辺の.
pho·to·nu·cle·ar 形 〘物理〙光核の.
pol·y·morph·o·nu·cle·ar 形 〘細胞生物〙〈白血球が〉多形核の.
pol·y·nu·cle·ar 形 多核の.
pre·nu·cle·ar 形 核兵器開発以前の.
pro·nu·cle·ar[1] 形 原子力発電推進派の.
pro·nu·cle·ar[2] 形 〘細胞生物〙前核(性)の.
sub·nu·cle·ar 形 〘物理〙原子核より小さい.
therm·o·nu·cle·ar 形 熱核反応の, 原子核融合反応の.

nu·cle·ase /njúːklièis, -èiz | njúː-/

名 〘生化学〙ヌクレアーゼ, 核酸分解酵素. ⇨ -ASE[1].

de·ox·y·ri·bo·nu·cle·ase 名 DNA 分解酵素.
en·do·nu·cle·ase 名 エンドヌクレアーゼ.
ex·o·nu·cle·ase 名 エキソヌクレアーゼ.
ri·bo·nu·cle·ase 名 リボヌクレアーゼ.

nu·cle·ate /njúːkliət, -klièit | njúː-/

名 〘細胞生物〙核のある. ⇨ -ATE[1].

a·nu·cle·ate 形 無核の.
bi·nu·cle·ate 形 二核の, 2つの核を持つ.
de·nu·cle·ate 動他 〈原子・分子などから〉核を除去する.
e·nu·cle·ate 動他 脱核する, …の細胞核を取り除く.
mac·ro·nu·cle·ate 形 大核を持った.
mi·cro·nu·cle·ate 形 小核[副核]を持つ.
mon·o·nu·cle·ate 形 単核の.
u·ni·nu·cle·ate 形 単核の.

nu·cle·o·tide /njúːkliətàid | njúː-/

名 〘生化学〙ヌクレオチド. ⇨ -IDE[1].

di·nú·cle·o·tide 名 ジヌクレオチド.
diphosphopýridine núcleotide ジフォスフォピリジンヌクレオチド.
mòn·o·nú·cle·o·tide 名 モノヌクレオチド.
òl·i·go·nú·cle·o·tide 名 オリゴヌクレオチド.
pòl·y·nú·cle·o·tide 名 ポリヌクレオチド.
pòl·y·rì·bo·nú·cle·o·tide 名 ポリリボヌクレオチド.
rì·bo·nú·cle·o·tide 名 リボヌクレオチド.
súgar núcleotide 糖ヌクレオチド.
tri·nú·cle·o·tide 名 トリヌクレオチド, トリプレット.
triphosphopýridine núcleotide トリホスホピリジンヌクレオチド.

nu·cle·us /njúːkliəs | njúː-/

名 (集合物・集団の)中心部分, 核心; 芯(しん), 核. ⇨ -US[1].
★ 語頭にくる関連形は nucle(o)-: *nucle*ar「核の」, *nucleo*nics「核工学」.

amýgdaloid núcleus 〘解剖〙扁桃核.
condensátion nùcleus 〘気象〙核, 凝結[凍結]核.
crýstal núcleus 〘化学〙結晶核.
éndosperm nùcleus 〘植物〙内乳核.
hỳper·núcleus 名 〘物理〙ハイパー核.
kinèto·núcleus 名 〘生物〙運動核, 動原核.
màcro·núcleus 名 〘生物〙大核, 主核.
mìcro·núcleus 名 〘生物〙小核, 副核.
pàraventrícular núcleus 〘解剖〙室旁(しゅう)核, 旁室核.
pólar núcleus 〘植物〙極核, 中心核.
prò·núcleus 名 〘細胞生物〙前核.
spérm nùcleus 〘生物〙精核, 雄核, 精子核.
túbe nùcleus 〘植物〙花粉管核.

nui·sance /njúːsns | njúː-/

名 **1** 不愉快な[迷惑な]人[もの, こと, 行為など], 厄介者, 邪魔者, 困り者; 迷惑. **2**〘法律〙ニューサンス, 生活妨害. ⇨ -ANCE[1].

attráctive núisance 誘引的ニューサンス.
míxed núisance 混合不法妨害.
prívate núisance 私的不法妨害, 私的ニューサンス.
públic núisance 公的不法妨害, 公的ニューサンス.

nuke /njúːk | njúːk/

名《主に米話》核兵器; 熱核兵器, 水爆. ── 形 核兵器の, 熱核兵器の, 水爆の; 原子力発電所の. ►短縮および nuclear の綴(つづ)り直しによる. ◇ NUCLEAR.

an·ti·nuke 形 反核の, 反原発の.
min·i·nuke 名 小型[戦術]核兵器.
pro·nuke 形 原子力発電推進派の; 核兵器支持派の.
ther·mo·nuke 名 熱核兵器.

num·ber /nʌ́mbər/

名 **1** 数, 数詞; (概念としての)数. **2** 番号, ナンバー.

Ábbe nùmber 〘光学〙アッベ数, 逆分散率.
ábsolute númber 〘数学〙無[不]名数.
ábstract númber 〘数学〙=absolute number.
abúndant númber 〘数学〙豊数, 過剰数.
accéssion nùmber (図書館などでの図書などの)受け入れ[登録]番号.
ácid nùmber 〘化学〙酸価(acid value).
algebráic númber 〘数学〙代数的数.
ámicable númber 〘数学〙友数, 親和数.
án·te·nùm·ber 名 (ある数の)直前の数, 先行数.
atómic númber 〘化学〙原子番号.
Avogádro's númber 〘化学〙アボガドロ数.
báck nùmber (新聞・雑誌などの)旧号, 既刊号.
báryon nùmber 〘物理〙バリオン数.
bínary númber 〘数学〙二進数(字).
bóx nùmber 《英》(郵便局の)私書箱番号.
Brinéll hárdness nùmber 〘冶金〙ブリネル数.
cáll nùmber 〘図書館学〙請求記号.
cárdinal númber 〘数学〙基数.
cétane nùmber 〘化学〙セタン価.
chrómosome nùmber 〘遺伝〙染色体数.
cláss nùmber 〘図書館学〙分類記号.
códe nùmber コード番号.
cómplex númber 〘数学〙複素数.
compósite númber 〘数学〙合成数.
cómpound númber 〘数学〙複名数, 諸等数.
cóncrete númber =denominate number.
coordinátion nùmber 〘結晶〙配位数.
cóunting nùmber 〘数学〙=whole number.
Cútter nùmber 〘図書館学〙カッター記号.
deféctive númber =deficient number.
defícient númber 〘数学〙輪数, 不足数.
denóminate númber 〘数学〙名数(めいすう).
diréction nùmber 〘数学〙方向比.
É nùmber E ナンバー: EC の規則による食品添加物の認可番号.
Européan Árticle Nùmber 欧州商品コード.
fígurate númber 〘数学〙多角数.
flíght-nùmber (航空便の)便名.
f-nùmber 〘光学〙〘写真〙f 数, F ナンバー.
gólden nùmber 黄金数: メトン周期の何年目に当たるかを示す数.
guíde nùmber 〘写真〙ガイドナンバー.
hót nùmber 《米俗》とてもセクシーな男[女].
hydrátion nùmber 〘化学〙水化数.
imáginary númber 〘数学〙虚数.
índex nùmber 〘統計〙指数.
íodine nùmber 〘化学〙ヨウ素価.
irrátional númber 〘数学〙無理数.
isotópic númber 〘物理〙荷電スピン数.
júmp nùmber (ジャズ・ロックで)ジャンプナンバー.
Köchel nùmber 〘音楽〙ケッヘル番号.
lépton nùmber 〘物理〙レプトン[軽粒子]数.
lícense nùmber (自動車の)ナンバープレートの番号.
Lóschmidt's nùmber 〘物理〙〘化学〙ロシュミット数.
mách nùmber マッハ: 空気などの媒質中を運転する物体の速さとその媒質中における音速の比.
mágic númber 〘物理〙魔法数, 魔術数.
máss nùmber 〘物理〙質量数.
Mersénne nùmber 〘数学〙メルセンヌの数(すう).
Méssier nùmber 〘天文〙メシエナンバー.
míxed númber 〘数学〙混数.
nátural númber 〘数学〙自然数.
neutralizátion nùmber 〘化学〙中和価.
néutron nùmber 〘物理〙中性子数.
núclear númber =mass number.
núcleon nùmber =mass number.
óctane nùmber 〘化学〙オクタン価.
ópposite númber 《主に英》対応物, 同類.
órdinal númber 〘数学〙(順)序数.
òut·núm·ber 動他 …に数で勝る, を数で圧倒する.

N

oxidátion nùmber 〖化学〗酸化状態, 酸化数.
pérfect númber 〖数学〗完数, 完全数.
pérsonal identificátion nùmber 〖コンピュータ〗個人識別番号.
Prándtl nùmber 〖物理〗〖熱力学〗プラントル数.
príme númber 〖数学〗素数.
príncipal quántum nùmber 〖物理〗主量子数.
prodúction nùmber 〖演劇〗ミュージカル・コメディーなどの終わりに, 通例, 全出演者が登場して行うフィナーレ.
próton nùmber ＝atomic number.
rándom númber 〖統計〗乱数.
rátional númber 〖数学〗有理数.
réal númber 〖数学〗実数.
registrátion nùmber 自動車登録番号, 車両番号.
rélative súnspot nùmber 〖天文〗＝Wolf number.
rè·núm·ber 動他 …を数え直す; …の番号を変更する.
Réynolds nùmber 〖物理〗レノルズ数.
Róckwell nùmber 〖冶金〗ロックウェル硬さ.
SAE nùmber 〖機械〗潤滑油粘性規格数.
saponificátion nùmber 〖化学〗鹸化(けん)価.
Schmídt nùmber 〖物理〗シュミット数.
sélf-chécking nùmber 〖コンピュータ〗自己検査数.
sérial nùmber 一連番号, 通し番号, 製造番号.
sígned númber 〖数学〗符号付き数.
spín quántum nùmber 〖物理〗スピン量子数.
squáre númber 〖数学〗平方数, 二乗数.
Stándard Bóok Nùmber 標準図書番号.
stóp nùmber ＝f-number.
súnspot nùmber 〖天文〗＝Wolf number.
télephone nùmber 電話番号.
T́ nùmber 〖写真〗T ナンバー.
tótal quántum nùmber ＝principal quantum number.
transcendéntal númber 〖数学〗超越数.
transférence nùmber 〖物理化学〗輸率.
transfínite númber 〖数学〗超限数, 超限順序数.
tránsit nùmber 登録銀行番号.
tránsport nùmber ＝transference number.
Víckers nùmber 〖冶金〗ビッカース硬さ数.
wáve nùmber 波数.
whóle nùmber 〖数学〗(0 を含めた)自然数.
wínding nùmber 〖数学〗周回度数, 回転数.
Wólf nùmber 〖天文〗ウォルフ数, 黒点相対数.
wróng nùmber 間違い電話.

num·bers /nʌ́mbərz/

名複 number「数」の複数形.

cónjugate númbers 〖数学〗共役数.
crúnch númbers 動自 〖コンピュータ〗大量の数値計算［数値データ処理］を行う(crunch).
Fibonácci nùmbers 〖数学〗フィボナッチの数列.
rélatively príme númbers 〖数学〗互いに素である数.
triángular númbers 〖数学〗三角数.

-nun·ci·ate /nʌ́nsièit, -ʃi-/

連結形 知らせる.
★ 動詞をつくる.
★ 語末にくる関連形は -NOUNCE, -NUNCIATION.
◆ <ラ *nūnciātus*(*nūntiāre*「知らせる」の過去分詞より). ⇨ -ATE[1].

an·nun·ci·ate 動他 告知［布告, 発表］する, 知らせる.
de·nun·ci·ate 動他自 公然と非難する, 弾劾する.
e·nun·ci·ate 動他 〈言葉・文章などを〉(特に明確にまたはある特定の仕方で)発音する.

-nun·ci·a·tion /nʌ̀nsiéiʃən/

連結形 知らされたこと［もの］.
★ 語末にくる関連形は -NOUNCE, -NUNCIATE.
◆ ラテン語 *nūntiāre*「知らせる」より. ⇨ -ATION.
［発音］-nunciation の第 3 音節に第 1 強勢が置かれる.

an·nun·ci·a·tion 名 受胎告知.
de·nun·ci·a·tion 名 (公然の)非難, 弾劾.
e·nun·ci·a·tion 名 発音の仕方, 発声.
pro·nun·ci·a·tion 名 発音(すること).
re·nun·ci·a·tion 名 (権利・称号などの)放棄, 廃棄.

nurse /nə́ːrs/

名 (正規の訓練・教育を受けた)看護人, (特に)看護婦.

bárrier-nùrse 動他 〈伝染病患者を〉隔離看病する.
chárge nùrse 《英》(病棟の)看護婦長.
dístrict núrse 《英》地区(巡回)看護婦, 保健婦.
drý nùrse 授乳しない育児婦.
flíght nùrse 〖米空軍〗搭乗看護婦.
fóster núrse (里子の)乳母.
gráduate núrse 《米》正看護婦.
gráy núrse 〖動物〗ミズワニザメの一種.
Karitáne nùrse 《NZ》カリターネ看護婦: プランケット協会の方針に沿って乳幼児と母親の健康管理をする.
mále núrse 看護夫.
mónthly núrse 《英》産後の一月間産婦につく看護婦.
níght nùrse 夜間勤務の看護婦.
núrsery nùrse 保母; (保育園などの)補助教員.
Plúnket nùrse 《NZ》プランケット協会任命の育児専門看護婦.
práctical núrse 《米》准看護婦［士］.
Régistered Géneral Núrse 《英》＝graduate nurse.
régistered núrse 《米》登録正看護婦, 正看.
scrúb nùrse 手術室勤務看護婦.
síck nùrse 看護婦.
stáff nùrse 《英》看護婦次長.
Státe Enrólled Núrse 《英》国家登録看護婦.
Státe Régistered Núrse 《英》＝graduate nurse.
stúdent núrse (看護学校・病院の)看護実習生.
tráined núrse ＝graduate nurse.
vísiting núrse 巡回保健婦［看護婦］.
wét nùrse (他人の子供に乳を与える)乳母.
wét-nùrse 動他 …の乳母になる, 乳母として授乳する.

nut /nʌ́t/

名 **1** 木の実, ナッツ. **2** とめねじ, 親ねじ, ナット. **3** 《俗》熱中する人.

Barbádos nút ＝physic nut.
béech·nùt ブナの実.
bétel nùt ビンロウジ(檳榔子).
bítter·nùt マルバヒッコリー.
bládder·nùt ミツバウツギ(空木).
Brazíl nùt ブラジルナッツノキ.
bréad·nùt パンナッツ.
bútterfly nùt 〖機械〗＝wing nut.
bútter·nùt バターナッツ.
cándle·nùt ククイノキ.
cástellated nút 〖機械〗菊ナット.
cástle nùt 〖機械〗＝castellated nut.
chéck nùt 〖機械〗＝lock nut.
chest·nut ☞
chúff-nùt 《英俗》尻の毛についたくそ.
cób·nùt ムラサキハシバミの栽培品種.
có·coa·nùt ＝coconut.
có·co·nùt ココナッツ.
cóffee nùt Kentucky coffee tree の実.
cóker·nùt 《主に英》＝coconut.
cóla nùt ＝kola nut.
coquíl·la nùt コキーラナッツ.
déad nút 《米俗》どんぴしゃり.

déaf nút 仁(じん)(kernel)のない堅果.
dé-nút 動他 《米俗》…を去勢する(castrate).
dóugh·nut ドーナツ.
éarth·nùt 地中にできる食用になる植物の部分.
é·co·nùt 名 《俗》熱烈な環境保護論者.
fínger nùt 〖機械〗=wing nut.
flý·nùt 〖機械〗=wing nut.
gáll·nùt 虫癭(ちゅうえい).
gíngerbread nút ショウガ入りクッキー.
gróund·nùt アメリカホドイモ.
gúm nùt 《豪》ユーカリ属の堅果.
házel·nùt ヘイゼルナッツ.
hóg·nùt =pignut.
hóg pèanut ヤブマメの一種 *Amphicarpaea bracteata*.
ívory nùt アイボリーナッツ.
jám nùt 〖機械〗=lock nut.
kóla nùt コーラ・ナッツ.
lítchi nùt ライチの乾果.
lóck nùt 〖機械〗止めナット, ロックナット.
lúg nùt 〖機械〗耳付きナット.
mócker·nùt クルミ科ペカン属 [カリア] の高木.
mónkey nùt 《英俗》=peanut.
óil nùt オイルナッツ.
pácking nùt 〖機械〗=stuffing nut.
péa·nut 落花生, 南京豆, ピーナッツ.
phýsic nùt ナンヨウ(南洋)アブラギリ.
píg·nùt クルミ科カリア属の木.
píne nùt マツの実.
púrging nùt =physic nut.
Quéensland nút マカダミア(ナッツ)(macadamia).
ráting nùt 〖時計〗調整ナット.
scréw nùt 〖機械〗(ボルトの)ねじ留め.
shéa nùt シアナッツ(アカテツ科)の実.
sléeve nùt 〖機械〗スリーブナット.
souári nùt スーアリナッツ, バターナッツ.
stúffing nùt 〖機械〗パッキンナット.
thúmb·nùt 〖機械〗=wing nut.
wál·nùt ☞
wíng nùt 〖機械〗つまみナット, 蝶ナット.

nu·tri·ent /njúːtriənt | njúː-/

名 栄養物 [分]; 〖生化学〗栄養素. ⇨ -ENT[1].
★ 語頭にくる関連形は nutri-: *nutri*ment「栄養分, 栄養素」.

an·ti·nu·tri·ent 名 〖生化学〗アンチニュートリエント.
límiting nùtrient 〖生態〗制限的栄養物質.
mac·ro·nu·tri·ent 名 〖栄養〗主要栄養素.
mi·cro·nu·tri·ent 名 〖生化学〗微量栄養素.

nu·tri·tion /njuːtríʃən | njuː-/

名 栄養補給, 栄養摂取. ⇨ -ITION.

de·nu·tri·tion 名 栄養失調; 栄養障害.
in·nu·tri·tion 名 滋養分欠乏, 栄養不良.
mal·nu·tri·tion 名 栄養不良 [失調, 不足].
o·ver·nu·tri·tion 名 栄養過多, 過栄養.
tótal paréntεral nutrítion 〖医学〗全身性非経口栄養.
un·der·nu·tri·tion 名 栄養不足 [欠乏].

nuts /nʌ́ts/

名 ナッツ. ►nut の複数形.

fúzz·nùts 《米俗》嫌なやつ, まぬけ.
júb·nùts 《南イング俗》(羊の尻についた)糞.
númb·nùts 《米俗》ろくでなし.
sóup-to-núts 形 〈食事が〉フルコースの, 豪勢な.
stír-nùts 形 《俗》長い刑務所生活で頭が変になった(stir-crazy).
távern nùts 殻を割り, 皮をつけたまま少量の塩と砂糖で味をつけたピーナッツ.

-ny /ni/

音象徴 音象徴語の重複形に見られる語末要素.

míminy-píminy 形 いやに上品すぎる; (服装に)凝りすぎる.
níminy-píminy 形 気取った, 上品ぶった, きざな, もったいぶった; めめしい, 柔弱な.
téeny-tíny 《米俗》ローティーンの女の子.
téeny-wéeny 形 《幼児語》ちっちゃな, ちいちゃい.

nymph /nímf/

名 **1**〖ギリシャ・ローマ神話〗ニンフ. **2**〖昆虫〗若虫(わかむし).

déuto·nỳmph 名 〖動物〗(ダニの)第二若虫.
Núllarbor nýmph 《豪》ナラボーのニンフ: 1972 年から奥地に出没し, カンガルーに餌をやるという半裸の若い女.
pára·nỳmph 名 《古》花婿 [花嫁] の付添人.
próto·nỳmph 名 〖動物〗(ダニの)第一若虫.
séa nỳmph 〖ギリシャ神話〗海の妖精(ようせい).
trícho·nỳmph 名 〖生物〗トリコニンフ属.
tríto·nỳmph 名 〖動物〗第三若虫.
wáter nỳmph 水の精.
wóod nỳmph (特に伝説上の)森の精(dryad).

N

O

-o[1] /ou, òu/

接尾辞 **1**《話》短縮形をつくる. ►ぴったりつける場合が多いが,「ハイフン +o」で書く場合がある. **2**《俗》…である [の性質のある, に関係がある] もの [人], …な [ぽい] もの [やつ]. ►名詞・形容詞につけて, 軽蔑の意を込めることが多い; 呼び掛けにも用いる. **3**〖化学〗…基の.
◆ <スペイン, 伊; おそらくもとは感嘆詞 o(h); 派生接尾辞としては, 連結辞 -o- を伴う短縮語(類例は photo, stereo)や語尾に o がつくロマンス語の名詞, および bimbo や bozo のような人称名詞などにより, その機能が強められた.

〈**1**〉《話》短縮形をつくる.

Ab·o 名《豪俗》オーストラリア先住民, アボリジニ(Aborigine).
ag·gro 名《英・豪俗》争い, けんか; 嫌がらせ(aggravation, aggression).
ag·ro 名《英俗》=aggro.
am·ni·o 名 羊水穿刺(amniocentesis)
am·mo 名《話》弾薬(ammunition).
a·ris·to 名《主に英話》上流 [特権] 階級の人.
ar·vo 名《豪俗》午後(afternoon).
au·di·o 形〖電子工学〗可聴周波の, 低周波の.
au·to·bi·o 名《話》自叙伝, 自伝(autobiography).
bo[1] 名《米俗》浮浪者, ルンペン(hobo).
bo[2] 名《米俗》相棒, 兄弟(brother), お前(さん).
bo[3] 名《米黒人俗》(コロンビア産)マリファナ.
bun·co 名《米話》=bunko.
bun·ko 名《米話》(博打の)いかさま(bunkum).
cal·i·co 名《米》サラサ, 捺染綿布(Calico cloth).
cam·o 名 迷彩服(camouflage).
car·bo 名《話》炭水化物(carbohydrate).
che·mo 名《話》化学療法(chemotherapy).
chron·o 名 経線儀(chronometer).
clo 名複 衣服(clothes).
co 名《話》人の集まり, 一団(company).
com·bo 名《話》コンボ(combination): 小編成のジャズまたはダンス楽団; (一般に)音楽バンド.
com·mo[1] 名《主に豪・NZ 話》共産党員(communist).
com·mo[2] 名《米俗》騒動(commotion).
com·mo[3] 名《米軍俗》通信(communication).
com·po 名 混合物.
com·po[1] 名《米学生俗》広範囲にわたる(comprehensive).
com·po[2] 名《豪・NZ 話》補償手当(compensation).
con·do 名《特に米・カナダ話》コンドミニアム, 分譲式建物, 分譲アパート(condominium).
Con·go 名《ニューイング》Congregational Church の信者.
con·tem·po 形《話》最新式の(contemporary).
cryp·to 名《英話》(政党などの)秘密同調者.
cuf·fo 形《米俗》無料の, ただの; つけの.
cu·ri·o 名 骨董品, 珍品, 珍宝(curiosity).
dem·o 名《話》実物宣伝(demonstration).
di·no 名《話》恐竜(dinosaur).
dip·so 名《話》アル中; 飲んだくれ, 飲んべえ(dipsomaniac).
dis·co 名 ☞
dis·in·fo 名《話》故意の偽情報, 逆情報(disinformation).
do·co 名《豪話》記録もの, 実録(documentary).
do·ko 名《ハッカー俗》documentation を書く人.
dy·no[1] 名《話》力計(dynamometer).
dy·no[2] 名《米鉄道俗》(ダイナマイトを扱う)鉄道保線区の工員.
gar·bo 名《豪話》ごみ収集人.
gy·ro 名 ジャイロスコープ(gyroscope).
he·li·o 名《話》日光反射信号 [通信] (heliogram).
hel·o 名《話》ヘリコプター(helicopter).
hy·dro 名《話》水力発電(hydropower).
hy·po[1] 名《話》心気症(hypochondria).
hy·po[2] 名《話》皮下注射器 [針]; 皮下注射(hypodermic injection).
im·po 名《英話》罰として生徒に課する宿題(imposition).
im·pro 名《話》即興演劇 [演奏] (improv).
in·fo 名《話》情報, 便り(information).
in·tro 名《話》(…の)(…への)導入(introduction).
i·so 名《米テレビ俗》スポーツ中継などで, 一定の個所だけを部分的に撮影している専用のカメラ(isolated camera).
les·bo 名《侮蔑的》レスビアン, レズ(lesbian).
lez·bo 名《米俗》=lesbo.
lim·o 名《話》(特に運転手付きの)デラックスリムジン(limousine).
lith·o 名 石版印刷(術)(lithography).
lo·go 名 意匠文字, ロゴ(logotype).
may·o 名《話》マヨネーズ(mayonnaise).
mel·o 名《話》メロドロマ, 通俗劇(melodrama).
mem·o 名《話》覚え書き, 控え(memorandum).
meth·o 名《豪俗》変性アルコール(常飲者)(methylated spirits).
mi·cro 形 ☞
mil·ko 名《豪俗》牛乳屋(milkman).
mim·e·o 名《話》謄写版, 孔版(mimeograph).
mo[1] 名《豪・NZ 俗》口ひげ(moustache).
mo[2] 名《米俗》ホモ(homo).
mo[3] 名《米俗》マリファナ.
mus·o 名《英/軽蔑的》(内容や表現より技術に異常にこだわる)ポップミュージシャン.
nym·pho 形《話》慕男狂の(nymphomaniac).
ob·bo 名《英俗》観測気球(observation).
op·po 名《英俗》同僚, 友人(opposite number).
op·to 形 光電子工学の(optoelectronic).
par·o 形《英俗》偏執病の(paranoid).
par·ro 形 =paro.
phe·no 名《米俗》フェノバルビタール錠(phe-

nohabital).
pho·to 名 ☞
pho·to·lith·o 名 写真平板技術(photolithography).
phys·i·o 名 《話》物理療法家(physiotherapist).
pi·an·o 名 ☞ PIANO[1]
po 名 《豪·NZ 話》おまる, しびん(pot).
Pres·bo 名 《豪俗》長老制(度)(Presbyterian).
pro 名 《俗》性病予防器具, コンドーム(prophylactic).
pro·mo 名 《話》販売促進(promotion).
proph·o 名 《米俗》コンドーム.
pro·vo 名 《話》アイルランド共和国軍(IRA)暫定派の(provisional).
psy·cho 名 《俗》精神病患者(psychopath).
py·ro[1] 名 《話》放火魔(pyromaniac).
py·ro[2] 名 《話》熱を生じる(pyrogallic).
ra·di·o 名 ☞
rec·co 名 《豪俗》人から認められること(recognized).
ref·fo 名 《豪話/軽蔑的》移民, 移住者.
reg·o 名 《豪話》自動車登録(費)(registration).
rel·lo 名 《豪俗》親類の人(relative).
re·po[1] 名 《米》〘金融〙買い戻し約定(repurchase agreement).
re·po[2] 名 《話》買い戻し不動産(repossess).
re·pro 名 《話》再生産, 再生, 再現(reproduction).
Ro·mo 名 〘音楽〙(1990 年代に復活した)ニューロマンティック.
sick·o 名 《米俗》鎌(かま)(sickle).
speak·ko 名 《米俗》もぐり酒場(speakeasy).
speed·o 名 《話》速度計(speedometer).
stark·o 形 《英俗》真裸の[で](starkers).
sten·o 名 《米話》速記者(stenographer).
ster·e·o 名 立体写真術; 立体音響再生装置.
sty·lo 名 《話》尖筆型万年筆(stylograph).
tach·o 名 《話》速度計(tachometer).
tan·go 名 〘植物〙タンジェリン(tangerine).
tur·bo 名 羽根のついたローター(rotor)を備えた機械の総称(turbine).
vid·e·o 名 ☞

〈**2**〉《俗/話》…である(もの[人]); …な(もの[やつ]); 呼び掛けにも用いる.

blot·to 名 《俗》強い酒.
bot·tle-o 名 《豪·NZ 話》空き瓶回収業者.
boy·o 名 《英·アイル·豪話》少年(boy), 若者, 坊や.
brif·o 名 《米俗》マリファナ.
buck·o 名 《主にアイル·米話》若者, 友達.
cheap·o 名 《俗》安物(cheapie).
cheer·i·o 間 《主に英話》さようなら, ご機嫌よう.
cheer·o 間 《英》=cheerio.
crock·o 名 《俗》酔っ払い.
crumb·o 名 《俗》かけら, くず(crumb).
de·ment·o 名 《俗》気の狂った人; 変わり者.
dum·bo 名 《米俗》ばかなやつ, とんま.
fat·so 名 《俗》でぶ, 太っちょ.
fla·ko 形 《米俗》酔っ払った.
freako 名 《俗》変人;「マニア」(freak).
gip·po[1] 名 《英俗》エジプト人; エジプト兵.
gip·po[2] 名 《俗》激痛, 責め苦, 拷問(gyp).
gyp·o 名 《俗》=gyppo.
gyp·po 名 《米俗》日雇い労働, 賃仕事.
jep·po 名 《米俗》(伐採人の間で)料理人.
kid·do 名 《話》子供(kid). ►呼び掛け.
nar·bo 名 《米俗》退屈なやつ.
neat·o 形 《俗》〈酒が〉生(き)の.
pink·o 名 《米俗》左翼的な人, 赤がかった人.
plonk·o 名 アルコール中毒者, 大酒飲み.
preg·go 形 《豪俗》妊娠している(preggy).
preg·o 形 =preggo.
right·i·o 間 《英話》=righto.
right·o 間 《主に英話》《心からの同意·了解を表して》もちろんだ, いいとも, 喜んで.
right·y-o 間 《主に英話》=righto.
ring-a-lie·vi·o 名 二組に分かれて行う隠れんぼう.
sad·do 名 社会的不適格者, 無能な人.
seck·o 名 《豪俗》性的変質者.
smack·o 名 《米俗》ピシャリと打つ音; 強いキス.
smoke·o 名 《豪·NZ 話》=smoko.
smok·o 名 《豪·NZ 話》短い休憩時間, 喫煙時間.
sock·o 形 《俗》とても見事な; 大成功の.
stin·go 名 《主に英俗》強いビール.
stink·o 形 《俗》酔った.
swee·po 名 羊毛刈小屋の清掃員(broomie).
tech·no 名形 〘音楽〙テクノ調(の).
wack·o 名 《米俗》風変わりな人.
wal·do 名 《米俗》ばか, あほ.
weird·o 名 《米話》奇妙な人, 変人.
whack·o 形 《主に英·豪俗》=wacko.
win·o 名 《話》飲んだくれ; アル中患者.
wrong·o 名 《俗》非行者; 無法者, ならず者.
yob·bo 名 《英俗》チンピラ, 与太者(yob).

〈**3**〉〘化学〙…基の.

ar·se·no 形 〘化学〙アルセノ基を含む.
az·i·do 形 〘化学〙アジド基の[を含む].
het·er·o 形 〘化学〙炭素以外の原子の(hetero-atom).
im·i·do 形 〘化学〙イミド基を含む.
sul·fo 形 〘化学〙スルホ基の(sulfonic).
u·re·i·do 形 〘化学〙ウレイド基を含む.

-o[2] /ou/

接尾辞 スペイン語, イタリア語, ポルトガル語などの男性形名詞語尾.

-a·do 接尾辞 ☞
al·ber·go 名 《イタリア語》宿屋; ホテル.
A·mer·i·ca·no 名 (カクテルの)アメリカーノ.
a·mi·go 名 《米話》友達, 友人, (特に)男友達.
ar·chi·pel·a·go 名 群島, 列島.
ba·ca·lao 名 〘スペイン·中南米料理〙バカラオ.
ban·di·do 名 =bandito.
ban·di·to 名 無法者, 盗賊.
bim·bo 名 《俗》ばか, まぬけ, とんま.
bom·bo 名 《豪俗》ウイスキー; ワイン.
bo·ra·cho 名 《古》《俗》(ぶどう酒の)革袋.
bron·cho 名 =bronco.
bron·co 名 《米·カナダ》ブロンコ: 北米西部に放牧されている小馬, または野生化したムスタング(mustang).
buf·fa·lo 名 ☞
buf·fo 名 〘音楽〙ブッフォ.
cam·e·o 名 カメオ彫り(の技術), カメオ細工.
car·go 名 ☞
cau·cho 名 パナマゴム.
cem·ba·lo 名 〘音楽〙ハープシコード.
-cen·to 連結形 ☞
chur·ras·co 名 〘中南米料理〙シュラスコ.
cor·ri·do 名 コリード: 圧制や不正を告発するメキシコの民謡.
cri·ol·lo 名 スペイン語圏の中南米で生まれたヨーロッパ系(通例, スペイン系)の人.
cu·chi·fri·to 名 〘中南米料理〙クチフリット.
da·go 名 《俗》イタリア系の人,「イタ公」.
de·sa·pa·re·ci·do 名 《スペイン語·ポルトガル語》行方不明者, 失踪(しっそう)者.
des·per·a·do 名 向こう見ずの無法者. ►desperate の擬スペイン語転化.
e·ji·do 名 エヒード: (メキシコで)村民が単独または共同で耕作する共有農場.
-el·lo 接尾辞 ☞

O

em·bar·go 名 出入港禁止, 出港禁止.
en·dur·o 名 《米》(自動車・オートバイの)耐久レース. ►endurance の擬イタリア語または擬スペイン語派生語と思われる.
-e·ri·no 接尾辞 ☞
-e·ro 接尾辞 ☞
es·cu·do 名 エスクード: ポルトガルおよびカーボベルデの硬貨で貨幣単位.
-et·to 接尾辞 ☞
fan·tas·ti·co 名 《古》途方もない人.
fla·men·co 名 フラメンコ.
fres·co 名 ☞
ga·ba·cho 名 《米俗》白人のアメリカ人.
gau·cho 名 ガウチョ: 南米大草原のカウボーイ.
ga·za·bo 名 《古俗》やつ, 野郎; 男, 少年.
ga·ze·bo 名 =gazabo.
gaz·pa·cho 名 〖スペイン料理〗ガスパッチョ.
grif·fo 名 《俗》マリファナ(タバコ)(griefo).
grin·go 名 《通例軽蔑的》(中南米・スペインで)外国人, (特に)米・カナダ人.
-il·lo 接尾辞 ☞
in·di·go 名 ☞
-i·no 接尾辞 ☞
-is·mo 接尾辞 ☞
-i·to 接尾辞 ☞ -ITO²
lat·i·go 名 (鞍(くら)枠につける)革ひも.
La·ti·no 名 《米》(米国の)ラテンアメリカ系住民.
lot·to 名 ロット: 賭博の一種.
ma·cho 形 男らしい, たくましい, マッチョな.
mag·nif·i·co 名 (昔の)ベニスの貴族.
mam·bo 名 〖ダンス〗マンボ.
ma·me·lu·co 名 《ブラジル》母がインディオで父が白人の混血人.
med·i·co 名 《話》医者; 内科医, 外科医.
-men·to 接尾辞 ☞
mos·qui·to 名 カ(蚊).
mu·cha·cho 名 《米南西部》少年, 若者; 使用人.
na·cho 名 〖メキシコ料理〗ナチョ.
nor·te·a·me·ri·ca·no 名 《スペイン語》(特にスペイン語使用のアメリカ諸国の国民と区別して)米国民.
or·zo 名 オーツォ: 大麦, 米など穀粒形のパスタ.
pa·chu·co 名 《特にメキシコ系アメリカ》10 代のストリートギャング.
pis·co 名 ピスコ: ペルーの港市 Pisco 付近産のブランデー.
po·cho 名 《メキシコスペイン語》《通例軽蔑的》(特に完全に米国人と同じ生活態度の)メキシコ人を両親とする米国生まれの人, メキシコ系米国人.
po·lit·i·co 名 《主に米話》《通例, 軽蔑的》政治家, 政治屋(politician).
pon·cho 名 ポンチョ: 外套の一種.
port·fo·li·o 名 紙挟み, 書類かばん.
quad·ro 名 計画都市や都市団地の街区.
ran·cho 名 牧場, 牧畜場(ranch).
re·lie·vo 名 ☞
ro·de·o 名 ロデオ: カウボーイの腕前披露大会.
ron·do 名 〖音楽〗ロンド.
sam·bo 名 《侮蔑的・不快》《俗》黒人.
so·lo 名 独唱 [独奏] 曲, ソロ; 独演.
stu·di·o 名 ☞
ta·co 名 〖メキシコ料理〗タコス.
tan·go 名 〖ダンス〗タンゴ.
te·nu·to 形副 〖音楽〗音を保持した [して].
vol·ca·no 名 ☞
zam·bo 名 =sambo.
za·pa·te·o 名 つま先・かかとを踏み鳴らす 4 分の 3 拍子のキューバダンス.
ze·ro 名 ☞

-o³ /ou/

接尾辞 ラテン語動詞の一人称単数現在形, 未来形にあらわれる語尾;「わたしは…します, …するでしょう」の意.

com·e·do 名 〖医学〗にきび, コメド. ►字義は「私が食べます」.
cre·do 名 使徒信条, 使徒信経. ►字義は「われ信ず」.
di·ri·go 《ラテン語》われ導く. ►米国 Maine 州の標語.
la·va·bo 名 〖教会〗洗手式. ►字義は「私は洗います」.
pla·ce·bo 名 〖医学〗〖薬学〗偽薬, 気休め薬. ►字義は「私は喜ぶでしょう」.
reg·u·lo 名 《英》(ガスレンジの)熱度表示. ►字義はラテン語で「私は管理する」.
ve·to 名 ☞

-o⁴ /ou/

接尾辞 ラテン語名詞または動名詞の奪格形.

ar·gu·en·do 副 〖法律〗議論において.
fo·li·o 名 二つ折り.
in·nu·en·do 名 暗示, ほのめかし.
lo·co 名 〖商業〗現場渡し条件.
mod·u·lo 副 〖数学〗…を法として(合同である).
prox·i·mo 副 《正式の通信文以外では今はまれ》来月に.
ul·ti·mo 副 《主に商業文で》先月に.
vul·go 副 一般に, ふつう.

-o⁵ /ou/

音象徴間 音象徴語と間投詞の重複形に見られる語尾要素.

gó-gò 形 精力的な, やる気十分の, 活動的な; 進んだ. ── 名 ゴーゴー(ダンス).
héigh-hó 間 《驚き・歓喜・憂鬱・退屈・疲労などを表して》まあ, あらあ, やれやれ.
hó-hò 間 《驚き・賞賛・軽蔑などを表して》ほほう, へーッ; 《笑い》ホッホ, ハハ. ── 名 《米俗》太った若い女.
nó-nò 名 《米話》しては [言っては, 使っては] ならないこと, 禁止されていること [もの]. ── 間 《小児語》駄目よ, めーっ.
só-sò 形 《話》よくも悪くもない, まあまあの, まずまずの; あまりよくない; ちょっと調子が悪い. ── 副 《問いに対する答えとして》まあまあ, どうやら, まずまず; ちょっと調子がよくなくて.
yo-hó 間 《呼びかけや力仕事の掛け声として》ヤッホー, おーい; えんやこら, よいしょ. ── 動自 ヤッホーと叫ぶ.

-o⁶ /óu/

語尾 いくつかの間投詞を含む.
★ 語末にくる同音形は -EW⁴, -O¹, -O², -OA, -OE¹, -OH, -OUGH⁶, -OW⁴, -OWE².

bo 間 ばあ(驚かすときの声).
bro 名 《俗》《特に黒人英語》《友人に対する呼びかけ》兄弟; 友人, 仲間.
co¹ 間 《米ミシシッピ川以東》(家畜に)来い.
co² 代 その人. ►性差別を避けるための she と he の言い換え.
dzo 名 〖動物〗ゾー.
fro 副 《廃》向こうへ(away); もとへ(back). ►主に to and fro で.
go¹ 動自 ☞
go² 名 碁, 囲碁.

O

ho[1] 間 ☞
ho[2] 間 《特に馬に》止まれ, 待て, どうどう.
jo[1] 名 《スコット》《しばしば呼びかけに用いて》いとしい人, 恋人.
jo[2] 名 《米俗》コーヒー(joe).
lo[1] 間 《文語》見よ, ごらん, それ, あれ.
lo[2] 形 low「低い」の略式綴(つづ)り.
mho 名 【電気】モー.
-mo 接尾辞 ☞
-ndo 接尾辞 ☞
no[1] 副 《肯定の問いに対して》いいえ, いや, 否; 《否定の問いに対して》はい, ええ, そうです.
no[2] 形 少しの［どれほどの］…もない.
O 間 《驚き・苦痛・喜びなど》ああ, まあ.
pro[1] 名副 賛成して(in favor).
pro[2] 形 ☞
pro[3] 前 《ラテン語》…のために, に賛成して.
pro[4] 名 《米俗》保護観察(処分), 執行猶予.
quo 動他 《古》言った(quoth).
schmo 名 《米俗》うすのろ, ばか, まぬけ.
shmo 名 ＝schmo.
so 副 ☞
tho 接副 《米話》《詩語》＝though.
wo[1] 名 《古》悲痛, 苦悩, 悲哀, 悲哀.
wo[2] 間 《馬などを止める時の掛け声》どうどう, 止れ(whoa).
yo[1] 間 《呼びかけ・あいさつ・感嘆などを表して》よお, おい, やあ, なあ, ちわーっ; 待て.
yo[2] 代 《特に黒人英語》＝you, your.
zho 名 ＝dzo.
zo 名 ＝dzo.

-o[7] /ú:/

語尾 語末にくる同音形は -AULT[2], -EW[3], -OE[2], -OO[1], -OO[2], -OO[3], -OOH, -OU[1], -OUGH[7], -U[3], -UE[2].

do 動他 ☞
thro 前副 《古》＝through.
to 前 ☞
who[1] 代 ☞
who[2] 間 (息をかけて)フーッ; (フクロウの)ホーホー(whoo, who-who).

-oa /ou/

語尾 語末にくる同音形は -EW[4], -O[1], -O[2], -O[6], -OE[1], -OH, -OUGH[6], -OW[4], -OWE[2].

co·coa 名 ココア.
whoa 間 《馬などを止めるときの掛け声》どうどう, 止まれ(Stop!).

-oach /óutʃ/

語尾 cockroach(その短縮語 roach)はスペイン語 *cucaracha* の民間語源による変形で, loach も影響している.

broach 名 【機械】矢通し棒, 穴ぐり器.
coach 名 ☞
loach 名 ドジョウ.
poach[1] 動自 (…を)密猟［密漁］する.
poach[2] 動他 〈卵などを〉沸騰寸前の湯で煮る.
-proach 連結形. ☞
roach[1] 名 《話》ゴキブリ(cockroach).
roach[2] 名 ローチ: コイ科ローチ属の淡水魚.
roach[3] 名 【海事】ローチ.

-oad /óud/

語尾 語末にくる同音形は -ODE[3].

goad 名 突き棒, 刺し棒.
load 名 ☞
road 名 ☞
shoad 名 《英》【採鉱】漂石, フロート.
toad 名 ☞
woad 名 【植物】ホソバタイセイ(細葉大青).

-oaf /óuf/

語尾

goaf 名 【採鉱】廃石(gob).
loaf[1] 名 ☞
loaf[2] 動自 ぶらぶらして過ごす［暮らす］.
oaf 名 無骨者, 田舎者.

oak /óuk/

名 オーク: ナラ, カシの類.

bláck óak クロガシ.
bóg òak (泥炭地の)カシなどの埋もれ木.
Bótany Báy òak 《豪》モクマオウ材.
búr òak 北米東部産のカシの一種.
búrr òak ＝bur oak.
chéstnut òak カシグリ.
córk òak コルクガシ(cork).
dýer's óak アレッポガシ.
Émory òak エモリーガシ.
Énglish óak ヨーロッパナラ.
évergreen óak 常緑のカシの木の総称.
fórest òak 《豪》＝she-oak.
gárry óak ＝Oregon oak.
gróund òak オークの若木.
hólly òak ＝holm oak.
hólm òak トキワガシ.
Índian óak チーク(teak).
jáck òak 米国東部産のカシ属の小木の通俗名.
Jerúsalem óak エルサレムアカザ.
láurel òak ローレルオーク.
líve óak 北米南部産の常緑のバージニアカシ.
móssy-cùp òak ＝bur oak.
nátive óak 《豪》＝she-oak.
Óregon óak カシの一種 *Quercus garryana*.
pedúnculate óak ＝English oak.
pín òak ブナ科カシ属の木.
póison óak 触れるとかぶれるウルシ属の数種の総称.
póst òak 柱材用アメリカ産の数種のカシ.
réd óak アカガシワ.
Róyal Óak ロイヤルオーク(米国の地名)
róyal óak 【英史】ロイヤルオーク.
scárlet óak コナラ属の高木.
scrúb òak 乾燥した地帯に生えるナラ属の数種の総称.
séa òak ヒバマタ属の褐藻.
séssile òak カシの一種 *Quercus petraea*.
shé-òak モクマオウ属のオーストラリア原産の常緑高木の総称.
shíngle òak インブリカリアガシ.
sílk òak シノブノキ.
sílky óak ＝silk oak.
stóne òak ジャワナラ.
tánbark òak タン皮カシ.
tán òak ＝tanbark oak.
túrkey òak トルコガシ.
valónia óak バロニアガシ.
wáter òak クロカシワ.
whíte óak ホワイトオーク.
wíllow òak ヘロッシーカシ.

-oak /óuk/

語尾 croak と boak は擬声語.

O

★ 語末にくる同音形は -OKE, -OLK.

boak 動自他《スコット》吐き気を催す; 吐く.
cloak 名 ケープ, マント, 袖なし外套.
coak 名 【木工】木栓, 木ほぞ.
croak 動自〈カエルなどが〉低い声で鳴く.
oak[1] 名 ☞
oak[2] 形《米刑務所俗》結構な. ►O.K. より.
soak 動自(水・液体に)つかる, 浸る.
toak 名《米俗》マリファナの煙の一吸い.

-oal /óul/

語尾 語末にくる同音形は -OL[4], -OLE[1], -OLE[2], -OLE[3], -OLL[1], -OLL[2], -OWL[3].

coal 名 ☞
foal 名 馬[ラバ, ロバなど]の子.
goal 名 ☞
shoal[1] 名 (海・川などの)浅瀬.
shoal[2] 名《話》(人・物の)群れ, 大群, 多数.
skoal 間《健康を祝して》乾杯, スコール.

-oam /óum/

語尾 語末にくる同音形は -OMB[1], -OME[1], -OME[2].

foam 名 ☞
gloam 名《古》薄明かり, たそがれ.
loam 名 ☞
roam 動自(当てもなく)歩き回る, 放浪する.

-oan /oun/

音象徴間 ウーン; 苦痛・悲痛のうめきやうなり声を表す.

be·moan 動他 悲しむ, 嘆く.
groan 名 (苦痛・悲嘆などで発する)うなり声, うめき声, ウーン[ウム]という声. ― 動自 うめく, うなる; 不満の声をあげる.
moan 名 (肉体的・精神的苦痛などによる)うめき(声), うなり声. ― 動自 うめき声をあげる, うなる; 嘆く;《話》不平不満をいう.
ol·o·goan 動自《アイル》ぶつくさ言う, ぐちをこぼす.

oar /ɔ́ːr/

名 **1** オール, 櫂(かい), 櫓(ろ). **2** こぐ人.

bów òar 艇首でこぐ人.
páir-òar ペア: 各自が1本のオールでこぐ2人乗りのボート.
stéering òar 【海事】操舵(そうだ)用櫂(かい).
stróke òar 【漕艇】ストロークオール.

-oar /ɔ́ːr/

語尾 roar は擬声語. soar は音象徴的と感じる人がいる.
★ 語末にくる同音形は -AR[8], -AUR, -OOR[2], -OR[3], -ORE, -OUR[3].

boar 名 去勢しない雄豚; その肉.
hoar 名 霜(hoarfrost).
oar 名 ☞
roar 動自 ☞
soar 動自 空高く舞い上がる, 昇る.

-oard /ɔ́ːrd/

語尾 語末にくる同音形は -ARD[5], -ORD[1].

board 名 ☞
hoard[1] 名 貯蔵, 秘蔵; 買いだめ, 秘蔵物.
hoard[2] 名 一時的板囲い, 仮囲い.

-oast /óust/

語尾 roast と toast は音象徴的; oast も関連; boast も「自慢たらたら」のような感覚的印象を持つ.
★ 語末にくる同音形は -OST[1].

boast[1] 動自 自慢する.
boast[2] 動他 【石工】粗削りする.
boast[3] 名 【スカッシュ】ボースト.
coast 名 ☞
oast 名《主に英》乾燥がま, 乾燥炉.
roast 動他 ☞
toast[1] 名 ☞
toast[2] 名 乾杯の辞.
toast[3] 名《主に米》米国[カリブ]の黒人が語る長い物語風の即興詩.

-oat /óut/

語尾 bloat, gloat は, ふくらみを表し, 音象徴的; throat の語源的原義は「ふくらむ」でこれとつながる; なお, float には浮く感覚がある.
★ 語末にくる同音形は -OTE[1], -OTE[2].

bloat 動他 …を膨らませる, 膨張させる.
boat 名 ☞
coat 名 ☞
doat 動自 (…を)溺愛する(dote).
float 動自 ☞
gloat 動自 (自分の成功を)満足げに眺める.
goat 名 ☞
groat 名 グロート: 英国の4ペンス銀貨.
moat 名 【築城】堀, 濠(ごう).
oat 名 【植物】オートムギ.
ploat 動他《スコット》〈鳥の〉羽根をむしる.
shoat 名 (離乳したばかりの幼弱な)子豚.
sloat 名《英》【演劇】迫(せ)り.
sproat 名 【釣り】曲がりの丸い釣り針.
stoat[1] 名 【動物】ストート: 夏毛で褐色のときのオコジョの名称.
stoat[2] 動他 縫い目が見えない縫い方で縫う.
throat 名 ☞
toat 名《米俗》マリファナの一吸い(toak).
troat 動自〈雄ジカなどが〉鳴く.

-o·ate /ouèit, ouət/

連結形 【化学】エステルの(ある), -coo- 基の(ある).
★ 名詞をつくる.
◆ -o(ic)塩, エステル ＋-ATE[2].

ben·zo·ate 名 安息香酸塩, ベンゾアート.
cap·ro·ate 名 カプロン酸塩, カプロン酸エステル.
hy·dra·zo·ate 名 トリアゾ水素酸塩, 窒化水素酸塩.

oath /óuθ/

名 **1** (神や, 聖なる人・物にかけての)誓い, 宣誓. **2**【法律】(証人などの)宣誓, 誓約の決まり文句.

Bíble òath 厳粛な誓い.
córporal óath 【法律】聖物に手を触れて行う宣誓.
dýing òath 臨終の誓い; 厳粛な誓い.
Hippocrátic óath 【医学】ヒポクラテスの誓詞.
lóyalty òath 《米》忠誠宣誓.
mínced óath 婉曲的にしたののしり言葉.
offícial óath 公職(就任)宣誓.
ténnis-còurt óath テニスコートの誓い.

oats /óuts/

名複 oat「オート麦」の複数形.

rólled óats	ロールドオート: 外皮を取り蒸してローラーで平らにつぶしたカラス麦.
séa òats	アメリカハマキビ.
wáter òats	マコモ(真菰): 北米北東部産の草.
wínter óats	秋まきオート麦.

-ob[1] /ɑb/

音象徴 **1** ドキドキ, ずきずき, ひょい; 動悸(どうき)や小さな上下運動: thr*ob*. **2** ぽとっ, ぽて; (液体の)小滴, (粘着性のある丸い)塊: bl*ob*, g*ob*. **3** 軽蔑的に人を表す: ga-z*ob*, sl*ob*.

blob 名 (液体の)小球, 小滴; (粘り気のある丸い)小塊.
bob 名 ひょいと動く [動かす] こと; 軽いおじぎ. ──動他〈頭を〉素早く上げ下げする, ひょいと動かす. ──自 ひょこひょこ動く.
ear·bob 名 《米南部・南部ミッドランド》耳飾り, イアリング(earring, eardrop).
ga·zob 名 《豪俗》ばか, 不愉快なやつ.
glob 名 (液体の)小滴, 一滴.
gob 名 粘着性物質の塊(blob); (ガラス製品を作るための)溶けたガラス塊.
heart·throb 名 速い鼓動, 激しい動悸(どうき).
mob 名 ☞
schlob 名 《米俗》=zhlob.
slob 名 《俗》だらしのない無骨者, がさつ者, ずぼらな者, 無精者.
snob 名 スノッブ, 俗物.
throb 動自 どきどきする; ずきずきする.
wob 名 《英俗》一部分(piece), ひと塊.
yob 名 《英俗》チンピラ, ►boy の逆綴(つづ)り.
zhlob 名 《俗》ぐず, やぼ.
zob 名 《米俗》役立たず, くだらないやつ.

-ob[2] /ɑ́b | ɔ́b/

語尾 2, 3 の短縮語を含む; -ob[1] に似て, 小さいものをさしたり, けなす気持ちを含むものがある.
★ 語末にくる同音形は -AB[2], -OB[1].

brob 名 折れ釘(くぎ).
cob 名 《古・方言》カモメ, (特に)オオカモメ.
fob[1] 名 (ズボン・チョッキの)時計隠し.
fob[2] 動他 《古》〈人を〉だます, 欺く.
gob[1] 名 《俗》(特に米国海軍の)水兵.
gob[2] 名 《主に英俗》口(mouth).
hob[1] 名 (鉄板のある)料理用レンジの最上部.
hob[2] 名 いたずらな小鬼 [妖精(ようせい)].
kob 名 【動物】コーブ.
lob[1] 動他 【主にテニス】〈球を〉ロブで上げる.
lob[2] 名 タマシキゴカイ, クロムシ(lob-worm).
mob 名 婦人用室内帽(mobcap).
nob 名 《主に英俗》金持ち; 高名の人. ►nobility と連想される.
ob 名 《俗》気象観測(weather observation).
prob 名 《英俗》問題(problem).
rob 動他 〈人から〉(金品・権利などを)奪う.
sob 名 《英俗》1 ポンド.
strob 名 【物理】ストロブ.

-ob·ble /ɑ́bl | ɔ́bl/

音象徴 **1** のどを鳴らす音や飲み込む音, がつがつ食べるさまを表す. **2** よろめくような動きやひょいひょいする動作を表す. **3** cobble[2] と knobble は塊, 丸石からころころしたものを表す; cobble[1] は cobbler「靴直し」からの逆成だが, 靴直しのつぎ当ての際のたたく動作を象徴する気持ちが含まれる. ◇ -LE[3].

cob·ble[1] 動他 《主に英》〈靴などを〉修繕する.
cob·ble[2] 名 丸石, 玉石(cobblestone).
gob·ble[3] 名 【ゴルフ】ガブル.
knob·ble 動他 〈石材の余分な部分を〉削り取る.
nob·ble 動他 《英俗》〈馬に〉(競馬に勝たせないよう)麻薬を飲ませる.

-obe[1] /oub/

連結形 生命; 生物.
★ 名詞をつくる.
◆ microbe「微生物」より抽出; <ギ *-o-*(連結母音) + *bíos*「生命」より.

aer·obe 名 好気性生物 [細菌].
sap·robe 名 腐生菌, 腐生者.

-obe[2] /óub/

語尾

globe 名 ☞
lobe 名 ☞
-phobe 連結形 ☞
probe 動他 ☞
robe[1] 名 ☞
robe[2] 名 ロボット.
scobe 名 《黒人俗》黒人.
strobe 名 《話》ストロボ, 高速用照明, スピードライト(stroboscope).
tobe 名 トーベ: アフリカの一部で用いられている外衣.

ob·ject /ɑ́bdʒikt, -dʒekt | ɔ́b-/

名 **1** (五感で知覚し得る)物, 物体. **2**【文法】(他動詞・前置詞の)目的語. **3**【哲学】対象, 客体; 客観. ⇨ -JECT.

cógnate óbject	【文法】同族目的語.
diréct óbject	【文法】直接目的語.
fóund óbject	【芸術】ファウンドオブジェクト.
Hérbig-Háro òbject	【天文】ハービック=ハロ天体.
índirect óbject	【文法】間接目的語.
óbject-òbject	【哲学】客観的対象.
quási-stéllar òbject	【天体】恒星状天体(quasar).
retáined óbject	【文法】保留目的語.
séx òbject	性的対象.
súbject-óbject	【哲学】主観的対象.

ob·jec·tive /əbdʒéktiv/

名 **1** (努力・行為などの)目標, 目的, 的(まと). **2**【文法】目的格. **3**【光学】(望遠鏡・顕微鏡・カメラなどの)対物レンズ. **4**【哲学】客観(体). ⇨ -JECTIVE.

immérsion objèctive	油浸 [液浸] 対物レンズ.
nòn·ob·jéc·tive 形	非客観的な.
óil-immèrsion objèctive	=immersion objective.
prédicate objéctive	目的格補語.

-o·ble /óubl/

語尾

co·ble 名 《スコット・北イング》平底で 1 本マストの小型漁船.
no·ble 形 地位 [身分, 階級] の高い, 高貴の.
-no·ble 連結形 ☞

ob·ser·va·tion /ɑ̀bzərvéiʃən | ɔ̀b-/

名 注意深く見ること, 観察. ►observe の名詞形. ⇨ -ATION.

lúnar observátion 〖海事〗太陰観測, 月(?)距離法.
máss observátion 《英》世論調査, 世情調査.
partícipant observátion 参与［参加］観察(法).
séismic observátion 地震観測.
sèlf-ob·ser·vá·tion 名 自己観察.

ob·serv·er /əbzə́ːrvər/

名 観察者, 観測者; 監視者. ⇨ -ER[1].

áircraft obsèrver 〖米陸軍〗機上偵察員.
áir obsèrver 〖米陸軍〗=aircraft observer.
gróund obsèrver 地上監視員.
UŃ obsèrver 国連オブザーバー.

-oc[1] /ɑk/

音象徴語尾 音象徴語の重複形(/i/と/ɑ/の母音交替を含む)に見られる語末要素. ◇ -OCK[2].

nóc nóc 間 《軽い打撃音を表して》コンコン, トントン, コツコツ(knock knock).
tíc-tòc 名間 (大時計の)カッチンカッチン(という音); (反復する)カチカチ［コツコツ, トントンなど］; (足音の)コツコツ(という音)(tick-tock). ━━動自 カチカチ［コツコツ, トントン］と音をたてる.

-oc[2] /ɑ́k | ɔ́k/

語尾 いくつかの短縮語を含む.
★ 語末にくる同音形は -OC[1], -OCK[4], -OK, -OUGH[5].

bloc 名 ☞
choc[1] 名 《英話》チョコレート(chocolate).
choc[2] 名 《米俗》酒; ビール.
croc 名 《話》クロコダイル(crocodile).
doc[1] 名 《米話》医者, 医師.
doc[2] 名 《俗》(旅券・証文・売渡証書などの)書類; 法律書類(document).
floc 名 (化学沈殿物などの)綿毛状の塊.
moc 名 《話》モカシン(moccasin).
roc 名 〖アラビア神話〗ロック.
twoc 名動他 《俗》自動車泥棒(をする).

oc·cu·pan·cy /ɑ́kjupənsi | ɔ́k-/

名 (土地・家屋などの)占有, 占拠; 居住; 借用; 領有. ⇨ -ANCY.

dóuble óccupancy (ホテルの部屋の)二人使用.
ópen óccupancy 《米》住宅開放政策(open housing).
prè·óc·cu·pan·cy 名 先取り, 先占め; 先取権.
síngle óccupancy (ホテルの部屋の)一人使用.

oc·cu·pa·tion /ɑ̀kjupéiʃən | ɔ̀k-/

名 **1** 仕事, 職業. **2** 占有. ►occupy の名詞形. ⇨ -ATION.

in·òc·cu·pá·tion 名 職がないこと, 無職.
ówner-occupátion 名 《英》自家居住, 持ち家居住.
prè·oc·cu·pá·tion 名 忘我, 夢中, 放心, (…への)没頭.
resérved occupátion 《英》戦時中に兵役免除される職業.

oc·cu·pied /ɑ́kjupàid | ɔ́k-/

形 **1**〈時間・空間が〉占められた. **2** …で心がいっぱいの. ⇨ -ED[1].

òver·óccupied 形 居住者が多すぎる; 込みすぎた.
ówner-óccupied 形 《英》自家居住の, 持ち家居住の.
prè·óccupied 形 夢中になった.
sélf-óccupied 形 自分のことで頭がいっぱいの.
ùnder·óccupied 形 空室［空席］のある, 空き家の.
ùn·óccupied 形 占有者のいない; 荒れた, さびれた.

oc·cu·py /ɑ́kjupài | ɔ́k-/

動他 〈空間・時間などを〉占める, ふさぐ, 取る.

pre·oc·cu·py 動他 …の心を奪う, …を夢中にする.
re·oc·cu·py 動他 再び占める; 再び従事させる.

o·cean /óuʃən/

名 大海, 大洋, 海洋; 外洋.

Antárctic Ócean 南極海, 南氷洋.
Árctic Ócean 北極海.
Atlántic Ócean 大西洋.
Gérman Ócean 北海(North Sea)の旧称.
Índian Ócean インド洋.
Pacífic Ócean 太平洋.
Sóuthern Ócean 《豪》南洋.
Wéstern Ócean 〖海事〗北大西洋.
wórld ócean 世界洋.

-och /ɔ́x/

語尾 ch が /x/ となるのはスコットランド方言の特徴.
★ 語末にくる同音形は -OUGH[4].

broch 名 《スコット》ブロッホ, 円塔.
loch 名 《スコット》湖(lake).
och 間 《スコット・アイル英語》《驚き・不賛成・残念・悲しみなどを表して》ああ, おや, おお.

o·cher /óukər/

名 オーカー(絵の具の原料); 黄土色.

búrnt ócher べんがら, 焼き黄土.
réd ócher 代赭(たいしゃ)石.
yéllow ócher 黄土.

-och·ro·i /ɑ́krouài | ɔ́k-/

連結形 薄い色, あわい色.
★ 名詞をつくる.
★ 語頭にくる関連形は och(e)r-: *ocher*ish「黄土のような」, *ochr*oid「黄土色の」.
◆ ギリシャ語 *ōchrós*「あわい」の男性複数形. ⇨ -OI.

mel·a·noch·ro·i 名複 薄黒白色人種.
xan·thoch·ro·i 名複 〖自然人類学〗黄白人種.

-ock[1] /ək, ɑk | ək, ɔk/

接尾辞 小さい….
★ 指小辞として造語能力が高い.
◆ 中英 *-ok*, 古英 *-oc*, *-uc*.

bit·tock 名 《主にスコット》ほんの少し.
bul·lock 名 去勢した雄牛.
but·tock 名 (人間の)尻, 臀部(でんぶ).
hill·ock 名 小丘; 土まんじゅう, 塚.
mul·lock 名 (豪・NZ などで, 鉱山の)廃石土砂.
rud·dock 名 〖鳥類〗ロビン(robin).
tus·sock 名 草むら, やぶ, 茂み.

-ock[2] /ɑ́k/

音象徴 間 コツコツ, トントン; 打ったり, たたいたりする音や鳴き声を表す; clock と lock は別に語源をもつが, 機械的なカチッという音象徴を感じる人がいる. ◇ -OC[1], -ACK[1], -INK.

clock 名 ☞
cock[1] 名 ☞
cock[2] 動他 〈頭・帽子(のつば)・鼻・目などを〉(気取って意味ありげに)上向きにする, かしげる, 傾ける, ぴくっと動かす, ぴんと立てる, 〈耳を〉そばだてる.
knock 動自 ☞
lock 名 ☞
plock 間 コトン, カツン, コン.
shock 名 ☞
sock 動他 《俗》強く打つ, 強打する; 〈人に〉(石などを)投げつける.
yock 名 《米俗》大笑い(yuk).

-ock[3] /ɑk | ɔk/

音象徴 間 音象徴語の重複形に見られる語尾要素; 接中辞 -ity- を持つものがある.
★ /i/ と /ɑ/ の母音交替がある.

clóck-clóck 間 《びんから液体を注ぐときなどの音で》トクトク, コプコプ, コポコポ.
knóckity-knóck 間 《戸などを連続してノックする音で》コンコン, トントントン.
tíck-tòck 名 (大時計の)カッチンカッチン(という音); (反復する)カチカチ [コツコツ, トントンなど](という音); (足音の)コツコツ(という音). ―― 動自 カッチンカッチン [カチカチ, コツコツなど] という音を出す.

-ock[4] /ák | 5k/

語尾 短いものや小さな塊りをさす音象徴的な響きがあり, 軽蔑を含むものもある. ◇ -OCK[1], -OCK[2].
★ 語末にくる同音形は -OC[1], -OC[2], -OK, -OUGH[5].

block 名 ☞
bock 動自他 《スコット》吐き気を催す; 吐く(boke).
brock 名 ヨーロッパ産のアナグマ.
chock 名 (木製製などの)まくら, 楔(くさび).
clock 名 (靴下の)縫い取り飾り.
cock 名 《主に米北部》(干し草などの)の山.
crock[1] 名 陶製の壺(つぼ).
crock[2] 名 《主に英話》老朽したもの [人].
crock[3] 名 《英方言》すす, よごれ.
crock[4] 名 《米俗》でたらめ, 大うそ.
dock[1] 名 ☞
dock[2] 名 ☞
dock[3] 名 (動物の)尾の心部.
dock[4] 名 (刑事裁判法廷の)被告人席.
flock[1] 名 (特に羊・ヤギ・鳥などの)群れ.
flock[2] 名 羊毛 [毛髪, 綿など] の一房.
frock 名 ☞
gock 名 《俗》汚い [嫌な] もの.
hock[1] 名 飛節, 後脚くるぶし関節.
hock[2] 名 《主に英》ドイツのライン地方産白ワイン.
hock[3] 動他 《主に米話》質に入れる.
hock[4] 動他 《米俗》悩ます.
jock[1] 名 ☞
jock[2] 名 (特に運動選手がはく)サポーター.
lock[1] 名 ☞
lock[2] 名 《米俗》ポーランド人.
mock[1] 動他 …をあざけり笑う, なぶる.
mock[2] 名 《豪俗》縁起の悪いもの; 不運.
nock 名 矢筈(やはず).
pock 名 膿疱(のうほう), 痘瘡(とうそう).
rock[1] 名 ☞
rock[2] 動自 前後 [左右] に揺れ動く.
schlock 形 《米俗》安物の, くずの.
schmock 名 《俗》ヘロイン(schmack).
shlock 形 ＝schlock.
shock[1] 名 ☞
shock[2] 名 穀類の刈り束, 堆(にお).
smock 名 (上着で)スモック.
sock[1] 名 ☞
sock[2] 名 《英俗》(Eton 校で)食べ物.
stock 名 ☞

-ock·le /ákl | 5kl/

語尾 一部は音象徴的. ◇ -LE[3].

cock·le[1] 名 〘動物〙ザルガイ(トリガイを含む).
cock·le[2] 名 ドクムギやホソムギなどの雑草.
cock·le[3] 名 ストーブ, こんろ, 暖炉.
grock·le 名 《英方言・俗》(特に夏, 英国南部を訪れる北からの)観光客, 行楽客.
hock·le[1] 動自 (使用しているうちに)〈ロープの糸が〉伸びてよじれる.
hock·le[2] 動自 《英俗》咳(せき)払いをしてつばやたんを吐く.

-oc·ra·cy /ákrəsi | 5k-/

連結形 階級, 制(度), 政治.
★ 名詞をつくる.
★ 語末にくる関連形は -OCRAT.
◆ -o-(接中辞) ＋ -CRACY.

cot·to·noc·ra·cy 名 (綿貿易で財を成した)綿貴族階級, 綿栽培 [綿工業] 者.
de·mon·oc·ra·cy 名 悪魔の支配; 支配する悪魔集団.
fool·oc·ra·cy 名 《おどけて》愚人政治 [支配].
jock·oc·ra·cy 名 《米俗》テレビ放送によく出る(元)スポーツ選手.
ju·ve·noc·ra·cy 名 若い世代による政治.
klep·toc·ra·cy 名 〘政治〙盗賊政治.
land·oc·racy 名 《戯言的》地主階級, 大地主連中.
mer·i·toc·ra·cy 名 実力 [能力] 主義.
mob·oc·ra·cy 名 暴民 [衆愚] 政治(mob rule).
nar·co·klep·toc·ra·cy 名 麻薬密輸体制.
no·moc·ra·cy 名 法治(主義)政治.
och·loc·ra·cy 名 ＝mobocracy.
pant·i·soc·ra·cy 名 理想的万民平等社会, 権力平等団.
ped·an·toc·ra·cy 名 衒学(げんがく)者による支配.
plan·toc·ra·cy 名 (西インド諸島などに存在した)大農園経営者から成る支配階級.
pto·choc·ra·cy 名 貧民による政治.
slav·oc·ra·cy 名 奴隷所有者たちによる支配.
snob·oc·ra·cy 名 俗物階級.
so·ci·oc·ra·cy 名 ソシオクラシー: 社会のすべての構成員の利益が平等に満たされるような政体.
squat·toc·ra·cy 名 《豪》(富裕で力のある)牧畜業者.
you·thoc·racy 名 社会的影響力を持つ若い人々の集団.

-o·crat /əkræ̀t/

連結形 -crat の異形.
★ 語末にくる関連形は -OCRACY.
◆ -o- 接中辞 ＋ -CRAT.

a·ris·to·crat 名 上流階級の人; (特に)貴族.
au·to·crat 名 専制君主.
bi·o·crat 名 生物科学技術者.
dem·o·crat 名 民主主義(擁護)者, 民主政体論者.
eco·crat 名 環境行政官.
Eu·ro·crat 名 欧州共同体(EC)の官僚.
glo·bo·crat 名 国連などの高級職員.
land·o·crat 名 《戯言的》地主階級(の人).

mer·i·to·crat 名 実力者.
mob·o·crat 名 暴民［衆愚］政治主義者.
mon·o·crat 名 独裁主義(信奉)者, 独裁者.
pet·ro·crat 名 (特に OPEC の)石油行政官.
phal·lo·crat 名 男性至上主義者.
phys·i·o·crat 名 重農主義者, フィジオクラット.
plu·to·crat 名 金権政治家; 財閥の人.
tech·no·crat 名 テクノクラート: 技術家政治主唱者.
tha·las·so·crat 名 制海権を持つ国.
the·o·crat 名 神権政治家.

oc·u·lar /ákjulər | ɔ́kjulə/

形 **1** 目の; 目のための. **2** 目による.
★ 語頭にくる関連形は ocul(o)-: *oculo*motor「動眼運動の」. ⇨ -ULAR.

bin·oc·u·lar 名 双眼鏡, 双眼顕微鏡.
cir·cum·oc·u·lar 形 〘眼科〙目を取り巻く.
dex·troc·u·lar 形 〘眼科〙右目利きの.
in·ter·oc·u·lar 形 眼間の［にある］.
in·tra·oc·u·lar 形 眼(球)内の.
mo·noc·u·lar 形 単眼の, 一眼の, 片目しかない.
pre·oc·u·lar 形 眼球前方の.
sin·is·troc·u·lar 形 〘眼科〙左目利きの, 左目をよく使う.
sub·oc·u·lar 形 眼下の.
u·ni·oc·u·lar 形 =monocular.

-od /ád | ɔ́d/

語尾 かたまり, 短いもの, 小さなものをさす音象徴的な語がある; また短縮語の語尾をなす.
★ 語末にくる同音形は -AD[5].

bod[1] 名 《話》体(body).
bod[2] 形 《米学生俗》ずば抜けた.
cod[1] 名 ☞
cod[2] 名 《廃》袋, 包み.
cod[3] 名 《英俗》もじり.
cod[4] 名 《英俗》ばか話(codswallop).
god 名 ☞
hod 名 ホッド, れんが箱.
mod[1] 形 現代的な; 最先端の; 前衛的な(modern).
mod[2] 名 《話》変更; 調節(modification).
mod[3] 名 モジュール方式時間割における学習時間の単位(module).
od 名 《古》オッド: かつて自然界に存在すると考えられていた自然力.
pod[1] 名 ☞
pod[2] 名 (特にアザラシやクジラの)小群.
pod[3] 名 ドリル［丸のみ］の穂先の縦溝.
-pod 連結形 ☞
quod 名 《主に英俗》刑務所, 牢獄(ろうごく).
rod 名 ☞
schrod 名 =scrod.
scrod 名 《米》大西洋産のタラの幼魚.
shod 動 ☞
snod 形 《スコット・北イング》滑らかな.
sod[1] 名 (四角の移植用)芝.
sod[2] 動 《古》seethe の過去形.
sod[3] 名 《主に英俗》男色者, 獣姦(じゅうかん)者(sodomite).
tod[1] 名 トッド: 以前英国において主に羊毛に使われた重量単位.
tod[2] 名 《スコット・北イング》キツネ.
trod 動 tread の過去・過去分詞形.

-od·den /ádn | ɔ́dn/

語尾 しばしば過去分詞をつくる.

hod·den 名 《スコット》目の粗い毛織地.
shod·den 動他 《古》shoe の過去分詞形.
sod·den[1] 形 (水などに)つかった, びしょぬれの.
sod·den[2] 動 《古》seethe の過去分詞形.
trod·den 動 tread の過去分詞形.

-od·dle /ádl | ɔ́dl/

語尾 coddle, noddle[2] などは反復を表す. ◇ -LE[3].

cod·dle 動他 (病人として, 過度に)優しく扱う.
dod·dle 名 《英話》容易なこと; あぶく銭.
nod·dle[1] 名 《俗》頭, 脳天, 頭脳(head).
nod·dle[2] 動他自 軽くうなずく, 何度もうなずく.

ode /óud/

名 **1** オード, 賦, 頌(しょう). **2**〘韻律〙オード, 頌.

ép·ode 〘古典韻律〙エポード: 叙情短詩型.
Horátian óde ホラティウス風オード.
Lésbian óde =Horatian ode.
pálinòde 取り消しの詩, 改詠詩.
Pindáric óde ピンダロス風のオード.
régular óde =Pindaric ode.
Sápphic óde =Horatian ode.

-ode[1] /oud/

接尾辞 …のような性質［形状］を持つ, …に似た.
★ ギリシャ語から借用した名詞に見られる.
◆ ギリシャ語 *-ōdēs*「…に似た」より.

ar·il·lode 名 〘植物〙偽仮種皮.
ces·tode 名 条虫, サナダムシ.
clad·ode 名 〘植物〙(葉の働きをする)葉状枝.
ge·ode 名 晶洞石.
ker·a·tode 名 角質海綿［纖維］質.
nem·a·tode 名 ☞
phyl·lode 名 〘植物〙仮葉, 偽葉(ぎよう).
plac·ode 名 〘発生〙プラコード.
trem·a·tode 名 吸虫.
vai·vode 名 〘東欧史〙ボイボード(voivode).

-ode[2] /oud/

連結形 **1** 道, 道路: hydath*ode*. **2**〘電子工学〙電極: electr*ode*, zinc*ode*.
★ 語末にくる関連形は -ODIC[1].
★ 語頭にくる形は odo-, hodo-: *odo*graph「走行記録計」, *odo*meter「測距離車」, *hodo*scope「〘物理〙ホドスコープ」.
◆ ギリシャ語 *hodós*「道」より.

cath·ode 名 ☞
di·ode 名 ☞
dy·node 名 ダイノード.
e·lec·trode 名 ☞
hep·tode 名 七極管.
hex·ode 名 六極管.
hy·da·thode 名 〘植物〙排水組織.
kath·ode 名 =cathode.
pen·tode 名 五極(真空)管.
tet·rode 名 四極(真空)管.
tri·ode 名 三極管.
zinc·ode 名 (電池の)陽極.

-ode[3] /óud/

語尾 語末にくる同音形は -OAD.

bode[1] 動他 《文語》…の前兆となる, 予示する.
bode[2] 動他 bide「待つ」の過去形.
code 名 ☞
dode 名 《米俗》とんま, ぬけさく.
kode 名 《同性愛俗》仲間言葉. ►code の変

形.
lode 名 (岩石の割れ目を有用鉱物がふさいだ, 板状の)鉱脈, 鑓(ひ).
mode[1] 名 ☞
mode[2] 名 ☞
node 名 ☞
ode 名 ☞
-plode 連結形 ☞
-pode 連結形 ☞
rode[1] 動 ride の過去形.
rode[2] 名 (ニューイングランド・カナダ東部で)ボートをつないでおく綱.
rode[3] 動自〈雄のヤマシギが〉繁殖期に夕方飛ぶ.
strode 動 stride「大またに歩く」の過去形.
trode 動《古》tread「歩く」の過去・過去分詞形.

-od·ic[1] /ádik | ɔ́dik/

連結形 道の [に関する].
★ 形容詞をつくる.
★ 語末にくる関連形は -ODE[2].
★ 語頭にくる関連形は odo-, hodo-: *odo*graph「走行記録計」, *odo*meter「測距離車」, *hodo*scope「〖物理〗ホドスコープ」.
◆ ギリシャ語 *(h)odós*「道」より. ⇨ -IC[1].

an·od·ic 形 電流が入る電極(anode)の.
ca·thod·ic 形 陰極の, 陰極性の.
ep·i·sod·ic 形 挿話の; 挿話的な, エピソード風の.
er·god·ic 形 〖数学〗〖統計〗エルゴード的.
pe·ri·od·ic 形 周期的な, 反復して起こる.
syn·od·ic 形 〖天文〗合(ごう)の, 会合の.

-od·ic[2] /ádik | ɔ́dik/

連結形 歌の [に関する], 詩の [に関する].
★ 形容詞をつくる.
★ 名詞は ode「頌歌, オード」.
★ 語末にくる関連形は -ODY.
◆ ギリシャ語 *ōid(ḗ)*「歌」より. ⇨ -IC[1].

me·lod·ic 形 旋律 [音楽] 的な, 豊かなメロディーの.
mo·nod·ic 形 〖音楽〗モノディ様式 [風] の.
pa·rod·ic 形 もじり詩文 [歌曲] (parody)の.
pro·sod·ic 形 韻律的な, 韻律学(prosody)の.
rhap·sod·ic 形 熱狂的な, 有頂天の.

-o·don /ədàn | -dɔ̀n/

連結形 〖古生物〗…歯を持つ; 古生物で恐竜の名などに使われる.
★ 名詞をつくる.
★ 語末にくる関連形は -ODONT, -ODONTIA, -ODUS.
★ 語頭にくる関連形は odont(o)-: *odont*algia「歯痛」, *odonto*logy「歯科医学」.
◆ <近代ラ<ギ *odṓn* 歯.

co·ryph·o·don 名 コリフォドン.
di·met·ro·don 名 ディメトロドン類.
i·guan·o·don 名 イグアノドン.
mas·to·don 名 マストドン.
mon·o·don 名 イッカク(一角)(narwhale).
My·lo·don 名 ミロドン属.
pter·an·o·don 名 プテラノドン.
smi·lo·don 名 スミロドン.
so·le·no·don 名 ソレノドン.
sphe·no·don 名 ムカシトカゲ(tuatara).
steg·o·don 名 ステゴドン.

-o·dont /ədànt, oud- | -dɔ̀nt/

連結形 **1** …歯(tooth)を持つ: mast*odont*. **2**〖動物〗…歯類: pleur*odont*.
★ 形容詞, 名詞をつくる.
★ 語末にくる関連形は -ODON, -ODONTIA, -ODUS.
★ 語頭にくる形は odont(o)-: *odont*algia「歯痛」, *odonto*logy「歯科医学」.
◆ ギリシャ語 *odoús, odṓn*「歯」より.

ac·ro·dont 形 頂生歯 [端生歯] のある.
brach·yo·dont 形 (哺乳動物の)歯冠が短い.
bu·no·dont 形 鈍頭形の臼歯の, 結節歯の.
co·no·dont 名 〖古生物〗コノドント, 錐歯(すいし)類.
cre·o·dont 名 肉歯類.
cy·prin·o·dont 名 〖魚類〗メダカ科の小魚.
di·cyn·o·dont 名 〖古生物〗牙竜, 双牙類.
di·pro·to·dont 形名 双門歯類の(動物).
glyp·to·dont 名 〖古生物〗グリプトドント, 彫歯獣.
het·er·o·dont 形 〈哺乳類が〉異形歯の, 異歯性の.
ho·mo·dont 形 同型歯の.
i·guan·o·dont 形名 〖古生物〗イグアノドン属の(動物).
i·so·dont 形名 等歯性の(動物).
lab·y·rin·tho·dont 名 〖古生物〗迷歯類動物.
loph·o·dont 形 櫛状(しつじょう)歯の.
lox·o·dont 形 斜めすじの歯のある; ゾウの.
mac·ro·dont 形 巨歯の; 巨大歯型 [症] の.
mas·to·dont 形 〖古生物〗マストドン(mastodon)の(ような歯を持った).
mes·o·dont 形 中歯型の.
-phy·o·dont 連結形 ☞
pleu·ro·dont 形 〈歯が〉側生 [面生] の.
pol·y·pro·to·dont 形名 多門歯亜目の(動物).
se·le·no·dont 形 月状歯(性)の, 半月歯の, 月歯状の.
the·co·dont 名 〖古生物〗槽歯類.

-o·don·tia /ədánʃə | -dɔ́n-/

連結形 〖歯科〗…歯を持つ; (歯科で)…歯症.
★ 名詞をつくる.
★ 語末にくる関連形は -DONTIA, -ODON, -ODUS.
★ 語頭にくる関連形は odont(o)-: *odont*algia「歯痛」, *odonto*logy「歯科医学」.
◆ -ODONT＋-IA.

an·o·don·tia 名 無歯(症), 歯牙(しが)欠如.
mac·ro·don·tia 名 巨歯; 巨大歯型 [症].
mi·cro·don·tia 名 異常小歯, 歯牙異常矮小.
ol·i·go·don·tia 名 歯数不足, 部分的無歯症.
or·tho·don·tia 名 歯科矯正学.

-o·dus /ədəs, óudəs/

連結形 …のような歯があるもの.
★ -odont の異形.
★ 語末にくる関連形は -ODON, -ODONTIA.
★ 語頭にくる関連形は odont(o)-: *odont*algia「歯痛」, *odonto*logy「歯科医学」.
◆ <近代ラ<ギ *-odous*.

ce·rat·o·dus 名 〖魚類〗セラトダス.
Ma·chai·ro·dus 名 犬歯がよく発達したネコ科の動物.

-o·dy /ədi/

連結形 …詩, …歌.
★ 名詞をつくる.
★ 語末にくる関連形は -ODIC[2].
◆ <ギ *ōidḗ* 詩歌. ⇨ -Y[3].
[発音] すべて 3 音節の語で, 語頭の音節に第 1 強勢.

hym·no·dy 名 賛美歌 [聖歌] を歌う [作る] こと.
mon·o·dy 名 (ギリシャ悲劇の)独唱歌.
par·o·dy 名 もじり詩文, パロディー.
pros·o·dy 名 韻律学, 詩形論, 作詩法.
psal·mo·dy 名 (詠唱用の)詩篇作曲; 詩篇詠唱(法).
rhap·so·dy 名 狂詩曲, 狂想曲, ラプソディー.

thren·o·dy 名 《文語》(死者に対する)哀歌, 悲歌.

-o·dyne /ədàin/

連結形 痛み.
★ 語末にくる関連形は -ODYNIA.
◆ <近代ラ *-odynia* <ギ *oduníā* …の痛み.
[発音] 直前の音節に第1強勢.

a·ces·o·dyne 名形 =anodyne.
an·o·dyne 名 鎮痛剤. ── 形 鎮痛作用をする.

-o·dyn·i·a /ədíniə, ou-/

連結形 【医学】…痛(pain).
★ 名詞をつくる.
★ 語末にくる関連形は -ODYNE.
◆ <ギ *odyn-*(*odýnē*「苦痛」より)+*-ia* -IA.

ac·ro·dyn·ia 名 先端 [肢端] 疼痛(症).
car·di·o·dyn·i·a 名 心臓痛. ►cardialgia ともいう.
om·o·dyn·i·a 名 肩痛.
pleu·ro·dyn·i·a 名 側胸痛, 側痛, 側刺, 胸間筋痛.
pod·o·dyn·i·a 名 足裏 [足底] 痛.

-oe[1] /óu/

語尾 語末にくる同音形は -EW[4], -O[1], -O[2], -O[6], -OA, -OH, -OUGH[6], -OW[4], -OWE[2].

doe 名 (シカ・カモシカ・ヤギ・ウサギなどの)雌.
floe 名 氷盤(ice floe).
foe 名 《主に文語》敵意を抱く相手.
froe 名 《主に米》楔(くさび)形の刃を持つなた.
hoe 名 ☞
hoe 名 《米俗》妻, 女.
joe[1] 名 《スコット》《しばしば呼びかけに用いて》いとしい人, 恋人.
joe[2] 名 《米俗》コーヒー.
sloe 名 【植物】スロー.
throe 名 《文語》激痛; おこり, 病気の発作.
toe 名 ☞
voe 名 (Orkney 諸島と Shetland 諸島の)入り江.
whoe 名 《米俗》売春婦(whore).
woe 名 《文語》悲痛, 苦悩, 悲嘆, 悲哀.

-oe[2] /ú:/

語尾 語末にくる同音形は -AULT[2], -EW[3], -O[7], -OO[1], -OO[2], -OO[3], -OOH, -OU[1], -OUGH[7], -U[3], -UE[2].

loe 名動他自 《スコット》=love.
shoe 名 ☞

of /ʌ́v, ɑ́v | ɔ́v; 《弱》əv, 《特に子音の前で》ə/

前 …の, から, より, で.

hère·óf 副 これの, この文書の.
thère·óf 副 《文語》それの, それについて.
ùn·dréamed-òf 形 思いもよらない.
ùn·héard-òf 形 今まで聞いたことがない.
ùn·tálk·ed-òf 形 語られて [言及されて] いない.
ùn·thóught-òf 形 意外な, 思いがけない.
wéll-thóught-òf 形 尊敬されている, 評判のよい.
whère·óf 副 《古》《疑問副詞》何の, 何について.

-of /ɔ́f/

語尾 語末にくる同音形は -OFF[2], -OPH.

bof 名 《音楽俗》ベスト曲アルバム.
kof 名 クォフ(ק)(koph): ヘブライ語アルファベットの第19字.
prof 名 《話》教授(professor).

off /ɔ́:f, ɑ́f | ɔ́f/

副 取れて, 外れて, 離れて.
★ cut off, take off などの句動詞が名詞化して, cutoff, takeoff のような複合名詞ないし複合形容詞化することが多い.

ángle-òff 名 攻撃交差角.
Bake-Off 名 《商標》菓子作りコンテスト.
béer-óff 名 《英俗》酒類販売店.
bétter-óff 形 (特に経済的に)より裕福な.
blást·òff 名 【航空宇宙】ロケットの発射.
blów·òff 名 吹き出し.
bóil-òff 名 【ロケット】ボイルオフ, 沸きこぼれ.
bréak·òff 名 (突然の)停止, 中止.
brówned óff 形 《英俗》(…に)うんざりして.
brúsh-òff 名 《話》人に取り合わないこと.
búlly-òff 名 試合開始.
búmp·òff 名 《俗》殺人.
búrn-òff 名 (林などを)焼き払って開墾すること.
búy·òff 名 《話》買収, 抱き込み.
cást·òff 形 捨てられた, 脱ぎ [投げ] 捨てられた.
cénts-óff 形 《米》販売促進割引の.
chárge-òff 名 (不良債権などの)償却.
chéck·òff 名 給料からの労働組合費の天引き.
cóme-óff 名 《話》(計画などの)成果; 結果; (公演などの)打ち切り.
cóok·òff 名 料理コンテスト.
cóoling òff 割賦販売契約取消し保証制度.
cút·òff 名 切り離し, 切り取り, 切断; 中断.
dámping-óff 名 【植物病理】立ち枯れ病, 腰折れ病.
dáy òff 《話》非番 [休み] の日.
díe-òff 名 集団死.
doff 動他 《文語》〈着物・帽子などを〉脱ぐ.
dréss-òff 名 《米黒人俗》派手さを競うコンテスト.
dróp-òff 名 垂直な下降, 急斜面, 断崖(だんがい), 低下.
dúst·òff 名 《米軍俗》負傷兵輸送用ヘリ.
fáce-òff 名 【アイスホッケー】フェースオフ.
fáll·òff 名 (量・活力・視聴率などの)減少, 減退.
fár-óff 形 (時間的・空間的に)遠く離れた.
fénce-òff 名 【フェンシング】個人戦や団体戦の同点どうしの間で決着をつける試合.
flúff-off 名 《米軍俗》怠け者, 横着者.
flý·òff 名 【気象】蒸発散.
fréeze-óff 名 《俗》冷遇, 冷たくあしらうこと.
fúck·òff 名 《俗》(仕事を)さぼる人.
gét-òff 名 【ジャズ】即興演奏.
glóves-óff 形 《話》素手で扱う(ような); 手荒な.
gó-òff 名 《話》開始(時間); 出発(時間).
góof-òff 名 《俗》責任回避ばかりしている人.
hánd-òff 名 【アメフト】ハンドオフ.
hánds-óff 形 不干渉(主義)の.
hárd òff 《俗》鈍感な人.
híve-òff 名 《英》【商業】=spin-off.
hóp-òff 名 《俗》離陸.
ín-òff 名 (英国式ビリヤードで)ハザード.
jáb-òff 名 《米麻薬俗》麻薬注射(液).
jácked óff 形 《俗》いらいらした, 怒った.
jáck-òff 名 《米俗》マスかき野郎.
jag·off 名 《米俗》=jack-off.
jérk-òff 名 《米俗》マスターベーションをする人.
júmp-òff 名 跳び降りること.
kíck·òff 名 【アメフト】キックオフ.
kíss-òff 名 《米俗》お払い箱, 縁切り, 解雇.
knóck·òff 名 《話》仕事を中断すること.
láy·òff 名 レイオフ, 一時解雇, 臨時休職.
léad·òff 名 開始(の行為), 着手.
léad-òff 形 初めの, 最初の, 一番目の.
lét-òff 名 (義務・刑罰などを)免れること.
lével-óff 名 【航空】レベルオフ.

líft·òff 名 〘航空〙〘ロケット〙離昇, 上昇.
lóg·òff 名 〘コンピュータ〙ログ・オフ.
míd óff 〘クリケット〙ミッドオフ.
míd wícket óff 〘クリケット〙＝mid off.
náffed-óff 形 《英俗》腹を立てた, いらいらした.
nóises óff 舞台裏から発する効果音.
óne-óff 形名 《英》1 人 [1 回] 限りの(もの).
ón-óff 形 〘電気〙〈スイッチなどが〉オンオフの.
páir-òff 名 《米俗》2 つに分けること.
párt-òff 名 《カリブ英語》(食堂などの)間仕切り.
páy·òff 名 (給料・借金・掛け金などの)支払い.
péel-òff 形 〈ラベルなどが〉台紙からはがして用いる方式の.
píck-òff 名 〘野球〙(ランナーの)刺殺.
píss-òff 名 《米俗》頭に来ること, 怒り.
pláy-òff 名 プレーオフ.
póp·òff 名 《米俗》分別なく文句を言いまくる人.
púll-òff 名 道路わきに車を寄せること.
púsh-òff 名 (オールで岸を突いて)船を出すこと.
pút·òff 名 出発, 延期.
ráke-òff 名 《話》《通例軽蔑的》不正利得.
ríp-òff 名 《米俗》盗み; 詐欺; 泥棒, 詐欺師.
rólled-òn-róll-òff 形 〈フェリーなどが〉トラックなどをそのまま乗降させられる.
róll-òff 名 〘電子工学〙ロールオフ.
róund-òff 形 〘数学〙丸め(の過程)に関する.
rúb·òff 名 こすり落とす [こすれ落ちる] こと.
rún·òff 名 流出液体.
sáil·òff 名 《米》帆走 [ヨット] 競走.
sáwed-òff 形 《米》(散弾銃・ほうきの柄などの)先端を切り詰めた.
sáwn-óff 形 ＝sawed-off.
scréw-òff 名 《俗》怠け者, ぐうたら.
séll-òff 名 〘株式〙セルオフ.
sénd-òff 名 《話》見送り, 送別(会).
sét·òff 名 (損失などの)埋め合わせ, 補償.
sháke-òff 名 〘物理〙シェークオフ.
shóot-òff 名 ライフル射撃の優勝決定戦.
shów-òff 名 見せびらかす人, 誇示癖のある人.
shút·òff 名 止めるもの(栓, 口金など).
síɡn-òff 名 (1 日の)放送終了.
sláck-òff 名 《話》手を抜くこと, (仕事の)サボり.
snáp-òff 形 (パチンと音をたてて)取り外せる.
snóre-òff 名 《豪・NZ 俗》(飲んだあとの)一眠り.
spín-òff 名 〘商業〙スピン・オフ.
splít-òff 名 切り離すこと, 分離.
squáre-òff 名 身構えること, けんか腰, 対決姿勢.
stánd·òff 名 《米・カナダ》離れていること; 孤立.
stép-òff 名 急激な転落, 墜落.
stóp-òff 名 (旅の途中で)ちょっと立ち寄ること.
stríke-òff 名 〘印刷〙凸版からの校正刷り.
súck-òff 名 《米俗》見下げはてたやつ.
súgaring óff 《米》カエデ糖作り.
swítched-òff 形 《米俗》時流 [慣習] にとらわれない.
swítch-òff 名 (動力などの)スイッチを切ること.
táil-òff 名 (需要などの)減少, 先細り.
táke·òff 名 出発(点); 離陸(地点).
táp-òff 名 〘バスケット〙＝tipoff.
téar-òff 形 〈ページなどが〉はぎ取り式の.
téed-òff 形 《俗》頭にきた, 怒った.
tèlling-óff 名 《話》しかること(scolding).
thrów-òff 名 (一般に)開始, 出発.
tícking óff (人を)しかること.
tíck-òff 名 占い; 易者.
tíme-òff 名 (仕事・学校などの)休み [欠席].
típ·òff 名 〘バスケット〙ティップオフ.
típ-òff 名 《話》内密の情報を与えること; 内報.
tóp-òff 名 《豪俗》《通例おどけて》告げ口をする人.
tóss-òff 名 《卑》自慰, マスターベーション.
tráde-òff 名 (妥協をもたらすための)相殺取引.
túrned-óff 形 《俗》麻薬を使っていない.
túrn·òff 名 《主に米》脇道(わきみち), 枝道.
wálk-òff 名 《話》(徒歩による)脱走者, 脱獄人.
wáve-òff 名 (飛行機に出される)着艦中止合図.
wéll-óff 形 裕福な, 富裕な.
wríte-òff 名 帳消し.

-off[1] /ɔ́ːf/

語尾 coff, koff は擬声語. ◇ -OFF[2].

coff 名 咳(せき); 咳払い, コンコン.
doff 動他 《文語》〈着物・帽子などを〉脱ぐ.
goff 名 《英俗》ばか話, ほら話.
koff 名 ＝coff.
off 副 ☞
scoff[1] 動自 (…を)あざ笑う, ひやかす.
scoff[2] 動他 《俗》がつがつ食う; 飲む.
snoff 名 《米俗》週末だけのガールフレンド.

-off[2] /ɑ́f | ɔ́f/

語尾 一部に coff, scoff[1,2] のように音象徴が認められる.
★ 語末にくる同音形は -OF, -OPH.

boff 名 〘演劇〙大当たり, 大入り.
choff 名 《米俗》食べ物.
coff 名 咳(せき); 咳払い, コンコン.
doff 動他 《文語》〈着物・帽子などを〉脱ぐ.
koff 名 ＝coff.
off 副 ☞
scoff[1] 動自 (…を)あざ笑う, ひやかす.
scoff[2] 動他 《俗》がつがつ食う; 飲む.
shroff 名 (インドで)銀行家, 両替屋.
sploff 名 《米俗》マリファナタバコの一吸い.
toff 名 《英話》しゃれ者, めかし屋.

of·fend·er /əféndər/

名 違反者; (法律上の)犯罪人. ⇨ -ER[1].

fírst offénder 初犯者.
státus offènder 《米》不良行為犯.
yóuthful offénder 青少年犯罪者.

of·fen·sive /əfénsiv/

形 不快な, いらいらさせる, 腹立たしい. ──名 攻撃態勢, 攻撃側, 攻撃的態度. ⇨ -IVE[1].

chárm offénsive (特に政治活動での)懐柔策 [攻勢].
count·er·of·fen·sive 名 〘軍事〙反攻, 攻勢移転.
ìn·of·fén·sive 形 害のない; 気に障らない, 怒らせない.
péace offènsive 〘政治〙平和攻勢.
pràwn cocktail offénsive 《英》「エビ・カクテル作戦」: 1992 年の総選挙中に, 当時の影の内閣(労働党)の大蔵大臣 John Smith が, 自党の予算政策を金融界の大立物に納得させるため, ビュッフェランチに招いて話し合ったキャンペーンをユーモラスに形容.
Tét offènsive (ベトナム戦争における)テト攻勢.
ùn·of·fén·sive 形 ＝inoffensive.

of·fer /ɔ́ːfər, ɑ́f- | ɔ́fə/

動他 …を提供する, 申し出る. ──名 申し出. ⇨ -FER.

condítional óffer 条件付き申し出 [申し込み].
cóunt·er·òf·fer 名 対抗 [反対] 措置としての申し出.
gódfather óffer 《英話》被買収会社が株主に思いとどまらせることができないほど高額な公開買い付け.
pútter-óffer 《米俗》(物事を)先に延ばす人.

O

rè·óf·fer 動他 再び申し出る.
sóft òffer ソフト・オファー: 雑誌などの無料購読や返品などによる予約購読の勧誘方法.
ténder òffer 《米》株式公開買い付け.

of·fer·ing /ɔ́ːfəriŋ, ɑ́f-|ɔ́f-/

名 **1**(神への)奉納, 供儀; ささげ物. **2**(教会への)献金. **3**《古/おどけて》贈り物. **4** 売り物; 提供物[作品]. ⇨ -ING[1].

búrnt óffering 燔祭(はんさい): 祭壇上で焼いて神にささげるいけにえ.
fréewíll òffering (宗教上の)自発的寄付, 自由献金.
héave óffering (古代イスラエルの, 高く持ち上げ揺り動かしてささげる)揺祭(ようさい).
méal òffering 【聖書】=meat offering.
méat òffering 【聖書】素祭.
péace òffering 和平[和解]のための贈り物.
públic óffering (証券の)公募.
sécondary óffering 【証券】(既発行証券の)再売り出し.
sín òffering 罪の贖(あがな)いの供物[いけにえ].
thánk òffering (神への)感謝のささげ物[贈り物].
wáve òffering 【聖書】揺祭(ようさい).

of·fice /ɔ́ːfis, ɑ́f-|ɔ́f-/

名 **1**(会社員の勤める)事務所, オフィス, 会社, 営業所; 《英》保険会社. **2**(米国政府の)庁, 局, 部; (英国政府の)省. **3**【キリスト教】⑴祈祷(きとう)式次第. ⑵聖務日課. ⇨ -FICE.

ássay òffice 鉱石分析所.
báck óffice (証券会社などの)非営業(事務)部門.
bóoking òffice 《英》=ticket office.
bóx òffice (劇場・スタジアムなどの)切符売り場.
bóx-òffice 形 切符売り場の; 興行成績の.
bránch òffice 支店, 分局, 分館.
búsiness òffice 事務所, 営業所, オフィス.
Cábinet Òffice 《英》内閣事務局.
Circumlocútion Òffice 繁文縟礼(はんぶんじょくれい)局: 役所の呼び名.
cóach òffice 駅馬車の出札所.
Colónial Òffice (英国の)植民省.
Crówn Òffice 【英法】王座裁判所刑事事務部.
cústom òffice 税関(事務所).
déad-létter óffice (郵便局の)配達還付不能郵便係.
divíne óffice 【教会】聖務日課の内容.
eléctronic óffice 電子式オフィス.
Emplóyment òffice 《英》(公的な)職業紹介所, 職業安定所.
fíeld póst òffice 野戦郵便局.
fíre òffice 《英》火災保険会社.
Fóreign and Cómmonwealth Òffice 《英》外務(連邦)省.
fóreign òffice 《英》外務省.
frónt óffice 《米》総務室, 事務総局; 首脳部.
Héralds' Óffice スコットランドの紋章局の俗称.
Hóly Óffice 【ローマカトリック】検邪聖省.
hóme óffice (会社の)本店, 本社.
inquíry òffice 《英》案内所, 受付.
intélligence òffice 情報局, 情報部, 諜報(ちょうほう)部.
in·ter·of·fice 形 各部課間の, 社内機構の, 会社内の.
Jáck-in-òffice もったいぶった[威張った]小役人.
láck-in-óffice 公職を求める人, 猟官する人.
lánd òffice 《米・カナダ》公[国]有地管理事務所.
léft-lúggage òffice 《英》手荷物(一時)預かり所.
líttle óffice 【ローマカトリック】(聖母マリア)小聖務日課.
lóan òffice 金融事務所.
Mét Òffice 《英》気象庁(Meteorological Office).
níght òffice 【キリスト教】深夜祈祷(きとう).
Óval Óffice (米国 White House 内の)大統領執務室; 米大統領の職.
pátent òffice 特許局.
políce òffice 《英》(市・町の)警察署.
póst òffice 郵便局.
póst-òffice 形 郵便の; 郵便局の; 郵政省の.
préss òffice (政府・大企業内などの)報道局.
prínting òffice 印刷所, 印刷工場.
Públic Récord Òffice (英国 London の)公文書館.
Récord Óffice =Public Record Office.
régister òffice =registry office.
régistry òffice 《英》戸籍役場.
shípping-òffice 回漕(かいそう)業事務所.
stámp-òffice 《英》印紙局.
Státionery Òffice 《英》政府刊行物発行所.
sùb-póst òffice 《英》民間受託郵便局.
tícket òffice 《米》出札所, 切符売場.
U.S.Attórney Òffice 米連邦地検.
víctualling òffice 【英海軍】軍需部食糧局.
vírtual òffice 仮想オフィス: 分散している雇用者や自由契約社員間を, 遠隔通信で接続する疑似オフィス.
Wár Òffice (昔の英国の)陸軍省.

of·fic·er /ɔ́ːfisər, ɑ́f-|ɔ́fisə/

名 **1** 将校, 士官, 武官. **2** 警官. **3** 高級船員. **4** 公務員. **5** 役員. ⇨ -ER[2].

áir òfficer 【米海軍】(空母の)航空司令.
atténdance òfficer =truant officer.
bóarding òfficer 船内臨検士官[税関吏].
bránch òfficer 【英海軍】(1949 年以降の)准尉.
Caréers Òfficer 《英》職業指導教官.
Chíef Edúcation Òfficer 《英》(地区教育局の)教育局長.
chíef exécutive òfficer 最高経営責任者, 社長, 会長(CEO).
chíef fináncial ófficer 最高財務責任者(CFO).
chíef informátion òfficer 最高情報責任者(CIO).
chíef óperating òfficer 最高業務責任者(COO).
cláss òfficer 《米》学級委員.
commánding ófficer 【陸軍】部隊指揮官, 部隊長.
commíssioned ófficer (陸・海軍の)将校, 士官, 幹部.
cómpany òfficer 【陸軍】【海軍】(中隊勤務の)尉官, 中隊付き将校.
corréctional ófficer 刑務所員, (特に)看守.
corréction òfficer =correctional officer.
déck òfficer 【海事】甲板部士官.
dírty òfficer 《米軍俗》当番士官.
dúty òfficer 当直将校[警官].
enginéer òfficer 【軍事】(陸軍で)工兵士官.
exécutive òfficer 【海軍】副長(►艦長の下).
fíeld òfficer 【陸軍】佐官級の将校, 佐官.
fírst òfficer 一般航海士.
flág òfficer 海軍将官.
flíght òfficer 《米》(第二次世界大戦中の)空軍将校.
flýing òfficer (英国・オーストラリア・カナダの)空軍中尉.
géneral òfficer 将官.
héalth òfficer 保健課[局, 所]員, 衛生(担当)官.
intélligence òfficer 情報将校, 情報士官.
júvenile òfficer 少年少女の補導警官.
láw òfficer 法務官; 《英》法務長官[次官].
líne òfficer (陸軍・海軍の)兵科将校, 戦列将校.
médical òfficer 【米海軍】軍医官.
méssing òfficer 【軍事】食事会計担当士官.
nával òfficer 海軍将校.
návigating òfficer 【海事】航海長; 航海士.
nóncommissioned ófficer 【軍事】(陸軍の)下士官.
núrsing òfficer 《英》(病院の)婦長.
órderly òfficer 【英軍事】(陸軍の)部隊日直将校.
péace òfficer 治安官(保安官, 警察官など).
pétty òfficer 【米海軍】下士官の総称.

pílot òfficer 〘英空軍〙少尉.
políce òfficer 警察官.
probátion òfficer 保護観察官.
públic òfficer 公務員.
relíeving òfficer 〘英史〙(行政区(連合)に任命された)救貧官.
resérve òfficer 予備役将校.
retúrning òfficer 《英・カナダ・豪》選挙管理委員.
ródent òfficer 《英》捕鼠官.
schóol atténdance òfficer 《もと》教育監督官.
schóol wélfare òfficer 《英》学校福祉職員.
secúrity òfficer 公安[保安]警官.
stáff òfficer 〘軍事〙参謀将校, 幕僚.
supplý òfficer (兵站(へいたん)部の)補給将校.
tráffic òfficer 《NZ》交通係官.
trúant òfficer 《米》無断欠席生徒補導員.
ùn·der·óf·fi·cer 動他 …に士官を不十分に配備する.
wárrant òfficer 〘軍事〙《米》下級准尉; 《英》准尉.
wátch òfficer 〘海軍〙当直士官.
wélfare òfficer =probation officer.

of·fi·cial /əfíʃəl/

名 (政府の)役人; (会社・団体などの)役員. ――形 **1** (当局から)公認された, 公式の, **2** 官職に就いている. ⇨ -IAL.

non·of·fi·cial 形 非公式の; 〘薬学〙局方外の.
semi·of·fi·cial 形 半公式の, 半官的な.
un·of·fi·cial 形 公式でない, 非公認の.

-oft /ɔ́ːft, ɑ́ft | ɔ́ft/

語尾

croft[1] 名 《英》小作地.
croft[2] 名 携帯用小型整理戸棚.
loft 名 ☞
oft 副 しばしば, ひんぱんに, たびたび.
soft 形 柔らかい, しなやかな, 柔軟な.

-og[1] /ɑ́g | ɔ́g/

語尾 bog[1], clog, sog などは停滞や重みの音象徴をもつ; fog と smog には重い湿り気と広がりを感じる人がいる; flog, slog は重い打撃をさし, jog[1], mog[1], trog[1] は重い足取りや揺れる動きをさす; また小さなもの, 道具, かたまりをさす語がある; さらに短縮語の語尾をなす.
★ 語末にくる同音形は -OGG.

bog[1] 名 ☞
bog[2] 名 《英俗》便所, 洗面所(《米》john).
clog 動他 〈機械などの〉動きを(ねばねばしたもの・ほこりなどで)妨げる.
――名 木靴.
cog[1] 名 《俗に》はめ歯歯車の歯.
cog[2] 動他 《俗》〈さいころを〉細工する.
cog[3] 名 〘木工〙ほぞ, (木のとき)腮(あご).
cog[4] 名 (中世の)一本マストの商船.
dog 名 ☞
flog 動他 …を(むち・杖(つえ)で)強く打つ.
fog 名 ☞
frog[1] 名 ☞
frog[2] 名 フロッグ: 上着の装飾的な留め金.
frog[3] 名 〘鉄道〙フロッグ, 轍叉(てっさ).
frog[4] 名 〘動物〙蹄叉(ていさ).
grog 名 グロッグ酒.
hog 名 ☞
jog[1] 動他 …を揺り動かす, ぐいと動かす.
jog[2] 名 (線や面の)凸凹, ぎざぎざ; 出っ張り.
log[1] 名 ☞
log[2] 名 ☞
-log 連結形 ☞
mog[1] 動自 とぼとぼ行く, 立ち去る.
mog[2] 名 《英俗》猫(moggy).
nog[1] 名 《米》エッグノッグ(eggnog).
nog[2] 名 木れんが.
og 名 《豪・NZ 俗》シリング.
prog[1] 動自 《英俗》(食べ物などを)あさり回る.
prog[2] 名 《英学生俗》(Cambridge, Oxford 両大学の)学生監(proctor).
prog[3] 名 《英俗》進歩的な人, 革新主義者(progressive).
scrog 名 《スコット・北イング》(野生リンゴやサンザシなどの)低木.
slog 動他 (ボクシング・クリケットなどで)…を強打する.
smog 名 ☞
snog 動自 《英話》キスして愛撫(あいぶ)する.
sog 動自 (水・液体に)つかる, 浸る(soak).
sprog 名 《英俗》がき, 赤ん坊.
throg 動自 《米俗》酒を飲む.
tog 名 《話》上着(coat).
trog[1] 動自 《英話》重い足取りで歩く.
trog[2] 名 《英俗》堅苦しい人, 時代遅れの人.
wog[1] 名 《主に英俗》(中東・東南アジア諸国の)非白人.
wog[2] 名 《豪俗》バイキン, 寄生虫; 害虫.

-og[2] /ɔ́ːg/

語尾 ◇ -OG[1].

bog[1] 名 ☞
bog[2] 名 《英俗》便所, 洗面所(《米》john).
clog 動他 〈機械などの〉動きを(ねばねばしたもの・ほこりなどで)妨げる.
cog[1] 名 《俗に》はめ歯歯車の歯.
cog[2] 動他 《俗》〈さいころを〉細工する.
cog[3] 名 〘木工〙ほぞ, (木のとき)腮(あご).
cog[4] 名 (中世の)一本マストの商船.
dog 名 ☞
flog 動他 …を(むち・杖(つえ)で)強く打つ.
fog 名 ☞
frog[1] 名 ☞
frog[2] 名 フロッグ: 上着の装飾的な留め金.
frog[3] 名 〘鉄道〙フロッグ, 轍叉(てっさ).
frog[4] 名 〘動物〙蹄叉(ていさ).
hog 名 ☞
log[1] 名 ☞
log[2] 名 ☞
-log 連結形 ☞
smog 名 ☞
sog 動自 (水・液体に)つかる, 浸る(soak).
sprog 名 《英俗》がき, 赤ん坊.

-ogg /ɑ́g | ɔ́g/

語尾 語末にくる同音形は -OG[1].

hogg 名 《英》〘海事〙(船底を掃除する)ほうき, 刷毛(はけ)(hog).
nogg 名 〘木工〙(だぼ・木釘(きくぎ)・取っ手を作る)削り道具.

-og·gle /ɑ́gl | ɔ́gl/

音象徴 よろめきやぐらぐらするさまを表す; goggle はぎょろぎょろという感じからきている. ◇ -LE[3].

bog·gle[1] 動他 びっくり仰天させる, 圧倒する.
bog·gle[2] 名 お化け, 幽霊, 怖いもの(bogle).
cog·gle 動自 《スコット》よろめく, ぐらつく.
gog·gle 名 (防風用・潜水用などの)ゴーグル.
pog·gle 形 《英軍俗》狂った; 酔った.
tog·gle 名 (綱の端の輪や鎖の輪などに通した)留め釘(くぎ), 留め棒, トグル.

O

wog·gle 名 (ボーイスカウトのネッカチーフを通す)革の環.

-o·gle /óugl/

語尾 bogle と ogle は -oggle と同様の音象徴をもつ.
◇ -LE[3].

bo·gle 名 お化け, 幽霊; 怖いもの.
fo·gle 名 《俗》絹のハンカチ.
o·gle 動他 …に色目を使う, 秋波を送る.

-ogue /óug/

語尾

bogue[1] 名 《米方言》小川, 細流.
bogue[2] 動自 〘海事〙〈帆船が〉風下にそれる傾向がある, 風下に落ちる.
bogue[3] 形 《米俗》麻薬が切れて[必要な].
bogue[4] 形 《米俗》(十代の間で)むかつく.
bogue[5] 名 《米俗》(高校生の間で)タバコ.
brogue[1] 名 アイルランド訛(なま)り.
brogue[2] 名 ブローグ: 靴の一種.
brogue[3] 名 《スコット》ごまかし; いたずら.
drogue 名 〘海事〙バケツ型海錨(かいびょう).
rogue 名 不正を働く者, 詐欺師; 悪漢, 悪党.
togue 名 《カナダ》レイクトラウト(lake trout): 大形のイワナ.
vogue 名 流行(の型), 流行品; 流行の期間.

oh /óu/

間 《驚き・苦痛・失望・喜びなどを表して》おお, おや, まあ, あら. ►o の異形.

bil·ly-oh 名 《英話》猛烈に, 激しく.
bot·tle-oh 名 《豪・NZ 話》空き瓶回収業者.
good-oh 間 《英話》《賛同・賞賛などの意を表して》結構だ, よろしい, うまい. ——形 《主に豪》よい(good). ——副 《主に豪》よろしい, はい, そのとおり.
heave-oh 名 《話》(恋人を)捨てること; 追放.
oh-oh 間 《失敗・不運などを表して》あれれっ, おっとっと, いけないっ.
uh-oh 間 =oh-oh.

-oh /óu/

語尾 主として間投詞.
★ 語末にくる同音形は -EW[4], -O[1], -O[2], -O[6], -OA, -OE[1], -OUGH[6], -OW[4], -OWE[2].

boh 間 ばあ(驚かすときの声)(bo).
foh 間 《軽蔑・嫌悪を表して》ふふん, へっ
oh[1] 間 ☞ (faugh).
oh[2] 名 ゼロ, 零(zero).
soh 間 《古》=so.

ohm /óum/

名 〘電気〙オーム. ►電気抵抗の mks 単位; 記号 Ω. ►ドイツの物理学者 G.S. Ohm の名にちなむ.

ab·óhm 名 〘電気〙アブ[絶対]オーム.
acóustic óhm 〘音響〙音響オーム.
még·òhm 名 〘電気〙メグオーム.
mí·cròhm 名 〘電気〙マイクロオーム.
míl·li·òhm 名 〘電気〙ミリオーム.
recíprocal óhm 〘電子〙ジーメンス(siemens).
stát·òhm 名 〘電気〙スタットオーム, 静電オーム.

-o·hol·ic /əhɔ́:lik, əhál- | əhɔ́l-/

連結形 -aholic の異形.

blood·o·hol·ic 名 血を欲する人.
Coke·o·hol·ic 名 コカコーラ中毒者.
food·o·hol·ic 名 過食症の人; 大食漢(foodaholic).

-oi /ɔi/

接尾辞 ギリシャ語の男性名詞複数形語尾.

myth·oi 名複 mythos「神話」の複数形.
na·oi 名複 naos「神殿, 寺院」の複数形.
-och·ro·i 連結形 ☞
pol·loi 名複 民衆, 大衆, 庶民(hoi polloi). ►単数形はギリシャ語で *polýs*.

-oick /ɔ́ik/

語尾 音象徴的な語と間投詞をつくる.

hoick[1] 動他 《英話》ぐいと引っ張る[上げる].
hoick[2] 動自 《英俗》つばを吐く.
hoick[3] 間 《(キツネ狩りで)猟犬をけしかける掛け声》それっ.
oick 名 《英俗》うすのろ, 野卑な男(oik).

-oid[1] /ɔid/

接尾辞 …に似た, …まがい, もどき, …のような.
★ 形容詞, 名詞をつくる.
★ 語末にくる関連形は -OIDEA.
◆ <近代ラ *-oīdēs* <ギ *-oeidēs* …の形をしている.

〈**1**〉状態[材質]が…のような(もの).
am·ber·oid 名 アンブロイド, 人工琥珀(こはく).
am·broid 名 =amberoid.
a·myg·da·loid 名 〘岩石〙杏仁(きょうにん)状岩.
as·bes·toid 形 石綿状の, 石綿様の.
cel·lu·loid 名 セルロイド.
crys·tal·loid 名 晶質: 結晶可能な物質.
de·man·toid 名 〘鉱物〙翠(すい)ざくろ石.
de·moid 形 〘地質〙〈化石が〉豊富な.
eu·tec·toid 形 〘冶金〙亜共晶の, 共析の.
feld·spath·oid 形 〘鉱物〙准長石の.
ga·lac·toid 形 乳に似た, 乳状の.
ge·lat·i·noid 形 ゼラチン状[様]の.
gneiss·oid 形 〘鉱物〙片麻岩に似た, 片麻岩状の.
gran·it·oid 形 〘鉱物〙花崗(こう)岩に似た.
graph·i·toid 形 〘鉱物〙グラファイト状の.
he·ma·toid 形 =hemoid.
he·moid 形 血のような, 血性の.
ker·a·toid 形 =ceratoid.
lip·oid 形 脂肪性[質]の; 脂肪に似た.
lith·oid 形 石状[石質]の.
met·al·loid 名 非金属.
min·er·al·oid 名 〘鉱物〙準鉱物, ミネラロイド.
myx·oid 形 粘液性の, 粘液状[様]の.
par·af·fin·oid 形 パラフィンに似た[状の].
pin·a·coid 名 〘結晶〙ピナコイド, 卓面.
plat·i·noid 形 白金に似た, 白金状の.
por·phy·roid 名 〘鉱物〙斑状(はんじょう)変成岩.
res·in·oid 形 樹脂のような, 樹脂性[様]の.
sac·cha·roid 形 〘地質〙〈岩石が〉砂糖状の.
si·a·loid 形 唾液(だえき)のような, 唾液状の.
vis·coid 形 やや粘着性の, 多少ねばねばした.
xy·loid 形 木質の; 木材に似た, 木材状の.
zinc·oid 名 電池の陽極.
〈**2**〉形状が…のような(もの).
a·can·thoid 形 とげのある; とげ状の.
ac·ti·noid 形 放射線状の.
a·rach·noid 形 クモの巣状の.
bal·a·noid 形 どんぐり形の.
bel·o·noid 形 針状の, 錐(きり)状の.
can·nel·oid 形 燭炭(しょくたん)に似た.

cer·a·toid 形 角のような, 角状の; 角質の.

cu·boid 形 立方形の, さいころの形をした.

cy·cloid 形 円形 [環状] の.

cyl·in·droid 名 楕円(だえん)柱.

cy·moid 形 波刳形(くりかた)のような.

den·droid 形 樹(木)状の, 樹枝状の.

den·toid 形 歯状の, 歯のような.

dis·coid 形 平らで丸い, 円盤状の, 平円形の.

ep·i·der·moid 形 表皮に似た, 表皮状の, 類表皮の.

fe·cal·oid 形 糞(ふん)様の.

glo·boid 形名 ほぼ球状の(物体).

hel·i·coid 形 らせん形 [状] の.

ich·thy·oid 形 魚のような, 魚形 [状] の.

lamb·doid 形 ギリシャ文字ラムダの大文字(Λ)形の.

o·don·toid 形 歯の; 歯状の, 歯形の.

or·ni·thoid 形 鳥に似た.

os·te·oid 形 骨に似た, 骨様の, 骨状の.

o·void 形 卵形の.

pen·tag·o·noid 形 五角形状の.

phyl·loid 形 葉のような, 葉状の.

rhi·zoid 形 根のような, 根状の.

rhom·boid 名形 偏菱形(の); ひし形(に似た).

scaph·oid 形 舟形 [状] の.

sig·moid 形 S 字形の, S 字形の.

sper·ma·toid 形 精子に似た, 精子状の.

sphe·noid 形 楔(くさび)状の.

spi·roid 形 らせん形をした, 渦巻き状の.

tab·loid 名 タブロイド(判)紙.

trich·oid 形 毛髪状の, 毛状の.

tu·boid 形 管状 [円筒形] をした.

〈**3**〉…支持の(人), …に属する(人).

Clin·to·noid 名 クリントン(第 42 代米国大統領)支持者.

New·toid 名 Newton Gingrich(米国共和党下院議員)支持者.

phi·lan·thro·poid 名 慈善 [博愛] 団体の職員.

punk·oid 名形 《米俗》 パンクロック歌手(の).

〈**4**〉人類・生物関連用語.

ac·a·roid 形 ダニに似た, ダニのような.

al·goid 形 〘植物〙 藻 [藻類] に似た.

al·lan·toid 形 〘発生〙〘動物〙 尿嚢(にょうのう)の.

a·me·boid 形 〘動物〙 アメーバ類縁の.

A·mer·i·can·oid 名形 類アメリカインディアン(の).

am·mo·noid 名 〘古生物〙 アンモナイト類, 菊石類.

a·moe·boid 形 〘動物〙 =ameboid.

an·droid 名 アンドロイド, 人造人間.

an·thro·poid 形 〈動物が〉 人間に似た, 類人の.

ar·oid 形 〘植物〙 マムシグサ亜科の.

Aus·tra·loid 名 〘人類〙 オーストラロイド.

bac·te·ri·oid 名 〘細菌〙 =bacteroid.

bac·ter·oid 名 〘細菌〙 バクテロイド, 仮細菌.

ban·toid 形 バンツー族の.

blen·ni·oid 形 〘魚類〙 ギンポに似た.

bos·ko·poid 形 ボスコプ人の.

ca·ly·coid 形 〘植物〙 萼(がく)に似た.

ca·ran·goid 形 〘魚類〙 アジ科の魚に似た.

Cau·ca·soid 形名 〘人類〙 コーカソイド [白色人種] の.

-cer·coid 連結形 ☞

ces·toid 形 条虫(状)の.

clu·pe·oid 形 〘魚類〙 ニシン科の魚に似た.

coc·coid 形 球菌に似た; 球状の.

cor·a·coid 形 〘解剖〙〘動物〙 烏口(うこう)状の.

cor·al·loid 形 サンゴ状の.

cos·moid 形 〘動物〙 〈鱗(うろこ)が〉 コズミン質の.

cri·noid 名 〘動物〙 ウミユリ.

cte·noid 形 〘動物〙 櫛(くし)の歯状の.

cy·cad·e·oid 名 〘古生物〙 キカデオイデア.

cyp·ri·noid 形 〘魚類〙 コイに似た.

del·phi·noid 形 〘動物〙 イルカ類の; イルカに似た.

des·moid 形 〘解剖〙〘動物〙 線維様の.

e·chi·noid 形 〘魚類〙 ウニ綱の.

ech·i·u·roid 名 〘動物〙 ユムシ(螠).

el·e·phan·toid 形 象の(ような).

el·y·troid 形 〘昆虫〙 さやばねのような.

em·bry·oid 名 〘生物〙 胚(はい)様体, 不定胚.

en·do·car·poid 形 〘植物〙 〈地衣類が〉 子実体内生の.

eq·ui·se·toid 名 〘植物〙 トクサ類, 楔葉(けいよう)類.

er·i·coid 形 〘植物〙 〈葉が〉 ヒースに似た.

fu·coid 形名 〘植物〙 ヒバマタに似た(海藻).

ga·doid 形 〘魚類〙 タラ科の.

gan·oid 形 〘魚類〙 硬鱗(こうりん)類の.

go·bi·oid 形 〘魚類〙 ハゼの; ハゼに似た.

hel·min·thoid 形 〘動物〙 蠕虫(ぜんちゅう)状の.

hi·ru·di·noid 形 ヒル(蛭)の; ヒルのような.

hom·i·noid 形名 〘人類〙 ヒト上科の(一員).

hu·man·oid 形 人間に似た; ロボットの.

hy·droid 形 〘動物〙 ヒドロポリプ形の.

hy·e·noid 形 ハイエナに似た.

hy·oid 形 〘解剖〙〘動物〙 舌骨の.

hy·ra·coid 形 ハイラックスの, イワダヌキの.

i·sid·i·oid 形 〘植物〙 裂芽の; 裂芽状の.

lem·u·roid 形 キツネザルに似た.

li·chen·oid 形 〘植物〙 地衣に似た.

lim·u·loid 名形 カブトガニ(に似た).

lum·bri·coid 形 ミミズ状の, ミミズに似た.

me·du·soid 形 クラゲのような, クラゲ状の.

mol·lus·coid 形 〘動物〙 擬軟体動物門の.

Mon·gol·oid 形 〘人類〙 モンゴロイド.

nau·ti·loid 名 〘魚類〙 オウムガイ目の軟体動物.

Ne·an·der·thal·oid 形 〘人類〙 ネアンデルタール人に似た.

Ne·groid 形 〘人類〙 ニグロイドの, 黒色人種の.

nu·cle·oid 名 〘微生物〙 核様体, ヌクレオイド.

ob·o·void 形 〘植物〙 〈果実が〉 倒卵形の.

oph·i·ur·oid 名 〘動物〙 クモヒトデ類, 蛇尾類.

par·a·sit·oid 名 捕食寄生者 [寄生バチ].

pa·ro·toid 名 〘動物〙 耳腺(せん).

per·coid 形 〘魚類〙 スズキ亜目の.

pet·al·oid 形 〘植物〙 花弁の形をした, 花弁状の.

pith·e·can·thro·poid 形 〘人類〙 ピテカントロプスに似た.

pith·e·coid 形 〘動物〙 オマキザル科サキ属の.

plac·oid 形 〘魚類〙 〈鱗(うろこ)が〉 板金状の.

pter·i·doid 形 〘植物〙 シダ(羊歯)の.

Rho·de·soid 形 〘人類〙 ローデシア人に似た.

sal·a·man·droid 形 〘魚類〙 サンショウウオの.

sal·mo·noid 形 〘魚類〙 サケに似た.

scar·a·bae·oid 形 〘昆虫〙 スカラベに似た.

sci·ae·noid 形 〘魚類〙 ニベ科の.

scin·coid 形 〘動物〙 トカゲの; トカゲに似た.

sci·u·roid 形 〘動物〙 リス科の; リスに似た.

scle·roid 形 〘生物〙 硬い, 硬質の, 硬変した.

scom·broid 形 〘魚類〙 サバに似た.

scor·pae·noid 形 〘魚類〙 カサゴ科に似た.

scor·pi·oid 形 サソリに似た.

sel·a·choid 形 〘魚類〙 サメに似た; サメの.

se·pal·oid 形 萼状(がくじょう)片の, 萼片状の.

ser·ra·noid 形 〘魚類〙 ハタ科の魚の.

si·lu·roid 名 〘魚類〙 ナマズ類.

spar·oid 形 〘魚類〙 タイ科の; タイに似た.

squa·loid 形 〘魚類〙 サメに似た.

stro·ma·te·oid 形 〘魚類〙 イボダイ科の.

sty·loid 形 〘植物〙 茎状の, 細く先のとがった.

sy·co·noid 形 〘動物〙 〈体内水系が〉 シコン型の.

tae·ni·oid 形 ひも状の; サナダムシに似た.

tar·si·oid 名 〘動物〙 メガネザル属の小形のサル.

ter·a·toid 形 〘生物〙 奇形に類する.

thal·loid 形 〘植物〙 葉状体の, 葉状体から成る.

thy·la·koid 名 〘細胞生物学〙 チラコイド.

thyr·soid 形 〘植物〙 密錐(みっすい)花序に似た.

tur·doid 形 〘鳥類〙 ツグミのような.

Ved·doid 名形 ベドイド人(の).

vi·roid 名 〘生物〙 ウイロイド.

xiph·oid 形 〘解剖〙〘動物〙 剣状の.

zo·oid 名 〘生物〙 子虫.

zy·goid 形 〘生物〙 接合子 [体] の.

〈**5**〉医学・病理関連用語.

ad·e·noid 名 〘病理〙 アデノイド, 腺(せん)様増殖症.

ad·e·no·ma·toid 形 〘病理〙 腺腫(せんしゅ)(様)の.

an·thra·coid 形 【病理】炭疽(たんそ)に似た.
ar·y·te·noid 形 【解剖】披裂軟骨の.
asth·ma·toid 形 【病理】喘息(ぜんそく)性の症状の.
can·croid 形 【病理】癌(がん)に似ている.
car·ci·noid 名 【病理】カルチノイド.
ce·re·broid 形 【解剖】大脳に似た, 脳髄様の.
chan·croid 名 【病理】軟性下疳(げかん).
che·loid 名 【病理】＝keloid.
chol·er·oid 形 【病理】コレラに似た, コレラ性の.
cho·ri·oid 形 【解剖】＝choroid.
cho·roid 形 【解剖】絨毛(じゅうもう)膜様の.
cir·soid 形 【病理】静脈瘤(りゅう)状の.
cle·oid 名 【歯科】クレオイド.
con·dy·loid 形 【解剖】顆(か)の; 顆状の.
cor·o·noid 形 【解剖】カラスのくちばし状の.
cot·y·loid 形 【解剖】杯 [臼(きゅう)] 状の.
cri·coid 形 【解剖】輪状の.
cyst·oid 形 【医学】嚢腫(のうしゅ)のような.
del·toid 名 【解剖】三角筋.
der·ma·toid 形 【解剖】皮膚に似た, 皮膚状の.
der·moid 形 ＝dermatoid.
diph·the·roid 形 【病理】ジフテリア様の.
dis·tem·per·oid 形 【獣病理】ジステンパー様の.
ec·ze·ma·toid 形 【病理】湿疹(しっしん)様の.
en·do·the·li·oid 形 【解剖】内皮(細胞)様の.
ep·i·lep·toid 形 【病理】癲癇(てんかん)様の.
ep·i·the·li·oid 形 【解剖】上皮(組織)様の.
er·y·sip·e·loid 名 【病理】類丹毒.
er·y·throid 形 【解剖】赤血球の.
eth·moid 形 【解剖】篩骨(しこつ)の.
eu·nuch·oid 形 【病理】類宦官(かんがん)症の.
fi·broid 形 【解剖】類線維の, 繊維性の.
fun·goid 形 【病理】真菌に似た, 真菌状 [性] の.
gin·gly·moid 形 ちょうつがい関節(状)の.
gle·noid 形 【解剖】浅いくぼみの.
he·mo·phil·i·oid 形 【病理】〈病気が〉血友病に似た.
hem·or·rhoid 名 【病理】痔(じ), 痔疾, 痔核.
his·ti·oid 形 【病理】＝histoid.
his·toid 形 【病理】組織様の.
hy·a·loid 名 【解剖】硝子(しょうし)体膜.
hy·dro·ceph·a·loid 形 【病理】脳水腫(すいしゅ)のような.
hys·ter·oid 形 ヒステリーに似た.
ke·loid 名 【病理】ケロイド.
lu·poid 形 【病理】狼瘡(ろうそう)の.
lym·phoid 形 リンパ液の; リンパ状の; リンパ系の.
mas·toid 形 【解剖】乳様突起の.
mat·toid 名 《まれ》ほとんど正気でない人.
mel·a·noid 形 【病理】黒皮症の.
my·e·loid 形 【解剖】脊髄(せきずい)の.
nan·oid 形 【医学】小人症の.
par·a·noid 形 偏執病の; 被害妄想の.
pel·oid 名 【医学】(治療に用いる)泥.
phleb·oid 形 【解剖】静脈の; 静脈様の.
pit·y·roid 形 【医学】鱗(うろこ)のある, 鱗状の.
pol·yp·oid 形 【病理】ポリープに似た.
pter·y·goid 形 【解剖】翼状の.
pu·ru·loid 形 【医学】膿様(のうよう)の.
py·oid 形 【病理】膿(のう)の; 膿様の.
rheu·ma·toid 形 【病理】リューマチ様の.
sar·coid 名 【病理】類肉腫(にくしゅ).
scar·la·ti·noid 形 【病理】類猩紅(しょうこう)熱の.
schiz·oid 形 【心理】分裂病質の, 分裂病的傾向の.
scir·rhoid 形 【病理】硬性癌(がん)状の [に似た].
ses·a·moid 形 【解剖】ゴマの種子状の; 種子骨の.
sphyg·moid 形 【生理】【医学】脈波様の.
sple·noid 形 【生理】【医学】脾(ひ)様の, 脾臓様の.
syph·i·loid 形 【病理】梅毒状の, 梅毒に似た.
sys·tem·oid 形 【病理】器官様腫瘍(しゅよう)の.
thy·ro·ar·y·te·noid 形 【解剖】甲状披裂軟骨の.
thy·roid 形 甲状腺(せん)の.
tu·ber·cu·loid 形 結節のような [に似た].
ty·phoid 名 【病理】腸チフス.
var·i·cel·loid 形 【病理】水痘のような, 水痘性の.
var·i·o·loid 形 天然痘に似ている.

〈**6**〉物理・化学など学術関連の物質名, 専門語.
ac·ti·noid 名 【化学】アクチノイド.
al·bu·mi·noid 名 【生化学】類 [硬] タンパク質.
al·ka·loid 名 【生化学】【化学】【薬学】アルカロイド, 類塩基, 植物塩基.
am·y·loid 名 【生化学】アミロイド.
as·troid 名 【幾何】星芒(せいぼう)形.
au·ta·coid 名 【生理】オータコイド, 自家薬物.
au·to·coid 名 【生理】＝autacoid.
ben·ze·noid 名 【化学】ベンゼノイド.
can·nab·i·noid 名 【化学】カンナビノイド.
car·di·oid 名 【数学】心臓形, カージオイド.
ca·rot·e·noid 名 【生化学】カロチノイド.
car·ti·lag·i·noid 形 ＝chondroid.
cat·e·noid 名 【幾何】カテノイド, 懸垂面, 鼓形.
cen·troid 名 【力学】図心, 質量中心.
chon·droid 形 【生化学】軟骨状の.
cis·soid 名 【幾何】シッソイド, 疾走線.
col·loid 名 【物理】コロイド, 膠質(こうしつ).
con·choid 名 【幾何】コンコイド.
con·i·coid 名 【幾何】二次曲面, 双曲面, 放物面.
co·noid 形 【幾何】円錐(えんすい)形 [状] の.
cor·ti·coid 名 【生化学】副腎皮質で合成されるステロイドホルモン.
dis·per·soid 名 【物理】分散質.
di·ter·pe·noid 名 【化学】ジテルペノイド.
el·lip·soid 名 【幾何】楕円(だえん)面, 長円面.
e·mul·soid 名 【物理】エマルゾイド, 乳濁質.
fi·bri·noid 形 【生化学】線維素状の.
fla·vo·noid 形 【生化学】フラボン(様)の.
flux·oid 名 【物理】磁束量子, フラクソイド.
ge·oid 名 【物理】ジオイド, 地球体.
group·oid 名 【数学】亜群.
hal·oid 形 【化学】ハロゲン化された.
hy·per·bo·loid 名 【数学】双曲面.
in·di·goid 形 【化学】インディゴ系の.
i·so·pren·oid 形 【化学】イソプレン系の.
mon·oid 名 【数学】＝groupoid.
mu·coid 名 【生化学】ムコイド, 類粘液素.
o·pi·oid 名 【生化学】【薬学】オピオイド.
o·ro·so·mu·coid 名 【生化学】オロソムコイド.
pa·rab·o·loid 名 【幾何】放物面 [体].
phu·goid 形 【航空宇宙】フューゴイド動揺の.
plas·moid 名 【物理】プラズモイド.
pris·ma·toid 名 【幾何】擬角柱.
pris·moid 名 【幾何】角錐(かくすい)台.
pro·tein·oid 名 【生化学】プロテイノイド.
py·re·noid 名 【生化学】ピレノイド.
py·re·throid 名形 【化学】ピレスロイド(の).
quin·oid 名 【化学】キノイド.
quin·o·noid 形 【化学】キノンの [に似た].
ret·i·noid 名 【生化学】レチノイド.
sat·el·loid 名 【航空宇宙】サテロイド.
si·nus·oid 名 【数学】シヌソイド, 正弦曲線.
sis·troid 形 【幾何】交わる2曲線の凸面側に含まれる.
so·le·noid 名 【電気】ソレノイド: 筒形コイル.
sphe·roid 名 【幾何】回転楕円(だえん)面 [体].
ste·roid 名 【生化学】ステロイド.
stroph·oid 名 【幾何】ストロフォイド, 葉形線.
sus·pen·soid 名 【物理】懸濁質, 懸濁コロイド.
ter·pe·noid 形 【化学】(分子構造が)テルペン状の.
to·roid 名 【幾何】トロイド.
tox·i·coid 名 化学汚染物質, 毒性物質.
tox·oid 名 トキソイド, 類毒素.
trap·e·zoid 名 【幾何】《米・カナダ》台形; 《英》不等辺四辺形.
tro·choid 名 【幾何】トロコイド.

〈**7**〉天文関連用語.
as·ter·oid 名 小遊星, 小惑星.
me·te·or·oid 名 メテオロイド, 流星体.
plan·et·oid 名 ＝asteroid.

〈**8**〉その他
an·er·oid 形 〈気圧計などが〉アネロイド式の.

bun·ga·loid 形 《英》バンガローの.
con·toid 形 【音声】子音状の.
de·men·toid 形名 《米俗》狂った(人).
fac·toid 名 擬似事実, 類事実.
gyn·e·coid 形 女の; 女性的な, 婦人のような.
o·chroid 形 オーカー色の; 黄色の.
puk·oid 形 《米俗》むかつく, 不快な.
Ram·boid 形 ランボーまがいの, やる気満々の.
re·com·bi·noid 名 (玩具などの)組み合わせ焼き直し.
slea·zoid 形 《俗》どこかうそっぽい; 薄汚い.
than·a·toid 形 仮死の, 死んだような; 致命的な.
the·roid 形 獣性を持っている, 獣のような.
trend·oid 名 《英・豪俗》流行の先端をいく人.
ur·ban·oid 形 大都市の特性を備えた.
vo·coid 形 【音声】母音に似た, 母音性の.
wast·oid 名 《米俗》麻薬 [酒類] で浪費する人.
zom·boid 形 鈍い, ばかな; 酔っ払った.

-oid[2] /ɔ́id/

語尾 短縮語と俗語の語尾で, 音象徴的でもある. ◇ -OD[1].

droid 名 《話》人造人間(android).
groid 名 《米俗》(特に米国南部で)黒人(Negroid).
loid 動他 《俗》錠をセルロイド片であける(celluloid より).
noid 名 《米俗》偏執狂的な人(paranoid).
sloid 名 スウェーデン式工作教育(sloyd).
void 形 【法律】〈契約などが〉無効の.
zoid 名 《米俗》はみ出し者.

-oi·de·a /ɔ́idiə/

連結形 …綱(こう)(class). ►動物や昆虫の分類名に用いる.
★ 名詞をつくる.
◆ <近代ラ [ギ *-oeidēs*「…に似た(-OID[1])」の複数形].
⇨ -A[1].

As·ter·oi·de·a 名 ヒトデ綱.
Ech·i·noi·de·a 名 ウニ綱.

oil /ɔ́il/

名 **1** (各種の)油, 油脂. **2** 石油.

álmond òil 杏仁(きょうにん)油, 扁桃(へんとう)油.
ambrétte-sèed òil 麝香(じゃこう)種子油.
árachis òil =peanut oil.
babassú òil ババス油.
banána òil バナナ油.
básil òil メボウキ油.
báy òil ベイ油, 月桂樹油.
bénne òil ゴマ油.
bén òil ベン油.
bétula òil 白樺油, ベルノール.
Bíg Óil (米国の)巨大石油業界.
bláck óil 《米俗》ハシシ.
blóoming òil 細かい紙やすりで磨くときに潤滑剤として用いる油.
bóiled óil ボイル油.
bóis de róse òil =rosewood oil.
bóne òil 骨油.
brég·òil 【環境】ブレグオイル.
bró·moil 【写真】ブロムオイル.
búnker òil 【海事】自船用燃料油.
búrning òil 燃料油, (特に)灯油.
cámphorated óil 樟脳(しょうのう)塗布剤.
cámphor òil =camphorated oil.
cárron òil カロン油, 石灰擦剤.
cástor óil ひまし油.
cédarwood òil セダー油.
chaulmóogra òil 大風子油.
chenopódium òil ケノポジ油, アメリカアリタソウ油.
chíli òil ラーユ(辣油).
Chína óil ペルーバルサム.
Chína wóod òil =tung oil.
Chínese béan òil 大豆油.
Chínese wóod òil =tung oil.
citronélla òil シトロネラ油.
clóve óil 丁子(ちょうじ)油, クローブ油.
cóal òil 《米古風・カナダ》(瀝青(れきせい)炭を乾留して得る)石油.
cóconut òil ココナッツオイル, ヤシ油.
cólza òil =rape oil.
copáiba òil コパイバ油.
córn òil トウモロコシ油, コーンオイル.
cóttonseed òil 綿実油.
créosote òil クレオソート油.
cróton òil ハズ油.
crúde óil 原油.
cútting òil 【金属加工】切削油.
Dánish óil 家具ふき油, デニッシュオイル.
drýing òil 乾性油.
esséntial óil 精油, 芳香油.
eucalýptus òil ユーカリ油.
fátty óil =fixed oil.
fénnel òil ウイキョウ油.
físh òil 魚油(鯨油など).
fíxed óil 不揮発性油.
fúel òil 燃料油.
fúsel òil フーゼル油.
gás òil ガス油, 軽油.
góod óil 《豪俗》真実, 信用できる情報.
Gúlf Óil ガルフ石油.
háir-òil 《英》髪油, ヘアオイル.
hásh òil ハシシオイル: マリファナ, ハシシの有効成分.
héavy óil 重油.
hémpseed òil 麻実油(あさみゆ).
hérring òil ニシン油.
hóly óil 聖香油.
hóney òil 《米俗》ハシシ.
ídiot òil 《米話》アルコール.
Impérial Óil インペリアル石油.
ínsulating òil 【電気】絶縁油.
júniper òil 杜松(としょう)油.
kápok òil カポック油.
lárd òil ラード油.
lémon-grass òil レモングラス油.
lémon òil レモンオイル, レモン油.
líght óil 軽油.
línseed òil 亜麻仁油, リンシードオイル.
líver òil 肝油.
Macássar òil マカッサル油.
máize òil =corn oil.
míneral òil 鉱油.
mústard òil からし油.
néat's-fòot òil 牛脚油.
néck-òil 《英俗》アルコール飲料; ビール.
néroli òil ネロリ油, 橙花(とうか)油.
nòndrýing óil 不乾性油(オリーブ油など).
nòn-óil 形 石油以外の; 石油資源のない.
Nórth Séa òil 《英》北海原油.
nút òil 堅果油.
óffshore óil 海洋石油, 海底採掘油.
oiticíca òil オイチシカ油.
óleo òil オレオ油.
ólive òil オリーブ [オレーフ] 油.
órange flòwer òil =neroli oil.
pálm òil[1] ヤシ油, パーム油.
pálm òil[2] 《俗》賄賂として渡すお金.
páraffin òil パラフィン油.
péanut òil 落花生油, ピーナッツオイル.
perílla òil シソ油, 荏(え)の油.
póon òil テリハボク油.
ránge òil 調理レンジ用油, こんろ用燃料油.
rápe òil 菜種油(rape seed [colza] oil).

O

réd óil 《俗》=hash oil.
resídual óil 残油.
rhódium óil ロジウム油.
rícinus òil ひまし油.
róck òil 石油(petroleum).
róse òil バラ油, ローズ油.
rósewood òil ボアドローズ油(bois de rose oil).
rósin òil ロジン油.
sáfflower òil サフラワー油, ベニバナ油.
sálad òil サラダオイル, サラダ油.
sándalwood òil (香料に用いる)ビャクダン油.
sássafras òil サッサフラス油.
Séneca òil かつて薬として用いられた原油.
sésame òil ゴマ油.
shále òil シェール油, 頁岩(けつがん)油.
shárk òil サメの油.
snáke òil 怪しげな水薬,「ガマの油」.
sóya òil =soybean oil.
sóybean òil 大豆油.
spérm òil マッコウ鯨油.
Stándard Óil 《商標》スタンダードオイル.
stánd òil スタンド油, 印刷ワニス.
stráp-òil 《俗》むち打ち.
súnflower séed òil ヒマワリ油.
swéet bírch òil サルチル酸メチル.
swéet òil =olive oil.
táll òil トール油.
tóngue òil 《米話》酒.
tráin òil =whale oil.
trópical óil 熱帯産の食用油.
túng òil 桐油(とうゆ), きり油.
végetable òil 植物油.
vólatile òil 揮発性油, (特に)精油.
whále òil 鯨油.
whíte óil ホワイトオイル.
wíntergreen òil =sweet birch oil.
wóod òil 木材から採る油; (特に)桐油.
wóol-òil スイント: 原料羊毛から採った水溶性の脂肪鹸化(けんか)成分.
wórmseed òil =chenopodium oil.

-oil[1] /ɔ́il/

音象徴 泡立ってぐるぐると渦巻くさまを表す; さらに汚すこと, 骨を折ること, だめにすることなどもさす; 粘りや汚れのある oil, soil との連想もある.

boil 動自 沸騰する. ── 他 …を沸騰させる.
broil[1] 動他 《米・カナダ》(じか火で)焼く.
broil[2] 名 大げんか, 口論; 騒動, 騒乱.
coil[1] 動他 ぐるぐる巻く. ── 名 渦巻き; 〚電気〛コイル.
coil[2] 名 《古・詩語》騒動, 激動, 混乱.
foil 動他 〈計画などを〉失敗させる, 妨げる.
moil 動自 骨折って働く, あくせく働く.
noil 名 ノイル: 綿・羊毛などの繊維の束から梳(す)き落とされた短い繊維.
soil 動他 …をよごす, 汚くする.
spoil 動他 駄目にする, 悪くする, 損なう.
toil 名 つらい継続的な労働; 苦労.

-oil[2] /ɔ́il/

語尾

boil 名 〚病理〛癤(せつ)(furuncle).
foil[1] 名 ☞
foil[2] 名 〚フェンシング〛フォイル.
oil 名 ☞
poil 名 ポワール: 絹の撚り糸で, リボン, ビロードを織るのに, また, 金糸・銀糸の芯として使う.
soil[1] 名 ☞
soil[2] 動他 〈家畜に〉青草を食べさせて便通をつける.
toil 名 (獲物を捕らえる)仕掛け網.

-oin /ɔ́in/

語尾

coin 名 ☞
foin 名 《古》(剣・槍(やり)などの)突き.
groin 名 〚解剖〛鼠径(そけい)部.
join 動他 ☞
loin 名 ☞
quoin 名 (壁・塀などの)外角.

-oing /ɔ́iŋ/

音象徴 ポーン, ピョーンと跳ねる音を表す. ◇ -OINK.

boing 間 《擬声語》ピョーン, ポーン(跳ねる様子).
poing 名間 ポン, ポーン, ポトン.
sproing 間 《ばねじかけで飛んだりはねたりする様子を表して》ピョーン, ポヨーン, ピョン.

-oink /ɔ́iŋk/

語尾 boink と oink は擬声語. ◇ -OING.

boink 間 ピョーン, ポーン.
oink[1] 動自 〈豚が〉ブウブウと鳴く.
oink[2] 名 オインク: 主な収入を一か所から得ている子供のいない夫婦.

-oint /ɔ́int/

語尾 joint は join の過去分詞から; point は古フランス語から.

joint 名 ☞
point 名 ☞

oint·ment /ɔ́intmənt/

名 〚薬学〛軟膏(なんこう), 膏薬. ⇨ -MENT.

basílicon óintment バシリコン軟膏.
blúe óintment 水銀軟膏.
mercúrial óintment =blue ointment.
zínc óintment 亜鉛華軟膏, 酸化亜鉛軟膏.
zínc óxide óintment =zinc ointment.

-oise /ɔ́iz/

語尾 noise と poise は古フランス語に由来.

groise 名 《英学生俗》ガリ勉家.
hoise 動他 《古》持ち上げる(hoist).
noise 名 ☞
poise 名 ☞

-oist /ɔ́ist/

語尾 hoist[1] は hoise の過去形から. なお動詞語尾の -st については -OUST を参照.

foist 動他 〈偽物・粗悪品などを〉押しつける.
hoist[1] 動他 〈帆・旗などを〉持ち上げる.
hoist[2] 動他 《古》hoise の過去・過去分詞形.
joist 名 ☞
moist 形 湿った, 湿気のある; 湿った感じの.

-oit /ɔ́it/

語尾 droit はフランス語から.

coit 名 《豪俗》尻(しり).
droit 名 (法律上の)権利.
moit 名 モイット: 羊毛に付着する枝切れ, 種子などの混ざり物.
quoit 名 輪投げ.
stoit 動自 《スコット・北イング》不安定に動く.

-ok /ák | ɔ́k/

語尾 yok は擬声語で, grok は音象徴的.
★ 語末にくる同音形は -OC[1], -OC[2], -OCK[4], -OUGH[5].

-bok 連結形 ☞
grok 動自 《米俗》気持ちが通じ合う.
ok 名 《米俗》10 月(ak).
wok 名動自 中華鍋(で料理する).
yok 名 《米俗》大笑い(yuk).

-oke /óuk/

語尾 poke[1], stroke[1], stroke[2], stoke[1] に手の動きを感じる人がいる; choke は後から音象徴的になったものだが, boke[2] は音象徴的である.
★ 語末にくる同音形は -OAK, -OLK.

bloke 名 《主に英話》男, やつ.
boke[1] 名 《米暗黒街俗》鼻(nose).
boke[2] 動自他 吐き気を催す; 吐く.
broke 動 break の過去形.
choke 動他 〈人・動物を〉窒息させる.
cloke 名 《廃》ケープ, マント(cloak).
coke[1] 名 ☞
coke[2] 名 《俗》コカイン(cocaine).
droke 名 《カナダ》両側が切り立つ険しい渓谷.
hoke 動他 《米俗》ごまかす; かつぐ.
joke 名 ☞
moke 名 《古俗》黒人.
oke 形 《話》=O.K.
poke[1] 動他 ☞
poke[2] 名 《主に米中部・スコット》袋, 小袋.
poke[3] 名 【服飾】ポーク.
poke[4] 名 【植物】ヨウシュヤマゴボウ.
roke 名 【冶金】(圧延鋼材の)線状きず.
scoke 名 =poke[4].
sloke 名 《スコット》藻, 海藻.
smoke 名 ☞
soke 名 【古英法】領主裁判権, 地方的裁判権.
spoke[1] 動 speak の過去形.
spoke[2] 名 (車輪の)輻(や), スポーク.
stoke[1] 動他 〈火を〉かき立てる.
stoke[2] 名 【物理】ストークス(stokes).
stroke[1] 名 ☞
stroke[2] 動他 …を(手・道具で)なでる, なでつける.
toke[1] 名 《米俗》ディーラーに渡すチップ, 祝儀.
toke[2] 名 《米俗》タバコの一服.
troke 名 《スコット》交際, 交渉, 関係.
-voke 連結形 ☞
woke 動 wake の過去・過去分詞形.
yoke[1] 名 ☞
yoke[2] 名 (卵の)黄味, 卵黄(yolk).

-ol[1] /ɔ̀ːl, ɑ̀l, òul | ɔ̀l/

接尾辞 アルコール, またはフェノールを表す.
★ 名詞をつくる.
◆ ALCOHOL の短縮形.

ac·e·bu·to·lol 名 【薬学】アセブトロール: β 遮断剤.
ac·e·tal·dol 名 =aldol.
al·dol 名 【化学】アルドール(acetaldol).
al·lo·pu·ri·nol 名 【薬学】アロプリノール: 通風治療剤.
am·i·dol 名 【化学】アミドール.
bis·ma·nol 名 【冶金】ビスマナール.
bor·ne·ol 名 【化学】ボルネオール, 竜脳.
bu·ta·nol 名 【化学】ブチルアルコール.
cam·phol 名 =borneol.
can·nab·i·nol 名 カンナビノール: マリファナの活性成分の親化合物.
car·bi·nol 名 【化学】カルビノール.
car·i·sop·ro·dol 名 【薬学】カリソプロドル.
car·va·crol 名 【化学】カルバクロール.
cat·e·chol 名 【化学】カテコール(pyrocatechol).
cho·les·ter·ol 名 【生化学】コレステロール.
cit·ro·nel·lol 名 【化学】シトロネロール.
cor·ti·sol 名 【生化学】【薬学】コルチゾール.
dec·a·nol 名 【化学】デカチルアルコール.
di·ol 名 【化学】ジオール.
e·nol 名 【化学】エノール.
es·tra·di·ol 名 【生化学】【薬学】エストラジオール.
es·tri·ol 名 【生化学】【薬学】エストリオール.
eth·a·nol 名 ☞
far·ne·sol 名 【化学】ファルネソール.
fla·vo·nol 名 【化学】フラボノール.
ge·ra·ni·ol 名 【化学】ゲラニオール.
glyc·er·ol 名 【化学】グリセロール, グリセリン.
gly·col 名 ☞
gos·sy·pol 名 【化学】ゴシポル.
hal·o·per·i·dol 名 【薬学】ハロペリドール.
ich·tham·mol 名 【薬学】イクタモール.
i·so·pro·pa·nol 名 【化学】イソプロピルアルコール.
-i·tol 接尾辞 ☞
ke·tol 名 【生化学】ケトール.
la·bet·a·lol 名 【薬学】ラベタロール.
le·vor·pha·nol 名 【薬学】レボルファノール.
lin·al·o·ol 名 【化学】リナロオール.
malt·ol 名 【化学】マルトール.
men·thol 名 【化学】メントール, ハッカ脳.
meth·a·nol 名 【化学】メチルアルコール, 木精.
meth·o·car·ba·mol 名 【薬学】メトカルバモール.
meth·yl·cy·clo·hex·a·nol 名 【化学】メチルシクロヘキサノール.
naph·thol 名 【化学】ナフトール.
ne·rol 名 【化学】ネロール.
oc·ta·nol 名 【化学】オクタノール.
oes·tra·di·ol 名 =estradiol.
oes·tri·ol 名 =estriol.
phe·nol 名 ☞
phlor·o·glu·cin·ol 名 【化学】フロログルシノール.
phor·bol 名 【生化学】フォル[ホル]ボール.
phthi·o·col 名 【生化学】フチオコール.
pin·do·lol 名 【薬学】ピンドロール.
prac·to·lol 名 【薬学】プラクトロール.
pro·neth·a·lol 名 【薬学】プロネタロール.
pro·pe·nol 名 【化学】アリルアルコール.
pro·pran·o·lol 名 【薬学】プロプラノロール.
py·ro·gal·lol 名 【化学】焦性没食子(もっしょくし)酸.
quer·ci·tol 名 【薬学】クエルシトール, ケルシット.
quin·es·trol 名 【薬学】クインエストラル.
quin·ol 名 【薬学】ヒドロキノン.
ret·i·nol 名 【生化学】ビタミン A(vitamin A).
sal·bu·ta·mol 名 【薬学】サルブタモール.
san·ta·lol 名 サンタロール: ビャクダン油の主成分.
stil·bes·trol 名 【生化学】ジエチルスチルベストロール.
syn·thol 名 【化学】シントール(法).
tach·i·ol 名 【化学】フッ化第一銀, フッ化銀.
thee·lol 名 【生化学】テーロール.
thi·ol 名 【化学】チオール.
to·coph·er·ol 名 【生化学】トコフェロール.
tri·a·con·ta·nol 名 【生化学】トリアコンタノール.
tri·ol 名 【化学】三価アルコール.
u·ru·shi·ol 名 【生化学】ウルシオール.
xy·le·nol 名 【化学】キシレノール.

-ol[2] /oul, ɔ̀ːl | ɔ̀l/

接尾辞 -ole[2] の異形.
★ 名詞をつくる.
★ 語頭にくる関連形は ole(o)-: *ole*fin「オレフィン」, *oleo*margarine「マーガリン」.
◆ 仏<ラ *-oleum* オリーブ油.

caf·fe·ol 名 カフェオール: コーヒーを炒る際に出てくる香りのよい油.
cre·o·sol 名 〘化学〙クレオソール.
cre·sol 名 〘化学〙クレゾール.
eu·ge·nol 名 〘化学〙〘薬学〙オイゲノール.
guai·a·col 名 〘薬学〙グアヤコール.
hy·per·gol 名 自燃性ロケット推進剤.
or·ci·nol 名 〘化学〙オルシン, オルシノール.
ter·pin·e·ol 名 〘化学〙テルピネオール.
thy·mol 名 〘化学〙〘薬学〙チモール.

-ol[3] /ál, ɔ́l | ɔ́:l/

語尾 いくつかは短縮語の語尾である.
★ 語末にくる同音形は -OLL[3]. また米音で /ɔ:l/ もある: -ALL[1], -AUL, -AWL[1], -AWL[2].

col 名 (峰と峰との間の)鞍部(あんぶ).
dol 名 ドル: 痛覚の強度測定の単位. ►dolor から.
hol 名 《英話》(学校の)休み(holiday).
pol 名 《米話》(駆け引きのうまい)政治家(politician).
-pol 連結形 ☞
schol 名 《英話》奨学金(受給生)(scholarship).
Sol 名 ☞
sol[1] 名 ☞
sol[2] 名 《米俗》(刑務所の)独房監禁(solitary).
sol[3] 名 ソル: 火星の一日.
-sol[1] 連結形 ☞
-sol[2] 連結形 ☞
zol 名 《米俗》マリファナタバコ.

-ol[4] /óul/

語尾 語末にくる同音形は -OAL, -OLE[1], -OLE[2], -OLE[3], -OLL[1], -OLL[2], -OWL[3].

dol 名 ドル: 痛覚の強度測定の単位.
-pol 連結形 ☞

-o·la /óulə, ələ/

接尾辞 **1** 小…: fove*ola*. **2** 商品名をつくる: Cray*ola*, glan*ola*. ►また面白がって用いる: crap*ola*. **3**《俗》賄賂(わいろ). ►有名芸能人への付け届け(playola)にならった造語: play*ola*, plug*ola*. **4**《米俗》大きいもの: barfo-*la*.
★ 名詞をつくる.
◆ <伊またはラ *-ola* 指小接尾辞.

a·re·o·la 名 〘解剖〙乳輪.
bar·fo·la 名 《米俗》げろ, もどしたもの, へど.
boff·o·la 名 《俗》〘演劇〙大当たり(boff).
clav·o·la 名 〘昆虫〙こん棒節.
crap·o·la 名 《俗》大便, 糞, くそ(crap).
Cray·o·la 名 《商標》クレヨンの商品名.
drug·o·la 名 《米俗》(麻薬の売人が警官などに払う)賄賂.
flop·po·la 名 《俗》(手痛い)失敗.
fo·ve·o·la 名 〘生物〙小穴, 小窩(しょうか), 小さいくぼみ.
gay·o·la 名 《米俗》(ゲイバーなどが特に警官に払う)裏金, 賄賂.
glad·i·o·la 名 〘植物〙グラジオラス(gladiolus).
gra·no·la 名 押しカラス麦の健康食.
lur·ko·la 名 《豪俗》=payola.
Ma·zo·la 名 《商標》米国製の食用コーン油.
Mo·to·ro·la 名 モトローラ: 電子産業で有名な企業.
Mo·vie·o·la 名 《映画・商標》ムビオラ: 映画フィルムの編集用映写装置.
pay·o·la 名 《主に米話》賄賂(わいろ), リベート.
Pi·a·no·la 名 《商標》ピアノラ: 自動演奏ピアノ.
playola 名 (商品の販売促進のための)有名人への付け届け.
plug·o·la 名 《俗》(製品を放送・映画の中で好意的に扱ってもらうために出す)賄賂.
py·ro·la 名 〘植物〙イチヤクソウ.
ro·se·o·la 名 ばら疹(しん), 紅疹.
shin·o·la 名 《商標》シャイノーラ: 靴磨きの一種.
va·ri·o·la 名 天然痘.
Vic·tro·la 名 《主に米》《商標》ビクトローラ: 蓄音機の一種.

old /óuld/

形 年取った; 年月を経た, 古い.

age-old 形 古い, 昔からの.
world-old 形 きわめて古い, 昔からある.
-year-old 形名 …歳の(人).

-old[1] /əld/

連結形 -ald[1] の異形.
★ 姓, 男子の名に使われる.

Ar·nold 名 アーノルド. ►字義は「鷲の支配」.
Har·old 名 ハロルド. ►字義は「軍隊の支配」.
Jer·old 名 ジェロルド; Gerald の別称. ►字義は「槍による支配」.
Jer·rold 名 =Jerold.
Reyn·old 名 レノルド; Reginald の別称. ►字義は「助言, 勧言による支配」.

-old[2] /óuld/

語尾

bold 形 ☞
cold 形 ☞
fold[1] 動他 ☞
fold[2] 名 ☞
-fold 接尾辞 ☞
gold 名 ☞
hold[1] 動他 ☞
hold[2] 名 〘海事〙船倉.
mold[1] 名 ☞
mold[2] 名 ☞
mold[3] 名 耕土, 壌土, 沃土(よくど).
old 形 ☞
scold 動他 小言を言う; 〈人を〉しかる.
sold 動 sell の過去・過去分詞形.
told 動 ☞
wold[1] 名 《主に英》広大な原野; 不毛の高原.
wold[2] 名 〘植物〙キバナ(黄花)モクセイソウ.
yold 名 《米俗》カモにされやすいやつ.

-ole[1] /oul/

接尾辞 -ule[1] の異形.
★ ラテン語から直接およびフランス語経由の借用語または近代ラテン造語に見られる.
◆ <仏<ラ *-olus, -ola, -olum* (*-ulus* の異形).

al·ve·ole 名 〘動物〙胞(alveolus).
ap·sid·i·ole 名 〘建築〙小後陣, 小アプス.
ar·te·ri·ole 名 〘解剖〙細[小]動脈.
au·re·ole 名 (特に高徳の人に神が与えるとされる天上の)宝冠, 栄光.
ban·de·role 名 (騎士の槍(やり)先やマストの先などに

つける)小旗, 吹き流し.
brac·te·ole 名 〖植物〗小苞葉(ほうよう), 小苞.
bron·chi·ole 名 〖解剖〗細気管支, 気管支梢(しょう).
cap·ri·ole 名 跳躍(caper, leap).
car·i·ole 名 一頭立ての無蓋(むがい)二輪軽馬車.
car·ri·ole 名 =cariole.
cen·tri·ole 名 〖生物〗中心粒, 中心小体.
cit·ole 名 〖音楽〗シターン(cittern).
dar·i·ole 名 〖フランス料理〗ダリオール.
fo·li·ole 名 〖植物〗(複葉などの)小葉.
fo·ve·ole 名 〖生物〗小穴(foveola).
fu·ma·role 名 (火山の)噴気孔.
glo·ri·ole 名 後光, 円光, 光輪, 環光.
nu·cle·ole 名 〖細胞生物〗仁(じん).
ob·ole 名 (中世フランスの)オボール銀貨.
o·ri·ole 名 ☞
os·ti·ole 名 〖生物〗小穴, 小口.
o·var·i·ole 名 〖昆虫〗卵巣(小)管.
pet·i·ole 名 〖植物〗葉柄.
stroph·i·ole 名 〖植物〗種阜(しゅふ), 種枕(しゅちん).
tra·che·ole 名 〖昆虫〗毛細気管, 微小気管.
vac·u·ole 名 〖生物〗空胞, 液胞.

-ole[2] /oul/

接尾辞 〖化学〗〖薬学〗不飽和で複素 5 員環の構造を含む化合物名の語幹.
★ 名詞をつくる.
★ 語末にくる関連形は -OL[2].
★ 語頭にくる関連形は ole(o)-: *ole*fin「オレフィン」, *ole-o*margarine「マーガリン」.
◆ <仏<ラ *oleum* オリーブ油.

an·e·thole 名 アネトール, アニス樟脳(しょうのう)(anise camphor).
as·car·i·dole 名 アスカリドール.
az·ole 名 ☞
car·ba·zole 名 カルバゾール.
cin·e·ole 名 シネオール.
di·a·zole 名 ジアゾール.
di·pyr·id·a·mole 名 ジピリダモール.
in·dole 名 インドール.
phen·e·tole 名 フェネトール.
pyr·role 名 ピロール.
saf·role 名 サフロール.
tet·ra·pyr·role 名 テトラピロール.
tet·ra·zole 名 テトラゾール.

-ole[3] /óul/

語尾 bole[2], hole などにかたまりや丸みを感じる人がいる; pole も丸い棒である; jole, mole[3], mole[4], mole[5], thole[1] などはそれほどはっきりしないが暗示的である. ◇ -OLL[2].
★ 語末にくる同音形は -OAL, -OL[4], -OLE[1], -OLE[2], -OLL[1], -OLL[2], -OWL[3].

bole[1] 名 〖植物〗(木の)幹.
bole[2] 名 〖地質〗ボール, 膠塊(こうかい)粘土.
cole 名 〖植物〗ナ(菜).
-cole 連結形 ☞
dhole 名 〖動物〗ドール, アカオオカミ.
dole[1] 名 (慈善団体による)施し物; 給食.
dole[2] 名 《古》悲しみ, 嘆き, 悲嘆.
hole 名 ☞
jole 名 (太った人などの)あごの垂れ肉.
mole[1] 名 ☞
mole[2] 名 ☞
mole[3] 名 ほくろ.
mole[4] 名 防波堤, 突堤.
mole[5] 名 〖病理〗鬼胎, 奇胎.
ole 形 《米話》《南部発音綴り》=old.
pole[1] 名 ☞
pole[2] 名 ☞
prole 名 《話 / 軽蔑的》プロレタリア階級の人.
role 名 ☞
sole[1] 名 ☞
sole[2] 名 ☞
sole[3] 形 唯一の, たった一人の(only).
stole[1] 動 steal の過去形.
stole[2] 名 頸垂(けいすい)帯: 聖職者の帯状の祭服.
thole[1] 名 〖建築〗櫓(ろ)べそ, 櫂(かい)栓.
thole[2] 動他 《主にスコット・古》…に苦しむ.
thole[3] 名 トロス: 古典建築様式の一種.
tole[1] 名 トール: エナメルまたはラッカーを塗り金メッキ装飾を施した金属製品.
tole[2] 動他 〈獲物を〉おびき寄せる, 誘い出す.
tole[3] 名 《俗》(通りでの)けんか騒ぎ.
vole[1] 名 〖動物〗ハタネズミ.
vole[2] 名 〖トランプ〗全勝.
whole 形 全部の, 全体の, 全員の, すべての.

-o·lent /ələnt/

連結形 -ulent の異形.

san·guin·o·lent 形 血の.
som·no·lent 形 《文語》眠い.
vi·o·lent 形 激しい, 猛烈な.

o·le·um /óuliəm/

名 〖薬学〗油, 油剤. ⇨ -UM[1].
★ 語頭にくる関連形は ole(o)-: *ole*fin「オレフィン」, *ole-o*margarine「マーガリン」.

li·no·le·um 名 リノリウム: 床仕上げ材の一種.
pe·tro·le·um 名 石油.

-olf[1] /álf | ɔ́lf/

語尾 rolf は擬声語から.

dolf 名 《米俗》まぬけ.
golf 名 ☞
olf 名 オルフ: 人間の体臭を測る単位.
rolf 動自他 《米俗》(…を)吐く, あげる.

-olf[2] /úlf/

語尾 wolf はもともと古英語では *wulf* /wulf/ なので, 発音は原音を保持しているが, 綴りは中英語の -olf を用いる.

wolf 名 ☞

ol·ive /áliv | ɔ́l-/

名 〖植物〗オリーブ.

bláck ólive シクンシ科の木.
quéen òlive (特にスペイン Seville 産の)大きなオリーブ.
Rússian ólive ヤナギバグミ, ホソバグミ.
wíld ólive オリーブに似た木の総称.

-olk /óuk/

語尾 語末にくる同音形は -OAK, -OKE.

folk 名 ☞
yolk 名 (卵の)黄身, 卵黄.

-oll[1] /óul/

音象徴 **1** 揺れたり, 転がったりする動きを表す. **2** 鐘の音や朗々と歌う声を表す: kn*oll*, tr*oll*.

O

knoll 動他《古》…のために鐘を鳴らす.
roll 動自 転がる, 回転する. ── 名 (紙・羊皮紙などの)巻物(scroll).
scroll 名 (文章が書かれた, 羊皮紙・紙・銅などの)巻き物; 巻き軸. ── 動自 巻き物のように巻かれる.
toll 動他 (教会へ会衆を呼び集めたり, 特に人の死を告知するために, ゆっくり繰り返し)〈大きな鐘を〉鳴らす, つく.
troll 動他 …を(よく響く声でよどみなく)朗朗と歌う; 歌を歌って…を祝う.

-oll[2] /óul/

語尾 knoll, noll, poll のように, 丸い頭という音象徴をもつものがある ◇ -OLE[3].
★ 語末にくる同音形は -OAL, -OL[4], -OLE[1], -OLE[2], -OLE[3], -OLL[1], -OWL[3].

boll 名 〘植物〙(綿花, 亜麻などの円形の)莢(さや), 蒴(さく).
droll 形 ひょうきんな, おどけた, こっけいな.
knoll 名 (頂上が丸くなった)小山, 円丘; 塚.
noll 名《英方言》頭, 頭のてっぺん.
poll 名 ☞
toll[1] 名 (国・地方官庁などが徴収する各種の)使用料 [税].
toll[2] 動他 〘法律〙…を中断する, 停止する.
troll 名 (北欧伝説で)洞穴などの隠れ処に住む巨人; いたずら好きな小人.

-oll[3] /ál | ɔ́l/

語尾 loll は擬態語から; 一方, doll は Dorothy からで, poll[2] も女子名 Polly から; 同様に moll も Mollie から; いずれも愛称としての短縮語である.
★ 語末にくる同音形は -OL[3].

coll 名《米渡り労働者俗》こまぎれ肉料理.
doll 名 ☞
loll 動自 だらりと寄りかかる; のらくらする.
moll 名 ☞
poll[1] 名 (優等生に対して)普通の卒業生.
poll[2] 名 (飼いならされた)オウム.

-ol·o·gy /álədʒi | ɔ́l-/

連結形 -logy の異形.
◆ -o-(接中辞) + -LOGY.

ac·a·rol·o·gy 名 ダニ学.
ac·cent·o·lo·gy 名 〘言語〙強勢学.
a·crol·o·gy 名 〘言語〙頭音書法(acrophony).
ac·ti·nol·o·gy 名 化学線学.
ad·e·nol·o·gy 名 〘医学〙腺(せん)学, 腺論.
aer·ol·o·gy 名 〘気象〙高層気象学.
ae·ti·ol·o·gy 名 =etiology.
ag·ri·ol·o·gy 名 未開社会学.
a·grol·o·gy 名 〘農業〙(農業)土壌学.
ag·ros·tol·o·gy 名 〘農業〙イネ学.
a·le·thi·ol·o·gy 名 〘哲学〙真理論.
al·gol·o·gy 名 藻類学.
al·ler·gol·o·gy 名 〘医学〙アレルギー学.
A·mer·i·can·ol·o·gy 名 アメリカ学, アメリカノロジー.
am·phi·bol·o·gy 名 文意のあいまいさ(amphiboly).
an·aes·the·si·ol·o·gy 名《英》=anesthesiology.
an·drol·o·gy 名 〘病理〙男性病学.
an·e·mol·o·gy 名 〘気象〙《今はまれ》風学.
an·es·the·si·ol·o·gy 名 〘医学〙麻酔学.
an·gel·ol·o·gy 名 天使論.
an·gi·ol·o·gy 名 〘解剖〙脈管学.
an·thro·pol·o·gy 名 ☞
a·pi·ol·o·gy 名 養蜂(ようほう)学.
ar·chae·ol·o·gy 名 ☞
ar·che·ol·o·gy 名 =archaeology.
ar·chol·o·gy 名 起源研究.
ar·e·ol·o·gy 名 〘天文〙火星観測, 火星学.
a·ris·tol·o·gy 名 アリストロジー: 申し分のない食事をするための技法の研究.
As·syr·i·ol·o·gy 名 アッシリア学.
as·trol·o·gy 名 占星術.
at·mol·o·gy 名 〘化学〙蒸発学.
au·di·ol·o·gy 名 〘医学〙聴覚学, 聴力学.
ax·i·ol·o·gy 名 〘哲学〙価値論.
bac·te·ri·ol·o·gy 名 細菌学.
bal·ne·ol·o·gy 名 〘医学〙温泉学.
bat·tol·o·gy 名 同じ語句の過度の繰り返し.
bib·li·ol·o·gy 名 書誌学;《広義に》図書学.
bim·bol·o·gy 名《俗》美人で頭のからっぽな女(bimbo)との情事.
bi·o·ce·nol·o·gy 名 群集生態学.
bi·o·ge·o·coe·nol·o·gy 名 生態系研究.
bi·ol·o·gy 名 ☞
bi·o·rhe·ol·o·gy 名 生物流動学.
bi·o·spe·le·ol·o·gy 名 洞穴生物学.
bry·ol·o·gy 名 蘚苔(せんたい)学.
Bud·dhol·o·gy 名 仏教学.
bug·ol·o·gy 名《米学生俗》生物学, 昆虫学.
ca·col·o·gy 名 言葉の誤用; 誤った発音.
cam·pa·nol·o·gy 名 鐘の研究, 鐘学.
car·ci·nol·o·gy 名 〘生物〙甲殻類学.
car·di·ol·o·gy 名 〘医学〙心臓(病)学.
car·phol·o·gy 名 〘病理〙撮空模床.
car·pol·o·gy 名 〘植物〙果実(分類)学.
ce·tol·o·gy 名 鯨学.
cha·ol·o·gy 名 〘宇宙〙カオス理論研究.
char·ac·ter·ol·o·gy 名 〘心理〙性格学, 性格研究.
cho·re·ol·o·gy 名 舞踊記譜法の研究.
cho·rol·o·gy 名 (生物)分布学.
Chris·tol·o·gy 名 キリスト論.
chro·ma·tol·o·gy 名 色彩学, 色彩論.
chro·nol·o·gy 名 ☞
cli·ma·tol·o·gy 名 ☞
co·di·col·o·gy 名 (特に古典・聖書などの)写本研究.
cod·o·lo·gy 名《アイル話》こけおどしでだます術 [こと].
con·chol·o·gy 名 貝類学.
co·ni·ol·o·gy 名 =koniology.
cop·rol·o·gy 名 =scatology.
cos·me·tol·o·gy 名 美容術, 化粧品学; 美容業.
cos·mol·o·gy 名 〘哲学〙〘天文〙宇宙論.
cra·ni·ol·o·gy 名 〘解剖〙頭骨 [頭蓋(ずがい)] 学.
cra·tol·o·gy 名 (諜報員の)密封梱包調査法.
crim·i·nol·o·gy 名 犯罪学, 刑事学.
crus·ta·ce·ol·o·gy 名 =carcinology.
cry·ol·o·gy 名 〘気象〙氷雪学.
cryp·tol·o·gy 名 暗号学.
cul·tur·ol·o·gy 名 文化学.
cy·to·e·col·o·gy 名 〘生物〙細胞生態学.
cy·tol·o·gy 名 細胞学.
dac·ty·lol·o·gy 名 (聴覚障害者の人が用いる)指話術 [法].
dae·mon·ol·o·gy 名 =demonology.
de·fec·tol·o·gy 名 欠陥 [欠点] 研究.
Del·phol·o·gy 名 未来予測方式の研究, 未来学方法論.
del·ti·ol·o·gy 名 絵はがき収集.
de·mon·ol·o·gy 名 悪魔 [魔神] 研究, 鬼神学.
den·drol·o·gy 名 樹木学.
den·tol·o·gy 名 〘軍事〙(原子力潜水艦などの型式の)凹凸判別法.
de·on·tol·o·gy 名 〘哲学〙義務論.
der·ma·tol·o·gy 名 〘医学〙皮膚科学.
di·a·lec·tol·o·gy 名 〘言語〙方言学, 方言研究.
dis·col·o·gy 名 (蓄音機の)レコード研究.
do·lo·rol·o·gy 名 〘医学〙痛覚学.
dox·ol·o·gy 名 ドクソロジー: 神を賛美する歌またはそのような言葉で綴られた式文.
dra·con·tol·o·gy 名 ドラゴン研究; ネス湖の怪獣などの

研究.
dru·i·dol·o·gy 名 ドルイド教研究.
ec·cle·si·ol·o·gy 名 教会建築学.
ec·cri·nol·o·gy 名 〘医学〙分泌腺(せん)学.
e·col·o·gy 名 ☞
E·gyp·tol·o·gy 名 エジプト学.
em·bry·ol·o·gy 名 〘発生〙発生学, 胎生学.
en·do·cri·nol·o·gy 名 〘医学〙内分泌学.
e·nol·o·gy 名 ＝oenology.
en·ter·ol·o·gy 名 〘解剖〙腸管学.
en·to·mol·o·gy 名 昆虫学.
en·vi·ron·men·tol·o·gy 名 環境学, 環境問題研究.
en·zy·mol·o·gy 名 〘化学〙酵素学.
ep·i·de·mi·ol·o·gy 名 〘病理〙疫学, 流行病学.
e·pis·te·mol·o·gy 名 〘哲学〙認識論.
ep·i·zo·o·ti·ol·o·gy 名 〘病理〙動物［家畜］流行病学.
er·o·tol·o·gy 名 性愛学; 好色文学［芸術］.
es·cap·ol·o·gy 名 《主に英》(奇術師などの)脱出術.
es·cha·tol·o·gy 名 〘神学〙終末論.
Es·ki·mol·o·gy 名 エスキモー学.
eth·nol·o·gy 名 民族学.
e·thol·o·gy 名 行動学, 動物行動学, 行動生物学.
e·ti·ol·o·gy 名 〘病理〙病因学［論］.
E·trus·col·o·gy 名 エトルリア学.
ex·o·cri·nol·o·gy 名 〘医学〙外分泌学.
fe·tol·o·gy 名 〘医学〙胎児学.
flu·vi·ol·o·gy 名 河川学.
fun·gol·o·gy 名 ＝mycology.
fu·tur·ol·o·gy 名 未来学.
gar·bage·ol·o·gy 名 ごみ学, ごみ調査.
gar·bol·o·gy 名 ＝garbageology.
gas·tro·en·ter·ol·o·gy 名 〘医学〙胃腸病学, 消化器病学.
gas·trol·o·gy 名 〘医学〙胃(病)学.
gem·ol·o·gy 名 宝石学.
ge·ol·o·gy 名 ☞
ger·a·tol·o·gy 名 〘生物〙生物廃滅学.
ger·on·tol·o·gy 名 老年［老人］学.
gla·ci·ol·o·gy 名 〘地質〙氷河学.
glos·sol·o·gy 名 《古》言語学.
glot·tol·o·gy 名 《廃》＝glossology.
gno·mol·o·gy 名 金言［格言］集.
gram·ma·tol·o·gy 名 グラマトロジー, 書差学.
graph·ol·o·gy 名 筆跡学; 筆跡観相学.
hag·i·ol·o·gy 名 聖人伝学［研究］; 聖人(伝)文学.
ha·mar·ti·ol·o·gy 名 罪悪論.
hap·lol·o·gy 名 〘言語〙重音省略.
he·li·ol·o·gy 名 〘天文〙太陽(科)学.
hel·min·thol·o·gy 名 蠕虫(ぜんちゅう)学, (特に)寄生虫学.
he·ma·tol·o·gy 名 〘医学〙血液学.
he·or·tol·o·gy 名 教会祝祭学.
hep·a·tol·o·gy 名 肝臓学.
her·bol·o·gy 名 (特に趣味としての)ハーブ研究.
he·re·si·ol·o·gy 名 異端研究.
her·pe·tol·o·gy 名 爬虫(はちゅう)両生類学.
het·er·ol·o·gy 名 〘生物〙非相同性, 異種［異型］性.
hi·er·o·gly·phol·o·gy 名 象形文字学.
hi·er·ol·o·gy 名 聖物についての文学, 宗教文学.
hip·pol·o·gy 名 馬学.
his·tol·o·gy 名 組織学.
Hit·tit·ol·o·gy 名 ヒッタイト学.
hop·lol·o·gy 名 武器の研究, 武器学.
hor·mo·nol·o·gy 名 〘医学〙ホルモン学, 内分泌学.
ho·rol·o·gy 名 時計製作技術; 時計学; 測時法.
hu·mor·o·lo·gy 名 ユーモア学.
hy·drol·o·gy 名 水文学, 陸水学.
hy·e·tol·o·gy 名 〘気象〙降水現象論.
hy·grol·o·gy 名 〘気象〙湿度学.
hy·lol·o·gy 名 材質学(materials science).
hym·nol·o·gy 名 賛美歌学, 聖歌学.
hyp·nol·o·gy 名 〘生理〙睡眠学, 催眠学.
ich·nol·o·gy 名 〘医学〙生痕(せいこん)学.
ich·thy·ol·o·gy 名 魚類学.
i·co·nol·o·gy 名 図像解釈学
i·de·ol·o·gy 名 イデオロギー, 観念形態, 意識形態.
id·i·om·ol·o·gy 名 イディオム研究.
im·mu·nol·o·gy 名 免疫学.
im·plan·tol·o·gy 名 〘歯科〙インプラント学.
In·dol·o·gy 名 インド研究, インド学.
in·sec·tol·o·gy 名 ＝entomology.
i·ren·ol·o·gy 名 平和学.
ir·i·dol·o·gy 名 〘眼科〙虹彩(こうさい)診断法.
Jap·a·nol·o·gy 名 日本研究.
kar·y·ol·o·gy 名 (細胞)核学.
ki·dol·o·gy 名 《英話》からかいの対象となるもの［人］.
ki·ne·si·ol·o·gy 名 運動科学, 運動生理学.
kis·sol·o·gy 名 キス学.
ko·ni·ol·o·gy 名 塵埃(じんあい)学.
Krem·lin·ol·o·gy 名 ソ連(政府)研究.
lamb·dol·o·gy 名 〘生物〙ラムダウイルス学.
lar·yn·gol·o·gy 名 〘解剖〙咽頭(いんとう)学.
lep·i·dop·ter·ol·o·gy 名 〘昆虫〙鱗翅(りんし)類学.
lex·i·col·o·gy 名 語彙(い)論.
li·chen·ol·o·gy 名 〘植物〙地衣類学.
lim·nol·o·gy 名 陸水学, (特に)湖沼学.
li·thol·o·gy 名 〘地質〙(広義に)岩石学.
li·tur·gi·ol·o·gy 名 典礼学, 礼拝学.
ma·fi·a·ol·o·gy 名 マフィア研究.
Ma·fi·ol·o·gy 名 マフィア学［研究］, 犯罪組織学.
ma·lar·i·ol·o·gy 名 〘病理〙マラリア研究［学］.
Mar·i·ol·o·gy 名 マリア学, 聖母神学, マリア論.
mar·tyr·ol·o·gy 名 殉教史.
Mar·y·ol·o·gy 名 ＝Mariology.
me·nol·o·gy 名 月暦.
me·re·o·l·o·gy 名 メレオロジー: 部分と全体の形式論理的関係を研究する学問.
me·te·or·ol·o·gy 名 ☞
meth·od·ol·o·gy 名 方法論, 原理体系.
me·trol·o·gy 名 度量衡学, 度量衡.
mi·crol·o·gy 名 微物研究(学).
mi·sol·o·gy 名 理屈［理論］嫌い.
mis·si·ol·o·gy 名 〘キリスト教〙宣教［布教］学.
mix·ol·o·gy 名 《米俗》カクテルを作る術.
mo·nol·o·gy 名 独語, 独り言; 独語癖.
mor·phol·o·gy 名 ☞
mus·col·o·gy 名 コケ学.
mu·se·ol·o·gy 名 博物館学.
mu·si·col·o·gy 名 音楽学.
my·col·o·gy 名 菌(類)学.
my·ol·o·gy 名 〘解剖〙筋学.
my·thol·o·gy 名 神話(体系); 神話.
nar·ra·tol·ogy 名 物語学, 説話論.
na·sol·o·gy 名 〘解剖〙鼻科学.
ne·crol·o·gy 名 死亡者名簿; (寺院などの)過去帳.
nem·a·tol·o·gy 名 線虫学.
ne·ol·o·gy 名 新(造)語(句).
ne·o·na·tol·o·gy 名 〘産科〙新生児学.
ne·on·tol·o·gy 名 〘生物〙現世生物学.
ne·phol·o·gy 名 〘気象〙雲学.
ne·phrol·o·gy 名 〘医学〙腎臓(病)学.
neu·rol·o·gy 名 〘解剖〙神経学.
no·mol·o·gy 名 法律学, 立法学.
no·sol·o·gy 名 〘病理〙疾病分類学; 疾病分類(表).
nos·tol·o·gy 名 〘医学〙老人病学.
nu·mer·ol·o·gy 名 数占い, 数霊術.
nu·mis·ma·tol·o·gy 名 貨幣の研究(numismatics).
o·cea·nol·o·gy 名 海洋学.
o·don·tol·o·gy 名 歯科医学(dentistry).
oe·nol·o·gy 名 ぶどう酒醸造学, ぶどう酒研究.
ol·o·gy 名 《話 / おどけて》科学, 学問(分野).
on·col·o·gy 名 〘病理〙腫瘍(しゅよう)学.
o·nei·rol·o·gy 名 夢学, 夢判断学.
on·o·ma·si·ol·o·gy 名 〘言語〙名義論.
on·o·ma·tol·o·gy 名 固有名詞学.
on·tol·o·gy 名 〘哲学〙存在学, 存在［本体］論.
o·ol·o·gy 名 卵学.
oph·i·ol·o·gy 名 ヘビ(類)学.
oph·thal·mol·o·gy 名 眼科学.

or·chid·ol·o·gy 名 ラン園芸, ラン栽培法.
or·ga·nol·o·gy 名 〖解剖〗器官学.
or·is·mol·o·gy 名 〖文法〗術語定義学.
or·ni·thol·o·gy 名 鳥(類)学.
o·rol·o·gy 名 山岳学.
or·tho·ker·a·tol·o·gy 名 〖眼科〗角膜矯正治療(学).
os·te·ol·o·gy 名 〖解剖〗骨学, 骨解剖学.
o·tol·o·gy 名 〖解剖〗耳学, 耳科学.
pa·le·ol·o·gy 名 (特に有史以前の)古物の研究.
pal·y·nol·o·gy 名 〖古生物〗花粉学.
pan·e·lol·o·gy 名 (趣味としての)漫画収集.
pan·tol·o·gy 名 人類の全知識体系, 万有百科の知識.
pap·y·rol·o·gy 名 パピルス古文書学.
par·a·si·tol·o·gy 名 寄生虫学, 寄生体学.
pa·thol·o·gy 名 ☞
pa·trol·o·gy 名 父(神)学, 教父文献学.
Pe·king·ol·o·gy 名 北京学, 中国(政策)研究.
pe·nol·o·gy 名 刑罰学, 行刑学.
per·i·na·tol·o·gy 名 〖産科〗周産期学, 出産期医療.
per·i·o·don·tol·o·gy 名 〖歯科〗歯周病 [症] 学.
per·son·o·lo·gy 名 観相学.
pes·tol·o·gy 名 害虫学.
pe·trol·o·gy 名 〖地質〗岩石学.
phar·ma·col·o·gy 名 ☞
phar·yn·gol·o·gy 名 〖解剖〗咽頭(いんとう)学.
phe·nom·e·nol·o·gy 名 〖哲学〗現象学.
phi·lol·o·gy 名 文献学.
phle·bol·o·gy 名 〖解剖〗静脈学.
pho·nol·o·gy 名 音韻論.
phra·se·ol·o·gy 名 言い回し, 表現法; 語法; 用語.
phre·nol·o·gy 名 (頭蓋(ずがい))骨相学.
phy·col·o·gy 名 藻(類)学.
phys·i·ol·o·gy 名 ☞
phy·tol·o·gy 名 《まれ》植物学.
pis·ca·tol·o·gy 名 《まれ》漁法学.
pis·tol·o·gy 名 信仰学.
plan·e·tol·o·gy 名 〖天文〗惑星学.
pneu·ma·tol·o·gy 名 〖神学〗聖霊論.
pneu·mol·o·gy 名 肺臓学.
poe·nol·o·gy 名 =penology.
po·go·nol·o·gy 名 (あご)ひげ研究.
po·le·mol·o·gy 名 戦争学.
po·mol·o·gy 名 〖農業〗果樹学, 果樹園芸学.
po·sol·o·gy 名 薬用量学, 薬量学.
pot·a·mol·o·gy 名 河川学.
prax·e·ol·o·gy 名 プラクシオロジー: 人間(関係で)の行動を研究する学問.
pre·na·tol·o·gy 名 〖心理〗出生前科学.
pri·ma·tol·o·gy 名 〖動物〗霊長類学.
proc·tol·o·gy 名 〖解剖〗直腸肛門(病)学.
pro·tis·tol·o·gy 名 〖発生〗原生生物学.
pse·phol·o·gy 名 選挙学; 《広義に》選挙予測.
pseu·dol·o·gy 名 《おどけて》虚言術.
psi·lol·o·gy 名 無意味な話.
psy·chol·o·gy 名 ☞
pter·i·dol·o·gy 名 シダ(羊歯)学.
pyr·e·tol·o·gy 名 発熱学.
ra·di·ol·o·gy 名 放射線学, (特に)放射線医学.
re·cep·to·rol·o·gy 名 〖生物〗受容器官学, 受容体学.
re·flex·ol·o·gy 名 〖医学〗反射法.
rhe·ol·o·gy 名 〖物理〗レオロジー, 流動 [流変] 学.
rheu·ma·tol·o·gy 名 〖病理〗リューマチ学.
rhi·nol·o·gy 名 〖解剖〗鼻科学.
ri·bo·zym·ol·o·gy 名 〖生化学〗リボザイム研究.
ro·bot·ol·o·gy 名 ロボトロジー, ロボット学
roent·gen·ol·o·gy 名 〖医学〗レントゲン学, X 線学.
sar·col·o·gy 名 《古》筋(肉)学.
Sa·ta·nol·o·gy 名 サタン [悪魔] 学, 悪魔論.
sca·tol·o·gy 名 糞便学; 糞便(による)診断.
Sci·en·tol·o·gy 名 サイエントロジー: 米国人 L. Ronald Hubbard が 1952 年に提唱し, 1965 年に設立された新宗教.
sed·i·men·tol·o·gy 名 〖地質〗堆積(たいせき)学.
seis·mol·o·gy 名 地震学.
sel·e·nol·o·gy 名 〖天文〗月学, 月理学.
se·ma·si·ol·o·gy 名 〖言語〗意味論, (特に)意味変化論.
sem·a·tol·o·gy 名 〖言語〗=semasiology.
se·mei·ol·o·gy 名 =semiology.
se·mi·ol·o·gy 名 記号学.
se·rol·o·gy 名 〖医学〗血清学.
sex·ol·o·gy 名 性(科)学.
sin·do·nol·o·gy 名 埋葬布学.
Si·nol·o·gy 名 中国学.
so·ci·ol·o·gy 名 ☞
so·ma·tol·o·gy 名 〖人類〗生体学.
so·te·ri·ol·o·gy 名 〖神学〗救済論.
So·vi·et·ol·o·gy 名 =Kremlinology.
spe·ci·ol·o·gy 名 種族学.
spec·trol·o·gy 名 幽霊学, 妖怪学.
spe·le·ol·o·gy 名 洞穴学.
sphyg·mol·o·gy 名 〖医学〗脈拍学.
splanch·nol·o·gy 名 〖解剖〗内臓学.
ster·e·ol·o·gy 名 ステレオロジー, 立体学.
stoe·chi·ol·o·gy 名 =stoichiology.
stoi·chi·ol·o·gy 名 細胞組織学.
sto·ma·tol·o·gy 名 〖解剖〗口腔(こうこう)病 [科] 学.
sto·ri·ol·o·gy 名 伝説 [民話] 研究.
sug·gest·ol·o·gy 名 〖心理〗暗示学.
su·i·cid·ol·o·gy 名 自殺(医)学.
Su·me·rol·o·gy 名 〖民族〗シュメール学.
sym·bol·o·gy 名 〖論理〗象徴 [表象] 学; 記号論.
symp·tom·a·tol·o·gy 名 徴候学, 症候学.
symp·tom·ol·o·gy 名 =symptomatology.
syn·ap·tol·o·gy 名 〖医学〗(神経の)シナプス学 [研究].
syph·i·lol·o·gy 名 〖病理〗梅毒学.
sys·tem·a·tol·o·gy 名 体系学, 系統学.
tau·tol·o·gy 名 トートロジー, 類語反復.
tax·ol·o·gy 名 分類法.
tech·nol·o·gy 名 ☞
tec·tol·o·gy 名 〖生物〗組織形態学, 組織構造論.
tel·e·ol·o·gy 名 〖哲学〗目的論.
ter·a·tol·o·gy 名 〖生物〗(動植物に関する)奇形学.
ter·mi·nol·o·gy 名 術語, 専門用語.
than·a·tol·o·gy 名 タナトロジー, 死学.
thau·ma·tol·o·gy 名 奇跡学, 奇跡論.
the·ol·o·gy 名 ☞
the·ri·o·ge·nol·o·gy 名 獣医繁殖学.
the·rol·o·gy 名 〖動物〗哺乳類学.
threm·ma·tol·o·gy 名 〖生物〗育種学, 繁殖学, 飼育学.
to·col·o·gy 名 産科学.
to·kol·o·gy 名 =tocology.
to·pol·o·gy 名 ☞
tox·i·col·o·gy 名 毒物学, 中毒学.
trau·ma·tol·o·gy 名 外傷学.
tri·bol·o·gy 名 《英》トライボロジー, 摩擦学.
tri·chol·o·gy 名 毛髪学.
tro·pol·o·gy 名 比喩的言語の使用, 比喩的語法.
typh·lol·o·gy 名 盲目学.
ty·pol·o·gy 名 予型論, 類型論.
u·ra·nol·o·gy 名 〖天文〗天体学, 天体誌学.
ur·ban·ol·o·gy 名 都市学.
u·ri·nol·o·gy 名 尿の研究.
u·rol·o·gy 名 〖医学〗泌尿器学, 泌尿科学.
ve·ne·re·ol·o·gy 名 〖病理〗性病学.
ven·er·ol·o·gy 名 =venereology.
ve·nol·o·gy 名 =phlebology.
vex·il·lol·o·gy 名 旗章学.
vic·tim·ol·o·gy 名 被害者学.
vi·rol·o·gy 名 〖医学〗ウイルス学.
vi·ta·min·ol·o·gy 名 ビタミン学.
vol·can·ol·o·gy 名 火山学.
vul·can·ol·o·gy 名 =volcanology.
ze·nol·o·gy 名 異星人研究.
zo·ol·o·gy 名 ☞
zy·mol·o·gy 名 〖生化学〗《もと》酵素学, 発酵学.

-olt /óult/

語尾 jolt は「揺さぶる」,「はねる」という音象徴; bolt[1], bolt[2], volt につながるという感じがある.
★ 語末にくる同音形は -OULT.

bolt[1] 名 飛び出し. ——動自 駆け出す.
bolt[2] 動他 ふるい分ける, 篩にかける(boult).
colt 名 ウマ類に属する動物の雄の子.
dolt 名 愚か者, うすのろ, まぬけ.
holt[1] 名 《古・方言》森, 木立.
holt[2] 名 《英俗》隠れ場所.
jolt 動他 揺さぶる.
molt 動自 羽毛が生え変わる; 脱皮する.
smolt 名 二年子サケ.
volt[1] 名 ☞
volt[2] 名 『馬術』円を描く動き. ——動自 巻き乗りする.

-o·lum /ələm/

接尾辞 小…, 小さい.
◆ ラテン語の指小辞. ⇨ -UM[1].

hor·de·o·lum 名 『病理』麦粒腫, ものもらい(sty).
tro·pae·o·lum 名 『植物』キンレンカ, ノウゼンハレン.

-om[1] /ɑm | ɔm/

音象徴 音象徴語の重複形に見られる語尾要素.

póm·pòm 名 (第二次世界大戦中の)ポンポン砲, (特に英艦上に搭載された 8 連装の)対空高射砲; 自動高射砲.
tóm-tòm 名 トムトム: 太鼓の一種.

-om[2] /ɑ́m | ɔ́m/

語尾 いくつかの短縮語を含む.
★ 語末にくる同音形は -OMB[3].

com 動自 《病院俗》昏睡する(coma).
-com 連結形 ☞
dom 名 ドン, 師.
from 前 …から.
glom 動他 《俗》盗む(steal).
mom 名 《話》ママ, 母ちゃん.
pom 名 ポメラニア犬(pomeranian).
prom 名 (特に米国の高校・大学などで学年末に公式に行う)舞踏会(promenade).
tom[1] 名 (七面鳥など各種動物の)雄.
tom[2] 名 《英俗》宝石.
tom[3] 名 《英俗》排便, くそをすること.
vom 動自 《俗》(十代の間で)食べ物を吐く(vomit).

-o·ma /óumə/

接尾辞 『医学』腫瘍(tumor).
★ 名詞をつくる.
★ 語末にくる関連形は -OME[1].
◆ おそらく carcinoma または sarcoma から抽出.

ac·an·tho·ma 名 棘(きょく)細胞腫.
ad·e·no·ma 名 ☞
an·gi·o·ma 名 脈管腫.
ar·gen·taf·fi·no·ma 名 嗜銀腫.
as·co·ma 名 『菌類』子嚢(しのう)果.
ath·er·o·ma 名 アテローム, 粥腫(じゅくしゅ), 粉瘤(ふんりゅう).
blas·to·ma 名 ☞
cae·o·ma 名 『菌類』無被さび胞子堆(たい).
car·ci·no·ma 名 ☞
chon·dro·ma 名 (良性の)軟骨腫.
chor·do·ma 名 脊索(せきさく)腫.
cho·ri·o·ma 名 絨毛(じゅうもう)膜癌腫(がんしゅ), 絨毛腫.
con·dy·lo·ma 名 コンジローム, 湿疣(しつゆう).
cra·ni·o·pha·ryn·gi·o·ma 名 頭蓋(とうがい)咽頭腫(いんとうしゅ).
cys·to·ma 名 嚢腫(のうしゅ).
-cy·to·ma 連結形 ☞
en·ceph·a·lo·ma 名 脳腫瘍, 脳腫瘤(しゅりゅう).
en·chon·dro·ma 名 内軟骨腫.
fi·bro·ma 名 線維腫.
gas·tri·no·ma 名 ガストリノーマ, ガストリン腫.
glau·co·ma 名 ☞
gli·o·ma 名 神経膠腫(こうしゅ).
gran·u·lo·ma 名 肉芽腫.
he·man·gi·o·ma 名 血管腫.
he·ma·to·ma 名 血腫(けっしゅ).
hep·a·to·ma 名 肝臓癌, 肝細胞癌, ヘパトーム.
hy·brid·o·ma 名 『生物工学』融合細胞.
hy·gro·ma 名 ヒグローマ.
in·su·li·no·ma 名 インスリノーマ, 機能性膵(すい)島腫瘍.
in·su·lo·ma 名 =insulinoma.
ker·a·to·ma 名 (皮膚の)角化症(keratosis).
le·pro·ma 名 らい腫.
leu·ko·ma 名 角膜白斑(はくはん), 《俗に》目星.
li·po·ma 名 脂肪腫.
lu·po·ma 名 狼瘡(ろうそう)結節.
lym·pho·ma 名 リンパ腫.
mel·a·no·ma 名 黒(色)腫, 黒色素細胞腫.
me·nin·gi·o·ma 名 髄膜腫(しゅ).
my·ce·to·ma 名 菌腫.
my·e·lo·ma 名 骨髄腫.
my·o·ma 名 筋腫.
myx·o·ma 名 粘液腫.
neu·ro·ma 名 神経腫.
os·te·o·ma 名 骨腫.
pap·il·lo·ma 名 乳頭腫.
sar·co·ma 名 ☞
sca·to·ma 名 糞塊瘤(ふんかいりゅう), 糞腫.
scle·ro·ma 名 『病理』硬腫.
se·ro·ma 名 血清腫.
staph·y·lo·ma 名 ブドウ腫(しゅ).
syph·i·lo·ma 名 (梅毒の)ゴム腫.
ter·a·to·ma 名 奇形腫.
-the·li·o·ma 連結形 ☞
tra·cho·ma 名 トラコーマ, トラホーム.
xan·tho·ma 名 黄色腫.

-omb[1] /óum/

語尾 語末にくる同音形は -OAM, -OME[1], -OME[2].

clomb 動 《古》climb の過去・過去分詞形.
comb[1] 名 ☞
comb[2] 名 《英》深く狭い谷.

-omb[2] /úːm/

語尾 語末にくる同音形は -OOM[2], -UME[1].

comb 名 《英》深く狭い谷(combe).
tomb 名 ☞
womb 名 (人・哺乳(ほにゅう)動物の)子宮.

-omb[3] /ɑ́m | ɔ́m/

語尾 bomb は擬声語を起源とする.
★ 語末にくる同音形は -OM[2].

bomb 名 ☞
stromb 名 ソデガイ, スイショウガイ.

-ome[1] /óum/

接尾辞 『植物』塊, 群, 部.
★ 名詞をつくる.
★ 語末にくる関連形は -OMA.
◆ 近代ラテン語 *-oma*「塊, 群」より.

bi·ome 名 バイオーム, 生物群系.
phyl·lome 名 葉(leaf).
tel·ome 名 テロム.
trich·ome 名 毛状突起, 分泌毛束.

-ome[2] /óum/

語尾 語末にくる同音形は -OAM, -OMB[1], -OME[1].

chrome 名 ☞
-chrome 連結形 ☞
dome 名 ☞
drome 名 《話》飛行場, 空港(airdrome).
-drome 連結形 ☞
gnome[1] 名 地の精, 小鬼.
gnome[2] 名 金言, 格言.
gome 名 《米学生俗》ばか者; 嫌われ者.
home 名 ☞
mome 名 《古》ばか, のろま, でくのぼう.
nome 名 ノモス: 古代エジプトの州.
pome 名 〘植物〙ナシ状果, 梨果(りか).
-some 連結形 ☞ -SOME[3]
-stome 連結形 ☞
tome 名 《こっけい》(一般に)本, (特に)大冊.
-tome 連結形 ☞

-ome[3] /ʌ́m/

語尾 古英語の /u/ が /ʌ/ となる.
★ 語末にくる同音形は -OMB[4], -UM[4], -UMB.

come 動自 ☞
some 形 (漠然と)いくらかの, 多少の; 少しの.

-o·mi·ni·um /əmíniəm/

連結形 コンドミニアム.
★ 名詞をつくる.
◆ condominium の短縮形.

dock·o·min·i·um 名 ドコミニアム, 居住用マリーナ.
quad·ro·min·i·um 名 四世帯アパート [集合住宅].

-omp[1] /ámp | ɔ́mp/

音象徴 **1** ドシン, ドスン, バ(ー)ン; 重い足取りの歩みや踏みつけるような動作, 激しい衝撃音を表す. **2** ガリガリ, ムシャムシャ, モグモグ; かんだり, 食べたりすることとその音を表す. ◇ -AMP[1].

chomp 動他 〈馬が〉〈轡(くつわ)を〉(いらだって)かむ(champ). ━━自 **1** 〈馬が〉(轡(くつわ)に)かみつく. **2** 《米ハッカー俗》うまくいかない. ━━名 むしゃむしゃかむこと; その音.
clomp 動自 ドスンドスンと歩く(clump). ━━名 ドスンドスンという重い足取り.
fomp 動自 《米学生俗》いちゃつく.
romp 動自 〈子供などが〉はしゃぎ回る, ふざける.
romp 動他 《米俗》粉々に壊す [割る].
stomp 動他 〈地面・床などを〉(力を込めて)踏みつける, 踏みしめる(stamp).
tromp 動他 《米話》…をドシンドシンと [重い足取りで] 歩く, 踏みつける.
whomp 名 《米話》ドタン, ドシン, バタン(bang), ピシャリ(slap).
womp 名 《米俗》(テレビ画面の)白閃(はくせん)光.
yomp 動自他 《英俗》〈特に兵隊が〉(重い装備で歩きにくい場所を)苦労して歩く.

-omp[2] /ámp | ɔ́mp/

語尾 短縮語の話語が多い.

comp[1] 名 《話》植字工(compositor).
comp[2] 名 《話》無料招待券(complimentary ticket).
comp[3] 動自他 《主に米話》〘ジャズ〙リズムを強調して伴奏する.
comp[4] 名 《話》総合試験(comprehensive).
comp[5] 名 《話》補償(compensation).
comp[6] 名 《話》競争(competition).
comp[7] 名 《話》一時払い(compounding).
pomp 名 壮麗, 壮観, 華やかさ, 豪華.

on /án, ɔ́:n | ɔ́n; 《弱》ən, n/

前 …の上[表面]に; …に乗って. ━━副 上に; 覆って; 進んで.

ádd-òn (コンピュータなどの)付加機器.
áll ón 〘キツネ狩り〙異常なし.
blúsh-òn ほお紅.
bólt-òn 形 追加された.
bóne-ón 《米俗》=hard-on.
bróught-òn 形 《主に米南部ミッドランド》地元で製造 [購買] されたのではない.
brúsh-òn 形 刷毛(はけ)を用いる [の要る].
bútton-òn 形 ボタンで留める, ボタン付きの.
cáll-òn 《英》(港湾労働者の)仕事待ち.
cárrying-ón 《話》無責任な振る舞い.
cárry-òn 形 機内に持ち込める.
clíp-òn 形 クリップ留めになっている.
cóme-òn 《俗》誘い, おとり, 「えさ」.
dáy-ón 名 《英海軍俗》当直将校.
déad-ón 形 《主に英話》非常に正確な.
dívidend ón 〘証券〙配当付き.
dríve-òn 形 〘貿易〙(運転者が車に乗って行う)車の船積み方式の.
flów-òn 《豪・NZ》便乗昇給.
fóllow-òn 形 後続の.
fótch-ón 形 《米ミッドランド南部》輸入の.
fúll-ón 形 全開の.
fúlly-ón 形 =full-on.
góings-ón 《話》(非難を受けるような)行為.
grówn-òn 形 〈ウエストバンドが〉ズボン [スカート] の一部をカットして作られた.
hánds-ón 形 実際に参加する, 実地の.
hánger-ón (物欲しそうに)居残っている人.
háng-òn 《話》壁などに掛けた物.
hárd-òn 《俗》(ペニスの)勃起(ぼっき).
háve-òn 《米俗》ぺてん, 詐欺.
héad-ón 形 (2つのものが)正面で出会う.
hère-ón 副 ここにおいて; この結果として.
íron-òn 形 アイロンの熱と圧力で定着させる.
knóck-òn 〘ラグビー〙ノックオン.
látcher-òn 《話》(人に)まつわりつく人.
lóck-òn 〘航空〙レーダー追跡; 自動追尾.
lóg·òn 〘コンピュータ〙端末使用開始時のメインコンピュータへの接続手続き.
lóng-ón 〘クリケット〙ロングオン.
lòoker-ón 傍観者, 見物人.
mán héad òn 〘アメフト〙守備側のラインの選手が攻撃側のラインの選手と真っ正面に向き合って低い姿勢をとって構えること.
míd ón 〘クリケット〙ミッドオン.
míd wícket ón =mid on.
ódds-ón 形 (競馬で)五分以上の勝ち目のある.
párty-ón 動自 《俗》いくつものパーティーに出る.
páste-òn 形 張りつける, 粘着の.
préss-ón 形 〈布地が〉アイロンがけ可能な.
púll-òn プルオン式の衣服.
pút-òn 《主に俗・カナダ俗》人をかつぐこと.
ríght-ón 形 《米俗》本当に信頼できる.
róll-òn 形 (化粧品などが)回転塗布方式の.
rún-òn 形 行を変えずに追加される.
scréw-òn 形 〈蓋が〉ひねって取りつける方式の.

sétter-ón 攻撃者.
shíned-ón 形 《米》無視された.
síde-ón 形 (互いに)側面を向いた.
sígn-òn 『ラジオ・テレビ』(一日の)放送開始, 放送開始アナウンス.
slíp-òn 形 スリッポン式の〈衣服・手袋・靴〉.
smáck-òn 副 ぴったりと, 正確に.
snáp-òn 形 ホック式の, ホックで取りつける.
spót-òn 形 《英話》どんぴしゃで合っている.
stálk-òn 《卑》=hard-on.
stánd-òn 《俗》=hard-on.
stép-òn 形 ペダルを踏んで開ける.
stíck-òn (裏に接着剤のついた)ラベル.
stráp-òn 形 ひもで取りつけられている.
swítched-ón 形 《英俗》=turned-on.
swítch-òn (電源などの)スイッチを入れること.
thère·ón 副 《文語》(位置が)その上に.
tíe-òn 形 結びつけた, 結んである.
típ-òn 『製本』張り込み.
trý-òn (仮縫い服などを)着てみること.
túrned-ón 形 《俗》いかした; 進んでいる.
túrn·òn 《俗》(幻覚剤・麻薬による)陶酔.
up·ón 前副 ☞
wálk-òn (演劇などで)端役, 通行人役.
whère·ón 副 《古》《疑問副詞》何の上に.
wíde-òn 《米俗》(女性器の)性的興奮状態.

-on[1] /ɑn | ɔn/

接尾辞 命名に用いる. **1** 素粒子: glu*on*, mes*on*, neutr*on*. **2** 量子: gravit*on*. **3** 構成要素: cistr*on*, cod*on*, magnet*on*, phot*on*.
★ 名詞をつくる.
◆ おそらく ion「イオン」から抽出.

ax·i·on 名 『物理』アキシオン.
bo·son 名 ☞
chrom·on 名 色の属性を決定する仮定的な素粒子の一つ.
chro·non 名 クローノン: 仮定の時間の単位.
cis·tron 名 『遺伝』シストロン.
co·don 名 『遺伝』コドン.
cop·per·on 名 =cupferron.
cup·fer·ron 名 『化学』クペロン, バウディッシュ試薬.
deu·ter·on 名 『物理』重陽子, デューテロン.
deu·ton 名 《まれ》=deuteron.
di·u·ron 名 『化学』ジウロン.
dy·on 名 『物理』ダイオン.
e·lec·tron 名 ☞
ex·ci·ton 名 『物理』励起子, エキシトン.
ex·on 名 『遺伝』エクソン.
glu·on 名 『物理』グルオン.
grav·i·ton 名 『物理』グラビトン, 重力量子.
had·ron 名 『物理』ハドロン.
hy·per·on 名 『物理』ハイペロン, 重核子.
in·stant·on 名 『物理』インスタントン.
in·ter·fer·on 名 『生化学』インターフェロン.
in·tron 名 『遺伝』イントロン, 介在配列.
ir·tron 名 『天文』(銀河系中心の)赤外線源.
lep·ton 名 『物理』レプトン, 軽粒子.
lux·on 名 『物理』ルクソン.
mag·ne·ton 名 『物理』磁子.
mag·non 名 『物理』マグノン.
me·son 名 ☞
min·don 名 マインドン: 心的メッセージを運ぶとされる仮説的な粒子.
mu·ton 名 突然変異因子, ミュートン.
neg·a·ton 名 《俗に》エレクトロン, 電子.
neu·tron 名 ☞
ni·ton 名 『化学』ニトン: radon の旧称.
nu·cle·on 名 『物理』核子, 核粒子.
op·er·on 名 『遺伝』オペロン.
par·ton 名 『物理』パートン.
pen·ton 名 『生化学』ペントン, 五単位連鎖体.
pho·non 名 『物理』フォノン, 音響量子, 音子.
phos·pham·i·don 名 『化学』ホスファミドン.
pho·ton 名 光子, フォトン, 光量子.
pi·on 名 『物理』パイオン, パイ中間子.
plas·mon 名 『発生』プラスモン.
po·lar·on 名 『物理』ポーラロン.
pom·e·ron 名 『物理』ポメロン.
pre·on 名 『原子物理』プレオン.
pri·on 名 『微生物』プリオン.
pro·ton 名 『物理』『化学』プロトン, 陽子.
psi·on 名 『物理』プシー粒子.
psy·chon 名 サイコン: 神経インパルスまたはエネルギーの仮定上の単位.
qui·te·ron 名 『電子工学』クイトロン, 準粒子注入トンネル効果素子.
ro·ton 名 『物理』ロトン.
sol·i·ton 名 『数学』『物理』ソリトン.
tach·y·on 名 『物理』タキオン.
tar·dy·on 名 『物理』タルディオン [亜光速] 粒子.
trans·po·son 名 『遺伝』トランスポゾン.
tri·ton 名 『物理』三重陽子, トリトン.
vi·ri·on 名 ビリオン, ウイルス粒子.

-on[2] /ɑn | ɔn/

接尾辞 不活性気体元素の命名に用いる.
◆ <近代ラ<ギ *-on* (形容詞語尾 *-os* の中性形)より.

ac·ti·non 名 『化学』アクチノン.
ar·gon 名 『化学』アルゴン.
ar·go·non 名 『化学』不活性ガス(inert gas).
hal·on 名 『化学』ハロン.
kryp·ton 名 『化学』クリプトン.
ne·on 名 『化学』ネオン.
ra·don 名 『化学』ラドン.
tho·ron 名 『化学』トロン.
xe·non 名 『化学』キセノン.

-on[3] /ɑn, ə | ɔn, ən/

接尾辞 ギリシャ語の中性形単数語尾.

ab·ap·tis·ton 名 『外科』小円錐穿頭(せんとう)器.
ac·ron 名 『昆虫』先節, 口前部.
al·a·bas·tron 名 『古代ギリシャ・ローマ』アラバストロン.
al·eu·ron 名 『植物』アリューロン, 糊粉(こふん).
an·a·co·lu·thon 名 『修辞』破格構文.
ant·he·li·on 名 『気象』反対幻日(げんじつ), 向幻日.
a·phe·li·on 名 『天文』遠日点.
a·syn·de·ton 名 『修辞』接続詞 [連辞] 省略.
ca·thol·i·con 名 万能薬, 万病薬.
cho·ri·on 名 『発生』絨毛(じゅうもう)膜.
cin·na·mon 名 『植物』セイロンニッケイ(肉桂).
co·lon[1] 名 (句読点の)コロン.
co·lon[2] 名 ☞
cra·ton 名 『地質』大陸塊, 大陸核, 剛塊.
-den·dron 連結形 ☞
di·ach·y·lon 名 『医学』鉛丹硬膏(こうこう).
di·a·con·i·con 名 (東方教会・初期キリスト教会の)聖物保管室, 聖堂納室.
ei·do·lon 名 幻, 幻影, 幻像, 幽霊.
ei·ren·i·con 名 =irenicon.
el·y·tron 名 『昆虫』(甲虫などの)翅鞘(ししょう).
en·ceph·a·lon 名 ☞
en·col·pi·on 名 『ギリシャ正教』エンコルピオン.
en·kol·pi·on 名 =encolpion.
en·ter·on 名 『解剖』『動物』腸管, 消化管.
ep·ei·so·di·on 名 エペイソディオン: 古代ギリシャ劇の幕間(まくあい)劇.
e·phem·er·on 名 短命な [はかない] もの.
er·y·thron 名 『解剖』エリトロン, 赤血球系(細胞).
et·y·mon 名 (派生語・借用語のもとである)語根.

har·mon·i·con 名 ハーモニカ(harmonica).
-he·dron 連結形 ☞
hex·a·em·er·on 名 〘旧約聖書〙ヘクサエメロン.
hex·a·hem·er·on 名 =hexaemeron.
hex·am·er·on 名 =hexaemeron.
hi·er·on 名 (古代ギリシャの)神殿, 聖域.
hol·on 名 〘哲学〙ホロン, 部分的全体.
ho·me·o·tel·eu·ton 名 〘修辞〙同尾語.
hy·per·ba·ton 名 〘修辞〙転置(法).
i·con 名 像, 肖像; 偶像; 〘東方教会〙聖像; 〘コンピュータ〙アイコン: スクリーン上の絵による操作選択の表示.
i·re·ni·con 名 平和(仲裁)提案.
lep·ton 名 レプトン: 現代ギリシャの貨幣単位.
leu·con 名 〘動物〙リューコン型, ロイコン型.
lex·i·con 名 辞書, 古典語辞書.
lo·gi·on 名 (宗教家などの残した)訓言, 格言.
ma·cron 名 長音符, 長音記号.
mes·o·ceph·a·lon 名 〘解剖〙中脳.
mi·cron 名 ☞
mi·kron 名 =micron.
mo·ron 名 《話》(一般に)愚か者, ばか.
nek·ton 名 ネクトン, 遊泳生物.
neu·ron 名 ☞
neus·ton 名 水表生物.
om·i·cron 名 オミクロン(Ο, ο): ギリシャ語アルファベットの第 15 字.
on·o·mas·ti·con 名 固有名詞集.
ooph·o·ron 名 〘動物〙卵巣(ovary).
or·ga·non 名 (思考の)手段, 考察 [研究] 法.
os·tra·con 名 オストラコン, 陶片.
ox·y·mo·ron 名 〘修辞〙矛盾語法, 撞着(どうちゃく)語法.
pan·chres·ton 名 パンクレストン: あらゆる場合に当てはめようとする説明.
pan·op·ti·con 名 円形刑務所 [病院, 図書館など].
pan·tech·ni·con 名 《英》家具運搬車; 有蓋貨物運搬車.
pa·reg·me·non 名 〘修辞〙共通 [同根] 派生語並置.
par·er·gon 名 付随的なもの; 装飾, アクセサリー.
par·he·li·on 名 〘気象〙幻日(げんじつ).
per·i·he·li·on 名 〘天文〙近日点.
peri·spo·me·non 形名 (ギリシャ語で)単語の最後の音節が曲強勢を持つ(単語).
pet·a·lon 名 ペタロン: ユダヤ教の高僧の法冠前部につける純金の板.
phlo·gis·ton 名 フロギストン: 酸素が発見されるまで, 燃焼の際に放出されると考えられていた架空の物質.
phy·lon 名 〘生物〙(近い類縁関係の)族, 種族.
plank·ton 名 ☞
pleu·ron 名 側板, 甲側.
pro·chlo·ron 名 〘生物〙プロクロロン.
pros·pho·ron 名 〘ギリシャ正教〙プロスフォラ.
-pter·on 連結形 ☞
rhy·ton 名 〘古代ギリシャ〙リュトン.
sco·li·on 名 古代ギリシャの宴会で歌われた歌.
skel·e·ton 名 ☞
stas·i·mon 名 (古代ギリシャ劇の)合唱歌.
ster·e·op·ti·con 名 〘光学〙立体 [実体] 幻灯機.
sy·con 名 〘動物〙シコン型, サイコン型.
tax·on 名 分類群.
tel·son 名 (エビなど節足動物の)尾節, 尾扇.
-ter·i·on 接尾辞 ☞
tri·lith·on 名 トリリトン, 三石塔, 三石構造物.
tro·pai·on 名 (特に古代ギリシャの)戦勝記念碑.
ty·pi·con 名 〘東方教会〙奉事例, 典礼便覧.
xen·o·do·che·ion 名 (古代ギリシャ・ローマの)宿屋.

-on[4] /ɑn | ɔn/

連結形 〘物理〙中間子.
★ 名詞をつくる.
◆ meson の短縮形.

bar·y·on 名 〘物理〙バリオン, 重粒子.
fer·mi·on 名 フェルミ粒子.
ka·on 名 K 中間子(K meson).
mu·on 名 ミューオン, μ 中間子.

-on[5] /ɑn, ən | ɔn, ən/

接尾辞 もとはギリシャ語の動詞の現在分詞の中性形名詞用法.

ae·thon 名 〘化学〙オルトギ酸トリエチル.
al·kap·ton 名 〘生化学〙ホモゲンチジン酸.
ar·chon 名 アルコン: 古代アテネの高級執政官.
cat·i·on 名 〘物理化学〙陽イオン, カチオン.
ho·ri·zon 名 ☞
kat·i·on 名 =cation.
nou·me·non 名 〘哲学〙本体, 物自体.
pe·rei·on 名 (甲殻類の)胸部, 胸郭.
phe·nom·e·non 名 ☞
ple·on 名 泳腹: 甲殻類動物の腹部.
pro·le·gom·e·non 名 前置き, 序言, 序文.
pro·per·i·spom·e·non 形名 〘古典ギリシャ文法〙語尾から第 2 音節目に曲折強勢のある(語).
sca·zon 名 〘韻律〙跛行(はこう)短長格.

-on[6] /ən, ɑn | ən, ɔn/

連結形 …プランクトン.
★ 名詞をつくる.
◆ plankton から抽出.

ben·thon 名 底生生物.
ed·a·phon 名 土壌微生物, エダフォン.
pleus·ton 名 〘生物〙浮遊生物.

-on[7] /ɑn, oun, ə | ɔn, ən/

接尾辞 フランス語の男性形名詞接尾辞.

bil·lon 名 ビロン: 金または銀に多量の卑金属を加えた貨幣用合金.
blous·on 名 ブルゾン.
bouil·lon 名 〘料理〙ブイヨン(肉のすまし汁).
but·ton 名 ☞
caul·dron 名 大釜, 大湯沸かし.
cav·ail·lon 名 キャベイヨン: 香りの強いメロン.
chi·gnon 名 シニョン, 束髪, まげ.
cou·pon 名 クーポン, 景品引換券; 優待券.
ech·e·lon 名 (命令系統・組織体などの)(階)層.
fleu·ron 名 (王冠・貨幣・柱頭などの)花形装飾.
gri·son 名 〘動物〙グリソン.
-il·lon 接尾辞 ☞
jet·ton 名 ジェトン: 図柄入りチップ.
lor·gnon 名 片眼鏡, 鼻眼鏡.
pail·lon 名 パイヨン, 金属箔(はく).
pel·o·ton 名 ペロトン(ガラス).
ten·on 名 枘(ほぞ).
-thion 連結形 ☞
tor·til·lon 名 擦筆(さっぴつ).

-on[8] /ɑn | ɔn/

連結形 炭素.
★ 名詞をつくる.
◆ carbon から抽出.

bo·ron 名 〘化学〙ホウ素.
sil·i·con 名 〘化学〙ケイ素.

-on[9] /ɑ́n | ɔ́n/

語尾 いくつかの短縮語を含む.
★ 語末にくる同音形は -AN[5], -ONE[3].

O

con[1] 副形 (提案・意見などに)反対で[の].
►contra から.
con[2] 動他 《古》(十分に)学ぶ, 学習する.
con[3] 動他 [海事]〈船の〉操舵(ᵏᵒ)を指揮する.
con[4] 形 《話》信用させておいた後でだます (confidence game).
con[5] 名 《俗》罪人, 囚人(convict).
con[6] 名 《俗》肺病, 肺結核(consumption).
con[7] 名 《話》(…への)転換(conversion).
con[8] 前 [音楽]…を持って(with).
don 動他 《文語》〈衣服を〉着る.
gon 名 《米鉄道俗》無蓋(ぶい)大貨車(gondola).
-gon 連結形 ☞
mon 名 《スコット・北イング》=man.
non 副 …でない(not).
on 前 ☞
phon 名 ホン: 音の大きさを表す単位.
shon 名 《俗》ユダヤ人(shonicker).
son 名 ソン: 中南米の各地で固有の民俗舞踊とその音楽.
-thon 連結形 ☞
tron 名 《主にスコット》(商品の重さを計った)公共の秤(はかり).
-tron 連結形 ☞
von 前 …(出身)の(from, of).
yon 形 《方言》《古風》あそこの(yonder).

-on[10] /ʌ́n/

語尾 語末にくる同音形は -ONE[4], -UN.

chon 名 チョン: 北朝鮮の貨幣単位.
hon 名 《話》恋人, いとしい人; 最愛の人, いとし子, 秘蔵っ子(honey).
jeon 名 チョン(chon): 韓国の貨幣単位.
mon 名 《米俗》金(money).
son 名 ☞
-son 連結形 ☞
ton 名 ☞
won[1] 動 win の過去・過去分詞形.
won[2] 動自 《古》居住する, 住む; 滞在する.

-on[11] /ən/

語尾 語末にくる同音形は -AN[6], -EAN, -EN[7].

-gon 連結形 ☞
-ston 連結形 ☞
-ton[1] 連結形 ☞
-ton[2] 連結形 ☞

-o·nal /ounl/

語尾

so·nal 形 音の, 音波の, 音速の(sonic).
ton·al 形 ☞
zon·al 形 ☞

-once /ɑ́ns | ɔ́ns/

語尾 once /wʌns/ と比較; nonce[1] は中英語で nones. for then ones「その時1回だけ」を for the nones と異分析した.

bonce 名 《英俗》頭, 頭蓋(ずがい)骨.
nonce[1] 名 さしあたり, 当座, 目下.
nonce[2] 名 《米俗》くだらないこと(nonsense).
ponce 名 《英俗》(売春婦の)ひも; ポン引き.
sconce[1] 名 壁付き持送り燭台(しょくだい).
sconce[2] 名 [築城]小型砦(とりで).
sconce[3] 動他 (特に以前, 英国の大学で, 規則や作法違反に対して)〈在学生に〉罰金を課する.
sconce[4] 名 頭; 頭蓋(ずがい).

-ond /ɑ́nd | ɔ́nd/

語尾 語末にくる同音形は -ONDE.

blond 形 ☞
bond[1] 名 ☞
bond[2] 名 《廃》農奴, 奴隷.
fond 形 《叙述的》(…を)好んで, 気に入って.
frond 名 (シダ, シュロなどの)葉.
pond 名 ☞
-spond 連結形 ☞
yond 副 《古》あそこに, 向こうに.

-onde /ɑ́nd | ɔ́nd/

語尾 フランス語から借用.
★ 語末にくる同音形は -OND.

blonde 形 ☞
ronde 名 [印刷]ロンド体(round hand).
sonde 名 ☞

-on-demand /ɑndimǽːnd/

連結形 [通信][コンピュータ]…オンデマンド.
★ 電話やケーブルテレビで, 利用者の要求に応じていつでも提供されるサービス内容を表す複合名詞をつくる.
◆ 形容詞的用法の on-demand「要求に応じた」から転用.

advertising-on-demand 名 広告オンデマンド.
audio-on-demand 名 音声オンデマンド.
Fax-on-demand 名 ファックスオンデマンド.
film-on-demand 名 映画オンデマンド.
films-on-demand 名 =film-on-demand.
games-on-demand 名 ゲームオンデマンド.
news-on-demand 名 ニュースオンデマンド.
shopping-on-demand 名 ショッピングオンデマンド.
video-on-demand 名 ビデオオンデマンド(VOD).

one /wʌ́n/

形 一つの, 一個の; 一人の; 単一の, 一組[連]の. ►不定冠詞 a の別形で, 強意的. ━━名 **1** 一つのもの, 一人, 一個. **2**《話》一撃, (げんこつ)一発; (…についての)(ひと口の)うそ, 冗談, ほら話; (杯の)酒.
◆ 中英 *oon*, 古英 *ān*; 独 *ein*, ラ *ūnus* と同語源; ギ *oínē*「さいころの1」と同根.

Áir Fòrce Óne 《米》エアフォース・ワン: (空軍の)大統領専用機.
áll-in-óne オールインワン, ボディースーツ.
a·lóne 形 ☞
án·y·òne 代 誰も; 誰か.
Á óne A の第一級: 英国ロイド船級教会の船舶登録簿による船舶の最高等級.
bíg òne 《米俗》(時に賭(か)け金としての)1,000ドル(紙幣).
cháir·òne 《米》議長, 司会者; 会長, 委員長.
cóld òne 《話》冷やしたビール一杯.
dáddy óne 《米黒人俗》養ってくれる男.
dáy óne 《話》最初, 初日.
déad òne 《米俗》けちなやつ; 役立たず.
éve·ry·òne 代 誰もかれも, 誰でも.
fást òne 《話》抜け目のない行為, いんちき.
Fórmula Óne [自動車]フォーミュラワン, F 1.
fóurpenny óne 《英俗》あごへの強打.
hálf-óne [ゴルフ]ハーフワン.
hóle in óne [ゴルフ]ホールインワン.
lárge òne 《米暗黒街俗》懲役[禁固]1年の刑.
líve òne 《米俗》にぎやかで面白い人[所].
lóng òne 《話》=tall one.

O

lóved òne 恋人, 最愛の人; 親類, 家族.
mán·y-óne 形 【論理】【数学】メニワン関係の.
múrder óne 《米話》第一級謀殺.
néw òne 《話》初めて聞く話 [冗談].
níne-òne-óne 名 《米》(警察・救急車・消防署への)緊急電話番号, 911.
nóne 代 誰も…ない; (…の)誰も…ない.
nó òne 誰も…ない.
númber óne 《話》自分の利益; (功利的に)自己.
Óld Óne 《話》悪魔(Old Nick).
one-for-one 形 =one-to-one.
óne-óne 形 =one-to-one.
óne-on-óne 形 一対一の. ►one-to-one が単なる対応であるのに対し, 付ききりで何かを教えたり世話するときに用いる.
óne-to-óne 形 各要素がそれぞれ対応する.
páge-óne 形 《米俗》わくわくさせる, 面白い.
páge óne 新聞の一面.
réd òne 《サーカス俗》(ショーが大当たりして)御(お)の字の町.
Róute Òne 【サッカー】「ルートワン」: 攻撃的戦略として, ボールを高く蹴り上げて直接ゴールをねらうロングキック.
shórt òne 《米俗》軽くひっかける少量のウイスキー.
smáll òne 《米俗》少しのウイスキー.
sóme·òne 代 ある人, 誰か(somebody).
squáre óne 出発点, 振り出し.
táke-òne はぎ取りちらし.
táll òne 《話》丈の高いグラスに注がれた(アルコール)飲料.
Tráck Óne 《カナダ警察俗》赤線地帯, 売春宿街.
twén·ty-óne 名形 21(の); (トランプの)トゥウェンティーワン.
twó-for-òne 形 表裏一体の, 二者一体の.
wét òne 《米俗》冷えたビール.
wóbby óne 《米陸軍俗》四等准尉(W 01).
yóung òne 子供; 若者; 動物の子.

-one[1] /oun/

接尾辞 【化学】【薬学】ケトン化合物; それに類した酸化化合物.
★ 名詞をつくる.
◆ おそらくギリシャ語 *-ōnē*(父称女性形接尾辞)より.

ac·e·tone 名 ☞
al·do·ste·rone 名 アルドステロン.
am·ri·none 名 アンリノン.
an·dro·stene·di·one 名 アンドロステンジオン.
an·dros·ter·one 名 アンドロステロン.
bar·bi·tone 名 《主に英》バルビタール(barbital).
bec·lo·meth·a·sone 名 ベクロメサゾン.
bu·ta·none 名 メチルエチルケトン.
car·vone 名 カルボン.
chi·none 名 =quinone.
chlor·mad·i·none 名 クロルマジノン.
cor·ti·cos·ter·one 名 コルチコステロン.
cor·ti·sone 名 コーチゾン.
cou·ma·rone 名 クマロン.
cu·ma·rone 名 =coumarone.
cy·clo·hex·a·none 名 シクロヘキサノン.
di·hy·dro·mor·phi·none 名 ジヒドロモルヒノン.
ec·dy·sone 名 エクジソン.
es·trone 名 エストロン.
fla·va·none 名 フラバノン.
fla·vone 名 フラボン.
gam·one 名 ガモン.
glu·ta·thi·one 名 グルタチオン.
hal·a·zone 名 ハラゾーン.
hep·ta·none 名 ヘプタノン.
hex·one 名 ヘキソン.
his·tone 名 ヒストン.
hyp·none 名 アセトフェノン(acetophenone).
i·rone 名 イロン.
ke·tone 名 ☞
lac·tone 名 ラクトン, 環状エステル.
men·a·di·one 名 メナジオン.
meth·yl·hep·te·none 名 メチルヘプテノン.
me·to·la·zone 名 メトラゾン: 高血圧の治療, 慢性腎不全患者の利尿用.
mif·e·pris·tone 名 ミフィプリストン: 中絶誘発剤.
mus·cone 名 ムスコン.
mus·kone 名 =muscone.
oes·trone 名 =estrone.
ox·y·mor·phone 名 オキシモルフォン.
phen·yl·bu·ta·zone 名 フェニルブタゾン.
phy·to·na·di·one 名 ビタミン K_1(vitamin K_1).
pol·y·vi·nyl·pyr·rol·i·done 名 ポリビニルピロリドン.
pred·nis·o·lone 名 プレドニゾロン.
preg·nen·o·lone 名 プレグネノロン.
pro·ges·ter·one 名 プロゲステロン, 黄体ホルモン.
py·raz·o·lone 名 ピラゾロン.
py·rone 名 ピロン.
qui·none 名 ☞
ro·te·none 名 ロテノン.
sil·i·cone 名 シリコン.
spi·ro·no·lac·tone 名 スピロノラクトン.
sul·fin·pyr·a·zone 名 スルフィピラゾン.
sul·fone 名 スルホン.
tes·tos·ter·one 名 テストステロン.
thi·o·pen·tone 名 《英》チオペンタール(ナトリウム).
tra·zo·done 名 トラゾドン.
xan·thone 名 キサントン.

-one[2] /oun/

語尾 語末にくる同音形は -ONE[1], -OWN[1].

bone[1] 名 ☞
bone[2] 名 【ジャズ】トロンボーン(trombone).
clone 名 【生物】クローン, 栄養系, 分枝系.
cone 名 ☞
crone 名 魔女のような(しわの多い)老女.
done 名 《米俗》メタドン(methadone): 合成麻酔剤.
drone[1] 名 雄バチ, (特に)雄ミツバチ.
drone[2] 動自 鈍い [低い] 単調な音を出し続ける.
hone[1] 名 (かみそりなど用のきめの細かい)砥石(といし)(whetstone).
hone[2] 動自 《米方言》焦がれる; 切望する.
lone 形 《詩語》独りの; 好んで独りで行動する.
-mone 連結形 ☞
none 名 【教会】九時課, 第9時の祈祷(きとう).
phone[1] 名 ☞
phone[2] 名 【音声】音(おん), 言語音.
-phone 連結形 ☞
pone[1] 名 《米南部》とうもろこしパン.
pone[2] 名 【トランプ】親の右側に座る人.
-pone 連結形 ☞
prone[1] 形 ☞
prone[2] 名 (聖体祭儀の)説教.
rone 名 《スコット》雨樋(あまどい).
scone 名 スコーン: パンの一種.
shone 動 shine の過去・過去分詞形.
sone 名 ソーン: 音の大きさを主観的に表す単位.
stone 名 ☞
-stone 連結形 ☞
throne 名 ☞
tone 名 ☞
trone 名 《スコット・北イング》大型の秤(はかり).
zone 名 ☞

-one[3] /ɔ́n/

語尾 語末にくる同音形は -AN[5], -ON[9].

gone 動 ☞
scone 名 スコーン: パンの一種.
shone 動 shine の過去・過去分詞形.

-one[4] /ʌ́n/

語尾 語末にくる同音形は -ON[10], -UN.

done 動 do の過去分詞形.
none 代 誰も…ない; (…の)誰も…ない.
one 形 ☞

-ong[1] /ɔ́:ŋ, ɑ́ŋ | ɔ́ŋ/

音象徴 ガーン, ゴーン, ドーン; 金属製のものをたたいた時に出る大きく鳴り響く音を表す. ⇨ -NG.

bhong 名動自 《米俗》=bong.
bong 名 (大鐘の)ゴーンという音. ━━動自 〈鐘が〉ゴーンと鳴る.
dong 名 (大きな鐘などが)ゴーンと鳴る音.
gong 名 (合図の)どら, ゴング.
pong 名動自 《英話》嫌なにおい[悪臭](を放つ); プーン, モワーッ.

-ong[2] /ɔ́:ŋ, ɑ́ŋ | ɔ́ŋ/

音象徴間 音象徴語の重複形に見られる語末要素. /i/ と /ɔ:/ の母音交替がある.

bíng bòng 間 《呼び鈴などの音》ピンポーン, ビンボーン, キンコーン.
díng-dòng 間 ガランガラン[カーンカーン, ジャンジャン, キンコンカン](鳴る鐘の音); 《幼児語》鐘, チャイム. ━━形 ガランガラン[カーンカーン, ジャンジャン, キンコンカン, ピンポン]と鳴る. ━━副 本気で, せっせと, 一生懸命に. ━━動自 ガランガラン[カーンカーン, ジャンジャン, キンコンカン, ピンポン]と鳴る[単調に繰り返す]. ━━他 《話》(不平などをくどくど言って)〈人を〉悩ませる.
píng-pòng 動他 《話》…をあちこちに移動させる; …をたらい回しにする; (特に)〈患者に〉(次々に)不要な診断[検査]を受けさせる. ━━自 (定期的に)移動する, 行き来する.

-ong[3] /ɔ́:ŋ, ɑ́ŋ | ɔ́ŋ/

語尾 俗語, 話語としては軽蔑の響きがある.
★ 語末にくる同音形は -ONG[1], -ONG[2].

bong 名 (麻薬用の)水ギセル, 水パイプ.
clong 名 《米俗》語気が強いだけで無意味な演説[台詞]の与える衝撃.
dong 名 《主に米俗》陰茎.
flong 名 〘印刷〙(ステロ版の)紙型用紙.
klong 名 (タイの)運河.
long[1] 形 ☞
long[2] 動自 (…を)待ち望む, 思い焦がれる.
long[3] 動自 《古》(…に)ふさわしい.
mong 名 《豪話》雑種, (特に)雑種犬(mongrel).
nong 名 《豪話・NZ 話》ばか, まぬけ.
pong 名 《俗》《米》中国人, 中国系の人.
prong 名 (フォーク・熊手などの先のとがった)叉(また)(tine).
schlong 名 《米俗》陰茎.
shlong 名 =schlong.
song 名 ☞
strong 形 (体力・筋力が)強い, 力のある.
thong 名 (物を縛る)ひも; 革ひも, むちひも.
throng 名 群衆, 人だかり, 雑踏.
tong[1] 名 物を挟む道具, …ばさみ, 火ばし.
tong[2] 名 (中国における)結社, 協会, 組合.
wong 名 《豪俗》アジア人.
wrong 名 ☞

-on·ics /ɑ́niks/

連結形 電子工学, エレクトロニクス.
★ 異形に -nics, -ronics がある.
◆ electronics の短縮形.

as·tri·on·ics 名複 〘ロケット〙宇宙電子工学.
bi·on·ics 名複 バイオニクス, 生体工学, 生物工学.
cry·on·ics 名複 (人間の死体の)冷凍保存術.
nu·cle·on·ics 名複 原子核工学, 核工学.
op·tron·ics 名複 光電子工学.
ra·di·on·ics 名複 《米》電子工学.

on·ion /ʌ́njən/

名 タマネギ.

Bermúda ónion バーミューダタマネギ.
Égyptian ónion =tree onion.
gréen ónion =spring onion.
múltiplier ónion ポテトオニオン.
péarl ónion 小粒タマネギ.
potáto ónion =multiplier onion.
réd ónion 《米俗》(軽食堂の)ベテランの店員.
ságe and ónion 〘料理〙セージアンドオニオン.
séa ònion カイソウ(海葱).
Spánish ónion スペインタマネギ.
spríng ónion 春タマネギ.
tomáto ònion =tree onion.
tóp ónion =tree onion.
trée ònion ヤグラタマネギ.
Wélsh ónion ネギ.

-o·ni·um[1] /óuniəm/

連結形 〘化学〙複合陽イオン.
★ 名詞をつくる.
◆ ammonium「アンモニウム塩基」から抽出. ⇨ -IUM.

dec·a·me·tho·ni·um 名 〘薬学〙(沃化)デカメトニウム.
ed·ro·pho·ni·um 名 〘薬学〙塩化エドロホニウム.
ox·o·ni·um 名 オキソニウム.
phos·pho·ni·um 名 ホスホニウム(基).
di·a·zo·ni·um 形 ジアゾニウム化合物の.
hex·a·me·tho·ni·um 名 ヘキサメソニウム.

-o·ni·um[2] /óuniəm/

連結形 〘物理〙ポジトロニウム.
★ 名詞をつくる.
◆ おそらく positronium の短縮形.

bot·to·mo·ni·um 名 ボトモニウム.
char·mo·ni·um 名 チャーモニウム.
glu·o·ni·um 名 グルーボール(glueball).
mu·o·ni·um 名 ミューオニウム.
quar·ko·ni·um 名 クォークニウム.
top·o·ni·um 名 トポニウム.

-onk[1] /ɑ́ŋk | ɔ́ŋk/

音象徴間 **1** グァーン; ガンの鳴き声や警笛の音などを表す: h*onk*, kar*onk*. **2** ゴン, ドン, ポカリ; 堅いものがぶつかる音や打撃音を表す: b*onk*, cl*onk*. ◇ -ANK[1], -INK.

O

bonk 動自他《話》(…と)ぶつかる [ぶつける], 衝突する [させる], (頭を)殴る.
clonk 名 (重いものがぶつかったような)ゴーン [ドシン, ゴン] という音. ── 動自 ゴーン [ドシン, ゴン] という音をたてる. ── 他《話》…をゴーン [ドシン, ゴン] とたたく.
conk[1] 名《俗》頭(head). ── 動他 頭などに一発食らわす.
conk[2] 動自 機械がだめになる.
gronk 名《米俗》嫌な [汚い] もの, ばっちいもの. ── 動自〈コンピュータなどが〉故障する; (人が)疲れて動けなくなる. ── 間 グオーッ.
honk 名 ガンの鳴き声.
ka·ronk 間 グァーン: ガンなどの鳴き声.
plonk 動他〈ギター(などの弦)を〉ポロンと鳴らす, かき鳴らす. ── 自 ピーン [プーン] と鳴る. ── 名 ドスンと落ちること [音]. ── 副《話》ポロン [ドスン] と(音をたてて).
zonk 動自《俗》(酒・麻薬で)酔いつぶれる, 前後不覚になる, めろめろになる; ガツンと一撃をくらわす. ── 名 ガツンと強打する音.

-onk[2] /ɔ́ːŋk, ɑ́ŋk | ɔ́ŋk/

語尾 conk[1], conk[3], pronk, skronk, tonk[2], tonk[3] は, 本来擬声語で, 音象徴を示す.

conk[1] 名《俗》頭; パンチ. ── 動 なぐる, やっつける.
conk[2] 名《米俗》コンク: 黒人の縮れ毛を直毛にする薬品処理.
conk[3] 動自 機械がだめになる.
cronk 形《豪話》病気の, 病的な; 弱い.
donk 名《米俗・方言》ウイスキー.
gonk[1] 名《商標》ゴンク: 卵形のいぬいぐるみ.
gonk[2] 名《米俗》=conk[2].
plonk 名《英・豪・NZ 話》安 [二流] ワイン.
pronk 動自《南アフリカ》〈springbok が〉跳ね上がる.
ronk 名動自《主に北イング》悪臭(がする).
skronk 名 『音楽』スクロンク(ロック).
swonk 動 swink の過去形.
tonk[1] 名 『トランプ』トンク.
tonk[2] 名《英俗》セックス, 性行為.
tonk[3] 動他《英俗》打つ, ぶちのめす.

-onk[3] /ʌ́ŋk/

語尾 語末にくる同音形は -UNK[2].

monk[1] 名 ☞
monk[2] 名 サル(monkey).

-o·no·ma·si·a /ənəméiʒə, -nou- | -ziə, -zjə/

連結形 『修辞』名をつけること.
★ 名詞をつくる.
★ 語末にくる関連形は -ONYM.
★ 語頭にくる関連形は onom-: *onom*ancy「姓名判断」, *onom*atopoeia「擬声語」.
◆ <ギ *onomasía* 名をつけること =*onomáz*(*ein*)呼ぶ, 名づける +-*ia* -IA.

an·to·no·ma·sia 名 換称, 代称.
par·o·no·ma·sia 名 掛詞(かけことば)(の使用), しゃれ.

-ons /ɔ́nz/

語尾 frons, mons, pons はラテン語で, 解剖学用語.

cons 動他《米ハッカー俗》〈1つの項目を〉リストの先頭に書き入れる.
frons 名 (昆虫の)額, 前額部.
mons 名 『解剖』山, 丘.
pons 名 『解剖』脳橋, 橋(きょう).

-ont[1] /ɑnt | ɔnt/

連結形 細胞; 有機体.
★ 名詞をつくる.
★ 語頭にくる形は ont(o)-: *onto*geny「個体発生」, *ontologism*「本体論主義」.
◆ <ギ *ṓn*(*eînai*「ある」の現在分詞).

bi·ont 名 ビオント, 生理的個体.
-bi·ont 連結形 ☞
dip·lont 名 二倍体.
gam·ont 名 『動物』ガモント, 有性親.
hap·lont 名 単相体, 半数体.
schiz·ont 名 (マラリア病原虫など, 胞子虫の無性生殖における)シゾント, 分裂前体.
spo·ront 名 スポロント.

o·nych·i·a /ouníkiə/

名 『病理』爪床(そうしょう)炎, 爪炎. ⇨ -IA.
★ 語頭にくる関連形は onyx-: *onyx*is「爪内生(そうないせい)」.
★ onyx「『鉱物』縞瑪瑙(しまめのう)」は同語源.

an·o·nych·i·a 名 無爪(むそう)(症), 爪甲欠損(症).
koil·o·nych·i·a 名 さじ状爪(つめ), スプーン状爪.
par·o·nych·i·a 名 爪甲(そうこう)周囲炎, 爪囲炎.
per·i·o·nych·i·a 名 爪(つめ)周囲炎, 爪囲炎, ひょうそ.

-o·nym /ənìm/

連結形 言葉(word), 名前(name).
★ 名詞をつくる.
★ 語末にくる関連形は -ONOMASIA, -ONYMY.
★ 語頭にくる形は onom-: *onom*ancy「姓名判断」, *onom*atopoeia「擬声語」.
◆ <ラ *onymum* <ギ *-ōnymon* 特定の名前を持った (*ónoma*「名前」より).

ac·ro·nym 名 『言語』頭字語.
al·lo·nym 名 (著者の)偽名, 仮名; 匿名.
an·o·nym 名 仮名, 変名, 偽名(pseudonym).
an·throp·o·nym 名 人の名前, 人名.
an·to·nym 名 反意語, 反対語.
au·to·nym 名 本名.
cac·o·nym 名 不適名称, 誤用命名.
char·ac·to·nym 名 文学作品の登場人物の性質や特徴を表す名前.
cryp·to·nym 名 匿名.
ep·o·nym 名 名祖(なおや).
eth·no·nym 名 『人類』人種 [民族] 名.
ex·o·nym 名 エクソニム: 一つの地名に対して各国で呼ばれる異なった呼び名.
het·er·o·nym 名 同じ綴(つづ)りで異音異義の語.
hy·po·nym 名 『言語』下位語.
met·o·nym 名 換喩 [転喩] 語.
par·o·nym 名 『文法』同根語, 同語源語.
pat·ro·nym 名 父祖の名を採った名前, 父称.
pseu·do·nym 名 偽名, 仮名; (特に著作者の)筆名.
re·tro·nym 名 一般化した商品名.
syn·o·nym 名 同義 [同意] 語, 類(義)語, シノニム.
tau·to·nym 名 『生物』反復名.
top·o·nym 名 地名; 地名に由来する名.

-on·y·my /ənìmi/

連結形 言葉, 名前.
★ 名詞をつくる.
★ 語末にくる関連形は -ONYM.

O

★ 語頭にくる関連形は onom-: *onom*ancy「姓名判断」, *onom*atopoeia「擬声語」.
◆ <ギ -*ōnymia*(*ónoma*「名前」より). ⇨ -Y³.

an·thro·pon·y·my 名 人名論[学].
ep·on·y·my 名 (地名などが)名祖(なおや)に由来すること; 人名由来.
ho·mon·y·my 名 同音異義.
hy·pon·y·my 名 〖言語〗上下関係, 包摂関係.
me·ton·y·my 名 〖修辞〗換喩(かんゆ), 転喩.
syn·on·y·my 名 同義, 意味が等しいこと; 同義性.
tek·non·y·my 名 テクノニミー: 大人の名前を「…の父, …の母」のように, 子供を軸にして決める慣習.
to·pon·y·my 名 地名学, 地名研究.

on·yx /ániks, óun-|ɔ́n-/

名 〖鉱物〗縞瑪瑙(しまめのう), オニクス, オニックス. ◇ ONYCHIA.

blúe ónyx ジャーマンラピス(German lapis).
Méxican ónyx メキシコ縞瑪瑙.
sar·don·yx 名 紅(べに)縞瑪瑙.

-oo¹ /ú:/

音象徴間 **1** ニワトリ・カッコウ・フクロウのような, 伸びのある鳥の鳴き声を表す: m*oo*, wh*oo*. **2** くしゃみの音や脅し・興奮・軽蔑・驚き・嫌悪などの発声を表す: ahch*oo*, hullabal*oo*.

a·choo 間 =ahchoo.
ah·choo 間 ハクション.
a·tich·oo 間 =atishoo.
a·tish·oo 間 《英》ハクション. ━━名 くしゃみ (sneeze).
bal·ly·hoo 名 やかましい[派手な]宣伝.
boo 間 《軽蔑・不快・脅しを表して》ブー, わっ; うらめしや, お化けだぞっ. ━━名 (軽蔑・不賛成を表す)ブーという叫び声, ブーイング.
boo-boo 名 《俗》ばかげた過ち, 失敗, どじ, へま.
boo·hoo 動自 《話》大声で泣く, 泣きわめく, おいおい泣く. ━━名 泣きわめく声[こと].
choo 間 クション(ahchoo).
choo-choo 名 《米》《幼児語》汽車ぽっぽ(《英》puff-puff); シュッシュッ: 蒸気機関車の音.
cock-a-doo·dle-doo 間 コケコッコー. ━━名 雄鶏の鳴き声, 鶏鳴.
cock·a·too 名 オーストラリア地域の大形で色彩豊かなオウム科の鳥の総称.
coo¹ 動自 〈ハトが〉クークー鳴く; 〈赤ん坊などが〉のどを鳴らして喜ぶ. ━━名 (ハトの)クークー(鳴く声); 甘いささやき.
coo² 間 《英俗》《驚きや疑いを表して》ええっ, へえ, あれっ, まあ.
coo·coo 形 《米俗》気の違った; まぬけな, 愚かな; (殴られて)目のくらんだ, 意識を失った; 酔っ払った(cuckoo). ━━名 〖音楽〗かっこう笛(cuckoo).
cuck·oo 名 カッコウ.
goo 間 グー. ►赤ん坊の発声.
ha·choo 間 =ahchoo.
hal·loo 間 《人に呼びかけたり, 呼びかけに応じて》おーい, もしもし, やあ, ええっ, まあ(hallo).
hoo·roo 間 《豪》さようなら(hooray).
hót póo 名 《米俗》確かな最新情報, 最新流行語. ━━間 くそっ, ちくしょう.
hul·la·ba·loo 名 わいわいがやがや騒ぐ音, 騒音; 大騒ぎ.
hul·loo 間 =halloo.
ka·choo 間 =ahchoo.
ka·roo 間 コロローン: ツルなどの鳴き声.
ka·zoo 名 カズー: 管の底に羊皮や薄い膜を張り, 側孔から息を吹き込むとこっけいな音を出す笛.
ker·choo 間 =ahchoo. ━━動自 くしゃみをする.
loo 動自 《主に米北部》=moo.
moo 動自 〈牛などが〉モーと鳴く(low).
moo-moo 名 《幼児語》牛さん, モーモー(moo-cow).
peek·a·boo 名 《米》いないいないばあ.
phoo 間 《拒絶・軽蔑・嫌悪を示して》ぺっ, ちぇっ, けっ, ふーん(phooey).
poo¹ 名 《幼児語》うんち. ━━間 《不信を表して》うそー. ►臭いときの発声から.
poo² 名 《米話》シャンパン.
-poo 接尾辞 小さいもの; 「…ちゃん」(愛称). ►擬声語的な語形成による.
poo-poo 名 《幼児語》うんち(すること).
po·too 名 〖鳥類〗タチヨタカ.
shoo 間 《猫・犬・鳥などを追い払うときに》シーッシーッ. ━━動他 〈犬・鳥などを〉シーッシーッと言って追い払う.
spoo 名 《米俗》精液.
tat·too 名 (軍隊の)帰営ラッパ[太鼓], 門限合図.
tu-whít tu-whóo 名 ホーホー: フクロウの鳴き声. ━━動自 〈フクロウが〉ホーホーと鳴く.
wa·hoo¹ 間 《米西部》《喜び・ほとばしる感情などを表して》すげえー, わあーい, ヤッホー.
wa·hoo² 名 《米俗》田舎者, 無骨者.
wap·a·too 名 〖鳥類〗ヒロハオモダカ.
whoo 間 (息をかけて)フーッ; (フクロウの)ホーホー: whoo whoo または tu-whit tu-whoo と鳴く.
yáb·ba·dáb·ba dóo 間 《話》《喜びを表して》やったー, ばんざい. ►米国のテレビアニメ *The Flintstone*『恐妻天国』(後に『原始家族』と改題)の中で用いられて一般化.
yah-boo 間 ヤーブー. ━━形 ヤーブー[野次]的な, 罵倒(ばとう)し合う.
ya·hoo 間 ヤッホー, キャッホー, うわーい.
ya·koo 名 《米俗》白人.
yoo-hoo 間 《他人の注意を引いたり, 他人に呼びかけるときの声》ヤッホー, おーい, よう. ━━動自 おーいと呼ぶ.

-oo² /u:/

音象徴間 音象徴語の重複形に見られる語尾要素.

bóo-bòo 名 《俗》ばかげた過ち, 失敗, どじ, へま.
góo gòo 形 《俗》熱狂的な, のぼせ上がった. ━━間 グーグー, ゴブゴブ, ゴロゴロ: 赤ん坊の発声.
tóo tóo 形 《俗》あまりの, 極端な. ━━副 ひどくつまらなく; ひどく, 極端に; きざに.
wòo-hóo 間 ウェーン, ウワーン(boohoo).
yóo-hòo 間 《他人の注意を引いたり, 他人に呼びかけるときの声》ヤッホー, おーい, よう. ━━動自 おーいと呼ぶ.

-oo³ /ú:/

語尾 語末にくる同音形は -AULT², -EW³, -O⁷, -OE², -OO¹, -OO², -OOH², -OU¹, -OUGH⁷, -U³, -UE².

boo 名 《米俗》マリファナ(タバコ).
hoo 代 《北イング》=she.
loo¹ 名 ルー: トランプ遊びの一種.
loo² 名 《話》便所, トイレ.
loo³ 名動他自 《スコット》=love.

too 副 加うるに, その上, …もまた.
woo 動他 《古風》〈女性に〉求愛する.
zoo 名 ☞

-oob /úːb/

語尾 俗語の語尾で, 軽蔑の響きがある.
★ 語末にくる同音形は -UBE[1].

boob[1] 名 《俗》ばか, まぬけ; 騙されやすい人.
boob[2] 名 《俗》おっぱい.
droob 名 《豪俗》感傷的な人; 役立たずの人.
goob 名 《米俗》小さなにきび(goober).
quoob 名 《米俗》はみ出し者, はずれ者.
zoob 名 《俗》陰茎, ペニス.

-ooch /úːtʃ/

語尾 smooch など音象徴の語尾を含み, 話語や俗語をつくり, 滑稽感がある.

brooch 名 ブローチ, 飾り留めピン.
chooch 名 《卑》おまんこ(cunt).
glooch 名 《米麻薬俗》感覚の鈍く［おかしく］なった麻薬中毒者.
hooch[1] 名 《米俗》アルコール飲料.
hooch[2] 名 《米軍俗》《ベトナム戦争時》(東南アジアの)草［わら, かや］ぶき家.
klooch 名 《米俗》(伐採人の間で)女.
mooch 動他 《米・カナダ俗》借りる.
pooch 名 《主に米・カナダ俗》犬.
scooch 動自 《米話》座ったまま移動する.
scrooch 動自 《主に米ミッドランド・南部》かがむ.
smooch[1] 動他 …をよごす(smutch).
smooch[2] 動自 《話》キスする.
spooch 名 《米俗》精液(spoo).

-ood[1] /úːd/

語尾 語末にくる同音形は -UDE[1].

brood 名 一孵(かえ)りのひな, 一腹の子.
food 名 ☞
hood 名 《米俗》暴漢, ギャング(hoodlum).
mood[1] 名 (その時の)気分, 気持ち, 機嫌.
mood[2] 名 【文法】法, 叙法.
rood 名 磔像(たくぞう)付き十字架.
snood 名 鉢巻きリボン.

-ood[2] /úd/

語尾 語末にくる同音形は -OULD, -UD[2].

good 形 ☞
hood[1] 名 ☞
hood[2] 名 《米俗》暴漢, ギャング.
-hood 接尾辞 ☞
pood 名 《米俗》陰茎.
stood 動 stand の過去・過去分詞形.
wood[1] 名 ☞
wood[2] 形 《古》激怒した; 荒々しい.
-wood 連結形 ☞

-ood[3] /ʌd/

語尾 古英語 *blōd* と *flōd* から.
★ 語末にくる同音形は -UD[1].

blood 名 ☞
flood 名 ☞

-oo·dle /uːdl/

語尾 boodle, doodle[1], noodle[2] は俗語的な響きで, 反復の -le をもつ; noodle[1] と poodle(「水たまり, はねかける」が原義)はドイツ語由来で, 指小辞の -le をもつ; なお, 同音反復の oodles of noodles「たくさんのヌードル」という表現がある.

boo·dle 名 《俗》連中, 仲間, 一群.
doo·dle[1] 動自 ☞ DOODLE
doo·dle[2] 名 《主に米北部》干し草を積んだ山.
noo·dle[1] 名 ヌードル: 小麦粉と卵を練って作った麺類.
noo·dle[2] 名 ☞
noo·dle[3] 動自 【音楽】(演奏の前などに)楽器を手慣らしに弾く. ►擬声語から.
poo·dle 名 プードル: フランス, 中部ヨーロッパ産の犬.

-oof[1] /úːf/

語尾 poof[1], whoof は擬声語で, poof[2] と spoof は音象徴的; 他は俗語が多く, 軽蔑を表す.

coof 名 《主にスコット》ばか, あほう.
doof 名 《俗》うすのろ; まぬけ.
foof 名 《米俗》ばか者(foo foo).
goof 動自 《俗》(…に)失敗する.
hoof 名 ☞
kloof 名 (南アフリカの)深い峡谷.
loof[1] 名 《スコット・北イング》手のひら.
loof[2] 名 【海事】ルーフ.
oof 名 《俗》お金, 現なま.
poof[1] 間 《物が急に消える時の音》フッ.
poof[2] 名 《英俗》(特に女役の)ホモ.
proof 名 ☞
-proof 連結形 ☞
roof 名 ☞
spoof 名 《話》(陽気で悪意のない)もじり.
whoof 名 太い［低い］どら声［しわがれ声］.
woof 名 【繊維】緯(よこ)糸.
yoof 名 《話》《集合的》青年, 若者(youth).

-oof[2] /úf/

語尾

choof 動自 《豪俗》行く, 逃げる.
hoof 名 ☞
poof[1] 間 《物が急に消えるときの音》フッ.
poof[2] 名 《英俗 / 軽蔑的・不快》(特に女役の)ホモ.
roof 名 ☞
whoof 名 太い［低い］どら声［しわがれ声］.
woof[1] 名 【繊維】緯(よこ)糸(filling).
woof[2] 間 《犬の(ような)低いうなり声》ウー.

-oog /úːg/

語尾 主に俗語の語尾.

boog 動自 《米俗》ダンスをする.
droog 名 無頼漢, ギャング.
goog 名 《豪俗》卵.
joog 動他 《米刑務所俗》〈人を〉刺す.

-ooge /úːdʒ/

語尾 俗語風の語尾で, 音象徴的な響きとけなす気持ちをもつ.

klooge 名 《米俗》使い込んだコンピュータ(kludge).
scrooge 動他自 《主に方言》押す, 押しつける.
splooge 動自 《米俗》射精する.
spooge 名 (イソギンチャクなどが腐ってできる)臭くてどろどろしたもの.
stooge 名 引き立て役, ぼけ役.

O

-ooh /úː/

間 音象徴 息や空気の出るさまを表す. 語末にくる同音形は -AULT[2], -EW[3], -O[7], -OE[2], -OO[1], -OO[2], -OO[3], -OU[1], -OUGH[7], -U[3], -UE[2].

ooh 間 《驚き・喜び・満足を表して》おおっ.
pooh[1] 間 《軽蔑・不同意・いらだちを表して》ふうん, へん, ばかな.
pooh[2] 動他 《米・カナダ俗》…を息切れさせる.
pooh[3] 名動自 《俗》うんち(をする)(poop).

-ook[1] /úːk/

語尾 俗語的な語尾で, 軽蔑や嫌悪の音象徴をもつものがある.
★ 語末にくる同音形は -OUK, -UKE[1].

chook[1] 名 《豪・NZ 話》家禽(かきん), 鶏.
chook[2] 動他 《カリブ英語》《話》〈肌を〉刺す.
cook 動自 《スコット》隠れる.
dook 名 埋め木(plug).
gook[1] 名 《話》汚らしいもの.
gook[2] 名 《俗》東洋人, 北ベトナム人.
jook[1] 名 《俗》大衆食堂, 酒場.
jook[2] 名 《スコット》さっと体をかわすこと.
kook 名 《米・豪俗》変人, 変わり者; ばか.
mook 名 《米俗》野郎.
ook 名 《英俗》光ったもの, 汚いもの.
shtook 名 《米俗》困ったこと.
snook[1] 名 〘魚類〙アカメ類.
snook[2] 名 (親指を鼻先に当てて指を動かす)軽蔑の動作.
snook[3] 動自 《スコット》こそこそかぎ回る.
sook[1] 名 (特にアラブ諸国で)市場.
sook[2] 動他 《スコット》吸う, 吸い込む.
spook 名 《話》幽霊, 亡霊(ghost); お化け.
stook 名 《主に英》穀類の刈り束, 堆(にお).
zook 名 《米俗》すり切れた売春婦.

-ook[2] /úk/

語尾 book, cook, hook, look などの重要な基本語に対して, 一部は俗語的な語尾で, 軽蔑や嫌悪の意味をもつものがある. ◇ -OOK[1].

book 名 ☞
brook[1] 名 ☞
brook[2] 動他 〈人が〉…を我慢する, 忍ぶ.
chook[1] 名 《豪・NZ 話》家禽(かきん), 鶏.
chook[2] 動他 《カリブ英語》《話》=jook[2].
cook[1] 動他 ☞
cook[2] 動自 《スコット》隠れる.
crook[1] 名 曲がったもの; 鉤(かぎ)(hook).
crook[2] 形 《豪・NZ 俗》病気の, けがをした.
crook[3] 名 《米話》差し込むような痛み.
drook 動他 《スコット》ずぶぬれにする.
gook 名 《話》汚らしいもの.
hook[1] 名 ☞
hook[2] 動自 《俗》売春する.
jook[1] 名 《俗》大衆食堂, 酒場.
jook[2] 動他 《カリブ英語》《話》〈肌を〉刺す.
look 動自 ☞
nook[1] 名 (部屋などの)隅.
nook[2] 名 《米》核兵器(nuclear weapon).
ook 名 《英俗》光ったもの, 汚いもの.
plook 名 《スコット》吹き出物(plouk).
rook[1] 名 ミヤマガラス.
rook[2] 名 〘チェス〙ルーク.
schnook 名 《米俗》無能なやつ, ばか, まぬけ.
shlook 名 《米俗》マリファナタバコの一吸い.
shnook 名 =schnook.
shook[1] 名 (樽などを作るための)一組の板.
shook[2] 動 shake の過去形.
snook[1] 名 アカメ類.
snook[2] 名 (親指を鼻先に当て指を動かす)軽蔑の動作.
sook 名 《豪・NZ 話》子牛.
stook 名 《主に英》穀類の刈り束, 堆(にお).
strook 名 《スコット》strike の過去・過去分詞形.
took 動 take の過去形.
zook 名 《米俗》すり切れた売春婦.

-ool /úːl/

語尾 drool は音象徴から; なお, fool は語源上の原意「ふいご」で, 空っぽという音象徴的な響きをもっていた; spool に音象徴を感じる人がいる.
★ 語末にくる同音形は -OULE, -UL.

cool 形 ☞
dool 名 《スコット・古》悲嘆, 嘆き; 悲哀.
drool 動自 (食べ物を予期して)よだれを垂らす.
fool[1] 名 ☞
fool[2] 名 〘英料理〙フール.
mool 名 《スコット・北イング》耕土, 沃土.
pool[1] 名 ☞
pool[2] 名 ☞
school[1] 名 ☞
school[2] 名 (魚・鯨・鳥などの)群れ, 集まり.
sool 動他 《豪・NZ 俗》〈犬などが〉…を襲う.
spool 名 物を巻きつける円筒状のもの, 糸巻き.
stool 名 ☞
tool 名 ☞
zool 名 《米俗》素晴らしいもの.

-oom[1] /úːm/

音象徴 間 ブーン, ブルルーン, ドーン, ボカーン, ダダーン; 大太鼓や飛行機の上昇の際に出る大きな反響音, 爆発や雷鳴の音を表す.

boom 動自 ブーン[ドーン]という太くて長い反響音をたてる,〈大砲・雷・風・波などが〉とどろく, ドーンと鳴る,〈声・オルガンの音などが〉響く;〈ハチ・カブトムシなどが〉ブンブンいう,〈フクロウなどが〉ホーホー鳴く,〈カエルが〉グァーグァー鳴く. ━━名 ブーム.
ka·boom 間 《爆音や大太鼓のような大きな音を表して》ドカーン, ドーン. ►boom より大きな音, ka- は強意の接頭辞.
rrroom 間 ブルルル…, ブルンブルン….
va·room 名 =vroom.
vroom 名 《米話》ブルルン, ブロロロ.
zoom 動自 (大きな)ブーンという音を出す; ブーンと音をたてて動く[走る].

-oom[2] /úːm/

語尾 doom, gloom, loom は音象徴的で暗い感じをもつ; とくに doom and gloom「悲しく希望のない状態」は決まり文句.
★ 語末にくる同音形は -OMB[2], -UME[1].

bloom[1] 名 ☞
bloom[2] 名 〘冶金〙ブルーム, 塊鉄.
boom[1] 名 ☞
boom[2] 名 《南アフリカ話》マリファナ.
broom 名 ☞
coom 名 《主にスコット・北イング》すす.
doom 名 ☞
gloom 名 薄暗さ; 薄暗い場所.
groom 名 新郎, 花婿(bridegroom).

O

loom[1] 名 ☞
loom[2] 動自 ぼんやり [おぼろげに] 大きく見える.
loom[3] 名 《英方言・古》(アビ属の)水潜り鳥.
oom 名 《南アフリカ》おじさん(uncle).
room 名 ☞
shroom 動自 《米麻薬俗》メスカルサボテン(peyote)を服用する [食べる].
spoom 名 スプーム: シャーベットの一種.
toom 形 《スコット・北イング》からっぽの.

-oomp /úːmp/

音象徴間 -OMP[1] の異形.

foomp 間 ドサッ, ドスン.
whoomp 名 《米話》ドタン, ドシン, バタン(bang), ピシャリ(slap).

-oon[1] /úːn/

接尾辞 フランス語その他のロマンス語から借用したいくつかの語に見られる接尾辞(bass*oon*, ball*oon*, drag*oon*). これにならって英語で新しい名詞をつくるのに用いられる: spitt*oon*.
★ balloon は丸くふくらんだものと音象徴的に感じられる; ほかの語も丸いもの, ふくらんだもの, 広がったものを感じさせることがある.
◆ 主にフランス語の最終音節に強勢のある語(*basson*, *ballon* など)の *-on* を表す.
[発音] 最後の音節(-oon)に第 1 強勢.

bal·loon 名 ☞
bas·soon 名 【音楽】バスーン, ファゴット.
bra·doon 名 ＝bridoon.
bri·doon 名 小勒(しょうろく): 馬勒(ばろく)の一種.
buf·foon 名 道化師, 道化.
car·toon 名 (主に政治的な)風刺漫画.
co·coon 名 (昆虫の)繭(まゆ).
dou·bloon 名 ダブロン金貨: スペインおよびスペイン語圏の昔の金貨.
dra·goon 名 《特にもと》重装備をしたヨーロッパの騎兵.
duc·a·toon 名 ダカトン: オランダの硬貨.
fes·toon 名 花綵(はなづな): 花, 葉, リボンなどを綱状にしてつるす飾り.
ga·droon 名 【建築】丸ひだ彫り刳形(くりかた).
gal·loon 名 ブレード, 打ちひも, 平細ひも.
go·droon 名 ＝gadroon.
har·poon 名 (鯨・大形の魚用の)銛(もり).
lam·poon 名 風刺, 皮肉; 風刺文学, 風刺芸術.
mac·a·roon 名 マコロン: クッキーの一種.
ma·roon[1] 形 栗色の, えび茶色の.
ma·roon[2] 動他 〈人を〉孤島に置き去りにする.
pan·ta·loon 名 【服飾】パンタロン.
pa·troon 名 【米史】アメリカにおけるオランダの植民地 New Netherland で封建的特権を与えられていた大土地所有者.
pic·a·roon 名 《古》悪漢; 盗人; 山賊.
pick·a·roon 名 ＝picaroon.
pla·toon 名 (歩兵・工兵などの)小隊.
pol·troon 名 (異常なほどの)臆病者, 腰抜け.
pon·toon 名 【軍事】舟橋(しゅうきょう), 舟橋用鉄舟.
quad·roon 名 黒人の血を 4 分の 1 受けている黒白混血児, mulatto と白人との混血児.
ra·toon 名 【植物】ひこばえ.
rat·toon 名 ＝ratoon.
rig·a·doon 名 リゴドン: 17－18 世紀に流行した二人舞踏.
sa·loon 名 《米・カナダ》酒場, バー.
shal·loon 名 シャルーン(織り).
spit·toon 名 たん壺(つぼ).
spon·toon 名 スポントゥーン: 矛の一種.
vin·e·gar·roon 名 サソリモドキ目のクモ形動物の総称.

-oon[2] /úːn/

語尾 いくつかの俗語と話語の語尾; 短縮語を含む.
★ 語末にくる同音形は -OUN[1], -UNE[1].

boon[1] 名 (…にとっての)恩恵, 利益, 恵み.
boon[2] 形 愉快な, 面白い, 陽気な; 親密な.
boon[3] 名 【繊維】ブーン.
coon 名 《米話》アライグマ(raccoon).
croon 動自 〈人が〉優しくなだめるように歌う.
foon 名 《米俗》アヘン.
goon 名 《米話》(労働争議で雇われる)暴力団員, 用心棒, 暴漢.
hoon 名 《豪俗》売春斡旋(あっせん)者.
loon[1] 名 《米》(アビ属の)水潜り鳥.
loon[2] 名 《話》頭のおかしいやつ; 変なやつ.
moon 名 ☞
noon 名 ☞
poon[1] 名 【植物】テリハボク, ヤラボ.
poon[2] 名 《英・豪俗》まぬけ, ばか.
poon[3] 動他 《豪俗》…をめかし込む.
poon[4] 名 女性性器, 陰部(poontang).
shtoon 形 《米俗》黙った(shtum).
soon 副 まもなく, もうすぐ, じきに.
swoon 動自 《文語》気が遠くなる, 気絶する.
toon 名 アジア産センダン科チャンチン(香椿)属の木.
'toon 名 漫画(cartoon).

-oop[1] /úːp/

音象徴間 **1** ピュ(ー)ッ, サッ, シューッ; 勢いよく直進する比較的長い動きとその音を表す. **2** スコン, ヒューヒュー, ゼイゼイ; 興奮や歓喜の叫び声を表す. **3** プー, フー; 空気の出る音. **4** ベトベト. **5** 《軽蔑的に》とんま.

bloop 動他 《話》駄目 [台無し] にする, ちょんぼをする.
cloop 名 (コルク栓を抜いたときの)ポン. ── 動自 ポンという音をたてる.
goop[1] 名 《米・カナダ話》無神経な人.
goop[2] 名 《米俗》べとべとした物.
hoop 名 ＝whoop.
poop[1] 動他 《米・カナダ俗》…を息切れさせる.
poop[2] 名 《俗》うんち(poo-poo). ►幼児語で婉曲(えんきょく)語法.
poop[3] 名 《俗》座を白けさせる人; とんま.
scroop 動自 《方言》きしる, キーキーいう. ── 名 きしる音, キーキーいう音.
swoop 動自 〈鳥・コウモリが〉(特に獲物目がけて)さっと舞い降りる.
whoop 名 (興奮・喜びなどの)ワーという叫び声, 喚声, 歓声; 鬨(とき)の声.
zoop 間 ピュッ, ピューッ, サッ.

-oop[2] /úːp/

語尾 「たれ下がる」,「輪になる」,「すくい上げる」,「かがむ」,「のぞく」というような曲線的な動きを音象徴的に感じる人がいる.
★ 語末にくる同音形は -OUP[1], -OUPE, -UPE[1].

coop 名 かご, 檻(おり)(cage, pen).
droop 動自 垂れ下がる, うなだれる, しだれる.
foop 動自 《米俗》同性愛行為をする.
hoop 名 ☞
loop[1] 名 ☞
loop[2] 名 《古》小窓, 小穴(loophole).
loop[3] 名 【冶金】半溶融状態の高温塊鉄.
poop[1] 名 【海事】船尾楼.
poop[2] 名 《米・カナダ俗》情報; 内幕.
roop 名 【獣病理】ループ(roup).
scoop 名 ☞

O

sloop 名 〘海事〙スループ型帆船.
snoop 動自 《話》のぞく, 詮索する.
stoop[1] 動自 身をかがめる.
stoop[2] 名 《米》道路から玄関までの階段.
stoop[3] 名 聖水盤(stoup).
stoop[4] 名 《俗》ばか, とんま(stupid).
troop 名 (人・物の)群れ, 一団, 隊.
whoop 名 オフロード競走路やラリーのコースの隆起やくぼみ.

-oop[3] /úp/

語尾 ＝-oop[2].

coop 名 かご, 檻(おり).
hoop 名 ☞

-oor[1] /úər/

語尾 語末にくる同音形は -OUR[2], -UR[2], -URE[1], -URE[3].

boor 名 無骨な男, 礼儀知らず.
moor[1] 名 《英》(泥炭質で, 水はけの悪い)荒野.
moor[2] 動他 係留する, 停泊させる.
poor 形 ☞
spoor 名 (猟獣の通った)足跡, 臭跡.
stoor 名 《スコット》大騒ぎ, 騒動; 混乱.

-oor[2] /ɔ́ːr/

語尾 語末にくる同音形は -AR[8], -AUR, -OAR, -OR[3], -ORE, -OUR[3].

door 名 ☞
floor 名 ☞
poor 形 ☞
spoor 名 (猟獣の通った)足跡, 臭跡.

-oose[1] /úːs/

語尾 語末にくる同音形は -UCE, -US[3].

goose 名 ☞
loose 形 ☞
moose[1] 名 〘動物〙ヘラジカ, ムース.
moose[2] 名 《米軍俗》売春婦.
noose 名 輪縄, 引き結び.
snoose 名 《米俗》かぎタバコ(snuff).

-oose[2] /úːz/

語尾 語末にくる同音形は -OOZE, -OUSE[3], -USE[1], -USE[3].

choose 動他 選ぶ, 選択する.
roose 動他自名 《主にスコット》褒める [褒められる] こと.
snoose 名 《米俗》かぎタバコ(snuff).

-oosh /úːʃ/

音象徴 ヒューッ, シューッ, ザブーン, ビューン; 液体・気体の噴出, 大量の浴びたり, その中に飛び込む時の音を表す. ◇ -SH[1].

hur·roosh 動自 《英話》(車などで)突っ走る, ビューンと飛ばす.
scoosh 動自他 《スコット》噴出する [させる]. ──名 液体の噴出.
sloosh 名 《話》水を勢いよく注ぐこと [音]. ──動自 〈液体が〉勢いよく流れる; 勢いよくはねる [流れる] 音をたてる.
sploosh 名 はね散らす音, バシャンという音(splosh).
squoosh 動他 押しつぶす, ぺちゃんこにつぶす(crush). ──名 押しつぶすこと; ペシャッ(とつぶれる音).
swoosh 動自 《話》〈木の葉・絹服などが〉サラサラ[バサバサ, シュッシュッ]と鳴る; 〈ジェット機・自動車などが〉ビューン進む.
whoosh 名 (空気・水などの)ヒューッ [シューッ].
woosh 名 ＝whoosh.

-oost /úːst/

語尾 boost は音象徴的.

boost 動他 《話》(後ろ・下から)押し上げる.
roost[1] 名 ☞
roost[2] 名 スコットランド Shetland 諸島や Orkney 諸島周辺の激しい潮流.

-oot[1] /úːt/

音象徴 間 **1** プープー, ブーブー, ホーホー. (1)らっぱ・笛の鳴る音やフクロウなどの鳴き声を表す. (2)叫び声や軽蔑的な発声を表す. **2** サッ, パッ; 空を切って直進していく素早い動きを表す. **3** 突出を表す; これは次項の root[1], root[2] とも関連する.

coot 名 〘鳥類〙オオバン(大鷭).
hoot[1] 動自 〈人が〉(不賛成・不満・軽蔑(けいべつ)などで)(…に向かって)わめく, 叫ぶ, 野次る.
hoot[2] 間 《スコット・北イング》《じれったさ・不満・反対・嫌悪》ふん, ちぇっ.
poot 名 《米俗》くそ, うんこ.
root 動自 《主に米話》(熱狂的に)声援する.
scoot 動自 《話》突進する, 急いで行く [走る]; 突如駆け [滑り] だす.
shoot[1] 動他 **1** 〈人・動物などを〉(弾丸・矢などで)撃つ, 射る; 射抜く; 撃って…を(…に)作る. **2** 〘写真〙〈写真を〉撮る. ──名 (弓・銃などの)発射.
shoot[2] 間 《いらだち・驚き・不快・後悔などを表して》ちぇっ, くそっ, この野郎.
toot 動自 〈らっぱ・笛などが〉プープー [ブーブー, ホーホー] 鳴る(hoot).

-oot[2] /úːt/

語尾 語末にくる同音形は -OOT[1], -UIT, -UTE[2].

boot[1] 名 ☞
boot[2] 名 《古》おまけ.
boot[3] 名 《古》戦利品, 分捕り品, 略奪品.
cloot 名 《スコット》(豚・羊などの)割れたひづめ.
hoot 名 《豪・NZ 俗》報酬としての金; (一般に)金(money).
loot[1] 名 戦利品. ──動他自 略奪する.
loot[2] 動 《スコット》let の過去形.
loot[3] 名 《米軍俗》中尉, 少尉.
moot[1] 形 議論の余地がある, 疑わしい.
moot[2] 名 ムート: 木釘の直径測定器.
ploot 名 《米俗》ふしだらな女.
root[1] 名 ☞
root[2] 動自 〈豚などが〉鼻で地を掘る.
root[3] 名 《米俗》紙巻きタバコ.
scoot 名 《俗》スクーター, 自動車.
sloot 名 《南アフリカ》灌漑(かんがい)水路.
soot 名 すす, 煤煙(ばいえん), 油煙.
toot[1] 名 《話》酒宴, 浮かれ騒ぎ.
toot[2] 名 《NZ》ニュージーランド産のドクウツギ属の低木の総称(tutu).
yoot 名 《米俗》不良グループの一員.

O

-oot³ /úːt/

語尾 語末にくる同音形は -UT³.

foot 名 ☞
root¹ 名 ☞
root² 動自〈豚などが〉鼻で地を掘る.
root³ 動自《主に米話》(熱狂的に)声援する.
root⁴ 名《米俗》紙巻きタバコ.
soot 名 すす, 煤煙(ばいえん), 油煙.
toot¹ 名《豪話》便所, トイレ.
toot² 名《主に米ペンシルバニア州ドイツ語圏》紙袋.

-ooth¹ /úːθ/

語尾 主に名詞をつくる. ◇ -TH¹.
★ 語末にくる同音形は -OUTH¹, -UTH.

booth 名 ☞
smooth 形 ☞
sooth 名《詩語・古》真実, 事実, 実際.
tooth 名 ☞

-ooth² /úːð/

語尾

booth 名 ☞
smooth 形 ☞

-oove /úːv/

語尾 語末にくる同音形は -OVE³.

groove 名 ☞
hoove 名【獣医】鼓腸症.
poove 名《英俗》(特に女役の)ホモ.
roove 名【造船】止め座金.

-ooze /úːz/

音象徴 **1** 液体や泥のように流れ出るものを表す. **2** 居眠りや長話などを擬態的に象徴する.
★ 主に話語や俗語の語尾.
★ 語末にくる同音形は -OOSE², -OUSE³, -USE¹, -USE³.

booze 名《話》(一般に)酒, アルコール飲料.
cooze 名《米俗》膣(ちつ).
ooze¹ 動自〈液体・気体などが〉流れ出る.
ooze² 名【地質】軟泥.
schmooze 名《米俗》おしゃべり, 長話.
shmooze 名 ＝schmooze.
snooze 動自 眠る, まどろむ, 居眠りする.

-op¹ /ɔp | ɑp/

音象徴 ポン, パン, ピョン; 上下運動やはね返る動き, また, 急に倒れたり, 飛び出すような動きとその音を表す.

bop 動他《米俗》(げんこつ・棒などで)殴る, 打つ. ―自 戦う, 殴り合う.
chop 動他 …を(斧(おの)などで)(勢いよく)切る.
clop 名 (馬のひづめなどの)パカッパカッという音. ―動自 パカッパカッという音をたてる[たてて進む].
drop 名 滴, 滴り; 一滴(の量), 適量. ―動他〈液体を〉滴らす, 滴下する, ぽたぽた落とす. ◇ -OOP².
flop 動自 突然音をたてて[ばったり, どさり, どすんと]倒れる[落ちる, ひざをつく, 座る]; どぶんと(水に)飛び込む.
gal·lop 動自〈人が〉馬に乗ってギャロップで駆ける, 全速力で馬を駆る.
ga·lop 名 ギャロップ.
glop 名《話》まずそうな食べ物; ベタッとしたもの.
hop 動自〈動物が〉ぴょんと跳ぶ, 跳ねる, ジャンプする; 《米》〈人・動物・物が〉飛んで[弾んで]動く; さっと動く[行く].
lop 動自 だらりと垂れる, ぶら下がる.
plop 動自 (水面に落ちて)ポチャン[ドブンなど]と音をたてる; (瓶の栓を抜くときなどに)ポンと音がする.
pop 動自 ポン[パン]という音をたてる, パンと鳴る. ―他〈コルク・爆竹などを〉ぽん[パン]と鳴らす. ―名 **1** ポン[パン・パチン]という音. **2**《話》ソーダパップ(soda pop). **3** グラス一杯のアルコール飲料.
splop 名 ペチャッ[ピシャッ]という音(splat).
wal·lop 動他 さんざん殴る, 打ちのめす.
whop 動他《話》強打する, たたきつける, ビシッと打つ.
wop 動他 ＝whop.

-op² /ɑp | ɔp/

音象徴間 音象徴語の重複形に見られる語末要素; しばしば /i/ と /ɑ/ の母音交替がある; また接中辞 -ity をはさむものがある.

clíp-clòp 名動自 (馬のひづめの)パカパカ[(スリッパの)パタパタ]という音(を出す); (靴の)カタカタという音(をたてて歩く).
clíppety-clóp 名 (馬のひづめの)パッカパッカという音; カランコロン.
clóp-clòp 名 (馬の足音・スパイク靴などの)パカッパカッ[カタッカタッ, コツコツ]という音. ―動自 パカッパカッ[カタッカタッ, コツコツ]という音をたてる.
drip-drop 名 ポタポタ(落ちること); 雨だれ.
flíp-flòp 名 宙返り, とんぼ返り. ―副 パタパタ[パタンパタン, カタカタ]と音をたてて. ―動自 ひっくり返す.
hóppity-hóp 間《カエル・ウサギ・小鳥などがはねたり, 人間が片足で跳ぶ様子》ピョンピョコピョン.
típ-tòp 名 (山などの)絶頂, 頂上. ―副 絶頂[頂点]に; 《話》申し分なく, 並外れて.

-op³ /ɑ́p | ɔ́p/

語尾 力強い語尾で, 俗語をつくりやすい; また, 短縮語をつくる. なお, stop, top に「終止」と「末端」のイメージを感じる人がいる. ◇ -OP¹.
★ 語末にくる同音形は -AP⁴.

bop 名 ☞
chop¹ 動自〈風が〉急に変わる.
chop² 名 あご.
chop³ 名 (インド・中国などで使用された)官印.
cop¹ 動他《俗》…を捕らえる, 捕まえる.
cop² 名 ☞
cop³ 名【繊維】コップ, 管糸.
crop 名 ☞
dop¹ 名 ドップ: カット・研磨のため宝石を押さえておく工具.
dop² 名《南アフリカ》ドプ: ブランデー.
fop 名 気取り屋.
hop 名【植物】ホップ.
knop 名 つまみ, ノブ.
kop 名《南アフリカ》小山, 丘.
lop 名《北イング》ノミ.
mop¹ 名 ☞
mop² 動自《文語》がっかりした顔をする.
mop³ 名 (もと英国各地で, 召使いが雇われた)秋祭.

op 名 〖美術〗オプ・アート(op art).
pop[1] 形 ☞
pop[2] 名 《話》パパ, 父ちゃん, おやじ.
prop[1] 動他 ☞
prop[2] 名 《話》〖演劇〗小道具(property).
prop[3] 名 プロペラ(propeller).
prop[4] 名 《話》提案(proposition).
prop[5] 名 《英俗》ダイヤモンド, 宝石.
scop 名 古英語時代の(吟唱)詩人.
shop 名 ☞
slop[1] 名 船の乗組員に支給される服や寝具.
slop[2] 名 《英俗》警官.
smop 名 《米ハッカー俗》プログラム作りの小仕事.
snop 名 《米麻薬俗》マリファナ.
sop 名 (牛乳・スープなどに浸した)食物片.
stop 動他 ☞
strop 名 (かみそりの)革砥(かわと).
tel·op 名 〖テレビ〗テロップ.
top[1] 名 ☞
top[2] 名 ☞
wop[1] 名 《米俗》イタリア人.
wop[2] 名 《英空軍俗》無線技師.

o·pal /óupəl/

名 タンパク石, オパール.
★ 語頭にくる関連形は opal-: *opal*escent「オパール色に光る」, *opal*ine「オパールに似た, 乳白色をした」.

bláck ópal ブラックオパール, 黒蛋白石.
cómmon ópal 普通蛋白石.
fíre òpal 火蛋白石, ファイアオパール.
hárlequin òpal ハーレキンオパール.
léchosos òpal レコソスタンパク石.
líver òpal リバーオパール.
nóble ópal =precious opal.
précious ópal 貴蛋白石, プレシャスオパール.
wóod òpal 木化蛋白石.

o·paque /oupéik/

形 不透明な, 光を通さない.

ra·di·o·paque 形 放射線不透過性の.
roent·gen·o·paque 形 X 線を通さない.
sem·i·o·paque 形 半透明の.

-ope[1] /oup/

連結形 〖眼科〗眼が…の人.
★ 語末にくる関連形は -OPIA, -OPSIA, -OPSIS, -OPSY, -OPTER.
★ 語頭にくる関連形は opt(o)-: *opto*acoustic「音響光学の」.
◆ ギリシャ語 *-opia*「眼」より.
[発音] 語頭の音節に第 1 強勢.

as·the·nope 名 眼精疲労の人.
my·ope 名 近視の人.
trit·an·ope 名 第三色盲患者, 青黄色盲患者.

-ope[2] /oup/

語尾 grope, lope, mope には音象徴的な響きがある.
★ 語末にくる同音形は -OPE[1], -OUP[3].

cope[1] 動自 (人と)(対等の関係もしくは有利な状態で)対抗する, 張り合う.
cope[2] 名 コープ, 大外衣: 高位聖職者が着る絹の長いマント.
cope[3] 動他 〖建築施工〗〈2 つの木製部材を〉刳形(くりがた)継ぎにする.
cope[4] 動他 《英》物々交換する; 取引[交換]する.
dope 名 ドープ: 濃厚な液体, 糊(のり)状の調合剤.
grope 動自 手探りする; 手探りで(…を)捜す.
hope 名 ☞
lope 動自 〈四つ足の動物が〉ぴょんぴょん跳ねてゆく.
mope 動自 ふさぎ込む, 意気消沈する.
nope 副 《話》いや, いいえ.
ope 形動他自 《文語》=open.
pope 名 ☞
rope 名 ☞
scope 名 (能力・理解・見通し・応用・作用・効果などの)範囲, 限界; 視界.
-scope 連結形 ☞
slope 動自 ☞
stope 名 ストープ: 鉱石などの採掘方法の一種.
tope[1] 動自 習慣的に大酒を飲む, 酒浸りになる.
tope[2] 名 〖魚類〗メジロザメ科エイラクブカ属の小形のフカ.
tope[3] 名 (仏舎利を納めた半球形の)仏塔.
tope[4] 名 《インド》(マンゴーなどの)森, やぶ.
-tope 連結形 ☞
trope 名 〖修辞〗言葉のあや, 文彩, 修辞.
-trope 連結形 ☞

o·pen /óupən/

形 あいている, 開いている. ── 動他自 開く. ── 名〖スポーツ〗オープントーナメント.

re·o·pen 動他自 再びあける [開く].
U.S. Ópen 〖ゴルフ〗全米オープン.
wíde-ópen 形 全部 [完全に] 開いた, 全開の.

o·pen·er /óupənər/

名 開く人 [もの]; あける道具. ⇨ -ER[1].

bág òpener 《米俗》(バッグの中身を盗む)すり.
bóttle òpener (瓶の)栓抜き.
cán òpener 缶切り.
dóor-òpener 自動開閉装置.
éye-òpener 《話》はたと目を開かせるもの.
lég-òpener 《俗》(誘惑用の)強い酒.
létter òpener (レター用)ペーパーナイフ.
péw-òpener (教会の)信者席案内人.
pípe-òpener 準備運動; 《比喩的》試行.
quíck ópener 〖アメフト〗クイックオープナー.
rè·ópen·er 名 《話》交渉再開.
tín òpener 《英》=can opener.

o·pen·ing /óupəniŋ/

名 開く [あく] こと; あける動作 [行為]. ── 形 あける, 開く. ⇨ -ING[1], -ING[2].

deláyed ópening 〖航空〗パラシュート自動開傘装置.
éye-òpening 形 目を開かせる, 啓発的な.
wínning òpening 〖テニス〗サーブ側後方の観覧席.

op·er·a /ápərə/

名 歌劇, オペラ; オペラ芸術. ⇨ -A[1].

bállad òpera バラッドオペラ.
Béijing ópera 《中国》京劇(Jingju).
Chínese ópera 《米軍俗》極端に手の込んだ仕事.
cómic ópera 喜歌劇, コミック・オペラ.
cómic-ópera 形 うぬぼれが強すぎてこっけいな.
cóp òpera 《米俗》警察官についての劇 [映画].
córk òpera 《米俗》黒人に扮した白人の軽演劇.
gránd ópera グランドオペラ.
hórse òpera (テレビ, ラジオ, 映画などの)西部劇.
líght ópera オペレッタ, 軽歌劇(operetta).

O

múd òpera 《米俗》馬車で巡回するサーカス.
númber òpera 番号オペラ.
óat òpera 《米俗》(映画・テレビなどの)西部劇.
róck òpera ロックオペラ.
sóap òpera ソープオペラ, 昼メロ.
spáce òpera 《米》スペースオペラ.

op·er·a·tion /àpəréiʃən | ɔ̀p-/

名 **1** 働き, 作用, 活動. **2** 手術. **3** 演算. ►operate の名詞形. ⇨ -ATION.

algebráic operátion 〖数学〗代数的演算.
bínary operátion 〖数学〗二項演算.
Bóolean operátion 〖コンピュータ〗ブール演算.
commánd operàtion 〖外科〗コマンド手術.
condítional operátion 〖コンピュータ〗条件付き演算.
co·òp·er·á·tion 名 協力, 協同; 援助; 協調性.
cóvert operátion 政府・警察による秘密諜報活動.
dis·òp·er·á·tion 名 〖生態〗相害作用.
dómino operàtion 〖外科〗心肺同時ドミノ手術.
hólding operàtion 現状維持策.
Lémpert operàtion 〖外科〗レンパート術, 内耳開窓術.
Múles operátion 《豪》〖獣医学〗ミュールズ手術.
párallel operátion 〖コンピュータ〗並列操作.
párity operàtion 〖物理〗空間反転.
rátional operátion 〖数学〗有理演算.
stíng operàtion 《米》(FBI などの)おとり捜査.
térnary operátion 〖数学〗三項演算.
únary operàtion 〖数学〗単項演算.

op·er·a·tive /ápərətiv, ápərèit- | ɔ́p-/

名 労働者, 工員, 熟練工. ━━形 作用する, 働く, 影響を及ぼす; 〖医学〗手術の [に関する]. ⇨ -ATIVE.

co·op·er·a·tive 形 ☞
in·op·er·a·tive 形 働いていない, 操業 [運転] していない.
in·tra·op·er·a·tive 形 手術時の.
post·op·er·a·tive 形 (外科)手術後の, 術後(性)の.
pre·op·er·a·tive 形 術前の, 手術の前の.
ret·ro-op·er·a·tive 形 〈法令などが〉以前にさかのぼって効力を有する, 遡及(そきゅう)する.

op·er·a·tor /ápərèitər | ɔ́pərèitə/

名 **1** (機械などの)操作係, 運転者, 技手. **2** 経営者, 運営者. ⇨ -ATOR.

béauty òperator 美容師.
bíg-tìme óperator 《米俗》積極的に裏取引などを画策する人; やり手, 策士.
bláck óperator 《俗》秘密諜報(ちょうほう)員.
differéntial óperator 〖数学〗微分演算子, 微分作用素.
Lapláce òperator 〖数学〗ラプラス演算子 [作用素].
línear óperator 〖数学〗線形作用素.
ówner-óperator オーナートラック [タクシー] 運転手.
smóoth òperator 《話》あか抜けした人.
tèle·óperator 名 遠隔操作のロボット [機械装置].
télephone òperator 《主に米》電話交換手.
tóur òperator パック旅行専門の旅行業者.

-oph /ɔ́f/

語尾 語末にくる同音形は -OF, -OFF[2].

soph 名 (高校・大学の) 2 年生(sophomore).
-troph 連結形 ☞

oph·thal·mi·a /ɑfθǽlmiə, ɑp- | ɔfθǽlmiə, -mjə/

名 〖眼科〗眼炎. ⇨ -IA.

py·oph·thal·mi·a 名 膿眼症, 化膿性眼炎.
sympathétic ophthálmia 交感性眼炎.
syn·oph·thal·mi·a 名 単眼症.
xe·roph·thal·mi·a 名 眼球乾燥症.

-o·pi·a /óupiə/

連結形 〖眼科〗…視.
★ 名詞をつくる.
★ 視力の状態や視覚器官の障害を表す.
★ 語末にくる関連形は -OPE[1].
★ 語頭にくる関連形は opto-: *opto*acoustic「音響光学の」.
◆ <ギ *-ōpia*(*ōpē*「眺める, 見る」, *ṓps*「目, 顔」と同根). ⇨ -IA.

am·bly·o·pi·a 名 弱視.
an·o·pi·a 名 視覚欠如, 無視(症).
an·or·tho·pi·a 名 歪視(わいし).
as·the·no·pi·a 名 眼精疲労.
cy·clo·pi·a 名 単眼症, 一つ目奇形.
di·plo·pi·a 名 複視, 二重視.
hap·lo·pi·a 名 単視.
hem·er·a·lo·pi·a 名 昼盲(症).
hem·i·o·pi·a 名 半盲(症), 片側 [半側] 視野欠損.
hy·per·o·pi·a 名 遠視.
me·ro·pi·a 名 半盲, 部分盲, 不完全盲.
-me·tro·pi·a 連結形 ☞
my·o·pi·a 名 近視, 近眼.
nyc·ta·lo·pi·a 名 夜盲(症), 鳥目.
ox·y·o·pi·a 名 視力 [覚] 鋭敏(症).
pho·to·pi·a 名 昼間視, 明所視.
pol·y·o·pi·a 名 多視 [重視](症), 複視.
pres·by·o·pi·a 名 老眼, 老視, 老人性遠視.
sco·to·pi·a 名 暗所視, 薄明視.

o·pin·ion /əpínjən/

名 **1** 意見. **2** 評価. ⇨ -ION[1].

advísory opínion 〖法律〗助言 [勧告] 的意見.
concúrring opínion 〖法律〗補足 [同意] 意見.
disSénting opínion 〖法律〗(上訴裁判所の判決文の中で)反対意見.
públic opínion 世論.
sécond opínion 別の医師の診断 [見立て].
sélf-opínion 自己評価; (特に)うぬぼれ.

o·pos·sum /əpásəm, pás- | əpɔ́s-/

名 〖動物〗キタオポッサム: 有袋類オポッサム科の動物; 米国東部に分布. ►短縮語で possum となる.

fóur-eyed opóssum ヨツメオポッサム.
móuse opòssum =murine opossum.
múrine opòssum マウスオポッサム, コモリネズミ.
wáter opòssum ミズオポッサム, フクロカワウソ.

-op·si·a /ápsiə | ɔ́p-/

連結形 -opia の異形.
★ 語頭にくる関連形は opto-: *opto*acoustic「音響光学」.
◆ <ギ *óps*(*is*)「視力, 外見」+*-ia* -IA.

a·chro·ma·top·si·a 名 色盲, 色覚異常(color blindness).
ano·op·sia 名 上斜視.
ax·an·thop·si·a 名 黄色盲.
chro·ma·top·sia 名 (着)色視(症).
hem·i·a·nop·si·a 名 半盲(症), 片側 [半側] 視野欠損.
ma·crop·si·a 名 大視症, 巨視(症), 過大錯視.
meg·a·lop·si·a 名 =macropsia.
mi·crop·si·a 名 小視症.
pal·i·nop·si·a 名 反復視.
xan·thop·si·a 名 黄(色)視(症).

op·sin /ápsin | ɔ́p-/

名 〘生化学〙オプシン. ►rhodopsin「ロドプシン, 視紅」からの逆成.

er·y·throp·sin 名 ロドプシン, 視紅(rhodopsin).
i·o·dop·sin 名 イオ［アイオ］ドプシン.
por·phy·rop·sin 名 ポルフィロプシン, 視紫.

-op·sis /ɑ́psis | ɔ́p-/

連結形 **1** …に類似のもの(likeness). ►特に語頭の要素に似た有機体や生体組織の名前をつくる: core*opsis*. **2** …視(sight): stere*opsis*.
★ 名詞をつくる.
★ 語末にくる関連形は -OPE[1].
◆ ＜近代ラ＜ギ *ópsis* 外見, 外観. ⇨ -SIS.

am·pe·lop·sis 名 ノブドウ.
cal·li·op·sis 名 ＝coreopsis.
car·y·op·sis 名 〘植物〙穀果, 頴果(えいか).
co·re·op·sis 名 ハルシャギク(calliopsis).
phal·ae·nop·sis 名 コチョウラン属の着生ランの総称.
ster·e·op·sis 名 立体視, 実体視, 立体(鏡)映像.
than·a·top·sis 名 死についての見解［考察］, 死観.

-op·so·ny /ɑ́psəni | ɔ́p-/

連結形 購買.
◆ ギリシャ語 *opsōnía*「食料の購買」より. ⇨ -Y[3].

du·op·so·ny 名 需要［買い手］複占, 購買複占.
mo·nop·so·ny 名 需要［買い手］独占.
ol·i·gop·so·ny 名 少数購買独占, 需要寡占.

-op·sy /ɑ̀psi, əp- | ɔ̀p-, əp-/

連結形 医学検査. ⇨ -Y[3].
★ 名詞をつくる.
★ 語源上の関連形容詞は optic「目の」.
★ 語末にくる関連形は -OPE[1].
★ 語頭にくる関連形は opto-: *opto*acoustic「音響光学の」.

au·top·sy 名 死体解剖, 剖検, 検死.
bi·op·sy 名 〘医学〙バイオプシー, 生検(法).
nec·rop·sy 名 検死, 死体解剖, 剖検(autopsy).

opt /ɑ́pt | ɔ́pt/

動自 (…のどちらかを)選択する, 選ぶ.

a·dopt 動他 選ぶ, 採用する.
co·opt 動他 選挙する.

-opt /ɑ́pt | ɔ́pt/

語尾 主に動詞の過去・過去分詞形.

cropt 動 《古》crop の過去・過去分詞形.
dropt 動 drop の過去・過去分詞形.
opt 動自 ☞
stopt 動 《古》stop の過去・過去分詞形.

-op·ter /ɑ́ptər | ɔ́ptə/

連結形 視覚(測定)装置.
★ 名詞をつくる.
★ 語末にくる関連形は -OPE[1].
★ 語頭にくる関連形は opto-: *opto*acoustic「音響光学の」.
◆ ギリシャ語 *optḗr*「見る者」より.

di·op·ter 名 〘光学〙ジオプトリー.
ho·rop·ter 名 〘眼科〙単視軌跡, ホロプター.

op·tic /ɑ́ptik | ɔ́p-/

形 **1** 目の; 視力の; 視覚の. **2** 光学(上)の. ⇨ -IC[1].
★ 名詞は optics「光学」.

ent·op·tic 形 眼球内にある［に生じる］.
fi·ber·op·tic 形 光ファイバーを用いた(機器の).
mac·rop·tic 形 〘眼科〙大視症の, 巨視(症)の.
mag·ne·to·op·tic 形 磁気光学の.
or·thop·tic 形 〘眼科〙両眼視に関する.
pan·op·tic 形 すべての部分を一目で見せる.
su·pra·op·tic 形 〘眼科〙(脳の)視神経交差の上に位置する.

op·tics /ɑ́ptiks | ɔ́p-/

名複 光学. ⇨ -ICS.
★ 語頭にくる関連形は opto-: *opto*acoustic「音響光学の」.

a·còus·to·óp·tics 名複 音響光学, アクーストオプティクス(optoacoustics).
adáptive óptics 適応光学.
eléctron óptics 電子光学.
elèctro-óptics 名複 電気光学.
fíber óptics 繊維光学.
geométrical óptics 幾何光学.
hèt·er·óp·tics 名複 錯視, 倒視, 曲視, 視覚異常.
íntegrated óptics 光集積回路.
mag·nè·to·óp·tics 名複 磁気光学.
or·thóp·tics 名複 視能矯正.
phýsical óptics (幾何光学に対して)物理光学.
ple·óp·tics 名 〘眼科〙弱視訓練.
quántum óptics 量子光学.
spáce óptics 宇宙光学.

op·tion /ɑ́pʃən | ɔ́p-/

名 選択の自由, 選択権. ⇨ -TION.

a·dóp·tion 名 採用, 選択; 票決, 採択.
cáll òption 〘金融〙買取り特権.
dóuble zéro òption 〘軍事〙ダブルゼロオプション.
ínterest-ràte óption 《米》金利オプション.
lócal óption 《米政治》地方選択権(制度).
lóck-úp óption 〘経営〙ロックアップオプション.
náked óption 〘株式〙ネーキッド・オプション.
négative óption 購入中止選択権.
pre·óp·tion 名 第一選択権.
pút òption 〘金融〙売付き選択権.
séller's óption 売方選択権.
séttlement òption 〘保険〙保険金支払い方法の選択(権).
sháre òption 《英》株式買受選択権.
sóft óption (最も)楽な方法, 安易な道.
spréad òption 《主に米》値幅付き複合選択権.
stóck òption 〘証券〙株式オプション.
tríple òption 〘アメフト〙トリプルオプション.
tríple zéro òption 〘軍事〙トリプルゼロオプション.
zéro òption 〘軍事〙ゼロの選択.

-or[1] /ər/

接尾辞 動作・状態・性質などを表す名詞をつくる.
★ 接尾辞 -or[1] を -or と綴(つづ)るのはアメリカ英語の特徴であるが, 時には例外もある. 例えば広告文では, 製品の高級感を生み出すために col*our* や fav*our* のように綴ることがある. また glam*our* という綴りは glam*or* よりも若干広く用いられている.
★ イギリス英語では, 依然として -our の形が優勢であり, ある種の接尾辞が付加されている場合のみ -or が多用される: col*or*ation, hon*or*ary, hon*or*ific, lab*or*ious, od*or*iferous.
★ 南半球の英語はイギリス式にならう傾向があり, 一方, カナダ英語はアメリカ流に -or が優先しているが, -our も異形として自由に用いられる.
◆ 中英 *-our* ＜古仏＜ラ *-ōr-* 〔*-or*(初期は *-os*)の語幹〕.

ar·dor 名 激情, 情熱, 意気込み.
bar·ra·tor 名 【法律】訴訟教唆の罪を犯した者.
can·dor 名 (言葉・表現の)率直, 正直, 誠実.
clam·or 名 (群衆などの)どよめき, がやがや声.
de·mean·or 名 行状, 振る舞い, 品行.
er·ror 名 ☞
fa·vor 名 ☞
fer·vor 名 (感情の)熱烈さ, 真剣さ, 熱情.
fe·tor 名 強烈な悪臭.
foe·tor 名 =fetor.
glam·or 名 うっとりさせるような魅力.
hon·or 名 名誉, 栄誉; 人望; 名声; 信用.
hor·ror 名 恐ろしくてぞっとする思い, 恐怖.
hu·mor 名 ☞
la·bor 名 ☞
lan·guor 名 (快い)疲労感, 倦怠(けんたい).
liq·uor 名 ☞
mu·cor 名 ケカビ, 毛菌(もうきん)類.
o·dor 名 (物質に特有の)におい, 臭気, 香り.
pal·lor 名 顔面の青白さ, 血色の悪さ.
ran·cor 名 深い恨み, 怨恨(えんこん), 遺恨.
rig·or 名 (人を扱うときの)厳しさ, 過酷さ.
splen·dor 名 豪華, 華麗, 壮麗, 雄大.
squal·or 名 汚らしさ, みすぼらしさ; 卑しさ.
ster·tor 名 【病理】(脳卒中患者などの)大いびき.
stri·dor 名 《主に文語》耳障りな音.
stu·por 名 感覚がなくなること, 知覚麻痺(まひ).
ten·or 名 ☞
ter·ror 名 ☞
tor·por 名 (知覚の)遅鈍, 不活発; 無反応.
trem·or 名 震え, 身震い; おじけ, 気後れ.
tu·mor 名 腫れ, 膨れ, 隆起.
tur·gor 名 【植物生理】膨圧.
val·or 名 (特に戦闘における)武勇, 剛勇.
vig·or 名 活動力, 活力.

-or^{2} /ər/

接尾辞 行為者またはある役割を持つ人[もの]を表す.
★ 主としてラテン系の語幹につけて名詞をつくる; また時には -ER^{1} の代用として用いられる; 特に法律用語でしばしば -EE^{1} の形の対応語として, またその他用法上の差をつけて用いられることもある: assign*or* ↔ assign*ee*, grant*or* ↔grant*ee*, less*or* ↔less*ee*.
★ 接尾辞 -or^{2} は今ではあらゆる英語で -or と綴られる. ただし, 唯一の例外は savior で, 特にキリストを指すときは, 英米ともに savi*our* と綴られることが多い. ◇ -AR^{3}, -ER^{1}.
★ 語末にくる関連形は -EUR, -IOR^{2}.
◆ 中英 *-or*, *-our* <アングロ仏, 古仏 *-o(u)r* <ラ *-ōr-* (*-or* の語幹; *-tōr* -TOR から抽出).
[発音] 基語の第 1 強勢と同じ.

ab·duc·tor 名 誘拐者[犯], 人さらい.
a·bet·tor 名 教唆者, 扇動者; 支持者.
ac·cep·tor 名 アクセプター, 受容体, 受体.
a·dap·tor 名 適合[順応]する人[もの]; 改作者.
ad·dres·sor 名 手紙などの差出人, 発信人.
ad·jus·tor 名 調節[調整]する人, 調停人.
ad·vi·sor 名 忠告者, 助言者, 相談役, 顧問.
al·ien·or 名 【法律】譲渡人, 譲与者.
ap·pli·ca·tor 名 (口・鼻・のどの奥などへ薬をつけるための)塗薬用具.
ap·point·or 名 【法律】(財産帰属の)指名権者.
ar·mor 名 ☞
as·sen·tor 名 同意者, 賛同者.
as·ser·tor 名 断言する人; 主唱者, 主張者.
as·sign·or 名 割り当てる人.
as·sur·or 名 保証する人.
at·tes·tor 名 証明者, 証人(attestant).
at·trac·tor 名 引きつけるもの[人].
aug·men·tor 名 【機械】省力ロボット.
bail·or 名 【法律】(動産の)寄託者.
bar·gain·or 名 【法律】(土地売買契約における)売主.
bet·tor 名 賭(か)けをする人, 賭け手.
bi·sec·tor 名 【幾何】二等分線[面].
ca·pac·i·tor 名 ☞
car·bu·re·tor 名 気化器, キャブレター.
ca·ve·a·tor 名 【法律】予告記載申請[提出]者.
cir·cum·fer·en·tor 名 【測量】測角羅盤.
com·bus·tor 名 【航空】燃焼器[室].
com·mi·nu·tor 名 粉砕機.
com·pac·tor 名 (台所などの)ゴミ圧縮器.
com·pres·sor 名 圧縮する人[もの]; 圧縮[圧搾]器.
con·cep·tor 名 立案者, 計画者.
con·fir·mor 名 【法律】追認者, 確認者.
con·nec·tor 名 結合する人[もの]; 連結作業者.
con·quer·or 名 征服者, (戦争の最終的な)勝利者.
con·sign·or 名 (委託販売の)委託者.
con·struc·tor 名 建設[建造]者; 建設機械; 建設会社.
con·tac·tor 名 【電気】接触器.
con·ver·tor 名 《英》転換させる人[もの].
con·vey·or 名 ☞
cor·rec·tor 名 修正者, 訂正者; 《英》校正者.
cor·rup·tor 名 腐敗させるもの, 汚染するもの.
coun·cil·lor 名 《主に英》=councilor.
coun·ci·lor 名 評議員, 顧問官, 参事官; 議員.
coun·sel·lor 名 《特に英》=counselor.
coun·se·lor 名 助言者, 相談相手; 顧問.
cov·e·nan·tor 名 【法律】契約(履行)者.
cun·ni·linc·tor 名 クンニリングスをする人.
de·flec·tor 名 deflect させる人[もの].
de·sul·tor 名 (サーカスで)馬を飛び移る曲芸師.
de·trac·tor 名 (名誉毀損(きそん)の目的で)誹謗(ひぼう)する人.
de·vi·sor 名 【法律】(特に不動産の)遺贈者.
di·ges·tor 名 【化学】温浸器, 蒸解器.
dis·sec·tor 名 解剖者, 解剖学者; 解剖器具.
du·res·sor 名 【法律】強迫者.
e·jec·tor 名 eject する人[もの]; 放射器.
e·lis·or 名 【法律】陪審選定官.
em·per·or 名 (帝国の最高統治者としての)皇帝.
e·rec·tor 名 直立させる人[もの]; 建立者.
es·cheat·or 名 復帰[没収]地管理官.
es·li·sor 名 【法律】=elisor.
e·ver·tor 名 【解剖】外転筋.
ex·ci·tor 名 【生理】興奮[刺激]神経.
ex·hib·i·tor 名 (展覧会などの)参加者, 出品者.
ex·trac·tor 名 抜き取る人[もの]; 抽出者, 抜粋者.
func·tor 名 ある機能を営むもの.
gov·er·nor 名 ☞
gran·tor 名 【法律】譲与[譲渡, 授与, 交付]者.
guar·an·tor 名 保証[保障]する人[もの].
hu·mi·dor 名 加湿装置.
in·dem·ni·tor 名 《米》賠償する人[会社].
in·her·i·tor 名 (遺産)相続人; 後継者, 世継ぎ.
in·hib·i·tor 名 ☞
in·jec·tor 名 注入[注射]する人; 注入[注射]器.
in·ter·rup·tor 名 妨害者[物]; 止める人[もの].
in·ter·ve·nor 名 仲介[調停]人.
in·ver·tor 名 【解剖】回旋筋.
in·vest·or 名 投資者.
-i·or 接尾辞 ☞ -IOR^{2}
ju·ror 名 陪審員.
les·sor 名 地主, 家主; 賃貸人.
main·tain·or 名 【法律】訴訟幇助(ほうじょ)を犯す者.
med·i·ca·tor 名 投薬器具, 薬物治療用具.
mis·fea·sor 名 【法律】権利侵害者, 不法行為者.
mort·ga·gor 名 抵当権設定者.
ob·jec·tor 名 反対者, 異議を唱える人.
ob·li·gor 名 【法律】債務者.
o·vi·pos·i·tor 名 (昆虫の)産卵器.
par·lor 名 ☞
pat·en·tor 名 特許(権)認可者.
pay·or 名 支払う人; (手形・証券の)支払人.
per·cus·sor 名 【医学】=plexor.
per·fec·tor 名 完成させる人, 完璧に仕上げる人.

per·nor 名 〘法律〙(土地)収益取得者.
pledg·or 名 〘法律〙(動産の)質入れ人.
ples·sor 名 〘医学〙=plexor.
plex·or 名 〘医学〙打診槌(つち).
pos·ses·sor 名 (物・資質などの)持ち主, 所有者.
proc·es·sor 名 ☞
pro·jec·tor 名 ☞
prom·i·sor 名 〘法律〙約束者, 約諾者.
pro·pri·e·tor 名 (企業・ホテルなどの)所有者.
pros·pec·tor 名 (鉱山)探鉱者, 試掘者.
pro·vi·sor 名 〘キリスト教〙(まだ空位になっていない管区へ教皇によって)聖職に直任された人.
pur·vey·or 名 (食料などの)提供者, 調達人.
ra·zor 名 ☞
re·ac·tor 名 ☞
re·ceipt·or 名 《主に米》受領者, 受取人.
re·cog·ni·zor 名 〘法律〙誓約者.
re·duc·tor 名 〘化学〙還元装置.
re·flec·tor 名 (感情・考えなどを)反映する人[物].
re·frac·tor 名 屈折させる人[もの], 屈折媒体.
re·jec·tor 名 〘通信〙〘電気〙除波器.
re·lax·or 名 《米》縮れ毛緩和剤.
re·lea·sor 名 〘法律〙棄権者.
re·sis·tor 名 〘電気〙抵抗器.
re·spon·sor 名 〘電子工学〙質問機受信部.
re·stric·tor 名 レストリクター: 流れを制限する装置.
re·trac·tor 名 引っ込める人[もの]; 撤回者.
re·vi·vor 名 〘英法〙(当事者の死亡などの事情で中断していた)訴訟手続きの復活.
sail·or 名 水夫, 船乗り; 下級船員, 甲板員.
sal·vor 名 海難救助者[隊員, 船].
se·cre·tor 名 〘生理〙分泌者.
sei·zor 名 〘法律〙占有者.
se·lec·tor 名 選択者; 精製者[機].
sen·sor 名 ☞
set·tlor 名 〘法律〙(財産授与や信託の)設定者.
so·lic·i·tor 名 懇願者, 請願者.
spin·or 名 〘数学〙〘物理〙スピノル.
stres·sor 名 ストレッサー, ストレス要因.
sub·tract·or 名 〘電子工学〙相殺器.
sug·ges·tor 名 (職場での)改善提案者.
sup·pres·sor 名 抑圧者; 抑制する物; 弾圧者.
sur·vey·or 名 測量士, 測量技師.
sur·vi·vor 名 生存者, 遺族; 残存物, 遺物.
tai·lor 名 (主に男子服の)洋服屋, 仕立屋.
tel·e·vi·sor 名 テレビ放送[受像]装置, テレビ.
ter·mor 名 〘法律〙定期不動産権者.
tor·men·tor 名 苦しめる人[もの], 悩ます人[もの].
tort·fea·sor 名 〘法律〙不法行為者.
trans·fer·or 名 〘法律〙(財産・権利などの)譲渡人.
tri·or 名 〘法律〙陪審員忌避審判員.
trus·tor 名 《古》〘法律〙信託設定者.
ven·dor 名 売る人, 売り主, 売り手; 行商人.
vi·sor 名 〘甲冑〙(各種のかぶとの)バイザー.
vi·zor 名 =visor.
war·ran·tor 名 保証人, 担保人.

-or³ /ɔ́ːr/

語尾 間投詞 cor¹, gor, lor を含む.
★ 語末にくる同音形は -AR⁸, -AUR, -OAR, -OOR², -ORE, -OUR³.

-chlor 連結形 ☞
cor¹ 間 《英俗》=gor.
cor² 名 《主に英》〘音楽〙テナーオーボエ.
cor³ 名 (処方箋(せん)で)心臓.
dor¹ 名 〘昆虫〙ヨーロッパでよく見られるセンチコガネの一種.
dor² 名 《古》あざけり; 軽蔑(けいべつ).
-dor 接尾辞 ☞
flor 名 フロール: ワイン[シェリー]の表面に浮く白い酵母.
for 前 ☞
gor 間 《英俗》ちぇっ, ふん.
jor 名 〘音楽〙ジョール.
kor 名 ホーメル: ヘブライの容積単位.
lor 間 《非標準》おやおや, これはこれは.
mor 名 〘地質〙粗[酸性]腐植, モル.
nor 接 …もまた…ない, また…ない.
or¹ 接 …か…, …または…, あるいは….
or² 前接 《主にアイル・スコット・英》…より前に, に先立って, しないうちに.
or³ 名 〘紋章〙金(色), 黄色, 黄金色.
tor 名 岩山の頂, 岩でとがった山頂.
xor 接 《米ハッカー俗》どちらか一方の.

-or⁴ /ər/

語尾 語末にくる同音形は -ER¹, -ER², -ER³, -ER⁴, -ER⁵, -ER⁶, -ER⁷, -ER⁸, -OR¹, -OR².

-dor 接尾辞 ☞
-sor 接尾辞 ☞
-tor 接尾辞 ☞

o·ral /ɔ́ːrəl/

形 **1** 口頭の. **2** 口(部)の. **3** 口で行う, 口を通す. ⇨ -AL¹.
★ 語頭にくる関連形は or(a)-: *or*acy「話し言葉の運用能力」, *ora*torical「演説者[雄弁家]の」.

ab·o·ral 形 〘解剖〙〘動物〙反口(側)の.
ad·o·ral 形 〘動物〙〘解剖〙口側[口辺]の.
au·ral-o·ral 形 耳と口を使う, 口頭練習による.
per·o·ral 形 経口の.
pre·o·ral 形 〘動物〙口の前の.

-o·ra·ma /ərǽmə, ərɑ́ːmə | ərɑ́ːmə/

連結形 **1** …展, ショー; …館: audi*orama*. **2** 盛大なもの: gross*orama*.
★ 名詞をつくる.
★ 語末にくる関連形は -AMA, -ARAMA, -RAMA.
◆ <ギ *hórāma*「光景, 見ること」(*horân*「見る」より); 一説には panorama, diorama または cyclorama から抽出ともいわれる. ⇨ -MA.

audiorama 名 オーディオ館, 音響館.
cos·mo·ra·ma 名 コズモラマ, 世界名物のぞき眼鏡.
cy·clo·ram·a 名 円形パノラマ.
di·o·ram·a 名 ジオラマ, 立体模型.
ma·ri·no·ra·ma 名 マリノラマ: パノラマ風に海の景色を描いたもの.
myr·i·o·ra·ma 名 ミリオラマ, 万景画: 小画を組み合わせ多様な美景を作り出す.
pan·o·ram·a 名 全景, パノラマ.

or·ange /ɔ́ːrindʒ, ɑ́r- | ɔ́r-/

名 **1** オレンジ: 柑橘(かんきつ)類の食用果実. **2** 〘植物〙ミカン属の木の総称.

African chérry-òrange アフリカミカン.
Ágent Órange 〘化学〙〘農業〙オレンジ剤.
Bíg Órange Los Angeles の異名.
bítter órange ダイダイ(橙).
Blénheim Órange ブレニムオレンジ: 英国のリンゴの一種.
blóod òrange チミカン(血蜜柑), ブラッドオレンジ.
cádmium órange カドミウムオレンジ: オレンジ色の顔料および絵の具.
Chína órange カラマンディン(calamondin).
clóckwork órange 〘心理〙時計仕掛けのオレンジ.
góld órange 〘化学〙=methyl orange.
Internátional Órange 〘海事〙〘航空〙国際赤黄色, 国際標準オレンジ色.

Jáffa órange　ジャッファオレンジ.
mándarin órange　マンダリン(mandarin).
méthyl órange　〘化学〙メチルオレンジ.
Méxican órange　メキシコ産ミカン科の芳香のある常緑低木.
móck órange　バイカウツギ(梅花空木)類.
molýbdate órange　〘化学〙モリブデートオレンジ.
molýbdenum órange　〘化学〙=molybdate orange.
Natál òrange　フジウツギ科ストリクノス属のとげのある低木.
nável òrange　ネーブル(オレンジ).
Ósage órange　オセージ・オレンジ.
Otahéite òrange　オタヘイト・オレンジ.
pastél órange　橙(だいだい)色.
póor màn's órange　《NZ 話》グレープフルーツ.
séa òrange　ジイガセキンコ: オレンジ色の大型ナマコ.
Sevílle órange　=bitter orange.
sóur órange　=bitter orange.
swéet móck órange　シリンガ(syringa).
swéet órange　スイートオレンジ.
témple órange　タンゴール(tangor).
trifóliate órange　カラタチ, キコク.
wíld órange　ゲツキツ(laurel cherry).

-orb /ɔ́ːrb/

語尾

forb 名　広葉草本.
orb 名　球, 球体.
sorb[1] 名　オウシュウナナカマド.
sorb[2] 動他〘化学〙吸収する, 吸着する.

or·bit /ɔ́ːrbit/

名 (天体・人工衛星・宇宙船の)軌道. ―― 動他〈人工衛星・宇宙船などを〉軌道に乗せる.

barycéntric òrbit　重心軌道.
de·ór·bit 動自他 軌道を逸脱する [させる].
dúmp òrbit　投棄軌道.
geostátionary órbit　静止軌道.
geosýnchronous órbit　地球静止軌道.
gráveyard órbit　=dump orbit.
lúnar órbit　月の公転軌道.
párking òrbit　パーキング軌道, 駐留軌道.
pólar órbit　極軌道.
státionary órbit　静止軌道.
sýnchronous órbit　同期軌道.
tránsfer òrbit　トランスファ軌道.

or·bit·al /ɔ́ːrbitl/

形 **1** 軌道の. **2** 眼窩(がんか)の. ―― 名〘物理〙〘化学〙軌道(関数). ⇨ -AL[1].
★ 語頭にくる関連形は orbi-: *orbi*cular「丸い, 球形の」.

ànte·órbital 形　〘解剖〙眼窩前部の.
atómic órbital　〘物理〙〘化学〙原始軌道関数.
còntra·órbital 形　逆軌道飛行の.
molécular órbital　〘物理〙〘化学〙分子軌道関数.
pòst·órbital 形　〘解剖〙〘動物〙眼窩後 [後部] にある.
pre·órbital 形　〘天文〙軌道に入る以前の.
sùb·órbital 形　〈人工衛星などが〉軌道に乗らない.
sùpra·órbital 形　眼窩上の [に位置する].

-orc /ɔ́ːrk/

語尾 語末にくる同音形は -ORK[1].

orc[1] 名　(シャチのような)どうもうなクジラ類.
orc[2] 名　《俗》オーケストラ,「オケ」(ork).
torc 名　トーク(torque).

-orce /ɔ́ːrs/

語尾 語末にくる同音形は -ORSE, -OURSE.

di·vorce 名　離婚(判決).
force[1] 名　☞
force[2] 名　《北イング》滝.

-orch /ɔ́ːrtʃ/

語尾 torch と scorch はよく連想される.

porch 名　☞
scorch 動他 …の表面を焼く; …を焦がす.
storch 名　《俗》並の人間, 普通の人.
torch[1] 名　☞
torch[2] 動他 葺土(ふきつち)を置く.
zorch 動自《ハッカー俗》急速に動く.

or·chard /ɔ́ːrtʃərd/

名 果樹園.

bóne·òrchard　《米俗》墓地.
égg òrchard　《米渡り労働者俗 / 古風》養鶏場.
márble òrchard　《米北部・西部》共同墓地.
sáp òrchard　《主に米ニューイング》サトウカエデ園.
súgar òrchard　《主に米ニューイング・南部ミッドランド》=sap orchard.

or·ches·tra /ɔ́ːrkəstrə/

名 オーケストラ, 管弦楽団. ⇨ -A[2].

stéel órchestra　スチールバンド(steel band).
stríng órchestra　弦楽合奏団, ストリングオーケストラ.
sýmphony òrchestra　交響楽団.

or·chid /ɔ́ːrkid/

名〘植物〙ラン(蘭). ◇ ORCHIS. ►-orchid と同語源; 球根が睾丸に似ているため.

bírd's-nest órchid　サカネラン.
Blúe Órchid　第二次世界大戦中の豪空軍の一員.
bóg òrchid　ヤチラン.
bútterfly òrchid　南米産のスズメラン属の着生ラン.
dáncing-lády òrchid　オンシジウム属の着生ラン.
éarly púrple órchid　ヨーロッパの牧草地などに自生するラン科の多年草.
flý òrchid　フタバラン属のランの一種.
frágrant orchid　テガタチドリ.
fróg órchid　アオチドリ.
mán órchid　チドリソウ類のラン.
mónkey òrchid　ランの一種.
móth òrchid　コチョウラン(胡蝶蘭).
pánsy òrchid　ミルトニア属のラン.
púrple-frìnged órchid　ミズトンボ属の 2 種のラン *H.psychodes* と *H.fimbriata* の総称.
scented orchid　=fragrant orchid.
sóldier òrchid　ハクサンチドリ属のラン.
spíder òrchid　サソリラン.
vánda òrchid　バンダ属の着生ラン.

-or·chid /ɔ́ːrkid/

連結形〘医学〙睾丸が…の, …の睾丸を持った.
★ 形容詞をつくる.
★ 語頭にくる形は orchid(o)-: *orchid*ectomy「睾丸切除術」, *orchido*tomy「睾丸切開術」.
◆ ギリシャ語 *órchis*「睾丸; その形に似た根をもつ植物」

より.

cryp·tor·chid 形 潜伏睾丸の特徴を持った.
mon·or·chid 形 単睾丸(症)の.

or·chis /ɔ́ːrkis/

名 ラン(蘭). ◇ ORCHID.

frínged órchis サギソウ.
mále órchis ラン科ハクサンチドリ属のラン.
mílitary órchis ラン科ハクサンチドリ属の球根植物.
shówy órchis ラン科ハクサンチドリ属の野生球根植物.

-ord[1] /ɔ́ːrd/

語尾 語末にくる同音形は -ARD[5], -OARD.

chord[1] 名 (心の)琴線, 心, 情.
chord[2] 名 ☞
cord 名 ☞
-cord 連結形 ☞
ford 名 浅瀬, 渡り場.
lord 名 ☞
sword 名 ☞

-ord[2] /ərd/

語尾 語末にくる同音形は -ARD[1], -ARD[4].

-ford 連結形 ☞

or·der /ɔ́ːrdər/

名 **1** 指示, 命令. **2** 順序, 順位. **3** 秩序. **4** 注文. **5**〖軍事〗隊形. **6** 集団. **7** 為替. **8**〖建築〗柱式. **9**《英》勲章. ──動他自 命令する; 注文する.

affiliátion òrder 〖英法〗父子関係決定命令.
ápple-pie órder 《話》申し分なく整ったさま.
Áttic òrder 〖建築〗アッティカ式柱形.
báck òrder 〖商業〗繰越し注文.
báck-òrder 動他〖商業〗…を繰越し注文する.
bánker's òrder 〖銀行〗銀行為替.
bánk's òrder 《英》銀行振込依頼書.
bástardy òrder 〖英法〗非嫡出子扶養命令.
bátting òrder 〖野球〗〖クリケット〗打順.
búnt òrder 〖動物行動学〗角突き順位.
búy òrder 〖証券〗買い注文.
céase-and-desíst òrder 停止命令.
clóse órder 〖軍事〗密集隊形.
clósing òrder 《英》〖法律〗閉鎖命令.
colóssal òrder 〖建築〗=giant order.
commúnity-sérvice òrder 〖法律〗社会奉仕(服務命令).
compensátion òrder 《英》〖法律〗損害賠償支払い命令.
contémplative órder 観想修道会.
cóurt òrder 裁判所命令, (裁判所の)決定.
cústom-órder 動他 特別[個人]注文で手に入れる.
dáy òrder (当日の立会時間内のみ有効な)当日限り注文.
dis·ór·der 名 ☞
Distínguished Sérvice Òrder 〖英軍事〗殊勲章.
Domínican órder ドミニコ会, ドミニコ修道会.
exchánge òrder 航空券引き換え証.
exclúsion òrder 〖英法〗入国拒否命令.
exécutive órder 大統領命令.
exténded órder =open order.
fíll or kìll órder 〖証券〗即時一括執行注文.
fíring òrder (内燃機関の)点火順序.
fratérnal órder 《米》友愛組合.
gágging òrder 《英》(マスコミに対して)ある特定の題目について公けの論議を禁じる官命.
gág òrder 《米》(裁判所の)発表禁止命令.
gíant órder 〖建築〗通しオーダー.
jób òrder (作業員に対する)作業指図書.
límited órder =limit order.
límit òrder 〖証券〗指し値注文.
máde-to-órder 形 〈服・靴が〉注文で作った.
máil òrder メールオーダー, 通信販売.
máil-òrder 形 通信販売の[による].
máintenance òrder 〖法律〗扶助料支払命令.
májor órder 〖ローマカトリック〗上級聖職(聖品).
márch-òrder 動他〖軍事〗〈兵員・兵器・装備品を〉前進[行軍]できるように準備させる.
márket òrder 成り行き注文, 市価取引の注文.
mátched órder 〖証券〗馴(な)れ合い注文, 対偶注文.
mínor órder 〖ローマカトリック〗下級聖職.
miscelláneous chárges òrder (海外旅行代理店などが発券する)有価証券.
móney òrder 《米・カナダ》為替, 郵便為替.
néw órder 新方式, 改正[修正]方式.
ópen órder 〖軍事〗散開[疎開]隊形.
pécking òrder 〖動物〗つつきの順位.
póstal òrder 《主に英》=money order.
póst-office òrder 《英》(受取人指定の)郵便為替.
recéiving òrder 〖英法〗財産管理命令(書).
recéption òrder 《英》(精神障害者の)収容命令.
rè·órd·er 動他 整理し直す.
restráining òrder 〖法律〗禁止命令.
revíew òrder (観閲式の)正装.
Róman órder 〖建築〗ローマ柱式, 混合柱式.
Róyal Victórian Órder ロイヤル[王室]ビクトリア勲章.
sácred órder 〖ローマカトリック〗=major order.
séll òrder 〖証券〗売り注文.
separátion òrder (裁判所が出す)別居命令.
shípping òrder 《英話》大口の注文.
shórt òrder 《米・カナダ》即席料理.
shórt-òrder 形 《米・カナダ》即席料理の.
shów cáuse òrder 〖法律〗反対理由開示命令.
síde òrder 《米》サイドオーダー, 添え料理.
sócial órder 社会秩序[体制].
spécial-órder 動他自 (…を)特別注文する.
stánding órder 《もと》〖軍事〗内務[服務]規定.
stóp-loss òrder 〖証券〗損切り注文.
stóp òrder 〖証券〗逆指し値注文.
súb·òr·der 名 〖生物〗亜目.
sú·per·òr·der 名 〖生物〗上目(じょうもく).
supervísion òrder 《英》(少年裁判所による)保護観察命令.
Teutónic Órder ドイツ[チュートン]騎士団.
Thírd Órder 〖ローマカトリック〗第三会.
wórd òrder 語順.
wórking órder (機械などが)好調[正常]に動く状態.
wórk òrder 工程経路, (流れ)作業工程.

or·ders /ɔ́rdərz/

名複 order の複数形.

géneral órders 〖軍事〗一般[合同]命令.
hóly órders (ローマカトリックで)品級, 叙階.
lówer órders 下層階級の人々.
márching òrders 〖軍事〗発進命令.
sáiling òrders (船長への)出港命令(書).
séaled órders 封緘(ふう)命令.
spécial órders 〖軍事〗個別[特別]命令.

or·di·nar·y /ɔ́ːrdənèri | ɔ́ːdənəri/

形 普通の, 通常の; 並の, 平凡な; いつもの, 通例の; 尋常の, 正常の. ⇨ -ARY.

ex·traor·di·nar·y 形 普通でない, 並外れた; 非凡な.
hónorable órdinary 〖紋章〗主オーディナリー.
Lòrd Órdinary (スコットランドの)最高民事裁判所.
óut-of-the-órdinary 形 並外れの, 異常な.

O

sub·or·di·nar·y 名 〖紋章〗準普通紋.
su·per·or·di·nar·y 形 並以上の; 並外れた.
un·or·di·nar·y 形 普通でない, 平凡でない.

or·di·nate /ɔ́ːrdnənət, -nèit/

名 〖数学〗(平面上の点の)縦座標. ―― 形 《まれ》規則正しい, 秩序だった. ⇨ -ATE[1].

co·or·di·nate 形 (…と)同等の, 同格の, 同位の.
in·or·di·nate 形 過度の, 法外な, 極端な.
sub·or·di·nate 形 〈階級・地位が〉(…の)下の.
su·per·or·di·nate 形 (状態・身分・階級が)高い, 高位の.

or·di·na·tion /ɔ̀ːrdənéiʃən/

名 配置, 配列; 分類. ⇨ -ATION.

co·or·di·na·tion 名 同格[同等, 同位]化; 同格[同等, 同位]であること; 対等[等位]関係.
fore·or·di·na·tion 名 あらかじめ定めること, 前もっての決定.
re·or·di·na·tion 名 再叙任, 再任命.
su·per·or·di·na·tion 名 〖論理〗上位, 包括.

ore /ɔ́ːr/

名 〖鉱物〗鉱石, 原鉱.

bóg-ìron òre 沼(ぬま)鉄鉱.
cógwheel óre 車骨鉱(bournonite).
drý-bòne óre ドライボーン.
gráy mánganese òre 水マンガン鉱(manganite).
gréen léad óre 緑鉛鉱(pyromorphite).
íron óre 鉄鉱石.
kídney òre 腎臓の形をした赤鉄鉱.
néedle òre 針鉱(Aikinite).
péacock òre 斑銅鉱(bornite).
réd cópper óre 赤銅鉱(cuprite).
réd-léad óre 紅鉛鉱(crocoite).
réd zínc óre 紅亜鉛鉱(zincite).
spáthic íron òre 菱鉄鉱(siderite).
úrban óre 都市鉱石: 空き缶などの都市廃棄物.
whéel òre 車骨鉱(bournonite).
whíte léad òre 白鉛鉱(cerussite).
yéllow cópper óre 黄銅鉱(chalcopyrite).
yéllow lèad óre 水鉛鉛鉱(wulfenite).

-ore /ɔ́ːr/

語尾 bore[1], gore[2] などを音象徴的と感じる人がいる.
★ 語末にくる同音形は -AR[8], -AUR, -OAR, -OOR[2], -OR[3], -ORE[1], -OUR[3].

bore[1] 動他 ☞
bore[2] 動 ☞
bore[3] 動他 (…で)うんざりさせる, 退屈させる.
bore[4] 名 潮津波, 海嘯(かいしょう).
chore 名 雑用, 半端仕事; ありきたりの仕事.
-chore 連結形 ☞
core[1] 名 ☞
core[2] 名 《主にスコット》少人数の仲間.
crore 名 (インドで)1, 000 万, クローレ.
fore[1] 形 ☞
fore[2] 間 〖ゴルフ〗フォア, 危ない.
frore 形 《古》凍った; 《詩語》霜の降りる.
gore[1] 名 流血, (特に)凝血, 血のり.
gore[2] 動他 〈動物が〉角[牙(きば)]で突く.
gore[3] 名 ゴアー: 衣服, 帆, 傘などに入れて幅を広くしたり形をつけたりする三角布.
lore[1] 名 ☞
lore[2] 名 〖動物〗目先.
more 形 ☞
ore 名 ☞
-phore 連結形 ☞
-plore 連結形 ☞
pore[1] 動自 (本などを)熟読する.
pore[2] 名 ☞
score 名 ☞
shore[1] 名 ☞
shore[2] 名 (特に建物・船・木などにあてがう)支柱.
shore[3] 動 《古・豪》shear の過去形.
shore[4] 動他 《スコット・北イング》〈人を〉脅かす.
sore 形 ☞
spore 名 〖生物〗胞子, 芽胞.
-spore 連結形 ☞
store 名 ☞
swore 動 swear の過去形.
tore[1] 動 tear の過去形.
tore[2] 名 〖建築〗トーラス(torus).
-vore 連結形 ☞
whore 名 ☞
wore 動 wear の過去形.
yore 名 《文語》昔, 往昔(おうせき), 昔日.

-o·rex·i·a /əréksiə/

連結形 欲望, 食欲(に関する異常).
★ 名詞をつくる.
★ 異形 -arexia: bulim*arexia*「過食拒食症」.
◆ <ギ *órex*(*is*)「欲望, 食欲」+-*ia* -IA.

an·o·rex·i·a 名 食欲不振[減退], 無食欲.
hy·per·o·rex·i·a 名 過食症.

-orf /ɔ́ːrf/

語尾 語末にくる同音形は -ARF[3], -ORPH.

corf 名 《英》〖採鉱〗石炭運搬用小鉱車.
dorf 名 《米俗》ばかな[変な]やつ.
scorf 名 食い物; 食事(scoff).

-org /ɔ́ːrg/

語尾 主に俗語と短縮語の語尾.

dorg 名 《米俗》犬.
lorg 名 《米話》ばか, まぬけ.
org[1] 名 《話》組織, 機構; 団体, 協会.
org[2] 名 《米俗》電子オルガン.
org[3] 名 《米俗》(強力な麻薬による)急激な高揚感, めくるめく恍惚(こうこつ)感.

or·gan /ɔ́ːrgən/

名 **1** オルガン. **2** 〖生物〗器官.

Américan órgan 〖音楽〗アメリカンオルガン.
baróque órgan 〖音楽〗バロックオルガン.
bárrel òrgan 〖音楽〗バレルオルガン.
chóir òrgan 〖音楽〗クワイアオーガン.
chórd òrgan 〖音楽〗コードオルガン.
cínema òrgan 〖音楽〗シネマオルガン.
Córti's órgan 〖解剖〗〖動物〗ラセン器, コルチ器.
écho òrgan 〖音楽〗エコー.
eléctric órgan 〖音楽〗電動オルガン.
electrónic órgan =electric organ.
énd òrgan 〖細胞生物〗末端[終末]器(官).
fúll órgan 〖音楽〗フルオーガン.
gránd órgan =great organ.
gréat órgan 〖音楽〗グレートオルガン, 主鍵盤.
hánd òrgan 〖音楽〗手回しオルガン.
hóllow órgan 〖解剖〗中空器官[臓器].
hóuse òrgan ハウスオーガン, 機関誌.
Jácobson's órgan 〖解剖〗〖動物〗ヤコブソン器官.
Jóhnston's órgan 〖昆虫〗ジョンストン器官.

O

láp òrgan 《俗》アコーディオン.
móuth òrgan ハーモニカ.
nèurohémal órgan 【医学】神経血管器官.
piáno òrgan 【音楽】手回しオルガン.
pípe òrgan パイプオルガン.
pósitive òrgan 【音楽】ポジティブオルガン.
réed òrgan 【音楽】リードオルガン.
scént òrgan 【動物】臭器官.
sénse òrgan 感覚器官(receptor).
spéech òrgan 音声器官.
stéam òrgan 【音楽】蒸気オルガン, カリオペー.
stórage òrgan 【植物】貯蔵器官.
swéll òrgan 【音楽】スウェルオルガン.
únit òrgan 【音楽】ユニットオルガン.

or·gan·ic /ɔːrgǽnik/

形 **1**【化学】有機の. **2** 有機体の; (動植物の)器官(organ)の. ⇨ -IC[1].
★ 語頭にくる関連形は organ(o)-: *organo*genesis「器官形成」.

bi·o·or·gan·ic 形 【生化学】生物有機の.
ho·mor·gan·ic 形 【音声】〈2 個以上の異なった子音が〉同一調音点の, 同器官的な.
in·or·gan·ic 形 生物としての構造を持たない.
me·tal·lo-or·gan·ic 形 【化学】有機金属の.
non-or·gan·ic 形 非有機的な.
su·per·or·gan·ic 形 【社会】【人類】超有機体の, 超個人の.

or·gan·ism /ɔ́ːrgənìzm/

名 **1** 有機体. **2**(一般に社会・国家・宇宙などの)有機的組織体. ⇨ -ISM[1].

gòvernméntal órganism 政治組織.
màc·ro·ór·gan·ism 名 (微生物に対して)肉眼で見える生物.
mì·cro·ór·gan·ism 名 微生物.
sócial órganism 【社会】社会有機体.
sù·per·ór·gan·ism 名 【生態】超個体.

or·gan·i·za·tion /ɔ̀ːrgənizéiʃən | -naiz-/

名 組織, 編成, 構成. ►organize の名詞形. ⇨ -IZATION.

blóck organizàtion 町内会, ブロックの会.
Céntral Tréaty Organizàtion 中央条約機構.
Cóastal Státes Organizàtion 《米》沿岸州機構.
dis·or·gan·i·za·tion 名 秩序[組織]の破壊; (組織体の)分裂.
Fóod and Ágriculture Organizàtion 食糧農業機構.
frónt organizátion 《米俗》(地下組織の)隠れみの団体.
héalth máintenance organizàtion (米国の)健康医療団体.
in·or·gan·i·za·tion 名 無組織, 無体制.
Internátional Cívil Aviátion Organizàtion 国際民間航空機関.
Internátional Críminal Políce Organizàtion 国際刑事警察機構(Interpol).
Internátional Lábor Organizàtion 国際労働機関.
Internátional Máritime Organizàtion 国際海事機関.
Internátional Stándards Organizátion 国際標準[規格]機構.
Internátional Telecommunicátions Sàtellite Organizàtion 国際電気通信衛星機構(Intelsat).
Islámic Cónference Organizàtion イスラム諸国会議機構.
líne organizàtion 【経営】ライン組織, 直径組織.
nòngovernméntal organizátion 非政府機関, 民間公益[自発]団体.
Nórth Atlántic Tréaty Organizàtion 北大西洋条約機構.
Pálestine Liberátion Organizàtion パレスチナ解放機構.
preférred-províder organizàtion 特約医療機構.
Proféssional Stándards Revíew Organizàtion 医療基準調査委員会.
re·or·gan·i·za·tion 名 再組織, 再編成, 改組, 改造, 改革.
self-or·gan·i·za·tion 名 自己組織結成; (特に)労働組合結成.
sélf-régulatory organizátion 自主規制機関.
sócial organizátion 【社会】社会組織.
Sóutheast Ásia Tréaty Organizàtion 東南アジア条約機構.
Uníted Nátions and Péoples Organizátion 諸国家諸民族連合.
Uníted Nátions Educátional Scientífic and Cúltural Organizàtion 国連教育科学文化機関.
Uníted Nátions Indústrial Devélopment Organizàtion 国連工業開発機関.
Uníted Nátions Organizàtion 国際連合, 国連(United Nations).
Wársaw Tréaty Organizàtion ワルシャワ条約機構.
Wórld Héalth Organizàtion (国連の)世界保健機関.
Wórld Intelléctual Próperty Organizàtion 世界知的所有権機関.
Wórld Meteorológical Organizátion (国連の)世界気象機関.
Wórld Tóurism Organizàtion 世界観光機関.
Wórld Tràde Organizátion 世界貿易機関(WTO).

or·gan·ize /ɔ́ːrgənàiz/

動他 〈団体などを〉組織[編成, 構成]する; 〈人を〉(…に)組織する; 〈会社などを〉設立[創立]する; 〈催し物などを〉計画[準備]する. ⇨ -IZE[1].

dis·or·gan·ize 動他 …の組織を破壊する; 混乱させる.
o·ver·or·gan·ize 動他 過度に組織化する, 職制を偏重する.
re·or·gan·ize 動他自 再編成する, 組織を改造する.

-orge /ɔ́ːrdʒ/

語尾 forge[1], gorge[1] を音象徴的に感じる人がいる.

forge[1] 動他 ☞
forge[2] 動自 ゆっくりと進む, 着実に前進する.
gorge[1] 名動 ☞
gorge[2] 名 【紋章】渦巻きまたはいくつかの同心円の形(gurge).
porge 動他 【ユダヤ教】(宗教的に食用可能とするために)〈動物の腰部の筋, 内臓の一部などを〉取り除く.

-o·ri·al /ɔ́ːriəl/

接尾辞 …の, …に属する[関する].
★ -tor, -tory[2] で終わる名詞に対応する形容詞をつくる.
◆ 中英 *-oriale* <ラ *-ōrus*. ⇨ -AL[1].

ac·ces·so·ri·al 形 補助的な; 付属の; 追加の, 付録の.
ac·cu·sa·to·ri·al 形 告発人の, 起訴人の; 告発的な.
am·a·to·ri·al 形 恋愛の; 恋人たちの; 好色な.
am·bas·sa·do·ri·al 形 大使の; 使節の.
auc·to·ri·al 形 著者[作家]の.
can·to·ri·al 形 cantor「(ユダヤ教会で)先唱者」の.
cen·so·ri·al 形 検閲(官)の; ひどく批判的な.
clam·a·to·ri·al 形 離膣(りん)族 Clamatores の.
com·bi·na·to·ri·al 形 連結の, コンビーネションの.
con·spir·a·to·ri·al 形 共謀の, 陰謀の.
dic·ta·to·ri·al 形 独裁者の; 独裁政権の.
di·rec·to·ri·al 形 指導者の; 重役[理事]会の.
doc·to·ri·al 形 博士(号)の; 権威的な.
ed·i·to·ri·al 形 編集者の, 編集上の. ──名 社説.

O

e·qua·to·ri·al 形 (特に地球の)赤道の, 赤道付近の.
ex·pur·ga·to·ri·al 形 削除(者)の; 浄化(者)の.
fac·to·ri·al 形 〘数学〙階乗の.
glad·i·a·to·ri·al 形 けんか好きの; 闘争的な.
gral·la·to·ri·al 形 渉禽(しょうきん)類 *Grallatores* の.
gres·so·ri·al 形 〘動物〙歩行性の.
gu·ber·na·to·ri·al 形 《主に米》(州)知事の; 行政の.
in·fu·so·ri·al 形 〘動物〙滴虫の.
in·quis·i·to·ri·al 形 調査[審問]官の; 宗教裁判官[所]の.
in·ses·so·ri·al 形 〈鳥の足が〉木に留まるのに適した.
lav·a·to·ri·al 形 (公衆)便所のような.
leg·is·la·to·ri·al 形 立法(上)の; 立法府の; 立法者の.
me·di·a·to·ri·al 形 仲介[調停]者の; 仲裁者らしい.
mon·i·to·ri·al 形 監督生の; モニター装置による.
na·ta·to·ri·al 形 水泳の; 泳ぎに適した.
pic·to·ri·al 形 絵の; 絵で表した; 絵画的性質を持った.
pre·cep·to·ri·al 形 preceptor「教授者, 教師」の.
pro·fes·so·ri·al 形 教授の; 教授らしい.
pro·pri·e·to·ri·al 形 所有(権)の.
pros·e·cu·to·ri·al 形 検察官の(職務に関する).
pur·ga·to·ri·al 形 罪を清める, 浄罪の.
rep·or·to·ri·al 形 報告者の; 記録係[速記係]の.
sal·ta·to·ri·al 形 跳躍[踊り]の; 飛躍的な.
sar·to·ri·al 形 仕立屋の, 裁縫師の; 裁縫の.
scan·so·ri·al 形 〘動物〙よじ登るに適した.
sec·to·ri·al 形 扇形の.
sen·a·to·ri·al 形 議員の; 議会の.
suc·to·ri·al 形 〈器官などが〉吸うのに適している.
tec·to·ri·al 形 〘解剖〙被蓋(ひがい)の.
tinc·to·ri·al 形 着色の, 染色の; 色の; 色を与える.
ton·so·ri·al 形 《しばしばおどけて》理髪師の.
vis·it·a·to·ri·al 形 (職務による)訪問(者)の, 視察(者)の.
vis·i·to·ri·al 形 ＝visitatorial.

-o·ri·en·ted /ɔ́ːrièntid | ɔ́ːr-, ɔ́r-/

連結形 …志向[好き, 本位]の. ⇨ -ED[1].
★ 形容詞をつくる.
★ 異形は -orientated.

a·dult-o·ri·en·ted 形 〈ポップ音楽が〉大人向きの.
ca·reer-o·ri·en·ted 形 キャリア志向的な.
male-o·ri·en·ted 形 男性中心の, 男性本位の; 男社会の.
means-o·ri·en·ted 形 手持ちの素材次第の.
óbject óriented 形 〘コンピュータ〙オブジェクト指向の.
peo·ple-o·ri·en·ted 形 人間中心の, 人間優先の.
us·er-o·ri·en·ted 形 〈商品などが〉ユーザー本位の.

o·ri·ole /ɔ́ːriòul/

名 〘鳥類〙コウライウグイス. ⇨ -OLE[1].

Báltimore óriole ボルチモアムクドリモドキ.
Búllock's óriole ボルチモアムクドリモドキの亜種 *I. g. bullockii* とされる.
gólden óriole ニシコウライウグイス.
nórthern óriole ＝Baltimore oriole.
órchard òriole アカクロムクドリモドキ.

-o·ri·um /ɔ́ːriəm/

接尾辞 …の場所; …の手段.
★ 名詞をつくる.
★ 語末にくる関連形は -ARIUM, -TORIUM.
◆ ラテン語より. ⇨ -IUM.

an·ti·cli·no·ri·um 名 〘地質〙複背斜.
ap·pres·so·ri·um 名 〘菌類〙付着器.
o·bi·to·ri·um 名 不治・末期の病人の自殺を医師が介助する施設.
pre·ven·to·ri·um 名 保護収容所, 予防収容所.
syn·cli·no·ri·um 名 〘地質〙複向斜, 複合向斜.

-ork[1] /ɔ́ːrk/

語尾 俗語の語尾に多い; しばしばけなす気持ちで異常なものをさす.
★ 語末にくる同音形は -ORC.

cork[1] 名 ☞
cork[2] 名 (蹄鉄(ていてつ)の)滑り止めの釘(くぎ).
cork[3] 動他 すき間をふさいで空気漏れを防ぐ.
dork 名 《特に米俗》陰茎, ペニス.
fork[1] 名 ☞
fork[2] 動他自 《米俗》(人を)だます.
glork 名 《コンピュータ俗》故障.
gork 名 《米医学俗》植物状態.
hork 動他 《米俗》黙って持って行く, 盗む.
nork 名 《豪俗》(女性の)乳房, おっぱい.
ork 名 《俗》オーケストラ(orchestra).
pork 名 豚肉.
snork[1] 動自 《米俗》マリファナを吸う.
snork[2] 名 《豪俗》赤ん坊; 大人げない人.
snork[3] 名 《豪俗》ソーセージ.
stork 名 ☞
york[1] 動他 〘クリケット〙〈打者を〉ヨーカーでアウトにする.
york[2] 動自 《米俗》吐く, 戻す.

-ork[2] /ə́ːrk/

語尾 語末にくる同音形は -ERK, -IRK.

work 名 ☞

-orm /ɔ́ːrm/

語尾 語末にくる同音形は -ARM[2].

corm 名 〘植物〙塊茎, 球茎.
dorm 名 《米話・英学生話》寮(dormitory).
form 名 ☞
-form[1] 連結形 ☞
-form[2] 連結形 ☞
-form[3] 連結形 ☞
gorm 動自 《米俗》むさぼり食う.
norm 名 標準, 規準; 規範, 模範, 典型.
storm 名 ☞

-orn /ɔ́ːrn/

語尾 語末にくる同音形は -ARN[2], -OURN.

born 動 ☞
corn[1] 名 ☞
corn[2] 名 〘病理〙(特に足指にできる)魚の目.
-corn 連結形 ☞
horn 名 ☞
lorn 形 《詩語》孤独の, 寄る辺のない.
morn 名 《文語・詩語》朝, 暁.
porn 名 ☞
scorn 名 (あからさまな)軽蔑(けいべつ), さげすみ.
shorn 動 shear の過去分詞形.
sorn 動自 《スコット》(…に)たかる.
sworn 動 swear の過去分詞形.
thorn 名 ☞
torn 動 tear「引き裂く」の過去分詞形.
worn 動 ☞

or·nis /ɔ́ːrnis/

名 鳥相, 鳥類相(avifauna).
★ ギリシャ語 *ornis* は「鳥」の意.
★ 語頭にくる関連形は ornith(o)-: *ornith*oid「鳥に似た」, *ornith*ology「鳥(類)学」.

O

Ae·py·or·nis 名 〘鳥類〙エピオルニス, リュウチョウ(隆鳥), ゾウチョウ(象鳥).
ar·chae·or·nis 名 〘古生物〙始祖鳥.
di·nor·nis 名 〘古生物〙モア目モア科ディノルニス属の大形の絶滅鳥.
hes·per·or·nis 名 〘古生物〙タソガレドリ.
Ich·thy·or·nis 名 〘古生物〙魚鳥属.
no·tor·nis 名 〘鳥類〙ノトルニス, タカヘ.

-orp /ɔ́ːrp/

語尾

dorp 名 《南アフリカ》村, 村落.
gorp[1] 名 《米話》ゴープ: 登山者などの栄養補給用の食品.
gorp[2] 動他自 《米俗》むさぼり食う.
thorp 名 《古》村, 小村, 集落.
torp 名 《米俗》魚雷(torpedo).

-orph /ɔ́ːrf/

語尾 短縮語の俗語を含む.
★ 語末にくる同音形は -ARF[3], -ORF.

morph[1] 名 〘言語〙形態.
morph[2] 名 《米俗》モルヒネ(morphine).
morph[3] 名 《米俗》両性具有者(morphadite).
-morph 連結形 ☞

-orse /ɔ́ːrs/

語尾 語末にくる同音形は -ORCE, -OURSE.

corse 名 《古》(通例, 人間の)死体.
dorse 名 (書物・とじ込み書類の)背.
gorse 名 〘植物〙ハリエニシダ.
horse 名 ☞
morse[1] 名 〘教会〙モース, 大外衣留め金.
morse[2] 名 〘動物〙セイウチ(walrus).
torse[1] 名 〘紋章〙飾り環.
torse[2] 名 (人体の)胴; (衣服の)胴を覆う部分(torso).
zorse 名 雄馬と雌シマウマの新種. ►zebra と horse の混成.

-ort /ɔ́ːrt/

語尾 snort は音象徴で鼻息を表す.
★ 語末にくる同音形は -ART[3].

blort 名 《米麻薬俗》ヘロイン.
bort 名 ボルト: 低質ダイヤモンド.
fort 名 砦, 堡塁(ほうるい).
mort[1] 名 〘狩猟〙角笛の音.
mort[2] 名 三歳のサケ.
mort[3] 名 大量; 多数.
mort[4] 名 女; (特に)ふしだらな女, 売春婦.
ort 名 《古・方言》残飯.
port[1] 名 ☞
port[2] 名 (船舶の)左舷; (航空機の)左側.
port[3] 名 ポートワイン: ポルトガル産ワイン.
port[4] 名 〘海事〙舷窓(げんそう).
port[5] 動他 〘軍事〙〈銃を〉控え銃に構える.
port[6] 名 《豪話》旅行かばん.
-port 連結形 ☞
rort 名 《豪俗》浮かれ騒ぎ.
short 形 ☞
snort 動他 ☞
sort 名 ☞
sport 名 ☞
tort 名 〘法律〙不法行為.
-tort 連結形 ☞
wort[1] 名 ウワート, 麦芽汁.
wort[2] 名 ☞

-or·tal /ɔ́ːrtl/

語尾

mor·tal 形 死を免れない, 死すべき運命の.
por·tal[1] 名 (特に堂々とした)表玄関, 入り口.
por·tal[2] 形 〘解剖〙肝門(部)の; 門静脈の.

-orth /ɔ́ːrθ/

語尾 語末にくる同音形は -IRTH.

worth[1] 形名 ☞
worth[2] 動自 《古》起こる, 生じる, 降りかかる.
-worth 連結形 ☞

or·tho·dox /ɔ́ːrθədɑ̀ks | ɔ́ːθədɔ̀ks/

形 〈学説・哲学・イデオロギーなどが〉正しいと認められた, 伝統的に承認されている, 正統的な. ⇨ -DOX.

Éastern Órthodox 形 東方正教会(Eastern Orthodox Church)の.
nèo·órthodox 形 〘神学〙新正統主義の.
ùn·órthodox 形 正統でない; 因習的でない.

or·tho·dox·y /ɔ́ːrθədɑ̀ksi | ɔ́ːθədɔ̀k-/

名 正統派的信念 [学説, 慣行]; 正教的信仰 [慣行]. ⇨ -Y[3].

Éastern Órthodoxy 東方正教会(Eastern Orthodox Church)の信仰および支配.
nè·o·ór·tho·dox·y 名 (プロテスタント神学の)新正統主義.
Oriéntal Órthodoxy オリエント正教, 単性論派教会.
ùn·ór·tho·dox·y 名 正統でないこと.

-o·ry[1] /ɔ̀ːri, əri | əri/

接尾辞 …の(特徴を備えた), …に関係のある.
★ 動詞につけて形容詞をつくる.
◆ 中英 *-orie* <アングロ仏; 古仏 *-oire* <ラ *-ōrius*(*-tōrius* -TORY[1] から抽出). ⇨ -Y[1].

ac·ces·so·ry 名 付属物; 部品, アクセサリー.
ad·di·to·ry 形 付加的な, 追加の; 補足の.
ad·vi·so·ry 形 忠告 [助言, 勧告] の, 助言的な.
af·firm·a·to·ry 形 確言的な, 断定的な.
as·ser·to·ry 形 断言された, 断定的な, 肯定的な.
-a·to·ry 接尾辞 ☞
com·pul·so·ry 形 強制された; 義務的な, 必須の.
con·clu·so·ry 形 決定的な, 断固たる(conclusive).
con·dem·na·to·ry 形 非難の; 処罰の, 有罪宣告の.
con·do·la·to·ry 形 弔意を表す [伝える], 哀悼の.
cur·so·ry 形 通り一遍の, ぞんざいな; 急ぎの.
dim·is·so·ry 形 去らせる; 去ることを許可する.
dis·mis·so·ry 形 解雇通知の.
di·vin·a·to·ry 形 占いの; 予見的な; 直観的察知の.
en·ac·to·ry 形 〘法律〙(新しい権利・義務を創設する)法律制定の [に関する].
ex·cre·to·ry 形 排出 [排泄(はいせつ)] の(ための).
il·lu·so·ry 形 錯覚 [幻想] を起こさせる.
im·pro·vi·sa·to·ry 形 〈曲などが〉即席の, 即興的な.
in·fir·ma·to·ry 形 (論拠などを)無効にする, 弱める.
in·flam·ma·to·ry 形 怒りをかき立てる, 扇動的な.
in·ter·ces·so·ry 形 仲裁をする, 執りなしの.
in·ter·jec·to·ry 形 間投詞のような, 感嘆詞的な.
pos·ses·so·ry 形 所有 [占有] 者の; 所有 [占有] の.
pre·dic·to·ry 形 《古》予言 [予報] の, 予言 [予報] する.
pref·a·to·ry 形 序文の, 前置きの, 前口上の.
pro·fan·a·to·ry 形 神聖を汚す, 冒瀆(ぼうとく)的な.
pro·lu·so·ry 形 準備行為の.
prom·is·so·ry 形 約束 [契約, 保証] を含む.

O

pros·e·cu·to·ry 形 〘法律〙起訴 [訴追] (に関して) の.
pro·vi·so·ry 形 仮の, 一時的な, 暫定的な.
pul·sa·to·ry 形 脈打つ, どきどきする.
rec·om·mend·a·to·ry 形 推薦の, 推薦する; 勧告の.
re·demp·to·ry 形 買い [請け] 戻しの.
re·form·a·to·ry 形 改善に役立つ.
re·frac·to·ry 形 手に負えない; 強情な, 頑固な.
re·vel·a·to·ry 形 天啓の, 啓示の.
re·vi·so·ry 形 校訂の (ための).
se·cre·to·ry 形 分泌 (作用) の; 分泌物 [液] の.
sen·so·ry 形 ☞
stat·u·to·ry 形 制定法の (性質を持つ).
sub·in·feu·da·to·ry 形 再授封の.
suc·cus·sa·to·ry 形 〈地震が〉小さな振幅で縦揺れする.
su·per·vi·so·ry 形 監督の; 監督上の.
sus·pen·so·ry 名 つり包帯, つりひも, 懸垂帯.
val·e·dic·to·ry 形 別れを告げる, 告別の.

-o·ry[2] /ɔ̀ːri, əri | əri/

接尾辞 場所, 手段.
★ 名詞をつくる.
◆ 中英 *-orie* ＜アングロ仏; 古仏 *-oire* ＜ラ *-ōrium* (*-tōrium* -TORY[2] から抽出).

-a·to·ry 接尾辞 ☞
cre·ma·to·ry 名 《米》火葬場. 火葬の, 火葬上の.
de·pos·i·to·ry 名 保管場所, 倉庫; 受託 [供託] 所.
in·cen·so·ry 名 つり香炉 (censer).
pil·lo·ry 名 さらし台.
pro·tec·to·ry 名 少年院, 教護院.
re·spon·so·ry 名 〘教会〙応唱聖歌.
sub·in·feu·da·to·ry 名 再授封による土地保有者, 再受封者.

-os[1] /əs/

接尾辞 ギリシャ語名詞の男性形語尾.

am·pho·ris·kos 名 〘古代ギリシャ・ローマ〙アンフォリスコス: 小型のアンフォラ.
ar·y·bal·los 名 〘古代ギリシャ・ローマ〙アリュバロス: 口が平らな円形の油壷(つぼ).
as·kos 名 〘古代ギリシャ・ローマ〙アスコス: 油や酒を入れる楕円体の壷.
au·los 名 アウロス: 古代ギリシャの管楽器.
ben·thos 名 ☞
ca·thol·i·cos 名 〘東方教会〙(独立自治教会の) 総主教.
ces·tos 名 《特に英》帯, ベルト.
cos·mos 名 (秩序のある調和の取れた体系と考えられた) 宇宙 (universe).
de·mos 名 (古代ギリシャの) 市民, 民会.
dip·ter·os 名 〘建築〙二重列柱堂.
-do·mos 連結形 ☞
drom·os 名 〘考古〙羨道(せんどう).
hes·per·i·nos 名 〘ギリシャ正教〙夕拝, 夕祷.
kal·a·thos 名 〘古代ギリシャ・ローマ〙カラトス: 様式化したユリの花の形の果物かご.
kan·tha·ros 名 〘古代ギリシャ・ローマ〙カンタロス: 短い脚と台座のある深い鉢形の杯.
ka·thol·i·kos 名 ＝catholicos.
klis·mos 名 古代ギリシャの椅子; 背板が深く内側へ曲がっており, 脚は外側に弓なりに開いているもので主に婦人用.
kos·mos 名 〘航空宇宙〙コスモス衛星: ソ連の地球周回人工衛星.
kou·ros 名 〘古代ギリシャ〙クーロス: 特に紀元前5世紀以前に作られた青年裸体立像.
ky·a·thos 名 〘古代ギリシャ・ローマ〙キュアトス: 台脚のついた深い鉢.
lo·gos 名 〘哲学〙(古代ギリシャ哲学で) ロゴス, 理法.
mo·nop·te·ros 名 〘建築〙単列周柱堂 (monopteron).
myth·os 名 ミュトス, 神話.
na·os 名 《まれ》神殿, 寺院.
-neph·ros 連結形 ☞
om·pha·los 名 へそ.
or·thros 名 〘ギリシャ正教〙早課, 早課祈祷.
ou·ro·bor·os 名 ウロボロス: 自分の尾を呑み込む竜 [蛇].
pep·los 名 ペプロス: 古代ギリシャの女性の衣服.
pi·thos 名 ピトス, 陶製広口大かめ.
pol·os 名 (ギリシャ彫刻の女神に見られる) 高い渦巻き形の髪型.
pro·na·os 名 プロナオス: 古代ギリシャ神殿建築に見られる内陣前の入口の間.
rhi·noc·er·os 名 サイ (犀).
sak·kos 名 〘東方教会〙主教祭服, サッコス.
se·cos 名 ＝sekos.
se·kos 名 (古代ギリシャで) 聖所.
stam·nos 名 〘古代ギリシャ・ローマ〙スタムノス: 2つの取っ手がつき, 卵形の胴体で底部が先細りになった陶製の貯蔵壷.
-sty·los 連結形 ☞
tho·los 名 トロス: (古典建築の) 円形建築物.
thro·nos 名 スロノス: 古代ギリシャの大型肘掛け椅子.
to·pos 名 月並みの主題 [表現], ありふれた考え.

-os[2] /ɑ́s | ɔ́s/

語尾 語末にくる同音形は -OSS[1].

cos[1] 名 〘植物〙タチチシャ.
cos[2] 名 〘三角法〙〘数学〙コサイン, 余弦 (cosine).
-dos 連結形 ☞
os[1] 名 〘解剖〙〘動物〙骨.
os[2] 名 〘解剖〙口, 穴.
shpos 名 《米俗》(病院で) 嫌な患者.

-os[3] /ɔ́ːs/

語尾 語末にくる同音形は -OSS[1].

cos[1] 名 〘植物〙タチチシャ.
cos[2] 名 〘三角法〙〘数学〙コサイン, 余弦 (cosine).

-os[4] /óus/

語尾 語末にくる同音形は -OSE[1], -OSE[2], -OSE[4], -OSS[2].

-dos 連結形 ☞
kos 名 コッス: インドの陸上での距離単位.
os 名 〘地質〙オース, エスカー (esker).

os·cil·la·tor /ɑ́səlèitər | ɔ́səlèitə/

名 〘電子工学〙発振器. ⇨ -ATOR.

blócking òscillator 間欠発振器.
crýstal óscillator 圧電結晶発振器.
dýnatron òscillator ダイナトロン発振器.
lócal óscillator 局部発振器.
relaxátion òscillator 弛張(しちょう)発振器.

-ose[1] /òus, ous/

接尾辞 …でいっぱいの, …の多い; …性の; …状の.
★ 形容詞をつくる.
★ ラテン語から借用の形容詞に見られる.
★ 語末にくる関連形は -EUSE, -OUS.
◆ 中英＜ラ *-ōsus*.

ac·er·ose 形 もみ殻に似た, もみ殻状の.
ac·e·tose 形 酢酸を含む [生じる].
ac·i·nose 形 多くの粒状果から成る.
ad·e·nose 形 〘生物〙腺(せん)を (多く) 持つ.

ad·i·pose 形 脂肪の(多い), 脂肪質［性］の.
al·bu·mi·nose 形 たん白様の, アルブミン様の.
an·nu·lose 形 環状(構造)の; 環状体節を持つ.
a·quose 形 水が多い; 水の.
a·ra·ne·ose 形 〈(特に)植物が〉クモの巣状の.
ar·e·nose 形 砂のような; 砂を含んだ.
bel·li·cose 形 けんか腰の, 好戦的な, けんか早い.
bot·ry·ose 形 〖鉱物〗ブドウの房の形をした.
caes·pi·tose 形 =cespitose.
cal·lose 形 〖植物〗カルス(callus)のある.
car·nose 形 肉の; 肉質の.
ces·pi·tose 形 〖植物〗平たく絡まっている.
cir·rose 形 〖動物〗棘毛(きょく)を持つ.
com·a·tose 形 昏睡(こんすい)性の; 昏睡状態の.
co·mose 形 〈種子が〉毛状の; 毛［房］のある.
co·rym·bose 形 〖植物〗散房花序の.
cri·nose 形 有毛の; 毛の多い.
crus·tose 形 〖植物〗〖菌類〗固着の［する］.
cy·mose 形 〖植物〗集散花(序)の［を持つ］.
do·lose 形 〖ローマ法〗〖スコット法〗悪意［害意］を持った, 故意の.
far·i·nose 形 粉を生じる, 穀粉の採れる.
fi·bril·lose 形 微小繊維から成る, 小繊維を持つ.
fi·lose 形 糸状の.
flex·u·ose 形 屈曲の多い; 動揺する.
floc·cose 形 〖植物〗密綿毛のある, 房毛から成る.
fo·li·ose 形 〖植物〗葉の多い［茂った］.
fron·dose 形 〖植物〗葉のある.
fru·ti·cose 形 低木状の.
gib·bose 形 〖天文〗〈月が〉ギボス状の, 凸月の.
glo·bose 形 球状の, 球形の.
gran·di·ose 形 《軽蔑的》気取った; 仰々しい.
gy·rose 形 波状の, うねった, 曲がりくねった.
jo·cose 形 こっけいな, ふざけた, おどけた.
ker·a·tose 形 角質海綿亜綱の.
lach·ry·mose 形 涙の出そうな; 物悲しい.
la·cu·nose 形 空白の多い, すき間だらけの.
la·mel·lose 形 薄片［薄層］でできている.
lam·i·nose 形 薄板［薄片］を持つ.
la·nose 形 羊毛のような.
la·nu·gi·nose 形 柔らかい産毛で覆われた.
lep·rose 形 〖病理〗らいにかかった.
lo·bose 形 〈アメーバの仮足が〉葉状の.
lu·tose 形 〈特に昆虫が〉泥で覆われた.
nar·cose 形 昏睡(こんすい)状態の.
no·dose 形 節［こぶ］のある; 節［こぶ］の多い.
op·er·ose 形 《まれ》〈人が〉勤勉な, よく働く.
o·ti·ose 形 暇な; 怠惰な.
pan·nose 形 〖植物〗フェルト状の.
pap·il·lose 形 乳頭［小突起］の多い.
pap·pose 形 〖植物〗冠毛のある［を形成する］.
pas·tose 形 絵の具を厚く塗った.
pi·lose 形 (特に柔らかい)毛で覆われた.
plu·mose 形 羽毛のある, 羽毛の生えた.
pol·li·nose 形 〈昆虫が花粉などの粉で覆われている〉装粉状の.
po·rose 形 小穴の多い; 気孔を多く持った.
pru·i·nose 形 〖植物〗〖動物〗霜降り様の.
rac·e·mose 形 〖植物〗総状花に似た.
ra·dic·u·lose 形 〖植物〗多数の細根［小根］のある.
ra·mose 形 枝の多い; たくさん分岐している.
re·li·gi·ose 形 信心深い; 宗教に凝りすぎた.
re·tic·u·lose 形 網状組織の; 網目で覆われた.
ri·mose 形 〈植物などが〉裂け目の多い.
riv·u·lose 形 細く曲がりくねった線を持つ.
ru·gose 形 しわのある; 畝のある.
ru·gu·lose 形 細かいしわの寄った, 小じわの多い.
sar·men·tose 形 〖植物〗蔓(つる)茎のある.
sca·pose 形 花茎(scape)を持つ［から成る］.
schis·tose 形 片岩(schist)の; 片岩質［状］の.
se·tose 形 剛毛で覆われた, 剛毛だらけの.
set·u·lose 形 〖植物〗〖動物〗小剛毛のある.
sil·i·quose 形 〖植物〗長角果のある; 長角果状の.
sop·o·rose 形 眠い, 眠そうな.
spi·nose 形 〖主に生物〗とげがいっぱいの.
stim·u·lose 形 〖植物〗刺毛(しもう)で覆われた.
stra·tose 形 〖植物〗層状の.
stri·gose 形 〖生物〗〈葉・茎・昆虫などが〉(表面に)硬毛のある, 粗面の.
stru·mose 形 〖植物〗こぶ状突起(struma)のある.
su·ber·ose 形 コルク質［状］の, コルクのような.
suc·cose 形 汁［水分］の多い.
suf·fru·ti·cose 形 亜低木状の; 幹の根元が木質で上部が草の.
talc·ose 形 〖地質〗タルク［滑石］の.
to·men·tose 形 〖植物〗〖昆虫〗綿毛(down)のある.
to·rose 形 〖植物〗数珠状の, 節の多い.
tu·ber·cu·lose 形 結節のある.
tu·ber·ose 形 いぼ状［円形］突起に覆われた.
-u·lose 接尾辞 ☞
va·dose 形 〖地質〗〈地下水などが〉地下水面より上にある.
var·i·cose 形 異常に拡張した［膨れた］, 怒張した.
ven·e·nose 形 《古》有毒な.
ve·nose 形 静脈［葉脈］の多い.
ven·tose 形 《古》ほら吹きの; うぬぼれた.
ven·tri·cose 形 (特に一方または不均衡に)膨れた.
ver·bose 形 言葉数が多すぎる, 冗長な, くどい.
ver·ru·cose 形 いぼ状の; いぼの多い.
ve·sic·u·lose 形 小嚢(のう)［小胞］のある.
vil·lose 形 絨毛(じゅうもう)で覆われた.
vi·rose 形 有毒な, 毒性の.
vor·ti·cose 形 渦巻き状の, 渦を巻く, 旋回する.

-ose[2] /òus, ous/

接尾辞 〖化学〗〖薬学〗…糖, 炭水化物.
★ 名詞をつくる.
★ 語末にくる関連形は -OSIDE, -OSITY.
◆ glucose「グルコース」から抽出.

a·gar·ose 名 アガロース.
al·bu·mose 名 《米》アルブモース.
al·dose 名 アルドース.
am·yl·ose 名 アミロース.
a·rab·i·nose 名 アラビノース.
ca·se·ose 名 カゼオース.
cel·lo·bi·ose 名 セロビオース.
cel·lose 名 =cellobiose.
cel·lu·lose 名 ☞
chlo·ral·ose 名 クロラロース.
dex·trose 名 右旋糖, デキストロース.
fruc·tose 名 フルクトース, 果糖.
fu·cose 名 フコース.
fu·ra·nose 名 フラノース, 五員環糖.
ga·lac·tose 名 ガラクトース.
glu·co·chlo·rose 名 =chloralose.
glu·cose 名 ☞
gly·cose 名 《古》=glucose.
gos·sy·pose 名 =raffinose.
hep·tose 名 ヘプトース, 七炭糖.
hex·ose 名 ヘキソース, 六炭糖.
ke·tose 名 ケトース, ケト糖.
lac·tose 名 乳糖, ラクトース.
malt·ose 名 マルトース, 麦芽糖.
man·nose 名 マンノース.
mel·i·tose 名 =raffinose.
mel·i·tri·ose 名 =raffinose.
pec·tin·ose 名 =arabinose.
pec·tose 名 プロトペクチン(protopectin).
pen·tose 名 ペントース, 五炭糖.
pro·te·ose 名 プロテオース.
py·ra·nose 名 ピラノース.
raf·fi·nose 名 ラフィノース.
rham·nose 名 ラムノース, デオキシマンノース.
sac·cha·rose 名 =sucrose.
sor·bose 名 ソルボース.
su·crose 名 蔗糖(しょとう), スクロース.

O

tet·rose 名 四炭糖, テトローズ.
tre·ha·lose 名 トレハロース, ミコース.
tri·ose 名 トリオース, 三炭糖.
vis·cose 名 ビスコース.
xy·lose 名 キシロース, 木糖.

-ose[3] /óuz/

語尾 語末にくる同音形は -OZE.

brose 名 《スコット》オートミール粥(がゆ).
chose[1] 動 choose の過去形.
chose[2] 名 〔法律〕物, 動産.
close 動他 ☞
hose 名 ☞
nose 名 ☞
pose[1] 動自 ある性格を装う, ポーズをつくる.
pose[2] 動他 《古》…をまごつかせる.
prose 名 ☞
rose[1] 名 ☞
rose[2] 動 rise の過去形.
those 代 それら[あれら]は[が, を, に].

-ose[4] /óus/

語尾 語末にくる同音形は -OS[4], -OSE[1], -OSE[2], -OSS[2].

cose 動自 親しく話す, 歓談する(coze).
dose 名 ☞

-osh[1] /áʃ/

音象徴間 パシャ, ピシャ; 液体をはねらす音を表す. ◇ -SH[1].

slish-slosh 間 《連続的に水をたたく音・ぬれたモップで床をふく音などを表して》ピシャパシャ, ピチャパチャ.
slosh 動自 ぬかるみ[水]の中をパチャパチャ動く, 泥水を跳ね飛ばしながら歩く.
splosh 動他自 《話》(水・泥を)はねかける, はねかけてよごす. ━━名 はね散らすこと; パシャンという音.

-osh[2] /áʃ | ɔ́ʃ/

語尾 しばしば話語と俗語をつくる, 力強く明るい語尾.

bosh 名 〔冶金〕ボッシュ, 朝顔.
cosh[1] 形 《主にスコット》居心地のよい.
cosh[2] 名 〔数学〕双曲(線)余弦.
frosh 名 《米話》新入生(freshman).
mosh 動自 《俗》ロックコンサートで激しくむてっぽうに踊る.
nosh 動自他 《主に米話》間食する.
posh 形 《主に英》快適な, 豪華な, 一流の.
slosh 名 《英俗》ばかげたこと.
tosh 動他 《スコット》きちんとする.

-osh[3] /óuʃ/

語尾 俗語をつくる.

skosh 名 《米俗》少し. ►日本語から.
sosh 名 《米俗》立身出世を目指す人. ►social から.

-o·side /əsáid/

接尾辞 〔生化学〕「配糖体」, グリコシド(glycoside)を表す.
★ 名詞をつくる.
◆ -OSE[2]+-IDE[1].

ar·a·bin·o·side 名 アラビノシド.
ce·re·bro·side 名 セレブロシド.
fruc·to·side 名 フルクトシド, 果糖配糖体.
fu·ran·o·side 名 フラノシド.
ga·lac·to·side 名 ガラクトシド.
gan·gli·o·side 名 ガングリオシド.
glu·co·ce·re·bro·side 名 グルコセレブロシド.
glu·co·side 名 グルコシド, 配糖体.
gly·co·side 名 配糖体, グリコシド.
nu·cle·o·side 名 ヌクレオシド.
pen·to·side 名 ペントシド.
py·ran·o·side 名 ピラノシド.
ste·vi·o·side 名 ステビオサイド.

-o·sis /óusis/

連結形 **1** …作用, の影響(action), …状態(state), 健康状態(condition): morph*osis*. **2**〔病理〕心身機能の障害, 異常状態: tubercul*osis*. **3** 増加, 形成(increase, formation): fibr*osis*.
★ 名詞をつくる.
★ 複数形は -oses.
◆ 中英<ラ<ギ *-ōsis*. ⇨ -SIS.

ac·i·do·sis 名 アシドーシス, 酸性(血)症.
ac·tin·o·bac·il·lo·sis 名 〔獣病理〕類放線菌症.
ad·e·no·sis 名 〔病理〕腺組織の異常発達[腫脹].
ad·i·po·sis 名 (特に心臓・肝臓などの)脂肪症.
al·ka·lo·sis 名 〔病理〕アルカローシス.
am·au·ro·sis 名 〔病理〕黒内障, 黒そこひ.
am·y·loi·do·sis 名 〔病理〕類澱粉(でんぷん)質.
a·nas·to·mo·sis 名 〔解剖〕(血管などの)吻合(ふんごう).
an·a·sty·lo·sis 名 (荒廃した建造物などの)復元.
an·chy·lo·sis 名 〔解剖〕〔病理〕=ankylosis.
an·ky·lo·sis 名 〔病理〕関節強直.
an·thra·co·sis 名 炭粉症.
a·pod·o·sis 名 (条件文の)帰結節(部).
a·poth·e·o·sis 名 神化, 神格化, 神としてあがめること.
a·ri·bo·fla·vin·o·sis 名 リボフラビン[ビタミン B_2]欠乏症.
ar·thro·sis 名 ☞
ar·thro·sis 名 変性[形]関節症.
as·bes·to·sis 名 石綿(肺)症, 石綿沈着症.
as·per·gil·lo·sis 名 アスペルギルス症, 麴(こうじ)菌症.
a·te·lei·o·sis 名 =ateliosis.
a·te·li·o·sis 名 発育不全, 侏儒(しゅじゅ).
ath·er·o·ma·to·sis 名 アテローム(症); 動脈アテローム変性.
ath·e·to·sis 名 アテトーゼ, 無完位運動症.
a·vi·ta·min·o·sis 名 ビタミン欠乏症.
ba·be·si·o·sis 名 〔獣病理〕バベシア症, ピロプラスマ症.
ba·gas·so·sis 名 バガス過敏症[アレルギー].
be·ryl·li·o·sis 名 ベリリウム症[中毒].
bi·o·ce·no·sis 名 〔生態〕生物共同体, 生物群集.
-bi·o·sis 連結形 ☞
bru·cel·lo·sis 名 〔病理〕〔獣病理〕ブルセラ症.
bys·si·no·sis 名 褐色肺, 線系肺(brown lung).
cal·ci·no·sis 名 石灰(沈着)症.
car·ci·no·ma·to·sis 名 癌腫(がんしゅ)症.
chlo·ro·sis 名 〔植物〕白化[黄化](現象), 退緑.
cir·rho·sis 名 肝硬変.
coc·cid·i·o·sis 名 〔獣病理〕コクシジウム症.
cryp·to·coc·co·sis 名 酵母菌症, クリプトコックス症.
cy·a·no·sis 名 チアノーゼ, 青藍(せいらん)色症.
cy·clo·sis 名 〔生物〕原形質環流, 原形質流動.
cyr·to·sis 名 (脊柱・四肢の)異常湾曲.
cys·ti·cer·co·sis 名 嚢(のう)(尾)中症.
cys·ti·no·sis 名 シスチン(蓄積)症.
-cy·to·sis 連結形 ☞
der·mat·o·phy·to·sis 名 皮膚糸状[寄生]菌症.
der·ma·to·sis 名 皮膚病, 皮膚症.
di·plo·sis 名 〔細胞生物〕複相化, 倍数復元.
di·sto·ma·to·sis 名 〔獣病理〕(主に羊・牛の)肝蛭(かんてつ)症.
di·ver·tic·u·lo·sis 名 憩室症.
dys·kar·y·o·sis 名 細胞核の異常.
ec·chy·mo·sis 名 (皮下の)斑(はん)状出血.
e·chi·no·coc·co·sis 名 エキノコックス症, 包虫症.

en·an·ti·o·sis 名 〖修辞〗反語的表現(法).
en·ceph·a·lo·sis 名 脳症.
en·do·me·tri·o·sis 名 子宮内膜症, 子宮内膜異所発生.
ep·a·nor·tho·sis 名 〖修辞〗換語.
e·ryth·ro·blas·to·sis 名 赤芽(せきが)細胞症, 赤芽球症.
fi·bro·elas·to·sis 名 (心内膜などの)弾力[弾性]線維症.
fi·bro·sis 名 線維症, 線維形成.
flu·o·ro·sis 名 フッ素(沈着)症.
fu·run·cu·lo·sis 名 癤症(せつしょう).
gan·glio·si·do·sis 名 ガングリオシド蓄積症.
ges·to·sis 名 妊娠中毒(症).
gno·sis 名 霊的知識, 神秘的直観, 霊知, 覚知.
-gno·sis 連結形 ☞
gom·pho·sis 名 〖解剖〗楔(くさび)状縫合.
gran·u·lo·ma·to·sis 名 (多発性)肉芽腫症.
gran·u·lo·sis 名 〖昆虫〗グラニュローシス, 顆粒(かりゅう)症.
gum·mo·sis 名 〖植物〗樹脂病, ゴム病.
hal·i·to·sis 名 口臭, 臭い息.
hal·lu·ci·no·sis 名 〖精神医学〗幻覚症.
hap·lo·sis 名 〖生物〗染色体減数.
he·li·o·sis 名 日射病.
hem·i·sco·to·sis 名 〖眼科〗半盲症, 片側視野欠損.
he·mo·chro·ma·to·sis 名 血(液)色素沈着症.
het·er·o·sis 名 〖遺伝〗雑種強勢.
hi·dro·sis 名 ☞
hy·per·vi·ta·mi·no·sis 名 ビタミン過多[過剰](症).
hyp·no·sis 名 ☞
hy·po·ty·po·sis 名 〖修辞〗迫真法, 眼前描出法.
ich·thy·o·sis 名 〖病理〗魚鱗癬(ぎょりんせん).
ke·no·sis 名 〖神学〗ケノーシス, キリストの謙遜.
ker·a·to·sis 名 (皮膚の)角化症, 角皮症.
ke·to·sis 名 ケトン症.
kin·e·to·sis 名 加速度病.
krau·ro·sis 名 (皮膚の)萎縮症; (特に)外陰萎縮症.
kur·to·sis 名 〖統計〗尖度(せんど), とがり.
ky·pho·sis 名 (脊柱)後湾(症), 亀背.
le·gion·el·lo·sis 名 在郷軍人病.
lep·i·do·sis 名 (ヘビ・アルマジロなどの)鱗の配列.
lep·to·spi·ro·sis 名 〖病理〗〖獣病理〗レプトスピラ病.
leu·co·sis 名 (特に動物の)白血病(leukosis).
leu·ko·sis 名 白血病(症).
lip·oi·do·sis 名 リポイド(沈着)症, 類脂(沈着)症.
lis·ter·el·lo·sis 名 〖獣病理〗=listeriosis.
lis·te·ri·o·sis 名 〖獣病理〗リステリア症, 旋回病.
lor·do·sis 名 脊柱(せきちゅう)前湾(症).
lym·pho·ma·to·sis 名 リンパ腫症.
mei·o·sis 名 〖細胞生物〗減数分裂, 還元分裂.
mel·a·no·sis 名 黒色症, 黒色素[メラニン]沈着症.
mel·i·oi·do·sis 名 〖病理〗類鼻疽(るいびそ).
met·a·chro·sis 名 〖動物〗(カメレオンなどの)動物の変色能力[変色性].
met·en·so·ma·to·sis 名 霊魂移入.
mi·o·sis[1] 名 (薬・病気などによる)瞳孔縮小.
mi·o·sis[2] 名 =meiosis.
mi·to·sis 名 ☞
mo·lyb·de·no·sis 名 〖獣病理〗モリブデン症.
mon·o·nu·cle·o·sis 名 単核症, 単核細胞[白血球]増加症.
mor·pho·sis 名 〖生物〗形態形成, 形態発生.
-mor·pho·sis 連結形 ☞
mu·co·vis·ci·do·sis 名 囊胞(のうほう)性繊維症.
my·co·sis 名 ☞
my·o·sis 名 =miosis.
myx·o·ma·to·sis 名 多発性粘液腫症; 粘液腫様変性.
nar·co·sis 名 睡眠状態, うとうとしている状態.
nec·ro·bac·il·lo·sis 名 〖獣病理〗壊死桿菌(えしかんきん)症.
ne·cro·sis 名 壊死(えし).
ne·phro·sis 名 ネフローゼ; (上皮性)腎臓症.
neu·ro·fi·bro·ma·to·sis 名 神経線維腫症.
neu·ro·sis 名 ☞
no·car·di·o·sis 名 ノカルジア症.
or·ni·tho·sis 名 〖獣病理〗鳥類クラミジア病.
or·tho·sis 名 整形術.
os·mo·sis 名 ☞
os·te·o·chon·dro·sis 名 骨軟骨症, 骨端症.
os·te·o·pe·tro·sis 名 〖病理〗骨石化症, 大理石骨病.
os·te·o·po·ro·sis 名 骨粗鬆(こつそしょう)症.
os·te·o·sis 名 骨化症.
os·to·sis 名 ☞
par·a·si·to·sis 名 寄生虫感染(parasitism).
pas·teu·rel·lo·sis 名 〖獣病理〗出血性敗血症.
pa·tho·sis 名 病的状態, 異常.
pe·dic·u·lo·sis 名 シラミ症, シラミ寄生病.
per·i·o·don·to·sis 名 《俗に》〖歯科〗歯周症.
phi·mo·sis 名 〖病理〗包茎.
phy·to·coe·no·sis 名 全層群落, 植物共同体.
-plas·mo·sis 名 ☞
pneu·mo·co·ni·o·sis 名 塵(じん)肺(症).
pol·len·o·sis 名 枯草熱, 花粉症.
pol·li·no·sis 名 =pollenosis.
pol·y·he·dro·sis 名 〖昆虫〗多角体病.
pol·yp·o·sis 名 ポリープ症.
psi·lo·sis 名 脱毛症, 禿頭(とくとう)病.
psit·ta·co·sis 名 オウム病.
psy·cho·sis 名 ☞
pyk·no·sis 名 〖医学〗核凝縮.
py·o·sis 名 化膿(かのう).
py·ro·sis 名 胸やけ.
re·tic·u·lo·sis 名 細網(内皮)症.
ru·be·o·sis 名 〖病理〗ルベオーシス.
sal·mo·nel·lo·sis 名 サルモネラ症.
sar·coid·o·sis 名 類肉腫(にくしゅ)症, サルコイドーシス.
sar·co·ma·to·sis 名 肉腫(にくしゅ)症.
schis·to·sis 名 石板工肺塵(はいじん)症.
scle·ro·sis 名 ☞
sco·li·o·sis 名 脊柱(せきちゅう)側湾(症).
sel·e·no·sis 名 〖獣病理〗セレン中毒症.
se·mi·o·sis 名 〖言語〗〖論理〗記号現象, 記号作用.
shig·el·lo·sis 名 赤痢.
sid·er·o·sis 名 鉄症, 鉄塵肺(じんぱい)症.
sil·i·co·sis 名 珪肺(けいはい)(症), 珪粉症.
so·ro·sis 名 〖植物〗桑果(そうか), 桑状果, 肉質集合果.
spi·ro·che·to·sis 名 スピロヘータ病[症].
spon·dy·lo·lis·the·sis 名 〖病理〗脊椎辷(せきついすべ)り症.
spon·dy·lo·sis 名 脊椎(せきつい)症.
ste·a·to·sis 名 脂肪症.
ste·no·sis 名 狭窄(きょうさく)症.
stron·gy·lo·sis 名 〖獣病理〗ストロンギルス感染症.
sy·co·sis 名 〖病理〗毛瘡(もうそう).
symp·to·sis 名 〖病理〗(局部または全身の)萎縮.
syn·chon·dro·sis 名 〖外科〗軟骨結合.
syn·des·mo·sis 名 〖解剖〗靱帯(じんたい)結合.
syn·os·te·o·sis 名 〖解剖〗骨癒着[癒合]症(synostosis).
sys·sar·co·sis 名 〖解剖〗筋連結, 筋性(骨)結合.
ter·a·to·sis 名 〖生物〗奇形.
the·sau·ris·mo·sis 名 蓄積症, 貯蔵病, 沈着症.
throm·bo·sis 名 ☞
thy·ro·sis 名 甲状腺(せん)機能障害.
tor·u·lo·sis 名 =cryptococcosis.
tox·i·co·sis 名 ☞
trep·o·ne·ma·to·sis 名 トレポネーマ病[症].
trich·i·no·sis 名 旋毛虫病[症].
tri·cho·sis 名 毛髪病.
tu·ber·cu·lo·sis 名 ☞
ty·lo·sis 名 〖植物〗填充(てんじゅう)体.
typh·lo·sis 名 〖眼科〗盲目.
ty·ro·sin·o·sis 名 チロシン症.
var·i·co·sis 名 静脈張張, 静脈瘤(りゅう)形成.
ver·ti·cil·li·o·sis 名 〖植物病理〗バーティシリウム萎凋.
vib·ri·o·sis 名 〖獣病理〗ビブリオ病.
vi·ro·sis 名 〖医学〗〖植物病理〗ウイルス感染.
xe·ro·sis 名 (眼球・皮膚の)乾燥症.
yer·sin·i·o·sis 名 エルジニア症.
zy·go·sis 名 〖生物〗接合(conjugation).
zy·mo·sis 名 《古》発酵.

-os·i·ty /ɑ́səti | ɔ́s-/

O

接尾辞 …性, …の資質.
★ -ose², -ous で終わる形容詞に対応する名詞をつくる.
◆ ＜仏 *-osité* または＜ラ *-ōsitās*. ⇨ -ITY.

ad·i·pos·i·ty 名 脂肪[肥満]性.
an·frac·tu·os·i·ty 名 屈曲, 曲折.
an·i·mos·i·ty 名 悪意, 敵意, 恨み, 憎悪.
bel·li·cos·i·ty 名 好戦的であること, 戦闘的気質.
cal·los·i·ty 名 (皮膚などの)硬化状態; 無感覚.
cu·ri·os·i·ty 名 好奇心; 物好き, 詮索好き.
fab·u·los·i·ty 名 寓話[伝説]的性質, 架空性.
flex·u·os·i·ty 名 屈曲[湾曲](性, 状態, 部).
fun·gos·i·ty 名 菌質, 菌性; 菌状腫, ポリープ.
fun·ni·os·i·ty 名 《おどけて》おかしさ, こっけい.
gen·er·os·i·ty 名 気前のよさ, 物惜しみしないこと.
gib·bos·i·ty 名 凸形になること.
gu·los·i·ty 名 《英古》過度の食欲, 大食.
im·pet·u·os·i·ty 名 猛烈, 激烈, 性急; 性急な行動.
jo·cos·i·ty 名 こっけいさ, ふざけること; 冗談.
lu·mi·nos·i·ty 名 輝く状態, 発光(性)(luminance).
mon·stros·i·ty 名 奇怪さ, 怪異, 醜怪さ.
neb·u·los·i·ty 名 星雲状の物.
ner·vos·i·ty 名 神経質, 神経過敏性.
ob·vi·os·i·ty 名 自明のこと[意見, 結論, 記述など].
pi·os·i·ty 名 信心ぶる[殊勝ぶる]こと.
pom·pos·i·ty 名 華やかさ; 尊大な態度, 仰々しい言動.
po·ros·i·ty 名 【植物】有孔性, 多孔性.
pre·ci·os·i·ty 名 凝りすぎ, 気取り, 気難しさ.
re·li·gi·os·i·ty 名 宗教性; 敬虔(けいけん), 信心深さ.
sin·u·os·i·ty 名 湾曲部, 曲がり目.
spe·ci·os·i·ty 名 もっともらしさ, 見掛け倒し.
spi·nos·i·ty 名 とげの多い[ある]こと; とげ状.
tor·tu·os·i·ty 名 (川などの)曲折; 曲がった部分.
tu·ber·os·i·ty 名 (骨の)隆起; 結節粗面.
var·i·cos·i·ty 名 【病理】静脈瘤(りゅう)症.
ve·nos·i·ty 名 【生理】静脈血化, 静脈性充血.
ver·bos·i·ty 名 言葉数の多いこと, 冗長, 饒舌.
vil·los·i·ty 名 絨毛(じゅうもう)面.
vi·nos·i·ty 名 ワインの特質, その独特の味わい.
vir·tu·os·i·ty 名 (芸術家, 特に音楽家の)名人芸.
vis·cos·i·ty 名 ☞
vi·ti·os·i·ty 名 《古》邪悪, 悪意, 悪徳.
zy·gos·i·ty 名 【遺伝】接合性, ザイゴシティ.

-os·mi·a /ázmiə, ós- | ɔ́zmiə, -mjə/

連結形 【病理】嗅覚(きゅうかく).
★ 名詞をつくる.
★ 語頭にくる関連形は osm-: *osm*idrosis「臭汗症」, *osmeterium*「臭角」.
◆ ＜ギ *osm(ḗ)*「におい」＋*-ia* -IA.

an·os·mi·a 名 嗅覚喪失[消失], 嗅覚欠如.
dys·os·mi·a 名 異嗅(いきゅう)症, 嗅覚障害.
hy·per·os·mi·a 名 嗅覚過敏(症).
pa·ros·mi·a 名 嗅覚錯誤, 嗅覚性幻覚.

os·mo·sis /azmóusis, as- | ɔz-/

名 【物理化学】【細胞生物】浸透(性). ⇨ -OSIS.
★ 語頭にくる関連形は osmo-: *osmo*regulation「浸透圧調節」.

chem·i·os·mo·sis 名 【生化学】化学浸透.
che·mos·mo·sis 名 【化学】化学(的)浸透作用.
e·lec·tro-os·mo·sis 名 【物理化学】電気浸透.
e·lec·tros·mo·sis 名 【物理化学】＝electro-osmosis.
en·dos·mo·sis 名 【生物】内(方)浸透.
ex·os·mo·sis 名 【生物】外浸透.
revérse osmósis 【化学】逆浸透.

-o·so /óusou, -zou; *It.* ó:so; *Sp.* óso/

接尾辞 スペイン語, イタリア語に由来する形容詞接尾辞.
◆ ＜スペイン, 伊＜ラ *-ōsus*; 英語 -ous, -ose に相当.

af·fet·tuo·so 形副 【音楽】情趣豊かな[に].
a·mo·ro·so¹ 名 アモロソ: スペイン産シェリー酒.
a·mo·ro·so² 形副 【音楽】情愛を込めた[て], 優しい[く].
a·ri·o·so 形副 【音楽】旋律的な[に].
ca·pric·ci·o·so 形 【音楽】気まぐれな, 奇想的な.
cu·ri·o·so 名 美術品愛好家, 骨董(こっとう)通.
do·lo·ro·so 形副 【音楽】悲しげな[に].
fu·ri·o·so 形副 【音楽】激しい[く], 猛烈な[に].
gra·ci·o·so 名 (スペイン喜劇の)道化役.
gran·di·o·so 形副 【音楽】壮大な[に], 堂々たる.
gra·zi·o·so 形副 【音楽】優美な[に].
ma·es·to·so 形副 【音楽】荘重な[に](stately).
ma·fi·o·so 名 Mafia または mafia の一員.
mis·te·ri·o·so 形 【音楽】不思議[神秘的, 奇妙]な.
o·lo·ro·so 名 オロローソ: スペイン産のシェリー酒.
pom·po·so 形副 【音楽】壮麗に[な].
spi·ri·to·so 形副 【音楽】元気のよい[よく].
strang·i·o·so 形 《米俗》奇妙きてれつな.
strep·i·to·so 副形 【音楽】騒々しく[騒々しい].
vi·go·ro·so 形副 【音楽】力強い[く], 活発な[に].
vir·tu·o·so 名 卓越した技量を持つ人, 巨匠, 名人.
ze·lo·so 形副 【音楽】熱心な[に].

-oss¹ /ás, ɔ́:s | ɔ́s/

語尾 語末にくる同音形は -os², -os³.

boss¹ 名 ☞
boss² 名 【動物】【植物】隆起, 突起, こぶ.
boss³ 名 《米》《呼びかけとして》雌牛, 子牛.
boss⁴ 形 《スコット》うつろな, 中空の.
cross 名 ☞
doss 名 《主に英俗》(特に安宿の)寝床.
dross 名 かす, くず; 無価値なもの.
floss 名 パンヤの綿状繊維.
gloss¹ 名 (表面の)光沢, つや.
gloss² 名 (写本などの)欄外注, 行間注.
goss 名 《英俗》うわさ話; ゴシップ記事(gossip).
hoss 名 《方言・俗》馬(horse).
joss¹ 名 (中国人の祭る)神像, 偶像.
joss² 名 《英・豪・NZ 話》(労働者の)頭(かしら), 親方, ボス.
loss 名 ☞
moss¹ 名 ☞
moss² 名 《米俗》モス族の人.
poss 動他 〈服を〉棒などでかき回して洗う.
pross¹ 動自 《スコット・北イング》横柄な態度を取る, 威張る, 気取る.
pross² 名 《俗》売春婦, 売笑婦, 娼婦.
ross 名 樹皮の粗い外皮.
stoss 形 【地質】上流側に面している.
toss 名 ☞

-oss² /óus/

語尾 語末にくる同音形は -os⁴, -OSE¹, -OSE², -OSE⁴.

gross 形 総…, 差し引きなしの.
stoss 形 【地質】上流側に面している.

-ost¹ /óust/

語尾 語末にくる同音形は -OAST.

ghost 名 ☞
host¹ 名 ☞
host² 名 大勢, 大群, 多数(の…).
most 形 最大[最高]の.
-most 接尾辞 ☞
post¹ 名 ☞ POST¹
post² 名 ☞ POST²

post[3] 名 ☞ POST[3]
post[4] 名 《英俗》検死, 検視(postmortem).
prost 間 乾杯, 健康を祝す(prosit).

-ost[2] /ɔ́ːst, ɑ́st | ɔ́st/

語尾

cost[1] 名 ☞
cost[2] 名 〖紋章〗コータイズ(cotise).
frost 名 ☞
glost 名 〖製陶〗釉薬(ゆうやく)(glaze).
lost 形 失った, なくなった; 紛失した.
tost 動 《文語》toss の過去・過去分詞形.

os·to·sis /ɑstóusis | ɔs-/

名 〖生理〗骨(組織)形成. ⇨ -OSIS.
★ 語頭にくる関連形は oss-: *oss*eous「骨の」.

ec·tos·to·sis 名 〖解剖〗骨外生, 軟骨外生.
en·dos·to·sis 名 〖解剖〗軟骨内骨形成, 軟骨化骨.
ex·os·to·sis 名 〖病理〗外骨症, (外)骨腫(こつしゅ).
hy·per·os·to·sis 名 〖病理〗骨形成過多症, 骨肥大症.
syn·os·to·sis 名 〖解剖〗骨癒着[癒合](症).

-os·tra·can /ɑ́strəkən | ɔ́s-/

連結形 固い殻をもった(もの).
★ 形容詞, 名詞をつくる.
★ 語頭にくる関連形は ostra-: *ostra*cism「(多数の同意による社会的な)追放」.
◆ ギリシャ語 *óstrakon*「貝」より. ⇨ -AN[1].

en·to·mos·tra·can 名形 切甲類動物(の).
het·er·os·tra·can 名 〖古生物〗甲冑(かっちゅう)魚, かぶと魚.
mal·a·cos·tra·can 名形 軟甲類動物(の).

-ot[1] /ɑt, ət | ɔt/

接尾辞 …の住人, …する人, …な人.
◆ ギリシャ語 *-ōtēs* より.

Can·di·ot 名 クレタ島人(Cretan).
Cyp·ri·ot 名 キプロス(Cyprus)島人.

-ot[2] /ɑ́t | ɔ́t/

語尾 blot[1], clot, knot[1], snot は塊をさす音象徴を持つ; lot と plot はこれに近い; dot と spot は点を表し, slot は溝穴をさす; なお, knot 対 knit, slot 対 slit, pot 対 pit という大小の対照に注意; 他に擬声語として splot, stot, swot, trot, zot がある.
★ 語末にくる同音形は -AT[6], -OTT, -OTTE.

blot[1] 名 (物についた)染, よごれ.
blot[2] 名 (西洋すごろくで)相手に取られそうな駒.
bot[1] 名 ウマバエ(botfly)の幼虫.
bot[2] 動他 《豪・NZ 俗》〈金を〉たかる.
bot[3] 名 《米俗》瓶(bottle).
-bot 連結形 ☞
clot 名 塊(mass, lump).
cot[1] 名 簡易ベッド.
cot[2] 名 《主に文語》小さな家, 小屋.
cot[3] 名 《アイル》小舟.
cot[4] 名 《米俗》アンズ(杏)(apricot).
dot[1] 名 ☞
dot[2] 名 〖大陸法〗持参金, 嫁入り道具.
-glot 連結形 ☞
got 動 get の過去・過去分詞形.
grot[1] 名 《主に文語》洞窟(grotto).
grot[2] 形 《俗》不快な; 気持悪い(grotty).
hot 形 ☞
jot 動他 簡潔に書き留める, 手早くメモする.
knot[1] 名 ☞
knot[2] 名 〖鳥類〗コオバシギ; オバシギ.
lot 名 ☞
mot 名 《ダブリン俗》女の子.
not 副 ☞
phot 名 〖光学〗フォト, ホト.
plot 名 ☞
pot[1] 名 ☞
pot[2] 名 《俗》マリファナ.
pot[3] 名 《スコット》深い穴, くぼみ.
pot[4] 名 《豪・NZ》〖ラグビー〗ドロップゴール.
rot 動自 ☞
scot 名 〖歴史〗支払い; 料金(charge).
shot[1] 名 ☞
shot[2] 動 ☞
slot[1] 名 ☞
slot[2] 名 (特にシカなどの)足跡; 臭跡.
snot 名 《俗》鼻水, 鼻汁, 鼻くそ.
sot[1] 名 大酒飲み, 飲んだくれ, 飲んべえ.
sot[2] 副 本当に, そうでないことはない.
splot 名 (水の音)ビチャッ.
spot 名 ☞
stot 名 (ガゼルなどが逃げるときの)飛び跳ね.
swot[1] 動他 …を打つ, たたく(swat).
swot[2] 動自 《英俗》(…を)猛勉強する.
tot[1] 名 小児, 幼児.
tot[2] 動他 《英話》…を加える, 合計する.
tot[3] 名 《英俗》ごみ捨て場で拾った貴重品.
trot[1] 動自 ☞
trot[2] 名 〖釣り〗流し釣り糸(trotline).
twot 名 《英俗》(女性の)外陰部(twat).
wot[1] 動 《古》wit の一人称・三人称単数現在形.
wot[2] 代形 《視覚方言》なんの, どんな(what).
zot[1] 名 《米学生俗》無, ゼロ, 零点.
zot[2] 間 《素早さを表して》びゅー, さっ.

-o·ta /óutə/

接尾辞 〖生物〗分類上, 特に種族を表す語の複数形をつくる. ◇ -ARIA.
★ 名詞をつくる.
★ 語末にくる関連形は -OTE[1].
◆ <近代ラ<ギ, *-ōtos* の中性複数形. ⇨ -A[1].

Eu·my·co·ta 名 真菌類(Eumycetes).
My·co·ta 名 菌類界.
-my·co·ta 連結形 ☞
Phol·i·do·ta 名 有鱗(ゆうりん)目.

-otch /ɑ́tʃ | ɔ́tʃ/

語尾 blotch, potch, splotch は音象徴で「汚れ」や「不良なこと」を表す; その他の語もしばしば音象徴的に受け取られる.

blotch 名 (インクなどの)大きな染み, よごれ.
botch[1] 動他 損なう, 台無しにする.
botch[2] 名 腫(は)れ物, できもの(boil).
crotch 名 (人体の)股(また); (指の)股.
gotch 形 《主に米南西部》垂れた; ゆがんだ.
hotch 動自 《スコット・北イング》そわそわする.
notch 名 V 字形の切れ込み, 刻み目, くぼみ.
potch[1] 名 《主に豪俗》〖宝石〗不良オパール.
potch[2] 名動他自 《米俗》ピシャッとたたく(こと).
rotch 名 ヒメウミスズメ(dovekie).
scotch[1] 動他 …の息の根を止める.
scotch[2] 動他 〖石工〗角を削って仕上げる.
splotch 名 《主に米》よごれ, 染み.

-o·te[1] /òut, ət/

接尾辞 〖生物〗分類を示す複数語尾.

★ 名詞をつくる.
★ -ota に対応する.
★ 語末にくる関連形は -OTA.
◆ ギリシャ語 *-ōtos* より.

am·ni·ote 名 羊膜動物.
an·am·ni·ote 名 無羊膜動物.
eu·car·y·ote 名 ＝eukaryote.
eu·kar·y·ote 名 真核生物, 真正核生物.
pter·y·gote 形 ☞

-ote[2] /óut/

語尾 語末にくる同音形は -OAT, -OTE[1].

bote 名 〘法律〙損害賠償, 補償.
cote[1] 名 ☞
cote[2] 動他 《廃》通り過ぎる; 追い越す; 勝る.
dote 動自 (…を)溺愛(できあい)する.
lote 名 《古》〘ギリシャ神話〙ロトス.
mote[1] 名 (特に, ほこりの)微粉.
mote[2] 助 《古》＝may, might.
-mote 連結形 ☞
note 名 ☞
quote 動他 ☞
shote 名 (離乳したばかりの幼弱な)子豚.
slote 名 《英》〘演劇〙迫(せ)り(sloat).
smote 動 smite の過去・過去分詞形.
tote[1] 動他 (背負ったり抱えたりして)運ぶ.
tote[2] 名 《話》合計, 総計.
tote[3] 名 《話》パリミューチュエル(方式)(pari-mutuel): 競馬の賭けの一方式.
tote[4] 名 《米話》禁酒している人.
tote[5] 名 《米麻薬俗》少量の大麻.
vote 名 ☞
wrote 動 write の過去形.
zy·gote 名 〘生物〙接合子, 接合体.

-oth[1] /ɑ̀θ, ɔ̀:θ, òuθ | ɔ̀θ/

接尾辞 ヘブライ語からの借用語に見られる女性名詞の複数語尾.
◆ ヘブライ語 *-ṓth* より.

be·he·moth 名 ベヘモット: 牛のように草を食う巨獣.
ha·ka·foth 名 〘ユダヤ教〙ハカフォート: 祝いのときなどに行う儀式.
Sab·a·oth 名 万軍, 軍勢.
Se·li·hoth 名 〘ユダヤ教〙セリホート: 懺悔(ざんげ)して神の許しを請う祈り.
Sha·bu·oth 名 〘ユダヤ教〙＝Shavuoth.
Sha·vu·oth 名 〘ユダヤ教〙五旬節: 神がモーゼに十戒を授けたことを記念する祭り.
She·vu·oth 名 〘ユダヤ教〙＝Shavuoth.
Suc·coth 名 〘ユダヤ教〙＝Sukkoth.
suc·coth 名 succah「仮庵(かりいお)」の複数形.
Suk·koth 名 〘ユダヤ教〙仮庵(かりいお)の祭り.
ze·mi·roth 名複 ズミロート, 宗教的古謡.

-oth[2] /ɑ́θ | ɔ́θ, ɔ́:θ/

語尾 中英語 /ɔ/ からきた. 主に名詞をつくる. ◇ -TH[1].

broth 名 ☞
cloth 名 ☞
coth 名 〘数学〙双曲(線)余接.
froth 名 泡, あぶく; 浮きかす.
moth 名 ☞
troth 名 《古》忠実, 誠実.
wroth 形 《古・文語》激怒した.

-oth[3] /óuθ/

語尾 古英語, 中英語に由来する.

both 形 両方の, 双方の, 両…, 2つともの.
loth 形 気が進まない(loath).
quoth 動 《古》言った(said).
troth 名 《古》忠実, 誠実.
wroth 形 《古・文語》激怒した.

oth·er /ʌ́ðər/

形 その上の, さらにほかの. ── 代 **1** もう一方の人[もの]. **2** 別の人たち[もの].

an·oth·er 形 もう一つ[一人]の.
Á.Ǹ. Óther 《英》選考中.
èach óther 副 互いに, 互いを, お互い, 相互.
géneralized óther 〘社会〙一般化された他者.
signíficant óther 配偶者; 同棲者.
thróugh-òther 形副 《主にスコット》困惑した[して].

o·tic /óutik, ɑ́t- | óut-/

形 〘解剖〙耳の. ⇨ -IC[1].
★ 語頭にくる関連形は ot(o)-: *oto*plasty「耳形成術」.

di·o·tic 形 両耳による感覚に関係する.
ent·o·tic 形 耳内の.
pa·ro·tic 形 〘動物〙耳の近くの, 耳下の.
per·i·o·tic 形 耳周囲の.

-ot·ic /ɑ́tik | ɔ́t-/

接尾辞 **1** (行為・過程・状態・状況が)…の, …的な: hypn*otic*, neur*otic*. **2** …を(異常に)生み出す: mei*otic*.
★ しばしば -osis で終わる名詞に対応する形容詞をつくる.
◆ ギリシャ語 *-ōtikos* より. ⇨ -IC[1].

al·bi·not·ic 形 〘病理〙白皮症の[に関する].
am·ni·ot·ic 形 〘解剖〙〘動物〙羊膜の; 羊膜を持った.
an·hi·drot·ic 形 〘医学〙無汗(症)の, 発汗減少の.
-bi·ot·ic 連結形 ☞
en·phy·tot·ic 形 〈植物の病気が〉風土病の.
en·zo·ot·ic 形 〘獣医〙〈病気が〉地方病性の.
ep·i·phy·tot·ic 形 〈病害が〉植物に流行する.
ep·i·zo·ot·ic 形 〘獣医〙〈病気が〉(同種の動物に)流行性の.
es·cha·rot·ic 形 〘医学〙〈医薬剤などが〉腐食性の.
hyp·not·ic 形 催眠状態の; 催眠術の.
mei·ot·ic 形 〘細胞生物〙減数分裂の.
mel·a·not·ic 形 〘病理〙黒色症(melanosis)の.
mi·ot·ic 形 瞳孔(どうこう)縮小(miosis)の[を起こす].
mi·tot·ic 形 〘細胞生物〙有系(核)分裂の.
my·cot·ic 形 カビの[に関する, による].
my·ot·ic 形 ＝miotic.
neu·rot·ic 形 〘神経医学〙神経症(性)の.
Ni·lot·ic 形 ナイル川の.
os·mot·ic 形 浸透の, 浸透性の.
os·te·o·po·rot·ic 形 〘病理〙骨粗鬆(こつそしょう)症に関係する.
psy·chot·ic 形 精神病(psychosis)の.
se·mei·ot·ic 形 ＝semiotic.
se·mi·ot·ic 形 記号の; 記号論[学](semiotics)の.
throm·bot·ic 形 〘病理〙血栓症の.
zy·mot·ic 形 《古》発酵(性)の, 発酵による.

-ott /ɑ́t | ɔ́t/

語尾 語末にくる同音形は -AT[6], -OT[2], -OTTE.

bott[1] 名 ウマバエ(botfly)の幼虫(bot).
bott[2] 名 〘冶金〙ストッパーヘッド.
chott 名 ショット: アフリカ北部の浅い塩湖.
mott[1] 名 《米俗》女(の子).
mott[2] 名 《主に米南西部》叢林(motte).

shott 名 ＝chott.

-otte /át | ɔ́t/

語尾 語末にくる同音形は -AT[6], -OT[2], -OTT.

lotte 名 〘魚類〙(特に)米国大西洋岸産のアンコウ(angler).
motte[1] 名 《主に米南西部》(高原地帯・平原の)小森林, 叢林(そうりん).
motte[2] 名 (ノルマン時代に城を築いた)小さな丘.
rotte 名 〘音楽〙クロッタ, クルース.

-ot·ten /átn | ɔ́tn/

語尾 過去分詞の語尾.

got·ten 動 get の過去分詞形.
rot·ten 形 腐りかけた, 腐敗した, 腐朽した.
shot·ten 形 〈魚・特にニシンが〉産卵したばかりの.

ot·ter /átər | ɔ́tə/

名 〘動物〙カワウソ.

gíant ótter オオカワウソ.
La Pláta òtter ラプラタカワウソ.
ríver òtter カワウソ.
séa òtter ラッコ.

-ot·tle /átl | ɔ́tl/

語尾

bot·tle[1] 名 ☞ BOTTLE
bot·tle[2] 名 〘建築〙束ね柱の柱身の一つ.
bot·tle[3] 名 《英方言》干し草の山.
mot·tle 動他 まだらにする, ぶちにする.
pot·tle 名 《古》ポトル: 昔の液量単位.

-ou[1] /úː/

語尾 chou, clou, fou[2] はフランス語からの借用.
★ 語末にくる同音形は -AULT[2], -EW[3], -O[7], -OE[2], -OO[1], -OO[2], -OO[3], -OOH, -OUGH[7], -U[3], -UE[2].

chou 名 (服・帽子などの)キャベツに似た形の飾りリボン, ばら結び.
clou 名 興味［関心］の中心, 呼び物.
cou 名 《米俗》膣(couzie).
fou[1] 形 《スコット》酒に酔って.
fou[2] 形 《フランス語》正気を失った; ばかな.
lou 名動 《スコット》＝love.
you 代 ☞

-ou[2] /áu/

語尾 語末にくる同音形は -OUGH[2], -OW[3], -OWE[1].

ou 間 痛い, あいたっ; あち(ouch).
thou[1] 代 《古・文語・英方言》汝(なんじ)は.
thou[2] 名 《俗》1, 000 ドル［ポンド］; 1, 000 個.
trou 名 《米俗》ズボン(trousers).

-ouch[1] /áutʃ/

音象徴 **1** うつむいたり, 縮こまる動作や, 卑屈さや不機嫌さを表す. **2** ふくれたり, うずくまったり, 丸まった形を表す. ► これは couch「うずくまる」, pouch「ふくれる」の動詞の語義を生み出す; crouch, slouch の影響がある.

couch 名 (通例, 低い背で一方または両端にひじのついた)長椅子, ソファ, カウチ. ―動自 横たわる; うずくまる; 体をかがめる; 〈頭を〉たれる; (落ち葉などが)積もる.
crouch 動自 かがむ, しゃがむ, うずくまる.
grouch 動自 不機嫌になる, むっつりする, すねる; ぶつぶつ言う. ―名 不機嫌な人, すねた人; ぶつぶつ言う人.
mouch 動他 《俗》〈物・小額の金などを〉(返すつもりなく)借りる; たかる. ―自 こそこそする; うろつく. ―名 こそこそする人; たかり屋(mooch).
pouch 名 ☞
slouch 動自 前かがみになる; 前かがみの姿勢で座る［立つ］; 前かがみで歩く.

-ouch[2] /áutʃ/

語尾 gouch, ouch, stouch は音象徴的.

couch 名 イネ科の根茎が横に広がる雑草.
gouch 動自 《米俗》(麻薬をやって)気を失う.
ouch[1] 間 痛い, あいたっ; あち, 熱い.
ouch[2] 名 《古》(特に装飾用の)留め金.
stouch 動他 《豪俗・NZ 話》打ちのめす.
vouch 動自 (…の)真実性の証拠となる.

-ouche /úːʃ/

語尾 フランス語からの借入語で, 発音もフランス語を受け継ぐ.

bouche 名 〘甲冑〙ブーシュ.
douche 名 〘医学〙灌水(かんすい), 注水.
louche 形 あやしげな; 評判の悪い.
rouche 名 〘服飾〙ルーシュ(ruche).

-oud /áud/

語尾 古英語の /uːd/ から.
★ 語末にくる同音形は -OWD.

cloud 名 ☞
loud 形 〈音・声が〉大きい, 高い.
proud 形 ☞
shroud 名 ☞
stroud 名 (もと英国人が北米インディアンと物々交換した)粗い毛織物.

-ouge /úːʒ/

語尾 近代英語の時期のフランス語からの借入語.

rouge 名 (化粧用)紅, 口紅, ほお紅, ルージュ.
vouge 名 ブージュ: 歩兵用の武器の一種.

-ough[1] /ɔ́ːf, ʌ́f, áu, ʌ́f | ɔ́f/

音象徴 コホコホ, ザワザワ, ヒューヒュー, カサコソ; 咳の音に似たかすれた音や風の音, または樹木が風に揺れる音.

cough 動自 **1** 咳をする, 咳払いする. **2** 金［情報］をしぶしぶ出す. ―他 《俗》〈金などを〉しぶしぶ渡す.
sough 動自 〈風などが〉ヒューヒュー［ザワザワ］と音をたてる, 〈木の葉が〉ざわつく.

-ough[2] /áu/

語尾 古英語 /oːx/ に由来し, -gh は発音されなくなった.
★ 語末にくる同音形は -OU[2], -OW[3], -OWE[1].

bough 名 (木の)枝, (特に)大枝.
plough 名 《主に英》(農耕用の)鋤(すき).

O

slough 名 泥沼, 沼地(swamp).
sough 名 《英》排水路, 側溝, 下水溝.

-ough[3] /ʌ́f/

語尾 中英語 /u:x/ が /uf/ を経て /ʌf/ となった.
★ 語末にくる同音形は -UFF[1], -UFF[2].

chough 名 ベニハシガラス.
enough 形 十分な.
grough 名 〘登山〙割れ目; 泥炭軟地.
rough 形 ☞
slough[1] 名 (蛇などの)抜け殻.
slough[2] 動他 《米俗》(特にこぶしで)殴る.
sough 名 《英》排水路, 側溝, 下水溝.
tough 形 ☞

-ough[4] /ɑ́x | ɔ́x/

語尾 /x/ はスコットランド方言に由来する.
★ 語末にくる同音形は -OCH.

brough 名 《廃》スコットランドにある円形石搭.
lough 名 《アイル英語》湖.

-ough[5] /ɑ́k | ɔ́k/

語尾 -ough[4] の異形.
★ 語末にくる同音形は -OC[1], -OC[2], -OCK[4], -OK.

hough 名 《スコット》飛節.
lough 名 《アイル英語》湖.

-ough[6] /óu/

語尾 もと gh は /x/ と発音されたが, 中英語で落ちた.
★ 語末にくる同音形は -EW[4], -O[1], -O[2], -O[6], -OA, -OE[1], -OH, -OW[4], -OWE[2].

dough 名 (パン・ケーキなどの)生地.
though 接 …ではあるが, だけれども, だが.

-ough[7] /ú:/

語尾 中英語 gh の /x/ が落ちたもの.
★ 語末にくる同音形は -AULT[2], -EW[3], -O[7], -OE[2], -OO[1], -OO[2], -OO[3], -OOH, -OU[1], -U[3], -UE[2].

through 前 ☞

-ought[1] /ɔ́:t/

語尾 中英語では /ɔ:xt/ であったが, /x/ が省かれ, 17 世紀に /ɔ:t/ となる.
★ 語末にくる同音形は -AUGHT[1].

bought 動 ☞
brought 動 bring の過去・過去分詞形.
fought 動 fight の過去・過去分詞形.
mought 助 《米南部》may の過去形.
nought 名 《文語》無(nothing).
ought[1] 助 …すべきだ, …する義務がある.
ought[2] 副 何か, なんでも, なんにせよ.
ought[3] 名 零, ゼロ(aught).
sought 動 seek の過去・過去分詞形.
thought[1] 名 ☞ THOUGHT[1]
thought[2] 動 ☞ THOUGHT[2]
wrought 動 ☞

-ought[2] /áut/

語尾 語末にくる同音形は -OUT.

dought 動 dow の過去形.

drought 名 日照り, 干魃(かん); 渇水.

-ouk /ú:k/

語尾 スコットランド英語と外来語にみられる.
★ 語末にくる同音形は -OOK[1], -UKE[1].

drouk 動他 《スコット》ずぶぬれにする.
jouk 名 《スコット》さっと体をかわすこと.
souk[1] 名 (特にアラブ諸国で)市場.
souk[2] 動他 《スコット》《廃》吸う(suck).
zouk 名 (ダンス音楽で)ズーク.

-ould /úd/

語尾 助動詞の語尾であり, could の l は would などとの類推による.
★ 語末にくる同音形は -OOD[2], -UD[2].

could 助 can の過去形.
should 助 shall の過去形.
would 助 will の過去形.

-ouldst /údst/

語尾 助動詞の古形.

couldst 助 《古》can の二人称単数過去形.
shouldst 助 《古》shall の二人称単数過去形.
wouldst 助 《古・方言》will の二人称単数過去形.

-oule /ú:l/

語尾 近代英語の時期にフランス語から借入されたもの.
★ 語末にくる同音形は -OOL, -UL.

boule[1] 名 ブール: とっくり.
boule[2] 名 〘家具〙ブール細工(の家具).
joule 名 〘物理〙ジュール.
poule 名 《俗》売春婦.

-oult /óult/

語尾 語末にくる同音形は -OLT.

boult 動他 ふるい分ける(bolt).
moult 動自 《英》羽毛が生え変わる; 脱皮する.
poult 名 ひな, 若鶏.

-oun[1] /ú:n/

語尾 語末にくる同音形は -OON[2], -UNE.

boun 動他自 《古》準備[用意]する(prepare).
loun 名 《スコット》頭の変なやつ(loon).
toun 名 町(town).

-oun[2] /áun/

語尾 語末にくる同音形は -OWN[2].

boun 動他自 《古》準備[用意]する(prepare).
noun 名 ☞

ounce /áuns/

名 オンス: 重さの単位.

flúid òunce 液量オンス.
víg òunce 《米俗》1 オンスの麻薬.

-ounce[1] /áuns/

語尾 ポーン, ボーン, ポンポン, トントン, ピョンピョン, ガタガタ; 跳ねる, 弾むという上下運動や飛びかかる動作を表す.

bounce 動自〈ボールなどが〉(…に当たって)跳ね返る, 跳ね上がる.
flounce 動自(怒ったりいらいらしたりして, 大げさな身ぶりで)飛び出す[込む].
jounce 動他自 上下にガタガタ揺する[揺れる]; 跳ねさせる[跳ねる](bounce). ―名 上下動, 急激な動揺, ガタンと揺れること(jolt).
pounce 動自〈人・動物・猛禽(もうきん)・飛行機が〉(しばしば上の方から)(…に)突然飛びかかる[襲いかかる].
trounce 動他 …を激しく打つ, 殴る, 打ちすえる.

-ounce[2] /áuns/

語尾 フランス語からの借入語.
★ 語末にくる同音形は -OUNCE[1].

flounce 名 〖服飾〗フラウンス.
-nounce 連結形 ☞
ounce[1] 名 ☞
ounce[2] 名 〖動物〗ユキヒョウ.
pounce[1] 動他 (裏面に道具をあてがって)〈金属板などに〉打ち出し模様をつける.
pounce[2] 名 (以前用いられたインクの)にじみ止め粉.

-ound[1] /áund/

語尾 bound[3] と pound[1] は音象徴的.

bound[1] 動 ☞
bound[2] 名 ☞
bound[3] 動自 ぴょんぴょん飛んで行く; 跳ねる.
bound[4] 形 《叙述的》(…へ)行こうとしている.
-bound[1] 連結形 ☞
-bound[2] 連結形 ☞
found[1] 動 ☞
found[2] 動他 …を創立する.
found[3] 動他〈金属を〉溶かす, 鋳る; 鋳造する.
ground[1] 名 ☞
ground[2] 動 grind の過去・過去分詞.
hound[1] 名 ☞
hound[2] 名 〖海事〗ハウンド.
mound[1] 名 ☞
mound[2] 名 宝珠.
pound[1] 動他〈物を〉何度も強く打つ[たたく].
pound[2] 名 ☞
-pound 連結形 ☞
round[1] 形 ☞
round[2] 動他自 《古》ささやく.
sound[1] 名 ☞
sound[2] 形 ☞
sound[3] 名 海峡, 瀬戸.
sound[4] 動他〈海・湖などの〉水深を測る.
stound 名 《古》しばらくの間, 暫時; 瞬間.
swound 動自《古・方言》気が遠くなる, 気絶する.
wound[1] 名 外傷, 傷, けが.
wound[2] 動 ☞

-ound[2] /ú:nd/

語尾 wound はもとは /wáund/ と発音された; 今日でも外科医はそう発音することがある.

stound 名 《古》しばらくの間, 暫時; 瞬間.
swound 動自《古・方言》気が遠くなる, 気絶する.
wound 名 外傷, 傷, けが.

-ount /áunt/

語尾

count[1] 動他 ☞
count[2] 名 (英国以外のヨーロッパ諸国で)伯爵.
fount[1] 名 《主に文語》泉.
fount[2] 名 《英》〖印刷〗フォント(font).
mount[1] 動他 ☞ MOUNT[1]
mount[2] 名 ☞ MOUNT[2]

-oup[1] /ú:p/

語尾 フランス語からの借用語が多い.
★ roup[1], roup[2] は擬声語から.
★ 語末にくる同音形は -OOP[2], -OUPE, -UPE[1].

coup 動自《スコット》ひっくり返る.
croup[1] 名 〖病理〗クループ.
croup[2] 名 (四つ足動物, 特に馬の)尻(しり).
croup[3] 動他《米話》〈賭博場の〉元締めをする.
goup 名 《米俗》べとべとした物(goop).
group 名 ☞
loup 動自《スコット》跳ぶ, はねる(leap).
roup[1] 名 〖獣病理〗ループ.
roup[2] 名 声がれ.
soup 名 ☞
stoup 名 聖水盤.
toup 名 《俗》トーピー(toupee): 男性用かつら.

-oup[2] /áup/

語尾 スコットランド英語.

coup 動他《スコット》取り替える.
doup 名 《スコット》(物の)底, 端, 台尻.
loup 動自《スコット》跳ぶ, はねる(leap).
roup 名 《スコット・北イング》競売.

-oup[3] /óup/

語尾 スコットランド英語.
★ 語末にくる同音形は -OPE[1], -OPE[2].

coup[1] 動自《スコット》ひっくり返る.
coup[2] 動他《スコット》取り替える.
loup 動自《スコット》跳ぶ, はねる(leap).

-oupe /ú:p/

語尾 近代英語の時期のフランス語からの借入語.
★ 語末にくる同音形は -OOP[2], -OUP[1], -UPE[1].

coupe[1] 名 《米》クーペ型自動車.
coupe[2] 名 クープ: デザートの一種.
loupe 名 ルーペ, 虫眼鏡, 拡大鏡.
troupe 名 〖演劇〗一座, 一行, 一団.

-our[1] /áuər/

語尾 dour, lour, sour はしばしば連想される.

dour 形 不機嫌な, 気難しい, 陰気な.
flour 名 (一般に穀物の)粉末, 穀粉.
hour 名 ☞
lour 動自〈空・天候が〉険悪になる(lower).
our 代 我々の, 私たちの, わが, うちの.
scour[1] 動他(砂・磨き粉などで)こすって磨く.
scour[2] 動他〈場所を〉(…を求めて)捜し回る.
sour 形 〈食べ物などが〉酸(す)っぱい.

-our[2] /úər/

語尾 語末にくる同音形は -OOR[1], -UR[2], -URE[1], -URE[3].

O

dour 形 不機嫌な, 気難しい, 陰気な.
stour[1] 名 《英方言》大騒ぎ, 騒動; 混乱.
stour[2] 形 《主にスコット》強い, 丈夫な.
tour 名 (周遊)小旅行; 周遊旅行; 遠足.
your 代 君[あなた]の, 君たち[あなたがた]の.

-our[3] /ɔ́ːr/

語尾 語末にくる同音形は -AR[8], -AUR, -OAR, -OOR[2], -OR[3], -ORE.

four 名 ☞
pour 動他〈液体などを〉(…に)注ぐ, つぐ.
your 代 君[あなた]の, 君たち[あなたがた]の.

-ourn /ɔ́ːrn/

語尾 語末にくる同音形は -ARN[2], -ORN.

bourn[1] 名 《スコット・北イング》小川, 細流.
bourn[2] 名 《古》境界, 限界(bound, limit).
mourn 動自 (…を)嘆く, 悲しむ.
yourn 代 《非標準》=yours.

-ourse /ɔ́ːrs/

語尾 フランス語からの借用語.
★ 語末にくる同音形は -ORCE, -ORSE.

bourse 名 (特にヨーロッパの都市の)株式[証券]取引所(stock exchange).
course[1] 名 ☞
course[2] 副 《話》もちろん, 当然(of course).
-course 連結形 ☞

-ous /əs/

接尾辞 …の特徴を備えた, …が多い, …がある.
★ 名詞につけて形容詞をつくる; ラテン語からの借入語の形容詞語尾として幅広く用いられる.
★ 語末にくる関連形は -IOUS, -OSE[1], -OSITY, -OUSLY.
◆ 中英 *-o(u)s* <アングロ仏, 古仏<ラ *-ōsus*; -OSE と二重語.
[発音](1) 第1強勢は, 2音節の語では語頭の音節に付く. (2) 3音節以上の語の場合, (ア) -ous の前の音節が短音節(「短母音+1つの子音字」この子音字はなくてもよく, また, 子音字の後ろにもう1つの子音 /r/ か /w/ が付いてもよい)ならば2つ前の音節に付き, (イ) -ous の前の音節が長音節(「長母音(または2重母音)+子音(この子音はなくてもよい)」または「短母音+2つの子音字(後ろの子音が /r/, /w/ である場合は除く)」)ならば直前の音節に付く. 例外: (ア) spírituous, (イ) jéopardous, cávernous.

ab·dom·i·nous 形 大きな腹の, 太鼓腹の.
a·can·thous 形 とげで覆われた, とげのある.
a·car·pel·ous 形 〖植物〗心皮(carpel)のない.
ac·cli·vous 形 上り坂[傾斜]の.
-a·ce·ous 連結形 ☞
ac·er·ous 形 〖植物〗(松葉のように)針形[状]の.
ac·e·sod·y·nous 形 痛みを和らげる, 鎮痛の.
ac·e·tous 形 酢酸を含む[生じる].
a·chro·ma·tous 形 色のない, 無色の.
ac·i·nous 形 多くの粒状果から成る.
-a·cious 接尾辞 ☞
a·coe·lous 形 消化管のない, 無腸の.
a·cu·mi·nous 形 明敏な, 鋭い.
-a·del·phous 連結形 ☞
a·dul·ter·ous 形 不義[不倫, 姦通(かんつう)]の.
ad·van·ta·geous 形 有利[有益]な, 好都合な.
ae·ru·gi·nous 形 緑青(色)の.
al·bu·mi·nous 形 タンパク質[アルブミン]の[を含む].
al·gous 形 藻[藻類]の(ような).
a·lu·mi·nous 形 明礬(みょうばん)の[を含む].
am·big·u·ous 形 どうにでも解釈できる, 多義の.
am·o·rous 形 好色な, 多情な.
am·phib·o·lous 形 〖論理〗あいまいな.
am·phi·ce·lous 形 〖解剖〗〖動物〗〈魚類の椎骨(ついこつ)などが〉両凹(形)の.
a·nach·ro·nous 形 時代錯誤の, 時代遅れの.
a·nal·o·gous 形 似ている, 類似した.
an·ar·throus 形 〖動物〗関節[節足]のない.
-an·drous 連結形 ☞
an·e·moch·o·rous 形 〖植物〗風散布に適する.
an·frac·tu·ous 形 曲折の多い.
an·hy·drous 形 〖化学〗無水の, (特に)結晶水のない.
an·not·i·nous 形 〖植物〗昨年の, 前年の; 一年たった.
a·nom·a·lous 形 〈生物などが〉変則的な, 異常な.
a·non·y·mous 形 匿名の, 無名の; 作者不明の.
an·or·chous 形 〖医学〗無睾丸の, 無精巣の.
an·our·ous 形 〖動物〗〈カエルなどが〉尾のない.
an·ser·ous 形 〖鳥類〗ガンカモ科の, マガン亜科の.
-an·thous 連結形 ☞
an·ti·mo·nous 形 〖化学〗三価のアンチモンの[を含む].
ar·bor·ous 形 樹木の, 高木の; 樹木から成る.
ar·du·ous 形 《文語》きわめて努力を要する.
ar·gen·tous 形 〖化学〗第一銀[一価の銀]の.
ar·se·nous 形 〖化学〗第一ヒ素の, 亜ヒの.
as·bes·tous 形 石綿性の; 不燃性の.
as·co·my·ce·tous 形 〖菌類〗子嚢(しのう)菌門の.
a·so·ma·tous 形 実体のない, 無形の, 非物質的な.
as·sid·u·ous 形 間断ない, 絶え間のない, たゆみない.
aur·ous 形 〖化学〗第一金の, 一価の金の.
au·toch·tho·nous 形 原住民の, 自生(種)の, 土地固有の.
au·toi·cous 形 〖植物〗雌雄独立同株の.
au·tom·a·tous 形 オートメーションの; 自動的な.
au·ton·o·mous 形 〖行政〗〈国家などが〉自治の.
bar·ba·rous 形 未開の, 野蛮な; 粗野な.
bat·tail·ous 形 《古》好戦的な, 戦争好きの.
bim·a·nous 形 〖動物〗(特に足と区別される)両手のある, 二手の; 二手類の.
bis·muth·ous 形 〖化学〗第一ビスマス[蒼鉛(そうえん)]の.
bi·tu·mi·nous 形 瀝青質の; 瀝青を含む.
blas·phe·mous 形 神聖を汚す, 冒瀆(ぼうとく)的な.
bletch·er·ous 形 《米俗》(コンピュータで)嫌な.
bois·ter·ous 形 荒々しく騒々しい, 喧(やかま)しい.
bom·bous 形 〖昆虫〗水胞状の, 球形の.
bran·chi·os·te·gous 形 〖魚類〗鰓条(さいじょう)骨の.
bru·mous 形 冬の; 霧の深い, もやの濃い.
bul·bous 形 《しばしば軽蔑的》球根状の.
bul·lous 形 〖病理〗水疱(bullae)の.
ca·coph·o·nous 形 〈音が〉耳障りな, 不協和の.
ca·dav·er·ous 形 死体の(ような).
ca·du·cous 形 〖植物〗〈葉などが〉早く落ちる.
ca·lig·i·nous 形 《古》はっきりしない, おぼろげな.
cal·lous 形 堅くなった, 硬化した.
cal·vous 形 禿頭(とくとう)の, はげ頭の.
can·cel·lous 形 〖解剖〗〈骨などが〉多孔(組織)質の.
can·cer·ous 形 癌(がん)の, 癌にかかった.
can·ker·ous 形 canker(性)の.
ca·no·rous 形 旋律の美しい, 音楽的な, 鳴り響く.
can·tan·ker·ous 形 けんか好きの, 論争好きの.
ca·pa·cious 形 (容量の)大きい; 〈部屋などが〉広い.
cap·pa·ri·da·ceous 形 〖植物〗フウチョウソウ科の.
ca·pri·cious 形 気まぐれの, 移り気の.
car·bon·ous 形 炭素の; 炭素を含む.
car·nous 形 肉の; 肉質の.
-car·pous 連結形 ☞
car·ti·lag·i·nous 形 軟骨性の, 軟骨質の.
cav·ern·ous 形 〈建物が〉洞穴状の, 洞穴に似た.
ceph·a·lous 形 頭のある.
-ceph·a·lous 連結形 ☞
cer·nu·ous 形 〖植物〗〈花などが〉下方に垂れる.
ce·rous 形 〖化学〗三価のセリウムの.
-ce·rous 連結形 ☞
chal·cen·ter·ous 形 〈人が〉タフな.
chiv·al·rous 形 騎士道にかなった; 勇敢な, 忠節な.
chlo·rous 形 三価の塩素を含む.

O

chro·mous 形 第一クロムの, 二価のクロムを含む.
-chro·ous 連結形 ☞
chy·lo·cau·lous 形 〘植物〙多肉質の茎を持った.
cir·cu·i·tous 形 回り道の, 遠回りの; 遠回しの.
cir·cum·flu·ous 形 周りを流れる, 環流性の; 取り巻く.
clam·or·ous 形 騒々しい, やかましい, 騒ぎ立てる.
-cli·nous 連結形 ☞
co·bal·tous 形 第一コバルトの.
-co·lous 連結形 ☞
co·lum·bous 形 ＝niobous.
con·cin·nous 形 〈文体などが〉優雅な; 調和した.
con·col·or·ous 形 〈体の一部分が〉(他の部分と)同じ色の; 単色の.
con·gru·ous 形 (…と)一致した, 調和した.
con·temp·tu·ous 形 侮辱する(ような), 軽蔑的な.
con·ter·mi·nous 形 (…と)接している, 隣接する.
con·tig·u·ous 形 (…と)接触[隣接]している; 近隣の.
con·tin·u·ous 形 ☞
co·ter·mi·nous 形 (…と)境界線を共にしている.
cot·y·le·don·ous 形 子葉植物の.
cov·et·ous 形 〈他人の物などを〉むやみに望む.
cre·tin·ous 形 クレチン病(患者)の.
crim·i·nous 形 犯罪を取り扱った.
cum·brous 形 〈任務が〉重荷となる, 厄介な.
cu·mu·lous 形 積雲に似た[から成る].
cu·prous 形 第一銅の.
-dac·ty·lous 連結形 ☞
dam·nous 形 〘法律〙損害の[に関する].
dan·ger·ous 形 危険な, 危険を伴う, 危ない.
de·cid·u·ous 形 〈樹木などが〉落葉性の.
de·cli·vous 形 下り勾配の, 下り坂の.
dec·o·rous 形 上品な, 端正な, 礼儀正しい.
-der·ma·tous 連結形 ☞
de·sir·ous 形 望む.
dex·ter·ous 形 〈人が〉(手先や身のこなしが)器用な.
dex·trous 形 ＝dexterous.
di·aph·a·nous 形 〈特に布が〉ごく薄手の; 透き通った.
did·y·mous 形 〘植物〙双生の, 対の.
di·dyn·a·mous 形 〘植物〙二強[二長]雄蕊(ゆうずい)の.
di·oi·cous 形 〘生物〙雌雄異体の.
dip·lo·ste·mo·nous 形 〘植物〙二輪の雄蕊(ゆうずい)を持つ.
di·rhin·ous 形 〘動物〙一対の鼻孔を持つ.
dis·as·trous 形 災害[災難]を引き起こす.
dit·o·kous 形 〘動物〙一度に 2 匹の子を産む.
dol·or·ous 形 《文語 / こっけい》苦痛に満ちた.
-dro·mous 連結形 ☞
dys·chro·nous 形 時間に合わない; 時間がまちまちの.
e·nor·mous 形 非常に大きい, 巨大な; 莫大な.
e·phem·er·ous 形 束の間の, はかない; 短命の.
ep·i·ge·ous 形 〘植物〙地表に生える, 地上性の.
ep·i·xy·lous 形 〘植物〙樹上生育の.
ep·on·y·mous 形 名祖(なおや)の.
e·quan·i·mous 形 落ち着いた, 平静な, 冷静な.
es·trous 形 ☞
eu·pho·ni·ous 形 音調のよい, 耳に快い.
ex·ig·u·ous 形 乏しい, わずかな; 小さい, か細い.
fa·cin·o·rous 形 《古》極悪の.
fa·mous 形 有名な, 高名な, 名高い.
far·rag·i·nous 形 ごたまぜの, 寄せ集めの.
fas·tu·ous 形 横柄な, 傲慢(ごうまん)な.
fat·u·ous 形 ばかげた, まぬけな, あほらしい.
fe·lo·ni·ous 形 〘法律〙重罪の, 重罪犯の.
-fer·ous 連結形 ☞
fer·rous 形 鉄の; 鉄を含む.
fer·ru·gi·nous 形 〘地質〙鉄分を含む, 鉄質の.
fe·ver·ous 形 発熱している, (特に)微熱のある.
fi·brous 形 繊維[線維]性の.
fil·a·men·tous 形 filaments から成る[を含む].
fla·vor·ous 形 〈飲食物が〉風味のよい, おいしい.
flex·u·ous 形 屈曲の多い, 曲がりくねった.
-flo·rous 連結形 ☞
for·ti·tu·di·nous 形 我慢強い, 不屈の.
foun·der·ous 形 陥没させる; 泥深い.
friv·o·lous 形 〈言動が〉あさはかな, 不まじめな.
fruc·tu·ous 形 〈植物が〉実り多い; 〈動物が〉多産の.
ful·gu·rous 形 電光の(ような), 電光石火の.
fu·lig·i·nous 形 すすの(ような), すすけた.
ful·mi·nous 形 雷電の; 雷電のような.
ful·vous 形 朽ち葉色の, 黄褐色の; 暗黄褐色の.
fun·gous 形 菌(類)の; (真)菌による.
fus·cous 形 暗灰色の, 黒ずんだ, くすんだ.
gal·lous 形 〘化学〙(二価の)ガリウムを含有する.
-ga·mous 連結形 ☞
gan·gre·nous 形 壊疽(えそ)にかかった; 壊疽性の.
ge·lat·i·nous 形 ゼリー状の; ねばねばする.
gen·er·ous 形 物惜しみしない, 太っ腹の; 寛大な.
-gen·ous 連結形 ☞
ger·man·ous 形 〘化学〙第一ゲルマニウムの.
ge·ron·to·ge·ous 形 旧世界(Old World)の[に属する].
-ger·ous 連結形 ☞
gib·bous 形 〘天文〙〈月が〉ギボス状の, 凸月の.
gla·brous 形 〘動物〙〘植物〙無毛の.
glam·or·ous 形 魅惑的な; 性的魅力に満ちた.
glau·cous 形 淡い青緑色の, 緑青色の.
glu·te·nous 形 グルテン状の.
glu·ti·nous 形 膠(にかわ)質の; ねばねばする.
glut·ton·ous 形 食いしん坊の, 食い意地の張った.
-gna·thous 連結形 ☞
goi·trous 形 〘病理〙甲状腺腫(症, 性)の.
go·lup·tious 形 《おどけて》おいしい; 楽しい.
gor·geous 形 (視覚的に)華やかな, 豪華な.
griev·ous 形 悲しむべき, 嘆かわしい; 痛ましい.
gru·mous 形 〘植物〙凝塊の.
gum·mous 形 ゴム(質)から成る; ゴム状の.
gy·nan·ther·ous 形 〘植物〙雄蕊(ゆうずい)が雌蕊に変わった.
-gy·nous 連結形 ☞
haz·ard·ous 形 危険いっぱいの, 冒険の; 危ない.
hei·nous 形 憎むべき, 忌まわしい; 凶悪な.
het·er·och·tho·nous 形 外来の(foreign).
het·er·og·o·nous 形 〘植物〙異形蕊(ずい)の.
het·er·ol·o·gous 形 〘生物〙異種起原の.
het·er·on·o·mous 形 別個の法則に従う[を含む].
het·er·on·y·mous 形 同じ綴(つづ)りで異音異義の語の.
hex·am·er·ous 形 6 基数の.
hir·tel·lous 形 細い剛毛で覆われた.
ho·moch·ro·nous 形 同時期の, 同周期の.
ho·moe·ol·o·gous 形 〘生物〙〈染色体が〉同祖の.
ho·mog·o·nous 形 〘植物〙同長雌雄蕊(しゆうずい)の.
ho·mol·o·gous 形 〈位置・構造・性質などが〉一致する.
ho·mon·o·mous 形 〘生物〙同規的な.
ho·mon·y·mous 形 同音異義(語)の.
ho·moph·o·nous 形 発音が同じの, 同音の.
hor·ren·dous 形 《話》ひどく恐ろしい, すさまじい.
huge·ous 形 非常に大きい, 巨大な(huge).
hu·mor·ous[1] 形 〈物・事が〉こっけいな, おかしい.
hu·mor·ous[2] 形 《古》湿った, ぬれた.
hu·mous 形 腐植(土)(humus)の.
hy·drous 形 水を含む.
i·dol·a·trous 形 偶像を崇拝する.
im·pet·u·ous 形 衝動的な, 性急な, 熱烈な.
in·ces·tu·ous 形 近親相姦(かん)の[となる].
in·cu·bous 形 〘植物〙重なり合った.
in·dec·o·rous 形 無作法な, はしたない; 不体裁な.
in·gen·u·ous 形 率直な, 忌憚(きたん)のない.
i·o·dous 形 〘化学〙(特に 3 価の)ヨードを含む.
-i·ous 接尾辞 ☞
ir·i·dous 形 〘化学〙3 価のイリジウムを含む.
ir·rig·u·ous 形 《古》〈土地が〉よく灌漑された.
i·soch·ro·nous 形 等時性の; 等時間隔で起こる.
i·som·er·ous 形 〈昆虫などの脚が〉同節の.
i·so·pach·ous 形 〘地質〙同じ厚さを持った.
i·so·spon·dy·lous 形 〘魚類〙等椎(つい)目の[に関する].
i·so·ste·mo·nous 形 〘植物〙(萼片(がくへん)や花弁と)同数雄蕊(ゆうずい)の.
-i·tous 接尾辞 ☞
jeal·ous 形 嫉妬深い; (人を)ねたむ.
jeop·ard·ous 形 危険な, 危ない.
ke·rat·i·nous 形 ケラチン[角質]から成る.
lan·guor·ous 形 けだるそうな, ゆったりとした.

O

lar·ce·nous 形 窃盗の; 窃盗のような.
lat·i·tu·di·nous 形 (思想・関心・解釈などの)幅の広い.
lech·er·ous 形 好色な, 淫乱(いんらん)な.
le·gu·mi·nous 形 マメの; マメを生じる.
len·tig·i·nous 形 ほくろ(lentigo)の; 黒子の.
lep·rous 形 〖病理〗らいにかかった.
li·bel·ous 形 誹毀(ひき)の, 誹謗(ひぼう)の.
li·bid·i·nous 形 好色の, 肉欲的な; みだらな.
li·chen·ous 形 地衣(植物)の; 地衣類に属する.
lic·or·ous 形 うまい物好きの, 美食をしたがる.
lig·a·men·tous 形 靱帯(じんたい)の.
lon·ge·vous 形 《古》長命の, 長寿の.
lu·bri·cous 形 (表面・塗りなどが)滑らかな.
lu·cif·u·gous 形 〖生物〗背光性の, 光を避ける.
lu·di·crous 形 こっけいな; ばかばかしい.
lu·mi·nous 形 〈物・塗料などが〉光を発する, 輝く.
lu·pous 形 〖病理〗狼瘡(ろうそう)(lupus)の.
lus·cious 形 《話》おいしい; 香りのいい; 甘美な.
lus·trous 形 光沢のある, つややかな; 輝く.
mac·ro·tous 形 〖動物〗巨大な耳を持つ.
mag·nan·i·mous 形 度量の大きい, 寛大な, 太っ腹の.
man·ga·nous 形 〖化学〗マンガンの [を含む].
mar·vel·lous 形 《特に英》=marvelous.
mar·vel·ous 形 《話》優秀な, 素晴らしい, 立派な.
me·an·drous 形 曲がりくねった; 取り留めのない.
mel·a·nous 形 〖人類〗黒髪で暗褐色または黒ずんだ肌をした.
mel·lif·lu·ous 形 〈言葉・音楽・声などが〉美しく [滑らかに] 流れる, 甘美な響きの.
mem·bra·nous 形 膜質 [状] の.
me·mo·ri·ous 形 〈人が〉記憶力のよい.
men·stru·ous 形 月経の(ある).
mer·cu·rous 形 〖化学〗一価の水銀の [を含む].
-mer·ous 連結形 ☞
me·tab·o·lous 形 ☞
mi·rac·u·lous 形 超自然的な(力による), 神技的な.
mis·chie·vous 形 いたずらな, 迷惑な.
mo·lyb·de·nous 形 〖化学〗二価のモリブデンを含む.
mo·lyb·dous 形 〖化学〗モリブデンの.
mo·men·tous 形 重大な, 重要な, ゆゆしい.
mo·nod·o·mous 形 単巣性の.
mo·noi·cous 形 〖植物〗雌雄同株の.
mo·nom·er·ous 形 単一の部分から成る.
mon·o·rhi·nous 形 〖動物〗単鼻(孔)の.
mo·not·o·cous 形 〖動物〗一卵 [一子] 出産性の.
mo·not·o·nous 形 単調な; (変化がなくて)退屈な.
mon·o·trem·a·tous 形 単孔類の.
mo·nox·e·nous 形 単宿主性の.
mon·strous 形 (特に外観が)奇怪な; 恐ろしい.
-mor·phous 連結形 ☞
moun·tain·ous 形 山の多い, 山ばかりの.
mu·ced·i·nous 形 かびの(ような).
mu·ci·lag·i·nous 形 植物粘質物の, 粘液を分泌する.
mu·cous 形 ☞
mul·ti·tu·di·nous 形 多数の, 無数の.
mur·der·ous 形 〈行為が〉殺人に等しい, 凶悪な.
mur·mur·ous 形 ざわめきに満ちた.
mu·ti·cous 形 〖植物〗無突起の.
mu·ti·nous 形 (権力・体制などに)反抗する.
mys·te·ri·ous 形 神秘に満ちた, 霊妙な, 不思議な.
myx·o·my·ce·tous 形 変形菌の, 粘菌の.
na·cre·ous 形 真珠層の.
nec·tar·ous 形 nectar のような.
nerv·ous 形 いらだちやすい; 神経質な.
nick·el·ous 形 〖化学〗第一ニッケルの.
ni·dif·u·gous 形 〖鳥類〗離巣性の.
ni·o·bous 形 〖化学〗ニオブの.
ni·trous 形 〖化学〗亜硝酸の.
noc·tam·bu·lous 形 夢遊病の; 夢中歩行癖のある.
noc·u·ous 形 有害な; 有毒な.
nu·bi·lous 形 曇った, 霧の濃い.
nu·mer·ous 形 非常に多い, おびただしい.
nu·mi·nous 形 神霊の(ような); 心霊上の.
ob·strep·er·ous 形 騒がしく暴れる, 手に負えない.
o·dor·ous 形 においを生じる.
o·le·ag·i·nous 形 油性の, 油質の.
om·i·nous 形 凶兆を示す, 不吉な, 縁起が悪い.
on·er·ous 形 煩わしい, 面倒な; 重荷になる.
or·gu·lous 形 《古》高慢な, 横柄な; 誇り高い.
os·mous 形 〖化学〗(低価の)オスミウムの.
out·ra·geous 形 きわめて侮辱的な, 悪意に満ちた.
o·zo·nous 形 オゾンの; オゾンを含む.
pach·y·der·mous 形 厚皮動物(特有の).
pal·la·dous 形 〖化学〗パラジウムの.
pa·pa·ver·ous 形 ケシの(ような).
pa·re·cious 形 〖植物〗=paroicous.
par·lous 形 《古》《おどけて》危険な, 危ない.
pa·roi·cous 形 〖植物〗雌雄列立同株の.
pa·ron·y·mous 形 〖文法〗同語源の, 語幹 [語根] を同じくする.
par·ous 形 〖医学〗経産の.
-pa·rous 連結形 ☞
pat·i·nous 形 緑青をふいた, 青さびのある.
pec·tous 形 〖生化学〗ペクチン(pectin)の.
per·il·ous 形 危険をはらんでいる, 冒険的な.
pet·al·ous 形 ☞
pet·rous 形 〖解剖〗錐体(すいたい)(部)の.
-pha·gous 連結形 ☞
-ph·i·lous 連結形 ☞
-ph·o·rous 連結形 ☞
phos·pho·rous 形 〖化学〗三価のリンを含む; リンの.
phyl·loc·la·dous 形 〖植物〗葉状茎の, 葉状茎を持つ.
-phyl·lous 連結形 ☞
phy·so·clis·tous 形 〖魚類〗閉鰾(へいひょう)の, 浮き袋が消化管とつながっていない.
phy·sos·to·mous 形 〖魚類〗喉鰾(こうひょう)の, 浮き袋が消化管とつながっている.
pi·le·ous 形 毛で覆われた, 毛の多い.
pi·lous 形 (特に柔らかい)毛で覆われた.
pi·tu·i·tous 形 《古》=mucous.
plat·i·nous 形 〖化学〗第一白金の.
plat·i·tu·di·nous 形 陳腐 [平凡] なことをよくしゃべる.
plen·i·tu·di·nous 形 十分な, 豊富な, 完全な.
plum·bag·i·nous 形 黒鉛(graphite)を含んだ.
plum·bous 形 〖化学〗(二価の)鉛を含む, 鉛の.
-po·dous 連結形 ☞
poi·son·ous 形 有毒な, 毒を含む, 毒になる.
po·lyd·o·mous 形 〖昆虫〗多巣の.
po·lym·er·ous 形 〖生物〗多基数の.
pol·y·on·y·mous 形 数個の名のある, 多名の.
pol·yp·ous 形 〖病理〗ポリプに似た, ポリプの.
pol·y·se·mous 形 多義(性)の.
po·lyt·o·cous 形 〖動物〗多児分娩の.
pomp·ous 形 尊大な, もったいぶった, 仰々しい.
pon·der·ous 形 大きくて重い, 重々しい.
po·rous 形 ☞
por·ten·tous 形 前兆の; 重大な, ゆゆしい; 凶兆の.
post·hu·mous 形 死後の [に起こる].
pos·ti·cous 形 〖植物〗後ろの, 後ろ側にある.
pre·pos·ter·ous 形 不合理な, 無分別な, 本末転倒の.
pre·sump·tu·ous 形 僭越(せんえつ)な, 出すぎた.
pro·cel·lous 形 〈特に海が〉荒れた, 荒れ模様の.
pro·le·gom·e·nous 形 前置きの, 緒言の, 序言 [序文] の.
pro·mis·cu·ous 形 誰とでも性交する; 乱交の.
pros·per·ous 形 栄える, 繁栄する; 成功している.
pru·rig·i·nous 形 〖医学〗痒疹(ようしん)の [による].
pseu·don·y·mous 形 偽名 [変名] の, 偽名を用いる.
-pter·ous 連結形 ☞
pul·chri·tu·di·nous 形 《文語》(肉体的に)美しい.
pulp·ous 形 パルプの; パルプ状の, どろどろの.
punc·til·i·ous 形 細かい点まで気を遣う.
pu·sil·lan·i·mous 形 臆病(おくびょう)な, 小心な.
quad·ru·ma·nous 形 〖動物〗四手(しゅ)の.
rac·e·mous 形 〖植物〗総状花に似た.
ram·pa·geous 形 激しい, 猛烈な; 始末に負えない.
ran·cor·ous 形 悪意 [敵意, 憎悪] のある.
ran·tan·ker·ous 形 =cantankerous.
rap·tur·ous 形 有頂天の, 熱狂的な.

rau·cous 形 しわがれ声の, 耳障りな, きしる.
rav·en·ous 形 むさぼり食う, がつがつした.
re·cid·i·vous 形 常習犯的な, 罪を重ねやすい.
rec·ti·tu·di·nous 形 正直な; 厳正な.
res·in·ous 形 樹脂の多い, 樹脂を含む.
rig·or·ous 形 〈人・規則などが〉厳しい, 過酷な.
ri·ot·ous 形 暴動的な, 平和をかき乱す.
ri·val·rous 形 競争の, 対立, 敵対的な, 張り合う.
ros·in·ous 形 ロジン(rosin)を含む, ロジンの.
ru·big·i·nous 形 さび病にかかった.
ru·bi·ous 形 《詩語》ルビー色の.
ru·fous 形 赤みがかった; 赤褐色の.
ru·gous 形 しわだらけの.
ru·in·ous 形 破壊的な; 没落させる.
sal·su·gi·nous 形 【生物】(好)塩性の.
sanc·ti·mo·ni·ous 形 信心家らしく見せかける.
sa·ni·ous 形 【病理】希薄膿(のう)(sanies)を出す.
sa·phe·nous 形 伏在の; 伏在静脈の.
sap·o·rous 形 味[風味]のある, (特に)味のよい.
sar·cous 形 肉[筋肉]からできている.
sca·bi·ous 形 かさぶたで覆われた[できた].
scab·rous 形 (表面が)ざらざらした, 凸凹のある.
scan·dal·ous 形 恥ずべき, みっともない; ひどい.
schi·zog·o·nous 形 【生物】増員生殖の[による].
schiz·o·phy·ceous 形 分裂藻類[藍藻(らんそう)類]の.
scir·rhous 形 【病理】(線維が固まって)硬い.
scle·rous 形 堅い; 堅固な; 骨質の, 骨のような.
scur·ril·ous 形 口汚い, 言葉遣いが下卑た.
sed·u·lous 形 《文語》せっせと働く, 勤勉な.
se·le·nous 形 【化学】亜セレンの.
sen·su·ous 形 感覚[美感]に訴える, 感覚的な.
-sep·al·ous 連結形 ☞
se·rous 形 漿液(しょうえき)状[性]の; 希薄な.
ser·pen·ti·nous 形 蛇紋石のような[から成る].
ser·pig·i·nous 形 【医学】〈皮膚病などが〉蛇行状の.
sin·is·trous 形 《古》縁起の悪い, 不吉な, 不幸な.
sin·u·ous 形 カーブの多い, 曲がりくねった.
slan·der·ous 形 中傷的な, 名誉を毀損する.
slaugh·ter·ous 形 虐殺的な, 殺伐とした; 破壊的な.
slum·ber·ous 形 《主に文語》眠い, うとうとした.
so·lic·i·tous 形 気をもむ, 案じる, 心配する.
som·brous 形 《古》陰気に暗い, 薄暗い.
so·no·rous 形 (特に)響き渡る音を出す, 鳴り響く.
sor·cer·ous 形 魔法[魔術]の; 魔術的な.
sper·mous 形 精子の(ような).
-sper·mous 連結形 ☞
sphag·nous 形 ミズゴケの.
-spic·u·ous 連結形 ☞
spi·nous 形 〈植物などが〉とげで覆われた.
spir·i·tous 形 《古》精神的な, 霊妙な, 精妙な.
spir·it·u·ous 形 アルコールを含む(alcoholic).
-spor·ous 連結形 ☞
spu·mous 形 泡の(ような), 泡立つ.
squa·mous 形 鱗(うろこ)で覆われた.
stan·nous 形 【化学】錫(すず)の[を含む].
ster·to·rous 形 (脳卒中患者などの呼吸に伴う)大いびきの; 高いびきをかく.
-sti·chous 連結形 ☞
sto·cious 形 《英俗》=stoshious.
stom·a·tous 形 ☞
stosh·ious 形 《英俗》酔っ払った.
sto·tious 形 《英俗》=stoshious.
stren·u·ous 形 奮闘的な, 激しい, 猛烈な.
strep·i·tous 形 《まれ》騒々しい, やかましい.
stru·mous 形 【植物】こぶ状突起(struma)のある.
stu·pen·dous 形 びっくり仰天させるような.
-sty·lous 連結形 ☞
suc·cu·bous 形 【植物】〈葉が〉(基部で)下の葉と重なり合っている, 覆瓦状の.
sul·fur·ous 形 硫黄の[に関する].
sul·phur·ous 形 =sulfurous.
sump·tu·ous 形 (細工・材料が凝って)高価な.
su·per·flu·ous 形 必要以上の, 余分な, 過剰の.
su·sur·rous 形 ささやきでいっぱいの; サラサラいう.
sym·pho·ni·ous 形 《文語》調和した; 和声の.
syn·anth·er·ous 形 【植物】雄蕊(ずい)が葯(やく)で癒着した.
syn·chro·nous 形 ☞
syn·oi·cous 形 【植物】雌雄花が同一の頭状花にある.
syn·on·y·mous 形 同義語の, 類語の; (…と)同義の.
syn·to·nous 形 【電気】同調的な, 同調[共振]の.
syph·i·lous 形 梅毒の; 梅毒性の.
tan·ta·lous 形 【化学】三価のタンタルの[を含む].
tar·tar·ous 形 酒石から成る[を含む].
tel·lu·rous 形 【化学】亜テルルの.
tem·pes·tu·ous 形 大嵐の, 大嵐の吹き荒れる.
ten·di·nous 形 腱(けん)質の, 腱性の, 腱に似た.
ten·e·brous 形 《文語》暗い; 陰気な, 憂鬱な.
ten·u·ous 形 (糸のように)細い, ほっそりした.
tet·ra·dy·na·mous 形 【植物】四長[四強]雄蕊(ずい)の.
thal·lous 形 【化学】タリウム(thallium)の.
the·lyt·o·kous 形 雌性産生単為生殖に関する.
the·on·o·mous 形 神が支配[統治]する.
thun·der·ous 形 〈雲などが〉雷を起こす.
time·ous 形 《主にスコット》早い.
tim·or·ous 形 恐れて, 怖がって, びくびくして.
tim·ous 形 《主にスコット》=timeous.
ti·tan·ous 形 【化学】チタンの.
-to·mous 連結形 ☞
tor·tu·ous 形 〈道・流れなどが〉曲がりくねった.
tor·tur·ous 形 拷問の(ような); 苦痛を与える.
trai·tor·ous 形 (人・主義・信用などを)裏切る.
treach·er·ous 形 不誠実な, 裏切りをする, 二心ある.
trea·son·ous 形 反逆の, 不信の.
tre·men·dous 形 (大きさ・量・強度が)ものすごい.
trich·i·nous 形 【病理】旋毛虫病[症]の(性質の).
-tri·chous 連結形 ☞
trig·o·nous 形 〈幹・茎・種子などが〉3つの角がある.
trim·er·ous 形 【植物】〈花が〉三数の, 三基数の.
tri·que·trous 形 3辺の, 三角形の.
-tro·pous 連結形 ☞
trou·blous 形 《文語・古》〈時世・情勢が〉不穏な.
tu·ber·ous 形 いぼ状[円形]突起に覆われた.
tu·mul·tu·ous 形 騒然とした, 動乱の.
tung·stous 形 【化学】(低原子価の)タングステンの.
tyr·an·nous 形 専制君主の; 専制的な; 残酷な.
ul·cer·ous 形 潰瘍(かいよう)性の; 潰瘍化する.
u·lig·i·nous 形 【植物】沼生の, 沼地に生じる.
-u·lous 連結形 ☞
um·bra·geous 形 《文語》陰を作る[成す]; 陰の多い.
u·nan·i·mous 形 〈人などが〉同意の, 同意見の.
unc·tu·ous 形 愛想がよすぎる; 口先のうまい.
un·de·sir·ous 形 (…を)望まない, 願わない.
un·gui·nous 形 《廃》脂肪[油]を含む, 油っこい.
u·nis·o·nous 形 同音の, ユニゾンの, 調子の合った.
u·ra·nous 形 【化学】四価のウラニウムを含む.
u·ri·nous 形 尿の[に関する, のような].
-u·rous 連結形 ☞
u·su·ri·ous 形 高利で金を貸す, 高利貸しをする.
vac·u·ous 形 空の, 空虚な; 真空の.
val·or·ous 形 勇気のある, 勇敢な, 雄々しい.
van·a·dous 形 【化学】(特に二価または三価の)バナジウムの[を含む].
va·por·ous 形 蒸気状の; 蒸気の.
va·ri·o·lous 形 天然痘の, 痘瘡(とうそう)の.
ve·lu·ti·nous 形 〈ある種の植物などが〉柔らかいビロード状の(表面を持つ).
ven·om·ous 形 〈動物が〉毒腺(どくせん)を持つ.
ve·nous 形 ☞
ven·tur·ous 形 〈人が〉冒険好きな; 大胆な.
ver·dur·ous 形 〈草木が〉青々とした, 新緑の.
ver·min·ous 形 害虫[寄生虫]のような; 不快な.
ver·ru·cous 形 いぼの(ある), いぼに似た, いぼ状の.
ver·tig·i·nous 形 ぐるぐる回る, 回転[旋回]する.
vic·to·ri·ous 形 勝利を得た, 勝った, 勝利者である.
vig·or·ous 形 活力[活気]にあふれた.
vil·lain·ous 形 〈人が〉極悪非道の, 残酷で邪悪な.
vil·lous 形 絨毛(じゅうもう)で覆われた.
vi·nous 形 ワインの性質を持った.

O

vi·per·ous 形 マムシの性質を持つ［に似た］.
vi·rous 形 ウイルス性の［が引き起こす］.
vir·tu·ous 形 道徳にかなった；徳の高い，有徳な.
vis·cous 形 粘着力のある，ねばねばする.
vo·lu·mi·nous 形 〈著作が〉巻数の多い.
vo·lup·tu·ous 形 放蕩三昧の，享楽的な.
vom·i·tous 形 嘔吐(おう)の，吐き気を催させる.
-vo·rous 連結形 ☞
vor·tig·i·nous 形 《古》渦巻きに似た，渦巻き状の.
whis·per·ous 形 ささやくような；サラサラいう.
won·drous 形 《詩語・文語》驚くべき，不思議な.
wrong·ous 形 《古》悪い，邪悪な.
xan·thous 形 黄色の.
yt·ter·bous 形 【化学】(特に２価の)イッテルビウムの［を含む］.
zeal·ous 形 熱心な，ひたむきな，熱烈な.
zinc·ous 形 亜鉛(製)の，亜鉛を含む.
-zy·gous 連結形 ☞

-ouse[1] /áus/

語尾 語末にくる同音形は -OWSE[2].

blouse 名 ☞
bouse 動他自 【海事】滑車で引き上げる.
chouse[1] 動他 《主に英話》〈人を〉だます.
chouse[2] 動他 《米》〈家畜を〉乱暴に追い立てる.
douse[1] 動他 …を(水に)突っ込む.
douse[2] 動自 占い杖(づえ)を用いて探る.
grouse[1] 名 ☞
grouse[2] 動自 《話》ぶつぶつ言う，こぼす.
grouse[3] 形 《豪・NZ 俗》素晴らしい，ずばぬけた.
grouse[4] 動自 《米俗》ネッキング(necking)する.
house[1] 名 ☞
house[2] 名 ☞
louse 名 ☞
mouse 名 ☞
scouse 名 《英》【海事】船員用シチュー.
shouse 名 《豪俗》便所，トイレ.
smouse 名 《南アフリカ》行商人.
souse[1] 動他 〈物を〉(水などに)投げ込む，浸す.
souse[2] 動自 《古》〈タカなどが〉(獲物目がけて)高所から急降下する.
spouse 名 配偶者，連れ合い.

-ouse[2] /áuz/

語尾 語末にくる同音形は -OWSE[1].

blouse 名 ☞
bouse[1] 動他自 【海事】滑車で引き上げる.
bouse[2] 名 酒.
rouse 動他 〈人を〉目覚めさせる，奮起させる.
scouse 名 《英》【海事】船員用シチュー.
spouse 名 配偶者，連れ合い.
touse 動他 《主に英方言》…を手荒く扱う.
trouse 名複 《古》ズボン.

O

-ouse[3] /ú:z/

語尾 語末にくる同音形は -OOSE[2], -OOZE, -USE[1], -USE[3].

bouse 名 酒(liquor, drink).
touse 動他 《スコット》…を手荒く扱う；〈髪・衣服などを〉かき乱す.

-ous·ly /əsli/

接尾辞 -ous と -ly の合成接尾辞. ⇨ -LY.
★ -ous で終わる形容詞に対応する副詞をつくる.

ab·ste·mi·ous·ly 副 節制して，慎んで.
cu·ri·ous·ly 副 物珍しそうに；興味ありげに.
fu·ri·ous·ly 副 怒り狂って.
mys·te·ri·ous·ly 副 神秘的に，不可解に；意味ありげに.
ob·vi·ous·ly 副 明らかに，はっきりと；どう見ても.
pre·vi·ous·ly 副 前もって，あらかじめ；早まって.
re·li·gious·ly 副 宗教的に；信心深く；良心的に.
se·ri·ous·ly 副 まじめに，厳粛に，真剣に.

-oust /áust/

語尾 -st は動詞語尾として強い動きを示すと感じられる.
◇ -OIST, -OOST.

joust 動自 馬上槍試合をする；論争する.
oust 動他 追い払う，追い出す，排除する.
roust 動他 《話》起こす，引っ張り出す.

out /áut/

副 外へ［に］(向かって)；外れて. ── 形 不在で，休んで；(…が)ない. ── 名 《話》逃げ道；【スポーツ】アウト.
★ 動詞に伴って多くの句動詞をつくる；その名詞化したものも多い: stop out → stop-out.

áll-óut 形 総力を挙げての；徹底的な，完全な.
báck·out 名 バックアウト：ロケット打ち上げ中止に伴う秒読み逆行.
bágged-óut 形 《米俗》よれよれの服を着た.
báil·òut 名 緊急脱出.
bálls-òut 形 《主に英俗》全面的な，徹底的な.
bárf-òut 名 《米俗》嫌なやつ［もの］.
bárring-óut 名 (生徒による教師の)締め出し.
béat·òut 名 【野球】内野安打.
béat-óut 形 《話》疲れきった.
bláck·òut 名 (空襲に備えた)灯火管制.
blíssed-óut 形 《米俗》うっとりした，有頂天の.
blówn-óut 形 《米麻薬俗》恍惚状態になった.
blów·òut 名 破裂，パンク(箇所).
bóarding-òut 名 外食すること.
bómbed-óut 形 爆撃で完全に破壊された.
bónged-óut 形 《米麻薬俗》ハイになった.
bréak·òut 名 逃亡，脱走；脱獄.
bréw-òut 名 《米学生俗》ビアパーティー.
brówn·òut 名 《主に米》＝blackout.
búg·òut 名 《俗》戦場離脱，敵前逃亡.
búm-òut 名 《米刑務所・陸軍俗》楽な作業に就かせること.
búmp·òut 名 《米》室内スペースの拡張.
bùrbed-óut 形 《米俗》中流階級の，うぬぼれた.
búrned-óut 形 焼き切れた；役に立たなくなった.
búrning òut 《米俗》(麻薬中毒者が)麻薬をやめること.
búrn·òut 名 (すべてを焼き尽くす)火事.
búrnt-óut 形 ＝burned-out.
búst-òut 名 《米俗》(詐欺の被害者が金を渡す)決定的瞬間.
búy·òut 名 (会社(株)の)買い占め.
cáll-òut 名 大声で呼ぶこと.
cámp·òut 名 (グループによる)キャンプ(生活).
càpped-óut 形 《米俗》ハイになった.
cárry-òut 名 持ち帰り用料理専門店.
cásh-òut 名 現金払い；現金売り上げ；現金残高.
cátch-òut 名 見破る［見抜く］こと.
chéck·òut 名 (ホテルなどの)チェックアウト.
chíll·òut 名 《米俗》(燃料不足による)暖房停止.
chúcker-óut 名 《英俗》(酒場などの)用心棒.
chúck-òut 名 《英俗》パブの閉店時間.
círcle-òut 名 【映画】【テレビ】＝iris-out.
clápped-óut 形 《英・豪・NZ 話》〈車などが〉おんぼろの.
cléan·òut 名 一掃，掃討.
cléar·òut 名 《英》一掃，処分；清掃；排便.
clímb·òut 名 (飛行機の)離陸中の急上昇.
clíp-òut 形 (新聞などから)切り取り用の.
clóse·òut 名 《米》閉店大売り出し.
clóse-òut 名 《俗》完了，成就.
cómb-òut 名 髪をきれいにとかし上げること.

cóming-óut 名 社交界へのデビュー.
cónk-òut 名 《米俗》故障(breakdown).
cóok-òut 名 《米・カナダ》野外料理.
cóoled-óut 形 《米俗》気軽な; 冷ややかな.
cóol-óut 名 《米俗》人を落ち着かせるもの.
cóp-óut 名 《話》責任逃れ; 言い訳.
cóunt-óut 名 〖英議会〗定足数不足のための流会.
crásh-òut 名 《俗》脱獄.
cróss-óut 名 線を引いて削除された語 [行など].
crówding òut 〖経済〗押し退け効果.
crúsh-òut 名 《米暗黒街俗》脱獄.
cút-òut 名 切り取られたもの, 切り抜き.
dáy óut 外出日, 小旅行日.
dím-óut 名 (戦時下の)灯火管制.
díner-óut 名 外食する人.
dínged óut 《米俗》酒に酔った.
dóped-óut 形 《俗》麻薬が効いている.
dówn-and-óut 形 《話》金のない, 無一文の.
drág-óut 名 《話》長々と続くこと.
dráwn-óut 形 長々と続く(long-drawn out).
dréssing óut 《話》厳しくしかりつけること.
dróp-òut 名 ドロップアウト: 脱退; 脱落.
drúgged-óut 形 《話》(麻)薬が効いている.
drýing-óut 名 アルコール中毒を治すこと.
drý-òut 名 乾燥しきる [干からびる] こと.
dúbbing òut 〖建築〗斑(ʼ)直し.
dúg-òut 名 丸木舟, 刳(ᶜ)り舟.
dúke-óut 名 《主に米俗》殴り合い(のけんか).
éater-óut 名 外食する人.
fáde-óut 名 〖映画〗溶暗, フェードアウト.
fálling-óut 名 《話》仲たがい, 不和, いさかい.
fáll-òut 名 放射性降下物.
fárm-òut 名 (石油・ガス掘削権などの)賃貸.
fár-óut 形 《米俗》型にはまらない, 自由な.
fínk-òut 名 《米俗》裏切り; しりごみ.
fláked-óut 形 《俗》(酔っ払って)意識を失った.
fláme-óut 名 《米》〖航空〗フレームアウト.
flát-óut 形 《話》全速力の; 全力を挙げての.
flíp-óut 名 《米俗》かんしゃく, ヒステリー.
flúnk-òut 名 《米俗》退学者; 落第学生.
fóld-óut 名 (雑誌や書籍の)折り込み.
fórce-óut 名 〖野球〗封殺, フォースアウト.
fréak-óut 名 《俗》(麻薬で)抑制できなくなること.
fréeze-óut 名 〖トランプ〗負け抜けポーカー.
fréeze-óut 名 《米俗》締め出し, 冷遇, ひやめし.
fúcked-óut 形 《俗》疲れ果てた, くたびれた.
fúll-óut 形 (省略せず)すべて書かれた.
gét-óut 名 〖商業〗採算点, 損益分岐点.
gétting óut 〖サーフィン〗ゲッティングアウト.
gráy-òut 名 〖医学〗グレイアウト, 灰色視症.
gróss-óut 名 形 《米俗》うんざりさせる(もの).
gróund-òut 名 〖野球〗内野ゴロでのアウト.
hánd-òut 名 《話》(物ごいなどに与える)施し物.
hánd-òut 名 (スカッシュ・バドミントンで)サーブを受ける側(の選手).
háng-òut 名 《話》住みか, 隠れ家.
háng-òut 名 《米俗》(情報・秘密などの)暴露.
hère-óut 副 《古》ここから, この場所から.
híde-òut 名 《米》(特に犯罪者の)隠れ家.
hít-òut 名 《豪俗》(馬の)ギャロップ.
hóld-òut 名 提供, 差し出し; 抵抗; 持続, 忍耐.
íce-òut 名 《ニューイング北部》融氷, 解氷.
ín-and-óut 形 〖経営〗短期売買の.
ín-òut 名 《卑》性交, セックス.
ínside óut 形 〖服飾〗インサイドアウトで.
íris-óut 名 〖映画〗〖テレビ〗絞り閉じ.
kíck-òut 名 〖サッカー〗キックアウト.
kíll-òut 名 《米俗》注目すべき人 [もの].
knóck-dòwn-drág-òut 形 《俗》激烈な, 猛烈な, 仮借ない.
knóck-òut 名 たたきのめすこと.
láyer-óut 名 〖造船〗罫描家(ᵏᵉᵍᵃᵏⁱ).
láy-òut 名 配置, 地取り; 設計; レイアウト.
lét-óut 形 〈毛皮が〉レットアウトの.
líne-òut 名 〖ラグビー〗ラインアウト.
líve-òut 形 〈従業員などが〉住み込みでない.
líving-óut 形 通いの(live-out).
lóan-óut 名 (俳優の映画会社への)貸し出し.
lóck-òut 名 (資本家側による)工場閉鎖.
lóok-òut 名 用心, 警戒, 見張り, 監視.
máil-óut 名 大量の郵便物の投函.
míss-òut 名 〖賭博〗(クラップスで)負けとなる目を出すこと.
móve-óut 名 引っ越して出ること, 転出, 移転.
ópt-out 動 自 名 (特に地方自治体が)手を引く(こと).
óut-and-óut 形 徹底的な, 純然たる, 全くの.
pácked-óut 形 《英話》〈部屋などが〉満員の.
páss-òut 名 《米俗》(商品などの)分配.
páy-òut 名 支払い, 支出; (投資の)回収.
pháse-òut 名 段階的廃止 [停止].
píg-óut 名 《俗》食べすぎ, 食べ放題の宴会.
pítch-òut 名 〖野球〗ウエストボール.
plácing-óut 名 里子制度.
pláyed-óut 形 くたくたに疲れた, だめになった.
póke-óut 名 《米俗》裏口から渡される食料の包み.
póp-òut 名 立体式のもの(pop-up).
póut-óut 名 《米俗》(hot rod で)エンジン故障.
prínt-òut 名 〖コンピュータ〗プリンター出力.
psých-óut 名 《話》おじけさせること.
púll-òut 名 引き出すこと, 取り除くこと.
púnch-òut 名 (小穴の)型抜き部分.
púsh-òut 名 《話》落ちこぼれ, はみ出し者.
pút-òut 名 〖野球〗プットアウト, 刺殺.
rág-òut 名 《俗》以前の記事を転載したもの.
ráin-òut 名 雨天中止 [順延].
rát-òut 名 《俗》卑劣な撤退.
réad-òut 名 〖コンピュータ〗読み出し.
réd-òut 名 〖航空〗視力赤化喪失.
ríde-òut 動 自 他 《米ジャズ俗》即興で演奏する.
ríg-òut 名 《英話》(特に奇妙な)服装.
róll-òut 名 飛行機の新型発表会, 顔見せ飛行.
rúb-òut 名 《米暗黒街俗》暗殺.
rún-òut 名 〖機械〗逃げ.
rún-òut 名 〖馬術〗逃避.
rúst-òut 名 さびること.
schízzed-óut 形 《米俗》気が狂った.
séll-òut 名 売り払うこと, 売却; 売り切れ.
sét-òut 名 (特に旅行の)準備, 支度.
sháke-òut 名 〖経済〗(企業・製品の)淘汰.
sháre-òut 名 分け合うこと, 配給, 分配.
shóot-òut 名 《米話》撃ち合い, 銃撃戦.
shóut-òut 名 《米黒人俗》あいさつ.
shút-òut 名 《米》締め出し; 工場閉鎖.
síck-òut 名 《カリブ》病欠スト, 病気欠勤戦術.
síde-òut 名 〖バレーボール〗〖バドミントン〗サイドアウト.
sígn-òut 名 出発時の署名(時刻).
sléep-òut 形 〈雇人が〉通いの, 通勤の.
slópe-òut 名 《米俗》たやすいこと.
smácked-òut 形 《俗》ヘロイン中毒の.
smóg-òut 名 スモッグに包まれた状態.
smóke-òut 名 喫煙停止, 禁煙.
sóld-óut 形 売り切れの.
sórt-òut 名 《主に英話》片づけ, 整理.
spáced-óut 形 《俗》麻薬を使ってぼうっとなった.
spáce-òut 名 《米俗》ぼうっとした人.
spás-óut 名 《米俗》(特に子供の)ひどい興奮.
spáz-óut 名 《俗》かっとなること.
spín-òut 名 〖自動車〗スピンアウト.
spréad-òut 形 〈都市などが〉広く拡がった.
squáre óut 〖アメフト〗スクエアアウト.
stáke-òut 名 《主に米・カナダ俗》張り込み.
stánd-òut 名 《米・カナダ話》傑出しているもの.
stíck-òut 名 《話》目立つ人; 本命.
stóck-òut 名 在庫品切れ.
stóp-òut 名 《米》一時休学, ストップアウト.
stráight-óut 形 《米話》徹底した, 純然たる.
strétch-òut 名 《話》〖労働〗ストレッチアウト.
stríke-òut 名 〖野球〗三振.
táke-òut 名 取り [持ち] 出すこと.

téar-òut 形 簡単に切り離せる.
thèreóut 副 《古》それから, そこから.
thóught-óut 形 十分に考えた末の, 考え抜いた.
through·out 前 …の至る所に, 隅から隅まで.
thrów-òut 名 投げ出すこと.
tíme-óut 名 《米・カナダ》中断, 中絶, 途切れ.
tóe-òut 名 【自動車】トー=アウト.
tríp-òut 名 《米俗》幻覚剤でトリップしている人.
trìpped-óut 形 《米俗》(LSD などによる)幻覚状態の.
trý·òut 名 《主に米・カナダ》適性試験.
túck-òut 名 《英俗》素晴らしいごちそう.
túrn·òut 名 人出, 集まり, 出席者の数.
týpe-òut 名 文字の打ち出し.
úp-or-óut 名 《米》【経営】アップ・オア・アウト.
wácked-óut 形 《俗》=whacked-out.
wálk·òut 名 《米話》(労働者の)ストライキ.
wáshed-óut 形 (特に洗濯しすぎて)色あせた.
wásh·òut 名 土砂崩れ, 崩壊; 浸食部.
wátch·òut 名 気をつけること, 用心, 警戒.
wáy óut 解決法, 打開策.
wáy-óut 形 《話》最新技術の, 斬新な.
wéar-òut 名 擦り切れ, 磨損; 磨耗状態.
wéll-tùrned-óut 形 身なりのよい, いきな.
whácked-óut 形 《俗》くたびれた, 疲れきった.
whèreóut 副 《古》どこから, 何から.
whíp-òut 名 《米俗》金.
whíte·òut 名 【気象】ホワイトアウト.
wíde-òut 名 【アメフト】ワイドレシーバー.
wíped-óut 形 《俗》ぐったり疲れた, 疲れ果てた.
wípe·òut 名 《話》破壊, 撲滅, 全滅; 殺人.
with·óut 前 …なしに, …を持たないで.
wóre-óut 形 《主に米方言》=worn-out.
wórking-òut 名 算出, 計算.
wórk·òut 名 練習, トレーニング; 練習試合.
wórn-óut 形 使い古した, 擦り切れた.
x́-òut 動他 《俗》殺す, 消す(cross out).
zíp-òut 形 〈服などが〉ジッパーで着脱できる.

-out /áut/

語尾 pout, spout, sprout は突出, 噴出の音象徴で, 鼻に関する snout, grout, rout もこの類である; 発声の擬声語に shout, rout[3], rout[4] があり, flout, glout, scout[2] も音象徴的である; ラッパの音からきた tout は擬声語で, コツンという強打の clout は後から擬声的になった.
★ 語末にくる同音形は -OUGHT[2].

bout 名 (ボクシングなどの)一試合, 一勝負.
clout 名 《話》(平手・げんこつで)殴ること.
flout 動他 軽蔑する, あざける.
glout 動自 《古》まゆをひそめる.
gout 名 【病理】痛風.
grout[1] 名 グラウト, うすとろ.
grout[2] 動自他 〈豚が〉(土などを)鼻で掘り返す.
knout 名 革ひもつきのむち.
lout[1] 名 無骨者, (無作法な)田舎者.
lout[2] 動自 《古》お辞儀をする.
out 副 ☞
pout[1] 動自 唇を突き出す, 唇をとがらせる.
pout[2] 名 ☞
rout[1] 名 壊滅的敗走, 潰走.
rout[2] 動自 〈豚などが〉鼻先で地面を掘る.
rout[3] 動自 《古》いびきをかく(snore).
rout[4] 動自他 《主に英方言》ほえる, 怒鳴る.
scout[1] 名 ☞
scout[2] 動他 相手にしない, はねつける.
shout 動自 ☞
smout 名 《スコット》二年子サケ(smolt).
snout 名 (動物の)鼻先, 鼻面.
spout 名 ☞
sprout 動自 〈種子・植物が〉芽を出す, 発芽する.
stout 形 体の大きい, どっしりした.
tout 動自 《話》しつこく勧誘する; 押し売りする.
trout 名 ☞

-outh[1] /ú:θ/

語尾 古英語から来た語とスコットランド英語.
★ 語末にくる同音形は -OOTH[1], -UTH.

couth[1] 形 《おどけて》行儀のよい; 上品な.
couth[2] 形 《古》知られた.
routh 名 《スコット・北イング》多量, 多数.
scouth 名 《スコット》豊富; 十分.
skouth 名 《スコット》=scouth.
youth 名 年の若いこと, 若さ, 若年, 年少.

-outh[2] /áuθ/

語尾 古英語から.

mouth 名 ☞
south 名 ☞

out·let /áutlet, -lit/

名 **1** 《米》【電気】アウトレット, 差し込み口. **2** 小売店, 直販店. ⇨ LET.

convénience òutlet 【電気】コンセント.
fáctory òutlet メーカー直営店.
míll òutlet 製造所直営小売店.
sócket òutlet 【電気】コンセント.

-ov /ɑf; *Rus.* əf/

接尾辞 ロシア系の人名に見られる接尾辞.
★ 父祖名にちなむ命名法として用いられる.
◆ ロシア語 *-ov*(元来は形容詞語尾)より.

An·dro·pov 名 アンドロポフ(姓).
Ce·ren·kov 名 チェレンコフ(姓).
Gon·cha·rov 名 ゴンチャロフ(姓).
Gor·cha·kov 名 ゴルチャコフ(姓).
Le·o·nov 名 レオーノフ(姓).
Ma·len·kov 名 マレンコフ(姓).
Pug·a·chov 名 プガチョフ(姓).
Ro·ma·nov 名 (ロシアの)ロマノフ王朝(1613–1917)(の王).
Sho·lo·khov 名 ショーロホフ(姓).

-ove[1] /óuv/

語尾 しばしば動詞の過去・過去分詞形となる.

clove[1] 名 丁子(ちょうじ), クローブ.
clove[2] 名 【植物】小球根, 小鱗茎(りんけい).
clove[3] 動 cleave の過去形.
clove[4] 名 クローブ: 羊毛, チーズなどの重量を量る英国の単位.
clove[5] 名 《米ハドソン川流域》谷.
cove[1] 名 小湾, 入り江.
cove[2] 名 《俗》《英 / 古》人, やつ.
dove 動 《米話》dive の過去形.
drove[1] 動 drive の過去形.
drove[2] 名 (追われて行く)家畜の群れ.
grove[1] 名 ☞
grove[2] 動 《俗》groove の過去分詞.
hove 動 heave の過去・過去分詞形.
shove 名 【繊維】ブーン(boon).
shrove 動 shrive の過去形.
stove[1] 名 ☞
stove[2] 動 stave の過去・過去分詞形.
strove 動 strive の過去形.
throve 動 thrive の過去形.

trove 名 収集品, コレクション; 発見(物).
wove 動 weave の過去・過去分詞形.

-ove² /ʌ́v/

語尾 古英語から.

dove 名 ☞
glove 名 ☞
love 名 ☞
shove 動他 〈物を〉(後ろから)押す, 突く.

-ove³ /úːv/

語尾 古フランス語から.
★ 語末にくる同音形は -OOVE.

move 動自 ☞
prove 動他 …を証明する.
-prove 連結形 ☞

ov·en /ʌ́vən/

名 オーブン, 天火; かまど, 炉.

cóke òven コークス炉.
convéction òven 対流式オーブン.
Dútch óven 蓋付きの焼き肉用厚手鍋.
gás òven ガスオーブン, ガスレンジ.
Máori òven 屋外かまど(で料理された食べ物).
mícrowave òven 電子レンジ.
slów óven 低温度オーブン.
tóaster òven オーブントースター.

o·ver /óuvər/

前 …から離れて上に[の], …の上方に[の]. ――副 上方に. ――形 上部の.

áll·òver 形 全面にわたる.
Ándy-óver 名 《米ミッドランド》アンディーオーバー: 家越しにボールを投げ合う遊び.
Ánnie-óver 名 《米》=Andy-over.
an·ti·o·ver 名 《米》=Andy-over.
bóil·òver 名 《豪・NZ》意外な結果, 番狂わせ.
bréak·òver 名 【ジャーナリズム】飛び記事.
cáb-òver 名 【自動車】キャブオーバー(型).
cáll-òver 名 点呼.
cárry-òver 名 (次期・次勘定へ)繰り越すもの.
chánge·òver 名 転換, 切り替え, 改造, 変更; 逆転.
chéck-òver 名 徹底した検査[調査].
cóme·òver 名 (Man 島で)英国本土からの移住者.
cróp-òver 名 (西インド諸島での)砂糖キビの収穫.
cróssing óver 【遺伝】交差, 交差乗り換え.
cróss·òver 名 《英》交差路, 橋, 歩道橋, 陸橋.
cút·òver 形 《米》〈特に森林地で〉木を伐採した.
énd·òver 名 【スケートボード】エンドオーバー.
flásh·òver 名 【電気】フラッシ(ュ)オーバ(ー).
flóp·òver 名 【テレビ】フロップオーバー.
flý·òver 名 空中分列式, パレード飛行.
góing-óver 名 《話》検査, 調査, 尋問, 点検.
háil-óver 名 《米南部》家越しのボール投げ遊び.
hálf-sèas óver 副 海を半分渡った; (物事の)中途で.
hánd·òver 名 (財産・権限などの)移譲, 譲渡.
háng·òver 名 二日酔い; (薬の)副作用.
hóld·òver 名 《米》残された物, 残り物.
húng·òver 形 《俗》二日酔いの.
knóck·òver 名 《米暗黒街俗》強盗, 強奪.
láy·òver 名 途中下車; (乗り継ぎの)待ち合わせ.
léft·òver 名 残飯, 食事[料理]の残り物.
lég-òver 名 《俗》(男の)性交.
lóok-òver 名 (一通りの)点検, 検査.
máiden óver 【クリケット】無得点のオーバー.
máke·òver 名 修繕, 修理; 改装, 修復; 変身.
more·óver 副 その上, さらに, なおまた.
ónce-òver 名 《話》ざっと目を通すこと.
Páss·òver 名 過越(すぎこし)の祭り.
póp·òver 名 《米・カナダ》ポップオーバー, マフィン.
púll·òver 名 プルオーバー(頭からかぶって着る衣服); (特に)セーター.
púsh·òver 名 《話》たやすくできること, 「楽勝」.
quíck-òver 名 《米俗》さっと目を通すこと.
róll·òver 名 (特に車などの)転倒[転覆](事故).
róve-òver 形 【韻律】(スプラングリズムにおいて)前行の終わりと次行の初めとで一詩脚を作る.
rún·òver 名 【印刷】繰り越し分, はみ出し.
sáil-òver 名 (ヨット競技で)セールオーバー.
sléep·òver 名 《主に米》外泊(する人).
slíp·òver 名 =pullover.
slóp-òver 名 《話》こぼすこと; あふれること.
spárk·òver 名 【電気】スパーク.
spíll·òver 名 《主に米・カナダ》あふれること.
stánd·òver 名 《豪・NZ 話》脅し, 脅迫.
stóp·òver 名 (旅行の途中で)ちょっと立ち寄ること.
stríke-òver 名 タイプオーバー, 二重打ち.
swíng·òver 名 (態度・意見などの)変化, 変更.
swítch·òver 名 (動力源・生産方法などの)転換.
táke·òver 名 (権威・支配・管理などの)奪取, 接収.
tíck-òver 名 《主に英》(自動車などのエンジンの)遊転, アイドリング.
túrn·òver 名 転がること; 転覆, 転倒.
úp-and-óver 形 〈ドアが〉持ち上げて水平に開く.
vóice-òver 名 【映画】【テレビ】画面外の声.
wálk·òver 名 (競馬・ドッグレースで)単走.
wármed-óver 形 《主に米》〈料理が〉温め直された.
wínd·hòver 名 《英》【鳥類】チョウゲンボウ.
wíng·òver 名 【航空】横転飛行, 急上昇反転.
wípe-òver 名 素早い一拭(ふ)き.
wórk·òver 名 (油井の)改修, メンテナンス.
wráp·òver 形名 体に巻きつけて着る(衣服).

over·coat /óuvərkòut/

名 外套(がいとう); 《比喩的》死体を包むもの. ⇨ COAT.

cemént òvercoat (マフィアの)セメント樽詰め.
Chicágo óvercòat =wooden overcoat.
píne òvercoat 《米俗》(特に安物の)棺.
wóoden óvercoat 《米俗》棺桶(かんおけ).

ov·u·lar /ɑ́vjulər, óuv- | ɔ́vjulə, óuv-/

形 【動物】卵の, 卵子の; 【植物】胚珠(はいしゅ)の.
★ 語頭にくる関連形は ovi-, ovo-, ovu-: *ovi*cide「(昆虫などの)殺卵剤」. ⇨ -ULAR.

bi·no·vu·lar 形 2つの異なった卵子の.
bi·ov·u·lar 形 二卵性(双生児)の.
mon·ov·u·lar 形 【医学】一卵性の[に特有な].

-ow¹ /óu/

音象徴間 **1** バーン, ボカン, ドカン; 強打, 破裂・爆発音, 銃声を表す: p*ow*. **2** 牛などのうなるような鳴き声を表す: bell*ow*. **3** 流れること, 風が吹くこと, 光を放つことなどは二次的に音象徴性をもつと感じられる.

bel·low 動自 〈牛などが〉大声で鳴く, ほえる. ――名 ほえる[うなる]こと; うなり声, (牛の)鳴き声; とどろき, うなり.
blow 動自 〈風・嵐(あらし)が〉吹く.
crow 動自 〈雄鶏が〉鳴く, 時をつくる.
flow 動自 〈液体が〉流れる.
glow 名 輝き.
how 間 《こっけい》《アメリカインディアンの言葉をまねたあいさつ》やあ, おい.
jow 名 《スコット》鐘を鳴らす[つく]こと;

鐘の音. ——動他〈鐘を〉鳴らす.
low 動自〈牛が〉モーと鳴く(moo);(牛の鳴き声のような)低くうなるような声を出す. ——他 低くうなる[ほえる]ように言う.
ow 間《特に激痛・突然の痛みを表して》うっ, あいた, あちっ.

-ow[2] /áu/

音象徴間 **1** 強打や爆発の音, 騒がしさなどを表す. **2** 人の驚きなどの発声と叫びを表す. **3** ネコや鳥の鳴き声.

ca·how 名〘鳥類〙バミューダ(シロハラ)ミズナギドリ.
jow 名《スコット》鐘を鳴らす[つく]こと;鐘の音. ——動他〈鐘を〉鳴らす, つく.
ka·pow 間 パンパン.
me·ow 名 猫の鳴き声, ニャオ.
mi·aow 名 =meow.
pow 間 パーン, ポン, ドカーン, パチン. ——名 パーン[ポン, ドカーン]という音.
row 名 やかましい口論, 口げんか.
row·dy·dow 名《米俗》騒ぎ, 騒々しさ.
wow[1] 間《話》《驚き・喜びなどを表して》うおーっ, うわーっ, へー.
wow[2] 名〘オーディオ〙ワウ: 再生機の回転むらによって再生音が周波数変調を受けること.
ye·ow 間《絶叫して出す声》ギャーッ, ヒャーッ, ワーッ.
yow 間名《苦痛・狼狽・驚きなどの叫び》ウーッ, ウェーッ, ワァーッ.

-ow[3] /áu/

語尾 古英語に由来するものが中心で, その /uː/ の音が /au/ になっている.
★ 語末にくる同音形は -OU[2], -OUGH[2], -OWE[1].

bow[1] 動自(…に)腰をかがめる, 頭を下げる.
bow[2] 名 ☞ BOW[2]
brow 名 ☞
chow[1] 名《話》食べ物.
chow[2] 間《英俗》やあ; じゃあまた(ciao).
cow[1] 名 ☞
cow[2] 動他(脅迫・暴力などで)おびえさせる.
cow[3] 動他《主にスコット》角を短く切る.
dow 動自《スコット・北イング》(…)できる.
frow 名 女性;(特にドイツ・オランダの)婦人.
ghow 名《米麻薬俗》麻薬, (特に)アヘン.
gnow 名《豪西部》〘鳥類〙クサムラツカツクリ(草叢塚造り).
gow 名《米麻薬俗》麻薬.
how[1] 副 ☞
how[2] 名《スコット・北イング》穴, くぼみ.
know 名《スコット・北イング》小山, 円丘.
mow[1] 名《米・方言》(納屋の中の)干し草[穀物]置き場.
mow[2] 名《古》(あざけりを示す)しかめ面.
now 副 今, 目下, 現在.
plow 名 ☞
pow[1] 名《スコット・北イング》頭.
pow[2] 名《スコット》小川.
prow[1] 名 舳先(へさき), 船首.
prow[2] 形《古》勇ましい, 勇敢な.
scow 名 スカウ: 長方形の運搬用の大型平底船.
sow 名(成熟した)雌豚.
vow 名 誓い.
yow 名《豪俗》見張り.

-ow[4] /óu/

語尾 古英語に由来するものが多い.
★ 語末にくる同音形は -EW[4], -O[1], -O[2], -O[6], -OA, -OE[1], -OH, -OUGH[6], -OWE[2].

blow[1] 名 ☞
blow[2] 動自 ☞
blow[3] 名 開花; 開花の状態; 花.
bow 名 ☞ BOW[1]
crow[1] 名 ☞
crow[2] 動自〈雄鶏が〉鳴く, 時をつくる.
dow 動自《スコット・北イング》(…)できる.
flow 動自 ☞
frow[1] 名《米》楔形の刃を持つなた.
frow[2] 名 女性;(特にドイツ・オランダの)婦人.
glow 名 ☞
grow 動自 ☞
jow 名《スコット》鐘を鳴らす[つく]こと.
know[1] 動他 ☞
know[2] 名《スコット・北イング》円丘, 小山.
low[1] 形 ☞
low[2] 動自〈牛が〉モーと鳴く(moo).
-low 連結形 ☞
mow[1] 動他(鎌や機械で)刈る, 刈り取る.
mow[2] 名《古》(あざけりを示す)しかめ面.
pow 名《スコット・北イング》頭.
row[1] 名 ☞
row[2] 動自(櫂(かい)で)船をこぐ.
scrow 名 ねじ, ねじ釘; 木ねじ; ねじボルト.
show 動他 ☞
slow 形 ☞
snow[1] 名 ☞
snow[2] 名〘海事〙スノー型帆船.
sow 動他 ☞
stow 動他〘海事〙積み込む.
strow 動《古》まき散らす, ばらまく(strew).
throw 動他 ☞
tow[1] 動他〈車・船などを〉(綱・鎖などで)引く.
tow[2] 名 短線, トウ, 麻くず.
tow[3] 名《スコット》縄, 綱, ロープ.
trow[1] 動自他《古》(…と)信じる, 思う.
trow[2] 名(英国の河川・沿岸用)はしけ.

-owd /áud/

語尾 語末にくる同音形は -OUD.

crowd[1] 名 ☞
crowd[2] 名 クロッタ: 古代ケルト族の楽器.
gowd 名《主にスコット》金(gold).
showd 動他《スコット》〈赤ん坊を〉あやす.

-owe[1] /áu/

語尾 語末にくる同音形は -OU[2], -OUGH[2], -OW[3].

howe 名《スコット・北イング》穴, くぼみ.
knowe 名《スコット・北イング》(頂上が丸くなった)小山, 円丘; 塚.
mowe 名(あざけりを示す)しかめ面.
yowe 名《スコット》(成長した)雌の羊.

-owe[2] /óu/

語尾 語末にくる同音形は -EW[4], -O[1], -O[2], -O[6], -OA, -OE[1], -OH, -OUGH[6], -OW[4].

knowe 名《スコット・北イング》(頂上が丸くなった)小山, 円丘; 塚.
mowe 名(あざけりを示す)しかめ面(mow).
owe 動他〈人などに〉金銭上の借りがある.

-owk /áuk/

語尾

O

gowk 名 《英方言》カッコウ(cuckoo).
howk 動他 《スコット》掘る.

owl /ául/

名 フクロウ(ズクを含む).

Acádian ówl 《もと》=saw-whet owl.
bárn òwl メンフクロウ.
bárred ówl アメリカフクロウ.
brówn ówl 数種のフクロウ, (特に)モリフクロウ.
búrrowing ówl アナ(ホリ)フクロウ.
cát òwl 《米》顔がネコに似た各種のフクロウ[ミミズク].
dáy òwl 昼行性のフクロウ, (特に)コミミズク.
éagle òwl ワシミミズク(シマフクロウを含む).
élf òwl サボテンフクロウ.
físh òwl 魚を捕食するフクロウの総称.
gnóme òwl =pygmy owl.
gréat gráy ówl カラフトフクロウ.
gréat hórned ówl アメリカワシミミズク.
gróund òwl =burrowing owl.
háwk òwl オナガフクロウ.
hóot òwl ホーホーと鳴く大形のフクロウ属の総称.
hórned ówl ミミズク(木菟).
lích òwl 《英》=screech owl.
líttle ówl コキンメフクロウ.
lóng-eared ówl トラフズク.
mónkey-fàced ówl =barn owl.
níght òwl 《話》夜更かしする人, 宵っぱり.
Óld Wòrld scóps òwl ヨーロッパコノハズク.
Oriéntal scóps òwl コノハズク.
práirie òwl =burrowing owl.
pýgmy òwl スズメフクロウ.
sáw-whèt ówl ヒメキンメフクロウ.
scóps òwl フクロウ科コノハズク属などの羽角(耳)のある鳥の総称.
scréech òwl アメリカオオコノハズクおよび中南米に生息する同類の鳥の総称.
shívering òwl =screech owl.
shórt-eared ówl コミミズク.
sílver ówl =barn owl.
snów òwl =snowy owl.
snówy ówl シロフクロウ.
spótted ówl ニシヨコジマフクロウ.
táwny ówl モリフクロウ.
wóod òwl フクロウ属の鳥の総称.

-owl[1] /ául/

音象徴 ウォーッ, ゴロゴロ; 犬や狼の遠吠えの声や雷鳴, うなり声のような長く響く音を表す.

growl 動自 〈動物が〉(怒り・敵意などで)(…に向かって)うなる;〈雷・腹が〉ゴロゴロ[グーグー]鳴る; がみがみいう. ━名 うなり(声); ガミガミ[ゴロゴロ]いう音.
howl 動自 〈犬・オオカミなどが〉長く尾を引いてほえる, 遠ぼえする;〈風が〉ヒューヒューなる; うめく, わめく. ━名 遠吠え, うなり, うめき.
yowl 動自 〈動物・人が〉長く悲しそうに叫ぶ; 遠ぼえする(howl).

-owl[2] /ául/

語尾 scowl は音象徴的で -owl[1] に関連する; prowl も「うろうろする」に近い音象徴とみなされる.
★ 語末にくる同音形は -OWL[1].

cowl 名 (修道士の)頭巾(ずきん)付き外套(がいとう).
fowl 名 ☞
jowl[1] 名 あご, (特に)下あご.
jowl[2] 名 (太った人などの)あごの垂れ肉.
owl 名 ☞
prowl 動自 徘徊(はいかい)する(wander).
scowl 動自 顔をしかめる; (…を)にらむ.

-owl[3] /óul/

語尾 bowl, jowl に丸みの音象徴が感じられる.
★ 語末にくる同音形は -OAL, -OL[4], -OLE[1], -OLE[2], -OLE[3], -OLL[1], -OLE[2].

bowl[1] 名 ☞
bowl[2] 名 (ninepins や tenpins に用いるほとんど偏重のない)ボール.
jowl[1] 名 あご, (特に)下あご.
jowl[2] 名 (太った人などの)あごの垂れ肉.

own /óun/

形 自分自身の. ━動他 所有する.

co-own 動他 共同で所有する.
dis·own 動他 自分のもの[責任]と認めない.
pick-your-own 形 (果物などを)客が自分で摘み取る方式の.
roll-your-own 名 手巻きタバコ.

-own[1] /óun/

語尾 主に過去分詞の語尾.
★ 語末にくる同音形は -ONE[1], -ONE[2].

blown[1] 動 ☞ BLOWN[1]
blown[2] 形 ☞ BLOWN[2]
flown[1] 動 fly の過去分詞形.
flown[2] 形 流れ模様の.
grown 形 ☞
known 動 know の過去分詞形.
mown 動 mow の過去分詞形.
own 形 ☞
shown 動 show の過去分詞形.
sown 動 sow の過去分詞形.
thrown 動 throw の過去分詞形.

-own[2] /áun/

語尾 town and gown はオックスフォードやケンブリッジで「市民と大学関係者」をさす決まり文句.
★ 語末にくる同音形は -OUN[2].

brown 名 ☞
clown 名 (サーカスなどの)道化(役者).
crown 名 ☞
down[1] 副 ☞ DOWN[1]
down[2] 名 ☞ DOWN[2]
down[3] 名 (特にイングランド南部の)なだらかな草地の続く丘陵地帯(downland).
drown 動自 おぼれる, 溺死(できし)する; 沈む.
frown 動自 眉(まゆ)をひそめる, 顔をしかめる.
gown 名 ☞
town 名 ☞

owned /óund/

形 所有されている; 《複合語》…が所有する. ⇨ -ED[1].

fámily-ówned 形 家族[同族]所有の.
prè·ówned 形 中古(品)の, 古物の.
státe-òwned 形 国有の.
ùn·ówned 形 所有者[持ち主]のない.
whòlly-ówned 形 〈会社などが〉別の会社に株を完全に所有されている.

own·er /óunər/

名 所有者, 持ち主, オーナー. ⇨ -ER[1].

cóal òwner 炭鉱主.
hóme·òwner 自分の家を持っている人.
lánd·òwner 土地所有者, 地主.
párt ówner 〖法律〗(共有物に何も契約していない)共同所有者, (特に)船舶の共有者.
plánk òwner 〖海事〗船の初就航のときの乗組員.
pólicy·òwner 保険契約者(policyholder).
sháre·òwner 《英》株主(shareholder).
shíp·òwner 船舶所有者, 船主.
wórker-òwner 従業員持株制度による社員株主.

own·er·ship /óunərʃìp/

名 所有者であること. ⇨ -SHIP.

colléctive ównership 集団所有(制).
cróss-ównership 《米》単一企業による新聞社と放送会社の所有.
públic ównership 公有(制), 国有(化).
shárred ównership 《英》共同所有権方式住宅購入制度.
sócial ównership (社会主義理論で)社会所有(制).

-owse[1] /áuz/

語尾 語末にくる同音形は -OUSE[2].

bowse[1] 動他 〖海事〗滑車で引き上げる.
bowse[2] 名 酒(bouse).
browse 動他 〈牛・シカなどが〉〈草・若芽・若葉などを〉食べる.
dowse 動自 占い杖(づえ)を用いて探る.
drowse 動自 《文語》眠けがさす, うとうとする.

-owse[2] /áus/

語尾 語末にくる同音形は -OUSE[1].

bowse 動他 〖海事〗滑車で引き上げる.
dowse 動他 …を(水に)突っ込む.
owse 名 《スコット・北イング》(労役用・食用の去勢した)雄牛.

ox /áks | ɔ́ks/

名 **1** (労役用・食用の去勢した)雄牛. **2** ウシ.

bíg óx 《米俗》力持ちの大男.
dráft òx 荷牛, 引き牛.
dúmb óx 《話》(ずうたいだけ大きな)まぬけ.
gráy óx コープレイハイイロヤギュウ.
grúnting òx ヤク, 犛牛(りぎゅう)(yak).
músk·òx ジャコウウシ.
wáter òx スイギュウ(水牛), インドスイギュウ(water buffalo).

-ox /áks | ɔ́ks/

語尾 clox, pox, sox など, 略式に複数形 -ocks が -ox と綴られる; 短縮語に cox, gox, lox[2] など.

box[1] 名 ☞
box[2] 名 (平手やこぶしによる)殴打.
box[3] 名 〖植物〗ツゲ.
box[4] 動他 〖海事〗〈横帆船を〉下手小回りにする(boxhaul).
clox 名 clock の複数形.
cox 名 《話》(ボートの)コックス, 舵手(だしゅ)(coxswain).
-dox 連結形 ☞
fox 名 ☞
gox 名 気体酸素(gaseous oxygen).
lox[1] 名 《米》塩サケまたは砂糖を保存料としたサケ.
lox[2] 名 液体酸素(liquid oxygen).
ox 名 ☞
phlox 名 ☞
pox 名 ☞
sox 名 《米話》sock の複数形.
vox 名 声; 言葉.

ox·a·late /áksəlèit | ɔ́k-/

名 〖化学〗シュウ酸エステル. ⇨ -ATE[2].

ammònioférric óxalate =ferric ammonium oxalate.
bi·nóx·a·làte シュウ酸水素塩, 重シュウ酸塩.
cálcium óxalate シュウ酸カルシウム.
férric ammónium óxalate シュウ酸(第二)鉄アンモニウム.
férric sódium óxalate =ferric ammonium oxalate.
íron ammónium óxalate =ferric ammonium oxalate.
íron sódium óxalate =ferric sodium oxalate.
potássium óxalate シュウ酸カリウム.

-ox·e·mi·a /aksí:miə | ɔksí:miə, -mjə/

連結形 〖病理〗酸素血症.
★ 名詞をつくる.
◆ ox-(oxygen「酸素」の連結形)+-EMIA.

an·ox·e·mi·a 名 (動脈)無酸素血症.
hy·per·ox·e·mi·a 名 過酸性血(症), 高酸素血(症).
hy·pox·e·mi·a 名 血中酸素減少, 低酸素血(症).

ox·i·da·tion /àksədéiʃən | ɔ̀k-/

名 〖化学〗酸化. ►oxidate の名詞形. ⇨ -ATION.

au·to·ox·i·da·tion 名 =autoxidation.
au·tox·i·da·tion 名 〖化学〗自動酸化.
be·ta-ox·i·da·tion 名 〖生化学〗β 酸化.
de·ox·i·da·tion 名 〖化学〗〖冶金〗脱酸(素).
ep·ox·i·da·tion 名 〖化学〗エポキシ化.
pho·to·ox·i·da·tion 名 〖化学〗光酸化.

ox·ide /áksaid, -sid | ɔ́ksaid/

名 〖化学〗酸化物, オキシド. ⇨ -IDE[1].

alk·óxide アルコキシド, アルコラート.
alúminum óxide アルミナ, 礬土(ばんど).
aph·óxide テパ(tepa).
bárium óxide 重土, 酸化バリウム, バライタ.
bóric óxide 酸化ホウ素.
bóron óxide =boric oxide.
cálcium óxide 酸化カルシウム, 生石灰, 焼成石灰.
cerámic óxide セラミック酸化物.
céric óxide 酸化第二セリウム.
cérium óxide 酸化セリウム.
chrómic óxide 酸化クロム.
chrómium óxide =chromic oxide.
deutérium óxide 重水(heavy water).
díaz·òxide ジアゾキシド.
diéthyl óxide エーテル(ether).
di·óx·ide 名 ☞
ep·óxide エポキシド.
eth·óxide エトキシド.
éthylene óxide 酸化エチレン, エチレンオキシド.
éthyl óxide エーテル(ether).
férric óxide 酸化鉄(III), 三酸化二鉄.
férrous óxide 酸化第一鉄, 酸化鉄(II).
hydr·óx·ide 名 ☞
hyp·er·óxide 名 =superoxide.
íron óxide =ferric oxide.
léad óxide リサージ, 一酸化鉛, 密陀僧(みつだそう).

líthium óxide 酸化リチウム.
magnésium óxide マグネシア, 苦土(くど).
mercúric óxide 酸化第二水銀, 酸化水銀(II).
mésityl óxide メシチルオキシド.
meth·óxide メチラート(methylate).
mon·óx·ide 名 ☞
nickélic óxide 酸化(第二)ニッケル.
níckel óxide 酸化ニッケル.
nítric óxide 一酸化窒素, 酸化窒素.
nítrogen óxide 酸化窒素.
nítrous óxide 亜酸化窒素.
pent·óxide 五酸化物.
per·óxide ☞
phen·óxide フェノラート, フェノレート.
plúmbous óxide =lead oxide.
prot·óx·ide 名 第一酸化物, 初級酸化物.
réd óxide =ferric oxide.
scándium óxide 酸化スカンジウム, スカンジア.
sèsqui·óxide 三二酸化物, セスキ酸化物.
sódium óxide (一)酸化ナトリウム.
stánnic óxide 酸化第二錫(すず), 錫灰.
stróntium óxide ストロンチア(strontia).
sùb·óx·ide 名 亜酸化物.
sulf·óxide スルホキシド.
sù·per·óx·ide 名 超酸化物, スーパーオキシド.
tetr·óxide 四酸化物.
thórium óxide トリア, 酸化トリウム(thoria).
tri·óx·ide 名 ☞
uránic óxide 二酸化ウラン, 《俗》ウラニア.
uránium óxide 酸化ウラン.
yttérbium óxide イッテルビア, 酸化イッテルビウム.
ýttrium óxide 酸化イットリウム.
zínc óxide 酸化亜鉛.
zircónium óxide 酸化ジルコニウム.

ox·i·dize /áksədàiz | ɔ́k-/

動他 【化学】酸化させる. ⇨ -IZE[1].

de·ox·i·dize 動他 酸素を除く; 〈酸化物を〉還元する.
ep·ox·i·dize 動他 〈化合物を〉エポキシ化する.
per·ox·i·dize 動他自 (…を)過酸化する.

ox·ime /áksi:m, -sim | ɔ́k-/

名 【化学】オキシム. ►ox(ygen)酸素 +im(id)e イミド.

al·dox·ime 名 アルド(オ)キシム.
ke·tox·ime 名 ケトキシム.

ox·y·chlo·ride /àksiklɔ́:raid, -rid | ɔ̀ksi-/

名 【化学】オキシ塩化物, オキシクロライド. ⇨ CHLORIDE.

ántimony oxychlóride オキシ塩化アンチモン.
bísmuth oxychlóride オキシ塩化ビスマス, 塩化ビスムチル.
cálcium oxychlóride 漂白粉, さらし粉.
cárbon oxychlóride ホスゲン, 塩化カルボニル.

-oy /ɔ́i/

語尾 cloy, coy, joy はフランス語から; hoy[2], oy[1] は間投詞.

al·loy 名 ☞
boy 名 ☞
buoy 名 ☞
cloy 動他 飽き飽き[うんざり]させる.
coy 形 (わざと)恥ずかしそうにする.
goy 名 《米俗》(ユダヤ人から見て)非ユダヤ人, 異教徒.
hoy[1] 名 【海事】ホイ: (港で使われる)大型はしけ.
hoy[2] 間 《注意を引くため, また家畜を追うときの声》ほおい, おおい.
hoy[3] 動他 《豪俗》投げる.
joy 名 ☞
loy 名 《アイル》(足掛けが1つの)踏鋤(ふみすき).
oy[1] 間 《驚き・苦痛・迷惑・悲しみなどを表して》ああ, おおっ.
oy[2] 名 《スコット》孫(grandchild).
ploy 名 (討論などで)先手を取るための策略.
-ploy 連結形 ☞
soy 名 醤油(soy sauce).
stroy 動他 《古》…を破壊する(destroy).
toy 名 ☞
troy 形 トロイ衡の [で表示した, で計った].
-voy 連結形 ☞

oys·ter /ɔ́istər/

名 カキ.

búsh òyster 《豪》(食用となる)牛の睾丸(こうがん).
Jápanese óyster マガキ(真牡蠣).
Kentúcky óyster 《米俗》(食用の)豚の内臓.
Málpeque òyster 《カナダ》プリンスエドワード島のカキ.
móuntain òyster (食用に供される)小牛 [羊, 豚など] の睾丸(こうがん).
péarl òyster 《俗に》シンジュガイ(真珠貝).
práirie òyster 生卵の全卵または黄味だけに塩, 胡椒(こしょう), ウスターソースなどで味つけしたもの.
séed òyster (特に養殖用の)種ガキ, 子ガキ.
végetable òyster バラモンジン, セイヨウゴボウ.

-oz /áz | ɔ́z/

語尾 俗語の語尾.

moz 名 《豪俗》縁起の悪いもの; 不運.
Oz[1] 名 《俗》オーストラリア(Australia).
Oz[2] 名 魔法の国オズ.
schnoz 名 《米俗》(並外れて大きな)鼻.
shnoz 名 =schnoz.

-oze /óuz/

語尾 語末にくる同音形は -OSE[3].

cloze 形 クローズ法の: 文書理解の難易度を計る一方法.
coze 動自 親しく[打ち解けて]話す, 歓談する.
croze 名 樽(たる)板の端の溝.
doze[1] 動自 うたた寝 [仮眠] する, まどろむ.
doze[2] 動他自 《話》(土・がらくたなどを)ブルドーザーでならす.
froze 動 freeze の過去形.
gloze 動他 うまく言い逃れる, 言い抜ける.

-oz·zle /ázl | ɔ́zl/

音象徴 液体や気体がごぼごぼと通ることを表し, guzzle などの同類; 本来 nozzle は nose の指小形であった. ◇ -LE[3].

goz·zle 名 《米南部・南部ミッドランド》のど.
noz·zle 名 (液体・気体などの)吹き出し口.
snoz·zle 名 《俗》(並外れて大きな)鼻(schnoz).
soz·zle 動自 《俗》深酒する, 痛飲する.

O

P

-p /p/

音象徴 **1** 鳥の鳴き声や信号音のような高い音や破裂・発泡・強打などの短く鋭い衝撃音を表す. **2** 1から連想される素早く飛び跳ねるような動作を表す.

chip 動自〈小鳥が〉チュッチュッとさえずる, キーキー鳴く(cheep). ── 名 チュッチュッ[キーキー]という鳴き声.
clip 動他〈小枝などを〉(はさみなどで)切る, 摘む. ── 名 切る[刈る]こと.
flap 動自〈旗・カーテンなどが〉ばたばた動く, はためく, 翻る.
lap 動他〈小さな波が〉ひたひた[ぴちゃぴちゃ]と洗う; ぴちゃぴちゃなめる. ── 名 小波の打ち寄せること.
nip 動他 …を(強く)挟む, 締めつける; つまむ, つねる; 〈犬・馬などが〉歯でかむ.
plop 動自(水面に落ちて)ポチャン[ドブンなど]と音をたてる; (瓶の栓を抜くときなどに)ポンと音がする.
pop 動自 ポン[パン]という音をたてる. ── 他〈コルクなどを〉ぽん[パン]と鳴らす. ── 名 ポン・パン・パチン.
rap 動他〈物を〉(軽く, 素早く)打つ; 〈道具で〉(…を)コツコツとたたく. ── 名 軽くコツン[ピシャリ]とたたくこと.
slap 名 (…への)平手打ち, (平たいもので)ぴしゃりと打つこと. ── 動他自 ぴしゃりと打つ.
slip 動自〈物が〉滑る. ── 名 滑ること.
snap 動自〈物が〉(はじけるようなパチパチする)鋭い音を立てる. ── 名 パチパチ.
tap 動他〈人の〉(肩などを)軽く[ポンと]たたく; トントン[コツコツ]打つ. ── 自 タップダンスを踊る. ── 名 トントン[コツコツ]とたたくこと.
whop 動他《話》強打する.

pace /péis/

名 速度; 歩調, 歩度.

a·páce 副《文語》速く, 急速に.
cínque·pàce サンクパ: 5ステップを基本とした16世紀の活発なダンス.
fóot·pàce 普通に歩く速さ[歩調], 並み足.
geométrical páce 5フィート(約1.5 m)の歩幅.
geométric páce =geometrical pace.
gréat páce =geometrical pace.
hálf·pàce 階段の中間踊り場.
mílitary páce 軍隊歩幅.
out·pace 動他 …より速さで勝る, より足が速い.
quárter·pàce 直角に曲がった階段の踊り場.
Róman páce パッス: 古代ローマの長さの単位.
snáil's páce 進歩ののろいこと.

Pa·cif·ic /pəsífik/

名形 太平洋(の). ⇨ -FIC.

cìrcum-Pacífic 形 環太平洋の.
Índo-Pacífic 形 インド太平洋(海域)の.
Pán-Pacífic 形 汎(はん)太平洋の.
Sóuth Pacífic 南太平洋.
tràns·pacífic 形 太平洋を越える.

pack /pǽk/

名 **1** 包み, 束; リュックサック. **2**《主に米》一箱, 一容器. ── 動他 **1** …を包む. **2** …に詰める. ◇ PAK.

áir·pàck エアパック, 携帯酸素ボンベ.
báck·pàck 《主に米》背荷物; バックパック.
bí·pàck 名〘写真〙バイパック.
blíster pàck ブリスター包装.
bódy pàck 《米俗》ボディーパック: (麻薬などの)体内に隠しての密輸.
brát·pàck 若くして名声を得た芸能人の仲間.
bréath pàck (飲酒運転を調べる)呼気検知器具.
búbble pàck =blister pack.
céll pàck 発泡プラスチック製容器.
chést pàck (航空兵が胸につける)パラシュート袋.
cóld pàck (氷罨(あん)法で用いる)冷湿布.
cóld-pàck 動他 冷湿布を施す.
dáy·pàck デイパック: 小型リュックザック.
démo-pàck デモパック: 水中爆破用の高性能爆薬を詰めた容器.
dénse pàck 〘軍事〙(ミサイルの)密集配備方式.
dísc pàck =disk pack.
dísk pàck 〘コンピュータ〙ディスクパック.
drý pàck 〘医学〙乾パック, 乾罨(あん)法.
fáce pàck (美顔用)化粧パック.
fánny pàck 《米俗》お尻のすぐ上に背負うかばん.
fílm pàck 〘写真〙フィルムパック.
flásh pàck 《英》〘商業〙割引価格表示製品.
flát·pàck 〘電子工学〙フラットパック.
fráme·pàck フレーム付きリュックサック.
hót pàck 温湿布.
íce pàck 氷嚢(ひょうのう), 氷枕.
jám-pàck 動他《話》…に(…を)押し込む.
jét·pàck ジェットパック: 個人用噴射推進機.
méal pàck 《米》冷凍ランチパック.
múd·pàck (美容の)泥パック.
múlti·pàck (食品などの)詰め合わせ(品).
nérd·pàck 《米俗》(胸ポケットに突っ込んで)ゴムバンドで束ねた色ペン.
póny pàck (1ダースの移植用苗を植えた)浅箱.
pówer pàck 〘電子工学〙電源函(かん).
pré·pàck 名 包装済み商品, パック詰め食品.
pró-pàck 名《米軍俗》コンドーム.
rát pàck 《米俗》(十代の)町の愚連隊.
rè·pàck 動他 詰め直す, 別容器に入れ替える.
rét·ro·pàck 名〘宇宙〙レトロパック.
snów·pàck 固まった雪に覆われた高原.
stíll pàck 〘トランプ〙(ブリッジなどで)スティルパック.
trí·pàck 名〘写真〙トライパック.
ùn·pàck 動他〈包みなどを〉解く, あける.
vácuum-pàck 動他〈食料品を〉真空包装する.
wét pàck 〘医学〙湿罨法(しつあんぽう), 湿布.
wólf pàck 潜水艦[戦闘機]群.

wóol·pàck (原毛を輸送する)黄麻製の目の粗い布袋.

-pack /pæk/

連結形 …個[本]入り(箱), 個[本]組み.
★ 主に名詞をつくる.
◆ package からの転用.

síx-pàck 名 《話》6本詰め[半ダース]パック.
twó-pàck 形 〈混ぜ物などが〉使用時に2つの成分を混合する.

pack·age /pǽkidʒ/

名 (小型・中型の)荷物, 束, 包み, 小包; 梱包(こんぽう)した商品. ⇨ -AGE[1].

accóunting pàckage 〖コンピュータ〗課金パッケージ.
applicátion pàckage 〖コンピュータ〗アプリケーション・パッケージ.
áuthoring páckage 電子出版でマルチメディア・ドキュメントの作成やページ作成のパッケージ.
cáre pàckage 「愛の小包」: 食料品・衣類などを入れて難民などに送る救援小包.
chúb pàckage ロケット包装, 結紮(けっさつ)包装.
dúal ín-lìne páckage 〖コンピュータ〗二重ラインパッケージ(DIP).
fórce pàckage 〖米軍事〗1機または数機の戦闘機.
phýsics pàckage 《米俗》熱核爆弾.
prè·páck·age 動他 〈食料品・製品を〉小売り前に包装する.
remunerátion pàckage (労働者の)待遇.
rè·páck·age 動他 包装[荷造り]し直す.
skín pàckage スキン包装: 密着フィルム包装.
sóftware pàckage 〖コンピュータ〗汎用ソフトウェア製品.
támper-próof pàckage いたずら防止包装.
vácuum pàckage 真空包装.

pack·er /pǽkər/

名 荷造り[包装]する人; 荷造り[包装]機. ⇨ -ER[1].

fúdge·pàcker 《英俗》男の同性愛者, ホモ.
héat-pàcker 《米俗》武装犯.
shít pàcker 《米俗》肛門性交をする人.
túrd·pàcker 《米俗》ホモの男.

pack·et /pǽkit/

名 《英》小さな束[包み], 一くくり[塊], 小荷物; 1回に配達される郵便物; (タバコなどの)一箱, 一包み. ⇨ -ET[1].

média pàcket 〖広告〗ニュース媒体向け PR 資料.
páy pàcket =wage packet.
préss pàcket 〖広告〗PR 素材一式.
réd pàcket (中国文化圏で)祝儀, おひねり.
smáll pàcket 小型包装物(郵便).
surpríse pàcket 《英》おまけ入り包み.
wáge pàcket 《英》給料袋.
wáve pàcket 〖物理〗波束.

pack·ing /pǽkiŋ/

名 **1** 荷造り, 包装(材料, 方法). **2** まとめること; 詰めること. ⇨ -ING[1].

blóod pàcking 〖スポーツ医学〗血液ドーピング.
cópycát pàcking 疑似[にせ]有名ブランド包装商法.
cóurt pàcking 〖米史〗裁判所詰めかえ案.
júry-pàcking 陪審員固め.
méat pàcking 食肉加工卸売業務.
únit pàcking 〖薬学〗単一包装.

pact /pǽkt/

名 **1** (個人間の)約束, 契約. **2** (国家間の)条約, 協定.

Ánti-Cómintern Pàct 防共協定(1936).
Ánzac Páct 豪ニュージーランド協定(1944).
Atlántic Páct 北大西洋条約(1949).
cóm·pact 名 (正式の)同意, 協定, 協約, 契約.
Délhi Páct デリー条約(1931).
Kéllogg-Briánd Páct ケロッグ=ブリアン(不戦)条約.
Múnich Pàct ミュンヘン協定(1938).
núde pàct 裸の契約(nudum pactum).
súicide pàct 心中の約束.
Tripártite Páct 三国同盟(1882–1915).

pad /pǽd/

名 **1** 当て物; 詰め物. **2** スタンプ台. **3** はぎ取り式の帳面. **4** 《俗》(自分の)アパート[家].

ácid pàd 《米俗》LSD を飲む所.
árm·pàd (ソファなどの)腕に入れる詰め物.
béat pàd 《米麻薬俗》質の悪いマリファナを売る場所.
béd·pàd ベッドパッド.
blótting pàd 大判の吸い取り紙を挟んでおく板.
chínch pád 《米渡り労働者俗》簡易宿泊所.
crásh pàd 《俗》居候先, 無料宿泊所.
dámper pàd 《米暗黒街俗》(銀行の)預金通帳.
désk pàd デスクパッド.
hárd pád 〖獣医〗犬ジステンパー.
héating pàd (身体の一部を暖める)電気座布団.
héli·pàd 簡易ヘリコプター発着場.
hóof·pàd ひづめ当て.
hóver·pad ホバーパッド; ホバークラフトの底板.
ínk·pàd 印肉, スタンプ台.
kéy·pàd 〖コンピュータ〗キーパッド.
kíck pàd 《米麻薬俗》麻薬を断つための場所.
knée·pàd (スポーツ選手などの)ひざ当て.
láunching pàd =launch pad.
láunch pàd 〖航空宇宙〗(ロケットの)発射台.
légal pád 《米》リーガルパッド, 法律用箋.
létter pàd (一つづりの)便箋(びんせん).
líly pàd 《米》水に浮かんだスイレンの葉.
lúg pàd 〖機械〗目付き板, アイプレート.
nóte·pàd (はぎ取り式)メモ帳.
óne-time pád 1回限りしか使わない暗号用乱数列.
píll pàd 《米俗》麻薬常用者のたまり場.
scóre·pàd スコアブック, 得点綴(つづ)り.
scóuring pàd (スチールウールなどの)台所用たわし.
scrátch pàd 《主に米》メモ帳.
shín pàd すね当て.
shóulder pàd 〖服飾〗肩パッド.
skétch·pàd スケッチブック, 写生帳.
skíd pàd (自動車の)横滑りテスト用コース.
sóap pàd せっけんを染み込ませたたわし.
téa pàd 《米麻薬俗・古風》マリファナ常用者のたまり場.
tóuch pàd 〖コンピュータ〗タッチタブレット.
wríting pàd (はぎ取り式の)便箋(びんせん).
yéllow pád 罫線付きの黄色のメモ帳.

pad·dle /pǽdl/

名 (カヌーなどに用いる短く偏平な)櫂(かい). ⇨ -LE[1].

báck-pàddle 動自 (カヌーやカヤックで)パドルを船尾から船首に向けてこぎ進む.
dóuble páddle 〖海事〗ダブルパドル.

pad·dock /pǽdək/

名 (馬小屋・納屋の近くの)小放牧地.

accommodátion pàddock	《豪・NZ》移動中の家畜が夜を過ごす牧草地.
héifer pàddock	《豪俗》女学校.
hólding pàddock	《豪・NZ》毛を刈る前に, 羊や家畜を一時的に入れておく小放牧地.
sácrifice páddock	《NZ》耕して種をまくために青草を食べつくさせる牧草地.

page[1] /péidʒ/

名 (本・原稿・手紙などの)ページ; (新聞などの)面, 欄; ページ上に書かれた [印刷された] 物.

ádded títle pàge	副標題 [表題] 紙.
báck páge	裏ページ, 偶数ページ.
bóok pàge	(新聞・雑誌などの)読書欄, 書評欄.
cíty pàge	《英》(新聞の)経済面.
cópyright pàge	〖出版〗(本の)奥付け.
frónt-páge 形	《話》非常に重要な〈新聞記事など〉.
fúll-páge 形	ページいっぱいの.
héad·pàge 名	〖印刷〗ヘッドページ.
hóme pàge	(インターネットの)ホームページ.
ìn·ter·páge 動他	〈訳文などを〉ページの間に差し込む.
ó·ver·pàge 副	(ページ・用紙などの)裏に, 裏ページに.
splít páge	新聞の早版と同内容の記事を模様替えして組み込んだページ.
spórts pàge	(新聞の)スポーツ欄 [面].
títle pàge	(書物の)扉, 題扉, 表題 [標題] 紙.
wéb pàge	(インターネットの)(ホーム)ページ.

page[2] /péidʒ/

名 少年の召使い [従者].

fóot pàge	使い走り; 給仕, ボーイ; 小姓.
hotél pàge	《英》(ホテルの)給仕, 案内係, ボーイ.

-pa·gus /pəgəs/

連結形 〖医学〗…結合, 合体, 癒着(ゆちゃく).
★ ふつう生育不能な結合した双子を指し, 第一要素がその結合の部位を表す.
◆ <近代ラ<ギ *págos* 固定した状態, 固定された [固形の] 物. ⇨ -US[1].

cra·ni·op·a·gus 名	頭蓋結合体.
gas·trop·a·gus 名	腹部結合体.
he·mip·a·gus 名	側胸部接合双胎.
is·chi·op·a·gus 名	坐骨結合体.
py·gop·a·gus 名	臀結合体.
tho·ra·cop·a·gus 名	〖病理〗胸部癒着奇形児, 胸結合体.

paid /péid/

動 pay の過去・過去分詞形. ──形 **1**〈仕事が〉報酬を受けた. **2**〈運賃などが〉支払い済みの.

cárriage páid 副	《英》運賃前払いで.
dúty-páid 形副	税 [輸入手続き] 済みの [で].
póst·páid 形副	《米》郵便料金前払いの [で].
prè·páid 動	prepay の過去・過去分詞形.
re·páid 動	repay の過去・過去分詞形.
replý-páid 形	〖郵便〗返信料付きの.
táx·páid 形	税金から俸給を支給される.
ùn·páid 形	支払われない, 未払いの, 未納の.
wéll-páid 形	給料がよい; よい給料をもらっている.

pail /péil/

名 バケツ, 手桶.

créam pàil	クリーム桶.
dínner-pàil	《米》職人などが夕食を入れて持ち運ぶ桶型の弁当箱.
íce pàil	アイスペール.
lúnch·pàil	弁当箱, ランチボックス.
slóp pàil	残飯桶.

pain /péin/

名 苦痛, 苦しみ.

áf·ter·pàin 名	〖医学〗後痛.
húnger pàin	〖医学〗空腹(胃)痛.
phántom límb pàin	〖病理〗幻肢痛.
reférred páin	〖病理〗関連痛, 異所痛, 遠隔痛.

paint /péint/

名 (液状の)絵の具; 塗料, ペンキ. ──動他 **1** …にペンキを塗る. **2**〈絵・図案などを〉絵の具で描く.

alúminum pàint	アルミニウム塗料.
be·páint 動他	絵の具 [ペンキ, 塗料] を塗る.
bitúminous páint	ビチューメン塗料.
bódy pàint	体に塗る絵の具 [化粧品].
de·páint 動他	《古》(絵・文章に)描く, 描写する.
eléctro·pàint 動自他	〖工学〗(金属に)電着塗装する.
emúlsion pàint	エマルジョン塗料.
fáce pàint	(スケートボードで)落ちて顔面をぶつけること.
fínger pàint	フィンガーペイント: ゼリー状絵の具.
fínger-pàint 動他自	フィンガーペイントで描く.
gréase pàint	グリースペイント.
im·páint 動他	《廃》描く.
ín·pàint 動他	〈絵画を〉修復する.
látex pàint	ラテックス塗料.
lúminous pàint	夜光 [蓄光] 塗料.
nóse pàint	《米俗》吸引する麻薬, コカイン.
óil-bàse pàint	油性塗料.
óil pàint	油絵の具.
póster pàint	ポスターカラー(poster color).
réd pàint	《米俗》ケチャップ.
rè·páint 動他	塗り直す.
rúbber-bàse páint	=latex paint.
spráy pàint	スプレー容器入りの塗料.
spráy-pàint 動他	…をスプレー塗装する.
téxture pàint	テクスチャー塗料.
tónsil pàint	《米話》酒, ウイスキー.
wár pàint	アメリカインディアンが戦いに出かける前に顔や体に塗る絵の具.
wáter-base páint	=latex paint.
wáter pàint	水性塗料.

paint·er /péintər/

名 画家, 絵かき; 塗装工. ⇨ -ER[1].

hóuse pàinter	家屋塗装業者, ペンキ屋.
lándscape pàinter	風景画家.
scéne pàinter	舞台の背景画家.
sígn pàinter	看板屋, 看板書き.

paint·ing /péintiŋ/

名 **1** 絵, 絵画, 油絵, 水彩画. **2** 絵を描くこと, 画法; 塗装. ⇨ -ING[1].

áction pàinting	〖美術〗アクション・ペインティング.
cáve pàinting	洞窟(どうくつ)壁画.
dóom pàinting	最後の審判の絵.
dríp pàinting	〖美術〗ドリップペインティング.
drý páinting	〖絵画〗=sand painting.

P

fínger pàinting フィンガーペイント画(法).

fóre-èdge pàinting 書物の前小口に描く技法; 多くは小口をわずかに扇形に広げたときにだけ絵が現れる.

lúster pàinting ラスター付け.

óil pàinting 油絵 [油彩] 画法.

sánd pàinting 〖絵画〗砂絵.

scéne pàinting (遠近法を用いた)舞台の背景画.

systémic pàinting 〖絵画〗システミックペインティング.

tóne pàinting 〖音楽〗音画.

únder·pàinting 下塗り; 地塗り, 素描.

wáll pàinting 壁画.

wáterglass pàinting ステレオクローム画法.

wáx pàinting 蝋画(ろうが); 蝋画法.

wórd pàinting 言葉による生々しい描写.

pair /pέər/

名 (同種の 2 つから成るものの)一対, 一組.

adjácency páir 〖言語〗隣接対(つい).

báse páir 〖遺伝〗塩基対.

Cóoper pàir 〖物理〗クーパー対(つい).

eléctron pàir 〖物理〗電子対.

kinemátic páir 〖力学〗対偶.

lóne páir 〖化学〗孤立電子対, 非共有電子対.

mínimal páir 〖言語〗最小対, 最小対立語.

óne-pàir 形名《英》二階の(部屋).

órdered páir 〖数学〗順序対(つい).

pígeon páir 《英》男女の双生児.

stér·e·o·pàir 名 〖写真測量〗ステレオ写真対.

thrée-pàir 形 《古》4 階の.

twó páir 〖トランプ〗(ポーカーで)ツーペア.

pak /pǽk/

名 商業的に, pack あるいは package が変形したもの.

JAL·Pak 名 《商標》ジャル(JAL)パック.

Lur·pak 名 《商標》ラーパック: デンマーク製のバター.

port·a·pak 名 ポータブルビデオカメラシステム.

Sen·sor·Pak 名 《商標》センサーパック: 万引き防止用の粘着テープ状タグ.

Shel·ter-Pak 名 (ホームレスの人用の)頭巾つき防水寝袋兼用オーバー.

Tet·ra·Pak 名 《商標》テトラパック: 牛乳などの四面体紙容器.

pal·ace /pǽlis/

名 宮殿; 《主に英》(主教·高官などの)官邸, 公邸.

Cáesars Pálace ラスベガスのカジノ·ホテル.

Crýstal Pálace (London の Hyde Park にあった)水晶宮.

fíve-sided púzzle pálace 《米軍俗》ペンタゴン(Pentagon).

gín pàlace (特に 19 世紀の)安酒場.

Nónsuch Pálace (London にある)ノンサッチ宮殿.

Péople's Pálace 《英》(London にある)労働会館.

pícture pàlace 《英》映画館.

púzzle pálace 《米陸軍俗》ペンタゴン.

Victória Pálace (London にある)ビクトリアパレス劇場.

pal·a·tine /pǽlətàin, -tin | -tàin/

形 王権(に等しい権限)を持つ; パラティン伯の. ⇨ -INE[1].

cóunt pálatine パラティン伯.

cóunty pálatine パラティン伯領, 王権伯領.

éarl pálatine =count palatine.

pale /péil/

名 (柵(さく)などの)とがった杭(くい), 棒杭.

em·pále 動他 =impale.

Énglish Pále イギリス人の柵: Henry II 以降のアイルランド支配の拠点であったアイルランド東部の「イギリスの土地」.

im·pále 動他 …を固定する.

Írish Pále =English Pale.

palm /pάːm, pάːlm | pάːm/

名〖植物〗**1** ヤシ(シュロを含む): ヤシ科の植物の総称. **2** ヤシに似た木の総称.

bétel pàlm ビンロウ, ビンロウジュ(檳榔樹).

cábbage pàlm キャベツヤシ.

cóconut pàlm ココヤシ.

cúrly pálm ベルモア·ホエア.

dáte pàlm ヤシ科フェニックス属の数種の植物の総称; (特に)ナツメヤシ.

dóom pàlm エダウチヤシ, テベスドームヤシ.

dóum pàlm =doom palm.

fánleaf pàlm =fan palm.

fán pàlm オウギバ(扇葉)ヤシ.

féather pàlm 羽状ヤシ.

gíngerbread pàlm =doom palm.

gólden pálm 金の棕櫚(しゅろ)賞: カンヌ国際映画祭の最高賞.

Guádalupe pálm メキシコハクセンヤシ.

hóney pàlm チリヤシ(coquito).

ívory pàlm オオミ(大実)ゾウゲヤシ.

kéntia pàlm ヒロハケンチャヤシ.

lády pàlm ヤシ科ラピス属の総称.

níkau pàlm ナガバハケ(長葉刷毛)ヤシ.

nút pàlm オーストラリア産のソテツ.

óil pàlm ギネアアブラヤシ.

párlor pàlm テーブルヤシ.

píndo pàlm ブチアヤシ.

quéen pàlm ジョオウ [女王] ヤシ.

ráffia pàlm ラフィアヤシ.

róyal pálm ダイオウ(大王)ヤシ.

ságo pàlm サゴヤシ.

séa pàlm ポステルシア.

séntry pàlm =kentia palm.

snáke pàlm ヘビイモ.

súgar pàlm ゴムチヤシ, サトウヤシ.

thátch pàlm 屋根ふきヤシ.

tóddy pàlm クジャクヤシ.

umbrélla pàlm カンタベリーマルジク(丸軸)ホエア.

Wáshington pálm ワシントンヤシ.

wáx pàlm アンデスロウヤシ.

wíne pàlm =toddy palm.

pan /pǽn/

名 **1** 平鍋. **2** 皿状の器物.

ásh·pàn (炉の火床の下の)灰受け皿.

béd·pàn (病人用)差し込み便器, おまる.

bélly pàn ベリーパン: 自動車ボディーのフロアまたはシャシの下面を覆う板状の部分.

bráin·pàn 頭蓋(ずがい)(骨); 頭.

bríne pàn 塩釜: 海水を煮て塩を作るかまど.

chíp pàn (ポテトチップなどを揚げる)底の深い鍋.

cláy·pàn =hardpan.

déad·pàn 形 まじめくさった, もったいぶった.

dísh·pàn 《米·カナダ》(皿などを洗う)洗い桶.

dríp pàn 廃液受け, 油受け, 滴受け.

drípping pàn (金属製の)ロースト用肉汁受け皿.

drý pán ドライパン: 窯業, 特にれんが製造用の乾燥粘土の粉砕機.

dúst·pàn ちり取り, ごみ取り.

P

evaporátion pàn 蒸発計.
fíre·pàn 《主に英》燃える石炭を入れる金属製の火格子.
frýing pàn 揚げ鍋, フライパン.
hárd·pàn 《主に米》硬盤.
knée·pàn 膝蓋(しつがい)骨, ひざ皿.
lóaf pàn (四角い)オーブン用平鍋.
óil pàn 油受.
pátty pàn パッティーを焼く小さい平鍋.
sált pàn 【地質】塩盆.
sáuce·pan ソースパン: 長い柄があるシチュー鍋.
scále·pàn 天秤(てんびん)皿.
spríngfòrm pàn 脇(わき)が外せる金属製ケーキ型.
stéw·pàn =saucepan.
sún pàn 【製陶】粘土泥漿(でいしょう)を流し込み大気中にさらして乾かすための浅い桶(おけ).
tín-pàn 形 ブリキ鍋をたたくような耳障りな音がする, がんがん鳴る.
túbe pàn ドーナツ形のケーキを焼く鍋.
vácuum pàn 真空釜(がま), 真空蒸発缶.
wárming pàn (昔の)寝床用あんか.

pane /péin/

名 (窓枠などの)一仕切り, 一枠, 一画.

bóoklet pàne 切手ブックレット,「ゆうペーン」.
cóun·ter·pàne 名 《古風》ベッドの上掛け, 掛け布団.
wíndow·pàne (枠の中にはまっている1枚の)窓ガラス.

pan·el /pǽnl/

名 **1**【建築】パネル;【木工】羽目板. **2** パネル, 団: 公開討論会の出席者, コンテストの審査員, 助言者などとして選ばれた人の一団. **3** パネル: 機械の制御器や目盛り盤を取りつける台. ——動他 **1** (壁・部屋などに)鏡板を張る. **2**〈人を〉陪審員名簿に載せる. ⇨ -EL[1].

adóption pànel 《英》【福祉】養子縁組み審査委員会.
contról pànel 制御盤.
dróp pànel 【建築】柱頭板; 柱頭支持スラブ.
em·pán·el 動他 =impanel.
fíelded pánel 【建築】【家具】浮出羽目.
im·pán·el 動他〈人名などを〉陪審名簿に載せる.
ínstrument pànel (乗り物や機械類の)計器盤.
línen pánel リネンフォールドのついた羽目板.
mímic pànel ミミックパネル: 道案内・道路交通・鉄道のポイントなどの表示板.
módesty pànel 覆い板, 幕板.
pátch pànel 【コンピュータ】プラグ盤, 配線盤.
plásma pànel プラズマパネル, プラズマディスプレー: コンピュータ情報の表示板.
ríp pànel 【航空】(気球の)緊急ガス放出口.
rócker pànel ロッカーパネル: 乗り物の乗客室の下に作ってある荷台.
sándwich pànel 【建築】サンドイッチパネル.
sólar pànel 太陽電池板.

pan·ther /pǽnθər/

名 《米・カナダ》ピューマ(cougar, puma).

Bláck Pánther 《米》黒豹(ひょう)党員. ►黒豹党は米国の黒人解放組織.
Gráy Pánther 《米》グレーパンサー: 老人福祉, 権利についての運動団体.
Gréen Pánther 《米 / 軽蔑的》環境保護をうるさく主張する人.
móuntain pànther =snow panther.
Pínk Pànther ピンク・パンサー. ►米国のコメディーアニメ映画に登場するピンクの豹.
snów pànther ユキヒョウ(snow leopard).
Whíte Pánther 《米》白豹(ひょう)党員. ►白豹党は白人の人種差別肯定派の戦闘的結社

pants /pǽnts/

名複 《米》ズボン. ►pantaloons の短縮形.

Caprí pànts カプリパンツ: くるぶしまでの丈で, すそが細くなった婦人用のズボン.
crópped pànts クロップド・パンツ: ふくらはぎ, ひざ, ももなどで切り放しになっているズボン.
de·pánts 動他 《米俗》(ふざけて, または罰として)〈人の〉ズボンを脱がせる.
fáncy pànts 《俗》気取っている男, しゃれ者.
háir pànts 《米西部》毛つきの皮ズボン.
hárem pànts ハーレムパンツ, ハーレムスカート: すそ口をひもなどでくくった, ゆったりしたシルエットの女性用のエスニック調ズボン.
hót pànts ホットパンツ.
jógging pànts ジョギングパンツ.
knée pànts (少年用の)半ズボン.
lóon pànts 《英》ルーンパンツ, パンタロン, ベルボトムパンツ.
pajáma pànts パジャマ・パンツ.
palázzo pánts パラッツォパンツ: 極端にゆったりした婦人用パンタロン.
pétti·pànts ペティパンツ: すそ口がレースやラッフルで飾られた, スカート丈のぴったりしたパンティー.
pínk pánts 同性愛の男.
príssy pànts 《英俗》金持ち趣味の中老年族.
sálopette pànts サロペット・パンツ: 胸当てのついたズボン.
séat-of-the-pánts 形 直感[推測, 経験]による.
síssy pànts 《米俗》めめしい少年, 女のような男.
skí pànts スキー用のズボン.
smárty-pànts 《俗》うぬぼれの強い人, 嫌味な気取り屋, (特に)小生意気な若者.
stóvepipe pànts 《話》細くて足にぴったりのズボン.
stríped-pànts 形 《話》外交儀礼的な.
súgar pànts 《米俗》おとなしい人.
swéat·pànts スエットパンツ.
táp pànts タップパンツ: 女性用のゆったりとしたショーツ.
tín pánts 厚地の防水ズボン.
tóreador pànts トレアドルパンツ: スペインの闘牛士風のひざ下までの婦人用ズボン.
tráck·pànts 運動ズボン.
tráining pànts 股(また)の辺りに当て布をつけた小児用の木綿の短いパンツ.
únder·pànts ズボン下, パンツ(drawers).
unpléated pànts アンプリーティドパンツ: 前にプリーツまたはタックのないパンツ.

pa·per /péipər/

名 紙; 一枚[片]の紙. ——動他 …に紙を張る.

ácid-frée páper 中性紙.
albúmen pàper 【写真】鶏卵紙.
árt pàper アート紙, アートペーパー.
ásphalt pàper アスファルト紙.
bád páper 《俗》(軍隊の)不名誉な服役解除.
bállot paper 投票用紙.
bánk pàper 銀行手形[為替].
barýta pàper 【写真】バライタ紙.
Bíble pàper 聖書用紙, インディア紙.
Bláck Páper 《英》黒書.
blótting pàper 吸い取り紙.
bónd pàper ボンド紙.
bóok·pàper 本の印刷に使う上質紙.

brómide pàper 〖写真〗ブロマイド印画紙, 臭素紙.
brówn pàper 褐色包装紙.
buílding pàper 防水紙.
bútcher pàper 包肉用紙.
cáp-pàper 薄茶褐色の包装紙.
cárbon pàper (複写用の)カーボン紙.
cártridge pàper カートリッジ紙, 薬莢(やっきょう)紙.
cássie pàper 〖製紙〗カシー.
chlóride pàper 〖写真〗クロライド印画紙.
chlòrobrómide pàper 〖写真〗クロロブロマイド印画紙.
cigarétte pàper 紙巻きタバコの巻き紙.
cóated pàper コーテッド・ペーパー.
commánd pàper (英国政府の)勅令書.
commércial pàper 《主に米》商業手形.
constrúction pàper 工作用紙.
cóntact pàper 〖写真〗密着用(印画)紙.
coórdinate pàper ＝graph paper.
cópy pàper (広告文案・新聞原稿などを書くために特別にあつらえた)原稿用紙, 複写用紙.
córrugated pàper 段ボール紙.
crépe pàper クレープペーパー, ちりめん紙.
cúrcuma pàper 〖化学〗＝turmeric paper.
cúrl-pàper カールペーパー, 毛巻き紙.
détail pàper 半透明のレイアウト用紙.
devéloping-óut pàper 〖写真〗現像紙, 印画紙.
dómino pàper ドミノ紙.
dóuble-name páper ＝two-name paper.
dráfting pàper 製図［設計］用紙, 画用紙.
dráwing pàper 画用紙, 製図用紙.
éligible pàper 〖銀行〗適格手形.
énd pàper 〖製本〗見返し(end leaf［sheet］).
énergy pàper エネルギーペーパー: 乾電池の代用品.
fílter pàper 濾過(ろ)紙, 濾(こ)し紙.
flóck pàper 交織模様紙, ラシャ紙.
flý-pàper ハエ取り紙.
frée pàper 《英》(週刊の)無料地方新聞.
fúnny pàper (新聞の)漫画欄.
gárnet pàper 研磨紙.
gáslight pàper 〖写真〗ガスライト印画紙.
gláss-pàper ガラス紙: ガラス粉を塗った紙やすり.
góvernment pàper 国債証書.
gránite pàper 花崗(こう)岩模様紙, 斑色紙.
gráph pàper グラフ用紙, 方眼紙.
Gréen Pàper 《英》緑書.
gún-pàper 〖軍事〗紙火薬.
héight-to-páper 〖印刷〗活字の標準の高さ.
hót pàper 口座残高を超過して振り出した小切手.
Índia pàper インディア紙, インディアペーパー.
Jápanese páper 和紙.
Japán páper ＝Japanese paper.
láce pàper レースペーパー.
láid pàper 簀(す)の目紙.
lédger pàper 帳簿用紙.
létter pàper (1枚の)便箋(びんせん).
línen pàper リネン紙.
lítmus pàper リトマス(試験)紙.
lócker pàper ロッカーペーパー: 食品の包装紙の一種.
Maníla páper マニラ紙.
mércantile pàper ＝commercial paper.
móurning-pàper 黒枠のある便箋(びんせん).
músic pàper 五線紙.
néws-pàper 新聞(特に日刊・週刊のもの).
nóte-pàper ノート［メモ］用紙; 便箋(せん).
óil-pàper 油紙.
órange pàper 〖英政治〗オレンジペーパー.
órder pàper 〖英議会〗(特に下院での)議事予定表.
párchment pàper パーチメント紙, 硫酸紙.
plótting pàper 方眼紙, グラフ用紙.
posítion pàper 《米》(政策)方針書, (態度)声明書.
pówder pàper 〖薬学〗薬包紙(charta).
príntìng pàper 〖写真〗印画紙.
príntout pàper 〖写真〗焼き出し(印画)紙.
projéction pàper 〖写真〗引き伸ばし用印画紙.
rág pàper ラグペーパー.
rè-páper 動他 …に紙を張り替える.
ríce pàper わら紙.
rólling pàper ローリングペーパー: 紙巻きタバコ用の紙.
rún-of-páper 形 (新聞・雑誌の広告の)掲載位置を編集者に一任するという指定.
sáltpeter pàper ＝touch paper.
sánd-pàper 紙やすり, サンドペーパー.
scráp pàper 再製紙; メモ用紙.
scríbbling-pàper はぎ取り式のメモ用紙.
séction pàper 《英》＝graph paper.
shélf pàper (食器棚などに敷く)敷紙.
sílk pàper 絹糸入り用紙, シルクペーパー.
sílver pàper 《英》(包装用の)銀箔(はく).
síngle-náme pàper 〖銀行〗単名手形.
squáred páper ＝graph paper.
stámp pàper (収入)印紙を張った書類［証書］.
státe páper 政府関係書類.
sténcil pàper 謄写版原紙.
súlfate pàper クラフト紙.
súlfite pàper サルファイト紙, 亜硫酸紙.
tár-pàper タール紙.
térm páper 〖米教育〗期末レポート.
tést pàper 答案用紙; 試験用紙.
thérmal páper 感熱紙.
thréad pàper 糸束を巻く［くるむ］ための柔らかく細長い紙.
tíssue pàper 薄葉(うすよう)紙, 雁皮(がんぴ)紙.
tóilet pàper トイレットペーパー.
tóuch pàper 導火紙.
trácing pàper トレーシングペーパー, 透写紙.
tráde pàper 業界新聞, 業界紙.
tránsfer pàper (平板の転写製版用)転写紙.
túrmeric pàper 〖化学〗クルクマ紙, 姜黄(きょうおう)紙.
twó-nàme páper 《米》〖銀行〗複名手形.
týping pàper タイプライター用紙.
váriable cóntrast pàper 〖写真〗可変階調印画紙, 多階調印画紙.
vóting pàper 《英》投票用紙(《米》ballot).
wáll-pàper 壁紙.
wáste-pàper 紙くず.
wáxed pàper ＝wax paper.
wáx pàper 蝋紙(ろうがみ), パラフィン紙.
whíte pàper 白い紙; 白紙.
Wíllesden pàper ウィルズデンペーパー.
wóod pàper (木材)パルプ紙.
wóve pàper 網目紙.
wríting pàper 筆記［原稿］用紙.

pa·pers /péipərz/

名複 書類, 文書, 記録, 資料. ►paper の複数形.

cítizenship pàpers 《米》市民権証書: 国外で生まれた米国人に発行される市民権証明書.
fírst pàpers 《米話》(帰化手続きの)第一書類.
fóul pàpers 草稿, 下書き.
sécond pàpers 《米話》第二次書類.
shíp's pàpers 船舶(備え付け)書類.
wálking pàpers 《米・カナダ話》解雇［除隊］通知.
wórking pàpers 就業調書.

par /pɑ́ːr/

名 **1** 等価, 同等. **2** 標準. **3**〖ゴルフ〗パー. **4**〖金融〗額面.

ím-par 形 〖解剖〗対をなさない, 不対の.
íssue pàr 〖金融〗発行価額.

lével pár 《英》〖ゴルフ〗規定打数(par).
nóminal pár 〖金融〗額面価額
nó-pàr 形 無額面の; 額面未詳の.
sùb-pár 形副 標準［平均］以下の［で］.

-pa·ra /pərə/

連結形 **1**〖医学〗…産婦: nulli*para*, multi*para*. **2**〖生物〗ある数の卵［子］を産むもの: tri*para*.
★ 名詞をつくる.
★ 語末にくる関連形は -PARTUM.
◆ <ラ *parere*「産む」の連結形 *-parus* -PAROUS の女性形より. ⇨ -A².
[発音] 直前の音節に第 1 強勢.

gem·mip·a·ra 名複 (ヒドラなど)芽によって繁殖する動物.
mul·tip·a·ra 名 〖産科〗経産婦.
nul·lip·a·ra 名 〖産科〗未産婦.
o·vip·a·ra 名複〖動物〗卵生動物.
pri·mip·a·ra 名 〖産科〗初産婦.
trip·a·ra 名 三つ子を産んだ女性.
vi·vip·a·ra 名複 胎生動物(viviparous animal).

par·a·chute /pǽrəʃùːt/

名 パラシュート, 落下傘. ⇨ CHUTE.

bráke pàrachute 〖航空〗ブレーキパラシュート.
decelerátion pàrachute ＝drogue parachute.
drág pàrachute ＝drogue parachute.
drógue pàrachute 〖航空〗引き出し傘, ドローグ傘.
gólden pàrachute 〖経済〗ゴールデンパラシュート.
pílot pàrachute 〖航空〗誘導傘, 補助パラシュート.
rám-áir pàrachute ラム圧パラシュート.
tín pàrachute 〖経営〗ティンパラシュート.

pa·rade /pəréid/

名 (示威)行進, パレード. ⇨ -ADE¹.

chúrch paràde 《英》(正規の軍務の一部として行われる)礼拝.
dréss paràde 〖軍事〗正装閲兵式.
ému paràde 《豪》ごみを拾うために組織された子供たち［兵士］.
hít paràde (歌謡曲の)ヒットパレード, 人気順位.
identificátion paràde 《英》警察で面通しのために並ばされた人々(の列)(line-up).
idéntity paràde ＝identification parade.
móney paràde 《英俗》ティーンエイジャーたちのパレード.
mónkey paràde 《英俗》相手を捜し求める男女の群れ.
príck paràde 《英俗》(男子の)性病検査.
Róse Paràde ローズパレード: 毎年 1 月 1 日, 米国 California 州で行われるパレードの略称.
shít paràde 《米俗》嫌な人［もの］のリスト.
sick paràde 《英》〖軍事〗患者呼集.
tícker-tàpe paràde 紙吹雪［テープ］パレード.

par·a·dise /pǽrədàis, -dàiz | -dàis/

名 天国, 極楽, 楽園.

Ethiópian páradise 《米俗》天井桟敷のいちばん上.
fóol's páradise 誤った思い込みや希望に基づく喜び.
im·pár·a·dìse 動他〈人を〉楽園に入れる.

par·a·dox /pǽrədɑ̀ks | -dɔ̀ks/

名 逆説, パラドックス. ⇨ -DOX.

líar pàradox 〖論理〗「私はうそつきだ」という陳述自体に含まれる逆説;.
Ólbers' páradox 〖天文〗オルバースのパラドックス.
Rússell's páradox 〖数学〗ラッセルの逆理.
twín páradox 双子のパラドックス.
usabílity páradox 核使用可能性の逆説.
Zéno's páradox 〖数学〗ゼノンの逆説［逆理］.

par·a·keet /pǽrəkìːt/

名 〖鳥類〗インコ.

blóssom-hèaded párakeet バライロコセイ(小青)インコ.
Carolína párakeet カロライナインコ.
gráss pàrakeet オーストラリア産の数種のインコの総称.
plúm-hèaded párakeet コセイ(小青)インコ.
shéll pàrakeet セキセイ(背黄青)インコ.

par·al·lax /pǽrəlæ̀ks/

名 〖天文〗視差.

ánnual párallax 年周視差.
diúrnal párallax 地球の日周視差.
géocéntric párallax 地心視差.
heliocéntric párallax 日心視差.
horizóntal párallax 地平視差.
sólar párallax 太陽視差.

pa·ral·y·sis /pərǽləsis/

名 〖病理〗麻痺(まひ), 麻痺症, (特に)軽症の不全麻痺(palsy). ⇨ -LYSIS.

fówl paràlysis 〖獣病理〗マレック病.
géneral parálysis 全身麻痺, 進行性麻痺.
ínfantile parálysis 脊髄性小児麻痺.
psèu·do·pa·rál·y·sis 名 偽(性)麻痺, 仮性麻痺.
ránge paràlysis 〖獣病理〗マレック病(Marek's disease).
spástic parálysis 痙攣性麻痺, 強直性麻痺.
wáist-dòwn parálysis 下半身麻痺.

par·a·site /pǽrəsàit/

名〖生物〗寄生動物, 寄生虫; 寄生植物, やどりぎ; 托卵(たくらん)鳥.

bróod pàrasite (托卵(たくらん)で)仮親がかえし, 育てたひな鳥.
èc·to·pár·a·site 名 外部寄生生物［虫, 者］.
èn·do·pár·a·site 名 内部寄生生物, 体内寄生虫.
èn·to·pár·a·site 名 ＝endoparasite.
èx·o·pár·a·site 名 ＝ectoparasite.
hèm·i·pár·a·site 名 半寄生生物.
hòl·o·pár·a·site 名 全寄生動植物.
hỳ·per·pár·a·site 名 重［高次］寄生体［者］.
mì·cro·pár·a·site 名 微小寄生体.
mỳ·co·pár·a·site 名 菌寄生菌.
sù·per·pár·a·site 名 過寄生体.
zòo·pár·a·site 名 寄生動物; 原生動物.

-pare /pέər/

連結形 準備する.
★ 語頭にくる形は par-: *par*ade「見せびらかし; 行列」.
◆ ラテン語 *parāre*「準備する」より.

pare 動他〈果物などの〉皮をむく.
pre·pare 動他 …の用意［準備］をする.

par·ent /pέərənt, pǽr- | pέər-/

P

名 親(父または母); 両親. ⇨ ENT[1].

biológical párent (養父母に対して)生みの親.
bírth párent =biological parent.
có-pàrent 名 (離婚後も共同で子供の養育を分担する)親.
fóster parent 里親.►養父母は adoptive parent.
gód·pàrent 名 名づけ親, 代父[母], 教父[母].
gránd·pàrent 名 祖父, 祖母.
grèat-grándparent 曾祖父, 曾祖母.
hóuse·pàrent 名 管理人.
nátural párent =biological parent.
óne-pàrent 形 《限定的》片親の.
síngle párent 一人で子供を育てる親, 片親.
sóle párent 《豪》(未婚・離婚・死別による)片親.
stép·pàrent 名 継父[母].

pa·ren·tal /pəréntl/

形 親の, 親である. ⇨ -AL[1].

bi·pa·ren·tal 形 二親性の.
pre·pa·ren·tal 形 親になる前の.
u·ni·pa·ren·tal 形 〖生物〗単為生殖の, 片親の.
un·par·en·tal 形 親らしくない.

pa·ri·e·tal /pəráiətl/

形 **1**〖解剖〗頭頂の. **2**〖生物〗体腔(たいこう)壁の, 体壁の. ⇨ -AL[1].

an·te·ro·pa·ri·e·tal 形 〖解剖〗器官の前部の壁にある.
bi·pa·ri·e·tal 形 〖頭骨測定〗両頭頂骨隆起の.
fron·to·pa·ri·e·tal 形 〖解剖〗前頭頭頂骨の.
in·ter·pa·ri·e·tal 形 〖解剖〗壁間[頭頂骨間]の.
mas·to·pa·ri·e·tal 形 〖解剖〗乳突頭頂骨の[を含む].

par·i·ty /pǽrəti/

名 同額, 同量; 同位, 同等, 同格. ⇨ -ITY.

dis·pár·i·ty 名 不等, 不同; (二者間の)相違.
im·pár·i·ty 名 (数・度合いなどの)不等, 不同.
intrínsic párity 〖物理〗パリティ, 偶奇性.
mínt párity 〖経済〗法定平価.
òm·ni·pár·i·ty 名 完全平等.
púrchasing pòwer párity 〖経済〗購買力平価.

park /pɑ́ːrk/

名 **1** 公園. **2** 《米・カナダ》遊園地. ——動他〈車を〉駐車させる. ——自 駐車する.

áir·pàrk (自家用機用の)小空港.
amúsement pàrk 《米》遊園地(《英》funfair).
ánimal pàrk 《米》自然動物公園.
báll·pàrk 《米・カナダ》(特に)野球場.
Báttery Párk (New York の)バッテリー公園.
búsiness pàrk =office park.
Cándlestick Párk キャンドルスティックパーク: 米国 San Francisco Giants と 49er's のスタジアム.
cáravan pàrk 《英》トレーラーハウスキャンプ場.
cár pàrk 《主に英・豪》駐車場.
Céntral Párk (New York の)セントラルパーク.
cóach pàrk 《英》長距離バスが止まる駐車場.
córporate pàrk =office park.
cóuntry pàrk 《英》地方公園.
dis·pàrk 動他〈私有園・猟場を〉開放する.
dóuble-pàrk 動他自 (自動車を)2列[並列]駐車する.
educátional pàrk 《米》教育地区, 学園都市.
educátion pàrk =educational park.
énergy pàrk 《米》エネルギー団地.
exécutive pàrk =office park.
fórest pàrk 森林公園.
gáme pàrk (特にアフリカの)自然動物保護区.
Gólden Gáte Párk (San Francisco の)ゴールデンゲートパーク, 金門公園.
Hýde Párk (London の)ハイドパーク.
im·párk 動他〈動物を〉(猟園・公園内などに)囲う.
indústrial párk 《主に米・カナダ》工業団地.
memórial párk (特に教会所属地以外の)共同墓地.
méter-pàrk 動他 パーキングメーターのある所に駐車させる.
míni·pàrk =pocket park.
mótor pàrk 《西アフリカ》=car park.
nátional párk 国立公園.
néedle pàrk 《俗》麻薬常習者がたむろする場所.
óffice pàrk (都市郊外にある)事務所ビル(群).
óyster pàrk カキ養殖[繁殖]場.
párallel-pàrk 動他自 (車を)並行駐車する, 縦列駐車する.
péople's párk (誰でも使える)民衆公園.
píckle pàrk 《米俗》沿道の休憩場所.
pócket pàrk ポケット公園, ミニ公園.
reséarch pàrk 研究開発用工場団地.
rétail pàrk 人工的な自然景観を取り入れた商店街.
ríbbon pàrk 帯状公園.
safári pàrk 《主に英》サファリパーク.
Stánley Párk (Vancouver の)スタンリー公園.
St. Jámes's Párk (London の)セント・ジェームズ・パーク.
skátepàrk スケートボード場.
skíp pàrk ゴミ容器置き場.
snáil pàrk カタツムリ園.
stríp pàrk 道路[運河]沿いの細長い公園.
théme pàrk (ディズニーランドなど)テーマ遊園地.
vést-pocket párk =pocket park.
wínd pàrk 風力発電タービン[風車]設置区域.

park·ing /pɑ́ːrkiŋ/

名 **1** 駐車. **2** (職場や催物会場などの)駐車場. ◇ PARK. ⇨ -ING[1].

ángle-pàrking (道路わきの)斜め駐車.
dísc pàrking 《英》ディスク駐車制.
dóuble pàrking 二重駐車.
líve pàrking 運転手が居残ったままの駐車.
párallel pàrking 並行駐車.
stóck pàrking 株の預け買い.
valét pàrking (レストランなどで)駐車係が客の車を運転して駐車場に出し入れする方式.
válidated pàrking (レストランなどの客用の)無料駐車場.

par·lia·ment /pɑ́ːrləmənt, -ljə-/

名 **1** (英国の)国会, 議会. **2** (公共のまたは国の問題について討議する)会議. ⇨ -MENT.

Cávalier Párliament 〖英史〗騎士議会.
Éuro·pàrliament 名 =European Parliament.
Européan Párliament 欧州議会.
Lóng Párliament 〖英史〗長期議会.
Pórtuguese párliament 《英海事俗》騒々しく収拾のつかない議論.
Rúmp Pàrliament 〖英史〗臀部(でんぶ)議会.
Shórt Párliament 〖英史〗短期議会.

par·lor /pɑ́ːrlər/

名 《米・カナダ・NZ》(ある種の職業や商売の)営業場, 店. ⇨ -OR[2].

báck pàrlor (私用の)奥の部屋, 裏座敷; 貧民窟.
béauty pàrlor 美容院.
bílliard pàrlor 《米》賭け玉突き［撞球(どうきゅう)］.
hórse pàrlor 私設馬券売り場.
masságe pàrlor マッサージパーラー: マッサージを行う店.
mílking pàrlor (酪農場の)搾乳室, 採乳場.
ráp pàrlor 《米俗》おしゃべりが目的の社交クラブを装った性風俗店の一種.
rúb pàrlor 《米俗》＝massage parlor.
sáuce pàrlor 《米話》酒場, 飲み屋.
sáuna pàrlor 《俗》売春サウナ,「ソープランド」.
sáwdust pàrlor 《米俗》大衆酒場［食堂］.
sún pàrlor 《米》サンルーム, 日光浴室.

pa·role /pəróul/

名 【刑罰】 **1** 仮釈放, 仮出獄. **2** 仮釈放によって与えられた釈放, 仮釈放期間. ►中世フランス語 *parole d'honneur*「名誉の言葉」の短縮形.

báckdoor paróle 《米俗》＝back-gate parole.
báck-gàte paróle 《米刑務所俗》獄中での自然死.
búsh paròle 《俗》刑務所破り, 脱獄.

-pa·rous /pərəs/

連結形 生み出す(bearing), 分泌する(producing).
★ 形容詞をつくる.
★ 語末にくる関連形は -PARA, -PARTUS.
◆ <ラ *-parus*(*parere*「生む, 創(つく)る」より). ⇨ -OUS.
［発音］直前の音節に第 1 強勢.

bip·a·rous 形 【動物】二産児の, 双胎の.
fe·tip·a·rous 形 〈有袋類の動物が〉未熟児を産む.
fis·sip·a·rous 形 分裂によって繁殖する.
foe·tip·a·rous 形 ＝fetiparous.
gem·mip·a·rous 形 芽［無性芽］を出す.
lar·vip·a·rous 形 【動物】幼生生殖の.
mu·cip·a·rous 形 粘液を分泌する, 粘液を含む.
mul·tip·a·rous 形 〈女性が〉二度以上出産を経験した.
non·par·ous 形 未経験の.
o·vip·a·rous 形 【動物】卵生の.
pu·pip·a·rous 形 〈昆虫が〉蛹産(ようさん)性の.
su·dor·ip·a·rous 形 汗を出す, 発汗する, 汗分泌の.
u·nip·ar·ous 形 【動物】一卵［一子］出産性の.
vi·vip·a·rous 形 【動物】胎生の.

par·rot /pǽrət/

名 オウム(インコを含む).

cóckatoo pàrrot オカメインコ(cockatiel).
déad pàrrot 《英話》落ちぶれた人.
gráy pàrrot ヨウム(洋鵡).
gróund pàrrot ＝owl parrot.
hóney-pàrrot ヒ(緋)インコ科のセイガイインコ属など赤や緑の配色の尾のとがったインコ類(lorikeet).
kíng pàrrot キンショウジョウ属の大形インコの総称.
ówl pàrrot フクロウオウム.
póll pàrrot (飼いならされた)オウム(polly).
pýgmy pàrrot ケラインコ.
séa pàrrot ウミスズメ科のツノメドリ属の寒流系の海鳥の総称(puffin).
thíck-bìlled pàrrot ハシブトインコ.

pars·ley /pɑ́ːrsli/

名 【植物】パセリ; (つま・調味に用いる)パセリの葉.

Chínese pársley コエンドロ, コリアンダー.
ców-pársley ノラニンジン.
fóol's-pàrsley アエツス.
Hámburg pársley 根を食用とするパセリ.
hédge pàrsley ヤブジラミ.
mílk pàrsley オオアザミ, マリアアザミ.
stóne pàrsley シソン: セリ科の草.
wíld pársley 野生パセリ.

pars·nip /pɑ́ːrsnip/

名 【植物】パースニップ, アメリカボウフウ. ⇨ NIP.

ców pàrsnip ハナウド: セリ科ハナウド属の植物の総称.
méadow pàrsnip 北米産セリ科 *Thaspium* 属の植物の総称.
wáter pàrsnip セリ科ムカゴニンジン属の植物.
wíld pársnip アメリカボウフウ(防風).

part /pɑ́ːrt/

名 **1** (全体のうちの)一部(分); (全体から分離した)一片; 構成要素. **2** (体の)一部, 器官. **3** (声楽曲の)一つの声部, パート. **4** (芝居の)役. ——動他 **1** 〈物を〉(部分に)分ける. **2** …を割り当てる. ——自 **1** ばらばらになる. **2** 《古》出発する.

áfter·pàrt 【海事】船尾, 艫(とも).
a·párt 副 ばらばらに, 粉々に.
bít pàrt 【演劇】端役.
bréeches pàrt 【演劇】(女優が演じる)男役.
cháracter pàrt 【演劇】典型的な役柄.
com·pàrt 動他 〈場所を〉仕切る, 区画に分ける.
cóunt·er·pàrt 名 同等物, 等価物.
dáy pàrt テレビ・ラジオ局の一日の放送時間区分.
déad mán's pàrt 【古英法】死者分.
déad's pàrt 【スコット法】＝dead man's part.
de·párt 動自 出発する.
dis·párt 動他自 《古》分裂させる［する］.
fóre·pàrt 名 前部, 先端部.
fóur-pàrt 形 【音楽】四声部合奏［合唱］の.
imáginary pàrt 【数学】虚部, 虚数部分.
im·párt 動他 〈情報・秘密などを〉告げる.
móuth·pàrt 【昆虫】口器.
náme pàrt 【演劇】題名になっている役.
réal pàrt 【数学】実部, 実数部分.
rúnning pàrt (滑車装置の)可動索.
súb·pàrt 名 下位区分.
thínking pàrt 【演劇】せりふのない役.
ún·der·pàrt 名 下部, 下側.
úp·per·pàrt 名 (動物の体の)上面, 背面.
vóice pàrt 【音楽】(声楽または器楽曲の)声部.
wálking-ón pàrt 【演劇】(特にせりふのない)端役.

par·ti·ci·ple /pɑ́ːrtəsìpl, -sə- | -si-/

名 【文法】分詞.

ábsolute párticiple 独立分詞.
dángling párticiple 懸垂分詞.
misreláted párticiple ＝dangling participle.
pást párticiple 過去分詞.
pérfect párticiple ＝past participle.
présent párticiple 現在分詞.
progréssive párticiple ＝present participle.

par·ti·cle /pɑ́ːrtikl/

名 **1** 微量, 少量, 小片; 極少, 微塵(みじん). **2** 【物理】粒子; 素粒子. ⇨ -CLE[1].

álpha pàrticle アルファ粒子.
án·ti·pàr·ti·cle 名 反粒子.
atómic párticle ＝elementary particle.

P

béta pàrticle ベータ粒子.
cascáde pàrticle カスケード粒子.
Dáne pàrticle デーン粒子.
délta pàrticle デルタ粒子. 記号 Δ.
ĎI pàrticle 〖生物〗欠損 [不完全] ウイルス.
Ď pàrticle D 中間子(D meson).
eleméntary pàrticle 素粒子.
fundaméntal pàrticle =elementary particle.
gáuge pàrticle ゲージ粒子.
hígh-énergy pàrticle 高エネルギー粒子.
J pàrticle ジェー粒子.
J́ /psí pàrticle ジェー・プサイ粒子.
Ḱ pàrticle K 中間子(kaon).
lámbda pàrticle ラムダ粒子.
oméga-mínus pàrticle オメガマイナス粒子.
psí pàrticle プシー粒子.
quási pàrticle 準粒子, 擬粒子.
rhó pàrticle ロー粒子.
sígma pàrticle シグマ粒子.
spárt·i·cle 名 超対称性粒子(supersymmetrory particle).
stránge pàrticle ストレンジ粒子.
sùbnúclear pàrticle =elementary particle.
sùp·er·pár·ti·cle 名 超素粒子.
táu pàrticle タウレプトン(tau lepton).
últimate pàrticle =elementary particle.
ùltraeleméntary pàrticle 素粒子の構成要素, 素粒子を構成するクォークなどの粒子, 超素粒子.
vírtual pàrticle 仮想粒子, 仮の粒子 [量子].
V́-pàrticle V 粒子.
Ẃ pàrticle W 粒子.
xí pàrticle グザイ粒子.
Ź pàrticle =Z-zero particle.
Ź-zero pàrticle Z- ゼロ粒子.

par·ti·san /pɑ́ːrtizən, -sən | pɑ̀ːtizǽn, ⌐ー⌐/

名 同志. ——形 党派心の強い.

bi·par·ti·san 形 二党を代表する, 両党派から成る.
non·par·ti·san 形 党派心のない; 超党派の; 客観的な.
su·pra·par·ti·san 形 超党派の.
un·par·ti·san 形 =nonpartisan.

par·tite /pɑ́ːrtait/

形 …部分に分かれた. ⇨ -ITE[2].

bi·par·tite 形 2つの部分に分かれた [から成る].
di·par·tite 形 いくつもの部分に分かれた [から成る].
hex·a·par·tite 形 =sexpartite.
mul·ti·par·tite 形 多くの部分に分かれた [から成る].
pin·nat·i·par·tite 形 〈葉が〉羽状深裂の.
quad·ri·par·tite 形 4つの部分に分かれた [から成る].
quin·que·par·tite 形 5つの部分に分かれた [から成る].
sep·tem·par·tite 形 7つの部分に分かれた [から成る].
sex·par·tite 形 6つの部分に分かれた [から成る].
tri·par·tite 形 3つの部分に分かれた [から成る].
u·ni·par·tite 形 部分に分かれていない.

part·ner /pɑ́ːrtnər/

名 (事を共にする)相手; 仲間, 相棒, 同類. ⇨ -ER[1].

cáre pàrtner 《米》(病人と生活を共にしながら世話をする)看護人.
cò·párt·ner 名 協同経営者, 仲間, 協同組合員.
dórmant pàrtner 〖経営〗=silent partner.
géneral pàrtner 無限責任社員 [組合員].
límited pàrtner =special partner.
mánaging pàrtner 業務執行社員.
sécret pàrtner (共同経営の企業体で)匿名社員.
sílent pàrtner 《主に米》〖経営〗サイレントパートナー.
sléeping pàrtner 《英》=silent partner.
spárring pàrtner ボクシングの練習相手.
spécial pàrtner 有限社員.

part·ner·ship /pɑ́ːrtnərʃip/

名 **1** 提携, 協力. **2** 共同経営; 組合. ⇨ -SHIP.

géneral pártnership 合名会社.
límited pártnership 合資会社.
spécial pártnership =limited partnership.
univérsal pártnership 共同組合.

par·tridge /pɑ́ːrtridʒ/

名 〖鳥類〗**1** ユーラシア産の小形のキジ科の猟鳥の総称(ヤマウズラ, シャコなど). **2** 《主に米北部》エリマキライチョウ. **3** 《主に米南部》コリンウズラ. **4** 北米産のキジ科の猟鳥の総称. **5** (中南米産の)シギダチョウ.

bambóo pàrtridge コジュケイ(小綬鶏).
bírch pàrtridge 《カナダ》エリマキライチョウ.
réd-legged pártridge アカアシイワシャコ.
róck pàrtridge イワシャコ.
snów pàrtridge ユキシャコ.
sprúce pàrtridge ハリモミライチョウ.
trée pàrtridge 中米産のキジ科ヒゲウズラ属の鳥の総称(wood partridge).

-par·tum /pɑ́ːrtəm/

連結形 〖産科〗分娩(ぶんべん).
★ 名詞をつくる.
★ 語末にくる関連形は -PARA, -PAROUS.
◆ ラテン語名詞 *partus* の対格形より. ⇨ -UM[1].

an·te·par·tum 形 分娩前の.
in·tra·par·tum 形 分娩時の.
post·par·tum 形 分娩後の.

par·ty /pɑ́ːrti/

名 社交的な集まり, 会合, パーティー.

ácid-hòuse párty アシッドハウス・パーティー: 使われていない建物などに若者が集まって開かれる acid house 音楽のパーティー.
Allíance Párty 〖英政治〗同盟党.
Américan pàrty 〖米史〗アメリカ党.
Àntiféderal párty 〖米史〗反連邦党.
Ànti-Masónic párty 〖米史〗フリーメーソン秘密結社反対党(1826–35).
báchelor pàrty =stag party.
bí·pàr·ty 形 2つの政党 [党派] の, 両党の.
bítch pàrty 《俗》女だけのパーティー.
blánket pàrty 《米俗》(囚人などが新入りを)毛布にくるんで殴るリンチ.
blásting pàrty 《俗》=blast party.
blást pàrty 《俗》麻薬を吸いながら行うパーティー.
blóck pàrty 街区住民のパーティー.
bóarding pàrty (特に攻撃・拿捕(だほ)・探索のために乗船する)搭乗者集団.
bóok pàrty 《米》(書店の)著者サイン会.
bóttle pàrty 酒持ち寄りのパーティー.
búck's pàrty 《豪》=stag party.
chárter pàrty 用船契約(書), チャータ(charter).
cócktail pàrty カクテルパーティー.
cóke pàrty 《米麻薬俗》コカインパーティー.
cólor pàrty 《英》軍旗隊, 軍旗護衛隊.
Cómmunist párty (特に Marx, Lenin の理論に基づく)共産党.
cóncert pàrty 《英》軽妙な仕草・歌・舞踏などを見せる出し物.

P

Cóngress Pàrty インド国民会議派.
Consérvative and Únionist Pàrty 英国保守党.
Consérvative Pàrty ＝Conservative and Unionist Party.
Constitútional Democrátic pàrty カデット: ロシア革命前の帝国議会における自由主義党.
Constitútional Únion pàrty 〖米史〗立憲統一党.
Coóperative Pàrty 《英》協同組合党.
cóuntry pàrty (農業の地益を擁護する)地方党.
dámage contról pàrty 被害対策班.
dánce pàrty ダンスパーティー.
Democrátic Pàrty 民主党.
Democrátic-Repúblican Pàrty 〖米史〗民主共和党.
dínner pàrty 晩餐[午餐]会, 祝賀会.
Díxiecrat pàrty 《米》州権民主党(States' Rights Democratic party).
donátion pàrty 《米》牧師への贈り物を持ち寄ってする信者たちのパーティー.
drág pàrty 《米俗》異性装[女装, 男装]パーティー; (一般に)ホモのパーティー.
drínks pàrty 《英》＝cocktail party.
Fármer-Lábor pàrty 労働者農民党.
féather pàrty 《米中北部》鳥が賞品に出る集まり.
Féderalist pàrty 〖米史〗連邦派.
fíring pàrty (軍隊の葬儀での)礼砲隊.
Frée Sóil pàrty (米国の)自由土地党(1848–56).
gárden pàrty 園遊会, ガーデンパーティー.
ǴÍ pàrty 《米陸軍俗》大掃除.
Gránd Òld Pàrty 1880 年以来米国共和党の異名(G.O.P.).
gráss pàrty 《米麻薬俗》マリファナ(吸引)パーティー.
Gréenback pàrty 〖米史〗グリーンバック党.
Gréen Pàrty 緑の党: 環境問題に焦点を絞って活動するドイツの自由主義政党.
hén pàrty 《話・侮辱的》女だけのパーティー.
hóuse pàrty (自宅・友愛会館などでの)宿泊客の接待.
ìn·ter·pár·ty [形] 政党間の.
ìn·tra·pár·ty [形] 党内の.
Islámic Repúblican Pàrty イスラム共和党.
jág pàrty 《米俗》麻薬パーティー.
kég pàrty 《話》ビールパーティー.
kíck pàrty 《米麻薬俗》LSD パーティ.
lábor pàrty 労働(者)党.
Lábour Pàrty (英国の)労働党.
Lahóre pàrty 〖イスラム教〗アハマディー運動(Ahmadiya).
lánding pàrty 〖軍事〗上陸(戦闘)部隊.
láwn pàrty ＝garden party.
Líberal pàrty 《英》自由党.
Líberty pàrty 〖米史〗自由党, リバティー党.
májor pàrty 大政党.
mínor pàrty (政治的影響力の少ない)少数党.
mùl·ti·pár·ty [形] 複数の政党から成る.
Nátional Pàrty (ニュージーランドの)国民党.
Názi Pàrty ナチス, 国家社会主義ドイツ労働者党(the National Socialist German Workers' Party).
nécktie pàrty 《古俗》つるし首によるリンチ.
nòn·pár·ty [形] 政党と無関係の, 不偏不党の.
óffice pàrty オフィスパーティー.
óld pàrty 《英話》老人, 年配者.
óut-pàr·ty [名] 野党.
pajáma pàrty ＝slumber party.
Péople's pàrty 〖米政治〗人民党(1891–1904).
pín pàrty 《英海事俗》空母で離陸準備の甲板員たち.
plátform pàrty 式典[会議]で壇上の席に座る著名人[役員]たち.
póp pàrty 《米俗》麻薬を手に入れるためのパーティー[集まり].
Pópulist pàrty 〖米史〗＝People's party.
pótluck pàrty 持ち寄りパーティー.
pót pàrty 《米俗》マリファナパーティー.
póur·pàr·ty [名] ＝purparty.
préss pàrty (新製品の発表時などに催される)報道関係者招待パーティー.
Progréssive Consérvative pàrty 進歩保守党.
Progréssive Féderal Pàrty 《南アフリカ》進歩連邦党.
Progréssive Pàrty (米国の)進歩党.
Prohibítion Pàrty (米国の)禁酒党.
púr·pàr·ty [名] 〖法律〗(共有財産の)持ち分.
quílting pàrty 《米》キルトを作る女性の社交的な集まり.
rént pàrty レントパーティー: 特に大恐慌時代に開かれた, 出席者の寄付を募って主人役の部屋代を工面するダンスパーティー.
Repúblican Pàrty (米国の)共和党.
Scóttish Nátional Pàrty スコットランド国民党.
séarch pàrty 捜索隊.
slúmber pàrty 《米・カナダ》パジャマパーティー.
Sócial Democrátic Wórkingmen's pàrty (米国の)社会民主労働者党.
Sócialist pàrty (米国の)社会党.
spóiler pàrty 〖米政治〗妨害野党.
stág pàrty スタッグ(パーティー): 男子だけの社交的集まり[遊山旅行].
stórming pàrty 〖軍事〗襲撃[強襲, 攻撃]部隊.
stúdio pàrty (芸術家の)スタジオで行う打ち解けたパーティー.
surpríse pàrty 《米》(当人に内緒で計画された)びっくり(お祝い)パーティー.
téa pàrty ティーパーティー, お茶の会.
thírd pàrty 第三者.
twó-pàrty [形] 〖政治〗(強力な)二大政党の.
Únionist Pàrty 〖英史〗ユニオニスト党.
Uníted Pàrty 統一党.
vánguard pàrty 前衛政党.
wárehouse pàrty ウェアハウスパーティ: 倉庫などの広い場所で, ハウスミュージック(house music)などを用いて開かれるダンスパーティー.
wár pàrty 〖米史〗戦争に備えるアメリカインディアンの一隊.
wórking pàrty (兵士や囚人などの)作業班.

pass /pǽs, pɑ́ːs | pɑ́ːs/

動他 〈場所を〉通過する, 通り越す. ── 他 行く, 通る. ── 名 **1** 小道; 山道; 通路. **2** 通行; 通行(許可証); 無料入場券; 優待パス. **3** 〖スポーツ〗パス.

áll-pàss [形] 〖無線〗(回路網・変換器などで)全通過(回路)の.
A·mér·i·pàss [名] 《米》アメリパス: グレイハウンド・バス社のバス周遊券.
báseball páss 〖バスケット〗ベースボール・パス: 野球のように片手でボールをつかんで行うパス.
bóarding pàss (飛行機の)搭乗券.
bý·pàss [名] ☞
cóm·pass [名] ☞
dáy pàss 当日利用自由の券.
dróp pàss 〖ホッケー〗〖サッカー〗ドロップパス.
Eu·ráil·pàss [名] ユーレイルパス: ヨーロッパ 16 か国の鉄道, 航路に乗り放題の周遊券.
ÉŹPàss (New York の)有料橋[トンネル]電子パス方式.
fást páss 定期乗車券, パス.
flát páss 〖アメフト〗フラットパス.
fórward pàss 〖アメフト〗フォワードパス.
frée páss (鉄道・娯楽施設の)フリーパス.
hóok pàss 〖アメフト〗フック(パス).
hóspital pàss 〖アメフト〗〖サッカー〗ホスピタルパス.
ímpulse pàss (ブレークダンスで)インパルス・パス.
júmp pàss 〖アメフト〗〖バスケット〗ジャンプパス.

P

Khýber Páss カイバー峠: パキスタンとアフガニスタンを結ぶ Peshawar 西方の主要山道.
láteral páss 〘アメフト〙ラテラルパス.
mónthly páss 月間定期券.
óption páss 〘アメフト〙オプションパス.
ó·ver·pàss 名 ⦅米⦆ 陸橋, 歩道橋, 跨線(こせん)橋.
pláy-àction páss 〘アメフト〙(プレー)アクションパス.
rè·páss 動自 再び通る, (特に)引き返す.
sálmon pàss 鮭梯(さけばしご): 鮭を上流に上らせるために作った魚梯.
scréen pàss 〘アメフト〙スクリーンパス.
séa pàss (戦時中の)中立船通行許可証.
sénior pàss 高齢者割引[無料]定期券.
shóvel pàss 〘アメフト〙下手投げのフォワードパス.
spót páss 〘バスケット〙〘アメフト〙スポットパス.
sur·páss 動他 …より勝る, しのぐ.
swíng pàss 〘アメフト〙スイング: 外側に走るバックへの短いパス.
trés·pass 名 〘法律〙(他人の身体・財産・権利に対する)不法侵害.
ún·der·pàss 名 地下道, ガード下通路.
wáll pàss 〘サッカー〙壁パス.
wéekly páss 週間定期券.

pas·sage /pǽsidʒ/

名 **1** (文章・演説・詩歌などの)一節, 一行, 一句, 一部, 断片, 一くだり. **2** 通行, 通過, 横断. **3** (人・物が通る)道筋; 道路. ⇨ -AGE[1].

áir pàssage 通気道, 通風路.
báck pàssage ⦅話⦆⦅婉曲的⦆ 直腸, 肛門.
brídge pàssage 軽業師・ダンサーなどが身を大きく反らして手を床につけるポーズ.
déck pàssage (船室でなく, 甲板上で宿泊する)甲板渡航.
frónt pàssage ⦅話⦆ 膣(ちつ).
míddle pássage 〘歴史〙中間航路.
róugh pássage 嵐の中の航海; 試練の時.

passed /pǽst, pɑ́ːst | pɑ́ːst/

形 過ぎ去った, 通過した. ⇨ -ED[1].

fore·pássed 形 過去の, 過ぎ去った, 昔の.
òver·pássed 形 すでに終わった, 過去の.
ùn·sur·pássed 形 勝るものがない, 卓絶した, 無比の.

pas·sion /pǽʃən/

名 感情, 激情, 熱情. ⇨ -SION.

com·pás·sion 名 (…への)思いやり, 深い同情.
dis·pás·sion 名 冷静, 平静; 公平.
gránd pássion 灼熱(しゃくねつ)の恋, 熱愛.
íliac pássion ⦅古⦆〘病理〙腸閉塞.
im·pás·sion 動他 …を深く感動させる.
púrple pássion 〘植物〙ツルビロードサンシチ.

pa·ssive /pǽsiv/

形 〈人・性質・行為・役割などが〉受け身の, 消極的な; 〈人が〉控えめな; 無気力な. ━━名〘文法〙受動態(passive voice). ⇨ -IVE[1].

àu·di·o-pá·ssive 形 ヘッドホンでマスターテープが聴ける.
im·pás·sive 形 〈人が〉無感動の, 無感情の, 冷淡な.
índirect pássive 間接受動態.

past /pǽst, pɑ́ːst | pɑ́ːst/

形 〈時が〉過ぎた. ━━副 過ぎて.

a·pást 前 ⦅米南部方言⦆ …を越えて.
bý·pàst 形 過ぎ去った, 昔の, 過去の.
flý·pàst 〘航空〙低空飛行(flyby).
márch-pàst パレード, 行進, 行列.

paste /péist/

名 糊(のり); 糊状のもの.

álmond pàste マーチパン(marzipan): 菓子の一種.
béan pàste 味噌.
bútter·pàste バターペースト.
créam pùff pàste シュークリームなどの皮の一種.
cút and páste 移動: ワープロで文章の一部を別の箇所へ移動すること.
cút-and-páste 形 =scissors-and-paste.
físh·pàste 魚のすり身, 練り魚肉, 練り物.
hárd pàste 硬(質)磁器.
im·páste 動他 〈物を〉糊(のり)状にする.
Itálian páste マカロニやバーミチェリから作った糊(のり).
líbrary pàste (紙・薄いボール紙用の)澱粉糊(でんぷんのり).
púff pàste パフペースト: パイ皮の生地の一種.
scíssors-and-páste 形 糊(のり)とはさみで編集した, 独創力[独自性]のない.
sóft pàste 軟質磁器.
tóoth·pàste 練り歯磨き.

pas·try /péistri/

名 ペーストリー, パン菓子. ⇨ -RY[1].

chóu pástry シュークリームなどの皮の種.
chóux pástry =chou pastry.
Dánish pástry デニッシュペーストリー.
fláky pástry 薄い生地を重ね焼きしたペストリー.
Frénch pástry フランス風菓子.
púff pástry パフペーストリー.

pas·ture /pǽstʃər, pɑ́ːs- | pɑ́ːsʃə/

名 放牧に適した草地, 牧草地; 放牧場, 牧場. ⇨ -URE[1].

de·pás·ture 動自 ⦅主に豪⦆〈家畜が〉牧草をはむ.
óuter pásture ⦅野球俗⦆ 外野(outfield).
rám·pàsture ⦅カナダ⦆ 独身男性が共同で住む下宿部屋[貸間].
zéro pásture 〘畜産〙青刈飼育.

pat /pǽt/

動他 (へら・手のひらなど平たいもので)〈物を〉軽くたたく, 静かに打つ. ━━名 **1** 軽くたたくこと. **2** (平たくて四角な)小さい塊. ►本来は擬声語.

báck-pàt 動他名 背中を軽くたたく(こと).
bútter pàt バターの塊.
ców-pàt 丸い牛糞(ぎゅうふん).
pít-a-pát (心臓の)ドキドキ, (小走りの)パタパタ.

patch /pǽtʃ/

名 **1** (修繕・補強などのための)継ぎ, 継ぎ切れ, 当て布[金, 板], 補修剤, パッチ. **2** 小片, 断片; (文の)一部. **3** 小区画の土地. **4** 斑点, まだら.

angína pàtch 扁桃炎(へんとうえん)パッチ.
árm·pàtch 記章, ワッペン.
bláck·pàtch 〘植物病理〙黒かび病.
bóat pàtch 〘建築施工〙卵形の合板用埋め木.
bróod pàtch =incubation patch.
Cábbage Pàtch ⦅英⦆ (Twickenham にある)英国ラ

グビー協会のグラウンドの通称; キャベツ畑(の人形).

cínder pàtch 〖冶金〗鋼材のスケールかみ込み傷.
cóld pàtch コールドパッチ: タイヤ修理用のゴム.
cóld-pàtch 動他 …をコールドパッチで修理する.
cóntact pàtch 〖自動車〗コンタクトパッチ.
cróss·pàtch 《話 / こっけい》気難し屋.
éye·pàtch 眼帯.
gún pàtch ライフル発射時の反動をやわらげる肩当て.
hárd pàtch (溶接などで継ぐ)当て金.
incubátion pàtch 〖病理〗抱卵斑(はん).
nicotíne pátch ニコチン・パッチ: タバコによる禁断症状を和らげるパッチ.
óil pàtch 《俗》石油産出地帯.
pánel pàtch 鏡板当て: でき上がった合板に当てがう板.
potáto pàtch 《米俗》動けない患者の群.
púrple pátch 華麗な章句(purple passage).
róuter pàtch (端が丸い)合板パネルの継ぎ板.
shóulder pàtch ひじ章; 袖(そで)章.
stráwberry pàtch 《米鉄道俗》車掌車の後尾.
tíre pàtch 《米俗》パンケーキ.
venéer pàtch (合板に張り合わせる前の)単板(たんぱん)に当てた継ぎはぎ.

pate /péit/

名 《古》《こっけい》頭頂, 脳天(crown).

bald·pate 名 はげ頭の人(baldhead).
curl·y-pate 名 巻き毛[縮れ毛]の人(curlyhead).
feath·er-pate 名 ばか者, のろま(featherhead).
rat·tle-pate 名 能なし, 頭のからっぽな人.

-pat·ed /péitid/

連結形 …頭の. ⇨ -D².
★ 形容詞をつくる.

áddle·pàted 形 愚鈍な, 頭の混乱した.
lóng-pàted 形 《おどけて》利口な, 要領のよい.
púzzle·pàted 形 頭が混乱した.
shállow-páted 形 浅はかな, ばかな.

path /pǽθ, pɑ́ːθ | pɑ́ːθ/

名 **1** 道, 小道, 細道. **2** 通り道, 道筋.

appróach pàth 〖航空〗(着陸)進入路.
báse pàth 〖野球〗(塁間の)走路.
bícycle pàth 自転車専用道, サイクリングコース.
bíke pàth =bicycle path.
bóom pàth 〖航空〗航空機騒音地帯.
brídle pàth 乗馬用逍遥(しょうよう)道.
bý-pàth 私道; 間道, 脇道(わきみち).
cínder pàth 細かい石炭殻を敷き詰めた小道.
crítical páth 〖コンピュータ〗最長経路.
fláre pàth 〖航空〗(夜間離着陸用の)照明路.
flíght pàth 飛行経路.
fóot·pàth (歩行者用の)小道, 歩道.
glíde·pàth グライドパス: 航空機・宇宙船が滑空降下するときの飛行経路.
méan frée páth 〖物理〗〖化学〗平均自由行路.
Míddle Páth 〖仏教〗中道.
Nóble Éightfold Páth 〖仏教〗八正(はっしょう)道.
óptical páth 光路長, 光学距離.
prímrose páth 放蕩(ほうとう)暮らし, 享楽生活.
Shíning Páth センデロ・ルミノソ, 「輝く道」: ペルーの左翼ゲリラ組織.
sóft pàth ソフトパス: ソフトテクノロジーの応用.
tówing pàth =towpath.
tów·pàth 船引き道.
wár·pàth (アメリカインディアンが)戦争に出かけるときに通る道.

-path /pæθ/

連結形 **1** …療法を施す人. **2** …病患者.
★ -PATHY で終わる抽象名詞に対応する.
★ 語末にくる関連形は -PATHIC, -PATHY.
★ 語頭にくる形は pati-, path(o)-; *pati*ent「忍耐」, *patho*logy「病理学」.
◆ **1** <独, *-pathie* -PATHY からの逆成; **2** <ギ *páthos* 苦しみ, 病気.

al·lo·path 名 逆症療法家[主唱者].
ho·me·o·path 名 同種[類似]療法専門家[医師].
neu·ro·path 名 〖精神医学〗神経病患者[素質者].
os·te·o·path 名 整骨医.
psy·cho·path 名 精神病質者.
so·ci·o·path 名 〖精神医学〗社会病質人格.
tel·e·path 名 テレパシー能力のあるひと.

pa·thet·ic /pəθétik/

形 哀愁(pathos)に満ちた, 哀れを誘う. ⇨ -ETIC.

an·ti·pa·thet·ic 形 〈人が〉(…に)反感を持っている.
em·pa·thet·ic 形 (人に)共感できる, 感情移入の.
sym·pa·thet·ic 形 (…に)同情的な, 同情から発する.

-path·ic /pǽθik/

連結形 -pathy で終わる名詞から形容詞をつくる.
★ 語末にくる関連形は -PATH, -PATHY.
★ 語頭にくる関連形は pati-, path(o)-; *pati*ent「忍耐」, *patho*logy「病理学」.
◆ <近代ラ *pathicus* <ギ *pathikós*. ⇨ -IC¹.

am·phi·path·ic 形 〖化学〗〈分子が〉両親媒性の.
an·ti·path·ic 形 〈人が〉(…に)反感を持っている.
cy·to·path·ic 形 〖病理〗細胞変性の.
ex·o·path·ic 形 〖病理〗〈病気が〉体外因性の.
het·er·o·path·ic 形 〖医学〗逆症[異症]療法の.
ho·me·o·path·ic 形 同種[類似]療法(homeopathy)の.
hy·dro·path·ic 形 水治療法(hydropathy)の[を施す].
id·i·o·path·ic 形 〖病理〗特発性(疾患)の.
pro·to·path·ic 形 〖生理〗〈皮膚感覚が〉原始(性)の.
psy·cho·path·ic 形 精神病の[にかかった]; 精神病質の.

pa·thol·o·gy /pəθɑ́lədʒi | -θɔ́l-/

名 病理学. ⇨ -OLOGY.

anatómical pathólogy 解剖病理学.
clínical pathólogy 臨床病理学.
cỳ·to·pa·thól·o·gy 名 細胞病理学.
hìs·to·pa·thól·o·gy 名 組織病理学, 病理組織学.
ìm·mu·no·pa·thól·o·gy 名 免疫病理学.
mì·cro·pa·thól·o·gy 名 顕微病理学.
nèu·ro·pa·thól·o·gy 名 神経病理学.
pà·le·o·pa·thól·o·gy 名 古(生物)病理学.
phỳ·si·o·pa·thól·o·gy 名 生理病理学.
phy·to·pa·thól·o·gy 名 =plant pathology.
plánt pathòlogy 植物病理学.
psỳ·cho·pa·thól·o·gy 名 精神病理学.
sócial pathólogy 社会病.
spéech pathòlogy 言語(音声)病理学.

-pa·thy /pəθi/

連結形 **1** 苦痛, 感情: anti*pathy*, sym*pathy*. **2** 《近代英語で》病気, …病(morbid, affection, disease): arthro*pathy*, deutero*pathy*. **3** …療法: allo*pathy*, homeo*pathy*.
★ 名詞をつくる.
★ 語末にくる関連形は -PATH, -PATHIC.

★ 語頭にくる関連形は pati-, path(o)-; *pat*ient「忍耐」, *path*ology「病理学」.
◆ <ギ *pátheia* 苦しみ, 感情(*páthos*「苦しみ, 感覚」より). ⇨ -Y[3].
[発音] 直前の音節に第 1 強勢.

a·crop·a·thy 名 〖病理〗先端部 [四肢] 疾患.
ad·e·nop·a·thy 名 〖病理〗腺腫(せんしゅ)大.
al·le·lop·a·thy 名 〖植物〗アレロパシー, 他感作用.
al·lop·a·thy 名 逆症療法.
an·gi·op·a·thy 名 〖病理〗脈管障害.
an·thro·pop·a·thy 名 神人同感 [感情移入] 説.
an·tip·a·thy 名 反感, 嫌悪, 嫌気, 悪感情.
ap·a·thy 名 無感動; 無関心.
ar·throp·a·thy 名 〖病理〗関節症, 関節の疾患.
car·di·op·a·thy 名 〖病理〗心臓病.
co·ag·u·lop·a·thy 名 〖医学〗凝血異常, 血液凝固障害.
com·pa·thy 名 共感, 同感.
deu·ter·op·a·thy 名 〖病理〗続発症, 二次性障害.
dys·pa·thy 名 同情心の欠如; 反感.
em·pa·thy 名 感情移入, 共感.
en·ceph·a·lop·a·thy 名 〖精神医学〗脳疾患 [障害], 脳症.
en·ter·op·a·thy 名 〖病理〗腸疾患, 腸症.
gam·mop·a·thy 名 〖免疫〗免疫グロブリン異常症.
gyn·e·cop·a·thy 名 婦人病.
he·mo·glo·bin·op·a·thy 名 〖病理〗異常血色素症.
hep·a·top·a·thy 名 〖医学〗肝障害, 肝臓病.
ho·me·op·a·thy 名 同種 [類似] 療法, ホメオパシー.
hy·drop·a·thy 名 水治療法.
hy·po·ba·rop·a·thy 名 〖病理〗高山病, 航空病.
id·i·op·a·thy 名 特発症, 特発性疾患.
la·lop·a·thy 名 〖病理〗発語 [言語] 障害.
lym·phad·e·nop·a·thy 名 〖病理〗リンパ節症.
mas·top·a·thy 名 〖病理〗(一般に)乳房の病気, 乳腺(せん)症, 乳腺痛.
ma·zop·a·thy 名 〖病理〗(一般に)胎盤疾患.
my·e·lop·a·thy 名 〖病理〗脊髄障害, 脊髄症.
my·op·a·thy 名 〖病理〗筋障害, 筋疾患.
na·prap·a·thy 名 ナプラパシー, マッサージ療法.
na·tur·op·a·thy 名 自然療法.
ne·phrop·a·thy 名 〖病理〗腎臓病, 腎症.
neu·rop·a·thy 名 ニューロパシー, 神経障害.
os·te·op·a·thy 名 整骨(治)療法.
pho·top·a·thy 名 光度感応性, 感光性, 成光性.
psy·chop·a·thy 名 〖精神医学〗精神病質.
ret·i·nop·a·thy 名 〖眼科〗網膜症.
som·nip·a·thy 名 〖医学〗睡眠障害.
sym·pa·thy 名 共感, 共鳴, 相通じる心.
te·lep·a·thy 名 テレパシー, 精神感応, 思念伝達.
the·op·a·thy 名 神人融合感.
tri·chop·a·thy 名 毛髪病の治療.

pa·tient /péiʃənt/

名 (医者にかかっている)病人, 患者. ―― 形 辛抱強い. ⇨ -ENT[1].

im·pá·tient 形 短気な, 性急な, せっかちな.
ín·pà·tient 名 入院患者.
óut·pà·tient 名 外来患者.
prívate pátient 《英》(国民保険制度が適用されない)個人負担の患者.

pa·trol /pətróul/

動自 巡回する. ―― 他〈道路・区域などを〉巡回する. ―― 名 巡回(者); パトロール(隊).

áir patròl 空中偵(てい)察; 空中偵察隊.
búsh patròl 《米俗 / おどけて》学校内の茂みでいちゃつくカップルの追い立てパトロール.
dáwn patròl (軍隊の)払暁(ふつぎょう)偵察.
schóol cróssing patròl lollipop lady [man]「学童交通整理員」の正式名.
shárk patròl 《豪》(飛行機による)サメの警戒.
shóre patròl 米海軍憲兵隊.
skí patròl スキーパトロール.
yárd patròl 《米刑務所俗》受刑者(連中).

pat·tern /pǽtərn | pǽtən/

名 **1** 模様, 柄. **2** 型, 様式.

behávior pàttern 行動型, 行動様式.
cúlture pàttern 〖人類〗文化様式, 文化パターン.
Dólly Várden pàttern ドリー•バードン•パターン: プリント花柄模様.
dóublet pàttern 〖美術〗(織物などの)中心線に対して対称的に描かれた模様.
fíddle pàttern バイオリンの形に似た柄を持つスプーン [フォーク].
fíxed áction pàttern 〖動物行動〗固定的動作パターン.
hólding pàttern 〖航空〗空中待機経路.
interférence pàttern 〖物理〗干渉縞(じま).
intonátion pàttern 〖音声〗抑揚型.
kéy pàttern ギリシャ雷文(らいもん).
kíng's pàttern 19 世紀に見られたスプーンの模様で, 柄が線, 渦巻き, 貝殻などの紋様で飾られている.
Óld Énglish pàttern 柄が端で後ろに反っているスプーンの型.
óverall pàttern 〖言語〗総合型.
Quéen's pàttern 白地に赤の渦巻きと, 青地に白の渦巻きを放射状につけた陶磁器模様.
radiátion pàttern 〖通信〗空中線 [アンテナ] 指向性図.
séaled pàttern 《英》〖軍事〗公認 [標準] 型, 英軍式.
sháwl pàttern ショール模様.
spéckle pàttern 〖天文〗スペックルパターン.
tést pàttern 〖テレビ〗試験放送用図形.
thóught-pàttern 思考 [発想] 様式.
tráffic pàttern 〖航空〗場周経路.
wáge pàttern ある産業[地域]の一般的な賃金スケールのモデルとなる賃金パターン.
wáve pàttern 波形連続渦巻き模様.
wíllow pàttern 柳模様.

pause /pɔ́ːz/

名 (一時的な)中止, 休止; 一息; (短い)中断, 中休み, 途切れ.

aer·o·pause 名 〖航空〗大気界面, 無空気層.
che·mo·pause 名 〖気象〗化学圏界面.
di·a·pause 名 〖動物〗休眠期.
he·li·o·pause 名 〖天文〗太陽圏界面.
i·on·o·pause 名 〖気象〗電離圏界面, イオノポーズ.
mag·ne·to·pause 名 〖天文〗磁気圏界面.
men·o·pause 名 〖生理〗閉経期, 月経閉止期, 更年期.
mes·o·pause 名 〖気象〗中間圏界面.
plas·ma·pause 名 〖天文〗プラズマ圏界面.
strat·o·pause 名 〖気象〗成層圏界面.
trop·o·pause 名 〖気象〗(対流)圏界面.
tur·bo·pause 名 〖気象〗無乱流圏.

paw /pɔ́ː/

名 (鉤爪(かぎづめ)のある動物の)脚; (一般に)動物の脚.

béar·pàw 《主にカナダ》(険しい岩山で用いる)小さな丸形の雪靴.
béar's-pàw シャゴウ(horsehoe clam).
cát's-pàw 他人の道具に使われる人, 手先.
fóre·pàw (犬・猫などの)前節.
fóx pàw 《米俗》過ち, 過失(faux pas).
kangaróo pàw 〖植物〗カンガルーポー.
mónkey pàw 球状の結び目.

P

nórth·pàw 《米俗》右利きの人, (特に)右投手.
sóuth·pàw 《話》左利きの人; 左腕投手.

pawn /pɔ́ːn/

名 〚チェス〛ポーン.

cápped páwn 強い競技者がハンディキャップとして, チェックメートできる唯一の駒(こま)として決めておくポーン.
pássed páwn パストポーン.
quéen's páwn (ゲーム開始時の)クイーンの前のポーン.

pay /péi/

動他 〈費用・経費などを〉支払う, 支出する; 〈借金などを〉弁済する, 返済する; 清算する.

bád páy 《米俗》借金の払いが悪い人.
báse páy 基本給.
cáll-in pày コールインペイ: 出勤したのに仕事がない時に支払われる手当.
cómbat pày 危険特別手当.
équal páy (男女の同一労働に対する)同一賃金.
flíght pày 〚米空軍〛飛行手当.
góod páy 《米俗》金をきちんと払う人.
hálf páy 俸給 [賃金] の半分, 半給.
incéntive pày 奨励給 [金].
matérnity pày 《英》(雇用者が支給する)産休手当.
mérit pày メリットペイ, 報償加給.
ò·ver·páy 動他 余分に払う, 払いすぎる.
pórtal-to-pórtal páy 《米》拘束時間払い賃金.
prè·páy 動他 〈料金を〉前払い [前納] (に)する.
redúndancy pày 《英》=severance pay.
re·páy 動他 〈金を〉返す, 払い戻す, 償還する.
repórting pày =call-in pay.
séa pày 海上勤務手当.
sélf-pày (医療の)自己負担(方式).
séverance pày 《主に米》退職手当.
síck pày 病気手当.
skíll-básed páy 能力 [技能] 給.
státutory síck pày 《英》制度上の疾病手当.
stríke pày ストライキ手当(strike benefit): 労働組合がストライキ中の生活費として労働者に支給する金.
táke-home pày (税金などを差し引いた)手取り賃金.
ùn·der·páy 動他 不当に安い給料を払う.
wálkaround pày (工場・職場の)視察案内特別手当.

pay·ment /péimənt/

名 **1** 支払物 [金額]; 補償, 償い. **2** 支払い, 返済. ⇨ -MENT.

ballóon pàyment バルーン式返済.
cásh pàyment 現金 [即金] 払い.
cò·páy·ment 名 (保険・年金などの)雇用者負担払い.
deférred páyment 延べ払い, 分割払い.
defíciency pàyment 《主に英》(農家への)政府補給金.
dówn páyment (分割払いなどの)頭金.
láte páyment 期限後支払い.
nòn·páy·ment 名 不払い, 未納, 滞納.
prógress páyment 中間支払い.
redúndancy pàyment 《英》退職手当.
resóurce-básed páyment 能力や技術に基づく報酬.
stóp páyment (指定小切手の)支払停止の指図.
tèle·páyment 名 〚テレビ〛〚通信〛テレペイメント.
tóken páyment (契約締結などのための)内金.
tránsfer pàyment 移転支出.

pea /píː/

名 〚植物〛エンドウ.

béach pèa ハマエンドウ.
bláck-eyed péa =cowpea.
bútterfly pèa 北米産のマメ科チョウマメ(蝶豆)属の植物の総称.
chaparrál pèa ヤブダチマメ.
chíck·pèa ヒヨコマメ.
ców·pèa ササゲ.
crówder pèa ササゲの栽培品種の総称.
éarth·pèa ラッカセイ, ピーナッツ.
Énglish péa 《米南部・南部ミッドランド》エンドウ; エンドウ豆.
everlásting pèa ヒロハノレンリソウ(広葉の連理草).
fíeld pèa アルウェンセ系エンドウ.
gárden péa エンドウ; エンドウ豆.
glóry-pèa マメ科の蔓(つる)植物 *Clianthus formosus* または *C. puniceus*.
gréen péa エンドウ; エンドウ豆.
gróund pèa 《米大西洋岸南部》=earthpea.
pártridge pèa アメリカセンナ.
perénnial péa =everlasting pea.
pígeon pèa キマメ(木豆), リュウキュウマメ.
rósary pèa トウアズキ(Indian licorice).
scúrfy pèa オランダビユ.
séa pèa =beach pea.
shámrock-pèa ブルークローバー.
snáp pèa スナップエンドウ.
snów pèa スノーエンドウ.
sóuthern péa =cowpea.
splít péa 干して割ったグリーンピース.
Stúrt's désert pèa 真紅の花をつけるマメ科植物.
súgar pèa =snow pea.
súgar snáp pèa =snap pea.
swéet pèa スイートピー.
wínged péa ハイミヤコグサ.

peace /píːs/

名 平和, 平和な時期.

bréach of the péace 〚法律〛治安妨害(罪).
dis·péace 名 不穏, 険悪; (心の)動揺.
máke-pèace 《まれ》仲裁人; 調停者 [団, 国].
Róman péace 武力による平和の確立 [維持].
wórld pèace 世界平和.

peach /píːtʃ/

名 〚植物〛モモ.

clíng péach 種離れの悪いモモ.
hárd pèach 《米南部》実離れの悪い桃.
phóny péach 〚植物病理〛モモ矮小(わいしょう)病.
séa pèach 北米東北部海岸産の桃色のホヤ.
víne pèach マンゴーメロン(mango melon).
wíld péach バラ科サクラ属の高木・低木の総称.

peak /píːk/

名 **1** 山頂. **2** 頂点, 絶頂, ピーク.

af·ter·peak 名 〚海事〛船尾倉.
a·péak 形 〚海事〛ほぼ垂直の, 縦にした.
fóre·pèak 名 〚海事〛船首倉.
més·o·pèak 名 〚気象〛メゾピーク: 中間圏において最高気温に達する所.
nòn·péak 形 =off-peak.
óff-péak 形 ピーク時間を過ぎた, 閑散時の.
ón-péak 形 ピーク時間の, 混雑時の.
Píkes Peak パイクスピーク(米国の山).
pyrámidal péak 〚地質〛氷食尖峰(せんぽう)(horn).
wídow's péak 女性の額中央の V 字形の髪の生え際.

P

pear /péər/

名 セイヨウナシ(西洋梨).

álligator pèar アボカド, ワニナシ(avocado).
ánchovy pèar 西インド諸島産の木.
Ásian péar 日本ナシ(apple pear).
bálsam pèar ニガウリ, ツルレイシ.
Cónference pèar コンファレンスナシ(梨).
Jápanese péar ニホンヤマナシ(山梨).
mélon pèar ペルー産のナス科ナス属の多年草.
príckly péar ヒラウチワサボテン.
sánd pèar =Japanese pear.
séa pèar *Boltenia* 属, その近縁種のホヤの総称.
snów pèar ナシ属の低木の一種.
stráwberry pèar 柱サボテンの一種.
végetable pèar ハヤトウリ(chayote).

pearl /pə́ːrl/

名 真珠, パール; 真珠のネックレス. ——動他〈物を〉真珠のよう(な色・光沢)にする.

cúltured péarl 養殖真珠.
èpithélial péarl 〖病理〗上皮性真珠, 表皮珠.
im·péarl 動他《古・詩語》真珠のような玉にする.
mábe pèarl マベ・パール, 半球真珠.
móbe pèarl =mabe pearl.
móther-of-péarl 真珠(質)層(nacre).
séed pèarl ケシ玉.
Venétian péarl ベニス真珠.

peck·er /pékər/

名 つつく人[物], つるはし. ⇨ -ER[1].

flówer·pècker 〖鳥類〗ハナドリ.
óx·pècker 〖鳥類〗ウシツツキ.
wáll·pècker ドイツの Berlin の東西の壁を突き崩した人.
wóod·pècker ☞

-ped /pèd, pəd | pèd/

連結形 〖動物〗…の足を持つ.
★ 語末にくる関連形は -PEDE, -POD.
★ 語頭にくる形は ped(i)-, pedo-, pod(o)-: *pedo*meter「万歩計」, *pod*algia「足痛」.
◆ <ラ *-peda*(*-pēs*「足のある」より).

al·i·ped 形 翼手[翼肢]のある.
bi·ped 名 二足動物.
che·li·ped 名 (エビ・カニ類の)はさみ脚.
cir·ri·ped 名 蔓脚(まんきゃく)類.
fis·si·ped 名 裂脚亜目の食肉哺乳動物の総称.
max·il·li·ped 名 顎脚(がっきゃく), 顎肢(がくし).
mo·ped 名 モペッド(ペダルオートバイ). ►ドイツ語より.
mul·ti·ped 形 多足の.
pal·mi·ped 形 蹼足(ぼくそく)の.
pin·nat·i·ped 形 ひれ足[弁足]を持つ.
pin·ni·ped 形 ひれ足類の.
pol·y·ped 名 多足の生物[物].
quad·ru·ped 形 4 足のある.
rem·i·ped 形 オールのような脚を持つ.
sol·i·ped 形 単蹄の.
tal·i·ped 形 〈足が〉曲がっている; 湾足の.
uni·ped 名 一本足の人[動物・もの].

ped·al /pédl/

名 (機械・自動車・ピアノ・オルガン・ハープなどの)ペダル. ——動自 ペダルを踏む. ——形 足の, 足部の. ⇨ -AL[1].
★ 語頭にくる関連形は ped(i)-, pedo-: *pedo*meter「万歩計」, *pod*algia「足痛」.

àn·ti·pé·dal 形 (軟体動物で)足と反対の位置にある.
báck-pèdal 動自 ペダルを逆に踏んで速度を遅らせる.
bí·pèd·al 形 二足の.
bráke pèdal 〖自動車〗ブレーキペダル.
dámper pèdal (ピアノの)ダンパーペダル.
gás pèdal 〖自動車〗アクセル.
lóud pèdal =damper pedal.
sóft pédal (ピアノの)弱音ペダル.
sòft-pédal 動自 (ピアノの)弱音ペダルを踏む.
sostenúto pèdal (グランドピアノの)延音ペダル.
sustáining pèdal =damper pedal.
trí·pè·dal 形 3 本足の, 三脚の.
úna córda pèdal =soft pedal.
wáh-wah pèdal =wa-wa pedal.
wá-wa pèdal (エレキギターの)ワウワウペダル.

ped·dler /pédlər/

名 行商人, 呼び売り人; (盗品・麻薬などの)密売人, 売人. ⇨ -ER[1].

áss pèddler 《俗》売春婦; (時に)男娼(だんしょう).
bútt-pèddler 《米俗》売春婦; ぽん引き.
díck pèddler 《俗》男役のホモ売春夫.
éssence pèddler 《米北東部》スカンク.
flésh pèddler 《米俗》(特に管理職)職業斡旋(あっせん)所[業者].
ínfluence pèddler (依頼人の代理として)政府高官にコネをつけ, 契約などをまとめその手数料を取る人.
júnk pèddler 《米麻薬俗》麻薬密売人.
píll pèddler 《俗》(特に患者を薬漬けにする)医者.

-pede /pìːd/

連結形 -ped「…の足を持つ」の異形.
★ 名詞をつくる.
★ 語末にくる関連形は -POD.
★ 語頭にくる関連形は ped(i)-, pedo-, pod(o)-: *pe*dometer「万歩計」, *pod*algia「足痛」.
◆ フランス語 *-pède*「足」より.

cen·ti·pede 名 ムカデ(ゲジゲジを含む).
mil·le·pede 名 =millipede.
mil·li·pede 名 ヤスデ類 Diplopoda の陸生節足動物の総称.
ve·loc·i·pede 名 (両足で地面をけって走らせた初期の)二[三]輪車.

-pe·dia /píːdiə/

連結形 **1** 教育. **2** (百科)事典: cyclo*pedia*.
★ 名詞をつくる.
★ 語末にくる関連形は -PEDIC.
★ 語頭にくる関連形は ped(o)-: *ped*agogics「教育学」, *pedo*logy「育児学」.
◆ ギリシャ語 *paideía*「教育, 学習法」より. ⇨ -IA.

cy·clo·pe·di·a 名 百科事典.
en·cy·clo·pe·di·a 名 百科事典[全書]; 専門事典.
hyp·no·pe·di·a 名 睡眠学習法.

-pe·dic /píːdik/

連結形 子供の教育の; 教育一般の.
★ 形容詞をつくる.
★ 語末にくる関連形は -PEDIA.

★ 語頭にくる関連形は ped(o)-: *ped*agogics「教育学」, *ped*ology「育児学」.
◆ ギリシャ語 *país*「子」より. ⇨ -IC[1].

log·o·pe·dic 形 言語医学の.
or·tho·pe·dic 形 整形外科(学)の.

peer /píər/

名 **1**(社会的に)同等の地位の人; 同僚, 同輩. **2** 貴族.

com·péer 名 同等な［対等の］人; 同輩, 同僚.
lífe pèer 《英》一代貴族.
péer-to-pèer 名 〘コンピュータ〙ピアツーピア: 複数のパソコンを対等に接続するネットワークシステム.
representátive péer 〘英政治〙(スコットランドとアイスランドの)代表貴族(議員).

peg /pég/

名 **1** 釘, 目釘; (樽などの)栓; (測量用の)杭. **2** 理由, 口実. **3**〘経済〙ペッグ. ── 動他 **1** …に釘［杭］を打つ. **2** 〈通貨などを〉一定水準に維持する.

clóthes-pèg 《英》洗濯挟み.
cráwling pèg 〘経済〙クローリングペッグ為替相場制.
hát-pèg 帽子掛け.
múmblety·pèg ジャックナイフ投げ.
néws pèg 新聞・雑誌の特集記事・論説・政治漫画などの主要テーマになる事件や時事問題.
óff-the-pég 形 《英》〈衣服が〉既製の, 出来合いの.
recóvery pèg 〘測量〙取り替え標杭, 副標杭.
rè·pég 動他 〘経済〙〈変動通貨を〉固定する.
squáre pég 《米俗》合わない［不向きな］人［もの］.
stáge pèg 〘演劇〙撞木錐(しゅもくきり).
tée pèg 〘ゴルフ〙ティー.
tént pèg テント用留め杭.
túning pèg (バイオリンなどの)弦の調律用糸巻き.
ùn·pég 動他 …から木釘を抜く.
vént-pèg (樽の)空気穴に差し込む小さい栓.

-pel /pél/

連結形 強いて…させる, 推進する.
★ 語末にくる関連形は -PELLATION, -PULSE.
★ 語頭にくる関連形は puls-: *puls*ate「脈動する」, *pul*sation「鼓動」.
◆ ラテン語 *pellere*「駆る」より.

com·pel 動他 〈人に〉無理に［強いて］(…)させる.
dis·pel 動他 追い散らす, 消散させる.
ex·pel 動他 (場所から)追い出す; 吐き出す.
im·pel 動他 〈人を〉(…に)駆り立てる.
pro·pel 動他 進ませる.
re·pel 動他 追い返す; 食い止める［防ぐ］.

pe·lag·ic /pəlǽdʒik | pe-, pə-/

形 海洋の, 遠洋の; 遠洋で行われる［働く］. ⇨ -IC[1].

al·lo·pe·lag·ic 形 〈海生生物が〉異なった深度の場所に棲(す)む［発育する］.
bath·y·pe·lag·ic 形 〘海洋〙半［漸］深海(水域)の.
ep·i·pe·lag·ic 形 表海水層の.
mes·o·pe·lag·ic 形 〘海洋〙メソ深海の, 中深海の.

-pel·la·tion /pəléiʃən/

連結形 行かされたもの［こと］; 呼ばれたもの［こと］.
★ 名詞をつくる.
★ 語末にくる関連形は -PEL.
★ 語頭にくる関連形は puls-: *puls*ate「脈動する」, *pul*sation「鼓動」.
◆ <ラ *pellātus* (*pellāre*「行く; 呼ぶ」の過去分詞より).
⇨ -ATION.
［発音］-pellation の第 2 音節に第 1 強勢が置かれる.

ap·pel·la·tion 名 名, 名称, 呼称, 称号.
com·pel·la·tion 名 《まれ》(人に対する)呼びかけ.
in·ter·pel·la·tion 名 (議会での)質問, 説明要求.

pen[1] /pén/

名 ペン, 万年筆, ボールペン.

áuto-pèn 名 オートペン: ファクシミリで自動的に署名が描写される装置.
báll pèn ボールペン. ►主に商業語.
bállpoint pèn ボールペン.
bów pèn スプリングコンパス.
cártridge pèn カートリッジ式万年筆.
dáta pèn データペン: ラベルや包装物の磁気コードを読み取るもの.
díp pèn つけペン.
dráwing pèn (製図用)からすロ.
félt-tìp pén フェルトペン.
fíber pén =felt-tip pen.
fíber-tìp pèn =felt-tip pen.
fíbre-tìp pén 《英》=felt-tip pen.
fóuntain pèn 万年筆.
léttering pèn レタリング用ペン先.
líghted pén 豆電球付きボールペン.
líght pèn 〘コンピュータ〙ライトペン.
márker pèn マーカーペン, マーキングペン.
márking pèn =marker pen.
póison-pén 形 〈手紙などが〉中傷を目的とした.
ráilroad pèn 鉄道ペン, 複線平行からすロ.
Rázor Póint pèn 極細の水性ボールペン.
séa pèn 〘動物〙ウミエラ(海鰓).

pen[2] /pén/

名 (家畜を入れる)檻(おり), 囲い, 畜舎. ── 動他 〈家畜を〉囲いに入れる.

búll pèn 〘野球〙ブルペン.
cátching pèn 《豪・NZ》(羊毛刈取り小屋に隣接した)羊用の檻(おり).
cáttle pèn 家畜囲い; 牛小屋.
hén pèn 《米俗》女子校.
hóg·pèn =pigpen.
hólding pèn 《俗》(審理を待つ囚人などを一緒に収容する)監房, 囚人収容所.
Píg·pèn ピグペン: 漫画 Peanuts に出るほこりだらけの男の子.
píg·pèn 《米・カナダ》豚小屋.
pláy·pèn ベビーサークル.
shéep-pèn 《英》羊を入れる囲い, 羊小屋.
ùn·pén 動他 〈羊などを〉囲いから出す.

pence /péns, pəns/

名 《英》ペニー(penny)の複数形: 貨幣単位.

fíp·pence 名 《話》5 ペンス(の金額).
físe·pence 名 5 ペンス(►昔のシリング硬貨に代わる).
fóur·pence 名 4 ペンス(の金額).
hálf·pence 名 半ペニーの金額.
níne·pènce 名 9 ペンス(の金額).
Péter pènce =Peter's pence.
Péter's péncе 〘歴史〙ペトロ献金, 聖庁年貢.
síx·pence 名 6 ペンス(の金額).
thrée·pence 名 3 ペンス(の金額).
thríp·pence 名 =threepence.
thrúp·pence 名 =threepence.
túp·pence 名 《話》=twopence.

twó·pence 名 2ペンス(の金額).

pen·cil /pénsəl/

名 **1** 鉛筆. **2**〖数学〗束. ── 動他 …を鉛筆で書く. ⇨ -IL[1].

áxial péncil 〖幾何〗(共軸)平面束.
blúe pèncil 削除, 修正; 検閲.
blúe-péncil 動他 青[赤]鉛筆で手を加える.
brúsh-pèncil 絵筆.
díamond péncil ダイヤモンド鉛筆.
éversharp péncil ⦅米⦆ シャープペンシル.
éyebrow pèncil ペンシル型まゆ墨.
gréase pèncil 油性鉛筆, ダーマトグラフ.
háir pèncil (ラクダの毛などで作った)絵筆.
léad péncil 鉛筆.
mechánical péncil シャープペンシル.
númber thrée pèncil B の鉛筆.
númber twó pèncil HB の鉛筆.
propélling péncil ⦅英⦆ =mechanical pencil.
réd-péncil 動他 削除する, 検閲する; 訂正する.
sláte péncil 石筆.
stýptic péncil 止血[収斂]棒剤.

-pend /pénd/

連結形 ぶらさがる, 重さがある.
★ 語末にくる関連形は -PENSE.
★ 語頭にくる形は pend[s]-: *pend*ulate「揺れ動く」, *pens*ive「ぼんやりと考えこんだ」.
◆ ラテン語 *pendere*「ぶらさがる, 重さがある, 検討する, 支払う」より.

ap·pend 動他 …を添える, 付加[追加]する.
de·pend 動自 信頼する, 信用する, 当てにする.
dis·pend 動他 ⦅廃⦆ 支払う; 支出する, 費やす.
ex·pend 動他 費やす, 使う, 使い果たす.
im·pend 動自 今にも起ころうとしている.
per·pend 動他自 ⦅古⦆ 考える, 熟慮する, 熟考する.
pro·pend 動自 ⦅廃⦆ (…に)傾く, (…する)気になる.
sus·pend 動他 つり下げる, ぶら下げる.
vil·i·pend 動他 ⦅まれ⦆ 見くびる, 軽んじる.

pen·du·lum /péndʒuləm, -dju- | -dju-/

名 (一般に)振り子. ⇨ -ULUM.

ballístic péndulum 〖物理〗弾道振り子.
compensátion pèndulum 〖時計〗補整振り子.
cómpound péndulum 〖物理〗=physical pendulum.
cónical péndulum 〖時計〗円錐(えんすい)振り子.
Foucáult péndulum 〖物理〗フーコー(の)振り子.
grídiron pèndulum 〖時計〗すのこ形振り子.
móck péndulum 〖時計〗モック振り子.
phýsical péndulum 〖物理〗実体振り子, 物理振り子.
séconds pèndulum 〖時計〗秒振り子.
símple péndulum 〖物理〗単振り子.
tórsion pèndulum 〖時計〗ねじり振り子.

pen·guin /péŋgwin, pén- | péŋ-/

名 ペンギン.

Adélie penguin アデリーペンギン.
Árctic pénguin オオウミガラス.
émperor pènguin コウテイペンギン.
fáiry pènguin ⦅豪⦆ コビトペンギン.
géntoo pénguin ジェンツーペンギン.
jáckass pènguin ケープペンギン.
kíng pènguin オウサマ[キング]ペンギン.

-pe·ni·a /píːniə/

連結形 〖医学〗不足, 欠乏.
★ 名詞をつくる.
◆ <近代ラ(ギ *penía*「貧困, 必要」を表す連結形). ⇨ -IA.

cy·to·pe·ni·a 名 ☞
e·ryth·ro·pe·ni·a 名 赤血球減少(症).
gran·u·lo·pe·ni·a 名 顆粒球減少(症).
leu·co·pe·ni·a 名 =leukopenia.
leu·ko·pe·ni·a 名 白血球減少(症).
lym·pho·pe·ni·a 名 リンパ球減少(症).
neu·tro·pe·ni·a 名 好中球減少(症).

pen·nate /péneit/

形 〖鳥類〗翼を持った; 羽が生えた. ⇨ -ATE[1].

brev·i·pen·nate 形 翼の短い, 短翼の.
im·pen·nate 形 飛力のある翼を持たない.
lon·gi·pen·nate 形 翼[羽]の細長い.

-pen·ny /pèni, pəni/

連結形 (値段が)…ペニーする; …サイズの.
★ 形容詞, 名詞をつくる.
★ もとは fourpenny nails のように用いて釘(くぎ)の値段を表したが, 現在は釘のサイズを表す.
★ 語頭にくる形は penny-: *penny*whistle「おもちゃの笛」, *penny*worth「1 ペニーで買える量」.
◆ 中英 *peni*, 古英 *penig*, *pening*.

cátch·pènny 形 〈商品が〉安かろう悪かろうの.
éight·pènny 形 〖木工〗〈釘が〉長さ 2½インチ(約 6.4 cm)の.
fífty·pènny 形 〖木工〗〈釘が〉長さ 5½インチ(14 cm)の.
fíve·pènny 形 〖木工〗〈釘が〉1¾インチの.
fórty·pènny 形 〖木工〗5 インチ(約 13 cm)の長さの.
fóur·pènny 形 〖木工〗〈釘が〉1½インチ(3.8 cm)の長さの.
Gód's pènny 〖古英法〗手付け(金), 手金.
hálf·pènny (英国の)半ペニー青銅貨(►1985 年に廃止). ►発音は /héipəni/.
héarth pènny 〖歴史〗ペトロ献金, 聖庁年貢.
lúck-pènny ⦅英⦆ 縁起を担いで持っている金銭.
néw pénny ペニー, 新ペニー(penny).
níne·pènny 形 〖木工〗〈釘が〉2¾インチ(約 7 cm)の長さの.
pénny-hálfpenny 1 ペンス半(three-halfpence).
pínch·pènny 締まり屋, しみったれ, けちん坊. ── 形 しみったれた, けちな.
scrápe-pènny けちん坊.
séven·pènny 形 〖木工〗7 ペンス釘の.
síx·pènny 形 6 ペンスの(価値の).
sixtéen·pènny 形 〖木工〗〈釘が〉3½インチ(約 9 cm)の.
síxty·pènny 形 〖木工〗〈釘が〉6 インチ(約 15 cm)の.
tén·pènny 形 ⦅米⦆〖木工〗〈釘が〉長さ 3 インチ(7.6 cm)の.
thrée-and-a-hálfpenny 形 〖木工〗〈平頭釘が〉1⅜インチの.
thrée·pènny 形 3 ペンスの金額[価値]の.
trúe·pènny ⦅古⦆ 律儀者, 正直者.
túp·penny 形 =twopenny.
twélve·pènny 形 〖木工〗3¼インチ(8.3 cm)釘の.
twénty-fíve·pènny 形 〖木工〗4¼インチ(11 cm)釘の.
twénty·pènny 形 〖木工〗4 インチ(10 cm)釘の.
twó·pènny 形 2 ペンスの(価値のある).
twópenny-hálfpenny 形 2 ペンス半の; 2 ペンス半かかる.

-pense /péns/

連結形 つるされた; 〈重さが〉計られた; 見なされた.
★ 語末にくる関連形は -PEND.
★ 語頭にくる関連形は pend-, pens-: *pend*ulate「揺れ

動く」, *pensive*「ぼんやりと考えこんだ」.
◆ <ラ *pēnsus* (*pēndere*「つるす, 〈重さを〉計る」の過去分詞).

dis·pense 動他 (…に)分け与える, 分配する, 施す.
ex·pense 名 ☞
pre·pense 形 計画的な, 故意の.
pro·pense 形 《古》(…)しがちの, 傾向がある.
sus·pense 名 精神的に落ち着かない状態, 気がかり.

pen·sion /pénʃən/

名 年金, 恩給. ⇨ -SION.

gráduated pénsion 《英》累進年金.
occupátional pénsion 職業年金.
óld-àge pénsion 養老［老齢］年金.
óut·pèn·sion 名 院外年金, 院外扶助料.
wár pènsion 戦傷者［戦没者遺族］年金.

peo·ple /píːpl/

名 (世間一般の)人々; 世間.

ánchor·pèople 【テレビ・ラジオ】アンカーピープル.
bág pèople 浮浪者たち, ホームレスの人々.
béautiful people 《話》いかす連中, きらびやかな人々.
bóat pèople ボートピープル.
chósen people 神の選民, イスラエル人.
cóuch people (家がなく, 友人のソファで寝させてもらっている)居そうろうの人.
cóuntry·pèople 地方人, 田舎者(countryfolk).
cráfts·pèople 職人.
de·péo·ple 動他 …の人口を減少させる.
dis·péo·ple 動他 〈疫病・戦争などが〉〈地域の〉人口［住民］を激減させる.
féet péople 中米から米国に入る難民.
flówer people フラワーチルドレン: 特に 1960 年代のヒッピー族.
frée péople 《米刑務所俗》看守［守衛］たち.
Géntle People 《米》優しい人々(►ヒッピーや一部のインディアン部族など非暴力主義の人々).
íce pèople 白人種.
Jésus people ジーザスピープル: 根本主義を掲げる青年団体.
lánd pèople 陸路による難民.
líttle pèople (民間伝承で)小妖精(ようせい)たち.
néws·pèople 報道関係者.
níght pèople 夜型の人々.
nonemérging people 絶滅に追い込まれた民族［国家］.
ò·ver·péople 動他 〈町などを〉人口過剰にする.
Péace People (カトリック・プロテスタント両派から成る)北アイルランド平和運動の一つ.
pecúliar people (神の選民としての)ユダヤ人.
Pláin Pèople プレーンピープル, 質素［簡素］派.
pód people 《米俗》無感動で人間味のない人々.
rè·péo·ple 動他 再び住まわせる, 再植民する.
róad pèople 《米話》宿泊可能なバンに乗ったり, ヒッチハイクをしたりして, 町から町へと旅する人々(特に若者), さすらい族.
sáles·pèople 《主に米》販売員, 店員; 外交員.
Septémber people 55 歳以上の中年後期の人々.
Ś-pèople 社会主義者(Socialists).
stréet people 街路に寝起きする人々.
sún pèople 有色人; 黒人.
Tomórrow People 「未来の子供たち」: 英国の子供向けテレビドラマ.
tówns·pèople 都市居住者, 町民, 市民.
trádes·pèople 商人.
tráveling péople ジプシー; 移動して生活する人々.
tríbes·pèople 部族［種族］民, 先住民, 土民.
ùn·péo·ple 動他 …の住民をなくする［絶やす, 除く］.
wórking pèople (特に)労働組合員, 労働者.
wórk·pèople 労働者, 工員, 従業員.
yóung péople 若い人; (特にプロテスタント教会で)青年会会員(12－24 歳の人).

pep·per /pépər/

名 胡椒(こしょう); トウガラシ, ピーマン.

álligator pèpper 《西アフリカ》ショウガ科の多年草.
béll pèpper =sweet pepper.
bírd pèpper キダチトウガラシ.
bláck pépper 黒胡椒(こしょう).
chérry pépper キダチトウガラシの一品種.
chíli pèpper トウガラシの莢(さや).
chíli·pèpper 【魚類】カリフォルニアメバル.
cóne pèpper タカノツメ(鷹の爪).
gréen pépper ピーマン.
Guínea pèpper メレゲッタコショウ.
hót pépper トウガラシ: ナス科トウガラシ属の植物の総称.
Jamáica pépper オールスパイス(allspice).
Jápanese pépper サンショウ(山椒).
pícked pépper 英国の早口言葉に出てくる 1 フレーズ.
réd clúster pèpper ヤツブサ(八房).
réd pépper 粉とうがらし; 赤ピーマン.
sált and pépper 塩とコショウ.
sált-and-pépper 形 〈服地・布地が〉霜降りの.
swéet pépper アマトウガラシ, ピーマン.
wáll pèpper ヨーロッパマンネングサ.
wáter pèpper ヤナギタデ, ホンタデ.
whíte pépper 白胡椒(こしょう).

-pep·sia /pépʃə, -siə | -siə, -sjə/

連結形 【医学】消化.
★ 名詞をつくる.
◆ <ギ *péps*(*is*)消化 ＋ *-ia* -IA.

dys·pep·sia 名 消化不良(症).
eu·pep·sia 名 消化良好.

pep·ti·dase /péptədèis, -dèiz | -dèiz, -dèis/

名 【生化学】ペプチダーゼ. ◇ -PEPSIA. ⇨ -ASE[1].

a·mi·no·pep·ti·dase 名 アミノペプチダーゼ.
car·box·y·pep·ti·dase 名 カルボキシペプチダーゼ.
di·pep·ti·dase 名 ジペプチダーゼ.
en·do·pep·ti·dase 名 エンドペプチダーゼ.
ex·o·pep·ti·dase 名 エキソペプチダーゼ.
trans·pep·ti·dase 名 ペプチド転移酵素.

pep·tide /péptaid/

名 【生化学】ペプチド. ◇ -PEPSIA. ⇨ -IDE[1].

bóm·be·sin-líke-pép·tide 名 ボンベシン様ペプチド.
di·pép·tide 名 ジペプチド.
fi·bri·no·pép·tide 名 フィブリノペプチド.
mù·co·pép·tide 名 ムコペプチド.
nèu·ro·pép·tide 名 神経ペプチド.
òl·i·go·pép·tide 名 オリゴペプチド.
ópioid péptide オピオイドペプチド.
pèn·ta·dèc·a·pép·tide 名 ペンタデカペプチド.
pèn·ta·pép·tide 名 ペンタペプチド.
pòl·y·pép·tide 名 ポリペプチド.

per·cent·er /pərséntər/

名 《通例複合語》…パーセントのコミッションを取る［要求

P

する]人, …パーセントの報酬を出す人[物], …パーセントの貢献をする人 [物]. ⇨ -ER[1].

fíve-percènter 名 《俗》(5 %の手数料で政府高官に裏取り引きの渡りをつけてやると称する)取り次ぎ屋.
húndred-percénter 名 《米》(時に過激な)国粋主義者.
tén-percénter 《話》(依頼人(特に俳優)の給料の10 %を報酬として取る)代理人.
twénty-percénter 《俗》20 %の手数料をとる人.

per·cep·tion /pərsépʃən/

名 知覚(作用), 認知(力). ►perceive の名詞形. ⇨ -CEPTION.

àp·per·cép·tion 名 〖心理〗統覚, 意識された知覚.
dépth percèption 奥行き感覚 [知覚], 距離感覚 [知覚].
extrasénsory percéption 超感覚的知覚(ESP).
gràv·i·per·cép·tion 名 (植物の)重力知覚.
ìm·per·cép·tion 名 無知覚, 知覚力欠如.
sélf-percéption 自己認識; (特に)自己像.
sénse percèption (知的認識に対する)感覚認識, 感覚.

perch /pə́ːrtʃ/

名 ひれにとげのあるスズキ科スズキ属の淡水食用魚の総称.

bláck pérch 胎生のウミタナゴ.
clímbing pérch キノボリウオ.
gólden pérch ゴールデンパーチ.
lóg·pèrch スズキ目スズキ亜目の淡水魚の一種.
Níle pérch ナイルパーチ.
ócean pérch 北大西洋産のメバル属の食用魚.
péarl pèrch パールパーチ.
píke·pèrch パーチ科のカワカマスに似た魚の総称.
pírate pèrch サケスズキ目アフレドデルス科の淡水魚.
sánd pèrch イットウダイ科の魚.
séa·pèrch =surfperch.
shíner pèrch ウミタナゴの一種.
sílver pérch ニベ科の魚.
súrf·pèrch ウミタナゴ.
tróut·pèrch サケスズキ.
túle pèrch スズキ・ウミタナゴ科の魚の一種.
whíte pérch ハタ科の小さな食用魚.
yéllow pérch ひれにとげのあるスズキ科スズキ属の淡水食用魚の一種.

per·fect /pə́ːrfikt/

形 完璧[完全]な. ━━名〖文法〗完了時制. ⇨ -FECT.

fúture pérfect 名形〖文法〗未来完了形(の).
im·pér·fect 形 欠陥のある, 欠点を持った.
létter-pérfect 形 (せりふを)完全に覚えている.
pást pérfect 名形〖文法〗過去完了形(の).
plu·per·fect 形 〖文法〗過去完了の, 大過去の.
présent pérfect 名形〖文法〗現在完了形(の).
ùn·pér·fect 形 =imperfect.
wórd-pérfect 形 《英》=letter-perfect.

per·form /pərfɔ́ːrm/

動他 **1**〈任務などを〉成す, 行う, 成し遂げる, 遂行する. **2**〈劇などを〉上演する;〈楽曲を〉演奏する, 歌う. ⇨ -FORM[2].

out·per·form 動他 …より性能が優れている.
o·ver·per·form 動他 …を勝手な解釈で演奏する.
un·der·per·form 動他自 他のものほどうまくやらない.

per·for·mance /pərfɔ́ːrməns/

名 **1** 行うこと, 遂行, 履行. **2**(音楽・演劇などの)催し物, 興行; 上演, 公演, 演奏, 演技. ⇨ -ANCE[1].

commánd perfórmance 天覧興行, 御前演奏 [上演].
cóncert perfórmance オペラなどを背景や衣装などなしで上演すること.
nòn·per·fór·mance 名 (契約などの)不履行.
róute-góing perfórmance 〖野球〗完投(すること).
specífic perfórmance 〖法律〗特定履行, 契約の強制的履行.
Tótal Perfórmance トータル・パフォーマンス: 米国のクラシックカー専門メーカー; その乗用車.

pe·ri·od /píəriəd/

名 **1**(歴史などの)期間, 時期. **2**(時間を計る単位となる)期間; (ある現象・動作の)一周期, 一期間.

accóunting pèriod 会計期間.
báse pèriod (変動を測定し比較するときの)基準時.
bréak-in pèriod 〖自動車〗〖機械〗ブレーク・イン・ペアリアッド.
Chándler pèriod 〖天文〗チャンドラー周期.
cóoling-óff pèriod 冷却期間.
crítical períod 〖心理〗臨界期.
físcal períod =accounting period.
gráce pèriod (ローン・保険料などの)支払猶予期間.
incubátion pèriod 〖病理〗=latent period.
indúction pèriod 〖化学〗誘導期.
látency pèriod 〖精神分析〗潜在期.
látent períod 〖病理〗潜伏期.
lóng-périod 形 長期の [にわたる]; 周期の長い.
lunisólar períod 〖天文〗太陰太陽周期.
phòto·períod 〖生物〗光周期.
refráctory pèriod 〖生理〗不応期.
sáfe pèriod 《話》(避妊)安全期間.
sidéreal períod 〖天文〗恒星周期.
wáiting pèriod 待機期間.

per·mit /pə́ːrmit/

名 **1**(…の)許可証. **2** 許可. ⇨ -MIT.

áccess pèrmit 《米》特別入場許可証.
buílding pèrmit 〖行政〗建築許可, 建築確認書.
éntry pèrmit 入国許可.
éxit pèrmit 出国許可(証).
nó objéction pèrmit 《南アフリカ》家畜移動承認書.

per·ox·i·dase /pərɑ́ksidèis, -dèiz | -rɔ́kidèiz, -dèis/

名〖生化学〗ペルオキシダーゼ. ⇨ -ASE[1].

hórseradish peróxidase セイヨウワサビペルオキシダーゼ.
làc·to·per·óx·i·dase 名 ラクトペルオキシダーゼ.
mỳ·e·lo·per·óx·i·dase 名 ミエロペルオキシダーゼ.

per·ox·ide /pərɑ́ksaid | -rɔ́k-/

名〖化学〗過酸化物: 過酸化水素. ⇨ OXIDE.

bárium peróxide 過酸化バリウム.
bénzoyl peróxide 過酸化ベンゾイル.
èn·do·per·óx·ide 名 エンドペロキシド.
hýdrogen peróxide 過酸化水素.
hỳdro·peróxide ヒドロ過酸化物, ヒドロペルオキシド.

P

léad peróxide 酸化第二鉛.
magnésium peróxide 過酸化マグネシウム.
nítrogen peróxide 過酸化窒素.
sódium peróxide 過酸化ナトリウム.

per·son /pə́ːrsn/

名 (一般に)人(ひと). ►-man を持つ語を男女共通にするために利用する. ◇ -PERSON.

affíliated pérson (会社経営の)特別関係人.
artifícial pérson 〖法律〗法人.
dáy pèrson 昼型人間.
disórderly pérson 〖法律〗治安紊乱(びんらん)者, 不道徳者.
displáced pérson (第二次世界大戦以後)戦争や圧政のために故国を追われた人.
fictítious pérson ＝artificial person.
fírst pérson 〖文法〗(第)一人称.
frónt pèrson (バンドなどの)リーダー.
Íslington pèrson 《英》イズリントン人: 左翼的中流階級.
jurístic pérson ＝artificial person.
máil pèrson 郵便配達人.
mórning pèrson 朝型の人.
nátural pérson 〖法律〗自然人.
níght pèrson 夜型の人.
pítch pèrson 行商人, 大道商人.
pód pèrson 《米俗》ばか, 変人.
Sáturday pèrson 《主に英》土曜日だけ働く人.
sécond pérson 〖文法〗(第)二人称.
stréet pèrson (個々の)浮浪者, ホームレス.
stúnt pèrson 〖映画〗〖テレビ〗スタントマン [ウーマン].
thírd pérson 〖文法〗(第)三人称.
yóung pérson 若い人.

-per·son /pə̀ːrsn/

連結形 …人, …者.
★ 名詞をつくる.
★ 言語における性差別を避ける目的で -man, -woman または -er, -ess のように対となっている性を表す形の代わりに男女ともに用いられる.

ád·pèrson 広告人(にん)(コピーライターなど).
álder·pèrson 《米・豪》(地方自治体議会の)議員.
ánchor·pèrson 〖テレビ・ラジオ〗総合司会者.
assémbly·pèrson 議員; 州議会議員.
bár·pèrson パブ [大衆酒場] の給仕.
béll·pèrson ベルボーイ.
búsiness·pèrson 会社で働く人, 実業家.
cámera·pèrson (特に映画・テレビの)カメラマン.
cháir·pèrson 議長, 司会者; 会長, 委員長.
clérgy·pèrson 聖職者, 牧師.
commíttee·pèrson (委員会の)委員.
cóngress·pèrson 国会議員, (特に)米国下院議員.
cóuncil·pèrson 市議会 [地方自治体議会] 議員.
cóunter·pèrson (喫茶店・食堂などの)カウンター係.
cráfts·pèrson 職人, 工人.
dráfts·pèrson 製図家, 図面引き(係り).
éarth·pèrson 地球人, 地球の住人.
fóre·pèrson (工事現場・工場などの)監督, 職長.
frésh·pèrson 新入生, 一年生.
géntle·pèrson 良家の人, 紳士 [淑女].
hándy·pèrson 修理 [修繕] の得意な人.
hóuse·pèrson (家庭で)家事を担当する人.
ín-pérson 形 生出演の, ライブの.
láy·pèrson (聖職者などに対して)一般信徒.
média·pèrson 記者, 通信員, レポーター.
néws·pèrson (新聞)記者, ニュースレポーター.
non·per·son 名 存在しないとみなされている人.
ómbuds·pèrson (企業の労使間の)苦情処理係.
óne-pérson 形 一人の, 個人の.
páper·pèrson 新聞配達人.
pérson-to-pérson 形 〈長距離電話が〉指名(通話)の.
pólice·pèrson 警察署員.
préss·pèrson 報道記者.
repáir·pèrson 修理工, 修理屋.
réwrite·pèrson リライト専門記者.
sáles·pèrson 《主に米》販売員, 外交員.
sérvice·pèrson 軍人, 軍務についている人.
spókes·pèrson 代弁者.
spórts·pèrson スポーツをする人.
státes·pèrson 政治家.
ùn·pérson 名 (特に全体主義国家で)失脚した人.
wáit·pèrson 給仕人, ウエーター, ウエートレス.
wéather·pèrson 気象学者; 天気予報担当キャスター.
Ý-pèrson ヤッピー(yuppie).

per·son·al /pə́ːrsənl/

形 **1** 個人の, 私の **2** (物と区別して)理性をもった, 人格を備えた, 人間的な. ⇨ -AL[1].

im·per·son·al 形 非個人的な, 一般的な.
in·ter·per·son·al 形 人間関係の.
in·tra·per·son·al 形 個人の心の中に生じる.
non-per·son·al 形 非個人的な.
trans·per·son·al 形 個人の限界 [利害] を超えた.
tri·per·son·al 形 〈神が〉三位格の.
u·ni·per·son·al 形 1 人だけから成る.

per·son·al·i·ty /pə̀ːrsənǽləti/

名 (他人の目に映じる)性格; 個性, 人格. ⇨ -ITY.

álternating personálity 〖心理〗交代人格.
anankástic personálity 〖心理〗強迫性格, 制縛性格.
antisócial personálity 反社会的人格.
bórderline personálity 〖精神医学〗境界域人格.
dissóciated personálity 〖心理〗分裂人格.
dúal personálity 〖心理〗二重人格.
im·pèr·son·ál·i·ty 名 人間的な特性の欠如; 非人間性.
módal personálity 〖心理〗モーダル・パーソナリティー.
múltiple personálity 〖精神医学〗多重 [複重] 人格.
narcissístic personálity 〖精神医学〗自己愛人格.
pássive-aggréssive personálity 〖精神医学〗受動攻撃性人格.
pássive-depéndent personálity 〖精神医学〗受動依存性人格.
schizotýpal personálity 〖精神医学〗分裂型人格.
splít personálity ＝multiple personality.
trì·per·son·ál·i·ty 名 〈神が〉三位格から成ること.
TV́ personálity テレビタレント.

per·spec·tive /pərspéktiv/

名 透視図 [画] 法, 遠近法. ⇨ -SPECTIVE.

áerial perspéctive 空気 [色彩] 遠近法.
atmosphéric perspéctive ＝aerial perspective.
frée perspéctive (絵画・舞台装置などの)誇張した遠近法.
fúnctional séntence perspèctive 〖言語〗機能的な文の展望.
línear perspéctive 線透視図法, 線遠近法.
óne-pòint perspéctive 一点透視図(法).
twó-pòint perspéctive 二点透視図(法).

-pe·tal /pətl/

連結形 …を求める, …へ向かう.
★ 形容詞をつくる.
★ 語末にくる関連形は -PETENT.
★ 語頭にくる関連形は pet-: *petition*「嘆願」.
◆ ＜近代ラ *-petus* 探している(ラ *petere*「探す」より). ⇨ -AL[1].

a·crop·e·tal 形 〖植物〗〈花序などが〉求頂的な.
ba·sip·e·tal 形 〖植物〗〖菌類〗求基的な.
cen·trip·e·tal 形 求心性の, 求心的な.
so·ci·o·pe·tal 形 〖社会〗接近していて話がしやすい.

pet·al·ous /pétələs/

形 〖植物〗花弁(petal)のある. ⇨ -OUS.

a·pet·al·ous 形 無花弁の, 花弁(petal)のない.
bi·pet·al·ous 形 二弁の.
cho·ri·pet·al·ous 形 離弁の, 多弁の.
di·pet·al·ous 形 =bipetalous.
ep·i·pet·al·ous 形 〈花が〉花冠[花弁]着生の.
gam·o·pet·al·ous 形 合弁の, 合生花弁の.
mon·o·pet·al·ous 形 合弁の, 合成花冠を持つ.
pol·y·pet·al·ous 形 多弁の.
sten·o·pet·al·ous 形 細い花弁の.
sym·pet·al·ous 形 =gamopetalous.
syn·pet·al·ous 形 =sympetalous.
tet·ra·pet·al·ous 形 四花弁の, 4 枚の花弁を持つ.
tri·pet·al·ous 形 三花弁の.
u·ni·pet·al·ous 形 〈花が〉単花弁の; 一重咲きの.

-pe·tent /pətənt/

連結形 求める.
★ 形容詞をつくる.
★ 語末にくる関連形は -PETAL.
★ 語頭にくる関連形は pet-: *pet*ition「嘆願」.
◆ <ラ *petēns*(*petere*「求める」の現在分詞). ⇨ -ENT[1].
[発音] 語頭の音節に第 1 強勢.

ap·pe·tent 形 (…を)強く欲する, 熱望する.
com·pe·tent 形 (特定の分野で)能力のある, 有能な.

pet·rel /pétrəl/

名 〖鳥類〗ミズナギドリ(ウミツバメを含む).

Bermúda pétrel バミューダ(シロハラ)ミズナギドリ.
díving pètrel モグリウミツバメ.
gíant pétrel オオフルマカモメ.
stílt pètrel シロハラウミツバメ属の一種.
stórm pètrel ウミツバメ.
stórmy pétrel コアシ(小足)ウミツバメ.
Wílson's pétrel アシナガウミツバメ.

-pex·y /peksi/

連結形 固定すること(fixing).
★ 名詞をつくる.
◆ <ギ *-pēxia*(*pêxis*「凝固, 固体性」より). ⇨ -Y[3].
[発音] すべて 4 音節の語で, 語頭の音節に第 1 強勢.

ce·co·pex·y 名 〖医学〗盲腸固定(術).
mas·to·pex·y 名 〖外科〗乳房固定術.
rhe·o·pex·y 名 〖物理化学〗レオペクシー.

-phage /fèidʒ, fɑ̀:ʒ/

連結形 むさぼり食うもの; 破壊するもの; 〖細胞生物〗ファージ.
★ 特に食細胞の造語に用いられる.
★ 語末にくる関連形は -PHAGI, -PHAGIA, -PHAGOUS, -PHAGY.
★ 語頭にくる形は phag(o)-: *phag*edena「浸食(性)潰瘍」, *phago*cyte「食細胞」.
◆ ギリシャ語 *-phagos*「…を食べるもの[人]」より.

bac·te·ri·o·phage 名 (バクテリオ)ファージ.
bib·li·o·phage 名 読書狂, 本の虫.
col·i·phage 名 コリファージ, 大腸菌ファージ.
mac·ro·phage 名 大食細胞, 大食球.
mi·cro·phage 名 (血液・リンパ液中の)小食(菌)細胞.
pro·phage 名 プロファージ: 宿主細菌の中にあって活動していないファージ DNA.
xy·lo·phage 名 木食い虫.

-pha·gi /fədʒài/

連結形 …を食べる人々.
★ 名詞をつくる.
★ 語末にくる関連形は -PHAGE.
★ 語頭にくる関連形は phag(o)-: *phag*edena「浸食(性)潰瘍」, *phago*cyte「食細胞」.
◆ ギリシャ語 *-phagos*「…を食べる人」に由来するラテン語 *-phagus* の複数形. ⇨ -I[1].

an·thro·poph·a·gi 名 複 食人種. ►単数形は anthropophagus.
ich·thy·oph·a·gi 名 複 魚食民(族), 漁労種族. ►単数形はギリシャ語で *ichthyophágos*.
lo·toph·a·gi 名 複 〖ギリシャ神話〗ロトパゴスたち. ►単数形はギリシャ語で *lōtophágos*.
sar·coph·a·gi 名 複 sarcophagus「石棺」の複数形.

-pha·gia /féidʒə -dʒiə/

連結形 -phagy の異形.
★ 語末にくる関連形は -PHAGE.
★ 語頭にくる関連形は phag(o)-: *phag*edena「浸食(性)潰瘍」, *phago*cyte「食細胞」.
◆ <近代ラ<ギ *phag*(*eîn*)食べる + *-ia* -IA.

ad·e·pha·gi·a 名 多食症(bulimia).
aer·o·pha·gia 名 〖精神医学〗空気嚥下(えんげ)(症).
a·pha·gia 名 嚥下(えんげ)困難; 嚥下痛.
au·to·pha·gia 名 〖生理〗自食, 自己消化[貪食].
dys·pha·gia 名 嚥下(えんげ)困難[障害].
hy·per·pha·gi·a 名 〖精神医学〗食欲異常亢進.
mon·o·pha·gia 名 偏食, 単食症.
nec·ro·pha·gi·a 名 死肉[腐肉]を食べること.
o·mo·pha·gia 名 生食, (特に)生肉を食べること.
on·y·cho·pha·gia 名 〖精神医学〗咬爪(こうそう)癖.
pol·y·pha·gi·a 名 多食症.

-pha·gous /fəgəs/

連結形 …を食べる, (ある種の食物を)食べて生きている, むさぼり食う.
★ 形容詞をつくる.
★ 語末にくる関連形は -PHAGE.
★ 語頭にくる関連形は phag(o)-: *phag*edena「浸食(性)潰瘍」, *phago*cyte「食細胞」.
◆ <ラ *phagus* <ギ *-phagos*(*phágein*「食べる」の形容詞派生語). ⇨ -OUS.

al·goph·a·gous 形 藻類を食べる, 食藻性の.
an·thoph·a·gous 形 花を食する, 花食性の.
au·toph·a·gous 形 自食作用の, 自食性の, 自己消耗の.
car·poph·a·gous 形 果実を食する, 果物食性の.
cop·roph·a·gous 形 食糞(ふん)性の.
cre·oph·a·gous 形 〈動物が〉肉食性の; 〈植物が〉食虫性の.
den·droph·a·gous 形 〈昆虫が〉食樹性の, 木質組織を常食する.
en·doph·a·gous 形 〈寄生性の昆虫が〉宿主の体内を食べる.
en·to·moph·a·gous 形 食虫性の, 昆虫を餌とする.
eu·ryph·a·gous 形 〖生態〗〈動物が〉広食性の.
he·ma·toph·a·gous 形 吸血性の.
hy·loph·a·gous 形 =xylophagous.
mel·liph·a·gous 形 〖動物〗吸蜜性の, 蜜(み)食性の.
mo·noph·a·gous 形 〖生物〗単食の, 単食性の.
my·ce·toph·a·gous 形 〖動物〗〈昆虫などが〉菌食性の.
my·coph·a·gous 形 〈生物が〉菌食性の.
myr·me·coph·a·gous 形 〖動物〗アリを食べる.
oph·i·oph·a·gous 形 〖動物〗〈動物が〉蛇を餌にする.

P

phyl·loph·a·gous 形 【動物】〈生物が〉葉食の.
phy·toph·a·gous 形 〈動物が〉草食の, 植食の.
ple·oph·a·gous 形 【動物】漸食性の.
rhi·zoph·a·gous 形 根を餌とする, 根を食べる.
sa·proph·a·gous 形 【生物】腐食性の, 腐生の.
sar·coph·a·gous 形 肉食の.
sca·toph·a·gous 形 〈昆虫が〉食糞(ふん)性の.
ste·noph·a·gous 形 【生態】〈動物が〉狭食性の.
xy·loph·a·gous 形 〈昆虫の幼虫などが〉木を食う.
zo·oph·a·gous 形 〈動物が〉肉食(動物)の.

-pha·gy /fədʒi/

連結形 (特に習慣としての)(ある食物を)食べること.
★ 名詞をつくる.
★ 語末にくる関連形は -PHAGE.
★ 語頭にくる関連形は phag(o)-: *phag*edena「浸食(性)潰瘍」, *phago*cyte「食細胞」.
◆ ＜ギ *-phagia*(*phageîn*「食う」より). ⇨ -Y³.
[発音] 直前の音節に第 1 強勢.

an·thro·poph·a·gy 名 食人; 人食いの風習.
au·toph·a·gy 名 【生物】自食作用, 自己貪食.
cy·toph·a·gy 名 【生物】細胞食作用.
ge·oph·a·gy 名 土食(の習慣).
hip·poph·a·gy 名 馬肉を食べる習慣.
ich·thy·oph·a·gy 名 魚食, 魚類常食.
po·lyph·a·gy 名 【病理】【動物】多食症.
the·oph·a·gy 名 ミサや聖餐式での聖体拝領や陪餐に見られる神食行為.
xe·roph·a·gy 名 【東方教会】厳斎.

phal·a·rope /fǽlərðup/

名 【鳥類】ヒレアシシギ.

nórthern phálarope アカエリヒレアシシギ.
réd-necked phálarope =northern phalarope.
réd phálarope ハイイロヒレアシシギ.
Wílson's phálarope アメリカヒレアシシギ.

-phane /fèin/

連結形 …と形[質, 外見]が似た; 【鉱物】…石.
★ 語末にくる関連形は -PHANY.
★ 語頭にくる関連形は phaner(o)-, phenomen-: *phanero*crystalline「〈岩石が〉顕晶質の」 *phenomen*on「現象」.
◆ ＜ギ *phan-*(*phaínein*「見せる」より).

al·lo·phane 名 アロフェン石.
cel·lo·phane 名 セロハン.
col·lo·phane 名 膠(こう)状石.
cy·mo·phane 名 金緑玉石.
glau·co·phane 名 藍閃(らんせん)石.
hy·al·o·phane 名 ハイアロフェン.
hy·dro·phane 名 透蛋白(たんぱく)石.
lith·o·phane 名 透かし彫刻[彫り]磁器.

-pha·ny /fəni/

連結形 出現(appearance), 明示(manifestation).
★ 名詞をつくる.
★ ギリシャ語からの借用語に見られる.
★ 語末にくる関連形は -PHANE.
★ 語頭にくる関連形は phaner(o)-, phenomen-: *phanero*crystalline「〈岩石が〉顕晶質の」, *phenomen*on「現象」.
◆ ＜ギ *-phania*(*phaînein*「現れる」より). ⇨ -Y³.
[発音] 直前の音節に第 1 強勢.

Chris·toph·a·ny 名 (特に新約聖書で, 復活後の)キリスト顕現.
e·piph·a·ny 名 エピファニー, (プロテスタントで)公現日, 顕現日, (カトリックで)御公現の祝日.
the·oph·a·ny 名 神の顕現[出現].

phar·ma·col·o·gy /fɑ̀ːrməkɑ́lədʒi | fɑ̀ːməkɔ́l-/

名 薬理学, 薬物学. ⇨ -OLOGY.
★ 語頭にくる関連形は pharmac(o)-: *pharmaco*poeia「【薬学】調剤書」.

chro·no·phar·ma·col·o·gy 名 【薬学】時間薬理学.
eth·no·phar·ma·col·o·gy 名 民族薬物学.
neu·ro·phar·ma·col·o·gy 名 【薬学】神経薬理学.
psy·cho·phar·ma·col·o·gy 名 【薬学】精神薬理学.

pha·ryn·ge·al /fəríndʒiəl, -dʒəl, fæ̀rindʒíːəl/

形 【医学】【解剖】咽頭の. ⇨ -AL¹.
★ 語頭にくる関連形は pharyng(o)-: *pharyngo*logy「咽頭学」, *pharyngo*tomy「咽頭切開術」.

cri·co·pha·ryn·ge·al 形 輪状軟骨咽頭の.
glos·so·pha·ryn·ge·al 形 舌咽(ぜついん)(神経)の.
la·ryn·go·pha·ryn·ge·al 形 喉頭咽頭の.
rhi·no·pha·ryn·ge·al 形 鼻咽頭の.

phar·ynx /fǽriŋks/

名 【解剖】咽頭(いんとう). ◇ PHARYNGEAL.

cy·to·phar·ynx 名 細胞咽頭.
hy·po·phar·ynx 名 【昆虫】下咽頭, 舌状体.
la·ryn·go·phar·ynx 名 喉頭咽頭, 咽喉頭.
na·so·phar·ynx 名 鼻咽頭.
o·ro·phar·ynx 名 咽頭中央部.

phase /féiz/

名 **1** (変化するもの・状態が目または心に映る)相, 様相, 面. **2** (変化・発達過程の)位相, 段階, 時期.

ánal phàse 【精神分析】肛門(こうもん)期. 「の)後期.
án·a·phàse 名 【生物】(有糸分裂または減数分裂
bóost phàse 【軍事】加速[上昇]段階.
cólor phàse 色相, 色合い.
dí·phàse 形 【電気】二相性の.
díplo·phàse 【生物】複相.
dispérsed phàse 【物理化学】分散相.
flíght phàse 【航空・ロケット】飛行フェーズ.
follícular phàse 【発生】卵胞期.
génital phàse 【精神分析】性器期.
G_1 phàse 【細胞生物】G_1 期, 第一間期.
G_2 phàse 【細胞生物】G_2 期, 第二間期.
háplo·phàse 【生物】単相, 半数相.
ín·phàse 形 【電気】同相の.
ín·ter·phàse 名 【細胞生物】中間期.
lúteal phàse 【生理】黄体期.
més·o·phàse 名 【物理】(結晶と液体との)中間相.
mét·a·phàse 名 【細胞生物】(細胞の有糸分裂または減数分裂の)中期.
Ḿ phàse 【生物】M 期.
múl·ti·phàse 形 多相の, 多局面の, 多角的な.
phállic phàse 【精神分析】男根期.
phó·to·phàse 名 【植物】明反応.
pól·y·phàse 形 【電気】多相の[に関する].
pre-émbryonic phàse 【生物】前胚期.
pró·phàse 名 【生物】前期.
quár·ter-phàse 形 【電気】二相の.
síngle-phàse 形 【電気】単相(交流)の.
Ś phàse 【細胞生物】S 期.
splít-phàse 形 【電気】分相の.
télo·phàse 【生物】終期.
thrée-phàse 形 【電気】三相の.
twó-phàse 形 【電気】=diphase.
úp-phàse (経済・商売の)好況期, 上昇期.

-pha·si·a /féiʒiə, -ʒə, -ziə/

連結形 言語障害.
★ 名詞をつくる.
★ 語末にくる関連形は -PHASIC, -PHASIS.
◆ <ギ *phás(is)*「話し(speech)」+*-ia* -IA.

a·pha·sia 名 ☞
cat·a·pha·sia 名 〖病理〗応答反復症.
dys·pha·sia 名 〖病理〗不全失語症.
en·do·pha·sia 名 〖心理〗内語.
ex·o·pha·sia 名 外(的)言語.
par·a·pha·si·a 名 〖医学〗錯語(症).

-pha·sic /féizik/

連結形 …相の.
★ 形容詞をつくる.
★ 名詞は phase「相」.
★ 語末にくる関連形は -PHASIA, -PHASIS.
◆ ギリシャ語 *phásis*「相」より. ⇨ -IC[1].

bi·pha·sic 形 二相の, 二相性の, 二位相性の.
di·pha·sic 形 〖動物〗二相性の.
mon·o·pha·sic 形 単相の.
pol·y·pha·sic 形 多相の, 多面的な.
tri·pha·sic 形 三相性[局面]の.

pheas·ant /féznt/

名 キジ(ヤマドリを含む).

árgus phèasant セイラン(青鸞).
blóod phèasant ベニキジ.
crótch-phèasant 《米話》シラミ(louse).
Élliot's phéasant カラヤマドリ.
gólden phéasant キンケイ(金鶏).
gréen phéasant キジ(雉, 雉子).
Ímpeyan phéasant インピキジ, ニジ(虹)キジ.
Lády Ámherst's phéasant ギンケイ(銀鶏).
péacock phèasant コクジャク, ハイイロコクジャク.
réed phèasant ヒゲガラ.
réeves's phéasant オナガキジ.
ríng-necked phéasant コウライキジ.
sílver phéasant ハッカン(白鷴).
snów phèasant セッケイ(雪鶏).
Spíthead phèasant 《英海事俗》燻製の魚.
wáter phèasant アイサ(merganser).

phe·nol /fíːnoul, -nɑl | -nɔl/

名 〖化学〗フェノール, 石炭酸. ⇨ -OL[1].
★ 語頭にくる関連形は phen(o)-: *phen*cyclidine「〖薬学〗フェンシクリジン」, *pheno*barbital「〖薬学〗フェノバルビタール」.

a·mi·no·phe·nol 名 アミノフェノール.
chlo·ro·phe·nol 名 クロロフェノール.
chlor·phe·nol 名 =chlorophenol.
do·de·cyl·phe·nol 名 ドデシルフェノール.
in·do·phe·nol 名 インドフェノール.
méthyl phénol クレゾール(cresol).
ni·tro·phe·nol 名 ☞
óctyl phénol オクチルフェノール.
pen·ta·chlo·ro·phe·nol 名 ペンタクロロフェノール.
pol·y·phe·nol 名 多価フェノール, ポリフェノール.
thi·o·phe·nol 名 チオフェノール.

phe·nom·e·non /finɑ́mənɑ̀n, -nən | -nɔ́mi-nən/

名 現象, 事象. ⇨ -ON[5].

cócktail pàrty phenómenon カクテルパーティー現象: 周りが騒がしくても話し相手の言うことを互いに聞き分けられること.
Déllinger phenòmenon 〖無線〗デリンジャー現象.
ep·i·phe·nom·e·non 名 〖病理〗(病気の途中の)付帯徴候.
Léidenfrost phenòmenon 〖物理〗ライデンフロスト現象.
Óklo phenòmenon 〖地質〗オクロ現象.
phi-phe·nom·e·non 名 〖心理〗ファイ現象, 最適運動.

-phil /fil/

連結形 -phile の異形.
★ 主に生物学, 生理学関連用語をつくる.
★ 語末にくる関連形は -PHILY.
★ 語頭にくる関連形は phil(o)-: *phil*anthropy「博愛, 慈善」, *philo*sophy「哲学」.

a·chro·mat·o·phil 形 〖生物〗〈細胞・組織が〉非染色性の.
a·cid·o·phil 形 〖生物〗〖生態〗好酸性の.
An·glo·phil 形 親英派の, 英国びいきの.
ba·so·phil 名 〖生物〗好塩基性細胞[組織など].
bib·li·o·phil 名 (特に美装本・稀覯(きこう)本などを好む)愛書家; 蔵書家.
chro·mat·o·phil 形 〖組織学〗好染色性の, 好色素性の.
chro·mo·phil 形 =chromatophil.
e·o·sin·o·phil 名 〖組織学〗好酸性物質.
het·er·o·phil 形 〖免疫〗異好性の.
neu·tro·phil 形 〖組織学〗好中性の, 中性好性の.

-phi·la /fələ/

連結形 **1** …を好むもの. ⇨ -A[1]. **2** …の愛するもの. ⇨ -A[2].
★ 名詞をつくる.
★ 語末にくる関連形は -PHILE, -PHILY.
★ 語頭にくる関連形は phil(o)-: *phil*anthropy「博愛, 慈善」, *philo*sophy「哲学」.
◆ <ラ *-philum*, *-a* <ギ *-philos* 愛する, 親愛な.
[発音] 直前の音節に第1強勢.

dro·soph·i·la 名 ショウジョウバエ.
gyp·soph·i·la 名 〖植物〗カスミソウ(霞草).
ne·moph·i·la 名 〖植物〗ルリカラクサ.
The·oph·i·la 名 女子の名. ►字義はギリシャ語で「神に愛された人」.

-phile /fàil/

連結形 …を愛する, …好き, …に熱中している人.
★ 語末にくる関連形は -PHIL, -PHILA, -PHILIA, -PHILIAC, -PHILIC, -PHILISM, -PHILOUS, -PHILY.
★ 語頭にくる形は phil(o)-: *phil*anthropy「博愛, 慈善」, *philo*sophy「哲学」.
◆ <仏 *-phile* または<ラ *-philus*, *-phila* <ギ *-philos* 親愛な, 愛する(固有名詞につく).

ac·i·do·phile 名 〖生物〗好酸性物質[生物].
ae·lu·ro·phile 名 =ailurophile.
Af·ro·phile 名 アフリカ文化信奉者.
ai·lu·ro·phile 名 猫好きな人, 愛猫家.
am·phi·phile 名 〖生化学〗両親媒性物質.
An·glo·phile 名形 親英家(の), 英国崇拝者(の).
arc·to·phile 名 ぬいぐるみのクマ愛好家[収集家].
at·mo·phile 名 〖地質〗親気元素.
au·di·o·phile 名 《主に米》オーディオマニア.
ba·so·phile 名 好塩基性細胞[白血球].
bib·li·o·phile 名 愛書家; 蔵書家.
cal·ci·phile 名 〖植物〗石灰植物, 好(石)灰植物.
chal·co·phile 名 〖地質〗親銅元素.
cin·e·ma·phile 名 =cinephile
cin·e·phile 名 映画好きの人.
cry·o·phile 名 〖生物〗好冷性(の微生物).
dem·o·phile 名 大衆[民衆, 人民]の味方.
dis·co·phile 名 レコードの収集・研究家.
dis·ko·phile 名 =discophile.

P

e·lec·tro·phile 名 【化学】親(と)電子物質.
Fran·co·phile 名形 フランス(人)びいき(の), 親仏家(の).
Gal·lo·phile 名形 ＝Francophile.
Ger·man·o·phile 名形 ドイツびいきの人(の).
hae·mo·phile 名 ＝hemophile.
hal·o·phile 名 【生物】(好)塩性生物.
he·mo·phile 名 血友病患者, 出血性素因者.
hip·po·phile 名 愛馬家, 馬好き.
ho·mo·phile 名 同性愛の人(homosexual).
i·con·o·phile 名 イコン鑑定家; イコン通.
I·tal·o·phile 名形 イタリア崇拝者(の), 親伊家(の).
Ja·pan·o·phile 名形 日本びいき(の), 親日家(の).
jazz·o·phile 名 ジャズマニア.
lith·o·phile 名 【地質】親石元素.
log·o·phile 名 言葉愛好家.
ly·o·phile 形 【物理化学】〈コロイドが〉親水性の.
mes·o·phile 名 【細菌】中温菌.
mi·cro·aer·o·phile 名 【細菌】微好気性菌.
my·co·phile 名 キノコ好きな人. キノコ好きな.
myr·me·co·phile 名 【生物】好アリ生物, アリ動物.
Ne·gro·phile 名 黒人びいき(の人).
oe·no·phile 名 ワイン愛好家, ワイン通.
ox·y·phile 名 【生物】【生態】好酸性細胞.
pe·do·phile 名 【精神医学】小児(性)愛症者.
pol·y·gam·o·phile 名 一夫多妻是認 [支持] 者.
psy·chro·phile 名 【細菌】好冷菌.
Rus·so·phile 名 ロシアびいきの人, 親ロ家.
sap·ro·phile 名 【細菌】腐生菌, 腐敗物寄生菌.
sar·co·phile 名 【動物】肉食動物, (特に)タスマニアデビル.
scrip·o·phile 名 古証券の収集家.
sid·er·o·phile 名 【生化学】親鉄元素.
Si·no·phile 名形 中国(人)びいきの人(の).
Slav·o·phile 名形 スラブびいき(の人)(の).
sper·mo·phile 名 【動物】ジリス, ハタリス.
sten·o·ther·mo·phile 名 【細菌】狭温性細菌.
sym·phile 名 【昆虫】容生者.
tech·no·phile 名 技術好きの人.
ther·mo·phile 名 耐熱性細菌, 好熱性の細菌.
Tur·co·phile 名形 トルコびいきの人(の).
Tur·ko·phile 名形 ＝Turcophile.
tu·ro·phile 名 チーズ好きの人.
vid·e·o·phile 名 ビデオメカ [テレビ, 録画] 愛好者.
work·a·phile 名 仕事の虫.
xen·o·phile 名 外国風好きの人, 外国かぶれの人.
xe·ro·phile 名 【植物】乾生植物.
zo·o·phile 名 【植物】動物媒植物(の種子).

-phil·i·a /fíliə/

連結形 …への偏愛, …傾向.
★ 名詞をつくる.
★ 愛好家の場合は -PHILE となる.
★ 語頭にくる関連形は phil(o)-: *phil*anthropy「博愛, 慈善」, *philo*sophy「哲学」.
◆ ギリシャ語 *philía*「友情, 好み」より. ⇨ -IA.

a·chro·mat·o·phil·i·a 名 【生物】非染色性.
ae·lu·ro·phil·i·a 名 ＝ailurophilia.
ai·lu·ro·phil·i·a 名 (極端な)猫好き, 愛猫症.
An·glo·phil·i·a 名 英国びいき, 英国崇拝.
au·di·o·phil·i·a 名 オーディオ愛好 [熱].
ba·so·phil·i·a 名 【病理】好塩基球細胞増加症.
bi·o·phil·i·a 名 生命愛.
chro·mat·o·phil·i·a 名 【組織学】＝chromophilia.
chro·mo·phil·i·a 名 【組織学】好染色性, 好色素性.
claus·tro·phil·i·a 名 【精神医学】閉所 [密室] 嗜好症.
cop·ro·phil·i·a 名 【精神医学】不潔物嗜好病癖.
cy·ber·phil·i·a 名 コンピュータ狂.
ge·ron·to·phil·i·a 名 【精神医学】老人(性)愛.
he·mo·phil·i·a 名形 【病理】血友病(の [にかかった]).
my·so·phil·i·a 名 【精神医学】不潔嗜好症.
nec·ro·phil·i·a 名 【精神医学】死体姦(かん)症.
ne·o·phil·i·a 名 新しがり, 新奇好み.
par·a·phil·i·a 名 【精神医学】性的倒錯.
pe·do·phil·i·a 名 【精神医学】小児(性)愛.
sco·po·phil·i·a 名 【精神医学】窃視症(voyeurism).
spas·mo·phil·i·a 名 【病理】痙攣(けいれん)体質.
xen·o·phil·i·a 名 外国人 [外国文化, 外国風] 好み.
zo·o·phil·i·a 名 動物好き, 動物愛好.

-phil·i·ac /fíliæ̀k/

連結形 …の偏愛, …傾向の者.
★ -philia で終わる名詞に対応する「…の者」という名詞をつくる.
★ 語末にくる関連形は -PHILE.
★ 語頭にくる関連形は phil(o)-: *phil*anthropy「博愛, 慈善」, *philo*sophy「哲学」.
◆ ギリシャ語 *-philiakos* より. ⇨ -AC[1].

he·mo·phil·i·ac 名 血友病患者, 出血性素因者.
nec·ro·phil·i·ac 名 屍姦(しかん)者, 死体嗜好(しこう)者.
ne·o·phil·i·ac 名 新しがり屋.
pe·do·phil·i·ac 名 小児(性)愛症者.

-phil·ic /fílik/

連結形 …好きな.
★ -phile の語尾を持つ名詞に対応する形容詞をつくる.
★ 語頭にくる関連形は phil(o)-: *phil*anthropy「博愛, 慈善」, *philo*sophy「哲学」.
◆ -PHILE＋ -IC[1].

a·cid·o·phil·ic 形 【生物】好酸性の.
bar·o·phil·ic 形 (バクテリアが)高気圧に耐えられる.
ba·so·phil·ic 形 【生物】塩基好性(好塩基性)の.
cry·o·phil·ic 形 好低温性の, 好氷雪性の.
cy·to·phil·ic 形 【生物】好細胞(性)の.
e·lec·tro·phil·ic 形 【化学】親(と)電子的.
en·do·phil·ic 形 〈生物が〉人間および人間環境と生態学的に結びついた.
e·o·sin·o·phil·ic 形 ＝acidophilic.
ex·o·phil·ic 形 (生態が)人間に関係がない.
fran·co·phil·ic 形 フランス好きの, フランスびいきの.
he·mo·phil·ic 形 血友病にかかった [に特有の].
hy·dro·phil·ic 形 【化学】親水性の.
ke·ra·ti·no·phil·ic 形 好ケラチン性の, 好角質性の(菌類).
lip·o·phil·ic 形 【物理化学】親油性の.
ly·o·phil·ic 形 【物理化学】〈コロイドが〉親液性の.
mes·o·phil·ic 形 〈細菌が〉中等温度好性の.
neu·tro·phil·ic 形 【組織学】好中性の.
nu·cle·o·phil·ic 形 【化学】求核的な, 求核(性)の.
o·le·o·phil·ic 形 【化学】親油性の.
ox·y·phil·ic 形 ＝acidophilic.
pho·to·phil·ic 形 〈植物などが〉好光性の, 受光性の.
pol·y·chro·ma·to·phil·ic 形 【細胞生物】多染性の.
pro·to·phil·ic 形 【化学】水素イオン(陽子)を含む.
psy·chro·phil·ic 形 好冷の.
py·ro·nin·o·phil·ic 形 【生物】ピロニンによく染まる.
rhe·o·phil·ic 形 【生態】好流性の, 流水に育つ.
sco·to·phil·ic 形 〈生物が〉好暗性の.
spas·mo·phil·ic 形 痙攣(けいれん)体質の.
ther·mo·phil·ic 形 〈細菌が〉好熱性の, 高温を好む.

-ph·i·lism /fəlìzm/

連結形 …愛.
★ -phile の語尾を持つ名詞に対応する抽象名詞をつくる.
★ 語頭にくる関連形は phil(o)-: *phil*anthropy「博愛, 慈善」, *philo*sophy「哲学」.
◆ -PHILE＋ -ISM[1].

bib·li·oph·i·lism 名 書籍愛好; 蔵書癖.
ne·croph·i·lism 名 【精神医学】死体姦症, 死体嗜好症.
Sla·voph·i·lism 名 スラブ主義.
sym·phi·lism 名 【生態】友好 [相利] 共生.

P

zo·oph·i·lism 名 動物愛好.

phi·los·o·phy /filάsəfi | -lɔ́s-/

名 哲学. ⇨ -SOPHY.

analýtic philósophy 〖哲学〗分析哲学.
atómic philósophy 〖哲学〗原子論[説].
bì·o·phi·lós·o·phy 名 生物哲学.
cósmic philósophy 〖哲学〗宇宙進化論.
crítical philósophy 〖哲学〗(Kant の)批判哲学.
linguístic philósophy 言語哲学.
móral philósophy 道徳哲学, 倫理学.
nátural philósophy 自然科学.
órdinary-lánguge philòsophy 言語分析.
pósitive philósophy 〖哲学〗実証主義.
spéculative philósophy 〖哲学〗思弁哲学.
synthétic philósophy 総合哲学.
transcendéntal philósophy 〖哲学〗超越論的哲学, 超越主義.

-ph·i·lous /fələs/

連結形 …好きな, …好みの.
★ 形容詞をつくる.
★ 語末にくる関連形は -PHILE.
★ 語頭にくる関連形は phil(o)-: *phil*anthropy「博愛, 慈善」, *philo*sophy「哲学」.
◆ <ラ *-philus* <ギ *-philos*. ⇨ -OUS.
[発音] 直前の音節に第 1 強勢.

am·moph·i·lous 形 〖生物〗愛砂性の.
an·e·moph·i·lous 形 〖植物〗〖菌類〗風媒の.
an·thoph·i·lous 形 〈虫などが〉好花性の, 花棲性の.
ba·thoph·i·lous 形 〈生物が〉深海に棲む.
cop·roph·i·lous 形 糞便を食う, 糞生の.
den·droph·i·lous 形 〖動物〗樹棲(じゅせい)性の.
en·to·moph·i·lous 形 〈植物が〉虫媒の.
er·e·moph·i·lous 形 〖生態〗砂漠性の.
ge·oph·i·lous 形 〖動物〗好地性の, 地表性の.
ha·loph·i·lous 形 〈生物が〉(好)塩性の.
hy·droph·i·lous 形 〖植物〗水媒の, 水媒授粉の.
lim·no·phil·ous 形 〈動物が〉陸水性の, 淡水に棲む.
ni·troph·i·lous 形 〈植物が〉窒素が十分含まれる土壌で育つ.
sci·oph·i·lous 形 〖植物〗〈植物が〉陰生の.
tro·poph·i·lous 形 〖生態〗〈植物が〉季節の変化に順応する.
xe·roph·i·lous 形 〈動物・植物が〉好乾[耐乾]性の.
xy·loph·i·lous 形 〈昆虫・菌類などが〉木を好む.
zo·oph·i·lous 形 〖植物〗動物媒介の.

-ph·i·ly /fəli/

連結形 -philia の異形. ⇨ -Y[3].
★ 語頭にくる関連形は phil(o)-: *phil*anthropy「博愛, 慈善」, *philo*sophy「哲学」.
[発音] 直前の音節に第 1 強勢.

car·toph·i·ly 名 タバコの景品として作られた小型絵入りカードを収集する趣味.
my·oph·i·ly 名 〖植物〗蠅による授粉.
no·taph·i·ly 名 (趣味としての)銀行券[紙幣]収集.
or·ni·thoph·i·ly 名 鳥媒.
scri·poph·i·ly 名 (骨董的価値のある)古証券の収集.
sym·phi·ly 名 〖生態〗友好[相利]共生.

phlox /flάks | flɔ́ks/

名 フロックス: ハナシノブ科クサキョウチクトウ属の植物の総称.

blúe phlóx ブルーフロックス.
Drúmmond's phlóx キキョウナデシコ.
sánd phlòx フロックス.
tráiling phlóx シロバナツメクサ.

-phobe /fòub/

連結形 …恐怖症の人, …嫌い(の人).
★ -phobia の語尾を持つ名詞に対応する.
★ 語末にくる関連形は -PHOBIA, -PHOBIC.
★ 語頭にくる形は phob(o)-: *phobo*phobia「〖心理〗恐怖恐怖(症)」.
◆ <ギ *-phobos*(*phóbos*「恐怖, パニック」の形容詞派生語).

ac·ro·phobe 名 高所恐怖症の人.
ae·lu·ro·phobe 名 =ailurophobe.
aer·o·phobe 名 飛行機嫌い[飛行(機)恐怖症]の人.
ag·o·ra·phobe 名 広場恐怖症の人.
ai·lu·ro·phobe 名 猫嫌い[恐猫症]の人.
A·mer·i·ca·no·phobe 名 米国嫌いの人.
An·glo·phobe 名形 英国嫌い(の), 英国恐怖者(の).
bib·li·o·phobe 名 書物嫌いな人; 書籍不信者.
cal·ci·phobe 名 〖植物〗嫌(石)灰植物.
chro·mo·phobe 名 〖細胞生物〗(脳下垂体前葉の)非染色性細胞.
claus·tro·phobe 名 閉所[密室]恐怖症患者.
com·put·er·phobe 名 コンピュータ嫌い(の人).
Fran·co·phobe 形名 フランス(人)嫌いの(人).
Gal·lo·phobe 形名 =Francophobe.
Ger·man·o·phobe 名形 ドイツ嫌いの(人); 排独主義の(人).
ho·mo·phobe 名 同性愛(者)を嫌う人, ホモ恐怖症の人.
hy·dro·phobe 名 恐水[狂犬]病患者.
math·o·phobe 名 数学恐怖症の人.
Neg·ro·phobe 名 黒人恐怖[嫌悪]者.
Rus·so·phobe 名 ロシア嫌いの人, ロシア恐怖症の人.
Slav·o·phobe 名 スラブ(人)を恐れる人.
tech·no·phobe 名 (科学)技術恐怖[嫌悪]者.
to·bac·co·phobe 名 嫌(け)煙家, (特に)嫌煙権運動家.
Tur·co·phobe 名形 トルコ嫌いの(人), 反トルコ主義の(人).
Tur·ko·phobe 名形 =Turcophobe.
xen·o·phobe 名 外来者恐怖症患者; 外国(人)嫌いの人.

-pho·bi·a /fóubiə/

連結形 **1** 恐怖. ►ギリシャ語からの借用語に見られる: hy·dro*phobia*. **2** …忌避, …を恐れる, …を嫌忌する. ►語頭要素を「恐れる, 嫌忌する」という一般的意味を持つ精神障害名に用いられる: agora*phobia*.
★ 名詞をつくる.
★ 恐怖症の人の場合は -PHOBE となる.
★ 語頭にくる関連形は phob(o)-: *phobo*phobia「〖心理〗恐怖恐怖(症)」.
◆ <ラ<ギ =*phób*(*os*)「恐怖」+ *-ia* -IA.

ac·a·ro·pho·bi·a 名 〖精神医学〗ダニ恐怖症.
ac·ro·pho·bi·a 名 高所恐怖症.
ae·lu·ro·pho·bi·a 名 =ailurophobia.
aer·o·pho·bi·a 名 〖精神医学〗空気恐怖症.
ag·o·ra·pho·bi·a 名 〖精神医学〗広場恐怖(症).
ai·lu·ro·pho·bi·a 名 〖精神医学〗猫恐怖(症), 恐猫症.
al·go·pho·bi·a 名 疼痛(とうつう)恐怖(症).
A·mer·i·ca·no·pho·bi·a 名 米国嫌い.
an·dro·pho·bi·a 名 男性恐怖症, 男嫌い.
An·glo·pho·bi·a 名 英国恐怖症, 恐英病, 英国嫌い.
aq·ua·pho·bi·a 名 水恐怖症.
a·rach·no·pho·bi·a 名 クモ恐怖症.
as·tra·pho·bi·a 名 〖精神医学〗恐雷症, 雷光恐怖(症).
au·to·pho·bi·a 名 孤独恐怖症.
a·vi·o·pho·bi·a 名 〖精神医学〗航空恐怖, 空飛び恐怖.
bac·te·ri·o·pho·bi·a 名 バクテリア汚染恐怖症.
can·cer·pho·bi·a 名 癌恐怖症.
ce·ram·o·pho·bi·a 名 陶磁器類恐怖症.

P

claus·tro·pho·bi·a 名 閉所［密室］恐怖症.
com·put·er·pho·bi·a 名 コンピュータ恐怖症.
cop·ro·pho·bi·a 名 〖精神医学〗異常糞便恐怖症.
cy·ber·pho·bi·a 名 〖精神医学〗コンピュータ恐怖.
de·cid·o·pho·bi·a 名 決断［決定］することへの恐怖(症).
de·mon·o·pho·bi·a 名 鬼神［悪霊］恐怖(症).
dys·mor·pho·pho·bi·a 名 〖病理〗醜形恐怖(症).
e·ryth·ro·pho·bi·a 名 〖精神医学〗赤色恐怖症, 恐紅病.
eu·pho·bi·a 名 《こっけい》幸福恐怖症.
fat·o·pho·bia 名 肥満恐怖.
Ger·man·o·pho·bi·a 名 ドイツ嫌い, ドイツ人［文化］嫌い.
ge·ron·to·phobi·a 名 老人嫌悪.
gyn·e·pho·bi·a 名 女性恐怖(症), 婦人嫌悪.
he·mo·pho·bi·a 名 〖精神医学〗恐血症, 血液恐怖(症).
het·er·o·pho·bi·a 名 異性恐怖症, 異性嫌悪.
ho·mo·pho·bi·a 名 同性愛恐怖.
hy·dro·pho·bi·a 名 恐水病, 狂犬病.
les·bo·pho·bi·a 名 レズ嫌悪.
lo·go·pho·bi·a 名 言語恐怖症.
lys·so·pho·bi·a 名 〖精神医学〗狂犬病恐怖症.
mi·cro·pho·bi·a 名 微生物恐怖症, 微小物恐怖症.
mo·no·pho·bi·a 名 孤独恐怖症.
my·so·pho·bi·a 名 〖精神医学〗不潔恐怖症, 汚物恐怖.
nec·ro·pho·bi·a 名 〖精神医学〗死亡恐怖(症).
Ne·gro·pho·bi·a 名 黒人恐怖(症), 黒人嫌い.
ne·o·pho·bi·a 名 新しいもの嫌い.
noc·ti·pho·bi·a 名 〖精神医学〗暗夜［所］恐怖(症).
nos·o·pho·bi·a 名 〖精神医学〗疾病恐怖(症).
nu·cle·o·mi·to·pho·bi·a 名 原子力恐怖.
nyc·to·pho·bi·a 名 〖精神医学〗暗所［夜間］恐怖(症).
och·lo·pho·bi·a 名 〖精神医学〗雑踏［群衆］恐怖症.
pec·ca·to·pho·bi·a 名 〖精神医学〗罪悪恐怖(症).
phag·o·pho·bi·a 名 恐食症.
pho·to·pho·bi·a 名 〖病理〗光線恐怖(症), 羞明(しゅうめい).
py·ro·pho·bi·a 名 火恐怖症, 恐火症.
ra·di·o·pho·bi·a 名 放射線恐怖症.
school·pho·bi·a 名 学校恐怖症, 学校嫌い.
Si·no·pho·bi·a 名 中国嫌い, 中国恐怖症.
si·to·pho·bi·a 名 〖病理〗恐食症, 嫌食症, 拒食症.
sym·bo·lo·pho·bi·a 名 シンボル恐怖(症).
sym·met·ro·pho·bi·a 名 〖建築〗対称忌避, 均整嫌い.
taph·e·pho·bi·a 名 〖精神医学〗生き埋め恐怖症.
tech·no·pho·bi·a 名 技術恐怖.
ter·a·to·pho·bi·a 名 〖医学〗奇形恐怖症.
than·a·to·pho·bi·a 名 〖精神医学〗死(亡)恐怖(症).
the·o·pho·bi·a 名 神への畏怖, 神恐怖症.
tox·i·pho·bi·a 名 〖精神医学〗毒物恐怖症.
tris·kai·dek·a·pho·bi·a 名 十三恐怖症.
xen·o·pho·bi·a 名 外来者［外国人］恐怖症.
zo·o·pho·bi·a 名 動物恐怖症.

-pho·bic /fóubik/

連結形 **1** …を嫌悪する, …を病的に恐れる: acro*phobic*; photo*phobic*. **2** 〖化学〗…に強い親和力を持たない: lyo*phobic*.
★ -phobe の語尾を持つ名詞に対応する形容詞をつくる.
★ 語頭にくる関連形は phob(o)-: *phobo*phobia「〖心理〗恐怖恐怖(症)」.
◆ -PHOBE＋ -IC[1].

ac·ro·pho·bic 形 高所恐怖症の.
ag·o·ra·pho·bic 形 〖精神医学〗広場恐怖症の.
claus·tro·pho·bic 形 閉所［密室］恐怖症の.
coun·ter·pho·bic 形 対抗恐怖の.
cy·ber·pho·bic 形名 コンピュータ［電子機器］恐怖症の(人).
e·rot·o·pho·bic 形 性表現［行為］を恐れる［嫌悪する］.
ho·mo·pho·bic 名 同性愛(者)恐怖［嫌悪］(の).
hy·dro·pho·bic 形 恐水［狂犬］病の.
ly·o·pho·bic 形 〖物理化学〗〈コロイドが〉疎液性の.
pho·to·pho·bic 形 羞明(しゅうめい)の, 光［輝所］恐怖の.
tech·no·pho·bic 形 新技術機器をこわがる.
ur·sa·pho·bic 形 クマ恐怖症の.
zoo·pho·bic 形 動物恐怖症の.

phone /fóun/

名《話》電話(機); 受話器. ►telephone の短縮形.

án·swer·phòne 《商標》留守番電話.
bát phòne 《英警察俗》無線器.
cárd·phòne 《英》テレフォンカード(式)公衆電話.
cár·phòne 自動車電話, カーフォン.
céll·phòne ＝cellular phone.
céllular phòne 携帯電話.
cóm·pu·ter·phòne 〖通信・コンピュータ〗コンピュータホーン.
dá·ta·phòne データホン: 電話回線を用いてデータを転送する装置; またその方式.
Dís·play·phòne ディスプレイホーン.
Én·try·phòne 《商標》ドアフォン, 玄関電話.
hóuse·phòne (ホテル・アパートなどで交換台を通す)内線電話.
ín·ter·phòne 名 社内［機内, 船内, 列車内］通話装置.
júnk phòne (900 番の)有料案内電話.
kéy·phòne 《英》プッシュホン.
móbile phóne 携帯電話.
páy-by-phóne 名形 電話振り替え(の).
páy phòne 公衆電話.
phó·to·phòne 光線電話.
Píc·ture·phòne ＝videophone.
rá·di·o·phòne 無線電話機.
róam-a-phòne 携帯電話, ポータブル電話.
Smárt phòne (自動ダイヤルやネットワークへの接続など)コンピュータによる便利な機能付き電話.
spéak·er·phòne 名 (電話機の)スピーカー・マイク兼用装置.
víd·e·o·phòne 名 テレビ電話.
víew·phòne 名 ＝videophone.

-phone /fòun/

連結形 …音, 音声; …楽器; …音機［器］.
★ 語末にくる関連形は -PHONIA, -PHONY.
★ 語頭にくる形は phon(o)-: *phon*ation「発声, 発音」, *phono*cardiograph「心音計」.
◆ ギリシャ語 *phōnḗ*「声, 音」より.

aer·o·phone 名 気鳴楽器.
al·lo·phone 名 〖音声〗異音.
An·glo·phone 名 (特に 2 か国語以上が話される地域で)英語使用者, 英語を話す人.
an·glo·phone 名 英語使用者, 英語がわかる人.
au·di·phone 名 〖医学〗骨伝導式［切歯式］補聴器.
chor·do·phone 名 弦鳴楽器.
den·ti·phone 名 デンチフォーン, 歯音器.
de·tect·a·phone 名 電話盗聴機［装置］.
di·a·phone 名 (2 つの音を出す)濃霧警笛, 霧笛.
ear·phone 名 (ステレオ用の)ヘッドホーン.
e·lec·tro·phone 名 電子楽器.
eye·phone 名 アイフォン: 仮想現実体験用眼鏡.
Fran·co·phone 名 (2 か国語以上の公用語のある国で)フランス語を話す住民.
ge·o·phone 名 ジオフォーン, 地震計.
gram·o·phone 名 《主に英》グラモフォン, 蓄音機.
graph·o·phone 名 グラフォフォン: 円形型レコードの蓄音機.
Hal·a·phone 名 ハラホーン, 電子音響装置［楽器］.
head·phone 名 ヘッドホン.
heck·el·phone 名 ヘッケルフォーン: バリトン・オーボエの一種.
hol·o·phone 名 〖光学〗ホロホーン.
hom·o·phone 名 〖音声〗同音異義語.
hy·dro·phone 名 水中聴音器.
i·de·o·phone 名 〖言語〗擬声, 表意音.

id·i·o·phone 名 イディオフォーン, 体鳴楽器.
i·so·phone 名 〚言語〛等音線.
lith·o·phone 名 中国の石製の鐘; 16 個の石板から成り, 2 列につるし槌(つち)で打つ.
meg·a·phone 名 メガホン, 拡声器, 拡声らっぱ.
mel·lo·phone 名 メロフォーン: 金管楽器の一種.
mem·bra·no·phone 名 膜鳴楽器.
me·tal·lo·phone 名 (楽器の)鉄琴.
mi·cro·phone 名 ☞
nau·to·phone 名 〚海事〛ノートフォーン.
op·to·phone 名 オプトフォン, 聴光器.
pol·y·phone 名 〚音声〛多音字, 多音価記号.
pre·ga·phone 名 プレガフォン: 妊婦が胎児に話しかけるためのメガフォン状の筒.
pseu·do·phone 名 迷聴器: 音の発生する箇所を誤認させる機械.
sar·ru·so·phone 名 サリュソフォーン: 金管楽器の一種.
sax·o·phone 名 (楽器の)サクソホーン.
sou·sa·phone 名 スーザフォン: 金管楽器の一種.
sphyg·mo·phone 名 〚医学〛脈音器.
sten·tor·phone 名 (パイプオルガンの)ステントルフォン音栓.
ster·e·o·phone 名 ステレオ用ヘッドフォン.
te·leg·ra·phone 名 (針金, テープまたは音盤を用いた)初期の磁気録音機.
tel·e·phone 名 ☞
ther·mo·phone 名 〚電気〛サーモホン.
tu·bu·phone 名 チューブフォーン: 鉄琴に似た楽器.
vi·bra·phone 名 ビブラホン: vibraharp のヨーロッパにおける呼称.
Vi·ta·phone 名 《商標》バイタフォーン: 初期の有声映画の録音・再生方式.
xy·lo·phone 名 木琴, シロフォーン, ザイロフォーン.
zoo·mooze·phone 名 ズームーズフォン: 微分音の演奏ができるビブラフォン様の楽器.

pho·neme /fóuniːm/

名 〚言語〛音素. ◇ -EME[1].

ár·chi·phò·neme 名 原音素.
autónomous phóneme 自律的音素.
mòr·pho·phó·neme 名 形態音素.
segméntal phóneme 分節[一次]音素.
suprasegméntal phóneme 韻律素, かぶせ音素.
systemátic phóneme 体系的音素.
taxonómic phóneme ＝autonomous phoneme.

pho·net·ics /fənétiks, fou-/

名複 音声学. ◇ PHONICS. ⇨ -ICS.

acóustic phonétics 〚言語〛音響音声学, 物理音声学.
artículatory phonétics 調音音声学.
áuditory phonétics 聴覚音声学.
experimental phonetics 実験音声学.
instrumental phonetics 器械音声学.
physiológical phonétics 生理音声学.

-pho·ni·a /fóuniə/

連結形 -phony の異形.
★ 語頭にくる関連形は phon(o)-: *phon*ation「発声, 発音」, *phono*cardiograph「心音計」.
◆ ＜ラ＜ギ *-phōnia*(*phōnḗ*「音声, 声」より). ⇨ -IA.

a·pho·ni·a 名 〚病理〛無声(症), 失声(症).
di·pho·ni·a 名 ＝diplophonia.
dip·lo·pho·ni·a 名 〚病理〛複音, 二重声.
dys·pho·ni·a 名 〚病理〛発音困難, 発声障害, 失声症.
eu·pho·ni·a 名 〚鳥類〛フウキンチョウ(風琴鳥).
hy·po·pho·ni·a 名 〚病理〛発声不全, 発語障害.
sym·pho·ni·a 名 〚音楽〛シンフォニア.

phon·ic /fánik, fóun-|fɔ́n-, fóun-/

形 音声の[に関する]; 発音上の; 音の. ⇨ -IC[1].
★ 名詞は phone「電話; 単音」.
★ 語頭にくる関連形は phon(o)-: *phono*logy「音韻論」, *phon*ation「発声, 発音」, *phono*cardiograph「心音計」.

a·phon·ic 形 (口は動くが)声が出ない.
cac·o·phon·ic 形 (音が)耳障りな, 不協和の.
e·lec·tro·phon·ic 形 〈楽器・音楽が〉電気発声の.
eu·phon·ic 形 音調[口調]のよい.
hom·o·phon·ic 形 同じ音の, 同じ音を持つ.
mi·cro·phon·ic 形 マイクロホン(の特性)の.
mon·o·phon·ic 形 〚音楽〛単旋律(曲)の.
oc·ta·phon·ic 形 8 チャンネルハイファイ(方式)の.
per·i·phon·ic 形 〚音響〛多重チャンネルの.
pol·y·phon·ic 形 多声の, 多音の, 韻律変化のある.
quad·ra·phon·ic 形 〈録音再生が〉4 チャンネル(方式)の.
quad·ri·phon·ic 形 ＝quadraphonic.
sten·to·ro·phon·ic 形 (声・音が)非常に大きい.
ster·e·o·phon·ic 形 立体音響の, ステレオフォニックの.
sym·phon·ic 形 〚音楽〛交響曲の, 交響管弦楽の.
tel·e·phon·ic 形 電話の; 電話による.

phon·ics /fániks|fɔ́n-, fóun-/

名複 音響学(acoustics). ⇨ -ICS.

mi·cro·phon·ics 名複 〚電子工学〛マイクロフォニック雑音.
quad·ri·phon·ics 名複 4 チャンネルステレオ装置[システム].
quad·ro·phon·ics 名複 ＝quadriphonics.
ra·di·o·phon·ics 名複 《英》ラジオで流れる音.
ster·e·o·phon·ics 名複 立体音響学.

-pho·ny /fəni, fòuni/

連結形 音(声)(sound).
★ -phone の語尾を持つ名詞に対応する抽象名詞をつくる.
★ 語頭にくる関連形は phon(o)-: *phon*ation「発声, 発音」, *phono*cardiograph「心音計」.
◆ 中英 *-phonie* ＜古仏 *-phonie* ＜ラ *-phōnia* ＜ギ. ⇨ -Y[3].
[発音] 直前の音節に第 1 強勢.

a·croph·o·ny 名 〚言語〛頭音書法(acrology).
am·bi·o·pho·ny 名 アンビオフォニー: コンサートホールにいるような臨場感を与える音楽の再生.
an·tiph·o·ny 名 応答[交互]歌唱, 交唱.
a·poph·o·ny 名 〚文法〛アプラウト, 母音交替.
ca·coph·o·ny 名 耳障りな音, 不協和音; 雑音, 騒音.
ci·pho·ny 名 サイフォニー: 盗聴防止用に音声通話を電子的に交換し, また復元する方法.
col·o·pho·ny 名 〚化学〛ロジン, コロホニウム.
di·aph·o·ny 名 〚音楽〛ディアフォニア(organum).
e·goph·o·ny 名 〚医学〛山羊(やぎ)声.
eu·pho·ny 名 音調のよさ, (特に)快い語調.
het·er·oph·o·ny 名 〚音楽〛ヘテロフォニー, 異音性.
ho·moph·o·ny 名 〚言語〛(語源の異なる語が)同音であること.
lam·proph·o·ny 名 〚音声〛明瞭で響きのよい声.
mo·noph·o·ny 名 〚音楽〛モノフォニー, 単旋律(曲).
po·lyph·o·ny 名 〚音楽〛ポリフォニー, 多声音楽.
qua·draph·o·ny 名 4 チャンネルの録音再生.
quad·ri·ph·o·ny 名 ＝quadraphony.
qua·droph·o·ny 名 ＝quadraphony.
ster·e·oph·o·ny 名 立体音響(効果).
sym·pho·ny 名 〚音楽〛交響曲, シンフォニー.

P

tau·toph·o·ny 名 〖文法〗同音反復.
te·leph·o·ny 名 電話方式.

-pho·ra[1] /fərə/

連結形 運ぶ物.
★ 名詞をつくる.
★ 語末にくる関連形は -PHORE.
★ 語頭にくる関連形は phoro-: *phoro*meter「眼球運動計」, *phoro*zooid「〖動物〗育体」.
◆ ＜ラ; *-phorus* の女性単数形・中性複数形＜ギ *-phoros*「運ぶこと」(*phérein*「運ぶ, 支える」より). ⇨ -A[1], -A[2].
[発音] 直前の音節に第 1 強勢.

am·pho·ra 名 〖古代ギリシャ・ローマ〗アンフォラ.
a·naph·o·ra 名 〖修辞〗行頭 [首句] 反復.
ca·neph·o·ra 名 (古代ギリシャで)頭にかごを載せた少女.
Cil·i·oph·o·ra 名 〖生物〗有毛類, 有繊毛類, 有毛虫類.
Cte·noph·o·ra 名 クシクラゲ動物門, 有櫛(ゆうしつ)動物門.
e·piph·o·ra 名 〖病理〗流涙(症), 涙漏.
Mas·ti·goph·o·ra 名 鞭毛虫類.
pros·pho·ra 名 〖ギリシャ正教〗プロスフォラ, 聖パン.

-pho·ra[2] /fərə/

連結形 〖文法〗前方照応.
★ 名詞をつくる.
◆ anaphora の短縮形.
[発音] 直前の音節に第 1 強勢.

ca·taph·o·ra 名 後方照応.
en·doph·o·ra 名 内部照応.
ex·oph·o·ra 名 外部照応.

-phore /fɔːr/

連結形 …を運ぶもの, 支えるもの [部分].
★ 語末にくる関連形は -PHORA[1], -PHORESIS, -PHORIA, -PHORIC, -PHOROUS.
★ 語頭にくる形は phoro-: *phoro*meter「眼球運動計」, *phoro*zooid「〖動物〗育体」.
◆ ＜近代ラ *-phorus* ＜ギ *-phoros* 運ぶこと(*phérein*「運ぶ」より).

aer·o·phore 名 通風器, 換気器.
an·drog·y·no·phore 名 〖植物〗= androphore.
an·dro·phore 名 〖植物〗雄蕊(ゆうずい)柄, 雄器柄.
an·tho·phore 名 〖植物〗花冠柄(かかん), 花被間柱.
car·po·phore 名 〖植物〗心皮間柱.
chro·mat·o·phore 名 〖動物〗色素胞.
chro·mo·phore 名 〖化学〗発色団.
coc·co·lith·o·phore 名 小さな板状, リング状の石灰質をもつ海洋性の植物プランクトン.
col·lo·phore 名 〖昆虫〗腹管.
co·nid·i·o·phore 名 〖植物〗分生子柄.
cra·ni·o·phore 名 頭骨固定器.
cten·o·phore 名 〖生物〗クシクラゲ.
e·ryth·ro·phore 名 〖生化学〗赤色色素胞.
ga·lac·to·phore 名 〖解剖〗乳管.
ga·me·to·phore 名 〖植物〗配偶体.
gon·o·phore 名 〖動物〗生殖体.
gyn·o·phore 名 〖植物〗雌蕊(しずい)柄, 子房柄.
hy·me·no·phore 名 〖植物〗子実層托.
i·on·o·phore 名 〖生化学〗イオン透過担体.
loph·o·phore 名 〖動物〗触手冠, 総担(ふさかつぎ).
lu·mi·no·phore 名 〖物理〗〖化学〗発光団.
me·lan·o·phore 名 〖生物〗黒色素胞.
o·don·to·phore 名 〖動物〗歯舌突起.
om·mat·o·phore 名 〖動物〗担眼触角.
o·o·phore 名 〖植物〗配偶体.
pho·no·phore 名 (電信線による)電信電話共通送信装置.
pho·to·phore 名 〖動物〗発光器, 発光胞.
phyl·lo·phore 名 〖植物〗(特にヤシの)頂生芽.
pneu·mat·o·phore 名 〖植物〗呼吸根.
ras·o·phore 名 〖ギリシャ正教〗広袖(ひろそで)長外衣の着用を許された修道士.
rhyn·cho·phore 名 〖昆虫〗具吻(ぐふん)類.
scol·o·phore 名 〖動物〗(昆虫の)受音波突起.
sem·a·phore 名 (鉄道などの)腕木式信号機.
si·pho·no·phore 名 〖生物〗クダ(管)クラゲ.
sper·mat·o·phore 名 〖動物〗精包, 精球.
spo·ran·gi·o·phore 名 〖植物〗〖菌類〗胞子嚢柄(のうへい).
spo·ro·phore 名 〖菌類〗担胞子体, 子実体.
troch·o·phore 名 〖動物〗トロコフォア, 担輪子幼生.
zy·go·phore 名 〖菌類〗接合枝, 接合子柄.

-pho·re·sis /fəríːsəs/

連結形 …を伝えるもの, 伝達するもの.
★ 名詞をつくる.
★ 語末にくる関連形は -PHORE.
★ 語頭にくる関連形は phoro-: *phoro*meter「眼球運動計」, *phoro*zooid「〖動物〗育体」.
◆ ＜近代ラ＜ギ *-phorēsis*(*phoreîn*「伝える」より). ⇨ -ESIS.

an·a·pho·re·sis 名 〖化学〗(電界における浮遊分子の)陽極移動.
bar·o·pho·re·sis 名 〖化学〗外圧による浮遊分子の拡散.
cat·a·pho·re·sis 名 〖医学〗電気泳動.
di·a·pho·re·sis 名 〖医学〗発汗; 人為的な発汗.
e·lec·tro·pho·re·sis 名 ☞

-pho·ri·a /fɔ́ːriə/

連結形 運ぶこと; 支えること.
★ 名詞をつくる.
★ 語末にくる関連形は -PHORE.
★ 語頭にくる関連形は phoro-: *phoro*meter「眼球運動計」, *phoro*zooid「〖動物〗育体」.
◆ ギリシャ語 *phérein*「運ぶ, 支える」より. ⇨ -IA.

dys·pho·ri·a 名 〖精神医学〗不快, 精神不安, 身体違和, 気分変調.
eu·pho·ri·a 名 〖心理〗多幸症; 感情の病的高揚状態, 非現実的幸福感.
het·er·o·pho·ri·a 名 〖眼科〗潜伏斜視, 眼球斜位.

-phor·ic /fɔ́ːrik, fɑ́r- | fɔ́r-/

連結形 生じる…, 運ぶ….
★ 形容詞をつくる.
★ 語末にくる関連形は -PHORE.
★ 語頭にくる関連形は phoro-: *phoro*meter「眼球運動計」, *phoro*zooid「〖動物〗育体」.
◆ ギリシャ語 *phérein*「生じる, 運ぶ」より. ⇨ -IC[1].

an·a·phor·ic 形 〖文法〗前方照応的な.
eu·phor·ic 形 〖心理〗多幸症の.
gon·o·phor·ic 形 生殖体の.
py·ro·phor·ic 形 〖化学〗自然発火性の.
the·o·phor·ic 形 神の名をいただいた.

-ph·o·rous /fərəs/

連結形 …を運ぶ [支える].
★ -phore の語尾を持つ名詞に対応する形容詞をつくる.
★ 語頭にくる関連形は phoro-: *phoro*meter「眼球運動計」, *phoro*zooid「〖動物〗育体」.
◆ ＜近代ラ *-phorus* ＜ギ *-phoros* 運ぶこと. ⇨ -OUS.
[発音] 直前の音節に第 1 強勢.

ad·i·aph·o·rous 形 〈薬などが〉無益無害の.
chae·toph·o·rous 形 〖動物〗剛毛のある.

P

gal·ac·toph·or·ous 形 〘解剖〙乳汁運搬[分泌]性の.
ne·croph·o·rous 形 〈甲虫などが〉死骸を持ち去る.

phos·phate /fásfeit | fɔ́s-/

名〘化学〙**1** リン酸塩[エステル]. **2** 正リン酸の第三塩. ⇨ -ATE[2].
★ 語頭にくる関連形は phospho-: *phospho*protein「〘生化学〙リンタンパク質」.

ácid phósphate =superphosphate.
ammónium phósphate リン酸アンモニウム.
cálcium phósphate リン酸カルシウム, リン酸石灰.
créatine phósphate クレアチンリン酸, ホスホクレアチン.
di·phós·phate 名 二リン酸塩.
flù·o·phós·phate 名 =fluorophosphate.
flù·o·ro·phós·phate 名 フルオロリン酸塩[エステル].
glúcose phósphate グルコースリン酸.
hỳ·po·phós·phate 名 次リン酸塩[エステル].
mèt·a·phós·phate 名 メタリン酸塩[エステル].
mòn·o·phós·phate 名 一リン酸塩.
òr·ga·no·phós·phate 名形 有機リン酸化合物[エステル](の).
òr·tho·phós·phate 名 オルトリン酸塩, 正リン酸塩.
potássium phósphate リン酸カリウム.
pỳ·ro·phós·phate 名 ピロリン酸塩[エステル].
sódium phósphate リン酸ナトリウム.
sùp·er·phós·phate 名 過リン酸石灰.
thì·o·phós·phate 名 チオリン酸塩[エステル].
tri·phós·phate 名 三リン酸塩, トリポリリン酸塩.

phosphoric acid /fasfɔ́:rik ǽsid, -fár- | fɔsfɔ́r-/

名〘化学〙リン酸. ⇨ ACID.

flùo·phosphóric ácid =fluorophosphoric acid.
flùoro·phosphóric ácid フルオロリン酸, フッ化リン酸.
hypo·phosphóric ácid 次リン酸.
mèta·phosphóric ácid メタリン酸.
òrtho·phosphóric ácid 正リン酸, オルトリン酸.
pòly·phosphóric ácid ポリリン酸; 縮合リン酸.
pỳro·phosphóric ácid ピロリン酸, 二リン酸.
thìo·phosphóric ácid チオリン酸.
trì·phos·phóric ácid 三リン酸, トリリン酸.

phos·pho·ryl·a·tion /fàsfərəléiʃən, fasfɔ:r- | fɔsfɔ̀r-/

名〘生化学〙リン酸化. ⇨ -ATION.

àuto·phosphorylátion 名 自己リン酸化.
de·phòs·pho·ryl·á·tion 名 脱リン酸化.
óxidative phosphorylátion 酸化的リン酸化.
phòto·phosphorylátion 名 光(ひかり)リン酸化.

pho·tic /fóutik/

形 光の[による, に関する]. ⇨ -IC[1].
★ 語頭にくる関連形は phot(o)-: *photo*graph「写真」.

a·pho·tic 形 (植物が)光がなくても育つ.
dys·pho·tic 形 〘生態〙〈水生植物が〉弱光性の.
eu·pho·tic 形 〘生態〙真光層の.
trans·pho·tic 形 光速を超える, 超光速の.

pho·to /fóutou/

名 写真(photograph). ──形 写真撮影(術)の(photographic). ⇨ -O[1].

áe·ro·phò·to 名 航空[空中]写真.
cá·ble·phò·to 名 (特に新聞社・警察用)電送写真.
file phòto (新聞社などの)保管写真, 資料写真.
òr·tho·phó·to 名 正射写真.
tél·e·phò·to 形 望遠(写真)の.

pho·to·graph /fóutəgræ̀f, -grɑ̀:f | -grɑ̀:f, -græ̀f/

名 写真. ⇨ -GRAPH.
★ 現在, 話し言葉では短縮形の photo の方が一般的.

áerial phótograph 航空[空中]写真.
áir phòtograph =aerial photograph.
cábinet phòtograph キャビネ判の写真.
compósite phótograph 合成写真.
elèctro·phótograph 〘医学〙電気診断写真.
mìcro·phótograph マイクロフィルム(microfilm).
ràdio·phótograph 無線電送写真.
tèle·phótograph 望遠(レンズで撮った)写真.
X́-ray phòtograph 〘医学〙X 線[レントゲン]写真.

pho·tog·ra·phy /fətágrəfi | -tɔ́g-/

名〘写真〙写真撮影(術). ⇨ -GRAPHY.

àer·o·pho·tóg·ra·phy 名 航空写真術.
às·tro·pho·tóg·ra·phy 名 天体写真術.
bóudoir photògraphy 私室写真.
chrò·mo·pho·tóg·ra·phy 名 天然色写真(術).
e·lèc·tro·pho·tóg·ra·phy 名 電子写真術, 静電記録.
flásh photògraphy 閃光撮影写真(術).
ínstant photógraphy インスタント[三分間]写真(術).
Kírlian photógraphy 〘医学〙キルリアン写真.
phótoflash photógraphy =flash photography.
py·ro·pho·tóg·ra·phy 名 (陶器面などへの)加熱写真焼き付け法.
radiátion-field photógraphy =Kirlian photography.
rè·pho·tóg·ra·phy 名 リフォト, 写真の写真.
spárk photògraphy スパーク写真: 電気スパークの光によって銃弾などの高速度の被写体を撮影する写真.
stèr·e·o·pho·tóg·ra·phy 名 立体[実体]写真術.
stóp-áction photògraphy 〘映画〙ストップモーション.
tèl·e·pho·tóg·ra·phy 名 望遠写真術.
thóught photògraphy 〘超心理〙念写.
tíme-lapse photógraphy 微[低]速度(撮影)写真.

pho·tom·e·ter /foutámətər | -tɔ́mətə/

名〘光学〙測光器, 光度計. ⇨ -METER.

cy·to·pho·tóm·e·ter 名 〘細胞〙細胞光度計.
flícker photómeter 〘物理〙交照測光器, 交照光度計.
mì·cro·pho·tóm·e·ter 名 〘光学〙微小部測光器.
py·ro·pho·tóm·e·ter 名 〘物理〙光度高温[高熱]計.
spèc·tro·pho·tóm·e·ter 名 分光測光器[光度計].
tèl·e·pho·tóm·e·ter 名 遠隔光度計.

phrase /fréiz/

名〘文法〙句.

búzz-phràse (ビジネス・政府・技術などの分野で)よく使われる専門用語, 言葉.
cátch phràse 人の注意を引く文句.
hól·o·phràse 名 一語文.
mét·a·phràse 名 翻訳, (特に)逐語訳.
nóun phràse 名詞句(NP).
pár·a·phràse 名 (分かりやすい言葉での)言い換え.
prepositional phráse 前置詞句.
rè·phráse 動他 言い直す, 言い換える.
vérb phràse 動詞句(VP).

-phra·sis /frəsis/

連結形 …語法, …な言い方.
★ 名詞をつくる.
★ 複数形は -phrases.
★ 語末にくる関連形は -PHRASTIC.

◆ ギリシャ語より. ⇨ -SIS.

an·tiph·ra·sis 名 〖修辞〗(語句の)反用.
ho·loph·ra·sis 名 〖言語〗一語文的表現.
pa·raph·ra·sis 名 (分かりやすい言葉での)言い換え.
pe·riph·ra·sis 名 回りくどい[遠回しな]言い方; 〖文法〗冗言法, 迂言(うげん)法.

-phras·tic /fræ̀stik/

連結形 言いまわしの.
★ 形容詞をつくる.
★ 名詞は phrase「句」.
★ 語末にくる関連形は -PHRASIS.
◆ ギリシャ語 *phrázein*「言う」より. ⇨ -TIC.

hol·o·phras·tic 形 一語文の, 一語文的な.
par·a·phras·tic 形 釈義的な, 言い換えの, 敷衍(ふえん)的な.
per·i·phras·tic 形 回りくどい; 遠回しの.

-phre·ni·a /fríːniə/

連結形 〖精神医学〗精神障害.
★ 名詞をつくる.
★ 語頭にくる関連形は phren(i)-, phreno-: *phreno*logist「骨相学者」, *phreno*logy「(頭蓋(ずがい))骨相学」.
◆ ＜近代ラ＜ギ *phren-*(*phrēn*「心」の語幹)＋ *-ia* -IA.

he·be·phre·ni·a 名 破瓜(はか)病.
ol·i·go·phre·ni·a 名 精神薄弱.
schiz·o·phre·ni·a 名 統合失調症.

-phthong /fθɔːŋ, -θɑŋ | fθɔŋ/

連結形 〖音声〗声, 音.
★ 名詞をつくる.
◆ ギリシャ語 *phthóngos*「声, 音」より.

diph·thong 名 二重母音, 複母音.
mon·oph·thong 名 単母音.
triph·thong 名 三重母音.

phy·let·ic /failétik/

形 〖生物〗系統発生の, 系統発生による. ⇨ -TIC.
★ 語頭にくる関連形は phyl(o)-: *phylo*geny「系統発生」.

di·phy·let·ic 形 二系統由来性の.
mon·o·phy·let·ic 形 単一系統の, 単元的な.
pol·y·phy·let·ic 形 多系統の.

-phyll /fil/

連結形 〖植物〗phyllo-「葉, 葉状体, 葉緑素」の異形.
★ 語末にくる関連形は -PHYLLOUS, -PHYLLUM.
★ 語頭にくる形は phyll(o)-: *phyllo*clade「葉状茎」, *phyllo*pod「〖動物〗葉脚類」.
◆ ＜仏 *-phylle* ＜ギ *phýllon* 葉.

cat·a·phyll 名 低出葉.
chlo·ro·phyll 名 クロロフィル, 葉緑素.
clad·o·phyll 名 (葉の働きをする)葉状枝[茎].
ep·i·phyll 名 葉上植物.
e·ryth·ro·phyll 名 〖生化学〗エリトロフィール.
mes·o·phyll 名 葉肉(ようにく).
mi·cro·phyll 名 小(成)葉.
scle·ro·phyll 名 硬葉植物.
spo·ro·phyll 名 胞子葉, 実葉.
xan·tho·phyll 名 〖生化学〗ルテイン(lutein).

-phyl·lous /fíləs/

連結形 〖植物〗…状[数]の葉を持った, 葉状の(器官)(leaflet).
★ 形容詞をつくる.
★ 語末にくる関連形は -PHYLL.
★ 語頭にくる関連形は phyll(o)-: *phyllo*clade「葉状茎」, *phyllo*pod「〖動物〗葉脚類」.
◆ ＜近代ラ *-phyllus* ＜ギ *-phyllos*(*phýllon*「葉」より). ⇨ -OUS.

a·chlo·ro·phyl·lous 形 葉緑素を含んでいない.
an·i·so·phyl·lous 形 不等葉の.
a·phyl·lous 形 無葉性の, 葉のない.
chlo·ro·phyl·lous 形 葉緑素の[を含む].
chy·lo·phyl·lous 形 多肉質の葉がある.
das·y·phyl·lous 形 葉に粗毛のある.
di·phyl·lous 形 二葉ある.
er·i·o·phyl·lous 形 軟毛で覆われた葉を持つ.
gam·o·phyl·lous 形 合生葉の.
het·er·o·phyl·lous 形 異形葉の, 多形葉の.
hy·po·phyl·lous 形 〈菌類などが〉葉の裏に生じる.
lep·to·phyl·lous 形 (小さく細長い)鱗状葉のある.
mac·ro·phyl·lous 形 大葉の[を有する].
mon·o·phyl·lous 形 〈萼(がく)などが〉単葉の.
sten·o·phyl·lous 形 細い葉の.
sym·phyl·lous 形 ＝gamophyllous.
ther·moph·yl·lous 形 夏緑性の, (冬季)落葉性の.
tri·phyl·lous 形 三葉の.

-phyl·lum /fíləm/

連結形 〖植物〗葉が…の植物.
★ 名詞をつくる.
★ 語末にくる関連形は -PHYLL.
★ 語頭にくる関連形は phyll(o)-: *phyllo*clade「葉状茎」, *phyllo*pod「〖動物〗葉脚類」.
◆ 近代ラテン語より. ⇨ -UM[1].

bry·o·phyl·lum 名 トウロウソウ(灯籠草).
ep·i·phyl·lum 名 サボテン科エピフィルム属の総称.
pod·o·phyl·lum 名 ポドフィルム根.
spa·thi·phyl·lum 名 サトイモ科スパティフィルム属の総称.

-phy·o·dont /fiədɑ̀nt | -dɔ̀nt/

連結形 〖動物〗(…の歯を)生じさせる.
★ 形容詞をつくる.
★ 語末にくる関連形は -PHYSIS.
◆ ギリシャ語 *phyḗ*「生長」＋ -ODONT.

diph·y·o·dont 形 一換歯性の, 二歯(性)の.
mon·o·phy·o·dont 形 不換[一生]歯性の.
pol·y·phy·o·dont 形 多換[多生]歯性の.

-phyre /fàiər/

連結形 〖岩石〗斑岩(はんがん)(porphyry).
★ 名詞をつくる.
◆ ＜ギ *-phur* (*pórphyros*「紫色の」名詞連結形).

gran·o·phyre 名 文象斑岩(ぶんしょうはんがん).
lam·pro·phyre 名 煌斑(こうはん)岩.
mel·a·phyre 名 黒玢(ひん)岩.

phys·i·cal /fízikəl/

形 **1** 身体の, 肉体の; 身体的な. **2** 物質(界)の, 自然(界)の. **3** 物理の, 物理的な. ⇨ -ICAL.
★ 語頭にくる関連形は physi(o)-, physico-: *physi*atrics「物療医学」, *physico*chemical「物理学的および化学的な」.

chem·i·co·phys·i·cal 形 物理化学の.
ex·tra·phys·i·cal 形 物質外の, 物質的法則外の.
ge·o·phys·i·cal 形 地球物理学(上)の.
hy·per·phys·i·cal 形 超自然の, 非物質的な.

met·a·phys·i·cal 形 形而上学(的)の, 思弁哲学(的)の.
non-phys·i·cal 形 非物質的な, 形而上の.
su·per·phys·i·cal 形 超物質的な, 超自然の.
ther·mo·phys·i·cal 形 〘物理〙〘化学〙熱物理の.
un·phys·i·cal 形 非物質的な, 精神的 [霊的] な.

phys·ics /fíziks/

名複 物理学. ◇ -PHYSIS. ⇨ -ICS.

àero·phýsics 名複 空気物理学 [力学].
àstro·phýsics 名複 天体物理学, 宇宙物理学.
atómic phýsics 原子物理学.
bìo·phýsics 名複 生物物理学.
clóud phýsics 雲物理学.
gèo·phýsics 名複 地球物理学.
héalth phýsics 保健物理学.
hígh-énergy phýsics 高エネルギー物理学.
iàtro·phýsics 名複 物療医学, 物理療法.
màcro·phýsics 名複 巨視的物理学.
maríne phýsics 海洋物理学.
mèta·phýsics 名複 形而上(けいじじょう)学.
mìcro·phýsics 名複 微小体物理学, 微視的物理学.
núclear phýsics 原子物理学, 核物理学.
pàra·phýsics 名複 心霊物理学.
párticle phỳsics 素粒子物理学.
plásma phỳsics プラズマ物理学.
psỳcho·phýsics 名複 精神 [心理] 物理学.
quántum phýsics 量子物理学.
sólid-stàte phýsics 固体物理学.
statístical phýsics 統計物理学.
tríbo·phỳsics 名複 摩擦物理学.

phys·i·ol·o·gy /fiziálədʒi | -ɔ́l-/

名 生理学. ⇨ -OLOGY.

àes·tho-physiólogy 名 =esthesiophysiology.
cỳto·physiólogy 名 細胞生理学.
èco·physiólogy 名 生態生理学, 環境生理学.
elèctro·physiólogy 名 電気生理学.
esthèsio·physiólogy 名 感覚生理学.
hìsto·physiólogy 名 組織生理学.
mòrpho·physiólogy 名 形態生理学.
nèu·ro·phys·i·ól·o·gy 名 神経生理学.
pàtho·physiólogy 名 病理生理学.
plánt physiòlogy 植物生理学.
psy·cho·phys·i·ól·o·gy 名 精神 [心理] 生理学.

-phy·sis /fəsis/

連結形 成長. ◇ PHYSICS.
★ 名詞をつくる.
★ 複数形は -physes.
★ 語末にくる関連形は -PHYODONT.
◆ ＜近代ラ＜ギ *phýsis*(*phýein*「生じる」より). ⇨ -SIS.
[発音] 直前の音節に第 1 強勢.

a·poph·y·sis 名 ☞
di·aph·y·sis 名 〘解剖〙(長骨)骨幹, 骨本体.
e·piph·y·sis 名 〘解剖〙骨端.
hy·poph·y·sis 名 ☞
pa·raph·y·sis 名 〘植物〙〘菌類〙側糸, 糸状体.
sym·phy·sis 名 〘解剖〙〘動物〙結合.

-phyte /fàit/

連結形 〘植物〙…植物. ►phyto- の異形.
★ 語頭にくる形は pht(o)-: *phyto*biology「植物生態学」, *phyto*genesis「植物発生学 [論]」.
◆ ギリシャ語 *phytón*「植物」より.

aer·o·phyte 名 =epiphyte.
an·thro·po·phyte 名 混入 [迷入] 作物.
au·lo·phyte 名 (他の植物の空隙(くうげき)中に)独立に生活する植物.
au·to·phyte 名 〘生態〙独立栄養生物.
bry·o·phyte 名 コケ植物, 蘚苔(せんたい)類.
cham·ae·phyte 名 地表植物.
char·o·phyte 名 シャジクモ(車軸藻).
chas·mo·phyte 名 岩隙(がんげき)植物.
chom·o·phyte 名 岩の割れ目に生える植物.
chry·so·phyte 名 黄藻(おうそう)植物.
cry·o·phyte 名 氷雪植物.
cryp·to·phyte 名 地中植物.
cy·a·no·phyte 名 藍(あい)色植物門に属する植物の総称.
cy·cad·o·phyte 名 ソテツ植物.
der·mat·o·phyte 名 皮膚糸状 [寄生] 菌.
ec·to·phyte 名 外部寄生植物.
em·bry·o·phyte 名 有胚(ゆうはい)植物.
en·do·phyte 名 内部寄生植物, 内生植物.
ep·i·phyte 名 着生植物.
er·e·mo·phyte 名 砂漠植物.
eu·gle·no·phyte 名 ミドリムシ植物, ユーグレナ植物.
ga·me·to·phyte 名 配偶体.
ge·o·phyte 名 地中植物.
hal·o·phyte 名 塩生植物.
he·li·o·phyte 名 陽生植物.
hel·o·phyte 名 沼生植物.
he·ma·to·phyte 名 血液寄生微生物.
het·er·o·phyte 名 従属栄養植物.
hy·dro·phyte 名 水生植物.
hy·gro·phyte 名 湿生植物.
lith·o·phyte 名 石灰質生物.
mac·ro·phyte 名 大形植物.
mes·o·phyte 名 中生植物.
meta·phyte 名 後生植物, 多細胞植物.
mi·cro·phyte 名 微小植物; バクテリア.
ne·o·phyte 名 初心者, 初学者, 新参者.
o·o·phyte 名 (コケ・シダの受精卵から生じる)配偶体.
os·te·o·phyte 名 骨増殖体, 骨棘(こつきょく).
phan·er·o·phyte 名 地上植物, 挺空(ていくう)植物.
phre·at·o·phyte 名 根深(ねぶか)植物.
pro·to·phyte 名 配偶子を持つ単細胞の植物.
psam·mo·phyte 名 砂地植物, 砂生植物.
psi·lo·phyte 名 古生マツバラン.
pte·rid·o·phyte 名 シダ(羊歯)植物.
pyr·ro·phyte 名 橙藻(とうそう)植物.
sap·ro·phyte 名 死物寄生植物, 腐生植物.
schiz·o·phyte 名 分裂植物.
sci·o·phyte 名 陰生植物.
scle·ro·phyte 名 硬葉植物.
sper·mat·o·phyte 名 種子植物.
sper·mo·phyte 名 =spermatophyte.
spo·ro·phyte 名 胞子体, 造胞体.
thal·lo·phyte 名 葉状植物.
the·ro·phyte 名 一年生植物, 一年草.
tra·che·o·phyte 名 (維)管束植物.
trop·o·phyte 名 季節転形植物.
xe·ro·phyte 名 乾生植物(サボテンなど).
zo·o·phyte 名 植虫類.
zy·go·phyte 名 接合植物.

pi·an·o[1] /piǽnou, pjǽn-/

名 ピアノ. ►pianoforte の短縮形で, もとはイタリア語. ◇ PIANO[2]. ⇨ -O[1].

báby gránd piáno ベビーグランドピアノ.
cábinet piàno 小形の竪(たて)型ピアノ.
Chicágo piàno 《米話》〘映画〙トンプソン自動小銃.
cóttage piàno (19 世紀の)竪型(たてがた)小ピアノ.
désk piàno 《米黒人俗》タイプライター.
fòrte·piáno フォルテピアノ.
gránd piáno グランドピアノ.
hórse piàno 《米俗》(汽笛音を出す)蒸気ピアノ.
pédal piàno ペダル鍵盤(けんばん)のついたピアノ.
pláyer piàno 自動ピアノ. ►1920 年代に流行.

P

squáre piáno 角型ピアノ.
stréet piàno ストリートピアノ; 手回しオルガン.
stríde piàno ストライドピアノ: ジャズピアノのスタイル.
thúmb piàno 親指ピアノ: 弦と響鳴装置でできたアフリカの楽器; 親指でかき鳴らす.
úpright piáno 竪(たて)型ピアノ, アップライトピアノ.

pi·a·no[2] /piάːnou; *It.* pjáːno/

形 〖音楽〗弱い音の. ―副 弱く.

forte-piáno 形副 強くそしてすぐに弱く.「い].
mézzo piáno 副形 やや弱く [弱い], ほどよく弱く [弱
sforzándo-pi·á·no 形副 スフォルツアンドののち直ちに弱い [弱く].

pick[1] /pík/

動他 **1** (…を)選ぶ. **2** 〈花などを〉摘み取る. ―名 選択された人 [もの].

chérry-pìck 動他 《俗》用心深く選ぶ, 慎重に選ぶ.
dúll píck 《米俗》とんま.
hánd-píck 動他 …を手で摘む.
nít-pìck 動自他 あら捜しをする, 詮索する.
ùn-píck 動他 〈編み物などを〉ほどく.
Ú-pìck 形 客が果物をもぎ取る方式の. ►You pick. から.

pick[2] /pík/

名 **1** つるはし. **2** (一般に)つつく道具.

éar-pìck (時として金属製の)耳かき.
hóof-pìck 鉄爪, 裏掘り.
hórse pìck 馬の蹄から小石などをかき出す鉤.
íce pìck アイスピック, 氷割り用錐.
nút-pìck ナットピック: 堅果用の鉤.
ráck pìck 《米軍人俗》アフロヘア用の櫛.
tóe pìck トーピック: フィギュアスケートのぎざぎざになっている部分.
tóoth-pìck 爪楊枝(つまようじ).
wáter-pìck ウォーター・ピック: 電気歯洗浄器具. ►《商標》では Water Pik.

pick·er /píkər/

名 つつく [ほじる] 人 [物]; 選ぶ人, 捜し求める人. ⇨ -ER[1].

chérry pìcker 《話》チェリーピッカー: 人を乗せて上げ下げする移動クレーン; 《俗》処女を好む人.
cóm pìcker 《米・カナダ》トウモロコシ刈り取り
cótton pìcker 綿摘み機. 「機.
fléece-pìcker 《豪・NZ》羊の毛刈り人.
frúit pìcker 果物をもぐ人.
hóp-pìcker ホップ採取者 [労働者].
nít-pìcker つまらぬことにこだわること.
nóse-pìcker 《米俗》鼻を掘る人; 粗野な人.
prúne-pìcker 《米渡り労働者・海軍俗》カリフォルニア州の出身者.
rág-pìcker 拾い屋, ばた屋.
wíg pìcker 《米俗》精神科医.
wínkle-pìcker 《英俗》つま先の細長くとがった靴.

pick·et·ing /píkitiŋ/

名 ピケを張ること. ⇨ -ING[1].

bláckmail pìcketing 少数派組合によるピケ.
cómmon sítus pìcketing 《米》共通事業場ピケッティング.
informátional pícketing 《米》(労働者が)要求などを訴えるためのピケ(を張ること).
sécondary pícketing (争議中の応援組合員による)支援ピケ.
sítus pìcketing =common situs picketing.

pic·ture /píktʃər/

名 絵, 絵画, 図, 図画, 版画; 肖像(画). ⇨ -URE[1].

bíg pícture (問題・事柄の)全体像.
B-pìcture B 級映画: 低予算で作られた娯楽映
cábinet pìcture 小油絵. 「画.
de-píc·ture 動他 描く, 描写する, 写し出す.
fíle pìcture (テレビの)資料影像.
flásh pìcture 閃光(せんこう)撮影写真.
líving pícture 活人画.
mótion pícture 《主に米・カナダ》映画; 映画作品.
móving pícture 《米・カナダ》=motion picture.
pén pìcture ペン画.
prógram pìcture 併映作品, B 級映画.
sóund mòtion pìcture 発声映画, サウンドトーキー.
tálking pícture 《古風》=sound motion picture.
wórd pìcture (生き生きとした)言葉による描写.

pie[1] /pái/

名 パイ.

ápple píe アップルパイ. 「の.
ápple-pìe 形 《話》伝統的に米国風の, 米国独特
banóffi pìe バノフィパイ: バナナと練乳クリームのパイ.
bláck bòttom píe ジンジャークッキーをつぶしたパイ皮にラム酒またはウイスキーで香りをつけたチョコレートを詰め, ホイップクリームをかけたパイ.
Bóston créam píe ボストン(クリーム)パイ.
cámp pìe 《豪》缶詰め肉.
chátter-pìe 《俗》おしゃべりな人.
chéese píe チーズパイ. 「総称.
chérry píe サクラの香りがする花をつける植物の
chéss píe 〖米南部料理〗チェスパイ.
Chrístmas píe 《主に英》=mince pie.
cób pìe 《ロードアイランド》深皿で焼いたパイ, (特に)アップル・コブラー.
cóttage pìe =shepherd's pie.
ców pìe 《俗》牛糞(ぎゅうふん).
cústard pìe カスタードパイ.
cústard-pìe 形 どたばた喜劇の.
cútesy pìe 《話》=cutie pie.
cútie pìe 《話》《しばしば親愛の語として用いて》最愛の人, いとしい人; 恋人.
flý pìe 《米俗》(軽食堂で)ハクルベリー入りのパイ.
fúneral pìe 葬式のパイ.
fúr pìe 《米俗》(オーラルセックスの対象としての)女陰.
grásshopper píe 緑色のハッカ入りリキュールで香りと色をつけたカスタードパイ.
háir pìe 《米俗》=fur pie.
hálf-pìe 形 《豪・NZ 俗》中途半端の, 不完全な.
hóney-pìe 《米俗》恋人, 愛人.
húmble píe 屈辱.
Jéff Dávis píe 〖米南部料理〗香辛料, 干しブドウ, ピーカンの実などを包んで焼いたカスタードパイ.
kídney-pìe 羊・牛などの腎臓(じんぞう)の入ったパイ.
mínce píe ミンスミートの入ったパイ.
mónkey pìe 《米俗》(軽食堂で)ココナッツクリームパイ.
múd pìe (子供などが作る)泥まんじゅう.
pecán pìe ピーカン・パイ: アメリカ南部の一般的パイ.
pórk-pìe ポークパイ.
pót-pìe ポットパイ: 牛 [豚, 羊, 鶏] 肉に野菜

を混ぜて，深皿で焼き上げたパイ．
púmpkin pìe カボチャパイ．
ráppé píe 《カナダ》ラッピーパイ：ジャガイモ，鶏肉，カモ肉，ウサギ肉などを入れたパイ．
resurréction pìe 《英》食べ残しで作ったパイ．
séa pìe （航海中の食糧用の）塩肉パイ．
shépherd's píe 《英》シェパードパイ：ひき肉または細切れ肉をマッシュポテトで包んで焼いたパイ．
shóo-fly pìe 《米》糖蜜(とうみつ)パイ．
squáb pìe ハト肉のパイ．
stéak and kídney pìe ステーキ・アンド・キドニー・パイ：牛肉，小羊［小牛］の腎臓(じんぞう)などを詰めたパイ．
súgar-pìe 《俗》かわいい人．
swéetie pìe 《話》《親愛の気持ちを込めた呼びかけ》ねえ，君，あなた．
swéet potáto pìe 《米黒人俗》魅力的な女［男］．
úmble píe 《古》シカなどの臓物で作ったパイ．
Wáshington píe ワシントンパイ：ボストンクリームパイの一種．
wóolton pìe 《英俗》残り物と野菜のパイ．

pie² /pái/

名 〖鳥類〗カラス科タイワンオナガ属とラケットオナガ属の鳥の総称．

mág·pìe カササギ(鵲)．
ráin pìe 《英》ヨーロッパアオゲラ．
trée pìe オナガ類．
wóod·pìe 各種のキツツキの総称．

piece /píːs/

名 **1** 一片，一切れ；（土地などの）一区画，一部分．**2**（絵画・彫像などの）作品．**3**〖軍事〗小銃（ライフルなど）；大砲，砲．**4**《古・方言》《通例軽蔑的》人，やつ；女の子．

áction pìece 《米黒人俗》拳銃(けんじゅう)．
áfter·pìece 主な劇の後で演じられる寸劇．
áltar·pìece （キリスト教会の）祭壇画．
a·píece 副 めいめいに，個々に；一個につき．
ápron pìece 〖建築〗階段受梁(うけばり)．
báttle·pìece 戦争もの．
bést pìece 《米俗》ガールフレンド；かみさん．
cámber pìece 〖建築〗フラットアーチ(flat arch)のためのアーチ枠．
cáne pìece （カリブ海地方の）サトウキビ畑．
cárriage pìece 〖建築〗中桁(なかげた)．
cénter·pìece 中央装飾品，テーブルセンター．
cháracter pìece 〖音楽〗性格的小品．
chéek·pìece 馬の轡(くつわ)の両側にある金属製の棒．
chéss-pìece pawn を除くチェスの駒(こま)．
chímney pìece 《主に英》＝mantelpiece．
cód·pìece コードピース，股(また)袋．
compánion pìece （同一作家の）姉妹編．
conversátion pìece 話題となるもの，話の種．
cróss·pìece （ある物に）交差して置かれる材，横材．
crówn·pìece （物の）頂部に取りつけてあるもの．
dóor·pìece 〖建築〗戸枠(doorframe)．
dóuble pìece 〖甲冑〗取替具．
drágging pìece 〖建築〗寄せ棟梁(ばり)．
drágon pìece ＝dragging piece．
éar·pìece （帽子・かぶとなどの）耳覆い．
éye·pìece （望遠鏡・顕微鏡などの）接眼レンズ．
fáncy pìece 《俗》身持ちの悪い女；愛人，情婦．
fár pìece 《主に米方言》相当遠く，遠方．
fíeld·pìece 〖軍事〗野戦砲．
fífty-pènce pìece 《英》新 50 ペンス硬貨．
flówer pìece 花の絵；花飾り，生け花．
fóoting pìece 〖建築施工〗底板，ベースプレート．
fówling pìece 鳥撃ち銃，猟銃．
fróntis·pìece （本の扉の前にある）口絵（のページ）．
fúr píece 《発音綴り》＝far piece．
gráving pìece 〖海事〗木造船体の腐った部分の補修用木材．
háir·pìece ヘアピース，入れ毛，かもじ．
hánd-pìece 《豪・NZ》羊毛用の剪毛(せんもう)機．
háute-pìece 〖甲冑〗冠板(かんむりいた)．
héad·pìece かぶと，ヘルメット．
héel·pìece （靴の）かかと用の革［木片など］．
hóme pìece 《米俗》同じ刑務所仲間となった入所以前からの友達．
íll-píece 《米俗》魅力のない同性愛の相手．
knée·pìece （甲冑(かっちゅう)の）ひざ当て．
léase pìece 《米俗》売春婦．
lócking pìece 〖時計〗数取りカマ．
májor pìece 〖チェス〗クイーンまたはルーク．
mántel·pìece マントルピース，炉前飾り．
mántle·pìece ＝mantel piece．
másking pìece 〖演劇〗（舞台の一部を観客から隠すための）書き割りまたは幕．
máster·pìece 最も優れた作品，最高傑作，代表作．
mínor pìece 〖チェス〗マイナーピース．
móuth·pìece （容器・管などの）口；蛇口．
muséum pìece 重要美術品，珍品，逸品．
néck·pìece （特に毛皮の）襟巻き(scarf)；（甲冑(かっちゅう)などの）首覆い．
níght pìece （絵画・音楽・文学において）夜をテーマにした作品．
nóse·pìece 眼鏡の縁の鼻柱に当たる部分．
óne-pìece 形 ワンピースの，上下続きの〈服〉．
párty pìece 《英》十八番，おはこ．
périod pìece （小説・絵画・建築などの）時代物．
pítching pìece 〖木工〗＝apron piece．
pócket pìece おもり取り出し口．
póle pìece 〖電気〗磁極片．
púff pìece 《話》べた褒めする新聞記事．
ráking pìece 〖テレビ〗〖演劇〗蹴込(けこ)み．
rè·píece 動他 再びつなぎ合わせる，再び組み立てる．
séa·pìece 海景画，海の絵．
sét pìece 仕掛け花火．
shánk·pìece （靴の）踏まず芯(しん)．
shów pìece 鉱石［岩石］標本［見本］．
shów·pìece 陳列品，展示物，出品物．
síde·pìece 側面部（の一部）；側面部に添えられたもの．
síege pìece 緊急貨幣．
síngle-pìece 形 一体成形の．
ský·pìece 《米俗》（十代の間で）帽子．
stícking-pìece 《英》牛の首の下部肉．
stráining pìece 〖建築〗二重梁(ばり)．
stríng·pìece 〖建築〗主に梁(はり)・桁(けた)など水平方向に使用される長い構造用木材．
táil·pìece 尾部，尾片，（後尾の）付加物．
tée-pìece ＝T-piece．
tést-pìece （音楽コンクールなどで参加者が演奏する）課題曲．
thíckness pìece 〖演劇〗見込み．
thínk pìece 〖ジャーナリズム〗解説もの［記事］．
thrée-pìece 形 〖衣服〗三つぞろいの．
thúmb·pìece （大コップの蓋(ふた)を上げる）押しレバー．
tíme·pìece 計時器．
títle pìece 表題作．
tóe·pìece 靴の飾り革(toecap)．
T́-pìece 〖建築〗T 字形の支柱［部品］．
túrning pìece 略迫枠(せりわく)：円弧アーチに用いる型枠．
twó-pìece 形 〖衣服〗2 つの部分から成る．
wórk·pìece （金属など機械で）加工中の品．

pig /píg/

P

名 **1** 子豚; (一般に)豚. **2**《話》豚のような人. **3**《軽蔑的》警官; 女性差別主義者.

bácon pìg ベーコン製造用の豚(bacon hog).
blínd píg 《主に米》酒類密売所, もぐり酒場.
búsh pìg 〖動物〗カワイノシシ, ヤブイノシシ.
éarth-pìg 〖動物〗ツチブタ.
fémale cháuvinist píg 《こっけい》(狂信的)女性優越主義者.
fúck-pìg 《米俗》低級なやつ.
gróund pìg 〖動物〗アフリカタケネズミ.
guínea pìg 〖動物〗テンジクネズミ(cavy).
hédge·pìg 〖動物〗ハリネズミ(hedgehog).
héll·pìg 《米俗》太ったぶす.
ín-pìg 形 はらんでいる, 妊娠している.
lárd pìg 豚脂用の豚.
lóng píg (マオリおよびポリネシア人種の間で)食人種の食べる人肉.
mále cháuvinist píg 《俗》男性優越[中心]主義者.
míni·pìg ミニブタ.
órderly píg 《英軍俗》当直士官.
pórk pìg 肉豚.
rént-a-pìg 《米俗》警備員, ガードマン.
séa pìg 〖動物〗イルカ.
súcking pìg 生まれたての子豚.
tántony pìg 一腹の子のうちで最も小さい子豚.
wáter pìg 〖動物〗カピバラ(capybara).
whístle pìg 《主に米》〖動物〗ウッドチャック.
yárd pìg 《米俗》入れ換え機関車.

pi·geon /pídʒən/

名 〖鳥類〗ハト.

bánd-tailed pígeon オビオバト.
Cápe pìgeon マダラフルマカモメ.
cárrier pìgeon キャリアー: 家バトの一種.
cláy pígeon 〖射撃〗クレー(ピジョン).
crówned pígeon カンムリバト.
déad pígeon 《俗》落ちぶれた[絶望的な]人.
doméstic pígeon ドバト.
flóck pìgeon クマドリバト.
hóming pìgeon 伝書バト.
impérial pígeon ミカドバト.
nútmeg pìgeon =imperial pigeon.
pássenger pìgeon リョコウ(旅行)バト.
píllow pìgeon 《米黒人俗》ナンキンムシ.
róck pìgeon カワラバト(rock dove).
snów pìgeon ユキバト.
stóck pìgeon ヒメモリバト(stock dove).
stóol pìgeon 《米》おとり(用の止まり木)のハト.
tóoth-bìlled pígeon オオハシバト.
wóod pìgeon モリバト.

pig·ment /pígmənt/

名 〖生物〗色素. ⇨ -MENT.

áge pìgment 年齢色素, 老人斑(はん).
bíle pìgment 胆汁色素.
phó·to·pìg·ment 名 光色素.
réspiratory pígment 呼吸色素.

pike /páik/

名 〖魚類〗カワカマス.

blúe píke 北米五大湖に産する食用魚の変種.
gár·pìke 鱗骨(りんこつ)類ガーパイク属の捕食性の淡水魚.
nórthern píke カワカマス.
sánd pìke 北米産の Percidae 科の淡水魚.
séa pìke メルルーサ, ダツなどカワカマスに似た細長い海魚の総称; 特にカマス.
wálleyed píke スズキ目パーチ科の淡水産の大きな釣魚(walleye).

pile[1] /páil/

名 **1** (物の)積み重ね, 堆積(たいせき), 山(積み). **2**〖物理〗原子炉.

atómic píle 原子炉.
cháin-reàcting pìle =atomic pile.
fúneral pìle 火葬用の薪の山.
galvánic píle =voltaic pile.
gób pìle 〖鉱山〗廃石の堆積(たいせき).
núclear píle =atomic pile.
phó·to·pìle 名 太陽光電池.
sánd·pìle (特に子供が遊ぶ)砂山.
sígma pìle 〖原子力〗シグマパイル.
slúsh pìle 《話》持ち込み原稿の山.
stóck·pìle (道路修理のために積んでおく砂利など)補給材料の山.
thér·mo·pìle 名 〖物理〗熱電対(つい)列.
ùn·píle 動他 〈積んだ物の山を〉崩す.
voltáic píle ボルタの電堆(でんたい): 初期の電池.
Vólta's píle =voltaic pile.
wáste·pìle 〖トランプ〗(一人遊びで)卓上に最初に並べた tableau 以外の札から出していって tableau につなげることができなかった捨て札の山(talon).
wóod·pìle 材木[薪]の山.

pile[2] /páil/

名 〖建築施工〗〖土木〗杭(くい), パイル.

bátter pìle 斜杭(しゃくい).
béaring pìle 支持杭.
fénder pìle 緩衝用パイル, 防舷杭(ぼうげんくい).
fríction pìle 摩擦杭.
hydráulic píle 水圧(打ち)杭.
pneumátic píle ニューマチックパイル: 水面下で使用される中空の杭.
póint-bèaring pìle 先端支持杭.
sánd pìle サンドパイル, 砂杭(すなくい).
scréw pìle らせん杭.
shéath pìle =sheet pile.
shéet pìle 矢板, シートパイル.
símplex píle シンプレックス杭.

pill /píl/

名 **1** 丸剤, 丸薬. **2**《話》ピル, 経口避妊薬. **3**《俗》紙巻きタバコ; マリファナタバコ; 《米》覚醒(かくせい)剤.

bírth-control pìll 経口避妊薬.
bírth pìll =birth-control pill.
bítter pìll 嫌なこと, 受け入れがたいこと.
bláck pìll 《米俗》アヘン.
blúe pìll 青汞(せいこう)(水銀)丸薬: 下剤.
bóoster pìll 《米俗》アンフェタミン錠.
ĆĆ pìll 《米俗》通じ薬.
chíll pìll 《米俗》鎮静剤.
cóurage pìll 《米麻薬俗》ヘロイン錠.
díet pìll 《米》やせ薬.
gángster pìll 《米俗》バルビツール.
háppy pìll 《話》精神安定剤.
Hólloway's pìll ホロウェーの丸薬[剤].
ídiot pìll 《米俗》バルビツール系薬剤.
ímpotency pìll インポ用ピル(Viagra など).
Kíng Kóng pìll 《米麻薬俗》=idiot pill.
líft pìll 《米麻薬俗》錠剤の覚醒剤.
míni·pìll ミニピル: プロゲスチン(progestin)だけを含む経口避妊薬.
mórning-áfter pìll 性交後数時間以内に服用する経口避妊薬.

múscle pìll 筋肉ピル.
péace pìll 《米麻薬俗》LSD の錠剤.
pép pìll 《話》覚醒剤.
póison pìll (スパイの)自決用ピル; 会社買収防衛用の不利材料.
ráinbow pìll 《薬学俗》色とりどりの錠剤.
séwer pìll 畝のある木の球で, 下水管の中に流し, 管内の壁のよごれをこすり落とすもの.
sléeping pìll (錠剤の)睡眠剤, 眠り薬.
wáter pìll 《話》利尿剤.

pil·lar /pílər/

名 (石材・れんがなどの)柱; 記念柱. ⇨ -AR².

éarth pìllar 〖地質〗土柱(どちゅう).
móon pìllar 〖天文〗月柱.
róom-and-píllar 形 〖採鉱〗柱房式の.
sún pìllar 〖天文〗太陽柱.

pil·low /pílou/

名 (特に羽毛・綿毛などを入れた)枕.

ców pìllow (インドで用いられている)もたれる時に用いる綿入りの大きな円筒形枕.
hóp-pìllow ホップを詰めた枕.
láce pìllow 手編みレースの台.
píece pìllow 《米俗》麻薬の包み.
thrów pìllow 小クッション.

pills /pílz/

名複 pill「丸薬, 錠剤」の複数形.

bánk bàndit píllls 《米麻薬俗》(黒と白の)バルビツールカプセル.
gó-pílls 名複 《米麻薬俗》アンフェタミン.
Hólloway's pílls ホロウェーの丸薬[剤].
púnk pílls 《米俗》鎮静剤, バルビツール酸塩剤.
thríll-pílls 名複 《米麻薬俗》バルビツール酸塩錠.

pi·lot /páilət/

名 **1** 水先案内人. **2** (船の)舵(かじ)取り. **3** 〖航空〗パイロット. **4** 〖海事〗水路誌.

automátic pílot 〖航空〗〖海事〗自動操縦装置.
áuto-pìlot 名 〖航空〗=automatic pilot.
bár pìlot 〖海事〗砂洲水先人.
bránch pìlot 〖海事〗限定水域水先案内人.
búsh pìlot 辺境を飛ぶ飛行士.
cóast pìlot 〖海事〗水路誌.
commércial pílot 事業用航空機の操縦士.
có-pìlot 名 (飛行機の)副操縦士.
ców pìlot 〖魚類〗オヤビッチャ.
férry pìlot 〖航空〗フェリーパイロット.
gýro-pìlot 名 〖航空〗=automatic pilot.
pípe pìlot 《俗》ジェットパイロット.
róbot pìlot 〖航空〗=automatic pilot.
ský pìlot 《俗》牧師, (特に)空軍従軍牧師.
tést pìlot 〖航空〗テストパイロット.

pimp /pímp/

名 (売春婦を斡旋(あっせん)する)ぽん引き.

pópcorn pìmp 《米俗》小物のぽん引き.
póverty pìmp 《米俗》生活助成金をくすねる役人.
stréet pìmp 《米俗》街角にいるぽん引き.
súgar pìmp 《米俗》口先のうまいぽん引き.

pin /pín/

名 **1** ピン, 留め針, ブローチ. **2** 細長い栓[釘]. ━━動他 …をピンで留める.

áxle pìn (荷車などの)車軸ボルト.
bár pìn バーピン: 細長い飾りピン.
beláying pìn 〖海事〗ビレーピン, 綱[索]留め栓.
bóbby pìn 《米・カナダ・豪・NZ》ボビーピン.
bréast·pìn 《英》(胸や襟元につける)飾りピン.
cándle·pìn キャンドルピンズで用いるピン.
cénter pìn 〖鉄道〗中心ピン.
cháining pìn 〖測量〗測量ピン, 測針.
clóthes·pìn 《米》洗濯挟み.
cótter pìn 〖機械〗コッタピン, 脱出止めピン.
cránk·pìn 〖機械〗クランクピン.
dráwing pìn 《英》画鋲(がびょう).
dríft·pìn 〖建築〗串刺しボルト.
dúck·pìn 《米》〖ボウリング〗ダックピン.
énd pìn (チェロやコントラバスの)脚棒.
fíring pìn 〖兵器〗(銃砲などの)撃針.
guárd pìn 〖時計〗けん先.
gúdgeon pìn 《英》=wrist pin.
háir·pìn U 字形の細いヘアピン.
hát·pìn ハットピン: 婦人帽の留めピン.
héad·pìn 〖ボウリング〗1 番ピン.
hóok pìn 頭が鉤(かぎ)状の目釘(めくぎ).
kíng·pìn 〖ボウリング〗キングピン.
línch·pìn (車の)輪止めピン[楔(くさび)].
lýnch·pìn =linchpin.
níne·pìn 九柱戯.
pánel pìn パネルピン: 指物業で用いる細長い釘.
píston pìn =wrist pin.
púsh·pìn 《米・カナダ》画鋲(がびょう).
quéen·pìn (組織などの)中心的女性.
régulator pìn 〖時計〗ひげ棒(curb pin).
rólling pìn 麺(めん)棒, のし棒.
sáfety pìn 安全ピン.
sáfety-pìn 動他 安全ピンで留める[くっつける].
scárf·pìn =tiepin.
scátter pìn スキャターピン: 婦人服に付ける小さな装飾用のピン.
shádow pìn 〖航海〗シャドーピン, 方位桿(かん).
shéar pìn 〖機械〗シヤーピン.
splít pín 〖機械〗割りピン.
stíck·pìn 《米》スティックピン.
swível pìn 《英》〖自動車〗操向軸.
thóle·pìn 櫓(ろ)べそ.
thórough·pìn 〖獣病理〗飛節軟腫(なんしゅ).
tíe·pìn (刺して留める)ネクタイピン.
ùn·der·pín 動他 (支柱などで)…を下から支える.
ùn·pín 動他 …からピンを抜く.
wínkle-pìn 《英軍俗》銃剣.
wrést pìn 〖音楽〗(楽器の弦を締める)糸巻き.
wríst pìn 〖機械〗リストピン, ピストンピン.

pine /páin/

名 〖植物〗マツ.

Austrálian píne =Norfolk Island pine.
Áustrian píne ヨーロッパクロマツ.
bíg-còne píne =Coulter pine.
bláck píne クロマツ(黒松).
brístlecone píne ヒッコリーマツ.
búll píne =ponderosa pine.
célery píne イチイ科 *Phyllocladus* 属の木.
Chíle píne チリマツ.
clúster píne カイガンショウ(海岸松).
Cóulter píne クールターマツ.
cýpress píne ヒノキ科カリトリス属の常緑樹の総称.
Dígger píne サビンマツ.
Géorgia píne =longleaf pine.
gráy píne =jack pine.
gróund píne 地面を這(は)うヒカゲノカズラ科のシ

P

ダの総称.
híckory pìne =bristlecone pine.
hóop pìne ナンヨウスギ(南洋杉).
Húon pìne イヌマキ科の大針葉樹.
jáck pìne バンクスマツ.
Jéffrey pìne ジェフリーマツ.
Jérsey pìne =Virginia pine.
knóbcone pìne 松の一種.
knótty pìne =lodgepole pine.
límber pìne ロッキーマツ.
lóblolly pìne テーダマツ.
lódgepòle pìne コントルタマツ.
lónglèaf pìne ダイオウショウ(大王松).
Mónterey pìne モンテレーマツ.
Móreton Báy pìne =hoop pine.
múgho pìne モンタナマツ.
Nórfolk Ísland pìne シマナンヨウスギ.
Nórway pìne =red pine.
nút pìne =single-leaf pine.
Óregon pìne ベイマツ(米松).
Paraná pìne ブラジルマツ, パラナマツ.
párasol pìne =stone pine.
pítch pìne ヤニマツ.
ponderósa pìne ポンデローサマツ.
príncе's-pìne ウメガサソウ.
réd pìne アメリカアカマツ.
rúnning pìne ヒカゲノカズラ.
Scótch pìne オウシュウアカマツ(欧州赤松).
Scóts pìne =Scotch pine.
scréw pìne タコノキ(蛸木)(アダンを含む).
scrúb pìne 乾燥した砂地や岩石地に生える, 丈の低い松の総称.
shé-pìne ナンヨウマキ.
shórtlèaf pìne キ(黄)マツ.
síngle-lèaf pìne Rocky 山脈南部産の各種のマツ.
slásh pìne エリオットマツ.
sprúce pìne グラブラマツ.
stóne pìne イタリアカラカサマツ.
súgar pìne サトウマツ.
Tórrey pìne トレイマツ.
umbrélla pìne コウヤマキ(高野槙).
Virgínia pìne バージニアマツ.
wéstern yéllow pìne =ponderosa pine.
whíte pìne ストローブマツ.
yéllow pìne 黄色い強い材の採れる北米産マツ数種の総称.

pink /píŋk/

名 **1** 桃色. **2** ナデシコ属の植物の総称.

báby pìnk 明るいピンク.
Bóston pìnk 【植物】シャボンソウ(soapwort).
búnch pìnk 【植物】アメリカナデシコ.
Carolína pìnk 【植物病理】根がピンク色になる病気.
chéddar pìnk 【植物】ケダーピンク.
clóve pìnk 【植物】カーネーション.
córal pìnk さんご色.
cúshion pìnk 【植物】コケマンテマ.
Déptford pìnk 【植物】アルメリアナデシコ.
Detróit pìnk エンジェルダスト: ヘロインの一種.
fíre pìnk 【植物】バージニアビランジ.
gráss pìnk 【植物】タツタナデシコ.
gróund pìnk ヒメハナシノブ属の植物.
húnter's pìnk 鮮明な赤色.
húnting pìnk =hunter's pink.
máiden pìnk 【植物】ヒメナデシコ.
mársh pìnk 【植物】サバチア.
móss pìnk 【植物】ハナツメクサ.
múllein pìnk 【植物】スイセンノウ(酔仙翁).
óyster pìnk オイスターピンク: 淡桃がかった白.
róse pìnk 薄ばら色, ローズピンク.
sálmon pìnk サーモンピンク, さけ肉色.
séa pìnk 【植物】ハマカンザシ(thrift).
shéll pìnk シェルピンク: 黄みのある薄いピンク.
shócking pìnk ショッキングピンク: 鮮明なピンク.
ský-blùe pìnk 空色のピンク, あり得ない色.
swámp pìnk ラン科カロポゴン属の植物の総称.
Venétian pìnk ベネチアンピンク: 黄色味を帯びたくすんだピンク色.
wíld pìnk 【植物】ムシトリナデシコの一種.

pin·nate /píneit, -nət/

形 【植物】〈複葉が〉羽に似た, 羽状の. ⇨ -ATE[1].
★ 語頭にくる関連形は pinn(i)-: *pinni*grade「【動物】ひれ足で動く」.

abrúptly pínnate =everpinnate.
bi·pín·nate 形 二回羽状の.
dìg·i·ti·pín·nate 形 掌状羽状の.
é·ven-pín·nate 形 偶数羽状の.
im·pàr·i·pín·nate 形 =odd-pinnate.
ódd-pín·nate 形 奇数羽状の.
pàr·i·pín·nate 形 =even-pinnate.
tri·pín·nate 形 三回羽状の.

pin·scher /pínʃər/

名 ピンシャー: 犬の種類.

áffen·pìnscher アッフェンピンシャー.
Dóberman pínscher ドーベルマン・ピンシェル.
míniature pínscher ミニアチュア・ピンシャー.
mónkey pìnscher =affenpinscher.

pipe /páip/

名 **1** (水・ガス・蒸気・石油などを通す, 金属・木などの)管, 導管, 筒, パイプ. **2** (タバコなどを吸う)パイプ, キセル. **3** (管楽器の)管; 管楽器.

áir·pìpe 通気管, 空気管, エアパイプ.
bág·pìpe バグパイプ, 風笛.
blást pìpe 【機械】送風管; 排気管.
blów·pìpe 吹管, トーチ.
blúe pípe 《俗》【医学】静脈.
bóatswain's pìpe 【海事】ボースン呼び笛.
bréather-pìpe 排気弁.
céss·pìpe 汚[排]水管; 放水管.
cháin pìpe 【海事】チェーンパイプ.
cób pìpe トウモロコシの穂軸.
cráck pípe クラックを吸うためのパイプ.
díp pìpe (ガス本管で, 水などの液体に浸してガスの密閉を確保する)封管.
dówn·pìpe 《英・NZ》【建築】縦樋(どい).
dráin·pìpe ドレーンパイプ(排水管, 泥土管など).
dríll pìpe (油井掘りなどの)掘穿(くっせん)管.
Dútchman's-pípe 【植物】アリストロキア.
escápe pìpe (ガス・蒸気などを排出する)逃がし管.
exháust pìpe 【機械】(エンジンの)排気管.
fáll-pìpe =downpipe.
flúe pìpe フルーパイプ: パイプオルガンの唇管.
gás pìpe ガス管(状のもの).
hálf·pìpe (スノーボード用の)ハーフパイプ.
hásh pìpe 《米麻薬俗》ハシシ吸飲用小型パイプ.
háwse·pìpe 【海事】錨鎖管(びょうさかん).
héat pìpe 【電子工学】熱パイプ, 伝熱管.
hórn·pìpe ホーンパイプ: 民族楽器の一種.
Índian pípe 【植物】ギンリョウソウモドキ.
líght pìpe 【光学】光導波管.
mísery pìpe 《米俗》軍隊ラッパ.
nával pìpe =chain pipe.
nóse·pìpe 先端管.
órgan pìpe パイプオルガンの音管[パイプ].
pán·pìpe パンの笛, パンパイプ: 女神 Pan に由来するとされた原始的な吹奏楽器.
péace pìpe カルメット, 平和のパイプ: 北米インディアンが儀式の時に用いたパイプ.
pítch pìpe 調子笛.
púff pìpe (流しの下などの)通気パイプ.
ráinwater pìpe 《英》=downpipe.
réed pìpe リードパイプ: 金属のリードがあるオルガンのパイプ.
séal pìpe (ガスの本管の)封管.
sérvice pìpe (ガス・水道の)引き込み管.
smáll pípe 《米俗》アルトサクソフォン.
smóke pìpe 煙道管.
sóil pìpe 汚水管.
stánd·pìpe 配水塔, 貯水塔.
stéam·pìpe 蒸気管.
stóve·pìpe ストーブの煙突.
súction pìpe (ポンプの)吸い込み管, 吸水管.
táil·pìpe (内燃機関で動く自動車・航空機の)後部排気管, テールパイプ.
tobácco-pìpe (刻みタバコ用の)パイプ.
tóke pìpe 《米麻薬俗》大麻喫煙用の陶製パイプ.
tráin·pìpe 〖鉄道〗貫通制動用圧気配分管.
túning pìpe =pitch pipe.
vént pìpe ベントパイプ, 通気管.
vóice pìpe (建物・船などで使う)伝声管.
wáste pìpe (廃液などの排出用の)排液管, 排水管.
wáter pìpe 送水管.
wínd·pìpe (空気呼吸をする脊椎(せきつい)動物の)気管(trachea).

pip·er /páipər/

名 笛を吹く人. ⇨ -ER[1].

bág·pìper 名 バグパイプ吹奏者.
Píed Píper ハーメルンの笛吹き.
sánd·pìper 名 〖鳥類〗シギ.

pip·it /pípit/

名 〖鳥類〗タヒバリ. ▶鳴き声から.

ánt·pìpit タヒバリタイランチョウ.
méadow pìpit マキバ(牧場)タ(田)ヒバリ.
róck pìpit タヒバリ.
Sprágue's pìpit ヤブタヒバリ.
wáter pìpit タヒバリ.

pis·tol /pístl/

名 ピストル, 拳銃(けんじゅう).

áir pìstol エアピストル, 空気式ピストル.
automátic pístol 自動拳銃, 自動ピストル.
cáp pìstol (紙火薬の)おもちゃのピストル.
dúel pìstol 決闘用ピストル.
hórse pìstol (乗馬者の所持する)大型ピストル.
machíne pìstol 機関拳銃; 短[軽]機関銃.
pócket pìstol ポケットピストル.
stárting pìstol スタート合図を行うピストル.
Véry pìstol ベリー式信号ピストル.
wáter pìstol (おもちゃの)水鉄砲.

pit /pít/

名 **1** (自然または人工の, 地面にあいた)穴; (穀物貯蔵用の)穴. **2** 〖採鉱〗立て坑. **3** (物の表面の)くぼみ, へこみ.

árm·pìt わきの下; 〖解剖〗腋窩(えきか).
ásh·pìt (特に炉の下の)灰落とし穴.
bár pìt =barrow pit.
bárrow pìt 《米西部》土採取場.
bítter pít 〖植物病理〗苦痘病.
bláck pít 〖植物病理〗黒色斑点(はんてん).
bórrow pìt 〖土木〗土取場.
bóttomless pít 地獄(hell).
cátch pìt (下水のごみため用)排水桝(ます).
céss·pìt 汚物[水]だめ, 糞壺(ふんつぼ).
chálk·pìt 〖採鉱〗白亜坑.
cóal pìt 炭坑, 採炭場.
cóated pít 〖細胞生物〗被覆小窩(しょうか).
cóck·pìt (飛行機・宇宙船の)操縦室.
conversátion pìt 〖建築〗切床, 埋床.
córn pìt 《米》トウモロコシ取引所.
étch pìt 〖天文〗〖地質〗火星表面のくぼみ.
éye·pìt 〖眼科〗眼窩(がんか).
fíre·pìt (料理・暖房用の)地面に掘った穴.
fléa·pìt 《英話》安っぽい薄よごれた場所.
gún pìt 〖陸軍〗凹座掩体(えんたい).
líme pìt 〖採鉱〗石灰坑.
mósh pít ロックコンサートの最前列で, 激しく踊り狂う席.
ópen-pìt 形 〖採鉱〗露天採鉱の, 露天掘りの.
pássion pìt 《古俗》ドライブインシアター.
pláy·pìt 《英》(子供の遊び場用の)小砂場.
rífle pìt 〖軍事〗小銃手用個人壕(ごう).
sált pìt 〖採鉱〗塩採掘場.
sánd·pìt 〖採鉱〗砂採取場, 砂坑.
sáw pìt 木びき穴.
séepage pìt 浸透升.
slíme pìt 〖採鉱〗瀝青(れきせい)坑.
snáke pìt 《主に米話》非人道的な精神科病院.
sóaking pìt 〖冶金〗均熱炉.
stóne-pìt 〖採掘〗採石場, 石切り場.
stóny pít 〖植物病理〗ウイルスによるナシの病気.
stórm pìt 《米南部》暴風避難用地下室.
tár·pìt 〖採鉱〗タール坑.
thróttle pìt 《豪俗》便所.
whánk·pìt 《米俗》(男が)自慰をする所.
whírling pìt 《英俗》(酒・麻薬などによる)目まい[吐き気].
záp pìt 〖天文〗微細な隕石などによってできる月の岩石表面の微小陥没.

pitch /pítʃ/

動他 **1** 〈テント・キャンプを〉張る. **2** 〈物を〉投げる. ——名 **1** 度合い; (能力, 怒りなどの)極み. **2** 〖音楽〗音高. **3** 投げること; 〖野球〗投球, 投げられたボール. **4** 〖航空〗プロペラ1回転当たりの前進距離. **5** 執拗(しつよう)な売り込み.

ábsolute pítch 〖音楽〗絶対音高[音感].
adjústable-pítch 形 可変ピッチの.
áuction pìtch 〖トランプ〗オークションピッチ.
bútterfly pìtch 《米俗》ナックルボール.
círcular pítch 〖機械〗(歯車の)円ピッチ.
cóncert pìtch 〖音楽〗演奏会用標準音高.
contróllable-pítch 形 〈プロペラが〉可変ピッチの.
diapáson nórmal pítch 〖音楽〗標準音高, 国際標準音.
féver pìtch (群衆などの)異常な興奮, 熱狂.
fóotball pìtch サッカーのフィールド.
Frénch pítch =diapason normal pitch.
fúll pítch 〖クリケット〗フルピッチ.
hígh pítch 《米俗》露店の売り台, 屋台.
internátional pítch 〖音楽〗=diapason normal pitch.
jám pìtch 《米俗》(店内での)呼び売り.
lów pítch 〖音楽〗=diapason normal pitch.
nórmal pítch 〖機械〗(歯車の)法線ピッチ.
òver·pítch 動他 〖クリケット〗〈ボールを〉遠くに投げすぎる.
pérfect pítch =absolute pitch.
philharmónic pítch 〖音楽〗演奏会用標準音高.
púrpose pìtch 《米野球俗》故意に打者近くをねらって投げた球.
rélative pítch 〖音楽〗相対音高.
sáles pìtch 売り込み口上(sales talk).
sló-pítch =slow-pitch.
slów-pítch スローピッチ: 10人ずつのチームで対戦するソフトボール.

P

stándard pìtch =concert pitch.
Stúttgart pìtch 〔音楽〕シュトゥットガルト標準音.
twélve pìtch 〔印刷〕エリート活字.
váriable-pítch 形 〈プロペラが〉可変ピッチの.
wíld pítch 〔野球〕(投手の)暴投.

-pith·e·cus /píθikəs, -pəθíː-/

連結形 類人猿, 霊長類.
★ 名詞をつくる.
★ 語頭にくる関連形は pithec-: *pithec*anthropus「ピテカントロプス」, *pithec*oid「猿に似た」.
◆ ギリシャ語 *píthēkos*「サル」より. ⇨ -US[1].

Ae·gyp·to·pith·e·cus 名 アイギュプトピテクス属.
Aus·tra·lo·pith·e·cus 名 アウストラロピテクス.
Dry·o·pith·e·cus 名 ドリオピテクス属.
Gi·gan·to·pi·the·cus 名 ギガントピテクス.
Ken·ya·pith·e·cus 名 ケニアピテクス.
Or·e·o·pith·e·cus 名 オレオピテクス.
Ra·ma·pith·e·cus 名 ラマピテクス属.
Siv·a·pith·e·cus 名 シバピテクス.

place /pléis/

名 (ある)場所, 所. ―― 動他 置く.

án·y·plàce 副 《米・カナダ話》どこかに, どこかへ.
assémbly-plàce 集会場.
bád plàce 《米南部》地獄(hell).
béd plàce (ベッド・寝具を入れる)押し入れ.
bírth·plàce 誕生の地, 出生地; 発祥の地.
cárrying plàce 《カナダ》(陸上輸送が行われる)陸路.
cást-in-pláce 形 〈生コンクリートが〉建築現場でつくられた.
cóm·mon·plàce 形 普通の, ありふれた, 平凡な.
déath·plàce 最期の地, 死に場所, 死地.
dis·place 動他 〈人を〉(故郷・国などから)(無理に)立ち退かせる, 退去させる.
dwélling plàce 居住; 住所, 住居, 住宅(dwelling).
em·place 動他 〈鉄砲などを〉(場所を定めて)置く.
éve·ry·plàce 副 どこでも, 至る所に.
fíre·plàce **1** 暖炉. **2** 炉床.
fléx·i·place 名 《俗》(コンピュータ回線で職場と直結した)自宅での仕事場.
fóur-pláce 形 〈数が〉4 桁(けた)の.
hígh plàce 高い場所 [地位], 重要ポスト.
hóly plàce 聖地.
hóme·plàce 出生 [誕生] 地; 家庭.
hóuse plàce (中世建築で, 広間など)家族全員に共通な部屋, (農家などの)居間.
húndred's plàce 〔数学〕(混数で)小数点第 3 位.
in place 〔米政治〕(敵側にもぐり込んだ)スパイ.
júmping-óff plàce 出発点.
lánding plàce (船の)上陸地, 波止場; 荷揚げ場.
márket·plàce 市場.
méeting plàce 会場, 集合場所; 合流点.
mis·pláce 動他 …の置き場所を誤る, 置き間違える.
nó·plàce 副 《主に米話》どこにも…ない.
òut·pláce 動他 《米》〈解雇する従業員に〉(転職の相談に乗り)新しい仕事の斡旋(あっせん)をする.
párking plàce 駐車する場所.
re·pláce 動他 …に取って代わる, 入れ替わる.
résting-plàce 休息所; 墓, 埋葬地.
shów·plàce (公開されている)名所, 旧跡.
sóme·plàce 副 《米・カナダ話》(未知・不特定の)ある場所に, どこかに.
stépping-óff plàce へんぴな場所.
stícking plàce 物を固定できる所; 引っかかり.
tén's plàce 〔数学〕10 の位.
thóusand's plàce 〔数学〕千の位.
trýsting plàce 会合場所, (特に)あいびきの場所.
únit's plàce 〔数学〕1 の位; 小数第一位.
wátering plàce 海浜 [湖畔] 行楽地; 飲み屋.
wórk·plàce 職場; 作業場, 仕事場.

plac·en·ta·tion /plæ̀səntéiʃən/

名 〔植物〕胎座形式. ◇ placenta「胎盤」. ⇨ -ATION.

básal placentátion 中央胎座型.
láminal placentátion 薄膜胎座.
márginal placentátion 縁辺胎座.
médian placentátion 中肋胎座.

plague /pléig/

名 〔病理〕〔獣病理〕(死亡率の高い)伝染病, 疫病, 悪疫; ペスト.

bírd plàgue ニワトリインフルエンザ.
Bláck Plágue =Great Plague.
bubónic plágue 腺(せん)ペスト.
cát plàgue 猫ジステンパー(distemper).
cáttle plàgue 牛疫.
dúck plàgue アヒルペスト.
fówl plàgue =bird plague.
gáy plàgue エイズ(AIDS).
Gréat Plágue 大疫病: 1664–65 年 London に発生した腺ペスト.
pneumónic plágue 肺ペスト.
septicémic plágue 敗血性ペスト.
swíne plàgue 豚疫, 豚パスツレラ症.
sylvátic plágue 森林 [梨鼠(りす)] ペスト.
whíte plágue 結核, (特に)肺結核.

plain /pléin/

形 明白な. ―― 名 平野, 平原.

abýssal pláin 深海平原.
allúvial pláin 〔地質〕沖積平野.
Cartésian pláin 〔数学〕カルテシアン平面.
cóastal pláin 海岸平野, 沿岸平地.
délta pláin 三角州平野.
flóod pláin (洪水の)氾濫(はんらん)原.
gíbber-pláin 《豪》風化した小石 [砂] などで覆われた乾燥平地.
óutwash pláin 〔地質〕アウトウォッシュ堆積平地.
péne·pláin 名 〔地質〕準平原, ペネプレーン.
pénny pláin 形 《英話》簡素な, 飾りのない.
sánd pláin 〔地質〕氷河の溶けた水によって堆積した, 主に砂から成る平坦地.
séa pláin 〔地質〕海食によってできた平地.
wálled pláin 壁平原, 環平原.

plait /pléit, plǽt | plǽt/

名 **1** (髪・麦わらなどの)編んだもの. **2** (布などの)ひだ. ―― 動他 …を編む.

bóx plàit (スカートなどの)箱ひだ.
ìn·ter·pláit 動自他 編み合わせる.
stráw plàit (麦わら帽子用の)麦わらさなだ.
ùn·pláit 動他 〈編んだ髪などを〉解く, ほどく.

plan /plǽn/

名 **1** 計画, 案, 策; 方法. **2** 図面. ―― 動他自 (…の)計画を立てる.

Américan plàn アメリカ式ホテル料金制.
báttle plàn (戦闘で用いる)戦略, 戦術.
Bermúda plàn アメリカンスタイルの朝食付き宿泊制度.

Béveridge plàn 〚英政治〛ビバリッジ・プラン：1942 年に提唱された英国の社会保険計画.

blóck plàn 〚製図〛配置図.

bódy plàn 〚生物〛体制.

búdget plàn ＝installment plan.

búsiness plàn 経営［事業］計画.

cafetéria plàn 〚経営〛カフェテリア方式.

cíty plàn 都市開発計画.

clósed plàn 閉鎖形平面.

Colómbo Plàn コロンボ計画：南・東南アジアの経済・技術協力機関.

commíssion plàn 《米》委員会制.

contíngency plàn 緊急時対策.

cóuncil-mánager plàn 市会・市政管理者制度.

cóunt·er·plàn 名 対案, 対策.

Dáwes plàn 〚米政治〛ドーズ案. 「度.

defíned-bènefit pénsion plàn (米国企業の)確定年金給付保証制

defíned contribútion plàn 《米》確定拠出型退職手当制度.

Européan plàn 《米》(ホテル経営における)ヨーロッパ方式.

fámily plàn (航空機などの)家族料金.

Fíve-Yèar Plàn (旧ソ連・中国などでの)五か年計画.

flíght plàn 〚航空〛飛行計画, フライトプラン.

flóor plàn (部屋・建物の)平面図, 間取り図.

fórmula plán 〚証券〛フォーミュラプラン.

401(k) plán 401 k プラン：米国の退職年金制度の一つ.

Gálveston plàn ＝commission plan.

gáme plàn 《主に米》(目的達成のための)戦略.

Gos·plán 旧ソ連邦国家計画委員会.

gróund plàn (建築物の)平面図.

hálf-bréadth plàn 〚造船〛半幅線図.

instállment plàn 《主に米》分割払い, 月賦.

Kéller plàn 〚教育〛ケラープラン.

Kéogh plàn キオプラン：米国の自営業者退職年金制度. ►提案者の E.J. Keogh にちなむ.

láyaway plàn 商品予約購入法, 留め置き方式.

línes plàn 〚造船〛(船体の形状を表す)線図.

Már·plan マープラン：英国の世論調査組織.

Márshall Plàn 欧州復興計画.

máster plán 基本計画.

máster-plàn 動他 …の基本計画を作成する.

Nèw Jérsey plàn 〚米史〛ニュージャージー・プラン.

ópen plàn 〚建築〛オープンプラン.

páckage plàn 抱き合わせ契約, セット販売.

pénsion plàn ペンションプラン, 年金制度［計画］.

pérsonal équity plàn 《英》個人投資(信託)プラン.

phántom stóck plàn ファントムストック方式賞与(制度).

prè·plán 動他自 事前に計画を立てておく.

Prínceton Plán 《米》〚政治〛プリントストン方式.

prófile plàn ＝sheer plan.

refléctèd plàn 天井伏図.

rè·plán 動他 計画を立て直す.

retírement plàn 退職金設計.

Sáchs Plàn 〚経済〛サックス方式.

sáil plàn 〚造船〛帆装図, 帆船の艤装(ぎそう)図.

shéer plàn 〚造船〛(船の)側面線図, 縦断面図.

skétch plàn 〚建築〛スケッチプラン.

tálly plàn 《英》分割払い販売法.

Tównsend plàn タウンゼンド養老年金案.

Tróika Plán 〚政治〛トロイカ方式.

univérsal áir tràvel plán IATA(国際航空運送協会)と ATC(米国航空運送同盟)の共同運営による航空運賃支払いのための信用販売(後払い)制度.

Virgínia plàn 〚米史〛バージニア案.

Yéarly Plán 《英》イヤリープラン：郵便公社を利用する定期預金積み立て計画.

Yóung plàn 〚米政治〛ヤング案.

---

plane[1] /pléin/

名 **1** 平らな面, 平面；水平面；(結晶体の)面, (多面体の)小面. **2** 《話》〚航空〛飛行機(airplane). **3** 翼, 翼板. ━━形 平らな. ━━動自 滑空する.

áer·o·plàne 名 《特に英》＝airplane.

áerospace plàne (大気圏内外を飛行する)航空宇宙機.

áir·plàne 名 ☞

ál·ti·plàne 名 〚地質〛平頂山稜(さんりょう)地形.

á·qua·plàne 名 アクアプレーン：水上滑走用の一枚板.

báttle·plàne 《米》戦闘機.

bédding plàne 〚地質〛層理面, 地層面, 層面.

bí·plàne 名 〚航空〛複葉(飛行)機.

cár·plàne 〚航空〛飛行自動車.

cát·a·plàne 名 〚航空〛カタパルト射出用航空機.

cháir-o-plàne (遊園地の)回転空中ぶらんこ.

cómplex pláne 〚数学〛複素平面, ガウス平面.

con·vért·a·plàne 名 ＝convertiplane.

con·vért·i·plàne 名 〚航空〛転換式航空機.

con·véxo-pláne 形 〈レンズが〉平凸の.

de·pláne 動自他 《主に米・カナダ》飛行機から降りる［降ろす］.

dìs·em·pláne 動自 飛行機から降りる.

em·pláne 動 ＝enplane.

en·pláne 動自 飛行機に乗る.

equatórial pláne 〚天文〛(天体の)赤道面.

fáult plàne 〚地質〛断層面.

flóat·plàne フロート水上機, 水上飛行機.

fócal plàne 〚光学〛焦平面, 焦点面.

galáctic pláne 〚天文〛銀河面.

gróund plàne (透視図法で)基平面.

gý·ro·plàne 名 〚航空〛オートジャイロ(autogiro).

hálf-plàne 名 〚数学〛半平面.

hóv·er·plàne 名 《英》ヘリコプター(helicopter).

hý·dro·plàne 名 《主に米》水上(飛行)機.

hý·per·plàne 名 〚数学〛超平面.

inclíned pláne 斜面.

ín·ter·plàne 形 (複葉機の)翼間の.

jét pláne ジェット機(jet airplane).

láteral pláne 〚造船〛水中側面積.

líght·pláne 軽飛行機.

máin plàne 〚航空〛主翼.

médian pláne 〚解剖〛正中面.

míddle pláne 〚美術〛中景.

midságittal pláne 〚頭骨測定〛正中矢状面.

mó·no·plàne 名 単葉(飛行)機.

múl·ti·plàne 名 多葉式飛行機.

nódal pláne 〚光学〛(レンズなどの)節(平)面.

ósculating pláne 〚数学〛接触平面.

pá·ra·plàne 名 〚航空〛パラプレーン.

píckaback plàne 子飛行機.

pícture plàne 画面.

pítch plàne 〚機械〛ピッチ平面.

príncipal pláne 〚光学〛主平面, 主面.

pursúit plàne 《もと》追撃機.

refléction plàne 〚結晶〛反射［鏡映］面, 対称面.

rhí·zo·plàne 名 〚生態〛根面.

rócket plàne ロケット機.

ró·ta·plàne 名 回転翼機(ヘリコプターなど).

sáil·plàne セールプレーン：グライダーの一種.

séa·plàne 水上(飛行)機, 飛行艇.

sér·i·plàne 名 セリプレーン, 生糸検査(装置).

sés·qui·plàne 名 一葉半機.

skí·plàne 雪上機.

slíp plàne 〚冶金〛〚結晶〛滑り面.

sólar-pòwerd pláne 太陽発電飛行機.

spáce·plàne 宇宙飛行機, スペースシャトル.

spráy plàne 粉末農薬を散布する飛行機.

sýmmetry plàne 〚結晶〛＝reflection plane.

táil plàne 《主に英》〚航空〛水平安定板.

táx·i·plàne 《米》タクシープレーン：チャーター用または不定期便用の飛行機.

torpédo plàne (魚雷投下用の)雷撃機.

trí·plàne 名 三葉(飛行)機.

P

utility plane 多目的機, 雑機.
vól·plàne 動自 (エンジンなしでまたはエンジンを止めて, 飛行機で地面に向かって)滑空する, 滑空降下する.
wár·plàne 戦闘機.
wáter plàne 〖造船〗水線面.
zóo plàne 《米》(選挙運動で, 候補者に同行する記者団を乗せた)随行機.

plane[2] /pléin/

名 〖木工〗かんな.

bádger plàne しゃくりかんな, 際(きわ)かんな.
béad plàne 刳形(くりがた)かんな, 玉縁用かんな.
blóck plàne 木口用かんな.
círcular pláne 反りかんな.
cómpass plàne (湾曲面を削る)反りかんな.
dóvetail plàne 蟻(あり)(継ぎ)かんな.
fóre plàne 粗鉋(あらがんな).
gróoving plàne 溝切りかんな.
jáck plàne 粗仕子(あらしこ), 粗かんな.
jóinter plàne 長台[接合]かんな, 長かんな.
mólding plàne 刳形(くりがた)かんな.
rábbet plàne しゃくりがんな.
smóothing plàne 仕上げかんな.
tónguing-and-gróoving plàne さねはぎかんな.
tóothing plàne のこぎり歯かんな.
trýing plàne 中しこかんな.

plan·et /plǽnit/

名 〖天文〗惑星, 遊星.

gíant plánet 大惑星.
inférior plánet 内惑星.
ínner plánet =terrestrial planet.
intérior plánet =inferior planet.
Jóvian plánet 木星型惑星.
májor plánet 惑星, 遊星.
méan plánet 平均惑星.
mín·i·plàn·et 名 小惑星.
mínor plánet 小遊星, 小惑星(asteroid).
óuter plánet 外惑星.
pró·to·plàn·et 名 原子惑星.
Réd Plánet 赤い惑星. ► 火星の俗称.
supérior plánet 外惑星.
terréstrial plánet 地球型惑星.

plan·e·tar·y /plǽnətèri | -təri/

形 惑星の, 遊星の; 惑星[遊星]のような. ⇨ -ARY

cir·cum·plan·e·tar·y 形 惑星を取り巻く; 惑星を巡る.
ex·tra·plan·e·tar·y 形 惑星外空間の; 太陽系外の.
in·ter·plan·e·tar·y 形 惑星間の; 惑星と太陽の間の.
trans·plan·e·tar·y 形 太陽から見てある惑星よりも遠い.

plank·ton /plǽŋktən/

名 〖生物〗浮遊生物. ◇ nekton「遊泳生物」. ⇨ -ON[3].

aer·o·plank·ton 名 空中浮遊(微)生物[プランクトン].
cry·o·plank·ton 名 クリオプランクトン.
hal·o·plank·ton 名 塩生プランクトン.
hem·i·plank·ton 名 定期性[一時的, 臨時]浮遊生物.
hol·o·plank·ton 名 終生浮遊生物.
mac·ro·plank·ton 名 大形浮遊生物.
mer·o·plank·ton 名 定期性浮遊生物, 一時性浮遊生物.
mes·o·plank·ton 名 中層浮遊生物.
mi·cro·plank·ton 名 小形浮遊生物.
nan·no·plank·ton 名 微小浮遊生物.
nan·o·plank·ton 名 =nannoplankton.
phy·to·plank·ton 名 植物プランクトン.
pot·a·mo·plank·ton 名 河川プランクトン.
zo·o·plank·ton 名 動物プランクトン, 浮遊動物.

plan·ning /plǽniŋ/

名 立案, 計画作成. ⇨ -ING[1].

ádvocacy plànning 市民参加の都市計画.
cíty plánning 都市計画.
fámily plánning (特に経済的理由による)家族計画.
fináncial plánning 財務計画の立案.
flóor plànning 仕入れ資金融資方式.
lánguage plànning 言語計画.
tówn plánning =city planning.
úrban plánning =city planning.

plant /plǽnt, plɑ́ːnt | plɑ́ːnt/

名 **1** 植物, 草木. **2** プラント, 工場施設; 《複合語》…工場. ── 動他 **1** 〈若木を〉植える; 〈土地に〉植えつける. **2** 〈思想・主義・教養などを〉確立する; 植えつける. ── 他 植える.

áir plànt 着生[気中]植物.
ánchor plànt 南米産の低木の一種.
apóstle plànt 〖植物〗ネオマリカ.
artíllery plànt 〖植物〗コメバコケミズ.
ásh·plànt トネリコの若木[苗木].
assémbly plànt 組立工場, 一貫作業工場.
bárroom plànt ハラン(葉蘭).
bátch plànt コンクリート調合工場.
béad plànt コケサンゴ(苔珊瑚).
bédding plànt 〖園芸〗花壇用草花.
béefsteak plànt エゴマ(荏胡麻), シソ(紫蘇).
bée plànt 養蜂(ようほう)植物.
cáricature plànt 〖植物〗グラプトフイルム.
céllular plánt 細胞植物.
céntury plànt アオノリュウゼツラン(竜舌蘭).
chenílle plànt 〖植物〗ベニヒモノキ.
Chínese lántern plànt ヨウシュ(洋種)ホオズキ.
cóal plànt 石炭紀植物.
cóffee plànt コーヒーノキ.
cómpass plànt コンパス[磁石, 指向]植物.
cóne plànt 〖植物〗コノフィツム.
córal plànt 〖植物〗サケバヤトロパ, ヤトローファ.
córn plànt 熱帯産のリュウゼツラン科ドラセナ属の木生種の総称.
córpse plànt 〖植物〗ギンリョウソウ(銀竜草)モドキ.
cúp plànt 〖植物〗ツキヌキオグルマ.
cúshion plànt 葉沈植物.
déw plànt モウセンゴケ(sundew).
dis·plánt 動他 《廃》移動させる, 取り除く.
égg·plànt ナス, ナスビ.
ex·plánt 動他 外植する, 体外培養する.
flánnel plànt ビロードモウズイカ(毛蕊花).
flówering plánt 顕花植物.
fóliage plànt 観葉植物.
fóuntain plànt ハナチョウジ.
gás plànt ヨウシュハクセン(洋種白鮮).
gópher plànt ホルトソウ.
grápple plànt ゴマ科の草.
gúm plànt 〖植物〗グリンデリア(gumweed).
hóney plànt 養蜂(ようほう)植物.
hóst plànt 寄主植物.
hóuse·plànt 室内用の鉢植え植物.
húmble plànt =sensitive plant.
íce plànt 〖植物〗アイスプラント.
im·plánt 動他 植えつける, 教え込む; 移植する.
ínch plànt ツユクサ科カリシア属の匍匐(ほふく)性または下垂性の植物の総称.
índigo plànt 〖植物〗インジゴ, キアイ.
ín-plànt 形 工場内で行われる.

in·ter·plant 動自他 (作物・土地を)間作する.
íron plànt =barroom plant.
jáde plànt 〖植物〗クラッスラ.
léad·plànt マメ科クロバナエンジュ属の低木.
lémon plànt コウスイボク(香水木).
lífe plànt 〖植物〗セイロンベンケイ.
lípstick plànt イワタバコ科エスキナントゥス属の蔓性着生植物の総称.
lócker plànt 急速冷凍貯蔵所.
lócust plànt 野生のセンナ(senna).
mírror plànt 〖植物〗コプロスマ.
móther-in-law plànt サトイモ科シロガスリソウ属の観葉植物.
músk plànt アメリカミゾホオズキ.
obédient plànt ハナトラノオ.
óil-plànt 油脂植物.
óyster plànt バラモンジン, セイヨウゴボウ.
pácking plànt 《米・カナダ》缶詰工場.
Pánama-hát plànt パナマソウ(jipijapa).
péacock plànt カラテアの一種.
píckaback plànt =piggyback plant.
píe·plànt 《米》ルバーブ, ショクヨウダイオウ(食用大黄).
píggyback plànt 〖植物〗トルミエア.
pílot plànt パイロットプラント: 本格的実用計画のための実験工場.
pítcher plànt 〖植物〗サラセニア類.
póker plànt トリトマ, シャグマユリ(赤熊百合).
pót plànt 鉢植え(の草花).
pówer plànt 《米》発電所.
práyer plànt 〖植物〗マランタの一種.
pré·plánt 形 (作物の)植え付け前の.
préssing plànt (レコードの)プレス工場.
rè·plánt 動他 植え直す, 再び植える.
reprócessing plànt (核燃料)再処理工場.
resurréction plànt テマリカタヒバ(手まり片檜葉).
ríbbon plànt =spider plant.
róck plànt 岩生植物.
rúbber plànt インドゴムノキ.
scréwdriver plànt 《俗》(他社で製造された部品などを)組み立てるだけの工場.
séed plànt 種子植物.
sénsitive plànt 感覚植物.
sháde plànt (弱光下でも生育できる)陰生植物.
shóeblack plànt ブッソウゲ(仏桑花).
shrímp plànt ベロペロネ, コエビソウ(小海老草).
smóke plànt アメリカケムリノキ(smoke tree).
snáke plànt チトセラン.
snów plànt 葉のないイチヤクソウ科の寄生植物.
sóap plànt シャボンノキ.
spécimen plànt 〖園芸〗標本植物.
spíder plànt オリヅルラン.
stóck plànt 〖園芸〗親株(stock).
stóne plànt ツルナ科リトプス属の多肉植物.
sún plànt マツバボタン.
sup·plánt 動他 (一般に)…に取って代わる.
Swíss chéese plànt ホウライショウ(鳳来蕉).
tapióca-plànt タピオカノキ, カッサバ.
télegraph plànt マイハギ(舞萩).
tórtoise plànt ツルカメソウ(elephant's-foot).
tráns·plànt 名 ☞
trígger plànt オーストラリア産 *Stylidium* 属の多年草または低木の総称.
umbrélla plànt カラカサガヤツリ, シュロガヤツリ.
ùn·der·plánt 動他 …を丈の高い植物の下に植える.
únicorn plànt ツノゴマ, タビビトナカセ.
vanílla plànt バニラソウ.
váscular plànt 維管束植物.
vélvet plànt 〖植物〗ビロードサンシチ.
wáter plànt 水生植物, 水草.
wáx plànt ホヤ, サクララン.
wínd plànt 風力発電施設.
yéast plànt 酵母菌, イースト.
zébra plànt トラフ(虎斑)ヒメバショウ.

-pla·sia /pléiʒə, -ʒiə, -ziə/

連結形 〖医学〗成長, 細胞増殖.
★ 名詞をつくる.
★ 語末にくる関連形は -PLAST.
★ 語頭にくる関連形は plasto-: *plasto*gene「色素体遺伝子」, *plasto*type「プラストタイプ」.
◆ <近代ラ<ギ *plás(is)*「塑造物」+*-ia* -IA.

a·chon·dro·pla·sia 名 軟骨形成［発育］不全(症).
an·a·pla·sia 名 退生, 退形成, 脱分化.
a·pla·sia 名 欠如症, 形成不全(症).
cat·a·pla·sia 名 降生, 降形成.
dys·pla·sia 名 形成異常, 形成障害, 異形成(症).
fi·bro·pla·sia 名 線維増殖(症), 線維組織形成.
het·er·o·pla·sia 名 別形成, 異形成.
ho·me·o·pla·sia 名 同質形成, 同態組織新生.
hy·per·pla·sia 名 過形成, 増生, 過生.
hy·po·pla·sia 名 減形成, 形成不全, 減生.
me·ta·pla·sia 名 化生, 変質形成.
neo·pla·sia 名 腫瘍形成.

-plasm /plæzm/

連結形 〖生物〗生体, 細胞, 細胞質, 原形質.
★ 名詞をつくる.
★ 語末にくる関連形は -PLAST.

al·lo·plasm 名 異形質.
ar·chi·plasm 名 原形質.
ar·cho·plasm 名 =archiplasm.
ax·o·plasm 名 軸索(突起)原形質.
bi·o·plasm 名 ビオプラスマ.
cat·a·plasm 名 〖医学〗パップ(巴布), 湿罨法(しつあんぽう), 湿布(poultice).
chro·mat·o·plasm 名 〖植物〗クロマトプラズム.
chro·mo·plasm 名 クロマチン, 染色質.
cy·to·plasm 名 細胞質.
deu·ter·o·plasm 名 〖発生〗=deutoplasm.
deu·to·plasm 名 〖発生〗卵黄質.
ec·to·plasm 名 外(部原)形質, 外質.
en·do·plasm 名 内部原形質, 内質.
ex·o·plasm 名 =ectoplasm.
gérm plàsm 生殖(細胞)質, 胚(はい)原質.
hy·al·o·plasm 名 細胞質基質.
id·i·o·plasm 名 =germ plasm.
kar·y·o·plasm 名 =nucleoplasm.
met·a·plasm 名 後形質, 後生質.
ne·o·plasm 名 〖病理〗新生物, 腫瘍(しゅよう).
neu·ro·plasm 名 〖解剖〗神経形質, 軸索形質.
nu·cle·o·plasm 名 核原形質, 核質.
per·i·plasm 名 周辺質.
phy·to·plasm 名 植物原形質.
pir·o·plasm 名 (住血胞子虫の)バベシア(babesia).
pro·to·plasm 名 原形質.
sar·co·plasm 名 筋形質, 筋漿(きんしょう).
so·mat·o·plasm 名 体細胞原形質.
tel·e·plasm 名 〖超心理学〗テレプラズム.
troph·o·plasm 名 栄養原形質.

plas·ma /plǽzmə/

名 **1**〖解剖〗〖生理〗プラズマ, 血漿(けっしょう). **2**〖細胞生物〗細胞質. **3**〖物理〗プラズマ: 高度に電離された気体. ⇨ -MA.
★ 語頭にくる関連形は plasm(o)-: *plasmo*lysis「原形質分離」.

àmbi·plásma 名 〖物理〗アンビプラズマ.
bío·plàsma 名 ビオプラズマ.
blóod plàsma 血漿.
mỳco·plásma 名 マイコプラズマ.
sàrco·plásma 名 〖生物〗筋形質, 筋漿(sarcoplasm).

spíro·plàsma 名 〘生物〙スピロプラズマ.
tòxo·plásma 名 〘細胞生物〙トキソプラズマ.

-plas·mo·sis /plæzmóusis/

連結形 〘病理〙…プラズマ症. ⇨ -OSIS.
★ 名詞をつくる.
★ 語末にくる関連形は -PLAST.
★ 語頭にくる関連形は plast(o)-: *plasto*gene「色素体遺伝子」, *plasto*type「プラストタイプ」.

an·a·plas·mo·sis 名 〘獣病理〙アナプラズマ症 [病].
his·to·plas·mo·sis 名 〘病理〙ヒストプラスマ症.
pir·o·plas·mo·sis 名 〘獣病理〙バベシア症.
tox·o·plas·mo·sis 名 〘病理〙トキソプラズマ症.

-plast /plæst/

連結形 〘生物〙生体, 細胞小器官, 細胞, 原形質.
★ 名詞をつくる.
★ 語末にくる関連形は -PLASIA, -PLASM, -PLASMOSIS, -PLASTIC, -PLASTY.
★ 語頭にくる形は plasto-: *plasto*gene「色素体遺伝子」, *plasto*type「プラストタイプ」.
◆ ギリシャ語 *plastós*「形成された」より.

am·y·lo·plast 名 〘植物〙澱粉(形成)体.
au·to·plast 名 〘外科〙自家移植片.
bio·plast 名 〘生物〙ビオプラスト.
chlo·ro·plast 名 〘植物〙葉緑体.
chro·mo·plast 名 〘植物〙雑色体, 有色体.
cy·to·plast 名 〘細胞生物〙細胞質体.
gym·no·plast 名 〘生物〙裸出原形質.
ki·ne·to·plast 名 〘生物〙運動核, 動原核.
leu·co·plast 名 〘植物〙白色体.
lip·o·plast 名 〘植物〙リポプラスト.
os·te·o·plast 名 〘解剖〙骨芽細胞, 造骨細胞.
per·i·plast 名 〘解剖〙基質, 支質(stroma).
phrag·mo·plast 名 〘植物〙隔膜形成体.
pro·to·plast 名 〘生物〙原形質体.
rho·do·plast 名 〘生物〙紅色体.
sphe·ro·plast 名 〘細菌〙球状原始細胞.
sym·plast 名 〘植物〙シンプラスト.
ton·o·plast 名 〘植物〙トノプラスト.

plas·ter /plǽstər, plɑ́ːs- | plɑ́ːstə/

名 プラスター, 漆喰(しっくい). ──動他 …に漆喰を塗る.

adhésive plàster (特に広幅の)絆創膏(ばんそうこう).
be·plás·ter 動他 …にしっくいを厚く塗る.
cóurt plàster ＝sticking plaster.
gýpsum plàster 石膏(せっこう)プラスター.
lánd plàster (主に肥料用の)粉末石膏(せっこう).
mústard plàster からし軟膏(なんこう).
púlp plàster 細かく刻んだ木材繊維を混ぜたしっくい.
shín·plàster 向こうずね [脚] の膏薬(こうやく).
shín-plàster マルバチドリ.
stícking plàster 絆創膏(ばんそうこう).

plas·tic /plǽstik/

形 プラスチックの; 自由な形にできる; (無定形または柔軟な材料に)形を与えることができる. ──名 プラスチック. ⇨ -IC[1].

àl·lo·plás·tic 形 外から形づくられる.
a·plás·tic 形 塑性(そせい)がない, 非可塑性の.
bì·o·plás·tic 名 生体材料に使用できるプラスチック.
cè·ro·plás·tic 形 蝋(ろう)細工の, 蝋型法の.
còs·mo·plás·tic 形 宇宙 [世界] 形成の.
ès·em·plás·tic 形 (要素・概念を)統合する力のある.
expánded plástic 発泡プラスチック.
flù·o·ro·plás·tic 名 〘化学〙フッ素プラスチック.
fóamed plástic 〘化学〙＝expanded plastic.
gàl·va·no·plás·tic 形 〘印刷〙電鋳 [電型] 法による再製の.
láminated plástic 〘化学〙積層プラスチック [樹脂].
réinforced plástic 強化プラスチック.
sè·mi·plás·tic 形 半塑性の.
sù·per·plás·tic 形 〈合金などが〉超可塑性の.
thèr·mo·plás·tic 形 熱可塑性の. ──名 熱可塑性物質.
vínyl plástic 〘化学〙ビニル樹脂を基にした丈夫なプラスチック.

-plas·tic /plǽstik/

連結形 〘生物〙(細胞・原形質などを)形成 [促進] する.
★ -plasm, -plast, -plasty の形容詞形.
★ 語頭にくる関連形は plasto-: *plasto*gene「色素体遺伝子」, *plasto*type「プラストタイプ」.
◆ ラテン語 *plasticus* より. ⇨ -IC[1].

an·a·plas·tic 形 〈細胞が〉退化の, 退生の; 退形成の.
an·ti·plas·tic 形 新しい組織の発生を抑える.
chlo·ro·plas·tic 形 〘植物〙葉緑体の.
eu·plas·tic 形 正常成形の.
ho·mo·plas·tic 形 成因相同の.
met·a·plas·tic 形 化生の.
ne·o·plas·tic 形 新生(物)の, 新生物形成の.
os·te·o·plas·tic 形 骨成形術の.
pro·to·plas·tic 形 原形質体の, プロトプラストの.
throm·bo·plas·tic 形 凝血誘発性の.
zy·mo·plas·tic 形 酵素(enzyme)生成にかかわる.

plas·tics /plǽstiks/

名複 プラスチック. ►plastic の複数形. ⇨ -ICS.

cèro·plástics 名複 蝋(ろう)型法; 蝋細工.
commódity plàstics 汎用プラスチック [樹脂].
engineéring plástics 産業用樹脂, 工業用樹脂.

-plas·ty /plæsti/

連結形 成形(molding, formation); 〘外科〙形成手術(plastic surgery).
★ 名詞をつくる.
★ 語末にくる関連形は -PLAST.
★ 語頭にくる関連形は plasto-: *plasto*gene「色素体遺伝子」, *plasto*type「プラストタイプ」.
◆ ＜仏 *-plastie* ＜ギ *-plastia*. ⇨ -Y[3].

ab·dom·i·no·plas·ty 名 〘外科〙腹成術, 腹腔成形術.
ac·e·tab·u·lo·plas·ty 名 〘形成外科〙寛骨臼形成(術).
al·lo·plas·ty 名 〘外科〙異物的形成術.
al·ve·o·lo·plas·ty 名 〘歯科〙歯槽形成(術).
an·a·plas·ty 名 〘外科〙形成手術.
an·gi·o·plas·ty 名 〘外科〙血管形成(術).
ar·thro·plas·ty 名 〘形成外科〙関節形成(術).
au·to·plas·ty 名 〘医学〙自家移植.
bleph·a·ro·plas·ty 名 〘眼科〙眼瞼(がんけん)形成(術).
car·di·o·myo·plas·ty 名 〘外科〙心筋形成術.
chei·lo·plas·ty 名 〘形成外科〙(口)唇形成(術).
chi·lo·plas·ty 名 ＝cheiloplasty.
der·mat·o·plas·ty 名 〘形成外科〙植皮術, 皮膚移植術.
der·mo·plas·ty 名 ＝dermatoplasty.
gal·va·no·plas·ty 名 〘印刷〙電気版製作法, 電気製版術.
gas·tro·plas·ty 名 〘外科〙胃形成(術).
her·ni·o·plas·ty 名 〘外科〙ヘルニア成形術.
het·er·o·plas·ty 名 〘外科〙異種組織移植(術).
ker·a·to·plas·ty 名 〘眼科〙角膜形成術, (特に)角膜移植術.
mam·mo·plas·ty 名 〘形成外科〙乳房形成(術).
men·to·plas·ty 名 〘形成外科〙あごの矯正外科手術.
ne·o·plas·ty 名 〘外科〙組織再成手術.
os·te·o·plas·ty 名 〘形成外科〙骨成形術.

o·to·plas·ty 名 〚形成外科〛耳成形術.
py·lo·ro·plas·ty 名 〚外科〛幽門形成(術).
rhi·no·plas·ty 名 〚形成外科〛鼻成形術.
staph·y·lo·plas·ty 名 〚形成外科〛口蓋形成術.
sto·mat·o·plas·ty 名 〚形成外科〛(開)口部形成術.
tho·ra·co·plas·ty 名 〚外科〛胸郭成形術, 胸成術.
tym·pa·no·plas·ty 名 〚耳鼻科〛鼓膜形成(術).
zo·o·plas·ty 名 〚医学〛動物組織移植(術).

plate /pléit/

名 **1** 皿. **2** (金属などの)平板. **3**〚印刷〛版. **4**〚歯科〛義歯床; 《話》義歯, 入れ歯. **5**〚写真〛感光板, 種板. **6**〚解剖〛〚動物〛板(はん), 薄板, 薄層. **7**〚地質〛(構造)プレート. **8**〚木工〛(間柱(まばしら)の上下にある)軒桁(のきげた), 敷桁. ── 動他 〈金属を〉メッキする.

Áfrican Plàte 〚地質〛アフリカプレート.
albúmen plàte 〚印刷〛卵白平版.
ámor plàte (軍艦・戦車などの)装甲鋼板.
ánchor plàte 定着板: ケーブルを固定させるための金属製プレート.
ángle plàte 横定盤: 金属細工用工具の一種.
Antárctic Plàte 南極プレート.
ármor plàte 装甲鋼板, 装甲板, 防弾板.
báck·plàte 〚建築〛後ろ板, 裏地板.
báffle·plàte 〚機械〛バッフルプレート, そらせ板.
báse·plàte =bedplate.
bátten plàte 〚建築〛目板, 押縁(おしぶち).
béaring plàte 〚土木〛敷金(しきがね), 敷盤.
béd·plàte 〚機械〛ベッドプレート, 底板, 台板.
bíte·plàte 〚矯正学〛咬合(こうごう)挙上板.
bláck·plàte 〚冶金〛黒板(くろいた).
blúe plàte 盛り合わせ用の仕切りのついた大皿.
bóiler·plàte ボイラー板: ボイラーや船体などに用いる厚延板.
bóok·plàte (小紙片の)蔵書票.
bráss plàte 《英》真鍮(しんちゅう)表札.
bréast·plàte 〚甲冑〛胸当て, 胸甲.
búnker plàte 魚倉への魚の投入口.
bútt plàte 床尾板: 銃床に取り付ける保護用平板.
céll plàte 〚細胞生物学〛細胞板.
cénter plàte 〚鉄道〛心皿(しんざら).
cháin plàte 〚海事〛チェーンプレート.
chárge-a-plàte =charge plate.
chárge plàte クレジットカード.
chéese plàte チーズ皿.
chícken plàte 《米軍俗》胸や股(また)の防弾帯.
chróme·plàte 動他 …にクロムめっきする.
chrómium-plàte 名動他 クロムめっき(をする).
cóal plàte 石炭投入口の上げ蓋(ぶた).
Cócos Plàte 〚地質〛ココスプレート.
cóffin plàte (死亡者の名前・死亡年月日などを記入する金属製の)棺の名札.
colléction plàte (教会の)献金皿, 慈善鍋, 献金.
combinátion plàte 〚印刷〛コンビ版.
commúnion plàte 〚ローマカトリック〛聖体拝領皿.
cópper·plàte (銅版画・銅版彫刻用の)銅板.
corrécting plàte 補正レンズ, 補正板.
corréctor plàte =correcting plate.
cóver plàte 〚建築〛蓋(がい)板, 目板.
crústal plàte =tectonic plate.
déck plàte 〚建築〛床鋼板.
déep-etch plàte 〚印刷〛平凹板.
déntal plàte 義歯床, 義歯.
dínner plàte ディナー用平皿.
dóor·plàte (金属製の)表札.
dráw·plàte (針金製造用の)引き抜き用鉄板.
drý plàte 〚写真〛乾板.
éarth plàte 〚電気〛アース板, 接地板.
e·lec·tro·plate 動他 …を電気めっきする, 電鍍(でんと)する.
énd plàte 〚採鉱〛端板(はしいた).
equatórial plàte 〚細胞生物学〛赤道板.
Eurásian Plàte 〚地質〛ユーラシアプレート.
fáce·plàte 〚機械〛(旋盤の)面板(めんいた).
fáshion plàte 《話》常に最新流行の服を着る人.
férrotype plàte 〚写真〛フェロタイプ板.
fínger plàte 指板(しはん): ドアなどに手あかが付かないように張る保護板.
físh·plàte 〚建築〛継ぎ目板.
flítch·plàte 〚木工〛(補強用に)合わせ梁(はり)の中央に挟む鉄板.
fóot·plàte 〚木工〛(敷き)土台.
fúttock plàte 〚海事〛檣楼(しょうろう)座板.
góld plàte 金製の食器 [容器].
góld-plàte 動他 〈めっき台となる金属に〉金めっきをする; (特に)電気金めっきをする.
gróund plàte 〚電気〛接地板, 接地用金属板.
hálf-plàte 《英》〚写真〛ハーフサイズの乾板.
hálf-wàve plàte 〚光学〛半波長板.
hánd plàte =push plate.
héel·plàte (靴の)ヒールプレート, かかと金.
hóme plàte 〚野球〛本塁, ホームプレート.
hót plàte ホットプレート, 電気こんろ.
hóur-plàte (時計の)文字盤.
identificátion plàte (自動車の)登録番号標.
índex plàte 〚機械〛割り出し板.
Índo-Austrálian Plàte 〚地質〛インド=オーストラリアプレート.
kéy plàte 〚印刷〛捨て版.
kíck plàte 〚建築〛蹴(け)り板.
lédger plàte 〚木工〛根太(ねだ)受け.
lícense plàte (金属板の)登録番号標, 認可番号札.
lócking plàte 〚時計〛数取り車.
L-plàte 《英》(自動車の)仮免許練習標識板.
mátch plàte 〚冶金〛マッチプレート.
métaphase plàte 〚細胞生物学〛赤道板.
mírror plàte 鏡用のガラス板.
náil plàte 〚解剖〛(鉤爪(かぎづめ)の)爪板.
náme·plàte 名札, 表札; 製作会社名, 銘柄.
Názca Plàte 〚地質〛ナスカプレート.
níckel plàte (電気めっきされた)ニッケル被膜.
níckel-plàte 動他 ニッケルめっきする.
Nórth Américan Plàte 〚地質〛北アメリカプレート.
númber·plàte 《英》=license plate.
Pacífic Plàte 〚地質〛太平洋プレート.
Phílippine Plàte フィリピン・プレート: 日本に接する地殻の岩盤.
pín plàte 〚建築施工〛ピンプレート.
pláce plàte =service plate.
póle plàte 〚木工〛軒桁(のきげた).
pósitive plàte 〚電気〛(電池の)陽極 [正極] 板.
púrlin plàte 〚木工〛腰折れ屋根の折れた部分の母屋桁(もやげた).
púsh plàte (ドアに取りつける)押板.
quárter plàte 手札形写真 [原板].
quárter-wàve plàte 〚光学〛四分の一波長板.
quártz plàte 〚電子工学〛水晶板.
ráce plàte 〚機械〛(織機の)レース板.
ráising plàte 〚建築施工〛=wall plate.
registrátion plàte 《豪・NZ》=license plate.
re·plàte 動他 〈新聞紙面を〉全面的に作り直す.
revérsal plàte 〚写真〛反転 [陽画] 乾板.
revérse plàte 〚印刷〛逆版, 白抜き版.
sálad plàte サラダ用取り分け皿.
scrátch·plàte ピックの引っかき傷から守るためにギター表面に張られた板.
scréw·plàte 〚機械〛ねじ羽子板.
sélling plàte 〚競馬〛売却競走.
sérvice plàte サービスプレート, 置き皿.
Shéffield plàte 銀きせ(銅板): 銀を被覆した銅板.
síeve plàte 〚植物〛師板(しばん).
sílver plàte 食卓用銀器, 銀めっき製品.
sílver-plàte 動他 〈他金属に〉銀をかぶせる.
sóle·plàte 〚木工〛床板(とこばん), 敷盤.

P

sóup plàte スープ用の深皿, スープ皿.
Sóuth Américan Plàte 【地質】南アメリカプレート.
spót plàte 【化学】点滴板.
stéel plàte 鋼板, 板金.
stóp plàte 【機械】(車両の)軸受け, 止め板.
stréak plàte 【鉱物】条痕(じょうこん)板.
stríke plàte 【建築】受座(うけざ)(strike).
stríking plàte 【建築】=strike plate.
súb·plàte 名 (保護のために)下に当てた(金属)板.
súrface plàte 【機械】定盤(じょうばん).
swásh plàte 【機械】斜板カム.
swítch plàte =wall plate.
tálly plàte 《英》(英国海軍の)ネームプレート.
tectónic plàte 【地質】(構造)プレート.
tée-plàte =T-plate.
térne·plàte ターンめっき鋼板: 屋根ぶきなどに使う.
tíe plàte 【鉄道】軌条敷板, タイプレート.
tín plàte ブリキ(板).
tín-plàte 動他 〈薄い鉄板・鋼鉄板に〉錫(すず)めっきをする.
tóe·plàte 靴底鋲(びょう).
tóuch plàte 検印板: 白目細工人の組合員全員の検印の見本が押してある白目板.
T́-plàte 【建築】T 字形金属板.
tráde plàte 仮ナンバー.
tréad·plàte 踏み板: 足や車輪がひっかかるように, 凸凹をつけた金属板.
túrn·plàte 《英》(鉄道の)転車台(turntable).
vám·plàte 【甲冑】円鍔(まるつば), 護拳(ごけん).
vánity plàte 《米》【自動車】バニティプレート.
végetable plàte 野菜料理.
wáll plàte 【建築施工】敷桁(しきげた).
whóle pláte 《英》【写真】八切判.
wóbble plàte 【機械】斜板カム.
wríst plàte 【機械】揺り板.
zóne plàte 【光学】ゾーンプレート.

plat·form /plǽtfɔːrm/

名 **1** 壇; (人が立つ)台. **2** (駅の)乗降場. **3** 海洋掘削作業台. **4** 【軍事】発射台. ⇨ FORM.

dríllng plàtform 【海洋工学】ドリリングプラットホーム.
frée-flỳing plátform 【宇宙】自由飛行プラットホーム.
inértial plàtform 【宇宙】慣性プラットホーム.
láunching plàtform (ロケットの)発射台.
móving plátform 動く歩道(moving sidewalk).
prodúction plàtform 【石油】採油プラットフォーム.
spáce plàtform 宇宙ステーション(space station).
términal plátform 【石油】ターミナルプラットホーム.

play /pléi/

名 劇, 戯曲; 脚本; (舞台での)劇の上演, 芝居, 演劇.

áir·plày 【ラジオ】【テレビ】エアプレー.
appéal plày 【野球】(走者の塁の踏み忘れなどの)アピールプレー.
ásset plày 【株式取引】資産評価で買われる株.
avóidance plày 【トランプ】(ブリッジで)特定の相手がリードを取れないようにするディクレアラーのプレー.
backdóor plày 【バスケット】バックドアプレー.
bág-plày 《米俗》ご機嫌取り.
báseline play 【テニス】ベースラインプレー.
báse plày 《米野球俗》なってないプレー.
bélly plày 【アメフト】ベリー・プレー.
bóob plày 《俗》失敗, どじ.
bóotleg plày 【アメフト】ブートレッグプレー.
bróken plày 【フットボール】ブロークンプレー.
bý-plày (舞台で, 本筋の進行中に行われる)脇演技, 脇所作, 脇ぜりふ.
chíld's plày 《話》朝飯前のこと, 児戯; ささいなこと.
chrónicle plày 年代記劇.
clóset plày レーゼドラマ.
cúdgel plày 棒術試合, 棒術(cudgels).
díce·plày さいころ遊び [賭博].
dóuble pláy 【野球】ダブルプレー, 重殺, 併殺.
dówn·plày 動他 《米》軽視する, 軽んじる.
dráw plày 【アメフト】クォーターバックがパスするように見せながらスクリメージ(scrimmage)ラインに向かって走ってくる味方のバックにボールを手渡しするプレー(draw).
énd·plày 【トランプ】エンドプレー.
exténded plày EP 盤: 直径 17 cm のレコード盤.
fáir pláy フェアプレー; 公正な扱い.
fórce plày 【野球】フォースプレー.
fóre·plày (性交の前に行う)前戯.
fóul pláy 不正行為; 犯罪, (特に)殺人.
grándstand plày 《米話》芝居気たっぷりの派手なプレー, 観衆目当ての演技, スタンドプレー.
gún·plày 《主に米》銃 [ピストル] の撃ち合い.
hánd·plày 《古》殴り合い.
hórse·plày ばか騒ぎ.
ín·ter·plày 名 相互作用, 相互影響, 相互関係.
kéep plày 【アメフト】クォーターバックがパスすると見せかけてボールを持って走る攻撃法(keeper).
lóng pláy LP レコード.
lóve plày 男女のふざけ合い; (特に)前戯.
mátch plày 【ゴルフ】マッチプレー.
médal plày 【ゴルフ】メダルプレー, 打数競技.
míracle plày 奇蹟劇.
mis·pláy 名 【スポーツ】【遊戯】エラー, 失策.
morálity plày 道徳劇.
mýstery plày 聖史劇.
óne-màn pláy 【演劇】ひとり芝居.
óption plày 【アメフト】オプションプレー.
òut·pláy 動他 …より上手である; を負かす.
ò·ver·pláy 動他 誇張しすぎる, 大げさに演じる.
pássion plày キリスト受難劇.
phó·to·plày 名 《今はまれ》=screenplay.
pláy-by-pláy 形 〈放送が〉逐一追って伝える, 実況の.
plúg-and-pláy 名 【コンピュータ】プラグアンドプレー.
pówer plày 【アメフト】パワープレー.
rè·pláy 動他 〈レコード・(ビデオ)テープなどを〉再生する. ── 名 再び行うこと, やり直し.
restríction plày 【チェッカー】最初の限られた回数だけ, 定まった表から偶然に選択して, あらかじめ決められたように駒を動かすこと.
róle-plày 動他 (架空の状況で)…の役割を演じる.
sáfety plày 【トランプ】(ブリッジの)安全プレー, 万全策.
sánd plày (心理療法としての)箱庭療法.
sátyr plày サチュロス劇.
scréen·plày 映画 [テレビ] のシナリオ.
séx plày =foreplay.
shádow plày 影絵芝居.
squéeze plày 【野球】スクイズ(プレー).
stáge plày 舞台劇; 舞台演技.
stráight plày ストレートプレイ, 純せりふ劇.
stróke plày 【ゴルフ】=medal play.
súcker plày 《俗》人をうまくだますこと.
swórd·plày 剣術, 剣さばき(fencing).
tél·e·plày 名 テレビドラマ.
thésis plày テーマ劇.
thrée-point plày 【バスケット】スリーポイントプレー.
tráp plày 【アメフト】トラップ.
tríple plày 【野球】三重殺, トリプルプレー.
ùn·der·pláy 動他 〈役を〉抑えて演じる.
ví·de·o·plày 名 =teleplay.

P

whíte chàpel pláy 《英》【ビリヤード】相手の手球をポケットに入れるような, 未熟で礼儀に反するプレー.
wórd·plày 軽妙な [機知に富む] 言葉のやり取り.

play·er /pléiər/

名 **1** 遊ぶ人 [動物], ゲームをする人. **2** 競技者, 選手. **3** 録音 [録画] 再生機. ⇨ -ER[1].

báll·plàyer (球技の)プロ選手.
bít plàyer (芝居・映画の)端役, ちょい役.
bónus plàyer 【野球】ボーナスプレーヤー.
cárd·plàyer トランプ遊びをする人.
cassétte plàyer カセットプレーヤー.
ĆD-Í plàyer 【コンピュータ】CD-I プレーヤー.
cómpact dísk plàyer コンパクトディスク・プレーヤー.
dírty-póol plàyer 《米話》dirty pool「不正行為」をする [働く] 人.
dísc plàyer =videodisk player.
gróss plàyer 《米映画俗》総収入に対する歩合で出演する大スター.
hórse·plàyer 競馬の賭博(とく)常習者.
móney plàyer 《俗》困難のもとで最も腕を振るう人.
piáno plàyer ピアノを巧みに弾く人.
récord plàyer 蓄音機, (レコード)プレーヤー.
régistered plàyer 【テニス】登録選手.
stríng plàyer (バイオリン族の)弦楽器奏者.
tápe plàyer テーププレーヤー.
téam plàyer チームプレーヤー, 団結を乱さない人.
utílity plàyer 【スポーツ】いくつものポジションをこなせる選手.
vídeodisk plàyer ビデオディスクプレーヤー.
vídeo·plàyer 名 ビデオプレーヤー.

play·ing /pléiiŋ/

名 **1** (競技・遊戯などを)すること. **2** 役を演じること. ——形 **1** 演奏する. **2** (競技などを)する. ⇨ -ING[1], -ING[2].

cárd plàying トランプ遊び(をすること).
lóng-plàying 形 〈レコードが〉長時間演奏の, LP の.
nòn-pláying 形 〈特にチームのキャプテンが〉競技 [試合] に参加しない, 非出場の.
róle-plàying ロールプレイング, 役割演技.

-ple /pl/

連結形 …倍の [に]. ◇ DOUBLE.
◆ <仏<ラ *-plus* …倍の.

cen·tu·ple 名形 100 倍の(量), 100 の部分から成る(もの).
dec·u·ple 名形 10 倍の(量), 10 の部分から成る(もの).
du·ple 名形 2 倍の(量), 2 つの部分をから成る(もの).
mul·ti·ple 形 多数の(部分から成る), 多種多様の.
oc·tu·ple 名形 8 倍の(量), 8 つの部分から成る(もの).
quad·ru·ple 名形 4 倍の(量), 4 つの部分から成る(もの).
quin·tu·ple 名形 5 倍の(量), 5 つの部分から成る(もの).
sep·tu·ple 名形 7 倍の(量), 7 つの部分から成る(もの).
sex·tu·ple 名形 6 倍の(量), 6 つの部分から成る(もの).
sim·ple 形 ☞
tri·ple 名形 3 倍の(量), 3 つの部分から成る(もの).
-tu·ple 連結形 ☞

pleas·ure /pléʒər/

名 **1** 喜び, 楽しさ, 愉悦. **2** (世俗的・肉体的な)快楽. ⇨ -URE[1].

dis·pleas·ure 名 不満; 不興, 不機嫌; 立腹.
fore·pleas·ure 名 前駆快感.
gold-of-pleas·ure 名 【植物】アマナマズ.
un·pleas·ure 名 楽しくないこと; 【精神分析】不快.

pleat /plíːt/

名 (服・スカートなどの)ひだ, プリーツ.

bóx plèat ボックスプリーツ, 箱ひだ.
crýstal pléat クリスタルプリーツ.
Frénch pléat フレンチロール: 女性の髪型の一種.
invérted pléat インバーテッドプリーツ.
kíck plèat キックプリーツ.
kílt plèat キルトプリーツ, 片ひだ.
knífe plèat ナイフプリーツ.
pínch plèat (カーテン上部の)小さなひだ.
réet pléat 《米ジャズ俗》(ズートスーツの)長くて幅の狭いプリーツ.

-ple·gi·a /plíːdʒiə, -dʒə/

連結形 【病理】…麻痺.
★ 名詞をつくる.
★ 語末にくる関連形は -PLEGIC.
◆ ギリシャ語 *plēgē*「打撃, 殴打」を表す連結形; plague「疫病, ペスト」と同語源. ⇨ -IA.

car·di·o·ple·gi·a 名 心臓麻痺.
cy·clo·ple·gi·a 名 毛様筋麻痺, 眼筋麻痺, 眼調節麻痺.
di·ple·gia 名 両側麻痺, 対麻痺.
hem·i·ple·gi·a 名 半身不随, 半側麻痺.
lal·o·ple·gi·a 名 発語(筋)麻痺.
mo·no·ple·gi·a 名 片 [単] 麻痺, 部分麻痺.
oph·thal·mo·ple·gi·a 名 眼筋麻痺.
pan·ple·gia 名 汎(はん)麻痺, 全麻痺.
par·a·ple·gi·a 名 対麻痺(ついまひ).
quad·ri·ple·gi·a 名 四肢または首から下全部の麻痺.
tet·ra·ple·gi·a 名 =quadriplegia.

-ple·gic /plíːdʒik/

連結形 【病理】…麻痺の(患者).
★ 形容詞, 名詞をつくる.
◆ -PLEGI(A) + -IC[1].

cy·clo·ple·gic 形名 【病理】毛様筋麻痺(の).
di·ple·gic 形名 【病理】両側麻痺(の).
hem·i·ple·gic 形 【病理】半身不随の.
mon·o·ple·gic 形 【病理】片 [単] 麻痺の.
par·a·ple·gic 形名 【病理】対麻痺の(患者).
quad·ra·ple·gic 形名 =quadriplegic.
quad·ri·pleg·ic 形名 四肢麻痺の(患者).

-ple·ment /pləmənt/

連結形 満たすもの [こと].
★ 名詞をつくる.
★ 語末にくる関連形は -PLY[2].
★ 語頭にくる関連形は ple-, pli-: *ple*nipotentiary「全権を有する」, *ple*nitude「完全」.
◆ ラテン語 *plēre*「満たす」より. ⇨ -MENT.
[発音] 語頭の音節に第 1 強勢.

com·ple·ment 名 ☞
ex·ple·ment 名 【数学】与えられた角と 360° との差.
im·ple·ment 名 道具, 用具, 器具.

P

sup·ple·ment 名 ☞

-plete /plíːt/

連結形 満ちている.
★ 語末にくる関連形は -PLY[2].
★ 語頭にくる関連形は ple-, pli-: *ple*nipotentiary「全権を有する」, *ple*nitude「完全」.
◆ <ラ *plētus*(*plēre*「満たす」の過去分詞).

com·plete 形 全部そろった.
con·tra·plete 名 『哲学』補完極, 補全極.
de·plete 動他 使い果たす, 激減させる.
ex·plete 動自 悪態をつく.
re·plete 形 (…が)豊富な; (…で)いっぱいの.
sup·plate 動他 《廃》補う.

-ple·tion /plíːʃən/

連結形 満たされたもの[こと].
★ 名詞をつくる.
★ 語末にくる関連形は -PLY[2].
★ 語頭にくる関連形は ple-, pli-: *ple*nipotentiary「全権を有する」, *ple*nitude「完全」.
◆ <ラ *plētus*(*plēre*「満たす」の過去分詞). ⇨ -TION.
[発音] -pletion の第 1 音節に第 1 強勢が置かれる.

com·ple·tion 名 《文語》完成, 完了.
de·ple·tion 名 (資源などの)減少; 枯渇.
im·ple·tion 名 《古》満たすこと, 充填(じゅうてん); 充満.
re·ple·tion 名 満ちあふれるほどの状態, 充満.
sup·ple·tion 名 『文法』補充(法).

-ple·tive /plíːtiv, plə-/

連結形 充たされた[満たされた](もの).
★ 形容詞, 名詞をつくる.
★ 語末にくる関連形は -PLEMENT, -PLETE, -PLETION, -PLY[2].
★ 語頭にくる関連形は ple-, pli-: *ple*nipotentiary「全権を有する」, *ple*nitude「完全」.
◆ <ラ *plētus* (*plēre*「充す[満たす]」の過去分詞). ⇨ -IVE[1].

com·ple·tive 形 (…を)完成する, (…の)完成に役立つ.
ex·ple·tive 名 (強調だけで意味のない, しばしば冒瀆(ぼうとく)的な)間投語句.
sup·ple·tive 形 『文法』補充法の: 補充法に用いる.

-plex /pleks/

連結形 **1** …個の部分[構成単位]を持つ: du*plex*, quadru*plex*. **2** 共同ビル[住宅], 団地: four*plex*, eight*plex*, Cine*plex*, Metro*plex*. ►一部は complex にならう.
★ 形容詞, 名詞をつくる.
★ 語末にくる関連形は -PLICATE, -PLICATIVE, -PLICIT, -PLOY, -PLY[1].
★ 語頭にくる関連形は ple-, pli-: *pli*able「しなやかな」, *pli*ers「やっとこ」.
◆ <ラ *-plexus*「編み込まれた」(*plectere*「組む, 編む」の過去分詞より).

cin·e·plex 名 映画ビル.
coal·plex 名 石炭を中心とする工業団地.
com·plex 形 ☞
di·plex 形 単向二路通信の, 二路通信のできる.
du·plex 名 《米・カナダ》重層型アパート.
ex·ci·plex 名 『化学』エキシプレックス, 励起錯体.
four·plex 名 『建築』四世帯住宅.
goo·gol·plex 名 グーゴルプレックス: 1 に 0 を 10^{100} つけた数.
meg·a·plex 名 (多数の小都市から成る)巨大都市圏; 大映画ビル.
Met·ro·plex 名 メトロプレックス, 複合都市圏.
mul·ti·plex 形 複合的な, 多岐にわたる. ——名 複合映画館.
nu·plex 名 原子力工業団地[コンビナート].
oc·tup·lex 形 〈電信が〉八重の.
quad·plex 名 =fourplex.
quad·ru·plex 形 四重の, 4 倍の.
quin·tu·plex 形 五重の, 5 倍の.
sex·tu·plex 形 六重の, 6 倍の.
sim·plex 形 単純な(simple); 単一の.
tri·plex 形 3 倍の, 三重の.
waste·plex 名 廃棄物再循環処理施設.

plex·us /pléksəs/

名 『解剖』(神経・血管などの網状になった)集網叢(そう). ⇨ -US[1].

am·pléx·us 名 『動物』抱接.
bráchial pléxus 『解剖』腕神経叢.
céliac pléxus 『解剖』=solar plexus.
cérvical pléxus 『解剖』頸(けい)神経叢.
chóroid plèxus 『解剖』脈絡叢.
cóeliac pléxus 『解剖』=solar plexus.
lúmbar pléxus 『解剖』腰(部)神経叢.
sácral pléxus 『解剖』仙骨神経叢.
sólar pléxus 『解剖』太陽[腹腔(ふくこう)]神経叢.

-pli·cate /plikèit, plə-, -kət/

連結形 折る, 折りたたむ.
★ 主に動詞をつくる.
★ 語末にくる関連形は -PLEX, -PLICATIVE, -PLICIT, -PLOY, -PLY[1].
★ 語頭にくる関連形は ple-, pli-: *pli*able「しなやかな」, *pli*ers「やっとこ」.
◆ ラテン語 *plicāre*「折る」より. ⇨ -ATE[1].
[発音] 直前の音節に第 1 強勢. 語尾の発音は, 動詞では /kéit/, 名詞, 形容詞では /kət, kéit/.

cen·tu·pli·cate 動他 100 倍する; 100 部[通]刷る.
com·pli·cate 動他 〈事を〉複雑にする, 込み入らせる.
du·pli·cate 名 ☞
ex·pli·cate 動他 明らかにする; 解釈する.
im·pli·cate 動他 〈人を〉巻き込む, 連座させる.
mul·ti·pli·cate 形 多数から成る, 複合の, 多面的な.
oc·tu·pli·cate 名 8 部, 8 通; (同種のものの)8 番目.
quad·ru·pli·cate 名 4 部, 4 通; (同種のものの)4 番目.
quin·tu·pli·cate 名 5 部, 5 通; (同種のものの)5 番目.
rep·li·cate 形 折り返した, 折り重ねた.
sep·tu·pli·cate 名 7 部, 7 通; (同種のものの)7 番目.
sex·tu·pli·cate 名 6 部, 6 通; (同種のものの)6 番目.
sup·pli·cate 動自 (…を)嘆願する, (特に)神に祈願する.
trip·li·cate 名 3 部, 3 通; (同種のものの)3 番目.

-pli·ca·tive /plikèitiv, plíkə-, plə-/

連結形 折られた, 折りたたまれた.
★ 形容詞をつくる.
★ 語末にくる関連形は -PLEX, -PLICATE, -PLICIT, -PLOY, -PLY[1].
★ 語頭にくる関連形は ple-, pli-: *pli*able「しなやかな」, *pli*ers「やっとこ」.
◆ <ラ *plicātus*(*plicāre*「折る」の過去分詞). ⇨ -ATIVE.
[発音] 第 1 強勢は語頭の音節, または連結形 -pli- にある. 例外的に語頭の音節にだけ第 1 強勢が確かめられる語: cómplicative.

ap·pli·ca·tive 形 利用できる; 適用できる, 実用的な.
com·pli·ca·tive 形 複雑になりがちな, 紛糾しがちな.
ex·pli·ca·tive 形 説明[解明]的な, 解釈の, 解説する.

P

im·pli·ca·tive 形 言外の意味を持つ; 掛かり合いの.
mul·ti·pli·ca·tive 形 増加傾向にある, 増殖性の.
rep·li·ca·tive 形 〈実験などが〉反復[追試]可能な.

-plic·it /plísit/

連結形 折りたたまれた.
★ 形容詞をつくる.
★ 語末にくる関連形は -PLEX, -PLICATE, -PLICATIVE, -PLOY, -PLY[1].
★ 語頭にくる関連形は ple-, pli-: *pli*able「しなやかな」, *pli*ers「やっとこ」.
◆ <ラ *-plicitus*(*plicāre*「折る, たたむ」より).
[発音] 基体の第 1 音節(-plic-)に第 1 強勢.

ex·plic·it 形 十分にはっきりと表現された.
im·plic·it 形 暗黙の, 言外に含まれた.

-plode /plóud/

連結形 打つ.
★ 語頭にくる形は plaud-, plaus-: *plaud*it「拍手喝采」, *plaus*ible「もっともらしい」.
◆ <ラ *-plōdere*(*plaudere*「打つ」の連結形).

dis·plode 動自 《古》=explode.
ex·plode 動自 〈火薬・ニトログリセリンなどが〉爆発反応をする, 爆発する.
im·plode 動自 〈真空管などが〉内側に破裂する.

-ploid /plɔ̀id/

連結形 〖生物〗染色体数が…の.
★ 形容詞をつくる.
★ 語末にくる関連形は -PLOIDY.
◆ diploid「二倍体の」, haploid「半数体の」から抽出.

am·phi·ploid 形名 複倍数体の. ——名 複倍数体.
an·eup·loid 形 異数性の. ——名 異数体.
eu·ploid 形 正倍数性の. ——名 正倍数体.
het·er·o·ploid 形 異数体の.
hex·a·ploid 形 六倍体の.
ho·mo·ploid 形 同[正]倍数性の.
hy·per·ploid 形 高倍数性の. ——名 高倍数体.
hy·po·ploid 形 低倍数性の. ——名 低倍数体.
mix·o·ploid 名 混数体, 混合染色体.
mon·o·ploid 形 半数の, 一倍体の. ——名 半数体.
oc·to·ploid 形 八倍体の. ——名 八倍体.
pen·ta·ploid 形 五倍体の.
pol·y·ploid 形 倍数体の. ——名 倍数体.
tet·ra·ploid 形 四倍体の.
trip·loid 形 三倍体の. ——名 三倍体.

-ploi·dy /plɔ́idi/

連結形 染色体数が….
★ 名詞をつくる.
◆ -PLOID + -Y[3].

a·neup·loi·dy 名 〖生化学〗異数性.
di·ploi·dy 形 〖生物〗複相の.
en·do·pol·y·ploi·dy 名 〖生物〗内部倍数性.

-ploi·ta·tion /plɔitéiʃən/

連結形 利用, 開発, 開拓.
★ 名詞をつくる.
◆ exploitation から抽出.
[発音] -ploitation の第 2 音節に第 1 強勢が置かれる.

blacks·ploi·ta·tion 名 =blaxploitation.
blax·ploi·ta·tion 名 《米話》(映画などで)黒人を利用[売り物]にすること.
sex·ploi·ta·tion 名 《話》性の営利的利用, 性的搾取.

-plore /plɔ́ːr/

連結形 泣き叫ぶ.
◆ ラテン語 *plōrāre*「泣き叫ぶ」より.

de·plore 動他 〈過失・罪などを〉深く悔いる.
ex·plore 動他 〈未知の地域などを〉探検[踏査]する.
im·plore 動他 〈人に〉(助け・慈悲などを)懇願する.

plot /plát | plɔ́t/

名 **1** ひそかな計画, (不法な, 有害な)たくらみ. **2** (劇などの)筋, 構想. **3** 小地面. **4** 《主に米》(船・飛行機の)航路図.

áir plòt 〖航空〗対気推測位置, 対気図示.
bóx·plòt 〖統計〗ボックスプロット.
bý-plòt 〖演劇〗=subplot.
cóun·ter·plòt 裏をかく計略, 逆計.
Dóctor's Plòt 〖ロシア史〗「医師の陰謀」(1953).
gráss·plòt 芝畑, 芝地; 草地.
gróund·plòt 〖航空〗グラウンドプロット.
Gúnpowder Plòt 〖英史〗火薬陰謀事件(1605).
már·plòt 計画(など)を壊す人, ぶち壊し屋.
Pópish Plòt 〖英史〗カトリック教徒陰謀事件(1687).
Rýe Hòuse Plòt 〖英史〗ライハウス事件(1683).
séed-plòt 苗床.
súb·plòt 名 〖演劇〗わき筋; 伏線.
ún·der·plòt 名 わき筋, 挿話.

plov·er /plʌ́vər, plóuv- | plʌ́və/

名 〖鳥類〗チドリ. ⇨ -ER[2].

bláck-bellied plóver ダイゼン(大膳).
cráb-plòver カニチドリ, シロガネチドリ.
gólden plóver ムナグロ.
gráy plóver =black-bellied plover.
gréen plóver 《英》タゲリ(lapwing).
gréy plóver 《英》=black-bellied plover.
Kéntish plóver シロチドリ.
Nórfolk plóver イシチドリ(石千鳥)(thick-knee).
píping plòver フエ(笛)チドリ.
rínged plóver コチドリ.
ríng plòver =ringed plover.
semipálmated plóver ミズカキチドリ.
snówy plóver シロチドリ.
Wílson's plóver ウィルソンチドリ.

plow /pláu/

名 (農耕用の)鋤(すき).

bréaking plòw (開墾用の)鋤.
bréast·plòw 横木に胸を押しつけて動かす鋤.
chísel plòw 〖農業〗(平形)のみ刃鋤.
dráy·plòw 重い土をすくための鋤.
fáll·plòw 動他 〈土地を〉秋に耕作する.
fíre-plòw 溝火錐(きり), 火きり犂.
gáng plòw (鋤を連結した)連動複式鋤.
móle plòw もぐら鋤.
rótary plòw ロータリープラウ, 回転耕作機.
snów·plòw 雪かき, 除雪機; (鉄道)除雪車.
stúmp-jùmp plòw 切り株の多い開墾地用の鋤.
súbsoil plòw 深掘鋤, 心土[底土]耕作用鋤.
swíng plòw 一輪鋤(swivel plow).

-ploy /plɔ́i/

連結形 折り重ねる.
★ 語末にくる関連形は -PLEX, -PLICATE, -PLICATIVE, -PLICIT, -PLY[1].

P

★ 語頭にくる関連形は ple-, pli-: *pli*able「しなやかな」, *pli*ers「やっとこ」.
◆ ラテン語 *plicāre*「折り重ねる」より.

de·ploy 動他 [軍事]〈部隊・兵を〉展開させる.
em·ploy 動他 ☞

plug /plʌ́g/

名 **1** 栓, 詰め物. **2** 電気プラグ, 差し込み. **3** かみタバコ. ── 動他 …に栓をする.

áir plùg (排気孔などの弁となる)空気栓.
banána plùg [電気] バナナプラグ.
báyonet plùg [電気] 差し込みプラグ.
cút plùg 固形のかみタバコ.
éar·plùg 耳栓.
Éuro·plùg [電気] ユーロプラグ.
glów plùg [自動車][機械] グロープラグ.
návy plùg 棒状に圧搾した強くて黒いかみタバコ.
phóno plùg [電気工学] フォノプラグ.
sált plùg 岩塩プラグ, 岩塩ドームの核.
séparable attàchment plúg [電気] セパラブルプラグ.
spárking plùg 《英》=spark plug.
spárk plùg (エンジンの)点火栓, 着火プラグ.
spárk·plùg 動他 《話》〈人・物を〉導く, 指導する.
swítch plùg スイッチ付き差し込み.
tíe plùg [鉄道] こめ栓, 埋め木.
ùn·plúg 動他 …から栓 [詰め物] を抜く.
vént-plùg (樽の)空気穴に差し込む小さい栓.
wáge-plùg 《豪話 / しばしば軽蔑的》賃金労働者.
wáll plùg (壁埋め込み式)コンセント.
wánder plùg どんなソケットにも合う差込み.
wáter plùg 消火栓(fireplug).

plum /plʌ́m/

名 西洋スモモ, プラム: バラ科サクラ属の数種の果実の総称.

béach plùm クロミノハマザクラ.
chérry plúm ミロバランスモモ.
cóco plúm [植物] クリソバラヌス・イカコ.
dáte plùm カキ(ノキ)(persimmon).
gróund plùm マメ科レンゲソウ属の草の一種.
hóg plùm テリハタマゴノキ, アカモンビン.
Írish plúm 《こっけい》ジャガイモ.
Jápanese plúm スモモ(李).
mármalade plùm メキシコクロテツの実(sapote).
Natál plùm オオバナカリッサ.
Spánish plúm テリハタマゴノキ, アカモンビン.
súgar·plùm 《古》小さな砂糖菓子, キャンデー.
wíld plúm 野生のスモモ.

plum·age /plúːmidʒ/

名 [鳥類](1 羽の鳥を包む全体の)羽毛, 羽衣(うい); 羽毛. ◇ PLUME. ⇨ -AGE[1].

álternate plúmage 交代羽毛, 代羽.
básic plúmage 基羽: 年 1 回, 完全換羽した羽毛.
bréeding plùmage =nuptial plumage.
defínitive plúmage 完羽.
eclípse plùmage 陰羽(いんう).
júvenal plúmage 幼羽.
núptial plúmage 生殖羽, 婚衣, 婚羽.
suppleméntal plúmage 副羽.

plume /plúːm/

名 [鳥類] 羽毛(feather). ◇ PLUMAGE.

Apáche plùme [植物] ファルギア.
de·plúme 動他 …の羽毛を抜き取る [むしる].
dis·plúme 動他 …の羽毛をむしり取る.
fíl·o·plùme 名 毛状羽(もうじょうう).
mántle plùme [地質] マントルプルーム.
óstrich plùme ダチョウの羽毛.
sém·i·plùme 名 半綿羽.
ùn·plúme 動他 …の羽毛 [羽根] を取り除く [むしる].

plus /plʌ́s/

前 …を加算して, をプラスして. ── 名 **1** 付加物. **2** 剰余.

cóst-plús 形 コストプラス [協定利益付き原価] 方式の [による].
elévеn-plús 名 《英》中等教育コース選別試験.
óver·plùs 名 超過, 過剰, 余分, 余りすぎ.
PÁL-plús 名 機能が拡張されたパル方式テレビ.

ply /plái/

名 (合板を構成する)層; (布地の重ねた)一枚一枚の層.

mul·ti-ply 形 〈板・布などが〉何重にもなった.
three-ply 形 三重の, 3 層の, 3 枚合わせの.
two-ply 形 二重の, 2 層の; 2 枚重ねの.

-ply[1] /plái/

連結形 たたむ, 巻く.
★ 語末にくる関連形は -PLEX, -PLICATE, -PLICATIVE, -PLICIT, -PLOY.
★ 語頭にくる形は ple-, pli-: *pli*able「しなやかな」, *pli*ers「やっとこ」.
◆ ラテン語 *plicāre*「たたむ, 巻く」より.

ap·ply 動他 応用する, 当てはめる.
im·ply 動他 …をほのめかす, 暗示する.
mul·ti·ply 動他 増す; 多種多様にする.
re·ply 動自 (口頭や文書で)返事をする, 答える.

-ply[2] /plái/

連結形 満たす.
★ 語末にくる関連形は -PLEMENT, -PLETE, -PLETION, -PLETIVE.
★ 語頭にくる形は ple-, pli-: *ple*nipotentiary「全権を有する」, *ple*nitude「完全」.
◆ ラテン語 *plēre*「満たす」より.

com·ply 動自 (希望・要求などに)従う, 応じる.
sup·ply 動他 ☞

-pne·a /pníːə/

連結形 [医学] 呼吸.
★ 呼吸の種類 [呼吸器系の状態] を表す名詞をつくる.
★ 語末にくる関連形は -PNEUSTIC.
★ 語頭にくる関連形は pneumat(o)-, pneumo-: *pneumato*phore「[植物] 呼吸根」, *pneumo*bacillus「肺炎桿菌」.
◆ ギリシャ語 *pnoḗ*「呼吸」より.

ap·ne·a 名 無呼吸, (一時的)呼吸停止.
dysp·ne·a 名 《米》呼吸困難.
eup·ne·a 名 正常呼吸, 安静呼吸.
hy·perp·ne·a 名 呼吸過度, 過(度)呼吸, 呼吸亢進.
hy·pop·ne·a 名 減(少)呼吸, 呼吸低下.
or·thop·ne·a 名 起座 [座位] 呼吸.
pol·yp·ne·a 名 多呼吸, 呼吸頻繁, あえぎ.
tach·yp·ne·a 名 速呼吸, 呼吸急速.

pneu·mo·nia /njumóunjə | njuː-/

名 [病理](うっ血 [充血] を伴う)肺炎. ⇨ -IA.

★ 語頭にくる関連形は pneumat(o)-, pneumo-: *pneumato*phore「【植物】呼吸根」, *pneumo*bacillus「肺炎桿菌」.

brónchial pneumónia ＝bronchopneumonia.
bròncho·pneumónia 名 気管支肺炎. ►bronchial [catarrhal, lobular] pneumonia ともいう.
dóuble pneumónia 両側肺炎.
lóbar pneumónia 大葉性肺炎.
plèuro·pneumónia 名 胸膜[肋膜]肺炎.
pneumocýstis pneumónia ニューモシスティス性肺炎.
prímary atýpical pneumónia 非定型肺炎.

-pneus·tic /pnjúːstik | -njuːs-/

連結形 息をする.
★ 形容詞をつくる.
★ 語末にくる関連形は -PNEA.
◆ ギリシャ語 *pneîn*「息をする」より. ⇨ -TIC.

ap·neus·tic 形 【病理】持続性吸息の.
bran·chi·op·neus·tic 形 【昆虫】気管鰓(さい)呼吸の.
hol·op·neus·tic 形 【昆虫】完気門式の.
pro·pneus·tic 形 【昆虫】〈幼虫が〉前気門式の.

pock·et /pákit | pɔ́k-/

名 **1** ポケット. **2** 小袋, 財布. ⇨ -ET[1].

áir pòcket 《俗》エアポケット.
ánchor pòcket 【海事】錨(いかり)ポケット.
bállast pòcket 【鉄道】バラスのくぼみ.
bésom pòcket (縁どりなどした)内ポケット.
bréast pòcket (上着の)胸ポケット.
cárgo pòcket 【服飾】カーゴポケット.
chánge·pòcket 小銭入れ用の小ポケット.
déep pòcket 《米俗》富, 財力.
flóor pòcket 【演劇】＝stage pocket.
fróst pòcket 小範囲の霜の降る低地, 霜だまり.
hácking pòcket 【服飾】ハッキングポケット.
híp pòcket (ズボンやスカートの)尻ポケット.
híp-pòcket 形 小型の, 小規模の.
hóp-pòcket ホップ一袋.
kangaróo pòcket 【服飾】カンガルーポケット.
óne-wày pòcket 《英俗》けち.
óut-of-pòcket 形 現金で払う, 現金払いの.
pátch pòcket 【服飾】張り付けポケット.
píck·pòcket すり.
síde pòcket (洋服・ビリヤード台などの)脇ポケット.
slásh pòcket 【服飾】スラッシュポケット.
slít pòcket 【服飾】スリットポケット.
stáge pòcket 【演劇】舞台上の配線ボックス.
tícket pòcket 《英》【服飾】チケットポケット.
un·pock·et 動他 ポケットから(取り)出す.
vést-pòcket 形 小型の(miniature).
wátch pòcket 時計かくし, 時計入れポケット.
wáter pòcket 崖(がけ)下のくぼみ.
wáx pòcket 【昆虫】(ミツバチの)蝋(ろう)袋.

pod /pád | pɔ́d/

名 【植物】(豆の)莢(さや).

ángle·pòd 米国南部・中部産ガガイモ科の植物.
béan pòd 豆のさや.
bládder·pòd ベシカリア.
lánce·pòd 熱帯産のマメ科アイフジ属の高木・低木の総称.
lýco·pòd 名 ヒカゲノカズラ属の常緑植物の総称.
péa·pòd 豆ざや船.
sátin·pòd ヨーロッパ産のアブラナ科ギンセンソウ属の2種の植物の総称.
séed·pòd 莢(さや).
wáx pòd つやのある莢(さや)をつけるインゲンマメの一種.

-pod /pàd | pɔ̀d/

連結形 …の種類[数]の足を有するもの.
★ しばしば近世ラテン語の *-poda* で終わる類名に対応する名詞をつくる.
★ 語末にくる関連形は -PED, -PODA, -PODE, -PODITE, -PODIUM, -PODOUS, -PODY, -PUS.
★ 語頭にくる形は ped(i)-, pedo-, pod(o)-: *pedo*meter「万歩計」, *pod*algia「足痛」.
◆ <ギ *-podos*(*poús* の形容詞派生語 *-pous* の語幹).

ac·tin·o·pod 名 軸足虫(じくそくちゅう).
am·bly·pod 名 鈍足目の動物.
am·phi·pod 名 ヨコエビ類.
ap·od 形 無足の, 無肢の. ――名 無足動物.
ar·thro·pod 名 節足動物.
bi·pod 名 (自動ライフル銃などの)2脚の台.
bra·chi·o·pod 名 腕足動物.
bran·chi·o·pod 名 甲殻綱ミジンコ綱[亜綱]の動物.
ceph·a·lo·pod 名 (イカ・タコなどの)頭足類.
chae·to·pod 名 (ミミズ・ゴカイなどの)毛足類動物.
che·no·pod 名 【植物】アカザ.
chi·lo·pod 名 ムカデ綱の節足動物.
co·pe·pod 名 (ケンミジンコなどの)カイアシ類.
dec·a·pod 名 エビ目(十脚目)の動物.
dip·lo·pod 形 ヤスデ綱の. ――名 ヤスデの類.
gas·ter·o·pod 名 ＝gastropod.
gas·tro·pod 名 (巻き貝などの)腹足類.
hex·a·pod 名 六脚類, 昆虫.
i·so·pod 名 等脚類動物.
mac·ro·pod 名 カンガルー類.
mon·key·pod 名 アメリカネム.
mon·o·pod 名 (カメラ支持用の)一脚, モノポッド.
myr·i·a·pod 名 多足類.
nec·to·pod 名 (イカ・タコなどの)遊泳足.
oc·to·pod 名 タコ類(アオイガイを含む).
or·ni·tho·pod 名 鳥脚類動物.
or·tho·pod 名 《俗》整形外科医.
pe·lec·y·pod 名 斧足(ふそく)類.
pe·rei·o·pod 名 (甲殻類の)胸脚.
phyl·lo·pod 名 葉脚類の動物.
plat·y·pod 形 平足類の. ――名 平足(類)動物.
ple·o·pod 名 遊泳肢, 泳脚, 腹脚.
po·ly·pod 形名 (昆虫の幼虫など)多肢型の(動物).
pseu·do·pod 名 仮足, 偽足.
pter·o·pod 形 翼足目の. ――名 翼足類.
rhi·zo·pod 名 コンソクチュウ(根足虫).
sau·ro·pod 名 (草食恐竜の)竜脚類.
scaph·o·pod 名 クッソク[ホリアシ](掘足)類動物.
schiz·o·pod 名 裂脚類動物.
sto·mat·o·pod 名 シャコ(蝦蛄).
tet·ra·pod 名 四足類.
the·ro·pod 名 獣脚類.
tri·pod 名 三脚椅子, 三脚テーブル, 三脚台.
ty·lo·pod 名 核脚類[亜目]の動物(化石).
u·ni·pod 名 一脚椅子, 一脚テーブル, 一脚台.
u·ro·pod 名 尾肢, 尾脚.

-po·da /pədə, póudə/

連結形 …の種類[数]の足を有するもの; 綱名に使われる.
★ 名詞をつくる.
★ 語末にくる関連形は -POD.
★ 語頭にくる形は ped(i)-, pedo-, pod(o)-: *pedo*meter「万歩計」, *pod*algia「足痛」.
◆ <近代ラ(ギ *-pous* の中性複数形). ⇨ -A[1].

Ar·throp·o·da 名 節足動物門.
Ceph·a·lop·o·da 名 頭足類.

-pode /pòud/

連結形 -podium「足, 足状の部分」の異形.

★ 主に名詞, 形容詞をつくる.
★ 語末にくる関連形は -PED, -PEDE, -POD.
★ 語頭にくる形は ped(i)-, pedo-, pod(o)-: *pedo*meter「万歩計」, *pod*algia「足痛」.
◆ <近代ラ *-podium* <ギ *-podos* 足のある.

meg·a·pode 名 〘鳥類〙ツカツクリ(塚造).
mon·o·pode 形 一本足の. ━━名 一本足の動物.

-po·dite /pədàit/

連結形 〘動物〙肢節の状態を表す.
★ 名詞をつくる.
★ 語末にくる関連形は -POD.
★ 語頭にくる形は ped(i)-, pedo-, pod(o)-: *pedo*meter「万歩計」, *pod*algia「足痛」.
◆ -PODE＋ -ITE[1].

en·dop·o·dite 名 内肢, 内枝.
ex·op·o·dite 名 〘動物〙外肢, 外枝.
is·chi·op·o·dite 名 座節.
pro·top·o·dite 名 〘動物〙原節.

-po·di·um /póudiəm/

連結形 …足, 足状の部分, 支え.
★ 名詞をつくる.
★ 語末にくる関連形は -POD.
★ 語頭にくる形は ped(i)-, pedo-, pod(o)-: *pedo*meter「万歩計」, *pod*algia「足痛」.
◆ <近代ラ; ラ *podium* 高くしてあるところ, バルコニー. ⇨ -IUM.

fil·o·po·di·um 名 〘細胞生物学〙〘生物〙糸状仮足.
gon·o·po·di·um 名 〘魚類〙(タップミノー類の雄の)交尾びれ.
hy·pho·po·di·um 名 菌足.
le·on·to·po·di·um 名 〘植物〙エーデルワイス(edelweiss).
ly·co·po·di·um 名 〘植物〙ヒカゲノカズラ属の常緑植物の総称(lycopod).
mon·o·po·di·um 名 〘植物〙単軸(型).
par·a·po·di·um 名 〘動物〙いぼ足.
pseu·do·po·di·um 名 〘生物〙仮足, 養足
pter·o·po·di·um 名 翼足.
sty·lo·po·di·um 名 〘植物〙柱下体.
sym·po·di·um 名 〘植物〙合軸, 反軸.

-po·dous /pədəs/

連結形 …本足の, …の足のある [を持つ] (footed). ◇ -PUS.
★ しばしば -pod で終わる名詞に対応する形容詞をつくる.
★ 語頭にくる形は ped(i)-, pedo-, pod(o)-: *pedo*meter「万歩計」, *pod*algia「足痛」.
◆ -POD＋ -OUS.
[発音] 直前の音節に第 1 強勢.

am·phip·o·dous 形 〘生物〙異脚の.
ap·o·dous 形 〘動物〙無足の, 無脚の, 無肢型の.
mac·rop·o·dous 形 〘植物〙〈葉が〉長柄の.

-po·dy /pədi/

連結形 …の足 [脚] を有するもの.
★ 名詞をつくる.
★ 語頭にくる形は ped(i)-, pedo-, pod(o)-: *pedo*meter「万歩計」, *pod*algia「足痛」.
◆ -POD と -Y[3] の合成接尾辞.
[発音] 直前の音節に第 1 強勢.

chi·rop·o·dy 名 足治療(《米》podiatry).
dip·o·dy 名 〘韻律〙二歩句 [格], 複脚律.
hex·ap·o·dy 名 〘韻律〙六詩脚の詩行, 六歩格.
mo·nop·o·dy 名 〘韻律〙単脚音韻律, 一歩格.
pen·tap·o·dy 名 〘韻律〙五歩格 [五脚律] の詩行.
te·trap·o·dy 名 〘韻律〙四詩脚.
trip·o·dy 名 〘韻律〙三歩句 [格], 三脚律.

-poe·ia /píːə/

連結形 …を作ること.
★ 名詞をつくる.
★ 語末にくる関連形は -POIESIS, -POIETIC.
★ 語頭にくる関連形は poe-: *poe*tic「詩の」, *poe*ticize「詩で表す」, *poe*sy「詩, 作詩, 詩才」.
◆ <ギ *poi-*(*poieîn*「作る」の語幹)＋ *-ia* -IA.

myth·o·poe·ia 名 神話を生み出す環境 [特質].
on·o·mat·o·poe·ia 名 擬声 [擬音](語形成).
phar·ma·co·poe·ia 名 〘薬学〙薬局方, 調剤書.
pro·so·po·poe·ia 名 〘修辞〙擬人法.

po·em /póuəm/

名 **1** (一編の)詩, 韻文. **2** 詩的な作品, 韻文的な作品. ⇨ -EM[1].

áleatory póem ＝cut-up poem.
cóncrete póem 具体 [具象, 視覚] 詩(の一編).
cút-up póem カットアップ詩.
fóund póem ファウンドポエム: 新聞・広告・メニューなどの印刷物の断片をつないで, 1 つの詩の形に仕立てたもの.
heróic póem 英雄詩.
práise pòem 《アフリカ》首長や有力者を褒めたたえる歌や詩.
symphónic póem 〘音楽〙交響詩.
tóne pòem 〘音楽〙音詩, トーンポエム.

po·et /póuit/

名 詩人, 歌人.

compúter póet コンピュータ詩人: コンピュータを利用した詩の自動販売機.
Láke pòet 湖畔詩人(の一人).
myth·o·pó·et 名 神話作者(mythmaker).
perfórmance pòet パフォーマンス詩人.
Quáker Póet 米詩人 J.G. Whittier と英詩人 Bernard Barton のあだ名.
shít-hòuse póet 《米俗》便所に落書きをする人.
wár pòet 戦争詩人.

-poi·e·sis /pɔiíːsis/

連結形 生成, 形成.
★ 名詞をつくる.
★ 語末にくる関連形は -POEIA, -POIETIC.
★ 語頭にくる関連形は poe-: *poe*tic「詩の」, *poe*ticize「詩で表す」.
◆ <近代ラ<ギ *-poiēsis*. ⇨ -ESIS.

bi·o·poi·e·sis 名 〘生物〙(無生物からの)生命発生.
e·ryth·ro·poi·e·sis 名 〘生理〙赤血球生成 [産出].
ga·lac·to·poi·e·sis 名 〘生理〙乳汁産生.
he·ma·to·poi·e·sis 名 〘生理〙血液生成, 造血.
he·mo·poi·e·sis 名 ＝hematopoiesis.
hid·ro·poi·e·sis 名 〘生理〙汗形成.
leu·co·poi·e·sis 名 ＝leukopoiesis.
leu·ko·poi·e·sis 名 〘生理〙白血球形成 [生成].
lym·pho·poi·e·sis 名 〘生理〙リンパ球産生 [形成].

-poi·et·ic /pɔiétik/

連結形 生み出す.
★ -poiesis で終わる名詞の形容詞形.
★ 語末にくる関連形は -POEIA.
★ 語頭にくる関連形は poe-: *poe*tic「詩の」, *poe*ticize

「詩で表す」.
◆ ギリシャ語 *-poiētikos* より. ⇨ -ETIC.

e·ryth·ro·poi·et·ic 形 赤血球生成［産出］の.
ga·lac·to·poi·et·ic 形 乳の分泌を増す.
he·ma·to·poi·et·ic 形 血液生成の, 造血の.
he·mo·poi·et·ic 形 ＝hematopoietic.
hid·ro·poi·et·ic 形 汗形成の.
leu·co·poi·et·ic 形 白血球形成［生成］の.
lym·pho·poi·et·ic 形 リンパ球産生［形成］の.

point /pɔ́int/

名 **1** (物の)とがった［鋭い］先端, 先. **2** (海岸の)突端, 岬. **3**〘数学〙小数点. **4**〘電気〙(自動車などの)ポイントスイッチ. **5** (空間的な)点; 交点; 地点. **6** (尺度上の)点. **7** (物事の)要点; 核心. **8** (個々の)点. **9** (単位としての)点; (競技の)点, 得点. ── 動他 **1** …を向ける. **2** 〈れんが積み・石積みに〉(セメント・モルタルで)目地(めじ)塗りをする.

áccess pòint 求めるものを見つけ出す手がかり.
accumulátion pòint 〘数学〙(集合の)集積点.
áce pòint (バックギャモンで)最初のポイント.
áction pòint (会議などの)特別活動提案.
ácupuncture pòint 鍼(はり)のつぼ.
áiming pòint 〘射撃〙照準点.
àmphidrómic pòint 〘海洋〙無潮点.
ap·point 動他 …を任命する, 指名する.
autoignítion pòint 〘化学〙自己［自然］発火点.
báll·pòint ボールペン(ballpoint pen).
básing pòint 〘商業〙基点, 基地点.
básis pòint 〘金融〙ベーシスポイント.
blúe pòint 濃い青灰色の斑点があるシャムネコ.
blúe·pòint ブルーポイント: カキの一種.
bóiling pòint 〘物理〙〘化学〙沸点, 沸騰点.
bránch pòint 〘電気〙分岐点, 引き出し点.
bréaker pòint 〘電気〙ポイントスイッチ.
bréak-éven pòint 〘経済〙損益分岐点, 採算点.
bréaking pòint 限界点, こらえられる限度.
bréak pòint 〘テニス〙ブレークポイント.
bréak·pòint 中断点; 一息入れる時.
Brównie pòint 《特に米話》信用, 評価.
brównie pòint ごますりでもらう評点.
búlldog pòint 《英話》(他より)有利な点.
búll pòint 《英》得点; 利点, 優勢.
búrble pòint 〘航空〙剝離点, 臨界点, 失速点.
búrning pòint ＝fire point.
búrsting pòint 受容力の限界点, 限度.
cásh·pòint 〘銀行〙現金自動預け払い機.
cénter pòint 〘印刷〙中黒(なかぐろ).
Céntre Póint センターポイント: London の中心にある 33 階建てオフィスビル.
chánge pòint 〘測量〙移(器)点.
chéck·pòint 検問所.
chísel pòint 先がのみの刃状の釘.
chóke pòint 迂回困難な道［地点］, 関門.
clúster pòint 〘数学〙＝accumulation point.
cóllar pòint 〘紋章〙斜め十字(saltire)の交わる上の位置.
cólor pòint 〘紋章〙＝honor point.
compensátion pòint 〘植物〙補償点.
condensátion pòint 〘数学〙凝集点.
cónjugate pòint 〘数学〙共役点.
contról pòint 〘航空写真測量〙標定基準点.
cóunt·er·pòint 名 ☞
cóver pòint 〘クリケット〙カバーポイント.
crítical pòint 〘物理〙臨界点.
Cúrie pòint 〘物理〙キュリー点.
déad pòint 〘機械〙死点.
déath pòint 〘生物〙(致)死点, デスポイント.
debáting pòint (本質的ではないが)討論の話題を提供するもの.
déw pòint 〘化学〙露点.
díamond pòint 〘家具〙装飾文様の一種.
drý·pòint 〘美術〙ドライポイント.
énd pòint 最終目的地, ゴール, 終点.
énd·pòint 〘数学〙端点.
equinóctial póint 〘気象〙分点.
exclamátion pòint 感嘆符(!).
éxtra póint 〘アメフト〙エキストラポイント.
éye pòint 〘光学〙射出瞳(ひとみ).
fár-pòint 〘眼科〙遠点.
féss pòint 〘紋章〙(盾形の)中心点.
fíre pòint 〘化学〙燃焼点.
fíxed póint 固定点.
fíxed-póint 形 〘コンピュータ〙固定小数点方式の.
fláshing pòint 〘物理〙〘化学〙＝flash point.
flásh pòint 〘物理〙〘化学〙引火点.
fléx pòint 〘数学〙＝inflection point.
flóating-pòint 形 〘コンピュータ〙浮動小数点の.
fócal pòint 〘光学〙焦点.
Fólsom pòint フォルサム型尖頭石器.
fréezing pòint 〘物理〙〘化学〙氷点, 凝固点.
fróst pòint 〘気象〙霜点.
fúll pòint 終止符, 終止点, ピリオド.
gáme pòint (テニス・ハンドボールなどで)ゲームポイント.
glázier's pòint 〘木工〙ガラス止め鋲, 三角釘.
góld pòint 〘金融〙金現送点, 金輸送点.
gráde pòint 《米》〘教育〙成績評価点.
grós pòint 〘服飾〙グロ・ポワン.
grówing pòint 〘植物〙生長点.
gún·pòint 《米》銃口, 銃のねらい.
héart pòint 〘紋章〙＝fess point.
hónor pòint 〘紋章〙盾形の中心点と上端との中間点.
íce pòint 〘化学〙氷点.
idéal póint 〘数学〙理想点.
ignítion pòint 〘化学〙＝autoignition point.
infléction pòint 〘数学〙変曲点.
ìntercárdinal póint 〘方位〙四隅(よすみ)点.
interrogátion pòint 疑問符(?).
isoeléctric pòint 〘化学〙等電点.
ìsoiónic pòint 〘化学〙等イオン点.
ísolated póint 〘数学〙孤立点.
knìck·pòint 〘地質〙遷移点.
knífe-pòint ナイフの先.
K-pòint (スキージャンプの)K 点.
Lagrángian pòint 〘天文〙ラグランジュ点.
lámbda pòint 〘物理〙ラムダ点.
librátion pòint 〘天文〙＝Lagrangian point.
límit pòint 〘数学〙＝accumulation point.
lów pòint 最低［最悪］の状態.
máster pòint 〘ブリッジ〙マスターポイント.
mátch pòint (テニス・バレーボールなどで)マッチポイント.
médian pòint 〘幾何〙(三角形の)重心.
mélting pòint 〘物理〙〘化学〙融(解)点, 溶融点.
míd·pòint 等距離の地点, 中間点, 真ん中.
néar-pòint 〘眼科〙近点.
néedle·pòint 針先.
Néel pòint 〘物理〙ネール点.
néutral pòint 〘化学〙中性点.
níck·pòint 《主に米》〘物理〙＝knickpoint.
nócking pòint 〘弓術〙ノッキングポイント.
nódal pòint 〘光学〙節点(node).
nón·pòint 形 特定できない, 非点的な.
objéctive pòint 〘軍事〙目標地点.
órdinary pòint 〘数学〙正則点.
órgan pòint 〘音楽〙＝pedal point.
òut·póint 動他 ポイントで上回る.
pánel pòint 〘工学〙節点, パネルポイント.
páss pòint 〘測量〙標定点.
pédal pòint 〘音楽〙通奏低音, ペダル音.
pén·pòint 名 ペン先(nib); ボールペンの先.
péril pòint 〘経済〙危険点, ペリルポイント.
pétit pòint 〘服飾〙プチポワン.
pínch-pòint 《英》(道路の)車両幅制限.

P

pín·pòint 針の先端; 極小の点.
póint-to-póint 名 《英》クロスカントリー競馬.
póur pòint 【化学】流動点.
pówer pòint 《英》【電気】コンセント.
préss-pòint 【印刷】見当針.
préssure pòint 【動物】圧点.
príncipal póint 【光学】主点.
quálity pòint 【教育】=grade point.
quárter pòint 【海事】羅針盤の 2 点の挟む角.
rádiant pòint 発光点, 放射点.
rállying pòint 元気を再度奮い起こすもの.
réef pòint 【海事】縮帆索, 縮帆用詰めひも.
rè·póint 動他 (れんが積みの)目地を塗り直す.
róse pòint ローズポイント: 針編みレースの一種.
sáddle pòint 【数学】鞍形点, 峠点.
sálient póint 目立った特徴, 目につく細部.
sámple pòint 【数学】標本点.
saturátion pòint 【化学】飽和点.
séal pòint シールポイント: 四肢の先・尾などが濃褐色のシャムネコ.
sélling pòint セールスポイント.
sét pòint (テニスなどの)セットポイント.
sét·pòint 設定値(点).
sétting pòint =freezing point.
sílver pòint 【物理】銀点.
sílver·pòint 銀筆, 銀尖筆(ぎんせんぴつ).
síngular pòint 【数学】特異点.
spéar·pòint 槍(やり)の穂先.
spécie pòint 【経済】=gold point.
spíne pòint 【経済】給与表(spine)のポイント.
stánd·pòint 人が物を見るために立つ場所.
stárting pòint 起点, 出発点.
Stárt Póint (イングランドの)スタート岬.
státionary póint 【天文】(惑星の)留(りゅう).
stéam pòint 【化学】沸点.
stícking pòint 障害, 支障, 引っかかり.
Stóny Póint ストーニー・ポイント: New York 州にある村; 独立戦争時に英軍に対して米軍が勝利を収めた地.
stróng·pòint 【軍事】拠点, 防御陣地.
subsólar póint 【天文】太陽直下点.
súlfur pòint 【化学】硫黄点.
tálking pòint (議論・討論などで)一方に有利な点.
téle·pòint 名 テレポイント: 携帯電話がかけられるサービス地域.
tíll pòint 《英》支払いカウンター.
transformátion pòint 【冶金】変態点.
tríg pòint 《話》三角測量(triangulation).
tríple pòint 【物理】三重点.
túck-pòint 動他 〈石造・れんが建築などに〉入子目地仕上げをする.
túrning pòint 転換期, 転機, 分岐点.
vaccíne pòint 【医学】接種針.
vánishing pòint 物が尽きてなくなる点, 消滅点.
vántage pòint 見晴らしの利く地点, 有利な地点.
vérnal póint 【天文】春分点.
víew·pòint 観察する位置.
vówel pòint 【言語】母音符号, 母音点.
wáy pòint (路線・航路の)中間地点.
wéll·pòint 【工学】【建築施工】ウェルポイント.
wínding pòint 《英》(運河内の)方向転換可能地点.
wórld póint 【物理】(相対性理論で)世界点.
yíeld pòint 【冶金】降伏点.

point·er /pɔ́intər/

名 point する人 [もの, 道具]. ►犬の品種にも使われる. ⇨ -ER[1].

blúe póinter 【魚類】アオザメ.
híp pòinter 【外科】骨盤ポインター.
Hungárian póinter ハンガリー産のポインター(vizsla); 犬の一品種.
Itálian póinter イタリア産のポインター(Spinone Italiano); 犬の一品種.
práirie pòinter 【植物】アメリカサクラソウ.
státion pòinter 【測量】三脚分度器.

point·ing /pɔ́intiŋ/

名 【石工】目地仕上げ材; 目地仕上げ(面). ⇨ -ING[1].

bástard pòinting 突出平目地.
flát-jóint pòinting 擦り目地, 平目地.
híck-jòint pòinting 平目地(ひらめじ).
túck pòinting 入子目地.

points /pɔ́ints/

名複 **1** 《英》【鉄道】ポイント, 転轍(てんてつ)機. **2** 項目, 条項. **3** 点数, 得点. ►point の複数形.

cárdinal póints 基本方位, 四方点.
cátch·pòints 名複 《英》【鉄道】列車が暴走して主線に入るのを防ぐための脱線ポイント.
Fóurteen Póints (平和原則の)十四か条.
pénalty pòints 交通違反点数制度.
suspénsion pòints 《主に米》【印刷】スリードット, 省略符.

poise /pɔ́iz/

名 平衡 [均衡] 状態, 釣り合い. ━━ 動他 …を平衡状態にする.

count·er·poise 名 (対重)平衡錘, 釣り合いおもり.
e·qui·poise 名 釣り合い, 平衡, 均衡.
o·ver·poise 動他 《古》…より重い; 価値がある.
self-poise 名 自然にバランスが取れていること.

poi·son /pɔ́izn/

名 毒, 毒薬, 毒物, 劇薬.

cóunt·er·pòi·son 名 解毒剤.
em·pói·son 動他 〈人の心などを〉毒する.
néutron pòison 【物理】中性子毒.
rát pòison 猫いらず; 《米俗》ヘロイン.
snáke pòison 《米・豪俗》ウイスキー.

poi·son·ing /pɔ́izəniŋ/

名 【病理】中毒. ⇨ -ING[1].

blóod pòisoning 敗血症, 膿血(のうけつ)症, 毒素血症.
fóod pòisoning 食中毒, 食あたり.
léad pòisoning 鉛中毒.
radiátion pòisoning 放射能中毒.

poke /póuk/

動他 〈人・物を〉(指・ひじ・棒などで)突く, 押す. ━━ 名 《話》のろま, ぐず.

ców·pòke 名 《米・カナダ》カウボーイ, カウガール.
gún·pòke 名 《米俗》ピストルを持った犯人.
píg pòke 《米俗》ふしだらな女, 売春婦.
slów·pòke 名 《米・カナダ話》進歩の遅い人.

pok·er /póukər/

名 【トランプ】ポーカー.

dráw póker ドローポーカー.
stráight póker ストレートポーカー.
stríp póker ストリップポーカー.
stúdhorse póker 《古風》=stud poker.
stúd póker スタッドポーカー.

P

-pol /pòul, pəl/

連結形 町; 都市.
★ 東欧諸国などの地名を表す名詞をつくる.
★ 語末にくる関連形は -POLIS.
◆ ギリシャ語 *pólis* より.

E·li·sa·vet·pol 名 エリザベートポリ(アゼルバイジャン共和国の都市名).
Ma·ri·u·pol 名 マリウポリ(ウクライナの都市名).
Me·li·to·pol 名 メリトポリ(ウクライナの都市名).
Ni·ko·pol 名 ニコポリ(ウクライナの都市名).
Se·bas·to·pol 名 =Sevastopol.
Se·vas·to·pol 名 セバストポリ(ウクライナの都市名).
Sim·fe·ro·pol 名 シンフェロポリ(ウクライナの都市名).
Stav·ro·pol 名 スタブロポリ(ロシアの都市 Tolyatti の旧称).
Tar·no·pol 名 タルノーポリ(Ternopol のポーランド語名).
Ter·no·pol 名 テルノーポリ(ウクライナの都市).
Ti·ra·spol 名 チラスポリ(モルドバ共和国の都市).

po·lar /póulər/

形 **1** (地球の)北極[南極]の. **2** (磁石・電池などの)極の. ⇨ -AR[1].

am·bi·po·lar 形 〘物理〙(同時)二極性の.
bi·po·lar 形 二極の, 双極の; 〘電気〙両極式の.
cir·cum·po·lar 形 〘地理〙極付近の.
het·er·o·po·lar 形 〘化学〙イオン化できる.
ho·mo·po·lar 形 〘化学〙同極の.
in·ter·po·lar 形 南北両極を結ぶ, 南北両極間にあ
mul·ti·po·lar 形 多極の, 2つ以上から成る. ㇾる.
non·po·lar 形 〘物理化学〙〈分子・液体などが〉無極
sub·po·lar 形 極(地)に近い, 亜極の. ㇾ(性)の.
trans·po·lar 形 北極[南極]横断の, 極地横断の.
tri·po·lar 形 三極の.
u·ni·po·lar 形 〘物理〙〈磁極・電極が〉単極の.

po·lar·i·za·tion /pòulərizéiʃən | -raiz-/

名 **1** 両極[対照]性. **2** 〘光学〙偏光. ⇨ -IZATION.

círcular polarizátion 〘光学〙円偏光.
ellíptical polarizátion 〘物理〙楕円(だえん)偏光, 長円偏光.
línear polarizátion =plane polarization.
pláne polarizátion 〘光学〙平面偏光, 直線偏光.
rè·po·lar·i·zá·tion 名 〘生物〙再分極.

pole[1] /póul/

名 (円柱状の)棒, さお, 杭(くい), 柱; 棒状のもの, (棒高跳びの)ポール, (消防署の出動用)ポール.

bárber pòle 床屋の看板柱, あめん棒.
bárber's pòle =barber pole.
bárge pòle はしけ用の船ざお.
béan·pòle (豆の蔓(つる)を絡ませる)支柱.
clóthes pòle 物干し綱を張るための支柱.
dístance pòle 〘競馬〙(ヒートレースで)決勝線より一定距離(《英》では240ヤード)手前に立てられたポール.
físhing pòle =fish pole.
físh pòle 釣りざお.
flág·pòle 旗ざお.
fóre·pòle 〘採鉱〙堰板(せきいた).
fóul pòle 〘野球〙ファウルポール.
gée pòle 《アラスカ・カナダ》犬ぞりの梶(かじ)棒.
gín pòle 〘機械〙一本クレーン, ジンポール.
gréasy pòle 《英》グリージーポール: 油脂で磨いて滑りやすくした棒[柱]; 登り降りや上を歩く競技[遊戯]用. ┌ぼ.
hóp pòle ホップのつるを巻きつける支柱; のっ
hýdro pòle 《カナダ》電柱. ┌ー.
ícy pòle 《豪・NZ 話》棒付きアイスキャンデ
líberty pòle 〘米史〙自由の柱.
Máy·pòle 五月柱, メイポール: 五月祭用の高い
píke pòle 《カナダ》〘林業〙鉤棒(かぎぼう). ㇾ柱.
ránge pòle 〘測量〙ポール, 標桿(ひょうかん).
ránging pòle 〘測量〙=range pole.
rídge·pòle 〘建築〙棟木.
scáffolding pòle 〘建築施工〙足場組みの主柱.
skí pòle 《米》(スキーの)ストック.
smóke pòle 《英俗》銃.
státion pòle 〘測量〙ポール, 標柱.
télegraph pòle 《英》=utility pole.
tén-fòot póle 社会的[政治的・法的]関係の隔たりを比喩的に示す尺度.
tótem pòle トーテムポール. ┌ル.
trólley pòle (路面電車の屋根上の)トロリーポー
utílity pòle (電話線用の)電柱.

pole[2] /póul/

名 (地球または他の天体の)極.

ánimal pòle 〘生物〙動物極.
án·ti·pòle 名 (…と)反対の極, 対極; 正反対.
celéstial póle 〘天文〙天の極.
cóld póle 〘気象〙寒冷極.
dí·pòle 名 〘物理〙〘電気〙ダイポール, 双極子.
galáctic póle 〘天文〙銀河極.
ín·ter·pòle 名 〘電気〙補極.
magnétic póle 〘物理〙磁極.
món·o·pòle 名 〘物理〙磁気単極, 単磁荷.
négative póle 〘電気〙陰極.
Nórth Póle 〘地理〙北極.
pósitive póle 〘電気〙正極.
quád·ri·pòle 名 〘物理〙〘電気〙=quadrupole.
quád·ru·pòle 名 〘電気〙四重極, 四極子.
símple póle 〘数学〙複素変数関数の1位の極.
Sóuth Póle 〘地理〙(地球の)南極.
únit póle 〘物理〙単位磁極.
végetal póle 〘発生〙植物極.
végetative póle 〘生物〙=vegetal pole.

-pole /póul/

連結形 頭.
★ 名詞を作る.
◆ 中英 *polle* ＜中オランダ *pol(le)*.

ran·ti·pole 名 《まれ》乱暴(で向こう見ずな)者, わんぱくな子, おてんばな女の子.
tad·pole 名 オタマジャクシ.

-po·li /pəli/

連結形 町.
★ 名詞をつくる.
★ 語末にくる関連形は -POLIS.
◆ ギリシャ語 *pólis*「市」より.
[発音] 直前の音節に第1強勢.

Gal·lip·o·li 名 ガリポリ(トルコの都市).
Na·po·li 名 ナポリ(イタリアの都市).
Trip·o·li 名 トリポリ(リビアの首都).

po·lice /pəlíːs/

名 警察.

cámpus políce 大学警備本部.
Cápitol políce 《米》議会衛視部.
cíty políce 市警察.

P

D.C. Políce 《米》ディーシーポリス: ワシントン市警の略称.
hárbor políce 水上警察.
kítchen políce 《米》〘軍事〙炊事勤務兵, 炊事当番.
Metropólitan Políce ロンドン警視庁.
mílitary políce 憲兵隊.
móbile políce 《英》パトカー.
mounted police 騎馬警官隊.
munícipal políce 自治体警察.
Ráilroad políce 鉄道警察.
ríot políce (暴動鎮圧に当たる)警察機動隊.
Róyal Canádian Móunted Políce カナダ騎馬警官隊.
sécret políce 秘密警察.
secúrity políce (空港・工場などの)公安警察; 警護隊.
státe políce 《米》州警察.
thóught políce 思想警察.
tránsit pòlice (New York などの)地下鉄公安部.

pol·i·cy[1] /pɑ́ləsi | pɔ́l-/

名 (物事を都合よく, 効率よく運ぶためなどの)方針, 方策; 建て前. ⇨ -Y[3].

béggar-my-néighbor pólicy 〘経済〙近隣窮乏化政策.
bréast-not-bóttle pòlicy 《米》母乳復帰政策.
Cómmon Agricúltural Pólicy (EC の)共通農業政策.
éc·o·pòl·i·cy 名 環境[生態]政策.
fóreign pólicy 外交政策.
Góod Néighbor Pòlicy 《米》善隣外交政策.
im·pól·i·cy 名 拙策, 不得策; 無分別な行為.
íncomes pòlicy 所得政策.
indústrial pólicy 産業政策.
Néw Económic Pólicy 新経済政策, ネップ(NEP): 1921–28 年に旧ソ連で行われた経済政策.
nó-fírst-úse pòlicy (核兵器の)先制使用放棄政策.
páy pòlicy 《英》(政府と組合の)賃金規制協定.
pósitive adjústment pòlicy 積極的調整政策.
príces and íncomes pòlicy 〘経済〙物価・所得政策.
públic pólicy 公共[社会]政策.
scórched-éarth pòlicy 焦土作戦.
skímming príce pòlicy 〘経営〙上澄み吸収価格政策.
Tár Báby pòlicy 《米》タール・ベビー・ポリシー, 黒人支配支持政策.
White Austrália pólicy 白豪主義.

pol·i·cy[2] /pɑ́ləsi | pɔ́l-/

名 〘保険〙保険証書[証券](policy of assurance, insurance policy). ⇨ -Y[3].

débit pòlicy デビット保険.
défínite pólicy 確定保険証券.
endówment pólicy 養老保険証券.
équity-línked pòlicy 株式連鎖型保険.
fíre pólicy 火災保険証券.
fírst-lòss pólicy 第一次損害保険契約.
flóating pólicy (海上保険で)船名等未詳積荷保険.
hómeowner's pòlicy 住宅所有者総合保険(証券).
límited pólicy 制限付き[限定支払い]保険証券.
máster pólicy 親保険証券, 基本証券, 一括証券.
ópen pólicy 包括予定保険契約.
térm pólicy 定期保険, 長期保険.
tíme pólicy 期間保険(契約); 定期保険証書.
únit-línked pólicy ユニット型投資信託連結生命保険契約.
válued pòlicy 評価済み保険(契約), 定額保険証券.
vóyage pólicy 航海保険.

-po·lis /pəlis/

連結形 都市(city).
★ ギリシャ語からの借用語や地名に見られる.
★ 語末にくる関連形は -POL, -POLI, -POLITAN.
◆ ギリシャ語 *pólis*「都市」より.
[発音] 直前の音節に第 1 強勢.

a·crop·o·lis 名 アクロポリス: 古代ギリシャ都市にある要塞(ようさい)化された丘.
An·nap·o·lis 名 アナポリス(米国の都市名).
com·pu·to·po·lis 名 コンピュータ都市.
cos·mop·o·lis 名 国際都市.
Cot·to·nop·o·lis 名 綿工業都市: イングランド Manchester 市の異名.
dy·nap·o·lis 名 ダイナポリス: 主要幹線道路沿いに計画された都市.
ec·u·me·nop·o·lis 名 エキュメノポリス, 世界都市.
Gas·o·po·lis 名 米国 Los Angeles の異名. ►ガソリンのスモッグで有名なことから.
In·di·an·ap·o·lis 名 インディアナポリス(米国の都市名).
meg·a·lop·o·lis 名 巨大都市.
me·gap·o·lis 名 =megalopolis.
me·trop·o·lis 名 活気に満ちた大都市.
mi·crop·o·lis 名 (大都市に匹敵する施設を持っている)小型都市.
Min·ne·ap·o·lis 名 ミネアポリス(米国の都市名).
ne·crop·o·lis 名 (特に規模の大きい, 通例, 古代都市の)共同墓地.
prop·o·lis 名 蜂蝋(ほうろう): ミツバチなどが木の芽から集める赤みがかった樹脂.
tech·nop·o·lis 名 技術支配社会, テクノポリス.

pol·ish /pɑ́liʃ | pɔ́l-/

動他 〈靴・家具・ガラスなどを〉磨く, 光らせる, とぐ, …のつやを出す; 磨いて…の状態にする. ──名 **1** 磨き粉, つや出し. **2** 磨き[つや]を出すこと. ⇨ -ISH[2].

ápple-pòlish 動自他 《米・カナダ話》ごまをする.
elèctro·pólish 動他 〈金属を〉電解研磨する.
fíre-pòlish 動他 〘ガラス製造〙火仕上げする.
flóor-pòlish 名 床磨き剤.
Frénch pólish フランスワニス: 家具仕上げ用塗料.
Frénch-pólish 動他 〈家具に〉フランスワニスをかける.
náil pòlish マニキュア液.
shóe pòlish 靴みがきのクリーム.

-pol·i·tan /pɑ́lətn | pɔ́l-/

連結形 …の市民の, 住民の.
★ -polis のつく語に対応して, 形容詞をつくる.
◆ ギリシャ語 *polítēs* より.

cos·mo·pol·i·tan 形 世界主義的な, 四海同胞的な.
meg·a·lo·pol·i·tan 形 巨大都市[メガロポリス]の.
met·ro·pol·i·tan 形 主要都市[メトロポリス]の.
Ne·a·pol·i·tan 形 ナポリ(Naples)(風)の.

pol·i·tic /pɑ́lətik | pɔ́l-/

形 〈行動・応答などが〉当を得た; 政治(politics)の. ⇨ -IC[1].
★ 語頭にくる関連形は politic(o)-: *politico*-military「政治と軍事についての」.

bódy pólitic 名 〘政治〙政(治)体, 統治体, 国家.
im·pol·i·tic 形 〈行動が〉不得策な, 無分別な.
un·pol·i·tic 形 =impolitic.

po·lit·i·cal /pəlítikəl/

形 政治学(上)の; 政治に関する. ⇨ -TICAL.
★ 語頭にくる関連形は politico-: *politico*-religious「政治宗教の」.

a·po·lit·i·cal 形 政治的影響[意義]のない.
cos·mo·po·lit·i·cal 形 世界的政策の.

P

ec·o·po·lit·i·cal 形 経済政治学の.
non·po·lit·i·cal 形 非政治的な,「ノンポリ」の.
par·a·po·lit·i·cal 形 政治に類似した, 擬似政治的な.
sem·i·po·lit·i·cal 形 半政治的な.
so·ci·o·po·lit·i·cal 形 社会政治上の, 社会政治的な.

pol·i·tics /pálətìks | pɔ́l-/

名複 **1** 政治学. **2** 政治. **3** 政略. ⇨ -ICS.

àero·pólitics 名複 航空政策.
àgro·pólitics 名複 農業政策, 農政.
commúnity pólitics (政治的戦術で)地元重視の政治姿勢.
còsmo·pólitics 名複 世界政策 [政治].
èco·pólitics[1] 名複 経済政治学.
èco·pólitics[2] 名複 環境政治 [政策] 学.
envíron·pòlitics 名複 環境(保全)政策.
gèo·pólitics 名複 地政学.
gésture pòlitics うわべだけの政治; 評判をよくすることばかりに専念して中身のない政治活動.
lúnar pólitics 非現実的なこと; 想像上の問題.
machíne pòlitics 機構 [組織] 政治.
mèta·pólitics 名複 《軽蔑的》抽象的政治学.
Néw Pólitics 新しい政治.
párty pólitics 党利党略政治, 党派政治, 党略.
pètro·pólitics 名複 (産油国の)石油政略 [外交].
pówer pólitics 権力政治.
rétail pólitics 《主に米》(有権者との接触を大切にする昔ながらの)草の根選挙活動.
séxual pólitics 性的政治: 一方の性が他方の性を支配する社会秩序.
téle·pòlitics 名複 テレビなどのマスメディアを通じての政治活動 [宣伝].
whólesale pólitics 《米》(主にテレビコマーシャルを利用した)マスメディア選挙戦術.

poll /póul/

名 **1** 世論調査. **2** (選挙などの) 投票. **3** (人の) 頭.
——動他 …の投票を得る.

advánce póll 《カナダ》不在(者)投票.
bláck·pòll 【鳥類】ズグロアメリカムシクイ.
clód·pòll 《古》塊, (特に)土の塊, 粘土塊.
déed póll 【法律】平型捺印証書.
Éuro-pòll 欧州議会議員選挙の投票.
éve-of-póll 形 投票日直前の, 投票土壇場の.
éxit póll 投票所出口調査.
Gállup póll ギャラップ世論調査.
Hárris póll ハリス世論調査.
opínion póll 世論調査.
òut·póll 動他 …より多くの票を得る.
óvernignt póll 深夜世論調査.
públic-opínion póll 世論調査.
Réd Póll レッドポール種: 牛の一品種.
réd·pòll 【鳥類】ベニヒワ.
trácking póll 継続的な世論調査.

pol·lu·tion /pəlúːʃən/

名 よごすこと, 汚染; 公害. ⇨ -TION.

áir pollùtion 大気汚染.
àn·ti·pol·lú·tion 形 公害 [汚染] 防止の.
áudio pollùtion =sound pollution.
e·lèc·tro·pol·lú·tion 名 電磁波汚染.
gróund pollùtion (有毒化学廃棄物による)土壌汚染.
héat pollùtion =thermal pollution.
hót wáter pollùtion =thermal pollution.
informátion pollùtion 情報公害.
intérnal pollútion (化学物質の多量摂取による)体内汚染.
lánguage pollùtion 言語汚染, 言語公害.
líght pollùtion (ネオンサインなどによる)光害.
mércury pollútion 水銀汚染.
nóise pollùtion =sound pollution.
phósphate pollútion リン汚染.
sélf-pollútion 自瀆(ぇく), 自慰.
smóke pollùtion (タバコの)煙害.
sóil pollùtion 土壌汚染.
sóund pollùtion 騒音公害.
thérmal pollútion (原子力発電所の廃水などによる)熱公害.
vísual pollútion 視覚公害.
wáter pollùtion (河川・海などの)水質汚染 [汚濁].

-po·ly /pəli/

連結形 独占.
★ 名詞をつくる.
★ 語頭にくる形は poly-: *poly*androus「夫を2人以上持つ, 一妻多夫制の」, *poly*syllabic「〈語が〉多音節の, (特に)4音節以上から成る」.
◆ ギリシャ語 *pōleîn*「売る」より. ⇨ -Y[3].
[発音] 直前の音節に第1強勢.

du·op·o·ly 名 複占, 供給 [売り手] 複占.
mo·nop·o·ly 名 独占; 一手販売, 専売.
ol·i·gop·o·ly 名 少数独占, 寡占.
tri·op·o·ly 名 3社 [者] 独占.

pol·y·eth·y·lene /pàliéθəlìːn | pɔ̀li-/

名【化学】ポリエチレン. ⇨ ETHYLENE.

bránched polyéthylene =low-density polyethylene.
hígh-dénsity polyéthylene 高密度ポリエチレン.
lów-dénsity polyéthylene 低密度ポリエチレン.

pol·y·gon /páligàn | pɔ́ligən/

名 多角形, 多辺形. ⇨ -GON.

fréquency pòlygon 【統計】度数多角形, 度数折れ線.
reéntering pòlygon 凹多角形.
skéw pólygon 【数学】ねじれ多角形.
sphérical pólygon 【幾何】球面多角形.

pol·y·mer /pálimər | pɔ́limə/

名【化学】重合体, ポリマー. ⇨ -MER.

addítion pòlymer 付加重合体.
bì·o·pól·y·mer 名【生物工学】生体高分子.
cò·pól·y·mer 名 共重合体.
flùoro·pólymer 名 フッ素重合体.
hígh pólymer 高重合体, ハイポリマー.
hò·mo·pól·y·mer 名 ホモポリマー.
ládder pòlymer ラダーポリマー.
phò·to·pól·y·mer 名 ホトポリマー, 光重合体.
ter·pól·y·mer 名 三元共重合体.
vínyl pólymer ビニル重合体.

pol·y·no·mi·al /pàlinóumiəl | pɔ̀l-/

形 多名の. **——**名【代数】多項式. ⇨ -NOMIAL.

characterístic polynómial 【数学】特性多項式, 固有多項式.
Chebyshév polynòmial =Tchebycheff polynomial.
prímitive polynómial 【数学】原始多項式.
Tchebychéff polynòmial 【数学】チェビシェフの多項式.

pond /pánd | pɔ́nd/

名 池, 沼; 養魚池, 生け簀(す).

P

Bíg Pónd 《米話》大西洋.
déw pònd 露池.
fálse pónd 《米西部》逃げ水.
físh·pònd 養魚池.
Gólden Pónd 「黄金池」: 牧歌的な隠居場所.
hámmer pònd 水車の水頭を維持するための人工池.
hérring pònd 《おどけて》ニシン(の)池: 大西洋をさす.
hórse-pònd 馬洗い池.
líly-pònd スイレンの生育する池.
míll·pònd 水車用貯水池, 水車池.
sólar pónd 太陽池, ソーラーポンド.

-pone /póun/

[連結形] 置く.
★ 語末にくる関連形は -PONENT, -POSE, -POSIT, -POSITE, -POSITION, -POUND.
★ 語頭にくる関連形は pos-: *pos*ition「設置; 位置」, *pos*ture「姿勢; 態度」.
◆ ラテン語 *pōnere*「置く」より.

de·pone [動][他][自] 《主にスコット》〖法律〗宣誓して(文書で)証言する.
im·pone [動][他] 《廃》賭(か)ける.
post·pone [動][他] …を延期する.
pro·pone [動][他] 《スコット》提案する, 提議する.
re·pone [動][他] 〖スコット法〗復職 [復権] させる.

-po·nent /póunənt/

[連結形] 置く(もの, 人).
★ 名詞, 形容詞をつくる.
★ 語末にくる関連形は -PONE.
★ 語頭にくる関連形は pos-: *pos*ition「設置; 位置」, *pos*ture「姿勢; 態度」.
◆ <ラ *pōnēns*(*pōnere*「置く」の現在分詞). ⇨ -ENT[1].
[発音] 基体の第 1 音節(-po-)に第 1 強勢.

com·po·nent [名] ☞
de·po·nent [形] 〖古典ギリシャ・ラテン文法〗〈動詞が〉形式所相の, 能動欠如の.
ex·po·nent [名] 解説 [説明] 者; 説明となるもの.
im·po·nent [形][名] 課する(人).
op·po·nent [名] 対抗者, 敵対者, 反対者.
pro·po·nent [名] 提案者, 発議者(proposer).

pon·tine /pántain, -ti:n | pɔ́ntain/

[形] 橋の. ⇨ -INE[1].
★ 語頭にくる関連形は pont-: *pont*age「〖英法〗橋梁税」, *pont*levis「つり上げ橋」.

cis·pon·tine [形] 橋のこちら側の.
trans·pon·tine [形] 橋を渡ったところの, 橋の向こうの.

po·ny /póuni/

[名] ポニー.

Chíncoteague póny シンコテーグ・ポニー種.
ców pòny 《米》牧牛用の馬.
íron póny 《米俗》バイク(motorcycle).
Jerúsalem póny 《おどけて》ロバ(donkey).
pít pòny 《英》坑内用ポニー.
pólo pòny ポロ競技用に訓練した小馬.
Shétland póny シェトランドポニー(shelty).
Wélsh Móuntain pòny ウェルシュマウンテンポニー.
Wélsh póny ウェルシュポニー.

pool[1] /pú:l/

[名] **1** (水がたまってできた)小さな池; ため池. **2** 流れのよどんだ所. **3** 水泳プール.

céss·pòol 汚物だめ, 汚水だめ, 糞壺(ふんつぼ).
láp pòol ラッププール, 往復練習用プール.
líner pòol 簡易水泳プール.
móon pòol (海底採掘船の)ムーンプール.
páddling pòol 《英》小児用の浅い水遊び場.
plúnge pòol 滝つぼの水.
swímming pòol 水泳プール.
tídal póol 潮だまり.
tíde pòol =tidal pool.
tíde-pòol [動][自] 潮だまりで自然観察 [採集] をする.
wáding pòol 浅い子供用プール, 水遊び場.
whírl·pòol 渦巻き, 渦; 渦巻き状のもの.

pool[2] /pú:l/

[名] **1** 《米》ポケット: ビリヤードの一種. **2** 合同資金. **3** 共同利用のサービス [労働力].

blínd póol 〖金融〗運用完全委任型資金連合.
cár·pool カープール: 近隣の人々が相乗りのグループを作り, 毎日交替で運転手を務めて, 通勤・通学に利用する取り決め.
dírty póol 《米話》ルール破り, 不正行為.
fóotball pòol 《英》サッカー賭博.
géne pòol 遺伝子プール [(供)給源].
hígh-càrd póol 〖トランプ〗レッドドッグ.
Kélly pòol 《米》15の球を使うビリヤードの一種.
mótor pòol 《米》輪番運転.
númbers pòol 《米》数当て賭博.
pénny pòol 〖トランプ〗ペニーアンティー.
píll pòol =Kelly pool.
pócket pòol 《米俗》ポケットに手を入れて自分の性器をさすること.
týping pòol タイピングプール.
ván·pòol 通勤用マイクロバスの共同利用.

poor /púər, pɔ́:r/

[形] 貧しい, 貧乏な. ── [名] 貧乏人.

dírt póor [形] 生活に必要な物も資力もない.
dóg-póor [形] ひどく貧しい, 赤貧の.
insúrance-póor [形] 保険料支払いに追われて生活が苦しい.
lánd-pòor [形] 土地貧乏の.
néw póor 最近貧窮化した人たち.
píss-póor [形] 《俗》最低の, 下手くそな.

pop[1] /páp | pɔ́p/

[動][自] ポン [パン] という音をたてる. ── [他] …をポンと鳴らす. ── [名] **1** ポン [パン・パチン]. **2** 《話》ソーダパップ. ► 擬声語. ◇ POPPER.

chérry-pòp [動][他] 〈処女を〉誘惑して犯す.
dóugh-pòp [動][他] 《米俗》徹底的にやっつける.
gínger pòp 《話》ジンジャーエール.
jáb pòp [動] 《米俗》麻薬を打つ.
jóy-pòp [動][自] 《俗》(中毒にならない程度に)麻薬をやる.
lólli·pòp [名] 《英》棒付き飴.
lólly·pòp [名] =lollipop.
skín pòp 《俗》ヘロインの皮下注射.
skín-pòp [動][他][自] 《俗》皮下注射する.
sóda pòp 《米話》人口甘味料入りソーダ水.

pop[2] /páp | pɔ́p/

[名][形] 《話》ポピュラー音楽(の). ► popular の短縮形.

Áfro-pòp [名] アフロポップ.
ágit·pop [名] ポップ音楽を使った政治宣伝. ► agitprop「アジプロ」のもじり.

P

ánorak póp 《英俗》マニア向きのポップ音楽.
arísto-pòp 名 《英》金もうけのポップ音楽.
bódy-póp 動自 ポップを踊る(pop).
Brít·pòp 名 ブリットポップ: 歌詩やギター中心の英国のポップ音楽.
Chrístian pòp クリスチャン・ポップ(ス).
elèctro·póp 名 =technopop
èthno·póp 名 エスノポップ(ス).
Éuro·pòp 名 ユーロポップ.
fólk-pòp 名 フォーク=ポップ.
sýnth·pòp 名 シンセポップ.
téchno-pòp 名 テクノポップ.

pope /póup/

名 教皇, ローマ法王.

án·ti·pòpe 名 対立教皇, 僭称(せんしょう)的教皇.
Bláck Pópe 《古》黒教皇.
bláck pópe 影の教皇: イエズス会の長を指す俗称.
pró·to·pòpe 名 『ギリシャ正教』首司祭.
ùn·pópe 動他 …から教皇の地位 [権力] を剝奪する.

pop·lar /pɑ́plər | pɔ́plə/

名 『植物』ポプラ, ハクヨウ(白楊). ⇨ -AR².

bálsam póplar ヒロハハコヤナギ.
báy pòplar ヌマミズキ科ヌマミズキ属の木の総称.
bláck póplar クロポプラ, クロヤマナラシ.
Lómbardy póplar セイヨウ(西洋)ハコヤナギ.
sílver póplar =white poplar.
trémbling póplar アスペン, ポプラ(aspen).
whíte póplar ハクヨウ, ウラジロハコヤナギ.
yéllow póplar ハンテンボク(tulip tree).

pop·per /pɑ́pər | pɔ́pə/

名 ポンと音をたてる人; ポン [パン] と音を出すもの; 鉄砲, ピストル; 缶ビール. ◇ POP. ⇨ -ER¹.

brúsh·pòpper 《米西部》(特に低木の茂る地域で働く)カウボーイ.
éye-pòpper 《米話》はっとさせるもの.
fínger pòpper 《米俗》(特に, ジャズに熱中して)指を鳴らす人 [演奏者].
jóy-pòpper 《米俗》麻薬仲間の新入り.
píll pòpper 《米俗》麻薬の常用者.
tóe pòpper 《米軍俗》小地雷.

pop·py /pɑ́pi | pɔ́pi/

名 『植物』ケシ.

Árctic póppy =Iceland poppy.
Búddy pòppy 《米俗》第一次世界大戦の復員兵がメモリアルデーに売る紙のひなげし.
búsh pòppy =tree poppy.
Califórnia póppy ハナビシソウ(花菱草).
célandine póppy フタバケシ.
córn pòppy ヒナゲシ, 虞美人(ぐびじん)草.
fíeld pòppy =corn poppy.
gárden póppy (特に薬用として栽培される)ケシ.
hórned póppy =horn poppy.
hórn pòppy ツノゲシ.
Íceland póppy アイスランドポピー, シベリアヒナゲシ.
Matílija pòppy ケシ科ロムネヤ属の植物.
Méxican póppy アザミゲシ.
ópium póppy ケシ.
Oriéntal póppy オニゲシ.
plúme pòppy タケニグサ(竹似草).
príckly póppy アザミゲシ.
réd póppy =corn poppy.
séa pòppy =horn poppy.
Shírley pòppy ヒナゲシ(ケシ科の耐冬性一年草)の栽培変種.
táll póppy 《豪話》高給取り; 傑出した人物.
trée pòppy キダチケシ.
wáter pòppy ウォーターポピー, ミズヒナゲシ.
Wélsh póppy セイヨウメコノプシス.
wínd pòppy ケシ科の植物.

pop·u·la·tion /pɑ̀pjuléiʃən | pɔ̀p-/

名 (国・都市・一定区域の)人口. ⇨ -ATION.

ìn·tra·pop·u·lá·tion 形 人々の間の [に生じる].
mìcro·populátion 名 『生態』(微小生物の)個体群 [数].
óptimum populàtion 『経済』(経済活動上の)最適人口.
sùb·pop·u·lá·tion 名 『統計』部分母集団.

por·ce·lain /pɔ́ːrsəlin/

名 『窯業』磁器; 磁器製品. ⇨ -AIN¹.

bóne pórcelain 骨灰磁器.
éggshell pórcelain 卵殻磁器.
Méissen porcelain ドレスデン [マイセン] 磁器.
prò·to·pór·ce·lain 名 プロト磁器.
sèm·i·pór·ce·lain 名 半磁器, 半浸透性食器類.

porch /pɔ́ːrtʃ/

名 ポーチ, 張り出し玄関.

ánte·pòrch 名 外側ベランダ.
báck pòrch 表玄関; 《米俗》尻(しり).
cárriage pòrch (玄関の)車寄せ.
sléeping pòrch スリーピングポーチ.
sún pòrch サンポーチ.

pore /pɔ́ːr/

名 『動物』『植物』(発汗・呼吸などをする)小孔, 毛穴, 気孔, 細穴, 気門.

blas·to·pore 名 原口: 原腸の開口部.
gon·o·pore 名 生殖口.
mi·cro·pore 名 微小孔.
mil·le·pore 名 アナサンゴモドキ.
nul·li·pore 名 サンゴモ(珊瑚藻).
pol·y·pore 名 多孔菌: サルノコシカケ科のキノコの総称.

porn /pɔ́ːrn/

名 《話》ポルノ. ►pornography の短縮形.

hárd pórn 《話》ハードコアポルノ.
kíddie pòrn 《話》児童ポルノ.
kíd·pòrn 《話》=kiddie porn.
sóft pórn 《話》ソフトポルノ.
téchno·pòrn テクノポルノ.
vídeo·pòrn 《話》ポルノビデオ.

po·rous /pɔ́ːrəs/

形 小穴の多い, 多孔性の. ⇨ -OUS.

dif·fuse-po·rous 形 『植物』散孔(材)の.
mi·cro·po·rous 形 微小孔構造の, 微小孔のある.
non-po·rous 形 小孔のない, 通気性のない.
ring-po·rous 形 『植物』〈木材が〉環孔の.

port /pɔ́ːrt/

P

名 港町, 港市; 港.

áir·pòrt 名 空港.
cár·pòrt 名 簡易車庫, 差し掛けガレージ.
Cóal·port 名 コールポート: 磁器の一種.
contáiner·pòrt 名 コンテナ港.
Éuro·pòrt 名 ユーロポート: オランダの欧州共同市場加盟国の主要港.
frée pórt 自由港.
héli·pòrt 名 ヘリポート, ヘリコプター発着場.
hóme pórt 母港, 登録港.
hóver·pòrt 名 ホバークラフト発着港.
jét·pòrt 名 ジェット機用空港.
láke·pòrt 名 湖岸の港市.
móon·pòrt 名 『宇宙』ムーンポート.
órder pòrt 指図港.
óut·pòrt 名 外港: 大きな港に近接する副次港.
páss·port 名 旅券, パスポート.
sálly pòrt (要塞などで)出撃路.
séa·pòrt 名 海港; 港町, 港市.
spáce·pòrt 名 宇宙船基地, 宙港.
sú·per·pòrt 名 超大型港.
tréaty pòrt 『歴史』条約港.
vér·ti·pòrt 名 垂直離着陸用飛行場.
VTOL pórt ＝vertiport.
wháling pòrt 捕鯨船母港, 捕鯨基地.

-port /pɔ́ːrt, pɔ́ːr/

連結形 運ぶ.
★ 語頭にくる形は port-: *port*able「運搬 [移動] させる」, *port*age「輸送, 運搬, 持ち運び」.
◆ ラテン語 *portāre*「運ぶ」より.
[発音] 基体(-port)に第 1 強勢; ただし, púrport となることもある.

com·port 動他 《文語》身を処する, 振る舞う.
de·port 動他 〈外国人などを〉強制退去させる.
dis·port 動他 気晴らしする, 遊び興じる.
ex·port 動他 輸出する.
im·port 動他 輸入する.
pur·port 動他 …の外観を装う.
rap·port 名 関係, 接触.
re·port 名 ☞
sup·port 名 ☞
trans·port 名 ☞

por·tion /pɔ́ːrʃən/

名 部分, 一部. ── 動他 …を分割する.

ap·pór·tion 動他 …を(一定の比例で)配分する.
hálf pórtion 《英俗》背の低い人.
márriage pòrtion 持参金(dowry).
pre·pór·tion 動他 パック詰め [販売] 前に分割する.
pro·pór·tion 名 ☞

-pose /póuz/

連結形 …を置く.
★ 語末にくる関連形は -PONE.
★ 語頭にくる形は pos-: *pos*ition「設置; 位置」, *pos*ture「姿勢; 態度」.
◆ 中英 *posen* ＜中仏 *poser* ＜後期ラ *pausāre* 止める, 中止する, 休む(ラ *pausa* より).

ap·pose 動他 〈2つの物を〉並置する, 並列させる.
com·pose 動他 ☞
con·tra·pose 動他 対立の位置に置く, 対置させる.
count·er·pose 動他 …を(…に)対置する, 対立させる.
de·pose 動他 〈人を〉退ける, 免職にする.
dis·pose 動他 〈人に〉(…の)傾向を与える.
ex·pose 動他 (危害・攻撃・非難などに)さらす.
ex·tra·pose 動他 『言語』〈統語的な構造を〉外置する.
im·pose 動他 〈政府・裁判官などが〉〈税金・罰金・義務などを〉(人・物に)課する.
in·ter·pose 動他 …を(…の)間に置く, 介在させる.
jux·ta·pose 動他 (特に比較・対照のため)…を並置する.
op·pose 動他 …に反抗する; …と抗争する.
post·pose 動他 『文法』〈語・句を〉後置する.
pre·pose 動他 『文法』〈ある文法形式を〉前置する.
pro·pose 動他 〈問題などを〉(考慮の対象として)持ち出す, 申し出る, 提案する.
re·pose[1] 動自 横になって休む; 憩う; 眠る, 永眠する.
re·pose[2] 動他 〈信頼などを〉(…に)置く.
su·per·pose 動他 (…の上に)置く, 載せる, 重ねる.
sup·pose 動他 (真偽に関係なく)〈…と〉仮定する.
trans·pose 動他 〈文字などの〉(位置・順序などを)取り換える, 入れ換える, 交換する.

-pos·it /pɑ́zit | pɔ́z-/

連結形 置かれた.
★ 語末にくる関連形は -PONE.
★ 語頭にくる関連形は pos-: *pos*ition「設置; 位置」, *pos*ture「姿勢; 態度」.
◆ ＜ラ *positus*(*pōnere*「置く」の過去分詞).
[発音] 基体の第 1 音節(-pos-)に第 1 強勢.

de·pos·it 動他 ☞
ex·pos·it 動他 〈理論などを〉詳述 [解説] する.
o·vi·pos·it 動自 産卵する.
re·pos·it 動他 元の所へ戻す, 返す.

-po·site /pəzit, pɑz- | pə-/

連結形 置かれた.
★ 形容詞をつくる.
★ 語末にくる関連形は -PONE.
★ 語頭にくる関連形は pos-: *pos*ition「設置; 位置」, *pos*ture「姿勢; 態度」.
◆ ＜ラ *positus*(*pōnere*「置く」の過去分詞). ⇨ -ITE[2].

ap·po·site 形 (…に)適切な, ぴったりした.
com·pos·ite 形 各種の要素 [部分] から成る.
op·po·site 形 (…の)反対の位置にある, 向かい側の.

po·si·tion /pəzíʃən/

名 **1** 場所, 位置. **2** 置くこと. ⇨ -ITION.

àn·te·po·sí·tion 名 語順転倒.
clósed posítion (バレエなどで)両足の踵(かかと)や足の側部を互いに密着させる姿勢.
clóse posítion 『音楽』密集位置.
cómma posìtion 『スキー』くの字型姿勢.
èx·tra·po·sí·tion 名 外(側)に置くこと.
fétal posítion 胎児(型)姿勢.
fífth posítion 『バレエ』第五ポジション.
fírst posítion 『バレエ』第一ポジション.
fóurth posítion 『バレエ』第四ポジション.
jùxta·posítion 名 (特に比較・対照のための)並置.
lótus posìtion 『仏教』『ヨーガ』蓮華(れんげ)座.
màl·po·sí·tion 名 『病理』異常位置, 変位.
míssionary posìtion 《話》(性行為の体位で)正常位.
náked posítion 『株式』ネーキッド・ポジション.
ópen posítion 『音楽』開離位置.
pòst·posítion 名 後に置く [置かれる] こと.
preférred posítion (新聞・雑誌などの広告の)指定場所.
prémium posítion ＝preferred position.
prè·po·sí·tion 動他 『軍事』…を事前に展開配備する.
rè·po·sí·tion 動他 別の [新しい] 場所に移す.
róot posìtion 『音楽』根音位置, 基本位置.
scóring posìtion 『野球』得点圏.

sécond posítion 〖バレエ〗第二ポジション.
shórt posìtion 〖金融〗空(から)売り総額.
thírd posítion 〖バレエ〗第三ポジション.
túck posítion 〖体操〗抱え込み宙返り.

-po·si·tion /pəzíʃən/

連結形 置かれたこと[もの].
★ 名詞をつくる.
★ 語末にくる関連形は -PONE.
◆ <ラ *positus*(*pōnere*「置く」の過去分詞). ⇨ -ITION.

ap·po·si·tion 名 (2つの物の)並列, 並置.
com·po·si·tion 名 組成; 組み立て, 合成, 構成.
con·tra·po·si·tion 名 対立[対位, 対照]の位置に置くこと.
de·po·si·tion 名 (高官などの)免職, 解任.
ex·po·si·tion 名 展示会, 展覧会, 博覧会.
im·po·si·tion 名 (税・仕事・義務などを)課すること.
in·ter·po·si·tion 名 間に置く[置かれる]こと, 介入.
pre·po·si·tion 名 〖文法〗前置詞.
prop·o·si·tion 名 ☞
su·per·po·si·tion 名 重ねること, 重なった状態.
sup·po·si·tion 名 (物・事を)仮定[推定]すること.
trans·po·si·tion 名 置き[入れ]換え, 交換, 転置.

pos·i·tive /pázətiv|pɔ́z-/

形 **1** 置かれた. **2** 疑問の余地がない; 明白な. **3**〈態度などが〉積極的な, 肯定的な, 賛成を示す. **4** 識別される; 実体のある(と考えられる), 陽性の. ――名〖写真〗陽画, ポジ;〖電気〗(電池の)陽極[正極]板. ⇨ -IVE[1].

àn·ti·bod·y-pós·i·tive 形 〖医学〗抗体陽性の.
ap·pós·i·tive 名 〖文法〗同格語[句, 節].
còn·tra·pós·i·tive 形 〖論理〗換質換位の, 対偶の.
cúnt-pós·i·tive 形 《レズビアン俗》女陰肯定の.
dia·pós·i·tive 名 (写真の)透明陽画(スライドなど).
diréct pósitive 〖写真〗直接陽画[ポジ].
dis·pós·i·tive 形 (事件・問題などの)方向を決定する.
e·lèc·tro·pós·i·tive 形 〖物理化学〗陽電気を帯びた.
fálse-pós·i·tive 名形 〖医学〗偽陽性(の).
Grám-pós·i·tive 形 〈細菌が〉グラム陽性の.
HIV-pós·i·tive 形 〖医学〗HIV 陽性の.
nòn·pós·i·tive 形 〖数学〗非正の.
phò·to·pós·i·tive 形 〖物理〗光(ひかり)陽性の.
políce pòsitive 《米》警官用拳銃(けんじゅう).
pòst·pós·i·tive 名形 〖文法〗後置[詞](の).
pre·pós·i·tive 形 前に置かれた.
Rh pósitive 〖医学〗Rh 陽性(の血液, 人).
sè·ro·pós·i·tive 形 〖医学〗血清陽性の.
séx-pós·i·tive 形 (特に女性が)性的欲求に対して積極的な.
sup·pós·i·tive 形 仮定的な; 仮定に基づく.

pos·sess /pəzés/

動他 〈金・土地・物などを〉(財産・所有物として)持つ, 持っている. ⇨ -SESS.

dis·pos·sess 動他 (特に財産・土地などを)取り上げる.
pre·pos·sess 動他 (感じ・偏見などを)あらかじめ抱かせる.
re·pos·sess 動他 再び所有する.

pos·sessed /pəzést/

形 (強い感情・狂気・悪霊などに)取りつかれた, 駆られた, 動かされた, 狂気の; うつつを抜かした. ⇨ -ED[1].

áll-posséssed 形 《米話》悪魔[悪霊]にとりつかれた.
dìs·posséssed 形 (住居・土地などから)追い立てられた.
prè·posséssed 形 (…に)とらわれて; 先入観を抱いて.
rè·posséssed 形 《主に米》〈車・住宅などが〉(未払いのため)回収された.
sélf-posséssed 形 冷静な, 落ち着いた, 沈着な.
ùn·posséssed 形 所有されていない, 所有主のいない.

pos·ses·sion /pəzéʃən/

名 所有, 所持; 占有. ►possess の名詞形. ⇨ -SESSION.

advérse posséssion 〖法律〗敵対的占有.
prè·pos·sés·sion 名 偏見, (通例, 好意的な)先入観.
sélf-pos·sés·sion 名 感情[行動]の抑制; 冷静, 落ち着き.
vácant posséssion 《英》〖法律〗先住占有者のいない家屋・不動産の所有権.

pos·si·ble /pásəbl|pɔ́s-/

形 〈物事が〉可能な, 実行できる;〈事が〉起こり得る, 可能性がある. ⇨ -IBLE.

com·pos·si·ble 形 《まれ》両立し得る, 矛盾しない.
im·fuck·ing·pos·si·ble 形 《米俗》全く不可能な.
im·pos·si·ble 形 とてもあり得ない; 信じがたい.

post[1] /póust/

名 《しばしば複合語》(支え・掲示用などの)柱, 支柱, 標柱, 杭(くい).

àn·te-póst 形 《英》〖競馬〗出走馬掲示前の.
béd·pòst 寝台の柱.
bínding pòst (バインダーの)留め金.
bódy pòst 〖海事〗(副)船尾材(sternpost).
B́-pòst 車の前後のドアの間の柱.
búmping pòst 〖鉄道〗(終点の)車止め用の柱.
clóthes pòst (先端がフォーク状の)物干し竿.
Ć-pòst 車の両側面中央の屋根を支える柱.
crówn pòst 〖建築〗小屋束(こやづか), 真束(しんづか).
dóor·pòst (戸口の)抱(だ)き(doorjamb).
fínger pòst (指さす手の形をした)道標, 案内標.
flý·pòst 動他 《英》…にこっそりとちらし・ポスターなどを張る.
gáte·pòst 門柱.
góal·pòst ゴールポスト.
guíde·pòst 道しるべ, 道標.
hánd·pòst ＝guidepost.
hánging pòst 〖建築〗内柱, つり元枠.
héel·pòst 〖建築〗つりもと框(かまち), 隅柱.
hínging pòst ＝hanging post.
hítching pòst (馬・ラバなどの)つなぎ柱.
ím·post 名 〖建築〗迫元(せりもと), アーチ基部輪.
ínner póst 〖海事〗内部尾材.
jáck pòst 〖建築〗ジャッキポスト.
jóggle pòst ＝king post.
kíng pòst 〖建築〗真束(しんづか).
lámp·pòst 街灯柱, 灯柱.
méeting pòst 〖建築〗マイター柱.
míle·pòst (道路の)マイル標, 里程標.
míter pòst ＝meeting post.
néwel pòst (階段の)親柱, 階段軸柱.
péndant pòst 〖建築〗吊束(つりづか).
pímp pòst 《俗》運転席と乗客席の間の腕置き.
príck-pòst (骨組み構造物の)副次柱.
príncess pòst 〖建築〗孫束(まごづか).
quéen pòst 〖建築〗対束(ついづか).
quóin pòst (水門などの)門柱.
rúdder·pòst 〖海事〗舵(かじ)柱.
sámson pòst 〖海事〗サムソンポスト.
scrátching pòst (猫の)爪(つめ)研ぎ棒.
sígn·pòst 道しるべ, 道標; 案内標識.
snúbbing pòst 〖海事〗緩衝用伸縮材.
sóund pòst 〖音楽〗(弦楽器の)魂柱(こんちゅう).
stárting-pòst (競争の)出発点; (競馬などの)出発標柱.
stérn·pòst 〖海事〗船尾材.

P

swínging póst =gatepost.
tóol pòst (旋盤の)刃物台.
trée pòst =king post.
wáy·pòst 道しるべ, 道標.
whípping pòst 笞刑(ちけい)柱.
wínning pòst (競馬場の)決勝標, 決勝点.

post[2] /póust/

名 **1** 地位, 官職, 職. **2** 軍隊駐屯地.

áid pòst 《英》【軍事】前線応急救護所.
áirborne commánd pòst 【軍事】空中司令部 [機].
commánd pòst 【陸軍】指揮所.
cóssack póst 【軍事】騎哨(きしょう).
fírst-pàst-the-póst 形 〈選挙制度が〉多数票主義の.
fírst póst 就寝予備らっぱ.
gráded póst 《英》(学校での)特別職.
lást póst 《英》消灯らっぱ.
lístening pòst 【軍事】聴音哨(しょう).
observátion pòst 【軍事】監視所 [哨(しょう)].
óut·pòst 名 【軍事】前哨(ぜんしょう)地.
tráding pòst 交易場.

post[3] /póust/

名 **1** 《主に英》(郵便物の1回の)集配, 便; 郵便. **2** 【印刷】ポスト判: 紙の大きさの一種.

áir pòst 《英》航空郵便(air mail).
A.O.póst AO郵便物(autre object post).
bóok pòst 《主に英》書籍郵便.
dáta·pòst 英国郵政公社の扱う小包速達便.
dóuble póst 《主に英》ダブルポスト判.
Frée·pòst 《英》(郵政公社の)フリーポスト.
géneral pòst (午前中の)第一回配達郵便.
Ín·tel·pòst 名 インテルポスト: 衛星を介した国際電子郵便.
létter pòst 《英》第一種郵便.
néwspaper pòst 《英》第二種郵便.
Néw Yòrk Póst ニューヨークポスト: New York 市の朝刊紙.
párcel póst (米国の郵便制度で)第四種郵便小包.
pénny póst 《英》《もと》1ペニー郵便制.
pígeon pòst 伝書バトによる通信.
régistered póst 《英》書留郵便.
sámple póst 商品見本郵便.
Wáshington Póst ワシントンポスト: 米国 Washington, D.C. で発行されている朝刊紙.
Yórkshire Póst ヨークシャーポスト: 英国 Leeds で発行されている地方紙.

post·er /póustər/

名 ポスター, 広告ビラ, 張り札. ⇨ -ER[1].

bíg-cháracter pòster 《中国》壁新聞.
bíll·pòst·er (広告用の)びら張り人.
wáll·pòst·er (中国の)壁新聞, 大字報.

pot /pát | pɔ́t/

名 **1** (調理・保存用などの)鉢, 壺(つぼ), 瓶, 深鍋. **2** 料理. **3** (魚などを捕る)かご; 網籠(かご). **4** 《話》重要人物.
——動他 〈植物を〉鉢に移す.

béan pòt 蓋付き煮物用鍋.
bíg pòt 《話》大立て者.
bóugh·pòt 大ぶりの花瓶.
bów·pòt =boughpot.
cáche·pòt 飾り鉢.
chámber pòt 溲瓶(しびん), おまる.
chímney pòt 《主に英》煙突陶冠.
cóal pòt コールポット: 調理器の一種.
cóffee·pòt コーヒーポット.
cózz·pòt 《英俗》警官.
cráb pòt カニ捕りかご.
cráck·pòt 《話》変人, 変わり者.
dásh·pòt (シリンダーの)流体緩衝器.
dríp pòt ドリップ式のコーヒーポット.
éel·pòt (ウナギ捕獲用の)筌(うえ).
fíre pòt 炉の火壺(つぼ).
físh·pòt 魚わな, うえ, うけ.
flésh·pòt 歓楽地 [街]; 《俗》売春宿.
flówer·pòt 植木鉢.
fúss·pòt 《米ニューイングランド諸州・ニューヨーク州》口やかましい人.
gál·li·pòt (軟膏などを入れておく)陶製の小壺.
glúe·pòt 膠鍋(にかわなべ).
hóney·pòt 蜂蜜貯蔵用の壺.
hótch·pòt 【法律】財産の統合 [併合, 合算].
hót pòt 《主に英》【料理】ホットポット.
ínk·pòt 《英》インク入れ.
Jíffy pòt 泥炭で作った植木鉢.
jóe·pòt 《米話》コーヒーポット.
lóbster pòt (ロブスターを捕る)わな.
mélting pòt (金属を融解する)るつぼ.
mónkey·pòt 南米産サガリバナ科 *Lecythis* 属の大木.
múd pòt 【地質】坊主地獄.
mústard pòt からし入れ.
nígger-pòt 《米南部俗》密造酒.
óctopus pòt たこ壺.
óld pót 《主に豪俗》おやじ. 父. ►old man の押韻俗語 old pot and pan から.
páint pòt ペンキ入れ.
páste·pòt 糊(のり)入れ.
péat pòt ピートポット, ピート製鉢.
pépper pòt 【料理】ペッパーポット.
pínt pót 1パイント入りポット.
píss·pòt 寝室用便器, 溲瓶(しびん).
pítch·pòt ピッチ壺.
plánt pòt =flowerpot.
rè·pót 動他自 〈植物を〉別の鉢に植え替える.
rúm·pòt 《俗》飲んだくれ, 大酒飲み.
rúst·pòt 《米俗》老朽化した米海軍駆逐艦.
sáuce·pòt ソースポット.
séx·pòt 《話》非常に性的魅力のある女.
shít·pòt 《米俗》嫌なやつ.
síde pòt 【トランプ】サイドポット.
smóke pòt 発煙筒.
smúdge pòt いぶし火用の灯油瓶.
sóuse pòt 《俗》酔っ払い, 飲みすけ.
stéel pót 《米陸軍俗》ヘルメット.
stéw·pòt 大型シチュー鍋.
stínk·pòt 悪臭壺.
stóck·pòt 煮出し汁鍋.
swánk·pòt 《英話》気取り屋, 見栄張り.
tállow-pòt 《米・豪鉄道俗》かまたき.
téa·pòt ティーポット.
thúmb pòt 最小サイズの植木鉢.
tín-pót 形 《話》下等の, 劣悪な, つまらない.
tóss·pòt 《米・英古》大酒飲み, 飲んだくれ.
trý-pòt 【捕鯨】鯨油精製鍋.
wásh·pòt 鉄製の大きな洗濯がま.
wáter pòt 水を入れる容器; じょうろ.

po·ta·to /pətéitou, -tə | -tou/

名 ジャガイモ.

áir potàto カシュウイモ(wild yam).
báked potàto 皮付き焼きジャガイモ.
cóuch potàto 《米話》カウチポテト: 寝そべってスナックを食べながらテレビやビデオを見てばかりいる人.
créamed potáto 《英》マッシュポテト.

hót potáto 《話》困難な立場［問題］, 難局, 難題.
Írish potáto ＝potato.
jácket potáto 《英》＝baked potato.
kídney potàto 腎臓(じんぞう)形のジャガイモの一品種.
mòuse potáto 《俗》マウスポテト：コンピュータから離れられない人.
Spánish potáto ＝sweet potato.
swéet potàto サツマイモ.
whíte potàto ＝potato.
wíld potáto 野生のジャガイモ.

po·tence /póutns/

名 有力である［勢力がある］こと(potency). ⇨ -ENCE[1].

im·po·tence 名 無気力, 無力, 虚弱.
om·nip·o·tence 名 無限の力の具備, 全能.

po·tent /póutnt/

形 **1** 勢力のある；強大な. **2** よく効く；効能のある. ⇨ -ENT[1].

ar·mip·o·tent 形 《古》戦いに強い, 勇武の.
e·qui·po·tent 形 力［効力・能力など］が等しい.
i·dem·po·tent 形 【数学】冪(べき)等［等冪］の.
im·po·tent 形 力［能力］を欠いた, 無能な.
mul·tip·o·tent 形 いくつかの効果を生む.
nil·po·tent 形 【数学】べき零元(れいげん).
om·nip·o·tent 形 全能の, 無限の力を持つ.
ple·nip·o·tent 形 全権を委任された［有する］.
plu·rip·o·tent 形 【生物】分化可能の, 多能性の.
pre·po·tent 形 ぬきんでた, 勢力のある, 有力な.
sub·po·tent 形 通常の効力より弱い.
to·tip·o·tent 形 【生物】分化全能性の.
u·nip·o·tent 形 【生物】単能性の, 単分化能の.
ven·trip·o·tent 形 太鼓腹の, 大食の.

po·ten·tial /pəténʃəl/

形 **1** (現実化する)可能性がある；潜在的な. **2**【電気】電位の. ━━名 **1** 可能性, 潜在性. **2** 潜在力. **3**【電気】電位. **4**【数学】【物理】ポテンシャル(関数). ⇨ -IAL.

áction potèntial 【生理】活動電位.
biótic poténtial 繁殖能力, 生活能力.
cóntact potèntial 【電気】接触電位差.
eléctric poténtial 【電気】電位.
eléctrode poténtial 【電気】電極電位.
èqui·poténtial 形 【物理】等電位の, 等位の.
evént-relàted poténtial 【生理】出来事関連ポテンシャル.
evóked poténtial 【生理】誘発電位.
gèo·poténtial 【物理】ゼオポテンシャル.
gravitátional poténtial 【物理】重力ポテンシャル.
ionizátion potèntial 【物理】イオン化ポテンシャル.
kinétic poténtial 【物理】運動ポテンシャル.
magnétic poténtial 【電気】磁位.
magnétic scálar poténtial ＝magnetic potential.
óver·potèntial 【電気】過電圧(overvoltage).
oxidátion poténtial 【物理化学】酸化電位.
oxidátion-redúction poténtial 【化学】酸化還元電位.
radiátion potèntial 【物理】放射電位.
redúction potèntial 【物理化学】還元電位.
stréaming potèntial 【物理化学】流動電位.
thermodynámic poténtial 【熱力学】ギブス関数.
ùni·poténtial 形 【電気】【電子工学】同一の電位を持った.

pouch /páutʃ/

名 **1** (特に小さな物・少量の物を入れる)小袋, 布袋, ポーチ；(列車の座席の)ポケット. **2**【解剖】【動物】嚢(のう), 袋.

bránchial póuch 【発生】鰓嚢(さいのう).
bróod pòuch 【動物】(有袋類などの)育児嚢(のう).
chéek pòuch (リス・サルなどの)ほお袋.
díplomátic póuch 外交用郵袋.
gíll pòuch ＝branchial pouch.
máil·pòuch 《米》郵便かばん(mailbag).
pharýngeal póuch ＝branchial pouch.
Ráthke's póuch 【発生】ラトケ嚢(のう).
tobácco-pòuch 刻みタバコ入れ.

pound /páund/

名 **1** ポンド：重量の単位. **2** ポンド：いくつかの国の通貨単位.

avoirdupóis pòund 常用ポンド.
fóot-póund 【物理】フートポンド.
gée·pòund 【物理】スラグ.
gréen póund グリーンポンド：EC 農業共同市場にだけ用いられる通貨レートの一つ.
hálf-póund 半ポンド.
ínch-póund インチポンド.
pínk pòund 同性愛者コミュニティーのもつ購買力.
Túrkish póund トルコポンド, トルコリラ.

-pound /páund/

連結形 置く, 据える.
★ 語末にくる関連形は -PONE.
★ 語頭にくる関連形は pos-: *pos*ition「設置；位置」, *pos*ture「姿勢；態度」.
◆ ラテン語 *pōnere*「置く, 据える」より.

com·pound 形 ☞
ex·pound 動他 〈理論・主旨を〉詳しく述べる.
pro·pound 動他 〈理論・問題などを〉提出する.

pound·er /páundər/

名 打つ人［物］, 粉砕する人［物］. ⇨ -ER[1].

Bíble-pòunder 《俗》熱烈な福音伝道者.
bráss-póunder 《米俗》電信技士.
grável-póunder 《米軍俗》＝ground-pounder.
gróund-póunder 《米軍俗》歩兵.
háir-pòunder 《米俗》(伐採者用語で)一組の馬(team)の御者.
pávement-pòunder 《俗》警察官.
qúarter pòunder ¼ポンドのもの［ハンバーガー］.
sánd-pòunder 《米海軍俗》沿岸警備兵.
tén·pòunder 《話》カライワシ属の魚 *Eropus saurus*(ladyfish).

pout /páut/

名 アメリカナマズ.

búll·pòut ＝horned pout.
éel·pòut ゲンゲ.
hórned póut アメリカナマズ.
hórn·pòut ＝horned pout.
ócean pòut ゲンゲ科の魚の一種.
whíting pòut 【魚類】ビブ(bib).

pow·der /páudər/

名 粉, 粉末；土ぼこり.

bád pówder 《俗》おなら.
báking pòwder ベーキングパウダー, 膨らし粉.
be·pówder 動他 粉をふりかける.
bírdie pòwder 《米俗》コカイン, モルヒネ.
bláck pówder ＝blasting powder.

P

blásting pòwder （岩石爆破用の）黒色火薬, 発破薬.
bléaching pòwder 【化学】漂白粉, さらし粉.
blúe pòwder 亜鉛末.
bóunce pòwder 《米俗》コカイン(cocaine).
bóuncing pówder 《米俗》＝bounce powder.
brówn pówder 褐色火薬(cocoa powder).
chícken pòwder 《米俗》粉末アンフェタミン.
chíli pòwder チリパウダー.
condítion pòwder （動物用の）調薬.
cótton pòwder 粉末綿火薬, 綿薬粉.
cúrry pòwder カレー粉.
cústard pówder カスタードパウダー.
Dóver's pówder 【薬学】ドーフル散, アヘントコン散.
dústing pòwder （汗取り）パウダー.
fáce pòwder おしろい, フェースパウダー.
fléa pòwder 《米俗》混ぜ物をした［偽の］麻薬.
fóolish pòwder 《米俗》ヘロイン；コカイン.
fúlminating pòwder 爆粉, 雷粉.
gíant pówder 強力火薬.
Góa pòwder 【薬学】ゴア末, 粗製クリサロビン.
grégory pòwder グレゴリー粉末.
gún·pòwder ＝black powder.
jóy-pòwder 《米麻薬俗》強力な粉末状の麻薬.
mílk pòwder ドライミルク, 粉乳, 粉ミルク.
nítro pòwder 【化学】ニトロ火薬.
nóse pòwder 《俗》＝bounce powder.
órris-pòwder オリス根(orrisroot)の粉末.
pláte-pòwder （銀食器などの）磨き粉.
pútty pòwder パテ粉.
rísing pówder 《主に英》ふくらし粉.
sóap pòwder 粉せっけん, 粉末せっけん.
tálcum pòwder タルカムパウダー, 化粧用打ち粉.
tóilet pòwder 化粧パウダー, バスパウダー.
tóoth pòwder 歯磨き粉.
wáshing pòwder （合成）粉末洗剤, 粉せっけん.
wórm pòwder 駆虫粉剤.

pow·er /páuər/

名（…する）力, 能力, 才能.

absórptive pòwer 【物理】吸収能(absorptance).
ág·ri·pòw·er 名 農業（国）パワー.
áir pòwer （国家の）空軍力.
atómic pówer ＝nuclear power.
bláck pòwer 【米政治】ブラックパワー.
bráin·pòwer （優れた）知力, 知能.
Brówn Pówer 【米政治】ブラウンパワー.
búying pòwer ＝purchasing power.
cándle·pòwer 【光学】《もと》燭(しょく), 燭光.
cóvering pòwer 【写真】包括力.
dírty pówer 電圧が高［低］すぎたり変動したりする電源.
dispérsive pówer 【光学】分散能.
éarning pòwer 【経済】利得能力, 収益(能)力.
emíssive pówer 【物理】放射度［力］.
em·pów·er 動他〈人に〉（…する）権能を与える.
fíre·pòwer 射撃能力, 火力(量).
flówer pòwer (flower children の思想の中心である)愛と平和；愛による社会変革.
frísking pówer 《米俗》コカイン.
fúll-pówer 形〈ラジオ局が〉高出力の.
gáy pówer ゲイパワー.
gráy pówer 老人パワー, グレイパワー.
Gréat Pówer 強国.
gréen pówer （社会的な力としての）金力, 財力.
gún·pòwer ＝firepower.
hígh-pówer 形〈ライフルが〉強力な, 高性能の.
hórse·pòwer ☞
hý·dro·pòw·er 名 水力発電力.
im·pów·er 動他《廃》＝empower.
lánd pòwer 強大な陸軍を持つ国, 大陸軍国.
lów-pówer 形〈ラジオ局が〉低出力の.
lúng-pòwer 声量.
mágnifying pòwer 【光学】拡大能, 倍率.
mán pòwer （肉体労働による）人力, 人手.
mán·pòwer 人間の総数；人的資源.
mínd-pòwer 知性；知的レベルの高いスタッフ.
mótive pówer 原動力, 起動力, 動力.
núclear pówer 原子力；原子力発電.
ò·ver·pów·er 動他（力で）押さえつける, 制圧する.
pédal pòwer ペダルパワー：輸送手段として自転車を使うこと.
péople pówer 集会・デモによる人々の行動示威力.
Péople's Pòwer 民衆の党, 大衆の代弁をすると唱える政党.
pétro·pòwer 名 産油国の政治・経済力.
políce pòwer 警察権(能), 治安(維持)権.
púlling pòwer 《英話》男性を引きつける魅力.
púrchasing pòwer 購買力.
pýramid pówer ピラミッドパワー.
Réd Pówer 【米政治】レッドパワー.
réferent pówer 指示力.
rè·pów·er 動他〈船などに〉新しいエンジンを取りつける.
resérved pówer 留保権限.
resídual pówer 残存権力.
resólving pòwer 【光学】解像力, 分解能(力).
séa pòwer 海軍力, 制海権, 海上兵力.
sólar pówer ソーラーパワー, 太陽熱発電.
stáying pòwer 持久力, 耐久力, スタミナ, ねばり.
stéam pòwer 汽力, 蒸気(動)力.
stóck pòwer 株式名義書き換え委任状.
stópping pòwer 【物理】阻止能.
stúdent pówer スチューデントパワー：大学経営への学生参加または学生による全面的な運営管理.
sún-pòwer 太陽光線［熱］エネルギー.
sú·per·pòw·er 名 超強大国, 超大国.
wáter pòwer 水力.
wáve pòwer 波力.
wíll pòwer 意志力, 自制力.
wíll to pówer （ニーチェ哲学で）権力への意志.
wínd pòwer （電力・動力源としての）風力.
wóman·pòwer 女性の力；婦人労働力.
wórld pòwer 強国, 大国；強力な組織.

pow·ered /páuərd/

形《しばしば複合語で》〈機械・乗り物などが〉…を動力源とした, …動力付きの［を装備した］；原動機付きの. ⇨ -ED[1], -ED[2].

fúll pówered 形〈船が〉帆を用いず内燃機関で進む.
hígh-pówered 形〈人が〉非常に精力的で有能な, エネルギッシュな.
hú·man-pówered 形（機械ではなく）人力による.
lów-pówered 形 力がほとんどない, 低出力の.
mán-pówered 形 人力の.
nú·cle·ar-pówered 形 原子力で動く.
pád·dle-pówered 形 櫂(かい)でこぐ.
sèlf-pówered 形 自己動力のある.
só·lar-pówered 形 太陽発電の.
ùn·der·pówered 形〈エンジンが〉パワー不足の.

pox /páks|pɔ́ks/

名【病理】痘症, 痘. ►本来 pocks から. ⇨ -X[2].

ávian pòx 【獣病理】＝fowl pox.
chíck·en·pòx 水疱瘡, 水痘.
ców·pòx 【獣病理】牛痘.
dóve pòx 【獣病理】＝pigeon pox.
fówl pòx 【獣病理】鶏痘, 禽痘.
Frénch póx 《古風》梅毒.
gláss pòx 白痘(alastrim).
góat·pòx やぎ痘瘡.
hórse·pòx 馬痘瘡.
móuse·pòx 【獣病理】伝染性四肢欠損(症).

pígeon pòx 〘獣病理〙鳩痘伝染性上皮腫(fowl pox)に似たハトの病気.
shéep pòx 〘獣医〙羊痘.
smáll·pòx 天然痘, 疱瘡, 痘瘡.
swíne·pòx 水痘, 仮痘, 水疱瘡.
wáter pòx =chickenpox.

prac·tice /prǽktis/

名 **1** 日常的な仕事. **2** (反復的・規則的な)練習; 熟練. **3** 実行, 実践. **4** (医者・弁護士などの)開業, 営業, 業務. ⇨ -ICE[1].

chámber pràctice 《主に英》(弁護士の)事務所での仕事.
cóntract pràctice 契約診療.
fámily práctice 家庭医療.
fíre-pràctice 消防訓練; 火災避難訓練.
géneral práctice =family practice.
gróup práctice (同じ建物で各分野の医師が提携して行う)集団医療 [開業].
mal·prác·tice 名 〘法律〙不良処置, 医療過誤.
mássed pràctice 〘心理〙集中学習.
páttern pràctice (外国語学習での)文型練習.
prívate práctice (特に, 医者・弁護士などの)個人営業.
restríctive práctice 《英》制限的慣行: (特定の企業間取引などの)公益に反した商業協定.
sáfe compúter pràctice 〘コンピュータ〙(ウイルス感染予防のための)コンピュータ安全規準実施.
tárget pràctice 射撃 [弓, アーチェリー] の練習.
únfair práctice 不(公)正競争.

praise /préiz/

名 褒める [褒められる] こと, 賞賛, 礼賛. ── 動他 …を褒める, 賞賛する.

be·praise 動他 …を褒めちぎる, 褒めすぎる.
dis·praise 動他 …をとがめる, 非難する; …をけなす.
o·ver·praise 動他 褒めすぎる, べた褒めする.
self-praise 名 (自画)自賛, 自慢, 手前みそ.
un·der·praise 動他 十分に褒めない, 褒め足りない.

-prax·i·a /prǽksiə | -siə, -sjə/

連結形 〘医学〙行動, 行為.
★ 名詞をつくる.
★ 語頭にくる関連形は praxe-: *praxe*ology「プラクシオロジー: 人間の行動を研究する学問」.
◆ ギリシャ語 *prâxis*「行為」より. ⇨ -IA.

a·prax·i·a 名 失行(症), 行為障害, 行動不能(症).
dys·prax·i·a 名 行動不全, 協同動作障害.
ech·o·prax·i·a 名 反響動作.
hy·po·prax·i·a 名 行動減退(症), 行動不全.
or·tho·prax·i·a 名 奇形矯正; 整形外科学.

pray·er /préər/

名 祈り, 祈願, 祈祷(きとう). ⇨ -ER[2].

bídding pràyer (特に英国国教会系教会で説教直前に行う)正式な祈り.
cómmon práyer 英国国教会共通祈祷文.
évening práyer 〘英国国教会〙夕べの祈り.
Lórd's Práyer 〘聖書〙主の祈り, 主祷文.
mídafternóon práyer 〘ローマカトリック〙九時課(none).
mídmórning práyer 〘ローマカトリック〙三時課.
Mórning Práyer 〘キリスト教〙早祷(そうとう).
pástoral práyer 牧会祈祷.

pre·ces·sion /priːséʃən | pri-/

名 〘天文〙歳差運動. ►precede の名詞形. ⇨ -CESSION.

géneral precéssion 〘天文〙一般歳差.
Lármor precèssion 〘物理〙ラーマーの歳差運動.
lunisólar precéssion 〘天文〙日月歳差.
plánetary precéssion 〘天文〙惑星歳差.

pre·cip·i·tate /prisípətèit/

動他 **1** …の発生を早める, 突然 [急に] 引き起こす. **2** 〘化学〙…を沈殿させる. ── 名 〘化学〙沈殿物. ⇨ -ATE[1].

cò·pre·cíp·i·tate 動他自 共沈させる [する].
crỳ·o·pre·cíp·i·tate 名 寒冷沈降物; 溶液を冷却してできる沈殿物.
flócculent precípitate 綿状沈殿.

pre·cip·i·ta·tion /prisìpətéiʃən/

名 (真っ逆さまの)落下, 墜落. ⇨ -ATION.

ácid precipitátion 〘気象〙酸性降下物.
crỳ·o·pre·cip·i·tá·tion 名 〘化学〙寒冷沈降反応.
electrostátic precipitátion 電気集塵: 塵などの浮遊微粒子を電場で分離採取する方法.
ìm·mu·no·pre·cip·i·tá·tion 名 〘免疫〙免疫沈降.
orográphic precipitátion 〘気象〙地形性降雨.

pref·er·ence /préfərəns/

名 **1** (…よりも)好むこと; (…に対する)好み, ひいき; 選ぶこと, 選択, 採択. **2** 優先, 優位. **3** (国際貿易での)特恵. ⇨ -FERENCE.

Cómmonwealth préference 英連邦特恵関税: 英連邦加盟国からの輸入品に適用された関税.
impérial préference 大英帝国 [英連邦] 内関税優遇制度.
liquídity prèference (ケインズ経済学の)流動性選好.
prè·préf·er·ence 形 《英》〈株式などが〉最優先の.
véterans' préference 《米》復員軍人優遇措置.

-preg /preg/

連結形 (…が)染み込んだ…; (…が)飽和 [充満] した….
★ 名詞をつくる.
◆ impregnated の抽出形.

Com·preg 名 〘商標〙硬化積層材.
pa·preg 名 (樹脂を含んだ紙に熱と圧力を加え幾重にも重ねた)張力の高い材料.
pre·preg 名 プリプレグ: 成型前のガラス繊維などに熱硬化性樹脂を染み込ませたもの.

preg·nan·cy /prégnənsi/

名 妊娠, 受胎; 妊娠期間. ⇨ -ANCY.

adóptive prégnancy 〘医学〙妊娠の受け継ぎ, 養子妊娠.
ectópic prégnancy 〘医学〙子宮外妊娠.
extraúterine prégnancy 〘医学〙=ectopic pregnancy.
fálse prégnancy 〘病理〙〘動物病理〙想像妊娠.
múltiple prégnancy 〘医学〙多胎妊娠.
phántom prégnancy =false pregnancy.
psèu·do·prég·nan·cy 名 =false pregnancy.

-pre·hend /prihénd/

連結形 つかむ.
★ 語末にくる関連形は -PREHENSION, -PREHENSIVE, -PRISE.
★ 語頭にくる形は pris-: *pris*oner「囚人」.
◆ ラテン語 *prehendere*「把握する, つかむ」より.

ap·pre·hend 動他 …を逮捕 [拘引] する.

P

com·pre·hend 動他 …を理解する.
rep·re·hend 動他 しかる, 非難する, とがめる.

-pre·hen·sion /prihénʃən/

連結形 つかまれたこと [もの], とらえられたこと [もの].
★ 名詞をつくる.
★ 語末にくる関連形は -PREHEND.
★ 語頭にくる関連形は pris-: *pris*oner「囚人」.
◆ <ラ *prehēnsus*(*prehendere*「つかむ」の過去分詞).
⇨ -SION.
[発音] -prehension の第 2 音節に第 1 強勢が置かれる.

ap·pre·hen·sion 名 不安, 懸念, 心配, 危惧(きぐ).
com·pre·hen·sion 名 包含, 包括, 含蓄.
rep·re·hen·sion 名 叱責, 非難, とがめだて.

-pre·hen·sive /prihénsiv/

連結形 つかまれた.
★ 形容詞をつくる.
★ 語末にくる関連形は -PREHEND.
★ 語頭にくる関連形は pris-: *pris*oner「囚人」.
◆ <ラ *prehēnsus* (*prehendere*「つかむ」の過去分詞).
⇨ -IVE[1].

ap·pre·hen·sive 形 (何か起こりはしないかと)不安な.
com·pre·hen·sive 形 広範囲にわたる; 多くのものを含む.
rep·re·hen·sive 形 叱責(しっせき)の, 非難する.

pre·mi·um /príːmiəm/

名 **1** (…に対する)賞, 賞金. **2** (…に対する)割増金; 賞与. **3**〘保険〙保険料. ⇨ -IUM.

sháre prèmium 《英》資本剰余金, 付加資本.
síngle prémium 〘保険〙一時払い保険料.

pres·ence /prézns/

名 いる [ある] こと, 存在, 現存, 実在. ⇨ -SENCE.

òm·ni·prés·ence 名 遍在.
plùri·présence 〘神学〙神の遍在.
réal présence 〘神学〙キリストの現存 [現在].
téle·prèsence 〘機械〙テレプレゼンス.

pres·ent /préznt/

形 **1**〈人が〉(一緒に)いる, 居合わせる; (…に)出席している. **2**〈物が〉(…の中に)存在している. ──名 **1** 現在. **2**〘文法〙現在時制. ⇨ -SENT[2].

históricaI présent 〘文法〙史 [歴史] 的現在.
históric présent 〘文法〙=historical present.
òm·ni·prés·ent 形 同時にあらゆる所に存在する, 遍在する.
spécious présent 〘哲学〙見かけ上の現在.
téle·prèsent 形 遠隔操作の; 遠くにいる.

pres·i·dent /prézədənt/

名 **1** (米国など近代共和国の)大統領. **2** (官庁などの)総裁, 長官; (協会, 組織などの)会長, 部長. **3** 《主に米》(会社, 銀行の)社長, 頭取, 代表取締役. ⇨ -SIDENT.

có-prèsident 名 共同社長.
déad président 《米俗》札(さつ), お金.
èx-président 名 前大統領 [社長, 会長, 総裁など].
lífe prèsident (特にアフリカの共和国の)終身大統領.
Lòrd Président 《スコットランド》最高民事裁判所の裁判長.
více président 副大統領 [総裁, 会長, 社長].

press /prés/

動他〈物・人などを〉押す, 押しつける;〈ボタンなどを〉押す. ──名 **1** 出版物. **2** 報道機関. **3** 印刷機; 出版社. **4** 圧縮機械.

Assóciated Préss 米国連合通信社, AP 通信.
bénch prèss ベンチプレス.
bénch-prèss 動他自 (バーベルを)ベンチプレスで挙げる.
bódy prèss (レスリングで)ボディープレス.
Clárendon Préss オックスフォード大学出版部の旧称; 現在は同出版部学術書部門の名称.
clóthes·prèss 衣装箱, 洋服だんす, 衣装部屋.
Commércial Préss 商務印書館.
cóokie prèss クッキー押し出し器 [プレス].
cótton prèss 繰り綿プレス.
cránk prèss 〘機械〙クランクプレス.
cróss préss 〘レスリング〙クロスプレス.
cýlinder prèss シリンダー印刷機, 円筒式印刷機.
dówn·prèss 動他 抑圧する, 従属 [隷属] させる.
dríll prèss ボール盤, 穿孔(せんこう)盤.
dúck prèss プレストダック用プレス機.
dúrable préss =permanent press.
extrúsion prèss 押し出し加工機.
fílter prèss 圧搾濾過器, フィルタープレス.
flát-bed préss =cylinder press.
frée préss 自由刊行物.
fúll-cóurt préss 〘バスケット〙全コートプレス.
Gróve Préss グローブプレス: 米国の出版社.
gútter prèss 《英》俗悪な新聞, 赤新聞. ►米国では yellow journalism と呼ばれる.
hánd prèss 手動印刷機, ハンドプレス.
hót-prèss 加熱プレス, ホットプレス.
hydráulic préss 液圧プレス, 水圧 [油圧] プレス.
hydrostátic préss =hydraulic press.
im·préss 動他〈人に〉感銘を与える.
Kélmscott Préss ケルムスコットプレス: 英国の出版社.
létter·prèss (凹版・平版に対して)凸版活字印刷.
óil-prèss (種子などからの)油絞り機.
pácking prèss 〘機械〙圧縮梱包用プレス.
perfécting prèss 両面印刷輪転機.
perféctor prèss 〘印刷〙(平版)両面印刷機.
pérmanent préss パーマネントプレス加工.
pér·ma-prèss 形 パーマネントプレス加工を施した.
pówer prèss 動力プレス, パワープレス.
pré·prèss 形 〘印刷〙印刷前の諸工程の.
prínted préss 《特に米》=print press.
prínting prèss 印刷機(円圧式印刷機, 輪転機など).
prínt prèss 《特に米》新聞・雑誌(記者, 編集者, 業界).
prívate préss (必ずしも営利目的でない)個人印刷所.
púnching prèss =punch press.
púnch prèss 〘機械〙(特に金属板を型で押して打ち抜く)動力押抜き機.
rácket prèss 〘テニス〙ラケットプレス.
Rádio Préss ラジオ・プレス: 日本の通信社.
rè-préss 動他自 再び押しつける, 再び圧縮する.
rólling prèss (布, 紙などの)ロールつや出し機, 光沢機.
rótary préss 〘印刷〙輪転(印刷)機.
scréw prèss ねじプレス.
séwing prèss 〘製本〙かがり台, とじ鞍(くら).
stáy-prèss 形 (洗濯後)しわにならない.
stóp-cýlinder prèss 〘印刷〙停止円筒印刷機.
stóp prèss 《英》(新聞の)印刷開始後に挿入された最新ニュース.
stóp-prèss 形 《英》〈ニュースが〉印刷を止めて挿

P

入された；最新の.
tróuser prèss ズボンプレッサー.
vánity prèss 《米》自費出版専門の出版社.
Víking Préss 米国の出版社；1975 年に Viking Penguin となる.
wéb prèss 輪転印刷機.
wíne prèss ぶどう絞り器.
wíne·prèss 動他 絞り込む；要点をまとめる.
yéllow préss イエローペーパー，黄色新聞.

-press /prés/

連結形 圧する.
★ 語末にくる関連形は -PRESSER, -PRESSION, -PRESSIVE, -PRESSOR.
★ 語頭にくる形は press(o)-: *press*ure「圧縮」, *presso*receptor「【生理】圧受容器，血圧感受体」.
◆ ＜ラ *pressāre*(*premere*「圧する」の反復形より).

com·press 動他 押し［締め］つける；圧縮する.
de·press 動他 意気消沈させる，落胆させる.
ex·press 名 ☞
im·press 動他 感銘を与える；感動させる.
op·press 動他 〈国民などを〉圧迫する，虐げる.
press 動他 ☞
re·press 動他 抑える，抑制する，押し殺す.
sup·press 動他 (権力・法によって)活動をやめさせる.

-press·er /présər/

連結形 押す［押しつける］人［もの］.
★ 名詞をつくる.
★ 語末にくる関連形は -PRESS.
★ 語頭にくる関連形は press(o)-: *press*ure「圧縮」, *presso*receptor「【生理】圧受容器，血圧感受体」.
◆ -PRESS ＋ -ER[1].

ex·press·er 名 (意見などを)述べる人，表現する人.
re·press·er 名 抑圧する人，鎮圧［制止］者.
sup·press·er 名 抑圧者，抑制者；遮断装置.

-pres·sion /préʃən/

連結形 圧せられたもの［こと］.
★ 名詞をつくる.
★ 語末にくる関連形は -PRESS, -PRESSIVE.
★ 語頭にくる関連形は press(o)-: *press*ure「圧縮」, *presso*receptor「【生理】圧受容器，血圧感受体」.
◆ ラテン語 *-pressus*(*-primere*「圧する」の過去分詞)より. ⇨ -SION.
［発音］-pression の第 1 音節に第 1 強勢が置かれる.

com·pres·sion 名 ☞
de·pres·sion 名 ☞
ex·pres·sion 名 表現する［される］こと.
im·pres·sion 名 (…への)印象；感銘，感動.
op·pres·sion 名 不当な権力の行使，圧迫，弾圧.
re·pres·sion 名 抑圧，制圧，弾圧.
sup·pres·sion 名 (反乱・暴動などの)抑圧，鎮圧.

-pres·sive /présiv/

連結形 圧された.
★ 形容詞をつくる.
★ 語末にくる関連形は -PRESS, -PRESSION.
★ 語頭にくる関連形は press(o)-: *press*ure「圧力」, *presso*receptor「【生理】圧受容器，血圧感受体」.
◆ ＜ラ *pressus*(*premere*「圧す」の過去分詞). ⇨ -IVE[1].

com·pres·sive 形 圧縮する，圧縮力のある，圧縮的な.
de·pres·sive 形 ☞
ex·pres·sive 形 表情に富む；意味ありげな.
im·pres·sive 形 印象的な；感嘆をさせる.
op·pres·sive 形 〈支配者が〉圧制的な，暴虐な.
re·pres·sive 形 抑圧的な；管理体制の強い.
sup·pres·sive 形 抑圧［抑制］する；弾圧する.

-pres·sor /présər/

連結形 圧力を加えるもの.
★ 名詞をつくる.
★ 語末にくる関連形は -PRESS.
★ 語頭にくる関連形は press(o)-: *press*ure「圧縮」, *presso*receptor「【生理】圧受容器，血圧感受体」.
◆ ＜後期ラ *pressor* 圧する人〔ラ *premere*「圧する」(press)より〕. ⇨ -SOR.

com·pres·sor 名 圧縮する人［もの］；圧縮［圧搾］器.
de·pres·sor 名 抑制物；抑圧者.
re·pres·sor 名 抑圧する人，鎮圧者.
sup·pres·sor 名 抑圧者，抑制者；遮断装置.
vas·o·pres·sor 名 【生化学】【薬学】昇圧薬［剤］.

pres·sure /préʃər/

名 【物理】圧力(単一面積当たりにかかる力)；(一般的な)圧力；重圧，強制；プレッシャー. ⇨ -URE[1].

ábsolute préssure 絶対圧(力).
á·cu·près·sure 名 指圧(療法)(shiatsu).
áir prèssure ＝atmospheric pressure.
atmosphéric préssure 気圧，大気圧.
báck prèssure 【機械】背圧.
barométric préssure ＝atmospheric pressure.
blóod prèssure 血圧.
confíning prèssure 【地質】封圧.
cóunt·er·près·sure 反対圧力，逆圧.
crítical préssure 臨界圧力.
dynámic préssure 【流体力学】動圧.
efféctive sóund prèssure (実効)音圧.
flúid préssure 流体圧力，流圧.
gáuge prèssure ゲージ圧，指示圧.
hígh-préssure 形 〈機械・物質が〉高圧の.
intérnal préssure 内圧(力).
lów-préssure 形 〈蒸気・水などが〉低圧の.
osmótic préssure 浸透圧.
ò·ver·prés·sure 名 超過気圧.
pártial préssure 分圧.
péer prèssure 仲間圧力，同僚圧力.
populátion prèssure 【生態】個体群圧力.
predátion prèssure 【生態】捕食圧.
púlse prèssure 脈拍圧.
radiátion prèssure 放射圧.
róot prèssure 【植物】根圧.
séa-lèvel prèssure 海面気圧.
sócial préssure 社会的圧力(法律，慣習など).
sóund prèssure (瞬間)音圧.
vápor prèssure 蒸気圧(vapor tension).
wáter prèssure 水圧.

pret·ty /príti/

形 〈女性・子供などが〉かわいらしい，美しい；〈花・色などが〉きれいな. ⇨ -Y[1].

nóne-so-prétty 名 【植物】ムシトリナデシコ.
prétty-prètty 形 《軽蔑的》飾りすぎた，きれいなだけの. ── 名 安ぴかの飾り物.

price /práis/

名 値段，価格，代価，売［買］値；物価，相場，市価；《話》高値.

admínistered príce 管理価格.
Américan Sélling Price (輸入品の課税後の)米国国内販売価格.

P

ásked prìce =asking price.
ásking prìce 提示価格,「売り」呼び値.
báse prìce (付随経費を含まない)基本価格.
bíd prìce 買い呼値(bid).
bríde prìce 婚資: 文明伝播以前の風習; 現在の結納(ゆいのう)に当たる.
cásh prìce 現金払い価格.
clósing prìce (証券取引の)引け値, 終わり値.
convérsion prìce 【金融】転換価格.
cóst prìce 費用価格; (一般に)原価, 元値.
cút-prìce 形 〈品物が〉特価 [見切り価格, 割引] の.
delívered príce 引き渡し [運賃込み] 価格.
equilíbrium prìce 均衡価格: ある商品の需要・供給量が同じ場合の価格.
éxercise prìce =striking price.
fáctory prìce 工場渡し値段.
fáir márket prìce 公正市場価格, 市場取引値段.
fíxed príce 定価, 正札値段; 協定 [公定] 価格.
flóor prìce (競売にかける際の)最低価格.
fórward prìce 先物価格: 先渡し商品の値段.
fríendship prìce 友好価格.
fúture prìce =forward price.
hálf-príce 形副 (子供の入場料などが)半額の [で].
hámmer prìce (競売で)売り値.
intervéntion prìce 余剰農産物の買い上げ価格.
introdúctory prìce 【出版】試験購読料金.
íssue prìce (証券の)発行価格.
líst prìce 表記価格, 表示価格, カタログ価格.
márket prìce 市場価格, 市価, 相場, 時価.
máximum príce 最高価格.
mínimum tóur prìce (国際航空運送協会(IATA)が定めた)ツアー最低販売価格.
mis·príce 動他 …に間違った値をつける.
nétbàck prìce 正味価格.
óffering prìce (証券の)売出価格, 募集価格.
óff-príce 形 割引販売の, 安売りの.
ò·ver·príce 動他 高い値をつけすぎる.
pósted príce 原油基準価格.
redémption prìce 【証券】償還価格, 買い戻し価格.
rè·príce 動他 値段をつけ直す.
resérve prìce 《主に英》=floor price.
shádow prìce シャドープライス, 影の価格.
spót prìce スポットプライス, 現物価格.
stárting prìce 《英》最終賭(か)け率.
stícker prìce 店頭小売表示価格, メーカー希望小売価格.
stóp prìce (株式の委託売買注文の)ストップ・プライス.
stríke prìce =striking price.
stríking prìce (証券・商品・通貨などのオプション取引の)権利行使価格.
suppórt prìce 支持価格.
trígger prìce トリガー価格: 米国の国内産業保護のための輸入品基準価格.
ùn·der·príce 動他 〈商品に〉標準価格以下の値をつける.
únit prìce (規定)料金.
úpset prìce 《米》最低競争価格.

pric·ing /práisiŋ/

名 価格(付け). ⇨ -ING[1].

dúal prícing 二重価格表示.
léarning-cùrve prìcing 習熟曲線による価格低下.
ódd prìcing 【商業】端数価格.
prédatory prícing プレダットリ・プライシング: 競争相手を破滅させるための価格付け.
psychológical prícing (購買意欲をそそるような)心理的値段付け.
skím prìcing 購入者が受け入れそうな上限の値をつけること.
únit prícing 単位価格表示.

prick /prík/

名 **1** (針などの)刺し傷. **2** 刺すこと.

dóg's prick 《英ジャーナリズム俗》感嘆符(!).
gnát's príck 《英テレビ俗》ちょっぴり.
góbble·prìck 《米俗》好色な女.
jóy prìck 《米俗》麻薬の注射.
pín·prìck ピンで刺すこと.
rát prìck 《英俗》くだらない [駄目な] もの.
spáre prìck 《俗》役立たず(の人).
stíff príck 《米俗》勃起(ぼっき)したペニス.

pride /práid/

名 **1** (心に抱く)うぬぼれ, 思い上がり; (行動に現れた)横柄さ, 傲慢(ごうまん). **2** (…についての)自負, 自慢. **3** 自尊心, 誇り.

Barbádos príde 【植物】ナンバンアカアズキ.
Lóndon príde 【植物】ヒカゲユキノシタ.
sélf-príde 誇り; 自慢, 自負.

priest /príːst/

名 司祭; 聖職者. ——動他 牧師 [司祭] に任命する.

àrch·príest 名 首席司祭.
hédge-prìest 名 【歴史】学のない遍歴僧.
hígh príest 司祭長.
Júdas Príest 《怒り・嫌悪の間投詞として》ちくしょう.
máss príest 死者ミサ司式司祭.
párish príest 教区牧師 [司祭].
séminary príest 宗教改革後の英国に潜入したカトリック司祭.
ùn·príest 動他 …の聖職 [僧職] を解く.
whísky prìest 酔いどれ牧師.
wórker-príest 名 (フランスの)労働司祭.

pri·ma·ry /práimeri, -məri | -məri/

形 (順位・関心・重要性などが)首位の, 第一次の. ——名 **1** 第 1 のもの. **2** 予備選挙. ⇨ -ARY.

clósed prímary 《米》制限 [閉鎖] 予備選挙.
diréct prímary 《米》直接予備選挙.
índirect prímary 《米》間接予選会, 間接予備選挙.
ópen prímary 《米》開放予備選挙.
post·pri·ma·ry 形 《米》予備選挙後の.
pre·pri·ma·ry 形 《米》予備選挙前の.
presidéntial prímary (米国の各政党の)大統領予備選挙.
psychológical prímary 【心理】心理的原色.
rúnoff prìmary 《米》(特に南部諸州での)決選投票.
whíte prímary 《米》(1896 年以降, 南部諸州で, 主に民主党によって行われた, 白人だけが投票できる)白人直接予選会.

prime /práim/

形 最も重要な; 最重視 [最優先] すべき; 最も適切な, 最も意義のある.

dóuble príme ダブルプライム符号, ダブルダッシュ /″/.
É-príme (一般意味論で唱えられる)be 動詞なしの英語(English prime).
sùb·príme 形 最高級に次ぐ.

prim·rose /prímròuz/

名 【植物】サクラソウ(桜草), プリムラ. ⇨ ROSE.

báby prímrose ヒナザクラ.

bírd's-eye prímrose セイヨウユキワリソウ.
Cápe prìmrose イワタバコ科オオウシノシタ属の植物の総称.
Chínese prímrose カンサクラソウ.
Énglish prímrose イチゲサクラソウ.
évening prímrose メマツヨイグサ.
fáiry prímrose ヒメサクラソウ, オトメザクラ.

prince /príns/

名 王子, 皇子, 親王, (男子の)王孫; 王家[皇族]の男子; (英国で)王[女王]の息子, 王子.

crówn príncе (英国以外の)皇太子.
Jéwish Américan Prínce 《米俗》大切にされて甘やかされた金持ちのユダヤ系の青年(JAP).
mérchant prínce 大商人, 豪商, 大金持ちの商人.

prin·cess /prínsis, -ses, prinsés | prinsés, ⸗ー/

名 王家[皇族]の女子, 王女, 皇女. ⇨ -ESS[1].
[発音] 第1強勢は,《米》では語頭: príncess,《英》では語尾: princéss; ただし Princess Ann のように大文字で始まる固有名詞では《米》《英》ともに Príncess.

crówn príncess (英国以外の)皇太子妃.
Jéwish Américan Príncess (特に)他人より裕福なことを鼻にかけているわがままなユダヤ系の若い女性(JAP).
Jéwish Príncess =Jewish American Princess.
pávement prìncess 《米市民ラジオ俗》売春婦.

prin·ci·ple /prínsəpl/

名 **1** (他の法則・真理の基となる)公理, 原理, 原則. **2** (一般に)行動規範, 道徳規準.

accelerátion prìnciple 〘経済〙加速度原理.
anthrópic prínciple 〘天文〙知性体重視説.
Archimédes' prínciple 〘物理〙アルキメデスの原理.
bánking prìnciple 〘経済〙銀行主義.
bítter prìnciple 〘化学〙苦味質, 灰汁(あく).
Cárnot prìnciple 〘熱力学〙カルノーの定理.
combinátion prìnciple =Ritz combination principle.
complementárity prìnciple 〘物理〙相補性原理.
correspóndence prìnciple 〘物理〙対応原理.
cosmológical prìnciple 〘天文〙宇宙原理.
cúrrency prìnciple 〘経済〙通貨主義.
duálity prìnciple 〘数学〙双対(そうつい)原理.
Éinstein's equívalency prìnciple 〘物理〙=equivalence principle.
equívalence prìnciple 〘物理〙等価原理.
exclúsion prìnciple 〘物理〙排他原理, 禁制律.
Fermát's prìnciple 〘光学〙フェルマーの原理.
Fíck prìnciple 〘生理〙フィックの原理.
fírst prínciple 第一[根本]原理: 哲学, 論理学, 数学などで, 最も普遍的な公理など.
Gáuse's prìnciple 〘生態〙ガウゼの原理.
Gídeon prìnciple 〘米法〙ギデオン判決の原則.
gréatest háppiness prìnciple 〘哲学〙最大多数の最大幸福の倫理原則, 功利主義.
Háldane prìnciple 〘政治〙ホールデンの原則.
Héisenberg uncértainty prìnciple 〘物理〙=uncertainty principle.
Húygens prìnciple 〘光学〙〘物理〙ホイヘンスの原理.
indetérminacy prìnciple 〘物理〙=uncertainty principle.
Le Châtelier prìnciple 〘物理〙ル・シャトリエの原理.
MacBrìde prìnciple 〘政治〙マックブライドの原理.
Mách's prìnciple 〘物理〙マッハの原理.
máximum prìnciple 〘数学〙(複素関数の)最大値の原理.
mínimax prìnciple 〘政治〙ミニマックス原理.
Nóah prìnciple 全ての種を平等に尊重する主義.
Páuli exclúsion prìnciple 〘物理〙=exclusion principle.
Páuli's prìnciple 〘物理〙=exclusion principle.
Péter Prìnciple 《ふざけて》ピーターの原理.
pléasure prìnciple 〘精神分析〙快楽[快感]原理.
reálity prìnciple 〘精神分析〙現実原則.
Rítz combinátion prìnciple 〘物理〙リッツの結合原理.
séminal prínciple 〘哲学〙含蓄のある潜勢的な原理.
séparate-but-équal prìnciple 分離平等の原理.
superposítion prìnciple 〘物理〙重ね合わせの原理.
uncértainty prìnciple 〘物理〙不確定性原理.
verifiabílity prìnciple 〘論理〙検証可能性の原理.

print /prínt/

動他 〈文・絵などを〉印刷する. ──名 **1** 印刷; 版, 刷り. **2** 印刷された文字. **3** 印刷物, プリント. **4** 版画, 複製画. **5** 《しばしば複合語》(…に)(押しつけられてできた)跡. **6** スタンプ; 型板. **7** 〘繊維〙捺染模様; 捺染布, プリント地. **8** 写真.

ánswer prìnt 〘映画〙初号プリント.
blóck prìnt 〘美術〙版画, 木版画, 銅版画.
blúe·prìnt 青写真(法).
bórder prìnt 〘服飾〙ボーダープリント.
brówn·prìnt 〘写真〙ブラウンプリント.
bútter prìnt バターに飾り模様をつけるための木型.
cólor prìnt 〘写真〙カラープリント.
compósite prìnt 〘映画〙サントラ付きプリント.
cóntact prìnt 〘写真〙密着印画.
cótton prìnt 捺染(なっせん)綿布.
én·prìnt 〘写真〙プリントされた写真.
éye·prìnt アイプリント, 眼紋.
fíne prínt 小さい活字の印刷物.
fínger·prìnt 指紋.
fóot·prìnt 足跡.
geométric prínt 〘服飾〙幾何学プリント.
gúm prìnt 〘写真〙ゴム印画.
hánd·prìnt 手形.
hóof·prìnt 名 ひづめの跡.
ím·prìnt 名 印, 印影, 跡.
Índia prìnt インドプリント, インド更紗.
ìn-prínt 形 印刷[増刷]されて(いる).
Jápanese prínt 浮世絵版画.
Jouý prìnt ジュイプリント: 明るい色の地に単色の花や風景をプリントした布.
lárge-prìnt 形 大活字で組んだ[印刷した].
líp prìnt 唇紋.
lítho·prìnt 動他 《今はまれ》石版印刷する.
márried prìnt =composite print.
mícro·prìnt 名 マイクロプリント, 縮小写真印画.
mis·prínt 名 印刷の誤り, 誤植, ミスプリント.
néws·prìnt 名 新聞印刷用紙.
nòn·prínt 形 〈情報・資料が〉非印刷物の.
óff·prìnt 名 (雑誌などの)抜き刷り, 別刷り.
oríginal prínt 〘美術〙オリジナルプリント.
óut-of-prínt 形 絶版の.
ò·ver·prínt 動他 〘印刷〙刷り重ねる, 刷り加える.
pálm prìnt 掌紋.
páw-prìnt 名 動物の足跡.
phóto·prìnt 名 写真印画[プリント].
pré·prìnt 名 (本や雑誌の)見本刷り, 予定稿版.
projéction prìnt 〘写真〙引き伸ばし印画.
Próvincetown prìnt 〘美術〙プロビンスタウン版画.
reléase prìnt 〘映画〙(封切り用)プリント.
rè·prínt 動他 再び刷る; 増刷する; 翻刻する.
smáll prínt =fine print.
sóle·prìnt 名 足底紋, 足形.
stabilizátion prìnt 〘写真〙安定化プリント.
súr·prìnt 動他 重ね刷りする.
thúmb·prìnt 名 拇印.
TV́ prìnt 〘テレビ〙テレビプリント.
véin·prìnt 名 (手の甲の)静脈の縞模様.
vóice·prìnt 名 声紋.
whíte·prìnt 名 〘印刷〙白焼き.
wóod·prìnt 名 版木; 板目木版技法.
wórk·prìnt 名 〘映画〙作業プリント.

P

print·er /príntər/

名 印刷[植字, 捺染(なっせん)]工; 印刷業者; 印刷機械; 捺染機. ⇨ -ER[1].

cháin prìnter 【コンピュータ】チェーンプリンター.
cháracter prìnter 【コンピュータ】印字機.
cóntact prìnter 【写真】密着焼付け機.
drúm prìnter 【コンピュータ】ドラムプリンター.
ímpact prìnter 【印刷】インパクトプリンター.
intélligent prínter 【コンピュータ】(マイコン内臓の)インテリジェントプリンター.
jób prìnter 端物(はもの)印刷屋.
Kíng's Prínter 《英》欽定(きんてい)印刷所.
láser prìnter 【コンピュータ】レーザープリンター.
líne prìnter 【コンピュータ】ラインプリンター.
mátrix prìnter 【コンピュータ】ドット・マトリックス.
óptical prínter 光学プリンター.
páge prìnter 【コンピュータ】ページプリンター.
projéction prìnter 【写真】引き伸ばし機.
sérial prìnter 【コンピュータ】シリアルプリンター.
tél·e·prìnt·er 名 テレタイプライター(teletypewriter): 印刷電信機の一種.
thérmal prínter 【コンピュータ】感熱式プリンター.

print·ing /príntiŋ/

名 **1** (書籍・新聞などの)印刷(術), 印刷工程; 印刷業. **2** (写真の)焼き付け; 捺染(なっせん); 絵付け. ⇨ -ING[1].

bát prìnting 【窯業】ゼラチン転写.
blóck prìnting 【印刷】木版印刷(術).
blótch prìnting ブロッチ捺染.
blúe·prìnting 青写真(法): 主として建築及び機械設計図の複写に用いられる写真法.
cólor prìnting 色刷り, カラー印刷.
díscharge prìnting 抜染(ばっせん).
drúm prìnting 【印刷】ドラムプリンティング.
electrostátic príntìng 静電印刷法.
éxtract prìnting =discharge printing.
flésh-prìnting 電子工学的方法による魚の肉のタンパク質型を記録したもの.
ínk-jèt prìnting インクジェット式印刷.
jét prìnting =ink-jet printing.
náture prìnting 【印刷】ネイチャープリンティング.
óffset prìnting 【印刷】オフセット印刷(法).
páraglyph prìnting 【写真】パラグリフ焼き付け.
pláte prìnting 【印刷】凹版[銅版]印刷.
prócess prìnting 多色印刷, プロセス印刷.
projéction prìnting 【写真】投影[引き伸ばし]焼き付け.
ráised prìnting 【印刷】隆起印刷.
resíst prìnting 防染, 捺染.
scréen prìnting 【印刷】孔版捺染法.
súrface-prìnting 【印刷】平板印刷術(planography).
thérmal tránsfer prìnting 熱転写印刷(法).
vigouréux prìnting ビゴロ捺染法.

-prise /práiz/

連結形 捕らえられた(もの).
★ 語末にくる関連形は -PREHEND.
★ 語頭にくる関連形は pris-: *pris*oner「囚人」.
◆ <中仏 *pris* (*prendre*「捕らえる」の過去分詞).

com·prise 動他 含む, 包含する.
em·prise 名 《古》勇壮な企て, 壮図, 冒険.
en·ter·prise 名 ☞
re·prise 名 【法律】(土地・荘園などの)年間必要経費.
sur·prise 動他 …を驚かす.

prism /prízm/

名 【光学】プリズム, 三稜(さんりょう)鏡.
★ 語頭にくる関連形は prism(a)-: *prism*oid「【幾何】角錐(すい)台」.

achromátic prísm 色消しプリズム: 光線を分散させずに屈折させる.
Amíci prìsm アミーチプリズム: 像が倒立し, 左右反転する屋根型のプリズムの一種.
bí·prìsm バイプリズム: 頂角が 180°よりわずかに小さい三角プリズム.
diréct-vísion prìsm 直視プリズム.
Dóve prìsm ドーフェのプリズム: 光線を反転させるプリズムで, 望遠鏡に用いられる.
erécting prìsm =Dove prism.
mícro·prìsm マイクロプリズム: 焦点板上に多数ある微小プリズム.
Nícol prìsm ニコルプリズム: 2片のアイスランド石または方解石を特定の角度で接合した偏光プリズム.
objéctive prísm 対物プリズム: 望遠鏡の対物レンズや反射鏡の前に置かれる大きなプリズム.
pénta·prìsm 五角プリズム, ペンタプリズム: 特に一眼レフカメラに使用.
Pórro prìsm ポロプリズム: 二等辺三角形のプリズム2個を上下左右を反転させて配置したもの; 双眼鏡などに用いる.
revérsing prìsm =Dove prism.
róof prìsm =Amici prism.
rótating prísm =Dove prism. 「の一種.
Wóllaston prìsm ウォラストンプリズム: 偏光プリズム

pris·on /prízn/

名 監獄, 刑務所, 拘置所, 牢屋(ろうや).

dispérsal príson 警備の厳重な刑務所.
im·prís·on 動他 〈人を〉刑務所に入れる. 「所.
ópen príson (鉄格子も塀もない)開放型の刑務
psỳ·cho·prís·on 名 (ソ連の)刑務精神科病院, 精神科刑務所.
státe príson 《米》州刑務所.
ùn·prís·on 動他 刑務所から釈放する, 出所させる.

pri·vate /práivət/

形 個人の所有する, 私有の; 個人専用の, 私用の. ⇨ -ATE[1].

búckass prìvate =buck private.
búck prívate 《米軍俗》最下級兵, 二等兵.
sèm·i·prí·vate 形 〈病室が〉少人数用の, 半個室風の.

priv·et /prívit/

名 【植物】ヨウシュ(洋種)イボタノキ.

Amúr prívet アムールイボタ.
Califórnia prívet オオバイボタ.
Ibóta prívet イボタノキ.
wáxlèaf prìvet ネズミモチ.
wáx prìvet =waxleaf privet.

priv·i·lege /prívəlidʒ/

名 (特定の個人だけが享受する)特権, 特典; 恩典, 恩恵, 恩沢.

exécutive prívilege 《米》大統領特権.
Páuline prívilege 【ローマカトリック】パウロの特権.
spécial prívilege (法律によって与えられた)特権.

priv·i·leged /prívəlidʒd/

形 特権［特典］を持つ, 特権階級に属する;《話》《婉曲的》金持ちの. ⇨ -D[1], -D[2].

ùnder·prívileged 形 《婉曲的》貧困な, 恵まれない.
ùn·prívileged 形 《婉曲的》貧困な, 最下層の.

prize[1] /práiz/

名 賞, 褒美, 賞品, 賞金.

Báncroft Prìze バンクロフト賞: 米国史や伝記の優れた著作を対象.
Bóllingen Prìze ボリンゲン賞: 米国の詩作賞.
bóoby prìze ブービー賞, 最下位賞.
Bóoker príze ブッカー賞: 英国の最も優れた小説に与えられる賞.
consolátion prìze (コンテストなどでの)残念賞.
Déming Prìze デミング賞: 日本で, 工業製品の品質管理向上に貢献した企業や個人に与えられる賞.
dóor prìze (舞踏会・パーティーなどで)出席者の気の利いた衣装などに与えられる賞品.
Fíelds príze フィールズ賞: 4年に1回若い数学者に授与される「数学のノーベル賞」.
Lénin Príze レーニン賞: 学術・文芸・芸術上の業績に授与された旧ソ連の最高賞.
Nóbel príze ノーベル賞.
Púlitzer Príze 《米》ピュリッツァー賞: 毎年, ジャーナリズム, 出版, 文学, 音楽などの諸分野で顕著な業績を上げた米国市民に授与される.
Púshcart Príze プッシュカート賞: 米国の小出版社(The Pushcart Press)の刊行物を対象.
Quéen's Prìze クイーンズ・プライズ: 英国のライフル射撃競技で与えられる賞.
Témpleton Príze テンプルトン賞: 宗教界の功労賞.

prize[2] /práiz/

動他 重んじる, 尊ぶ, 珍重する, 高く評価する.

ap·prize 動他 《廃》〈資産・物品を〉(専門的に)評価［鑑定, 査定］する, 見積もる.
dis·prize 動他 …を軽んじる; 軽蔑(けいべつ)する.
mis·prize 動他 ばかにする, 見くびる.
o·ver·prize 動他 評価しすぎる, 過大評価する.

pro /próu/

名形 《話》職業選手(の), 専門家の, 玄人の. ►professional の短縮形.

áll-pró 形 一流の, 最高の.
báby-prò 《米俗》承諾年齢以下の若い娘.
nòn·pró 形 《話》職業を持たない, 専門職でない.
óld pró 《米俗》ベテラン, 第一人者, 熟練者.
sém·i·prò 形 《主に米話》《運動選手などが》半職業的な, セミプロの.

-proach /próutʃ/

連結形 近寄る.
◆ 後期ラテン語 *propiāre*「近寄る」より.

ap·proach 名 ☞
re·proach 動他 非難する, とがめる, 責める.

prob·a·bil·i·ty /prɑ̀bəbíləti | prɔ̀b-/

名 (実際に)あり得ること; ありそうなこと; 見込み;【哲学】蓋然(がいぜん)性. ⇨ -ABILITY.

condítional probabílity 【統計】【数学】条件付き確率.
im·prob·a·bíl·i·ty 名 起こりそう［ありそう］にもないこと.
márginal probabílity 【統計】周辺確率.
postérior probabílity 【統計】経験的確率.
transítion probabílity 【数学】推移確率.

prob·a·ble /prɑ́bəbl | prɔ́b-/

形 (現実に)ありそうな; たぶん…である; 見込みがある. ⇨ -ABLE.

e·qui·prob·a·ble 形 【論理】蓋然(がいぜん)性が等しい.
im·prob·a·ble 形 〈物・事が〉起こりそうにもない.

probe /próub/

動他 厳密に検査する, 精査する. ――名 厳密な調査.

crý·o·pròbe 名 【外科】凍結探針.
DŃA próbe 【生物】DNA プローブ.
gé·o·pròbe 名 ジオプローブ(宇宙探査ロケット).
Lángmuir pròbe 【物理】ラングミュア探針.
lúnar próbe 月探査機［ロケット］; その打ち上げ.
mí·cro·pròbe 名 【物理】【化学】マイクロプローブ: 分光分析計の一種.
móon·pròbe 月探査船.
múl·ti·pròbe 名 多重探査(用)宇宙船.
spáce pròbe 宇宙プローブ, 宇宙探査機.

prob·lem /prɑ́bləm | prɔ́b-/

名 問題; (解決・議論すべき)課題; 困難な事情. ⇨ -EM[1].

bóundary vàlue pròblem 【数学】境界値問題.
decísion pròblem 【数学】決定問題.
drínking pròblem アルコール依存症［中毒］.
drínk pròblem ＝drinking problem.
fóur-cólor pròblem 【数学】四色問題.
knápsack pròblem 【数学】ナップザック問題.
Kőnigsberg brídge pròblem 【数学】ケーニヒスベルクの橋の問題.
mínd-bódy pròblem 【哲学】心身(相関)問題.
Plateáu's próblem 【数学】プラトーの問題.
sùb·pró·blem 名 (ある問題に付随する)下位の問題.
thrée-bódy pròblem 【天文】三体問題.
tráveling sálesman pròblem 【数学】巡回セールスマンの問題.
twó-bódy pròblem 【天文】二体問題.
Y2K próblem ＝Year 2000 problem.
Yèar 2000 próblem 【コンピュータ】西暦 2000 年問題.

pro·ce·dure /prəsíːdʒər/

名 (事を運ぶ)手順, 順序, 手続き; やり方, 方法, 処置. ⇨ -URE[1].

decísion procèdure 【論理】任意の命題が定理であるか否かを機械的な手段で決定する手順.
discóvery procèdure 【言語】発見の手順.
illégal procédure 【アメフト】イリーガルプロシージャー.
thírd-pàrty procédure 【法律】第三当事者手続き.
tótting-up procèdure 《英》(交通違反に対する)点数制.

proc·ess /prɑ́ses | próu-/

名 **1** (ある目標に向けての一連の)措置, 方法, 処置, 手順, プロセス; 製法, 工程. **2** 過程. **3**【法律】召換令状. **4**【生物】【解剖】突起. ――動他 …を加工［処理］する. ⇨ -CESS.

ádditive prócess 【写真】加色法.
básic óxygen prócess 【冶金】塩基性酸素製鋼法.
básic prócess 【冶金】塩基性製鋼法.
Bén Dáy pròcess 【写真】ベンデイ製版法.
Béssemer pròcess 【冶金】ベッセマー法, 酸性底吹き転炉法.
bichrómate pròcess 【写真】重クロム酸塩法.

P

bì·o·próc·ess 名 〘生物工学〙バイオプロセス.
Bósch pròcess 〘化学〙ボッシュ法.
brómoil pròcess 〘写真〙ブロムオイル法.
cárbon pròcess 〘写真〙カーボン(写真)印画法.
cárbro pròcess 〘写真〙カーブロ印画法.
cíliary pròcess 〘解剖〙毛様体突起.
collódion pròcess =wet plate process.
cóntact pròcess 〘化学〙接触法, 触媒法.
Cóttrell pròcess コットレル集塵(しゅうじん).
cýanide pròcess 〘冶金〙青化法.
diázo pròcess 〘写真〙ジアゾ写真方式.
dúplex pròcess 〘冶金〙合併法, 二段製鋼法.
dýe tránsfer pròcess 〘写真〙ダイ・トランスファー法.
eleméntary prócess 〘物理化学〙素反応, 素過程.
Físcher-Trópsch pròcess 〘化学〙フィッシャー・トロプシュ法.
fláme-fúsion pròcess =Verneuil process.
flóat pròcess フロートガラスの製造工程.
fóur-cólor pròcess 〘印刷〙四色刷り.
Frásch pròcess 〘冶金〙フラッシュ法, 溶融採鉱法.
gélatin pròcess 〘写真〙ゼラチン(印画)法.
glassificátion pròcess (放射能廃棄物の)ガラス処理法.
gréensand pròcess 生型(なまがた)鋳鉄法.
Háber pròcess ハーバー法: 気体窒素と水素からアンモニアを合成する方法.
Háll pròcess 〘冶金〙ホール法.
ìn-prócess 形 (材料・製品と区別して)製造過程の.
isothérmal prócess 〘熱力学〙等温過程.
júry pròcess 〘法律〙陪審員召喚令状.
kráft pròcess 〘化学〙=sulfate process.
lentícular pròcess 〘写真〙レンチキュラー法.
lóst-wáx pròcess 〘冶金〙ロストワックス(鋳造)法, 蝋(ろう)型法(cire perdue).
márketing prócess 〘マーケティング〙マーケティング過程.
Márkov pròcess 〘統計〙マルコフ過程.
mástoid pròcess 〘解剖〙乳様突起.
mésne pròcess 〘法律〙(訴訟の)中間令状.
Mónd pròcess 〘冶金〙モンド法.
odóntoid pròcess 〘解剖〙歯突起.
ópen-héarth pròcess 〘冶金〙平炉製鋼法.
órder fulfíllment pròcess 〘商業〙注文調達プロセス.
oríginal pròcess 〘法律〙始審令状.
óxo pròcess 〘化学〙オキソ合成(法).
péace pròcess 膠着(こうちゃく)した紛争の平和的な解決をめざした交渉.
photogélatin pròcess 〘写真〙コロタイプ(collotype).
plánar pròcess 〘電子工学〙プレーナープロセス.
prè·próc·ess 動他 …を前もって処理する.
prímary pròcess 〘精神分析〙一次過程.
pùsh-prócess 動他 〘写真〙増感現像する.
rè·próc·ess 動他 再加工[再生]する.
revérsal pròcess 〘写真〙反転現像処理, ポジ工程.
sécondary pròcess 〘精神分析〙二次過程.
Shúman pròcess シューマン工程: 網入りガラスの製造方法.
sócial pròcess 〘社会〙社会過程.
Sólvay pròcess 〘化学〙ソルベー法, アンモニアソーダ法(ammonia soda process).
spínous pròcess 〘解剖〙〘動物〙棘(きょく)突起.
stochástic pròcess 〘統計〙確率過程.
stýloid pròcess 〘解剖〙(骨, 特に側頭骨の基部からの)茎状突起.
subtráctive pròcess 〘写真〙減法混色, 減色法.
súlfate pròcess 〘化学〙硫酸塩法, サルフェイト法.
súlfite pròcess 〘化学〙亜硫酸法, サルファイト法.
thérmite pròcess 〘冶金〙テルミット法, ゴールドシュミット法(aluminothermy).
tránsverse pròcess (脊椎(せきつい)骨の)横突起.
trustée pròcess 〘法律〙《ニューイング》(第三者に対する)債権差し押え通告.
twín pròcess 〘窯業〙ツインプロセス.
únciform pròcess 〘解剖〙(骨の, 特に手根骨の一部を成す有鉤(こう)骨の)鉤(こう)状突起.
úncinate pròcess 〘鳥類〙(鳥の肋骨(ろっこつ)にある)鉤(こう)状突起.
únit pròcess 〘化学〙単位過程, 単位(反応)工程.
vérmiform pròcess 〘解剖〙〘動物〙虫垂, 虫様突起.
Vernéuil pròcess 〘宝石〙ベルヌーイ法.
wét pláte pròcess 〘写真〙湿板法.
wórk-in-prócess 名 〘会計〙仕掛品.
wórld prócess 〘哲学〙超越的原則や計画に対して意味があると考えられる時間内の変化.
zygomátic prócess 〘解剖〙頬骨(きょうこつ)突起.

proc·ess·ing /prásesiŋ | próu-/

名 〘コンピュータ〙処理. ――形 処理する. ⇨ -ING[1], -ING[2].

arráy procéssing アレイ処理.
bátch pròcessing 一括[集中]処理.
bóttom-ùp procéssing ボトムアッププロセシング.
concúrrent prócessing 同時[並行]処理.
dáta pròcessing データ処理.
distríbuted prócessing 分散処理.
ímage pròcessing 名形 画像処理(の).
informátion pròcessing 情報処理, データ処理.
líst procéssing リスト処理.
múlti·pròcessing マルチプロセシング, 多重処理.
párallel procéssing 並列処理(方式).
sequéntial prócessing 順次処理.
téle·pròcessing 名 テレプロセッシング.
téxt procéssing テキスト処理.
wórd pròcessing 名形 文書処理(の).

proc·es·sor /prásesər | próusəsə/

名 加工する人[もの], 処理する人[もの]; 処理機器; 〘コンピュータ〙プロセッサー. ⇨ -OR[2].

arráy procéssor アレイ処理装置.
cò·próc·es·sor 名 共同プロセッサー.
distributed arráy pròcessor 分散配列プロセッサー.
fóod pròcessor フードプロセッサー.
frónt-énd pròcessor フロントエンドプロセッサー.
lánguage pròcessor 言語プロセッサー.
líst procéssor リストプロセッサー.
mí·cro·pròc·es·sor 名 マイクロプロセッサー.
múl·ti·pròc·es·sor 名 マルチ[多重]プロセッサー.
óptical prócessor 光プロセッサー.
pré·pròc·es·sor 名 プレプロセッサー.
wórd pròcessor ワードプロセッサー.

-proct /pràkt | prɔ̀kt/

連結形 〘動物〙肛門(こうもん).
★ 名詞をつくる.
★ 語末にくる関連形は -PROCTA.
★ 語頭にくる形は proct(o)-: *proct*itis「直腸炎」, *proct*oscope「直腸鏡」.
◆ ギリシャ語 *prōktós*「肛門」より.
[発音] すべて 3 音節の語で, 語頭の音節に第 1 強勢.

ec·to·proct 名 外肛類.
en·do·proct 名 =entoproct.
en·to·proct 名 内肛動物.
per·i·proct 名 囲肛部.

-proc·ta /práktə | prɔ́k-/

連結形 〘動物〙…型の肛門をもつ動物.
★ 名詞をつくる.
★ 語末にくる関連形は -PROCT.
★ 語頭にくる関連形は proct(o)-: *proct*itis「直腸炎」, *proct*oscope「直腸鏡」.
◆ <ギ -*prōkta*(*prōktós*「肛門」より). ⇨ -A[1].

P

Ec·to·proc·ta 名 外肛(がいこう)動物門.
En·do·proc·ta 名 =Entoprocta.
En·to·proc·ta 名 内肛(ないこう)動物門.

pro·duce /prədjúːs | -djúːs/

動他 生み出す, 生じさせる; (…から)引き起こす; 生産する, 製造する. ──名 農産物, 収穫物, 青物, 野菜果物; 製品, 生産物 [品]; 作品. ⇨ -DUCE.

co·pro·duce 動他 共同製作 [生産] する.
mass-pro·duce 動他自 (特に機械で)大量生産する, 量産する.
out·pro·duce 動他 〈他社などを〉生産量でしのぐ.
o·ver·pro·duce 動他自 作りすぎる, 過剰に生産する.
re·pro·duce 動他 (実物そっくりに)再現する, 写す.
tri·al-pro·duce 動他 …を試験生産する.
un·der·pro·duce 動他自 (…を)過少生産する.

prod·uct /prádʌkt, -dəkt | prɔ́d-/

名 **1** (労働による)生産物, (工業)生産品. **2** 生産(高). **3**〘数学〙積. **4**〘化学〙生成物. ⇨ -DUCT.

addítion pròduct 付加物, 付加化合物(adduct).
ágri·pròduct 農業生産物.
bý-pròduct 副産物, 副製品.
Cartésian próduct 〘数学〙デカルト積.
chéese pròduct チーズ製品.
convérted próduct プラスチック二次加工製品.
có·pròd·uct 名 副産物(by-product).
cróss pròduct 〘数学〙外積, ベクトル積, クロス乗積.
díno·product (博物館にある)恐竜関連商品.
diréct próduct 〘数学〙直積.
dis·pród·uct 有害生産物 [製品].
dót pròduct 〘数学〙=inner product.
énd pròduct (産業などの)最終生産物; 最終結果.
glóbal próduct 全世界的な商品.
gróss doméstic próduct 〘経済〙国内総生産.
gróss nátional próduct 〘経済〙国民総生産.
hígh-invólvement próduct 購入者がよく考えて買う高価な製品.
ínfinite próduct 〘数学〙無限乗積, 無限積.
ínner próduct 〘数学〙内積, スカラー積.
lów-invólvement próduct 消費者があまり考えないで気軽に買う安い品物.
nátional próduct 〘経済〙国民生産.
nét doméstic próduct 〘経済〙国内純生産.
nét matérial próduct 〘経済〙純物的生産.
níche pròduct ニッチ市場で売られる製品.
óuter próduct 〘数学〙=cross product.
párity pròduct パリティ製品: 同じ部類に属し, 類似している製品.
pártial próduct 〘数学〙部分積.
pássenger pròduct (販売対象としての)旅客用の席.
phòto·próduct 〘化学〙光分解生成物.
reáction pròduct 〘化学〙反応生成物.
resídual próduct =by-product.
scálar próduct 〘数学〙=inner product.
scálar tríple próduct 〘数学〙スカラー三重積.
solubílity pròduct 〘物理〙〘化学〙溶解度積.
véctor pròduct =cross product.
wáste pròduct (産業)廃棄物.

pro·duc·tion /prədʌ́kʃən/

名 生産, 産出, 製造. ►produce の名詞形. ⇨ -DUCTION.

bátch prodùction バッチ生産, 間欠(工程方式)生産.
búlk prodúction 《米》大量生産.
máss prodúction (特に機械による)量産, 大量生産.
móbile prodùction 《英》地方巡業の見せ物 [ショー].
ò·ver·pro·dúc·tion 名 過剰生産, 生産過剰, 作りすぎ.
páir prodùction 〘物理〙(電子)対(つい)生成, 対放出.
phò·to·pro·dúc·tion 名 〘物理〙光生成.
pòst·pro·dúc·tion 名 〘映画〙ポストプロダクション.
prè·pro·dúc·tion 名 〘映画〙製作準備段階.
prímary prodúction 〘生態〙(食物連鎖における植物やバクテリアなどの)一次生産物.
rè·pro·dúc·tion 名 ☞
ùn·der·pro·dúc·tion 名 通常以下の [需要より少ない] 生産.

pro·duc·tive /prədʌ́ktiv/

形 〈物が〉産出 [生産] 力のある, (有用なものを)生み出す力のある, 創造的な; 〈議論などが〉建設的な. ⇨ -DUCTIVE.

coun·ter·pro·duc·tive 形 望ましくない結果を生む; 非生産的な.
non·pro·duc·tive 形 非生産的な.
re·pro·duc·tive 形 再生する; 生殖の.
un·pro·duc·tive 形 非生産的な, 生産力のない.

pro·fes·sion /prəféʃən/

名 **1** 知的職業. **2** 職業. ⇨ -SION.

Ádam's profésssion 園芸, 農業.
hélping profésssion 人助け [救援] の職業 [仕事].
léarned profésssion 学問的職業.
wórld's óldest profésssion (世界最古の職業といわれる)売春.

pro·fes·sion·al /prəféʃənl/

形 職業的な, 本職 [玄人, プロ] の; 専門的な. ──名 職業人, 専門家, 本職. ⇨ -AL[1].

èxtra·proféssional 形 専門外の, 本職外の.
héalth profèssional 〘医学〙《総称》医療従事者.
nòn·proféssional 形 職業を持たない; 専門職でない.
pàra·proféssional 形 (専門職を補助する, 助手の.
prè·proféssional 形 専門職開業前 [準備] の.
sèmi·proféssional 形 半職業的な, セミプロの.
sùb·proféssional 形 専門家の水準より低い.
ùn·proféssional 形 専門外の, 専門に関係のない.

pro·fes·sor /prəfésər/

名 (大学の)教授, 正教授; (一般に)教授(助教授, 準教授など). ⇨ -SOR.

ádjunct proféssor 《米》兼任教授, 非常勤教授.
assístant proféssor 《米・カナダ》(大学の)準教授.
assóciate proféssor 《米・カナダ》=assistant professor.
eméritus proféssor 名誉教授(professor emeritus).
exchánge profèssor 交換教授.
fúll proféssor =professor.
reséarch proféssor 研究(所)教授.
ténured proféssor 終身在職権をもつ教授.
vísiting proféssor 客員教授.

pro·file /próufail/

名 (物の)側面; (人間の顔の)輪郭, (特に)横顔.

consúmer pròfile 消費者プロフィール: ある商品の典型的な購入者の特徴を記述したもの.
genètic prófile 遺伝子 [DNA] 指紋.
Grécian prófile ギリシャ型横顔: 鼻柱の線と額の線が直線を成してくぼみのない横顔.
hígh prófile はっきりした態度 [立場].
ínboard prófile 〘造船〙船内側面図.

P

lów prófile 低姿勢, 目立たない態度, つつましさ.
óutboard prófile 〖造船〗船外側面図.
psychológical pròfile 心理学的人物描写［プロフィール］.
sóil pròfile 〖地質〗土壌断面.

prof·it /prάfit | prɔ́f-/

名 利益, 収益, 利潤, 黒字.

for-prófit 形 営利目的の, 利益追求の.
gróss prófit 粗利益, 総利益.
nét prófit 純(利)益.
nòn·próf·it 形 利益のない; 非営利の.
nót-for-prófit 形 営利目的でない.
páper prófit 紙上利益, 架空利益.
prèacquisítion pròfit 株式取得期日以前の留保利益.
réalized prófit 実現利益.
unréalized prófit ＝paper profit.
wíndfall pròfit 超過利潤. ►元来はケインズの『貨幣論』の用で「意外の利潤」と訳される.
wíth-prófit 形 収益配当付きの.

pro·gram /próugræm, -grəm | -græm/

名 **1** 計画, 予定, 日程. **2**〖コンピュータ〗プログラム. **3** ラジオ・テレビ番組. **4** 説明書; 学校案内; 講義要目; 教育課程. ── 動他 **1** …を予定する. **2** プログラムを作る. **3** 条件づける. ⇨ -GRAM[1].

áccess prògram 《米》(ローカル局制作の)自主番組.
áctive prógram 〖コンピュータ〗活動プログラム.
Álvey prógram 〖コンピュータ〗アルビー計画: 英国における官, 学, 産が一体となった第5世代コンピュータ開発計画. ►John Alvey の名から.
applicátion prògram 〖コンピュータ〗アプリケーションプログラム.
còunt·er·pró·gram 動自他〖テレビ〗(他局の番組に対抗した)番組を編成する.
crásh prògram (開発・生産などの)緊急計画.
de·pro·gram 動他〈人の〉信仰［信念］を説き伏せて変え［捨て］させる, 目覚めさせる.
Européan Recóvery Prògram 欧州復興計画.
frée prógram (フィギュアスケートで)フリープログラム(long program).
fréquent-flíer prògram (航空会社が出す)上得意報償企画.
kíwi prògram 〖宇宙〗キーウィ計画: 米国の原子ロケット計画.
lóading prògram 〖コンピュータ〗ローディングプログラム.
máilbag prògram 《話》(テレビ・ラジオの)人気番組.
Mércury prògram 〖宇宙〗マーキュリー計画: 米国最初の有人宇宙飛行計画.
mí·cro·prò·gram 名〖コンピュータ〗マイクロプログラム.
Míddle Átmosphere Prògram 中層大気観測計画.
mín·i·prò·gram 名〖放送〗ミニプログラム, ミニ番組.
óbject prògram 〖コンピュータ〗目的コード.
oríginal prógram (フィギュアスケートの)オリジナルプログラム(short program).
póverty prògram 《米》貧困対策.
prè·pró·gram 動他 …の予定をあらかじめ立てる.
quíz prògram 《米》クイズ番組.
rè·pró·gram 動他自〖コンピュータ〗プログラムを作り直す.
sóurce prògram 〖コンピュータ〗原始コード.
Stár Wárs prògram 〖軍事〗戦略防衛構想.
súb·prò·gram 名〖コンピュータ〗サブプログラム.
sustáining prògram 《米・カナダ》自主番組, サスプロ.
sýstem prògram 〖コンピュータ〗システムプログラム.
utílity prògram 〖コンピュータ〗ユーティリティー・プログラム.

wórk-stúdy prògram 体験学習計画.

pro·gramme /próugræm, -grəm | -gəm/

名《特に英》**1** 計画, 予定. **2** ラジオ［テレビ］番組. ◇ PROGRAM.

Álvey Prógramme (英国の)アルビー計画: 第5世代コンピュータ開発計画.
Commúnity Prògramme コミュニティープログラム: 長期間失業者のための政府の臨時雇用計画.
Thírd Prógramme (英国 BBC の)第三放送.
Úrban Prògramme (英国政府の)都市開発援助計画.
Yóuth Opportúnities Prògramme 《英》青年職業機会計画.

pro·gram·ming /próugræmiŋ, -grəm- | -græm-/

名〖コンピュータ〗プログラミング, プログラムの作成. ⇨ -ING[1].

blóck prògramming 〖ラジオ〗〖テレビ〗ブロックプログラミング.
bóttom-úp prògramming ボトムアップ・プログラミング(技法).
fúnctional prógramming 関数型プログラミング.
línear prógramming 〖数学〗線形計画法.
lógic prògramming 論理型プログラミング.
mínimum-áccess prògramming 最小時間プログラミング.
mùlti·prógramming マルチ［多重］プログラミング.
óptimum prògramming ＝minimum access programming.
strúctured prógramming 構造化［的］プログラミング.

pro·gres·sive /prəgrésiv/

形 進歩的な. ── 名〖文法〗進行相; 進行形. ⇨ -GRESSIVE.

pást progréssive 過去進行形.
pérfect progréssive 完了進行形.
présent progréssive 現在進行形.
ùn·pro·grés·sive 形 進歩的でない, 後退的な.

proj·ect /prάdʒekt, -dʒikt | prɔ́dʒ-/

名 **1**(…する)計画, 企画. **2**(大規模な)(計画)事業, プロジェクト. ── 動他 投射する; 映写する. ⇨ -JECT.

báck·prò·ject 動他〈像を〉背面映写する.
Euréka próject 〖化学〗ユーレカ計画.
Héad Stárt Pròject 〖教育〗就学前児童のための米国政府の教育事業.
hóusing pròject 《米》公営住宅団地.
Manháttan Pròject 〖米史〗マンハッタン計画.
méga·pròject 大規模プロジェクト.
Nátional Próject ナショナルプロジェクト.

pro·jec·tion /prədʒékʃən/

名 投影(図); 投影法. ►project の名詞形. ⇨ -JECTION.

axonométric projéction 〖製図〗不等角投影法.
azimúthal equidístant projéction 〖地図〗等距離方位図法.
báckground projèction ＝rear projection.
báck projèction ＝rear projection.
céntral projéction 〖幾何〗中心射影, 中心投象法.
confórmal projéction 〖地図〗正角図法.
cónic projéction 〖地図〗円錐図法, 円錐射影.
cylíndrical projéction 〖地図〗円筒［投影］図法.
équal-área projèction 〖地図〗等積投影, 正積図法.
frónt projèction 〖テレビ〗前面投射.
gnomónic projéction 球心投影, 心射図法.

homològraphic projèction 〔地図〕正積擬円筒図法.
homòlosine projèction 〔地図〕ホモロサイン図法.
máp projèction 〔地図〕投影図.
Mercátor projèction 〔地図〕メルカトル図法.
Móllweide projèction =homolographic projection.
oblíque projèction 〔製図〕斜投影法.
orthógonal projèction 〔数学〕正射影.
orthográphic projèction =orthogonal projection.
orthomórphic projèction =conformal projection.
párallel projèction 〔幾何〕平行射影.
Péter's projèction 〔地図〕ペータース投射法.
polycónic projèction 〔地図〕多円錐図法.
réar projèction 〔映画〕後方映写.
Sánson-Flámsteed projèction =sinusoidal projection.
sinusóidal projèction 〔地図〕正弦曲線図法.
stereográphic projèction 〔数学〕立体［極］射影.
trimétric projèction 〔幾何〕斜［斜方］投影.
zénithal equidístant projèction =azimuthal equidistant projection.

pro·jec·tor /prədʒéktər/

名 **1**（スライド・映画などの）投影機. **2** 放射器. ⇨ -OR².

cìne-projéctor 名 映写機.
fláme-projèctor （兵器用の）火炎放射器.
mícro-projèctor 名 マイクロプロジェクター.
opáque projéctor 《米・カナダ》不透明投影機.

pro·lif·er·a·tion /prəlìfəréiʃən/

名 急増, 拡散. ►proliferate の名詞形. ⇨ -ATION.

ànti-proliferátion 形 核(兵器)拡散反対の.
horizóntal proliferation 水平核拡散.
nòn-pro·lif·er·á·tion 名 (核の)拡散防止; 核兵器不拡散.
núclear proliferátion 核拡散.
vértical proliferátion 核兵器の垂直的増加.

prone /próun/

形 (…の)傾向がある, しがちな.

ác·ci·dent-pròne 形 〈人・車などが〉(普通より)事故にあいがちな, 事故を起こしやすい.
de·pénd·ency-pròne 形 (薬物)依存傾向の.
éarthquake pròne 形 地震がよく起きる.

pro·noun /próunàun/

名 〔文法〕代名詞. ⇨ NOUN.

indéfinite prónoun 不定代名詞.
pérsonal prónoun 人称代名詞.
rélative prónoun 関係代名詞.
resúmptive prónoun 再叙代名詞.

proof /prú:f/

名 **1**(…の)証拠. **2**(…の)証明. **3** 校正刷り; 試し刷り.

ártist's próof (版画の)作家の署名入り番外刷り.
cóunter·pròof 名 〔印刷〕反転校正.
dis·próof 名 反証(すること), 反駁(はんばく), 論駁.
engráver's próof =artist's proof.
fóundry pròof 〔印刷〕念校.
gálley pròof 〔印刷〕ゲラ［校正］刷り.
hígh-próof 形 〈酒が〉アルコール分の多い.
Índia pròof インディア紙での試し刷り［初刷り］.
índirect próof 間接証明.
lów-próof 形 アルコール度数が低い.
óver·próof 形 標準アルコール量を超えた.
páge pròof まとめ組み校正刷り.
pláte pròof 〔印刷〕鉛版校正.
préss pròof 〔印刷〕最後の校正刷り, 校了紙.
reprodúction pròof 〔印刷〕=repro proof.
répro pròof 〔印刷〕清刷り.
slíp pròof 〔印刷〕=galley proof.
stóne próof 〔印刷〕(組み付け)台ゲラ.
ùnder·próof 形 アンダープルーフの.

-proof /prù:f/

連結形 **1** 耐…, 不透性…(resistant to, impervious to): water*proof*. **2** 保証つきの, 安全な: burglar*proof*, child*proof*.
★ 形容詞をつくる.
◆ proof の連結形.

ac·tor-proof 形 〔演劇〕下手な役者でも受ける.
air-proof 形 耐気性の, 空気を通さない, 気密の.
ba·by-proof 形動他 =childproof.
ball-proof 形 防弾(用)の.
ban·dit-proof 形 《英》=bulletproof.
bid-proof 形 〈会社が〉乗っ取られにくい.
bomb-proof 形 爆弾よけの, 防弾の.
bul·let-proof 形 〈乗り物・ガラス・衣服などが〉防弾の.
bur·glar-proof 形 盗難予防の, 盗難よけの.
burst-proof 形 〈錠が〉激しい衝撃に耐えられる.
child-proof 形 子供に安全な.
chip-proof 形 切れない, 割れない, 削れない.
cold-proof 形 耐寒の, 防寒の.
crash-proof 形 〈車などが〉衝突に耐える.
crush-proof 形 つぶれない〈紙箱など〉.
damp-proof 形 耐湿性の, 防湿の.
dish·wash·er-proof 形 自動皿洗い機の使用に耐える.
drip-proof 形 〈モーターなどが〉防滴の.
dust-proof 形 ごみよけの, 防塵(ぼうじん)の.
earth·quake-proof 形 耐震の.
fire-proof 形 耐火性の, 防火の.
flame-proof 形 耐炎性の, 難燃性の.
fool-proof 形 絶対故障［危険］のない.
gas-proof 形 ガスを通さない.
germ-proof 形 耐菌性の［処理をした］.
goof-proof 形 絶対に大丈夫な, 誰でも使える.
grease-proof 形 油をはじく, 防油の.
heat-proof 形 耐熱の.
hole-proof 形 〈生地・衣類が〉穴があかないように作られた.
id·i·ot-proof 形 〈機器などが〉誰でも扱える.
in·fla·tion-proof 形 インフレ防衛手段としての.
jam-proof 形 引っ掛かり防止の, 故障防止の.
lad·der-proof 形 《主に英》〈靴下が〉「伝線」しない.
leak-proof 形 〈容器などが〉漏れない, 密封の.
light-proof 形 光を通さない, 耐光性の.
mil·dew-proof 形 うどん粉病よけの; 白かびを防ぐ.
mois·ture-proof 形 防湿の.
moth-proof 形 虫に食われない, 虫のつかない.
noise-proof 形 =soundproof.
oil-proof 形 耐油(性)の.
ov·en-proof 形 〈容器が〉オーブン加熱可能な.
pick-proof 形 〈錠前が〉こじあけ防止の設計の.
quake-proof 形 耐震(性)の.
rain-proof 形 防水の, 雨よけの.
re·ces·sion-proof 形 不景気に強い［びくともしない］.
rot-proof 形 防腐の.
run-proof 形 〈靴下が〉伝線防止加工をした.
rust-proof 形 さびない, さびを防ぐ.
shark-proof 形 《限定的》サメよけの〈網・薬品など〉.
shat·ter-proof 形 (窓ガラスなどが)粉々にならない.
shell-proof 形 砲撃［爆撃］に耐える, 防弾の.
shock-proof 形 〈時計・機械装置などが〉耐震(性)の.
shot-proof 形 防弾の.
show·er-proof 形 (衣服・織物などが)防水処理された.
shrink-proof 形 〈布などが〉洗っても縮まない.
skid-proof 形 〈路面・タイヤなどが〉スリップしない.

smoke·proof 形 〈ドア・部屋などが〉防煙の.
sound·proof 形 〈壁などが〉防音の.
spill·proof 形 〈容器などが〉(密封されて)中身がもれないようになっている.
spin·proof 形 〈飛行機が〉きりもみ防止設計の.
splin·ter·proof 形 砲弾破片を通さない [防ぐ].
stain·proof 形 よごれ [さび] 防止の.
stock·proof 形 〈柵(さく)などが〉家畜を通さない.
storm·proof 形 暴風雨に耐える, 風よけ [耐風] の.
sun·proof 形 《限定的》日光を通さない.
tam·per·proof 形 〈包装などが〉いたずら防止の.
teach·er-proof 形 どんな先生でも使える.
theft·proof 形 盗難の恐れのない, 盗難防止の.
time·proof 形 耐久性のある, すたれない.
trou·ble·proof 形 〈人が〉容易に動じない, 傷つかない.
ve·to-proof 形 (特に, 大統領の)拒否権を覆す.
vi·bra·tion-proof 形 耐振の, 振動しない.
wa·ter·proof 形 水を通さない.
wear·proof 形 〈衣類・道具などが〉擦り切れない.
weath·er·proof 形 〈特に衣服が〉風雨に耐え得る.
wet·proof 形 ＝waterproof.
wind·proof 形 〈織物・コートなどが〉防風の, 耐風の.
wrin·kle·proof 形 〈服地などが〉しわにならない.

proof·ing /prúːfiŋ/

名 (防水や耐火などの)補強加工 [処理]; 補強薬品. ◇ -PROOF ⇨ -ING[1].

drówn·pròofing 名 溺死(できし)防止浮遊法.
fíre·pròofing 名 防火 [耐火] 装置を施すこと, 耐火性化.
rúst·pròofing 名 さび止めを施すこと.
wáter·pròofing 名 防水剤.

prop /prάp | prɔ́p/

動他 (支柱などで)支える. ── 名 支柱.

clóthes pròp (先端がフォーク状の)物干し柱.
pít·pròp 名 【採鉱】坑道支柱.
ùn·der·próp 動他 …を下から支える.
ùn·próp 動他 …から支柱を取り除く.

prop·a·gan·da /prὰpəgǽndə | prɔ̀p-/

名 (組織的)宣伝.

bláck propagánda (敵方に流す)偽情報.
còunter·propagánda 名 逆 [対] 宣伝; 対抗宣伝.

pro·pel·lant /prəpélənt/

名 (ロケットの)推進剤 [燃料]. ⇨ -ANT[1].

bì·pro·pél·lant 名 二元推進剤.
dì·pro·pél·lant 名 ＝bipropellant.
líquid propéllant 液体推進剤.
mòn·o·pro·pél·lant 名 単元推進剤.
sólid propéllant 固体推進剤.

pro·pelled /prəpéld/

形 《複合語》…で推進する, 動く. ⇨ -ED[1].

jét-propélled 形 ジェットエンジンで動く.
núclear-propélled 形 原子力推進の.
rócket-propèlled 形 ロケット推進式の.
sélf-propélled 形 自力で推進する, 自己推進の.

prop·er·ty /prάpərti | prɔ́pəti/

名 財産, 資産. ⇨ -TY[2].

cómmon próperty (一社会の)共有財産.
commúnity próperty 【米法律】夫婦共有財産(制).
finite intersection pròperty 【数学】(集合で)有限共通 [交差] 性.
hót próperty 《米俗》金になる人(スポーツ選手など).
intelléctual próperty 【法律】知的財産; 知的所有権.
lóst próperty 遺失物.
pérsonal próperty 【法律】動産, 人的財産.
projéctive próperty 射影的性質.
quártermaster pròperty 《米軍俗》死体.
réal próperty 【法律】物的財産, 不動産.
trichótomy pròperty 【数学】自然数 a, b に対して a が b より小さいか, a と b が等しいか, a は b より大きいかのいずれかが成り立つことを表す性質.

pro·pi·o·nate /próupiənèit/

名 【化学】プロピオン酸塩 [エステル]. ⇨ -ATE[2].

ámyl própionate プロピオン酸アミル.
cálcium própionate プロピオン酸カルシウム.
isobútyl própionate プロピオン酸イソブチル.
sódium própionate プロピオン酸ナトリウム.

pro·por·tion /prəpɔ́ːrʃən/

名 **1** 割合. **2**【数学】比例. ── 動他 …を釣り合わせる. ⇨ PORTION.

arithmétical propórtion 【数学】等差比例.
contínued propórtion 【数学】連比例.
diréct propórtion 【数学】正比例.
dìs·pro·pór·tion 名 (大きさ・数などの)不釣り合い.
divíne propórtion 【数学】【美術】黄金分割.
harmónic propórtion 【数学】調和比例.
ò·ver·pro·pór·tion 動他 不釣り合いに大きくなる.

prop·o·si·tion /prὰpəzíʃən | prɔ̀p-/

名 **1** 提案. **2**【論理】命題. ►propose の名詞形. ⇨ -POSITION.

analýtic proposítion 【論理】分析命題.
Á-proposítion 名 【論理】全称肯定命題.
básic proposítion 【医学】プロトコル(protocol).
còunt·er·prop·o·sí·tion 名 反対動議.
È-proposítion 名 【論理】全称否定命題.
idéntical proposítion 【論理】同一命題.
Í-proposítion 名 【論理】特殊肯定命題.
Ó-propòsition 名 【論理】特殊否定命題.
univérsal proposítion 【論理】全称命題.

pro·pul·sion /prəpʌ́lʃən/

名 **1** 推進. **2** 推進手段. ►propel の名詞形. ⇨ -PULSION.

cyclóidal propúlsion 【海事】サイクロイド推進.
iónic propúlsion 【ロケット】＝ion propulsion.
íon propùlsion 【ロケット】イオン推進.
jét propúlsion (飛行機などの)噴流推進.
reáction propùlsion 【航空】反動推進.
rócket propùlsion ロケット推進力.
sélf-propúlsion (車などの)自動推進(方式).

prose /próuz/

名 散文, 散文体.

polyphónic próse 多韻律散文.
púrple próse パープルプローズ: 読者の共感を得るために, 感傷や悲哀感を誇張するなどした文章 [作品].

pros·e·cu·tor /prɑ́sikjùːtər | prɔ́sikjùːtə/

㊔〘法律〙**1**(いくつかの州で郡・裁判区ごとの)検察官・地方検事. **2**訴追者. ⇨ -TOR.

cò·prós·e·cu·tor ㊔ 共同訴追官, 相検察官.
Crówn pròsecutor 《カナダ》州政府[連邦政府]検察官.
públic prósecutor 公訴官, 検察官.
spécial prósecutor 特別検察官.

pro·tec·tion /prətékʃən/

㊔ 保護, 防護, 擁護. ▶protect の名詞形. ⇨ -TION.

cathódic protéction 陰極防食(法).
cópy protèction 〘コンピュータ〙コピー防止.
cróss protéction 〘植物〙干渉効果.
dáta protèction (コンピュータの)データ保護.
electrolýtic protéction =cathodic protection.
fíre protèction 防火, 消防.
sélf-protéction 自己防衛, 自衛.
sún protéction 日焼け防止.

pro·tec·tive /prətéktiv/

㊊ 保護する, 防護[防御]する, 擁護する, 守る; 保護用の; (人を)保護する, かばう. ⇨ -IVE[1].

cry·o·pro·tec·tive ㊊ 抗凍結の; 凍結防止用の.
o·ver·pro·tec·tive ㊊ 過保護の.
ra·di·o·pro·tec·tive ㊊ 〘医学〙放射線防護の[に役立つ].

pro·tec·tor /prətéktər/

㊔ **1**保護者, 擁護者. **2**保護[防護]する物. ⇨ -TOR.

bódy protèctor 〘野球〙(捕手や主審の)プロテクター.
chéck protèctor 手形刻印機(checkwriter).
chést protèctor 〘野球〙(捕手・審判の)胸当て, プロテクター.
Héctor Protéctor (英国の伝承童謡で)ヘクタープロテクター.
Lórd Protéctor 護国卿(The Protector).
súrge protèctor サージ[電圧急上昇]保護器.

pro·tein /próutiːn, -tiin/

㊔〘生化学〙タンパク質. ⇨ -IN[2].

àp·o·pró·tein ㊔ アポタンパク質.
Bénce-Jónes prótein ベンス=ジョーンズタンパク質.
chrò·mo·pró·tein ㊔ 色素タンパク質.
cóat pròtein コート[外殻]タンパク質.
cónjugated prótein 複合タンパク質.
Ć-reàctive prótein C 反応性タンパク質.
deríved prótein 誘導タンパク質.
fè·to·pró·tein ㊔ フェトプロテイン, 胎児タンパク質.
flà·vo·pró·tein ㊔ フラビンタンパク質, 黄色タンパク.
glù·co·pró·tein ㊔ =glycoprotein.
glỳ·co·pró·tein ㊔ 糖タンパク質.
héat shòck protéin 熱ショックタンパク質.
hè·mo·pró·tein ㊔ ヘムタンパク質.
ìm·mu·no·pró·tein ㊔ 免疫タンパク.
i·ò·do·pró·tein ㊔ ヨードタンパク質.
làc·to·pró·tein ㊔ 乳タンパク質.
lìp·o·pró·tein ㊔ リポタンパク質.
líquid prótein 〘栄養〙液状タンパク質.
mèt·a·pró·tein ㊔ メタプロテイン.
mù·co·pró·tein ㊔ ムコ[粘液]タンパク質.
nòn·pró·tein ㊊ 非タンパク(性)の.
nù·cle·o·pró·tein ㊔ 核タンパク質, ヌクレオプロテイン.
pàr·a·pró·tein ㊔ パラプロテイン.
phòs·pho·pró·tein ㊔ リンタンパク質, ホスホプロテイン.
sclè·ro·pró·tein ㊔ 硬タンパク質.
sílver prótein 〘化学〙プロテイン銀.
símple prótein 単純タンパク質.
síngle-céll prótein 単細胞タンパク質.

-pro·tein·e·mi·a /pròutiníːmiə/

連結形〘病理〙タンパク血症.
★ 名詞をつくる.
◆ protein タンパク質 +-EMIA.

a·bet·a·lip·o·pro·tein·e·mi·a ㊔ 無 β リポタンパク血症.
dys·pro·tein·e·mi·a ㊔ タンパク異常血症.
hy·per·lip·o·pro·tein·e·mi·a ㊔ 高リポタンパク血症.
hy·po·pro·tein·e·mi·a ㊔ 低タンパク血(症).
par·a·pro·tein·e·mi·a ㊔ パラプロテイン血(症).

pro·test /próutest/

㊔ (…に対する)抗議, 異議の申し立て. ⇨ -TEST.

blánket pròtest 《英》(刑務所内で衣料を破り)毛布だけをまとう囚人の抗議.
dírty prótest 《特にアイル》(囚人の)不潔闘争.
sùpra·prótest ㊔ 〘法律〙参加引き受け.

-pro·tic /próutik, prɑ́t- | próu-, prɔ́t-/

連結形〘化学〙陽子の; 塩基の.
★ 形容詞をつくる.
◆ prot(on)プロトン, 陽子(<ギ *prôtos* 最初の) +-IC[1].

am·phi·pro·tic ㊊ 両性の(amphoteric).
a·pro·tic ㊊ アプロティックな, 非プロトン性の.
di·prot·ic ㊊ 〈酸が〉二陽子の.
mon·o·prot·ic ㊊ 〈酸が〉一塩基の.
pol·y·prot·ic ㊊ 多塩基の.

proud /práud/

㊊ **1**(…を)誇りに思う, 自慢にする. **2**高慢な.

house-proud ㊊ 家[家政]を自慢する.
mis·proud ㊊ 《古》高慢な, 傲慢な.
o·ver·proud ㊊ 高慢ちきな, おごり高ぶった.
piss-proud ㊊ 《俗》〈ペニスが〉朝立ちした.
purse-proud ㊊ 財産を鼻にかける, 富裕を自慢する.

-prove /prúːv/

連結形 試す, 調べる.
★ 語頭にくる形は prob-, prov-: *prob*ably「おそらく」, *prob*ate「検証する」.
◆ ラテン語 *probāre*「試みる, 調査する, 証明する, 是認する」より.

ap·prove 動他 …をよく言う; …に賛成[賛同]する.
dis·prove 動他 〈主張・断言などの〉誤りを立証する; …を無効にする.
im·prove 動他 …を改良[改善, 増進]する.
o·ver·prove 動他 …を必要以上に検証する.
pre·prove 動他 …を事前に検査する.
re·prove 動他 (特に穏やかに)注意する, たしなめる.
re-prove 動他自 再び証明[判明]する.

pro·vin·cial /prəvínʃəl/

㊊ **1**ある特定の州の, 地方の. **2**〘キリスト教〙教会管区の. ⇨ -IAL.

còm·províncial ㊊㊔ 同一大主教区の(司教).
Frénch Províncial フランス地方様式の[に似た].

P

ìnter·províncial 形 州 [県] 間の.
Itálian províncial イタリア地方風様式.

psy·chi·a·try /sikáiətri, sai- | sai-, si-/

名 精神医学, 精神病学. ⇨ -IATRY.

àn·ti·psy·chí·a·try 名 反精神医学.
biológical psychíatry 生物学的精神医学.
chíld psychíatry 児童精神医学.
dynámic psychíatry 力動精神医学.
forénsic psychíatry 裁判精神 [法精神] 医学.
nèu·ro·psy·chí·a·try 名 神経精神病学.
òr·tho·psy·chí·a·try 名 矯正精神医学, 精神矯正学.
póp psychíatry 《米》紙上精神問題相談.
sócial psychíatry 社会精神医学.

psy·chic /sáikik/

形 精神の, 精神的な. ⇨ -IC[1].
★ 語頭にくる関連形は psych(o)-: *psycho*analysis「精神分析学」.

bi·o·psy·chic 形 【心理】生体心理学的.
in·tra·psy·chic 形 【心理】精神内部の, 心理内の.
met·a·psy·chic 形 心霊研究の.
so·mat·o·psy·chic 形 肉体の精神に及ぼす影響に関する.

psy·chol·o·gy /saikúlədʒi | -kól-/

名 心理学. ⇨ -OLOGY.

abnórmal psychólogy 異常 [変態] 心理学.
áct psychólogy 作用心理学.
analýtic psychólogy =Jungian psychology.
bì·o·psy·chól·o·gy 名 生物心理学.
chíld psychólogy 児童心理学.
clínical psychólogy 臨床心理学.
cógnitive psychólogy 認知心理学.
compárative psychólogy 比較心理学.
constitútional psychólogy 体質心理学.
dépth psychòlogy 深層心理学.
developméntal psychólogy 発達心理学.
differéntial psychólogy 差異心理学.
dynámic psychólogy (力)動的心理学.
educátional psychólogy 教育心理学.
égo psychòlogy 自我心理学.
èth·no·psy·chól·o·gy 名 民族心理学.
existéntial psychólogy 実存心理学.
experiméntal psychólogy 実験心理学.
fólk psychólogy =race psychology.
Gestált psychólogy 形態心理学, ゲシュタルト心理学.
humanístic psychólogy 人間性心理学.
indivídual psychólogy 個人心理学.
indústrial psychólogy 産業心理学.
Júngian psychólogy ユング心理学, 分析(的)心理学.
máss psychólogy 大衆 [集団] 心理学.
mèt·a·psy·chól·o·gy 名 メタサイコロジー, 超心理学.
nèu·ro·psy·chól·o·gy 名 神経心理学.
occupátional psychólogy 職業心理学.
organizátional psychólogy 組織心理学.
pà·le·o·psy·chól·o·gy 名 原始 [古代] 心理学.
pàr·a·psy·chól·o·gy 名 超心理学.
physiológical psychólogy 生理心理学.
prenátal psychòlogy 出生前心理学.
ráce psychòlogy 人種心理学.
revérse psychólogy 反心理学.
sócial psychólogy 社会心理学.
sò·ma·to·psy·chól·o·gy 名 身体心理学.
strúctural psychólogy 構成心理学.
transpérsonal psychólogy 超個人心理学.

psy·cho·sis /saikóusis/

名 精神病. ⇨ -OSIS.

alcohólic psychósis アルコール精神病.
àu·to·psy·chó·sis 名 自我意識障害性精神病.
bódybuilder's psychòsis ボディービルダーの精神障害: (筋肉増強のためにステロイド剤を過度に摂取した)運動選手の精神障害.
príson psychòsis 拘禁精神病.
puérperal psychósis 産褥(さんじょく)精神病.
sénile psychósis 老年 [老人] 性精神病.
tóxic psychósis 中毒性精神病.

-pter /ptər/

連結形 翼のあるもの.
★ 名詞をつくる.
★ 語末にくる関連形は -PTERA, -PTERAL, -PTERAN, -PTERON, -PTEROUS, -PTERYGIAN, -PTERYX.
★ 語頭にくる形は pter(o)-: *pter*anodon「プテラノドン」, *ptero*dactyl「プテロダクティルス」.
◆ <ギ *-pteros*(*pterón*「翼」の形容詞派生語).
[発音] 直前の音節に第1強勢. 例外として, calypter は語頭の音節に第1強勢が置かれることもある.

ca·lyp·ter 名 【昆虫】(双翅(そう)類の)小翼.
chi·rop·ter 名 翼手類動物.
co·le·op·ter 名 コリオプター: 環状翼を有する航空機.
hel·i·cop·ter 名 ヘリコプター(《話》chopper).
or·ni·thop·ter 名 羽ばたき(飛行)機, オーニソプター.
or·thop·ter 名 =ornithopter.
syn·chrop·ter 名 交叉(こう)反転式ヘリコプター.

-pter·a /ptərə/

連結形 【昆虫】2枚の翼のあるもの.
★ 名詞をつくる.
★ 語末にくる関連形は -PTER.
★ 語頭にくる関連形は pter(o)-: *pter*anodon「プテラノドン」, *ptero*dactyl「プテロダクティルス」.
◆ ギリシャ語 *dípteros*「2枚の翼のある」より. ⇨ -A[1].
[発音] 直前の音節に第1強勢.

Co·le·op·ter·a 名 鞘翅(しょうし)目, 甲虫目.
Dip·ter·a 名 双翅(そう)目.
He·mip·ter·a 名 半翅(はん)目.
Het·er·op·ter·a 名 異翅(い)類.
Ho·mop·ter·a 名 同翅(どう)類.
Lep·i·dop·ter·a 名 鱗翅(りん)目.

-pter·al /ptərəl/

連結形 翼のある(-pterous).
★ 形容詞をつくる.
★ 語末にくる関連形は -PTER.
★ 語頭にくる関連形は pter(o)-: *pter*anodon「プテラノドン」, *ptero*dactyl「プテロダクティルス」.
◆ ギリシャ語 *-pteros*「翼のある」より. ⇨ -AL[1].
[発音] 直前の音節に第1強勢.

ap·ter·al 形 【建築】〈古代神殿などが〉側面柱列のない.
dip·ter·al 形 【昆虫】【植物】双翅(そう)目の.
mo·nop·ter·al 形 単列周柱堂(monopteron)(様式)の.
pe·rip·ter·al 形 〈古代神殿が〉周柱式の.
strep·sip·ter·al 形 ネジレバネ類の, 撚翅(ねん)目の昆虫の.
trip·ter·al 形 〈神殿など古典的建築物が〉三重周柱式の, 三重廊の.

-pter·an /ptərən/

連結形 …の翼を持った(-pterous).
★ 形容詞をつくる.

★ 語末にくる関連形は -PTER, -PTERON, -PTERYX.
★ 語頭にくる関連形は pter(o)-: *ptera*nodon「プテラノドン」, *ptero*dactyl「プテロダクティルス」.
◆ <ギ *-ptera*(*pterón*「翼」の形容詞派生語 *-pteros* の中性複数形より). ⇨ -AN[1].

an·i·sop·ter·an 形 〘昆虫〙不均翅(し)亜目に属する.
chi·rop·ter·an 形 〘動物〙翼手目の, 翼手類動物の.
co·le·op·ter·an 形 〘昆虫〙鞘翅(しょう)目の.
der·map·ter·an 形 〘昆虫〙ハサミムシ目の昆虫の.
der·mop·ter·an 形 〘動物〙哺乳綱皮翼(ひよく)目の.
dic·ty·op·te·ran 名 〘昆虫〙網翅類.
dip·ter·an 形 〘昆虫〙双翅(そう)目の.
e·phem·er·op·ter·an 形 〘昆虫〙カゲロウ(類)の.
he·mip·ter·an 形 〘昆虫〙半翅(はん)類の.
hy·me·nop·ter·an 形 〘昆虫〙膜翅(まく)類の.
lep·i·dop·ter·an 形 〘昆虫〙鱗翅(りん)目の.
me·cop·ter·an 形 〘昆虫〙長翅(ちょう)目の.
meg·a·lop·ter·an 名 〘昆虫〙広翅(こう)類.
neu·rop·ter·an 形 〘昆虫〙脈翅(みゃく)目の.
or·thop·ter·an 形 〘昆虫〙直翅(ちょく)類の.
ple·cop·ter·an 形 〘昆虫〙カワゲラ類の.
strep·sip·ter·an 形 〘昆虫〙ネジレバネ類の.
thy·sa·nop·ter·an 形 〘昆虫〙アザミウマ(thrips)類の.
tri·chop·ter·an 形 〘昆虫〙毛翅(もう)目の.
zy·gop·ter·an 形 〘昆虫〙均翅(きん)類の.

-pter·on /ptərən/

連結形 …の翼を持つもの.
★ 名詞をつくる.
★ 語末にくる関連形は -PTER, -PTERAN, -PTERYX.
★ 語頭にくる関連形は pter(o)-: *ptera*nodon「プテラノドン」, *ptero*dactyl「プテロダクティルス」.
◆ <ギ *-pteros*(*pterón*「翼」の中性形より). ⇨ -ON[3].

co·le·op·ter·on 名 甲虫(beetle).
dip·ter·on 名 双翅(そう)目の昆虫.
hy·me·nop·ter·on 名 膜翅(まく)類の昆虫.
lep·i·dop·ter·on 名 鱗翅(りん)目の昆虫.
mo·nop·te·ron 名 単列周柱堂.
or·thop·ter·on 名 直翅(ちょく)類の昆虫.
strep·sip·ter·on 名 ネジレバネ類, 撚翅(ねん)目の昆虫.
thy·sa·nop·ter·on 名 アザミウマ類, 総翅(そう)類の昆虫.
tri·chop·ter·on 名 毛翅(もう)目の昆虫.

-pter·ous /ptərəs/

連結形 …の翼[翅]を持った.
★ 形容詞をつくる.
★ 語末にくる関連形は -PTER.
★ 語頭にくる関連形は pter(o)-: *ptera*nodon「プテラノドン」, *ptero*dactyl「プテロダクティルス」.
◆ <ギ *-pteros*(*pterón*「翼」の形容詞派生語). ⇨ -OUS.
[発音] 直前の音節に第 1 強勢.

ap·ter·ous 形 〘動物〙〈昆虫が〉無翅(むし)の; 〈鳥が〉無翼の.
bra·chyp·ter·ous 形 〘動物〙〘鳥類〙短翼の.
co·le·op·ter·ous 形 〘昆虫〙鞘翅(しょう)目の, 甲虫類の.
dip·ter·ous 形 〘昆虫〙双翅(そう)目の.
he·mip·ter·ous 形 〘昆虫〙半翅(はん)類の.
het·er·op·ter·ous 形 〘昆虫〙異翅(い)類の.
ho·mop·ter·ous 形 〘昆虫〙同翅(どう)類の.
hy·me·nop·ter·ous 形 〘昆虫〙膜翅(まく)類の.
i·sop·ter·ous 形 〘昆虫〙シロアリ目[等翅(とう)目]の.
lep·i·dop·ter·ous 形 〘昆虫〙鱗翅(りん)目の.
mac·rop·ter·ous 形 〘動物〙大翼の; 大びれの.
me·cop·ter·ous 形 〘昆虫〙長翅(ちょう)目の.
mi·crop·ter·ous 形 〘昆虫〙有小翅の.
neu·rop·ter·ous 形 〘昆虫〙脈翅(みゃく)目の.
or·thop·ter·ous 形 〘昆虫〙直翅(ちょく)類の.
si·pho·nap·ter·ous 形 〘昆虫〙ノミ類の, 隠翅(いん)目の昆虫の.
strep·sip·ter·ous 形 〘昆虫〙ネジレバネ類の, 撚翅(ねん)目の昆虫の.
te·trap·ter·ous 形 〘昆虫〙四翅(し)の.

tri·chop·ter·ous 形 〘昆虫〙トビケラ類の, 毛翅(もう)類の.
trip·ter·ous 形 〘植物〙〈果実・種子が〉三翼の.

-pter·yg·i·an /ptərídʒiən/

連結形 〘魚類〙ひれのある.
★ 形容詞をつくる.
★ 語末にくる関連形は -PTER.
★ 語頭にくる関連形は pter(o)-: *ptera*nodon「プテラノドン」, *ptero*dactyl「プテロダクティルス」.
◆ <ギ *pterýgion*(*ptéryx*「羽根, ひれ」より). ⇨ -IAN.

ac·an·thop·ter·yg·i·an 形 棘鰭(きょっき)類の.
ac·ti·nop·te·ryg·i·an 形 (硬骨魚綱の)条鰭(じょうき)亜綱の.
cros·sop·te·ryg·i·an 形 総鰭類に属する.
mal·a·cop·te·ryg·i·an 形 (サケなど)軟鰭(なんき)目の.

pter·y·gote /téragòut/

形 〘昆虫〙有翅(ゆうし)亜綱の. ◇ COPTER, -PTERYX. ⇨ -OTE[1].

ap·ter·y·gote 形名 無翅(むし)亜綱の(昆虫).
en·do·pter·y·gote 形名 内翅(ないし)類[上目]の(昆虫).
ex·o·pter·y·gote 形名 外翅(がいし)類の(昆虫).

-pter·yx /ptəriks/

連結形 翼.
★ 名詞をつくる.
★ 語末にくる関連形は -PTER.
★ 語頭にくる関連形は pter(o)-: *ptera*nodon「プテラノドン」, *ptero*dactyl「プテロダクティルス」.

ap·ter·yx 名 キーウィ, 奇異鳥(kiwi).
ar·chae·op·ter·yx 名 始祖鳥.
pro·to·ar·chae·o·pter·yx 名 原始祖鳥.

pto·sis /tóusis/

名 〘医学〙下垂症.

bleph·a·rop·to·sis 名 眼瞼(がんけん)下垂.
gas·trop·to·sis 名 胃下垂.
splanch·nop·to·sis 名 内臓下垂.

-ptych /ptik/

連結形 折ってある部分.
★ 名詞をつくる.
◆ ギリシャ語 *ptychḗ* より.

dip·tych 名 二つ折り書板.
pen·tap·tych 名 (芸術作品の)五連作, 五部作.
pol·yp·tych 名 〘美術〙多翼祭壇画[彫刻].
trip·tych 名 〘美術〙三連祭壇画[彫刻].

-pty·sis /ptəsis/

連結形 ものを吐くこと.
★ 名詞をつくる.
★ 複数形は -ptyses.
★ 語頭にくる関連形は pty-: *pty*alin「唾液澱粉酵素」.
◆ ギリシャ語 *ptýsis* より. ⇨ -SIS.
[発音] 語頭の音節に第 1 強勢.

he·mop·ty·sis 名 〘病理〙喀血, 血痰吐出.
plas·mop·ty·sis 名 〘生物〙原形質吐出.

pub·lic /pʌ́blik/

形 公の, 公共の, 公衆の. ――名 公衆. ⇨ -IC[1].

Gréat Brítish Públic 《滑稽・皮肉》大英国民.

P

Jóe Públic 《話》一般大衆.
Jóhn Q̇. Públic 《米俗》平均[典型]的男性.
nótary públic 〔法律〕公証人.
pàr·a·púb·lic 形 《主にカナダ》〈労働者が〉半官半民の.
quà·si-púb·lic 形 〈組織などが〉準公共的な.
sèm·i·púb·lic 形 半公共的な; 半官半民の.

pub·lish /pʌ́bliʃ/

動他 〈書籍・雑誌などを〉出版[刊行, 発行]する. ⇨ -ISH[2].

co-pub·lish 動他 共同出版する.
mi·cro·pub·lish 動他自 マイクロフィルムで出版する.
pre·pub·lish 動他 〈書籍を〉刊行予定日を繰り上げて発行する.
re·pub·lish 動他 再版[再発行]する; 再発布する.

pub·lish·ing /pʌ́bliʃiŋ/

名 出版事業, 出版活動. ⇨ -ING[1].

compúter-àided públishing =desktop publishing.
désktop públishing 〔コンピュータ〕卓上出版.
electrónic públishing 電子出版.
súbsidy pùblishing 助成出版.

pud·ding /púdiŋ/

名 **1** プディング, プリン. **2** 《英》(食事の)デザート. **3** ソーセージの一種.

bág pùdding 袋に包んで煮たり蒸したりして食べるプディング.
bláck pùdding 《英・米南部》ブラッドソーセージ: 血を多量に入れて作った黒っぽいソーセージ.
blóod pùdding 《米南部》=black pudding.
brèad-and-bùtter púdding バター付きパンで作ったプディング.
cábinet pùdding キャビネットプディング.
cástle púdding カースルプディング.
Chrístmas púdding 《英》=plum pudding.
cóllege pùdding 《英》ドライフルーツ, 牛脂, スパイスを入れたプリン.
cóttage púdding カテージプディング.
Éve's púdding 《英》リンゴの層を底に敷いて焼いたスポンジケーキ.
frózen púdding 濃いカスタードクリームに木の実または砂糖漬けの果物を混ぜ, 時にシェリーなどのリキュールを混ぜて, 凍らせたデザート.
hásty púdding 《ニューイング》コーンミール粥(がゆ).
íce púdding アイスプディング.
Índian púdding トウモロコシ粉, 糖蜜(とうみつ), 牛乳, 香料を混ぜて甘く焼いたプディング.
lémon pùdding レモン風味のプディング.
líver pùdding レバーソーセージ, レバーブルスト.
mílk pùdding 《英》ミルクプディング.
nérvous púdding 《米俗》型で固めたゼラチン.
péase púdding 《主に英》ピーズプディング.
plúm púdding プラムプディング.
póck púdding 《スコット》袋で作ったプディング.
ríce púdding ライスプディング.
shímmy púdding 《米俗》ゼラチン菓子.
snów púdding レモン味のゼリー液に泡立てた卵白を加え, ふんわりとさせたプディング.
spónge pùdding 《英》スポンジ状の軽いプディング.
stéak and kídney pùdding ステーキ・アンド・キドニー・プディング.
súet púdding シュエットプディング.
súmmer púdding 《英》サマープディング.
Tóttenham púdding 《英》(残飯, 廃物を利用した)豚の飼料.
whíte púdding 淡色のソーセージ.
Yórkshire púdding 《英》ヨークシャープディング.

puff /pʌ́f/

名 **1** パイ皮; シュークリーム. **2** 膨れた部分.

créam pùff シュークリーム.
cúrry pùff カレー粉で味付けした肉と野菜をパイ皮で包み込んだマレーシアの料理.
pówder pùff (化粧用の)パウダーパフ.
pówder-pùff 形 《話》〈スポーツが〉女性向きの.
wínd-pùff 名 〔獣病理〕球腱軟腫.

-pugn /pjúːn/

連結形 闘う.
★ 語頭にくる形は pugn-: *pugn*acious「けんか早い, 好戦的な」, *pugn*acity「闘争本能」.
◆ ラテン語 *pugnāre*「闘う」より.

im·pugn 動他 …を非難攻撃する, 論駁(ろんばく)する.
op·pugn 動他 (批判・議論・行動などで)攻撃する.
re·pugn 動他 《古》…に逆らう, 抗する.

pull /púl/

動他 (…へ)引く, 引っ張る; 引いて動かす. ――名 **1** 引くこと. **2** 引く力.

béer·pùll ビールポンプのハンドル.
béll·pùll (ベルを鳴らす)取っ手, 引き綱.
cándy pùll 《米》キャンデーの会.
demánd pùll 〔経済〕インフレを引き起こす要因となる買い手資金.
dráwbar púll (機関車の)牽引(けんいん)力.
gánder pùll 《米南部》ガチョウの首抜き.
ín·pùll 名 (重力などの)内部に引く力.
lég-pùll 《話》悪ふざけ, からかい, いたずら.
lóng púll 長期間; 長期にわたる苦難[仕事].
òut·púll 動他 …より多く注目を集める.
púsh-púll 〔無線〕プッシュプル.
ríng-pùll 形 〈缶などが〉リングプルの, リングを引いてあける.
táffy pùll タフィー(taffy)作りの集まり.
wíre-pùll 動他自 陰で糸を引く, 黒幕として動く.

pull·er /púlər/

名 引く人[もの]; 引き抜く道具. ⇨ -ER[1].

crówd pùller 《話》呼び物, 人を引き寄せるもの.
náil pùller 釘(くぎ)抜き.
plúg púller 《米鉄道俗》機関士.
stríng-pùller 名 陰で糸を引く人, 黒幕.
wíre·pùller 名 wire を引く人[物]; 操り人形使い.

pul·ley /púli/

名 滑車.

cóne pùlley 円錐ベルト車, 段車.
fríction pùlley 〔機械〕摩擦車.
ídle pùlley 〔機械〕遊び車.
magnétic púlley 〔冶金〕磁気プーリー.
splít púlley 〔機械〕割りプーリ[ベルト車].

pull·ing /púliŋ/

名 引くこと; 引いて動かすこと. ⇨ -ING[1].

fódder-pùlling 名 《米南部》(飼料用に)トウモロコシの葉を引きむくこと.
púd-púlling 名 《米俗》(男の)自慰, せんずり.
stríng-pùlling 名 《話》陰で糸を引く行為, 裏面工作.
wíre·pùlling 名 操り人形を操ること.

P

pulp /pʌ́lp/

名 **1** 果肉. **2** 髄, 髄質. **3** パルプ.

chémical púlp 化学パルプ.
déntal púlp 骨髄, 歯髄.
gróundwood pùlp 砕木パルプ.
mechánical pùlp ＝groundwood pulp.
páper pùlp 製紙用パルプ.
súlfate pùlp 硫酸塩パルプ, クラフトパルプ.
súlfite pùlp 亜硫酸パルプ.
wóod pùlp 木材パルプ.

pulse /pʌ́ls/

名 **1** 脈拍. **2** 律動(音), 律動的な振動 [波動].

áero·pùlse 〘航空〙パルスジェットエンジン.
clóck·pùlse 〘電子工学〙刻時 [調歩] パルス.
electromagnétic púlse 〘物理〙電磁パルス.
ím·pulse 名 ☞
ìn·ter·púlse 名 〘天文〙インターパルス, 中間パルス.
Núclear Elèctro-Magnétic Pùlse (核爆発によって生じる)核電磁パルス.
thérmal púlse 〘物理〙熱パルス.
wáter pùlse (歯のかすなどを除くための)噴射水.

-pulse /pʌ̀ls/

連結形 押す; 強いる.
★ 語末にくる関連形は -PEL, -PULSION, -PULSIVE.
★ 語頭にくる関連形は puls-: *puls*ate「脈動する」, *pul*sation「鼓動」.
◆ <ラ *pulsus* (*pellere*「押す」の過去分詞).
[発音] -pulse に第 1 強勢.

ap·pulse 名 (一点に向かう)活発な動き.
re·pulse 動他 撃退する, 追い払う, 駆逐する.

-pul·sion /pʌ́lʃən/

連結形 押されたこと; 押すこと.
★ 名詞をつくる.
★ 語末にくる関連形は -PULSE, -PEL.
★ 語頭にくる関連形は puls-: *puls*ate「脈動する」, *pul*sation「鼓動」.
◆ <ラ *pulsiō*(*pellere*「押す」より). ⇨ -SION, -ION[1].

com·pul·sion 名 強制, 無理強い, 強迫.
ex·pul·sion 名 排除, 駆除, 駆逐.
im·pul·sion 名 推進, 衝動.
pro·pul·sion 名 ☞
re·pul·sion 名 撃退; 退却; 拒絶, 拒否; 反駁(はんばく).
ret·ro·pul·sion 名 後ろに押しやること.

-pul·sive /pʌ́lsiv/

連結形 押す…, 強いる….
★ 形容詞をつくる.
★ 語末にくる関連形は -PULSE.
★ 語頭にくる関連形は puls-: *puls*ate「脈動する」, *pul*sation「鼓動」.
◆ <ラ *pulsus*(*pellere*「押す」の過去分詞). ⇨ -IVE[1].

com·pul·sive 形 強制的な, 無理強いの.
ex·pul·sive 形 排除する, 追放する; 駆逐力のある.
im·pul·sive 形 〈人・言動が〉一時の感情に駆られた.
re·pul·sive 形 不快な, 嫌悪を感じさせる.

pump /pʌ́mp/

名 ポンプ, 揚水器; 圧縮器.

áir pùmp 空気ポンプ.
ballóon pùmp 〘医学〙バルーンポンプ.
béer pùmp (酒場の)ビールポンプ.
bílge pùmp 〘海事〙淦水(かんすい)ポンプ.
bréast pùmp 搾乳器.
cháin pùmp 鎖ポンプ.
crýo·pùmp 名 〘物理〙低温ポンプ.
díaphragm pùmp 膜ポンプ.
diffúsion pùmp 拡散ポンプ.
electromagnétic púmp 電磁ポンプ.
féed pùmp 給水ポンプ.
fílter pùmp 濾過(ろか)用ポンプ.
físh pùmp 〘漁業〙フィッシュ・ポンプ.
fórce pùmp 押し上げポンプ.
fórcing pùmp ＝force pump.
fúel pùmp 燃料ポンプ.
géar pùmp ＝lobular pump.
hánd pùmp 手押しポンプ, 手動ポンプ.
héat pùmp 熱ポンプ.
ínsulin-delívery pump 〘医学〙インシュリン放出ポンプ.
ínsulin pùmp 〘医学〙インシュリンポンプ.
líft pùmp 吸い上げポンプ.
lóbular púmp 歯車ポンプ.
lóve pùmp 《米俗》陰茎.
mícro·pùmp 名 〘医学〙マイクロポンプ.
párish púmp 村の共同井戸.
párish-púmp 形 《英》〈政治家などが〉地方根性の.
sánd pùmp 砂揚げポンプ, サンドポンプ.
scávenge pùmp 排油ポンプ.
scréw pùmp スクリューポンプ.
sínking pùmp 掘り下がりポンプ.
slúsh pùmp 《米俗》トロンボーン.
sódium pùmp 〘生理〙ナトリウムポンプ.
stéam pùmp 蒸気水揚げポンプ.
stírrup pùmp 鐙(あぶみ)ポンプ.
stómach pùmp 〘医学〙胃ポンプ, 胃洗浄器.
súction pùmp 吸い上げ [吸引] ポンプ.
súmp pùmp 排水ポンプ, サンプポンプ.
tówn púmp 《米俗》売春婦.
túrbo·pùmp 名 タービン駆動ポンプ.
vácuum pùmp 真空ポンプ.
volúte pùmp 渦巻きポンプ.
wáter pùmp 送水 [揚水] ポンプ.
wínd pùmp 風力ポンプ.
wóbble pùmp 〘航空〙補助手動燃料ポンプ.

punch[1] /pʌ́ntʃ/

名 (特にげんこつの)(…への)一打ち, (ボクシングの)パンチ. ── 動他 …を打つ. ►pounce「突然飛びかかる」とつながる音象徴語.

cóunter·pùnch 名 〘ボクシング〙カウンターブロー.
kídney pùnch 〘ボクシング〙キドニーパンチ.
rábbit pùnch 〘ボクシング〙ラビットパンチ.
súcker-pùnch 動他 《俗》いきなり殴る.
Súnday púnch 《主に米話》〘ボクシング〙ノックアウトパンチ.

punch[2] /pʌ́ntʃ/

名 **1** (切符を切る)穴あけばさみ, パンチ. **2** 〘コンピュータ〙穿孔(せんこう)器. **3** (ポンチプレスの)押し金具. ── 動他 …に(パンチで)穴をあける. ►puncheon「押し抜き具」の短縮形.

alígning pùnch 〘機械〙ドリフト, ドリフトピン.
béll pùnch 《英》ベルパンチ: 切符にパンチを入れる度にベルが鳴る切符穴あけ器.
cárd pùnch ＝keypunch.
cénter pùnch (金属細工の)センターポンチ.
cénter·pùnch 動他 …にセンターポンチで印をつける.
gáng·pùnch 動他 〘コンピュータ〙集団穿孔(せんこう)する.
kéy·pùnch 鍵盤(けんばん)穿孔(せんこう)機.
náil pùnch 釘(くぎ)じめ: 釘の頭を材面と同面(どうめん)

にする.
prè·púnch 動他 〈カードを〉前もってパンチする.
súb·púnch 動他 〈鋼材に〉仕上がり径より小さい径の穴をあける.
tápe pùnch 〖コンピュータ〗紙テープ穿孔(せんこう)機.
tícket pùnch 切符切り用はさみ.

punch[3] /pʌ́ntʃ/

名 ポンチ, パンチ, ポンス: ワインまたはブランデーにジュース, ソーダ, 水, ミルクなどを混ぜ, 砂糖・香料などで味をつけた飲料.

cóbbler's púnch コブラーズパンチ.
mílk pùnch ミルクポンチ.
plánter's púnch プランターポンチ.
Róman púnch 《英》ローマンパンチ.

punch·er /pʌ́ntʃər/

名 穴をあける人 [機械], パンチャー. ⇨ -ER[1].

bág-pùncher 《米俗》ボクサー.
Bíble pùncher 《話》伝道者.
búllock pùncher 《豪》=bull puncher.
búll pùncher 《豪》カウボーイ.
bún pùncher 《英軍俗》禁酒家.
bústle-pùncher 《俗》人込みで女性に性器をこすりつける痴漢.
clóck pùncher 単純 [機械的] 作業の従事者. 「ル.
ców·pùncher 《米・カナダ話》カウボーイ, カウガー
dónkey-pùncher 《米俗》donky engine「補助エンジン」の操作係(donkeyman).
dóugh-pùncher 《米俗》(陸・海軍の)パンを焼く人.
fréckle-pùncher 《豪俗》男の同性愛者, ホモ.
píllow-pùncher 《米俗》部屋係のメード.

P

-punc·tion /pʌ́ŋkʃən/

連結形 突かれたもの [こと], さされたもの [こと].
★ 名詞をつくる.
★ 語頭にくる関連形は punct-: *punct*ilious「堅苦しい」, *punct*ual「時間厳守」.
◆ <ラ *pūnctus*(*pungere*「突く, さす」の過去分詞). ⇨ -TION.
[発音] -punction の第 1 音節に第 1 強勢が置かれる.

com·punc·tion 名 良心の呵責(かしゃく); 後悔, 悔恨.
ex·punc·tion 名 除去, 削除, 消去, 抹消.
in·ter·punc·tion 名 句読法; 句読点 [記号].

punc·ture /pʌ́ŋktʃər/

名 **1** (とがった物などで)刺すこと, 穴をあけること; 《主な英》(タイヤなどの)パンク. **2** 〖医学〗穿刺(せんし). ⇨ -URE[1].

ác·u·pùnc·ture 名 (東洋医学の)鍼(はり)療法.
e·lèc·tro·ác·u·pùnc·ture 名 電気鍼(はり)療法, 電気針.
lúmbar púncture 腰椎穿刺(ようついせんし).
mì·cro·púnc·ture 名 微小穿刺(せんし)(法).
quáck·er·pùnc·ture 名 =quackupuncture.
quáck·u·pùnc·ture 名 いかさま鍼(はり)療法.
slów púncture しだいに空気の抜けていくパンク.
stá·ple·pùnc·ture 名 ステープルはり療法.
vén·e·pùnc·ture 名 =venipuncture.
vén·i·pùnc·ture 名 静脈注射 [穿刺(せんし)].

pun·ish·ment /pʌ́niʃmənt/

名 (罪・過ちなどに科せられる)罰, 処罰, 刑罰. ⇨ -MENT.

canónical púnishment 〖教会〗教会法に基づいた刑罰.
cápital púnishment 極刑, 死刑.
córporal púnishment 〖法律〗体罰.
creátive púnishment 建設的処罰.
sélf-púnishment 名 自己処罰 [懲罰], 自罰.

pu·ni·tive /pjúːnətiv/

形 処罰 [刑罰] のための, 懲罰的な, (刑)罰を科する; 応報の; 〈課税が〉過酷な. ⇨ -ITIVE.

ex·tra·pu·ni·tive 形 〖心理〗外罰(型)の.
im·pun·i·tive 形 〖心理〗無罰(型)の.
in·tro·pun·i·tive 形 〖心理〗内罰(型)の, 自罰(型)の.

punk /pʌ́ŋk/

名 **1** 《俗》無価値な人 [もの]. **2** 〖音楽〗パンクロック. **3** パンクスタイル.

cýber·pùnk サイバーパンク: コンピュータ管理の未来社会を描く SF 分野.
gárage pùnk ガレージ: ハウスミュージックの一種.
góth pùnk 〖音楽〗ゴスパンク.
pòst-púnk ポストパンクロック.
splátter pùnk スプラッターパンク: 残酷な SF もの.
stéam·pùnk スティームパンク: 19 世紀を舞台にした SF 小説. 「員.
whístle-pùnk (伐採で)笛で合図を送る役の作業

pup·py /pʌ́pi/

名 (特に 1 歳未満の)子犬, 犬ころ. ⇨ -Y[2].

búmble·pùppy 〖トランプ〗ルールや約束ごとを忠実に守らないで気楽に遊ぶホイストの一種.
húsh pùppy 《主に米南部》トウモロコシ粉の甘味のない揚げ菓子.
múd·pùppy 名 〖動物〗マッドパピー.
sánd pùppy 〖動物〗ハダカデバネズミ.
scút pùppy 《米俗》病院のインターン(intern).

pur·chase /pə́ːrtʃəs/

動他 購入する; 買う; 〈人に〉〈物を〉買ってやる. ── 名 **1** 購入, 買い入れ. **2** 滑車 [装置], てこ. ⇨ CHASE.

Aláska Púrchase 〖米史〗アラスカ購入.
Béll pùrchase 〖物理〗ベル式増力装置 [滑車].
cánt pùrchase 鯨の脂肪皮取り作業用の複滑車.
cóunt·er·pùr·chase 名 (貿易取引での)反対購入, 見返り輸入.
dóuble púrchase 〖海事〗ガンテークル(gun tackle).
fóurfold púrchase 四輪増力滑車.
Gádsden Púrchase 〖米史〗ガズデン購入地域.
híre púrchase 《英》分割払い購入制度.
ímpulse pùrchase 衝動買い.
léase-púrchase 賃借り満期購入方式: 満期前に購入を希望する際にはそれまでに支払った賃借り料を価格から差し引く.
lóng pùrchase 〖株式〗強気買い.
Louisiána Púrchase 〖米史〗ルイジアナ購入.
mínimum púrchase 《米》(ガソリンの)1 回の最低販売量 [購買量].
rè·púr·chase 動他 再び買う, 買い戻す.
thréefold púrchase 三輪 [三枚] 滑車装置, 三重複滑車.
twófold púrchase 二輪 [二枚] 滑車装置.

pure /pjúər/

形 不純物のない, 純粋な; きれいな, 清い.

im·pure 形 不潔な, 汚い; 不純な.
si·mon-pure 形 本物の, 正真正銘の, 真正の.
ul·tra·pure 形 きわめて純粋な, 超高純度の.

un·pure 形 ＝impure.

purge /pə́ːrdʒ/

動他 清める, 浄化する; …から(不純なものを)取り除く; 〈不純なものを〉(…から)取り除く. ──名(不純分子の)追放, 粛正, パージ.

blóod pùrge 死の追放, 血の粛清.
de·púrge 動他 …の追放を解除する, パージを解く.
Príde's Púrge 【英史】プライドの追放.

pur·ple /pə́ːrpl/

名 **1** 紫色, パープル. **2** 深紅色.

bánded púrple 【昆虫】タテハチョウ科のチョウ.
em·púr·ple 動他自 …を紫色にする［染める, 塗る］; 紫色になる［染まる］.
réd-spòtted púrple 【昆虫】タテハチョウ科のチョウ.
róyal púrple 青みがかった深紫色.
Swíss púrple 《米俗》エルエスディー(LSD): 強力な幻覚剤の一種.
Týrian púrple ティリアン・パープル, 古代紫.
vísual púrple 【生化学】ロドプシン, 視紅.

pur·pose /pə́ːrpəs/

名 (物などの)目的, 用途.

all-pur·pose 形 用途の広い, 汎用(はんよう)の.
a·pur·pose 副 《話》わざと, 故意に.
cross-pur·pose 名 相反［矛盾］する目的［意図］.
du·al-pur·pose 形 2つの機能を兼ねる.
gen·er·al-pur·pose 形 ＝all-purpose.
mul·ti·pur·pose 形 多用途の, 多目的の.

purse /pə́ːrs/

名 **1**《米・カナダ》(婦人の)ハンドバッグ. **2** 財布, がま口.

chánge pùrse 小銭入れ.
cút·pùrse 《古風》すり.
electrónic púrse 電子財布.
mérmaid's púrse 【魚類】サメの掛け守り.
prívy pùrse 《英》国王手元金.
públic púrse 国税.
séa pùrse (エイ・サメの角質の)卵殻.
shépherd's-púrse 【植物】ナズナ, ペンペングサ.

purs·lane /pə́ːrslin, -lein | -lin/

名【植物】スベリヒユ.

mársh pùrslane セイヨウミズユキノシタ.
séa pùrslane ハマアカザ属の海岸の砂地に生える一年草の総称; 特にホコガタアカザ.
wáter pùrslane スベリヒユに似た湿地植物の総称.
wínter púrslane ツキヌキヌマハコベ.

-pus /pəs/

連結形 …の形態［…本］の足を持った.
★ 名詞をつくる.
★ なお, Olympus(山名)はギリシャ語 *Ólympos* で, ここに入らない.
★ 語末にくる関連形は -POD.
★ 語頭にくる関連形は ped(i)-, pedo-, pod(o)-: *pe*dometer「万歩計」, *pod*algia「足痛」.
◆ ＜近代ラ＜ギ *poús* 足.
[発音] 語頭の音節に第1強勢.

A·pus 名 【天文】ふうちょう(風鳥)座.
Di·pus 名 【動物】ミユビトビネズミ属.
oc·to·pus 名 タコ.
plat·y·pus 名 カモノハシ.
rhi·zo·pus 名 【菌類】クモノスカビ.
xen·o·pus 名 ゼノプス: アフリカツメガエル属のカエルの総称.

push /púʃ/

名 **1** 押す［突く］こと. **2** 押しボタン

béll pùsh ベルの押しボタン.
cóst-pùsh 形名 コストインフレ(の).
lórry pùsh 《英》トラック押し.
ócto·pùsh オクトプッシュ, 潜水ホッケー.
quíck púsh 《米俗》お人よし.
stáble pùsh 《米競馬俗》内部情報［通報］.

push·er /púʃər/

名 押す人［物］; 推進器. ⇨ -ER[1].

cóokie-pùsher 《米俗》女々しい男(wimp).
díamond-púsher (機関車の)火夫, かまたき.
dópe pùsher 《俗》麻薬密売人.
drúg·pùsher 《話》麻薬の売人.
góspel-pùsher 《米俗》説教者, 牧師.
gréase-pùsher 《米演劇俗》メーキャップ係.
páper-pùsher 《話》(実質的な意味のない)事務書類の作成・整理などを仕事にしている人; 官僚, 官吏.
pávement pùsher 《英俗》大道商人.
péncil pùsher 《話》帳簿係, 事務員, 記者など.
pén pùsher 《話 / 侮辱的》＝pencil pusher.
píll pùsher 《俗》(特に患者を薬漬けにする)医者.
púnk-pùsher 《米俗》サーカスで働く少年たちの監督.
sháre·pùsher 《英話》(しばしば不良株を押しつける)強引な株式セールスマン.
stréet pùsher 《米俗》路上で麻薬を売る売人.
thúmb-pùsher 《米俗》ヒッチハイカー.
tóol pùsher 《俗》油井の掘削作業監督(者).
wóod-pùsher 《米俗》(へぼな)チェスプレーヤー.

push·ing /púʃiŋ/

名 **1** 強要; 売り込み. **2** (ペンなどを)走らせること. ◇ PUSHER. ⇨ -ING[1].

pén-pùshing 《話 / 侮辱的》pencil pusher「帳簿係, 事務員, 記者」の仕事.
sháre-pùshing 強引な(不良)株の売り込み.
squáre pùshing 《英俗》求愛, 言い寄り.

puss /pús/

名《俗》顔, 面.

dréam pùss 《米俗》すてきな異性, デートするのにちょうどよい相手(dream bait).
drízzle-pùss 名 《米俗》退屈な人.
glámour pùss 《俗》顔立ち抜群の美女.
píckle·pùss 名 《米俗》むっつりした人, 陰気なやつ.
sóur·pùss 名 《話》(よく渋い顔をする)気難しい人.
vínegar pùss 《米俗》醜い人.

put /pút/

動他 …を(ある状態に)置く. ──名(砲丸投げなどの)投げ.

éx·pùt 名 【コンピュータ】エクスプット.
ìn·pút 名 投入; 【コンピュータ】入力.
óff·pùt 動他 《英話》〈人を〉当惑させる.
óut·pùt 名 生産; 【コンピュータ】出力.

P

shót pùt 砲丸投げ.
stáy-pùt 名 ホールドアップ: ガーターなしで履くストッキング.
thróugh·pùt 名 処理量, スループット.
thrú·pùt 名 =throughput.

-pute /pjúːt/

連結形 考える, 計算する.
★ 語頭にくる関連形は put-: *put*ative「推定される」.
◆ ラテン語 *putāre*「考える, 計算する」より.

com·pute 動他〈数・量などを〉(…と)計算する.
de·pute 動他〈人を〉代理に命ずる.
dis·pute 動自 (人と)(…を)論争する, 議論する.
im·pute 動他〈性質・属性などを〉(…に)帰する.
re·pute 名 評判, 世評.

put·ty /pʌ́ti/

名 【建築施工】パテ: 胡粉(ごふん)(whiting)と亜麻仁(あまに)油の混合物. ⇨ -Y[4].

íron pútty 鉄パテ.
jéwelers' pútty パテ粉(putty powder): 主に酸化錫(すず)から成る研磨剤.
plásterer's pútty 左官用パテ.
réd-lèad pútty 赤パテ.
Sílly Pùtty 《商標》シリーパテ: 伸縮・変形などが自由自在にできる粘土様のもの.

puz·zle /pʌ́zl/

名 判じ物, パズル. ⇨ -LE[1].

Chínese púzzle 非常に込み入ったパズル.
cróssword pùzzle クロスワードパズル.
dírty púzzle 《米俗》だらしない女.
jígsaw pùzzle ジグソーパズル.
mónkey pùzzle 【植物】チリマツ.
pícture pùzzle =jigsaw puzzle.
wíre pùzzle 知恵の輪.

pyr·a·mid /pírəmìd/

名 **1** (古代エジプトの)ピラミッド. **2** ピラミッド形のもの. ⇨ -ID[1].

bi·pýramìd 名 【結晶】両錐(りょうすい).
di·pýramìd 名 【結晶】=bipyramid.
ecológical pýramid 【生態】生態的ピラミッド.
fóod pỳramid 【生態】食生ピラミッド.
populátion pỳramid 【社会】人口ピラミッド.

py·ri·tes /pairáitiːz, pi-, páiraits | paiər-, piər-/

名 【鉱物】**1** 黄鉄鉱(pyrite). **2** 硫化金属鉱の総称. ⇨ -ES[3].

cópper pyrítes 黄銅鉱.
íron pyrítes 黄鉄鉱.
magnétic pýrites 磁流鉄鉱.
tín pyrítes 黄シャク(錫)鉱, 流シャク石.

P

Q

quad /kwád | kwɔ́d/

名 〖印刷〗クワタ: 活版印刷で用いる込め物の一種.

ém quád 全角.
én quàd 半角.
nút quàd 二分クワタ, 半角込め物.

quail /kwéil/

名 〖鳥類〗ウズラ; 《米俗》(魅力的な)若い女性, 女の子.

bústard quàil ＝button quail.
bútton quàil ミフ(三斑)ウズラ.
Califórnia quáil カンムリウズラ.
Canádian quáil 《米麻薬俗》クエイルード.
Gámbel quàil ズアカ(頭赤)カンムリウズラ.
hárlequin quàil シロタマウズラ.
Jápanese quáil ニホンウズラ.
júngle búsh quàil ヤブウズラ.
móuntain quàil ツノウズラ(角鶉).
Sàn Quéntin quáil 《俗》承諾年齢に達していない少女.
scáled quáil ウロコ[アミメ]ウズラ.

quake /kwèik/

動自 〈人が〉(寒さ・恐怖などで)震える, おののく, (…に)身震いする. ──名 《話》〖地質〗〖天文〗地震(earthquake).

ànti·quáke 形 地震予防の; 地震対策の.
córe·quàke 天体の中心核で発生する構造崩壊的大震動.
crúst·quàke 天体(惑星・恒星など)の表面・外殻で発生する構造崩壊的大震動.
éarth·quàke 地震.
íce·quàke 氷震. 「動.
Márs·quàke 火星の地震, 火星表面の大きな震
mí·cro·quàke 名 微小地震.
móon·quàke 月震, 月の地震.
séa·quàke 海底地震.
sílent quáke 無声地震.
stár·quàke 星震.
yóuth·quàke (1960–70年代の)若者の反乱.

qual·i·ty /kwáliti | kwɔ́l-/

名 (物・事の)特性, 特質, 属性; (人の)素質, 資質. ⇨ -ITY.

conversátional quálity (演説で)自然で打ち解けた話し方.
e-quálity 名 等しいこと; 平等, 対等.
létter-quàlity 形 〈プリンター・印字が〉レタークオリティーの.
prímary quálity 〖論理〗第一性質.
ŕ-quàlity 名 〖音声〗r 音質(r-color).
sécondary quàlity 〖論理〗第二性質.
tòtal quálity 〖経営〗トータルクオリティ(マネージメント).

quark /kwɔ́ːrk, kwɑːrk | kwɑːk/

名 〖物理〗クォーク.

án·ti·quàrk 名 反クォーク.
béauty quàrk ＝bottom quark.
bóttom quàrk ボトムクォーク.
b́-quàrk ＝bottom quark.
chármed quárk チャームクォーク.
ć quàrk ＝charmed quark.
dówn quàrk ダウンクォーク.
d́ quàrk ＝down quark.
ś quárk ＝strange quark.
squàrk 名 超対称クォーク(supersymmetry quark).
stránge quárk ストレンジクォーク.
tóp quàrk トップクォーク.
t́ quàrk ＝top quark.
trúth quàrk ＝top quark.
úp quàrk アップクォーク.
ú quàrk ＝up quark.

quar·ter /kwɔ́ːrtər/

名 **1** 4分の1. **2**〖天文〗弦. **3** 地域, 地方, 場所. ⇨ -ER².

bláck quárter 〖獣病理〗黒脚症(blackleg).
Émpty Quàrter ルブアルハーリ砂漠.
fírst quárter 〖天文〗(月の)上弦(の期間).
fóre·quàr·ter 名 (牛肉・羊肉などの)半身の前部.
fóurth quárter ＝last quarter.
Frénch Quàrter (米国ニューオーリンズの)フレンチ・クォーター.
gránd quárter 〖紋章〗盾形の十字4分割の一つがさらに4分割されたもの.
hínd·quàrter 〖畜産〗後(ご)四分体, とも.
lást quárter 〖天文〗下弦.
Látin Quàrter (Parisの)カルチェ・ラタン, ラテン区.
pronóminal quárter 〖紋章〗複数の紋章を組み合わせた紋章図形のうち, その家系を代表する第一クォーターの父系の紋章.
sécond quárter 〖天文〗衝.
súb·quàr·ter 名 〖紋章〗盾の4分の1をさらに4分割した一区画.
thírd quàrter 〖天文〗満月から下弦までの期間.
thrée-quárter 形 (全体や普通の長さの)4分の3の.

quar·ters /kwɔ́ːrtərz/

名複 quarter「地域; 区域」の複数形.

clóse quárters 狭苦しい[窮屈な]場所.
géneral quárters 〖軍事〗総員配置.
héad·quàrters 名複 本部, 本営, 本署, 本局, 本社.
lámb's-quàrters 名複 《米》〖植物〗シロザ, シロアカザ.
wínter quárters 越冬場所; (特に軍隊などの)冬営地.

quar·to /kwɔ́ːrtou/

名 〖製本〗四つ折り判, クォート判. ◇ -MO.

crówn quárto 《主に英》クラウンクォートー.
médium quárto 《主に英》中型四つ折り判.
vigésimo-quárto 名形 24折り判(twenty-fourmo)(の).

quartz /kwɔ́ːrts/

名 石英.

fúsed quártz 溶融石英, 石英ガラス.
raínbow quártz 〖鉱物〗アイリス(iris).
róse quártz 紅石英.
shócked quártz 衝撃石英.
smóky quártz 煙水晶.
stár quártz 〖宝石〗スタークォーツ, 星彩石英.
yéllow quártz 黄水晶.

-quat /kwɑt | kwɔt/

連結形 〖植物〗…柑; …橘.
◆ 中国語「柑」より.

cum·quat 名 =kumquat.
kum·quat 名 ☞
lime·quat 名 ライムカット.
lo·quat 名 ビワ.

queen /kwíːn/

名 女帝, 女王; 女首長. ―― 動他 …を女王にする.

béauty quèen 美人コンテストの女王.
búbble quèen 《米俗》クリーニング店で働く女の子.
bútterfly quèen (相手との)オーラルセックスを好む男の同性愛者.
cámpus quèen 《米話》美人で人気のある女子大生.
chícken quèen 《米俗》少年を好むホモの男.
clóset quèen 《俗 / 話》同性愛であることを隠しているホモの男.
còme-quéen 《米俗》フェラチオ好きの人.
dínge quèen 《米俗》(相手として)黒人を好むホモ.
dísh quèen 《俗》人の悪口を言うホモ.
drág quèen 《米俗》女装好きのホモ.
fóot quèen 《米俗》足に興奮するホモ.
Íce Quèen 《特に米話》冷たく高慢な女.
máin quéen 《米俗》本命の女友達.
Máy quèen 五月の女王: May Day の遊戯で, 花の冠をかぶせられる少女.
prívy quèen 《俗》公衆トイレ専門のホモ.
quéer quéen 《米俗》女の同性愛者.
ráce quèen レース･クイーン: 自動車競走の女王.
scréaming quéen 《俗》明らかにホモと分かる男.
síze quèen 《米俗》ペニスの大きさにこだわるホモ[女].
súck quèen 《米俗》フェラチオ好きのホモ.
tóe-jàm quèen 《米同性愛俗》足フェチのホモ.
tóilet quèen 《俗》(相手を求めて)男子用公衆便所に出入りするホモ.
ùn·quéen 動他 …から女王の位を奪う.
více-quéen 副女王; 副王の妻(vice-reine).
Vírgin Quéen 処女王: 英国女王 Elizabeth I の通称.

ques·tion /kwéstʃən/

名 **1** 質問, 問い. **2** 問題. ―― 動他 〈人に〉尋問する. ⇨ -TION.

altérnative quèstion 〖文法〗選択疑問文.
króss-quéstion 動他 …を反対尋問する.
di·no·ques·tion 名 恐竜に関する質問[疑問].
Éastern Quèstion 《もと》東方問題.
écho quèstion 〖文法〗問い返し疑問文.
éssay quèstion 論文式試験問題, 論文式設問.
góod quéstion 考えさせる質問.
informátion quèstion =WH-question.
Írish Quéstion アイルランド問題.
léading quéstion 誘導尋問.
ópen quéstion 解決していない問題.
polítical quéstion 〖法律〗政治的問題, 統治行為.
prévious quéstion 〖議会〗先決問題.
rhetórical quéstion 修辞(的)疑問, 反語(文).
síxty-fòur-dóllar quéstion 《話》非常に重大な問題.
síxty-fòur-thòusand-dóllar quéstion =sixty-four-dollar question.
tág quèstion 〖文法〗付加疑問.
ẂH-quèstion 〖文法〗特殊疑問, WH 疑問(文).
X́-quèstion 〖文法〗特殊疑問.
yés-nó quèstion 〖文法〗一般疑問, yes-no 疑問(文).

quick /kwík/

形 敏速な; 急速な, 素早い. ―― 副 《話》素早く.

dóuble-quíck 形 非常に速い, 大急ぎの.
gét-rích-quíck 形 手早くもうける.
jíffy-quìck 副 すぐに(in a jiffy).
kíllme·quìck 名 《米俗》強い酒.
kíss-me-quìck 名 (19 世紀に流行った)ボンネット帽.
óver·quíck 形 すぐに…しすぎる.

quilt /kwílt/

名 **1** キルト. **2** (特に厚手の)ベッドカバー, ベッド掛け.

béd·quìlt キルティングしたベッドカバー.
continéntal quílt 《英》羽毛入りの bedquilt.
crázy quìlt 《もと米》形の不ぞろいな寄せ切れでできた掛け布団.
fríendship quìlt 記念の贈り物として友人が集まって縫い合わせるキルト.
pátch quìlt 《アイル》パッチワークのキルト.

-quin /kin/

接尾辞 オランダ語の指小辞 *-ken* がフランス語を経由して英語に入ったもの.

cran·ne·quin 名 石弓(crossbow)を曲げるための持ち運びできる装置.
lam·bre·quin 名 (中世の)かぶとの被布[日よけ].
man·ne·quin 名 マネキン人形.
ram·e·quin 名 〖料理〗ラムキン, ラムカン.

qui·none /kwinóun, ⌐ ─/

名 〖化学〗キノン. ⇨ -ONE^1.

an·thra·qui·none 名 アントラキノン.
ben·zo·qui·none 名 ベンゾキノン.
hy·dro·qui·none 名 ヒドロキノン, ハイドロキノン.
phe·nan·thra·qui·none 名 =phenanthrenequinone.
phe·nan·threne·qui·none 名 フェナントレンキノン.
phyl·lo·qui·none 名 フィロキノン.
plas·to·qui·none 名 プラストキノン.
sem·i·qui·none 名 セミキノン.
u·bi·qui·none 名 ユビキノン(coenzyme Q).

-quire /kwáiər/

連結形 捜す; 得る.
★ 語末にくる関連形は -QUISITION.
★ 語頭にくる形は quest-: *quest*ion「疑問」.
◆ <ラ *-quirere* (*quaerere*「捜す, 得る」の連結形).

ac·quire 動他 〈財産・権利などを〉取得する.
en·quire 動他自 =inquire.
in·quire 動他自 (…を)(人に)尋ねる, 問う.
re·quire 動他 〈人・事情などが〉必要とする.

-qui·si·tion /kwəzíʃən/

Q

連結形 探されたもの［こと］，手に入れられたもの［こと］.
★ 名詞をつくる.
★ 語末にくる関連形は -QUIRE.
★ 語頭にくる関連形は quest-: *quest*ion「疑問」.
◆ ＜ラ *quīsītus* (*quaerere*「探し求める，手に入れる」より). ⇨ -ITION.
［発音］-quisition の第 2 音節に第 1 強勢が置かれる.

ac·qui·si·tion 名 取得，獲得，習得.
dis·qui·si·tion 名 (形式の整った)論文，論説.
in·qui·si·tion 名 (特に政治上・宗教上の)公の調査.
per·qui·si·tion 名 徹底捜査.
req·ui·si·tion 名 (…を)要求［請求，命令］すること.

quo·ta·tion /kwoutéiʃən/

名 **1** 引用語句［文］. **2**〘商業〙相場. ►quote の名詞形. ⇨ -ATION.

fórward quotátion 〘商業〙先物相場.
mìs·quo·tá·tion 名 間違った引用(をすること).
quà·si-quo·tá·tion 名 〘論理〙準引用.
spót quotàtion 〘経済〙現物相場.

quote /kwóut/

動他 **1**〈語句などを〉(本・作家などから)引用する. **2** …の値をつける，見積もる. ──名〘金融〙相場，歩合表，取引価格.

áir quóte (皮肉・こっけいなどを表して)手で空中に書かれる引用符.
clóse quóte 引用文［句］の終わりにつける引用符(' または ").
cúff quòte (証券など金融商品価格の)非公式相場.
dúckfoot quòte 〘印刷〙ギュメ.
mis·quóte 動他自 誤った引用をする.
ópen quóte 引用文の開始を示す引用符(" または ').
púll-quòte (新聞・雑誌の)抜粋見出し.
ùn·der·quóte 動他〈仕入れ品・商品などを〉市価よりも安く売る；値引く.
ùn·quóte 動自 引用文を終わる，括弧閉じる.

quo·tient /kwóuʃənt/

名〘数学〙商.

accómplishment quòtient 〘心理〙＝achievement quotient.
achíevement quòtient 〘心理〙成就指数.
differéntial quótient 〘数学〙導関数，微分係数.
encephalizátion quòtient 〘生物〙脳重量比.
intélligence quòtient 〘心理〙知能指数.
réspiratory quòtient 〘生理〙呼吸商［率］.

R

rab·bit /rǽbit/

名 ウサギ，アナウサギ.

Américan Rábbit アメリカンラビット: S.Moskwitz が生み出したウサギのキャラクター.
Angóra rábbit アンゴラ(ウサギ).
Brér Rábbit ブレアラビット: 米国の南部黒人の民間伝承に登場するウサギ.
Énglish rábbit イングリッシュ・ラビット.
Européan ràbbit アナウサギ.
jáck ràbbit 《米》ジャックウサギ.
jáck·ràbbit 形 急発進の，急にスタートする.
Péter Rábbit ピーターラビット: Beatrix Potter の童話の主人公のウサギ.
róck ràbbit (イワ)ハイラックス，イワダヌキ.
swámp ràbbit ワタオウサギ(cottontail)の総称.
volcáno ràbbit メキシコウサギ.
Wélsh rábbit ウェルシュラビット.
wóod ràbbit ワタオウサギ(cottontail).

race[1] /réis/

名 競走.

accéptance ràce ＝allowance race.
allówance ràce 《英》〘競馬〙定量レース.
América's Cúp Ràce 〘ヨット〙アメリカズカップ・レース.
árms ràce 軍拡［軍備拡張］競争.
báll ràce 〘機械〙ボールレース.
banána ràce 《米俗》八百長レース.
bárrel ràce (ロデオの)樽(たる)競走.
bárrel-ràce 動自 (ロデオの)樽(たる)競走に参加する.
bícycle ràce 自転車競技.
bóat ràce ボートレース.
búmping ràce 《英》追突ボートレース.
cláiming ràce 《米・カナダ》〘競馬〙売却競馬.
clássic ráce 《英》クラシックレース: 明け四歳馬による五大競馬の一つ.
drág ràce 《俗》ドラッグレース，加速競走.
drúgstore ràce 《米俗》薬物をかませた馬が出走するレース.
égg-and-spóon ràce (スプーンに卵を載せて走る)卵運び競走.
endúrance ràce (自動車の)耐久レース.
flát ràce 〘陸上競技〙〘競馬〙平地の競走.
fóot·ràce 徒競走，駆けっこ.
hárness ràce 繋駕(けいが)競走.
héad·ràce (水車・タービンなどの)導水路.
hórse ràce 競馬.
míll·ràce 水車用導水路.
núrsery ràce 〘競馬〙3 歳馬競走.
óbstacle ràce 障害物競走.
òut·ráce 動他 …に競走で勝つ；より速く走る.
páncake ràce 《英》パンケーキ競走.
pláte ràce 《英》賭(か)け金より金［銀］杯を争奪する競馬［競技］.
póst ràce 〘競馬〙ポーストレース.
potáto ràce ポテトレース: ジャガイモをスプーンにのせて運ぶ競技.
próduce ràce 〘競馬〙産駒(さんく)競走.
pursúit ràce (一定間隔をあけてスタートする)自転車競走.
rát ràce 《話》(愚かで)激しい出世競争.
rélay ràce リレー競走［競技］，継走，リレー.
sáck ràce サックレース，袋競走.
sélling ràce 《英》売却競走.
shéep ràce 《NZ》入口から洗羊槽まで羊が一列縦隊で進める通路.

spáce ràce (米国と旧ソ連間の)宇宙開発競争.
stáke ràce 〔競馬〕ステーク競走, ステークス.
táil·ràce (水車などの)放水路.
thrée-lègged ráce 二人三脚(競走).
tíde ràce 速い潮流, 強潮流.
tórch ràce 〔古代ギリシャ〕たいまつ競争.
trótting ràce 繋駕(けいが)速歩(はやあし)競走.
wáter ràce (工業用)水路.
wélter ràce 〔競馬〕特別重量負荷競馬.
whéelbarrow ràce 「手押し車」.
whéel·ràce (水路の)水車設置場所.

race[2] /réis/

名 一族, 血族, 氏族; 子孫; 家系, 血統.

bláck ráce ニグロ系の人.
Grimáldi ràce 〔人類〕グリマルディ人.
húman ráce 人類.
máster ràce 支配者民族, 至上人種.
súp·er·ràce 名 他より優れているとみなされる民族.
yéllow ráce 黄色人種.
whíte ráce 白色人種.

ra·cial /réiʃəl/

形 人種の［に特有の］, 人種［民族］上の. ⇨ -IAL[1].

bi·ra·cial 形 二つの異人種から成る, 二人種の.
in·ter·ra·cial 形 二つ以上の人種にかかわる.
mul·ti·ra·cial 形 多民族の［から成る, を代表する］.
non-ra·cial 形 非人種［民族］的な.
trans·ra·cial 形 異人種間の, 複数の人種にまたがる.

rac·ing /réisiŋ/

名 競馬; 競走; 競艇; 自動車レース. ◇ RACE[1]. ⇨ -ING[1].

áuto ràcing 自動車レース, カーレース.
dóg ràcing ドッグレース.
gréyhound rácing グレーハウンド競走. ［ロードレース.
róad ràcing (自動車・オートバイ・自転車などの)
slót ràcing (ゲームの)レーシングカー競走.
yácht ràcing ヨットレース.

rack /rǽk/

名 …掛け, …台, …入れ, …架; 網棚.

bággage ràck (列車・バスの)手荷物棚.
bómb ràck (飛行機の機体の)爆弾懸吊(けんちょう)架.
bóok·ràck 書見台.
clóthes ràck 《米北部》服掛け.
cóat·ràck コート掛け.
hát·ràck 帽子掛け.
háy·ràck (牛馬用の)飼い葉台.
hélical ráck 〔機械〕はすばラック.
líght ràck (パトカーの屋根の)点滅灯用の枠.
lúggage ràck (列車・バスの)手荷物棚, 網棚.
magazíne ràck マガジンラック.
méat ràck 《米俗》同性愛者のたまり場.
móoring ràck 〔海事〕係留杭(くい).
óff-the-ráck 形 〈衣服が〉既製の, レディメードの.
pánic ràck 《米軍俗》(パイロットの)射出座席.
pípe ràck (衣料品を吊るす)パイプラック.
pípe-ràck 形 《話》〈店が〉内装に金をかけずその分安く商品を提供する.
pláte ràck 《英》(水切り用)皿立て.
rélay ràck リレーラック: (電話の)中継器台.
róof-ràck 《英》〔自動車〕ルーフラック.
skí ràck スキー立て.
tóast ràck トースト立て.
tówel ràck タオル掛け.
trásh ràck ごみ［ちり］よけ格子.

rad /rǽd/

名 〔物理〕ラド: 放射線の収線量を表す単位. ►radiation の短縮形.

kilo·rad 名 キロラド: 1,000 ラド.
k·rad 名 ＝kilorad.
man-rad 名 人(にん)ラド: 1 人につき 1 ラドの放射線量.
meg·a·rad 名 メガラド: 100 万(10^6)ラド.
mil·li·rad 名 ミリラド: 1 ラドの 1000 分の 1.

ra·dar /réidɑːr/

名 〔電子工学〕レーダー, 電波探知機. ►*ra*dio *d*etecting *a*nd *r*anging より.

áirport survéillance ràdar 〔航空〕空港監視レーダー(ASR).
bistátic rádar 〔通信〕バイスタティックレーダー.
Dóppler rádar 〔電子工学〕ドップラーレーダー.
ímaging ràdar 〔軍事〕映像［画像］レーダー.
lóok-down rádar 〔航空〕〔軍事〕ルックダウン型レーダー.
óver-the-horízon rádar 〔軍事〕超水平線レーダー.
phásed-arráy ràdar 〔軍事〕フェーズド・アレイ型レーダー(PAR).
púlse rádar 〔通信〕パルスレーダー.
ráin ràdar 〔レーダー〕雨滴レーダー.
scánning ràdar 〔電子工学〕走査型レーダー.
séntry ràdar (地上部隊用)監視レーダー.
synthétic-áperture ràdar 〔電子工学〕合成開口レーダー.
térrain-fòllowing ràdar 〔軍事〕〔航空〕地形追随レーダー.
trácking ràdar 追跡レーダー.
wéather ràdar 気象レーダー.

ra·di·ate /réidièit/

動自 (中心から)放射状に広がる. ⇨ -ATE[1].

e·ra·di·ate 動自 ＝radiate.
ir·ra·di·ate 動他 光を投じる, 照らす, 明るくする.
re·ra·di·ate 動他自 〔物理〕(吸収した電磁波などを)再放射する.
tri·ra·di·ate 形 三放射線の; 三放射形をした.

ra·di·a·tion /rèidiéiʃən/

名 〔物理〕放射; 放射線. ►radiate の名詞形. ⇨ -ATION.

adáptive radiátion 〔生物〕適応放散.
annihilátion radiàtion 〔物理〕(電子対(つい))消滅放射(線).
báckground radiàtion 〔物理〕バックグラウンド放射線.
bláckbody radiàtion 〔物理〕黒体放射.
Cerénkov radiàtion 〔物理〕チェレンコフ放射.
characterístic radiátion 特性放射線.
Cherénkov radiàtion ＝Cerenkov radiation.
corpúscular radiátion 〔物理〕粒子線.
cósmic báckground radiàtion 〔天文〕宇宙背景放射.
cósmic radiátion 〔物理〕宇宙線.
electromagnétic radiátion 〔物理〕電磁放射(線).
enhánced radiátion 〔物理〕強化放射線.
galáctic radiátion 〔天文〕銀河電波.
gámma radiàtion 〔物理〕ガンマ放射線.
gravitátional radiátion 〔物理〕重力波, 重力放射.
íonizing radiàtion 〔物理〕電離放射線.
ir·rà·di·á·tion 名 光を出す［投じる］こと, 発光, 放射.
M-radiàtion 〔物理〕M 線(M-line).
núclear radiátion 〔物理〕核放射.
rè·ra·di·á·tion 名 〔物理〕再放射.
résonance radiàtion 〔物理〕共鳴放射.
sécondary radiàtion 〔物理〕二次放射線.
sólar radiátion 太陽放射.

sýnchrotron radiàtion 〘物理〙シンクロトロン放射(光).
thérmal radiátion 〘熱力学〙熱放射.
x̀-radiàtion X 線(x-rays)被曝(ひばく).

rad·i·cal /rǽdikəl/

形 **1** 根元的な; 基礎的な. **2**〈政治的・経済的・社会的変革が〉急進的な. ━━名〘化学〙基, 特性基; ラジカル. ⇨ -AL[1].

ácid rádical 〘化学〙酸基, 酸根.
ámyl rádical 〘化学〙アミル基.
ànti·rádical 形 反急進 [過激] 主義(者)の.
ázo rádical 〘化学〙アゾ基.
bi·rádical ＝diradical.
diázo rádical 〘化学〙ジアゾ基.
di·rádical 〘化学〙ジラジカル, ビラジカル.
frée rádical 〘化学〙〘生化学〙遊離基, ラジカル.
méthyl rádical 〘化学〙メチル基.
nítro rádical 〘化学〙ニトロ基.
phényl rádical 〘化学〙フェニル基.
súlfo rádical 〘化学〙スルホ基, スルホン酸基.

ra·di·o /réidiòu/

名 **1** ラジオ(放送); 無線電信 [電話]. **2** ラジオ受信機. ► radiotelegraph または radiotelegraphy の短縮形. ⇨ -O[1].

Bláck Rádio 謀略放送.
Cápital Rádio キャピタルラジオ: ロンドンにあるラジオ局.
ĆB ràdio 市民バンド通信機, 市民ラジオ.
céllular móbil ràdio セル自動車無線.
céllular rádio セル無線.
clóck rádio タイマー付きラジオ.
háte rádio 言いたい放題の悪口を言わせる番組.
Nátional Públic Rádio ナショナル・パブリック・ラジオ: 非営利ラジオ局の全米ネットワーク.
pírate rádio 海賊放送, 無許可放送.
pócket ràdio 小型無線機, ポケットラジオ.
sóund ràdio 《英》ラジオ放送.
stéam rádio 《英話》(テレビに対して)ラジオ.
tálk ràdio 聴取者との電話や軽いおしゃべりのみで構成されるラジオ番組.
thúnderbox ràdio 《米俗》(特に, 公共の場でやかましく鳴らす)大型のラジカセ.
tópless ràdio 《米》セックスについての電話相談コーナーを設けたラジオ番組.
wíred rádio 有線ラジオ放送.

ra·di·o·graph /réidiougræ̀f, -diə-, -grɑ̀ːf/

名 放射線(透過)写真(X 線写真, γ 線写真など)(shadowgraph). ⇨ -GRAPH.

au·to·ra·di·o·graph 名 放射能写真(radioautograph).
mi·cro·ra·di·o·graph 名 マイクロラジオグラフ.
stro·bo·ra·di·o·graph 名 回転放射線写真法.
xe·ro·ra·di·o·graph 名 X 線電子写真, 乾式 X 線写真.

ra·di·og·ra·phy /rèidiɑ́grəfi | -ɔ́g-/

名 放射線(透視)写真法. ⇨ -GRAPHY.

àu·to·ra·di·óg·ra·phy 名 放射能写真撮影(術).
cìn·e·ra·di·óg·ra·phy 名 X 線映画撮影(法).
máss radiógraphy 〘医学〙X 線集団検診 [撮影].
néutron radiògraphy 〘物理〙中性子ラジオグラフィー.
sòn·o·ra·di·óg·ra·phy 名 超音波 X 線写真.

ra·di·us /réidiəs/

名〘幾何〙(円・球の)半径. ⇨ -US[1].

Bóhr ràdius 〘物理〙ボーア半径.
cìr·cum·rá·di·us 名 〘幾何〙外接円の半径.
crúising ràdius (航空機・船などが給油しないで往復可能な)航続 [巡航] 半径.
gravitátional rádius 〘天文〙＝Schwarzschild radius.
hydráulic rádius 〘土木〙動水 [水力] 半径, 径深.
ín·rà·di·us 名 〘幾何〙(三角形の)内接円の半径.
Schwárzschild ràdius 〘天文〙シュワルツシルト半径.
sólar rádius 太陽半径.
tri·rá·di·us 名 〘自然人類〙三叉(さんさ).

raf·ter /rǽftər, rɑ́ːf- | rɑ́ːftə/

名〘建築〙(屋根の)垂木(たるき); 梁(はり).

auxíliary ráfter 補助垂木.
bínding ràfter 垂木つなぎ.
cómmon ráfter (屋根を支えるだけの)垂木.
cómpass ràfter 輪垂木(わだるき).
cróok ràfter ＝knee rafter.
cúshion ràfter ＝auxiliary rafter.
jáck ràfter 配付(はいつ)け垂木.
knée ràfter むくり材.
príncipal ráfter 合掌.

rag /rǽg/

名 **1** 布くず, ぼろ切れ; 小切れ. **2** つまらぬもの.

béan ràg 《米海軍俗》(食事中を知らせる)赤い信号旗.
bíg rág 《米俗》(サーカスの)大テント.
búll·ràg 《米俗》牛の糞(ふん).
córal ràg 〘岩石〙サンゴ礁石灰岩.
cúnt-ràg 《米俗》生理用ナプキン.
dámp rág 《米俗》期待外れ, 失望.
dísh·ràg (皿洗い用の)ふきん(dishcloth).
dó-ràg 《俗》髪押さえ用スカーフ.
jám ràg 《英俗》生理帯; タンポン.
Kéntish rág 〘岩石〙ケント石.
nóse·ràg 《英俗》ハンカチ.
óily ràg 《英俗》未熟な自動車修理工.
réd rág 怒らせるもの [原因], 挑発するもの.
snót-ràg 《俗》ハンカチ.
táck ràg (油をしみ込ませた, 塗装前に用いる)ちり落としの布.
tág·ràg 有象無象, 下層民, 野次馬.
tóe-ràg 《英俗》浮浪者, こじき.
wásh·ràg 《米》洗面 [浴用] タオル.

rage /réidʒ/

名 激怒, 憤怒; 抑制のきかない強烈な怒りの爆発.

cýcle ràge 自転車乗り同士のけんか.
gólf ràge (ゴルフ場での)プレーヤー同士のけんか.
róad ràge 運転者同士のけんか.
róid ràge 筋肉増強剤の副作用として, 他人に対して攻撃的になること.
tróllery ràge (スーパーマーケットの列での)客同士のけんか.

rags /rǽgz/

名複 rag の複数形.

brág-rágs 《米俗》従軍記章 [リボン].
bráss rágs 《英》(船で用いる)真鍮(しんちゅう)磨きのぼろ切れ.
glád ràgs 《話》晴れ着; (特に)夜会服.
Jáck-the-rágs 《ウェールズ南部》廃品回収業者.

R

raid /réid/

名 襲撃, 急襲, 突然の侵入; (警察の)手入れ, 一斉検挙.

áir ràid (特に特定地域の)空襲. 空襲機[兵].
áir-ràid 形 《限定的》空襲の.
dáwn ràid 《英》〖株式〗夜明けの急襲.
jám ràid 《英俗》生理.
pánsy ráid 《米俗》ホモ狩り, ホモ襲撃.
pánty ràid 《米》パンティー狩り.
rám-ràid 動他名 《英》車を店に突っ込んで品物を盗む(こと).
zíppo ràid 《米軍俗》村に火をつける掃討作戦.

rail[1] /réil/

名 **1** (支柱・防柵(ぼうさく)・垣根などに用いる木や金属の)横棒, 横木. **2** (鉄道の)レール.

áltar ràil (聖壇を仕切る)祭壇の前の欄干.
béaring ràil 〖家具〗引き出しのレール.
béd·rail 寝台の横板.
bréast·rail 〖海事〗(船首楼や後甲板の)手すり.
Brítish Ráil 英国国有鉄道.
Brít Ràil =British Rail.
búllhead ràil 〖鉄道〗双頭[牛頭]レール.
cánt·rail 《英》(鉄道車両の)屋根の支持材.
cháir ràil 腰長押(こしなげし): 椅子の背から壁のしっくいを守る水平材.
chálk·ràil (チョーク類を置く)黒板の下の横木.
chéck ràil (上げ下げ窓の)召し合わせ框(かまち).
cóg·ràil =rack rail.
commúnion ràil 〖教会〗聖体拝領台.
cómpromise ràil 〖鉄道〗中継ぎレール.
condúctor ràil 〖鉄道〗送電軌条, 第三レール.
Cón·ràil 《米》連合鉄道会社.
Consólidated Ráil =Conrail.
ĆP Ràil カナダ太平洋鉄道.
crést ràil (椅子の背などの)装飾笠木(かさぎ).
cróss·ràil (椅子などの背の部分の)横木, 横板.
de·ráil 動他 〈列車などを〉脱線させる.
dúo·ràil 二軌鉄道.
fífe ràil 〖海事〗帆索(ほづな)止め座.
flánged ràil 平底レール.
flý ràil 〖家具〗回転腕木, 甲板受け.
fóot ràil 〖家具〗(足を載せるための)横木.
gráb ràil (立っている乗客がつかまる)手すり.
guárd·ràil ガードレール; (階段などの)手すり.
guíde ràil (窓・ドアなどの)誘導レール.
hánd·ràil (階段などの)手すり.
hát·ràil (壁についた)帽子掛け.
héad·ràil 帆船の船首部から船首像まで設けられた手すり.
héavy ràil 形 鉄道(線路)輸送の, 鉄道を利用した.
lásh ràil 〖海事〗綱取りレール.
líght ráil 軽鉄道.
lóck ràil ロックレール, 帯桟(おびざん).
méeting ràil 出合い桟.
móno·ràil モノレール.
Móto·ràil 《英》モートレール.
péd·ràil 無限軌道(車).
pícture ràil 〖建築〗額長押(がくなげし).
pín ràil 〖演劇〗ピンレール.
pláin ràil (上下に開放する窓の)プレーンレール.
pláte ràil (装飾品を置く幅の狭い)飾り棚.
ráck ràil (登山鉄道などに使用される)歯軌条.
rè·ráil 動他 〈機関車を〉路線に戻す.
slíp-ràil 《豪・NZ》(柵(さく)の)出入り口に使用する取り外しのできる横棒.
spán·ràil 家具の両脚を連結する横棒.
splít ráil スプリットレール: 丸太を縦に割って作った横木.
thírd ráil 〖鉄道〗第三軌条.
tíe-òff ràil =trim rail.
tóp·ràil (椅子などの背の)最上部の桟.
tówel ràil (棒状の)タオル掛け.
trím ràil 〖演劇〗トリムレール.
wíng ràil 〖鉄道〗翼レール, 翼軌条.
wórking ràil 〖演劇〗舞台脇上部の横木に取りつけた釘(くぎ)または楔(くさび)形索止め.

rail[2] /réil/

名 クイナ: クイナ科の鳥の総称. ►本来鳴き声から.

bláck ràil クロコビトクイナ.
Carolína ràil カオグロクイナ.
clápper ràil オニクイナ.
kíng ràil 大形のクイナの一種 *Rallus elegans*.
lánd ràil ウズラクイナ.
spótted ráil マダラクイナ.
Virgínia ráil コオニクイナ.
wáter ràil クイナ.
wóod ràil 南北アメリカの森林に生息するクイナ.

rail·road /réilròud/

名 《主に米》鉄道, 鉄道線路. ⇨ ROAD.

élevated ráilroad 高架鉄道.
grávity ràilroad 重力式鉄道.
Úndergrounnd Ráilroad 南北戦争前の自由州やカナダへの奴隷脱出用地下組織.
úndergrouund ráilroad 地下鉄.

rail·way /réilwèi/

名 《米》〖鉄道〗(軽便・軽輸送・高架鉄道などの)線路, 軌道. ⇨ WAY.

áerial ráilway ロープウエー, 空中ケーブル.
cáble ràilway ケーブル[鋼索]鉄道. ►特に路面下の動く鋼索をつかんで坂を上下するものを指す; また, 上りと下りの車両のバランスをとった funicular を指す.
cóg ràilway 《主に米》歯車式[歯形レール]鉄道.
funícular ráilway ケーブルカー, 鋼索鉄道.
inclíned ràilway 《主に米》(傾斜がほぼ 45 度の)ケーブル鉄道(incline).
líght ràilway 《英》軽便鉄道.
maríne ráilway 引き上げ船台.
Metropólitan Ráilway メトロポリタン鉄道: London 最初の地下鉄.
óverhead ráilway 《英》高架鉄道.
ráck ràilway =cog railway.
scénic ráilway (遊園地などの)豆鉄道.
shíp ràilway 船用レール.
Sóuthern Ráilway サザン・レイルウェー(米国の鉄道会社).
stréet ràilway 《主に米》路面電車[バス]会社.
túbe ráilway 《主に英》地下鉄.

rain /réin/

名 雨.

ácid ráin 酸性雨.
fréezing ráin 着氷性の雨, 氷晶雨.
íce ràin =freezing rain.
lánd ràin 《米ペンシルベニア州》降り続く大

雨.

póppy ràin 《米俗》アヘン.
yéllow ráin 〘軍事〙黄色い雨: 毒ガスの一種と考えられる黄色の液状物質.

rain·bow /réinbòu/

名 虹(にじ). ⇨ BOW[1].

lúnar ráinbow 月虹.
prímary ráinbow 主虹(しゅこう).
sécondary ráinbow 副虹(ふくこう).
whíte ráinbow 霧虹(mistbow), 霧中孤光(fogbow).

raise /réiz/

動他 〈人が〉持ち上げる; 高く揚げる[掲げる]; (…から)(…へ)引き揚げる.

fúnd-ràise 動他 (政党・福祉事業団体などの基金・資金として)〈お金を〉調達する.
pílot ràise 〘採鉱〙案内切り上がり.
ùp-ráise 動他 …を(持ち)上げる, 揚げる.

rais·er /réizər/

名 持ち上げる[引き揚げる]人[もの]. ⇨ -ER[1].

cúrtain ràiser 開[序]幕劇, 前狂言, 前座.
dúst-ràiser 《米俗》《鉄道》火夫(stoker).
fúnd-ràiser 《米》資金調達者[係], 募金係.
háir-ràiser 身の毛もよだつような話.
héll-ràiser 《米俗》騒ぎを引き起こす人.
stóck ràiser 牧畜[畜産]業者.

rais·ing /réiziŋ/

名 持ち上げる[上がる](こと). ——形 持ち上げる; 立てる. ⇨ -ING[1], -ING[2].

bárn ràising (田舎で)納屋の新築の手助けに集まった隣人たちをもてなすパーティー.
cónsciousness-ràising 〘心理〙意識高揚(法).
fíre-ràising 《英》放火(罪).
fúnd-ràising 資金集め, 資金調達, 募金.
háir-ràising 形 身の毛もよだつような, ぞっとさせる.
hóuse-ràising (田舎で近隣の人たちが集まってする)棟上げ(の祝い).
négative-ráising 〘文法〙(変形文法で)否定辞繰り上げ.
sélf-ráising 形 《英》〘料理〙ひとりでに膨れる.
stóck ràising 牧畜, 畜産業.
súbject ràising 〘文法〙主語上昇変形.

rake /réik/

名 **1** (落ち葉・干し草などをかき集める)熊手, 草かき, レーキ, 馬鍬(まぐわ). **2** (地表を掘ったりならしたりする)手杷(じゅは).

búg ràke 《英俗》櫛(くし).
drág ràke (貝掘り用の)熊手, 馬鍬.
dúmp ràke ダンプレーキ: 牧草を集めるための農機.
háy ràke ヘイレイキ, 干し草熊手.
hórse ràke 馬が引く大車輪付きの草かき.
kéel-ràke 動他 〘海事〙〈規律違反者などを〉(綱で縛って足に重りをつけ)船底をくぐらせる(keelhaul).
múck-ràke 動自 (特に政界の)醜聞を暴露する.
ò·ver·ráke 動他 〘海事〙〈海水が〉〈船の〉舳先(へさき)を越えて打ち上げる.
óyster ràke カキ掻(か)き.
tóe ràke フィギュア用スケート靴の刃の前方につけられた鋭い歯.

ram /rǽm/

名 **1** 物を壊したり, 打ったりする器具. **2** 〘機械〙ラム.

báttering ràm 破城槌(つち).
hydráulic rám 〘機械〙液圧プレス.
wáter ràm =hydraulic ram.

-ram·a /rǽmə, rá:mə | rá:mə/

連結形 -orama の異形.

Cin·e·ram·a 名 《映画・商標》シネラマ.
ge·o·ram·a 名 ジオラマ.
tel·e·ram·a 名 テレビ映画大作.

ramp /rǽmp/

名 **1** 傾斜路. **2** (立体交差路の)ランプ.

bóarding ràmp (航空機の)搭乗タラップ.
óff-ràmp 名 (高速道路からの)出口車線.
ón-ràmp 名 (高速道路に入る)入口車線.
párking ràmp (空港の)エプロン(apron).
róllaway rámp (旅客機用の)移動式昇降階段.

ranch /rǽntʃ | rá:ntʃ/

名 牧場, 牧畜場.

dúde rànch 《米・カナダ》観光牧場.
frúit rànch 《米西部》果樹園.
snáke rànch 《米俗》薄よごれた安酒場.
stúmp rànch 《カナダ話》未開発の放牧場.

range /réindʒ/

名 **1** 範囲, 限界; 領域. **2** 射程距離; 射撃場. **3** 列, 一続き, 並び. **4** 山脈; 山岳地方. **5** 《主に米・カナダ》放牧区域.

básin rànge 〘地質〙ベースンレンジ.
cáttle rànge 《米》牛の放牧地.
dówn·rànge 〘ロケット〙ダウンレンジ.
dríving rànge (打ち放しの)ゴルフ練習場.
dynámic ránge 〘音響〙ダイナミックレンジ.
fíring rànge 射撃場.
frée-rànge 形 《主に英》〈家畜・家禽(かきん)が〉放し飼いの, 放牧の.
gás rànge (料理用の)ガスレンジ.
géográphic ránge 〘航海〙視達限界, 地理的視認距離.
Gréat Divíding Ránge (オーストラリア)大分水山脈.
hóme rànge 〘生態〙行動圏, 行動範囲.
ìnterquártile rànge 〘統計〙四分位数範囲.
lóng-ránge 形 〈計画などが〉長期の, 長期間にわたる.
lúminous ránge 〘航海〙光学的視認[光達]距離.
médium-ránge 形 中距離用の.
míddle-ránge 形 中程度の, 中ほどの.
míd·rànge 形 〘オーディオ〙中音の.
móuntain rànge 連山, 連峰.
omnidiréctional ránge =omnirange.
óm·ni·rànge 名 〘通信〙全方向式無線標識.
òut·ránge 動他 …よりも射程が大である.
póint rànge 直接弾道距離.
príce rànge 価格帯, 協定価格帯.
ríﬂe rànge ライフル銃[小銃]射撃場.
shóoting rànge 射撃練習場.
shórt-ránge 形 距離[時間]が限られた範囲の; 短期的な; 〈銃などが〉射程の短い.
slánt rànge 直距離: 砲, ミサイル, レーダーなどに

R

における, 発射［発信］点から目標までの直線距離.

transformátion rànge 〔冶金〕変態温度範囲.
vísual ránge 〔気象〕視程, 視界.
wíde-ránge 形 適用性［有効範囲］の広い.

rang·er /réindʒər/

名 **1** パトロール隊員. **2** うろつく［さまよう］人. ⇨ -ER[1].

búsh·rànger 名 叢林(そうりん)地帯の住人.
fórest rànger 《米》(特に公有林の)森林監視員.
Lóne Ránger ローン・レンジャー: 米国の西部劇の主人公.
rúmp·rànger 名 《米俗》男のホモ.
séa rànger 《英》操船技術の訓練を受けている Girl Guide の年長団員.
Slóane Ránger 《英話》スローン族: 英国の上流子女(10 代後半から 20 代前半)の社交グループの一人.
Sóanly Ránger 《英》ソーンリーレンジャー: Sloane Ranger よりやや下の階層の一員.
Téxas Ránger 〔米史〕テキサスレンジャー.

rang·ing /réindʒiŋ/

名 探すこと. ──形 …に及ぶ, 広がる. ⇨ -ING[1], -ING[2].

écho rànging 音響探知法.
fár-ránging 形 〈物・事の〉スケールが大きい.
láser rànging 〔宇宙〕レーザー距離測定法.
sóund rànging 音響測量法, 音源標定.
wíde-ránging 形 広大な, 広々とした; 範囲の広い.

rank /rǽŋk/

名 階級, 階層; 地位, 身分; 部類.

académic ránk 大学教員の職位(教授, 助教授など).
cáb rànk 《英》タクシー乗り場(cabstand).
chícken rànk 《米俗》売春宿.
detérminant rànk 〔数学〕行列の階数.
fíeld rànk 〔軍事〕佐官級(少佐, 中佐, 大佐).
fírst-ránk 形 《話》素晴らしい, すてきな.
flág rànk (海軍で)将官の階級.
frónt-ránk 形 一流の, トップクラスの, 主要な.
míddle-ránk 中程度の地位の人の集団.
òut·ránk 動他 …より位が上である.
símulated ránk (文官の)武官に相当する地位.
táxi rànk ＝cab rank.

rap /rǽp/

名 **1** 軽くたたくこと. **2** 《俗》非難. **3** ラップ(ミュージック).

ámbient ráp 〔音楽〕アンビエントラップ.
bád ráp 《俗》＝bum rap.
bád-ràp 動他 《俗》不当に非難する.
búm ráp 《米俗》ぬれぎぬ.
gángsta ràp 〔音楽〕ギャングスター・ラップ.
hárdcore ràp 〔音楽〕ハードコアラップ.
ríp·ràp 名 《米》〔土木〕砕石［割栗(わりぐり)石］. ► rap の母音交替重複形.

rape /réip/

名 強姦, レイプ, 婦女暴行.

acquáintance rápe 顔見知りの女性に対するレイプ.
cárry-òut rápe 《米警察俗》誘拐暴行.
dáte ràpe デートレイプ.
gáng ràpe 輪姦(りんかん), 集団強姦.
státutory rápe 〔米法〕制定法上の(未成年者の)強姦.

rash /rǽʃ/

名 〔病理〕(はしか・猩紅(しょうこう)熱などの)発疹(ほっしん), 紅疹, 皮疹, 吹き出物.

cánker ràsh 猩紅(しょうこう)熱.
díaper ràsh 《米》おむつ皮膚炎, おむつかぶれ.
héat ràsh あせも(prickly heat).
náppy ràsh 《英》＝diaper rash.
néttle ràsh じんましん(urticaria).
róad ràsh 《米俗》スケートボードで転倒したときのすりむき傷［打撲傷］.
róse ràsh ばら疹(しん), 紅疹.
scárlet rásh 緋色疹(ひいろしん), ばら疹.
tóoth ràsh ストロフルス(strophulus).

rasp·ber·ry /rǽzbèri, -bəri, rɑ́ːz- | rɑ́ːzbəri/

名 〔植物〕ラズベリー. ⇨ BERRY.

bláck ráspberry クロミ(黒実)キイチゴ.
bóulder ràspberry ボールダーキイチゴ(木苺).
Européan ráspberry ヨーロッパキイチゴ.
flówering ráspberry ニオイキイチゴ.
réd ráspberry 赤ラズベリー.
stráwberry-ráspberry バライチゴ.

rat /rǽt/

名 **1** ネズミ. **2** 《俗》…へよく通う人.

álley ràt 《米俗》どろぼう野郎, 悪者.
bánd ràt 《米俗》(ロックバンドの)親衛隊.
béaver ràt オーストラリアミズネズミ.
bláck rát クマネズミ.
bóonie ràt 《米軍俗》歩兵.
brówn rát ＝Norway rat.
cáne ràt アフリカタケネズミ.
cárpet ràt 《米俗》子供.
cótton ràt 米国南部から中米にかけて見られるネズミの一種.
cóuch ràt 《米話》カウチポテト(couch potato).
désert ràt 乾燥地に生息する種々の小形齧歯(げっし)類の総称.
dírty rát 《米俗》嫌なやつ.
dóck ràt 《米俗》波止場にたむろする浮浪者.
dórm rat 《米学生俗》寮に住みついている学生.
fánny ràt 《英俗》女たらし, プレイボーイ.
frát-rát 《米学生俗》友愛会のメンバー.
hédgehog ràt ハリネズミ(hedgehog).
hóuse ràt イエネズミ.
kangaróo ràt カンガルーネズミ.
Málabar ràt オニネズミ(bandicoot).
máll ràt 《米俗》ショッピングセンターにたむろする若者.
Máori rát ニュージーランド産の褐色の小形のネズミ.
móle ràt メクラネズミ.
móon ràt ジムヌラ: ハリネズミ科の食虫類.
músk·ràt マスクラット, ニオイネズミ.
náked móle ràt ハダカデバネズミ.
Nórway rát ドブネズミ, シチロウ(七郎)ネズミ.
opóssum ràt 〔動物〕ケノレステス.
páck ràt モリネズミ, ウッドラット.
pépper ràt トゲヤマネ(spiny dormouse).
píg ràt オンネズミ.
pócket ràt ポケットマウス: ポケットネズミ属の総称.
pórcupine ràt 熱帯中南米のエキミス科のネズミの

総称.
póuched rát ホリネズミ(掘鼠).
ríce ràt コメネズミ.
ríg-ràt 《俗》(特に海上の)石油掘削作業員.
rínk ràt 《カナダ》アイスホッケーのリンク整備などをする代わりに, 無料でリンクを使わせてもらう若者.
róck ràt イワネズミ.
róof ràt クマネズミ.
rúg rát 《米俗》子供, がき, ちび.
sáck ràt 《米俗》寝てばかりいる人.
sánd ràt スナネズミ(gerbil).
séwer ràt ドブネズミ.
skáte ràt 《米俗》スケートボードが上手な人.
spíny rát アメリカトゲネズミ.
súper rát 超ネズミ, スーパーラット.
tráde ràt =pack rat.
vléi ràt ミナミヤブカローネズミ.
wáter ràt 水辺に生息する齧歯(げっし)類の動物の総称.
whárf ràt 波止場ネズミ.
whíte rát シロネズミ, ダイコク(大黒)ネズミ.
wínter rát 中古車, ぽんこつ車.
wóod ràt =pack rat.

rate /réit/

名 **1**〘金融〙交換比率, 歩合; 相場, レート. **2**(一定の基準による)比率, 割合. **3**(水道・電気・ガスなどの)料金; (量単位当たりの)規定料金; 運賃.

accéptance ràte 手形割引歩合, 引受歩合.
actívity ràte (総人口中の)労働[就労]人口比率.
bánk ràte 銀行割引歩合.
básal metabólic ráte 〘生理〙基礎代謝率.
báse ràte (時間・個数単位, または一定の標準でなされた仕事に対して支払われる)基準率.
básic ráte =base rate.
básis ràte 〘保険〙基本料率.
bírth·ràte 出生率.
bít ràte 〘コンピュータ〙ビット伝送速度.
bóok ràte 《米》書籍郵便料金.
cáll ràte コールローンの利率.
cárd ràte 〘広告〙標準媒体料金.
céntral ràte 〘金融〙中心相場.
chúrch ràte 〘教会〙教会維持税.
cóupon ràte 債券の表面利子率.
cróss ràte クロスレート, 第三国為替相場.
cút ráte 割引値段[料金, 率].
déath ràte 死亡率.
de·ráte 動他《英》…の税負担を軽減[全廃]する.
differéntial ràte 〘経済〙差別レート.
díscount ràte 商業手形割引率.
dis·ráte 動他 …の階級を下げる, を降格する.
dówn·ràte 動他 …の割合[進度, 値段, 等級]を落とす.
exchánge ràte (外国)為替レート[相場].
féderal fùnds ráte 《米》フェデラル・ファンズ・レート.
fírst-ráte 形《話》素晴らしい, すてきな, 優秀な.
fíxed ínterest ràte 〘経済〙固定[確定]利率(の).
flóating ráte (為替市場などで)自由変動相場.
fórward ráte (外国為替の)先物相場.
fréight ràte (貨物の)単位重量当たりの運賃.
hóok·ràte 〘漁業〙釣獲(ちょうかく)率.
kíll ràte 殺傷比率: 戦闘での敵・味方の死傷者比率.
lápse ràte 〘気象〙減率.
líbrary ràte 《米》図書館料金.
lów-ràte 動他 …を低く評価する, あまり評価しない.
mán-ràte 動他〈ロケット・宇宙船を〉有人飛行に安全であると証明する.
mílline ràte 〘広告〙1アゲートライン当たりの広告料.
mórtgage ràte (銀行などの)住宅ローンの利率.
ò·ver·ráte 動他 高く見積もりすぎる, 過大評価する.
píece ràte 出来高払い, 歩合い, 請負単価.
póor ràte 《英》救貧税.
príme ráte プライムレート, 最優遇貸付金利.
púlse ràte (1分間の)脈拍数.
redíscount ràte 《米》再割引利率.
respirátion ràte (1分間の)呼吸数.
sécond-ráte 形 二流の; 劣った; 月並みの, 平凡な.
shórt ràte 〘保険〙短期料率.
sléw ràte 〘電子工学〙スルーレート.
spáce ràte 活字になった分量に応じて支払われる原稿料の基準単位.
spót ràte (外国為替の)直物(じき)相場.
stríke ràte 成功率.
táp ràte 《英》(国債などの)時価相場.
táx ràte 税率.
ténth-ráte 形 非常に劣った, 最低の.
thírd-ráte 形 3等[位, 級]の, 三流の.
ŤŤB ràte 〘貿易・為替〙電信買い相場.
ŤŤŚ ràte 〘貿易・為替〙電信売り相場. ►telegraphic transfer selling rate の略.
ùn·der·ráte 動他 …をあまりにも低く見積もる.
ùp·ráte 動他 …の格を引き上げる; 改善する.
váriable-ràte 形 変動金利の.
wáge ràte (仕事・労働時間に応じて設定される)賃金率.
wáter ràte 水道料金(water rent).
zéro-ràte 動他《英》〈商品の〉付加価値税の納付を免除する.

rat·ed /réitid/

形《複合語》(映画が)…ランクの, …向けの. ⇨ -D[1].

G-rat·ed 形〈映画が〉G ランクの, 一般向きの.
non·rat·ed 形 等級のない.
R-rat·ed 形〈映画が〉R ランクの, 準成人向けの.
un·rat·ed 形 評価が定まっていない.
X-rat·ed 形《米》〈映画が〉成人向けの.

rat·ing /réitiŋ/

名 **1**(段階・等級による)格付け. **2**(ラジオ・テレビ)の聴取率. **3**評価. ── 形 評価する. ⇨ -ING[1], -ING[2].

áble ráting 〘英海軍〙上等水兵.
crédit ràting (取引相手についての)信用格付け.
fílm ràting 映画の観客制限記号.
Hóope·ràting 〘テレビ〙〘ラジオ〙フーパーレイティング.
Níelsen ràting 〘テレビ〙ニールセン視聴率.
órdinary ráting 〘英海軍〙水兵.
Q-ràting 〘広告〙テレビ番組の嗜好度.
sélf-ráting 名形 自己評価(の).
túngsten ràting タングステン感度: 白熱タングステン電球の照明に対する感光度.

ra·tio /réiʃou, -ʃiòu | -ʃiòu/

名 比, 比率; 割合. ⇨ -IO.

ácid tést ràtio 〘経営〙酸性(試験)比率, 当座比率.
advánce ràtio 〘航空〙進行率.
ádvertising-to-editórial ràtio (雑誌・新聞の)広告紙面比率.
anharmónic ràtio 〘幾何〙=cross ratio.
áperture ràtio 〘光学〙(レンズの)口径比.
áspect ràtio 〘航空〙縦横(たてよこ)比.
bóok-to-bíll ràtio 〘経済〙受注出荷比, BB レシオ.

býpass ràtio	〘航空〙バイパス比.
cásh ràtio	〘銀行〙現金比率.
cómmon ràtio	〘数学〙＝geometric ratio.
compréssion ràtio	〘自動車〙圧縮比.
convérsion ràtio	〘物理〙転換比率, 転換係数.
córn-hóg ràtio	《米》トウモロコシ・ブタ比率.
correlátion ràtio	〘統計〙相関比.
cóst perfórmance ràtio	〘経済〙費用対性能比.
crítical rátio	〘統計〙棄却限界比.
króss rátio	〘幾何〙交差比, 非調和比.
cúrrent rátio	〘経済・会計〙＝liquidity ratio.
distínctiveness ràtio	〘統計〙弁別化.
distribútion ràtio	〘化学〙分配比.
endúrance ràtio	＝fatigue ratio.
énergy efficiency ràtio	エネルギー効率比.
fatígue ràtio	疲れ限度比.
fíneness ràtio	〘航空〙長短比, 断面長短比.
fócal ràtio	〘光学〙〘写真〙f 数, F ナンバー.
géar ràtio	〘機械〙歯数(はかず)比, 歯車比.
geométric rátio	〘数学〙公比.
gyromagnétic rátio	〘物理〙磁気回転比.
kíll ràtio	殺傷比率: 戦闘での敵・味方の死傷者比率.
líft-drág ràtio	〘航空〙揚抗比.
liquídity ràtio	〘経済・会計〙流動(性)比率.
lóss ràtio	〘保険〙損害率, ロスレシオ.
magnétomechánical rátio	〘物理〙磁気角運動量比.
máss rátio	〘宇宙〙質量比.
Mendélian rátio	〘生物〙メンデル比.
méntal rátio	知能指数(intelligence quotient).
míxing ràtio	〘気象〙混合比.
nútritive rátio	栄養比 [率]: 食品や飼料に含まれた他の栄養分に対し消化可能なタンパク質の比率.
páyout ràtio	〘証券〙配当性向, 配当金分配率.
Poissón's rátio	〘物理〙ポアソン比.
príce-divídend ràtio	〘証券〙株価配当レシオ [比率].
príce-éarnings ràtio	〘証券〙株価収益率.
príce-sàles rátio	〘証券〙プライスセールス比.
Q́-ràtio	〘経済・会計〙Q 比率.
quíck rátio	〘会計〙当座比率.
redúction ràtio	縮率: 原文献をマイクロ写真版に収める場合の縮小率.
sávings ràtio	〘経済〙貯蓄率.
séx ràtio	〘社会〙性比, 男女比.
sígnal-to-nóise ràtio	〘電気〙SN 比, 信号対雑音比.
sléndemess ràtio	〘航空〙＝aspect ratio.
thrúst-wéight ràtio	〘航空〙推力重量比.
última rátio	最後の議論 [手段].
velócity ràtio	〘工学〙速度比.

ra·tion /rǽʃən, réi-│rǽ-/

图 (食料の)割当量; 軍用食.

Ć ràtion	〘米陸軍〙C 号 [携帯] 糧食.
de·rá·tion 動他	〈物の〉配給制を中止する.
D́ ràtion	〘米陸軍〙D 型携帯食糧.
fíeld ràtion	〘米陸軍〙野戦糧食.
íron ràtion	(特に軍隊用の)非常用食糧 [缶詰].
Ḱ ràtion	〘米陸軍〙K 号携帯食.
resérve ràtion	〘軍事〙(緊急時用の)予備糧食.

ra·tion·al /rǽʃənl/

形 **1**〈物・事が〉合理的な, 道理にかなった. **2**〈人が〉理性的な, 分別のある; 正気の, 正常な. ⇨ -AL[1].

a·ra·tion·al 形	合理性とは無縁の.
bi·o·ra·tion·al 名	生物学的合理殺虫剤.
ir·ra·tion·al 形	理性を失った.
sub·ra·tion·al 形	ほぼ合理的な.
su·per·ra·tion·al 形	理性を超えた; 直観的な.
su·pra·ra·tion·al 形	理性だけでは理解できない.

ra·ven /réivən/

图 〘鳥類〙カラス.

níght ràven	夜鳴く鳥.
séa ràven	ケムシカジカ.
whíte-nècked ráven	シロエリガラス.

ray[1] /réi/

图 一条の光, 光線.

actínic ráy	〘物理〙化学線.
álpha rày	〘物理〙アルファ線.
ánode rày	〘物理〙＝positive ray.
ástral ráy	〘生物〙星状体糸, 星糸.
béta rày	〘物理〙ベータ線.
canál ráy	〘物理〙＝positive ray.
cáthode rày	〘物理〙陰極線.
córal rày	屑(くず)珊瑚(さんご).
cósmic ráy	〘物理〙宇宙線.
Cróokes ráy	〘物理〙＝cathode ray.
déath rày	(SF で)殺人光線.
délta rày	〘物理〙デルタ線.
extraórdinary rày	〘光学〙〘結晶〙異常光線.
fín rày	〘魚類〙(魚の)鰭条(きじょう).
gámma rày	〘物理〙ガンマ線.
héat rày	〘物理〙熱線.
médullary ráy	〘植物〙放射組織, 射出髄, 髄線.
órdinary rày	〘光学〙〘結晶〙常光線.
phlóem rày	〘植物〙師部放射組織.
píth rày	＝medullary ray.
pósitive rày	〘物理〙陽極線.
Róentgen rày	＝X-ray.
sún·rày	(一条の)太陽光線, 日光.
ultravíolet ráy	紫外線.
víolet rày	紫(光)線.
wóod rày	＝xylem ray.
X́-rày	〘物理〙X 線, レントゲン線.
xýlary ráy	〘植物〙＝xylem ray.
xýlem rày	〘植物〙木部放射組織.

ray[2] /réi/

图 〘動物〙エイ.

bát rày	カリフォルニアエイ(batfish).
dévil rày	オニイトマキエイ, マンタ(manta).
éagle rày	トビエイ.
eléctric ráy	シビレエイ.
stíng·rày	アカエイ.
thíck-tàiled ráy	ガンギエイ目のうち, 尾部が太くて肉付きのよいエイ類の総称.
whíp·rày	アカエイ(stingray).
whíp-tailed ráy	＝whipray.

ra·zor /réizər/

图 (ひげそり用などの)かみそり, レザー. ⇨ -OR[2].

bánd ràzor	カートリッジ式安全かみそり.
injéctor ràzor	(差し込み器で替え刃を入れる)片刃の安全カミソリ.
Óccam's rázor	〘哲学〙オッカムのかみそり.
Óckham's rázor	＝Occam's razor.
sáfety ràzor	安全かみそり.
stráight rázor	《米》(折りたたみ式の)西洋かみそり.

're /ər/

are の縮約形.

we're	we are の縮約形.

when're when are の縮約形.
who're who are の縮約形.
you're you are の縮約形.

reach /ríːtʃ/

動他 〈人・乗り物が〉〈場所・目的地などに〉着く, 到着する;〈物などが〉…に届く. ―― 名 **1** 届く範囲 [距離]. **2** (一面の)広がり. **3** 〖海事〗一間切の帆走 [距離].

béam réach 〖海事〗真横の風を受けての帆走.
bróad réach 〖海事〗真横後ろに風を受けた帆走.
clóse réach 〖海事〗真横前に風を受けた詰め開きの帆走.
éar·rèach 音声の聞こえる範囲.
fore·réach 動自 〈船が〉追いつく, 追い越す.
frée réach 〖海事〗順風(帆走)針路.
héad·rèach 〖海事〗惰性航走距離.
lóng·rèach 形 遠方に達する, 遠くまでカバーする.
òut·réach 動他 …の先まで達する. ―― 名 出先活動(機関); 手を貸すこと.
òver·réach 動他 …の上に広がる; はみ出す.
séa rèach (海に近い河水の)直線水路.

re·act /riǽkt/

動自 (ある作用・力に対して)反作用する; (互いに)作用[影響]し合う. ⇨ ACT.

àb·re·áct 動他 〖精神分析〗〈病的観念を〉解除反応(abreaction)によって取り除く.
báck·reàct 動自 逆反応する.
cháin-reàct 動自 連鎖反応をする [起こす].
cróss-reàct 動自 〖免疫〗交差反応する.
ò·ver·re·áct 動自 過剰に反応する.
ùn·der·re·áct 動他自 反応が鈍い.

re·ac·tance /riǽktəns/

名 〖電気〗リアクタンス: 交流回路におけるインピーダンスの虚数部分; オーム(ohm)で表す. ⇨ -ANCE[1].

acóustic reáctance 音響リアクタンス.
capácitive reáctance 容量(性)リアクタンス.
indúctive reáctance 誘導リアクタンス.

re·ac·tion /riǽkʃən/

名 **1** 逆行. **2** 反応. ⇨ ACTION.

àb·re·ác·tion 名 〖精神分析〗(解)除反応.
addítion reàction 〖化学〗付加反応.
ahá reàction 〖心理〗「あああそうか」反応.
alárm reàction 〖生理〗警告反応.
álkaline reáction 〖化学〗アルカリ性反応.
anniversáry reàction 〖心理〗記念日反応.
ármature reàction 〖電気〗電機子反作用.
Arthús' reáction 〖免疫〗アルサス反応.
cháin reàction 〖物理〗連鎖反応.
chémical reáction 化学反応.
cróss-reàction 〖免疫〗交差反応.
dárk reàction 〖植物〗暗反応.
deláyed stréss reàction 〖精神医学〗遅延ストレス反応.
Díels-Álder reàction 〖化学〗ディールス=アルダー反応.
Féulgen reàction 〖生化学〗核染色反応.
fíght-or-flíght reàction 〖生理〗攻撃・逃避反応.
Friedél-Cráfts reàction 〖化学〗フリーデル=クラフツ反応.
fúsion reàction 核融合反応.
Grignárd reàction 〖化学〗グリニャール反応.
Híll reàction 〖生化学〗ヒル反応.
ìm·mu·no·re·ác·tion 名 〖医学〗免疫反応.
líght reàction 〖植物〗明反応.
núclear reàction 核反応.
phóbic reàction 〖精神医学〗恐怖反応.
phòto·reáction 〖化学〗光化学反応.
protéctive reáction 《米》〖軍事〗防衛的反応 [行動].
revérsible reáction 〖化学〗可逆反応.
sè·ro·re·ác·tion 名 〖医学〗〖免疫〗血清反応.
shórt-círcuit reàction 〖心理〗短絡反応, 近道反応.
síde reàction 〖化学〗副反応.
skín reàction 皮膚反応.
substitútion reàction 〖化学〗置換反応.
thermonúclear reáction 〖化学〗〖物理〗熱核反応.

re·ac·tor /riǽktər/

名 **1** 反動 [反応] を示す人 [もの], 反発する人 [もの]. **2** 〖物理〗原子炉. ⇨ -OR[2].

advánced gás-cóoled reáctor 改良型ガス冷却炉.
atómic reáctor 原子炉.
bì·o·re·ác·tor 名 〖生物工学〗生物反応器.
bóiling wáter reàctor 沸騰水(型)原子炉.
bréeder reàctor 増殖炉.
cháin reàctor = atomic reactor.
fást reáctor 高速(中性子)増殖炉.
fúsion reàctor 核融合炉.
gráphite reàctor 黒鉛(減速型)原子炉.
héavy-wáter reáctor 重水炉, 重水原子炉.
homogéneous reáctor 均質原子炉, 均質炉.
líght wáter reàctor 軽水炉, 軽水型原子炉.
núclear reáctor = atomic reactor.
pówer reàctor 動力(用原子)炉.
préssurized wáter reàctor 加圧水型原子炉.
propúlsion reàctor (原子力船などの)推進用原子炉.
reséarch reàctor 研究炉.
slów reáctor 遅速中性子原子炉.
swímming pòol reáctor (スイミング)プール型原子炉.
thérmal reáctor 熱中性子(増殖)炉.
wáter bòiler reàctor 湯沸かし型原子炉.

read /ríːd/

動他 **1** …を読む. **2** …を読解する, 理解する. **3** …を読み取る.

cop·y·read 動他 《米》〈原稿を〉整理する.
lip·read 動他 読唇する, 読唇術で意味を取る.
mis·read 動他自 読み違える, 読みを誤る.
proof·read 動他 〈校正刷りを〉読む, 校正する.
re·read 動他 再び読む, 読み直す.
sight-read 動他自 初見で読む [演奏する, 歌う].
skip-read 動他自 拾い読み [飛ばし読み] する.
speech·read 動他自 (…を)読話術により理解する.
speed-read 動他自 (速読術を習得して)速読する.
thought-read 動他 (顔の表情やテレパシーで)心を読む.

read·er /ríːdər/

名 **1** 読み取る人. **2** 朗読者. **3** 〖コンピュータ〗読み取り装置. ⇨ -ER[1].

accélerated réader 〖教育〗速読練習器.
blínd-rèader 名 (郵便局の)あて名判読係.
cárd rèader カード読み取り装置, カードリーダー.
cópy·rèader 名 《米》〖ジャーナリズム〗(新聞社の)原稿整理係.
dócument rèader 〖コンピュータ〗文書読み取り装置.
Fírst Réader 〖クリスチャンサイエンス〗第一朗読者.
láy rèader 〖英国国教会〗信徒奉事者.
méter-rèader 名 《米俗》(航空機の)副操縦士.
mícro·rèader 名 マイクロリーダー.
mínd rèader 読心術者.
mítt rèader 《米サーカス・見世物俗》手相見.
néws·rèader 名 《主に英》ニュースキャスター.
nòn·réad·er 名 読めない子供 [児童].

óptical márk rèader 〖電子工学〗光学式マーク読み取り装置(OMR).
pláy·rèader 名 脚本を読んで上演［出版］の適否を具申する人.
préss rèader (最後の校正刷りの)校正者.
prínter's réader 校正係.
scrípt rèader ＝playreader.
Scrípture rèader (目が不自由な人の家を回って)聖書を読み聞かせる人.
Sécond Réader 〖クリスチャンサイエンス〗第二朗読者.
tápe rèader 〖コンピュータ〗テープ読み取り機.
thírd rèader (英国の新聞 *Times* の)第３社説.
wánd rèader (バーコードを読み取る)ペン型のスキャナー.

read·ing /ríːdiŋ/

名 **1** 読書, 読むこと. **2** 解釈. **3**〖議会〗読会(どく). ── 形 (機器が)数値などを示す. ⇨ -ING[1], -ING[2].

diréct-réading 形 〖工学〗実際の測定値を直接記録する.
fínger rèading (指先で)点字を読むこと, 点字読法.
fírst réading 〖議会〗第一読会.
gálley rèading 〖印刷〗ゲラ刷り［棒組み］校正.
hánd-rèading 《話》手相占い, 手相判断.
líp·rèading 読唇(術), 読話.
mínd rèading 人の心を読み取る能力, 読心力.
óptical márk rèading 〖情報工学〗光学式マーク読み取り機構.
pálm rèading 手相占い(palmistry).
pénny rèading 《英》《もと》一連の寸劇ショー.
remédial réading 読書力補強指導, 読書治療.
sécond réading 〖議会〗第二読会.
spéech·rèading 談話判読, 読話術.
téacup rèading 茶の葉占い, 紅茶占い.
thírd réading 〖議会〗第三読会.

read·y /rédi/

形 《叙述的》〈人が〉(…の)準備［用意］ができた, 〈人が〉すぐに［いつでも］(…できる). ⇨ -Y[1].

al·réad·y 副 とっくに, すでに, もう, 以前に.
báttle-rèady 形 戦闘態勢にある.
cáble-réady 形 〖電子工学〗ケーブル接続端子を備えている.
cámera-réady 形 〖印刷〗〈本文・イラストが〉カメラ撮りできる(状態の).
cómbat-réady 形 戦闘即応性の, 戦闘即応状態の.
Éver Ready 《商標》英国製の電池.
máke-rèady 名 〖印刷〗むら取り.
óven-réady 形 〈食べ物が〉オーブンレディーの.
róugh-and-réady 形 粗削りの, 間に合わせの.
ùn·réad·y 形 (…の)用意のない, 準備ができていない.

re·a·gent /riéidʒənt/

名 〖化学〗試薬. ⇨ AGENT.

Grignárd rèagent グリニャール試薬.
Néssler's reágent ネスラー試薬.
Schíff reágent シッフ(氏)試薬.
Schwéitzer's reágent シュワイツァー試薬.

re·al /ríːəl, ríːl | ríəl, ríːl/

形 **1**〈理由などが〉本当の. **2** (想像・虚構・観念的でなく)実際の, 現実の; 現実に存在する. ⇨ -AL[1].

ir·re·al 形 本当でない; 実在しない.
sur·re·al 形 超現実主義の.
un·re·al 形 実在しない; 想像上の.

re·al·ism /ríːəlìzm | ríəl-/

名 **1** 現実主義, 現実［実際］への関心. **2**〖美術〗リアリズム, 写実主義. **3**〖文学〗リアリズム;〖哲学〗(中世スコラ哲学の)実念論; (認識論の)実在論. ⇨ ISM[1].

cómmon-sènse réalism ＝naive realism.
concéptual réalism 〖哲学〗概念実在論, 実念論.
cúb·ist-rè·al·ism 名 〖美術〗立体派リアリズム.
hy·per·ré·al·ism 名 〖美術〗ハイパーリアリズム.
ir·ré·al·ism 名 〖文学〗イリアリズム: リアリズムと無関係な立場で書かれた小説の作風.
mágical réalism ＝magic realism.
mágic réalism 〖文学〗魔(術)的リアリズム.
naíve réalism 〖哲学〗素朴実在論.
nátural réalism ＝naive realism.
nè·o·ré·al·ism 名 (一般に文学・芸術などで)写実的様式への復帰とみなされる運動.
Néw Réalism ＝neorealism.
phò·to·ré·al·ism 名 〖美術〗フォトリアリズム.
preséntative réalism 〖哲学〗表象主義.
shárp-fòcus réalism 〖美術〗シャープフォーカス・リアリズム.
sócialist réalism 〖芸術〗〖文学〗社会主義リアリズム.
sócial réalism 〖美術〗社会派リアリズム.
sù·per·ré·al·ism 名 ＝photorealism.
sur·ré·al·ism 名 シュールレアリスム, 超現実主義.

rea·son /ríːzn/

名 **1** 理由. **2**〖哲学〗理性.

áctive réason 〖アリストテレス哲学〗能動的理性.
pássive réason 〖アリストテレス哲学〗受動的理性.
práctical réason 〖カント哲学〗実践理性.
púre réason 〖カント哲学〗純粋理性.
rúle-of-réa·son 形 合理的な, 筋の通った.
suffícient réason 〖哲学〗充足理由律.
ùn·réa·son 名 合理的に思考できないこと.

re·bel·lion /ribéljən/

名 反乱; 反逆, 謀反. ⇨ -ION[1].

Dórr's Rebéllion 〖米史〗ドーアの反乱(1842).
Gréat Rebéllion 〖英史〗国内戦争, イギリス大内乱(1642–49).
Jácobite Rebéllion 〖英史〗ジャコバイトの反乱(1715, 1745).
Los Ángeles Rebéllion ロサンゼルス暴動(1992).
Lówer Cánada Rebéllion ロワーカナダ反乱(1837).
Ságebrush Rebéllion 《米》「よもぎの反乱」(1979).
Sépoy Rebéllion セポイの反乱(1857–59).
Whískey Rebéllion 〖米史〗ウイスキー反乱［一揆］(1794).

re·ceipt /risíːt/

名 領収書, 受領書, 受取, レシート.

Américan depósitory recèipt 《米》〖証券〗譲渡性預託証書.
depósitary recèipt 〖証券〗預託証券.
depósit recèipt 〖銀行〗預金証書.
retúrn recéipt 〖郵便〗書留郵便物受領通知.
wárehouse recèipt 《米》〖商業〗倉庫証券, 倉荷証券.

re·ceiv·er /risíːvər/

名 **1** 受け取る人, 受け取った人. **2** 受信機. ⇨ -ER[1].

Offícial Recéiver 《英》破産管財人.
rádio recéiver 無線受信機.

R

télephone recèiver (電話の)受話器.
wíde recéiver 〘アメフト〙ワイドレシーバー.

re·cep·tion /risépʃən/

名 受け取ること. ►receive の名詞形. ⇨ -CEPTION.

áutodyne recèption 〘通信〙オートダイン受信.
chè·mo·re·cép·tion 名 化学受容.
phò·no·re·cép·tion 名 音知覚, 音受容, 振動受容.
phò·to·re·cép·tion 名 (生理的な)光線感受性, 光受容.

re·cep·tor /riséptər/

名 〘生理〙受容器官, 感受 [接受] 器官, レセプター. ⇨ -TOR.

ad·rè·no·re·cép·tor 名 アドレナリン受容体.
álpha-adrenérgic recèptor ＝alpha receptor.
álpha recèptor α 受容体, α レセプター.
bàr·o·re·cép·tor 名 圧受容器.
béta-adrenérgic recèptor ＝beta receptor.
béta recèptor ベータ受容体.
cá·lo·re·cèp·tor 名 温熱受容器.
chè·mo·re·cép·tor 名 化学受容器(官).
chò·li·no·re·cép·tor 名 コリン受容体.
e·lèc·tro·re·cép·tor 名 電気受容器.
fríg·i·do·re·cép·tor 名 寒冷受容器.
glù·co·re·cép·tor 名 グルコース受容器.
mèch·a·no·re·cép·tor 名 機械的受容器.
phò·no·re·cép·tor 名 音受容器, 聴覚器官; (特に)耳胞.
phò·to·re·cép·tor 名 光受容器, 光受容体 [物質].
près·so·re·cép·tor 名 圧受容器, 血圧感受体.
rhé·o·re·cèp·tor 名 水流知覚器.
strétch recèptor 筋紡錘(ぼう)(体).
tán·go·re·cèp·tor 名 触受容器, 触覚器官.
thèr·mo·re·cép·tor 名 温度受容器.

rec·og·ni·tion /rèkəgníʃən/

名 認める[られる]こと. ►recognize の名詞形. ⇨ COGNITION.

cháracter recognìtion 〘コンピュータ〙文字認識.
de·rèc·og·ní·tion 名 (政府からの)承認の取消.
nòn·rec·og·ní·tion 名 認めないこと, 不許可, 不承認.
óptical márk recognìtion 〘電子工学〙光学式マーク読み取り.
páttern recognìtion 〘コンピュータ〙パターン認識.
sélf-rec·og·ní·tion 名 〘生化学〙自己認識.
spéech recognìtion 〘コンピュータ〙音声認識.
vóice recognítion ＝speech recognition.

re·cord 動 /rikɔ́ːrd/ 名 /rékərd/

動他 **1** …を記す, 記録する. **2** …を録音 [録画] する. ——名 **1** 記録; 記録文書. **2** 音声 [映像] 記録. **3** 成績; (運動競技などの)記録. ⇨ -CORD.

bróken récord 《米俗》しつこくてうんざりするもの [人].
cáse récord 事例史: 特定の個人などの歴史についての全資料を集めて, 研究用記録として整理したもの.
Congréssional Récord (米国の)連邦議会議事録.
fíxed-léngth rècord 〘コンピュータ〙固定長レコード.
fóssil rècord 〘化石〙化石記録.
góld récord ゴールドディスク: シングル盤 100 万枚, またはアルバム 100 万ドルの売り上げをあげたレコード.
óff-the-récord 形副 記録に留めない(で), 非公開の[で].
ón-rècord 形 報道を前提とした, オフレコでない.
ón-the-rècord 形 ＝on-record.
phóno·rècord レコード盤.
prè·recórd 動他 〈番組を〉録音 [録画] する.
rént-a-rècord 貸しレコード.
rè-recórd 動他 もう一度録音する, 再録(音)する.
stóck rècord (製造工場などの)材料元帳.
tápe-recòrd 動他 テープに録音する, テープに取る.
téle·recòrd 動他 …をテレビ放送用に録画する.
tráck rècord 《米》陸上競技の成績.
únit rècord 〘コンピュータ〙ユニットレコード.
váriable-léngth rècord 〘コンピュータ〙可変長レコード.
vídeo rècord プロモーションビデオ.
vídeo-recòrd 動他 〈番組などを〉録画する.

re·cord·er /rikɔ́ːrdər/

名 **1** (各種の)記録器[計]. **2** 録音[録画]装置. ⇨ -ER[1].

Cámpbell-Stókes recórder カンベル=ストークス日照計.
cassétte recòrder カセットテープレコーダー.
fílm recòrder 映画用録音装置.
flíght dáta recòrder ＝flight recorder.
flíght recòrder 〘航空〙フライトレコーダー.
incremental recórder 〘コンピュータ〙インクリメンタル [増分] レコーダー.
magnétic recórder 磁気記録装置 [録音機].
míni·recòrder 名 ミニカセット専用録音機.
phò·to·re·córd·er 名 写真記録(作製)装置.
tápe recòrder テープレコーダー.
tíme recòrder タイムレコーダー(time clock).
víd·e·o·re·còrd·er 名 〘テレビ〙ビデオレコーダー.
wíre recòrder 針金磁気録音機, ワイヤレコーダー.

re·cord·ing /rikɔ́ːrdiŋ/

名 録音, 録画, 収録, レコーディング. ——形 記録する, 録音する. ⇨ -ING[1], -ING[2].

ánalog recórding アナログ録音.
dígital recórding デジタル記録.
magnétic recórding 磁気記録, 磁気録音.
phòto·recórding (特に文書の)写真記録作成.
sélf-recórding 形 〈機器が〉自動記録(式)の.
sóund recòrding 録音.
tápe recòrding 録音 [録画] テープ(の音声 [画像]).
vídeo recòrding 〘テレビ〙テレビの映像を録画して作った映画.
vídeotape recòrding 〘テレビ〙ビデオテープ録画.
wíre recòrding wire recorder「針金磁気録音機」による録音.

re·cov·er·y /rikʌ́vəri/

名 取り戻すこと, 取り返した物; (閉じ込められた人の)救助; (使った金の)埋め合わせ; (失地の)回復. ⇨ -Y[3].

enhánced recóvery ＝tertiary recovery.
sécondary recóvery 二次採収.
spontáneous recóvery 〘心理〙自然 [自発的] 回復.
tértiary recóvery 三次採収.
wáste hèat recòvery 廃熱利用.
résource recòvery 資源再生: ゴミのエネルギー利用のこと.

-rect /rékt/

連結形 導く.
★ 語末にくる関連形は -RECTION, -RECTIVE.
★ 語頭にくる形は rect-: *rect*angle「矩形」, *recti*lineal「直線の」.
◆ <ラ *rēctus*「まっすぐな」(*regere*「導く, 支配する」の過去分詞).
[発音] すべて 2 音節の語で, 基体(-rect)に第 1 強勢.

cor·rect 動他形 ☞
di·rect 動他形 ☞
e·rect 形動他 ☞
por·rect 動他 〘教会法〙…を提出する.

R

rec·ti·fi·er /réktəfàiər/

名 **1**〖電子工学〗改正[修正]する人[もの]; 訂正者; 調整用器具. **2**〖電気〗整流器. ⇨ -IFIER.

crýstal réctifier クリスタル整流器.
fúll-wàve réctifier 全波整流器.
hálf-wave rèctifier 半波整流器.
Rússell réctifier ラッセル波動整流装置.
selénium rèctifier セレン整流器.
sílicon-contròlled réctifier シリコン制御整流器.
sílicon réctifier シリコン整流器.
trans·réc·ti·fi·er 名 相互整流器.

-rec·tion /rékʃən/

連結形 案内されたもの[こと], …に向けられたもの[こと].
★ 名詞をつくる.
★ 語末にくる関連形は -RECT.
★ 語頭にくる形は rect-: *rect*angle「矩形」, *recti*lineal「直線の」.
◆ <ラ *-rēctus*(*-rigere*「案内する」の過去分詞). ⇨ -TION.

cor·rec·tion 名 ☞
di·rec·tion 名 ☞
e·rec·tion 名 (体の)直立, 起立; 直立状態.
res·ur·rec·tion 名 (死者が)生き返ること, よみがえり.

-rec·tive /réktiv/

連結形 導かれた, 支配された.
★ 形容詞をつくる.
★ 語末にくる関連形は -RECT.
★ 語頭にくる形は rect-: *rect*angle「矩形」, *recti*lineal「直線の」.
◆ <ラ *-rēctus*(*regere*「導く, 支配する」の連結形 *-rigere* の過去分詞より). ⇨ -IVE[1].

cor·rec·tive 形 《文語》矯正する, 正しくする.
di·rec·tive 形 指示[指導]的な.
e·rec·tive 形 直立力のある, 直立性の.

red /réd/

名 赤, 赤色, 紅色; 赤み.

Adrianóple réd トルコ赤.
áll-réd 形 《英》(地図に赤色で示した)英国領土だけを通る.
ántique réd アンティークレッド, 古代赤.
blóod-réd 形 血のように赤い, 暗赤色の.
blúe-réd 紫系統の色, スペクトルにおける青と赤の中間色.
bórder réd 《米麻薬俗》メキシコ製セコバルビタールのカプセル.
brazíl réd ブラジルボクから採る赤色染料.
bríck réd 赤れんが色.
cádmium réd カドミウムレッド.
Cambódian réd 《米麻薬俗》カンボジア産の赤茶色のマリファナ.
cám rèd 《米麻薬俗》=Cambodian red.
chérry réd さくらんぼ色, 鮮紅色.
Chínese réd 朱(色), 赤だいだい色.
chlorophénol réd クロロフェノール・レッド.
chróme réd クロム赤.
Cóngo réd コンゴレッド.
Dágo réd 《俗》安物赤ワイン.
Énglish réd イングリッシュレッド.
fíre réd 濃い赤みがかったオレンジ色.
Hárrison réd =signal red.
Índian réd インド赤.
ìnfra·réd 名 (スペクトルの)赤外部, 赤外線.
Levánt réd =Adrianople red.
líght réd 薄赤色.
Márs réd マースレッド.
méthyl réd メチルレッド.
Méxican réd 《米俗》=Panama red.
néutral Réd ニュートラルレッド.
Pánama réd 中南米産の特に上質のマリファナの一種.
Pompéian réd ポンペイアンレッド.
póppy réd ケシ色.
Rhòde Ísland Réd ロードアイランドレッド種: 米国産の鶏の卵肉兼用種.
róse réd ばら色.
róse-réd 形 ばら色の.
sígnal réd ピメントレッド(pimento).
tomáto rèd トマト色.
Túrkey réd トルコ赤, 茜(あかね)色, 濃赤色.
ùltra·réd 名 《俗》=infrared.
Venétian réd ベネシアンレッド.
wíne réd ワインレッド, 赤ワイン色.

-red /rid/

接尾辞 状態を表す名詞をつくる.
◆ 中英 *-rede*, 古英 *-rǣden*「勧告, 定められた状態」; read と同語源.

ha·tred 名 (…に対する)強い嫌悪, 憎しみ.
kin·dred 名 親族, 親類.

re·duc·tion /ridʌ́kʃən/

名 **1** 減少; 変形. **2** 還元. ►reduce の名詞形. ⇨ -DUCTION.

autoxidátion-redùction 〖化学〗不均化(反応), 不同変化.
conjúnction-redúction 〖文法〗等位構造縮約.
dáta redùction 〖コンピュータ〗データの要約整理.
e·lèc·tro·re·dúc·tion 名 〖化学〗電解還元.
índirect redúction 〖論理〗間接還元法.
oxidátion-redúction 〖化学〗酸化還元.
phò·to·re·dúc·tion 名 〖化学〗光還元.
piáno redùction 〖音楽〗ピアノスコア, ピアノ総譜.

reed /ríːd/

名 **1**〖植物〗アシ. **2**〖音楽〗リード, 簧(した).

béating rèed 〖音楽〗打簧(だこう).
bróken réed 「折れた葦(あし)」, いざというとき信頼できない人[もの].
búr rèed 〖植物〗ミクリ(実栗).
cáne rèed 〖植物〗メダケ属に属する *Arundinaria gigantea*.
dítch rèed 〖植物〗オオトボシガラ.
dóuble-réed 形 〖音楽〗複簧(ふくこう)楽器の.
frée réed 〖音楽〗自由簧(こう).
gíant réed 〖植物〗ヨシタケ, ダイチク.
páper rèed 〖植物〗パピルス, カミガヤツリ.
smáll rèed ノガリヤス属の草.

reef /ríːf/

名 礁, 砂礁, 砂州, 暗礁, リーフ.

Bárrier Rèef =Great Barrier Reef.
bárrier rèef 堡礁(ほしょう).
córal rèef サンゴ礁.
frínging réef 裾礁(きょしょう).
Gréat Bárrier Rèef グレートバリアリーフ, 大堡礁(ほしょう).
pátch rèef 孤立サンゴ礁.

reel /ríːl/

R

名 リール, 巻き枠, かせ枠. ── 動他 〈糸・毛糸などを〉糸巻きに巻く, 巻き取る.

fíre·rèel 《カナダ》(主に Toronto で)消防自動車(fire engine).
inértia rèel 《英》慣性リール: 自動車のシートベルトを自動調節する.
íso-rèel 〖テレビ〗素材フィルム[テープ].
lóg rèel 〖海事〗測程線(log line)用絡車.
néws·rèel ニュース映画.
réel-to-réel 形 〈テープレコーダーなどが〉オープンリール式の.
spínning rèel 〖釣り〗スピニングリール.
táke-ùp rèel 〖映画〗巻き取りリール.
ùn·réel 動他 …を巻きほぐす, 取り外す.

reeve /ríːv/

名 町[地方]の行政官, 役人.

dike·reeve 名 《英》治水監理官.
dyke·reeve 名 =dikereeve.
fen-reeve 名 《英》沼沢地方管理官.
port·reeve 名 〖英史〗市[町]長; 助役.

ref·er·ence /réfərəns/

名 **1** (…への)委託, 委任; (…に)原因があるとすること. **2** (…への)言及. **3**〖言語〗指示. **4** (…への)参照; 照合; 問い合せ. ⇨ -FERENCE.

cháracter rèference (従業員の離職時などに雇い主が出す)人物証明書.
cò·réf·er·ence 名 〖言語〗同一指示.
króss réference (同一書中の)相互参照, 引照.
króss-réference 動他自 (…に)相互参照用字句をつける.
gríd rèference (地図・図面の)グリッド照合.
sélf-réference 自分自身(のこと)についての言及.

re·flec·tion /rifléкʃən/

名 反射; 反映; 表れ. ►reflectの名詞形. ⇨ -FLECTION.

àu·to·re·flec·tion 名 自動反射法.
ìn·ter·re·flec·tion 名 〖光学〗相互反射.
régular refléction 〖光学〗正反射.
sélf-re·flec·tion 名 〖心理〗内省.
spáce reflèction 〖物理〗空間反転.
tótal intérnal refléction =total reflection.
tótal refléction 〖光学〗全反射.

re·flex /ríːfleks/

名 反射(作用). ⇨ -FLEX.

Achílles refléx くるぶし反射, アキレス腱反射.
Babínski's refléx バビンスキー反射.
báss rèflex 〖音響〗バスレフ, 位相反転装置.
cháin rèflex 連鎖反射.
chèmo·réflex 名 化学反射.
condítioned réflex 条件反射.
córneal réflex 角膜反射, 閉眼反射.
díving rèflex 潜水[飛び込み]反射.
Móro's réflex モロー反射, 驚愕(きょうがく)反射.
patéllar réflex 膝蓋腱反射, 膝現象.
plántar rèflex 足底反射.
strétch rèflex 伸展[伸張]反射.

re·form /rifɔ́ːrm/

名 **1** (社会・制度・政治・宗教などの)改良, 改革. **2** (品行・信念などの)矯正, 改心. ⇨ -FORM[2].

lánd refòrm (政府が行う)土地改革, 農地改革.
spélling refòrm 綴(つづ)り字改革運動.
táriff refòrm 関税改正.
thóught refòrm 思想改造.

ref·or·ma·tion /rèfərméiʃən/

名 改良, 改善; 改革. ►reform の名詞形. ⇨ FORMATION.

Cóunter Reformátion 反宗教改革.
còunt·er·ref·or·má·tion 名 (前の改革に対する)反改革.
Prótestant Reformátion 宗教改革.
sélf-ref·or·má·tion 名 自己改良.

re·fu·gee /rèfjudʒíː, ⌐ー⌐|⌐ー⌐/

名 (政治動乱・戦争などで外国へ逃れる)避難者, 難民. ⇨ -EE[1].

económic refugée 経済難民, 生活向上を狙う移民.
èc·o·re·fu·gée 名 環境難民.
environméntal refugée =ecorefugee.
polítical refugée 政治亡命者.
wár refugèe 戦争避難民.

re·gen·er·a·tion /ridʒènəréiʃən/

名 改心; 再生, 新生. ►regenerate の名詞形. ⇨ GENERATION.

baptísmal regenerátion 〖神学〗洗礼による再生[新生].
límb regeneràtion 〖生物〗四肢再生.
sélf-re·gen·er·á·tion 名 自然発生, 自己生成.
sù·per·re·gen·er·á·tion 名 〖電子工学〗超再生.

re·gent /ríːdʒənt/

名 摂政. ⇨ -ENT[1].

nòn·ré·gent 名 〖英大学〗討論主宰修了文学修士.
Prínce Régent 摂政の宮.
príncess régent 摂政内親王.
quéen régent 摂政の王妃.
více-ré·gent 名 副摂政.

re·gion /ríːdʒən/

名 (かなり広い)区域, 地域. ⇨ -ION[1].

accéptance règion 〖統計〗採択域.
bi·o·re·gion 名 〖生態〗バイオリージョン.
Blúegrass Règion ブルーグラス盆地(米国の地名).
Bórders Règion ボーダーズ州(スコットランドの州).
Céntral Région セントラル(スコットランドの県名).
crítical région 〖統計〗棄却域, 危険域.
Fár Éastern Région 極東地方: ロシア連邦東部の行政区域.
flíght informàtion règion 〖航空〗飛行情報区.
isothérmal région 〖気象〗成層圏.
Jéwish Autónomous Région ユダヤ人自治州.
phótic région 〖生物〗有光圏, 透光層.
rejéction règion 〖統計〗棄却域.
súb·rè·gion 名 (ある地域内の)小区域.
váriable règion 〖免疫〗可変領域.
V règion =variable region.

reg·is·ter /rédʒistər/

名 **1** (行為・事件などの)記録簿, 登録簿; 名簿. **2** 自動記録[登録]器. **3**〖音楽〗声域. ── 動他 記録[登録]する.

cásh règister 金銭登録機, レジ(スター).
chíld-abùse règister 《英》〖社会福祉〗両親や保護者によ

R

って虐待される恐れのある児童の名簿.
chúrch register ＝parish register.
de·rég·is·ter 動他《英》…を登録抹消する.
en·rég·is·ter 動他 …を登記［登録, 記録］する.
Féderal Régister 連邦官報.
hándicap règister 《英》【社会福祉】身体障害者登録名簿.
héad register 【音楽】頭声域.
índex règister 【コンピュータ】指標レジスター.
Llóyd's Régister ロイズ［ロイド］船級協会.
Lòrd Clérk Régister 《古》【スコット法】公文書保管人.
ŃÀÍ register 《英》＝child-abuse register.
óut-of-régister 形 【印刷】(カラー印刷で)見当ずれの.
párish register 【キリスト教】教会区記録簿.
pén règister 電話利用(状況)記録装置.
sáles règister ＝cash register.
shíft register 【コンピュータ】シフトレジスター.
Sócial Régister 《商標》《米》(地方または一定地域の)名士録, 紳士録.
thíck règister 【音楽】胸声(声域).
thín règister 【音楽】＝head register.

reg·is·try /rédʒistri/

名 記録, 登録, 登記; 書留. ⇨ -RY[1].

brídal régistry 結婚贈り物登録表［台帳］.
lánd règistry 土地登記.
ópen régistry 便宜置籍.
pássive régistry 《主にカナダ》(養子縁組みの際に)本当の親子関係を第三者が記録に残しておく制度.

reg·u·lar /régjulər/

形 均整のとれた; 一定の. ⇨ -ULAR.

cánons régular 【ローマカトリック】司教座聖堂参事会員.
ir·reg·u·lar 形 (形態・配置などが)不均整の.
sè·mi·rég·u·lar 形 菱形の［を含む］.
stèr·e·o·rég·u·lar 形 【化学】立体規則性の.

reg·u·late /régjulèit/

動他 …を(規則・原理・方法などで)規制［規定］する; 統制［管理］する; 規則で取り締まる; 規則正しくする. ⇨ -ATE[1].

de·reg·u·late 動他 〈経済・価格などの〉公的規制を解除する, 統制を解除する.
ther·mo·reg·u·late 動自 〈人・動物が〉体温調節する.

reg·u·la·tion /règjuléiʃən/

名 **1** 規則. **2** 規制; 調整. ►regulate の名詞形. ⇨ -ATION.

àn·ti·reg·u·lá·tion 名 (全面的な)規制反対.
àu·to·reg·u·lá·tion 名 自己制御.
im·mu·no·reg·u·lá·tion 名 【医学】免疫調整.
òs·mo·reg·u·lá·tion 名 浸透圧調節.
Quéen's Regulátion (英国・英連邦の)国王軍規.
sélf-reg·u·lá·tion 名 (経済・ビジネス・組織上の)自主管理.
thèr·mo·reg·u·lá·tion 名 【生理】熱調整, 体温調節.

reg·u·la·tor /régjulèitər/

名 規制［規定］者, 調整者; 規制［調整］するもの. ⇨ -ATOR.

cýstic fibrósis transmémbrane regulátor 【生化学】嚢胞(のうほう)性線維症因子.
grówth règulator 【生化学】成長調整物質.
nèu·ro·rég·u·la·tor 名 【生化学】神経調節因子.
thèr·mo·rég·u·la·tor 名 サーモスタット, 温度調節器.
vóltage règulator 【電気】電圧調整器.

re·hears·al /rihə́ːrsəl/

名 (公演・儀式などの)稽古(けいこ); 練習［試演］会, リハーサル. ⇨ -AL[2].

cámera rehéarsal カメラリハーサル, 衣装合わせ.
dréss rehéarsal ドレスリハーサル.
ímagery rehèarsal イメージトレーニング.
Itálian rehéarsal 【演劇】本読み, 読み合わせ.

rein /réin/

名 手綱. ──動他 〈馬などを〉手綱で御する.

béaring rèin ＝checkrein.
brídle rèin 【馬具】手綱.
chéck·rèin 【馬具】止め手綱.
frée réin (…する)行動［選択］の自由.
gág rèin 【馬具】(調馬用の)責め手綱.
léading rèin 【馬具】(馬など動物の)引き手綱.
néck-rèin 動他 〈馬を〉押し手綱で誘導する.
ùn·réin 動他 手綱を放す［緩める］.

-rel /rəl/

接尾辞 小…, …なもの［やつ］.
★ 主に名詞, 形容詞をつくる.
★ 指小辞, 蔑称に用いる.
★ 異形 -erel.
★ 語末にくる関連形は -EL[1].
◆ 中英 -(*e*)*rel* ＜古仏 *-erel*, *-erelle*.

cock·er·el 名 (特に生後1年以内の)若い雄鳥.
dog·ger·el 形 〈詩が〉(韻律不整で)こっけいな.
dog·grel 形 ＝doggerel.
dot·ter·el 名 コバシチドリ.
gom·er·el 名 《スコット・北イング》ばか, あほう.
mon·grel 名 雑種犬.
nor·ges·trel 名 【薬学】ノルゲストレル.
pick·er·el 名 北米東部産の小さなカワカマスの総称.
stamm·rel 名 《スコット》＝staumrel.
staum·rel 形 《スコット》ばかな, まぬけな.
wast·rel 名 無駄遣いする人, 金遣いの荒い人.
whim·brel 名 チュウシャク(中尺)シギ.
wim·brel 名 ＝whimbrel.

re·late /riléit/

動他 **1** (人に)…を話す, 述べる, 物語る, 説明する. **2** (…に)関係させる, 関連づける, 結びつける. ⇨ -LATE.

co·re·late 動他 《主に英》＝correlate.
cor·re·late 動他 相互的に関連させる, 相関させる.
in·ter·cor·re·late 動自他 互いに関連する［させる］.
in·ter·re·late 動他 相互関係に置く.
mis·re·late 動他 間違って関係づける.

re·la·tion /riléiʃən/

名 (…間の)関係, 関連. ►relate の名詞形. ⇨ -ATION.

blóod relátion 血縁者, 血族, 肉親.
cò·re·lá·tion 名 《主に英》＝correlation.
còr·re·lá·tion 名 相互関係, 相関関係.
cróss relátion 【音楽】対斜.
equívalence relàtion 【数学】同値関係.
extérnal relátion 【哲学】偶有関係.

fálse relátion =cross relation.
intérnal relátion 〖哲学〗内界[内的]関係.
ìn·ter·re·lá·tion 名 相互[相関]関係.
paradigmátic relátion 〖言語〗範列連関.
périod-luminósity relàtion 〖天文〗周期光度関係.
póor relátion (…に比べて)劣る人[物].
sélf-re·lá·tion (物の)同一性.
syntagmátic relátion 〖言語〗連辞関係.

re·la·tions /riléiʃənz/

名複 relation「関係」の複数形.

commúnity relàtions コミュニティーリレーションズ: 道徳, 宗教, 文化, 政治, 言語の面で衝突する可能性のある集団がいっしょに住んでいる特殊な状態; (特に白人と黒人間の)人種関係.
fóreign relátions 国際(関係)問題, 外交問題.
húman relátions 人間関係論.
indústrial relátions 企業の労資関係.
internátional relátions 国際関係論.
lábor relàtions 労使関係.
públic relátions ピーアール(PR), 広報(活動).
ráce relàtions (単一社会内の)人種間[異民族]関係.
séxual relátions 性交, 交接.

re·la·tion·ship /riléiʃənʃip/

名 **1** 関係, 関連. **2**《話》間柄. ⇨ -SHIP.

abúsive relátionship 虐待関係.
genealógical relátionship 〖歴史言語〗=genetic relationship.
genétic relátionship 〖歴史言語〗発生的関係, 系統的関係.
méaningful relátionship 実りのある交際.

rel·a·tive /rélətiv/

名 血族[姻戚(いんせき)]関係にある者, 親類, 親戚, 縁者, 身内. ⇨ -LATIVE.

blóod rélative 血縁者, 血族, 肉親.
co·rél·a·tive 形 《主に英》=correlative.
cor·rél·a·tive 形 相互依存[相補]関係にある.
ir·rél·a·tive 形 (…と)関係[関連]のない.

re·lay /ríːlei | ríːlei, riléi/

名 交替班[組]; (労働者・油・食糧などの)新たな供給.

médley rèlay 〖陸上競技〗メドレーリレー.
rádio rélay 無線中継局.
réed rèlay 〖通信〗リードリレー[継電器].
stépping rèlay 〖電気〗ステッピング継電器.
tórch rèlay 聖火リレー.

re·lease /ríliːs/

動他 **1** 〈人・動物を〉(監禁・拘束・束縛などから)自由にする, 解放する. **2** 〈未発表のものを〉公開する; 〈レコード・本などを〉売り出す, 〈ニュースを〉公表する. ——名 **1** 解放, 釈放; 免除. **2**《もと米》公開, 公表. ⇨ LEASE.

blóck relèase (英国で)社員留学制度.
cáble relèase 〖写真〗ケーブルレリーズ, レリーズ.
contrólled-reléase 形 〈医薬品・殺虫剤などが〉一定の時間を置いて[徐々に]効き始める.
dáy relèase 《英》研修休暇制度.
háppy reléase (苦しみからの)解放; 死.
márgin relèase (タイプライターの)マージン・リリース.
néws relèase =press release.
prè·re·léase 名 前もって公開されるもの.
préss relèase 新聞発表, プレスリリース, 「プレス」.
quíck-reléase 形 迅速離脱の; 急速排気の.
rè·re·léase 動他 〈映画などを〉再公開する.
shútter relèase 〖写真〗シャッターボタン.
slów-reléase 形 〖薬学〗=sustained-release.
sustáined-reléase 形 〖化学〗〖薬学〗持続性の.
tímed-reléase 形 〖薬学〗=sustained-release.
tíme-relèase 形 =sustained-release.
tréat-and-reléase 《米》〖医学〗(病院の方針としての)治療後即退院.
twíst-reléase 形 ねじって開ける方式の.
wórk-relèase 形 (受刑者の)外部通勤の, 通勤刑の.

re·lief[1] /rilíːf/

名 (苦痛・悩み・圧迫などの)緩和, 軽減, 除去; 安心.

cómic relíef 喜劇的息抜き場面.
óut-relief 名 〖英史〗(貧民などに対する)院外援助.
retírement relíef 《英》退職者資本利得税免除.

re·lief[2] /rilíːf/

名 浮き彫り(細工); (土地の)起伏. ◇ RELIEVO.

bàs-re·líef 名 〖美術〗浅浮き彫り, 薄肉彫り.
dèmi·relíef 名 〖美術〗半肉彫り.
hálf relíef 〖美術〗=demirelief.
hígh relíef 〖美術〗高浮き彫り, 厚肉彫り.
lów relíef =bas-relief.
mìcro·relíef 名 マイクロレリーフ, 微地形.
súnk relíef 〖美術〗沈め浮き彫り.

re·lie·vo /rilíːvou, -ljév- | -líːv-/

名 (彫刻・建築などの)浮き彫り. ◇ RELIEF[2]. ⇨ -O[2].

al·to-re·lie·vo 名 高浮き彫り, 高肉彫り, 厚肉彫り.
bas·so-re·lie·vo 名 浅浮き彫り, 薄肉彫り(bas-relief).
ca·vo-re·lie·vo 名 カボ=リリエボ陰刻, 沈め浮き彫り.
mez·zo-re·lie·vo 名 メゾリリエボ, 半肉彫り.

re·li·gion /rilídʒən/

名 宗教. ⇨ -ION[1].

compárative relígion 比較宗教学.
ìr·re·lí·gion 名 無宗教, 無信仰.
nátural relígion 自然宗教.
revéaled relígion 啓示宗教.
státe relígion 国教.

re·li·gious /rilídʒəs/

形 **1** 宗教の, 宗教に関する, 宗教上の, 宗教的な. **2** 信仰の厚い. ⇨ -IOUS.

a·re·li·gious 形 宗教に無関心な, 無信心の.
in·ter·re·li·gious 形 異宗教間の.
ir·re·li·gious 形 無宗教の, 宗教心を持たない.
sem·i·re·li·gious 形 半宗教的な.
so·ci·o·re·li·gious 形 社会宗教上の, 社会宗教的な.
un·re·li·gious 形 無宗教の, 不信心な, 反宗教的な.

-reme /riːm/

連結形 〖海事〗櫂(かい), オール.
★ 名詞をつくる.
◆ ラテン語 *rēmus*「オール」より.
[発音] 語頭の音節に第1強勢.

R

bi·reme 名 二段櫂(だんかい)船.
quad·ri·reme 名 (ギリシャ・ローマ遺物で)各舷(げん)に漕手(こぎて)座が 4 列あるガレー船.
quin·que·reme 名 古代のガレー船(galley)の一種.
se·ti·reme 名 装毛櫂脚(そうもうかいきゃく).
tri·reme 名 3 段［列］オールのガリー船.

re·nal /ríːnl/

形 腎臓の, 腎臓部の. ⇨ -AL[1].
★ 語頭にくる関連形は reni-, reno-: *reni*form「腎臓の形をした」, *reno*vascular「腎血管性の」.

ad·re·nal 形 副腎の［によって作り出される］.
ex·tra·re·nal 形 腎(臓)外の.
in·ter·re·nal 形 〖解剖〗腎(臓)間の, 副腎の.
su·pra·re·nal 形 〖解剖〗腎臓上の; 副腎の.

rent /rént/

名 **1** (土地の)賃貸料, 家賃. **2** (機械・設備などの)使用料. ── 動他 〈土地・家などを〉賃貸しする.

àn·ti·rént 形 〖米史〗地代支払いに反対の.
córn rènt 《英》小麦で払う小作料.
cóst rènt 《英》(賃貸住宅の)原価家賃.
drý rént 〖法律〗自救差し押さえ不能地代.
económic rént 〖経済〗経済地代.
gróund rènt 《主に英》地代, 借地料.
hígh-rént 形 シックな, 高級な(classy).
lów rént 形 《米俗》安っぽい.
ò·ver·rént 動他 不当な賃借料などを要求する.
péppercorn rént 中世に地代として定期的に地主に納めた黒コショウの実.
péw rènt 〖教会〗信者席料.
quít·rènt 名 〖農業〗免役地代.
ráck-rènt 名 年間総収入に匹敵するほどの地代.

re·pair /ripέər/

名 修理, 修繕; 回復.

dárk repàir 〖遺伝〗暗回復.
dìs·re·páir 名 修理を必要とする状態, 破損状態.
excísion repàir 〖生化学〗除去［切除］修復.
rècombinátional repàir 〖遺伝〗組み換え修復.
SÓS repàir 〖遺伝〗誘導性修復.
ùn·re·páir 名 修理を要する状態(disrepair); 荒廃, 破壊.

re·port /ripɔ́ːrt/

名 (…についての)調査報告(書), 研究報告(書), 報告(書), レポート; (調査などに基づく)意見書; 報道. ⇨ -PORT.

ánnual repórt 《米》〖証券〗年次報告書.
Dénning repórt 〖英裁判〗デニングレポート.
Dónovan Repòrt 〖英議会〗ドノバン報告(1968).
Económic repórt 《米》(大統領による)経済報告.
mìs·re·pórt 動他 誤って［偽って］報告する, 誤報する.
Nórwood repòrt 〖英教育〗ノーウッド報告.
Pílkington Repórt 《英》〖放送〗ピルキントン報告.
Plówden Repòrt 《英》〖航空〗プラウデン報告.
prógress repórt 中間報告.
próperty irregulárity repòrt 〖航空〗事故手荷物申告書.
schóol repòrt 《英》通知表, 成績表, 通信簿.
smóke repòrt 《米市民ラジオ俗》警官が取り締まりしている場所の通報.
sócial inquíry repórt 《英》社会調査報告書.
súgar repòrt 《米俗》恋人からの手紙.
ùn·der·re·pórt 動他自 過少申告する.
Úniform Críme Repòrt FBI 統一犯罪統計報告書.
wéather repòrt 気象通報, 天気予報.

Wólfenden Repòrt 〖英政治〗ウルフェンデン報告.

re·port·er /ripɔ́ːrtər/

名 **1** 報告者, 通報者, 伝達者. **2** (新聞・テレビなどの)記者. ⇨ -ER[1].

áction repòrter 〖ジャーナリズム〗アクションレポーター.
córt repórter 法廷速記者.
cúb repòrter 駆けだしの新聞記者.
políce repòrter 警察番記者.
póol repòrter 〖ジャーナリズム〗代表取材の記者.

rep·re·sen·ta·tion /rèprizentéiʃən, -zən-/

名 **1** 表現. **2**〖行政〗代表制. ►represent の名詞形. ⇨ -ATION.

exclúsive representátion 〖労働組合〗排他的代表権.
fúnctional representátion 〖政府〗職能［機能］代表制.
gróup representátion 〖政治〗集団代表制.
mìs·rep·re·sen·tá·tion 名 不正確に［誤って］伝えること.
propórtional representátion 〖政治〗比例代表制.
ùnder·representátion 名 過少表示.

rep·re·sent·a·tive /rèprizéntətiv/

名 (…を)代表する人［もの］, (…の)代表(者); (政府の)海外代表; 後継者, 相続人. ⇨ -ATIVE.

pérsonal representátive 〖法律〗人格代表者［代理人］.
réal represéntative 〖法律〗物的代表者.
régistered represéntative 〖証券〗登録有価証券外務員.
sáles represèntative (特定地域や外国で, 会社の代行業務を行う)販売代理店［人］.
ùn·rep·re·sént·a·tive 形 (選挙民などを)代表していない; 十分代表役を果たせない.

re·pro·duc·tion /rìːprədʌ́kʃən/

名 **1** 再生産. **2**〖生物〗生殖. ►reproduce の名詞形. ⇨ PRODUCTION.

aséxual reprodúction 〖生物〗無性生殖.
mì·cro·re·pro·dúc·tion 名 (写真の)微小複製.
paraséxual reprodúction 〖生物〗疑似有性繁殖.
séxual reprodúction 〖生物〗有性生殖.

re·pub·lic /ripʌ́blik/

名 共和国, 共和制国家.

autónomous repúblic 自治共和国.
banána repùblic 《通例軽蔑的》果実輸出・観光・外資への依存度の高い熱帯地方の小国.
democrátic repúblic 民主共和国.
democrátic péople's repúblic 民主主義人民共和国: 北朝鮮.
islámic repúblic イスラム共和国.
péople's repúblic 人民共和国.

re·search /risə́ːrtʃ, ríːsəːrtʃ/

名 (…の)研究, 調査, 探求. ⇨ SEARCH.

bìo·reséarch バイオリサーチ, 生物学研究.
consúmer rèsearch 消費者調査, 市場調査.
márketing rèsearch 〖マーケティング〗マーケティング調査.
márket réseаrch 〖マーケティング〗市場調査.
márket-réseаrch 動他 〈商品の〉市場調査を行う.
motivátion resèarch 購買動機調査, 動機調査.
operátions resèarch 《米》オペレーションズ・リサーチ: 数学的な分析手法による実務実行方法の分析. ►略して OR.

R

páy resèarch 《英》(公務員昇給の)民間給与比較方式.
súrvey rèsearch 〖マーケティング〗サーベイリサーチ.
sýndicated reséarch 〖経営〗協同市場調査.

re·serve /rizə́ːrv/

動他 〈物などを〉(…のために)取っておく. ——名 **1** 〖会計〗準備金, 積立金. **2** (公の)特別保有区, 保留地, 保護区. ⇨ -SERVE.

áuction resèrve 《英》〖経済〗最低競売価格.
biosphére resérve 保護生命 [生存] 圏.
céntral resérve 《英》(高速道路などの)中央分離帯.
contíngency resèrve 偶発損失積立金.
depreciátion resérve 原価償却積立 [準備, 引当] 金.
fórest resèrve 保存林, 保護林.
gáme resèrve 禁猟区.
góld resèrve 金準備, 正貨準備.
légal resérve 法定準備 [積立] 金, 責任準備金.
náture resèrve 自然保護地域.
óff-bálance shèet resérve 賃借対照表外積立金, 隠匿積立金.
scénic resèrve 《NZ》(保養地としての)風光明媚な場所.
sécret resérve 秘密積立金, 含み自己資本評価額.
ùn·re·sérve 名 遠慮のないこと, 率直.
Wéstern Resérve 〖米史〗西部保留地.

res·i·dence /rézədəns/

名 住所, 住居; 住宅, (特に)大邸宅. ⇨ -ENCE[1].

cò-rés·i·dence 名 《英》(大学の)男女共通寮, 共同寮.
in-rés·i·dence 形 〈芸術家·医者などが〉(本業を持ちながら大学·研究所などに在住または滞在して)教えている; 住み込みの.
maríne résidence 海浜住宅. ►不動産業者の宣伝文句.

res·in /rézin/

名 〖化学〗樹脂.

ácaroid résin アカロイド樹脂.
acrýlic résin アクリル樹脂.
álkyd rèsin アルキド樹脂.
állyl résin アリル樹脂.
amíno résin アミノ樹脂.
cánnabis rèsin 大麻樹脂.
cóumarone rèsin クマロン樹脂.
gúm rèsin ゴム樹脂.
íon-exchànge résin イオン交換樹脂.
Jésuits' résin コパイババルサム.
káuri rèsin カウリ樹脂.
mélamine rèsin メラミン樹脂.
methácrylate rèsin メタクリル樹脂.
òleo·résin オレオレジン, 含油樹脂.
phenólic résin フェノール樹脂.
polyvinýlidene résin ＝vinylidene resin.
polyvínyl résin ポリビニル樹脂.
stýrene rèsin スチレン [スチロール] 合成樹脂.
súb·rès·in 名 サブレジン.
synthétic résin 合成樹脂.
tolú résin トルーバルサム: 化粧品などの香料.
uréa-formáldehyde rèsin 尿素(ホルムアルデヒド)樹脂.
vinýlidene résin ビニリデン樹脂.
vínyl résin ＝polyvinyl resin.

re·sist·ance /rizístəns/

名 抵抗, 反抗; 防止; 〖物理〗抵抗; 〖電気〗抵抗, オーム抵抗; レジスタンス, 抵抗運動 [組織]. ⇨ -ANCE[1].

acóustic resístance 音響抵抗.
áir resìstance 空気抵抗.
ánode resìstance (電子管の)陽極内部抵抗.
consúmer resìstance 消費者の抵抗, 購買拒否.
cróss-resìstance 交差抵抗性 [耐性].
efféctive resístance 実効抵抗.
environméntal resístance 環境抵抗: 生物の個体数.
fíre resìstance 耐火性.
insulátion resístance 絶縁抵抗.
intérnal resístance 内部抵抗.
láteral resìstance 船体側面抵抗.
mag·nè·to·re·síst·ance 名 磁気抵抗.
mássive resístance 〖米史〗「大抵抗」: 1954 年, 米国最高裁の下した Brown 判決を不服として起きた, 南部の白人有力者たちの反対運動.
nátural resístance (免疫の)自然抵抗.
négative resístance 負(性)抵抗.
nòn·re·síst·ance 名 (暴力·圧制·権力への)無抵抗.
óhmic resístance オーム抵抗.
pássive resístance 消極的抵抗.
pláte resìstance ＝anode resistance.
rà·di·o·re·síst·ance 名 放射性抵抗性.
sáles resìstance ＝consumer resistance.
specífic resístance 抵抗率.

re·sist·ant /rizístənt/

形 《しばしば複合語》(…に)抵抗する, 抵抗力のある; 妨げになる. ◇ -PROOF. ⇨ -ANT[1].

chíld-resìstant 形 〈製品が〉子供がいたずらできない.
créase-resìstant 形 〈織物が〉しわの寄らない.
drúg-resístant 形 薬品に耐性をもつ.
fíre-resìstant 形 耐火性の.
fláme-resìstant 形 耐炎性の, 難炎性の.
héat-resístant 形 耐熱の.
methicíllin-resístant 形 (ブドウ球菌が)メチシリン耐性の.
mùl·ti·re·síst·ant 形 〈微生物が〉多種の薬剤に抵抗力を持つ.
nòn·re·síst·ant 形 無抵抗の; 抵抗力がない.
shóck-resìstant 形 耐衝撃性の, 耐震性の.
támper-resìstant 形 〈包装などが〉いたずらがしにくい.
wáter-resìstant 形 (完全防水ではない)耐水(性)の.
wéather-resìstant 形 〈衣服などが〉風雨 [寒気] を防ぐ.
wínd-resìstant 形 耐風の.

res·o·lu·tion /rèzəlúːʃən/

名 **1** 決議. **2** 解像度. ►resolve の名詞形. ⇨ -SOLUTION.

búdget resolùtion 〖米議会〗予算決議案.
concúrrent resolútion 〖米議会〗共同決議.
contínuing resolútion 〖米政治〗予算継続決議.
gág resolùtion 〖米史〗(奴隷制度反対請願の)不採択 [審議拒否] 決議.
hígh-resolútion 形 高解像度 [力] の.
ir·rès·o·lú·tion 名 決断力のないこと, 優柔不断.
jóint resolútion 〖米議会〗上下両院合同決議.
lów-resolútion 形 〖コンピュータ〗低解像度の.

res·o·nance /rézənəns/

名 反響, 響き; 〖音声〗共鳴, 共振; 〖物理〗共鳴. ⇨ -SONANCE.

àn·ti·rés·o·nance 名 反共振.
cýclotron résonance サイクロトロン共鳴.
eléctron paramagnétic résonance 電子常磁性共鳴.
eléctron spín rèsonance 電子スピン共鳴.
magnétic résonance 磁気共鳴.
núclear magnétic résonance 核磁気共鳴.
núclear résonance (原子)核共鳴.
paramagnétic résonance ＝electron spin resonance.

spín rèsonance =electron spin resonance.

res·o·na·tor /rézənèitər/

名 共鳴[共振]体. ⇨ -ATOR.

- **àe·ro·rés·o·na·tor** 名 【航空】パルスジェットエンジン.
- **búncher rèsonator** 【電子工学】集群器[電極].
- **cátcher rèsonator** 【電子工学】速度変調真空管電極.
- **cávity rèsonator** 空洞共振器.

res·pi·ra·tion /rèspəréiʃən/

名 呼吸, 呼吸作用. ►respireの名詞形. ⇨ -SPIRATION.

- **abdóminal respiràtion** 【医学】腹式呼吸.
- **artifícial respirátion** 人工呼吸.
- **céllular respirátion** 【生理】細胞呼吸.
- **chést respirátion** 【医学】胸式呼吸.
- **Chéyne-Stókes respiràtion** 【医学】チェーン=ストークス呼吸.
- **cóstal respirátion** 【医学】肋骨呼吸.
- **diaphragmátic respirátion** 【医学】横隔膜呼吸.
- **elèctrophrénic respirátion** 【医学】横隔神経電気刺激呼吸[(法).
- **extérnal respirátion** 【生理】外呼吸.
- **intérnal respirátion** 【生物】【生理】内呼吸.
- **phò·to·res·pi·rá·tion** 名 【植物】光[明]呼吸.
- **thorácic respirátion** 【医学】胸郭呼吸, 胸式呼吸.

re·sponse /rispɑ́ns | -spɔ́ns/

名 応答, 返答; 感応, 反応.

- **báss respònse** 低音域リスポンス, 低音応答.
- **condítioned respónse** 条件反応, 条件反射.
- **diréct-respónse** 電話販売(の).
- **dóse-rèsponse** 形 (薬などの)投与反応の.
- **fléxible résponse** 【軍事】柔軟反応(戦略).
- **fréquency respònse** 周波数応答[レスポンス].
- **galvánic skín respònse** 皮膚電気反応.
- **immúne respònse** 免疫反応[応答].
- **psỳchogalvánic respónse** =galvanic skin response.
- **uncondítioned respónse** 無条件反応, 無条件反射.
- **vóice respònse** 音声応答.

rest /rést/

名 **1** 休息. **2**【音楽】休符. **3**(物を置く)台; 支え.

- **árm·rèst** 名 ひじ掛け.
- **báck·rèst** 名 背もたれ.
- **béd rèst** 床上安静.
- **bénch·rèst** 名 射撃訓練用ライフ銃を支える台.
- **bóok·rèst** 名 書見台.
- **chín rèst** (バイオリン・ビオラの)あご当て.
- **éighth rèst** 【音楽】8分休止符.
- **fóot·rèst** 名 (理髪台や歯科医の診療台などの)足載せ台, (カヌーなどの)足掛け.
- **hálf rèst** 【音楽】2分休符(《英》minim rest).
- **héad·rèst** 名 ヘッドレスト: 椅子の頭支え.
- **knífe rèst** (食卓用)肉切りナイフを置く台.
- **lánce rèst** 【甲冑】槍(やり)支え.
- **paráde rèst** 【軍事】休め(の姿勢).
- **quárter rèst** 《米》【音楽】4分休止符.
- **shóulder rèst** (バイオリンの)肩当て.
- **síxtéenth rèst** 【音楽】16分休符.
- **síxty-fóurth rèst** 【音楽】64分休符.
- **slíde rèst** 【機械】工具送り台.
- **thírty-sécond rèst** 【音楽】32分休符.
- **tóol rèst** 【機械】(旋盤・工作機械の)刃物台.
- **ùn·rést** 名 不安, 心配, 落ち着きのなさ.
- **whóle rèst** 【音楽】全休符.

re·straint /ristréint/

名 **1** 拘束(力), 束縛; 抑制(力), 制限. **2** 拘束[抑制]手段; 抑制するもの[器具].

- **chíld restráint** (自動車の)幼児用シートベルト.
- **héad restràint** 自動車の座席の頭支え.
- **nòn·re·stráint** 名 【精神医学】(精神病患者に対する)無拘束[非監禁]療法.
- **pássive restráint** 【自動車】エアバック.
- **príor restráint** 【米法】事前抑制.
- **sélf-restráint** 名 【心理】自制, 克己.
- **ùn·re·stráint** 名 無抑制; 慎み[気兼ね]のないこと.
- **vóluntary èxport restráint** 輸出自主規制.
- **vóluntary restráint** 自主規制.

re·ten·tive /riténtiv/

形 保持[維持]する; 保持力[維持力]のある. ⇨ -IVE[1].

- **ánal reténtive** (フロイトの精神分析で)肛門(こうもん)性格(anal character)の(人).
- **ìr·re·tén·tive** 形 (精神的に)保持力[維持力]のない.
- **ùn·re·tén·tive** 形 保持力がない.

re·triev·er /ritríːvər/

名 **1** 取り返す人[もの]. **2** レトリーバー: 猟犬の一品種. ⇨ -ER[1].

- **béaver-retríever** 名 助平な[いやらしい]男.
- **Chésapeake Báy retríever** 米国種レトリーバー.
- **cúrly-còated retríever** カーリーコーテッド・レトリーバー.
- **flát-còated retríever** フラットコーテッド・レトリーバー.
- **gólden retríever** ゴールデンレトリーバー.
- **Lábrador retríever** ラブラドル・レトリーバー.
- **trólley retrìever** (トロリーポールの)自動引き下げ器.

re·turn /ritə́ːrn/

動自 戻る, 復帰する. ⇨ TURN.

- **cárriage retùrn** (タイプライターなどの)キャリッジリターン, 復帰(改行).
- **dáy retúrn** 《英》当日往復割引切符.
- **jóint retúrn** 《米》所得税共同申告.
- **nòn·retúrn** 形 〈装置・仕組などが〉逆流させない.
- **nò-retúrn** 形 〈容器が〉返却する必要のない.
- **quíck-retúrn** 形 〈機械が〉早戻りの.
- **séa retùrn** 【電子工学】海面反射[エコー].
- **táx retùrn** 所得税申告書.

re·venge /rivéndʒ/

動他 〈危害・侮辱などに〉復讐(ふくしゅう)する, 仕返しをする. ──名 報復, 復讐.

- **blóod revènge** 流血に対する流血の復讐(ふくしゅう).
- **Mexicáli revènge** 《俗》メヒカリ[メキシコ]下痢.
- **Montezúma's revénge** 《俗》モンテスマの復讐(ふくしゅう): メキシコ旅行者がよくかかるひどい下痢.

rev·e·nue /révənjùː | -njùː/

名 (特に税金による国の)歳入, 税収入.

- **áverage révenue** 平均収入.
- **Ínland Révenue** (英国とニュージーランドの)内国歳入庁.
- **intérnal révenue** 《米》(ふつう関税以外のすべての)内国税収入.

re·view /rivjúː/

名 **1**(新聞・雑誌などによる, 新刊書・演劇などの)批評(記事). **2** 評論雑誌. **3** 観閲(式). **4**【法律】再審理, 再審

R

査. ⇨ VIEW.

bóok review	(新聞・雑誌に載る)書評.
contínued stáy review	継続入院必要度検査.
judícial review	(裁判所による)法令［司法］審査(権), 違憲立法審査(権).
Kényon Review	ケニヨン・レビュー: 米国の文芸雑誌.
líttle review	(判型の小さい)文芸雑誌.
péer review	(個人や団体の)作品[演技など]に対する同業者の評価.
Sáturday Review	サタデー・レビュー: 思想, 芸術などの米国の評論誌.
Spíthead Review	スピットヘッド観閲式.

re·viv·al /riváivəl/

名 復活, 復興, 再生. ⇨ -AL².

Cátholic Revíval	オックスフォード運動.
Céltic Revíval	ケルト文化復活運動.
Góthic Revíval	ゴシック復興.
Gréek Revíval	ギリシャ復興.
Rénaissance Revìval	ルネサンスリバイバル.

rev·o·lu·tion /rèvəlúːʃən/

名 革命; 大変革, 改革. ►revolve の名詞形. ⇨ -VOLUTION.

Américan Revolútion	［米史］アメリカ独立革命(1775–83).
Blóodless Revolútion	=English Revolution.
Chinése Revolútion	中国辛亥(しんがい)革命(1911).
chíp revolùtion	半導体革命.
compúter revolútion	コンピュータ革命.
còunter·rev·o·lú·tion 名	(革命政府に対する)反革命.
cúltural revolútion	文化革命.
Énglish Revolútion	イギリス革命, 名誉革命(1688–89).
Fébruary Revolútion	二月革命(Russian Revolution).
Fóurth Revolútion	［英教育］第四教育革命.
Frénch Revolútion	［フランス史］フランス革命(1789).
Glórious Revolútion	=English Revolution.
Gréat Cúltural Revolútion	文化大革命.
gréen revolútion	［農業］緑の革命.
indústrial revolútion	産業革命.
informátion revolútion	=computer revolution.
institútional revolútion	=cultural revolution.
mì·cro·rev·o·lú·tion	マイクロ革命: マイクロエレクトロニクスなどの微細技術による変革.
Octóber Revolútion	十月革命(Russian Revolution).
pálace revolútion	宮廷革命, 無血クーデター.
Púritan Revolútion	ピューリタン革命(1642–49).
ráinbow revolútion	［米史］虹の連合(rainbow coalition)による革命(1982).
Rússian Revolútion	ロシア革命(1917).
Téxas Revolútion	［米史］テキサス革命(1832–36).

rev·o·lu·tion·ar·y /rèvəlúːʃənèri | -ʃənəri/

形 革命の, 変革の, 大改革の. ⇨ -ARY.

còunter·rev·o·lú·tion·ar·y 形	反革命的な. ——名 反革命主義者.
cúltural revolútionary	文化革命提唱［支持］者.
institútional revolútionary	=cultural revolutionary.
prè·rev·o·lú·tion·ar·y 形	革命前の.

-rhi·za /ráizə/

連結形 根.
★ 異形 -rrhiza.
★ 名詞をつくる.
★ 語頭にくる関連形は rhiz(o)-: *rhiz*anthous「根から直かに花を咲かせる」, *rhizo*genesis「発根」.

co·le·o·rhi·za 名	［植物］根鞘(こんしょう), 幼根鞘.
hy·dro·rhi·za 名	ヒドロ根.
my·cor·rhi·za 名	［植物病理］菌根.

rhyme /ráim/

名 ［韻律］韻, 押韻. ►rime のほうが語源的に正しく, より短いという理由でしだいに広まりつつある.

ánalyzed rhýme	分析脚韻.
begínning rhýme	頭韻.
be·rhýme 動他	詩歌に歌う, 詩歌でたたえる.
dóuble rhýme	二重(押)韻.
énd rhỳme	脚韻.
éye rhỳme	=sight rhyme.
fémale rhýme	=feminine rhyme.
féminine rhýme	女性韻.
fúll rhýme	完全韻.
hálf rhỳme	=slant rhyme.
héad rhýme	=beginning rhyme.
idéntical rhýme	同(音)韻.
impérfect rhýme	=slant rhyme.
inítial rhýme	=beginning rhyme.
intérnal rhýme	行中韻, 行間韻.
línked rhýme	連鎖韻.
mále rhýme	=masculine rhyme.
másculine rhýme	男性韻.
món·o·rhyme 名	単韻詩, 各行同韻詩.
Móther Góose rhỳme	《米》(一般に)童謡, 子守歌.
néar rhỳme	=slant rhyme.
núrsery rhỳme	伝承童謡.
pérfect rhýme	同音韻.
rát-rhỳme	《主にスコット》へぼ詩, 狂詩.
síght rhỳme	視覚韻.
síngle rhýme	=masculine rhyme.
slánt rhỳme	不完全韻, 近似韻.
táiled rhýme	=tail rhyme.
táil rhỳme	尾韻(律).
tríple rhýme	三重(押)韻.
trúe rhýme	=full rhyme.
vówel rhýme	母音韻(assonance).

rhythm /ríðm/

名 **1** リズム, 律動. **2**［音楽］リズム. **3**［韻律］韻律. **4**［生理］リズム, 律動, 周期.

álpha rhýthm	［生理］アルファリズム.
ascénding rhýthm	=rising rhythm.
béta rhýthm	［生理］ベータリズム.
biológical rhýthm	［生理］=biorhythm.
bí·o·rhythm 名	［生理］バイオリズム.
bódy rhýthm	=biorhythm.
cómmon rhýthm	=running rhythm.
délta rhýthm	［生理］デルタリズム.
descénding rhýthm	［韻律］=falling rhythm.
dúple rhýthm	［音楽］2 拍子.
fálling rhýthm	［韻律］下降韻律.
gállop rhýthm	［病理］(心臓の)奔馬調律［律動］.
ís·o·rhythm 名	［音楽］アイソリズム, 等リズム.
nódal rhýthm	［生理］結節性律節.
pól·y·rhythm 名	［音楽］ポリリズム.
rísing rhýthm	［韻律］上昇リズム.
rócking rhýthm	［韻律］強勢のない 2 つの音節の間に強勢のある音節を入れて作る詩脚によって生まれるリズム.
rúnning rhýthm	［韻律］階調律.
sprúng rhýthm	［詩学］スプラングリズム.
théta rhýthm	［生理］シータリズム.
thrée-fòur rhýthm	［音楽］3 分の 4 拍子.
tríple rhýthm	［音楽］3 拍子.

-rhyth·mi·a /ríðmiə, ríθ- | ríðmiə, -mjə/

R

連結形 〖医学〗鼓動［心臓拍動, 脈］の状態.
★ 異形 -rrhythmia.
★ 名詞をつくる.
◆ <ギ *rhythm-*「リズム」+*-ia* -IA.

a·rhyth·mi·a 名 不整脈; arrhythmia ともいう.
dys·rhyth·mi·a 名 律動不整,（言語の）語調不全.

rhyth·mic /ríðmik/

形 リズミカルな, 周期的［律動的］な. ⇨ -IC[1].
★ 接頭辞がつくと -rrhythmic ともつづる.

ar·rhyth·mic 形 不規則な, 周期的でない.
eu·rhyth·mic 形 快いリズムの.
id·i·or·rhyth·mic 形 独居修道制の.

rib /ríb/

名 **1** 肋骨(ろっこつ), あばら(骨). **2**〖植物〗葉脈. **3** 妻, 女房.

bróken ríb 《米俗》離婚した女性.
cróoked ríb 《米俗》がみがみ文句を言う妻.
fálse ríb 〖解剖〗仮肋(かろく).
flóating ríb 〖解剖〗浮動肋骨(ろっこつ), 遊離肋骨.
míd·rib 名 〖植物〗(葉の)中肋(ちゅうろく), 中脈.
príme ríb プライムリブ, 後肋(あばら)肉. ►しばしば prime ribs とする.
stérnal rìb =true rib.
trúe rìb 〖解剖〗真性肋骨(ろっこつ).

rib·bon /ríbən/

名 **1** リボン. **2** 記章, 勲章; 賞.

blúe ríbbon (競技会・展覧会などの)最高賞.
blúe-ríbbon 形 最高級の, 第一級の, 特選の.
campáign rìbbon 従軍記章, 戦役記念章.
néon rìbbon 《米軍俗》自分の軍隊での階級や勲功をやたらと自慢すること.
rázor rìbbon 蛇腹形鉄条網.
réd ríbbon (競争で2位の人がもらう)赤リボン.
sérvice rìbbon 〖軍事〗略綬.
víctory rìbbon 《米》戦勝記念章の略章.
whíte ríbbon 《米》純潔［禁酒］奨励用のバッジ.
yéllow ríbbon 黄色いリボン.

-ri·can /ríːkən/

連結形 プエルトリコ人(の).
★ 名詞, 形容詞をつくる.
◆ Puerto Rican の短縮形.

Nè·o·rí·can 名形 《米》(ニューヨークの)プエルトリコ出身［系］住民(の); その子孫(の).
Néw Yór·ri·can 形名 =Neorican.
Nù·yo·rí·can 形名 《米》=Neorican.
Spòok·er·íc·an 名 《米俗》黒人とプエルトリコ人の混血児.

rice /ráis/

名 米; 米飯.

brówn ríce 玄米; 一種の黒い米.
dírty ríce 米に鶏レバーと香草を混ぜて炊く米国 Louisiana 州 Acadia 地方の料理.
drý ríce 陸稲.
fríed ríce チャーハン, 焼飯.
húngry ríce 〖植物〗熱帯アメリカのイネ科ヒシバ属の草のうち, 食用になるもの.
Índian ríce 〖植物〗マコモ.
írrigated ríce 水稲.
júngle rìce 〖植物〗ワセビエ.
lóng-gráin rìce 長粒米.
míracle rìce 奇跡米.
páddy rìce 水稲.
Pátna ríce パトナ米.
pólished ríce 精白米.
róugh ríce もみ.
shórt-gráin rìce 短粒米, インディカ米, 日本米.
Spánish ríce スパニッシュライス.
ùnpólished ríce 玄米, 半搗(つ)き米.
úplànd ríce 陸稲.
wáter rìce =wild rice.
whíte ríce 白米.
wíld ríce 〖植物〗マコモ(真菰).

rich /rítʃ/

形〈人が〉金持ちの, 富［財産］を持つ; 富んだ, 豊かな.

en·rích 動他 …を富ませる, 裕福にする.
mega·rích 形 超金持ちの.
néw-rích 形 成金の(nouveau-riche).
nígger rích 形 《米俗》(突然)大金を持った, にわか成金の.

-rich[1] /ritʃ/

連結形 …が豊富な, に富んだ.
★ 形容詞をつくる.
★ 語末にくる関連形は -RICH[2].
◆ rich より.

cho·les·ter·ol-rich 形 コレステロールが多い.
oil-rich 形 石油の豊富な; 石油でもうけた.
tar·get-rich 形 目標物の多い.
vi·ta·min-rich 形 ビタミンの豊富な.

-rich[2] /rik, rix, ritʃ/

連結形 **1** 力(のある); 威力(のある). **2** 王(様); 王国.
★ 人名をつくる.
★ 語末にくる関連形は -RICH[1].
◆ 古英 *rīce*「強力な」より; rich と同語源.

Al·ber·ich 名 〖チュートン伝説〗アルベリヒ. ►字義はゲルマン語で「力のある小妖精」.
Fred·rich 名 男子の名(Fredric). ►字義はゲルマン語で「力による平和」.
Good·rich 名 グッドリッチ(姓). ►字義は中英語で「善(またはよく知られた)力」.
Hey·drich 名 ハイドリヒ(姓).

rid·den /rìdn/

形 …に支配された, がんじがらめになっている, 圧倒［圧迫］されている. ►RIDE の過去分詞形. ⇨ -EN[3].

béd·rìdden 形 (病気・けが・老齢などで)寝たきりの.
féar·rìdden 形 恐怖におびえた.
hág·rìdden 形 (魔女・夢魔・恐怖などに)悩まされた.
príest-rìdden 形 《軽蔑的》聖職者の支配下にある.
ríot-rìdden 形 暴動多発で動きがとれない.
ùn·rídden 形 〈馬が〉人が乗っていない.

ride /ráid/

動自 (馬などに)乗る; 乗馬する, 馬で行く［走る］, 馬を乗りこなす.

frée ride 《話》ただ乗り, ただもうけ.
frée·ride 名動自 〖スノーボード〗どこでも滑る(スタイル).
fúll-ríde 形 《米俗》何から何まで面倒を見る.
grávy rìde 《俗》楽をして得た金で送る楽な生活.
hág·rìde 動他 悩ます, 困らす, 苦しめる.
hánd-rìde 動他自 (むちも拍車も使わず)手綱さばき

だけで(馬に)乗る.
háy·rìde 干し草ピクニック, ヘイライド.
jóy·rìde 《話》ドライブ遊び; 《米暗黒街俗》(殺人目的で連れ出す)死へのドライブ.
lów rìde 《米俗》社会的に劣る, 下層の.
míne rìde マインライド, 暴走トロッコ.
nóse-rìde 動自 波乗り板の先端で波をさばく[曲乗りをする].
òut·ríde 動他 …より速く[遠くまで]乗って行く.
ò·ver·ríde 動他〈人より〉優位に立つ.
párk-and-ríde パークアンドライド方式: 郊外の自宅から最寄りのターミナル駅まで自動車で行き, 無料駐車場に止めて通勤する方式.
párk-ríde =park-and-ride.
ráil rìde (ボードセイリングで)レイルライド.
Róman ríde ローマ式立ち乗り: 2頭の馬の背に足を広げて立って乗る方法.
sléigh·rìde 《米俗》コカイン中毒.

rid·er /ráidər/

名 (馬・車・自転車などに)乗る人, 乗り手; 騎手; 《米》カウボーイ; 《主に米》乗客. ⇨ -ER[1].

béam rìder ビームライダー: 電波ビームに誘導されるミサイル.
bóundary rìder 《豪・NZ》牧場の境界を見回る牧童.
bów·rìder 前乗りボート.
círcle rìder 《米西部》周辺から牛を追いまとめる役のカウボーイ.
círcuit rìder 《米・カナダ》(開拓時代に巡回教区を馬で回った, 特にメソジスト派の)巡回牧師.
dispátch rìder 伝令, 急使.
éasy rìder 《俗》性的に満足させてくれる恋人; 《E- R-》映画『イージーライダー』.
flásh rìder 《米俗》プロの野生馬調教師.
frée rìder 《話》労せずして利益を得る人.
lów·rìder ローライダー: 車高を低く改造し, 車をバウンドさせ火花を飛び散らしながら乗り回す若者.
Níght·rìder ナイトライダー(英国の旅行特急の「名).
níght·rìder 《米》(南北戦争後の米国, 特に南部で黒人や黒人シンパの人々に敵対した)騎馬暴力団員.
óut·rìd·er 名 (馬車の)乗馬従者.
ó·ver·rìd·er 名 override する人.
póst·rìder 名 《もと》騎馬郵便配達人.
róugh·rìder 調馬師.
stóck·rìder 《豪》牛飼い, カウボーイ.
swíng rìder 移動する家畜の列の前後で群れを監視するカウボーイ(swingman).

ridge /rídʒ/

名 **1** 山の背, 尾根; 分水嶺(れい); 海嶺. **2** (ある物の細長い)隆起部.

alvéolar rídge 〘音声〙歯槽隆起[隆線], 歯槽堤.
básal rídge 〘歯科〙基底結節歯帯.
béach rìdge 浜堤(ひんてい): 浜辺の砂礫(されき)の堆積(たいせき).
brów·rìdge 眉弓(びきゅう): 目の上の隆起部.
génital rídge 生殖隆起: 脊椎動物の生殖腺(せん).
Nórth·rìdge ノースリッジ: Los Angeles 近くの市.
oceánic rídge 海嶺.
préssure rìdge 風や他の氷の横向きの圧力を受けて生じた衝撃[ゆがみ]により漂流中の氷上にできた尾根状の隆起.
supercíliary rídge =browridge.
supraórbital rídge =browridge.
téeth·rìdge 〘音声〙=alveolar ridge.

rid·ing /ráidiŋ/

名 乗ること; 乗馬, 乗車. ⇨ -ING[1].

bíke-rìding 自転車に乗ること.
búll rìding 雄牛乗り.
frée-ríding 〘証券〙ただ乗り行為.
lów·rìding 低車体走行.
ríver rìding リバーライディング: 4輪駆動車などで浅い川床を走るスポーツ.
súrf·rìding サーフィン, 波乗り.

ri·fle /ráifl/

名 ライフル銃, 小銃.

áir rìfle 空気銃, エアライフル.
automátic rífle 自動銃, 自動小銃.
Énfield rífle エンフィールド銃.
expréss rìfle 速射猟銃.
Gárand rífle ガーランド銃(M-1).
Kentúcky rífle ケンタッキー銃.
Krág-Jórgensen rífle クレグ=ヨルゲンセン銃.
láser rìfle レーザー銃.
lóng rìfle =Kentucky rifle.
machíne rìfle =automatic rifle.
péa rìfle 小型ライフル銃.
Pennsylvánia rífle =Kentucky rifle.
repéating rìfle 連発銃.
róok rìfle ミヤマガラス射撃用ライフル.
Spríngfield rífle スプリングフィールド銃.
squírrel rìfle 22口径のライフル銃.
tárget rìfle 射撃(練習)用ライフル銃.
Wínchester rífle ウィンチェスター銃.

rig /ríg/

動他 〘主に海事〙〈船・帆柱などに〉索具を装着する. ―名 **1** 〘海事〙艤装(ぎそう), 帆装. **2** 装置; 道具. **3** (油井の)掘削装置. **4** 《話》自動車, バス, (大型)トラック.

Américan ríg アメリカ式油井掘削機.
Bermúda rìg バーミューダ型帆.
bíg ríg 《米俗》大型トラック[トレーラー].
cát rìg キャットリグ[帆装].
drílling rìg (海底油田の)ドリリング=リグ.
dríll rìg (油井の)掘削装置.
fóre-and-áft rìg 縦帆装.
gúnter rig ガンター艤装.
háy·rìg (牛馬用の)馬草台, 飼い葉格子.
héad·rìg 丸太を木材にひくのこぎり一式.
jáckass rìg ジャッカス艤装.
jáck-up rìg 〘海洋工学〙甲板昇降型海洋掘削装置.
júry-rìg 応急仮設装置.
Marcóni rìg 〘海事〙マルコーニリグ.
óil·rìg 石油掘削装置.
slóop rìg 〘魚類〙ナマズ亜目ギギ科の魚 *Bagre marinus*.
squáre ríg 《英海軍俗》横帆装.
thímble·rìg 指ぬき手品.
ùn·ríg 動他〈船の〉索具[帆, ヤード]を外す.

-rigged /rígd/

連結形 〘海事〙帆装を施した, 艤装した. ⇨ -ED[2]. ★ 形容詞をつくる.

cútter-rìgged 形 1本マストに縦帆装置の.
fúll-rìgged 形 全装帆の.
gáff-rìgged 形 1枚以上のガフ帆を装備している型の.
kétch-rìgged 形 ケッチ式帆装の.

R

latéen-rìgged 形 大三角帆をつけた.
lúg-rìgged 形 ラガー式帆装の.
óut·rìgged 形 (カヌーなど)アウトリガーのついた.
schóoner-rìgged 形 スクーナー式帆装の.
shíp-rìgged 形 シップ型の帆装を施した.
slóop-rìgged 形 スループ式帆装の.
squáre-rígged 形 横帆式の, 横帆艤装(ぎそう)の.
yáwl-rìgged 形 ヨール型帆装の.

right /ráit/

形 **1** 正当な, 善良な. **2** 右の, 右方の. ── 名 **1** (法的・規範的・道徳的に)正当な要求; 権利, 人権. **2** 右側の物; 右翼, 右派. ── 副 正しく

ácre rìght 〘米史〙開拓者土地購入権.
áir rìght 〘米史〙空中権.
áll rìght 副 無事で, 元気で, 丈夫で.
áll-rìght 形 《話》善良な; 結構な.
al·right 副 =all right.
a·right 副 《文語》正しく, 間違いなく.
áw·rìght 副 《発音綴り》=all right.
beyónd rìght 〘航空〙以遠権.
bírth·rìght 生得権; 相続権.
cópy·rìght 著作権, 複製権, 版権.
divíne rìght 帝王の神権, 神授王権.
dówn·rìght 形 全くの, 絶対の, 紛れもない.
fàr-rìght 形 極右の.
flúsh rìght 〘印刷〙行末ぞろえ.
fólk·rìght 〘米史〙一般法, 普通法.
fórth·rìght 形 あけすけの, 率直な.
guíde rìght 《号令》〘軍事〙嚮導(きょうどう)右.
héad·rìght (北米インディアンの)均等受益権.
míneral rìght 鉱業[採掘]権.
míner's rìght 《豪・NZ》金属の採鉱許可証.
Mìss Ríght 《話》(結婚相手として)ぴったりの女性.
Míster Ríght 《話》(結婚相手として)ぴったりの男性.
nátural rìght 自然権, 天賦人権.
Nèw Ríght 〘政治〙新右翼, ニューライト.
óut·rìght 形 完全な, 全体の.
pátent rìght (発明品などの)特許権.
preémptive rìght (優先的)新株引受権, 先買権.
prívate rìght 私権.
próperty rìght 財産権, 所有権.
Públic Lénding Rìght 〘英法〙図書等資料貸出し補償請求権, 公貸権.
quád rìght 〘印刷〙(行が)右ぞろえの.
rádical rìght 〘政治〙極右派.
ripárian rìght 河岸所有者権, 沿岸権.
shóp rìght 従業員発明の実施権, ショップライト.
squátter's rìght 《話》(土地)占拠者の権利.
stáge rìght 〘演劇〙下手.
súb·rìght 名 〘出版〙副次権.
súbstantive rìght 実体的権利.
ténant rìght 〘英法〙借用権, 借地[借家]権.
tímber rìght 立木所有権.
ùltra·rìght 形 〘政治〙極右(派)の.
úp·rìght 形 まっすぐな, 垂直の.
wáter rìght 用水権, 水利権.
whíte-rìght 形 白人至上主義の.

rights /ráits/

名複 right「権利」の複数形.

ánimal rìghts 動物の権利保護(運動).
cívil rìghts 《米》市民権, 公民権.
cónjugal rìghts 〘法律〙夫婦の権利.
devélopment rìghts 開発権.
distribútion rìghts 〘出版〙(書籍の)販売地域の権利.
éx rìghts 形 〘証券〙権利落ちの[で].
gáy-rìghts 名複 ゲイの権利.
húman rìghts (基本的)人権.
nón-smóker's rìghts 嫌煙権.
pérsonal rìghts 人的権利.
sánd rìghts 砂の権利: 砂の採取などによって浜辺が狭まった場合, その回復を求める権利.
sérial rìghts 連載権.
spécial dráwing rìghts 特別引き出し権.
státe rìghts =states' rights.
státes' rìghts 《米》州権.
subsídiary rìghts 変形的複製権.
súrface rìghts (土地の)地上権.
T́V rìghts テレビ放送権, (特にオリンピックの)放映権.
visitátion rìghts 〘法律〙面会権, 訪問権.
wóman's rìghts =women's rights.
wómen's rìghts (男性と平等に扱われるべきことを請求する)女性の権利, 男女平等権.

-rill /ríl/

音象徴 **1** ふるえ, ぞくぞくすること; 小刻みな動き, 急速な回転を表す. **2** 鋭い叫び声をあげたり, 声をふるわせること. **3** 小さなひだや小溝, 格子や織り目をさす. **4** 軽蔑に用いる.

crill 形 《米俗》粗悪な, ださい.
drill[1] 名 〘機械〙〘建築施工〙穿孔機, 削岩機; ドリル, 錐(きり).
drill[2] 名 (種をまくための)小溝, 畝間.
drill[3] 名 かつらぎ織り, 雲斎(うんさい)織り.
frill 名 フリル, 襞(ひだ)べり.
grill[1] 名 焼き網; 鉄板.
grill[2] 名 (窓・扉・門などの)格子, 鉄格子.
krill 名 オキアミ.
prill 動他 〘冶金〙〈金属などを〉小球状にする.
rill[1] 名 《詩語》小川, 細流.
rill[2] 名 〘天文〙裂溝.
shrill 形 高くて鋭い, 甲高い, 金切り声の.
thrill 動他 (恐怖や興奮で)ぞくぞくさせる.
trill[1] 動他 声を震わせて…を歌う.
trill[2] 動自 《古》くるくる回る, 旋転する.

ring /ríŋ/

名 **1** (装身用などの)輪, 環, リング; 指輪, 耳輪, 腕輪; 鼻輪. **2** 輪形[環状]のもの. **3** 円形の競技場; ボクシング[レスリング]リング. **4** 一味, 組織.

ánchor rìng 〘幾何〙《今はまれ》トーラス.
ánnual ríng (木の)年輪(growth [tree] ring).
bénzene rìng 〘化学〙ベンゼン環, ベンゾール環.
bírd rìng 《英》(鳥の)脚環.
Bíshop's ríng 〘気象〙ビショップ環.
bláck ríng 〘植物病理〙イネ科植物の茎の周りに黒い輪ができて種子がつかなくなる病気.
Bóolean ríng 〘数学〙ブール環.
bóxing rìng ボクシング試合場, リング.
bráss ríng 《米話》名声, 成功, 富, 大もうけ.
búll·rìng 闘牛場.
chápter rìng 〘時計〙文字板の環状部.
Cláddagh rìng 《アイル》(精巧な意匠の)指輪.
cóck·rìng 《俗》コックリング.
cóffee rìng リング形のコーヒーケーキ.
córonary ríng 〘動物〙冠状帯, 蹄冠, 馬蹄輪.
dífference rìng =quotient ring.
dínner rìng ディナーリング, 夜会用指輪.
divísion rìng 〘数学〙商環, (非可換)体.
dóuble-ríng 形 (結婚式で)指輪交換の.
D́-rìng D 環: D 字型の金属製リング.
éar·rìng 耳輪, 耳飾り, イアリング.
engágement rìng エンゲージリング, 婚約指輪.

en·ríng 動他 …を取り囲む; …に輪をはめる.
etérnity rìng エタニティリング.
exténsion rìng 〖写真〗接写リング, 延長チューブ.
fáiry rìng 妖精の輪, 菌環, 菌輪.
fálse ríng 偽年輪.
fínger rìng 指輪.
físherman's ríng 〖ローマカトリック〗漁夫の指輪.
flán rìng 底のない輪型: フランというタルトパイを焼くのに使う型.
gás rìng ガスこんろ.
grówth rìng ＝annual ring.
guárd rìng ガードリング, 留め指輪.
kéeper rìng ＝guard ring.
kéy rìng (鍵を通しておく)鍵環.
kópf·rìng 〖軍事〗弾頭環.
lántern rìng 〖機械〗パッキン(グ)押さえ.
lífe rìng 救命浮標 [ブイ], 救命用浮き袋.
móod rìng (指輪の)ムードリング.
móurning-rìng 形見の指輪.
nápkin rìng ナプキンリング.
nóse rìng (家畜などにつける)鼻輪.
Nür·burg·ring ニュルブルックリング.
óil rìng 印刻師の油指輪.
Ó-rìng オー・リング: パッキング用のゴム.
pácking rìng ＝piston ring.
paráde rìng 〖競馬〗下見所.
píston rìng 〖機械〗ピストンリング, ピストン輪.
polynómial ríng 〖数学〗多項式環.
pósy-rìng 銘を刻んだ指輪.
potáto rìng (18 世紀に鉢などを立てるのに用いた)陶製または金属製の輪.
príce rìng 〖商業〗業者が商品の価格維持や値崩れ防止のために組む連合.
príze rìng プロボクシングのリング.
quótient rìng 〖数学〗商環.
retáining rìng 〖工学〗止め輪.
rúbber ríng 《英》ゴム輪; 水泳用浮き袋.
rúsh rìng (イグサを編んで作った)結婚指輪.
sále-rìng (競売場の)買い手の人々の輪.
scárf·rìng 《英》ネクタイ [襟巻き] 留め環.
séal rìng 認印付き指輪.
sháft-rìng 〖建築〗シャフトリング, 輪状平縁.
sígnet rìng 小印 [認め印] 付きの指輪.
slínger rìng 〖航空〗(プロペラの)結氷防止剤輪「管.
slíp rìng 〖電気〗(電動機の)集電環.
smóke-rìng 吐き出したタバコの煙で作った輪.
snáp rìng 〖機械〗止め輪.
snów rìng 〖スキー〗(ストックの)リング.
spínning rìng 〖海事〗(錨(いかり)に鎖をつなぐ)リング.
splít rìng 〖機械〗割りリング [輪].
squáred ríng 《話》＝boxing ring.
stórage rìng 〖物理〗ストーレッジ [蓄積] リング.
súb·rìng 名 〖数学〗部分環.
téething rìng (歯生期幼児用の)輪形のおしゃぶ「り.
tóe·rìng 《南アフリカ》円錐形の麦わら帽子.
tówel rìng 環状のタオル掛け.
trée rìng ＝annual ring.
více rìng (不法な)売春組織.
vórtex rìng (煙の)渦巻き状の輪.
wédding rìng 結婚指輪.
yel·dring 名 《スコット・北イング》＝yoldring.
yol·dring 名 《スコット・北イング》キアオジ: ヨーロッパ産ホオジロ属の小鳥.

ring·ing /ríŋiŋ/

形 (鐘などが)鳴ること; (鐘などを)鳴らすこと. ⇨ -ING[1].

béll rìnging (鐘楼の鐘の)鳴鐘法; 鳴鐘係の職.
chánge rìnging チェンジ, 転調の鳴鐘(法).
péal rìnging ＝change ringing.

rings /ríŋz/

名複 ring「輪」の複数形.

flýing rìngs 〖体操〗つり輪.
Káyser-Fléischer rìngs 〖医学〗カイザー＝フライシャー輪 [環].
Néwton's rìngs 〖光学〗ニュートン環.
ónion rìngs 〖料理〗オニオンリング.
Sáturn's rìngs 土星の輪.

ripe /ráip/

形 〈果物が〉熟した, うれた; 〈穀物が〉刈 [取] り入れ時の.

force-ripe 形 《カリブ英語》追熟加工された.
mark·et-ripe 形 熟しきらないうちに収穫された.
o·ver·ripe 形 熟しすぎた, 過熟の.
rare·ripe 形 早生(わせ)の, 早生種の.
rath·e·ripe 形 《方言・詩語》＝rareripe.
tree-ripe 形 木になったまま完熟させた.
un·der·ripe 形 十分に [完全に] 熟していない, 未熟な.
un·ripe 形 熟さない, 未熟の; 未発達の.
vine-ripe 形 木で熟した.

rise /ráiz/

動自 〈人などが〉立ち上がる, 起き上がる, 起立する, 体を起こす; 〈物が〉(視界に)現れる, 出現する, 見えてくる.
—— 名 上昇, 上がること; (太陽・月が)出ること.

a·ríse 動自 (…から)生じる, 発生する, 起こる.
báck rìse 股(また)下からウエストの背中中央までの寸法.
continéntal ríse 〖地文〗コンチネンタルライズ.
déad·rìse 〖海事〗船底勾配(こうばい).
Dútch ríse 《NZ》ありがたみのない賃上げ.
éarth·rìse 〖天文〗(宇宙船などから見た)地球の出.
hígh-rìse 形 〈建物が〉高層の.
hí-rìse 高層アパート, 高層ビル.
Írishman's rìse 《英俗》降格, 賃金カット.
lów-rìse 形 〈建物が〉低層の, 1・2 階建ての.
míd-rìse 形 〈建物が〉中層の.
móon·rìse 月の出.
sún·rìse 日の出.
up·ríse 動自 立ち [起き] 上がる; 起床する.

risk /rísk/

名 危険, 危害の恐れ; 冒険.

assígned rísk 〖保険〗割当危険分担 [負担].
búsinessman's rísk 〖商業〗高い危険率を伴う投資.
cálculated rísk 危険率.
cóuntry rìsk 〖金融〗国別危険度.
crédit rìsk 〖金融〗信用リスク.
fíre-rìsk 〖保険〗火災危険(度).
hígh-rísk 形 危険性の高い.
séa rìsk 海難の危険.
secúrity rìsk (政府の要職にあって国家の安全を脅かすような)危険人物.
sóvereign rísk 〖金融〗ソブリン・リスク.

rite /ráit/

名 厳粛に行われる式, (特に宗教上の)儀式; (特定の)儀式形式, 典礼.

Býzantine ríte ＝Greek rite.
Constantinopólitan ríte ＝Greek rite.
Éastern ríte 東方教会典礼様式, 東方式典礼.
Gréek ríte ギリシャ [東方] 式典礼.
Látin Ríte ラテン式典礼.
Róman ríte ＝Latin Rite.

Scóttish ríte スコット儀礼.
Yórk ríte フリーメーソン会員組織で，2つの上位区分の一つ；テンプル騎士団の位階となる.

riv·er /rívər/

名 川，河川.

allúvial ríver 〘地理〙沖積河川.
dówn·ríver 副形 川下［下流］へ［の］.
lóst ríver 〘物理〙末なし川.
mísfit rìver 〘地理〙無能川.
tídal ríver 〘地理〙感潮河川.
úp·ríver 副 川上へ［で］，水源に向かって.

road /róud/

名 **1** 道，道路. **2**《比喩的》(…への)道，方法，手段.

áccess ròad 連絡道路.
accommodátion ròad 特設道路.
ány·ròad 副《英俗》とにかく，何としても.
appróach ròad《英》(高速道路への)進入路.
Á-ròad《英》主要幹線道路.
báck róad 田舎道；裏通り.
béef·ròad《豪》肉牛輸送道路.
bíg róad《主に米南部方言》主要道路.
blínd ròad《英》行き止まり(道)；袋小路.
B́-róad《英》2級道路.
búsh ròad《カナダ》林道.
bý-ròad 脇道(わきみち)；裏道，間道.
cápitalist róad (中国で)走資：資本主義の道を歩むこと.
cárt ròad 荷馬車道；でこぼこ道.
círcular róad《英》環状道路.
cláy ròad《NZ》舗装していない田舎道.
concéssion ròad《カナダ》約1マイル間隔で郡区を区切る道路.
cróss·ròad《米・カナダ》交差道路.
dírt ròad《主に米》舗装されていない道.
dráy-ròad 荷馬車がかろうじて通れる狭い道.
dróve-ròad《主にスコット》昔の家畜道.
escápe ròad 緊急避難用道路.
Eúston Róad 形 (1930年代末の)英国ポスト印象派の.
féeder ròad ＝access road.
fróntage ròad《米》支線道路.
gréen ròad 農道，緑道.
gríd ròad《カナダ》格子道路.
hígh·ròad《主に英》主要道路，本街道.
ín·ròad 名 襲撃，襲来；侵入，侵略.
lów róad《俗》陰険なやり方.
metállic róad 舗装道路(《英》metalled road).
míddle-róad 形 (特に政治で)中道の；〈音楽が〉スタンダードの(middle-of-the-road).
occupátion ròad 私設専用道路，私道.
óff-róad 形 〈車両が〉オフロードの.
páved róad 舗装道路.
pít ròad 〘レース〙ピットロード.
póst ròad《もと》駅馬車街道，駅路.
ráil·ròad ☞
relíef ròad《英》脇道(わきみち).
ríng ròad《英》環状道路.
Róman róad《英》ローマ街道.
róyal róad 楽な道［方法，手段］，王道.
séa ròad 海路，航路.
sécondary róad 主要でない道路；枝道.
sérvice ròad《英》＝frontage road.
shéll ròad 貝殻を敷いた道路.
síde·ròad《カナダ》(東西に走る道路と交差して南北に走る)道；間道.
Sílk Ròad 〘歴史〙シルクロード，絹の道.
skíd róad (伐り出した木材を運ぶために丸太を横に並べた)ころ道，すべり道.
slíp-ròad《英》(高速道路の)連絡坂路［車道］.
smárt ròad 交通情報を表示してくれる道路.
súrface ròad (周辺と同じ高さの)地上道路.
Tobácco Róad タバコロード：貧しい地域.
tóll ròad 有料道路.
tóte ròad《米話》(物資輸送用の)無舗装道路.
trám·ròad《主に米》(鉱山の)鉱車軌道.
trúnk ròad《英》(大型車両が走れる)幹線道路.
Wílderness Róad 〘米史〙ウィルダーネス・ロード.
X́-ròad ＝crossroad.

roan /róun/

形 〈主に馬が〉糟毛(かすげ)の.

blúe-róan 形 地色の黒に白い毛の交じった.
réd-róan 形 赤褐色の混じった葦毛の.
stráwberry róan (白い毛がまだらに生えている)赤毛の馬.

roar /rɔ́ːr/

動自 怒鳴る，わめく，叫ぶ；〈動物が〉ほえる.

out·roar 動他 …より大きな声でほえる.
up·roar 名 騒動；わめき叫ぶ声；騒音.

roast /róust/

動他 〈肉などを〉(包まないで，特にオーブンで)あぶる，(串(くし)に刺してじか火で)焼く. ── 名 焼き肉；焼いた物.

crówn róast 〘料理〙クラウンロースト.
dónkey ròast《米俗》盛大なパーティー.
pót ròast 〘料理〙ポットロースト.
pót-ròast 動他 〈肉などを〉鍋で蒸し焼きにする.
ríb ròast 〘料理〙リブロース，リブロースト.
rólled róast ロースト用に巻いて凧糸で縛った肉.
spít-ròast 動他 〈肉・魚を〉串焼きにする.
Súnday róast 〘英料理〙サンデーロースト.
wíener ròast《米》ソーセージ・パーティー.

rob·ber /rábər | rɔ́bə/

名 強盗，泥棒；略奪者；追いはぎ. ⇨ -ER[1].

bélly-ròbber 名《米軍俗》炊事係；料理人.
cámp ròbber 〘鳥類〙カナダカケス(gray jay).
crádle ròbber《話》年のずっと若い相手と結婚する人.
dóg·ròbber 名《古風》《米陸軍俗》当番兵.
gráve·ròbber 名 墓泥棒.
réd-líght róbber 止まった車の運転者を襲う強盗.
séa ròbber 海賊(pirate).
stómach ròbber《米俗》木材伐採場の料理番.

rob·ber·y /rábəri | rɔ́b-/

名 強盗，略奪，奪取；強盗事件. ⇨ -ERY[1].

ármed róbbery 持凶器強盗(罪).
bánk ròbbery 銀行強盗.
dáylight róbbery 白昼強盗；《英話》法外な料金(の請求).
híghway róbbery 街道での強盗［追いはぎ］.
wólf-pack ròbbery 集団強盗.

robe /róub/

名 (すそまでの長くゆったりとした)礼服，式服；官服，職服.

báth·ròbe 名 バスローブ(robe).
Bláck·ròbe 名 (北米インディアンから見た)キリスト教宣教師.
búffalo ròbe 野牛の加工毛皮.
chíf·fo·ròbe 名 (引き出しのついている)洋服だんす.
dis·róbe 動他 …の着物を脱がせる.
dréssing ròbe 化粧着, 部屋着, ドレッシングガウン.
en·róbe 動他 …に衣服を着せる, …を装わせる.
gárde·ròbe 名 《古》衣装だんす; たんすの中身.
húnter's róbe 〖植物〗ポトス(pothos).
láp ròbe 《米》ひざ掛け.
lóng róbe (法律家・聖職者などの)長服; 法律家, 聖職者; 弁護士業.
níght ròbe 《米・カナダ》(婦人・子供用の)ナイトガウン.
shórt róbe (軍人が着る)短衣; 軍人たち.
ùn·róbe 動他自 着物を脱がせる [脱ぐ].
wárd·robe 名 (個人・劇団などの)持ち衣装.

rob·in /rάbin | rɔ́b-/

名 コマドリ(駒鳥).

Américan róbin 〖鳥類〗コマツグミ.
Cánada róbin 〖鳥類〗ヒメレンジャク.
cláy-colored róbin 〖鳥類〗バフムジツグミ.
cóck róbin コマドリの雄.
flýing róbin 〖魚類〗セミホウボウ.
gólden róbin 〖鳥類〗ボルチモアムクドリモドキ.
gróund ròbin 〖鳥類〗トウヒチョウ.
Índian róbin 〖鳥類〗インドヒタキ.
mágpie ròbin 〖鳥類〗シキチョウ(四季鳥).
rágged róbin ナデシコ科センノウ属の多年草.
réd róbin 〖鳥類〗アカフウキンチョウ(赤風琴鳥).
rún-awày-róbin 〖植物〗カキドオシ(垣通し).
séa ròbin 〖魚類〗ホウボウ.
wáke-ròbin 〖植物〗アルム(cuckoopint).
wóod ròbin ヒタキ科 *Petroica* 属の鳥の総称.

rock[1] /rάk | rɔ́k/

名 岩, 岩塊; 岩山, 岩壁.

abýssal róck =plutonic rock.
álkali ròck 〖鉱物〗アルカリ岩.
ásphalt róck 〖地質〗瀝青(れきせい)岩.
béd·ròck 〖地質〗岩盤, 基岩.
cáp ròck 〖地質〗帽子岩.
chímney ròck (煙突のように立っている)石柱.
cóck-of-the-róck 〖鳥類〗イワドリ.
Édinburgh róck 《英》エディンバラ砂糖飴.
éight-ròck 《米俗》真っ黒な肌の黒人.
géek ròck 《米俗》(麻薬の)クラック(crack).
génesis ròck 〖地質〗創世紀の岩.
gríndróck 《米南部》砥石(といし).
grít·ròck 〖地質〗グリット.
hárd-ròck 形 硬岩の.
hót ròck 〖地質〗(地)熱岩, 高温岩体.
mántle ròck 〖地文〗表層土(regolith).
móon·ròck 月の石.
pét ròck ペットのように持って歩く石ころ.
phósphate róck 〖地質〗リン酸鉱物を含む堆積岩.
plutónic róck 〖地質〗深成岩.
Plýmouth Róck 〖米史〗プリマスの岩.
réd róck 《米俗》ヘロイン.
réservoir ròck 〖地質〗貯留岩.
rím·ròck 〖地質〗縁辺岩.
shéepbàck róck 〖地質〗羊群岩, 羊背岩.
slíck·ròck 滑らかでつるつるした岩(層).
smárt ròck スマートロック: 電子制御付きミサイル攻撃弾のコード名.
volcánic róck 〖岩石〗火山岩.
wáll ròck 〖採鉱〗母岩, 壁岩.

rock[2] /rάk | rɔ́k/

名 〖音楽〗ロックンロール; ロック(音楽).

ácid róck アシッドロック: 幻覚的なロック.
Áfro-ròck アフロ=ロック: 新アフリカ音楽.
árt ròck アートロック: ジャズ的奏法を加味.
blúes-róck ブルースロック: ブルースとの混合.
cóuntry-oriènted róck カントリーオリエンテッドロック: ウエスタン調に東洋的な音を加味.
cóuntry róck カントリーロック: ウエスタン調.
déath ròck デスロック: ヘビーメタルの一種.
déca-ròck =glitter rock.
Éuro·ròck ユーロロック.
fólk ròck フォークロック.
glám-ròck グラムロック.
glítter róck グリッターロック: パンクの一種.
góth ròck ゴスロック.
grúnge ròck グランジロック: 汚れた感じのロック.
hárd róck ハードロック: 強烈なビートが特徴.
héavy róck ヘビーロック: 実験的試みが多い.
jázz-ròck ジャズ=ロック.
Látin róck ラテンロック: 中南米音楽との混合.
nóise ròck ノイズロック: 騒音を取り入れたロック.
pathétic róck 感傷的なロック.
pómp ròck ポンプロック, ロックもどき.
póp-ròck ポップロック, 大衆受けするロック.
progréssive róck プログレッシブロック: ジャズやクラシックの曲構成を採用した現代音楽.
púnk róck パンクロック.
ràga-róck ラーガロック: インド風のロック.
schlóck ròck シュロック・ロック, ずっこけロック.
scúm ròck スカムロック: ヘビーメタルの一種.
shóck·róck 攻撃的なロック.
sóft róck ソフトロック: メロディアスなポップ.
sóul ròck ソウルロック: ソウルの影響を受けたロック.
téchno-ròck テクノロック.
trásh róck トラッシュロック.
úp-ròck 〖ブレークダンス〗アップロック.

rock·er /rάkər | rɔ́kə/

名 揺り椅子. ⇨ -ER[1].

Bóston rócker ボストン型揺り椅子.
dólly·ròcker 名 《英俗 / 古風》おしゃれな女の子.
plátform ròcker 《米・カナダ》台付きロッキングチェア.
Wíndsor rócker 《米・カナダ》揺り椅子式ウィンザーチェア.

rock·et[1] /rάkit | rɔ́k-/

名 **1** ロケット. **2** 火矢, 打ち上げ花火, のろし, 信号弾. ⇨ -ET[1].

áerial rócket 空中発射ロケット.
contról ròcket 制御ロケット.
distréss ròcket 〖航海〗遭難信号火箭(かせん).
íon ròcket イオンエンジン [ロケット].
líquid-fúel ròcket 液体燃料ロケット.
múltistage ròcket 多段ロケット.
rét·ro·ròck·et 名 逆推進ロケット.
ský·ròcket 名 ロケット花火, 流星花火. ── 動自 急騰する.
smóke ròcket 〖機械〗スモークロケット.
sólid ròcket 固体燃料ロケット(solid-fuel rocket).
sóunding ròcket (気象)観測ロケット.
spáce ròcket 宇宙船打ち上げ用ロケット.
stép ròcket 多段式ロケット.
úllage ròcket アリッジロケット.

R

rock·et[2] /rákit | rɔ́k-/

名 〘植物〙ヘスペリス, ハナダイコン(花大根). ⇨ -ET[1].

dáme's rócket ハナダイコン.
dýer's rócket キバナ(黄花)モクセイソウ(weld).
gárden ròcket キバナスズシロ(arugula).
séa ròcket アブラナ科カキレ属の草のうち, ヨーロッパ, 北米の海岸に生える数種の総称.
wáll-ròcket 名 アブラナ科の植物数種の総称.
wóund rócket =yellow rocket.
yéllow rócket ヤマガラシ.

rod /rád | rɔ́d/

名 (木製・金属製などの)棒, 杖(え), さお.

Áaron's ród 〘旧約聖書〙アロンの杖(え).
bambóo ròd 〘釣り〙竹釣りざお.
bírch ròd カバの木でつくった枝むち.
Bláck Ród (英国の)黒杖(こくじょう)守衛官.
Blúe Ròd 《英》聖ミカエル・聖ジョージ勲位を授けられた士官.
cárpet ròd =stair rod.
cásting ròd 〘釣り〙キャスティング用釣りざお.
connécting ròd (内燃機関などの)連接棒, 主連棒.
cón ròd 《話》=connecting rod.
contról ròd 〘エネルギー〙(原子炉の)制御棒.
divíning ròd 占い棒.
dráin ròd 排水管清掃器, パイプクリーナー.
flý ròd 〘釣り〙フライロッド.
fórty-ród 形 《米》〈酒が〉強い.
fúel ròd 〘エネルギー〙燃料棒.
gáuging ròd (樽(たる)の)計量ざお.
gólden·ròd 〘植物〙アキノキリンソウ.
gróund ròd (金属棒アースの)接地棒.
hálf-ród 半ロッド: 長さの単位.
hót ròd 《俗》ホットロッド, 改造自動車.
hót-ród 動自 《俗》hot rod を運転する.
jáck ròd 〘海事〙ジャックロッド.
Jóhnson ròd 《米俗》ジョンソンロッド. ►機械故障の原因としてわけのわからない部分.
kíng ròd 〘機械〙中心ピン.
léase ròd (織機の)綾棒(あやぼう).
léveling ròd 〘測量〙ロッド; 測棒.
líghtning ròd 《米》避雷針.
náil·ròd 《豪》粗製タバコ.
píston ròd ピストン棒 [ロッド].
púsh·ròd 〘自動車〙プッシュ・ロッド.
rádius ròd ラジアスロッド, 控え棒, 半径棒.
rám·ròd (前装式銃砲に火薬や弾丸を装填(そうてん)する)込め矢.
réach ròd 操作棒, 繰り出し棒, リーチロッド.
ság ròd 〘建築〙繋材(けいざい)引っ張り鉄.
síde ròd 〘鉄道〙サイドロッド.
sílver·ròd キク科アキノキリンソウ属の雑草.
sóunding ròd 〘測量〙測桿(そっかん), 測深棒.
spínning ròd 〘釣り〙スピニングロッド.
squáre ród 〘測量〙平方ロッド.
stádia ròd 〘測量〙=leveling rod.
stáir ròd 階段のじゅうたん押さえ.
stáy-ròd (建築物・機械類の)支え, 支柱.
stréet ròd 〘自動車〙ストリートロッド.
tíe ròd 引っ張り鉄, 締めつけ, タイロッド.
tráck ròd (車の)前輪連結棒.
tráverse ròd (ひもで開閉する)金属カーテンロッド.
trúss ròd 〘建築施工〙トラスのタイロッド.
wélding ròd 溶接棒.
wíthe ròd 北米産のスイカズラ科ガマズミ属の植物の通称.

wrínkle-ròd 《米俗》車のクランク軸.

-ro·gate /rəgèit, -gət/

連結形 問われる(もの), 乞われる(もの).
★ 主に動詞をつくる.
★ 語末にくる関連形は -ROGATION.
◆ ＜ラ *rogātus*(*rogāre*「問う, 乞う」の過去分詞). ⇨ -ATE[1].
[発音] 直前の音節に第1強勢. 語尾の発音は, 動詞では /gèit/, 名詞, 形容詞では /gèit, gət/.

ab·ro·gate 動他 〈法令・慣習などを〉廃止する.
ar·ro·gate 動他 〈権利などを〉不法にわがものとする.
der·o·gate 動自 〈物・人が〉(権威・名声・価値などを)減じる, 損じる, 落とす.
in·ter·ro·gate 動他 (特に個人的なこと, 内密のことを聞き出すために)〈人に〉質問する.
ob·ro·gate 動他 〈法律を〉修正 [改正, 廃止] する.
sub·ro·gate 動他 …の代わり [代理] をする.
su·per·er·o·gate 動自 《文語》義務以上のことをやる.
sur·ro·gate 動他 …の代理をさせる; 代用する.

-ro·ga·tion /rougéiʃən/

連結形 尋ねられたこと [もの]; 請われたこと [もの].
★ 名詞をつくる.
★ 語末にくる関連形は -ROGATE.
◆ ＜ラ *rogātus*(*rogāre*「尋ねる, 請う」の過去分詞). ⇨ -TION.

ar·ro·ga·tion 名 不正にわがものとすること, 横取り.
der·o·ga·tion 名 品位 [信用] 低下, 権威失墜; 軽蔑.
in·ter·ro·ga·tion 名 質問すること, 質疑.
ob·ro·ga·tion 名 〘大陸法〙(既存法の)改正, 修正.
su·per·er·o·ga·tion 名 義務以上の仕事, 過分の努力.

rog·a·to·ry /rágətɔ̀:ri | -rɔ́gətəri/

形 質問の, 査問の, 調査の. ⇨ -TORY[1].

de·rog·a·to·ry 形 権威 [名声] を損なう; 軽蔑的な.
in·ter·rog·a·to·ry 形 疑問の, 質問の; 疑問を表す.
létters rògatory 名複 〘法律〙(尋問)嘱託書.
su·per·e·rog·a·to·ry 形 義務以上の.
un·de·rog·a·to·ry 形 品位を傷つけない.

role /róul/

名 (劇中の)役, 役柄; (社会的な)役割, 役目.

génder ròle 性別役割(分担).
ìn·ter·róle 形 2つの役割の間の.
mùl·ti·róle 形 多機能 [任務] を持った, 万能の.
séx ròle 性的分業 [役割].
títle róle (劇・オペラなどの)主題役.

roll /róul/

動自 〈球・車輪・樽(たる)などが〉転がる, 回転する; 〈人・動物が〉寝転がる. ──他 **1** 〈紙・糸などを〉(球形・円筒形に)巻く. **2** 〘冶金〙〈金属を〉圧延機で伸ばす. ──名 **1** (紙・羊皮紙などの)巻物, 軸; (特に)公文書. **2** 名簿; 表, 目録. **3** (輪・円筒状に)巻いた物. **4** (圧延用の)ローラー. **5** (太鼓の)早打ちの音, 連打音. **6** 《米・豪話》《俗》(特に多額の)金, 札束.

áileron ròll 〘航空〙緩横転.
bánk·ròll ☞
bárrel ròll 〘航空〙バレル横転, 連続横転.
bárrel-ròll 動自 〘航空〙バレル横転する.
béad·ròll 《古》〘ローマカトリック〙祈祷名簿, 過去帳.

béd·ròll 《主に米》携帯用寝具, 寝袋.
bélly ròll (走り高跳びの)ベリー・ロール.
blánket ròll 巻き毛布[寝袋].
bréad ròll 《英》小さな丸パン.
brídge ròll 《英》小さなスティック形のロールパン.
Califórnia róll (すしの)カリフォルニア巻き.
chéck·ròll 照合票; 目録; 選挙人照合簿.
clóth ròll 製織された布を巻き取るローラー.
cóffee ròll コーヒーロール: ロールパンの一種.
cóld-ròll 動他 【金工】〈金属を〉冷間[常温]圧延する.
cóuch ròll 【製紙】クーチロール.
cóurt ròll 裁判所記録に使われた巻紙.
crúmb-ròll 《米俗》小さく丸められる寝具.
dándy ròll 【製紙】ダンディロール.
déath-ròll 《主に英》死亡者名簿.
drúm·ròll 太鼓の連打; その音.
Dútch róll 【航空】ダッチロール.
égg ròll 【料理】(皮に卵が入った)春巻.
en·róll 動他 〈人・人名を〉名簿に記載する.
flásh ròll 《米俗》(金があることの証に)さっと見せて引っ込める札束, 見せ金.
flíck ròll 【航空】急横転.
fórward róll 【体操】前転.
Frénch róll フレンチロール: ロールパンの一種.
hónor ròll 優等生名簿.
hót-róll 動他 【金工】〈金属を〉熱間圧延する.
jélly ròll ロールカステラ, ゼリーロール.
káiser ròll ロールパンの一種.
knóbbling ròll 【金工】ノブリング・ロール.
léaf ròll 【植物病理】葉巻き病.
lóbster ròll ロブスターのマヨネーズあえサラダ.
lóg·ròll 動他 【米政治】〈議案を〉相互援助して通過させる.
lúsh-ròll 動自 《俗》酔っ払いから盗む.
músic ròll ミュージックロール, 巻き取り譜.
páncake ròll 《英》【中国料理】春巻き.
Párker Hòuse róll パーカーハウス・ロール: ロールパンの一種.
páy·ròll 給料支払名簿, 支払台帳.
piáno ròll ピアノロール(紙).
pípe·ròll 【英史】宮廷財政記録.
préss ròll 【機械】圧搾ロール.
rágman ròll 1296 年にスコットランドの王と貴族らがイングランド王 Edward I に対して行った臣従の礼の記録.
relíef ròll 《米》生活保護受給者名簿.
rént-ròll 賃付帳, 地代帳, 家賃帳, 小作帳.
róck-and-róll ＝rock-'n'-roll.
róck-'n'-róll ロックンロール.
sáusage ròll 《英》ソーセージロール.
shádow ròll 遮眼帯.
snáp ròll 【航空】急横転.
splít ròll 【経済】分割登記.
spríng ròll 【中国料理】春巻き.
státute ròll 法令集.
stéam·ròll 動他 スチームローラーでならす.
swéet ròll 香料, 干しブドウ, ナッツ, 砂糖漬けの果物などが入った甘いロールパン.
Swíss róll 《主に英》＝jelly roll.
tóilet ròll トイレットペーパーのロール.
tríck ròll 《英俗》強盗の手引きとして客を誘い込む売春婦.
ùn·róll 動他 〈巻いた物を〉開く, 広げる.
víctory ròll 回転飛行.
wélfare ròll (米国の)生活保護該当者名簿.
Wéstern róll 【陸上競技】ウエスタンロール.
whíp ròll 【繊維】バックローラー.

roll·er /róulər/

名 転がる人[物]. ⇨ -ER[1].

blínd róller 【海洋】隠れうねり.
cób-ròller 《米俗》生後間もない家畜; 子豚.
dóugh-ròller 《米俗》(伐採地の)料理人.
hígh róller 《米・カナダ話》多額を賭(か)ける人.
jáck·ròller 《米俗》年寄りや酔っ払った人から盗む泥棒.
léaf ròller ハマキムシ, ハマキガ(葉巻蛾).
lúsh ròller 《俗》酔っ払いをねらうスリ.
páint ròller ペンキ[塗料]ローラー.
páy·ròller 《話》賃金労働者, 給料生活者.
píll ròller 《俗》(特に患者を薬漬けにする)医者(pill pusher).
pínch ròller ピンチローラー.
púmpkin ròller 《米俗》田舎者, 田吾作(たごさく).
róad ròller ローラーで地ならしをする人.
sánd·ròller サケスズキ科の淡水魚の一種.
stéam·ròller スチームローラー.
stóne·ròller コイ科の淡水魚の一種.

roll·ing /róuliŋ/

名 **1** 転がること, 転がすこと. **2** (金属の)圧延. **3** 《俗》略奪(すること). ━━形 転がる, 転がす. ⇨ -ING[1], -ING[2].

égg ròlling 卵転がし.
hígh-rólling 形 《俗》〈博打打ちが〉大金を賭ける.
lóg·ròlling 【米政治】《話》(特に議員たちが互いに相手の議案に賛成し合って通過を図るときなどの)相互援助, なれ合い.
páck ròlling 【金工】パック圧延, 重ね延ばし法.
plý ròlling ＝pack rolling.
quéer-ròlling 《英俗》ホモの人からの盗み.
rág-ròlling ラグローリング: 室内装飾の一種.
thréad-ròlling 【機械】ねじ転造.

Ro·man /róumən/

形 ローマの; 古代ローマ王国の. ⇨ -AN[1].

Augménted Róman Initial Teaching Alphabet「初期教育用アルファベット」の旧称.
Gál·lo-Ró·man 形 ローマ帝国支配下のガリア[ゴール]の.
Gràe·co-Ró·man 形 《特に英》＝Greco-Roman.
Grè·co-Ró·man 形 ギリシャ・ローマ(風)の.

roof /rú:f, rúf | rú:f/

名 屋根, 屋上.

bárrel ròof 半円筒形の屋根, かまぼこ屋根.
buílt-up róof ビルトアップルーフ.
bútterfly ròof バタフライ形屋根.
crádle ròof 下側がトラス構造のアーチ形屋根.
cúrb ròof 駒形(こまがた)屋根.
fán ròof 扇形トレサリーのある丸天井.
Frénch róof フランス屋根.
gáble ròof 切妻屋根.
gámbrel ròof 《米・カナダ》腰折れ屋根.
híp ròof 【建築】寄せ棟屋根(hipped roof).
laméIla ròof lamella の構法で作られた半円筒形屋根.
móon·ròof 【自動車】＝sunroof.
M ròof M 形屋根.
pavílion ròof (ピラミッド状の)方形屋根.
pént ròof ＝shed roof.
ráinbow ròof レインボールーフ, 虹(にじ)形屋根.
sáddleback róof ＝saddle roof.
sáddle ròof (特に塔の頂上などにある)切妻屋根.
sáwtooth róof のこぎり屋根.
shéd ròof 片流れ屋根, 差し掛け屋根.
slíding róof 【自動車】サンルーフ.
spán ròof 切妻屋根.

sún·ròof 【自動車】サンルーフ.
súnshine ròof 【自動車】=sunroof.
térraced róof (特にインドなどの)平屋根.
tróugh ròof =M roof.
ùn·róof 動他 …の屋根 [覆い] をはがす.
wágon ròof 【建築】半円筒ボールト, 筒形丸天井.

room /rú:m, rúm/

名 **1** 部屋, 室. **2** (人・物の占める)場所, 空間.

ajóining ròom (ホテルなどの)続き部屋.
án·te·ròom 名 (主室に通じる)控えの間, 次の間.
assémbly ròom 集会室, 会議室; 舞踏会場.
áudience ròom 謁見室, 聴取室.
báck róom 裏の部屋, 奥の間.
ballóon ròom 《米俗》マリファナを吸う場所.
báll·ròom (ホテル・行楽地などの)舞踏場.
bánquet ròom (ホテルなどの)宴会場.
bár·ròom (ホテルなどの)酒場, バー.
báth·ròom 浴室, バスルーム.
béd·ròom 寝室, 寝間.
béd-sítting ròom 《英》アパートの寝室兼居間.
béverage ròom 《カナダ》(麦芽酒だけを出す)居酒屋, バー.
bílliard ròom 玉突き部屋, 撞球(どうきゅう)室.
bíoclean ròom 無菌室, バイオクリーン・ルーム.
bírthing ròom (家族の立ち会える)分娩(ぶんべん)室.
blúe róom 《俗》旅客機のトイレ.
bóard·ròom (重役・理事の)会議室.
bóiler ròom (ビル・船舶の)ボイラー室.
bónd ròom 【株式】(取引所の)債券売買立会場.
bóx ròom 《英》(特にトランク, スーツケースなどを入れる)小部屋, 納戸.
bóy's ròom 《話》男便所.
bréakfast ròom 朝食をとる部屋.
bútt-ròom 《米俗》喫煙室.
cárd·ròom[1] トランプ遊戯室.
cárd·ròom[2] 梳毛(そもう)室.
chánge·ròom 更衣室.
chánging ròom 《英》(スポーツをする人のための)ロッカールーム, 更衣室.
chéck·ròom 《米・カナダ》携帯品預かり所.
chíll·ròom 冷蔵室.
cíty ròom (報道機関の)地方部編集室.
cláss·ròom 教室.
cléan ròom 無塵(じん)室, 清浄室.
clóak·ròom (ホテル・劇場などの)クローク.
clúb·ròom クラブ室, クラブ員用の部屋.
cóat·ròom =cloakroom.
cóffee ròom (ホテルなどの)軽食堂, 喫茶室.
cóld ròom 【園芸】(球根などの)冷蔵室.
combinátion ròom 《英》(ケンブリッジ大学の)休憩室.
cómmon ròom 《主に英》(学校の)社交室, 休憩室.
compósing ròom 植字 [組み版] 室.
contról ròom (録音スタジオなどの)調整室.
cóok·ròom 台所, 炊事室; (船の)調理室.
cóunting ròom 《まれ》《主に英》会計事務所; 会計課, 会計室.
cóurt·ròom 法廷.
crúsh-ròom 《主に英》(劇場の)歩廊, ロビー.
crýing ròom 《米俗》泣き部屋.
cútting ròom 【映画】(フィルム・テープの)編集室.
dárk·ròom 【写真】暗室.
dáy ròom 【軍事】(営舎内などの)娯楽室.
déad róom 無響室.
delívery ròom (病院の)分娩(ぶんべん)室, 出産室.
díning ròom 食堂.
dóuble róom (ホテルの)ダブルベッドの部屋.
dráfting ròom 製図室.
dráwing ròom (特に住宅の)応接室, 客間.
dráwing-ròom 形 応接間の; 礼儀正しい; 上品な.
dréssing ròom (特に劇場・テレビスタジオの)楽屋.
élbow·ròom (自由にひじを動かせる)十分な余地.
emérgency ròom (病院の)救急処置室.
éngine ròom (船舶などの)機関室; 《比喩》心臓部.
fámily ròom 《米》居間.
fíre·ròom 【海事】(汽船の)ボイラー室, 機関室.
fítting ròom (洋服屋などの)試着 [仮縫い] 室.
Flórida ròom サンルーム(風の居間).
fóre·ròom 《ニューイング / 古風》客間, 居間.
frónt róom 玄関の間, (特に住宅の正面の)居間.
gáb ròom 《米話》(おしゃべりの場所としての)女性用トイレ.
gáme ròom (トランプなど卓上ゲームのできる)娯楽室.
gréat róom =family room.
gréen róom 【サーフィン】グリーンルーム: 波のチューブの中の空間.
gréen·ròom (劇場の)楽屋.
gríll·ròom (料理店の)グリル(ルーム).
guárd·ròom (軍隊の)哨(しょう)所, 衛兵詰所.
guést ròom (個人の家の)来客用寝室.
gún ròom (主に個人の家の)銃器(陳列)室.
gýp-ròom 《英俗》(Cambridge, Durham 両大学寮の)食料品室.
héad·ròom 【海事】2つのデッキ間の空間の高さ.
hóme·ròom ホームルーム.
hórse ròom 私設馬券売場(horse parlor).
hóuse·ròom (家の中で)人の住む [物を置く] 場所.
ínterview ròom (警察署・刑務所の)面会室.
júry ròom 陪審(評議)室.
kéeping ròom 《古風》居間(living room, hall).
knée·ròom (座席に座ったときの)ひざのゆとり.
ládies' ròom 婦人用(公衆)便所.
lády's ròom =ladies' room.
láundry ròom 洗濯部屋.
lég·ròom (座席などで)脚を楽な姿勢にできる空間.
lístening ròom 《英》(放送局の)調整室.
líttle bóys' ròom 《米話》男子用トイレ.
líttle gírls' ròom 《米話》女子用トイレ.
líving ròom 居間.
lócker ròom ロッカールーム, 更衣室.
lócker-ròom 形 〈話・冗談が〉卑猥(ひわい)な.
lúmber ròom 《英》がらくた部屋, 物置.
lúnch·ròom 《米・カナダ》(学校などの)食堂.
machíne-ròom 《英》印刷室.
máil·ròom (大会社などの)郵便仕分け室.
média ròom メディア室.
mén's ròom 《主に米・カナダ》男子用公衆便所.
méss·ròom (船上や海軍基地の)食堂.
mórning ròom (特に昼間利用する)居間.
múd ròom (ぬれて泥のついた衣服や履き物を脱ぐ)玄関の間, 入り口の部屋.
múniment ròom 《英》文書庫, 記録保管室.
músic ròom 音楽室.
néws·ròom 《主に米》ニュース(欄)編集室.
operátions ròom 【軍事】作戦指令室.
órderly ròom 【軍事】中隊事務室.
Óval Róom 《米話》米国 White House 内の大統領執務室.
pád ròom 《米俗》寝室.
páttern ròom (鋳物の)原型製作場 [室].
pláy·ròom (子供の)遊び部屋; (大人の)娯楽室.
plótting ròom 【軍事】標定室.
póol·ròom 《米・カナダ》賭(か)け玉突き場.
póst ròom (会社の)郵便室.
pówder ròom (婦人用の)化粧室, 洗面所.
préss·ròom 《主に米》(印刷所などの)印刷室.
projéction ròom 映写室(projection booth).
próof·ròom 校正室.
públic ròom (ホテルや船などの)ラウンジ [休憩

室].
púmp ròom (湯治場の)鉱泉水を飲むための部屋.
Púrcell Ròom パーセルルーム: London の Queen Elizabeth Hall 内にある室内楽演奏会場.
quíet ròom (静かな作業をするための)部屋.
réading ròom (図書館の)閲覧室; 読書室.
réady ròom (飛行士が発進の命令を待って待機している)受令室, 待機室.
recéption ròom 《英》(家の)居間, ダイニングルーム(►不動産屋が広告などに用いる).
reconciliátion ròom 【ローマカトリック】告解所.
recóvery ròom 回復室.
recréation ròom 《米・カナダ》(家庭・公共建物の)娯楽室.
réc ròom 《米・カナダ話》=recreation room.
rést ròom (会社や公共施設の)休憩室.
róbing ròom (教会・裁判所の)式服着替え室.
rómper ròom 幼児の遊戯室.
rúmpus ròom 《米・カナダ・NZ》(家庭内の)遊戯室.
rúnning ròom 【陸上競技】他の走者との間隔.
sále·ròom 《主に英》=salesroom.
sáles·ròom **1** 売り場. **2** 競売場.
sámple ròom 見本展示室.
schóol·ròom (学校の)教室.
séa ròom 【海事】操船余地.
shéd ròom 《主に米南部》(母屋などから突き出た)貯蔵[保管]室.
shélf-ròom 棚の空き部分.
shípping ròom 《米》(会社・商店などの)発送室.
shów·ròom 陳列[展示]室, ショールーム.
síck·ròom 病室; (学校などの)医務室, 保健室.
síngle róom 一人用寝室, シングルルーム.
sítting ròom 《主に英》(住宅の)居間, 茶の間.
situátion ròom 状況室(軍司令部など).
smállest róom 《英話》手洗い, トイレ.
smóke-filled róom 政治家などが秘密の交渉・会合などに用いるホテルなどの一室, 秘室.
smóke ròom 《主に英》=smoking room.
smóking ròom 喫煙室.
smóking-ròom 形 喫煙室(用)の; 卑猥(ひわい)な.
squád ròom (警察署で)警官が集合する部屋.
stáck ròom (図書館の)書庫.
stáff·ròom 《主に英》(学校の)職員室.
stánding ròom (劇場・競技場などの)立ち見席.
státe·ròom (宮殿などの儀式用の)大広間.
stéam ròom (サウナ風呂などのような)蒸し部屋.
stíll·ròom (大邸宅の)酒類蒸留室.
stóck·ròom (物資・商品などの)貯蔵室.
stóre·ròom 貯蔵室, 物置.
stróng·ròom 貴重品保管室, 金庫室.
sún·ròom サンルーム, 日光浴室.
swéating-ròom (サウナ風呂などの)発汗室.
swíng ròom 《米俗》(従業員の)休憩室.
táck ròom 馬具室, 馬具庫.
táp·ròom (ホテル・宿屋の中にある)酒場.
téa·ròom 喫茶室, 喫茶店.
thróne ròom (通例, 王座のある)謁見室.
tíring ròom 《古》(特に劇場の)楽屋.
tóilet ròom 化粧室.
tóol·ròom (機械工場などの)道具[工具]部屋.
tróphy ròom トロフィー保管展示室.
twín róom (ホテルの)ツインベッドのある室.
utílity ròom 洗濯機・掃除機・暖房器具などが置いてある部屋; 家事作業室.
wáiting ròom (駅・医院などの)待合室.
wárd·ròom (軍艦の艦長以外の大尉より上の将校のための)士官室.
wáre·ròom 商品保管室, 商品陳列室.
wár ròom (戦場における)作戦本部室.
wásh·ròom 《米》(ホテルなどの)洗面所, トイレ.
wéight·ròom 重量挙げ練習室[練習場].
wét·ròom ウェットルーム, 湿室: 水と蒸気を利用した健康増進用の水遊び場.
whíte ròom 無塵(じん)室.
wíggle ròom (どうにでも解釈できる言葉の)余地.
wíre·ròom (競馬などの)賭け元, 呑(の)み屋.
withdráwing ròom 《古》(食後にくつろぐ)応接室, 客間.
wómen's ròom 《米》=ladies' room.
wórk·ròom 仕事部屋, 作業室.
yéllow róom イエロールーム: LSI(大規模集積回路)などの半導体素子を製作する際, リソグラフィー(lithography)工程を行う部屋.

roost /rúːst/

名 止まり木; 鳥小屋. ━━動自他 ねぐらに就く[就かせる].

hén-ròost 名 鳥屋(とや).
quáil-ròost 名 《米学生俗》女子寮.
un·roost 動他自 ねぐらから追い出す.

root /rúːt, rút | rúːt/

名 **1** (植物の)根. **2** 神経繊維の末端部分. **3**【数学】(累)乗根; 根. **4**【文法】語根. ━━動他 〈植物を〉根づかせる.

álum·ròot ツボサンゴ.
árrow·ròot クズウコン(葛鬱金).
báre-ròot 形 〈苗木などが〉土つきでない.
béet·ròot 《主に英》ビートの根.
bírth·ròot ユリ科エンレイソウ属の一種.
bítter·ròot 【植物】レビシア.
blóod·ròot アカネグサ(赤根草).
bóund róot 【言語】拘束語根.
bówman's róot ミツバシモツケソウ.
bráce ròot 支柱根.
bréad·ròot 北米中部原産のマメ科の多年草オランダビユの食用の根.
bríar·ròot =brierroot.
bríer·ròot ブライアーの根.
búttress ròot 板根(ばんこん).
cáncer·ròot ハマウツボ属の寄生植物の総称.
célery ròot 根用セロリ.
characterístic róot 【数学】固有値, 特性根.
clúb·ròot 【植物病理】根瘤(こぶ)病.
cólic·ròot ユリ科ソクシンラン属の多年草の総称.
córal·ròot サンゴネラン(蘭).
córonal róot 冠根.
crínkle·ròot コンロンソウ.
cúbe róot 【数学】立方根, 三乗根.
cúcumber ròot =Indian cucumber root.
Cúlver's róot 【薬学】クルバー根, レプタンドラ.
dis·róot 動他 …を根こぎにする.
dórsal róot 【解剖】後根: 神経根の一つ.
drágon·ròot サトイモ科テンナンショウ属植物の総称.
éddy·ròot タロイモ(taro).
en·róot 動他 …を根づかせる, 植え込む.
évans'-ròot ダイコンソウ属の多年草.
féver·ròot ツキヌキソウ(突貫草).
fíbrous róot (単子葉類の)ひげ根.
fúngus ròot 【植物病理】菌根(mycorrhiza).
gínger·ròot ショウガの根, 根ショウガ.
Índian cúcumber ròot 【植物】メデオラ.
jóy ròot 《米俗》マリファナタバコ.
knót·ròot チョロギ(Chinese artichoke).
látent róot 《今はまれ》=characteristic root.
mállee ròot 《豪》ユーカリの一種の根.
mán·ròot ヒルガオ科サツマイモ属の草.
mótor ròot =ventral root.

músquash ròot アメリカドクゼリ.
nérve ròot 〘解剖〙神経根.
órris·ròot 〘薬学〙オリス根.
oùt·róot 動他 根こぎにする; 根絶する.
papóose-ròot メギ科ルイヨウボタン.
pépper·ròot コンロンソウ(崑崙草).
píg-ròot 動自 《豪·NZ 俗》〈馬が〉後脚で跳ねる.
pínk róot 〘植物病理〙根がしなびてピンク色になるタマネギなどの作物の病気.
pínk·ròot セッコンソウ(赤根草).
pléurisy ròot ヤナギトウワタ.
prímary róot 一次根.
próp ròot 支持根, 気根, 支柱根.
pútty·ròot ラン科の植物.
ráttlesnake ròot フクオウソウ(福王草).
réd·ròot ユリ科に近い Haemodoraceae 科に属する北米産の植物.
rhéumatism-ròot 〘植物〙ニオイウメガサ.
róse·ròot 〘植物〙イワベンケイ.
sécondary róot (主根から出る)二次根, 側根.
sénega ròot 〘薬学〙セネガ根.
sénsory róot 〘解剖〙=dorsal root.
snáke·ròot ☞
sóap·ròot ナデシコ科カスミソウ属の一年草の総称.
squáre róot 〘数学〙平方根, 二乗根.
squáw·ròot アメリカハマウツボ.
swéet·ròot カンゾウ(甘草).
táp·ròot 主根, 直根.
túberous róot 塊根.
túlip ròot 〘植物病理〙穀草類の茎が球状に膨れ葉が変形する病気.
ùn·róot 動他 《主に米》…を根こぎにする.
ùp·róot 動他 …を根こぎにする, 引っこ抜く.
véntral ròot 〘解剖〙前根: 神経根の一つ.
wíng ròot 〘航空〙主翼の付け根.
yéllow·ròot 根が黄色い植物の総称.

rope /róup/

名 縄, 綱, ロープ, 索, 細引き. ── 動他 〈物を〉縄で縛る.

ármored rópe 装甲索, 装甲ロープ.
bólt·ròpe ボルトロープ, へり綱.
búll ròpe 〘海事〙ブルロープ.
búngee rópe (柔軟な)バンジージャンプ用ロープ.
búsh·ròpe 蔓(つる)植物, 蔓(liana).
clímbing ròpe ザイル, 登山用のロープ.
drág·ròpe (砲などの)引き綱.
fóot·ròpe 〘海事〙下縁(したべり)索.
frózen rópe 《米野球俗》弾丸ライナー.
gráb ròpe 〘海事〙手すり綱, つかまり綱.
guéss-ròpe =guest-rope.
guést-ròpe 〘海事〙ゲスロープ.
guíde ròpe (巻上げ綱·引上げ綱に取りつけて移動物体を正しい位置に導く)誘導綱.
héad ròpe (トロール網につける)浮子(うき)綱.
jáck ròpe 〘海事〙ジャックロープ.
jáw·ròpe 〘海事〙ジョーロープ.
júmping ròpe 《米》=skipping-rope.
júmp ròpe 縄跳び遊び.
kérnmantel ròpe (登山の)ナイロンザイル.
léech ròpe 〘海事〙リーチロープ.
lég ròpe 《豪·NZ》脚綱: 後脚につなぎ動物を固定するための輪縄.
lég-ròpe 動他自 〈動物を〉脚綱で固定する.
Manila rópe マニラロープ: マニラ麻で作った強い綱.
mán·ròpe 〘海事〙手すり綱, 握り索.
óld rópe 《英軍俗 / 古風》臭いの強いタバコ.
rúnning ròpe 〘海事〙動索.
skípping-ròpe 《英》縄飛びの縄.
skíp ròpe 《米》=jump rope.
slíp ròpe 〘海事〙スリップロープ.
tág·ròpe (プロレスの)タッグロープ.
thréad ròpe 太さ ½ インチ(1.3 cm)(以下)の縄.
tíght·ròpe (綱渡り用の)張り綱.
tów·ròpe 〘海事〙引き綱, 曳航(えいこう)索.
tráil ròpe 〘海事〙曳索(えいさく).
ùn·rópe 動他自 (…の)綱をほどく.
wíre rópe ワイヤロープ, 鋼索.
yácht ròpe ヨットロープ: マニラ麻製の上質ロープ.

rose /róuz/

名 **1**〘植物〙バラ. **2** ばら色. **3** (羅針盤などの)放射線状に目盛を記した円盤.

Álpine róse アザレア(azalea).
bánksia ròse モッコウ(木香)バラ.
Béngal róse =China rose.
bóurbon róse ブルボンローズ.
bríer-ròse =dog rose.
búrnet ròse =Scotch rose.
cábbage ròse セイヨウバラ.
Califórnia róse ヒルガオ.
Chérokee róse ナニワイバラ.
Chína róse コウシンバラ.
Chrístmas ròse クリスマスローズ.
clímbing róse ツルバラ.
cómpass ròse 〘航海〙コンパスローズ, 羅針図.
córn ròse ヒナゲシ, 虞美人(ぐびじん)草.
dámask róse ダマスクローズ.
dóg ròse ヨーロッパノイバラ.
Frénch róse =Provence rose.
gólden róse 〘ローマカトリック〙金製ばら章.
guélder ròse テマリカンボク(手毬肝木).
gýpsy róse マツムシソウ.
Jápanese róse ヤマブキ(山吹).
Lénten róse レンテンローズ.
Lént róse ラッパズイセン.
Macartney róse カカヤンバラ.
máliow róse アオイ科フヨウ属の植物の総称.
mónthly róse コウシンバラ.
móss róse モスローズ, コケバラ.
móuntain ròse アサヒカズラ, ニトベカズラ.
multiflóra róse ノイバラ.
músk ròse ジャコウバラ.
noisétte róse ノアゼットローズ.
óld-fàshioned róse オールドローズ.
óld róse 灰色[紫色]がかったばら色.
pásture ròse バラの一種 *Rosa carolina*.
polyántha róse ノイバラ.
práirie róse ツルバラの一種.
prím·ròse 名 ☞
Provénce róse フランスバラ.
réd róse 〘英史〙赤バラ.
róck·ròse ハンニチバナ(半日花).
rugósa róse ハマナス.
Scótch róse ユーラシア大陸産のバラの一種.
stándard róse =tree rose.
swámp ròse ヌマバラ.
téa ròse コウシンバラ, ティーローズ.
trée ròse スタンダード作りのバラ: 高い台木に芽接ぎをして冠状の低木に仕立てたバラ.
Túdor Róse チューダーローズ.
whíte róse 〘英史〙白ばら.
wíld róse 野バラ.
wínd ròse 配風図: 特定地域の風向の頻度·風力を示す放射状の図表.
wínter róse =Christmas rose.
wóoden róse ウッドローズ, バラアサガオ.
wóod ròse セイロンアサガオ(ヒルガオ科)の乾燥した莢(さや)(果実).
Yórk-and-Láncaster ròse ヨークアンドランカスター.

rose·mar·y /róuzmèəri, -məri | -məri/

名 〖植物〗ローズマリー, マンネンロウ.

bóg ròsemary ヒメシャクナゲ.
wíld rósemary イソツツジ.

ros·tral /rɑ́strəl | rɔ́s-/

形 **1**〈柱などが〉船嘴(せん)装飾のある, 船嘴で飾った. **2**〖鳥類〗くちばし状の, 額角(がく)の. ⇨ -AL[1].

co·ni·ros·tral 形 厚嘴(こう)類の.
cur·vi·rost·ral 形 曲がったくちばしを有する.
den·ti·rost·ral 形 歯嘴(し)の.
fis·si·ros·tral 形 深く裂けたくちばしを持った.
la·mel·li·ros·tral 形 板嘴(ばん)類の.
lon·gi·ros·tral 形 くちばしの長い.
rec·ti·ros·tral 形 まっすぐなくちばしを持っている.

rot /rɑ́t | rɔ́t/

名 **1** 腐敗, 腐朽. **2**〖植物病理〗腐れ病;〖獣病理〗(牛・羊の脚の)腐敗病. **3**《俗》たわ言.

bítter rót 〖植物病理〗炭疽(たん)病.
bláck rót 〖植物病理〗黒斑(はん)病.
blóssom-ènd ròt 〖植物病理〗尻腐れ.
botrýtis ròt 〖植物病理〗灰色かび病.
brówn rót 〖植物病理〗灰星(ほし)病, 菌核病.
búll's-eye ròt 〖植物病理〗*Neofabraea* [*Gloeosporium*] *perennans* によって起こるリンゴの病気.
chárcoal ròt 〖植物病理〗黒色腐敗, 炭腐病.
cóllar ròt 〖植物病理〗輪紋病, 輪斑(りん)病.
crótch-ròt 《米話》いんきんたむし.
crówn ròt 〖植物病理〗菌核病.
drý rót 〖植物病理〗乾腐(かん)病.
fóot ròt 〖獣病理〗腐蹄(てい)(病).
gút-ròt 《英話》下等酒, 安酒, 強い酒.
héart ròt 〖植物病理〗(樹木の)芯腐れ.
hóof ròt 〖獣病理〗=foot rot.
júngle ròt 〖病理〗ジャングル疫, 熱帯皮膚病.
líver-ròt 〖獣病理〗(主に羊・牛の)肝蛭(かんてつ)症.
nóble rót 〖ワイン醸造〗貴腐.
réd rót 〖植物病理〗赤腐れ病.
ríng ròt 〖植物病理〗輪腐れ病.
rípe ròt 〖植物病理〗おそぐされ(晩腐)病.
róot ròt 〖植物病理〗根腐れ; 根腐れ病.
sáp ròt 〖木工〗辺材腐れ.
sóft rót 〖植物病理〗軟腐病, 腐敗病.
sóftware ròt 《米俗》〖コンピュータ〗ソフトウェア腐朽症.
sóil ròt 〖植物病理〗瘡痂(そう)病.
stém-ènd ròt 〖植物病理〗軸腐れ病, 枝枯れ病.
stém ròt 〖植物病理〗茎腐れ.
tómmy-ròt 《俗》たわ言, 全くばかげたこと.
wét ròt 〖植物病理〗ぬれ腐れ.
whíte rót 〖木工〗木材白腐れ病.

ro·ta·tion /routéiʃən/

名 回転; 循環. ►rotate の名詞形. ⇨ -ATION.

àu·to·ro·tá·tion 名 〖航空〗自転.
cróp rotàtion 輪作.
dèx·tro·ro·tá·tion 名 〖光学〗〖結晶〗右旋(光)性.
jób rotàtion 職務ローテーション.
làe·vo·ro·tá·tion 名 =levorotation.
lè·vo·ro·tá·tion 名 〖光学〗〖結晶〗左旋(光)性.
magnétic rotàtion 〖光学〗ファラデー効果.
mù·ta·ro·tá·tion 名 〖化学〗変旋光.
óptical rotàtion 〖物理化学〗旋光(度).
pítching rotàtion 〖野球〗(投手の)ローテーション.
sýnchronous rotàtion 〖天文〗同期回転.

ro·tor /róutər/

名 〖航空〗回転翼. ►rotator「回転する人[もの]」の短縮形.

àntitórque ròtor 〖航空〗トルク平衡回転翼.
auxíliary rótor 〖航空〗尾部回転翼.
táil ròtor 〖航空〗=auxiliary rotor.
tílt-ròtor 〖航空〗チルトローター.

rough /rʌ́f/

形 (表面が)ざらざらした;〈布地が〉(手触り・目などの)粗い; 凸凹の; ――名 **1** 荒れ地. **2**《主に英俗》ごろつき.

stréet ròugh 《英俗》街のごろつき, ちんぴら.
ùn·róugh 形 ざらざらしていない, 粗くない.

rou·lette /ruːlét/

名 ルーレット賭博(とばく). ⇨ -ETTE[1].

blów-your-mínd ròulette 麻薬ルーレット: 暗闇にばらまかれた種々の麻薬を拾って飲む遊び.
Rússian roulétte ロシアンルーレット.
Vátican roulétte 《米俗》排卵周期を利用した避妊法.

round /ráund/

形 円い; 球形の. ――名 **1** 丸い形(の物). **2**(完結した)一つの過程; 配達区域. ――副 **1**(循環する一定期間の)初めから終わりまで. **2** 回って. **3** 周囲に.

áll-róund 形 《英》多才の(all-around).
a·róund 副 ☞
batón ròund プラスティック弾.
béehive ròund 〖軍事〗指向性弾, 対人用砲弾.
bóttom ròund 牛のもも肉の外側の部分.
chánge·ròund 転向, 見解の変更.
cóuntry róund 《英》配達経路.
gó·ròund …回目, …ラウンド(go-around).
hálf-róund 形 〈横断面が〉半円の, 半円形の.
Kénnedy Róund 〖経済〗ケネディラウンド.
lóok-ròund 《英》よく見る[調べる]こと; 調査.
mérry-go-ròund 回転木馬, メリーゴーランド.
mílk ròund 牛乳配達人の受け持ち区域.
óut-of-róund 形 真ん丸でない.
páper róund 新聞配達担当区域.
quárter ròund 四半円まんじゅう刳形(くりがた).
sèmi·róund 形 半球形の.
sùb·róund 形 やや丸い[丸められた].
sur·róund 動他 囲む, 取り囲む, 取り巻く.
Táble Róund アーサー王伝説における円卓.
théater-in-the-róund 円形劇場.
Tókyo Róund 〖経済〗東京ラウンド.
tóp róund 牛のもも肉(round)の内側の切り身.
túrn-ròund 折返し点.
ùn·róund 動他 〖音声〗〈唇を〉横に開く.
Úruguay Róund 〖経済〗ウルグアイラウンド.
whíp-ròund 《主に英話》寄付; 募金.
wráp·ròund 形 体に巻きつけて着る(wraparound).
yéar-róund 形副 年間を通した[通して], 年がら年中(の)(all-the-year-round).

route /rúːt, ráut | rúːt, 〖軍事〗また ráut/

名 道, 道路; 道筋, 路線, 航路, ルート.

áir ròute 航空路(線).
áu·to·ròute 名 (特にフランスおよびカナダのフランス

語圏の)高速道路.
en róute (…への)途中で, 途上で.
híghway cóntract ròute 《米》〖郵便〗幹線請負契約ルート.
láne ròute 洋上航(空)路.
mis·róute 動他 間違った経路で送る.
ócean ròute 大洋 [遠洋] 航路.
réd ròute 《英》(渋滞緩和のための)赤線による交通規制計画.
rè·róute 動他自 (…の)旅程 [コース] を変更する.
rúral ròute 《米》〖郵便〗地方集配路線 [区域].
slánt róute 〖アメフト〗スラントパス.
stár ròute 《米》 highway contract route の旧称.
stóck-ròute 《豪·NZ》家畜道路.
tráde ròute (商船·隊商の)通商路.

rou·tine /ruːtíːn/

名 慣例となっている手順 [やり方], 定石; 日課, 日常的雑事; 〖コンピュータ〗ルーチン. ⇨ -INE[2].

assémbly routine アセンブラ, アセンブリ言語.
cò·rou·tíne 名 コルーチン.
diagnóstic routine 診断ルーチン.
escápe ròutine 脱出ルーチン.
intérpretive routíne 解釈ルーチン.
lóading ròutine ローディングルーチン.
súb·rou·tine 名 サブルーチン.

row /róu/

名 (主に横並びの)列, 行, 並び.

a·rów 副 一列に, ずらりと(並んで); 続々と.
báld-héaded ròw 《米俗》劇場の最前列席, かぶりつき.
Cátfish Rów キャットフィッシュ横丁(米国の地名).
chéck·ròw 《米》〖農業〗正条畝, 碁盤目畝.
chrístcross-rów 《古》アルファベット(alphabet).
córn·ròw コーンロー: 髪型の一種.
crísscross-rów 《古》アルファベット. ►昔の手習い本(hornbook)のアルファベットの初めに十字形がついていたことから.
cróss·ròw 《廃》アルファベット, 字母(alphabet).
déath rów 《米》(一並びの)死刑囚監房(棟).
gróund ròw (建物·風景·垣根などの)横長の低い舞台装置.
hédge·ròw (生け垣を成している)低木の列.
hóme ròw ホームロウ: タイプライターなどでいつも指を戻すキー列.
Láki cráter ròw アイスランド南部 Hekla の東にある火山列.
Millionáires' Ròw 超高級住宅街.
múrderers' rów 〖野球〗強力打線.
nóte ròw 《主に英》〖音楽〗=tone row.
Paternóster Ròw 《英話》《まれ》出版産業 [業界].
Rótten Rów 《英》ロトンロウ, ロットン通り.
Sávile Rów 《英》サビル通り.
shéd·ròw (競馬場で)通路に面した馬小屋の並び.
skíd rów 《米·カナダ俗》どや街(のような所).
tóne ròw 〖音楽〗音列, セリー.
twélve-tone rów =tone row.
vúlture's rów 《米海軍俗》(航空母艦で)離着艦作業要員の集まる艦橋部.
wínd·ròw 干し草の列; 穀物の束の列.
Wóod·row 名 ウッドロウ(男子の名).

roy·al /rɔ́iəl/

形 **1** 国王の, 王の, 女王の. **2** 王室の血を引く. **3** 王室の, 王立の. **4** 素晴らしい. **5** (大きさ·質などが)並外れた. ──名 ロイヤル判: 印刷用紙の大きさ; 筆記用紙の大きさ. ⇨ -AL[1].

Annápolis Róyal アナポリスロイヤル: カナダの町.
Astrónomer Róyal 《英》〖天文〗王室天文学者.
balláde róyal 〖詩学〗バラッドロイヤル(体).
báttle róyal 大乱闘, 乱戦; 大格闘, 死闘.
blóod róyal 皇族, 王族.
chápel róyal 王宮付属礼拝堂.
cóffee róyal カフェロワイヤル.
dóuble páir róyal 〖トランプ〗同点札の4枚ぞろい.
dóuble róyal 《主に英》ダブルロイヤル判.
páir róyal 〖トランプ〗ペアロイヤル.
pènny·róyal 〖植物〗メグサハッカ.
prínce róyal 王 [女王] の第一王 [皇] 子, 皇太子.
príncess róyal 王 [女王] の第一王 [皇] 女.
rhýme róyal 〖韻律〗ライムロイヤル, 帝王韻.
spúr róyal James I 時代の英国の15シリング金貨.
súper róyal スーパーロイヤル判: 筆記用紙の大きさ.
sur-róyal 名 (鹿の)最先端の枝角.
Théatre Róyal (London にある)ロイヤル劇場.
ùn·ró·yal 形 堂々としていない, 王者らしくない.

-rr /r/

音象徴間 **1** 素早く勢いのよい動作の反復とそれに伴う振動音, 回転音を表す. **2** 動物のうなり声や虫の音のような低く響く音を表す.
★ -r とも綴る.
★ 日本語では, ブルルル, ゴロゴロ, カラカラのようにラ行の音の反復や, ビュ(ー)ンビュ(ー)ンのように擬声「ン」の反復で表されることが多い. ◇ -IRR[1], -URR[1].

chirr 動自 〈コオロギ·キリギリスが〉チリッチリッ [キリッキリッ, ギーギー] と鳴く.
grr 間 ウーッ, ガオーッ.
purr 動自 〈猫などが〉(満足そうに)ゴロゴロとのどを鳴らす; 〈人が〉満足げな様子を示す.
rrr 間 (回転音などの)ブーン, ブルルル, ガーッ, ゴーッ, (うなり声の)ウウーッ.
whirr 動自 (素早く)ブンブン音をたてて動く.
yirr 動自 《スコット》(犬のように)うなる. ──名 (犬のような)うなり声.

-rrha·gi·a /réidʒiə, -dʒə/

連結形 〖病理〗破裂(rupture), 流出過多(profuse discharge), 異常排出(abnormal flow).
◆ ギリシャ語 *-rrhagia*(*rhēgnýnai*「壊れる, 破裂する, 粉々になる」と同根の連結形). ⇨ -IA.

bron·chor·rha·gi·a 名 《廃》気管支出血.
men·or·rha·gi·a 名 月経過多(症).
me·tror·rha·gi·a 名 (月経時以外の異常な)子宮出血.

-rrha·phy /rəfi/

連結形 〖外科〗縫合.
◆ <ギ *-rrhaphia*(*rháptein*「縫う」と同根の連結形). ⇨ -Y[3].
[発音] 直前の音節に第1強勢.

col·por·rha·phy 名 膣壁(ちつ)縫合 [縫縮] (術).
her·ni·or·rha·phy 名 ヘルニア縫合術.
staph·y·lor·rha·phy 名 軟口蓋(ぶた)縫合術.
te·nor·rha·phy 名 腱(けん)縫合(術).

-rrhe·a /ríːə | ríːə, ríə/

連結形 〖医学〗流出, 発射, 放出, 排出.
★ 語頭にくる形は rheo-: *rheo*scope「電流検査器」, *rhe*-

*o*trope「変流器」.
◆ <近代ラ *-rrhoea* <ギ *-rrhoia*(*rhoía*「流出」より).

a·myx·or·rhe·a 名 粘液分泌欠如.
blen·nor·rhe·a 名 膿漏(のうろう).
dac·ry·or·rhe·a 名 流涙過多, 多涙症.
di·ar·rhe·a 名 下痢.
ga·lac·tor·rhe·a 名 乳漏症, 乳汁漏出症.
gon·or·rhe·a 名 淋疾(りんしつ), 淋病.
leu·kor·rhe·a 名 (白)帯下(たいげ), こしけ,《俗に》下り物.
log·or·rhe·a 名 語漏(ごろう), 病的多弁(症).
men·or·rhe·a 名 ☞
o·tor·rhe·a 名 耳漏, 耳垂れ.
py·or·rhe·a 名 膿漏(のうろう), 膿汁漏出.
rhi·nor·rhe·a 名 鼻漏.
seb·or·rhe·a 名 (皮)脂漏症.
si·al·or·rhea 名 流涎(りゅうぜん)症, 唾液(分泌)過多.
sper·ma·tor·rhe·a 名 精液漏(ろう).
ste·at·or·rhe·a 名 脂肪便症, 脂肪性下痢.

-rrhine /ràin, rin/

連結形 『人類』鼻の.
★ 語頭にくる形は rhin(o)-: *rhin*encephalon「嗅脳(きゅうのう)」, *rhino*logy「鼻科学」.
◆ ギリシャ語 *rhín*「鼻」より. ⇨ -INE[1].
[発音] すべて 3 音節の語で, 語頭の音節に第 1 強勢.

cat·ar·rhine 形 狭鼻(猿)類 Catarrhini の.
lep·tor·rhine 形名 狭鼻(型)の(人).
mes·or·rhine 形 中鼻の.
plat·yr·rhine 形 広鼻の.

rub /rʌ́b/

動他 こする, 磨く. ――名《話》こすること; マッサージ.

báck·rùb 背中のマッサージ.
bódy rùb (全身)マッサージ.
Dútch rúb 《米俗》握りこぶしで相手の頭を強くこすって痛がらせるいたずら.
hánd-rúb 動他 …を手でこする [磨く].
Prínceton rùb 《俗》ホモが体をこすり合わせること.

rub·ber /rʌ́bər/

名 ゴム, 天然ゴム, 生ゴム. ⇨ -ER[1].

bútyl rùbber ブチルゴム: isobutene と isoprene の共重合で造られる合成ゴム.
cóld rúbber 低温ゴム, コールドラバー.
crépe rúbber クレープゴム: 靴底用ゴム.
crúmb rùbber 微粉状ゴム.
fóam rúbber フォームラバー: 敷き布団, クッション用ゴム.
fúcking-rúbber 《米俗》コンドーム.
hárd rúbber 硬質ゴム.
hý·dro·rùb·ber 名 『化学』水素化ゴム.
Índia rúbber 消しゴム.
Méxican rúbber 『植物』グアユールゴムノキ.
míneral rùbber ミネラルラバー: アスファルト状の鉱物または褐色のアスファルト.
nátural rúbber =rubber.
nítrile rúbber 『化学』ニトリルゴム.
Pará rubber パラゴム: 南米赤道地帯から産する, タカトウダイ科のパラゴムノキ, または同属の木から採る弾性ゴム.
sílicone rúbber 『化学』シリコンゴム.
smóked shéet rúbber スモークシートゴム.
sórbo rùbber 《英》(ボールなどに用いる)スポンジゴム.
spónge rúbber =foam rubber.
stereorégular rúbber 『化学』ステレオゴム.
stýrene-butadíene rùbber スチレン=ブタジエンゴム.
synthétic rúbber 合成ゴム.
wíld rúbber (野生のゴムの木から採る)野生ゴム.

ru·by /rúːbi/

名 『宝石』ルビー, 紅玉.

béad-rùby ビードルビー.
Bohémian rúby ボヘミアルビー.
Colorádo rúby コロラドルビー.
Sibérian rúby シベリアルビー.
spinél rùby ルビースピネル(ruby spinel).
stár rùby スタールビー.

rud·der /rʌ́dər/

名 『海事』(船の)舵(かじ).

bálanced rúdder 釣り合い舵, 平衡ラダー.
bów rùdder バウラダー: カヌー競技で, 船首のこぎ手がパドル(paddle)をかじとして使う技術.
cóntra-guìde rùdder コントラ舵(だ).
dróp rùdder ドロップラダー.
équipoise rùdder =balanced rudder.
horizóntal rúdder 水平舵(だ).
kítchen rùdder (船の推進器の周囲の)キッチン舵.

rue /rúː/

名 『植物』ヘンルーダ: ミカン科ヘンルーダ属の香りの強い植物の総称.

góat's-rùe 米国産のマメ科ナンバンクサフジ属の植物.
méadow rùe カラマツソウ.
táll méadow rùe セイタカカラマツソウ.
wáll rùe イチョウシダ.

ruf·fle /rʌ́fl/

動他 …の平らな面をかき乱す; しわくちゃにする. ――名 (布・レースなどの)壁べり, 壁飾り.

dúst rùffle ダストラッフル: 長いペチコートやスカートの内側の縁につけるひだ.
séa rùffle シーネックレス: 皿状の卵嚢(らんのう)がひものようにつながったもの; *Busycon* 属の大型の貝の卵など.
ùn·rúf·fle 動他〈人(の心)を〉静める, 落ち着かせる.

rug /rʌ́g/

名 **1** (床の一部に敷く)じゅうたん, 敷物. **2**《主に英》(厚手の)上掛け, ひざ掛け.

área rùg 床の一部に敷く敷物.
Bokhára rùg ブハラじゅうたん.
Bukhára rùg =Bokhara rug.
cárriage rùg 《英》旅行用ひざ掛け.
gráss rúg 草じゅうたん, グラスラグ.
héarth·rùg 暖炉の前の敷物.
hóoked rúg フックトラグ.
Káshmir rúg カシミールラグ: 東洋産の手織りのじゅうたん.
Oriéntal rúg 東洋段通(だんつう).
Pérsian rúg ペルシアじゅうたん.
práyer rùg (イスラム教徒の)礼拝用敷物.
rág rúg (敷物の)ラッグラグ, フックドラグ.
ráilway rúg (列車で用いる)ひざ掛け.
scátter rùg 《米》小形じゅうたん.
ský rùg 《米話》男性用かつら.
Soumák rúg スーマックラグ(Kashmir rug).

R

stéamer rùg (船客がデッキチェアで用いる目の粗い厚い)ひざ掛け; 旅行用ひざ掛け.
thrów rùg 《米》=scatter rug.
tráveling rùg 《英》=steamer rug.
Túrkish rúg トルコじゅうたん.
Túrkoman rúg トルコマンじゅうたん.

rule /rúːl/

名 **1** 規則, 規定, 規約. **2** 支配, 統治. **3** 物差し, 定規. **4** 法則, 原則; 公式. **5** 【印刷】罫(けい), 罫線.

advántage rùle (ラグビー・サッカーの)アドバンテージ・ルール.
Báby Dóe rùle 《米》【法律】先天性障害乳児保護法案.
bláck majórity rùle 黒人多数支配.
blínd màn's rùle 大工の物差しの一種. ►暗がりでも見えるように大きな数字が入っている.
bóard rùle ボード定規, 容積定規.
cáliper rùle カリパス尺: 測経器の一種.
cháin rùle 【数学】連鎖法.
clósed rùle 《米》(議会の)閉鎖ルール.
Cópe's rùle 【生物】コープの法則.
Crámer's rùle 【数学】クラーメルの法則.
Díllon's Rúle 【米法】ディロンの原則.
diréct rùle (英国政府による北アイルランドの)直接統治; 1972 年施行.
Dúrham rùle 【米法】ダラム準則.
eligiblílity rùle 資格規定: 社会保障, 更正保護などの受給資格としてよく使われる.
exclúsionary rùle 【法律】(違法収集)証拠排除則.
exténsion rùle (内面の寸法が測れる)伸縮自在の大工用物差し.
féllow-sérvant rùle 共働者規則.
fólding rùle =zigzag rule.
fóot rùle 1 フートの物差し, フート差し.
gág rùle (特に審議機関での)言論統制法.
géneral rùle 【法律】指示命令の一つ; 一般的に適用される.
gólden rùle 【キリスト教】黄金律.
gróund rùle 行動上の基本原則.
héarsay rùle 【法律】伝聞証拠の法則.
hóme rùle (市・地方・州・植民地などの)地方自治.
hóuse rùle (賭博(とばく)やゲームの)ハウスルール.
jóinting rùle 目地定規.
léft-hand rùle 【物理】(フレミングの)左手の法則.
L'Hospitál's rùle 【数学】ロピタルの法則.
majórity rùle 多数決原理.
Markóvnikov rùle 【化学】マルコーヴニコフの規則.
McNághten rùle 【法律】=M'Naughten rule.
métal rùle 罫(けい).
Miránda rùle 《米》【法律】ミランダ準則[原則].
mis·rúle 名 悪い支配, 誤った統治, 失政, 悪政.
M'Nághten rùle 【英法】マクノートン準則.
Náismith's rùle 【登山】ネイスミス法.
o·ver·rúle 動他 〈人の〉発言を(権限で)抑える.
Óxford rùle 子持ち罫線(けいせん).
pháse rùle 【物理化学】相律.
phonológical rùle 【言語】音韻規則.
phráse-structure rùle 【言語】句構造規則.
plúmb rùle 下げ振り(定規).
redúndancy rùle 【言語】余剰規則.
réwrite rùle 【言語】書き換え規則.
ríght-hand rùle 【物理】(フレミングの)右手の法則.
Rozélle rùle 《米》(アメフトの)ローゼルルール.
seléction rùle 【物理】選択規則.
sélf-rúle (国家などの)自治; 民主政体.
seniórity rùle シニョリティルール, 年功序列.
sétting rùle 植字定規, セッテン.
shórt-swìng rùle 《米》【証券】インサイダーの短期売買規制.
Símpson's rùle 【数学】シンプソンの法則.
slíde rùle 計算尺.
slíding rúle 《もと》=slide rule.
spécial rùle 【法律】指示命令の一つ; 当該事件だけに適用される.
squéal rùle 《米》スキールルール: 18 歳未満の未婚の女子に避妊薬を処方する場合の連邦規定.
stánding rúle 【軍事】内務[服務]規定; 作業標準.
swéll-rùle 章節などの境を示す装飾罫(けい).
thírty-yéars rùle (公文書などの)30 年後の公開原則.
thréshold rùle 【米政治】最低得票規則.
transformátional rùle 【言語】変形規則.
transítion rùle 《米》【法律】トランジションルール.
trapezóidal rúle 【数学】台形方式[法則, 公式].
T́-rùle 【言語】=transformational rule.
twó-thìrds rúle 【米政治】3 分の 2 ルール.
únit rùle 《米》単位選出制, ユニットルール.
whíte cóat rùle 《米》白衣禁止規則: テレビ広告で医師・歯科医・看護婦などのの登用を禁じる規則.
wórking-to-rúle 《英》=work-to-rule.
wórk-to-rúle 形 《主に英》順法闘争の.
zígzag rùle 折り尺, 折りたたみ尺.

ruled /rúːld/

形 **1** 支配されている. **2** 〈ノートなどが〉罫線(けいせん)入りの. ⇨ -D[1], -D[2].

cóllege-rùled 形 〈大学ノートが〉細罫の.
fáint-rúled 形 =feint-ruled.
féint-rúled 形 〈便箋などが〉薄罫線入りの.
ùn·rúled 形 支配[統治]されていない.
wíde-rúled 形 〈ノートなどが〉太罫の.

rules /rúːlz/

名複 rule「規則; やり方」の複数形.

Áussie rùles オーストラリア式フットボール,「オージーボール」.
Austrálian Nátional Rúles =Aussie rules.
báse-pairing rùles 【遺伝】塩基対合則.
Fléming's rùles 【物理】フレミングの法則.
ínstrument flíght rùles 【航空】計器飛行方式.
júdges' rùles 【英法】裁判官の規制.
Quéensberry rùles 【ボクシング】クインズベリールール, 標準ルール.
vísual flíght rùles 【航空】有視界飛行方式.
Wátson-Críck rùles =base-pairing rules.
wórk rùles (労働協約に基づく)就業規則.

rum /rʌ́m/

名 **1** ラム酒. **2** 《米》(一般に)アルコール飲料, 酒.

báy rúm ベーラム: 香油の一種.
démon rùm 《米俗》強い酒.
hót búttered rúm ホットバタードラム: ラム, 熱湯, 砂糖をジョッキ(mug)に入れ, バターの塊を浮かして供する飲み物.
Jamáica rúm ジャマイカラム.

rum·my /rʌ́mi/

名 【トランプ】ラミー.

fíve hùndred rúmmy 五百点ラミー.
gín rúmmy ジンラミー.
knóck rúmmy ノックラミー.
Míchigan rúmmy ミシガンラミー.
pínochle rúmmy =five hundred rummy.

run /rʌ́n/

R

動自 走る, 駆ける, 疾走する. ──名 走ること; 競走; 逃走; 行程.

áf·ter-rùn 名 (自動車のエンジンが)イグニションを切っても止まらない状態.
báck rùn 〖化学〗バックラン, 逆流.
bánk rùn 銀行取りつけ騒ぎ.
blúe rún 〖スキー〗中級者向けゲレンデ.
bób·rùn 〖スキー〗ボブスレーコース.
bómbing rùn =bomb run.
bómb rùn 〖軍事〗爆撃航程, 爆撃進入.
cáttle rùn (牧草のある)牛小屋の前庭.
chícken rùn (特にジンバブエで黒人支配を恐れた)白人の大量国外脱出(ルート).
cút-and-rún 形 《英話》大急ぎの, 大慌ての.
déad rún 全力疾走.
dóuble rún 〖トランプ〗(クリベッジで)ダブルラン.
drý rún 《話》下げいこ, リハーサル.
dúmmy rùn 試行, 予行演習.
éarned rún 〖野球〗自責点, アーンドラン.
énd rùn 〖アメフト〗エンドラン.
énd·rùn 動他自 (…を)出し抜く.
fírst rún 〖映画〗封切り興行.
fore·rún 動他 …の先を走る, 先立つ.
fówl-rùn 《英》養鶏場.
frésh-rùn 形 〈魚, 特にサケが〉海から川へ上ってきたばかりの.
fún rùn 市民マラソン競走.
gráb-it-and-rún 形 〈屋台などが〉売るだけの.
hén rùn 養鶏場, 鶏の飼育場.
hít-and-rún 形 ひき逃げの.
hít-rún 形 =hit-and-run.
hóme rún 〖野球〗ホームラン, 本塁打.
íce rùn 雪解け期に川の氷が急激に割れ砕けること.
Lóndon-to-Bríghton rún ロンドン・ブライトン間レース.
lóng rùn 長い期間.
lóng-rún 形 長期間にわたる; 長期公演の.
méat rùn 《米鉄道俗》急行[特急]列車.
mílk rùn 《俗》決まりきった運行[コース].
míll·rùn 水車用導水路.
míll-rún 形 〈物が〉工場から出たままの.
míne-rùn 名 並[普通]のもの, 二流品.
mis·rún 名 〖冶金〗ミスラン, 湯回り不良.
móney rùn 《英俗》ティーンエイジャーたちのパレード.
òut·rún 動他 …より速く[遠く]走る, 追い越す.
ò·ver·rún 動他 〈国・地域などを〉うろつく.
préss·rùn 本刷り, 印刷作業.
quadrúple rún 〖トランプ〗(クリベッジで)クワドループル・ラン.
rát-rùn 《英俗》(通勤などで急ぐ人が利用する)脇道, 抜け道.
rè·rún 動他 再上映[再放送]する.
rún shéep rún 羊よ走れ: 隠れんぼに似た遊び.
séa-rùn 形 〈魚が〉昇河回遊性の, 遡河(さ)性の.
sécond rún 〖映画〗二番興行.
shéep rùn 《豪・NZ》大牧羊場.
shórt rùn (比較的)短い期間.
shórt-rùn 形 (比較的)短期間の, 短期上演の.
skí rùn スキー用斜面, ゲレンデ.
splít rún (新聞・雑誌の)刷り分け.
típ-and-rún 形 《英俗》〈攻撃などが〉電撃的な.
tríal rún (乗り物・機械などの)試運転.
ùn·der·rún 動他 …の下を走る[通る, くぐる].
únearned rún 〖野球〗非自責点.
Véteran Cár Rún ベテランカーレース: 英国で行われるクラシックカーレース.

run·ner /rʌ́nər/

名 走る人[動物], 競走者[馬]; 逃亡者, 逃走者. ⇨ -ER[1].

álso-rúnner 名 泡沫(ほう)候補; 落後者.
báse rùnner 〖野球〗走者, 走塁者.
blockáde-rùnner 名 封鎖を破って出入りする船[人].
blúe rúnner アジ科カイワリ属の食用魚の一種.
dístance rùnner 中[長]距離ランナー.
dóuble-rúnner 名 継ぎぞり(bobsled).
dráw rùnner 〖家具〗ローパー.
fóre·rùn·ner 名 先人, 先輩; 前任者; 先祖.
frónt rúnner 競争で先頭に立っている人.
Índian Rúnner 〖動物〗インディアンランナー種.
jóint rùnner 鉛止めバンド.
lóg rùnner ハシリチメドリ.
númber rùnner 《米俗》数当て賭博(とく)の賭(か)け金を集める人.
óbligate rúnner 強制的に走る人, 狂信的ランナー.
out·run·ner 名 先[外]を走る人[物].
pínch rùnner 〖野球〗ピンチランナー, 代走.
ráce·rùnner 名 〖動物〗ハシリトカゲ.
ráinbow rùnner 暖海に棲(す)むアジの一種.
rídge·rùnner 名 《米俗》アパラチア山地の住民.
róad·rùnner 名 ミチバシリ.
rúm·rùnner 名 《米話》酒類密輸入者[船].
scárlet rúnner 《特に英》ベニバナインゲン.
strétch rúnner ラストスパートに強い走者.
trée rùnner ゴジュウカラ(nut hatch).

run·ning /rʌ́niŋ/

名 **1** (人・動物が)走ること; 〖野球〗走塁. **2** 運営, 管理. ──形 **1** 動いている. **2** 連続的な. ⇨ -ING[1], -ING[2].

báse rùnning 〖野球〗走塁(法), ベースランニング.
dístance rùnning 中[長]距離競走.
frónt rúnning 〖証券〗株式の先回り売買取引.
gún·rùnning 名 銃砲[弾薬など]の密輸入.
hánd-rúnning 副 連続して, 立て続けに.
lóng-rúnning 形 長期の, 長期間続く.
óption rúnning 〖アメフト〗running play で ball carrier が自分で走路を選んで走ること.
rètro·rúnning 名 後向きに走るスポーツ.
ùltra·rúnning 名 超長距離ランニング.
úp-and-rúnning 形 目下実行可能である; 進行中である.

-rupt /rʌ́pt/

連結形 破れた, 破裂した.
★ 語末にくる関連形は -RUPTION, -RUPTIVE.
★ 語頭にくる形は rupt-: *rupt*ure「破裂, 裂開, 破壊」.
◆ <ラ *ruptus*(*rumpere*「破る, 破裂する」の過去分詞).
[発音] 基体(-rupt)に第 1 強勢.

ab·rupt 形 急の, 突然の, 不意の.
cor·rupt 形 〈役人などが〉賄賂の効く.
dis·rupt 動他 〈国家・政府などを〉混乱に陥れる.
e·rupt 動自 〈溶岩・火山灰などが〉噴出する.
in·ter·rupt 動他 〈流れ・進行・交通などを〉遮断する.
ir·rupt 動自 (突然)侵入する, 押し入る.

-rup·tion /rʌ́pʃən/

連結形 ばらばらにされたもの[こと].
★ 名詞をつくる.
★ 語末にくる関連形は -RUPT.
★ 語頭にくる関連形は rupt-: *rupt*ure「破裂, 裂開, 破壊」.
◆ <ラ *ruptus*(*rumpere*「ばらばらにする」の過去分詞). ⇨ -TION.
[発音] -ruption の第 1 音節に第 1 強勢が置かれる.

ab·rup·tion 名 (突然の)分離, 分裂.
cor·rup·tion 名 堕落[腐敗]; 堕落[腐敗]状態.
dis·rup·tion 名 破裂, 分裂, 崩壊.
e·rup·tion 名 (病気・災害・戦争などの)突発, 勃発.

R

in·ter·rup·tion 名 遮ること, 遮断, 邪魔.
ir·rup·tion 名 侵入, 突入, 乱入; 猛侵攻, 侵略.

-rup·tive /rʌ́ptiv/

連結形 壊す….
★ 形容詞をつくる.
★ 語末にくる関連形は -RUPT.
★ 語頭にくる関連形は rupt-: *rupt*ure「破裂, 裂開, 破壊」.
◆ <ラ *ruptus*(*rumpere*「壊す」の過去分詞). ⇨ -IVE[1].

cor·rup·tive 形 (…を)腐敗[堕落]させる; 腐敗性の.
dis·rup·tive 形 分裂的な; 分裂性の.
e·rup·tive 形 〈病気・感情などが〉突発する.
ir·rup·tive 形 突入する; 突入[侵入, 乱入]性の.

rush[1] /rʌ́ʃ/

動自 〈人・車などが〉速く走る; 急ぐ; 〈人が〉素早く行動する; 〈水などが〉勢いよく流れる. ——名 突進; 突撃.

báck·rùsh 引き波.
búm-rùsh 動他 《米俗》(特にレストラン・公共の場所などから)ほうり出す, たたき出す.
búm's rúsh 《俗》強制的に追い出すこと.
dówn·rùsh 急速に流れ下る[下降する]こと.
góld rùsh ゴールドラッシュ.
ín·rùsh (…の)流入, 侵入, 殺到.
ón·rùsh (激しい)突進, 突撃; 奔流.
óut·rùsh 激しい流出, 噴出.
úp·rùsh (水・ガスなどの)噴出.

rush[2] /rʌ́ʃ/

名 〖植物〗イグサ, トウシンソウ(灯心草), イ(藺).

búll·rùsh =bulrush.
búl·rùsh (聖書で)パピルス, 葦(あし).
Dútch rúsh =scouring rush.
flówering rúsh ハナイ.
scóuring rùsh トクサ(砥草, 木賊)(スギナを含む).
spíke rùsh ハリイ.
tóad rùsh イグサの一種 *Juncus bufonius*.
wóod rùsh イグサ科スズメノヤリ属の植物の総称.

Rus·sian /rʌ́ʃən/

形 ロシアの. ——名 ロシア人; ロシア語. ⇨ -AN[1].

Bláck Rússian 洋酒の一種; コーヒーリキュールとウオッカで作る.
Byè·lo·rús·sian 形 ベロルシア(住民)の.
Gréat Rússian 大ロシア人, ロシア人.
Líttle Rússian 小ロシア人.
Óld Rússian 古(期)ロシア語.
Whíte Rússian =Byelorussian.

rust /rʌ́st/

名 **1** (金属一般の)さび, 鉄さび. **2** 〖植物病理〗さび病.

àn·ti·rúst 形 さびを防ぐ, さび止めの.
bláck rùst 〖植物病理〗黒さび病.
blíster rùst 〖植物病理〗(松の)発疹(ほっしん)さび病.
crówn rùst 〖植物病理〗冠さび病, エンバク冠さび病.
gráin rùst 〖植物病理〗穀類植物を冒すサビ病.
íron rùst 鉄さび.
léaf rùst 〖植物病理〗赤さび病.
órange rúst =leaf rust.
réd rúst 赤さび.
stém rùst =black rust.
strípe rùst 〖植物病理〗黄さび病.
whéat rùst 〖植物病理〗コムギのさび病.
whíte rúst 〖植物病理〗白さび病.
yéllow rúst =stripe rust.

-ry[1] /ri/

接尾辞 **1** …業, 仕事, 技術. **2** …(製造・販売)所[店・屋]; 場所. **3** …(製)品[装具]. **4** …全体, …類, …(集)団. **5** 性質・状態. **6** 《軽蔑的》…と関係したもの.
★ 名詞・動詞・形容詞につけて名詞をつくる.
◆ 中英 *-rie* <古仏 *-erie*; -ERY[1] の短縮形.

〈**1**〉 …業, 仕事, 技術.
a·gent·ry 名 代理人(agent)の仕事[職, 活動].
al·der·man·ry 名 alderman「議員」の選挙区[地位].
can·on·ry 名 司教座聖堂参事会員の職位.
car·pen·try 名 大工仕事, 木工; 大工職.
chem·is·try 名 ☞
chym·is·try 名 《古》=chemistry.
cir·cuit·ry 名 電気[電子]回路の設計科学.
cor·set·ry 名 コルセット製造[販売](業).
dea·con·ry 名 deacon「助祭, 輔祭, 執事」の職.
den·tist·ry 名 歯学; 歯科.
er·rant·ry 名 (中世の騎士の)諸国遍歴, 遊歴.
fal·con·ry 名 タカ狩り.
for·est·ry 名 林学.
hus·band·ry 名 農業, 耕作; 畜産.
in·dus·try 名 ☞
ma·son·ry 名 石工[れんが工]の技術; 石工[れんが工]職.
min·is·try 名 聖職, 教職, 牧師[司祭]職.
mis·sile·ry 名 誘導弾学, ミサイル工学.
mus·ket·ry 名 〖軍事〗射撃(術), 小銃射撃(法).
palm·is·try 名 手相占い, 手相判断.
pup·pet·ry 名 操り人形の製作; 操り人形芝居の上演.
ri·fle·ry 名 《米》ライフル射撃(術); ライフル競技.
rock·et·ry 名 ロケット工学.
sen·try 名 歩哨(ほしょう), 哨兵, 番兵.
soke·man·ry 名 領主のソーク(裁判権)に従属する土地保有あるいは土地保有権.
soph·ist·ry 名 〖論理〗詭弁(きべん)法.
trum·pet·ry 名 トランペット吹奏法.
u·su·ry 名 高利貸し.
ward·en·ry 名 warden「監視人, 番人」の職権.
wiz·ard·ry 名 魔法, 魔術, 呪術(じゅじゅつ).

〈**2**〉 …(製造・販売)所[店・屋]; 場所.
al·mon·ry 名 〖歴史〗施し物分配所.
bap·tist·ry 名 (教会の)洗礼堂, 授洗堂.
dair·y 名 バター・チーズ製造所, 牛乳加工所.
found·ry 名 鋳造場, 鋳物工場.
gan·try 名 信号橋.
gaun·try 名 =gantry.
her·on·ry 名 サギ(鷺)の群居産卵地, サギの森.
hos·tel·ry 名 《英》(ユース)ホステル.
pan·try 名 パントリー: 食料品, 食器などを収納してある(台所の隣の)部屋[棚].
pheas·ant·ry 名 キジの飼育場.
pi·geon·ry 名 ハト小屋.
reg·is·try 名 ☞
scul·ler·y 名 《主に英》(調理室付属の)流し場.
treas·ur·y 名 国庫, 公庫, 金庫.
ves·try 名 (教会の)聖具室, 祭服祭具保管室.

〈**3**〉 …(製)品[装具].
bas·ket·ry 名 かご細工品.
cab·i·net·ry 名 (用だんす・飾り棚などの)高級木工家具.
com·po·nen·try 名 (機械, 自動車などの)構成部分, 部品.
jew·el·ry 名 宝石類, (宝石・貴金属類の)装身具.
lux·u·ry 名 ぜいたく品, 奢侈品; 高級品.
mar·que·try 名 (着色した木材などを用い, 特に家具

R

に施される)象眼(細工).
par·quet·ry 名 ＝marquetry.
tap·es·try 名 タペストリー, つづれ織り.
toi·let·ry 名 化粧品.
trin·ket·ry 名 小さな装身具, 小間物.

〈**4**〉…全体, …類, …(集)団.
an·ces·try 名 血統, 家系, 家柄.
ban·dit·ry 名 山賊［追いはぎ］行為, 強盗.
cam·el·ry 名 〖軍事〗ラクダ騎兵(隊).
can·non·ry 名 発砲, 砲撃; 一斉砲撃.
cit·i·zen·ry 名 市民, 庶民.
cous·in·ry 名 いとこたち; 親類縁者.
en·gine·ry 名 機関; 機構.
fel·on·ry 名 重罪人, 凶悪犯罪分子.
gadg·et·ry 名 ちょっとした(目新しい)道具類.
gen·try 名 家柄のよい人々, 上流階級の人々.
I·rish·ry 名 アイルランド人; アイルランド人的特徴［気質］.
leg·end·ry 名 伝説(集).
peas·ant·ry 名 小作人, 農民; 農民階級.
phra·try 名 〖民族〗フラトリー, 胞族.
poul·try 名 家禽(かきん), 飼い鳥類.
rab·bit·ry 名 ウサギ(rabbits).
sol·dier·y 名 兵隊, 軍人. 軍隊.
ten·ant·ry 名 借地［借家, 小作］人.
tour·is·try 名 (観光)旅行者(tourists).
var·let·ry 名 《古》従者, 従僕, 召使い.
vil·lage·ry 名 村, 村落.
weap·on·ry 名 武器, 兵器類.
yeo·man·ry 名 ヨーマン, 自由農民, 郷士, 自作農.

〈**5**〉性質・状態.
an·cient·ry 名 《古》古めかしさ, 古風; 昔, 古代.
art·ist·ry 名 芸術的手腕; 芸術的効果; 芸術性.
bla·zon·ry 名 きらびやかな装飾, 盛観.
chiv·al·ry 名 騎士道(精神).
co·quet·ry 名 (女の)媚態, あだっぽさ.
dow·ry 名 持参金, 嫁入り道具.
Eng·lish·ry 名 《今はまれ》(特に, 生まれつきの)イングランド［英国］人であること.
free·ma·son·ry 名 ひそかな友愛, 本能的きずな.
gal·lant·ry 名 勇壮, 勇敢; 気高い態度.
gob·lin·ry 名 悪鬼どもの仕業.
hap·haz·ard·ry 名 偶然(性), 行き当たりばったり.
hel·ot·ry 名 農奴制度; 農奴の身分.
her·mit·ry 名 隠遁(いんとん)生活, 隠棲.
in·fan·try 名 歩兵.
pag·eant·ry 名 壮観, 盛観; 見もの; 華麗.
pas·try 名 ☞
ri·val·ry 名 競争, 張り合い; 対立(関係).
sum·mit·ry 名 《主に米》首脳会談を開くこと.
tar·get·ry 名 達成目標を掲げること.

〈**6**〉《軽蔑的》…と関係したもの.
Bab·bitt·ry 名 低俗な実業家かたぎ.
bas·tard·ry 名 《豪・NZ》不愉快な振る舞い.
bawd·ry 名 《古》卑猥な言葉(遣い), 猥談, 猥本.
big·ot·ry 名 固執すること, 偏執, 頑固一徹, 偏狭, 偏屈.
brig·and·ry 名 山賊行為.
cas·u·ist·ry 名 (特に道徳的問題に関しての)こじつけ, 詭弁(きべん), ごまかし.
char·la·tan·ry 名 はったり; いんちき.
fag·got·ry 名 《米俗》男性同性愛, ホモ.
har·lot·ry 名 《文語》売春(行為).
pa·pist·ry 名 《通例軽蔑的》ローマカトリック教の制度［教義, 儀式］.
ped·ant·ry 名 学者ぶること, 衒学(げんがく).
pleas·ant·ry 名 冷やかし, (悪意のない)からかい.
pun·dit·ry 名 専門家的意見［方法］.
quix·o·try 名 ドン・キホーテ式性格［主義］.
rev·el·ry 名 どんちゃん騒ぎ, 飲めや歌えの大騒ぎ.
sav·age·ry 名 野蛮, 未開(状態).
Tar·tuf·fer·y 名 (Molière 作の喜劇 *Tartuffe* の主人公の)タルチュフのような人［行動, 性格］; (特に)偽善的信仰, 偽信心.
tin·sel·ry 名 安っぽい派手な見せびらかし.
tru·ant·ry 名 (生徒, 学生の)無断欠席, ずる休み.
zeal·ot·ry 名 熱狂, 狂信.

〈**7**〉その他
bar·ra·try 名 〖法律〗船員非行.
bar·re·try 名 〖法律〗＝barratry.
cen·tu·ry 名 100 年, 1 世紀.
chan·try 名 〖教会〗(寄進者またはその名指す人の冥福を祈るミサのための)寄進.
fair·y 名 妖精(ようせい).
tan·ist·ry 名 タニストリ制, 族長後継者選定制.

-ry² /ri/

連結形 力.
★ 人名をつくる.
◆ 古英 *rīc* 力; rich は同語源.

Dru·ry 名 ドルーリー(姓). ►字義は「真実の力」.
Hen·ry 名 ヘンリー(姓). ►字義は「家族の力」.
Sa·ver·y 名 セーバリ(姓).

-ry³ /ri/

音象徴 音象徴語の重複形に見られる語末要素.

aíry-faíry 形 〈女性・物が〉(妖精のように)かわいい, 優美な, 軽やかな.
húrry-scúrry 名 大慌て; 混乱, てんやわんや. ——副 慌てふためいて. ——形 慌てふためいた; てんやわんやの.

R

S

-s[1] /z, s/

[接尾辞] 副詞をつくる.
◆ 中英, 古英; 名詞属格の副詞用法に由来.

af·ter·noons [副] 《話》午後にはいつも; 午後に.
a·long·ships [形] 〖海事〗船首尾線の[に沿って].
al·ways [副] 常に.
amid·ships [副] 〖海事〗〖航空〗(船体・機体の)真ん中「に[で].
an·y·wheres [副] 《非標準》どこかに, どこかへ.
a·thwart·ships [副] 〖海事〗船体を横切って.
be·sides [副] なおまた, なお(furthermore).
be·times [副] 《文語》早く; 遅れずに, 折よく.
be·tween·times [副] 《米》(仕事などの)合間に, 時折.
be·tween·whiles [副] =betweentimes.
dooms [副] 《スコット・北イング》たいそう, 非常に, 大いに. ►damned の婉曲語.
eve·nings [副] 《主に米・方言》夕方決まって, 毎夕.
ev·e·ry·wheres [副] 《非標準》いたるところに.
Fri·days [副] 金曜日ごとに, 金曜日には(いつも).
heads [形][副] (投げた硬貨が)表を上にした[して].
hol·i·days [副] 休日に(は), 休日の度に.
in·doors [副] 屋内で[へ, に], 家の中で[へ, に].
-lings [連結形] -ling[2] の異形.
-lins [連結形] ☞
mid·ships [副] =amidships.
Mon·days [副] 毎月曜日に.
morn·ings [副] 《米》朝に; 毎朝, 朝はたいてい.
needs [副] 《古》《おどけて》ぜひとも, 必ず.
nights [副] いつも夜[夜間]に; 夜働いて
night·times [副] 《主に英方言》夜に, 夜間に.
now·a·days [副] 今日[当節, 現今]では.
no·wheres [副] 《米非標準》どこにも…ない.
of·ten·times [副] 《米・英古》しばしば, ひんぱんに.
oth·er·gates [副] 《主に方言》別のやり方で; 別に.
out·doors [副] 野外で.
o·ver·seas [副] 海の向こうに, 海を越えて; 海外に.
per·haps [副] たぶん, おそらく, …かもしれない.
Sat·ur·days [副] 《米》土曜日ごとに, 毎週土曜日に.
some·times [副] ときどき, 時折, 時たま, 時には.
some·wheres [副] 《非標準》ある場所に, どこかに.
Sun·days [副] 《米》毎日曜日に, 日曜日ごとに.
tails [形][副] (貨幣が)裏の[になって].
Thurs·days [副] 《米》木曜日ごとに, 毎木曜日に.
thwart·ships [副] 〖海事〗=athwartships.
Tues·days [副] 毎火曜日に; 火曜日には.
un·awares [副] 知らずに, 気づかずに; うっかり.
un·der·seas [副] 海底に[で, を], 海中に[で, を].
up·sides [副] 《英話》同等で, 対等で, 互角で.
-wards [接尾辞] ☞
-ways [連結形] ☞
Wednes·days [副] 水曜日(中)に; 毎水曜日に.
week·days [副] 《米》(特に月曜日から金曜日までの)平日[週日]には.
week·ends [副] 《米》週末ごとに, 週末に.
week·nights [副] 《米》週日[平日]の夜に.
where·a·bouts [副] 《疑問副詞》どの辺に, どの辺りに.
whiles [副] 《主にスコット》時折, ときどき.
wid·der·shins [副] 《主にスコット》=withershins.
with·er·shins [副] 《主にスコット》太陽の進路と反対の方向に, 時計の針と反対の方向に, 左回りに.
with·in·doors [副] 《古》家の中[屋内]に[で].
with·out·doors [副] 《古》戸外に[で](out of doors).

-s[2] /z, s/

[接尾辞] 名前につけて,「息子の分家」の姓を表す. ◇ -SON.

Ad·ams [名] アダムズ(姓).
An·drews [名] アンドルーズ(姓).
Bills [名] ビルズ(姓).
Gibbs [名] ギブズ(姓).
Johns [名] ジョンズ(姓).
Phil·ips [名] フィリップス(姓).
Wil·liams [名] ウィリアムズ(姓).

-'s /z, s/

[接尾辞] 《名詞・名詞句・名詞相当語およびある種の代名詞について》**1** 所有格を示す. ►通例, 単数形につくが, s で終わらない複数形にもつく. **2** 数字や文字の複数形を示す: R'*s*.
★ 商標名では '(アポストロフィ)が省かれることがある(例: Walgreens, Woolworths).
◆ 中英 *-es*, 古英.

Ár·by's 《商標》アービーズ.
Á's オークランド・エイズ・チーム(Oakland Athletics).
bách·e·lor's 《話》学士(bachelor's degree).
Bárt's 《話》(London の)聖バーソロミュー病院(St. Bartholomew's Hospital).
bíg Ẑ's 《米話》睡眠, 眠り.
bútch·er's 肉屋, 肉店.
Chése·brough-Pónd's 《商標》チーズブロー・ポンズ.
Chrís·tie's 《商標》クリスティーズ.
Clár·i·dge's 《商標》クラリッジ.
Cóck·burn's 《商標》コーバン(ズ).
Cól·man's 《商標》コルマン(ズ).
Cón·ran's 《商標》コンラン.
Crúft's 《商標》クラフツ(Cruft's Dog Show).
den·tist's 歯科医院.
Déw·ar's 《商標》スコットランド高地産のウィスキー.
dóc·tor's (Ph. D. などの)博士号.
Dóm·i·nò's 《商標》ドミノズ(ピッツァ).
Dr Schóll's 《商標》ドクターショール(ズ).
Éa·ton's 《商標》イートン.
fíve B's 《米ニューイング》Boston baked beans と brown bread.
fíve W's 〖ジャーナリズム〗5つの W.
Fóyle's 《商標》フォイルズ(書店).
Fréd's 《英俗》フレッズ.
Gránt's 《商標》グランツ.
Háberdasher's Àske's ハバーダッシャーズ・アスクス: イングランドの男子パブリックスクール.
Hár·rod's 《商標》ハロッズ.
Hátch·ard's 《商標》ハチャーズ書店.
Hér·shey's 《商標》ハーシーズ.
Hóward Jóhnson's 《商標》ハワード・ジョンソン.
Jáck Dániel's 《商標》ジャックダニエル.
Jáck·son's 《商標》ジャクソンズ.
Jáne's ジェーン(航空)年鑑.
Jóhn Ĺ's 《米俗》(冬季用の手首・足首まである暖かい)長い下着(long johns).

Jóhn o'Gróat's ジョンオーグローツ・ハウス: 英国最北端の地点とされてきた.
Kél·logg's 《商標》ケロッグ.
Kín·ney's 《商標》キニーズ.
Láy's 《商標》レイズ.
Lé·vi's 《商標》リーバイス.
Líb·by's 《商標》リビーズ.
Líberty's 《商標》リバティズ.
Llóyd's ロイズ[ロイド]保険者協会.
Lórd's ローズ: London 北部のクリケット場の愛称.
Lýtham Saint Ánne's リザムサントアンズ: イングランドの観光地.
Mac·kín·lay's マッキンレーズ: スコットランド産のブレンドウィスキー.
Má·cy's 《商標》メーシーズ. ►Macys とも.
Mádame Tussáud's (London にある)マダム・タッソー蠟(ろう)人形館.
master's 修士号.
Máx·im's 《商標》マキシム.
McDonáld's 《商標》マクドナルド.
Mc·Vít·ie's 《商標》マクビティ.
mén's 紳士用サイズ.
Mér·vyn's 《商標》マーヴィンズ.
Mín·im's 《商標》ミニム.
Mý·ers's 《商標》マイヤーズ.
Néw Yèar's 1 月 1 日, 元旦(New Year's Day).
Óhr·bach's 《商標》オーバック.
one's 代 one の所有格.
Ó's オーズ: Baltimore Orioles の愛称.
Pen·hál·i·gon's 《商標》ペンハリゴンズ.
píg's 《話》混乱, 乱雑(pig's breakfast).
Pímm's 《商標》ピムズ.
Pláyer's 《商標》プレイヤーズ.
plóugh·pèr·son's (パンとチーズ, 時にオニオンのピクルスが加わる)軽い軽食(ploughman's lunch).
Pónd's 《商標》ポンズ.
póor màn's 形 《話》貧しい人向きの; 経済的な.
Ráy-Bàn's 《商標》レイバン.
Rónnie Scótt's London のジャズクラブ.
Sáins·bur·y's セインズベリーズ: 英国のスーパーマーケットチェーン.
Sárdi's 《商標》サーディス.
Sée's 《商標》シーズ.
Sév's 《米俗》セブン・イレブン(7-Eleven).
Shák·ey's 《商標》シェイキーズ.
Símp·son's 《商標》シンプソンズ.
Slóppy Jóe's 《俗》安レストラン, 軽食堂.
Smith's 《商標》スミス.
Smúc·ker's 《商標》スマッカーズ.
Sóth·e·by's 《商標》サザビー.
Sprátt's 《商標》スプラッツ.
St. Dávid's セントデービッズ(ウェールズの地名).
St. Dúnstan's 《英》戦傷その他による後天的な視覚障害者のための組織.
St. Géorge's セントジョージズ(西インド諸島の地名).
St. Jóhn's セントジョンズ(カナダの地名).
Stóuf·fer's 《商標》ストウファーズ.
St. Pául's セントポール[聖パウロ]大聖堂.
St. Péter's サンピエトロ[聖ペトロ]大聖堂.
Stroh's 《商標》ストロー(ズ).
St. Stéphen's 英国下院[議会]の呼称. ►もとの St.Stephen's Chapel にあることより.
Swén·sen's 米国のアイスクリーム専門チェーン店.
Tát·ter·sall's 《商標》タッタスルズ.
Tátt's =Tattersall's.
Téach·er's 《商標》ティーチャーズ.
thrée B's 『音楽』三大 B: Bach, Beethoven, Brahms.
thrée Í's 「三つの I」: 米国民の多数派の出身国 Ireland, Israel, Italy.
thrée Ŕ's 読み・書き・算術(reading, 'riting, 'rithmetic).
Tó·ny's 《商標》トニーズ.
Trícky Díck's 《米市民ラジオ俗》California 州 San Clemente.
Vér·rey's 《商標》ベリーズ.
Welch's 《商標》米国製のジャム・ゼリーなど.
Wén·dy's 《商標》ウェンディーズ.
Wílliam Láwson's 《商標》ウィリアム・ローソン(ズ).
Wílliam Yóunger's 《商標》ウィリアム・ヤンガー(ズ).
wíne mérchant's 《英》酒屋.
wóm·en's 平均より大きめの婦人用衣服のサイズ; 38 – 44 号.
Wrígley's 《商標》リグレー.
Wý·ler's 《商標》米国製のインスタントスープなど.

sac /sǽk/

名 『生物』袋, 嚢(のう), 液嚢.

áir sàc 空気袋, 空気を詰めた袋.
égg sàc 『動物』(クモの)卵嚢.
émbryo sàc 『植物』胚嚢.
hóney sàc 『昆虫』蜜袋(みつぶくろ).
ínk sàc (イカ・タコなどの)墨袋.
júice sàc 『植物』砂瓤(さじょう).
lácrimal sàc 『解剖』涙嚢.
óvi·sàc 『動物』卵嚢, 卵胞.
póllen sàc 『植物』花粉嚢.
vócal sàc 『動物』(雄蛙の口の両側にある)鳴嚢.
yólk sàc 『発生』卵黄嚢.

sac·cha·ride /sǽkəràid, -rid/

名 『化学』サッカリド: 糖類, 炭水化物. ⇨ -IDE[1].

di·sac·cha·ride 名 二糖.
mon·o·sac·cha·ride 名 単糖.
ol·i·go·sac·cha·ride 名 オリゴ糖, 少糖.
pol·y·sac·cha·ride 名 多糖.
tri·sac·cha·ride 名 三糖.

sack /sǽk/

名 粗布製ずだ袋.

bárley sàck 《米南東部》黄麻布の袋.
Cóal·sàck 『天文』コールサック, 石炭袋.
crócus sàck 《米南部》粗目の麻布袋.
cróker sàck 《米南部》=crocus sack.
dóodle·sàck 『音楽』バグパイプ(bagpipe).
dréssing sàck 婦人用化粧着.
dúdel·sàck 『音楽』=doodlesack.
fárt-sàck 《俗》寝袋, ベッド.
gráss sàck 《米南部》=gunnysack.
gríp·sàck 《古風》旅行用手提げかばん.
gúnny·sàck ガンニーバッグ, 南京袋.
háver·sàck ショルダーバッグ.
knáp·sàck ナップザック, リュック.
máil·sàck 郵便袋.
páck·sàck 旅行かばん, リュックサック.
rúck·sàck リュックサック.
sád sàck 《米俗》お人好しでどじな人.
tów·sàck 《米南部》=gunnysack.
wóol·sàck 羊毛袋.

sac·ri·fice /sǽkrəfàis/

名 **1** いけにえ, ささげ物; (神に)いけにえを差し出すこと, 供犠. **2** 犠牲; 犠牲的精神. ⇨ -FICE.

sélf-sácrifice (特に義務や他人のことを考えての)自己犠牲, 献身.
supréme sácrifice (戦争などで)自分の生命を犠牲にすること, 献身.
unblóody sácrifice (ローマカトリック・ギリシャ正教会で)聖体(Eucharist).

sad·dle /sǽdl/

S

名 (乗用馬などの)鞍(くら). ⇨ -LE[1].

Énglish sáddle 英式[イギリス]鞍(くら).
fóre·sàddle (子牛肉などの)鞍(くら)下肉の前部.
paćk·sàddle (ラバ・駄馬などの)荷鞍(にぐら).
rè·sád·dle 動他 …に再び鞍(くら)を置く.
síde·sàddle 横鞍(よこぐら).
stóck sàddle 《主に米》=Western saddle.
ùn·sád·dle 動他 〈馬などから〉鞍(くら)を取り外す.
Wéstern sáddle 《米》西部式鞍(くら).

safe /séif/

形 (危険・害などの恐れがなくて)安全な, 安心できる.
——名 金庫; 貯蔵所; 安全装置.

Coolgárdie sàfe クールガーディー: オーストラリアの食品保存戸棚. ►オーストラリアの町 Coolgardie の名から.
dól·phin-sáfe 形 〈漁法が〉イルカを害さない.
fáil-sàfe 形 【電子工学】フェール=セーフの.
fáil sàfe 【コンピュータ】二重安全装置.
fíre·sàfe 形 耐火[防火]性の, 火[熱]に耐える.
Frénch sáfe 《米俗》コンドーム.
méat sàfe 《英》(肉類をしまっておく金網張りの)はえ張, ねずみ入らず.
níght sàfe (銀行の)時間外用受入れ口.
óne-pòint sáfe 【軍事】ワン・ポイント・セーフ.
ùn·sáfe 形 安全でない, 危険な; 不安な.
vouch·sáfe 動他 (好意から, 慈悲をもって)…を(人に)与える.

safe·ty /séifti/

名 安全, 無事, 無難. ⇨ -TY[2].

bì·o·sáfe·ty 名 【生態】生物学的安全性.
frée safety 【アメフト】フリーセーフティー.
stróng safety 【アメフト】ストロング・セーフティー.
ùn·sáfe·ty 名 不安; 危険; 不安定, 不確実.
wéak sáfety 【アメフト】=free safety.

sage /séidʒ/

名 【植物】サルビア, セージ.

Béthlehem ságe ベツレヘムムラサキ.
bláck ságe アウディベルティア.
blúe ságe 《米俗》マリファナ.
púrple ságe ムラサキアキギリ.
réd ságe ランタナ, コウオウカ(紅黄花).
scárlet ságe ヒゴロモソウ, サルビア.
sílver ságe ビロードアキギリ.
Téxas ságe ベニバナサルビア.
whíte ságe シロサルビア.
wíld ságe シソ科サルビア属の草.
wóod sàge シソ科ニガクサ属の多年草.
yéllow ságe =red sage.

said /séd/

動 say の過去・過去分詞形. ——形 【主に法律】前記の, 上述の.

a·fore·said 形 【法律】前述の, 前記の.
fore·said 形 =aforesaid.
un·said[1] 形 取り消された, 撤回された.
un·said[2] 形 言われない, 口に出されない.

sail /séil; 【海事】səl/

名 **1** (船の)帆. **2** (特に帆船での)航海; 帆走. ——動他 …を航行する. ——自 出帆する.

ballóon sàil 【海事】バルーンスル.
bríg·sàil 【海事】ブリッグセイル.
drág sàil 【海事】(ズック製の)海錨(かいびょう).
dríft sàil =drag sail.
dríving sàil 【海事】ドライビングスル.
fóre-and-áft sàil 【海事】縦帆.
fóre·sail 【海事】前帆(ぜんぱん).
fòrestáy·sail 【海事】前檣(ぜんしょう)ステースル(前檣前支索にかかる三角帆).
fúll sáil (船の)総帆, 満帆.
gáff-hèaded sàil =gaff sail.
gáff sàil 【海事】ガフスル.
héad·sail 【海事】船首三角帆.
latéen sàil (主に地中海で用いられる)大三角帆.
lífting sàil 【海事】風をはらませたとき船首を持ち上げる傾向のある帆.
lúg·sail 【海事】ラグスル.
máin·sail 【海事】メーンスル, 大檣(たいしょう)帆.
móon·sail 【海事】ムーンスル.
òut·sáil 動他 〈船・人が〉…よりうまく帆走する.
ò·ver·sáil 動他 上に張り出すように積む.
pára·sàil パラセール: parasailing に用いる特殊パラシュート.
pláin sàil 【海事】並帆.
rè·sáil 動自 帰航する; 再び出帆する.
ríding sàil 【海事】(船(特に漁船)の)最後部のマストに張る三角帆.
ríng·sàil 【海事】リングスル.
róyal sáil 【海事】ロイヤル.
ský·sail 【海事】スカイスル.
sólar sáil 【航空宇宙】太陽帆航行宇宙ヨット.
sprít·sail 【海事】スプリットスル.
squáre sàil 【海事】横帆.
stáy·sail 【海事】ステースル.
stórm sàil 【海事】ストームスル.
stúdding·sail 【海事】スタンスル, 補助(横)帆.
stún·sail =studdingsail.
topgállant sàil 【海事】トゲルンスル, ゲルンスル.
tóp·sàil ☞
trý·sail 【海事】トライスル.
underwáter sáil 【漁業】水中帆.
wínd sàil 【海事】ウインドスル, 帆布通風筒.

sail·ing /séiliŋ/

名 **1** 帆走, 航行, 航海. **2** 【航海】航法. ⇨ -ING[1].

bóard·sàiling ウインドサーフィン.
círcular sáiling 【航海】=spherical sailing.
cléar sáiling 《米俗》調子よくいくこと, 順風満帆.
fróstbite sàiling 《米》寒中ヨット競技.
gréat-circle sáiling 【航海】大圏航法.
íce sàiling 氷上ヨットレース.
lánd·sàiling ランドセーリング.
Mercátor sáiling 【航海】漸長(緯度)航法.
oblíque sáiling 【航海】斜航.
párallel sáiling 【航海】距等圏航法.
pára·sàiling 名 パラセーリング.
pláin sáiling 【航海】平穏航海.
pláne sáiling 【航海】平面航法.
rhúmb sáiling 【航海】航程線航法.
sphérical sáiling 【航海】大圏[球面]航法.
wáve-sàiling ウエーブセーリング: ボードセイリング競技の一種目.

saint /séint/

名 聖人, 聖者.

Látter-day Sáint 【モルモン教】末日聖徒.
Máry Mágdalene Saint マグダラのマリア.
pátron sáint 守護聖人, 守護神.
pláster sáint 完全無欠の人, 聖人君子.
títular sáint 教会の守護聖人.

sake /séik/

名 原因, 理由, せい; 利益, ため.

keep·sake 名 記念品, 形見.
name·sake 名 他人の名にちなんで名づけられた人.

sal·ad /sǽləd/

名 **1** サラダ, サラダ料理. **2** レタス, サラダ菜, チシャ; 青野菜.

Cáesar sálad シーザーサラダ.
chéf's sálad シェフサラダ.
córn sàlad 〖植物〗コーンサラダ.
frúit sálad フルーツサラダ.
gréen sálad グリーンサラダ.
potáto sàlad ポテトサラダ.
rócket sàlad 〖植物〗キバナスズシロ.
Rússian sálad ロシア風サラダ.
síde sàlad 添え料理として出されるサラダ.
tóssed sálad トストサラダ.
Wáldorf sálad ウォルドーフサラダ.
wórd sàlad 〖精神医学〗言葉のサラダ.

sal·a·man·der /sǽləmæ̀ndər/

名 〖動物〗サンショウウオ(山椒魚); 火トカゲ.
★ gerrymander「選挙区を自分に有利なように変える」はマサチューセッツ州知事 Gerry と salamander からつくられた.

blínd sálamander メクラサンショウウオ.
móle sàlamander アンビストマ(ambystomid).
spótted sálamander マダラサンショウウオ.
tíger sálamander トラフサンショウウオ.

sale /séil/

名 販売, 売却.

accommodátion sàle 同業者間で行う転売.
áttic sàle ＝garage sale.
báke sàle (教会などが行う)手作り菓子を売るバザー.
bárn sàle ＝garage sale.
bóot sàle 《英》＝rummage sale.
bríng-and-búy sàle 《英》持ち寄りのバザー.
cár-bòot sàle トランクセール: 車のトランクに詰めた家庭の不用品を屋外で売ること.
cásh sàle (証券の)即日決済取引.
Chíc Sàle 《こっけい》屋外便所.
cléaring sàle 《豪》(不動産などの)在庫・備品一掃セール.
clósing-dòwn sàle 《英》売り尽くし一掃セール.
combinátion sàle 抱き合わせ販売.
condítional sàle 条件付き売却.
crédit sàle 信用販売, 掛け売り, クレジット販売.
cút-prìce sàle 大安売り.
distréss sàle (緊急出費用資金捻出のための)出血投げ売り.
estáte sàle (通例裕福な人の)死後の遺品売り立て.
fárm-gàte sàle 《NZ》農産物の直売.
fíre sàle 焼け残り品処分特売.
fóod sàle 《米北部》(募金のための, ケーキなどの)即売会.
fórced sàle 〖法律〗強制売却, 公売.
garáge sàle 《米》ガレージセール: 使わなくなった品物を家の庭先で売ること.
júmble sàle 《英》＝rummage sale.
láwn sàle ＝garage sale.
lóng sàle 現物[実株]売り.
óff-sàle 名形 持ち帰り用アルコール飲料販売(の).
óver-the-síde sàle 《カナダ漁業》(漁船から直接業者の船へと水揚げを売り渡す)船端販売法.
póint-of-sále 販売時点, 店頭, 売り場, レジ.
pré·sàle 名 プレセール, セール前特別セール.
públic sále 競売(auction).
ré·sàle 名 再[追加]販売.
rúmmage sàle 《米・カナダ》慈善バザー.
shórt sále 空(から)売り.
sídewalk sàle 路上安売り.
tág sàle ＝garage sale.
táke-home sàle 《英》＝off-sale.
táx sàle (滞納処分)公売.
wárrant sàle 〖スコット法〗借金未払いのために押収された物件の売却.
wásh sàle ウォッシュセール, 仮装売買.
whíte sàle (シーツ・枕カバーなど)白布製品の大売り出し.
whóle·sàle 大量販売, 量販; 卸売り.
yárd sàle ＝garage sale.

sa·lic·y·late /səlísəlèit, -lət, sæ̀ləsíleit, sǽləsìl- | səlísilèit/

名 〖化学〗サリチル酸塩, サリチル酸エステル. ⇨ -ATE[2].

acètyl·salícylate アセチルサリシレート.
isoámyl salícylate サリチル酸イソアミル.
méthyl salícylate サルチル酸メチル.
phényl salícylate ロール, サリチル酸フェニル.
sódium salícylate サリチル酸ナトリウム.

salm·on /sǽmən/

名 〖魚類〗サケ(鮭).

Atlántic sálmon 大西洋サケ.
béaked sálmon ネズミギス属の魚(sandfish).
blúebàck sálmon ＝sockeye salmon.
chinóok sálmon マスノスケ.
chúm sàlmon サケ(鮭).
cóho sálmon ＝silver salmon.
dóg sàlmon ＝chum salmon.
hóopid sàlmon ＝silver salmon.
húmpback sálmon カラフトマス.
jáck sàlmon スズキ目パーチ科の淡水産の大きな釣魚(walleye).
kíng sàlmon ＝chinook salmon.
láke sàlmon ＝landlocked salmon.
lándlocked sálmon 陸封ザケ.
Nóva Scótia sálmon カナダの Nova Scotia 州近海で取れたサケを燻製にしたもの.
Pacífic sálmon 太平洋サケ.
pínk sálmon カラフトマス, セッパリマス.
quínnat sàlmon ＝chinook salmon.
réd sálmon ＝sockeye salmon.
róck sàlmon ギンダラ(銀鱈)(sablefish).
sílver sálmon ギンザケ.
sóckeye sálmon ベニザケ, ベニマス.
spríng sàlmon ＝chinook salmon.
whíte sálmon アジ科ブリ属の魚(yellowtail)の一種.

sa·lon /səlɑ́n | sǽlɔn; *Fr.* salɔ̃/

名 (上流の顧客向けの)店, 売り場.

béauty sàlon 美容院(beauty parlor).
tánning salòn 日焼けサロン.

salt /sɔ́ːlt/

名 **1** 塩(しお), 食塩; 塩化ナトリウム. **2** 〖化学〗塩(えん). **3**

S

《話》水夫.

ácid sàlt	〖化学〗酸性塩, 水素塩.
ammónium sàlt	〖化学〗アンモニウム塩.
áttic sàlt	ぴりっとして気の利いたしゃれ.
básic sàlt	〖化学〗塩基性塩.
báy sàlt	天日塩.
bíle sàlt	〖生理〗胆汁塩.
célery sàlt	〖調味料〗セロリソルト.
cómmon sált	塩, 食塩; 塩化ナトリウム(salt).
cómplex sált	〖化学〗錯塩.
de·sált 動他	〈塩水を〉脱塩する.
diazónium sált	〖化学〗ジアゾニウム塩.
dóuble sált	〖化学〗複塩.
drý-sàlt 動他	〈肉・皮革などを〉塩乾する.
Épsom sàlt	〖化学〗〖薬学〗エプソム塩.
gárlic sàlt	ガーリック塩.
Gláuber's sált	〖化学〗グラウバー塩, 芒硝(ぼうしょう).
háir sàlt	〖鉱物〗アルノーゲン(alunogen).
microcósmic sált	〖化学〗リン酸水素アンモニウムナトリウム, リン塩.
óld sált	《話》熟練の船乗り.
óx·y·sàlt 名	〖化学〗オキシ塩; 酸素酸塩.
pépper-and-sált 形	〈服地・布地が〉霜降りの; 〈髪の毛が〉ごま塩の.
pér·sàlt 名	〖化学〗過酸塩.
pséu·do·sàlt 名	〖化学〗擬似塩.
Rochélle sàlt	〖化学〗〖薬学〗ロッシェル塩, 酒石酸カリウムナトリウム.
róck sàlt	岩塩.
séa sàlt	(岩塩に対し)海塩.
sólar sált	=bay salt.
sórrel sàlt	〖化学〗重シュウ酸カリウム.
sóur sàlt	酸味塩, 結晶クエン酸.
táble sàlt	食卓塩.
thío sàlt	〖化学〗チオ酸塩.
vólatile sált	〖化学〗炭酸アンモニウム.

salts /sɔ́ːlts/

名複 salt の複数形.

báth sàlts	バスソルト, 浴用塩.
héalth sàlts	健康塩.
líver sàlts	肝臓塩.
smélling sàlts	芳香塩, かぎ薬, 気付け薬.

sam·ple /sǽmpl, sάːm-｜sάːm-/

名 サンプル, 見本, 標本, 試供品; 実例. ⇨ -LE[1].

flóor sàmple	店頭見本[展示]に使用され, 割引値で売られる家具・電化製品など.
júdgment sámple	〖統計〗作為抽出見本.
mátched sámple	〖統計〗符号標本.
mí·cro·sàm·ple 名	マイクロサンプル, (実験などに用いる)物質の極微標本.
pít sàmple	〖冶金〗溶鋼を鋳型に注ぎ出す際, 化学分析用に採取する新生産鋼のサンプル.
súb·sàm·ple 名	(ある標本から取った)副次標本.

sand /sǽnd/

名 砂; 砂粒.

déath sànd	(放射能の)死の灰, 殺人砂.
dríft sànd	漂砂, 流砂.
gréen·sànd	緑砂; 緑色砂岩(層).
íron sànd	砂鉄.
láwn sànd	《英》芝生用砂土.
óil sànd	オイルサンド, 油砂.
quíck·sànd	流砂.
sílver sánd	(造園用の)白砂.
tár sànd	タールサンド: アスファルトが採れる砂岩.

sand·pip·er /sǽndpàipər/

名 シギ: 海辺に生息するシギ科の鳥の総称. ⇨ PIPER.

Bartrámian sándpiper	=upland sandpiper.
cúrlew sàndpiper	サルハマシギ.
léast sándpiper	アメリカヒバリシギ.
péctoral sándpiper	アメリカウズラシギ.
púrple sándpiper	ムラサキハマシギ.
réd-backed sándpiper	ハマシギ(dunlin).
semipálmated sándpiper	ヒレアシトウネン.
sólitary sándpiper	コシグロクサシギ.
spóon-billed sándpiper	ヘラシギ.
spótted sándpiper	アメリカイソシギ.
stílt sàndpiper	アシナガシギ.
úpland sándpiper	マキバシギ, オナガチドリ.
wéstern sándpiper	ヒメハマシギ.
whíte-rùmped sándpiper	コシジロウズラシギ.

sand·wich /sǽndwitʃ, sǽn-｜sǽnwidʒ/

名 サンドイッチ. ►Sandwich 伯爵から. ◇ -WICH.

clúb sándwich	《主に米・カナダ》クラブサンドイッチ.
Cúban sándwich	《主にフロリダ州南部・ニューヨーク市》キューバンサンドイッチ.
Dágwood sàndwich	ダグウッド・サンドイッチ.
Dénver sàndwich	デンバーサンドイッチ.
héro sándwich	ヒーローサンドイッチ.
Itálian sándwich	イタリアンサンドイッチ.
knúckle sándwich	《俗》口[顔]へのパンチ.
ópen sándwich	オープンサンドイッチ.
Réuben sándwich	ルーベンサンドイッチ.
súbmarine sàndwich	=hero sandwich.
Victória sándwich	ビクトリア・サンドイッチ.
wéstern sándwich	ウエスタンオムレツ.

sap /sǽp/

名 樹液; 体液, 活液; 《米俗》とんま.

céll sàp	〖生物〗細胞液.
Hómo sàp	《話》人類, ヒト. ►Homo sapiens から; 「とんま」の意にかけて.
núclear sáp	〖細胞生物〗核液.
píne·sàp 名	シャクジョウソウ(錫杖草).
Úncle Sáp	《米俗》(援助をばらまく)米国政府.
Wíne·sàp 名	ワインサップ: 米国産のリンゴ.

sap·phire /sǽfaiər/

名 〖宝石〗サファイア.

padparádschah sápphire	パパラチア: スリランカ産橙色サファイア.
stár sápphire	星彩青玉, スターサファイア.
wáter sàpphire	ウォーターサファイア.
whíte sápphire	白サファイア.

-sarc /sὰːrk/

連結形 〖生物〗…肉, …組織.
★ 名詞をつくる.
★ 語頭にくる形は sarc(o)-: *sarc*oma「肉腫」, *sarco*carp「果肉」.
◆ ギリシャ語 *sárx*「肉」より.

coe·no·sarc 名	共肉.
ec·to·sarc 名	外肉, 外質.
en·do·sarc 名	内肉, 内質.
per·i·sarc 名	(ヒドロ虫類の)包皮, 外鞘(がいしょう).

S

sar·co·ma /sɑːrkóumə/

名〘病理〙肉腫. ⇨ -OMA.
★ 語頭にくる関連形は sarc(o)-: *sarc*oma「肉腫」, *sarc*ocarp「果肉」.

àdeno·sarcóma 名 腺肉腫. ► sarcoadenoma ともいう.
àngio·sarcóma 名 血管肉腫.
càrcino·sarcóma 名 癌肉腫.
Éwing's sarcóma ユーウィング肉腫.
fibro·sarcóma 名 線維肉腫.
Kapósi's sarcóma カポジ肉腫.
lỳmpho·sarcóma 名 リンパ肉腫.
mỳxo·sarcóma 名 粘液肉腫.
òsteo·sarcóma 名 骨肉腫; 骨の悪性腫瘍.
rhàbdo·mỳo·sarcóma 名 平滑筋組織から成る悪性腫瘍.
Róus sarcòma ラウス肉腫.

sash /sǽʃ/

名(ガラスをはめ込む窓や戸の)枠, サッシ.

céllar sàsh セラーサッシュ: 小型の窓枠.
pícture sàsh ピクチャーサッシ: 大きな窓枠.
stórm sàsh 防風窓, 補助窓枠.
wíndow sàsh 窓サッシ, 窓建具.

-sat /sæ̀t/

連結形 人工衛星.
★ 名詞をつくる.
◆ satellite の短縮形.
[発音] 語頭の音節に第 1 強勢.

Ar·ab·sat 名 アラブサット: アラブの通信衛星.
dom·sat 名 国内通信(用)衛星(domestic satellite).
Fleet·sat 名 フリートサット: 米海軍の人工衛星.
In·tel·sat 名 インテルサット, 国際電気通信衛星 (International Telecommunications Satellite Organization).
Land·sat 名 (地球)資源探査衛星, ランドサット.
LEA·SAT 名 リーサット: 米海軍の通信衛星.
light·sat 名 小型軽量人工衛星.
Mar·i·sat 名《米》マリサット, 海事通信衛星 (maritime satellite).
Me·te·o·sat 名 ミーティオサット, 気象衛星.
met·sat 名 気象衛星(meteorological satellite).
Sea·sat 名《米》シーサット, 海洋観測衛星.
small·sat 名 小型通信衛星.

sat·el·lite /sǽtəlàit/

名〘航空宇宙〙〘軍事〙衛星. ◇ -SAT.

àn·ti·sát·el·lite 形 対衛星攻撃用の.
applicátions sátellite 実用衛星.
área-survèy sátellite 広域探査(偵察)衛星.
ballóon sátellite 気球型衛星.
bì·o·sát·el·lite 名 生物衛星.
bróadcast sàtellite 放送衛星.
clóse-lóok sàtellite (精密)偵察衛星, スパイ衛星.
communicátions sàtellite 通信衛星.
diréct bróadcast sàtellite 直接衛星放送(DBS).
Éarth Rèsources Technólogy Sàtellite 地球資源探査技術衛星.
éarth sàtellite 地球衛星.
fíxed sàtellite 固定衛星, 静止衛星.
geodétic sátellite 測地衛星.
Geostátionary Operátional Environméntal Sàtellite 静止実用環境衛星.
húnter-kíller sàtellite 衛星攻撃衛星.
kíller sàtellite =hunter-killer satellite.
Lácross imàging rádar sàtellite ラクロス・レーダー衛星.
navigátional sátellite 航法[航海]衛星.
néws sàtellite 通信衛星.
recónnaissance sàtellite 偵察衛星.
sólar pówer sàtellite 太陽発電衛星.
súb·sàt·el·lite 名 子衛星, サブサテライト.
sýnchronous sátellite 同期[静止]衛星.
télevision sàtellite テレビ用放送衛星.
téthered sátellite テザー衛星, ひも付き衛星.
Trácking and Dáta Rèlay Sàtellite 《米》追跡データ中継衛星.
wéather sàtellite 気象衛星.

sat·is·fied /sǽtisfàid/

形 (…に, …して)満足した, 満ち足りた. ⇨ -ED[1].

dis·sat·is·fied 形 満足していない, 不満な.
self-sat·is·fied 形 自己満足した, 独りよがりの.
un·sat·is·fied 形 満たされていない.

sat·u·rate /sǽtʃərèit/

動他〘化学〙…を(…で)飽和させる. ⇨ -ATE[1].

de·sat·u·rate 動他自 (色の)飽和度を低下させる[が低下する].
su·per·sat·u·rate 動他〈溶液を〉過飽和する.
un·sat·u·rate 名 不飽和化合物.

sat·u·rat·ed /sǽtʃərèitid/

形 **1** 染み込んだ. **2**〘化学〙飽和した. ⇨ -D[1].

o·ver·sat·u·rat·ed 形〘鉱物〙過飽和の.
sub·sat·u·rat·ed 形 ほぼしみ込んだ; 亜飽和(状態)の.
un·der·sat·u·rat·ed 形〘化学〙〈有機化合物が〉不飽和の.
un·sat·u·rat·ed 形 飽和していない, まだ溶解力のある.

sauce /sɔ́ːs/

名 (料理の)ソース.
★ 日本の「ソース」に最も近いものは Worcestershire sauce.

állemande sàuce ドイツ風ソース.
ápple·sàuce アップルソース, リンゴソース.
bárbecue sàuce バーベキューソース.
béarnaise sàuce ベアネーズ(ソース).
bréad sàuce ブレッドソース.
bretónne sàuce ブルターニュソース.
brówn sàuce ブラウンソース, ソースエスパニョル.
bútter sàuce バターソース.
chíli sàuce チリソース.
cócktail sàuce カクテルソース.
créam sàuce クリームソース.
Cúmberland sàuce カンバーランドソース.
cúrry sàuce カレーソース.
égg sàuce エッグソース; 卵入りソースの総称.
fajíta sàuce 〘メキシコ料理〙ファッヒータソース.
gárden sàuce 《米・古風》(菜園の)野菜類.
hárd sàuce ハードソース.
hóisin sàuce 〘中華料理〙海鮮醤(じゃん).
hóllandaise sàuce オランディズソース.
hót sàuce (チリソースなど)辛いソース.
húnter's sàuce 〘フランス料理〙ブラウンソース.
Mélba sàuce メルバソース.
mousselíne sàuce ムースリーン(mousseline).
Nantuá sàuce ナンテュアソース.
réal sàuce 形 とてもすばらしい, 最高の.
róad sàuce 《米学生俗》ビール.

S

sóy sàuce 醤油(しょうゆ).
tártar sàuce タルタルソース.
vinaigrétte sàuce ビネグレットソース.
whíte sàuce ホワイトソース, ベシャメルメース.
Wórcester sàuce ＝Worcestershire sauce.
Wórcestershire sàuce ウースターソース.

-saur /sɔ̀ːr/

連結形 トカゲ; 〖古生物〗…竜, …サウルス.
★「…竜」のように, 絶滅した爬虫(はちゅう)類の名に用いる.
★ 語末にくる関連形は -SAURUS.
★ 語頭にくる形は sauro-: *sauro*phagous「トカゲを食する」, *sauro*pod「竜脚類」.
◆ ギリシャ語 *saûros*「トカゲ」より.

al·lo·saur 名 アロサウルス.
an·ky·lo·saur 名 曲竜, 鎧竜(よろいりゅう).
an·te·o·saur 名 アンテオソールス.
ar·cho·saur 名 主竜類, 祖竜類.
bra·chi·o·saur 名 ブラキオサウルス.
bron·to·saur 名 ブロントサウルス, 《通称》雷竜.
cam·a·ra·saur 名 カマラサウルス類.
camp·to·saur 名 カンプトサウルス.
cer·a·to·saur 名 ケラトサウルス.
cot·y·lo·saur 名 杯竜類.
di·no·saur 名 ☞
had·ro·saur 名 ハドロサウルス.
ich·thy·o·saur 名 魚竜.
ma·ia·saur 名 マイアサウルス.
meg·a·lo·saur 名 メガロサウルス.
mo·sa·saur 名 モササウルス.
pach·y·ce·pha·o·saur 名 パキケファロサウルス.
pel·y·co·saur 名 ペリコサウル, 盤竜.
phy·to·saur 名 フィトサウルス.
ple·si·o·saur 名 首長(くびなが)竜, 蛇頸(だけい)竜.
pter·o·saur 名 翼竜.
seis·mo·saur 名 地震竜.
steg·o·saur 名 ステゴサウルス, ケンリュウ.
su·per·saur 名 スーパーザウルス(supersaurus).
ti·tan·o·saur 名 チタノサウルス.
ty·ran·no·saur 名 ティラノサウルス.
ul·tra·saur 名 ウルトラザウルス(ultrasaurus).

-sau·rus /sɔ́ːrəs/

連結形 〖古生物〗-saur の異形.
★ 名詞をつくる; 恐竜の名称に用いられる.
★ 語頭にくる関連形は saur(o)-: *sauro*phagous「トカゲを食する」, *sauro*pod「竜脚類」.
◆ <近代ラ<ギ *saûros* トカゲ. ⇨ -US[1].

ap·a·to·sau·rus 名 アパトサウルス.
bra·chi·o·sau·rus 名 ブラキオサウルス.
bron·to·sau·rus 名 雷竜, ブロントサウルス(brontosaur); 今は apatosaurus と呼ばれる.
ce·ti·o·sau·rus 名 ケティオサウルス.
dol·i·cho·sau·rus 名 長竜, ドリコサウルス.
e·las·mo·sau·rus 名 エラスモサウルス.
ich·thy·o·saur·us 名 魚竜(ichthyosaur).
lys·tro·sau·rus 名 リストロサウルス.
tel·e·o·sau·rus 名 テレオサウルス.
ty·ran·no·sau·rus 名 ティラノサウルス(tyrannosaur).

sau·sage /sɔ́ːsidʒ, |sɔs-/

名 ソーセージ, 腸詰め.

blóod sàusage 《主に米・カナダ》ブラッドソーセージ.
Gérman sáusage ドイツソーセージ.
líver sàusage 《英》レバーソーセージ.
lóve·sàusage 《米俗》ペニス.
Mr Sáusage 《英俗》＝lovesausage.
Pólish sáusage キールバーサ: ポーランドの牛・豚肉の燻製(くんせい)ソーセージ.
súmmer sáusage 乾燥ソーセージ, 燻製(くんせい)ソーセージ.
Viénna sáusage ウィンナソーセージ.

sav·er /séivər/

名 save する人[もの]. ⇨ -ER[1].

énergy sàver エネルギーを節約するもの[機械・装置].
fáce-sàv·er 名 顔を立てるもの[こと].
lífe-sàv·er 名 命の恩人, (特に水難の)人命救助者.
máx·sàv·er 名 《米》(主に平日往復用の航空券の)最低料金.
pénny·sàver 買物情報紙.
scréen-sàver 〖コンピュータ〗スクリーン・セイバー.
súp·er·sàv·er 名 特別割引料金.
tíme-sàver 時間を節約するもの.
wá·ter·sàv·er 名 節水装置[器具]; 節水する人.

sav·ing /séiviŋ/

形 **1** 救いの; 保護する. **2** 《複合語で》…を節約する.
——名 節約. ⇨ -ING[2], -ING[1].

dáylight sáving 夏時間調整, 日光節約.
lábor·sàving 形 省力化の, 労力節約の.
lífe·sàving 形 救命(用)の; 水難救助(用)の.
spáce-sàving 形 空間[空地, スペース]節約の.
tíme·sàving 形 〈方法・装置などが〉時間節約の.

saw /sɔ́ː/

名 のこぎり. ——動他 …をのこぎりでひく.

báck·sàw 〖木工〗胴付きのこ, 背鉄のこ.
bánd sàw 〖機械〗帯のこ.
bánd·sàw 動他 帯のこで切る.
bástard-sáw 動他 ＝plain-saw.
bélt sàw 帯のこ(band saw).
bów sàw 回し引きのこ, 糸のこ.
brácket sàw 〖木工〗回し引きのこぎり.
búck·sàw 枠付きのこぎり.
bútcher's sàw (特にと畜者や肉屋が使う)弓のこ.
búzz sàw 《米・カナダ》電動丸のこ.
cháin sàw チェーンソー.
cháin·sàw 動他 …をチェーンソーで切る.
círcular sáw 丸のこ.
cóld sàw 〖機械〗常温のこ, コールドソー.
cómpass sàw 〖木工〗挽回(ひきまわし)のこ, 回し挽きのこ.
cóping sàw 糸のこぎり, 糸のこ.
crósscut sáw 横引きのこ.
crówn sàw 冠のこ, 筒のこ.
cýlinder sàw ＝crown saw.
díamond sáw ダイヤモンドソー.
dóvetail sàw 枘挽鋸(ほぞびき).
drág·sàw 横切り長のこ, 引きのこ.
flát-sàw 動他 ＝plain-saw.
flóoring sàw 〖木工〗床切りのこ(ぎり).
fráme sàw おさのこ(盤).
frét sàw 引き回しのこ, 糸のこ.
fríction sàw 摩擦のこ盤.
gáng sàw 長(なが)のこ盤, 竪(たて)のこ盤.
gróoving sàw 溝切りのこ.
grúb sàw 石[大理石]切りのこぎり.
háck·sàw (金属などを切る)つるのこ, 弓のこ.
hánd·sàw (片手用)手びきのこ.
héad·sàw (製材所で)丸太製材するのこぎり.
hóle sàw ＝crown saw.
hót sàw 〖機械〗熱のこ.
jíg·sàw 電動糸のこぎり, ジグソー.
kéyhole sàw 鍵(かぎ)穴のこ.
míter sàw 留め継ぎ面切断用の背金のこの一種.
múlay sàw ＝muley saw.

múley sàw 《米》(製材所の)堅い長刃のこぎり.
músical sáw 〚音楽〛ミュージカル・ソー.
pád sàw (柄の中に刃を押し込んでおける小型の)回し挽(ひ)きのこ.
pánel sàw (目の細かい)横引きのこ.
píercing sàw 〚宝石〛ピアシングソー.
pít·sàw (pit sawing に使う)大のこぎり.
pláin-sàw 動他〈角材を〉等間隔に平行に挽(ひ)いて均一の厚さの板にする.
pláner sàw 〚木工〛かんなのこ.
pówer sàw 動力のこぎり, 機械のこ.
pówer-sàw 動他 …を動力のこぎりでひく.
quárter·sàw 動他〈材木を〉縦に 4 つにひく.
ráck sàw 〚木工〛広刃のこ.
rádial sáw ラジアルソー, 自在丸のこ.
rè·sáw 動他 再びのこぎりでひく.
ríft sàw 縦のこ.
ríp·sàw ひき割りのこ, 縦びきのこ.
sáber sàw 携帯用電動のこぎり.
sásh sàw sash を切るためのほぞびきのこ.
scróll sàw 糸のこ, 雲形ひきのこ.
segméntal sáw ＝segment saw.
ségment sàw 〚機械〛弓形のこぎり.
sínging sáw ＝musical saw.
slásh-sàw 動他 ＝plain-saw.
stóne sàw 石切りのこぎり.
ténon sàw 〚木工〛枘(ほぞ)ひきのこ.
whíp·sàw (pitsaw のような, 材木を縦にひくための)2 人びきの細身ののこぎり.

sax·i·frage /sǽksəfridʒ/

名 〚植物〛ユキノシタ.

éarly sáxifrage バージニアユキノシタ.
róck sàxifrage ＝early saxifrage.
stráwberry sàxifrage ユキノシタ (strawberry geranium).

Sax·on /sǽksn/

名 **1** サクソン人. **2** サクソン語.

Àf·ro·Sáx·on 名形 《米俗 / 侮辱的》(西インド諸島で)白人体制側 [内] の黒人(の).
Án·glo-Sáx·on 名 アングロサクソン人.
Hi·bér·no-Sáx·on 形 アイルランドとイングランドの両方の特徴を持った.
Óld Sáxon 古(期)サクソン語.
Wést Sáxon ウェストサクソン方言.

say /séi/

動他〈言葉を〉口に出す, …と(人に)言う; (マイク・電話などに)言う.

dare·say 動自他 あえて言う.
folk·say 名 民間伝承.
gain·say 動他 《古・文語》否定する, 異議を唱える.
hear·say 名 風説, 風聞, 伝聞, うわさ, 評判.
mis·say 動他 《古》悪口を言う, 中傷する.
nay·say 名動他 反対(する), 拒否(する).
sooth·say 動自 予言(する).
un·say 動他 《文語》〈言ったことを〉取り消す.

say·er /séiər/

名 言う [話す] 人; 《古》詩人. ⇨ -ER[1].

doom·say·er (大災害などの)不吉を予言する人.
nay·say·er いつも反対する人, 悲観論者.
sooth·say·er 《古》予言者; 占い師, 易者.
yea·say·er 人生肯定論者 [楽観論者].

scale[1] /skéil/

名 **1** 〚動物〛(魚・蛇などの)鱗(うろこ). **2** 〚昆虫〛(チョウ・ガなどの)鱗粉(りんぷん); カイガラムシ(介殻虫). **3** 〚冶金〛スケール, 酸化鉄皮膜. ── 動自〈ボイラーなどに〉湯あかがつく.

ármored scále マルカイガラムシ.
bóiler scàle (ボイラーの中にできる)湯あか.
búd scàle 〚植物〛芽鱗(がりん).
cóttony-cúshion scàle イセリアカイガラムシ.
de·scále 動他 …からうろこを落とす, 皮をはぐ; 湯あかを落とす.
físh scàle (1 セント貨などの)小銭.
fórge-scàle 鍛造スケール.
míll scàle 酸化鉄被膜.
óak scàle コナラノマルカイガラムシ.
óak wáx scàle ＝oak scale.
óystershell scàle リンゴカキカイガラムシ.
pít scàle フサカイガラムシ.
púrple scàle ミカンカキカイガラムシ.
Sán Josè scàle サンホセカイガラムシ.
sóft scàle 同翅(どうし)目カイガラムシ科の害虫の総称.
ùn·scále 動他 …から湯あかを落とす.

scale[2] /skéil/

名 天秤(てんびん)皿; 天秤, 秤.

létter scàle (郵便料金を知るための)手紙秤(ばかり).
plátform scàle 台秤(ばかり).
spríng scàle 《主に米》ばね秤(ばかり).

scale[3] /skéil/

名 **1** 目盛り. **2** (実物に対する大きさの)比率. **3** (税金・賃金などの)率; 等級表. **4** 段階. **5** 規模, 程度, スケール. **6** (測定・評価の)尺度, 基準. **7** 〚音楽〛音階.

ábsolute scále 絶対目盛り, 絶対温度目盛り.
Á-Ń Scàle 反黒人尺度.
Á-Ś Scàle 反ユダヤ主義尺度.
Átterberg scàle 〚地質〛アッターベルグ分類.
Baumé scale ボーメ目盛り, ボーメ比重計: 液体比重計に用いられる.
Béaufort scàle 《俗に》ビューフォート風力階級.
Binét-Símon scàle ビネー=シモン式(知能)検査.
Búrnham scàle バーナム給与等級(表): 大学以外の英国公立学校教員の賃金表.
Dóuglas scàle 〚海洋〛ダグラス波浪度.
dówn·scàle 形 《米》(社会的・経済的に)中流以下の.
fúll-scàle 形 実物大の, 原寸(大)の.
gápped scàle ギャップト・スケール: 完全な音階から特定の音を省いて作られた音階.
gránd-scàle 形 大型の, 大規模な, 精力的な.
grávity scàle 米国石油協会濃度計数.
gráy scàle (テレビ, 写真, 印刷で用いる)グレースケール, 無彩色スケール.
gýpsy scàle ジプシー音階: ハンガリー・ジプシー音楽の基調を成す.
harmónic mínor scàle ＝minor scale.
HÒ scàle HO 縮尺: 模型に用いる 1 対 96 の比率.
internátional séa and swéll scàle ＝Douglas scale.
Knóop scàle ヌープ硬度計: 材料の硬度計測器.
lárge-scále 形 広範囲にわたる [及ぶ], 大規模な.
Mách scàle マック尺度: ある目標を達成するために許容される偽りやごまかしの程度を測る尺度.

S

májor scále 長音階.
márquois scàle 〘測量〙マーコイズ定規.
Mercálli scale 〘地質〙メルカリ震度.
méso·scàle 形 〘気象〙メソ規模の.
mí·cro·scàle 名 微小な規模; 微量分析の規模.
mínor scále 短音階; 和声(的)短音階.
Móhs scàle 〘鉱物〙モース硬度.
Neonátal Behávioral Asséssment Scàle ブラゼルトン行動尺度: 幼児の環境刺激に対する反応を調べるためのテスト.
óctagon scàle 八角形用物差し[定規].
ó·ver·scàle 形 大きすぎる, 特大の.
pentatónic scále 五音音階, ペンタトニック.
Pythagoréan scále ピタゴラス音階.
Q́ scàle 〘地震〙横波の減衰の度合いを示す単位.
ránk scàle 〘言語〙ランク尺度.
rátio scàle 〘統計〙比例尺度.
rè·scále 動他 …の規模を改める[縮小する].
Ríchter scàle 〘地質〙リヒター・スケール.
slíding scále 〘経済〙スライド制; 順応率.
smáll-scále 形 小規模の.
témperature scàle 温度計の目盛り.
tíme scàle ある時間を測る単位となる事象の連続.
únion scàle 号級表に合った賃金; 基準賃金.
úp·scàle 形 《米》上層階級(志向)の, 高収入の.
wáge scàle 賃率一覧表, 賃金スケール.
Wéntworth scàle 〘地質〙ウェントワース区分.
whóle-tòne scàle 全音音階.
wíde-scále 形 広範囲の; 大規模な.
wínd scàle (数字で示される)風力階級, 風力.

scal·lop /skáləp, skǽl- | skɔ́l-/

名 ホタテガイ(イタヤガイを含む).

báy scàllop アメリカイタヤガイ(板屋貝).
gíant scállop =sea scallop.
séa scàllop マゼランツキヒガイ(月日貝).

scan /skǽn/

動他 《主に米》…を詳しく調べる. ━━名 〘医学〙スキャン, 走査.

bódy scàn 〘医学〙断層写真.
bráin scàn 〘医学〙脳シンチグラム.
B́-scàn 形 〘医学〙超音波検出(法)の.
CÁT scàn 〘医学〙X線体軸断層撮影装置による検査.
ĆT scàn =CAT scan.
hélical scán (ビデオテープの)ヘリカル走査.
magnétic résonance scàn =MR scan.
ḾŔ scàn 〘医学〙=NMR scan.
ŃḾŔ scán 〘医学〙NMR(核磁気共鳴)スキャン.
PÉT scàn 〘医学〙ポジトロンスキャン.
phó·to·scàn 動他 〘医学〙〈内臓の〉放射性同位元素の分布状況を調べる.
scín·ti·scàn 名 〘医学〙シンチグラム(scintigram).
séctor scàn 〘通信〙扇形走査.
síde-scàn 形 〘軍事〙〈レーダー・ソナーなどが〉側方監視(用)の.

scan·ner /skǽnər/

名 〘医学〙スキャナー. ⇨ -ER[1].

bódy scànner 断層X線透視装置.
bráin scànner 脳走査装置.
CÁT scànner X線体軸断層撮影装置.
ĆT scànner =CAT scanner.
magnétic résonance scànner =MR scanner.
ḾŔ scànner MR(核磁気共鳴)スキャナー.
ŃḾŔ scánner =MR scanner.
óptical scánner 光学走査機.
PÉT scànner ポジトロンスキャナー.
phó·to·scàn·ner 名 フォト[光学]スキャナー.
scín·ti·scàn·ner 名 シンチスキャナー.
últrasound scànner 超音波スキャナー.
vírus scànner 〘コンピュータ〙ウィルススキャナー.

scan·ning /skǽniŋ/

名 **1** 細かい調査, 精査. **2** 〘医学〙スキャニング. **3** 〘テレビ〙走査. ⇨ -ING[1].

CÁT scànning 〘医学〙コンピュータX線体軸撮影.
ĆT scànning =CAT scanning.
eléctrical scánning 〘電子工学〙電気的走査.
electrónic scánning 〘テレビ〙=electrical scanning.
interláced scánning 〘テレビ〙飛び越し走査.
mechánical scánning 〘電子工学〙機械的走査.
óptical scánning 光学式走査.
scínti·scànning 名 〘医学〙シンチグラフィー.
sequéntial scánning 〘テレビ〙順次走査.
X́-ray scànning 〘工学〙X線走査[精査].

-scape /skèip/

連結形 景色, 景観, 風景画, …景.
★ 名詞をつくる.
◆ landscape「風景」から抽出.

air·scape 名 (飛行機または高所から)見下ろした風景; 空観図, 鳥瞰(ちょうかん)写真.
cit·y·scape 名 都市[市街]の眺め.
cloud·scape 名 《まれ》雲のある風景; 雲景画.
dream·scape 名 夢のように超現実的な情景.
hard·scape 名 〘造園〙人工的要素.
ice·scape 名 氷(と雪)に覆われた風景.
in·scape 名 (芸術作品で表現されるような)人間の内面的本性, 事物の本質.
land·scape 名 (見渡せる)風景, 景色, 景観.
lu·nar·scape 名 月面上の光景.
min·i·a·scape 名 盆石, 盆景, 箱庭.
moon·scape 名 月面の風景[景観, 様相].
mud·scape 名 (乱伐後の)土だけの荒涼とした風景.
night·scape 名 夜景(画).
riv·er·scape 名 川景色, 河川風景.
rock·scape 名 岩場の風景.
roof·scape 名 屋根の光景.
sea·scape 名 海の景色, 海洋風景, 海景.
sky·scape 名 空の景色(を描いた絵).
snow·scape 名 雪景色.
sound·scape 名 音景, 音風景.
street·scape 名 街頭風景; 街景写真[画].
table·scape 名 テーブルスケープ: 本棚やピアノ, テーブルの上に装飾品や本などを置いて作り出された光景.
town·scape 名 都会の風景; 都会の風景画.
wa·ter·scape 名 (海・湖などの)水景画; 水のある風景.
wire·scape 名 (街の美観を損なう)邪魔な電線.

-scaph /skǽf, skèif/

連結形 船.
★ 名詞をつくる.
★ 語頭にくる形は scaph(o)-; *scapho*cephaly「舟状頭(蓋)症」, *scaph*oid「舟状骨」.
◆ ギリシャ語 *skáphos*「船」より.

bath·y·scaph 名 〘海事〙深海潜水艇[球].

mes·o·scaph 名 〘海事〙中深海潜水艇.

scap·u·lar /skǽpjulər/

形 〘解剖〙肩の; 肩甲骨(scapula)の. ⇨ -ULAR.
★ 語頭にくる関連形は scapul(o)-: *scapulo* humeral「肩甲上腕(骨)の」.

cos·to·scap·u·lar 形 肋(ろ)肩甲の, 肋骨と肩甲骨の.
in·ter·scap·u·lar 形 肩胛(けんこう)骨間の.
ster·no·scap·u·lar 形 胸骨肩甲骨の.
sub·scap·u·lar 形 肩甲骨(scapula)下の.

scarp /skɑ́ːrp/

名 急傾斜, 崖(がけ), 断崖(だんがい); 海岸の低い急斜面.

béach scàrp 〘地質〙ビーチスカープ: 波浪で削られて急斜面になった海岸汀段.
cóunter·scàrp 名 〘築城〙(城の堀の)外岸の斜面.
díp-and-scárp 形 〘地文〙急緩斜面が交互に現れる.
es·carp 名 〘築城〙内側急斜面.
fáult scàrp 〘地質〙急傾斜; 断崖.

scat·ter /skǽtər/

名 まき散らすこと; 〘物理〙散乱.

báck·scàtter 〘物理〙後方散乱.
fórward scátter 〘通信〙(電波の)前方散乱.
tróp·o·scàt·ter 名 =tropospheric scatter.
tropospéric scátter 〘通信〙対流圏散乱.

scat·ter·ing /skǽtəriŋ/

名 〘物理〙散乱. ⇨ -ING[1].

álpha-particle scàttering =Rutherford scattering.
Brágg scàttering 〘結晶〙ブラッグ散乱.
Brillouín scàttering 〘物理〙ブリルアン散乱.
dynámic scáttering 〘電子工学〙動的散乱.
elástic scáttering 〘物理〙弾性散乱.
inelástic scáttering 〘力学〙非弾性散乱.
Míe scàttering 〘光学〙ミー散乱.
Ráyleigh scàttering 〘光学〙レーリー散乱.
Rútherford scàttering 〘物理〙ラザフォード散乱.

-scend /sénd/

連結形 登る, 上がる.
★ 語末にくる関連形は -SCENDENCE, -SCENDENT.
★ 語頭にくる形は scan-: *scan*sion「詩の韻律分析」.
◆ ラテン語 *scandere*「登る, 上がる」より.

as·cend 動自 登る, 上昇する, 高くそびえる.
de·scend 動自 下る, 降りる, 下降する.
tran·scend 動他 超える, 超越する.

-scend·ence /séndəns/

連結形 登ること.
★ 名詞をつくる.
★ 語末にくる関連形は -SCEND.
★ 語頭にくる関連形は scan-: *scan*sion「詩の韻律分析」.
◆ <ラ *-scendēns*(*scandere*「登る」の連結形 *-scendere* の現在分詞). ⇨ -ENCE[1].

de·scend·ence 名 下ること.
tran·scend·ence 名 超越, 優越, 卓越; (特に神の)超越性.

-scend·ent /séndənt/

連結形 登る(こと).
★ 名詞, 形容詞をつくる.
★ 語末にくる関連形は -SCEND.
★ 語頭にくる関連形は scan-: *scan*sion「詩の韻律分析」.
◆ <ラ *-scendēns*(*scandere*「登る」の連結形 *-scendere* の現在分詞). ⇨ -ENT[1].
[発音] 基体の第 1 音節(-scend-)に第 1 強勢.

as·cend·ent 名 優勢, 優位.
de·scend·ent 形 降下 [下降] する, 落下する.
tran·scend·ent 形 並外れた, 並々ならぬ, 度外れの.

scene /síːn/

名 **1** (行為・事件の)場所, 現場. **2** (現実生活の)出来事, 事件; 状況, 事態. **3** 〘演劇〙〘映画〙〘文学〙場面, 舞台, 背景; 幕.

áll-oríginals scène 《米俗》黒人だけの集会.
bád scéne 《話》不愉快なこと [経験].
behínd-the-scéne 形 舞台裏の. ► 通例 behind-the-scenes.
cárpenter scène 時間かせぎ場面, 幕前芝居.
dróp scène 垂れ幕, 緞帳(どんちょう).
lóve scène ラブシーン, ぬれ場.
mób scène 《米俗》大混雑する場所.
ón-scéne 形 現場の.
ón-the-scène 形 現場での [からの].
prímal scéne 〘精神分析〙原光景.
ráve scène 電子音楽と薬物を使った激しいダンス集会.
sét scène 舞台装置; 撮影用舞台装置.
transformátion scène 早変わりの場面.
wét scène 《米俗》(血まみれの)惨殺.

-schaft /ʃɑːft, *Ger.* ʃaft/

連結形 **1** …集団, 層. **2** まとまり, 領域.
★ 名詞をつくる.
★ 英語の -ship, -scape に相当.
◆ ドイツ語 *-schaft* より; 原義は「形造られたもの」.

Bü·ro·land·schaft 名 オフィス用室内デザイン.
ge·mein·schaft 名 共通の感情・趣味を持った仲間同士.
ge·sell·schaft 名 共通の利益・目的で集まった集団.

scheme /skíːm/

名 **1** 計画, 企画; もくろみ. **2** (関連した物の間の)配列, 相関性; 構成. **3** 《主に英》(政府・事業体などの)政策.

áccess schéme 《俗》(入学資格のための)準備計画.
blúe bòx schéme (青い収集箱を使った)リサイクル計画.
cásh-back schéme 〘金融〙キャッシュバック計画.
cólor schème 色彩設計, (一般に)配色計画.
Cróssroads cáre atténdant schème 常時看護を必要とする身障者に付き添い看護人を派遣する奉仕事業.
gróudnut schème 金のかかった大失敗.
hóusing schème (地方自治体の)住宅計画.
jòb reléase schème (年配者の)退職勧告計画.
Jòb Tráining Schème (18 歳以上を対象にした)職業訓練計画.
pýramid schème 株式の買 [売] 乗せ, 利乗せ.
rhýme schème (詩の)脚韻構成 [形式].
tóp-hát schéme (会社などの)上級幹部職員の年金制度.
Yóuth Tráining Schème 青少年職業訓練計画.

schist /ʃíst/

名 片岩; (特に)結晶片岩.

blúe schìst 青色片岩.
crýstalline·schìst 結晶片岩.
gréen·schìst 緑色片岩.

hórnblende schìst 角閃(かくせん)石片岩.
míca schìst 雲母(うんも)片岩.

schol·ar·ship /skɑ́lərʃìp | skɔ́ləʃə̀p/

名 **1** 学問; 学識. **2** 奨学金. ⇨ -SHIP.

clósed schólarship 資格者限定奨学金.
clóse schólarship =closed scholarship.
Nátional Mérit Schòlarship 《米》(成績優秀生対象の)大学奨学金制度.
Rhódes schólarship ローズ奨学金: Oxford 大学の奨学金.
Státe Schólarship 《英》国家奨学金.

school /skúːl/

名 **1** (建物・制度・施設としての)学校; 小[中, 高等]学校; 《米話》大学. **2** (教育・授業の意味の)学校. **3** (各種)学校, 教習所, 訓練所. **4** (学問・芸術の)派, 流派, 学派.

áided schóol 《英》公費助成学校.
altérnative schòol 《特に米》新方式学校.
appróved schòol 《もと》(英国の)非行少年少女を収容する国立[公立]の学校.
áshcan schòol 【美術】アシュカン派.
báck-to-schóol 形 新学期の.
Bíble schòol バイブルスクール, 聖書学校.
bíg schòol 《米渡り労働者・暗黒街俗》刑務所.
blúecoat schòol 《英》(各種の)慈善学校.
Blúe Ríder Schòol 【美術】ブラウエライター, 青騎士.
Blúe Wàter Schòol 《英》外洋巨艦派.
bóarding schòol 寄宿[全寮制]学校.
bóard schòol 《英》1870 年の初等教育法制定により学務委員会が管理していた公立小学校.
B́ schòol 《話》=business school.
búsiness schòol 《米》経営学大学院.
cámpus schòol =laboratory school.
cathédral schòol 《英》(大聖堂にある町の)プレパラトリースクール.
céntralized schòol =consolidated school.
céntral schòol 《英》中等学校.
chárity schòol 【米史】慈善学校.
chárm schòol (礼儀作法などを教える)チャームスクール.
Chárter schòol 【アイル史】チャーター学校.
Ch'éng-Chú schòol 【哲学】(中国哲学で)法家.
chóir schòol 聖歌隊学校.
chúrch schòol 教会立の学校, 教会付属学校.
clássical schòol 【経済】古典学派, 正統学派.
Cóckney Schòol 【英文学】ロンドン派.
cómmon schòol 公立学校.
commúnity schòol 《英》コミュニティースクール.
compósite schòol 《カナダ》総合制中等学校.
comprehénsive schòol 《主に英》総合中等学校.
consólidated schòol (米国の)統合学校.
continuátion schòol 定時制中[高等]学校.
contrólled schòol 《英》【教育】管理学校.
correspóndence schòol 通信教育の学校.
cóuncil schòol 《もと》(英国の)州立学校, 公立学校.
cóunty schòol 《英》公立学校.
dáme-schòol 《英》私塾.
dáncing schòol ダンス[舞踊]学校.
dáy schòol (週日だけの)平日学校.
de·schóol 動他 伝統的学校制度を廃止する.
diócesan schòol =parochial school.
divínity schòol (プロテスタントの)神学校.
dríving schòol 運転教習所.
eleméntary schòol 《米》初等学校, 小学校.
évening schòol =night school.
fárm schòol 《南アフリカ》白人の子弟が通う小学校.
fínishing schòol 教養学校, 花嫁学校.
fírst schóol 《英》初等学校.
Fíve-Élements Schòol =Yin-Yang School.
flýing schòol 飛行[航空]学校.
frée schóol 自由学校(制).
gráde schòol (学年別制の)小学校.
gráduate schòol 大学院.
grámmar schòol 《米》小学校.
hédge schòol (かつてのアイルランドの)青空[野外]学校; (一般に)粗末な学校.
hígh schòol[1] ハイスクール.
hígh schóol[2] 高等馬術.
histórical schòol (ドイツの)歴史学派.
hóme·schòol 動自他 (自分の子供を)自宅で教育する.
hónour schòol (Oxford 大学の)優等コース.
hóstel schòol (カナダで)インディアンおよびエスキモーの学生のための寄宿学校.
hỳpermódern schóol 【チェス】超近代派.
indepéndent schòol 《英》【教育】独立学校.
indústrial schòol 実業学校.
ínfants' schòol 《英》幼児学校.
íntegrated schòol 人種差別をしない学校.
intermédiate schòol 《米・NZ》4–6 年生を入れる小学校.
júnior schòol 《英》小学校.
káilyard schòol =kaleyard school.
káleyard schòol 【文学】菜園派.
Kìng's Schóol キングズ・スクール: いくつかの public school の呼称.
láboratory schòol 実験学校, 付属学校.
Látin schòol ラテン語学校.
láw schòol 《米》ロースクール, 法学大学院.
líbrary schòol 司書養成所, 図書館学校.
Líst D́ schòol 《スコット》リスト D 校.
líttle schòol 《米俗》感化院, 教護院.
lówer schòol 《米》下級[予備]学校.
Lú-Wáng schòol 【哲学】(中国哲学で)心学.
mágnet schòol 《米》マグネットスクール: 公立学校の一種.
maintáined schóol 《英》国立[公立]学校.
Mánchester Schòol 【経済】マンチェスター学派.
médical schòol (大学の)医学部; 医学校.
míddle schòol 《米》中等学校.
mílitary schòol 軍隊式男子中・高等市立学校.
míni·schòol 名 【教育】ミニスクール.
módern schòol 《英》モダンスクール.
Nátional Schòol 《アイル》公立小学校.
Néw Schòol ニュースクール: New York の大学.
Nèw Yórk schòol 【美術】ニューヨーク派.
níght schòol 夜学(校), 定時制学校.
nórmal schòol 《もと米・カナダ》師範学校.
núrsery schòol 保育園.
obédient schòol 犬の訓練学校.
óld schòol 保守[伝統]主義者たち, 旧弊家連.
paróchial schòol 《米》(小)教区学校.
pláy·schòol (特に就学前の)幼児たちの遊びの集団.
póker schòol 《英》ポーカーをする人の集まり.
polytéchnical schóol ポリテクニック: 工芸専門学校.
Prágue Schòol 【言語】プラーグ[プラハ]学派: 1920–30 年代に活動した, R. Jakobson ら東欧の言語学者を中心とした一派.
Práirie Schòol 草原(住宅)派: 20 世紀初頭の米国シカゴ地域の建築家集団.
prepáratory schòol プレパラトリースクール: 《米》私立中等学校で, 特に一流大学進学のための準備教育をする 9–12 学年向けの寄宿制の学校.
pre-prepáratory schòol 《英》プレパラトリースクール進学準備校.
prép schòol 《話》=preparatory school.
pré·schòol 形 《米》未就学児の, 就学前の.
prímary schòol 《米・カナダ》(小学校の)最初の 3[4]

学年.
prívate schòol 私立学校.
províded schòol 《英》(かつての)州立学校.
públic schòol 《米・豪・スコット》公立学校.
rágged schòol 〘英史〙貧民学校.
refórm schòol 《主に米》矯正施設.
residéntial schòol 《カナダ》(政府が運営する)寄宿学校.
ríding schòol 乗馬学校.
romántic schòol 〘美術〙ロマン派.
Sábbath schòol =Sunday school.
Satánic schòol 〘英文学〙悪魔派.
sécondary schòol 中等学校.
sénior schòol 〘教育〙(英国の)高等学校.
séparate schòol (カナダで)少数民族[宗教上の少数派]からの生徒を受け入れる学校.
sínging schòol 音楽学校.
sír schòol サー=スクール: New York 市にある一流私立高校.
Spasmódic Schòol 〘英文学〙痙攣(けいれん)派.
spécial schòol 《英》(障害児のための)特殊学校.
státe schòol 《英》(学費は公費負担の)公立学校.
St. Pául's Schòol セントポール校: London にある public school.
súmmer schòol 夏期講習, 夏期セミナー.
Súnday schòol 日曜学校.
téchnical schòol 《英》実業学校.
tráde schòol 職業学校[高校].
tráining schòol (職業・技術)訓練[養成]所.
úpper schòol (特に私立中等学校の)上級学年.
véstibule schòol 《米》新採用者訓練所, 研修所.
vocátional schòol 職業[実務]学校.
vóluntary schòol (英国の)任意寄付制学校.
Yín-Yáng Schòol 陰陽(いんよう)家: 古代中国の一学派; 五行説学派.

sci·ence /sáiəns/

名 科学, 《複合語》…(科)学; (一般的に)知識体系; 知識. ⇨ -ENCE[1].

àn·ti·scí·ence 形 反科学の.
behávioral scíence 行動科学.
Bíg Scíence 巨大科学, ビッグサイエンス: 大規模な組織と資金を要する科学的研究・調査.
biobehávioral scíence 生物行動科学.
bí·o·scì·ence 名 生命科学, 生物科学.
Chrístian Scíence クリスチャンサイエンス: キリスト教の一派.
cógnitive scíence 認知科学.
compúter scíence コンピュータサイエンス.
cón·sci·ence 名 良心, 善悪の判断力; 道義心; 分別.
creátion scìence 創造科学.
dísmal scíence 《こっけい》経済学.
doméstic scíence 《英》家政学, 家庭科.
éarth scìence 地球科学, 地学.
environméntal scíence 環境科学.
èth·no·scí·ence 名 エスノサイエンス, 民族科学.
exáct scíence 精密科学.
fóod scìence 食品科学.
gáy scíence 恋愛文学, (特に)恋愛詩.
gè·o·scí·ence 名 =earth science.
glỳ·co·scí·ence 名 糖科学.
hárd scíence ハードサイエンス: 物理学, 化学, 生物学, 地学, 天文学などの自然科学.
húman scíence 人文[人間]科学.
informátion scìence 情報科学.
júnk scìence (法廷に証拠として出される)一見科学的な専門家の分析.
líbrary scíence 《米》図書館学.
lífe scíence 生命科学, ライフサイエンス.
manágement scìence 経営科学, 管理工学.
maríne scíence 海洋科学.
matérials scìence 材料[物質]科学.
mílitary scíence 軍事科学.
nátural scíence 自然科学.
nésc·ience 名 無学, 無知.
nèu·ro·scí·ence 名 神経科学.
nóble scíence 拳闘, ボクシング.
nòn·scí·ence 名形 非科学(の), (自然)科学以外の(分野など).
om·nís·ci·ence 名 すべてを知り尽くしていること, 全知.
pàr·a·scí·ence 名 超科学.
phýsical scíence 物理学.
pólicy scíence 政策学.
polítical scíence 政治学.
pré·sci·ence 名 予知, 先見, 洞察.
psèu·do·scí·ence 名 偽科学.
rúral scíence 《英》農学・生物学・生態学およびその関連分野の研究.
sócial scíence 社会学.
sóft scíence ソフトサイエンス: 人間の行動, 制度, 社会など厳密に測定しにくい対象を科学的に研究する学問.
sóil scìence 土壌学.
spáce scìence 宇宙科学.
végetation scíence 植生学, 植物群落学.

-scient /ʃənt, ʃiənt/

連結形 知っている.
★ 形容詞をつくる.
★ 語頭にくる関連形は sci-: *science*「知識; 科学」, *sciolist*「えせ学者」.
◆ <ラ *sciēns*(*scīre*「知る」の現在分詞形). ⇨ -ENT[1].
[発音] 直前の音節に第 1 強勢.

nes·cient 形 (…に)無知な, (…を)知らない.
om·nis·cient 形 全知の; 博学な, 博識な.

sci·en·tist /sáiəntist/

名 科学者; (特に)物理学者, 自然科学者. ⇨ -IST[1].

bénch scìentist 研究室で働く科学者, 研究科学者.
gè·o·scí·en·tist 名 地球科学者.
mád scíentist マッドサイエンティスト: 科学を悪用する科学者.
rócket scìentist ロケット技師.

-scind /sínd/

連結形 分かつ, 裂く.
★ 語末にくる関連形は -SCISSION.
◆ ラテン語 *scindere*「分かつ, 裂く」より.

ab·scind 動他 切断する, 切り放す, 切り落とす.
ex·scind 動他 《文語》切り取る, 切除する.
pre·scind 動他 …を切り離して考える, 抽象する.
re·scind 動他 廃止する, 無効にする, 撤廃する.

-scis·sion /síʒən, síʃ-/

連結形 切られたこと[もの].
★ 名詞をつくる.
★ 語末にくる関連形は -SCIND.
◆ <ラ *scissus*(*scindere*「切る」の過去分詞). ⇨ -SION.

ab·scis·sion 名 (手術などによる)切断, 切除.
dis·cis·sion 名 〘眼科〙水晶体切開(術).
re·scis·sion 名 無効にすること, 取り消し.

scis·sors /sízərz/

名 はさみ.

S

bódy scìssors 〖レスリング〗ボディーシザーズ.
náil scìssors 爪(つめ)切りばさみ.
páper-róck-scíssors じゃんけん.

scle·ro·sis /skliəróusis/

名 〖病理〗硬化(症), 硬変. ⇨ -OSIS.
★ 語頭にくる関連形は scler(o)-: *scler*enchyma「〖植物〗厚膜組織」.

ar·tè·ri·o·scle·ró·sis 名 動脈硬化(症).
àth·er·o·scle·ró·sis 名 アテローム性動脈硬化(症).
múltiple sclerósis 多発(性)硬化(症).
òs·te·o·scle·ró·sis 名 骨硬化症.
ò·to·scle·ró·sis 名 耳硬化症.
phlèb·o·scle·ró·sis 名 静脈硬化(症).
túberous sclerósis 結節硬化(症).
vè·no·scle·ró·sis 名 =phlebosclerosis.

scoop /skúːp/

名 ひしゃく(状の用具); シャベル.

áir scòop (航空機・自動車の)エアスクープ.
chéese scòop (食卓用の)チーズすくい.
póop-scòop 名 犬の糞取りシャベル.
rám·scòop 名 (想像上の)ラムスクープ宇宙船.

-scope /skòup/

連結形 …鏡, 検…器.
★ 語末にくる関連形は -SCOPIC, -SCOPY.
◆ <近代ラ *-scopium* <ギ *-skopion* …鏡.

áer·o·scòpe 名 塵埃(じんあい)計, 空気検査器.
ál·pha·scòpe 名 〖コンピュータ〗アルファスコープ.
ám·bly·o·scòpe 名 弱視矯正鏡 [器].
ám·ni·o·scòpe 名 羊膜腔(くう)内視鏡, 羊水鏡.
àn·a·glýph·o·scòpe 名 立体写真鏡.
àn·a·mór·pho·scòpe 名 歪像(わいぞう)鏡, 歪像修正鏡.
a·ném·o·scòpe 名 風向計, 風信器, 風位計.
án·gi·o·scòpe 名 血管内視鏡.
á·no·scòpe 名 =proctoscope.
ár·thro·scòpe 名 関節鏡.
Á scópe 〖電気〗A スコープ.
às·tig·mát·o·scòpe 名 乱視計.
a·stíg·mo·scòpe 名 =astigmatoscope.
áu·ri·scòpe 名 =otoscope.
bár·o·scòpe 名 簡易気圧 [晴雨] 計.
bén·tho·scòpe 名 海底調査用鋼球, ベンソスコープ.
bí·o·scòpe 名 ビオスコープ: ドイツで発明された映画映写機.
bóre·scòpe 名 〖光学〗ボアスコープ.
bó·ro·scòpe 名 光ファイバー探知器.
brón·cho·scòpe 名 気管支鏡.
B́ scòpe 〖電気〗B スコープ, B 表示.
cár·di·o·scòpe 名 心臓鏡.
cé·li·o·scòpe 名 =celoscope.
cé·lo·scòpe 名 体腔(たいこう)鏡, 体腔検査器.
chro·mát·o·scòpe 名 クロマトスコープ: 光線を混合して色刺激を合成する装置.
chró·no·scòpe 名 クロノスコープ: きわめて短い時間を正確に測る電子装置.
Cín·e·ma·Scòpe 名 《映画・商標》シネマスコープ.
cóe·lo·scòpe 名 =celoscope.
co·lón·o·scòpe 名 結腸鏡.
cól·po·scòpe 名 膣鏡(ちつきょう).
có·no·scòpe 名 コノスコープ, 偏光鏡.
crý·o·scòpe 名 氷点測定器 [計], 氷点計.
cúl·do·scòpe 名 ダグラス窩(か)検鏡, 子宮用内視鏡.
cý·mo·scòpe 名 (電波または電磁波の)検波器.
cýs·to·scòpe 名 膀胱(ぼうこう)鏡.
dí·a·scòpe 名 ガラス圧診器, 圧視鏡.
dí·chro·scòpe 名 〖鉱物〗二色鏡.
e·léc·tro·scòpe 名 検電器.
én·do·scòpe 名 内視鏡, 直達鏡, 内達鏡.
èp·i·dí·a·scòpe 名 〖光学〗エピディアスコープ.
ép·i·scòpe 名 〖光学〗=epidiascope.
e·sóph·a·go·scòpe 名 食道鏡. 食道鏡検査(法).
fé·to·scòpe 名 (胎児や子宮の内部を検査する)胎児鏡.
fí·ber·scòpe 名 ファイバースコープ: 光ファイバーを用いた光学機械.
flú·o·ro·scòpe 名 (X 線)蛍光鏡, 蛍光透視鏡.
ga·lác·to·scòpe 名 検乳器, 乳脂計.
gál·va·no·scòpe 名 験電器, 検流器.
gás·tro·scòpe 名 胃鏡, 胃カメラ.
gó·ni·o·scòpe 名 ゴニオスコープ, (前房)隅角鏡.
grápho·scòpe 名 〖コンピュータ〗グラフォスコープ.
gý·ro·scòpe 名 ジャイロスコープ, 回転儀.
hág·i·o·scòpe 名 (教会の)祭壇遥拝(ようはい)窓.
hé·li·o·scòpe 名 ヘリオスコープ: 太陽を単色の光で観測する分光装置.
hód·o·scòpe 名 〖物理〗(カウンター)ホドスコープ.
hól·o·scòpe 名 ホロスコープ: ホログラフィックイメージを作る光学器械.
hór·o·scòpe 名 (占星術などで使用される)十二宮図.
hý·dro·scòpe 名 水中眼鏡.
hý·gro·scòpe 名 簡易湿度計, 検湿器.
hý·per·scòpe 名 〖軍事〗塹壕(ざんごう)用潜望鏡.
hýs·ter·o·scòpe 名 子宮(内視)鏡.
i·cón·o·scòpe 名 アイコノスコープ: 世界最初の撮像管.
ì·so·tén·i·scòpe 名 蒸気の圧力を測定する器械.
ka·léi·do·scòpe 名 カレードスコープ, 万華鏡.
kér·a·to·scòpe 名 角膜鏡.
kín·e·scòpe 名 〖テレビ〗キネスコープ.
ki·né·to·scòpe 名 キネトスコープ: 初期の映画映写機.
lác·to·scòpe 名 乳脂計 [鏡], 検乳鏡.
láp·a·ro·scòpe 名 腹腔(ふくこう)鏡.
larýngo·scòpe 名 喉頭(こうとう)鏡.
lá·ser·scòpe 名 レーザー内視鏡, レーザーメス.
lých·no·scòpe 名 聖堂下窓(しもまど): 中世の英国の教会の外壁下部に取り付けられた窓.
még·a·scòpe 名 《まれ》〖写真〗メガスコープ.
mét·a·scòpe 名 〖光学〗メタスコープ.
mét·ro·scòpe 名 子宮鏡.
mí·cro·scòpe 名 ☞
mì·cro·stéth·o·scope 名 電話式聴診器, 増幅聴診器.
món·o·scòpe 名 〖テレビ〗モノスコープ.
mý·o·scòpe 名 筋収縮計, 筋収縮測定器.
ná·so·scòpe 名 (鼻腔(びこう)検査用の)鼻鏡.
néph·o·scòpe 名 測雲器.
néph·ro·scòpe 名 腎臓(じんぞう)鏡.
oe·sóph·a·go·scòpe 名 =esophagoscope.
oph·thál·mo·scòpe 名 検眼鏡.
ór·tho·scòpe 名 《もと》〖眼科〗正像鏡.
os·cíl·lo·scòpe 名 〖電気〗オシロスコープ.
ó·to·scòpe 名 耳鏡.
pál·im·scòpe 名 パリンスコープ: 羊皮紙に書かれたものやその他の文献を解読するための手動式の道具.
pér·i·scòpe 名 ペリスコープ, (潜水艦の)潜望鏡.
pha·rýn·go·scòpe 名 咽頭(いんとう)鏡.
pho·nén·do·scòpe 名 拡声聴診器.
phó·no·scòpe 名 表音器, フォノスコープ: 発音体の運動・性質を肉眼で見えるようにする器械.
phos·phór·o·scòpe 名 燐光(りんこう)計.
po·lár·i·scòpe 名 偏光器, 旋光器.
próc·to·scòpe 名 直腸鏡.
pséu·do·scòpe 名 偽本鏡, シュードスコープ: 凸凹・遠近が反対に見える光学装置.
rá·dar·scòpe 名 レーダースコープ: レーダー映像を映し出すスクリーン.
rá·di·o·scòpe 名 X 線測定器, 放射性物質探知器.
rét·i·no·scòpe 名 検影検眼鏡.

rhéo·scòpe 名 《まれ》電流検査 [検流] 器.
rhí·no·scòpe 名 鼻鏡.
rí·fle·scòpe 名 《米》ライフル銃望遠照準器.
róent·gen·o·scòpe 名 レントゲン透視装置 [鏡].
ro·to·scope 名 (アニメ用語で)ロートスコープ.
Sclér·o·scòpe 名 《商標》跳ね返り硬度計.
séis·mo·scòpe 名 感震計.
síd·er·o·scòpe 名 〖眼科〗検鉄器, 鉄片探索器.
sig·móid·o·scòpe 名 S 状結腸 [直腸] 鏡.
skí·a·scòpe 名 ＝retinoscope.
sníp·er·scòpe 名 〖軍事〗夜間狙撃(そげき)用 [暗視狙撃用] 眼鏡.
snóop·er·scòpe 名 《米》暗視鏡.
spéc·tro·scòpe 名 ☞
spin·thár·i·scòpe 名 スピンサリスコープ: 電離放射線による蛍光板の閃光を見る拡大鏡.
stárlight scòpe 〖軍事〗光増式暗視装置.
stát·o·scòpe 名 (自記)微気圧計, スタトスコープ: 大気圧力の微小な変動を記録するアネロイド気圧計.
stáu·ro·scòpe 名 〖鉱物〗十字鏡.
stér·e·o·scòpe 名 立体 [実体] 鏡, 双眼写真鏡.
stèth·o·scópe 名 聴診器.
sto·mát·o·scòpe 名 口内鏡, 口腔(こうくう)鏡.
stró·bo·scòpe 名 ストロボスコープ: 急速な回転や振動を続ける物体を観察する装置.
syn·chrón·o·scòpe 名 ＝synchroscope.
sýn·chro·scòpe 名 〖電気〗同期検定器.
ta·chís·to·scòpe 名 〖心理〗瞬間露出器.
tèl·e·grápho·scòpe 名 (初期の)写真電送装置.
tél·e·scòpe 名 ☞
thér·mo·scòpe 名 測温器.
thó·ra·co·scòpe 名 胸腔(きょうくう)鏡.
u·ré·thro·scòpe 名 尿道鏡.
víd·e·o·scòpe 名 ビデオ内視鏡.
ví·ta·scòpe 名 〖映画〗バイタスコープ.
zò·o·práx·i·scòpe 名 〖映画〗ズープラキシスコープ.

-scop·ic /skápik | skɔ́p-/

連結形 …を見る.
★ -scope で終わる語に対応する形容詞をつくる.
◆ -SCOP(E) ＋-IC[1].

flu·o·ro·scop·ic 形 蛍光透視鏡の; 蛍光透視法の.
hol·o·scop·ic 形 すべてを視野に入れた.
hor·o·scop·ic 形 十二宮図の, 天宮図の; 占星術の.
hy·gro·scop·ic 形 簡易湿度計の [で読み取れる].
ka·lei·do·scop·ic 形 万華鏡の(ような).
mac·ro·scop·ic 形 肉眼で見える.
mi·cro·scop·ic 形 顕微鏡でしか見えない, 顕微鏡的な.
or·tho·scop·ic 形 〖眼科〗正視の; 正常な視力を持つ.
pan·to·scop·ic 形 広範囲の視界を持つ.
per·i·scop·ic 形 〖光学〗〈レンズが〉四方の見える.
ster·e·o·scop·ic 形 〈写真・映画などが〉立体的な.
steth·o·scop·ic 形 聴診器の; 聴診の.
stro·bo·scop·ic 形 ストロボ(スコープ)の [を使う].
tel·e·scop·ic 形 望遠鏡の [に関する]; 望遠鏡式の.

-sco·py /skəpi/

連結形 …検査(法), …観察.
★ 名詞をつくる.
★ 語末にくる関連形は -SCOPE.
◆ ギリシャ語 *skopía*「見ること」より. ⇨ -Y[3].
[発音] 直前の音節に第 1 強勢.

am·ni·os·co·py 名 〖医学〗羊膜内視検査, 羊水鏡検査.
an·thro·pos·co·py 名 人相学, 観相学(physiognomy).
ar·thros·co·py 名 〖医学〗関節鏡検査(法).
a·stig·ma·tos·co·py 名 〖眼科〗乱視度検査(法).
au·to·sco·py 名 (死ぬ直前に)自分を体外から見ること.
bac·te·ri·os·co·py 名 細菌鏡検(法).
bi·os·co·py 名 〖医学〗生死(反応)検査(法), 生死鑑定.
bron·chos·co·py 名 〖医学〗気管支鏡検査(法).
cin·e·flu·o·ros·co·py 名 〖医学〗蛍光像映画撮影(法).
col·pos·co·py 名 〖医学〗腟鏡(ちつきょう)検査(法).
cra·ni·os·co·py 名 〖医学〗頭骨視診, 頭蓋(骨)検査.
cry·os·co·py 名 〖化学〗氷点法, 凝固点降下法.
cys·tos·co·py 名 〖医学〗膀胱(ぼうこう)鏡検査(法).
dac·ty·los·co·py 名 指紋鑑定, 指紋同定(法).
di·aph·a·nos·co·py 名 徹照(診断)法.
e·bul·li·os·copy 名 〖化学〗沸点(上昇)法.
en·dos·co·py 名 〖医学〗内視鏡検査(法).
fe·tos·co·py 名 〖産科〗胎児鏡検査(法).
flu·o·ros·co·py 名 〖医学〗蛍光透視(法).
fun·dus·co·py 名 〖眼科〗眼底検査(法).
gas·tros·co·py 名 〖医学〗胃内視鏡検査(法).
hep·a·tos·co·py 名 〖医学〗肝(臓)検査, 肝機能検査.
ho·ros·co·py 名 《古》占星術, 星占い.
lap·a·ros·co·py 名 〖医学〗腹腔(ふくくう)鏡検査(法).
lar·yn·gos·co·py 名 〖医学〗喉頭(こうとう)(鏡)検査(法).
mi·cros·co·py 名 顕微鏡の使用.
ne·cros·co·py 名 検死, 死体解剖(necropsy).
oph·thal·mos·co·py 名 〖眼科〗検眼鏡による検査(法), 検眼.
or·ni·thos·co·py 名 野鳥観察(birdwatching).
phar·yn·gos·co·py 名 〖医学〗咽頭(いんとう)鏡検査(法).
proc·tos·co·py 名 〖医学〗直腸鏡検査.
pseu·dos·co·py 名 シュードスコープ利用法.
ra·di·os·co·py 名 〖医学〗レントゲン透視診察 [検査].
ret·i·nos·co·py 名 〖眼科〗網膜検影法.
rhi·nos·co·py 名 〖耳鼻科〗(特に鼻鏡を用いた)検鼻法.
sca·tos·co·py 名 〖医学〗糞便検査(法), 検便.
sig·moid·os·co·py 名 〖医学〗S 状結腸 [直腸] 鏡検査(法).
ski·as·co·py 名 〖眼科〗＝retinoscopy.
spec·tros·co·py 名 分光学.
ster·e·os·co·py 名 立体 [実体] 鏡学.
te·les·co·py 名 望遠鏡使用 [製造] (法).
tra·che·os·co·py 名 〖医学〗気管鏡(検査)法.
u·re·thros·co·py 名 〖医学〗尿道鏡検査(法).
u·ri·nos·co·py 名 〖医学〗＝uroscopy.
u·ros·co·py 名 〖医学〗尿検査, 尿分析, 検尿.

score /skɔ́ːr/

名 **1** (競技の)得点記録, 得点表; (競技の)得点. **2** 《古風》20. **3** 〖音楽〗楽譜.

Ápgar scòre アプガーの採点法: 新生児の全身状態を調べるための点数法.
báck scòre (カーリングの)バックスコア(ライン).
bíg scòre 《米俗》成功.
bóx scòre (野球・バスケットボールの)ボックススコア.
clóse scòre 〖音楽〗クロージスコア.
compréssed scòre 〖音楽〗＝short score.
éight·scòre 160.
fíve·scòre 形 100 の.
fóot scòre (カーリングの)足線.
fóur·scòre 形 《文語》20 の 4 倍の, 80 の.
fúll scòre 〖音楽〗フルスコア, 総譜.
hóg scòre (カーリングの)ホッグスコア.
líne scòre (野球で)(試合結果の)概略記録.
ópen scòre 〖音楽〗オープンスコア.
òut·scóre 動他 …より多く点を得る.
ò·ver·scóre 動他 (点・線などで)…の上に印をつける.
pártial scòre 〖トランプ〗＝part-score.
párt-scòre 〖トランプ〗(ブリッジで)パートスコア.
prè·scóre 動他 〈会話・音楽・効果音などを〉映画の撮影前に録音する.
Q́-scòre (広告での)人気度.
ráw scòre 粗 [素] 点: 統計処理以前の数字.
shórt scòre 〖音楽〗ショートスコア, 簡略譜.
stándard scòre 標準得点.

stándard scrátch scòre (ゴルフの)標準スクラッチスコア.
swéeping scóre (カーリングの)リンクの長さと直角を成す足線に平行していてティー(標的)の中心を通って伸びるリンクの両端にある線.
thrée·scóre 形 《主に文語》60 の, 60 歳の.
ún·der·scòre 動他 …の下に線を引く.
vócal scóre 〖音楽〗ボーカルスコア.

scor·pi·on /skɔ́ːrpiən/

名 サソリ. ⇨ -ION[1].

bóok scòrpion =pseudoscorpion.
fálse scórpion =pseudoscorpion.
pseu·do·scor·pi·on 名 ニセサソリ.
séa scòrpion 背びれに有毒なとげのあるカサゴ科の魚の総称(scorpionfish).
wáter·scòrpion タイコウチ科の水生昆虫の総称.
whíp·scòrpion ムチサソリ, サソリモドキ.
wínd scòrpion クモ綱に属するヒヨケムシ目の動物.

sco·ter /skóutər/

名 〖鳥類〗クロガモ(黒鴨). ►scooter ともいう. 語源不明だが, 語尾はおそらく -er「…するもの」.

bláck scóter =scoter.
súrf scòter アラナミキンクロ(荒波金黒).
vélvet scòter ビロードキンクロ(velvet duck).
whíte-winged scóter =velvet scoter.

scout /skáut/

名 **1** 斥候兵, 偵察艦, 偵察機. **2**《米》ボーイスカウト, ガールスカウト. **3** スカウト, 新人発掘係.

áir scòut 偵察機 [兵]; 対空監視哨(しょう).
bóy scòut ボーイスカウト(の団員).
Chìef Scóut ボーイスカウト連盟の長.
cúb scòut カブスカウト: ボーイスカウトの幼年団員(8－10 歳).
éagle scòut 《米》イーグル・スカウト: 最優秀ボーイスカウト.
gírl scòut 《米》ガールスカウト(の一員).
kíng's scóut 《英》最優秀ボーイスカウト. ►女王の治世中は queen's scout.
lone scóut 地元組織のない地方に住むボーイスカウト団員.
quéen's scóut 《英》最優秀ボーイスカウト.
Róver Scòut 《英》Venture Scout の旧称.
séa scòut シースカウト: ボーイスカウトの海洋隊員.
tálent scòut (タレントの)スカウト.
Vénture Scòut 《英》ベンチャースカウト: ボーイスカウトの年長者.

scram·ble /skrǽmbl/

動自 **1** (…へ)敏速に這(は)って進む. **2** (…を)奪い合う, 争奪する. ――他 ごちゃまぜにする; 混乱に陥れる.

de·scram·ble 動他 (混信・混線したラジオ・電話を)はっきりさせる(unscramble).
ram·ble-scram·ble 形 《米話》めちゃくちゃの.
un·scram·ble 動他 〈混乱した状態を〉元に戻す.

scrap·er /skréipər/

名 こする [削る, はがす] 人 [もの]. ⇨ -ER[1].

bóot·scràper 名 ブーツ [靴] の泥落とし.
cábinet scràper (家具仕上げ用)金べら.
dóor·scràper (玄関などに置く)靴の泥ぬぐい.
fóot·scràper (小さな枠に金属の横棒を 1 本だけ張った, 靴の)泥落とし.
ský·scràper 超高層ビル, 摩天楼.

scream·er /skríːmər/

名 **1** 鋭く叫ぶ人. **2** サケビドリ. ⇨ -ER[1].

crésted scréamer カンムリサケビドリ.
hórned scréamer ツノサケビドリ.
Jésus scrèamer 《米俗》(伝道熱心な)クリスチャン.
twó-pót scrèamer 《豪俗》酒にすぐ酔う人.

screen /skríːn/

名 **1** 衝立(ついたて). **2** (映像)スクリーン. ――動他 **1** …を隠す. **2** …を選別する.

bánner scrèen (炉前の)旗形の熱よけ衝立.
be·scréen 動他 覆いで隠す; 覆い隠す.
bíg scréen 《話》映画(館).
chevál scrèen =fire screen.
chóir scrèen (教会の)聖歌隊席と会衆席の間の仕切り.
cólor scrèen 〖写真〗〖光学〗色温度変換フィルター.
deláy scrèen 〖電子工学〗(陰極線管で)残光スクリーン.
fíre scrèen (暖炉の前に立てる)火花よけ用衝立.
flát scréen 〖コンピュータ〗フラットスクリーン.
fluoréscent scréen 〖物理〗蛍光板 [面, 膜].
flý·scrèen (窓・戸に張る)防虫ネット, 網.
fócusing scrèen 〖写真〗レフレックス, レフ.
hánd scrèen 手に持つ暖炉の熱気よけ.
hóme scrèen テレビ(television).
mùl·ti·scréen 形 〖映画〗映写面分割(方式)の.
óff·scréen 形 映画 [テレビ] の画面外の.
ón-scréen 形 映画(中)の, テレビ(中)の.
órgan scrèen 〖建築〗(教会の)オルガン室を仕切る飾り幕.
prè·scréen 動他 前もって選別 [選抜, 分離] する.
róod scrèen (教会の)内陣仕切り.
síght scrèen 〖クリケット〗サイトスクリーン.
sílk·scrèen 孔版捺染(なっせん)法.
sílver scréen 《話》銀幕.
smáll scréen 《英話》テレビ.
smóke scrèen 煙幕.
smóke-scrèen 動他 …を煙幕でだます, 煙(けむ)に巻く.
splít scréen 〖映画〗〖テレビ〗分割スクリーン.
sún·scrèen 日焼け止め剤.
tél·e·scrèen 名 (公衆視聴用の大型の)テレビ画面.
tóuch·scrèen 名 〖コンピュータ〗タッチスクリーン.
vídeo scrèen 〖コンピュータ〗(映像)スクリーン.
wíde-scréen 形 〖映画〗画面の広い.
wínd-scrèen 《主に英》(自動車・航空機などの)前面ガラス, 風防ガラス.

screw /skrúː/

名 **1** ねじ, ねじ釘(くぎ); ねじボルト. **2** (スクリュー)プロペラ, スクリュー. ――動他 …をねじで締める.

áir·scrèw 《英》飛行機のプロペラ.
Állen scrèw 六角穴付きボルト.
Archimédes' scréw らせん水揚機, ねじポンプ.
bénch scrèw 〖木工〗(万力の木製または金属製の)締め付けねじ.
bóttle scrèw 《英》〖海事〗引き締めねじ.
cáp scrèw 押さえねじ, キャップねじ.
cóach scrèw =lag screw.
córk·scrèw (瓶の)コルク抜き, 栓抜き.
dówel scrèw 〖木工〗(両端にねじのついた)だぼつぎねじ, 太柄ねじ.
dríve scrèw ねじ釘(くぎ).

S

éar·scrèw 《米南部》イアリング.
éndless scréw 〘機械〙ウォーム.
extérnal scréw 〘機械〙＝male screw.
grúb·scrèw グラブねじ.
hánd scrèw ハンドスクリュー, つまみねじ.
íce scrèw 〘登山〙(スクリュー型の)アイスハーケン.
interrúpted scréw 間抜きねじ.
jáck·scrèw ねじジャッキ.
lág scrèw ラグスクリュー.
lág-scrèw 動他 …をラグスクリューで留める.
léad scréw (旋盤の)親ねじ.
léveling scrèw 〘測量〙整準ねじ, 水平調節ねじ.
lúg scrèw 小さな無頭ねじ.
machíne scrèw 機械ねじ, 小ねじ, ビス.
mále scrèw 〘機械〙雄ねじ.
méantime scrèw 〘時計〙＝quarter screw.
micrómeter scrèw マイクロメーターねじ, 測微ねじ.
móoring scrèw 〘海事〙螺旋錨(らせんびょう).
perpétual scréw ＝endless screw.
quárter scrèw 〘時計〙時間調節ねじ.
rígging scrèw 〘海事〙索締螺(ら).
sélf-tàpping scréw タッピンねじ.
sét·scrèw 止めねじ, 押しねじ, 締めつけねじ.
shóulder scrèw 肩付きねじ.
stáge scrèw 撞木錐(しゅもくぎり).
tápping scrèw ＝self-tapping screw.
thúmb·scrèw つまみ[ちょう]ねじ.
túrn-scrèw 《主に英》ねじ回し.
twín-scréw 形 〘海事〙〈船が〉二軸の, 双暗車の.
ùn·scréw 動他 …のねじを抜く[緩める].
wáter scrèw 船のスクリュー.
wíng scrèw つまみナット, 蝶ナット.
wóod scrèw 木ねじ.

-scribe /skráib/

連結形 刻みつける; 書く.
★ 語末にくる関連形は -SCRIPT, -SCRIPTION, -SCRIPTIVE.
★ 語頭にくる形は scri-: *scri*pture「聖書」, *scri*vener「代書人」.
◆ ラテン語 *scribere*「書く」より.

as·cribe 動他 《文語》〈物事の〉原因を(…に)帰する.
cir·cum·scribe 動他 …の周囲に線を引く.
con·scribe 動他 (限界などを)特定する, 制限する.
de·scribe 動他 (言葉で)述べる, 記述[描写]する.
e·scribe 動他 〈円を〉(三角形の外側に)傍接させて描く.
in·scribe 動他 (特に献辞・名前などを手書きして)〈書物・写真などを〉(人に)贈る.
pre·scribe 動他 …を(人に)定める, 命ずる.
pro·scribe 動他 《文語》〈習慣などを〉禁止する.
sub·scribe 動他 〈名前などを〉(書類の末尾に)書く.
su·per·scribe 動他 〈語・文字・名前・住所などを〉上に書く, 上部に記入する.
tran·scribe 動他 〈口述・講義・演説などを〉文字化する, タイプする.

script /skrípt/

名 **1** 手書き; 手書き文字. **2** 手稿, 原稿. **3** (演劇などの)脚本. ── 動他 〈話・放送の〉原稿を書く.

Cároline scrìpt シャルルマーニュ朝風書体.
cò·scrìpt 動他 …の原稿を共同で準備する.
fílm·scrìpt 名 映画のシナリオ.
mán·u·scrìpt 名 (出版されていない)原稿.
pláy·scrìpt 名 (稽古・舞台用の)台本.
shóoting scrìpt (映画の)撮影台本.
týpe·scrìpt 名 タイプライター原稿.
tý·po·scrìpt 名 ＝typescript.

-script /skrìpt, skrípt/

連結形 書かれた(もの).
★ 語末にくる関連形は -SCRIBE.
★ 語頭にくる関連形は scri-: *scri*pture「聖書」, *scri*vener「代書人」.
◆ <ラ *scrīptus*(*scrībere*「書く」の過去分詞).
[発音] 名詞, 形容詞では語頭の音節に, 動詞では基体(-script)に第1強勢; ただし, 形容詞で prescrípt となることもある.

ad·script 形 〈文字・符号が〉右に続けて書かれた.
cir·cum·script 形 《まれ》制限[限定]された.
con·script 動他 〈人を〉徴兵する; 〈資金などを〉徴用する.
post·script 名 (手紙の)追伸, 二伸.
pre·script 形 規定[指図, 指令]された.
re·script 名 (請願書に対するローマ教皇の)答書.
sub·script 形 〈文字・記号が〉下に書いてある.
su·per·script 形 〈文字・数字が〉上付きの.
tran·script 名 (テープ内容を)文字化したもの.

-scrip·tion /skrípʃən/

連結形 書かれたもの[こと]; 書くもの[こと].
★ 名詞をつくる.
★ 語末にくる関連形は -SCRIPT, -SCRIBE.
★ 語頭にくる関連形は script-: *script*ure「聖書」.
◆ ラテン語 *scrībere*「書く」より. ⇨ -TION.
[発音] -scription の第1音節に第1強勢が置かれる.

ad·scrip·tion 名 ＝ascription.
as·crip·tion 名 (…に)原因があるとみなすこと.
cir·cum·scrip·tion 名 取り囲む[囲まれる]こと; 限定.
con·scrip·tion 名 徴兵(制度), 募兵, 徴募.
de·scrip·tion 名 記述, 叙述, 説明.
in·scrip·tion 名 記された[刻まれた]もの.
pre·scrip·tion 名 (医師が薬剤師に書く)処方箋(せん).
pro·scrip·tion 名 禁止, 差し止め, 法度.
sub·scrip·tion 名 寄付(の申し込み); 寄付金(額).
su·per·scrip·tion 名 上に書くこと, 上部に記入すること.
tran·scrip·tion 名 写すこと, 筆写, 転写, 複写.

-scrip·tive /skríptiv/

連結形 書く….
★ 形容詞をつくる.
★ 語末にくる関連形は -SCRIBE.
★ 語頭にくる関連形は scri-: *scri*pture「聖書」, *scri*vener「代書人」.
◆ <ラ *scriptus*(*scribere*「書く」の過去分詞より). ⇨ -IVE[1].

as·crip·tive 形 (…に)帰属する, 属性のある.
de·scrip·tive 形 記述的な; 説明的な; 叙景的な.
in·scrip·tive 形 銘の, 題銘の, 碑文の, 碑文的な.
pre·scrip·tive 形 規定する, 指図する.
tran·scrip·tive 形 筆写する; 模倣的な.

scroll /skróul/

名 **1** 巻き物; 巻き軸. **2** 渦巻き形をしたもの; 渦巻き模様. ── 動他 巻き物の上に書く.

Ć-scròll (主に家具の)C形渦巻きの装飾模様.
en·scróll 動他 (羊皮紙に記したりして)永久に記録する.
Flémish scróll (家具の)渦巻き形飾りの一種.
hánd scròll 巻き物.
hánging scròll 掛け物, 掛け軸.
in·scróll 動他 ＝enscroll.

S

Ś-scròll S 形渦巻きのの装飾モティーフ.
Vitrúvian scróll 波形連続渦巻き模様.
wáve scròll ＝Vitruvian scroll.

sculp·ture /skʌ́lptʃər/

名 **1** 彫刻術, 彫塑術. **2** 彫刻(作品), 彫像. ── 動他 …を彫刻する, 彫る. ⇨ -URE[1].

anónymous scúlpture 匿名造形.
bódy scùlpture ボディーアート(body art).
fábric scúlpture 織布彫刻.
háir-scùlpture 調髪, 理容.
hòr·ti·scúlp·ture 動他〈物の形を〉花で造形する.
júnk scùlpture 廃品芸術, ジャンクアート.
líght-scùlpture 光の彫刻.
machíne scùlpture 機械彫刻.
sóft scùlpture ソフトスカルプチュア, 軟体彫刻.
sóund scùlpture 音の出る彫刻.

scum /skʌ́m/

名 **1** (沸騰·発酵の際, 液体の表面にできる)浮きかす, 浮き泡. **2** 《比喩的》嫌なやつ, くだらない人間.

báthtub scùm 《米学生俗》堕落したやつ.
óff·scùm 名 浮きかす; 《比喩的》無価値の人 [もの].
pónd scùm 水面に浮かぶ微小な藻類の総称.
shówer scùm 《米俗》ひどいやつ.

sea /síː/

名 海; 海水; 波.

a·séa 副形 海へ, 海の方へ(向かった).
béam séa 【海事】(船の竜骨に当たる)横波.
clósed séa 【国際法】領海.
cróss sèa 【海洋】【海事】十字波, 交差海面.
déep-séa 形 深海 [遠洋] (で)の.
gréen séa 【海事】青波.
héad séa 【海事】向かい波, 逆波.
hígh séa 公海.
hóllow séa 高波 [波濤(はとう)] のうねり.
márginal séa 沿岸海, 領海.
ópen séa 外海, 外洋.
óut·sèa 名 公海.
patrimónial séa 世襲水域(patrimonial waters).
sùb·séa 形 海中の [で生じる, で働く].
únder·sèa 形 海底の, 海中の.

seal[1] /síːl/

名 **1** (文書などの真正性を保証する)標章, 紋章. **2** (紋章·文字などを彫った)印. **3** 封, 封印. ── 動他 …に封をする.

bróad séal 国璽, 政府の官印.
Chrístmas sèal クリスマスシール.
cómmon séal 会社印; (法人などの)公印.
cýlinder sèal 【考古】円筒印章.
gólden·sèal 【植物】ヒドラスチス.
gréat séal 国印, 国璽.
héat-sèal 動他 ヒートシールする, 熱融着させる.
óil sèal 【機械】オイルシール.
prívy séal (英国の)玉璽(ぎょくじ).
rè-séal 動他 (再)封緘(ふうかん)する, 封じ直す.
Sólomon's séal ソロモンの封印.
tár-sèal 動他 《豪·NZ》アスファルト舗装する.
únder·sèal 動他 《英》…に下塗りを施す.
ùn·séal 動他 …の封を切る.
wáter-sèal 水封じ.

seal[2] /síːl/

名 アザラシ; アザラシの皮 [なめし革].

Árctic séal 模造アザラシ毛皮.
béarded séal アゴヒゲアザラシ.
crábeater sèal カニクイアザラシ; 南氷洋産.
éared séal アシカ類: トド, アシカ, オットセイで構成されるアシカ科の総称.
éarless séal アザラシ類: アザラシ科のアザラシの総称.
élephant sèal ゾウアザラシ.
fúr sèal オットセイ.
gráy séal ハイイロアザラシ.
háir sèal 毛が粗く柔らかい下毛のないアザラシの総称(earless seal).
hárbor sèal ゴマフアザラシ.
hárp sèal タテゴトアザラシ.
hóoded séal ズキンアザラシ.
Húdson séal ハドソンシール: 模造あざらし皮.
léopard sèal ヒョウアザラシ.
mónk sèal モンクアザラシ.
pín sèal ピンシール: 子アザラシのなめし革.
rínged séal フイリアザラシ, ワモンアザラシ.
Róss's séal ロスアザラシ.
trúe séal ＝earless seal.
Wéddell séal ウェッデルアザラシ.

seam /síːm/

名 (布·革などの)縫い目. ── 動他 縫い合わす, 継ぎ合わす.

cóal sèam 炭層(coal bed).
de·séam 動他 【鋳造】表面の傷を取り除く.
flát-fèlled séam 折り伏せ縫い.
Frénch séam 袋縫い.
ín·sèam 名 内縫い目.
lóck sèam シーム継ぎ, はぜ折り接合.
ón-sèam 形 〈ポケットが〉縫い目を利用した.
ùn·séam 動他 …の縫い目をほどく; …をほどく.
wélt sèam 【裁縫】へりかがり, 縁飾り.

séa·man /síːmən/

名 船舶の操縦技術を持っている人. ⇨ -MAN[1].

áble-bodied sèaman ＝able seaman.
áble séaman 熟練船員.
mérchant séaman 商船船員, 海員.
órdinary séaman 【英海軍】水兵.

search /sə́ːrtʃ/

動他 〈場所·区域などを〉(紛失物などを求めて)(注意深く)捜す. ── 名 捜索; 調査.

bínary séarch 【コンピュータ】二分検索.
bódy-sèarch 動他 ボディーチェックをする.
pát-down séarch 《米》(危険物の所持を調べるための)衣服の上から触る身体検査.
rè-séarch 動他自 再検査する.
re·séarch 名 ☞
skín sèarch ＝strip search.
skín-sèarch 動他 ＝strip-search.
stríp sèarch 人を裸にして調べること.
stríp-sèarch 動他 〈容疑者を〉裸にして調べる.

seas /síːz/

名複 sea の複数形.

fóur séas (英国を囲む)四つの海.
nárrow séas 《英》(英国本土からみて)狭い海.
séven séas 世界の七つの海.
Sóuth Séas 南洋.

sea·son /síːzn/

名 **1** 季節, 季. **2** 時季, 時期, …期.

Bíg Góoseberry Sèason	《英》新聞種がない夏枯れ期.
búcking sèason	《米西部》(羊などの)繁殖期.
clósed séason	《米》禁猟期(《英》close season).
clóse séason	《英》=closed season.
dé·mi·sèa·son 形	間(あい)の季節(春, 秋)の.
hígh séason	(1年で)最も仕事の集中する時期.
Lóndon sèason	(英国社交界の)ロンドン・シーズン.
lów séason	(行楽などの)閑散期, オフシーズン.
níght sèason	《古》夜, 夜間.
óff-séa·son 名	季節外れの時期, シーズンオフ.
ón-séason 形	シーズン中の.
ópen séason	狩猟[漁猟]解禁期.
páiring sèason	交尾期.
pínochle sèason	《米俗》服飾産業のオフシーズン.
prè·séa·son 形	(観光などの)シーズン前の.
Púnching Séason	パンチング・シーズン: 米国の Harvard 大学で, クラブの入会者のために行う面接試験.
ráiny séason	雨季; 梅雨.
shóulder sèason	ショルダーシーズン: 春と秋の旅行の最盛期と閑散期の間の比較的料金が安くなる時期.
sílly sèason	《話》(新聞などの)夏枯れ時.
sláck séason	《米俗》(商売の)不景気期.
wét sèason	《豪俗》(女性の)生理, メンス.

seat /síːt/

名 **1** 席, 座席; 椅子; 観客席. **2** (椅子などの)座部. **3** 所在地. ——動他 着席させる.

áisle sèat	(飛行機などの)通路側の席.
ánxious sèat	《主に米北大西洋諸州・南部》(伝導集会で)求道者席.
báck·séat	(車などの)後ろの席.
ballóon sèat	【家具】=bell seat.
banána sèat	【自転車】バナナ型のサドル.
béll sèat	【家具】鐘形座部.
bénch sèat	《英》ベンチシート.
blázing sèat	(タクシーの防犯用)ショック座席.
bóoster sèat	ブースターシート: 子供用補助椅子.
bóx séat	(劇場などの)ボックス席.
búcket séat	(自動車や飛行機の)バケットシート.
búddy sèat	(2人乗りオートバイなどの)シート.
cár sèat	(自動車の)ベビーチェアー.
cátbird sèat	《話》有利な立場, 権力のある地位.
chéesebòx sèat	藺草(いぐさ)製椅子の座部.
cóuntry·sèat	《英》田舎の大邸宅.
cóunty séat	《米》郡役所所在地, 郡の主都.
déacon sèat	《俗》(飯場に置かれる)長椅子.
déath sèat	《米俗・豪俗》(自動車の)助手席.
dis·séat 動他	《古》=unseat.
dríver's sèat	運転席.
dríving sèat	《英》=driver's seat.
drópped séat	【家具】中央部をくぼませた座部.
dróp sèat	(タクシー・バスなどの)補助座席.
édge-of-the-séat 形	椅子から身を乗り出して見るような.
ejéction sèat	【航空】射出座席.
flág sèat	【家具】アシなどの葉を編んで作った座部.
hót sèat	《米俗》(死刑用)電気椅子.
hóuse sèat	特別(招待)席.
júdgment sèat	法廷, 判事席.
júmp sèat	(自動車の)折りたたみ補助席.
kéy sèat	【機械】キー溝(keyway).
lóve sèat	ラブシート: 二人掛けソファー.
mércy sèat	【聖書】贖罪(しょくざい)所.
pássenger sèat	(自動車の)座席.
pótty-sèat	(排便のしつけに用いる)幼児用便座.
rè·séat 動他	〈教会・劇場などに〉席を新設する.
róut-sèat	《英》(業者が貸す)集会用ベンチ.
rúmble sèat	《米・カナダ》【自動車】ランブルシート.
sáddle sèat	【家具】サドルシート.
scóop sèat	【家具】=dropped seat.
síde·sèat	(バスなどの)側席, サイドシート.
sléeper sèat	(列車などの)リクライニングシート.
slíding séat	(競漕用ボートの)可動式座部.
slíp sèat	【家具】布・革・トウを張った座部.
smóky séat	《米俗》=hot seat.
súicide sèat	《話》(自動車の)助手席.
tóilet sèat	便座.
ùn·séat 動他	…を座席から押しのける.
wágon sèat	【家具】ワゴンシート.
wíggle sèat	(椅子につけた)うそ発見器.
wíndow sèat	窓の下の作り付けの腰掛け.

seat·er /síːtər/

名《通例複合語で》…人乗りの乗り物. ⇨ -ER[1].

dóuble-séater	=two-seater.
fóur-séater	四人乗り(自動車など).
óne-séater	=single-seater.
síngle séater	単座飛行機(自動車など).
twó-séater	二人乗り自動車.

sea·weed /síːwìːd/

名 海草. ⇨ WEED.

Áhnfelt's séaweed	イタニソウ.
brówn séaweed	褐藻.
iridéscent séaweed	紅藻の一種 *Iridaea cordata*.
réd séaweed	フジマツモ科イトグサ属などの海産紅藻の総称.

se·cant /síːkænt, -kənt｜-kənt/

名【三角法】セカント, 正割. ⇨ -ANT[1].

árc sécant	アークセカント, 逆正割.
cò·sé·cant 名	コセカント, 余割.
hyperbólic sécant	双曲(線)正割.
ínverse sécant	=arc secant.

sec·ond /sékənd/

名 秒.

árc sècond	【天文】秒: 角度の単位.
átto·sècond	アトセカンド(10^{-18} 秒).
cénter-sècond	=sweep-second.
céntimeter-grám-sécond 形	【物理】CGS 単位系の.
cénti·sècond	100 分の 1 秒.
ephémeris sécond	【天文】暦表秒.
fóot-póund-sécond 形	【物理】フートポンド秒単位系の.
léap sècond	【天文】閏(うる)秒.
líght-sècond	【天文】光秒.
méter-cándle-sécond	メートル燭(しょく)毎秒.
méter-kílogram-sécond 形	【物理】MKS 単位(系)の.
mícro·sècond	マイクロセカンド(10^{-6} 秒).
mílli·sècond	ミリセカンド.
náno·sècond	ナノセカンド(10^{-9} 秒).
píco·sècond	ピコセカンド(10^{-12} 秒).
splít sécond	何分の一秒.
swéep-sècond	(時計の)中三針用秒針.
úp-to-the-sécond 形	最新の.
wátt-sécond	【電気】ワット秒.

-se·crate /səkrèit, si-/

連結形 神聖にする.
★ 動詞をつくる.
★ 語頭にくる関連形は sacr-: *sacr*ifice「犠牲, いけにえ」, *sacro*sanctity「神聖」.
◆ <ラ *secrātus*(*sacrāre*「神聖にする」の異形 *-secrāre* の過去分詞より). ⇨ -ATE[1].
[発音] いずれも 3 音節の語で, 語頭の音節に第 1 強勢.

con·se·crate 動他 ☞
des·e·crate 動他 …から神性 [聖性] を奪う.
ob·se·crate 動他 〈人に〉正式に懇願する.

se·cret /síːkrit/

形 秘密の, 機密の, (人に)内緒で. ――名 秘密, 機密.

dírty líttle sècret 《米俗》不名誉な, やっかいな事実.
ópen sécret 公然の秘密.
sèm·i·séc·ret 形 半ば秘密の, 公然の秘密の.
sù·per·sé·cret 形 =top-secret.
tóp sécret 最高機密(文書, 情報).
tóp-sécret 形 〈情報・文書などが〉最高機密の.
tráde sécret 企業秘密, 営業秘密.
ùltra·sécret 形 極秘の.

sec·re·tar·y /sékrətèri | -təri/

名 (協会などの)事務局長, 幹事, 総裁; (官庁などの)事務官, 書記官, 秘書官; (会社の)文書部長; 総務部長, 総務担当重役. ⇨ -ARY.

cértified proféssional sécretary 《米》公認秘書.
cómpany sècretary 《英》(会社の)総務部長.
désk sècretary (協会などにおける)内勤の役員.
diplomátic sécretary 大使館付き書記官.
exécutive sécretary (会社で)社長室長.
fóreign sécretary 《主に英》外務大臣(1968 年まで). ►正式名 Secretary of State for Foreign and Commonwealth Affairs.
Géneral Sécretary (旧ソ連共産党などの)書記長.
Hóme Sécretary 《英》内務大臣, 内相(Secretary of State for the Home Department).
Parliaméntary Sécretary 《英》政務次官.
pérmanent sécretary 《英》事務次官.
pócket sécretary 万能札入れ.
préss sècretary 《米》(特に, 大統領)報道官.
prívate sécretary 私設 [個人] 秘書.
recórding sècretary 【議会】(議事などの)記録係, 書記.
Sálem sécretary 【米家具】背の高い戸棚の一種; 上部に引き出しと棚があり, 下部には扉と, 移動式の机板がついている.
sócial sécretary 社交事務担当秘書.
únder-sécretary 名 次官.

se·cre·tion /sikríːʃən/

名 (細胞や腺の)分泌(作用). ►secrete の名詞形. ⇨ -TION.

hy·per·se·cré·tion 名 分泌過多 [過剰].
hy·po·se·cré·tion 名 分泌減退 [不全].
intérnal secrétion 【生理】内分泌(物).
nèu·ro·se·cré·tion 名 【生理】神経分泌.

-sect /sékt, sèkt/

連結形 切られた(もの).
★ 語頭にくる形は sect-: *sect*arian「分派の, 宗派の」, *sect*ion「部分, 断片」.
◆ <ラ *sectus*(*secāre*「切る」の過去分詞).

bi·sect 動他 両断する, 二分する, 折半する.
dis·sect 動他 〈人体・動植物を〉解剖する.
ex·sect 動他 切り取る, 切除する.
hem·i·sect 動他 半切する.
in·sect 名 ☞
in·ter·sect 動他 横断する, 交差する.
pin·nat·i·sect 形 【植物】〈葉が〉羽状全裂の.
pro·sect 動他 〈死体を〉(講義用に)解剖する.
quad·ri·sect 動他 【幾何】4 等分する.
re·sect 動他 〈器官・組織を〉切除する.
tran·sect 動他 横に切断する; 横断する.
tri·sect 動他 【幾何】3 等分する.
viv·i·sect 動他 〈動物を〉生体解剖する.

sec·tion /sékʃən/

名 切断 [分断](された部分). ⇨ -TION.

bláck sèction 《英》【政治】ブラックセクション.
Caesárean séction 帝王切開(術).
càl·li·séc·tion 名 (動物に麻酔をかけてする)無痛生体解剖.
cónic séction 【幾何】円錐(すい)曲線.
cróss sèction (長軸に対し直角に切った)横断面.
cróss-sèction 形 横断面の; 横断図の.
Ć-sèction 《話》=Caesarean section.
dis·séc·tion 名 細かく切り分けること, 解体, 解剖.
gólden séction 【美術】【数学】黄金分割.
in·séc·tion 名 切り [切れ] 込み, 断節.
ìn·ter·séc·tion 名 (主要道路との)交差点.
longitúdinal séction 縦断面; 縦断面図.
magazíne sèction (日刊新聞の)日曜版.
mí·cro·sèc·tion 名 検鏡用の薄片.
míd·sèc·tion 名 中央部, 中央部分.
oblíque séction 斜め断面.
préss sèction 報道関係者席, 記者席.
quárter sèction 《米西部・カナダ》(測量, 入植などで)半マイル四方の土地.
re·séc·tion 名 【測量】後方交会法.
rhýthm sèction 【音楽】リズムセクション.
ríght séction (長軸に直角に切った)横断面(図).
sérial séction 【医学】【生物】連続切片.
stáff sèction 【軍事】幕僚部 [課].
súb·sèc·tion 名 (section の下位区分である)小区分.
tránsverse séction =cross section.
týpe sèction 【地質】模式層, 模式断面.
vèn·e·séc·tion 名 【外科】静脈切開(術), 瀉血(しゃけつ).
vèn·i·séc·tion 名 =venesection.
víví·séc·tion 名 生体解剖.
wíng sèction 【航空】翼断面(形).
x́-séction =cross section.

sec·tor /séktər/

名 **1**【機械】セクター. **2**(社会や国家の経済における)特定の部分, 部門. ⇨ -TOR.

àc·u·séc·tor 名 【外科】アクセクター, 電気メス.
prívate séctor 民営 [私的] 部門.
públic séctor 【経済】公共 [国営] 部門.
thírd séctor 第三セクター.
wárm sèctor 【気象】暖域.

se·cu·ri·ty /sikjúərəti/

名 危険のないこと, 安全, 無事; (近隣の)治安, セキュリティー. ⇨ -ITY.

colléctive secúrity (国際間の)集団安全保障.
cómmon secúrity 共通の安全保障.
compúter secùrity 【コンピュータ】コンピュータ保護.
dáta secùrity 【コンピュータ】データ保護.
équity secùrity 利権証書; 普通株.
góvernment secúrity 政府発行の有価証券 [公債など].

ìn·se·cú·ri·ty [名] 不安(感), 確信[自信]のなさ.
máximum-secúrity [形] 〈刑務所などが〉最も警戒の厳しい.
mínimum-secúrity [形] 〈刑務所が〉警備体制の緩い.
nátional secúrity 国家の安全.
sócial secúrity (米国の)社会保障.
teleprocéssing secúrity 〘コンピュータ〙テレプロセシング・セキュリティー.
tèle·secúrity [名] 盗聴防止.

-se·cute /sikjúːt/

[連結形] 続く.
★ 語末にくる関連形は -SECUTION, -SUE.
★ 語頭にくる形は sequ-: *sequ*el「成り行き」, *sequ*ent「連続する」.
◆ ラテン語 *sequī*「追う, 続く」より.

per·se·cute [動他] しつこく苦しめる; 迫害する.
pros·e·cute [動他] 〘法律〙〈人を〉起訴する; 訴追する.

-se·cu·tion /sikjúːʃən/

[連結形] 従われたもの[こと].
★ 名詞をつくる.
★ 語末にくる関連形は -SECUTE.
★ 語頭にくる関連形は sequ-: *sequ*el「成り行き」, *sequ*ent「連続する」.
◆ <ラ *secūtus*(*sequī*「続く」の過去分詞). ⇨ -TION.
[発音] -secution の第 2 音節に第 1 強勢が置かれる.

con·se·cu·tion [名] (事件などの)連続, 連鎖, 続発.
per·se·cu·tion [名] しいたげる[苦しめる]こと, 虐待.
pros·e·cu·tion [名] 〘法律〙起訴(手続き), 訴追.

see[1] /síː/

[動他] …が見える[目に入る], 見る.

fore·see [動他] …を予感[予知]する, 先見する.
look-see [名] 《話》ざっと見渡すこと; 検査.
must-see [名] 《話》必見もの.
o·ver·see [動他] 〈仕事・作業員などを〉監督する.
sight·see [動自] (名所などを)見物[観光, 遊覧]する.
wait-and-see [形] 〈態度などが〉(事を)静観した.

see[2] /síː/

[名] 〘教会〙(カトリックで)司教区; (ギリシャ正教で)主教管区.

Apostólic Sée 〘ローマカトリック〙(St.Peter が創立したとされている)ローマカトリック教会.
àrch·sée archbishop「大司教, 大主教」の管轄区[職].
Hóly Sée 〘ローマカトリック〙教皇庁, 聖庁.

seed /síːd/

[名] 種, 種子, 実.

áll·sèed 多種子植物.
ambrétte sèed 麝香(じゃこう)種子.
áni·sèed アニシード: anise の芳香のある実.
áx·sèed オオゴンハギ.
bád séed 《米麻薬俗》メスカルサボテン.
bírd·sèed 粒餌(つぶえ).
blínd séed 〘植物病理〙めくら種子.
búg·sèed カワラヒジキ.
búr·sèed ムラサキ科ノムラサキ属の植物.
canáry sèed カナリアクサヨシ.
célery sèed セロリの種.
cóle·sèed 菜種.
cótton·sèed 綿実.
de·séed [動他] 〈植物などから〉種を取り除く.
férn sèed シダの胞子.
fláx·sèed (亜麻仁油を作る)アマの種子.
hág·sèed 魔女の子[子孫].
hárd séed 硬実(こう), 硬皮[硬粒]種子.
háy·sèed (干し草から落ちる)草の種子.
hémp·sèed 麻の実.
hýdro·sèed [動他] (種子を)放水撒播(さんぱ)する.
lín·sèed =flaxseed.
lóp·sèed ハエドクソウ(蠅毒草).
mélon sèed 《米》メロンの種形小舟.
mìcrobiótic séed 短命種子.
móhn·sèed =poppy seed.
móon·sèed コウモリカズラ.
mústard sèed カラシの種.
Níger sèed ニガー種子.
óil·sèed 脂肪種子.
póppy sèed ケシの実.
púmpkin·sèed カボチャの種.
rápe·sèed セイヨウアブラナの種子, 菜種.
rè·séed [動他] …に再び[新たに]種をまく.
stíck·sèed ノムラサキ.
tíck·sèed 衣服につきやすい種子を持つ植物の総称.
wórm·sèed 駆虫草.

see·ing /síːiŋ/

[名] 見ること. ━━[形] 目の見える; 物の分かる. ⇨ -ING[1], -ING[2].

crys·tal-see·ing [名] 水晶占い(crystal gazing).
far·see·ing [形] 先見の明のある, 洞察力のある.
sight·see·ing [名] (名所などの)見物, 観光, 遊覧.
un·see·ing [形] 注意して見ていない; 〈目が〉うつろな.

seek·er /síːkər/

[名] 捜し求める人[もの], 探究[求道]者. ⇨ -ER[1].

bóne sèeker 〘物理〙〘生物〙向骨性物質.
cómet sèeker 彗星捜索用望遠鏡.
fún-sèeker 遊び好きの人, プレーボーイ.
héat sèeker 〘軍事〙〘航空〙熱線追尾装置.
jób·sèeker 求職者(job-hunter).
óffice sèeker 公職就任運動者, 猟官者.
pléasure sèeker 快楽を求める人.
sélf-séeker 利己主義者, 身勝手な人.
sún·sèeker 避寒客.

seg·ment /ségmənt/

[名] (分割・区分されている)部分, 区分, 区切り; 層, 節. ⇨ -MENT.

bi·ség·ment [名] 〘幾何〙(線分の)2 等分された線.
líne sègment 〘幾何〙(直線の)線分.
mác·ro·sèg·ment [名] 〘発音〙大分節.
mí·cro·sèg·ment [名] 〘発音〙(発話の)最小区分.
mùl·ti·ség·ment [形] いくつもに分化した, 多様な.
súb·sèg·ment [名] segment の一部, 小区分, 小分節.

seine /séin/

[名] 〘漁業〙引き網.

pót sèine 定置網, 壷網(つぼあみ).
púrse sèine 巾着(きんちゃく)網.
púrse-sèine [動他][動自] (魚を)巾着(きんちゃく)網で取る.
túck sèine 地引き網の中の魚をさらう引き網.

seism /sáizm, -sm | -zm/

[名] 地震.

S

★ 語頭にくる関連形は seism(o)-: *seismo*graph「地震計」, *seismo*logy「地震学」.

an·a·seism 名 〘地震〙押し波(push).
brad·y·seism 名 〘地球物理〙緩慢地動.
kat·a·seism 名 〘地震〙引き波(pull).
mi·cro·seism 名 〘地質〙脈動.
tel·e·seism 名 〘地質〙遠震, 遠地地震.

seis·mic /sáizmik, sáis-｜sáiz-/

形 地震(seism)の[による], 震動(性)の. ⇨ -IC[1].
★ 語頭にくる関連形は seism(o)-: *seismo*graph「地震計」.

an·ti·seis·mic 形 耐震の.
a·seis·mic 形 〘地質〙非地震性の, 地震がない.
i·so·seis·mic 形 〘地質〙等震度の.

sei·zure /síːʒər/

名 **1** 強奪(品); (法による)押収(物); (逮捕状による)逮捕; (敵地などの)占領. **2**〘病理〙(てんかんなどの突発的な)発作, 急病. ⇨ -URE[1].

ábsence sèizure (癲癇(てんかん)の)小発作.
fócal sèizure 焦点性発作.

se·lect /silékt/

動他 〈最適な人・物を〉(…から)えり抜く, 選び出す. ――形 選ばれた; えり抜きの. ⇨ -LECT[1].

de·se·lect 動他 《米》〈研修生を〉計画からはずす.
pre·se·lect 動他 あらかじめ[前もって]選ぶ.
re·se·lect 動他 再び選ぶ, 再選する.
un·se·lect 形 えり抜きでない; 閉鎖的でない.

se·lec·tion /silékʃən/

名 **1** 選択. **2**〘生物〙淘汰(とうた). ►select の名詞形. ⇨ -TION.

advérse seléction 〘保険〙逆選択.
àn·ti·se·léc·tion 名 =adverse selection.
artifícial seléction 人為淘汰.
kín selèction 〘生物〙血縁選択, 血縁淘汰.
Ḱ selèction 〘生態〙K 淘汰.
nátural seléction 自然選択, 自然淘汰.
òr·tho·se·léc·tion 名 〘生物〙定向選択(orthogenesis).
ŕ selèction 〘生態〙r 淘汰.
sélf-seléction 自己選択.
séxual seléction 〘生物〙雌雄選択, 性淘汰.
sócial seléction 〘社会〙社会淘汰.

self /sélf/

名 自己, 自身, 自分; それ自体, そのもの.

có·self 代 その人自身.
her·sélf 代 《she の再帰代名詞形》彼女自身.
him·sélf 代 《he の再帰代名詞形》彼自身.
his·sélf 代 《非標準》=himself.
it·sélf 代 《it の再帰形》それ自身(を, に).
lóoking-glass sèlf 〘社会〙鏡に映る自己.
my·sélf 代 《I の再帰代名詞形》私自身, 私自ら.
nòn·sélf 名 〘免疫〙非自己.
nót-sélf 名 〘哲学〙非我(nonego).
one·sélf 代 《one の再帰目的語として》自分自身を[に], 己を[に], 自らを[に].
óne's sélf 《米》=oneself.
our·sélf 代 (人それぞれが持つ, 他と区別する)自分, 自身, 自己.
sécond sélf 無二の親友.
sélf-to-sélf 形 〘生物〙〘医学〙自己由来の.
thèir·sélf 代 《非標準》彼ら[彼女ら, それら]自身を[に].
thy·sélf 代 《古》《thou または thee の強調同格語》汝(なんじ)は[に, を, こそ].
ùn·sélf 動他 《再帰的》利己心[我]を断つ.
your·sélf 代 ☞

sell /sél/

動他 〈物を〉売る; 販売する. ――自 販売している. ――名 《米話》売り込み(方), 販売.

cróss-séll 動他自 同時に幅広く販売する.
hárd séll 押しの強い[積極的]販売法.
hárd-séll 動他自 押しの強い売り込みをする.
òut·séll 動他 …より多く売る.
òver·séll 動他 売りすぎる, 売り越しをする.
prè·séll 動他 事前に販売する.
rè·séll 動他 再び売る, 転売する.
sóft séll 《米》(美しい映像やイメージソングなどで間接的に相手の買い気を引き起こす)穏やかな宣伝や商売の方法.
sóft-séll 動他 穏やかに[巧妙に]売り込む.
súper·sèll 飛ぶような売れゆき.
ùnder·séll 動他 (競争相手よりも)安く売る.
ùn·séll 動他 〈人を〉(…が)よいと思い込まないように説得する.
wét séll 《英俗》飲ませて売り込むこと.

sell·er /sélər/

名 **1** 売る人, 売り手, 販売人. **2** 売れ行きが…の商品. ⇨ -ER[1].

bést·séller ベストセラー(本, レコードなど).
bóok·sèller 書籍販売人, 書籍商, 本屋.
méga·sèller 大ヒット作.
míllion-séller ミリオンセラー.
prínt·sèller 版画商.
shórt séller 〘金融〙空(から)売りする人.
slóp·sèller 既製服商, (特に)安物既製服商人.

sell·ing /séliŋ/

形 《通例複合語》(ある状態で)売れる. ――名 販売(活動). ⇨ -ING[2], -ING[1].

automátic sélling 自動販売.
bést-éfforts sèlling 〘証券〙最善努力売出発行.
bést-sélling 形 ベストセラーの.
cróssover sélling クロスオーバー販売戦略: 顧客に当初買う気のなかった商品を買わせるよう, 店員たちに働きかけさせる.
dirèct sélling ダイレクト・マーケティング: 生産元または販売元と消費者とが直結する販売活動.
inértia sélling 《英》押し付け販売.
pýramid sélling ネズミ講式販売, マルチ商法.
swítch sèlling 《英》(広告した安売り商品の代わりに高い商品を売りつける)おとり販売.
táx sèlling 〘証券〙タックスセリング.
télephone sèlling テレマーケティング: 電話による販売・広告活動.
tóp-sélling 形 《話》=best-selling.

selves /selvz/

名 self「自身」の複数形.

our·selves 代 我ら自身.
their·selves 代 =themselves.

S

them·selves 代 彼ら自身.
your·selves 代 あなた方自身.

se·man·tics /simǽntiks/

名複 《単数扱い》〖言語〗意味論. ⇨ -ICS.

eth·no·se·man·tics 名複 民族意味論.
géneral semántics 一般意味論.
génerative semántics 生成意味論.
intérpretive semántics 解釈意味論.
léxical semántics 語彙的意味論.
linguístic semántics 言語学的意味論.

-sem·ble /sémbl, zém-/

連結形 写す, 同じものにする.
★ 語頭にくる形は sembl(a)-, simul-: *sembl*ance「姿」, *simul*ate「まねる」.
◆ 中英 *-semble(n)* < 古仏 *-sembler* < ラ *simulāre* 写す.

as·sem·ble 動他 ☞る.
dis·sem·ble 動他 〈感情・意志・動機などを〉(…で)偽る.
en·sem·ble 名 **1**〖服飾〗アンサンブル. **2**〖音楽〗合奏, アンサンブル.
re·sem·ble 動他 (…の点で)…に似ている.

-sence /səns/

連結形 いること; あること.
★ 語末にくる関連形は -SENT[2].
◆ ラテン語 *esse*「いる, ある」より.
[発音] いずれも 2 音節の語で, 語頭の音節に第 1 強勢.

ab·sence 名 不在; 失踪(しっそう); 不在期間.
pres·ence 名 ☞

send /sénd/

動他 〈人に〉〈物・言葉などを〉送る, 伝える.

mis·send 動他 間違った所に送る, 誤送する.
re·send 動他 再び送る.

sense /séns/

名 **1** (視覚・聴覚・嗅覚(きゅうかく)・味覚・触覚などの)感覚; 感覚作用 [機能]; 感覚器官. **2** (知覚・判断・理解などの)感覚, 勘, センス. **3** (行動・発言などの)真義, 意義.

cómmon sénse 常識, 良識; 共通感覚.
cómmon-sénse 形 常識 [良識] に富む; 常識的な.
góod sénse (生得の)良識, 分別.
hórse sènse 庶民 [凡夫] の良識.
mís·sènse 形 〖分子生物〗ミスセンスの.
móral sénse 道徳感覚 [観念].
mùl·ti·sénse 形 多義の.
múscle sènse 〖心理〗〖生理〗筋(肉)感覚.
nón·sense 名 意味をなさないもの; ばかな話.
róad sènse 路上運転感覚.
síxth sénse 第六感, 直感.
ún·der·sènse 名 潜在意識.

sen·si·tive /sénsətiv/

形 **1** (…に)敏感な. **2**〖写真〗感光性の. ⇨ -ITIVE.

cúlturally sènsitive 〈言葉や表現が〉差別的ではない.
e·lèc·tro·sén·si·tive 形 電気に敏感な; 電気感光(紙)の.
hy·per·sén·si·tive 形 =oversensitive.
in·sén·si·tive 形 無神経な, 鈍感な; 冷淡な.
líght-sén·si·tive 形 光に敏感な.
ó·ver·sén·si·tive 形 敏感 [鋭敏] すぎる, 神経質な.
phò·to·sén·si·tive 形 感光性の, 光電性の.
príce-sèn·si·tive 形 価格に響く [影響する].
rà·di·o·sén·si·tive 形 〖病理〗〈組織・器官が〉放射線に敏感な.
sù·per·sén·si·tive 形 きわめて鋭敏な; 敏感すぎる, 過敏な.
tám·per-sén·si·tive 形 不正に左右されやすい.
thèr·mo·sén·si·tive 形 〖化学〗感熱性の, 熱に敏感な.
tóuch-sén·si·tive 形 (指などの)接触に敏感な.
ùn·sén·si·tive 形 =insensitive.

sen·si·tize /sénsətàiz/

動他 (…に)敏感にする, 感じやすくする. ⇨ -IZE[1].

de·sen·si·tize 動他 …の感度を減じる, 鈍感にする.
hy·per·sen·si·tize 動他 〖写真〗〈フィルム・感光乳剤を〉超増感する.
hy·po·sen·si·tize 動他 〖医学〗(アレルギー反応を起こす物質に対して)〈人の〉感受性を低下させる, 減感作する.
pho·to·sen·si·tize 動他 〖写真〗〈物質に〉感光性を与える.
su·per·sen·si·tize 動他 過敏にする; 高感度にする.

sen·sor /sénsɔːr, -sər | -sə/

名 〖電子工学〗センサー. ⇨ -OR[2].

bì·o·sén·sor 名 〖医学〗バイオセンサー.
phó·to·sèn·sor 名 光センサー, 感光装置.
remóte sénsor 遠隔計測 [探知, 探査] 装置.

sen·so·ry /sénsəri/

形 〖生理〗感覚の, 知覚の. ⇨ -ORY[1].

che·mo·sen·so·ry 形 化学感覚の.
ex·tra·sen·so·ry 形 超感覚的な, 通常感覚外の.
in·ter·sen·so·ry 形 二つ以上の感覚機能を同時に使った.
mul·ti·sen·so·ry 形 〖教育〗多感覚応用 [併用] の.
neu·ro·sen·so·ry 形 神経感覚の.
so·mat·o·sen·so·ry 形 体性感覚の, 体知覚の.
su·per·sen·so·ry 形 五感では知覚できない.

-sent[1] /sént/

連結形 感じる.
★ 語末にくる関連形は -SENTIENT.
★ 語頭にくる形は sens-, sent-: *sens*ible「感知できる; 分別のある」, *sent*iment「感傷的な」.
◆ ラテン語 *sentīre*「感じる」より.
[発音] 基体(-sent)に第 1 強勢.

as·sent 動自 同意する.
con·sent 動自 同意する, 承諾 [許可] する.
dis·sent 動自 意見が異なる, 異議を唱える.
re·sent 動他 怒る, 憤る, 憤慨する, 恨む.

-sent[2] /sənt, znt/

連結形 …がある, いる.
★ 語末にくる関連形は -SENCE.
◆ <ラ *sēns*(*esse*「ある, いる」の現在分詞). ⇨ -ENT[1].

ab·sent 形 不在の, 留守の; 欠席 [欠勤] の.
pres·ent 形 ☞

sen·tence /séntəns/

名 **1**〖文法〗文, センテンス. **2**〖法律〗(特に, 刑事事件の)判決, 判決の宣告. ⇨ -ENCE[1].

bálanced séntence 平衡重畳文.
cléft séntence 分裂文.
clósed séntence 閉じた文, 閉鎖文.
cómplex séntence 複文.
cómpound-cómplex séntence 重・複文.

cómpound séntence 重文.
custódial séntence 留置刑, 拘留判決.
déath sèntence 死刑宣告.
deférred séntence 宣告猶予.
flát tíme sèntence 《米》定期(禁固)刑.
fúll séntence 完全文.
fúsed séntence ＝run-on sentence.
idéntity sèntence 同定文.
indetérminate séntence 不定期刑.
kérnel sèntence 核文.
lífe séntence 終身刑, 無期懲役.
lóose séntence 散列文.
mátrix sèntence 母型文.
mínor séntence 小文, 小型文.
nóminal séntence 体言文.
ópen séntence 開放文.
periódic séntence 掉尾(ちょう)文.
príncipal séntence 主文.
pséudo-clèft séntence ＝cleft sentence.
pséu·do·sèn·tence 名 擬似文.
rún-on séntence 無終止文.
símple séntence 単文.
suspénded séntence 執行猶予.
tópic séntence 主題文, トピックセンテンス.

-sen·tient /sénʃənt/

連結形 感じる.
★ 形容詞, 名詞をつくる.
★ 語末にくる関連形は -SENT[1].
★ 語頭にくる関連形は sens-, sent-: *sens*ible「感知できる; 分別のある」, *sent*iment「感傷的な」.
◆ ＜ラ *sentiēns* (*sentīre*「感じる」の現在分詞).
⇨ -ENT[1].
[発音] 基体の第 1 音節(-sen-)に第 1 強勢.

as·sen·tient 名 同意者, 賛同者. ── 形 同意の.
con·sen·tient 形 〈意見などが〉一致する, 同意する.
dis·sen·tient 形 意見を異にする, 異議を唱える.

-sep·al·ous /sépələs/

連結形 【植物】萼(がく)のある(having sepals).
★ 形容詞をつくる.
★ 語頭にくる関連形は sepal-: *sepal*oid「萼状片の」.
◆ 近代ラテン語 *sepalum* より. ⇨ -OUS.

a·sep·a·lous 形 無萼片の, 萼片を持たない.
di·sep·a·lous 形 萼片が 2 つある.
ep·i·sep·a·lous 形 萼片着生の.
gam·o·sep·a·lous 形 合片萼の, 壺状(こじょう)萼の.
mon·o·sep·a·lous 形 合片萼の(gamosepalous).
pol·y·sep·al·ous 形 離生萼の, 萼片の多い.
syn·sep·al·ous 形 ＝gamosepalous.
tri·sep·al·ous 形 三萼片がある.

sep·tic /séptik/

形 【病理】感染する, 伝染性の. ⇨ -IC[1].
★ 名詞は sepsis「敗血症」.

an·ti·sep·tic 形 殺菌の, 滅菌の; 殺菌力のある.
a·sep·tic 形 無菌の, 無菌 [防腐] 処置を施した.
pre·an·ti·sep·tic 形 〈外科手術が〉殺菌法以前の.
pre·a·sep·tic 形 無菌法 [無菌手術] 以前の.

sep·ul·cher /sépəlkər/

名 《文語》墓, 墳墓, 埋葬地; 地下埋葬所.

Éaster sépulcher 【キリスト教】聖遺物収納所.
en·sép·ul·cher 動他 墓に納める, 埋葬する.
Hóly Sépulcher 【キリスト教】聖墳墓.
whíted sépulcher 偽善者(hypocrite).

se·quence /síːkwəns/

名 **1** 相次いで起こること, 続発, 継起, 連続; (…の)続発. **2** 順序, 次第; 配列. **3**【数学】数列. **4**【遺伝】DNA の塩基配列やタンパク質のアミノ酸配列. ⇨ -ENCE[1].

Cáuchy sèquence 【数学】＝fundamental sequence.
consénsus sèquence 【生化学】共通配列.
cón·se·quènce 名 結果, 帰結, 成り行き.
convérgent séquence 【数学】＝fundamental sequence.
Fárey sèquence 【数学】ファレイ数列.
fundaméntal séquence 【数学】基本列.
insértion sèquence 【遺伝】【生化学】挿入配列.
intervéning séquence 【遺伝】介在配列.
kéying sèquence 【暗号学】鍵(かぎ)周期.
máin séquence 【天文】主系列.
núcleotide sèquence 【遺伝】ヌクレオチド配列.
núll sèquence 【数学】零列.
ób·sequence こび, へつらい, 追従(ついしょう).
pólar séquence (眼視等級・写真等級の基準となる)天の北極に近い一連の星.
sónnet sèquence 連作ソネット(集).
súb·se·quence 名 【数学】部分列.

sere /síər/

名 【生態】遷移系列. ►series「系列」からの逆成.

hal·o·sere 名 塩生系列.
hy·dro·sere 名 湿性(遷移)系列.
lith·o·sere 名 岩上遷移系列.
pri·sere 名 一次遷移.
psam·mo·sere 名 砂地遷移系列.
sub·sere 名 二次遷移系列.
xe·ro·sere 名 乾生遷移系列.

ser·geant /sάːrdʒənt/

名 **1** (1)【軍事】軍曹, 曹長. (2)【米空軍】四等軍曹. (3)【米陸軍・海兵隊】三等軍曹. (4)【英空軍・陸軍】軍曹. **2** 巡査部長. ⇨ -ANT[1].

cólor sèrgeant (大隊・連隊の)軍旗護衛下士官.
désk sèrgeant 《英》内勤の巡査部長.
fírst sérgeant 【米陸軍】先任下士官, 曹長.
flíght sèrgeant 【英空軍】曹長.
gúnnery sèrgeant 【米海兵隊】一等軍曹.
lánce sèrgeant 【英軍事】最下位の軍曹.
máster sérgeant 【米陸軍・海兵隊】曹長.
platóon sérgeant 【米陸軍】一等曹長.
próvost sèrgeant 憲兵軍曹, 営倉係下士官.
quártermaster sérgeant 兵站(へいたん)部付き下士官.
stáff sérgeant 【米陸軍・海兵隊】二等軍曹.
státion sèrgeant 《英》(地方の)警察署長.
téchnical sérgeant 【米空軍】二等軍曹.
tóp sérgeant 《米軍俗》曹長.

se·ri·al /síəriəl/

名 連載物, シリーズ物; (連載物・シリーズ物などの)1 回分. ── 形 一連の. ⇨ -IAL.

bi·se·ri·al 形 【統計】二系列(相関)の.
tri·se·ri·al 形 【解剖】3 列の, 3 群に配列された.
u·ni·se·ri·al 形 一列 [単列] の.

se·ries /síəriːz/

名 **1** 一連, 一続き(の…), (…の)連続; (競技などの)シリーズ. **2** (書籍の)シリーズもの; (放送番組の)連続もの. **3**【数学】級数. **4**【化学】系列.

acétylene sèries 【化学】アセチレン系列.

S

áctinide séries 〘化学〙(アクチニウムからローレンシウムまでの)15 放射性元素.
actínium sèries 〘化学〙アクチニウム系列.
álkane sèries 〘化学〙メタン系列.
álkene sèries 〘化学〙アルケン系列.
álkyne sèries 〘化学〙アセチレン系列.
álternating séries 〘数学〙交代級数.
arithmétic séries 〘数学〙等差級数.
Bálmer sèries 〘物理〙バルマー系列.
bénzene sèries 〘化学〙ベンゼン系炭化水素.
binómial séries 〘数学〙二項級数.
Bráckett sèries 〘物理〙ブラケット系列.
composítion sèries 〘数学〙組成列.
decáy sèries 〘物理〙=radioactive series.
electrochémical séries =electromotive series.
electromótive séries 〘化学〙〘物理〙起電列, 電気化学列.
éthylene sèries 〘化学〙=alkene series.
Fóurier sèries 〘数学〙フーリエ級数.
geométric séries 〘数学〙等比[幾何]級数.
GÍ sèries 胃腸検査 (gastrointestinal series).
harmónic séries 〘数学〙調和級数.
ínfinite séries 〘数学〙無限級数.
lánthanide sèries 〘化学〙ランタニド系列.
Laurént sèries 〘数学〙ローラン級数.
Ĺ-sèries 名 〘物理〙L 系列.
Macláurin sèries 〘数学〙マクローリン展開[級数].
máxi-sèries 名 長期連続テレビ番組.
méthane sèries 〘化学〙=alkane series.
míni·sèries 名 イベントや上演などの短い連続.
monográphic sèries モノグラフシリーズ: 同一体裁で刊行される研究論文などのシリーズ.
Ḿ-sèries 名 〘物理〙M 系列.
neptúnium sèries 〘化学〙ネプツニウム系列.
nórmal séries 〘数学〙正規部分群列.
ólefin séries 〘化学〙=alkene series.
páraffin sèries 〘化学〙=alkane series.
Páschen sèries 〘物理〙パッシェン系列.
Pfúnd sèries 〘分光学〙プント系列.
pówer sèries 〘数学〙累乗級数, 冪(ᵂ)級数.
príncipal séries =composition series.
radioáctive séries 〘物理〙〘化学〙放射性[崩壊]系列.
sóil sèries 〘地質〙土壌統.
spéctral séries 〘物理〙スペクトル系列.
Táylor sèries 〘数学〙テーラー級数.
thórium sèries 〘化学〙トリウム系列, 4n 系列.
tíme sèries 時系列.
tránsactinide séries 〘化学〙超アクチニド系列.
trigonométric séries 〘数学〙三角級数.
uránium sèries 〘化学〙ウラン系列, ウラン=ラジウム系列.
Wórld Séries 〘野球〙ワールドシリーズ.

-sert /sə́ːrt/

連結形 連結された(もの); 並べる(もの).
★ 語末にくる関連形は -SERTION.
★ 語頭にくる形は ser-: *ser*ial「連続した」.
◆ ラテン語 *serere*「連結する; 並べる」より.
[発音] 基体(-sert)に第 1 強勢.

des·ert 名 砂漠.
dis·sert 動自 論じる, 論述する.
ex·sert 動他 〈ハチなどが〉〈針などを〉突き出す.
in·sert 動他 …を入れる, 挿入する, 差し込む.

-ser·tion /sə́ːrʃən/

連結形 並べること[もの].
★ 名詞をつくる.
★ 語末にくる関連形は -SERT.
★ 語頭にくる関連形は ser-: *ser*ial「連続した」.
◆ ラテン語 *serere*「連結する, 並べる」より. ⇨ -TION.
[発音] -sertion の第 1 音節に第 1 強勢が置かれる.

as·ser·tion 名 (しばしば根拠のない)主張, 断言.
de·ser·tion 名 捨てること, 放棄; 脱党, 脱会.
in·ser·tion 名 挿入(すること), 差し込み.

se·rum /síərəm/

名 血清(blood serum). ⇨ -UM[1].
★ 語頭にくる関連形は ser(o)-: *sero*logy「血清学」, *sero*type「血清型」.

àntilýmphocyte sérum 〘免疫〙抗リンパ球血清.
án·ti·sè·rum 名 〘医学〙抗血清, 免疫血清.
blóod sèrum =serum.
immúne sérum 〘医学〙免疫血清, 抗血清.
trúth sèrum 自白薬.

serv·ant /sə́ːrvənt/

名 **1** 使用人, 召使い. **2** 従業員; 役人. ⇨ -ANT[1].

bódy·sèrvant 名 従者.
bónd sèrvant 奴隷.
cívil sérvant 公務員, 役人, 文官.
féllow sérvant 共働者.
géneral sérvant 《英》雑役使用人.
indéntured sérvant 〘米史〙年季[期]奉公人.
máid·sèrvant 名 女中, お手伝い.
mán·sèrvant 名 下男, 男の雇い人.
públic sérvant 公務員, 公僕, 官吏; 《米》公益法人.
un·der·serv·ant 名 下働き, 下回りの召使い.

serve /sə́ːrv/

動自 **1** 〈人が〉勤務する, 勤める, 仕える. **2** 給仕をする, 食事を出す, 客の注文を聞く; もてなす. **3** 〈物・事が〉(…に)役立つ. **4** (テニス・バドミントン・ハンドボールなどで)サーブする.

brówn-and-sérve 形 〈ピザなどが〉(オーブンで)こんがり焼けばすぐ食べられる.
de·serve 動他 〈賞罰・賞賛・注目などを〉受けるに足る, 値する; 〈…するに〉値する.
dis·serve 動他 ひどい仕打ちをする, 危害を加える.
kíck sèrve (テニスの)スピンサービス.
re-serve 動他自 再び供する, 新たに出す; 再び仕える.
re·serve 動他 ☞
self-serve 形 セルフサービス[自給式]の.
soft·serve 形 ソフトドリンクを供する[売る].
sub·serve 動他 促進するのに役立つ, 助長する.

-serve /sə́ːrv, zə́ːrv/

連結形 見張る; 守る; 保つ.
★ 語頭にくる形は serv-: *serv*ice「奉公」, *serv*itude「奴隷状態」.
◆ ラテン語 *servāre*「見張る, 守る, 保つ」より.

con·serve 動他 …を保存する, 保護する, 維持する.
ob·serve 動他 …を見る; 〈…ということに〉気づく; …を(科学的に)観察する.
pre·serve 動他 維持する, 保つ, 保持する.

serv·er /sə́ːrvər/

名 奉仕者; もてなす人, 給仕(人); 勤める人, 勤務者. ⇨ -ER[1].

clíent-sérver 名 〘コンピュータ〙クライアントサーバー: クライアントとサーバーを組み合わせて構築するネットワーク手法.
cýcle sèrver 〘コンピュータ〙大量バッチ処理の強力コンピュータ.
líp sèrver 口先だけの親切者.
prócess sèrver 〘法律〙令状送達者; 執行官.

S

tíme·sèrver 世論［権力者の意見］に迎合する人.

serv·ice /sə́ːrvis/

名 **1**（…への）貢献, 世話;（営利を考えない）奉仕事業;（物の）恩恵. **2**（電気・水道・ガスなどの）供給,（郵便・電話などの）公共事業. **3** 給仕, もてなし. **4**（公的）勤務,（政府の）行政. **5**〘軍事〙軍務, 兵役. **6**（宗教上の）儀式. **7**（食器などの）…一式, 一組. ⇨ -ICE[1].

abstrácting sèrvice（論文などの）抄録［要約］頒布サービス.
áctive sérvice〘軍事〙現役勤務, 常時勤務.
advánced informátion sèrvice 高度情報サービス(AIS).
áfter-sàle(s) sérvice《主に英》アフターサービス.
áir sèrvice 航空運送; 航空輸送業(務); 航空便.
ánswering sèrvice《米》留守電話取り次ぎ請負業.
bággage sérvice《英》遺失物取扱所.
básic sèrvice〘通信〙基本サービス.
búlletin bòard sérvice〘通信〙電子伝言板サービス.
búrial sèrvice 埋葬式.
cárol sèrvice（クリスマスの前に公共の場で行う）賛美歌礼拝.
Chrístingle Sérvice〘英国国教会〙クリスティングルサービス.
chúrch sèrvice 礼拝(式).
cívil sérvice（軍務以外の）公務, 行政事務.
cóffee sèrvice コーヒーセット.
commúnity sérvice 地域奉仕.
Crówn Prosecútion Sèrvice《イング・ウェールズ》検察局.
cúrb sèrvice（ドライブインレストランなどで, 車内まで運んでくれる）持ち運びサービス.
cústomer sèrvice 顧客サービス.
dáta-báse sèrvice〘コンピュータ〙データ・ベース・サービス.
débt sèrvice 債務元利未払金(額).
díaper sèrvice 貸しおむつ屋［業］.
dínner sèrvice 正餐(せいさん)用食器一式.
diplomátic sérvice 外交官［大使館］勤務.
dis·sérv·ice 名 ひどい仕打ち, 害.
divíne sérvice 礼拝, 勤業.
Environméntal Héalth Sèrvice《英》環境衛生保健所.
èx-sérv·ice 形《英》(軍隊から)退役の.
exténsion líbrary sèrvice エクステンションサービス: 図書館外での図書館資料やサービスの提供.
éye·sèrvice《古》(雇い主に対する)目の前だけの勤めぶり, 陰ひなたのある仕事ぶり.
fée-for-sérvice 形（医療に対する支払いが）個別支払いの.
Fíre Sèrvice《英》消防隊.
fóod sèrvice（調理・配達・給仕などの）飲食物提供サービス.
fóreign sérvice（米国国務省内の）外交局.
Fórest Sèrvice《米》林野部.
fúll sérvice 聖歌隊による.
fúll-sérvice 形 付帯サービス完備の.
Géneral Rádio Sèrvice《カナダ》市民バンド.
héalth sèrvice 健康保険; 公共医療サービス.
Immigrátion and Naturalizátion Sèrvice《米》移民・帰化局.
índexing sèrvice 索引作成サービス.
in-sérvice 形 勤務中の;〈訓練などが〉現職中に行われる;（物の）使用時の.
intélligence sèrvice（特に軍事情報を収集する, 政府の）情報局, 情報部, 諜報(ちょう)部.
interáctive sèrvice〘コンピュータ〙対話型サービス.
Intérnal Révenue Sèrvice（米国の）内国税収入庁, 国税庁.
ìn·ter·sérv·ice 形（陸海空の）軍部間の.
júnior sèrvice《英》陸軍.
kníght sèrvice〘歴史〙騎士の奉公.
lífeline sérvice《米》生活必需公共サービス割引制度.
Lífesaving Sèrvice（米国の民間または政府機関の）水難救助隊.
líp sèrvice 口先だけの友情, 空世辞.
Nátional Héalth Sèrvice《英・カナダ》国民健康保険.
Nátional Párk Sèrvice（米政府の）国立公園部.
nátional sérvice《英》国民兵役, 徴兵.
néws sèrvice（加盟者にニュースを提供する）通信社.
óne-númber sèrvice（どこに移動しても連絡のつく）特定個人番号電話.
pérsonal sérvice〘法律〙(郵送や公示送達に対して)交付送達.
pláin sèrvice 音楽抜きの礼拝.
Póstal Sérvice 米国郵政公社.
Públic Bróadcasting Sèrvice《米》公共放送網.
Públic Héalth Sèrvice（米国の）公衆衛生総局.
públic sérvice（ガス・電気・運輸などの）公益事業.
rént sèrvice〘英法〙地代奉仕.
róom sèrvice ルームサービス.
séarch sèrvice（書店の）サーチサービス.
sécond sérvice〘英国国教会〙聖餐(せいさん)式.
sécret sérvice（政府の）秘密情報機関.
seléctive sérvice《米》選抜徴兵, 義務兵役.
sélf-sérvice セルフサービス, 自給式.
sénior sérvice《英》海軍.
shúttle sèrvice シャトルサービス: 近距離地点間を頻繁に往復する列車, バス, 航空機による輸送方法.
sígnal sèrvice（軍の）通信機関.
sílent sérvice 英国海軍.
sílver sèrvice（レストランで）ナイフとフォークを片手で操る給仕のしかた.
síngle-sèrvice 形〈飲食物などが〉1 回分の, 1 人前の.
sócial sérvice（組織された熟練者による）社会奉仕.
Spécial Bóat Sèrvice 英空軍特別船艇部隊の水陸両戦隊.
súnrise sèrvice 早天礼拝.
téa sèrvice 磁器［金属製］の茶器セット.
telematíque sèrvice〘通信〙テレマティーク・サービス.
tri·sérv·ice 形 陸海空三軍の.
túrndown sèrvice（ホテルで客がすぐベッドに入れるように）毛布をめくっておくサービス.
válue-àdded nétwork sèrvice 付加価値通信網サービス.
wáitress sèrvice ウエートレスによる給仕［サービス］.
wéather sèrvice 気象観測を行う組織.
wíre sèrvice《主に米・カナダ》(ニュースを配給する)通信社(wire agency).
yéoman's sèrvice（もと yeoman が果たしたような）忠実な奉仕, 挺身.

ser·vi·ces /sə́ːrvisiz/

名複 service「サービス」の複数形.

ármed sérvices（陸・海・空を含む）軍隊.
fináncial sérvices 証券投資情報サービス業［機関］.
húman sérvices 福祉事業［施設］.
invéstment advísory sèrvices《米》投資顧問(サービス)業.
Spécial Áir Sèrvices 英空軍特殊部隊.
Státe Sérvices《英国国教会》国家的祝賀行事や戴冠式の折にささげられる礼拝.

-ses /siːz/

接尾辞 -sis の複数形.
◆ ギリシャ語 *-ses*(抽象名詞語尾 *-sis* の複数形)より.

a·mei·o·ses 名複 ameiosis「〘細胞生物〙不還元［不減数］分裂」の複数形.
an·a·cli·ses 名複 anaclisis「〘精神分析〙依存性, 依託」の複数形.
an·a·coe·no·ses 名複 anacoenosis「〘修辞〙質問法」の

複数形.
an·a·cru·ses 名複 anacrusis「〚韻律〛行首余剰音」の複数形.
an·a·cu·ses 名複 anacusis「〚医学〛無聴覚(症)」の複数形.
an·ag·no·ri·ses 名複 anagnorisis「(古代ギリシャ悲劇で)アナグノリシス」の複数形.
a·nal·y·ses 名複 analysis「分析, 分解」の複数形.
an·a·trip·ses 名複 anatripsis「〚医学〛摩擦治療［療法］」の複数形.
an·e·mo·ses 名複 anemosis「目回り, 風割れ」の複数形.
an·o·e·ses 名複 anoesis「(認識を伴わない)感覚的［感情的］精神状態, 無意識」の複数形.
ap·neu·ses 名複 apneusis「〚病理〛アプネウシス, 持続性吸息」の複数形.
a·poph·y·ses 名複 apophysis「〚解剖〛〚動物〛〚植物〛(骨)突起」の複数形.
ap·ses 名複 apsis「〚天文〛(天体の楕円(だえん)軌道の)長軸端」の複数形.
ar·ses 名複 arsis「〚音楽〛上拍, 弱拍」の複数形.
ar·throd·e·ses 名複 arthrodesis「〚外科〛関節固定術」の複数形.
-a·ses 連結形 -asis「…性の病気, …に起因する病気」の複数形.
a·syn·ap·ses 名複 asynapsis「〚遺伝〛非対合」の複数形.
ba·ses 名複 basis「基部, 基底, 土台」の複数形.
cat·a·chre·ses 名複 catachresis「〚修辞〛語の誤用［こじつけ的用法］」の複数形.
ca·thar·ses 名複 catharsis「カタルシス, 浄化」の複数形.
chro·mi·dro·ses 名複 chromidrosis「〚医学〛色汗症」の複数形.
-cla·ses 連結形 -clasis「破壊, 崩壊」の複数形.
cly·ses 名複 clysis「〚医学〛注液」の複数形.
cra·ses 名複 crasis「《古》体質」の複数形.
cri·ses 名複 crisis「転機, 決定的な局面」の複数形.
cy·e·ses 名複 cyesis「妊娠」の複数形.
di·aer·e·ses 名複 ＝diereses.
di·ag·no·ses 名複 diagnosis「〚医学〛診断」の複数形.
di·as·chi·ses 名複 diaschisis「〚医学〛神経連絡機能解離」の複数形.
di·er·e·ses 名複 dieresis「〚韻律〛音節分解」の複数形.
di·e·ses 名複 diesis「〚印刷〛ダブルダガー」の複数形.
dip·la·cu·ses 名複 diplacusis「〚病理〛複聴」の複数形.
du·lo·ses 名複 dulosis「〚昆虫〛奴隷共生」の複数形.
ec·dy·ses 名複 ecdysis「(昆虫・甲殻類などの)脱皮」の複数形.
-ec·ta·ses 連結形 -ectasis「〚病理〛拡張」の複数形.
ec·thlip·ses 名複 ecthlipsis「エクスリプシス, 子音字消失」の複数形.
eis·e·ge·ses 名複 eisegesis「自己流の聖書解釈」の複数形.
em·e·ses 名複 emesis「〚病理〛嘔吐(おうと)」の複数形.
em·pha·ses 名複 emphasis「強調, 力説」の複数形.
en·ta·ses 名複 entasis「〚建築〛エンタシス」の複数形.
e·pit·a·ses 名複 epitasis「(ギリシャ古典劇で)展開部」の複数形.
er·o·te·ses 名 erotesis「〚修辞〛修辞疑問」の複数形.
-e·ses 接尾辞 -esis「動作, 進行過程」の複数形.
gen·e·ses 名複 genesis「〚聖書〛創世記」の複数形.
gon·y·camp·ses 名複 gonycampsis「〚病理〛ひざ湾曲」の複数形.
he·ma·tem·e·ses 名複 hematemesis「〚医学〛吐血」の複数形.
he·ma·to·ses 名複 hematosis「血液生成, 造血」の複数形.
het·er·o·kar·y·o·ses 名複 heterokaryosis「〚生物〛ヘテロカリオシス, 異核」の複数形.
hy·po·pho·ne·ses 名複 hypophonesis「〚医学〛聴診音［打診音］減弱」の複数形.
hy·poph·y·ses 名複 hypophysis「〚解剖〛(脳)下垂体」の複数形.
-i·a·ses 接尾辞 -iasis の複数形.
ka·thar·ses 名 katharsis「カタルシス, 浄化」の複数形.
Lach·e·ses 名複 Lachesis「〚ギリシャ神話〛ラケシス」の複数形.
-lep·ses 連結形 -lepsis「〚修辞〛…用法」の複数形.
ly·ses 名複 lysis「〚免疫〛〚生化学〛(溶解素による)溶解」の複数形.
-ly·ses 連結形 -lysis「破壊, 緩和, 分解, 溶解」の複数形.
me·nos·che·ses 名複 menoschesis「〚病理〛月経閉止」の複数形.
men·ses 名複 〚生理〛月経. ▷単数形はラテン語で *mēnsis*「月」.
mer·i·ses 名複 merisis「〚生物〛成長, 生長, (特に)細胞分裂による成長［生長］」の複数形.
me·tab·a·ses 名 metabasis「転移」の複数形.
mi·mo·ses 名複 mimosis「〚病理〛ヒステリー性擬病」の複数形.
mor·pho·ses 名複 morphosis「〚生物〛形態形成」の複数形.
nem·e·ses 名複 nemesis「征服できないもの」の複数形.
neu·ro·ses 名複 neurosis「〚精神医学〛神経症」の複数形.
o·a·ses 名複 oasis「オアシス」の複数形.
om·pha·lo·skep·ses 名複 omphaloskepsis「オムファロスケプシス: 神秘的修行の一つとしてへそを熟視し瞑想すること」の複数形.
-o·ses 連結形 -osis「…作用, の影響, …状態」の複数形.
os·mi·dro·ses 名複 osmidrosis「〚病理〛臭汗症」の複数形.
par·a·cu·ses 名複 paracusis「〚病理〛錯聴症, 聴覚性錯覚」の複数形.
par·a·leip·ses 名複 ＝paralipses.
pa·re·ses 名複 paresis「〚病理〛不全麻痺(ひ), 軽度麻痺」の複数形.
pha·ses 名複 phasis「(存在の)様式, 様相, 局面」の複数形.
-phra·ses 連結形 -phrasis「…語法, …な言い方」の複数形.
phthi·ses 名複 phthisis「〚病理〛(肺)結核, 肺病」の複数形.
phy·ses 名複 physis「自然の成長の原理」の複数形.
-phy·ses 連結形 -physis「成長」の複数形.
prot·a·ses 名複 protasis「〚文法〛条件節」の複数形.
pty·a·lec·ta·ses 名複 ptyalectasis「(自然または手術による)唾液(だえき)導管の拡張」の複数形.
-pty·ses 連結形 -ptysis「ものを吐くこと」の複数形.
scep·ses 名複 ＝skepses.
sep·ses 名複 sepsis「〚病理〛敗血症, 腐敗(症)」の複数形.

S

skep·ses 名複 skepsis「《米》懐疑(哲学); 懐疑的態度」の複数形.
spa·ras·ses 名複 sparassis「ハナラビタケ」の複数形.
-sta·lses 連結形 -stalsis「〖生理〗…蠕動(ぜんどう)」の複数形.
sta·ses 名複 stasis「均衡状態」の複数形.
styp·ses 名複 stypsis「〖医学〗収斂(しゅうれん)作用」の複数形.
syn·aer·e·ses 名複 synaeresis「〖音声〗合音」の複数形.
syn·aes·the·ses 名複 synaesthesis「〖美学〗芸術作品が引き起こす異なる衝動[欲求]の平衡・調和の美」の複数形.
syn·ap·ses 名複 synapsis「〖細胞生物〗シナプシス」の複数形.
syn·cri·ses 名複 syncrisis「《廃》〖修辞〗比較, 対照法」の複数形.
syn·de·ses 名複 =synapses.
syn·er·e·ses 名複 =synaereses.
syn·e·ses 名複 synesis「〖文法〗意味構文」の複数形.
syn·op·ses 名複 synopsis「梗概(こうがい), 要約」の複数形.
tel·e·ses 名複 telesis「〖社会〗(目標達成のための)自然の力・社会状況の意図的利用」の複数形.
the·ses 名複 thesis「論題, 陳述, 主張」の複数形.
-the·ses 連結形 -thesis「置くこと; 置かれた物」の複数形.
var·roa·ses 名複 varroasis「ミツバチヘギイタダニ病」の複数形.
zo·on·o·ses 名複 zoonosis「動物原性感染症, 人獣伝染病」の複数形.
zy·mo·ses 名複 zymosis「発酵」の複数形.

-sess /sés/

連結形 座る.
★ 語末にくる関連形は -SESSION.
★ 語頭にくる関連形は sed-, sess-: *sed*entary「座っている」, *sed*imentation「沈殿」.
◆ <ラ *sēssus*(*sēdere*「座る」の語幹 *sed-* に *-tus* がつき, *-dt-* が *-ss-* に変化したもの).

as·sess 動他 評価する, 査定する.
ob·sess 動他 〈妄想・欲望などが〉付きまとう.
pos·sess 動他 ☞

ses·sion /séʃən/

名 開廷[開会]していること. ⇨ -SION.

bítch sèssion 《米俗》=bull session.
búll sèssion 《米・カナダ話》自由討論.
búzz sèssion 小グループの(非公式の)話し合い.
encóunter sèssion 〖心理〗出会いの会合.
exécutive séssion 〖行政〗議会[幹部議員]の会議.
flésh sèssion 《米俗》性交.
galáh sèssion 《豪》(飛行機往診(登録)医用通信の合間を利用した, 遠隔の主婦同士の)長談義.
hásh sèssion 《米俗》取り留めのないおしゃべり.
jám sèssion ジャムセッション: 特にジャズの演奏家たちの仲間内の演奏会.
jíve sèssion 《米俗》会話, 雑談.
jóint séssion (二院制議会の両院の)合同会議.
kírk sèssion (スコットランド教会と他の長老教会の)教会会議.
láme-dúck sèssion 〖米史〗レイムダック・セッション.
póster sèssion ポスターセッション: 研究の内容を写真で展示する(自然科学者)部会.
ráp sèssion ラップセッション, 合響集会.
skúll sèssion 《米俗》頭脳会議, 検討会.
spécial séssion (通常会期以外に開かれる)特別議会.
thínk sèssion アイデア会議.

-ses·sion /séʃən/

連結形 座られたもの[こと].
★ 名詞をつくる.
★ 語末にくる関連形は -SESS.
★ 語頭にくる関連形は sed-, sess-: *sed*entary「座っている」, *sed*imentation「沈殿」.
◆ <ラ *-sessus*(*-sidere*「座る」の過去分詞). ⇨ -SION.

in·ter·ses·sion 名 (二(学)期制の)学期と学期の間.
ob·ses·sion 名 (妄想・欲望などが)取りつくこと.
pos·ses·sion 名 ☞
su·per·ses·sion 名 取って代わること, 取り替えること.

ses·sions /séʃənz/

名複 session「裁判所(開廷期間)」の複数形.

Bréwster Sèssions 《英》酒類販売許可証発行のための裁判所開廷期間(2月1日−14日).
cóunty séssions 《英》(年4回開かれる)州四季裁判所.
géneral séssions (米国のいくつかの州の刑事訴訟に関する)一般裁判所法廷.
pétty sèssions 〖英法〗小治安裁判所.
quárter sèssions 〖法律〗四季裁判所.

set /sét/

動他 (特定の場所に)置く. ——名 **1**《詩語》(日・月などの)沈むこと. **2** 一組, 一そろい. **3** 仲間, 連中; …族. **4**《数学》集合. ——形 定められた; 固定した.

báck·sèt 《米ニューイング・南部》逆戻り, 逆行.
be·sét 動他 包囲攻撃する, 攻めたてる.
bóne·sèt 〖植物〗ヒヨドリバナ.
bóx sét 〖演劇〗ボックスセット.
búbble-gùm sét 《米俗》(十代前半の)子供.
cabána sèt カバナセット: 男性用ビーチウェアの一種.
Cántor sèt 〖数学〗カントール集合.
cháracter sèt 〖コンピュータ〗キャラクターセット.
chíp·set 〖コンピュータ〗チップセット.
clósed sét 〖数学〗閉集合.
clóse-sét 形 互いに寄った, 密集した.
compánion sèt (対の)燭台(しょくだい).
compléter sèt 補助食器セット.
có·set 名 〖数学〗剰余類, 剰余系.
crýstal sèt 〖無線〗鉱石受信器.
dáta sèt 〖コンピュータ〗データセット.
déad sét 形副 堅く決意した[して].
déep-sét 形 深くくぼんだ.
dísco·sèt ディスコ通いのグループ.
drésser sèt (化粧台の上に置く)化粧道具一式.
duchésse sèt 化粧台のカバー(のセット).
éarth·sèt 〖天文〗地球の入り.
émpty sét 〖数学〗空(くう)集合(null set).
fílm sèt (撮影用の)映画のセット.
fílm·sèt 動他 〖印刷〗写真植字する.
flásh sèt 〖土木〗瞬結.
fúzzy sét 〖数学〗ファジー集合.
géar·sèt 〖自動車〗〖機械〗ギアセット.
Géorgetown Sèt ジョージタウングループ.
hánd·sèt (送話・受話器のついた)電話器.
hárd-sét 形 しっかり固定した, 固着した.
héad·sèt ヘッドホン, イヤホーン.
héavy·sét 形 体格の大きい.
índex sèt 〖数学〗添数集合.
ín·sèt 名 差し込まれたもの, 挿入物.
ísolated sét 〖数学〗孤立集合.
jét sèt ジェット族: ジェット機で飛び回る連中.

kéen-sét 形 空腹の; 強く望んでいる.
kéy·sèt キーボード.
létter·sèt 〖印刷〗レターセット, 凸版オフセット印刷.
lóck·sèt 〖家具〗ロックセット.
lóve sèt 〖テニス〗ラブセット.
Mándelbrot sèt 〖コンピュータ〗マンデルブロートセット.
Márzipan sèt 《英俗》中間管理職.
mínd-sèt 考え方, 物の見方.
móon·sèt 〖天文〗月の入り.
náil sèt 〖木工〗釘(くぎ)じめ.
óff·sèt 名 **1** 相殺するもの, 埋め合わせ, 代償. **2**〖印刷〗オフセット印刷(法).
ón·sèt 名 開始, 始まり; 出発, 着手.
órdered sét 〖数学〗順序集合.
óut·sèt 名 着手, 手始め, 最初.
ò·ver·sét 動他 ひっくり返す, 覆す; 転覆する.
pérmanent sét 〖物理〗永久 [残留] ひずみ.
phó·to·sèt 動他 …を写真植字する.
póint sèt 〖数学〗点集合.
póint-sèt 形 〖植字〗ポイントセットの.
pówer sèt 〖数学〗累乗集合, 冪(べき)集合.
prè·sét 動他 前もってセットする.
próof sèt 形 基準として用いる純金 [銀] 片の.
quíck·sèt 《主に英》生け垣用の木; 生け垣.
rádio sèt 無線機, ラジオ.
recéiving sèt ラジオ受信機, テレビ受像機.
rénder-sèt 動他 〈壁に〉しっくいの二度塗りをする.
rè·sét 動他 再び置く; 継ぎ直す.
rívet sèt 〖建築〗リベットセット.
róle sèt 〖社会〗役割群.
sáw sèt 〖木工〗(のこぎりの)目立て器.
shárp-sèt 形 食欲旺盛な; 飢えた, 空腹な.
smárt sèt 社交界の名士たち.
solútion sèt 〖数学〗解の集合.
squáre sét 〖採鉱〗スクエアセット.
stéak sèt 《主に米》フォークとナイフのセット.
súb·sèt 名 (一団体などの一部を成す)小党派.
sún·sèt 日没.
thérmo·sèt 形 〈プラスティックが〉熱硬化性の.
thíck·sét 形 生い茂った; 密集した.
tóilet sèt 化粧道具 [洗面用具] 一式.
tóol·sèt 〖コンピュータ〗ツールセット.
trúth sèt 〖数学〗〖論理〗真理集合.
twín sèt 〖服飾〗ツインセット, アンサンブル.
týpe·sèt 動他 〈原稿を〉活字に組む, 植字する.
ún·der·sèt 名 底流, 潜流.
univérsal sét 〖数学〗普通集合, 合体集合.
ùn·sét 形 〈コンクリートなどが〉固まっていない.
ùp·sét 動他 …をひっくり返す, 覆す.
wád·set 名 〖スコット法〗抵当.
wáve sèt (髪のウエーブ用)セットローション.
wéll-òrdered sét 〖数学〗整列集合.
wéll-sét 形 しっかり据えつけられた; 確立した.

set·ter /sétər/

名 set する人 [もの]. ►犬の名にも使われる. ⇨ -ER[1].

bóne·sètter 名 (通例, 医師免許のない)接骨医.
chóker-sètter 名 (伐採で)材木を縛る人.
Énglish sétter イングリッシュ・セッター: 英国原産の中形の鳥猟犬.
Górdon sétter ゴードン・セッター: スコットランド種の大形犬.
Írish sétter アイリッシュセッター: 毛が明るい栗色または赤褐色の鳥猟犬.
jób sètter ジョブセッター, (機械)始動係.
páce·sètter (最も進んだり成功していて)他の模範となる人 [団体], 先導者.
pín·sètter 〖ボウリング〗ピンセッター.
réd sétter Irish setter の通称.
trénd·sètter 流行を起こす人 [もの], 流行仕掛人.
týpe·sètter 植字工(compositor).

set·ting /sétiŋ/

名 **1** set すること. **2**(宝石などの)はめ込み(台), 象眼. **3** 食器一そろい. **4** 舞台装置. **5**〖印刷〗植字. ——形 set する. ⇨ -ING[1], -ING[2].

B́-sètting 〖写真〗シャッター制御装置が解除されるまでシャッターが開いたままになるセットの方式.
cláw sétting 《英》〖宝石〗＝Tiffany setting.
dárk-sètting 《米俗》暗がりでいちゃつくこと.
fílm·sètting 写真植字, 写真組み版.
fíre sètting 〖採鉱〗火力採掘.
gýpsy sètting 〖宝石〗ジプシーセッティング.
pláce sètting 各人用食器類.
quíck-sétting 形 〈セメント・ペンキ・ゼラチンが〉速く固まる, 急結の.
stáge sètting (演劇の)舞台装置.
thérmo·sètting 形 〈プラスチックが〉熱硬化性の.
Tíffany sètting 〖宝石〗ティファニー・セッティング.
trénd·sètting 形 流行を決める; 方向を決める.
týpe·sètting 植字, 活字組み.

set·tle·ment /sétlmənt/

名 **1** 安定させること. **2** 植民; (植民地などの)村落, 小村. **3**〖法律〗(不動産などの)処分. ⇨ -MENT.

márriage sèttlement 〖法律〗婚姻継承的不動産処分.
óut·sèt·tle·ment 名 辺境の居住地, 僻地の集落.
sócial sèttlement 救貧法などによる法定の居住地.
sóldier séttlement 《豪》軍人植民.
ùn·sét·tle·ment 名 動揺, 揺らぎ, (心の)不安.

sev·en /sévən/

名 7, セブン.

Bóeing 7́4́7́ 名 ジャンボジェット機.
0́0́7́ 名 ゼロゼロセブン(double o seven): James Bond のコード名.
Ó-1́5́7́ 名 病原性大腸菌, O-157(O one five seven).
7́7́7́ 名 スロットマシーンの 7 並び, Boeing 新型ジェット機, 大当たり(seven seven seven).

sew /sóu/

動他 〈衣服を〉縫う.

hand·sew 動他 …を手で縫う.
o·ver·sew 動他 〈縫い目・縁を〉かがり縫いする.
un·sew 動他 〈縫い物の〉縫い目をほどく.

sex /séks/

名 **1** 性, 性別, 男女 [雌雄] の別. **2** セックス.

ànti·séx 形 セックス敵視の.
càsual séx 不特定多数の相手とのセックス.
cỳber·séx 名 (コンピュータ技術による)仮想現実世界でのセックス.
de·séx 動他 〖獣医学〗去勢する.
éar sèx 《米俗》テレホンセックス.
fáir sèx 女性(一般).
géntle sèx ＝fair sex.
gróup sèx 乱交パーティー.
hétero·sèx 名 《話》異性愛.
hómo·sèx 名 同性愛.
ínter·sèx 名 〖生物〗間性(個体).
kínky séx 変態性行為.
òmni·séx 形 あらゆる性的趣味の.
óral séx オーラルセックス.

phóne sèx テレホンセックス.
sáfe séx (性病, エイズなどの感染防止のためコンドームを用いた)安全なセックス.
sáme-séx 形 同性の.
sécond séx 第二の性, 女性.
síngle-sèx 形 男性・女性どちらか一方の(ための).
slóppy séx 《米俗》べとべとになるセックス.
súper·sèx 名 〖遺伝〗超性.
thírd séx 《米俗》同性愛者.
úni·sèx 形 〈服装・髪形が〉男女の区別のない.
ùn·séx 動他 …の性的能力を奪う; 性の特質(女らしさ)を奪う.
wéaker séx 女性(一般).

-sex /siks, sèks/

連結形 サクソン人の土地.
★ もとは部族名 the Saxons「サクソン人」, 後にその部族の地域の地名となる.
◆ 古英 *Seaxe* サクソン人.

Es·sex 名 エセックス(イングランドの州名). ►字義は「東部のサクソン人の土地」.
Mid·dle·sex 名 ミドルセックス(イングランドの旧州名). ►字義は「中部のサクソン人の土地」.
Sus·sex 名 サセックス(イングランドの旧州名). ►字義は「南部のサクソン人の土地」.
Wes·sex 名 ウェセックス(イングランドの地名). ►字義は「西部のサクソン人の土地」.

sexed /sékst/

形《しばしば複合語》性の, 性別のある; 性的特徴を持つ. ⇨ -ED².

down·sexed 形 セックスアピールを抑えた.
o·ver·sexed 形 性的関心の強い, 性欲の激しい.
un·der·sexed 形 性欲の弱い, 性的関心の低い.
un·sexed 形 性的特徴を有しない; 性別のない.

sex·u·al /sékʃuəl | -ʃu-, -sju-/

形 **1** 性の, 性に関する, 性的な. **2** 有性の. ⇨ -AL¹.
★ 語頭にくる関連形は sex-: *sex*ism「性差別主義」, *sex*ology「性科学」.

am·bi·sex·u·al 形 両性愛の.
an·ti·sex·u·al 形 性衝動・性行為に反発する.
a·sex·u·al 形 〖生物〗無性の, 性別のない.
bi·sex·u·al 形 〖生物〗(男女, 雌雄)両性の.
het·er·o·sex·u·al 形 異性愛の.
hom·o·sex·u·al 形 同性愛 [ホモ] の.
hy·per·sex·u·al 形 性欲過剰な, 性欲亢進症の.
in·ter·sex·u·al 形 両性間の, 異性間の.
mon·o·sex·u·al 形 一方の性 [男性または女性] のみの.
non·sex·u·al 形 性のない, 無性の; 性的でない.
pan·sex·u·al 形 〖精神医学〗汎性説の.
par·a·sex·u·al 形 〖生物〗擬似有性的な.
psy·cho·sex·u·al 形 性心理の.
so·ci·o·sex·u·al 形 社会性的な.
tran·sex·u·al 名 =transsexual.
trans·sex·u·al 名 性倒錯者.
u·ni·sex·u·al 形 単性の, 男女いずれかの.

-sey /si, zi/

連結形 勝利.
★ 人名をつくる.
◆ 古英 *sige* 勝利.

Kel·sey 名 男子または女子の名.
Kin·sey 名 男子の名.

-sh¹ /ʃ/

音象徴 急で勢いのよい単発的行為を基本とし, 突進, 衝突, 殴打, 打撃, 粉砕, 圧搾, 抑圧を表す; また, 液体・言葉・感情が湧き出る様を表す.
★ 日本語ではダーッ, グシャッ, ゴーッのように促音「ッ」やバーン, ドカーン, ガシャンのように撥音「ン」で表されることが多い.
★ -sh の直前の母音によって動きや音の大きさが変わる: spl*ish*「ピチャッ」< spl*ash*「バシャッ」< spl*osh*「ザブン」< spl*oosh*「ザブーン」.

air·dash 動自 飛行機で駆けつける.
back·flash 名 〖映画〗〖文学〗フラッシュバック.
back·splash 名 (流し台・ガスレンジの後ろに取り付けた)跳ねよけのパネル, 汚れよけ.
bash 動他《話》〈人・物を〉(壊れたり, 傷つくほど)強打する; 乱打する, 打ちのめす; たたいてへこます.
be·dash 動他 (…を)一面にぶっかける.
clash 動自 〈金属などが〉(ぶつかり合って)ガチャン [ガシャン] と鳴る, 〈鐘・シンバルなどが〉ジャンジャン鳴る.
crash 動自 (砕けるような)すさまじい音をたてる; 〈雷が〉とどろく.
dash 動他 …を(…に)たたきつける; たたきつけて粉々にする.
flash 名 (…の)きらめき, 閃光(せんこう).
gnash 動他 〈歯を〉(特に怒りや苦痛のために)きしませる, かみ鳴らす.
gush 動自 〈液体・言葉・音などが〉勢いよく流れ出る, わき出る, ほとばしる.
hur·roosh 動自《英話》(車などで)突っ走る, ビューンと飛ばす.
kour·bash 名動他 =kurbash.
kur·bash 名動他 革(ひも)むち(で打つ).
lash 名 むちひも; むちのしなやかな部分, むちの先; むち.
mul·ti·flash 形 〖写真〗多閃光(せんこう)(撮影)の.
on·rush 名 (激しい)突進, 突撃; 奔流.
out·rush 名 激しい流出, 噴出.
pash 動他《英方言・廃》…を投げつける, たたきつける(dash).
plash 名 ピシャ, ポチャン, パシャ(水の跳ねる音). ►splash より弱い.
push 名 〈人・物を〉押す, 突く, 押しつける.
rash 名 (はしか・猩紅(しょうこう)熱などの)発疹(ほっしん), 紅疹, 皮疹, 吹き出物.
rush 動自《方向の副詞(句)を伴って》〈人・車などが〉速く走る; 急ぐ; 急行する; 〈人が〉素早く [勢いよく] 行動する; 性急に [向こう見ずに, 軽率に] (…への)行動をする; 〈水などが〉勢いよく流れる. 〈なだれなどが〉どっと落ちる.
scoosh 動他自《スコット》噴出する [させる], ほとばしる. ── 名 液体の噴出.
slap·dash 副 ぞんざいに, 慌てていい加減に.
slash 動他 (ナイフ・剣などで)…に深く切りつける, …をめった切りにする. ── 名《米》〖印刷〗斜線, スラッシュ.
sloosh 名《話》水を勢いよく注ぐこと [音]. ── 動自 〈液体が〉勢いよく流れる; 勢いよくはねる [流れる] 音をたてる.
slosh 動自 ぬかるみ [水] の中をバチャバチャ動く, 泥水を跳ね飛ばしながら歩く.
smash 動他 〈堅い物を〉(たたいたりぶつけたりして)粉々に砕く [壊す]; (…の状態に)粉砕する. ── 名 粉砕; 激しい一撃.
smush 動他《話》…を押しつぶす, 押し込む, 押しつける.
splash 動他 〈人が〉〈人・物に〉(水・泥を)はねかける, はねかけてよごす(spatter).
sploosh 動他自名 =splosh.
splosh 動他自《話》(水・泥を)はねかける, はねかけてよごす. ──名 はね散らすこと；バシャンという音.
squash 動他 押しつぶす，ぺちゃんこにつぶす(crush). ──名 押しつぶすこと；ペシャッ.
squish 動他 《話》圧搾する，しぼる(squeeze)；押しつぶす，ぐしゃぐしゃにする.
swash 動自〈水中の物・水などが〉音をたてて跳ねる.
swish 動自〈棒・むちなどが〉ヒューッと音をたてる[音をたてて動く].
swoosh 動自《話》〈木の葉・絹服などが〉サラサラ[バサバサ，シュッシュッ]と鳴る；〈ジェット機・自動車などが〉ビューンという音をたてて進む.
syn·chro·flash 名 シンクロフラッシュ，同調発光.
thrash 動他 (罰として)強く打つ，むち打つ.
thresh 動他 (殻ざおや脱穀機で)〈穀物を〉脱穀する，こく；殻ざおで打つ；〈穀粒・実を〉脱穀して取る. ──名 脱穀.
trash 名 つまらないもの；《主に米・カナダ》くず，廃物，がらくた.
up·rush 名 (水・ガスなどの)(上方への)噴出，急激な[突然の]上昇.
wash 動他〈物を〉(…で)洗う，〈手・顔などを〉洗う，《再帰的》体を洗う；…を(…で)洗濯[洗浄]する；《補語を伴って》〈物を〉洗って(…の状態に)する；〈猫が〉体をなめてきれいにする.
wa·ter·splash 名 《主に英》(川の)浅瀬，道を横切る浅い流れ.
whish 動自 ピューッ[シューッ]と鳴る[動く].
whoosh 名 (空気・水などの)ヒューッ[シューッ](という音). ──動自 ヒューッ[シューッ]と音をたてて動く[飛ぶ]. ──他 ヒューッと飛ばす.
woosh 名動自他 =whoosh.

-sh² /ʃ/

間 軽蔑，反発，嫌悪，ののしり，不信，不賛成の間投詞に用いる.

gosh 間 《驚き・喜び・不審・軽いののしりを表して》おや，なんと，全く. ►God の婉曲的変形.
hush 間 静かに，黙れ，シッ. ──動自 静かになる[する]，黙る. ──名 静けさ，静寂.
pish 間 《軽蔑・じれったさなどを表して》へん，ふん. ──名動自他 (…に対して)へん[ふん]と言う(こと).
posh 間 《軽蔑・嫌悪を表して》ふん，ばかばかしい，くだらない.
shush 間 《静寂・沈黙を命じて》しっ(hush). ──動他 …にしっと言う.
sush 間動他 =shush.
tush 間 《古》《じれったさ・軽蔑・叱責・侮蔑などを表して》ちぇっ. ──名 ちっ，ちぇっ. ──動自 ちぇっと言う.

shade /ʃéid/

名 陰，物陰；日陰；光を遮る物，日よけ，日がさ，ひさし.

ballóon shàde バルーンシェード：窓日よけの一種.
cándle-shàde 燭台(しょくだい)の笠(かさ).
éye·shàde まびさし，シェード.
lámp·shàde ランプの笠(のようなもの).
níght·shàde ☞
ò·ver·sháde 動他 影を投げかける，陰らせる，曇らせる.
róller shàde 《米》(巻き取り式の)ブラインド.
Róman shàde ローマンシェード：窓日よけの一種.
sléep shàde (安眠用の)アイマスク.
slúmber·shàde =sleep shade.
smóke·shàde スモークシェード：大気中の微粒子状汚染物質の相対量を示す尺度.
sún·shàde 日よけとして使われるもの(帽子のひさし，レンズフードなど).
wíndow shàde 《主に米》窓の日覆い，窓の日よけ.

shad·ow /ʃǽdou/

名 影，物影，投影. ──動他 **1** …を陰にする. **2** …をほのめかす.

éye shàdow アイシャドー.
fíve o'clòck shádow 伸びかけたひげ.
fore·shádow 動他 …を事前に示す，の前兆となる.
invísible shádow (建築物の陰影で)固体の投じる影が三次元内に占める暗い空間.
òver·shádow 動他 …の影を薄くさせる，見劣りさせる.
ráin shàdow 〚気象〛雨の陰，雨陰.

shaft /ʃǽft, ʃáːft | ʃáːft/

名 **1** 矢柄；(大矢の)矢. **2**〚機械〛シャフト，軸，主軸. **3** 竪穴，垂直坑.

áfter·shàft 名 〚鳥類〛後羽(こう)，副羽.
áir shàft (建物の)通気[通風]孔.
báck shàft バックシャフト.
bálance shàft バランスシャフト.
bútt shàft 逆とげのない射的用の矢.
cám·shàft 名 カム軸，カムシャフト.
Cárdan shàft 《英》カルダンシャフト.
cóunt·er·shàft 名 =jackshaft.
cránk·shàft 名 クランク軸，クランクシャフト.
dríve shàft 駆動軸，原動軸，ドライブシャフト.
élevator shàft 〚建築〛エレベーターシャフト.
escápe shàft (鉱山の)避難用立て坑.
jáck·shàft 名 中間軸，副軸.
láy·shàft 名 遊び車や索道路を回転させる軸.
máin shàft 主軸.
propéller shàft プロペラ軸.
quíll shàft 〚造船〛クイルシャフト，たわみ軸.
róck·shàft 名 揺れ軸.
táil·shàft 名 〚海事〛プロペラ軸，船尾軸.
túrbo·shàft 名 〚航空〛ターボシャフト.
wínd shàft 風軸.

shake /ʃéik/

動自〈物が〉揺れる，揺れ動く，振動する；〈光・火などが〉ちらちら揺れる，揺らめく. ──他 …を振る. ──名 **1** 震動；震え. **2** 亀裂(きれつ)，割れ目. **3**《米話》(他から受ける)待遇，取り扱い.

a·sháke 形 揺れて，震えて.
bódy shàke 《米俗》〈容疑者を〉裸にして調べる.
cámera shàke (撮影時の)カメラのぶれ.
cúp shàke =wind shake.
énd·shàke 〚時計〛縦あがき.
fáir sháke 《米話》公平な機会[扱い].
hánd·shàke 握手.
héad·shàke 《不賛成・不信を表して》頭を横に振ること.
mílk shàke ミルクセーキ.
sált shàke 《米南部》塩入れ，食卓塩容器.
squáre sháke 《話》公平な処置，公正な取引.
wínd shàke 目回り，風割れ，がま割れ.

shak·er /ʃéikər/

名 振る人[物]. ⇨ -ER¹.

bóne shàker 《俗》タイヤが堅くてスプリングのな

い初期の自転車.
cán-shàker 《米話》基金［資金］調達者.
éarth·shàker 非常に重大なもの.
háy·shàker 《米北部》田舎者(hayseed).
pépper shàker 《主に米》胡椒(こしょう)入れ.
sált shàker 《米》(振り出し用の小穴があいている)塩入れ, 食卓塩容器.
wórld-shàker 全世界を根底から揺るがすもの.

shakes /ʃéiks/

名 複 shake「震え」の複数形.

hátter's shákes 水銀中毒.
hélium shàkes 〔医学〕高圧性神経障害［症候群］.
wét-dóg shàkes 《俗》アルコール［麻薬］中毒治療中に見られる激しい震え.

shank /ʃǽŋk/

名 **1** すね. **2** (羊・牛などの)すね肉.

bláck shánk 〔植物病理〕タバコ疫病.
fóre·shànk (羊・牛などの)すね肉.
gréen·shànk 〔鳥類〕アオアシシギ.
hínd shànk (羊・牛などの後脚の)すね肉(shin).
réd·shànk 〔鳥類〕アカアシシギ.
shéep·shànk シープシャンク, 縮め結び.

shape /ʃéip/

名 形, 外形, 形状, 姿形, 形態, 格好; 輪郭. ── 動他 …を型作る. ── 自 望ましい結果にする.

áu·to·shàpe 動自 〔心理〕自己反応形成する.
drápe shàpe 《米俗》(zoot-suiter が着用する)ひだの寄っているだぶついた上着.
hánd·shàpe 名 手の形.
mis·shápe 動他 不格好にする, 形を悪くする.
rè·shápe 動他 形を作り直す, 別の形に作り変える.
shíp·shàpe 形 整然とした, きちんと整理された.
strúng-òut shápe 《米話》疲れ果てた状態.
trans·shápe 動他 …を変形する.
wáve·shàpe 名 〔物理〕波形.

shaped /ʃéipt/

形 ある形を持った; 形作られた. ⇨ -D¹, -D².

al·mond-shaped 形 アーモンド形の.
awl-shaped 形 千枚通しの形をした.
ci·gar-shaped 形 葉巻形の.
club-shaped 形 こん棒状の.
com·ma-shaped 形 コンマ形の.
egg-shaped 形 卵形の.
fin·ger-shaped 形 指形の.
heart-shaped 形 心臓形の, ハート形の.
kid·ney-shaped 形 腎臓(じんぞう)形の.
pear-shaped 形 西洋ナシ形の, ひょうたん形の.
spin·dle-shaped 形 紡錘状の.
star-shaped 形 星形の, 星に似た形の.
un·shaped 形 形作られていない; 形の不完全な.
U-shaped 形 U 字形の, U 形の.
V-shaped 形 V 字形の, V 字形をした.
wedge-shaped 形 楔(くさび)形［状］の, V 字形の.

share /ʃέər/

名 **1** (個人・グループの)分け前, 取り分, おすそ分け, 一部分. **2** 《英》株, 株券. **3** 市場占有率, シェア. ── 動他 分配する; 分担する.

áudience shàre (テレビの)視聴率.
bóok shàre 《米》〔金融〕ブックシェア.
cóst-shàre 動他 …の費用を分担する.
cúmulative préference shàre 累積的優先株.
deférred sháre 《英》後配(あとはい)株, 劣後株.
éarnings per sháre 一株当たり収益.
gólden sháre 《英》(企業の民営化に際し)少なくとも 51 %の株を保有している会社の株.
hálf-sháre (利益などの)半分の分け前, 折半分.
líon's shàre 最も大きい分け前; 不当に大きい部分.
lóan shàre 《英》債券.
márket shàre 〔経済〕市場占有［占拠］率.
órdinary sháre 《英》普通株.
préference shàre 《英・豪》優先株(preferred stock).
tíme-shàre 動他 …を時分割する, 時分割方式を取る.
ùncertíficated sháre ＝book share.

shares /ʃέərz/

名 複 share「分け前」の複数形.

Á shàres 《英》〔証券〕投票権制限付き普通株.
B́ shàres 《英》〔株式〕投票権付き普通株.
cómmon shàres 《英》普通株.
fóunders' shàres 〔証券〕発起人株.
mánagement shàres 《英》〔証券〕重役株.
pénny shàres 《英》〔証券〕ペニー株, 低位投機株.
preférred órdinary sháres 《英》〔証券〕優先普通株.
promóters' shàres 〔証券〕発起人株.
promótion shàres ＝promoter's shares.

shar·ing /ʃέəriŋ/

名 分配, 共有すること; 分担すること. ── 形 **1** 分配する. **2** 共有する. ⇨ -ING¹, -ING².

gáin shàring 〔経営〕ゲインシェアリング方式報奨制度.
jób-shàring ジョブ・シェアリング: 本来 1 人が行なう仕事を, 2 人以上で時間的に分けて受け持ち, その賃金も同様に分配する仕組み.
pówer shàring (北アイルランド行政府の)プロテスタント, カトリック両派の権力分配計画(1973–74).
prófit shàring 利益分配制.
prófit-shàring 形 利益［利潤］配分の.
révenue shàring 《米》歳入分与, 地方交付金.
ríde·shàring 形 (特にマイカー通勤者による車の)相乗りの. ── 名 (車の)相乗り.
táx shàring ＝revenue sharing.
tíme-shàring 〔コンピュータ〕時分割.
wórk-shàring ワークシェアリング: 常勤 1 人分の仕事を 2 人のパートタイマーで行なうこと.

shark /ʃɑ́ːrk/

名 サメ(鮫), フカ(鱶).

ángel shàrk カスザメ(コロザメを含む).
básking shàrk ウバザメ.
bláck·tìp shárk ツマグロ.
blúe shárk ヨシキリザメ.
bónnet shàrk シュモクザメ属の軟骨魚.
búll shàrk メジロザメ属のサメの一種.
cárpet shàrk テンジクザメ科のサメの総称.
ców shàrk カグラザメ.
cúb shàrk ＝bull shark.
dúsky shárk メジロザメ属のサメの一種.
Gánges shárk メジロザメ科メジロザメ属のサメの一

種.
gréat white shàrk ホホジロザメ.
gróund shàrk メジロザメ属の人食いザメの総称.
lánd shàrk 波止場の詐欺師.
lémon shàrk レモンザメ.
léopard shàrk ドチザメ.
lóan shàrk 高利貸, サラ金.
máckerel shàrk ネズミザメ類.
mán-eating shárk 人食いザメ.
núrse shàrk テンジクザメ.
réquiem shàrk メジロザメ.
sánd shàrk スナザメ(sand tiger).
shóvelnose shárk カグラザメ.
sóupfin shárk ふかひれスープ用のサメの総称.
tíger shàrk イタチザメ.
whále shàrk ジンベエザメ.
whíte shárk ホホジロザメ(great white shark).
whítetip shárk ネムリブカ(眠り鱶).

sharp /ʃɑ́ːrp/

形 **1** 鋭い. **2** 鮮明な. ──名 **1**《話》詐欺師. **2**〘音楽〙嬰音; 嬰記号.

cárd·shàrp 名 トランプ詐欺師.
dóuble shárp 〘音楽〙ダブルシャープ.
óver·shárp 形 この上もなく鋭い, 鋭敏すぎる.
rázor-shàrp 形 非常に鋭い.
ùn·shárp 形 〘写真〙ピントの合っていない.

shave /ʃéiv/

動自 ひげをそる, 顔にかみそりを当てる; (腕・脚などの)体の毛をそり落とす.

áfter·shàve 形 ひげそり後の.
clóse sháve 《話》かろうじて免れること.
dráw·shàve 〘木工〙引き削り刀, ドローナイフ.
pré·shàve 名 プレシェーブリキッド: ひげそり前に用いるひげと肌を湿らし柔らかくするためのローション.
spóke·shàve 〘木工〙南京がんな.

shear /ʃíər/

名 はさみに似た機械; 剪断(せんだん)機.

álligator shèar 〘金工〙レバーシャー.
clíp·shèar 《スコット》〘昆虫〙ハサミムシ.
cróp shèar 〘金工〙鋼片剪断機.
flýing shéar 〘金工〙フライングシャー.
rócking shèar 前後に動く動作で物を切る反り返った刃をつけた剪断機.
síngle shéar 〘機械〙一面剪断, 単剪(断).
wínd shèar 〘気象〙風のずれ.

shears /ʃíərz/

名複 shear の複数形.

gráss shèars 芝[草]刈りばさみ.
lópping shèars 刈り込みばさみ.
pínking shèars ピンキングばさみ.
prúning shèars 剪定(せんてい)ばさみ.
thínning shèars 毛梳(す)きばさみ.
wóol·shèars 名複 羊毛刈り込みばさみ.

sheath /ʃíːθ/

名 **1** (刀剣の)鞘(さや). **2** (鞘に似た)覆い, 入れ物. **3**〘生物〙鞘.

búndle shèath 〘植物〙維管束鞘(いかんそくしょう).
léaf shèath 〘植物〙葉鞘(sheath).
magnéto·shèath 〘天文〙磁気鞘(じきしょう).
médullary shéath 〘植物〙髄鞘(ずいしょう), 髄冠.
mýelin shèath 〘解剖〙ミエリン鞘(しょう), 髄鞘.
rúbber shèath コンドーム(condom).
wíng shèath 〘昆虫〙翅鞘(ししょう), さやばね.

shed[1] /ʃéd/

名 (通例, 仮造りまたは粗製の)納屋, 物置, 小屋, 上屋(うわや).

ców·shèd 牛小屋, 牛舎.
décorated shéd 〘建築〙デコレーテッド・シェド.
mílking shèd 搾乳小屋.
píer·shèd 桟橋上屋: 積み替え上屋の一種.
pótting shèd 植物を植林鉢で保護している小屋.
rúnning shèd 《英》(鉄道の)円形機関車車庫.
shéaring shèd 《NZ》=woolshed.
snów·shèd (鉄道の)雪覆い, 雪崩はね.
tóol·shèd 道具をしまう物置き, 道具小屋.
tráin·shèd 線路とプラットホームを覆う屋根.
tránsit shèd 積み換え上屋(うわや).
whárf shèd 埠頭上屋(うわや).
wóod·shèd まき小屋.
wóol·shèd 《豪・NZ》(羊の)毛刈り小屋.

shed[2] /ʃéd/

名 流されたもの; 分けられたもの.

air·shed 名 〘気象〙エアシェッド.
blood·shed 名 (負傷などによる)流血, 出血.
milk·shed 酪農地帯[地域].
wa·ter·shed 名 分水界; (川の)流域.

sheep /ʃíːp/

名 **1** ヒツジ. **2** 羊皮.

Bárbary shéep バーバリーシープ, タテガミヒツジ.
béll shèep 《豪》終業直前に刈り始めた羊.
bláck shéep 黒羊.
blúe shéep チベットの山岳地帯の野生の羊.
bóat shèep 《豪》船で中東に送られる羊.
Dáll's shéep ドールシープ: 毛が白い野生の羊. ► 米国の博物学者 William H. *Dall* の名より.
fát-tàiled shéep 脂尾羊: 食肉用の牛.
háir·shèep 名 ヘアシープ: 羊とヤギの中間種.
Jácob shéep 毛がまだらで角が 2 [4] 本の羊.
láw shèep (法律書の装丁用の)淡褐色の羊皮.
máned shéep =Barbary sheep.
Márco Pólo's shèep 〘動物〙パミールアルガリ.
móuntain shèep オオツノヒツジ.
músk shèep ジャコウウシ.
végetable shèep 《NZ》〘植物〙ザンセツソウ.
whíte shéep =Dall's sheep.

sheet[1] /ʃíːt/

名 **1** 敷布, シーツ. **2** (金属・ガラスなどの)板. **3** (特に書きもの用の)1 枚の紙; (紙の)1 枚. **4**《話》新聞; 印刷した紙; 印刷物.

báking shèet (クッキー・パンなどを焼く)鉄板.
bálance shèet 〘会計〙貸借対照表, バランスシート.
báth shèet 特大のバスタオル.
béd·shèet 敷布.
blánket shèet ブランケットシート: 大判の新聞(紙).
brág shèet 《米俗》履歴書.
bróad·shèet 普通サイズの新聞.
búck shèet 《話》回覧票.
chárge shèet 《英》(警察の)留置録.
chéat shèet 《米俗》カンニングペーパー.

S

clíp·shèet 〖ジャーナリズム〗片面印刷紙.
cónduct shèet 素行表, 罰目調書.
cóntact shèet 〖写真〗べた焼き.
cóntour shèet ベッドのマットレスをぴったり覆うように作られたシーツ.
cóokie shèet クッキーを焼く金属板.
cóst shèet コストシート, 原価計算表.
críb shèet 《俗》カンニングペーパー.
críme shèet 〖英軍事〗個人の軍規違反記録.
cúe shèet 〖演劇〗〖放送〗キューシート.
cúrrent shéet 〖天文〗マグネットディスク.
díet-shèet (患者用の)食餌(しょくじ)規定書.
dópe·shèet 《俗》競馬 [ギャンブル] 新聞.
dráw·shèet (病院の)病褥(びょうじょく)敷布.
dréam shèet 《米軍俗》配置希望届け.
dúst·shèet 《英》ほこりよけカバー.
énd shèet 〖製本〗見返し.
fáct shèet (特定の問題に関する)概況報告書.
flów shèet 流れ作業図.
flý shèet 一枚刷り; ちらし.
fórm shèet 競馬新聞.
frée shèet 〖印刷〗化学パルプのみを原料として作られた紙.
gróund·shèet グランド・シート: 厚手のキャンバス製の防水布.
gýp shèet 《米俗》カンニングペーパー.
háte shèet 偏向出版物.
íce shèet (極地などの)氷床.
ídiot shèet 〖テレビ〗キューカード.
jób-shèet 作業 [業務] 日誌.
léad shèet 〖音楽〗リードシート.
létter shèet 簡易書簡, ミニレター.
néws·shèet 1枚だけの新聞.
pácking shèet 包装用の布, 包装紙.
páy shèet 《英》給料支払名簿.
pínk shéet 《米》〖証券〗全米店頭取引株式気配相場日報.
plótting shèet 〖航海〗(位置)記入図.
póop shèet 《米俗》情報書類, 指示項目書.
próof·shèet 〖印刷〗校正刷り.
ráp shèet 《米俗》(前科などの)警察記録.
ribbed and smóked shéet スモークシートゴム: 変質を防止のため燻煙した原料ゴム.
scándal shèet スキャンダル [ゴシップ] 紙 [誌].
scóre-shèet 得点記入紙, スコアシート.
scrátch shèet 《米俗》競馬新聞.
scréam shèet 《俗》タブロイド新聞.
sécond shèet 書簡用紙.
shórt-shèet 動他 シーツを二つ折りにして2枚に見せかける.
slíp·shèet 動他自 〖印刷〗間紙(あいがみ)を挟む.
sméar-shèet 低俗な新聞 [雑誌].
sóund shèet 《米俗》(広告用の)ソノシート.
souvenír shèet 〖切手収集〗(記念用の)小型シート.
spréad·shèet 〖会計〗マトリックス精算表.
stýle shèet (出版社などの)体裁一覧.
swíndle shèet 《俗》《話》経費勘定.
tálly shèet (積み荷・降ろし荷などの)検数表.
téar shèet 《主に米》(雑誌・新聞などの)切り取られたページ.
thrée-shèet 《米俗》(駅などの)大判広告ポスター.
thúnder shèet 雷の擬声効果用の大きな金属板.
tíme shèet 作業時間記録表.
típ shèet (株式市況・競馬などの)予想表.
wáges shèet 《英》給料支払 [従業員] 名簿.
whíte shéet 〖教会〗(悔悛者がまとう)白衣.
wínding shèet 埋葬布.
wórk shèet 作業票.
yéllow shéet 《米俗》=rap sheet.

sheet[2] /ʃíːt/

名 〖海事〗シート, 帆脚索(ほあし).

flówing shéet 緩めて伸ばした帆脚索(ほあし).
fóre·shèet 名 フォアシート; 前帆(ぜんはん)の下隅索.
héad·shèet 名 =foresheet.
máin·shèet 名 メーンシート.

shelf /ʃélf/

名 **1** (壁・戸棚・本箱などの)棚, 棚板. **2** 棚状のもの.

bóok·shèlf 名 本棚, 書棚.
clósed shélf 〖図書館学〗閉架式書架.
continéntal shélf 〖地文〗大陸棚.
íce shèlf 氷棚(ひょうほう).
mántel·shèlf 名 《英》炉棚.
óff-the-shélf 形 〈製品が〉在庫の, 出荷待ちの.
ópen-shélf 形 〖図書館学〗開架式の(open-stack).
símian shélf 猿の棚: 下顎(かがく)骨の内側中央に張り出した骨の隆起.
smóke shèlf 煙棚.
súlfur shèlf マスタケ(鱒茸).
wínd shèlf =smoke shelf.

shell /ʃél/

名 **1** (巻き貝・二枚貝などの)貝殻. **2** 貝殻状の外皮; 殻. **3** 砲弾, 弾丸. ——動他 殻 [莢] から取り出す, …の殻 [莢] をはぐ.

ácorn shèll 無柄のフジツボ.
àero·shéll 小型制御ロケット付き防護殻.
árk shèll フネガイ(船貝).
bánd shèll 後方が半円形の野外音楽堂.
blánk shéll (猟銃の)空包.
blínd shéll 不発弾; 空弾.
bódy·shèll 〖自動車〗ボディーシェル.
bómb·shèll 爆弾.
clám·shèll 二枚貝の殻.
clósed shéll 〖物理〗閉殻, 閉じた殻.
cóat-of-máil shèll ヒザラガイ.
cóckle·shèll ザルガイ(cockle)の貝殻.
cóne shèll イモガイ.
éar shèll アワビ.
égg·shèll 卵殻.
gás shèll 〖軍事〗毒ガス弾.
hálf shèll 二枚貝の殻の一方.
hárd-shèll 形 甲殻の堅い; 樹皮の堅い; 殻の堅い.
héart shèll 貝殻がハート形に見える二枚貝の総称.
hélmet shèll トウカムリガイ.
jíngle shèll ナミマガシワガイ.
Ḱ-shèll 〖物理〗K殻.
lámp shèll ホオズキガイ.
Ĺ-shèll 〖物理〗L殻.
móney shèll マルスダレガイ科の大形の食用二枚貝 *Saxidomus nuttalli.*
móon shèll タマガイ(玉貝)(ツメタガイを含む).
Ḿ-shèll 〖物理〗M(電子)殻.
Ń-shèll 〖物理〗N殻.
nút·shèll 堅果の果皮 [殻].
ólive shèll マクラガイ(枕貝).
ótter shèll オオノガイ.
óyster·shèll 砕いたカキ殻.
pandóra shèll ネリガイ.
pátty shèll カップ型のパイ皮.
péarl shèll シンジュガイ(真珠貝).
pén shèll ハボウキガイ(羽箒貝).
píe shèll 《英》パイの皮.
pórcelain shèll タカラガイ, コヤスガイ.
rázor shèll マテガイ.
scállop shèll (キリスト教徒が)巡礼の印として身につけたホタテガイの貝殻.
scórpion shèll サソリガイ.
scréw shèll キリガイダマシ.
séa·shèll (海産の)貝, 貝殻.

smóke shèll 煙弾.
sóft-shèll 形 〈カニなどが〉軟甲の.
stáircase shèll イトカケガイ(糸掛け貝).
stár shèll 照明弾.
súb·shèll 〖物理〗副殻.
súgar shèll 先が貝殻の形をしたシュガースプーン.
téar shèll 催涙弾.
tóoth shèll ツノガイ.
tóp shèll ニシキウズガイ科の巻き貝の総称.
tórtoise-shèll =turtle shell.
tówer shèll =screw shell.
trúmpet shèll ホラガイ(triton).
túbe shèll ミジンギリギリツツガイ.
túrban shèll リュウテンサザエ科の巻き貝の総称.
túrtle shèll 鼈甲(べっこう).
túsk shèll =tooth shell.
umbréllа shèll ヒトエガイ.
únicorn shèll 軸舌目の貝の総称.
ùn·shéll 動他 …を殻から取る, …の殻をはぎ取る.
wátering-pòt shèll ツツガキ.
wíndowglàss shèll マドガイ(窓貝).
wíndowpane shèll =windowglass shell.
wíng shèll ウグイスガイ科 *Pteria* 属の二枚貝の総称.

shel·ter /ʃéltər/

名 (悪天候・危険・攻撃などを避けるための)隠れ場, 避難所; (バスなどの)待合所; 防空壕(ごう).

áir-raid shèlter 防空壕, 空襲避難所.
ánimal shèlter (特に慈善事業としての)動物愛護ホーム.
bómb shèlter 防空壕, 空襲避難所.
búsh shèlter 〖漁業〗篠(しの)漬け, 笠(かさ)浸し.
bús shèlter (雨よけのある)バス待合所.
cáb-shèlter タクシー運転手たちの詰め所.
núclear shélter 核シェルター.
róck-shèlter 岩陰.
táx shèlter 税金回避手段, 税金逃れの抜け道.

sher·iff /ʃérif/

名 **1**《米》保安官, シェリフ. **2**《英》州長官.

députy shériff 《米》保安官代理; 《英》執政官代理.
hígh shériff 《英》州長官(sheriff).
únder·shèriff 名 《米》郡保安官代理; 《英》州長官代理.

shield /ʃiːld/

名 **1** 盾. **2** 保護する人[もの]; 擁護者; 保障.

Báltic Shíeld 〖地質〗バルト楯(たて)状地.
biológical shíeld 生物学的遮蔽(しゃへい).
bío·shìeld (宇宙船の)生物体遮蔽(しゃへい)装置.
Canádian Shíeld 〖地質〗カナダ楯状(じゅんじょう)地.
Désert Shìeld 〖軍事〗砂漠の盾(作戦).
dréss shìeld (婦人服の腋の下につける)汗よけ.
embryónic shíeld 〖解剖〗胎盤.
gúm·shìeld 〖ボクシング〗マウスピース.
hánd·shìeld (溶接で用いる)顔面保護マスク.
héat shìeld 〖航空宇宙〗熱遮蔽(しゃへい).
hùman shíeld 人間の盾.
ózone shìeld オゾン層.
Ránfurly Shìeld 《NZ》ラグビーの国内優勝チームに与えられるトロフィー.
ríot shìeld 対暴徒用の盾.
Scandinávian Shíeld =Baltic Shield.
Shéffield Shíeld 《豪》(クリケットの)シェフィールド賞.
wáter shìeld 〖植物〗ジュンサイ(蓴菜).

wínd·shìeld 《米・カナダ》風防ガラス.

shift /ʃíft/

動他 取り[入れ]替える, 換える, 変える. ━━名 **1** 移動, 転換. **2** 交替; (交替制の)勤務時間; (特定の勤務時間の)勤務者. **3** 一時[急場]しのぎの手段. **4**《主に米》〖自動車〗変速装置.

báck shìft 《英》二直目, 午後番.
blúe·shìft 〖天文〗青色偏移.
cónsonant shìft 〖言語〗子音推移.
cýclic shìft 〖コンピュータ〗循環桁送り.
dáy shìft 昼間勤務者, 日勤組.
dóg shìft 《話》=graveyard shift.
Dóppler shìft 〖物理〗ドップラー偏移.
Dóppler-shìft 動他 〖物理〗ドップラー偏移を起こさせる.
dóuble shìft 二交代制, 二部制.
dówn·shìft 動自 ギアを低速に入れ換える.
Éinstein shìft 〖物理〗〖天文〗《もと》重力赤色偏移(gravitational redshift).
flóor·shìft 〖自動車〗フロアーシフト.
fráme·shìft 〖遺伝〗フレームシフト突然変異.
fúnctional shìft 〖文法〗機能推移.
fúnction shìft =functional shift.
géar·shìft 《米》〖自動車〗シフトレバー.
glíding shìft 《特に英》フレックスタイムを用いた勤務の交替システム.
gráveyard shìft 《米》真夜中から翌朝までの８時間勤務.
júmp-shìft 〖トランプ〗ジャンプシフト.
lóan·shìft 〖言語〗借用代行, ローンシフト.
lóbster shìft 《話》待機勤務(dogwatch).
máke·shìft やりくり算段, その場しのぎ.
mán·shìft (一人でする)一回の交替勤務.
níght shìft 夜勤労働者, 夜勤組.
ó·ver·shìft 〖アメフト〗オーバーシフト.
Purkínje shìft 〖心理〗プルキンエ移動.
ránk·shìft 動他 〖言語〗ランクを転移する.
réd·shìft 〖物理〗〖天文〗赤方偏移.
sóund shìft 〖言語〗音韻推移.
splít shìft 分割勤務[シフト].
stíck shìft 《米》〖自動車〗スティックシフト.
swíng shìft 《米・カナダ話》半夜勤, 午後交代.
ùn·shíft 動自 (コンピュータの)シフトキーを戻す.
úp·shìft 動自 自動車のギアを高いほうへ入れる.
vówel shìft 〖言語〗母音推移[交替].

shift·er /ʃíftər/

名 移す人; 移動装置. ⇨ -ER[1].

bóx shìfter 箱入り製品の販売のみをする会社.
múck·shìfter (土砂などの)運搬作業員.
scéne·shìfter 《主に英》(芝居の)道具方.
shápe·shìfter 変身できる(とされている)人.
sín shìfter 《英俗》牧師.

shil·ling /ʃíliŋ/

名 シリング, シル: 英国その他の貨幣単位. ⇨ -ING[3].

kíng's shílling 〖英史〗(徴兵係の士官が兵役の契約のしるしとして新兵に与えた)1 シリング貨(1879 年廃止).
píne trèe shílling パインツリーシリング: 米国 Massachusetts で鋳造された銀貨.
quéen's shílling king's shilling が女王の治世下で行われたもの.
Somáli shílling ソマリアシリング: ソマリアの貨幣単位.

shine /ʃáin/

S

動自〈太陽・月・電灯などが〉輝く, 光る; …を照らす;〈太陽・星が〉(雲に隠れず)出ている. ── 他 …を光らす.

bull·shine 名 《米俗》でたらめ, たわ言.
earth·shine 名 〖天文〗地球照, 地球の照り返し.
mon·key·shine 名 《米話》悪ふざけ, いたずら, 悪さ.
moon·shine 名 《話》密造 [密輸入] 酒.
out·shine 動他 …より明るく輝く.
o·ver·shine 動他 …よりも強く輝く.
shoe·shine 名 《主に米》靴磨き.
spit-shine 名 (光沢を与えるために)唾液(だえき)で靴を磨くこと.
sun·shine 名 ☞

ship /ʃíp/

名 船, 艦. ── 動他 …を船に載せる; 送る.

abòut-shíp 動自 〖海事〗上手回しする.
áir·shìp 名 飛行船.
áir-shìp 動他〈荷物を〉空輸便で送る.
a·míd·shìp 副 船体 [機体] のまん中に [で].
báttle·shìp 名 戦艦.
blóck·shìp 名 閉塞船.
cápital shìp 主力艦.
cáttle·shìp 名 家畜運搬用の大型船.
cóast defènse shìp 沿岸防備艇.
cóffin shìp ぼろ船.
contáiner·shìp 名 コンテナ船.
crúise shìp クルーズ船, 巡航(客)船.
dázzle shìp 迷彩艦.
dépot shìp 母艦, 母船.
désert shìp 砂漠の船: ラクダのこと.
drill·shìp 名 (海底油田探索用の)掘削船.
dróp-shìp 動他〈商品を〉産地直送で送る.
drý shìp (タンカーでない)一般貨物船.
fáctory shìp 捕鯨母船.
fíre shìp 〖歴史〗焼き討ち船.
flág·shìp 名 旗艦.
guárd shìp 哨(しょう)艦; 巡羅船, 監視艇.
gún·shìp 名 ガンシップ: 速射砲・機関銃などを搭載したヘリコプター.
háppy shìp 船員が楽しく仲よく働いている船.
hóspital shìp 病院船.
lánding shìp 上陸用船舶, 揚陸艦.
Líberty shìp (第2次世界大戦の)リバティー船.
líght·shìp 名 灯船, 灯台船.
líne-of-báttle shìp (もと)戦列艦.
lóg shìp 〖海事〗扇形板.
lóng·shìp 名 (中世スカンジナビア人の)長船.
mérchant shíp 商船.
míd·shìp 形 船の中央部の.
móon·shìp 名 月への宇宙船.
móther shìp 《主に英》母艦.
mótor·shìp 名 発動機船, 内燃機船.
mýstery shìp =Q-ship.
núrse shìp =mother ship.
óld shíp 《英海軍俗》同じ船の仲間.
pícket shìp 前哨(ぜんしょう)艦 [機].
pírate radio shìp 海賊放送船.
pírate shìp 海賊船.
púmp·shìp 動自 《俗》小便する.
Q-shìp 名 キューシップ, おとり船.
rè·shíp 動他〈荷物を〉再び船に乗せる [積む].
rócket shìp ロケット船: ロケット推進の航空機の俗称.
róll-on shìp 車両簡易輸送船.
ró-ro shìp ローロー船.
rótor shìp 風筒船, ローター船.
sáiling shìp 大型帆船, 帆前船.
schóol shìp (船員養成の)練習船.
sláve shìp 〖歴史〗奴隷船.
sólar shíp (古代エジプトの)太陽の舟.
spáce·shìp 名 宇宙船.
spý shìp 工作船.
stár·shìp 名 銀河系宇宙探査船.
stéam·shìp 名 汽船(steamer).
stóre·shìp 名 軍需 [供給] 物資輸送船.
súper·shìp 名 超大型船, マンモスタンカー.
súrface efféct shìp エアクッションビークル(ACV).
táll shíp 大型帆船, 横帆艤装(ぎそう)船.
tánk·shìp 名 タンカー.
thrée-ísland shìp 三島(型)船.
thwárt·shìp 形 〖海事〗船を横切る.
tíght shìp 《話》(軍艦なみに)統制が取れた機関.
tráiler·shìp 名 トラック・自動車などを運搬する船.
tráining shìp 練習船, 練習艦.
tran·shíp 動他 =transship
trans·shíp 動他〈荷物を〉積み換える.
tróop·shìp 名 兵員輸送船.
ùn·shíp 動他〈船客を〉船から降ろす.
Víctory shìp 第二次世界大戦の高速タービン動力貨物船.
wár·shìp 名 軍艦, 戦艦.
wéather shìp 気象観測船.
whàling shìp 捕鯨船.
wínd shìp 大型帆船.

-ship /ʃìp/

接尾辞 **1** (…の)状態, 性質: friend*ship*, hard*ship*. **2** (…の)性質, 状態を備えているもの: fellow*ship*. **3** 地位, 役職: professor*ship*. **4** 能力, 技能: leader*ship*. **5** (人間)関係: kin*ship*. **6** …集団, 層: reader*ship*. **7** 奨学金, 助成金: scholar*ship*, fellow*ship*.
★ 名詞(まれに形容詞)につけて名詞をつくる.
◆ 中英, 古英 *-scipe*.
[発音] 第1強勢は基語と同じ.

ac·quaint·ance·ship 名 知人であること, 知人関係.
al·der·man·ship 名 alderman の身分 [職].
am·bas·sa·dor·ship 名 大使 [使節] の職 [身分, 資格].
ap·pren·tice·ship 名 徒弟奉公, 見習い, 訓練, 実習.
as·sis·tant·ship 名 助手手当; 助手職.
at·tor·ney·ship 名 弁護士 [代理人] の職務; 代理権.
au·thor·ship 名 原作者; (うわさなどの)出所.
camp·er·ship 名 《米》キャンプ参加補助金.
can·di·date·ship 名 《主に英》立候補.
can·on·ship 名 司教座聖堂参事会員の職位.
cap·tain·ship 名 captain の職 [地位].
cen·sor·ship 名 検閲(制度).
chair·man·ship 名 chairman の職 [任務, 地位].
cham·pi·on·ship 名 選手権, 優勝(者の地位 [名誉]).
cit·i·zen·ship 名 市民としての身分, 市民権, 公民権.
col·lec·tor·ship 名 集金担当区域; 収税職員.
com·pan·ion·ship 名 (親密な)交わり, 交際.
con·sult·ant·ship 名 コンサルタント業.
count·ship 名 伯爵の位階 [地位].
court·ship 名 求愛, 求婚.
cu·ra·tor·ship 名 curator の地位 [職, 身分].
deal·er·ship 名 商品販売資格(権).
dic·ta·tor·ship 名 独裁国, 独裁政権 [政府].
dis·trib·u·tor·ship 名 〖商業〗販売代理 [独占] 権.
earl·ship 名 伯爵の位.
ed·i·tor·ship 名 編集者の地位 [職, 職務, 権限].
elder·ship 名 (長老派教会の)長老の職.
en·tre·pre·neur·ship 名 企業家精神.
ex·tern·ship 名 学外研修.
father·ship 名 《文語》父であること.
fel·low·ship 名 ☞
fol·low·er·ship 名 (進んで)指導者に従う能力 [こと].
friend·ship 名 交友; 友達付き合い.
gen·er·al·ship 名 大軍の統率, 指揮官としての能力.
gen·tle·man·ship 名 紳士の身分; 紳士らしさ.
god·ship 名 神格, 神性, 神であること.
gov·er·nor·ship 名 知事などの職務 [地位, 任期].
guard·i·an·ship 名 保護者 [後見人] の任務 [立場].
guild·ship 名 団体; ギルド; ギルドであること.
hard·ship 名 苦労, 苦難, 辛苦, 困窮.

S

head·ship 名 首長の地位 [権威].
heir·ship 名 相続人である地位; 相続権; 相続.
horse·man·ship 名 馬術家としての技術.
in·tern·ship 名 《主に米・カナダ》研修医の身分.
in·tra·pre·neur·ship 名 企業内事業家精神.
judge·ship 名 裁判官 [審判員] の職.
jus·tice·ship 名 裁判官の職 [資格, 任期].
kai·ser·ship 名 kaiser の地位 [権限].
king·ship 名 王の身分, 王位, 王権.
kin·ship 名 血族 [血縁] 関係; 同族関係.
la·dy·ship 名 奥様, お嬢様.
lead·er·ship 名 指導者の地位 [身分, 任務].
lec·ture·ship 名 講師の職 [地位].
li·brar·i·an·ship 名 司書 [図書館員] の職 [地位, 職務].
lis·ten·er·ship 名 (ラジオ・レコードなどの)聴取者.
lord·ship 名 《公爵を除く貴族や英国の裁判官に対する尊称》閣下.
-man·ship 連結形 ☞
mas·ter·ship 名 《文語・古》master の職 [職権].
mate·ship 名 《豪》(男の)友情.
me·di·um·ship 名 霊媒の能力, 霊媒師たること.
mem·ber·ship 名 (団体の)一員であること.
mu·si·cian·ship 名 音楽技能, 音楽的センス.
own·er·ship 名 ☞
pal·ship 名 《俗》仲のよいこと, 親密な仲.
part·ner·ship 名 ☞
past·or·ship 名 牧師 [主任司祭] の職務 [任期, 身分].
pen·man·ship 名 (ペン)習字, ペン書き.
praet·or·ship 名 法務官(praetor)の職位 [任期].
pre·mier·ship 名 首相の職 [任期].
pres·i·dent·ship 名 《主に英》president の地位 [職務].
pre·tor·ship 名 ＝praetorship.
pri·mate·ship 名 〘英国国教会〙大主教の職.
pro·fes·ser·ship 名 (大学の)教授の職 [地位].
queen·ship 名 女王の身分 [地位, 威厳].
read·er·ship 名 (本などの)読者数, 読者層.
re·ceiv·er·ship 名 〘法律〙財産管理.
re·la·tion·ship 名 ☞
re·tain·er·ship 名 従者であること [の身分].
rid·er·ship 名 特定の交通機関利用者(数).
rope·man·ship 名 綱渡り芸; ロープ [綱] で登る技術.
rul·er·ship 名 支配 [統治] すること; 支配 [統治] 者の地位.
saint·ship 名 聖人らしさ; 聖人の身分.
sales·man·ship 名 (商品の)販売技術 [テクニック].
schol·ar·ship 名 ☞
sea·man·ship 名 船舶操縦術, 操船術, 操艦術.
show·man·ship 名 芸人としての手腕.
sib·ship 名 〘人類〙氏族(sib)の一員であること.
sis·ter·ship 名 姉妹関係.
sol·dier·ship 名 軍人の身分 [地位, 職].
son·ship 名 息子であること [の身分, の関係].
speak·er·ship 名 (下院の)議長(speaker)の職 [任期].
sports·man·ship 名 スポーツ [狩猟など] の技量.
squire·ship 名 郷士連, (地方の)地主階級.
states·man·ship 名 政治家の能力.
stu·dent·ship 名 学生の身分, 学生であること.
sur·e·ty·ship 名 〘法律〙保証人・債務者・債権者三者の保証契約関係.
sur·vi·vor·ship 名 生き残り, 存命, 存続, 残存.
ter·tian·ship 名 〘カトリック〙第三修練期.
thane·ship 名 セイン(thane)の持つ土地保有権.
ti·tle·ship 名 財産の法律上の権限を有すること.
town·ship 名 (米国の中西部・北東部およびカナダの多くの州の)郡区.
train·ee·ship 名 訓練を受けている人の身分 [地位].
treas·ur·er·ship 名 会計係の職(務).
treas·ur·y·ship 名 ＝treasurership.
trust·ee·ship 名 〘法律〙trustee の職 [任務].
twin·ship 名 双子であること; 一対であること.
view·er·ship 名 視聴者; 視聴者数, 視聴率.
ward·ship 名 後見, 保護, 監督.
wa·ter·man·ship 名 船頭 [船子] の技術 [仕事].
work·man·ship 名 職人の腕(前).
wor·ship 名 ☞

shire /ʃáiər, -ʃiər, -ʃər/

名 州.
★ 主に英国の地名に使われる; 地名では /ʃiər, ʃər/.

Ayr·shire 名 エアシャー. **1** スコットランド産の長く曲がった角のある強壮な乳牛. **2** スコットランドの旧州.
Bed·ford·shire 名 ベッドフォードシャー(イングランドの州).
Berk·shire 名 バークシャー(イングランドの州). ► 字義は「丘陵地帯」.
Buck·ing·ham·shire 名 バッキンガムシャー(イングランドの州). ► 字義は「Bucca(地名)人の牧草地のある州」.
Caer·nar·von·shire 名 カーナボンシャー(ウェールズの旧州).
Cam·bridge·shire 名 ケンブリッジシャー(イングランドの州). ► 字義は「Cam 川にかかる橋のある州」.
Car·di·gan·shire 名 カーディガンシャー(ウェールズの旧州).
Car·mar·then·shire 名 カーマーゼンシャー(ウェールズの旧州).
Chesh·ire 名 チェシャー(イングランドの州). ► 字義は「Chester 市の中心地帯」.
Den·bigh·shire 名 デンビーシャー(ウェールズの旧州).
Der·by·shire 名 ダービーシャー(イングランドの州). ► 字義は「シカの生息地」.
Dev·on·shire 名 デボンシャー(イングランドの旧州). ► 字義は「Devon(種族名)の領地」.
Dor·set·shire 名 ドーセットシャー(イングランドの旧州). ► 字義は「Dorn(種族名)の勢力圏」.
Flint·shire 名 フリントシャー(ウェールズの旧州).
Glouces·ter·shire 名 グロスターシャー(イングランドの州). ► 字義は「きらびやかで壮麗な景観を持つ州」.
Hamp·shire 名 ハンプシャー(イングランドの州).
Her·e·ford·shire 名 ヘレフォードシャー(イングランドの旧州).
Hert·ford·shire 名 ハートフォードシャー(イングランドの州). ► 字義は「雄シカと遠浅の海のある州」.
Hun·ting·don·shire 名 ハンティンドンシャー(イングランドの旧州). ► 字義は「猟師たちの丘のある地方」.
Lan·ca·shire 名 ランカシャー(イングランドの州). ► 字義は「Lune 川上流に Roma の砦のある州」.
Leices·ter·shire 名 レスタシャー(イングランドの州). ► 字義は「Roma の町のある州」.
Lin·coln·shire 名 リンカーンシャー(イングランドの州). ► 字義は「池のほとりに Roma 人の居住地がある州」.
Mer·i·on·eth·shire 名 メリオネスシャー(ウェールズの旧州).
Mon·mouth·shire 名 モンマスシャー. (ウェールズの旧州).
Mont·gom·er·y·shire 名 モン(ト)ゴメリーシャー(ウェールズの旧州).
Mor·ay·shire 名 マリシャー(スコットランドの旧州).
North·amp·ton·shire 名 ノーサンプトンシャー(イングランドの州). ► 字義は「南部の州」.
Not·ting·ham·shire 名 ノッティンガムシャー(イングランドの州). ► 字義は「Snot(地名)人の牧草地がある州」.
Ox·ford·shire 名 オックスフォードシャー(イングランドの州). ► 字義は「牛のための水飲み場がある州」.
Pem·broke·shire 名 ペンブルクシャー(ウェールズの旧州).
Perth·shire 名 パースシャー(スコットランドの旧州).

S

Rad·nor·shire [名] ラドノーシャー(ウェールズの旧州).
Rut·land·shire [名] ラトランドシャー(イングランドの旧州). ►Shrewsbury(地名)に州都があったことにちなむ.
Shrop·shire [名] シュロップシャー(イングランドの旧州).
Som·er·set·shire [名] サマセットシャー(イングランドの州). ►字義は「Somerton(地名)周囲の住民の居住区」.
Staf·ford·shire [名] スタッフォードシャー(イングランドの州). ►字義は「波止場のそばの浅瀬」.
War·wick·shire [名] ウォーリックシャー(イングランドの州). ►字義は「堤防のそばに人々の住む地域」.
Wilt·shire [名] ウィルトシャー(イングランドの州). ►字義は「Wilton(地名)の属州」.
Worces·ter·shire [名] ウースターシャー(Worcester)(イングランドの旧州).
York·shire [名] ヨークシャー(イングランドの旧州). ►字義は「イチイの木が生い茂る州」.

shirt /ʃə́ːrt/

[名] **1** (男性用の)ワイシャツ, シャツ. **2** 《米》シャツ, 下着.

alóha shìrt =Hawaiian shirt.
Á-shirt [名] ランニングシャツ.
Básque shírt バスクシャツ.
Bláck Shìrt 〔政治〕黒シャツ党員.
blóody shírt 《米》血染めのシャツ.
blúe shìrt 青服を着ている人; 消防士.
bódy shìrt ボディーシャツ [スーツ].
bóiled shírt 《話》(礼服用の)ボイルドシャツ.
brówn·shìrt ナチ党員(Nazi).
búsh shìrt (狩猟用)ブッシュジャケット.
cámp shìrt キャンプ用シャツ.
cóllarband shìrt カラーバンドシャツ.
dréss shìrt 礼装用ワイシャツ, ドレスシャツ.
fríed shìrt =boiled shirt.
Gréen·shìrt 《英》〔経済〕社会信用説の支持者.
háir shírt ヘアシャツ: 馬巣織りシャツ.
Hawáiian shìrt ハワイアンシャツ, アロハシャツ.
múscle shìrt 《米》(筋肉を誇示する)袖なし T シャツ.
níght·shìrt シャツ寝巻き.
ópen shírt オープンシャツ, 開襟シャツ.
ó·ver·shìrt [名] (頭からかぶる)オーバーシャツ.
pólo shìrt ポロシャツ.
púrple shírt 《米海軍俗》空母飛行甲板の給油係.
réd·shìrt 《米俗》(大学の)留年選手.
Rúgby shìrt ラガーシャツ.
safári shìrt サファリシャツ.
sléep·shìrt スリープシャツ, 寝巻き.
spórt shìrt スポーツシャツ.
spórts shìrt =sport shirt.
stúffed shírt 《米俗》頭の堅いもったいぶった人.
stúff shìrt =stuffed shirt.
swéat·shìrt スエットシャツ, トレーナー.
tée shìrt =T-shirt.
T́-shìrt T シャツ.
un·der·shìrt 《主に米・カナダ》アンダーシャツ.
whíte shírt 《英俗》上級の看守.

shit /ʃít/

[名] **1** 《俗》大便, 糞(ふん), くそ. **2** くだらないもの [やつ]. **3** 《米》麻薬.

ápe-shìt [形] 《米》夢中になって.
bád shít 《米》危険な仕事; 危険人物.
bát-shìt 《米》こうもりの糞.
bíg shìt 《米》嫌なやつ.
bírd·shìt 《米》=chickenshit.
búll·shìt 嫌なもの, 不必要なもの.
cát shìt 猫の糞.
chéap·shìt [形] 《米》安物の, 質の悪い.
chíck·en·shìt うんざりするような事.
ców·shìt 牛の糞.
déep shít 《米》厄介, 面倒.
díddly·shìt 《米》くだらない問題.
díp·shìt 《米》ばか, まぬけ.
dóg·shít 《米》ひどいもの, がらくた.
dóodly-shìt 《米》=diddlyshit.
fúck-shìt 《米》嫌な [惨めな] やつ.
góod shít 《米》大いに結構, よしきた.
horse·shìt 《米》馬糞(ばふん).
hót shít 《米》見えっ張りなやつ.
jáck·shìt 《米》なんでもないもの [こと].
líttle shít 《米》ばかな [つまらない] やつ.
múng·shìt 《米》ばかな [くだらない] やつ.
ówl·shìt 《米》いやなこと [仕事].
píg·shìt 《米》くだらないもの.
rát·shìt [形] 価値のない, つまらない.
whíte shít ヘロイン.

shock /ʃák | ʃɔ́k/

[名] **1** 衝撃, 激突; 激しい震動, 地震. **2** 〔病理〕ショック.

áf·ter·shòck [名] 〔地震〕余震.
anaphyláctic shóck 〔病理〕アナフィラキシーショック.
bów shòck 〔天文〕弧状衝撃波.
cardiogénic shóck 〔医学〕心原性ショック.
cóunt·er·shòck [名] 〔医学〕カウンターショック.
cúlture shòck カルチャーショック.
e·léc·tro·shòck [名] 〔医学〕電気ショック療法.
fóre·shòck [名] 〔地震〕前震.
fúture shòck フューチャーショック: めまぐるしい社会の変化に対するショック.
hypovolémic shóck 〔医学〕血液量減少性ショック.
ínsulin shòck 〔病理〕インシュリンショック.
osmótic shóck 〔生理〕浸透圧衝撃.
ráte shòck 〔経済〕レートショック.
sécondary shóck 〔医学〕二次性ショック.
shéll shòck 〔精神医学〕戦闘疲労, 戦争神経症.
shórt shárp shóck (犯罪抑止力に即効性のある)管理体制.
stícker shòck 《米俗》値段の高いのに驚くこと.
téch·no·shòck [名] テクノショック: 技術革新についていけないとまどい.
thérmal shóck 〔物理化学〕熱衝撃.

shod /ʃád | ʃɔ́d/

[動] shoe の過去・過去分詞形.

dry-shod [形][副] 靴 [足] をぬらさない(で).
rough·shod [形] 〈馬が〉釘付き蹄鉄をつけた.
sharp·shod [形] 〈馬が〉滑り止め付き蹄鉄を打った.
slip·shod [形] ぞんざいな, 乱雑な; ずさんな.
un·shod [形] 靴を履いていない, はだしの.

shoe /ʃúː/

[名] **1** 靴, 短靴. **2** 蹄鉄(ていてつ). **3** (杖・棒などの先端を保護する)石突き, 金たが, はめ輪. **4** 経済 [社会] 的地位; 立場, 観点; 苦境.

accéssory shòe 〔写真〕アクセサリーシュー.
athlétic shóe (ジョギング・エアロビクスダンス用などの)運動靴.
bláck·shòe 《軍事俗》航空母艦の乗務員.
bráke shòe 〔機械〕ブレーキ片, 制輪子.
cánvas shóe スニーカー, ズック靴.
cóurt shòe 《英》パンプス(pump).

élevator shòe エレベーターシューズ: 底に厚い皮を敷いた靴.
gúm·shòe 《米・カナダ俗》探偵, (私服)刑事.
gým shòe ゴム底のズック靴.
hórse·shòe 馬蹄(ばてい), 蹄鉄.
hót shòe 『写真』ホットシュー.
jázz shòe ジャズ・シューズ: ジャズダンスを踊るための男性用のオックスフォード型の靴.
jógging shòe ジョギングシューズ.
láunching shòe (飛行機の機体に取りつけるミサイルの)発射架.
lóng·shòe 《米俗》自信に満ちた都会的センスのある人.
óld shóe 《話》(一緒にいて)気楽な人.
ó·ver·shòe 名 オーバーシューズ: 靴の上からはく防水靴の一種.
Óxford shóe オックスオードシューズ: ひもで結ぶ主に紳士用短靴の総称.
píle shòe 杭沓(くいぐつ): 杭の先端に取り付ける金属.
plátform shóe 厚底靴, プラットホームシューズ.
plów·shòe プラウシュー: 鋤(すき)の刃の保護覆い.
rúnning shòe ランニングシューズ.
sáddle shòe 《米》サドルシューズ: カジュアルシューズの一種.
sánd shòe 砂浜用のズック靴.
snów·shòe かんじき.
sóft-shóe 形 (金具なしの柔らかい革靴を履いて踊る)タップダンスの.
ténnis shòe テニス靴, テニスシューズ.
tóe·shòe 『バレエ』トーシューズ.
tráck shòe (陸上競技用の)スパイクシューズ.
ùn·shóe 動他 …の靴を脱がせる.
Vénus's-shóe 『植物』アツモリソウ(敦盛草).
whíte shóe 《米学生俗》典型的な Ivy League の学生.
wóoden shóe 木靴(sabot).

shoes /ʃúːz/

名複 shoe の複数形.

áir shòes 空気入り運動靴.
álligator shòes 《英》つま先がワニの口のように開いた靴.
blócked shòes (バレエダンサーの)トウシューズ.
brówn shòes 《米俗》麻薬を使用しない人.
cemént shòes コンクリートの靴: マフィアが死体や生きた人の足をコンクリートで固めて水底に沈めること.
corespóndent shòes 《英》《こっけい》ツートンカラーの紳士靴.
énergy retùrn shòes エネルギー・リターン・シューズ: 舗道とぶつかる際, エネルギーの浪費を少なくするために, 効果的に跳ね返るといわれている新開発の運動靴.
Éarth Shòes 《商標》アースシューズ: 足の疲労軽減のためにつま先よりかかとの部分を低くした靴.
góody twó shòes 善人ぶった人.
jélly bèan shòes =jelly shoes.
jélly shòes ジェリーシューズ: ゴムまたは柔らかいプラスチック製, 主に女性用の夏靴.
Jésus shòes 男物のサンダル.
kurdáitcha shòes エミュー(emu)の毛で作った靴.
márshmallow shòes 《米俗》マシュマロ・シューズ: 若者や女の子が履く白い厚底の靴.
mónk shòes モンクシューズ: 甲にストラップを渡し, 横でバックル留めしたシューズ.
pánt·shòes パンタロンシューズ: すそ広がりのズボンに合わせてはく靴.
póint shòes =blocked shoes.
púmp shòes ポンプで空気が注入できる運動靴.
sáfety shòes 安全靴: 落下物からつま先部分を守るように先を補強した靴.

shoot /ʃúːt/

動他 **1**〈人・動物などを〉(弾丸・矢などで)撃つ, 射る. **2** 投げる; 噴出する. **3**『写真』〈写真を〉撮る. ―― 名 **1** (弓・銃などの)発射, 射撃. **2** (植物の)新芽; 若枝. **3** 射水路; 斜溝.

anxíety shòot 『植物』生命不安から生じる枝.
bambóo shòot タケノコ.
cráp·shòot 《話》危険で予測不可能なこと.
gréen shòot 『経済』景気回復の兆し.
líne-shòot 《英俗》自慢話.
óff·shòot 『植物』枝, 分枝, 横枝, 側枝.
óre·shòot 『鉱物』富鉱体, 直り, 落とし.
òut·shóot 動他 …より射撃がうまい.
ò·ver·shóot 動他〈的・目標を〉越える, 外れる.
skéet-shòot 動他 《米俗》(片方の鼻の穴を押さえて)鼻水を吹き出す.
snáp·shòot 動他 …のスナップ写真を撮る.
swóllen shóot 『植物病理』カカオのウイルス病.
tróuble·shòot 動自 故障検査員 [仲裁人] として働く.
túrkey shòot 射撃遊び.
ùn·der·shóot 動他〈的に〉達しない, とどかない.
wáter·shòot 樋(とい), 排水管.
zóot shòot 《米俗》でか鼻(の人).

shoot·er /ʃúːtər/

名 **1** 射る [撃つ] 人; (弓の)射手, 砲手, 猟師; (スポーツで)シュートする人. **2**《主に複合語で》火器, ピストル, (連発)銃. ⇨ -ER[1].

áge shóoter 『ゴルフ』エージ・シューター.
béan·shòoter =peashooter.
búll·shòoter 《米俗》ほら吹き.
cráp·shòoter 《米》さいころ博打(ばくち)をする人.
líne shòoter 『漁業』投縄機.
nígger shòoter 《米俗・古風》(石などを撃つ)ぱちんこ.
péa·shòoter 豆鉄砲(bean shooter).
píll shòoter 《俗》医者; 薬剤師.
shárp·shòoter 射撃の名人; 狙撃(そげき)者.
síx-shóoter 《米話》六連発拳銃(six-gun).
squáre shóoter 《米話・皮肉》正直者.
stráight shóoter (行動の)真っ正直な人, 一本気な人.
tróuble·shòoter 《もと米》(紛争などの)調停者.

shoot·ing /ʃúːtiŋ/

名 狙撃(そげき), 射撃, 発砲; 狩猟. ―― 形 …を撃つ [射る]. ⇨ -ING[1], -ING[2].

flíght shòoting 『弓術』遠矢競技.
híp-shòoting 形 《米》衝動的な, 発作的な.
práctical shóoting 実地射撃.
róugh shóoting 狩猟地以外の土地での銃猟.
tráp·shòoting トラップ射撃.
wíng shòoting 『狩猟』飛鳥狙撃(そげき).

shop /ʃáp | ʃɔ́p/

名 **1**《主に英》小売店, 小さい商店. **2** 専門店, (大商店の)特定品売場. **3** (職人・技芸家の)仕事 [作業] 場. **4** 工場, 事業所. **5**《米俗》《複合語で》特定のこと [もの] が行われる [使われる] 場所. ―― 動自 買い物をする.

ágency shòp エージェンシー・ショップ制.
anténna shòp アンテナ・ショップ(pilot shop).
assémbly shòp (機器などの)組立工場.
báck shòp (主店舗に隣り合った)裏の店.
báke·shòp パン屋.
bárber·shòp 理髪店, 床屋.
bárrel shòp 《米》安酒場.
bétting shòp 《英》私設馬券売り場.
bódy shòp 車体工場.

S

bóok·shòp 《特に英》本屋, 書店(bookstore).
bóttle shòp 《豪·NZ》酒屋, 酒類販売店.
búcket shòp やみ証券業者.
bútcher shòp 肉屋, 鳥肉屋.
chóp shòp 《話》チョップショップ: 盗んだ車を解体し, その部品を売る店.
clósed shóp クローズドショップ: 労働協約の一種.
cóffee shòp 《米》軽食堂; 喫茶軽食店.
compárison-shòp 動自 (商品を)比較する.
cóok·shòp 《米》食堂; 惣菜(そう)屋.
cóp shòp 《米俗》警察署.
córner shòp (街角近辺にある)雑貨店.
dóctor-shòp 動自他 《米俗》(麻薬を)医者から合法的に手に入れる.
dóllar shòp (共産主義国の)ドルショップ.
dólly shòp (もぐりの)くず物商, 古物商, 質屋.
drám·shòp 一杯飲み屋, 酒場.
fítting shòp (機械の)組立工場.
garáge-shòp ガレージショップ.
gíft shòp みやげ品店.
grόg·shòp 《英》(特にいかがわしい)飲み屋.
háppy shòp 《米黒人俗》酒屋.
héad shòp 《米俗》マリファナ用品店.
hóck·shòp 質屋.
hóok·shòp 《米俗》(安い)売春宿.
ín-bònd shóp 《カリブ英語》免税店.
Jésus shòp Jesus Movement で使うバッジ·ポスターなどを売る店.
jób shòp ジョブショップ: 職業紹介機関.
júmble shòp 《英》雑貨店.
júnk shóp がらくた屋; 中古品店.
knócking shòp 《英俗》売春宿, 性風俗の店.
machíne shòp 機械工場; 機械組み立て修理工場.
mádam-shòp マダムショップ: 中年女性用ブティック.
mált shòp モルトショップ: 乳製飲料店.
másk shòp 〔電子工学〕マスクショップ.
médicine shòp (マレーシアで)漢方薬を扱う薬局.
múltiple shóp 《英》チェーンストア.
nónunion shóp 非労働組合企業体.
ópen shóp オープンショップ: 労働協約の一種.
opportúnity shòp 《豪·NZ》チャリティーショップ.
páint shòp 工場の塗装部門.
páwn·shòp 質店, 質屋.
pláte shòp 〔造船〕鉄板を非加熱鍛造する工事場.
póp·shòp 《英俗》質屋.
pórn·shòp ポルノショップ.
póverty shòp 貧乏人がよく行く店.
preferéntial shóp 《米》組合員優先(雇用)工場.
príce-shòp 動自 〔マーケティング〕販売価格を調べる.
prínt shòp 版画販売店.
pró shòp プロショップ: ゴルフ場付属の専門店.
rág-shòp 古着[ぼろきれ]屋.
rúm·shòp 《米話》酒場.
rúnaway shòp 《米》脱走工場, 逃亡企業.
séx shòp ポルノショップ.
shóe·shòp 靴屋.
shów·shòp 劇場.
slóp·shòp 安物既製服を売る店.
smóke shòp 《米》タバコ屋.
spécialist shòp =specialty shop.
spécialty shòp 《米》(特選品を扱う)専門店.
spéed shòp 《話》スピードショップ: 特性自動車部品を売る店.
strúctural shòp 〔造船〕=plate shop.
súndry shòp (マレーシアで)中国食品販売店.
swáp shòp (特に中古品の)販売店, 交換所.
swéat·shòp 労働搾取工場.
swéet-shòp 《英》菓子屋.
tálking shòp 《英》(交渉·取引力がなく話し合いしかできない)弱小組織.
tálly·shòp 《英》分割払い販売店, 割賦販売店.
téa shòp 喫茶店; 《英》軽食堂.
téle·shòp 動自 テレショッピングをする.
thríft·shòp 《米》(慈善)中古品割引店.
tómmy shòp 《英》=truck shop.
tóy·shòp 玩具店, おもちゃ屋.
trúck shòp 労働者が引換券で物品と交換する店.
túck-shòp 《英》(学校内または近くの)菓子店.
únion shòp ユニオンショップ: 労働協約の一種.
whóre·shòp 売春宿.
wíndow-shòp 動自 ウインドーショッピングする.
wínes and spírits shòp 《英》酒屋.
wíne·shòp ワイン店.
wórk·shòp 仕事場; 研究会.

shop·ping /ʃápiŋ|-ɔ́p-/

名 買い物, ショッピング. ──形 買い物の(ための). ⇨ -ING[1], -ING[2].

cátalogue shòpping カタログショッピング.
hóme-shòpping テレフォンショッピング.
hóusehold shópping 家庭用品·食品の買物, 買い出し.
póstal shòpping 《英》通信販売での買い物.
prè·shópping 形 買物の前の.
téle·shòpping 家庭のコンピュータ端末機などを用いての商品購買, テレショッピング.

shore /ʃɔ́ːr/

名 (海·湖·大きな川の)岸, 海岸, 湖畔, 河岸.

a·long·shore 副形 海岸に沿って[た], 磯(いそ)伝いに[の].
a·shore 副 浜へ[に], 岸へ[に], 浅瀬へ[に].
back·shore 名 〔地質〕後浜(こうひん).
fore·shore 名 水際と耕地との間の土地; なぎさ.
in·shore 形 海岸に近い, 沿海の.
lake·shore 名 湖岸, 湖水際に沿った土地.
lée shòre (船の)風下の海岸.
long·shore 形 (特に海港またはその付近の)海岸にある[に見られる, で働く].
near·shore 形 沿岸の, 海浜の, 海浜帯の.
off·shore 副 沖に(向かって), 岸を離れて.
on·shore 副 岸[陸]の方へ, 岸[陸]に向かって.
sea·shore 名 海岸, 海浜, 海辺.
ship-to-shore 形 船と陸の間で働く[をつなぐ].

short /ʃɔ́ːrt/

形 **1** 短い. **2** 〈金属が〉強度の乏しい, もろい.

cóld-shórt 形 〔金工〕常温脆(ぜい)性の, 冷脆性の.
hót shórt 《米暗黒街俗》盗難車.
hót-shórt 形 〔金工〕高温[赤熱]脆(ぜい)性の.
ódd-còme-shórt 《古》(布の)切れ端.
réd-shórt 形 〔冶金〕赤熱脆(ぜい)性の.
shórt shórt 《米市民ラジオ俗》トイレ停車.
ùl·tra·shórt 形 極端に短い.

shorts /ʃɔ́ːrts/

名複 short の複数形.

Bermúda shórts バーミューダショーツ: ひざ上までの半ズボン.
bóxer shòrts ボクサーショーツ.
cýcling shórts サイクリングショーツ: 細身でひざ上丈のショーツ.
Jamáica shórts ジャマイカショーツ[パンツ]: ももの半ばまでのパンツ.
ún·der·shòrts 名複 《米》(男子·子供用の下着の)パン

wálking shòrts ツ(short underpants).
ウォーキングショーツ: バミューダショーツよりゆったりと裁断された, ひざ上丈の半ズボン.
wálk shòrts ＝walking shorts.

shot[1] /ʃát｜ʃɔ́t/

名 **1**(火器・弓などの)(…に向けての)発射, 発砲. **2**射程. **3**《話》(ロケットなどの)発射. **4**《話》(ゴルフなどの)ショット; (サッカーなどの)シュート. **5**《話》(生(き)のままの)少量のアルコール飲料. **6**《話》【写真】スナップ; 撮影. **7**【映画】【テレビ】ワンカット.

áir-shòt 空振り.
ánchor shòt 【海事】＝grapple shot.
ángle shòt 【映画】【写真】アングルショット.
appróach shòt 【テニス】アプローチショット.
bád shòt 下手な射撃(手).
banána shòt 【ゴルフ】スライス[フック].
bánk shòt 【バスケット】バンクショット.
béan shòt 【冶金】ビーンショット.
béaver shòt 《米俗》ビーバーショット: 女性が両脚を開いて性器を見せた写真.
bíg shòt 《話》有力者, 重要人物, 大物.
bírd shòt 鳥打ち用の散弾.
bóom shòt 【映画】【テレビ】俯瞰(ふかん)撮影.
bóoster shòt 【医学】抗原の補助刺激剤.
bóss-shòt 《英方言・俗》当て外れ.
bów·shòt 弓の射程, 矢の届く距離.
brídging shòt 【映画】ブリッジカット.
búck·shòt 【狩猟】シカ玉.
búll·shòt 【カクテル】ブルショット.
cánister shòt ＝case shot.
cánnon shòt 【軍事】砲弾.
cáse shòt 【軍事】散弾.
cháin shòt 【軍事】連鎖弾, 鎖弾.
chéap shòt 《米・カナダ》(特にアメフトで)故意のラフプレー.
chéat shòt 【映画】チートショット.
chíp shòt 【ゴルフ】チップショット.
cléan shòt 《英俗》幸運, 好機.
clóse shòt 【映画】【テレビ】大写し(closeup).
cóck·shòt (祭りなどでの)射的.
combinátion shòt 【ビリヤード】コンビネーションショット.
compósite shòt 【映画】【テレビ】分割スクリーン.
cóver shòt 【写真】全景[広角]写真(撮影).
ców·shòt 【クリケット】腰をかがめて打つ強打.
cráne shòt ＝boom shot.
cróss shòt 【映画】【テレビ】クロスショット.
déad shòt 命中[必中]弾.
diréct-máil shòt ダイレクトメールの発送.
dólly shòt 【映画】【テレビ】ドリーショット.
dráw shòt 《米》【ビリヤード】ドローショット.
dróp shòt 【テニス】ドロップショット.
dúck shòt 【狩猟】カモ撃ちの弾.
dúnk shòt 【バスケット】ダンクショット.
dúst shòt 最小散弾.
éar·shòt 音声の届く距離.
explósion shòt 【ゴルフ】エクスプロージョン・ショット.
éye·shòt 目の届く距離, 視界, 視野.
fáx shòt 宣伝ファックスの送付.
féather shòt 【冶金】微細銅粒.
fláp·shòt 《俗》開いた大陰唇の写真.
fóllow shòt 【映画】【テレビ】移動撮影.
fóul shòt 【バスケット】フリースロー.
gláss shòt 【映画】スライドかぶせ撮影.
gráb shòt 《米俗》慌てて撮った写真.
grápe·shòt 【軍事】ぶどう弾.
grápple shòt 【海事】引っ掛け鉤.
guést-shòt 特別[ゲスト]出演.
gún·shòt 発砲, 射撃, 砲撃.
héad shòt 《米俗》顔写真.
hóok shòt 【バスケット】フックショット.
hót shòt 【軍事】白熱光弾(射撃).
hót·shòt 形 《米俗》積極的で有能な.
Índian shòt 大粒の散弾のような種をつける *Canna* 属の植物.
júmp shòt 【バスケット】ジャンプショット.
kíll shòt 【バドミントン】決め球のショット.
lóng shòt 【競馬】勝ち目のほとんどない馬.
lów-ángle shòt 【映画】【写真】低アングルショット.
máiling shòt ＝mail shot.
máil shòt ダイレクトメールの発送.
mátte shòt 【映画】あとで差し替えるため, 背景を覆い隠す撮影.
méat shòt 《俗》(男女の)陰部の写真.
médium shòt 【映画】【テレビ】中(間)距離撮影.
móon·shòt 月へのロケット[宇宙船]発射.
múg shòt 《俗》(警察のファイルの)顔写真.
músket shòt マスケット銃の発砲.
nóstril shòt 《米俗》【テレビ】不体裁な画像.
óne-shòt 一回限りのもの; 単発のもの.
pánning shòt 【映画】パン撮り.
Párthian shòt 捨てぜりふ.
párting shòt (別れ際の)捨てぜりふ.
pássing shòt 【テニス】パッシングショット.
pénalty shòt 【アイスホッケー】ペナルティーショット.
pín·shòt 《米麻薬俗》安全ピンと点眼器を用いる麻薬注射.
pístol shòt ピストルの発射弾; ピストルの射程(距離); ピストルの名手.
pítch-and-rún shòt 【ゴルフ】＝chip shot.
pítch shòt 【ゴルフ】ピッチショット.
pót·shòt (食料を得るためのルールを無視した)獲物目当ての発砲[射撃].
púsh shòt 【バスケット】プッシュショット.
reáction shòt 【映画】【テレビ】表情のアップ.
revérse ángle shòt 【映画】＝reverse shot.
revérse shòt 【映画】リバース・ショット.
rífle shòt 小銃弾, ライフル弾; 小銃射程.
rím shòt 【音楽】リムショット.
róund shòt 【軍事】大砲の弾, 砲丸.
scátter shòt 【狩猟】散弾.
scátter·shòt 形 でたらめの, やみ雲の.
sét shòt 【バスケット】セットショット.
síghting shòt 照準練習射撃.
síngle-shòt 形 〈小火器が〉単発手動装填(そうてん)の.
sláp shòt 【アイスホッケー】スラップショット.
slíng·shòt 《米・カナダ》ぱちんこ, ゴム銃.
slúng shòt 《主に米》スラングショット: 短い革ひもに重石を結びつけた武器.
snáp·shòt 【写真】スナップ写真.
spáce·shòt (宇宙船などの)打ち上げ.
splít shòt 【クロッケー】スプリットショット.
stóck shòt 【映画】【テレビ】ストックショット.
stúff shòt 【バスケット】＝dunk shot.
swán shòt 【狩猟】大形の猟鳥や小動物を撃つ大粒の散弾.
tíght shòt 【映画】タイトショット.
trácking shòt 【映画】【テレビ】＝dolly shot.
tráck shòt 【映画】【テレビ】＝dolly shot.
tráp shòt 【スポーツ】ハーフボレー.
trável shòt 【映画】【テレビ】移動撮影.
trúcking shòt ＝dolly shot.
twó-shòt 【映画】【テレビ】二人構図.
úp·shot 結末, 終局, 結果; 結論.
wíng shòt 【狩猟】飛鳥狙撃(そげき).
wóod shòt 【ゴルフ】ウッドショット.
wríst shòt 【ゴルフ】【ホッケー】リストショット.
zóom shòt 【映画】【テレビ】ズーム.

shot[2] /ʃát｜ʃɔ́t/

動 shoot の過去・過去分詞形. ── 形 **1**〈織物が〉玉虫

S

色[玉虫織り]の; 七色に変わる. **2**《米・豪・NZ 俗》酔っ払った.

grápe shòt 形 《米話》(特にワインで)酔っ払った.
hálf-shót 形 《米俗》酔った.
híp·shòt 形 股(こ)関節の外れた.
o·ver·shot 形 上からの力で動く.
un·der·shot 形 下あごが上あごより突き出た.

shoul·der /ʃóuldər/

名 **1**(人体の)肩. **2**路肩.

cóld shóulder 《話》無視, 冷遇.
cóld-shóulder 動他 無視する, 鼻であしらう.
cóver-shòulder カバーショルダー: ガーナで着るブラウスの一種.
frózen shóulder 【病理】五十肩, 凍結肩.
hárd shóulder 《英》(高速道路の)硬路肩, 停車帯.
léft shóulder 《米俗》反対側車線の取り締まり.
óver-the-shóulder 形 肩越しの.
sóft shóulder 軟路肩(ろかた).
stráight-from-the-shóulder 形 〈表現が〉真正直な, 単刀直入の.
ùn·shóul·der 動他 〈荷を〉肩から降ろす.

shout /ʃáut/

動自 大声を出す. ━━名 叫び(声), 大声.

cóon shòut クーンシャウト: リーダーと会衆が交互に歌う, 古い黒人の歌唱.
òut·shóut 動他 …より大きな声で怒鳴る.
ríng shòut 《米》リングシャウト: 輪になり大声を出す, アフリカ起源の群舞.

shov·el /ʃʌ́vəl/

名 (土・雪・石炭などをすくう)シャベル, スコップ.

fíre shòvel 石炭シャベル.
píck-and-shóvel 形 〈仕事が〉苦労な, 骨の折れる.
pówer shòvel 動力ショベル, パワーショベル.
snów-shòvel 除雪用シャベル.
stéam shòvel 《米》(土木工事用の)蒸気シャベル.

show /ʃóu/

動他 見せる, 示す. ━━名 **1** 見世物, ショー; 劇. **2** テレビ[ラジオ]の番組; 映画. **3** 展示会, 展覧会, 品評会.

agricúltural shòw 《英》農産物[家畜]品評会.
áir·shòw 名 航空[飛行]ショー.
áqua·shòw 名 《英》(飛込みなどを見せる)水上ショー.
Ármory Shòw アーモリー・ショー: 1913 年に開催された国際近代美術展.
bálly shòw 《米俗》(見世物・サーカスで)余興.
Bárnum & Báiley Shòw P.T.Barnum のサーカス(1871 年創立)を James A.Bailey が 1890 年代に受け継いだ巡業大サーカス.
bénch shòw 犬の品評会, ドッグショー.
bíg shów 【野球】ビッグリーグのチーム.
Bóat Shòw ボート国際見本市.
bóok shòw ミュージカル.
cáttle shòw 畜牛品評会.
chát shòw 《英》(テレビの)トークショー.
créep·shòw 《俗》おもしろいもの.
dóg and póny shòw 《米俗》つまらない見世物.
dóg shòw ドッグショー, 犬の品評会.
dréss shòw 《英》=fashion show.
dúmb shòw (初期の英国劇によく見られる)だんまり芝居, 黙劇.
fáshion shòw ファッションショー.
flóor shòw フロアーショー.
flówer shòw フラワーショー.
fore·shów 動他 《古》前もって示す.
fréak shòw (サーカス・カーニバルでの)奇形の人間や動物の見世物.
frée shów 《米話》(女性の)陰部を盗み見ること.
galánty shòw (19 世紀英国の)無言影絵(芝居).
gáme shòw 【テレビ・ラジオ】(視聴者が賞品・賞金の獲得を目指す)ゲーム番組.
Gáng Shòw 《英》ギャングショー.
gírlie shów 《俗》ヌードショー.
Góng Shów ゴングショー: まずい芸・歌などにゴングを鳴らしてストップさせる視聴者参加のショー番組.
gó-shòw ゴーショー.
gríndshòw 《見世物俗 / 古風》休憩時間[休日]なしで[ぶっ通しで]興行するショー.
hórror·shòw 形名 《俗》ぞっとするような(もの).
hórse shòw ホースショー.
íce shòw 氷上[アイス]ショー(団).
indústrial shów 商品広告のためのショー.
jíg shòw 黒人ミンストルショー.
kíd shòw 《米俗》つけたりの出し物[ショー].
lég shòw 脚線美ショー.
líght shòw 照明ショー.
méat shòw 《米俗》(キャバレー・ナイトクラブの)フロアショー, ヌードショー.
médicine shòw 特に 1800 年代末に薬の行商人が特効薬や売薬の宣伝・販売のために街角や広場などで行った演芸.
mínstrel shòw ミンストレルショー.
mótor shòw モーターショー.
múd shòw 《米俗》馬車で巡業するサーカス.
nó-shòw 《話》不参加の客.
ówl shòw 《俗》深夜興行.
pánel shòw パネルショー.
péep shòw (拡大鏡・小さな穴などを通して見せる)のぞきからくり.
pícture shòw 《古》映画, 映画作品.
préss-shòw 動他 報道関係者向けに試写する.
Púnch-and-Júdy shòw パンチとジュディー: 繰り人形劇.
púppet shòw 人形芝居.
quíz shòw クイズ番組.
ráree shòw =peep show.
róad shòw **1**(芝居・ミュージカルなどの)巡回興行, 地方巡業. **2** ロードショー.
róad-shòw 形 ロードショーの.
Róyal Smíthfield Shów London で開かれる農機具と家畜の展示会.
Róyal Váriety Shòw ロイヤル・バラエティーショー.
séx shòw セックスショー.
shádow shòw 影絵芝居.
shópping shòw (テレビの)ショッピング番組.
síde·shòw (サーカスなどの)付け足しの出し物.
sóund-and-líght shòw 音と光のショー.
táb shòw 《米俗》(旅回りの)小ミュージカル.
tálent shòw タレントショー.
tálk shòw 《米》有名人との会見番組, トークショー.
tént shòw テント小屋の見世物(特にサーカス).
tít-shòw 《英俗》乳房を売り物にするヌードショー.
Tóm Shów 《米》(巡業劇の)Uncle Tom's Cabin 劇.
tráde shòw 産業展示会, 製品発表会.
trúnk shòw 《主に米》(金持ちの家向けの)新作発表[展示]会.
varíety shòw バラエティーショー.
wárm shów 《俗》売春宿.
Wíld Wést shòw 《米》大西部ショー.

show·er /ʃáuər/

名 にわか雨, 夕立.

áir shòwer	〔地球物理〕空気シャワー.
Augér shòwer	〔天文〕オージェシャワー.
báby shòwer	赤ちゃん誕生を控えた女性への送り物持ち寄りパーティー.
brídal shòwer	《米》女性の結婚前に女友達が贈り物を持ち寄るお祝いのパーティー.
cascáde shòwer	〔物理〕カスケードシャワー.
gólden shówer	〔植物〕ナンバンサイカチ;《俗》尿をかけるセックスプレイ, 聖水遊び.
Hóllywood shòwer	《米海事俗》(海上での)本格的な雨.
kítchen shòwer	《米》(女友達が贈り物に台所用品を持ち寄り)結婚式の前に花嫁の家で行なわれるパーティー.
meteóric shówer	〔天文〕=meteor shower.
méteor shòwer	〔天文〕流星雨(㌴).
ráin shòwer	にわか雨, 驟雨(しゅう).
sóft shówer	〔核物理〕軟シャワー.
stár shòwer	〔天文〕=meteor shower.
sún-shòwer	天気雨,「きつねの嫁入り」.
thúnder·shòwer	雷雨.

shrew /ʃrúː/

名 〔動物〕トガリネズミ(ジネズミを含む).

élephant shrèw	ハネジネズミ.
léast shréw	ヒメコミミトガリネズミ.
móle shrèw	ブラリナトガリネズミ属のネズミの総称.
músk shrèw	ジャコウネズミ.
oriéntal shréw	ケムリトガリネズミ.
ótter shrèw	ポタモガーレ(potamogale): カワウソに似た水生食虫動物.
pýgmy shrèw	ヒメトガリネズミ.
shórt-tailed shréw	ブラリナトガリネズミ.
trée shrèw	ツパイ, キネズミ.
wáter shrèw	水生のトガリネズミ科の齧歯(げっ)動物の総称.

shrike /ʃráik/

名 〔鳥類〕モズ.
★ 鳴き声から. shriek「甲高く叫ぶ」と同語源.

ánt·shrìke	アリモズ.
crów shrìke	フエガラス科フエガラス属の3種の総称.
cúckoo·shrìke	オニサンショウクイ.
hélmet shrìke	メガネモズ.
lóggerhead shríke	アメリカオオモズ.
pépper·shrìke	カラシモズ.
réd-backed shríke	セアカモズ.
vánga shrìke	オオハシモズ.
whíte-rumped shríke	アメリカオオモズの一亜種.
wóod shrìke	モズサンショウクイ.

shrimp /ʃrímp/

名 小エビ, シュリンプ.

bríne shrìmp	ブラインシュリンプ, アルテミア.
fáiry shrìmp	ホウネンエビ類.
ghóst shrìmp	スナモグリ.
mántis shrìmp	シャコ類.
mússel shrìmp	=seed shrimp.
opóssum shrìmp	アミ.
pístol shrìmp	=snapping shrimp.
séed shrìmp	貝虫(かいちゅう).
skéleton shrìmp	(甲殻類の)ワレカラ.
snápping shrìmp	テッポウエビ科のエビ類の総称.
spécter shrímp	=ghost shrimp.
wéll shrìmp	地下水に棲むエビの一種.

shroud /ʃráud/

名 **1** 経帷子(きょうかたびら). **2**〔海事〕横静索. ——動他 …に経帷子を着せる.

en·shróud 動他	経帷子を着せる.
fúttock shròud	〔海事〕檣楼(しょうろう)下静索.
ùn·shróud 動他	…の経帷子を取る.

shrub /ʃrʌ́b/

名 低木, 灌木.

banána shrùb	トウオガタマ(唐小賀玉).
mélon shrùb	ペルー産のナス科ナス属の多年草.
péa shrùb	ムレスズメ(群雀)(pea tree).
pépper shrùb	コショウボク(pepper tree).
sèmi·shrúb 名	小低木.
stráwberry shrùb	ニオイロウバイ.
súb·shrùb 名	亜低木.
swéet shrúb	クロバナロウバイ(黒花蝋梅).
únder·shrùb 名	小低木; 亜低木.

shuf·fle /ʃʌ́fl/

動自 **1** 足を引きずる[引きずって歩く]. **2** 言い抜ける, ごまかす; 巧みに振る舞う; うまく取り入る. **3** トランプを切る, シャッフルする. ◇ -LE[3].

dóuble shúffle	《俗》(仲間への)裏切り.
fást shúffle	《米俗》=double shuffle.
rè·shúf·fle 動他	〈トランプの札を〉切り直す.

shut /ʃʌ́t/

動他自 閉める[閉まる], 閉じる. 閉じる[閉める]こと.

cóld shút	〔冶金〕湯境(ゆざかい).
éye-shùt	《米俗》眠り(shuteye).
ópen-and-shút 形	《話》一目で分かる, 単純明快な.
prenátal bràin shút	〔医学〕出生前脳側副路.
ùn·shút 動他自	開く.

shut·ter /ʃʌ́tər/

名 シャッター, 鎧戸(よろいど), 雨戸; 〔写真〕シャッター. ——動他 鎧戸を閉める. ⇨ -ER[1].

betwéen-the-léns shùtter	=iris shutter.
cúrtain shùtter	カーテンシャッター.
díaphragm shùtter	=iris shutter.
fócal-plàne shùtter	焦点面シャッター.
íris shùtter	虹彩(こうさい)シャッター.
róller-blìnd shùtter	=curtain shutter.
rótary shútter	回転シャッター.
ùn·shút·ter 動他	…の鎧戸を外す[開ける].

shut·tle /ʃʌ́tl/

名 **1** (織機で, 上下の経(たて)糸の間を走り, 緯(よこ)糸を通す)杼(ひ), シャ(ッ)トル. **2** 定期往復列車[航空機, バス]; 定期往復路. ⇨ -LE[1].

áir shùttle	《話》(通勤用)定期航空便.
díplomatic shúttle	〔政治〕往復外交, シャトル外交.
le Shúttle	(英仏海峡トンネルを通る)自動車輸送列車.
spáce shùttle	《米》スペース・シャトル, 宇宙連絡船.

shy /ʃái/

形 〈人が〉恥ずかしがりの, 引っ込み思案の;〈行動・態度・気質などが〉恥ずかしそうな.

cámera-shỳ 形	写真嫌いの.

flówer·shỳ 形 花がつきにくい.
gún-shỳ 形 〈特に猟犬・馬が〉銃声におびえる.
média-shỳ 形 マスコミ恐怖症[嫌い]の.
pée-shỳ 形 《話》人が見ていると小便が出ない.
wórk-shỳ 形 仕事嫌いの; 怠惰な.

sick /sík/

形 病気の; 調子が悪い. ── 名 病気.

air·sick 形 飛行機に酔った.
brain·sick 形 頭が変になった, 気がふれた.
car·sick 形 《米》車酔いの.
dog-sick 形 ひどく気分が悪い.
fan·cy·sick 形 恋に悩む, 恋煩いの.
grain·sick 名 〖獣医〗(畜牛の)瘤胃(りゅうい)拡張.
heart·sick 形 心を痛めている.
home·sick 形 故郷[母国]を恋しがる.
i·ron-sick 形 〖海事〗留め釘(くぎ)が腐っている.
land·sick 形 〖海事〗陸に接近しすぎて操船できない.
love·sick 形 《主に文語》恋に悩む, 恋煩いの.
nail-sick 形 〖海事〗=iron-sick.
sea·sick 形 船に酔った, 船酔いの.
sick·sick·sick 形 《米俗》異常な, ぞっとする.
space·sick 形 宇宙酔いの.
sun·sick 形 軽い熱射病の.
train·sick 形 列車に酔った.
trav·el-sick 形 乗り物に酔った.
turn-sick 名 〖獣病理〗暈倒病, 回旋病(gid).
wa·ter-sick 形 〈土地が〉水分の多すぎる.

sick·ness /síknis/

名 病気. ⇨ -NESS.
★ 病名の明らかなものは disease.

Á-bómb sìckness 原爆症, 原子爆弾症.
áir·sìckness 航空病, 飛行機酔い.
áltitude sìckness 高空病.
buílding sìckness ビル疾患症候群.
búsh sìckness 《豪・NZ》ブッシュ病: 土壌中のコバルト不足による動物の病気.
cár·sìckness 乗り物酔い, (特に)車酔い.
cóp sìckness 《米麻薬俗》麻薬が欲しくなること, 禁断症状.
decompréssion sìckness 高度飛行や潜水夫が深海から浮上する場合, 急激な気圧の低下が原因で起こる急性疾患(aeroembolism).
dúck sìckness 野鴨(のがも)病: 野鴨のボツリヌス菌中毒(botulism).
Énglish síckness 英国病: 英国の経済停滞.
fálling sìckness 癲癇(てんかん)(epilepsy).
gréen·sìckness 萎黄(いおう)病(chlorosis).
mícrowave sìckness マイクロ波病, 極超短波心身障害.
mílk sìckness 牛乳病, 戦慄症(trembles).
mórning sìckness 朝方起こる吐き気; つわり.
mótion sìckness 動揺病, 乗り物酔い.
móuntain sìckness =altitude sickness.
ózone sìckness オゾン病.
radiátion sìckness 放射線病, 放射線宿酔.
séa·sìckness 船酔い.
sérum sìckness 血清病.
sléeping sìckness (アフリカ)睡眠病, トリパノソーマ病.
sléepy sìckness 《英》=sleeping sickness.
spáce mótion sìckness =space sickness.
spáce sìckness 宇宙酔い.
swéating sìckness 粟粒(ぞくりゅう)熱.

side /sáid/

名 **1**(物の)面, 表面. **2**(物の前後・上下に対して)側面; 〖海事〗舷側(げんそく). **3**(幾何図形の)辺. **4**(対立する人・組織などの)一方, …側. **5**(血統の)系, 方(かた).

Á-sìde (レコードの)表面, A 面.
blínd sìde 死角; (片目の人の)見えない側.
bóard sìde (用材の)幅が広いほうの切り口.
B́-sìde =flip side.
demánd-sìde 形 〖経済〗需要重視政策の.
dístaff sìde (家系の)母方, 母系.
epístle sìde (プロテスタントで)使徒書側, (ローマカトリックで)書簡側.
félt sìde (紙の)フェルト面, フェルトサイド.
fíve-a-sìde 〖サッカー〗ファイブアサイド.
flésh sìde (皮革の)裏側.
flíp sìde 《米話》(レコードの)裏面, B 面.
góspel sìde 〖キリスト教〗福音書側.
gráin sìde 銀面: 獣皮の毛を取り除いた側.
ínitial síde 〖幾何〗始線.
ín sìde (バドミントン, スカッシュなどの)インサイド.
nó síde (ラグビーの)ノーサイド.
prómpt sìde 〖演劇〗(舞台の)舞台監督側の袖, 上手.
re-síde 動他 (暖房効率をよくするために)〈建物の〉羽目板を取り替える[張り直す].
síde-by-síde 形 並んでいる, 並んで立った.
spéar sìde 父方, 父系.
spíndle sìde =distaff side.
stróng sìde (アメフトの)ストロング・サイド.
súnny sìde 太陽の光が当たる側.
supplý-sìde 形 〖経済〗供給側重視の.
swórd sìde =spear side.
términal síde 〖幾何〗終線, 終辺.
wéak sìde (アメフトの)ウィークサイド.
wéather sìde 〖海事〗風上舷(げん).
wíre sìde 〖製紙〗ワイヤサイド, 金網面.

-side[1] /sàid/

連結形 側面.
★ 名詞・形容詞・副詞・前置詞をつくる.
★ 語末にくる関連形は -SIDED.
◆ SIDE より.

air·side 名 エアサイド: 旅客および航空関係者のみ出入りが許される空港部分.
a·long·side 副 横に, 並んで; 近くに.
a·side 副 わきへ[に], 傍らへ, 少し離れて.
back·side 名 (物・人・風景などの)後部, 裏側, 裏面.
bank·side 名 (特に川の)堤防[土手]の斜面.
beach·side 形 海岸べりの, 海辺にある.
bed·side 名 寝床の傍ら, (特に)病人の枕元.
be·side 前 …の(すぐ)そばに, …のわきに.
blind·side 動他 〖スポーツ〗〈相手チームを〉ブラインドサイドから攻撃する.
broad·side 名 (水面上の)舷側(げんそく).
chair·side 形 (歯科診察室の)患者の椅子のわきの.
count·ry·side 名 地方, 田舎, 田園地方.
court·side 名 〖スポーツ〗コートサイド.
curb·side 名 舗道[街路]のへり石側.
day·side 名 《米》〖ジャーナリズム〗(新聞社の)昼間勤務組[者].
dock·side 名 波止場の近辺.
down·side 名 下側, 底側.
fire·side 名 炉端, 炉辺.
fore·side 名 前面, 前部; 上部.
free·side 副 《米俗》(刑務所の)塀の外で[へ].
grave·side 名 墓地のそば, (特に)埋葬のとき会葬者が集まる場所.
green·side 形 〖ゴルフ〗グリーン側の.
har·bor·side 形 港側の, 港に面した.
hearth·side 名 =fireside.
hill·side 名 丘の中腹[斜面], 丘陵の斜面.
in·gle·side 名 《主に英方言》=fireside.
in·side 名形 内側(の), 内部(の), 内面(の).

S

i·ron·side 名 頑張り屋, 豪の者, 頑強な人.
kerb·side 名 《英》=curbside.
king·side 名 〖チェス〗(駒を並べたときの)キング側.
lake·side 形 湖畔の, レークサイドの.
land·side 名 地側板: 犂(すき)を安定させるため刃の後部に添える V 字形の鉄板.
Morn·ing·side 名 モーニングサイド言葉: 地方で標準英語をまねて気取った話し方.
moun·tain·side 名 山腹, 山の斜面.
near·side 名形 《主に英》(乗り物・道路などの)歩道寄り(の).
night·side 名 〖ジャーナリズム〗(朝刊制作にあたる)新聞の夜勤組.
odd·side 名 〖冶金〗捨て型.
off·side 形副 〖スポーツ〗オフサイドの [に].
on·side 形副 〖スポーツ〗オンサイドにいる [いて].
out·side 名形 外側(の), 外部(の), 外面(の).
o·ver·side 副 舷側(げんそく)越しに, 舷側から.
pool·side 名 プールサイド.
port·side 名 〖海事〗左舷(さげん).
quay·side 名 波止場地区(周辺).
queen·side 名 〖チェス〗クイーン側.
ring·side 名 (ボクシング・レスリング場などの)リングサイド.
riv·er·side 名 川岸, 河畔; (都市の)河岸(地域).
road·side 名 道端, 路傍.
sea·side 名 海辺, 海浜, 浜辺, 海岸.
ship·side 名 (桟橋などで)舷側(げんそく)に接する場所, 乗下船地; ドック(dock).
shore·side 名 岸 [海岸] 沿いの土地; 海辺.
sil·ver·side 名 《主に英・NZ》(牛の, 特にもも肉の上部から取った)ランプロース.
slick·en·side 名 〖地質〗鏡肌, 滑面, 鏡岩.
state·side 形 《米話》(ハワイ・アラスカを含む)米国本土内の, 米国本土に向けた.
stream·side 名 川のほとり(の土地).
top·side 名 (一般に物の)上側.
track·side 形名 線路のすぐそばの(空間).
trail·side 形 小道の横の.
turn·side 名 〖獣医〗(犬, 家畜の)めまい.
un·der·side 名 下側, 下面.
up·side 名 上側, 上部, 上方.
wa·ter·side 名 (川・湖・海の)水辺, 川岸, 湖岸, 海岸.
way·side 名 道路の縁, 道端, 路傍, 沿道.
wharf·side 名形 波止場の周囲(の).
wood·side 名 森の外れ.

-side[2] /záid, sáid/

連結形 座る, とどまる.
★ 語末にくる関連形は -SESS, -SIDENT.
★ 語頭にくる形は sed-, sess-: *sed*entary「座っている」, *sed*imentation「沈殿」.
◆ ラテン語 *sedēre*「座る」より.

pre·side 動自 (集会・会議などで)議長を務める.
re·side 動自 (永続的に, または相当期間)住む.
sub·side 動自 〈土地・建物が〉沈下 [陥没] する.

-sid·ed /sáidid/

連結形 …の面 [辺, 側面] を持つ. ⇨ -D[2].
★ 形容詞をつくる.
★ 語末にくる関連形は -SIDE[1].

crank-sid·ed 形 《米南部》=lopsided.
dou·ble-sid·ed 形 両面のある; 両面とも使用できる.
lop·sid·ed 形 片方が重い, 非対称な; 偏った.
man·y-sid·ed 形 多辺の.
one-sid·ed 形 一面的な, 偏った, 不公平な.
o·pen-sid·ed 形 わきが開いている.
slab-sid·ed 形 《話》側面が長くて平たい.
so·ber·sid·ed 形 謹厳な, まじめな.
two-sid·ed 形 2 面の, 両面のある; 両者間の.

-si·dent /sədənt/

連結形 座っている(人), 存在している(人).
★ 形容詞, 名詞をつくる.
★ 語頭にくる関連形は sed-, sess-: *sed*entary「座っている」, *sed*imentation「沈殿」.
◆ <ラ *-sidēns*(*sedēre*「座る」の連結形 *-sidēre* の現在分詞). ⇨ -ENT[1].
[発音] すべて 3 音節の語で, 語頭の音節に第 1 強勢.

dis·si·dent 形名 意見を異にする(人).
pres·i·dent 名 ☞
res·i·dent 名 居住者. ── 形 居住している.

sid·ing /sáidiŋ/

名 《米・カナダ》羽目板, 下見張り. ⇨ -ING[1].

bével síding 〖木工〗なんきん下見.
colónial síding 〖木工〗上部の板が下部の板の上に重なるように, 水平に打ちつけた建物の外壁.
dróp sìding 〖木工〗下見板の一種.
nóvelty sìding =drop siding.
rè·síding 〖建築〗羽目板増強材.

-sie /si/

接尾辞 -sy の綴(つづ)り字異形.
★ 名詞をつくる.
◆ 愛称的語尾.

foot·sie 名 《話》いちゃつき; 密通. 仲のよい.
hots·ie-tots·ie 名 《俗》すばらしい, とてもいい.
toot·sie 名 《俗》《幼児語》足, あんよ.
tot·sie 名 《英俗》女の子, 少女.

sight /sáit/

名 **1** 視力, 視覚. **2** 見ること, 見えること. **3** (測量機器などによる)観測; 照準器, (銃などの)照門. ── 動他 〈銃などを〉照準する.

artifícial sìght 人工視力.
báck·sight 〖測量〗バックサイト, 後視.
blínd·sight 盲視.
bómb·sight (飛行機の)爆撃照準器.
bóre·sight 動他 〈銃の〉腔(こう)軸を照準に合わせる.
dé·sight 名 目障り.
éar-sight (かすかな音を突き止める)聴力.
éyeless sìght 触視力(skin vision).
éye·sight 視力, 視覚.
fóre·sight 名 将来への配慮, 遠謀, 慎重さ.
gún·sight (銃の)照準器.
hínd·sight (銃の)後部照尺.
ìn·sight 名 洞察, 看破, 明察.
léaf sìght 表尺, 照尺: ライフル銃の照準器.
líne-of-síght 形 〖通信〗送受信間の見通しがきく.
lóng sìght 《英》遠目; 遠視.
mínus sìght 〖測量〗負視.
níght-sìght 名 (銃の)夜間照準器.
ópen sìght (銃砲の)谷(たに)照門.
óut-of-síght 形 《米俗》非常に素晴らしい, 見事な.
òut·sìght 名 外界の事物の観察.
ó·ver·sìght 名 不注意な誤り, 過失, 手抜かり.
panorámic sìght パノラマ眼鏡.
péep sìght (銃の)穴照門.
plús sìght 〖測量〗正視.
réar sìght 照門: 銃の後部照尺.
sécond sìght 予知能力, 千里眼.
shórt sìght 近視; 近視眼的見解.

sún sìght (航海のための)太陽高度観測.
tángent sìght (銃の)正接目盛り板, 表尺.
télescope sìght (銃の)光学式照準眼鏡(がんきょう).
ùn·síght 形 調べて[調べられて]いない.

sight·ed /sáitid/

形 **1** 目の見える. **2**《複合語で》視力が…の. ⇨ -ED[2].

clear-sight·ed 形 視力のよい, よく目の見える.
dim-sight·ed 形 視力の弱い; 知覚の鈍い.
far·sight·ed 形《米》遠視の.
fore·sight·ed 形 先見の明がある; 将来を見通した.
long-sight·ed 形《英》遠くまで見える, 遠目の利く.
near·sight·ed 形 近視(眼)の, 近目の.
non·sight·ed 形 目の見えない, 盲目の.
quick-sight·ed 形 目ざとい; 眼識の鋭い.
sharp-sight·ed 形 目の鋭い, 視力のよい, 目ざとい.
short·sight·ed 形 近視眼的な; 近眼の, 近視の.
un·sight·ed 形 見えていない; 視界を妨げられた.

sign /sáin/

名 **1** 符号, 記号. **2** 表れ, しるし. ── 動他自 署名する.

áir sìgn 【占星】空相宮.
cáll sìgn (テレビ局などの)呼び出し符号.
cárdinal sìgn 【占星】基本宮.
cáution sìgn《米黒人俗》けばけばしい服装の人.
cént sìgn セント記号(¢).
cò·sígn 動自他 連署人として署名する, 連署する.
cóunt·er·sìgn 名 (ある信号に対する)応答信号.
divísion sìgn 【数学】割り算記号, 割り印(÷).
dóllar sìgn ドル記号($, $).
éarth sìgn 【占星】地相宮.
én·sìgn 名 ☞
équal sìgn 【数学】等号(＝).
fíre sìgn 【占星】火相宮.
fíxed sìgn 【占星】不易宮, 不動宮.
fréeway sìgn《俗》中指立て.
gállows sìgn (道路を横切って立てられた, パブなどの)アーチ式看板.
hárd sìgn 硬音符[記号](Ъ, ъ).
hásh sìgn (数字の前に用いて番号を示す)ハッシュマーク(#)(hash mark).
Héimlich's sìgn 【医学】ハイムリックのサイン.
héx sìgn ヘックスサイン: 通例, 図式化された魔法の記号.
hígh sìgn《話》合図, 目くばせ, 身ぶり.
hóme sìgn ホーム・サイン: 聴覚障害者がする個人的な身ぶり的手話.
Índian sìgn《米》(相手の力を奪う)魔術.
lán·sìgn 名【言語】言語記号.
lócal sìgn 【生理】局所特徴.
mínus sìgn ＝negative sign.
multiplicátion sìgn 【算数】乗法記号.
mútable sìgn 【占星】柔軟宮, 可動宮.
nátural sìgn 【音楽】本位記号, ナチュラル.
négative sìgn 【数学】【論理】マイナス記号.
númber sìgn 「…番(目)」の意味を表す記号(#).
Ó-sìgn《米俗 / いくぶんおどけて》(病院で)(死人の)丸くあいた口, 死相.
péace sìgn ピースサイン.
percént sìgn パーセントを表す記号(%).
plús sìgn 【数学】加号, プラス記号(＋).
pósitive sìgn ＝plus sign.
póund sìgn 貨幣単位としてのポンド記号(£).
Q́-sìgn《米俗》(病院で)舌を出した死人の円く開いた口.
rádical sìgn 【数学】根号, ルート.
re-sígn 動他 再び署名[調印]する.
rísing sìgn 【占星】(ホロスコープで)上昇宮.
róad sìgn 道路標識.
róot sìgn 【数学】根号(radical sign).
ský sìgn《英》屋上広告; 空中広告.
sóft sìgn 軟音符[記号](Ь, ь).
stóp sìgn (道路の)一時停止標識.
subtráction sìgn 【数学】減法記号, 負の符号.
sún sìgn 【占星】太陽宮.
tímes sìgn ＝multiplication sign.
tráffic sìgn 交通標識.
ùn·der·síg n 動他 〈文書などの〉末尾に記名する.
V́ sìgn V サイン.
wáter sìgn 【占星】水相宮.
wórd-sìgn 一単語を表す記号(群).

-sign /sáin/

連結形 印をつける.
★ 語末にくる関連形は -SIGNATION.
★ 語頭にくる形は sign-: *sign*al「印」, *sign*ificant「意味の深い」.
◆ <ラ *signāre* 印をつける, 刻みつける, 捺印(なついん)する.

as·sign 動他 〈仕事・物などを〉(人に)あてがう.
con·sign 動他 (正式または永久的に)(…に)渡す.
de·sign 動他 ☞
re·sign 動自 (しばしば公式に)辞任[退任]する.

sig·nal /sígnəl/

名 (警告・指示・命令などの)合図, 信号; 信号[警報]機, シグナル; 点滅する光; 目印. ── 形 信号(用)の. ⇨ -AL[2], -AL[1].

Bát·sìgnal Batman の探照灯信号.
blóck sìgnal 閉塞信号(機).
búsy sìgnal 【電話】話中信号.
compósite cólor sìgnal (カラーテレビの)合成カラー信号.
dánger sìgnal 危険信号; (特に鉄道の)赤信号.
diréctional sìgnal ＝turn signal.
dístant sìgnal 【鉄道】遠方信号機.
distréss sìgnal 遭難信号.
fóg sìgnal (船舶の)霧中信号.
gáting sìgnal 【電子工学】ゲート信号.
hóme sìgnal (列車に対する)駅への進入許可.
ínterval sìgnal (ラジオ番組の)送信継続信号.
pílot sìgnal 【海事】水先信号.
Q́ sìgnal 【通信】Q 符号[信号].
rádio sìgnal 無線信号.
stórm sìgnal 暴風雨標識.
swítch-sìgnal 【鉄道】転轍(てんてつ)信号.
tíme sìgnal (ラジオ・テレビなどによる)時報.
tráffic sìgnal (交差点の)交通信号.
tráfic contról sìgnal ＝traffic signal.
túrn sìgnal ターンシグナル.
vídeo sìgnal 【テレビ】ビデオ信号, 映像信号.
wéather sìgnal 気象標識.
wíndow sìgnal 【電子工学】ウインドー信号.

-sig·na·tion /signéiʃən/

連結形 印をつけられたもの[こと].
★ 名詞をつくる.
★ 語末にくる関連形は -SIGN.
★ 語頭にくる関連形は sign-: *sign*al「印」, *sign*ificant「意味の深い」.
◆ <ラ *signātus*(*signāre*「印をつける」の過去分詞). ⇨ -ATION.
[発音] -signation の第 2 音節に第 1 強勢が置かれる.

as·sig·na·tion 名 (会見の)約束; 密会の約束.
con·sig·na·tion 名 (商品の)委託, 託送.
des·ig·na·tion 名 指示, 指摘, 明示.
res·ig·na·tion 名 (権利などの)放棄, 断念; 明け渡し.

sig·na·ture /sígnətʃər, -tʃùər | -tʃə/

名 **1** 署名, サイン; 署名すること. **2**〘音楽〙シグネチュア. ⇨ -URE[1].

còunter·síg·na·ture 名 副署, 連署.
kéy sìgnature 〘音楽〙調号.
tíme sìgnature 〘音楽〙拍子記号.

signed /sáind/

形 署名された, サインして契約した. ⇨ -ED[1], -ED[2].

o·ver·signed 形 冒頭署名のある.
un·der·signed 形 下[末尾]に署名した.
un·signed 形 署名されていない, 無署名の.

sil·i·cate /sílikət, -kèit/

名〘鉱物〙〘化学〙ケイ酸塩. ⇨ -ATE[2].

a·lù·mi·no·síl·i·cate 名 アルミノケイ酸塩.
alúminum fluosílicate (ヘキサ)フルオロケイ酸アルミニウム.
alúminum sílicate ケイ酸アルミニウム.
bò·ro·síl·i·cate 名 ホウケイ酸塩.
cálcium sílicate ケイ酸カルシウム.
cy·clo·síl·i·cate 名 サイクロ・ケイ酸塩.
dicálcium sílicate ケイ酸二石灰.
flù·o·síl·i·cate 名 フルオケイ酸塩, フッ化ケイ素酸塩.
ín·o·síl·i·cate 名 イノケイ(珪)酸塩.
magnésium sílicate ケイ酸マグネシウム.
nè·so·síl·i·cate 名 ネソケイ酸塩.
phyl·lo·síl·i·cate 名 葉状[層状, フィロ]ケイ酸塩.
sódium sílicate ケイ酸ナトリウム.
sò·ro·síl·i·cate 名 ソロケイ酸塩.
tèc·to·síl·i·cate 名 =tektosilicate.
tèk·to·síl·i·cate 名 テクト=ケイ酸塩.
tricaılcium sílicate ケイ酸三石灰.

-sil·ient /síliənt, -ljənt/

連結形 跳ぶ.
★ 形容詞をつくる.
★ 語末にくる関連形は -SULT.
★ 語頭にくる関連形は sal-: *sal*ient「跳躍した」, *sal*tation「跳躍」.
◆ <ラ *-siliens*(*salīre*「跳ぶ」の連結形 *-silire* の現在分詞). ⇨ -ENT[1].
[発音] 基体の第 1 音節(-sil-)に第 1 強勢.

dis·sil·i·ent 形 飛び散る, はじけ散る.
re·sil·ient 形 跳ね返る, 弾む.
tran·sil·i·ent 形 (他の物に)突然飛び移る.

silk /sílk/

名 **1** 生糸; 絹糸, シルク. **2** 絹織物.

artifícial sílk 《古》人絹.
Chína sílk チャイナシルク.
córn sìlk 《米》トウモロコシの(穂の)毛.
flóss sìlk フロスシルク: まゆの表面のけば.
glóve sìlk グラブシルク: 女性の手袋・下着用.
Índian sílk =India silk.
Índia sílk インドシルク.
Jápanese sílk 日本産生糸, 日本絹.
nét sìlk 《主に英》=thrown silk.
oíled sílk =oil silk.
óil sìlk 絹油布, オイルシルク.
ráw sílk 生糸.
réeled sílk 繰り枠糸.
scháppe sìlk 絹紡糸.
séwing sìlk 絹の撚(ょ)り糸.
sóft sìlk 《米》ソフトシルク.
spún sílk 絹紡糸.
thréad sìlk より加工した生糸.
thrówn sílk スローンシルク.
tíe sìlk タイシルク: ネクタイ・ブラウス用.
trám sìlk 片撚(ょ)り糸(tram).
végetable sìlk 植物絹.
wíld sílk 柞蚕糸, タッサーシルク(tussah).
yéllow sílk 《俗》東洋の女.

sill /síl/

名〘建築〙**1** 土台. **2** 敷居, 下枠.

bóx sìll 箱土台.
dóor·sìll (戸口の)敷居, 靴ずり.
gróund·sìll 基礎材, 土台, 根太(ﾈﾀﾞ).
Ĺ sìll L 形土台.
múd·sìll (敷き)土台.
stráining sìll 添梁(ｿｴﾊﾞﾘ).
wíndow sìll 窓台, 窓の下枠.

sil·ver /sílvər/

名〘化学〙銀.

be·sílver 動他 銀張りにする.
cóin sìlver 貨幣用銀.
de·sìl·ver 動他〈鉛の地金などから〉脱銀する.
flát sìlver 《米》食卓用銀食器類.
frée sílver 〘経済〙銀貨の自由鋳造.
Gérman sílver 洋銀, 洋白.
hórn sìlver 〘鉱物〙角銀鉱(cerargyrite).
níckel sílver =German silver.
quíck·sìlver クイックシルバー, 水銀.
rúby sílver 〘鉱石〙淡紅銀鉱(proustite).
stérling sílver スターリング銀.

sim·i·le /síməli/

名 直喩(ﾁｮｸﾕ)(法), 明喩.

épic símile 叙事詩的比喩(ﾋﾕ).
fac·sím·i·le 名 **1** (書物・絵画・原稿などの)複製. **2** ファクシミリ, ファックス.
Homéric símile =epic simile.

sim·ple /símpl/

形 簡単な, 分かりやすい, 扱いやすい; 単純な, 簡潔な; 質素な, あっさりした; 気取らない, 控えめな; 純粋な, 単なる. ⇨ -PLE.

ców-símple 形 《米暗黒街俗》女好きの.
fée símple 〘法律〙単純不動産権.
òver·símple 形 単純すぎる.
pússy-símple 形 《米俗》〈男性が〉セックスのことばかり考えている.
stír-sìmple 形 長い刑務所生活で頭が変になった.

sin /sín/

名 (神のおきてに背く)罪, 罪業.

áctual sín 〘神学〙現行罪, 自罪.
canónical sín (初期教会で)教会法により極刑に値する罪(偶像崇拝, 殺人など).
déep sín 《米黒人俗》墓.
mórtal sín 〘ローマカトリック〙大罪.
oríginal sín 〘神学〙原罪, 宿罪.
vénial sín 〘ローマカトリック〙小罪.

sine /sáin/

名〘三角法〙サイン, 正弦.

árc síne アークサイン, 逆正弦.

có·sine 名 ☞
cóversed síne 余矢(よし).
háver·síne 半正矢(せいし).
hyperbólic síne 双曲(線)正弦.
ínverse síne =arc sine.
vérsed síne 正矢(せいし).
vér·sine 名 =versed sine.

sing /síŋ/

動自 歌う. ━━名《主に米》合唱の集い.

folk-sing 名 フォークソングを歌う集い.
out·sing 動他 …より上手に歌う.
o·ver·sing 動自〈歌手が〉声を張り上げすぎる.
sight·sing 動他自〖音楽〗初見で歌う.

sing·er /síŋər/

名 歌う人, (特に本職の)歌手, 声楽家. ⇨ -ER¹.

cóuntry sìnger カントリーミュージックの歌手.
fólk sìnger 民謡歌手, フォークシンガー.
jázz sìnger ジャズ歌手, ジャズシンガー.
máster·sìnger 名 マイスタージンガー, 職匠歌人.
Méister·sìnger 名 職匠歌人. ►ドイツ語から.
mínne·sìnger 名 中世ドイツの恋愛[抒情]詩人; 宮廷歌人.
pópular síinger ポピュラー歌手.
tórch sìnger 《米》トーチシンガー.

sing·ing /síŋiŋ/

名 歌うこと, 歌唱. ⇨ -ING¹.

bárbershop sìnging 小人数の混声合唱.
commúnity sínging (特に賛美歌・昔の流行歌などの)大群衆による合唱.
fólk sìnging (特に集団での)民謡[俗謡]歌唱.
scát sìnging 〖ジャズ〗スキャット.

sin·gle /síŋgl/

形 1つだけの, 唯一の, 単独の.

cas·sin·gle 名 カシングル, シングルカセット.
max·i·sin·gle 名 EP 盤(レコード).

sink /síŋk/

動自 沈む, 沈没する. ━━名(台所などの)流し; 吸い込み装置.

cóunter·sìnk 動他〈穴の入り口部分を〉皿形にする.
dóuble-sínk 形 ダブルシンクの, 二槽の.
drý sìnk (特に 19 世紀の)木製の台所用流し.
héat sìnk 〖熱力学〗熱吸収源, 熱シンク.
kítchen sínk 台所の流し.
kítchen-sínk 形 なんでも材料[素材]にする.
nóse sìnk 〖サーフィン〗ノーズシンク.
sánd sìnk 砂処理, サンドシンク.
sérvice sìnk (便所などの)モップ洗い用水槽.
slóp sìnk 汚水流し, 掃除用流し.

-sion /ʃən, ʒən/

接尾辞 -tion の異形.
◆ <ラ =-*s*(*us*)(過去分詞接尾辞 -*tus* の異形) +-*iōn*-
[発音] 直前の音節に第 1 強勢. ⌊-ION¹.

a·bra·sion 名 剝離(はくり), 剝脱; (皮膚の)擦過部.
ab·ster·sion 名 洗浄, 清浄化; 瀉下(しゃか).
ad·he·sion 名 粘着作用, 粘着性, 粘着力; 粘着.
an·i·mad·ver·sion 名 (…に対する)不賛成[非難]の評言.
as·cen·sion 名《文語》上昇, 登ること; 登山.
as·per·sion 名 汚名, 非難, 誹謗(ひぼう), 中傷.
ces·sion 名 (条約・協約などによる)譲渡, 譲与.
-ces·sion 連結形 ☞
-ci·sion 連結形 ☞
-clu·sion 連結形 ☞
con·fes·sion 名 白状, 自白, 自認.
con·tu·sion 名 打ち身, 打撲傷, 挫傷(ざしょう).
cor·ra·sion 名 磨食, 削磨.
cor·ro·sion 名 腐食(作用), 腐れ込み, 腐食状態.
-cus·sion 連結形 ☞
de·ci·sion 名 ☞
de·ri·sion 名 あざけり, 嘲笑(ちょうしょう), 愚弄(ぐろう).
de·scen·sion 名 〖占星〗最低星位.
di·men·sion 名 (長さ・幅・高さなどの)寸法.
di·men·sion 名 (長さ・幅・高さなどの)寸法.
dis·per·sion 名 ☞
dis·sen·sion 名 (甚だしい)不和, 軋轢(あつれき).
di·vi·sion 名 ☞
e·li·sion 名 〖音声〗〖文法〗音脱落.
e·mer·sion 名 〖天文〗出離, 出現.
e·mul·sion 名 〖物理化学〗乳濁液.
e·ro·sion 名 ☞
e·va·sion 名 (追跡・攻撃などを)逃れること.
ex·pan·sion 名 膨張; 拡大, 拡充, 増大; 発展.
ex·plo·sion 名 (火薬・ボイラー・火山などの)爆発.
fis·sion 名 ☞
fu·sion 名 ☞
-fu·sion 連結形 ☞
-gres·sion 連結形 ☞
im·mer·sion 名 (…に)浸すこと, 浸入, 投入, 没入.
in·he·sion 名 (性質などが)本来備わっていること.
in·va·sion 名 (特に敵軍の)侵入, 侵略, 侵攻.
le·sion 名 傷害, 損害, 傷; 精神的な傷.
-li·sion 連結形 ☞
-lu·sion 連結形 ☞
man·sion 名 (豪壮な)大邸宅.
mis·sion 名 ☞
-mis·sion 連結形 ☞
oc·ca·sion 名 (…にふさわしい)(特定の)場合, 折.
pas·sion 名 ☞
pen·sion 名 ☞
pre·hen·sion 名 つかむこと, 捕捉(ほそく), 把握.
-pre·hen·sion 連結形 ☞
-pres·sion 連結形 ☞
pro·fes·sion 名 ☞
pro·vi·sion 名 (法律などの)条項, 規定, 約款.
pul·sion 名 押すこと, 推進.
-pul·sion 連結形 ☞
re·spon·sion 名《今はまれ》応答, 返答, 反応.
scan·sion 名 〖韻律〗(詩の)韻律(構造)分析.
-scis·sion 連結形 ☞
ses·sion 名 ☞
-ses·sion 連結形 ☞
spon·sion 名 (特に他人のためにする)保証.
sus·pen·sion 名 ☞
ten·sion 名 ☞
-ten·sion 連結形 ☞
tor·sion 名 ねじること, よじること, ねじり.
tran·scen·sion 名 超越, 優越, 卓越.
-tru·sion 連結形 ☞
ver·sion 名 **1** 見解. **2** 翻訳, 訳書.
-ver·sion 連結形 ☞
vi·sion 名 ☞
-vul·sion 連結形 ☞

-sis /sis/

接尾辞 ギリシャ語からの借用語に見られ, 行為, 過程, 状態, 条件などを表す抽象名詞をつくるのに用いられた.
★ 複数形 -SES も同時に英語に入った.
◆ ギリシャ語より.

an·a·cli·sis 名 〖精神分析〗依存性, 依託.

S

an·a·coe·no·sis 名 【修辞】質問法.
an·a·cru·sis 名 【韻律】行首余剰音.
an·a·cu·sis 名 【医学】無聴覚(症).
an·ag·no·ri·sis 名 (古代ギリシャ悲劇で)アナグノリシス, 認知.
an·a·trip·sis 名 【医学】摩擦治療［療法］.
an·e·mo·sis 名 目回り, 風割れ, がま割れ: 強い風などにより立ち木の幹に生じる割れ.
ap·neu·sis 名 【病理】アプネウシス, 持続性吸息.
ap·o·neu·ro·sis 名 【解剖】腱膜(けんまく).
a·poph·a·sis 名 【修辞】陽否陰述(法), アポファシス.
ap·sis 名 ☞
ar·sis 名 【音楽】上拍, 弱拍.
ar·throd·e·sis 名 関節固定術.
-a·sis 連結形 ☞
ba·sis 名 ☞
cat·a·chre·sis 名 【修辞】語の誤用［こじつけ的用法］.
ca·thar·sis 名 カタルシス, 浄化, 純化.
-cla·sis 連結形 ☞
cly·sis 名 【医学】注液, 体腔洗浄; 浣腸.
cra·sis 名 《古》体質, 気質.
cri·sis 名 ☞
di·aer·e·sis 名 ＝dieresis.
di·as·chi·sis 名 【医学】神経連絡機能解離.
di·er·e·sis 名 【文法】音節分解, 分音.
di·e·sis 名 【印刷】ダブルダガー, 二重短剣符.
dip·la·cu·sis 名 【病理】複聴, 二重聴.
du·lo·sis 名 【昆虫】奴隷共生.
ec·dy·sis 名 (昆虫・甲殻類などの)脱皮.
-ec·ta·sis 連結形 ☞
ec·thlip·sis 名 エクスリプシス, 子音字消失.
eis·e·ge·sis 名 (原典の意味よりも解釈者自身の考えや偏向などを表すような)自己流の聖書解釈.
em·e·sis 名 【病理】嘔吐(おうと).
em·pha·sis 名 ☞
en·ta·sis 名 【建築】エンタシス.
e·pit·a·sis 名 (ギリシャ古典劇で前提部に続く)展開部.
er·o·te·sis 名 【修辞】エラテーシス, 修辞疑問.
-e·sis 接尾辞 ☞
gon·y·camp·sis 名 【病理】ひざ湾曲.
he·ma·tem·e·sis 名 【医学】吐血.
he·ma·to·sis 名 血液生成, 造血.
het·er·o·kar·y·o·sis 名 【生物】ヘテロカリオシス, 異核.
hy·po·pho·ne·sis 名 【医学】聴診音［打診音］減弱.
-i·a·sis 接尾辞 ☞
ka·thar·sis 名 ＝catharsis.
Lach·e·sis 名 【ギリシャ神話】ラケシス.
-lep·sis 連結形 ☞
-lip·sis 連結形 ☞
ly·sis 名 【免疫】【生化学】(溶解素(lysin)による)溶解, リーシス.
-ly·sis 連結形 ☞
me·nos·che·sis 名 【病理】月経閉止.
mer·i·sis 名 【生物】成長, 生長, (特に)細胞分裂による成長［生長］.
me·tab·a·sis 名 転移(metastasis).
me·tem·psy·cho·sis 名 (魂の)輪廻(転生).
mi·mo·sis 名 【病理】ヒステリー性擬病.
nem·e·sis 名 征服［達成, 到達］できないもの.
o·a·sis 名 (砂漠のなかの)オアシス.
om·pha·lo·skep·sis 名 オムファロスケプシス: 神秘的修行の一つとしてへそを熟視し瞑想すること.
-op·sis 連結形 ☞
-o·sis 連結形 ☞
os·mi·dro·sis 名 【病理】臭汗症.
par·a·cu·sis 名 【病理】錯聴症, 聴覚性錯覚.
par·a·leip·sis 名 【修辞】逆言法, 逆力説.
pa·re·sis 名 【病理】不全麻痺(まひ), 軽度麻痺.
pha·sis 名 (存在の)様式, 様相, 局面.
-phra·sis 連結形 ☞
phthi·sis 名 【病理】(肺)結核, 肺病.
phy·sis 名 自然の成長［変化］の原理.
-phy·sis 連結形 ☞
prot·a·sis 名 【文法】条件［前提］節.
pty·a·lec·ta·sis 名 (自然または手術による)唾液(だえき)導管の拡張.
-pty·sis 連結形 ☞
scep·sis 名 ＝skepsis.
sep·sis 名 【病理】敗血症, 腐敗(症).
skep·sis 名 《米》懐疑(哲学); 懐疑的態度.
spa·ras·sis 名 ハナラビタケ(cauliflower fungus).
-sta·lsis 連結形 ☞
sta·sis 名 均衡状態, 静止状態.
-sta·sis 連結形 ☞
styp·sis 名 【医学】収斂(しゅうれん)作用.
syn·aer·e·sis 名 【音声】合音.
syn·aes·the·sis 名 【美学】芸術作品が引き起こす異なる衝動［欲求］の平衡・調和の美.
syn·ap·sis 名 【細胞生物】(染色体)対合.
syn·cri·sis 名 《廃》【修辞】比較, 対照法.
syn·de·sis 名 【細胞生物】＝synapsis.
syn·er·e·sis 名 ＝synaeresis.
syn·e·sis 名 【文法】意味構文.
syn·op·sis 名 梗概, 要約, 概要, 大意.
tel·e·sis 名 【社会】(目標達成のための)自然の力・社会状況の意図的利用.
var·roa·sis 名 ミツバチヘギイタダニ病.
zo·on·o·sis 名 動物原性感染症, 人獣伝染病.

-sist /síst/

連結形 立つ; 立たせる.
★ 語末にくる関連形は -SISTENCE.
★ 語頭にくる関連形は sta-, ste-: *sta*bilize「安定させる」, *ste*adfast「不動の」.
◆ ラテン語 *sistere*「立つ; 立たせる」より.
［発音］基体(-sist)に第 1 強勢.

as·sist 動他 助力する, 助ける; 手伝う.
con·sist 動自 (…から)成り立つ, 構成される.
de·sist 動自 《主に文語》(行為などを)やめる.
in·sist 動自 (…を)強く要求する, せがむ.
per·sist 動自 (…を)断固として貫く, 固執する.
re·sist 動他 …に抵抗する; 食い止める.
sub·sist 動自 存在する, 存続する; 内在する.

-sist·ence /sístəns/

連結形 立っていること.
★ 名詞をつくる.
★ 語末にくる関連形は -SIST.
★ 語頭にくる関連形は sta-, ste-: *sta*bilize「安定させる」, *ste*adfast「不動の」.
◆ ラテン語 *sistere*「立つ, 立たせる」より. ⇨ -ENCE[1].

in·sist·ence 名 強い主張, 断言; (…の)強調, 強要.
per·sist·ence 名 あくまでやり抜く［主張する］こと.
sub·sist·ence 名 生存, 生きていくこと.

sis·ter /sístər/

名 (両親を同じくする)姉妹, 姉, 妹.

bíg síster 姉(elder sister).
blóod síster 血を分けた姉妹.
búrlap sìster 《俗》売春婦.
érring síster 《俗》売春婦.
fóster síster 乳(ち)姉妹.
fráil-sìster 《俗》売春婦.
fúll síster 同父母の姉妹.
hálf sìster 異父［異母］姉妹.
jóy sìster 《俗》売春婦.
láy sìster 平修女, 助修女.
líttle síster 《中国語》小姐. ►「お嬢さん」という呼び掛け.
núrsing sìster 正規看護婦.
óut sìster 渉外修女.
réd-líght sìster 《米俗》売春婦.

S

scárlet síster 《俗》売春婦.
sín-sìster 《俗》売春婦.
sób sìster 《米》(新聞・雑誌に)お涙ちょうだいものを書く(婦人)記者.
sóul sìster 《特に米黒人俗》(同胞の)黒人の女.
spéedy síster 《俗》売春婦.
stép·sìs·ter 名 義姉[妹].
stréet sìster 《米俗》街娼.
théatre sìster 《英》手術室付き看護婦.
wárd sìster 《英》病棟看護婦.
wéak síster 《米話》優柔不断な人, 意気地なし.
whóle sìster 同父母姉妹.

sis·ters /sístərz/

名複 sister「姉妹」の複数形.

Dólly Sísters ドリー姉妹: 米国の双子スター.
McGuíre Sísters マクガイア・シスターズ: 1950 年代の 3 人姉妹コーラス.
Séven Sísters すばる星(Pleiades); 米国東部の 7 女子大学; 国際石油資本 7 社.
wéird sísters 運命の三女神(the Fates).

sit /sít/

動自 **1** 腰を下ろす, 着席する, 座る. **2** ベビーシッターをする. ── 他 《主に英》〈試験を〉受ける.

apàrtment-sít 動自 アパートの留守番をする.
báby-sit 動自 ベビーシッターをする.
hóuse·sit 動自 《米》長期不在者の家で留守番をする.
òut·sít 動他 〈人より〉長く座っている, 長く待つ.
pét-sit 動 ペットの番をする.
rè·sít 動他 《英》〈筆記試験を〉受け直す.

site /sáit/

名 **1** (町・建物などの)位置, 場所, 所在地; (建設)用地, 敷地. **2** 遺跡; (事件などの)現場.

áctive síte 【生化学】活性部位, 活性中心.
Á site 【生化学】A 部位, アミノアシル部位.
bómb·site 空爆による建物の残骸(ざんがい).
cámp·site 野営地, キャンプ場; 野営好適地.
dám·site ダム建設用敷地, ダムサイト.
dúmp·site ごみ捨て場(dump).
fílm site (映画の)撮影現場.
FTP site 【コンピュータ】FTP で入手できるファイル源.
gún·site 砲撃陣地.
híll·site 丘の中腹[頂上]の場所.
hóme·site 住宅用地, 宅地.
láunching site 【航空宇宙】(人工衛星・ミサイルなどの)発射場, 打ち上げ場.
ón-site 形 現場[現地]での.
recéptor site 【生化学】細胞内受容領域.
rè·síte 動他 別の場所に移す.
restríction site 【生化学】制限部位.
tówn·site 《米・カナダ》都市計画地域.
týpe-site 【考古】標準[標式]遺跡.
wéb·site (インターネットで)ウェブサイト.
wórk site 仕事場, 職場; 建築現場.

sit·ter /sítər/

名 座る人, 着席者. ⇨ -ER[1].

áisle sìtter 《話》演劇評論家.
báby sìtter (親の留守中の)子守, ベビーシッター.
fárm-sìtter 《カナダ》(主人の不在時に)農場を預かる人.
fénce-sìtter (論争で)どちら側にもつかない人.
flágpole sìtter (宣伝・売名を目的に)旗ざおのてっぺんに長時間(時に 1 か月以上)座り続ける人.
hóuse sìtter 《米》長期不在者の家に住んで留守番をする人.
pét sìtter ペットの番をする人.
sílo sítter 《俗》ミサイル要員.

six /síks/

名 (基数の)6.

Bírmingham Síx (バーミンガムの爆弾テロの犯人とされた)バーミンガム 6 人組.
cóach-and-síx 六頭立て馬車.
déep síx 《米俗》水葬; 海中[水中]に捨てること.
déep-síx 動他 《米俗》海中投棄する; 棄てる, 処分する.
éighty-síx 86.
fífty-síx 名形 56(の).
fóur-fíve-síx 名 《米北西部》3 個のさいころの目が 4－5－6 とそろうと勝つ賭博.
Séventy-Síx 1776 年; 独立宣言の年.
30-'06 名 1906 年に改良された 30 口径ライフル; もと軍用, 今は狩猟用.
666 悪魔の印 six six six.
síxty-síx 名形 66(の).
twénty-síx 26: アイルランドの州の数.
V-síx 名 【自動車】V 型 6 気筒[V 6]エンジン(の車).

size /sáiz/

名 (物の)大きさ, 広さ; (人の)背格好; 寸法; 規模; 容積, 体積, かさ.

dówn·size 動他 〈特に自動車を〉小型化する.
éxtra síze ＝outsize.
hálf size ハーフサイズ: 胴の短い肥満体型の婦人服サイズ.
míd·size 名 【自動車】ミッドサイズ.
óut·size 名 一般標準外の寸法, 番外, (特に)特大.
ríght·size 動他 〈企業組織を〉縮小・再編成して効率化をはかる.
trím size トリムサイズ, 仕上げ寸法.
ùp·size 動他 【コンピュータ】〈データなどを〉小型機器から大型機器へ移す.

-size /sàiz/

連結形 …サイズの(-sized).
★ 形容詞をつくる.
◆ SIZE の連結形.

bite-size 形 ちょうど一口で食べる大きさの.
cup·board-size 形 〈部屋などが〉小さい.
desk-size 形 卓上サイズの, 机上版の.
e·con·o·my-size 形 徳用サイズの, エコノミーサイズの.
fam·i·ly-size 形 ファミリーサイズの, 大型の, 徳用の.
full-size 形 (小型ではなく)普通サイズの.
king-size 形 特大の.
lap-size 形 ひざに載るほどの大きさの.
le·gal-size 形 〈用紙が〉法定サイズ[規格]の.
let·ter-size 形 〈用紙が〉便箋(びんせん)サイズの.
life-size 形 等身大の, 実物大の.
mid-size 形 〈自動車が〉ミッドサイズの.
O·lym·pic-size 形 オリンピックサイズの: オリンピックや他の主要な競技を行う条件を満たした公認競技施設についていう.
o·ver·size 形 並外れて大きい, 特大の.
pint-size 形 《話》小さい, 小型の.
pock·et-size 形 ポケットサイズの; 〈市場・国などが〉小さな, 狭い.
queen-size 形 〈ベッドが〉クイーンサイズの.
sub·size 形 普通[標準]サイズより小さい.

twin-size 形 〈ベッドが〉ツインサイズの.
un·der·size 形 並より小さい, 小型の.

sized /sáizd/

形《しばしば複合語》…の大きさの, …サイズの, …型の.
⇨ -ED[2].

down·sized 形 1〈自動車・コンピュータが〉小型化された. 2(リストラのために)人員を縮小した.
good-sized 形 大型の; (並より)大きめの.
king-sized 形 特大の.
large-sized 形 大型の, L サイズの.
man-sized 形《話》大きな, たっぷりの; 大人用の.
me·di·um-sized 形 中型の, M サイズの.
mid·dle-sized 形 中型の; 中肉中背の, 普通の大きさの.
small-sized 形 小型の, S サイズの.
un·der·sized 形 並より小さい, 小型の.
un·sized 形 寸法[規格]に合っていない.
var·i·sized 形 さまざまの大きさ[サイズ]の.

skate[1] /skéit/

名 アイススケート; ローラースケート; スケート靴.
★ ～ skater という複合語をつくる.

bób skàte 《主に米・カナダ》ボブスケート.
fígure skàte フィギュアスケート用の靴.
hóckey skàte アイスホッケー用スケート靴.
íce skàte アイススケート靴.
íce-skàte 動自 アイススケートをする.
ín-lìne skáte 直列スケート, ローラーブレード.
rácing skàte (スピード競技用の)アイススケート靴.
róller skàte ローラースケート靴[板].
róller-skàte 動自 ローラースケートをする[で滑る].
spéed skàte ＝racing skate.
túbular skáte スチールパイプ式スケート靴.

skat·ing /skéitiŋ/

名 1 スケート. 2(レコードプレーヤーのトーンアームが)回転軸のほうに滑り寄ること. ◇ SKATE. ⇨ -ING[1].

ànti·skáting 名〘オーディオ〙アンチスケーティング.
fígure skàting フィギュアスケート.
páir skàting ペア・スケーティング.
roll·er-skat·ing 名 ローラースケート.
spéed skàting スピードスケート(競技).

skel·e·ton /skélətn/

名〘解剖〙〘動物〙骨格. ⇨ -ON[3].

áxial skéleton 〘解剖〙中軸骨格.
cy·to·skél·e·ton 名〘細胞生物〙細胞骨格.
dèr·mo·skél·e·ton 名 ＝exoskeleton.
èn·do·skél·e·ton 名〘動物〙内骨格.
èx·o·skél·e·ton 名〘動物〙外骨格.
fámily skéleton 外聞をはばかる家庭内の秘密.

ski /skíː/

名 スキー.

áfter-skì 名 ＝apres-ski.
après-ski 名 アフタースキー.
drý-skí 形 屋内スキーの.
héli-skì 名動自 ヘリスキー(をする): ヘリコプターで遠くの人のいない斜面へ行って, 新雪を滑ること.
hýdro-skì 名 ハイドロスキー.
jét skì ジェットスキー.
métal skí メタルスキー.
míni·skì 名 ミニスキー.
móno·skì 名 モノスキー.
túrf·skì 名 グラススキー(用の板).
wáter skì 水上スキー(用の板).
wáter-skì 動自 水上スキーをする.

-ski /ski/

連結形《米俗》…する人, …屋.
★ 俗語の名詞をつくる.
★ わざとスラブ語・イディッシュ語的な感じを出すのに用いる.
◆ スラブ系の姓の語尾 *-sky* より. ◇ -SKY.

brew·ski 名《米俗》ビール.
butt·in·ski 名《米俗》おせっかい屋.
dumb·ski 名形《米俗》ばか(な), まぬけ(な).
fin·ski 名《米俗》5 ドル紙幣(fin).
Nor·ski 名《米俗》スカンディナヴィア人.
Russ·ki 名《米俗》ロシア人.

skid /skíd/

名 1(重い物の下に敷いて転がす)丸太, ころ; (木箱の)滑材. 2(車の)横滑り. 3 そり.

ànti·skíd 形 〈車が〉滑り止め装置のついた.
drý skíd (車の)乾燥した道路上でのスリップ.
nòn·skíd 形 〈車が〉滑り止めの(してある).
táil skìd 〘航空〙尾そり.
wíng skìd 〘航空〙翼端そり.

ski·ing /skìːiŋ/

名 スキーで滑ること, (スポーツとして)スキーをすること; スキー術. ⇨ -ING[1].

áerial skíing エアリアル, 空中スキー.
Alpine skiing アルペンスキー.
cróss-còuntry skíing クロスカントリースキー.
dównhill skíing 滑降スキー.
gráss skìing ＝turfskiing.
héli·skìing 名 ヘリスキー, ヘリコプタースキー.
Nordic skiing ノルディックスキー.
pára·skíing 名 パラスキー.
túrf·skìing 名 グラススキー, 芝スキー.

skill /skíl/

名 (知識・訓練・才能などから生じる)優れた腕前; (特殊な)技能, わざ.

de·skill 動他 〈仕事・操作を〉単純化する.
re·skill 動他自 高度技術を再教育する.

skin /skín/

名 1 皮膚; 皮; なめし革. 2 薄い膜.

artifícial skín 〘医学〙人工皮膚.
banána skìn バナナの皮.
béar·skìn クマの毛皮.
blúe-skìn 《米俗》黒人.
bríght skín 《米俗》白人; 肌色が薄い人.
búck·skìn バックスキン, シカ皮.
cálf·skìn 子牛の皮.
cápe·skìn ケープスキン: 英国の昔話の女主人公.
Cát·skìn キャットスキン: 英国の昔話の女主人公.
cléan·skìn 《豪》焼き印の押していない家畜.
cléar·skìn ＝cleanskin.
cópper·skìn アメリカ[レッド]インディアン.
déer·skìn シカの皮; シカ革; シカ革製の服.
dóe·skìn 雌ジカ(doe)の皮.
dóg·skìn (手袋に用いる)犬の革.

S

físh·skìn 《俗》コンドーム(condom).
fóre·skìn 名 (陰茎の)包皮(prepuce).
fróg·skìn 《米俗》1ドル(紙幣); お札.
góat·skìn ヤギの生皮［なめし革］.
góldbèater's skìn 金箔師の皮: 箔を延ばすのに用いる.
góose skìn (寒さ・恐怖で起こる)鳥肌.
hóg·skìn =pigskin.
kíd·skìn 子ヤギのなめし革, キッド革.
lámb·skìn 子羊の皮.
líon's skìn 見せかけの勇気, 空威張り［元気］.
móle·skìn モグラの毛皮.
óil·skìn オイルスキン, 油布.
ónion·skìn オニオンスキン紙.
píebald skín 〖病理〗白斑(はん), 白皮.
píg·skìn 豚の皮.
plúm·skin スモモの(つるつるの)表皮.
rábbit skìn 《米学生俗》大学の卒業証書［学位］.
réd·skìn 《俗》北米インディアン.
rè·skín 動他 …の表面［外装］を修繕する.
scárf·skìn 表皮; (特に爪の付け根の)甘皮.
séal·skìn シールスキン: オットセイやアザラシの毛皮.
shárk·skìn シャークスキン: サメ皮に似た服地.
shéep·skìn (特に毛をつけたまま仕上げた)羊皮.
sílver·skìn (コーヒー豆の)渋皮.
snáke·skìn 蛇の皮; 蛇革.
stréssed skín 〖航空〗応力外皮(構造).
swán·skìn (羽毛がついたままの)白鳥の皮.
tést-tube skín 〖医学〗試験管皮膚.
wásherwoman's skín (水に浸して)しわが寄った手の皮膚.
wáter-skìn 革水筒, 水を入れる革袋.
whíte·skìn 形 白い肌の. ►白人の特権意識を指す.
wíne·skìn 革製の酒袋(wine bag).
wólf·skìn オオカミの毛皮; オオカミ革製品.
wóol·skìn ウールスキン: 羊毛がついたままの羊皮.

skin·ner /skínər/

名 皮をはぐ人. ⇨ -ER[1].

cát·skìnner 《話》キャタピラートラクター運転手.
háck-skìnner 《米俗》バス運転手.
múle skìnner 《米・カナダ話》ラバ追い［人］.

skip·per /skípər/

名 跳びはねる人; 飛ばし読みする人. ⇨ -ER[1].

chéese skìpper チーズバエの幼虫.
múd·skìpper トビハゼ(ムツゴロウを含む).
róck·skìpper 〖魚類〗各種のイソギンポ.
sánd skìpper 〖動物〗トビムシ(beach flea).
wáter skìpper アメンボ(water strider).

skirt /skə́ːrt/

名 **1** スカート. **2** (ある場所などの)外辺.

bróomstick skìrt ブルームスティックスカート.
búbble skìrt ふわっと丸いスカート.
círcular skírt サーキュラースカート.
divíded skírt キュロットスカート.
gáthered skírt ギャザースカート.
gráss skìrt (フラダンスなどの)腰蓑(みの).
hóbble skìrt ホブルスカート.
hóop·skìrt フープスカート.
húla skìrt フラスカート.
máxi·skìrt マキシ(スカート).
mícro·skìrt 超ミニスカート.
mídi·skìrt ミディ(スカート).
míni·skìrt ミニ(スカート).
out·skirt (町・都市などの)外れ, 場末.
o·ver·skirt オーバースカート.
pánt·skìrt パンツスカート, キュロット.
pétal skìrt ペタルスカート.
pet·ti·skirt ペティコート.
práirie skìrt プレーリースカート.
ráh-rah skìrt ラーラースカート.
sháft skìrt シャフト・スカート.
umbrélla skìrt アンブレラスカート.
un·der·skirt アンダースカート, ペティコート.
wráp skìrt ラップスカート, 巻きスカート.

skull /skʌ́l/

名 頭骨, 頭蓋骨; しゃれこうべ, どくろ.

crýstal skùll 水晶の頭蓋: 水晶製の実物大頭骨模型.
hóun·skùll 名 〖甲冑〗14 世紀のバシネットにつけられた, 犬面形の可動式の面頬.
númb·skùll 名 =numskull.
núm·skùll 名 とんま, あほう; ぼんくら頭.
póp·skùll 名 《米俗》質の悪い密造ウイスキー.

skunk /skʌ́ŋk/

名 〖動物〗シマスカンク.

bádger skùnk =hog-nosed skunk.
hóg-nòsed skúnk ブタバナスカンク.
róoter skùnk =hog-nosed skunk.
spótted skúnk マダラスカンク.
stríped skúnk シマスカンク, セスジスカンク.

sky /skái/

名 空, 上空; 天気, 空模様.

blúe skỳ 青空.
blúe-skỳ 形 空想的な, 非実際的な.
búttermilk skỳ (バターミルクのような)曇り空.
en·skỳ 動他 …を天国に行かせる［昇らせる］.
éye-in-the-skỳ 電子地上監視装置.
máckerel skỳ さば雲の空: 巻積雲や高積雲の空.
píe-in-the-skỳ 形 実現しそうにない, 当てにならない.
wáter skỳ 〖気象〗水空(すいくう).

-sky /ski/

接尾辞 …な, …の.
★ 当初は地名につき, 後に一般に使われるようになったポーランド語の形容詞語尾; 姓をつくる.
★ 英語の -ISH に相当. ◇ -SKI.

An·nen·sky 名 アンネンスキー(姓).
A·ren·sky 名 アレンスキー(姓).
Chay·ef·sky 名 チャイエフスキー(姓).
Chom·sky 名 チョムスキー(姓).
Dob·zhan·sky 名 ドブジャンスキー(姓).
Do·sto·ev·sky 名 ドストエフスキー(姓).
Du·bin·sky 名 ドゥビンスキー(姓).
Eg·lev·sky 名 エグレフスキー(姓).
Jab·o·tin·sky 名 ジャボチンスキー(姓).
Jan·sky 名 ジャンスキー(姓).
Jaw·len·sky 名 ヤウレンスキー(姓).
Ka·ba·lev·sky 名 カバレフスキー(姓).
Lo·ba·chev·sky 名 ロバチェフスキー(姓).
Ma·li·nov·sky 名 マリノフスキー(姓).
Mous·sorg·sky 名 ムソルグスキー(姓).
Mus·sorg·sky 名 =Moussorgsky.
Ni·jin·sky 名 ニジンスキー(姓).
Pa·nof·sky 名 パノフスキー(姓).
Pia·ti·gor·sky 名 ピアティゴルスキー(姓).
Shcha·ran·sky 名 シャランスキー(姓).
Si·kor·sky 名 シコルスキー(姓).
Spas·sky 名 スパスキー(姓).

Stra·vin·sky 名 ストラビンスキー(姓).
Tar·kov·sky 名 タルコフスキー(姓).
Tchai·kov·sky 名 チャイコフスキー(姓).
Trot·sky 名 トロツキー(姓).
Tschai·kov·sky 名 =Tchaikovsky.
Tsiol·kov·sky 名 ツィオルコフスキー(姓).
Ve·li·kov·sky 名 ベリコフスキー(姓).
Vi·shin·sky 名 ビシンスキー(姓).
Voz·ne·sen·sky 名 ボズネセンスキー(姓).
Vy·got·sky 名 ビゴツキー(姓).
Zem·lin·sky 名 ツェムリンスキー(姓).

slab /slǽb/

名 (石・木材・金属などの)幅の広い厚板, 板状の物.

áltar sláb 祭台: ローマカトリック教会の祭壇上部の平板石(mensa).
bíg sláb 《米俗》ターンパイク(turnpike).
ínk slàb 〖印刷〗(印刷機の)インク練り盤.
líft-slàb 形 リフトスラブ工法の.
súper slàb 《米俗》(トラック運転手の間で)超高速道路(superhighway).
wáffle slàb 〖建築施工〗ワッフルスラブ.

sla·lom /slɑ́:ləm, -loum | -ləm/

名 (スキーなどで)スラローム.

canóe slàlom カヌースラローム.
dúal slálom =parallel slalom.
gíant slálom 大回転(競技).
párallel slálom パラレルスラローム.

slang /slǽŋ/

名 俗語, スラング.

báck slàng 逆さ言葉.
cóllege slàng 大学生言葉, 学生語.
rhýming slàng 押韻俗語.

slap /slǽp/

名 **1** 平手打ち. **2** (機械などの)がたつく音. ――動他自 …を平手で打つ.►擬声語から. ◇ -P.

báck·slàp 動他自 《親愛の情を示して》背中をたたく.
bláde slàp ヘリコプターのローターの音.
píston slàp (エンジンなどの)ピストンの音.
wríst slàp 《俗》軽い非難.

slave /sléiv/

名 奴隷.►Slav 人がよく奴隷にされたことから.

bónd·slàve 奴隷; 農奴.
en·sláve 動他 〈人を〉奴隷にする.
gálley slàve ガレー船をこぐ奴隷 [囚人].
tóilet slàve 《俗》(SM で)黄金聖水プレーの奴隷役.
wáge slàve 《しばしばおどけて》賃金奴隷.
whíte sláve 売春のため売られる白人婦女子.

slav·er·y /sléivəri/

名 奴隷であること, 奴隷の身分 [境遇]. ⇨ -ERY[1].

an·ti·slav·er·y 名形 奴隷(特に黒人奴隷)制度反対(の).
Chínese slávery 低賃金重労働, たこ部屋方式.
pro·slav·er·y 形 奴隷制度支持の.
whíte slávery 売春婦 [白人奴隷] の境遇; 売春婦 [白人奴隷] 売買.

sled /sléd/

名 《主に米》(雪上・氷上を滑る)そり.

bób·slèd ボブスレー.
dóg·slèd 《主に米・カナダ》犬ぞり.
rócket slèd ロケットそり, ロケットスレッド.

sleep /slí:p/

動自 眠る, 寝る. ――名 **1** 睡眠, 眠り. **2** 活動休止.

a·sléep 副 眠って, 眠りに就いて.
béauty slèep 《話》(美容によい)夜半前の睡眠.
bíg sléep 死.►R.Chandler の小説 *The Big Sleep*(1939)より.
déep sléep (スパイの)長期活動停止.
desýnchronized sléep 非同期性睡眠, D 睡眠.
dóg·slèep 浅い眠り, まどろみ, うたた寝.
D́ slèep =desynchronized sleep.
e·léc·tro·slèep 名 〖精神医学〗電気睡眠.
frózen sléep 凍結睡眠.
gátefold slèep (レコードの)見開きジャケット.
mí·cro·slèep 名 〖心理〗微眠.
nó-sléep 形 不眠の.
ŃREM slèep =slow-wave sleep.
órthodox sléep 正睡眠.
òut·sléep 動他 〈ある時刻より〉遅くまで眠る.
ò·ver·sléep 動自 寝過ごす, 寝坊をする.
paradóxical sléep パラ睡眠, 逆説睡眠.
rápid éye mòvement slèep =REM sleep.
RÉM slèep レム睡眠.
slów-wáve slèep 徐波睡眠.
Ś slèep =synchronized sleep
sýnchronized sléep 同期睡眠.
twílight slèep 〖医学〗半麻酔(状態).
wínter slèep 冬眠.
yén slèep 《俗》アヘンによる恍惚状態.

sleeve /slí:v/

名 〖服飾〗袖, たもと.

áir slèeve (飛行場などの)吹き流し.
ballóon slèeve バルーンスリーブ.
bíshop sléeve ビショップスリーブ.
cáp slèeve キャップスリーブ.
dólman sléeve ドルマン・スリーブ.
fóre·slèeve 名 袖(そで)の手首からひじまでを覆う部分.
Frénch sléeve フレンチ・スリーブ.
hálf sléeve 五分袖(そで).
lég-of-mútton slèeve レッグ・オブ・マトン・スリーブ.
Mágyar sléeve マジャール袖(そで).
máiling slèeve (両端のふたを欠いた)郵送用保護し筒.
mándarin sléeve マンダリンスリーブ.
ó·ver·slèeve 名 オーバースリーブ.
ráglan sléeve ラグラン袖(そで).
sét-in sléeve セットインスリーブ, 普通袖(そで).
shírt-slèeve 形 上着を着ていない, ワイシャツ姿の.
ún·der·slèeve 名 アンダースリーブ, 内袖(そで).

slice /sláis/

名 (…の)薄片, 一切れ, 一片, 一枚.

báck slìce 《俗》肛門.
bít-slìce 形 〖コンピュータ〗ビットスライスの.
créam·slìce クリーム [アイスクリーム] をすくうための木製の薄べったいへら.
égg slìce (目玉焼きなどの)フライ返し.
físh slìce フライ [魚] 返し.

S

fúrrow slìce 鋤(すき)で掘り起こした土の薄片.
tíme slìce 連続する時間の中の短期間.

slide /sláid/

動自 (地面を)滑る,(氷や雪などを)滑降[滑走]する;〘サーフィン〙波乗りをする. ――名 **1** 滑ること;〘サーフィン〙波乗り. **2**(プロジェクターで拡大映写する1枚の)スライド.

báck·slìde 動自 (もとの悪癖・悪習に)逆戻りする.
bént-lèg slíde (野球の)足から滑り込むスライディング.
bóok·slìde 自在書架; スライド式書棚.
cát·slìde 〘建築〙キャットスライド.
cólor·slìde (写真の)カラースライド.
króss slìde (旋盤などの)横送り台.
dárk slìde (写真の)引き蓋(ぶた).
dówn·slìde (物価などの)下落, 低下.
dráw slìde =dark slide.
éarth·slìde =landslide.
fílm·slìde 映写用のスライド.
háir slìde 《英》おくれ毛留め.
hóok slìde (野球の)フックスライド.
lánd·slìde 地滑り, 崖(がけ)崩れ, 山崩れ.
lántern slìde (幻灯機用)スライド; 幻灯画.
mícro·slìde (超微生物実験や顕微鏡検査で用いる)微小スライド.
múd slìde 〘地質〙泥流, 土石流.
snów·slìde 雪崩.
táil slìde 〘航空〙尾滑り, テイルスライド.
tént slìde テントの張り綱を調節する装置.
tóol·slìde (工作機械の)刃物送り台.

slim /slím/

形 **1**〈体格・人などが〉細い, ほっそりした. **2** 貧弱な, 劣った. **3** ずるい, 狡猾な.

íceberg slím 《米俗》売春斡旋業者, ポン引き.
Jerúsalem slím 《米渡り労働者俗》イエス・キリスト.

sling·er /slíŋər/

名 投げる[ほうる]人[もの]. ⇨ -ER[1].

béer·slìnger 《米俗》バーテン(bartender).
gún·slìnger 《話》拳銃の名人, ガンファイター.
hásh-slìnger 《俗》(軽食堂で)給仕人.
ínk·slìnger 《俗》作家, 新聞記者, 編集者.
líghtning-slìnger 《米鉄道俗》電信技師.
pót-slìnger 《米俗》料理人, コック(cook).
wórd·slìnger 《米俗》しゃべりまくる人.

slip[1] /slíp/

動自 滑る. ――名 **1** 滑ること. **2**《話》失策; 間違い. **3**(婦人用の)スリップ.

bóat·slìp 名 (波止場の間の)船の停泊所.
Fréudian slíp フロイト的錯誤[失言].
gým·slìp 名 女生徒用のチューニックドレス.
hálf-slìp 名 ペティコート.
lánd·slìp 名 《主に英》山崩れ, 地滑り.
lég slìp 〘クリケット〙レッグスリップ.
nòn·slíp 形 滑らない; 滑り止めのついた.
ò·ver·slíp 動他 《廃》無視する, 見逃す, 省く.
pánti-slìp 名 パンティースリップ.
pátent slìp 《英》引き上げ船台.
pét·ti·slìp 名 =half-slip.
píllow slìp 枕カバー.
sénhouse slìp 《主に英》〘海事〙滑り鉤.
síde·slìp 動自 横滑りする.
stríke slìp 〘地質〙横ずれ, 走向移動.

slip[2] /slíp/

名 **1** 伝票, スリップ. **2**(木材・紙などの)細長い一片.

búck slìp 《話》回覧票.
cáll slìp 図書請求票, 貸し出し請求票.
cómpliments slìp 謹呈票.
cóver slìp 〘顕微鏡検査〙覆いガラス.
crédit slìp 《英》=deposit slip.
dáte slìp (貸出図書の)返納期日票.
depósit slìp 預入伝票, 預金入金票.
pácking slìp 梱包票, パッキングスリップ.
páying-in slìp 《英》預入伝票.
páy slìp 給料明細表.
pínk slìp 《米話》解雇通知.
pínk-slìp 動他 解雇する, 首にする.
rejéction slìp 謝絶票, 拒絶票, 却下票, 返送票.
sáles slìp 《米》売上伝票, 販売伝票.

slip·per /slípər/

名 (室内用・舞踏用の)軽い上靴, スリッパ. ⇨ -ER[1].

bállet slìpper バレエ靴[シューズ].
bédroom slìpper 寝室用スリッパ.
cárpet slìpper (特に男性用の)室内用スリッパ.
fáiry-slìpper 名 〘植物〙ヒメホテイラン.
Grécian slìpper 《英》ギリシャスリッパ.
hóuse slìpper 室内用スリッパ.
lády-slìpper =lady's-slipper.
lády's-slìpper 〘植物〙アツモリソウ(敦盛草).
púllman slìpper 旅行用折りたたみ式スリッパ.

slope /slóup/

動自 傾斜する, 傾く, 坂になる;〈肩・目などが〉垂れている, 下がっている. ――名 斜面, 坂; ゲレンデ; 傾斜. ► aslope の頭音消失異形.

a·slope 副形 傾斜して[した], 斜めに[の].
continéntal slópe 〘地文〙大陸斜面, 陸棚斜面.
dópe slòpe 《スキー俗》初心者用ゲレンデ.
dówn·slòpe 名形 下り坂(の), 下り斜面(の).
glíde slòpe 〘航空〙滑空角.
nátural slòpe 自然傾斜: 土が崩落しない最大傾斜.
protéctive slòpe 保護傾斜: 建築物への水の流入を防ぐためにつける庭などの傾斜.

slot /slάt | slɔ́t/

名 **1** 細長いすき間. **2**(一続きのものの中で占める)位置.

cótter slòt 〘機械〙コッタスロット.
expánsion slòt 〘コンピュータ〙拡張スロット.
Gód slòt 《英話》宗教放送時間帯.
kéy·slòt 半月キーを差し込むための穴.
pénny-in-the-slót 形 〈機械が〉コインを入れると動く.
tíme slòt 割り当て時間.

slow /slóu/

形 スピードの遅い, のろい, ゆっくり進む. ――副 遅く.

déad slów 名副 〘海事〙極微速(で).
gó-slòw 《主に英》(労働者の行う)生産遅延戦術, サボタージュ.
hý·per·slòw 形 極度に遅い, 超低速の.

smart /smά:rt/

形 **1**《米》頭の回転の早い. **2**(交換・取引関係などで)抜け目のない.

bóok-smárt 形 《米俗》学問はあるが常識がない.
òut·smárt 動他《話》負かす; だます, 裏をかく.
stréet-smàrt 形 《米俗》世慣れた, 世間擦れした.

smelt /smélt/

名【魚類】**1** キュウリウオ. **2** 外見がキュウリウオに似た魚の総称.

báy·smèlt =topsmelt.
jáck·smèlt カリフォルニアトウゴロウ.
sánd smèlt トウゴロウイワシ.
súrf smèlt カワサギ属キュウリウオ科の魚.
tóp·smèlt 名 トウゴロウイワシ科の小魚.

smith /smíθ/

名 **1** 金属細工人. **2** 鍛冶(かじ)屋. **3** 作る人, 制作人. **3** 《S-》スミス(姓).

ád·smìth 名 《話》コピーライター.
án·gle·smìth 名 山形火造り工.
bláck·smìth 名 蹄鉄(ていてつ)工.
bráss·smìth 名 真鍮(しんちゅう)細工師.
brónze·smìth 名 青銅細工師.
cóp·per·smìth 名 銅細工師, 銅鍛冶(かじ).
góld·smìth 名 金細工人［商］.
gún·smìth 名 鉄砲鍛冶(かじ), 銃工.
hám·mer·smìth 名 (ハンマーを使う)鍛冶(かじ)工.
í·ron·smìth 名 鍛冶(かじ)屋.
Jóhn Smíth ジョン・スミス: 英語での代表的匿名.
jóke·smìth 名 《話》ギャグ作者, コント作家.
kéy·smìth 名 鍵屋; 合鍵造り(職人).
lóck·smìth 名 錠前屋［修理人］.
mét·al·smìth 名 金物細工師.
rúne·smìth 名 ルーン文字研究家［解読者］.
síl·ver·smìth 名 銀器製造人, 銀細工師.
sóng·smìth 名 作曲家.
swórd·smìth 名 刀鍛冶(かじ), 刀工.
tín·smìth 名 ブリキ［錫(すず)］職人.
tóol·smìth 名 コンピュータ・ソフトウェア開発者.
túne·smìth 名 《米話》(ポピュラー音楽の)作曲家.
whíte·smìth 名 ブリキ職人; 鉄器仕上げ［磨き］職人.
wíre·smìth 名 針金造り職人.
wórd·smìth 名 言葉遣いの巧みな人; 文筆家.

smog /smág, smɔ́:g | smɔ́g/

名 スモッグ. ►*sm*oke+f*og*. 公衆衛生専門家 H. A. Des Voeux がロンドンの煙霧を表した造語(1905).

ànti·smóg 形 スモッグ防止［反対］の.
electrónic smóg 電波［エレクトロニック］スモッグ.
phòtochémical smóg 【気象】光化学スモッグ. ►(oxidant) smog ともいう.

smoke /smóuk/

名 **1** 煙. **2** (タバコ・マリファナなどを)吸うこと, 喫煙, 一服. **3** 煙のような色, 青みがかった［茶色がかった］灰色.

Bíg Smóke 《米俗》ピッツバーグ(Pittsburgh).
cháin-smòke 動自他 (タバコを)立て続けに吸う.
dópe smòke 《米俗》マリファナ.
environméntal tabácco smòke (他人のタバコの)間接吸煙.
fróst smòke 【気象】氷煙.
gíggle-smòke 《米俗》=dope smoke.
hóly smóke 《俗》《驚きを表して》おや, あら.
jáy smòke 《俗》=joy smoke.
jóy smòke 《米麻薬俗》マリファナタバコ.
J smòke 《米俗》=joy smoke.
Lóndon smóke 緑がかった黒灰色.
máinstream smóke 主流煙: タバコなどの直接吸う煙.
ò·ver·smóke 動他自 タバコを吸いすぎる.
práirie smòke バラ科のダイコンソウ(大根草)の一種 *Geum triflorum*.
séa smòke 【気象】蒸気霧.
sécondhand smóke 副流煙; 間接［二次］喫煙.
sídestrèam smòke =secondhand smoke.
tést-smòke 動他《米俗》〈マリファナを〉(買う前に)試しに吸う.
wóod·smòke 名 (燻煙(くんえん)用の)薪(まき)の煙.

smok·ing /smóukiŋ/

形 喫煙の. ——名 喫煙. ⇨ -ING[2], -ING[1].

ànti·smóking 形 禁煙の, 喫煙に反対する.
nòn·smóking 形 禁煙の, 喫煙禁止の.
nò-smóking 形 =nonsmoking.
pássive smóking 間接的喫煙.

smooth /smú:ð/

形〈物の表面が〉滑らかな, すべすべした, つるつるした, 滑りのよい; 光沢のある, つやのある.

dead-smooth 形 油目の, 最も目の細かい.
oil-smooth 形 油を流したように滑らかな.
su·per-smooth 形 =dead-smooth.

smut /smʌ́t/

名【植物病理】黒穂病.

córn smùt トウモロコシ黒穂病.
cóvered smút 堅(かた)黒穂病.
flág smùt 稈(かん)黒穂病.
héad smùt 黒穂病.
kérnel smùt 墨黒穂病.
lóose smút 裸黒穂病.
stínking smút ムギ(腥(なまぐさ))黒穂病.
strípe smùt 黒穂病.

snail /snéil/

名 **1** 巻き貝. **2** マイマイ, カタツムリ.

áwl snàil オカチョウジガイ(陸丁字貝).
bánded Flórida trée snàil イトヒキマイマイ(糸引蝸牛).
gíant snáil オオ［アフリカ］マイマイ.
lánd snàil 腹足類柄眼(へいがん)目の陸産巻き貝の総称.
líg snàil =banded Florida tree snail.
pónd snàil 淡水に棲む巻貝の総称.
róman snáil エスカルゴ(escargot).
séa·snàil クサウオ属の数種の魚類の総称.
trée snàil トウガタマイマイ(塔形蝸牛).
wáter snàil らせん水揚機, ねじポンプ.

snake /snéik/

名 **1** ヘビ. **2**【建築施工】スネーク: 曲がった管の中の詰った物を取り除く道具. **3** スネーク: 共同フロート(変動為替相場制)の俗称.

béad snàke サンゴヘビ.
bláck·snàke クロヘビ, ブラックレーサー.
blínd snàke メクラヘビ.
brówn snàke 《豪》コブラモドキ.
búll·snàke ブルスネーク.
cárpet snàke カーペットニシキヘビ.
chícken snàke チキンスネーク, ネズミトリヘビ.
cóngo snàke アンヒューマ.
córal snàke サンゴヘビ.
córn snàke アカダイショウ(赤大将).
cúrrency snàke 共同フロート(変動為替相場)制の俗称.

S

díamond snàke ダイヤモンドヘビ.
éastern córal snàke 米国東南部産のサンゴヘビ.
élephant's-trùnk snàke ヤスリミズヘビ,ゾウハナヘビ.
fóx snàke キツネヘビ.
gárter snàke ガーターヘビ.
gláss snàke アシナシトカゲ.
glóssy snàke 夜行性で穴に生息するヘビの一種.
gópher snàke ゴーファーヘビ.
gráss snàke ヨーロッパヤマカガ.
gréen snàke アオヘビ.
hárlequin snàke サンゴヘビ.
hógnòse snàke ブタハナヘビ.
hóop snàke フープスネーク.
hóuse snàke イエヘビ.
índigo snáke 《米》インジゴヘビ.
kíng snàke キングヘビ.
lánce snàke フェルドランス(fer-de-lance): アメリカハブ属の大きなハブの一種.
Líttle Snáke 〖天文〗みずへび(水蛇)座.
lýre snàke タテゴトヘビ.
mílk snàke ミルクヘビ.
múd snàke ヒムネツチヘビ.
níght snàke ナイトスネーク.
píne snàke マツヘビ.
pípe snàke パイプヘビ.
plúmber's snàke 〖建築施工〗スネーク.
ráinbow snàke レインボースネーク.
rát snàke ネズミヘビ.
ráttle·snàke ガラガラヘビ.
réd rát snàke =corn snake.
ríbbon snàke =garter snake.
ríinged snáke =grass snake.
ríngneck snàke クビワヘビ.
ríng snàke =grass snake.
róck snàke 大型ニシキヘビ数種の総称.
séa snàke ウミヘビ.
shíeld-tàiled snáke ウロペルティス科の穴居性のヘビの総称.
smóoth snáke ヘビ科 *Coronella* 属のヘビの総称.
súp·er·snàke 名 (EC の)超大型共同変動相場制.
tíger snàke コブラ科の猛毒ヘビ.
trée snàke ヘビ科の樹上性蛇の総称.
tróuser snàke 《俗》ペニス(one-eyed trouser snake).
víne snàke ヘビ科 *Oxybelis* 属の無毒蛇の総称.
wárt snàke イボヘビ,ヤスリミズヘビ.
wáter snàke ユウダ(游蛇).
whíp·snàke ムチヘビ.
wórm snàke ミミズヘビ.

snake·root /snéikrù:t/

名 蛇草: 根が蛇にかまれたときの薬になるとされる植物の総称. ⇨ ROOT.

bláck snákeroot カロライナショウマ(升麻).
bútton snákeroot リアトリス,ユリアザミ.
Séneca snákeroot ヒメハギ属の草.
Virgínia snákeroot ウマノスズクサ属の草.
whíte snákeroot マルバフジバカマ.

snap /snǽp/

動自 (はじけるような)鋭い音を立てる. ── 他 鋭い音をたてて素早く(…の状態に)する. ── 名 **1** (寒い気候などの)短い一続き. **2**《通例複合語》薄くてさくさくするクッキー.
★ 擬声語から. ◇ -P.

brándy snàp 〖菓子〗ブランデースナップ.
cóld snàp 寒波の訪れ, にわかな冷え込み.
drý-snàp 動自他《俗》空の銃を撃つ.
gínger·snàp 名 〖菓子〗ジンジャースナップ.
Scótch snáp 〖音楽〗普通と逆になっている符点音符のリズム.
sníp-snàp 名 チョキチョキ(はさみの音など).
ùn·snáp 動他 …のホックを外して脱ぐ.

snap·per /snǽpər/

名 〖魚類〗フエダイ. ► SNAP+-ER[1]. ⇨ -ER[1].

gráy snápper フエダイの一種.
máckerel-snàpper 名 《米俗》ローマカトリック教徒,カトリック信者.
mángrove snápper =gray snapper.
mútton snàpper フエダイ属の魚 *Lutjanus analis*.
réd snápper フエダイ科フエダイ属の魚の数種の総称.

snatch·er /snǽtʃər/

名 ひったくり, かっぱらい. ⇨ -ER[1].

báby snàtcher 《話》赤ん坊誘拐犯.
bódy snàtcher 死体泥棒.
crádle snàtcher 《話》年のずっと若い相手と結婚する[恋仲になる]人.
dúcat-snàtcher 《米俗》切符切り係.
púrse-snàtcher 《米》(女性のハンドバッグをねらう)ひったくり.
ríng-snàtcher 《米俗》肛門(こうもん)性交者.

sniff·er /snífər/

名 かぐ人, かぎ回る人; 麻薬を吸う人. ⇨ -ER[1].

bómb snìffer 爆弾かぎ出し犬[装置].
drúg snìffer 麻薬かぎ出し犬[装置].
péople snìffer 嗅覚性人間探知機.
pósy-snìffer 《米俗》環境保護論者.
pót snìffer 麻薬犬.
sócial snìffer 気晴し[娯楽]でコカインを吸う人.
whíff-snìffer 《米話》酒類製造販売禁止論者.
wíff-snìffer 《米話》=whiff-sniffer.
zípper·snìffer 《俗》(虎視眈々(こしたんたん)とセックス相手を狙っている)男の同性愛者.

snipe /snáip/

名 **1**〖鳥類〗シギ科タシギ属またはコシギ属のシギの総称. **2** 卑劣な人, 見下げ果てたやつ. **3**《米俗》鉄道保線員[係].

cómmon snípe タシギ(snipe).
gráss snìpe アメリカウズラシギ.
gútter·snìpe (都市の)最下層[どん底]の人.
hálf snìpe =jacksnipe.
jáck·snìpe コシギ.
kíng snìpe 《米俗》鉄道線路敷設班の責任者.
páinted snípe タマシギ.
réd-brèasted snípe オオハシシギ(dowitcher).
séa snìpe シギ科の鳥類のうち小形のものの総称.
séed-snìpe ヒバリチドリ(雲雀千鳥).
semipálmated snípe ハジロ(羽白)オオシギ(willet).
stóne snìpe イシチドリ(stone-curlew).
whóle snìpe =common snipe.
Wílson's snípe ウィルソンタシギ.

snob /snáb | snɔ́b/

名 スノッブ, 俗物.

intelléctual snób 知ったかぶりする人.
invérted snób 自分より下の階級を装って, 自分の属する階級を軽蔑する人.
revérse snób 反スノッブ[反俗物]主義者.

snort /snɔ́:rt/

動他 〈空気・音などを〉鼻を鳴らして出す. ━━名 **1** 鼻を鳴らすこと, 鼻を鳴らすような音. **2**《俗》酒のぐい飲み.

búck snòrt 《米俗》ブッというおなら.
rip·snort 動他 激しい勢いで吹き込む.
shórt snórt 《米俗》(酒の)ぐい飲み.

snow /snóu/

名 **1** 雪. **2**《俗》(粉末状の)コカイン [ヘロイン, モルヒネ].

áspirin snòw アスピリンのようにさらさらした雪.
blówing snòw 地吹雪(じふぶき).
cárbon dióxide snòw ドライアイス(dry ice).
córn snòw 《米・カナダ》〖スキー〗ざらめ雪.
déath snòw 《米麻薬俗》毒物 [不純物] を混ぜたコカイン.
évening snòw 〖植物〗ハナシノブ科の一年草.
fírn snòw 〖地学〗粒雪: 氷河の上方にある.
Flórida snòw 《米俗》コカイン.
glóry-of-the-snów 〖植物〗ユキゲユリ.
gránular snów ざらめ雪.
gréen snów 《米麻薬俗》フェンシクジリン(phencyclidine).
Lády Snòw 《俗》コカイン.
maríne snów 〖海洋〗マリンスノー, 海雪.
óver·snòw 形 雪上の.
potáto snòw 〖料理〗ポテトスノー.
pówder snòw 〖スキー〗粉雪, パウダースノー.
réd snów 赤雪, 紅雪.
spríng snòw =corn snow.
tapióca snòw 雪あられ, ひょう.
wét·snòw 《俗》洗濯して干してある下着.

so /sóu/

副 この [その] ように, 同じように.

al·so 副 …もまた, さらに, その上に.
iz·zat·so 間 《米俗》《反抗・不信を表して》なんだって, へえそうかい. ►Is that so? より.
say-so 名 《話》独りよがりの発言, 独断.
so-and-so 名 《話》《名を忘れたり, 明示できない人や物などを指して》誰それ, なにがし, なになに.
so-so 形 《話》よくも悪くもない, まあまあの.
what·so 形代 《古》(…する)もの [こと] はなんでも.
whom·so 代 whoso の目的格.
whose·so 代 《古》whoso の所有格.
who·so 代 …する人は誰でも; 誰が…でも.

soap /sóup/

名 **1** せっけん. **2**《俗》おべっか.

alúminum sòap アルミニウムせっけん.
báth sòap 浴用せっけん.
cúrd sòap カードソープ: 含核せっけんの一種.
deódorant sòap 体臭防止せっけん.
fácial sòap 化粧せっけん.
gréen sòap 軟せっけん(soft soap), カリせっけん(kali soap).
hárd sòap 硬せっけん, ソーダせっけん.
ínvert sòap 陽イオン洗浄剤.
Jóe Sòap 《英話》ばかなやつ; 平凡な人.
líquid sòap 液体せっけん.
Marséilles sòap マルセル [マルセイユ] せっけん.
metállic sòap 金属せっけん.
sáddle sòap 革磨きせっけん.
sánd·sòap 砂入りせっけん.
sháving sòap ひげそり用せっけん.
sóapless sòap ソープレスソープ: 合成洗剤の一種.
sóft sòap 《話》お世辞.
sóft-sóap 動他 《話》おだてる.
súgar sòap (砂糖に似た)アルカリせっけん.
tóilet sòap 化粧せっけん.
Wíndsor sóap ウィンザーソープ: 香料入りせっけん.
yéllow sóap (黄色っぽい)家庭用せっけん.

so·cial /sóuʃəl/

形 **1** 社会の, 社会的な. **2** 社交的な. ━━名 懇親会, 親睦会, パーティー. ⇨ -IAL[1].
★ 語頭にくる関連形は socio-: *socio*linguistics「社会言語学」.

àn·ti·só·cial 形 〈人が〉非社交的な, 社交嫌いの.
a·só·cial 形 社交的でない, 非社交的な.
bì·o·só·cial 形 生物社会的な.
bóx sócial ボックスソーシャル: 手作り弁当を持ち寄って売る募金集めのパーティー.
chúrch sòcial 教会懇親会.
dis·só·cial 形 反社会的な; 社交嫌いの.
eu·só·cial 形 〖動物行動〗真社会性の.
íce-cream sócial 《主に米北部・北部ミッドランド・西部》アイスクリームを売って(学校・教会などの)資金を集めるためのパーティー.
nòn·só·cial 形 非社交的な.
psy·cho·só·cial 形 心理社会的な.
sùb·só·cial 形 明確な社会構造のない.
ùn·só·cial 形 社会的でない; 社交的でない.

so·cial·ism /sóuʃəlìzm/

名 **1** 社会主義. **2**(マルクスの理論で)社会主義: 社会が共産主義へ移行していく前, 資本主義の次にくる過渡的段階. ⇨ -ISM[1].

Atári Sócialism 《米話》アタリ社会主義. ►1980 年代, フランスのミッテラン大統領の政治姿勢を指す.
Chrístian Sócialism キリスト教社会主義.
créeping sócialism 忍び寄る社会主義: 政府が社会・経済に徐々に介入すること.
desígner sòcialism 《英》デザイナー社会主義.
èco·sócialism 環境社会主義.
guíld sócialism ギルド社会主義: 職能別組合による生産管理の主導権を主張する民主的社会主義.
Nátional Sócialism ナチズム(Nazism), 国家社会主義.
Ramáda Sócialism 《英》ラマダ社会主義: 1987 年, 中産階級の意見を取りつける方向転換を示した英国労働党の政治姿勢を指す.
scientífic sócialism 科学的社会主義.
státe sócialism 国家社会主義.
utópian sócialism 空想的社会主義, ユートピア社会主義.

-so·ci·ate /sóuʃièit, -si-, -ʃiət/

連結形 結びついた.
★ 動詞をつくる.
★ 語末にくる関連形は -SOCIATION.
★ 語頭にくる関連形は soci(o)-: *soci*ability「親しい交際」, *socio*babble「社会学用語」.
◆ <ラ *sociātus*(*socius*「仲間」の派生語 -*sociāre* の過去分詞より). ⇨ -ATE[1].
[発音] 語尾の発音は, 動詞では /èit/, 名詞, 形容詞では /ət, èit/.

as·so·ci·ate 動他 ☞
con·so·ci·ate 動他 合同 [提携] させる.
dis·so·ci·ate 動他 …を(…から)分離する, 引き離す.

-so·ci·a·tion /sòusiéiʃən/

連結形 仲間にされたこと [もの].
★ 名詞をつくる.
★ 語末にくる関連形は -SOCIATE.
★ 語頭にくる関連形は soci(o)-: *soci*ability「親しい交際」, *socio*babble「社会学用語」.

S

◆ラテン語 *socius*「仲間」より. ⇨ -ATION.
[発音]-sociation の第 3 音節に第 1 強勢が置かれる.

as·so·ci·a·tion 名 ☞
con·so·ci·a·tion 名 連合, 合同, 結合.
dis·so·ci·a·tion 名 分離(作用); 分離状態, 分裂.

so·ci·e·ty /səsáiəti/

名 (宗教・慈善・文化・科学・政治などの共通の目的を持つ)会, 協会, 団体, 組合. ⇨ -TY^2.

altérnative socíety 代替社会, 別社会.
Amána Chúrch Socìety (ルーテル教会の)アマナ会.
Américan Antislávery Socìety 〘米史〙アメリカ奴隷制反対協会.
Américan Bíble Socìety アメリカ聖書協会.
Anthroposóphical Socìety 人智学会.
Áudubon Socìety オーデュボン協会: 野生動物, 特に野鳥の保護を目的とした協会.
bénefit socìety 共済組合.
Bíble Socìety 聖書協会.
bóok socìety 《主に英》ブッククラブ(book club).
buílding socìety 《英》住宅金融組合.
café socìety 上流社会の人々が集まるナイトクラブなどの常連.
cáshless socíety キャッシュレス社会.
chéckless socíety =cashless society.
classificátion socìety 船級協会.
coóperative socíety 生活協同組合(co-op).
debáting socìety 討論クラブ(debating club).
Dórcas socìety ドルカス会: 貧者に衣服を供給する, 教会の婦人会.
ecclesiástical socìety 《米》教会法人.
Énglish Díalect Socìety イギリス方言協会.
Fábian Socìety フェビアン協会.
fólk socìety 〘社会〙民俗[習俗]社会.
fratérnal socíety 友愛組合.
fríendly socìety 《英》=benefit society.
Gréat Socíety 偉大な社会: 1964 年の米国大統領選で民主党が立てた達成目標.
hígh socìety 上流の人々, 上流社会[階層].
hónor socìety (大学・高校の)栄誉学生団体.
humáne socìety 愛護協会, (特に)動物愛護協会.
informátion-inténsive socìety 情報(化)社会. 「団体.
Jóhn Bírch Socìety ジョン・バーチ協会: 米国の反共極右
Láw Socìety 《英》ローソサエティー: イングランド・スコットランドの事務弁護士会.
léarned socíety (現代語・心理学・歴史などの)学会.
légal áid socìety 法律扶助協会.
Linnéan Socíety リンネ協会.
Lórd's Dày Obsérvance Socíety 〘教会〙主日(しゅじつ)遵守協会.
máss socìety 〘社会〙大衆社会.
mútual admirátion socìety 《皮肉に》仲間褒めする連中(社会).
nòn·so·cí·e·ty 形 〈労働者が〉組合に加入していない.
ópen socìety 〘社会〙開放社会, 開かれた社会.
óral socìety 口頭社会.
Órange Socìety オレンジ党.
permíssive socìety 容認社会, 寛容社会.
Plúnket Socìety プランケット協会: ニュージーランドの母子の健康管理を主務とする国立協会.
próvident socìety 《英》=benefit society. 「会.
répertory socìety 《NZ》アマチュア演劇上演(後援)
Ríbbon Socìety リボン会, リボン団: 19 世紀半ばのアイルランドの秘密結社.
Róyal Socíety 英国学士院.
Séaled Knót Society 《英》ピューリタン革命協会.
sécret socíety 秘密結社.
Sháftesbury Socìety シャフツベリー協会: 英国の身障者や貧しい子供を救済する民間団体.
stay-at-home society 在宅社会: コンピュータの普及による在宅勤務が主流の社会.
Theosóphical Socìety 神智学協会.
tólerant socíety =permissive society.
tráct socìety トラクト(出版)協会: 宗教関係のパンフレットを出版・配付する協会.

so·ci·ol·o·gy /sòusiálədʒi, -ʃi-|-ɔ́l-/

名 社会学; (一般に)社会科学. ⇨ -OLOGY.

bì·o·so·ci·ól·o·gy 名 生物学的社会学.
cúltural sociólogy 文化社会学.
educátional sociólogy 教育社会学.
èx·o·so·ci·ól·o·gy 名 (地球外生物を含む)宇宙社会学.
históric al sociólogy 歴史社会学.
indústrial sociólogy 産業社会学.
màc·ro·so·ci·ól·o·gy 名 マクロソシオロジー, 巨視社会学.
mì·cro·so·ci·ól·o·gy 名 微視社会学.
phy·to·so·ci·ól·o·gy 名 植物社会学[群落学].
psy·cho·so·ci·ól·o·gy 名 心理社会学.
rúral sociólogy 農村社会学.
úrban sociólogy 都市社会学.

sock /sák|sɔ́k/

名 ソックス, 短い靴下; 靴の中敷き.

áir sòck =windsock.
Américan sóck 《俗》コンドーム.
ánkle sòck 《英》足首までの短いソックス.
béd·sòck 床履き靴下.
míke sòck マイクを覆うスポンジの雑音除け.
rúbber sòck 《米渡り労働者俗》臆病者.
slípper sòck スリッパソックス: 底に中敷きを入れた室内履き.
tóe sòck トーソックス: つま先が分かれたもの.
túbe sòck チューブソックス: かかとのない靴下.
wét sóck 《米俗》弱虫.
wínd·sòck 吹き流し, 風見用の筒.

sock·et /sákit|sɔ́k-/

名 **1** 受け口, 穴, 軸受け. **2** 〘電気〙壁ソケット, コンセント. **3** 〘解剖〙窩(か), 槽. ⇨ -ET^1.

báyonet sòcket 差し込みソケット.
drý sócket ドライソケット: 歯の炎症性感染.
éye sòcket 眼窩(がん).
rópe sòcket ロープ受け口. 「ト.
skírting sòcket (部屋の壁下に巡らした)電気ソケッ
válve sòcket 〘電気〙真空管ソケット.
wáll sòcket (差し込みプラグ用の)壁ソケット.

socks /sáks|sɔ́ks/

名複 sock「短い靴下」の複数形. ►ときに sox とつづる.

bóbby·sòcks 名複 《主に米》ボビーソックス.
créw sòcks クルーソックス.
dúmb·sòcks 名複 《米俗》北欧系の人.
knée-sòcks 名複 ニーソックス, ハイソックス.
swéat sòcks スエットソックス.
wálk sòcks 《NZ》ひざまでのストッキング.

so·da /sóudə/

名 ナトリウム化合物; ソーダ[炭酸]水. ⇨ -A^2.

báking sòda 〘化学〙〘薬学〙重炭酸ナトリウム.
cáustic sóda 〘化学〙水酸化ナトリウム.
clúb sóda ソーダ水(soda water).
créam sóda ソフトドリンクの一種.
íce-cream sóda 《主に米》アイスクリームソーダ.
lémon sòda 《米》レモンスカッシュ.
sál sòda =washing soda.

S

wáshing sòda 洗濯ソーダ.

so·di·um /sóudiəm/

名 **1**〘化学〙ソジウム, ナトリウム. **2**〘医学〙〘薬学〙ナトリウム塩. ⇨ -IUM.

butabárbital sódium 〘薬学〙ナトリウムブタバルビタール.
crómolyn sódium 〘薬学〙クロモリンナトリウム.
diphenylhydántoin sódium 〘薬学〙ジフェニルヒダントイン・ナトリウム.
mòn·o·só·di·um 形 〘化学〙モノナトリウムの.
pentobárbital sódium 〘薬学〙ペントバルビタールナトリウム.
rà·di·o·só·di·um 名 放射性ナトリウム: ナトリウムの放射性元素.
sáccharin sódium サッカリンナトリウム: 甘味料用.
thiopéntal sódium 〘薬学〙チオペンタール(ナトリウム).
tri·só·di·um 形 〘化学〙三ナトリウム(塩)の.

so·ev·er /souévər/

副《主に文語》どんな…も, いやしくも, どんなことがあっても, どんな種類の…も, どっちみち. ⇨ EVER.

how·so·ev·er 副《文語》どれほど…でも.
what·so·ev·er 代形《文語》whatever の強意形.
whence·so·ev·er 副接《文語・古》どのような場所から [由来で, 原因で] …しても.
when·so·ev·er 副接《文語・古》…する時はいつでも.
where·in·so·ev·er 副《文語・古》wherein の強意形.
where·so·ev·er 接副《古》…する所では [へは] どこでも.
which·so·ev·er 代形《文語》…するどれでも.
whith·er·so·ev·er 接副《古》(…するところへは)どこへでも.
whom·so·ev·er 代《文語》…する人は誰を [に] も ; 誰を…でも.
whose·so·ev·er 代《文語》…する誰の…でも.
who·so·ev·er 代《文語》…する人は誰でも ; 誰が…でも.

so·fa /sóufə/

名 (背もたれ・ひじ付きの)長椅子, ソファー.

clúb sòfa クラブソファー.
lýre-fòrm sófa 竪琴(たてごと)形ソファー.
sléep sòfa ベッド兼用ソファー(sofa bed).
tuxédo sófa タキシードソファー.

soft·ware /sɔ́:ftwèər, sɑ́ft-|sɔ́ftwèə/

名〘コンピュータ〙ソフトウェア: コンピュータシステム運用のためのプログラム, 手順, 規則の総称. ◇ hardware「ハードウェア」. ⇨ WARE[1].

applicátions sóftware アプリケーションソフトウェア.
áuthoring sóftware マルチメディアによるページ作成ソフトウェア.
búilt-in sóftware ビルトイン・ソフトウェア.
búndled sóftware (セット売りに付属の)ソフトウェア.
íntegrated sóftware インテグレイテッド・ソフトウェア.
légacy sòftware レガシーソフトウェア.
sýstems sòftware システムソフトウェア.
thírd-pàrty sóftware ハードウェアのメーカーが企画製作したプログラムとは全く無関係に, プログラマーあるいは出版者が作ったプログラム.

soil /sɔ́il/

名 **1** 土壌, 土. **2**《文語》国(土).

ácid sóil 〘地質〙酸性土壌.
álkali sòil 〘地質〙アルカリ(性)土壌.
bláck còtton sóil 〘地質〙レグール, 黒綿土.
chéstnut sóil 〘地質〙栗色土.
cohésionless sòil 〘地質〙(砂や砂利などの)非凝集性土壌.
cohésive sòil 〘地質〙粘着性土壌.
désert sòil 〘地質〙砂漠土.
frée sóil 〘米史〙自由土地.
frée-sóil 形 〘米史〙合衆国領地または準州への奴隷制拡大に反対する.
gléi·sòil 〘地質〙グライ(土)(gley).
múck sòil 〘農業〙富栄養土壌.
níght sòil 下肥(しもごえ).
pótting sòil (特に園芸の)鉢植え用の養土.
práirie sòil 〘地質〙プレーリー土.
réd sóil 〘地質〙赤色土.
rè·sóil 動他 表土を補充する, 再び土をかける.
súb·sòil 名 〘地質〙下層土, 心土, 底土, 路床土.
súrface sóil 〘土壌〙表(層)土.
tóp·sòil (肥えた)土壌の上部, 表土.
trópical bláck sóil 〘地質〙熱帯黒色土壌.
únder·sòil ＝subsoil.
zónal sóil 〘地質〙成帯(性)土壌.

Sol /sɑ́l|sɔ́l/

名 太陽, お日さま.

Bíg Sól 名 おてんとさま.
Óld Sól 名 おてんとさま.

sol /sɔ́:l, sɑ́l|sɔ́l/

名〘物理化学〙ゾル: 流動性のコロイド溶液.

aer·o·sol 名 〘物理化学〙エーロゾル, 煙霧質.
or·gan·o·sol 名 オルガノゾル: 有機溶媒を分散媒とし, 固体を分散粒子とするコロイド.
plas·ma·sol 名 原形質ゾル.
plas·ti·sol 名 プラスチゾル: 可塑剤にプラスチックを分散したもの.

-sol[1] /sɔ̀:l, sɑ̀l|sɔ̀l/

連結形〘地質〙…土(壌).
★ 名詞をつくる.
◆ ラテン語 *solum*「土」より.

al·fi·sol 名 アルフィゾル.
a·rid·i·sol 名 乾燥地土壌.
en·ti·sol 名《米》エンティソル.
his·to·sol 名 ヒストソル, 有機質土壌.
in·cep·ti·sol 名《米》インセプティゾル.
lat·o·sol 名 紅土, ラトソル.
lith·o·sol 名《主に米》固結岩屑(せつ)土.
mol·li·sol 名 軟土壌.
ox·i·sol 名 熱帯酸化土壌.
pla·no·sol 名 プラノゾル, 粘土盤土壌.
pod·sol 名 ＝spodosol.
reg·o·sol 名 非固結岩屑(がんせつ)土, レゴゾル.
spod·o·sol 名 ポドゾル性土壌, スポドゾル.
ul·ti·sol 名 ウルチゾル.
ver·ti·sol 名 バーティソル.

-sol[2] /sɔ̀:l, sɑ̀l|sɔ̀l/

連結形 溶液.
★ 名詞をつくる.
◆ solution の短縮形.

cy·to·sol 名 〘細胞生物〙細胞質ゾル.
hy·dro·sol 名 〘物理化学〙水膠(すいこう)液.

so·lar /sóulər/

形〘天文〙太陽の. ⇨ -AR[1].

an·ti·so·lar 形 (天球において)太陽と正反対側の.

cir·cum·so·lar 形 太陽の周りを回る，太陽を巡る.
ex·tra·so·lar 形 太陽系外の.
lu·ni·so·lar 形 太陽太陰の，月と太陽の.
sub·so·lar 形 太陽の下の；地球と太陽の間にある.

sol·der /sádər | sɔ́ldə/

名 はんだ，鑞(ろう)，はんだ合金. ━━動他〈金属を〉はんだ付けにする.

hárd sòlder 硬鑞(こうろう)，硬質はんだ.
sílver sólder 銀鑞(ぎんろう).
sóft sólder 軟鑞(ろう).
tínman's sòlder チンスミスソルダー：鉛に対して錫(すず)，アンチモン，銀，カドミウム，亜鉛，インジウムなどの単独ないし数種を，所定割合に添加した各種のはんだの英国での市販名.
un·sold·er 動他〈はんだ付けした物を〉離す.

sol·dier /sóuldʒər/

名 (陸軍の)軍人；兵隊，兵士. ⇨ -IER².

búffalo sòldier 《米》(昔のインディアンから見て)黒人の兵士.
Canádian sóldier 《主に米北部》〖昆虫〗カゲロウ.
chócolate sóldier 戦闘に従事しない兵士；非戦闘員.
déad sóldier 《米俗》(酒の)空き瓶.
fóot sòldier 歩兵(infantryman).
gállant sóldier 〖植物〗ハキダメギク.
hórse-sòldier 騎(馬)兵.
óld sóldier 《米俗》老兵，古参兵，古つわもの.
prívate sóldier private の名のつく階級の兵士，兵卒.
Súnday sóldier 《米俗》(週末に勤務する)予備役兵.
tín sóldier ブリキの兵隊.
tóy sóldier おもちゃの兵隊.
Únknown Sóldier 無名戦士：身元が確認できない戦役兵士.
wágon sòldier 《米軍俗》野戦砲兵.
wáter sòldier トチカガミ科の水草の一種.

S

sole¹ /sóul/

名 足底，足裏；靴底，靴裏.

hálf sòle 靴のハーフソール，半底(革).
hálf-sòle 動他〈靴に〉新しい半底革をつける.
ín·ner·sòle 名 ＝insole.
ín·sóle 名 靴の内底.
míd·sòle 名 靴の中底.
óut·er·sòle 名 ＝outsole.
óut·sòle 名 靴の外底.
plów sòle 〖農業〗鋤(すき)床，耕盤.
púmiced sóle 〖獣病理〗(蹄葉炎(ていようえん)で変形した)浅い蹄(ひづめ).
rè·sóle 動他〈靴の〉底を張り替える.
slíp·sòle 名 靴の敷き革，内底(insole).
wédge sole ウェッジソール：船型の靴底.

sole² /sóul/

名 〖魚類〗 **1** ホンササウシノシタ(笹牛舌). **2** シタビラメ，シタガレイ.

Énglish sóle 太平洋産のアメリカメタガレイ.
lémon sóle カレイ科ババガレイ類の総称.
tóngue sòle シタビラメ(下鮃).

sol·u·ble /sáljubl | sɔ́l-/

形〈物質が〉(…に)溶解[液化]できる，可溶性の. ⇨ -BLE.

dis·sol·u·ble 形 溶解[融解]性の.
fat-sol·u·ble 形 〖化学〗脂溶性の.
in·sol·u·ble 形 溶解しない，溶けない，不溶性の.
non-sol·uble 形〈物質が〉不溶性の.
re·sol·u·ble 形 再び溶解[融解]できる.
un·sol·u·ble 形 ＝insoluble.
wa·ter-sol·u·ble 形〈薬品などが〉水溶性の.

sol·ute /sálju:t, sóulu:t | sɔ́lju:t, ―́―/

名 溶質. ━━形〖植物〗遊離した；粘着していない.

con·sol·ute 形 〖化学〗共溶の.
dis·so·lute 形〈人・行動が〉放縦な，ずぼらな.

so·lu·tion /səlú:ʃən, -ʃi-/

名 **1** 解明，解決. **2**〖化学〗溶解；溶液. ►solve の名詞形. ⇨ -TION.

ammónia solùtion 〖化学〗アンモニア水.
Bénedict's solùtion 〖薬学〗ベネディクト溶液.
cónjugate solùtion 〖化学〗共役溶液.
Dákin's solùtion 〖薬学〗デーキン液.
Dóbell's solùtion 〖薬学〗ドーベル液.
Féhling solùtion 〖化学〗フェーリング液.
Fínal Solútion 最終的解決.
géneral solútion 〖数学〗一般解.
Grám's solútion グラム(溶)液，グラム染色液.
isotónic sódium chlóride solùtion 〖薬学〗等張食塩溶液.
nórmal sáline solùtion ＝isotonic sodium chloride solution.
partícular solútion 〖数学〗特殊解.
physiológical sált solùtion ＝isotonic sodium chloride solution.
physiológical sódium chlóride solùtion ＝isotonic sodium chloride solution.
psèu·do·so·lú·tion 名 〖物理化学〗擬溶液，擬溶体.
Rínger's solùtion 〖薬学〗リンゲル液.
rúbber solútion (ゴムタイヤ修理用)ゴム液.
sóil solùtion 土壌溶液.
sólid solútion 固溶体：ガラスなどのように，数種の物質が均質に混合している固体.
stándard solútion 〖化学〗標準(溶)液.
stóck solútion 〖写真〗貯蔵液.

-so·lu·tion /səlú:ʃən, -ʃi-/

連結形 解かれたこと[もの].
★ 名詞をつくる.
★ 語末にくる関連形は -SOLVE.
★ 語頭にくる関連形は solut-, solv-: *solut*ion「解決」.
◆ ＜ラ *solūtus*(*solvere*「解く」の過去分詞). ⇨ -TION.

ab·so·lu·tion 名 (罰金・義務などの)免除；赦免.
dis·so·lu·tion 名 (部分・要素への)分解(作用)，解体.
ex·so·lu·tion 名 〖鉱物〗離溶.
res·o·lu·tion 名 ☞

-solve /sálv | sɔ́lv/

連結形 解く.
★ 語末にくる関連形は -SOLUTION.
★ 語頭にくる形は solut-, solv-: *solut*ion「解決」.
◆ ラテン語 *solvere*「緩める，解き放つ，解く」より.

ab·solve 動他〈人を〉(約束・義務・責任などから)解放[解除]する，免除する.
dis·solve 動他〈物を〉(液体中に)溶かす.
ex·solve 動自〖鉱物〗〈(固溶した)2 種の鉱物が〉離溶する.
re·solve 動他〈人が〉…を決定する，決心する.
solve 動他〈なぞなどの〉解答[説明]を見いだ

す.

sol·vent /sɑ́lvənt | sɔ́l-/

形 1(借金の)支払い能力がある. 2溶かす. ━━名 溶剤.
⇨ -ENT[1].

ab·sol·vent 形 解放する.
dis·sol·vent 形 溶解力のある, 溶かす.
in·sol·vent 形 (債務超過で)支払い不能の.
non·sol·vent 名 〘化学〙非溶剤, 非溶媒.
re·sol·vent 形 溶解させる, 分解能力のある.

-so·ma /sóumə/

連結形 -some[3] の異形; 特に動物学上の属名に用いられる.
★ 語頭にくる形は somat(o)-: *somato*therapy「身体治療」.
◆ <近代ラ<ギ *sôma* 体. ⇨ -MA.

hy·dro·so·ma 名 〘動物〙ヒドロポリプの群体.
hy·per·meg·a·so·ma 名 〘病理〙(強度)巨大体(格).
hy·per·mi·cro·so·ma 名 〘病理〙(強度)矮小体(格).
mes·o·soma 名 〘動物〙中体部.
met·a·so·ma 名 〘動物〙後体部.
pro·so·ma 名 〘動物〙前体部.
Schis·to·so·ma 名 〘動物〙住血吸虫.
try·pan·o·so·ma 名 〘細胞生物〙トリパノソーマ.

-some[1] /səm/

接尾辞 …を生じ(させ)る, …しそうな, …となりそうな, …に通じている.
★ 名詞, 形容詞, 動詞について形容詞をつくる.
◆ 中英; 古英 *-sum*; 独 *-sam* と同根.
[発音] 第 1 強勢は基語と同じで, ほとんどの語では第 1 音節にある. 例外: advénturesome, delíghtsome.

ad·ven·ture·some 形 冒険的な; 冒険好きな.
awe·some 形 畏敬(いけい)の念を起こさせる.
bat·tle·some 形 口論 [けんか] 好きな.
blithe·some 形 快活な, 陽気な, 明るい.
bore·some 形 退屈な, 面白くない.
both·er·some 形 厄介な, 煩わしい.
bun·gle·some 形 へまな, 不器用な; へまをやりそうな.
bur·den·some 形 耐えがたいほど重い.
clone·some 形 《米俗》人をまねた, 独創性のない.
cum·ber·some 形 〈任務が〉重荷となる, 厄介な.
dark·some 形 《主に文語》暗い, 薄暗い.
de·light·some 形 《文語》とても喜ばしい.
dole·some 形 《文語》悲嘆に暮れた.
eye·some 形 《古》見て快い, 見目麗しい.
fear·some 形 《通例こっけい》恐ろしい, 不快な.
fla·vor·some 形 豊かな風味のある, 香味のある.
fley·some 形 《主にスコット》恐ろしい.
fret·some 形 いらいらする.
frol·ic·some 形 陽気な, 浮かれ気分の.
ful·some 形 〈言葉・文体・態度などが〉(過度であるために)不愉快な, 嫌な.
fun·some 形 面白い, 楽しい.
fur·ther·some 形 《古》促進する; 役に立つ, 有益な.
game·some 形 《文語》ふざけたがる, はしゃぎ回る.
glad·some 形 楽しませてくれる, 喜ばしい.
glee·some 形 大喜びの.
grew·some 形 =gruesome.
grue·some 形 恐ろしい, ぞっとする.
hand·some 形 〈男性が〉顔だちが美しい, 立派な.
heart·some 形 《主にスコット》元気づける.
irk·some 形 いらいらさせる, 悩ませる.
la·bor·some 形 骨の折れる, 困難な(laborious).
light·some[1] 形 《古・詩語》軽やかな; 機敏な.
light·some[2] 形 《古・詩語》光を発する; 光る.
lis·some 形 〈体・人が〉柔軟な, しなやかな.
lithe·some 副 =lissome.
loath·some 形 嫌悪感を起こさせる.
lone·some 形 《主に米・カナダ》独りぼっちで寂しい, 心細い.
long·some 形 飽き飽き [うんざり] するほど長い.
love·some 形 《文語》美しく愛らしい.
lum·ber·some 形 =cumbersome.
med·dle·some 形 お節介な.
met·tle·some 形 元気のある, 血気盛んな.
net·tle·some 形 いらだたせる, 立腹させる.
noi·some 形 〈においなどが〉嫌な, 不快な.
pic·ture·some 形 (見た目に)美しい, 写真写りのよい.
plague·some 形 わずらわしい, 厄介な, うるさい.
play·some 形 ふざける, はしゃぐ.
quar·rel·some 形 けんか好きな; 気短な; 議論好きな.
rol·lick·some 形 ふざけ回る.
tem·per·some 形 短気な, 怒りっぽい.
tire·some 形 〈仕事・旅・説教などが〉飽き飽きさせる, 退屈な.
toil·some 形 つらい, 苦しい.
tooth·some 形 味のよい, おいしい.
trick·some 形 いたずら好きな, ふざける.
trou·ble·some 形 〈人・物・事が〉面倒な, 迷惑な.
ug·some 形 《スコット・北イング》恐ろしい.
ven·ture·some 形 《米》〈人が〉冒険好きな; 大胆な.
wail·some 形 《古》嘆き悲しむ(wailful).
wea·ri·some 形 疲れさせる, 疲労させる.
whole·some 形 (道徳的・精神的に)健全な, 健康な.
win·some 形 あどけない, 愛嬌(あいきょう)のある.
woe·some 形 《古》悲しむべき.
wor·ri·some 形 厄介な, 面倒な, 困った, 気に掛かる.

-some[2] /səm/

接尾辞 …つ [人] 組(の), …重(の).
★ 数詞につけて名詞, 形容詞をつくる.
◆ 中英 *-sum*, 古英 *sum*; some(代名詞)の特殊用法.

eight·some 名 8 人で踊るスコットランドのリール [歌].
four·some 名 四人組, 四つ組(quartet).
three·some 形 3 個 [3 人] から成る, 三重の.
two·some 形 2 個 [2 人] から成る; 二重の.

-some[3] /sòum/

連結形 〘細胞生物〙〘遺伝〙…体, …ソーム, …ゾーム.
★ 名詞をつくる.
★ 語末にくる関連形は -SOMA, -SOMIC.
★ 語頭にくる形は somat(o)-: *somato*therapy「身体治療」.
◆ ギリシャ語 *sôma*「体」より.

ac·ro·some 名 先 [尖(せん)] 体.
au·to·some 名 (性染色体以外の)常染色体.
cen·tro·some 名 中心体.
chon·dri·o·some 名 ミトコンドリア.
chro·mo·some 名 ☞
cy·to·some 名 細胞質体.
des·mo·some 名 デスモソーム, 接着斑(はん), 橋小体.
dic·ty·o·some 名 ディクチオゾーム.
en·do·some 名 エンドソーム, 飲食小胞.
ep·i·some 名 エピゾーム.
hy·dro·some 名 〘動物〙ヒドロポリプ [ヒドロ虫] の群体.
kar·y·o·some 名 カリオソーム, 染色仁, 染色質核小体.
ki·ne·to·some 名 基底小体.
lep·to·some 名 痩身(そうしん)の人.
lip·o·some 名 リポソーム.
lu·mi·some 名 ルミゾーム.
ly·so·some 名 リソソーム, リソゾーム, 水解小体.
me·lan·o·some 名 メラノソーム.
mes·o·some 名 メソゾーム.

S

mi·cro·some 名 ミクロソーム.
mon·o·some 名 モノソーム, 一染色体.
nu·cle·o·some 名 ヌクレオソーム.
per·ox·i·some 名 ペルオキシソーム(microbody).
phag·o·some 名 食胞, 食物胞.
plas·mo·some 名 真正仁(じん)(true nucleolus).
pol·y·some 名 ポリソーム.
quan·ta·some 名 〖植物〗カンタソーム.
ri·bo·some 名 リボソーム.
sar·co·some 名 筋粒体.
schis·to·some 名 住血吸虫(blood fluke).
syn·ap·to·some 名 シナプトソーム.
tri·some 名 三染色体個体 [細胞].
troph·o·some 名 〖動物〗栄養体部.
try·pan·o·some 名 トリパノソーマ.

-so·mic /sóumik/

連結形 〖生物〗…染色体の [を持つ].
★ 形容詞をつくる.
★ 語末にくる関連形は -SOME³, -SOMA.
★ 語頭にくる関連形は somat(o)-: *somato*therapy「身体治療」.
◆ -SOME³＋-IC¹.

di·so·mic 形 (生物が)二染色体の [的な].
mon·o·so·mic 形 一染色体性の.
pol·y·so·mic 形 多染色体性の; 異数性の.
tri·so·mic 形 三染色体性の.

son /sʌ́n/

名 息子, せがれ.

fávorite són 〖米政治〗(大統領候補指名の党大会で)自州の代議員に支持されている候補者.
fóster són (男の)里子.
gód·sòn 洗礼を受けた息子, 名づけ子.
gránd·sòn 孫息子, 男の孫.
nátive són その土地で生まれた人.
pródigal són 〖聖書〗放蕩(ほうとう)息子.
stép·sòn 継(まま)息子, (男の)継子.
whóre·son 《古》私生児.

-son /sən/

連結形 〈人名につけて〉…の息子; 人名(姓)に使われる.
★ 古代スカンジナビア人の父祖名継承語尾.
◆ 古ノルド *sunr*「息子」より. ◇ -s².

Ach·e·son 名 アチソン(姓).
Adam·son 名 アダムソン(姓).
Ad·di·son 名 アディソン(姓).
An·der·son 名 アンダーソン(姓).
Ar·nold·son 名 アーノルドソン(姓).
At·kin·son 名 アトキンソン(姓).
Carl·son 名 カールソン(姓).
Cas·son 名 カサン(姓).
Chaus·son 名 ショーソン(姓).
Clark·son 名 クラークソン(姓).
Cul·bert·son 名 カルバートソン(姓).
Da·vid·son 名 デビッドソン(姓).
Da·vis·son 名 デビッソン(姓).
Daw·son 名 ドーソン(姓).
Day·son 名 デイソン(姓).
Den·i·son 名 デニソン.
Dick·in·son 名 ディキンソン(姓).
Dick·son 名 ディクソン(姓).
Dob·son 名 ドブソン(姓).
Dodg·son 名 ドッジソン(姓).
Dow·son 名 ダウソン(姓).
Ed·i·son 名 エジソン(姓).
Em·er·son 名 エマソン(姓).
Emp·son 名 エンプソン(姓).
Er·ic·son 名 エリクソン(姓).
Er·ics·son 名 エリクソン(姓).
Er·ik·son 名 エリクソン(姓).
Fer·gu·son 名 ファーガソン(姓).
Gar·ri·son 名 ギャリソン(姓).
Gar·son 名 ガーソン(姓).
Gib·son 名 ギブソン(姓).
Gil·son 名 ジルソン(姓).
Gray·son 名 グレーソン(姓).
Grier·son 名 グリアソン(姓).
Gun·nars·son 名 グンナルソン(姓).
Han·son 名 ハンソン(姓).
Har·ri·son 名 ハリソン(姓).
Hen·der·son 名 ヘンダーソン(姓).
Hen·ry·son 名 ヘンリソン(姓).
Hen·son 名 ヘンソン(姓).
Hig·gin·son 名 ヒギンソン(姓).
Ho·kin·son 名 ホーキンソン(姓).
Hop·kin·son 名 ホプキンソン(姓).
Hud·son 名 ハドソン(姓).
Hus·kis·son 名 ハスキソン(姓).
Hutch·e·son 名 ハッチソン(姓).
Hutch·in·son 名 ハッチンソン(姓).
Jack·son 名 ジャクソン(姓).
Ja·kob·son 名 ヤーコブソン(姓).
Jame·son 名 ジェームソン(姓).
Jef·fer·son 名 ジェファーソン(姓).
Jen·kin·son 名 ジェンキンソン(姓).
John·son 名 ジョンソン(姓).
Jol·son 名 ジョルソン(姓).
Jon·son 名 ジョンソン(姓).
Jo·seph·son 名 ジョセフソン(姓).
Law·son 名 ローソン(姓).
Mac·pher·son 名 マクファーソン(姓).
Mad·i·son 名 マディソン(姓).
Man·son 名 マンソン(姓).
Mar·tin·son 名 マルティンソン(姓).
Mas·ter·son 名 マスターソン(姓).
Math·ew·son 名 マシューソン(姓).
Maw·son 名 モーソン(姓).
Mc·Pher·son 名 マクファーソン(姓).
Mi·chel·son 名 マイケルソン(姓).
Mick·el·son 名 ミケルソン(姓).
Mor·i·son 名 モリソン(姓).
Mor·ri·son 名 モリソン(姓).
Mot·tel·son 名 モッテルソン(姓).
Mur·chi·son 名 マーチソン(姓).
Neil·son 名 ニールソン(姓).
Nel·son 名 ネルソン(姓).
Nev·el·son 名 ニーベルソン(姓).
Nich·ol·son 名 ニコルソン(姓).
Nic·ol·son 名 ニコルソン(姓).
Nils·son 名 ニルソン(姓).
Or·bi·son 名 オービソン(姓).
Par·kin·son 名 パーキンソン(姓).
Pat·er·son 名 パターソン(姓).
Pat·ter·son 名 パターソン(姓).
Pear·son 名 ピアソン(姓).
Pe·ter·son 名 ピーターソン(姓).
Raw·lin·son 名 ローリンソン(姓).
Rich·ard·son 名 リチャードソン(姓).
Rob·ert·son 名 ロバートソン(姓).
Robe·son 名 ロブソン(姓).
Rob·in·son 名 ロビンソン(姓).
Rob·son 名 ロブソン(姓).
Row·land·son 名 ローランドソン(姓).
Sam·u·el·son 名 サミュエルソン(姓).
Sar·ge·son 名 サージソン(姓).
Smith·son 名 スミッソン(姓).
Stef·ans·son 名 ステファンソン(姓).
Ste·phen·son 名 スティーブンソン(姓).
Ste·ven·son 名 スティーブンソン(姓).
Stim·son 名 スティムソン(姓).

Straw·son 名 ストローソン(姓).
Swan·son 名 スワンソン(姓).
Ten·ny·son 名 テニスン(姓).
Thomp·son 名 トンプソン, トムソン(姓).
Thom·son 名 トムソン(姓).
Til·lot·son 名 ティロトソン(姓).
Tom·lin·son 名 トムリンソン(姓).
Ty·son 名 タイソン(姓).
Vin·son 名 ビンソン(姓).
Wat·son 名 ワトソン(姓).
Wat·ter·son 名 ワターソン(姓).
Wil·kin·son 名 ウィルキンソン(姓).
Wil·liam·son 名 ウィリアムソン(姓).
Wil·son 名 ウィルソン(姓).
Wright·son 名 ライトソン(姓).

-so·nance /sənəns/

連結形 〈音を〉出すもの[こと].
★ 名詞をつくる.
★ 語末にくる関連形は -SONANT.
★ 語頭にくる関連形は son(i)-, sono-: *sono*buoy「自動電波発信浮標」.
◆ ラテン語 *sonāre*「音を出す」より. ⇨ -ANCE[1].
[発音] 語頭の音節に第 1 強勢.

as·so·nance 名 音の類似, 類音.
con·so·nance 名 (…との)一致, 調和;〘音楽〙協和.
dis·so·nance 名 不調和な音, 耳障りな音.
res·o·nance 名 ☞

-so·nant /sóunənt/

連結形 響く, 鳴る, 音を出す.
★ 形容詞, 名詞をつくる.
★ 語末にくる関連形は -SONANCE.
★ 語頭にくる関連形は son(i)-, sono-: *sono*buoy「自動電波発信浮標」.
◆ <ラ *-sonāns*(*-sonāre*「鳴る」の現在分詞より). ⇨ -ANT[1].

ab·so·nant 形《古》(…と)調和しない.
as·so·nant 形 類似音の.
con·so·nant 名 ☞
dis·so·nant 形 〈音が〉調和しない; 不協和の.
mag·nis·o·nant 形《古》〈楽器などが〉高音を出す.
res·o·nant 形 〈音などが〉反響する.

sonde /sánd | sónd/

名〘気象〙ゾンデ.

drop·sonde 名 投下ゾンデ.
gam·ma·sonde 名 ガンマゾンデ.
i·on·o·sonde 名 電離層ゾンデ.
o·zone·sonde 名 オゾンゾンデ.
ra·di·o·sonde 名 ラジオゾンデ, 高層気象観測装置.
rock·et·sonde 名 ロケットゾンデ.
wire·sonde 名 ワイヤゾンデ.

song /sɔ́ːŋ, sáŋ | sɔ́ŋ/

名 **1** 歌. **2**《文語》詩歌, 詩. **3**《文語》(鳥・虫などの)鳴き声, さえずり.

árt sòng 芸術歌曲.
bírd·sòng 鳥の鳴き声, 鳥のさえずり.
crádle·sòng 子守歌(lullaby).
drínking sòng 酒飲み歌, 酒宴の歌.
éven·sòng 〘英国国教会〙夕べの祈り.
fólk sòng フォークソング, 民謡, 俗謡.
Hórst Wéssel sòng ナチ党員 Horst Wessel の作った歌; ナチ政権下(1933–45)でのナチ党歌.
lóve sòng 恋の歌; (鳥の)求愛のさえずり.
párt sòng パートソング, (特に無伴奏の)合唱曲.
pátter sòng 早口歌.
pláin·sòng (中世初期からキリスト教会で用いられた)単旋聖歌.
pópular sóng ポピュラーソング, 流行歌.
príck sòng 《古》(15 世紀末から 17 世紀初頭の英国で)定量記譜法で書かれた多声音楽.
ráp sòng ラップ(ミュージック)(rap music).
shóut sòng シャウトソング.
síng·sòng 韻律の単調な[一本調子の]詩[韻文].
súb·sòng 名 ぐぜり.
swán sòng 白鳥の歌.
théme sòng 主題曲[歌].
tórch sòng 《米》トーチソング.
únder·sòng 名 (主歌の)伴奏として歌われる歌.
wár sòng 軍歌.
wórk sòng 労働[作業]歌.

son·ic /sánik | sɔ́n-/

形 音の, 音響の; 音波の[を利用した]. ⇨ -IC[1].
★ 語頭にくる関連形は son(i)-, sono-: *sono*buoy「自動電波発信浮標」.

am·bi·son·ic 形 サラウンド・サウンドの(surround-sound).
hy·per·son·ic 形 極超音速の.
in·fra·son·ic 形 可聴下音[周波]の, 超低周波(音)の.
quad·ra·son·ic 形 (録音・再生が)4 チャンネル方式の.
quad·ri·son·ic 形 =quadrasonic.
ster·e·o·son·ic 形《主に英》立体音響の.
sub·son·ic 形 音速以下の, 亜音速の.
su·per·son·ic 形 超音速の.
tran·son·ic 形〘主に航空〙遷音速の.
trans·son·ic 形 =transonic.
ul·tra·son·ic 形 超音波の.

son·ics /sániks | sɔ́n-/

名複 **1** ソニックス: 音波の実用的応用を扱う工学の部門. **2** 音響工学. ⇨ -ICS.

am·bi·son·ics 名複 アンビソニックス: 再生音に方向感を出す高忠実度再生.
in·fra·son·ics 名複 可聴下音波[周波]学, 超低周波学.
quad·ra·son·ics 名複 4 チャンネルステレオ装置.
su·per·son·ics 名複 超音速学; 超音波学.
ul·tra·so·nics 名複 超音波学.

son·net /sánit | sɔ́n-/

名〘韻律〙ソネット, 十四行詩. ⇨ -ET[1].

Elizabéthan sónnet =Shakespearean sonnet.
Énglish sónnet =Shakespearean sonnet.
Itálian sónnet =Petrarchan sonnet.
Petrárchan sónnet ペトラルカ風[イタリア式]ソネット.
Shakespéarean sónnet シェークスピア風[イギリス式]ソネット.
Spensérian sónnet スペンサー風ソネット.
táiled sónnet 有尾ソネット.

so·phis·ti·cat·ed /səfístəkèitid/

形 **1** 洗練された; 世慣れた. **2**〈機械などが〉複雑[精巧]な. ⇨ -D[1].

hy·per·so·phis·ti·cat·ed 形 非常に世慣れた; 極度に洗練された.

pseu·do·so·phis·ti·cat·ed 形 洗練されているかのように.
sem·i·so·phis·ti·cat·ed 形 いくぶん洗練された, やや凝った.
ul·tra·so·phis·ti·cat·ed 形 〈機械などが〉非常に複雑な.
un·so·phis·ti·cat·ed 形 洗練されていない; 素朴な, 無邪気な.

-so·phy /səfi/

連結形 …学, …知識(体系).
★ 名詞をつくる.
◆ <古仏 *-sophie* <ラ *-sophia* <ギ *sophía* 知. ⇨ -Y[3].
[発音] 直前の音節に第1強勢.

an·thro·pos·o·phy 名 人智学.
pan·so·phy 名 全知識, あらゆる知識の集大成.
phi·los·o·phy 名 ☞
psi·los·oph·y 名 皮相的哲学.
sci·os·o·phy 名 (占星学や骨相学など)(超)自然現象[力]に関するえせ知識.
the·os·o·phy 名 神智学.

-sor /sər/

接尾辞 -tor の異形.

ag·gres·sor 名 攻撃[侵犯, 侵略]者, 攻撃集団.
an·te·ces·sor 名 《まれ》先行者, 先輩, 前任者.
as·ses·sor 名 課税額査定者[官].
cen·sor 名 (出版物・映画などの)検閲係, 検閲官.
con·fes·sor 名 告白者, 自白者.
cur·sor 名 【コンピュータ】カーソル.
di·vi·sor 名 【数学】除数, 法.
ex·ten·sor 名 【解剖】伸筋.
fos·sor 名 墓掘り役の下級聖職者.
in·ci·sor 名 【歯科】切歯, 門歯.
in·ter·ces·sor 名 仲裁者, 執りなし役.
per·cus·sor 名 【医学】打診槌(つい).
pred·e·ces·sor 名 前任[先任]者; 先輩.
pres·sor 形 【生理】血圧上昇の, 昇圧の.
-pres·sor 連結形 ☞
pro·fes·sor 名 ☞
re·pres·sor 名 抑圧[抑制]する人[もの](represser); 【遺伝】リプレッサー.
spon·sor 名 保証人; 発起人; 後援者.
suc·ces·sor 名 後に来る者[もの].
su·per·vi·sor 名 監督(者), 管理者.
sus·pen·sor 名 懸垂帯, つり包帯, つりひも.
ten·sor 名 【解剖】張筋.
trans·gres·sor 名 違法者; (特に宗教上の)罪人.

-sorb /sɔ́ːrb/

連結形 吸い込む.
◆ ラテン語 *sorbēre*「吸い込む」より.

ab·sorb 動他 〈液体を〉吸収する.
chem·i·sorb 動他 【化学】化学的に吸着する.
de·sorb 動他 【物理化学】脱着する[させる].
re·sorb 動他 〈浸出物などを〉再び吸収する.

sore /sɔ́ːr/

形 (…で)痛む, 触ると痛い.

béd·sòre (病人の)床擦れ, 褥瘡(じょくそう).
cánker sòre 【病理】粘膜の潰瘍(かいよう).
cóld sòre 【病理】単純疱疹(ほうしん).
éye·sòre 目障り(なもの), 見て不愉快なもの.
fóot·sòre 形 (長い間歩いて)足を痛めた.
héart·sòre 形 深い悲しみに沈んだ; 悲しげな.
oriéntal sóre 【病理】東洋[東邦]腫(しゅ).
préssure sòre =bedsore.
sáddle sòre (馬・乗り手の)鞍(くら)ずれ.
sáddle·sòre 形 〈人・馬が〉鞍(くら)ずれで体が痛む.

sor·ghum /sɔ́ːrgəm/

名 【植物】モロコシ.

gráin sòrghum (穀実用)モロコシ, グレインソルガム.
gráss sòrghum イネ科モロコシ属の数種の草の総称.
súgar sórghum サトウモロコシ(sorgo).
swéet sórghum =sugar sorghum.

-sorp·tion /sɔ́ːrpʃən/

連結形 吸収.
★ 名詞をつくる.
◆ absorption「吸収」の短縮形.

ad·sorp·tion 名 吸着(作用).
chem·i·sorp·tion 名 【化学】化学吸着.
cry·o·sorp·tion 名 【機械】低温吸着.
per·sorp·tion 名 【物理化学】過吸着.
re·sorp·tion 名 吸収.

sort /sɔ́ːrt/

名 種類, タイプ, 部類, 群. ━━動他 種類に分ける.

as·sórt 動他 分類する, 区分けする.
cón·sort 名 ☞
góod sórt 《豪話》いい女, 愛想のよい女.
pre·sort 動他 〈郵便物を〉あらかじめ仕分けする.
Q́-sòrt 名 【心理】Q 分類.
rè-sórt 動他 再分類する, 仕分けし直す.
spécial sórt 《英》【印刷】特殊活字.

sort·er /sɔ́ːrtər/

名 選別する人[物]. ⇨ -ER[1].

fluoréscence-àctivated céll sòrter 【生物】細胞自動解析分離装置.
hy·dra·sort·er 名 ハイドラソーター: 液状廃棄物から有用固形物を分別・採集する装置.
kíck·sòrter 《話》【電気】波高分析器.
máil sòrter 郵便仕分け人[装置].
wóol·sòrter 羊毛選別人.

soul /sóul/

名 **1** 魂, 霊魂. **2** ソウルミュージック.

blúe-eyed sóul 《米話》白人が演奏する型どおりの黒人音楽.
en·sóul 動他 …に魂を入れる[吹き込む].
héavy sóul 《米黒人俗》ヘロイン(heroin).
hóly sóul 信仰深い人[聖人]の魂.
in·sóul 動他 =ensoul.
óver·sòul 【哲学】大霊.
progréssive sóul 《米》【音楽】プログレッシブソウル.
wórld sóul 世界霊魂, 宇宙霊.

sound[1] /sáund/

名 音, 響き, 音響.

ámbient sòund 環境音.
híssing sòund 歯擦音のうちの /s//z/ 音の俗称.
húshing sòund 歯擦音のうち /ʃ//ʒ/ 音の俗称.
ínfra·sòund 名 可聴下音響.
Mérsey sòund 【音楽】マージーサウンド.
óptical sóund 【映画】光学音響.
Q́ Sòund コンピュータミックス立体録音.
re·sóund 動自 鳴り響く, 反響する. ►発音は /rizáund/.
rè-sóund 動自他 再び鳴る[鳴らす].

sécond sóund 〔物理〕第二音波.
spéech sòund 言語音, 音声.
surróund-sòund 《英》〔オーディオ〕サラウンド・サウンド.
últra·sòund 名 〔物理〕超音波.
vówel sòund 母音.
whíte sóund 白色雑音.

sound² /sáund/

形 〈体・精神が〉健全な, 健康な, 強壮な.

ec·o·sound 形 環境にとって安全な.
un·sound 形 〈体・精神が〉健全［健康］でない.

soup /súːp/

名 スープ.

álphabet sóup アルファベット形のパスタ入りスープ.
bírd's-nest sòup ツバメの巣のスープ.
cát-sòup 《米話》ケチャップ.
chícken sòup 《米俗》チキンスープ: 火星調査に用いた溶液.
dúck sóup 《米俗》楽にできること. ►Marx 兄弟の映画 *Duck Soup* より.
éggdròp sóup 卵スープ, かき玉汁.
eléctric sóup 《俗》強い酒.
hót-and-sòur sóup 酸辣湯(ソワヌーラータン).
kangaróo-tàil sóup カンガルーテールスープ.
láughing sóup 《米俗》酒; シャンパン.
lúnatic sóup 《豪・NZ 俗》質の悪い酒.
péa sòup ピースープ: エンドウ豆スープ.
potáto sòup 《米話》ウオッカ.
prebiótic sóup =primordial soup.
primórdial sóup 〔生物〕原始スープ: 生命の出現以前に地球上に存在していた海.
pròtobiótic sóup =primordial soup.
shé-cràb sóup シークラブ・スープ: カニのスープ.
végetable sòup 野菜スープ.

source /sɔ́ːrs/

名 (物事などの)もと, 根源, 原因, 起こり.

álternate sóurce 二次供給者.
òut·sóurce 動他自 《俗》〔商業〕企業あるいは地域の外部から必要な物資を得ること.
póint sòurce 〔物理〕〔光学〕点光源.
rádio sòurce 〔天文〕(宇宙の)電波源.
ré·source 名 供給源; 資源, 財源, 富; 《米》資産.
sécond sòurce セカンドソース, 二次供給者.
sóle-sóurce 形 〈会社が〉競合なしに唯一の供給元となる.
X́-ray sòurce 〔天文〕X 線星(X-ray star).

south /sáuθ/

名 **1** (基本方位としての)南. **2** 南部(地方); (米国の)南部(地方, 諸州).

Déep Sóuth (米国の)最南部地方.
dówn sóuth 副 南に［で］; 《米》南部諸州に［で］.
Néw Sóuth 《豪話》ニューサウスウェールズ州.
Nórth-Sóuth 形 南北の.
Óld Sóuth 南北戦争(1861–65)以前の米国南部.
Sólid Sóuth 《米》結束せる南部, ソリッドサウス.
úp-Sòuth 《米黒人俗》北部.
Wíllow Sòuth ウィロー・サウス(米国の都市名).

sow /sóu/

動他 〈種を〉まく; 〈苗・球根などを〉(…に)植えつける.

self-sow 動自 〈植物の種子が〉自然にまかれる.
un·der·sow 動他 〈別の種を〉すでに種をまいている土地にまく.

space /spéis/

名 **1** 空間; 宇宙(空間). **2**〔数学〕〔物理〕空間. **3**〔印刷〕スペース.

ábsolute spáce 〔物理〕絶対空間.
ábstract spáce 〔数学〕抽象空間.
áero·space (大気圏と大気圏外空間とをまとめた)宇宙空間, 大気圏内外; 航空宇宙.
áir spàce (部屋などの)エアスペース.
ás·tro·spàce 名 〔天文〕外宇宙.
báck·spàce 動自 (タイプライターで)1 スペース分戻す.
Bánach spàce 〔数学〕バナッハ空間.
béd·spàce (病院・ホテルなどの)ベッドを置くスペース, ベッド数.
bréathing spàce (次の活動に備えての)休んだり考えたりする機会, 息つく暇.
Cartésian spàce 〔数学〕=Euclidean space.
complétely nórmal spáce 〔数学〕全部分［完全］正規空間.
complétely régular spáce 〔数学〕=completely normal space.
cráwl·spàce (収納などのための床下・屋根裏などの)身長以下の空間.
cỳ·ber-spàce 名 サイバースペース, 電脳空間.
dárk spàce 〔物理〕暗部.
déad spàce 〔生理〕死腔(しくう).
déep spàce 〔天文〕深宇宙.
dóuble-spàce 動他 〈テキストなどを〉ダブルスペースで打つ, 1 行おきにタイプで打つ.
dúal spàce 〔数学〕双対空間, 共役空間.
éarth-spàce 形 地上と宇宙空間を結んだ.
Euclídean spàce 〔数学〕ユークリッド空間.
fúnction spàce 〔数学〕関数空間.
gópher·spàce 名 (インターネットの)ゴーファー空間.
háir spàce 〔印刷〕ヘアスペース.
Háusdorff spàce 〔数学〕ハウスドルフ空間.
héad·spàce (飲食品の密封器内の上部の)空間, 頭隙(とうげき).
Hílbert spàce 〔数学〕ヒルベルト空間.
hý·dro·spàce 名 水［海洋］圏, 水［海］面下の領域.
hýp·er·spàce 名 〔数学〕高次元ユークリッド空間.
inértial spàce 〔宇宙〕慣性空間.
ínner spàce 〔心理〕潜在意識の領域, 精神世界.
ín·ter·spàce 名 物と物の間, 空間.
létter·spàce 動他 〔印刷〕字間調節をする.
lífe spàce 〔心理〕生活空間.
Líndelöf spàce 〔数学〕リンデレーフ空間.
línear spàce 〔数学〕=vector space.
líne spàce ラインスペース: 欧文タイプライターなどの行間.
líving spàce 〔経済〕生活圏.
métric spàce 〔数学〕距離空間.
nórmed spàce 〔数学〕ノルム空間.
núll-spàce 〔数学〕零空間.
ópen spàce 〔海事〕オープンスペース.
ópen·spàce 形 〈建物が〉壁なし構造の.
óuter spàce (地球の)大気圏(外).
páck·spàce 動自 (タイプライターで)1 スペース分もどす.
pérsonal spàce 個人空間［領域］, 私有空間.
pháse spàce 〔物理〕位相空間.
quótient spàce 〔数学〕等化空間.
Ríesz spàce 〔数学〕リース空間.
sámple spàce 〔数学〕標本空間.
síngle-spàce 動他 〈原稿を〉シングルスペースでタイプする, 行間をあけずにタイプする.
súb·spàce 名 小区画.
sún·space サンスペース: 天窓など太陽光線が直接取り込める部分.

S

súp·er·spàce 名 〘数学〙超空間.
topológical spáce 〘数学〙位相空間.
tríple-spáce 動他自 (タイプライターで)行間を 2 行あけて打つ.
véctor spàce 〘数学〙ベクトル空間, 線形空間.
vírtual spàce 仮想現実空間.
wáll spàce (特に絵画の展示などのための)壁画スペース.
wéb spàce (インターネット上の)情報空間.
whíte spàce (新聞・広告など印刷物の)余白.
wórk·spàce 作業空間.

span /spǽn/

名 **1** スパン. **2** 長さ, 全長. **3** 期間.

ánchor spàn (つり橋などの)定着径間(ｹｲｶﾝ).
atténtion spàn (個人の)注意持続時間.
dráw·spàn (跳ね橋(drawbridge)の)開閉部.
éye·spàn 視範囲.
lífe spàn (生物の)命の長さ, 寿命.
mémory spàn 〘心理〙記憶範囲.
tíme·spàn 時間の間隔, 一定の期間; 時間枠.
wíng·spàn 〘航空〙翼スパン, 翼幅.

span·iel /spǽnjəl/

名 スパニエル犬. ►Spanish (dog)の意.

Blénheim spániel ブレニムスパニエル.
clúmber spániel クランバースパニエル.
cócker spániel コッカースパニエル.
fíeld spàniel フィールドスパニエル.
Jápanese spániel チン(狆).
Kìng Chárles spániel キング・チャールズ・スパニエル.
spríngger spániel スプリンガースパニエル.
Sússex spániel サセックススパニエル.
Tibétan spániel チベタンスパニエル.
wáter spàniel ウォータースパニエル.

Span·ish /spǽniʃ/

名 **1** スペイン人. **2** スペイン語. ⇨ -ISH[1].

Américan Spánish 中南米で使われているスペイン語.
Judéo-Spánish ユダヤスペイン語, ラディノ語(Ladino).
Méxican Spánish メキシコで使用されるスペイン語.
Óld Spánish 古(期)スペイン語.

span·ner /spǽnər/

名 〘機械〙スパナー, レンチ. ⇨ -ER[1].

adjústable spánner 《英》モンキーレンチ(monkey wrench).
bóbbejaan spànner 《南アフリカ》=screw spanner.
bóx spànner 《英》箱スパナ(box wrench).
Ć-spànner C 形スパナ.
scréw spànner 自在スパナ(screw wrench).
shífting spànner 《豪・NZ》自在スパナ.

spar /spɑ́ːr/

名 〘鉱物〙スパー: 一定の面に沿って割れやすい, 光沢のある結晶性鉱物の総称.

calcáreous spár 方解石(calcite).
cálc-spàr 名 =calcareous spar.
féld·spàr 名 長石.
fél·spàr 名 《主に英》=feldspar.
flúor·spàr 名 蛍石(fluorite).
Gréenland spár 氷晶石(cryolite).
héavy spár バライト, 重晶石(barite).
Íceland spár 氷州石.
mánganese spár ばら輝石, 菱(ﾘｮｳ)マンガン鉱.
péarl spàr 真珠光沢を有する白雲石.
sátin spár (絹状光沢を持つ)繊維石膏.

spar·row /spǽrou/

名 **1** 北米産のホオジロ科に属するヒメドリ, シトドなど数種の総称. **2** スズメ.

Cápe spàrrow ケープスズメ, ホオグロスズメ.
chípping spàrrow チャガシラヒメドリ.
cláy-colored spárrow ウスヒメドリ.
cóck spárrow 雄スズメ.
díamond spárrow オオキンカチョウ.
Énglish spárrow =house sparrow.
fíeld spárrow ヒメドリ.
fóx spàrrow ゴマフスズメ.
gólden-crowned spárrow キガシラシトド.
grásshopper spàrrow イナゴヒメドリ.
hédge spàrrow ヨーロッパカヤクグリ(dunnock).
hóuse spàrrow イエスズメ.
Jáva spárrow ブンチョウ(文鳥).
lárk spàrrow ヒバリヒメドリ.
Líncoln's spárrow ヒメウタスズメ.
Nórfolk spárrow 《英話》キジ(pheasant).
réed spàrrow オオジュリン(大寿林).
róck spàrrow イワスズメ.
ságe spàrrow クロフヒメドリ.
Savánnah spárrow クサチ(草地)ヒメドリ.
séaside spàrrow ハマヒメドリ.
shárp-tailed spárrow トゲオヒメドリ.
sóng spàrrow ウタスズメ.
swámp spàrrow ヌマウタスズメ.
trée spàrrow スズメ.
vésper spàrrow オジロヒメドリ.
whíte-cròwned spárrow ミヤマシトド.
whíte-thròated spárrow ノドジロシトド.

spasm /spǽzm/

名 〘病理〙痙攣(ｹｲﾚﾝ), 痙縮, ひきつけ.

bléph·a·ro·spàsm 名 眼瞼(ｶﾞﾝｹﾝ)痙攣.
brón·cho·spàsm 名 気管支痙攣.
cár·di·o·spàsm 名 噴門痙攣.
clónic spásm 間代(ｶﾝﾀﾞｲ)痙攣.
gráph·o·spàsm 名 書痙(ｼｮｹｲ), 書字痙攣.
níctitating spásm 瞬目痙攣.
tónic spásm 緊張型痙攣.
vas·o·spasm 名 血管痙攣.

speak /spíːk/

動自他 (…を)話す.

be·speak 動他 …をあらかじめ頼む.
fore·speak 動他 …を予言する.
for·speak 動他 《スコット・古語》…に魔法をかける.
mis·speak 動他自 間違って話す; 誤った発音をする.
out·speak 動他 言い負かす.
re·speak 動他自 (…を)再び[繰り返し]言う.
un·speak 動他 《廃》〈前言を〉取り消す.

-speak /spìːk/

連結形 《話》…用語, …言葉, …語録; ある特定の職業・人・時代の専門用語を表し, 通例, 軽蔑的に用いる.
★ 語末にくる関連形は -SPOKEN.
◆ G. Orwell が小説 *Nineteen Eighthy-Four*(1949)の中で用いた造語 oldspeak, newspeak などから抽出.
◇ TALK, BABBLE.

S

-speak: -speakとtalkの前置要素の分類・比較

（資料作成:須永紫乃生）

下の表から**-speak**と**talk**の使い分けの特徴がわかる.固有名詞＋**-speak**のa人名のグループだけが「主語＋述語動詞」の統語パタンをもっている.(例:Perot speakペローが話す→Perotspeakペロー語録). **talk**には固有名詞のつくものはない. **-speak**には政治・科学技術の専門語,職種が前置要素にくるが,**talk**には一般語の前置要素が多い.

固有名詞+**-speak** 13語	a人名	**Freudspeak**(フロイドの)精神分析学用語 **Haigspeak**ヘイグ(元米国国務長官)語録 **Hillary-speak**ヒラリー(米国大統領夫人)表現集 **Perotspeak**ペロー(1992年米国大統領候補)語録 **Ponderosso speak**ポンデロッソ語録 **Thatcher-speak**サッチャー語録 **Waynespesk**ウェインスピーク:映画 Waynes'sWorldのロック少年の話し方 **Woolf-speak**ウルフ(英国女流作家)語録
	bその他	**Eurospeak**(ECの)官僚用語 **Gulfspeak**(ペルシャ)湾岸戦争表現集 **Maastricht-speak**マーストリヒト(条約)関連語録 **Olympspeak**オリンピック語録 **Sovietspeak**ソ連政府特有の言葉遣い
科学技術語+**-speak** 6語		**computerspeak**コンピュータ語 **cyberspeak**パソコン通信用語集 **nukespeak**核問題用語 **space-speak**宇宙用語 **technospeak**技術用語 **techspeak**科学者用語
職業関連語+**-speak** 18語		**adspeak**広告用語 **artspeak**美術用語 **business-speak**商用語 **cataloguespeak**カタログ用語 **discospeak**ディスコ口調 **econospeak**経済語彙 **educationspeak**教育者用語集 **filmspeak**映画用語 **hackspeak**特派員専門語集 **lawyer-speak**法律家用語 **marinespeak**《英》海軍用語集 **marketing-speak**マーケティング用語 **media-speak**(政治家や有名人の)語録集 **medspeak**医療用語 **military-speak**軍事用語 **spookspeak**スパイ用語集 **teacher-speak**教育用語 **telespeak**テレビ制作用語
話し方・状況・ほか+**-speak** 28語		**creepspeak**ゆっくりとしたあいまいな言葉 **consumer-speak**消費者用語 **diplospeak**外交用語 **doublespeak**(二枚舌の)あいまいな言回し **duckspeak**(カモの鳴き声のような)無意味なくり返しの多い言葉 **futurespeak**未来用語 **L.A.Freshspeak** L.A.最新語彙 **newspeak**新語法 **oickspeak**無教養な人の話し言葉 **oldspeak**旧語法 **PC speak**非差別語 **podspeak**(同僚の間での)機械的な話し方 **Radfemspeak**男女同権主義急進派の用語 **radiospeak**放送用語 **robotspeak**機械音声語彙集 **royalspeak**王室言葉 **skater speak**スケーター言葉 **slackerspeak**スラッカー(無気力な若者)言葉 **splitspeak**離婚[離別]用語 **Surfspeak**サーファー言葉 **tabloidspeak**大衆紙特有の表現 **teenspeak**(十代の)若者言葉 **twitchspeak**短縮俗語 **Valleyspeak, Valspeak**バリーガール言葉 **warspeak**戦争用語 **winespeak**(ワインの味を表現する)ワイン言葉 **yupspeak**ヤッピー言葉
生物・人+**talk** 5語		**baby talk**赤ちゃん言葉 **bird talk**(小鳥のような)とりとめのないおしゃべり **monkey talk**(猿のような)ろれつの回らない話しぶり **sailor's talk**船乗りの話し方 **teacher talk**先生ことば
場所・状況+**talk** 11語		**chalk talk**(チョークで)黒板に図を描きながら行う話 **computertalk**コンピュータ用語 **confrotalk**賛否対決討論番組 **hockey talk**つばぜり合い **pep talk**(人・団体への)激励[応援]演説 **pillow talk**(寝室での男女の)むつ言 **sales talk**売り込み口上 **shoptalk**専門分野特有の話し方 **table talk**食卓での雑談[座談] **toilet-talk**下卑た話 **town talk**町の話題
話し方+**talk** 19語		**back talk**生意気な口答え **bad talk**悲観的な発言 **big talk**大言壮語 **by-talk**余談;雑談 **cross talk**(電話などの)混線 **double-talk**あいまいなごまかし言葉 **fast talk**早口で巧みな説得 **happy talk**(ご機嫌な)ニュース番組での軽いおしゃべり **jive talk**(ジャズ風の)ジャイブトーク **loud-talk**(刑務所の仲間の)規律違反の大言壮語 **old talk**《カリブ英語》おしゃべり **outtalk**しゃべり負かす **overtalk**多弁,饒舌 **small talk**世間話,おしゃべり **smooth-talk**のせる,おだてる **sweet-talk**甘言による誘惑 **talk-talk, talky talk**おしゃべり **tough-talk**強硬な話し方

★talkの場合,名詞化したものもある.

ad·speak 名 広告用語.
art·speak 名 美術用語: 抽象的でまわりくどい.
busi·ness·speak 名 商用語, 商業の専門用語.
cat·a·logue·speak 名 カタログ用語.
com·put·er·speak 名 コンピュータ語 [言葉].
con·sum·er·speak 名 消費者用語.
creep·speak 名 ゆっくりとしたあいまいな言葉.
cy·ber·speak 名 パソコン通信用語.
dip·lo·speak 名 外交用語.
dis·co·speak 名 ディスコ口調.
dou·ble·speak 名 あいまいな言回し(double-talk).
duck·speak 名 無意味なくり返しの多い言葉.
e·con·o·speak 名 経済語彙.
ed·u·ca·tion·speak 名 教育者用語集.
Euro·speak 名 (EC 内の) 官僚用語 (Eurobabble).
film·speak 名 映画用語.
Freud·speak 名 精神分析学用語.
fu·ture·speak 名 未来用語.
Gulf·speak 名 ペルシャ湾岸諸国発言集.
Hack·speak 名 特派員専門語集.
Haig·speak 名 ヘイグ(元米国国務長官)語録.
Hil·la·ry-speak 名 ヒラリー(米国大統領夫人)表現集.
L. A. frésh·spèak 名 L. A. 最新語彙.
law·yer-speak 名 法律用語.
Maas·tricht-speak 名 (John Major 元英首相の)マーストリヒト語録.
ma·rine·speak 名 海軍用語集.
mar·ket·ing-speak 名 マーケティング用語.
me·di·a-speak 名 政治家や有名人の語録集.
med·speak 名 医者言葉, 医学用語.
mil·i·tar·y-speak 名 軍事用語.
new·speak 名 ニュースピーク: 小説 *1984*(1949)の中で, 思想操作のために国家権力が用いる新語法.
nuke·speak 名 (核兵器・原発反対者の)核問題用語.

oick·speak 名 無教養な人の話し言葉.
old·speak 名 標準英語.
O·lymp·speak 名 オリンピック語録.
PĆ spèak 名 非差別(politically correct)語.
Per·ot·speak 名 ペロー(1992 年米国大統領候補)語録.
pod·speak 名 機械的な話し方.
Pónderoso Spèak 名 ポンデロッソ語録.
Rad·fem·speak 名 男女同権主義急進派の用語.
ra·di·o·speak 名 放送用語.
ro·bot·speak 名 機械音声語彙集.
roy·al·speak 名 王室言葉.
skáter spèak スケート言葉.
slack·er·speak 名 スラッカー言葉: 無気力な若者の言葉.
So·vi·et·speak 名 ソ連特有の言葉遣い.
space-speak 名 宇宙用語.
split·speak 名 離婚 [離別] 用語.
spook·speak 名 スパイ用語集.
surf·speak 名 サーファー言葉.
tab·loid·speak 名 (タブロイド判)大衆紙特有の表現.
teach·er-speak 名 教師用語, 先生言葉.
tech·no·speak 名 技術用語 [文体](technobabble).
tech·speak 名 科学者用語.
teen·speak 名 若者言葉.
tel·e·speak 名 テレビ制作用語.
Thatch·er-speak 名 サッチャー語録.
twitch·speak 名 短縮俗語.
Val·ley·speak 名 ＝Valspeak.
Val·speak 名 バリーガール言葉: 1983 年から米国西海岸で流行した若者ことば.
war·speak 名 戦争用語, 軍事用語.
Wayne·speak 名 ウェインスピーク: 映画 *Waynes's World*(1992)のロック少年の話し方.
wine·speak 名 (ワインの味を表現する)ワイン言葉.
Woolf-speak 名 ウルフ(英国女流作家)語録.
yup·speak 名 ヤッピーの言葉(yuppese).

speak·er /spíːkər/

名 話す [語る] 人; (ある言語の)話者. ⇨ -ER[1].

dóuble·spèaker 名 あいまいな言葉を言う人.
líp·spèaker 名 唇の動きで会話できる人, 唇読唇話者.
lóud·spèaker 名 拡声器, ラウドスピーカー.
nòn-Ú-spèaker 名 上流階級(upper class)の言葉を話さない人.
ríbbon spèaker (リボン状の極薄アルミ箔で作られた)高音質スピーカー.
stúmp spèaker 街頭演説家.
Ú-spèaker 名 上流階級(upper class)の言葉を話す人.

spe·cial /spéʃəl/

形 (種類·性格が)特殊な, 特別の, 特異な. ━━名 特別の人 [物]. ⇨ -IAL.

B́ Spécial (1970 年までの北アイルランドの)アルスター特別警察隊隊員.
éarly-bìrd spécial モーニング [先着] サービス.
éx·tra-spé·cial 形 特上の, いちばん上等の.
gétaway spècial (NASA がスペースシャトルに乗せて運ぶ)小さな食料荷物.
hándyman's spécial なんでも簡単に直してしまう人.
réd-éye spècial 《話》深夜割引き航空便.
Sáturday-nìght spécial 《話》(廉価で入手が容易な)小口径短銃.
wóp spécial 《米俗》(イタリアレストランでの)特別サービス料理.

spe·cial·i·za·tion /spèʃəlizéiʃən | -lai-/

名 特殊化, 専門化. ►specializeの名詞形. ⇨ -IZATION.

hy·per·spe·cial·i·za·tion 名 ＝overspecialization.
o·ver·spe·cial·i·za·tion 名 特殊 [専門] 化しすぎ, 過度の専門化.

spe·cies /spíːʃiːz, -siːz | -ʃiːz/

名 **1** (共通の特性を持った)種類. **2**【生物】種(しゅ).

céno·spècies 名【遺伝】集合種, 共同 [総合] 種.
còeno·spécies 名 ＝cenospecies.
cróss-spécies 形 異種間の.
éco·spècies 名【生態】生態種.
édge spècies 【生態】周辺種, 辺縁種.
endángered spécies 絶滅危機種.
gé·no·spè·cies 名【生物】同遺伝子種, 遺伝種.
ìn·ter·spé·cies 形 種間の, 異なる生物種の間の.
ìntra·spécies 形 種内の, 同じ生物種内の.
Mendélian spécies 【生物】メンデル種, 形態種.
mòrpho·spécies 名【生物】形態種.
síbling spècies 【生物】姉妹種, 同胞種.
súb·spè·cies 名 (特に生物学·生態学での)亜種.
sùper·spécies 名【生態】上種.
thréatened spécies 絶滅危惧(ぐ)種.
týpe spècies 【生物】基準 [模式] 種.
vúlnerable spécies 減少種, 要注意の種.

spe·cif·ic /spisífik/

形 明確な; 特定の; 独特の, 固有の;【生物】種(しゅ)(species)の. ⇨ -FIC.

age-spe·cif·ic 形 (ある)年齢(層)に特徴的な.
con·spe·cif·ic 形【生物】同種の. ━━名 同種.
gen·der-spe·cif·ic 形 一方の性に限られる.
host-spe·cif·ic 形 〈寄生生物が〉宿主特異性の.
in·fra·spe·cif·ic 形 種内の, 種以下の.
mon·o·spe·cif·ic 形【医学】〈抗体が〉単一特異性の.
sex·spe·cif·ic 形 〈語が〉性を特定する.
site-spe·cif·ic 形 特定の場所に設置するために作られた [設計された, 選ばれた].
spe·cies-spe·cif·ic 形【生態】一種のみに関連した.
ster·e·o·spe·cif·ic 形【化学】立体特異的な.
sub·spe·cif·ic 形 亜種の.

-spect /spekt, spékt/

連結形 観察する(こと), 見る(こと); 観察された.
★ 語末にくる関連形は -SPECTION, -SPECTIVE.
★ 語頭にくる形は spect-: *spect*acle「光景」, *spect*ator「見物人」.
◆ ＜ラ *-spectus*(*specere*「見る」より).
[発音] 名詞, 形容詞では語頭に, 動詞では基体(-spect)に第 1 強勢; ただし próspect となることもある. 例外: rétrospect.

as·pect 名 外観, 様子, 様相, 景観.
cir·cum·spect 形 慎重な, 用心深い.
in·spect 動他 念入りに調べる, 点検する.
in·tro·spect 動自 内省する, 自己反省する.
pros·pect 名 見込み, 公算; 展望, 見通し.
re·spect 動他 …を尊敬する, 敬う.
ret·ro·spect 名 回想, 追想, 回顧, 思い出.
sus·pect 動他 …の真実性を疑う.

-spec·tion /spékʃən/

連結形 見られたもの [こと].
★ 名詞をつくる.
★ 語末にくる関連形は -SPECT.
★ 語頭にくる関連形は spect-: *spect*acle「光景」, *spect*ator「見物人」.
◆ ＜ラ *spectus*(*specere*「見る」の連結形 *-spicere* の過去

分詞). ⇨ -TION.
[発音] -spection の第 1 音節に第 1 強勢が置かれる.

cir·cum·spec·tion 名 注意深い観察 [行動]; 用心, 警戒.
ex·tro·spec·tion 名 外界観察.
in·spec·tion 名 綿密 [入念] な調査, 点検, 検査, 精査.
in·tro·spec·tion 名 内省, 内観, 自己省察.
ret·ro·spec·tion 名 回想, 追想, 追憶, 回顧.

-spec·tive /spéktiv/

連結形 見る….
★ 主に形容詞をつくる.
★ 語末にくる関連形は -SPECT.
★ 語頭にくる関連形は spect-: *spect*acle「光景」, *spectator*「見物人」.
◆ <ラ *-spectus*(*specere*「見る」の連結形 *-spicere* の過去分詞). ⇨ -IVE[1].

in·spec·tive 形 調査をする; 注意深い.
per·spec·tive 名 ☞
pro·spec·tive 形 予期された, 将来の.
re·spec·tive 形 それぞれの, 個々の.

spec·tro·scope /spéktrəskòup/

名 〘光学〙スペクトロスコープ, 分光器. ⇨ -SCOPE.

diréct-vísion spèctroscope 直視分光器.
máss spéctroscope 《まれ》質量分光器.
mì·cro·spéc·tro·scope 名 顕微分光器.
phò·to·spéc·tro·scope 名 分光器, 分光写真機.
tèl·e·spéc·tro·scope 名 望遠分光器.

spec·trum /spéktrəm/

名 〘物理〙スペクトル. ⇨ -TRUM.

absórption spèctrum 〘物理〙吸収スペクトル.
árc spèctrum 〘物理〙アークスペクトル.
bánd spèctrum 〘物理〙帯(たい)スペクトル.
bríghtlìne spéctrum 〘物理〙輝線スペクトル.
bróad-spéctrum 形 〘薬学〙広範囲抗菌活性を有する.
contínuous spéctrum 〘物理〙連続スペクトル.
electromagnétic spéctrum 〘電気〙電磁スペクトル.
emíssion spèctrum 〘物理〙発光 [放出] スペクトル.
flásh spèctrum 〘天文〙閃光(せんこう)スペクトル.
líne spèctrum 〘物理〙(輝)線スペクトル.
máss spéctrum 〘物理〙質量スペクトル.
mícrowave spèctrum 〘電子工学〙マイクロ波スペクトル.
molécular spéctrum 〘分光学〙分子スペクトル.
rádio spèctrum 〘通信〙電波スペクトル.
spárk spèctrum 〘物理〙火花スペクトル.
vísible spéctrum 〘物理〙可視スペクトル.
wíde-spéctrum 形 =broad-spectrum.

speech /spíːtʃ/

名 **1** 話す能力, 口頭言語. **2** 話す [語る] こと. **3** 言われたこと; 発話. **4** 話法. **5** 演説, スピーチ.

compréssed spéech 圧縮発話: 話された言葉をより早いテンポで再生したもの.
cúed spéech キュード・スピーチ: 一種の手話体系を用いたコミュニケーション法.
cúrtain spèech 〘演劇〙(幕・場の)最後のせりふ.
deláyed spéech 〘言語病理〙言語遅滞.
diréct spéech 〘文法〙直接話法.
egocéntric spéech 〘心理言語学〙自己中心的発話.
esophagéal spéech 〘言語病理〙食道発声法.
frée spéech 言論の自由(freedom of speech).
hélium spèech キーキー声, ドナルドダックボイス.
índirect spéech 〘文法〙間接話法.
kéynote spéech (党大会の)基調演説.
Kíng's spéech (英国議会開会に際しての)国王の施政方針演説.
máiden spéech (初当選後の議会での)処女演説.
Móckney spèech 《俗》ロンドン訛りを真似た話し方.
Quéen's spéech (英国議会開会に際しての)女王の施政方針演説.
repórted spéech 〘文法〙伝達話法; (直接話法の)被伝達部.
represénted spéech 〘文法〙(直接話法と間接話法の中間の)描出話法.
stúmp spèech 政治 [選挙] 演説.
synthétic spéech 〘コンピュータ〙合成音声.
téxt-to-spéech 形 (視力障害者用に)音声に変換する.
vísible spéech 〘音声〙ビジブルスピーチ.

speed /spíːd/

名 **1** 速度. **2** 変速装置. **3** 〘写真〙感(光)度. **4** 《古》成功.

áccess spèed 〘コンピュータ〙アクセススピード.
áir·spèed 名 〘航空〙対気速度, 気速.
áir-spèed 動他 航空便で送る.
cósmic spéed 〘ロケット〙宇宙速度.
crúising spèed 巡行速度, 巡航速度.
fílm spèed 〘写真〙感度, 感光度.
fíve-spèed 5 段変速ギア.
flánk spèed (船の)最高速力.
fúll spéed 全速力.
Gód·spéed 幸運; 成功.
gòod spéed =Godspeed.
gróund·spèed 〘航空〙対地速度.
hígh-spéed 形 高速(度)の.
hýdro·spèed 名 川の急流を浮きを抱えて下るスポーツ.
lánding spèed 〘航空〙ランディングスピード.
múlti-spèed 形 〈目標へ向かう歩みが〉多元速度の.
shútter spèed 〘写真〙=film speed.
sínking spèed (鳥・飛行機などの)降下速度.
stálling spèed 〘航空〙失速速度.
súper·spèed 形 超高速の, (特に)超音速の.
sýnchronous spéed 〘電気〙同期速度.
tén-spèed 10 段変速ギア.
thrée-spèed 3 速ギア; 3 速ギア付き自転車.
twó-spèed 形 2 段変速の.
wínd spèed 風速.

speed·well /spíːdwèl/

名 〘植物〙クワガタソウ(トラノオを含む). ⇨ WELL[1].

bírd's-eye spéedwell 《米》クワガタソウ.
cát's-tàil spéedwell アオバナクワガタソウ.
germánder spéedwell ゴマノハグサ科クワガタソウ属の植物.
wáter spèedwell オオカワヂシャ.

spell[1] /spél/

動他 〈語・音節を〉(…と)綴る, …の綴りを言う [書く]. ——自 (特に正しく)語を綴る.
★ 名詞としては用いない; 名詞は spelling.

fin·ger·spell 動他自 (指文字で)指話する.
mis·spell 動他自 間違えて綴る, (…の)綴りを誤る.
rè·spell 動他 綴り直す, (特に表音式で)綴る.

spell[2] /spél/

名 **1** 一続きの仕事 [活動] (の間). **2** しばらくの期間.

bréathing spèll 休んだり, 考えたりする機会.
dŕy spèll 日照り続き.
fárting-spèll 《米俗》短い時間, ちょっとの間.
hót spéll 暑さ続き.

S

píssing-spèll 《米俗》ほんのちょっとの間.
sínking spèll (一時的な)健康の衰え; 株価の下落.

spend /spénd/

動他〈金・財産・資源などを〉(…に)遣う, かける.

mis·spend 動他 …の使用を誤る, 浪費する.
out·spend 動他 …より多く金を使う [費やす].
o·ver·spend 動自 使いすぎる, 浪費する.
un·der·spend 動他 (ある金額より)少ない金を遣う.

spend·ing /spéndiŋ/

名 (金・資源などを)つかうこと; 支出. ——形 (金・資源などを)つかう. ⇨ -ING[1], -ING[2].

compénsatory spénding =deficit spending.
déficit spénding (赤字公債発行による)赤字支出.
frée-spénding 形 金遣いの荒い.
públic spénding 中央政府・地方自治体・公企業による支出.

spent /spént/

動 spend の過去, 過去分詞形. ——形 消費された, 使い尽くした; 疲れきった. ⇨ -T[1].

fore·spent 形 =forspent.
for·spent 形 《古》疲れ果てた, 消耗しきった.
ill-spent 形 使い方を誤った; 浪費された.
out·spent 形 へとへとに疲れた, 疲れきった.
un·spent 形 費やされない, 消費されない.
well-spent 形 有益に使われている.

-sperm /spə̀ːrm/

連結形 …の種(を持つもの).
★ 動・植物の数や属を表す要素につける.
★ 語末にくる関連形は -SPERMAL, -SPERMIA, -SPERMOUS, -SPERMY, -SPERSE.
★ 語頭にくる形は sperm(i)-, spermo-: *spermo*phyte「種子植物」, *spermo*gonium「精子器, 雄精器」.
◆ <近代ラ *-sperma* <ギ *-spermos*.

an·gi·o·sperm 名 〔植物〕被子植物.
en·do·sperm 名 〔植物〕内乳, 内胚乳, 胚乳.
gym·no·sperm 名 〔植物〕裸子植物.
o·o·sperm 名 〔生物〕受精卵.
per·i·sperm 名 〔植物〕外胚乳, 外乳.
pte·rid·o·sperm 名 〔植物〕シダ種子植物(seed fern).
zo·o·sperm 名 〔植物〕〔菌類〕《古》遊走子.
zy·go·sperm 名 〔植物〕〔菌類〕接合胞子嚢.

-sper·mal /spə́ːrməl/

連結形 〔植物〕…の種子 [精子] を持つ.
★ 形容詞をつくる.
★ 語頭にくる関連形は sperm(i)-, spermo-: *spermo*phyte「種子植物」, *spermo*gonium「精子器, 雄精器」.
◆ -SPERM＋-AL[1].

an·gi·o·sperm·al 形 被子植物の.
gym·no·sperm·al 形 裸子植物の.
mon·o·sperm·al 形 一種子の, 単種子の.

-sper·mi·a /spə́ːrmiə|-miə, -mjə/

連結形 精子.
★ 名詞をつくる.
★ 語末にくる関連形は -SPERM.
★ 語頭にくる関連形は sperm(i)-, spermo-: *spermo*phyte「種子植物」, *spermo*gonium「精子器, 雄精器」.
◆ <ギ *spérm(a)*「種子, 精子」(*speírein*「ばらまく, ふりまく」)＋*-ia* -IA.

a·sper·mia 名 〔病理〕無精子症.
a·zoo·sper·mia 名 〔病理〕無精子(症).
ol·i·go·sper·mi·a 名 〔医学〕精子減少症.
pan·sper·mi·a 名 〔生物〕胚種(はいしゅ)広布説.
pol·y·sper·mi·a 名 〔医学〕多精液症, 精液過多(症).

-sper·mous /spə́ːrməs/

連結形 -spermal の異形.
★ 語末にくる関連形は -SPERM.
★ 語頭にくる関連形は sperm(i)-, spermo-: *spermo*phyte「種子植物」, *spermo*gonium「精子器, 雄精器」.
◆ <近代ラ *spermus* <ギ *spérma* 種子. ⇨ -OUS.

an·gi·o·sper·mous 形 被子植物の; 被子を持つ.
di·sper·mous 形 〔植物〕種子が 2 つある.
gym·no·sper·mous 形 〔植物〕裸子植物の.
me·lan·o·sper·mous 形 〈ある種の海草が〉黒い胞子のある.
mon·o·sper·mous 形 〔植物〕一種子の, 単種子の.
tra·chy·sper·mous 形 〔植物〕皮のざらざらした種子を持つ.
tri·sper·mous 形 〔植物〕3 個の種子がある.

-sper·my /spə̀ːrmi/

連結形 精子が….
★ 名詞をつくる.
★ 語頭にくる関連形は sperm(i)-, spermo-: *spermo*phyte「種子植物」, *spermo*gonium「精子器, 雄精器」.
◆ -SPERM＋-Y[3].
[発音] 語頭の音節に第 1 強勢.

ag·a·mo·sper·my 名 〔生物〕無受精生殖.
di·sper·my 名 〔生物〕二精.
mon·o·sper·my 名 〔生物〕単精, 単精子受精.
pol·y·sper·my 名 〔生物〕多精(現象), 多精子受精.
syn·sper·my 名 〔植物〕種子合体 [癒着].

-sperse /spə́ːrs/

連結形 ばらまかれた.
★ 語末にくる関連形は -SPERM.
★ 語頭にくる関連形は sperm(i)-, spermo-: *spermo*phyte「種子植物」, *spermo*gonium「精子器, 雄精器」.
◆ <ラ *spersus*(*spargere*「ばらまく, まき散らす」より).

as·perse 動他 …に(悪口・非難などを)浴びせる.
dis·perse 動他〈群衆などを〉(四方に)追い散らす.
in·ter·sperse 動他 …をばらまく, (他の物の中に間隔をおいて)差し入れる, 点在させる.

sphere /sfíər/

名〔幾何〕**1** 球, 球体; 球面. **2** (一般に)球. **3** 範囲; 圏.
★ 語頭にくる関連形は sph(a)er(o)-: *sphero*meter「球面計」.

áer·o·sphère 名 〔航空〕《俗に》大気圏.
an·throp·ó·sphère 名 〔生態〕=noosphere.
ármillary sphère 〔天文〕渾(こん)天儀.
as·thén·o·sphère 名 〔地質〕岩流圏, 上部マントル.
ás·tro·sphère 名 〔生物〕星状球.
át·mos·phère 名 ☞
attráction sphère 〔生物〕誘引球.
bár·y·sphère 名 〔地質〕重(層)圏.
báth·y·sphère 名 〔海洋〕球形潜水装置, 潜水球.
bí·o·sphère 名 生物圏: 地殻中, 水中, 大気中の生物が生息できる部分.
blás·to·sphère 名 〔発生〕胞胚(ほうはい).
celéstial sphére 天球.
cén·o·sphère 名 セノスフェア, 空球: 飛散灰(fly ash)中に見られる薄いガラス質粒土球.
cén·tro·sphère 名 〔生物〕中心球.

ché·mo·sphère 名 〖気象〗化学圏.
chró·mo·sphère 名 〖天文〗彩層.
cós·mo·sphère 名 (地球を中心とする)宇宙の立体模型.
ec·o·sphère 名 生態圏; 生物圏, 生活圏.
én·sphère 動他 …を球の中に包む; 丸く包み込む.
ér·go·sphère 名 〖天文〗作用圏.
éx·o·sphère 名 〖気象〗逸出圏, 外気圏.
gé·o·sphère 名 地殻, 岩石圏.
gráv·i·sphère 名 重力[引力]圏.
hé·li·o·sphère 名 〖天文〗太陽圏.
hém·i·sphère 名 ☞
hét·er·o·sphère 名 《まれ》〖気象〗異質圏.
hó·mo·sphère 名 《まれ》〖気象〗等質圏.
hý·dro·sphère 名 水圏, 水界.
hýp·er·sphère 名 〖数学〗超球.
ín·fo·sphère 名 〖コンピュータ〗情報圏.
in·sphère 動他 =ensphere.
íntegrating sphère 〖光学〗積分球.
i·ón·o·sphère 名 〖気象〗イオン圏, 電離圏, 電離層.
líth·o·sphère 名 〖地質〗岩石圏, リソスフェア.
mag·né·to·sphère 名 〖天文〗磁気圏.
més·o·sphère 名 〖気象〗中間圏.
mí·cro·sphère 名 〖生物〗ミクロスフェア.
néu·tro·sphère 名 〖気象〗中性圏.
nóo·sphère 人間生活圏.
ó·o·sphère 名 〖生物〗卵球.
o·zó·no·sphère 名 〖気象〗オゾン層(ozone layer).
párallel sphére 〖天文〗平動球.
phó·to·sphère 名 (一般に)光の玉.
plán·i·sphère 名 〖天文〗平面天球図.
plás·ma·sphère 名 〖天文〗プラズマ圏.
pséu·do·sphère 名 〖幾何〗擬球.
rhí·zo·sphère 名 〖生態〗根圏.
Ríemann sphère 〖数学〗リーマン球.
strát·o·sphère 名 〖気象〗成層圏; 《S-》ストラトスフィア: Las Vegas の高塔.
téch·no·sphère 名 人間中心の工業[科学]技術.
thér·mo·sphère 名 〖気象〗熱圏, 温度圏.
tróp·o·sphère 名 〖気象〗対流圏.
ùn·sphére 動他 《詩語》〈星を〉天球から除く.

spher·ic /sférik/

形 球(sphere)状の. ⇨ -IC[1].
★ 語頭にくる関連形は spher(o)-, sphaer(o)-: *sphe*rometer「球面計」.

at·mos·pher·ic 形 大気[空気](中)の.
bi·o·spher·ic 形 生物圏の.
hem·i·spher·ic 形 =semispheric.
sem·i·spher·ic 形 半球形の(hemispheric).

spher·i·cal /sférikəl, sfíər-|sfér-/

形 球状[球形]の; 球(体)の. ⇨ -ICAL.
★ 語頭にくる関連形は sph(a)er(o)-: *sphero*meter「球面計」.

a·spher·i·cal 形 〖光学〗〈レンズが〉非球面の.
hem·i·spher·i·cal 形 半球形の.
sub·spher·i·cal 形 完全には球でない; ほぼ球形の.

sphinx /sfíŋks/

名 (古代エジプトで)スフィンクス.

an·dro·sphinx 名 男性の顔を持つスフィンクス.
cri·o·sphinx 名 雄羊の頭を持ったスフィンクス.
hi·er·a·co·sphinx 名 ハヤブサの頭を持つスフィンクス.

-spic·u·ous /spíkjuəs/

連結形 見ることの.
★ 形容詞をつくる.
★ 語頭にくる関連形は spect-, spectro-: *spect*acle「光景」, *spect*ator「見物人」.
◆ <ラ *-spicere* 見る + *-uus*(動詞派生形容詞接尾辞). ⇨ -OUS.

con·spic·u·ous 形 よく見える, 目につきやすい.
per·spic·u·ous 形 〈表現・陳述などが〉明快な; 明確な.
tran·spic·u·ous 形 透き通った, 透明な.

spi·der /spáidər/

名 〖昆虫〗クモ.

banána spìder アシダカグモ.
bírd spìder オオツチグモ, トリクイグモ.
brówn récluse spìder ドクイトグモ.
cómb-fòoted spíder ヒメグモ.
cráb spìder カニグモ.
díadem spíder ニワオニグモ.
fíddleback spíder =brown recluse spider.
gárden spìder 庭でよく見かけるクモの総称.
geométric spíder Epeiridae 科の放射状・らせん状の巣を作るクモ.
hóuse spìder タナグモ.
húnting spíder =wolf spider.
júmping spìder ハエトリグモ(蠅取蜘蛛).
móney spìder サラグモの通称; 体を這(は)うと金が入るとされた小さなクモ.
réd-bàck spíder ヒメグモ科の毒グモ.
réd spíder ハダニ(spider mite).
scórpion spìder ムチサソリ, サソリモドキ.
séa spìder ウミグモ(海蜘蛛).
sílk spìder ジョロウグモの一種.
sún spìder クモ綱に属するヒヨケムシ目の動物.
tráp-dòor spíder トダテグモ.
violín spìder =brown recluse spider.
wáter spìder ミズグモ.
Wéb spìder 〖コンピュータ〗ウェブスパイダー: インターネットの情報検索サイトの一つ.
wólf spìder ドクグモ, コモリグモ.

spiel /spíːl, ʃpíːl/

名 《米話》大げさな演説[話]; (特に映画や商品の)客寄せ口上; (ラジオ・テレビの)宣伝文句. ▶ドイツ語から.

bon·spiel 名 《スコット・カナダ》カーリングの試合[競技会].
glock·en·spiel 名 グロッケンシュピール, 鉄琴.
krieg·spiel 名 ウォーゲーム.
sing·spiel 名 ジングシュピール: ドイツの歌劇.
vor·spiel 名 楽曲の導入部; 前奏曲, 序曲.

spike /spáik/

名 (太い木材を止める)大釘(くぎ), (鉄道レール用の)犬釘, スパイキ.

bárge spìke 舟釘(くぎ).
bóat spìke =barge spike.
dóg spìke (鉄道レールの)犬釘(くぎ).
hánd·spìke (通例, 木製の)てこ棒.
hít spíke 《米麻薬俗》注射針の代用品.
márline·spìke 〖海事〗綱通しスパイク.
PGÓ spìke 〖精神医学〗PGO スパイク.
scréw spìke ねじ釘(くぎ), 螺釘(らてい).
tráck spìke =dog spike.

spin /spín/

名 回転させる[する]こと.

áirplane spìn 〖プロレス〗飛行機投げ.
báck·spìn (ボールの)逆回転, バックスピン.

cámel spìn 〚スケート〛キャメルターン.
dè·spín 動他自 回転を停止させる[する].
dówn·spìn 名 =camel spin.
flát spín 〚航空〛水平錐(ｷﾘ)もみ(運動).
í·so·spìn 名 〚物理〛=isotopic spin.
isotópic spín 〚物理〛荷電スピン.
í-spìn 〚物理〛=isotopic spin.
lég spìn 〚クリケット〛レッグスピン.
ó·ver·spìn 名 =top spin.
róugh spín 《NZ》不公平な扱い.
síde·spìn サイドスピン: ボールを縦軸の周りに回転させる回転運動.
sít spìn 〚フィギュアスケート〛シットスピン.
táil·spìn 〚航空〛きりもみ降下.
tóe spìn 〚スケート〛トースピン.
tóp·spìn 前(進)回転, トップスピン.
ún·der·spìn 名 =backspin.
úp·spìn 名 急激ならせん上昇, うなぎ昇り.
whéel·spìn ホイールスピン: 車輪の空転.

spin·dle /spíndl/

名 **1**(手紡ぎ用の)錘, 紡錘(ﾎﾞｳｽｲ). **2**〚金工〛支軸. ⇨ -LE[1].

déad spíndle (支軸のうちの)回らない死軸.
líve spíndle (支軸のうちの)回る動軸.
mitótic spíndle 〚細胞生物〛紡錘(ﾎﾞｳｽｲ)体.
múscle spìndle 〚細胞生物〛筋紡錘(ﾎﾞｳｽｲ)(体).
splít spíndle 〚家具〛ろくろ細工で作られた棒を縦方向に半分にひいたもの.

spin·ner /spínər/

名 紡ぐ人[もの], 紡績工, 紡績業者; 紡績機. ⇨ -ER[1].

cótton spìnner 綿糸紡績工; 綿糸紡績業者.
dóllar-spìnner 名 《米俗》商業的成功; 売れるもの.
móney spìnner 《主に英話》金になる人[もの].
wéb spìnner シロアリモドキ.
yárn-spìnner 名 《話》作り話のうまい人, ほら吹き.

spin·ning /spíniŋ/

名 **1**〚繊維〛紡績. **2**作り出すこと. ── 形 紡ぐ; 作り出す. ⇨ -ING[1], -ING[2].

Brádford spìnning 英式前紡.
cáp spìnning キャップ精紡.
centrífugal spínning =pot spinning.
móney-spìnning 形 《英》〈芝居などが〉金になる, もうかる.
múle spìnning ミュール精紡.
pót spìnning ポットスピニング, 遠心紡糸法.
ríng spìnning リング精紡.
wórd·spìnning 《主に英》冗長な文句[言葉].

spi·ral /spáiərəl/

名 **1**〚幾何〛渦巻き線. **2**らせん(状の構造物). **3**〚経済〛連鎖的変動, 悪循環. ── 形 渦巻き形の. ⇨ -AL[1].
★ 語頭にくる関連形は spiri-, spiro-: *spiri*valve「〈腹足類が〉渦巻き状[らせん形]の貝殻を持った」, *spiro*chete「〚細菌〛スピロヘータ」.

déath spìral (フィギュアスケートのペアで)デス・スパイラル.
deflátionary spíral 〚経済〛連鎖的なデフレ.
inflátionary spíral 〚経済〛悪性インフレ.
plà·no·spí·ral 形 〚生物〛(殻が)平巻きの.
ù·ni·spí·ral 形 らせんが一つの.
vícious spíral 〚経済〛悪循環.

-spi·ra·tion /spəréiʃən/

連結形 息を吹き込まれたもの[こと].
★ 名詞をつくる.
★ 語末にくる関連形は -SPIRE.
★ 語頭にくる関連形は spir-: *spir*it「霊魂」, *spir*acle「呼吸孔」.
◆ ラテン語 *spirātus*(*spirāre*「息を吹き込む」の過去分詞)より. ⇨ -ATION.
[発音] -spiration の第 2 音節に第 1 強勢が置かれる.

as·pi·ra·tion 名 (…への)強い願望, 熱望, あこがれ.
con·spi·ra·tion 名 協力.
in·spi·ra·tion 名 霊感, インスピレーション.
per·spi·ra·tion 名 汗.
res·pi·ra·tion 名 ☞
sus·pi·ra·tion 名 長嘆息, 長大息.
tran·spi·ra·tion 名 発散(作用); 発散物.

-spire /spáiər/

連結形 呼吸する; 息を吹きかける; 熱望する.
★ 語末にくる関連形は -SPIRATION.
★ 語頭にくる形は spir-: *spir*it「霊魂」, *spir*acle「呼吸孔」.
◆ ラテン語 *spirāre*「呼吸する」より.

as·pire 動自 (…したいと)熱望する, あこがれる.
con·spire 動自 共謀する, 陰謀を企てる.
in·spire 動他 〈人を〉奮い立たせる.
per·spire 動自 汗をかく, 発汗する.
re·spire 動自 呼吸する, 息をする.
sus·pire 動自 《古・詩語》ため息をつく.
tran·spire 動自 起こる, 生じる, 発生する.

spir·it /spírit/

名 **1**精霊. **2**心; 気風; …精神. **3**〚薬学〛エチルアルコール, 酒精(剤). ── 動他 …に生気を与える.

ástral spírit 星霊: 星界の聖霊.
aviátion spìrit 航空ガソリン.
commúnity spírit 共同体意識.
dis·pír·it 動他 …の元気を失わせる, 気力をくじく.
dis·spír·it 動他 《廃》=dispirit.
Dúnkirk spírit ダンケルク魂: 重大局面に立たされても断念しないこと.
en·spír·it 動他 =inspirit.
éthyl nítrite spírit 〚薬学〛甘硝石精, 亜硝酸エチル精.
famíliar spírit 使い魔, 使いの精.
frée spírit 束縛されない精神の持ち主.
Gréat Spírit (土着宗教の)主神, 部族主神.
guárdian spírit (土地・人間などの)守護神, 守り神.
hígh spírit 意気, 気骨, 気概.
Hóly Spírit 聖霊, (ギリシャ正教で)聖神.
in·spír·it 動他 〈人を〉活気づける, 鼓舞する.
méthylated spírit 《主に英》変性アルコール.
mótor spìrit 《主に英》内燃機関用燃料.
objéctive spírit 〚哲学〛客観的精神.
péppermint spìrit はっか精, ペパーミント.
próof spìrit プルーフスピリット, 標準強度のアルコール飲料.
subjéctive spírit 〚哲学〛主観的精神.
tín spírit 錫(ｽｽﾞ)精, チンスピリット.
whíte spírit 〚化学〛ホワイトスピリット.
wóman·spìrit 女性中心の霊性[宗教精神].
wóod spìrit 〚化学〛メチルアルコール.
wórld spírit 神; 世界霊魂.

spir·it·ed /spíritid/

形 〈人が〉元気のよい; 《複合語》…の精神を持つ. ⇨ -ED[2].

hígh-spírited 形 威勢のいい, 元気あふれる.
lów-spírited 形 元気のない, 意気消沈した.

méan·spírited 形 狭量な, 卑劣な, 不寛容な.
póor-spírited 形 元気のない; 臆病な; 卑劣な.
públic·spírited 形 公共心に富む.

spir·its /spírits/

名複 spirit「生気, 蒸留酒」の複数形.

ánimal spírits 活力の横溢(おう), 精気.
árdent spírits 火酒.
lów spírits 失意, 落胆.
méthylated spírits 《主に英》変性アルコール.
míneral spírits 【石油精製】ミネラルスピリット.
néutral spírits 中性スピリット.
petróleum spírits 【化学】=mineral spirits.

spit /spít/

名 **1** 唾液(だえき); つばを吐くこと. **2** 《話》生き写し.

bíg spít 《俗》吐くこと, もどすこと.
cúckoo-spìt 名 アワフキムシの泡.
déad spít 《話》(…と)瓜二つのもの[人].
fróg spìt 固まって淡水に浮いている糸状の緑藻類数種の総称.
reády-to-spít 形 《俗》射精寸前の.
snáke spìt =cuckoo-spit.

splash /splǽʃ/

名 **1** はね散らすこと[音]. **2** しぶき, はね. ►擬声語.

báck·splàsh 名 跳ねよけのパネル, 汚れよけ.
blúe splásh 《米俗》LSD.
splísh-splàsh 名間 バシャバシャ, ザブンザブン.
wáter·splàsh 《主に英》浅瀬, 道を横切る浅い流れ.

spleen·wort /splíːnwə̀ːrt, -wɔ̀ːrt | -wə̀ːt/

名 チャセンシダ属とヘラシダ属のシダの総称. ⇨ WORT.

ébony spléenwort ハシゴチャセンシダ.
máidenhair spléenwort チャセンシダ.
móther spléenwort コモチヒノキシダ.
sílvery spléenwort オシダ科ヘラシダ属のシダ.

splice /spláis/

動他 **1** 〈綱を〉組み継ぎする. **2** 〈木材などを〉継ぐ. ━━名 **1** (綱の)組み継ぎ. **2** (木材などの)重ね継ぎ.

báck·splìce バックスプライス: ロープの組み継ぎの仕上げの重ね結び.
cómma splìce 【文法】コンマ誤用.
cúnt splìce (2本の綱の)めど空け継ぎ.
éye splìce アイスプライス: 索の端部を折り返して作った環.
lóng splíce (索・綱の)長撚(よ)り継ぎ.
shórt splíce ショートスプライス: 撚(よ)り継ぎの一種.
squáred splíce =square splice.
squáre splìce 【木工】相欠き接ぎの一種.

split /splít/

動他 縦に(層状に)割る, 断ち割る, 裂く, そぐ. ━━名 **1** 割る[裂く]こと. **2** 《話》スプリット: バナナなどのスライスにアイスクリームを乗せシロップをかけたデザート. **3** 【ボウリング】スプリット.

báby splìt 【ボウリング】ベビースプリット.
banána splìt バナナスプリット: ケーキの一種.
bíg splít 《豪俗》吐くこと.
Córnish splít =Devonshire split.
Dévonshire splít デボンシアスプリット: 上部が割れた小形の丸いパン.
dódo splìt 《俗》【ボウリング】ドードースプリット.
líckety-splít 副形 《米・カナダ話》全速力で[の].
stóck splìt 【証券】株式分割.

split·ter /splítər/

名 split する人[もの]. ⇨ -ER[1].

béam splìtter 【光学】【写真】ビームスプリッター.
míddle·splìtter 【農業】畝立て機(lister).
pín·splìtter 《ゴルフ俗》上手なゴルファー.
ráil-splìtter 丸太から横木を作る人[もの].
síde·splìtter 大笑いさせるもの(ジョークなど).
whísker-splìtter 《米俗》売春婦と遊ぶ男.

split·ting /splítiŋ/

形 割る(ような); 割れる(ような). ━━名 分配すること. ⇨ -ING[2], -ING[1].

ear·split·ting 形 〈音・声が〉耳をつんざくような.
fee-split·ting 名 (患者[顧客]を紹介した医師[弁護士]間で)謝礼を配分するやり方.
hair·split·ting 名 つまらないことにうるさいこと.
side·split·ting 形 腹の皮がよじれるほどの.

-spo·ken /spóukən/

連結形 話しぶり[口先]が…な.
★ 形容詞をつくる.
★ 語末にくる関連形は -SPEAK.
◆ speak「話す」の過去分詞. ⇨ -EN[3].

blúff-spóken 形 威嚇的な話しぶりの.
blúnt-spóken 形 ぶっきらぼうな.
cívil-spóken 形 言葉の丁寧な.
fáir-spóken 形 言葉遣いが丁寧な, いんぎんな.
frée-spóken 形 自由に[遠慮なく]ものを言う.
kínd-spóken 形 親切な話しぶりの.
míld-spóken 形 穏やかな話しぶりの.
out·spo·ken 形 〈言葉・意見などが〉率直な.
pláin-spóken 形 〈言葉などが〉ぶっきらぼうな.
pléasant-spóken 形 こころよい話しぶりの.
polítely-spoken 形 丁寧な話しぶりの.
quíck-spóken 形 口早の.
quíet-spóken 形 穏やかな話しぶりの.
róugh-spóken 形 言葉遣いのぞんざいな.
shórt-spóken 形 〈話し方が〉そっけない.
smóoth-spóken 形 穏やかに話す; すらすら話された.
sóft-spóken 形 穏やかな話し方をする.
wéll-spóken 形 雄弁な, 話し上手な.

-spond /spɑ́nd | spɔ́nd/

連結形 誓約する, 約束する.
★ 語頭にくる形は spons-: *spons*or「指導教師; 後援者」, *spons*ion「保証」.
◆ ラテン語 *spondēre*「誓約する, 約束する」より.

de·spond 動自 失望する, 力を落とす, はかなむ.
re·spond 動自 返事をする, 返答する, 答える.

sponge /spʌ́ndʒ/

名 **1** 【生物】海綿動物. **2** 海綿状の物, スポンジ.

báth spònge 浴用海綿, バススポンジ.
gráss spònge 海綿の一種.
hárdhead spónge 骨格が粗く, 繊維質で弾性のある商業用海綿.
íron spónge 【冶金】海綿鉄.
mí·cro·spònge 名 マイクロスポンジ: 微小な穴を持つ超

S

小型スポンジ.

shéepswòol spònge ＝wool sponge.
végetable spònge 乾燥させたヘチマの繊維質の中身.
vélvet spònge ビロード海綿.
wóol spònge 羊毛海綿.

spoon /spúːn/

名 さじ, スプーン.

ácorn spòon 柄先にどんぐりに似た飾りのあるスプーン.
Apóstle spòon 十二使徒の一人の像が柄の末端についている銀のさじ.
báffing spòon 〖ゴルフ〗バッフィ.
bár·spòon バースプーン.
bérry spòon ベリースプーン.
bóuillon spòon ブイヨンスプーン.
cáddy spòon 《英》キャディスプーン.
cóffee spòon コーヒースプーン.
cóke·spòon 《米麻薬俗》＝flake spoon.
dessért·spòon デザート用スプーン(一杯の量).
díamond-pòint spóon 柄の端に先のとがった角柱形の取っ手のついたスプーン.
égg spòon エッグスプーン.
fláke spòon 《米俗》コカインの粉を鼻まで運ぶ小さじ.
gréasy spóon 《俗》非衛生的な安食堂.
méasuring spòon 計量スプーン.
móte spòon 茶漉(こ)し用スプーン.
pied-de-bíche spòon 三つまたさじ.
púnch spòon ポンチスプーン.
Púritan spòon ピューリタンスプーン.
rúncible spóon サービス用スプーン.
sált spòon (小型の食卓用)塩さじ.
slótted spóon 穴付き大型スプーン.
sóup·spòon (通例, 円形の)スープ用大スプーン.
spéar-head spòon ＝diamond-point spoon.
súgar spòon シュガースプーン.
táble·spòon テーブルスプーン.
téa·spòon ティースプーン, 茶さじ.
wóoden spóon 木さじ.

S

-s·po·ra /spərə/

連結形 胞子.
★ 名詞をつくる.
★ 語末にくる関連形は -SPORE.
★ 語頭にくる関連形は spor(i)-, sporo-: *spor*angium「胞子嚢(のう)」, *sporo*blast「胞子細胞」.
◆ ＜近代ラ＜ギ *sporá*「種まき, 種」. ⇨ -A[1].
[発音] 直前の音節に第 1 強勢.

neu·ros·po·ra 名 〖菌類〗ニューロスポラ, アカパンカビ.
ret·i·nis·po·ra 名 ヒノキ, サワラ, コノテガシワなどの園芸用の樹木の名称.

spo·ran·gi·um /spərǽndʒiəm/

名 〖植物〗〖菌類〗胞子嚢(のう)(spore case). ⇨ -IUM.
★ 語末にくる関連形は spor(i)-, sporo-: *sporo*blast「胞子細胞」.

mac·ro·spo·ran·gi·um 名 ＝megasporangium.
meg·a·spo·ran·gi·um 名 大胞子嚢.
mic·ro·spo·ran·gi·um 名 小胞子嚢.
tet·ra·spo·ran·gi·um 名 四分胞子嚢.
zoo·spo·ran·gi·um 名 遊走子嚢.
zy·go·spo·ran·gi·um 名 接合胞子嚢.

-spore /spɔ̀ːr/

連結形 〖植物〗〖菌類〗胞子, 芽胞.
★ 名詞をつくる.
★ 語末にくる関連形は -SPORA, -SPORIC, -SPOROUS, -SPORY.
★ 語頭にくる形は spor(i)-, sporo-: *spor*angium「胞子嚢(のう)」, *sporo*blast「胞子細胞」.
◆ ＜近代ラ *spora* ＜ギ *sporá* 種まき, 種.

ac·ro·spore 名 頂生胞子.
ae·ci·o·spore 名 サビ胞子.
an·dro·spore 名 精子体胞子, アンドロ胞子.
a·plan·o·spore 名 不動胞子.
ar·che·spore 名 胞原細胞(群).
ar·thro·spore 名 有節胞子, 分節胞子.
as·co·spore 名 子嚢(しのう)胞子.
au·to·spore 名 (藍藻や緑藻の)オート胞子.
aux·o·spore 名 細胞壁が形成される前の原形質.
a·zy·go·spore 名 非[偽]接合胞子.
bal·lis·to·spore 名 射出胞子.
ba·sid·i·o·spore 名 担子胞子.
blas·to·spore 名 出芽胞子, 出芽型分生子.
car·po·spore 名 果胞子.
chla·myd·o·spore 名 厚膜胞子, 芽条胞子.
en·do·spore 名 内生胞子.
ep·i·spore 名 上膜.
ex·o·spore 名 外生胞子.
gym·no·spore 名 裸胞子.
hel·i·co·spore 名 渦巻き[らせん]状胞子.
mac·ro·spore 名 ＝megaspore.
meg·a·spore 名 大胞子.
mi·cro·spore 名 小胞子.
mi·to·spore 名 栄養胞子.
myx·o·spore 名 粘菌胞子.
o·o·spore 名 卵胞子.
par·the·no·spore 名 単為胞子.
per·i·spore 名 胞子膜.
plan·o·spore 名 運動性胞子, 遊走子.
pyc·ni·o·spore 名 柄(へい)胞子.
spo·ran·gi·o·spore 名 胞子嚢(のう)胞子.
te·leu·to·spore 名 ＝teliospore.
te·li·o·spore 名 冬胞子.
tet·ra·spore 名 四分胞子.
u·re·di·o·spore 名 夏(か)胞子.
u·re·do·spore 名 ＝urediospore.
zo·o·spore 名 遊走子.
zy·go·spore 名 接合胞子.

-spor·ic /spɔ́ːrik, spɑ́r-|spɔ́ːr-/

連結形 -sporous の異形.
★ 語頭にくる関連形は spor(i)-, sporo-: *spor*angium「胞子嚢(のう)」, *sporo*blast「胞子細胞」.
◆ -SPORE＋-IC[1].

ap·o·spor·ic 形 〖植物〗無胞子生殖の.
ar·thro·spor·ic 形 〖生物〗有節[分節]胞子の.
as·co·spor·ic 形 〖菌類〗子嚢(しのう)胞子の.
car·po·spor·ic 形 〖植物〗果胞子の.
mac·ro·spor·ic 形 ＝megasporic.
meg·a·spor·ic 形 〖植物〗大胞子の; 胚嚢(はいのう)の.
mi·cro·spor·ic 形 〖植物〗小胞子の; 花粉粒の.
o·o·spor·ic 形 〖生物〗卵胞子の.
te·li·o·spor·ic 形 〖菌類〗冬胞子の.
tet·ra·spor·ic 形 〖植物〗四分胞子の.
zo·o·spor·ic 形 〖植物〗〖菌類〗〖動物〗遊走子の.
zy·go·spor·ic 形 〖植物〗〖菌類〗接合胞子の.

-spor·ous /spɔ́ːrəs/

連結形 〖生物〗(ある種・数の)胞子のある (having spores).
★ 形容詞をつくる.
★ 語末にくる関連形は -SPORE, -SPORIC.
★ 語頭にくる関連形は spor(i)-, sporo-: *spor*angium「胞子嚢(のう)」, *sporo*blast「胞子細胞」.
◆ ギリシャ語 *-sporos* より. ⇨ -OUS.

het·er·os·po·rous 形 異形胞子の.
ho·mos·po·rous 形 同形胞子の.
i·so·spor·ous 形 同形胞子の.

sport /spɔ́ːrt/

名 **1** スポーツ(全般), 運動. **2**〖生物〗突然変異体.

árt·sport 体操や運動競技の動きを取り入れたモダンダンスの一形式.
blóod spòrt (闘牛, 狩猟など)血を見るスポーツ.
búd spòrt 芽条突然変異(bud mutation)による植物体の変異部分.
cóntact spòrt 相手と身体的接触があるスポーツ.
flásh-spòrt 《米黒人俗》派手にめかし込んだ男.
góod spórt 《米俗》フェアーな[いさぎよい]人.
spéctator spòrt 見るスポーツ.
spóil·spòrt 《話》他の人の興をそぐ人.
wáter·spòrt 水上スポーツ; 《俗》尿に関するセックスプレイ.

sports /spɔ́ːrts/

名複 sport「スポーツ」の複数形.

aquátic spòrts 水上競技.
athlétic spòrts 陸上競技.
Extréme spòrts 過酷な条件下での危険なスポーツ.
fíeld spòrts 野外スポーツ.
mótor·spòrts 名複 モータースポーツ.
óutdoor spòrts 野外スポーツ(狩猟・魚釣り・競馬など).
schóol spòrts 《英》学校の運動会.
trásh spòrts 《米》(テレビ放映される)有名人スポーツ大会.
wáter spòrts ＝aquatic sports.
wínter spórts 冬季競技.

-spo·ry /spɔ̀ːri, spəri/

連結形 …な胞子を有する状態[性質].
★ 名詞をつくる.
★ 語末にくる関連形は -SPORE.
★ 語頭にくる関連形は spor(i)-, sporo-: *spor*angium「胞子嚢(のう)」, *sporo*blast「胞子細胞」.
◆ -SPORIC＋-Y[3].

ap·o·spor·y 名 〖植物〗無胞子生殖, アポスポリー.
het·er·os·po·ry 名 〖植物〗異形胞子性, 異形胞子形成.
ho·mos·po·ry 名 〖植物〗同形胞子形成.

spot /spát | spɔ́t/

名 **1**(泥・血・インキなどの付着による)よごれ. **2**(円形で)小さなまだら. **3**(特定の)場所. **4**《話》歓楽場. **5**(トランプ)マーク; (さいころなどの)目. **6**《米俗》《数詞を伴って》…紙幣.

báby spót 〖演劇〗ベビー(スポットライト).
béauty spòt つけぼくろ; 景勝地.
bláck spót 〖植物病理〗黒斑(こくはん)病.
blínd spòt 〖解剖〗(網膜)盲点.
blúe spót ＝Mongolian spot.
brówn spót 〖植物病理〗褐斑(かっぱん)病.
cárbon spòt 〖宝石〗カーボンスポット.
cóld spòt 〖生理〗冷点(cold point).
compárative spót 比較スポット広告.
cópper spót 〖植物病理〗豹紋(ひょうもん)病.
C-spòt 名 《米俗》100ドル紙幣. ►C はローマ数字の C(100)より.
déad spòt ＝blind spot.
déuce spòt 《米俗》(寄席・演芸の)第2幕.
dóllar·spòt 名 〖植物病理〗ダラースポット.
éight-spòt 名 《俗》トランプの8の札.
éye·spòt 名 眼点: 鞭毛(べんもう)虫の視覚器官.
fáil spòt 森林再生がかなわなかった場所.
fínd·spòt 名 〖考古〗出土地点.
fín·spòt 名 〖魚類〗アサヒギンポ科 *Paraclinus* 属のギンポの総称.
fíve-spòt 名 トランプの5の札; さいころの5の目.
flát spòt 〖自動車〗フラットスポット.
fórty-spót 名 《豪》〖鳥類〗タスマニア産ホウセキドリ.
fóur-spòt 名 トランプの4の札; さいころの4の目.
gárden spòt 家庭菜園.
Gräfenberg spòt 〖医学〗G スポット: 膣の前壁にある斑状の部位.
gréase spòt 油のしみ, 油滴.
Ǵ spòt ＝Gräfenberg spot.
héat·spòt 名 〖解剖〗温点.
héli·spòt 名 臨時ヘリコプター着陸地.
hígh spót 最も重要な点[場所].
hót spòt 《米》政治的[軍事的]紛争地帯; 危険地域; 高温部; 《話》盛り場, はやっている場所, 最高に楽しいところ.
hót-spòt 動他 〈山火事を〉頻発地帯で食い止める.
Jónathan spòt 〖植物病理〗紅玉斑点病.
léaf spòt 〖植物病理〗(葉の)病斑, 斑点.
léopard spòt 〖軍事〗散在する占領地点[地域].
mágic spót 〖生化学〗マジックスポット(MS).
Mongólian spót 〖病理〗蒙古斑(もうこはん).
Mýstery Spót (観光名所となる)ミステリースポット.
níght·spòt 名 《話》ナイトクラブ(nightclub).
níne-spòt 名 《俗》トランプの9の札.
óil spòt 〖植物病理〗油点.
óne-spòt 名 さいころの1の目.
ón-the-spòt 形 現場[現地]の; 即座[即決]の.
pépper spòt 〖植物病理〗そばかす病, 黒点病.
pínk spót 〖医学〗ピンクスポット.
pín spòt 〖演劇〗ピンスポット.
pín-spòt 動他 〖演劇〗ピンスポットを当てる.
plágue spòt 〖病理〗(ペストによる)斑点.
Réd Spòt 〖天文〗大赤斑(Great Red Spot).
ríng spòt 〖植物病理〗輪紋病, 輪点病.
séven-spòt 名 《話》トランプの7の札.
síx-spòt 名 トランプの6の札; さいころの6の目.
sóft spòt 弱点, 不利な立場[地位, 状態].
stár·spòt 名 〖天文〗恒星の表面の暗い部分.
sún·spòt 名 〖天文〗太陽黒点.
swéet spót 〖スポーツ〗スイートスポット.
témperature spòt 〖生理〗温度点.
tén-spòt 名 (トランプの)10の札.
thrée-spòt 名 トランプの3の札; さいころの3の目.
tíght spót 《話》本当に困った状況, 窮地.
tróuble spòt 紛争の危険をはらんだ地域.
twó-spòt 名 トランプの2の札; さいころの2の目.
wárm spòt 〖生理〗温点.
wáter spòt 〖植物病理〗水腐れ.
whíte spót 《米俗》黒人とだけつき合う白人.
yéllow spòt 〖眼科〗(網膜)黄斑.

spot·ter /spátər | spɔ́tə/

名 民間対空監視員. ⇨ -ER[1].

fíre·spòtter 名 (空襲時の)火災警備員.
pín·spòtter 名 〖ボウリング〗ピンセッター.
tráin·spòtter 名 《英》(趣味で)機関車のナンバーを調べ記録する人.
trénd spòtter (ファッションなどの)流行評論家.

spout /spáut/

名 **1**(穀物や粉などを放出したり運んだりする)樋(とい). **2** 雨樋. **3**(液体や粒状物質などの)噴出.

dówn·spòut 名 《米・カナダ》縦樋.
dráin·spòut 名 =downspout.
éave spòut 《主にニューイング》=waterspout.
ráin·spòut 名 =waterspout.
sánd spòut 塵(ち)旋風.
wáter·spòut 名 縦樋.

spray /spréi/

名 (水・液体の)しぶき, 水煙.

áir-sprày 形 圧縮空気噴霧(器)の.
flý-sprày ハエ取りスプレー.
háir sprày ヘアスプレー(hair lacquer).
násal sprày 〖耳鼻科〗鼻腔(びこう)スプレー.
rè·spráy 動他 〈果樹などに〉再び消毒液を噴霧する.

spray·er /spréiər/

名 霧吹き, 噴霧器. ⇨ -ER[1].

áir sprày·er 空気噴射器, 圧縮空気噴射器.
cóncentrate spráyer 〖農業〗濃厚噴霧機.
púsh-dòwn spráyer 内圧式スプレイヤー.
spéed sprày·er =concentrate sprayer.

spread /spréd/

動他 …を広げる. ──名 **1** 広がり, 幅; 隔たり, 差. **2**〖ジャーナリズム〗(新聞・雑誌の)大見出し記事; 見開きページ. **3**(ベッドなどの)掛け布. **4**〖料理〗スプレッド.

béd·sprèad (装飾用の)ベッドカバー.
be·spréad 動他 (…を)一面に広げる, (…で)覆う.
cénter sprèad 〖ジャーナリズム〗中央見開きページ.
chéese sprèad チーズスプレッド.
dáily spréad パンやビスケットに塗って食べる乳製品の一種.
déw-point sprèad 〖気象〗露点差, 気温露点温度差.
dis·préad 動他 広げる, 開く.
dis·spréad 動他 =dispread.
dóuble spréad 見開き.
hórn-sprèad (有角動物で)左右の角の先端間の幅.
míddle-àged spréad 中年太り.
òut·spréad 動他 広げる, 広める; 延ばす.
òver·spréad 動他 …を一面に覆う, の上一面に広げる.
phóto sprèad =picture spread.
pícture sprèad 〖ジャーナリズム〗大見出し記事.
póint sprèad 〖賭博〗ポイント・スプレッド方式.
wíde·spréad 形 大きく広げた; 広々とした.
wíng·sprèad 全翼長, 翼幅.

spread·ing /sprédiŋ/

名 広がること. ──形 広がっている. ⇨ -ING[1], -ING[2].

band·spread·ing 名 〖電子工学〗バンドスプレッド.
ócean-flòor sprèading =sea-floor spreading.
séa-floor sprèading 〖地球物理〗海洋底拡大.
wide-spread·ing 形 広域を覆う, 広がっている.

spring /spríŋ/

動自 生じる, 起こる. ──名 **1** 跳ぶこと, 跳ねること. **2** ばね. **3** 泉; 源泉. **4** 春.

áir sprìng 〖機械〗空気(緩衝)ばね.
bálance sprìng =hairspring.
béd·sprìng 〖機械〗ベッドスプリング.
Bélleville spríng 〖機械〗皿ばね.
bóx sprìng ちょうちんばね, ボックススプリング.
cée sprìng (馬車に用いる)C スプリング.
cóil sprìng コイルばね, つる巻き[渦巻き]ばね.
dáy·sprìng 《古》夜明け(dawn, daybreak).
ellíptic spríng 楕円(だえん)ばね, 長円ばね.
farewéll-to-spríng 〖植物〗イロマツヨイグサ.
háir·sprìng 〖時計〗ひげ, ひげぜんまい.
hánd·sprìng 前転[後転]跳び.
hárbinger-of-spríng セリ科の草 *Erigenia bulbosa*.
héad·sprìng (川の)源, 水源.
hót sprìng 温泉.
ínner·sprìng 形 《米》詰め物にばねが入っている.
léaf sprìng 板ばね.
máin·sprìng (時計などの)主ぜんまい.
míneral sprìng 鉱泉.
óff·sprìng (人・動物・植物の)子; 子孫; 子孫.
óil sprìng オイルスプリング.
rè·spríng 〈家具の〉スプリングを(取り)替える.
restóring sprìng 〖機械〗復元スプリング.
sílent spríng 沈黙の春: 有害化学物質の使用により生態系が破壊されたためにもたらされる状態の比喩的表現.
spíral spríng 渦巻き[コイル]ばね, ぜんまい.
súlfur sprìng 硫黄鉱泉.
thérmal spríng 温泉.
ùp·spríng 動自 生じる, 生える(spring up).
volúte sprìng 竹の子ばね.
wárm sprìng 37°C 以下の温泉.
wátch·sprìng 腕[懐中]時計用主ぜんまい.
wéll·sprìng (泉・川などの)源, 水源.

spruce /sprúːs/

名 〖植物〗トウヒ(エゾマツを含む): マツ科トウヒ属の常緑針葉樹.

bálsam sprúce バルサムモミ; メリカハリモミ.
bláck sprúce クロトウヒ(黒唐檜)(spruce pine).
blúe sprúce プンゲンストウヒ(唐檜).
Colorádo sprúce =blue spruce.
Éngelmann sprúce エンゲルマントウヒ.
Nórway sprúce ドイツトウヒ, ヨーロッパトウヒ.
réd sprúce アカミトウヒ.
sílver sprúce =blue spruce.
Sítka sprúce ベイトウヒ(米唐檜), アラスカトウヒ.
whíte sprúce ホワイトスプルース, カナダトウヒ.

sprung /sprʌ́ŋ/

動 spring の過去・過去分詞形. ──形 **1** ばね付きの, スプリング入りの. **2**《俗》ほろ酔いの. **3** 急に生じた.

half-sprung 形 《米俗》ほろ酔いの, 酔っ払った.
knee-sprung 形 〖獣病理〗〈馬・ロバなどが〉(炎症のために)ひざが前屈した.
new-sprung 形 新しく現れた; 突然現れた.
un·sprung 形 ばね[スプリング]が付いていない; 弾力のない.

spun /spʌ́n/

動 spin「紡ぐ」の過去・過去分詞形.

fíne·spún 形 極細に紡いだ.
hárd-spún 形 〈紡績糸が〉堅撚(より)りの.
hóme·spùn 形 家庭で手で紡いだ, 手織りの.
wíre·spùn 形 針金のように引き伸ばされた.

spurge /spə́ːrdʒ/

名 〖植物〗タカトウダイ属の植物の総称; ポインセチアなど.

Alleghény spúrge アレガニー・フッキソウ(富貴草).
cáper spùrge ホルトソウ(gopher plant).
cýpress spùrge トウダイグサ属の多年草.

S

ípecac spùrge トウダイグサ科の多肉植物.
Jápanese spúrge フッキソウ(富貴草).
sún spùrge トウダイグサ.
wóod spùrge タカトウダイ属の多年草の総称.

spy /spái/

名 スパイ, 間諜(かんちょう), 密偵.

cóunt·er·spy 名 逆スパイ, 対抗スパイ.
híe spỳ =hy spy.
hý spỳ 〖遊戯〗《英》隠れんぼの一種.
lábor spỳ 労働スパイ.
Nórthern Spý 〖植物〗キミガソデ(君が袖).
óutput spỳ 《米ハッカー俗》出力スパイ.

squad /skwád | skwɔ́d/

名 〖軍事〗分隊.

áwkward squàd 〖軍事〗新兵班.
béef squàd 《米俗》(特に労働争議用の)お抱え用心棒たち.
bómb squàd 爆弾 [不発弾] 処理班.
bów-and-àrrow squàd 《米俗》(警官の)武器を必要としない任務.
déath squàd 暗殺者集団.
drúg squàd 麻薬取締り(特捜)隊.
fíring squàd 銃殺隊.
flýing squàd 《主に英》機動隊, 特務隊, 遊撃隊.
Fráud Squàd 《英》会社詐欺捜査班.
Gód squàd 《俗》伝道者の一団.
góon squàd 《俗》=beef squad.
hít squàd 《俗》暗殺団, 殺し屋チーム.
Jáde Squàd ジェイド部隊: ニューヨーク市警の対アジア人犯罪用の特別チームの俗称.
júnk squàd 《米暗黒街俗》麻薬特捜班.
Múrder Squàd 《英話》殺人班.
ríot squàd 特別機動隊, 暴動鎮圧隊.
snátch squàd 《英》(警察の)主謀者引き抜き班.
súicide squàd 〖軍事〗特攻隊, 決死隊.
táxi squàd 〖アメフト〗タクシースクアッド.
více squàd 風紀犯罪取締班.

squall /skwɔ́:l/

名 (雨・雪・みぞれなどを伴う)突風, 疾風(はやて), スコール.

árched squáll 〖気象〗アーチ形スコール.
bláck squáll 〖気象〗黒雲疾風(はやて).
líne squàll 〖気象〗線スコール.
ráin·squàll =squall.
thúnder·squàll 雷鳴と稲妻を伴うスコール.
whíte squàll 〖海事〗無雲はやて.

square /skwέər/

名 **1** 正方形, 真四角. **2** (四角い)広場. ►通り名などに使われる. **3** 〖数学〗平方, 二乗. **4** 直角定規.

áll squáre 〈両者が〉貸し借りなしで.
bárrack squàre 営庭.
bével squàre 〖木工〗角度定規.
Búghouse Squáre 大都会の街路の四つ角や公園内の木陰のある遊歩場.
cáliper squàre 〖機械〗ノギス(caliper).
chí-squàre 〖統計〗カイ二乗.
combinátion squàre 〖木工〗組み合わせ物差し.
cút squáre 〖切手収集〗カットスクエア.
fíve squàre 形 《米俗》(無線の受信状態が)良好な.
Fóley Squáre 《米俗》連邦捜査局(FBI).
fóur·squàre 形 正方形の, 四角な.
fráming squàre 〖木工〗矩尺, 曲尺(かねじゃく).
héad·squàre 《英》ヘッドスカーフ(headscarf).
hóllow squáre 〖軍事〗〖歴史〗中央をあけて正方形に配した歩兵隊の隊形.
Látin squáre 〖数学〗ラテン方陣.
Ĺ squáre 〖木工〗(大工の用いる)曲尺(かねじゃく).
mágic squáre 方陣, 魔方陣.
méan squáre 〖統計〗平均平方.
míter squàre 45度定規.
pérfect squáre 〖数学〗完全平方.
pócket-squàre ポケットチーフ.
Prínting Hòuse Squáre (London の)プリンティング・ハウス・スクエア.
Réd Squáre (Russia の)赤の広場.
róot méan squáre 〖数学〗2乗平均.
sét squàre 三角定規.
stéel squàre 〖木工〗=framing square.
tée-squàre =T-square.
thrée-squàre 形 〈やすりなどが〉正三角形の断面を持つ.
Tímes Squáre タイムズスクエア: New York 市 Manhattan 区中心部の43番街から47番街に及ぶ広い交差点.
Trínity Squáre (London の)トリニティースクエア.
trý squàre 〖木工〗曲尺(かねじゃく), 直角定規.
T́ squàre (製図用の)T 定規.
Únion Squáre ユニオン・スクエア: New York の Manhattan 中央部にある広場; San Francisco 中心の広場.
wórd squàre 四角連語, 語方陣: 縦横どちらに読んでも同じようになる語表.

squash /skwáʃ, skwɔ́:ʃ | skwɔ́ʃ/

名 カボチャ.

ácorn squàsh (どんぐり形の)ペポ種のカボチャ.
búttercup squàsh クリカボチャの栽培品種.
búttemut squásh バターナットカボチャ.
Húbbard squásh ハバード: クリカボチャの一品種.
kabócha squàsh カボチャ.
mángo-squàsh ハヤトウリ: 熱帯アメリカ産のウリ科の蔓(つる)植物.
márrow squàsh ポンキン, カザリカボチャ.
páttypan squàsh ペポカボチャ.
scállop squàsh =pattypan squash.
spaghétti squàsh カボチャ(ウリ科)の一栽培変種.
súmmer squásh 《米》ペポカボチャの数種の変種.
túrban squàsh セイヨウカボチャのターバン品種.
wínter squásh 冬カボチャ.

squat /skwát | skwɔ́t/

名 **1** しゃがむこと. **2** 《米俗》無, ゼロ.

an·ti·squat 名 (自動車の)しゃがみ込み防止(設計).
díddly-squàt 名 《米俗》=doodly-squat.
dóodly-squàt 名 《米俗》最低線, ごく少量, ゼロ以下.
hót squát 《米俗》電気椅子.

squeeze /skwí:z/

動他 圧搾[圧縮]する, 締めつける. ──名 **1** 圧搾, 圧縮. **2** 〖野球〗スクイズ.

crédit squèeze 〖経済〗金融引き締め.
máin squéeze 《米俗》(組織の)重要人物. ボス.
prófit squèeze 利潤の圧縮.
sáfety squéeze 〖野球〗セーフティースクイズ.
súicide squèeze 〖野球〗自殺スクイズ.
tíght squéeze 《話》窮地, 苦境.

squir·rel /skwə́:rəl, skwʌ́r- | skwír-/

S

名〖動物〗リス. ⇨ -EL[1].

bláck squírrel クロリス.
cát squìrrel 《主に米南部》=gray squirrel.
Dóuglas squírrel ダグラスリス.
flýing squírrel ムササビ, モモンガ.
fóx squìrrel キツネリス.
gráy squírrel ハイイロリス.
gróund squìrrel 地上性のリスの総称.
pálm squìrrel ヤシリス.
pýgmy squírrel ヒメリス.
réd squírrel アメリカアカリス.
róck squìrrel カワリイワジリス.
séam squìrrel 《米俗》シラミ.
strípèd squírrel 背中に縞のあるリスの総称.
trée squìrrel リス.

-ss /s/

音象徴間 蒸気の音や気体・液体が細く勢いよく出ていく音を表す.

hiss 動自 長く引き伸ばした /sː/(スー), /ʃː/(シュー)のような音を出す.
piss 動自《話》しーしーする, おしっこする.
ss 間 スー, シューッ.

-st[1] /st/

接尾辞 -est[1] の異形.
★ 形容詞, 副詞をつくる.

first 形副 ☞
least 形 最も少ない, 最小の.
worst 形 最も悪い, 最低の.

-st[2] /st/

接尾辞 副詞をつくる -s に余剰音 -t(excrescent -t)が付加されたもの.

a·gainst 前 反対して.
a·midst 前 …の真ん中に(amid).
a·mongst 前 …の間に(among).
a·nenst 前《英》…の横に(anent).
midst 前 =amidst.
whilst 接 …する間に(while).

-st[3] /st/

語尾 特に動詞の語尾によく見られる子音結合; 名詞や形容詞の語尾にも見られる. 以下は代表例. 動詞は -stan の -an が落ちてできた.
◆ 古英語起源のものが多いが, 古ノルド語などのゲルマン語にまでさかのぼるものも多い.

burst 動自 爆発する.
east 名 東.
fast 動自 断食する.
ghost 名 幽霊.
mast 名〔海事〕マスト.
twist 動他 撚り合わせる.
west 名 西.
wrest 動 ねじる.

sta·ble /stéibl/

形〈構造・支え・基礎などが〉ぐらつかない, 安定した, 固定した, しっかりした. ⇨ -ABLE.

a·sta·ble 形 安定していない.
bi·sta·ble 形〈電気・電子回路が〉二安定の.
con·sta·ble 名 ☞
in·sta·ble 形 =unstable.
meta·sta·ble 形〖冶金〗準安定(性)の.
mon·o·sta·ble 形〈電子[電気]回路が〉単安定の.
ther·mo·sta·ble 形〖生化学〗耐熱性の.
un·sta·ble 形 (同じ場所に)じっとしていない.

stack /stǽk/

名 **1**(干し草などの)積み重ねた山; 積み重ねたもの. **2** 煙突. ——動他 …を山に積む.

áir stàck 〖航空〗着陸待ちの複数の飛行機.
bóok·stàck 書棚の列.
chímney stàck 組み合わせ煙突.
clósed-stáck 形〈図書館が〉閉架式の.
córn stàck 《Delmarva 半島》トウモロコシ用納屋.
háy·stàck (大きな)干し草の山, 積みわら.
ópen-stáck 形〈図書館が〉開架式の.
séa stàck シースタック: 煙突状に屹立する岩.
smóke·stàck 煙突.
sóil stàck 〖配管〗汚水縦管.
ùn·stáck 動他 積み上げられた山から…を引き抜く.

staff /stǽf, stáːf | stáːf/

名 **1**《集合的》職員, 部員, 局員, スタッフ. **2** 杖(つえ), 棒.

áir stàff 航空幕僚.
báck stàff 背杖(はいじょう).
bálance stàff 〖時計〗てん真.
báss stàff 〖音楽〗低音部譜表.
cróss-stàff 名〖天文〗直角器.
dís·taff 名 糸巻き棒.
énsign stàff (国旗用の)船尾旗ざお.
flág·stàff 名 旗ざお.
fóre·stàff 名 =cross-staff.
géneral stáff 〖軍事〗一般幕僚, 参謀.
gróund stàff 《米》(競技場の)整備員.
hálf-stáff 名 (弔意を示す)半旗の位置.
hánd·stàff 名 殻竿(からざお)(flail)の柄.
jáck stàff 船首旗ざお.
Jácob's stàff 〖天文〗=cross-staff.
léading stàff 牛の鼻輪についた棒.
òver·stáff 動他〈工場・ホテルなどに〉必要以上の数の従業員を置く.
páck·stàff 名《古》行商人が立ち止まって休むとき, 荷物の下に突っかい棒にする杖.
pérsonal stáff 〖軍事〗指揮官専属副官[幕僚].
píke·stàff 名 矛[槍(やり)]の柄.
plów·stàff 名 (鋤(すき)の刃についた土を取り除くための)棒の先に鋤状の道具をつけたもの.
póop stàff =ensign staff.
quár·ter·stàff 名 六尺棒(術).
re·stáff 動他 新しいメンバーで埋める.
róck·stàff 名 ふいごの取っ手.
rúne-stàff 名 ルーン文字が彫ってある魔法の杖.
spécial stáff 〖軍事〗専門[特別]幕僚.
tíde stàff 検潮竿(かん).
típ·stàff 名《古》法廷警吏, 廷丁.
tréble stáff 〖音楽〗高音部譜表.
wálking stàff (歩行用の)杖(つえ).

stage /stéidʒ/

名 **1**(ある過程の)段階, 一歩; (過程・発展における)局面, 時期, 位置. **2**〖演劇〗舞台, ステージ; 公演. **3**〖宇宙〗(多段ロケットの)段.

ápron stàge 張り出し舞台.
aréna stàge 円形舞台: 周囲を客席に囲まれている.
báck·stáge 副 舞台裏で[へ].
commíttee stàge 《英》委員会審議.
dówn·stáge 副 舞台上の前方に[で, へ].
fáre stàge 《英》(バスなどの)一定料金区間.
flóod stàge 高水位(high-water-level).

fóre·stàge 名 舞台の張り出し部.
impérfect stàge 〖菌類〗不完全期［段階, 世代］.
inértial úpper stàge シャトル上段ロケット.
lánding stàge 浮き桟橋.
léft stàge 上手, 左手: 舞台から客席に向かって左側.
matúrity stàge 〖マーケティング〗製品成熟段階.
múl·ti·stàge 形 〈ロケット・誘導ミサイルが〉多段式の.
óff·stàge 副 舞台の陰［袖(そで)］で［へ］.
ón·stàge 副 舞台上で, 舞台の方へ.
óverland stàge 駅馬車(stagecoach).
pérfect stàge 〖菌類〗完全世代, 完全期.
repórt stàge 〖英国議会〗報告審議.
rè·stáge 動他 〈劇を〉再演する.
revólving stàge 回り舞台.
ríght stàge 下手, 右手: 舞台から客席に向かって右側.
sóund stàge 〖映画〗サウンドステージ.
spáce stàge 裸舞台: 立て込みのない簡単な装置だけの舞台.
súb·stàge 名 (顕微鏡の)副載物台, サブステージ.
thrúst stàge ＝apron stage.
tran·stáge 名 (多段式ロケットの)最終段.
univérsal stàge (顕微鏡の)自在回転台, 万能ステージ.
úp·stàge 副 舞台上の奥［後方］で［へ］.
u·ré·do·stàge 名 〖植物〗夏胞子期.
zéro stàge (第)零段ロケット.

stain /stéin/

名 染み, よごれ, 汚染.

blóod·stàin 血の染み, 血痕(けっこん).
blúe stáin 〖植物病理〗青変病.
cóunt·er·stàin 名 〖組織学〗対比染色剤.
de·stáin 動他 〖組織学〗〈標本を〉脱(染)色する.
Giémsa stàin 〖生化学〗ギムザ染色.
Grám's stàin グラム染色法: 細菌の鑑別法の一つ.
pórt-wíne stàin ポートワイン様斑(はん).
shít stàin 《米俗》くそ野郎, ばかたれ.
wánk stàin 《英俗》つまらない［嫌な］やつ.
wéather stàin 風雨による変色［染み］.

stair /stέər/

名 (階段の)一段, 段.

áir·stàir 〖航空〗エアーステア.
báck·stàir 形 〈計画・事柄などが〉遠回しの.
dóg-leg stàir 折り返し階段.
sálmon stàir 鮭梯(けいてい): サケを上流に上がらせるために作った魚梯.

stairs /stέərz/

名複 stair「階段」の複数形.

abóve·stáirs 形副 《主に英》(家族の住む)2階の［で］.
báck stáirs (使用人の用いる)裏階段.
báck·stàirs 形 使用人の［による］.
belów stáirs 《主に英》《もと》召使いが使用した地下室.
belów·stáirs 副形 階下に［の］.
dówn·stáirs 副 階段を降りて.
úp·stáirs 副 階段を登って; 上階［二階］へ［で］.

stake[1] /stéik/

名 (地面に打ち込む)杭(くい), 棒.

grápe stàke ブドウ園用支柱.
púnji stàke (草の中に隠して敵兵の足を刺す)鋭い竹やり.
wóoden-stàke 動他 《米俗》ほっぽっておく.

stake[2] /stéik/

名 (ゲーム・競争・競技などに)賭(か)けられたもの, 賭け金.

grúb·stàke 《もと》探鉱者への供与品; その利益の分け前.
róad stàke 《米渡り労働者俗》旅行費用.
swóop·stàke 副 《廃》無差別に, 見境なく.

stakes /stéiks/

名複 stake[2]「賭け金」の複数形.

hígh-stákes 形 いちかばちかの.
kíd·stàkes 《豪話》ごまかし, 見せかけ.
Núnthorpe Stàkes ナンソープステークス: 毎年八月にイングランドの York で催される競馬.
núrsery stàkes 〖競馬〗2歳馬のレース.
Préakness Stákes 〖競馬〗プリークネスステークス.
swéep·stàkes 《特に米》賞金レース.

stalk /stɔ́ːk/

名 **1** (植物の)茎; 柄. **2** (動物の)柄, 茎状部.

béan·stàlk 豆の茎.
córn·stàlk トウモロコシの茎.
éye·stàlk 〖動物〗眼柄(がんぺい).
flówer stàlk 花柄, 花梗(peduncle).
fóot·stàlk 〖植物〗柄.
léaf·stàlk 葉柄(leafstalk, petiole).
róot·stàlk 根茎, 根状茎(rhizome).
séed·stàlk (アブラナ・フキなどの)薹(とう).
yólk stàlk 〖発生〗卵黄柄.

stall /stɔ́ːl/

名 **1** 馬小屋［牛舎, 家畜小屋］の一頭を入れる一区画. **2** 馬小屋, 牛舎, 家畜小屋. **3** 売店, 屋台店. **4** (教会内陣の)聖職者席. **5** 〖航空〗失速. **6** ストール: 指サック, 指抜きなど手足の指を保護するもの.

bóok·stàll (通例, 古本を扱う)露店の本屋.
bóx stàll 単独畜房.
Chóir-stàll (教会の)聖歌隊席.
cóffee stàll 《英》喫茶軽食の屋台店.
fínger·stàll (指を保護する)指サック.
fóot·stàll (婦人用乗馬鞍の)あぶみ.
frónt·stàll 〖甲冑〗馬面.
héad·stàll (馬などの)頭絡(とうらく), 面繋(おもがい).
hóme·stàll 《英》《方言》農家の中庭.
in·stáll 動他 〈装置などを〉(…に)取りつける, 設備する.
láy·stàll 《英》ごみ捨て場.
néws stàll 《英》(駅などの)新聞・雑誌販売所.
prebéndal stáll 聖堂参事会員の席.
shóck stàll 〖航空〗衝撃波失速.
shówer stàll 1人用シャワー室.
stráight stàll 狭い横長の畜舎.
thúmb·stàll (革製・ゴム製などの)親指サック.
whíp·stàll 〖航空〗急［上昇］失速.

-sta·lsis /stɔ́lsis, stǽl- | stǽl-/

連結形 〖生理〗…蠕動(ぜんどう).
★ 名詞をつくる.
★ 複数形は -stalses.
◆ ＜近代ラ＜ギ *stálsis* 収縮. ⇨ -SIS.

di·a·stal·sis 名 波状蠕動.
per·i·stal·sis 名 (特に消化管の)蠕動.

stamp /stǽmp/

動他 刻印する, スタンプで押す. ── 名 **1** 郵便切手. **2** 《時に複合語》刻印, 証印; (郵便の)消印. **3** 《米》景品

S

スタンプ(券).

báck·stàmp 名 郵便物の裏に押されたスタンプ.
bárred stámp 消印済みの切手.
blínd-stàmp 動他 『製本』空(ｶﾗ)押しする.
chárity stàmp 慈善切手.
cóil stàmp コイル[ロール]切手.
coun·ter·stamp 名 副印, 承認印, 検証印.
dáte stàmp (郵便物などの)日付印, 消印.
dáte-stàmp 動他 …に日付スタンプ[消印]を押す.
dúck stàmp 《米》(渡り鳥保護の)基金切手.
fóod stàmp 《米》食料割引券.
Gréen Shíeld stàmp 《英》買い物クーポン券.
hánd·stàmp 名 =rubber stamp.
héalth stàmp 《NZ》ヘルスキャンプへの慈善切手.
lócal stámp 郵便料金前納を示す紙片.
occupátion stàmp 占領切手.
póstage dúe stàmp 不足料切手.
póstage stàmp 郵便切手.
póstage-stàmp 形 《話》とても小さい, 狭い.
rè·stámp 動他 再び印を押す; 再び切手を張る.
révenue stàmp 収入印紙.
rúbber stámp ゴム印.
rúbber-stámp 動他 …にゴム印を押す.
sávings stàmp 貯蓄スタンプ.
spécial delívery stàmp 《米》特別配達切手.
táx stàmp 納税印紙, 税印.
tíme stàmp 『郵便』タイムスタンプ, 時間印.
tráding stàmp 《米》景品スタンプ[券].

-stan /stæn/

連結形 (国名・地方名として)…スタン.
◆ ペルシャ語 *stān*「国, 地方」より.

A·dzhar·i·stan 名 アジャール自治共和国.
Af·ghan·i·stan 名 アフガニスタン(イスラム国).
Da·ge·stan 名 ダゲスタン(自治共和国).
Hin·du·stan 名 ヒンドスタン.
Ka·fi·ri·stan 名 カフィリスタン: Nuristan の旧名.
Ka·zak·stan 名 カザフスタン共和国.
Kyr·gyz·stan 名 キルギスタン(共和国).
Lu·ri·stan 名 ルリスタン: イランの山岳地方名.
Nu·ri·stan 名 ヌリスタン: アフガニスタンの山岳地方名.
Pa·ki·stan 名 パキスタン(イスラム共和国).
Ta·dzhik·i·stan 名 タジキスタン共和国.
Tur·ke·stan 名 トルキスタン地方.
Turk·me·ni·stan 名 トルクメニスタン(国名).
Uz·bek·i·stan 名 ウズベキスタン共和国.
Wa·zir·i·stan 名 ワジリスタン: パキスタンの山岳地方名.

stance /stæns | stæns, stɑ́ːns/

名 (立っているときの)姿勢, 構え. ⇨ -ANCE[1].

clósed stánce (野球・ゴルフの)クローズドスタンス.
ópen stánce (野球・ゴルフの)オープンスタンス.
squáre stánce (野球・ゴルフの)スクエアスタンス.
thrée-point stánce (アメフトの)3 点スタンス.
twó-póint stànce (アメフトの)2 点スタンス.

-stance /stəns/

連結形 立っているもの[こと].
★ 名詞をつくる.
★ 語頭にくる関連形は sta-, ste-: *sta*bilize「安定させる」.
◆ ラテン語 *stāre*「立つ」より. ◇ -STAND. ⇨ -ANCE[1].
[発音] いずれも 2 音節の語で, 語頭の音節に第 1 強勢.

cir·cum·stance 名 周囲の事情, (付帯)状況, 環境.
dis·tance 名 ☞
in·stance 名 場合, 事実; (過程の)段階, 時期.
sub·stance 名 ☞

stand /stǽnd/

動自 立つ, 立っている. ── 名 **1** 立つこと. **2** 《米》証人席. **3** (競技場などの)観客席. **4** 《しばしば複合語》(物を載せたり, 支えたりする)台, ラック, …立て; 小家具. **5** 屋台, 売店. **6** (タクシー・バスなどの)乗り場.

áltar stànd =missal stand.
bálly stànd 《俗》(見世物・サーカスで)呼び込みやちょっとした芸を行っている台.
bánd·stànd 野外演奏舞台.
béd·stànd (ベッドの脇に置く)小型のテーブル.
bóok·stànd 書見台.
cáb·stànd 《英》タクシー乗り場.
cándle·stànd (細く長い脚の)燭台.
cóck-stànd 《俗》勃起.
compósing stànd 植字台.
crúet stànd 薬味台, 薬味立て.
égg stànd エッグスタンド.
gránd·stànd 特別観覧席.
háll stànd ホールスタンド: 玄関のコート掛け.
hánd·stànd 逆立ち, 倒立.
hárd·stànd ハードスタンド: 重量車や航空機用の舗装駐車[機]場.
hát stànd 《主に英》帽子・コート掛け.
héad·stànd 頭で立つ逆立ち, 三点倒立.
hóme stànd 『スポーツ』本拠地シリーズ.
ínk·stànd インクスタンド.
ínside stànd 《俗》(大がかりな犯行の準備に)仲間を目的の会社などにあらかじめ勤めさせておくこと.
kíck·stànd (自転車などの)キックスタンド.
míssal stànd (特に祭壇上の)ミサ典書朗読台.
múffin stànd マフィンスタンド.
músic stànd 譜面台, 楽譜立て.
néws·stànd (街頭・駅などの)新聞・雑誌販売所.
níght·stànd (ベッドの脇に置く)小型のテーブル.
óne-nìght stánd (巡業劇団などの)一晩興行.
òut·stánd 動自 目立つ.
òver·stánd 動自 『海事』一定の方向に進みすぎる.
pátch·stànd 小型の台座のついた皿.
plánt stànd 植木鉢の置き台.
ríck·stànd 干し草積み台, 干し草掛け.
smóking stànd 灰皿スタンド.
táxi stànd 《米》タクシー乗り場.
tést stànd 『ロケット』試験台.
umbrélla stànd 傘立て.
wáshing stànd =washstand.
wásh·stànd 洗面化粧[用具]台.
wítness stànd 《米》(法廷の)証人席, 証人台.

-stand /stǽnd/

連結形 立つ.
★ 語末にくる関連形は -STANCE, -STANT, -STASIS, -STASIZE, -STAT, -STATIC, -STICE, -STITUTE, -STITUTION, -STITUTIVE.
★ 語頭にくる形は sta-: *sta*bilize「安定させる」.
◆ 中英 *standan*, 古英 *standen* 立つ.

un·der·stand 動他 …を理解する, …が分かる.
with·stand 動他 抵抗する, 逆らう; 耐性がある.

stand·ard /stǽndərd/

名 **1** 基準, 規範. **2** 標準, 規格. **3** (貨幣制度としての)本位. **4** 旗. **5** 垂直に立ったもの. ── 形 標準の.

ámbient áir stàndard 大気汚染許容限度, 大気環境基準.
bóg-standárd 形 《俗》基本的な, 標準の; 平凡な.
dóuble stándard 二重標準[基準].

góld búllion stàndard 〘経済〙金地金本位制, 金塊本位制.
góld cúrrency stàndard 〘経済〙金貨本位制.
góld-exchànge stàndard 〘経済〙金為替本位制.
góld stàndard 〘経済〙金本位制.
lámp stàndard 街灯柱.
líving stàndard 生活水準.
múltiple stàndard 〘経済〙多元的本位.
nòn·stándard [形] 標準的でない, 規格外の.
páper stàndard 〘経済〙紙幣本位制.
Párker Mórris stàndard 《英》〘住宅〙パーカーモリス・スタンダード.
radioáctive stándard 〘物理〙標準放射性物質.
Recéived Stándard 容認標準英語.
róyal stándard 王旗.
sílver stàndard 〘経済〙銀本位制.
síngle stàndard 単一基準.
sùb·stándard [形] 標準以下の, 不十分な.
tábular stándard 〘経済〙計表本位, 物価指数本位.

stand·ing /stǽndiŋ/

[名] (社会的・経済的な)地位, 身分, 格式; 経歴(の長さ), 資格; 評価. ── [形] **1**〈人・物が〉立っている, 直立した. **2**〈事が〉一様に続く. ⇨ -ING[1], -ING[2].

advánced stánding (転入生に対して大学が行なう)他校での履修科目単位承認.
crédit stànding 信用状態.
frée·stánding [形] 〈彫刻・建築の構成要素が〉(それ自体で)独立している.
lóng·stánding [形] ずっと昔からの, 長年の.
nòtwith·stánding [前] 《文語》…にもかかわらず.
òut·stánding [形] 目立つ, 顕著な, 目覚ましい.
sélf-stánding [形] 自立の; それだけで間に合う.
ùp·stánding [形] まっすぐな性格の; 立派な; 率直な.

-stant /stənt/

[連結形] 立っている(こと, もの).
★ 形容詞, 名詞をつくる.
★ 語末にくる関連形は -STAND.
★ 語頭にくる関連形は sta-, ste-: *sta*bilize「安定させる」.
◆ <ラ *stāns*(*stāre*「立つ」の現在分詞). ⇨ -ANT[1].
[発音] すべて 2 音節の語で, 語頭の音節に第 1 強勢.

con·stant [形] ☞
dis·tant [形] 遠い, 遠隔の.
in·stant [名] 一瞬, 瞬時, 瞬間; 即刻, 即座.

stan·za /stǽnzə/

[名] 〘韻律〙詩節, 連, 節.

bállad stànza バラッド連.
elegíac stánza 哀歌連.
heróic stánza =elegiac stanza.
hýmnal stánza 普通律(common measure).
Ómar stánza =Rubaiyat stanza.
Rúbaiyat stànza ルバイヤート風 4 行連句.
Spensérian stánza スペンサー詩体.

star /stɑ́ːr/

[名] **1** 星. **2** (映画などの)スター. ◇ -AR[4].

áll-stàr [形] 一流選手をそろえた.
Américan stár 〘紋章〙モレット: 5 つのとがりのある星形(mullet).
Áp stàr Ap 星.
Á stàr A 型星.
Bárnard's stàr バーナード星.
básket stàr 〘動物〙オキノテズルモズル.
báttle·stàr [名] SF の宇宙戦艦.
báttle stàr 〘米軍事〙従軍星章; 青銅従軍星章.
bínary stár 連星(系).
bláck·stár [形] 〈空港が〉安全性不満足の.
blázing stár 派手な花房をつける数種の植物の総称.
bríttle stàr クモヒトデ.
Brónze Stár 〘米軍事〙青銅星章.
B́ stàr B 型星.
cárbon stàr 炭素星.
compánion stàr 伴星(companion).
có·stàr [名] (主役の)共演スター.
dárk brówn stár 暗褐色星.
dárk stàr 暗黒星.
dáy·stàr [名] =morning star.
déath stàr 死の星: 太陽系にあるとされる暗雲伴星; 正式名 Nemesis.
degénerate stár 縮退星.
Démon Stàr アルゴル(Algol).
Dóg Stàr シリウス(Sirius).
dóuble stár 二重星.
dwárf stár 矮星(わいせい).
éarth·stàr [名] 〘菌類〙ツチグリ.
Éuro·star [名] ユーロスター号: ユーロトンネルを通り Paris と London を結ぶ高速旅客列車.
évening stár 日没時またはその直後に西空に見られる明るい惑星; (特に)宵の明星(金星)(Venus).
fálling stár 流星, 流れ星(meteor).
féather stàr 《俗》ウミシダ, コマチ.
fílm stàr 映画スター.
fíve-stár [形] 《米》(軍隊の階級を表す)五つ星の; 〈レストランが〉五つ星の.
fíxed stár 恒星.
fláre stàr フレア星, 閃光(せんこう)星.
fóur-stár [形] 〘米軍事〙星章 4 個の, 将軍の.
F́ Stàr F 型星.
fundaméntal stár 基準星.
gíant stár 巨星.
góld stár 《米》金星章.
Ǵ stàr G 型星.
hígh-velócity stár 高速度星.
ínfrared stár 赤外線星.
ín·star [動他] …に星をちりばめる.
Ḱ stàr K 型星.
léather stàr 北米西岸のヒトデの一種.
lóad·stàr [名] =lodestar.
lóde·stàr [名] 道しるべの星.
magnétic stár 帯磁星.
még·a·stàr [名] 超大スター, メガスター.
Méxican stár 〘植物〙ナガエ(長柄)アマナ.
mórning stár 日の出直前に東に見える明るい惑星; (特に)明けの明星(金星).
móvie stàr 《米》=film star.
Ḿ stàr M 型星.
múltiple stár 多重星, 重星.
néutron stàr 中性子星.
néw stár 新星(nova).
Nórth Stár =polar star.
óne-stár [形] 〘米軍事〙准将の, 一つ星の.
Ó stàr O 型星.
pólar stár 北極星(Polaris).
póle·stàr =polar star.
pró·to·stàr [名] 原始星.
púlsating stár 脈動星.
rádio stàr 《今はまれ》(宇宙の)電波原.
réd stár 赤色星.
RR Lýrae stár こと座 RR 型変光星.
rúnaway stár 疾走星.
Scóttish stár 〘紋章〙=American star.
séa stàr ヒトデ(starfish).
sérpent stàr =brittle star.
shéll stàr ガス殻星.
shóoting stár 流星(meteor).
Sílver Stár 〘米陸軍〙銀星章.
Ś stàr S 型星.
stándard stár 標準星.

S

sún stàr ニチリンヒトデ.
súpergiant stár 超巨星.
sùpermássive stár 超高質量星.
sú·per·stàr 名 スーパースター.
swítched stár 〈ケーブルテレビの方式が〉スター形交換網の.
Tél·stàr 名 《商標》テルスター.
thrée-stàr 形 《米》(陸軍・空軍・海兵隊の, 三つ星記章をつけた)中将の; 〈レストランが〉三つ星の.
tín stàr 《米俗》私立探偵.
twó-stàr 形 〖米軍事〗少将の; 〈レストランが〉二つ星の.
ÚV Céti stàr =flare star.
váriable stár 変光星.
Wólf-Rayét stàr ウォルフ=ライエ星.
Ẃ-Ŕ stàr =Wolf-Rayet star.
Ẃ stàr =Wolf-Rayet star.
X́-ray stàr X 線星.

starch /stáːrtʃ/

名 澱粉(でんぷん).

álant stárch 〖化学〗イヌリン.
ánimal stàrch 〖生化学〗グリコーゲン, 糖源.
córn·stàrch 《米・カナダ》コーンスターチ.
nítro·stàrch 〖化学〗硝酸澱粉.
sóluble stárch 可溶性澱粉(でんぷん).

start /stáːrt/

動他 〈機械などを〉始動させる. ── 名 **1** (行為の)始まり, 開始. **2** (競走の)出発.

bóost-stàrt 動他 〖自動車〗〈自動車のエンジンを〉ジャンプスタートさせる.
búmp stàrt 動他 《英》坂を転がしてエンジンをかける.
cóld stárt 〖コンピュータ〗プログラムの角ロード.
cróuch stàrt 〖陸上競技〗クラウチングスタート.
fálse stárt 〖スポーツ〗フライング.
fálse-stárt 動自 〖スポーツ〗フライングを犯す.
flýing stárt 助走スタート.
héad stárt 他人より有利なスタート.
hóusing stàrt 家屋建築の着工.
júmp-stàrt 名 〖自動車〗ジャンプスタート.
kíck-stàrt 動他 キックスターターで始動させる.
púsh-stàrt 動他 〈自動車を〉押し掛けする.
rè·stárt 動他 再び出発 [発進] させる.
rúnning stárt 〖スポーツ〗助走.
stánding stárt 〖競技〗スタンディングスタート.
stóp-stárt 形 〈交通が〉信号規制の.
úp·stàrt 名 急に金持ちになった人, 成金.

start·er /stáːrtər/

名 始める人 [物], 出発する人; 第一歩, 手始め. ⇨ -ER[1].

Ármstrong stárter 《米俗》(車の)手回しクランク.
búng·stàrter 名 (樽(たる)の栓を緩めたり抜いたりするための)木槌(きづち).
héart stàrter 《豪俗》一日のうちで最初に飲む酒.
inértia stárter 〖機械〗慣性始動機.
kíck stàrter キックスターター.
nòn·stárt·er 名 (物事に)取り掛からない人.
sélf-stárter 名 〖機械〗始動機, スターター.
spót stàrter 〖野球〗臨時の先発投手.

-sta·sis /stéisis, stǽs-, stəs-/

連結形 停止, 安定状態.
★ 名詞をつくる.
★ 語末にくる関連形は -STAND.
★ 語頭にくる関連形は stato-: *stato*blast「休止芽」.
◆ <近代ラ *stasis* <ギ *stásis*「停止」. ⇨ -SIS.

a·nas·ta·sis 名 (ビザンチン芸術で)キリストの冥府(めいふ)降下の図.
bac·te·ri·o·sta·sis 名 細菌発育抑制, 静菌(作用).
ca·tas·ta·sis 名 〖演劇〗大詰め(catastrophe)直前の最高潮部, 山場, カタスタシス.
cho·le·sta·sis 名 〖病理〗胆汁鬱滞(うったい).
cy·to·sta·sis 名 〖病理〗細胞増殖抑制.
di·as·ta·sis 名 〖医学〗骨端解離, 縫合離開.
e·pis·ta·sis 名 〖遺伝〗上位, 優位.
he·mo·sta·sis 名 〖医学〗止血.
ho·me·o·sta·sis 名 〖生理〗定常 [恒常] 性, 動的平衡.
hy·pos·ta·sis 名 〖形而上学〗基礎, 根本.
i·co·nos·ta·sis 名 〖東方教会〗聖障, 聖画壁.
me·tas·ta·sis 名 〖病理〗(病原体や癌細胞の)転移.
pro·sta·sis 名 (古代神殿の)内陣(cella)の前のプロナオス(pronaos)またはプロスタス(prostas).
ve·no·sta·sis 名 〖医学〗静脈鬱血(うっけつ).

-sta·size /stəsàiz/

連結形 止まらせる, とどまらせる.
★ 動詞をつくる.
★ 語末にくる関連形は -STAND.
★ 語頭にくる関連形は stato-: *stato*blast「休止芽」.
◆ ギリシャ語 *stásis*「止まっている状態」より. ⇨ -IZE[1].
[発音] 直前の音節に第 1 強勢.

ec·sta·size 動他自 恍惚(こうこつ)とさせる [なる].
hy·pos·ta·size 動他 〈概念・観念などを〉実体として存在するものと想定する.
me·tas·ta·size 動自 〈病原体・癌(がん)細胞などが〉転移する.

-stat /stæ̀t/

連結形 安定 [一定] に保つ装置.
★ 名詞をつくる.
★ 語末にくる関連形は -STAND.
★ 語頭にくる形は stato-: *stato*blast「休止芽」.
◆ <ギ *-statēs* 止めるもの; 固定させるもの.

aer·o·stat 名 軽航空機(気球, 飛行船など).
ap·pe·stat 名 摂食中枢.
bac·te·ri·o·stat 名 細菌発育抑制物質, 静菌剤.
bar·o·stat 名 〖航空〗バロスタット.
che·mo·stat 名 〖生物〗環境制御装置.
cli·no·stat 名 〖植物〗植物回転器, クリノスタット.
coe·lo·stat 名 〖天文〗シーロスタット.
cry·o·stat 名 低温装置, 冷却器.
fun·gi·stat 名 静真菌剤.
gy·ro·stat 名 ジャイロスタット: ジャイロスコープの一種.
he·li·o·stat 名 〖天文〗ヘリオスタット.
hu·mid·i·stat 名 恒湿(度)計.
hy·dro·stat 名 漏水検出器, 警水器.
hy·gro·stat 名 =humidistat.
man·o·stat 名 〖物理〗〖化学〗恒気圧装置.
mi·cro·stat 名 〖写真〗マイクロスタット.
my·co·stat 名 糸状菌発育阻止剤.
or·tho·stat 名 (古代建築で)円陣の下部を覆う大きな石の床板.
py·ro·stat 名 高熱 [高温] 用温度調節器.
rhe·o·stat 名 〖電気〗加減 [可変] 抵抗器.
sid·er·o·stat 名 〖天文〗シデロスタット.
ther·mo·stat 名 サーモスタット, 温度自動調節器.

state /stéit/

名 **1** (人・物の)状態; 様子; 事情; (生存の)様式. **2** 地位, 身分. **3** 国; 国土; 州. ── 形 (中央)政府の.

── 動他 …をはっきり述べる.

ábsolute stàte 〘文法〙(セム語において)絶対形.
áll-stàte 形 州代表[選抜]の.
Alóha Stàte 米国 Hawaii 州の異名.
Apáche Stàte 米国 Arizona 州の異名.
assóciated stàte 準国家: 限定された主権を有する国家.
Áuto Stàte 米国 Michigan 州の異名.
Bádger Stàte 米国 Wisconsin 州の異名.
Báyou Stàte 米国 Mississippi 州または Louisiana 州の異名.
Báy Stàte 米国 Massachusetts 州の異名.
Béar Stàte 米国 Arkansas 州の異名.
Béaver Stàte 米国 Oregon 州の異名.
Béef Stàte 米国 Nebraska 州の異名.
Béehive Stàte 米国 Utah 州の異名.
Bikíni Stàte 米国 Florida 州の異名.
bí·stàte 形 (特に米国の)二州の, 二州にまたがる.
Blúegrass Stàte 米国 Kentucky 州の異名.
Bóomer Stàte 米国 Oklahoma 州の異名.
Bówie Stàte 米国 Arkansas 州の異名.
brówn-stàte 形 〈リネンやレース生地などが〉染めてない.
Búckeye Stàte 米国 Ohio 州の異名.
búffer stàte 〘政府〙緩衝国.
Búllion Stàte 米国 Missouri 州の異名.
Centénnial Stàte 米国 Colorado 州の異名.
Chinóok Stàte 米国 Washington 州の異名.
cíty-stàte 都市国家.
cívil stàte 婚姻上の立場: 独身・結婚・離婚など.
clíent stàte 顧客国, 依存国: 経済的, 政治的, 軍事的に大国に依存する国.
compúter stàte コンピュータ国家.
confrontátion stàte 近隣敵対国, 隣接敵国.
Cóngo Frée Stàte コンゴ自由国: ザイール共和国の旧称.
Constitútion Stàte 米国 Connecticut 州の異名.
cónstruct stàte 〘文法〙所属形.
cóntact stàte 折衝国: 地域紛争解決などのための仲介役を果たす.
Córnhusker Stàte 米国 Nebraska 州の異名.
córporate stàte 巨大な非人間的法人型国家.
córporative stàte 協調組合主義国家.
Cótton Stàte 米国 Alabama 州の異名.
Coyóte Stàte 米国 South Dakota 州の異名.
Crácker Stàte 米国 Georgia 州の異名.
Créole Stàte 米国 Louisiana 州の異名.
crítical stàte 〘物理〙臨界状態.
degénerate stàte 〘物理〙縮退状態, 縮重状態.
Díamond Stàte 米国 Delaware 州の異名.
dóorway stàte 〘原子物理〙戸口状態.
dówn·stàte 《米》州の南部, 特に米国 New York 州の南部. ── 形 州の南部の; 州南部に特有の.
D́-stàte 〘物理〙D 状態.
Éast Jésus Stàte 《米俗》三流の地方大学.
égo-stàte 〘心理〙自我状態.
éigen·stàte 〘物理〙固有状態.
Émpire Stàte 米国 New York 州の異名.
Equálity Stàte 米国 Wyoming 州の異名.
Éverglade Stàte 米国 Florida 州の異名.
Évergreen Stàte 米国 Washington 州の異名.
excíted stàte 〘物理〙励起状態.
Fírst Stàte 米国 Delaware 州の異名.
Flíckertail Stàte 米国 North Dakota 州の異名.
Flówer Stàte 米国 Florida 州の異名.
Frée Stàte 〘米史〙自由州.
Fréestone Stàte 米国 Connecticut 州の異名.
Gárden Stàte 米国 New Jersey 州の異名.
gárrison stàte 軍人国家, 軍国.
Gém Stàte 米国 Idaho 州の異名.
Gólden Stàte 米国 California 州の異名.
Góober Stàte 米国 Georgia 州の異名.
Gópher Stàte 米国 Minnesota 州の異名.
Gránd Cányon Stàte 米国 Arizona 州の異名.
Gránite Stàte 米国 New Hampshire 州の異名.
Gréen Móuntain Stàte 米国 Vermont 州の異名.
gróund stàte 〘物理〙基底状態.
Háwkeye Stàte 米国 Iowa 州の異名.
Holkár Stàte ホルカル藩王国: インド中部の旧藩王国.
Hóosier Stàte 米国 Indiana 州の異名.
hypnagógic stàte 〘心理〙入眠状態.
in·státe 動他 〈人を〉(ある地位・職務に)就かせる.
ìn·ter·státe 形 (米国・オーストラリアなどで)各州相互の, 各州連帯[連合]の, 州際の.
ìn·tra·státe 形 (特に米国の)州内の.
Jáyhawker Stàte 米国 Kansas 州の異名.
Kéystone Stàte 米国 Pennsylvania 州の異名.
Lóne Stár Stàte 米国 Texas 州の異名.
lóom-stàte 形 〈綿織物が〉機(はた)おろしのままの.
Lúmber Stàte 米国 Maine 州の異名.
lýing-in-stàte 埋葬の前にする公人の遺体の一般公開.
Magnólia Stàte 米国 Mississippi 州の異名.
Máinland Stàte 米国 Alaska 州の異名.
Má Stàte 《豪》New South Wales 州(Ma).
meg·a·state 名 (米国で最も人口の多い)カリフォルニア州; (EU の)超国家的機能.
metastáble stàte 〘物理〙〘化学〙準安定状態.
mí·cro·stàte 名 ＝ministate.
míni-Palestínian stàte ミニパレスチナ国家.
Míni Stàte 《米》米国 Rhode Island 州の異名.
mín·i·stàte 名 新興小独立国家, ミニ国家.
mis·státe 動他 述べ誤る, 誤った陳述をする.
Mórmon Stàte 米国 Utah 州の異名.
Móuntain Stàte 米国 Montana 州の異名.
múl·ti·stàte 形 数州にまたがる, いくつかの州に関する.
nánny stàte 《軽蔑的》福祉国家.
náscent stàte 〘化学〙発生期状態.
nátion-stàte 国民[民族]国家.
Négro Stàte 〘米史〙奴隷州.
Néw Yòrk Stàte 米国ニューヨーク州.
nórmal stàte 〘物理〙＝ground state.
Nórth Stár Stàte 米国 Minnesota 州の異名.
Nútmeg Stàte 米国 Connecticut 州の異名.
Óld Líne Stàte 米国 Maryland 州の異名.
Óld Nórth Stàte 米国 North Carolina 州の異名.
ò·ver·státe 動他 大げさに言う, 誇張して話す.
oxidátion stàte 〘化学〙酸化状態, 酸化数.
Palmétto Stàte 米国 South Carolina 州の異名.
Pánhandle Stàte 米国 West Virginia 州の異名.
Péach Stàte 米国 Georgia 州の異名.
Pélican Stàte 米国 Louisiana 州の異名.
Penínsular Stàte 米国 Florida 州の異名.
Píne Trèe Stàte 米国 Maine 州の異名.
políce stàte 警察国家.
Práirie Stàte 米国 Illinois 州の異名.
quántum stàte 〘物理〙量子状態.
rè·státe 動他 再び述べる; 言い換える, 言い直す.
Ságebrush Stàte 米国 Nevada 州の異名.
Shów Mè Stàte 米国 Missouri 州の異名.
Sílver Stàte Nevada 州の異名.
Síoux Stàte 米国 North Dakota 州の異名.
sláve stàte 奴隷所有が合法化されている州.
sólid-stàte 形 〘電子工学〙固体化された.
Sóoner Stàte 米国 Oklahoma 州の異名.
státionary stàte 〘物理〙定常状態.
stéady stàte 〘機械〙〘電気〙定常状態.
stéady-stàte 形 〘物理〙定常状態の, 比較的安定な.
succéssion stàte 後継[継承]国家: ある国家の分裂後, その一部の主権を継承する国家.
succéssor stàte ＝succession state.

S

Súcker Stàte 米国 Illinois 州の異名.
Súgar Stàte 米国 Louisiana 州の異名.
Súnflower Stàte 米国 Kansas 州の異名.
Súnset Stàte 米国 Oregon 州の異名.
Súnshine Stàte 米国 Florida 州の異名.
supercrítical státe 超臨界状態.
súp·er·stàte 名 超大国.
Tár Hèel Stàte 米国 North Carolina 州の異名.
théatre stàte 劇場国家.
Tréasure Stàte 米国 Montana 州の異名.
Trée Plànters Stàte 米国 Nebraska 州の異名.
tríplet stàte 〘物理〙三重項状態(triplet).
trí·stàte 形 《米》隣接 3 州を包含した.
Túrpentine Stàte 米国 North Carolina 州の異名.
twílight stàte 〘医学〙朦朧(もうろう)状態.
ùn·der·státe 動他 少なく言う; 内輪に言う.
ùn·státe 動他 《古》〈人の〉官職 [地位] を奪う.
úp·stàte 名 《米》州の北部, 特に米国 New York 州の北部.
Válentine stàte 米国 Arizona 州の異名.
Voluntéer Stàte 米国 Tennessee 州の異名.
wáit stàte 〘コンピュータ〙待ち状態.
Wáshington Stàte 米国ワシントン州.
Wébfoot Stàte 米国 Oregon 州の異名.
wélfare stàte 《米》福祉国家.
Whéat Stàte 米国 Kansas 州および Minnesota 州の異名.
Wólverine Stàte 米国 Michigan 州の異名.
Wónder Stàte 米国 Arkansas 州の異名.
Yéllowhammer Stàte 米国 Alabama 州の異名.

state·ment /stéitmənt/

名 **1** 陳述, 声明; 言明. **2**〘商業〙計算書 [表], (事業)報告(書). ⇨ -MENT.

bánk stàtement 月例銀行口座通知書.
básic státement 〘医学〙プロトコル(protocol).
compárative státement 比較財務表, 比較収支明細書.
cóunt·er·stàte·ment 名 反対陳述, 反駁.
fináncial státement 財務表, 財務状態説明書.
ímpact stàtement (計画などが)生活環境に与える影響に関する報告書.
íncome stàtement 〘会計〙〘簿記〙損益計算書.
míssion stàtement 公共利益に関する企業の努力宣言.
ównership stàtement 〘出版〙所有者報告.
prógram stàtement 〘コンピュータ〙プログラムの指示 1 つ.
próxy stàtement 委任状.

stat·ic /stǽtik/

形 固定 [静止] 状態の; 〘電気〙静電気の. ⇨ -TIC.
★ 名詞は state「状態」.

àer·o·stát·ic 形 空気 [気体] 静力学の.
àn·ti·stát·ic 形 静電気防止(加工)の, 帯電防止の.
a·stát·ic 形 不安定な, 動きやすい.
cósmic státic 〘物理〙宇宙雑音(cosmic noise).
cy·to·stát·ic 形 細胞分裂を停止する.
dì·a·stát·ic 形 〘生化学〙ジアスターゼの.
e·lèc·tro·stát·ic 形 〘電気〙静電気の; 静電学の.
gè·o·stát·ic 形 地圧の, 土圧の.
gý·ro·stàt·ic 形 剛体旋回運動論の.
hy·dro·stát·ic 形 流体静力学の, 静水力学の.
hy·per·stát·ic 形 表現が冗長な, くどい(redundant).
ì·so·stát·ic 形 地殻均衡(説)の; 平衡(状態)の.
mag·nè·to·stát·ic 形 静磁気の, 静磁場の.
òr·tho·stát·ic 形 〘医学〙起立性の.
quà·si·stát·ic 形 〘熱力学〙準静的な.
whéel stàtic 車輪空電.

-stat·ic /stǽtik/

連結形 -stasis に対応する形容詞をつくる. ⇨ -TIC.
★ 語末にくる関連形は -STAND.
★ 語頭にくる関連形は stato-: *stato*blast「休止芽」.

an·a·stat·ic 形 凸版の.
ap·o·cat·a·stat·ic 形 回復 [復旧] の.
ap·o·kat·a·stat·ic 形 =apocatastatic.
bac·te·ri·o·stat·ic 形 細菌発育抑制の.
car·i·o·stat·ic 形 虫歯の発生を抑える.
cho·le·stat·ic 形 〘病理〙胆汁鬱滞(うったい)の.
ec·stat·ic 形 忘我の, 法悦の.
ep·i·stat·ic 形 〘遺伝〙上位 [優位] の.
eu·stat·ic 形 〘地質〙ユースタシーの.
fun·gi·stat·ic 形 (真)菌増殖を抑止する.
he·mo·stat·ic 形 〈薬などが〉止血の(styptic).
ho·me·o·stat·ic 形 定常 [恒常] 性の, ホメオスタシスの.
hy·po·stat·ic 形 本質の, 基礎的な, 根本の.
met·a·stat·ic 形 〘病理〙(病原体などの)転移の.
vi·ru·stat·ic 形 〘病理〙ウイルスの増殖を阻止する.

stat·ics /stǽtiks/

名複 静力学. ⇨ -ICS.

aer·o·stat·ics 名複 空気 [気体] 静力学.
bi·o·stat·ics 名複 生物静力学.
e·lec·tro·stat·ics 名複 静電学.
ge·o·stat·ics 名複 〘物理〙剛体力学.
gy·ro·stat·ics 名複 〘力学〙剛体の旋回運動を扱う学問.
hy·dro·stat·ics 名複 流体静力学, 静水力学.
mag·ne·to·stat·ics 名複 静磁気学.
sócial státics 〘社会〙社会静学.
ther·mo·stat·ics 名複 《まれ》熱平衡学.

sta·tion /stéiʃən/

名 **1** 部署. **2** 発着所. **3** 事業所. ⇨ -ION[1].

áction stàtion 〘軍事〙戦闘 [対空] 配置.
aeronáutical státion 〘航空〙地上通信局, 航空(無線)局.
àer·o·stá·tion 名 〘航空〙軽航空機操縦術 [法].
áid stàtion 〘軍事〙前線応急救護所.
áir stàtion (避難・修理設備のある)飛行場.
báse stàtion 基地局.
báttle stàtion 〘陸軍〙〘海軍〙戦闘部署.
bóoster stàtion 〘放送〙ブースター局.
bús stàtion (市内の)バス総合発着所.
cléaring stàtion 〘軍事〙治療後送所.
cóach stàtion (長距離)バスの駅.
cóaling stàtion (汽船の)給炭港, 給炭地.
cómfort stàtion 《米》《婉曲的》公衆便所.
dréssing stàtion 〘軍事〙(戦場近くの)包帯所.
éarth stàtion 地上局.
expériment stàtion (特殊な研究を組織的に行う)試験場.
fílling stàtion =service station.
fíre stàtion 消防署 [詰め所].
fíxed stàtion 《米市民ラジオ俗》固定交信局.
flág stàtion 《米》信号停車駅.
fúeling stàtion 燃料補給所.
gás stàtion =service station.
génerating stàtion 発電所.
ghóst stàtion 《英》無人駅.
gróund stàtion =earth station.
héad stàtion 《豪》大牧場の中心になる建物.
híll stàtion (官庁などの)夏季駐在地.
íce stàtion (南極・北極の)極地観測基地.
ínstrument stàtion 〘測量〙測点, 三角点.
í. stàtion 《米》(CD 専門店の)CD 試聴室.
kéy stàtion 〘テレビ〙〘ラジオ〙キー局.
láw stàtion 《英俗》警察署.
móbile stàtion 〘通信〙移動(無線)局.
nával stàtion 海軍基地.

óut·stà·tion 名 《特に英》へんぴな地域にある出張所.
páy stàtion 《米》公衆電話(pay phone).
Pénn Stàtion 《米俗》=Pennsylvania Station.
pétrol stàtion 《英》ガソリンスタンド.
pílot stàtion 〘海事〙水先案内人詰め所.
políce stàtion 警察署(station house).
pówer stàtion 《英》〘電気〙発電所.
rádio stàtion ラジオ放送局.
rélay stàtion (放送の)中継基地[局].
sátellite stàtion 人工衛星基地[ステーション].
sérvice stàtion (修理などもする)ガソリンスタンド.
shéep stàtion 《豪・NZ》大牧羊場.
sláve stàtion 従局.
spáce stàtion 宇宙ステーション.
státion-to-státion 形 番号通話の.
súb·stà·tion 名 (郵便局・放送局の)支局, 分局.
sú·per·stà·tion 名 スーパーステーション: 通信衛星で番組を配信する独立テレビ局.
télevision stàtion テレビ放送局.
tésting stàtion 《NZ》(運転免許の発行を認可された)自動車試験場.
thírst-áid stàtion 《米俗》酒屋, 酒類売店.
trácking stàtion 〘航空宇宙〙追跡局, 観測局.
tránsfer stàtion (埋め立て用にごみを圧縮・梱包したりする)ごみ処理場.
únion stàtion (2つ以上の会社が共用する)合同駅.
wáy stàtion 《米》中間駅, 途中駅, 通過駅.
wéather stàtion 測候所, 気象台.
wéight stàtion (トラックなどごと積荷の重量を計る)重量検査所.
wórk stàtion ワークステーション: オフィスなどで1人に与えられた仕事場所.

sta·tis·tics /stətístiks/

名複 **1** 統計学. **2** 統計表, 統計データ. ⇨ -ISTICS.

bì·o·sta·tís·tics 名複 生物統計学.
Bóse-Éinstein statìstics 〘物理〙ボース=アインシュタイン統計, ボース統計.
Férmi-Dirác statìstics 〘物理〙フェルミ=ディラック統計.
inferéntial statístics 統計的推測.
lèx·i·co·sta·tís·tics 名複 〘言語〙語彙(ごい)統計学.
Máxwell-Bóltzmann statistics 〘物理〙マクスウェル・ボルツマン統計.
quántum statístics 〘物理〙〘化学〙量子力学を基礎とする統計力学.
sty·lo·sta·tís·tics 名複 〘言語〙文体統計学, 計量文体論.
vítal statístics 人口動態統計.

sta·tus /stéitəs, stǽt-/

名 身分, 地位. ⇨ -TUS[1].

achíeved státus 〘社会〙獲得的地位.
ascríbed státus 〘社会〙生得的[帰属的]地位.
flíght stàtus 〘軍事〙航空機搭乗身分.
flýing stàtus =flight status.

stay[1] /stéi/

動自 (場所・位置に)とどまる, いる; (人・グループとともに)いる.

hóme·stày 名動自 ホームステイ(family stay)(をする).
lóng-stáy 形 《英》〈患者が〉長期入院の.
òut·stáy 動他 〈人より〉長くいる, 長居する.
ò·ver·stáy 動他 …のあとまでとどまる.

stay[2] /stéi/

名 〘海事〙支索, 控え, 維持索, ステー.

báck·stày 名 バックステー, 後方支索.
bób·stày 名 ボブステー, 斜檣(しゃしょう)支索.
fóre·stày 名 フォアステー, 前檣(ぜんしょう)前支索.
héad·stày 名 ヘッドステー.
jáck·stày 名 ジャックステー.
máin·stày 名 メーンステー, 大檣(たいしょう)支索.
triátic stáy 檣間(しょうかん)つり索.

stead /stéd/

名 **1** 《まれ》(人・物の)代わり, 代理. **2** 《古》有用, 利益; 助け, 役に立つこと. **3** 《廃》場所, 位置, 所在地.

bed·stead 名 寝台の骨組み, 寝台架.
be·stead 動他 《古》助ける, 援助する; 役立つ.
door·stead 名 《主に英》戸口, 出入り口.
farm·stead 名 (建物を含めた)農場, 農園.
Hamp·stead 名 ハムステッド(イングランドの地名).
Hemp·stead 名 ヘムステッド(米国の地名).
home·stead 名 家産.
in·stead 副 その代わりに, そうしないで.
road·stead 名 〘海事〙(港外の)投錨地, 停泊地.
thing·stead 名 (スカンジナビア諸国の)議場.

stead·y /stédi/

形 固定された; (位置・平衡上)安定した, ぐらつかない. ━━動他 固定[安定]させる. ━━動自 固定[安定]する. ⇨ -Y[1].

róck stéady ロック・ステディ: ジャマイカのポピュラーな音楽[声楽]のスタイル.
ùn·stéad·y 形 不安定な; ぐらぐらする.

steak /stéik/

名 ステーキ(肉).

Áussie stèak 《俗》マトン(mutton).
béef·stèak ビーフステーキ.
cárpetbag stèak カーペットバッグステーキ: 切り込みにカキを詰めた厚切りステーキ.
chéese stèak チーズステーキ.
Chicágo stèak ショートロインステーキ.
chóp·stèak チョップステーキ: ひき肉だけを固めて作ったステーキ.
clúb stèak クラブステーキ: 牛の上腰部のあばら寄りのステーキ.
cúbe stèak キューブステーキ: 縦横に切れ目を入れて食べやすくしたステーキ.
flánk stéak フランクステーキ: 牛の脇腹肉の切り身; そのステーキ.
Hámburg stèak ハンバーグステーキ.
Kánsas Cìty stéak =strip steak.
lóve·stèak 《米俗》陰茎.
mínute stèak ミニッツステーキ: 両面を素早くいためる薄切りステーキ.
Néw Yòrk stèak =shell steak.
pépper stèak ペパーステーキ.
ríb stèak =club steak.
róund stèak ラウンドステーキ: もも肉のステーキ.
Sálisbury stéak ソールズベリーステーキ: ハンバーグステーキの一種.
shéll stèak フィレ肉を除いたポーターハウスステーキ.
skírt stèak スカートステーキ: 横隔膜筋を含む牛のステーキ肉.
stríp stèak ストリップステーキ: ショートロインの上部の肉のステーキ.
Swíss stéak スイス風ステーキ: 小麦粉をまぶしてきつね色に焦がし, トマトやタマネギなどの野菜と一緒に蒸し煮にした厚

S

切りステーキ.
tártar stèak タルタルステーキ.
T-bòne stéak (T 字形の)骨付きステーキ.
túbe stèak 《俗》ホットドッグ.
Viénna stéak ウィンナステーキ: ひき肉主体の平たいリッソール.

steam /stíːm/

名 **1** 水蒸気. **2**(動力・加熱などに用いる)蒸気, スチーム.

drý stéam 〖化学〗乾燥蒸気.
líve stéam 生(なま)蒸気: ボイラーから直接得られるすぐ利用できる高圧蒸気.
wét stéam 湿り蒸気.

ste·a·rate /stíːərèit, stíər-|stíər-/

名 〖化学〗ステアリン酸塩 [エステル]. ⇨ -ATE[2].

ammónium stéarate ステアリン酸アンモニウム.
bárium stéarate ステアリン酸バリウム.
líthium stéarate ステアリン酸リチウム.
mòn·o·sté·a·rate 名 一ステアリン酸塩 [エステル].
sódium stéarate ステアリン酸ナトリウム.
zínc stéarate ステアリン酸亜鉛.

steel /stíːl/

名 **1** 鋼鉄, 鋼. **2**《文語》剣, 刀. **3** 鉄鋼業, 製鉄業. ―― 形 鋼製の. ―― 動他 …に鋼を張る.

ÁISÍ stèel AISI 規格鋼.
álloy stèel 合金鋼.
ángle stèel 〖機械〗山形 [L 形] 鋼.
básic stéel 塩基性鋼.
Béssemer stéel ベッセマー鋼.
Béthlehem Stéel ベツレヘム・スチール.
blíster stèel 〖冶金〗泡鋼, 浸炭鋼.
cást stéel 〖冶金〗鋳鋼品.
cemént stèel 〖冶金〗浸炭鋼.
chróme stéel クロム鋼.
chrómium stéel =chrome steel.
cóld stéel 剣, 刀, 銃剣など鋼鉄でできた武器.
convérted stéel =cement steel.
crúcible stéel るつぼ鋼.
Damáscus stéel ダマスク鋼.
eléctric stéel 電炉鋼.
Éu·ro·stèel 名 ヨーロッパ [欧州共同体] 鉄鋼産業.
glás·stèel 形 ガラスと鋼材製の.
hárd stéel 硬鋼.
hígh-cárbon stèel 高炭素鋼.
hígh-spèed stéel 高速度鋼.
hígh ténsile stéel 〖金属〗高張力鋼,「ハイテン」.
lów-càrbon stéel 〖金属〗低炭素鋼.
machínery stèel 機械部品用鋼.
mánganese stéel マンガン鋼.
máraging stèel マルエージ鋼.
míld stéel 軟鋼.
níckel stéel ニッケル鋼.
nítriding stéel 窒化鋼.
plów stèel ワイヤーロープ製造用の高張力鋼.
rímmed stéel リムド鋼.
sèm·i·stéel 名 〖冶金〗セミスチール, 鋼性鋳鉄.
shéar stèel 〖冶金〗剪断(せんだん)鋼.
sóft stéel =mild steel.
spráy stéel 〖冶金〗酸素吹錬鋼.
spríng stéel ばね鋼.
stáinless stéel ステンレス鋼[スチール], 不銹(ふしゅう)鋼.
strúctural stéel 構造用鋼.
tóol stèel 工具鋼.
TRÍP stèel トリップ鋼.
túngsten stéel タングステン鋼.
ùn·stéel 動他 〈堅くなったものを〉柔らかくする.

vanádium stéel バナジウム鋼.

ste·le /stíːli, stíːl/

名 **1** 石柱, 石碑. **2**〖植物〗中心柱. ⇨ -E[1].

dic·ty·o·stele 名 (シダ類の)網状中心柱.
eu·stele 名 真正中心柱.
mon·o·stele 名 =protostele.
pro·to·stele 名 原生中心柱.
si·phon·o·stele 名 管状中心柱.

stem /stém/

名 **1**(植物の)茎. **2** 幹. **3**(道具などの)細長い部分, 茎状部, 軸. **4**(杯・ワイングラスなどの)脚. **5** 弁棒.

báluster stèm (酒杯などの)バラスター状の脚.
bláck stém 〖植物病理〗茎枯れ病.
blúe stém 〖植物病理〗半身萎凋(いちょう)病.
blúe·stèm 〖植物〗ウシクサ.
bráin·stèm 〖解剖〗脳幹.
de·stém 動他 〈果物などの〉柄 [へた] を取る.
gríef stèm 〖石油掘削〗ケリー(kelly).
máin stém (川の)本流.
Nèw Háven stém 〖海事〗ニューヘブン型船首.
pípe·stèm タバコパイプの柄.
slíp stèm 先端を斜めに切った形のスプーンの柄.
válve stèm 弁棒.

step /stép/

名 **1** 足の運び; 歩き方. **2** 歩(ほ), 一歩. **3**(階段などの)段. **4**《主に米話》〖音楽〗度; (音階上の)音高, 音程. **5**〖海事〗檣座(しょうざ). **6**〖コンピュータ〗ステップ: 単一の計算機命令 [操作]. ―― 動自 進む, 歩く. ―― 他 **1**〈歩を〉進める. **2**〖海事〗〈マストを〉檣座に立てる.

báby stèp 〖遊戯〗giant step で最短の歩幅.
bálanced stép 〖建築〗割り合わせ段.
bourrée stèp 〖バレエ〗パ・ド・ブーレ.
bóx stèp 〖ダンス〗ボックスステップ.
córbie·stèp 名 〖建築〗いらか段.
crów·stèp 名 =corbiestep.
dáncing stèp =balanced step.
dóor·stèp 名 戸口の踏み段.
fálse stép 足を踏み外すこと.
fíre stèp 〖築城〗射撃用踏み台.
fíring stèp =fire step.
fóot·stèp 名 歩み, 足取り, 足の運び; 足音.
góose stèp 脚を高く上げる行進.
góose-stèp 動自 脚を高く上げて行進する.
hálf stèp 〖音楽〗半音.
hánging stép 跳ね出し段.
hígh-stèp 動自 足を高く上げて歩く.
ín·stèp 名 足の甲; 足の甲に似たもの.
lóck·stèp 名 密集行進法.
mis·stép 名 踏みそこない.
óne-stèp 名 〖ダンス〗ワンステップ.
òut·stép 動他 度を超す, 行きすぎる; 侵す.
ò·ver·stép 動他 踏み越える; 限度を超す.
quárter stèp 〖音楽〗4 分音.
quíck·stèp 名 《もと》(行進の)速歩(調).
róute stèp 〖軍事〗途歩(とほ).
síde stèp 〖ボクシング〗サイドステップ.
síde·stèp 動自 横へ一歩寄る [踏み出す].
síngle-stép 動他 〖コンピュータ〗1 つの操作で 1 つの命令を与える.
slíp stèp 〖ダンス〗スリップステップ.
stáir·stèp 名 階段の一段.
stép-by-stép 形 段階的な, 漸進的な.
twín stép 〖服飾〗ツインステップ.
twó-stèp 名 〖ダンス〗ツーステップ.

umbrélla stèp 〖遊戯〗(giant steps で)かかとで旋回するステップ.
ùn·stép 動他 〖海事〗〈マストなどを〉檣座(しょうざ)から抜き取る.
up·stép 動他 増進する.
whóle stèp 〖音楽〗全音.

-ster /stər/

接尾辞 **1**《しばしば軽蔑的》…屋. ►ある事を職業・常習とする人を表す: song*ster*, game*ster*. **2** …である人, …の人: young*ster*. **3** …するもの: dump*ster*.
★ 名詞をつくる.
★ 語末にくる関連形は -STRESS.
◆ 中英; 古英 *-estre*; 古英語では *-ere* -ER[1] に対する女性語尾だった.
[発音]すべての語が 2 音節の語で, 語頭の音節に第 1 強勢.

bad·ster 名 《豪俗》悪いやつ.
bang·ster 名 《米俗》注射を用いる麻薬中毒者.
boom·ster 名 《米俗》景気をあおる人.
dab·ster 名 《英方言》専門家, 玄人.
daub·ster 名 へぼ絵かき.
deem·ster 名 (英国の)Man 島の裁判官.
demp·ster 名 ＝deemster.
doom·ster 名 (大災害などの)不吉を予言する人.
drag·ster 名 ドラッグレース用の改造自動車.
drug·ster 名 麻薬常習者.
dump·ster 名 ダンプスター: 鉄製の大型ごみ容器.
folk·ster 名 《米話》民謡歌手.
fraud·ster 名 詐欺師.
fuck·ster 名 《俗》好色な人.
fun·ster 名 道化師, 喜劇役者, コメディアン.
gag·ster 名 ギャグ作家.
game·ster 名 賭博(とばく)師, 博打(ばくち)打ち.
gang·ster 名 ギャングの一員, 悪漢, 暴力団員.
gow·ster 名 《米麻薬俗》マリファナ喫煙者.
grunge·ster 名 グランジスタイルの若者.
gyp·ster 名 詐欺師, ペテン師(gyp).
hack·ster 名 《廃》悪漢; 暗殺者, 刺客.
hep·ster 名 《俗 / 古風》ジャズの演奏者.
hip·ster[1] 名 《俗》最近のことに明るい人.
hip·ster[2] 名 《主に英》ローウエストのスラックス.
home·ster 名 《英》ホームチームの選手.
hoop·ster 名 《俗》バスケットボールの選手.
huck·ster 名 《米》(小物の)小売商人.
jag·ster 名 《米話》飲んで浮かれ騒ぐ人.
joke·ster 名 冗談を言う人.
lam·ster 名 《米暗黒街俗》逃亡者, 逃走犯人.
lob·ster 名 ☞
mail·ster 名 郵便配達人が使う三輪スクーター.
malt·ster 名 麦芽(酒)製造人; 麦芽(酒)商.
mob·ster 名 《米俗》ギャングの一員.
Newt·ster 名 Newt Gingrich(米国共和党下院議員)の愛称.
old·ster 名 《話》老人, かなり年輩の人.
op·ster 名 《米俗》オプアート芸術家.
pen·ster 名 (特に下請けの)物書き, 三文文士.
poll·ster 名 《しばしば軽蔑的》世論調査屋.
pop·ster 名 《俗》ポップアート芸術家.
prank·ster 名 いたずら者.
pun·ster 名 地口(じぐち)を言う人.
quip·ster 名 皮肉屋; 警句の名人.
rhyme·ster 名 《文語》へぼ詩人.
rime·ster 名 ＝rhymester.
ring·ster 名 《米話》一味 [徒党] の一人.
road·ster 名 ロードスター.
seam·ster 名 裁縫師, (特に)仕立屋.
shy·ster 名 《主に米話》いかさま [悪徳] 弁護士.
sip·ster 名 《米話》大酒飲み.
slick·ster 名 《俗》日和見主義のずるい人.
song·ster 名 《米》(特に実力のある)歌手.
speed·ster 名 《話》高速で走るドライバー.
spin·ster 名 《通例軽蔑的》結婚適齢期を過ぎた女性.
sport·ster 名 《話》スポーツカー.
swing·ster 名 《俗》スイング演奏者.
tap·ster 名 《まれ》(酒場の)バーテンダー.
team·ster 名 (荷馬車などの)御者.
throw·ster 名 撚(よ)り糸工.
tip·ster 名 《英話》内報屋, 予想屋.
trick·ster 名 詐欺師, ぺてん師.
whip·ster 名 むちを使う人.
wit·ster 名 才子, 才人.
young·ster 名 子供, (特に)少年.

stere /stíər/

名 〖メートル法〗ステール: 1 立方メートル.

cen·ti·stere 名 センチステール.
dec·a·stere 名 10 ステール, 10 m^3.
dec·i·stere 名 デシステール.
hec·to·stere 名 ヘクトステール.
hek·to·stere 名 ＝hectostere.
kil·o·stere 名 キロステール.

ster·ile /stéril | -rail/

形 無菌の, 滅菌した; 〖生物〗中性の, 不稔の, 不妊の.

cróss-stérile 形 交雑不稔(ふねん)の.
ìnter-stérile 形 異種交配できない.
mále-stérile 形 雄性不稔(ふねん)の.
sélf-stérile 形 自家不妊 [不稔(ふねん)] 性の.
un·stérile 形 滅菌していない.

ster·nal /stə́ːrnl/

形 〖解剖〗〖動物〗胸骨(sternum)の. ⇨ -AL[1].
★ 語頭にくる関連形は stern(o)-: *sterno*scapular「〖解剖〗〖動物〗胸骨肩甲骨の」.

a·ster·nal 形 〖解剖〗〖動物〗胸骨に達しない.
ret·ro·ster·nal 形 〖解剖〗〖医学〗胸骨後の.
sub·ster·nal 形 〖解剖〗胸骨下の.

ster·num /stə́ːrnəm/

名 〖解剖〗〖動物〗胸骨(breast bone). ⇨ -UM[1].
★ 語頭にくる関連形は stern(o)-: *sterno*costal「〖解剖〗胸骨の」, *sterno*scapular「〖解剖〗胸骨肩甲骨の」.

ep·i·ster·num 名 〖解剖〗胸骨柄(manubrium).
mes·o·ster·num 名 〖解剖〗胸骨体(gladiolus).
pre·ster·num 名 〖解剖〗胸骨柄(manubrium).
pro·ster·num 名 (昆虫の)前胸腹板.
xiph·i·ster·num 名 〖解剖〗剣状突起.

ste·roid /stíərɔid, stér-/

名 〖生化学〗ステロイド.

anabólic stéroid アナボリック・ステロイド: 筋肉増強剤.
còrtico·stéroid 名 コルチコステロイド.
ke·tós·ter·òid 名 ケトステロイド.

ste·rol /stíərɔːl, -ral, stér- | -rɔl/

名 〖生化学〗ステロール, ステリン. ►cholesterol から抽出.
★ 語頭にくる関連形は ster-: *ster*oid「〖生化学〗ステロイド」.

des·mos·ter·ol 名 7－デヒドロコレステロール.
di·hy·dro·ta·chys·ter·ol 名 ジヒドロタキステロール.
er·gos·ter·ol 名 エルゴステロール, エルゴステリン.
la·nos·ter·ol 名 ラノステロール.
lu·mi·ster·ol 名 ルミステロール.

S

phy·tos·te·rol 名 植物ステロール.
si·tos·ter·ol 名 〘化学〙シトステロール.
stig·mas·ter·ol 名 スチグマステロール.
ta·chys·ter·ol 名 タキステロール, タキステリン.
vi·os·ter·ol 名 ビオステリン, ビオステロール.
zo·os·ter·ol 名 動物ステロール.

stew /stjúː | stjúː/

名 シチュー.

Brúnswick stéw ブランズウィックシチュー.
frógmore stèw フロッグモア・シチュー.
gráveyard stéw 《俗》ミルクトースト.
Írish stéw アイリッシュシチュー.
Mátapan stèw 《豪俗》残りものの寄せ集め料理.
óyster stèw オイスターシチュー.
són-of-a-bitch stéw 西部開拓時代にカウボーイが食べた, 牛の臓物が入ったシチュー.

stew·ard /stjúːərd | stjúːəd, stjúəd/

名 **1** 財産管理人. **2** 家令, 執事. **3** (レストランなどの)給仕長. **4** (各種団体の)支配人. ⇨ WARD.

bár stèward 《英俗》非嫡出子, 庶子, 私生児.
Hígh Stéward 《英》〘歴史〙(Oxford, Cambridge 大学の)学内判事.
hóuse stèward (邸宅などの)執事.
lánd stèward 土地[地所]差配人.
Lòrd Hígh Stéward 《英》王室執事長.
Lòrd Stéward 《英》王室家政長官.
shóp stèward 《英》職場代表.
wíne stèward (レストランの)ワイン係, ソムリエ.

-stice /stis/

連結形 停止.
★ 語末にくる関連形は -STAND.
★ 語頭にくる関連形は stato-: *stato*blast「休止芽」.
◆ ラテン語 *-stitium*「停止」より.
[発音] 語頭の音節に第1強勢. 例外: intérstice.

ar·mi·stice 名 (一時的な)休戦, 停戦(truce).
in·ter·stice 名 間隔, 間の空間.
sol·stice 名 〘天文〙至(し).

stich /stík/

名 〘韻律〙(詩の)行.

dec·a·stich 名 十行詩[連].
dis·tich 名 二行連句, 対連(ついれん), 対句.
hem·i·stich 名 (古代英詩の)半行.
hep·ta·stich 名 七行詩, 七行から成る連[節].
hex·a·stich 名 六行詩, 六行連.
mon·o·stich 名 単行詩.
pen·ta·stich 名 五行詩, 五行連; 五行歌章.
te·les·tich 名 テレスティック: 各行の最後の文字を並べると, ある語句になる遊戯詩.
tet·ra·stich 名 四行節, 四行連, 四行詩.
tris·tich 名 三行節, 三行(連)句, 三行詩.

-sti·chous /stikəs/

連結形 〘植物〙〘動物〙(ある種類や数の)列を持った.
★ 形容詞をつくる.
★ 語頭にくる関連形は stich(o)-: *stich*ic「詩行の」, *sticho*metry「行分け法」.
◆ ギリシャ語 *stíkhos*「列」より. ⇨ -OUS.
[発音] 直前の音節に第1強勢.

dis·ti·chous 形 〈葉などが〉二列生の.
mo·nos·ti·chous 形 単列の.
po·lys·ti·chous 形 〘植物〙多列生の.
te·tras·ti·chous 形 〘植物〙4列の.
tris·tich·ous 形 3列に配置された, 3段の.

stick[1] /stík/

名 **1** 木の枝; 棒切れ; 杖(つえ). **2** 棒状の物.

báck·stìck 《米南部》炉の奥に入れておく丸太.
banána stìck 《米俗》〘野球〙安物のバット.
báng stìck (サメ撃退用の)爆薬を仕込んだ棒.
bíg stíck 《話》(政治的・軍事的な)圧力.
bóom stìck 《米俗》鉄道労働者.
bóoster stìck 《米俗》マリファナタバコ.
bréad·stìck 〘料理〙スティックパン.
bróom·stìck ほうきの柄.
Búddha stìck 《米麻薬俗》マリファナタバコ.
búd stìck 〘園芸〙芽接ぎ用若枝.
búff stìck バフ棒, 研ぎ棒.
bútton stìck 軍服のボタン磨き用の棒.
cáncer stìck 《俗》巻きタバコ(cigarette).
cándle·stìck 燭台, ろうそく立て.
cát·stìck (特に棒打ち遊びで使う)ほうきの柄.
chéat stìck 《米俗》計算尺.
chóp·stìck 箸(はし).
cláp·stìck 〘映画〙カチンコ.
cócktail stìck カクテルスティック.
compósing stìck 〘印刷〙ステッキ, 植字盆.
contról stìck 操縦桿(かん).
córn·stìck 〘米南部料理〙トウモロコシ形のコーンマフィン.
cóup stìck クースティック: 北米インディアンの戦士がそれで敵に触れると勇気の証(あかし)とされた棒.
cráb·stìck (crab apple 材で作った)ステッキ.
créam·stìck 《米俗》陰茎.
déad stíck 〘航空〙デッドスティック.
dévil's-wálking-stìck ウコギ科タラノキ属の低木.
dígging stìck 掘り棒.
díp·stìck 計量棒.
dópe stìck 《米俗》巻きタバコ.
dréam-stìck 《麻薬俗 / 古風》アヘンの錠剤.
drúm·stìck ドラムスティック.
fíddle·stìck 《話》バイオリンの弓.
fíre stìck (原始時代の)火起こし棒.
físh stìck 〘料理〙フィッシュスティック.
flág·stìck 〘ゴルフ〙ピン.
fóre·stìck 名 (暖炉の)手前に置く丸太[まき].
fúnk stìck 《英俗・古風》臆病者.
gámbling stìck 《米》肉つり鉤(gambrel).
géar stìck 《英》〘機械〙変速レバー.
gíggle·stìck 《俗》カンナビスタバコ.
gímp stìck 《俗》杖, ステッキ.
gób·stìck (釣りの)鉤(はり)外し.
góld stíck 《英》(王室の式典で使う)金色棒.
guéss·stìck 《学生俗》計算尺(slide rule).
gýve·stìck 《米麻薬俗》マリファナタバコ.
háppy stíck 《俗》マリファナタバコ.
hóckey stìck (ホッケーの)スティック.
hóp-stìck 《米麻薬俗》アヘン喫煙用パイプ.
hýpe-stìck 《米麻薬俗》注射針.
ídiot stìck 《米俗》シャベル; 樹皮をはぐ道具.
ínk·stìck 《米俗》万年筆.
jób stìck 〘印刷〙=composing stick.
jóint·stìck 《米俗》マリファナタバコ. 《俗》ペニス.
jóy·stìck 《話》(飛行機などの)操縦桿;
kíck·stìck 《米俗 / 古風》マリファナタバコ.
kíller·stìck 《米麻薬俗》マリファナタバコ.
knób·stìck (武器用の)先にこぶのついた棒.
lícorice stìck 《米俗》クラリネット.
líp·stìck (棒状の)口紅, リップスティック.
líquorice stìck 《俗》=licorice stick.
lób·stìck 《カナダ》=lopstick.
lóp·stìck 《カナダ》(目印として)梢(こずえ)だけを残し他の枝を切り払った木.

máhl·stìck マールスティック, 腕木.
mátch·stìck マッチ棒(に似たもの).
mául·stìck ＝mahlstick.
méssage stìck (アボリジニーの)メッセージ棒.
méter·stìck メートル尺.
móp·stìck モップの柄.
múck stìck 《米労働者俗》シャベル.
níght stìck 《米・カナダ》警棒(billy).
óld stìck 《主に英俗》頑固な老人.
órange stìck オレンジスティック: 主にオレンジ材で作るマニキュア筆.
páint-stìck 水性ペン.
péa-stìck 《英》エンドウを巻きつける支柱.
péppermint stìck ハッカ入り棒状キャンデー.
pícul stìck かつぎ棒.
pímp stìck 《米俗》(既製品の)紙巻きタバコ.
pógo stìck (遊び道具の)ポーゴー.
pólo-stìck ポロ競技用の打球槌(づち).
póop stìck 《英俗》ばか, 役立たず.
púgil stìck 〖米軍事〗(訓練で)銃剣の代わりに装備するキャップ付き棒.
rhýthm stìck リズム棒.
sált stìck 塩をまぶした棒状のロールパン.
séptic stìck 《米俗》糞をかためた棒.
sétting stìck 〖印刷〗＝composing stick.
shít stìck 《俗》げす野郎, ばか.
shóoting stìck (野外見物用の)腰掛け付き杖.
shówer stìck 雨傘.
síde stìck 〖印刷〗(各頁の左右に入れる)締木(しめぎ).
Sílver Stìck 《英》近衛騎兵の佐官: 銀杖をもつ.
síngle·stìck 重く短い棒.
síze stìck 寸法計測具.
skí stìck (スキーの)ストック(ski pole).
sláp·stìck どたばた喜劇.
slíp·stìck 《米俗》計算尺(slide rule).
smóke stìck 《英俗》銃火器(smoke pole).
snúff stìck 歯にかぎタバコを塗るのに使う楊枝.
spréading stìck 〖漁業〗(袋網などの)補強棒.
súgar stìck 《米俗》陰茎.
swágger stìck (軍人の散歩用)ステッキ.
swát-stìck 《話》〖野球〗バット.
swíndle stìck ＝cheat stick.
swízzle stìck (カクテルの)かき混ぜ棒.
swórd stìck 仕込み杖(sword cane).
táper·stìck (小ろうそく用の)燭台.
téa·stìck 《米麻薬俗》マリファナタバコ.
Thái stìck 《俗》タイスティック: タイ産マリファナを巻いた細い棒.
thrówing stìck 投げ槍(やり)器.
thúnder·stìck うなり坂(bull-roarer).
T́-stick 《俗》＝Thai stick.
úp-stìck 動自 《英俗》腰をあげて出発する.
wálking stìck ステッキ.
whíte stìck (視覚障害者の)白いつえ.
yárd·stìck (通例, 目盛りのある)ヤード尺.

stick[2] /stík/

動他 **1** 突き刺す. **2** 張りつける.

non·stick 形 〈フライパンなどが〉焦げつかない.
peel-and-stick 形 〈ラベルなどが〉はがして張れる.
pig·stick 動自 イノシシ狩りをする.
self-stick 形 張るだけでくっつく.
spit·stick 名 (特に)輪郭線彫り用の彫刻刀.
un·stick 動他 〈飛行機を〉離陸させる.

stick·er /stíkər/

名 **1** 刺す[突く]人; 刺す[突く]道具[武器]. **2** (紙などを)張る人, (広告の)ビラ張り人. ⇨ -ER[1].

bíll·stìcker ビラ張り人(billposter).
búmper stìcker バンパーステッカー.
fróg stìcker 《米軍俗》銃剣, (武器としての)剣.
héavy-stìcker 《野球俗》強打者.
píg·stìcker イノシシ狩りをする人.
pót stìcker 〖料理〗焼きギョーザ.
síngle·stìcker 《話》一本マストの船.

stiff /stíf/

形 堅い. ── 名 《俗》(一般に)人; 浮浪者; 労働者.

bíg stìff 《俗》手に負えないやつ.
bíndle stìff 《俗》(寝具その他を持ち歩く)浮浪者, 季節労務者.
blánket stìff 《米俗》(身の回り品を blanket roll にくるんで持ち運ぶ)浮浪者.
júngle stìff 《米渡り労働者俗》決まった場所に住みついている浮浪者.
míssion stìff 《米俗》(教会の)救護院に長居しているルンペン.
ráilroad stìff 《米渡り労働者俗》列車(特に貨物)で無銭旅行をする渡り労働者.
túnnel stìff 《米俗》トンネルを掘る労働者.
wórking stìff 《米俗》一般労働者.

stile /stáil/

名 〖木工〗〖家具〗(窓枠・建具・ドアの)框(かまち), 縦框, 出合い框.

gúnstock stìle 上細框(かまち).
hánging stìle つり元框(かまち).
púlley stìle (上げ下げ窓の)竪框(たてがまち).
shútting stìle 手先框(かまち).

still /stíl/

名 蒸留器. ►distill「蒸留する」の頭音消失異形.

pátent stìll パテントスティル: 連続蒸留できる蒸留器.
pót stìll ポットスチル: ウイスキー, ブランデー, ラムの製造でもろみ(mash)を入れた壷を直接光を当てて加熱する旧式の蒸留器.
sólar stìll 太陽蒸留器.

-stinct /stìŋkt, stíŋkt/

連結形 刺された; 刺すこと.
★ 語頭にくる形は stig-, stim-: *stig*matic「不名誉の」, *stim*ulus「刺激物」.
◆ <ラ *stinctus*(*stinguere*「刺す」より).
[発音] 名詞では語頭に, 形容詞では基体(-stinct)に第1強勢.

dis·tinct 形 異なった, 別の, 別個の.
in·stinct 名 ☞

stitch /stítʃ/

名 **1** (縫い物・刺繍(ししゅう)などの)一針, 一縫い. **2** 〖裁縫〗〖編物〗縫い方, 刺し方, ステッチ. **3** 〖製本〗とじ. ── 動他 …を縫う; …をステッチで飾る.

báck·stìtch 名 返し針, 返し縫い.
blánket stìtch ブランケットステッチ.
blánket-stìtch 動他自 ブランケットステッチで縫う.
blínd stìtch くけ縫い, まつり.
búttonhole stìtch 穴かがり縫い.
cáble-stìtch 名 縄編み(模様).
cátch stìtch 千鳥がけ, 杉綾(すぎあや)がけ.
cát·stìtch 名 ＝catch stitch.
cháin stìtch チェーンステッチ, 鎖縫い.
cháin·stìtch 動他自 鎖縫いをする.

S

clóse stìtch ＝buttonhole stitch.
cróss-stìtch クロスステッチ, ちどり掛け.
díamond stìtch ダイヤモンド・ステッチ.
dóuble stítch ダブルステッチ.
dróp stìtch 機械編みの穴あき模様.
féather·stìtch 名 フェザーステッチ.
fláme stìtch フレームステッチ.
Flórentine stítch バルジェロ縫いによる刺繍(ししゅう).
gárter stìtch ガーター編み.
hánd·stìtch 動他 …を手で縫う［縫いつける］.
hém·stìtch 動他〈布などに〉ヘムステッチをする.
hérringbone stìtch ヘリンボーンステッチ.
kéttle stìtch 〖製本〗(手とじで)折りと折りを連結するため糸に作られた結び目.
kní t stìtch ニットステッチ, 表目, 表編み.
knót stìtch ノットステッチ.
ládder stìtch (刺繍(ししゅう)の)ラダーステッチ.
lóck stìtch ロックステッチ, 本縫い.
lóop stìtch ループステッチ.
machíne-stìtch 動他 …をミシンで縫う.
móss stìtch かのこ(鹿の子)編み, モスステッチ.
óvercast stítch 裁ち目かがり.
óver·stìtch 名 仕上げ縫い.
pícot stìtch ピコステッチ.
pópcorn stìtch ポップコーン編み.
ríp·stìtch 名《英俗》手に負えない乱暴な子供.
rópe stìtch (刺繍(ししゅう)で)ロープステッチ.
rúnning stìtch (縫い方の)ランニングステッチ.
sáddle stìtch サドルステッチ.
sáddle-stìtch 動他 サドルステッチで縫う; 中とじにする.
sátin stìtch サテンステッチ, 繻子(しゅす)縫い.
síde stìtch 〖製本〗平綴(ひらと)じ.
slíp stìtch まつりぐけ, まつり縫い.
slíp-stìtch 動他自 まつる, まつり縫いをする.
stém stìtch ステムステッチ.
stócking stìtch 《主に英》メリヤス編み.
tént stìtch テントステッチ.
tóp·stìtch 動他〈衣類に〉押さえ縫いをする.
ùn·stítch 動他 …の縫い目を解く, ほどく.
whíp·stìtch 動他〈布地の〉へりをかがる, まつる.
wíre-stìtch 動他〈本の背を〉針金で綴(と)じる.

-sti·tute /stətʃùːt, stitjùːt/

連結形 立てる.
★ 語末にくる関連形は -STAND.
★ 語頭にくる関連形は sta-: *sta*bilize「安定させる」.
◆ <ラ *-stitūtus*(*statuere*「立てる」の過去分詞 *statūtum* の連結形より).
[発音] 語頭の音節に第 1 強勢.

con·sti·tute 動他 …を構成する, 組成する, 組み立てる.
des·ti·tute 形〈人・生活などが〉貧窮した, 極貧の.
in·sti·tute 動他 ☞
pros·ti·tute 名 売春婦; 男娼(だんしょう).
res·ti·tute 動自 返却［返還, 賠償］する.
sub·sti·tute 名 (…の)代わりをする人［もの］; 代理人.

-sti·tu·tion /stətʃúːʃən | stitjúː-/

連結形 立てられたもの［こと］.
★ 名詞をつくる.
★ 語末にくる関連形は -STAND.
★ 語頭にくる関連形は sta-: *sta*bilize「安定させる」.
◆ <ラ *-stitūtus* (*statuere*「建てる」の連結形 *-stituere* の過去分詞)より. ⇨ -TION.
[発音] -stitution の第 2 音節に第 1 強勢が置かれる.

con·sti·tu·tion 名 ☞
des·ti·tu·tion 名 生計の資を欠くこと, 極貧, 赤貧.
in·sti·tu·tion 名 ☞
pros·ti·tu·tion 名 売春, 売笑.
res·ti·tu·tion 名 損害賠償, 補償, 弁償.
sub·sti·tu·tion 名 代理, 代用; 取り替え, 交換.

-sti·tu·tive /stətʃùːtiv | stitjùːtiv/

連結形 立っている.
★ 形容詞をつくる.
★ 語末にくる関連形は -STAND.
★ 語頭にくる関連形は sta-: *sta*bilize「安定させる」.
◆ <ラ *stitūte*(*statuere*「立てる」の過去分詞 *statūtum* の連結形より). ⇨ -IVE[1].
[発音] 語頭の音節に第 1 強勢.

con·sti·tu·tive 形 構成［組成］する, 構成要素である.
in·sti·tu·tive 形 設立に役立つ［のための］.
sub·sti·tu·tive 形 代理［代用］の; 代理［代用］になる.

stom·a·tous /stáˈmətəs, stóum- | stɔ́m-, stóum-/

形 **1** 気孔(stoma)の. **2** 気孔のある(stomatal). ⇨ -OUS.
★ 語末にくる関連形は -STOME.
★ 語頭にくる関連形は stom(a)-: *stom*ach「胃」, *sto-ma*titis「口内炎」.

a·stom·a·tous 形 〖動物〗無口(むこう)の; 〖植物〗気孔(stoma)のない.
brach·y·sto·ma·tous 形 〖昆虫〗短い口吻(こうふん)の［を持つ］.
cy·clo·stom·a·tous 形 丸い口を持つ.
mi·cro·stom·a·tous 形 〖医学〗小口症の.

stock /sták | stɔ́k/

名 **1** 在庫品, ストック. **2** 株式. **3** 支持部; 原料.
――動他 …に仕入れる; …を蓄える.

álpha stòck 《英》〖証券〗アルファ株.
béta stòck 《英》〖証券〗ベータ株.
bít·stòck 〖機械〗(押さえ回し錐の)曲がり柄.
blóod·stòck 純血種.
bónus stòck 〖証券〗特別配当株, 無償交付株式.
brówn stòck 《英》牛肉の煮出し汁.
búffer stòck 〖経済〗緩衝在庫.
bútt·stòck ＝gunstock.
cápital stòck 〖証券〗株式資本, 資本金.
cárd·stòck (カード類の印刷用の)硬い厚紙.
cómmon stòck 《米》〖証券〗普通株.
corporátion stòck 《英》〖証券〗市公債, 自治体公債.
déad stòck 《主に英》農具, 農場設備［施設］.
debénture stòck 《英》〖証券〗(無期限償還)社債券.
de·stóck 動自他《主に英》〈家畜を〉少なくする.
díe·stòck 〖機械〗ダイス回し.
dríll·stòck 〖機械〗錐(きり)台.
équity stòck 〖証券〗株式.
fát·stòck 《主に英》肥育畜.
féed·stòck 供給原料［材料］.
fílm stòck 未封切り映画.
flóating stòck 〖証券〗浮動株.
fóot·stòck 〖機械〗＝tailstock.
glámour stòck 〖証券〗グラマーストック.
grówth stòck 〖証券〗成長株.
guáranteed stòck 〖証券〗保証株(式).
gún·stòck (火器の)銃床.
héad·stòck 〖機械〗主軸台, 固定心受(しんうけ).
inscríbed stòck 〖証券〗登録式証券.
intermédiate stòck 〖園芸〗＝interstock.
ínter·stòck 〖園芸〗中間台木.
jóint stòck 〖金融〗共同資本.
láughing·stòck 嘲笑の的, 物笑いの種.
létter stòck 《米》〖証券〗レターストック.
linguístic stòck 語系: 祖語に由来するすべての言語.
lísted stòck 《米》〖証券〗上場株式.
líve·stòck 家畜類(馬, 牛, 羊など).
ópen stòck 〖商業〗ばら買いできるセット商品.

órdinary stóck 《英》=common stock.
óut-of-stóck 形 〚商業〛在庫切れの.
òver·stóck 動他 〚商業〛在庫過剰 [供給過多] にする.
pénny stòck 《米》〚証券〛投機的低位株.
pén·stòck 《米》(水車へ水を引く)水圧管.
phántom stóck ファントムストック方式賞与(制度).
preférred stóck 《米・カナダ》〚証券〛優先株.
rè·stóck 動他自 〚商業〛(…を)再び仕入れる.
restrícted stòck 〚証券〛制限付き株式.
rólling stóck (鉄道の)車両(全部).
róot·stòck 〚園芸〛(接ぎ木の)台木; 根株.
rúdder·stòck 〚海事〛舵幹(だかん), 舵頭材.
sánd·stòck サンドフェースド(れんが).
séed·stòck 〚農業〛(選別保存する)種子, 種根.
sóap-stòck せっけん原料.
stóry stóck 〚証券〛(好材料)話題株.
stúb stòck 〚証券〛額面価格を大きく割った株.
súmmer stóck 《米》夏季公演.
swóon stòck 《俗》〚証券〛極端に敏感な株.
táil·stòck 〚機械〛心(しん)押し台.
táp stòck 《英》〚証券〛タップストック.
tén-wéeks stòck 〚植物〛コアラセイトウ.
típ·stòck 銃床(stock)先端部.
tréasury stòck 《米》〚証券〛(社内所有)自社株.
ùnder·stóck 動他 〚商業〛十分な量の仕入れをしない.
ùn·stóck 動他 〚機械〛…から支持台を外す.
Virgínia stóck 〚植物〛ヒメアラセイトウ.
vóting stòck 〚経済〛議決権株(式).
wátered stóck 〚証券〛水増し株.
whíp·stòck ムチの柄.
whíte stòck 〚料理〛ホワイトストック.

stock·ing /stákiŋ | stɔ́k-/

名 長靴下, ストッキング. ⇨ -ING[1].

blúe·stòcking 《通例軽蔑的》学問好きの女.
bódy stòcking ボディーストッキング.
Chrístmas stòcking クリスマスの靴下(の形をした袋).
sílk-stócking 形 《主に米》ぜいたくな服装をした.

-sto·le /stəliː, -li | -li/

連結形 置くこと; 圧縮すること.
★ 語末にくる関連形は -STOLIC.
◆ <ギ *stolḗ*「圧縮(もとは衣服, 装備)」(*stéllein*「置く」より).
[発音] 直前の音節に第 1 強勢.

di·as·to·le 名 〚生理〛(心臓)拡張期.
sys·to·le 名 〚生理〛〚動物〛収縮(期).
-sys·to·le 連結形 ☞

-stol·ic /stálik | stɔ́lik/

連結形 置くもの [こと] の; 送るもの [こと] の.
★ 形容詞をつくる.
★ 語末にくる関連形は -STOLE.
◆ ギリシャ語 *stéllein*「置く, 送る」より. ⇨ -IC[1].

di·as·tol·ic 形 心臓弛緩(しかん)(期)の.
ep·i·stol·ic 形 手紙 [書簡] の, 手紙による.
sys·tol·ic 形 〈血圧が〉収縮期の.

stom·ach /stʌ́mək/

名 〚解剖〛〚動物〛(人間・動物の)胃.

fóre·stòmach 名 〚医学〛噴門洞 [窪(か)].
hóney stòmach 〚昆虫〛蜜袋(みつぶくろ).

-stome /stòum/

連結形 口(に似た)器官を持つ組織, 口に似た器官.
★ 語末にくる関連形は -STOMIA, -STOMY.
★ 語頭にくる形は stom(a)-: *stom*ach「胃」, *stoma*titis「口内炎」.
◆ <近代ラ *-stoma* <ギ *stóma*「口」.

car·po·stome 名 〚植物〛果胞子嚢(のう)口.
cy·clo·stome 形 〚魚類〛円口類の.
cy·to·stome 名 〚発生〛細胞口.
deu·ter·o·stome 名 〚発生〛新口, 後口.
di·stome 名 ジストマ: 吸虫目の吸虫の総称.
hy·po·stome 名 〚動物〛口円錐(えんすい), 口丘.
mel·a·stome 名 〚植物〛ノボタン.
mon·o·stome 形 〚動物〛単口の.
neph·ro·stome 名 〚動物〛腎口(じんこう).
per·i·stome 名 〚植物〛歯, 蘚歯(せんし).
pro·to·stome 名 〚動物〛前口動物.

-sto·mi·a /stóumiə | -miə, -mjə/

連結形 〚医学〛口(に関する異常).
★ 名詞をつくる.
★ 語末にくる関連形は -STOME.
★ 語頭にくる関連形は stom(a)-: *stom*ach「胃」, *stoma*titis「口内炎」.
◆ <ギ *stóm(a)*「口」+*-ia* -IA.

mac·ro·sto·mi·a 名 大口症, 先天性口角破裂.
o·zos·to·mi·a 名 呼気悪臭, 口臭, 臭口症.
xe·ro·sto·mi·a 名 口腔(こうこう)乾燥症.

-sto·my /stəmi/

連結形 〚外科〛開口術.
★ 名詞をつくる.
★ 語末にくる関連形は -STOME.
★ 語頭にくる関連形は stom(o)-: *stom*ach「胃」, *stomo*titis「口内炎」.
◆ <近代ラ *stoma* <ギ *stóma* 口. ⇨ -STOME, -Y[3].
[発音] 直前の音節に第 1 強勢.

cho·le·cys·tos·to·my 名 胆嚢瘻(のうろう)造設 [造瘻] 術.
cho·led·o·chos·to·my 名 総胆管造瘻(ぞうろう)術.
co·los·to·my 名 人工肛門形成(術).
cys·tos·to·my 名 膀胱瘻(ぼうこうろう)造設(術).
du·o·de·no·je·ju·nos·to·my 名 十二指腸・空腸吻合(ふんごう)術.
du·o·de·nos·to·my 名 十二指腸瘻(ろう)造設術.
en·ter·os·to·my 名 腸瘻造設術, 腸管造瘻術.
gas·tro·du·o·den·os·to·my 名 胃・十二指腸吻合(ふんごう)術.
gas·tro·en·ter·os·to·my 名 胃腸吻合(ふんごう)術.
gas·tro·je·ju·nos·to·my 名 胃・空腸吻合(ふんごう)術.
gas·tros·to·my 名 胃瘻(いろう)造設(術), 胃造瘻(術).
il·e·os·to·my 名 回腸瘻(ろう)造設(術), 回腸造瘻(術).
je·ju·nos·to·my 名 空腸造瘻(ぞうろう)術.
ne·phros·to·my 名 腎瘻(ろう)造設(術).
os·to·my 名 造瘻(ぞうろう)術, 瘻孔形成(術).
sal·pin·gos·to·my 名 卵管開口(術).
tho·ra·cos·to·my 名 胸郭開口術.
tra·che·os·to·my 名 気管切開(術).
u·re·ter·os·to·my 名 尿管瘻(ろう)造設(術).
u·re·thros·to·my 名 =ureterostomy.
vas·o·va·sos·to·my 名 精管造口術.

-ston /stən/

連結形 石(stone).
★ 地名などに使われ, 名詞をつくる.
★ 語末にくる関連形は -STONE.
◆ 古英 *stān* より.

Bos·ton 名 ボストン(イングランドの地名). ►字義は古英で「St.Botulf の石」.
Langs·ton 名 ラングストン(姓). ►字義は「背の高い石」.

S

Thur·ston 名 サーストン(男子の名).►もとはスカンジナビア語で "Thor's stone".

stone /stóun/

名 **1**(物質としての)石; 石材;【鉱物】【岩石】…石, …岩. **2**【植物】核, 種子. ──動他 …に石を据える. ◇ -ITE[1] -STON, -STONE, STONES.

áltar stòne (祭壇の)祭台(mensa).
álum·stòne 明礬(みょうばん)石.
áyr stòne エアストーン: 大理石の研磨, 砥石(といし)に用いる.
ázure stòne ラピスラズリ, 瑠璃(るり).
báke·stòne 焼き石, 焼き盤. 「器.
bánner·stòne バナーストーン: 北米先史時代の石
bárge·stòne 【建築】破風笠石(はふかさいし).
Báth stòne バスストーン: 英国 Bath に産するクリーム色の石灰石.
béd stòne 下臼(したうす): 石臼の下に固定されている石.
bíle·stòne =gallstone.
bírth·stòne 誕生石.
Blárney stòne ブラーネー石: アイルランド Blarney 城城壁の上部にある石.
blóod·stòne 血玉髄, 血石: 玉髄に赤い斑点(はんてん)の入った石; 3 月の誕生石.
blúe·stòne ブルーストーン, 肝礬(たんばん).
bóiling stòne 沸騰石: 安定した沸騰状態を保つために液体の中に置かれる石.
bónd·stòne 【石工】控え取り, つなぎ石, 控え石.
brím·stòne 《古》硫黄(sulfur).
brówn·stòne 《米》褐色砂岩, ブラウンストーン.
búhr·stòne =burstone.
búrr·stòne =burstone.
búr·stòne ブーアストーン: ケイ酸質の岩石の総称.
Cáen stòne カーン石: フランス Caen に産するクリーム色の石灰石.
cám·stòne 《スコット》白い石灰石; 壁などを白くする粘土.
cáp·stòne 【建築】笠(かさ)石, 冠石, 頂石.
cást stóne 【建築】擬石.
chálk·stòne 【病理】痛風結石(tophus).
chérry·stòne サクランボの核 [種子].
chína stòne チャイナストーン: 陶磁器の素地となるカオリン化した花崗(かこう)岩, あるいは細かくて滑らかなきめを持つ石灰石.
chóck·stòne 【登山】チョックストーン.
cínnamon stòne エソナイト, 黄ざくろ石(essonite).
cláy stóne (珪質(けいしつ))粘土岩.
clíng·stòne 形 〈ある種のモモ・プラムなどが〉(果肉が密着して)種離れが悪い.
clínk·stòne クリンクストーン, 響岩(きょうがん).
Cóade stòne コード人造石: 主に墓石に使われていた人造石の一種.
cóbble·stòne (もと道路舗装用の天然の)丸石, 玉石.
cólored stóne (ダイヤ以外の)天然宝石.
cópe·stòne 【建築】(塀の頂上などの)冠石.
córner·stòne 【建築】隅石.
Córnish stóne コーンウォール石: 英国の陶器製造で媒溶剤として用いる.
córn·stòne コーンストーン, 穀粒石灰岩.
Coronátion Stóne 即位の石.►The Stone of Scone とも呼ばれ, 昔, スコットランドの王が即位式でこの上に座った.
cúrb·stòne (道路・緑地帯などの)縁石.
cúrling stòne カーリングストーン: カーリングに用いる丸形の石.
cút stòne 【石工】切石(きりいし).
dáwn stòne 【考古】曙(あけぼの)石器.
diménsion stòne 【石工】規格寸法の切り石.
dólo·stòne 粗粒玄武岩鉱石を含む岩石.
dóor·stòne 【建築】靴ずり石.
dóublet stòne 《俗》まがいもの, (特に)偽の宝石.
dríp·stòne 【建築】(ひさしの)雨押さえ石.
Drúid stòne 【考古】サルセン石(sarsen).
drý-stòne 形 〈壁などが〉(モルタルやセメントを使わない)空(から)積みの.
éagle·stòne イーグルストーン, ワシの安産石.
éar stòne 【解剖】耳石(じせき).
égg stòne 魚卵石(oolite): 魚卵にに似た小球状の結晶から成る.
éye·stòne 目の形の石, (特に)縞瑪瑙(しまめのう).
fáiry stòne 妖精(ようせい)石: 化石もしくは奇妙な形をした石やガラス; 十字石.
fél·stòne 《英》珪長(けいちょう)石.
fíeld·stòne 【建築】(加工されていない)自然石.
fíre·stòne 《特に英》耐火石材.
flág·stòne 【建築】板石, 敷石.
flóat·stòne 【石工】磨き石.
flów·stòne フローストーン, 流れ石: カルシウム炭酸塩が水の蒸発でできた沈殿物.
fóot·stòne (墓の)台石.
foundátion stòne 【建築】礎石, 土台石.
frée·stòne 種離れのよい果実; その果実の種.
fúngus stòne 【菌類】タマチョレイタケ(玉猪苓茸).
gáll·stòne 【病理】胆石.
gém·stòne ジェムストーン: 宝石の原石.
góld·stòne アベンチュリンガラス; 砂金石.
grápe·stòne ブドウの種.
gráve·stòne 墓石, 墓碑.
gráy·stòne 灰色火山岩(の建物).
gréen·stòne 緑色岩, グリーンストーン.
grínd·stòne (研磨・研削用)砥石(といし).
háil·stòne (1 粒の)あられ, ひょう.
héad·stòne (墓の頭部に建てた)墓標, 墓石.
héarth·stòne 【建築】灰止め石, 灰受け石.
hóar·stòne 《英》(古くからある)境界石.
hóly·stòne 名 (船の甲板を磨く)甲板砥石(といし).
hórn·stòne 角岩: 緻密(ちみつ)で塊状のフリント(flint)に似た石英.
impósing stòne (活版)組み付け台.
íron·stòne (石英質の不純物を含む)鉄鉱石.
jámb·stòne 【石工】抱(だ)き石, 側面石.
kérb·stòne 《英》=curbstone.
kéy·stòne (アーチ頂上の)かなめ石, 楔(くさび)石.
kídney stòne 【病理】腎(じん)(臓)結石, 腎石.
láp·stòne (靴屋の革を打つ)ひざ石.
lích stòne (lich gate で)一時棺を降ろすための大きな石.
líme·stòne 石灰石 [岩].
lóad·stòne =lodestone.
lóde·stòne 天然磁石: 磁鉄鉱, ニッケルなど.
lógan stòne =rocking stone.
lóggan stòne =rocking stone.
lógging stòne =rocking stone.
Lóndon Stóne ロンドンストーン: London の Bank of China の壁にはめ込んである石.
Lýdian stóne =touchstone.
márl·stòne マール岩, 泥灰岩(marlite).
míle·stòne マイル標石, 里程標石.
míll·stòne ひき臼(うす)石.
Móabite Stòne モアブ碑: 紀元前 800 年ごろ Moab 王 Mensha がイスラエル人に対して収めた勝利を記録した記念碑モアブ碑.
mócha stòne 苔瑪瑙(こけめのう): コケまたは樹枝状の模様がある.
móon·stòne 月長石, ムーンストーン: 半透明で真珠光沢を持つ.
múd·stòne 泥岩: 比較的柔らかい粘土質岩.
Óamaru stòne オアマル石: ニュージーランド Oamaru 産の石灰岩.
óil·stòne 油砥石(といし).
pád stòne 【建築施工】梁(はり)受石.

S

philósophers' stóne 賢者［哲人］の石, 化金石, 仙丹.
pípe·stòne パイプ石: 北米インディアンがパイプを作るのに用いる赤みがかった一種の年度岩.
pítch·stòne ピッチストーン, 松脂(しょうし)岩.
Pórtland stóne ポートランド岩: 英国 Portland 島で切り出される石灰岩.
pót·stòne ポットストーン: せっけん石の一種.
précious stóne 貴石, 宝石.
púdding stòne 《英》礫岩(れきがん), 蛮岩, 子持岩.
Púrbeck stóne パーベック石: 英国 Purbeck 半島産の石灰石.
quérn·stòne =millstone.
rág·stòne (板のように割ることができる)粗硬岩.
ráin stòne (雨どいに用いた)雨どい石.
rhíne·stòne ラインストーン: 模造宝石の一種.
rím·stòne 縁辺石: 石灰洞内で水たまりのあふれ口に堰(せき)を作る石灰質堆積物.
ríng stòne 迫石(せりいし): アーチを構成する楔型の石.
rócking stòne 揺るぎ石: ちょっとの力で揺らぐ石.
róe·stòne =egg stone.
rólling stóne 風来坊, 住所［職業］不定の人.
Rosétta stòne ロゼッタ石: Napoleon 軍のエジプト遠征の際, Rosetta 付近で発見された石碑.
rótten·stòne トリポリ: ケイ質石灰岩が分解してできたもろい岩石.
rúbbing stòne =floatstone.
rúb·stòne =whetstone.
Rúfus Stòne ルーファス王碑: William II が狩猟中に亡くなった場所に立てられている.
rúne-stòne ルーン文字が彫ってある石.
sánd·stòne 砂岩.
sílt·stòne シルト岩: 砂岩と泥岩の中間の粒子を持つ.
sláb·stòne =flagstone.
slíp·stòne (丸のみを研いだり, かんなの刃形を作るために特殊な形にした)油砥石(といし).
smóke-stòne 煙水晶: 煙色, 褐色または黒色の水晶.
snáke·stòne 蛇にかまれたとき, そこに当てると毒を中和するとされる多孔性の石.
sóap·stòne ソープストン: せっけんまたは油脂肪のような触感の塊状滑石.
stáddle stòne 《もと》干し草の積み台を支える石.
stánding stòne 【建築】立石, メンヒル, モノリス.
stár·stòne 星光石; (特に)星彩青玉.
stépping·stòne (浅い川や沼地などにある)踏み石.
stínk·stòne 油臭石灰岩, シュティンクシュタイン: 打ったりこすったりすると悪臭を放つ.
sún·stòne サンストーン, 日長石: 眺める方向により黄色や赤色の反射光を出す.
swímming stòne =floatstone.
thróugh stòne 【建築】突き抜け石.
thúnder·stòne 雷石, 箭石(やいし).
tíle·stòne タイル石, 石瓦(いしがわら).
tín·stòne スズ石: スズの原鉱.
tóad·stòne ひきがえる石, ひき石: 色, 形がヒキガエルに似て, 昔, 護符, 解毒剤に用いた.
tómb·stòne =gravestone.
tóp·stòne =capstone.
tóuch·stòne (一般に物事の)試金石, 試験, 基準.
túrban-stòne イスラム教徒の墓石.
Túrkey stòne トルコ砥石(といし).
túrn·stòne 【鳥類】キョウジョ(京女)シギ.
véin·stòne 脈石(gangue): 鉱石と共に産出されるが価値のない鉱物.
whét·stòne 砥石(といし).
whin·stone 《主に英》ホインストーン: 暗色・細粒の岩石の俗称.
wíne stòne 粗酒石: ぶどう汁発酵のとき, 副産物として樽(たる)の中にできる赤褐色の塊(argol).
wórry stòne 安心石: 指でこすって緊張を解く石.

-stone /stóun/

連結形 …石.
★ 名詞をつくる.
★ 地名や姓に使われる.
★ 語末にくる関連形は -STON.
◆ 中英 *stān* 石.

Fire·stone 名 ファイヤストーン(姓).
Folke·stone 名 フォークストン(イングランドの地名). ►字義は古英で「Folca(人名)の石」.
Glad·stone 名 グラッドストン(姓). ►スコットランドの地名起源の姓; 字義は古英で「トビの石」.
Liv·ing·stone 名 リビングストン(姓). ►スコットランドの地名起源の姓.
Maid·stone 名 メードストン(イングランドの地名). ►字義はおそらく「乙女の石」.
Mile·stone 名 マイルストン(姓).
Shen·stone 名 シェンストン(姓).
Sil·ver·stone 名 シルバーストーン(イングランドの地名).
Tomb·stone 名 トゥームストーン(米国の地名).
Wheat·stone 名 ホイートストン(姓).
Yel·low·stone 名 イエローストン川.

stones /stóunz/

名複 stone の複数形.

fíve-stònes 名複 《英》(5つの石を用いる)お手玉遊び.
líving stónes ツルナ科リトプス属の多肉植物の総称.
pláin·stònes 名複 《スコット》(敷石用)板石.
Rólling Stónes ローリングストーンズ: 英国出身のロックバンド.

stool /stúːl/

名 **1** スツール; 踏み台. **2**【園芸】(取り木用の)親木. **3** 便器.

bár·stòol バースツール.
bírth·stòol (以前用いた)分娩用の椅子.
cámp·stòol 軽便腰掛け, キャンプスツール.
clóse-stòol 室内［寝室］用便器.
cúcking stòol 懲罰椅子.
cútty stòol 《スコット》低い腰掛け.
de·stóol 動他 (西アフリカで)〈首長を〉職から追放する, 免職する.
dúcking stòol 水責め椅子.
fáld·stòol (司［主］教・高位聖職者の)腰掛け.
fénder stòol 《英》(炉格子前の長い)足載せ台.
fóot·stòol 足台, 足載せ台.
fríth·stòol 聖域権座.
góuty stòol (角度が調節できる)足載せ台.
jóint stòol ジョイントスツール.
láyer-stòol 【園芸】取り木の親となる木.
mílking stòol 搾乳用三脚椅子.
músic stòol ピアノ演奏用腰掛け.
nécessary stòol =close-stool.
níght-stòol =close-stool.
piáno stòol ピアノ椅子.
stép·stòol 踏み段式腰掛け.
tóad·stòol からかさ形の多肉質の食用でないキ

S

ノコの総称.
X́-stòol (折りたたみ式の)X 脚スツール.

stop /stáp|stɔ́p/

名他 **1** …をやめる. **2** …に蓋[栓]をする. ―名 **1** (活動・動きの)中止, 停止, 停車; 終止. **2** 停車場. **3** 詰め, 栓; 止め具. **4** 障害物. **5**〔写真〕レンズの絞り.

áir stòp 《英》ヘリポート.
báck·stòp 名 (野球場などの)バックネット.
bénch stòp 〔木工〕(作業台の)工作物固定器具.
bít stòp 〔木工〕ビットゲージ.
bús stòp バスの停留所, バス停.
cáttle stòp 《NZ》家畜脱出防止溝.
corporátion stòp (ガス・水道の)分岐栓.
crásh stòp 急停車.
dóor·stòp 名 あおり止め, 戸止め.
dóuble stóp 〔音楽〕(弦楽器の)ダブルストップ.
dóuble-stóp 動他〔音楽〕ダブルストップで弾く.
écho stòp 〔音楽〕エコー.
énd-stòp 動他 …を突然休止する.
expréssion stòp 〔音楽〕エクスプレッション音栓.
fíeld stòp 〔光学〕(レンズの)視野絞り.
fíre·stòp 名 (建物中の)防火仕切り.
flúe stòp 〔音楽〕フルーストップ[音栓].
fórm stòp 〔建築〕堰板(せきいた).
f-stòp 名〔写真〕絞り目盛り.
fúll stóp 《英》終止符, 終止点, ピリオド.
gín stòp 《英》酒場.
glóttal stóp 〔音声〕声門閉鎖音.
gó-stòp 名 《英》インフレとデフレが交互に起きる時期.
héli·stòp 名 (臨時の)ヘリコプター発着場.
lóng stòp 〔クリケット〕ロングストップ.
mutátion stòp 〔音楽〕倍音ストップ[音栓].
náture stòp 《米話》トイレのための駐停車.
non·stóp 形 〈交通機関が〉直行の.
óne-stòp 形 一か所で何でもそろう.
órgan stòp 〔音楽〕オルガンストップ[音栓].
pípe stòp 〔音楽〕オルガンの唇管音栓.
pít stòp 〔オートレース〕ピットストップ.
réed stòp 〔音楽〕リードストップ[音栓].
requést stòp 《英》(バスの)随時停留所.
rést stòp 休憩停車.
ríp·stòp 形 〈布地が〉裂け目止め加工された.
shóck stòp 感電防止器.
shórt·stòp 名〔野球〕ショート(ストップ).
sólo stòp 〔音楽〕ソロストップ.
súction stòp 〔音声〕舌打ち音, 吸着音.
trúck stòp トラックサービスエリア.
T́-stòp 名〔写真〕T 絞り.
un·stóp 動他 …の栓を抜く, 口をあける.
wáge-stòp 名動他 《英》社会保障給付を制限(する).
wáy-stòp 名 (旅程の)中継地点.
whístle stòp 《米・カナダ》臨時停車小駅.
whístle-stòp 動自 地方をこまめに選挙演説で回る.

stop·per /stápər|stɔ́pə/

名 止める人[物]; 妨害する人[物]; (機械の)制止器[装置]. ⇨ -ER¹.

conversátion stòpper 《話》会話を中断させるような発言.
flópper-stópper 《米俗》ブラジャー.
gób-stòpper 《英》大形の丸いぺろぺろキャンディー.
héart·stòpper 《俗》恐ろしい[驚くべき]こと.
shów-stòpper 〔演劇〕熱烈な喝采(かっさい)を博せりふ.
tobácco stòpper ストッパー: 刻みタバコをパイプに詰める道具.
trám-stòpper 《英俗》厚いサンドイッチ.

stor·age /stɔ́:ridʒ/

名 **1** 貯蔵; 保管, (特に)倉庫保管. **2**〔コンピュータ〕記憶装置. ⇨ -AGE¹.

assóciative stórage 連想記憶装置.
auxíliary stórage =secondary storage.
bácking stòrage 補助記憶装置.
cáche stòrage (命令を実行するための)小容量ながら高速演算が可能なメモリー.
cóld stórage (食物・毛皮などの)冷蔵.
contról stòrage 制御記憶装置.
córe stòrage 磁気コア記憶.
déad stòrage (家具・書類などの)死蔵, 退蔵.
dísc stòrage ディスク記憶装置.
extérnal stórage 外部記憶装置.
intérnal stórage 内部記憶装置.
máin stórage 主記憶装置.
mín·i·stòr·age 名 (セルフサービス式の)ロッカールーム.
óffsite stórage オフサイトストーレッジ.
púmped stórage 〔電気〕揚水貯蔵, 揚水発電システム.
réal stórage 実記憶装置, 実記憶域.
sécondary stórage 補助記憶装置, 二次記憶装置.
sélf·stórage 名形 ロッカールーム(の).
vírtual stórage 仮想記憶[装置].
wórking stòrage 作業(用)記憶域[装置].

store /stɔ́:r/

名 《主に米》(小売の)商店, 店; 食料雑貨店, 食料品店; 店舗用建物(スペース・フロアーなど). ―動他 …を供給する; …を蓄える.

ármy-návy stòre 陸海軍払い下げ品専門店.
bóok·stòre 《主に米》本屋, 書店.
bóx stòre (日用(雑貨)品をボール箱などに入れたまま並べて売る)ディスカウントストアー.
búddy stòre 《米空海軍俗》軍用タンカー.
cándy stòre 《米》菓子屋(《英》sweet shop).
cásh-stòre 《米》現金売りの店.
cháin stòre チェーンストア.
cigár stòre タバコ小売店, タバコ屋.
cóld stòre (食料・毛皮などを保存する)冷蔵室.
cóld-stóre 動他 〈食料・毛皮などを〉冷蔵しておく.
cómbo stòre 《話》コンボストア: ドラッグストアとスーパーマーケットの複合店舗.
cómpany stóre 会社の売店.
convénience stòre コンビニエンスストア, コンビニ.
coóperative stóre 生活協同[消費]組合小売店.
córe stòre 〔コンピュータ〕磁心記憶装置.
cóuntry stóre (田舎・避暑地・保養地・行楽地などの)雑貨店, なんでも屋.
cróssover stòre (セルフサービスの)健康食品.
Ć-stòre =convenience store.
departméntal stòre 《英》=department store.
depártment stòre 百貨店, デパート.
díme stòre 《米》安物雑貨店.
dí·no·stòre 名 (博物館にある)恐竜関連商品売場.
drúg·stòre 《米・カナダ》ドラッグストア.
éx stòre 〔商業〕店頭渡し.
féed·stòre 《米》飼料販売店.
fíve-and-tén-cènt stòre 安物雑貨店.
flát·stòre (金目当ての)ゲーム, 賭博(とばく).
géneral stóre 《米》よろず屋, 雑貨屋.
indústrial stòre =company store.
ín-stòre 形 デパート内の[にある].
léeky stòre 《米黒人俗》酒屋.
límited-assórtment stòre リミテッド=アソートメント=ストア: 低価格で, 余分な包装・装飾を省略して, 実用性を優先させた商品を主に扱っている実用本意の店.
líquor stòre 《米》酒屋.
máin stóre 〔コンピュータ〕記憶容量.
maríne stòre 船具, 船舶用品.

S

még·a·stòre 名 メガストア: 都市郊外に自営駐車場を持ち, 自営工場からの直売を行なう大型店舗.
míll stòre 製造所直営小売店.
99-cènt stòre =five-and-ten-cent store.
nó-fríls stòre =limited assortment store.
páckage stòre 《米》酒類小売店.
párasite stòre 〖経営〗寄生型商店, 寄生店.
prè·stóre 動他 (将来の使用に備えて)あらかじめ蓄える, 前もって貯蔵する.
shíp's stòre 海軍艦艇の日用雑貨品を売る売店.
státe stòre 《米》州営酒類販売店.
súp·er·stòre 名 《主に英》(郊外の)大型百貨店.
tén-cènt stòre 《米話》=dime store.
varíety stòre 《主に米/古風》(特に安物を扱う)雑貨店, 安物雑貨店.
wóol stòre 《豪・NZ》羊毛梱(こり)倉庫.

stores /stɔ́ːrz/

名複 store の複数形.

Américan Stóres アメリカン・ストアーズ: 米国のスーパーマーケットチェーン.
Ármy and Návy Stóres 《英》陸海軍購売組合百貨店.
Federáted Depártment Stóres 米国のデパートチェーン.
nával stòres (兵器を除く)海軍軍需品.
séa stòres 航海前に用意する食糧などの必需品.
shíp's stóres 船舶用品.
smáll stòres 〖米海軍〗補給長から乗員に配られる雑品(タバコ, 衣服など).

stork /stɔ́ːrk/

名 〖鳥類〗コウノトリ.

ádjutant stòrk ハゲコウ.
bláck stórk ナベコウ(鍋鸛).
póuched stórk =adjutant stork.
whíte stórk コウノトリ.
wóod stòrk トキコウ(wood ibis).

storm /stɔ́ːrm/

名 **1** (しばしば雨・雪・あられ・雷・稲妻・砂塵(さじん)などを伴う)嵐(あらし), 大しけ; 荒天. **2** (感情などの)激発, 爆発.

bárn·stòrm 動自 《米話》地方を遊説する.
bráin·stòrm 《米・カナダ話》突然思い浮かぶ妙案[名案], インスピレーション.
Désert Stòrm 砂漠の嵐(作戦).
dúst stòrm 砂塵嵐.
eléctrical stórm 雷雨.
eléctric stórm =electrical storm.
equinóctial stórm 彼岸嵐.
fíre·stòrm 火事嵐, 火事場風.
geomagnétic stórm =magnetic storm.
háil·stòrm あられ[ひょう]を伴う嵐.
íce stòrm 着氷(glaze)性暴風雨.
líne stòrm =equinoctial storm.
magnétic stórm 磁気嵐.
nórtheast stórm ノースイースター: 特に秋と冬に米国とカナダの東海岸数百マイルを北東に移動する暴風.
ráin·stòrm 暴風雨, 雨嵐, 豪雨.
sánd·stòrm (特に砂漠の)砂嵐.
snów·stòrm 吹雪.
súb·stòrm サブストーム: 極域で顕著に見られる磁気圏の擾乱(じょうらん)現象.
thúnder·stòrm (激しい)雷雨.
trópical stórm 熱帯暴風.
víolent stórm 暴風.
wínd·stòrm (雨を伴わない)暴風.

sto·ry[1] /stɔ́ːri/

名 物語, 話; 童話, 昔話. ⇨ -Y[3].

án·ti·stò·ry 名 アンチストーリー: 伝統的構成手法や登場人物の動機づけなどを無視し, ストーリー展開を無視した短編小説.
bédtime stòry 就寝時に子供に聞かせる話, 寝物語.
cóck-and-búll stòry でたらめな話, うそっぱち.
cóver stòry (雑誌の)表紙絵に関連した特集記事.
dópe stòry 〖ジャーナリズム〗解説もの[記事].
fáiry stòry おとぎ話.
féature stóry (新聞・雑誌の)特集記事.
físhing stòry =fish story. ►釣りの自慢から.
físh stòry 《話》大げさな話, ほら話.
físhy stòry あやしい話.
ghóst stòry 幽霊話, 怪談.
hér·stòry 名 《俗》ハーストリー: 女性の視点から見た歴史.
hórror stòry 恐怖物語[映画など], ホラーもの.
húman-ínterest stòry 同情[共感]を誘う報道.
léad stòry 〖ジャーナリズム〗トップニュース.
lóng-shórt stòry (short story と short novel の中間の)中編小説.
lóve stòry ラブストーリー, 恋愛小説.
mýstery stòry 推理[探偵]小説, ミステリー.
néws stòry 新聞記事, ニュース記事.
óld stòry 《話》よくある話, 例の言い訳.
personálity stòry (新聞・雑誌などでの)人物評論.
phóto stòry フォトエッセイ(photo essay).
rúnning stòry 〖ジャーナリズム〗連載記事, 連続物語, 続き物(serial).
shággy-dóg stòry 長談義の最後にばかげた[とっぴな]落ちがつく荒唐無稽な物語.
shórt shòrt stóry ショートショート, 超短編(小説).
shórt stóry (通例, 1万語以下の)短編小説.
sób stòry 《米話》お涙ちょうだいもの[記事].
succéss stòry 成功談, 立身出世物語.
suppleméntary stóry 〖ジャーナリズム〗補足記事.
téll stòry 〖テレビ〗(画面に現れない)声だけの語り.
túrn stòry 〖ジャーナリズム〗繰り越し記事.
wár stòry (個人的な)戦記, 戦争体験記.

sto·ry[2] /stɔ́ːri/

名 (建物の)階層, 階. ⇨ -Y[3].

blínd·stòry 〖建築〗めくら階, (特にゴシック式教会堂の)窓のないトリフォリウム(triforium).
cléar·stòry 《米》=clerestory.
clére·stòry 〖建築〗クリアストリー, 明かり層.
hálf stòry 〖建築〗ハーフストーリー.
mùl·ti·stó·ry 形 〖建築〗多階の, 高層の.
ó·ver·stò·ry 名 上層.
sécond stóry 二階(second floor).
sécond-stòry 形 《米》2階の[にある].
tóp stòry 最上階.
ún·der·stò·ry 名 低木層.
úpper stòry 上の階; 《米俗》頭, おつむ.

stove /stóuv/

名 (暖房用の)ストーブ, (料理用の)こんろ, ガスレンジ; (陶器を焼くための)かまど.

cámp stòve 屋外用携帯こんろ.
cóokery stòve 《英》=cookstove.

cóok·stòve 《米》料理用こんろ, レンジ.
drý stóve 〘園芸〙乾燥温室.
Fránklin stóve 《米》フランクリンストーブ: 暖炉型のストーブ.
gás stòve (主に料理用の)ガスレンジ.
pótbelly stóve だるまストーブ.

strad·dle /strǽdl/

動自 股(また)を広げて歩く[立つ, 座る]; またぐ, またがる.

a·strad·dle 副形 またがって(astride).
be·strad·dle 動他 〈馬・自転車・椅子などに〉またがる.
fence-strad·dle 動自 《米話》双方にいい顔をする.

straight /stréit/

名 **1** 直線走路[コース]. **2**〘トランプ〙ストレート.

álternate stráight 〘ポーカー〙=skip straight.
báck stràight (陸上競技などで)ゴールと反対側の直線走路.
Dútch stráight 〘ポーカー〙=skip straight.
hóme stráight 《英》競走路の最後の直線コース.
ínside stráight 〘ポーカー〙インサイドストレート.
Lóng Stráight 鉄道最長直線区間.
skíp stràight 〘ポーカー〙スキップストレート.

strain /stréin/

動他 引っ張る; 緊張させる.

búlk stràin 〘物理〙体積ひずみ.
éye·stràin 名 眼精疲労.
ò·ver·stráin 動他自 緊張させすぎる[しすぎる].
re-stráin 動他自 再び引き締める[引っ張る].
róle stràin 〘社会〙役割緊張.

-strain /stréin/

連結形 締める.
★ 語末にくる関連形は -STRICT.
★ 語頭にくる形は str-: *str*aight「直立した」, *str*ing「ひも」.
◆ ラテン語 *stringere*「しっかりと縛る, 結ぶ, ぴんと張る」より.

con·strain 動他 〈服従などを〉強いる, 強制する.
dis·train 動他 〘法律〙〈動産を〉差し押さえる.
re·strain 動他 〈感情・行為などを〉抑える.

strake /stréik/

名 〘造船〙張り板, 条板, ストレーキ.

bínding stràke 平張り: 木造船の舷側(げんそく)厚板の下部を成す.
gárboard stráke ガーボードストレーキ: 竜骨翼板の一部.
lánding stràke ランディングストレーキ: デッキのない船で舷側厚板のすぐ下の厚い外板.
láp·stràke 形 (船殻を板または鋼板で)鎧(よろい)張りした.

strap /strǽp/

名 **1** ひも, 帯; 革ひも. **2** 輪ひも; つり革. **3**〘機械〙帯金, 目板.

ánkle stràp (婦人靴で)足首に回して留めるひも.
báck·stràp 名 (本の)背.
bláck·stràp 名 《米俗》(軍隊などで)コーヒー.
bóot·stràp 名 (編み上げ靴の)つまみ革.
bútt·stràp 名 〘機械〙目板(めいた), 継ぎ目板.
chéek stràp (馬勒(ばろく)の)ほお革.
chín stràp (帽子の)あごひも.
jóckey stràp =jockstrap.
jóck·stràp 名 (運動選手がはく)サポーター.
kícking stràp けり止め革: 馬がけるのを止める.
láp stràp (特に飛行機の)座席ベルト.
scáre stràp 《米俗》命綱.
shóulder stràp (婦人服の)肩ひも.
spaghétti stràp (婦人服の)細い肩ひも.
stírrup stràp (鞍に付ける)鐙(あぶみ)革.
súper-stràp 名 《米俗》がり勉学生.
T́-stràp 名 (靴の)T(字形)ストラップ.
ùn·stráp 動他 …の(革)ひもを外す[緩める].
wátch·stràp 名 《英》腕時計のバンド.

strat·e·gy /strǽtədʒi/

名 (科学・技術としての)戦略, 兵法, 用兵学(generalship). ⇨ -Y³.

gè·o·strát·e·gy 名 〘軍事〙戦略地政学.
Làdy Macbéth Stràtegy 《話》マクベス夫人戦法.
márketing stràtegy 〘マーケティング〙マーケティング戦略.
percéptual strátegy 〘言語〙知覚処理方式, 知覚の方略.
prícing stràtegy 〘マーケティング〙価格戦略.
púll·stràtegy プル戦略, 慎重経営戦略.
Róse Gárden stràtegy 〘米政治〙ローズガーデン戦略.
stárving strátegy 〘軍事〙兵糧攻め.

stra·tum /stréitəm, strǽt-|strɑ́:t-, stréit-/

名 (しばしば平行に積み重なった)層. ⇨ -ATUM.

ad·stra·tum 名 〘歴史言語学〙(隣)接層(言語).
sub·stra·tum 名 下層, 基層.
su·per·stra·tum 名 上層.
un·der·stra·tum 名 =substratum.

stra·tus /stréitəs, strǽt-|stréit-/

名 〘気象〙層雲. ⇨ -ATUS.
★ 語頭にくる関連形は strati-, strato-: *strati*fication「層化」, *strato*cumulus「層積雲」.

al·to·stra·tus 名 (2, 450–6, 100m の)高層雲.
cir·ro·stra·tus 名 巻(けん)層雲.
cu·mu·lo·stra·tus 名 層積雲(stratocumulus).

straw /strɔ́:/

名 (穀物, 特に麦類の)茎の一本; わら一本.

béd·stràw 〘植物〙カワラマツバ.
chéese stràw チーズストロー: チーズをパイ生地に混ぜ, 棒状に焼いたもの.
jáck·stràw ジャックストロー: 遊びの一種.
lást stráw (我慢・忍耐の)限度を超えさせるもの.
píne stràw 《米中部》乾燥した松葉.
wíndle·stràw 《アイル・スコット・英》(草の)枯れ茎.

straw·ber·ry /strɔ́:bèri, -bəri|-bəri/

名 〘植物〙(オランダ)イチゴ. ⇨ BERRY.

ármy stràwberry 《米軍俗》プルーン.
bárren stráwberry ヤセイチゴ.
crúshed stráwberry 黄色がかった深紅色.
háutbois stràwberry モスカータイチゴ.
Índian stráwberry ヤブヘビイチゴ.
móck stráwberry =Indian strawberry.
wíld stráwberry 野イチゴ.

streak /strí:k/

名 1 筋, 線, 縞(しま). 2《話》一続き.

- **blúe strèak** 電光; 電光石火の速さのもの.
- **lósing strèak** 〖スポーツ〗連敗.
- **Sílver Stréak** 《英話》イギリス海峡.
- **wínning strèak** 〖スポーツ〗連勝.
- **yéllow strèak** 《米話》(性格的な)臆病, 卑怯.

stream /stríːm/

名 1 川, 小川, 細流. 2 (川・大洋などの)一定の流れ; 水流, 海流. 3 (液体・気体の)流れ; 気流. 4 (時・歴史・世論などの)流れ; 動向.

- **áir·strèam** 気流.
- **Bláck Stréam** 黒潮.
- **blóod·strèam** (体内を循環する)血流.
- **Cóld·strèam** コールドストリーム(スコットランドの町名).
- **cónsequent stréam** 〖地質〗必従(ひつじゅう)川.
- **dówn·stréam** 副形 流れを下って [た], 下流に [の].
- **Gúlf Strèam** メキシコ湾流.
- **héad·strèam** (川の)源流.
- **Japán Stréam** 日本海流(Japan Current).
- **jét strèam** ジェット気流.
- **jób strèam** 〖コンピュータ〗ジョブの流れ.
- **máin·strèam** (活動・傾向などの)主流, 趨勢(すうせい).
- **míd·stream** 名 流れの中ほど, 中流.
- **míll·strèam** 水車用導水路の流れ.
- **mísfit strèam** 〖地理〗不適合河流.
- **múd strèam** 〖地質〗泥流, 土石流(mudflow).
- **óbsequent stréam** 〖地質〗逆従川.
- **ón-stréam** 副 (特に流れ作業で)操業 [稼動] して.
- **slíp·strèam** 〖航空〗スリップストリーム: 後流.
- **stár-strèam** 〖天文〗星流運動(star drift).
- **thírd stréam** サード・ストリーム・ミュージック: ジャズとクラシック, 特に 20 世紀の前衛音楽の特徴を結合した音楽形式.
- **thóught strèam** 思考の流れ.
- **úp·stréam** 副 上流へ [に, で]; 流れに逆らって.
- **Válley Stréam** バリーストリーム(米国の村名).

street /stríːt/

名 (村・町・都市の, 通例, 舗装された)街路, 通り.

- **báck stréet** 裏通り, 裏町.
- **báck-strèet** 形 秘密裏に行われる.
- **Báker Strèet** (London にある)ベーカー街: この街の 221 番地 b に Sherlock Holmes が住んでいたとされた.
- **Bónd Strèet** (London にある)ボンド街: 一流の商店街.
- **bý-strèet** 名 横町, 裏通り; 脇道.
- **Cárnaby Strèet** (London にある)カーナビー通り: ショッピング街, ファッション中心地.
- **clóud strèet** 〖気象〗雲の道.
- **cróss strèet** 交差道路.
- **dówn·stréet** 副 通りで [へ], 通りの先で [へ].
- **éasy strèet** 《話》裕福な身分.
- **Fléet Strèet** (London にある)フリート街: 新聞社街.
- **42nd Stréet** New York のマンハッタン中央部の東西の通り: かつてのポルノ街.
- **grúb·strèet** 形 三文文士の書いた; 低級な.
- **hígh strèet** 《英》本通り, 大通り.
- **júmp strèet** 《米話》始まり, 開始.
- **máin strèet** (小都市の)本通り, 目抜き通り.
- **máin·strèet** 動自 《米・カナダ》大通りで選挙運動をする.
- **mán-on-the-stréet** 形 《米話》ありふれた, ありきたりの.
- **óff-strèet** 形 表通りから入った, 裏通りの.
- **ón-strèet** 形副 路上の [で].
- **pláy·strèet** 名 歩行者天国.
- **Quéer Strèet** 《英俗》(財政的)困窮状態.
- **shóp strèet** 商店街.
- **síde strèet** (本通りと並行の)脇道.
- **stóp strèet** 完全停止道路.
- **thróugh strèet** 優先道路.
- **twó-way stréet** 二車線道路.
- **vórtex strèet** 〖流体力学〗渦列.
- **Wáll Strèet** (New York 市にある)ウォール街: 株式取引所所在地.

strength /stréŋkθ/

名 1 力, 強さ, 力強さ; 体力, 筋力. 2 抵抗力, 強度. 3 効き目. ⇨ -TH[1].

- **bénding strèngth** 曲げ強さ.
- **bréaking strèngth** 破壊応力.
- **búrsting strèngth** 破裂強度.
- **dieléctric stréngth** 〖電気〗絶縁耐力.
- **dynámic stréngth** 〖物理〗動的強度.
- **éxtra-stréngth** 形 〈薬などが〉強力な.
- **fatígue strèngth** 〖物理〗疲れ強度.
- **fíeld strèngth** 〖物理〗場(ば)の強さ.
- **gréen stréngth** 〖鋳造〗生(なま)強度.
- **ímpact strèngth** 〖工学〗衝撃強度.
- **indústrial-strèngth** 形 強力な, 高性能な.
- **ténsile strèngth** 〖機械〗引っ張り強さ, 抗張力.
- **tórsional strèngth** 〖物理〗ねじれ強さ.
- **últimate stréngth** 〖工学〗極限強さ, 破壊強さ.
- **ùnder·stréngth** 形 組織力の不十分な; 人員不足の.
- **úp-stréngth** 形 アルコール度が高い(ビールを好む).
- **wét strèngth** 〖製紙〗湿潤強さ.
- **yíeld strèngth** 〖冶金〗降伏強さ.

stress /strés/

名 1 強調. 2〖音声〗(音節・語の)強勢, アクセント. 3 圧力;〖力学〗応力. 4 緊張, ストレス.

- **bénding strèss** 曲げ応力.
- **contrástive stréss** 〖音声〗強調アクセント, 対照強勢.
- **de·stréss** 動他 過剰な歪みを取り除く.
- **eú·strèss** 〖心理〗ユーストレス: 快になるストレス; 強く生きていくための原動力など.
- **inítial stréss** 〖物理〗初期応力.
- **intérnal stréss** 〖物理〗内部応力.
- **lével stréss** 〖音声〗平板強勢.
- **mí·cro·strèss** 名 〖冶金〗微小応力.
- **ò·ver·stréss** 動他 強調しすぎる.
- **prè·stréss** 名 元応力, プレストレス.
- **prímary stréss** 〖音声〗第一アクセント [強勢].
- **próof strèss** 〖機械〗耐力.
- **resídual stréss** 〖冶金〗残留応力.
- **rhetórical stréss** 修辞的強勢.
- **sécondary strèss** 〖工学〗二次応力.
- **sénse strèss** =sentence stress.
- **séntence strèss** 〖音声〗文アクセント [強勢].
- **shéaring strèss** 〖機械〗剪断(せんだん)応力.
- **shífting strèss** 〖音声〗転移強勢.
- **téchno-strèss** 名 〖心理〗テクノストレス.
- **únit strèss** 〖工学〗単位応力, 応力度.
- **ún·strèss** 名 〖音声〗無強勢音節.
- **wórd strèss** 〖音声〗語アクセント [強勢].
- **wórking strèss** 〖機械〗使用 [許容] 応力.
- **yíeld strèss** 〖冶金〗降伏応力.

-stress /stris/

接尾辞 女性名詞をつくる.
★ 最近では性差別を避けるためあまり用いられない.
◆ -ST(E)R＋-ESS[1].

- **an·ces·tress** 名 女性の祖先, 女子祖先.

S

clois·tress 名 《廃》修道女, 尼僧.
fuck·stress 名 《俗》好色な女.
min·is·tress 名 minister の女性形.
seam·stress 名 女裁縫師, お針子.
semp·stress 名 =seamstress.
song·stress 名 女性歌手, (特に)女性の流行歌手.

stretch /strétʃ/

動他 〈人・動物などが〉〈体・手足・翼などを〉いっぱいに伸ばす [広げる]; 《再帰的》〈背・首などを〉伸ばす; 《話》〈人を〉(一撃で)大の字にのす. ── 名 **1** 伸ばす [伸びる] こと. **2** (走路の)直線コース.

báck·strétch 名 (陸上競技の)バックストレッチ.
hóme·strétch 《主に米》ホームストレッチ.
òut·strétch 動他 広げる, 伸ばす, 差し出す.
òver·strétch 動他 引き伸ばしすぎる, 張りすぎる.
quárter·strètch =homestretch.
séventh-ìnning strétch 〖野球〗7 回の一休み.
twó-way strétch 《話》布地の両方向に伸びる特質.

stretch·er /strétʃər/

名 〖家具〗家具の脚と脚を結びつける補強枠; 貫(ぬき). ⇨ -ER[1].

bóx strètcher 〖家具〗ボックスストレッチャー.
búllnose strètcher =bull stretcher.
búll strètcher 〖石工〗隅丸れんが.
crínoline strétcher 〖家具〗(ウインザーチェアの脚の)横貫(ぬき).
H́-strètcher 名 〖家具〗H 形をした貫(ぬき).
sérpentine strétcher 〖家具〗複合曲線を持つX字形の貫.
X́-strètcher 名 〖家具〗椅子の脚と脚をつないで補強する X 形の横木.

strick·en /stríkən/

動 strike「打つ」の過去分詞形. ⇨ -EN[3].

awe-strick·en 形 畏敬 [畏怖] の念に打たれた.
con·science-strick·en 形 良心が痛んだ, 気がとがめた.
grief-strick·en 形 悲しみに打ちひしがれた.
heart-strick·en 形 悲しみに打ちひしがれた.
pan·ic-strick·en 形 恐怖に取りつかれた.
plague-strick·en 形 悪疫が流行している.
pov·er·ty-strick·en 形 貧乏に苦しんでいる.
sor·row-strick·en 形 悲しみにひしがれた.
ter·ror-strick·en 形 恐怖に圧倒された, びくびくした.
won·der-strick·en 形 あっけに取られた.

-strict /stríkt/

連結形 締めつけられた, 縛りつけられた.
★ 語末にくる関連形は -STRAIN.
★ 語頭にくる関連形は str-: *str*aight「直立した」, *str*ing「ひも」.
◆ <ラ *strictus*(*stringere*「ぴんと張る」の過去分詞).
[発音] 基体(-strict)に第 1 強勢.

ab·strict 動自 〖菌類〗隔壁分離 [離脱] する.
as·trict 動他 …を束縛する; 制限する.
con·strict 動他 引き締める, 締めつける, 絞る.
re·strict 動他 制限する, 限定する, 限る.

stric·tion /stríkʃən/

名 張り詰めること; 緊縮. ⇨ -TION.

ab·stric·tion 名 〖菌類〗緊扼(きんやく).
con·stric·tion 名 締めつけ, 圧縮; 収斂(しゅうれん); 圧迫.
e·lec·tro·stric·tion 名 〖物理〗電歪(でんわい), 電気ひずみ.
mag·ne·to·stric·tion 名 〖物理〗磁気ひずみ, 磁歪(じわい).
re·stric·tion 名 制限, 限定, 拘束, 束縛.

stride /stráid/

動自 大またに歩く, 濶歩(かっぽ)する.

a·stríde 前 …にまたがって.
be·stríde 動他 〈馬・自転車・椅子などに〉またがる.
gíant stríde (遊園地などにある)回旋塔.
ò·ver·stríde 動他 勝る, 凌駕(りょうが)する, しのぐ.

strike /stráik/

動他 殴る, (こぶし・武器・ハンマーなどで)…に一撃を加える, 打つ; 打って(…の状態に)する. ── 名 **1** 打撃, 打つこと. **2** ストライキ, 同業罷業, 労働争議. **3** 〖軍事〗(計画的な)集中攻撃. **4** 〖野球〗ストライク.

áir·strìke 航空攻撃, 空襲.
bírd strìke 〖航空〗バードストライク, 鳥衝突.
búyers' strìke 消費者不買同盟.
cálled stríke (野球の)見送りのストライク.
consúmer strìke (消費者による)商品不買運動 [同盟].
déep-stríke ディープストライク, 遠距離侵攻攻撃.
económic stríke 経済ストライキ.
fírst stríke 第一撃.
fírst-stríke 形 〈核戦力が〉初期攻撃にのみ使用される.
flý-strìke 〖獣病理〗蝿蛆(ようそ)病.
fóul stríke (野球の)ファウルによるストライク.
géneral stríke ゼネスト, 総(同盟)罷業.
húnger strìke ハンガーストライキ, ハンスト.
húnger-strìke 動自 ハンガーストライキをする.
líghtning stríke 落雷.
mis·stríke 名 〖貨幣〗不良鋳造貨.
nó-strìke 形 ストライキ禁止の.
offícial stríke 労働組合公認のストライキ, 同盟罷業.
óutlaw strìke =wildcat strike.
ò·ver·stríke 動他 〖古銭〗〈硬貨に〉重印する.
preémptive stríke 予防戦争: 専制的に開始する戦争.
rént strìke 家賃不払いスト.
rè·stríke 動他自 再び打つ, 打ち直す.
rólling stríke 波状ストライキ.
Róman stríke 〖時計〗ローマ式時打ち.
sécond-stríke 形 (特に核戦争における)第二撃の.
sít-down strìke (職場での)座り込みストライキ.
sléep strìke 睡眠スト.
stáy-dòwn strìke (外の坑夫を就労させないための)坑内居座りストライキ.
stáy-ìn strìke 《英》=sit-down strike.
sympathétic stríke =sympathy strike.
sýmpathy strìke 同情スト.
tén-strìke (ボーリングの)ストライク.
thúnder·strìke 動他 《古》…を雷で打つ.
tóken stríke 短時間の時限スト.
unconstitútional stríke 違反スト.
wíldcat stríke 山猫争議, 山猫スト: 本部の承認なしに勝手に行う争議.

string /stríŋ/

名 **1** 細ひも; 《米軍俗》(ヘリコプターに吊り上げるための)太いロープ. **2** (技量によって分けられる)組. **3** 〖建築〗蛇腹層. ── 動他 …に糸 [ひも, つる] をつける.

bów·strìng 弓の弦, 弓弦(ゆづる).
cháracter strìng 〖コンピュータ〗文字列.
chéck·strìng (バスなどで, 客が下車の合図に引く)ひも.
cósmic stríng 宇宙ひも.
cróss-stríng 動他 〖音楽〗=overstring.

cút stríng 〔建築〕=open string.
dráw·strìng (袋や衣服の口の)引き締めひも.
dríll strìng (掘削用)ドリルストリング.
fírst stríng 〔スポーツ〕(チームの)一級選手.
fírst-stríng 形 レギュラーの, 一軍の.
gée-strìng =G-string.
gláss strìng ガラス片を接着した凧(たこ)糸.
Ǵ-strìng 〔音楽〕G 線, ジー線, ゲー線.
hám·strìng 〔解剖〕膝腱(しっけん).
hóused stríng 〔木工〕(階段の)踏み板および蹴込(けこ)み板の両端を大入れにした側桁(がわげた).
látch·strìng 掛け金ひも.
ópen strìng 〔建築〕ささら桁(げた).
òver·stríng 動他 〔音楽〕〈ピアノに〉低音部の弦の上に高音部の弦が斜めに交差するように張る.
pígging strìng (ロデオ競技で)投げ縄で捕らえた子牛の足を縛る短いひも.
rè·stríng 動他 〈楽器の〉弦を張り替える.
sécond stríng 《主に米・カナダ》〔スポーツ〕控えの選手 [チーム], 交代要員.
shóe·strìng 靴ひも.
súper·strìng 名 〔物理〕超ひも.
sympathétic stríng 共鳴弦.
ùn·stríng 動他 〈弦楽器・弓などの〉弦を外す.

strings /stríŋz/

名複 string「ひも」の複数形.

ápron strìngs エプロンのひも.
éye·strìngs 名複 《廃》目の筋肉 [神経, 腱(けん)].
héart·strìngs 名複 心の琴線, 深奥の感情, 深い愛情.
léading strìngs 《米・カナダ》《まれ》(よちよち歩きの幼児用)手引きひも, 誘導ひも.
lífe-strìngs 名複 命, 命の綱, 玉の緒.
nó-strìngs 形 ひも付きでない.
púrse strìngs 《比喩的》財布のひも, 出納管理権.

strip[1] /stríp/

動他 **1** 〈木などの〉皮をむく, …を裸にする. **2** …から装備を取り除く; …を分解する.

field-strip 動他 〔米軍事〕〈武器を〉普通分解する.
out·strip 動他 …より勝る.

strip[2] /stríp/

名 **1** (同じ幅の)細長い切れ. **2** 続き漫画. **3** 〔航空〕滑走路.

áir·strìp 名 (滑走路が 1 本だけの)小飛行場.
bácking strìp 〔演劇〕(背景用)ストリップライト.
bréaker strìp 〔自動車〕(タイヤの)補強帯.
cánt strìp 〔建築〕広木舞(まい).
Caprívi Stríp カプリービストリップ: ナミビア北東端の地域.
Caspárian stríp 〔植物〕カスパリー線.
céntre stríp 《英》(道路の)中央分離帯.
cómic strìp 続き漫画, こま割り漫画.
dóor·strìp 名 ドアのすき間ふさぎ.
dósing strìp 《NZ》犬の胞虫駆除のための土地.
dózing strìp 《NZ》=dosing strip.
drág strìp ドラッグレース用の直線舗装コース.
fílm·strìp 名 〔映画〕フィルムストリップ.
flíght strìp 〔航空〕(飛行機の)不時着用地.
flý·strìp 名 殺虫プレート.
gág strìp ギャグ漫画.
Gáza Stríp ガザ地区.
lánding strìp =airstrip.
lédger strìp 〔木工〕根太(ねだ)掛け.
magnétic stríp 磁気帯; 記憶磁気テープ.
médian stríp 《米》(道路の)中央分離帯.
médium stríp 《米ミッドランド》=median strip.
mí·cro·strìp 名 〔通信〕マイクロストリップ.
Möbius strìp 〔幾何〕メビウスの輪.
Móebius strìp =Möbius strip.
náiling strìp 〔建築〕釘(くぎ)受け.
náture strìp 《豪話》柵と道の間に生えている草.
Nèw Yórk strìp ヒレ肉を除いたビーフステーキ.
pánel strìp 〔建築〕目板, 羽目板.
párking strìp 《主に米中西部》(道路脇の)駐車帯.
párting strìp 〔建築〕仕切り板.
piláster strìp 〔建築〕(突出のすくない)扶壁柱.
ríbbon strìp 〔木工〕根太(ねだ)掛け.
ríp strìp =tear strip.
rúmble strìp (高速道路の)凹凸 [振動] 区間.
Súnset Stríp 《俗》サンセットストリップ: 米国 Los Angeles 市 Sunset 大通り沿いの地域.
táxi strìp 〔航空〕(飛行場の)狭い誘導路.
téar strìp (包装を開けるための)開封帯.
wéather strìp 〔建築〕目つぶし, すき間ふさぎ.
wéather-strìp 動他 …にすき間ふさぎを当てる.

stripe /stráip/

名 **1** 縞(しま), 筋. **2** 細長い切れ, 帯. **3** 〔軍事〕記章, 袖(そで)章: 階級・勤務・賞罰・負傷を示す.

bárley strìpe 〔植物病理〕大麦斑葉(はんよう)病.
cándy strìpe 飴棒縞(あめぼうじま).
chálk strìpe (織物の)チョークストライプ.
chárity strìpe (バスケットの)ファウルライン.
cóve strìpe 〔海事〕(特に帆船の)舷側板に沿って塗られた装飾線.
ígnorant strípe 《米軍俗》=service stripe.
magnétic strípe (キャッシュカードの)磁気テープ.
mág-strìpe 形 〈キャッシュカードなどが〉磁気読み取り式の.
mídfield strìpe (アメフトの)フィールド中央の 50 ヤードライン.
péncil strìpe ペンシルストライプ: 鉛筆の線のような細い縞(しま).
pín·strìpe ピンストライプ: 特に織物の極細の縦縞(たてじま)(模様).
sérvice strìpe 《米軍》(下士官兵の)年功袖(そで)章.

strip·er /stráipər/

名 《話》〔軍事〕(階級を示す)袖(そで)章をつけた海軍士官. ⇨ -ER[1].

bróken-stríper 《米海軍俗》准尉.
cándy strìper 《話》補助看護婦.
fóur-stríper 《米》海軍大佐.
óne-and-a-hálf stríper 《米海軍俗》中尉.
óne-stríper 《米海軍俗》少尉.
pín·strìper 《米話》実業家, 企業経営者.
thrée-stríper 《米海軍俗》中佐.
twó-and-óne-hálf stríper 《米海軍俗》少佐.
twó-stríper 《米海軍俗》大尉.

stroke /stróuk/

名 **1** (こぶし・武器・ハンマーなどで)打つこと, 打撃; (物と物との)当たり, 衝突; (雷の)一撃. **2** 〔病理〕脳卒中, 発作. **3** 〔スポーツ〕ストローク, 一振り. **4** 〔機械〕同一線上のピストン運動. **5** 〔水泳〕泳法; ストローク, 手足の一搔(か)き. **6** (筆記具の)一筆, 字画; 斜線, スラッシュ (/).

ánchor stròke (ビリヤードの)続けてキャロン(carom)を取る突き.
báck·stròke (テニス・卓球などの)バックストローク

S

[ハンド] (backhanded stroke).
bréast·stròke 平泳ぎ, ブレスト.
brúsh·stròke (筆の)タッチ, 筆触, 筆跡, 筆致.
bútterfly stróke バタフライ泳法.
bútt stròke (小銃による)床尾打撃.
chóp stròke (テニス・クリケットなどの)チョップストローク.
cóunt·er·stròke 名 反撃, 打ち返し.
cróss stròke 〘印刷〙(t や f などの)文字の横棒.
déad-stròke 形 〘機械〙無反跳の.
dówn·stròke 〘機械〙(ピストンなどの)下降作動.
exháust stròke (エンジンの)排気行程.
fóur-stròke 形 4 サイクルの(four-cycle).
góvernment stróke 《豪史》受刑者の就労速度.
gróund stròke (テニスの)グラウンドストローク.
háir stròke (絵・文字の)細線(ほそ).
hánd·stròke (鳴鐘の)ハンドストローク.
héat·stròke 熱射病, 暑気あたり.
ín·stròke 名 内側へ向かっての動作, 運動.
J́-stròke (カヌーの)J の字こぎ.
kéy·stròke キーストローク: タイプライター, コンピュータの端末装置などのキー打ち.
máster·stròke 見事な腕前, 絶妙な処置, 神技.
mércy stròke 情けの一撃, とどめの一撃.
oblíque stròke 《主に英》斜線, スラッシュ(/).
óut·stròke 名 外側へ向かっての動作, 外向き運動.
pénalty stròke (ゴルフの)罰打.
pówer stròke (内燃機関の)稼働行程.
scávenge stròke ＝exhaust stroke.
Shéffer's stróke 〘論理〙シェファーの棒記号.
síde·stròke サイドストローク, 横泳ぎ.
spót stròke 《英》(ビリヤードの)スポットストローク.
sún·stròke 〘病理〙日射病, 熱射病.
thúnder·stròke 雷撃.
úp·stròke 名 上方へ向かっての動作; 上への筆使い.
wíng·stròke はばたき(wingbeat).

stro·phe /stróufi/

名 (古代ギリシャ悲劇の)ストロペ; 舞踊隊の合唱歌.

a·nas·tro·phe 名 〘修辞〙倒置(法)(inversion).
an·tis·tro·phe 名 (古代ギリシャ悲劇の)アンティストロペ.
a·pos·tro·phe 名 アポストロフィ(’). **1** 省略符号. **2** 所有格符号. **3** 複数符号.
ca·tas·tro·phe 名 大惨事, 大災害.
e·pis·tro·phe 名 〘修辞〙結句反復.
mo·nos·tro·phe 名 単律詩.

stroph·ic /stráfik, stróuf- | strɔ́f-/

形 **1** ストロペ(strophe)(古代ギリシャ劇のコロスの左方転回)から成る. **2** ぐるりと回ることの. ⇨ -IC[1].
★ 語頭にくる関連形は stroph-: *stroph*oid「葉形線」.

cat·a·stroph·ic 形 大惨事の.
cy·clo·stroph·ic 形 〘気象〙旋衡の.
ge·o·stroph·ic 形 地衡的な.
mon·o·stroph·ic 形 単律(詩)の. ── 名 単律詩(句).

struck /strʌ́k/

動 strike の過去・過去分詞形.

awe-struck 形 畏敬(いけい)の念に打たれて.
color-struck 形 《米黒人俗》より黒い人へ偏見を持つ.
cunt-struck 形 《俗》女の尻(しり)に敷かれた.
dumb·struck 形 (驚きなどで)物も言えない.
elf-struck 形 魅せられた, うっとりした.
gob-struck 形 《英俗》びっくり仰天した, 驚いた.
heart-struck 形 悲しみにうちひしがれた.
horror-struck 形 恐怖に襲われた, おびえきった.
light-struck 形 〈フィルムが〉感光して駄目になった.
love·struck 形 恋して夢中になった, 熱愛の.
moon·struck 形 気がふれた, 錯乱した.
planet-struck 形 惑星に影響にされた; 呪(のろ)われた.
sand-struck 形 〈れんがが〉砂で内張りした型で作られた.
stage·struck 形 俳優 [女優] 志望熱に取りつかれた.
star-struck 形 スターに会って感動した.
sun·struck 形 日射病にかかった.
thunder·struck 形 (雷に打たれたように)びっくりした.

-struct /strʌ́kt/

連結形 建てられた.
★ 語末にくる関連形は -STRUCTION, -STRUCTIVE.
★ 語頭にくる形は struc-: *struc*ture「構造」.
◆ <ラ *strūctus*(*struere*「建てる」の過去分詞).
[発音] 基体(-struct)に第 1 強勢.

con·struct 動他 組み立てる; 建造する, 構築する.
de·struct 形 《米》〘ロケット〙有意破壊用の. ── 動自他 有意破壊する.
in·struct 動他 教える, 教育する.
ob·struct 動他 ふさぐ, 通りにくくする.
su·per·struct 動他 〘建築〙基礎または他の建物の上に建築する.

-struc·tion /strʌ́kʃən/

連結形 建てられたもの [こと].
★ 名詞をつくる.
★ 語末にくる関連形は -STRUCT.
★ 語頭にくる関連形は struc-: *struc*ture「構造」.
◆ <ラ *structus*(*struere*「建てる」の過去分詞). ⇨ -TION.
[発音] -struction の第 1 音節に第 1 強勢が置かれる.

con·struc·tion 名 ☞
de·struc·tion 名 破壊; (文書の)破棄; 撲滅, 駆除.
in·struc·tion 名 ☞
ob·struc·tion 名 邪魔物, (…に対する)障害物.
sub·struc·tion 名 (ビル・ダムなどの)基礎, 土台.

-struc·tive /strʌ́ktiv/

連結形 組み立てる…, 積み重ねる…, 配置する….
★ 形容詞をつくる.
★ 語末にくる関連形は -STRUCT.
★ 語頭にくる関連形は struc-: *struc*ture「構造」.
◆ <ラ *strūctus*(*struere*「組み立てる」の過去分詞). ⇨ -IVE[1].

con·struc·tive 形 〈物・事が〉建設的な, 積極的な.
de·struc·tive 形 〈物・事が〉破壊的な.
in·struc·tive 形 教育的な, 得るところが大きい, 有益な.
ob·struc·tive 形 邪魔する, (…を)妨害する.

struc·ture /strʌ́ktʃər/

名 **1** 構造, 構成; 組織, 機構; 組み立て, 組成. **2** 構造物, 構成体. ⇨ -URE[1].

áir strùcture 空気構造物: ジェット気流やエアクッションなどで造る一時的な構造物.
cápital strúcture 資本構成: 一企業の長期的な財政源すべての総額.
constítuent strúcture 〘言語〙＝phrase structure.
cryptoexplósion strúcture 〘地質〙疑噴火構造, 潜爆発(性)構造.
dáta strùcture データ構造.
déep strúcture 〘文法〙深層構造.
de·strúc·ture 動他 …の構造を破壊 [解体] する.

S

énergy strùcture 〖美術〗キネティックアートの作品.
fíne strúcture 〖物理〗微細構造.
hèt·er·o·strúc·ture 名 〖電子工学〗ヘテロ構造.
hóneycomb sándwich strùcture 〖航空〗〖材料〗ハニカムサンドイッチ構造.
hýperfine strúcture 〖物理〗超微細構造.
incomménsurate strùcture 〖物理〗不整合構造.
ín·fra·strùc·ture 名 (団体・組織などの)下部組織.
mác·ro·strùc·ture 名 〖物理〗マクロ構造, 肉眼的構造.
még·a·strùc·ture 名 (多目的の)巨大高層建築物.
mí·cro·strùc·ture 名 〖物理〗微細構造; 〖細胞生物〗微小構造.
párking strùcture パーキング・ビル.
phráse strùcture 〖言語〗句構造: 構文の単位.
pówer strùcture 《米》(政治・教育などにおける)権力機構.
prímary strúcture 〖美術〗初源的構造体.
rè·strúc·ture 動他 建て[作り]直す; 修復[復元]する.
shéll strùcture 〖物理〗殻構造.
sócial strúcture 社会構造.
sóil strùcture 土壌構造.
sùb·strúc·ture 名 基礎[工事].
sup·er·strùc·ture 名 上部構造: 構造物の土台や地下室より上の構造部分; 橋の橋脚より上の部分.
súrface strùcture 〖言語〗表層構造.
téch·no·strùc·ture 名 専門技術管理階級.
úl·tra·strùc·ture 名 〖細胞生物〗超微細構造.
ún·der·strùc·ture 名 下部構造, 基礎, 土台; 基礎工事.

strug·gle /strʌ́gl/

動自 〈人・動物が〉(…しようと)もがく, あがく, じたばたする; (…と)取っ組み合う, 戦う, (…と)…を争う. ⇨ -LE[3].

bún-strùggle 《米俗》正式なお茶の会.
cláss strúggle 階級闘争.

strung /strʌ́ŋ/

動 string の過去・過去分詞形. ──形 〈楽器などが〉弦を張った; 〈神経などが〉張りつめた.

high·ly-strung 形 ＝high-strung.
high-strung 形 緊張した; ひどく神経質な.
ham·strung 形 膝腱を切られた; 骨抜きの.
o·ver·strung 形 緊張しすぎた, 神経過敏の.
un·strung 形 〈弦楽器・弓などが〉弦を外した.

stud /stʌ́d/

名 **1** 飾り鋲(びょう). **2** ボタン, 飾りボタン.

be·stúd 動他 (鋲(びょう)などを)一面に打ちつける.
cóllar stùd 《英》カラーボタン.
préss stùd 《主に英》(服の)スナップ, ホック.

stu·dent /stjúːdnt | stjúː-/

名 (一般に学校・専門学校・大学などの)学生, 生徒; 研究生. ⇨ -ENT[1].

áccess stùdent (入学資格のための)準備コースの学生.
cóllege stùdent 大学生.
dáy stùdent 通学生.
exchánge stùdent 交換(留)学生.
hígh-schòol stùdent 高校生.
matùre stùdent 普通の大学生年齢を過ぎた大学生.
spécial stùdent 《米》(大学の)聴講生, 専科生.
téle·stùdent テレビ講座(telecourse)の学生.
vísa stùdent 《特にカナダ》特別なビザで留学のための入国が許されている外国人.

stu·dies /stʌ́diz/

名複 study の複数形. ⇨ -ES[1].

Afro-Américan stúdies ＝black studies.
área stùdies 地域研究.
Ásian stúdies アジア研究.
bláck stúdies 《米》黒人研究.
búsiness stùdies (経営などの)実務研修.
developméntal stúdies 《米》〖教育〗(大学レベルに達していない大学生のための)特別学習.
Jápanese stúdies 日本研究.
líberal stúdies 《英》一般教養課程.
péace stùdies 平和研究, 平和講座.
sócial stùdies (初等・中等教育課程の)社会科.
wómen's stúdies 女性研究, 女性学.

stu·di·o /stjúːdiòu | stjúː-/

名 工房, スタジオ. ⇨ -O[2].

Áctors Stúdio アクターズ・スタジオ: 米国の演劇訓練機関.
continúity stúdio (テレビ・ラジオ局の)調整室.
ráp stùdio 《米俗》ラップクラブ: おしゃべりが目的の社交クラブを装った性風俗店の一種(rap club).

stud·y /stʌ́di/

名 (一般に)勉強, 勉学, 学習.

área stùdy エリアスタディ, 地域研究.
brówn stúdy ぼんやり考え込んだ状態, 沈思黙考.
cáse stúdy 事例研究, ケーススタディー.
cháracter stùdy 性格描写小説.
désk stùdy 《英》机上研究.
féasibility stùdy (大規模開発計画などの)予備調査.
fíeld stùdy 現地調査.
hóme stúdy 通信教育.
méthod stùdy 〖経営〗方法研究.
mí·cro·stùd·y 名 限定的研究, 特殊研究.
mótion stùdy ＝time study.
náture stùdy (特に素人によるまたは小学校の学科目としての)自然研究.
ò·ver·stúd·y 動他自 勉強しすぎる, 過度に調べる.
quíck stúdy 《話》のみこみの早い人, 順応性のある人.
rè·stúd·y 動他 再び[新たに]勉強する, 勉強し直す.
sélf-stúdy 名 独学.
tíme stùdy 時間動作研究: 正常ペースで特定の仕事を行うのに必要な実働と時間を組織的に調査・分析すること.
ún·der·stùd·y 動他 〈役を〉代役としてけいこする. ──名 代役.
wórk-stùdy 名 (能率向上のための)作業確認. ──形 労働体験学習の.

stuff /stʌ́f/

名 **1** 物質; 材料. **2** (漠然と)物; 《話》食べ物.

bláck stúff 《米麻薬俗》アヘン.
blúe stúff 〖岩石〗キンバーレー岩.
bráin stùff 《英俗》脳みそ; 知能.
bréad·stùff 名 (穀類, 粉類など)パンの原料.
brówn stúff 《米俗》アヘン, ヘロイン.
cóarse stúff 〖建築〗モルタル下地.
dóctor's stùff 《話》薬.
dýe·stùff 名 染料.
éatin' stùff 《米俗》非常にセックスアピールのあ

る女性.

féeding·stùff 名 《英》(家畜の)飼料, 餌, まぐさ.
féed·stùff 名 (家畜の)飼料, 餌.
flúff stùff 《米市民ラジオ俗》雪.
fólding stúff 《米話 / おどけて》たくさんの紙幣.
fóod·stùff 名 食糧, 食品, 食料品.
fúnny stúff 《米俗》マリファナ.
gárden stùff 《英》(菜園で作る)野菜類.
gréen stùff 野菜類, 青物.
hálf-stùff 名 半製紙料.
hárd·stùff 名 《米俗》中毒性の強い麻薬.
hót stúff 《俗》特に優れた人.
hót-stúff 動自 《英軍俗》盗む.
hóusehold stúff 《古》家財[所帯]道具.
kíd stùff 《話》子供じみた振る舞い; 児戯.
kítchen-stùff 名 料理材料; (台所の)残飯.
líght stùff 《米俗》非本位酒精.
óld stúff 形 《話》よく知っている; 親しみのある.
òver·stúff 動他 …に詰め込みすぎる.
réd stùff 赤色磨き粉.
rè·stúff 動他 新たに詰める, 詰め直す.
ríght stúff 《話》(人間にとって)必要とされる資質, 理想的特性.
róugh stùff 《話》暴力(行為); 乱暴.
smáll stùff 【海事】細索(ほそ)類.
snów stùff 《米俗》粉末状のコカイン(snow).
sób stùff 《話》お涙ちょうだいもの[記事].
sóft stúff 《米俗》ナンセンス.
splít stúff 《米俗》(セックスの対象としての)女.
whíte stúff 《米俗》密造酒用アルコール.
yéllow stúff 《米俗》(軍事用の)索引車など.

stump /stʌ́mp/

名 **1** 切り株. **2**【クリケット】スタンプ.

Bláck Stúmp 《豪》地の果て.
Bòston Stúmp ボストン・スタンプ(英国の教会の名).
lég stúmp 【クリケット】レッグスタンプ.
míddle stúmp 【クリケット】ミドルスタンプ.
núrse stùmp 倒木.
óff stùmp 【クリケット】オフスタンプ.

stur·geon /stə́ːrdʒən/

名 チョウザメ.

láke stùrgeon チョウザメの一種.
Pacífic stúrgeon ＝white sturgeon.
Sacraménto stúrgeon ＝white sturgeon.
shóvelnose stúrgeon 小形のチョウザメの一種.
whíte stúrgeon シロチョウザメ.

-sty·lar /stáilər/

連結形 【建築】…な柱を有する.
★ 語末にくる関連形は -STYLE.
★ 語頭にくる関連形は styl(o)-: *stylo*lite「柱状突起」, *stylo*podium「【植物】柱下体」.
◆ ギリシャ語 *stŷlos*「柱」より. ⇨ -AR[1].

am·phi·sty·lar 形 〈古代神殿が〉両正面に円柱のある, 前後柱廊式の.
a·sty·lar 形 無柱式の.
di·sty·lar 形 〈(古典建築の)ポルチコが〉総円柱構えの(distyle).
ep·i·sty·lar 形 アーキトレーブの, 台輪(だいわ)の.
hep·ta·sty·lar 形 〈建物が〉(正面に)7本の円柱を持つ, 七柱式の.

style /stáil/

名 **1** 型, 様式, 形式; 種類; …流, …式; 構え, 様子, 風采(ふうさい); 出来(具合), 格好; …風(ふう). **2** 方法, やり方, スタイル.

álpine-stỳle 形副 【登山】アルプス方式の[で].
blás·to·style 名 【動物】子茎.
blóck stỳle ブロック式字体, ドリア体.
bówwow stỳle 独善的で尊大な態度.
bóxer-stỳle 形 【服飾】ボクサーショーツ型の.
Chicágo stỳle (ジャズの)シカゴスタイル.
cóat-stỳle 形 【服飾】〈シャツが〉前ボタン(式)の.
cóuntry-stỳle 形 田舎風の, 素朴な.
cý·clo·stỳle 名 (謄写用原紙を切る)先端に小さい歯車のついた鉄筆; その謄写器.
dóg stỳle 《米俗》(セックスの体位で)後背位.
Éuro·stỳle 【室内装飾】ユーロスタイル.
fámily stỳle 名形副 《主に米》(食事が)家庭方式(の, で).
frée·stỳle 【水泳】自由形; クロール.
Frénch-stỳle 形 〈特にサヤインゲンが〉縦に細長く切れた(French-cut).
geométric stỳle 【美術】【建築】幾何学様式.
gránd stỳle (文学・美術の)荘重体.
gráss stỳle (書道の)草書体, (墨絵の)草画体.
Gréek stỳle 《米俗》アナルセックス(Greek way).
háir·stỳle 髪型, ヘアスタイル.
hígh stỳle (衣服の)最新ファッション.
hóme·stỳle 形 《米》〈食べ物が〉自家製の.
hóuse stỳle (各出版社・印刷所が独自に定める)用字用語(規則); (会社の)統一ロゴ.
Internátional Stỳle 【建築】国際様式.
Kánsas Cíty stỳle (ジャズの)カンザスシティースタイル.
kósher-stỳle 形 〈料理・レストランなどが〉(ユダヤ料理法ではあるが)必ずしも戒律にのっとっていない.
Láncashire stỳle 副 なりふりかまわず; がむしゃらに.
lífe·stỳle (個人・集団の)生き方, 生活様式.
né·o·sty·le 名 ネオスタイル: 謄写版に似た新式複写機.
Nèw Órleans stỳle (ジャズの)ニューオーリンズ・スタイル.
Néw Stỳle 新暦, グレゴリオ暦.
néw-stỳle 形 【印刷】〈字体が〉ニュースタイルの.
néw stỳle 新しい文体; 【印刷】ニュースタイル.
ólder stỳle 〈建物が〉(不動産広告で)古風な.
Ólde Stỳle 新暦, ユリウス暦.
óld-stỳle 形 【印刷】〈字体が〉オールドスタイルの.
óld stỳle 古い文体; 【印刷】オールドスタイル[活字].
Perpendícular stỳle 【建築】垂直様式.
pý·go·stỳle 名 【鳥類】尾端骨.
Quéen Ánne stỳle 【建築】【家具】クイーン・アン様式.
rè·stýle 動他 …を新しいスタイルに作り直す.
Stíck Stỳle 【建築】スティックスタイル: 米国中期ビクトリア王朝期の木造様式.
stréet stỳle (衣服などの)ストリートスタイル.
Tíme·stỳle 雑誌 *Time* が使っている用語[文体](Timese).
Túdor stỳle 【建築】チューダー様式.
ú·ro·stỳle 名 【鳥類】＝pygostyle.
V́ stỳle (スキーのジャンプで)V スタイル.
William and Máry stỳle 【家具】ウィリアム・メアリー様式.

-style /stàil/

連結形 …柱(のついた); 【建築】…柱式の(建物).
★ 形容詞, 名詞をつくる.
★ 特に古代ギリシャ・ローマ建築に見られる.
★ 語末にくる関連形は -STYLAR, -STYLOS, -STYLOUS.
★ 語頭にくる形は stylo-: *stylo*lite「柱状突起」, *stylo*podium「【植物】柱下体」.
◆ ＜後期ラ *-stylon*, ラ *-stylos* ＜ギ *-stȳlos* …の柱のある.

am·phip·ro·style 形 前後柱廊式の, 両前柱式の.
a·rae·o·style 形 離柱式の, 疎柱式の.

a·rae·o·sys·tyle 形 吹き寄せ柱式の.
a·re·o·style 形 ＝araeostyle.
a·re·o·sys·tyle 形 ＝araeosystyle.
cy·clo·style 名 サイクロスタイル: 中庭を持つ円周列柱廊様式.
cyr·to·style 名 (凸状に突き出た)ポルチコ, 柱廊玄関.
dec·a·style 形 〈ポルチコ(portico)が〉十柱式の.
di·a·style 形 三径間式の, 広柱式の.
dis·tyle 形 〈ポルチコ(portico)が〉双円柱式の.
do·dec·a·style 形 〈ポルチコ(portico)が〉十二柱式の.
du·o·dec·a·style 形 ＝dodecastyle.
dy·o·style 形 ＝distyle.
en·do·style 名 〖解剖〗内柱.
en·ne·a·style 形 〈ポルチコ(portico)が〉九柱式の.
ep·i·style 名 アーキトレーブ, 台輪(だいわ): 柱頭のすぐ上の部分.
eu·style 形 正柱式の: 直径の2¼倍の柱間を持つ.
hex·a·style 形 六柱式の. ── 名 六柱式の建物.
hy·po·style 形 多柱式の. ── 名 多柱式の建物.
oc·ta·style 形 八柱式の. ── 名 八柱式の建物.
or·tho·style 形 〈円柱が〉一直線に配置された.
pen·ta·style 形 〈ポロチコ(portico)が〉五柱式の.
per·i·style 名 (建物や空地を取り巻く)列柱廊様式.
pol·y·style 形 多柱式の. ── 名 多柱式の建物.
pro·style 形 前柱廊式の. ── 名 前柱廊式の建物.
pyc·no·style 形 密柱式の: 直径の1.5倍の柱間を持つ.
sys·tyle 形 二径間式の, 集柱式の.
tet·ra·style 形 四柱式の. ── 名 四柱式の建物.

-sty·los /stáilɑs | -lɔs/

連結形 …の柱を持つもの.
★ 語末にくる関連形は -STYLE.
★ 語頭にくる関連形は stylo-: *stylo*lite「柱状突起」, *stylo*podium「〖植物〗柱下体」.
◆ ギリシャ語 *stŷlos*「円柱」より. ⇨ -OS[1].

dec·a·sty·los 名 (古代神殿などの)十柱式建築.
do·dec·a·sty·los 名 (古代神殿のような)十二柱式建築.
en·ne·a·sty·los 名 (古代神殿のような)九柱式建築.
oc·ta·styl·os 名 八柱式建築.
ok·ta·sty·los 名 ＝octastylos.
pen·ta·sty·los 名 (古代神殿などの)五柱式建築.

-sty·lous /stáilɑs | -lɔs/

連結形 …の花柱(style)を持つ.
★ 形容詞をつくる.
★ 語頭にくる関連形は stylo-: *stylo*lite「柱状突起」, *stylo*podium「〖植物〗柱下体」.
◆ -STYL(E) ＋-OUS.

mon·o·sty·lous 形 〖植物〗一花柱の, 単花柱の.
tri·sty·lous 形 〖植物〗三花柱の.

-suade /swéid/

連結形 助言する.
★ 語頭にくる形は suas-: *suas*ion「勧告, 説得」.
◆ ラテン語 *suādēre*「助言する」より.

dis·suade 動他 〈人に〉忠告[説得]して…を思いとどまらせる, …しないように説得する.
per·suade 動他 〈人に〉説得して…を促す.

sub·ject /sʌ́bdʒikt/

名 **1** 主題, 題目. **2** 教科, 科目. **3**〖音楽〗主題. ⇨ -JECT.

cóntent sùbject (実用科目に対して)内容科目.
cóunt·er·sùb·ject 名 〖音楽〗対比主題, 対主題.
sécondary súbject (英大学の)副専攻科目.
shórt sùbject 短編映画(の上映).
tóol sùbject (他の科目の基礎となる)道具教科.

sub·stance /sʌ́bstəns/

名 物質; 材質, 材料. ⇨ -STANCE.

contrólled súbstance 所持規制薬品, 規制物質.
gróund sùbstance 〖生物〗基質(matrix).
grówth sùbstance 〖植物〗生長物質.
quéen sùbstance 〖動物〗女王物質.
wórking súbstance 作業物質: 蒸気機関の水蒸気など.

sub·stan·tial /səbstǽnʃəl/

形 **1** 現実[本当]の; 実体のある. **2** 物質の. ⇨ -IAL.

con·sub·stan·tial 形 同質の, 同体の.
in·sub·stan·tial 形 想像上の, 架空の.
su·per·sub·stan·tial 形 〈聖餐のパンなどが〉超実体の, 霊的な.
tran·sub·stan·tial 形 変質した; 変質しうる.

sub·urb /sʌ́bəːrb/

名 (大都市の)郊外(全体), 近郊.

bédroom sùburb 《米》＝dormitory suburb.
dórmitory sùburb 《英》ベッドタウン.
gárden sùburb 《英》田園住宅地.
óuter súburb 郊外からさらに外に広がる地域.

suc·ces·sion /səkséʃən/

名 **1** 連続. **2**〖生態〗遷移. ►succeed の名詞形. ⇨ -CESSION.

apostólic succéssion 〖ローマカトリック〗〖東方教会〗〖英国国教会〗使徒伝承[継承].
ecológical succéssion 〖生態〗遷移, サクセッション.
prímary succéssion 〖生態〗一次遷移.
sécondary succéssion 〖生態〗二次遷移.

suck·er /sʌ́kər/

名 **1** 吸う人[もの]. **2**〖魚類〗サッカー. ⇨ -ER[1].

ápple sùcker リンゴキジラミ.
áss-sùcker 《俗》おべっか使い.
béer·sùcker 《俗》口.
bláck súcker 米国東部に産する川魚 hog sucker の一種.
blóod·sùcker 吸血動物, (特に)ヒル(leech).
búm sùcker 《英》＝ass-sucker.
cárp·sùcker コイに近い淡水魚サッカーの総称.
cóck·sùcker 《俗》フェラチオする人[男].
cúnt sùcker 《米俗》クンニリングをする人.
díck-sùcker 《米俗》フェラチオをする人.
égg·sùcker 《米俗》ごますり人間.
flánnelmouth súcker サッカー類の食用魚の一種.
góat·sùcker 〖鳥類〗ヨタカ(夜鷹).
gúm·sùcker 《豪話》豪州生まれの人.
hóg sùcker コイ目サッカー科 *Hypentelium* 属の数種の淡水魚の総称.
hóney·sùcker 〖動物〗フクロミツスイ.
lémon sùcker 《米俗》英国人.
lúmp·sùcker 〖魚類〗ダンゴウオ(lumpfish).
móther·sùcker 《米俗》嫌なやつ.
múd·sùcker ハゼの一種.
príck sùcker 《俗》＝cocksucker.
sáp·sùcker 〖鳥類〗シルスイ(汁吸い)キツツキ.

S

scúm·sùcker 《米俗》=cocksucker.
shárk·sùcker コバンザメ科の魚の総称.
spígot sùcker 《米俗》=cocksucker.
stúmp·sùcker =windsucker.
thúmb-sùcker 親指を吸う癖のある幼児［子供］.
tóad·sùcker 《米俗》(十代の間で)げす野郎.
whále·sùcker オオコバンザメ(大小判鮫).
whíte súcker サッカー科の食用淡水魚.
whóre·sùcker 《米俗／軽蔑的》嫌なやつ.
wínd·sùcker 【獣病理】咋癖(さくへき)馬.

suck·ing /sʌ́kiŋ/

形 **1** 乳を飲む, 乳離れしていない. **2** 吸う. ―名 吸うこと. ⇨ -ING², -ING¹.

cóck-sùcking 形 《俗》《軽蔑的》卑しむべき, 卑劣な.
cúnt-sùcking 名 《俗》クンニリングス.
égg-sùcking 形 《米俗》見下げはてた.
scúm·sùcking 形 《米俗》実に嫌な, 胸くそ悪い.
wínd-sùcking 名 【獣医】齰癖(さくへき).

-sue /súː | sjúː/

連結形 続く.
★ 語末にくる関連形は -SECUTE.
★ 語頭にくる関連形は sequ-: *sequ*el「成り行き」, *sequ*ent「連続する」.
◆ ラテン語 *sequī* より.

coun·ter·sue 動他 〈民事訴訟の被告が〉(原告に対し)反訴を提起する, 逆に訴える.
en·sue 動自 順々に続く; 続いて来る.
pur·sue 動他 追いかける, 追跡する, 追撃する.
sue 動他 〈人を〉(…で)告訴する.

suf·frage /sʌ́fridʒ/

名 投票権; (特に)選挙権, 参政権; 投票. ⇨ -AGE¹.

fémale súffrage 《主に米》=woman suffrage.
mánhood súffrage 成年男子参政権.
univérsal súffrage 普通選挙権.
wóman súffrage 婦人参政権.
wómen's súffrage =woman suffrage.

sug·ar /ʃúgər/

名 **1** 砂糖. **2**【化学】糖.

ácorn sùgar 【化学】クエルシトール, ケルシット.
amíno·sùgar 【生化学】アミノ糖.
bárley sùgar 大麦糖.
béet sùgar ビートシュガー, テンサイ糖.
blóod sùgar 血糖.
brówn súgar 赤砂糖.
cáne sùgar 蔗糖(しょとう).
cáster sùgar =castor sugar.
cástor sùgar 《主に英》精製糖.
cóffee sùgar (結晶状の)コーヒー用砂糖.
conféctioners' súgar 精製粉末糖, 粉砂糖.
córn sùgar コーンシュガー(dextrose).
cóupling súgar カップリングシュガー: 砂糖・でんぷん・酵素を混ぜて作った糖の一種.
cúbe sùgar 角砂糖.
déep súgar 《米黒人俗》つや話.
dóuble sùgar 【化学】二糖類.
frúit sùgar 【化学】【薬学】果糖.
grápe sùgar 【化学】右旋糖, デキストロース.
héavy súgar 《米俗》大金(heavy money).
ícing sùgar 《英》=confectioners' sugar.
ínvert súgar 転化糖.
lóaf-súgar 棒砂糖.
mált sùgar 麦芽糖(maltose).
mánna sùgar 【化学】マンニトール, マニエール.
máple súgar カエデ糖.
mílk sùgar 【生化学】乳糖, ラクトース.
pálm sùgar シュロ糖, パーム糖.
pówdered súgar 粉末砂糖, 粉砂糖.
símple súgar 【化学】単糖(monosaccharide).
sóft súgar グラニュー糖; 粉砂糖.
spún súgar 《米》糸状あめ, カラメル.
táble sùgar グラニュー糖; (一般に)砂糖.
Úncle Súgar 《米軍俗》米国政府.
whíte súgar 白砂糖, (特に)グラニュー糖.
wóod sùgar 【化学】木糖.

su·i·cide /súːəsàid | sjúː-/

名 自殺, 自害. ⇨ -CIDE.

assísted súicide 他人の助けを借りた自殺.
clúster sùicide 連鎖的に発生した自殺(の一つ).
dóctor-assísted súicide 医師の助けを借りた自殺.
médically assísted súicide =doctor-assisted suicide.
pàr·a·sú·i·cíde 名 狂言自殺.
physícian-assísted súicide =doctor-assisted suicide.
ráce sùicide 民族的自殺.

suit /súːt | sjúːt/

名 **1** (1)(衣服・下着の)一そろい, 一着. (2)《通例複合語》(ある目的・活動の)衣服, …着. **2**(紳士服・婦人服の)スーツ. **3**【法律】訴訟. **4**【トランプ】スート.

anti-Ǵ sùit 【航空】【航空宇宙】耐加速度服, 耐重力服.
báck sùit ゆるい服.
báthing sùit 水着.
bírthday sùit 《英》国王［女王］誕生日の式服.
bódy·sùit ボディースーツ: 補正下着の一種.
bóiler sùit 《主に英》オーバーオール.
búsiness sùit 《米》背広(《英》lounge suit).
cát sùit 《主に英》=jumpsuit.
cláss áction sùit 集団訴訟.
cláss súit クラス・アクション, 集合代表訴訟.
cóldbàr sùit 【米軍事】(極寒用)防寒服.
cyber·súit 名 (仮想現実を体験するための)電子服.
díving sùit 潜水服.
dréss súit 男子用礼服, 燕尾(えんび)服.
drý sùit (スキューバダイバー用の)ドライスーツ.
Éton súit イートンスーツ.
Fáuntleroy sùit 小公子風スーツ.
flák sùit 【米空軍】防弾服.
Ǵ-sùit 【航空】【航空宇宙】=anti-G suit.
gým sùit 体操服, 運動服.
íce-cream sùit 男性用サマースーツ.
Írvin sùit 《英空軍》飛行服.
jógging sùit ジョギングスーツ.
júmp·sùit ジャンプスーツ.
láw·sùit 訴訟, 告訴.
légging sùit レギングスーツ.
léisure sùit レジャースーツ.
lóng súit 【トランプ】ロングスート.
Lòrd Fáuntleroy sùit =Fauntleroy Suit.
lóunge sùit 《主に英》背広.
májor súit 【トランプ】メジャースート.
malpráctice sùit 医療過誤訴訟.
Máo sùit (中国の)人民服.
min·i·suit ミニ(スカート)スーツ.
mínor súit 【トランプ】マイナースート.
mónkey sùit 《俗》(男子用)礼服, 夜会服.
níght sùit パジャマ(pyjamas).
nóddy sùit 《英軍俗》化学戦用防護服.
non·súit 名 【法律】訴えの却下, 却下判決.
pánt·sùit パンツスーツ.

patérnity sùit 〘米法〙実父確定訴訟.
pénguin sùit 《俗》宇宙服.
pínstripe sùit 縦縞模様スーツ.
pláin sùit 〘トランプ〙切り札以外のスーツ.
pláy·sùit 婦人・子供用スポーツ着.
préssure sùit 〘航空宇宙〙=pressurized suit.
préssurized súit 〘航空宇宙〙与圧服, 宇宙服.
próduct-liabílity sùit 製造[生産]物責任訴訟.
ráin·sùit レインスーツ, 雨用スーツ.
sáck sùit 背広. ►上着は sack coat.
safári sùit サファリスーツ.
sáilor sùit 水夫服, セーラー服.
scrúb sùit 手術着.
shápe·sùit シェイプスーツ, ボディースーツ.
shéll sùit 軽量の track suit.
shírt-sùit シャツスーツ.
shórt súit 〘トランプ〙ショートスート.
síde sùit 〘トランプ〙=plain suit.
síren sùit 《英》サイレンスーツ: 防空服.
skí sùit スキー服, スキーウエア.
sláck sùit 《米》スラック(ス)スーツ.
sléeping sùit (特に子供用の)パジャマ, 寝巻き.
slíme sùit 〘水泳〙スライムスーツ.
snów·sùit スノースーツ.
spáce·sùit 宇宙服.
spaghétti sùit 宇宙飛行士用冷却配管つき下着.
stróng sùit 〘トランプ〙強いスート.
sún·sùit サンスーツ.
swéat sùit スエットスーツ: 上下そろった運動着.
swím·sùit =bathing suit.
tánk sùit ワンピース型の簡単な女性用水着.
tíger sùit (トラ縞(じま)模様の)迷彩服.
tráck sùit トラックスーツ: 運動着の一種.
tróuser sùit 《英》=pantsuit.
únion sùit 《主に米》コンビネーション.
wét sùit (潜水用)ウエットスーツ.
wóoden súit 《俗》棺桶.
zóot sùit 《主に米話》ズートスーツ.

suite /swíːt/

名 (物の)一続き, 一組, 一そろい; 〘音楽〙組曲.

bállet suìte バレエ組曲.
hóneymoon sùite ハネムーン用のスイートルーム.
hospitálity suite (ホテルなどの)接待用特別室.
júnior sùite (ホテルの)ジュニア・スイート.
presidéntial suite (ホテルの)特別室, 貴賓室.

sul·fate /sʌ́lfeit/

名 〘化学〙硫酸塩[エステル]. ━━動他 硫酸と化合させる, 硫酸で処理する. ⇨ -ATE[2].
★ 異形 sulphate.

alúminum ammónium súlfate 硫酸アルミニウム・アンモニウム.
alúminum súlfate 硫酸アルミニウム.
ammónium chrómic súlfate 硫酸クロムアンモニウム.
ammónium súlfate 硫酸アンモニウム, 硫安.
ántimony súlfate 硫酸アンチモン.
bárium súlfate 硫酸バリウム.
bi·súl·fate 名 硫酸水素塩, 酸性硫酸塩(bisulphate).
cálcium súlfate 硫酸カルシウム, 石膏.
cópper súlfate 胆礬(たんばん), 硫酸銅.
cúpric súlfate =copper sulfate.
diméthyl súlfate 硫酸ジメチル.
di·súl·fate 名 二硫酸塩(disulphate).
férric súlfate 硫酸鉄(III).
férrous súlfate 〘薬学〙硫酸第一鉄, 硫酸鉄.
hýdrogen súlfate 硫酸水素塩.
íron súlfate =ferrous sulfate.
magnésium súlfate 硫酸マグネシウム, しゃり塩.
mánganese súlfate =manganous sulfate.
mánganous súlfate 硫酸第一マンガン, 硫酸マンガン(II).
méthyl súlfate =dimethyl sulfate.
mucóitin sùlfate ムコイチン流酸.
níckel súlfate 硫酸ニッケル.
per·súl·fate 名 過硫酸塩, ペルオキソ硫酸塩.
potássium súlfate 硫酸カリウム.
py·ro·sul·fate 名 ピロ硫酸塩.
rádium súlfate 硫酸ラジウム.
sódium dódecyl súlfate ドデシル硫酸ナトリウム.
sódium hýdrogen súlfate 硫酸水素ナトリウム.
sódium súlfate 硫酸ナトリウム.
sub·súl·fate 名 亜硫酸塩(subsulphate).
thállium súlfate 硫酸(第一)タリウム.
thállous súlfate =thallium sulfate.
thì·o·súl·fate 名 チオ硫酸塩[エステル].
zínc súlfate 硫酸亜鉛, 皓礬(こうばん).

sul·fide /sʌ́lfaid/

名 〘化学〙硫化物. ⇨ -IDE[1].
★ 異形 sulphide.

állyl súlfide 硫化アリル.
ámyl súlfide =diamyl sulfide.
ántimony súlfide 五硫化二アンチモン, 硫化アンチモン.
bárium súlfide 硫化バリウム.
bi·súl·fide 名 =disulfide. ►bisulphide ともつづる.
cádmium súlfide 硫化カドミウム.
cálcium súlfide 硫化カルシウム.
diállyl súlfide =allyl sulfide.
diámyl súlfide 硫化アミル.
dichlòrodiéthyl súlfide 硫化ジクロロジエチル.
di·súl·fide 名 二硫化物, ジスルフィド(disulphide).
éthyl súlfide 硫化エチル.
férrous súlfide 硫化第一鉄, 硫化鉄(II).
hýdrogen súlfide 硫化水素.
mercúric súlfide 硫化第二水銀.
mércury súlfide =mercuric sulfide.
non·súl·fide 形 〈鉱物が〉硫化物を含まない(nonsulphide).
òx·y·súl·fide 名 オキシ硫化物, 酸硫化物.
pòly·súlfide 多硫化物.
sódium súlfide 硫化ナトリウム.
stánnic súlfide 硫化第二錫(すず), 偽金(ぎきん).
tri·súl·fide 名 三硫化物.
zínc súlfide 硫化亜鉛.

sul·fur /sʌ́lfər/

名 〘化学〙硫黄(sulphur).

clóuded súlfur =common sulfur.
cómmon súlfur モンキチョウの一種アメリカモンキチョウ.
de·súl·fur 動他 〘化学〙脱硫する.
líme sùlfur 〘化学〙石灰硫黄合剤.
lów-súlfur 形 (石油・石炭など)低イオウの.
órange súlfur オオアメリカモンキチョウ.

sul·fu·ric /sʌlfjúərik/

形 〘化学〙硫黄の[に関する]. ⇨ -IC[1].
★ 語頭にくる関連形は sulf(o)-, sulph(o)-: *sulf*ite「亜硫酸塩」.

di·sul·fu·ric 形 =pyrosulfuric.
ni·tro·syl·sul·fu·ric 形 〘化学〙ニトロシル硫酸の.
py·ro·sul·fu·ric 形 ピロ硫酸の, 二硫酸の.

S

thi·o·sul·fu·ric 形 チオ硫酸の.

sulfuric acid /sʌlfjúərik ǽsid/

名〖化学〗硫酸. ⇨ ACID.

disulfúric àcid 二硫酸.
fúming sulfúric ácid ＝pyrosulfuric acid.
nitrosylsulfúric ácid ニトロシル硫酸.
permonosulfúric ácid ＝persulfuric acid.
peròxymòno-sulfúric ácid ＝persulfuric acid.
peròxysulfúric ácid ＝persulfuric acid.
persulfúric ácid ペルオキソ硫酸; ペルオキソ一硫酸.
pyrosulfúric ácid ピロ硫酸, 二硫酸.
thiosulfúric ácid チオ硫酸.

-sult /sʌ́lt, zʌ́lt/

連結形 躍る, 跳ねる.
★ 語末にくる関連形は -SILIENT.
★ 語頭にくる形は sal-: *sal*ient「跳躍した」, *sal*tation「跳躍」.
◆ ラテン語 *-sultāre*「躍る, 跳ねる」より.
[発音] 基体(-sult)に第1強勢. 例外: ínsult.

con·sult 動他 助言を求める, 相談する.
in·sult 動他 侮辱する, 辱める, 愚弄する.
re·sult 動自 生じる, 起こる; 起因する.

sum /sʌ́m/

名 **1**(数・量の)和, 総計. **2**(不定の)金額, 金高, 金; (漠然とした)量. **3**〖数学〗和.

Bóolean súm 〖数学〗対称差.
cápital súm 〖保険〗(保険金の)最高額.
diréct súm 〖数学〗直和.
lógical súm 〖数学〗結び, 和集合, 合併集合.
lúmp súm 一括, 一まとめ; 総額.
pártial súm 〖数学〗部分和.
príncipal súm 〖保険〗元金.
véctor sùm 〖数学〗合ベクトル, ベクトル和.
zéro-sùm 形 〈社会などが〉ゼロ和の, 零和の.

su·mac /súːmæk, ʃúː-/

名〖植物〗ウルシノキ.

dwárf súmac ウルシ属の低木 *Rhus copallina*.
frágrant súmac ニオイウルシ.
póison súmac ウルシ属の非常に有毒な低木 *Rhus* [*Toxicodendron*] *vernix*.
smóoth súmac アメリカウルシ.
stághorn súmac スタグホンハゼノキ.
Venétian súmac アメリカケムリノキ(smoke tree).

-sume /súːm | sjúːm/

連結形 取り上げる.
★ 語末にくる関連形は -SUMPTION, -SUMPTIVE.
★ 語頭にくる形は sumpt-: *sumpt*uous「出費に関する」.
◆ ラテン語 *sūmere*「取り上げる」より.

as·sume 動他 (証拠や客観性を考えず)当然のこと[真実]と決めてかかる; 推定する.
con·sume 動他 …を消費する, 消耗する, 使い果たす.
pre·sume 動他 推定する, 推量[推測]する, 考える.
re·sume 動他 再び始める, 再び続ける.
sub·sume 動他 〈観念・条項・命題などを〉(より包括的なものの)一部とする, 含める.

sum·mer /sʌ́mər/

名 夏, 夏季.

farewéll-súmmer 《米アパラチア》〖植物〗アスター属の各種.
Índian súmmer (米国・カナダで10月末か11月初めに見られる)小春日和.
lóng hót súmmer (暴動の起きる)長い暑い夏.
Lúke's Little Súmmer 《英話》＝St. Luke's Summer.
míd·súm·mer 名 夏の中ごろ, 中夏, 盛夏.
Óld Wíves' súmmer (ヨーロッパで秋に見られる)小春日和.
Sàint Mártin's súmmer ＝St. Martin's summer.
snów-in-súmmer シロミミナグサ.
St. Lúke's súmmer 《英》秋晴れ.
St. Mártin's súmmer 《英》小春日和.

sum·mit /sʌ́mit/

名 首脳会談, 頂上会談.

Éarth Súmmit 地球サミット; 国連環境開発会議.
Éu·ro·sùm·mit 名 ユーロサミット, EEC(欧州経済共同体)加盟国首脳会談.
nònaligned súmmit 非同盟諸国首脳会議.
Nórth-Sóuth Sùmmit 南北サミット.
sùb·súm·mit 名 小首脳会談.

-sump·tion /sʌ́mpʃən/

連結形 受け取られたもの[こと].
★ 名詞をつくる.
★ 語末にくる関連形は -SUME.
★ 語頭にくる関連形は sumpt-: *sumpt*uary「出費に関する」.
◆ ＜ラ *sūmptus*(*sūmere*「受け取る」の過去分詞). ⇨ -TION.

as·sump·tion 名 仮定, 前提, 想定, 憶測.
con·sump·tion 名 消費, 消耗, 消尽, 滅失.
pre·sump·tion 名 推定, 仮定, 推測.
re·sump·tion 名 取り戻すこと, 回収, 回復.
sub·sump·tion 名 包含, 包摂.

-sump·tive /sʌ́mptiv/

連結形 取り上げられた.
★ 形容詞をつくる.
★ 語末にくる関連形は -SUME.
★ 語頭にくる形は sumpt-: *sumpt*uous「出費に関する」.
◆ ＜ラ *sūmptus* (*sūmere*「取り上げる」の過去分詞). ⇨ -IVE¹.

as·sump·tive 形 当然の.
con·sump·tive 形 消耗的な; 破壊的な; 浪費的な.
pre·sump·tive 形 推定の根拠を与える.
re·sump·tive 形 要約する, 要約的な, 摘要の.

sun /sʌ́n/

名 太陽. ◇ SOL

áctive sún 〖天文〗活動期の太陽.
án·ti·sùn 名 ＝counter sun.
cóunt·er·sùn 名 〖気象〗反対幻日, 向幻日.
glóry-of-the-sún ユリ科の多年生球根植物.
méan sún 〖天文〗平均太陽.
mídnight sún 〖天文〗(極圏での)真夜中の太陽.
móck sún 〖気象〗幻日(げんじつ).
quíet sún 〖天文〗静穏太陽.
rísing sún 昇る太陽, 朝日.
trúe sún 〖天文〗真(しん)太陽.

Sun·day /sʌ́ndei, -di/

S

名 日曜日;〚キリスト教〛主日(lord's day). ⇨ DAY.

Ádvent Súnday	待降[降臨]節第一主日[日曜日].
Blóody Súnday	〚露史〛血の日曜日.
Cárling Súnday	四旬節(Lent)の第 5 日曜日.
Commúnion Súnday	〚教会〛(プロテスタントで)聖餐式が執行される日曜日.
Continéntal Súnday	ヨーロッパ大陸風な日曜日. ►安息重視の英国の日曜日と比較して, 規律も厳しくなく娯楽に比重がある.
Éaster Súnday	復活祭の日(Easter day).
Expectátion Súnday	期待の主日.
Gréat Súnday	〚東方教会〛=Easter Sunday.
Hóspital Súnday	《英》(教会で)地区の病院への寄付金を募る特定の日曜日.
Laetáre Súnday	喜べ[喜び]の主日.
Lów Súnday	復活祭の次の日曜日.
Míd-Lent Súnday	=Laetare Sunday.
Móthering Súnday	《英》=Laetare Sunday.
Óculi Súnday	〚キリスト教〛四旬節(Lent)の第 3 日曜日.
Órthodoxy Súnday	〚東方教会〛第一主日である正教の主日.
Pálm Súnday	〚キリスト教〛パームサンデー.
Pássion Súnday	《通例無冠詞》受難の主日.
Refréshment Sùnday	=Mid-Lent Sunday.
Remémbrance Sùnday	《英》休戦記念日曜日.
Sácrament Súnday	聖餐式を行う日曜日.
Shów-Súnday	《英》Oxford 大学創立記念祭前の日曜日.
Shróve Súnday	〚キリスト教〛懺悔日曜日.
Trínity Súnday	三位一体の主日[祝日].
Whít·súnday	〚キリスト教〛ペンテコステ.
Wórld Commúnion Sùnday	世界聖餐日, 世界教会交わりの日曜.

sun·flow·er /sʌ́nflàuər/

名 ヒマワリ. ⇨ FLOWER.

fálse súnflower	キクイモモドキ, ヒメキクイモ.
gíant súnflower	オニヒマワリ.
Méxican súnflower	メキシコヒマワリ.
táll súnflower	=giant sunflower.
tíckseed súnflower	センダングサ.

sun·shine /sʌ́nʃàin/

名 **1** (太陽の)直射光線, 日光, (強い)日差し. **2** 《米俗》幻覚剤 LSD の黄[オレンジ]色の錠剤(sunshine pill). ⇨ SHINE.

Califórnia súnshine	《米俗》=yellow sunshine.
Hawáiian sùnshine	《米俗》ハワイ産マリファナ.
órange súnshine	《米麻薬俗》LSD の一種.
yéllow súnshine	《米麻薬俗》LSD.

su·per·in·tend·ent /sù:pərinténdənt | sjù:-/

名 (仕事・企業・施設・組織・一定地区などの)指導監督者, 管理者. ⇨ -ENT[1].

chíef superinténdent	《英》警視正.
maríne superintèndent	海事監督官, 海務監督.
políce superinténdent	《米》警察本部長; 《英》警視.
pórt superintèndent	=marine superintendent.
sídewalk superinténdent	《主に米話》建設現場の見物人.

sup·per /sʌ́pər/

名 **1** 夕食, 夕飯. ►しばしば 1 日の中での主要な食事となる. **2** (軽い)晩餐(ばんさん), (特に)夜食.

búmp sùpper	《英》(Oxford, Cambridge 大学で)追突ボートレースの勝利を祝う晩餐会.
cóvered-dìsh súpper	料理持ち寄りの会食.
íce-cream súpper	《米南部》(夕方に開かれる)アイスクリームを売って資金を調達するためのパーティー.
Lást Súpper	(キリストが弟子たちと共にした)最後の晩餐.
Lórd's Súpper	=Last Supper.

sup·ple·ment /sʌ́pləmənt/

名 **1** 追加, 補足, 補充. **2** (新聞・雑誌などの)付録. ⇨ -PLEMENT.

cálcium sùpplement	カルシウム補充剤.
cólor súpplement	カラー別刷りページ[雑誌].
Éarnings Relàted Súpplement	所得比例給付, 保険給付金.
fámily íncome sùpplement	《英》所得補充手当.
íron sùpplement	鉄分補充剤.
potássium súpplement	カリウム補充剤.
Súnday súpplement	日曜版.
vítamin súpplement	ビタミン補充剤.

sup·ply /səplái/

動他 〈人・施設・場所などに〉(必要品・欠乏品などを)与える, 供給する. ⇨ -PLY[2].

Á supplỳ	〚電子工学〛A 電源.
B́ supplỳ	〚電子工学〛B 電源.
Ć supplỳ	〚電子工学〛C 電源.
flóating supplỳ	〚商業〛浮動的供給.
móney supplỳ	〚経済〛通貨供給量, 貨幣供給量.
ó·ver·sup·plỳ 名	〚商業〛供給過剰[過多].
pówer supplỳ	電源, 電力供給装置.
rè·sup·plý 名動他	再供給(する), 補給(する).
ún·der·sup·plỳ 名	〚商業〛供給不足(量).
vísible supplỳ	〚商業〛有形供給高.
wáter supplỳ	送水(設備), 上水道.

sup·port /səpɔ́:rt/

名 **1** 支持物. **2** 扶養. **3** 援助を与える人[もの]. **4** 〚軍事〛支援, 擁護. ⇨ -PORT.

áir suppòrt	〚軍事〛上空[空中]援護.
árch suppòrt	(靴の)踏まず芯.
chíld suppòrt	子の扶養(料).
fíre suppòrt	〚軍事〛火力支援.
íncome suppòrt	《英》生活保護.
lífe-suppòrt 形	〚医学〛生命維持装置の.
nòn·sup·pórt 名	〚法律〛扶養義務不履行.
príce suppòrt	価格維持, 買い支え.
sélf-suppórt 名	自活, 自給, 自立, 自営.

sure /ʃúər, ʃɔ́:r | ʃúə, ʃɔ́:/

形 **1** (…に)懸念[疑問]を抱かない, 確信して. **2** 確かな, 必然の, 避けられない.

cock·sure 形	全く確かな; (客観的に)必ず(…)する.
foot sure 形	ころばない, 足元の確かな.
hen·sure 形	=cocksure.
in·sure 動他	☞
shit·sure 形	《米俗》強く確信した.
un·sure 形	(…に)自信[確信]のない, あやふやな.

sur·face /sə́:rfis/

名 表, 表面, 外面; 水面; 地(表)面; 表層(域, 部分).

S

──形 表面の, 外面の; 表層の, 地表の. ──動他 **1** 表面を(…で)仕上げる, 舗装する. **2**〈潜水艦などを〉浮上させる. ⇨ FACE.

áir-to-súrface 形 空対地の, 航空機から地上への.
cáustic súrface 【光学】火面.
contról sùrface 【航空】操縦翼面.
devélopable súrface 【幾何】可展面.
erósion sùrface 【地質】浸食面.
Férmi súrface 【物理】フェルミ面.
hárd-súrface 動他〈場所を〉舗装する.
hýp·er·sùr·face 名 【数学】超曲面.
líght and sháde sùrface (建築陰影法で)明暗境界面.
phò·to·súr·face 【写真】感光面.
pítch sùrface 【機械】ピッチ面, 刻み面.
rè·súr·face 動他 …に新しい表(おもて)をつける.
Ríemann sùrface 【数学】リーマン面.
rúled súrface 【幾何】線織(せんしょく)面.
sub·súr·face 形 表面下の, 水面下の.
súrface-to-súrface 形 地対地の, 地 [艦] 対水上の.
táil sùrface 【航空】尾翼(面).
un·der·sur·face 名 下面, 底面.

surf·ing /sə́ːrfiŋ/

名 サーフィン, 波乗り(surf-riding). ⇨ -ING[1].

bódy sùrfing ボディーサーフィン.
cár sùrfing 動く車の屋根に乗る遊び.
sídewalk súrfing 《俗》スケートボードをすること.
ský sùrfing 《米》ハンググライダー.
snów·sùrfing スノーサーフィン(snowboarding).
tráin sùrfing 列車サーフィン: 高速で走る列車の屋根や外側にぶら下がる無謀な遊び.
úrban súrfing 《俗》走っている自動車 [バス, 電車] の外側に乗る遊び.
wáke sùrfing 【サーフィン】ウェークサーフィン.「グ.
wínd·sùrfing ウインドサーフィン, ボードセーリン

surge /sə́ːrdʒ/

名 (感情・群衆などの)大波, 高まり, 突進, 殺到. ──動自〈波が〉押し寄せる;〈群衆・感情が〉波のように押し寄せる.

báse sùrge ベースサージ: 水中の核爆発時に水面に発生する強い衝撃波を伴った環状の雲.
re·súrge 動自〈波・群衆などが〉押し寄せては退く.
stórm sùrge 高潮, 風津波(surge).
ùp·súrge 動自〈波・感情などが〉沸き上がる.
wínd sùrge (海岸の)風による大波.

-sur·gent /sə́ːrdʒənt/

連結形 生じる, 起きる, 立ち上がる.
★ 形容詞, 名詞をつくる.
◆ <ラ *surgēns*(*surgere*「生じる, 起きる, 立ち上がる」の現在分詞形); surge と同語源. ⇨ -ENT[1].
[発音] 基体の第 1 音節(-sur-)に第 1 強勢.

as·sur·gent 形 【植物】〈葉・幹が〉上向きの.
in·sur·gent 名 反乱者, 反乱軍の兵士, 暴徒.
re·sur·gent 形 よみがえる, 蘇生する, 復活する.

sur·geon /sə́ːrdʒən/

名 外科医; 《英》医師.

bárber-súrgeon 《もと》外科手術や歯の治療も行った床屋.
déntal sùrgeon 歯科医; 口腔(こうこう)外科医.
flíght sùrgeon 【米空軍】航空医官.
hóuse sùrgeon (病院の)住み込み外科医.
óral súrgeon 口腔(こうこう)外科医.
véterinary súrgeon 《主に英》獣医.

sur·ger·y /sə́ːrdʒəri/

名 【外科】手術法. ⇨ -ERY[1].

Bánd-Áid sùrgery バンド・エイド手術.
béllybutton sùrgery 《話》腹腔鏡検査 [手術](法).
blóodless súrgery 非観血手術.
càr·di·o·súr·ger·y 名 心臓外科.
chè·mo·súr·ger·y 名 化学外科療法.
consérvative súrgery 保存外科.
cosmétic súrgery 美容整形外科.
cryogénic súrgery 凍結(外科)手術.
cry·o·súr·ger·y 名 凍結(外科)手術.
e·lèc·tro·súr·ger·y 名 電気外科(医術, 学).
gámma sùrgery ガンマ線外科(手術).
genétic súrgery 遺伝手術 [外科].
in útero sùrgery 子宮内手術.
invásive súrgery 侵襲的手術.
kèyhole súrgery ＝Band-Aid surgery.
láser sùrgery レーザー手術.
méat súrgery 《米軍隊俗》下手な手術.
mí·cro·sùr·ger·y 名 顕微(鏡)手術, マイクロ手術.
mínimally invasive sùrgery ＝Band-Aid surgery.
nàn·o·súr·ger·y 名 (電子顕微鏡下で行う)極小手術.
nèu·ro·súr·ger·y 名 (脳)神経外科(学).
noninvasive súrgery 非侵襲的手術.
ópen-héart sùrgery 開心術, 直視下心内手術.
óral súrgery 口腔(こうこう)外科.
orthognáthic súrgery 顎顔(がくがん)形成 [矯正] 手術.
plástic súrgery 形成外科.
psy·cho·súr·ger·y 名 精神外科.
rà·di·o·súr·ger·y 名 放射線外科.
reconstrúctive súrgery 再建(手)術.
spáre-pàrt súrgery 臓器移植外科.
tèle·súrgery 名 遠隔操作のロボット装置による手術.
trée sùrgery 樹木外科(術).
vánity sùrgery ＝plastic surgery.
vídeo-gáme sùrgery ビデオゲーム手術.
ví·de·o·sùr·ger·y 名 (videoscope による)ビデオ手術.

sur·plus /sə́ːrplʌs, -pləs | -pləs/

名 残り, 余り.

cápital súrplus 《米》資本剰余金.
éarned súrplus (社内)留保利益(金), 蓄積資本, (利益)剰余金.
éxport sùrplus 輸出超過.
góvernment súrplus 政府払い下げ品.
páid-in súrplus (株式)払込剰余金.
tráde súrplus 貿易収支黒字.
wár sùrplus 余剰軍需品.

sur·veil·lance /sərvéiləns, -ljəns | səːvéiləns, sə-/

名 (特に被疑者・囚人などの)監視, 見張り; 査察, 偵察; スパイ行為 [活動]. ⇨ -ANCE[1].

acóustical survéillance 音響捜索 [監視].
cò·sur·véil·lance 名 (企業での)従業員の経営参加.
electrónic survéillance 電子捜索 [監視].
immúne survéillance ＝immunological surveillance.
immunológical survéillance 【医学】免疫監視(機構).
ìm·mu·no·sur·véil·lance 名 ＝immunological surveillance.
ón-lìne rèal-tíme survèillance オンラインリアルタイム監視.

sur·vey /sərvéi, sə́ːrvei/

動他 見渡す, 見回す, 見晴らす; …に目を通す.

áerial súrvey 空中探査, 航空(写真)測量.
áir sùrvey =aerial survey.
contról sùrvey 基準点測量.
Geológical Súrvey 〘米行政〙 地質調査部.
longitúdinal sùrvey 追跡調査.
opínion sùrvey 世論調査.
Órdnance Sùrvey 《英》 陸地測量(図); 英国陸地測量部.
protéctive súrvey 〘原子力〙 防護査定.
rè·sur·véy 動他自 再調査(する); 再測量(する).
róute sùrvey 路線測量.
sóil sùrvey 土壌調査.
sónic profíling sùrvey 〘海洋〙 音波深査.

Su·san /súːzn/

名 女子の名. ►Susanna(h)の別称.

bláck-eyed Súsan デージーに似たキク科植物の総称.
brówn-èyed Súsan キク科オオハンゴンソウ属の植物.
lázy Súsan (食卓の中央部に置く)回転テーブル.

sus·cep·ti·ble /səséptəbl/

形 (…を)受け入れることができる, (…の)余地がある, (…を)許す. ⇨ -IBLE.

hy·per·sus·cep·ti·ble 形 〘病理〙 過敏症の(hypersensitive).
in·sus·cep·ti·ble 形 (…に)感じない; (…を)受け入れない.
o·ver·sus·cep·ti·ble 形 影響されやすい; 傷つきやすい.
un·sus·cep·ti·ble 形 感じやすくない.

sus·pen·sion /səspénʃən/

名 ぶら下げること. ►suspend の名詞形. ⇨ -SION.

acóustical suspénsion 〘オーディオ〙 アコースティック・サスペンション.
áctive suspénsion 〘自動車〙 アクティブ・サスペンション.
áir suspènsion 空気ばねを使った懸架(けんか)装置.
collóidal suspénsion 〘化学〙 コロイド懸濁液.
hydráulic suspénsion 〘自動車〙 油圧式懸架(けんか)装置.
hỳdroelástic suspénsion =hydraulic suspension.
indepéndent suspénsion 〘自動車〙 独立懸架(けんか).
mechánical suspénsion 〘化学〙 機械的懸濁液.

swal·low /swálou | swɔ́l-/

名 ツバメ.

bánk swàllow ショウドウツバメ(小洞燕), (俗に)スナムグリツバメ.
bárn swàllow ツバメ.
chímney swàllow 《英》 =barn swallow.
clíff swàllow サンショクツバメ.
éaves swàllow =cliff swallow.
fáiry swàllow (青と白の羽毛の)愛玩(あいがん)用イエバトの一種.
róck swàllow イワショウドウツバメ.
róugh-wínged swállow オビナシショウドウツバメ.
séa swàllow 《俗》 アジサシ(tern).
trée swàllow ミドリツバメ.
whíte-béllied swállow ミドリツバメ.
wóod-swàllow モリツバメ.

swan /swán | swɔ́n/

名 ハクチョウ(白鳥).

Béwick's swán コハクチョウ.
bláck swán コクチョウ(黒鳥).
múte swán コブハクチョウ.
trúmpeter swàn ナキハクチョウ(鳴き白鳥).
túndra swàn コハクチョウ.
whístling swán アメリカコハクチョウ.
whóoper swàn オオハクチョウ.
whóoping swàn =whooper swan.

swear /swέər/

動他 **1** …を(神・神聖なものにかけて)誓う, 宣誓する. **2** ののしる.

fore·swear 動他 =forswear.
for·swear 動他 …を誓って退ける [やめる].
out·swear 動他 …より激しくののしる.
un·swear 動他 〈誓ったことを〉取り消す, 撤回する.

sweat /swét/

動自 汗をかく. ──名 **1** 発汗; 発汗作用; 汗. **2** 《俗》 努力, 骨折り.

cóld swéat 《話》 冷や汗.
flóp swèat 《俗》 〘演劇〙 失敗に対する怖れ.
kítchen swèat 《米俗》 ダンス(パーティー).
múck swèat 《英話》 大汗(をかいている状態).
nánny-gòat swéat 《米俗》 安物のウイスキー, 密造酒.
néver-swèat 《米俗》 メキシコ人.
nó-swéat 形 《話》 簡単な, たやすい.
óld swéat 《英話》 (正規軍の)老兵, 古参兵.
píg swèat 《米俗》 ビール, 安いウイスキー.
tíger swèat 《米俗》 強い酒; 安酒.

sweep /swíːp/

動他 …を掃除する, 掃く. ──名 **1** はねつるべ. **2** 《主に英話》 掃除人.

chímney swèep 煙突掃除夫.
cléan swéep (選挙における)圧勝, 完勝.
dówn·swèep 動他 (…を)下にカーブさせる.
pówer swèep 〘アメフト〙 パワースイープ.
stréet swèep 《米》 会社乗っ取り(工作).
ùp·swéep 動他 …をなで上げる; …を掃き上げる.
wéll swèep (井戸の)はねつるべ.

sweep·er /swíːpər/

名 掃く人 [物], 掃除人. ⇨ -ER[1].

cárpet swèeper (回転ブラシのついた)じゅうたん掃除機.
míne·swèeper 名 〘海軍〙 掃海艇(艦).
róad-swèeper 名 《英》 道路清掃人.
stréet swèeper 街路清掃人, 清掃作業員.
vácuum swèeper 真空 [電気] 掃除機.

sweet /swíːt/

形 甘い. ──名 **1** 甘いもの; 甘い香りのするもの. **2** キャンデー, 砂糖菓子.

bítter·sweet 形 苦くも甘くもある, ほろ苦い.
bóiled swéet 《英》 ハードキャンデー.
cóugh swèet 《英》 咳止めドロップ.
hóney-swéet 形 蜜のように甘い.
méadow·swèet 名 〘植物〙 シモツケ.
Óso swèet (南米産の)甘いタマネギ.
ò·ver·swéet 形 極端に甘い, 甘すぎる.
sèm·i·swéet 形 少し甘味がある.
súmmer-swèet 名 〘植物〙 アメリカビョウブ.
wínter·swèet 名 〘植物〙 ロウバイ(蝋梅).

swell /swél/

S

動自〈物が〉(…で)膨らむ, 膨張する. ──他〈物を〉膨らませる. ──名 **1** ふやす［ふえる］こと. **2** 大波, うねり.

gróund·swèll 大波, 波の大うねり.
héavy swéll 偉く見せかけた人.
knée swèll (オルガンの)ひざ板.
lánd swèll (海岸付近の)波のうねり.
òver·swéll 動他 膨らましすぎる; …からあふれ出る.
ùp·swéll 動自他 膨れる; 膨らませる.

swept /swépt/

動 sweep の過去・過去分詞形. ──形 **1**〈刀の鍔(つば)が〉湾曲した棒でできている. **2** 後方に傾いた. ⇨ -T[1].

báck·swèpt 形 後方へ傾斜した［なびいた］.
dówn·swèpt 形 下方にカーブした［反った］.
in·swept 形 〈翼・車体などが〉先細の.
un·swept 形 掃かれていない; 一掃されていない.
up·swept 形 上に反った［曲がった］.
wínd-swèpt 形 〈場所が〉吹きさらしの.

swift /swíft/

形 非常に速く動く, 速い. ──名 アマツバメ.

chímney swìft エントツアマツバメ.
crésted swìft =tree swift.
pálm swìft ヤシアマツバメ.
spíne-tàiled swíft ハリオ(針尾)アマツバメ(雨燕).
trée swìft カンムリ(冠)アマツバメ.
wínd-swìft 形 風のように速い, 疾風のような.

swim·mer /swímər/

名 泳ぐ人［もの］. ⇨ -ER[1].

báck·swìmmer 名 マツモムシ.
blúe swímmer タイワンガザミ.
chánnel swìmmer 海峡横断水泳者.
frée-swímmer 名 自由遊泳動物(魚・クラゲなど).
nòn·swím·mer 名 泳げない人.

swing /swíŋ/

動他 **1** 揺れること, 揺れ. **2** (ボールを)打つこと; スイング. **3** 活発な動き. ──形 揺れるように作ってある.

báck·swìng 【スポーツ】バックスイング.
bí-swìng 形 〈衣服が〉背の両脇にプリーツを取った.
dówn·swìng (ゴルフなどで)ダウンスイング.
fúll swíng 大活躍, 大車輪の活動; たけなわ.
gíant swíng (鉄棒の技で)大車輪.
hálf swíng (特に野球で)ハーフスイング.
ín·swìng 【クリケット】インスイング.
móod swìng 【精神医学】気分変動.
óut·swìng 【クリケット】アウトスイング.
úp·swìng (振り子などの)上揺れ.

swing·er /swíŋər/

名 揺れる人［物］; 振り回す人. ⇨ -ER[1].

in·swing·er 名 【クリケット】インスウィンガー.
key-swing·er 名 《米学生俗》優等学生友愛会のキーをこれ見よがしに身につけている学生.
out·swing·er 名 【クリケット】アウトスインガー.
sweep·swing·er 名 《米学生俗》競争ボートの漕ぎ手.

switch /swítʃ/

名 **1** 切り替え. **2**【電気】スイッチ, 開閉器. **3**《主に米・カナダ》【鉄道】転轍(てんてつ)器.

áir swìtch 【電気】エアスイッチ, 気中開閉器.
báit-and-swìtch 名 おとり広告商法.
barométric swìtch =baroswitch.
báro·swìtch 名 【気象】バロスイッチ.
chícken swìtch 《俗》【ロケット】チキンスイッチ.
DÍP-swìtch 名 【コンピュータ】DIP スイッチ.
díp·swìtch 名 《英》(自転車のヘッドランプの減光のための)ライティング・スイッチ.
dóuble-thròw swítch 【電気】双投スイッチ.
flóat swìtch 【電気】フロートスイッチ.
gáng swìtch 【電気】連結スイッチ.
hót swìtch 【放送】中継地点の切り替え.
knífe swìtch 【電気】刃形スイッチ.
límit swìtch リミットスイッチ: 自動制御スイッチ.
máster swítch 【電気】主幹［親］スイッチ.
mémory swìtch 【電子工学】メモリースイッチ.
mércury swítch 【電気】水銀スイッチ.
mícro·swìtch 名 マイクロスイッチ: 自動制御装置に用いる高感度のスイッチ.
póint-swìtch 名 【鉄道】転轍(てんてつ)器.
Q́-swìtch 名 【物理】Q スイッチ.
síngle-thròw swítch 【電気】単投スイッチ.
tíme swìtch 【電気】時限スイッチ.
tóggle swìtch 【電気】ひじスイッチ.
túmbler swìtch 【電気】タンブラスイッチ.

switch·ing /swítʃiŋ/

名 交換, 切り換え. ⇨ -ING[1].

cláss-swìtching 【生化学】【免疫学】組換え.
códe-swìtching 【言語】コード切り換え.
méssage swìtching 【通信】メッセージ交換.
pácket-swìtching 【通信】パケット交換.
stóre and fórward swìtching 【コンピュータ】(情報の)蓄積交換.

sword /sɔ́ːrd/

名 剣, 刀.
［発音］/swɔːrd/ でないことに注意.

báck·swòrd 片刃の剣［刀］, 段平(だんびら).
béaring swòrd (家来に持たせる)大刀.
bróad·swòrd (まっすぐの)広刃の刀.
clóak-and-swórd 形 (劇・物語でマントをまとい剣を帯びた人物が登場する)活劇調の.
dréss swórd 礼装用佩刀(はいとう).
héading swòrd 首切り用の剣.
húnting swòrd 軽くて短いサーベル.
píllow swòrd まっすぐの刀身と垂直に交差した鍔(つば)を持つ剣.
pórk swòrd 《俗》ペニス, 陰茎.
sílver·swòrd 【植物】ギンケンソウ.
smáll·swòrd 軽い先細の突き剣.

-sy /si; 時に zi/

接尾辞 **1**《話》指小辞として: bit*sy*, pop*sy*. **2** …に見せかける, …の振りをする: art*sy*, cute*sy*.
★ 名詞, 形容詞をつくる; -sey とも綴る.
★ しばしば軽蔑の響きがある.
◆ おそらくもとは次の2つの別個の接尾辞; 一方は指小形(類例は Betsy, popsy, tootsy)で, もう一方は形容詞相当語句と考えられるが, 両方ともその起源は不明.

art·sy 形 《話》芸術家ぶった; 芸術品まがいの.
bit·sy 形 《話》小さい, ちっぽけな.
cute·sy 形 《米話》ちゃめっ気のある.
flim·sy 形 壊れ［破れ］やすい, もろい, 弱い.
folk·sy 形 社交的な, 人付き合いのよい.
foot·sy 名 《話》いちゃつき, 密通(footsie).

gaw·sy 形 《スコット・北イング》〈人が〉身なりがよく陽気な.
-lep·sy 連結形 ☞
mim·sy 形 《英俗》とりすました.
mop·sy 名 《米俗》だらしない女.
out·sy 名 《米話》とびでたへそ, でべそ.
pop·sy 名 《英俗》《時に軽蔑的》ガールフレンド, 若いかわいい娘(こ).
rock·sy 名 《米俗》地質学者.
slim·sy 形 《米》弱い, もろい.
teen·sy 形 《話》小さな, ちっちゃな.
tip·sy 形 《話》〈人が〉ほろ酔いの.
toot·sy 名 《幼児語 / こっけい》足, あんよ.
whim·sy 名 気まぐれな気分 [気質], むら気.

syl·lab·ic /silǽbik/

形 音節(syllable)の; 音節から成る. ⇨ -IC[1].

am·bi·syl·lab·ic 形 【音声】〈子音が〉両音節にまたがる.
a·syl·lab·ic 形 音節副音の, 非成節の.
dec·a·syl·lab·ic 形 〈詩行が〉十音節の.
di·syl·lab·ic 形 二音節(語)の.
do·dec·a·syl·lab·ic 形 十二音節の.
en·ne·a·syl·lab·ic 形 九音節の.
hen·dec·a·syl·lab·ic 形 十一音節の [から成る].
im·par·i·syl·lab·ic 形 〈名詞が〉単数主格と他の格とで音節の数が同一でない.
in·ter·syl·lab·ic 形 【音声】音節間の.
mon·o·syl·lab·ic 形 〈単語が〉単音節の [から成る].
mul·ti·syl·lab·ic 形 =polysyllabic.
non·syl·lab·ic 形 【音声】非音節主音的; 非成節的な.
oc·to·syl·lab·ic 形 〈詩行などが〉八音節の.
par·i·syl·lab·ic 形 〈ギリシャ語・ラテン語の名詞が〉同数の音節を持った.
pol·y·syl·lab·ic 形 〈語が〉多音節の.
tau·to·syl·lab·ic 形 【音声】同音節の, 同一音節に生じる.
un·syl·lab·ic 形 【音声】=nonsyllabic.

syl·la·ble /síləbl/

名 【音声】音節, シラブル. ⇨ -E[1].

clósed sýllable 閉音節.
déc·a·sỳl·la·ble 名 十音節語 [詩行].
dis·sýl·la·ble 名 =disyllable.
di·sýl·la·ble 名 二音節語 [詩行].
do·dè·ca·syl·la·ble 名 十二音節語 [詩行].
hen·déc·a·sỳl·la·ble 名 十一音節語 [詩行].
hép·ta·sỳl·la·ble 名 七音節語 [詩行].
héx·a·sỳl·la·ble 名 六音節語 [詩行].
món·o·sỳl·la·ble 名 一音節語; 単音節語.
múl·ti·sỳl·la·ble 名 =polysyllable.
nónsense sỳllable 【心理】無意味綴(つづ)り.
óc·to·syl·la·ble 名 八音節語 [詩行].
pén·ta·syl·la·ble 名 五音節語 [詩行].
pól·y·syl·la·ble 名 多音節語 [詩行]: 四音節以上の語.
quád·ri·syl·la·ble 名 =tetrasyllable.
sép·ti·syl·la·ble 名 =heptasyllable.
séx·i·syl·la·ble 名 =hexasyllable.
tét·ra·sỳl·la·ble 名 四音節語 [詩行].
trí·sỳl·la·ble 名 三音節語 [詩行].

sym·bol /símbəl/

名 **1** 象徴, (…の)シンボル. **2** (化学・音楽などの)記号.
★ 語頭にくる関連形は symbol(o)-: *symbol*ism「象徴化」, *symbolo*phobia「シンボル恐怖(症)」.

chórd sỳmbol 【音楽】コード記号(C, G 7 など).
Hérmann-Mauguín sỳmbol ヘルマン=モーガンの記号.
péace sỳmbol ピースマーク.
phállic sýmbol 【精神分析】男根象徴 [シンボル].
séx sỳmbol 性的魅力のある人.
signíficant sýmbol 【社会学】有意味シンボル.
státus sỳmbol ステータスシンボル.

sym·met·ric /simétrik/

形 (左右)相称的な, 対称的な. ⇨ -METRIC.

ant·i·sym·met·ric 形 【数学】反対称の, 交代の.
a·sym·met·ric 形 非対称の, 不均整の.
ax·i·sym·met·ric 形 線対称の, 軸に対して対称の.
cen·tro·sym·met·ric 形 中心に対して対称の.
dis·sym·met·ric 形 釣り合っていない, 不均整の.
mon·o·sym·met·ric 形 【結晶】単斜晶系の(monoclinic).
non·sym·met·ric 形 非対称の.
skew-sym·met·ric 形 【数学】歪(わい)対称の, 交代の.
time-sym·met·ric 形 【物理】【天文】時間対称の.

sym·met·ri·cal /simétrikəl/

形 対称的な; 〈体・全体などが〉釣り合いの取れた. ⇨ -ICAL.
★ 語頭にくる関連形は symmetr(o)-: *symmetro*phobia「【建築】対称忌避, 均整嫌い」.

a·sym·met·ri·cal 形 非対称の, 不均整の.
bi·sym·met·ri·cal 形 【植物】左右相称の.
ra·di·o·sym·met·ri·cal 形 【植物】放射相称をなす.
un·sym·met·ri·cal 形 非相称の, 非対称の.

sym·me·try /símətri/

名 (面・線・点に関して)相称, 対称; 形の対称的規則性. ⇨ -METRY.

a·sým·me·try 名 不均整, 非対称.
biláteral sýmmetry 【生物】左右相称, 両側相称.
dis·sým·me·try 名 非対称, 不均整.
mírror sỳmmetry 鏡像対称.
psèu·do·sým·me·try 名 【結晶】擬(似)対称.
rádial sýmmetry 【生物】放射相称.
sù·per·sým·me·try 名 【物理】超対称性.
ŚÚ sỳmmetry 【物理】SU 対称性.
ŚÚ3 sỳmmetry 【物理】SU 3 対称性.
tíme-reflèction sýmmetry 【物理】時間反転の対称(性).

syn·ap·tic /sinǽptik/

形 【生理】シナプス(synapse)の, 連結部(位)の. ⇨ -TIC.
★ 語頭にくる関連形は synapto-: *synapto*logy「シナプス研究」.

mon·o·syn·ap·tic 形 単シナプスの.
pol·y·syn·ap·tic 形 多シナプスの.
post·syn·ap·tic 形 シナプス後(部)の.
pre·syn·ap·tic 形 シナプス前の.

syn·chro·nous /síŋkrənəs/

形 (…と)同時に起こる; 時間的に一致する; 同時代の; 同時(性)の. ⇨ -OUS.

a·syn·chro·nous 形 同時に起こらない.
ge·o·syn·chro·nous 形 〈衛星が〉対地静止の.

syn·drome /síndroum, -drəm | -droum/

名 【病理】【精神医学】症候群. ⇨ -DROME.

ábstinence sỳndrome 離脱 [禁断] 症候群.
acquíred immúne deficiency sỳndrome エイズ, 後天性免疫不全症候群 (Aids).
Ádams-Stókes sỳndrome 呼吸窮迫症候群.

S

adúlt réspiratory distrèss sỳndrome =Adams-Stokes syndrome.
Bámbi sỳndrome バンビ症候群: 動物に対し, 観光客がなれなれしく接するため, 時として襲われること.
báttered báby sýndrome 幼児受傷症候群, (親の)幼児虐待.
báttered chíld sỳndrome 児童受傷 [被虐待児] 症候群.
Béhçet's sỳndrome ベーチェット病.
bínge-púrge sỳndrome 大食症(bulimia).
Briquét's sỳndrome 身体化障害.
cárcinoid sỳndrome カルチノイド症候群.
cárpal túnnel sỳndrome 手根(しゅこん)管(圧迫)症候群.
cát's crỳ sỳndrome 猫鳴き症候群.
cerebéllar sỳndrome 小脳性症候群.
chediák-higáshi sỳndrome チェディアック–東症候群.
Chína sỳndrome チャイナシンドローム: 仮想し得る最悪の原子炉事故.
Chínese-réstaurant sỳndrome 中華料理症候群.
Cockáyne's sỳndrome コケイン症候群.
cúlture specific sỳndrome 文化特異症候群.
Dèsert Stórm sỳndrome =Gulf War syndrome.
Dówn's sỳndrome =Down syndrome.
Dówn sỳndrome ダウン(氏)症候群.
drúnk móuse sỳndrome 《ハッカー俗》スクリーン上のマウスの動きがずれる現象.
éffort sỳndrome 心臓神経症.
Éhlers-Dánlos sỳndrome エーラーズ=ダンロー症候群.
émpty nést sỳndrome 〖社会〗巣立ち症候群.
Éverest sỳndrome エベレスト症候群. ►「山がそこにあるから」といった困難への挑戦行動.
fàlse mémory sỳndrome 偽記憶症侯群(FMS).
fétal álcohol sỳndrome 胎児性アルコール症候群.
Fránkenstein sỳndrome 〖生物〗フランケンシュタイン症侯群.
géneral adaptátion sỳndrome 〖生理〗汎(はん)適応症候群.
Grönblad-Strandberg syndrome グレンブラット・ストランドベルヒ症候群.
Guillain-Barré sỳndrome ギラン=バレー症候群.
Gùlf Wár sỳndrome 湾岸戦争シンドローム.
hígh-préssure nérvous sỳndrome 高圧性神経症候群 [障害].
Hurler's sỳndrome フルラー症候群.
hyperkinétic sỳndrome 多動性障害.
írritable bówel sỳndrome 過敏腸症候群.
jét sỳndrome ジェット機症候群. ►時差ぼけなど.
Kléine-Levín sỳndrome クライン=レビン症候群.
Klínefelter's sỳndrome クラインフェルター症候群.
Klúver-Búcy sỳndrome クリューバー・ビューシー症候群.
Kórsakoff's sỳndrome コルサコフ症候群.
Ḱ-Ź sỳndrome (強制)収容所症候群.
Lády Macbéth sỳndrome マクベス夫人症候群.
Lésch-Nýhan sỳndrome レッシュ=ナイハン症候群.
Lórdstown sỳndrome 《米》ローズタウン症候群.
lymphadenópathy sỳndrome (HIV 感染患者の)持続的リンパ節腫症.
Mággie-Jíggs Sỳndrome マギー=ジグス症候群.
Márfan sỳndrome マルファン症候群.
Ménière's sỳndrome メニエル症候群, メニエル氏病.
Múnchausen sỳndrome ミュンヒハウゼン症候群.
Nónne's sỳndrome =cerebellar syndrome.
Oriéntal níghtmare déath sỳndrome 悪夢を見ることによって恐怖にうなされる症候群.
Párkinson's sỳndrome パーキンソン症候群.
Pèrsian Wár sỳndrome =Gulf War syndrome.
Pickwíckian sỳndrome ピックウィック症候群.
post-móshing sỳndrome コンサート熱狂後症侯群(PMS).
pòst-pólio sỳndrome ポリオ後症候群.
pòst-Vietnám sỳndrome ベトナム戦後症候群.
pòstvíral sỳndrome ウイルス後症候群.
preménstrual sỳndrome 〖生理〗月経前症候群.
pretraumátic strèss sỳndrome 外傷前ストレス症侯群.
Próteus sỳndrome プロテウス症候群.
récoverd mènory sỳndrome 再生 [回復] 記憶症侯群.
Réiter's sỳndrome ライター症候群.
réspiratory distréss sỳndrome (新生児の)呼吸障害症候群.
Réye's sỳndrome ライ症候群.
Shý-Dráger sỳndrome シャイ=ドレージャー症候群.
sick búilding sỳndrome (居住者や労働者の健康に害を及ぼすような)建物の悪条件.
sílicon sỳndrome 《米》シリコン症侯群.
Stendhál sỳndrome スタンダール症候群.
Stóckholm sỳndrome ストックホルム症候群.
Stókes-Ádams sỳndrome =Adams-Stokes syndrome.
súdden ínfant déath sỳndrome 乳児突然死 [乳幼児急死] 症候群.
survívor sỳndrome 生存者症候群.
táll póppy sỳndrome 《豪話》名 [財] を成した人を非難する傾向.
téddy-bèar sỳndrome テディーベア症候群.
temporomandíbular jóint sỳndrome 顎(がく)関節症候群.
thrée o'clòck sýndrome 《話》午後 3 時症候群: オフィスで働く人達が午後 3 時ごろ眠くなる傾向.
T́M̀J sýndrome =temporomandibular joint syndrome.
Tourétte's sỳndrome トゥーレット症候群.
tóxic shóck sỳndrome 毒ショック症候群.
Túrner's sỳndrome ターナー症候群.
Viétnam sỳndrome ベトナム戦争症候群 [後遺症].
Wérner's sỳndrome ウェルナー症候群.
Wérnicke-Kósakoff sỳndrome ウェルニッケ=コルサコフ症候群.
Wiskott-Áldrich sỳndrome ウィスコット=オールドリッチ症候群.
withdráwal sỳndrome 〖薬学〗退薬症候, 離脱症候群.
X́Ò sỳndrome =Turner's syndrome.
XXY sỳndrome =Klinefelter's syndrome.
X́ÝÝ sỳndrome XYY 症候群.
Zóllinger-Éllison sỳndrome ゾリンジャー・エリソン症候群.

syn·tax /síntæks/

名 〖言語〗統語論, 統辞論, 構文論, シンタクス.

autónomous sýntax 〖言語〗自律的統語論.
lógical sýntax 〖言語〗(論理的)構文論, 統語論.

syn·the·sis /sínθəsis/

名 **1** 総合, 統合. **2**〖化学〗合成. ⇨ -THESIS.

áperture sýnthesis 〖天文〗口径合成.
bì·o·sýn·the·sis 名 〖生化学〗生合成.
chè·mo·sýn·the·sis 名 〖生物〗〖生化学〗化学合成.
e·lèc·tro·sýn·the·sis 名 〖化学〗電気合成.
módern sýnthesis 〖生物〗総合説.
nàr·co·sýn·the·sis 名 〖精神医学〗麻酔療法.
nù·cle·o·sýn·the·sis 名 〖物理〗〖天文〗核合成.
pà·ra·sýn·the·sis 名 〖言語〗併置総合.
phò·to·sýn·the·sis 名 〖生物〗〖生化学〗光合成.
pòl·y·sýn·the·sis 名 〖言語〗複統合.
prótein sýnthesis 〖生化学〗タンパク質合成.
psy·cho·sýn·the·sis 名 精神総合.
spéech sýnthesis 〖電子工学〗音声合成.
vóice sýnthesis 音声合成.

syn·thet·ic /sinθétik/

形 総合的 [統合的] な, 総合 [統合] (synthesis)の. ⇨ -THETIC.
★ 語頭にくる関連形は synth(e)-, synthet(o)-: *synthetograph*「合成図」.

bi·o·syn·thet·ic 形 〖生化学〗生合成の.
pol·y·syn·thet·ic 形 抱合的な, 複統合的な.
sem·i·syn·thet·ic 形 〖化学〗半合成の.

syr·up /sírəp, sə́ːr-｜sír-/

名 **1** シロップ. **2**〖薬学〗シロップ剤.

bár sỳrup ＝simple syrup.
córn sỳrup コーンシロップ.
cóugh sỳrup 咳(せき)止めシロップ.
gólden sýrup 《英》糖蜜シロップ.
gómme sỳrup ＝simple syrup.
ípecac sỳrup 〖薬学〗トコンシロップ.
máple sýrup 《主に米・カナダ》カエデ糖蜜.
símple sýrup 濃厚甘味液.
stárch sỳrup 水飴.

sys·tem /sístəm/

名 **1** (自然の)系, 系統; (通信・輸送などの)組織網; (装置・機械などの)システム. **2** (組織的な)方法, 方式. **3** (思想・学問などの)体系; 学説. **4** (社会・経済などの)(組織的な)制度, 機構, 仕組み. **5** (分類)法. **6**〖生物〗(身体器官などの)系統. **7**〖物理化学〗系. **8**〖コンピュータ〗システム; 大規模なプログラム. **9**〖結晶〗結晶系. ⇨ -EM[1].

ábsolute sỳstem 〖物理〗絶対単位系.
Ábt sỳstem 〖鉄道〗アプト式鉄道.
ádversary sỳstem 〖法律〗対審制度: 米国裁判制度の原則.
áir sỳstem 空気冷却装置, 空冷方式.
alárm sỳstem 警報システム: 犯罪防止のための警備方法.
ÁRGOS sỳstem 〖航海〗アルゴス・システム.
áuthoring sỳstem (マルチメディアの)文書作成システム.
Bárth sỳstem 〖経済〗バース奨励給.
báse bànd sỳstem 〖コンピュータ〗ベースバンド方式.
Bedáux sỳstem ビドー給与制.
Bértillon sỳstem ベルティヨン式人間識別法.
bínary-còded décimal sỳstem 二進化十進法.
bínary sỳstem 二元方式, 二元系.
blóck sỳstem 〖鉄道〗一連の閉塞(へいそく)区間.
bónus sỳstem ボーナス制度, 報奨金制度.
Bórstal sỳstem (イングランドの)ボースタル式非行少年再教育法.
búddy sỳstem (海水浴・スキューバダイビングで)安全のために二人を一組にして泳がせる方法.
búlletin bòard sýstem 〖通信〗(無償の)電子伝言板システム.
CÁPTAIN Sýstem 《商標》キャプテンシステム.
cárdinal sỳstem 〖海事〗浮標 [立標] 式.
cáse sỳstem 〖法律〗判例分析教育.
círculatory sỳstem 〖解剖〗〖動物〗循環系, 脈管系.
clósed sỳstem 〖熱力学〗閉鎖系, 閉じた系.
commánd sỳstem 〖航法〗指令方式.
cónduit sỳstem 〖鉄道〗コンジット式, 地下線渠式.
cónsonant sỳstem 〖言語〗子音体系.
continéntal sỳstem ＝French system.
coórdinate sỳstem 〖数学〗座標系.
Copérnican sỳstem 〖天文〗コペルニクス体系 [説], 地動説.
crýpto·sỳstem 暗号作成 [解説] 体系; 暗記法.
crýstal sỳstem 〖結晶〗結晶系.
Dálton Sỳstem 〖教育〗ドルトン方式.
dázzle sỳstem 〖造船〗迷装法, 迷彩塗装法.
décimal sỳstem 十進制; (計数の)十進法.
devélopment sỳstem 〖コンピュータ〗開発システム.
dí·a·sys·tem 名 〖言語〗(方言の)共通体系.
digéstive sỳstem 消化システム.
dígital sỳstem 〖電子工学〗デジタルシステム.
dísc òperating sỳstem 〖コンピュータ〗ドス(DOS).
dísc sỳstem 〖コンピュータ〗ディスクシステム.
dísk òperating sỳstem ＝disc operating system
dispérse sỳstem 〖物理化学〗分散系.
díving sỳstem 〖海洋工学〗潜水システム.
doméstic sỳstem 家内工業制度.
dyádic sỳstem 〖数学〗二進法(binary system).
éarly-wárning sỳstem 〖軍事〗早期警報 [警戒] 組織.
éco·sỳstem 〖生態〗生態系.
Énglish sỳstem 英式前紡(Bradford spinning).
exháust sỳstem 〖機械〗(エンジンの)排気機構.
éxpert sỳstem 〖コンピュータ〗専門家システム.
exténded réal númber sỳstem 〖数学〗広義の実数系.
extrapyrámidal sỳstem 〖解剖〗錐体(すい)外路系.
fáctory sỳstem 工場制度.
fárm sỳstem 〖野球〗二軍制度, ファームシステム.
Féderal Resérve Sỳstem 連邦準備制度.
féudal sỳstem 封建制度.
fíxed-dó sỳstem 〖音楽〗固定ド唱法.
fíxed exchánge sỳstem 〖金融〗固定為替相場制度.
flóating exchánge ràte sýstem 〖金融〗変動為替相場制度.
Fránco-Bélgian sỳstem ＝French system.
Frénch sỳstem 〖紡績〗仏式梳毛(そもう)紡績.
Gúlf Strèam sỳstem メキシコ湾流系.
Hárvard sỳstem 《米》ハーバード・システム: 学術書および雑誌の参考文献表記法の一種.
Havérsian sỳstem 〖解剖〗ハバース系.
Hénry sỳstem ヘンリー式指紋分類法.
hèpatopórtal sỳstem 〖解剖〗肝門脈系.
Hépburn sỳstem ヘボン式ローマ字.
hónor sỳstem 試験の無監督制度.
hýbrid-guídance sỳstem 〖軍事〗複合誘導方式.
hydráulic sỳstem 〖航空〗油圧装置.
ignítion sỳstem (内燃機関の)点火装置.
immúne sỳstem 〖解剖〗免疫システム.
imputátion sỳstem 《英》〖経済〗(課税)帰属方式.
indúction lòop sỳstem 誘導ループシステム.
inértial sỳstem 〖物理〗慣性(座標)系, 惰性系.
Informátion Nétwork Sỳstem 高度情報通信システム.
informátion sỳstem 情報システム.
ín·fo·sys·tem 名 〖コンピュータ〗情報システム.
Ínstinet sỳstem 〖証券〗インスティネット・システム: コンピュータ・コミュニケーションによる証券自動売買システム.
intélligent knówledge-bàsed sýstem 〖コンピュータ〗知能知識ベースシステム.
intercommunicátion sỳstem 内部通話装置, インターコム(intercom).
Ínterstate Híghway Sỳstem 《米》インターステート・ハイウエーシステム [高速道路網].
kánban sỳstem 〖経営〗かんばん方式.
Lában dánce notàtion sỳstem ラバン(式)舞踊記譜法 [舞踊譜].
láteral líne sỳstem 〖魚類〗側線系.
láteral sỳstem 〖海事〗側面表示方式.
légacy sỳstem 〖コンピュータ〗レガシーシステム.
lífe-support sỳstem 〖生態〗生活維持系; 〖宇宙工学〗生命維持装置.
límbic sỳstem 〖解剖〗(大脳)辺縁系.
lymphátic sỳstem 〖解剖〗リンパ系, リンパ組織体系.
lýmph sỳstem 〖解剖〗＝lymphatic system.
mánagement informátion sỳstem 経営情報システム.
manórial sỳstem (中世の)荘園制, 荘園制度.
méantòne sỳstem 〖音楽〗中全音律.
mércantile sỳstem 〖経済〗重商主義.
mérit sỳstem 《米》(任官・昇進における)成績 [能力主義] 制.
métric sỳstem メートル法.
mícrowave lánding sỳstem 〖航空〗マイクロ波着陸誘導装置.

S

mídi sỳstem 【オーディオ】ミディシステム.
móuntain sỳstem 山系.
móvable-dó sỳstem 【音楽】移動「ド」唱法.
multiprócessing sỳstem 【コンピュータ】多重処理システム.
multiúser sỳstem 【コンピュータ】マルチユーザー・システム.
Múnsell cólor sỳstem マンセル表色系.
nátural sýstem 【生物】自然分類.
nérvous sỳstem 【解剖】【動物】神経系統.
nòn·sýstem 見掛け倒しの方式 [制度].
númbering sỳstem 【アメフト】ナンバリングシステム.
ón-line réal-time sỳstem 【コンピュータ】(情報の)オンライン・リアルタイム処理システム.
ópen-field sỳstem (西欧封建社会の)解放耕地制度.
ópen sýstem 【熱力学】開いた系, 開放系.
óperating sỳstem 【コンピュータ】オペレーティング・システム.
óptical recórding sỳstem 光学的記録装置.
órbital manéuvering sỳstem 【宇宙工学】オービター軌道操縦システム.
Párk-and-ríde sỳstem 《米》ターミナル駅駐車通勤方式.
PÁ sỳstem ＝public-address system.
Pátriot Áir Defénse sỳstem 【軍事】パトリオット戦術防空システム.
periódic sýstem 【化学】周期系.
phóto·sỳstem 【生化学】(葉緑体の)光化学系.
plénum sỳstem 給気式換気, 強制換気システム.
póints sỳstem 《英》(公営住宅入居のための)点数制.
póint sỳstem 【印刷】ポイント式.
pórtal sỳstem 【解剖】門脈系, 門脈循環系.
prófit sỳstem 自由企業(free enterprise).
protéctive sỳstem 【経済】保護貿易主義 [政策].
Ptolemáic sýstem 【天文】プトレマイオス体系 [説], 天動説.
públic-addréss sỳstem (講堂・屋外などの)拡声装置.
quóta sỳstem 《米》移民割当制度.
Rádio Dáta Sỳstem 無線データシステム.
réal-tíme sỳstem 【コンピュータ】実時間システム.
répertory sỳstem 【演劇】レパートリーシステム.
réspiratory sỳstem 【解剖】呼吸系.
reticuloendothélial sỳstem 【免疫】細網内皮系, 網内系.
Scandinávian Áirlines Sỳstem スカンジナビア航空.
Schmídt sỳstem 【光学】シュミット(光学)系.
séismic árray sỳstem サイズミック・アレイ・システム: 地下核実験を検証するための地震波測定システム.
Seléctive Sérvice Sỳstem 《米》選抜徴兵局.
sequéntial númbering sỳstem 連続番号付け方式: 学術書および雑誌における参考文献表記法の一つ.
sérvo sỳstem 【機械】サーボ系.
sílent sỳstem (刑務所で囚人に課する)沈黙制度.
símplex sỳstem 【コンピュータ】シンプレックス・システム.
sólar sỳstem 【天文】太陽系.
soléra sỳstem ソレラシステム: シェリーを熟成させる方法.
sóund-múltiplex sỳstem 【放送】音声多重方式.
sóund sỳstem (言語などの)音声体系.
spóils sỳstem 《主に米》猟官制(度).
spréad-òver sýstem 労働時間伸縮制度(spread-over).
sprínkler sỳstem スプリンクラー(消火)設備.
stáff sỳstem 【鉄道】(列車運転上の)通票方式.
stánd-by sỳsem 予備発電 [配電] 装置.
stár sỳstem スターシステム: (特にハリウッドの)映画や演劇などで, スターのイメージに合わせて書き上げた作品に, スターを配役すること.
stóre-and-fórward sỳstem 【通信】ストア・アンド・フォア・システム
súb·sỳs·tem 名 下部 [副, 従] 組織, サブシステム.
sú·per·sys·tem 名 上位体系 [組織].
suppórt sỳstem 支援団体 [組織].
swéating sỳstem 苦汗制度, 労働搾取制度.
tíe bréak sỳstem 【テニス】タイ・ブレイク制.
Tórrens sỳstem 【法律】トーレンス式(権原)登記制度.
tóuch sỳstem タッチ方式: キーを見ずにタイプを打つようにする方法.
Tráchtenberg Sýstem トラハテンベルク法: 独自の公式による暗算・速算法.
trácking sỳstem 【教育】＝track system.
tráck sỳstem 《米》【教育】能力 [適性] 別クラス編成制度.
trásh-to-ènergy sýstem ゴミエネルギー化システム.
transmíssion stòp sýstem 【写真】T ストップシステム.
trónc sỳstem ホテルなどのボーイがいったん受け取ったチップを各自持ち寄り, 全員で再分配する方法.
trúck sỳstem 【英史】現物給与制度.
T́-stop sỳstem 【写真】T ストップシステム.
túrnkey sỳstem 【コンピュータ】ターンキー・システム.
tutórial sỳstem 個人 [個別] 指導制.
twó-pàrty sýstem 【政治】二大政党制.
twó-wáy cáble sỳstem 【電子工学】双方向ケーブルシステム.
Tychónic sỳstem 【天文】ティコの太陽系.
úniform sỳstem 【写真】カメラレンズに絞り値を露光量と比列するように記す方式.
urogénital sýstem 【解剖】泌尿生殖(器)系.
váscular sỳstem 【植物】維管束系.
vértical márketing sỳstem 【マーケティング】垂直的マーケティング・システム.
vídeo respónse sỳstem 画像応答システム.
vóting sỳstem 投票制度.
vóucher sỳstem 【会計】証憑(しょうひょう)記入制度.
vówel sỳstem 【言語】母音組織 [体系].
Wáde-Gíles sỳstem ウェード・ジャイルズ式: 中国語のローマ字表記(法).
wáll sỳstem 壁面の組み合わせユニット家具.
wáter sỳstem (河川の)水系.
wáter-váscular sỳstem 水管系, 歩管系, 管足系.
wéapon sỳstem 【軍事】兵器体系.
zóne sỳstem 【写真】ゾーンシステム.

-sys·to·le /sístəli/

連結形 【病理】収縮.
◆ ギリシャ語 *systolḗ*「収縮」より. ⇨ -STOLE.

a·sys·to·le 名 不全収縮(期).
ex·tra·sys·to·le 名 期外収縮.

T

-t¹ /t/

接尾辞 ある種の動詞の過去または過去分詞をつくるのに用いる -ed の変形; 通例, 語幹の最後の子音が無声音, 側音, 鼻音で語根の母音が交替する場合に用いられる.
◆ 中英(過去形)*-te*, *-(e)de*, 古英 *-ode*; (過去分詞形)中英 *-t*, *-(e)d*, 古英 *-od*.

blent 動 blend の過去・過去分詞形.
blest 動 bless の過去・過去分詞形.
bought 動 ☞
burnt 動 burn の過去・過去分詞形.
clapt 動 《古》clap の過去・過去分詞形.
clept 動 clepe の過去・過去分詞形.
clipt 動 clip の過去分詞形.
crept 動 creep の過去・過去分詞形.
cropt 動 《古》crop の過去・過去分詞形.
dealt 動 deal の過去・過去分詞形.
dipt 動 《古》dip の過去・過去分詞形.
dreamt 動 dream の過去・過去分詞形.
dript 動 drip の過去・過去分詞形.
dropt 動 drop の過去・過去分詞形.
dwelt 動自 dwell の過去・過去分詞形.
felt 動 ☞
fought 動 fight の過去・過去分詞形.
gelt 動 geld の過去・過去分詞形.
girt 動 gird の過去・過去分詞形.
gript 動 grip の過去・過去分詞形.
hoist 動 hoise の過去・過去分詞形.
kent 動 ken の過去・過去分詞形.
kept 動 keep の過去・過去分詞形.
knelt 動 kneel の過去・過去分詞形.
leant 動 《主に英》lean の過去・過去分詞形.
leapt 動 leap の過去・過去分詞.
learnt 動 learn の過去・過去分詞形.
left 動 leave の過去・過去分詞形.
lent 動 lend の過去・過去分詞形.
lost 動 lose の過去・過去分詞形.
meant 動 mean の過去・過去分詞形.
pent 動 pen の過去・過去分詞形.
rapt 動 rap の過去・過去分詞形.
sent 動 send の過去・過去分詞形.
slept 動 sleep の過去・過去分詞形.
slipt 動 《古》slip「すべる」の過去形.
smelt 動 smell の過去・過去分詞形.
spelt 動 spell の過去・過去分詞形.
spent 動 ☞
spilt 動 spill の過去・過去分詞形.
spoilt 動 spoil の過去・過去分詞形.
stopt 動 《古》stop の過去・過去分詞形.
stript 動 strip の過去・過去分詞形.
swept 動 ☞
thought 動 ☞ THOUGHT²
tint 動 tine の過去・過去分詞形.
tost 動 《文語》toss の過去・過去分詞形.
trapt 動 《古》trap の過去・過去分詞形.
wept 動 weep の過去・過去分詞形.
wrapt 動 wrap の過去・過去分詞形.
wrought 動 ☞

-t² /t/

音象徴 **1** 平らな物で鋭く打ったり, 切り込む音を表す. **2** 小さな物や短い物を表す語の語尾となる. **3** 鳥の鳴き声や鳥の名を表す. ◇ -IT².

bit 名 ちょっぴり.
chit 名 幼児; 芽; 短い書き付け.
flit 動自 〈人・物が〉軽快に動く; 〈雲などが〉素早く [矢のように, かすめ] 飛ぶ.
hit 動他 〈人が〉〈物・人などを〉(…で)打つ, たたく, 殴る; 〈人の〉(体の一部を)殴る; 〈ボールなどを〉(…で)打つ, 打って [たたいて] 飛ばす; 〈人に〉〈一撃を〉加える, 食らわせる.
pat 動他 (へら・手のひらなど平たいもので)〈物を〉軽くたたく, 静かに打つ; …を軽くたたいて(…に)する. ── 名 軽くたたくこと.
tit 名 **1** 〖鳥類〗カラ類. **2** (種々の)小鳥.

-ta /tə/

《発音綴り》文中で主に～ to の短縮.

got·ta =(have) got a, (have) got to.
haf·ta =have to.
ough·ta =ought to.
wan·ta =want to.

tab /tǽb/

名 つまみ; 垂れ; 《米》缶の引き手.

dráw tàb 《英》(劇場の)一枚幕, 緞帳(どんちょう).
púll-tàb 名 プルタブ.
réd·tàb 名 《英俗》(英陸軍の)参謀将校.
trímming tàb =trim tab.
trím tàb 〖航空〗トリムタブ.

ta·ble /téibl/

名 **1** テーブル, 卓. **2** 表, 一覧表, 計算表, 目録; 算術諸表.

acróss-the-tàble 形 直接的な; 面と向かった.
árchitect's tàble =drawing table.
bág tàble (裁縫道具用の小袋のついた)裁縫台.
básset tàble (18 世紀初期英国の)トランプ用テーブル.
béd tàble ベッドにつける脚付きの可調テーブル.
bénch tàble 〖建築〗壁の周りに取りつけた石の腰掛け, ベンチテーブル.
bílliard tàble 玉突き台.
bírd tàble (庭などにある)鳥の餌(え)台.
bouillótte tàble (18 世紀フランスの)トランプ用丸テーブル.
bráce tàble 〖木工〗筋交い早見表.
brídge tàble ブリッジテーブル: 折りたたみ式の脚の付いたトランプ用テーブル.
bútler's tàble 配膳(はいぜん)用テーブル.
bútterfly tàble 拡張テーブル, バタフライテーブル.
cápstan tàble =drum table.

cárd tàble トランプ用テーブル.
cháir tàble チェアテーブル: テーブルと椅子を兼ねる両用家具.
cócktail tàble =coffee table.
cóffee tàble コーヒーテーブル.
cóld tàble 冷やした料理(の載っているテーブル).
commúnion tàble 【教会】聖餐(せいさん)台, 聖餐卓.
concertína tàble 折りたたみ式テーブル.
cónsole tàble 壁に取りつけられた腕木で支持されたテーブル.
contíngency tàble 【統計】分割表.
convérsion tàble (度量衡などの)換算表.
córbel tàble 【建築】コーベルテーブル, 持出棚.
córner tàble (部屋の隅に置く)三角テーブル.
cóunter tàble 勘定テーブル: 卓面がいくつかの部分に区分けされ, 各単位の金を置くようになっていた中世英国のテーブル.
crést tàble 装飾の施されている笠木(かさぎ).
crícket tàble (イングランド王 James I 時代の)三脚テーブル.
dávenport tàble =sofa table.
decéption tàble (18 世紀の)隠しテーブル.
decísion tàble 意思決定表, デシジョンテーブル.
díning tàble 【教会】(特に聖餐(せいさん)用の)食卓.
dínner tàble =dining table.
dráwing tàble 製図用テーブル, 製図台.
dráw-òut tàble =draw table.
dráw tàble 伸張テーブル.
dréssing tàble 化粧台, 鏡台.
dróp tàble ドロップテーブル, 垂れ板テーブル.
drúm tàble 太鼓型回転テーブル: 引き出しの入った太鼓型の甲板(こういた)が回転する.
énd tàble 脇テーブル.
Éssex tàble 【木工】厚さ 1 インチの種々の大きさの板から体積が 1 ボードフット (board foot)の板が何枚取れるかを知るための早見表.
expérience tàble 【保険】=mortality table.
gámbling tàble 賭博(とばく)台; 賭博場.
gáming tàble =gambling table.
gáte-lèg tàble 折りたたみ式テーブル.
glácier tàble 氷河卓: 氷柱に支えられたテーブル状の堆積(たいせき)群.
gréen tàble 《英》=gambling table.
gýpsy tàble 交差した三脚の円テーブル.
hándkerchief tàble =corner table.
hárlequin tàble ハーレキンテーブル: 18 世紀英国の書机または化粧机.
héad tàble 演説者[議長]の前のテーブル, (宴会などの)メーンテーブル.
hígh tàble 《英》主賓席.
Hóly Tàble 【教会】聖餐(せいさん)卓.
húnt tàble (英国の)ワインテーブル.
ínking tàble 【印刷】=ink table.
ínk tàble 【印刷】(印刷機の)インク練り盤.
kídney tàble インゲンマメ形のサイドテーブル.
léaf tàble (左右の板が折りたためる)折りたたみ式テーブル.
léague tàble 《英》(スポーツの)リーグ成績記録表.
líbrary tàble 大型の書き物台[机].
lífe tàble 【保険】=mortality table.
líght tàble ライトテーブル: 下から照明を当て, フィルムの検査などに用いる上面が半透明のテーブル.
lóo tàble ルー(loo)ゲーム用の丸テーブル.
Lórd's tàble =communion table.
Mártha Wáshington tàble マーサワシントン・テーブル: 18 世紀アメリカの裁縫台.
mortálity tàble 【保険】死亡表, 生命表, 死亡生残表.
multiplicátion tàble 【算数】九九(表), 掛け算表.
nésting tàble ネストテーブル, 重ねテーブル.
níght tàble (ベッドの脇に置く)小型のテーブル.
Pársons tàble パーソンズテーブル: 脚が面板の四隅から出ている長方形または正方形の簡素なデザインのテーブル.
pédestal tàble ペデスタルテーブル, 柱脚テーブル.
Pémbroke tàble ペンブロークテーブル: 両翼が折りたためるテーブル.
periódic tàble 【化学】周期(律)表.
pérmafrost tàble 永久凍土層の最上層.
píecrust tàble 《米》パイ皮テーブル.
píer tàble 窓と窓の間の壁の前に置く低いテーブル.
pín tàble 《英》ピンボールの電動式機械.
pláin tàble 【測量】=plane table.
pláne tàble 【測量】平板.
pláne-tàble 動他自 【測量】平板測量する.
póol tàble (ポケットが 6 個ある)玉突き台.
pówder tàble (18 世紀の)小型化粧台.
ránge tàble 組みテーブル, 組み合わせテーブル.
reféctory tàble (支柱に腕木を出し, 1 本の貫(ぬき)でつないだ丈夫な)細長いテーブル.
rént tàble (18 世紀英国の)引き出し付き円卓.
re·tá·ble 名 祭壇背後の飾り壁.
rótary tàble 【機械】回転テーブル.
róund tàble 円卓会議の人々.
róund-tàble 形 円卓会議の.
sánd tàble 砂盤: 子供が砂いじりをするために, 周囲が高くなっていてその中に砂を入れてある.
sáwbuck tàble X 形脚付きテーブル.
séwing tàble 裁縫台.
síde tàble サイドテーブル.
snáck tàble (1 人用の)折りたたみ式小テーブル.
sófa tàble ソファーテーブル.
stáck tàble =nesting table.
stéam tàble スチームテーブル: 貯湯加熱式, 蒸気保温式があり, 配膳(はいぜん), 調理に用いる.
távern tàble 給仕用小型テーブル.
téa tàble ティーテーブル, 茶卓.
téa·tàble 形 茶卓の.
tíde tàble 潮汐(ちょうせき)表, 潮位表: 特定の場所と日時の潮の干満表.
tíer tàble 円形棚が何段もついた台.
tílt-tòp tàble 甲板(こういた)が垂直に倒せるテーブル.
tíme·tàble (乗り物の発着を示す)時刻表.
tímes tàble 《話》=multiplication table.
tóddy tàble (18 世紀の)小さい酒卓.
tóilet tàble =dressing table.
tráining tàble (大学などで, コンディション調整中のスポーツ選手の)規定食用食卓.
tránsfer tàble 【鉄道】遷車台.
tráverse tàble 【鉄道】=transfer table.
tráy tàble (盆を載せる)折りたたみ式の台.
tréstle tàble 両端の脚を, 1–2 本の長い貫(ぬき)で緊結したテーブル.
trívet tàble 三脚卓.
trúth tàble 【論理】【数学】【コンピュータ】真理表.
túckawày tàble 折りたたみ式テーブル.
túrn·tàble (レコードプレーヤーの)ターンテーブル.
TV́ tàble =snack table.
Viénnese tàble デザート用テーブル.
vin de table テーブルワイン.
wáter tàble (土や岩などの地表構成物に水が浸透している境目の平面状の)地下水面.
wíne tàble (円形の)ワインテーブル.
wóol tàble 《NZ》羊毛選別台.
wórk·tàble 仕事台, 作業台; 《主に英》裁縫台.
wríting tàble 書き物用テーブル.

tab·let /tǽblit/

名 **1** (古代ローマで)書字板. **2** 錠剤. ⇨ -ET[1].

bráin tàblet 《米俗》タバコ.
stráwberry táblet 《米俗》ピンクのメスカリン錠.
tóuch tàblet 〖コンピュータ〗タッチタブレット.
wáxed táblet =wax tablet.
wáx tàblet 蝋(ろう)引き書字版.

tack /tǽk/

名 **1** 鋲(びょう); 《米》画鋲. **2** (裁縫の)仮縫い. ── 動他 …を鋲で留める.

bár tàck バータック: 補強のためのステッチ.
cárpet tàck (特に敷物を床に留める)平鋲.
táilor's tàck テーラーズタック: 厚手の2枚の生地に仕付けをかける方法.
thúmb·tàck 名動他 《米・カナダ》画鋲(で留める).
tíe tàck 《米》ネクタイピン.
tín·tàck 《英》ブリキ製の鋲.
ùn·táck 動他 〈鋲などで留めたものを〉外す.

tack·le /tǽkl/

名 **1** 器具, 用具, 道具; (特に)釣り道具, 弓術具. **2** 〖アメフト〗〖ラグビー〗タックル(すること). **3** テークル, 複滑車, 滑車装置, 〖海事〗テークル. ⇨ -LE[1].

blóck and táckle 滑車装置, 複滑車.
cát tàckle 〖海事〗アンカー・テークル.
crásh-tàckle (アメフトの)クラッシュタックル.
dóuble táckle 二重滑車綱具.
físh tàckle 〖海事〗魚巻き滑車.
flýing táckle (アメフト・ラグビーの)フライングタックル.
gróund tàckle 〖海事〗停泊用具.
gún tàckle 〖海事〗ガンテークル.
kíssing tàckle 《英俗》口, 唇.
lédger-tàckle 〖釣り〗ぶっ込み釣り用の釣り道具.
lúff tàckle 〖海事〗ラフテークル.
nóse tàckle (アメフトの)ミドルガード.
relíeving tàckle 〖海事〗予備舵(だ)取りテークル.
shóestring tàckle (アメフトの)ボールキャリアーのくるぶしの辺りに対して行うタックル.
tóuch-táckle タッチフットボール(touch football): 米式フットボールの一種.
wédding tàckle 《英俗》男性器, 陰茎.

-tac·tic /tǽktik/

連結形 **1** (特定の)配列を持つ: homo*tactic*. **2** 〖生物〗走性のある: geo*tactic*.
★ -taxis に対応する形容詞をつくる.
★ 語末にくる関連形は -TAXIA, -TAXIC, -TAXY.
★ 語頭にくる関連形は tax(i)-, taxo-: *taxi*dermy「剥製術」, *taxo*logy「分類法」.
◆ ギリシャ語 *taktikós*「整理や配列に適した」より. ⇨ -TIC.

a·tac·tic 形 〖化学〗〈重合体が〉アタクチックの.
ge·o·tac·tic 形 〖生物〗走地性の, 重力走性の.
het·er·o·tac·tic 形 内臓変位の; 地層変位の.
ho·mo·tac·tic 形 (地質系統が)類似配列の.
i·so·tac·tic 形 〖化学〗アイソ[イソ]タクチック.
mag·ne·to·tac·tic 形 〖生物〗〈バクテリアなどが〉走磁性の.
pho·no·tac·tic 形 〖言語〗音素配列(論)の[に関する].
syn·di·o·tac·tic 形 〖化学〗シンジオタクチック(状態の).
syn·tac·tic 形 統語[文章]論の, 統語上の.

tac·tics /tǽktiks/

名複 **1** (個々の)戦術, 戦法. **2** 〖言語〗配列. ⇨ -ICS.

phò·no·tác·tics 名複 〖言語〗音素配列.
salámi tàctics 政敵への断続的攻撃; 政敵の排除.
shóck tàctics 〖軍事〗急襲戦術.

tag /tǽg/

名 **1** 下げ札, 付箋(ふせん), 付け札; 価格, 請求書; (場所などを示す)目印, 標識. **2** 小さな垂れ下がり, ぶら下がっている部分.

bóot tàg 《英》(編み上げ靴の)つまみ革.
cláim tàg 受け取り票, 預かり証.
dárt tàg (魚の背に植え込む, ストリーマーのついた)矢形の標識.
dóg tàg 鑑札, 畜犬票.
éar tàg 〖畜産〗耳札.
fág tàg 《米学生俗》(ボタンダウンシャツの襟裏の後ろについた)つるし用ループ.
háng·tàg (商品の)品質表示札, タッグ.
identificátion tàg 認識票.
ínk tàg (万引防止用)インク噴出式値札.
náme·tàg 名札; (商品の)銘柄札.
óak·tàg 荷札用厚紙.
príce tàg 値札, 正札; 値段, 価格.
quéstion tàg 付加疑問.
rág·tàg 形 ぼろを着た, みすぼらしい.
réd tág (特売品などの目印の)赤札.
réd-tág 動他 …に(特売品などとして)赤札をつける.
skín tàg 表皮の小さな異常生成物.
télephone tàg テレホンタグ: 何度も電話をかけ合いながら, 相手が不在で連絡の取れない状態.

tail[1] /téil/

名 **1** (四つ足動物・鳥・魚などの)尾, しっぽ. **2** (物の)尾部, 後部, 下部.

áll-flýing táil 〖航空〗全可動尾翼.
ánti·tàil 〖天文〗(彗星の)反対尾, 向日尾.
báng·tàil 尾の先を切った馬; 切った尾.
béaver tàil 《英》後部が低くなったトラック.
bláck·tàil 尾の黒い動物; (特に)オグロジカ.
bóat tàil 〖自動車〗ボートテール.
bóat·tàil 〖ロケット〗ボートテール.
bób·tàil 短い尾, 切り尾.
bóny·tàil 米国 Colorado 川に生息するコイ科の魚の一種.
brístle·tàil シミ(衣魚, 紙魚).
bróad·tàil (毛皮の)ブロードテール.
bróom tàil 《米カウボーイ俗》雌馬; 野生馬.
búck·tàil (シカの尾の毛で作った)擬餌鉤(ぎじばり).
búrro's tàil 〖植物〗タマツヅリ.
cát·tàil ガマ(蒲).
cóat·tàil (男子上着の)後ろすそ.
cock·tail 尾を短く切った馬, 切り尾の馬.
cótton·tàil ワタオウサギ.
ców·tàil 粗悪な羊毛.
Crétan béar's-tàil キバナヒメモウズイカ(黄花姫毛蕊花).
dónkey's tàil =burro's tail.
dóve·tàil 〖木工〗蟻枘(ありほぞ).
drággle-tàil だらしのない女, 身持ちの悪い女.
drágon's tàil 〖天文〗《もと》(月・惑星の)降交点.
drág·tàil 動他自 《米俗》やっと動かす; 怠ける.
dúck·tàil ダックテール: 男性のヘアスタイル.
dúst tàil 〖天文〗ダストの尾.
fán·tàil 扇形の尾[端, 部分].
fíre·tàil オーストラリア産のコマチスズメ属の小鳥; 腰, 尾が赤い.
físh tàil 社交ダンスのステップの一種.
físh·tàil 動自 《話》左右に横滑りする.
flícker·tàil 〖動物〗リチャードソンジリス.
fórk·tàil 二またに分かれた尾を持つ動物の総

称.

fóx·tàil キツネの尾.
gás tàil 〔天文〕(彗星の)ガスの尾.
góld-tàil 〔昆虫〕モンシロドクガ.
háir·tàil 〔魚類〕タチウオ(太刀魚).
hárd·tàil アジ科カイワリ属の食用魚の一種.
háre's-tàil イネ科ラグルス属の草花: 切り花・ドライフラワー用.
hígh·tàil [動自]《米・カナダ話》一目散に逃げる.
hórn·tàil キバチ(木蜂).
hórse's tàil =burro's tail.
hórse tàil =ponytail.
hórse·tàil 〔植物〕トクサ.
kíck·tàil (スケートボードの)キックテール.
lámb's tàil 《英》=burro's tail.
lízard's-tàil 〔植物〕ハンゲショウ.
lób·tàil [動自]〈鯨が〉尾で水面をたたく.
lóng·tàil 〔鳥類〕ネッタイチョウ.
magnéto·tàil 〔天文〕磁気圏尾部.
máre's-tàil 〔気象〕馬尾雲.
míll·tàil 水車を回して出てきた水; その放水溝.
mónkey tàil 〔海事〕マウジング用の小索.
móuse·tàil キンポウゲ科 *Myosurus* 属の植物の総称.
óx·tàil オックステール: スープ, シチューなどの材料に使う牛の尾.
pén·tàil 〔動物〕ハネオツパイ.
píg·tàil お下げ; (昔の中国人などの)弁髪.
pín·tàil オナガガモ.
plów-tàil 鋤(すき)の後部; 鋤の柄.
póny·tàil ポニーテール.
rácket·tàil ラケットハチドリ.
rát-tàil ソコダラ科の深海魚の総称.
réd·tàil 〔鳥類〕シロビタイジョウビタキ.
ríng·tàil 〔動物〕リングテイル.
róoster tàil 高い波しぶき[土ぼこり].
rúby-tàil セイボウ(青蜂).
scále·tàil 〔動物〕ウロコオ(鱗尾)リス.
scíssor·tàil エンビ(燕尾)タイランチョウ.
sháve·tàil 《米俗》〔陸軍〕(新任の)少尉.
shéar·tàil 二またの長い尾を持つハチドリ(humming bird)の総称.
shírt·tàil (ワイ)シャツのすそ.
sílver·tàil 《豪・NZ 話 / 軽蔑的》金持ちの有力者.
sláve tàil 少年や若い男性の髪型で, 短く刈り上げた後のうなじにしっぽのように一束だけ残された長い毛.
spíne·tàil ハリオ(針尾)アマツバメ(雨燕).
splít·tàil 米国 California 州 Sacramento 川産のコイ科の魚の一種.
spríg·tàil オナガガモ.
spríng·tàil トビムシ.
squáre·tàil ウロコイボダイ属の数種の魚.
stíff·tàil アカオタテガモ(赤尾立鴨).
stúmp·tàil 〔鳥類〕チビオムシクイ.
swállow·tàil アゲハチョウ.
swíng tàil 〔航空〕スイングテール.
swórd·tàil 〔魚類〕ソードテール.
télson·tàil カマアシムシ.
thórn·tàil ハチドリ科 *Popelairia* 属の鳥の総称.
tríple·tàil 〔魚類〕マツダイ.
trúndle·tàil 《古》しっぽの巻いた犬, 雑種犬.
wág·tàil 〔鳥類〕セキレイ(鶺鴒).
whíp·tàil ムチオトカゲ.
whíte·tàil 尾に白い部分のある鳥獣の総称.
wíggle-tàil 揺れ動く人[もの].
wrý·tàil 〔獣医〕偏尾.
yéllow·tàil ブリ.

tail[2] /téil/

[名]〔法律〕継嗣限定.

en·táil [動他] …を(必然的・結果的に)引き起こす.
fée táil 限嗣(げんし)不動産権.

tailed /téild/

[形] 尾のある. ⇨ -ED[2].

búshy-tàiled [形] ふさふさしたしっぽを持った.
cóck·tàiled [形] 尾をぴんと立てた.
dóck-tàiled [形] 切り尾の.
dóuble-táiled [形]〔紋章〕〈ライオンが〉尾が 2 つに分かれたように描かれた.
dóve·tàiled [形] ハトのような尾を持つ.
drággle-tàiled [形]《古》うすぎたない, 自堕落な.
lóng-tàiled [形] 長尾の.
pín-tàiled [形] 尾のとがった.
rát-tàiled [形] ネズミの尾状の.
ríng-tàiled [形] 尾に環紋のある.
shórt-tàiled [形] 短尾の.
slánt-táiled [形]《主に英》〈車が〉ファーストバックの.
swállow-tàiled [形] 燕尾(えんび)の.
swórd-tàiled [副] 長くて鋭い尾(びれ)を持つ.
wédge-tàiled [形] 楔(くさび)形の尾を持つ.

-tain /téin/

[連結形] 保つ.
★ 語末にくる関連形は -TAINMENT, -TINENT.
★ 語頭にくる形は ten-: *ten*acious「粘り強い」, *ten*or「趣旨」.
◆ ラテン語 *tenēre*「支える」より.

ab·stain [動自] (不適当・不健康な行為・快楽を)慎しむ.
con·tain [動他] 〈容器・場所が〉…を含む.
de·tain [動他] 〈人を〉引き留める, 手間取らせる.
en·ter·tain [動他] 〈人を〉楽しませる.
main·tain [動他] 〈行為を〉継続[続行]する.
ob·tain [動他] (努力・依頼して)獲得する.
per·tain [動自]《文語》(…に)関係がある.
re·tain [動他] 保有[保持]する, 保っている.
sus·tain [動他] 下から支える.

-tain·ment /téinmənt/

[連結形] 娯楽; 楽しませるもの.
★ 名詞をつくる.
◆ entertainment の短縮形.
[発音] 連結形の第 1 音節(-tain-)に第 1 強勢.

doc·u·tain·ment [名] 《米》(テレビなどの)ドキュメンタリーショー.
ed·u·tain·ment [名] エデュテイメント.
in·fo·tain·ment [名] =edutainment.

take /téik/

[動他] 取る; 受け入れる; 保持する. ── [名] 取ること.

be·take [動他] (…へ)行く, 赴く.
dóuble táke 《話》うっかり見過ごしていた事の意味に気づいてはっと見直すこと.
down·take [名] 下向き通風路, ダウンテーク.
give-and-take [名] 対等な条件での交換; 歩み寄り.
in·take [名] (水・蒸気・空気などを取り入れる導管などの)取り入れ口.
mick·ey-take [名][動他]《英俗》からかう(こと).
mis·take [名] (行動・考え・判断などの)誤り, 間違い.
off·take [名] (煙・空気を通風路に導く)流通管.
out·take [名] アウトテーク: 技術上のミスなどの理由で完成版から除かれたフィルムま

たはビデオテープの部分; 発売レコードから削られた歌の録音部分.

o·ver·take 動他 (旅行・追跡で)追いつく.
par·take 動自 《文語》(活動などに)加わる.
piss-take 名動自 《俗》風刺(をする).
put-and-take 名 賭(か)け事の一種; 文字や数字を記した四角ごま, さいころ, トランプなどを用いる勝負事で, それぞれ同額の賭け金を出す.
re·take 動他 再び取る, 取り戻す.
un·der·take 動他 〈大変な仕事などを〉引き受ける.
up·take 名 《米話》理解, 了解, のみこみ.
wap·en·take 名 (もとイングランド中部, Trent 川以北地方の)百戸村.

tak·er /téikər/

名 取る人; 捕獲者; (特に土地の)取得者, 貸借人, 借地[家]人. ⇨ -ER[1].

bríbe·tàker 収賄者(bribee).
búck·tàker 《米俗》責任を負わされる人.
cáre·tàker (建物・地所などの)管理人.
cénsus tàker 人口[国勢]調査員.
chéck·tàker (劇場などの)切符もぎり.
póll·tàker 世論調査員[業者].
púlse-tàker 《話》(世間の)動向を調査する人.
rísk·tàker 危険を冒す人, 冒険家.
thíef·tàker 〚英史〛泥棒の逮捕請負集団.
ún·der·tàk·er 名 葬儀屋(《米》mortician).

tak·ing /téikiŋ/

名 **1** 取ること, 獲得. **2** 調べること. **3** 引き受けること. ──形 **1** 奪う. **2** 引き受ける. ⇨ -ING[1], -ING[2].

bréath·tàking 形 (息もつかせないほど)わくわくさせる.
léave-tàking 別れを告げること; いとまごい, 告別.
páins·tàking 形 〈人が〉骨を折る, 労を惜しまない.
prófit tàking 〚証券〛利食い.
stóck·tàking (商店などの)在庫品調べ, 棚卸し.
ùnder·táking 名 (仕事・責任の)引き受け.

tale /téil/

名 (事実・伝説・架空の)話, 物語; (物語形式の)文学作品.

bánbury tále 《米俗》うそ, つくり話.
Cánterbury tále 長い物語; 作り話, でたらめ. ▶ Chaucer の *The Canterbury Tales* から.
fáiry tàle お伽(とぎ)話.
fólk tàle 民間伝承, 伝説, 民間説話.
óld wíves' tàle 迷信じみた話[言い伝え].
téll·tàle (うっかりまたは悪意をもって)人の秘密を漏らす人, 告げ口をする人.

talk /tɔ́:k/

動自 (…を)話す, 語る, しゃべる. ──名 話すこと. ◇ -SPEAK(表).

báby tàlk 赤ちゃん言葉.
báck tàlk 《米話》生意気な口答え.
bád tàlk 《米黒人俗》ぐち; 悲観的な発言.
bíg tàlk 《話》大言壮語; 自慢話; ほら.
bírd tàlk とりとめのないおしゃべり.
bý-tàlk 名 余談; 雑談, おしゃべり, 世間話.
chálk and tálk =chalk talk.
chálk tàlk 《米》黒板に図を描きながら行う話.
compúter·tàlk コンピュータ用語.
cónfro·tàlk 賛否対決討論番組.
cróss tàlk (ラジオ・電話などの)混線, 混信.
dóuble-tàlk ちんぷんかんぷん(gibberish).
fást tálk 《米話》(だます目的の)うまい話.
fást-tálk 動他 《主に米》早口で巧みに説き伏せる.
háppy tálk ニュース番組での軽いおしゃべり.
hóckey tàlk つばを飛ばし合うような言い合い.
jíve tàlk 《米俗》ジャイブトーク: スイング風の身ぶりや言葉を交えた早口の話し方.
lóud-tàlk 動他 《米刑務所俗》〈仲間の〉規律違反を大声で話して問題を起こす.
mónkey tàlk 《米俗》ろれつの回らない話しぶり.
óld tálk 《カリブ英語》おしゃべり.
óld-tàlk 動自 無駄話をする.
òut·tálk 動他 しゃべり負かす, しゃべりまくる.
ó·ver·tàlk 名 多弁, 饒舌(じょうぜつ), 話しすぎ.
pép tàlk 《話》(人・団体への)激励演説.
pép·tàlk 動他 《話》激励演説をぶつ.
píllow tàlk (寝室での男女の)むつ言, 寝物語.
sáilor's tàlk 船乗り[水夫]の話し方.
sáles tàlk 売り込み口上, セールストーク.
shóp·tàlk 専門分野特有の話し方.
smáll tàlk 世間話, よもやま話, おしゃべり.
smáll-tàlk 動自 世間話をする, おしゃべりをする.
smóoth-tàlk 動他 のせる, おだてる.
swéet tàlk 《米話》おだててだますこと.
swéet-tàlk 動自 《米話》おだてる, おべっかを言う.
táble tàlk 食卓での雑談[座談].
tálk-tàlk 《米俗》おしゃべり, 無駄話.
tálky tálk 《話》=talk-talk.
téacher tàlk 先生ことば.
tóilet-tàlk 《俗》下卑た話, 猥談(わいだん).
tóugh-tàlk 動他 強気に発言する, 高姿勢に話す.
tówn tàlk (村・町の)話題, うわさ, ゴシップ.

talks /tɔ́:ks/

名複 相談, 話し合い, 協議, 会談. ▶ talk の複数形.

péace tàlks 和平交渉, 和平会談.
proxímity tàlks 近距離外交.
Stratégic Árms Limitátion Tàlks 戦略兵器制限交渉.
Stratégic Árms Redúction Tàlks 戦略兵器削減交渉.
tripártite tálks 三者会談(three-way talks).
umbrélla tàlks 包括交渉.

tan·a·ger /tǽnədʒər/

名 フウキンチョウ(風琴鳥).

hepátic tánager レンガフウキンチョウ.
Louisiána tánager =western tanager.
mágpie tànager カササギフウキンチョウ.
scárlet tánager アカフウキンチョウ(赤風琴鳥).
súmmer tánager ナツフウキンチョウ(夏風琴鳥).
swállow-tánager ツバメフウキンチョウ(燕風琴鳥).
wéstern tánager ニシキフウキンチョウ(錦風琴鳥).

tan·gent /tǽndʒənt/

名 **1** 〚幾何〛接線. **2** 〚三角法〛タンジェント, 正接. ⇨ -ENT[1].

árc tángent 〚三角法〛アークタンジェント, 逆正接.
co·tán·gent 名 〚三角法〛コタンジェント, 余接.
hyperbólic tángent 〚数学〛双曲(線)正接.
ínverse tángent 〚三角法〛=arc tangent.
sùb·tán·gent 名 〚幾何〛接線影.

tan·gle /tǽŋgl/

動他 〈糸・枝などを〉(…に)もつれさせる, 絡ませる; (…と)もつれる. ⇨ -LE[1].

en·tan·gle 動他 〈糸・網などを〉もつれさせる.
in·ter·tan·gle 動他 もつれ[絡み]合わせる.
un·tan·gle 動他 …のもつれを解く[ほどく].

tank /tǽŋk/

名 **1** タンク; ボンベ. **2** 戦車. **3** 《俗》監房. ── 動他 タンクに入れる.

ànti·tánk 形 〘軍事〙対戦車(用)の.
bállast tànk 〘海事〙バラストタンク.
bélly tànk 〘航空〙胴体(下)増槽.
dáddy tànk 《米刑務所俗》レスビアン保護房.
dáy tànk 〘窯業〙データンク.
de·tánk 動他 …を空にする.
dróp tànk 〘航空〙落下タンク.
drúnk tànk 《話》(警察の)泥酔者保護室.
extérnal tánk 〘宇宙〙外部燃料タンク.
féed tànk 給水タンク; 貯水槽.
físh·tànk (飼育・観察用)水槽.
fláil tànk 〘軍事〙フレール戦車.
flótation tànk 浮遊用タンク.
gás tànk ガソリンタンク, 燃料タンク.
gláss tànk ガラス熔解(ようかい)用のタンク窯.
héeling tànk 〘海事〙=ballast tank.
hólding tànk 汚水槽, 汚水タンク.
immérsion tànk 《英》(電気コイル式)湯沸かし器.
íntegral tànk 〘航空〙インテグラル式タンク.
júnk tànk 《米俗》麻薬中毒用の刑務所の独房.
mín·i·tànk 名 〘軍事〙ミニタンク.
quiéscent tánk (下水などの)停留槽.
séptic tànk 汚水処理タンク, 腐敗槽.
séttling tànk 沈殿槽.
spráy tànk (スプレーなどの)圧搾空気タンク.
stórage tànk 貯蔵タンク.
súrge tànk 〘機械〙大型のサージチェンバー.
thínk tànk 《話》頭脳集団, シンクタンク.
wáter tànk 水槽.
wíng tànk 〘航空〙翼内(燃料)タンク.

tank·er /tǽŋkər/

名 タンカー, 油槽船(tankship). ⇨ -ER[1].

áerial tánker 空中給油機.
még·a·tànk·er 名 (特に20万トン以上の)巨大タンカー.
mín·i·tànk·er 名 《英》(液体輸送用)小型船舶[トラック]; 小型タンカー.
óil tànker 石油輸送船, 油漕船, タンカー.
óre tànker 鉱石送船.
párcel tànker 区画式油送船.
sù·per·tánk·er 名 超大型タンカー.

tap[1] /tǽp/

名 **1** (…を)軽く打つこと; タップ. **2** (靴底などの)張り替え革. ►擬声語から.

héel·tàp 靴のかかと革.
jázz tàp ジャズタップ.
slíp tàp 靴の底材.
táp·pi·ty-táp 間 タタタ, コツコツ. ►タップダンスの靴音.
táp-táp 《戸などをたたく音》トントン.
tóe-tàp (タップダンスの)トータップ.

tap[2] /tǽp/

名 **1** 栓. **2** 雌ねじ切り. **3** 〘外科〙穿刺(せんし). **4** 《話》(電信・電話の)盗聴.

scréw tàp 〘機械〙雌ねじ切り.
spínal tàp 〘医学〙腰椎(ようつい)穿刺.
wíre·tàp (電話・電信の)盗聴; 盗聴器.

tape /téip/

名 (リンネル・木綿などの)平打ちひも, さなだひも, テープ; テープ状のもの.

adhésive tàpe 接着テープ; 絆創膏(ばんそうこう).
áu·di·o·tàpe 名 オーディオテープ, 録音テープ.
bárbed tápe 蛇腹式鉄条網(concertina wire).
bías tàpe 〘洋裁〙バイアステープ.
blánk tápe ブランクテープ: 音声・映像が何も記録されていない磁気テープ.
chróme tàpe クロムテープ: 磁気テープの一種.
démo tàpe (売り込み用の)試聴テープ.
Digital Àudio Tápe デジタルオーディオテープ(DAT).
dóuble tápe 磁性材を両面に塗布した磁気テープ.
éight-tràck tápe 8トラックカートリッジ磁気テープ.
eléctric néws tàpe 電光ニュース.
eléctric tápe =friction tape.
electromagnétic tápe =magnetic tape.
fríction tàpe 《米》フリクションテープ: 絶縁・保護用の粘着テープ.
gáffer tàpe (電気の修理に用いる)粘着テープ.
gríp tàpe グリップテープ: ラケットなどの滑り止め.
hélical-scán tàpe 〘ビデオ〙ヘリカル走査テープ.
ídiot tàpe 自動植字用コンピュータ入力テープ.
ínsulating tàpe 《英》=friction tape.
magnétic tápe 磁気テープ.
mág tàpe 《話》〘コンピュータ〙磁気テープ.
másking tàpe マスキングテープ.
méasuring-tàpe 巻き尺, メジャー.
ménding tàpe (表面に文字が書ける)メンディング・テープ.
métal tápe メタルテープ: 磁気テープの一種.
náme tàpe ネームテープ: 衣服などにつける名前の入った布テープ.
ópen-rèel tàpe オープンリール・テープ: ¼ inch の磁気テープをリールに巻きつけたもの.
páper tápe 〘コンピュータ〙紙テープ.
pérforated tápe 《米》=paper tape.
pílot tàpe 〘テレビ〙パイロット(フィルム).
púnched tápe 〘コンピュータ〙=paper tape.
réd tàpe (公文書を結ぶ)赤いひも.
réel-to-reel tàpe =open-reel tape.
Scótch tàpe 《米》《商標》スコッチテープ.
Scótch-tàpe 動他 スコッチテープで接着する.
Séllo·tàpe 《英》《商標》セロテープ.
sénse·tàpe 感覚(ビデオ)テープ.
síngle tápe 磁性材を片面だけに塗布した磁気テープ.
stéamer tàpe 〘コンピュータ〙主に大量のバックアップファイルを転送するシステム.
stéreo·tàpe ステレオテープ, 立体録音テープ.
stícky tàpe 《主に英》=Scotch tape.
téar tàpe (包装の)開封テープ.
tícker tàpe 《米》(株式相場やニュースなどを ticker が打ち出す)受信用の紙テープ.
trácing tàpe 水糸: (建設用地で)土台の輪郭を描くための遣形(やりかた).
vídeo·tàpe ビデオテープ.
wáfer tàpe 名形 〘コンピュータ〙超細型テープ(の).
wríte-on tápe ライトオンテープ: 表面にも字が書き込める不透明テープ.

-taph /tæf, tɑːf/

連結形 墓.
★ 名詞をつくる.
★ 語頭にくる形は taph-; *taph*ephobia「埋葬恐怖症」, *taph*onomy「化石化作用, 化石生成」.
◆ ギリシャ語 *táphos*「墓」より.

bib·li·o·taph 名 書物秘蔵家, 書籍収集家.

cen·o·taph 名 (埋葬地とは別の, 死者の)記念碑.
ep·i·taph 名 墓碑銘, 碑文.

tar /tɑ́ːr/

名 タール: 石炭, 木材など固体有機物質を乾留して得られる黒色・粘着性のねばねばした物質の総称.

bláck tàr 《米俗》(精製した)黒っぽいヘロイン.
cóal tàr コールタール.
gás tàr =coal tar.
júniper tàr 〖薬学〗杜松(ねず)タール.
lów-tár 低タールタバコ.
míneral tàr 鉱物タール, マルサ(maltha).
píne tàr パインタール, 松根タール.
róck tàr 石油(petroleum).
Stóckholm tár ストックホルムタール: 松やにから採るタール; 造船・索具用.
wóod tàr 木(き)タール.

tar·get /tɑ́ːrgit/

名 標的; (攻撃の)目標(物). ━━動他 …を目標に向ける. ⇨ -ET[1].

éasy tárget 《話》すぐだまされる人.
hárd tárget 〖軍事〗硬目標.
nòn·tár·get 形 目標外の; 目標としない.
ón-tárget 形 どんぴしゃりの, ねらいどおりの.
rè·tár·get 動他 〈ロケットなどを〉新しい目標に向かわせる.
sítting tárget 無防備でねらわれやすい目標.
sléeve tàrget 〖軍事〗吹き流し型曳航(えいこう)標的.
sóft tárget 〖軍事〗軟目標.
spín fròzen tárget 〖原子物理〗スピン・フロー・ターゲット.
wáter tàrget 〖植物〗ジュンサイ(蓴菜).

tar·iff /tǽrif/

名 (輸出入品に対し政府が課す関税を示す)関税(率)表.

Áir Táriff 〖航空〗国際航空運賃表の一つ
cústoms tàriff 関税表, 関税譲許表, 輸入税表.
protéctive táriff 保護関税(率).
recíprocal táriff 〖貿易〗互恵関税.
révenue tàriff 収入関税.

tar·sus /tɑ́ːrsəs/

名 〖解剖〗〖動物〗足根(骨), 足首. ⇨ -US[1].
★ 語頭にくる関連形は tars(o)-: *tars*al「足根(骨)の」.

met·a·tar·sus 名 〖解剖〗〖動物〗中足.
pre·tar·sus 名 前跗節(ふせつ), 先跗節.
tar·so·met·a·tar·sus 名 〖鳥類〗跗蹠(ふしょ)骨.
tib·i·o·tar·sus 名 〖鳥類〗脛骨(けいこつ)足根骨.

tart /tɑ́ːrt/

名 タルト. **1** 果物ジャムやカスタードなどの入った上皮のない小型のペーストリー. **2** 《主に英》(上皮のある)フルーツパイ.

Bánbury tárt バンベリーパイ.
lémon tàrt レモンタルト.
míncemeat tárt 《英》ひき肉の入ったパイ.
póp-tàrt 《米俗》セクシーなポップシンガー.

tar·trate /tɑ́ːrtreit/

名 〖化学〗酒石酸塩 [エステル]. ⇨ -ATE[2].

ántimony potássium tártrate 吐酒(としゅ)石.
bi·tár·trate 名 酒石酸水素塩, 重酒石酸塩.
hýdrogen tártrate =bitartrate.
potássium ácid tártrate 酒石英.
potássium ántimonyl tártrate =antimony potassium tartrate.
potássium hýdrogen tàrtrate =potassium acid tartate.
potássium sódium tártrate ロッシェル塩(Rochelle salt).

task /tǽsk, tɑ́ːsk | tɑ́ːsk/

名 仕事; 任務.

mul·ti·task 動他 同時にいくつもの仕事をする.
on-task 形 命じられたとおりの, 型通りの.
o·ver·task 動他 …に過重な負担をかける; 酷使する.
su·per·task 名 〖論理〗超作業.

taste /téist/

動他 **1** 〈飲食物を〉味わってみる, …の味(加減)を見る. **2** 〈敗北・自由・喜び・悲しみなどを〉経験する, …の味を知る. ━━名 味わってみること; 味覚; 味, 風味.

acquíred táste 幾度か試しているうちに覚えた趣味.
áf·ter·tàste 名 後味(あとあじ), 後口.
báck tàste =aftertaste.
dis·táste 名 (…に対する)嫌悪, 嫌気.
fóre·tàste 名 (将来の苦楽などを)前もって少し経験すること; (…の)前触れ, 前兆.
rè·táste 動他 再び味わう, 再玩味(がんみ)する.

tax /tǽks/

名 (人・物への)税金, 税, 租税. ━━動他 …に課税する.

ádded-válue tàx =value-added tax.
addítional táx 付加税.
ad valórem tàx 従価税.
áf·ter·tàx 形 〈収入が〉税引き後の, 手取りの.
amúsement tàx (映画・演劇などの)入場税, 娯楽税.
befóre-táx 形 税込みの.
bétterment tàx 改良税, 改善税.
bórder tàx 国境税.
búsiness tàx 営業税.
cabarét tàx 《米》キャバレー税.
cápital gáins tàx 資本利得税.
cápital tránsfer tàx 《英》資本移転税.
cárbon tàx 炭素税.
cár tàx 車両税.
commúter tàx 通勤税.
consúmption tàx 消費税.
contíngency tàx 臨時税.
corporátion tàx 法人税.
déath tàx 死亡税.
diplóma tàx =exit tax.
diréct táx 直接税.
educátion tàx 教育税.
emigrátion tàx =exit tax.
estáte tàx 遺産税.
éxcess-prófits tàx 超過利得税.
éxit tàx (旧ソ連で)国外移住税.
gíft tàx 贈与税.
héad tàx 《米》人頭税; 均一税.
íncome tàx 所得税.
índirect táx 間接税.
inhéritance tàx 相続税.
lánd tàx 《英》地租. ►1963 年廃止.
lúxury tàx 奢侈(しゃし)税.
múltiple táx 〖財政〗複税.
négative íncome tàx 負の所得税, 逆所得税.
nórmal tàx 普通(所得)税.
núisance tàx (課税回数の多い)小額消費税.
ò·ver·táx 動他 過度に課税する, 重税を課す.
páyroll tàx 支払給与税.
pérsonal táx (物税に対する)対人課税.

póll tàx 人頭税.
pollútion tàx 公害税, 環境汚染税.
pòst-táx 形 〈収入が〉税引き後の.
prè·táx 形副 税引き前の [で], 税込みの [で].
prócessing tàx 加工税.
próperty tàx 財産税, 固定資産税.
propórtional táx 比例(課)税.
púrchase tàx 《英》購買税.
róad tàx 《英》(道路の)通行税.
róof tàx 《英》ルーフタックス.
sáles tàx 《米》売上税.
seléctive emplóyment tàx 《英》選択雇用税.
séverance tàx 《米》〖経済〗天然資源採取(州)税.
síngle tàx 単税, 単一(物件)税.
sín tàx 《米話》悪行税: タバコ, 酒, 賭博に対する税.
specífic táx 従量税.
stámp tàx 印紙税.
státe tàx 州税.
súper·tàx 名 《主に英》所得税付加税.
súr·tàx 名 (関税などの)付加税. ┏い.
ùn·der·táx 動自他 過少に課税する, 十分に課税しな
únitary táx 《米》合算課税.
úse tàx 使用税.
válue-ádded tàx 付加価値税, 売上税(VAT).
wéalth tàx 富裕税.
wíndfall prófits tàx 《米》超過利潤税, 不労所得税.
wíndow tàx 〖英史〗ウインドータックス.
withhólding tàx 《米》源泉徴収税, 源泉課税.

tax·i /tǽksi/

名 タクシー. ►taxi(meter) cab の短縮形.

áir tàxi エアタクシー.
bícycle tàxi 輪タク(bike taxi).
crúising táxi 流しのタクシー.
máxi-tàxi 大型タクシー.
pírate tàxi もぐりのタクシー.
rádio tàxi 無線タクシー(radio-dispatched taxi).
Tijuána táxi 《米市民ラジオ俗》(パトカーなど)赤灯を点滅させサイレンを鳴らす車.
Vélo·Tàxi (パリの)輪タク.
wáter tàxi 水上タクシー.

-tax·i·a /tǽksiə | -siə, -sjə/

連結形 整理されたもの [状態]; 調整されたもの [状態].
★ 名詞をつくる.
★ 語末にくる関連形は -TACTIC, -TAXIC, -TAXIS, -TAXY.
★ 語頭にくる関連形は tax(i)-, taxo-: *taxi*dermy「剝製(はく)術」, *taxo*logy「分類法」.
◆ <ギ *táx(is)*(*tássein*「整理する」より) + *-ia* -IA.

a·tax·i·a 名 〖病理〗(特に手足の)運動失調(症).
dys·tax·i·a 名 〖病理〗随意運動不能.
eu·tax·ia 名 〖工学〗易溶状態.

-tax·ic /tǽksik/

連結形 分類の; 配列の.
★ 形容詞をつくる.
★ 語末にくる関連形は -TACTIC, -TAXIA, -TAXY.
★ 語頭にくる関連形は tax(i)-, taxo-: *taxi*dermy「剝製(はく)術」, *taxo*logy「分類法」.
◆ -TAX(IS) + -IC[1].

par·a·tax·ic 形 〖心理〗歪曲された, ゆがめられた.
ster·e·o·tax·ic 形 〖解剖〗定位(脳)固定の.
syn·tax·ic 形 〖精神分析〗シンタクシスの.

-tax·is /tǽksis/

連結形 …配列(arrangement), 走性(taxis).
★ 名詞をつくる. ┏Y.
★ 語末にくる関連形は -TACTIC, -TAXIA, -TAXIC, -TAX-
★ 語頭にくる関連形は tax(i)-, taxo-: *taxi*dermy「剝製(はく)術」, *taxo*logy「分類法」.
◆ <近代ラ<ギ *táxis*.

aer·o·tax·is 名 〖生物〗走気性, 趨気(すう)性.
an·e·mo·tax·is 名 〖生物〗気流走性, 走風性.
che·mo·tax·is 名 〖生物〗走化性.
cy·to·tax·is 名 〖生物〗走細胞性, 細胞走性.
e·lec·tro·tax·is 名 〖生物〗＝galvanotaxis.
ep·i·tax·is 名 〖結晶〗エピタクシー.
gal·va·no·tax·is 名 〖生物〗走電性, 電気走性.
ge·o·tax·is 名 〖生物〗走地性, 重力走性.
he·li·o·tax·is 名 〖生物〗走日性, 日光走性.
het·er·o·tax·is 名 内臓変位, 地層変位; その他の変位.
ho·mo·tax·is 名 (地質系統などの)類似配列.
hy·dro·tax·is 名 〖生物〗水分走性, 走水性, 走湿性.
hy·po·tax·is 名 〖文法〗従属.
kli·no·tax·is 名 〖生物〗屈曲走性, 偏走性.
mag·ne·to·tax·is 名 〖生物〗走磁性, 向磁場 [磁極] 性.
men·o·tax·is 名 〖生物〗保留走性, 対刺激性.
par·a·tax·is 名 〖文法〗並列.
pho·to·tax·is 名 〖生物〗走光性.
phyl·lo·tax·is 名 〖植物〗葉序.
pro·to·tax·is 名 〖心理〗プロトタクシス.
rhe·o·tax·is 名 〖生物〗走流性.
ster·e·o·tax·is 名 〖生物〗走触性, 走固性.
tel·o·tax·is 名 〖生物〗目標走性, 保目標生.
ther·mo·tax·is 名 〖生物〗温度走性, 走熱性.
thig·mo·tax·is 名 〖動物〗接触走(触)性.
trop·o·tax·is 名 〖動物〗転向走性, 刺激相称性.

tax·on·o·my /tæksɑ́nəmi | -sɔ́n-/

名 分類法. ◇ -TAXIS, -TAXY. ⇨ -NOMY.

chè·mo·tax·ón·o·my 名 〖生化学〗〖生物〗化学分類.
cy·to·tax·ón·o·my 名 細胞分類学, 細胞学的分類学.
fólk taxónomy 〖人類〗〖言語〗民間分類.
kàr·y·o·táx·on·o·my 名 核学的分類学.
numérical taxónomy (生物の)数量分類学.

-tax·y /tæ̀ksi/

連結形 -taxis の異形.
★ 語末にくる関連形は -TACTIC, -TAXIA, -TAXIC.
★ 語頭にくる関連形は tax(i)-, taxo-: *taxi*dermy「剝製(はく)術」, *taxo*logy「分類法」.
◆ ギリシャ語 *-taxia*「配列」より. ⇨ -Y[3].
[発音] 語頭の音節に第 1 強勢.

an·tho·tax·y 名 〖植物〗花序(inflorescence).
a·tax·y 名 (筋肉, 特に手足の)運動失調(症).
chae·to·tax·y 名 〖昆虫〗毛序, 剛毛式.
eu·tax·y 名 秩序, 規律.
phyl·lo·tax·y 名 〖植物〗葉序.
plei·o·tax·y 名 〖植物〗多数性 [軸].

tea /tíː/

名 茶(の木・葉); 紅茶(の一杯).

Appaláchian téa アパラチア茶.
béd tèa (パキスタンで)起きたばかりでまだベッドにいる客に出す朝一番のティー.
béef téa 《主に英》牛肉でだしを取った汁.
bláck téa 紅茶.
brick téa 磚茶(たんちゃ).
cámbric téa 《米》キャンブリックティー.
ceremónial téa (茶の湯に用いる)抹茶.
Chína téa 中国茶.

cówslip tèa キバナノクリンザクラ(cowslip)の花から作られた飲み物.
créam tèa 《英》クリームティー.
crýstal tèa 〖植物〗イソツツジ(wild rosemary).
fíve-o'clock téa 《英》午後のお茶 [軽食].
gréen téa 緑茶.
hérbal téa ハーブティ(herb tea), 薬草湯.
hérb téa =herbal tea.
hígh téa 《英》ハイティー: 午後遅くまたは夕方早く取る軽い夕食.
hýbrid téa ハイブリッドティー.
íce tèa アイスティー(iced tea).
Japán téa 日本茶, 緑茶(Japanese tea).
jásmine téa ジャスミン茶.
kítchen tèa 《豪·NZ》(女友達が贈り物に台所用品を持ち寄り)結婚式の前に花嫁の家で行われるパーティー.
knífe-and-fórk tèa 《英俗》=high tea.
Lábrador téa ラブラドルチャ.
lów téa 《米》=plain tea.
méat tèa 《英》=high tea.
Méxican téa 〖植物〗アリタソウ.
mórning téa 《英》起きてすぐ [朝食前] に飲むお茶.
Nèw Jérsey téa 〖植物〗ソリチャ.
Oswégo téa 〖植物〗タイマツバナ.
Páraguay téa 〖植物〗パラグアイチャノキ(maté).
pínk téa 《話》正式のお茶の会 [招待会].
pláin téa プレーンティー.
póst-and-ráil tèa 《豪話》(19 世紀の)粗末なお茶.
ságe tèa サルビアの葉の煎じ薬.
sássafras téa サッサフラス茶.
sénna tèa (下剤になる)センナの煎じ薬.
shówer téa =kitchen tea.
Téxas téa 《米麻薬俗》マリファナ.
Twánkay téa 屯渓(ﾄﾝｹｲ)茶.
wéed tèa 《米麻薬俗》マリファナ.

teach /tíːtʃ/

動他 〈学科などを〉(人に)教える; 〈人に〉〈学科·知識·技術などを〉教える; …を独習する.

co·teach 動他自 共同で教える.
mis·teach 動他 …を間違って教える.
prac·tice-teach 動自 教育実習をする.
re·teach 動他 教え直す.
team-teach 動自 チームティーチングを行う [する].
un·teach 動他 〈前に教わったことを〉(反対を教えて)忘れさせる; …の誤りを明示する.

teach·er /tíːtʃər/

名 教える人; 教師, 先生, 教員, 師匠. ⇨ -ER[1].

atténdance tèacher 《米》怠学者補導教師.
héad·téacher 《英》(公立学校の)校長.
hóme téacher 《英》在宅障害児担当教師.
práctice tèacher =student teacher.
púpil téacher 〖英史〗(小学校の)教生.
schóol·tèacher 学校教師, 教員.
stúdent téacher 教育実習生, 教育実地研究生, 教生.
vísiting téacher 《主に米》巡回 [訪問, 往訪] 教員.

teach·ing /tíːtʃiŋ/

名 教えること, 授業, 教授; 教職. ── 形 教える, 教授の. ⇨ -ING[1], -ING[2].

mícro·tèaching 〖教育〗マイクロティーチング.
nòn·téaching 形 教育 [教職] に関係ない.
schóol·tèaching 教師の職業, 教職.
sléep-tèaching 睡眠教授法.
téam téaching 〖教育〗チームティーチング.

teal /tíːl/

名 コガモ: 小さい淡水生のカモ数種の総称; 特にコガモ.

blúe-winged téal ミカヅキシマアジ(三日月縞味).
cínnamon téal アカシマアジ.
cómmon téal 《英》=green-winged teal.
gréen-wìnged téal コガモ.

team /tíːm/

名 **1** (競技·ゲームの)チーム, 組. **2** (協同で仕事をする)団, 班, 仲間.

Á Tèam 〖米軍事〗A チーム.
Cíty Áction Tèam 《英》(政府の)都市企業活動奨励チーム(の一員).
cómbat tèam 〖軍事〗連隊戦闘団.
defénsive téam 〖軍事〗連隊戦闘団.
Délta tèam 〖米軍事〗デルタ部隊.
dóuble-téam 動他 (フットボールなどで)〈1 人の相手選手を〉2 人の選手で防ぐ.
dóuble téam 〖アメフト〗ダブルチームブロック.
dréam tèam (最高のメンバーからなる)ドリームチーム.
dríll tèam 〖軍事〗ドリルチーム.
expánsion tèam 〖スポーツ〗拡大チーム.
fáctory tèam (自動車競走の)製造会社チーム.
fàntasy téam (空想フットボールで現実の選手を想像で集めた)仮想チーム.
fárm tèam 〖主に野球〗ファーム, 二軍.
hít tèam 殺し屋の集団; 暗殺団.
kícking tèam 〖アメフト〗キッキングチーム.
Núclear Emérgency Séarch Tèam (米国エネルギー省内の)放射性物質緊急探査班.
rún-and-gùn téam 速攻と正確なシュートのバスケットボールチーム.
spécial téam =kicking team.
SWÁT tèam 特別機動班.
tág tèam 〖プロレス〗タッグチーム.

tear /téər/

動他 〈紙·衣服などを〉引き裂く [破る, ちぎる]. ── 名 裂く [裂ける] こと.

hót téar 熱間割れ, 熱間亀裂(ｷﾚﾂ).
nó-téar 形 〈ルーズリーフが〉リングから外れない(ようにした).
ríp-and-téar 形 《米》残酷な; 暴力的な〈犯罪〉.
ùp·téar 動他 根こぎにする; 絶滅させる.

tears /tíərz/

名複 tear「涙」の複数形.

ángel's tèars 〖植物〗ヨルガオ, 〈俗に〉ユウガオ.
báby's-tèars 〖植物〗ソレイロリア.
báby-tèars =baby's-tears.
crócodile tèars 見せかけの悲しみ; 空涙.
Jób's-tèars 〖植物〗ジュズダマ.
máiden's-tèars 〖植物〗シラタマソウ.
Péle's téars 〖地質〗ペレーの涙, 火山涙.

teas·er /tíːzər/

名 しつこく悩ます人 [もの]; 《話》難問, 難事. ⇨ -ER[1].

bráin·tèaser (創造力を試す)難問, なぞ; パズル.
cóck·tèaser 《俗》男を誘惑しておきながら最後の性交を許さない女.
cúnt tèaser 《米俗》女をその気にさせても性交し

ない男.
príck tèaser 《卑》=cockteaser.
stríp·tèaser ストリッパー(stripper).

-tec /ṫek, tek/

[接尾辞] 民族名を表す接尾辞.
★ 名詞をつくる.
◆ ナワトル語 *-tecatl*(民族名).

Az·tec [名] アステカ族(の一人).
Huas·tec [名] ワステク族(の一人).
Maz·a·tec [名] マサテック族(の一人).
Mix·tec [名] ミステク族(の一人).
Tol·tec [名] トルテカ[トルテック]族(の一人).
Yu·ca·tec [名] ユカテク族(の一人).
Za·po·tec [名] サポテカ族(の一人).

tech /ték/

[形]《話》技術上の; 専門的な. ── [名] 科学技術; 技術者; 工科大学. ►technology や technical の短縮形.

bìo·téch [名]《話》バイオテクノロジー, 生物工学.
Cal·téch [名]《米話》カリフォルニア工科大学.
ców tèch 《米俗》農業大学; (大学の)農学部.
gén·tèch [名] 遺伝子技術.
Géorgia Téch ジョージア工科大学 (Georgia Institute of Technology).
hígh-téch [名] 先端(工業)技術, 高度科学技術.
hí-téch [名]《話》=high-tech.
ínfo·tèch [名] 情報工学[技術].
ló-téch [名][形] =low-tech.
lów-téch [名][形] 既存技術(の).
mé·di·um-téch [名][形] 中程度の技術(の必要な).
méd-tèch [名][形] 医用技術(の).
náno·tèch [名] 超微小技術.
òut-téch [動他] …に対して技術的に優位に立つ.
péewee téch (電気通信・コンピュータ関係の)極小会社.
scí-téch [形]《話》科学技術の.
Tríb-tèch [名] (International Herald-)Tribune 紙の科学技術欄ページ.
últra-téch [名] 超技術.
vó-tèch [形]《話》技術(科)の(vocational-technical).
zái·tèch [名] 財テク, 財務テクノロジー.

tech·nic /téknik/

[名] (専門)技術, (芸術の)技法; 技量. ── [形] 技術上の; 工芸の. ⇨ -IC[1].
★ 語頭にくる関連形は techno-: *techno*graphy「技術史」, *techno*logist「科学技術者」.

mi·cro·tech·nic [名] マイクロ技術.
phil·o·tech·nic [形] 工芸[技術]を愛好する.
pol·y·tech·nic [形] 工芸[工業技術, 応用化学]教育の.
py·ro·tech·nic [形] 花火製造術の.
syn·tech·nic [形]〖生物〗共通の環境により類縁関係のない生物が似た行動を示す.

tech·ni·cal /téknikəl/

[形] **1** 技芸上の, 技術[学術]上の. **2** 専門的な. ⇨ -ICAL.
★ 語頭にくる関連形は techno-: *techno*graphy「技術史」, *techno*logist「科学技術者」.

ge·o·tech·ni·cal [形] 地質工学的な, 地質工学の.
non·tech·ni·cal [形] 非専門の, 非科学技術的な.
pol·y·tech·ni·cal [形] 工芸[工業技術, 応用化学]教育の.
un·tech·ni·cal [形] 専門的でない; 専門的技能に欠けた.
zoo·tech·ni·cal [形] 畜産学の.

tech·ni·cian /tekníʃən/

[名] 専門家, 専門技術者. ⇨ -ICIAN.

àg·ro·tech·ní·cian [名] 農業技術者.
bi·o·tech·ni·cian [名] 生命[生物]工学技術者.
chief technician 〖英空軍〗曹長.
déntal technìcian 歯科技工士.
emérgency ḿedical technìcian 救急隊員, 救急救命士.
júnior technícian 〖英空軍〗一等兵.
py·ro·tech·ní·cian [名] 火災事故専門家.
X-ray technìcian レントゲン技師.

-tech·nics /têkniks/

[連結形] 技法, 技術.
★ 名詞をつくる.
★ 語頭にくる関連形は techno-: *techno*graphy「技術史」, *techno*logist「科学技術者」.
◆ ギリシャ語 *téchnē*「技術」より. ⇨ -ICS.

e·lec·tro·tech·nics [名][複] 電気工学.
meg·a·tech·nics [名][複] (科学技術の高度に進歩した社会の)より大規模な機械化.
psy·cho·tech·nics [名][複] 精神技法.
py·ro·tech·nics [名][複] 花火製造術.
zo·o·tech·nics [名][複] 畜産学.

tech·nique /tekníːk/

[名] (芸術家・作家・舞踊家・競技者などの)技量, 腕前; 技法, 手法, 芸風, 演奏法. ⇨ -IQUE[1].

bi·o·tech·ni·que [名] 生命[生物]工学技術.
cút-up technìque 〖文学〗カットアップ技法.
Délphi technìque 〖経済〗デルファイ法.
Kéyes technìque 〖歯科〗カイズ法.
mátched gúise technìque 〖言語〗主観的判定比較テスト法.
prógram evaluátion and revíew technìque (航空機・船舶・橋などの建造のような)複雑な操作に要する時間の計画・管理・点検法.
salámi techníque 《俗》サラミテクニック: コンピュータによる金銭取引の担当者が横領を図る手口.
sérial technìque =twelve-tone technique.
twélve-tone techníque 〖音楽〗十二音技法.

tech·nol·o·gy /teknɑ́lədʒi|-nɔ́l-/

[名] 科学[工業]技術, テクノロジー. ◇ -TECH. ⇨ -OLOGY.

àg·ro·tech·nól·o·gy [名] 農業科学技術.
altérnative technólogy 代替技術.
àn·ti·tech·nól·o·gy [名] 反科学技術.
apprópriate technólogy 適正技術.
artifícial-vóice technòlogy 〖コンピュータ〗音声合成技術.
bì·o·tech·nól·o·gy [名] バイオテクノロジー, 生物工学.
býpass technòlogy 〖通信〗バイパス技術.
cy·to·tech·nól·o·gy [名] 〖医学〗細胞診.
díving technólogy 〖海洋工学〗潜水技術, 潜水工学.
èc·o·tech·nól·o·gy [名] 環境(保護)技術, 環境工学.
genéric technólogy 基盤技術.
ge·o·tech·nol·o·gy [名] 地質工学.
hígh technólogy 先端(工業)技術, 高度科学技術.
informátion technòlogy 情報工学.
interáctive technòlogy 対話型[双方向]テクノロジー.
intermédiate technólogy 中間工学.
kíller technòlogy 画期的新技術.
lów technólogy ローテク(ノロジー).
maríne technólogy =ocean technology.
mí·cro·tech·nól·o·gy [名] マイクロ工学.

T

nàn·o·tech·nól·o·gy 名 ナノテクノロジー.
ócean technólogy 海洋工学, 海洋技術.
óffshore technólogy =ocean technology.
psy·cho·tech·nól·o·gy 名 精神[心理]工学.
rà·di·o·tech·nól·o·gy 名 放射線工学.
recómbinant DNÁ technòlogy 〖遺伝〗組み換え DNA 技術.
sóft technólogy ソフトテクノロジー.
sóild-státe technòlogy 〖電子工学〗固体技術.
spáce technòlogy 宇宙工学[技術].
tèro·technólogy 名 総合設備工学, 設備診断工学.
transdérmal technólogy 〖医学〗経皮技法.

-tect /tékt/

連結形 覆われた.
★ 語頭にくる形は tect(o)-: *tecti*form「屋根の形をした」, *tecto*rial「被蓋(ぷぃ)の, 蓋となる」.
◆ <ラ *tēctus*(*tegere*「覆う」の過去分詞).
[発音] 基体(-tect)に第 1 強勢.

de·tect 動他 見つける, 発見する.
ob·tect 形 〈さなぎが〉殻で覆われた.
pro·tect 動他 守る, 防ぐ; 保護する.

tec·ton·ics /tektániks | -tɔ́n-/

名複 構造学, 構築学. ⇨ -ICS.
★ 語頭にくる関連形は tect(o)-: *tecti*form「屋根の形をした」, *tecto*rial「被蓋(ぷぃ)の, 蓋となる」.

àr·chi·téc·ton·ics 名複 建築学.
glóbal tectónics 〖地球物理〗地球変動学.
pláte tectónics 〖地球物理〗プレート構造論.
sèismo·tectónics 名複 〖地球物理〗地震構造論.

tee /tíː/

名 (文字の)T, t. ► 文字名の綴(ʒ)り字形.

áir tèe =wind tee.
dróp tèe 〖配管〗突起付き T 継ぎ手.
lánding tèe 〖航空〗=wind tee.
wínd tèe 〖航空〗T 型布板[着陸標識].

teen /tíːn/

形 13 歳から 19 歳の(teenage).

mid·teen 形 15 歳から 17 歳の(年代の).
pre·teen 名 《主に米》13 歳未満の子供.
sub·teen 名 《米・カナダ話》準ティーンエージャー, サブティーン.

-teen /tíːn/

連結形 十….
★ 13 から 19 までの基数をつくる.
★ 名詞をつくる.
◆ 中英, 古英 *-tēne*(ten「十」の連結形).
[発音] ふつう最後の音節(-teen)に第 1 強勢; 例外として númber thírteen のように, 複合語でストレスが移動するものもある.

eigh·teen 名 (基数の)18.
e·lev·en·teen 名 《臨時話》11.
fif·teen 名 (基数の)15.
four·teen 名 (基数の)14.
nine·teen 名 (基数の)19.
sev·en·teen 名 (基数の)17.
six·teen 名 (基数の)16.
thir·teen 名 (基数の)13.
twelve·teen 名 《臨時話》12.
ump·teen 形 《話》無数の, 多数の.

teeth /tíːθ/

名 tooth の複数形.

drágon's tèeth もめごと[争い]のもと.
fálse téeth 義歯, 入れ歯, (特に)総入れ歯.
ínvolute téeth インボリュート歯形.
sécond téeth 永久歯(permanent teeth).
tínsel tèeth 《米俗》歯列矯正器をつけた歯.

-tel /tél, tèl/

連結形 ホテル.
★ 名詞をつくる.
◆ hotel の短縮形.

air·tel 名 エアテル: 空港内にあるホテル.
a·part·el 名 アパート式ホテル.
a·pàr·to·tél 名 =apartel.
aq·ua·tel 名 =boatel.
boat·el 名 ボーテル: 波止場のある水辺のホテル.
bo·tel 名 =boatel.
float·el 名 ホテル客船, 海上[水上]ホテル.
flo·tel 名 =floatel.
Home·tel 名 ホームテル, アパート式ホテル.
hos·pi·tel 名 ホスピテル.
mo·tel 名 モテル.
sky·tel 名 =airtel.

tel·e·gram /téligræ̀m/

名 電報. ⇨ -GRAM.
★ 米国の法律家 E.P. Smith(1814–82)が 1852 年にこの語を造った時, 学者たちからギリシャ語の造語法にかなっていないという理由で非難された.

fást tèlegram 《米》至急電報(サービス).
internátional télegram 国際電報.
létter télegram 書信電報.
óvernight tèlegram 翌日配達電報.
óverseas télegram 《英》海底通信, (海外)電報.
pérsonal-opínion tèlegram パーソナルオピニオン・テレグラム.
rà·di·o·tél·e·gram 名 無線電報.
sínging télegram 歌う電報.
strípping tèlegram ストリップ電報(Strip-A-Gram).

tel·e·graph /téligræ̀f, -grɑ̀ːf | -grɑ̀ːf, -græ̀f/

名 電信, 電信装置[システム]. ⇨ -GRAPH.
★ 発明者の Claude Chappe(1763–1805)は tachygraph と命名したが, フランスの外交官 Miot de Mélito (1762–1841)の進言で現在の名称になった.

bambóo tèlegraph (アジア・オセアニアで原住民の)ロづてなどによる情報伝達.
búsh tèlegraph ジャングル通信; うわさ.
díal tèlegraph 自動式電信機[装置].
fíeld tèlegraph (野戦用)通信機.
grápevine tèlegraph うわさ, 口コミ.
júngle tèlegraph =bush telegraph.
móccasin tèlegraph 《カナダ話》うわさ, 口コミ.
phòto·télegraph 名 電送写真; 写真電送機.
ràdio·télegraph 名 無線電信(機).

te·leg·ra·phy /təlégrəfi/

名 電信(術). ⇨ -GRAPHY.

hértzian telégraphy 無線電信.
múltiplex telégraphy 多重電信.
phò·to·te·lég·ra·phy 名 〖通信〗ファクシミリ, ファックス.
rà·di·o·té·leg·ra·phy 名 無線電信術.

T

wíreless telégraphy　《今はまれ》=radio telegraphy.

tel·e·phone /téləfòun/

名 電話, 電話機; 受話器; 電話網 [回線]. ⇨ -PHONE.

cándlestìck télephone　《英》旧式の卓上電話機.
cár tèlephone　自動車電話.
céllular télephone　携帯電話.
díal tèlephone　ダイヤル式(自動)電話.
dígital télephone　デジタル電話.
Frénch télephone　電話器(handset).
páy télephone　公衆電話.
pícture tèlephone　=videotelephone.
rà·di·o·tél·e·phone 名　無線電話(機).
scrámbler télephone　盗聴防止電話.
vìd·e·o·tél·e·phone 名　テレビ電話.
whíte télephone　《俗》便器.

tel·e·scope /téləskòup/

名 〖天文〗望遠鏡. ⇨ -SCOPE.

astronómical télescope　天体望遠鏡.
Cássegrain télescope　カセグレン式反射望遠鏡.
coudé telescope　クーデ望遠鏡.
Dobsónian tèlescope　ドブソン望遠鏡.
eléctron tèlescope　電子望遠鏡.
Galiléan télescope　ガリレイ式望遠鏡.
Gregórian télescope　グレゴリー式望遠鏡.
Hále télescope　ヘール望遠鏡.
Húbble('s) Spáce Tèlescope　ハッブル宇宙望遠鏡.
Képler tèlescope　=astronomical telescope.
Máksutov télescope　マクストフ式望遠鏡.
Múltiple Mírror Tèlescope　多重反射望遠鏡.
Newtónian télescope　ニュートン式望遠鏡.
órbital télescope　軌道望遠鏡.
prismátic télescope　〖測量〗プリズム望遠鏡.
rádio télescope　電波望遠鏡.
refléctìng tèlescope　反射望遠鏡.
refrácting tèlescope　屈折望遠鏡.
Schmídt tèlescope　シュミット望遠鏡.
Spáce Tèlescope　《米》〖天文〗宇宙望遠鏡.
stèr·e·o·tél·e·scope 名　立体望遠鏡.
terréstrial télescope　地上望遠鏡.
X́-ray tèlescope　X 線望遠鏡.

T

tel·e·vi·sion /téləvìʒən/

名 テレビ(ジョン)放送 [番組]. ◇ TV. ⇨ VISION.

áccess tèlevision　《英》局外 [自主] 制作のテレビ.
Bòrder Télevision　《英》境界テレビ: 独立放送公社の一つ.
bréakfast tèlevision　朝食時のテレビ放送 [番組].
cáble télevision　ケーブルテレビ.
clósed-cìrcuit télevision　閉回路テレビジョン, 有線テレビ.
cólor télevision　カラーテレビジョン.
commúnity anténna télevision　協同聴視アンテナテレビ(CATV).
educátional télevision　《米》教育テレビ(番組).
Grámpian Télevision　《英》グランピアン・テレビ: 英国独立放送協会(IBA)に属するテレビ会社名.
Granáda Télevision　《英》グラナダ・テレビ: IBA に属するテレビ会社名.
hígh-definítion télevision　高品位 [高精細度] テレビジョン.
instrúctional télevision　《米》(教室用)教育有線テレビ番組.
páy télevision　ペイテレビ, 有料テレビ.
projéction télevision　投射テレビ.
públic-àccess télevision　パブリックアクセス・テレビ: 視聴者の団体が安い費用でチャンネルを利用し, 番組を放送する非商業放送.
Ský Tèlevision　スカイ・テレビジョン: 英国の衛星放送.
slów-scàn télevision　低速走査テレビ.
subscríption télevision　=pay television.
Thámes Télevision　テムズテレビジョン: 英国の独立放送公社系テレビ局.

tel·ic /télik, tíːl-/

形 **1** 目的 [終わり] に関する. **2**〖文法〗完結的. ⇨ -IC[1].
★ 語頭にくる関連形は tel(o)-: *telo*phase「(有糸分裂の)終期」.

am·mo·no·tel·ic 形　〖生物〗アンモニア排出の.
atel·ic 形　〖文法〗非完結的.
au·to·te·lic 形　〖哲学〗自己目的的(な).
brad·y·tel·ic 形　〖生物〗緩進化の.
het·er·o·tel·ic 形　〖哲学〗〈実体・事象が〉他目的存在 [発生] の.
hor·o·tel·ic 形　〖生物〗標準進化速度の.
tach·y·tel·ic 形　〖生物〗急進化の.
u·re·o·tel·ic 形　〖動物〗尿素排出の.
u·ri·co·tel·ic 形　〖動物〗尿酸排出の.

tell /tél/

動他 〈人に〉〈物語・経験などを〉話す, 語る; 〈物語などを〉(人に)話す.

fore·téll 動他　〈人が〉…を(人に)予言する.
kíss-and-téll 形　《もと米》暴露した.
òut·téll 動他　…より説明で勝る.
rè·téll 動他　数え直す.
shów and téll　(子供が珍しいものなどを学校に持ってきて説明する)発表会.
snórt and téll 形　昔の麻薬利用を暴露した.

tell·er /télər/

名 話す [語る, 伝える] 人 [物]; 語り手. ⇨ -ER[1].

automátic téller　(銀行の)自動預け払い機.
bóok·tèller　(録音のための本の)朗読者.
fórtune·tèller　占い師, 易者.
stóry·tèller　物語を話す人.
tále·tèller　告げ口する人, おしゃべり.

tell·ing /téliŋ/

形 話す, 物語る. ──名 記すこと, 述べること. ⇨ -ING[2], -ING[1].

fórtune·tèlling 名　運勢判断, 占い, 易断.
rè·télling 名　(物語の)(最)新版, 再翻訳版.
stóry·tèlling 形名　物語を話す [書く](こと).

-tely /tèli, təli/

連結形 目標.
★ 名詞をつくる.
★ 語頭にくる関連形は tel(e)-, teleo-: *teleo*logy「目的論」.
◆ <ギ *tél(os)* 目的 + -Y[3].
[発音] 語頭の音節に第 1 強勢.

hy·per·tel·y 名　〖生物〗過進化.
hys·ter·o·tel·y 名　〖生物〗ヒステロテリー, 発生遅延.
proth·e·tel·y 名　〖動物〗プロセテリー.

tem·per /témpər/

名 (一時的な)気分, 機嫌. ──動他 …の厳しさを和らげる, 緩める.

at·tem·per 動他　《古》…を(異物と混合, 調合して)緩和する, 加減する, 弱める.
aus·tem·per 動他　〈鋼を〉オーステンパーする.
dis·tem·per[1] 名　〖獣病理〗ジステンパー.

dis·tem·per² 名 〖芸術〗ディステンパー画法.
íll témper 不機嫌, 短気.

tem·per·a·ture
/témpərətʃər, -tʃùər, -pərtʃər | -pərətʃə/

名 温度, 気温; 体温, (平熱以上の)熱, 高熱. ⇨ -URE¹.

ábsolute témperature 〖熱力学〗絶対温度, ケルビン温度.
cólor tèmperature 〖光学〗〖写真〗色温度.
crítical témperature 〖物理〗臨界温度.
dis·tém·per·a·ture 名 不調 [乱調] 状態.
Flóry tèmperature 〖化学〗フローリー温度.
néutron tèmperature 〖物理〗中性子温度.
pa·le·o·tem·per·a·ture 古代気温, 海水温.
róom tèmperature 名 室温.
théta témperature 〖化学〗(高分子溶液の)シータ温度.
transformátion tèmperature 〖冶金〗変態点.
transítion tèmperature 〖物理〗転移温度, 遷移温度.
véry lòw témperature 〖物理〗極低温.

tem·pered /témpərd/

形 **1** 《通例複合語》…の気質の. **2** 〖音楽〗平均律の. **3** 和らげられた. ⇨ -ED¹, -ED².

bád-tèmpered 形 気難しい, 意地悪な; 短気な.
éven-témpered 形 平静な, 穏やかな.
góod-témpered 形 気立てのよい, 温厚な; 愛想のよい.
hót-témpered 形 =short-tempered.
íll-témpered 形 =bad-tempered.
quíck-témpered 形 短気な, すぐ腹を立てる.
shórt-témpered 形 怒りっぽい, 短気な.
swéet-témpered 形 気立ての優しい; 好感の持てる.
ùn·témpered 形 〈鋼鉄などが〉鍛えてない.
wéll-témpered 形 〖音楽〗平均律に調律された.

tem·ple /témpl/

名 (古代ギリシャ・ローマ・エジプトの)神殿; (ヒンドゥー教・仏教の)寺院; 聖堂.

fíre tèmple ゾロアスター教の礼拝所.
Gólden Témple ゴールデン=テンプル, 黄金寺院: インドの Amritsar にあるシーク教の総本山.
Ínner Témple =Middle Temple.
Míddle Témple 法曹学院を構成する法曹団体の一つ.
Snáke Témple 蛇寺: マレーシアの Penang 島にある堂内に蛇の住む寺.

tem·po·ral /témpərəl/

形 **1** 時の, 時間の. **2** 一時の. ⇨ -AL¹.
★ 語頭にくる関連形は tempo-: *tempo*rize「ぐずぐずする」.

a·tém·po·ral 形 無窮の, 永遠の(timeless).
ex·tém·po·ral 形 《古》即席の, その場での, 即興的な, アドリブの.
Lòrd Témporal (英国の)聖職者以外の一代貴族上院議員.
spà·ti·o·tém·po·ral 形 時空(space-time)の.
sù·per·tém·po·ral 形 時を超越した; 永遠の.

ten /tén/

名 (基数の)10. ——形 10 の.

Dóuble Tén 双十節: 中国の辛亥(しんがい)革命の記念日.
fíve-and-tén 《米話》安物雑貨店.
Hóllywood Tén 「ハリウッドの十人」: 1947 年の非米活動委員会で共産主義との関係について証言を拒否した映画関係者.
Númber Tén 「10 番地」: London のダウニング街10 番地にある首相公邸.
númber tén 《米軍俗》最悪の.
tóp tén トップテン: 上位 10 位までの歌など.

ten·an·cy /ténənsi/

名 (土地・家屋などの)保有, 占有, 借用(権), 賃借(権). ⇨ -ANCY.

assúred ténancy 《英》協定家賃保証賃借権.
jóint ténancy 〖法律〗合有財産 [不動産] 権.
periódic ténancy 自動更新定期不動産権.
régulated ténancy 《英》〖社会福祉〗規制賃貸.
secúre tènancy 《英》安定した借地借家権.

ten·ant /ténənt/

名 **1** 借地人, 小作人, 借家人. **2** 〖法律〗暫定的不動産権保有者. ⇨ -ANT¹.

báse ténant 〖古英法〗隷農奉仕保有者.
cò·tén·ant 名 共同借地 [借家] 人.
gáme tènant 狩猟 [遊漁] 権の借受人.
jóint ténant 〖法律〗合有財産 [不動産] 権者.
lífe tènant 〖法律〗生涯不動産権者.
se·tén·ant 名 〖切手収集〗連刷.
sítting ténant 《英》現借家 [借地] 人.
sùb·tén·ant 名 又借り人, 転借人.
ún·der·tèn·ant 名 =subtenant.

-tend /ténd/

連結形 張る, 伸ばす.
★ 語末にくる関連形は -TENSE, -TENSION, -TENTION².
★ 語頭にくる形は tend-, tens-: *tend*ency「傾向」, *tens*ion「緊張」.
◆ ラテン語 *tendere*「張る, 伸ばす, 広げる」より.

at·tend 動他 出席する, 参列する; 通う.
con·tend 動自 (困難と)戦う; (問題と)取り組む.
dis·tend 動他 …を膨張させる, 膨らます.
ex·tend 動他 …を伸ばす, 引き伸ばす.
in·tend 動他 (…する)つもりである, 意図する.
os·tend 動他 直接に指し示す, 直示する.
por·tend 動他 …を前もって示す, …の前兆になる.
pre·tend 動他 見せかける, 振りをする; 装う.
pro·tend 動他 《古》…を前に伸ばす.
sub·tend 動他 〖幾何〗〈弦・辺が〉〈弧・角に〉対する.

ten·den·cy /téndənsi/

名 (ある方向・点・目的・結果に向かう)傾向, 趨勢(すうせい), 気配, 風潮. ⇨ -ENCY.

àm·bi·tén·den·cy 名 〖心理〗二面志向, 両面価値.
céntral téndency 〖統計〗中心傾向.
còunt·er·tén·den·cy 名 逆傾向.
in·tén·den·cy 名 行政区, 州(intendancy).
Mílitant Téndency 《英》英国労働党内のトロッキー派.

tend·er /téndər/

名 世話する人, 看護人, 見張り人, 番人. ⇨ -ER¹.

áircraft tènder 〖海軍〗航空機支援船 [艦].
bár·tènder (酒場の)バーテンダー.
góal·tènder ゴールキーパー(goalkeeper).
hóok·tènder 《カナダ》伐採班の監督.
súb·tènd·er 潜水母艦.

-tene /tìːn/

連結形 〖細胞生物〗…個 [形] の染色体を持つ.
★ 主に名詞をつくる.

★ 減数分裂期の染色体を表す.
★ 語頭にくる形は taenia-: *taenia*cide「条虫駆除剤」.
◆ <仏 *-tène*(科学関係の合成語で)<ラ *taenia*.

dip·lo·tene 名 複糸期.
lep·to·tene 名 細糸期.
pach·y·tene 名 パテキン期, 太糸期, 原糸期, 合体期.
pol·y·tene 形 〔遺伝〕多糸性の.
syn·ap·tene 名 =zygotene.
zy·go·tene 名 接合糸期.

ten·nis /ténis/

名 テニス, 庭球.

cóurt tènnis コートテニス: 屋内テニスの一種.
déck tènnis デッキテニス: 狭いコートでゴムやマニラロープの輪を片手だけを使って交互に投げたり受け止めたりする遊び.
láwn tènnis (芝生コートで行う)ローンテニス.
páddle tènnis パドルテニス: テニスとハンドボールを混合した競技.
plátform ténnis プラットホームテニス: 金網で囲まれた木の台の上で行うテニスの一種.
réal ténnis 《英》=court tennis.
róyal ténnis =court tennis.
shórt ténnis ショートテニス: 英国で考案された子供用球技.
táble tènnis ピンポン, 卓球.

ten·or /ténər/

名 〔音楽〕テノール. ⇨ -OR[1].

có·unter·tèn·or 名 カウンターテナー.
hél·den·tèn·or 名 ヘルデンテノール.
héroic ténor =heldentenor.
whísky tènor 《米俗》(酒の飲みすぎでしゃがれたような)テノールの声.

tense /téns/

名 〔文法〕時制: 動詞の屈折の一範疇(はんちゅう)で, 主に動詞の表す行為や状態の認められる時を示すもの.

indéfinite ténse 不定時制.
pást ténse 過去時制.
présent ténse 現在時制.
símple ténse 単純[単一]時制.

-tense /téns/

連結形 のばす, 張る.
★ 語末にくる関連形は -TEND.
★ 語頭にくる関連形は tend-, tens-: *tend*ency「傾向」, *tens*ion「緊張」.
◆ ラテン語 *tendere*「伸びる」より.

hy·per·tense 形 過度に緊張した.
in·tense 形 〈熱・光・温度・風などが〉極端に強い.
pre·tense 名 見かけ, 仮面, 虚偽, 装い.
sub·tense 名 〔幾何〕弦, 対辺.

ten·sion /ténʃən/

名 圧力; 張力; 電圧. ⇨ -SION.

hígh tènsion 高電圧.
hígh-tén·sion 形 〔電気〕高圧の; 高圧用器具の.
hy·per·tén·sion 〔病理〕高血圧(症).
hyp·o·tén·sion 〔病理〕低血圧(症).
interfácial ténsion 〔物理化学〕界面張力.
lów-tén·sion 形 〔電気〕低(電)圧の[をかけた].
pòst·tén·sion 動他 〈鉄筋に〉ポストテンション法をする.
pre·tén·sion 動他 (プレストレスト・コンクリート工事で)〈補強用鋼線に〉プレストレスを与える.
súrface ténsion 〔物理〕表面張力.
vápor tènsion 蒸気圧.

-ten·sion /ténʃən/

連結形 ぴんと張られたこと[もの].
★ 名詞をつくる.
★ 語末にくる関連形は -TEND.
★ 語頭にくる関連形は tend-, tens-: *tend*ency「傾向」, *tens*ion「緊張」.
◆ <ラ *tēnsus* (*tendere*「伸ばす」の過去分詞). ⇨ -SION.

dis·ten·sion 名 膨張[拡張](作用); 膨張[拡張]状態.
ex·ten·sion 名 ☞
in·ten·sion 名 強化, 増大.
pre·ten·sion 名 主張[要求]すること.

ten·sive /ténsiv/

形 伸張[緊張]の[を引き起こす]. ⇨ -IVE[1].

hy·per·ten·sive 形 〔病理〕高血圧(性)の.
hy·po·ten·sive 形 〔病理〕低血圧(性)の.
nor·mo·ten·sive 形 〔病理〕正常血圧の, 正圧性の.

tent /tént/

名 天幕, テント.

béer tènt 《英》飲み物を売るテント小屋.
béll tènt 円錐形テント.
bíg tént 《米》〔政治〕大テント方式.
dóg tènt 《俗》=pup tent.
explórer tènt 探検者用テント.
guárd tènt 衛兵テント.
óxygen tènt 酸素(補給用)テント.
púp tènt 携帯テント.
shélter tènt 《米》=pup tent.
umbrélla tènt アンブレラ(傘型)テント.
wáll tènt 家屋型テント.

-ten·tion[1] /ténʃən/

連結形 つかまれたこと[もの]; 保たれたこと[もの].
★ 名詞をつくる.
◆ <ラ *-tentus*(*tenēre*「つかむ; 保つ」より). ⇨ -TION.

ab·sten·tion 名 (行為・快楽を)慎むこと, 節制.
de·ten·tion 名 引き留める[られる]こと, 抑止.
ob·ten·tion 名 入手, 獲得(obtainment).
re·ten·tion 名 保有, 保持, 保存, 維持; 留置.
sus·ten·tion 名 維持, 支持.

-ten·tion[2] /ténʃən/

連結形 伸ばされたこと[もの].
★ 名詞をつくる.
★ 語末にくる関連形は -TEND.
★ 語頭にくる関連形は tend-, tens-: *tend*ency「傾向」, *tens*ion「緊張」.
◆ <ラ *tentus*(*tendere*「伸ばす」の過去分詞). ⇨ -TION.

at·ten·tion 名 (…への)注意, 注目, 傾聴, 留意.
con·ten·tion 名 闘争, 争い, けんか.
dis·ten·tion 名 膨張[拡張](作用); 膨張[拡張]状態.
ex·ten·tion 名 延長. ►extension の異形.
in·ten·tion 名 ☞

-te·ri·a /tíəriə/

連結形 -eteria の異形.

★ 語尾が -e で終わる語, 他の母音または子音で終わる語に, 直接あるいは, 時に文字を省いて接続する.

bas·ke·te·ri·a 名 かご入り食品店.
cake·te·ri·a 名 ケーキショップ.
choc·o·la·te·ri·a 名 チョコレートショップ.
clean·e·te·ri·a 名 セルフクリーニング店.
dry·goods·te·ri·a 名 **1**《米》生地ショップ. **2**《英》乾物[穀類]ショップ.
fruit·e·ri·a 名 フルーツショップ.
fur·ni·ture·te·ri·a 名 最新式家具店.
gro·cer·te·ri·a 名 セルフサービス食料雑貨品店.
gro·ce·te·ria 名 《米·カナダ》＝grocerteria.
mar·ke·te·ri·a 名 セルフサービスマーケット.
mo·to·te·ri·a 名 自動車部品セルフ販売店.
ra·di·o·te·ri·a 名 ラジオ無線機セルフ販売店.
res·tau·ran·te·ri·a 名 セルフサービスレストラン.
serve·te·ri·a 名 セルフサービス店.
shave·te·ri·a 名 シェービング店.
smoke·te·ri·a 名 たばこ店[ショップ].
so·da·te·ri·a 名 ソフトドリンク店.
val·e·te·ri·a 名 洗濯縫製店.
wash·e·te·ri·a 名 コインランドリー(washateria).

-ter·ic /térik/

接尾辞 より…の, 比較的…の.
★ 形容詞をつくる.
◆ ギリシャ語比較級語尾 *-ter(os)* ＋ -IC[1].

am·pho·ter·ic 形 〘化学〙両性の.
es·o·ter·ic 形 選ばれた少数者だけに分かる.
ex·o·ter·ic 形 一般大衆向きの, 大衆に理解できる.

-te·ri·on /tíəriɑn, -ən | -ɔ̀n, -ən/

接尾辞 場所や手段を表す接尾辞.
◆ ギリシャ語 *-tērion* より. ⇨ -ON[3].

ac·ro·te·ri·on 名 〘建築〙アクロテリウム, 露盤.
al·ip·te·ri·on 名 (古代ローマの風呂の)塗油室.
bou·leu·te·ri·on 名 (古代ギリシャの)評議会議場.
cri·te·ri·on 名 (判断·評価などの)規準, 規範.
tel·es·te·ri·on 名 (古代ギリシャの)Eleusis の密儀が行われた建物.

term /tə́ːrm/

名 **1** (事物の特殊な呼称としての)用語, (特に)学術用語, 術語, 専門語. **2** (文章·会話の構成要素としての)語, 語句; 言い方, 言葉遣い. **3** 期間, 任期. **4** 学期. **5**〘代数〙〘算数〙項: 式·数列などの成員. **6**〘論理〙名辞: 命題の主辞または賓辞. **7**〘法律〙(裁判所の)開廷期. ── 動他 …に特定の名をつける.

ábsolute térm 〘論理〙絶対名辞.
addréss tèrm 〘言語〙呼称.
distríbuted térm 〘論理〙拡充[周延]名辞.
Éaster térm 〘英法〙復活祭開廷期.
fúll-térm 形 臨月の, 正常な妊娠期間完了の.
géneral térm 〘論理〙普遍[一般]名辞.
hálf térm 《英》〘教育〙学期の中ごろにある短い休日. ── 形 学期中ごろの.
Hílary tèrm 〘英大学〙(オックスフォード大学などの)第2学期, 春学期.
ínkhorn tèrm 学者言葉, 衒学(ぺだ)的用語.
in·ter·term 名 (二(学)期制の)学期と学期の間.
láw tèrm 法律用語.
lend-of-the-term 形名 期末の(試験).
Lént tèrm 《英》(大学の)春学期.
lóng-tèrm 形 〈契約·計画·影響などが〉長期の.
májor térm 〘論理〙大名辞.
Míchaelmas tèrm 〘英法〙ミカエル祭開廷期.
míddle térm 〘論理〙中名辞.
míd·tèrm 名 (学期·任期の)中間; (妊娠期間の)中期.
mínor térm 〘論理〙小名辞.
mis·térm 動他 …を(…と)間違って名づける[呼ぶ].
néar-térm 形 近い将来の, 近々の.
prè·térm 形 (妊娠について)予定日より早い.
séa tèrm 航海[海事]用語(nautical term).
shórt-térm 形 比較的短期間の.
spécial térm 〘法律〙特別開廷, 特別事件審理.
ú·ni·tèrm 名 〘図書館〙(文書索引の記述項目の)単一項.

ter·mi·nal /tə́ːrmənl/

形 **1** 末端にある, 末端部を成す, 末端の. **2** 最後にくる, 終わりの. ── 名 **1** (航空路などの)終着点. **2**〘コンピュータ〙端末(機). ⇨ -AL[1].

áir tèrminal エアターミナル.
Gránd Céntral Términal 名 (マンハッタンの)中央駅.
pre·ter·mi·nal 形 死ぬ前に起こる.
sub·ter·mi·nal 形 終わり近くの[で起こる].
vídeo displáy tèrminal 〘コンピュータ〙ビデオ表示端末装置.
vísual displáy tèrminal ＝video display terminal.
X̀ tèrminal 〘コンピュータ〙エックスターミナル.

terms /tə́ːrmz/

名複 term「名辞; 条件」の複数形.

cóntrary térms 〘論理〙反対名辞.
corrélative térms 〘論理〙〘文法〙相関名辞.
ínco·tèrms 名 〘商業〙インコタームス: 国際商業会議所(ICC)が1936年に定めた貿易条件の解釈に関する国際規則.
lówest térms 〘数学〙既約分数.
móre or léss tèrms 〘商業〙数量過不足容認条件.

tern /tə́ːrn/

名 〘鳥類〙アジサシ(鰺刺).

Árctic térn キョク(極)アジサシ.
bláck térn ハシグロクロハラアジサシ.
Cáspian térn オニアジサシ.
gúll-bìlled térn ハシブトアジサシ.
líttle térn コアジサシ.
róseate térn ベニアジサシ.
róyal térn アメリカオオアジサシ.
sándwich tèrn サンドイッチアジサシ.
sóoty térn セグロアジサシ.
whískered térn クロハラアジサシ.
Wílson's térn アジサシ.

ter·pene /tə́ːrpiːn/

名 〘化学〙テルペン: 本来は植物から得られ, 分子式 $C_{10}H_{16}$ を持つ単環炭化水素の総称. ⇨ -ENE[1].

acýclic térpene モノテルペンにおいて鎖状のもの.
bicýclic térpene 二環式テルペン.
di·tér·pene 名 ジテルペン.
hèm·i·tér·pene 名 ヘミテルペン.
mòn·o·tér·pene 名 モノテルペン.
sès·qui·tér·pene 名 C_5×3 のテルペン.

ter·race /térəs/

名 **1** 台地. **2** (庭の)テラス, ベランダ. **3**〘地質〙(海·湖·河川の)段丘.

continéntal térrace 大陸段丘.
ríver tèrrace 河岸段丘.
shóre tèrrace 海岸段丘.

T

spéctator's tèrrace 《主にスコット》(空港の)展望台.
wáve-cùt térrace 波食台 [段丘].

-ter·ra·ne·an /təréiniən/

連結形 土地の.
★ 形容詞をつくる.
★ 語頭にくる関連形は terr-: *terrace*「高台」, *terrestrial*「地上の」.
◆ ラテン語 *terra*「土地」より. ⇨ -EAN[1].

Med·i·ter·ra·ne·an 形 地中海の.
sub·ter·ra·ne·an 形 地下にある [で働く], 地下の.
su·per·ter·ra·ne·an 形 地上の, 地表の [に住む].

ter·res·tri·al /təréstriəl/

形 **1** 地球(上)の; 地球をかたどった. **2** (海に対して)陸地の, 陸上の. **3**〖植物〗〖動物〗陸生の. ⇨ -IAL.
★ 語頭にくる関連形は terr-: *terrace*「高台」, *terrestrial*「地上の」.

cir·cum·ter·res·tri·al 形 地球を取り巻く.
ex·ter·res·tri·al 形 =extraterrestrial.
ex·tra·ter·res·tri·al 形 地球(大気圏)外の.
sem·i·ter·res·tri·al 形〖生物〗半陸上生の, 沼地生の.
sub·ter·res·tri·al 形 地下の.

ter·ri·er /tériər/

名 テリア: もとは猟犬で, 今は愛玩用の小形犬. ⇨ -IER[2].

Áberdeen térrier =Scottish terrier. ┏犬.
Bédlington térrier ベドリントンテリヤ: 英国種のテリヤ
bláck and tán térrier 《まれ》=Manchester terrier.
Bórder térrier ボーダーテリア: 英国種のテリアの一種.
Bóston térrier ボストンテリア: 米国種の小形犬.
búll térrier ブルテリア: 英国種の中形犬.
cáirn térrier ケアンテリア: スコットランド産の小形テリア.
Clýdesdale térrier クライズデール・テリア: スカイテリア種の小形犬. ┏ア犬.
fóx térrier フォックステリア: 英国種の小形テリ
Írish térrier アイリッシュテリヤ: 赤褐色の硬い針毛状の毛を持つテリヤ.
Jáck Rússell tèrrier ジャックラッセルテリア: 小形の英国産短脚犬.
Kérry blúe térrier ケリーブルーテリア: 毛は青みがかった灰色.
Lákeland térrier レークランドテリア: 小柄のほっそりしたテリヤ犬の一種.
Mánchester térrier マンチェスター・テリヤ: ブラックタンのぶちのほっそりしたテリヤ.
Nórfolk térrier ノーフォークテリア: 英国産の小形で脚の短い獣猟テリア.
Nórwich térrier ノリッジテリア: 足の短い小形の英国種テリア.
rát tèrrier 特にネズミを捕るように育種されたテ
Scótch térrier =Scottish terrier. ┗リア.
Scóttish térrier スコティッシュテリア: スコットランド産の小形のテリア犬.
Séalyhàm térrier シーリハムテリア: ウェールズ原産の小形のテリア.
sílky térrier シルキーテリア: オーストラリア産の愛玩犬.
Skýe térrier スカイテリア: スコットランド種の小形のテリア犬.
Stáffordshire térrier スタッフォードシャー・テリア: 英国産の筋肉質で頑健な犬種.
Tibétan térrier チベタンテリア: 長く美しい被毛を持つ小形犬.
Wélsh térrier ウェルシュテリア: ウェールズ産のテリア犬.
whéaten térrier 《話》ソフトコーテッド・ホイートンテリア: アイルランド産の中形の作業テリア犬.
Yórkshire térrier ヨークシャーテリア: 英国 Yorkshire 原産のテリア.

ter·ri·to·ri·al /tèrətɔ́ːriəl/

形 土地の [に関する]; 領土の. ⇨ -IAL.
★ 語頭にくる関連形は terra-: *terrace*「高台」.

ex·ter·ri·to·ri·al 形 =extraterritorial.
ex·tra·ter·ri·to·ri·al 形 治外法権の.
in·ter·ter·ri·to·ri·al 形 領土間の, 二つの領土にまたがる.

ter·ri·to·ry /térətɔ̀ːri | -təri/

名 広大な土地, 地域, 地方(region, district). ⇨ -TORY[2].

cápital térritory 首都圏.
fáir térritory 〖野球〗フェアグラウンド.
Índian Térritory (米国の)インディアン・テリトリー [特別保護区].
Nórthern Térritory (オーストラリアの)ノーザンテリトリー, 北部特別地区.
Nórthwest Térritory (米国)北西部領地.
Swázi Térritory KaNgwane の旧称.
trúst tèrritory (国連から指定された国の)信託統治地域.
únion tèrritory (インドの)中央政府直轄地区.

ter·ror /térər/

名 **1** 非常な恐ろしさ, 恐怖. **2** テロ(行為), テロリスト集団, テロ計画. ⇨ -OR[1].

àn·ti·tér·ror 形 テロ防止 [阻止]の.
bálance of térror 恐怖の均衡: 諸国家間に核兵器が拡散されていて, どの国も攻撃をしかけようとしない状態.
bì·o·tér·ror 名 生物テロ.
còunt·er·tér·ror 名 報復 [対抗] テロ.
hóly térror 《米俗》子供; 熱心な人.
níght tèrror 〖精神医学〗夜間恐怖.
Réd Térror 赤色テロ, 革命後に行われる恐怖政
Whíte Térror 〖フランス史〗白色テロル. ┗治.

ter·ror·ism /térərìzm/

名 テロリズム, テロ行為. ⇨ -ISM[1].

àn·ti·tér·ror·ism 形 テロに対抗する.
bì·o·tér·ror·ism 名 生物 [病原菌] テロ.
chè·mo·tér·ror·ism 名 化学テロ(chemical terrorism).
consúmer tèrrorism 食品, 薬品などに毒物を入れたり, 入れたと言って脅す行為.
còunt·er·tér·ror·ism 名 報復 [対抗] テロ行為.
èc·o·tér·ror·ism 名 エコタージュ(ecotage): 環境破壊行為を実力阻止しようとする反公害運
Éu·ro·tér·ror·ìsm 名 ヨーロッパテロリズム. ┗動.
nàr·co·tér·ror·ism 名 麻薬テロ.
polítical térrorism 政治的テロ活動.
relígious térrorism 宗教テロ.

test /tést/

名 試験, 検査, 吟味. ── 動他 …を試験する.

achíevement tèst 学力検査.
ácid tést (金質を試すための)硝酸テスト.
álpha tèst 〖心理〗アルファ(A 式)知能検査.
Américan Cóllege Tèst 《米》大学入学学力テスト(ACT).
Ámes tèst 〖医学〗エイムズ試験.
análogy tèst 〖論理〗類推テスト.

áptitude tèst 適性検査.
Áschheim-Zóndek tèst 〘医学〙アッシュハイム=ツォンデック・テスト.
Á-tèst 名 原爆実験.
A-Ź tèst 〘医学〙=Aschheim-Zondek test.
Bábcock tèst 〘畜農〙バブコック試験.
báck tèst バックテスト：商品の値上げの影響を計るテスト.
bénch tèst ベンチチェック：工場内で行なうエンジンその他機械のチェック.
béta tèst 〘心理〙ベータ B 式(知能)検査.
bèta·tést 動他 〈新製品などを〉ベータテストにかける.
blánk tèst 〘化学〙ブランクテスト, 空試験.
blínd tèst 〘医学〙ブラインドテスト, 盲検.
blóod tèst 血液検査.
blóod-tést 動他 血液を検査する.
bóok tèst (超心理学で)ブックテスト.
bréakdown tést 耐力［破壊］試験.
bréath tèst 《英》(酒気帯び運転などの)呼気検査(《米》breathalyzer test).
bréath-tèst 動他 《英》酒気検査をする.
B́-tèst =breath test.
búg tèst 《米俗》心理テスト；精神鑑定.
cáptive tèst 〘軍事〙固定テスト, 保持試験.
chí-square tèst 〘統計〙カイ二乗検定(法).
cis-tráns tést 〘遺伝〙シス=トランス検定.
clóze tèst 穴埋め式読解力テスト.
compárison tèst 〘数学〙比較判定法.
cómplement-fixátion tèst 〘医学〙補体結合反応.
compúlsory-tèst 動他 …を強制的に検査する.
cóombs tést 〘医学〙クームス試験.
crásh-tèst 動他 〈新製品の〉安全テストをする.
cúlture-frèe tést 文化の違いを問わない(知能)テスト.
Díck tèst 〘医学〙ディック試験.
dictátion tèst 《豪》《もと》英語書き取り試験.
dípstick tèst 検尿用ペーパー試験.
Dráize tèst 〘薬学〙ドレイズテスト.
dríving tèst 運転免許試験.
dróp tèst (耐衝激性を試すための)落下試験.
drúg tèst 薬物検査.
fatígue tèst 〘工学〙疲れ［疲労］試験.
feminity test 〘スポーツ〙=sex test.
fíeld-tèst 動他 〈新製品などを〉実地テストする.
fílm tèst =screen test.
fláme tèst 〘化学〙炎色試験.
flíght-tèst 動他 〈航空機の〉飛行試験をする.
glúcose tòlerance tèst 〘医学〙(ブドウ)糖負荷試験.
hématocrit tèst 〘医学〙ヘマトクリット・テスト.
hérd tèst 《NZ》〘畜産〙牛群［乳牛］検査.
hígh-tést 形 厳重なテストをパスする；高品質の.
ímpact tèst (構造物・材料などの)衝撃試験.
ínkblòt tèst 〘心理〙インクの染み検査.
íntegral tèst 〘数学〙積分(による)判定法.
intélligence tèst 〘心理〙知能検査.
intracutáneous tést 〘免疫〙皮内反応.
intradérmal tèst =intracustaneous test.
Ishihára tèst 〘眼科〙石原式色盲検査法.
Káhn tèst 〘医学〙カーン反応［試験］.
Klíne tèst 〘医学〙梅毒血清載せガラス沈降法.
líteracy tèst 読み書き能力の検査.
lítmus tèst 〘化学〙リトマス試験.
lów-tést 形 〈ガソリンが〉低揮発度の.
magnétic-párticle tèst 磁気探傷検査(法).
Mantóux tèst 〘医学〙マントー反応.
Mársh's tèst 〘化学〙マーシュ試験, ヒ素鏡試験.
méans tèst 資産調査, 所得調査.
mèans-tést 動他 《英》〈失業給付額を〉決める.
méntal tèst メンタルテスト, 知能検査.
M.Ò.T.tést 車両検査. ►M.O.T. は運輸省のこと.
muréxide tèst 〘生化学〙ムレキシド試験.
Nálline tést 〘薬学〙ナリンテスト.
néeds tèst (社会保障の)必要性審査.
objéctive tést 客観テスト(○×テストなど).
óne-sìded tést 〘統計〙=one-tailed test.
óne-tàiled tést 〘統計〙片側検定.
Papanicoláou tèst =Pap test.
Páp tèst パップテスト：子宮頸癌試験.
pátch tèst 〘医学〙パッチテスト, 貼付試験.
patérnity tèst 〘法律〙親子［父子］鑑定テスト.
perfórmance tèst 〘心理〙作業検査.
personálity tèst 〘心理〙人格検査.
ṔKÚ tést 〘病理〙フェニルケトン尿病検査.
póp tèst 《米俗》抜き打ちテスト.
póst·tèst 名 〘教育〙効果測定試験, 事後テスト.
póur tèst 〘化学〙流動(点)試験.
pré·tèst 名 予備テスト［検査］.
projéctive tést 〘心理〙投影［投映］検査法.
rátio tèst 〘数学〙無限級数の比による判定法.
redúctase tèst 〘畜農〙レダクターゼ・テスト.
ré·tèst 名 再試験, 再テスト.
róad tèst ロードテスト, 路上(実地)試験.
róot tèst 〘数学〙ルートテスト.
Rórschach tèst 〘心理〙ロールシャッハ検査.
salíva tèst 唾液検査.
Schíck tèst 〘医学〙シック試験.
scrátch tèst 〘医学〙掻爬(そう)試験.
scréen tèst スクリーンテスト, 撮影オーディション.
scréen-tèst 動他 …をスクリーンテストする.
Séashore tèst 〘心理〙シーショアテスト.
séx tèst 〘スポーツ〙セックステスト.
shádow tèst 〘眼科〙網膜検影法.
shóck-tèst 動他 〈機器の〉耐衝撃テストをする.
sígn tèst 〘統計〙符号検定.
skín tèst 〘医学〙皮膚試験.
slúmp tèst 《英》〘土木〙スランプ試験.
sméar tèst 〘医学〙塗布検査.
smóke tèst 《米俗》機械のテスト［試運転］.
Snéllen tèst 〘眼科〙スネレン視力表検査.
spót tèst スポットテスト.
Stánford-Binét tèst 〘心理〙スタンフォード・ビネー検査.
stíck tèst (家庭で自分で行う)妊娠識別テスト.
stréss tèst ストレステスト, 耐力試験.
stréss-tèst 動他 …にストレステストを受けさせる.
Stúdent's t-tèst 〘統計〙スチューデントのテスト.
Thematic Apperception Tèst 〘心理〙主題［絵画］統覚検査.
tíne tèst 〘医学〙タイン試験.
ŤPÍ tèst 〘医学〙TPI［ネルソン］試験.
trúe-fálse tèst 〘教育〙○×式テスト.
f-tést 名 〘統計〙t 検定.
tubérculin tèst ツベルクリン検査.
Túring tèst 〘数学〙チューリングテスト.
twó-tàiled tést 〘統計〙両側検定.
Wássermann tèst 〘数学〙ワッセルマン反応.
wórd associàtion tèst 〘心理〙連想語検査, 語連想テスト.

-test /test, tést/

連結形 証言する, …の証人となる.
★ 語頭にくる形は test-: *test*amentary「遺言の」, *test*ify「証言する」.
◆ ラテン語 *testārī*「証人となる」より.
［発音］名詞では語頭に, 動詞では基体(-test)に第 1 強勢.

at·test 動他 …を証言する；認証する.
con·test 名 ☞
ob·test 動他 《文語》〈人を〉証人として呼ぶ.
pro·test 名 ☞

test·ing /téstiŋ/

名 試験［実験］(すること). ⇨ -ING[1].

hérd tèsting 《NZ》〘畜産〙牛群［乳牛］検査.
mínimum cómpetency tèsting

〔教育〕最小限能力テスト.
núclear tésting 核実験.
reálity tèsting 〔精神医学〕現実検査.
státic tésting (エンジン・ロケットなどの)静止状態試験, 地上試験.

-teuch /tjùːk | tjùːk/

連結形 巻本を入れる物.
★ 名詞をつくる.
◆ ギリシャ語 *teûkhos*「道具, 本」より.

Hep·ta·teuch 名 (旧約聖書の最初の)七書.
Hex·a·teuch 名 (旧約聖書の最初の)六書.
oc·ta·teuch 名 (旧約)八書.
Pen·ta·teuch 名 モーセ五書.

-tex /teks/

連結形 《商標》繊維; 織物.
◆ texture の短縮形.

Aer·tex 名 《英》《商標》エアテックス.
Fin·tex 名 《商標》フィンテックス.
Gore-Tex 名 《商標》ゴアテックス.
Grass·tex 名 《商標》グラステックス.
Ko·tex 名 《商標》コーテックス.
Play·tex 名 《商標》プレイテックス.

text /tèkst/

名 **1** (原稿・書籍・新聞などの)本文. **2** 原文. **3** 〔印刷〕ジャーマンプリント.

chúrch tèxt 〔印刷〕オールドイングリッシュ体.
cípher·tèxt 名 暗号文.
cléar tèxt =plaintext.
cóver tèxt 暗号文が隠されている文.
é·tèxt 名 〔コンピュータ〕機械的に読み取り可能なテキスト(electronic text).
Gérman téxt 〔印刷〕ドイツ文字活字, ひげ文字.
hý·per·tèxt 名 〔コンピュータ〕ハイパーテキスト.
ìn·ter·téxt 名 〔哲学〕〔言語〕相互 [間] テキスト.
IN·VES·TEXT 名 インベステキスト: 米国企業 2,500 社と外国企業 1,000 社に関する投資レポートを提供するデータベース.
mícro·tèxt 名 マイクロテキスト: マイクロフィルム化されたテキスト.
pláin·tèxt 名 平文.
pré·text 名 口実, 名目, 言いぐさ.
rúnning téxt (新聞・雑誌などの)本文.
súb·tèxt 名 文学作品がその基底に持つ意味.
téle·tèxt 名 〔テレビ〕文字多重放送.
úr·tèxt 名 (特に楽譜の)原本 [原譜].

-text /tékst/

連結形 織る.
★ 語頭にくる形は text-: *tex*tile「織物の」, *tex*tural「織地の」.
◆ ラテン語 *texere*「織る」より.

con·text 名 文脈, コンテクスト.
pre·text 名 口実, 名目, 言いぐさ.

tex·ture /tékstʃər/

名 (織物の)織り方, 触感; 織地, 生地. ⇨ -URE[1].

ìn·ter·téx·ture 名 織り込む [合わせる] こと.
mí·cro·tèx·ture 名 〔地質〕微小構造, 微小構成特質.
ópen téxture 〔美学〕(コンテクスト理論で)開いた構造.
rè·téx·ture 動他 〈(使った)生地・衣服などに〉再び張りをもたせる.

-th[1] /θ/

接尾辞 **1** 形容詞につけて性質や状態を表す名詞をつくる: tru*th*, dep*th*. **2** 動詞につけて行為や過程を表す名詞をつくる: grow*th*, spil*th*. **3** そのほか多くの古英語に由来する名詞と形容詞が -th を語尾とする.

berth 名 (船・旅客機・列車などの)寝棚, 寝台.
breadth 名 ☞
coolth 名 涼しさ, 冷気; 冷たさ(coolness).
dearth 名 (…の)不足, 欠乏, 払底.
death 名 ☞
depth 名 ☞
filth 名 汚物, ごみ, くず.
greenth 名 青々とした草木, 青草; 新緑.
growth 名 ☞
health 名 ☞
illth 名 貧困 [貧窮](状態).
length 名 ☞
mirth 名 上機嫌; 浮かれ騒ぎ, はしゃぎ.
ruth 名 《古》哀れみ, 同情.
sloth 名 怠惰, ものぐさ, 無精.
spilth 名 こぼすこと, こぼれ(spillage).
stealth 名 内密のやり方; 忍び, 隠密.
strength 名 ☞
tilth 名 耕作(作業)(tillage).
troth 名 《古》忠実, 誠実.
truth 名 ☞
warmth 名 暖かいこと [状態], 温暖, 適温.
wealth 名 多量の財貨, 豊かな財産, 富, 財.
width 名 ☞
wrath 名 《文語》激怒, 憤怒(ire).

-th[2] /θ/

接尾辞 4 以上の基数から序数をつくる.
★ 語末にくる関連形は -ETH[2].

bil·lionth 名形 10 億番目(の).
doz·enth 形 12 番目の, 第 12 の.
hun·dredth 形 第 100 の, 100 番目の.
mil·lionth 形 第 100 万の, 100 万番目の.
nth 形 〔数学〕n 番目の, n 倍の, n 次の.
some·thingth 形 いく度目かの, 何番目かの.
thou·sandth 形 第 1,000 の, 1,000 番目の.
ump·teenth 形 《話》非常に遅い順番の, 多数番目の.
ze·roth 形 零 [ゼロ] 番目の.

-th[3] /θ/

接尾辞 -eth[1] の異形で, 動詞の直説法三人称単数現在形の語尾.
◆ 古英 *-th*.

doth 動 《古》do の直説法三人称単数現在.
hath 動助 《古》have の直説法三人称単数現在.
saith 動 《古》say の直説法三人称単数現在.

thal·a·mus /θǽləməs/

名 〔解剖〕視床. ⇨ -US[1].
★ 語頭にくる関連形は thalam-: *thalam*otomy「視床切除術」.

àm·phi·thál·a·mus 名 (古代ギリシャ家屋で)婦人室(thalamus)と隣り合った部屋.
èp·i·thál·a·mus 名 〔解剖〕視床上部.
hy·po·thál·a·mus 名 〔解剖〕視床下部.
óptic thálamus 〔解剖〕視床.

-tha·na·sia /θənéiʒə | -ziə, -zjə/

連結形 死.
★ 名詞をつくる.
★ 語頭にくる関連形は thanat(o)-: *thanato*logy「死学」.
◆ <ギ *thánat(os)* 死 + *-ia* -IA.

ath·a·na·sia 名 不死, 不滅.
eu·tha·na·sia 名 ☞

the·a·ter /θíːətər, θíə-|θíətə/

名 劇場; 《米・カナダ・NZ》映画館. ►《英》では主に theatre; 《米》でも劇場名には theatre を使用したものが多い.

áfter-thèater 形 観劇後の, 芝居見物後の.
ámphi·thè·a·ter 名 (古代ローマの)円形劇場 [闘技場].
aréna theàter 円形劇場(theater-in-the-round).
árt thèater アートシアター.
bláck thèater 《米》黒人劇.
dínner thèater ディナー劇場: 食事中または食後に舞台上演をするレストラン.
environméntal théater 環境演劇.
épic thèater 叙事演劇.
experiméntal théater 実験演劇, 実験劇場.
guerríla thèater ゲリラ演劇.
lécture thèater 階段講堂 [教室].
líttle thèater 《主に米・カナダ》実験的な演劇.
líving thèater (テレビ・映画に対して)演劇.
lýric thèater 歌謡劇.
móvie thèater 映画館.
néws thèater ニュース映画館.
partícipatory théater 観客参加の演劇.
perfórmance thèater 実験演劇.
promenáde thèater =environmental theater.
régional théater 地域劇団.
répertory thèater レパートリー劇団.
stréet thèater 街頭(演)劇.
súmmer thèater (特に郊外や行楽地の, 通例, 毎週違った劇を上演する)夏季劇場.
surróund thèater =arena theater.
tèle·théater 名 (飲食設備を備え, 大型テレビモニターのある)上流階級向け場外馬券場.
tótal thèater 全体演劇.
varíety thèater 演芸場.

the·a·tre /θíːətər, θíə-|θíətə/

名 《英》劇場; 映画館, ライブハウス; 観客; 劇団. ◇ THEATER.

Ábbey Théatre アベー座: Dublin にあるアイルランド国民演劇運動の本拠地となった劇場.
ámphi·thèatre 《英》(古代ローマの)円形劇場.
Ápollo Théatre アポロ劇場: New York のハーレム地区にある劇場.
Chínese Théatre チャイニーズシアター: 米国 Hollywood の劇場.
frínge thèatre 《英》フリンジ(シアター): 周辺小劇場.
Gáte Thèatre ゲート劇場: アイルランドの Dublin にある.
Glóbe Théatre グローブ座: 17 世紀初め, London にあった Shakespeare 劇の初演を行った劇場.
Hèr Majésty's Théatre ハー・マジェスティーズ劇場: London の劇場.
Líving Théatre リビング・シアター: 米国の前衛劇団.
Mérmaid Théatre マーメイド劇場: エリザベス朝演劇伝統復興の目的で 1959 年の London に建てられた劇場.
Nátional Théatre 《英》Royal National Theatre の旧名.
Nátional Yóuth Thèatre 《英》国立青年劇団.
Óld Víc Théatre オールドビック劇場: London にある.
Ópen Áir Théatre オープン・エア・シアター: 夏場を中心に野外で Shakespeare などの劇を上演する劇団.
pátent théatre 英国王の勅許証のある劇場.
pícture thèatre 《英》映画館.
púb théatre (パブの中にある)小劇場; その演劇.
Quéen's Théatre クイーンズ劇場: アイルランドの Dublin にある.
Róyal Cóurt Théatre ロイヤルコート劇場: London にある実験的前衛劇の中心的劇場.
Róyal Nátional Théatre 英国王立劇場.
Savóy Théatre サボイ・シアター: London のサボイホテルの横にある劇場.
Schúbert Théatre (New York の)シューバート劇場.
Shákespeare Memórial Thèatre シェークスピア記念劇場: 1879 年に Stratford-upon-Avon に建設, Royal Shakespeare Company の本拠地.
Swán Théatre スワン座: 英国の Stratford-upon-Avon にある Royal Shakespeare Company の第 2 劇場.
Wíndmill Théatre ウインドミル劇場: London にある劇場, バラエティーショウで知られる.
Wínter Gárden Thèatre (New York の)ウインターガーデン劇場.

-the·ca /θíːkə/

連結形 入れ物, 容器.
★ 名詞をつくる.
★ 語末にくる関連形は -THECIUM, -THEQUE.
★ 語頭にくる関連形は thec(o)-: *theco*dont「【古生物】槽歯類」.
◆ <ラ *theca* <ギ *thḗkē* 容器. ⇨ -A².

bib·li·o·the·ca 名 蔵書, 文庫(library).
di·mor·pho·the·ca 名 ディモルフォセカ属の草本の総称.
ep·i·the·ca 名 【植物】上殻, 上函.
gon·o·the·ca 名 【動物】生殖体包(生殖莢(きょう)).
hy·dro·the·ca 名 【動物】ヒドロ包(ほう), ヒドロ莢(きょう).
hy·po·the·ca 名 【植物】下殻, 下函.
o·o·the·ca 名 (昆虫や巻き貝の)卵嚢, 卵鞘.
pod·o·the·ca 名 【鳥類】脚鞘(きゃくしょう).
rham·pho·the·ca 名 (鳥の)角鞘(かくしょう).
sper·ma·the·ca 名 【動物】貯精嚢, 受精嚢.

-the·ci·um /θíːʃiəm|-siəm/

連結形 小さい被い [容器].
★ 名詞をつくる.
★ 語末にくる関連形は -THECA, -THEQUE.
★ 語頭にくる関連形は thec-: *theco*dont「【古生物】槽歯類」.
◆ <近代ラ<ギ *thḗkíon* 小さい入れ物. ⇨ -IUM.

am·phi·the·ci·um 名 【植物】アンフィテシウム.
ap·o·the·ci·um 名 【菌類】裸子器.
cleis·to·the·ci·um 名 【菌類】閉鎖胞子嚢果.
clis·to·the·ci·um 名 【菌類】=cleistothecium.
en·do·the·ci·um 名 【植物】内被, 内側壁.
ep·i·the·ci·um 名 【菌類】子実上層.
hy·po·the·ci·um 名 【菌類】子実下層.
nem·a·the·ci·um 名 ネマテシウム: 藻類, 特に真正紅藻類の葉状体にできるこぶ状の隆起.
per·i·the·ci·um 名 【菌類】被子器, 子嚢(しのう)殻.
the·ci·um 名 【菌類】子実層.

-the·ism /θìːizm, θiːìzm, θììzm/

連結形 …の神 [神々] を信ずること.
★ 名詞をつくる.
★ 語末にくる関連形は -THEIST.
★ 語頭にくる関連形は the(o)-: *theo*cracy「神政政治」.

T

◆ 古フランス語 *-théisme* より. ⇨ -ISM[1].

a·the·ism 名 無神論.
di·the·ism 名 二神教, 二神論, 最高二神信仰.
hen·o·the·ism 名 単一神教, 拝一神論.
hy·lo·the·ism 名 物是神論.
mon·o·the·ism 名 一神論 [教, 信仰].
pan·en·the·ism 名 万有内在神論.
pan·the·ism 名 汎神(はんしん)論, 多神教.
pol·y·the·ism 名 多神論, 多神教.
tri·the·ism 名 三神論, 三位異体論.
zo·o·the·ism 名 動物神崇拝.

-the·ist /θìːist, θiist/

連結形 …の神 [神々] を信じる人.
★ 名詞をつくる.
★ 語末にくる関連形は -THEISM.
★ 語頭にくる関連形は the(o)-: *theo*cracy「神政政治」.
◆ 古フランス語 *-théiste*「有神論者」より. ⇨ -IST[1].
[発音] 直前の音節に第 1 強勢.

an·ti·the·ist 名 反有神論者.
a·the·ist 名 無神論者; 不信心者.
di·the·ist 名 二神教信者, 二神論者.
mon·o·the·ist 名 一神論者; 一神教信者.
pan·the·ist 名 汎神教信者, 汎神論者.

-the·li·o·ma /θìːlióumə/

連結形 (乳首のような)…腫.
★ 病理関係の名詞をつくる.
★ 語末にくる関連形は -THELIUM.
★ 語頭にくる関連形は the-: *the*litis「〘病理〙乳頭炎」.
◆ <近代ラ *theli(um)* <ギ *thēlḗ* 乳首 + *-oma* -OMA.

en·do·the·li·o·ma 名 内皮(細胞)腫.
ep·i·the·li·o·ma 名 上皮腫.
mes·o·the·li·o·ma 名 中皮腫.

-the·li·um /θíːliəm/

連結形 表面の層をなす細胞組織.
★ 名詞をつくる.
★ 語末にくる関連形は -THELIOMA.
★ 語頭にくる関連形は the-: *the*litis「〘病理〙乳頭炎」.
◆ <近代ラ *-thēlium* <ギ *thḗlē* 乳首. ⇨ -IUM.

en·do·the·li·um 名 〘解剖〙内皮.
ep·i·the·li·um 名 ☞
mes·o·the·li·um 名 〘解剖〙〘発生〙中皮, 体腔上皮.
per·i·the·li·um 名 〘解剖〙(血管)外被(細胞), 周皮(細胞).

the·od·o·lite /θiάdəlàit | -ɔ́d-/

名 〘測量〙セオドライト, 経緯儀.

acóustic theódolite 音響測流経緯儀: 音波を利用して海流の鉛直分布状態を記録する.
diréction theòdolite 方向経緯儀.
gỳro-theódolite 回転経緯儀.
kìne·theódolìte キネセオドライト: 経緯儀にカメラを取りつけた機器, 航空機などの軌跡をたどる.
phòto·theódolite 写真経緯儀, セオドライト: 写真測量やロケットの飛行追跡に使う光学追跡装置.
tránsit theódolite トランシット, 転鏡儀: 水平角, 時に垂直角の測定に用いる回転式望遠鏡のついた機器.

the·ol·o·gy /θiάlədʒi | -ɔ́l-/

名 神学(divinity). ◇ -THEISM. ⇨ -OLOGY.

ascétical theólogy 修徳神学.
bláck theólogy 黒人神学.
cóvenant theólogy 契約神学.
crísis theòlogy 危機神学.
dialéctical theólogy 弁証法神学, 危機神学.
dóctrinal theólogy 教養学, 教理学, (正教会で)定理学.
liberátion theòlogy 解放の神学.
móral theólogy 道徳神学.
mýstical theólogy 神秘神学.
nátural theólogy 自然神学.
Nèw Éngland theólogy ニューイングランド神学.
Nèw Háven theólogy テーラー主義(Taylorism).
néw theólogy 新神学.
pástoral theólogy 牧会学, 司牧神学.
práctical theólogy 実践神学.
prócess theòlogy プロセス神学.
revéaled theólogy 啓示神学.
symbólic theólogy 各派信条比較神学.

the·o·rem /θíːərəm, θíər- | θíər-/

名 〘数学〙〘論理〙定理. ⇨ -EM[1].

Báyes' théorem 〘統計〙ベイズの定理.
Bernóulli's théorem 〘統計〙平均法則.
binómial théorem 〘数学〙二項定理.
Bolzáno-Wéierstrass thèorem 〘数学〙ボルツァーノ=ワイヤーストラースの定理.
Borél-Lebésgue thèorem 〘数学〙=Heine-Borel theorem.
Carnót's théorem 〘熱力学〙カルノーの定理.
céntral límit thèorem 〘統計〙中心極限定理.
cóbweb thèorem 〘経済〙クモの巣の定理.
ĆṔŤ théorem 〘物理〙CPT 定理.
de Móivre's théorem 〘数学〙ド・モワブルの定理.
Desárgues's théorem 〘幾何〙デザルグの定理.
exístence thèorem 〘数学〙存在定理.
Fermát's lást théorem 〘数学〙フェルマーの最後の定理.
Fermát's théorem 〘数学〙フェルマーの(小)定理.
Fóurier's théorem 〘数学〙フーリエの定理.
Gödel's incompleteness theorem 〘論理〙〘数学〙ゲーデルの不完全性定理.
Gréen's théorem 〘数学〙グリーンの定理.
Héine-Borél thèorem 〘数学〙ハイネ=ボレルの(被覆)定理.
implícit fúnction thèorem 〘数学〙陰関数定理.
intermédiate-válue thèorem 〘数学〙中間値の定理.
Jórdan cúrve thèorem 〘数学〙ジョルダン曲線定理.
Jórdan-Hölder thèorem 〘数学〙ジョルダン=ヘルダーの定理.
Lagránge's thèorem 〘数学〙ラグランジュの定理.
Lármor thèorem 〘物理〙ラーマーの定理.
Laurént's thèorem 〘数学〙ローランの定理.
Liouvílle's thèorem 〘数学〙リュービルの定理.
máximum válue thèorem 〘数学〙(連続関数の)最大定理.
méan válue thèorem 〘数学〙平均値の定理.
mínimax thèorem 〘経営〙ミニマックス定理 [法則].
Moréra's thèorem 〘数学〙モレラの定理.
Nérnst héat thèorem 〘物理〙〘化学〙ネルンストの熱定理, 熱力学第三法則.
nó-háir thèorem 〘天文〙無毛定理.
Pascál's thèorem 〘幾何〙パスカルの定理.
ṔĆŤ thèorem 〘物理〙=CPT theorem.
Pomeránchuck thèorem 〘物理〙ポメランチュクの定理.
Póynting thèorem 〘物理〙ポインティングの定理.
príme número thèorem 〘数学〙素数定理.
Pythágoras' théorem =Pythagorean theorem.
Pythagoréan théorem 〘幾何〙ピタゴラスの定理, 三平方の定理.
remáinder thèorem 〘数学〙剰余定理.
Rólle's thèorem 〘数学〙ロル [ロール] の定理.
Schröder-Bérnstein thèorem 〘数学〙シュレーダー=ベルンシュタインの定理.

T

Wéierstrass approximátion thèorem 〘数学〙ワイヤールシュトラースの近似定理.
wéll-órdering thèorem 〘数学〙整列(可能)定理.

the·o·ry /θíːəri, θíəri | θíəri/

名 (立証・確立された)理論, (…という)学説. ⇨ -Y³.

ábstinence thèory 〘経済〙制欲 [節欲] 説.
atómic thèory 〘物理〙〘化学〙原子理論.
attribútion thèory 〘心理〙帰属理論.
autéur thèory (映画評論で)作家理論.
Bacónian thèory 〘演劇〙ベーコン・シェークスピア説.
bánd thèory 〘物理〙バンド理論.
Bardéen-Cóoper-Schríeffer thèory 〘物理〙=BCS theory.
B́CŚ thèory 〘物理〙BCS 理論.
bíg báng thèory 〘天文〙宇宙大爆発生成 [起源] 論, ビッグバン宇宙論.
Bóhr thèory 〘物理〙ボーア理論.
bóo-hurráh thèory 《話》道徳情緒説.
bóunding thèory 〘言語〙境界理論.
bówwow thèory 《ややけなして》ワンワン説: 言語が鳴き声の擬声語から発生したとする起源説.
catástrophe thèory 〘数学〙カタストロフ [破局] の理論.
céll thèory 細胞説.
cháos thèory 〘物理〙カオス理論.
clónal selèction thèory 〘生化学〙クローン選択説.
cohérence thèory 〘哲学〙(真理の)整合説.
communicátion thèory =information theory.
compléxity thèory 〘数学〙計算量理論.
confirmátion thèory 〘論理〙確認理論.
conspíracy thèory 陰謀説.
contíngency thèory 〘経営〙条件理論, 情況理論.
contínuous creátion thèory 〘天文〙=steady state theory.
corpúscular thèory 〘物理〙粒子説.
correspóndence thèory 〘哲学〙対応説.
crítical thèory 〘哲学〙批判理論.
Dálton's atómic thèory 〘化学〙ドルトンの原子説.
Darwínian thèory 〘生物〙ダーウィン説.
decísion thèory 〘統計〙意志決定理論.
devélopment thèory 〘生物〙(Lamarck の)進化論.
dilúvial thèory 〘地質〙洪水説.
díngdong thèory (言語の)ドンガラン起源説.
dómino thèory 〘政治〙ドミノ理論.
Dówn Thèory 〘株式〙ダウ理論.
Éinstein thèory 〘物理〙相対性原理, 相対論(relativity).
eléctrowèak thèory 〘物理〙量子電磁力学と弱い相互作用の理論とを統一するゲージ理論.
fámily-trée thèory 〘歴史言語学〙系統樹説.
fíeld thèory 〘物理〙場(ば)の理論.
fróntier órbital thèory 〘化学〙フロンティア電子軌道理論.
fúzzy thèory ファジー理論, あいまい理論.
Galóis thèory 〘数学〙ガロアの理論.
gámes thèory =game theory.
gáme thèory ゲーム理論.
gáte-contròl thèory 〘生理〙=gate theory.
gáte thèory 〘生理〙ゲート理論.
gáuge thèory 〘物理〙ゲージ理論.
ǴB́ thèory 〘言語〙統率・束縛理論, GB 理論.
gérm thèory 〘病理〙細菌論.
gránd unificátion thèory 〘物理〙大統一理論.
gráph thèory 〘数学〙グラフ理論.
gréat màn thèory 偉人説.
gróup thèory 群論.
hít thèory 〘生物〙標的論, 衝撃説.
hórmic thèory 〘心理〙ホルメ説.
idéntity thèory 〘哲学〙心身一元論.
informátion thèory 情報理論.
interpérsonal thèory 〘心理〙対人関係説.
Jámes-Lánge thèory 〘心理〙ジームズ=ランゲ説.
Kenótic Thèory 〘神学〙ケノーシス説.
lég thèory 〘クリケット〙レッグセオリー.
mèt·a·thé·o·ry 名 〘論理〙メタ理論.
mí·cro·thè·o·ry 名 〘論理〙ミクロ理論.
númber thèory 〘数学〙整数論.
óbject relàtions thèory 〘精神分析〙対象関係理論.
Óxford thèory 〘文学〙オックスフォード伯説.
póoh-pooh thèory ぷーぷー説: 言語の起源は間投詞で, それが徐々に意味を持つようになったとする説.
pragmátic thèory 〘哲学〙実用 [実利] 主義理論.
probabílity thèory 〘数学〙〘統計〙確立論.
próof thèory 〘論理〙証明論.
quántity thèory 〘経済〙貨幣数量説.
quántum fíeld thèory 〘物理〙場の量子論.
quántum thèory 〘物理〙(前期)量子論.
quéuing thèory 待ち行列理論, 待ち合わせ理論.
ráce thèory 民族理論.
rándom wàlk thèory 〘経済〙千鳥足理論.
Régge thèory 〘原子物理〙レッジェ(極)理論.
Salám-Wéinberg thèory 〘物理〙サラム=ワインバーグ理論.
sét thèory 〘数学〙集合論.
slíding thèory 〘生物〙〘生理〙〘生化学〙滑り説.
stéady státe thèory 〘天文〙宇宙無限膨張説, 定常宇宙論.
stríng thèory 〘物理〙ひも理論.
sùperdénse thèory =big bang theory.
súper-mány-tìme théory 〘物理〙超多時間理論.
súperstring thèory 〘物理〙超ひも理論.
tríckle-down thèory 《主に米》通貨浸透説.
týpe thèory 〘生物〙原型説.
úndulatory thèory 〘物理〙=wave theory.
únified fíeld thèory 〘物理〙=electroweak theory.
wáge-fùnd thèory 〘経済〙賃金基金説.
wáve thèory 〘物理〙(光の)波動説.
Wéinberg-Salám thèory 〘物理〙=electroweak theory.
X́-bàr thèory 〘言語〙X バー [x̄] 理論.
yó-hèave-hó thèory (言語の)ヨイトマケ起源説.

-theque /tèk; *Fr.* tɛk/

連結形 入れ物, 置き物. ►-thèque ともつづる.
★ 名詞をつくる.
★ 語末にくる関連形は -THECA, -THECIUM.
★ 語頭にくる形は thec-: *theco*dont「〘古生物〙槽歯類」.
◆ <仏 *-thèque* <ラ *theca* <ギ *thḗkē* 入れ物, 容器.
[発音] 語頭の音節に第 1 強勢. 例外: cìnemathéque, dìscothéque もある.

bi·bli·o·thèque 名 《フランス語》図書館.
cin·e·ma·theque 名 シネマテーク, フィルム・ライブラリー.
dis·co·theque 名 ディスコ(テーク), ナイトクラブ.
jaz·zo·thèque 名 ジャズの生演奏とレコードのダンス音楽のあるナイトクラブ.
vid·e·o·theque 名 《話》ビデオテック.

ther·a·peu·tics /θèrəpjúːtiks/

名複 《単数扱い》治療学, 治療法. ◇THERAPY. ⇨ -ICS.

aer·o·ther·a·peu·tics 名複 大気 [空気] 療法(学).
che·mo·ther·a·peu·tics 名複 化学療法.
e·lec·tro·ther·a·peu·tics 名複 電気療法.
hy·dro·ther·a·peu·tics 名複 水治療学.
pho·to·ther·a·peu·tics 名複 光線治療学.
psy·cho·ther·a·peu·tics 名複 《ややまれ》精神 [心理] 療法.

ther·a·py /θérəpi/

名 (病気の)治療, 療法; (特に)物理療法. ⇨ -Y³.

ac·tìn·o·thér·a·py 名 〘医学〙放射線療法.
ádjuvant thèrapy 〘医学〙アジュバント [補助] 療法.
àer·o·thér·a·py 名複 大気療法.

àl·i·mén·to·thèr·a·py 名 〘医学〙食餌(しょくじ)療法.
aròma·thérapy 名 芳香療法, アロマテラピー.
avérsion thèrapy 〘心理〙〘精神医学〙嫌悪療法.
bac·tè·ri·o·thér·a·py 名 〘医学〙細菌(製剤)療法.
bàl·ne·o·thér·a·py 名 〘医学〙浴療法, 鉱泉[温泉]療法.
behávior thèrapy 〘心理〙行動療法.
bìb·li·o·thér·a·py 名 〘精神医学〙読書療法.
biológical thérapy 〘医学〙=biotherapy.
bì·o·thér·a·py 名 〘医学〙生物(学的)療法.
céll thèrapy 細胞療法.
céllular thérapy =cell therapy.
chè·mo·thér·a·py 名 〘医学〙化学療法.
chrò·no·thér·a·py 名 〘医学〙時間療法.
chry·so·thér·a·py 名 =gold therapy.
clíent-cèntered thérapy 〘心理〙受療者[患者]中心療法.
cli·mà·to·thér·a·py 名 〘医学〙気候療法.
cógnitive thérapy 〘心理〙認知療法.
cóuples thèrapy 〘精神医学〙二者療法.
crỳ·mo·thér·a·py 名 〘医学〙=cryotherapy.
cry·o·thér·a·py 名 〘医学〙寒冷[冷凍]療法.
crýstal thèrapy 水晶[宝石, 鉱物]に触れる治療法.
déath thèrapy 〘医学〙対死療法.
déep thèrapy 〘医学〙(短波長 X 線による)深部治療.
der·mà·to·thér·a·py 名 〘医学〙皮膚病治療.
elèctroconvúlsive thérapy 〘精神医学〙電気痙攣療法.
e·lèc·tro·thér·a·py 名 電気療法.
èth·no·thér·a·py 名 〘心理〙民族療法.
fámily thèrapy 〘心理〙家族療法.
féver thèrapy 〘医学〙発熱療法.
fórest thèrapy 森林浴療法.
gàl·va·no·thér·a·py 名 〘医学〙直流電気療法.
géne thèrapy 〘医学〙遺伝子治療.
Gestált thèrapy 〘心理〙ゲシュタルト(心理)療法.
góld thèrapy 〘医学〙金療法.
gràph·o·thér·a·py 名 〘精神医学〙筆跡診断(法).
Gréyhound thérapy 《米俗》グレーハウンド療法: ホームレスを管轄地区から追い出す, 一部の市当局や政府機関の政策.
gríef thèrapy 〘精神医学〙悲哀療法.
gróup thèrapy 集団療法.
hè·li·o·thér·a·py 名 日光浴療法.
hè·mo·thér·a·py 名 〘医学〙血液療法.
hò·me·o·thér·a·py 名 〘医学〙同種[類症]療法.
hórmone replácement thèrapy 〘医学〙ホルモン置換療法.
hy·dro·thér·a·py 名 水治療学.
hyp·no·thér·a·py 名 催眠(術)療法.
ìm·mu·no·thér·a·py 名 免疫療法.
implósion thérapy 〘精神医学〙刺激被爆療法.
inhalátion thèrapy 吸入療法.
ínsulin-còma thèrapy 〘精神医学〙インシュリン(昏睡(こんすい))療法.
ínsulin-shòck thèrapy 〘精神医学〙インシュリンショック療法.
ki·nè·si·thér·a·py 名 運動療法.
líght thèrapy 〘医学〙光線療法.
lò·go·thér·a·py 名 〘精神医学〙言語治療.
máintenance thèrapy 〘医学〙維持療法.
márital thèrapy 夫婦療法.
màs·so·thér·a·py 名 〘医学〙マッサージ療法.
mèch·a·no·thér·a·py 名 機械的療法.
me·tàl·lo·thér·a·py 名 〘医学〙金属療法.
milíeu thèrapy 環境療法.
my·o·thér·a·py 名 〘医学〙筋肉療法.
nàr·co·thér·a·py 名 〘精神医学〙麻酔療法.
néedle thèrapy 鍼(はり)療法.
nondiréctive thérapy =client-centered therapy.
occupátional thérapy 〘医学〙作業療法.
òp·o·thér·a·py 名 =organotherapy.
òr·ga·no·thér·a·py 名 臓器療法.
phàr·ma·co·thér·a·py 名 薬理療法.
phò·to·thér·a·py 名 光線療法.
phýsical thérapy 物理[理学]療法.
phy·si·o·thér·a·py 名 =physical therapy.
pión thèrapy 〘医学〙パイ中間子療法.
pláy thèrapy 遊戯療法.
pneu·mà·to·thér·a·py 名 気密室療法, (変圧)空気療法.
prímal thérapy 〘精神医学〙原初[根源]療法.
psỳ·cho·phàr·ma·co·thér·a·py 名 精神薬理療法.
psy·cho·thér·a·py 名 精神[心理]療法.
púlp canàl thèrapy 歯内療法(学).
púlse thèrapy 〘医学〙パルス[衝撃]療法.
pỳr·e·to·thér·a·py 名 〘医学〙発熱療法.
radiátion thèrapy =radiotherapy.
rà·di·o·thér·a·py 名 放射線療法.
rádium thèrapy ラジウム療法.
rátional-emótive thèrapy 〘心理〙論理(情動)療法.
reálity thèrapy 〘精神医学〙〘心理〙現実療法.
reinfórcement thèrapy 〘心理〙強化療法.
reléase thèrapy 〘精神医学〙解除[解放]療法.
ròent·gen·o·thér·a·py 名 レントゲン(線)療法, X 線療法.
róot canàl thèrapy =pulp canal therapy.
sclè·ro·thér·a·py 名 〘医学〙硬化療法.
scréam thèrapy 絶叫療法.
sè·ro·thér·a·py 名 〘医学〙血清療法.
sérum thèrapy =serotherapy.
séx thèrapy 〘精神医学〙性的障害セラピー.
shóck thèrapy ショック療法.
shóck wàve thèrapy 〘医学〙砕石術.
somátic thérapy 〘精神医学〙身体療法.
sò·ma·to·thér·a·py 名 〘精神医学〙=somatic therapy.
spéech thèrapy 言語療法, 言語(障害)治療.
suppórtive psychothérapy 支持的精神療法.
suppórtive thérapy 〘医学〙支持療法.
tánk thèrapy タンク療法.
tèl·e·thér·a·py 名 遠隔療法, 電話療法.
tha·lás·so·thèr·a·py 名 海水[海藻]療法.
thèr·mo·thér·a·py 名 温熱療法.
vírtual thèrapy 〘精神医学〙(コンピュータによる)バーチャル療法.
X́-ray thèrapy 〘医学〙X 線療法.
Ź thèrapy 〘精神医学〙Z 療法.
fresh-céll thérapy フレッシュ・セル治療: 屠殺してすぐの動物の細胞から採った血清を人に注射する若返り療法.

-there /ðὲər/

連結形 〘動物分類〙…獣[動物].
★ 語末にくる関連形は -THERIUM.
★ 語頭にくる形は ther-: *ther*apsid「獣弓類」, *ther*iomorph「獣の姿をした神」.
◆ <近代ラ *-therium* <ギ *thēríon* 毒をもつ獣.
[発音] 2つ前の音節に第 1 強勢. 例外: chálicothere.

an·chi·there 名 アンキテリウム: 中新世のアンキテリウム属の化石ウマ.
ba·lu·chi·there 名 バルキテリウム: 絶滅したバルキテリウム属のサイ.
chal·i·co·there 名 カリコテリウム: 第三紀のカリコテリウム科の奇蹄(きてい)類の総称.
di·no·there 名 恐獣: 第三紀の絶滅した恐獣属の哺乳(ほにゅう)類の総称.
meg·a·there 名 メガテリウム, オオナマケモノ: オオナマケモノ属またはそれに近縁した属の絶滅した巨獣.
pan·to·there 名 全獣類動物: 汎(はん)獣下綱に属し, 中生代後期に生息した哺乳類の先祖と考えられる.
ti·tan·o·there 名 ティタノテリウム類: 絶滅哺乳(ほにゅう)類のブロントテリウム科に属す.
u·in·ta·there 名 ウィンタテリウム, ユーインタテリウム, 恐角獣: 恐角目の *Uintatherium* 属のサイに似た哺乳(ほにゅう)類.

-the·ri·um /θíəriəm/

連結形 動物(animal), 野獣(beast).

★ 絶滅した哺乳(ほにゅう)動物の属名に使う.
★ 語末にくる関連形は -THERE.
★ 語頭にくる関連形は ther-: *ther*apsid「獣弓類」, *ther*iomorph「獣の姿をした神」.
◆ <近代ラ<ギ *thēríon* 野獣. ⇨ -IUM.

hy·ra·co·the·ri·um [名] 〖古生物〗エオヒップス(eohippus), アケボノウマ(曙馬).
no·to·the·ri·um [名] 〖古生物〗ノトテリウム.
siv·a·the·ri·um [名] 〖古生物〗シバテリウム: キリン類の大形の化石哺乳類.

-therm /θə̀ːrm/

[連結形] 熱.
★ 語末にくる関連形は -THERMIA, -THERMY.
★ 語頭にくる形は therm(o)-: *therm*esthesia「温覚, 温度感覚」, *thermo*chemistry「熱化学」.
◆ ギリシャ語 *thermós*「熱い」より.

der·ma·therm [名] 〖医学〗皮膚温度測定器.
der·mo·therm [名] 〖医学〗=dermatherm.
ec·to·therm [名] 外温動物, 変温動物, 冷血動物.
en·do·therm [名] 内温動物.
eu·ry·therm [名] 広温性生物.
ge·o·therm [名] 〖地質〗地熱の等熱線.
ho·me·o·therm [名] =homoiotherm.
ho·moi·o·therm [名] 定温[恒温]動物, 温血動物.
ho·mo·therm [名] =homoiotherm.
is·al·lo·therm [名] 〖気象〗気温等変化線.
i·so·bath·y·thèrm [名] 海中等温線.
i·so·dros·o·therm [名] 〖気象〗等露点温度線.
i·so·ge·o·therm [名] 等地温線.
i·so·therm [名] 〖気象〗等温線.
meg·a·therm [名] (熱帯植物のように)生長のために高温と多量の水分を必要とする植物.
mi·cro·therm [名] 低温植物.
poi·kil·o·therm [名] 変温[冷血]動物.
sten·o·therm [名] 狭温性生物.

ther·mal /θə́ːrməl/

[形] 熱の, 温度の. ⇨ -AL[1].
★ 語頭にくる関連形は therm(o)-: *therm*esthesia「温覚, 温度感覚」, *thermo*chemistry「熱化学」.

e·lec·tro·ther·mal [形] 電熱の, 電気と熱の.
epi·ther·mal [形] 〖地質〗〈鉱床が〉浅熱水の.
eury·ther·mal [形] 〖生態〗〈生物が〉広温性の.
geo·ther·mal [形] 地熱の.
he·ma·ther·mal [形] =homoiothermal.
he·ma·to·ther·mal [形] =homoiothermal.
ho·me·o·ther·mal [形] =homoiothermal.
ho·mo·io·ther·mal [形] 定温[恒温]の, 温血の.
ho·mo·ther·mal [形] =homoiothermal.
hy·dro·ther·mal [形] 〖地質〗熱水の.
hy·gro·ther·mal [形] 湿度と温度の[に関する].
hy·po·ther·mal [形] なまぬるい, 微温の.
i·so·ther·mal [形] 一定温度[等温]で起こる.
o·cean·ther·mal [形] 〖海洋〗海洋温度差利用の, 海洋熱の.
poi·ki·lo·ther·mal [形] 〖動物〗冷血の; 変温(性)の.

-ther·mi·a /θə́ːrmiə | -miə, -mjə/

[連結形] 〖病理〗熱.
★ 名詞をつくる.
★ 語末にくる関連形は -THERM.
★ 語頭にくる関連形は therm(o)-: *therm*esthesia「温覚, 温度感覚」, *thermo*chemistry「熱化学」.
◆ <ギ *thérm(ē)*「熱」+ *-ia* -IA.

hy·per·ther·mi·a [名] (異常)高熱, 高体温.
hy·po·ther·mi·a [名] 低体温(症).
nor·mo·ther·mi·a [名] 正常体温, 平熱, 適温.

ther·mic /θə́ːrmik/

[形] 熱[温度]の[に関する, による](thermal). ⇨ -IC[1].
★ 語頭にくる関連形は therm(o)-: *thermo*meter「温度計」.

a·ther·mic [形] 非熱伝導の, 熱を伝えない.
di·a·ther·mic [形] 透熱療法(diathermy)の.
en·do·ther·mic [形] 〖化学〗吸熱性の, 吸熱(反応)の.
eu·ther·mic [形] 熱を発生する, 発熱性の.
ex·o·ther·mic [形] 〖化学〗(化学変化の)放熱の.
pho·to·ther·mic [形] 光熱効果に関する.
sil·i·co·ther·mic [形] シリコテルミック法の.
xe·ro·ther·mic [形] 〈気候が〉乾燥して暑い, 熱乾性の.

ther·mom·e·ter /θərmámətər | -mɔ́mətə/

[名] 温度計; 体温計. ⇨ -METER.

áir thermòmeter 空気温度計.
clínical thermómeter 検温器, 体温計.
drý-bùlb thermómeter 〖気象〗乾球温度計.
gás thermòmeter ガス[気体]温度計.
kàta·thermómeter [名] カタ[空冷]温度計.
máximum and mínimum thermómeter 〖物理〗最高最低温度計.
máximum thermómeter 最高温度計.
mínimum thermómeter 最低温度計.
óral thermómeter 口腔体温計.
plátinum thermómeter 白金温度計.
réctal thermómeter 直腸体温計.
resístance thermòmeter 〖冶金〗抵抗温度計.
revérsing thermòmeter 〖物理〗転倒温度計.
tèle·thermómeter [名] 遠隔温度計.
thermoeléctric thermómeter 〖物理〗熱電対(ついつい).
tympánic thermómeter 耳で計る赤外線体温計.
wét-and-drý búlb thermòmeter 〖気象〗乾湿球湿度計.
wét-bùlb thermómeter 〖気象〗湿球温度計.

-ther·my /θə̀ːrmi/

[連結形] …熱(heat), 発熱.
★ 名詞をつくる.
★ 語末にくる関連形は -THERM.
★ 語頭にくる関連形は therm(o)-: *therm*esthesia「温覚, 温度感覚」, *thermo*chemistry「熱化学」.
◆ <近代ラ *-thermia* <ギ *thérmē* 熱. ⇨ -Y[3].

a·lu·mi·no·ther·my [名] 〖冶金〗テルミット法.
di·a·ther·my [名] 〖医学〗ジアテルミー, 透熱療法.
in·duc·to·ther·my [名] 〖医学〗電磁感応発熱療法.
ra·di·o·ther·my [名] 〖医学〗電気透熱療法.

-the·sis /θísis/

[連結形] 置くこと; 置かれた物.
★ 名詞をつくる.
★ 複数形は -theses.
★ 語末にくる関連形は -THESIZE, -THETIC.
◆ ギリシャ語 *tithénai*「置く」より. ⇨ -ESIS.

an·tith·e·sis [名] (…の)正反対; (…の)対立, 対照.
di·ath·e·sis [名] 〖病理〗素質, 体質, 素因.
ep·en·the·sis [名] 語中音添加.
hy·poth·e·sis [名] ☞
me·tath·e·sis [名] 〖言語〗音位[字位]転換[転位].
pa·ren·the·sis [名] (丸)括弧, パーレン.
pros·the·sis [名] 〖外科〗人工器官, 人工(補)装具.
proth·e·sis [名] 〖文法〗語頭音添加.
syn·the·sis [名] ☞

-the·size /θəsàiz/

連結形 置く.
★ 動詞をつくる.
★ 語末にくる関連形は -THESIS, -THETIC.
◆ ギリシャ語 *thésis*「下に置くこと, 下に置かれたもの」より. ⇨ -IZE¹.
[発音] 直前の音節に第 1 強勢.

e·pen·the·size 動他 …を語中音として挿入する.
hy·poth·e·size 動自 仮説を立てる, 仮説 [仮定] を設ける.
me·tath·e·size 動自他 音位 [字位] 転換する [させる].
pa·ren·the·size 動他 〈語句を〉挿しはさむ.
syn·the·size 動他 …を総合 [統合] する, まとめ上げる.

-thet·ic /θétik/

連結形 置く…の.
★ -thesis で終わる語の形容詞をつくる.
★ 語末にくる関連形は -THESIZE, -THESIS.
◆ ギリシャ語 *tithénai*「置く」より. ⇨ -TIC.

an·ti·thet·ic 形 対照(法)の.
en·thet·ic 形 外因性の.
ho·mo·thet·ic 形 〖幾何〗相似(拡大)の.
nom·o·thet·ic 形 立法の, 法を制定する(lawgiving).
pros·thet·ic 形 〖言語〗語頭音添加の.
syn·thet·ic 形 ☞

thief /θiːf/

名 泥棒, 盗人.

chícken thìef 《米話》こそ泥, みみっちい泥棒.
pánel thìef 売春宿で客の金品を盗む泥棒.
snéak thìef 空き巣ねらい, こそ泥; かっぱらい.

thin /θín/

形 薄い, 厚みのない.

mi·cro·thin 形 きわめて薄い, 超薄型の.
páper-thín 形 非常に薄い [狭い].
razor-thìn 形 紙一重の, きわどい.
thíck-and-thín 形 どんな障害 [困難] も厭(いと)わない.
ùl·tra·thín 形 きわめて薄い, 極薄の, 超薄型の.
wáfer-thín 形 非常に薄い.

thing /θíŋ/

名 **1** (有形の)物, 物体; 《軽蔑・親愛などの気持ちを込めて》人. **2** 抽象的な物, 事柄. **3** (明確に示せないか, または示すことを避けて)物, 何か. **4** 道具, 用品.

ány·thìng 代 何も, どんなこと [もの] も; 何か.
év·ery·thìng 代 あらゆること, 何もかも, 万事.
góod thìng うまくいった行為, 当たった思惑.
náe·thing 《スコット》=nothing.
néw thíng フリージャズ(free jazz): 1960 年代の前衛ジャズの一形式.
nón-thíng =nothing.
nóth·ing 代 ☞
óld thíng 《英俗》昔なじみ, 旧友.
pláy·thìng おもちゃ, 玩具.
sóme·thing 代 あるもの [こと], 何か.
súre thíng 《話》確実にうまくいく(と思える)こと.
Wárminster thíng ウォーミンスター現象: イングランドの Warminster でよく報告される UFO や怪奇などの超常現象.
wáshing thìng 《英》トイレ用品.
yóung thíng (未熟な)若い人(特に女性).

think /θíŋk/

動自他 (…を)考える, 思考する, 推論する, 判断する.

be·think 動自他 (…を)考える, 熟考する.
mis·think 動自他 《古》(…を)誤解する.
out·think 動他 …より優れた考えを持つ.
re·think 動自他 考え直す, 再考する; 熟考する.
un·think 動自他 考えるのをやめる; 無視する.

-think /θiŋk/

連結形 …思考(型).
★ 名詞をつくる.
◆ THINK の連結形.

deep·think 名 《米俗》机上の空論.
dou·ble·think 名 二重思考.
group·think 名 集団思考(conformity).

think·ing /θíŋkiŋ/

形 《褒めて》考える, 思索する, 思考力のある. ── 名 考えること, 思考. ⇨ -ING², -ING¹.

convérgent thínking 〖心理〗集中的思考.
divérgent thínking 〖心理〗発散 [拡散] 的思考.
fórward-thìnking 形 〈人が〉将来を考えている; 進歩的な.
láteral thínking 水平思考.
línear thínking 直線的思考.
mágical thínking 呪術(じゅじゅつ)的思考.
ríght-thínking 形 正しい考え [信念] を持った.
ùn·thínking 形 思慮のない, 不注意な, 軽率な.
wíshful thínking 願望的思考, 希望的観測.

thi·o·cy·a·nate /θàiousáiənèit, -nət/

名 〖化学〗チオシアン酸塩 [エステル], ロダン酸塩 [エステル]. ⇨ -ATE².

ammónium thiocýanate チオシアン酸アンモニウム.
bénzyl thiocýanate チオシアン酸ベンジル.
í·so·thi·o·cý·a·nate 名 イソチオシアン酸塩 [エステル].
potássium thiocýanate チオシアン酸カリウム.
sódium thiocýanate 〖薬学〗チオシアン酸ナトリウム.

-thion /θiɑn | -ɔn/

連結形 〖化学〗イオウ(硫黄).
★ 名詞をつくる.
★ 語頭にくる関連形は thio-: *thio*acetamide「〖化学〗チオアセタミド」.
◆ ギリシャ語 *theîon* より.

eth·i·on 名 エチオン.
fe·nit·ro·thi·on 名 〖薬学〗フェニトロチオン.
fen·thion 名 フェンチオン.
mal·a·thi·on 名 マラチオン.
par·a·thi·on 名 パラチオン.

this·tle /θísl/

名 〖植物〗アザミ.

blúe thístle 《米》シベナガムラサキ(blueweed).
búll thístle アザミ属の草 *Cirsium vulgare*.
Cánada thístle 《米・カナダ》エゾキツネアザミ.
cótton thístle =Scotch thistle.
créeping thístle エゾノキツネアザミ.
glóbe thístle ヒゴタイ.
gólden thístle キバナアザミ.
hóly thístle =lady's-thistle.
lády's-thìstle オオアザミ, マリアアザミ.
mílk thìstle =lady's-thistle.
músk thìstle ユーラシアから米国に移入されたキク科ヤハズアザミ属の草.
Rússian thístle アカザ科オカヒジキ属の草.
Scótch thístle オオヒレアザミ.

T

sów thìstle ノゲシ.
stár thìstle ベニバナヤグルマギク.
tórch thìstle ハシラ(柱)サボテン.

-thon /θàn | θɔ̀n/

連結形 -athon の異形. ►-athon を -a-thon として -a- を接中辞のようにみせるものと元の語の母音に -thon をつけるものがある. ◇ marathon「マラソン競走」.

call-a-thon 名 連続電話討論.
ra·di·o·thon 名 ラジオソン.
read-a-thon 名 読書マラソン, 連続読書奨励.
tel·e·thon 名 《主に米》テレビ長時間番組.

tho·rax /θɔ́ːræks/

名 **1**〖解剖〗胸郭, 胸腔(きょう), 胸. **2**(昆虫の)胸部.
★ 語頭にくる関連形は thoraco-: *thoraco*plasty「〖外科〗胸郭成形術」.

ceph·a·lo·tho·rax 名 〖動物〗頭胸部.
chy·lo·tho·rax 名 〖医学〗乳糜(にゅうび)胸(症).
hy·dro·tho·rax 名 〖病理〗水胸症.
mes·o·tho·rax 名 〖昆虫〗中胸.
met·a·tho·rax 名 〖昆虫〗後胸.
pneu·mo·tho·rax 名 〖病理〗気胸.
pro·tho·rax 名 〖昆虫〗前胸.
py·o·tho·rax 名 〖病理〗蓄膿(症), 膿胸.

thorn /θɔ́ːrn/

名 (植物の)とげ, 針.

áll·thòrn (米国西部の)フウチョウソウ科のとげ植物.
bláck·thòrn ブラックサンザシ(山査子).
bóx·thòrn クコ(枸杞)(matrimony vine).
búck·thòrn クロウメモドキ(イソノキを含む).
Chríst's-thòrn キリストノイバラ.
fíre·thòrn ピラカンサ, トキワサンザシ.
háw·thòrn サンザシ(山査子).
Jerúsalem thórn キリストノイバラ(Christ's-thorn)のなかまで, ハマナツメの一種.
kangaróo thòrn ハリアカシア(kangaroo acacia).
Máy·thòrn =hawthorn.
quíck·thòrn =whitethorn.
Wáshington thórn アメリカサンザシ.
whíte·thòrn セイヨウサンザシ.

thought[1] /θɔ́ːt/

名 **1** 思想. **2** 思考; 思慮.

áfter·thòught 名 考え直し, 再考; 後知恵; 結果論.
fóre·thòught 名 (将来に備える)深慮, 用心.
frée thóught 自由思想.
mérry·thòught 名 《主に英》(鳥の胸の)暢思(ちょうし)骨.
Néw Thóught 〖宗教〗新思想.
sécond thóught 再考.
ùn·thóught 名 考えのなさ, 無思慮.

thought[2] /θɔ́ːt/

動 think の過去・過去分詞形. ⇨ -T[1].

afóre·thòught 形 計画的な, 故意の.
be·thóught 動 bethink の過去・過去分詞形.
ùn·thóught 動 unthink の過去・過去分詞形.

thread /θréd/

名 **1**(亜麻・木綿などの)糸. **2** ねじ筋, ねじ山.

búttress thrèad 鋸歯(きょし)ねじ.
góld·thrèad 〖植物〗ミツバオウレン(三葉黄蓮).
identificátion thrèad ローグスヤーン: 色が目立つ子縄.
lísle thrèad ライル糸.
páck·thrèad 強い撚(よ)り糸, 荷造りひも.
sácred thréad 〖ヒンドゥー教〗聖紐(せいちゅう).
scréw thrèad ねじ山.
secúrity thrèad (紙幣の)セキュリティ・スレッド.
síngle thréad 〖コンピュータ〗単一スレッド.
squáre thréad 〖機械〗角ねじ.
ùn·thréad 動他 …の糸を抜く [取る].

three /θríː/

名形 3(の); 《米俗》《交信終了後のあいさつ》多幸を祈る.

Bíg Thrée 三大国: 米国, 旧ソ連, 中国の三国.
C̄ thrée 形 《英》丙種下の: 第一次世界大戦の徴兵検査で体格が最劣等の部類.
númber thrée 《米麻薬俗》コカイン.
óne-twó-thrée (ボクシングの)ワンツースリー.
páge thrée 《英俗》(大衆新聞 The Sun の)第三面.
pár-thrée 形 (ゴルフの)パースリーの.
séventy-thrée 名形 73(の).
Sígna Thrée シグナスリー: 偽造の紙幣や株券を光学的メカニズムで発見する機械.
síx-thrèe-thrée 形 〖教育〗6-3-3 制の.
thírty-thrée 名形 33(の).

thresh·old /θréʃhould/

名 **1** 敷居. **2**〖心理〗〖生理〗閾(いき). **3**〖物理〗しきい(値).

Geiger-Müller threshold 〖物理〗(ガイガー計数管などの)電離箱に加えられる極小電圧.
núclear thréshold 核兵器使用段階.
photoeléctric thréshold 〖物理〗光電(こうでん)限界.
sùb·thréshold 形 〈刺激が〉閾値以下の.

throat /θróut/

名 〖解剖〗〖動物〗咽喉(いんこう), のど.

blúe·thròat 〖鳥類〗オガワコマドリ.
cút·thròat のどを切る人; 人殺し; 殺し屋.
déep thróat 《米俗》ディープスロート: フェラチオの一種.
éar-nòse-and-thróat 形 耳鼻咽喉科(ENT)の.
reláxed thróat 〖病理〗咽喉カタル.
smóker's thróat 〖病理〗喫煙による慢性咽喉炎.
sóre thróat 〖病理〗咽喉炎.
strép thróat 〖病理〗連鎖球菌咽喉炎.
whíte·thròat 〖鳥類〗ノドジロムシクイ.
yéllow·thròat 〖鳥類〗カオグロアメリカムシクイ類.

throm·bo·sis /θrambóusis | θrɔm-/

名 〖病理〗血栓症, 血栓形成. ⇨ -OSIS.
★ 語頭にくる関連形は thromb(o)-: *thrombo*cyte「〖細胞生物〗小板」.

cerébral thrombósis 脳血栓(症).
córonary thrombósis 冠状動脈血栓(症).
phlèbo·thrombósis 名 静脈血栓症.

throne /θróun/

名 (儀式の場合などの)玉座, 王座; 君主 [司教, 高位の人] の座席. ── 動自他 王位に就かせる [就く].

de·thróne 動他 〈王を〉退位 [廃位] させる.
dis·en·thróne 動他 =dethrone.
en·thróne 動他 …を王座に就かせる, 即位させる.
in·thróne 動他 =enthrone.
un·thróne 動他 …を王位から退ける, 廃位させる.

through /θrúː/

前 …を通り抜けて, を貫いて, の中を通して; …の端から端まで. ――副 通り抜けて, 貫いて, 通って; 端から端まで.
★ through を伴う句動詞が名詞化して複合語となったものが多い: see through → see-through.

bréak·thròugh 名 〔軍事〕突破(作戦).
bút·ton-thròugh 形 〈衣服が〉上から下までボタン留めの.
dríve-thròugh 名 ドライブスルー.
féed·thròugh 名 〔電子工学〕両面間接続端子.
flóor-thròugh 形 《米》フロア全体を占める.
fól·low-thròugh 名 フォロースルー.
lóok-thròugh 名 透かし地合い.
páss-thròugh 名 (食堂と台所の間の)配膳口.
prínt-thròugh 名 〔電磁〕プリントスルー.
púll-thròugh 形 《俗》やせた.
ráke-thròugh 名 《俗》(書類・衣服などを)徹底的に調べること.
réad-thròugh 名 読書; 朗読; 読書力.
rún-thròugh 名 〔演劇〕(本番前の)通しげいこ.
rúst-thròugh 名 さび(ること).
sée-thròugh 形名 透けて見える(服).
séll-thròugh 名 (レンタルでなく)売りに出される商品.
shów-thròugh 名 透き通し.
thère·thróugh 副 《古》それを通して[通り抜けて].
thúmb-thròugh 名 (本などを)ぱらぱらとめくること.
wálk-thròugh 名 〔演劇〕〔テレビ〕立ちげいこ.
whère·thróugh 副 《文語》《関係副詞》それを通して…する(through which).

throw /θróu/

動他 …を投げる. ――名 投げること; 投球; 投げられる距離.

dówn·thròw 投げ倒すこと; 打倒; 転倒, 転覆.
frée thrów 〔バスケット〕フリースロー.
hámmer thròw 〔陸上競技〕ハンマー投げ.
òut·thrów 動他 投げ出す, 広げる.
òver·thrów 動他 (権力の座から)引き下ろす.
stóne's thrów 石を投げて届くほどの距離, 近距離.
úp·thròw (地表などの)隆起.
wéight thròw 〔スポーツ〕ケーブルにつけた重い金属球を投げて距離を競う, ハンマー投げに似た競技.
wínd·thròw 風で木が根こそぎ倒されること.

throw·er /θróuər/

名 投げる人[もの]. ⇨ -ER[1].

diámond-thrówer (機関車の)火夫, かまたき.
fláme·thròwer (兵器用の)火炎放射器.
hátchet thròwer 《米黒人俗》プエルトリコ人, ラテンアメリカ人.
míne thròwer 〔軍事〕迫撃砲.
snów thròwer 除雪車.
spéar-thròwer 〔人類〕投槍(とうそう)器.

thrush /θrʌ́ʃ/

名 〔鳥類〕ツグミ.

ánt-thrùsh アリツグミ.
gráy-chèeked thrúsh ハイイロチャツグミ.
hérmit thrùsh チャイロツグミ.
láughing thrúsh ガビチョウ属の鳥の総称.
míssel thrùsh =mistle thrush.
místle thrùsh ヤドリギツグミ.
místletoe thrùsh =mistle thrush.
ólive-bàcked thrúsh オリーブチャツグミ.
róck thrùsh コシジロイソヒヨ.
shríke thrùsh ヒタキ科シロガシラモズチメドリ属の鳥.
sóng thrùsh ウタツグミ.
Swáinson's thrúsh =olive-backed thrush.
váried thrúsh ムナオビツグミ.
wáter thrùsh ミズツグミ.
whístling thrúsh ルリチョウ.
Wílson's thrúsh ビリーチャツグミ(veery).
wóod thrùsh モリツグミ, アメリカモリムシクイ.

thrust /θrʌ́st/

動他自 ぐいと強く押す[突く]. ――名 **1** ぐいと押すこと, 突き. **2**〔地質〕衝上断層.

cóunt·er·thrùst 名 反撃の突き; 反撃.
hóme thrùst 《フェンシング》急所への一突き.
òut·thrúst 動他自 突き出す[出る], 広げる, 広がる.
ó·ver·thrùst 名 〔地質〕押しかぶせ断層.
squát thrùst スクワットスラスト: 両手を床につけて腕を伸ばしたまま, 両足を屈伸させる運動.
stóp thrùst 〔フェンシング〕アレ, クーダレ.
ún·der·thrùst 名 〔地質〕逆押しかぶせ断層.
úp·thrùst 名 突き上げ, 押し上げ.

thumb /θʌ́m/

名 (手の)親指, 母指.

brówn thúmb 《米》園芸[野菜栽培]の下手な人.
dówn-thùmb 動他 《米俗》認めない, 拒否する.
gréen thúmb 《米・カナダ》園芸の才.
hóp-o'-my-thúmb とても小さい人, 小人.
lády's-thùmb 〔植物〕ハルタデ.
míller's-thúmb カジカ属の小形淡水魚の総称.
wét thúmb (水族館などで)魚をふやす才能.

thump·er /θʌ́mpər/

名 どしん[ごつん]と打つ人[もの]. ⇨ -ER[1].

Bíble-thùmper 《俗》熱烈な福音伝道者.
cráw-thùmper 《アイル話》信心深く見せかける人.
cúshion thùmper 《米俗》牧師.
gút-thùmper 《米俗》あっというこ と.
ívory-thùmper 《米俗》ピアノを弾く人.
túb-thùmper 《話》《しばしば軽蔑的》熱弁を振るう説教師[演説者].

Thurs·day /θə́ːrzdei, -di/

名 木曜日. ⇨ DAY.

Bláck Thúrsday 〔証券〕暗黒の木曜日.
Hóly Thúrsday 〔キリスト教〕(キリストの)昇天日.
Máundy Thúrsday 〔キリスト教〕洗足木曜日, 聖木曜日.
Shéer Thúrsday =Maundy Thursday.

thyme /táim; θáim | táim/

名 **1**〔植物〕ジャコウソウ(麝香草). **2**(香辛料の)タイム.

básil thỳme クルマバナモドキ.
créeping thýme =mother-of-thyme.
lémon thỳme =mother-of-thyme.
móther-of-thýme ヨウシュイブキジャコウソウ.
wíld thýme =mother-of-thyme.

-thy·mi·a /θáimiə/

連結形 (…の)精神[意志]状態, …気質.

★ 名詞をつくる.
★ 語頭にくる関連形は thym(o)-: *thym*ectomy「胸腺切除」, *thymo*cyte「胸腺細胞」.
◆ ギリシャ語 *thȳmós*「魂, 精神, 心」より. ⇨ -IA.

a·lex·i·thy·mi·a 名 〖精神医学〗無感情症.
cy·clo·thy·mi·a 名 〖精神医学〗循環気質, 躁鬱病.
dys·thy·mi·a 名 〖精神医学〗気分変調.
hy·per·thy·mi·a 名 〖精神医学〗発揚性.
hy·po·thy·mi·a 名 〖心理〗感情減退.
rha·thy·mi·a 名 のんきな行動, 気楽さ.
schiz·o·thy·mia 名 〖精神医学〗分裂気質.

-tic /tik/

接尾辞 -ic[1] の異形.
★ 形容詞, 名詞をつくる; 特に -sis で終わる名詞の語幹から形容詞をつくる.
★ 日本語と中国語では -tic と音の類似から「的」を当てはめる; romantic は「浪漫的」と音訳した.
★ 語末にくる関連形は -TICAL.
◆ <ギ *-tikos*(語尾に *-tēs* がつく行為者を表す名詞から *-ikos* -IC[1] を伴って派生した形容詞から抽出).

ac·i·dot·ic 形 〖病理〗酸性(血)症の.
a·cous·tic 形 ☞
an·a·lyt·ic 形 分析の, 分解の, 解析の.
an·am·nes·tic 形 追憶の, 思い出す, 記憶を助ける.
an·ti·py·rot·ic 形 〖医学〗やけどの痛み止め[治療]の.
a·phet·ic 形 語頭(母)音消失の[による].
ap·la·nat·ic 形 〖光学〗〈レンズなどが〉無収差の.
a·poc·a·lyp·tic 形 黙示の, 天啓的な, 預言的な.
a·pol·o·get·ic 形 (…に対して)謝罪する, わびの.
ap·o·pemp·tic 形 《古》〈歌・辞などが〉送別の, 告別の.
as·cet·ic 名 (宗教上の)苦行者, 行者.
aux·et·ic 形 〖生物〗肥大の.
ca·chec·tic 形 カヘキシー(cachexia)の.
cat·a·lec·tic 形 〖韻律〗〈詩行が〉韻脚不完全の.
ca·thar·tic 形 〖美学〗〖精神医学〗カタルシスの.
cha·ot·ic 形 混沌(こんとん)とした, 大混乱の, 無秩序の.
crit·ic 名形 ☞
di·a·lec·tic 形 問答的な; 弁証法の, 弁証法的な.
di·a·pho·ret·ic 形 〖医学〗発汗させる, 発汗性の.
di·e·tet·ic 形 食べ物の; 食餌(しょくじ)の, 栄養の.
di·go·neu·tic 形 〖昆虫〗二化性の.
di·u·ret·ic 形 (薬剤などによる)排尿促進の.
do·mes·tic 形 家庭の, 所帯の; 家事の; 家族の.
dox·as·tic 形 〖論理〗正しい見解の, ドクサの.
e·clip·tic 名 〖天文〗黄道(面).
El·e·at·ic 形 エレア(Elea)の.
e·lenc·tic 形 〖論理〗反対論証的な.
ep·ex·e·get·ic 形 補足(語)の[となる], 補足(語)的な.
er·gas·tic 形 〖生物〗細胞が分泌する物質や細胞内に沈着した物質に関する.
-er·get·ic 連結形 ☞
ex·ot·ic 形 外来(種)の, 外国(産)の.
fan·tas·tic 形 〈事・物が〉空想的な; 異様な.
fran·tic 形 (興奮・恐怖・苦痛などで)狂乱した.
fre·net·ic 形 =frantic.
ge·net·ic 形 〖生物〗遺伝(学)の.
-ge·net·ic 連結形 ☞
gnos·tic 形 知識に関する.
-gnos·tic 連結形 ☞
gym·nas·tic 形 体育の, 体操の.
hal·i·eu·tic 形 魚釣りの.
hap·tic 形 触覚の[に基づく].
he·bet·ic 形 〖生理〗思春期の[に起こる].
hec·tic 形 《話》〈人が〉ひどく興奮[動揺]した.
her·me·neu·tic 形 聖書解釈学の; 解釈の, 説明的な.
her·met·ic 形 密閉[密封]した, 気密の.
hom·i·let·ic 形 説教の.
Hu·di·bras·tic 形 英国の詩人 S.Butler の風刺詩 *Hudibras*(1663–78)の.
in·di·got·ic 形 インジゴ色の, 藍色の(indigo).
-is·tic 接尾辞 ☞
ki·net·ic 形 運動の; 運動学上の.
-ki·net·ic 連結形 ☞
la·pac·tic 形 〖医学〗緩下剤の, 下痢を起こさせる.
la·treu·tic 形 〖ローマカトリック〗ラトリアの.
-lep·tic 連結形 ☞
lith·on·trip·tic 形 結石を溶解する.
lu·et·ic 形 〖病理〗梅毒の[にかかった].
lyt·ic 形 溶解(lysis)の; 溶解素(lysin)の.
-lyt·ic 連結形 ☞
ma·ieu·tic 形 〖哲学〗(ソクラテス哲学で)産婆術の.
mi·met·ic 形 ☞
myd·ri·at·ic 形 〖医学〗散瞳(さんどう)(性)の.
nar·cot·ic 名 麻酔剤. ——形 麻酔薬の.
nas·tic 形 〖植物〗傾性を示す, 傾性運動の.
neu·rot·ic 形 神経症の.
neu·rot·ic 形 《現在は俗語》〖病理〗神経の.
no·et·ic 形 知性の, 知的活動に関する.
on·o·mas·tic 形 固有名詞の; 名前の.
op·er·at·ic 形 オペラの, 歌劇の.
or·gi·as·tic 形 飲めや歌えの, 大酒盛りの.
or·thot·ic 名 〖外科〗(整形用)支持帯.
pec·tic 形 ペクチンの.
pep·tic 形 消化の[に関する].
per·i·pa·tet·ic 形 (仕事で)歩き回る, 旅行して回る.
per·i·stal·tic 形 〖生理〗蠕動(ぜんどう)の[に似た].
per·i·tec·tic 形 〖物理化学〗包晶の, 包析晶の.
-phras·tic 連結形 ☞
phy·lac·tic 形 守る, 防ぐ, (特に)病気から守る.
phy·let·ic 形 ☞
-pneus·tic 連結形 ☞
-poi·et·ic 連結形 ☞
prac·tic 形 実用に関する, 実践的な.
pro·pae·deu·tic 形 準備の, 予備の.
pro·phy·lac·tic 形 (伝染病などを)予防する(ための).
pro·trep·tic 名 熱心な勧告, 奨励, 説教.
rus·tic 形 田舎の[に住んでいる].
scep·tic 名形 =skeptic.
scho·las·tic 形 学校[大学]の; 学者[教師]の.
skep·tic 名形 《米》(哲学的)懐疑論者(の).
smec·tic 形 〖物理化学〗〈液晶が〉スメクティックの.
spas·tic 形 〖病理〗痙攣(けいれん)性の.
stat·ic 形 ☞
-stat·ic 連結形 ☞
sto·chas·tic 形 〖統計〗確率(論)的な.
styp·tic 形 収斂(しゅうれん)性の.
syn·ap·tic 形 ☞
syn·op·tic 形 要約の, 大筋をまとめた.
syph·i·lit·ic 形 梅毒の; 梅毒性の; 梅毒に冒された.
ta·bet·ic 形 〖病理〗脊髄癆(せきずいろう)性の.
tac·tic 名 (個々の)戦術, 用兵学, 戦法.
-tac·tic 連結形 ☞
ther·a·peu·tic 形 治療(法)の[に関する].
-thet·ic 連結形 ☞
u·ret·ic 形 尿の[に関する]; 利尿の.
zy·got·ic 形 〖生物〗接合の, 接合子[体]の.

-ti·cal /tikəl/

接尾辞 -tic と -al[1] の結合形. ⇨ -ICAL.

aes·thet·i·cal 形 美学の, 審美的な.
a·ris·to·crat·i·cal 形 貴族政治の.
as·cet·i·cal 形 禁欲的な; 苦行的な.
au·then·ti·cal 形 《古》真正の, 本物の(authentic).
cos·mo·ceu·ti·cal 名 (皮膚科専門医による)美容健康処方箋.
crit·i·cal 形 ☞
el·lip·ti·cal 形 楕円(形)の, 楕円的な.
es·thet·i·cal 形 =aesthetical.
fan·tas·ti·cal 形 〈事・物が〉空想的な, 奇想天外な.
fre·net·i·cal 形 逆上した, 狂乱の(frenetic).
ge·net·i·cal 形 〖生物〗遺伝(学)の(genetic).

he·ret·i·cal 形 異端［異説］の；異端者［反論者］の.
hy·po·thet·i·cal 形 仮説に基づいた；仮説の，憶説の.
Le·vit·i·cal 形 レビ族の，レビ人(びと)の.
mys·ti·cal 形 秘法の，神秘的な；秘密の.
nau·ti·cal 形 海員の；船舶の；航海上の，海事の.
op·ti·cal 形 光学(上)の；光学用の.
pi·rat·i·cal 形 海賊の；著作権［特許権］侵害の.
po·et·i·cal 形 詩の；韻文で書かれた；詩のような.
po·lit·i·cal 形 ☞
prac·ti·cal 形 実用に関する，実践的な；実地の.
rum·bus·ti·cal 形 収拾のつかない；勝手気ままな.
scep·ti·cal 形 ＝skeptical.
skep·ti·cal 形 《米》懐疑的な；疑い深い.
tac·ti·cal 形 戦術の，戦術的な，戦術上の.

tick[1] /tík/

名 (時計の)カチカチという音；(心臓の)ドキドキという音.

dówn·tick 名 企業活動の低下，景気の退潮ムード.
mínus tìck ＝downtick.
ríck·et·y-tíck 副 《米俗》すぐに，直ちに.
rík·y-tíck 名 《米話》(ジャズで)リキーティック.
tíck·tìck 名 (時計などの)カチカチという音.
úp·tick 名 需要・供給の増大，景気の上昇気運.

tick[2] /tík/

名 マダニ.

cáttle tìck ウシダニ.
de·tíck 動他 《話》ダニを駆除する.
dóg tìck イヌダニ.
hárd tìck マダニ.
hárvest tìck ツツガムシ(chigger).
séed tìck マダニ類の幼型.
shéep·tìck ヒツジシラミバエ.
sóft tìck ヒメダニ.
spótted féver tìck 紅斑(はん)熱の病原体を媒介するマダニ.
wóod tìck アメリカイヌダニ.

tick·et /tíkit/

名 **1** 切符，券，入場［乗車］券. **2** (値段・品質などを示す)札，ラベル. **3** 《主に米・NZ》(政党・党派の)公認候補者名簿.

áll-tìcket 形 前売り券によってのみ入場可能な.
áutomated tìcket 自動発行航空券.
bálanced tícket 〖米政治〗均衡型公認候補者名簿.
bíg tícket 高価な商品の売り上げ.
bíg-tícket 形 高価な，値の張る.
blúe tícket 《米陸軍俗》名誉なき除隊.
commutátion tìcket 《米》定期乗車券，定期回数券.
dáy tìcket 《英》当日往復割引切符(《米》round-trip ticket).
dréam tìcket 〖米政治〗ドリームチケット：広範な支持が得られそうな一組の候補者.
exchánge tìcket (ニューヨーク証券取引所所定の)売買注文確認票.
excúrsion tìcket 割引遊覧切符，周遊券.
frée tícket 無料切符.
hárd-tícket 指定席券.
hígh-tícket 形 《話》＝big-ticket.
jób tìcket 作業票.
kángaroo tìcket 《米》カンガルーチケット：大統領選挙戦で副大統領の方が政治的に強力な組み合わせ.
lów-tícket 形 《話》〈商品が〉低価格(帯)の.
méal tìcket 食券.
méat tìcket 《英軍俗》認識票.
míleage tìcket (マイル当たり一定料金の)マイル数回数券帳.
náme tìcket 《英》〖証券〗ネームチケット.
óne-wày tícket 片道切符(《英》single ticket).
pakapóo tìcket 《豪・NZ 俗》判読できないもの.
párking tìcket (車に貼られる)駐車違反呼出し状.
páwn tìcket 質札.
plátform tìcket 《英》(駅の)入場券.
retúrn tìcket 《米》帰りの切符；《英》往復切符.
Róver tìcket 《英》ローバーチケット：特別期間・地域に有効な周遊券.
séason tícket 《英》定期乗車券.
síngle tícket 《主に英》片道切符.
sóup tìcket (貧窮者のためのスープ配給所)食券.
splít tícket 〖米政治〗分割投票.
stráight tícket 〖米政治〗同一政党候補者投票.
swéep tìcket 富くじ競馬(sweepstakes)の馬券.
tóurist tìcket 周遊券.
tráffic tìcket 《米》交通違反召喚状.
tránsfer tìcket 乗り継ぎ切符.
TŚ tìcket 《米陸軍俗》TS チケット.
wálking tìcket 《米話》解雇通知.

tid·al /táidl/

形 潮の；潮によって生じる；周期的な. ◇ TIDE. ⇨ -AL[1].

co·tid·al 形 同時に干満する，同潮の.
in·ter·tid·al 形 潮間の，干潮位と高潮位との間の.
lu·ni·tid·al 形 月潮の，太陰潮の.

tide /táid/

名 **1**〖気象〗〖海洋〗潮(の干満)，潮汐；満潮から次の満潮までの時間. **2** 時，季節；〖教会〗祭［期］，［聖］節.

Àllhállow·tìde 《古》万聖節の季節.
Ascénsion·tìde (キリストの)昇天期.
atmosphéric tíde 大気潮汐.
Chrístmas·tìde クリスマスシーズン.
dóuble tíde 双潮(agger).
Éaster·tìde 復活祭の季節；復活祭週間.
ébb tìde 引き潮，退潮；《比喩的》衰退(期).
equatórial tíde 赤道潮.
éven·tìde 《古・詩語》夕べ，宵；晩.
flóod tìde 差し潮，上げ潮；満潮，大潮.
hálf tíde 半潮(時).
hígh tíde 満潮，高潮(こうちょう).
Hóck·tìde ホック祝節：もと英国で Easter 後の第 2 月曜日と火曜日に行なった祭.
hóly·tìde 《古》聖節：宗教的行事を遵奉する時期.
Lámmas·tìde 《古》収穫祭(Lammas)の季節.
lée tìde 順風潮：風が吹き進む方向に流れる潮流.
lów tíde **1** 干潮，低潮. **2** 干潮［低潮］時.
meteorológical tíde 気象潮：気候の影響を受けて動く潮流.
níght·tìde 《文語》夜，夜間(nighttime).
nóon·tìde 真昼，正午.
Pássion·tìde 受難の聖節：復活祭に前々週の日曜日から Holy Saturday に至る 2 週間.
perigéan tíde 近地点潮：満潮，干潮の差が最大になる状態.
réd tíde 赤潮(red water).
ríp·tìde 潮衝，網引(あ)き，よた：他の潮流と衝突して激潮を起こす潮流.
sàns-culót·tìde サンキュロットの日，共和祝祭日：フランス革命暦の 12 月に付け加えられた 5 日間.
Shróve·tìde 懺悔(ざんげ)季節：灰の日曜日直前の 3 日間.
spríng tíde 大潮：潮差の大きい潮.

súmmer·tìde 夏季(summertime).
Trínity·tìde 三位一体節.
Twélfth·tìde 降誕祭後 12 日目の聖節 [祭期].
vésper·tìde 晩祷(ばんとう)の時間.
wéather tìde 風と反対方向に [風上に] 流れる潮.
Whítsun·tìde 聖霊降臨節, 五旬祭期.
wínter·tìde 《文語・詩語》冬季(wintertime).
yúle·tìde 《詩語》=Christmastide.

tie /tái/

動他 …を(ひも・綱などで)縛る; …を(…に)つなぐ. ──名 縛っているもの; (くくるのに用いる)ひも, 糸; ネクタイ.

bláck tíe (夜会服用の)黒い蝶(ちょう)ネクタイ.
bláck-tíe 形 準正装をする必要のある.
bóla tìe =bolo tie.
bólo tìe ひもネクタイ, ボロータイ.
bów tìe 蝶(ちょう)ネクタイ, ボータイ.
cótton tìe (綿・麻・黄麻などの)梱(こり)を縛るための軽くて幅の狭い金属帯.
cróss·tìe 《米》【鉄道】枕木(まくらぎ).
cúp tìe 《英》【サッカー】(優勝杯を目指したトーナメント方式の)試合.
hóg·tìe 動他 《米》〈動物の〉両手両足を一緒に縛る.
hóg-tìe 両手両足を縛られた状態; 縛り上げ.
kípper tìe 《英話》幅広のネクタイ.
lánd tìe 【土木】地つなぎ材.
néck·tìe ネクタイ, タイ.
óld schòol tíe (英国で)特定のパブリックスクールを表す色の縞(しま)を入れたネクタイ.
rè·tíe 動他 結び直す.
ríde and tíe ライド・アンド・タイ: 走者 2 人と馬 1 頭を一組とする野山での長距離レース.
stríng tìe ストリングタイ: ネクタイの一種.
tóngue-tìe 【病理】短舌, 小舌, 舌小帯短縮.
twíst tìe ワイヤリボン, ビニルタイ: ビニルなどで覆われた短い針金.
ùn·tíe 動他 〈結んだもの・結び目を〉解く, ほどく.
whíte tíe 男子用の正式夜会服, 燕尾(えんび)服.
whíte-tíe 形 正装の [を要する].
Wíndsor tíe ウィンザータイ: ネクタイの一種.

ti·ger /táigər/

名 トラ.

Américan tíger ジャガー, アメリカヒョウ.
Béngal tíger ベンガルトラ.
bíg tíger (ポーカーで)ビッグキャット.
blínd tíger 《主に米南部方言》酒類密売所.
páper tíger 張り子のとら, こけおどし.
sáber-toothed tíger 剣歯トラ.
sánd tìger スナザメ.
wáter tìger ヨーロッパ産のゲンゴロウダマシの幼虫.

tight /táit/

形 **1**〈栓・ねじなどが〉しっかり固定した, 堅い. **2**〈綱などが〉ぴんと張った. **3**〈衣服・靴などが〉ぴったりとした. ──副 堅く, しっかりと.

fínger-tíght 形 手できつく [力いっぱい] 締めた.
hánd tíght 形 【海事】手で締められるだけ締まった.
hóg-tìght 形 〈柵が〉豚が通れないほど密な.
húg-me-tìght 名 体にぴったりした女性用下着.
skín·tíght 形 〈衣服などが〉体に密着した.
stíck·tìght 名 【植物】センダングサ.
úp·tíght 形 《俗》緊張した, 張りつめた.

-tight /tàit/

連結形 防…の, 耐…性の; …不浸透性の.
★ 形容詞をつくる.
◆ 中英 *ti(g)ht*, *thight* ＜古ノルド *théttr*「(水に)強い, 固い」.

áir·tìght 形 空気を通さない, 気密の.
gás·tìght 形 ガスを通さない, ガス漏れしない.
líght·tìght 形 《主に英》光を通さない.
óil·tìght 形 油を通さない, 油の漏れない.
ráin·tìght 形 雨を通さない.
stéam·tìght 形 蒸気を通さない, 蒸気の漏らない.
wáter·tìght 形 水を通さない, 水の漏らない.
wéather·tìght 形 風雨が吹き込まない, 風雨を防ぐ.
wínd·tìght 形 空気を通さない, 気密の.

tile /táil/

名 【建築】タイル, 瓦(かわら); 化粧タイル.

acóustical tíle (天井・壁面用の)吸音タイル.
bléeder tìle 水を排水管から下水道または排水渠(きょ)に流すテラコッタ土管.
bóok tìle 洋瓦(ようがわら)の一種; 両縁にそれぞれ凸面・凹面の溝があり, はめ込んでつなげていく.
cárpet tìle カーペットタイル.
chrýso·tìle クリソタイル, 温石綿.
fíeld tìle 《英・NZ》排水用の土管.
híp tìle 隅棟瓦(がわら), 下り棟用瓦.
hóllow tíle 空洞れんが [タイル].
líno tìle リノタイル.
pán·tìle パンタイル瓦(がわら).
promenáde tìle =quarry tile.
quárry tìle 機械製の素焼きの陶製床タイル.
rídge tìle 棟瓦(むながわら).
ùn·tíle 動他 …からタイル [瓦(かわら)] をはがす.

till·age /tílidʒ/

名 【農業】耕作(作業); 耕作技術. ⇨ -AGE[1].

ìn·ter·tíllage 名 中耕, 間耕.
mínimum tíllage =no-tillage.
nò-tíllage 無耕農業, 寡耕農業.
zéro tíllage =no-tillage.

tilt /tílt/

動他 〈物を〉傾ける. ──名 傾斜, 傾き; 傾斜した格好.

a·tílt 形副 傾斜して; 前傾して.
Califórnia tílt 《米俗》前方に傾斜のある自動車.
Dútch tílt 《英俗》カメラを傾けること.
fúll tílt 副 《話》全精力を傾けて; 全速力で.
ùp·tílt 動他 上方に傾ける(tilt up).

tim·ber /tímbər/

名 (建築用に適した)立ち木の材.

bréast tìmber 【工学】【建築施工】腹起こし.
hórn tìmber 【海事】ホーンティンバー.
sáw·tìmber 製材に適した木.
tóp tìmber 【海事】頂部肋材(ろくざい).

tim·bered /tímbərd/

形 〈建物が〉木造の; 材木を使った; 丸太壁の; 《複合語》造りが…材の, 体格が…の. ⇨ -ED[2].

hálf-tímbered 形 外面真壁づくりの.

T

ópen-tímbered 形 梁(はり)材を露出した.
ùn·tímbered 形 木材を使用していない.
wéll-tímbered 形 骨組み[構造]のしっかりした.

time /táim/

名 **1**(区切りのない連続的な)時, 時間, 歳月. **2**(区切りのある)時間, 期間, 間隔. **3**時代, 時期, 年代; 現代, 最近, 当時. **4**(特定の経験を伴った)時間, ひととき. **5**時刻; 時点. **6**季節. **7**【音楽】速度, テンポ; 拍子, リズム.

áccess tìme 【コンピュータ】呼び出し時間.
afóre·tìme 副 《文語》以前に, 昔, もと.
Áfrican tìme 《南アフリカ俗》時間を守らないこと.
áf·ter·tìme 名 今後, 将来.
áir·tìme 放送開始(予定)時刻.
Aláska-Hawáii tìme アラスカ=ハワイ時. ►西経150度.
Aláska tìme =Alaska-Hawaii time.
áll-tìme 形 空前の, 前代未聞の〈物・事〉.
án·y·tìme 副 《主に米》いつでも(at any time).
appárent tìme 【天文】視[真]太陽時.
assémbly tìme 【コンピュータ】アセンブリータイム.
astronómical tìme 【天文】天文時.
asymmétric tìme 非対称拍子.
Atlántic tìme 大西洋標準時. ►西経60度.
báck tìme 《米刑務所俗》仮釈放時の残りの刑期.
bád tìme 大変な苦境, つらい思い.
béan tìme 《米俗》夕飯の時間, 晩飯時.
béd·tìme 就寝時刻. ── 形 寝る前の.
befóre·tìme 副 《古》昔, 以前は(formerly).
Béring tìme ベーリング時. ►西経165度.
bíg tìme 《話》(ある業界・職業分野などで)第一線, トップレベル, 一流.
bíg-tìme 形 《俗》大物の, 傑出した, 一流の.
bláde tìme ヘリコプターの飛行時間.
blóck·tìme (フレックスタイムの)集中時間.
bórrowed tìme 期待[予期]していなかった時間の延長.
bóttom tìme 【スキューバダイビング】ダイバーが潜水を始めてから上昇し始めるまでの潜水時間.
bréak·tìme (仕事などからの)休憩時間, 一休み.
bý-tìme 名 余暇.
Céntral Européan tìme 中央ヨーロッパ標準時: グリニッジ標準(時)より1時間早い.
Céntral tìme 《米》中部[中央]標準時. ►西経90度.
chów·tìme 《俗》食事時間.
Chrístmas·tìme クリスマスシーズン.
chúcking-òut tìme 《英俗》閉店時間.
chúrch tìme 礼拝時間.
clóse tìme 《英》禁猟期.
clósing tìme 閉店[終業]時刻.
cómmon tìme 普通拍子, 4分の4拍子.
cómpound tìme 複合拍子.
córe tìme (フレックスタイムの)核時間.
cúrtain tìme (劇・コンサートなどの)開演時刻.
cút tìme アラ・ブレーベ, 2分の2拍子, 4分の2拍子.
dáylight-sáving tìme 《米》夏時間, サマータイム.
dáy·tìme 昼(日の出から日没まで).
déad tìme =downtime.
decáy tìme 【物理】崩壊時間.
dínner·tìme ディナータイム, 夕食どき.
discriminátion tìme =reaction time.
dóg tìme 《俗》くだらないジャズの曲.
dóuble tìme 【米陸軍】急速歩, 駆け足.
dóuble-tìme 動他 …に急速歩行進させる.
dówn·tìme ダウンタイム, 休止時間.
dréam·tìme (永遠)夢幻時: オーストラリア先住民アボリジニーの神話的概念.
drínking-úp tìme 《英》(酒場の閉店前に)残りの酒を飲み干す時間.
dríve tìme =driving time.
dríving tìme ドライビングタイム: 2地点間または目的地までの(推定)運転時間.
dúple tìme 2拍子.
éarth tìme 【天文】地球時.
Éastern tìme 《米》東部標準時. ►西経75度.
edítion tìme 降版時間: 新聞の第1版, 第2版など各版の印刷締切時間.
elápsed tìme (自動車レースなどで)所要タイム.
ephémeris tìme 【天文】暦表時.
équal tìme 《米》(テレビ・ラジオ放送で)相対する意見の持ち主(政党や候補者)に平等に意見発表の時間を割り当てること.
expósure tìme 【写真】露出(時間)(exposure).
éxtra tìme 【スポーツ】延長時間.
fámily tìme 《話》ファミリーアワー: 午後6時から9時までの放送時間帯.
fást tìme 《話》=daylight-saving time.
Fáther Tíme 時の翁(おきな): 時を擬人化したもの.
féeding tìme (動物に)餌(えさ)を与える時刻.
fírst-tìme 形 (登場・出場・経験が)初めての.
fléxible tìme =flextime.
fléxi·tìme 《主に英》=flextime.
fléx·tìme フレックスタイム, 自由勤務時間制.
flýing tìme 《米軍俗》睡眠.
fóre·tìme 名 過去, 往時, 昔.
fóur-fóur tìme =common time.
frínge tìme ゴールデンアワー前後の放送時間帯. ►通例午後5–7時, 午後11時–午前1時.
fúll tìme (正規の)全操業時間, ノルマ時間.
fúll-tìme 形 全時間従事[操業]する; 専従の.
gáme tìme 《米話》仕事(など)を始める時間.
geológic tìme 【地質】地質年代.
glíde tìme 《NZ》=flextime.
glíding tìme 《英》=flextime.
góod tìme 《刑務所俗》減刑された刑期.
góod-tìme 形 〈人が〉快楽を求める.
gréen tìme 青信号時間帯.
Gréenwich Méan Tíme =Greenwich Time.
Gréenwich Tíme グリニッジ(平均)時. ►Greenwich王立天文台での標準時; 国際的時刻計算の基準.
hálf·tìme ハーフタイム: 試合または試験などで半分終了を示す区切り.
háng·tìme (アメフトの)ハングタイム.
hárd tìme つらい時期, 苦境[窮乏]の時間.
hárvest·tìme 収穫期, (特に秋の)取り入れ時.
Hawáii tìme =Alaska-Hawaii time.
hígh óld tìme 《話》楽しい時.
hígh tìme (物事をする)潮時, ころあい.
hóld tìme (ロケット・ミサイルの)秒読み停止時間.
hóusewife tìme 《俗》(放送で)奥様アワー.
íce tìme (アイスホッケーの)選手の氷上時間.
ínjury tìme (サッカー・ラグビーなどでの)インジャリー・タイム.
internátional atómic tíme 【物理】国際原子時.
júst-in-tìme 【経営】ジット, ジャストインタイム.
kíll-tìme 名形 時間つぶしの(仕事, 遊び).
láp tìme 【競技】ラップタイム, 途中計時.
látency tìme 【コンピュータ】回転待ち時間.
léad tìme 【経済】リードタイム.
léisure-tìme 形 余暇の, 仕事以外での.
lífe·tìme 一生, 生涯, 終生; 存続[有効]期間.
líghting-ùp tìme 《英》(法規による自動車などの)点灯時間.
líght tìme 【天文】光差.
lócal tìme 地方時, 現地時間.
lóng tìme 副 長く, 長い間.
lóng·tìme 形 昔からの, 長期にわたる.
lówsing tìme 《スコット》(学校・仕事の)終了時間.

T

lúnch·tìme 昼食時(間), ランチタイム.
machíne time マシンタイム: コンピュータなどがある作業に要する機械使用時間.
Máy·tìme 五月(の季節).
méal·tìme (いつもの)食事時間.
méan sólar tìme 〖天文〗平均太陽時.
méan tìme =mean solar time.
méan·tìme 合間, 中間の時間.
mis·tíme 動他 …の拍子[調子]を取り間違う.
mónkey tìme 《米俗・方言》=daylight-saving time.
Móuntain tìme (米国で)山地標準時. ►西経 105 度.
néedle tìme 《英》(ラジオ放送で)レコード音楽だけを流す時間.
Néwfoundland tìme ニューファンドランド時: ニューファンドランドで採用されている地方時; グリニッジ平均時より3時間半遅い.
níght·tìme 夜, 夜間. ―― 形 夜間に起こる.
nóon·tìme 名形 真昼[正午](の).
óff-tìme 暇な時間; 閑散時, 不景気な時.
óld-tíme 形 (時代・方法・考えなどが)昔の.
óne-tìme 形 かつて…であった, 以前の, 昔の.
ópening tìme (店・施設などの)開店[開館]時間.
óverhead tìme 〖コンピュータ〗オーバーヘッドタイム.
ó·ver·tìme 名 時間外, 残業時間, 超過勤務時間.
Pacífic Stándard Time 《米》太平洋標準時.
Pacífic tìme パシフィックタイム: 標準時の一つ.
párt tìme パートタイム, 短時間勤務制度.
párt-tìme 形 〈人が〉パートタイムで雇われた.
pás·tìme 娯楽, 気晴らし, 遊戯.
péace·tìme 平時, 平和時.
péak tíme 《英》=prime time.
pláin tìme 規準内労働時間.
pláy·tìme 遊び時間; 休息時間.
póst tìme (競馬の)公示発走時刻.
préss tìme (特に新聞の)印刷開始時間.
príme tíme 名形 プライムタイム(の).
púmpkin tìme 《話》夢のような繁栄から突然現実に引き戻される瞬間.
quadrúple tìme 4拍子.
quálity tìme 質の高い時間, 最も楽しく価値のある時間.
quéstion tìme 質問時間.
quíck tìme (行進の)速歩.
ráck tìme 《米軍俗》寝ること(rack duty).
rág tìme 《米俗》(女性の)生理の期間.
rág·tìme ラグタイム: 即興の装飾音を持つシンコペーションのメロディ.
reáction tìme 〖心理〗反応時間.
réal tíme 〖コンピュータ〗実時間.
réal-tíme 形 〈報道などが〉瞬時の.
relaxátion tìme 〖物理〗緩和時間.
reléased tíme 《米》自由時間: 公立学校で生徒が宗教教育を受けるために校外へ出られる時間.
résidence tìme 〖化学〗滞留時間.
respónse tìme 〖心理〗(刺激に対する)反応時間.
reverberátion tìme (音の)残響時間.
ríse·tìme 〖電気〗立ち上がり時間.
rúnning tìme (映画の)上映時間.
rún tìme 〖コンピュータ〗=uptime.
sáck tìme 《俗》睡眠(時間); 就寝時間.
schóol·tìme (学校の)始業[授業]時間.
séed·tìme 播種(はしゅ)期, (種)まき時.
séek tìme 〖コンピュータ〗検索時間.
shórt tíme (工場などの)操業短縮, 操短.
shów·tìme ショーが始まる時間, ショータイム.
sidéreal tìme 〖天文〗恒星時.
símple tìme 単純拍子.
síx-éight tìme 8分の6拍子.
slíding tìme 《米》=flextime.
slów tìme 《話》(夏時間に対して)普通時間.
smáll tíme 〖演劇〗安寄席, 三流どころ.
smáll-tíme 形 《米話》〈演技などが〉三流どころの.
sóme·tìme 副 ある時, いつか.
spáce-tíme 時空世界, 時空連続体.
spáre-tìme 形 余暇の.
splít-tìme サマータイム, 夏時刻法.
spríng·tìme 春, 春季.
stándard tìme (一国・一地方で採用されている)標準時.
stóp tìme ストップタイム: ストップコーラスで, 各フレーズの一拍子目だけを演奏するリズム伴奏.
stráight tìme (工場・会社などで)標準就業時間.
stréet tìme 《米俗》執行猶予期間.
súmmer·tìme 《主に英》=daylight-saving time.
súpper·tìme 夕食時, 夕食の時間.
swíng tìme 交替勤務時間.
tamále tìme 《米俗》まごつき.
tánk tìme 《米俗》飲む時.
téa·tìme (通例, 夕方近くの)お茶の時間.
térm·tìme (学校の)学期; (法廷の)開廷期間.
thrée-fóur tìme =three-quarter time.
thrée-pàrt tíme =triple time.
thrée-quárter tìme 4分の3拍子.
trável tìme 移動時間.
tríple tìme 三拍子.
trúe tíme 真時, 真太陽時.
T́-tìme Tタイム: ロケット・ミサイルなどの発射時第一次点火秒時.
twó-fóur tìme 4分の2拍子.
twó-pàrt tíme =duple time.
twó-tìme 動他 《話》〈恋人・配偶者を〉裏切る.
univérsal coórdinated tìme 〖天文〗万国標準時.
univérsal tìme =Greenwich Time.
úp·tìme 名 (電算機などが機能する)稼動時間.
vértical blánking tìme 〖電子工学〗垂直帰線消去期間.
wáltz tìme =three-quarter time.
wár·tìme 形 戦時(中).
whóle·tíme 形 《英》=full-time.
wínter·tìme 冬, 冬季.
wórd tìme 〖コンピュータ〗ワードタイム.
Yúkon tìme ユーコンタイム: 標準時の一つ.
zóne tìme 経帯時, 地方時.

timed /táimd/

形 《通例複合語》時期[タイミング]が…の. ⇨ -D[1], -D[2].

ill-timed 形 タイミングが悪い, あいにくの.
stress-timed 形 〖音声〗〈言語が〉強勢拍リズムの.
syl·lable-timed 形 〖音声〗〈言語が〉音節拍リズムの.
well-timed 形 時宜を得た, 適時の; 呼吸の合った.

tim·er /táimər/

名 **1** 時間[間隔]を調節する人[もの]. **2** タイムスイッチ, タイマー. ⇨ -ER[1].

áu·to·tim·er 名 (電子レンジなどの)自動タイマー.
bíg-tímer 《俗》トップクラスの人.
clóck-tímer タイムスイッチ, 時限装置.
égg tìmer ゆで卵用時計.
óven tìmer オーブンタイマー.
phó·to·tìm·er 名 (カメラの)自動露出調整器.
pígeon tìmer (ハトレースの)到着時間記録計.
sélf-tímer 名 (カメラの)自動シャッター.

tin /tín/

名 **1** 〖化学〗スズ. **2** ブリキ製の容器.

blóck tín 錫(すず)地金, 型錫.
cáke-tìn (ケーキを焼くための)ブリキの型.
e·léc·tro·tìn 動他 〈素地金属に〉スズの電気めっきをかける.

góld tìn 《米俗》刑事のバッジ.
lóng tín 《英》縦長の食パン, イギリスパン.
méss tìn 飯盒(はんごう), 携帯食器.
snáp tìn 《主に英》弁当箱.
splít tín 《英》上部に割れ目を入れて堅い皮の部分を多くした長いパン.
squáre tín 《英》四角いブリキの型で焼いたパン.

-ti·nent /tənənt/

[連結形] つかむ; 保つ(もの).
★ 語末にくる関連形は -TAIN.
★ 語頭にくる関連形は ten-: *ten*acious「粘り強い」, *ten*or「趣旨」.
◆ <ラ *-tinēns*(*tenēre*「つかむ, 保つ」の連結形 *-tinēre* の現在分詞). ⇨ -ENT[1].
[発音] どれも 3 音節の語で, 語頭の音節に第 1 強勢.

ab·sti·nent [形] 節度のある; 節制する, 禁欲的な.
con·ti·nent [名][形] ☞
im·per·ti·nent [形] 出しゃばりの, ずうずうしい.
per·ti·nent [形] 《文語》(当の問題に)関係がある; 適切な, 妥当な, うまく当てはまる.

tint /tínt/

[名] **1** 色; 色合い. **2** 明調.

dé·mi·tìnt [名] 半濃淡, 中間調.
hálf tìnt =demitint.
mézzo·tìnt [名] メゾチント: 銅版画技法の一種.
món·o·tìnt [名] モノクローム; 単彩画法.
ún·der·tìnt [名] 淡い色合い.

-tion /ʃən/

[接尾辞] **1** 行為・過程を表す: exhaus*tion*. **2** 行為・過程の結果・産物を表す: pollu*tion*.
★ ラテン語起源の動詞または動詞と形の異なる語幹について抽象名詞をつくる.
★ 語末にくる関連形は -CION, -SION, -TIOUS, -XION.
◆ <ラ *-tiōn-*(*-tiō* の語幹) =*-t*(*us*)過去分詞接尾辞 + *-iōn-* -ION[1].
[発音] 直前の音節に第 1 強勢.

ab·lu·tion [名] 【ローマカトリック】洗浄儀式.
a·bor·tion [名] ☞
ab·sorp·tion [名] ☞
ac·cre·tion [名] 成長, (付着・添加などによる)増大.
ac·tion [名] ☞
am·bi·tion [名] 野心, 抱負, 大望, 念願, 功名心.
auc·tion [名] 競売, 競り売り.
cap·tion [名] (特に雑誌の写真・挿し絵の)説明.
cau·tion [名] (危険な状況下での)注意, 用心.
-cep·tion [連結形] ☞
co·a·li·tion [名] (一時的な)結託, 連携, 提携.
-coc·tion [連結形] ☞
co·i·tion [名] (特に人間男女の)性交, 交接.
com·bus·tion [名] ☞
com·pac·tion [名] ぎっしり詰めること; 圧縮, 固結.
con·cre·tion [名] 凝固, 凝結.
con·vic·tion [名] (…という)確信, 信念; 信頼.
de·com·po·si·tion [名] 分解; 腐敗, 変質, 腐朽.
de·le·tion [名] 削除, 抹消.
der·e·lic·tion [名] (意図的・意識的)怠慢; 職務怠慢.
de·tec·tion [名] 探知, 看破, 発見; 見破られること.
de·vo·tion [名] (信心に基づく)奉献, 奉納.
-dic·tion [連結形] ☞
di·lu·tion [名] 薄めること, 希釈; 希薄.
dim·i·nu·tion [名] 減少, 縮小; 減額, 削減, 軽減.
dis·cerp·tion [名] 分離 [切断] 片.
dis·cre·tion [名] 判断 [行動] の自由, 自由裁量.
dis·tinc·tion [名] 相違をはっきり際立たせること.
-di·tion [連結形] ☞
-duc·tion [連結形] ☞
e·mic·tion [名] 排尿, 放尿.
-emp·tion [連結形] ☞
ex·cre·tion[1] [名] 排出 [排泄(はいせつ), 分泌] (作用).
ex·cre·tion[2] [名] 異常生成.
ex·e·cu·tion [名] ☞
ex·er·tion [名] (肉体や精神の)激しい活動.
ex·haus·tion [名] (資源・力などを)使い尽くすこと.
ex·tinc·tion [名] (火などを)消すこと, 消火, 消灯.
-fac·tion [連結形] ☞
-fec·tion [連結形] ☞
fic·tion [名] ☞
-flic·tion [連結形] ☞
for·mi·ca·tion [名] 【病理】蟻走(ぎそう)感.
frac·tion [名] ☞
fric·tion [名] ☞
func·tion [名] ☞
-ges·tion [連結形] ☞
im·pac·tion [名] はめ込むこと, 押しつけること.
in·sur·rec·tion [名] (官憲・政府に対する)反乱, 暴動.
in·tinc·tion [名] 【ローマカトリック】インティンクション.
-jec·tion [連結形] ☞
junc·tion [名] ☞
lal·la·tion [名] 【音声】音を正確に発音できない言語欠陥の一種.
lec·tion [名] (特定の版に見られる本文の章句の異なる)読み, 解釈.
-lec·tion [連結形] ☞
lo·cu·tion [名] ☞
lo·tion [名] ☞
mo·tion [名] ☞
no·tion [名] (…の)概念, 観念; 考え.
ob·rep·tion [名] 【教会法】欺罔(ぎもう), 特免詐取.
ol·fac·tion [名] においをかぐこと; 嗅覚(きゅうかく)(作用).
op·tion [名] ☞
-ple·tion [連結形] ☞
pol·lu·tion [名] ☞
po·tion [名] 1 服, (1 回の)飲み量.
pre·di·lec·tion [名] 理屈抜きに好むこと, 偏愛.
pro·tec·tion [名] ☞
-punc·tion [連結形] ☞
ques·tion [名] ☞
-rec·tion [連結形] ☞
re·lic·tion [名] 【地質】レリクション.
-ro·ga·tion [連結形] ☞
-rup·tion [連結形] ☞
sanc·tion [名] (権威筋からの)許可, 認可.
sat·is·fac·tion [名] 《文語》満足させること.
-scrip·tion [連結形] ☞
se·cre·tion [名] ☞
sec·tion [名] ☞
-se·cu·tion [連結形] ☞
-ser·tion [連結形] ☞
so·li·fluc·tion [名] 【地質】下降漸動(creep).
so·lu·tion [名] ☞
-so·lu·tion [連結形] ☞
-spec·tion [連結形] ☞
-sti·tu·tion [連結形] ☞
stric·tion [名] ☞
-struc·tion [連結形] ☞
sub·rep·tion [名] 【教会法】虚偽の陳述.
sug·ges·tion [名] (…という)提案, 示唆, ほのめかし, 提言, 忠告, 入れ知恵.
sump·tion [名] 【論理】(三段論法の)大前提.
-sump·tion [連結形] ☞
tac·tion [名] 《廃》接触.
-ten·tion[1] [連結形] ☞
-ten·tion[2] [連結形] ☞
-tor·tion [連結形] ☞
trac·tion [名] 静止摩擦, 滑らないで引っ張る力.
-trac·tion [連結形] ☞
tran·si·tion [名] 移動, 推移, 変化, 変遷.
-tri·bu·tion [連結形] ☞

-tri·tion 連結形 ☞
unc·tion 名 油を塗ること，塗油．
-vec·tion 連結形 ☞
-ven·tion 連結形 ☞
-vo·lu·tion 連結形 ☞

-tious /ʃəs/

接尾辞 …を有する，…の特徴のある．
★ 元来，ラテン語から借用の名詞の形容詞に見られる．
★ 語末にくる関連形は -TION.
◆ ＜ラ *-tiōsus*＝*-t(us)*過去分詞接尾辞＋ *-iōsus* -IOUS.
[発音] 直前の音節に第 1 強勢．

ab·sten·tious 形 (飲食に)節度のある，節食する．
cap·tious 形 口やかましい，あら捜しをする．
cau·tious 形 ☞
com·punc·tious 形 (人を)後悔させる；後悔している．
con·ten·tious 形 論争［けんか］好きの，闘争的な．
dis·pu·ta·tious 形 論争［議論］好きの；論争的な．
fac·tious 形 党派心の強い，派閥本位の．
fic·tious 形 偽りの，虚構の．
flir·ta·tious 形 〈特に女性が〉いちゃつく，ふざけたがる，媚態(びたい)を示す．
frac·tious 形 手に負えない，御しがたい．
in·fec·tious 形 〈病気が〉伝染性の，伝染病の．
os·ten·ta·tious 形 目立つ，派手な，けばけばしい．
snip·tious 形 《米俗》小ぎれいな，きちんとした．
vex·a·tious 形 いらいらさせる，わずらわしい．

tip /típ/

名 **1** 先端，頂上．**2** 先端につける物．

dríp tìp 葉の細長くなった先端．
fílter tìp フィルター付き巻きタバコ［葉巻］．
fínger·tìp 名 指先，指端．
órange tìp ツマキチョウ(蝶)．
sílver·tìp 名 ハイイログマ(熊)．
tóol·tìp 名 《俗》〖コンピュータ〗ツールチップ．
wíng tìp (飛行機の)翼の先端，翼端．

tire /táiər/

名 《米》(ゴム製の)タイヤ．

ballóon tìre バルーンタイヤ．
bélted-bìas tíre ベルテッド・バイアスタイヤ．
bías-bèlted tíre ＝belted-bias tire.
bías-plỳ tíre バイアスプライタイヤ．
clíncher tìre クリンチャー・タイヤ．
cróss-ply tíre ＝bias-ply tire.
dóughnut tìre ドーナツタイヤ．
flát tíre (空気漏れ・パンクで)ぺしゃんこになったタイヤ．
lów-prófile tíre (高さに比べて幅が広い)偏平タイヤ．
pólyglàss tíre ポリグラスタイヤ．
rádial-plỳ tíre ＝radial tire.
rádial tìre ラジアル・タイヤ．
snów tìre スノータイヤ．
spáre tìre スペアタイヤ．
stéel rádial tíre スチール・ラジアル・コード・タイヤ．
stúdded tíre (雪道・凍結路などで用いる)スパイクタイヤ(stud)．
túbeless tíre チューブレスタイヤ．

tired /táiərd/

形 〈人・顔つきなどが〉疲れた，くたびれた．⇨ -D[1].

bóne-tìred 形 《米俗》へばった．
déad tìred 形 疲れきった．
dóg-tíred 形 くたくたに疲れた，疲れきった．
ùn·tíred 形 疲れて［飽きて］いない．

tis·sue /tíʃuː/

名 **1**〖植物〗〖解剖〗組織．**2** ティッシュペーパー．

ádipose tìssue 脂肪組織．
báthroom tìssue トイレットペーパー．
cárbon tìssue カーボン印画紙．
cicatrícial tìssue ＝scar tissue.
cléansing tìssue 化粧(ふき取り)用ティッシュ．
condúcting tíssue ＝vascular tissue.
connéctive tìssue 結合組織，結締組織．
elástic tìssue 弾力組織，弾性組織．
fácial tìssue 化粧紙．
fundaméntal tíssue 基本組織．
gláss tìssue 《英》ガラス繊維布．
granulátion tìssue 〖病理〗(潰瘍(かいよう)の中や，治りかけの傷口にできる)肉芽組織．
mechánical tíssue 機械組織．
pérmanent tíssue 永久［永存］組織．
prímary tìssue 一次組織．
prováscular tíssue 前形成層(procambium)．
scár tìssue 〖医学〗瘢痕(はんこん)組織．
sécondary tìssue 二次組織．
síeve tìssue 師部，師管部(phloem)．
sóft tíssue 軟組織．
tóilet tìssue ＝bathroom tissue.
váscular tìssue 維管束組織．

tit /tít/

名 **1**〖鳥類〗カラ類．**2** (種々の)小鳥．►鳴き声から．⇨ -T[2].

béarded tít ヒゲガラ．
blúe tít アオガラ．
búsh tìt ヤブガラ．
cóal tìt ヒガラ(coalmouse)．
cóle·tit 名 ＝coal tit.
gréat tít シジュウカラ(四十雀)．
khákì tít 《米軍俗》(生活手段としての)軍隊．
lóng-tàiled tít エナガ．
mársh tìt ハシブトガラ(雀)．
shríke tìt ハシブトモズガラ．
wíllow tìt アメリカコガラ．
wrén-tìt 名 ミソサザイモドキ．

ti·tle /táitl/

名 **1** (本・詩・絵・楽曲などの)題名，題目，表題，標題，題．**2**〖法律〗(法的権利の根拠となる)権原．

bástard títle 〖印刷〗＝half title.
cátch tìtle 要語［略式］書名：図書目録などで，長い書名のうちの数語だけから成る部分書名．
cóurtesy tìtle 名目的称号：公的な資格はないが，慣習，儀礼などによって作られた敬称や僭称(せんしょう)．
crédit title 〖映画〗〖テレビ〗クレジットタイトル．
en·tí·tle 動他 〈人を〉(特別の称号・名称で)呼ぶ．
góod títle 〖法律〗＝marketable title.
hálf tìtle 略書名．
in·tí·tle 動他 ＝entitle.
márketable títle 〖法律〗瑕疵(かし)のない権原．
mérchantable títle ＝marketable title.
mis·tí·tle 動他 間違ったタイトル［名前］をつける．
nòn·tí·tle 形 〈試合・ゲームなどが〉ノンタイトルの．
rúnning títle 柱，欄外見出し，欄外表題．
shórt títle 簡略書名：目録，リストなどの記載形式の一種で，情報量が必要最小限度のもの．
sóund títle 〖法律〗＝marketable title.
stráta tìtle 《豪》〖法律〗多層建造物の空間所有

権の登記法.
strátum title 《NZ》=strata title.
súb·ti·tle 名 (本などの)副題, サブタイトル.
súp·er·ti·tle 名 スーパータイトル, 字幕.
súr·ti·tle 名 =supertitle.
táx title 【法律】(税滞納を理由とする)公売で競落人が得た競落不動産の権原.

ti·tra·tion /taitréiʃən/

名 【化学】滴定(すること). ⇨ -ATION.

amperométric titrátion 電流滴定.
conductométric titrátion (電気)伝導(度)滴定.
potentiométric titrátion 電位差滴定.
thermométric titrátion 温度[熱]滴定.

to /túː/

前 …へ, に, まで.

add-to 名形 【商業】一品頭金制多品目一括月賦(の).
as-told-to 形 専門の著作家が書いた.
back·end-to 副 《米北部》反対向きに[で].
back·side-to 副 《主に米北部》=backend-to.
here·to 副 この事に; この点に関して.
hith·er·to 副 今まで, これまで.
hove-to 形 【海事】〈船が〉風上を向いて止まっている.
how-to 形 《米話》〈書物などが〉入門的な.
in·to 前 …の中に[へ], …に, …へ.
on·to 前 …の上に. ►on to とすることもある.
see·ing-to 名 《英俗》《婉曲的》暴行,「かわいがる」こと.
set-to 名 激しいやり取り, 激論; 勝負.
stand-to 名 《英》【軍事】警戒態勢.
talk·ing-to 名 小言, お目玉, 叱責(しっせき).
there·to 副 《文語》そこへ, それに.
thith·er·to 副 《主に文語》その時まで.
un·to 前 《古》=to.
up to 前 …まで.
where·to 副 《古》何へ, どこへ, なんのために.

toad /tóud/

名 ヒキガエル, ヒキ, ガマ(ガエル), イボガエル: ヒキガエル科 Bufo 属の両生類の総称.

béll tòad オ(尾)ガエル.
cár tòad 《米鉄道俗》検車係.
Fówler's tóad 米国東部産のヒキガエルの一種.
hóp·tòad 《主に米北東部》ヒキガエル.
hórned tóad ツノトカゲ.
mídwife tòad サンバガエル.
nárrow-mòuthed tóad ヒメアマガエル科のカエルの総称.
obstétrical tóad =midwife toad.
ríbbed tóad =bell toad.
sóuthern tóad ナンブヒキガエル.
spádefoot tóad スキアシガエル.
Súrinam tóad コモリガエル.
trée tòad アマガエル科の総称.
trúe tóad ヒキガエル.

toast /tóust/

名 トースト, トーストパン, 焼きパン.

cínnamon tòast シナモントースト.
Frénch tóast フレンチトースト.
Mélba tòast メルバトースト.
mílk tòast ミルクトースト.
mílk-tòast 形 〈男が〉腰抜けの, 柔弱な, めめしい.
mílque·tòast 名 《米・カナダ》臆病者, 腰抜け. ►Casper Milquetoast ともいう.

to·bac·co /təbǽkou/

名 **1** タバコ. **2** タバコ, 刻みタバコ.

chéwing tobàcco かみタバコ.
Chinése tobácco 《米俗》アヘン.
flówering tobácco ハナタバコ.
hérb tobàcco 薬用タバコ.
Índian tobácco ロベリアソウ: 薬用植物の一種.
ládies'-tobácco キク科エゾノチチコグサ属の草の総称.
móuntain tobàcco アルニカ(arnica): 薬用植物の一種.
smókeless tobácco 嗅(か)ぎタバコ(snuff).
trée tobàcco キダチ(木立)タバコ.
Túrkish tobácco トルコタバコ.

-to·ci·a /tóuʃiə, -siə/

連結形 【医学】分娩, 出産.
★ 名詞をつくる.
★ 語末にくる関連形は -TOKY.
★ 語頭にくる関連形は toco-: *toco*-dynamometer「陣痛計」, *toco*logy「産科学」.
◆ ギリシャ語 *tókos*「出産」より. ⇨ -IA.

dys·to·cia 名 難産, 異常分娩.
eu·to·ci·a 名 正常分娩, 安産.
ox·y·to·ci·a 名 急速分娩.

toe /tóu/

名 (ヒトの)足指; つま先.

a·típ·tòe 副形 つま先立ちに[の], つま先立ち歩きで[の].
bíg tóe 足の親指.
crów-tòe 《古・方言》青い釣り鐘形の花をつける植物の総称(bluebell).
gréat tóe =big toe.
hámmer·tòe 【病理】槌(つち)足指.
héel-and-tóe 形 (競歩などで)一方の足が常に地面から離れないようにして前進する歩き方の.
knúrl tòe 【家具】18 世紀中ごろの整理だんすの脚の一様式(French foot).
líttle tóe 足の小指.
nígger·tòe 《米話》ブラジルナッツ(Brazil nut): ブラジルナッツノキの種子.
ópen-tóe 形 〈靴・サンダルが〉つま先の開いた.
péep·tòe 形 《主に英》〈靴・サンダルが〉足のつま先の見える.
stép·tòe 《米西部》ステプトウ: 溶岩に囲まれて孤立した山, 丘など.
ténnis tòe 【医学】テニス足指損傷.
tíck-tack-tóe 《米・カナダ》三目並べ.
tíc-tac-tóe =tick-tack-toe.
tímber-tòe 《俗》木製の義足(をつけた人).
típpy·tòe 名動自 《話》=tiptoe.
típ·tòe 名 つま先. ── 動自 (用心して・こっそりと)つま先で歩く.
tít-tat-tóe =tick-tack-toe.
tóe-to-tóe 形 向かい合った, お互いに対面した.

toed /tóud/

形 《通例複合語》足指[つま先]が…の. ⇨ -D[2].

hén-tóed 形 内股の.
ín·tòed 形 足指が内側に曲がっている; 内股の.
pígeon-tòed 形 内股の.
squáre·tóed 形 〈靴などが〉つま先が広くて四角な.
wéb·tòed 形 水かきのある足を持つ.

toes /tóuz/

名複 toe「足指」の複数形.

Fríto tòes 《米学生俗》臭い足.
pínk-tòes 名複 《米黒人俗》肌の浅黒い黒人女; 白人の女友達.
pússy-tòes 名複 キク科エゾノチチコグサ属の総称.
squáre-tòes 名複 古臭い人; 堅苦しい人.
wéb·tòes 名複 水かきのついた足.

to·ken /tóukən/

名 **1** しるし, 証拠. **2** 商品引換券.

béer-tòken 《俗》1ポンドの硬貨[お金].
be·tóken 動他 …(の証拠)を示す, 表す.
bóok tòken 《英》(全国共通)図書券.
fóre·tò·ken 名 前兆, 前触れ, 兆し, 徴候.
gíft tóken 《英》商品券.
Hárd Tímes tòken 《米》ハードタイムズ銅貨.
lóve tòken 愛のしるし(の贈り物).
mílk tòken 《NZ》牛乳券.
táx tòken 《英俗》自動車税支払い済み証ステッカー.

-to·ky /təki/

連結形 出産, 分娩.
★ 名詞をつくる.
★ 語末にくる関連形は -TOCIA.
★ 語頭にくる関連形は toco-: *toco*dynamometer「陣痛計」, *toco*logy「産科学」.
◆ <ギ *-tokia*(< *-tokos*「子供」より). ⇨ -Y[3].
[発音] 直前の音節に第1強勢.

ar·re·not·o·ky 名 =arrhenotoky.
ar·rhe·not·o·ky 名 〖生物〗雄性産生単為生殖.
deu·ter·ot·o·ky 名 〖生物〗両性産生単為生殖.
the·lyt·o·ky 名 〖生物〗雌性産生単為生殖.

told /tóuld/

動 tell の過去・過去分詞形.

fore·tóld 動 予言された.
nów-it-can-be-tóld 形 今だから話せる.
twíce-tóld 形 〈物語などが〉ありふれた, 古臭い.
ùn·tóld 形 話されない, 明かされない.

tol·er·ance /tálərəns | tɔ́l-/

名 **1** (他人の見解や行為に対する)寛容, 寛大, 容認. **2** 〖医学〗〖免疫〗耐性, 耐薬性, 抗毒性. ⇨ -ANCE[1].

bàr·o·tól·er·ance 名 〖工学〗圧力耐性.
cróss-tól·er·ance 名 〖病理〗交差耐性.
ìmmunológical tólerance 〖医学〗免疫寛容.
in·tól·er·ance 名 不寛容, 偏狭.
sélf-tól·er·ance 名 〖生化学〗自己寛容.
zéro tólerance ゼロ黙認: どんなに小さな犯罪でも厳しく取り締まること.

tol·er·ant /tálərənt | tɔ́l-/

形 **1** 寛容な. **2** 〖生物〗(環境に対して)耐性がある. ⇨ -ANT[1].

intólerant 形 寛容でない, 狭量な, 偏狭な.
láctose-intólerant 形 乳糖不耐の, 乳糖が消化できない.
psỳchro·tólerant 形 耐寒性の.
sh//áde-tòlerant 形 〖植物〗耐陰性の, 日陰で生育できる.
thèrmo·tólerant 形 〖植物〗耐熱性の.

Tom /tám | tɔ́m/

名 **1** 男子の名. ►男子名 Thomas の愛称. **2** 《米俗/侮蔑的》白人にこびる[追随する]黒人. ►Uncle Tom の Uncle を略したもの.

Áunt Tóm 《米/軽蔑的》白人に卑屈な(態度を取る)黒人女.
blínd Tóm 《野球俗》審判, アンパイア.
Gréat Tóm 「大トム」: Oxford 大学の Christ Church 学寮の門上の鐘.
Lóng Tóm 《俗》ロングトム: 第二次世界大戦中に米軍が使用した 155 mm カノン砲.
Míster Tóm 《米黒人俗》白人中流階級に溶け込んだ[溶け込もうとしている]黒人.
Óld Tóm 《俗》甘口の強いジン酒.
Péeping Tóm でばかめ, のぞき魔, ピーピングトム.
Úncle Tóm 《侮蔑的》白人に屈従[迎合]する黒人.

to·ma·to /təméitou, -máː- | -máː-/

名 トマト.

béefsteak tomáto ビフテキトマト.
chérry tomáto チェリートマト: トマトの一変種.
créole tomáto 《ニューオーリンズ》=cherry tomato.
cúrrant tomàto ペルー産の野生トマト.
húsk tomàto ホオズキ(ground cherry).
plúm tomàto プラムトマト: トマトの一品種.
stráwberry tomáto ショクヨウ(食用)ホオズキ.
trée tomàto コダチトマト.

tomb /túːm/

名 墓(穴), 埋葬場所; 霊廟(れいびょう); (地下)納骨所.

béehive tòmb 穹窿墓(きゅうりゅうぼ).
chámber tòmb 〖考古〗石室墳.
en·tómb 動他 …を墓に納める, 埋葬する.
in·tómb 動他 《古》=entomb.
megalíthic tómb 〖考古〗巨石墓.
pít tòmb 〖考古〗竪穴墳墓; 墓坑.
táble tòmb (ローマのカタコンベの)箱形をした墓.
ùn·tómb 動他 〈死体などを〉墓から掘り出す.
wómb-to-tómb 形 胎児期[生まれて]から死ぬまでの.

-tome /tòum/

連結形 **1** 〖外科〗切断[切除](器具). **2** 〖動物〗〖解剖〗体節, 中胚(はい), 葉節.
★ 語末にくる関連形は -TOMIC, -TOMIZE, -TOMOUS, -TOMY.
★ 語頭にくる形は tomo-: *tomo*graphy「(X 線)断層撮影(法)」.
◆ ギリシャ語 *tomḗ*「切ること」より.

cos·to·tome 名 肋骨(ろっこつ)切除, 手術用器具.
cy·clo·tome 名 毛様筋切開用メス.
cys·to·tome 名 膀胱(ぼうこう)切開刀.
der·ma·tome 名 皮節, 皮膚分節, 皮膚知覚帯.
e·pit·o·me 名 典型, ひな型; 縮図; (…の)権化.
har·mo·tome 名 〖鉱物〗重土十字沸石.
his·to·tome 名 =microtome.
ir·i·dec·tome 名 虹彩(こうさい)(切除)刀.
lap·ar·o·tome 名 開腹(手術)用メス.
leu·co·tome 名 前頭葉白質切開刀.
mi·cro·tome 名 〖組織〗ミクロトーム.
my·o·tome 名 筋節.
neph·ro·tome 名 腎節(じんせつ).

T

os·te·o·tome 名 截骨(せっこつ)刀.

o·var·i·o·tome 名 卵巣切除［切開, 摘出］用器具.

phleb·o·tome 名 静脈切開刀, 瀉血(しゃけつ)刀.

rhe·o·tome 名 〖電気〗断続器.

scle·ro·tome 名 硬節.

thy·ro·tome 名 甲状軟骨切開刀.

ton·sil·lec·tome 名 扁桃(へんとう)摘出器.

ul·tra·mi·cro·tome 名 〖組織〗超ミクロトーム.

-tom·ic /tάmik | tɔ́m-/

連結形 -tome または -tomy と -ic¹ の結合形.
★ 形容詞をつくる.
★ 語頭にくる関連形は tomo-: *tomo*graphy「(X 線)断層撮影(法)」.
◆ ギリシャ語 *tómos*「切断」より.

an·a·tom·ic 形 解剖の; 解剖学の; 解剖組織上の.

au·to·tom·ic 形 自切の, 自己切断の.

cy·clo·tom·ic 形 毛様筋切開剝離(はくり)術の.

der·ma·tom·ic 形 〖解剖〗皮節の.

di·cho·tom·ic 形 二分の, 二分裂の.

gas·tro·tom·ic 形 〖医学〗胃切開術の.

lith·o·tom·ic 形 〖医学〗膀胱(ぼうこう)結石切除術の.

mi·cro·tom·ic 形 ミクロトームの.

phleb·o·tom·ic 形 放血の, 瀉血(しゃけつ)の.

scle·ro·tom·ic 形 〖発生〗硬節の.

ster·e·o·tom·ic 形 ステレオトミーの: 石などの固い物質を特定の形に切断する技術の.

trich·o·tom·ic 形 三分法の.

zo·o·tom·ic 形 動物解剖学の.

-to·mize /təmàiz/

連結形 〖外科〗〖動物〗切る.
★ 動詞をつくる.
★ 語頭にくる関連形は tomo-: *tomo*graphy「(X 線)断層撮影(法)」.
◆ -TOME＋ -IZE¹.

a·nat·o·mize 動他 〈動植物体を〉解剖する(dissect).

au·tot·o·mize 動自他 (体の一部を)自切する.

di·chot·o·mize 動他自 二分する(される), 二種に分ける(分かれる).

e·pit·o·mize 動他 …を縮図的に示す, …の縮図である.

lap·a·rot·o·mize 動他 …に開腹手術をする.

lo·bot·o·mize 動他 〈人に〉前頭葉の切開をする.

phle·bot·o·mize 動他自 放血する, 静脈切開する.

tri·chot·o·mize 動他自 (…を)三分(割)する.

to·mog·ra·phy /təmάgrəfi | -mɔ́g-/

名 〖医学〗断層X線写真法, 断面X線撮影法. ⇨ -GRAPHY.

compúted tomógraphy 《特に米》＝computerized axial tomography.

compúter-assìsted tomógraphy ＝computerized axial tomography.

compúterized áxial tomógraphy コンピュータ(X 線体軸)断層撮影, CT スキャン.

pósitron emìssion tomògraphy 陽電子放射断層撮影(法).

séismic tomógraphy 断層撮像法.

-to·mous /təməs/

連結形 切断された(cut), 分割された(divided).
★ 形容詞をつくる.
★ 語末にくる関連形は -TOME.
★ 語頭にくる関連形は tomo-: *tomo*graphy「(X 線)断層撮影(法)」.
◆ ギリシャ語 *-tomos* より. ⇨ -OUS.
［発音］直前の音節に第 1 強勢.

di·chot·o·mous 形 二つに分かれた, 二項対立の.

pol·y·chot·o·mous 形 多くの部分［類］に分かれた.

xy·lot·o·mous 形 〈昆虫などが〉木に穴をあける.

-to·my /təmi/

連結形 (臓器の)切断, 切除; …摘出.
★ -tomous の語尾を持つ形容詞に対応する抽象名詞をつくる: dic*tomy*.
★ 語末にくる関連形は -TOME.
★ 語頭にくる関連形は tomo-: *tomo*graphy「(X 線)断層撮影(法)」.
◆ ＜近代ラ *-tomia* ＜ギ *-tomia* 切断. ⇨ -Y³.
［発音］直前の音節に第 1 強勢.

amyg·da·lot·o·my 名 〖医学〗類扁桃体切除(術).

a·nat·o·my 名 ☞

an·thro·pot·o·my 名 人体解剖学; 解剖学的人体構造.

ap·pen·dec·to·my 名 《主に米・カナダ》〖外科〗虫垂切除(術).

ar·te·ri·ot·o·my 名 〖外科〗動脈切開(術).

ar·throt·o·my 名 〖医学〗関節切開(術).

au·tot·o·my 名 〖動物〗体の一部の分離; 自切.

ax·ot·o·my 名 〖医学〗軸索切断(術).

bur·sec·to·my 名 〖医学〗滑液嚢(のう)切除(術).

ce·li·ot·o·my 名 〖外科〗＝laparotomy.

chei·lot·o·my 名 〖外科〗口唇切開(術).

cho·le·cys·tot·o·my 名 〖外科〗胆嚢(たんのう)切開(術).

cho·led·o·chot·o·my 名 〖外科〗総胆管切開(術).

chor·dot·o·my 名 ＝cordotomy.

cin·gu·lot·o·my 名 〖医学〗帯状回切除(術).

co·lot·o·my 名 〖外科〗結腸切開(術).

col·pot·o·my 名 〖外科〗膣(ちつ)切開(術).

com·mis·sur·ot·o·my 名 〖外科〗(特に心臓僧帽弁狭窄症の治療のための)交連部切開術.

cor·dot·o·my 名 〖外科〗脊髄索切離［切断］(術).

cos·tot·o·my 名 〖外科〗肋骨(ろっこつ)切除(術).

cra·ni·ot·o·my 名 〖外科〗開頭術, 頭骨切開.

cul·dot·o·my 名 〖医学〗ダグラス窩(か)切開(術).

cy·clot·o·my 名 〖外科〗毛様筋切開剝離術.

cys·tot·o·my 名 〖外科〗膀胱切開(術).

di·chot·o·my 名 (…の)二分, 両分, 二分裂.

du·o·de·not·o·my 名 〖外科〗十二指腸切開(術).

-ec·to·my 連結形 ☞

em·bry·ot·o·my 名 〖外科〗(難産の際の)胎児切断術.

en·ceph·a·lot·o·my 名 〖外科〗脳切開(術), 脳外科手術.

en·ter·ot·o·my 名 〖医学〗腸切開(術).

ep·i·si·ot·o·my 名 〖産科〗〖外科〗会陰切開術.

gas·trot·o·my 名 〖外科〗胃切開(術).

go·ni·ot·o·my 名 〖医学〗(前房)隅角切開(術).

her·ni·ot·o·my 名 〖外科〗ヘルニア切開術.

hy·men·ot·o·my 名 〖外科〗(処女)膜切開.

hys·ter·ot·o·my 名 〖外科〗(帝王切開術における)子宮切開(術).

ir·i·dot·o·my 名 〖外科〗虹彩(こうさい)切開(術).

ker·a·tot·o·my 名 〖外科〗角膜切開(術).

lap·a·rot·o·my 名 〖外科〗開腹(術), 腹壁切開(術); (特に)側腹［腰］部切開.

lar·yn·got·o·my 名 〖外科〗喉頭(こうとう)切開(術).

leu·cot·o·my 名 《主に英》〖外科〗＝leukotomy.

leu·kot·o·my 名 《主に英》〖外科〗白質切断(術).

li·thot·o·my 名 〖外科〗膀胱結石切除術.

lo·bot·o·my 名 《米》〖外科〗ロボトミー.

mi·crot·o·my 名 〖生物〗検鏡組織標本切片法.

min·i·lap·a·rot·o·my 名 〖外科〗小開腹術.

my·ot·o·my 名 〖外科〗筋切開(術).

myr·in·got·o·my 名 〖外科〗鼓膜切開(術).

ne·crot·o·my 名 〖外科〗腐骨切除(術), 壊死(えし)組織除去(術).

ne·phrot·o·my 名 〖外科〗腎臓切開術.

neu·rot·o·my 名 〘外科〙神経切断術.
om·pha·lot·o·my 名 〘医学〙(胎児分娩(ぶんべん)後の)臍帯(さいたい)切断(術).
or·chi·dot·o·my 名 〘外科〙睾丸(こうがん)切開術.
or·chot·o·my 名 〘外科〙=orchidotomy.
os·te·ot·o·my 名 〘外科〙骨切り術, 截骨(せつこつ)術.
o·var·i·ot·o·my 名 〘外科〙卵巣切開術; 卵巣切除術.
pan·cre·a·tot·o·my 名 〘外科〙膵臓(すいぞう)切開(術).
phar·yn·got·o·my 名 〘外科〙咽頭(いんとう)切開(術).
phle·bot·o·my 名 〘医学〙静脈切開(術), 瀉血.
phy·tot·o·my 名 植物解剖学.
pleu·rot·o·my 名 〘外科〙胸膜切開(術).
po·go·not·o·my 名 ひげそり(shaving).
po·lyt·o·my 名 〘生物〙(3つ以上への)多分裂.
pulp·ot·o·my 名 〘歯科〙断髄法, 歯髄切断法.
ra·chi·ot·omy 名 〘外科〙椎弓(ついきゅう)切除(術).
rhi·zot·o·my 名 〘外科〙(脊髄)神経根切断術.
sal·pin·got·o·my 名 〘外科〙卵管切開(術).
scle·rot·o·my 名 〘外科〙(目の)強膜切開(術).
splanch·not·o·my 名 〘医学〙内臓解剖.
staph·y·lot·o·my 名 〘外科〙=Uvulotomy.
ster·e·ot·o·my 名 ステレオトミー: 石などの硬い物質を特定の形に切断する技術.
sto·mat·o·my 名 〘外科〙=stomatotomy.
sto·ma·tot·o·my 名 〘外科〙子宮口切開(術).
stra·bot·o·my 名 〘外科〙斜視切開(術).
sym·phy·si·ot·o·my 名 〘産科〙恥骨結合切開(術).
te·not·o·my 名 〘外科〙腱(けん)切断術, 切腱術.
thal·a·mot·o·my 名 〘医学〙視床切除術.
tho·ra·cot·o·my 名 〘外科〙胸腔切開術, 開胸(術).
thy·roi·dot·o·my 名 〘外科〙甲状腺切開.
thy·rot·o·my 名 〘外科〙甲状軟骨切開術; 喉頭(こうとう)切開術.
ton·sil·lot·o·my 名 〘外科〙扁桃(へんとう)摘除術.
tra·che·ot·omy 名 〘外科〙気管切開術.
tri·chot·o·my 名 三分法.
u·re·ter·ot·o·my 名 〘医学〙尿管切開(術).
u·re·throt·o·my 名 〘外科〙尿道切開術.
u·vu·lot·o·my 名 〘外科〙口蓋(こうがい)垂切開術.
vag·i·not·o·my 名 〘外科〙=colpotomy.
va·got·o·my 名 迷走神経切断[切離](術).
val·vot·o·my 名 =valvulotomy.
val·vu·lot·o·my 名 〘外科〙(心臓)弁膜切開(術).
var·i·cot·o·my 名 〘外科〙静脈瘤の外科的切除(術).
vas·ot·o·my 名 〘外科〙精管切開(術).
ven·trot·o·my 名 〘外科〙=laparotomy.
ves·i·cot·o·my 名 〘外科〙=cystotomy.
ves·ti·bu·lec·to·my 名 〘医学〙真前庭除去手術.
xy·lot·o·my 名 〘植物〙木質薄片切断法.
zo·ot·o·my 名 動物解剖学, (特に)動物比較解剖学.

ton /tʌ́n/

名 トン: 重量[容積, 積載]単位.

ássay tón 試金トン, アッセイトン: 試金分析に用いる質量単位.
displácement tòn 〘海事〙排水トン.
fóot-tón 〘物理〙フートトン: 仕事またはエネルギーの単位.
fréight tòn (容積)トン.
gíg·a·tòn 名 ギガトン, 10億トン.
gróss tón 《主に英》=long ton.
kíl·o·tòn 名 (重量の単位の)キロトン.
lóng tón 大トン[英トン]: 常衡2, 240ポンド(1016.05kg)に相当.
méasurement tòn 積載トン(shipping ton).
még·a·tòn 名 メガトン, 100万トン.
métric tón メートルトン, メトリックトン.
nét tón 〘海事〙純トン, 登簿トン(net register ton).
régister tòn 登簿トン, 登録トン.
shórt tón 小トン[米トン]: 常衡2, 000ポンド(907.18kg)に相当.

-ton[1] /tn, tən/

連結形 …な人[もの].
★ 以前, 形容詞から名詞をつくるのに用いた.

dou·ble·ton 名 〘トランプ〙(主にブリッジで)ダブルトン.
sim·ple·ton 名 うすのろ, ぼんくら, まぬけ.
sin·gle·ton 名 一つずつ生じるもの; 単一のもの.
tri·ple·ton 名 〘トランプ〙(特にブリッジで)手持ち札の中にある3枚の同じ組み札.

-ton[2] /tn, tən/

連結形 囲い, 開拓地; 人名, 地名に使われる.
★ 名詞をつくる.
◆ 古英 *-tūn*「囲い地, 町」より. ◇ TOWN.

Ac·ton 名 アクトン(姓).
Ad·ding·ton 名 アディントン(姓).
Ap·ple·ton 名 アップルトン(姓).
Ash·ton 名 アシュトン(姓). ►字義は「トネリコの生えている土地」.
Ath·er·ton 名 アサトン(姓).
Bed·ling·ton 名 ベドリントン(イングランドの地名).
Bright·on 名 ブライトン(イングランドの地名).
Carl·ton 名 カールトン(イングランドの地名).
Car·ring·ton 名 キャリントン(姓).
Cax·ton 名 キャクストン, カクストン(姓).
Charle·ton 名 男子の名.
Charl·ton 名 チャールトン(姓).
Chat·ter·ton 名 チャタートン(姓).
Ches·ter·ton 名 チェスタートン(姓).
Clac·ton 名 クラクトン(イングランドの地名).
Clay·ton 名 クレートン(姓).
Clif·ton 名 クリフトン(米国の地名).
Clin·ton 名 クリントン(姓).
Comp·ton 名 コンプトン(姓).
Creigh·ton 名 クライトン(姓).
Crich·ton 名 クライトン(姓).
Cromp·ton 名 クロムプトン(姓).
Dal·ton 名 ドルトン(姓).
Dar·ling·ton 名 ダーリントン(イングランドの地名).
Deigh·ton 名 デイトン(姓).
Dray·ton 名 ドレートン(姓).
Dut·ton 名 ダットン(姓).
East·hamp·ton 名 イーストハンプトン(米国の地名).
Ed·ding·ton 名 エディントン(姓).
Ed·mon·ton 名 エドモントン(カナダの地名).
Eg·gle·ston 名 エグルストン(姓).
El·ling·ton 名 エリントン(姓).
El·ton 名 エルトン(姓).
E·ton 名 イートン(イングランドの地名).
Ev·er·ton 名 エバートン(イングランドの地名).
Fen·ton 名 フェントン(姓).
Ful·ton 名 フルトン(姓).
Gal·ton 名 ゴルトン(姓).
Gor·ton 名 ゴートン(姓).
Had·ding·ton 名 ハディントン(スコットランドの地名).
Hamp·ton 名 ハンプトン(姓).
Har·ing·ton 名 ハリントン(姓).
Har·ring·ton 名 =Harington.
Hil·ton 名 ヒルトン(姓).
Hin·ton 名 ヒントン(姓).
Hous·ton 名 ヒューストン(姓, 地名).
Hud·dle·ston 名 ハドルストン(姓). ►Houston の異し形.
Hun·ting·ton 名 ハンティントン(姓).
Hut·ton 名 ハットン(姓).
Il·kes·ton 名 イルキスタン(イングランドの地名).
Ire·ton 名 アイアトン(姓).
Is·ling·ton 名 イズリントン(イングランドの地名).
John·ston 名 ジョンストン(姓).

Ken·sing·ton 名 ケンジントン(イングランドの地名).
Kings·ton 名 キングストン: ジャマイカの首都.
Lang·ton 名 ラントン, ラングトン(姓).
Laugh·ton 名 ロートン(姓).
Laun·ces·ton 名 ローンセストン(オーストラリアの地名).
Law·ton 名 ロートン(米国の地名).
Leigh·ton 名 レイトン(姓). ►Laughton の異形.
Ley·ton 名 レイトン(イングランドの地名).
Lin·ton 名 リントン(姓).
Lym·ing·ton 名 リミントン(姓).
Lyt·tle·ton 名 リトルトン(姓).
Mars·ton 名 マーストン(姓).
Mc·Naugh·ton 名 マクノートン(姓).
Mer·ton 名 マートン(姓).
Mid·dle·ton[1] 名 ミドルトン(姓).
Mid·dle·ton[2] 名 ミドルトン(米国の地名).
Mil·ton 名 ミルトン(姓). ►Middleton[1] の異形.
Mor·ton 名 モートン(姓).
New·ton 名 ニュートン(姓).
North·al·ler·ton 名 ノーサラトン(イングランドの地名).
North·amp·ton 名 ノーサンプトン(イングランドの地名).
Nor·ton 名 ノートン(姓).
Nun·ea·ton 名 ナニートン(イングランドの地名).
Or·ton 名 オートン(姓).
Pad·ding·ton 名 パディントン(イングランドの地名).
Paign·ton 名 ペイントン(イングランドの地名).
Par·ring·ton 名 パリントン(姓).
Par·ton 名 パートン(姓).
Pax·ton 名 パクストン(姓).
Pay·ton 名 ペイトン(姓).
Pink·er·ton 名 ピンカートン(姓).
Pos·ton 名 ポストン(米国の地名).
Pres·ton 名 プレストン(イングランドの地名).
Rem·ing·ton 名 レミントン(姓).
Se·ton 名 シートン(姓).
Sex·ton 名 セクストン(姓).
Shack·le·ton 名 シャクルトン(姓).
Shel·ton 名 シェルトン(米国の地名).
Sher·a·ton 名 シェラトン(姓).
Sher·ring·ton 名 シェリントン(姓).
Skel·ton 名 スケルトン(姓).
Smea·ton 名 スミートン(姓).
South·amp·ton 名 サウサンプトン(イングランドの地名, 姓).
Stan·ton 名 スタントン(姓).
Stock·ton 名 ストックトン(姓).
Strat·ton 名 ストラットン(姓).
Sut·ton 名 サットン(イングランドの地名).
Swin·ner·ton 名 スウィナートン(姓).
Sy·ming·ton 名 サイミントン(姓).
Tar·king·ton 名 ターキントン(姓).
Tarl·ton 名 タールトン(姓).
Thorn·ton 名 ソーントン(姓).
Wad·ding·ton 名 ワディントン(姓).
Wal·ton 名 ウォールトン(姓).
War·ring·ton 名 ウォーリントン(イングランドの地名).
Wash·ing·ton 名 ワシントン(米国の地名・姓).
Wel·ling·ton 名 ウェリントン(姓).
Wes·ton 名 ウェストン(姓).
Whar·ton 名 ホートン, ウォートン(姓).
Whea·ton 名 ホイートン(姓).
Whit·ting·ton 名 ホイッティントン(姓).
Wof·fing·ton 名 ウォフィントン(姓).
Wol·las·ton 名 ウラストン(姓).

ton·al /tóunl/

形〘音楽〙音の, 音に関する, 音色の; 調性(tonality)の. ⇨ -AL[1].
★ 語頭にくる関連形は tone-, tono-: *tone*tics「音調学」, *tono*meter「トノメーター」.

a·ton·al 形〘音楽〙無調の; 調性のない.
bi·ton·al 形〘音楽〙複調の.
chor·do·ton·al 形〈昆虫の特定の器官・部分が〉弦音の.
pan·ton·al 形〘音楽〙汎調性の.
pol·y·ton·al 形〘音楽〙多調(性)の, 多調主義の.

to·nal·i·ty /tounǽləti/

名〘音楽〙調性. ⇨ -ITY.

a·to·nal·i·ty 名 無調(性).
bi·to·nal·i·ty 名 複調性.
pan·to·nal·i·ty 名 十二音技法.
pol·y·to·nal·i·ty 名 多調性 [主義].

tone /tóun/

名 **1** (特定の音質・高低・強弱・音源などを持つ)音. **2** トーン, 色調.

áq·ua·tòne 名 アクアトーン: オフセット印刷機を用いた写真平板印刷法.
auxíliary tòne 補助音: 主要音から2度上[下]がって再び主要音に戻る旋律的な修飾音.
bár·i·tòne 名 バリトン: tenor と bass の中間音域の男声(部).
bár·y·tòne[1] 名 =baritone.
bár·y·tòne[2] 形名〘古典ギリシャ文法〙最後の音節に強勢のない(語).
chánging tóne 逸音, カンビアータ: 主要音から多くは3度上[下]がって次の主要音に順次に進行する旋律的な装飾音.
cóld tòne 冷黒調: モノクロプリントが青味や緑味を強く帯びている調子.
combinátion tòne 結合音, 加音: 2つの異なる音を同時に鳴らした時に振動数の和[差]として生じる音.
cópper·tòne 名形 赤みがかった銅色(の).
díalling tòne 《英》=dial tone.
díal tòne 《米・カナダ》(電話の)発信音.
dí·tone 名 二全音, ディトヌス: (中世の)長3度.
dúl·ci·tòne 名 ダルシトーン: 音叉(おんさ)を発音体とする鍵盤(けんばん)楽器.
dú·o·tòne 形 2つの色調の, 二色の.
éarth tòne アーストーン: 茶の中間色から濃い褐色までを含む深みのある暖色.
éc·o·tòne 名〘生態〙移行帯, 推移帯.
engáged tòne 《英》(電話の)話し中の信号音.
exténsor tòne 〘医学〙伸展状態.
fléxor tòne 〘医学〙(関節の)曲がった状態.
fúzz tòne ファズトーン: 電子楽器の演奏でヴァイブレーションを増加させたり, 倍音を加えて音を電気的にゆがめたり, ぼかす効果.
Gregórian tóne グレゴリア聖歌風のメロディー; 素朴で単調な調べ.
hálf tòne 《米》=semitone.
hálf·tòne 半階調, 中間調 [色].
harmónic tòne (調和)倍音: 基音の振動数に対し整数倍の振動数を持つ上音.
héad tòne (歌唱で)頭声.
húm tòne ハムトーン: 振動する鐘全体から出る, 根音より1オクターブ低いうなり音.
in·tóne 動他 …を特定の音調で言う [発話する].
íso·tòne 〘物理〙同中性子体 [核].
léading tóne 《米》導音: 全音階の第7音, 主音より半音したの音.
mícro·tòne 微分音: 半音より小さな音程.
míddle·tòne =halftone.
món·o·tòne 名 単調な話し方, 単調な読み方.

órtho·tòne 形名 (代名詞などが)独立語としての強勢を持つ(語).
ó·ver·tòne 名 =harmonic tone.
óx·y·tòne 形 〘古典ギリシャ文法〙最後の音節に鋭強勢のある.
paróxy·tone 形名 〘古典ギリシャ文法〙パロクシトーン(の); 最後から 2 番目に揚音か強勢のある(語).
pártial tòne 部分音: 複合音の構成要素である純音.
páy tòne (電話の)コインを入れろという合図音.
pré·tòne 名 強勢のある直前の音節 [音].
púre tóne 純音, 単(純)音: 1つの正弦から成る最も単純な音.
quárter tòne 4 分音: 半音のさらに½の音程.
régister tòne 〘言語〙音域音調, 段階音調.
resúltant tóne =combination tone.
rínging tòne 《英》(相手方の電話の)呼び出し音.
sém·i·tòne 名 半音.
síde·tòne 〘通信〙側音.
símple tóne =pure tone.
stríke tòne 《主に米》鐘を打ったときに出る音調.
téndency tòne 傾向音: 旋律において一定の音へ上 [下] がる傾向を持つ音; 導音など.
tóuch-tòne 形 〈電話などが〉プッシュホン式の.
trí·tòne 名 三全音: 3つの全音(程)によって成る音程; 増 4 度 [減 5 度] 音程.
twélve-tóne 形 十二音(組織)の, 十二音技法に基づく.
twó-tóne 形 2 色 [音] の, 2 色調の.
ún·der·tòne 名 低音, 小声, 静かな口調, 抑えた語調.
wárm tòne 温黒調: 黄色, 褐色, オリーブ色.
whóle tóne 全音.
wóod·tòne 形 木目調の, 木目仕上げをした.

tongs /tɔ́ːŋz, tɑ́ŋz | tɔ́ŋz/

名複 物を挟む道具, …ばさみ, 火ばし, やっとこ; (頭髪カール用の)こて. ►tong の複数形.

fíre tòngs 火ばし, 火ばさみ.
íce tòngs (角氷用の)小さな氷ばさみ.
lázy tòngs 伸縮自在ばさみ, マジックハンド.
súgar tòngs 角砂糖ばさみ.

tongue /tʌ́ŋ/

名 **1** (人間・脊椎(せきつい)動物の)舌. **2** 言葉.

ádder's-tòngue 〘植物〙ハナヤスリ.
béard·tòngue 〘植物〙イワブクロ.
bláck·tòngue 〘獣病理〙黒舌病.
blúe·tòngue 〘獣病理〙ブルータング病.
búll tòngue 動他 《主に米》(綿花栽培用の)すき.
cálf's tòngue 〘建築〙牛舌刳形(くりかた).
déer's-tòngue 〘植物〙ミドリセンブリ(緑千振).
dévil's-tòngue 〘植物〙ヘビイモ(snake palm).
dóg's-tòngue =hound's-tongue.
dóuble-tóngue 動自 〘音楽〙複切法で演奏する.
éarth tòngue 〘菌類〙テングノメシガイ類.
fórked tóngue 二枚舌.
hárt's-tòngue 〘植物〙コタニワタリ(小谷渡り).
hóund's-tòngue 〘植物〙オオルリソウ.
íce tòngue 氷舌: 氷河の基部からの突出部分.
lámb's tòngue 〘建築〙厚みのある左右対称の側面を持つ刳形(くりかた)(molding).
móther tóngue 母語.
óx·tòngue (食用の)牛の舌, 牛タン.
páinted tóngue 〘植物〙サルメンバナ.
ráttle·tòngue 《米俗》おしゃべり.
sháwl tòngue キルティー(舌皮を装飾に用いたスポーツシューズの一種)の舌皮.
síngle-tòngue 動他 〘音楽〙単切法で演奏する.
smóker's tóngue 〘病理〙喫煙者の舌.
stráwberry tòngue 〘医学〙イチゴ舌.
tríple-tòngue 動自 〘音楽〙トリプルタンギングで演奏する.
wóoden tóngue 〘獣病理〙類放射菌症.

tongued /tʌ́ŋd/

形 **1** …の舌を持った, …舌の. **2** 言葉遣いが…の. ⇨ -D[1], -D[2].

ac·id-tongued 形 手厳しい, 辛辣な.
dou·ble-tongued 形 二枚舌の, うそつきの, 人をだます.
hone·y-tongued 形 =smooth-tongued.
long-tongued 形 舌の長い; おしゃべりの.
loose-tongued 形 口の軽い, おしゃべりな.
sharp-tongued 形 口の悪い, 皮肉っぽい, 辛辣な.
sil·ver-tongued 形 説得力のある, 雄弁な.
smooth-tongued 形 能弁で説得力のある; 口の達者な.

-to·ni·a /tóuniə, -njə/

連結形 **1** …筋(肉)緊張, …神経の緊張: hyper*tonia*. **2** (一般に)緊張症: cata*tonia*, soma*tonia*.
★ 名詞をつくる.
★ 語末にくる関連形は -TONIC.
★ 語頭にくる関連形は tono-: *tono*meter「眼圧計, 血圧計」.
◆ <近代ラ *ton*(*us*)<ギ *tónos*「緊張, 調子」+ *-ia* -IA.

cat·a·to·ni·a 名 〘精神医学〙緊張病, 緊張型分裂病.
ce·re·bro·to·ni·a 名 〘心理〙頭脳緊張型.
dys·to·ni·a 名 〘病理〙(種々の器官の)(筋)緊張異常.
hy·per·to·ni·a 名 〘病理〙緊張亢進.
hy·po·to·nia 名 〘医学〙低血圧(症).
my·a·to·ni·a 名 〘病理〙筋弛緩症, 筋無緊張症.
my·o·to·ni·a 名 〘病理〙筋緊張(症), ミオトニー.
so·mat·o·to·ni·a 名 〘心理〙身体緊張型.
va·go·to·ni·a 名 〘病理〙迷走神経緊張症.
vis·cer·o·to·ni·a 名 〘心理〙内臓(緊張)型性格.

ton·ic /tɑ́nik | tɔ́n-/

名 強壮剤; 〘音楽〙主音. ━━形 強壮にする; 〘音楽〙楽譜の, 主音の. ►tone「音, 音調」より. ⇨ -IC[1].
★ 語頭にくる関連形は ton(o)-: *ton*etic「音調の」.

a·tón·ic 形 〘音声〙無強勢の(unaccented).
càr·di·o·tón·ic 形 〘医学〙強心性の. ━━名 強心剤.
dì·a·tón·ic 形 〘音楽〙全音階の, 全音階的.
ì·so·tón·ic 形 〘物理化学〙等張の, 等浸透圧の.
mòn·o·tón·ic 形 単調な, 一本調子の.
pàr·a·tón·ic 形 〘植物〙外部の刺激に反応する.
pèn·ta·tón·ic 形 〘音楽〙五音から成る.
pòst·tón·ic 形 強勢がある音節のすぐ後に続く.
róot tònic 《米俗》アヘン.
sùb·tón·ic 名 〘音楽〙《米》導音(leading tone).
sù·per·tón·ic 名 〘音楽〙上主音.
syn·tón·ic 形 〘電気〙同調的な, 同調 [共振] の.
vàs·o·tón·ic 形 〘生理〙血管緊張性の.

-ton·ic /tɑ́nik | tɔ́n-/

連結形 〘生理〙…緊張(症)の.
★ -tonia の語尾を持つ名詞に対応する形容詞をつくる.
★ 語頭にくる関連形は tono-: *tono*meter「眼圧計, 血圧計」.
◆ ラテン語 *tonus*「緊張」より. ⇨ -IC[1].

dys·ton·ic 形 (種々の器官の)(筋)緊張異常の.
hy·per·ton·ic 形 緊張亢進(こうしん)の.
hy·po·ton·ic 形 〈組織が〉低張の, 低緊張の.

ton·nage /tʌ́nidʒ/

名 【海事】トン数, 積量. ⇨ -AGE[1].

déadweight tónnage 積載重量トン数, 重量トン.
displácement tònnage 排水トン数.
gróss tónnage (船舶の)総トン数.
nét tónnage 純トン数, 登簿トン数.
régister tònnage 登録トン数.

tool /túːl/

名 道具, 工具. ── 動他 **1** 〈本の表紙・革などに〉型押しする. **2** 〈工場などに〉道具 [機械] を備え付ける.

blínd-tòol 動他 【製本】〈本の表紙などに〉空押しする.
cáble tòol 【土木】ケーブルツール.
chópper tòol 【考古】チョッパー(chopper).
dúll tòol 《米俗》無能な人, 役立たず.
édge tòol 刃物; 縁取り用工具.
entrénching tòol =intrenching tool.
fácing tòol 【金工】正面 [端面] バイト.
fláke tòol 剝片石器.
gráving tòol 彫刻用具; (特に)彫刻刀.
hánd tòol 手工具.
hánd-tòol 動他 〈自転車・馬車などを〉運転する.
intrénching tòol 携帯シャベル.
machíne tòol 工作機械.
percússion tòol (電気・圧搾空気などを動力にした)衝撃工具.
pítching tòol 石工の荒削り用のみ.
pówer tòol 動力工具.
rè·tóol 動他 〈工場の〉機械工具を取り替える.
sásh-tòol ガラス屋 [ペンキ屋] のはけ.
Scúlptor's Tóol 【天文】ちょうこくぐ(彫刻具)座.
síde tòol 【機械】片刃バイト.
tínt tòol 【彫版】陰影線彫刻刀.

tooth /túːθ/

名 歯. ◇ TEETH.

antérior tóoth 前歯.
báby tòoth =milk tooth.
báck tóoth 奥歯.
búck·tóoth 出っ歯, 反っ歯.
cánine tòoth 犬歯.
chéek tòoth 臼歯(きゅうし), 奥歯(molar).
cléaner tòoth 【木工】=raker tooth.
decíduous tòoth =milk tooth.
dóg's tòoth 【建築】犬歯飾り.
dóg·tòoth 犬歯, 糸切り歯.
dóuble-tóoth 【植物】センダングサ.
égg tòoth 卵歯(らんし).
éye·tòoth 上顎(じょうがく)犬歯, 糸切り歯.
fóre·tòoth 名 前歯, 門歯(incisor).
hóund's tòoth 大弁慶, 千鳥格子, 犬歯綾.
líon's-tòoth 【植物】セイヨウタンポポ.
márk tòoth 馬の門歯.
mílk tòoth 乳歯.
néedle tòoth 【畜産】新生豚の鋭い黒歯, 狼歯.
pérmanent tóoth 永久歯.
pívot tòoth 継続歯.
prímary tóoth 【解剖】第一生歯, 乳歯.
ráker tòoth 【木工】かき歯.
sáber·tòoth 【動物】剣歯トラ.
sáw·tòoth のこぎり歯の一本.
scíssor tòoth (肉食獣の)裂肉歯.
snággle·tòoth 乱杭(らんぐい)歯, 反っ歯, 出っ歯.
stómach tòoth (幼児の)下あごの乳犬歯.
swéet tóoth 甘いものへの嗜好(しこう), 甘党.
twó-tòoth 《豪・NZ》2 本の門歯のある 1－1 歳半の羊.
wísdom tòoth 智歯, 親知らず, 第三大臼歯(きゅうし).
wólf tòoth 【獣医】(馬の)狼歯(ろうし).

top[1] /tάp | tɔ́p/

名 **1** 最上 [最高] 部, 先端. **2** 表面. **3** 最初.

a·tóp 形副 《主に英》《文語》頂上の [に].
bíg tòp 《話》サーカスの大テント.
bláck·tòp 《主に米・カナダ》アスファルト.
blów·tòp 《米俗》かんしゃく持ち.
blúe tóp 《米俗》(ペンタゴンの)新聞発表.
bóne·tòp 《米俗》ばか, まぬけ, 能なし.
bónnet tòp 【米家具】ボンネットトップ.
brick·tòp 《米話》赤毛の人 [頭].
Brówn Tòp 《米俗》シャトーカ夏期文化教育集会(Chautauqua)の大テント.
búbble·tòp 【自動車】バブルトップ: 自動車の屋根などの透明なドーム.
búff tòp 【宝石】バフトップ.
cámisole tóp 【服飾】キャミソールトップ.
cárrot-tòp 《米俗》赤毛の人.
cár·tòp 形 自動車の屋根に載せて運べる.
cár-tòp 動他自 自動車の屋根に載せて運ぶ.
chérry tòp 《米十代俗》パトカー.
chópped tóp 《米俗》上体をはずした改造車.
cóoking tòp =cooktop.
cóok·tòp 料理用レンジの上面.
cópper·tòp 《英話》赤毛(の人).
cótton tòp 極端に明色の [白っぽい] 毛髪の人.
cóunter·tòp 調理台, カウンター.
crázy tòp 【植物病理】綿やトウモロコシなどの病気.
crínkle tòp 《米黒人俗》髪をアフロにした女性.
cúrly tòp 【植物病理】萎縮(いしゅく)病.
désk·tòp 形 〈コンピュータなどが〉卓上用の.
dísh tòp 皿状テーブル板.
dóme tòp 【家具】半球形の飾り.
dóuble tóp 【ダーツ】ダブルの 20 点.
dráw tòp 【家具】伸張テーブルの滑り出し板.
fíghting-tòp (軍艦のマスト下部にある)戦闘楼.
flát·tòp 《話》航空母艦.
flíp-tòp 名形 =pop-top.
flówer tòp 《米俗》マリファナの芽.
fóre·tòp 名 【海事】前檣(ぜんしょう)楼.
hárd·tòp 【自動車】ハードトップ.
hígh-tòp 名形 《主に米》(くるぶしまで覆う)運動靴(の).
híll·tòp 小山 [丘] の頂上.
hóoded tóp 【英家具】切り妻形の上部飾り.
hóuse·tòp 家の頂, 屋根.
kíd tòp 《米俗》つけたしの出し物用テント.
máin·tòp 【海事】大檣楼(たいしょうろう).
móp-tòp 《俗》長くてだらしない髪をした人.
móuntain·tòp 名形 山頂(にある).
mútton-tòp 《米俗》鈍い人.
ópera tóp 【服飾】オペラトップ.
òut·tóp 動他 …より高い, より高くそびえる.
óver-the-tóp 形 《話》常軌を逸した, 度を超えた.
ò·ver·tóp 動他 …の上にそびえる.
párallel tóp 【演劇】(舞台を支える)足.
píne-tòp 《米俗》(密造の)安ウイスキー.
póp-tòp 名形 〈缶が〉リング引き上げ式(の).
púll-tòp 名形 プルトップ(の).
rág·tòp 《俗》ぼろ付きオープンカー.
réd·tòp 【植物】コヌカグサ.
róll tòp 【家具】木製の蛇腹式蓋(ふた).
róof·tòp 屋根, (特に平たい)屋上.
róund·tòp 【海事】檣楼(しょうろう).
sáilor tòp 【服飾】セーラートップ.
scréw-tòp ねじ蓋(ぶた), ひねり栓.
sét-tòp 形 (双方向)テレビセットの上に載せる.
sílver·tòp 【植物病理】葉先白斑(はくはん)病.

T

sláb tóp 〘家具〙大理石の甲板.
slánt-tòp 形 〘家具〙開閉式垂れ板のある.
slíp tòp 先端を斜めに切ったスプーンの先端.
sóft-tòp (自動車・船の)折りたたみ式屋根.
stéeple·tòp 尖塔(せんとう)の頂.
stóve·tòp (料理用)ストーブ[レンジ]の上面.
táble·tòp テーブルの上面板; それに似た平面.
tánk tòp 〘服飾〙タンクトップ.
típ·tòp (山などの)絶頂, 頂上.
trée·tòp 木の頂, こずえ.
túbe tòp 〘服飾〙チューブトップ.
whíte tóp 高齢者.
wóoden·tòp 《英俗》制服姿の警官.
wóol tòp 〘紡織〙ウールトップ.
wórking tòp =worktop.
wórk·tòp (キッチンの)調理台, 仕事テーブル.
zíp tòp 《米俗 / 侮蔑的》ユダヤ人.

top[2] /táp | tɔ́p/

名 こま.

húmming tòp うなりごま, 鳴りごま.
pég tòp (先端に金釘のついた)木製こま.
pég-tòp 形 〈ズボン・スカートが〉こま形の.
spínning tòp (おもちゃの)こま.
whípping tòp たたきごま, むちごま.
whíp tòp =whipping top.

to·paz /tóupæz/

名 トパーズ, 黄玉(おうぎょく).

Colorádo tópaz コロラド黄玉.
cómmon tópaz シトリン, 黄水晶.
fálse tópaz =common topaz.
Madéira tópaz =common topaz.
Oriéntal tópaz オリエンタル・トパーズ.
róse tòpaz ローズトパーズ.
smóky tópaz 煙黄玉.
Spánish tópaz =common topaz.

-tope /tòup/

連結形 場所.
★ 名詞をつくる.
★ 語末にくる関連形は -TOPIA[1], -TOPIC.
★ 語頭にくる形は top(o)-: *topo*grapher「栄養交換」, *topo*graphy「地勢図」.
◆ ギリシャ語 *tópos*「場所」より.

bi·o·tope 名 〘生態〙ビオトープ, 小生活圏.
ep·i·tope 名 〘免疫〙(抗原)決定基.
i·so·tope 名 〘化学〙同位体, 同位元素.

-to·pi·a[1] /tóupiə | -piə, -pjə/

連結形 場所, 地域.
★ 名詞をつくる.
★ 語末にくる関連形は -TOPE.
★ 語頭にくる関連形は top(o)-: *topo*grapher「栄養交換」, *topo*graphy「地勢図」.
◆ ギリシャ語 *tópos*「場所」より. ⇨ -IA.

as·ymp·to·pi·a 名 〘物理〙漸近的自由域.
ec·to·pi·a 名 〘医学〙転位, 偏位.
Eu·to·pi·a 名 《廃》ユートピア, 理想郷.
het·er·o·to·pi·a 名 〘病理〙(器官などの)転位, 変位.
U·to·pi·a 名 ユートピア.

-to·pi·a[2] /tóupiə | -piə, -pjə/

連結形 …天国, ユートピア.
★ 名詞をつくる.
◆ utopia の短縮形.

au·to·pi·a 名 《英》自動車天国.
dys·to·pi·a 名 暗黒郷, 地獄郷.
Ec·o·to·pi·a 名 環境天国.
kak·o·to·pi·a 名 絶望郷.
por·no·to·pi·a 名 好色文学の理想郷, ポルノ天国.
sub·to·pi·a 名 《英》《軽蔑的》(工業・都市化する)郊外住宅地; (魅力的でない)郊外.

-top·ic /tápik | tɔ́pik/

連結形 部位の.
★ 形容詞をつくる.
★ 語末にくる関連形は -TOPE.
★ 語頭にくる関連形は top(o)-: *topo*grapher「栄養交換」, *topo*graphy「地勢図」.
◆ ギリシャ語 *tópos*「場所」より. ⇨ -IC[1].

ec·top·ic 形 〘病理〙転位の, 偏位の.
en·top·ic 形 〘解剖〙正常位置にある[起こる].
eu·ry·top·ic 形 〘生態〙〈生物が〉広場所性の.
sten·o·top·ic 形 〘生態〙〈有機体が〉狭生性の.

to·pol·o·gy /təpálədʒi | -pɔ́l-/

名 〘数学〙**1** 位相幾何学. **2** 点集合論的位相幾何学部門. **3** 位相. ⇨ -OLOGY.

algebráic topólogy 代数的位相幾何学.
combinatórial topólogy 組み合わせ的位相幾何学.
differéntial topólogy 微分位相幾何学.
indúced topólogy =relative topology.
métric topólogy 距離位相.
póint sèt topòlogy 点集合論的位相幾何学.
rélative topólogy 相対位相, 誘導位相, 部分空間位相.
súbspace topòlogy =relative topology.

top·sail /tápsèil | tɔ́p-; 〘海事〙-səl/

名 〘海事〙中檣(ちゅうしょう)帆. ⇨ SAIL.

fóre-and-áft tópsail =gaff topsail.
fòre-tópsail 前檣(ぜんしょう)トップスル.
gáff tópsail ガフトップスル.
lúgger tópsail ラガートップスル.
màin-tópsail メーントップスル.
mízen-tópsail ミズントップスル.

-tor /tər/

接尾辞 ラテン語からの借用語で, 動詞, 時に名詞から行為者を示す名詞をつくる.
★ 語末にくる関連形は -ATOR, -ADOR, -DOR, -SOR, -OR[2], -TRESS, -TRIX.
◆ <ラ *-tor*; ギ *-tōr* と同語源.

ac·cep·tor 名 アクセプター, 受容体, 受体.
ac·tor 名 俳優, 役者, 男優.
ap·par·i·tor 名 (古代ローマの)属官, 補佐役.
-a·tor 接尾辞 ☞
au·di·tor 名 会計検査官; 監査役.
can·tor 名 (ユダヤ教会で)先唱者(hazan).
cap·tor 名 捕らえる人, 捕獲者, 逮捕者.
co·ad·ju·tor 名 《まれ》助手, 補佐(assistant).
col·lec·tor 名 ☞
com·pos·i·tor 名 《英》植字[組み版]工.
con·stric·tor 名 コンストリクター: 獲物を締めつけて殺す蛇.
con·sul·tor 名 相談役, 助言者, 忠告者.
con·trac·tor 名 契約人, 請負人, 引受人.
con·trib·u·tor 名 寄付者; 寄与者, 貢献者; 一助.
con·vec·tor 名 対流式暖房器, 対流放熱器.

T

cred·i·tor 名 債権者［会社］, 貸し主.
deb·i·tor 名 《廃》＝debtor.
debt·or 名 借金している人, 借り主, 債務者.
de·fec·tor 名 離反者, 離脱者; 亡命者.
de·pos·i·tor 名 供託者, 寄託者, 預け主.
de·scrip·tor 名 記述語.
de·struc·tor 名 《英》廃物焼却炉.
de·tec·tor 名 ☞
di·rec·tor 名 ☞
dis·trib·u·tor 名 分配者［物］, 配給者［物］.
doc·tor 名 ☞
duc·tor 名 【印刷】インキ出しローラー.
-duc·tor 連結形 ☞
ed·i·tor 名 ☞
ef·fec·tor 名 作動する人［もの］.
e·lec·tor 名 選挙人, 有権者.
el·e·va·tor 名 (物などを)高める［上げる］人［もの］.
emp·tor 名 買い主, 買い手(buyer).
ex·ec·u·tor 名 (義務・仕事・任務などの)遂行者.
ex·pos·i·tor 名 説明者, 解説者.
fac·tor 名 ☞
fel·la·tor 名 フェラチオをする人.
gen·i·tor 名 《古・まれ》親, 父親, (特に)実父.
im·pos·tor 名 ぺてん師, 詐欺師.
in·quis·i·tor 名 調べる人, 取り調べ人; 調査官.
in·spec·tor 名 ☞
in·sti·tu·tor 名 設立者; 制定者; 創始者, 組織者.
in·struc·tor 名 教授者, 教師, 教官, 指導者.
in·ter·cep·tor 名 遮る人, 途中で奪う人.
in·ven·tor 名 (特に特許の取れる)発明家, 創案者.
jan·i·tor 名 雑役夫, 掃除夫, 用務員; 管理人.
lec·tor 名 (主にヨーロッパの大学の)講師.
-lo·cu·tor 連結形 ☞
mal·e·fac·tor 名 犯罪者, 罪人, 犯人.
mon·i·tor 名 ☞
mo·tor 名 ☞
pas·tor 名 牧師, 主任司祭.
pet·i·tor 名 《廃》求める人; 志願者.
prae·pos·tor 名 (英国のパブリックスクールで)監督生徒, 上級監督生.
prae·tor 名 (古代ローマ共和政時代の)法務官.
pre·cen·tor 名 前唱［先唱］者; 主唱者.
pre·cep·tor 名 教授者, 教師; 個人指導教師; 校長.
pred·a·tor 名 【動物】捕食者.
pre·dic·tor 名 予言者, 予報者; 予言するもの.
pre·pos·i·tor 名 ＝praepostor.
pre·pos·tor 名 ＝praepostor.
pre·tor 名 ＝praetor.
pro·sec·tor 名 (講義のための)死体解剖者.
pros·e·cu·tor 名 ☞
pro·tec·tor 名 ☞
pro·trac·tor 名 長引かせる人; 長引かせる原因となるもの.
quaes·tor 名 【ローマ史】財務官; 審問官.
ques·tor 名 【ローマ史】＝quaestor.
rap·tor 名 猛禽(もうきん).
re·cep·tor 名 ☞
rec·tor 名 《米》(プロテスタント監督教会の)教区主任牧師, 教区牧師, 教区長.
sculp·tor 名 彫刻家, 彫り物師.
sec·tor 名 ☞
ser·vi·tor 名 《古》奉公人; 従者, 従僕, 召使い.
suc·cen·tor 名 【教会】聖歌隊長代理.
suit·or 名 《文語》(女性への)求婚者.
trac·tor 名 トラクター, 牽引(けんいん)車.
trad·i·tor 名 背教者.
trai·tor 名 (人・主義などに対する)裏切り者.
tu·tor 名 個人教師, (特に)家庭教師.
vec·tor 名 ☞
vic·tor 名 征服者, 戦勝者.
vis·i·tor 名 ☞

torch /tɔ́ːrtʃ/

名 **1** たいまつ. **2** 懐中電灯. **3** トーチランプ; トーチ.

acétylene tòrch アセチレントーチ.
blów·tòrch 《主に米・カナダ》ブローランプ.
búg tòrch 《米鉄道俗》ランタン.
eléctric tórch 《英》懐中電灯.
plásma tòrch 【金属加工】プラズマトーチ.
wélding tòrch 溶接トーチ［吹管］.

-to·ri·um /tɔ́ːriəm/

接尾辞 -orium の異形.
◆ ラテン語 *-tōrius* の中性形名詞用法. ⇨ -IUM.

au·di·to·ri·um 名 (劇場, 公会堂などの)聴衆［観客］席.
caf·e·to·ri·um 名 カフェトリアム: 特に学校で, カフェテリアと講堂の両機能を果たす大きな部屋.
cre·ma·to·ri·um 名 《英》火葬場, 焼き場(crematory).
e·jac·u·la·to·ri·um 名 (精子銀行で)精子提供者の射精のために設けた部屋.
ex·cu·bi·to·ri·um 名 (古代ローマの都市の)夜警小屋.
fu·ma·to·ri·um 名 燻蒸(くんじょう)(消毒)所.
haus·to·ri·um 名 (寄生植物の)吸収根, 吸根, 寄生根.
lo·cu·to·ri·um 名 (修道院の)応接［面会］室.
lu·bri·to·ri·um 名 《米》自動車の給油所.
mor·a·to·ri·um 名 (特に敵対・危険活動の)一時的停止; 一時的製造［使用］禁止.
na·ta·to·ri·um 名 《まれ》水泳場, プール.
pas·to·ri·um 名 《米南部》牧師館.
re·pos·i·to·ri·um 名 貯蔵庫, 宝物庫.
sa·lu·ta·to·ri·um 名 修道院［聖堂］玄関.
san·a·to·ri·um 名 サナトリウム, 療養所.
san·i·to·ri·um 名 ＝sanatorium.
scrip·to·ri·um 名 (修道院・図書館などの)写字［文書］室.
sub·cinc·to·ri·um 名 【ローマカトリック】スブチンクトリウム.
suc·cinc·to·ri·um 名 ＝subcinctorium.
su·da·to·ri·um 名 (特に, 古代ローマの)蒸し風呂.
ten·to·ri·um 名 【解剖】天幕.
vom·i·to·ri·um 名 (古代建築物の)出入り口.

tor·pe·do /tɔːrpíːdou/

名 魚雷.

acóustic torpédo 音響(誘導)魚雷.
áerial torpédo (航空機から発射する)空中魚雷.
áir-launched torpédo 航空機投下式魚雷.
Bángalore torpédo (バンガロ)爆薬［破壊］筒.
dúmmy-hèad torpédo 擬製魚雷.

-tort /tɔːrt, tɔ́ːrt/

連結形 ねじ曲げられた.
★ 語末にくる関連形は -TORTION.
★ 語頭にくる形は tort-: *tort*icollis「斜頸」, *tort*uosity「(川などの)曲がりくねり」.
◆ <ラ *tortus*(*torquēre*「ねじ曲げる」の過去分詞).
［発音］名詞では語頭に, 動詞では基体(-tort)に第 1 強勢.

bis·tort 名 【植物】イブキトラノオ.
con·tort 動他 ねじ曲げる, ひねる, ねじる.
dis·tort 動他 …をゆがめる, ねじ曲げる.
re·tort 動他 やり返す, 仕返しする, 報復する.

torte /tɔ́ːrt; *Ger.* tɔ́rtə/

名 【料理】トルテ.

Dóbos tórte ドボストルテ: チョコレートをはさんだスポンジをカラメルで仕上げたケーキ.

Linízer tòrte リンゼルトルテ: ナッツ入りオーストリア風タルト.
Sácher tòrte ザッハートルテ: アンズジャムとチョコレートの砂糖衣がかかったケーキ.

-tor·tion /tɔ́ːrʃən/

連結形 ねじられたもの; 曲げられたもの[こと].
★ 名詞をつくる.
★ 語末にくる関連形は -TORT.
★ 語頭にくる関連形は tort-: *tort*icollis「斜頸」, *tort*uosity「(川などの)曲がりくねり」.
◆ <ラ *tortus* (*torquēre*「ねじる」の過去分詞). ⇨ -TION.
[発音] -tortion の第 1 音節に第 1 強勢が置かれる.

con·tor·tion 名 曲げる[ねじる, ゆがめる]こと.
dis·tor·tion 名 ☞
ex·tor·tion 名 (金銭などの)強要, 強請, ゆすり.
re·tor·tion 名 曲げ戻し, ねじり返し.

-to·ry¹ /tɔ̀ːri, təri | təri/

接尾辞 -ory¹ の異形.
★ 元来ラテン語借用の -tor で終わる行為者を表す名詞に対応する形容詞をつくる; また, 動詞から直接形容詞をつくる.
◆ ラテン語 *-tōrius* より. ⇨ -Y¹.

ab·sol·u·to·ry 形 赦罪を与える(権限を持つ).
ac·cu·sa·to·ry 形 起訴の, 告訴の; 非難する.
ad·mon·i·to·ry 形 忠告の, 訓戒する.
a·le·a·to·ry 形 〘法律〙射幸的な.
a·mend·a·to·ry 形 《米》修正の; 修正的, 訂正の.
au·di·to·ry 形 〘解剖〙〘生理〙聴力の, 聴覚の.
ben·e·dic·to·ry 形 祝福の[を与える, を唱える].
cal·e·fac·to·ry 形 加熱[加温]の, 暖める.
ci·ta·to·ry 形 召喚(状)の.
com·mend·a·to·ry 形 推薦[推挙]する; 褒める, 推賞の.
com·pet·i·to·ry 形 競争の; 競合する.
con·firm·a·to·ry 形 確かめる, 確証的な, 確認の.
con·sol·a·to·ry 形 慰めを与える, 慰めとなる, 慰問の.
con·tra·dic·to·ry 形 矛盾する, 相反する; 反対の.
con·trib·u·to·ry 形 寄付の, 義援的な; 拠出の; 出資の.
dam·na·to·ry 形 非難を表す; 有罪にする.
de·clin·a·to·ry 形 拒絶[辞退]の.
dec·re·to·ry 形 《主に英》法令の; 法令による.
dep·re·ca·to·ry 形 非難[抗議, 反対, 不賛成]の.
des·ul·to·ry 形 取り留めのない; 漫然とした.
ds·ap·pro·ba·to·ry 形 同意しない, 不賛成の; 非難を示す.
e·munc·to·ry 形 〘生理〙排出の; 排出器官の.
ex·cus·a·to·ry 形 弁解の, 申し訳の, 言い訳の.
ex·ec·u·to·ry 形 (企業などの)経営幹部(団).
ex·hib·i·to·ry 形 展覧会に関係する; 展示用の.
ex·plan·a·to·ry 形 説明[解説]的な, 弁明的な.
ex·pos·i·to·ry 形 ＝explanatory.
feu·da·to·ry 形 〈人・国が〉隷属した, 主従関係の.
gus·ta·to·ry 形 味覚の.
hor·ta·to·ry 形 忠告の, 勧告的な; 奨励の, 激励の.
in·ter·dic·to·ry 形 禁止の, 停止の.
in·ter·loc·u·to·ry 形 対話の; 対話体の.
in·tro·duc·to·ry 形 紹介の; 序文の; 入門的な.
in·vi·ta·to·ry 形 招待の, 招待の意を伝える.
ju·ra·to·ry 形 宣誓の[で述べた].
laud·a·to·ry 形 《文語》賞賛を表す, 褒めたたえる.
man·da·to·ry 形 義務的な, 強制的な.
min·a·to·ry 形 《文語》脅しの, 威嚇的な.
mon·i·to·ry 形 訓戒[戒め, 警告]となる.
mor·a·to·ry 形 支払猶予[延期]の.
mo·to·ry 形 〘生理〙運動神経を伝える.
ol·fac·to·ry 形 嗅覚(きゅうかく)(器)の.
per·emp·to·ry 形 〈命令などが〉有無を言わせない.
per·func·to·ry 形 機械的な; おざなりの, 通り一遍の.
po·ta·to·ry 形 《まれ》飲酒の; 飲酒癖がある.
prec·a·to·ry 形 嘆願[懇願, 依頼]の, 嘆願を表す.
pred·a·to·ry 形 〘動物〙捕食性の.
pre·mon·i·to·ry 形 予告する, あらかじめ警告する.
proc·u·ra·to·ry 名 〘法律〙代理権授与, 委任.
pro·hib·i·to·ry 形 (行動・行為などを)禁止する.
pur·ga·to·ry 名 煉獄(れんごく), 浄罪界.
re·scis·so·ry 形 廃止[廃棄, 撤回]する, 取り消しの.
rog·a·to·ry 形 ☞
ro·ta·to·ry 形 回転(性)の.
sal·ta·to·ry 形 跳躍の; 踊りの.
sa·lu·ta·to·ry 形 あいさつの.
san·a·to·ry 形 健康によい; 病気を治す, 病に効く.
sat·is·fac·to·ry 形 満足な[のゆく], 思いどおりの.
sig·na·to·ry 形 署名した; 署名に加わった.
ster·nu·ta·to·ry 形 くしゃみを催させる, くしゃみ性の.
su·da·to·ry 形 汗の; 発汗させる.
sup·ple·to·ry 形 《古》埋め合わせとなる, 補足の.
tran·si·to·ry 形 一時的な; はかない, 短命の.
vom·i·to·ry 形 《古》吐き気を起こさせる.

-to·ry² /tɔ̀ːri, təri | təri/

接尾辞 -ory² の異形.
★ 通例, ラテン語借用の -tor で終わる行為者を表す名詞や動詞からの派生形で動詞の表す行為に適切な場所や物を表す.
◆ ラテン語 *-tōrium* より. ⇨ -Y³.

chris·ma·to·ry 名 聖香油容器. ━━ 形 聖香油の.
col·lu·to·ry 名 〘医学〙含嗽(がんそう)剤[水], うがい薬.
con·serv·a·to·ry 名 《米》(美術, 演劇などの)芸術学校, (特に)音楽学校.
con·sis·to·ry 名 (一般に)教会[宗教]会議, 宗教法廷.
di·rec·to·ry 名 人名要覧, 住所人名録.
dis·pen·sa·to·ry 名 医薬品解説書, 薬局方解説.
dor·mi·to·ry 名 《米》(大学などの)寄宿舎, 寮.
e·munc·to·ry 名 〘生理〙排出器官.
feu·da·to·ry 名 封建家臣(feudal vassal).
fu·ma·to·ry 名 燻蒸(くんじょう)所.
in·ven·to·ry 名 《主に米》(年度ごとの)在庫調べ, 棚卸し; 在庫品目録.
lab·o·ra·to·ry 名 ☞
lach·ry·ma·to·ry 名 (古代ローマの墓に見られる)涙壷.
lac·ri·ma·to·ry 名 ＝lachrymatory.
lac·ry·ma·to·ry 名 ＝lachrymatory.
lav·a·to·ry 名 洗面所, 手洗所, トイレ.
loc·u·to·ry 名 (修道院の)応接[面会]室.
ob·serv·a·to·ry 名 観測所, 天文台, 気象台, 測候所.
of·fer·to·ry 名 (カトリック・プロテスタントで)奉献, (ギリシャ正教で)奉献礼儀.
or·a·to·ry¹ 名 雄弁(を振るうこと); 雄弁術.
or·a·to·ry² 名 祈祷(きとう)室, 小礼拝堂.
os·ten·so·ry 名 〘ローマカトリック〙聖体顕示台.
ras·pa·to·ry 名 〘外科〙骨膜剥離子, えぐり刀.
re·fec·to·ry 名 (僧院・大学などの)食堂, 食事室.
re·form·a·to·ry 名 矯正施設; (特に)感化院, 少年院.
rep·er·to·ry 名 レパートリー制: 特定の劇団がいくつかの劇, オペラなどを定期的に代わる代わる上演する形式.
re·pos·i·tor·y 名 保管する入れ物[場所], 収納庫.
sup·pos·i·to·ry 名 座剤, 座薬.
ter·ri·to·ry 名 ☞
tra·jec·to·ry 名 (ロケット・天体などの)弾道, 軌道.

toss /tɔ́ːs, tás | tɔ́s/

名 (軽く・無造作に)ほうる[投げる]こと.

blánket tòss ブランケットトス: 数人が端を引っ張って広げた毛布の上で跳躍するトランポリンに似た遊び.
fúll tóss フルピッチ: ノーバウンドで打者に達する投球.
pítch-and-tóss 投げ銭, コイン投げ.

T

ríng·tòss 輪投げ.

to·tal /tóutl/

形 全部の. ━━名 総額, 総量, 総計. ⇨ -AL[1].

súb·tòtal 名 (勘定書などの)小計.
súm tótal 総計, 総合計, 総量.
tee·tó·tal 形 絶対禁酒(主義)の [を唱道する].

touch /tʌ́tʃ/

動他 **1** 〈人が〉…に(手・指などで)触る; 〈人の〉(体の一部に)触れる. **2** 〈絵・文などに〉加筆する. ━━名 **1** 触れること. **2** 才覚; 手際, 技量.

cómmon tòuch 大衆に訴える力, 一般受けする性質.
éasy tóuch =soft touch.
hígh tóuch 人間的触れ合い.
máster tòuch 素晴らしい [一流の] 手腕.
Mídas tòuch どんなビジネスにも成功する能力.
nó-tóuch 形 〘医学〙傷と包帯に直接手で触れない包帯法の.
rè·tóuch 動他 手を入れる, 加筆する, 修正する.
sóft tóuch 《話》すぐ信じ込む人.

tough /tʌ́f/

形 〈物が〉丈夫で耐久性のある, 強い, 強靭(きょうじん)な.

get-tough 形 手厳しい, 強硬な, 断固たる.
out·tough 動他 〈競争相手を〉圧倒する.

-tour /tuər, túər/

連結形 回る.
★ 語頭にくる形は tour-: *tour*ist「観光客」, *tour*nament「勝ち抜き試合」.
◆ 中英<仏<ラ *tornāre* 旋盤で回す(*tornus*「旋盤」の派生語).

con·tour 名 外郭, 輪郭, 外形; 輪郭線.
de·tour 名 迂回(うかい)路, 回り道.

tour·ism /túərizm/

名 旅行, (特に)観光旅行. ⇨ -ISM[1].

bénefit tòurism 《英》完全福祉を求めて英国を訪れること.
búsiness tòurism 貧しい地域や国で経済的利益を得るための旅行.
éco·tòur·ism 名 エコツーリズム.
Héalth tòurism 健康や元気を取り戻すための旅行.
héritage tòurism (歴史的な)遺産巡り.
náture tòurism 野生生物や田園生活を味わう旅行.
séx tòurism 買春(ばいしゅん)旅行.
spórt tòurism スポーツを楽しむ旅行.
úrban tòurism 都会での観光.

tow·el /táuəl/

名 タオル, 手ぬぐい; ふきん.

báth tòwel バスタオル, 湯上がりタオル.
crýing tòwel 《米俗》泣きタオル.
cúp tòwel 《米方言》(皿用の)ふきん.
dísh·tòwel 《米・カナダ》(皿をふく)ふきん.
eléctric tówel (手を乾かす)電気温風器.
fáce tòwel (顔をふくのに用いる)タオル.
fíngertip tòwel 《米》お客用の小タオル.
hánd-tòwel (手・顔ふき用の)タオル.
jáck tòwel 回転式 [巻き] タオル.
róller tòwel ロール [巻き] タオル.
róund tòwel =roller towel.
sánitary tówel 《英》生理用ナプキン.
téa tòwel 《主に英》=dishtowel.
Túrkish tówel トルコタオル.

tow·er /táuər/

名 塔, やぐら.

béll tòwer 鐘塔, 鐘楼.
Blóody Tówer ブラディタワー: ロンドン塔の搭の一つ.
brídge tòwer 橋塔: ケーブルの支えまたは防備用に用いる塔.
clóck tòwer 時計塔, 時計台.
cónning tòwer (潜水艦の)展望塔.
contról tòwer (空港の)管制塔.
cóoling tòwer 〘エネルギー〙冷却 [冷水] 塔.
Dévil's Tówer (米国 Wyoming 州にある)悪魔の塔.
dríll tòwer 消防訓練塔, 消火演習塔.
Éiffel Tówer (Paris の)エッフェル塔.
fíre tòwer 火の見やぐら, 山火事監視塔.
ívory tówer 象牙(ぞうげ)の塔.
Martéllo tòwer 〘築城〙(海岸防備用の)円形砲塔.
Póst Òffice Tówer (London にある)ポストオフィスタワー.
pówer tòwer 〘電力〙太陽熱発電塔.
Séars Tówer シアーズタワー: 米国 Chicago にある世界一高いビルで, 110 階, 443 m の高さがある.
shót tòwer 散弾製造塔.
sígnal tòwer 《米》〘鉄道〙信号塔.
swítch tòwer 《米》〘鉄道〙=signal tower.
Télecom Tówer Post Office Tower の正式名.
Téxas tówer (海中の)早期警戒用レーダーサイト.
Trúmp Tówer (New York にある)トランプタワー.
wátch·tòwer 望楼, 物見やぐら, 見張り塔.
wáter tòwer 給水塔(standpipe).
Whíte Tówer ホワイトタワー: ロンドン塔の搭の一つ.

town /táun/

名 **1** 町, 都市. **2** 商業区, 下町. ◇ -TON[2].

Béan Tòwn 米国 Massachusetts 州 Boston の異名.
Béer·tòwn 米国 Milwaukee 市のニックネーム.
bóom tòwn 《主に米》新興都市, ブームタウン.
Bóys Tòwn 少年の町. ►非行青少年を収容し, 自治的運営を任せている施設.
cábbage·tòwn 《カナダ》スラム街.
Chína·tòwn (外国の都市にある)中華街, チャイナタウン.
Chóo-chòo Tówn Tennessee 州 Chattanooga 市.
cómpany tòwn 会社町, 企業城下町.
córporate tówn (法人組織の)自治都市.
cóuntry tòwn 田舎 [地方] の町.
cóunty tówn 《米》郡役所所在地, 郡の主都.
ców tòwn (特に米国西部やカナダの)牧畜地域の小さな町.
Cráb·tòwn 《米俗》米国 Maryland 州 Annapolis の異名.
cróss·tòwn 形 《米・カナダ》〈道路・交通などが〉町 [都市] を横断している.
dárk·tòwn 《古風》(都市の)黒人居住区域, 黒人街.
Dóg Tòwn 《米》田舎町; 都市の場末.
dówn·tówn 副 《主に米》ダウンタウンへ [に].
fríendship tòwn 《英》姉妹 [友好] 都市.
Fróg·tòwn 《米》田舎町.
gárrison tòwn 守備隊駐屯都市.
Gás·tòwn ガスタウン: Vancouver の繁華街.
Géorge·tòwn ジョージタウン: Penang の旧称.

T

Gérman·tòwn ジャーマンタウン(米国の地名).
ghóst tòwn ゴーストタウン.
Gráhams·tòwn グレアムズタウン(南アフリカ共和国の都市名).
Hánse·tòwn ハンザ同盟都市(Hansa).
Hóg·tòwn 《カナダ俗》Toronto の異名.
hóme·tòwn 現在住んでいる町[市].
ín·tòwn 形 都心部[市街区域]にある.
Jámes·tòwn ジェームズタウン(米国の都市名).
Japán·town ジャパンタウン: 米国やカナダの都市の日本人町.
jérk tòwn 《米俗》小さな町.
jóke tòwn 冗談の的になる町.
Kíngs·tòwn キングズタウン(セントビンセントおよびグレナディーン諸島の都市名).
Koréa·tòwn (米国の都市の)韓国人街.
mán-abòut-tówn (ナイトクラブなどに出入りする)遊び人, プレーボーイ.
márket tòwn 定期的に市(いち)を開く権利を有する町.
Márshall·tòwn マーシャルタウン(米国の都市名).
Míddle·tòwn[1] ミドルタウン(米国の地名).
Míddle·tòwn[2] 《米》典型的な中流都市.
mìd·tówn 名 《米》市[町]の中央部.
Mórris·tòwn モリスタウン(米国の都市名).
Mó·tòwn モータウン: 米国 Detroit の異名; Motor Town の短縮形.
Náp Tówn 《米俗》インディアナポリス(米国の都市名).
néw tówn ニュータウン.
nígger tòwn 《米俗》(町の)黒人地区.
níght·tòwn 夜の(繁華)街; 街の夜景.
óld tówn オールドタウン.
ópen tówn 【軍事】無防備の町, 非武装都市.
óut-of-tówn 形 他の町[市]の[に関する, からの].
póst tòwn 郵便本局[集配局]のある町.
Ṕ-tòwn 《米俗》フィラデルフィア(Philadelphia)(米国の地名).
Quáker·tòwn 《米俗》米国 Philadelphia 市の俗称.
shánty·tòwn (都市の)バラック地区, 貧民窟(くつ).
shíre tòwn 《米》(東部沿岸州で)郡庁所在地.
Shý Tówn 《米市民ラジオ俗》米国 Chicago 市.
smáll-tówn 形 《米》小さな町の, 田舎町の.
tánk tòwn 汽車が給水のために停車する町.
Tínsel·tòwn 《米》虚飾の町.
Tóon·tòwn (Disneyland の)アニメの町.
úp·tówn 副 《米・カナダ》(都市の)山の手へ[で].
Wáter·tòwn ウォータータウン(米国の都市名).
Wíg·town ウィグタウン: スコットランド南西部の旧州.
Yórk·tòwn ヨークタウン(米国の村名).
Yóungs·tòwn ヤングズタウン(米国の都市名).

town·er /táunər/

名 《俗》町[市]の住人, 町民. ⇨ -ER[1].

Bean·town·er 名 ボストン市民, ボストン人.
home·town·er 名 地元出身者.
in·town·er 名 都心部の住民.
out-of-town·er 名 ほかの町から来た人, 他郷の人.

tox·ic /táksik | tɔ́k-/

形 毒(素)(toxin)の; 毒(素)に起因する, 中毒の. ⇨ -IC[1].
★ 語頭にくる関連形は tox(i)-, toxo-, toxic(o)-: *toxo*plasmosis「トキソプラズマ症」.

an·ti·tox·ic 形 抗毒性の.
a·tox·ic 形 毒のない, 無毒の.
bac·te·ri·o·tox·ic 形 【細菌】細菌毒の.
bi·o·tox·ic 形 生物毒素の[による].
cy·to·tox·ic 形 【医学】細胞毒(性)の, 細胞障害性の.
fun·gi·tox·ic 形 菌類にとって有毒な.
hep·a·to·tox·ic 形 肝細胞に有毒な, 肝毒性の.
neph·ro·tox·ic 形 【医学】腎毒性の(nephrolytic).
neu·ro·tox·ic 形 神経毒(性)の.
non·tox·ic 形 無毒(性)の.
o·to·tox·ic 形 【生理】聴器官毒性のある, 耳毒性の.
pho·to·tox·ic 形 〈物質が〉光毒性の.
phy·to·tox·ic 形 植物毒素(phytotoxin)の.
psy·cho·tox·ic 形 【薬学】精神障害的な, 精神毒性の.
ra·di·o·tox·ic 形 放射線毒の.
sper·mat·o·tox·ic 形 =spermotoxic.
sper·mo·tox·ic 形 〈物質が〉精子に対して毒性がある.
thy·ro·tox·ic 形 【病理】甲状腺(せん)中毒症の.

tox·i·co·sis /tàksikóusis | tɔ̀k-/

名 【病理】中毒状態, 中毒(症). ⇨ -OSIS.

au·to·tox·i·co·sis 名 自家中毒.
my·co·tox·i·co·sis 名 マイコトキシン(中毒)症.
thy·ro·tox·i·co·sis 名 グレーブス病, バセドー病, 眼球突出性腺腫.

tox·in /táksin | tɔ́k-/

名 毒素. ⇨ -IN[2].

af·la·tox·in 名 【菌類】アフラトキシン.
an·a·tox·in 名 【免疫】アナトキシン.
an·ti·tox·in 名 【免疫】抗毒素.
au·to·tox·in 名 【病理】自家毒素.
bac·te·ri·o·tox·in 名 バクテリアを殺す毒薬; バクテリアから生じる毒素.
ba·trach·o·tox·in 名 【薬学】バトラコトキシン.
bi·o·tox·in 名 生物毒素.
bu·fo·tox·in 名 【薬学】ブフォトキシン.
bun·ga·ro·tox·in 名 【生化学】ブンガロトキシン.
crin·o·tox·in 名 【生化学】クリノトキシン.
cy·to·tox·in 名 【免疫】【薬学】細胞毒素.
dig·i·tox·in 名 【薬学】ジギトキシン.
en·do·tox·in 名 【生化学】内毒素.
en·ter·o·tox·in 名 【薬学】エンテロトクシン, 腸毒素.
ex·o·tox·in 名 【生化学】(菌体)外毒素.
he·mo·tox·in 名 【生化学】ヘモトキシン, 血液毒.
hep·a·to·tox·in 名 【生化学】肝臓毒(素).
ich·thy·o·sar·co·tox·in 名 【生化学】魚類肉毒素.
im·mu·no·tox·in 名 【免疫】免疫毒素.
lym·pho·tox·in 名 【免疫】リンフォトキシン.
my·co·tox·in 名 【薬学】マイコトキシン.
neu·ro·tox·in 名 【生化学】神経毒.
och·ra·tox·in 名 【生化学】オクラトキシン.
pal·y·tox·in 名 【生化学】パリトキシン.
phal·lo·tox·in 名 【菌類】ファロトキシン.
pho·to·tox·in 名 【生化学】フォトトキシン.
phy·to·tox·in 名 植物毒素.
pic·ro·tox·in 名 【薬学】ピクロトキシン.
py·ro·tox·in 名 ピロゲン, パイロジェン, 発熱物質.
ra·di·o·tox·in 名 【物理】放射性毒素.
sax·i·tox·in 名 【生化学】サキシトクシン.
si·to·tox·in 名 (腐敗によって生じる)穀物毒素.
sper·ma·to·tox·in 名 =spermotoxin.
sper·mo·tox·in 名 精子に対して毒性を有する物質.
tet·rodo·tox·in 名 【薬学】テトロドトキシン.
zo·o·tox·in 名 動物毒素.

toy /tɔ́i/

名 玩具(がん), おもちゃ.

bóy tòy 《米俗》愛人となる若い男の子,「若いツバメ」(toy boy).

T

hót tòy 《米俗》アヘン吸引用具.
Idéal Tóy 米国の玩具メーカー.
interàctive tóy 映画・テレビと関連した玩具.

trace /tréis/

名 (かつての事物・事件などの)形跡, 名残, 痕跡(こんせき), (犯人の)足取り. ——動他 …の足跡をたどる.

édit tràce (電子出版における)組版過程での変更・追加・削除の記録.
léaf tràce 〔植物〕葉跡.
mémory tràce 〔心理〕痕跡.
Nátchez Tráce 〔米史〕ナチズ道.
re·tráce 動他〈道を〉引き返す, 後戻りする.
re-tráce 動他〈文字・絵の線などを〉再びなぞる.

trac·er·y /tréisəri/

名〔建築〕狭間(はざま)飾り, トレサリー. ⇨ -ERY[1].

bár tràcery バートレーサリー.
curvilínear trácery 曲線模様窓格子.
fán tràcery 扇形トレサリー.
flówing trácery ＝curvilinear tracery.
geométric trácery (英国ゴシック建築の)繊細な幾何学様式の狭間(はざま)飾り.
Kéntish trácery ケント風トレーサリー.
pérforated trácery ＝plate tracery.
pláte tràcery プレートトレーサリー.
retículated trácery 網目状のトレーサリ.

track /trǽk/

名 **1** 線路. **2** (通った)跡. **3** 軌道, 進路. **4**〔スポーツ〕トラック.

báck tràck もと来た所へ戻る道, 引き返す道.
báck·tràck 動自 (同じ道を通って)引き返す.
bódy tràck 〔鉄道〕仕分線.
cáb·tràck キャブトラック, 軌道タクシー.
cínder tràck 石炭殻を敷き詰めた競走用トラック.
cláp tràck クラップトラック, 拍手トラック.
cýcle·tràck 自転車道路(《英》cycleway).
dírt tràck オートバイ用の泥土の競走路.
dóuble tràck 〔鉄道〕複線.
éight tràck 《米俗》2.5 グラムのコカイン.
fást tràck 〔競馬〕(速度が出る)乾燥競走路.
fást-tráck 動自他 急速に昇進 [発達] する [させる].
gréat-circle tràck 大圏航路 [航跡].
gróund tràck 〔航空宇宙〕地跡線.
hálf-tràck 半無限軌道装置.
ínside tráck (トラックの)内側, インコース.
ládder tràck 〔鉄道〕はしご線.
láugh tràck (テレビ番組などの)テープの笑い声.
léad tràck 〔鉄道〕引上線.
Mercátor tràck 〔航海〕航程線(rhumb line).
mín·i·tràck 名 〔宇宙〕ミニトラック.
mómmy tràck 《米》ママさんトラック: 出産・育児のため昇進できない専門職の女性.
mùlti-tráck 形〈録音テープが〉多重トラックの.
óff·tráck 形〈競馬の賭けが〉場外での.
óne-tràck 形〈鉄道が〉単線の.
péri·tràck 〔航空〕誘導路.
ráce·tràck 《特に米》競馬場.
shéep tràck 羊が通ってできた道.
síde·tràck 動他自 〔鉄道〕本線から側線に入れる [入る].
síngle-tráck 形 〔鉄道が〕単線の.
sláb tràck 〔鉄道〕スラブ軌道.
sóund·tràck 〔映画〕サウンドトラック.
Spáce·tràck 〔米軍事〕宇宙攻撃警戒網.
spúr tràck 〔鉄道〕行き止まり線.
stórm tràck 暴風の進路.
stúb tràck ＝spur track.
ténure-tràck 形 《米》〈教授が〉終身在職を認められた.
tráverse tràck (ひもで開閉する)金属カーテン.
twó-tràck 〔調教〕二蹄跡(にていせき)運動.
wárning tràck 〔野球〕警告路.
wíld-tráck 形 〔映画〕画面と別の音を録音した.
Ý-tràck 〔鉄道〕Y 形に敷設された軌道.

tracks /trǽks/

名複 track の複数形.

chícken tràcks 《米俗》みみずがのたくったような字.
crów tràcks 《米陸軍俗》(下士官兵が袖(そで)に着ける)山形の階級章(stripes).
hén tràcks 《米俗》ほとんど読めない走り書き, かなくぎ流の筆跡.
ráilroad tràcks 《米俗》陸軍大尉の階級章の 2 本の銀線.
sórting tràcks 〔鉄道〕仕訳線.

tract /trǽkt/

名 **1** (陸・海・空などの)広がり; 地域, 区域; 領域. **2**〔解剖〕(神経系統の)索, 路.

cénsus tràct 《米》人口調査標準地域.
féather tràct 〔鳥類〕羽域, 翼区(く).
olfáctory tràct 〔解剖〕嗅索(きゅうさく).
pyrámidal tràct 〔解剖〕錐体(すいたい)路.

-tract /trǽkt/

連結形 引っ張られた.
★ 語末にくる関連形は -TRACTION, -TRACTIVE.
★ 語頭にくる形は tract-, treat-: *tract*able「従順な」, *treat*ment「待遇」.
◆ ＜ラ *tractus*(*trahere*「引く」の過去分詞).

ab·stract 動他〈概念を〉(…から)抽象する.
at·tract 動他 …を引きつける, 引き寄せる, 引く.
con·tract 名 ☞
de·tract 動自〈価値・名声などを〉落とす, 損ねる.
dis·tract 動他〈注意などを〉そらす, 転じる.
ex·tract 名 ☞
pro·tract 動他 延長する, 引き延ばす.
re·tract 動他 引っ込める; 納める; 収縮させる.
sub·tract 動他 …を取り去る, 減じる, 控除する.

-trac·tion /trǽkʃən/

連結形 **1** 引っ張られたこと [もの]. **2** 引っ張るもの [こと].
★ 名詞をつくる.
★ 語末にくる関連形は -TRACT.
★ 語頭にくる関連形は tract-, treat-: *tract*able「従順な」, *treat*ment「待遇」. ☞-ION[1].
◆ ＜ラ *tractus*(*trahere*「引く」の過去分詞). ⇨ -TION, [発音] -traction の第 1 音節に第 1 強勢が置かれる.

ab·strac·tion 名 抽象概念.
at·trac·tion 名 (…に)引きつけること, 引きつけ.
con·trac·tion 名 収縮; 短縮, 縮小.
de·trac·tion 名 (名声・価値などの)毀損(きそん), 減損.
dis·trac·tion 名 気を散らすこと; 気が散った状態.
ex·trac·tion 名 ☞
pro·trac·tion 名 長引かすこと, 引き延ばし, 延長.
re·trac·tion 名 引っ込めること, 収縮.
sub·trac·tion 名 引き去る [取り去る, 減じる] こと.

-trac·tive /trǽktiv/

連結形 引く….

★ 形容詞をつくる.
★ 語末にくる関連形は -TRACT.
★ 語頭にくる関連形は tract-, treat-: *tract*able「従順な」, *treat*ment「待遇」.
◆ <ラ *tractus*(*trahere*「引く」の過去分詞). ⇨ -IVE[1].

ab·strac·tive 形 抽象力のある, 抽象性の.
at·trac·tive 形 (容姿・態度で)人を引きつける.
con·trac·tive 形 収縮性の, 収縮力のある; 縮みやすい.
de·trac·tive 形 名誉毀損(きそん)の; 減損的な.
dis·trac·tive 形 気を散らす; 心を狂わせる.
ex·trac·tive 形 引き出す, 抜き取る, 抽出する.
re·trac·tive 形 引っ込む; 引っ込めるのに役立つ.
sub·trac·tive 形 減じる, 引く, 引き去る, 控除する.

trade /tréid/

名 商業, 商売, 商い, 取引; 交易, 通商, 貿易.

án·ti·tràde 名 〖気象〗反対貿易風.
biláteral tráde 相互均衡貿易, 双務貿易.
bí-tràde 名 《米俗》(両性愛者用の)セックス産業.
blóck tràde ブロックトレード, 大量口単位取引.
bóok tràde 〖出版〗ブック・トレード, 書籍販売.
cárcass tràde 《英俗》再生骨董(こっとう)家具業.
cárriage tràde (商店・レストラン・劇場などの)上等の顧客; 自家用車族; 富裕階級の人々.
cárriage-tràde 形 エリート向きの.
cárrying tràde 運送業; (特に異国間の)海運業.
cóasting tràde 沿岸貿易.
cóunt·er·tràde 名 見返り貿易.
cróss-tràde 〖株式取引〗空相場.
dáy-tràde 動他 〈証券や商品の〉日計り商いをする.
dísmal tráde 葬儀業.
é-tràde 名 電子取引.
fáir tráde 公正取引.
fáir-tráde 動他自 《もと》(商品を)公正取引協定に従って売る, 公正取引をする.
frée tráde 自由貿易.
hórse tràde 抜け目のない駆け引き; 現実的妥協.
hórse-tràde 動自 抜け目のない駆け引き[取引]をする.
invísible tráde 〖経済〗貿易外取引, 見えざる貿易.
òut·tráde 動他 〈人を〉(売買で)一杯食わせる.
ò·ver·tráde 動自 資金超過取引をする, 過大取引をする.
rág tràde 《俗》(特に婦人服の)被服産業.
róugh tráde 《米俗》(しばしば異性を愛する)サド的で暴力的なホモ.
shéltered tráde 《主に英》(国内の)独占事業.
sláve tràde 奴隷売買[貿易].
swítch tràde スイッチ貿易, 乗り換え貿易.
tálly tràde 《英》分割払い販売法.
téa tràde 相手を求めて公衆便所に出入りするホモの仲間.
triángular tráde 〖経済〗三角貿易.
ùp·tràde 動他 〈車・装置などを〉下取りに出す.
wásh-tràde 動他 (株価をつり上げるために)〈特定の株式を〉仮装売買する.

trad·er /tréidər/

名 商売する人. ⇨ -ER[1].

féme-sóle tràder 〖法律〗(自己の資金と責任で)夫から独立して事業を経営する権利を有する既婚婦人.
flóor tràder 〖証券〗フロアートレーダー.
hórse tràder (取引で)抜け目のない人.
mámmy tràder 《西アフリカ》市場で商売する女.
sáles tràder 《英》〖証券〗相場維持(値付け)業者(market maker)の従業員.

trad·ing /tréidiŋ/

名 売買[交換, 取引]すること. ⇨ -ING[2], -ING[1].

búcket tràding 〖証券〗不誠実取引; 空(から)取引.
chéck tràding 〖金融〗小切手割賦販売方式.
cróss-tràding (海運会社の)クロス・トレーディング.
insíder tràding インサイダー取引.
prógram tráding 〖株式〗プログラム売買.
swítch tràding 〖金融〗スイッチトレード.

traf·fic /trǽfik/

名 交通, 往来; 交通量, 輸送量; 《文語》商売, 売買.

áir tràffic 〖航空〗航空交通.
héavy tráffic 大型重量車両(トラックなど).
sláve tràffic 奴隷売買.
thróugh tràffic 通過交通.
wíre tràffic 電報交信量, 通信量.

trail /tréil/

動他 〈すそ・足などを〉引きずる; 〈物を〉引っ張って進む. ──名 **1** 小道; けもの道. **2**(動物・人・物などが残した)跡, 足跡.

áudit tràil 〖会計〗監査証跡.
báck-tràil 動自 (同じ道を通って)引き返す.
campáign tràil 選挙遊説の旅[コース].
condensátion tràil ＝contrail.
cón·trail 飛行機雲.
déath tràil 《米演劇俗》中西部のどさ回り.
dissipátion tràil 消散航跡; 〖航空〗雲の穴.
dís·tràil ＝dissipation trail.
fíre tràil 《豪》(森林にある)消火路.
náture tràil 自然[山林]遊歩道.
páper tràil ペーパートレイル: 個人の過去を探る手掛かりとなる記録.
sáwdust tràil (伝道集会の)祭壇へ至る通路.
trím tràil トリムトレイル: ところどころにトレーニング施設のあるジョギングコース.
twítching tràil 《カナダ方言》林道.
vápor tràil ＝contrail.

trail·er /tréilər/

名 **1** トレーラー: 自動車, トラックなどに連結して貨物を運ぶための車. **2**(重い物を)引きずる人[もの]; 後をつけていく人[もの]; 追跡者, 猟師, 猟犬. ⇨ -ER[1].

fífth-whèel tráiler 第五輪(fifth wheel)の補助車輪のついた単体のトレーラー.
fúll tráiler フルトレーラー.
hóuse tràiler ハウストレーラー.
hóver·tràiler ホバートレーラー.
ópen tráiler ほえながら獲物のあとを追う犬.
sé·mi·tràil·er 名 セミトレーラー.
stíll tráiler 忍び猟犬.
tándem tràiler タンデムトレーラー.
tánk tràiler タンクトレーラー.
tént tràiler (移動キャンプ用)テント・トレーラー.
tráctor-tráiler トラクタートレーラー.
trável tràiler ハウストレーラー, 移動住宅.
trúck tràiler 貨物トレーラー.

train /tréin/

名 **1** 列車, 電車, 汽車. **2** 列, 行列. ──動他 訓練する, 教育する. ──自 トレーニングする.

accommodátion tràin 《米》《今はまれ》普通列車.

áer·o·tràin 名 アエロトラン, 空気浮上式鉄道.
áir tràin ＝sky train.
Á tràin A 列車: New York の地下鉄の一系統.
áu·to-tràin 名 オートトレイン: ある区間を乗客と車を一緒に運ぶ列車.
bóat tràin (船と連絡する)連絡列車.
búllet tràin 弾丸列車(新幹線など).
cáttle tràin 《米黒人俗》キャデラック.
cát-tràin 《主にカナダ》キャタピラー式雪上車で牽引(けんいん)するそりを装置した一連の車両.
córridor tràin 《英》コンパートメント形式の列車.
de·tráin 動自 列車から降りる, 下車する.
díal tràin 〖時計〗裏回り [日の裏] 輪列(りんれつ).
dóg tràin 《カナダ》(複数の犬が引く)犬ぞり.
dówn·tràin 下り列車.
dríve tràin 〖自動車〗ドライブトレーン.
en·tráin[1] 動自 〈(特に)軍隊が〉列車に乗る.
en·tráin[2] 動他 引っ張って行く, 引きずる.
epicýclic tráin 〖機械〗遊星歯車装置.
fréight tràin 《米》貨物列車(《英》goods train).
góing tràin 〖時計〗表輪列(おもてりんれつ).
gó-tràin 《カナダ》小型通勤快速電車.
grávy tràin 《俗》(努力しないで利得を得られる)うまい立場 [地位].
hóspital tràin 病院列車.
hóuse-tràin 動他 《英》押し込み強盗をする.
Hóver·tràin ホバートレーン: 英国で実験中の空気浮上式列車.
ÌnterCíty tràin 《英》インターシティー・トレイン: 英国国鉄の都市連絡快速列車.
líner·tràin コンテナ列車.
mílk tràin 《話》(牛乳出荷のための)早朝の各駅停車の列車, 夜行列車.
míxed tráin (客車と貨車の)混成列車.
múle tràin ラバ隊.
ómnibus tràin 《英》＝accommodation train.
ò·ver·tráin 動他自 鍛えすぎる, 訓練しすぎる.
páck·tràin (ロバなどの)荷を運ぶ動物の列.
páper-tràin 動他 〈犬などを〉(訓練によって)紙の上で排便するようにしつける.
parliaméntary tráin 《英》運賃の安い労働者用の三等列車.
póol tràin 《カナダ》相互乗り入れ列車.
pówer tràin 伝動機構, 連鎖伝動装置.
rè·tráin 動他 再訓練 [再教育] する.
róad-tràin (一団となった)自動車の隊列.
séa·tràin 鉄道連絡船, 列車フェリー.
ský tràin 空中列車.
snów tràin 雪列車, スキー列車.
stéam tràin 蒸気機関車.
stópping tràin 《主に英》普通列車, 鈍行.
stríking tràin 〖時計〗打方(機構の)輪列.
Súgarcane Tráin サトウキビ列車.
tílt-car tráin ティルト・カー列車.
tílt tráin ＝tilt-car train.
tíme tràin ＝going train.
tóilet-tràin 動他 〈幼児に〉用便のしつけをする.
túbe tràin 《英》地下鉄列車.
túr·bo·tràin 名 (ガスタービンが動力の)ターボ列車.
únit tràin 《米・カナダ》長距離貨物固定編成列車, ユニットトレイン.
véstibule tràin 《米》貫通式旅客 [連廊] 列車.
wágon tràin 〖米史〗ほろ馬車隊.
wáve tràin 〖物理〗波列.
wáy tràin 《米》(各駅止まりの)普通列車.
wéight-tràin 動自 バーベルや鉄亜鈴などを使って身体を鍛える.
wórk tràin (鉄道の建設・保守のために, 人員・建設資材などを運搬する)工事列車.

train·ing /tréiniŋ/

名 教育, 訓練, トレーニング. ⇨ -ING[1].

assértiveness tràining 断行訓練(法).
autogénic tráining 自律訓練法.
básic tráining 〖軍事〗(新兵の)基礎訓練.
bóot tràining 〖米海軍・海兵隊〗(入隊直後の)訓練.
círcuit tràining サーキット・トレーニング.
Cóverdale tràining 〖経営〗カバーデール集団課題解決訓練.
cróss-tráining クロストレーニング.
Emplóyment Tráining 《英》(政府の)雇用促進計画.
ínterval tràining インターバル・トレーニング.
mánual tráining 工芸・手芸の訓練; 工作科.
obédience tràining (動物, 特に犬の)服従訓練.
phýsical tráining 体育.
pótty-tràining (幼児の)用便のしつけ.
resístance tràining レジスタンストレーニング.
sensitívity tràining 〖心理〗感受性訓練.
spríng tráining (プロ野球チームなどの)春季練習.
tóilet tràining ＝potty-training.
univérsal mílitary tráining 一般国民軍事教練.
wéapon-tràining 兵器使用訓練.
wéight tràining ウエートトレーニング.

trait /tréit | tréi, tréit/

名 特徴, 特色, 特質.

cárdinal tráit 〖心理〗基礎特性.
cúlture tràit 〖人類〗文化特性.
síckle cèll tràit 〖病理〗鎌(かま)状赤血球体質.

trans·fer /trænsfə́ːr, ∠— | trænsfə́ː/

動他 〈物を〉移す, 移動させる. ―― 名 移動, 移転; 譲渡; 為替, 振替. ⇨ -FER.

cáble trànsfer 《米》電信為替.
crédit trànsfer 銀行口座振替(bank transfer).
dýe trànsfer 〖写真〗染料転写法.
égg trànsfer 〖医学〗卵子移植手術.
electrónic fúnds trànsfer 電子式資金移動 [振替決算] システム.
émbryo trànsfer 〖医学〗胎児移植.
fát trànsfer 〖医学〗脂肪入れ替え.
gámete intrafallópian trànsfer 〖医学〗配偶子卵管内移植(GIFT).
géne trànsfer 〖生物工学〗遺伝子導入.
ínterwindow trànsfer 〖コンピュータ〗ウィンドー間転送.
lánguage trànsfer 〖言語〗転位(transfer).
négative tránsfer 〖心理〗負の転移, 消極的転移.
pássive tránsfer 〖免疫〗受け身移入.
technólogy trànsfer 技術移転, 発展途上国の技術導入.
telegráphic tránsfer 《英》＝cable transfer.
wíre trànsfer 電信送金.
wíre-transfér 動他 〈金銭を〉電信送金で振り替える.
zygote intra-fallopian transfer 体外受精(ZIFT).

trans·fer·ase /trǽnsfərèis, -rèiz | -rèiz, -rèis/

名 〖生化学〗転移酵素, トランスフェラーゼ. ⇨ -ASE[1].

a·mi·no·trans·fer·ase 名 アミノトランスファーゼ.
car·bam·o·yl·trans·fer·ase 名 カルバミルトランスフェラーゼ.
glu·co·syl·trans·fer·ase 名 〖生理〗グルコシルトランスフェラーゼ.
méthyl tránsferase メチル基転移酵素.
nu·cle·o·ti·dyl·trans·fer·ase 名 ヌクレオチジルトランスフェラーゼ.
phos·pho·trans·fer·ase 名 ホスホトランスフェラーゼ.

trans·for·ma·tion /trænsfərméiʃən/

名 **1** 変化. **2** 〖数学〗変換. ⇨ FORMATION.

bilínear transformátion ＝Möbius transformation.
bì·o·trans·for·má·tion 名 〖生物〗生体内変化.

Galiléan transformátion 〔物理〕ガリレイ変換.
homothétic transformátion =similarity transformation.
línear fráctional transformátion =Möbius transformation.
línear transformátion 〔数学〕一次変換, 線形変換.
Lórentz transformàtion 〔物理〕ローレンツ変換.
Möbius transformàtion 〔数学〕メービウス変換, 一次変換.
shéar transformàtion 〔数学〕横ずれ変換.
simílárity transformàtion 〔数学〕相似変換.
topológical transformátion 〔数学〕同相写像, 位相(同形)写像.

trans·fu·sion /trænsfjúːʒən/

名 **1** 移注. **2**〔医学〕輸血. ⇨ -FUSION.

àu·to·trans·fú·sion 名 自家[自己](血)輸血(法).
blóod transfùsion 輸血.
pòst·transfúsion 形 〔医学〕輸血によって起こる.

tran·sis·tor /trænzístər/

名〔電子工学〕トランジスタ. ⇨ -ISTOR.

dríft transìstor 合金拡散[接合]型トランジスター.
epitáxial transístor エピタキシャルトランジスター.
fíeld-effect transìstor 電界効果トランジスタ.
júnction transìstor 接合(型)トランジスタ.
phò·to·tran·sís·tor 名 フォトトランジスタ.

tran·sit /trǽnsit, -zit/

名 **1** 通過, 通行, 横断. **2**(人・荷物の)運送, 輸送;《米》(一地域の)公共(旅客)輸送機関.

máss tránsit (大都市圏内の)大量輸送(機関).
pàr·a·trán·sit 名 パラトランジット: 補助的交通手段.
rápid tránsit (都市圏の)高速鉄道.
úpper tránsit 〔天文〕極中正中.

tran·si·tive /trǽnsətiv, -zə-/

形〔文法〕他動詞的な, 他動詞の. ⇨ -ITIVE.

di·tran·si·tive 形 目的語を2つ従える.
in·tran·si·tive 形 自動詞の, 自動詞的な.
mon·o·tran·si·tive 形 目的語を1つ従える.

trans·mis·sion /trænsmíʃən, trænz- | trænz-/

名 送る[伝える]こと. ►transmitの名詞形. ⇨ -MISSION.

asýnchronous transmíssion 〔通信〕非同期伝送.
automátic transmíssion 〔自動車〕自動変速機[装置].
cárrier trànsmission 〔通信〕搬送波伝送.
contínuously váriable transmíssion 〔自動車〕〔機械〕連続可変式変速器.
mánual transmíssion 〔自動車〕手動変速機[装置].
nèu·ro·trans·mís·sion 名 〔生理〕神経伝達.
párallel transmíssion 〔通信〕並列伝送.
scátter transmìssion 〔通信〕散乱通信.
seléctive transmíssion 〔自動車〕選択式変速機.

trans·mit·ter /trænsmítər, trænz- | trænzmítə/

名 伝達する人[もの]. ⇨ -ER[1].

mí·cro·trans·mìt·ter 名 超小型発信装置.
nèu·ro·trans·mít·ter 名 神経伝達物質.
rá·di·o·trans·mít·ter 名 無線送信機.
spárk transmìtter 〔無線〕火花式送信機.

trans·plant /trænsplǽnt, -pláːnt | -pláːnt/

名 移植; 移植臓器[組織]. ⇨ PLANT.

àllo·tránsplant 名 同種移植片(allograft).
àuto·tránsplant 名 自家移植片(autograft).
bóne-màrrow trànsplant 骨髄移植.
Éuro·tránsplant 名 腎臓移植を必要とするヨーロッパの人のコンピュータ・ファイル.
háir trànsplant (頭部への)毛髪移植, 植毛.
héart trànsplant 心臓移植.
hètero·transplánt 名 異種移植片(heterograft).
hòmeo·tránsplant 名 =allotransplant.
hòmo·tránsplant 名 =allotransplant.

trans·port /trǽnspɔːrt/

名 **1** 移送, 運送, 輸送. **2** 旅客機. ⇨ -PORT.

áctive tránsport 〔生化学〕活性輸送.
áir trànsport 空輸, 空中輸送.
co·tráns·port 名 〔生化学〕共輸送.
eléctron tránsport 〔生化学〕電子伝達(系).
Lòndon Règional Tránsport 《英》ロンドン(地方)交通局.
máss tránsport 大量輸送.
mechánical tránsport 〔英軍事〕輜重(しちょう)隊の自動車班.
mémbrane trànsport 〔生化学〕膜輸送.
públic tránsport 公共の交通機関.
supersónic tránsport 超音速旅客機.
tápe trànsport 〔録音〕テープ駆動機構.

trap /trǽp/

名 **1** わな, 落とし穴. **2** 防臭弁.

áir tràp 防臭弁(trap).
béar tràp 《米市民ラジオ俗》速度違反取り締まり.
bláck-líght tràp (昆虫を捕獲する)ブラックライトわな.
bóob tràp 《米俗》ナイトクラブ.
bóoby tràp 《話》〔軍事〕偽装爆弾.
bóoby-tràp 動他 …にブービートラップを仕掛ける.
brúsh tràp 〔漁業〕簀立(すだて).
Chínese fínger tràp 中国風指捕り器.
cláp·tràp はったり; たわ言.
déath·tràp 死を招く落とし穴, 死の陥穽(かんせい).
drúnk drìver tráp 飲酒検問所.
dúst tràp ほこりを集めるもの.
en·tráp 動他 〈動物を〉わなに掛ける.
fáll-tràp 落としわな.
fíre·tràp 火災時にきわめて危険な建物.
fláme tràp (バーナーのノズルの)逆火防止装置.
fléa·tràp 《米俗》安宿.
flý·tràp 食虫植物.
fóx tràp キツネ用のわな.
ghóst tràp 水中に放置されたかご.
gréase tràp (排水管の)防油弁.
hóuse tràp 排水溝末端のU字トラップ.
íon tràp 〔電子工学〕イオントラップ.
kíssing tràp 《俗》口.
lég tràp 〔クリケット〕レッグトラップ.
líght tràp 誘蛾(ゆうが)灯.
liquídity tràp 〔経済〕流動性の落とし穴.
líve·tràp 生け捕り用わな.
lóbster tràp (ロブスターを捕る)わな.
mán-tràp (不法侵入者などを捕らえる)わな.
móuse·tràp ネズミ取り(器).
óffside tráp 〔サッカー〕オフサイドトラップ.
potáto-tràp 《俗》口.
póverty tràp 《英》貧困のわな.
rádar tràp (レーダーによる)速度違反探知装置.
ráttle·tràp 《話》がたがたの乗り物.
rát·tràp ネズミ捕り.
sánd tràp 〔ゴルフ〕バンカー.

T

sólar tráp 陽光を活用するように造られた庭.
spéed tràp スピード違反監視区間.
stéam tràp 〖機械〗蒸気トラップ.
stéel tráp スチールトラップ, とらばさみ.
stéel-tràp 形 理解が早い, 鋭い.
sténch tràp (下水管などの)防臭弁.
stínk tràp ＝stench trap.
Ś tràp S 字形トラップ.
sún tràp 日当たりのいい場所(テラスなど).
tálk-tràp 《米俗》口.
tánk tràp 戦車の前進を阻むために置く障害物.
tóurist tràp 《米俗》観光客相手に商売をする店.
wáter tràp 〖ゴルフ〗ウォーターハザード.
wáve tràp 〖ラジオ〗ウエーブトラップ.
wen·tle·trap イトカケガイ(糸掛け貝).

trash /trǽʃ/

名 つまらないもの; 《主に米・カナダ》くず, 廃物, がらくた.

cáne tràsh サトウキビの絞りかす(bagasse).
Éuro·tràsh 名 《俗》ヨーロッパの超有閑族.
tèchno·trásh 名 《コンピュータ俗》技術ばか.
tóurist tràsh 《俗》観光客向けの安っぽい土産物.
whíte trásh 《米俗》貧しい階級の白人.

trav·el /trǽvəl/

動自 〈人などが〉(遠方・外国へ)旅をする, 旅行する. ——他 …を旅行する. ——名 旅行.

áir tràvel 飛行機旅行.
òut·trável 動他 〈境界などを〉越えて旅する.
spáce tràvel 宇宙旅行.
tíme tràvel (SF で)時空旅行, 時間旅行.

tray /tréi/

名 盆, サービス盆, トレー; (縁の浅い)盛り皿; (ゼリーなどの)流し皿; 浅箱; (書類・標本用の)整理箱.

ásh·tràу 灰皿.
béd tràу ベッド用食事台.
bútler's tràу 側面にちょうつがいがつき, 広げると楕円の平板になる長方形の木製トレー.
cárd tràу 名刺受け.
gállery tràу 縁飾りを施した銀製の盆.
hót tràу 電気保温トレー[皿].
íce-tràу (冷蔵庫の冷凍室の)製氷皿.
ín-tràу 名 未決書類入れ(in-box).
Mílk Tràу 《商標》ミルクトレイ.
óut-tràу 名 既決書類入れ.
pénding-tràу 未決書類トレー.
pén tràу ペン皿.
téa tràу 茶盆.

tread /tréd/

動他 …を踏む. ——名 (タイヤの)接地面, 踏面(ふみ).

cáterpillar trèad 無限軌道トレッド.
rè·tréad 動他 〈タイヤに〉再び踏み面をつける.
re-tréad 動他自 再び踏む; 踏み[歩み]戻る.
ùn·tréad 動他 〈もと来た道を〉戻る, 引き返す.

treat /tríːt/

動他 1〈人・動物などを〉(…のように)扱う, 遇する. 2〈物を〉(化学薬品などで)処理する. ——名 ごちそう, もてなし.

Dútch tréat 《主に米話》割り勘(の食事).
en·tréat 動他 懇願[嘆願, 懇請]する.
héat-trèat 動他 〈金属・合金・宝石を〉熱処理する.
hý·dro·trèat 動他 〖化学〗水素処理する.
íll-tréat 動他 虐待する, 冷遇する, 酷使する.
in·tréat 動他 《古》＝entreat.
mal·tréat 動他 手荒く扱う, 虐待する, 酷使する.
mis·tréat 動他 酷使する, 虐待する.
prè·tréat 動他 …を前もって処置する.
re-tréat 動他自 再び扱う, 再処理する.
schóol trèat 《英》スクールパーティー.
tríck-or-tréat 動自 「いたずらかお菓子か」遊びをする.

treat·ment /tríːtmənt/

名 1(物・事の)取り扱い. 2(人・動物に対する)扱い. 3 治療. 4(化学薬品などによる)処理. ⇨ -MENT.

áf·ter·trèat·ment 名 後処理.
béauty trèatment 美顔[美容]術.
hót-wáter trèatment 〖植物病理〗温湯処理[浸種法].
intermédiate tréatment 中間措置.
Kénny trèatment 〖医学〗ケニー法.
nátional tréatment 〖外交〗内国民待遇.
non·tréat·ment 名 治療しないこと.
ò·ver·tréat·ment 名 過剰治療.
pòst·tréat·ment 形 治療[処置]後(検査)の.
prè·tréat·ment 形 処置前の.
róot trèatment 〖歯学〗根管治療法.
sélf-tréat·ment 名 (医師によらない)自己療法.
sílent trèatment 黙殺, 無視.
wáter trèatment 水処理.

trea·ty /tríːti/

名 (国家間の)条約, 協定; 条約[協定]文書. ⇨ -Y[4].

Antárctic Trèaty 南極条約(1959).
Antiballístic Míssile Trèaty ABM 条約(1972).
Biodivérsity Tréaty 生物多様性条約(1992).
Brússels Tréaty ブリュッセル条約(1948).
Brýan-Chamórro Trèaty ブライアン＝チャモロ条約(1914).
Cláyton-Búlwer Tréaty 〖米史〗クレイトン＝ブルワー条約(1850).
Égypt-Ísrael Péace Tréaty エジプト・イスラエル平和協定.
Háy-Páuncefote Trèaty ヘイ＝ポンスフット条約(1901).
Jápanese-Américan Secúrity Tréaty 〖歴史〗日米安全保障条約, (日米)安保条約(1952, 60).
Jáy's Tréaty 〖米史〗ジェー条約(1794).
Láteran Tréaty 〖歴史〗ラテラン条約, ラテラノ協定(1929).
lúnar trèaty 月条約.
Máastricht Tréaty マーストリヒト条約(1991).
Nònproliferátion Trèaty 核拡散防止条約.
Nórth Atlántic Tréaty 北大西洋条約(1949).
Núclear Tést-Ban Trèaty 核実験停止条約(1963).
Óuter Spáce Trèaty 宇宙条約, 宇宙天体条約.
Pínckney's Tréaty ピンクニー条約(1795).
prívate tréaty 当事者間直接売買取り決め.
Río Tréaty リオ条約, 米州相互援助条約(1947).
Sán Francísco Péace Tréaty サンフランシスコ平和条約(1951).
SÁR tréaty ＝search and rescue treaty.
séarch and réscue trèaty 海上捜索救助条約.
Stratégic Árms Limitàtion Trèaty 戦略兵器制限協定(1972).
Wébster-Áshburton Trèaty 〖米史〗ウェブスター＝アシュバートン条約(1842).

tree /tríː/

名 1(高く直立する)木, 樹木, 高木; (花・実と区別して)木, 幹の部分. 2〖数学〗〖言語〗樹系図.

angélica trèe ウコギ科タラノキ属の低木.
áthel trèe シオギョリュウ(塩御柳).
áxle·trèe (特に荷車など動物の引く車の)車軸(棒).
bárk trèe キサノホ(cinchona).
bár·trèe 〘繊維〙整経機(warping board).
bát trèe タイサンボク(泰山木).
báy rúm trèe ピメンタ, ベーラムノキ(bay).
báy trèe ゲッケイジュ(月桂樹)(laurel).
béad trèe ナンバンアカアズキ.
béan trèe キングサリ.
bée trèe 野生のミツバチが巣を作る空木(うつぎ); (特に)シナノキ.
bénjamin trèe クワ科イチジク属の高木.
bíg trèe セコイア(オオスギ).
blóodwood trèe 《豪》(赤い樹液を出す)各種のユーカリの木.
bódhi trèe =bo tree.
bóojum trèe ブージャムノキ, 観峰玉(かんぽうぎょく).
bóot trèe 靴型.
bó trèe テンジク[インド]ボダイジュ.
bóttle trèe アオギリ属の木の総称; narrow-leaved bottle tree と broad-leaved bottle tree がある.
bóur·trèe セイヨウニワトコ(European elder).
bréad trèe パンノキ; マンゴー.
brídge·trèe (ひき臼(うす)で)上臼を回転させる軸を固定しておく横桁(けた).
búllet trèe =bully tree.
búlly trèe バラタノキ.
bútter trèe バターノキ.
bútton trèe コノカルパス(button mangrove).
cábbage trèe 葉や若芽がキャベツのように食用になる熱帯の木の総称.
cámphor trèe クスノキ.
cándle-trèe ヤマモモ(wax myrtle).
cánnonball trèe ホウガンノキ(砲丸の木).
cháste trèe イタリア・ニンジンボク, 貞操木.
chéss·trèe 〘海事〙(17-18 世紀に)帆船の舷側(げんそく)上部につけられた木製の綱留め装置.
Chína trèe センダン, タイワンセンダン.
Chínese schólar trèe =pagoda tree.
chócolate trèe カカオノキ.
Chrístmasberry trèe ブラジルコショウボク.
Chrístmas trèe クリスマスツリー.
clóthes trèe (柱形の)外套(がいとう)・帽子掛け.
cóat trèe =clothes tree.
cóffee trèe コーヒーノキ.
cóla trèe コーラノキ(kola tree).
córal trèe デイコ, エリスリナ.
córk trèe コルクガシ(cork).
cótton trèe キワタノキ, パンヤノキ.
ców trèe チチノキ.
cráb trèe 小粒で酸味が強いリンゴの実がなる木.
cránberry trèe ヨウシュカンボク(洋種灌木).
króss·trèe 〘海事〙檣頭(しょうとう)横材.
cúcumber trèe モクレン(コブシ, タイサンボクを含む).
decísion trèe 〘論理〙決定樹.
dévil trèe ディエラ(jelutong).
dóom trèe 絞首刑に使われる木.
dóuble·trèe 《米》二頭立てのとき両端に whiffletree を取りつける横木.
drágon trèe リュウケツジュ(竜血樹).
drúmstick trèe ナンバンサイカチ.
émpress trèe =princess tree.
épaulette trèe オオバアサガラ(大葉麻殻).
evént trèe 事故発生系統樹.
fámily trée (家)系図, 系譜.
fáult trèe 過失系統樹.
féver trèe 《米》解熱剤となる(と信じられている)数種の木の総称.
fláme trèe ゴウシュウ(豪州)アオギリ.
fórest trèe 森林樹, 林木.
frínge trèe モクセイ科ヒトツバ(一葉)タゴ属の低木.
frúit trèe 果樹.
gállows trèe 絞首台.
genealógical trée =family tree.
gráss trèe ススキノキ(blackboy).
gróundsel trèe バッカリス.
gúm trèe ゴムの木.
háll trèe (玄関の)樹木形の帽子・外套(がいとう)掛け.
hát trèe 《特に米》=hall tree.
háu trèe ヤマアサ, オオ[シマ]ハマボウ.
hémp trèe =chaste tree.
hóp·trèe ホップノキ.
hórseradish trèe モリンガ.
hórsetail trèe モクマオウ(木麻黄)属のオーストラリア原産の常緑高木の総称.
íncense trèe 薫香木.
Jésse trèe エッサイの樹: エッサイからキリストに至る系図を樹枝状の絵または彫刻にしたもの.
Jóshua trèe 米国南西部の砂漠地帯に生える常緑樹ユッカの一種.
Júdas trèe セイヨウズオウ(西洋蘇方).
kárri-trèe =princess tree.
lácquer trèe 漆のような樹脂を出す木の総称; 日本産の漆など.
lántern trèe ホルトノキ科の樹木.
léad trèe マメ科ギンゴウカン(銀合歓)属の総称.
líme trèe シナノキ, 菩提樹(ぼだいじゅ).
máidenhair-trèe イチョウ.
mántel·trèe 炉棚(ろだな), マントルトリー.
mántle·trèe =manteltree.
mármalade trèe メキシコクロテツ.
máy trèe 《英》サンザシ(山査子).
míng trèe 特にときわ木の盆栽の一種.
móney trèe 《伝説》金のなる木.
móther trèe 母樹(ぼじゅ).
músk trèe オーストラリア産の麝香(じゃこう)に似たにおいのする木の総称, (特に)ジャコウノキ.
ním trèe ニームノキ(neem).
núrse trèe 〘林業〙保護樹.
nút trèe 堅果のなる木; (特に)ハシバミ.
óctopus trèe タコ(蛸)ノキ.
óil trèe 油のとれる木.
opópanax trèe キンゴウカン(金合歓).
órchid trèe フイリソシンカ.
ordéal trèe マダガスカルの有毒な木.
organizátional trèe 組織系統図, 組織一覧図.
pagóda trèe エンジュ(槐).
péa trèe ムレスズメ(群雀).
pépper trèe コショウボク.
pépper·trèe 《NZ》カワカワ: コショウ属の低い木.
Perúvian mástic trèe ペルーコショウ.
phráse strùcture trèe 〘言語〙句構造を表示する樹形図.
píne trèe 松の木.
pláner trèe ミズニレ.
pláne trèe スズカケノキ, プラタナス.
príncess trèe キリ.
púdding-pìpe trèe ナンバンサイカチ(golden shower).
púlmonary trée 〘解剖〙呼吸樹.
quíver trèe タカロカイ, アロエディコトマ.
ráin trèe アメリカネム.
réspiratory trèe (ナマコ類の)呼吸樹, 水肺.
ríce-pàper trèe カミヤツデ, ツウソウ(通草).
róof·trèe 〘建築〙(屋根の)棟木.
róse trèe スタンダード作りのバラ.
róund·trèe アメリカナナカマド.

rúbber trèe ゴムノキ.
sáddle·trèe 鞍(くら)枠.
sád trèe ヨルソケイ(夜素馨).
sált trèe ＝athel tree.
sándbox trèe サブリエ, スナバコノキ.
sáusage trèe ソーセージノキ.
séed trèe ＝mother tree.
sérvice trèe ナナカマド.
sháde trèe 《主に米》日陰を作るために植える木, 日よけ用の木, 日陰樹.
shéa trèe シアバターノキ.
shóe·trèe 靴(保存)型.
sílk-còtton trèe パンヤノキ(kapok tree).
sílk trèe ネムノキ.
sílver trèe ギンヨウジュ.
síngle·trèe 《米・豪》＝whiffletree.
smóke trèe アメリカケムリノキ.
snówdrop trèe アメリカアサガラ.
sórrel trèe サワーノキ.
spíndle trèe ニシキギ属の低木の総称.
spónge trèe キンゴウカン(金合歓).
stáff trèe ツルウメモドキ.
státe trée 《米》(州を象徴する)州木.
stráwberry trèe ツツジ科アルブツス属の常緑樹の総称; イチゴに似た赤い実をつける.
súgar trèe 《主に米南部》サトウカエデ.
súmmer·trèe 〖建築〗大梁(はり).
sún trèe (日本の)ヒノキ.
swíngle·trèe 《主に米南部》＝whiffletree.
swíng·trèe ＝whiffletree.
tállow trèe ナンキンハゼ.
téa trèe ギョリュウバイ(魚柳梅).
thórn trèe とげのある木の総称; サンザシ, アメリカサイカチなど.
tóothache trèe アメリカザンショウ(prickly ash).
tráveler's-trèe タビビトノキ(旅人の木).
tréstle·trèe 〖海事〗マスト縦桁(けた).
trúmpet-trèe ヤツデグワ.
túlip trèe ユリノキ, チューリップノキ.
túng-oil trèe ＝tung tree.
túng trèe アブラギリ.
túrpentine trèe テルペンチンを生じる木の総称; (特に)テレビンノキ.
Týburn trèe 《英》絞首台.
umbrélla trèe カサモクレン.
várnish trèe ウルシの木.
vínegar trèe 酸っぱい果実をつけるウルシ属の木の総称.
wáx trèe トウネズミモチ.
wáyfaring trèe ランタナガマズミ.
whéel trèe ヤマグルマ, トリモチノキ.
whíffle·trèe 《米北部》(馬車の)遊動棒.
whíipple·trèe 《米北部》＝whiffletree.
wólf trèe 暴れ木: 周りの有用な樹木の妨げになるほどに繁茂する木.

tre·foil /tríːfɔil, tréf- | tréf-, tríːf-/

名〖植物〗ツメクサ(シャジクソウを含む): マメ科シャジクソウ属の数種の植物の総称. ⇨ FOIL.

bírd's-foot tréfoil ミヤコグサ.
Búrgundy tréfoil ＝Spanish trefoil.
hóp trèfoil 《英》マメ科シャジクソウ属の草.
mársh trèfoil ミツガシワ.
Spánish tréfoil ムラサキウマゴヤシ.
tíck tréfoil マメ科ヌスビトハギ属の多数の植物の総称.

trench /tréntʃ/

名 **1**〖築城〗塹壕(ざんごう). **2** 海溝.

en·trénch 動他 …を安全な立場に置く; 確立する.
fíre trènch 〖築城〗戦闘壕(ごう), 散兵壕.
in·trénch 動他 ＝entrench.
oceánic trénch 〖地質〗海溝.
shélter trènch 〖軍事〗掩壕(えんごう), 散兵壕.
slít trènch 各個掩体(えんたい): 塹壕の一種.

trend /trénd/

名 (世論・事態などの)動向, 大勢, 趨勢(すうせい).

coun·ter·trend 名 反対の傾向, 逆傾向.
down·trend 名 (特に経済情勢の)沈滞傾向.
meg·a·trend 名 主要傾向, 大きな流れ.
up·trend 名 (特に経済発展の)上昇傾向.

-tress /tris/

接尾辞 女…, 女性…. ⇨ -ESS[1].
★ 女性名詞をつくる; -tor, -ter などで終わる男性語尾の女性形だが, 最近では性差別語として公の場では使用しない.

ac·tress 名 女優, 女役者.
ar·bi·tress 名 婦人調停者, 婦人仲裁人.
au·di·tress 名 《まれ》女性の auditor.
a·vi·a·tress 名 女性飛行士, 女流飛行家.
ben·e·fac·tress 名 女性の benefactor.
chant·ress 名 女性の聖歌歌手; (一般に)女性歌手.
co·ad·ju·tress 名 女性助手, 婦人補佐.
con·duc·tress 名 女性の指導者 [案内者, 添乗員など].
cre·a·tress 名 女性の creator.
di·rec·tress 名 女性の director.
doc·tress 名 《まれ / おどけて》女医. ► woman doctor が普通.
ed·i·tress 名 女性の editor.
e·lec·tress 名 (神聖ローマ帝国の)選帝侯夫人.
en·chant·ress 名 魔法使いの女, 魔女(sorceress).
hunt·ress 名 女猟師, 女性狩猟家.
in·quis·i·tress 名 女性の inquisitor.
in·spec·tress 名 inspector の女性形.
in·struc·tress 名 instructor の女性形.
jan·i·tress 名 (アパート・事務所などの)雑役婦.
joint·ress 名 〖法律〗寡婦給与財産権(jointure)の設定を受けた女性.
mal·e·fac·tress 名 (女性の)悪人, 犯罪者.
mon·i·tress 名 (学校で教師を助ける)女子監督生 [風紀生, 生徒長].
por·tress 名 女性の門番 [玄関番, 受付].
pre·cep·tress 名 女性の preceptor.
pro·pri·e·tress 名 proprietor の女性形.
pro·tect·ress 名 女性の保護者 [擁護者, 後援者].
sculp·tress 名 女性の彫刻家 [彫り物師].
se·duc·tress 名 (男を)誘惑する女, 男たらし.
tempt·ress 名 誘惑する女.
trai·tress 名 女性の裏切り者 [反逆者].
vic·tress 名 女性の勝利者.
vo·tress 名 《古》盛式立誓修女.
wait·ress 名 ウエートレス.

tri·al /tráiəl, tráil/

名 **1**〖法律〗(裁判所の)審理, 裁判. **2** (適合性・真価・力・性能などについて)試すこと, 試験, 吟味, 実験, 試行. ⇨ -AL[2].

fíeld trìal (猟犬などの)野外実地競技 [試験].
júry trìal 陪審裁判.
még·a·trì·al 名 (関連の裁判をまとめて行う)大公判.
mis·trí·al 名 (手続き上の過誤による)誤判.
obédience trìal (犬の)服従訓練競技.
prè·trí·al 名 公判前手続き, 準備手続き.

T

rè·trí·al 名 再試行, 再試験, 再実験.
shéepdog trìal 牧羊犬競技会.
shów trìal (特に全体主義国での)公開裁判.
státe tríal 政治犯裁判.
time trìal タイムトライアル.
wár trìal 軍事裁判.

tri·als /tráiəlz/

名複 trial「試み; 裁判」の複数形.

Bernóulli trìals 〘数学〙ベルヌーイの試行(列).
húnter trìals (実際の狩猟状態に似せて障害物をコースに置いて行われる, 狩猟会主催の)狩猟家のテスト.
Núremberg trìals ニュルンベルク裁判.
Scóttsboro tríals スカッツバラ裁判: 1931 年米国 Scottsboro での冤罪(えんざい)裁判.
séa trìals (新造船の)海上試運転.
Tókyo trìals 東京裁判.

tri·an·gle /tráiæŋgl/

名 〘幾何〙三角形. ⇨ ANGLE.

astronómical tríangle 〘天文〙天文三角形.
círcular tríangle 円弧三角形.
Dévil's Tríangle ＝Bermuda Triangle.
Gólden Tríangle (東南アジアの)黄金の三角地帯.
íron tríangle 鉄の三角地帯 [形]: 米国のロビイスト, 議員スタッフ, 巨大な官僚機構の 3 つの連合勢力による政府への圧力グループ.
oblíque tríangle 斜三角形.
obtúse tríangle 鈍角三角形.
Pascál's tríangle パスカルの三角形.
pínk tríangle 同性愛者であることを示すピンク色の三角ワッペン.
réd tríangle キリスト教青年会(YMCA)の記章.
ríght-àngled tríangle ＝right triangle.
ríght tríangle 直角三角形.
Sóuthern Tríangle 〘天文〙みなみのさんかく(南三角)座.
sphérical tríangle 球面三角形.

-tribe /tràib/

連結形 こするもの [こと].
★ 語末にくる関連形は -TRIPSY, -TRITION.
★ 語頭にくる形は tribo-: *tribo*electricity「摩擦電気」, *tribo*logy「摩擦学」.
◆ ギリシャ語 *tribeín*「こする」より.
[発音] 語頭の音節に第 1 強勢.

an·gi·o·tribe 名 〘外科〙圧砕止血器.
di·a·tribe 名 (…への)痛烈な非難, こき下ろし.

-trib·ute /tríbjuːt/

連結形 割り当てられた.
★ 語末にくる関連形は -TRIBUTION, -TRIBUTIVE.
★ 語頭にくる形は tribut-: *tribut*ary「従属する」.
◆ 中英 *tribut* ＜ラ *tribūtum* 徴収された支払い(*tribuere*「割り当てる, 分配する」より).

at·trib·ute 動他 …を(…に)起因すると考える.
con·trib·ute 動他 (…に)寄付する; (…に)寄与する.
dis·trib·ute 動他 (…に)分配 [配分, 配給, 配当] する.

-tri·bu·tion /trəbjúːʃən/

連結形 割り当てられたもの [こと].
★ 名詞をつくる.
★ 語末にくる関連形は -TRIBUTE.
★ 語頭にくる関連形は tribut-: *tribut*ary「従属する」.
◆ ＜ラ *tribūtus*(*tribuere*「割り当てる, 分類する」の過去分詞). ⇨ -TION.
[発音] -tribution の第 2 音節に第 1 強勢が置かれる.

at·tri·bu·tion 名 (…に)帰すること, 帰属, 帰因.
con·tri·bu·tion 名 寄付, 出資; 寄与, 貢献, 助力.
dis·tri·bu·tion 名 ☞
ret·rib·u·tion 名 報い, 仕返し, 報復.

-trib·u·tive /tríbutiv, tríbjutiv/

連結形 割り当てられた….
★ 形容詞をつくる.
★ 語頭にくる関連形は tribut-: *tribut*ary「従属する」.
◆ -TRIBUTE＋ -IVE[1].

at·trib·u·tive 形 属性の, 属性 [特性] を表す; 帰属する.
con·trib·u·tive 形 …に資する.
dis·trib·u·tive 形 分配 [配当, 配分, 配給] の.
re·trib·u·tive 形 報復の, 因果応報の, 報復的な.

-trice /tris/

接尾辞 -trix の異形.
★ 名詞をつくる.
◆ ＜仏または伊 *-trice* ＜ラ *-trīcem* (*-trīx* -TRIX の対格).

can·ta·tri·ce 名 女流歌手, 歌姫.
cic·a·trice 名 〘生理〙瘢痕(はんこん).
cock·a·trice 名 コカトリス, 鶏蛇.
im·prov·i·sa·tri·ce 名 女性の即興詩人.

-trich /trik/

連結形 〘分類〙…毛髪 [繊毛] を持つもの.
★ 名詞をつくる.
★ 語頭にくる形は trich(o)-: *tricho*cyte「毛胞, 糸胞」, *tricho*genous「発毛の [する]」.
◆ ＜ギ *-trichos* 毛を持った(*thríx*「毛」より).

gas·tro·trich 名 イタチムシ.
het·er·o·trich 名 異毛類.
hy·po·trich 名 下毛類.

tri·chlo·ride /traiklɔ́ːraid/

名 〘化学〙三塩化物. ⇨ CHLORIDE.

ársenic trichlóride 三塩化ヒ素, 塩化第一ヒ素.
bèn·zo·tri·chló·ride 名 ベンゾトリクロリド.
góld trichlóride 塩化金; (特に)塩化第二金.
íron trichlóride 塩化第二鉄, 塩化鉄(III).
nítrogen trichlóride 三塩化窒素.
phósphorus trichlóride 三塩化リン.
tóluene trichlóride ＝benzotrichloride.

-tri·chous /trikəs/

連結形 …のような毛をした.
★ 語頭にくる関連形は trich(o)-; *tricho*cyte「毛胞, 糸胞」, *tricho*genous「発毛の [する]」.
◆ ギリシャ語 *trichós*「毛」より. ⇨ -OUS.
[発音] 直前の音節に第 1 強勢.

cy·mot·ri·chous 形 (波形に)縮れた頭髪を持つ.
lis·sot·ri·chous 形 〘人類〙直毛の.
pe·rit·ri·chous 形 〘生物〙周毛 [縁毛] 性の.
u·lot·ri·chous 形 毬(きゅう)毛(人種)の, 縮毛(人種)の.

trick /trík/

名 (人を欺く)たくらみ, 策略; ごまかし.

T

állnìght tríck 《米俗》売春婦をオールナイトで買う客.
champágne trìck 《米俗》(売春婦の)上客.
cónfidence trìck 《英》信用詐欺, 取込詐欺.
cón trìck =confidence trick.
dírty tríck 《話》卑劣な行為.
engráver's tríck 【紋章】下絵の彩色を略字で示すこと.
fréak trìck 《米俗》(倒錯的な)変態男.
hát trìck 【クリケット】【サッカー】【アイスホッケー】ハットトリック.
hérald's tríck 【紋章】=engraver's trick.
hónor trìck 【トランプ】オナートリック.
mónkey trìck 《英話》いたずら.
ódd tríck 【トランプ】オッドトリック.
ó·ver·trìck 名 【トランプ】オーバートリック.
pláying trìck 【トランプ】プレーイングトリック.
quíck tríck 【トランプ】クイックトリック.
quítted tríck 【トランプ】勝負が終了し, 勝ち取った人の所に集められたトリック.
ún·der·trìck 名 【トランプ】アンダートリック.

tri·glyph /tráiglìf/

名【建築】トリグリュフォス, トリグリフ. ⇨ GLYPH.

di·tri·glyph 名 (ドリア式建築で)ダイトリグリフ.
in·ter·tri·glyph 名 (ドリス式建築で)メトープ.
mon·o·tri·glyph 名 (ドリス式建築で)モノトリグリフ.
pol·y·tri·glyph 名 (古典建築で)ポリトリグリフ.

tril·li·um /tríliəm/

名 エンレイソウ(延齢草): ユリ科エンレイソウ属の植物の総称. ⇨ -IUM.

nódding tríllium セルヌムエンレイソウ.
páinted tríllium ユリ科エンレイソウ属の草.
púrple tríllium ユリ科エンレイソウ属の一種.
réd tríllium ユリ科エンレイソウ属の一種.

trim·mer /trímər/

名 刈り[切り]整える人; 調整[仕上げ]する人; ショーウインドー係. ⇨ -ER[1].

lámp trìmmer ランプ係の船員.
líne trìmmer 縁刈り込み機.
stríng trìmmer =line trimmer.
wíndow trìmmer ショウウィンドー装飾家.

tri·ox·ide /traiáksaid | -ɔ́k-/

名【化学】三酸化物. ⇨ OXIDE.

ársenic trióxide 三酸化ヒ素, 無水亜ヒ酸.
molýbdenum trióxide 三酸化モリブデン, 無水モリブデン酸.
súlfur trióxide 三酸化硫黄(sulfuric anhydride).
túngsten trióxide 三酸化タングステン.
uránium trióxide 三酸化ウラン.
xénon trióxide 三酸化キセノン.

trip /tríp/

名 **1** 旅, 旅行; 航海. **2**《主に米》幻覚剤を飲むこと; 陶酔感.

ácidless tríp 《米俗》無薬陶酔.
ácid trìp 《俗》LSD による幻覚体験.
a·tríp 形 【海事】起き錨で.
bád tríp 《俗》LSD による恐ろしい幻覚体験.
béan trìp 《米俗》ベンゼドリンによるトリップ.
búm tríp 《俗》=bad trip.
cán·trip 名 《主にスコット》呪文, まじない.
dówn tríp 《米俗》=bad trip.
égo trìp 《話》独りよがり, 自己宣伝.
égo-trìp 動自《話》独善的[身勝手]に振る舞う.
facílity trìp 《英》(公費・社費による)接待旅行.
fíeld trìp 実地見学[自然観察]旅行.
físhing trìp 探り出し.
frée tríp 《米俗》LSD の副作用による幻覚.
guílt trìp 《俗》罪悪感にかられた状態.
héad trìp 《俗》自由気ままな連想.
nátch trìp 《米俗》(ナツメグなど)合法的なものによるトリップ.
pérson-trìp 旅行回数.
pówer trìp 《米俗》(露骨な)力の誇示.
retúrn tríp 《英》往復旅行.
róund tríp 《米》往復旅行.
síde trìp (旅先での)立ち寄り訪問.
skí trìp スキー旅行.
tíme-trìp 動自 郷愁にふける.
tríal tríp (船などの)試運転, 試乗.

-tri·psy /trìpsi/

連結形 こすること, 擦り切れ.
★ 語末にくる関連形は -TRIBE.
★ 語頭にくる関連形は tribo-: *tribo*electric「摩擦電気の」.
◆ ギリシャ語 *trîpsis*「こすること」より. ⇨ -Y[3].
[発音] 語頭の音節に第 1 強勢.

lá·ser·trìp·sy 【医学】レーザー砕石術.
lith·o·trip·sy 名 【医学】砕石術.

-tri·tion /tríʃən/

連結形 こすられたもの[こと].
★ 名詞をつくる.
★ 語末にくる関連形は -TRIBE.
★ 語頭にくる関連形は tribo-: *tribo*electric「摩擦電気の」.
◆ <ラ *trītus*(*terere*「こする」の過去分詞). ⇨ -TION.
[発音] -trition の第 1 音節に第 1 強勢が置かれる.

at·tri·tion 名 (数・大きさの)減少, 縮小.
con·tri·tion 名 悔恨, 悔悟, 改悛(かいしゅん).
de·tri·tion 名 磨滅(作用), 磨損, 磨削.

-trix /triks/

接尾辞 ラテン語からの借用語に見られ, 動作主名詞および形容詞の女性形をつくる; 男性形 -tor に対応.
★ 語末にくる関連形は -TRICE.
◆ <ラ *-trīx*(*-tor* -TOR の女性形接尾辞より).

-a·trix 接尾辞 ☞
Bel·la·trix 名 【天文】(オリオン座の)ベラトリクス.
ben·e·fac·trix 名 女性の benefactor.
bi·sec·trix 名 【結晶】(光軸二)等分線.
co·ad·ju·trix 名 《今はまれ》女性助手, 婦人補佐.
di·rec·trix 名 【幾何】準線.
ex·ec·u·trix 名 【法律】女性遺言執行者.
her·i·trix 名 女相続人; 女後継者.
in·her·i·trix 名 【法律】女性(遺産)相続人.
pro·pri·e·trix 名 (企業・ホテルなどの)女性所有者.
pros·e·cu·trix 名 prosecutor の女性形.
rec·trix 名 【鳥類】尾羽.
tec·trix 名 【鳥類】雨覆(あまおおい)羽.
trac·trix 名 【幾何】トラクトリクス, 追跡線.
vic·trix 名 (女性の)勝利者.

trol·ley /tráli | trɔ́li/

名 **1**《米・カナダ》路面電車. **2** トロリーバス. ── 動他 路面電車で行く; (…を)trolley で運ぶ.

bów tròlley (架線を滑って行く)弓形集電器.
téa tròlley 《英》ティーワゴン(tea wagon).
Tóonerville trólley 荒廃した時代後れの路面電車路線.
tráckless trólley 《米》トロリーバス(trolley bus).
únderground trólley 地中線から電気を取る地下集電器.

-tron /trɑ̀n | trɔ̀n/

連結形 …器具, 電子…装置.
★ 名詞をつくる.
★ ギリシャ語から借用の造語要素.
◆ electron から抽出; おそらくギリシャ語の助格の接尾辞 *-tron*(類例は *árotron* 鋤(すき))を付帯的に暗示させる.

al·ga·tron 名 アルガトロン: 藻類などの生育装置.
be·ta·tron 名 〖物理〗電子加速装置.
bev·a·tron 名 〖物理〗ベバトロン.
bi·o·tron 名 〖生物〗バイオトロン.
cal·u·tron 名 〖物理〗カルトロン.
com·pu·tron 名 コンピュートロン: コンピュータ処理能力の単位.
cos·mo·tron 名 〖物理〗コスモトロン.
cry·o·tron 名 〖電子工学〗〖コンピュータ〗クライオトロン.
cy·clo·tron 名 〖物理〗サイクロトロン.
dig·i·tron 名 〖電子工学〗デジトロン.
du·o·plas·ma·tron 名 〖電子工学〗デュオプラズマトロン.
dy·na·tron 名 〖電子工学〗ダイナトロン.
eco·tron 名 エコトロン: 生態学的自然環境モデル[実験]装置.
ig·ni·tron 名 〖電子工学〗イグナイトロン.
i·so·tron 名 〖物理〗イソトロン, アイソトロン.
ken·o·tron 名 〖電気〗ケノトロン.
kry·tron 名 クリトロン: 核兵器製造などに用いられる高速の点火時調整装置.
lad·der·tron 名 〖物理〗ラダトロン.
mag·ne·tron 名 〖電子工学〗マグネトロン, 磁電管.
meg·a·tron 名 〖電子工学〗灯台管, 板封じ管.
mes·o·tron 名 《一般に》〖物理〗中間子(meson).
mon·o·tron 名 モノトロン; モノスコープ(monoscope)の別称.
o·meg·a·tron 名 〖物理〗オメガトロン.
or·gasm·a·tron 名 性的オルガスム誘発装置.
pel·le·tron 名 〖物理〗ペレトロン.
phan·o·tron 名 〖電子工学〗ファノトロン.
phy·to·tron 名 〖植物〗フィトトロン.
plec·tron 名 〖音楽〗プレクトラム, ピック.
pli·o·tron 名 〖電子工学〗多極管.
pos·i·tron 名 〖物理〗陽電子, ポジトロン.
res·na·tron 名 〖電子工学〗レスナトロン.
rhe·o·tron 名 〖物理〗レオトロン.
rhum·ba·tron 名 〖電子工学〗空洞共振機.
stro·bo·tron 名 〖電子工学〗ストロボ放電管.
syn·chro·tron 名 〖物理〗シンクロトロン.
thy·ra·tron 名 〖電子工学〗サイラトロン.
wai·tron 名 ウエイター, ウエイトレス.

troop·er /trúːpər/

名 騎兵. ⇨ -ER[1].

chúte-tròoper 《話》落下傘部隊兵.
móss·tròoper 沼沢馬賊, 国境山賊.
pár·a·tròop·er 名 落下傘[空挺(くうてい)]部隊員.
ský·tròoper =paratrooper.
státe tróoper 《米》州警察の警官.
stórm tròoper 突撃隊員.

troops /trúːps/

名複 troop「群れ, 隊」の複数形.

ármoured tróops 《英》〖軍事〗機構部隊: 戦車, 歩兵, 砲兵.
hóusehold tróops (元首またはその住居を護衛する)親衛隊.
shóck tròops 〖軍事〗突撃専用部隊, 襲撃部隊.
skí tròops スキー(戦闘)部隊.
ský·tròops 名複 落下傘[空挺]部隊(paratroops).
stórm tròops 〖軍事〗(旧ナチス党の)突撃隊.

-trope /tròup/

連結形 …回転, 変化; …へ変化[転化]したもの.
★ 語末にくる関連形は-TROPIA, -TROPIC, -TROPIN, -TROPOUS, -TROPY.
★ 語頭にくる形は trop(o)-: *tropo*philous「季節の変化に順応する」, *tropo*logy「比喩的語法」.
◆ ギリシャ語 *-tropos*「回転」より.

al·lo·trope 名 〖化学〗同素体.
a·ze·o·trope 名 〖物理化学〗共沸混合物.
go·nad·o·trope 名 〖生化学〗性腺(せいせん)刺激物質.
he·li·o·trope 名 〖植物〗ヘリオトロープ.
hem·i·trope 名形 〖結晶〗双晶(の)(twin).
rhe·o·trope 名 〖電気〗変流器, 整流子.
thau·ma·trope 名 びっくり盤, 回転図盤.
zo·e·trope 名 ゾエトロープ, 回転のぞき絵.

-troph /trɑ̀f, trɔ̀ːf | trɔ̀f/

連結形 **1** 栄養物質(nutrient matter): embryo*troph*. **2** ある栄養を必要とする生物体: hetero*troph*.
★ -trophy の語尾を持つ抽象名詞あるいは -trophic の語尾を持つ形容詞に対応する具象名詞をつくる.
★ 語末にくる関連形は -TROPHIC, -TROPHIED, -TROPHY.
★ 語頭にくる形は troph(o)-; *troph*allaxis「栄養交換」, *tropho*some「栄養体部」.

au·to·troph 名 〖生物〗自家[独立・無機]栄養生物.
aux·o·troph 名 〖生物〗栄養要求体.
bio·troph 名 〖菌類〗寄生植物, (特に)キノコ.
che·mo·troph 名 〖細菌〗〖生物〗化学合成生物.
di·az·o·troph 名 〖細菌〗ジアゾ栄養生物.
em·bry·o·troph 名 〖発生〗胚胎(はいたい)栄養.
he·mo·troph 名 〖発生〗血液栄養物質.
het·er·o·troph 名 〖生物〗他家[従属・有機]栄養生物.
lith·o·troph 名 〖生物〗無機栄養生物.
mix·o·troph 名 〖生物〗混合栄養生物.
nec·ro·troph 名 〖生物〗宿主の壊死(えし)組織を食う寄生体.
pho·to·troph 名 〖生物〗光栄養生物.
pro·to·troph 名 〖生物〗=autotroph.

-troph·ic /trɑ́fik, tróuf- | trɔ́f-/

連結形 **1** …で栄養を摂取している, …の栄養を必要とする: auto*trophic*. **2** …の(腺(せん)の)活動に影響を与える(tropic): gonado*trophic*. **3** …栄養の.
★ -troph, -trophy で終わる名詞に対応する形容詞をつくる.
★ 語頭にくる関連形は troph(o)-; *troph*allaxis「栄養交換」, *tropho*some「栄養体部」.
◆ ギリシャ語 *trophḗ*「滋養, 食物」より. ⇨ -IC[1].

a·dre·no·cor·ti·co·troph·ic 形 副腎(じん)皮質を刺激する.
a·troph·ic 形 萎縮(いしゅく)性の.
au·to·troph·ic 形 〖生物〗〈細菌などが〉独立栄養の.
aux·o·tro·phic 形 〖生物〗栄養要求性の.
dys·troph·ic 形 〖医学〗栄養失調によって起こる.
ec·to·troph·ic 形 〈菌根が〉外生の.
en·do·troph·ic 形 〖植物〗〈菌根が〉内生の.
eu·troph·ic 形 〖医学〗栄養良好の, 栄養状態のよい.
go·nad·o·troph·ic 形 〖生化学〗性腺(せいせん)刺激性の.
het·er·o·troph·ic 形 〖生物〗従属栄養の, 他家栄養の.
mes·o·troph·ic 形 〖生態〗〈湖沼・河川の水質が〉中栄養型の.
met·a·troph·ic 形 腐生(性)の.

T

mon·o·troph·ic 形 〘動物〙単一栄養の, 単食性の.
neu·ro·troph·ic 形 神経栄養の.
ol·i·go·troph·ic 形 〘生態〙〈湖などが〉貧栄養の.
par·a·troph·ic 形 寄生栄養の.
plank·to·troph·ic 形 〘動物〙プランクトン食(性)の.
pol·y·troph·ic 形 〘微生物〙多種栄養の.
pro·to·troph·ic 形 独立 [自家] 栄養の.
thy·ro·troph·ic 形 甲状腺(せん)を刺激する.

-tro·phied /trəfid/

連結形 栄養が与えられた.
★ 形容詞をつくる.
★ 語末にくる関連形は -TROPH.
★ 語頭にくる関連形は troph(o)-; *troph*allaxis「栄養交換」, *tropho*some「栄養体部」.
◆ <近代ラ *-trophy* <ギ *trophíā*「栄養」. ⇨ -ED[1].

át·ro·phied 形 消耗した; 萎縮した, 衰退した.
éu·tro·phied 形 〈河川などが〉富栄養化している.

tro·phy /tróufi/

名 (特に記念品として保存される)戦利品, 分捕り品; 記念品; (競技の)優勝記念品, トロフィー. ⇨ -Y[3].

Heisman Tróphy 《米》〘アメフト〙ハイズマン賞.
Máxwell Tróphy 〘アメフト〙マックスウェル杯.
Óutland Tróphy 〘アメフト〙アウトランド賞.
Schnéider Tròphy 〘航空〙シュナイダートロフィー.
Tóurist Tróphy ツーリストトロフィー: Man 島で毎年行われるオートバイの国際ロードレース.

-tro·phy /trəfi/

連結形 **1** 栄養(nourishment), 摂食(feeding): myco*trophy*. **2** 成長(growth): hyper*trophy*.
★ -trophic で終わる形容詞に対応する抽象名詞をつくる.
★ 語末にくる関連形は -TROPH.
★ 語頭にくる関連形は troph(o)-; *troph*allaxis「栄養交換」, *tropho*some「栄養体部」.
◆ <近代ラ *-trophy* <ギ *-trophía* 栄養. ⇨ -Y[3].
[発音] 直前の音節に第 1 強勢.

a·bi·ot·ro·phy 名 〘病理〙(細胞・組織の)無生活力.
at·ro·phy 名 〘病理〙(全身または一器官の)萎縮.
au·tot·ro·phy 名 独立 [自主, 自家] 栄養.
dys·tro·phy 名 〘医学〙異栄養(症), 栄養失調(症), ジストロフィー.
eu·tro·phy 名 〘医学〙栄養良好; 正常発育.
hy·per·tro·phy 名 (部分・器官の)肥大; 栄養過度.
hy·pot·ro·phy 名 〘生理〙生活力低下.
my·at·ro·phy 名 〘病理〙=myoatrophy.
my·cot·ro·phy 名 ミコトロフィー, 菌(栄)養.
my·o·a·tro·phy 名 〘病理〙筋萎縮(いしゅく).
neu·rot·ro·phy 名 神経栄養.
ol·i·got·ro·phy 名 〘生態〙貧栄養.
po·go·not·ro·phy 名 ひげを生やすこと.

-tro·pi·a /tróupiə | -piə, -pjə/

連結形 〘眼科〙転回.
★ 名詞をつくる.
★ 語末にくる関連形は -TROPE.
★ 語頭にくる関連形は trop(o)-: *tropo*philous「季節の変化に順応する」, *tropo*logy「比喩的語法」.
◆ <ギ *tróp(os)* 向くこと, 変化 + *-ia* -IA.

es·o·tro·pi·a 名 内斜視.
ex·o·tro·pi·a 名 外斜視(divergent squint).

-trop·ic /trápik, tróup- | tróp-/

連結形 **1** 向…性の: geo*tropic*. **2** …向性の, 親和性の: lipo*tropic*, neuro*tropic*, psycho*tropic*. **3** …の活動を刺激する: gonado*tropic*.
★ 形容詞をつくる.
★ 語末にくる関連形は -TROPE.
★ 語頭にくる関連形は trop(o)-: *tropo*philous「季節の変化に順応する」, *tropo*logy「比喩的語法」.
◆ ラテン語 *tropicus*(<ギ *trópos*「回転」)より. ⇨ -IC[1].

a·dre·no·cor·ti·co·trop·ic 形 副腎(ふくじん)皮質刺激(性)の.
a·dre·no·trop·ic 形 副腎刺激性の.
ae·o·lo·trop·ic 形 〘物理〙異方性の, 不 [非] 等方性の.
al·lo·trop·ic 形 同素体の, 同質異形 [異像] の.
ar·thro·tro·pic 形 〘医学〙〈病気が〉関節を冒す.
bar·o·trop·ic 形 〈流体が〉順圧の.
chron·o·trop·ic 形 周期変動の.
cor·ti·co·trop·ic 形 =adrenocorticotropic.
cy·to·trop·ic 形 〘生物〙細胞向性の, 向細胞性の.
der·ma·trop·ic 形 〈ウイルスなどが〉皮膚に付着する.
der·mo·trop·ic 形 =dermatropic.
dex·i·o·trop·ic 形 右側の, 右にある(dextral).
ge·o·trop·ic 形 〘生物〙屈地性の.
go·nad·o·trop·ic 形 〘生化学〙性腺(せいせん)刺激性の.
he·li·o·trop·ic 形 〘生物〙向日性の, 屈光性の.
hy·lo·trop·ic 形 〘物理化学〙〈物質が〉互変の.
id·i·o·trop·ic 形 〘精神医学〙内省型の, 内向型の.
in·o·trop·ic 形 〘生理〙変力性の, 筋収縮性の.
i·so·trop·ic 形 〘物理〙等方性の.
lae·o·trop·ic 形 〈巻き貝などが〉左巻きの.
lip·o·trop·ic 形 〘化学〙〘生化学〙向脂肪性の.
lu·te·o·trop·ic 形 黄体に作用する [の発育を促進する].
ly·o·trop·ic 形 〘物理化学〙離液順 [性] の.
neu·ro·trop·ic 形 〘医学〙向神経性の, 神経親和性の.
nyc·ti·trop·ic 形 〘植物〙屈暗性の.
or·tho·trop·ic 形 〘植物〙〈茎・根などが〉直立性の.
pan·trop·ic 形 〈ウイルスが〉汎(はん)親和性の.
pho·to·trop·ic 形 〘植物〙屈光生長の.
pla·gi·o·trop·ic 形 〘植物〙〈枝・根などが〉傾斜屈性の.
pneu·mo·trop·ic 形 〘病理〙肺走性の.
psy·cho·trop·ic 形 〈薬剤が〉向精神性の.
va·go·trop·ic 形 〘生理〙迷走神経緊張性の.
vis·cer·o·trop·ic 形 〈(特に)ウイルスが〉内臓親和性の.
xen·o·trop·ic 形 〘生物〙〈ウイルスなどが〉宿主以外の細胞で増殖する.

trop·i·cal /trápikəl | tróp-/

形 **1** 熱帯(性)の, 熱帯的な, 熱帯特有の, (特に)熱帯湿潤帯の. **2** 〘天文〙回帰線の. ⇨ ICAL.

in·ter·trop·i·cal 形 南北両回帰線間の, 熱帯の.
Neo·trop·i·cal 形 〘生物地理〙新熱帯区の.
pal·e·o·trop·i·cal 形 〘生物地理〙旧熱帯区の.
pan·trop·i·cal 形 汎熱帯性の.
sem·i·trop·i·cal 形 亜熱帯の.
sub·trop·i·cal 形 熱帯地方に接する, 亜熱帯(地方)の.
ul·tra·trop·i·cal 形 熱帯圏外の; 超熱帯的な.

-tro·pin /tróupin | tró-/

連結形 …に向いたもの; …に親和性のもの.
★ 名詞をつくる.
★ 語頭にくる関連形は trop(o)-: *tropo*philous「季節の変化に順応する」, *tropo*logy「比喩的語法」.
◆ -TROPIC または -TROPE + -IN[2].

cor·ti·co·tro·pin 名 〘生化学〙副腎皮質刺激ホルモン.
go·nad·o·tro·pin 名 〘生化学〙性腺(せいせん)刺激ホルモン.
he·li·o·tro·pin 名 〘化学〙ピペロナール(piperonal).
lip·o·tro·pin 名 〘生化学〙リポトロピン.
lu·te·o·tro·pin 名 〘生化学〙黄体刺激ホルモン.
me·lan·o·tro·pin 名 〘生化学〙黒色素胞刺激ホルモン.

so·mat·o·tro·pin 名 〘生化学〙成長ホルモン.
thy·ro·tro·pin 名 〘生化学〙甲状腺(せん)刺激ホルモン.
u·ro·trop·in 名 〘化学〙ウロトロピン.

-tro·pism /trəpìzm, tróupizm/

連結形 -tropy の異形. ⇨ -ISM[1].
★ 語頭にくる関連形は trop(o)-: *tropo*philous「季節の変化に順応する」, *tropo*logy「比喩的語法」.

aer·ot·ro·pism 名 〘生物〙屈気性, 趨気(すうき)性.
al·lot·ro·pism 名 〘化学〙同素体, 同質異形.
an·e·mot·ro·pism 名 〘生物〙正の走風性, 向風性.
che·mot·ro·pism 名 〘生物〙屈化性, 向化性.
cy·tot·ro·pism 名 〘生物〙細胞向性, 向細胞性.
di·at·ro·pism 名 〘植物〙横屈性.
e·lec·tro·tro·pism 名 〘生物〙＝galvanotropism.
gal·va·not·ro·pism 名 〘植物〙屈電性.
ge·ot·ro·pism 名 〘生物〙屈地性, 重力屈性, 向地性.
hap·tot·ro·pism 名 〘植物〙接触屈性, 屈触性.
he·li·ot·ro·pism 名 〘植物〙向日性, 日光向性屈光性.
hy·drot·ro·pism 名 〘生物〙屈水性, 向湿性.
neu·rot·ro·pism 名 〘医学〙向神経性, 神経組織親和性.
or·ga·not·ro·pism 名 〘生理〙臓器向性, 臓器親和性.
pho·tot·ro·pism 名 〘植物〙屈光性.
pla·gi·ot·ro·pism 名 〘植物〙傾斜屈性.
rhe·ot·ro·pism 名 〘植物〙屈流性, 水流屈性.
se·le·no·tro·pism 名 〘生物〙向月性.
ster·e·ot·ro·pism 名 〘生物〙向触性, 向固性.
ther·mot·ro·pism 名 〘生物〙屈熱性, 温度屈性.
thig·mot·ro·pism 名 〘植物〙屈触性, 接触屈性.

-tro·pous /trəpəs/

連結形 〘植物〙…に転回する［した］, …に曲がった.
★ 形容詞をつくる.
★ 語末にくる関連形は -TROPE.
★ 語頭にくる関連形は trop(o)-: *tropo*philous「季節の変化に順応する」, *tropo*logy「比喩的語法」.
◆ ギリシャ語 *-tropos*「回転に関する」より. ⇨ -OUS.
［発音］直前の音節に第 1 強勢.

am·phit·ro·pous 形 〈胚珠が〉半倒性の, 曲生の.
a·nat·ro·pous 形 〈胚珠が〉倒生の.
cam·py·lot·ro·pous 形 〈胚珠が〉湾生の, 湾性の.
or·thot·ro·pous 形 〈胚珠が〉直生［直立］の.

-tro·py /trəpi/

連結形 …方性, 親和性, 属性.
★ -tropic または -tropous で終わる形容詞に対応する抽象名詞をつくる.
★ 語末にくる関連形は -TROPE, -TROPISM.
★ 語頭にくる関連形は trop(o)-: *tropo*philous「季節の変化に順応する」, *tropo*logy「比喩的語法」.
◆ ＜仏 *-tropie* ＜ギ *-tropia* …に対する属性. ⇨ -Y[3].
［発音］直前の音節に第 1 強勢.

ae·o·lot·ro·py 名 〘物理〙異方性(aeolotropism).
al·lot·ro·py 名 〘化学〙同素体現象, 同質異形現象(allomorphism).
ba·rot·ro·py 名 〘気象〙順圧.
en·an·ti·ot·ro·py 名 〘結晶〙互変二形, 互変.
en·tro·py 名 〘熱力学〙エントロピー.
ex·tro·py 名 エクストロピー: 生命はエントロピーの法則に従わないという考え方.
i·o·not·ro·py 名 〘化学〙イオノトロピー.
mo·not·ro·py 名 〘結晶〙モノトロピー, 単変(二形).
phot·ot·ro·py 名 〘化学〙光互変, ホトトロピー.
plei·ot·ro·py 名 〘遺伝〙多面発現.
thix·ot·ro·py 名 〘化学〙チキソトロピー, 揺変性.

trot /trάt|trɔ́t/

動自 早足で行く; 《話》歩く, 行く. ━━ 名 **1** (馬などの)速歩. **2** (ダンスで)トロット.

dóg·tròt 名 (犬のような)小走り.
fóx-tròt 動自 フォックストロットを踊る.
glóbe·tròt 動自 世界を旅行［漫遊］する.
jóg tròt (馬などの)ゆっくりした速歩.
rísing tròt 軽速歩(けいはやあし).
sítting tròt 鞍(くら)に座ったままでの馬の速歩.
túrkey tròt ターキートロット: 舞踊の一つ.

trot·ter /trάtər|trɔ́tə/

名 速歩(はやあし)で駆ける動物, (特に)繋駕(けいが)速歩競走用に訓練された馬. ⇨ -ER[1].

Américan trótter 標準型馬種(Standardbred).
bóg·tròtter 沼沢地方の住人.
glóbe·tròtter (頻繁に)世界各国を旅行する人.
Nórfolk trótter ノーフォークトロッター: 馬の一種.
próm-tròtter 《米学生俗》キャンパスの社交面のリーダー的存在.

trou·ble /trʌ́bl/

動他 〈人を〉(…で)(精神的に)苦しめる; 〈人を〉(…で)いらいらさせる. ━━ 名 困難, 難儀, 迷惑; 困惑; 不便, 手数, 面倒, 厄介.

déep tróuble 《米俗》厄介, 面倒.
dóuble tróuble 《俗》ツイナール: アモバルビタルとセコバルビタルの混合剤.
dóuble-tróuble 《米》ダブルトラブル: 農場の黒人労働者間に始まったダンス・ステップ.
fínger tróuble 〘コンピュータ〙指の操作ミス.
hánd tròuble (特に女性の体に対する)さわり癖.

trough /trɔ́ːf, trάf|trɔ́f/

名 **1** (細長い箱形の)飼い葉桶(おけ), 水入れ. **2** 飼い葉桶に似た容器. **3** 〘気象〙気圧の谷.

bóok-tròugh V 字型書籍展示棚.
éave tròugh 《米北部》樋(とい), 雨樋.
equatórial tróugh 赤道低圧帯.
gréase tróugh 《米俗》軽［簡易］食堂.
pneumátic tróugh 〘化学〙ガス採収用水槽［液槽］.
wásh·tròugh 洗い桶(おけ); 〘採鉱〙洗鉱槽.

trout /tráut/

名 〘魚類〙マス.

bróok tròut カワマス, ブルックトラウト.
brówn tróut ブラウントラウト.
búll tròut オショロコマ(カラフトイワナ).
cútthroat tròut 斑点(はんてん)のあるマス.
gráy tróut グレートラウト.
láke tròut レイクトラウト.
Máckinaw tròut ＝lake trout.
móuntain tròut イワナ.
óld tróut 《英俗》(特に短気な)中年の女.
ráinbow tròut ニジマス.
sálmon tròut ウミマス.
séa tròut 降海性のサケ・マス類の総称.
sílver tróut サケ科ニジマス属の一種.
spéckled tróut ＝brook trout.
Súnapee tròut イワナの一種.
tróuser tròut 《米俗》ペニス.

truck /trʌ́k/

名 《主に米・カナダ・豪》貨物自動車, トラック.

T

áuto·trùck 名 《米》貨物自動車, トラック.
banána trùck 《米俗》頭の変なやつ.
cámper trùck キャンピングトラック.
cáttle trùck 《英》【鉄道】家畜輸送用無蓋貨車.
crásh trùck (飛行場の)緊急車両; 破壊救難車.
dóuble-trailer trúck タンデムトレーラー.
dóuble trúck 【植字】ダブルトラック.
dúmp trùck ダンプトラック, ダンプカー.
fíre trùck 消防自動車(fire engine).
fórklift trùck フォークリフト車.
fórk trùck =forklift truck
gárbage trùck 《米・カナダ》ごみ収集[運搬]車.
hánd trùck 手押し荷物運搬車.
hóney trùck 《古風》屎尿運搬車.
ládder trùck (消防の)はしご車.
líft trùck フォークリフト.
mótor trùck 貨物自動車.
pállet trùck パレットに載せた荷物専用のトラック.
pánel trùck パネルトラック: 小型のバン.
róach-trùck 《米俗》屋台トラック.
sémi·trùck 名 トラクタートレーラー.
sóund trùck (拡声機をつけた)宣伝カー.
stácking trúck =pallet truck.
stáke trùck ステーキボデーのトラック.
stráddle trùck 長尺重量物運搬車.
tánk trùck タンクトラック, タンクローリー.
táxi trùck 《豪》運転手付き貸しトラック.
típ trùck 《英》ダンプカー(tipper lorry).
tów trùck 《米》レッカー車(wrecker).
tráiler trùck =double-trailer truck.
utílity trùck 《豪・NZ・米》小型トラック.

-trude /trúːd/

連結形 ぐっと強く押す.
★ 語末にくる関連形は -TRUSION, -TRUSIVE.
◆ ラテン語 *trūdere*「強く押す」より.

de·trude 動他 押しのける, 追い払う, 捨て去る.
ex·trude 動他〈物を〉(…から)突き出す, 押し出す.
in·trude 動他〈意見などを〉(人に)無理に押しつける.
ob·trude 動他〈意見などを〉押しつけがましく述べる.
pro·trude 動自 突き出る, 出っ張る.
re·trude 動他【歯科】〈歯・あごを〉後方に移動する.

-trum /trəm/

接尾辞 ラテン語の道具・手段を表す名詞接尾辞.

claus·trum 名【解剖】前障(barrier).
ros·trum 名 (一般に)演壇, 講壇.
spec·trum 名 ☞

trump /trʌ́mp/

名【トランプ】切り札. ―― 動他自 切り札で切る.

no-trump 形 切り札なしの.
o·ver·trump 動他自 より強い札で切る.
un·der·trump 動他自 より弱い切り札を出す.

trum·pet /trʌ́mpit/

名 トランペット, らっぱ. ⇨ -ET[1].

ángel's-trùmpet 名 南米産チョウセンアサガオ属の総称.
éar trùmpet (昔の)らっぱ形補聴器.
maríne trúmpet 【音楽】トロンパマリーナ.
spéaking trùmpet 拡声器, メガホン.

trunk /trʌ́ŋk/

名 **1** 幹. **2** 大型旅行かばん, トランク.

nérve trùnk 【解剖】神経幹.
Saratóga trúnk サラトガトランク: 女性用旅行かばん.
stéamer trùnk (船の寝台下に入れる)薄い旅行かばん.
trée-trùnk (木の)幹.
wárdrobe trùnk 衣装トランク.

-tru·sion /trúːʒən/

連結形 突かれたこと[もの], 押されたこと[もの].
★ 名詞をつくる.
★ 語末にくる関連形は -TRUDE.
◆ <ラ *trūsus* (*trūdere*「強く突く」の過去分詞). ⇨ -SION.
[発音] -trusion の第1音節に第1強勢が置かれる.

de·tru·sion 名 押しのけること; 押し倒すこと.
ex·tru·sion 名 突き出し; 噴出; 追放.
in·tru·sion 名 (…への)押しつけ; (…への)侵入.
ob·tru·sion 名 (意見などの)(…への)押しつけ.
pro·tru·sion 名 突き出すこと; 突き出ている状態.
re·tru·sion 名【歯科】後退, 後方転位.

-tru·sive /trúːsiv, -ziv | -siv/

連結形 突く, 押す.
★ 形容詞をつくる.
★ 語末にくる関連形は -TRUDE, -TRUSION.
◆ <ラ *trūsus*(*trūdere*「突く, 押す」の過去分詞). ⇨ -IVE[1].

de·tru·sive 形 押しのける.
ex·tru·sive 形 突き出す, 押し出す.
in·tru·sive 形 出しゃばる; 割り込んだ.
ob·tru·sive 形 押しつけがましい, 無理強いの.
pro·tru·sive 形 突き出た.

truss /trʌ́s/

動他 くくる, 束ねる, つなぐ. ―― 名【土木】【建築】トラス.

árched trúss アーチトラス, アーチ形桁組み.
bówstring trùss 弓弦トラス.
cámelback trùss =crescent truss.
créscent trùss 上下の弦材(chord)が両側の同じ位置から上に向かって曲折している屋根のトラス.
jáck trùss ジャックトラス.
kíng trùss 真束(しんづか)小屋組み.
K-trùss 名 K トラス: トラスの一つの構成ユニット内に2本の斜め材をK型に入れたもの.
láttice trùss ラチストラス, 格子形骨組み.
póny trùss ポニートラス.
quéen trùss 対束(ついづか)屋根[小屋]組み, クインポストトラス.
scíssors trùss はさみ組み, はさみ形トラス.
ùn·trúss 動他《古》〈束などを〉ほどく, 解く.

trust /trʌ́st/

名 **1** (…に対する)信頼, 信用. **2** 委託, 保管, 管理; 監督, 世話. **3**【法律】信託. **4**【商業】トラスト. ―― 動他 **1** …を信頼する. **2** …を(人などに)信じて委託する.

àn·ti·trúst 形《主に米》独占禁止の.
Bánkers Trúst バンカーズ・トラスト: New York の銀行.

béef trùst 《米俗》大柄［でぶ］ぞろいの集団.
blínd trúst ブラインドトラスト, 白紙委任信託.
Bóok Trùst ブックトラスト: 英国の図書館利用促進のための慈善募金団体.
Bráins Trùst 《英》=brain trust.
bráin trùst ブレーントラスト: 政策立案などに関して相談役を務める専門家集団.
bráin-trùst 動他 …のブレーントラストを務める.
cháritable trúst 慈善信託, 公益財団.
Cívic Trúst 《英》シビックトラスト: 史的建造物や自然環境などの保護を目的とした民間組織.
Cívil Trúst 《英》建築・都市計画・環境保護団体.
Clífford trùst 《米》〘法律〙クリフォード方式信託.
discrétionary trúst 裁量信託.
dis·trúst 動他 …を疑いの目で見る, 疑う.
en·trúst 動他 (人に)委ねる, 委託する, 負わせる.
fíxed trúst =unit trust.
fléxible trúst 《英》オープン型投資信託.
Histónic Pláces Trúst 《NZ》歴史遺跡保護法.
hòspital trúst 《英》(国民健康保険の)医療信託.
in·trúst 動他 =entrust.
invéstment trùst 投資［信託］会社, 会社型投資信託.
líving trúst 生前信託.
Máritime Trúst 《英》歴史的船舶保存会.
mis·trúst 名 信用しないこと, 不信; 疑惑.
Nátional Trúst 《英》ナショナルトラスト: 史跡や名勝保存のための民間団体.
précatory trúst 〘法律〙懇願的信託, 遺託.
prívate trúst 個人信託, 私益信託.
públic trúst =charitable trust.
réal-estáte invéstment trùst 不動産投資信託.
sélf-trúst 名 自信(self-confidence).
shéltering trúst =spendthrift trust.
spéndthrift trúst 〘法律〙浪費者信託.
Térrence Híggins Trúst テレンス・ヒギンズ・トラスト: 英国のエイズ相談援助団体.
testaméntary trúst 〘法律〙遺言信託.
Tótten trùst 〘法律〙トッテン信託.
únit invéstment trùst =unit trust.
únit trùst 〘証券〙ユニットトラスト.
vóting trúst 〘経営〙議決権信託.

truth /trúːθ/

名 **1** (物・事の)真相, 事実, 実状, 実態. **2** 真理. ⇨ -TH[1].

God's trúth 絶対の真理.
góspel trúth 絶対的真理［真実］.
gróund trùth 地勢に関する空中探査結果を補うため, 直接地上調査から得た情報.
hálf-trùth 名 一部だけ真実の言葉.
hóme trúth 胸にこたえる真実; 確たる事実の陳述.
lógical trúth 〘論理〙トートロジー(tautology).
ùn·trúth 名 真実でないこと, 不真実(性), 虚偽.

try /trái/

動他 〈人が〉…をしてみる, 試みる.

cóllege trý 《話》(チーム・母校などの成功のために払う)最大の努力, (一般に)懸命の努力.
cút-and-trý 形 試行錯誤を重ねた; 経験による.
rè·trý 動他 再び試みる.

-try /tri/

連結形 木(tree).
★ 地名, 地名起源の姓に用いる.

Cov·en·try 名 コベントリー(イングランドの地名).
►字義は「Cōfa(人名)の木」.
Dav·en·try 名 ダベントリー(イングランドの地名).
►字義は「Dafa(人名)の木」.

-tsy /tsi/

音象徴 音象徴語の重複形に見られる語末要素; こっけいさや軽蔑を表す. ◇ -TY[3].

artsy-fartsy 形 《俗》《話》〈人が〉(見かけばかりの)芸術家気取りの, きざな.
hotsy-totsy 形 《米俗》《おどけて》まあまあ大丈夫な［申し分のない］; すてきな, 素晴らしい; 完全な.
ítsy-bítsy 形 《話》ちっちゃい, ちっぽけな.

-tu·al /tʃuəl/

接尾辞 ラテン語行為名詞接尾辞 *-tus* に -al[1] がついたもの.
★ 形容詞をつくる.

ac·cen·tu·al 形 アクセント［強勢］の(ある).
ac·tu·al 形 現実の, 事実上の.
as·pec·tu·al 形 〘文法〙相(aspect)の, 相を成す.
con·cep·tu·al 形 概念の; 概念形成の; 概念美術の.
con·tac·tu·al 形 接触の; 接触している.
con·tex·tu·al 形 文脈上の, 前後関係からみた.
con·trac·tu·al 形 契約(上)の, 契約で保証された.
con·ven·tu·al 形 修道院の, (特に)女子修道院の.
ef·fec·tu·al 形 〈物・事が〉効果的な, 効力のある.
e·ven·tu·al 形 いつかは起こる; 結果として起こる.
in·tel·lec·tu·al 形 知性に訴える, 知力を要する.
punc·tu·al 形 (…の点で)約束の時間を厳守する.
spir·it·u·al 形 精神の, 精神から成る, 精神的な.
tac·tu·al 形 触覚［触感］の.
tex·tu·al 形 原文［本文］の.

tub /tʌ́b/

名 **1** 風呂桶(おけ), 湯船, 浴槽. **2** 桶, たらい.

báthing tùb (日本の風呂に似た)浴槽.
báth·tùb 《主に米》浴槽, 湯船, バスタブ.
brán tùb 《英》(パーティーなどで, プレゼントを入れて探させる)ふすま入りの桶.
chéese tùb チーズ製造用の大桶.
dólly tùb 鉱石を洗う通例木製の桶.
hót tùb 《米》ホットタブ: 大型温水浴槽.
láuter tùb 〘醸造〙麦汁濾過(ろ)機.
lúcky túb 《英》(パーティーなどで, 種々の贈り物を入れた)宝探し袋(lucky dip).
másh tùb マッシュ桶.
twín·tùb 〘電子工学〙ツインタブ.
wásh·tùb 名 洗濯だらい, 洗濯桶.

tube /tʃúːb | tjúːb/

名 (金属・ガラス・ゴムなどの)管, 円筒.

ácorn tùbe 〘電子工学〙エーコン管.
béam-pòwer tùbe 〘無線〙ビーム電力管, ビーム管.
béam tùbe =beam-power tube.
blów·tùbe 吹き矢筒.
bóob tùbe 《俗》《主に米・カナダ》テレビ受像機.
brónchial tùbe 気管支(の分枝).
búcky·tùbe 〘物理〙(微小の)フラーレン管.
cámera tùbe 〘テレビ〙撮像管.
cáthode-rày tùbe 〘電子工学〙ブラウン管, 陰極線管.
combústion tùbe 燃焼管: 物質を燃焼させるために空気または酸素を送る管.
Cóolidge tùbe 〘物理〙クーリッジ管, 熱陰極 X 線管.

T

córe tùbe 〘地質〙コアチューブ.
cóunter tùbe 〘物理〙=counting tube.
cóunting tùbe 〘物理〙計数管.
Cróokes tùbe 〘電子工学〙クルックス管.
cúlture tùbe 細菌培養チューブ.
díscharge tùbe 〘電子工学〙=gas tube.
dísk-sèal tùbe 〘電子工学〙=lighthouse tube.
disséctor tùbe 〘電子工学〙解像管.
dráft tùbe 吸い出し管.
dráinage tùbe 〘外科〙排液［排膿(はいのう)］管.
dráw·tùbe (顕微鏡・望遠鏡などの接眼レンズを取りつける)伸縮自在筒, 引き抜き管.
dríft tùbe 〘無線〙ドリフト管.
electrónic túbe =electron tube.
eléctron-rày tùbe 〘電子工学〙蛍光指示管, 電子線管.
eléctron tùbe 〘電子工学〙電子管.
Eustáchian tùbe 〘解剖〙耳管, エウスタキー管.
exténsion tùbe 〘写真〙接写［中間］リング.
Fallópian tùbe 〘解剖〙ファロピウス管, らっぱ管.
flásh·tùbe 〘写真〙エレクトロニック・フラッシュ, スピードライト, ストロボ.
gás tùbe 〘電子工学〙電子管.
Géiger-Müller tùbe 〘物理〙ガイガーミューラー管.
Géissler tùbe 〘物理〙ガイスラー管.
gérm tùbe 〘生物〙(胞子の)発芽管.
hárd tùbe 〘電子工学〙高真空管.
hóney tùbe 蜜(みつ)管: アリマキ類の腹部にある一対の角状管.
hót-cáthode tùbe 〘電子工学〙=thermionic tube.
ímage convèrter tùbe =image tube.
ímage tùbe 〘電子工学〙イメージ管.
ínner tùbe (タイヤの)チューブ.
Lénard tùbe 〘電子工学〙レナード管.
líghthouse tùbe 〘電子工学〙灯台管, 板封じ管.
máiling tùbe (巻いた書類などの)郵送用紙筒.
Malpíghian túbe 〘昆虫〙マルピーギ管.
mórris tùbe 〘軍事〙モリス式銃身.
mýo·tùbe 名 〘生物〙〘医学〙筋管.
nán·o·tùbe 名 =buckytube.
néural túbe 〘発生〙神経管.
Níxie tùbe 《商標》ニキシー管(digitron).
pástry tùbe 絞り袋の口金.
photoeléctric túbe 〘電子工学〙=phototube.
phóto·tùbe 〘電子工学〙光電管.
píckup tùbe 〘テレビ〙=camera tube.
pícture tùbe =cathode-ray tube.
pítot-státic tùbe 〘航空〙ピトー静圧管, 対気速度計.
Pítot tùbe 〘航空〙ピトー管.
pneumátic túbe 気送管: 手紙・電報・小包などを空気圧で送る管.
póllen tùbe 〘植物〙花粉管.
rádio tùbe (ラジオ受信機用の)真空管.
shóck tùbe 〘物理〙衝撃波管.
síeve tùbe 〘植物〙師管.
sóft tùbe 〘電子工学〙軟真空管.
spéaking tùbe (建物・船などで使う)伝声管.
státic tùbe 〘物理〙静圧管.
stómach tùbe 〘医学〙胃ゾンデ.
stórage tùbe 〘電子工学〙蓄積管.
tést tùbe 試験管.
tést-tùbe 形 試験管内で作られた; 合成された.
thermiónic túbe 〘電子工学〙熱電子管.
thístle tùbe 滴下漏斗(ろうと), 安全漏斗, 漏斗管.
torpédo tùbe 〘軍事〙魚雷［水雷］発射管.
Torricéllian túbe トリチェリの水銀気圧計.
tracheótomy tùbe 〘医学〙気管切開チューブ.
tráveling-wáve tùbe 〘電子工学〙進行波管, TW 管.
T́-tùbe 〘医学〙T 字管.
Ú-tùbe 〘機械〙U 字管.
vácuum tùbe 《米・カナダ》(ラジオ・電子工学などで用いる)真空管.
ventúri tùbe 〘物理〙ベンチュリ管.
X́-ray tùbe X 線管: X 線を発生させるための電子管.
zénith tùbe 〘天文〙天頂筒［儀］.

tu·ber·cu·lo·sis /tjubə̀ːrkjulóusis | tju-/

名〘病理〙結核(症). ⇨ -OSIS.

míliary tuberculósis 粟粒(ぞくりゅう)結核症.
pàra·tuberculósis 名 〘獣病理〙ヨーネ病, パラ結核症.
psèudo·tuberculósis 名 偽［仮性］結核(症).
púlmonary tuberculósis 肺結核.

tu·bule /tjúːbjuːl | tjúː-/

名〘解剖〙〘細胞生物〙小管, 細管. ⇨ -ULE[1].

colléctìng tùbule 集合管.
cónvoluted túbule 尿細管.
mì·cro·tú·bule 名 微小管.
seminíferous túbule 精細管.
úrinary túbule =uriniferous tubule.
uriníferous túbule 尿細管.

tuck /tʌ́k/

動他〈衣服などを〉まくり上げる. ──名〘裁縫〙タック.

éye tùck (美容成形で)アイリフト(eyelift).
pín tùck 〘服飾〙ピンタック.
túmmy tùck 《話》腹壁の形成外科手術.
ùn·túck 動他〈まくり上げたものを〉元に戻す.

-tude /tjùːd | tjùːd/

接尾辞 ラテン系の形容詞・分詞について「性質」,「状態」を示す抽象名詞をつくる.
◆ <仏<ラ *-tūdō*.

al·ti·tude 名 ☞
am·pli·tude 名 (幅・範囲などの)広さ, 大きさ.
ap·ti·tude 名 (…への)傾向, 習性; (…する)性癖.
at·ti·tude 名 (人・物に対する)態度, 心構え.
be·at·i·tude 名 至福, 無上の幸福.
cer·ti·tude 名 疑念のないこと; 確実性; 確信.
con·sue·tude 名 《文語》(特にスコットランドで法的効力を持つ)慣習; 慣例; 不文律.
cras·si·tude 名 甚だしい無知［愚鈍］(な行為).
de·crep·i·tude 名 老衰, 老いぼれ(た状態); 腐朽.
de·fin·i·tude 名 明確さ, 精確さ.
des·ue·tude 名 廃止, 廃絶.
dis·qui·e·tude 名 不安な状態, 不安; 動揺.
dis·si·mil·i·tude 名 不同, 相違.
ex·ac·ti·tude 名 正確さ, 厳密さ.
fin·i·tude 名 有限(性).
for·ti·tude 名 不屈の精神, 精神的強さ.
grat·i·tude 名 有り難く思うこと, (物事への)感謝.
hab·i·tude 名 気質, 性向; 体質.
heb·e·tude 名 《文語》愚鈍, 鈍感; 無気力.
in·ap·ti·tude 名 適合性に欠けていること, 不適当.
in·ept·i·tude 名 不条理, 愚かしさ.
in·fin·i·tude 名 無限(性), 無窮(性).
las·si·tude 名 (緊張・天候などによる)疲労; だるさ.
lat·i·tude 名 ☞
lon·gi·tude 名 〘地理〙経度, 経線.
mag·ni·tude 名 ☞
man·sue·tude 名 《古》温和, 温順, 柔和.
mul·ti·tude 名 多数(の…).
ne·ces·si·tude 名 《古》必需品; 必要不可欠なもの.
Neg·ri·tude 名 黒人の歴史的・文化的・社会的遺産.
nig·ri·tude 名 真っ暗闇; 黒, 黒さ.
plat·i·tude 名 陳腐な言葉, 平凡な文句.
plen·i·tude 名 (分量・程度などが)十分であること.
plen·ti·tude 名 =plenitude.
promp·ti·tude 名 機敏, 敏速; 即応; 時間厳守.

T

pul·chri·tude 名 《文語・こっけい》肉体美.
qui·e·tude 名 静かな状態; 平静.
rec·ti·tude 名 公正, 厳正.
sanc·ti·tude 名 《古》清らかさ, 高潔さ.
se·nec·ti·tude 名 晩年, 老境.
ser·vi·tude 名 奴隷状態, 隷属, 隷従.
si·mil·i·tude 名 類似, 相似, 同等.
so·lic·i·tude 名 気にかけること, 心配; 切望.
sol·i·tude 名 独りぼっちでいる［住む］こと, 独居.
tur·pi·tude 名 卑劣, 下劣; 堕落.
vas·ti·tude 名 《まれ》広大, 巨大.
vi·cis·si·tude 名 (事物の過程で生じる)変化, 変動.

Tues·day /tʃúːzdei, -di | tjúːz-/

名 火曜日. ⇨ DAY.

Fát Tuésday 《特に米ルイジアナ》告解火曜日.
Shróve Túesday 〖キリスト教〗懺悔(ざんげ)火曜日.
Súper Túesday 形 〖米政治〗スーパーチューズデイ.
Whít·túesday 名 Whitmonday の翌日.

tuff /tʌ́f/

名 〖地質〗凝灰岩, タフ(volcanic tuff).

gréen túff 〖地学〗グリーンタフ.
lápilli tùff 〖地質〗火山礫凝灰岩.
volcánic túff 〖地質〗凝灰岩, タフ.
wélded túff 〖岩石〗熔結凝灰岩(ignimbrite).

tug /tʌ́g/

名 **1** 引き船; グライダーを引っ張る飛行機. **2** 引き網; 引き具.

háme tùg 引き革を曲がり棒(hame)に取りつけるための革帯.
spáce tùg 軌道間輸送機, スペースタグ.
stéam tùg (小型の)蒸気引船.

tu·lip /tʃúːlip | tjúː-/

名 チューリップ.

Áfrican túlip ムラサキクンシラン.
cóttage túlip 遅咲きチューリップ.
Dárwin túlip ダーウィン・チューリップ.
párrot tùlip チューリップの一変種.
wáter lìly tùlip チューリップの一種.

-tu·mes·cence /tʃuːmésns | tjuː-/

連結形 ふくらみ始めること.
★ 名詞をつくる.
◆ ラテン語 *tumēscere*「ふくらみ始める」より. ⇨ -ESCENCE.

de·tu·mes·cence 名 腫脹(しゅちょう)減退, 腫(は)れが引くこと.
in·tu·mes·cence 名 (充血などで)腫(は)れること.

tum·my /tʌ́mi/

名 《幼児語・話》おなか, ぽんぽん, 腹. ►stomach の幼児語転化. ⇨ -Y^2.

Adriátic túmmy 《英俗》下痢.
Bechuána tùmmy 《俗》下痢.
gíppy túmmy 《英俗》(熱帯地方旅行者の)下痢.
gýppy tùmmy 《俗》＝gippy tummy.

tune /tʃúːn | tjúːn/

名 曲, 歌曲, 楽曲. ── 動他 〈楽器を〉調律する.

at·túne 動他 〈人・耳・声・心などを〉(音, 環境などに)調和［適合］させる, 合わせる.
dóg tùne 《俗》二流の歌, くだらない歌.
fíne-túne 動他 〈ラジオ・テレビを〉(微)調整する.
lóon·y-tùne 名 《米俗》頭のおかしいやつ, ばか.
re·túne 動他 〈楽器を〉調律し直す.
sígnature tùne (ラジオ・テレビ番組の)テーマソング.
ùn·túne 動他 …の調子を狂わす, を調子外れにする.

tun·nel /tʌ́nl/

名 **1** 地下道; 地下水道. **2** トンネル. ⇨ -EL[1].

brídge-and-túnnel 形 橋とトンネルで通勤してくる: New York, San Francisco などでいう; しばしば bridges-and-tunnels とする.
brídge-tùnnel トンネルと橋を組み合わせた道路. ►湾口などにある.
Chánnel Túnnel 英仏海峡トンネル.
Éuro·tùnnel Channel Tunnel(の会社).
Líncoln Tùnnel (マンハッタンの)リンカーントンネル.
Mídtown Túnnel (マンハッタンの)ミッドタウントンネル.
Sévern Tùnnel セバーン・トンネル.
smóke tùnnel 〖航空〗煙風洞.
spín tùnnel 〖航空〗きりもみ風洞, スピン風洞.
wáter tùnnel 〖航空〗回流水槽.
wínd tùnnel 〖航空〗風洞.

-tu·ple /tʌ̀pl, túːpl/

連結形 …の要素から成る, …一組のもの.
◆ quintuple などから抽出. ⇨ -PLE.

n-tu·ple 名 〖数学〗n 組.

tur·bine /tə́ːrbin, -bain/

名 〖機械〗タービン.

áir tùrbine (圧縮空気で働く)空気［空圧］タービン.
gás tùrbine ガスタービン.
ímpulse tùrbine 衝動タービン.
míxed-flów tùrbine 混流タービン.
préssure tùrbine ＝reaction turbine.
reáction tùrbine 反動タービン.
stéam tùrbine 蒸気タービン.
wáter tùrbine (水力で動く)水タービン.
wínd tùrbine 風力タービン.

T

turf /tə́ːrf/

名 芝生(lawn). ── 動他 芝を植える.

artifícial túrf (球技場・庭用)人工芝.
Ás·tro·Tùrf 名 《商標》人工芝.
líly·tùrf 名 ユリ科ヤブラン属の多年草の総称.
rè·túrf 動他 …に再び芝を植える.

tur·key /tə́ːrki/

名 シチメンチョウ(七面鳥).

brúsh tùrkey ツカツクリ(塚造)(megapode).
Cápe Ànn túrkey 《米俗》＝Cape Cod turkey.
Cápe Còd túrkey 《米俗》タラ.
cóld túrkey 《米話》中毒患者から麻薬［アルコール, タバコなど］をいきなり完全に取り上げること(から生じる症状).
cóld-túrkey 動他 《米俗》〈麻薬などを〉即座に断つ.
cóuch-tùrkey 《米話》精神科医, 精神分析医.
Írish túrkey 《米渡り労働者俗》コンビーフとキャベツの料理.

jíve tùrkey 《米俗》ばか, まぬけ, うすのろ.
ócellated túrkey ヒョウモン(豹紋)シチメンチョウ.
scrúb tùrkey ツカツクリ(塚造)(megapode).
wáter tùrkey ヘビウ(anhinga).
wíld túrkey 野生のシチメンチョウ.

turn /tə́ːrn/

動他 回転させる. ── 名 回転.

abóut-túrn 名 《米》【軍事】回れ右.
áirplane tùrn 【スキー】ジャンプしてスキーが雪面から浮いている間に行う方向転換.
ámpere-tùrn 【電気】アンペア回数.
bát tùrn 《俗》【米空軍】バターン.
bóotleg tùrn 【自動車】サイドブレーキで後輪をロック状態にし, 急激にハンドルを回して急旋回すること.
bóttom tùrn 【サーフィン】ボトム=ターン.
brácket tùrn 【フィギュアスケート】ブラケットターン.
Búggins's túrn 《英》年功序列による昇進.
còunter-rócking túrn 【スケート】逆回転.
cóunt·er·tùrn 名 反対方向への方向転換, 反転.
dówn·tùrn 名 (下方向への)折り返し.
Dútch túrn 《英俗》【ジャーナリズム】記事の続きを他の記事の下の余白に送ること.
góod túrn よい行い, 親切(な行為).
hálf-tùrn 半回転, 180 度回転.
íll túrn ひどい仕打ち, 意地悪, あだ.
ín·tùrn 名 (軸・中心点の回りを)内へ曲げる[曲がる]こと, 内曲がり.
júmp tùrn 【スキー】跳躍回転.
kíck tùrn 【スキー】キックターン.
lódging tùrn (列車乗務員が到着駅で一泊する)外泊勤務期間.
óut·tùrn 名 生産量, 生産高, 産出高.
ò·ver·túrn 動他 倒す, 打倒する; 覆す; 打ち負かす.
párallel túrn 【スキー】パラレルターン.
púsh-dówn-and-túrn 形 〈蓋(ふた)が〉押さえてひねる.
re·túrn 動自 ☞
róund túrn (綱などの)一巻き.
séa tùrn 【気象】シーターン.
stár túrn (劇・映画などで)主役の俳優.
stém tùrn 【スキー】シュテムターン.
stép tùrn 【スキー】ステップターン.
témpo tùrn 【スキー】=parallel turn.
thrée-point túrn 《英》【自動車】三点方向転換.
tóp tùrn 【サーフィン】トップターン.
ùp·túrn 動他 ひっくり返す, 掘り返す.
Ú-tùrn (自動車などの)U ターン.

turn·er /tə́ːrnər/

名 物を回す人[もの]; (料理用)返しべら. ⇨ -ER[1].

páge-tùrner 息もつけないほど面白い本.
páncake tùrner 《米俗》ディスクジョッキー.
wóod·tùrner 木材旋盤工, ろくろ師.

turn·ing /tə́ːrniŋ/

名 **1** 回転. **2** 旋盤[ろくろ]細工[仕上げ]. ⇨ -ING[1].

báll tùrning 【家具】ボールターニング.
bambóo tùrning 【家具】竹の節状の刳形(くりがた).
bóbbin tùrning 家具の脚や横木などのろくろ細工.
bóttle tùrning 【家具】ボトルターニング.
éngine tùrning ロゼット模様の彫り付け装飾.
hálf-tùrning 【家具】ろくろ細工で作られた棒を縦方向に半分に引いたもの.
sáusage tùrning 【家具】テーブル・椅子の脚などのために, ろくろ細工でソーセージ状の連続した形を作ったもの; その工法.
spóol tùrning 【家具】紡錘形が一本に連続したろくろ細工.
wóod tùrning 木材旋盤加工, ろくろ細工.

tur·nip /tə́ːrnip/

名 カブ.

Índian túrnip サトイモ科テンナンショウ属の植物.
Itálian túrnip ブロッコリカブ.
práirie tùrnip マメ科多年草ノオラアンダビエの食用根.
Swédish túrnip カブカンラン.
whíte túrnip カブラ, カブナ, カブ.

tur·ret /tə́ːrit, tʌ́r- | tʌ́r-/

名 **1** 小塔. **2**【軍事】回転砲塔, (飛行機の)突出機銃座. ⇨ -ET[1].

báll tùrret (戦闘機用の)旋回砲塔.
chín tùrret (爆撃機の)機首の真下の銃座.
léns tùrret 【写真】レンズターレット.
sánctus tùrret 祭鈴[祭鐘]をつるす鐘楼.

tur·tle /tə́ːrtl/

名 (広義の)カメ(亀).

álligator túrtle ワニガメ.
bástard túrtle ケンプヒメウミガメ(ridley).
bóg tùrtle ミュールンベルグイシガメ.
bóx tùrtle ハコガメ(箱亀).
chícken tùrtle チキンタートル.
gréen túrtle アオウミガメ.
háwksbìll túrtle タイマイ(瑇瑁).
léatherbàck túrtle オサガメ.
léathery túrtle 《英》=leatherback turtle.
lóggerhead túrtle アカウミガメ.
máp tùrtle チズガメ.
múd tùrtle ドロガメ.
músk tùrtle ニオイガメ, ジャコウガメ.
páinted túrtle ニシキガメ.
réd-bèllied túrtle ハラアカヌマガメ属の淡水産のカメ.
séa tùrtle ウミガメ.
snápping tùrtle カミツキガメ(咬みつき亀).
sóft-shèlled túrtle スッポン.
sóft túrtle =soft-shelled turtle.
tórtoiseshell túrtle =hawksbill turtle.

-tus[1] /təs/

接尾辞 ラテン語の行為名詞接尾辞.
[発音] 直前の音節に第 1 強勢.

a·bor·tus 名 流産(miscarriage).
ap·pa·rat·us 名 ☞
can·tus 名 カントゥス・フィルムス(cantus firmus): キリスト教会の古い伝統的な単旋聖歌.
co·i·tus 名 (特に人間男女の)性交, 交接.
co·na·tus 名 努力.
con·cep·tus 名 受胎産物.
con·duc·tus 名 【音楽】コンドゥクトゥス.
con·spec·tus 名 概観, 概説.
cul·tus 名 崇拝, 礼賛(cult).
de·cub·i·tus 名 【医学】臥位(がい).
duc·tus 名 【解剖】導管・管.
eu·ca·lyp·tus 名 ユーカリ樹.
fe·tus 名 【発生】胎児.
fla·tus 名 体腔(たいこう)内にたまるガス.
frem·i·tus 名 【病理】(胸壁などで触診できる)振動音, 振盪(しんとう)音.
hi·a·tus 名 (仕事・続き物・行動などの)中断.

ic·tus 名 〖韻律〗強音, 揚音.
im·pe·tus 名 起動力, 勢い, はずみ; 衝動, 刺激.
me·a·tus 名 〖解剖〗(耳・鼻などの)道(どう).
pro·spec·tus 名 (新刊書の)内容見本; (新事業・会社の)設立趣意書, 内容説明書.
pru·ri·tus 名 〖病理〗瘙痒(そうよう)(症), かゆみ(症).
rap·tus 名 激しい興奮, 興奮状態; 狂喜.
ric·tus 名 (鳥の)くちばしの開き.
si·tus 名 所在, 位置.
sta·tus 名 ☞
tin·ni·tus 名 〖病理〗耳鳴り, 耳鳴(じめい).
vom·i·tus 名 〖医学〗嘔吐(おうと), 吐くこと.

-tus[2] /təs/

接尾辞 ラテン語の過去分詞語尾.

-a·tus 接尾辞 ☞
crep·i·tus 名 〖医学〗(肺の)捻髪(ねんぱつ)音.
de·lec·tus 名 (学習用の)ラテン[ギリシャ]作家名文抄[精選集].
e·mer·i·tus 形 名誉待遇の, 前職礼遇の.
frac·tus 形 〈雲が〉ちぎれ雲の.
in·tor·tus 形 〖気象〗〈絹雲が〉もつれ雲の.
linc·tus 名 〖薬学〗リンクタス剤, 舐剤(しざい).
pro·pos·i·tus 名 〖法律〗(系図上の)出発点に位置する者, 祖先, 尊属.

-tuse /tʃúːz, -s | tjúːz, -s/

連結形 打つ.
◆ <ラ *tūsus*(*tundere*「打つ」の過去分詞).
[発音] 語尾の発音は, 動詞では /z/, 形容詞では /s/.

con·tuse 動他 …に挫傷(ざしょう)を負わせる.
ob·tuse 形 〈知覚・感情・知能が〉鈍い, 鈍感な.
re·tuse 形 〈葉などが〉小凹形の.

TV /tìːvíː/

名 TV(放送). ◇ TELEVISION, VEE.

bréakfast TV 朝食時のテレビ放送[番組].
fée-TV́ 有料テレビ.
spót TV̀ 《俗》(テレビの)スポット広告.
twó-wáy TV̀ 双方向テレビ.

twine /twáin/

名 (2本以上の糸やひもを撚(よ)り合わせた丈夫な)撚り糸[ひも].

bínder twìne (穀草を束ねたりするのに用いる)丈夫な撚(よ)りひも.
en·twíne 動他 〈物を〉(…に)まつわらせる.
ìn·ter·twíne 動自他 (…と)撚(よ)り合わせる[合う].
in·twíne 動他自 =entwine.
séttler's twìne オーストラリア産のサトイモ.
ùn·twíne 動他 〈糸などの〉撚(よ)りを戻す.

twist /twíst/

動他 撚(よ)る, 撚り合わせる. ――名 **1** 回転. **2** 撚り. **3** ねじること, ひねり.

áir twìst (ワイングラスの柄の)中空らせん模様.
Américan twist 〖テニス〗スピンサービス.
árm-twìst 動他 …に強い圧力をかける.
cóbra twìst (プロレスの)コブラツイスト.
en·twíst 動他 …をねじ込む; 撚(よ)り合わせる.
Frénch twìst (女性の髪型で)フレンチロール.
fúll twìst 〖ダイビング〗1回ひねり飛び.
hálf twìst 〖ダイビング〗半ひねり飛び込み.
ìn·ter·twíst 動他 絡み合わせる, ねじり合わせる.
in·twíst 動他 =entwist.
Ś twist 右撚(よ)り, S 撚り.
sú·per·twìst 形 〖コンピュータ〗〈液晶画面の変性が〉スーパーツイストの.
táilor's twìst テーラーズツイスト: 強く太い絹糸.
ùn·twíst 動他 〈撚(よ)った物の〉撚りを戻す.
Ź twist 左撚(よ)り, Z 撚り.

two /túː/

名 (基数の)2. ――形 2の, 2人[個]の.

éighty-twó 名形 82(の).
fífty-twó 名形 52(の).
fíve-to-twó 名 ユダヤ人(Jew).
fórty-twó 名形 42(の)
fóur-by-twó 名 《豪・NZ》厚さ・幅が2対4の割合の.
múrder twó 第二級謀殺(second-degree murder).
númber twó 最重要でない; 第二の; 次席の.
óne-twó 名 〖ボクシング〗ワンツー(パンチ).
thír·ty-twó 名 32; 32口径ピストル.
thrée pòint twó 《米話》=three-two.
thrée-twò 名 《米話》アルコール度 3.2 %のビール.
Tráck Twó 《カナダ警察俗》ホモの居住区域.
twén·ty·two 名 22; 22口径ピストル.

-ty[1] /ti/

連結形 10の倍数. ◇ -TEEN.
★ 名詞をつくる.
◆ 古英 *-tig*; 独 *-zig* と同語源.
[発音] 語頭の音節に第1強勢.

eight·y 名 (基数の)80.
fif·ty 名 (基数の)50.
for·ty 名 (基数の)40.
nine·ty 名 (基数の)90.
sev·en·ty 名 (基数の)70.
six·ty 名 (基数の)60.
thir·ty 名 (基数の)30.
twen·ty 名 (基数の)20.

-ty[2] /ti/

接尾辞 …な性質[状態, 程度].
★ ラテン語起源の名詞に見られる.
★ 語末にくる関連形は -ITOUS, -ITY.
◆ 中英 *-te*(*e*) <古仏 *-te*(*t*) <ラ *-tātem*(*-tās* の対格).
[発音] 第1強勢は, (1)直前に母音字が付く場合は2つ前の音節に, (2)直前に子音字が付く場合は語頭にある. 例外: entírety.

a·bil·i·ty 名 ☞
ad·mi·ral·ty 名 admiral「艦隊指令長官」の職[権限].
anx·i·e·ty 名 不安, 心配, 懸念; 心配事.
a·troc·i·ty 名 極悪非道; 残忍性, 暴虐.
beau·ty 名 ☞
boun·ty 名 報奨金, 賜金; (特に政府の)補助金.
ca·lam·i·ty 名 (洪水・大けがなどの)災難, 惨事.
cas·u·al·ty 名 〖軍事〗事故兵.
cer·tain·ty 名 確実性, 確実; 必然性.
com·mon·al·ty 名 一般人, 一般大衆; 平民, 庶民.
con·tra·ri·e·ty 名 反対; 不一致; 矛盾; 相反する点.
cru·el·ty 名 残酷さ, 無慈悲さ, 冷酷さ, じゃけん.
dif·fi·cul·ty 名 (…をする)困難, 難しさ.
dif·fu·gal·ty 名 《米俗》=difficulty.
du·ty 名 ☞
e·nor·mi·ty 名 無法, 非道, 極悪.
en·tire·ty 名 完全, そっくりそのまま(の状態).
eq·ui·ty 名 ☞
fac·ul·ty 名 能力, 才能; (特に実務的な)手腕.

fe·al·ty 名 〘歴史〙(領主・君主に対する)忠誠.
fe·lic·i·ty 名 《文語》非常な幸福, 至福.
frail·ty 名 もろさ, はかなさ, 弱さ.
gai·e·ty 名 陽気, 愉快, 浮かれ気分.
gay·e·ty 名 《米》=gaiety.
gen·er·a·tiv·i·ty 名 〘心理〙生殖性.
gra·tu·i·ty 名 心づけ, 祝儀(►tip の改まった表現).
hon·es·ty 名 正直, 廉直; 誠実(さ); 率直さ.
hu·mil·i·ty 名 謙虚, 謙遜(けんそん), 卑下.
im·pi·e·ty 名 不信心, 不敬虔(ふけいけん).
in·e·bri·e·ty 名 酔い, 酩酊(めいてい).
in·fin·i·ty 名 無限性, 無限, 無窮.
-i·ty 接尾辞 ☞
jol·li·ty 名 =gaiety.
len·i·ty 名 寛大さ, 優しさ; 寛大な行為.
lev·i·ty 名 軽薄, 軽率, 軽はずみ, 不まじめ.
lib·er·ty 名 ☞
lon·ga·nim·i·ty 名 《まれ》辛抱強さ, 忍耐.
loy·al·ty 名 誠実, 忠実, 義理立て.
maj·es·ty 名 王者の威厳; 尊厳, 荘重.
may·or·al·ty 名 市[町, 村]長の職[任期].
mes·nal·ty 名 〘法律〙中間領主の領地[身分].
moi·e·ty 名 《文語》半分(half).
mu·li·er·ty 名 〘古英法〙嫡出たる身分, 嫡出性.
ni·mi·e·ty 名 《文語》過多, 過剰.
no·to·ri·e·ty 名 悪名[悪評]高いこと.
nov·el·ty 名 目新しさ, 珍しさ; 斬新(ざんしん)さ.
ow·el·ty 名 〘法律〙平等.
pen·al·ty 名 (犯罪・違反に対する)刑罰, 処罰.
per·son·al·ty 名 〘法律〙動産, 人的財産.
pi·e·ty 名 敬神の念, 篤信; 敬虔(けいけん)さ.
plen·ty 名 十分, たくさん(の…).
pov·er·ty 名 貧乏, 貧困, 貧窮, 貧.
prop·er·ty 名 ☞
pro·pri·e·ty 名 礼儀正しさ; 端正, 上品.
pu·ber·ty 名 思春期, 年ごろ; 〘法律〙成熟期.
quo·ti·e·ty 名 率, 係数.
re·al·ty 名 〘法律〙物的財産, 不動産.
roy·al·ty 名 王族, 皇族.
safe·ty 名 ☞
sa·ti·e·ty 名 飽き飽きさせられた状態; 飽満.
sev·er·al·ty 名 個々別別, 個別性, 各自.
sher·iff·al·ty 名 =shrievalty.
shriev·al·ty 名 sheriff「保安官」の職[任期].
sim·plic·i·ty 名 簡単, 平易, 分かりやすさ.
so·bri·e·ty 名 酒に酔っていないこと, しらふ.
so·ci·e·ty 名 ☞
sov·er·eign·ty 名 (権力などの)最高, 最上, 至上; (重要性・優秀さなどの)至高(性).
sov·ran·ty 名 《詩語》=sovereignty.
spe·cial·ty 名 特性, 特質, 特色, 特殊性.
spir·i·tu·al·ty 名 《古》聖職者.
sta·bil·i·ty 名 安定(性); 不変(性).
sub·til·ty 名 《古》=subtlety.
sub·tle·ty 名 希薄(なこと).
sure·ty 名 保証, 抵当, 担保.
syn·chro·nis·i·ty 名 シンクロニシティー, 共時性.
tem·po·ral·ty 名 《古》俗人(the laity).
te·nu·i·ty 名 薄いこと; (毛・糸などの)細いこと.
va·ri·e·ty 名 変化に富むこと, 多様性.
ve·loc·i·ty 名 ☞

-ty³ /ti/

音象徴間 音象徴語の重複形に見られる語末要素; 軽蔑の響きがある.

hóity-tóity 形 《話》気取った; うぬぼれた; 高慢な. ―名 気取り; 高慢ちき. ―間 《軽率な行い・高慢な態度などに対するあざけり・いらだち・驚きなどを表して》いやはや, あきれたね.
ítty-bítty 形 《話》とてもちっちゃい, ちっぽけな.
nítty-grítty 名 《俗》《the ～》核心, 肝心かなめ.

type /táip/

名 **1**(共通の特徴を持ち, 1つのグループを成す)類, 型, タイプ, 様式. **2**〘印刷〙活字; 組み版形式. **3**〘生物〙標本.

ág·ro·tỳpe 名 〘農業〙土壌型.
a·hér·ma·tỳpe 名 非造礁サンゴ.
ál·lo·tỳpe 名 アロタイプ標本, 別基準標本.
án·te·tỳpe 名 初期の形態; 原型.
án·ti·tỳpe 名 (特に聖書について)対照, 対型.
Apóllo tỳpe 〘天文〙アポロ型小惑星.
ár·che·tỳpe 名 原型; 典型, 模範, 手本.
áu·to·tỳpe 名 (書物・絵画などの)複製, 複写.
bío·tỳpe 名 〘遺伝〙バイオタイプ, 生物型, 同遺伝子型個体群.
blóck tỳpe ブロック式字体(block letter).
blóod tỳpe 血液型(blood group).
bódy tỳpe 本文活字, ボディータイプ.
cháracter tỳpe 〘心理〙性格類型.
cóld tỳpe コールドタイプ: 写真植字, コンピュータ写植による組み版活字.
có·type 名 コタイプ: 基準標本のうち正基準標本以外の標本.
cóunt·er·tỳpe 名 対応する型, 類似のもの.
displáy tỳpe ディスプレー用活字.
éc·o·tỳpe 名 〘生態〙生態型.
éc·type 名 再製(物), 複写(物), 模写(物).
e·léc·tro·tỳpe 名 電気版, 電胎版; 電気版印刷物.
É-tỳpe 名 〘自動車〙イータイプ: Jaguar の高級車種.
fóunders' tỳpe 《英》=foundry type.
fóundry tỳpe ファンドリータイプ: 手組み用欧文活字.
gén·o·tỳpe 名 〘遺伝〙遺伝子型.
héavy týpe ヘビーフェース(heavy face): ボールドフェースより肉太の活字.
hér·ma·tỳpe 名 造礁生物.
hól·o·tỳpe 名 〘生物〙正基準標本, 完模式標本.
hó·me·o·tỳpe 名 〘生物〙同模式標本.
hó·mo·type 名 〘生物〙相同器官(homologue).
hót tỳpe ホットメタル, 鋳造活字.
idéal tỳpe 理念型, 理想(類)型.
í·so·tỳpe 名 アイソタイプ: グラフ[図表]で単位として用いる絵・略図または符号.
itálic tỳpe イタリック(体), 斜体活字.
kár·y·o·tỳpe 名 〘遺伝〙核型(かくがた).
lárd tỳpe 〘畜産〙(豚の種類で脂肪の多い)ラードタイプ, ラード用種.
lárge-tỳpe 形 大活字で組んだ.
léc·to·tỳpe 名 選定基準標本, 後模式標本.
ló·go·tỳpe 名 連字[合字]活字, ロゴタイプ.
méat tỳpe 〘畜産〙ミートタイプ, 肉用種.
mis·týpe 動他 間違ってタイプする.
Móon tỳpe (視覚障害者用の)浮き出し文字(法).
móvable tỳpe 組み版で, 一本一本がそれぞれ独立していて組み替えと移動のできる活字; 初期の活版印刷に用いられた.
né·o·tỳpe 名 〘生物〙新基準標本, ネオタイプ.
ń-tỳpe 形名 〘電子工学〙〈半導体が〉n[N]型(の).
óp·to·tỳpe 名 視力検査表の文字など.
pár·a·tỳpe 名 従基準標本.
páth·o·tỳpe 名 病原性生物.
personálity tỳpe 〘心理〙性格型.
phé·no·tỳpe 名 〘遺伝〙表現型. **1** 生物個体の外面的形質. **2** 遺伝子型と環境条件との相互作用によって生じる生物体の外観.
pól·y·tỳpe 名 〘結晶〙ポリタイプ.
prímary tỳpe 第一次基準標本, 正基準標本.
prót·er·o·tỳpe 名 原型.

pró·to·type 名 原型; 試作品.
p̆-týpe 形 〖電子工学〗〈半導体・導電率が〉p 型の.
re·týpe 動他 (特に訂正するために)…をタイプで打ち直す.
róman týpe ローマン体活字.
séro·type 名 血清型, セロタイプ.
sóil type 〖農業〗土壌型(ど).
so·mát·o·type 名 (人間の)体格(physique).
spéaking type メダルまたは貨幣のデザインで, 人または物に関しての語呂合わせを用いたもの.
spéctral type 〖天文〗スペクトル型.
súb·type 名 類型以下の型, 亜類型, サブタイプ.
sýn·type 名 等価基準標本.
tél·o·type 名 印字電信機; 印字電報.
tést type 視力検査表の文字; 大きさの異なる字を並べた視力検査表.
tóp·o·type 名 〖生物〗同地基準標本.
tóuch-type 動自 (キーを見ないで)タイプする.
wíld type 〖遺伝〗野生型.

-type /tàip/

連結形 …型, 類型, 形式.
★ 名詞をつくる.
★ 特に写真製版法について用いる.
★ 語頭にくる関連形は typ(o)-: *typo*logy「類型学」.
◆ TYPE の名詞連結形.

ám·bro·type 名 〖写真〗《廃》アンブロタイプ.
a·rís·to·type 名 〖写真〗アリスト印画法.
árto·type 〖写真〗=collotype.
cál·o·type 名 〖写真〗カロタイプ.
cér·o·type 名 〖彫刻〗蝋(ろう)版法, 蝋版.
cól·lo·type 名 〖写真〗コロタイプ.
cy·án·o·type 名 〖製図〗青写真法.
da·guérre·o·type 名 〖写真〗ダゲレオタイプ, 銀板写真法.
di·áz·o·type 名 〖写真〗ジアゾタイプ, 陽画感光紙.
dú·o·type 名 〖印刷〗二色網版, デュオタイプ.
fér·ro·type 動他 〖写真〗〈印画に〉フェロをかける.
hé·li·o·type 名 =collotype.
í·vo·ry·type 名 〖写真〗アイボリータイプ.
món·o·type 名 モノタイプ: 油絵の具, 印刷用インキなどで描かれた金属板またはガラス板から作成する単刷版画.
níck·el·type 名 〖印刷〗ニッケル電気版 [電胎版].
phó·no·type 名 〖印刷〗表音活字, 音標活字.
phó·to·type 名 〖印刷〗フォトタイプ: 写真凸版.
plás·to·type 名 〖生物〗プラストタイプ.
plát·i·no·type 名 〖写真〗白金タイプ.
stér·e·o·type 名 **1** 〖印刷〗ステロ版 [鉛版]. **2** 紋切り型, 決まり文句, ステレオタイプ; しきたり, 因襲; 〖社会〗固定観念.
Tál·bo·type 名 〖写真〗=calotype.
tín·type 名 〖写真〗鉄板写真.
wóodbury·type 名 〖写真〗ウッドベリータイプ, 写真凹版.
zínco·type 〖印刷〗亜鉛凸版(印刷).

type·writ·er /táipràitər/

名 タイプライター, 印字器. ⇨ WRITER.

Chicágo týpewriter 〖映画〗トンプソン自動小銃.
electrónic týpewriter 電子タイプライター.
jéwish týpewriter 《俗》金銭登録器, レジ.
tèle·týpewriter 《主に米》テレタイプライター.

ty·phus /táifəs/

名 〖病理〗発疹(はっしん)チフス. ⇨ -US[1].

múrine týphus 発疹熱.
scrúb týphus つつが虫病.
tíck-borne týphus ロッキー山紅斑熱.
tíck týphus =tick-borne typhus.

typ·ic /típik/

形 典型的な; (ある)型(type)にはまった; 特有な. ⇨ -IC[1].
★ 語頭にくる関連形は typ(o)-: *typo*logy「類型学」.

an·ti·typ·ic 形 対型的な.
a·typ·ic 形 (…の)代表例ではない, 非定型的な.
het·er·o·typ·ic 形 〖生物〗異型の.
ho·me·o·typ·ic 形 〖細胞生物学〗〈分裂が〉同形の.
ho·mo·typ·ic 形 〖生物〗相同器官の.
I·so·typ·ic 形 アイソタイプ(isotype)の.
mon·o·typ·ic 形 1 つの型しかない, 単一型の.
plei·o·typ·ic 形 〖生物〗(1 つの刺激によって細胞が引き起こす反応が)多面的な.
pol·y·typ·ic 形 〖生物〗多型の, 複型の.
ster·e·o·typ·ic 形 ステレオタイプの, お決まりの.

typ·ing /táipiŋ/

名 **1** タイプライターを打つこと; タイプ技術. **2** 類別すること. ⇨ -ING[1].

blóod týping 〖生理〗血液型分類 [判定] (法).
káryo·týping 染色体分析.
séx-týping 〖社会〗性別分業.
tíssue týping 〖医学〗組織適合試験.

-typ·y /táipi/

連結形 …型, 類型, 形式. ◇ -TYPE. ⇨ -Y[3].

al·lo·typ·y 名 〖生物〗アロタイプ標本.
au·to·typ·y 名 〖写真〗オートタイプ, 単色写真(法).
chi·as·ma·typ·y 名 〖遺伝〗キアズマ型.
col·lo·typ·y 名 〖印刷〗コロタイプ, コロタイプ版印刷.
da·guer·re·o·typ·y 名 〖印刷〗銀板写真(法).
e·lec·tro·typ·y 名 〖印刷〗電気版製作法, 電気製版術.
id·i·o·typ·y 名 〖免疫〗イディオタイプ.
log·o·typ·y 名 〖印刷〗連字 [合字] 活字, ロゴタイプ.
pho·no·typ·y 名 表音(式)速記法, (特に)ピットマン式速記法.
sten·o·typ·y 名 (筆記体・活字体のアルファベット文字を使用する)速記(法).
ster·e·o·typ·y 名 〖印刷〗ステロ版 [鉛版] 製版.

-tz /ts/

接尾辞 主に俗語の語尾に使われる; 軽蔑の響きがあって, 音象徴的.

blitz 名 〖軍事〗急襲, 電撃戦.
ditz 名 《俗》ばかな人, 軽薄な人.
Fritz 名 《米俗》ドイツ人; (特に)ドイツ兵, ドイツ軍の戦闘機 [潜水艦など].
fritz 動自 《米俗》故障する, ぶっ壊れる.
futz 動自 《米俗》セックスする(fuck).
glitz 名 《米・カナダ俗》(外見・雰囲気などの)けばけばしさ, 派手さ.
glutz 名 《米話》ふしだらな [だらしない] 女.
guntz 名 《俗》全体, 全部.
ig·natz 名 《米俗》とんま.
kib·itz 動自 《米話》トランプをしている人の持ち札を肩越しにのぞく.
klutz 名 《米俗》(動作が)ぎごちない人.
phutz 動他 《米俗》だまし取る(futz).
plotz 動自 《米俗》(驚愕(きょうがく)・興奮・疲労などで)倒れる; 気絶する.
putz 名 《米俗》鼻持ちならない恥知らず.
ritz 名 《米話》ぜいたく; 見せびらかし.

schlontz 名 《米俗》ペニス.
schmaltz 名 《米話》あまりにも感傷的な音楽［文章など］.
schpritz 動他 《米俗》攻撃する, 中傷する.
shpritz 名 《米俗》少量, 気味.
shvantz 名 《米俗》＝schlontz.
spitz 名 スピッツ(犬).
spritz 動他 《話》…をさっと振りかける.
yentz 動他 《米俗》あざむく, だまし取る.
yutz 名 《米俗》ばか, とんま.
zetz 名 《米俗》《しばしば比喩的》パンチ.
zotz 名 《米学生俗》無, ゼロ, 零点(zot).

U

-u[1] /uː/

接尾辞 フランス語の名詞, 形容詞をつくる語尾要素.

a·per·çu 名 ちらっと見ること.
bar·bu 名 西大西洋沿岸産のツバメコノシロ属の魚の一種.
bat·tu 形 〖バレエ〗〈跳躍が〉バテュの.
cou·ru 形 〖バレエ〗〈跳躍が〉助走して行う.
cru 名 (フランスの)ワイン醸造をするぶどう園; ワイン生産地; ワインの等級.
dé·te·nu 名 被拘留者. ►女性形は détenue.
ec·ru 形 生地[生成り]色の, 亜麻色の.
fich·u 名 フィシュ: 婦人用肩掛けの一種.
fon·du 形 〖料理〗溶けた.
in·con·nu 名 未知の人, 知られていない人.
men·u 名 ☞
par·ve·nu 名形 成金(の).
per·du 形 姿が見えない, 隠れた.
poi·lu 名 《廃・俗》(第一次世界大戦の前線の)フランス兵.
ren·du 名 〖建築〗完成予想図.
sou·te·nu 形 〖バレエ〗ストゥニュの.
ten·du 形 〖バレエ〗タンデュの.

-u[2] /úː/

語尾 語末にくる同音形は -AULT[2], -EW[3], -O[7], -OE[2], -OO[1], -OO[2], -OO[3], -OOH, -OU[1], -OUGH[7], -UE[2].

bu 名 《米俗》マリファナ(タバコ)(boo).
flu 名 ☞
fu 名 《米麻薬俗》マリファナ.
-fu 連結形 ☞
gnu 名 ヌー, ウシカモシカ.
mu 名 《米俗》マリファナタバコ(mooter).
nu 間 そこで, それから, 本当かね.
plu 名 《米西部・カナダ》《古風》(特に最上質の)ビーバー皮(plew).
thru 前副形 《米話》=through.

-u·al /uəl/

接尾辞 ラテン語名詞語尾 *-us* に -al[1] がついたもの.
★ 形容詞をつくる.

cas·u·al 形 偶然の, 思いがけない, 不慮の.
con·sen·su·al 形 〈契約などが〉合意だけで成り立つ.
grad·u·al 形 漸進的な, 漸次の, だんだんの.
ha·bit·u·al 形 習慣的な; 習性となった; 例の.
sen·su·al 形 肉体的感覚の, 官能的な, 肉欲的な.
u·su·al 形 常の, 日ごろの, 平素の, いつもの.
vis·u·al 形 視覚[視力]の, 視覚による.

-ub[1] /ʌ́b/

音象徴 **1** 太鼓のドンドン, 液体のゴボゴボ, ブクブク, 洗濯のゴシゴシ, 泣き声のオイオイ, 棒のバシッなど. **2** 小さくずんぐりした物や塊をさす; club も本来「塊, 束」をさした. **3** しくじり, ごまかし, だめなこと[人]などをけなす気持ちで言う.

blub[1] 名 塗りたてのしっくいの膨らみ.
blub[2] 動自 《話》おいおい泣く.
club 名 ☞
drub 動他 …を棒などで打つ, むち打つ.
dub[1] 名 《米・カナダ俗》不器用者.
dub[2] 動他 突く, 小突く, つつく.
flub 動他自 《米話》しくじる, 失敗する.
fub 動他 〈人〉をだます(fob).
glub 名 ゴボゴボ[ブクブク]という音.
knub 名 =nub.
nub 名 かたまり; 《話》要旨, 要点, 骨子; 核心, 中心.
schlub 名 《米俗》品のないやつ.
scrub 動他 …をごしごし洗う.
shlub 名 《米俗》品のないやつ.
snub 動他 〈目下の者を〉鼻であしらう.
stub[1] 名 短い突出部.
stub[2] 形 ずんぐりした.

-ub[2] /ʌb/

音象徴間 音象徴語の重複形に見られる語末要素.

blúb-blùb 名 《プロペラ音を表して》バタバタ.
dúb-a-dúb 名 (太鼓の)ドンドン.
dúb-a-dúb 名 (太鼓の)ドンドン.
húb·bub 名 (群衆の)わいわいがやがや.
rúb-a-dùb 名 ドンドン(太鼓の音).
scrúb-a-dúb 名 《こすって洗う》ゴシゴシ.
scrúb-a-scrùb 名 《ブラシでこする》ゴシゴシ.

-ub[3] /ʌ́b/

語尾 chub, cub, grub は小さな生き物である; hub はかたまりが原意であり, tub は桶をさすので, -ub[1] と同様の音象徴とみてよい; ほかにいくつかの短縮語がある.
★ 語末にくる同音形は -UB[1], -UB[2].

bub 名 《米俗》兄弟, 君.
chub 名 チャブ: コイ科ウグイ属の淡水魚.
cub[1] 名 (キツネ・ライオンなど)動物の子.
cub[2] 名 牛舎; 鶏小屋(coop).
dub[1] 動他 …に(…というあだ名を)つける.
dub[2] 動他 ダビングする ►double から.
dub[3] 動自 《英俗》(ドアをこじあける)鍵(かぎ).
dub[4] 名 〖音楽〗ダブ.
dub[5] 動自 《豪・NZ 話》(馬・自転車に)2人乗り[相乗り]する(double-bank).
dub[6] 動他 《英俗》(家に)引きこもらせる.
grub 名 ☞
hub[1] 名 (車輪の)ハブ, こしき.
hub[2] 名 《話》夫.
pub[1] 名 《主に英》パブ, 居酒屋.
pub[2] 名 《米俗》公表; 宣伝(publicity).
rub[1] 動他 ☞
rub[2] 名 〖トランプ〗ラバー(rubber).
scrub 名 《集合的》低木(shrubs).
shrub[1] 名 ☞
shrub[2] 名 シュラブ: 飲料の一種.
slub 動他 …を始紡する.
sub[1] 名 《話》潜水艦(submarine).
sub[2] 前 《ラテン語》…の下に(under).
trub 名 《英俗》厄介, 面倒なこと(trouble).
tub 名 ☞

-ub·ble[1] /ʌ́bl/

音象徴 **1** 小片や破片を表す. **2** ブクブク, ブツブツという音や, 小さく反復的な動きを表す. ◇ -LE[3].

bub·ble 動自 泡立つ, ぶくぶく音を立てる. ——名 泡, あぶく.
grub·ble 動自 《俗》捜し回る.
hub·ble 名 (氷面・路面などの)小さいこぶ.
nub·ble 名 小塊, 小片.
rub·ble 名 (破壊されたものなどの)破片.
stub·ble 名 (麦など穀物類の)刈り株.

-ub·ble[2] /ʌbl/

音象徴 音象徴語の重複形に見られる語末要素.

húbble-bùbble 名 (タバコの煙が水中を通過してブクブク音をたてる)水ギセル.
úbble-gúbble 名 《米俗》わけの分からないおしゃべり, たわ言, ナンセンス.

-ube[1] /ú:b/

語尾 俗語と話語の語尾.
★ 語末にくる同音形は -OOB.

drube 名 《米俗》のろま, うすのろ.
jube 名 《豪・NZ 話》甘いゼリー状の菓子.
lube 名 《話》潤滑油(lubricant).
rube 名 《話》うぶな田舎者, 田舎っぺ.

-ube[2] /jú:b | jú:b/

語尾

cube 名 ☞
tube 名 ☞

-uce /ú:s/

語尾 語末にくる同音形は -OOSE[1], -US[3].

luce 名 (特に成魚の)カワカマス.
spruce[1] 名 ☞
spruce[2] 形 (服装・外見が)小ぎれいな, しゃれた.
spruce[3] 動他 《英俗》欺く, だます.
truce 名 (協定に基づく)戦闘停止, 休戦.

-uch /ʌ́tʃ/

語尾 語末にくる同音形は -UTCH.

much 形 ☞
nuch 副 《米俗》たいしてない.
such 形 《種類・質・程度・範囲などを表して》その[この]ような, そんな, こんな.

-uck[1] /ʌ́k/

音象徴 **1** コッコッ; 雌鶏の鳴き声を表す. **2** グイッ, ズッ, コツッ; 軽く引っ張ったり, 打つこと, また, その音を表す. ►fuck も「打つ」が原義. **3** ヌルヌル, ベタベタする感じ. **4** 軽蔑, 嫌悪を表す.

buck-buck 名 コッコッ(雌鳥の鳴き声).
cluck[1] 動自 〈雌鶏が〉コッコッと鳴く, コッコッと鳴いて卵を産む[ひなを呼ぶ].
cluck[2] 名 《米俗》鈍い人, まぬけ.
cluck cluck 間 《液体を注ぐときの音で》コクンコクン, コプコプ, トクトク.
fuck 動他 《俗》…と性交する. ——名 性交.
guck 名 《話》ぬるぬるした泥, 軟泥.
kluck 動自 =cluck.
muck 名 肥料, 肥やし.
pluck[1] 動他 〈羽毛などを〉(…から)むしる; 〈鳥などの〉羽毛を引き抜く; 〈草花などを〉摘む.
pluck[2] 名 《米俗》安[二流]ワイン.
pluck[3] 動他 《米俗》セックスする.
schmuck 名 《俗》(不愉快な)ばか, まぬけ.
shmuck 名 =schmuck.
shuck 動他 《米俗》…を欺く, だます.
yuck 間 《俗》《嫌悪を表して》ゲー.

-uck[2] /ʌ́k/

語尾 buck[3], chuck[5] などは音象徴的.

buck[1] 名 ☞
buck[2] 名 ☞
buck[3] 動自 〈馬などが〉背を丸めて跳ね上がる.
buck[4] 名 《米・カナダ》木びき台.
buck[5] 名 『トランプ』パック.
buck[6] 名 《英方言》洗濯用アルカリ液.
buck[7] 動自 《インド英語》自慢する.
buck[8] 副 《話》完全に, 全く, すっかり.
buck[9] 名 《英》うなぎのやな(eel trap).
chuck[1] 名 (牛の)チャック: 首から肩までの肉.
chuck[2] 名 《米西部俗》食べ物, 食料.
chuck[3] 名 《米話》『動物』ウッドチャック.
chuck[4] 名 《米北西部》水.
chuck[5] 動他 《米俗》fuck の婉曲語.
cruck 名 《英》クラック: 農家の骨組用木材.
duck[1] 名 ダック, ズック.
duck[2] 名 《話》ダック: プロペラ付き防水装甲トラック.
knuck 名 《話》指関節(knuckle).
luck 名 ☞
muck[1] 名 《米俗》重要人物.
muck[2] 名 《米俗》(陸軍士官学校で)筋肉.
puck 名 『アイスホッケー』パック.
ruck[1] 名 多数, 多量.
ruck[2] 名 (着物などの)襞(ひだ), 折り目.
ruck[3] 名 《刑務所俗》けんか, 騒ぎ(ruckus).
shuck 名 (堅果・豆などの)皮, 莢(さや), 殻.
snuck 動 《米》sneak の過去・過去分詞形.
struck 動 ☞
stuck 動 stick の過去・過去分詞形.
truck[1] 名 ☞
truck[2] 名 《米・カナダ》市場向け野菜[青果].
truck[3] 名 すり足の swing のステップ.
tuck[1] 名 《話》タキシード(tuxedo).
tuck[2] 名 《古》細身の突き剣, 決闘用剣.
tuck[3] 名 活力, 精力, 元気.

-uck·le /ʌ́kl/

語尾 chuckle[1], ruckle[2], suckle などはクックッというようなのどの音を表す; 他に小さな動くものや反復的な動きを表す音象徴がある. ◇ -LE[3].

buck·le 名 ☞
chuck·le[1] 動自 (おかしくて)くすくす笑う.
chuck·le[2] 形 〈頭などが〉ばかでかい; ぎこちない.
huck·le 名 尻, 臀部(でんぶ).
knuck·le 名 指関節.
muck·le 名 たくさん.
ruck·le[1] 名 《英》(着物・服地などの)襞(ひだ).
ruck·le[2] 動自名 《英》(いまわのきわの人が)のどをゴロゴロ鳴らす(音).
suck·le 動他 …に乳を飲ませる, 授乳する.
truck·le[1] 動自 (…の)言うことをおとなしく聞く.
truck·le[2] 名 キャスター付きベッド.

-ud[1] /ʌ́d/

語尾 短縮による俗語を含む. 軽蔑的な音象徴をもつものがある.

★ 語末にくる同音形は -OOD[3].

brud 名 《見ず知らずの男性に対する呼びかけ》相棒(brother).
bud[1] 名 ☞
bud[2] 名 《主に米話》《特に相手の名が分からないときの親しみを込めた呼びかけ》おい, 君, 大将, 兄弟, 仲間.
bud[3] 名 《米俗》(バドワイザー)ビール.
chud 形 《米学生俗》ぞっとする.
crud 名 ☞
cud 名 反芻(はんすう)食塊, 食い戻し.
dud 名 駄目なもの[人].
fud 名 《俗》保守的な人間(fuddy-duddy).
lud 名 《英》(法廷で裁判官に対して)閣下.
mud 名 ☞
pud 名 《幼児語》おてて, (犬などの)前足.
scrud 名 《米俗》(特に痛みを伴う重い)病気.
scud[1] 動自 速く動く; さっとかすめる.
scud[2] 動他 〈毛を刈り取った獣皮の〉残りの毛やよごれを取り除いてきれいにする.
scud[3] 名 (下役のするような)つまらない仕事.
spud 名 《話》ジャガイモ.
stud[1] 名 ☞
stud[2] 名 《主に米》種馬.
sud 名 突然死, ぽっくり病(sudden death).
thud 名 (重く鈍い落下音・打撃音などの)ドン, ドスン, ゴツン. ►擬声語.

-ud[2] /ʊ́d/

語尾 語末にくる同音形は -OOD[2], -OULD.

pud[1] 名 《米俗》ペニス.
pud[2] 名 《幼児語》おてて, (犬などの)前足.
wud 形 《主にスコット》激怒した(wood).

-ud·der /ʌ́dər/

音象徴 ブルッ, ガタガタ; 振動, 身震いを表す.

jud·der 動自 《主に英》激しく震動する(shake).
shud·der 動自 身震いする, 身の毛がよだつ.

-ud·dle /ʌ́dl/

音象徴 ごたごた, めちゃくちゃ; 泥まみれにしたり, かき回して混乱させること, またそのような状態を表す. ◇ -LE[3].

be·mud·dle 動他 混乱[当惑]させる, まごつかせる.
fud·dle 動他 〈頭を〉混乱させる, まごつかせる.
mud·dle 動他 (…と)ごたまぜにする, めちゃくちゃ[台無し]にする.
pud·dle 名 (雨のあと道路にできるような汚水の)水たまり; こね土; 《話》めちゃくちゃ, ごたごた. ──動他 …に水たまりをつくる; 泥水でよごす; ごちゃまぜにする; こね土にする. ──自 水たまりを歩く; 水たまりになる.
spud·dle 名動他自 《古》=puddle.

-ude[1] /ú:d/

語尾 語末にくる同音形は -OOD[1].

-clude 連結形 ☞
crude 形 天然のままの; 生(なま)の, 未加工の.
lude 名 《俗》(鎮静剤の)クエイルード.
-lude[1] 連結形 ☞
-lude[2] 連結形 ☞
prude 名 お上品ぶる人, 澄まし屋.
rude 形 無作法な, ぶしつけな, 失礼な.
-trude 連結形 ☞

-ude[2] /jú:d | jú:d/

語尾 語末にくる同音形は -EUD.

dude[1] 名 《主に米・カナダ》衣服[作法]に凝る人.
dude[2] 名 《俗》やつ, 野郎; 《呼びかけ》きみ.
nude 形 裸の, 裸体の, 衣服を着ていない.
tude 名 《米俗》けんか腰, 突っぱり. ►'tude ともつづる.
-tude 接尾辞 ☞

-udge[1] /ʌ́dʒ/

音象徴 **1** とぼとぼ, どてっ, ぼとっ; 鈍重さ, また, 鈍重な動作や押す動きを表す. **2** 汚れ, 不快さを表す.

bludge 動他 《豪・NZ 話》ずるける, 怠ける.
drudge 名 (骨の折れる単調な仕事で)あくせく働く人.
fudge 名 《通例軽蔑的》くだらぬこと.
sludge 名 (ぬかるみの)泥; (雪解けなどの)ぬかるみ(slush).
smudge 名 よごれ, 染み, 汚点.
spludge 名間 グチャッ, ベチャッ.
spudge 動自 《米俗》奮闘する; 精を出す.
trudge 動自 歩く; (特に)重い足取りで[とぼとぼと]歩く.

-udge[2] /ʌ́dʒ/

語尾 語末にくる同音形は -UDGE[1].

budge[1] 名 小羊の毛皮.
budge[2] 名 《古俗》酒(類), ウイスキー.
fudge 名 ファッジ: キャンデーの一種.
judge 名 ☞

-ue[1] /jú:/

語尾 語末にくる同音形は -EU, -EW[2].

cue[1] 名 ☞
cue[2] 名 ☞
due 形 ☞
hue[1] 名 色合い, 色調(tint).
hue[2] 名 (追跡者などの)叫び声.
spue 動自 《古》あげる, 吐く, もどす.
sue 動他 〈人を〉相手取って(…の)訴えを起こす, (…で)告訴する.
-sue 連結形 ☞

-ue[2] /ú:/

語尾 語末にくる同音形は -AULT[2], -EW[3], -O[7], -OE[2], -OO[1], -OO[2], -OO[3], -OOH, -OU[1], -OUGH[7], -U[3].

blue 名 ☞
clue 名 (問題・神秘を解く)手がかり, そぶり.
flue[1] 名 (煙突の)煙道; 煙管.
flue[2] 名 (綿毛のように)ふわふわした柔らかいもの; 綿毛, 毛羽, 毛くず.
flue[3] 名 漁網, (特に)引き網.
flue[4] 名 《話》インフルエンザ, 流感.
flue[5] 名 〖鳥類〗《まれ》羽枝(うし).
glue 名 ☞
grue 動自 《主にスコット》(恐怖で)身震いする.
plue 名 《古風》(特に最上質の)ビーバー皮.
rue[1] 動他 〈罪・過失などを〉悔いる, 後悔する.
rue[2] 名 ☞
slue[1] 動他 〈帆柱などを〉(それ自身を軸として)

U

回転させる.
slue[2] 名 《米話》たくさん, どっさり, 多数.
slue[3] 名 《米・カナダ》アシの茂った沼地.
sprue[1] 名 〖冶金〗湯口.
sprue[2] 名 〖病理〗スプルー, 熱帯性アフタ.
sue 動他〈人を〉相手取って(…の)訴えを起こす, (…で)告訴する.
-sue 連結形 ☞
true 形 実際どおりの; 真実の, 本当の.

-uff[1] /ʌ́f, ʌ̀f/

音象徴間 **1** フッ, シュッ, ピシャリ; 息や風の一吹きや気体の吹き出し, 殴打のような勢いのよい動きを表し, うなり声や気炎, 立腹などもさす. **2** 吹くことからふわふわしたものをさす.

bluff 動他〈人を〉はったりでだます. ── 名 空威張り, はったり.
buff 動他自 (…の)衝撃を和らげる. ── 名 打撃, 平手打ち.
chuff 名 蒸気機関(車)の排気の音, シュッシュッという音.
cuff 動他 《話》〈人・頭・顔を〉平手で打つ, 殴る. ── 名 平手 [げんこつ] 打ち.
fist·i·cuff 名 げんこつで殴ること.
fluff 名 軽くふわふわしたもの; 綿毛; けば; 糸くず, 毛玉; 毛ぼこり.
gruff 形 うなるような声の.
guff 名 《英俗》ばか話, ほら話, ナンセンス.
hand·i·cuff 名 《古》手 [げんこつ] で殴ること.
huff 名 むっとすること, 立腹.
puff 名 **1** パイ皮; シュークリーム. **2** 膨れた部分.
re·buff 名 断固たる拒絶, ひじ鉄砲.
ruff 間 (犬の)ワン, ウーッ.
scuff 動他〈物を〉足でこする.
snuff 動他 (フンフンと音をたて)鼻で吸う.

-uff[2] /ʌ́f/

語尾 bluff[1], scruff[3], snuff など, 一部分は音象徴的.
★ 語末にくる同音形は -OUGH[3], -UFF[1].

bluff[1] 形 (悪気はないが)ぶっきらぼうな.
bluff[2] 名 《俗》男役にも女役にもなる同性愛の女性.
buff[1] 名 バフ, もみ革(buff leather).
buff[2] 名 〖甲冑〗バフ(buffe).
chuff[1] 名 《方言》田舎者, 無作法なやつ.
chuff[2] 名 《俗》尻(しり), けつ; けつの穴.
cuff 名 ☞
duff[1] 名 《俗》尻, けつ(buttocks).
duff[2] 名 小麦粉のプディング.
duff[3] 動他 《主に英俗》…を新品に見せかけて売る.
duff[4] 名 《米・スコット》粗腐植.
fuff 間 《米俗》当たり前だ, くだらない.
luff 名 〖海事〗ラフ.
muff 名 マフ: 婦人用の円筒状手袋.
ruff[1] 名 ラフ, 襞(ひだ)襟.
ruff[2] 名 〖トランプ〗切り札を使って取ること.
ruff[3] 名 スズキ科の小さな淡水魚の一種.
scruff[1] 名 首筋, うなじ, 襟首(nape).
scruff[2] 名 〖冶金〗スクラッフ.
scruff[3] 動自 《米俗》どうにか食いつなぐ. ►scurf から.
sluff 名 (蛇などの)抜け殻(slough).
snuff 名 ろうそく [ランプなど] の芯(しん)が燃えて黒くなった部分.
stuff 名 ☞
suff 名 《話》参政権拡張論者(suffragist).
tuff[1] 形 《俗》すてきな, いかす(tough).
tuff[2] 名 ☞

-uf·fle /ʌ́fl/

音象徴 くしゃくしゃ; 乱戦, つかみ合い, 混乱を表す. ◇ -LE[3].

car·fuf·fle 名 《主に英話》=kerfuffle.
ker·fuf·fle 名 《英俗》ばか騒ぎ, 騒動.
kur·fuf·fle 名 《主に英俗》=kerfuffle.
ruf·fle 動他 …の平らな面をかき乱す; しわくちゃにする; 〈水面などを〉波立たせる; 〈髪などを〉くしゃくしゃにする; 〈額などに〉しわを寄せる.
scuf·fle 動自 (…と)取っ組み合う, つかみ合いをする, 乱闘する.
shuf·fle 動自 足を引きずる; (ダンスで)すり足を使う; 不器用な動作をする; 言い抜ける; トランプを切る.
snuf·fle 動自 鼻をフンフンいわせる.

-ug[1] /ʌ́g/

音象徴 **1** バッバッ, シュッシュッ; エンジンの低速運転時の, 断続的でにぶい爆発音を表す. **2** ゴクゴク, ゴクリ, ゴボゴボ; 音をたてて飲み込む音や液体を注ぐ音を表す. **3** ジャッジャッ; 鳥(特に nightingale など)の鳴き声を表す.

chug[1] 名 (エンジン・機関車などの)断続的な爆発音, バッバッバッ [シュッシュッ] という音. ►車, 飛行機などについては用いない. ── 動自 《話》〈発動機が〉バッバッバッと音をたてる.
chug[2] 動他 《俗》〈飲み物を〉一気に飲み干す(chug-a-lug). ── 自 ごくごくと [大口に] 飲む, 一気飲みする.
glug 動自 ゴボゴボと音をたてる.
jug 名 (鳥, 特に nightingale の)ジャッジャッという鳴き声. ── 動自 ジャッジャッと鳴く.

-ug[2] /ʌ́g/

語尾 一般に bug, slug のイメージもあって, -ug は scug, gug のように「嫌なやつ」をさす; thug, fug にも嫌悪が感じられる; smug にも軽蔑のひびきがある; 一方, snug が hug と似てプラスの意味であるのは, 本来「きちんと収まって, ぴったり合って」の意であるため; なお, snug as a bug in a rug「じゅうたんの中の虫のようにぬくぬくした」は決まり文句.

bug[1] 名 ☞
bug[2] 名 《廃》お化け, 幽霊.
drug[1] 名 ☞
drug[2] 動 《主に米南部》《非標準》drag の過去・過去分詞形.
dug[1] 動 dig の過去・過去分詞形.
dug[2] 名 (哺乳動物の)乳房, 乳首.
dug[3] 名 《スコット》犬(dog).
flug 名 《米》(ポケットの中などの)毛ぼこり.
fug 名 《主に英話》むっとする空気.
gug 名 《米話》嫌なやつ.
jug 名 ☞
lug[1] 名 柄, 取っ手, つまみ, 耳; 突出部.
lug[2] 名 〖海事〗ラグスル(lugsail).
lug[3] 名 タマシキゴカイ, クロムシ.
mug[1] 名 ☞
mug[2] 動自 《英俗》(…を)がり勉する.
mug[3] 動自他 《豪・NZ 俗》キスする; いちゃつく.
phlug 名 《米俗》ばかな中年(以上の)女.
plug 名 ☞
pug[1] 名 パグ: 愛玩(あいがん)犬の一種.
pug[2] 動他〈粘土などを〉水を加えてこねる.
pug[3] 名 《俗》(プロ)ボクサー(pugilist).
pug[4] 名 《インド英語》(特に猟獣の)足跡.
rug 名 ☞

schvug 名 〘米俗〙黒人.
scug 名 〘英俗〙不潔で下品なやつ, 嫌な野郎.
slug 名 ナメクジ.
smug 形 うぬぼれている, きざな.
snug 形 〈場所・設備などが〉(暖かくて)気持ちのよい, 居心地のよい.
sug 名 表向きは調査活動のように見せかけて実際は見込み客の電話番号などを入手する営業活動.
thug 名 残忍な悪漢, 酷薄な強盗, 暴漢.
trug 名 〘英〙(庭園用の)薄い経木編みのかご.
vug 名 〘地質〙がま.

-ug·gle /ʌ́gl/

音象徴 すり寄ったり, もみ合ったりするような動き, 反復的な細かい動きを表す.

gug·gle 動自 ドクドク音をたてる.
jug·gle 動他 〈球・皿・ナイフなどを〉器用に扱う, …を使って曲芸をする.
mug·gle 名 〘米俗〙マリファナタバコ.
smug·gle 動他 …を密輸入[輸出]する, 抜け荷をする.
snug·gle 動自 (心地よさを求め, また愛情から)(…に)すり寄る, 寄り添う.
strug·gle 動自 ☞

-u·gle /jú:gl/

語尾

bu·gle[1] 名 〘軍隊の〙(起床)らっぱ, 角笛.
bu·gle[2] 名 〘植物〙シソ科キランソウ[ジュウニヒトエ]属の植物の総称(ajuga).
bu·gle[3] 名 (婦人服の装飾用の)黒色ガラスの管玉.
fu·gle 動自 〘古〙嚮導(きょうどう)する.

ug·ly /ʌ́gli/

形 〈人・傷跡・物が〉醜い, 見苦しい, 「ぶすの」. ⇨ -LY[2].

coyóte-ùgly 〘米俗〙どうしようもなく醜い.
fúg·ly 形 〘米学生俗〙でぶで醜い.
móther·úgly 形 〘米俗〙ひどく醜い.
píss-ùgly 形 〘米俗〙ひどく醜い.
plúg·ùgly 〘米話〙ひどく醜い.
púg-ùgly 形名 〘米話〙ひどく醜い(人など).

-uh /ʌ́/

音象徴間 あー, えー, ふん; 疑念, 驚き, 困惑, 軽蔑などの発声を表す.

bluh-bluh 間 〘舌を出す音で〙ベロベロ, レロレロ, ベー.
huh 間 〘米〙〘驚き・困惑・不信・軽蔑・聞き返しを表して〙ふん, なんだって.
uh 間 〘ためらい・疑念・休止を表して〙あー, えー, あのー, そのー.
uh-huh 間 〘肯定・満足・同意を表して〙うん, ええ, なるほど.
uh-uh 間 〘否定・不同意を表して〙うーん, いや.

-uit /ú:t/

語尾 語末にくる同音形は -OOT[1], -OOT[2], -UTE[2].

bruit 動他 言い広める, 喧伝する.
cruit 名 〘米俗〙新兵, 新人, 新米.
fruit 名 ☞
sluit 名 (南アフリカで)峡谷.
spruit 名 (アフリカ南部の)小川, 細流.
suit 名 ☞

-uke[1] /ú:k/

語尾 語末にくる同音形は -OOK[1], -OUK.

fluke[1] 名 〘海事〙錨鉤(いかりかぎ).
fluke[2] 名 偶然の利得, まぐれ当たり.
fluke[3] 名 ☞
juke[1] 動他 〘アメフト〙〈相手選手に〉フェイントをかける.
juke[2] 名 〘俗〙ジュークボックス(jukebox).
pluke 動自 〘米俗〙性交する.
zuke 動自 〘米俗〙吐く.

-uke[2] /jú:k/

語尾 主に短縮語の語尾. uke[2], yuke は擬声語.

cuke 名 〘話〙キュウリ(cucumber).
duke 名 ☞
nuke 名 ☞
puke 動他自 〘俗〙(…を)吐く, 戻す.
uke[1] 名 〘話〙ウクレレ(ukulele).
uke[2] 動自 〘米学生俗〙＝yuke.
yuke 動自 〘米学生俗〙吐く, もどす.

-ul /ú:l/

語尾 語末にくる同音形は -OOL, -OULE.

gul 名 バラ(rose).
schul 名 〘イディッシュ語〙＝shul.
shul 名 〘イディッシュ語〙シナゴーグ.

-u·la /jələ | ju-/

接尾辞 小さいもの.
★ 名詞をつくる.
★ 語末にくる関連形は -ULE[1], -ULUM, -ULUS.
◆ ラテン語の女性形の指小辞, または中性形複数の指小接尾辞. ⇨ -A[1], -A[2].
[発音] 直前の音節に第 1 強勢.

al·u·la 名 小翼.
am·pul·lu·la 名 〘解剖〙小膨大部.
a·ru·gu·la 名 〘植物〙キバナスズシロ.
blas·tu·la 名 〘発生〙胞胚(ほうはい).
brot·u·la 名 イタチウオ科の深海魚の総称.
ca·len·du·la 名 〘植物〙キンセンカ.
cam·pan·u·la 名 〘植物〙ホタルブクロ.
can·nu·la 名 〘外科〙カニューレ, 排管, 套管(とうかん).
ca·nu·la 名 〘外科〙＝cannula.
ca·pit·u·la 名 capitulum「頭(状)花」の複数形.
ca·rin·u·la 名 〘動物〙小竜骨; 〘植物〙小竜骨弁.
char·tu·la 名 〘薬学〙(粉末を入れる)薬包紙.
clau·su·la 名 〘音楽〙クラウズラ.
cop·u·la 名 結び付けるもの, 連結物.
co·tul·a 名 (処方箋で)液量.
cup·u·la 名 〘解剖〙カピュラ: 耳の感覚伝達組織.
fac·u·la 名 〘天文〙(太陽表面上の)白斑(はくはん).
fal·cu·la 名 〘動物〙(特に鳥の)鋭く曲がった鉤爪.
fau·nu·la 名 (単一の狭い環境における)動物相.
fec·u·la 名 (特に昆虫の)糞(ふん).
fis·tu·la 名 〘病理〙瘻孔(ろうこう), 瘻管, 瘻.
flo·ru·la 名 〘植物〙小フロラ, 小地方植物相.
for·mu·la 名 ☞
fos·su·la 名 〘解剖〙小窩(しょうか).
fur·cu·la 名 〘鳥類〙叉骨(さこつ), 暢思(ちょうし)骨.
fu·su·la 名 (クモの)吐糸口.
gas·tru·la 名 〘発生〙原腸胚(はい), 嚢(のう)胚.
ha·ben·u·la 名 〘解剖〙紐(ひも), 茎(けい), 小帯.
in·oc·u·la 名 inoculum「接種材料」の複数形.
lig·u·la 名 〘植物〙小舌, 葉舌.

lin·gu·la 名 小舌: 舌状の器官・突起・組織.
lu·nu·la 名 三日月形(の物, 文様).
mac·u·la 名 (特に皮膚の)斑点(はんてん), しみ, あざ.
mam·mu·la 名 〘動物〙乳頭(状)突起.
mor·u·la 名 〘発生〙桑実胚(そうじつはい).
neu·ru·la 名 〘発生〙神経胚(はい), 髄胚.
pap·u·la 名 〘生物〙皮鰓(ひさい).
par·u·la 名 〘昆虫〙アサギアメリカムシクイ.
pin·nu·la 名 〘動物〙ひれ.
plan·u·la 名 〘動物〙プラヌラ(幼生).
rad·u·la 名 歯舌.
ran·u·la 名 〘病理〙蝦蟇腫(がま), ラヌラ.
reg·u·la 名 〘建築〙レギュラ.
re·tin·u·la 名 〘解剖〙子網膜.
rot·u·la 名 〘解剖〙膝蓋(しつがい)骨.
ru·gu·la 名 =arugula.
rus·su·la 名 〘菌類〙ベニタケ属のキノコの総称.
scop·u·la 名 〘動物〙歩脚毛束.
scrof·u·la 名 《廃》〘病理〙るいれき, 腺病(せんびょう).
scyph·u·la 名 〘動物〙スキフラ.
ser·pu·la 名 セルプラ: 海老の環形動物.
set·u·la 名 〘植物〙〘動物〙小剛毛.
spat·u·la 名 (絵の具などを伸ばす)へら.
spic·u·la 名 小さな鋭くとがったもの; 針状体.
spir·u·la 名 〘魚類〙スピルラ.
tor·u·la 名 〘菌類〙トルラ(酵母).
un·gu·la 名 〘幾何〙蹄(てい)状体.
u·vu·la 名 〘解剖〙(のどの奥にある)口蓋垂.
val·vu·la 名 〘解剖〙小弁.

-u·lar /julər/

接尾辞 …に関する, …に似た.
★ 形容詞をつくる.
◆ ＜ラ *-ulāris*(*-ulus*, *-ula*, *-ulum* など指小辞の形容詞派生形). ⇨ -AR[1].

an·gu·lar 形 ☞
an·nu·lar 形 環状の, 輪(状)の.
ap·pen·dic·u·lar 形 (手足など)付属部分の.
can·nu·lar 形 管状の.
ca·pit·u·lar 形 〘植物〙頭状(花序)の.
cap·su·lar 形 ☞
cel·lu·lar 形 ☞
cir·cu·lar 形 円形の, 丸い.
fab·u·lar 形 寓話 [物語, 小説] 的な, 寓話の.
glan·du·lar 形 〘解剖〙腺(せん)から成る; 腺の.
glob·u·lar 形 球状の, 球形の; 球の, 球面の.
gran·u·lar 形 粒のような, 粒状の.
in·su·lar 形 島の [である].
joc·u·lar 形 こっけいな, ひょうきんな.
jug·u·lar 形 〘解剖〙咽喉(いんこう)部の; 頸(けい)部の.
lob·u·lar 形 〘解剖〙小葉(しょうよう)の.
loc·u·lar 形 ☞
lu·nu·lar 形 三日月 [新月] 形の.
man·dib·u·lar 形 mandible「〘解剖〙下あご」の.
ma·nip·u·lar 形 (古代ローマの)歩兵中隊の.
mod·u·lar 形 モジュールの; 率 [系数] の.
nod·u·lar 形 小さな節 [こぶ] 状の.
num·mu·lar 形 貨幣 [金銭] に関する.
oc·u·lar 形 ☞
ov·u·lar 形 ☞
pen·du·lar 形 振り子の.
pil·u·lar 形 丸剤 [丸薬] (状)の.
pop·u·lar 形 大衆に受けのよい, 人気がある.
pus·tu·lar 形 膿疱(のうほう)の; 膿疱性の.
ra·dic·u·lar 形 〘植物〙幼根(radicle)の.
rec·tan·gu·lar 形 長方形の, 矩形(くけい)の.
reg·u·lar 形 ☞
sac·cu·lar 形 嚢(のう)状の.
scap·u·lar 形 ☞
sec·u·lar 形 〈物・事が〉世俗の, 世間的な.
spec·tac·u·lar 形 見世物的な; 壮大な, 華々しい.
stel·lu·lar 形 小星形の.
tab·u·lar 形 表になった, 欄別に配列された.
teg·u·lar 形 瓦(かわら)の; 瓦状の.
tit·u·lar 形 名ばかりの, 有名無実の, 名義上の.
tu·bu·lar 形 管状の, 筒形の.
tu·mu·lar 形 塚 [古墳] の(ような).
u·vu·lar 形 口蓋(こうがい)垂の [に関する].
val·vu·lar 形 弁状の; 弁のある; 弁の働きをする.
ve·sic·u·lar 形 小嚢(のう)(vesicle)の.
ves·tib·u·lar 形 玄関の, 入り口の間の.
vo·cab·u·lar 形 語句の, 言葉の(verbal).

ul·cer /ʌ́lsər/

名 〘病理〙潰瘍(かいよう).

decúbitus úlcer (病人の)床擦れ(bedsore).
duodénal úlcer 十二指腸潰瘍.
gástric úlcer 胃潰瘍.
péptic úlcer 消化性潰瘍.
ródent ùlcer 蚕食性潰瘍.

-ulch /ʌ́ltʃ/

語尾

culch 名 (養殖場の水底に敷く)カキなどの卵を付着させる貝殻, 石, 砂利など.
gulch 名 《米・カナダ》小峡谷.
mulch 名 マルチング, マルチ, 根覆い.
sculch 名 《東部ニューイング》くず, がらくた.

-ule[1] /juːl/

接尾辞 小….
★ 元来, 小さなものを表す名詞または動詞派生名詞をつくる.
★ 語末にくる関連形は -LE[2], -ULA, -ULET, -ULOUS, -ULUM, -ULUS.
◆ ＜仏＜ラ *-ulus*, *-ula*, *-ulum*.

a·myg·dule 名 〘岩石〙杏仁(きょうにん)孔.
an·ten·nule 名 〘動物〙(甲殻類の)小触角, 第一触角.
bar·bule 名 小さい逆とげ.
cap·sule 名 ☞
cel·lule 名 小細胞, 小房; 〘解剖〙蜂巣(ほうそう).
chon·drule 名 〘鉱物〙隕石球顆(いんせききゅうか).
cu·pule 名 〘植物〙殻斗(かくと).
dis·sem·i·nule 名 〘植物〙散布体.
duc·tule 名 〘解剖〙〘動物〙小導管, 小管路.
fer·rule 名 石突き.
frus·tule 名 〘植物〙被殻.
gal·li·nule 名 〘鳥類〙バン.
gem·mule 名 〘植物〙無性芽.
glan·dule 名 〘解剖〙小腺(せん).
glob·ule 名 小球, 小球体, 粒; 丸薬; 血球.
glom·er·ule 名 〘植物〙団集花序, 団散花序.
gran·ule 名 細粒, 顆粒; 小球; 顆粒剤; 小丸薬.
la·cu·nule 名 小さいすき間.
lig·ule 名 〘植物〙小舌(しょうぜつ).
lob·ule 名 〘解剖〙小葉(しょうよう).
lu·nule 名 三日月形(の物, 文様).
mod·ule 名 ☞
mu·tule 名 〘建築〙ムトゥルス, ミューチュール.
ner·vule 名 〘動物〙(昆虫の)翅脈(しみゃく).
nod·ule 名 ☞
ov·ule 名 〘植物〙発育初期の種子; 胚珠(はいしゅ).
pap·ule 名 〘病理〙丘疹(きゅうしん).
pen·dule 名 〘登山〙振り子トラバース.
pet·i·o·lule 名 〘植物〙小葉柄.
phlyc·ten·ule 名 〘病理〙小水疱(すいほう).
pil·lule 名 =pilule.
pil·ule 名 小丸薬.
pin·nule 名 〘動物〙ひれ.
plu·mule 名 〘植物〙(種子植物の)幼芽.

U

prop·a·gule 名 〖植物〗むかご, 珠芽, 肉芽.
pus·tule 名 〖病理〗膿疱(のうほう).
sched·ule 名 予定, 計画, スケジュール; 予定表.
spher·ule 名 小球, 小球体.
spin·ner·u·le 名 (クモ類の)紡績管.
spi·nule 名 〖動物〗〖植物〗小刺毛(しもう).
spor·ule 名 〖生物〗胞子(spore), (特に)小胞子, 小芽胞.
stip·ule 名 〖植物〗托葉(たくよう).
tu·bule 名 ☞
um·bel·lule 名 小散形花.
val·vule 名 小弁(状の部分).
vein·ule 名 ＝venule.
ven·ule 名 小脈, 小葉脈.
ves·ti·bule 名 (建物・家の)入り口の間, 玄関.
vir·gule 名 〖印刷〗小斜線(/).
zon·ule 名 〖解剖〗小帯, (目の)毛様小帯.

-ule[2] /júːl/

語尾 pule は擬声語.

-cule 接尾辞 ☞ -CULE[2]
mule[1] 名 ☞
mule[2] 名 つっかけ式スリッパ.
mule[3] 動自 (赤ん坊などのように)弱々しく泣く.
pule 動自 《文語》〈子供などが〉かぼそい声で泣く, しくしく泣く.
yule 名 《古》クリスマス(の季節); キリスト降誕祭.

-u·lent /julənt/

連結形 …に富む.
★ 形容詞をつくる.
★ 語末にくる関連形は -LENT, -OLENT.
◆ ラテン語 *-ulentus* より.

cor·pu·lent 形 ずうたいの大きい; 肥満した.
es·cu·lent 形 食べられる, 食用の.
fec·u·lent 形 汚物がいっぱいの; よごれた.
flat·u·lent 形 〈食物などが〉腹にガスを生じさせる.
floc·cu·lent 形 一房の羊毛状の, 毛房のような.
fraud·u·lent 形 詐欺的な, 詐欺による, 不正な.
lu·cu·lent 形 《まれ》明快な, 明瞭な.
op·u·lent 形 富んだ, 富裕な; 豪奢な.
pu·ber·u·lent 形 〖生物〗細軟毛 [柔毛] のある.
pul·ver·u·lent 形 粉でできた, 粉末の.
pu·ru·lent 形 うみのたまった, 化膿した.
suc·cu·lent 形 汁気 [水分] の多い.
truc·u·lent 形 《古》凶暴な, 残酷な, 暴虐な.
tur·bu·lent 形 荒れ狂う, 暴風雨の.
vir·u·lent 形 有毒な; 猛毒の; 致命的な.

-u·let /julit/

接尾辞 小….
★ 二重指小辞.
◆ ＜ラ *-ulus*, *-ula* -ULE[1]＋ -ET[1].

an·nu·let 名 〖建築〗(円柱などを巻く)輪状平縁.
ty·ran·nu·let 名 タイランチョウ科の小形の鳥の総称.
vein·u·let 名 〖植物〗小脈, 小葉脈.

-ulk /ʌ́lk/

語尾 大きくぬーとする, こっそりするなどの否定的な響きで音象徴的. ◇ -URK.

bulk[1] 名 体積, 容積, 大きさ, 巨大さ.
bulk[2] 名 《古》(建物正面の)張り出した部分.
Hulk 名 ハルク: テレビの大男.
hulk 名 老朽船 [廃船] の船体.
sculk 動自 ＝skulk.
skulk 動自 こっそり隠れる, 潜む, 忍んでいる.
sulk 動自 すねる; (事に対し)不機嫌になる.

-ull[1] /úl/

語尾

bull[1] 名 ☞
bull[2] 名 教皇印.
bull[3] 名 一見もっともらしいがこっけいな矛盾のある話.
full[1] 形 ☞
full[2] 動他 〈毛織物などの〉織り目を密にする.
pull 動他 ☞

-ull[2] /ʌ́l/

語尾 lull と mull[1], mull[2] には「温める, なだめる」といった音象徴が感じられる; hull[1] と skull に「おおう」という保護の感じがあり, dull, gull[2] などは「にぶい」と「だます」ことを示すなど, 全体に柔らかさの音象徴を持つと思われる.

cull 動他 〈最上のものを〉選び取る, 選ぶ.
dull 形 切れ味の悪い, なまくらの.
gull[1] 名 ☞
gull[2] 動他 《英古》〈人を〉だます, かつぐ.
hull[1] 名 (穀物・種子などの)外皮.
hull[2] 名 ☞
lull 動他 〈小児などを〉あやす, なだめる.
mull[1] 動自 《米話》熟考する.
mull[2] 動他 〈酒類を〉温めて甘味や香料を加える.
mull[3] 名 マル: 柔らかい薄手の平織木綿地.
mull[4] 動他 〖冶金〗(鋳型作製のため)〈粘土と砂を〉ローラーで混ぜ合わせる.
mull[5] 名 《スコット》岬.
mull[6] 名 〖地質〗ムル.
mull[7] 名 《スコット》かぎタバコ入れ.
null 形 無価値の, 効果のない, つまらない.
scull 名 艫櫂(ともがい), 櫓(ろ).
skull 名 ☞
stull 名 〖採鉱〗坑木支柱.
trull 名 《古》売春婦.

-u·lose /juròus, -ròuz/

接尾辞 …の特色を持つ.
★ 形容詞, 名詞をつくる.
★ 主に学術用語に用いる.
◆ ラテン語 *-ulōsus* より. ⇨ -OSE[1].

gran·u·lose 形 粒のような, 粒状の(granular).
laev·u·lose 名 ＝levulose.
lev·u·lose 名 〖化学〗レブロース, 左旋糖.
lob·u·lose 形 小葉(しょうよう)の(ような).
neb·u·lose 形 雲 [霧] のような; 星雲状の.
plu·mu·lose 形 〖動物〗綿羽(めんう)形の.
ram·u·lose 形 〖植物〗〖動物〗多くの小枝のある.
si·lic·u·lose 形 〖植物〗短角果(silicle)を持った.
squam·u·lose 形 小さい鱗(うろこ)で覆われた.
sur·cu·lose 形 〖植物〗吸根 [吸枝] を持った.
tu·mu·lose 形 塚 [古墳] のような, 塚 [古墳] の多い.
ven·u·lose 形 小脈 [小翅脈(しょうしみゃく)] のある.

-u·lous /juləs/

連結形 …の傾向のある, …しやすい; …がたくさんある; …の特色を持つ.
★ 形容詞をつくる.
★ 語末にくる関連形は -ULE[1].
◆ ラテン語 *-ulōsus* より. ⇨ -OUS.

a·cid·u·lous 形 少し酸っぱい.
an·gu·lous 形 角のある; 角を形作る, 角を成す.
bib·u·lous 形 《文語》酒におぼれる, 酒好きの.

cal·cu·lous 形 〔病理〕結石の(ある).
cel·lu·lous 形 細胞から成る, 細胞性の.
crap·u·lous 形 飲食におぼれた, 暴飲 [暴食] の.
cred·u·lous 形 すぐ信じてしまう, すぐ真に受ける.
den·tu·lous 形 有歯の, 歯を持った.
e·den·tu·lous 形 歯の欠けた; 無歯の.
em·u·lous 形 (人に)負けまいとする.
fab·u·lous 形 信じがたいほどの; 途方もない.
fis·tu·lous 形 〔病理〕瘻管(ろうかん)(性)の.
flos·cu·lous 形 小花(florets)から成る.
gar·ru·lous 形 口数の多い, 饒舌(じょうぜつ)の.
glan·du·lous 形 〔解剖〕腺から成る [のある]; 腺の.
hir·su·tu·lous 形 細い剛毛で覆われた.
his·pid·u·lous 形 〔植物〕〔動物〕小剛毛のある.
neb·u·lous 形 はっきりしない, ぼんやりとした.
nod·u·lous 形 小節 [小塊, 団塊] のある.
pat·u·lous 形 《まれ》開いている.
pen·du·lous 形 (だらんと)ぶら下がっている.
pop·u·lous 形 人口の多い; 人口密度の高い.
pus·tu·lous 形 膿疱(のうほう)の; 膿疱性の.
quer·u·lous 形 不満の多い.
ri·dic·u·lous 形 おかしい, こっけいな; ばかげた.
sab·u·lous 形 砂の多い(sandy); 砂質の.
scrof·u·lous 形 るいれき [腺病] の, 腺病質の.
scru·pu·lous 形 良心的な, 慎重な, 節操のある.
strid·u·lous 形 耳障りな音をたてる; キーキー鳴る.
trem·u·lous 形 震える, 身震いする, おののく.
tu·ber·cu·lous 形 結核(性)の.
tu·bu·lous 形 管のある, 管から成る.

-ulp /ʌ́lp/

語尾 gulp は擬声語.

gulp 動自 むせる; はっと息を飲む.
pulp 名 ☞
sculp 動他 彫刻する, 彫る, 塑造する.

-ulse /ʌ́ls/

語尾

dulse 名 ダルス: 食用になる紅藻の一種.
pulse¹ 名 ☞
pulse² 名 (食用の)豆類.
-pulse 連結形 ☞
-vulse 連結形 ☞

-ult /ʌ́lt/

語尾

cult¹ 名 ☞
cult² 名 culture の短縮形.
-sult 連結形 ☞

-ul·um /uləm/

接尾辞 小…, 小さい. ◇ -CULUM.
★ 語末にくる関連形は -ULA, -ULE¹, -ULUS.
◆ ラテン語の指小辞. ⇨ -UM¹.

ca·pit·u·lum 名 〔植物〕頭(状)花, 頭状花序.
cin·gu·lum 名 〔解剖〕〔動物〕帯, 帯状部.
co·ag·u·lum 名 凝固物; 沈殿物; 凝塊; 凝血.
ex·cip·u·lum 名 〔菌類〕果托, 果殻(exciple).
frae·nu·lum 名 =frenulum.
fren·u·lum 名 〔解剖〕小繫帯(けいたい).
frus·tu·lum 名 〔ローマカトリック〕大斎日の微量の朝食.
jug·u·lum 名 〔動物〕のど.
Or·mu·lum 名 オーミュルム: 13 世紀初期のイングランドの修道士 Orm の宗教詩.
sim·pu·lum 名 シンプルム: 古代のひしゃく.

-u·lus /juləs/

接尾辞 小…. ◇ -CULUS.
★ 名詞をつくる.
★ 語末にくる関連形は -ULA, -ULE¹.
◆ ラテン語の指小接尾辞 *-ulus* より.

cal·cu·lus 名 ☞
ham·u·lus 名 〔昆虫〕翅鉤(しこう).
lob·u·lus 名 〔解剖〕小葉(しょうよう).
mod·u·lus 名 ☞
nod·u·lus 名 〔解剖〕小節.
stroph·u·lus 名 〔病理〕ストロフルス.

-um¹ /əm/

接尾辞 ラテン語の中性形名詞・形容詞語尾.
★ ラテン語由来またはラテン語式の名詞(特に科学用語)をつくる.

〈1〉 生物学・植物学・動物学・医学用語.
ad·i·an·tum 名 〔植物〕アジアンタム属のシダ.
a·lys·sum 名 ニワナズナ属の雑草の総称.
-an·the·mum 連結形 ☞
an·tir·rhi·num 名 〔植物〕キンギョソウ.
an·trum 名 〔解剖〕空洞.
ar·um 名 〔植物〕アルム.
cal·ca·ne·um 名 〔解剖〕踵骨.
ce·cum 名 《米》〔解剖〕〔動物〕盲腸.
ce·men·tum 名 〔歯科〕セメント質.
ce·re·brum 名 〔解剖〕〔動物〕大脳.
cer·vi·cum 名 〔昆虫〕頸部(けいぶ).
chlo·ro·phy·tum 名 〔植物〕オリヅルラン.
cli·tel·lum 名 〔動物〕環帯.
coe·nos·teum 名 〔動物〕共同骨格.
col·chi·cum 名 〔植物〕コルチカム, イヌサフラン.
co·los·trum 名 〔医学〕初乳(foremilk).
cri·num 名 〔植物〕ハマオモト, ハマユウ.
cris·sum 名 〔鳥類〕(下尾筒も含めて)下腹部.
cyn·o·glos·sum 名 〔植物〕オオルリソウ.
cyp·ri·pe·di·um 名 〔植物〕シプリペディウム, シップ.
-den·drum 連結形 ☞
der·trum 名 〔鳥類〕嘴爪(しそう).
dor·sum 名 〔解剖〕〔動物〕背, 背中.
du·o·de·num 名 〔解剖〕十二指腸.
el·y·trum 名 《廃》〔昆虫〕(甲虫などの)翅鞘.
e·pig·y·num 名 〔動物〕(クモの)雌性生殖孔.
eq·ui·se·tum 名 〔植物〕トクサ(horsetail).
er·i·og·o·num 名 タデ科エリオゴヌム属の植物の総称.
ex·a·cum 名 〔植物〕エクサクム.
fi·lum 名 糸状組織, 繊条.
frae·num 名 =frenum.
fre·num 名 〔解剖〕繫帯(けいたい), 小帯.
ge·um 名 〔植物〕ダイコンソウ(avens).
gyn·ae·ce·um 名 〔植物〕雌蘂(しずい)群.
hel·i·chry·sum 名 キク科ムギワラギク属の総称.
hi·lum 名 〔植物〕へそ.
hip·pe·as·trum 名 〔植物〕アマリリス.
hy·per·i·cum 名 オトギリソウ科オトギリソウ属の草本の総称.
il·e·um 名 〔解剖〕回腸.
in·oc·u·lum 名 〔医学〕接種材料, 接種原.
je·ju·num 名 〔解剖〕空腸.
ju·gum 名 〔昆虫〕翅垂(しすい).
la·bel·lum 名 〔植物〕唇弁.
la·bur·num 名 〔植物〕キングサリ(golden chain).
li·gus·trum 名 モクセイ科イボタノキ属の低木または高木の総称.
li·num 名 アマ科アマ(亜麻)属の植物の総称.
me·di·as·ti·num 名 〔解剖〕隔膜.
mem·brum 名 〔解剖〕男根, 陰茎(penis).
men·tum 名 〔昆虫〕下唇基部.
me·ze·re·um 名 〔植物〕ヨウシュジンチョウゲ.
my·op·o·rum 名 ハマジンチョウ科ハマジンチョウ属の

植物の総称.
o·don·to·glos·sum 名 〘植物〙ホシチドリラン.
oes·trum 名 〘動物〙発情期; (雌の)さかり.
o·ma·sum 名 〘動物〙葉胃(ようい), 重弁胃.
o·men·tum 名 〘解剖〙網(もう).
om·ma·te·um 名 〘動物〙(昆虫などの)複眼.
op·ti·mum 名 (生物の成長・繁殖の)最適条件.
o·rig·a·num 名 シソ科およびクマツヅラ科の芳香のある草本の総称.
o·vum 名 〘細胞生物〙卵子, 卵(らん).
pan·i·cum 名 〘植物〙キビ類.
-par·tum 連結形 ☞
per·i·ne·um 名 〘解剖〙会陰(えいん).
per·i·os·te·um 名 〘解剖〙骨膜.
pes·si·mum 名 (生存するのに)最も不利な環境.
phil·trum 名 〘解剖〙人中(にんちゅう).
-phyl·lum 連結形 ☞
phy·lum 名 〘生物〙門.
pi·le·um 名 鳥の頭部.
pit·tos·po·rum 名 トベラ属の低木または高木の総称.
po·lyg·o·num 名 〘植物〙タデ(smartweed).
proc·to·dae·um 名 =proctodeum.
proc·to·de·um 名 〘発生〙肛門道 [管], 肛陥.
pu·den·dum 名 〘解剖〙(女性の)外陰部(vulva).
punc·tum 名 〘生物〙点(point), 斑点(spot).
py·re·thrum 名 ジョチュウギク(除虫菊).
rec·tum 名 〘解剖〙直腸.
rep·lum 名 〘植物〙レプルム.
rhi·zo·bi·um 名 〘細菌〙リゾビウム, 根粒菌.
rinc·tum 名 《米黒人俗》直腸(rectum).
sac·rum 名 〘解剖〙仙骨.
sar·gas·sum 名 〘植物〙ホンダワラ類.
sar·men·tum 名 〘植物〙蔓茎, 匍匐(ほふく)茎.
scro·tum 名 〘解剖〙陰嚢(いんのう).
scu·tum 名 〘動物〙鱗甲(りんこう).
se·bum 名 〘生理〙皮脂.
se·dum 名 〘植物〙ベンケイソウ.
sep·tum 名 〘生物〙隔膜, 体節間膜.
se·ques·trum 名 〘病理〙腐骨, 分離片.
se·rum 名 ☞
sphag·num 名 ミズゴケ(peat moss).
spu·tum 名 たん, 喀痰(かくたん).
ster·num 名 ☞
sto·mo·dae·um 名 =stomodeum.
sto·mo·de·um 名 〘発生〙口陥(こうかん).
ta·pe·tum 名 〘植物〙じゅうたん組織.
ta·rax·a·cum 名 タンポポ属の植物の総称.
tec·tum 名 〘解剖〙〘動物〙蓋(がい).
teg·men·tum 名 〘解剖〙被蓋(ひがい).
ter·gum 名 〘動物〙(節足動物の)背板.
to·men·tum 名 〘植物〙〘昆虫〙ビロード毛, 綿毛.
tri·go·num 名 〘解剖〙三角部(trigone).
tym·pa·num 名 〘解剖〙〘動物〙中耳; 鼓膜.
vel·a·men·tum 名 〘解剖〙薄膜, 膜.
ve·lum 名 〘動物〙(ヒドロクラゲの)傘の縁膜(まく).
ve·ra·trum 名 シュロソウの根の粉末.
vi·bur·num 名 〘植物〙ガマズミ(カンボクを含む).

〈**2**〉化学・薬学用語および物質名.
a·ce·tum 名 酢.
a·lu·mi·num 名 アルミニウム.
am·y·lum 名 澱粉(starch).
ar·gen·tum 名 銀(silver).
as·a·rum 名 アサルム, サイシン(細辛).
as·phal·tum 名 アスファルト.
au·rum 名 金(gold).
cas·tor·e·um 名 ビーバー香, カイリ(海狸)香.
cu·prum 名 銅(copper).
e·lec·trum 名 琥珀(こはく)金, エレクトラム.
fer·rum 名 鉄(iron).
gal·ba·num 名 ガルバヌム: ゴム性樹脂.
glu·ci·num 名 《もと》ベリリウム.
gra·num 名 (処方箋(せん)で)1 グレーン.
gyp·sum 名 石膏(せっこう).
hy·drar·gy·rum 名 水銀.
lab·da·num 名 ラブダナム.
lad·a·num 名 =labdanum.
lan·tha·num 名 ランタン.
mel·li·tum 名 蜂蜜剤.
men·stru·um 名 溶媒, 溶剤.
mo·lyb·de·num 名 モリブデン.
nos·trum 名 いかがわしい薬; 自家調製の秘薬.
o·le·um 名 ☞
o·lib·a·num 名 乳香(frankincense).
or·i·chal·cum 名 (古代ギリシャで珍重された)黄色い金属.
par·am·y·lum 名 パラミロン.
pet·ro·la·tum 名 ワセリン, ペトロラチム.
pe·tro·le·um 名 石油.
plat·i·num 名 白金, プラチナ.
plum·bum 名 鉛(lead).
so·lum 名 土壌体, ソラム.
stan·num 名 錫(すず)(tin).
tan·ta·lum 名 タンタル.
un·guen·tum 名 (処方箋で)軟膏.
vi·num 名 (処方箋で)ワイン.
vit·re·um 形 (処方箋で)ガラス(製)の.
vit·rum 名 (処方箋で)ガラス瓶, 薬用瓶.

〈**3**〉建物・場所・地名・機関など.
ad·y·tum 名 (古代の礼拝所で一般の人が入室禁止の)聖所, 内陣.
a·sy·lum 名 (障害者・老人・孤児などの)保護施設.
ath·e·nae·um 名 学術 [科学, 文芸] 振興機関.
ath·e·ne·um 名 =athenaeum.
col·i·se·um 名 《米》大円形演技場, (大)競技場.
Col·os·se·um 名 コロセウム.
fo·rum 名 フォーラム, 公共広場.
gyn·ae·ce·um 名 (古代ギリシャ・ローマの)婦人部屋.
hy·po·ge·um 名 (古代ギリシャ・ローマの)地下室.
mau·so·le·um 名 壮大な墓, 霊廟(れいびょう).
Mith·rae·um 名 ミトラ(Mithras)の神殿.
mu·se·um 名 ☞
nym·phae·um 名 (古代ローマの)娯楽・休憩用の建物.
o·de·um 名 音楽堂; 劇場.
Paes·tum 名 パエストゥム: イタリアの古代都市.
Per·ga·mum 名 ペルガモン: 小アジア西岸北部地方にあったヘレニズム時代の王国.
prop·y·lae·um 名 (神殿・寺院などの)入り口.
pryt·a·ne·um 名 プリュタネイオン: 古代ギリシャのポリスの役所.
sa·cel·lum 名 小祈祷(きとう)所, 小礼拝所.
sanc·tum 名 神聖な場所, 聖所; 神聖な物.
Sar·um 名 セーラム: Salisbury の古代名.
Ser·a·pe·um 名 セラペイオン: Alexandria にあったエジプトの神セラピス(Serapis)の神殿と周囲の聖域.
tab·li·num 名 (古代ローマの住居で)タブリヌム.
Ta·ren·tum 名 タレントゥム: Taranto の古代名(イタリアの地名).
Tri·den·tum 名 トリデントゥム: Trent の古代名(イタリアの地名).
tro·pae·um 名 (特に古代ローマの)戦勝記念碑.
tro·phae·um 名 =tropaeum.
val·lum 名 土塁; (古代ローマ人が築いた)塁壁.
xys·tum 名 (古代ギリシャ・ローマで)屋内散歩道, 柱廊式屋内競技場(xyst).

〈**4**〉その他.
al·a·bas·trum 名 (古代ギリシャ・ローマの)香料用壷.
an·num 名 年(year).
-a·num 接尾辞 ☞
ar·gu·men·tum 名 立論(の方法), 論理, 推論, 方法.
as·a·ro·tum 名 (古代ローマ建築で)彩色された石畳.
-a·tum 接尾辞 ☞
-brum 接尾辞 ☞
Cae·lum 名 〘天文〙ちょうこくぐ(彫刻具)座.
can·de·la·brum 名 枝付き燭台(しょくだい).
Ce·nae·um 名 (古代地誌で)ケナイオン岬.
cen·trum 名 中心; (地震の)震源.
cen·tum[1] 名 100(one hundred).
cen·tum[2] 形 〘言語〙ケントゥム語群の.

con·tin·u·um 名 連続; 連続体.
dam·num 名 〔法律〕損害, 損失.
de·co·rum 名 端正なこと, 上品さ, 礼儀正しさ.
de·cre·tum 名 (法律と同様の効力を持つ)命令.
dic·tum 名 (権威のある)断言, 断定, 言明.
du·num 名 ドゥナム: イスラエルなどにおける土地面積の単位.
ex·em·plum 名 範例, 手本, 例.
ex·tre·mum 名 〔数学〕極値.
fac·to·tum 名 雑役使用人, 雑用係; なんでも屋.
frus·tum 名 〔幾何〕錐台.
ful·crum 名 (てこの)支点; てこ枕, てこ台.
-i·cum 接尾辞 ☞
-id·i·um 接尾辞 ☞
i·do·lum 名 先入的謬見(びゅうけん), 偶像, イドラ.
-il·lum 接尾辞 ☞
in·de·co·rum 名 無作法, 無礼; 不体裁.
in·fi·mum 名 〔数学〕最大下界, 下端, 下限.
in·ter·reg·num 名 君主不在期間, 空位期間.
-i·um 接尾辞 ☞
jo·rum 名 大型コップ, 大杯.
lab·a·rum 名 (行列などで掲げる)教会の旗.
la·con·i·cum 名 (古代ローマ浴場の)蒸し風呂.
lar·um 名 警報, 目覚まし時計の音(alarum).
lus·trum 名 5年間.
mag·num 名 (ワイン用の)マグナム瓶.
max·i·mum 名 ☞
-men·tum 接尾辞 ☞
min·i·mum 名 ☞
mo·men·tum 名 速力; はずみ, 勢い, 趨勢(すうせい).
mur·drum 名 〔古英法〕暗殺.
-n·dum 接尾辞 ☞
-o·lum 接尾辞 ☞
or·ga·num 名 (思考の)手段, 考察[研究]法.
pa·lu·da·men·tum 名 パルダメントゥム: 古代ローマの支配者・将軍が着用したマント.
pen·du·lum 名 ☞
pep·lum 名 〔服飾〕ペプラム.
pi·lum 名 (古代ローマ軍団兵の)投げ槍(やり).
plec·trum 名 (ギターなどの)ピック(pick).
ple·num 名 プレナム: 容器内の気体圧が外気圧より高い状態または場所.
quan·tum 名 分量, 数量, 定量; 分け前, 額.
quo·rum 名 定足数.
reg·num 名 支配(権), 統治(権), 王権; 王国.
re·sid·u·um 名 残り, 残余(物).
re·spon·sum 名 ラビ(rabbi)やユダヤ教学者のユダヤ教律法に関する質問への答え.
sig·lum 名 (古代の写本・コインなどに使われた)記号, 略語.
sis·trum 名 シストルム: 古代エジプトの打楽器.
suc·ce·da·ne·um 名 代理人, 代用品; 代用薬.
su·per·stra·tum 名 〔言語〕上層(言語).
su·pre·mum 名 〔数学〕上限, 最小上界.
treg·num 名 (ワインの)トレグナム.
Tri·an·gu·lum 名 〔天文〕さんかく(三角)座.
trid·u·um 名 〔ローマカトリック〕祝日の前の3日間の瞑想.
ul·ti·ma·tum 名 最後通牒(つうちょう), 最後通告.
-ul·um 接尾辞 ☞
u·ni·cum 名 1つしかないもの, (特に著作などの)現存する唯一の原本[定本].
vac·u·um 名 真空空間.
var·i·o·rum 形 (種々の編者による)原典の異文を収めた.
vex·il·lum 名 古代ローマの軍旗.
vi·at·i·cum 名 〔教会〕臨終の聖餐[聖体拝領].

-um² /ʌ́m/

音象徴 ドン, ポロン, ブンブン; 打楽器や弦楽器の振動音, また, こまやモーターの回転音のような低い持続音を表す.

drum 名 太鼓, ドラム.
hum 動自 (ブーンという)低い持続音を出す; ハミングで歌う. ―― 名 (ハチ・こまなどの)ブンブンという音; うなり, 鼻歌. ►擬声語的に H(U)MMM などとも綴(つづ)られる. ―― 間 (黙考・ためらい・不満の)ふーん, ふむ.
strum 動他 〈弦楽器を〉軽くかき鳴らす, つま弾く.
thrum 動自 (弦楽器を)なんとなく[単調に, ぎごちなく]つま弾く, かき鳴らす.
tum 名 ポロン(banjo などの弦楽器の音); トン, ポン, どん(drum の音). ―― 動自 ポロンとつまびく; トンと鳴らす.

-um³ /ʌ́m/

間 くちびるの動きを伴う軽い発声.

dum 間 歌の合の手に入れる掛け声.
um 間 《疑念・ためらい・熟慮・関心などを表して》ふーん, ほー, うーん.
yum 間 《食べ物などに対する満足・喜びなどを表して》おいしーい, うまーい(yummy).

-um⁴ /əm, ʌ́m, ʌ̀m/

音象徴間 音象徴語の重複形に見られる語尾要素.

dúm·dúm 名 ダムダム弾. ►インドの地名 Dumdum から.
hárum-scárum 形 〈人が〉無分別な, 向こう見ずの; 無責任な. ―― 副 無分別に, むてっぽうに; やたらに. ―― 名 向こう見ずな人.
húm·drùm 形 変化に乏しい, 単調な; 平凡な, 月並みな; うんざりさせる, 退屈な, 味気ない. ―― 名 単調さ; 平凡; 退屈.
rrúm-rrúm 間 《太鼓の連打の音》ダダダダ.
túm·tùm 名 ポロンポロン, ポロンポロン(弦楽器の音); トントン, ポンポン(打楽器の音); 《幼児語》おなか, ぽんぽん.
úm-hum 間 《同意・理解などを表して》うんうん.
yúm-yúm 間 《食べ物などに対する満足・喜びなどを表して》おいしーい, うまーい, うわあー. ―― 形 おいしい, うまうま. ―― 名 おいしい物; お菓子.

-um⁵ /ʌ́m/

語尾 mum と glum と grum にはくちびるを閉じることに関連する音象徴がある; また scum, chum, slum² などは「べとべと」,「ぐじゃぐじゃ」の音象徴をもつ; slum¹ もこれにつながる; gum, cum² は二次的にこの仲間と感じられる; bum, dum², hum, rum², slum¹ などは軽蔑的な俗語や話語である.
★ 語末にくる同音形は -UMB.

bum¹ 名 ☞
bum² 名 《主に英俗》尻(しり).
bum³ 名 《俗》〔軍事〕コピー機を使って複製した書類.
chum¹ 名 《語》(学校の)親友, 仲良し.
chum² 名 〔釣り〕まき餌(え), こませ.
chum³ 名 サケ(鮭)(chum salmon).
cum¹ 前 …と共に, …付き.
cum² 名 《俗》精液; (女性の)愛液(come).
cum³ 名 《米大学生俗》(しだいに伸びる)学生の学業平均値.
drum 名 《スコット・アイル》幅の狭い長い丘[峰].
dum¹ 形 地獄落ちを宣せられた(damn).
dum² 形名 《米俗》ばか(な).
glum 形 むっつりした, 陰気な顔をした.

U

grum 形 〈容貌が〉いかめしい; むっつりした(glum).
gum[1] 名 ☞
gum[2] 名 歯肉(しにく)(gingiva).
hum 名 《話》詐欺, ぺてん.
lum[1] 名 《スコット》煙突(chimney).
lum[2] 名 《米俗》コロンビア産のマリファナ.
mum[1] 形 黙っている, 無言の.
mum[2] 動自 沈黙を要求する.
mum[3] 名 キク(菊)(chrysanthemum).
mum[4] 名 《主に英話》母さん, ママ(mother).
mum[5] 名 《英・廃》(ドイツの Brunswick 原産の)濃厚で度の強いビール.
mum[6] 名 《主に英》ご婦人; 奥様(madam).
plum[1] 名 ☞
plum[2] 形 垂直な, 鉛直の(plumb).
rum[1] 名 ☞
rum[2] 形 《英話》変な, 奇妙な, おかしな.
rum[3] 名 〚トランプ〛ラミー(rummy).
schtum 形 黙った.
scrum 名 〚ラグビー〛スクラム.
scum 名 ☞
slum[1] 名 スラム(街), 貧民窟(くつ).
slum[2] 名 (薄い粘着性の)ねば土, 軟泥.
strum 名 (管の口などについた)濾(こ)し器, 濾過(か)器(strainer).
stum[1] 名 未発酵の[半ば発酵した]ぶどう液.
stum[2] 名 《米麻薬俗》マリファナ.
sum 名 ☞
swum 動 swim の過去分詞形.
thrum 名 織端(おりはし)の糸.
tum[1] 動他 〈羊毛の〉繊維の塊を梳いて開く.
tum[2] 名 《幼児語》ぽんぽん, おなか(tummy).

-um[6] /əm/

語尾 語末にくる同音形は -AM[5].

-crum 接尾辞 ☞
-trum 接尾辞 ☞

-umb /ʌ́m/

語尾 num(b)skull「まぬけ」にみられるように dumb と numb は連想される.
★ 語末にくる同音形は -UM[5].

crumb 名 (パン, ケーキなどの)かけら, くず.
dumb[1] 形 《主に米話》ばかな, 頭の悪い.
dumb[2] 形副 《米話》途方もない[なく].
numb 形 〈身体が〉麻痺(まひ)している.
plumb 名 (垂直を確かめるための)錘重(すいじゅう).
rhumb 名 (船舶・飛行機の)航程線.
thumb 名 ☞

-um·ble /ʌ́mbl/

音象徴 **1** (1)ブンブン; 蜂の羽音に似た鈍い連続音を表す. (2)ブツブツ, ごうごう; 不平不満を言う声を表す. (3)ゴロゴロ, ゴーゴーという音. (4)ボロボロくだけるさま, ゴタゴタしたさま, ぼけた不明瞭な感じを表す. **2** よたよた, よろよろ, ころん; つまずいたり, 転んだりするようなぎこちない動作を表す. ◇ -LE[3].

bum·ble 動自 〈ミツバチなどが〉ブーンと音をたてる, ブンブンいう.
crum·ble 動他 粉々[ぼろぼろ]に崩す, ほぐす. ―― 自 粉々[ぼろぼろ]に崩れる.
fum·ble 動自 (ぎこちなく)手探りする, (…を)手探りで捜す, (まごまごと)捜し回る[動き回る, 進む]; 模索する.
grum·ble 動自 (…のことで)ぶつぶつ言う, 不平[不満]をこぼす, ぼやく.
mum·ble 動自 もぐもぐ[ぶつぶつ]言う, 低く不明瞭(りょう)に言う, つぶやく.
rum·ble 動自 (雷・地震・車などのように)低く重々しい連続音を出す.
stum·ble 動自 (歩行中に)(…に)つまずく, よろめく.
tum·ble 動自 〈人・物が〉(足場・平衡などを失って)倒れる, (…につまずいて)転ぶ.

um·brel·la /ʌmbrélə/

名 傘(こうもり傘, 雨傘, 日傘など); 保護(物).

áir umbrèlla 上空[空中]援護.
béach umbrèlla ビーチパラソル.
búbble umbrèlla 肩までおおう深い透明ビニールがさ.
núclear umbrélla 核の傘.
sùb·umbrélla 名 〚動物〛(クラゲの)下傘.

-ume[1] /ú:m/

語尾 brume, plume, grume など, 一部は音象徴的. ◇ -UME[2].
★ 語末にくる同音形は -OMB[2], -OOM[2].

brume 名 《詩語》かすみ, もや, 霧.
flume 名 (急流のある)狭く深い谷, 峡谷.
glume 名 〚植物〛包頴(ほうえい), 頴.
grume 名 凝塊.
-hume 連結形 ☞
plume 名 ☞
-sume 連結形 ☞

-ume[2] /jú:m/

語尾 fume, spume は -UME[1] の plume, brume, grume とともに音象徴的で, 噴出したり広がる気体や液体を表す.

cume 名 《米学生俗》(しだいに伸びる)学生の学業平均値(cum).
fume 名 (においのある, または有毒な)ガス.
-hume 連結形 ☞
spume 動他 《文語》(泡のように)噴出する.
-sume 連結形 ☞

-u·men·ta·ry /juméntəri, jə-/

連結形 ドキュメンタリー, 記録もの.
◆ documentary の短縮形.

mòcku·méntary 名 ドキュメンタリーもどき.
plúgu·méntary 名 《英俗》宣伝記録もの[映画].
ròcku·méntary 名 ロック音楽[ロック歌手]のドキュメンタリー映画.

-ump[1] /ʌ́mp/

音象徴間 **1** ドサッ, ドシン, ズシン; 衝突や大きなものの落下, 転倒を表す. ►pump もポンプの擬声に始まる. **2** ムッ, ブツブツ; 不快, 不満を表す. **3** 大きなこぶや塊, ずんぐりしたもの, 群れなどをさす. **4** 軽蔑を表す; とんま.

bump[1] 動他 …にドシンとぶつかる, 衝突する.
bump[2] 名 サンカノゴイの鳴き声.
chump 名 《話》ばか, まぬけ.
clump 名 小木立, 植え込み, 草むら, やぶ.
dump[1] 動他 …をどさっと落とす; 〈積み荷・中身を〉あける, 降ろす.
dump[2] 名 《話》憂鬱, 意気消沈.
dump[3] 名 (一般に)ずんぐりした形のもの.
flump 動自他 (急に)どさりと置く; どしんと落ちる, ばたんと倒れる[倒す].
grump 名 文句ばかり言う人, 不平家.
gump 名 《方言》うすのろ, まぬけ.

U

hump 名 こぶ, 背中のこぶ.
jump 動自 跳ぶ, 跳躍する; (地面などから)はねる, 跳び上がる.
lump[1] 名 (形のない)塊; (練り粉の)だま.
lump[2] 動他 《話》…が気に入らない; (気に入らないながらも)我慢する.
lump[3] 名 〖魚類〗ダンゴウオ(lumpfish).
mump 動他 《英方言・俗》もぐもぐ[ぶつぶつ]言う. ── 自 すねる; ふさぎ込む.
plump[1] 動自 (いきなり)ドタッと落ちる[座る, 倒れる], ドブンと飛び込む.
plump[2] 名 《主に英方言》集団, 群れ.
pump[1] 名 ポンプ, 揚水器; 圧縮器.
pump[2] 名 《米》パンプス.
rump 名 (動物・鳥の)尻, 臀部(でんぶ).
schlump 名 《米俗》鈍いやつ, 薄のろ; だらしないやつ. ── 動自 ぶらぶらする, 怠ける.
scrump 動他 《英話》〈果物を〉果樹園から盗む.
shlump 名動自 =schlump.
slump 動自 どさりと[ずしんと]落ちる, どさっと崩れ落ちる.
stump 名 (木の)切り株, 根株, 刈り株.
thrump 名 ドシンドシン[ドンドン]という音, ガラガラ[ゴロゴロ]鳴る音.
thump 名 ゴツン[ドシン, ドサッ, ドン, バタッ]と打つこと, (鈍い音をたてる)強打.
trump 名 《文語》らっぱ(trumpet).
whump 名 =thump.
wump 間 《落下・衝撃音》ドカン, ドスン, ズシン. ── 名 ドカン[ドスン, ズシン].

-ump[2] /ʌ́mp, úmp/

語尾 いくつか短縮語で話語と俗語がある.

gump 名 《英話》積極性, やる気(gumption).
sump 名 (水などを集める)穴, 池.
trump 名 ☞
ump 名 《俗》審判員(umpire).
wump 名 ワンプ: 白人で都市に住み中流でプロテスタントの人.

-umph /ʌ́mf/

語尾 間投詞を含みすべて軽蔑的.

bumph 名 《英》トイレットペーパー(bumf).
humph 間 《不信・軽蔑などを表して》ふん.
sumph 名 《スコット》ばか.
umph 間 《不信・軽蔑などを表して》ふん.

’un /ən/

代 《方言・話》やつ, 者; 物, 代物(one). ◇ UNS.

déad ’ún (酒の)空き瓶; 食べかけの食べ物.
lóng-tailed ’ún 《英俗》高額(£10, £20, £50)の紙幣.
wróng’ún 《英話》悪党, 悪いやつ.
yóung’ún 子供, 若者, 若造.

-un /ʌ́n/

語尾 同音反復の sun and fun「日光と楽しみ」はバケーションを指す決まり文句.
★ 語末にくる同音形は -ON[10], -ONE[4].

bun[1] 名 ☞
bun[2] 名 《米俗》酩酊(めいてい), 酔い.
bun[3] 名 《主に英方言》リス[ウサギ]の尾.
dun[1] 動他 〈人に〉うるさく要求する.
dun[2] 形 灰褐色の; 〈馬が〉月毛の.
fun 名 楽しみ, 慰み, 喜び, 面白さ.
gun[1] 名 ☞
gun[2] 動 gin「始める」の過去分詞形.
gun[3] 名 (プロの)泥棒, (特に)すり.
nun 名 尼僧.
pun[1] 名 しゃれ, 地口, 語呂(ごろ)合わせ.
pun[2] 動他 《英》〈土や瓦礫(がれき)を〉突き固める.
run 動自 ☞
shun 動他 〈場所・人・物などを〉避ける.
spun 名 ☞
stun 動他 〈人を〉気絶させる.
sun 名 ☞
tun 名 大樽(たる); 醸造桶(おけ).
zun 名 《米俗》にきび.

-unce /ʌ́ns/

語尾

bunce 名 《英俗》(特に思いがけない)もうけ.
dunce 名 ばか, のろま, まぬけ; 劣等生.
punce 名 《豪俗》女陰; ホモ; 女性的な男.

-unch[1] /ʌ́ntʃ/

音象徴 **1** ガリガリ, バリバリ, ポリポリ, サクサク, ムシャムシャ, ザクザク; かみ砕く音や踏み砕く音を表す. **2** 塊, こぶのような形状を表す.

crunch 動自他 ボリボリ[バリバリ, ガリガリ]かむ[かみ砕く]; ザクザク踏む. ── 名 **1** かみ砕くこと. **2** (必需品などの)不足; (経済の)停滞. ── 形 《話》決定的な, 重大な; 苦難の, 危機の.
dunch 動他 《主に方言》打つ, たたく, (特にひじで)つつく. ── 名 《主にスコット方言》打つ[つつく]こと.
gunch 動自名 《米俗》(ピンボールの台を押したりたたいたりして)玉の動きを変えようとする(こと).
munch 動他 むしゃむしゃ[ボリボリ]食べる[かむ]. ── 自 (…を)むしゃむしゃ[ボリボリ]食べる[かむ]. ── 名 《米話》軽食.
punch[1] 名 (特にげんこつの)(…への)一打ち, (ボクシングの)パンチ.
punch[2] 名 (切符を切る)穴あけばさみ, パンチ.
scrunch 動他 バリバリかむ[砕く], ザクザク踏んで行く; 押しつぶす.

-unch[2] /ʌ́ntʃ/

語尾

brunch 名 《話》ブランチ. ► breakfast と lunch の混成.
lunch 名 ☞

-un·cle /ʌ́ŋkl/

接尾辞 小….
★ 指小辞.
◆ <古仏<ラ *unclus*, *-uncla*, *-unclum*.

car·un·cle 名 〖植物〗種阜(しゅふ).
fu·run·cle 名 〖病理〗ねぶと, 疔(ちょう).
pe·dun·cle 名 〖植物〗花柄, 花梗(かこう).

-und /ʌ́nd/

語尾

bund 名 (アジア諸国で)築堤, 堤防.
-bund 連結形 ☞
-cund 連結形 ☞
fund 名 ☞

U

un·der /ʌ́ndər/

前 …の(真)下に[の, へ].

dówn únder 《話》(ヨーロッパから見て)地球の正反対[真裏]の土地.
flý-ùnder 高架下の道路[鉄道].
ga·zúnd·er 動他自《英俗》〈家屋の買い手が〉(契約成立の直前になって)〈売り手に対して〉買い値を値切る.
go·zún·der 名《英・豪俗》=gazunder.
hálf ùnder 形《米俗》意識がもうろうとして.
hère·ún·der 副 この下に, 下記に, 下文に; この後に.
óne-ún·der 名《英警察俗》地下鉄の飛び込み自殺者.
ó·ver-and-ún·der 名《米》=over-under.
ó·ver-ún·der 形《米》〈二連装銃が〉上下に銃身のついた, 上下二連式の.
thère·ún·der 副《文語》その下に; その数以下で.
úp-and-ún·der 名〘ラグビー〙高いキックをまっすぐ上げその落下地点へ密集するプレー.
whère·ún·der 副 その下で[に].

-un·dle /ʌ́ndl/

語尾

run·dle 名 (はしごの)横桟, 踏み子.
trun·dle 動他〈球・輪・車などを〉転がす.

-une[1] /ú:n/

語尾 語末にくる同音形は -OON[2], -OUN[1].

lune[1] 名 ☞
lune[2] 名〘タカ狩り〙タカをつなぐひも.
prune[1] 名 プルーン.
prune[2] 動他〈枝・根などを〉切り取る, おろす.
prune[3] 動他《古》〈動物が〉〈毛を〉舌で整える.

-une[2] /jú:n | jú:n/

語尾

dune 名 砂丘, デューン.
tune 名 ☞

un·em·ploy·ment /ʌ̀nimplɔ́imənt, -em-/

名 (本人の意に反した)失業, 失業状態. ⇨ EMPLOYMENT.

cýclical unemplóyment 循環的失業.
fríctional unemplóyment 摩擦的失業.
resídual unemplóyment 残余失業.
strúctural unemplóyment 構造的失業.
technológical unemplóyment 技術的失業.

-ung /ʌ́ŋ/

語尾 いくつかの動詞の過去・過去分詞形など.

bung[1] 名 栓, (特に)大型のコルク栓.
bung[2] 形《豪・NZ俗》故障した, 壊れた.
bung[3] 名《英俗》チップ; 賄賂(ﾜｲﾛ).
clung 動 cling の過去・過去分詞形.
drung 名《ニューファンドランド》小道, 路地.
dung 名 肥やし; (動物の)糞(ﾌﾝ).
flung 動 fling の過去・過去分詞形.
hung 動 ☞
lung 名 ☞
mung 名《米俗》(特に十代の間で)汚いもの.
pung 名《主にカナダ東部・ニューイングランド》(箱形の車体をつけた)そり.
rung[1] 動 ring の過去・過去分詞形.
rung[2] 名 (はしごの)横桟, 踏み子.
slung 動 sling の過去・過去分詞形.
sprung 動 ☞
strung 動 ☞
stung 動 sting の過去・過去分詞形.
sung 動 sing の過去・過去分詞形.
swung 動 swing の過去・過去分詞形.
tung 名〘植物〙アブラギリ(tung tree).
wrung 動 wring の過去・過去分詞形.

-unge /ʌ́ndʒ/

語尾 汚れたもの, ねばねばしたものを表す音象徴語を含む; 浸したり, 混ぜたり, 突入する動きも表す.

blunge 動他 (懸濁液を作るために)〈陶土などを〉水と混ぜてこね合わせる.
crunge 名間 パシッ, パシン.
grunge 名《米俗》ごみ, くず, ほこり.
gunge 名《英話》柔らかくねばねばしたもの.
lunge[1] 名 (剣・ナイフなどの突然の)突き刺し.
lunge[2] 名 (調教・訓練用の)調馬索.
lunge[3] 名《話》アメリカカワカマス.
plunge 動他〈物を〉(…に)浸す, 沈める.
scrunge 名《米俗》汚いもの, ごみ, どろ.
scunge 動自《豪・NZ 話》食べ物をあさる; たかる.
spunge 名〘生物〙海綿動物(sponge).

-un·gle /ʌ́ŋgl/

語尾

bun·gle 動他自 ぶざまにやる; やり損なう.
jun·gle 名 ☞
pun·gle 動他自 (金を)払う, 寄付する.

u·ni·form /jú:nəfɔ̀:rm/

形 (形が他のものと)同一の, 同様の. ── 名 制服, 軍服, 官服. ⇨ -FORM[1].

dréss úniform 〘米空軍〙礼装.
non·ú·ni·fòrm 名 非画一性.
sérvice ùniform 〘軍事〙平常服.
spécies-úniform 形 種に一様の.
undréss ùniform 〘軍事〙〘海事〙通常軍装, 略装.
Wíndsor úniform 《英》ウィンザー宮殿朝服.

un·ion /jú:njən/

名 **1** 結合. **2** 連合組織, 組合. ⇨ -ION[1].

Américan Cívil Líberties Ùnion 米国自由人権協会.
àn·ti·ún·ion 形《米》労働組合(主義)反対の.
árt union 《豪・NZ》(政府公認の)宝くじ.
clósed únion クローズドユニオン, 閉鎖組合.
cómpany ùnion 《主に米・カナダ》御用組合.
cráft ùnion 職業別[職種別, 職能別]労働組合.
crédit ùnion 信用組合.
cústoms ùnion 関税同盟.
dis·ún·ion 名 分離, 分裂.
Económic and Mónetary Ùnion 経済通貨同盟.
Européan Ùnion 欧州連合, EU.
Éuro-ùnion 欧州共同体労働者の労働組合.
frée ùnion (男女の)同棲(ﾄﾞｳｾｲ).
Frénch Ùnion フランス連合.
Géneral Póstal Ùnion Universal Postal Union の旧称.
horizóntal ùnion 同業組合, 職業別[水平的]労働組合.
hypostátic ùnion 〘神学〙位格的結合.
indústrial ùnion 産業別労働組合.

Internátional Ámateur Rádio Ùnion 国際アマチュア無線連合.
Internátional Telecommunicátion Ùnion 国際電気通信連合.
Ìnter-Parliaméntary Ùnion 列国議会同盟.
lábor ùnion 《米》労働組合.
mal·ún·ion 名 【医学】(骨折の)変形治癒.
mánagement ùnion 【経営】経営管理職組合.
Móther's Ùnion (英国国教会の)母親の会.
Nátional Fármers Ùnion 《英》全国農業者協会.
nòn·ún·ion 形 労働組合に加入していない.
ópen únion 公開組合.
Pàn Américan Ùnion 全米州連盟.
póor-làw únion 【英史】救貧区連合.
Póstal Ùnion ＝Universal Postal Union.
póstal ùnion 郵便統一協定.
rè·ún·ion 名 再結合, 再合同; 再会; 和解, 融和.
Rúgby Ùnion 《英》ラグビーユニオン.
Sóviet Ùnion ソビエト連邦.
stúdent ùnion 学生自治会(連合), 学友会.
Téamsters Ùnion 全米トラック運転手組合.
trádes ùnion 《主に英》＝trade union.
tráde ùnion 職種［職能］別組合.
Univérsal Póstal Ùnion 万国郵便連合.
vértical ùnion ＝industrial union.
Wéstern Européan Ùnion 西欧同盟, 西ヨーロッパ連合.
Wéstern Ùnion ウエスタンユニオン: 米国の電気通信企業 Western Union Telegraph Company の略称.
Wóman's Chrístian Témperance Ùnion キリスト教婦人禁酒同盟.
Wómen's Sócial and Polítical Ùnion 婦人社会政治連盟.

un·ion·ism /júːnjənìzm/

名 組合主義, (特に)労働組合主義. ⇨ -ISM[1].

búsiness ùnionism 《米》企業組合主義.
indústrial ùnionism 産業別労働組合主義.
nòn·ún·ion·ism 名 《主に米》労働組合無視［不加入］.
tráde ùnionism (労働)組合主義［運動］.

un·ion·ist /júːnjənist/

名 合同主義者, 連合主義者, 統一論者. ⇨ -IST[1].

dis·ún·ion·ist 名 分裂［分派］主義者.
lábor ùnionist 労働組合員.
Líberal Ùnionist (英国の)自由統一党員.
Offícial Ùnionist (北アイルの)連合王国支配賛成党員.
rè·ún·ion·ist 名 【英国国教会】教会再合体論者.
tráde ùnionist 労働組合員.

u·nit /júːnit/

名 **1** 単一体, 個体, 一個, 一人. **2** (一つの独立した存在としての)集団. **3** (全体を構成する)構成［編成］単位. **4** (特定の機能を)持つ設備, 装置, 器具. **5** 単位.

ábsolute ùnit 【物理】絶対単位.
accommodátion ùnit 《官庁用語》住居, 住宅.
ángstrom ùnit 【物理】オングストローム.
ánticrime ùnit 《米》犯罪防止班.
arithmétic and lógic ùnit 【コンピュータ】演算論理機構(ALU).
astronómical ùnit 【天文】天文単位.
astronómic ùnit ＝astronomical unit.
atómic máss ùnit 【物理】原子質量単位.
áudio respónse ùnit 【コンピュータ】オーディオ・レスポンス・ユニット.
auxíliary pówer ùnit 【航空】補助動力源［装置］.
báse ùnit 【物理】基本単位.
Brítish thérmal ùnit 【物理】英式熱量単位.
Cárnegie ùnit 《米》【教育】カーネギー単位.
céntral prócessing ùnit 【コンピュータ】中央処理装置(CPU).
cívil distúrbance ùnit 《米》警備部隊.
cómbat ùnit 【軍事】戦闘単位.
contról ùnit 【コンピュータ】制御装置.
córonary-cáre ùnit 冠状動脈疾患集中治療病棟.
cóst ùnit 【会計】原価(計算)単位.
deríved ùnit 【物理】【化学】誘導単位.
electromagnétic ùnit 【物理】電磁単位.
electrostátic ùnit 【電気】静電単位.
Européan Cúrrency Ùnit 欧州硬貨単位(ECU).
fórmula ùnit 【化学】単位式.
Frénching ùnit 《米俗》口, 舌.
fundaméntal ùnit 【物理】＝base unit.
héat ùnit 【物理】＝British thermal unit.
hóme ùnit 《豪・NZ》集合住宅内の一戸.
imáginary ùnit 【数学】虚数単位.
inténsive cáre ùnit 集中治療室.
internátional ùnit 【薬学】国際単位.
kítchen ùnit 台所用品セット, キッチンユニット.
líving ùnit 一家族で使う住居［住宅］.
magnétic tápe ùnit 【コンピュータ】磁気テープ装置.
méga·ùnit 名 【薬学】100 万単位.
méssage ùnit 《米》(電話の)通話単位, 通話度.
micropróсessing ùnit 【コンピュータ】超小型演算処理装置.
móbile ùnit (特定の目的に備えた)移動設備車.
mónetary ùnit 貨幣［通貨］単位.
mótor ùnit 【細胞生物】【生理】運動(性)単位.
néighborhood ùnit 《英》近隣住区.
pálliative cáre ùnit 《特にカナダ》(死期にある患者の)苦痛緩和医療施設, 最終看護施設.
políce resérve ùnit 《米》予備警察隊.
Q̀ ùnit 【熱力学】クワデリオン(quadrillion).
rép·ùnit 名 【数学】レプユニット.
sécond ùnit 【映画】B 班.
síngle-ùnit 形 一体型の.
sócial ùnit 社会的単位.
spárrow ùnit スパロー部隊: フィリピンの反政府勢力ゲリラ部隊.
stóck ùnit 《NZ》ストックユニット: 税の基礎となる家畜の評価単位.
stréet crìme ùnit ＝anticrime unit.
stróntium ùnit 【物理】ストロンチウム単位.
súb·ùnit 名 副次的単位, 亜単位.
sýnchro ùnit 【電気】同期電動機の一種.
táctical ùnit 【軍事】戦術部隊, 戦術単位.
táil ùnit 【航空】尾部, 尾翼.
thérmal ùnit 【熱力学】熱単位, 熱量単位.
tíght líttle ùnit 《米バリーガール俗》小柄な美人.
T́-ùnit 名 【言語】T 単位(terminable unit).
vísual displáy ùnit 《主に英》【コンピュータ】ビデオディスプレー端末.
vólume ùnit ボリュームユニット(VU): 音声波の単位.
wáste dispòsal ùnit ディスポーザー: 生ごみ処理装置.
wáste ùnit ごみ処理工場.
wórd pròcessing ùnit タイピングプール,「タイプ課」.
X́-ùnit 名 エックス単位: もと X 線や γ 線の波長を表すのに用いた単位.

units /júːnits/

名複 unit「単位」の複数形.

bréw ùnits 《米俗》アヘン.
fṕs ùnits (英本国法定の標準に従った)フィート・ポンド・秒単位系.
ḿks ùnits mks 単位.
paréntal ùnits 《米俗》(十代の間で)両親.
SÍ ùnits 国際単位系.

u·ni·ver·sal /jùːnəvə́ːrsəl/

形 普遍的な. ―名 **1** 普遍的実在. **2** 普遍的特性. ⇨ -AL[1].

cóncrete univérsal 〔ヘーゲル哲学〕具体的普遍性.
cúltural univérsal 普遍的文化.
lánguage univèrsal 〔言語〕言語の普遍的特徴.
linguístic univérsal 〔言語〕=language universal.

u·ni·verse /júːnəvəːrs/

名 **1** 宇宙; 万有, 天地万物, 森羅万象. **2** 反宇宙(antiuniverse)など. **3** 小[局所]宇宙; 〔天文〕銀河系(宇宙); 島宇宙; (銀河系に匹敵する)銀河星雲; 銀河団. ⇨ -VERSE.

àn·ti·úniverse 名 反宇宙.
clóckwork ùniverse 時計仕掛けの宇宙: 神がゼンマイを巻いて宇宙を始動させ, 後は物理法則によって運行されているという啓蒙時代に有力だった考え.
clósed úniverse 閉じた宇宙.
expánding úniverse 膨張宇宙.
Fríefmann úniverse フリードマン宇宙(模型).
inflátionary úniverse インフレーション宇宙.
ísland úniverse 島宇宙(external galaxy).
ópen úniverse 開いた宇宙.
óscillating úniverse 振動宇宙.

u·ni·ver·si·ty /jùːnəvə́ːrsəti/

名 (総合)大学. ⇨ -ITY.

blúe-brìck univérsity 《英話》伝統と名声を誇る一流大学, (特に)オックスフォード, ケンブリッジの両大学.
cámpus university 《英》キャンパスユニバーシティー: 大学所属の施設(しばしば売店やカフェを含む)がすべて同一敷地内にまとまっているような大学.
cívic univérsity 《英》本来ある特定の市のために設立された大学.
dístance univèrsity 《カナダ》通信教育大学.
Electrónic Univérsity エレクトロニック・ユニバーシティー, 電子大学.
frée univérsity (学生が運営の主導権を握る)自由大学.
ìn·ter·u·ni·vér·si·ty 形 大学間の.
ópen univérsity オープンユニバーシティー: テレビ, パソコン通信, テープなどによる通信教育制度.
pláteglass univérsity 《英》(1950 年代以降の)新設大学.
rédbrick univérsity 《英話》近代創設の大学, 新設大学.
státe univérsity 《米》州立大学.
United Nátions Univérsity 国連大学.

-unk[1] /ʌŋk/

音象徴間 **1** カツン, コツン, ガン, ゴン, ドン, グサッ, ブスッ; 衝突や物を突き刺すような重くて鈍い衝撃音を表す. **2** ある程度の大きさを持った塊, ぶつ切り, がらくたなどを表す. **3** やつ, 野郎: 軽蔑的に人やものをさす. **4** おじけ, 失敗などを表す.

blunk 動他 《スコット》駄目にする(spoil).
bunk[1] 名 《米俗》でたらめ, だぼら, たわ言.
bunk[2] 動自 (…に)ドンとぶつかる, 衝突する.
chunk[1] 名 (パン・肉などの)ぶつ切り.
chunk[2] 動他 《米南部》〈物を〉投げつける.
chunk[3] 動他 《米黒人俗》捨てる.
clunk 動自他 強打する, (特に頭を)ガーンと殴る.
dunk 動他 〈パンなどを〉(ミルクなどに)浸す.
flunk 動自 《話》(試験などに)落ちる.
funk[1] 名 《話》おじけ, 臆病, 気後れ.
funk[2] 名 〔ジャズ〕ファンク.
gunk 名 《話》ぬるぬるしたもの, 汚物.
hunk 名 《話》(パン・肉の)厚切り.
junk 名 (金属・紙・ぼろ切れなどの)廃品.
klunk 名間 ガツン. ►頭をぶつけた際の擬声語.
lunk 名 《俗》ばか, でくのぼう, うすのろ.
plunk 動他 〈ギターを〉ポロンと鳴らす.
punk 名 **1** 《俗》無価値な人[もの]. **2** 〔音楽〕パンクロック. **3** パンクスタイル.
thunk 名 ドスン, ズシン, グサッ.
tunk 名 トントン[コツコツ]打つこと.
zunk 間 《物を突き刺す音を表して》ブスッ.

-unk[2] /ʌŋk/

語尾 いくつかの動詞の過去・過去分詞形を含む.
★ 語末にくる同音形は -ONK[3].

bunk 名 (船・列車などで作りつけの)寝台.
drunk 形 ☞
hunk[1] 形 互角の, 勝負なしの(hunky).
hunk[2] 名 《米俗》(遊びの)ホームベース.
junk[1] 名 ジャンク, 戎克.
junk[2] 名 《俗》(中毒性の)麻薬, ヘロイン.
punk 名 (花火・導火線の)火口(ほくち).
shrunk 動 shrink の過去・過去分詞形.
skunk 名 ☞
slunk 動 slink の過去・過去分詞形.
spunk 名 《話》勇気, 気骨, 活気, 元気.
stunk 動 stink の過去・過去分詞形.
sunk 動 sink の過去・過去分詞形.
thunk 動 《非標準》think の過去・過去分詞形.
trunk 名 ☞
tunk 名 《米学生俗》(軽食だけの)パーティー.
wunk 名 (ポピュラー音楽で)ワンク.

-un·nel /ʌnl/

語尾 語源はさまざまだが, 指小辞的な感じをもつようになっている.

fun·nel 名 じょうご, 漏斗.
gun·nel[1] 名 北大西洋の浅瀬産ニシキギンポ科のウナギに似た小さな魚の総称.
gun·nel[2] 名 〔海事〕ガンネル, 舷縁(げんえん).
run·nel 名 小川, 細流.
trun·nel 名 (木造船に用いる)木釘(きくぎ)(treenail).

uns /ʌnz/

代 …たち, ものたち. ◇ 'UN.

we'uns 代 おれたち(we all).
you'uns 代 おまえたち(you all).

-unt /ʌnt/

語尾 brunt, bunt, punt などは打撃や押す力を表す音象徴を含む; 発声の grunt もそれに近い.

brunt 名 (攻撃・打撃の)主力, 矛先.
bunt[1] 名 ☞
bunt[2] 名 〔海事〕横帆の中央部.
bunt[3] 名 〔植物病理〕ムギ黒穂病.
cunt 名 《俗》女性の外陰部.
dunt[1] 動自 〈陶器が〉割れる, ひびが入る.
dunt[2] 名 《米俗》性別が逆に見える人.
grunt 動自 〈豚が〉ブーブー鳴く.
hunt 動他 ☞
lunt 名 《スコット》マッチ棒; たいまつ.
punt[1] 名 〔アメフト〕〔ラグビー〕パント.
punt[2] 動自 《主に英》〔トランプ〕親に対して賭ける.
shunt 動他 わきへ押しのける, どかせる.
strunt[1] 名 《スコット・北イング》馬の尾の毛を除いた肉質の部分.

strunt[2] [名] 《スコット》アルコール飲料.
stunt [名] 妙技, 離れ業, スタント.

up /ʌ́p/

[副] **1** 高い所へ, 上方へ. **2** 直立して. **3** 向かって. **4** 活動して. **5** 完全に.
★ up を伴う句動詞が名詞化する場合が多い: catch up → catch-up.

ádd-ùp [名] 《話》まとめ, 要点, 結論.
áll-úp [形] 普通郵便の料金で航空便で送る.
bácker-úp [名] 支持［後援］者.
báck·ùp [名] 後援［支持］者.
bálled-ùp [形] 《俗》台無しになった.
bálls-ùp [名] 《主に英俗》=ballup.
báll·ùp [名] 《俗》混乱; 狼狽(ろうばい).
báng-úp [形] 《米話》一流の, 優秀な.
béating-úp [名] 打ちのめすこと, リンチ.
béat-úp [形] 《話》使い古しの, くたびれた.
béefed-úp [形] 《話》増強［補強］された.
béef-ùp [名] 《話》増強, 補強.
béer-ùp [名] 《豪俗》酒宴.
bíd-ùp [名] (競売で)値を競り上げること.
bítch-ùp [名] 《米俗》大間違い.
blówn-úp [形] 〈写真などが〉引き伸ばされた.
blów·ùp [名] 爆発; 激昂; 【写真】引き延ばし.
bódge-up [名] 《英俗》一時しのぎの修理.
bóil-ùp [名] 《カナダ・NZ》お茶を入れること.
bólted-ùp [形] 《英俗》ぬれ衣を着せられる.
bóost-ùp [名] (人を)押し上げること.
bóozed-úp [形] 《主に英》酔っ払った.
bóoze-ùp [名] 《英・豪・NZ 俗》酒盛り.
bótch-ùp [名] へま, しくじり.
bóttom-úp [形] 下から上への.
bóx-ùp [名] 《英俗》混乱.
bráke-ùp [名] (航空機の)尻上がりブレーキ.
bréak·ùp [名] 分解; 分裂, 崩壊; 分割; 解散.
bréw-ùp [名] 《英話》お茶を入れること.
brínging-úp [名] 子供のしつけ［教育］, 養育.
brúsh·ùp [名] 勉強し直すこと, 復習.
búgged-úp [形] 《米俗》=fucked-up.
búild·ùp [名] 増強; 蓄え; 連続的発生; 裏工作.
búilt-úp [形] 組み立てた; 建物の密集した.
búnged ùp [形] 《米俗》くしゃくしゃの.
búnk-ùp [名] 《英話》下からの支え.
búrn·ùp [名] 【原子物理】燃焼; 【ロケット】ロケットの燃え尽き.
búrst-ùp [名] 《俗》=bust-up.
búst-ùp [名] 《話》(関係の)破綻.
búttoned-úp [形] 《話》きっちりと管理［計画］された.
búy·ùp [名] 《俗》買い上げ, 買収, 買い占め.
cáll-ùp [名] 召集; 登用; 招聘(しょうへい).
cárve-ùp [名] 《主に英俗》分け前.
cátch-ùp [名] 追い上げ; 巻き返し, 挽回(ばんかい).
chánge-ùp [名] 【野球】チェンジアップ.
cháse-ùp [名] 《英話》カーチェイス, 車の追跡.
chéck·ùp [名] 健康診断; 点検, 精査.
chín-ùp [名] (鉄棒の)懸垂.
chúck-ùp [名] 《英俗》敬礼; 降参.
clápped-úp [形] 《俗》淋病(りんびょう)にかかった.
cléan·ùp [名] 掃除, 清掃; 一掃.
cléar·up [名] 解明, 整理, 治癒.
clóse·ùp [名] 【映画】【写真】クローズアップ.
cóck·ùp [名] 跳ね上がり, 反り返り, 巻き上がり.
cóoked-úp [形] 《米俗》でっち上げた.
cóok-ùp [名] でっち上げ.
cóver-ùp [名] 隠蔽, 隠匿; もみ消し工作.
cráck·ùp [名] 激突; 墜落; 衝突.
cránk-ùp [名] 始まること.
cróss-ùp [名] 《米俗》裏切り, 内通.
cúrtain-ùp [名] 《英》(芝居の)幕あき.
cút·ùp [名] 《話》悪ふざけをする人, おどけ者.
díal-ùp [形] 【コンピュータ】ダイヤル呼出方式の.
dréss-ùp [形] 〈時・場所などが〉正装を要する.
dríed-úp [形] 乾燥した, 干からびた, 乾ききった.
dríve-ùp [形] 《米》(車で)乗りつけ式の.
drúm-up [名] 《英俗》一杯のお茶.
dúkes-ùp [形] 《米俗》けんかっ早い, 好戦的な.
dúst·ùp [名] 《主に英話》口論, 議論; 乱闘.
fáce-úp [副] あおむけに; 上向きにして.
fíll-ùp [名] いっぱいに満たすこと.
fíred-úp [形] 《米俗》酔っ払った.
fít-ùp [名] 《英俗》【演劇】仮設舞台.
fíx-ùp [名] 修理, 改装.
flág-ùp [形] 《米俗》(タクシー運転手の間で)メーターを降ろさないままの.
fláre·ùp [名] (炎が)突然燃え上がること.
flíp-ùp [形][名] (蝶番式で)はね上がる(もの).
flúb·ùp [名] しくじり, へま, どじ.
flý-ùp [名] (ガールスカウトの)巣立ち式.
fóld·ùp [名] 折りたたみ式のもの.
fóllow-ùp [名] 追跡; 追い撃ち; 探究; 続行.
fóuled-úp [形] 《話》ぶち壊しになった.
fóul-ùp [名] 《話》混乱状態, 無秩序; へま.
fráme-ùp [名] 《話》ぬれぎぬ, 陰謀, 偽証.
fréeze-ùp [名] 《話》氷結, 凍結; 凍結期.
frý-ùp [名] 《英話》あり合わせの炒めもの.
fúcked-ùp [形] 《俗》めちゃくちゃの［になった］.
fúck·ùp [名] 《俗》へまばかりする人.
gáng-ùp [名] 《話》集団で反対すること.
gát-ùp [名] 《米暗黒街俗》ピストル強盗.
géed úp [形] 《米俗》足の不自由な.
gée-úp [間] 急げ, もっと速く.
génned-ùp [形] 《英俗》情報に通じた, 詳しい.
gét·ùp [名] 《話》装い; (本の)装丁.
gét-ùp [名] 《話》意気込み(get-up-and-go).
gíve-ùp [名] 《話》譲歩, 断念, 放棄.
góof-ùp [名] 《米俗》へまばかりする人.
gótten-ùp [形] 《米》=got-up.
gót-ùp [形] 飾りたてた; 仕組んだ.
gówed-úp [形] 《米俗》薬(やく)が効いている.
gréase-ùp [名] 《英俗》即席揚げ物料理.
grówn·ùp [名] 成人, 大人.
grówn-úp [形] 成熟した; 大人びた; 大人向きの.
gummíxed úp [形] 《米俗》混沌とした; 荒廃した.
háng-ùp [名] 《俗》悩みの種.
hárd-úp [形] 《俗》〈男性が〉欲情している.
hásh-ùp [名] 《英俗》急ごしらえの食事.
héads-ùp [形] 《話》機敏な, 抜け目ない.
héat·ùp [名] (原子炉・電子回路などの)加熱.
hépped-úp [形] 《俗》=hopped-up.
hígher-úp [名] 《米話》上役, 上司; 高官, 首脳.
hígh-úp [形] 高所の; 地位［身分］の高い.
hítch-ùp [名] 《米俗》関係づけ; 縁組, 結婚.
hóked-úp [形] 《米俗》虚偽の, 偽の; 陳腐な.
hóld·ùp [名] 強盗; 停止; 《英》交通渋滞.
hóld-ùp [名] 【服飾】ホールドアップ.
hóok·ùp [名] ホック(hook)で留めること.
hópped-úp [形] 《米俗》興奮した, 熱狂的な.
hóp-ùp [名] 《話》覚醒剤, 興奮剤.
húng-úp [形] 《俗》神経衰弱の, ノイローゼの.
húnt's-ùp [名] 《もと》(狩りのときの)起床らっぱ.
húrry-ùp [形] 大急ぎの; 緊急用の.
húsh-ùp [名] 《話》(事件・秘密などの)もみ消し.
hýped-úp [形] 《俗》興奮した; わざとらしい.
íce-ùp [名] 【気象】凍結, アイスアップ.
jácked-ùp [形] 《俗》興奮した.
jáck-ùp [名] 《米話》増加, 引き上げ.
jám-ùp [形] 《話》一流の, 素晴らしい.
Jóhnny-júmp-ùp [名] 《米》野生スミレの一種.
jólly-ùp [形] 《英俗》愉快な, 素敵な.
júmped-úp [形] 《主に英》成上がりの; 思い上がった.
júmp-ùp [名] 《米軍事俗》急を要する仕事.
júnked úp [形] 《米麻薬俗》麻薬に酔った.
kíck·ùp [名] 蹴り上げ; 《話》騒動, 大騒ぎ.
knées-ùp [名] 《英話》両ひざを交互に上げて踊るダンス.

knócker-ùp 名 《英》選挙運動員.
knóck·ùp 名 《英》【テニス】試合前の略式練習.
knúckle-ùp 名 《英俗》殴り合いのけんか.
láce-ùp 名 ひも締めのもの; 特に編み上げ靴.
lásh·ùp 名 《話》急場の間に合わせ.
láy-ùp 名 【バスケット】レイアップ・ショット.
léad-ùp 名 (ある出来事の)先駆け, 下準備.
lég ùp 《話》優位, 優勢.
lét·ùp 名 《話》緩み, 弛緩; 終止, 休止.
líft-ùp 名 持ち上げること.
límbering-úp 名 (筋肉をほぐす)柔軟体操.
límber-úp 名 =limbering-up.
líne-ùp 名 配列, 行列; 顔ぶれ, 陣容; 一覧表.
línk·ùp 名 連接, 接合, 提携; 連結装置.
lóck-ùp 形 《英》錠[鍵]のかかる.
lóck·ùp 名 留置場.
lóok·ùp 名 検索, 索引.
lóve-ùp 名 《英俗》愛撫(あいぶ).
máde-úp 形 でっち上げた, わざとらしい; 化粧した; 仕上がった, 既製の.
máker-úp 名 加工(make up)する人.
máke·ùp 名 化粧品; 化粧; 組み立て, 体裁.
márk·ùp 名 【商業】値入額, 利掛け; 利幅.
mátch-ùp 名 組み合わせること; 対戦; 比較.
méssed-úp 形 《俗》(麻薬で)頭がおかしくなって.
méss-ùp 名 《話》へま, ぶち壊し, 混乱状態.
míxed-úp 形 《話》精神錯乱の, 頭の混乱した.
míx-ùp 名 混乱, 紛糾; 乱闘; 混合.
móck-ùp 名 (研究・教育・実験用の)実物大模型.
mópper-úp 名 (残敵を)掃討する人[もの].
mópping-úp 形 仕上げの; (残敵)掃討の.
móp-ùp 名 仕上げ; (残敵)掃討; 後始末.
múck-ùp 名 《話》混乱状態, めちゃくちゃ.
múddle-úp 形 《俗》混乱している, まごついている.
múg-ùp 名 《主にカナダ》軽食, 食事, 飲み物.
níp-ùp 名 ニップアップ: 仰向けの姿勢から跳ね上がって立つ運動.
nósh-ùp 名 《英俗》豪華な食事, ごちそう.
nót úp 【テニス】ノットアップ.
óne úp 《形容詞的・副詞的》《話》相手より一歩先んじた, 優位に立った.
óne-úp 動他 …より一歩上手に出る.
páid-ùp 形 払い済みの.
páste-ùp 名 【印刷】張り込み台紙.
pátch-ùp 名 継ぎ当て, 取り繕い.
pént-úp 形 閉じ込められた, 鬱積した.
píck-me-ùp 名 《話》(景気づけに飲む)アルコール.
píck·ùp 名 《話》(仕事などの)向上, 上昇, 昇進.
píle·ùp 名 (請求書などの)山, 山積.
pínned-ùp 形 《英俗》〈瞳孔が〉麻薬のせいで収縮した, 縮瞳(しゅくどう)の.
pín·ùp 名 ピンナップ(写真).
píss-ùp 名 《主に英俗》混乱; めちゃくちゃ.
pítch-ùp 名 【航空】ピッチアップ.
póoved·ùp 形 《俗》ホモっぽい.
póp-ùp 形 〈本が〉絵の飛び出す.
préss-ùp 名 《英》=push-up.
púll-ùp 名 懸垂(chin up).
púnched-ùp 形 《米俗》より印象度を強くした.
púnch-ùp 名 《英話》殴り合い.
púsh-ùp 名 《米》腕立て伏せ.
pút-ùp 形 《話》仕組まれた, 八百長の.
Pút-Ú-ùp 名 《英話》折りたたみ式ソファー.
ráve-ùp 名 《英話》乱痴気パーティー.
rè-úp 動自他 《米話》【軍事】再入隊する[させる].
róll-ùp 名 巻き上げ式のもの(ブラインドなど).
róund-ùp 名 《米西部・豪》(牛馬などの)駆り集め.
rúb-ùp 名 十分にこすること, 磨き上げ.
rúck-ùp 名 《英俗》けんか, 騒ぎ.
rúnner-úp 名 第2位になった競技者[チーム].
rún·ùp 名 (株価などの)高騰; 助走.
scále-ùp 名 (一定の規準・比率による)増大.
scréw·ùp 名 《俗》失敗, へま, 失策, どじ.
scrúb-ùp 名 【医学】手術前の局部無菌洗浄.
séize-ùp 名 故障, 作動しなくなること.
sénd-ùp 名 《英話》おどけた物まね.
sét·ùp 名 枠組み, 組織; 準備, 組み立て.
sét-ùp 形 定まった.
séven-úp 名 《主に米》【トランプ】セブンアップ.
séxed-úp 形 《話》性的に興奮した.
sháck·ùp 名 《俗》同棲(どうせい).
sháke-ùp 名 《話》(組織の)再編成; 振動.
shápe-ùp 名 美容体操, シェープアップ.
shóot-'em-úp 名 《米話》撃ち合い場面の多い映画.
shóot-ùp 名 《俗》麻薬の静脈注射.
shóut-ùp 名 やかましい討論.
shów·ùp 名 暴露; 摘発.
sígn-ùp 名 参加署名; 署名登録; 署名登録者.
sít-ùp 名 シットアップ, 上体起こし.
síze-ùp 名 《米話》評価, 評定, 見積もり.
sláp-ùp 形 《英話》とびきりの, 一流の.
slícked-ùp 形 《俗》きちんとした, こぎれいな.
slíp-ùp 名 《話》間違い, しくじり.
slów-ùp 名 遅いこと, 遅滞; 低下.
smásh-ùp 名 《主に米》(車・列車などの)大衝突.
smóke-ùp 名 《米学生俗》成績不良通告.
snápper-úp 名 特価品などに飛びつく人.
snárl-ùp 名 《話》交通渋滞, 混雑; 混乱.
sóuped-úp 形 《俗》〈自動車が〉馬力を上げた.
spéed-ùp 名 高速度化, 加速, スピードアップ.
spénd-ùp 名 《話》気ままに金を使える機会.
spín·ùp 名 【天文】スピンアップ.
splít-ùp 名 (2つ以上の部分に)分かれること.
sprúce-ùp 名 きちんとすること; 刷新.
stáck·ùp 名 【航空】着陸待ちの複数の飛行機.
stánd-ùp 形 立ちながらの; 正々堂々とした.
stárt-ùp 名 運転開始, 始動.
stéamed-úp 形 《語》かんかんに怒った.
stépped-úp 形 増加された; 拡大された.
stép-ùp 形 増大する; 強める.
stíck·ùp 名 《主に米話》ピストル強盗.
stóve-ùp 形 《米・カナダ俗》くたびれた.
stráight-ùp 形 《話》正直な, 誠実な.
stúck-úp 形 《話》思い上がった, 生意気な.
súck ùp 《俗》おべっか使い, ごますり屋.
súmming-úp 名 要約, 摘要; 【法律】最終弁論.
súm-ùp 名 要約, 摘要.
súnnysìde úp 形 《米》〈卵が〉目玉焼きの.
sún·ùp 名 《米》日の出(の時刻).
swéeping-up 名 (ほうきなどを用いる)掃き掃除.
swéep-up 名 =sweeping-up.
swépt-úp 形 上に反った[曲った].
swíll-ùp 名 《米話》酒宴, 酒盛り.
swý-ùp 名 《豪》【遊戯】2枚のコイン投げ.
táke-ùp 名 取り上げること; 受け取ること.
tánk-ùp 名 《米俗》大酒飲み.
téam-ùp 名 【服飾】セパレーツ(の服).
téar-ùp 名 《米ジャズ俗》熱演.
tídying-úp 名 整理整頓, 片づけ.
tídy-úp 名 =tidying-up.
tíe-ùp 名 《主に米・カナダ話》(ストライキなどによる業務の)一時的停止.
tílt-ùp 形 【建築施工】ティルト=アップの.
típ-ùp 形 〈椅子などが〉跳ね上げ式の.
tóne-ùp 名 トーンナップ, 体力強化練習.
tón-úp 形 《英俗》時速100マイル以上出せる.
tóp-ùp 名形 上積み(の); 付加(の).
tóss·ùp 名 コイン投げ.
tótting-ùp 名 合計; 《英》交通違反点数の累計.
tóuch-ùp 名 (写真・絵などの)修正, 加筆.
trúmped-úp 形 でっち上げた, 捏造した.
túne-ùp 名 (モーターなどの)調整.
túrn-ùp 名 折り返し; 上向き, 上昇, 好転.
twó-ùp 名 投げ銭当て.
úsed-úp 形 《話》使い果たした, 疲れきった.
wáke-ùp 名 目覚め, 覚醒.
wálk-ùp 名 《米話》エレベーターのない建物.
wármed-úp 形 料理が温め直しの.

wárming-úp 形 warm-up の [用の].
wárm·ùp 名 準備運動, 肩慣らし.
wáshed-úp 形 きれいになった.
wásher-úp 名 《英》食器洗い係.
wáshing-úp 名 《英》洗うこと.
wásh·ùp 名 洗うこと, 洗浄, 洗濯.
wéll-sèt-úp 形 〈体が〉よく引き締まった.
whéels·ùp 名 《米俗》飛行機の離陸.
whóop-ùp 名 《米話》どんちゃん騒ぎ.
wínding-úp 名 終了, 閉鎖.
wínd·ùp[1] 名 《話》精神的不安.
wínd·ùp[2] 名 《主に米》終結, 最後, 仕上げ; (ねじなどを)巻くこと.
wórked-úp 形 ＝wrought-up.
wórk·ùp 名 〘医学〙ワークアップ: 診断に必要な一連の検査.
wórk-ùp 名 〘印刷〙ごみ, よごれ.
wráp-ùp 名 ニュースの要約; (一般に)要約.
wríte-ùp 名 記事, (時に)好意的記事.
wróught-úp 形 興奮した, (神経が)高ぶった.
zíp-ùp 形 チャック [ファスナー] 式の.

-up /ʌ́p/

語尾 短縮語をつくる; また, slup, splup, whup などの擬声語がある; hup, yup[1] は間投詞.

cup 名 ☞
dup 動他 《古》あける, 開く.
gup 名 《俗》くだらない話, たわ言.
hup 間 いち. ►行進の掛け声.
pup 名 子犬, 犬ころ(puppy).
scup 名 〘魚類〙スカップ.
slup 名 音をたてて飲食すること(slurp).
splup 名間 ペチャッ, ペチョッ [という音].
sup[1] 動自 《古》夕食を取る.
sup[2] 動他 〈スープを〉すする(sip).
tsup[1] 間 《米俗》どうした(What's up?).
tsup[2] 名 《米俗》トマトケチャップ(catsup).
tup 名 《主に英》雄羊.
up 副 ☞
vup 名 《俗》重要でない人.
whup 動他 《米南部》〈相手を〉打ちのめす.
yup[1] 副名間 《話》はい, そうだ(yes).
yup[2] 名形 ヤッピー(の)(yuppie)
zup 《発音綴り》どうした(What's up?).

-upe[1] /ú:p/

語尾 語末にくる同音形は -OOP[2], -OUP[1], -OUPE.

drupe 名 〘植物〙核果, 石果.
jupe 名 《スコット・北イング》ジュップ: 婦人用ジャケットの一種.
supe 名 《話》エキストラ(supernumerary).

-upe[2] /jú:p/

語尾 主に短縮語の語尾.

dupe[1] 名 だまされやすい人.
dupe[2] 名 《話》(原本・原作の)写し; 騰本(duplicate).
pupe 名 《英俗》生徒(pupil).
stupe[1] 名 温湿布.
stupe[2] 名 《米俗》ばか, とんま, ぼんくら(stupid).
supe 名 《話》エキストラ(supernumerary).

up·on /əpán, əpɔ́:n | əpɔ́n; 《弱》əpən/

前 ＝on. ⇨ ON.

here·up·on 副 ここにおいて; この結果として.
put-up·on 形 〈人が〉ひどい扱いを受けている.
sit-up·on 名 (キャンプなどに用いる)防水シート.
there·up·on 副 その後すぐに.
where·up·on 副 《古》《疑問副詞》何の上に.

up·per /ʌ́pər/

形 (場所・位置・音度・音階などが)さらに上 [上部] の; (組になっているものの)高い [上の] ほうの.

build·er-up·per 名 《米俗》体力を向上させるもの.
o·pen·er-up·per 名 《俗》番組スタート時のテーマ音楽など.
perk·er-up·per 名 《米俗》元気の出る薬 [食べ物].
pick·er-up·per 名 《話》拾う人, 収集者.
stand-up·per 名 (テレビで)現場のレポーターによるニュース報道 [インタビュー].
wak·er-up·per 名 《米話》はたと目を開かせるもの.
warm·er-up·per 名 《話》体を温めて元気づけになるもの.
wind·er-up·per 名 《米俗》(番組の)最後に放送する歌.

-up·pie /ʌ́pi/

連結形 《米俗》ヤッピー, あるいはそれに類する人.
★ 名詞をつくる.
◆ yuppie (*y*oung *u*rban *p*rofessional＋ -IE[1])の短縮形, あるいはそれにならって. ⇨ -IE[1].

bup·pie 名 黒人ヤッピー(black yuppie).
gup·pie[1] 名 環境問題に関心のあるヤッピー(green yuppie).
gup·pie[2] 名 ホモのヤッピー.
hup·pie 名 ヒッピーのヤッピー.
Jup·pie 名 日本人のヤッピー(Japanese yuppie).
mup·pie 名 マッピー: 中年中流専門職の人.
pup·pie 名 パッピー: 貧しいヤッピー.
rup·pie 名 ラッピー: 金持ちで都会に住む専門職の人.
sup·pie 名 南部のヤッピー.
trup·pie 名 トラッピー: トラックを生活の場にしている夫婦のトラック運転手.

-ur[1] /ə́:r/

語尾 blur, fur, slur などにぼやけたり, ぼさぼさしたという音象徴が感じられる; pur は擬声語.
★ 語末にくる同音形は -ER[9], -IR[1], -URR[1], -URR[2].

blur 動他 〈物の〉(表面をなすりつけるようにして)曇らせる, よごす.
bur[1] 名 〘植物〙(クリなどの)いが.
bur[2] 名 リベットの止め座金, ワッシャー.
cur 名 雑種犬; 犬, 駄犬.
-cur 連結形 ☞
fur 名 〘動物〙被毛; 毛皮.
knur 名 (木などの)節, こぶ.
mur 名 《英俗》ラム酒.
pur 動自 〈猫などが〉(満足そうに)ゴロゴロとのどを鳴らす. ►擬声語.
slur 動他 不明瞭に発音する.
smur 名 《スコット》霧雨, こぬか雨.
spur[1] 名 拍車.
spur[2] 名 〘製紙〙スパー.
sur 前 〘法律〙…に基づいて, に基づく.

-ur[2] /úər/

語尾 語末にくる同音形は -OOR[1], -OUR[2], -URE[1], -URE[3].

dur 形 《ドイツ語》〘音楽〙長調で書かれた.
lur 名 〘音楽〙ルール.
tur 名 〘動物〙ツール.

-u·ra[1] /júərə/

[連結形] 尾を持つもの.
★ 名詞をつくる.
★ 語末にくる関連形は -UROUS.
★ 語頭にくる形は ur(o)-: *uro*dele「有尾類」, *uro*pod「尾肢, 尾脚」.
◆ ラテン語 *our(a)*「尾」より. ⇨ -A[1].

brach·y·ura 名 〘動物〙カニ亜目.
gym·nu·ra 名 〘魚類〙ツバクロエイ.
syn·u·ra 名 〘生物〙シヌラ.

-u·ra[2] /júərə/

[接尾辞] ラテン語に由来し,「動作」,「集合」の意を表すイタリア語語尾.

ac·ciac·ca·tu·ra 名 〘音楽〙アッチャカトゥーラ, 短前打音.
ac·cor·da·tu·ra 名 〘音楽〙アッコルダトゥーラ.
ap·pog·gia·tu·ra 名 〘音楽〙アッポジャトゥーラ, 前打音.
bra·vu·ra 名 〘音楽〙ブラブーラ.
col·o·ra·tu·ra 名 〘音楽〙コロラトゥーラ.
fio·ri·tu·ra 名 〘音楽〙フィオリトゥーラ.
im·pri·ma·tu·ra 名 〘絵画〙下塗り, 下地.
scor·da·tu·ra 名 〘音楽〙スコルダトゥーラ.
tes·si·tu·ra 名 〘音楽〙テシトゥーラ.
vil·leg·gia·tu·ra 名 休暇を田舎で過ごすこと.

u·ra·cil /júərəsil/

名 〘生化学〙ウラシル: RNA の主成分でアデニン(adenine)と塩基対(base pair)をつくる.

bro·mo·u·ra·cil 名 ブロモウラシル.
flu·o·ro·u·ra·cil 名 フルオロウウラシル.
thi·o·u·racil 名 チオウラシル.

u·ra·ni·um /juəréiniəm/

名 〘化学〙ウラン: 銀白色の光沢のある放射性金属元素.
⇨ -IUM.

actìn·o·u·rá·ni·um 名 ウラン 235: ウランの放射性同位体.
depléted uránium 劣化 [減損] ウラン.
nátural uránium 〘原子力〙天然ウラン.
tràns·u·rá·ni·um 形 〘化学〙〘物理〙超ウランの.

-urb[1] /ə:rb/

[連結形] 郊外.
★ 名詞をつくる.
◆ suburb の短縮形.

ex·urb 名 準郊外.
rub·urb 名 遠郊外(の町村).
slurb 名 郊外スラム, 郊外のスラム街.

-urb[2] /ə́:rb/

[語尾] blurb は音象徴的.
★ 語末にくる同音形は -ERB, -URB[1].

blurb 名 《話》(本のカバーなどの)宣伝文句.
burb 名 《俗》(大都市の)郊外(suburb).
curb 名 縁石, へり石(《英》kerb).
scurb 名 《米俗》街路でスケートボードをする人.
urb 名 《米・カナダ話》都市部, 都会.

ur·ban /ə́:rbən/

形 都市の [に関する], 都会の. ⇨ -AN[1].

in·ter·ur·ban 形 都市間の, 都市間を結ぶ.
rur·ban 形 《米》田園都市の [に生活する].
sub·ur·ban 形 郊外の, 郊外に住む [ある].

-urch /ə́:rtʃ/

[語尾] 語末にくる同音形は -ERCH, -IRCH.

church 名 ☞
curch 名 カーチ, カーチェフ: 頭にぴったりした婦人用帽子.
lurch[1] 名 突然の揺れ; (船などの)不意の傾斜.
lurch[2] 名 (ゲーム終盤での)大差の開き; 惨敗.

-urd /ə́:rd/

[語尾] nurd, turd は軽蔑的な音象徴を示す.
★ 語末にくる同音形は -ERD, -IRD.

burd 名 《主にスコット》淑女; 処女.
curd 名 カード, 凝乳.
nurd 名 《米・カナダ俗》変わり者(nerd).
surd 形 〘音声〙無声音の.
turd 名 《俗》くそ, 糞(ふん).

-ure[1] /ùər, jùər, ər/

[接尾辞] **1** …の行為・過程: depart*ure*. **2** …の行為の結果・産物: creat*ure*. **3** (政府)機関, 職務など: legislat*ure*.
★ 名詞をつくる.
◆ <仏 *-ure* <ラ *-ūra*.

ad·mix·ture 名 混合, 混和; 混合状態.
ad·ven·ture 名 ☞
ap·er·ture 名 開き口, 穴, すき間, 割れ目.
ar·ca·ture 名 〘建築〙小アーケード.
ar·chi·tec·ture 名 ☞
ar·ma·ture 名 《古》鎧(よろい).
at·tain·ture 名 《廃》私権剝奪(はくだつ).
bi·o·tec·ture 名 建築デザインに不可欠な植栽.
bor·dure 名 〘紋章〙盾形の外側の縁に沿った縁取り.
bro·chure 名 パンフレット, 小冊子; 仮とじ本.
cal·en·ture 名 〘病理〙熱帯性熱病, 熱帯地方熱.
can·di·da·ture 名 《主に英》立候補; 立候補資格.
cap·ture 動他 ☞
car·i·ca·ture 名 風刺漫画, 戯画, 風刺文.
cel·a·ture 名 金属に打ち出し模様をつける技法.
cel·ure 名 (ベッドや壇などを覆う)装飾付き天蓋(てんがい).
cen·sure 名 激しい非難, とがめ.
cinc·ture 名 《文語》帯.
clo·sure 名 ☞
clo·ture 名 〘米議会〙=closure.
com·mis·sure 名 継ぎ目, 合わせ目, 縫い目.
com·mix·ture 名 混合; 混合物.
com·po·sure 名 落ち着き, 平静, 沈着.
com·pres·sure 名 圧搾, 圧縮; 加圧, 与圧.
con·fi·ture 名 糖菓, キャンディ; ジャム.
con·jec·ture 名 推測, 推量, 憶測.
con·tex·ture 名 組織, 構成, 構造; (文章の)構成.
con·trac·ture 名 〘病理〙攣縮(れんしゅく), 拘縮.
cou·ture 名 婦人服仕立て, 洋裁.
cou·ver·ture 名 菓子類にかけるチョコレート.
cov·er·ture 名 覆い; 隠れ場; 隠蔽(いんぺい).
cra·que·lure 名 クラクリュール, 亀裂(きれつ).
crea·ture 名 (人間以外の)動物, 生物, 畜生.
cren·a·ture 名 円 [鈍] 鋸歯(きょし)状突起.
cul·ture 名 ☞
cur·va·ture 名 曲がる [曲げる] こと, 曲がった状態.
de·ben·ture 名 借入証明書, 債務証書.
de·clin·a·ture 名 拒絶, 辞退.
de·fea·ture 名 《廃》敗北(defeat), 破滅(ruin).
den·ture 名 (1 本または数本の)部分義歯.
de·par·ture 名 立ち去ること, 出発, 発車; 退去.
dic·ta·ture 名 独裁国, 独裁政権 [政府].
dis·com·fi·ture 名 当惑, 困惑, 混乱, 狼狽(ろうばい).
dis·cov·er·ture 名 〘法律〙非婚状態.

U

dis·po·sure 名 《古》処置, 処理.
dis·rup·ture 名 中断, 途絶; 分裂, 破裂, 崩壊.
dou·blure 名 (書籍の)見返し, (特に)飾り見返し.
du·pli·ca·ture 名 (膜などの)ひだ.
em·bou·chure 名 河口.
em·bra·sure 名 〘築城〙狭間(はざま), 銃眼.
en·cinc·ture 動他 …を取り巻く; …を帯状に取り囲む.
en·tab·la·ture 名 (古代建築の)エンタブラチュア.
e·ras·ure 名 ぬぐい消すこと; 抹消, 削除, 消去.
ex·cur·va·ture 名 (中心から)外側へ反っていること.
ex·pend·i·ture 名 ☞
ex·po·sure 名 ☞
fac·ture 名 製作; 製作法, 手法.
fail·ure 名 ☞
fea·ture 名 ☞
fig·ure 名 ☞
fil·a·ture 名 製糸.
fis·sure 名 割れ目, 裂け目, 亀裂(きれつ).
fix·ture 名 ☞
flex·ure 名 屈曲, 湾曲.
fo·li·a·ture 名 《まれ》群葉, 葉(foliage).
for·fei·ture 名 (財産などの)没収.
frac·ture 名 ☞
fri·sure 名 ヘアスタイル, 髪型; 調髪.
fur·ni·ture 名 ☞
gar·ni·ture 名 飾り, 装飾.
gen·i·ture 名 ☞
ges·ture 名 身ぶり, 手ぶり, 仕草.
gra·vure 名 ☞
ha·chure 名 (地図で土地の起伏を表す)けば線.
hatch·ure 名 =hachure.
hu·mi·ture 名 フミテューア, 湿温度不快指数.
im·mix·ture 名 混ぜること, 混合, 混和.
im·pli·ca·ture 名 〘哲学〙〘言語〙含意.
im·pos·ture 名 詐欺行為; かたり, 詐称, ぺてん.
im·po·sure 名 《まれ》押しつけること, 課すこと.
im·pres·sure 名 《古》(…への)印象; 感銘, 感動.
in·cis·ure 名 〘解剖〙切痕(せっこん).
in·den·ture 名 正式証書.
in·ves·ti·ture 名 着せる[まとわせる, 装わせる]こと.
join·ture 名 〘法律〙寡婦給与財産(権).
ju·di·ca·ture 名 (裁判所・裁判官による)司法(行政).
junc·ture 名 ☞
lec·ture 名 ☞
leg·is·la·ture 名 (立法権・議決権を持つ)議会(国会, 州議会, 地方議会など).
li·cen·sure 名 免許の交付, 開業許可; 免許制度.
lig·a·ture 名 くくること, 結紮(けっさつ).
lit·er·a·ture 名 ☞
man·u·fac·ture 名 工場制手工業, (手工的, 機械的作業による)製造業.
ma·ture 形 ☞
meas·ure 名 ☞
min·i·a·ture 名 ☞
mix·ture 名 ☞
mois·ture 名 (凝結または拡散した)液体, 水分.
mul·ture 名 〘スコット法〙粉挽(こなひき)場使用料.
mus·cu·la·ture 名 筋(肉)構成[組織], 筋(肉)系.
na·ture 名 ☞
ner·vure 名 〘植物〙葉脈; 〘昆虫〙翅脈(しみゃく).
no·men·cla·ture 名 (特定の科学・芸術上で個人・団体などが用いる)用語体系, 用語法.
nun·ci·a·ture 名 ローマ教皇大使の職務[任期].
nur·ture 動他 …に食事と保護を与える.
or·a·ture 名 (文字発生以前の民族の)口承文芸.
or·dure 名 糞(ふん), 排泄物; 肥料.
o·ver·ture 名 発議, 建議, 予備交渉; 提案.
pa·rure 名 そろいの宝石・装身具.
pas·ture 名 ☞
pic·ture 名 ☞
pleas·ure 名 ☞
por·trai·ture 名 (絵画・写真などによる)人物描写.
pos·ture 名 (ものの)部分の配置.
pre·fec·ture 名 prefect「(古代ローマの)長官, 指令官; (フランス・イタリアなどの)知事, 長官; (フランスなどの)警視総監」の職.
prel·a·ture 名 高位聖職者(prelate)の身分.
pres·sure 名 ☞
pro·ce·dure 名 ☞
punc·ture 名 ☞
pur·pres·ture 名 〘法律〙公有地侵害.
quad·ra·ture 名 方形にすること.
rap·ture 名 狂喜, 歓喜, 大喜び, 有頂天.
ra·sure 名 =erasure.
rup·ture 名 破裂, 裂開, 破壊.
scis·sure 名 《古》(細長い)切れ目, 裂け目.
Scrip·ture 名 聖書.
sculp·ture 名 ☞
sei·zure 名 ☞
sep·ul·ture 名 《文語》葬ること, 埋葬.
sig·na·ture 名 ☞
stat·ure 名 (動物, 特に人の)身長, 背, 丈.
stric·ture 名 (…に対する)批評, (特に)非難.
struc·ture 名 ☞
sub·pre·fec·ture 名 知事[長官]代理の職[地位].
su·per·se·dure 名 取って代わること, 取り替えること.
su·ture 名 〘外科〙(傷口などの)縫合.
tain·ture 名 《古》よごれ, 染み; 傷.
tem·per·a·ture 名 ☞
tex·ture 名 ☞
tinc·ture 名 **1** 〘薬学〙チンキ(剤). **2** 《英俗》大麻のチンキ剤.
ton·sure 名 頭髪をそる[切る]こと.
tor·ture 名 責め苦[苦痛]を与えること, 拷問.
tour·nure 名 〘服飾〙バッスル.
tres·sure 名 〘紋章〙盾形と相似形に描かれた細帯.
tu·bu·lure 名 (ガラス製の水差し・レトルトの上部などの)短い管状口.
vas·cu·la·ture 名 〘解剖〙脈管構造, 血管系.
ven·ture 名 ☞
ver·dure 名 《詩語》緑, (特に草木の)新緑.
ves·ti·ture 名 《古》(官位などの)授与.
ves·ture 名 (立ち木を除いた)地上成育物.
voi·ture 名 車, 馬車.
waf·ture 名 ふわりと運ぶ[送る]こと; 漂うこと.

-ure[2] /júər/

語尾

cure[1] 名 ☞
cure[2] 名 《俗》奇人, 変人.
dure[1] 形 《古》厳しい, 苦しい, つらい.
dure[2] 動自 《古》存続[持続]する.
lure 名 誘引するもの, 引きつけるもの.
mure 名 《廃》壁. ── 動他 …を幽閉する.
pure 形 ☞

-ure[3] /úər/

語尾 語末にくる同音形は -OOR[1], -OUR[2], -UR[2], -URE[1].

lure[1] 名 誘引するもの, 引きつけるもの.
lure[2] 名 〘音楽〙ルール(lur).
sure 形 ☞

u·re·a /juəríːə, júəriə/

名 〘化学〙〘薬学〙尿素, カルバミド(carbamide). ⇨ -A[2].
★ 語頭にくる関連形は ur(o)-: *ur*inalysis「尿検査」, *uro*logy「泌尿器学」.

càrbamyl·uréa 名 カルバミル尿素, ビウレット(biuret).
hydròxy·úrea 名 ヒドロキシウレア, 水酸化尿素.
ìmino·uréa 名 グアニジン(guanidine).
màlonyl·uréa 名 バルビツール酸(barbituric acid).

nitròso·uréa 名 ニトロソ尿素, ニトロソウレア.
sùlfonyl·uréa 名 スルホニル尿素.
thìo·uréa 名 チオ尿素, チオカルバミド.

-u·re·sis /juəríːsis, ər-|juər-, ər-/

連結形 〖医学〗尿(urine)排出 [排泄].
★ 名詞をつくる.
★ 語末にくる関連形は -URIA.
★ 語頭にくる関連形は ur(o)-: *ur*analysis「尿検査」, *uro*logy「泌尿器学」.
◆ ギリシャ語 *oureîn*「排尿する」より. ⇨ -ESIS.

an·u·re·sis 名 無尿.
di·u·re·sis 名 排尿過多, 利尿.
en·u·re·sis 名 遺尿症; 夜尿症, 寝小便.
lith·u·re·sis 名 尿砂排出.
na·tri·u·re·sis 名 ナトリウム尿排泄高進.

-u·ret /jurèt/

連結形 《古》…化合物.
★ 名詞をつくる.
★ 化学用語に用い, 意味は -ide と等しく, 現在では一般に用いられない.
◆ <近代ラ *-urētum* <仏 *-ure*, おそらく, <ラ(*sulf*)*ur*「硫黄.

bi·u·ret 名 ビウレット, ガルバミル尿素.
car·bu·ret 名 《古》炭化物.
sul·fu·ret 名 硫化物(sulfide).

-urf /ɚ́ːrf/

語尾 語末にくる同音形は -ERF.

curf 名 (斧(おの)・のこぎりなどがつけた)切り口.
scurf 名 (特に病的に多くでる)ふけ.
skurf 動自 《俗》スケートボードに乗る.
smurf 名 《米暗黒街俗》不正な金を銀行を転々とさせて出所を隠す人.
surf 名 (海岸・砂州に砕ける)寄せ波.
turf 名 ☞
zurf 名 (地中海東部沿岸地方で)コーヒー茶碗用ホルダーの一種.

-urge /ɚ́ːrdʒ/

語尾 勢いのある強い動きを表し, 音象徴的; purge, urge などは二次的にこの類に加わったもの.
★ 語末にくる同音形は -ERGE.

gurge 名 渦巻き. ── 動自 渦巻く.
purge 動他 ☞
snurge 動自 《俗》(こっそり逃げて)仕事を怠ける.
splurge 動自 《話》(特に高価なものに)ぜいたくをする, 散財する.
spurge 名 ☞
surge 名 ☞
urge 動他 〈事を〉強力に推進する.

-ur·gy /ərdʒi, ɚ̀ːrdʒi/

連結形 **1** …術: drama*turgy*. **2** …業: metall*urgy*.
★ 名詞をつくる.
◆ <近代ラ *-urgia* <ギ *-ourgia* 活動. ⇨ -Y³.

chem·ur·gy 名 《米》農産化学.
dram·a·tur·gy 名 ドラマツルギー: 作劇術; 演劇論.
hi·er·ur·gy 名 礼拝; 礼拝式.
lit·ur·gy 名 礼拝式, 典礼; 礼拝の方式 [制度].
met·al·lur·gy 名 ☞
mi·crur·gy 名 顕微操作(法).
thau·ma·tur·gy 名 奇術, 魔術(を行うこと), 魔法.
the·ur·gy 名 テウルギー: 慈悲深い神々と会話し, その援助を受けようとしてエジプトのプラトン学派の者などが行った神秘的呪術.
zy·mur·gy 名 醸造学, 発酵化学.

-u·ri·a /júəriə/

連結形 〖医学〗**1** …が尿中にある: album*inuria*, py*uria*. **2** 尿道の状態, 排尿時の状態: isch*uria*, poly*uria*.
★ 名詞をつくる.
★ 語末にくる関連形は -URESIS.
★ 語頭にくる関連形は ur(o)-: *ur*analysis「尿検査」, *uro*logy「泌尿器学」.
◆ <ギ *-ouria*=*oûr*(*on*)「尿」+ *-ia* -IA.

ac·e·to·nu·ri·a 名 アセトン尿症(ketonuria).
ach·o·lu·ri·a 名 無胆汁尿(症).
acid·uria 名 酸性尿(症).
al·bu·mi·nu·ri·a 名 タンパク尿(症), アルブミン尿(症).
an·u·ri·a 名 無尿(症).
az·o·tu·ri·a 名 窒素尿(症).
bac·il·lu·ri·a 名 細菌尿(症).
bac·te·ri·u·ri·a 名 =bacilluria.
cys·ti·nu·ri·a 名 シスチン尿症.
dys·u·ri·a 名 排尿障害 [困難], 疼痛性排尿.
ga·lac·tos·u·ri·a 名 ガラクトース尿(症).
glu·cos·u·ri·a 名 =glycosuria.
gly·cos·u·ri·a 名 糖尿. ►glucosuria ともいう.
he·ma·tu·ri·a 名 血尿(症).
he·mo·glo·bi·nu·ri·a 名 ヘモグロビン尿(症), 血色素尿(症).
hy·per·cal·ci·u·ri·a 名 カルシウム過多尿(症).
is·chu·ri·a 名 尿閉.
ke·to·nu·ri·a 名 ケトン(体)尿症.
lac·to·sur·i·a 名 乳糖尿(症).
li·pu·ri·a 名 脂肪尿(症).
li·thu·ri·a 名 尿酸(塩)尿症.
ol·i·gu·ri·a 名 減尿症, 乏尿(症).
phen·yl·ke·ton·u·ri·a 名 フェニルケトン尿症.
phos·pha·tu·ri·a 名 リン酸塩尿症.
pol·la·ki·u·ri·a 名 頻尿症, 排尿頻数.
pol·y·u·ri·a 名 (糖尿病などに見られる)多尿症.
pro·tein·u·ri·a 名 蛋白尿.
py·u·ri·a 名 膿尿(のうにょう)症.

-urk /ɚ́ːrk/

音象徴 潜む感じのほか, 嫌な感じを表す. ◇ -ULK.

burk 名 《英俗》ばか, まぬけ(berk).
gurk 動自他 《話》げっぷをする.
lurk 動自 (待ち伏せするように)潜む, 隠れる.
murk 名 《文語》暗黒, 暗闇; 薄暗がり.
nurk 名 《英俗》ばか, まぬけ(berk).

-url[1] /ɚ́ːrl/

音象徴 渦を巻くような動きや波紋を描くような動きを表す; また, 波や渦のような形を表す; twirl なども同様; なお, pearl に丸みを感じる人がいるのも, これにつながる. ◇ -IRL¹.

burl 名 (毛糸・糸・織物などの)節(ふし), 節玉.
curl 動他 〈毛髪を〉巻き毛にする. ── 名 (毛髪の)巻き毛 [縮れ毛], ウェーブ, カール.
furl 動他 〈帆・旗などを〉(帆柱・旗ざおなどに)巻きつける, 巻き上げる.
nurl 名 (ボタン・ちょうねじなどの)うね, ぎざぎざ, つぶ.
purl[1] 動自 波紋を描いて [小さな渦を巻いて] 流れる, さらさらと流れる. ── 名 波紋, 渦; さらさら流れる音.
purl[2] 動他 《英話》〈馬が〉〈人などを〉跳ね飛ばす, 落馬させる.

-url[2] /ə́ːrl/

語尾 語末にくる同音形は -EARL, -ERLE, -IRL[1], -IRL[2].

churl 名 《古》がさつ者, 無作法者.
hurl 動他 (…に向かって)強く投げつける.
purl 名 ビールにニガヨモギなどを加えた酒.
thurl 名 牛の股(こ)関節, 寛(かん).

-urn /ə́ːrn/

語尾 turn, churn, spurn などにかき回す動きや急な動きを感じる人がいる.
★ 語末にくる同音形は -EARN, -ERN[2], -ERNE, -IRN.

burn[1] 動自 ☞
burn[2] 名 ☞
churn 名 (バター製造用の)攪乳(かくにゅう)器. ―― 動他 かき混ぜる.
curn 名 《スコット》穀粒.
durn 形 《米話》しゃくにさわる.
kurn 名 《スコット・北イング》収穫祭.
spurn 動他 〈人・申し出などを〉はねつける.
turn 動他名 ☞
urn 名 (古代人が死体の灰を入れて埋葬した)壺(つぼ).

-u·rous /júərəs/

連結形 【動物】…の尾のある.
★ 形容詞をつくる.
★ 語末にくる関連形は -URA[1].
★ 語頭にくる関連形は ur(o)-: *uro*dele「有尾類」, *uro*pod「尾肢, 尾脚」.
◆ ＜近代ラ *-ūrus* ＜ギ *-ouros*(*ourá*「尾」より). ⇨ -OUS.

an·u·rous 形 〈カエルなどが〉尾のない.
brach·y·ur·ous 形 (カニのように)短尾の.
ma·cru·rous 形 【動物】(ザリガニのように)長尾の.

-urp /ə́ːrp/

語尾 音象徴 burp, slurp, urp はのどを通って音がすることを表す.
★ 語末にくる同音形は -ERP, -IRP.

burp 名 《話》げっぷ, おくび.
furp 動自 《米俗》デートに行く.
lurp 名 《米軍俗》遠距離偵察隊員.
purp 名 《米話》小犬, 犬ころ(pup).
rurp 名 【登山】ラープ.
slurp 動他 《俗》音をたてて食べる [飲む].
urp 動自 《米俗》吐く, もどす(earp).

-urr[1] /ə́ːr, ə́ːr/

音象徴 間 ゴロゴロ, クークー, チリチリ; 動物のうなり声や虫の音を表す. ◇ -RR.
★ -ur とも綴る.

churr 動自 〈コオロギ・キリギリスなどが〉チリッチリッ [キリッキリッ, ギーギー] と鳴く(chirr).
curr 動自 (猫のように)ゴロゴロいう, 低くうなる. ―― 名 クークー, ゴロゴロ.
gurr 間 ウーッ, ガオーッ(grr).
purr 動自 〈猫などが〉(満足そうに)ゴロゴロとのどを鳴らす; 〈人が〉満足げな様子を示す.

-urr[2] /ə́ːr/

語尾 語末にくる同音形は -ER[9], -IR[1], -UR[1], -URR[1].

burr[1] 名 まくれ, ばり: 金属材料の切断などの際, 縁にできるまくれ上がり.
burr[2] 名 リベットの止め座金, ワッシャー.
burr[3] 名 (イングランド北部地方の方言に見られる) /r/ 音の口蓋(こうがい)垂振動音.
burr[4] 名 ブーアストーン(burstone): ケイ酸質の岩石の総称.

-ur·ra /ə́ːrə/

音象徴 間 音象徴語の重複形に見られる語末要素.

úrra-úrra 間 《鉛筆削りの》ガー, ガラガラ.
whúrra-whúrra 間 《ミシンの針の》ダー, ガー.

-urry /ə́ːri, ʌ́ri | ʌ́ri/

音象徴 ガヤガヤ, ワイワイ; あわて急ぐさまやあわただしく動き回ることを表す.

flur·ry 名 (一時的な軽い)吹雪, 風雪; にわか雨; 一陣の疾風, 突風; 混乱, 狼狽(ろうばい).
hur·ry 動自 (…するよう)急ぐ, 急いでする; 慌てる, 焦る. ―― 他 急がせる, せきたてる, 急いで運ぶ. ―― 名 大急ぎ, 大あわて, 大騒ぎ.
hur·ry-scur·ry 名 大慌て; 混乱, てんやわんや. ―― 副 慌てふためいて. ―― 動自 慌てふためく, 慌てて走る; 乱れ騒ぐ.
scur·ry 動自 (小走りに)急いで行く, 〈リス, ハツカネズミなどが〉素早く走る; 〈物が〉素早く動く.

-urse /ə́ːrs/

語尾 語末にくる同音形は -ERSE.

burse 名 (特定のものを入れる)小袋; 財布.
curse 名 (人への)呪(のろ)い, 呪文(じゅもん).
nurse[1] 名 ☞
nurse[2] 名 【動物】テンジクザメ.
purse 名 ☞

-urst /ə́ːrst/

語尾 語末にくる同音形は -IRST. ◇ -ST[3].

burst 動自 ☞
curst 動 《古》curse の過去・過去分詞形.
durst 動 《古》dare の過去形.
hurst 名 《古》丘.
wurst 名 ☞

-urt[1] /ə́ːrt/

音象徴 サッ, ヒュッ, ピュッ, プッ; 一点から飛び出したり, 細い口から水が噴出するような勢いよい動きを表す; また, そのように言葉が出るさまを表す. ◇ -IRT[1].

blurt 動他 出し抜けに言いだす; うっかりしゃべる, 口を滑らせる. ―― 名 出し抜けに言うこと; うっかりしゃべること.
spurt 動自 (…から)噴出する, ほとばしる(spout). ►spirt とも綴(つづ)る.

-urt[2] /ə́ːrt/

語尾 語末にくる同音形は -ERT, -IRT[1], -IRT[2].

curt 形 そっけない, ぶっきらぼうな.
hurt 動他 傷つける, 痛める.

U

sturt 名 《スコット》激しい口論.

-ur·tle /ə́ːrtl/

語尾 hurtle は音象徴的.

hur·tle 動自 〈石・矢・車などが〉突進する, 高速で動く.
nur·tle 名 《豪俗》性交; 性欲.
spur·tle 名 《主にスコット》料理用へら.
tur·tle[1] 名 ☞
tur·tle[2] 名 《古》キジバト(turtledove).

-us[1] /əs/

接尾辞 ラテン語の男性形名詞・形容詞語尾.
★ 主に自然科学の専門用語や学問的な借入語に使われる; 複数形は -i.

ab·a·cis·cus 名 【建築】小型頂板, 小アバクス.
ab·a·cus 名 そろばん.
ac·a·rus 名 コナダニ, (一般に)ダニ.
a·cu·le·us 名 【動物】膜翅(まく)類の昆虫の産卵管; 【植物】とげ.
a·cus 名 【外科】(特に手術で使う)針.
a·gar·i·cus 名 ハラタケ(meadow mushroom).
am·i·an·tus 名 【鉱物】アミアンタス.
am·phi·ox·us 名 【動物】ナメクジウオ(lancelet).
-an·thro·pus 連結形 ☞
ar·bu·tus 名 イワツツジ.
Arc·tu·rus 名 【天文】アークトゥルス, だいかく(大角)星.
ar·cus 名 【気象】アーチ雲.
as·bes·tus 名 【鉱物】石綿; 温石綿; 石綿布.
as·cus 名 【菌類】子嚢(しのう).
au·re·us 名 アウレウス: 古代ローマの金貨・貨幣単位.
ba·cil·lus 名 ☞
bys·sus 名 【動物】足糸(そく).
cac·tus 名 ☞
ca·du·ce·us 名 【ギリシャ神話】使者の杖(つえ).
cal·o·chor·tus 名 【植物】カロコルタス.
cal·vus 形 【気象】〈積乱雲が〉無毛雲化しつつある.
can·tha·rus 名 【古代ギリシャ・ローマ】カンタロス: 短い脚と台座のある深い鉢形の杯.
car·pus 名 【解剖】手根(しゅこん), 手首.
cath·e·tus 名 (イオニア式建築の)カセトス.
ca·thol·i·cus 名 【東方教会】総主教(catholicos).
cen·sus 名 人口調査, 国勢調査.
Cen·tau·rus 名 【天文】ケンタウルス座.
-ceph·a·lus 連結形 ☞
cer·cus 名 尾角, 尾葉.
ces·tus 名 帯, ベルト.
Ce·tus 名 【天文】くじら(鯨)座.
cho·rus 名 ☞
cip·pus 名 (古代建築の)標柱, 標石(stele).
cir·cu·lus 名 魚の鱗(うろこ)の年輪.
cir·cus 名 ☞
cir·rus 名 【気象】巻(けん)雲, すじ雲.
cis·sus 名 【植物】セイシカズラ, シッサス.
cis·tus 名 【植物】ハンニチバナ(半日花).
cit·rus 名 柑橘(かんきつ)類.
cla·vus 名 【精神医学】限局性頭痛.
clip·e·us 名 (古代ギリシャ・ローマの)大きな円い盾.
coc·cus 名 【細菌】球菌.
-coc·cus 連結形 ☞
col·o·bus 名 【動物】コロブス.
Co·los·sus 名 ロドスのコロッソス.
cor·pus 名 (文書・法典などの)集成; 大全.
Cor·vus 名 【天文】からす(烏)座.
cor·y·phae·us 名 (古代ギリシャ劇の)合唱隊首唱歌手.
cro·cus 名 ☞
crus 名 【解剖】【動物】脚, 大腿; すね.
cry·oph·o·rus 名 【物理】クリオフォール.
cryp·to·por·ti·cus 名 (地下などの)隠れた通路, 抜け道.
cu·bi·tus 名 【昆虫】肘脈(ちゅうみゃく).
cur·sus 名 毎日の祈りの決まった順序.
cys·ti·cer·cus 名 嚢(のう)(尾)虫(bladder worm).
di·plod·o·cus 名 【古生物】ディプロドクス.
dis·cus 名 (陸上競技の)円盤; 円盤投げ.
en·car·pus 名 懸け花: 垂れ布, 武器などについた花綱風の装飾.
e·phe·bus 名 (古代ギリシャの)成人したばかりの青年.
E·quu·le·us 名 【天文】こうま(子馬)座.
es·trus 名 ☞
-e·us 接尾辞 ☞
ex·o·dus 名 (通例, 多数の人々が)出てゆくこと.
fa·vus 名 【病理】黄癬(おうせん).
floc·cus 名 (動物の尾の先の)房毛.
fo·cus 名 ☞
fu·cus 名 【植物】ヒバマタ, ヒバツノマタ.
fun·dus 名 【解剖】(胃・子宮・眼などの)底(てい).
fun·gus 名 ☞
ge·nus 名 ☞
gra·dus[1] 名 【音楽】教則本, 練習曲集.
gra·dus[2] 名 古典韻律詩語辞典.
gy·rus 名 【解剖】(脳の)回, 回転.
hip·pus 名 【医学】瞳孔(どうこう)変動.
hu·mer·us 名 【解剖】上腕 [上膊(じょうはく)] 骨.
Hy·drus 名 【天文】みずへび(水蛇)座.
i·am·bus 名 ☞
ic·ter·us 名 【病理】黄疸(おうだん).
il·e·us 名 【病理】腸閉塞(へいそく)(症).
in·cu·bus 名 (特に睡眠中の女性を犯すと信じられた想像上の)悪魔.
in·troi·tus 名 【解剖】(体腔(たいこう)の)入り口.
lap·sus 名 失策, (うかつな)間違い, 失敗.
lem·nis·cus 名 【解剖】毛帯, 絨帯(じゅうたい).
lim·bus[1] 名 【キリスト教】リンボ, 古聖所.
lim·bus[2] 名 【解剖】【動物】縁(えん).
lit·u·us 名 【幾何】リチュウス.
lo·cus 名 場所, 位置, 所在地.
lo·tus 名 ☞
Lu·pus 名 【天文】おおかみ(狼)座.
lu·pus 名 【病理】尋常性狼瘡(ろうそう).
mal·le·us 名 【解剖】つち骨, 槌骨(ついこつ).
me·nis·cus 名 三日月, 新月; 新月形の物.
mo·dus 名 方法, 様式.
mor·bus 名 病気(disease).
mu·cus 名 (粘膜が分泌する)粘液.
nar·cis·sus 名 ☞
ni·dus 名 (特に昆虫・クモなどが卵を産む)巣, 産卵場所.
nim·bus 名 【ギリシャ神話】地上に降りた神の周囲を取り巻くという輝く雲.
no·dus 名 結び目, 節.
nu·cle·us 名 ☞
oc·ta·vus 形 《ラテン語》第8の, 8番目の.
oc·u·lus 名 目(eye).
oe·cus 名 (古代ローマの家の, 柱で飾られた)部屋, (特に)食堂.
o·pus 名 音楽作品.
-pa·gus 連結形 ☞
pal·pus 名 【動物】口肢.
pan·da·nus 名 タコノキ(screw pine).
pap·pus 名 【植物】冠毛.
pa·py·rus 名 【植物】パピルス, カミガヤツリ.
pas·sus 名 (物語・詩などの)節, 編, カントー.
pe·lo·rus 名 【航空】方位儀 [盤].
pet·a·sus 名 ペタソス: 古代ギリシャのつばの広い帽子.
phi·lip·pus 名 フィリッポス金貨.
phos·pho·rus 名 【化学】リン(燐).
-pith·e·cus 連結形 ☞

plex·us 名 ☞
po·tus 名 (処方箋(せん)で)水剤, 水薬.
py·lo·rus 名 〖解剖〗幽門.
ra·di·us 名 ☞
re·bus 名 判じ物, 判じ絵.
rec·tus 名 〖解剖〗直筋.
rhe·sus 名 アカゲザル(赤毛猿).
rhom·bus 名 ひし形, 菱形(りょう), 斜方形. ►時に正方形を含む.
-sau·rus 連結形 ☞
scar·us 名 ブダイ科の魚; 地中海産の食用魚.
se·cun·dus 形 (処方箋(せん)で)2番目の, 第2の.
se·na·tus 名 〖ローマ史〗元老院.
sex·tus 形 (処方箋(せん)で)6番目の, 第6の.
sin·gul·tus 名 〖医学〗しゃっくり.
so·le·us 名 ヒラメ筋.
sol·i·dus[1] 名 ソリドゥス: Constantine 大帝が初めて発行したローマ帝国の金貨.
sol·i·dus[2] 名 〖物理化学〗固相線, ソリダス.
so·rus 名 〖植物〗(シダ類の葉の裏にできる)胞子嚢(のう)群, 嚢堆(のうたい).
spir·i·tus 名 〖ギリシャ語文法〗語頭の母音における気息(/h/ 音など)の有無.
stim·u·lus 名 刺激[激励, 鼓舞]するもの.
suc·cu·bus 名 (睡眠中の男と性交をするといわれる)魔女, 女の夢魔.
sul·cus 名 溝, 深いしわ.
su·sur·rus 名 優しくささやく声.
syl·la·bus 名 (講演・講義などの)概要, 要旨.
tar·sus 名 ☞
Tau·rus 名 〖天文〗おうし(牡牛)座.
thal·a·mus 名 ☞
the·sau·rus 名 シソーラス; 概念別分類語彙(い)集.
throm·bus 名 〖病理〗血栓.
thyr·sus 名 〖植物〗密錐(すい)花序.
to·rus 名 〖建築〗トーラス, 大玉縁(ぶち).
trans·lu·ci·dus 形 〖気象〗〈雲が〉(半)透明な.
ty·phus 名 ☞
um·bil·i·cus 名 〖解剖〗〖発生〗へそ.
un·cus 名 〖解剖〗鉤(こう).
u·ra·nis·cus 名 〖建築〗(天井の格間(ごう)などの)星状装飾.
u·ter·us 名 〖解剖〗〖動物〗子宮.
var·us 名形 〖病理〗内反(の).
vas·tus 名 〖解剖〗広筋, 股筋(こきん).
vi·rus 名 ☞
xe·rus 名 〖動物〗アラゲジリス属.
zo·oph·o·rus 名 =zophorus.
zo·pho·rus 名 〖建築〗人獣飾りフリーズ.

U

-us[2] /ʌ́s/

語尾 語末にくる同音形は -USS[1].

bus[1] 名 ☞
bus[2] 動自他 《米話》busboy [busgirl] として働く.
crus 名 〖解剖〗〖動物〗脚, 大腿(たい); すね.
jus 名 〖法律〗権利, 権能.
plus 前 ☞
pus 名 〖病理〗うみ, 膿汁(のうじゅう).
sus 名 《英俗》疑念, 容疑.
thus 副 《文語》上に述べた[次に述べる]ように, この[その]ように.
us 代 《we の目的格》我々[私たち]を[に].
wus 間 《呼びかけ》《南ウェールズ》ねえ.

-us[3] /ú:s/

語尾 主に学術用語に対するラテン語式発音.
★ 語末にくる同音形は -OOSE[1], -UCE.

crus 名 〖解剖〗〖動物〗脚, 大腿(たい); すね.
rhus 名 〖植物〗ウルシ.

use /jú:z/

動他 〈道具・器具などを〉用いる, 使う, 使用[利用]する; 〈力・才能・体などを〉用いる, 行使する, 働かせる. ── 名 使用すること; 使用法.

dis·úse 名 不使用; 廃棄, 廃止.
énd ùse (生産物の)最終用途.
fáir úse 公正使用.
fírst úse 〖軍事〗先制使用.
góod úse (言語の)標準的使用, 標準用法.
hýbrid úse 〖電子工学〗組み合わせ使用.
íll-úse 動他 虐待する, 酷使する; 乱用する.
mis·úse 名 誤用, 悪用, 乱用.
nón·úse 名 不使用, 使わないこと.
ò·ver·úse 動他 使いすぎる, 酷使する.
rè·úse 動他 再利用する. ── 名 再利用.
Sárum ùse 〖キリスト教〗ソールズベリー式典礼.
wíse ùse 《特に米》天然資源の使用規制を促す環境政策.

-use[1] /jú:z, ú:z/

連結形 使用する, 利用する.
★ 語頭にくる形は us-, uti-: *us*ual「通例の」, *uti*lity「有用」.
◆ ラテン語 *ūsus* より.

a·buse 動他 ☞
per·use 動他 …を詳細に調べる.

-use[2] /jú:z/

語尾 語末にくる同音形は -USE[1].

-cuse 接尾辞 ☞
fuse[1] 名 ☞
fuse[2] 名 ☞
-fuse 連結形 ☞
muse 動自 《文語》沈思黙考する, 瞑想する.
-tuse 連結形 ☞
use 動他 ☞

-use[3] /ú:z/

語尾 語末にくる同音形は -OOSE[2], -OOZE, -OUSE[3], -USE[1].

chuse 動他自 《古》=choose.
cluse 名 山の稜線(りょうせん)を横断している峡谷.
cruse 名 《古》陶器の壺(つぼ).
druse 名 がま, 晶洞(しょうどう).
ruse 名 計略, 策略, たくらみ.

used /jú:zd/

形 《主に米》使用したことがある; 使い古した; 中古品の. ⇨ -D[1].

dis·úsed 形 もはや使用されていない, 廃止された.
òver·úsed 形 使われすぎた.
rè·úsed 形 再使用の, 再生の.
ùnder·úsed 形 十分に用いられていない, 利用不足の.
ùn·úsed 形 使わない, 用いない, 使用しない.

us·er /jú:zər/

名 使う人[物], 使用[利用]者. ⇨ -ER[1].

chíppy ùser 《俗》時たま[少量]麻薬をやる人.
énd ùser 一般使用者, エンドユーザー.
mis·úser 名 誤用者; 悪用者, 乱用者; 虐待者.

múl·ti·ùs·er 形 〖コンピュータ〗複数ユーザーの.
nét.user 名 インターネット利用者.
nòn·ús·er 名 (特にアルコール飲料・麻薬の)非使用者, 不使用者.
pówer ùser (専門家ではないが)コンピュータに熟達した人.
wíse ùser 《特に米》天然資源の使用規制を促す環境政策支持者.

-ush[1] /ʌ́ʃ, ʌ̀ʃ/

音象徴 ダーッ, ゴー, ドッ, パッ, グシャッ, ちっ, ちぇ; 急激な動きを基本に, 衝突, 打撃, 粉砕, 圧搾の動作や音を表す. ◇ -SH[1]. ►-ASH[1] の異形.

brush 名 ブラシ, 刷毛(はけ), 筆.
crush 動他 〈人・物が〉〈物などを〉押し砕く, 押しつぶす; 押し固める; 《補語を伴って》…を押しつぶして(…の状態に)する.
down·rush 名 急速に流れ下る[下降する]こと.
gush 動自 〈液体・言葉・音などが〉勢いよく流れ出る, わき出る, ほとばしる, 噴出する.
in·rush 名 (…の)流入, 侵入, 殺到.
on·rush 名 (激しい)突進, 突撃; 奔流.
out·gush 動自 流れ出る, 噴出する. ── 名 奔出, 噴出.
out·rush 名 激しい流出, 噴出.
push 名 〈人・物を〉押す, 突く, 押しつける.
rush 動自 《方向の副詞(句)を伴って》〈人・車などが〉速く走る; 急ぐ; 急行する; 〈人が〉素早く[勢いよく]行動する; 性急に[向こう見ずに, 軽率に](…への)行動をする; 〈水などが〉勢いよく流れる. 〈なだれなどが〉どっと落ちる.
smush 動他 《話》…を押しつぶす, 押し込む, 押しつける.
sqush 動他 《話》圧搾する, しぼる(squeeze); 押しつぶす, ぐしゃぐしゃにする(squash).

-ush[2] /ʌ́ʃ, ʌ̀ʃ/

音象徴間 音象徴語の重複形に見られる語尾要素.

húsh-hùsh 形 《話》極秘の, ごく内々の. ── 副 《俗》密かに, 秘密に. ── 名 極秘(政策), 内密; 隠蔽(いんぺい); 検閲. ── 動他 …にシッと言う, 黙らせる.
túsh-túsh 間 《髪の毛をブラシでとく音で》シャッシャッ.

-ush[3] /ʌ́ʃ/

語尾 mush[5] と slush は連想される; rush は音象徴的.

flush[1] 形 (表面が)同じ高さの, 水平な.
flush[2] 動他 〖狩猟〗〈鳥を〉飛び立たせる.
flush[3] 名 ☞
lush[1] 形 生い茂った, 繁茂した; みずみずしい.
lush[2] 名 《俗》大酒飲み, 飲んだくれ.
mush[1] 名 粥(かゆ)状のもの[塊].
mush[2] 名 《俗》こうもり傘.
mush[3] 名 《英俗》口ひげ(moustache).
mush[4] 名 《俗》留置場.
mush[5] 間 (犬ぞりに)出発. ── 動自 犬ぞりで進む.
plush 名 フラシ天: ビロードの一種.
rush 名 ☞ RUSH[2]
slush 名 解けかけた雪; 軟氷.
thrush[1] 名 ☞
thrush[2] 名 〖病理〗鵞口瘡(がこうそう), 口腔(こうこう)カンジダ症.
tush[1] 名 (馬の)犬歯.
tush[2] 名 《米黒人俗》白人との混血の黒人.
ush 動自 《俗》案内役を務める(usher).

-ush[4] /úʃ/

語尾

bush[1] 名 ☞
bush[2] 名 《主に英》軸受け筒.
cush[1] 名 《米俗》金, 現金.
cush[2] 名 《話》〖ビリヤード〗クッション(cushion).
cush[3] 名 《米南部》甘く揚げたコーンミール.
mush[1] 名 粥(かゆ)状のもの[塊].
mush[2] 名 《英俗》相棒; 兄貴, 兄弟.
mush[3] 名 《俗》留置場.
push 名 ☞
tush 名 《俗》尻(しり)(tushie).

-usk /ʌ́sk/

語尾

busk[1] 動他 《英方言》用意する, 支度する.
busk[2] 名 《英方言》(コルセットの)張り骨.
busk[3] 動自 《英》(大道や酒場で)芸をする.
cusk 名 タラ科の食用魚.
dusk[1] 名 夕暮れ, 薄暮, たそがれ.
dusk[2] 形 《主に詩語》薄暗い, ほの暗い.
husk 名 (果実や種子の)殻, 莢(さや), 皮.
musk 名 麝香(じゃこう).
rusk 名 〖菓子〗ラスク(zwieback).
tusk 名 (ある種の哺乳(ほにゅう)類の)牙.

-uss[1] /ʌ́s/

語尾 buss[1], fuss, muss は音象徴的.
★ 語末にくる同音形は -US[2].

bruss 名 《米陸軍俗》こちこちの姿勢.
buss[1] 名動他自 《話》キス(する).
buss[2] 名 バス, 乗合自動車.
cuss 動自 《話》罰当たりな言葉を使う, 呪う.
-cuss 連結形 ☞
fuss 名 (つまらぬことで)やきもきすること.
huss 名 ホシザメ属およびツノザメ属などの小さなサメの総称.
muss 名 《米》混雑, ごった返し.
suss 名 《主に英俗》疑念, 容疑(suspicion).
truss 動他 ☞

-uss[2] /ús/

語尾

puss[1] 名 《特に呼びかけに用いて》猫.
puss[2] 名 ☞
schuss 名 〖スキー〗弾丸滑降, 直滑降.
wuss 名 《俗》弱い奴, 意気地なし.

-ust /ʌ́st/

語尾 bust[2], gust, thrust のように急激な動きの音象徴を持つものがある. ◇ -ST[3].

bust[1] 名 (彫刻・絵画・版画の)半身像, 胸像.
bust[2] 動自 ☞
crust 名 ☞
dust 名 ☞
gust[1] 名 (急激な)一陣の風, 突風, 疾風.
gust[2] 名 《古》(飲食物の)味, 風味.
just[1] 形 〈判断・処置などが〉正しい, 公正[公平]な.
just[2] 名 馬上槍試合, 一騎打ち(joust).

U

lust 名 (…への)性欲, 肉欲, 情欲.
must[1] 助 …しなければならない.
must[2] 名 新ぶどう酒; (発酵前の)果汁液.
must[3] 名 かび; かび臭いこと.
must[4] 名 マスト: 交尾期の雄ゾウの狂暴状態.
must[5] 名 《廃》 麝香(じゃこう).
rust 名 ☞
thrust 動他自名 ☞
trust 名 ☞

-us·tle /ʌ́sl/

音象徴 かさかさ, こそこそ, わさわさ; せわしく動き回ったり, ぶつかり合うこと, また, 接触や摩擦によって生じる音を表す. ⇨ -LE[3].

bus·tle 動自 せわしく [勢いよく, 張り切って] 動き回る, 立ち回る.
hus·tle 動自 さっさ [てきぱき] とやる [動く, 働く]; 急ぐ.
hus·tle-bus·tle 名 押し合いへし合いの混雑, にぎわい.
rus·tle 動自 〈木の葉・絹・紙などが〉サラサラ [カサカサ] いう; サラサラいう音がする, カサカサ音をたてる; サラサラ音をたてて動く [歩く]; シュッシュッ [シュウシュウ] と衣(きぬ)擦れの音をさせて歩く.

-ut[1] /ʌ́t/

音象徴 間 音象徴語の重複形に見られる語末要素. ◇ -UTT[1].

pút-pút 名 (小型内燃機関などが出す)ポンポンという音. ── 動自 《話》 ポンポンという音をたてて動く; 小型内燃機関付きの乗り物で行く [走る].
spút spút 間 《ガス欠や不調のときのエンジン音, つばを飛ばす音》 パッパッ, バッバッ, パスンパスン, バスンバスン, プスプス, プチプチ. ►sputt sputt とも綴る.

-ut[2] /ʌ́t/

語尾 cut, jut, shut などは -utt[2] の butt, putt などとともに強く短い動きを表すと感じられる; これと関連して phut, tut などは短い音を表す; さらに, slut, smut, mut[2] など軽蔑の意味を持つ.
★ 語末にくる同音形は -UTT[2].

but[1] 接 しかし, だが, けれど.
but[2] 名 《スコット》 (家の奥の間に対して)表の間.
but[3] 名 カレイ・ヒラメ類.
chut 間 ちぇっ, ちっ(tut).
crut 名 《俗》 沈殿物; 堆肥(たいひ)(crud).
cut 動他 ☞
glut 動他 …に十分に食べさせる, 満腹させる.
gut 名 ☞
hut[1] 名 ☞
hut[2] 間 「いち」(hup). ►行進の掛け声.
jut 動自 突き出る, 突出する, 張り出す.
knut 名 《英俗》 しゃれ者.
mut[1] 名 【印刷】 エム, 全角(mutton).
mut[2] 名 《俗》 雑種犬(mutt).
nut 名 ☞
phut 名 《パンク, 小銃弾などの鈍い音を表す》 ポン, パン.
prut 名 《米俗》 ごみ, くず, 汚いもの.
rut[1] 名 わだち, 車の跡.
rut[2] 名 (シカ・ヤギ・ヒツジなどの)発情.
scut[1] 名 (ウサギ・シカなどの)短い尾.
scut[2] 名 《米俗》 無価値な人間, 役立たず.
shut 動他自 ☞
slut 名 無精な女, だらしのない女.
smut 名 ☞
strut[1] 動自 (人目を意識して)気取って歩く.
strut[2] 名 筋交(かい)い; 支柱, 突っ張り.
tut 間 ちぇっ(chut).
ut 形 《米俗》 徹底した.

-ut[3] /út/

語尾 語末にくる同音形は -OOT[3].

put[1] 動他 ☞
put[2] 動他自 【ゴルフ】 パットする.

-utch /ʌ́tʃ/

語尾 clutch[1], glutch, slutch, smutch, splutch は音象徴的.
★ 語末にくる同音形は -UCH.

clutch[1] 動自 ☞
clutch[2] 名 一回に抱く卵.
crutch 名 松葉杖(づえ), しゅもく杖.
cutch[1] 名 阿仙(あせん)薬(catechu).
cutch[2] 名 イネ科の根茎が横に広がる雑草.
glutch 動他 ぐいと飲み込む.
hutch 名 かご, 檻(おり), 囲い.
scutch 動他 (綿などを)たたいて繊維を整える.
slutch 名 《米俗》 意地悪でだらしない女.
smutch 動他 …をよごす, 汚損する.
splutch 名 よごれ, 染み(splotch).

-ute[1] /júːt/

語尾

bute 名 《俗》 フェニルブタゾン: リウマチ疾患や痛風の鎮痛・解熱剤.
cute 形 《米》 〈子供・若い女性が〉かわいらしい.
mute[1] 形 無言の; 言葉 [声] に出さない.
mute[2] 動自他 《古》 (鳥が)糞(ふん)をする.
-mute 連結形 ☞
-pute 連結形 ☞
scute 名 【動物】 (アルマジロなどの)鱗甲(りんこう).
ute 名 《豪・NZ・米話》 小型トラック.

-ute[2] /úːt/

語尾 語末にくる同音形は -OOT[1], -OOT[2], -UIT.

brute[1] 名 ☞
brute[2] 動他 〈ダイヤモンドを〉ブルーチングする.
chute[1] 名 ☞
chute[2] 名 《話》 パラシュート, 落下傘.
flute 名 ☞
jute 名 ジュート(繊維), 黄麻(こうま).
lute[1] 名 【音楽】 リュート.
lute[2] 名 封塗料, 封泥(ふうでい).
lute[3] 名 ルート: 舗装用コンクリートをならす用具.
lute[4] 名 《米軍俗》 中尉, 少尉(lieutenant).
plute 名 《米俗》 財力で政治を左右する人.
shute 名 シュート, 降ろし樋(とい).
sute 名 マガモの群れ.

u·ter·ine /júːtərin, -ràin | -ràin/

形 子宮(uterus)の; 子宮内に生じる; 子宮(検診)用の. ⇨ -INE[1].

bróther úterine 異父兄弟.
èx·tra·ú·ter·ine 形 子宮外の [で起こる].
ìn·tra·ú·ter·ine 形 子宮内の; 胎児期の [に起こる].
sís·ter-ú·ter·ine 名 同母 [異父] 姉妹.

-uth /ú:θ/

語尾 語末にくる同音形は -OOTH[1], -OUTH[1].

ruth[1] 名 《古》哀れみ, 同情.
ruth[2] 名 《米俗》女性用トイレ.
truth 名 ☞

u·til·i·ty /ju:tíləti/

名 有用, 有益, 実用; 有用性. ⇨ -ILITY.

bibliográphic utílity 〘図書館学〙書誌情報提供機関.
dimínishing utílity 〘経済〙効用逓減.
dìs·u·tíl·i·ty 名 非効率; 不便を引き起こす性質.
informátion utílity 情報の公共施設.
ìn·u·tíl·i·ty 名 無益, 無用なもの; 役に立たない人.
márginal utílity 〘経済〙限界効用.
públic utílity 〘経済〙公益企業.
spórt utílity スポーツ実用(車).

-utt[1] /ʌ́t/

音象徴 間 音象徴語の重複形に見られる語末要素. ◇ -UT[1].

pútt-pútt 名 (小型内燃機関などが出す)ポンポンという音. ━━動自 《話》ポンポンという音をたてて動く; 小型内燃機関付きの乗り物で行く［走る］.
spútt spútt 間 《ガス欠や不調のときのエンジン音, つばを飛ばす音》パッパッ, バッバッ, パスンパスン, バスンバスン, プスプス, プチプチ(sput sput).

-utt[2] /ʌ́t/

語尾 butt[4], putt は音象徴的.
★ 語末にくる同音形は -UT[2].

butt[1] 名 ☞
butt[2] 名 (ワイン・ビール・エールなどの)大樽.
butt[3] 名 嘲笑の的.
butt[4] 動他 頭で突く［押す］, 角で突く.
butt[5] 名 カレイ・ヒラメ類.
butt[6] 名 (魚を捕る)かご, 網.
mutt 名 《俗》雑種犬.
putt 動他自 〘ゴルフ〙パットする.
skutt 名 《英俗》無価値な人間, 役立たず (scut).

-ut·tle /ʌ́tl/

語尾

but·tle 動自 《俗》butler「(男性の)召使い頭, 執事」として働く.
cut·tle[1] 名 (特に)コウイカ(cuttlefish).
cut·tle[2] 動他 〘繊維〙〈布を〉仕上げた後に中表にたたむ.
scut·tle[1] 名 (石炭を運ぶ深い)石炭入れ.
scut·tle[2] 名 〘海事〙丸窓, 舷窓(げんそう).

-ut·ton /ʌ́tn/

語尾

but·ton 名 ☞
glut·ton[1] 名 大食家, 大食い, 暴食家.
glut·ton[2] 名 〘動物〙クズリ(屈狸).
mut·ton[1] 名 ☞
mut·ton[2] 名 〘印刷〙エム, 全角(em).

-ux /ʌ́ks/

語尾

crux 名 最も重要な［決定的な］点, 核心.
dux 名 《主にスコット・NZ・南アフリカ》(学級の)級長, (学校の)首席.
flux 名 ☞
Lux 名 《商標》ラックス(米国製の石鹸).
lux 名 〘光学〙ルクス.
mux[1] 動他 《主にニューイング》台無しにする.
mux[2] 名 《米話》多重通信回路(multiplex circuit).
rux 名 《英学生俗》不機嫌; 怒り.
tux 名 《米話》タキシード(tuxedo).

-uy /ái/

語尾 語末にくる同音形は -AI, -AY[4], -EI[2], -I[6], -IE[3], -IGH, -Y[6], -YE.

buy 動他 ☞
guy[1] 名 ☞
guy[2] 名 ガイ, 張り綱, 支え綱, 控え綱.

-uz·zle /ʌ́zl/

語尾 一部は飲み込む音や反復的な動きを表し, 音象徴的. ◇ -LE[3].

fuz·zle 動自 《米俗》酔っ払う.
guz·zle 動自 暴飲［鯨飲］する, 大酒を飲む.
muz·zle[1] 名 銃口, 砲口. ━━動他 愛撫する.
muz·zle[2] 名 幸運.
nuz·zle 動自 〈動物が〉鼻で穴を掘る.

U

V

vac·cine /væksíːn, ⸗— | vǽksiːn, -sin/

名 『免疫』(一般に接種用の)ワクチン;『コンピュータ』ウイルス予防用プログラム. ⇨ -INE[3].

Áids vaccíne エイズワクチン.
BĆG vaccíne BCG ワクチン.
pólio vaccìne ポリオワクチン.
Sábin vaccìne 経口生ポリオワクチン.
Sálk vaccìne ソークワクチン.
subúnit vaccìne サブユニットワクチン.
sú·per·vac·cine 名 スーパーワクチン.

-vade /véid/

連結形 行く, 進む.
◆ ラテン語 *vādere*「行く」より.

e·vade 動他 (ずるく, 巧みに)逃れる, 免れる.
in·vade 動他 …に攻め込む, 侵略する, 侵攻する.
per·vade 動他 …じゅうに広がる; 勢力を振るう.

-vail /véil/

連結形 価値がある; 強い.
★ 語末にくる関連形は -VALENCE, -VALENT.
★ 語頭にくる形は val-: *val*iant「勇敢な」, *val*idity「有効性」.
◆ ラテン語 *valēre*「価値がある; 強い」より.

a·vail 動他 〈人に〉役立つ, 資する, 益する.
coun·ter·vail 動他 相殺する, 無効にする.
pre·vail 動自 広く一般に存在する[行われる].

va·lence /véiləns/

名 『化学』原子価. ◇ -VALENT. ⇨ -ENCE[1].

cò·vá·lence 名 《米》共有原子価.
e·lèc·tro·vá·lence 名 電気原子価, 電子価, イオン原子価.
mùl·ti·vá·lence 名 多価.
pólar válence =electrovalence.
ù·ni·vá·lence 名 一価.

-va·lence /vəlɑns, vələns/

連結形 力があるもの[こと].
★ 名詞をつくる.
★ 語末にくる関連形は -VAIL, -VALENT.
★ 語頭にくる関連形は val-: *val*iant「勇敢な」, *val*idity「有効性」.
◆ ラテン語 *valēre*「力がある」より. ⇨ -ENCE[1].
[発音] 直前の音節に第1強勢.

am·biv·a·lence 名 (相反する)感情を同時に持つこと.
e·quiv·a·lence 名 ☞
prev·a·lence 名 普及; 流行; 横行; 優勢.
quan·ti·va·lence 名 原子価.

-va·lent /véilənt, vələnt/

連結形 **1** 力がある: pre*valent*. **2**『化学』原子価…を持つ: quadri*valent*. **3**『生物』相同染色体…を持つ: uni*valent*. **4**『生化学』抗体…を持つ: multi*valent*.
★ ギリシャ語の数を表す接頭辞にもラテン語のそれらにもつく: di*valent*, bi*valent*.
★ 語末にくる関連形は -VAIL, -VALENCE.
★ 語頭にくる関連形は val-: *val*iant「勇敢な」, *val*idity「有効性」.
◆ <ラ, *valēre*「力がある」の現在分詞より. ⇨ -ENT[1].

am·biv·a·lent 形 相反する, あいまいな.
bi·va·lent 形 『化学』二価の.
di·va·lent 形 『化学』〈イオンなどが〉二価の.
e·quiv·a·lent 形名 ☞
hep·ta·va·lent 形 『化学』=septivalent.
hex·a·va·lent 形 『化学』六価の.
mon·o·va·lent 形 『化学』一価の.
mul·ti·va·lent 形 『化学』=polyvalent.
oc·ta·va·lent 形 『化学』八価の.
pen·ta·va·lent 形 『化学』五価の.
pol·y·va·lent 形 『化学』多原子価の;『生化学』多価の.
prev·a·lent 形 広く行き渡っている, 流行している.
quad·ri·va·lent 形 『化学』四価の.
quin·que·va·lent 形 『化学』=pentavalent.
quin·qui·va·lent 形 『化学』=pentavalent.
sep·ta·va·lent 形 『化学』=septivalent.
sep·ti·va·lent 形 『化学』七価の.
sex·a·va·lent 形 『化学』=hexavalent.
sex·i·va·lent 形 『化学』=hexavalent.
sex·va·lent 形 『化学』=hexavalent.
ter·va·lent 形 『化学』=trivalent.
tet·ra·va·lent 形 『化学』四価の.
tri·va·lent 形 『化学』三価の.
u·ni·va·lent 形 『化学』=monovalent.

val·ley /vǽli/

名 谷, 谷間, 渓谷, 盆地.

Céntral Válley セントラルバリー(米国の地名).
Déath Válley デスバリー, 死の谷(米国の地名).
drówned válley 『地質』おぼれ谷.
drý vàlley 『地質』涸(か)れ谷.
Gréat Ríft Válley グレートリフトバリー: アジア南西部 Joradan 川渓谷からアフリカ南東部モザンビークへ走る地溝帯.
hánging válley 『地質』懸谷(けんこく).
Impérial Válley インペリアルバリー(米国の地名).
Kangaróo Vàlley カンガルーバレー: London の Earls Court の異名; オーストラリア人が多いことから.
ríft vàlley 『地質』地溝(graben).
Sílicon Válley シリコンバレー: 米国 California 州 San Francisco 近郊にある Santa Clara 地区の別名.
Sún Válley サンバレー(米国の都市名).
wínd vàlley 『地質』ウインドギャップ, 風隙.

val·u·ate /vǽljuèit/

動他 《米》評価する, 査定する, 見積もる. ⇨ -ATE[1].

de·val·u·ate 動他 …の価値を奪う[減じる].
e·val·u·ate 動他 値踏みする, 評価する.
re·val·u·ate 動他 《米》再評価する, 評価し直す.

trans·val·u·ate 動他 …の価値を変える，価値変化させる．

val·u·a·tion /vӕljuéiʃən/

名 (金銭的)評価；価値判断． ⇨ -ATION.

de·val·u·a·tion 名 平価切り下げ．
e·val·u·a·tion 名 評価．
re·val·u·a·tion 名 (資産などの)評価替え，再評価．
trans·val·u·a·tion 名 再評価，価値変化．

val·ue /vǽljuː/

名 **1** (物の相対的な)価値，値打ち，真価；重要性，有用性，ありがたみ． **2** (金銭的な)価値，価格，値段．

ábsolute válue 〔数学〕絶対値．
ácid vàlue 〔化学〕酸価．
áctual cásh válue 〔保険〕実際価額，時価．
ádded válue 付加価値．
asséssed válue 査定額，課税価額．
biológical válue 生物価：食品のタンパク質の栄養効果を示す値．
bóok vàlue (企業の)帳簿価額．
bréakup válue (企業の)解散価値，清算価値．
calorífic válue 発熱量，熱量．
cásh válue 〔保険〕(生命保険の)解約払い戻し金．
cóunt·er·vàl·ue 名 (特に戦略で)等価の反撃をすること．
crítical válue 〔統計〕臨界値．
defáunt válue 〔コンピュータ〕デフォルト値．
de·vál·ue 動他 …の価値を奪う［減じる］．
dis·vál·ue 名 軽視；軽蔑(けいべつ)，あざけり．
éigen·vàlue 〔数学〕固有値，特性根．
expécted válue 〔数学〕期待値．
fáce válue (債券・証券などの)額面価格．
fóod válue 栄養価．
f vàlue 〔光学〕〔写真〕f 数，F ナンバー．
insúrable válue 〔保険〕保険価額．
lóan válue 〔保険〕貸付価額．
márket válue 市場価値．
méan válue 〔数学〕平均値．
mis·vál·ue 動他 ＝undervalue.
nét ásset válue 純財産，純資産．
nét présent válue 〔会計〕正味現在価値．
nét réalizable válue 〔会計〕正味可能価額．
nóminal válue (株券などの)額面価格，名目価格．
nònfórfeiture válue 〔保険〕不可没収価格．
nóte válue 〔音楽〕＝time value.
núisance válue 人や物が障害となったりいらだちを感じさせることによって生じる価値．
nú-vàlue 〔光学〕アッベ数，逆分散率．
òut·vál·ue 動他 …より値打ちがある，値打ちが勝る．
ò·ver·vál·ue 動他 過大評価する，過大に見積もる．
pár válue ＝face value.
pláce vàlue 〔数学〕桁(けた)の値．
présent válue (財産の)現在価値，現価．
príncipal válue 〔数学〕主値．
próper válue 〔数学〕＝eigenvalue.
Q́-vàlue 〔物理〕Q 値．
rè·vál·ue 動他 〈財産などを〉評価し直す．
Ŕ-vàlue 〔建築〕アールバリュー．
sentiméntal válue 感傷的価値：個人的思い出があるもののもつ価値．
stréet vàlue (麻薬などの)末端価格；闇値(やみね)．
súrplus válue (マルクス経済学で)剰余価値．
surrénder válue 〔保険〕＝cash value.
survíval válue 生存価：生物の生存，繁殖を助けるような行動学的・生物的特性．
tíme vàlue 〔音楽〕時価，音価．
trans·vál·ue 動他 …の価値を変える，価値変化させる．
trúth-vàlue 〔論理〕真理値．
ùn·der·vál·ue 動他 …を実際の価値よりも低く評価する．
unimpróved válue 《NZ》建築物を除いた土地評価額．

úp·vàl·ue 動他 …の価値を増す［高める］．
Ú-vàlue 〔建築〕ユーバリュー，U 値．

val·ued /vǽljuːd/

形 **1** 高く評価される． **2** 《複合語》(特定の種類の)値を持つ． ⇨ -D[1].

mány-válued 形 〔数学〕〈関数が〉多価の．
múltiple-válued 形 ＝many-valued.
múlti·válued 形 ＝many-valued.
réal-válued 形 〔数学〕実数値の［を用いた］．
síngle-válued 形 〔数学〕〈関数が〉一価の．
thrée-válued 形 〔論理〕三値の．
twó-vàlued 形 〔論理〕二値の．
ùn·válued 形 真価を認められない；重要でない．

valve /vǽlv/

名 **1** 〔機械〕弁装置，バルブ弁． **2** (二枚貝などの)貝殻の一片，弁．

ácorn vàlve 《英》〔電子〕どんぐり真空管．
áir vàlve 空気弁．
aórtic válve 〔解剖〕大動脈弁．
báckflow vàlve ＝backwater valve.
báckwater vàlve (下水などの)逆流防止用の弁．
bálanced válve 釣り合い弁，両座弁．
báll vàlve ボール弁，玉弁．
bicúspid válve ＝mitral valve.
bí·vàlve 名 二枚貝．
bútterfly vàlve バタフライバルブ，蝶(ちょう)形弁．
chéck vàlve 逆止め弁．
cláck vàlve ＝butterfly valve.
dóuble-bèat válve ＝balanced valve.
dóuble-sèated válve ＝balanced valve.
dróp vàlve 落とし弁，ドロップバルブ．
equilíbrium vàlve 釣り合い弁．
é·qui·vàlve 形 〈二枚貝が〉等殻の．
fláp vàlve ＝butterfly valve.
Fléming vàlve 〔電子工学〕フレミングバルブ．
flóat vàlve 浮動弁，フロート弁，浮き(子)弁．
gáte vàlve 仕切り弁．
glóbe vàlve グローブバルブ，玉形弁，球形弁．
in·é·qui·vàlve 形 〈二枚貝が〉不等殻の．
íntake vàlve 〔自動車〕(燃料)吸い込み弁．
líft vàlve リフトバルブ，持ち上げ弁．
líght vàlve 〔電気〕光弁．
mítral vàlve 〔解剖〕僧帽弁，左房室弁．
míxing vàlve 混合弁．
múl·ti·vàlve 形 〈貝が〉多殻の，多弁の．
múshroom vàlve きのこ形弁．
néedle vàlve ニードル弁，針弁．
nònretúrn vàlve ＝check valve.
órchard vàlve アルファルファ弁の一種．
ṔĆV́ válve 〔自動車〕ピーシーブイ・バルブ．
póppet vàlve きのこ弁，ポペット弁．
préssure-vácuum vàlve (密封タンクの)圧力真空弁．
púlmonary válve 〔解剖〕肺動脈弁．
púppet vàlve ＝poppet valve.
rádio vàlve 〔電子工学〕真空管．
relíef vàlve 安全弁，リリーフ弁．
rócking vàlve 揺れ弁．
rótary vàlve 回転弁，回り弁．
sáfety vàlve (ボイラーなどの)安全弁．
scréw vàlve (ねじ式の)止め弁．
semilúnar válve 〔解剖〕半月弁．
sléeve vàlve スリーブ弁，筒形弁．
slíde vàlve 滑り弁，スライド弁．
snífting vàlve 漏らし弁，排気弁．
spi·ri·valve 形 〈腹足類が〉渦巻き状［らせん形］の貝殻を持った．
stóp vàlve 止め弁．
súction vàlve 吸い込み弁．

thróttle vàlve 絞り弁, スロットルバルブ.
tricúspid válve 〖解剖〗(心臓の)三尖(せん)弁.
trí·vàlve 形 〈貝などが〉三弁の, 三鰓弁(さいべん)の.
ú·ni·vàlve 形 〈貝が〉単弁の.

van /vǽn/

名 箱型貨物自動車; 乗用バン. ►caravan の短縮形.

bráke-vàn 《英》(貨物列車の)緩急車, 車掌車.
bréakdown vàn 《英》レッカー車.
cámper vàn 《NZ》台所・宿泊設備付きの自動車.
éyeball vàn 《米警察俗》(片面透視ガラスの)監視車.
fúrniture vàn 家具運搬用大型トラック.
guárd's ván 《英・NZ》〖鉄道〗車掌車, 緩急車.
hóo·li·vàn 名 フーリバン: サッカー試合の際の不良観客(hooligan)監視用警察車両.
lóudspeaker vàn 《英》(拡声器のついた)大型宣伝カー.
máil·vàn 郵便車.
mín·i·vàn 名 ミニバン: ステーションワゴンよりもやや大きな小型乗用バン.
mótor vàn 《英》(有蓋(ゆうがい))貨物自動車.
móving vàn 《米》引っ越し用バン[トラック].
pánel vàn 《豪》後部に座席と窓のついている小型バン.
póstal vàn 《英》(鉄道の)郵便車両.
príson ván 《英》囚人護送車.
recóvery ván 《英》レッカー車.

vane /véin/

名 風見, 風向計, 風信器.

bi·vane 名 (二方向の)風向計, バイベーン.
dog·vane 名 〖海事〗(船べりに取りつけられる)小さな風見.
hy·dro·vane 名 水上機の水中翼.
par·a·vane 名 〖軍事〗防雷具, パラベーン.
weath·er·vane 名 風見, 風向計.
wínd vàne =weathervane.

var·i·a·ble /vέəriəbl/

形 変わりやすい, 不定の. ――名 **1**〖数学〗〖コンピュータ〗変数. **2**〖論理〗〖言語〗変項. **3**〖天文〗変光星. ⇨ -ABLE[1].

bóund variable 束縛変項.
Cépheid vàriable ケフェウス型変光星.
clúster vàriable 星団型変光星.
cómplex variable 複素変数.
depéndent variable 従属変数.
dúmmy variable 束縛変数.
eclípsing variable 食(しょく)変光星, 食連星.
frée variable 自由変項.
Grám-variable 形 〈細菌が〉グラム不定の.
indepéndent váriable 独立変数, 自変数.
intervéning váriable 〖心理〗仲介変数.
intrínsic variable 本質的変光星.
in·vár·i·a·ble 形 変わらない, 変えられない.
irrégular variable 不規則型変光星.
Míra vàriable ミラ型変光星.
mùl·ti·vár·i·a·ble 形 〈結合分布が〉2つ以上の変数を持つ.
rándom variable 確率変数(variate).
réal váriable 実変数.
respónse vàriable =dependent variable.
shórt-pèriod váriable 短周期変光星.
stochástic variable =random variable.

var·i·a·tion /vὲəriéiʃən/

名 変化, 変動. ⇨ -ATION.

búd variàtion 枝変わり.
élegant variátion 気取りの異表現.
frée variátion 〖言語〗自由変異.
gríd variàtion 〖航海〗グリッド偏差.
magnétic variátion 〖航海〗偏差.
sécular variátion 〖天文〗永年変化[差].
somoclónal variátion 〖生物工学〗特性をもった品種を作るため, 特別な栄養物で植物細胞を成育される技術.

var·nish /vɑ́ːrniʃ/

名 ニス, ワニス; (ワニスに似た)塗装料. ――動他 ワニスをかける[塗る].

cóffin vàrnish 《米俗》(質の悪い)安酒.
désert várnish 砂漠うるし.
ínsulating vàrnish 〖電気〗絶縁塗料.
náil vàrnish 《英》マニキュア液(nail polish).
nátural várnish 天然ワニス.
óil vàrnish 油ワニス.
rè·várnish 動他 …にワニスを塗り直す.
spár vàrnish スパーワニス: 対風雨性のニス.
spírit vàrnish 揮発性ワニス.

vas·cu·lar /vǽskjulər/

形 〖生物〗管(かん)の, 維管束の, 導管の, 血管の. ⇨ -CULAR[1].

a·vas·cu·lar 形 (組織が)血管を欠く.
car·di·o·vas·cu·lar 形 心臓血管の[に影響する].
ce·re·bro·vas·cu·lar 形 脳血管の.
ex·tra·vas·cu·lar 形 脈管[血管]外の.
fi·bro·vas·cu·lar 形 〖植物〗繊維組織と道管組織とから成る.
gas·tro·vas·cu·lar 形 消化循環の, 胃水管の.
in·tra·vas·cu·lar 形 血管内の.
neu·ro·vas·cu·lar 形 神経血管の[に関する, を含む].
re·no·vas·cu·lar 形 腎(じん)血管性の.

vase /véis, véiz, vɑ́ːz | vɑ́ːz/

名 花瓶, かめ, 壺(つぼ).

búd vàse (通例, バラのつぼみを挿す)一輪挿し.
láchrymal váse 涙壷(つぼ)(lachrymatory): 古代ローマの墓に見られる首の細い小瓶.
stírrup vàse 擬似アンフォラ: ミケーネ時代の壷.

vault[1] /vɔ́ːlt/

名 **1**〖建築〗穹窿(きゅうりゅう), ボールト, 半円筒[かまぼこ, 丸]天井. **2** 地下貯蔵室, 地下室.

bárrel vàult 半円筒ボールト, 樽形穹窿.
clóistered váult 角形ドーム, クロイスターボールト.
córbel vàult コーベル[持送り]ボールト.
cóved vàult =cloistered vault.
crádle vàult =barrel vault.
fán vàult 扇穹窿, ファンボールト.
ríbbed váult リブ[肋材(ろくざい)]ボールト.
ríb vàult =ribbed vault.
túnnel vàult =barrel vault.
únderpitch vàult 子持ちボールト.
wágon vàult =barrel vault.
Wélsh vàult =underpitch vault.
wíne-vàult 《英》ワイン貯蔵地下室.

vault[2] /vɔ́ːlt/

動自 飛ぶ, 跳ねる, 跳躍する; 飛び越える. ――名 飛ぶこと, 跳躍.

hórse vàult 〖体操〗跳馬.
póle vàult 〖陸上競技〗棒高跳び(の跳躍).
póle-vàult 動自 棒高跳びをする.

've /v/

have の縮約形.

I've I have の縮約形.
they've they have の縮約形.
we've we have の縮約形.
what've what have の縮約形.
when've when have の縮約形.
where've where have の縮約形.
who've who have の縮約形.
you've you have の縮約形.

-vec·tion /vékʃən/

連結形 運ばれたこと [もの].
★ 名詞をつくる.
◆ <ラ *vectus*(*vehere*「運ぶ」の過去分詞). ⇨ -TION.
[発音]-vection の第 1 音節に第 1 強勢が置かれる.

ad·vec·tion 名 〖気象〗〖海洋〗移流.
con·vec·tion 名 〖物理〗対流, 環流.
e·vec·tion 名 〖天文〗出差.

vec·tor /véktər/

名 〖数学〗ベクトル. ⇨ -TOR.

characterístic véctor 固有ベクトル.
cólumn vèctor 列 [縦] ベクトル.
éi·gen·vèc·tor 名 =characteristic vector.
líne vèctor =sliding vector.
Póynting vèctor 〖物理〗ポインティング・ベクトル.
psèudo·véctor 名 偽ベクトル.
rádius véctor 動径.
rów vèctor 行(ぎょう)ベクトル.
shúttle vèctor 〖生物〗シャトルベクター.
slíding véctor スライディングベクトル.
únit vèctor 〖数学〗〖物理〗単位ベクトル.
zéro vèctor 零ベクトル.

Ve·da /véidə, víː-/

名 〖ヒンドゥー教〗ベーダ: バラモン教の宗教文献の総称.

A·thar·va-Ve·da 名 アタルバ・ベーダ.
Rig-Ve·da 名 リグ・ベーダ.
Sa·ma-Ve·da 名 サーマ・ベーダ.
Yaj·ur-Ve·da 名 ヤジュル・ベーダ.

vee /víː/

名 **1** テレビ(television)の略称. ◇ TV. **2** アルファベットの V. ►V の発音綴(つづ)り.

fée-vée 名 《米俗》ペイテレビ, 有料テレビ.
frée-vée 名 《米俗》(ペイテレビに対して)視聴料を取られないテレビ.
rèc·vée 名 《話》レクリエーション用自動車(recreational vehicle).
tée·vée 名 《話》テレビ放送(television).
tén-vèe 名形 《米俗》最悪(の), 最低(の).

ve·hi·cle /víːikl, víːhi- | víːi-/

名 (人・物の)運搬 [運送] 手段, 輸送機関, 運搬具; 車, 乗り物(馬車, そり, トラクター, トラックなど). ⇨ -CLE[2].

aír cùshion vèhicle 《米・カナダ》エアークッションビークル(ACV).
áll-terráin vèhicle 不整地走行車(ATV).
altérnative fúel vèhicle 代替燃料車: 電気自動車など.
lánding vèhicle (月や火星などの表面に降りる)着陸船.
láunch vèhicle (宇宙船や人工衛星, 宇宙探査機などの)打ち上げロケット.
Líght Ármored Véhicle 軽装甲戦闘車両, エル・エイ・ブイ.
Míniature Hóming Vèhicle 米空軍の ASAT ミサイルの先端部に装備される衛星破壊用弾頭部.
mótor vèhicle 動力車.
Rápid Intervéntion Vèhicle 即時防災車.
recreátional véhicle レクリエーション用自動車(RV).
reéntry vèhicle (大気圏)再突入体: 宇宙船や弾道ミサイルの一部分.
smáll véhicle 〖仏教〗小乗仏教(Hinayana).
spáce vèhicle 宇宙機, 航宙機, 宇宙船.
spórt ùtility vèhicle スポーツ実用車(SUV).
utílity vèhicle 実用車(トラック, バンなど).
zero-émission vèhicle (公害となる)排気ガスがゼロの車.

vein /véin/

名 **1** 静脈; 血管. **2**(昆虫の)翅脈(しみゃく).

ánal véin 〖昆虫〗肛脈(こうみゃく), 臀脈(でんみゃく).
basílic véin 〖解剖〗尺側皮静脈.
blúe vèin 《豪・NZ》ブルーチーズ.
brachiocephálic véin 〖解剖〗腕頭静脈.
córonary véin 〖解剖〗冠状静脈.
cróss-vèin 〖動物〗(昆虫の羽の)横脈.
de·véin 動他 〈小エビの〉背わたを抜く.
extérnal júgular vèin 〖解剖〗外頸静脈.
innóminate véin =brachiocephalic vein.
intérnal júgular vèin 〖解剖〗内頸静脈.
ìn·ter·véin 動他 …を(静脈のように)絡み合わせる.
pórtal véin 〖解剖〗門脈.
púlmonary véin 〖解剖〗肺静脈.
saphénous véin 〖解剖〗伏在静脈.
subclávian véin 〖解剖〗鎖骨下静脈.

veld /vélt, félt/

名 (アフリカ南部の諸地方で特徴的な, 低木やまばらな林のある)草原. ►field に相当するアフリカーンス語.

back·veld 名 《話》(未開の)僻地(へきち).
bush·veld 名 (広い)低木地帯.
High·veld 名 ハイフェルト(南アフリカ共和国の地名).
low·veld 名 =bushveld.
vlei·veld 名 雨期には湿地となる土地.

ve·loc·i·ty /vəlάsəti | -lɔ́s-/

名 (運動・活動の)素早さ, 速さ, 速力. ⇨ -TY[2].

ángular velócity 〖物理〗角速度.
áreal velócity 〖天文〗面積速度.
búrnout velòcity (ロケットの)燃えきり速度.
characterístic velócity 〖ロケット〗特性速度.
círcular velócity 円軌道速度, 円周速度.
crítical velócity 〖物理〗(流体の)臨界速度.
ellíptic velócity 〖ロケット〗楕円(だえん)速度.
escápe velòcity 〖物理〗〖ロケット〗脱出速度.
exháust velòcity 〖ロケット〗排気 [噴出] 速度.
gróup velòcity 〖物理〗(波の)群速度.
hỳ·per·ve·lóc·i·ty 名 超高速度.
múzzle velòcity 〖兵器〗初速, 砲口速度.
órbital velócity 〖ロケット〗軌道速度.
párticle velòcity 〖物理〗粒子速度.
pháse velòcity 〖物理〗位相速度.
términal velócity 〖物理〗終端速度, 末端速度.
vólume velócity 〖物理〗体積速度.

-vel·op /véləp/

連結形 包む.
◆ <中仏, 古仏 *voloper* 包む.

V

de·vel·op 動他 ☞
en·ve·lop 動他 包む, くるむ, 覆う, 覆い隠す.

vel·vet /vélvit/

名 ビロード, ベルベット.

béggar's vèlvet 《米俗》綿ぼこり.
bláck vélvet 〔カクテル〕ブラックベルベット.
blúe vélvet 《米麻薬俗》ブルーベルベット: ピリベンザミンと鎮痛剤を混ぜたもの.
crúshed vélvet しわつきビロード.
cút vélvet 表面の環状の糸(looped pile)を切って毛羽を作った織物.
Útrecht vélvet 〔織物〕ユトレヒトベルベット.
yéllow vélvet 《俗》東洋の女.

-vene /víːn/

連結形 来る(come).
★ 語末にくる関連形は -VENT, -VENTION, -VENTIVE.
◆ ラテン語 *venīre*「来る」より.

con·tra·vene 動他 …と衝突する; 逆らう.
con·vene 動自 (通例, 公の目的のために)集まる.
in·ter·vene 動自 (…の)間に入る, 調停する.
sub·vene 動自 《まれ》支援 [救済] に来る.
su·per·vene 動自 (…に)付随して起こる, 併発する.

ve·nous /víːnəs/

形 静脈(vein)の, 静脈性の; 葉脈の. ⇨ -OUS.
★ 語頭にくる関連形は ven(o)-, veni-: ***veno***graphy「静脈造影(法)」, ***veni***puncture「静脈注射」.

ar·te·ri·o·ve·nous 形 〔解剖〕動静脈の.
en·do·ve·nous 形 ＝intravenous.
in·tra·ve·nous 形 静脈内の; 静脈注射の.
trans·ve·nous 形 〔医学〕〈心臓の歩調取りが〉経静脈法の.

-vent /vənt, vént/

連結形 来る(もの, こと).
★ 語末にくる関連形は -VENE, -VENTION, -VENTIVE.
◆ ＜ラ *ventus*(*venīre*「来る」の行為名詞または過去分詞).
[発音] 名詞では語頭の音節に, 動詞では基体(-vent)に第1強勢; ただし círcumvent となることもある.

ad·vent 名 出現, 到来.
cir·cum·vent 動他 回る, 巡る; 一周する, 迂回する.
con·vent 名 修道会, (現在は特に)女子修道会.
e·vent 名 ☞
in·vent 動他 工夫して作り出す, 発明する.
pre·vent 動他 防ぐ, 妨げる, 防止する, 予防する.

-ven·tion /vénʃən/

連結形 来られたもの [こと].
★ 名詞をつくる.
★ 語末にくる関連形は -VENE, -VENT.
◆ ＜ラ *ventus* (*venīre*「来る」の過去分詞). ⇨ -TION[1].
[発音] -vention の第1音節に第1強勢が置かれる.

con·tra·ven·tion 名 違反, 違背; 反対, 反駁(はんばく).
con·ven·tion 名 ☞
in·ter·ven·tion 名 介在, 間に入ること; 調停, 仲裁.
in·ven·tion 名 発明, 案出, 考案.
pre·ven·tion 名 防ぐ [妨げる] こと, 防止, 阻止.
sub·ven·tion 名 (政府などの)補助 [助成] 金.

-ven·tive /véntiv/

連結形 来る(come).
★ 形容詞をつくる.
★ 語末にくる関連形は -VENE, -VENT.
◆ ＜ラ *ventus*(*venīre*「来る」の過去分詞または行為名詞). ⇨ -IVE[1].

ad·ven·tive 形 〔植物〕〔動物〕外来の, 土着でない.
in·ven·tive 形 発明 [考案] の才のある.
pre·ven·tive 形 〈薬・ワクチン・注射などが〉(病気)予防用の.

ven·ture /véntʃər/

名 (結果の予測できない)冒険的企て [行為]. ── 動他 危険にさらす. ⇨ -URE[1].

cò·vén·ture 名 共同ベンチャー(冒険)事業.
jóint vénture 合弁, 合弁企業 [会社].
jóint-vén·ture 動自他 《話》(…の)合弁事業を設立する.
mis·vén·ture 名 不運な事業; 不運, 災難.

verb /vɚːrb/

名 〔文法〕動詞.

ád·verb 名 副詞.
ágentive vèrb 行為者動詞.
auxíliary vérb 助動詞.
dynámic vérb 動作動詞.
equátional vérb ＝linking verb.
fínite vérb 定形動詞, 定動詞形.
hélping vèrb 助動詞(auxiliary verb).
intránsitive vérb 自動詞.
línking vèrb 連結(動)詞(copula), 連辞.
máin vérb 本動詞.
nonfínite vérb 非定形動詞.
phrásal vérb 句動詞.
prepositíonal vérb 前置詞付き動詞.
pré·vèrb 名 動詞前接辞.
pró·vèrb 名 代動詞.
redúndant vérb 二重変化動詞.
státic vérb 状態動詞.
tránsitive vérb 他動詞.
twó-pàrt vérb ＝two-word verb.
twó-wòrd vérb 二語動詞, 句動詞.

ver·bal /vɚːrbəl/

形 **1** 語の, 言葉の [に関する]; 言葉から成る. **2**〔文法〕動詞(verb)の; 動詞から派生した. ⇨ -AL[1].
★ 語頭にくる関連形は verb(i)-, verbo-: ***verbi***cide「言葉の意図的誤用」, ***verbo***mania「単語好き」.

de·ver·bal 形 動詞から派生した.
hy·per·ver·bal 形 ひどくおしゃべりの.
non·ver·bal 形 言葉によらない, 非言語的な.
pre·ver·bal 形 動詞の前に現れる.

ver·dict /vɚːrdikt/

名 〔法律〕(小陪審の)評決, 答申. ⇨ -DICT.

agréed vèrdict 《英》同意判決(consent degree).
diréctéd vérdict 指示評決.
ópen vérdict 死因不明の評決.
pártial vérdict 一部無罪の評決.
Scótch vérdict 立証不十分という評決.
séaled vérdict 密封評決.

verge /vɚːrdʒ/

動自 (ある方向・地点・目標・状態に)傾く, 向かう.

con·verge 動自 〈平行でない線・道路などが〉互いに近寄る, 一点 [一線] に集まる.

di·verge [動自] (一点から)分かれ出る，分岐する.

verse /vəːrs/

[名] 韻文；詩；詩節，連(stanza).

blánk vérse ブランクバース，無韻詩.
cátalog vèrse カタログ詩.
chápter and vérse (聖書の何章何節というような)正確な出典；典拠.
frée vérse 自由詩(vers libre).
heróic vérse 英雄詩形 [体]，史詩形 [体].
léonine vérse レオ詩体：初期ラテン詩の形式に基づく韻文形式.
líght vérse ライトバース：文学性よりも，むしろ形式の軽妙さによって読者を楽しませる娯楽的な詩.
línked vérse (日本の)連歌(れんが).
mémory vèrse (特に日曜学校の生徒の)暗唱用の聖句.
néck-vèrse 免罪詩：ラテン語聖書詩の一節.
nónsense vèrse こっけい詩，戯詩.
polítical vérse (ビザンチン期・近代の)ギリシャ語音符詩，ポリティカル・バース.
projéctive vérse 投射詩.
rhýmed vérse 押韻詩.
sérpentine vérse 首尾同語詩句.
socíety vèrse (上流社会向けの)軽妙優雅な娯楽詩.
stréss-vèrse (音節の数によらない)強勢詩.
túmbling vérse (初期近代英詩の)翻転詩.

-verse /vəːrs, vəːs/

[連結形] 向く(turn).
★ 語末にくる関連形は -VERSLY, -VERSION, -VERT.
★ 語頭にくる関連形は vers-, vert-: *ver*sion「翻訳」，*vert*igo「めまい，眩暈(げんうん)」.
◆ <ラ *versus*(*vertere*「向く」の過去分詞).
[発音] ほとんどが2音節の語で，第1強勢は，形容詞，動詞では -verse に，名詞では語頭にあるが，他の音節に移ることが認められる語もある.

ad·verse [形] (…に)反対 [敵対] する，敵意を持つ.
a·verse [形] 《叙述的》(…を)ひどく嫌って.
con·verse [形] ＝reverse.
di·verse [形] (…と)異なった，違った，別の.
in·verse [形] 逆の，正反対の.〖数学〗逆元.
ob·verse [名] (コイン・メダル・旗などの)表，表面.
per·verse [形] (予想・期待に)逆らう，反する.
re·verse [形] 逆の，(…と)反対の，あべこべの.
trans·verse [形] 横の，(斜めに)横切る，横断の.
trav·erse [動他] 〈場所を〉横切る，横断する，渡る.
u·ni·verse [名] ☞

-verse·ly /vəːrsli/

[連結形] -verse と -ly の合成接尾辞. ⇨ -LY[1].
★ -verse で終わる形容詞に対応する副詞をつくる.
★ 語頭にくる関連形は vers-, vert-: *ver*sion「翻訳」，*vert*igo「めまい，眩暈(げんうん)」.

con·verse·ly [副] 逆に，反対に；換位的に.
in·verse·ly [副] 逆に，反対に，逆さまに.
re·verse·ly [副] 逆に，反対に，あべこべに.

-ver·sion /vəːrʒən, -ʃən | -ʃən/

[連結形] 向けられたもの [こと]；回転させられたもの [こと].
★ 名詞をつくる.
★ 語末にくる関連形は -VERSE.
★ 語頭にくる関連形は vers-, vert-: *ver*sion「翻訳」，*vert*igo「めまい，眩暈(げんうん)」.
◆ <ラ *versus* (*vertere*「向から，回転させる」の過去分詞). ⇨ -SION.

am·bi·ver·sion [名] 〖心理〗両向性格.
an·te·ver·sion [名] 〖病理〗(子宮などの)前傾.
a·ver·sion [名] 嫌悪，反感，(…を)ひどく嫌うこと.
con·ver·sion [名] ☞
di·ver·sion [名] (ある方向・目的などから)わきにそらせること，転換；転用.
e·ver·sion [名] 外にめくり返す [返される] こと.
ex·tra·ver·sion [名] ＝extroversion.
ex·tro·ver·sion [名] 〖心理〗外向.
in·tro·ver·sion [名] (気持ち・興味・関心などを)自己の内面へ向けること.
in·ver·sion [名] ☞
lat·er·o·ver·sion [名] 〖医学〗(子宮などの)側傾，側反.
ob·ver·sion [名] ひっくり返すこと，向け直すこと.
per·ver·sion [名] (物事の)曲解，こじつけ；悪用.
re·tro·ver·sion [名] 振り向く [反転] すること.
re·ver·sion [名] 反対方向に転じること.
sub·ver·sion [名] 転覆 [打倒，破壊] すること；破滅.

-vert /vəːrt, vəːrt/

[連結形] …に向く(人).
★ 語末にくる関連形は -VERSE.
★ 語頭にくる形は vers-, vert-: *ver*sion「翻訳」，*vert*igo「めまい，眩暈(げんうん)」.
◆ ラテン語 *vertere*「回す(turn)」より.
[発音] 名詞，形容詞では語頭の音節に，動詞では基体(-vert)に第1強勢；cóntrovert となることもある. 例外：動詞で éxtravert.

am·bi·vert [名] 〖心理〗両向性格の人.
an·te·vert [動他] 〖病理〗〈子宮などを〉前傾させる.
a·vert [動他] 〈顔・目・考えを〉(…から)背ける.
con·tro·vert [動他] …に反駁する，論駁する；否定する.
con·vert [動他] 変える，転換させる.
di·vert [動他] わきにそらす，方向転換する.
e·vert [動他] 裏返す，外転させる.
ex·tra·vert [名] ＝extrovert.
ex·tro·vert [名] 社交的な人.
in·tro·vert [名][形][動他] 《話》内気な人.
in·vert [動他] …の上下を逆にする，ひっくり返す.
ob·vert [動他] …をひっくり返す，向け直す.
per·vert [動他] 〈人を〉性倒錯にする.
pre·vert [名] 《米俗》性的倒錯者.
queer·vert [名] 同性愛者.
re·vert [動自] 戻る，返る，復帰する.
sub·vert [動他] 覆す，打倒する，転覆させる.

ves·i·cle /vésikl/

[名] 小嚢(しょうのう)，小胞. ⇨ -LE[2].

áir vèsicle (主に浮遊海草に見られる)気嚢(きのう).
áuditory vésicle 〖細胞生物〗耳胞，聴胞.
cóated vésicle 〖細胞生物〗被覆小胞.
gérminal vésicle 〖細胞生物〗胚胞(はいほう)，卵核胞.
óptic vésicle 〖細胞生物〗眼胞.
ótic vèsicle ＝auditory vesicle.
séminal vésicle 〖動物〗精嚢(せいのう).

ves·sel /vésəl/

[名] **1** 船. **2** (液体などを入れるための)容器，器. **3**〖解剖〗〖動物〗管；血管. **4**〖植物〗道管.

áir vèssel 空気室.
blóod vèssel 血管.
Déwar vèssel 《主に英》デュワー瓶，魔法瓶.
fóod vèssel 〖考古〗食器.
hóvering véssel 徘徊(はいかい)船舶.
kéel vèssel キール船.
líght vèssel 〖海事〗灯船，灯台船.
mìcro·véssel 〖解剖〗微細血管.
mótor·vèssel 発動機船，内燃機船.

V

ócean státion vèssel	〔海事〕定点観測船.
préssure vèssel	〔機械工学〕高圧容器.
séed vèssel	〔植物〕果皮.
wár vèssel	軍艦, 戦艦.
wéaker véssel	〔聖書〕弱き器, 女性.

vest /vést/

名《米・カナダ》ベスト, チョッキ, 胴着. ──動他〈人に〉権力などを与える.

lífe vèst	《英》救命胴衣(life jacket).
rè·vést 動他	〈人を〉復位[復職, 復権]させる.
stríng vèst	網[メッシュ]のチョッキ.
ún·der·vèst 名	《英》肌着(undershirt).

-vest /vést/

連結形 着る.
★ 語頭にくる関連形は vest-: *vest*ment「衣服」.
◆ ラテン語 *vestīre*「着物を着る」より.
[発音] すべて 2 音節の語で, 基体(-vert)に第 1 強勢.

de·vest 動他	〔法律〕剝奪する(divest).
di·vest 動他	はぎ取る, 脱がせる.
in·vest 動他	投資する, 運用する; つぎ込む.
trans·vest 動他	《廃》異性の衣服を身に着ける.

vetch /vétʃ/

名〔植物〕マメ科ソラマメ属のよじ登り植物の総称; ソラマメ, ヤハズエンドウ, スズメノエンドウなど; (特に)飼料や土地改良のために栽培されるカラスノエンドウ(spring vetch)など.

ców vètch	クサフジ.
crówn vètch	オオゴンハギ.
háiry vétch	ヘアリーベッチ.
kídney vètch	マメ科の草; もと腎臓(じんぞう)病の薬.
mílk vètch	マメ科ゲンゲ属の植物.
spríng vétch	カラスノエンドウなど, 飼料や土地改良のために栽培されるもの.
wínter vétch	=hairy vetch.

ve·to /víːtou/

名 拒否権(veto power). ►字義はラテン語で「私は禁じる」. ⇨ -O[3].

ítem vèto	《米》(行政府の長の)法案の項目別拒否権.
législative véto	《米》立法府拒否権.
liberum véto	全員一致により決定を下すことになっている議会において, 一人が反対して決定を妨げること.
líne-ítem vèto	〔米政治〕個別条項拒否権.
lócal véto	地方拒否権.
pócket vèto	《米》(大統領の)法案握りつぶし拒否権(の行使).
pócket-vèto 動他	〈大統領が〉〈法案を〉(保留して)握りつぶす.

vi·a·ble /váiəbl/

形〈計画・考え方が〉実行可能な, 実用的な. ⇨ -ABLE[1].

in·vi·a·ble 形	〈生物体が〉(体質に遺伝による致命的欠陥があって)生存不能の.
non·vi·a·ble 形	自力で生きられない; 死んだ.
pre·vi·a·ble 形	〈胎児が〉子宮外生存(可能)前の.
un·vi·a·ble 形	成長できない; 発展できない.

vic·ar /víkər/

名〔英国国教会〕**1** 教区主管者代理, 十分の一税受給地域代表, 教司付司祭. **2** 十分の一税受給司祭. **3** 聖歌助手. ⇨ -AR[2].

apostólic vícar	〔ローマカトリック〕代牧.
clérk vícar	=lay vicar.
Epíscopal vícar	十分の一税受給司祭.
láy vícar	大聖堂付信徒奉事者.
príest vícar	プリーストビカー.
sécular vícar	=lay vicar.

-vi·dent /vədənt/

連結形 見ている.
★ 形容詞をつくる.
★ 語末にくる関連形は -VISE.「察」.
★ 語頭にくる関連形は vis-: *vis*age「顔」, *vis*itation「視
◆ <ラ *vidēns*(*vidēre*「見る」の現在分詞). ⇨ -ENT[1].
[発音] どれも 3 音節の語で, 語頭の音節に第 1 強勢.

ev·i·dent 形	明らかな, 明白な, 歴然とした.
prov·i·dent 形	先見の明のある, 将来に備える.

vid·e·o /vídiòu/

名 **1** 映像; テレビ, ビデオ. **2** ビデオソフト. ⇨ -O[1].

ĆD-vídeo	ビデオ CD(compact disc video).
D́VD-vìdeo	《商標》DVD ビデオ(Digital Versatile Disc Video).
hóme vìdeo	ホームビデオ: 家庭用ビデオテープ[ディスク]プレーヤー.
interáctive vídeo	双方向テレビ[ビデオ].
mo·víd·e·o 名	モビデオ: 主にロックコンサートやショーを撮った劇場用長編映画.
músic vìdeo	ミュージックビデオ: ポピュラーソングなどのプロモーションビデオ.
revérse vìdeo	〔コンピュータ〕反転映像.

view /vjúː/

名 **1** 見ること. **2** 眺め, …図. **3** 概観. **4** 見方; 見解. ──動他 見る.

aír·vìew	航空写真(aerial photograph).
bírd's-eye víew	鳥瞰図; 概観.
bréakaway vìew	破断図, 内部構造説明図.
cóunt·er·vìew 名	反対意見, 逆の見解.
dissólving víew	〔映画〕〔テレビ〕ディゾルブ画面.
explóded víew	(機械装置の)分解組立図[写真].
Glén·vìew 名	グレンビュー(米国の都市名).
ín·ter·vìew 名	☞
láke·vìew 形	(ホテルなどで)湖の見える.
lóng víew	長期的展望.
Móuntain Víew	マウンテンビュー(米国の都市名).
ócean·vìew 形	〈ホテル(の部屋)などが〉海に臨む.
ó·ver·vìew 名	(主題の)概観, あらまし, 大要.
páy-per-víew	〔テレビ〕番組有料視聴制.
phántom vìew	ファンタム図, スーパー図, 局部透視図, 形影図.
Pláin·vìew 名	プレーンビュー(米国の都市名).
plán vìew	見取り図, 平面図, 設計図.
pré·vìew 名	下見, 下検分, 下調べ.
prívate víew	(一般公開に先立つ絵画などの)招待展, 内覧.
re·víew 名	☞
Rív·er·vìew 名	リバービュー(カナダの地名).
síde·vìew 名	横側の風景; 側景.
tél·e·vìew 動他自	(…を)テレビで見る.
wórld-vìew	世界観(Weltanschauung).
wórm's-èye víew	下から[接近して]見た眺め[観察].

vil·lage /vílidʒ/

名 村. ⇨ -AGE[1].

Báy Víllage ベイビレッジ(米国の地名).
Éast Víllage (New York の)イーストビレッジ.
gárden víllage ガーデン・ヴィレッジ: 田園都市(garden city)のように設計された村.
glóbal víllage 「地球村」,「世界村」: 通信手段の発達で世界が村社会のように狭くなったと感じられる 20 世紀後半の世界.
Gréenfield víllage (米国 Michigan 州 Dearborn にある)グリーンフィールド・ビレッジ.
Gréenwich Víllage グリニッチビレッジ: New York 市 Manhattan 区南部の地区; 芸術家, 学生が住む.
políce vìllage 《カナダ》郡議会への代表選出権のない村.
Potémkin víllage 不都合な事実[状況]を覆い隠す一見堂々とした外観.
Práirie Víllage プレーリービレッジ(米国の地名).
tél·e·vìl·lage 名 パソコンなどを用いた在宅勤務者のために設計された居住地域.

-ville /vil/

連結形 1 町や都市の名につく. 2《主に米俗》(1)場所・人・物・事の状態や状況を軽蔑的に表す. ► 名詞・形容詞について名詞, 形容詞をつくる. ► -sville の形で使うことが多い. (2)《米学生俗》同じ形の人がそろっている状態.
◆ ＜古仏＜ラ *vīlla*「農場, 村」.
[発音]第 1 強勢は基語と同じ. 例外: Abbevílle, nopláceville.

〈**1**〉町や都市の名につく.
Ab·be·ville 名 アブビル(米国の都市名).
Am·i·ty·ville 名 アミティービル(米国の町名).
An·der·son·ville 名 アンダーソンビル(米国の村名).
Ashe·ville 名 アシュビル(米国の都市名).
Bar·tles·ville 名 バートルズビル(米国の都市名).
Bas·ker·ville 名 バスカービル(地名起源の姓). ► 字義は古ノルマン=フランス語で「小さな森のある村」.
Bon·ne·ville 名 ボネビル湖(米国の地名).
Chan·cel·lors·ville 名 チャンセラーズビル(米国の村名).
Cir·cle·ville 名 サークルビル(米国の都市名).
Cooke·ville 名 クックビル(米国の町名).
Der·by·ville 名 ダービービル(米国の地名). ► Louisville(地名)の異名.
Dunn·ville 名 ダンビル(カナダの町名).
Eu·ro·ville 名 欧州共同体の常設本部所在地.
Ev·ans·ville 名 エバンズビル(米国の都市名).
Gaines·ville 名 ゲーンズビル(米国の都市名).
Glov·ers·ville 名 グラバーズビル(米国の都市名).
Greene·ville 名 グリーンビル(米国の都市名).
Green·ville 名 グリーンビル(米国の都市名).
Gren·ville 名 グレンビル(姓).
Hunts·ville 名 ハンツビル(米国の都市名).
Hy·atts·ville 名 ハイアッツビル(米国の都市名).
Jack·son·ville 名 ジャクソンビル(米国の都市名).
Janes·ville 名 ジェーンズビル(米国の都市名).
Jef·fer·son·ville 名 ジェファーソンビル(米国の都市名).
Knox·ville 名 ノックスビル(米国の都市名).
Lib·er·ty·ville 名 リバティービル(米国の町名).
Lou·is·ville 名 ルイビル(米国の町名).
Me·chan·ics·ville 名 メカニックスビル(米国の村名).
Mel·ville 名 メルビル(ノルマンディ地名起源の姓). ► 字義はラテン語で「悪の村」.
Mill·ville 名 ミルビル(米国の都市名).
Mounds·ville 名 マウンズビル(米国の都市名).
Na·per·ville 名 ネーパービル(米国の都市名).
Nash·ville 名 ナッシュビル(米国の都市名).
Oak·ville 名 オークビル(カナダの町名).
Or·ange·ville 名 オレンジビル(カナダの町名).
Paines·ville 名 ペーンズビル(米国の都市名).
Phoe·nix·ville 名 フェニックスビル(米国の都市名).
Pikes·ville 名 パイクスビル(米国の町名).
Pleas·ant·ville 名 プレザントビル(米国の都市名).
Por·ter·ville 名 ポータービル(米国の町名).
Potts·ville 名 ポッツビル(米国の都市名).
Rose·ville 名 ローズビル(米国の都市名).
Sack·ville 名 サックビル(フランス, ウール県の地名起源の姓). ► 字義はゲルマン語で「Sachano(人名)の村」.
Schuy·ler·ville 名 スカイラービル(米国の村名).
Som·er·ville 名 サマービル(米国の都市名).
Soul·ville 名 ソウルシティー(Soul City): ニューヨークの黒人居住区の別称.
States·ville 名 ステーツビル(米国の都市名).
Steu·ben·ville 名 スチューベンビル(米国の都市名).
Sto·ry·ville 名 ストーリービル(米国の地名).
Thom·as·ville 名 トマスビル(米国の都市名).
Towns·ville 名 タウンズビル(オーストラリアの地名).
Vac·a·ville 名 バカビル(米国の都市名).
Vic·tor·ville 名 ビクタービル(米国の都市名).
Wa·ter·ville 名 ウォータービル(米国の都市名).
Zanes·ville 名 ゼーンズビル(米国の都市名).

〈**2**〉人・物の状態についていう.
beats·ville 名 《米俗》ビート族であること.
cool·ville 形 最高の, 素晴らしい, すごい.
Creeps·ville 名 いやな所.
cubes·ville 名形 石頭の(集まり).
deads·ville 形 退屈な, つまらない.
drags·ville 形名 《俗》退屈な(もの).
dulls·ville 名 非常に退屈なこと[もの, 所].
Ends·ville 形 最上の, 最大の, 抜群の.
End·ville 形 ＝Endsville.
hicks·ville 名 へんぴな場所, 孤立した場所.
Hoo·ver·ville 名 1930 年代初期, 大恐慌直後の米国の失業者が住み着いたバラックの異名.
Na·da·ville 名 《米俗》恍惚の境地.
no·place·ville 形 飽き飽きする, 退屈な.
no·wheres·ville 名 へんぴな孤立した町[村].
pa·loo·ka·ville 名 へんぴな田舎町.
pots·ville 形 マリファナで酔った.
sleep·ville 形 眠い.
splits·ville 名 離婚[別れている]状態.
squares·ville 名 因襲的な社会[もの].
thrills·ville 形 ぞくぞくする.
yawns·ville 名 退屈な人[状況].

-vince /víns/

連結形 征服する.
★ 語頭にくる形は vict-, vanqu-: *vict*ory「勝利」, *van*quish「打ち勝つ」.
◆ ラテン語 *vincere*「征服する」より.
[発音] -vince に第 1 強勢.

con·vince 動他〈人に〉(…を)(議論・証明によって)確信させる, 納得[得心]させる.
e·vince 動他《文語》〈気持ち・技量・知識などを〉示す, 明らかにする, 証拠立てる.

vine /váin/

名 蔓(つる)植物.

ballóon vìne フウセンカズラ.
Chínese fléece-vìne ＝silver-lace vine.
cínnamon vìne ナガイモ, ヤマイモ.
clínging víne 《米・カナダ話》無力で何かと他人を頼りにする人. ► 通例, 女性.
córal vìne アサヒカズラ, ニトベカズラ.
cróss-vìne ツリガネカズラ.
cúp-and-sáucer vìne ツルコベア.
cýpress vìne ルコウソウ(縷紅草, 留紅草).
fléece-vìne ＝silver-lace vine.
grápe·vìne ブドウの蔓(つる): 秘密情報の口づてによる伝達; 口づて, 口コミ.
hóp·vìne ホップの蔓(つる).
ívy vìne ブドウ属の植物.

kangaróo vìne ブドウ科リュウキュウ(琉球)ヤブガラシ属の蔓(る)植物.
kúdzu vìne クズ(葛).
láwyer vìne 《豪》熱帯産のとげのあるツルクサ.
lémon vìne モクキリン(Barbados gooseberry).
lóve vìne ネナシカズラ(dodder).
Madéira-vìne アカザカズラ, マデイラカズラ.
máidenhair-vìne =wire vine.
mátrimony vìne クコ(枸杞)(boxthorn).
pípe vìne アリストロキア (Dutchman's-pipe).
potáto vìne ツルハナナス.
púncture vìne ハマビシ.
sílver-làce vìne ナツユキカズラ.
sílver vìne マタタビ.
tára vìne サルナシ.
trúmpet vìne アメリカノウゼンカズラ.
wíre vìne ミューレンベキア.

vin·e·gar /vínigər/

名 (ワイン・りんご酒などから製した)食用酢, ビネガー. ⇨ -AR[2].

aromátic vínegar 酢に樟脳(しょう)などの香りを溶かしたかぎ薬.
bálsamic vínegar バルサミック酢: イタリア産.
ráspberry vínegar きいちごシロップ.
wíne vìnegar ワインから造った酢.
wóod vìnegar 木酢液.

vi·o·lence /váiələns/

名 **1** (自然現象・行為の)激しさ, 猛烈さ. **2** 暴力, 乱暴; 威嚇; 暴行, 強姦(ごう). ⇨ -ENCE[1].

coun·ter·vi·o·lence 名 対抗[報復]的暴力.
non·vi·o·lence 名 非暴力(の状態).
self-vi·o·lence 名 自己虐待; 《婉曲的》自殺.
TV víolence テレビの暴力番組.
ul·tra·vi·o·lence 名 過激な暴力, 容赦のない暴力.

vi·o·let /váiəlit/

名 **1** スミレ. **2** すみれ色, 青紫(色). ⇨ -ET[1].

African víolet アフリカスミレ, セントポーリア.
bírd's-foot víolet ウィスコンシンスミレ.
bíshop víolet 赤みがかった紫色.
bóg vìolet ムシトリスミレ.
Conféderate víolet ナンブスミレ.
crýstal víolet =gentian violet.
dógtooth víolet 北米産カタクリ属の数種のユリの総称.
dóg vìolet 香りのない野生スミレ.
gárden víolet =sweet violet.
géntian víolet ゲンチアナ・バイオレット.
mánganese víolet マンガンバイオレット.
Márs víolet マースバイオレット.
méadow vìolet スミレの一種 *Viola cucullata*.
méthyl víolet 〘化学〙メチルバイオレット.
Neapólitan víolet 大輪の八重[二重]咲きのスミレ.
Núremberg víolet =manganese violet.
Párma víolet スミレ一変種.
Pérsian víolet 〘植物〙エクサクム.
shrínking víolet 《話》はにかみ屋, 内気な人.
stár vìolet アメリカヒナソウ.
swéet víolet ニオイスミレ.
ùltra·víolet 形 紫外の, 菫外(きんがい)の.
vísual víolet 〘生化学〙イオドプシン.

-vi·ous /viəs/

連結形 道の.
★ 形容詞をつくる.
★ 語末にくる関連形は -VOY.
★ 語頭にくる関連形は via-, voy-: *via*tor「旅人」, *voy*age「旅」.
◆ ラテン語 *via*「道」より. ⇨ -IOUS.
[発音] すべて 3 音節の語で, 語頭の音節に第 1 強勢.

de·vi·ous 形 〈道などが〉回り道の, 遠回りの.
ob·vi·ous 形 明らかな, 明白な; 理解しやすい.
per·vi·ous 形 (水・光などを)通す, 透過させる.
pre·vi·ous 形 (時間的・順序的に)前の, 以前の.

vi·per /váipər/

名 クサリヘビ.

gabóon víper ガブーンアダー, ガブーンバイパー.
hórned víper 猛毒のクサリヘビの一種.
pít vìper マムシ科の多数の毒へびの総称.
Rússell's víper ラッセルクサリヘビ.
sánd vìper ブタハナヘビ(hognose snake).

vir·e·o /víriòu/

名 〘鳥類〙モズモドキ.

blúe-hèaded víreo =solitary vireo.
réd-eyed víreo アカメモズモドキ.
sólitary víreo フタスジモズモドキ.
wárbling víreo ウタイモズモドキ.
whíte-eyed víreo メジロモズモドキ.
yéllow-throated víreo キノド(黄喉)モズモドキ.

vir·tue /vә́ːrtʃuː/

名 美徳, 徳, 善, 正しさ.

cárdinal vírtue (主要な)徳.
nátural vírtue (特にスコラ哲学で)自然の徳.
supernátural vírtue =theological virtue.
theológical vírtue 神学的徳, 対神徳.

vi·rus /váiərəs/

名 ウイルス, ビールス, バイラス, 濾過(ろ)性病原体; (一般に)(伝染性)病毒. ⇨ -US[1].

àd·e·no·ví·rus 名 アデノウイルス.
ÁIDS-related vìrus エイズ関連ウイルス.
ÁIDS vìrus エイズウイルス.
ár·bo·vì·rus 名 アルボウイルス.
á·re·na·vì·rus 名 アレナウイルス.
bóot sèctor vírus 〘コンピュータ〙ブートセクターウイルス.
compúter vìrus コンピュータウイルス.
co·rò·na·ví·rus 名 コロナウイルス.
cox·sáck·ie·vì·rus 名 コクサーキー・ウイルス.
crúise vìrus 〘コンピュータ〙巡航ウイルス.
Ć-tỳpe vírus C 型ウイルス.
cy·to·meg·a·lo·vi·rus 名 サイトメガロウイルス.
deféctive vírus 〘生物〙欠損[不完全]ウイルス.
délta vìrus デルタ肝炎を起こすウイルス.
ĎNÁ vìrus DNA ウィルス.
Ebóla vìrus エボラウイルス.
éch·o·vì·rus 名 エコーウイルス.
electrónic vírus 電子[コンピュータ]ウイルス.
èn·ter·o·ví·rus 名 エンテロ[腸内]ウイルス.
Épstein-Bárr vìrus エプスタインバー[EB]ウイルス.
féline leukémia vìrus 猫白血病ウイルス.
fílterable vírus 濾過(ろ)性病原体.
fíxed vírus 〘医学〙固定毒.
flú vìrus インフルエンザウイルス.
Fríend vírus 〘生化学〙フレンドウイルス.
han·ta·vi·rus 名 ハンタウイルス.
hér·pes·vì·rus 名 ヘルペスウイルス.
hérpes zóster vírus =varicella zoster virus.

HIV̍ vìrus =human immunodeficiency virus.
hùman immunodefíciency vìrus ヒト免疫不全症ウイルス(HIV).
húman papillóma vìrus ヒト乳頭腫(ʃゅ)ウイルス.
lén·ti·vì·rus 名 レンチウイルス.
lymphadenópathy-assòciated vírus リンパ節腫瘍関連ウイルス.
Márburg vìrus マールブルグ病の病原体ウイルス.
mén·go·vì·rus 名 メンゴウウイルス.
mì·cro·ví·rus 名 〘コンピュータ〙マイクロウイルス: E メールを通して入る.
millénnium vìrus 《俗》〘コンピュータ〙2000 年問題.
mý·co·vì·rus 名 菌ウイルス, ミコウイルス.
mýx·o·vì·rus 名 ミクソウイルス.
on·còr·na·ví·rus 名 オンコウイルス亜科.
órphan vìrus 孤児ウイルス.
pàp·il·ló·ma·vì·rus 名 乳頭腫ウイルス.
pa·pó·va·vì·rus 名 パポバウイルス.
parainfluénza vírus パラインフルエンザウイルス.
pàr·a·mýx·o·vì·rus 名 パラミクソウイルス.
pár·vo·vì·rus 名 パルボウイルス.
pi·cór·na·vì·rus 名 ピコルナウイルス.
pó·li·o·vì·rus 名 ポリオウイルス.
polymórphic vìrus 〘コンピュータ〙多形ウイルス.
polyóma vìrus ポリオーマウイルス.
póx·vì·rus 名 ポックスウイルス.
prò·to·ví·rus 名 原型ウイルス, プロトウイルス.
pró·vì·rus 名 プロウイルス.
rè·o·ví·rus 名 レオウイルス.
rèt·ro·ví·rus 名 レトロウイルス, RAN 腫瘍ウイルス.
rháb·do·vì·rus 名 ラブドウイルス.
rhi·no·ví·rus 名 ライノウイルス.
ŔŃÁ vírus RNA(型)ウイルス.
rò·ta·ví·rus 名 ロータウイルス.
Séndai vìrus センダイウイルス.
Shópe vírus ショープウイルス.
símian immunodefíciency vìrus サルのエイズ [免疫不全症] ウイルス.
slów vìrus スローウイルス, 遅発性ウイルス.
stéalth vìrus 〘コンピュータ〙捕捉(ほそく)不能ウイルス.
stréet vìrus ストリートウイルス.
tobácco mosàic vìrus タバコモザイクウイルス.
tó·ga·vì·rus 名 トガウイルス.
týpe Ć vírus =C-type virus.
ùl·tra·ví·rus 名 =filterable virus.
varicélla zóster vìrus 水疱瘡ウイルス.

vi·sa /víːzə/

名 (旅券の)査証, ビザ, 入国許可. ⇨ -A².

búsiness vìsa 商用ビザ.
éxit vìsa 出国査証 [ビザ].
tóurist vìsa 観光ビザ.
tránsit vìsa 通過査証 [ビザ].

vis·cos·i·ty /viskásəti | -kɔ́s-/

名 ねばねばすること, 粘着性; 粘性; 粘性率, 粘度; 粘着力; ねばねばする物質 [塊], 粘性物質. ⇨ -OSITY.

ábsolute viscósity 〘物理〙粘性係数, 粘着率.
dynámic viscósity 〘物理〙=absolute viscosity.
kinemátic viscósity 〘物理〙(運)動粘性率, 動粘度.
specífic viscósity 〘物理〙〘化学〙比粘度.

-vise /váiz/

連結形 見る(see).
★ 語末にくる関連形は -VIDENT.
★ 語頭にくる形は vis-: *vis*age「顔」, *vis*itation「視察」.
◆ <ラ *vīsus*(*vidēre*「見る」の過去分詞).
[発音] 第 1 強勢は, 2 音節の語では -vise に, 3 音節の語では語頭の音節にある.

ad·vise 動他 〈人に〉忠告する, 勧める.
im·pro·vise 動他 〈詩・曲などを〉即席 [即興] で作る.
pre·vise 動他 予知 [予見] する, 見抜く.
re·vise 動他 改める, 変える, 修正する.
su·per·vise 動他 〈仕事・労働者・組織などを〉監督 [管理] する; 指図 [指示] する.
tel·e·vise 動他 テレビで放映する.

vis·i·ble /vízəbl/

形 (肉眼で)目に見える, 可視の, 視覚に感じられる. ⇨ -IBLE.

chúrch vísible 〘神学〙見える教会.
in·vís·i·ble 形 目に見えない, (…にとって)不可視の.
sùb·vís·i·ble 形 顕微鏡を使わなければ見えない.

vi·sion /víʒən/

名 見えること; 視覚. ◇ TELEVISION, TV. ⇨ -SION.

círcle-vìsion 〘映画〙サークル・ビジョン.
compúter vìsion 〘情報工学〙コンピュータビジョン.
crýstal vísion 水晶占いで遠方の出来事や将来の事件などを見ること [見る力].
dèrmalóptical vísion 〘医学〙触視力.
dóuble vísion 複視.
dréam vision 夢物語.
en·ví·sion 動他 《主に米》〈特に将来の出来事を〉想像 [予見] する.
Ín·ter·vì·sion 名 インタービジョン: 旧ソ連, 東欧諸国などによる報道素材などの交換中継網.
láser vìsion 〘コンピュータ〙レーザービジョン.
machíne vìsion =computer vision.
mó·no·vì·sion 名 片目(で物を見る)状態.
mosáic vísion 〘昆虫〙モザイク視覚.
níght-vìsion 形 暗視の.
nócto·vìsion 名 暗視装置, ノクトビジョン.
perípheral vísion 辺縁視力.
pre·ví·sion 名 予知, 先見, 予見(foresight).
pro·ví·sion 名 (法律などの)条項, 規定, 約款, 但し書き(proviso).
púrple vísion 《米軍》暗視(night vision).
rá·di·o·vì·sion 名 《今はまれ》=television.
skín vìsion =dermalopticalvision.
Sméll-O-Vísion 名 〘映画〙スメロビジョン.
stér·e·o·vì·sion 名 立体視.
sù·per·ví·sion 名 監督, 管理; 指図, 指示.
tél·e·vì·sion 名 ☞
túnnel vísion 視野狭窄(きょうさく).

-vi·sion /víʒən/

連結形 テレビ.
★ 名詞をつくる.
★ 語頭にくる関連形は vis-: *vis*age「顔」, *vis*itation「視察」.
◆ television の短縮形.

ca·ble·vi·sion 名 ケーブルテレビ(cable television).
Con·fra·vi·sion 名 《英》会議テレビジョン.
Eu·ro·vi·sion 名 ユーロビジョン: 欧州のテレビ放送ネットワーク.
stra·to·vi·sion 名 成層圏テレビ(中継)放送, ストラトビジョン.

vis·it /vízit/

動他 〈人・家・場所を〉訪れる, 訪問する ——名 訪問.

ángel vísit 《口》珍客.
cóntact vìsit 接触 [自由] 面会.
re·vís·it 名動他 再訪(する).

V

státe vísit (国家元首による他国の)元首訪問.

vis·i·tor /vízitər/

名 (人・場所への)(…からの)訪問者, 来客. ⇨ -TOR.

dístrict vísitor 《英》教区世話人.
héalth vìsitor 《英》巡回保健婦.
hóme vìsitor (社会福祉相談員として子供の指導に当たる)家庭訪問員.
príson vísitor 刑務所面会人.

vi·ta·min /váitəmin | vít-, váit-/

名 〖生化学〗ビタミン. ◇ AMINE.

àn·ti·ví·ta·min 名 〖生化学〗抗ビタミン.
àntixerophthálmic vitamin 〖生化学〗ビタミン A.
méga·vìtamin 形 ビタミン大量投与の.
mùl·ti·ví·ta·min 形 多種ビタミン入りの.
prò·ví·ta·min 名 〖生化学〗プロビタミン.

-vive /váiv/

連結形 生きる.
★ 語頭にくる形は vi-: *vi*and「食料品」, *vi*tality「活力」.
◆ ラテン語 *vīvere*「生きる, 生きている」より.

re·vive 動他 再び活動させる; 回復させる.
sur·vive 動自 生き残る; 生き延びる, 生き続ける.

vo·cab·u·lar·y /voukǽbjulèri | -ləri/

名 (ある個人・集団・民族が用いる)言葉の総体, 語彙(ごい), (専門分野で用いられる)用語の総体; 用語数. ⇨ -ARY.

áctive vocábulary 能動語彙.
básic vocábulary 基礎語彙.
córe vocàbulary ＝basic vocabulary.
defíning vocábulary 定義用語彙(DV).
mínimum vocábulary 最低必要語彙.
pássive vocábulary 受容語彙.

V

vo·cal /vóukəl/

形 声の, 音声の; 発声に必要な. ⇨ -AL^{1}.
★ 語頭にくる関連形は voca-, voci-: *voca*tion「天職」, *voci*ferate「大声で叫ぶ」.

mul·tiv·o·cal 形 多くの意味を持つ, 多義の.
sub·v·o·cal 形 心の中で言葉に表された.
u·niv·o·cal 形 ただ一つの意味しか持たない.
un·vo·cal 形 はっきり物を言えない, 口下手な.

vo·cal·ic /voukǽlik/

形 〖音声〗母音の; 母音性の. ◇ VOCAL. ⇨ -IC^{1}.

in·ter·vo·cal·ic 形 〈通例, 子音が〉母音間の [にある].
non·vo·cal·ic 形 母音(性)でない.
post·vo·cal·ic 形 母音のすぐ後に続く, 母音の直後の.
pre·vo·cal·ic 形 母音の直前にくる.
sem·i·vo·cal·ic 形 半母音(semivowel)の [に関した].

-vo·ca·tion /vəkéiʃən/

連結形 呼ばれたもの [こと].
★ 名詞をつくる.
★ 語末にくる関連形は -VOKE.
★ 語頭にくる関連形は voca-, voci-: *voca*tion「天職」, *voci*ferate「大声で叫ぶ」.
◆ ＜ラ *vocātus*(*vocāre*「呼ぶ」の過去分詞). ⇨ -ATION.
[発音] -vocation の第 2 音節に第 1 強勢が置かれる.

ad·vo·ca·tion 名 〖スコット法〗移送.
av·o·ca·tion 名 (特に楽しみのための)副業, 内職.
con·vo·ca·tion 名 (会議・議会の)召集.
e·quiv·o·ca·tion 名 あいまいな言葉を遣うこと.
ev·o·ca·tion 名 (記憶・感情などの)喚起.
in·vo·ca·tion 名 祈り, 祈願.
prov·o·ca·tion 名 怒らせる [じらす] こと.
rev·o·ca·tion 名 取り消すこと, 廃止.

vo·ce /vóutʃei; *It.* vɔ́tʃe/

副 声(voice)で.

mézza vóce 〖音楽〗半分の声で [の].
sótto vóce (当事者以外には聞こえない)低い静かな声で, 小声で; ひそかに.
sub vóce 《ラテン語》…という見出し語の下に.
víva vóce 副形 口頭で(の)(orally).

voice /vɔ́is/

名 (人間の)声, 音声, 声音(こわ), 声調; (鳥・虫などの)鳴き声; 声質. ── 動他 …を声に出す.

chést vòice (歌唱で)胸声(声域).
dáta-un·der·vóice 〖通信〗データ信号と音声信号をマイクロ波中継システムを用いて同時に違う周波帯で送るデジタル方式のデータ通信法.
de·vóice 動他 〈有声音を〉無声化する.
Dónald Dúck vóice (水中に潜って声を発するときの)甲高くゆがんだ声.
héad vòice (歌唱で)頭声(head tone).
òut·vóice 動他 …より大きな声で話す.
rè·vóice 動他 再び声に出す; 反響する.
ùn·vóice 動他 ＝devoice.
whísky vóice しわがれ声, ハスキーボイス.

voiced /vɔ́ist/

形 **1**《通例複合語》…の声の, 声が…の. **2** 声に出した. ⇨ -D^{1}, -D^{2}.

déep-vóiced 形 声の太い, 低音の.
gráv·el-vóiced 形 声が太くしゃがれた, ガラガラの.
pléas·ant-vóiced 形 気持ち [感じ] のよい声の.
róugh-vóiced 形 耳障りな声の, がらがら声の.
ùn·vóiced 形 声 [口] に出さない; 暗黙 [無言] の.

-voke /vóuk/

連結形 呼ぶ.
★ 語末にくる関連形は -VOCATION.
★ 語頭にくる形は voc-: *voc*ation「天職」, *voc*iferate「大声で叫ぶ」.
◆ ラテン語 *vocāre*「呼ぶ」より.

con·voke 動他 呼び集める; 〈会議などを〉召集する.
e·voke 動他 〈記憶・感情などを〉呼び起こす.
in·voke 動他 〈神・霊などの助け・加護を〉祈願 [祈求] する.
pro·voke 動他 立腹させる, 怒らせる.
re·voke 動他 〈約束・許可・同意などを〉取り消す.

vol·ca·no /vɑlkéinou | vɔl-/

名 **1** 噴火口. **2** 火山. ⇨ -O^{2}.

áctive volcáno 活火山.
dórmant volcáno 休火山.
extínct volcáno 死火山.
múd volcáno 〖地質〗泥(でい)火山.
parasític volcáno 〖地質〗寄生火山.

shíeld volcàno 〘地質〙楯状火山, アスピーテ.
stràto·volcáno 〘地質〙成層火山, コニーデ.
Strombólian volcáno 〘地質〙ストロンボリ(式)火山.
sùbmaríne volcáno 海底火山.

volt /vóult/

名〘電気〙ボルト. ►イタリアの物理学者 Alessandro Volta の名より.

ab·vólt 名 アブボルト, 絶対ボルト.
eléctron-vòlt 名 電子ボルト.
gìgaeléctron vólt ギガ電子ボルト, 10 億電子ボルト.
internátional vólt 国際ボルト.
kíloelèctron vólt キロ電子[エレクトロン]ボルト.
kílo·vòlt 名 キロボルト.
mègaeléctron vòlt メガ電子ボルト.
méga·vòlt 名 メガボルト.
mícro·vòlt 名 マイクロボルト.
mílli·vòlt 名 ミリボルト.
nán·o·vòlt 名 ナノボルト.
stát·vòlt 名 スタットボルト, 静電ボルト.
téra·vòlt 名 テラボルト.

volt·age /vóultidʒ/

名〘電気〙電圧(量), ボルト数. ⇨ -AGE[1].

álternating vóltage 交番電圧, 交流電圧.
bréakdown vòltage 絶縁破壊電圧.
hígh-vóltage 形 高電圧の.
kíl·o·vòlt·age 名 キロボルト(kilovolt)で測られた電位差または起電力.
líne vòltage 線間電圧, 線路電圧.
lów vóltage 低電圧.
òr·tho·vólt·age 名〘医学〙常用電圧[X 線].
ó·ver·vòlt·age 名 過電圧.
spárking vòltage 火花電圧.
Zéner vòltage 〘電子工学〙降服電圧.

-vol·tine /vóultiːn, -tn/

連結形〘昆虫〙(昆虫が)…化性の; 1 年[1 シーズン]に…回産卵する.
★ 形容詞をつくる.
◆ イタリア語 *volta*「回, 度」より. ⇨ -INE[1].

bi·vol·tine 形 〈ある種の蚕などが〉二化生の.
mul·ti·vol·tine 形 多化性の, 多次繁殖(性)の.
pol·y·vol·tine 形 =multivoltine.

vol·ume /váljuːm, -ljum | vɔ́l-/

名 **1**(特に大型の)本, 書籍, 書物. **2** 体積, 容積, 容量.

atómic vólume 〘化学〙原子容.
blóod vòlume 〘医学〙血液量.
crítical vólume 〘物理〙臨界体積.
mólar vólume 〘化学〙モル体積.
molécular vólume 〘化学〙分子容, モル体積[容積].
móle vòlume 〘化学〙=molar volume.
mùl·ti·vól·ume 形 数巻から成る, 巻数の多い, 大部の.
specífic vólume 〘物理〙比体積, 比容積.
tídal vòlume 〘生理〙一回の呼吸(気)量.
únit vòlume 単位体積.

vo·lute /vəlúːt/

名 らせん状のもの, 渦巻き形. ◇ -VOLUTION.

con·vo·lute 動他自 輪状に巻く, 巻き込む, 絡み合う.
dev·o·lute 動他 〈義務・責任などを〉(人に)委譲する.
ev·o·lute 名〘幾何〙縮閉線.
in·vo·lute 形 入り組んだ, 込み入った, 複雑な.
ob·vo·lute 形 巻き込んでいる; 内に曲がっている.

-vo·lu·tion /vəlúːʃən/

連結形 回されたこと[もの].
★ 名詞をつくる.
★ 語末にくる関連形は -VOLVE.
★ 語頭にくる関連形は volu-: *volu*minous「著作の多い」, *volu*tion「旋回運動」.
◆ <ラ *volūtus* (*volvere*「回す」の過去分詞). ⇨ -TION.

cir·cum·vo·lu·tion 名 回転, 旋回, 周転.
con·vo·lu·tion 名 くるくる巻いた状態, 包旋状態.
dev·o·lu·tion 名 段階的推移, 変化, 移行.
ev·o·lu·tion 名 ☞
in·vo·lu·tion 名 巻き込む[包み込む]こと.
rev·o·lu·tion 名 ☞

-volve /válv | vɔ́lv/

連結形 回転する.
★ 語末にくる関連形は -VOLUTION.
★ 語頭にくる形は volu-: *volu*minous「著作の多い」, *volu*tion「旋回運動」.
◆ ラテン語 *volvere*「回転する」より.

cir·cum·volve 動他自 回転させる[する].
con·volve 動自他 くるくる巻く, 巻き込む.
de·volve 動他 〈義務・責任などを〉(人に)委譲する.
e·volve 動他 〈論理・意見・計画などを〉徐々に発展[展開]させる.
in·ter·volve 動他自 (互いに)巻き込む[つく].
in·volve 動他 …を(必然的な状況・条件・結果として)含む, 伴う.
re·volve 動自 (…の周りを)ぐるぐる回る.

-vo·ra /vərə/

連結形〘動物〙…食動物目.
★ 名詞をつくる.
★ 語末にくる関連形は -VORE.
★ 語頭にくる関連形は vora-: *vora*cious「大食の」.
◆ <近代ラ *-vora*(中性名詞複数形), ラ =*vor*(*āre*)むさぼり食う + *-a* -A[1].
[発音] 直前の音節に第 1 強勢.

Car·niv·o·ra 名 食肉目[類].
Her·biv·o·ra 名複 草食獣, 草食動物.
In·sec·tiv·o·ra 名 食虫目.

-vore /vɔ̀ːr/

連結形〘動物〙…食動物.
★ 語末にくる関連形は -VORA, -VOROUS.
★ 語頭にくる形は vora-: *vora*cious「大食の」.
◆ <仏<ラ *-vorus* …を食べる.

car·ni·vore 名 肉食動物.
de·tri·ti·vore 名〘生態〙腐食性生物.
fo·li·vore 名 (特に霊長目の)草葉食動物.
fru·gi·vore 名 (特に霊長目で)果実食動物.
gran·i·vore 名 穀食動物(主として鳥類).
her·biv·ore 名 草食動物, 植食者.
in·sec·ti·vore 名 食虫動物[植物].
om·ni·vore 名 何でも摂取する[取り入れる]人.

-vo·rous /vərəs/

連結形 …を食とする, …から栄養を取る.
★ 形容詞をつくる.
★ 語末にくる関連形は -VORE.
★ 語頭にくる関連形は vora-: *vora*cious「大食の」.
◆ <ラ *-vorus*(*vorāre*「むさぼり食う」より). ⇨ -OUS.

V

[発音] 直前の音節に第1強勢.

a·piv·or·ous 形 〘動物〙食蜂性の, ミツバチを食べる.
bac·civ·or·ous 形 漿果(しょうか)を常食とする.
car·niv·o·rous 形 〈動物が〉肉食性の; 〈植物が〉食虫性の.
fruc·tiv·o·rous 形 =frugivorous.
fru·giv·o·rous 形 〘動物〙果物を常食とする, 果食の.
fun·giv·or·ous 形 〈ある種の虫が〉菌類を常食とする.
gram·i·niv·o·rous 形 穀物食の.
her·biv·o·rous 形 〈動物が〉草食の, 植食の.
in·sec·tiv·o·rous 形 〈動物・植物が〉食虫性の.
lar·viv·o·rous 形 〈魚などが〉幼生 [幼虫] 捕食性の.
lig·niv·or·ous 形 〈昆虫の幼虫などが〉木を食う.
li·miv·o·rous 形 〘生態〙泥食性動物の.
mer·div·or·ous 形 食糞(しょくふん)性の.
nec·tar·iv·or·ous 形 〘動物〙花蜜(かみつ)を食糧とする.
om·niv·or·ous 形 〈動物が〉雑食性の.
pa·niv·o·rous 形 パンを常食とする, パン食の.
phy·to·suc·civ·o·rous 形 〈ある種の昆虫などが〉樹液を吸う.
pis·civ·o·rous 形 〈鳥などが〉魚を捕食する.
san·guiv·or·ous 形 〈コウモリ・昆虫などが〉吸血性の.
sem·i·niv·or·ous 形 〈鳥などが〉種子を食べる.
ver·miv·o·rous 形 虫を餌(えさ)にする, 食虫の.

vote /vóut/

名 (…の賛否についての)(個人・集団による)投票, 票決, 正式な意思表示; 投票方法, 票決手段, 選出方法; 投票用紙; 投票すること.

ábsentee vóte 《主に英》不在投票. 不在投票者.
Alténative Vóte 順位指定投票制.
blóck vòte ブロック投票.
blóc-vòte 動自 ブロック投票する.
cárd vòte 《英》カード投票.
cásting vòte 決定票, キャスティングボート.
króssover vòte 乗り換え投票.
dónkey vòte 《豪話》ロバ投票: 順位選択用の連記標式.
eléctoral vóte 大統領選挙人団の投票.
fágot vòte 《英》薪束(まき)投票.
flóating vóte 浮動層.
frée vóte 《主に英》自由投票.
infórmal vóte 《豪・NZ》無効投票(用紙).
òut·vóte 動他 投票で負かす; 票数において勝る.
plúral vóte 複数投票(権).
pópular vóte 《米》一般投票.
póstal vòte 《英》郵送票.
prótest vòte 抗議票.
próxy vòte 代理投票.
rísing vòte 起立投票 [採決].
sílent vòte =floating vote.
stánding vòte =rising vote.
stráw vòte 《米》世論投票, 紙上投票.
tóken vóte 《英》仮支出決議.
transférable vóte 移譲票.
vóice vòte 《米》(賛否を声の大小で決める)発声投票.

vot·er /vóutər/

名 投票者. ⇨ -ER[1].

króssover vòter 〘米政治〙乗り換え投票者.
flóating vóter 浮動性の投票者.
mótor vóter モーター・ヴォーター法: 運転免許証の取得・更新時に選挙登録する.
nòn·vót·er 名 投票しない人, 投票棄権者.
óut-vòt·er 名 《英》非居住有権者.
swínging vóter 《豪・NZ 話》=floating voter.
swíng vòter =floating voter.

vot·ing /vóutiŋ/

名 投票すること. ――形 投票する. ⇨ -ING[1], -ING[2].

króss-vóting 交差投票.
cúmulative vóting 累積投票法.
múltiple vóting 複数投票(制).
nòn-vóting 形 投票しない, 投票権を行使しない.
plúral vóting 複数投票制度.
préferéntial vóting 選択投票.
stratégic vóting 戦略的投票.
táctical vóting 戦術的投票.

vow·el /váuəl/

名 〘音声〙母音.

báck vówel 後舌母音(/u/, /o/, /ɑ/ など).
cárdinal vówel 基本母音.
frónt vówel 前舌母音.
sém·i·vòw·el 半母音(wet の /w/, yet の /j/ など).

-voy /ɔi, ɔ́i/

連結形 道.
★ 語末にくる関連形は -VIOUS.
★ 語頭にくる形は via-, voy-: *via*tor「旅人」, *voy*age「旅」.
◆ <ラ *viāre*(*via*「道」より).

con·voy 名動他 護送(する), 護衛(する).
en·voy 名 外交官, 外交使節; 使者, 代表.

-vulse /vʌ́ls/

連結形 力いっぱい引く.
★ 語末にくる関連形は -VULSION.
◆ <ラ *vulsus*(*vellere*「力いっぱい引く」の過去分詞).

a·vulse 動他 引き裂く, 引き離す.
con·vulse 動他 …を激しく震動させる.
di·vulse 動他 〘外科〙離断する, 裂開する.
e·vulse 動他 強く引き抜く.

-vul·sion /vʌ́lʃən/

連結形 力ずくで引っぱられたこと [もの].
★ 名詞をつくる.
★ 語末にくる関連形は -VULSE.
◆ <ラ *vulsus*(*vellere*「力ずくで引っぱる」の過去分詞). ⇨ -SION.
[発音] -vulsion の第1音節に第1強勢が置かれる.

a·vul·sion 名 引き裂く [引き離す] こと.
con·vul·sion 名 痙攣(けいれん), ひきつけ.
di·vul·sion 名 〘外科〙裂開.
e·vul·sion 名 引き抜く [むしり取る] こと.
re·vul·sion 名 (強烈な)嫌悪, 反感, 憎悪.

vul·ture /vʌ́ltʃər/

名 〘鳥類〙ハゲワシ.

béarded vúlture ヒゲワシ(lammergeier).
bláck vúlture クロコンドル.
cúlture vùlture 《俗》えせ教養人 [文化人].
Egýptian vúlture エジプトハゲワシ.
kíng vùlture トキイロコンドル.
Pondichérry vúlture ミミハゲワシ.
túrkey vùlture ヒメコンドル.

V

W

wad /wád | wɔ́d/

名 (紙・綿・毛などを丸めた)塊, 小塊.

díck·wàd	《米俗》とんま, まぬけ.
jérk·wàd	《米俗》マスターベーションをする人.
óily wád	《海軍古俗》魚雷艇.
scúm·wàd	《米俗》嫌なやつ.
tíght·wàd	《米・カナダ話》けちん坊.

wage /wéidʒ/

名 (1時間・1日・1週当たりの)賃金, 給金, 給料.

awárd wàge	《豪》法定最低賃金(award).
báse wáge	(超過勤務手当などを含まない)基本給.
básic wáge	《豪・NZ》=base wage.
guáranteed wáge	保証賃金.
líving wáge	=minimum wage.
mínimum wáge	(法律や組合の協定による)最低賃金.
mínimum-wáge 形	最低賃金の [に関する].
subsístence wàge	最低生活賃金.

wa·ges /wéidʒiz/

名複 wage「賃金」の複数形.

bóard wáges	食事付き宿泊.
Lóst Wáges	《米俗》Las Vegas の異称.
móney wàges	名目賃金.
nóminal wáges	〖経済〗名目賃金.
réal wáges	実質賃金.
starvátion wàges	飢餓賃金.

wag·on /wǽgən/

名 (各種の)四輪車.

bánd·wàgon	《米》(パレードの先頭の)楽隊車.
bárley wàgon	《米俗》(トラック運転手の間で)ビールを運ぶトラック.
báttle wàgon	《話》戦艦; 重爆撃機.
béach wàgon	《米》=station wagon.
béan wàgon	《米俗》立ち食いの安食堂.
blób wàgon	《英俗》救急車.
blóod wàgon	《英俗》救急車.
bóx wàgon	《英》有蓋(ゆうがい)貨車.
brán·wàgon	《英話》ふすま [雑穀] 食ブーム.
búck·wàgon	(スプリングの代わりに長い弾力性のある板を用いた)軽四輪馬車.
bútcher wàgon	《米俗》=blood wagon.
chúck wàgon	《米西部》(牧場などの)炊事車.
clówn wàgon	《米鉄道俗》貨物列車の車掌車.
cóaster wàgon	=coasting wagon.
cóasting wàgon	(坂滑り遊び用)子供用四輪車.
cóck-wàgon	《米俗》(10代の少年の)自動車.
Cònestóga wàgon	コネストーガワゴン: 大型のほろ馬車.
cóvered wàgon	《米・カナダ》ほろ馬車.
cúnt-wàgon	《米俗》売春婦を客の所まで運ぶ車.
déad wàgon	《米俗》霊柩(れいきゅう)車, 死体運搬車.
démocrat wàgon	《英》社会自由民主党員 [支持者].
dínner wàgon	(キャスター付きの)食器台.
dírt wàgon	《米》ごみ運搬車, 清掃車.
dóg-wàgon	《米俗》(ホットドッグなどを売る, 食堂車風の)軽食堂.
Dóugherty wàgon	ドアティーワゴン: 馬またはラバに引かせる客車.
drággin' wàgon	《米俗》速い車; レース用の車.
drágon wàgon	《米俗》(十代の間で)レッカー車.
fréight wàgon	《米西部》大型の貨物用馬車.
frúit wàgon	《米港湾労働者俗》救急車.
glóry wàgon	《米鉄道俗》車掌車, 乗務員用車.
góods wàgon	《英》(特に長距離輸送用の)貨車.
hóney wàgon	《こっけい》《古風》屎尿(しにょう)運搬車.
íce wàgon	《米俗》冷たく高慢な女.
jólt-wàgon	《米中部》農場用荷車.
lúnch·wàgon	(小型バン・ワゴン車などの)軽食屋台, スナック販売車.
mámmy wàgon	《西アフリカ》小型乗合トラック.
méat wàgon	《俗》救急車; 霊柩(れいきゅう)車.
mílk wàgon	《米俗》囚人護送車.
mónkey-wàgon	《米鉄道俗》車掌車.
páddy wàgon	《米・豪・NZ 話》=patrol wagon.
pássion wàgon	《俗》デート用の車.
patról wàgon	《米・豪・NZ》囚人護送車.
píe wàgon	《米俗》=patrol wagon.
políce wàgon	=patrol wagon.
rápe wàgon	《米俗》ぽん引きが乗る特注高級車.
ság wàgon	(自転車旅行の)追送車.
séx wàgon	《米俗》=rape wagon.
smóke wàgon	《米俗》列車; (特に)蒸気機関車.
spríng wàgon	スプリングのついた荷馬車.
státion wàgon	《米・カナダ・豪・NZ》ステーションワゴン.
tánk wàgon	《英》〖鉄道〗タンク車.
téa wàgon	《米・カナダ》ティーワゴン: 茶器運搬用の車付き小テーブル.
tówer wàgon	伸縮自在のはしごを持つトレーラー.
túna wàgon	《米俗》おんぼろ車.
wáter wàgon	(工場などで用いる)給水車.
wélcome wàgon	《米》新参歓迎車.

waist /wéist/

名 **1** (人体の)腰, 腰部. **2** (衣服の)胴囲. **3** 《米》ブラウス.

drópped wáist	ローウエスト.
lóng wáist	(衣服の)ローウエスト(ライン).
pánty·wàist	《米話》意気地のない男, 弱虫.
shírt·wàist	《主に米・カナダ》シャツウエスト・ブラウス.
ún·der·wàist 名	《主に米》アンダーウエスト(ブラウス).
wásp wàist 形	(特に女性の)くびれた腰の線.

wait /wéit/

動自 〈人が〉待つ. ── 名 待つこと.

a·wáit 動他	…を待つ, 待ち受ける, 待望する.
báit-and-wáit 形	〈テレビ広告が〉終わりまで製品名を出さないで視聴者を引きつける.
òut·wáit 動他	…より長く待つ, 辛抱強い.
stáge wàit	〖演劇〗(演技者やスタッフがきっかけ

を忘れることによる)中断.

wait·er /wéitər/

名 **1** (ホテル・レストランなどの)ウエーター,(男の)給仕人. **2** 《英》税関吏. ⇨ -ER[1].

cóast·wàiter 《英》沿岸輸送物を管理する税関役人.
dúmb·wàiter ダムウエーター: レストランなどで食器, 料理, ゴミなどを各階に運搬する小型エレベーター.
héad·wàiter (食堂などの)ボーイ長.
lánding-wàiter =landwaiter.
lánd·wàiter 税関で通関手続きを行う官吏.
tíde·wàiter 《もと》乗船税関吏.
wíne wàiter ワイン担当のウエイター.

wait·ing /wéitiŋ/

名 待つこと, 待機. ──形 待っている, 待機している. ⇨ -ING[1], -ING[2].

cáll wáiting キャッチホン.
lády-in-wáiting (女王・王女の)侍女, 女官.
lórd-in-wáiting (英国王・英国皇太子の)侍従.
máid-in-wáiting 女王[王女]に仕える未婚の婦人, 侍女.

-wal·den /*Ger.* valdən/

連結形 森, 森林地帯; 地名に使われる.
★ 名詞をつくる.
★ H. D. Thoreau の *Walden* はこれから.
◆ ドイツ語 *Wald* より.
[発音] 語頭の音節に第 1 強勢.

Nid·wal·den 名 ニトワルデン(スイスの地名).
Ob·wal·den 名 オプワルデン(スイスの地名).
Un·ter·wal·den 名 ウンターワルデン(スイスの地名).

wale /wéil/

名 (棒・むちで打たれた)むち跡, みみず腫(ば)れ(welt).

cháin wàle 【海事】横静索留め板(channel).
gun·wale 名 【海事】舷縁(げん); 船べり.
ín·wàle 名 【海事】内部腰板.
wíde-wàle 形 〈織物が〉太畝の.

walk /wɔ́ːk/

動自 歩く. ──名 **1** 散歩. **2** 歩道.

bírd wàlk 野鳥観察会.
bóard·wàlk 《米》(海岸沿いの)板張り遊歩道.
bróad·wàlk 《主に米》遊歩道.
bý·wàlk 名 私道, 小路, 脇道(わき).
cáke·wàlk ケーキウォーク: 米国黒人起源の歩き方を競う競技.
cámel wàlk 【ダンス】キャメルウォーク.
Cástle wálk 【社交ダンス】キャッスルウォーク.
cát·wàlk (ファッションショーの)キャットウォーク.
chárity wàlk 慈善クロスカントリー競歩.
cráb·wàlk 《米俗》(ケジラミが動き回る)陰部.
cróss·wàlk 《米》横断歩道.
dúck-wàlk 動自 (カモのように)外またで歩く.
égg·wàlk 動自 《話》非常に慎重に動く[進む].
Frénch wálk 《米俗》(ズボンの尻と首を強くつかんで)無理やり追い出すこと.
hánd-wálk 動他 《話》〈書類などを〉直接手渡す.
jáy·wàlk 動自 横断歩道以外の場所を横切る.
knúckle-wàlk 動自 〈ゴリラなどが〉両手をついて歩く.
Lámbeth wálk 【社交ダンス】ランベスウォーク.
mílk-wàlk 牛乳配達人の受け持ち区域.
móney wàlk 《英俗》若者たちのパレード.
Mónroe wàlk マリリン・モンロー式の尻振り歩き.
móon·wàlk 月面歩行.
náture wàlk 自然観察散歩.
òut·wálk 動他 …より速く[長く, 遠く]歩く.
òver·wálk 動他 歩き疲れる, 歩いて足を痛める.
pímp wàlk 《米俗》裕福で偉そうな歩き方.
ráce-wàlk 動自 競歩競技に参加する.
rándom wálk 【統計】酔歩, 乱歩.
rópe·wàlk (細長い)縄製造所.
shéep·wàlk 《英》牧羊場.
síde·wàlk 《米》歩道, 人道(《英》pavement).
ský·wàlk スカイブリッジ: 建物をつなぐ連絡路.
sléep·wàlk 夢中歩行, 夢遊病.
snáke-wàlk 動自 腹這いになって進む.
sóund·wàlk 音の散歩.
spáce·wàlk 宇宙遊泳.
Spánish-wàlk 動他 《米俗》つまみ出す, 追っ払う.
spéed·wàlk 動く歩道.
spónsored wálk =charity walk.
táil-wàlk 動自 〈魚が〉尾で水面を立ち歩く.
wídow's wàlk 《米》屋上のバルコニー[露台].

walk·er /wɔ́ːkər/

名 **1** 歩行(練習[補助])器. **2** 歩行者. ⇨ -ER[1].

báby wàlker 幼児用歩行器.
dóg-wàlker 犬の散歩請負人.
fíre wàlker 火渡りをする人.
flóor·wàlker 《米》売場監督.
hót wàlker 《米》【競馬】レースや練習の後, 馬体をゆっくり冷やすために馬を引いて歩く人.
níght·wàlker (泥棒・売春婦など)夜間歩き回る人.
óxygen wàlker 【医学】携帯酸素ボンベ[吸入器].
rópe·wàlker 綱渡り師.
shóp·wàlker 《英》=floorwalker.
Ský·wàlker ルーク・スカイウォーカー: 映画 Star Wars の主人公 Luke Skywalker.
sléep·wàlker 夢遊病者.
stréam wàlker 河川監視者.
stréet·wàlker 街娼(がいしょう), 娼婦.
tíghtrope wàlker =wirewalker.
tráck·wàlker 《米》線路巡回人, 線路検査係.
wíre·wàlker 《主に米》綱渡り芸人.

walk·ing /wɔ́ːkiŋ/

名 歩行, 散歩. ◇ WALK, WALKER. ⇨ -ING[1].

búsh·wàlking 《豪》低木地帯を歩き回ること.
fíre wàlking 火渡り.
híll·wàlking 丘陵地帯の散歩.
ráce wàlking 競歩.
skí wàlking クロスカントリースキー.
sléep·wàlking 夢中歩行, 夢遊病.
tíghtrope wàlking 綱渡り.
wáter·wàlking 水中歩行エアロビクス.
wíre-wàlking (曲芸の)綱渡り.

wall /wɔ́ːl/

名 **1** (建物・部屋などの)壁, 内壁, 外壁, 仕切り壁, 隔壁; (石・れんがなどの)塀. **2** (容器, 器官などの)内壁, 壁, 体壁.

Ántonine Wáll 【英史】アントニンの壁.
Ás·pin·wàll アスピンウォール: パナマの港市 Colón の旧名.
Atlántic Wáll (第二次世界大戦中のドイツ軍の)大西洋防衛線.
béaring wàll (建物の床・屋根を支える)耐力壁.

Bérlin Wáll ベルリンの壁.
blánk wàll 〖建築〗めくら壁: ドア, 窓.
bódy wàll 〖解剖〗体壁.
bréast wàll =retaining wall.
bríck wàll 〖建築〗れんが壁.
búnd·wàll 石油類貯蔵タンクの防壁.
cávity wàll 〖建築〗中空壁.
céll wàll 〖生物〗細胞壁.
Chínese Wáll 《話》=Great Wall².
clímbing wàll 〖登山〗クライミングウォール.
cúrtain wàll 〖建築〗外壁, 張り壁.
drý wàll 〖建築〗乾式壁.
drý-wàll 動他 乾式壁にする. ―― 形 乾式壁の.
ecónomy wàll 〖建築〗節約壁.
éye·wàll 〖気象〗台風の目の周囲のじょうご状の乱層雲.
fíre wàll 防火壁.
flóod wàll 〖建築〗洪水壁, 堤防, 防潮壁.
fóot·wàll 〖採鉱〗下盤(したばん), ふまい.
fórward wáll 〖アメフト〗フォワードウォール.
fóurth wàll 〖演劇〗第四の壁.
gáble wàll 〖建築〗切妻壁.
Gárlic Wáll 「ニンニクの壁」: スペインが Gibraltar に設けた.
Gréat Wáll[1] 〖天文〗巨大な星雲群.
Gréat Wáll[2] (中国の)万里の長城.
Hádrian's Wáll 〖英史〗ハドリアヌスの長城.
hánging wàll 〖採鉱〗上盤(うわばん).
hígh·wàll (露天掘鉱山の)未採掘壁.
hóle-in-the-wáll 《英俗》キャッシュディスペンサー.
hóllow wàll =cavity wall.
in·wáll 動他 …を壁で囲む, …に壁を巡らす.
Lóndon Wáll 〖英史〗ロンドンウォール.
lóng·wàll 形 〖採鉱〗長壁式の.
múlti·wàll 形 重ね合わせの, 多重の.
óff-the-wáll 形 《話》とっぴな, 型破りの.
páck wàll 〖採鉱〗ぼた積み壁, がけ巻き.
pánel wàll (鉱山の)区画間の仕切り.
párty wàll 共有壁, 境(界)壁.
prímary wàll 〖植物〗(細胞壁の)一次壁.
retáining wàll (台地や切り通しの端などの側面の)擁壁, 土留め壁.
ríng·wàll (地所を囲む)塀, 垣.
róck wàll 《米方言》(農場の境などを囲う)石垣.
séa wàll 防潮堤, 突堤; (海岸の)護岸堤防.
sécondary wàll 〖植物〗二次細胞壁.
shórt·wàll 形 〖採鉱〗短壁式の.
síde·wàll サイドウォール: 空気入りタイヤで, トレッドとリムとの間の部分.
stóne wàll 石壁, 石垣.
stóne·wáll 動自 《米話》意図的に避ける.
stórage wàll 収納壁.
tráining wàll 導流壁[堤], 導水堤.
tréad·wàll 人工よじのぼり壁.
Wáiling Wáll =Western Wall.
wáll-to-wáll 形 (壁から壁まで)床一面を覆う.
wéak-to-the-wáll 形 弱肉強食の, 優勝劣敗の.
Wéstern Wáll (エルサレムの)「嘆きの壁」.
wíng wàll 〖建築〗袖壁.

-wal·lah /wάlə/

連結形 (特定の仕事をするための)雇われた人, …係, …関係者.
★ 名詞をつくる.
◆ <ヒンディー *-wālā* 関係を表す接尾辞.

du·ka·wal·lah 名 (ケニア・東アフリカ地方の)店主.
char·wal·lah 名 《英軍俗》禁酒家.

wal·nut /wɔ́ːlnʌ̀t, -nət/

名 クルミノキ; クルミ; クルミ材. ⇨ NUT.

bláck wálnut クログルミ.
Circássian wálnut ペルシア[セイヨウ]グルミ.
Éast Índian wálnut ビルマネムノキ, オオバネム.
Énglish wálnut セイヨウ(西洋)グルミ.
Pérsian wálnut ペルシアグルミ.
sátin wàlnut モミジバフウの芯材. ►家具用.
séa wàlnut クルミのような形のクシクラゲの総称.
whíte wálnut バターナットの果実.

wand /wάnd | wɔ́nd/

名 **1** (魔法使い・占い師などの用いる)細い杖(つえ), 魔法の杖. **2** (バーコードを読み取る)ペン型のスキャナー.

fáiry wànd 〖植物〗ユリ科の植物.
méte-wànd 物差し; (評価の)尺度.
réading wànd ワンドリーダー: バーコードを読み取るスキャナーの一種.
yárd·wànd 《古》ヤード尺.

war /wɔ́ːr/

名 (国家間や国内の党派間の)武力衝突, 戦争, 戦闘.

áf·ter·wàr 形 =postwar.
áir wàr 空中[航空]戦.
àn·ti·wár 形 戦争反対の, 反戦の.
bí·o·wàr 名 生物戦, 細菌戦.
Bláck Hàwk Wár 〖米史〗ブラックホーク戦争(1831–32).
cívil wár 内乱, 内戦.
cód wàr (英国とアイランドの)タラ戦争.
cóld wár 冷戦, 冷たい戦争.
Conféderate Wár 《米南部》南北戦争(1861–65).
Créek Wár 〖米史〗クリーク戦争(1813–14).
dírty wár 汚い戦争: 時の政権の軍部, または秘密警察が革命要員やテロリストの反乱に対して実施する戦い.
fláme wàr 《俗》ネットワーク上で大勢が参加する論争.
gáng wàr 暴力団同士の争い[確執].
gás wàr ガソリンの安売り戦争.
Gréat Wár 第一次世界大戦(World War I).
Gúlf Wár 湾岸戦争: イラクのクウェート侵略後, 米国主導の多国籍軍とイラク軍の間で行われた戦争(1991).
Hítler's Wár 《主に英》第二次世界大戦の別名.
hóly wàr 聖戦; 宗教戦争.
hót wár 熱い戦争, 本格的(武力)戦争.
Húndred Yéars' Wár 百年戦争(1337–1453).
ìn·ter·wár 形 両大戦間の.
júngle wàr ジャングルでの戦い, ジャングル戦.
líghtning wàr 電撃戦(blitzkrieg).
límited wár 限定戦争.
mán-of-wár 名 《古風》軍艦.
Mán O' Wár マナウォー: 米国競馬界で史上最強とされる競走馬.
mán-o'-wár =man-of-war.
míni·wàr ミニ戦争.
nérve wàr 神経戦: 政治宣伝, デマ, 脅迫などの心理的な手段による戦い.
Ópium Wàr アヘン戦争(1839–42).
phóny wàr 特に第二次世界大戦前夜の)表面的な静穏と平和.
póst·wár 形 戦後の, 戦後的な.
prevéntive wár 〖軍事〗予防戦争.
pré·wár 形 戦前の.
príce wàr (売り手の)価格[値引き]競争.
prívate wár 個人[家族]間の争い[確執].
próxy wàr 〖軍事〗《米》代理戦争.
psý·wàr 名形 《話》心理戦(争)(の).
Revolútionary Wár 〖米史〗アメリカ独立革命(American Revolution).
Séven Wèeks' Wár オーストラリア=プロイセン戦争(1866).
Séven Yèars' Wár 七年戦争(1756–1763).

shóoting wár =hot war.
Síx-Dày Wár 六日戦争: 1967年6月,エジプト,ヨルダン,シリア間の第三次中東戦争.
Sócial Wár 〖ギリシア史〗同盟市戦争(357–355B.C.).
súrrogate wár 代理戦争.
Tén Yèars' Wár 十年戦争: スペインからの独立を求めたキューバ人民の反乱(1868–78).
théater of wár 交戦圏, 戦域.
Thírty Yèars' Wár 三十年戦争(1618–48).
túrf wàr 《米》縄張り争い.
whíte wár 無血戦, 経済戦争.
Wínter Wár 冬戦争: Karelia 地方の領有をめぐるソ連・フィンランド間の紛争(1939–40).
wórld wár 《また W- W-》世界大戦.

war·bler /wɔ́ːrblər/

名〖鳥類〗**1** ムシクイ. **2** アメリカムシクイ. ⇨ -ER[1].

Áudubon's wárbler オーデュボン・アメリカムシクイ.
bláck-and-white wárbler シロクロアメリカムシクイ.
Blackbúrnian wárbler キマユアメリカムシクイ.
bláckpòll wárbler ズグロ(頭黒)アメリカムシクイ.
búsh wàrbler ウグイス.
Cápe Mày wárbler ホオアカアメリカムシクイ.
cerúlean wárbler ミズイロアメリカムシクイ.
Connécticut wárbler ハイムネアメリカムシクイ.
fán-tailed wárbler オウギ(扇)アメリカムシクイ.
gárden wàrbler ニワムシクイ.
gólden wárbler =yellow warbler.
grásshopper wàrbler センニュウ(仙入).
hérmit wàrbler キガシラアメリカムシクイ.
hóoded wárbler クロズキンアメリカムシクイ.
Kentúcky wárbler メガネアメリカムシクイ.
Kírtland's wárbler カートランド・アメリカムシクイ.
léaf wàrbler ムシクイ(虫喰).
magnólia wárbler シロオビアメリカムシクイ.
móurning wárbler ノドグロアメリカムシクイ.
mýrtle wàrbler =yellow-rumped warbler.
Náshville wárbler ズアカ(頭赤)アメリカムシクイ.
pálm wàrbler ヤシアメリカムシクイ.
píleolated wárbler ウイルソンアメリカムシクイの2亜種の総称.
píne wàrbler マツアメリカムシクイ.
práirie wárbler チャスジアメリカムシクイ.
prothónotary wárbler オウゴンアメリカムシクイ.
réed wàrbler ヨーロッパヨシキリ.
róck wàrbler イワムシクイ.
sédge wàrbler スゲヨシキリ.
spéctacled wárbler ミナミノドジロムシクイ.
Ténnessee wárbler マミジロアメリカムシクイ.
wíllow wàrbler =leaf warbler.
Wílson's wárbler ウィルソンアメリカムシクイ.
wóod wàrbler アメリカムシクイ.
wrén wàrbler ヒタキ科ハウチワドリ属の小鳥の総称.
yéllow-rùmped wárbler キヅタアメリカムシクイ.
yéllow-throated wárbler キノド(黄喉)アメリカムシクイ.
yéllow wárbler キイロ(黄色)アメリカムシクイ.

ward /wɔ́ːrd/

名 **1** 区. **2** (特定の患者のための)病棟. **3** 保護, 監督.
◇ -WARD[2], WARDEN.

brídge·wàrd 橋門の監視, 橋番.
cásualty wàrd 《英》(病院の)救急医療棟.
cásual wàrd 《英》浮浪者収容室.
díng wàrd 《米俗》精神病棟.
fíre wàrd 《古》消防監督官; 火の元責任者.
geriátric wárd 老人病棟.
háy·wàrd 《英古》共有牧草地の柵の管理役人.
isolátion wàrd 隔離病棟.
lábor wàrd 分娩(ぶん)室.
matérnity wàrd 産科棟.
Níghtingale wàrd ナイチンゲール型病棟.
psychiátric wárd 精神科病棟.
stéw·ard 名 ☞
wóod·wàrd 《英》林務官.

-ward[1] /wərd/

接尾辞 …(の方向)へ(の).
★ 名詞・副詞・前置詞につけて主として副詞をつくる. また派生的に形容詞を, まれに名詞をつくる.
★ 副詞の場合《米》では -ward を主として用い,《英》では -wards を主として用いる. 形容詞の場合は, どちらも -ward を用いる.
★ 語末にくる関連形は -WARDLY, -WARDS.
◆ 中英; 古英 *-weard* …の方へ; ラ *vertere*「回る」と同根; guard と二重語.
[発音] 第1強勢は基語と同じだが, 多くは語頭の音節にある.

af·ter·ward 副 後で, 後に; 以後, その後.
awk·ward 形 無器用な, 下手な; 不手際な.
back·ward 副 後方へ, 後ろへ; 後ろ向きに.
bed·ward 副 寝床(の方)へ.
church·ward 副 教会の方に.
cit·y·ward 副 都市の方へ.
coast·ward 副 海岸の方に.
death·ward 副 死に向かって.
down·ward 副 下へ, 下の方へ, 低い方へ.
earth·ward 副 地球[大地]の方へ.
east·ward 副 東に向かって, 東方へ.
e·qua·tor·ward 副 赤道の方向に.
field·ward 副 野原の方へ.
for·ward 副 ☞
front·ward 副 正面の方へ.
fro·ward 形 ひねくれた; 手に負えない.
God·ward 副 神に対して.
head·ward 形 頭部[上流]の方へ進む.
heav·en·ward 副 天に向かって.
hind·ward 副形 後方へ[の].
hith·er·ward 副 《古》ここへ, こちらへ.
home·ward 形 家路に向けての, 帰途の; 帰航の.
in·ward 副 内側に, 中心へ; 本国へ.
land·ward 副 陸の方へ; 内陸へ, 奥地へ.
lee·ward 形 〖海事〗風下の; 風下にある.
left·ward 副 左方に; 左側に.
man·ward 副 人間に向けて, 人間に関して.
moon·ward 副 月に向かって.
neth·er·ward 副 =downward.
north·ward 副 北の方へ, 北へ.
nor·ward 副 =northward.
off·ward 副 ある所から離れて; 岸から離れて.
on·ward 副 前方へ, 先へ, 進んで.
out·ward 形 外への, 外へ向かう; 外向的な.
pole·ward 副 極地へ.
rear·ward 副 後方へ[に], 背後へ[に].
rere·ward 名 《廃》後尾, 後方; 最後.
right·ward 副 右手に, 右側に.
riv·er·ward 副 川の方へ.
Rome·ward 副 ローマへ.
sea·ward 副 海へ, 海の方へ; 沖へ.
self·ward 副 自分に向かって.
shore·ward 副 岸の方へ.
side·ward 形 横に向けた横への.
sky·ward 副 空に向かって.
south·ward 形 南へ向かう; 南寄りの; 南向きの.
space·ward 副 宇宙へ.
stern·ward 副 船尾へ; 後方へ.
street·ward 形 通りの方の.
sun·ward 副 太陽に向かって.
to·ward 前 …の方へ, …に向かって.
up·ward 副 上の方へ[向かって], 上向きに.
us·ward 副 《古》我々の方へ.
van·ward 形 前衛の[に位置する].
wa·ter·ward 副 水のある方へ, 川[湖・池]の方へ.

W

way·ward 形 正道からそれる, 不法な; 片意地な.
west·ward 形 西へ向かう; 西方への, 西向きの.
whith·er·ward 副 《古》どこへ, どっちに向かって.
wind·ward 副 風上へ, 風に逆らって.
Zi·on·ward 副 シオン［天国］(の方)へ.

-ward² /wərd/

連結形 ward の連結形で, 人名に用いられる.

Ed·ward 名 エドワード(姓, 男子の名). ►字義は「繁栄, 幸運の番人」.
Hay·ward 名 ヘイワード(姓). ►字義は「柵の番人」.
Hey·ward 名 ヘイワード(姓). ►字義は「柵の番人」.
Sew·ard 名 スアード(姓). ►字義は「海の番人」.
Wood·ward 名 ウッドワード(姓). ►字義は「森の番人」.

war·den /wɔ́ːrdn/

名 監視人, 番人, 管理人, 保管者.

áir-raid wàrden 民間空襲警備員.
áir wàrden ＝air-raid warden.
ánimal wàrden 野犬捕獲人.
chúrch·wàrden 『英国国教会』教区委員.
dóg wàrden ＝animal warden.
fíre·wàrden 《米》(都市などの)消防監督官.
físh wàrden 《米》漁業監督官.
gáme wàrden 猟区管理官, 禁猟区監視員.
Lòrd Wárden イングランド南海岸の(特別)五港知事［管理官］.
príson wàrden 刑務所看手.
tráffic wàrden 《英》駐車違反取締官.

-ward·ly /wərdli/

接尾辞 …(の方)へ.
★ 方向を表す副詞をつくる.
◆ -WARD¹ と -LY¹ の合成接尾辞.

awk·ward·ly 副 不器用に; ぎごちなく; 扱いかねて.
back·ward·ly 副 後方へ, 逆へ, さかのぼって.
east·ward·ly 副 東方に向かって, 東方から.
for·ward·ly 副 大胆に; 出しゃばって.
in·ward·ly 副 内部で［へ, に］, 内側で［へ, に］.
lee·ward·ly 副 (船が)風下に向かって.
out·ward·ly 副 外見上, 表面上, 外観は, 一見.
south·ward·ly 副 南へ; 南から.
west·ward·ly 形 西方への, 西向きの.

-wards /wərdz/

接尾辞 -ward¹ の異形.
★ 名詞・副詞・前置詞につけて副詞をつくる.
★ 《英》では主として -wards を用い, 《米》では主として -ward を用いる.
◆ 中英; 古英 *-weardes* …の方へ. ⇨ -s¹.
［発音］第 1 強勢は基語と同じ.

af·ter·wards 副 《英》あとで, あとに; 以後.
back·ass·wards 副 《米俗》けつの方から, 逆さまに.
back·wards 副 《おもに英》後方へ, 後ろへ.
bass-ack·wards 形副 《米俗》《婉曲的》めちゃくちゃの［に］; あべこべの［に］.
bed·wards 副 寝床(の方)へ.
for·wards 副 前に, 先に, …以降(forward).
head·wards 副 頭部［上流］の方へ.
home·wards 副 家［故国］へ向かって.
in·wards 副 内側に, 内側に向けて, 中心へ.
north·east·wards 副 北東(の方)へ［に］.
nor·wards 副 北(の方)へ［に］; 〈風が〉北へ.
south·wards 副 南へ向かって, 南方へ.
south·west·wards 副 南西に向かって, 南西へ［に］.
to·wards 前 …の方へ, …に向かって, …を指して (toward).

ware¹ /wέər/

名 商品, 製品; (特定の種類の)…製品, …器; 陶器, …焼.

ágate·wàre 瑪瑙(めのう)模様のほうろう鉄器.
Árretine wàre アッレティン［アッレティウム］土器.
árt·wàre 美術陶磁［ガラス］器.
báke·wàre ＝ovenware.
bambóo wàre バンブーウエア: caneware の一種.
bár·wàre (酒場・バーの)グラス類, 備品.
basált·wàre 英国の陶芸家 Josiah Wedgwood が古い黒色器を改良した, 通例, 黒色で光沢の鈍い無釉炻器(むゆうせっき).
bíscuit wàre 締め焼き器(bisque): 締め焼き状態の無彩熔化(よう)磁器.
bráss·wàre 真鍮(しんちゅう)製品.
brówn·wàre 褐色の陶器.
brúsh·wàre ブラシ製品.
cámeo wàre ジャスパー: 硬い精炻器(せいせっき).
cáne·wàre ケーンウェア: 英国の陶器製造会社 Wedgwood 開発の黄褐色の無釉炻器(むゆうせっき).
Cánton wàre 広東(カントン)焼き.
Chién wáre 建窯(けんよう): 中国古来の炻(せっ)の一種.
chína·wàre 磁器, 瀬戸物.
cláy·wàre (れんが・陶磁器などの)粘土製品.
cóok·wàre 料理用具, 調理道具(鍋, 釜など).
córalline wáre 珊瑚(さんご)焼き.
cráckle·wàre ひび焼き(陶磁器).
créam·wàre クリームウェア: クリーム［乳白］色の釉薬(ゆうやく)がかかっている陶器.
cút·wàre (ナイフ・刃のような)切る道具.
Damáscus wàre ダマスカス焼: トルコの陶器.
dínner·wàre 食器類(食卓で使う陶器など).
dísh·wàre ＝tableware.
éarthen·wàre 陶器, 土器.
enámel·wàre (台所用品などの)エナメル容器.
Etrúscan wàre エトルリア焼: バサルト焼きの一種.
Fiésta wàre フィエスタウェア: 型込(かたご)成形による不透明な釉薬(ゆうやく)のかかった多彩な陶器.
flát·wàre 食卓用(銀)食器類.
gíft·wàre (贈答用)陶磁器, ガラス製品.
gláss·wàre ガラス製品, ガラス器.
gránite·wàre グラニットウェア: 灰色の石に似たほうろうがけの鉄器の一種.
hárd·wàre 金物類, 金属製品; 『コンピュータ』ハードウェア.
hóllo·wàre ＝hollowware.
hóllow·wàre 銀・陶磁器・ガラス製の深くて容積のある容器の総称.
íron·wàre 鉄製品, 鉄器, 金物.
Jáckfield wáre ジャックフィールド焼き: 18 世紀英国の Shropshire の Jackfield でつくられた黒釉陶器.
Jésuit wàre 通例, 白地に黒と金色でキリスト教に関する主題が描いてある, 18 世紀初期の中国製磁器.
jét-enàmelled wàre 黒絵の具で転写した 18 世紀の英国ウスター焼きの磁器.
kítchen·wàre 勝手道具, 台所用品, 調理用具.
lácquer wàre 漆器, (特に)蒔絵にした木製漆器.
Lówestoft wàre ローストフトウエア: 1757–1802 年, 英国 Lowestoft 周辺で作られた中国風軟磁器.
lúster·wàre ラスターウェア: 釉薬(ゆうやく)を施した金属製の光沢のある陶磁器.
lústre·wàre ＝lusterware.
métal·wàre 金属製品(特に食器類など).

W

Mócha wàre モカ陶器: 18 世紀後半から 20 世紀初頭の陶器.
Nóttingham wàre ノッティンガム陶器: 17－18 世紀に作られた陶器.
óven·wàre (オーブン用)耐熱皿.
Párian wàre パリアン磁器: 1850 年ごろ英国および米国に伝えられた表面の白い硬質陶磁器.
péarl·wàre 真珠光沢のある陶器.
pébble·wàre ペブルウエア: 異なる色の土を混ぜたまだら模様のウェッジウッド陶器.
plástic·wàre プラスチック製の食器.
pláte·wàre (家庭用)金 [銀] 食器.
quéen's wàre クイーンズウエア: Josiah Wedgwood が 1765 年ごろに完成した硬質のクリーム色の陶器.
sád·wàre (鉛の含有量が多く粗悪な)白鑞(しろう)(pewter)製薄皿類.
Sámian wàre サモス土器.
sánitary wàre 衛生陶器(洗面器, 便器など).
sílver·wàre 銀器, 銀製品(特に食器類など).
slíp·wàre スリップウェア: 泥漿(でいしょう)で装飾した陶器や炻器(せっ).
smáll·wàre 《英》小さな商品, (特に)小間物.
sóft·wàre ☞
spónged wàre ＝spongeware.
spónge·wàre スポンジウェア: 海綿で釉(ゆう)をつけた 19 世紀米国の陶器.
spún·wàre 〖金工〗回転成形品, へら絞り加工品.
stém·wàre 脚付きのグラス.
stóne·wàre 炻器(せっ).
táble·wàre 卓上食器類.
téach·wàre 視聴覚教育機器.
tín·wàre ブリキ製品, 錫(すず)細工品.
tóle·wàre トール(tole)製品: エナメルまたはラッカーを塗り, 通例, 金メッキ装飾を施した金属製品.
Túnbridge wàre タンブリッジウエア: Tunbridge Wells で生産された木製品.
Túpper·wàre 《商標》タッパーウエア.
Whíeldon wàre ウィールドンウエア: 英国の陶芸家 Thomas Whieldon が Staffordshire の工房で製作した陶器.
whíte wàre ホワイトウエア: 施釉(せゆう)または無釉素地(きじ)の焼成品で, 白色で微細な組織をもった陶磁器の総称.
wíllow·wàre 柳模様の描かれた陶磁器.
wóoden·wàre (家庭用)木製器具, 木製品.
wóod·wàre ＝woodenware.

ware[2] /wéər/

形 《古》《叙述的》《詩語》注意深い, 目を光らせた, 油断のない, 用心深い(wary).

a·ware 形 ☞
be·ware 動他 …に用心する, 注意する.

-ware /wèə/

連結形 《俗》〖コンピュータ〗〖通信〗…ソフト.
★ 特定のコンピュータソフトウェアを表す名詞をつくる.
◆ software の短縮形.

ban·ner·ware 名 他のものの宣伝広告を目的とした Freeware.
bloat·ware 名 大規模で使いにくい商用ソフト.
care·ware 名 ＝donorware.
char·i·ty·ware 名 ＝donorware.
course·ware 名 教育用ソフト.
crip·ple·ware 名 登録なしには完全に使用できないソフト.
do·nor·ware 名 使用に際し, 慈善的な寄付を求められるソフト.
Free·ware 名 パソコン通信上から無償で使用・交換のできるソフト.
fun·ware 名 ファンウェア.
group·ware 名 集団作業用ソフト.
hu·man·ware 〖コンピュータ〗ヒューマンウェア.
live·ware 名 ＝peopleware.
mid·dle·ware 名 企業のデータベースとパソコンを接続するための中継ソフト.
mind·ware 名 操作能力を援助・増強するソフト.
nag·ware 名 使用登録をしつこく迫る shareware.
peo·ple·ware 名 (コンピュータの能力に対して)人的能力.
post·card·ware 名 使用の際し, 絵はがきの返送を求められるソフト.
share·ware 名 試用期間中のみ無償のソフト.
shelf·ware 名 内臓されている機能をすべて使いこなすのがあまりに難しいソフト.
shov·el·ware 名 (コンピュータ雑誌が編集する CD-ROM のなかの)寄せ集めのがらくたソフト.
slim·ware 名 コンパクトで操作が速い商用ソフト.
va·por·ware 名 告知だけで現実には送信されて来なかったソフト.
wét·wàre 名 ウェットウェア, 人間.

war·fare /wɔ́ːrfὲər/

名 (国家(群)間の)戦争状態 [行為], 交戦, 戦争. ⇨ FARE.

ànti-áir wàrfare 対空戦闘.
atómic wárfare 核戦争.
bactèriológical wárfare ＝biological warfare.
biológical wárfare 細菌戦, 生物戦.
bìo·wárfare ＝biological warfare.
chémical wárfare 化学戦.
electrónic wárfare 電子戦争.
gás wàrfare (毒)ガス戦.
geophýsical wárfare 地球物理学戦.
gérm wárfare ＝biological warfare.
guerrílla wárfare ゲリラ戦, 遊撃戦.
nával wárfare 海戦.
núclear wárfare 核戦争.
módern wárfare 近代戦.
psychológical wárfare 心理戦(争).
trénch wárfare 塹壕(ざんごう)戦, 持久戦.
unconvéntional wárfare 不正規戦.

warm /wɔ́ːrm/

形 適度の熱さの; 暖かく感じられる; 〈体・血液などが〉恒温の. ── 動他 …を暖める. ── 名 暖かいもの.

blóod-wárm 形 血温の, 生温かい.
Brítish wárm 《英》(将校が着る)軍用短外套.
lúke·warm 形 〈特に液体が〉微温の, なまぬるい.
píss-wàrm 形 《米俗》生温かい, 生ぬるい.
re·wárm 動他 再び暖める.
ríng-wàrm 名 《米俗》ボクシングファン.

warm·er /wɔ́ːrmər/

名 温める人 [もの]; 加温 [保温] 器. ⇨ -ER[1].

béd·wàrmer ベッド温暖器.
bénch·wàrmer 〖スポーツ〗万年補欠 [控え] の選手.
bódy wàrmer 通例キルティングにした防寒用チョッキの 1 種.
cháir wàrmer 《米話》仕事に精を出さない人.
fóot wàrmer 足温器, 湯たんぽ.
hánd·wàrmer ハンドウォーマー, かいろ.
lég wàrmer 《-s》レッグウォーマー.
nóse-wàrmer 《米俗》短いタバコパイプ.
pée-wàrmer 《米俗》楽しい [快い] もの.
séat wàrmer 《米俗》次回は選挙に出ないという

約束で補充された議員.
wríst wàrmer リストウォーマー.

warm·ing /wɔ́ːrmiŋ/

名 暖める［暖まる］こと. ──形 暖める, 暖まる. ⇨ -ING[1], -ING[2].

glóbal wárming 地球温暖化(現象).
héart·wàrming 形 心暖まる, ほほえましい.
hóuse·wàrming 新築祝いのパーティー.

warn·ing /wɔ́ːrniŋ/

名 警告, 注意, 警報. ──形 警告の. ⇨ -ING[1], -ING[2].

Dístant Éarly Wárning 〘軍事〙遠距離早期警戒.
dréadful wárning 《英》映画の予告編.
éarly-wárning 形 (防空などの)早期警報の.
gále wàrning 《米》〘気象〙強風海上警報.
gípsy's wárning ＝gypsy's warning.
gypsy's warning 不吉な［なぞめいた］警告.
húrricane wàrning 〘気象〙ハリケーン警報.
spécial maríne wàrning 〘気象〙特別海上警報.
stórm wàrning 暴風雨標識の掲示.
twó-mìnute wárning 〘アメフト〙ツーミニッツ・ウォーニング.

warp /wɔ́ːrp/

動自 〈板などが〉曲がる;〈地質が〉曲がる. ──名 (SFで)ワープ.

dówn·wàrp 動自 〈地層が〉緩やかに下方へ曲がる.
móld·wàrp 〘動物〙ヨーロッパモグラ.
spáce wàrp 空間歪曲(わいきょく).
tíme-spàce wárp 時空歪曲.
tíme wàrp 時間歪曲.
úp·wàrp 〘地質〙アプウォープ, 曲隆.

war·rant /wɔ́ːrənt, wár-｜wɔ́r-/

名 **1** (公式の)証明書, 認可書. **2**〘法律〙令状.

bénch wàrrant 勾引(こういん)状.
déath wàrrant 死刑執行令状.
fúgitive wàrrant 指名手配.
géneral wárrant 一般令状.
jústice's wárrant 治安判事や警察判事の出す令状.
róyal wárrant 王室御用達認可証.
séarch wàrrant (家宅)捜索令状.
tréasury wàrrant 国庫支払［収納］令状.

war·ri·or /wɔ́ːriər, -rjər, wár-｜wɔ́riə/

名 武人, 兵士;(未開民族の)戦士. ⇨ -IOR[2].

cóld wárrior 冷戦主義者, 冷戦の政治家.
èc·o·wár·ri·or 名 環境戦士(ecoteur).
háppy wárrior 困難［反対］にくじけない人.
Índian wárrior 〘植物〙アメリカシオガマ.
Ský·wàrrior 名 スカイウォリア: 米国製艦上攻撃機 A-3 の愛称.
stár-wàrrior 名 スターウォーズ計画支持者.
wéekend wàrrior 《米俗》週末予備兵, 週末戦士.
Whítehall Wárrior 《英俗》公務員; 官庁勤務の軍人.

wash /wáʃ, wɔ́ːʃ｜wɔ́ʃ/

動他 〈物を〉(…で)洗う. ──名 洗うこと.

ácid wásh 〘服飾〙(ジーンズなどの)塩素漂白.
áir·wàsh 動他 〈屋根などを〉風を送って冷やす.
a·wásh 形副 水につかって, 冠水して.
báck·wàsh 〘海事〙逆流, 返し波.
bág·wàsh 《英》ざっとした洗濯.
bélly-wàsh 《俗》飲み物.
bláck·wàsh 動他 白日の下にさらす, 暴露する.
bódy·wàsh 動他 〈秘密工作員の死を〉カムフラージュする.
bráin·wàsh 動他 …を洗脳する. ──名 洗脳.
cár wàsh 洗車場［機］.
cólor wàsh 水性白色塗料; 色付き水性ペンキ.
cólor·wàsh 動他 色付き水性ペンキを塗る.
dísh·wàsh たわ言, ナンセンス.
dóg·wàsh 名動自 《ハッカー俗》(緊急の仕事と別の)急がない仕事(をする).
dówn·wàsh 〘航空〙洗流, 吹き降ろし.
drý wàsh アイロンをかける前の洗濯物.
éye·wàsh 〘薬学〙目薬, 点眼［洗眼］水.
flát wàsh 圧搾ローラーで簡単にアイロン仕上げができる平たい布製品.
gránite-wàsh ＝stone wash.
gréen·wásh 動他 《米俗》〈不正金などの〉出所を隠す.
hánd-wásh 動他 手で洗う.
hóg·wàsh 残飯, 台所のくず; まずい食べ物.
jét wàsh 〘航空〙ジェットウォッシュ.
lánd·wàsh 高潮線.
líme·wàsh 〘建築〙のろ,(壁用の)石灰塗料.
machíne-wàsh 動他自 洗濯機で洗う.
móld wàsh 〘冶金〙塗型剤.
móuth·wàsh 口内洗浄剤, うがい薬.
óut·wàsh 〘地質〙外縁［融氷流水］堆積(たいせき)物.
òver·wásh 動他 水浸しにする. ──名 浸水.
píg's wàsh (豚にやる)残飯(pigswill).
píg·wàsh ＝pig's wash.
propéller wàsh 〘航空〙後流.
próp wàsh 《話》＝propeller wash.
ráin·wàsh 雨食: 雨水による浸食作用.
réady-wásh 《俗》(麻薬の)クラック.
re·wásh 動他 再び洗う; 洗い直す.
scréen·wàsh 《英》(自動車の)フロントガラス洗浄.
shéep wàsh 洗羊場.
stóne wàsh 〘服飾〙ストーン・ウォッシュ.
wét wàsh ぬれたままの洗濯物.
whíte·wàsh 水しっくい, のろ. ──動他自 しっくいを塗る.
wísh-wàsh 《話》水っぽい飲み物, 気の抜けた酒.

wash·er /wáʃər, wɔ́ːʃər｜wɔ́ʃə/

名 **1** 洗濯する人, 洗う人［物］. **2**(ナッツ・ボルトの頭の下に置く)座金(ざがね), ワッシャー. ⇨ -ER[1].

bóttle·wàsher 瓶洗い人［機］.
dísh·wàsher (食堂などの)皿洗い(係).
gúlly wàsher 《主に米ミッドランド・西部》(通例, 短時間の)激しい(集中)豪雨.
lóck wàsher 止め座金.
spríng wàsher ばね座金.
wíndow wàsher 窓ふきをする人;《米俗》(トラック運転手の間で)大雨.

wash·ing /wáʃiŋ, wɔ́ːʃ-｜wɔ́ʃ-/

名 **1** 洗うこと, 洗濯, 体を洗うこと. **2**〘証券〙仮装売買をすること. ⇨ -ING[1].

bónd·wàshing 脱税目的の違法な証券操作.
bráin·wàshing 洗脳法.
fóot wàshing 〘キリスト教〙洗足の儀式.
móney-wàshing 不正資金浄化(行為).

wasp /wásp｜wɔ́sp/

名〘昆虫〙ハチ.

cúckoo wàsp セイボウ(青蜂).
dígger wàsp ジガバチ.

fíg wàsp イチジクコバチ.
gáll wàsp タマバチ.
máson wàsp ドロバチ.
múd wàsp 《主に米北部・西部》泥で巣を作るハチの総称.
páper wàsp 紙のような材料で巣を作るハチの総称.
pótter wàsp トックリバチ(スズバチを含む).
quéen wásp スズメバチの女王.
sánd wàsp ジガバチ科の数種のハチの総称.
séa-wàsp 《豪》立方水母(くらげ)目の有毒クラゲの総称.
sócial wásp 群居性スズメバチ.
sólitary wásp 単独性スズメバチ.
spíder-hùnting wàsp ＝spider wasp.
spíder wàsp クモを幼虫の餌にするハチの総称.
wóod wàsp キバチ(木蜂)(horntail).

waste /wéist/

動他 〈物を〉(…に)空費する,〈金・時間・才能などを〉(…に)浪費[消耗]する. ── 名 **1** 浪費. **2** 廃棄物, ごみ.

cótton wàste (機械類の掃除用)くず綿.
házardous wáste 有害廃棄物.
intermédiate-lèvel wáste 中レベル放射性廃棄物.
lígh-lèvel wáste 高レベル放射性廃棄物.
lów-lével wàste 低レベル放射性廃棄物.
núclear wáste ＝radioactive waste.
radioáctive wáste 放射性廃棄物.
rád·wàste ＝radioactive waste.
réd-bàg wáste 病院から出る汚染されたごみ.
sóild wáste 固形廃棄物.
tóxic wáste 有毒廃棄物.

watch /wátʃ | wɔ́tʃ/

動自 じっと見ている; …を観察する. ── 名 **1** 観察, 監視, 追跡調査, 問題研究. **2** 番人, 警備員. **3** 時計.

afternóon wàtch 【海事】午後当直.
ánalog wàtch アナログ腕時計.
ánchor wàtch 【海事】停泊[守錨(しゅびょう)]当直.
báby-wàtch 動自他 《英》(…の)ベビーシッターをする.
bádger-wàtch アナグマの生態観察.
bírd-wàtch 動自 野鳥の生態観察をする, 探鳥する.
cálendar wàtch カレンダー付きの腕時計.
clóck wàtch 時打ち懐中時計.
clóck-wàtch 動自 終業時刻ばかり気にする.
críme wàtch (町内の住民による)犯罪監視, 防犯.
déath·wàtch 臨終のみとり; (死者の)通夜.
déck wàtch (天測用)甲板時計.
dígital wàtch デジタル時計.
dóg·wàtch 【海事】ドッグウォッチ, 折半直.
dóom·wàtch 環境破壊防止の監視; 災害の監視.
Éarth·wàtch (環境汚染の)地球監視網.
évening wàtch 【海事】薄暮当直.
fírst wàtch 【海事】(艦船上の)初夜当直.
fórenoon wàtch 【海事】午前当直.
fóx·watch キツネの生態観察.
gráveyard wàtch 《米》(交代勤務での)夜勤.
hácker wàtch ハッカーに対する監視.
háck wàtch 【海事】＝deck watch.
húnting wàtch 《主に英》(狩猟用)両蓋懐中時計.
húrricane wàtch 【気象】ハリケーン警報.
léver wàtch レバー脱進機を使った時計.
míddle wàtch 【海事】夜半当直, 深夜当直.
míd·wàtch 【海事】＝middle watch.
mórning wàtch 【海事】払暁(ふつぎょう)当直, 朝直(あさちょく).
néighborhood wàtch (近隣)自警団.
níght wàtch 夜の警備, 夜警, 夜番.
òut·wàtch 動他 …より長く見守る, 注意して見る.
òver·wàtch 動他 監視する, 見張る.
péndulum wàtch (昔の)振り子時計.
quártz wàtch 水晶[クォーツ]腕時計.
repéating wàtch 二度打ち時計, 復(また)打ち時計.
ský·watch (飛行機などを見るため)空を見ること.
stóp·wàtch ストップウォッチ.
stórm wàtch 【気象】(気象庁の出す)注意報.
súnrise wàtch ＝dogwatch.
whále-watch ホエイルウォッチ; 鯨の生態観察.
wrístlet wàtch 《英》＝wrist watch.
wríst wàtch 腕時計.

watch·er /wátʃər | wɔ́tʃə/

名 番人, 監視人; 看護人; (世相などの)動向を観察する人; 《しばしば複合語》…専門家. ⇨ -ER[1].

bírd wàtcher (趣味としての)野鳥(生態)観察者.
Chína wàtcher 中国(問題)専門家, 中国通.
clóck wàtcher (終業時刻ばかり気する)怠け者.
fíre wàtcher (空襲時の)火災警備員.
póll wàtcher 選挙立会人.
shárk wàtcher 【経営】企業買収対応監視専門家.
wéight-wàtcher 体重を気にする人; 減量中の人.
whále wàtcher 鯨観察者.
wórd wàtcher 言葉の観察者, 言葉の収集家.

watch·ing /wàtʃiŋ | wɔ̀tʃ-/

名 観察. ◇ WATCHER. ⇨ -ING[1].

bírd-wàtch·ing (趣味の)野鳥(生態)観察, 探鳥.
mán·wàtching 人間行動学, 人間行動の観察.
péople-wàtching 《米話》人を観察して楽しむこと.
whále wàtching 鯨観察.

wa·ter /wɔ́:tər, wát- | wɔ́:tə/

名 **1** 水, 飲料水, 湯. **2** 水溶液. ── 動他 …に水を供給する.

ammónia wàter 【化学】アンモニア水.
báck·wàter (ダム・堰(せき)などでせき上げられる)背水.
bárley wàter 大麦重湯; 大麦の煎じ汁.
barýta wàter 【化学】バリタ水, 重土水.
báth·wàter 浴槽の湯.
bérp·water 《米俗》ビール, エール, シャンパン.
bílge wàter 【海事】(船底の)淦, 汚水, 淦水.
bláck wáter 下水, 排水.
bláck·wàter 【病理】黒尿症.
blúe-wàter 形 大海原の; 外洋で活動する.
bóttled wáter 瓶詰め飲料水.
bránch wàter (小川などの)水, 引き水; 澄んだ水.
bréak·wàter 防波堤, 波よけ.
bróken wáter 【海洋】粗水面.
búbble wàter 《米俗》シャンパン.
cásual wàter 【ゴルフ】カジュアルウォーター.
cíty wàter 水道(用水).
cléar blúe wáter (2つの政党間の)政策上の不一致.
cléar rèd wàter 《英》保守党と労働党の間の政策的不一致.
cút·wàter 【海事】(船首の)水切り, 波切り.
déad wáter 死水: 静水, 流れない水, よどみ.
déep-wáter 形 深水の; 深海の; 遠洋の.
desígner wàter 《話》(市販の)瓶詰め飲料水.
de·wá·ter 動他 排水する; 脱水する.
díll wáter 【植物】イノンド(dill)の蒸留液.
dísh·wàter 皿を洗う水.
distílled wáter 蒸留水.
dítch·wàter 溝のたまり水, (特に)よどんだ汚水.
Drínk·wàter ドリンクウォーター(姓).
Evián wàter エビアン水.
éye·wàter 《古》涙; 目の分泌物.
fáir·wàter 【海事】フェアウォーター.
féed·wàter (蒸気に変えるためにタンクなどからボイラーに)給水される水.

fíre·wàter 《話》強い酒; 火酒.

fírst wáter 《もと》ファーストウォーター: ダイヤモンドなどの宝石の最良質.

fízz·wàter (炭酸水などのような)発泡性飲料; ソーダ水.

flát wáter 動きのない水, 静水域.

flóod·wàter 洪水の出水.

Flórida wáter フロリダ水: 香水の一種.

fóo-fóo wàter 《米俗》アフターシェーブローション; コロン.

frée wàter 〖化学〗自由水.

frésh wáter 淡水, 真水, 清水; 新鮮な人.

frésh·wàter 形 真水の, 淡水の; 淡水性の.

gíggle wàter 《俗》酒, (特に)シャンペン.

Góld·wàter ゴールドウォーター(姓).

gráy wàter (生活)雑排水.

Gregórian wáter 〖ローマカトリック〗グレゴリオ聖水.

grípe wàter 《英》(特に幼児用の)駆風剤(carminative), 腹痛薬(drill water).

gróund wàter 地下水.

hárd wáter 〖化学〗硬水.

héavy wáter 重水(deuterium oxide).

hígh wáter (川などの)最高水位.

hígh-wáter 形 〈ズボンなどが〉極端に短い.

hóly wáter 聖水.

hót wáter 熱湯, 湯.

íce wàter 氷で冷やした水.

Javél wàter ジャベル水.

jérk·wàter 形 《米・カナダ話》ひどくへんぴな.

jóy wàter 《米俗》(強い)酒.

lávender wàter ラベンダー油で作った化粧水.

Líffey wàter 《英俗》ギネスのスタウト(ビール).

líght wáter 〖化学〗軽水.

líme·wàter 石灰水: 消石灰の水溶液.

líthia wáter リチウム(塩)水.

lólly·wàter 《豪・NZ 俗》(特に)着色した清涼飲料.

lów wáter (川・湖などの)最低水位.

máiden's wàter 《英》弱いアルコール飲料.

mákeup wáter (ボイラーなどへの)補給水.

mélt·wàter 雪解け水; 氷の解けた水.

mílk-and-wáter 形 気の抜けた, 味気ない; 感傷的な.

míneral wàter 鉱(泉)水, ミネラルウォーター.

móther wàter 母液, 原液(mother liquor): 主成分が結晶したあとに残った部分.

ópen wáter 氷が張っていない海面; 開氷域.

órange-flòwer wàter 橙花(とうか)水: 香水の一種.

ò·ver·wá·ter 形副 水上の, 水面上を横切って.

póly·wàter 〖化学〗ポリウォーター, 重合水.

precípitable wáter 可降水量.

quíck·wàter 早瀬, 急流, 急湍(きゅうたん).

quínine wàter 炭酸キニーネ水.

ráin·wàter 雨水, 天水.

rápid wáter 《米》ラピッドウォーター: 消火ポンプ用懸濁液.

réd wáter 赤潮(red tide).

róse wàter (バラ油で香りをつけた)バラ香水.

róse-wàter 形 バラ香水のような香りの.

rúnning wáter 水道水; 流水.

sált wàter 塩水.

sált·wàter 形 塩水 [海水] の.

séa·wàter 海水.

shéar·wàter 〖鳥類〗ミズナギドリ.

sízz-wàter 《米俗》=fizzwater.

sláck wáter 潮だるみ, 憩潮, 憩流.

slíppery wáter スリペリーウォーター: 微量のポリマーを含み, 抵抗が少なくなめらかに流れる水.

sóda wàter ソーダ水.

spárkling wáter =soda water.

spríng·wàter わき水, 湧水(ゆうすい), 湧泉.

státic wáter 《英》貯水池・タンクなどに貯蔵されている水.

stíck·wàter スティックウォーター: 魚粉, 魚粕などの廃液.

Stíll·wàter スティルウォーター(米国の地名).

stíll wáter (川の)よど.

stóp·wàter 〖海事〗水止(みずどめ), 水止栓.

stróng wáter 《古》酸; (特に)硝酸.

sú·per·wà·ter =polywater.

súrface wàter 地表水.

Swéet·wàter スイートウォーター(米国の都市名).

táble wàter =mineral water.

táil·wàter ダムから放出された水.

táp wàter (蛇口・樽(たる)の栓から直接出した)生水.

tár-wàter タール水溶液.

tíde·wàter 《米》潮水: 潮汐(ちょうせき)の影響を受ける河口などの水.

tóilet wàter 化粧水, オーデコロン.

tónic wàter =quinine water.

ùn·der·wá·ter 形 水中にいる [ある]; 水中で起こる.

víchy wàter ビシー水: 飲料水の一種.

wáste·wàter (工場)廃水; 下水; 廃液.

whíte wáter (急流などの)泡立った水, 白波.

whíte-wáter 形 急流の [を行く].

whóopee-wàter 《米話》シャンパン.

wíld·wàter 急流(の), 奔流(の).

wóofle-wàter 《米話》酒, ウイスキー.

wózzle-wàter 《米話》=woofle-water.

wa·ters /wɔ́ːtərz, wɑ́t-｜wɔ́ːtəz/

名複 water「水」の複数形.

cóastal wáters 《米》〖海洋〗沿岸水域.

héad·wàters 名複 (川の)源流, 上流.

hígh wàters 《俗》(くるぶしが出た)つんつるてんのズボン.

ínland wáters 内水.

pílot wàters 〖海事〗水先海面, 水先区.

territórial wáters 領水, (特に)領海.

tróubled wáters 荒波, 荒海.

watt /wɑ́t｜wɔ́t/

名 〖電気〗ワット. ►スコットランドの技師 James Watt の名より.

áb·wàtt 名 アブワット, 絶対ワット.

gíga·wàtt 名 ギガワット, 10 億ワット.

kílo·wàtt 名 キロワット.

méga·wàtt 名 メガワット.

míсro·wàtt 名 マイクロワット.

mílli·wàtt 名 ミリワット.

nega·watt 名 ネガワット.

téra·wàtt 名 テラワット.

wave /wéiv/

名 波, 波浪, 風浪.

álpha wàve 〖生理〗(脳波の)アルファ波.

blást wàve 爆風.

blów-wàve (整髪の)ブローウェーブ.

bódy wàve 〖地質〗実体波.

bódy·wàve (ブレークダンスで)ボディーウェーブ.

bów wàve 〖海事〗船首波.

bráin wàve 〖医学〗脳波.

cárrier wàve 〖通信〗搬送波.

cóld wàve 〖気象〗寒波.

cómplex wàve 〖物理〗複素波.

compréssional wàve 〖物理〗=compression wave.

compréssion wàve 〖物理〗圧縮波.

contínuous wáve 〖通信〗持続波.

críme wàve 一時的な犯罪の急増.

de Bróglie wàve 〖物理〗ド・ブローイ波, 物質波.

délta wàve 〖生理〗デルタ波.

dilatátional wáve 〖海洋〗引き波.

diréct wáve 〖通信〗直接波.

éarth wàve 〖地質〗(地震波など)地球内部を四方に伝わる弾性波.

W

éasterly wáve 【気象】偏東風波動.
édge wàve 【海洋】エッジ波.
elástic wáve 【物理】弾性波.
eléctric wáve 【物理】=electromagnetic wave.
elèctromagnétic wáve 【物理】電磁波.
expánsion wàve 【物理】膨張波.
extraórdinary wáve 【無線】異常波.
fínger wàve (整髪の)フィンガーウエーブ.
fírst wáve 第一の波: 農業革命(の時代).
gravitátional wáve 【物理】【天文】重力波.
grávity wàve 【物理】【天文】重力波.
gréen wàve (サーフィンの)グリーンウェーブ.
gréy-wàve [形] 《英話》〈会社・株が〉(もしかすると有望だが)将来性の薄い.
gróund wàve 【無線】地上波.
guíded wáve 【物理】誘導波.
héat wàve 【気象】熱波; 熱気, かげろう.
Hértzian wáve 【物理】ヘルツ波, 電磁波.
húman wáve 「人海」: 人間の波.
ionosphéric wáve 【天文】電離層波.
Kondrátieff wàve 【経済】コンドラチェフの波.
lée wàve 【気象】風下波.
líght·wàve 【物理】光波: 電磁波としての光.
longitúdinal wáve 【物理】縦波, 疎密波.
lóng wàve 【電気】長波.
Lóve wàve 【物理】ラブ波.
Ĺ wàve 【地震】L 波.
magnétohỳdromagnétic wáve 【物理】磁気流体波.
mátter wàve 【物理】=de Broglie wave.
médium wáve 【通信】中波.
Méxican wáve ウェーブ: 観客全体で波を表現してゆく応援のパフォーマンス.
mícro·wàve 【電気】マイクロ波, 極超短波; 《話》電子レンジ. ── [動他] …を電子レンジにかける.
móuntain wàve 【気象】山岳波.
néw wáve 新しい波, ヌーベルバーグ.
órdinary wáve 【無線】常電波, 正常波.
ó-wàve 《まれ》【無線】=ordinary wave.
píco·wàve [動他] 〈食べ物に〉(腐敗防止のため)ガンマ線をかける.
plánetary wáve 【気象】プラネタリー波, 惑星波.
prímary wáve 【地震】=P wave.
Ṕ wàve 【地震】P 波.
rádio wàve 【電気】電波.
Ráyleigh wàve 【力学】【地質】レーリー波.
sánd wàve サンドウエーブ, 砂波: 砂丘の隆起部.
sécondary wáve 【地質】=S wave.
sécond wáve 第二の波: 産業革命(の時代).
séismic séa wàve 【海洋】津波.
séismic wáve 【地震】地震波.
shéar wàve 【地質】=S wave.
shóck wàve 【物理】衝撃波.
shórt·wáve 【電気】短波.
síne wàve 【物理】正弦波.
ský wàve 【無線】上空波.
slów wáve 【生理】=delta wave.
sólitary wáve 【数学】【物理】孤立波.
sóund wàve 【物理】音波.
spín wàve 【物理】スピン波.
squáre wáve 【数学】【物理】方形波.
stánding wáve 【物理】定在波, 定常波.
státionary wáve 【物理】=standing wave.
súrface acóustic wàve 【音響】表面弾性波.
súrface wàve 【地質】表面波.
Ś wàve 【地質】S 波, ねじれ波, 横波.
théta wàve 【生理】シータ波.
Thírd Wáve 第三の波: エレクトロニクス革命による高度技術の時代.
thóught wàve 【心霊】心波.
tídal wàve 《俗に》【気象】高波, 津波.
títde wàve 【海洋】潮汐波.
tránsverse wáve 【物理】横波.
tráveling wáve 【物理】進行波.
wáter wàve 水の波.
wáter-wàve [動他] 〈髪を〉水でぬらしてウェーブする.
X̌-wàve 【無線】=extraordinary wave.

wav·er /wéivər/

[名] 振る[揺する]人; 揺れるもの. ⇨ -ER[1].

árm-wàv·er [名] 《米俗》興奮しやすい人.
flág-wàv·er [名] 旗振り(人), 信号旗手, 手旗信号手.
skív·vy-wàv·er [名] 《米海軍俗》(海軍の)手旗信号係.
wánd-wàv·er [名] 《米俗》露出狂(の人)(flasher).

wax /wǽks/

[名] 蜜蝋(みつろう).

bées·wàx 蜜蝋(みつろう).
Chínese wáx 白蝋, 虫[いぼた]蝋.
cóbbler's wáx (靴直し用の糸に塗る)蝋(ろう).
de·wáx [動他] …から蝋(ろう)を取る.
éarth wàx 【鉱物】臭蝋, 地蝋.
éar·wàx 耳あか, 耳くそ.
Géraldton wáx フトモモ科ワックスフラワー属の常緑低木.
gráfting wàx 【園芸】接蝋(つぎろう).
gráve wàx 死蝋(しろう)(adipocere).
ínsect wàx 【化学】=Chinese wax.
Japán wàx 木蝋(もくろう).
lígnite wàx =montan wax.
míneral wàx 【鉱物】臭蝋, 地蝋.
móntan wàx モンタン蝋.
páraffin wàx パラフィン蝋.
séaling wàx 封蝋.
súmac wàx =Japan wax.
thórough·wàx 【植物】ミシマサイコ(三島柴胡).
végetable wàx 植物蝋, 木蝋.
whíte wáx 白蝋.
wóol wàx 【化学】羊毛脂, 羊毛蝋.

way /wéi/

[名] **1** (…の)仕方, やり方; 様式, …ふう. **2** (…への)道, 通り道, 道筋; 入り口, 出口; (鉄道の)軌道; (一般に)通れる道.

áccess·wày (公共の海浜・州立公園などへの)出入り道, 連絡道路.
áir·wày (諸設備の完備した)航空路.
álley·wày 《特に米》裏通り, 路地, 横町.
ál·way [副] 《古》いつも, 常に(always).
Ám·way アムウェイ: 米国の会社.
ány·wày [副] とにかく, なんとしても.
Áppian Wáy (古代ローマの)アッピア街道.
árch·wày 【建築】アーチ道, 拱道(きょうどう).
área·wày 《米》地下勝手口.
báck wày 《米俗》肛門.
bélt·wày (都市近郊の)環状道路.
bíke·wày 自転車専用道, サイクリングコース.
bréeze·wày (家とガレージなどをつなぐ屋根と柱だけの)渡り廊下, ポーチ.
Bróad·wày (New York の)ブロードウェー.
bróad·wày 大通り, メーンストリート.
bús·wày バス専用車線[道路].
bý·wày 路地, 小道, 裏道, 脇道.
cáble·wày 空中ケーブル, 索道.
cáge·wày 【鉱山】エレベーターのケージ用ガイドロープ.
cárriage·wày 《英》(馬道などに対して)車道, (分離帯のある)自動車道路.
cáuse·wày (低湿地などに土を盛り上げた)土手道, なわて.
céllar·wày 地下室への入り口, (特に)地下室に通じる外階段の吹き抜き.
cháir·wày (スキー場などの)リフト.
cléar·wày 《英》(駐停車禁止の)主要道路.
cólour·wày 《英》色彩設計, (一般に)配色計画.
compánion·wày 〚海事〛昇降階段, 昇降用はしご.
cóvered wáy 《米》屋根のある渡り廊下.
cráwler·wày ロケット[宇宙船]運搬用道路.
cráwl·wày (洞窟などの)天井の低い通路.
króss·wày 交差道路.
crúise·wày 《英》ボート遊び用の水路.
cýcle·wày 《英》自転車道路.
dóor·wày (家・部屋の)戸口, 出入り口.
drág·wày 《米》drag race のコース.
dráinage·wày 排水施設.
dríft·wày 〚鉱山〛坑道.
dríve·wày 《主に米》(街路から家屋・車庫などへ通じる)私道, 車道, 車回し.
dúg·wày 《米》切り通し.
èach wáy 《英》(競馬などで)連勝複式の.
Éightfold Wáy 〚物理〛八道説.
éntrance·wày ＝entryway.
éntry·wày (建物内に通じている)通路, 入り道.
escápe·wày 逃げ道, 脱出口.
évery·wày 副 あらゆる面[点]で, あらゆる方向に.
expréss·wày 高速道路.
fáir·wày 妨害[障害]のない安全な通路.
físh wày 《米・カナダ》魚ばしご, 魚梯.
Flamínian Wáy 〚歴史〛フラミニア街道.
flánge·wày 〚鉄道〛フランジウェイ, 輪縁路.
flóod·wày (洪水時の)放水路.
flýing gángway 〚海事〛高架通路(monkey bridge).
flý·wày 渡り鳥の繁殖地と越冬地の間の経路.
fóot·wày (歩行用の)小道.
Fósse Wáy 〚歴史〛フォス街道, ローマ街道.
fóur-wày 形 四方に出入り口のある, 四方に道路がある, 四方に通じている.
frée·wày 高速道路(expressway).
Frénch wáy 《俗》クンニリングス, フェラチオ.
Gál·way ゴールウェー(アイルランドの地名).
gáng·wày 通路, (特に)狭い歩道.
gáte·wày (門で閉じられる)入り口, 通用口.
Gréek wáy 《米俗》アナルセックス, 肛門性交.
Gréena·wày グリーナウェー(姓).
gréen·wày 《特に米》(大きな公園を結ぶ)歩行者・自転車専用道路, 緑道.
guíde·wày ガイドウェー: モノレールなどの車両を走らせるための逆 T あるいは逆 U 型の案内走行路.
hálf·wày 副形 ＝midway.
háll·wày (建物などの)通路, 廊下.
hárd wáy 《話》(craps で)最初に振って出たぞろ目をもう一度出すこと.
hátch·wày 〚海事〛ハッチ, 倉口(hatch).
Hátha·wày ハサウェー(姓).
háulage·wày 〚採鉱〛運搬坑道.
héad·wày[1] (船などの)前進, 進行.
héad·wày[2] (部屋・トンネルなどの)頭上の空間.
Héming·wày ヘミングウェイ(姓).
hígh·wày ☞
hóist·wày エレベーターなどの垂直の通路.
Hóllo·way ホロウェー(イングランドの地名). ► 字義は「一段下がった道」.
Ícknield Wày イクニールド街道: イングランド中南部の街道.
Írish wáy 《米俗》異性間での肛門性交.
jét·wày ボーディング・ブリッジ.
kéy·wày 〚機械〛キー溝.
ládder·wày 〚採鉱〛はしご付きの通路.
lée·wày 《話》(時間・空間・金などの)余裕.
lífe·wày 生活の仕方, 生活様式.
lóg·wày (丸太を製材所に送るための)斜道.
mán·wày 鉱山労働者専用通路.
Míddle Wáy 〚仏教〛中道(Middle Path).
míd·wáy 副形 中途に[の], 中ほどに[の].
Mílky Wáy 〚天文〛銀河, 天の川; 銀河系.
mótor·wày 《英》＝expressway.
Ḿ-Wày ＝expressway.
nárrow wáy 〚聖書〛「狭くて困難な道」, 正義.
nó wáy 《話》《答えとして》とんでもない.
nó·wày 副 少しも…でない, 決して…ない.
óne-wáy 形 一方向だけに動く, 一方通行の.
óther wáy 《米俗》同性愛.
Ót·way オトウェー(姓).
óut-of-the-wáy 形 人里離れた, へんぴな, 奥まった.
páce·wày 《豪》競馬の練習場.
párk·wày 《米・カナダ》(芝生や樹木などの中央分離帯や沿道緑地帯のある)広い大通り.
párt·wáy 副 (道のりの)途中で, 途中まで.
pássage·wày (建物内の)通路; (建物間の)小路.
páth·wày 小道, 細道, 歩道(path).
pedéstrian wáy ＝pedway.
péd·wày (ビルとビルを結ぶ)歩行者用連絡橋.
Pénnine Wáy ペナイン・ウェー: イングランドの自然歩道の一つ.
pérmanent wáy 《主に英》(鉄道の)軌道.
Pílgrims' Wáy 《英》巡礼街道.
ráce·wày 《主に英》(水車用の)水路.
Ráh·way ローウェー(米国の都市名).
ráil·wày ☞
rámp·wày 《北米》(段違いの道路・建物の床などを結ぶ)傾斜通路, 廊下.
Rídge·wày リッジウェイ(姓).
rídge·wày 尾根づたい[すじ]の道.
ríng·wày 《英》環状道路(《米》beltway).
róad·wày (縁まで含めた全体の)道路.
rócka·wày 2, 3 人乗り屋根付き軽四輪馬車.
róll·wày 物を転がす台.
rópe·wày ロープウエー, 空中ケーブル.
róute·wày あらかじめ決められた道筋[ルート].
rún·wày 走路; 通路; 水路.
Sáfe·wày 《商標》セーフウェー: 米国に本社がある世界最大のスーパーマーケットチェーン.
séa·wày 海路, 航路.
shíp·wày (造船所の建造用)船台.
síde·wày 脇道, 横道, 裏通り.
Skág·way スキャグウェー(米国の地名).
skíd·wày (丸太・厚板などで作った)ころ道, 滑り道.
ský·wày 《主に米》航空路(air lane).
slíde·wày (物を滑らせる)滑斜路.
slíp·wày 〚海事〛船架, 引き上げドック, 造船台.
slúice·wày 水門で水流を調節する細い水路, 樋管(ひかん), 樋門.
snápa·wày 形 (綴(と)じた書類が)ミシン目で切り取れる.
sóme·wày 副 《米話》どうにかして.
spéech·wày (特定の集団・地域の人々が共通に持っている)話し言葉の型[特徴].
spéed·wày 《米・カナダ》高速自動車道路.
spíll·wày 余水路.
stáir·wày (経路としての)階段(staircase).
stéerage·wày 〚海事〛舵効き速力, 舵効速力.
stép·wày (一続きの)階段.
stérn·wày 〚海事〛(船の)後進.
stráight·wày 副 《英古》まっすぐな.
stréam·wày (流れ・川・小川の)流床.
súb·wày 名 《米・カナダ》地下鉄; 《英》地下道.
táxi·wày 〚航空〛(飛行場の)誘導路.
thát-a-wày 形 《米俗》妊娠した.
thísa·wày 副 《方言・話》このように.
thóught·wày 特定集団が習慣的に持つ思考様式; 特定の時代・文化に特有の考え方.
thrée-wày 形 三種の, 三様の; 三方向の.

W

thróugh·wày 《米》=thruway.
thru·way 《米》(超)高速(自動車)有料道路.
tíde·wày 潮路: 潮流のある路.
tóll·wày 有料道路(toll road).
tráck·wày =railway.
trám·wày 〖鉄道〗(昔の)木製軌道.
twó-wáy 形 両面 [二方向] の 〈道路など〉.
ùnder wáy 〈船が〉航行中の.
ún·der·wày 形 航行 [進行, 旅行] 中に起こる.
Uníted Wáy ユナイテッド・ウェイ(United Way of America): 米国の代表的な慈善福祉団体.
wálk·wày 歩行路, 歩道.
wáter·wày 水路.
wét wày 〖化学〗湿式(分析)法.
whích·wày 副 あらゆる方向に.
whíte wáy (特に大都市の)繁華街, 盛り場.
wínd·wày 空気の通路, 通風路.
wíre·wày (建物内の)電線管.

-ways /wèiz/

連結形 《形容詞・名詞について》「方向」「位置」「様態」を表す副詞をつくる.
◆ 中英. ⇨ -s[1].

al·ways 副 いつも, 常に, どんなときでも.
an·y·ways 副 《非標準》とにかく, なんとしても.
ar·ris·ways 副 亀甲(きっこう)形に, はすに.
bar·ways 副 水平に.
breadth·ways 副 横(方向)に.
broad·ways 副 横に, 側面を向けて.
coast·ways 副 《古》海岸に沿って.
cross·ways 副 横ざまに, 横 [はす] に.
end·ways 副 端を下にして立てて.
length·ways 副 長く, 縦の方向に.
long·ways 副 長く; 縦に.
pale·ways 副 〖紋章〗縦に, 垂直に.
side·ways 副 側面を前に; 横を向いて, 横ざまに.

weap·on /wépən/

名 武器, 武具, 兵器.

atómic wéapon 原子 [核] 兵器.
Á-wèapon =atomic weapon.
béam wèapon ビーム兵器.
bínary wèapon 二成分系化学兵器.
biológical wèapon 生物兵器.
bì·o·wéap·on 名 =biological weapon.
chémical wèapon 化学兵器.
convéntional wéapon 通常兵器.
enhánced radiátion wèapon 〖軍事〗放射能強化型兵器.
implósion wèapon 〖軍事〗爆縮型核兵器.
kinétic-énergy wéapon 〖軍事〗運動エネルギー兵器.
láser wèapon 〖軍事〗レーザー兵器.
néutron radiátion wèapon 〖軍事〗中性子爆弾(neutron weapon).
núclear wéapon 核兵器.
óil wèapon 石油を武器とした外交, 石油攻勢.
párticle-bèam wéapon 〖軍事〗粒子ビーム兵器.
shóulder wèapon 肩撃ち火器.
smárt wèapon 誘導爆弾 [ミサイル].
sú·per·wèap·on 名 (通常兵器を超えた)超兵器.

wear /wέər/

動他 〈着物・装具・装飾品などを〉身に着けて [帯びて] いる.
―― 名 《しばしば複合語》(特に流行に従ったり, 特殊な目的に合った)衣類, 衣料品.

áctive·wèar =sportswear.
báby·wèar 《英》ベビーウエア, ベビー服.
béach·wèar ビーチウエア, 海浜着.
bódy·wèar ボディーウェア, 胴着.
éye·wèar アイウエア: 眼鏡, コンタクトレンズ, ゴーグルなど.
fóot·wèar 履き物(靴, スリッパなど).
fórmal·wèar 正装, 礼装(tuxedo など).
Fríday wéar 《米》普段よりカジュアルでいい金曜日の服装.
jéans·wèar ジーンズウエア.
knít·wèar ニットウエア, メリヤス類.
léisure·wèar 遊び着, レジャーウエア.
lóng únderwear (足首までの)長ズボン下, ももひき.
lóunge·wèar ラウンジウェア: 特に家でくつろぐときに着る衣服.
mén's wèar 紳士服, メンズウェア.
méns·wèar =men's wear.
néck·wèar ネックウエアー.
níght·wèar 寝巻き(nightclothes).
óuter·wèar 外衣, 外套(がいとう).
òut·wéar 動他 …より長持ちする.
ò·ver·wéar 動他 使い古す, 過度に使う.
pláy·wèar 遊び着(playclothes).
ráin·wèar 防水着 [服], 雨着.
réady-for-wéar =ready-to-wear.
réady-to-wéar 《主に米》既製服.
skí·wèar スキー服, スキーウエア.
sléep·wèar 寝巻き類.
slúmber-wèar 寝巻き(night clothes).
spórts·wèar スポーツウエア: 運動着.
swím·wèar 海辺や水泳用にデザインされた衣服.
tówn·wèar タウンウエア, 街着, 外出着.
un·der·wear 肌着類, 下着.
wásh-and-wéar 形 〈衣服が〉洗ってすぐ(乾いて)着られる, ノーアイロンの.
wásh 'n' wéar 形 =wash-and-wear.
wómen's wèar 婦人用品.
wómens·wèar =women's wear.
wórk·wèar 作業服, 仕事着.

wea·ry /wíəri/

形 (肉体的・精神的に)疲れきった, (…で)へとへとになった, くたびれた, だるい. ⇨ -Y[1].

a·wéa·ry 形 《文語》(…に)疲れた, 疲労した(tired, weary).
dóg-wéary 形 くたくたに疲れた(dog-tired).
fóot·wèary 形 足が疲れた, 靴ずれができた.
Máastricht-wèary 形 《英》〈政治家が〉EU 関係にうんざりした.
ó·ver·wéa·ry 形 疲れ果てた, へとへとになった.
un·wéa·ry 形 疲れていない.
wár-wèary 形 (長期の)戦争で疲弊した.
wíng-wèary 形 翼が疲れた, 飛び疲れた.
wórld-wèary 形 世の中に嫌気がさした, 厭世的な.

weath·er /wéðər/

名 天気, 天候, 気象, 空模様.

áll-wèather 形 全天候(用)の.
Ápril weather 4 月の天気, 定まらぬ天気.
a·wéath·er 副形 〖海事〗風上に [の].
blúebird wèather 《米メリーランド・バージニア》小春日和.
bréak·wèather 《豪》当座しのぎの避難所.
fáir-wèather 形 晴天の時だけの, 晴天向きの.
fálling wèather 《主に米ミッドランド方言》(雨や雪になりそうな)下り坂の天候.
kíng's wèather 《英話》上天気, 王様日和.
sprát wèather 《英》11 月, 12 月ごろの陰鬱(いんうつ)な天候.

weave /wíːv/

W

動他 〈糸・ひもなどを〉織る, 編む, 織って[編んで](…を)作る. ━━名 織り方; 編み方.

básket wèave 斜子(ななこ)織り, バスケット生地.
bróken twíll wèave 破れ斜文織.
en·wéave 動他 =inweave.
fólk·wèave 《特に英》(民芸風の)粗織りの織物.
gáuze wèave からみ織り.
hérringbone wèave 杉綾織り.
ìn·ter·wéave 動他 〈糸・ひもなどを〉編み込む.
in·wéave 動他 織り合わせる, 織り混ぜる.
ópen wéave 糸目幅の粗い織り(方).
pláin wèave 平織り.
sátin wèave 繻子(しゅす)織り, サテン織り.
táffeta wèave =plain weave.
twíll wèave 綾織り, 斜紋織り(twill).
ùn·wéave 動他 〈織ったものなどを〉ほどく, ほぐす.
wáffle wèave ワッフル織り.

wea·ver /wíːvər/

名 **1** 織り手, 編む人. **2** 《話》ジグザグ走行する自動車運転手. ⇨ -ER[1].

ìnter·wéaver 名 編み込む人; 織り混ぜる人.
órb wèaver 円網(orb-web)を張るクモの総称.
páradise wèaver ホウオウジャク(鳳凰鵲).
shéet-wèb wèaver サラグモ: 目の細かい皿状の網を張る.
Wílly Wèaver 《CB 無線俗》(ふらふらと車線を変える)酔っ払い運転手.

weav·ing /wíːviŋ/

名 (糸・ひもなどを)織ること. ⇨ -ING[1].

háir·wèaving ヘア編み込み法.
hánd·wèaving 手織り; 手織り織布[物].
láppet wèaving ラペット織り.
swível wèaving 縫い取り織り.

web /wéb/

名 織られたもの, 織物, 編み物.

cób·wèb クモの巣[糸].
fóod wèb 〘生態〙食物網(food cycle).
fúnnel-wèb 《豪》じょうご形の巣を作る毒グモ.
ópen-wéb 形 〘土木〙帯板梁(はり)の.
spíder wèb クモの巣[網].
spíder·wèb 動他 クモの巣で覆う; クモの巣状に覆う.
Wórld-Wide Web 〘コンピュータ〙ワールドワイドウェブ(WWW).

wed·ding /wédiŋ/

名 結婚, 結婚式, 婚礼. ━━形 結婚(式)の. ⇨ -ING[1], -ING[2].

cándy wédding キャンディー婚式.
chína wédding 陶婚式.
crýstal wédding 水晶婚式.
díamond wédding ダイヤモンド婚(60, 75 周年).
gólden wédding 金婚式(50 周年).
léather wédding 革婚式.
mílitary wédding =shotgun wedding.
mónkey's wédding 《南アフリカ話》天気雨, 狐(きつね)の嫁入り.
páper wédding 紙婚式.
péarl wédding 真珠婚式.
póst·wèdding 形 結婚式の後の.
rúby wédding ルビー婚(40 周年).
sápphire wédding サファイア婚(45 周年).
shótgun wédding 《話》妊娠したためにやむを得ず行う結婚.
sílver wédding 銀婚(25 周年).
tín wédding 錫(すず)婚式.
whíte wédding 花嫁が白のウェディングドレスを着た結婚式.
wóoden wédding 木婚式.

wedge /wédʒ/

名 楔(くさび); 〘登山〙(割れ目に打ち込む)楔.

bútterfly wèdge 〘木工〙ちぎり.
flýing wédge (アメフトでボール保持者を中心に置く)V 字形攻撃フォーメーション.
fóxtail wèdge 〘木工〙地獄楔(くさび).
óptical wédge オプティカルウェッジ, 光学楔(くさび): 楔型をしたフィルター.
órange wédge 《俗》LSD の一種.
sánd wèdge (ゴルフの)サンドウェッジ.

Wednes·day /wénzdei, -di/

名 水曜日. ⇨ DAY.

Ásh Wédnesday 〘教会〙灰の水曜日, 聖灰水曜日.
Cálendar Wédnesday 米国下院で, どの委員会も議事日程(表)にのっていない法案を提出できる毎水曜日.
Shéffield Wédnesday シェフィールド・ウェンズデー: 英国のフットボールクラブの一つ.
Spý Wédnesday 《アイル》Easter の前の水曜日.

weed /wíːd/

名 雑草; 《複合語》…草.

águe·wèed キク科ヒヨドリバナ属の草.
béetle·wèed ガラックス.
béggar·wèed マメ科ヌスビトハギ属の植物の総称.
bínd·wèed 蔓(つる)植物.
bíshop's-wèed =goutweed.
bítter·weed 苦みを含んだ植物の総称.
bláck·wèed ブタクサ.
blúe·wèed 《米》シベナガムラサキ.
bróok·wèed ヤチハコベ, ヒメボッス.
brówn wéed 《米俗》(茶色の)マリファナ.
búgle·wèed シソ科シロネ属の植物の総称.
búr·wèed いが状の実をつける植物.
bútterfly wèed ヤナギトウワタ(柳唐綿).
bútter·wèed 鮮やかな黄色の花や葉をつける野生植物の総称.
cámphor·wèed =vinegarweed.
cápe·wèed 南アフリカ産キク科の植物の一種.
cárpet·wèed クルマバザクロソウ.
cátch·wèed アメリカヤエムグラ.
cháfe·wèed エダウチチチコグサ.
cháff·wèed ルリハコベの一種.
chíck·wèed ハコベ.
cléar·wèed イラクサ科ミズ属の一種プミラ.
consúmption wèed バッカリス.
cótton·wèed 茎・葉が白い軟毛に覆われている植物の通称.
crázy·wèed =locoweed.
crýing wèed 《米俗》マリファナ.
cúd·wèed ハハコグサ.
déer·wèed ミヤコグサ.
dévil wèed 《米俗》=crying weed.
díll·wèed イノンドの葉.
dríft·wèed 漂着海草.
dúck·wèed ウキクサ.
dýer's-wèed 染料の原料となる植物の総称.
fán·wèed アブラナ科グンバイナズナ属の草の総称.
féver·wèed セリ科ヒゴタイサイコ属の植物の総称.

fíre·wèed 野焼きの跡に生える雑草の総称.
flíx·wèed クジラグサ.
Frénch·wèed ペニークレス.
fróst·wèed カナダハンニチバナ.
ghóst-wèed ハツユキソウ.
góut·wèed ビショップボーフウ.
gráss wèed 《米麻薬俗 / 古風》=crying weed.
gréen·wèed ヒトツバエニシダ.
gúlf·wèed ホンダワラ属の褐藻の一種.
gúm·wèed グリンデリア.
gýpsy·wèed 《米》=bugleweed.
háwk·wèed ヤナギタンポポ.
héll·wèed ネナシカズラ.
hémp·wèed ヒヨドリバナ.
hórse·wèed ヒメムカシヨモギ.
Índian wèed タバコ.
íron·wèed キク科 *Vernonia* 属の数種の植物の総称.
jámestown wèed =jimson weed.
jéwel·wèed ツリフネソウ.
jímson wèed 《米》シロバナ洋種チョウセンアサガオ.
joe-pýe wèed キク科ヒヨドリバナ属の丈の高い植物.
jóint·wèed タデ類.
jóy wèed 《米俗》=crying weed.
kíller wèed 《米俗》エンジェルダスト; マリファナ.
kíngdom wèed 《米俗》(上質の)マリファナ.
knáp·wèed ヤグルマギク, ヤグルマソウ.
knót·wèed タデ.
lóco·wèed ロコ草.
máy·wèed カミツレモドキ.
mérmaid wèed アリノトウグサ科 *Proserpinaca* 属の多年生水草の総称.
mílk·wèed トウワタ.
Mórmon·wèed アオイ科イチビ属の背の高い一年生野草.
Nám wèed 《米麻薬俗》黒い強力なマリファナ.
óar·wèed コンブ科コンブ属の総称.
óxygen wèed 《NZ》ホテイアオイ, ホテイソウ.
píckerel·wèed ラテンミズアオイ属の水草の総称.
píg·wèed アカザ.
pílot·wèed コンパス植物.
píneapple wèed コシカギク.
pín·wèed ハンニチバナ科 *Lechea* 属の多年草の総称.
póke·wèed ヨウシュ(洋種)ヤマゴボウ.
pónd·wèed ヒルムシロ.
rád wèed 《米俗》=crying weed.
rág·wèed ブタクサ.
ráilroad wèed 《米俗》=crying weed.
ráttlesnake wèed キク科ミヤマコウゾリナ属のタンポポの一種.
ráttle·wèed =locoweed.
réefer wèed 《米俗》=crying weed.
rích·wèed =clearweed.
ríver·wèed カワゴケソウ(川苔草).
róck·wèed 岩藻.
rósin·wèed キク科ツキヌキオグルマ属の多年草の総称.
séa·wèed ☞
shéep·wèed ムシトリスミレ.
shóre·wèed オオバコ科の水草.
sílk·wèed トウワタ(唐綿).
sílly·wèed 《俗》=crying weed.
sílver·wèed ヨウシュツルキンバイ(洋種蔓金梅).
skúnk·wèed 悪臭を放つ植物の総称.
slínk·wèed (雌牛を)早産させると信じられていた草.
smárt·wèed タデ属の植物の総称.
snáke·wèed イブキトラノオ.
snéeze·wèed キク科マツバハルシャギク属の植物の総称.
sóap·wèed シャボンノキ.
sót-wèed 《話》タバコ.
stámp wèed アオイ科イチビ属の背の高い一年生野草.
stíck·wèed =ragweed.
stínk·wèed 悪臭を放つ植物の総称.
stóne·wèed ムラサキ.
súlphur·wèed セリ科カワラボウフウ属の草本.
swéat·wèed ビロードアオイ.
swórd·wèed ハブソウ.
thímble·wèed 指ぬき状の集合果をつける植物の総称.
thúnder wèed 《米麻薬俗》=crying weed.
tínker's wèed ツキヌキソウ.
tríp wèed 《米麻薬俗》=crying weed.
trúmpet·wèed 《米》キク科ヒヨドリバナ属の数種の植物の総称.
túmble·wèed 《米・豪》転がり草.
vínegar·wèed シソ科の草.
wárt·wèed 汁がいぼを治すと考えられていた数種の植物の総称.
wáter·wèed トチカガミ科カナダモ属の水性植物の総称.
wáx·wèed ネバリクフェア.
whíte·wèed 白い花をつける草の総称.
wísdom wèed 《米俗》=crying weed.
wítch·wèed ゴマノハグサ科ストリガ属の寄生植物の総称.
yáw·wèed 熱帯アメリカ産アカネ科の草.
yéllow·wèed アキノキリンソウ.

week /wíːk/

名 **1** 週. **2** 1 週間.

Bób-a-Jób-Wèek 《英》一仕事 1 シリング週間.
dáddy wèek 《芸能俗》1 週間の出演契約.
Déad Wèek 《米学生俗》最終試験直前の 1 週間.
Éarth Wèek 地球(保護)週間.
Émber wèek (カトリックで)四季斎日週間.
Expectátion Wèek 聖霊待望週間.
fíve-dày wèek 週 5 日労働制.
fréshman wèek 新入生歓迎週間.
Gréat Wèek 〘東方教会〙=Holy Week.
héll wèek 《話》「地獄週間」: 大学で新入生をいじめる 1 週間.
Hóly Wèek 聖週(間), 受難週(間).
líght-wèek 〘天文〙光週.
mán-wèek 人週: 1 人 1 週間の仕事量.
Máy Wèek 《英》(Cambridge 大学で)五月週間.
míd·wèek 週の中ごろ.
Pássion Wèek 受難週, 聖週(Holy Week).
splít wèek 〘演劇〙俳優が掛け持ち出演する週.
wákes wèek 《北イング》(労働者の)年次休暇.
Whít Wèek 聖霊降臨節.
wórking wèek =workweek.
wórk·wèek 《主に米》週労働日数 [時間].
yes·ter·week 名 《古》先週.

week·end /wíːkènd, ⸗⸗/

名 週末, ウイークエンド. ⇨ END.

lóng wéekend (3 連休以上の)長期週末休暇.
Lów Wéekend 復活祭の次の週.
wét wèekend 《英俗》惨めな [落ち込んでいる] 人.
Whít wèekend 聖霊降臨日のある週末.

week·ly /wíːkli/

形 週に一度の, 毎週の. ⇨ -LY².

bi·wéek·ly 形 〈刊行物などが〉隔週の.
mìd·wéekly 形 週の中ごろ(midweek).
néws·wèekly 名 ニュース週刊誌(*Time*, *Newsweek* など).
sèmi·wéek·ly 形 週二回の.
tri·wéek·ly 副 3 週間ごとに, 2 週間置きに.

wee·vil /wíːvəl/

名 ゾウムシ.

alfálfa wèevil アルファルファタコゾウムシ.
béan wèevil マメゾウムシ(豆象虫).
bóll wéevil メキシコワタノミゾウムシ.
fléa wèevil ノミゾウムシ.
gránary wèevil グラナリア・コクゾウムシ, アカコクゾウムシ.
nút wèevil シギゾウムシ.
péa wèevil エンドウマメゾウムシ.
ríce wèevil ココクゾウ(小穀象).
róse wèevil ミカン類その他の果樹の葉や, バラの葉を食べる甲虫.
séed wèevil マメゾウムシ(豆象虫).
whíte-píne wèevil ストローブマツ・キボシゾウムシ.

weigh /wéi/

動他 (秤(はかり)・天秤(てんびん)などで)…の重さを量る, 目方を量る.

count·er·weigh 動他 …を釣り合わせる.
out·weigh 動他 …より勝っている.
o·ver·weigh 動他 …より重い, より重要である.
re·weigh 動他 …の重さを再び測る [測り直す].

weight /wéit/

名 **1** 重さ, 重量; 体重. **2** 衡法, 重量単位系. **3** 重量単位. **4** おもり.

áll-ùp wéight (飛行機の)総重量.
apóthecaries' wèight 〖薬学〗薬用量単位, 調剤度量衡法.
atómic wéight 〖化学〗原子量.
avoirdupóis wèight 常衡ウエイト: 貴金属, 薬品以外のものに用いる重量単位.
bántam·wèight 〖ボクシング〗バンタム級選手.
básic wèight 〖印刷〗=basis weight.
básis wèight 〖印刷〗斤量, 連量.
bát wéight 〖野球〗バットウェイト.
bírth·wèight (赤ん坊の)出生時の体重.
bób·wèight 〖工学〗釣り合いおもり.
bów wèight 〖アーチェリー〗弓を引くのに要するポンド重量.
cátch·wèight 名形 〖スポーツ〗無差別体重(の).
combíning wèight 〖化学〗化合量.
count·er·weight (対重)平衡錘, 釣り合いおもり.
crúiser·wèight 《英》〖ボクシング〗ライトヘビー級選手.
cúrb wèight 〖自動車〗カーブウエイト, 自重.
déad wéight 死重: 自力で動けないものの重さ.
dráined wèight (缶詰・瓶詰などの)固形量.
dráw wèight 〖アーチェリー〗=bow weight.
drý wéight 〖宇宙工学〗乾燥重量.
equívalent wèight 〖化学〗当量.
féather·wèight 〖ボクシング〗フェザー級選手.
flý·wèight 〖ボクシング〗フライ級選手.
fórmula wèight 〖化学〗(一般分子の)式量, 分子量.
grám-molécular wéight 〖化学〗〖物理〗グラム分子量.
gróss wèight (風袋・減損量込み)総 [荷造] 重量.
héavy·wèight 形 目方の重い, 重量のある.
húndred·wèight ハンドレッドウエイト: 米国では 100 ポンド, 英国では 112 ポンドに等しい重量単位.
kérb wèight 《英》=curb weight.
légal wéight (特に南米諸国で輸入品の)法定重量.
létter·wèight =paperweight.
líght wéight 〖海事〗軽荷排水量.
líght·wèight 形 軽い, 軽量の, 標準重量以下の.
máke·wèight 平衡錘; 釣り合いをとるもの.
míddle·wèight 〖ボクシング〗ミドル級の選手.
molécular wéight =formula weight.
ópen-wèight 〖スポーツ〗(柔道の)無差別級.
o·ver·wèight 形 規定重量を超過した; 重すぎる.
páper·wèight 文鎮, 紙押さえ.
pénny·wèight 《英》ペニーウェイト: 貴金属のヤードポンド法における国際単位.
shórt·wèight 動他自 〈商品を〉目方をごまかして売る.
súmmer·wèight 形 〈衣服が〉夏向きの, 薄手の.
thírty wèight 《米市民ラジオ俗》コーヒー.
thrów wèight 〖軍事〗投射重量.
tróy wèight トロイ衡, 金衡: 貴金属の重量単位.
un·der·weight 形 標準重量に達しない, 重量不足の.
un·weight 動自 〖スキー〗抜重する.
wélter·wèight 〖ボクシング〗ウェルター級選手.
wínter-wèight 形 〈衣服・布地が〉冬物の, 厚手の.

weld /wéld/

動他 〈金属を〉(…に)溶接する. ──名 溶接部; 溶接.

bútt wèld 突き合わせ溶接 [鍛接].
cóld-wéld 動他 冷間圧接する.
fíllet wèld 隅肉(すみにく)溶接.
láp wèld 重ね溶接(の接合部).
spót-wèld 動他 点 [スポット] 溶接する.
táck-wèld 動他 仮付け溶接する, タック溶接する.

weld·ing /wéldiŋ/

名 〖金属加工〗溶接すること. ⇨ -ING[1].

árc wèlding アーク溶接.
explósion wèlding =explosive welding.
explósive wélding 爆発溶接.
flásh bùtt wèlding =flash welding.
flásh wèlding フラッシュ溶接, 突き合わせ溶接.
fórge wèlding 鍛接.
fríction wèlding 摩擦溶接.
gás wèlding ガス溶接.
hámmer wèlding ハンマー溶接, 鍛接.
MÍG wélding 金属不活性ガス溶接.
oxyacétylene wélding 酸素アセチレン溶接.
óxygen-hýdrogen wèlding 酸水素溶接.
percússion wèlding 衝撃溶接.
préssure wèlding 圧接.
rádio-fréquency wélding 高周波溶接.
resístance wèlding 抵抗溶接.
séam wèlding シーム溶接.
skíp wèlding スキップ溶接.
spót wèlding 点 [スポット] 溶接.
TÍG Wèlding 〖冶金〗TIG 溶接.

well[1] /wél/

副 申し分なく; 首尾よく; 満足に; 運よく; 裕福に; 健康に.

fáre-thee-wèll 名 《米話》完全, 完璧; 最大限, 最高.
fàre·wéll 間 《主に文語》さようなら.
gét-wéll 形 《話》病気お見舞いの.
né'er-do-wèll 名 《もとスコット》ろくでなし.
spéed·wèll 名 ☞
ùn·wéll 形 体の具合が悪い, 気分がすぐれない.

well[2] /wél/

名 **1** 井戸. **2** 《詩語》泉. **3** (液体の)容器. **4** 階井(かいせい).

W

――動自〈水などが〉わき出る.
★ しばしば地名, 人名にも使われる.

〈**1**〉 井戸; 泉; (液体の)容器; 階井.

absórbing wèll 吸い込み井戸.
Abyssínian wéll 穴あき揚水管.
áir wèll (建物の)通気[通風]孔.
artésian wéll 掘り抜き井戸, 自噴井(戸).
bílge wèll 【海事】淦水だめ, ビルジウェル.
bríde·wèll 《英》懲治監, 矯正院.
discóvery wèll 第1号井: 最初に掘り当てた油井.
dráw wèll つるべ井戸, くみ井戸.
dríven wéll 掘り抜き井戸.
drý wèll 吸い込み井.
dúst wèll 塵芥孔(じんかいこう).
gás-lift wèll 天然ガス圧で噴出する油井.
gás wèll 天然ガス井戸.
hót wèll 湯だまり, 温水だめ.
ínk·wèll インク入れ, インク壺.
líght wèll 【建築】光井(こうせい), 光庭.
óil wèll 油井.
púmp wèll ポンプ井戸.
sált wèll 塩井.
stáir·wèll 階段吹き抜き.
túbe wèll =driven well.
twín wéll 【電子工学】CMOS-LSI において, P 型井戸と n 型井戸の両方を持った構造.
ùp·wéll 動自 わき出る, 噴出する, わき上がる.
wáste wèll =absorbing well.
whéel-wèll スペアタイヤ入れ.
wíshing wèll 願かけ井戸.

〈**2**〉 地名・人名をつくる.

Cald·well コールドウェル(姓). ►字義は「冷たい泉」.
Cam·ber·well カンバーウェル(イングランドの地名). ►字義は「鶴の舞い下りる泉」.
Cran·well クランウェル(イングランドの村名). ►字義は「鶴の泉」.
Crom·well クロムウェル(姓). ►字義は「曲がった小川」.
Cro·well クロウェル(姓). ►字義は「カラスの泉」.
Har·well **1** ハーウェル(イングランドの地名). **2** ハーウェル(姓). ►字義は「喜びの泉」.
Max·well マクスウェル(姓, または男子の名). ►字義は「Mack(人名)の泉」.
Or·well オーウェル(姓). ►字義は「山頂の泉」.
Rock·well ロックウェル(姓). ►字義は「ミヤマガラスの泉」.
Shad·well シャドウェル(姓). ►字義は「浅い泉」.
Sit·well シットウェル(姓).
South·well サウスウェル(姓). ►字義は「南の泉」.
Tuck·well タックウェル(姓). ►Tucker(人名)のあだ名.

west /wést/

名 西; 西側; 西部.

Éast-Wést 形 東西間の, (特に)米ソ間の.
Fár Wést (米国の)極西部地方.
Míddle Wést 米国中西部.
Míd·wést 《米》=Middle West.
nòrth·wést 北西.
Óld Wést (米国の)旧西部.
ský·wèst 副 意識をなくすまで, めちゃくちゃに (galley-west).
sòuth·wést 南西.
úp Wést 副 《英》London の West End で[に].
ÚŚ Wést US ウエスト: 英国の地方電信電話公社の1つ.
Wíld Wést (開拓時代の)米国西部の辺境地帯.

west·er /wéstər/

名 西風, (特に)西から吹く強風. ⇨ -ER[1].

north·west·er 名 《ニューイング・南部大西洋岸諸州》北西風, 北西の強風.
nor'·west·er 名 =sou'wester.
south·west·er 名 南西の風[強風, 暴風].
sou'·west·er 名 暴風雨帽.

west·ern /wéstərn/

形 西の, 西方[西部]にある. ⇨ -ERN[1].

cóuntry-and-wéstern カントリーミュージック.
cóuntry-wéstern =country-and-western.
Éastern Wéstern (日本・中国などで製作された)西部劇風の映画.
Míddle Wéstern 形 米国中西部の.
non-West·ern 形 非西洋[非西欧](社会)の.
nóodle Wèstern 日本製西部劇.
nòrth·wéstern 形 北西(部)にある; 北西からの.
sòuth·wéstern 形 南西の, 南西からの.
spaghétti wéstern 《話》マカロニウエスタン: イタリア製の西部劇映画.

whack /hwǽk | wǽk/

動他名 激しく[ピシッと]打つ(こと).

bláck whàck 《米麻薬俗》エンジェルダスト.
búsh·whàck 動自 《米》(木の枝を切り払って)森林地帯を進む.
páddle·whàck 動他 尻打ち板で打つ.
páddy·whàck 《話》平手打ち, 殴打.

whack·er /hwǽkər | wǽkə/

名 ピシッと打つ人(御者など). ⇨ -ER[1].

bélly-whàcker 名 《米北東部》腹打ちダイビング.
búll·whàcker 名 《主に米西部》牛追い人.
búsh·whàcker 名 《米》森林地帯を切り開く人; 叢林地帯の住人.
dídden·whàcker 名 《米俗》=dudenwhacker.
dóosen·whàcker 名 例のあれ[もの].
dúden·whàcker 名 例のあれ, なんとかいうもの.
ílly·whàcker 名 《豪俗》プロの詐欺師.

whale /hwéil | wéil/

名 クジラ(鯨).

baléen whále =whalebone whale.
béaked whále アカボウクジラ科のクジラの総称; 口がくちばし状に突き出ている.
bláck whále セミクジラ.
blúe whále シロナガスクジラ(白長須鯨).
bóttle-nosed whále トックリクジラ.
fín whàle ナガスクジラ(finback).
gráy whále コククジラ(克鯨), コクジラ(児鯨).
Gréenland whále =polar whale.
húmpback whále ザトウクジラ.
kíller whàle シャチ, サカマタ.
pílot whàle シオゴンドウ, シオゴトウ.
pólar whàle ホッキョククジラ(bowhead).
ríght whàle セミクジラ.
séi whàle イワシクジラ(鰮鯨).
spérm whàle マッコウクジラ.
tóothed whále ハクジラ(歯鯨).

W

whálebone whàle ヒゲクジラ.
whíte whále シロイルカ(beluga).

what /*h*wʌ́t, *h*wɑ́t | wɔ́t; 《弱》*h*wət | wət/

名 《疑問代名詞》何, どんなもの[こと, 人], 何事, なんの種類.

knów-whàt 名 《話》事情を知っていること.
sóme·whàt 副 いくらか, いくぶん, 少々, ある程度.
whó-dòes-whát 形 〈ストライキなどが〉どの組合がどの仕事を分担するかについての.
yóu-knòw-whàt 名 あれ, あの人, 例の人 [もの].

wheat /*h*wíːt | wíːt/

名 コムギ(小麦).

báld whéat ボウズムギ(坊主麦).
búck·whèat ソバ.
clúb whèat クラブコムギ.
crácked whéat ひき割り(小)麦.
dúck·whèat =India wheat.
dúrum whèat デュラムコムギ.
Federation wheat 《豪》早熟で耐乾性のある小麦の一種.
hárd whéat 硬質 [硬粒] 小麦(durum wheat).
Índia whéat ダッタンソバ, ニガソバ.
macaróni whèat =durum wheat.
Pólish whéat ポーランドコムギ.
poulárd whèat イギリスコムギ, リベットコムギ.
réd whéat 赤みがかった種子の小麦.
rívet whèat =poulard wheat.
shrédded whéat シュレッデッド・フィート.
sóft whéat 軟質小麦.
whóle whéat (ふすまを取り除かない)全粒小麦.
whóle-whéat 形 《米・カナダ》全粒小麦(粉)の.
wínter whéat 秋まき小麦.

wheel /*h*wíːl | wíːl/

名 **1** (乗り物・機械類の)車輪, 輪. **2** 《米・カナダ俗》(実業界・政界などの)大物, 実力者.

a·whéel 副形 自転車 [車] で [に乗って].
bálance whèel 【時計】てん輪.
bánd whèel 【機械】帯車.
bével whèel 【機械】ベベルギア, 傘歯車.
bíg whéel 《話》有力者, 大立て者, 名士.
bráke whèel ブレーキ輪, 制動輪.
bréast whèel 前掛け水車.
brúsh whèel 【機械】(掃除用)ブラシ車.
búffing whèel =buff wheel.
búff whèel バフ車, 研磨輪.
búll whèel 【機械】ブルギア(bull gear).
cám whèel 【機械】カムホイール.
cárt·whèel 荷馬車の車輪.
cásting whèel 【冶金】周りに溶融金属を受け入れる鋳型(いがた)を取りつけた輪形の鋳造用機械.
Cátherine whèel 輪転花火, 回転花火, ねずみ花火.
cénter whèel 【時計】二番車.
cháin·whèel 【機械】スプロケット, 鎖歯車.
chánge whèel チェンジギア.
chímney whèel 焼き串回し.
cóg·whèel はめ歯歯車, 植込歯車.
cóntrate whèel =crown wheel.
crówn whèel 【時計】丸穴車.
dáisy whèel (プリンターの)デージーホイール.
dísc whèel =disk wheel.
dísk whèel (自動車などの)板(いた)車輪.
dót whèel (製図用具の)ドットホイール.
dríving whèel 【機械】原車.
émery whèel =grinding wheel.
en·whéel 動他 《廃》取り囲む.
escápe whèel 【時計】がんぎ車.
Férris whèel (遊園地などの)大観覧車.
fífth whéel (馬車の前車軸の上部にある)転向輪.
físh whèel =salmon wheel.
flútter whèel (落水で動く)水車.
flý·whèel 【機械】はずみ車, ブリ車.
fóur-whèel 形 四輪(式)の.
frée·whéel 【自動車】フリーホイール, 自由輪.
fríction whèel 【機械】摩擦車.
gáuge whèel 【農業】定規車, 導輪.
géar·whèel 歯車, ギア.
gréat whéel 【時計】一番車.
gríndng whèel (研削盤の)砥石(といし)車.
hánd·whèel 手回しハンドル.
ídle whèel 【機械】遊び車.
júry whèel 【法律】陪審員抽選器.
kíck·whèel (陶工用の)蹴(け)ろくろ.
lántern whèel ちょうちん歯車.
lée whéel 【海事】風下側舵手, 操船助手.
lóttery whèel 抽選器.
mág whèel 《米話》【自動車】マグホイール.
míll whèel (製粉機, 特に水車の)車輪, 水車.
nóse·whèel (航空機の)前輪.
óvershot whèel 上掛け水車.
páddle whèel (昔の汽船の)外輪, 外車.
Pélton whèel (水力発電用の)ペルトン水車.
Pérsian whéel 揚水車の一種.
pín·whèel (おもちゃの)風車.
pítch whèel 【機械】大歯車.
plánet whèel 【機械】遊星歯車.
pótter's whèel (製陶用)ろくろ.
práyer whèel 【ラマ教】マニ車(ぐるま).
prínt·whèel =daisy wheel.
ráck whèel =gearwheel.
rág whèel スプロケット, 鎖歯車.
rátchet whèel つめ車.
sálmon whèel インディアン水車.
scápe whèel =escape wheel.
scréw whèel 【機械】ねじ歯車(装置).
shíve whèel 【採鉱】綱車.
síde·whèel 側外車.
skí-whèel スキーと車輪を併用する飛行機の着陸部 [主脚部分].
spínning whèel 糸車, 紡ぎ車.
splít whèel 【機械】割りプーリ [ベルト車].
spúr whèel 【機械】平歯車.
stéering whèel (船の)操舵輪; (自動車の)ハンドル.
stérn·whèel 【海事】船尾外車.
stérn-whèel 形 〈船が〉船尾外車で動く.
stítch whèel 革に針穴をあける鋸歯状ローラー.
sún whèel 【機械】太陽歯車.
táil whèel 【航空】(航空機の)尾輪.
thírd whéel 《米俗》必要とされない人.
trácing whèel 【裁縫】トレーサー; ルレット.
tráction whèel (機関車などの)動輪.
tráiling whèel 従輪.
tréad·whèel 踏み車, 踏み輪.
trólley whèel 【機械】触輪, トロリー(trolley).
wáter·whèel 水車, 水タービン.
wéather whèel 【海事】(大きな舵輪を2人で回す場合の)風上側の上級者.
wéb whèel 【機械】板車輪.
wíre whèel 回転式ワイヤブラシ.
wórm whèel ウォーム歯車.

wheel·er /*h*wíːlər | wíːlə/

名 **1** 車で運ぶ人 [もの], 荷車引き. **2** 車輪付きのもの [動物, 船], …輪車. ⇨ -ER[1].

éighteen-whéeler 名 大型のトラクタートレーラー.
fóur-whéeler 名 四輪車, (特に)四輪辻(つじ)馬車.
frée·whéeler 名 惰性で走れる車両.

frónt-whèeler 名 《英俗》ユダヤ人.
páddle-whèeler 名 外輪(蒸気)船.
síde-whèeler 名 《米》外輪船, 側外車船.
síx-whéeler 名 六輪トラック.
stérn-whèeler 名 船尾外車(汽)船.
Tén-Whéeler 名 テンウイーラー: 中型旅客列車用蒸気機関車の型式名.
thrée-whéeler 名 三輪車.
twó-whéeler 名 二輪車, (特に)二輪自転車.

where /*h*wέər | wέə/

副 (…の)場所; (問題の所在・発生の)場所.

an·y·where 副 《疑問文・条件文》どこかに.
else·where 副 どこかよそで [に, へ].
eve·ry·where 副 どこでも; 徹底して.
no·where 副 どこにも…ない.
oth·er·where 副 《古》=elsewhere.
some·where 副 ある場所に, どこかに.
you-know-where 名 《米話》地獄(hell).

while /*h*wáil | wáil/

名 (少しの)時間, 期間, 間.

af·ter·while 副 《米南部》後で.
a·while 副 しばらく [ちょっと](の間), 暫時.
ere·while 副 《古》先刻, 少し前に; 以前に.
erst·while 形 《文語》以前の, 昔の, 往昔の.
mean·while 副 その間に; そうしている間に.
oth·er·while 副 《古》別 [ほか] の時に.
some·while 副 《古》かつて, 以前, 前に.
worth·while 形 時間 [労力] を費やす価値のある.

whip /*h*wíp | wíp/

動他 …をむち打つ. ━━名 **1** むち. **2**〖政治〗(議会での)院内幹事; 《英》登院命令書. **3** 滑車(装置).

bíg whìp 間 《皮肉・嘲笑を表して》へえ, ほう.
búggy whìp 《米俗》自動車用の長いアンテナ.
búggy-whìp 形 《米俗》時代遅れの, 古臭い.
búll·whìp 牛追いむち.
cárt whìp (馬方が用いる)柄の短い太むち.
Chìef Whíp 《英》〖政治〗下院の院内幹事.
cóach·whìp (御者が使う)長むち, 馬車むち.
dóuble whíp 滑車２個とロープ１本装置.
hórse·whìp (馬を制御するための)むち.
majórity whíp 〖米政治〗多数党副院内総務.
minórity whíp 〖米政治〗少数党副院内総務.
párty whíp 〖政治〗議会での院内幹事.
pístol-whìp 動他 《米》ピストルで繰り返し殴る.
pússy-whìp 動他 《米俗》〈妻が〉夫を尻に敷く.
séa whìp ヤギ: 刺胞動物花虫綱ヤギ目の柔軟な樹枝状サンゴの総称.
síngle whíp 滑車１個とロープ１本装置.
stóck·whìp 《英・豪・NZ》家畜追い用むち.
thrée-line whíp 《英》〖政治〗登院命令(書).

whis·key /*h*wíski | wís-/

名 ウイスキー. ►Scotch whisky では, つづりが whisky となる.

blénded whískey ブレンドウイスキー.
bónded whískey 瓶詰め前に保税倉庫に４年以上入れておいたウイスキー(bond).
bóurbon whískey バーボンウイスキー(Bourbon).
Canádian whískey =rye whiskey.
córn whìskey 《米》コーンウイスキー.
drý whìskey 〖植物〗メスカルボタン.
Írish whískey アイリッシュ・ウイスキー.
mált whìskey モルトウイスキー.
rýe whìskey ライウイスキー.
stráight whískey ストレートウイスキー.

whis·tle /*h*wísl | wísl/

動自 口笛を吹く; 口笛を吹いて呼ぶ; (犬・車などに)口笛で合図する.

dóo·whìstle 装飾品(doodad).
gnát's whìstle 《米俗》絶品.
órgan whìstle (蒸気または空気を先細の管から噴出させて鳴らす)汽笛.
pénny·whìstle **1** おもちゃの笛. **2** ペニーホイッスル: 南アフリカのダンス音楽 kwela で用いる笛.
stéam whìstle =organ whistle.
swánee whìstle スワニーホイッスル: ピストン操作で音高を変えるおもちゃの木管楽器.
tín whìstle =pennywhistle 2.
wólf whìstle 《話》魅力的な女性に鳴らす口笛.
wólf-whìstle 動自 (…に向かって)口笛を鳴らす.

white /*h*wáit | wáit/

形 **1** 白い, 白色の, 純白の, 雪白の. **2** 白人の. ━━名 白さ, 白色; 白人.

áll-whíte 形 白人専用の.
àn·ti·white 形 反白人(主義)の, 白人排斥の.
bláck and whíte 印刷, 文書.
bláck-and-whíte 形 〈絵・写真・映画などが〉白黒の.
blúe ànd whíte 《米俗》(白と青で塗られた)パトカー.
bób·white 〖鳥類〗コリンウズラ類.
Chéster Whíte チェスターホワイト種: 豚の一種.
Chína Whíte 《米俗》(精製度の高い)ヘロイン.
Chínese whíte 亜鉛華 [白] 色: 水彩画顔料.
clówn whíte 〖演劇〗白塗りメイク.
Crémnitz whíte =lead white.
égg whìte 卵の白身, 卵白.
féather·whíte 形 《米・NZ》一面に白波が立って; 怒って.
fláke whíte =lead white.
gárden whíte 〖昆虫〗モンシロチョウ.
hónorary whíte 名誉白人; 特に差別のある国での日本人.
índigo whíte 〖化学〗白藍(はくらん).
ívory-whíte 形 象牙(ぞうげ)色の.
Krémnitz whíte =lead white.
lárge whíte 〖昆虫〗オオモンシロショウ.
léad whíte 鉛白(えんぱく): 白色有毒顔料.
líly-whíte 形 ユリのように白い.
línt·white 《古・詩語》《主にスコット》〖鳥類〗ムネアカヒワ(linnet).
Manháttan whíte 《米俗》《おどけて》New York 市の下水を流れてきた種から発芽し, 日の当たらない所で育ったと称される白いマリファナ.
mársh-whíte 形 〈グレープフルーツの〉果肉が白い.
méan whíte =poor white.
mílk-whíte 形 乳白色の, 乳色の, 青白色の.
Néw Yòrk whíte 《米俗》マリファナの一種.
non·white 名 《主に南アフリカ》白人でない人.
óff-whíte 形 少し灰色 [黄色] がかった白色の.
óyster whíte 形 =off-white.
Páris whíte 白亜: 白色粉末顔料.
péarl whíte 真珠箔, 擬真珠粉.
péarly whíte 形 真珠のように白く光沢のある.
póor whíte 《米》《通例侮辱的》貧しい白人.
Snów Whíte 白雪姫.
snów-whíte 形 雪のように白い, 純白の.
tín-whíte 形 (錫(すず)の色のような)白色の.
titánium whíte チタン白(はく), チタンホワイト: 隠蔽(いんぺい)力のある光沢白色顔料.
wáter-whíte 形 無色透明の.
whíte-blúe-whíte 海兵隊の夏の制服.
wíld whíte ワイルドホワイト, サル痘ウイルス.
zínc whíte 亜鉛白: ゴム, 陶磁器に用いる白色顔料.

whiz /hwíz | wíz/

名 名手, 達人.

gée whíz 間 《話》《驚き・熱意・落胆・単なる協調を示して》おやおや, ちぇっ.
gée-whíz 形 《話》〈物事が〉あっと言わせるような, 驚嘆するような.
píss-whìz 名 優れた人[もの]; 頭のよい[ずる賢い]人; やり手; 精力家.

who /húː/

代 誰, どの人(たち).

whó's whó 名 (各界の)名士録, 紳士録, 人名録.
Whó Was Whó 名 物故者名士録, 物故者名簿.

whore /hɔ́ːr/

名 売春婦.

déad whóre 《米学生俗》ちょろい科目.
hýperdrive whòre 《米俗》だらしない女.
móuth whòre 《米俗》フェラチオ専門の売春婦.
róad·whòre 《米俗》だれとでも寝る女.

why /hwái | wái/

副 《理由・原因・目的および意図・動機を問う疑問詞》なぜ, どうして, なんのために.

for·whý 副 《古》なぜ, 何ゆえ, 何のために. ―― 接 なぜならば.
knów-whỳ 名 《話》理由が分かっていること; わけの説明.
sóme·whỳ 副 《まれ》ある理由で.

-wich /witʃ, itʃ, idʒ, widʒ/

連結形 …の村, 集落.
★ 地名・人名をつくる.
★ 語末にくる関連形は -WICK.
◆ 古英 *wīc* 村, 部落.

Green·wich 名 グリニッジ(イングランドの地名). ►字義は「緑の村」.
Har·wich 名 ハリッジ(イングランドの町名). ►字義は「軍隊駐屯地」.
Ips·wich 名 イプスウィッチ(イングランドの都市名). ►字義は「Gip(人名)の村」.
North·wich 名 ノースウィッチ(イングランドの町名). ►字義は「北の町」.
Nor·wich 名 ノリッジ(イングランドの町名). ►字義は「北の町」.
Prest·wich 名 プレストウィッチ(イングランドの町名). ►字義は「僧侶の村」.
Sand·wich 名 サンドイッチ(イングランドの町名). ►字義は「砂状地の町」.
Wool·wich 名 ウリッジ(イングランドの地名). ►字義は「羊毛を輸入する町」.

wick /wík/

名 (ろうそくなどの)芯(しん), 灯心.

cán·dle·wìck 名 ろうそくの芯.
cót·ton·wìck 名 イサキ科の魚.
lámp·wìck 名 ランプの芯, 灯芯.
píck·wick 名 芯つまみ.

-wick /wik/

連結形 《英》農場, 酪農場; 村, 集落.
★ 主に地名に用いられる.
★ 語末にくる関連形は -WICH.
◆ 古英 *wīc* <ラ *vīcus* 村.
[発音] 語頭の音節に第 1 強勢.

bail·i·wick 名 bailie「《スコット》市参事会員」や bailiff「執行官補佐人」の管轄区域.
Ber·wick 名 ベリック(姓, またはイングランド, スコットランドの地名). ►字義は「トウモロコシ農場」.
Chad·wick 名 チャドウィック(姓). ►字義は「Ceadel の農場」.
Haw·ick 名 ホーイック(スコットランドの村名). ►字義は「高地にある村」.
Herd·wick 名 ハードウィック: 英国北西部産の羊.
Ler·wick 名 ラーウィック(スコットランドの都市名).
Prest·wick 名 プレストウィック(姓). ►字義は「司祭の村」.
Ren·wick 名 レンウィック(姓). ►字義は「からすのいる村」.
sher·iff·wick 名 《英》州長官(sherif)の職.
War·wick 名 ウォーリック(イングランドの地名, 姓, 男子の名). ►字義は「堤防沿いの村」.

wick·et /wíkit/

名 **1** (切符売り場・銀行などの)格子窓, 窓口, 小窓. **2**【クリケット】ウィケット, 三柱門. ⇨ -ET[1].

dóuble wícket ダブルウィケット.
míd-wícket 名 ミッドウィケット.
síngle wícket シングルウィケット.
sóft wícket (クリケット場の)芝が濡れた悪条件.
stícky wícket スティッキーウィケット.

-wide /wáid, wàid/

連結形 全…の, …の範囲にわたる.
★ 形容詞, 副詞をつくる. ►WIDE の連結形.

cíty·wìde 形 市全体の, 市全体に及ぶ.
commúnity·wíde 形 地域社会全体の[にわたる].
cóuntry·wíde 形副 全国的な[に]; 地方全体の[に].
índustry·wìde 形 産業全体の, 産業全体に影響を及ぼす.
mémbership-wìde 形 全会員規模の.
nátion·wíde 形 国家全般にわたる, 全国的な.
próvince-wíde 形 《カナダ》地方全域に関する[広がる].
socíety-wíde 形副 社会全般の[に], 全社会的な[に].
státe·wíde 形 (米国の)州全体にわたる, 全州的な.
stóre·wìde 形 全店の, 店全体の.
sýstem·wìde 形 組織[体系]全体に及ぶ.
wórld·wìde 形 世界中に及ぶ, 全世界に広がる.

wid·ow /wídou/

名 未亡人, 後家, やもめ, 寡婦.

bláck wídow クロゴケ(黒後家)グモ.
chúck-will's-wíd·ow ヨタカの一種.
Dútch wídow 《俗》売春婦.
gólf wìdow ゴルフウィドー, ゴルフ未亡人.
gráss wídow 夫不在の妻; 夫と別居している妻.
sód wídow 《米俗》未亡人.
wár wìdow 戦争未亡人.

width /wídθ, wítθ/

名 広さ, 幅, 横; (着物などの)ゆったりした大きさ. ⇨ -TH[1].

W

bánd·wìdth 名 〖通信〗帯域幅.
béam·wìdth 名 〖通信〗ビーム幅.
fúll-wídth 形 全幅の, 標準幅の.
sét wìdth 〖印刷〗(自動植字において)組み幅.

wife /wáif/

名 妻, 女房, 細君, 家内, 夫人, 奥さん(spouse).

ale·wife 〖魚類〗エールワイフ.
báchelor's wife 《婉曲的》売春婦.
báttered wife 夫から虐待を受けている妻.
bróad·wife 〖米史〗(主人を異にする奴隷を夫とする)女奴隷.
chíld wife 幼な妻; 子供っぽい妻.
dóg's wife 雌犬.
Dútch wife 竹夫人: 熱帯地方で寝床で使うトウ(籐)製などの手足のせ.
fáculty wife 《主に米》(夫の所属する大学の社交活動に熱心な)教授夫人.
máil-order wife 《カナダ俗》文通で決まった妻.
óld·wife 北米産のニシン科 *Alosa* 属や *Brevoartia* 属の魚の総称.
púdding·wife ベラ科キュウセン属の海産魚.
séa·wife ヨーロッパ産のベラ科の海産魚.
swéetie·wife 《スコット》おしゃべりな女.
tín wife 《米俗》警察官の女房.
tróphy wife 地位ある年配の夫にとって誇りとなるような若い美しい妻.

-wife /wàif/

連結形 (特定の仕事に従事している)女性.
★ 名詞をつくる.
◆ WIFE の連結形; wife のもとの意味は「女」(woman).

ále·wife 名 エール[ビール]店の女主人.
ápple·wife 名 リンゴ売りの女.
físh·wife 名 《英》魚売り女. 妻.
góod·wife 名 《主にスコット》女主人, 主婦.
hén·wife 名 《主にスコット》鶏の世話係(の女).
hóuse·wife 名 (特に専業)主婦.
míd·wife 名 (特に伝統的な自宅出産の)助産婦.
spáe·wife 名 《スコット》女予言者; 魔女.

wig /wíg/

名 **1** かつら. **2**《話》高位[高官]の人. **3**《米俗》クールジャズミュージシャン. ►periwig「かつら」の短縮形.

Áfro wìg アフロかつら.
bág·wìg 袋かつら.
bíg·wìg 《話》大物, 巨星.
bób wìg 《英》短い巻き毛のかつら.
búzz·wìg 毛のふさふさした大きなかつら.
fríght wìg 髪の毛が逆立ったかつら. 「シャン.
lóose wìg 《米ジャズ俗》陶酔しきったミュージ
scrátch wìg 半かつら.
tíe·wìg 後ろ髪をリボンで結んだかつら.
tríck wìg 〖演劇〗仕掛け物かつら.

wild /wáild/

形 **1** 野生の. **2** ひどく興奮している; 夢中になって.

déuces wìld 〖トランプ〗ポーカーの一種.
fórest wìld 形 永久保存原生林[原野]の.
hóg-wìld 形 ひどく熱中した, やっきになった.

will /wíl/

名 **1** 意志, 意思; (自らの行動を選択する個々の)意志の力. **2** (他人に対する)姿勢. **3**〖法律〗遺言(書).

frée wíll 自由意志[選択].
frée·wíll 形 自由意志の, 自発的な.
géneral wíll 一般意志.
góod·wíll 親切, 好意, 善意, 温情; 親善.
holográphic wíll 〖法律〗自筆遺言証書.
íll wíll 敵意, 反感, 嫌悪感, 恨み.
inoffícious wíll 〖法律〗反道義的遺言, 不倫遺言.
líving wíll 〖法律〗生前発効の遺書.
núncupative wíll 〖法律〗臨終口頭遺言.
offícious wíll 〖法律〗義務を果たす遺言.
sélf-wíll 頑固さ, 強情, 片意地, わがまま.
ùn·wíll 動他 …の逆[反対]を欲する.

Wil·lie /wíli/

名 ウイリー(男子の名).
★ William の愛称. ⇨ -IE[1].

córned wíllie 《米俗》=corn willie.
córn wìllie 《米軍俗》コンビーフ.
Hóly Wíllie 信心深そうな振りをした偽善者.
líttle Wíllie 《俗》(子供の)ちんぽこ, おちんちん.
píss-wìllie 《米俗》臆病(おくびょう)者.
stícky wìllie 〖植物〗アメリカヤエムグラ.
wíck·wìllie 《米空軍俗》ジェットパイロット.

wil·low /wílou/

名 ヤナギ.

básket wìllow ヤナギ(osier).
cráck wìllow ポッキリヤナギ.
díamond wìllow ダイヤヤナギ.
Kíng Wíllow 《擬人化して》クリケット.
pússy wìllow ヤナギ属の小さい木.
Virgínia wíllow コバノズイナ.
wáter wìllow キツネノマゴ.
wéeping wíllow シダレヤナギ.
wólf wìllow グミ科の低木の一種.

wilt /wílt/

名〖植物病理〗立ち枯れ病, 萎凋(いちょう)病.

bránch wìlt 枝の青枯れ病.
cucúrbit wìlt ウリ類青枯れ病.
fusárium wìlt 蔓割病, 立ち枯れ病.
óak wìlt カシ萎凋(いちょう)病.
spótted wìlt 黄化壊疽(えそ)病.
verticíllium wìlt バーティシリウム萎凋(いちょう)病.

win /wín/

動自 (競走・競技などで)1 位[1 着]になる, 優勝する.
——名 勝利.

nó-wìn 形 《米話》勝て(そうに)ない.
rè·wín 動他 …を再び獲得する, 取り戻す.
stráight wín 〖スポーツ〗連勝.
wín-wín 形 みんな[双方]得をする; 《米政府俗》無難な.

-win /win/

連結形 友人, 友だち.
★ 人名などに使われる.
★ 名詞をつくる.
◆ 古英 *wine*.
[発音]すべて 2 音節の語で, 語頭に第 1 強勢.

Bald·win 名 ボールドウィン(姓). ►字義はゲルマン語で「勇敢な友」.
Dar·win 名 ダーウィン(姓). ►字義は「親愛なる友」.

Ed·win 名 エドウィン(姓). ►字義は「幸運な友」.
Er·win 名 アーウィン(男子の名). ►字義は「イノシシの友」.
God·win 名 ゴドウィン(姓). ►字義は「良き友」.
Ir·win 名 アーウィン(姓). ►Erwin の異形.

wind[1] /wínd/

名 **1** 風; 大風. **2** 息; 呼吸. **3** 吹奏楽器.

appárent wìnd 〔海事〕見掛けの風, 視風.
ávalanche wìnd 〔気象〕雪崩風.
báck·wìnd 動他 〔海事〕(前帆に当たって流れた風を)〈後帆の〉背面に当てる.
bág of wìnd 《話》おしゃべりな人; うぬぼれ屋.
ballístic wìnd 弾道風.
béam wìnd 〔海事〕〔航空〕横風.
bérg wìnd 山風.
bráss wìnd 金管楽器.
bréaking wìnd 《米俗》自動車隊の先頭車.
bréak·wìnd 《英》(当座の)風よけ.
brόken wìnd 〔獣病理〕(馬の)細胞性肺気腫.
cányon wìnd 激しい山風, 出し風.
cróss wìnd 〔海事〕〔航空〕横風.
dówn·wìnd 副 風と同じ向きに, 追い風で, 順風で.
dráinage wìnd 〔気象〕=gravity wind.
Éast Wìnd イーストウィンド: 中国製中距離弾道ミサイル.
éast wìnd 東風. ►英国の寒風.
fáll wìnd 〔気象〕おろし.
físhtail wìnd (射撃の弾道を狂わせる)魚尾風.
fóre·wìnd 〔海事〕順風.
geostróphic wìnd 〔気象〕地衡風.
grádient wìnd 〔気象〕傾度風(ふう).
grávity wìnd 〔気象〕重力風.
héad·wìnd 向かい風, 逆風.
húrricane-force wìnd ハリケーン級の風.
lánd wìnd 〔気象〕陸風, 陸軟風.
léading wìnd 〔海事〕追い風, 順風.
lócal wìnd 〔気象〕局地風.
lóng wìnd 長距離を走る能力; 持久力.
móuntain wìnd 山風.
òut·wínd 動他 息切れさせる.
plów wìnd 《米話》直線的に通過する突風.
quárter-wìnd 〔海事〕斜め後ろから吹く風.
rélative wìnd 〔航空〕相対風.
séa wìnd 〔気象〕海風.
sécond wìnd (運動中や後で)平静な呼吸を回復すること.
sólar wìnd 太陽風, 太陽プラズマ.
sóldier's wìnd 〔海事〕順風.
stéllar wìnd 〔天文〕恒星風.
stórm wìnd 暴風, 嵐(あらし).
táil·wìnd 尾風, 追い風.
Tímber·wìnd チンバーウインド: 米国の SDI に関連する原子力ロケット開発秘密計画.
tráde wìnd 〔気象〕貿易風, 熱帯東風.
trúe wìnd 〔海事〕真風.
úp·wínd 副 風上に向かって, 風に逆らって.
válley wìnd 谷風.
wést wìnd 西風(zephyr). ►英国の暖風.
whírl·wìnd つむじ風, 旋風, 竜巻.
wóod·wìnd 木管楽器.

wind[2] /wáind/

動自 曲がりくねる. ── 他 …を巻く.

back·wind 動他 巻き戻す.
en·wind 動他 …に巻きつく; 取り巻く.
fast-wind 動他 早送りする; 速く巻き戻す.
in·ter·wind 動他自 絡み合う, 相互に巻きつく.
in·wind 動他 =enwind.
o·ver·wind 動他 ねじを巻きすぎる.
re·wind 動他自 巻き直す[直される].
side·wind 動自 ヨコバイガラガラヘビのように動く.
un·wind 動他 〈巻いたものを〉ほどく, 解く.
with·y·wind 名 〔植物〕キンポウゲ科センニンソウ属の蔓(つる)性低木ヴィタルバ.

wind·er /wáindər/

名 巻く人[もの], 曲がるもの, 曲げる人[もの]. ⇨ -ER[1].

áu·to·wìnd·er 名 (カメラの)フィルム自動巻装置.
clúb-wìnder 《米鉄道俗》列車のブレーキ係.
kíte wìnder (階段の)三角踏み面.
síde·wìnder 《米話》横からの痛烈な一撃, 横殴り.
stém·wìnder 竜頭(りゅうず)巻き時計.

wind·ing /wáindiŋ/

名 〔電気〕巻き線; (巻き線の)巻き方. ── 形 〈時計などが〉巻かれる. ⇨ -ING[1], -ING[2].

fíeld wìnding 〔電気〕界磁巻線.
sélf-wínding 形 〈時計が〉自動巻きの.
séries wìnding 〔電気〕直巻(ちょくまき), 直列巻.
stém·wínding 形 〈時計が〉竜頭(りゅうず)巻きの.

win·dow /wíndou/

名 窓.

atmosphéric wìndow 〔天文〕大気の窓.
áwning wìndow 突き出し窓, 日よけ型窓.
báy wìndow 張り出し窓, 出窓.
blínd wìndow (建築正面の)めくら窓.
bów wìndow (弓形の)張り出し窓.
Bréwster wìndow ブルースター窓.
búll's-eye wìndow 小さな円形の開口部, 小さな丸窓.
bútterfly wìndow (自動車の)三角窓.
Chicágo wìndow シカゴ窓.
cómpass wìndow 半円形の出窓.
cóttage wìndow 上げ下げ窓の一種; 上部窓枠が下部窓枠より小さい.
Dioclétian wìndow =Palladian window.
dóuble wìndow 二重窓.
dróp wìndow 落とし窓.
fán wìndow 〔建築〕扇形窓.
Frénch wìndow 《英》フランス窓.
frónt wìndow =cottage window.
gáble wìndow 切妻窓.
gárret wìndow (屋根の傾斜に沿った)天窓.
hóspital wìndow 内倒し窓.
Jésse wìndow (教会の)エッサイの窓.
júdas wìndow (玄関・獄舎のドアなどの)のぞき穴.
láncet wìndow ランセット窓, 鋭尖窓.
láttice·wìndow 格子窓, 連子(れんじ)窓.
láunch wìndow 〔航空宇宙〕打ち上げ可能時間.
lóok-òut wìndow 《英》=picture window.
lóok-thròugh wìndow 《英》=picture window.
lóop wìndow 細長窓.
lówsìde wìndow 聖堂下窓(したまど).
márigold wìndow =wheel window.
mùl·ti·wín·dow 名 〔コンピュータ〕マルチウィンドウ.
ópera wìndow 〔自動車〕オペラ・ウインドウ.
óval wìndow 〔解剖〕卵円窓.
Palládian wìndow パラディオ式窓.
pícture wìndow ピクチャーウインドー.
pówer wìndow (自動車の)パワーウインドー.
projécted wìndow 滑り出し窓.
rádio wìndow 〔天文〕電波の窓.
ríbbon wìndow リボンウインドー, 帯状窓, 連窓.
róse wìndow ばら窓, 円花窓.
róund wìndow 内窓.

W

sásh wìndow 上げ下げ窓, サッシ窓.
shóp·wìndow ショーウインドー, 陳列窓.
shów wìndow (商品の)陳列窓, ショーウインドー.
smárt wíndow 太陽光は入るが熱は逃げない窓.
stórm wìndow 防風窓, 補助窓枠.
tránsom wìndow 欄間(らんま)窓, 明かり取り窓.
Venétian wíndow =Palladian window.
vént wìndow 自動車の三角窓.
víew wíndow =picture window.
wéather·wìndow 望ましい天候の続く期間.
whéel wìndow 車輪窓, 車窓.

wine /wáin/

名 ワイン, ぶどう酒; 果実酒.

Ádam's wìne 《おどけて》水.
áltar wìne =sacramental wine.
bárley wìne 《英》バーレーワイン: 大麦と酵母で作った度の強いエールの一種.
blúsh wìne ブラッシュワイン: 黒ぶどうから白ワインに近い製法で作る辛口ワイン.
cábinet wìne ドイツの高級白ワイン(cabinet).
château wine シャトーワイン: フランスの Bordeaux 地方の特定のぶどう園で作られるワイン.
córn wìne 《米俗》ウイスキー, 安酒.
cówslip wìne キバナノクリンザクラ(cowslip)の花を原料として造った酒.
dándelion wìne タンポポ酒.
dessért wìne デザート用ワイン.
élderberry wíne にわとこ酒, エルダーベリーワイン.
eléctric wìne 《米麻薬俗》LSD 入り発泡ワイン.
fórtified wìne フォーティファイド・ワイン, 補強ワイン, アル添酒.
gínger wíne 《英》ジンジャーワイン: ショウガ, レモン, 干しぶどう, 砂糖などを加えて発酵させるワイン.
hígh wíne 〘蒸留〙再留液, ハイワイン.
hígh-wíne 《米渡り労働者俗》コカ・コーラ.
hóuse wìne ハウスワイン: レストランの安いワイン.
júg wìne 低価格ワイン; 1.5 ℓ以上入る瓶で売られる.
lów wíne 〘蒸留〙ローワイン.
Máy wíne Alsace, Moselle, Rhine などで産したワインにクルマソウを入れて風味をつけたパンチ. 「シ酒.
pálm wìne (特に西アフリカで)パームワイン, ヤ
póp wìne ポップワイン: フルーツフレーバーの甘口ワイン.
pórt wíne ポルトガル原産の甘口ワイン.
réd wíne 赤ワイン.
Rhíne wìne ラインワイン: ライン川流域地方産のワイン.
Rhóne wìne ローヌワイン: Lyons と地中海との間のローヌ川流域地方産のワインの総称.
róasting-èar wìne 《米俗》コーンウイスキー, バーボン; 密造ウイスキー.
sacraméntal wíne ミサ用ぶどう酒.
sóda-pòp wíne =pop wine.
sóft wìne ソフトワイン.
spárkling wíne スパークリング[発泡]ワイン.
stíll wíne 非発泡性テーブルワイン.
stráw wíne ストローワイン, わら酒.
táble wìne テーブルワイン. 「イン.
víntage wíne ビンテージワイン, 醸造年入り上物ワ
whíte wíne 白ワイン, 白ぶどう酒.

wing /wíŋ/

名 **1** 翼. **2** (昆虫の)羽, 翅. **3** 《話》(人の)腕. **4** 翼状のもの. **5** 〘航空〙(飛行機の)翼. **6** 〘米空軍〙航空団. **7** 〘演劇〙袖. **8** (政党などの)一翼, 徒党.

áir wìng (75 機以内より成る)航空団.
ángle·wìng 〘昆虫〙タテハチョウ.
bár·wìng 《豪》雄の眼球の虹彩(こうさい)が白いカモ.
bástard wìng 〘鳥類〙小翼.
bát·wìng 形 コウモリの翼状の.
bées·wìng ビーズウイング: (年代もののワインなどに見られる)薄い鱗(うろこ)状のおり.
bíte·wìng 〘歯科〙咬翼(こうよく).
bóok-wìng 《主に英》〘演劇〙舞台わきの袖.
brónze·wìng 〘鳥類〙ニジハバト(虹羽鳩).
cárrier áir wìng 〘米海軍〙空母航空団.
cléar·wìng 〘昆虫〙スカシバガ.
délta wíng 〘航空〙三角翼, デルタ翼.
dínosaur wìng 《米俗》(政党の)最右翼.
dústy·wìng 〘昆虫〙コナカゲロウ.
fíxed-wíng 形 〘航空〙固定翼(機)の.
flíng-wìng 《米話》ヘリコプター.
flýing wíng 〘航空〙全翼(飛行)機.
fóre·wìng 名 (昆虫の)前翅(ぜんし).
góose·wìng 〘海事〙グーズウイング.
gúll wìng ガル型翼, かもめ翼.
gúll-wìng 形 〘自動車〙〈ドアが〉ガル・ウィングの.
hínd wíng 〘昆虫〙うしろ翅(ばね).
láce·wìng 〘昆虫〙クサカゲロウ.
léft wíng 革新主義政党員, 左翼党員.
líver wìng 《おどけて》右腕.
míd·wìng 名 (航空機の)中翼.
nóse·wìng 鼻翼(nasal ala), 小鼻.
oblíque wíng 〘航空〙斜め翼.
pára·wìng 名 〘航空宇宙〙パラグライダー.
páy wìng 《米俗》投手の利き腕.
pígeon·wìng 《米》鳩翼(きゅうよく)型: フィギュアスケートの型の一つ.
píng-wìng 《米麻薬俗》麻薬注射.
réd·wìng 〘昆虫〙ワキアカツグミ.
ríght wíng 右翼[保守]党員, 右派(の人々).
rótary wíng 〘航空〙回転翼.
sáber·wìng ハチドリ科ケンバネハチドリ属とツバメハチドリ属の翼の曲がったハチドリの総称.
sáil wìng 枠をつけたハンググライダーのセール.
sálary wìng 《米野球俗》(投手の)利き腕.
scíssor wìng =oblique wing.
sílver wìng 《米俗》50 セント銀貨.
skéw wíng =oblique wing.
sléw-wìng 〘航空〙スリューウイング[翼].
spúrious wíng 小翼(alula).
stúb wìng 〘航空〙(オートジャイロなどの)短翼.
supercrítical wíng 〘航空〙超臨界翼, 遷音速翼.
swépt·wìng 形 〘航空〙後退翼[前進翼]を有する.
swíng-wìng 形 〘航空〙〈航空機が〉可変後退翼の.
swível-wìng 形 〘航空〙=swing-wing.
únder·wìng 名 (昆虫の)後ろ羽, 後翅(こうし).
váriable-swéep wìng 形 〘航空〙=swing-wing.
wáx·wìng 〘鳥類〙レンジャク(連雀).
whíte·wìng 白の制服を着ている人.
wíndshield wìng 〘自動車〙三角の窓ガラス.
wínd-wìng (自動車の換気用の)小窓.
X́-wìng 〘航空〙X(型)翼.

winged /wíŋd, 《特に詩語》wíŋid/

形 **1** 《複合語で》翼が…の. **2** 翼のある. ⇨ -ED².

góose·wìnged 形 〘海事〙〈横帆が〉風上の帆耳をぴんと張り, 風下の帆耳を巻き収めた.
nét-wìnged 形 〘昆虫〙網目状の翅脈(しみゃく)を持つ.
scále-wìnged 形 〘昆虫〙羽に鱗(うろこ)のある.
spúr-wìnged 形 〘鳥類〙翼角に爪のある.
swíft-wìnged 形 〈鳥が〉速く飛ぶ.
ùn·wínged 形 翼のない.

W

wéb-wìnged 形 〈コウモリなどが〉飛膜のついた翼のある.

wings /wíŋz/

名複 wing「翼」の複数形.

gáy·wìngs 名複 アメリカセネガ: ヒメハギ科の低木.
réd wíngs 《米暴走族俗》生理中のクンニリングス.
splít wíngs 〘釣り〙(毛鉤の)ウイング.
wáter wìngs (水泳練習の際に両腋(わき)の下に入れる)翼形浮き袋.

win·ner /wínər/

名 勝利者; (競馬の)勝ち馬; 成功者. ⇨ -ER[1].

bréad·wìn·ner 名 (一家の生計を支える)稼ぎ手.
cò·wín·ner 名 共同受賞者 [勝利者].
príze·wìn·ner 名 受賞者, 入賞者; 受賞作品 [物].

win·ning /wíniŋ/

名 勝つこと; 獲得, 占領(地). ━━形 勝利を収める. ⇨ -ING[1], -ING[2].

awárd-wínning 形 受賞した, 表彰ものの, 優良な.
elèctro·wínning 名 〘物理化学〙電解抽出, 電解採取.
príze wínning 形 入賞した.

win·ter /wíntər/

名 冬, 冬季.

bláckthorn wínter 《英》(blackthorn の花が咲く)早春の北東風の吹く寒い天候.
Géneral Wínter 冬将軍.
Jácky Wínter 《豪》オジロオリーブヒタキ.
míd·wìn·ter 名 冬の中ごろ, 真冬.
núclear wínter 核の冬.
ò·ver·wín·ter 動自 冬を過ごす, 越冬する.
squáw wínter 《米》(Indian summer の前によく起こる)冬のような気候の秋の日々.

wipe /wáip/

動他 〈物などを〉軽くこする, ふく; 〈顔などを〉(ハンカチ・タオルで)ぬぐう. ━━名 ふくこと; ふき取るもの.

áss-wìpe 名 《米俗》トイレットペーパー.
báby·wìpe 名 ベビーワイプ: 赤ちゃん用の使い捨てペーパータオル.
bútt-wìpe 名 《米俗》=ass-wipe.

wip·er /wáipər/

名 **1** ふくのに用いるもの(ふきん, タオル, ぞうきん, スポンジなど). **2** ふく [こする, ぬぐう] 人 [もの]. **3** 《複合語》…ふき. ⇨ -ER[1].

dísh wìper 《米北東部》(皿を吹く)ふきん.
pén·wìper (布などの)ペンふき.
scréen-wìper 《英》=windshield wiper.
wíndshield wìper (自動車などの)風防ワイパー.

wire /wáiər/

名 針金; 針金細工, 金網; 鉄条網; 電線.

bárbed wíre 有刺鉄線.
bárb·wíre =barbed wire.
bárved wíre =barbed wire.
béll wìre (玄関などでベルを鳴らす)引き手.
bób wíre 《米話》=barbed wire.
chícken wìre 亀甲(きっこう)金網.
concertína wìre 蛇腹形鉄条網.
dríve-by-wíre 形 電子制御方式で運転する.
éarth wìre 《英》〘電気〙g=round wire.
flý-by-wíre 形名 〘航空〙フライバイワイヤ(の).
gállery wìre 〘宝飾〙(宝石を指輪などの金具に留める)取巻き用の飾り線金具.
gróund wìre 《米》〘電気〙アース線.
háy·wìre 干し草の束を結ぶ針金. ━━形 間に合わせの, 即製の, その場しのぎの.
hígh wíre 非常に高く張った綱渡りの綱.
hót-wìre 動他 《俗》〈自動車・トラックなどの〉エンジンを点火装置をショートさせて動かす.
júmp wìre 〘電気〙ジャンパー線(jumper).
léad-in wìre 〘電気〙導入線.
lítz wìre 〘電気〙リッツ線.
líve wíre 活線: 電気の通じている電線.
magnétic wíre 磁気ワイヤ.
múlga wìre 《豪俗》奥地からの情報 [うわさ].
néws·wìre ニュースサービス.
nòn·wíre 形 無線電話の.
númber éight wìre 《NZ》8番線: フェンス用の針金の標準規格.
ó·ver·wìre 名 らせんとじ, コイル製本.
piáno wìre ピアノ線.
prè·wíre 動他 〈建築中の建物などに〉前もって電気の配線をする.
rázor wìre =concertina wire.
rè·wíre 動他 …に新しく電線 [針金] を張る.
táctical wíre 〘軍事〙戦術鉄条網.
tíght·wìre 綱渡り用の張り綱(tightrope).
tríp·wìre 〘軍事〙仕掛け線, わな.
trólley wìre トロリー線: トロリー電車に電力を供給する架線.
ún·der·wìre 名 アンダーワイヤー: ブラジャーのカップの下側に縫い込まれている針金.
wíre-to-wíre 形 (レース, トーナメントなどの)初めから終わりまでの.
Wóllaston wìre ウォラストン線: 極細の白金線.

wis·dom /wízdəm/

名 賢明であること, 知恵, 英知, 分別, 見識, 明察. ⇨ -DOM.

convéntional wísdom 古来の知恵, 一般通念, 分別.
stréet wìsdom 《米俗》どんな状況下でも生き抜く抜け目なさ.
ùn·wís·dom 名 知恵のないこと, 無知, 愚かさ.

wise /wáiz/

形 (真偽・正邪を弁別する)知恵がある, 賢い, 判断 [識別] 力を持った, 賢明な, (…するだけの)分別 [思慮] のある.

áir-wìse 形 飛行術に優れた, 飛行経験の豊富な.
brí·dle·wìse 形 《米》〈馬が〉手綱のままに動く.
ó·ver·wìse 形 並外れて賢明な.
stáge·wìse 形 演劇に精通した [役に立つ].
stréet·wìse 形 《米》世慣れた(street-smart).
ùn·wíse 形 賢明 [利口] でない; 無分別な.
wáy-wìse 形 《米》〈馬が〉道 [競馬場] に慣れた.
wéath·er-wìse 形 天気をよく当てる, 天気予報がうまい.
wórld·ly-wíse 形 世慣れた, 世才のある, 世故にたけた.

-wise /wàiz/

連結形 **1** …のように: crab*wise*. **2** …の方向・位置に: clock*wise*. **3** …に関して言えば: percentage*wise*.
★ 名詞や形容詞につけて方法・方向・様態を表す副詞をつくる.

W

◆ 古英 -*wīsan*(*wīse*「方法」の連結形).
[発音] 第 1 強勢は基語と同じ.

an·gle·wise 副 角になって; 角状に.
an·y·wise 副 《主に米》どっちにしても, どうしても.
arch·wise 副 アーチ形に, 弧状に.
bar·wise 形 〖紋章〗〈盾形の中の図形が〉水平に盾形を横切っている, 水平に置かれた.
bend·wise 副 〖紋章〗斜めに.
brain-wise 副 頭のほうは, 知能の点で.
breadth·wise 副 《特に米》横に, 横切って.
check·er·wise 副 碁盤縞(じま)模様に.
chord·wise 形副 〖航空〗翼弦方向の [に].
clock·wise 副 時計回りに, (向かって)右回りに.
coast·wise 副 海岸に沿って. ── 形 沿岸の.
con·trar·i·wise 副 (順序・方向など)反対に, 逆に.
cor·ner·wise 副 角を前にして.
crab·wise 副形 カニのように [な](横ざまに [の]).
cross·wise 副 横ざまに, 横 [はす] に.
dol·lar·wise 副 ドルに換算して, ドルでいえば.
e·co-wise 形 環境意識のある.
edge·wise 副 刃を先(相手・物)に向けて.
fan·wise 副形 扇形に広げられて [た].
fess·wise 副 〖紋章〗中帯状に.
flat·wise 副 平らに, 平たく.
health·wise 副 《話》健康(保持)のために.
least·wise 副 《話》少なくとも; いずれにせよ.
length·wise 副形 長く [長い]; 縦(の方向)に [の].
like·wise 副 さらに, 加えて; また.
long·wise 副形 =lengthwise.
man·wise 副 人間がするように, 人間のように.
oth·er·wise 副 別の状況では; さもなければ.
pale·wise 副 〖紋章〗縦に, 垂直に.
pen·ny-wise 形 一文惜しみの, 小銭をためる.
per·cent·age·wise 副 パーセントで言うと [示すと].
piece·wise 副 〖数学〗区分的に.
point·wise 形 〖数学〗点別の.
pop·u·la·tion·wise 副 人口に関して言えば.
sal·tire·wise 副 〖紋章〗X 形に交差して.
scarf-wise 副 斜めに, 肩から脇(わき)へかけて.
shuttle·wise 副 行ったり来たり, あちらこちらと.
slant·wise 副形 斜めに [の], はすに [の].
slope·wise 副 傾斜がついて, 斜めに.
some·wise 副 《古》どうにかして.
spoke·wise 副 車輪の輻(や)のように.
step·wise 副 階段のように; 徐々に.
sun·wise 副 太陽の見かけの運行と同じ方向に.
term·wise 副 〖数学〗項別に.
thwart·wise 副形 横切るように [な].
warp·wise 副 〖繊維〗経(たて)に.
weath·er·wise 副 天気(について)は.
wedge·wise 副 楔(くさび)形(のよう)に.
weft·wise 副 〖繊維〗横方向に.
width·wise 副 横に, 横の方に; 幅に関して.

wish /wíʃ/

動他 …を欲する, 望む, 切望する; …を楽しみに待つ; (…)したい(と思う). ── 名 願望; 意向.

déath wìsh 死の願望.
ùn·wísh 動他 …を願うのをやめる.
wéll-wìsh 好意.

wit /wít/

名 **1** ウィット, 機知, とんち, 機転. **2** 機知に富んだ人. **3** 知力. **4** 才知, 正気.

áfter·wìt 後知恵.
Áttic wìt ぴりっとして気のきいたしゃれ.
béef·wìt 《米俗》とんま.
dím·wìt 《話》ばか, うすのろ, 能なし.
fúck·wìt 《豪俗》ばか, まぬけ, あほう.
hálf-wìt 精神薄弱者, 低能.
láck·wìt 名形 ばか(な), まぬけ(な).
látter-wìt 《主に米》あと知恵.
móther wít 生来の才知, 生まれつきの才覚.
nímble·wìt 《米・カナダ》機転の利く人.
nít·wìt 《話》ばか者, あほう, うすのろ.
òut·wít 動他 負かす, 出し抜く, 裏をかく.
thímble·wìt 《主に米》うすのろ.
ùn·wít 動他 《廃》正気をなくさせる, 発狂させる.
wánt·wìt 《話》ばか, まぬけ.

witch /wítʃ/

名 女の魔法使い, 魔女, 妖術(ようじゅつ)使い(sorceress).

be·wítch 動他 〈人に〉魔法をかける.
bláck wìtch 〖昆虫〗エレブスオオヤガ.
Cóld Wár Wìtch サッチャー(英国元首相)のあだ名.
wáter wìtch 占い杖で地下水脈を発見する人.
wáter-wìtch 動自 水脈を探知する.

with /wíð, wíθ, wəð, wəθ/

前 …と(一緒に), …と共に, …に加わって; …の一員で, …に雇われて, …に勤務して.

forth·with 副 すぐに, たちどころに, 即刻.
here·with 副 《特に手紙などで》これに添えて.
one-with 名 《米俗》タマネギ入りハンバーグ.
out·with 前 《スコット》…の外に [へ, で].
there·with 副 《文語》それをもって, それとともに.
where·with 副 《文語》それで…するところの.

wit·ness /wítnis/

名 **1** 目撃者, 立会人. **2** 証人. ⇨ -NESS.

cháracter wìtness 〖法律〗性格証人.
chéckbook wìtness 小切手証人: 対審の際, 有償で証人となる専門家.
crówn wítness 〖英法〗(刑事事件の)検察側証人.
éar·wìtness 〖法律〗伝聞証人.
éxpert wítness 〖法律〗鑑定証人, 鑑定人.
éye·wìtness (現場の)目撃者, 目撃証人.
hóstile wítness 〖法律〗敵意を持つ証人.

wit·ted /wítid/

形 《通例複合語》頭が(…な), …の才の. ⇨ -ED[2].

béef·wìtted 形 頭の鈍い, 物分かりの悪い, 愚鈍な.
dúll-wítted 形 頭の鈍い.
fát-wítted 形 愚鈍な, のろまな, まぬけな.
fúck·wìtted 形 《豪俗》非常に愚かな.
hálf-wítted 形 精神薄弱の, 低能の.
nít·wìtted 形 《話》ばかな, あほうな.
quárter-wítted 形 ばかに輪をかけた, 大まぬけの.
quíck-wítted 形 機転のきく, 機敏な, さとい.
réady-wítted 形 機転の利く, のみこみの早い.
shárp-wítted 形 才気ある, 頭の切れる, 機転が利く.
slów-wítted 形 頭の悪い, 愚鈍な.
sóft-wítted 形 ばかな, 頭の弱い; 非現実的な.
thíck-wítted 形 ばかな, 頭の鈍い, 愚鈍な.

wolf /wúlf/

名 **1** オオカミ. **2** オオカミに似た動物の総称. ◇ -WULF.

áard·wòlf 名 アードウルフ, ツチオオカミ.
bée wòlf ハチヤドリカッコウムシの幼虫.
cúrly wòlf 《俗》手に負えないやつ.

W

démi·wòlf 名 犬とオオカミの雑種.
díre wòlf ダイアウルフ.
dóg wòlf 雄オオカミ.
gráy wólf オオカミ, タイリク[ハイイロ]オオカミ.
Índian wólf インドオオカミ.
Jápanese wólf ニホンオオカミ, ヤマイヌ.
lóne wólf 《話》一匹狼, 単独行動をする人.
máned wólf タテガミオオカミ.
marsúpial wólf フクロオオカミ, タスマニアオオカミ.
práirie wòlf コヨーテ(coyote).
réd wólf アメリカアカオオカミ.
Sea·wolf 名 シーウルフ: 米海軍の原子力潜水艦.
séa wòlf 大形で大食の魚の総称.
shé-wòlf 名 雌オオカミ.
stránd wòlf チャイロハイエナ(brown hyena).
Tasmánian wólf フクロオオカミ, タスマニアオオカミ.
tímber wòlf シンリン(森林)オオカミ.
wére·wòlf 名 (伝説・迷信の)狼人間, 人狼(じんろう).
wér·wòlf 名 =werewolf.
whíte wólf ツンドラオオカミ.
zébra wòlf =Tasmanian wolf.

wom·an /wúmən/

名 (成人した)女, 婦人. ⇨ -MAN[1].

báchelor wòman (自活する)若い独身女性.
bóttom wóman 《米俗》(ひもが自分のかかえる売春婦のうちで)最も頼りにしている女.
caréer wòman キャリアウーマン, 職業婦人.
cátalogue wòman 《米史》(西部開拓時代に)結婚紹介所で紹介してもらった妻.
cléaning wòman 掃除婦, 清掃婦.
dáily wòman 《英話》=cleaning woman.
enlísted wòman 〘米軍〙婦人下士官兵.
fáncy wòman 《俗》身持ちの悪い女, みだらな女.
hít wòman 《俗》女の殺し屋.
líttle wóman 《話》《しばしば侮辱的》妻, 女房.
mílk-wòman 牛乳売り[配達]の女.
néw wóman 「新しい女」: 19 世紀終わりごろ自由と独立を求めた.
óld wóman 老婦人.
óne-wòman 形 女性一人で行われる[運営される].
óther wóman (既婚男性の)愛人.
óuter wóman 女性の服装[身なり].
páinted wóman 売春婦.
ráiny-dáy wòman 《米俗》マリファナタバコ.
Rénaissance wóman ルネサンス的教養婦人.
scárlet wóman 身持ちの悪い女, 売春婦.
stránge wóman =painted woman.
stúnt wòman 〘映画〙〘テレビ〙女性スタントマン.
tótal wóman 夫に献身的に仕える理想的な女性.
wéll wòman ウェルウーマン: 積極的に各種検診を受けるウェルネス指向の女性.
wídow wòman 《方言・古風》未亡人, 後家.
yóung wóman 若い女性; 《ふざけて》女の子.

-wom·an /wùmən/

連結形 女性….
★ 名詞をつくる.
★ 特定の役目や活動をする人を表し, -man に対応する; 最近では言葉の性差別をなくす動きから, 特に米国では職業や地位などを指す語には避ける傾向がある. ◇ -MAN[1].

áircraft·wòman 《英》(空軍の下士官の地位にある)女子航空兵.
áir·wòman (特に空軍の)女性パイロット.
álder·wòman 《米・豪》(地方自治体議会の)女性議員; (特に)女性市会議員.
álms·wòman 施しを受ける婦人.
ánchor·wòman 〘テレビ・ラジオ〙anchorman「総合司会者」の女性形.
assémbly·wòman 女性議員.
bág·wòman 女のゆすり屋.
bát·wòman 《英》〘軍事〙女性の batman「従卒」.
béads·wòman 《古》(金をもらって)他人の冥福(めいふく)を祈る女.
bírd·wòman 《話》女流飛行家.
bónds·wòman[1] 〘法律〙(捺印(なついん)債務証書の)女性の保証人.
bónds·wòman[2] =bondwoman.
bónd·wòman (女の)奴隷.
búsiness·wòman 女性実業家, 女性経営者, 女性実務家. ►business woman は「売春婦」.
cámera·wòman (映画・テレビの)女性カメラマン.
Cát·wòman (Batman の)キャットウーマン.
cháir·wòman 女性の議長 [司会者, 委員長, 会長].
chár·wòman (通例, 通いの)家政婦, 派出婦.
chúrch·wòman (女性)教会員.
cláns·wòman 氏族の一員である女性.
clérgy·wòman 婦人牧師.
clúb·wòman 女性のクラブ員.
commíttee·wòman (委員会の)婦人委員.
cóngress·wòman (米国の)連邦議会婦人議員.
cóuncil·wòman (地方議会)女性議員.
cóuntry·wòman 同国 [同郷] の婦人.
cráfts·wòman (女性の)職人.
dáiry·wòman 酪農場 [牛乳加工場] で働く女性.
éarth·wòman (宇宙から見て)地球の女性.
Énglish·wòman イングランド婦人; 英国婦人.
évery·wòman 典型的な女性, 女性の原型 [模範].
fóre·wòman (工場などの)婦人職長, 女工長.
fréed·wòman 奴隷の身分から解放された女.
Frénch·wòman フランス人女性.
géntle·wòman 《古》家柄 [育ち] のよい女性.
hórse·wòman 婦人乗馬者; 乗馬が上手な婦人.
Írish·wòman アイルランド(系)の女性.
jázz·wòman 女性のジャズミュージシャン.
júry·wòman 女性の陪審員.
kíns·wòman (女子の)血族, 親類.
láundry·wòman (職業としての)洗濯女.
láy·wòman 女性の平信徒.
lóngshóre·wòman 女性の港湾労働者 [沖仲仕].
mád·wòman 正気を失った女.
márks·wòman 女性の名射手.
néedle·wòman 針仕事をする女性, お針子.
néwspaper·wòman 女性新聞記者 [通信記者].
néws·wòman (新聞・雑誌の)女性記者.
nóble·wòman 高貴の生まれ [身分] の女性.
núrsery·wòman 女性植物種苗園主.
ómbuds·wòman (女性の)行政監察官.
outdóors·wòman 女性の野外スポーツ [生活] 愛好家.
óyster·wòman カキを採る [売る] 女.
patról·wòman パトロール [巡回] 婦人警官.
pén·wòman 女流作家.
pítch·wòman 《米話》(テレビのコマーシャルなどで)商品を宣伝する女性.
plánts·wòman 女性の植木屋 [苗木屋].
políce·wòman 婦人警官, 婦警.
pre·wo·man 若い女性. ►girl の非差別表現.
sáles·wòman 《主に米》女性販売員.
Scótch·wòman 《時に不快》=Scotswoman.
Scóts·wòman スコットランドの女性.
scrúb·wòman =charwoman.
sérvice·wòman 女性の軍人, 女性兵士.
shóp·wòman 女子店員, 女性の売り子.
spáce·wòman 女性宇宙飛行士.
spókes·wòman 女性の代弁者 [唱道者, 演説家].
spórts·wòman スポーツウーマン.
státes·wòman 婦人政治家. ►よい意味で用いる.
súper·wòman 優れた [超人的な] 女性.
tíre·wòman (劇場などの)髪結い, 女衣装方.
tówns·wòman townsman「町の住人」の女性形.

W

trádes·wòman 女性の商人［職人, 小売商人］.
wásher·wòman 洗濯女.
wásh·wòman ＝washerwoman.
wátch·wòman 女性警備員.
wéather·wòman 天気予報担当女性アナウンサー.
Wélsh·wòman ウェールズ生まれの［に住む］女性.
wíse·wòman (自宅出産の)助産婦, 産婆.
wórking·wòman 女子労働者, 勤労女性, 女子工員.
wórk·wòman 女子労働者［従業員］, 女子工員.
yáchts·wòman 女性のヨット所有者［操縦者］.

won·der /wʌ́ndər/

名 不思議な［驚くべき］もの［人, こと］.

bóy wónder 天才少年.
níne dàys' wónder わずかの間の語り草.
nínety-dày wónder 《米軍俗》速成士官.
títless wònder 《俗》ぺちゃパイの女.

wood /wúd/

名 **1**(木の)木部, 木質部. **2** 木材, 材木. ◇ -WOOD.

ágila·wòod 沈香(じんこう), 伽羅(きゃら).
áir wòod 自然乾燥材.
áloes·wòod ＝agilawood.
árrow·wòod 枝を矢に用いた低木の総称.
bárn·wòod (室内装飾として用いる)古板.
báss·wòod シナノキ(ボダイジュを含む).
báy·wòod 熱帯アメリカ産のマホガニー材.
béar·wòod カスカラ.
béech·wòod ブナ材.
béef·wòod モクマオウ(木麻黄)属のオーストラリア原産の常緑高木の総称.
bént·wòod (家具用の)曲げ木.
bírd-wòod 《麻薬俗》マリファナタバコ.
bítter·wòod ニガキ(苦木).
bláck·wòod オーストラリア産のアカシア属の木.
blóod·wòod アカユーカリ.
blúe·wòod テキサスナツメ.
bóg·wòod (泥炭地の)カシなどの埋もれ木.
bów·wòod オセージ・オレンジ.
bóx·wòod ツゲ材.
brazíl·wòod ブラジルボク.
bréast·wòod (果樹垣などから出る)若枝.
bríar·wòod ＝brierwood.
bríer·wòod エイジュの根.
brúsh wòod 〚漁業〛於朶(おだ).
brúsh·wòod 切った［折った］小枝, しば, そだ.
búd·wòod 〚園芸〛芽接ぎ用穂木.
búllet wòod バラタノキの材.
búrl·wòod 木こぶから取った材.
bútton·wòod 《主にニューイング東部》スズカケノキ.
cábinet·wòod 箱形家具用木材.
Campéachy wòod ＝logwood.
cám·wood カムウッド.
cándle·wòod (多樹脂の)たいまつ用木.
canóe·wòod ユリノキ.
cédar·wòod シーダー材.
chéese·wòod トベラ.
chíttam·wòod チッタムノキ.
cítron wòod シトロン材.
cóach·wòod オーストラリア産の中高木.
cócus·wòod コークスウッド.
córd·wòod コード単位に積まれたまき.
córk·wòod ライトネリア.
cótton·wòod ポプラの総称.
cráb·wòod カラッパ.
crótch·wòod 木の叉(また)の部分から取った木材.
déad·wòod (立ち木の)枯れ枝; 枯れ木.
dévil·wòod オリーブの小高木.
dóg·wòod ☞
dóuble wóod 〚ボウリング〛ダブルウッド.
dríft·wòod 流木; (特に)室内装飾用流木.
dýe·wòod 染料木.
éagle·wòod ＝agilawood.
éarly wòod ＝springwood.
élfin·wòod 矮生(わいせい)低木.
élm·wòod ニレ(楡)材.
fát·wòod 《米南部大西洋沿岸諸州》たきつけ用の木, 燃えやすい木.
fíddle·wòod 西インド諸島などに産する種々の木の重く堅い耐久力のある木材.
fíre·wòod まき, 薪; 《英》たきつけ.
flóod·wòod ＝driftwood.
frúit·wòod (家具用)果樹材.
gílt·wòod 形 金色に塗った木製の.
gópher wòod イトスギの木.
gópher·wòod ＝yellowwood.
gréase·wòod アカザ科の低木.
gréen·wòod 《主に文語》青葉の茂った緑の森林.
gróund·wòod 〚製紙〛(パルプ用)砕木.
gúm·wòod ゴムの木の材.
hárd·wòod 硬材.
háre·wòod シカモア材.
héart·wòod 赤み, 心材.
ínk·wòod 熱帯産のムクロジ科の木.
íron·wòod 鉄樹.
ívory·wòod オーストラリア産の木 *Siphonodon australe* の象牙(ぞうげ)色の木材.
kíng·wòod マメ科ツルサイカチ属の木.
láce·wòod 縦に四つ割りにし, 板びきにしたアメリカスズカケの材.
lánce·wòod 丈夫な弾力のある材.
láte wòod ＝summerwood.
léather·wòod カワノキ.
lémon·wòod カリコフィルム: アカネ科の低木.
létter·wòod ＝snakewood.
líght·wòod 木質の軽い木.
líme·wòod シナノキの材.
lóg·wòod ロッグウッド.
márble·wòod 木目が大理石に似た木の総称.
mátch·wòod マッチ用木材.
métal wóod 金属建材.
mílk·wòod 乳液を分泌する木の総称.
móose·wòod ペンシルベニアカエデ.
nút·wòod 堅果樹.
óak·wòod オーク材; オークの森(林).
órange·wòod オレンジ材.
óven·wòod 薪, 燃料用の小枝, そだ.
pártridge wòod 木材腐朽菌カタウロコタケにより, 白色あな腐れを起こした腐朽木.
péar·wòod ナシ材.
pécker·wòod 《米ミッドランド・南部方言》キツツキ.
pég·wòod ツゲ材の細い棒.
pépper·wòod カリフォルニアゲッケイジュ.
píne·wòod 松林.
plý·wòod 合板, プライウッド, ベニヤ合板.
póison·wòod フロリダウルシ.
pótbelly wòod だるまストーブ用のまき束.
púlp·wòod パルプ材.
réd·wòod アカスギ, セコイア, イチイモドキ.
rhódium wòod セイヨウヒルガオ属の数種の低木の根から採る香木.
ríbbon·wòod アオイ科ホヘリア属の常緑高木.
róse·wòod シタン(紫檀).
róund·wòod 丸材.
rúby wòod 紅木紫檀(こうきしたん).
sándal·wòod ビャクダン(白檀)材.
sapán·wòod ＝sappanwood.
sappán·wòod スオウ(蘇方).
sáp·wòod 液材, 辺材, 白太(しらた).
sáss·wòod サス・ウッド.
sátin·wòod サテンノキ, インドシュスボク.
sáunders·wòod ＝sandalwood.
sén·wòod ハリギリの材; ウコギ科の落葉高木

W

gláss·wòrk ガラス(器)製造(業).
glíding wòrk 《英》シフト制の仕事.
góld·wòrk 金細工品.
gríll·wòrk 格子状のもの.
gróund·wòrk 土台, 基礎工事; 下地.
gróup wòrk 〖社会〗集団作業.
grúnt wòrk 《俗》退屈な骨の折れる仕事.
guéss·wòrk 当て推量, 当てずっぽうの答え.
gúm·wòrk 〖歯科〗歯ぐき用義歯製作.
háck·wòrk (型どおりの)請け負い仕事.
hándi·wòrk 手仕事.
hánd·wòrk (機械仕事に対して)手仕事, 手工.
hátchet wòrk 《話》悪意に満ちた批評.
hátchet·wòrk 手斧による傷跡.
héad·wòrk 頭を使う仕事, 知的労働; 思考.
hóme·wòrk 家庭学習, 予習; 宿題.
hóneycomb wòrk 〖建築〗=stalactite work.
hórse wòrk 《英話》骨が折れて面白くない仕事.
hót-wòrk 動他 〈金属を〉熱間加工する.
hóuse·wòrk 家事(洗濯, 料理など).
ìnter·wórk 動他 織り合わせる. ── 自 相互に作用する.
íron·wòrk 鉄製品, 鉄細工.
jób wòrk 端物(はもの)印刷.
jóurney·wòrk (職人の)手間仕事; 日雇い仕事.
knót·wòrk 〖服飾〗結び糸細工, 結びレース.
láce·wòrk レース細工.
láttice·wòrk 格子造り, 格子細工.
léad·wòrk 鉛製品, (水道管などの)鉛用材.
léather·wòrk 革に装飾すること, 革細工.
lég·wòrk 探訪; 聞き込み捜査; 外交員の仕事.
lífe·wòrk ライフワーク, 一生の仕事.
líne-wòrk (ペンや鉛筆による)線画.
línk·wòrk 鎖細工.
lóng-and-shórt wòrk 〖石工〗長短積み.
máke-wòrk (無意味に)やらせるだけの仕事.
mán-of-áll-wòrk 便利屋, なんでも屋.
másk wòrk 〖電子工学〗マスクワーク.
máster·wòrk 最高傑作, 代表作(masterpiece).
mésh·wòrk 網細工, 網.
métal·wòrk 金属細工(物); 金属を扱う作業.
míll·wòrk 工場製の既製木工品.
móon wòrk (宇宙飛行士の)月面作業.
mótion wòrk 日の裏輪列, 裏回り輪列.
néedle·wòrk 針仕事, (特に)刺繍.
nét·wòrk ☞
níght·wòrk 夜業, 夜なべ; 夜間勤務, 夜勤.
nóodle·wòrk 《米俗》頭を使う仕事, 考えること.
númber wòrk 算数.
óff-wòrk 形 仕事を離れた.
ópen·wòrk (建物・彫刻・レースなどの, 特に装飾用の)透かし細工.
óutside wórk アルバイト(side job); 外勤.
òut·wórk 動他 …よりよく働く, 仕事が速い.
òver·wórk 動他 過度に働かせる, 酷使する.
páint·wòrk (自動車などの)塗装面.
páper·wòrk 文書業務, 事務手続き.
párt·wòrk シリーズ出版された書籍の一冊.
pássage·wòrk 〖音楽〗パッセージワーク.
pátch·wòrk 寄せ集めの作品; パッチワーク.
péggy wòrk 《英俗》雑用.
píece·wòrk 出来高払いの仕事.
pín·wòrk (針編みレースの)ピンワーク.
pláster·wòrk 〖建築施工〗左官工事.
póker wòrk 焼画.
préss·wòrk 印刷機の操作, 印刷作業.
ráck·wòrk 〖機械〗ラック機構.
rág·wòrk =rubblework.
réed·wòrk 〖音楽〗(管楽器などの)リード音栓.
rè·wórk 動他 作り直す, 再加工する; 再生する.
ríght-to-wórk 形 《米》労組への加盟にかかわらず就労できる権利がある.
róad·wòrk 道路工事.
róck·wòrk =stonework.
rópe·wòrk 縄(製造)工場.
róugh wòrk 準備作業, 下ごしらえ.
rúbble·wòrk 荒板石積み, 野(の)石積み.
rúsh·wòrk イグサ細工; イグサ細工品.
rústic wòrk 〖建築〗江戸切り積み, 粗面積み.
scále-wòrk 鱗(うろこ)細工.
schóol·wòrk 学業.
scrátch wòrk 下地こすり, 下塗り, 粗面塗り.
scróll·wòrk 渦形装飾, 渦巻き模様, 雲形模様.
scút·wòrk 《話》下っ端に任せる単純作業.
séat·wòrk 《米》シートワーク, 自習課題.
sérvile wórk 〖ローマカトリック〗祝日や日曜に禁止されている肉体労働.
shéll·wòrk 貝細工.
shít·wòrk 《米俗》卑しい仕事, 嫌われる仕事.
sílver·wòrk 銀細工, 銀製の装飾品, 銀器.
slóp·wòrk (工場生産による)安い既製服の製造.
sócial wòrk 社会事業, ソーシャルワーク.
spáde·wòrk (データ収集など)基礎作業[研究].
stáff wòrk (スタッフによる)組織的な仕事.
staláctite wòrk スタラクタイト, 鍾乳(しょうにゅう)飾り.
stéel·wòrk 鋼製品, 鋼工作物, 鋼製部分品.
stíck·wòrk 〖スポーツ〗スティックさばき.
stítch·wòrk 刺繍.
stóne·wòrk (石垣などの)石造物, 石積み.
stóp wòrk 〖時計〗巻き止め機構.
stráp·wòrk 〖建築〗ストラップワーク.
stúcco·wòrk 化粧しっくい細工.
stúd·wòrk 間柱(まばしら)を用いる建築法.
stúmp·wòrk スタンプワーク: 刺繍の一種.
suppórted wórk 《米》給費職業訓練プログラム.
tábernacle wòrk 〖建築〗天蓋造り.
tásk·wòrk 割当仕事, 賦課労役.
téam·wòrk チームワーク, 共同作業, 団体行動.
tèl·e·wórk 名 オフィスから離れた場所や自宅などで行う仕事.
tímber·wòrk (船・家屋などの)木骨造り, 木組み.
tíme·wòrk 時間決め払いの仕事.
tín·wòrk 錫(すず)細工品, ブリキ製品.
tóp·wòrk 動他 〖園芸〗…を高接ぎする.
tréllis·wòrk =latticework.
tréstle·wòrk 構脚工法.
ùnder·wórk 動他 〖土木〗…に労力を十分にかけない.
ùnpúblished wórk 〖法律〗未公表作品, 未刊行図書.
wárm wòrk 体が温まる仕事.
wár wòrk 戦争遂行のための労役, 戦時の労働.
wáx·wòrk 蝋細工(品); (特に)蝋人形.
wéb·wòrk 網状組織; 入り組んだもの.
wélfare wòrk 福祉[厚生]事業.
wést·wòrk (ドイツのロマネスク建築で, 教会の壮大な)西側正面.
wét·wòrk 諜報員への殺人指令.
whéel·wòrk 〖機械〗輪列.
whíte wòrk 白糸刺繍.
wícker·wòrk 枝編み細工(品), 柳細工(品).
wíre·wòrk 針金[電線]製造; 針金細工.
wónder·wòrk 驚くべきもの; 奇跡.
wóod·wòrk 木工品, 木細工.
wóol·wòrk 毛糸刺繍.
wríggle·wòrk (金属表面に彫った)ジグザグ型の紋様.
wríst·wòrk 〖スポーツ〗リストワーク.
yárd wòrk 《米》(芝刈りなどの)庭仕事.

work·er /wə́ːrkər/

名 働く[仕事をする]人; 勉強[研究]する人; 《しばしば複合語》(…)工, (…の)職人, 細工師. ⇨ -ER[1].

au·to·work·er 自動車製造(工場)労働者.
bláck-coat wórker 《英》店員, 勤め人, 事務労働者.
bráin wòrker 頭脳[精神]労働者.
búcket wòrker 《米俗》闇の商売をする詐欺師.

cáse·wòrker ケースワーカー, 社会福祉相談員.
có·wòrk·er 名 協力者, 同僚.
crótch wòrker 《米俗》盗んだ品を服の下に隠す女の万引き.
dóck·wòrker 港湾労働者.
fáce wòrker 切羽(きりは)作業員.
fárm·wòrker 農業労働者.
fást wórker 《話》抜け目なく立ち回る人.
ghóst wòrker 《特に英・カナダ》幽霊従業員.
gláss·wòrker ガラス器製造人; ガラス細工職人.
glím wòrker 《米俗》素通し眼鏡を売る露天商人.
guést wòrker (労働者不足時に短期の入国を認められる)外国人労働者.
hóme·wòrker 自宅で仕事をする人, 内職者.
hóuse·wòrker (家政婦・雇い料理人のような)家事労働者.
informátion wòrker 情報労働者.
íron·wòrker 鉄工; 鉄工所工員; 鉄骨屋.
léather·wòrker 革細工人.
lúsh wòrker 《俗》酔っ払いをねらうスリ.
míne·wòrker 鉱夫, 抗夫(miner).
míssionary wòrker 《俗》(会社側がスト破りのために雇う)第二(労働)組合員.
nòncértified wórker スト破りに雇われた労働者.
óffice wòrker 会社員, 従業員, (官庁などの)職員.
pásture·wòrker 《米話》(野球の)外野手.
prímary héalth wòrker barefoot doctor「(中国で)はだしの医者」の正式名.
reséarch wòrker 研究員.
sanitátion wòrker ゴミ収集作業員.
séttlement wòrker 社会福祉事業員.
séx wòrker 売春婦. ►非差別的表現.
sócial wòrker 社会事業家, 民生委員.
stéel·wòrker 製鋼工, 製鋼所の工員.
stréet·wòrker 《米・カナダ》(地域の青少年の指導をする)街頭奉仕員.
tele·wórker (コンピュータ・ファックス通信などによる)在宅勤務者.
Ú-turn wòrker (特に日本の)U ターン労働者.
wáge·wòrker 《主に米》賃金労働者.
wáx·wòrker 蝋(ろう)細工[人形]師.
wíre·wòrker 針金細工師.
wónder-wòrker 驚くべき[驚異的な]ことをする人.
wóod·wòrker 木工(職), 木細工師; 木工機械.

work·ing /wə́ːrkiŋ/

名 **1** 仕事; 運転; 運営. **2** 細工法. ── 形 仕事をしている. ⇨ -ING[1], -ING[2].

hárd·wórking 形 よく働く, 勤勉な, 働き者の.
hót cóld-wòrking 名 熱冷間加工.
lámp·wòrking 名 吹き作り, ガス加工[細工].
métal·wòrking 名 金属細工(術), 金属加工.
nòn·wórking 形 雇用されていない, 収入のない.
tèle·wórking 名 コンピュータ端末機を会社と結んでの在宅勤務.
wóod·wòrking 名 木工(業), 木細工.

works /wə̀ːrks/

名複 work「労働; 工場; 作品」の複数形.

bódy wòrks 身体芸術作品.
bréast·wòrks 《俗》(性の対象として見た)女性の胸, おっぱい.
dráw wòrks ドローワークス: 油井掘削装置.
dýe-wòrks 染色[染物]工場.
éx-wòrks 形副 《英》(配達費・販売手数料などを除いて)工場から直接の[で].
fréezing wòrks 《豪・NZ》(家畜の)畜殺冷凍工場.
gás·wòrks ガス製造所, ガス工場.
gláss·wòrks ガラス工場.
ín·wórks 形 《英》工場内の.
íron·wòrks 製鉄所.
prínt·wòrks 捺染(なっせん)工場.
públic wórks (政府資金で造られる)公共建造物.
réndering wòrks 畜産処理加工場.
sált·wòrks 製塩所.
sémi·wòrks 〖商業〗(新製品, 新製法開発のための)試験[テスト]工場.
séwage wòrks 下水処理場.
skúnk wòrks 《話》スカンクワークス: 航空(宇宙)学, コンピュータなどの分野で, 革新的な計画や製品製造のための秘密チーム.
sóap wòrks せっけん製造工場.
stéel·wòrks 製鋼工場, 製鋼所.
tín·wòrks 錫(すず)採掘所; 錫精錬所.
trý·wòrks 〖捕鯨〗鯨油精製鍋(try-pot)をかける炉.
úpper·wórks 〖海事〗乾舷(かんげん).
wáter·wòrks 水道, 上水道.
wíre·wòrks 針金工場.

world /wə́ːrld/

名 **1** 地球; 全世界; (特定の地域・時代の)世界. **2** 現世. **3** (利益・目的などを共通とする)社会, …界.

áfter·wòrld 後の世, 後世; 来世, 後生.
ánti·wòrld 〖物理〗反世界.
aróund the wórld 体中を口で愛撫すること.
cýber·wòrld サイバーワールド: コンピュータネットワークが形成する情報空間.
démi·wòrld いかがわしい連中; 敗残者.
Dísney Wórld ディズニーワールド.
dréam wòrld 夢の世界, 想像[幻想]の世界.
Fírst Wórld 第一世界, 先進工業諸国.
Fóurth Wórld 第四世界: 発展途上国.
frée wórld 自由世界.
gréat wórld 貴族[上流]社会(での生活).
hálf-wòrld 半球.
lówer wórld 〖ギリシャ神話〗黄泉(よみ)の国.
mícro·wòrld 微小な[ミクロの]世界.
Minkówski wòrld 〖数学〗ミンコフスキー空間.
néther wòrld 下界, 黄泉の国, 冥府; 地獄.
Néw Wórld 南北アメリカ大陸と, それに付随する島々.
néw-wórld 形 新世界の, (南北)アメリカの.
Óld Wórld 旧世界(ヨーロッパ, アジア, アフリカ).
óld-wórld 形 古代世界の, 太古の.
óne wórld (国際協調による)世界政府.
óther wórld 死後の世界, あの世, 来世; 別世界.
óut-of-this-wórld 形 現実離れした, 奇想天外の, 突飛な.
réal wórld 現実の世界; 実社会.
Séa Wórld シーワールド: 海辺に作られる水族館などを併設したテーマパーク.
Sécond Wórld 第二世界. **1** 米国と旧ソ連を除く先進工業諸国. **2** 共産主義国.
Thírd Wórld 第三世界: 低開発国.
thóught-wòrld 精神世界, 思考界.
únder·wòrld 犯罪者層; 悪の世界; 下層社会.
vírtual wòrld 〖コンピュータ〗仮想現実世界.
wáter·wòrld 水の乗り物中心の遊園地.

worm /wə́ːrm/

名 **1** 〖動物〗蠕虫(ぜんちゅう). **2** (形・動きが)虫に似たもの.

ácorn wòrm 半索動物の腸鰓(ちょうさい)綱(ギボシムシ類)の動物の総称.
ángle·wòrm 《主に米北部・北部ミッドランド・西部》(釣りの餌(えさ)に使う)ミミズ.
ármy·wòrm アワヨトウ(粟夜盗).
árrow·wòrm ヤムシ(矢虫).

bág·wòrm ミノムシ.
bánkrupt wòrm 蛇状毛様線虫の通称.
béard wòrm 有鬚動物門[クダヒゲ動物門]に属する動物の総称.
bládder wòrm 嚢虫(のうちゅう).
blínd·wòrm ヨーロッパ産のアシナシトカゲの一種.
blóod·wòrm アカボウフラ.
bóll·wòrm ワタキバガ(綿牙蛾)の幼虫.
bóok·wòrm 《話》読書家, 本の虫.
bóotlace wòrm 褐色がかった黒色のリボン状のヒモムシの一種.
brístle wòrm 〖動物〗多毛類(polychaete).
búd·wòrm 植物の芽を食害する鱗翅(りんし)目昆虫の幼虫の総称.
cábbage·wòrm 《米》アオムシ.
cáddis·wòrm イサゴムシ.
cánker·wòrm シャクトリムシ.
cárpenter·wòrm carpenterworm moth の幼虫.
cáse·wòrm 体の周りに鞘(さや)状の巣を作る虫.
clám·wòrm ゴカイ.
cúrrant·wòrm スグリを食い荒らす虫.
cút·wòrm ネキリムシ(根切虫).
de·wórm 動他 …から寄生虫を駆除する.
déw-wòrm 《主に米中北部方言・カナダ》大ミミズ.
dúng wòrm シマミミズ.
éarth·wòrm 地虫, (特に)ミミズ.
éel·wòrm 線虫, ネマトーダ.
éye wòrm 眼糸状虫, ロア糸状虫.
fán wòrm =feather-duster worm.
féather-dùster wórm ケヤリムシ, カンザシゴカイ.
féather wòrm =feather-duster worm.
fíre·wòrm ツルコケモモの葉を食べて枯らす数種のガの幼虫の総称.
físhing wòrm 《米ミッドランド・南部》ミミズ.
físh·wòrm 《主に米ニューイング・北部・ミッドランド》ミミズ.
flát·wòrm 扁形(へんけい)動物.
flésh wòrm ニクバエ(flesh fly)のうじ[幼虫].
gálley·wòrm ヤスデ(millipede).
gápe·wòrm 開嘴(かいし)虫.
gárden wòrm 《米北部》ミミズ(earthworm).
gláss·wòrm =arrowworm.
glów·wòrm ツチボタル.
górdian wòrm 線形虫(nematomorph).
grúb·wòrm 地虫.
guínea wòrm メジナチュウ.
háir·wòrm 毛様線虫.
héart·wòrm イヌシジョウチュウ(犬糸状虫).
hóok·wòrm 鉤虫(こうちゅう).
hórn·wòrm イモムシ.
hórsehair wòrm ハリガネムシ(針金虫).
ínch·wòrm =measuringworm.
jóint·wòrm カタビロコバチ科のコバチ(chalcid fly)の幼虫.
kíck·wòrm 〖ブレークダンス〗キックワーム.
kídney wòrm 腎虫(じんちゅう).
lób·wòrm =lugworm.
lóop·wòrm シャクトリムシ, エダシャクトリ.
lúg·wòrm タマシキゴカイ, クロムシ.
lúng·wòrm 肺線虫: 哺乳(ほにゅう)類の肺に寄生する肺虫科の線虫.
mált·wòrm 《古》大酒飲み(tippler).
máw·wòrm 線虫, 回虫.
méal·wòrm コナムシ.
méasuring·wòrm シャクトリムシ(尺取り虫).
múck·wòrm 《俗に》うじ虫.
óak·wòrm オーク(oak)の葉を食う鱗翅(りんし)類幼虫の総称.
pálmer·wòrm キバガ(牙蛾)の一種の幼虫.
palólo wòrm パロロ: イソメ科の多毛虫.
párchment wòrm 環形動物ツバサゴカイ属の多毛虫の総称.
péacock wòrm =feather-duster worm.
péanut wòrm ホシムシ.
píckle·wòrm メイガ科の黄褐色のガ(蛾)の幼虫.
pín·wòrm ギョウチュウ(蟯虫).
potáto wòrm スズメガの一種の幼虫.
rág·wòrm =clamworm.
ráilroad wòrm ミバエ(fruitfly)の一種の幼虫.
ráin·wòrm ミミズ(earthworm).
réd wòrm 《米方言》ミミズ(earthworm).
ríbbon wòrm ヒモムシ(紐虫).
ríng·wòrm 〖病理〗輪癬(りんせん), 白癬.
róot·wòrm 植物の根を食うウリハムシ(cucumber beetle)など種々の昆虫の幼虫.
róund·wòrm 線虫, (特に)回虫.
sánd·wòrm ゴカイ類.
scréw·wòrm らせん虫, ラセンウジバエ.
sérpent wòrm =guinea worm.
shíp·wòrm フナクイムシ.
sílk·wòrm カイコ, 家蚕.
slóe-wòrm 《廃》=slowworm.
slów·wòrm =blindworm.
slúdge·wòrm イトミミズ.
slúg·wòrm ナメクジ形をしたハバチやガの幼虫.
spán·wòrm 《米》=measuringworm.
spíny-hèaded wórm コウトウチュウ(鉤頭虫).
spóon·wòrm ユムシ(螠).
stág·wòrm 雄ジカに寄生するウマバエの幼虫.
stómach wòrm ネンテンイチュウ(捻転胃虫).
stráw·wòrm =caddisworm.
tápe·wòrm 条虫, サナダムシ.
thréad·wòrm 線虫.
tóngue wòrm Pentastomida 門(または Arthropoda 亜門)の無脊椎動物の虫の総称.
túbe·wòrm 管棲(かんせい)虫.
vétch·wòrm オオタバコガ(蛾)の幼虫.
wáx wòrm ハチミツガ(bee moth)の幼虫.
wéb·wòrm 《米》食葉に巣を作る群居性のガ・チョウの幼虫の総称などの幼虫.
whéat·wòrm コムギツブセンチュウ(小麦粒線虫).
whíp·wòrm ベンチュウ(鞭虫).
wíre·wòrm コメツキムシの幼虫の総称.
wóod·wòrm キクイムシ.
wóolly wòrm 《米ミッドランド》クマケムシ.

worn /wɔ́ːrn/

動 wear の過去分詞形.

cáre·wòrn 形 心配[苦労]の跡が見える.
fóot·wòrn 形 踏み減らされた.
fore·wórn 形 《古》=forworn.
for·wórn 形 《古》疲れ切った, 疲労困憊(こんぱい)の.
óut·wòrn 形 〈意見・考えなどが〉古臭い.
ò·ver·wórn 動 overwear の過去分詞形.
shóp·wòrn 形 《米》〈商品などが〉棚ざらしの.
tíme·wòrn 形 〈建物などが〉使い古した.
tóil·wòrn 形 〈顔・手などが〉苦労でやつれた.
trável-wòrn 形 旅で擦り切れた, 旅で着古した.
un·wórn 形 傷んでいない; 疲れていない.
wár-wòrn 形 戦争[軍務]で疲弊した.
wáter·wòrn 形 水の作用で磨滅した.
wáy·wòrn 形 《まれ》旅でやつれた.
wéather·wòrn 形 〈物が〉風雨にさらされた.
wéll-wórn 形 使い古した, 着古した.

wor·ship /wə́ːrʃip/

名 (神聖なものに対する)崇拝. ⇨ -SHIP.

áncestor wòrship 祖先崇拝.
fíre wòrship 拝火, 火神崇拝.
héro wòrship 英雄崇拝.
héro-wòrship 動他 英雄崇拝する, 英雄視する.
náture wòrship 自然崇拝.
sélf-wórship 名 自己崇拝.

W

sún wòrship 太陽(神)崇拝.

wort /wɔ̀ːrt, wɔ̀ːrt | wɔ̀ːt/

名《通例複合語》植物, 草; 野菜.

ádder's-wòrt イブキトラノオ(bistort).
áwl·wòrt ハリナズナ.
báne·wòrt 毒草.
bárren·wòrt メギ科イカリソウ属の植物の総称.
béll·wòrt キキョウ(桔梗).
bírth·wòrt ウマノスズクサ.
bítter·wòrt キバナリンドウ(yellow gentian).
bládder·wòrt タヌキモ(ミミカキグサを含む).
blóod·wòrt ハエモドラム科の植物.
bútter·wòrt ムシトリスミレ.
cóle·wòrt ナ(菜).
cróss·wòrt ヨモギ.
Dáne·wòrt ニワトコ属の低木.
dróp·wòrt ロクベンシモツケ(六弁下野).
fán·wòrt フサジュンサイ.
fél·wort アケボノソウ.
féver·wòrt ツキヌクソウ(突貫草).
fíg·wòrt ゴマノハグサ.
fléa·wòrt オオバコ属の一年草.
gláss·wòrt アッケシソウ.
hóne·wòrt ミツバ.
hóney·wòrt ムラサキ科キバナルリソウ属の草本.
hórn·wòrt マツモ(松藻).
kídney·wòrt =navelwort.
léad·wòrt イソマツ科ルリマツリ属の低木の総称.
límp·wòrt クワガタソウ.
líver·wòrt ゼニゴケ類, タイ(苔)類.
lóuse·wòrt シオガマギク.
lúng·wòrt ヨーロッパ産ムラサキ科ヒメムラサキ属 *Pulmonaria* の多年草の総称.
mád·wòrt アブラナ科イワナズナ属の草の総称.
máster·wòrt セリ科アストランティア属の耐寒性多年草の総称.
mílk·wòrt ヒメハギ.
míter·wòrt チャルメルソウ.
mítre·wòrt 《特に英》=miterwort.
móney·wòrt ヨウシュ(洋種)コナスビ.
móon·wòrt ハナワラビ.
móor·wòrt ヒメシャクナゲ, ニッコウシャクナゲ.
móther·wòrt シソ科メハジキ属の草.
múd·wòrt キタミソウ(北見草).
múg·wòrt ヨモギ.
nável·wòrt ベンケイソウ科コチレドン属の草.
nípple·wòrt キク科タビラコ属の草本.
péarl·wòrt ツメクサ.
pénny·wòrt 玉盃(ぎょくはい): 葉がほぼ丸い植物数種の総称.
pépper·wòrt デンジソウ(田字草).
píle·wòrt ダンド(段戸)ボロギク.
píll·wòrt デンジソウ科ピルラリア属の水生シダ類の総称.
pípe·wòrt ホシクサ属の多年草.
quíll·wòrt ミズニラ.
rág·wòrt サワギク.
ríb·wòrt ヘラオオバコ; オオバコ科の多年草.
Sàint Jóhn's-wòrt オトギリソウ(弟切草).
sált·wòrt 塩生植物.
sánd·wòrt ユキソウ(雪草).
sáw·wòrt タムラソウ(田村草).
séal·wòrt ナルコユリ.
sétter·wòrt ヘレボルス, クリスマスローズ.
slíipper·wòrt キンチャクソウ.
snéeze·wòrt オオバナノコギリソウ.
sóap·wòrt シャボンソウ.
spéar·wòrt 葉が槍先形のキンポウゲ属の数種の草の総称.
spíder·wòrt ムラサキツユクサ.
spléen·wòrt ☞
stár·wòrt ハコベ.
stítch·wòrt ハコベ: ナデシコ科ハコベ属の数種の草の総称.
stóne·wòrt シャジクモ(車軸藻).
stráp·wòrt ナデシコ科の海岸の草.
swállow·wòrt クサノオウ.
tétter·wòrt =swallowwort.
thórough·wòrt ヒヨドリバナ(boneset).
thrúm·wòrt アマランス.
tóoth·wòrt ヨーロッパヤマウツボ.
whítlow·wòrt ナデシコ科ネバリハコベ属の小さな草の総称.
wóund·wòrt イヌゴマ.
yéllow·wòrt リンドウ科の植物.

worth /wɔ́ːrθ/

形〈物・事が〉(手間・時間・金などをかけるに)値する, (…する)価値がある. ——名 **1** 値打ち; 有用性. **2** (金銭的な)価値; (ある金額・日数)分(の…). **3** 富, 財産.

cómparable wórth 男女同一賃金原則.
jóbs·worth 名《主に英話》社則にうるさい社員.
nét wórth 純財産, 純資産.
níckel's wòrth 《米市民ラジオ俗》5分間だけの交信制限時間.
pénny·wòrth 形 1ペニー分の.
sélf-wórth 名 自尊心.
shíllings-wòrth 形 1シリング分の.
stál·worth 形《古》〈特に男性が〉丈夫な.

-worth /wəːrθ, wərθ, wəθ/

連結形 中庭; 囲い.
★ 人名, 地名をつくる.
◆ おそらく＜古サクソン *wurth*「土壌」; 原義は「囲い地」.

Cud·worth 名 カドワース(姓). ▶字義は「Cutha(人名)の土地」.
Edge·worth 名 エッジワース(姓). ▶字義は「丘の脇の土地」.
Ells·worth 名 エルズワース(姓). ▶字義は「Elli(人名)の土地」.
Farns·worth 名 ファーンズワース(姓). ▶字義は「シダの生い茂る土地」.
Harms·worth 名 ハームズワース(姓). ▶字義は「Heremund(人名)の土地」.
Ha·worth[1] 名 ホーワース(イングランドの村名). ▶字義はおそらく「塀に囲まれた土地」.
Ha·worth[2] 名 ハワース(姓). ▶字義は「塀に囲まれた土地」.
Hep·worth 名 ヘップワース(姓). ▶字義は「バラ園」.
Long·worth 名 ロングワース(姓). ▶字義は「長い土地」.
South·worth 名 サウスワーズ(姓). ▶字義は「南の土地」.
Wands·worth 名 ウォンズワース(イングランドの地名). ▶字義は「Wendel(人名)の土地」.
Went·worth 名 ウェントワース(姓). ▶字義は「冬の地」.
Whit·worth 名 ホイットワース(姓). ▶字義は「White(人名)の土地」.
Wig·gles·worth 名 ウィグルズワース(姓). ▶字義は「Wincel(人名)の土地」.
Words·worth 名 ワーズワース(姓). ▶字義は「Wœddi(人名)の土地」.

-wor·thy /wɔ̀ːrði/

連結形 **1** …に値する: blame*worthy*, news*worthy*. **2** …に適した: air*worthy*, sea*worthy*.

★ 形容詞をつくる.
★ 中英語の時期から複合語の第２要素としても用いられる.
◆ 中英 *wurthe*(古英 *w(e)orth*「価値，…に値する」より). ⇨ -Y[1].

áir·wòr·thy 形 航空に適する；耐空性のある.
báttle·wòr·thy 形 戦闘準備ができている.
béd·wòr·thy 形 〈女性が〉すぐに男と寝る.
bláme·wòr·thy 形 非難に値する，とがむべき，不埒な.
crásh·wòr·thy 形 衝突に耐える，耐衝撃性の.
crédit·wòr·thy 形 〖商業〗(貸し付けで)信用力がある.
flíght·wòr·thy 形 ＝airworthy.
lóve·wòr·thy 形 愛するに値する.
néws·wòr·thy 形 ニュース[報道]価値のある.
nóte·wòr·thy 形 注目に値する；顕著な.
práise·wòr·thy 形 賞賛に値する.
príze·wòr·thy 形 受賞に値する.
quóte·wòr·thy 形 引用に値する.
róad·wòr·thy 形 道路に適した，道路用の.
séa·wòr·thy 形 航海に適する，耐航性のある.
síght·wòr·thy 形 見るに値する，見がいのある.
spáce·wòr·thy 形 宇宙航行に耐え得る.
thánk·wòr·thy 形 感謝に値する，感謝すべき.
trainspótter-wòr·thy 形 《英俗》おたく[マニア]に値する.
trúst·wòr·thy 形 信頼できる，当てになる.
ùn·wór·thy 形 価値のない，値打ちのない.

wound /wáund/

動 wind「…を巻く」の過去・過去分詞形.

cómpound-wóund 形 〖電気〗複巻きの.
séries-wóund 形 〖電気〗〉直巻(ちょくまき)の.
shúnt-wóund 形 〖電気〗分巻(ぶんまき)の.
ùn·wóund 形 巻いてない.

wo·ven /wóuvən/

動 weave の過去分詞形. ⇨ -EN[3].

clóse-wóven 形 織り目の詰んだ，編み目の細かい.
flát-wòven 形 パイル織りでない，立毛のない.
hánd-wóven 形 手織り機で織った，手織りの.
nòn·wóven 形 〈布が〉不織の.
pláin-wóven 形 平織りの.
ùn·wóven 形 織られていない.

wrack /rǽk/

名 難破物[船]；漂着物；漂流物.

bládder wràck ヒバマタ属の海藻の一種.
gráss wràck (海草の)アマモ(eelgrass).
hórn·wràck 〖動物〗アミコケムシ.
séa wràck (特に海岸へ漂着した)海草(群).

wrap /rǽp/

動他 包む，くるむ. ――名 包むもの.

báck·wràp 名 〖服飾〗バックラップ.
búbble wràp 粒状の空気を入れた包装シート.
éar wràp イヤラップ：耳たぶに挟む耳飾り.
en·wràp 動他 …をくるむ，包む.
gíft-wràp 動他 贈り物向きに包装する.
híp wràp 〖服飾〗ヒップラップ.
in·wráp 動他 ＝enwrap.
óver·wràp 名 〖包装〗上包，オーバーラップ.
pláin-wráp 形 ノーブランドの包装紙で包んだ.
plástic wráp 食品包装用ラップ.
shrínk-wràp 動他 〈食品などを〉収縮包装する.
un·wràp 動他 …の包み紙を取り去る，包装を解く.
wórd wràp (ワープロなどの)ワードラップ.

wreath /ríːθ/

名 (花や葉などで作った)冠，輪；花冠，花輪(garland). ――動他自 絡みつく.

báy·wrèath 月桂冠.
brídal wrèath 〖植物〗バラ科シモツケ属の低木の総称.
ìnter·wréath 動他自 (…と)撚(よ)り合わせる[合う].
púrple wréath 〖植物〗クマツヅラ科ヤモメカズラ属の蔓(つる)性の木.
quéen's wréath ＝purple wreath.

wren /rén/

名 〖鳥類〗ミソサザイ.

ánt·wrèn アリドリ科に属する小形のスズメ目の鳥.
Béwick's wrén シロハラミソサザイ.
búsh wrèn ヤブサザイ.
cáctus wrèn サボテンミソサザイ.
Carolína wrén チャバラマユミソサザイ.
ému wrèn 《豪》エミュームシクイ.
fíeld-wrèn クサハラサザイ *Calamanthus* 属の鳥の総称.
gráss-wrèn オナガムシクイ.
héath-wrèn クサハラムシクイ属の小鳥の総称.
hóuse wrèn イエミソサザイ.
jénny wrén (雌の)ミソサザイ.
mársh wrèn ヌマ(沼)ミソサザイ.
róck wrèn イワミソサザイ.
scrúb wrèn シロマユムシクイ属の小形の鳴鳥.
sédge wrèn コバシヌマミソサザイ.
wínter wrén ミソサザイ.

wrench /réntʃ/

名 レンチ，スパナー.

Állen wrènch アレンレンチ.
álligator wrènch わに口スパナ[パイプレンチ].
bóx wrènch 箱スパナ，ボックスレンチ.
ímpact wrènch インパクトレンチ.
lúg wrènch ラグレンチ.
mónkey wrènch モンキー(スパナ)，自在スパナ.
pín wrènch ピン付きスパナ，かに目スパナ.
pípe wrènch パイプレンチ.
scréw wrènch モンキーレンチ，自在スパナ.
sócket wrènch 《米》ソケットスパナー.
tórque wrènch トルクレンチ.

wres·tle /résl/

動自 (…と)取っ組み合う，組み打ちする，格闘する；レスリングをする. ⇨ -LE[1].

árm-wrèstle 動他自 (人と)腕相撲をする.
hóg-wrèstle 《米》野卑なダンス.
Índian-wrèstle 動自 腕相撲をする.
tóngue wrèstle 《米俗》ディープキス.

wres·tling /résliŋ/

名 **1** レスリング. **2** 格闘. ⇨ -ING[1].

áll-ín wrèstling 《主に英》特にルールのないプロレスの型.
árm wrèstling 腕相撲.
Índian wrèstling ＝arm wrestling.
Láncashire wréstling ランカシャー式レスリング.
múd-wrèstling 泥レス，マッドレスリング.
proféssional wréstling プロレス.
súmo wrèstling 相撲.
wríst wrèstling 腕相撲，リストレスリング.

W

wright /ráit/

名《主に複合語》工人, 職人, 大工.

- **árk·wrìght** 名 櫃(ひつ)製造職人; 指物師.
- **bóat·wrìght** 名 (木製小型船の)船大工.
- **cárt·wrìght** 名 車大工.
- **míll·wrìght** 名 水車大工.
- **pláy·wrìght** 名 劇作家, 脚本家.
- **plów·wrìght** 名 鋤(すき)作りの職人.
- **shíp·wrìght** 名 船大工, 木船工.
- **wáin·wrìght** 名 荷車製造[修理]人, 車大工.
- **whéel·wrìght** 名 車体職人, 車大工.
- **wóod·wrìght** 名 木工職, 木細工師.

wrin·kle /ríŋkl/

名 (皮膚, 特に顔の)しわ; (紙・布などの)しわ, ひだ. ── 動他 しわを作る.

- **pénis wrìnkle** 《米俗》まぬけ男.
- **thóught-wrìnkle** 眉間(みけん)のしわ.
- **ùn·wrín·kle** 動他 …のしわを伸ばす, 滑らかにする.

write /ráit/

動他 〈文字・語などを〉書く, 記す; 〈本を〉著す, 書く; 〈文字を〉(タイプライター・機器で)打つ, 刻む.

- **co·write** 動他 …を共同で書く, 共著する.
- **ghost·write** 動他自 (…の)代作をする.
- **hand·write** 動他 …を手書きする, 手で書く.
- **mis·write** 動他 …を書き誤る.
- **out·write** 動他 …より多く[上手に]書く.
- **o·ver·write** 動他 …をあまりに念入りに書く.
- **réad-after-wríte** 形 【コンピュータ】書き込み後に読んでチェックできる.
- **re·write** 動他 …を再び書く; 訂正[改訂]する.
- **sky·write** 動自 空中文字を書く.
- **type·write** 動他自 タイプライターで[を]打つ.
- **un·der·write** 動他 …の下に書く, 下部[末尾]に書く.
- **un·write** 動他 〈文字などを〉削除する, 消す.

writ·er /ráitər/

名 文筆家, 著述家, 作家; ジャーナリスト, 記者; 作曲家. ⇨ -ER[1].

- **Áp·ple·wrít·er** 《商標》アップルライター: アップルコンピュータをワードプロセッサーとして使うためのソフトウェア.
- **chéck·wrìter** 手形刻印機.
- **cópy·wrìter** 原稿を書く人, (特に)広告文案家.
- **críme wrìter** 犯罪[推理]小説作家.
- **ghóst wrìter** (書物・記事などの)代作者.
- **ínk·wrìter** 【電信】印字機.
- **létter-wrìter** 手紙を書く人; 手紙代書人.
- **náked wríter** 【株式】ネーキッド・ライター.
- **scréen·wrìter** シナリオライター, 映画脚本家.
- **scrípt·wrìter** 台本作者, 脚本家, シナリオ作者.
- **sínger-sòng·wrìter** シンガーソングライター.
- **sóng·wrìter** 歌謡曲作詞(作曲)家.
- **spáce wrìter** 活字になった原稿の分量に応じて原稿料を受ける原稿の筆者.
- **spéech·wrìter** スピーチライター.
- **spórts·wrìter** (新聞・雑誌の)スポーツ記者.
- **stóry·wrìter** 短編[物語, 寓話(ぐうわ)]作家.
- **týpe·wrìter** ☞
- **ún·der·wrìt·er** 名 保険業者, (特に)海上保険業者.
- **wórker wríter** 労働作家.

writ·ing /ráitiŋ/

名 書くこと; 執筆; 筆記, 書写, 写字; タイプを打つこと. ⇨ -ING[1].

- **automátic wrìting** 【心理】自動書記.
- **hánd·wrìting** 手書き, 肉筆.
- **mírror-wrìting** 鏡映書き, 逆書き, 鏡文字.
- **néws·wrìting** 新聞の報道記事執筆.
- **párt wrìting** 【音楽】各声部の作曲; 対位法の技術.
- **pícture wrìting** 絵画[絵文字]記録法.
- **pláy·wrìting** 劇作(術); 劇作家稼業.
- **pré·wrìting** 名 執筆前に構想を練ること.
- **ský·wrìting** 飛行機から煙などを出し, 広告などの文字や模様を空に書くこと.
- **spéed·wrìting** 速記術.
- **spírit wrìting** 心霊書記.
- **týpe·wrìting** タイプライターを打つこと.

writ·ten /rítn/

動 write の過去分詞形. ⇨ -EN[3].

- **hánd·wrìtten** 形 手書きの, 肉筆の.
- **týpe·wrìtten** 動 typewrite の過去分詞形.
- **ùnder·wrítten** 動 underwrite の過去分詞形.
- **ùn·wrítten** 形 成文化してない; 慣例による.

wrong /rɔ́ːŋ, rɑ́ŋ | rɔ́ŋ/

名 **1** 悪, 不正. **2**【法律】権利侵害.

- **prívate wróng** 【法律】私的権利の侵害.
- **públic wróng** 【法律】公的権利の侵害, 公的犯罪.
- **sélf-wróng** 自分自身に加えた危害.

wrought /rɔ́ːt/

動 work の過去・過去分詞形. ── 形 **1** 形作られた, 作られた. **2** 念入りに仕上げられた. ⇨ -T[1].

- **en·wróught** 形 =inwrought.
- **hánd·wróught** 形 手細工の, 手製の, 手工業の.
- **hígh-wróught** 形 仕上げの細かな, 凝った.
- **in·wróught** 形 よく入り込んだ[混ざった].
- **ò·ver·wróught** 形 極度に興奮した, 緊張しすぎた.
- **róugh-wróught** 形 急ごしらえの, 粗造りの.
- **ùn·wróught** 形 仕上げられていない.

-wulf /wùlf/

連結形 オオカミ(wolf).
★ 人名などに使われる.
◆ 古英.

- **Be·o·wulf** 名 ベーオウルフ. **1** 8世紀初期の英文学最初の頭韻叙事詩. **2** 1の主人公.
- **Cyn·e·wulf** 名 キネウルフ: 8世紀末から9世紀初期の英国の詩人.
- **Cyn·wulf** 名 =Cynewulf.
- **Eth·el·wulf** 名 エーセルウルフ(ウェセックス王). ►字義は「高貴なオオカミ」.

wurst /wə́ːrst, wúərst/

名 ソーセージ, 腸詰め(sausage). ►ドイツ語から.

- **brát·wurst** 名 ブラットブルスト.
- **knáck·wurst** 名 ナックウルスト[ブルスト].
- **knóck·wurst** 名 =knackwurst.
- **lív·er·wùrst** 名 《米》レバーソーセージ[ブルスト].
- **Wéiss Wúrst** 白ソーセージ.
- **wíe·ner·wùrst** 名 フランクフルトソーセージ; ウィンナーソーセージ.

X

-x[1] /z/

接尾辞 -u で終わるフランス語由来の名詞につけて複数形をつくる.
[発音] -x は発音されないこともある.

beaux 名 beau の複数形.
bu·reaux 名 bureau の複数形.
ci·seaux 名 〖バレエ〗シゾー.
jeux 名 jeu の複数形.

-x[2] /ks/

接尾辞 -ks, -cs, -cks の発音つづり.

clox 名複 clock の複数形.
com·ix 名複 =comics.
fax 名 ☞
-fex 連結形 ☞
pox 名複 pock の複数形.
sox 名複 《米話》 sock の複数形.
tranx 名複 《米麻薬俗》 トランキライザー (tranks).

-x[3] /ks/

接尾辞 商標名などにつく語尾要素.

Amex 名 =American Express.
Am·pex 名 《商標》 アンペックス.
Ar·tex 名 《商標》 アーテックス.
At·a·rax 名 《薬学・商標》 アタラックス.
Béta·máx 名 《商標》 ベータマックス.
Car·i·dex 名 《商標》 カリデックス.
Cee·fax 名 《商標》 シーファックス.
Cel·o·tex 名 《商標》 セロテックス.
Cu·tex 名 《商標》 キューテックス.
Dés·e·nex 名 《商標》 デサネックス.
Di·a·mox 名 《薬学・商標》 ジアモックス.
Du·rex 名 《商標》 デュレックス.
Es·i·drix 名 《薬学・商標》 エシドリックス.
Ex-Lax 名 《商標》 エクスラクス.
-fax 連結形 ☞
Gan·nex 名 《商標》 ガネックス, ギャネックス.
Kef·lex 名 《薬学・商標》 ケフレックス.
Kleen·ex 名 《商標》 クリネックス.
La·six 名 《薬学・商標》 ラシックス.
Las·tex 名 《商標》 ラステックス.
Len·ox 名 《商標》 レノックス.
Lur·ex 名 《商標》 ルレックス.
Lux 名 《商標》 ラックス.
Mag·na·vox 名 《商標》 マグナボクス.
Mag·ne·dex 名 《米》《商標》 マグネデックス.
Man·drax 名 《商標》 マンドラックス.
Mem·o·rex 名 《商標》 メモレックス.
No·mex 名 《商標》 ノーメックス.
Per·spex 名 《商標》 パースペックス.
Plax 名 《商標》 プラックス.
Py·rex 名 《商標》 パイレックス.
Ránk Xérox 《商標》 ランク・ゼロックス.
Ro·lex 名 《商標》 ロレックス.
Ro·lo·dex 名 《商標》 ローロデックス.
Sem·tex 名 《商標》 セムテックス.
Som·i·nex 名 《商標》 ソミネックス.
Span·dex 名 《商標》 スパンデックス.
Sys·tox 名 《商標》 シストックス.
Tam·pax 名 《商標》 タンパックス.
Time·x 名 《商標》 タイメックス.
Tipp-Ex 名 《商標》 ティペックス.
UNIX 名 《商標》 (コンピュータの)ユニックス.
Ve·lox 名 《商標》 ベロックス.
Vi·dex 名 《商標》 ビィデックス.
Wee·ta·bix 名 《商標》 ウィータビックス.
Wind·ex 名 《商標》 ウィンデックス.
Xan·ax 名 《薬学・商標》 ザナックス.
Xe·rox 名 《商標》 ゼロックス.
Zo·vi·rax 名 《薬学・商標》 ゾビラックス.

-xion /kʃən/

接尾辞 《主に英》 -tion の異形.

com·plex·ion 名 肌の色 [きめ], (特に)顔の色つや.
con·nex·ion 名 《英》 つなぐこと, 接続, 結合.
cru·ci·fix·ion 名 磔(はりつけ).
flex·ion 名 ☞
flux·ion 名 流出, 流動; (事物の)不断の変化.

xy·lem /záiləm, -lem/

名 〖植物〗木(質)部. ⇨ -EM[1].
★ 語頭にくる関連形は xyl(o)-: *xyl*itol「〖生化学〗キシリトール」, *xylo*phone「木琴」.

mèt·a·xý·lem 名 後生木部.
prímary xýlem 一次木部.
prò·to·xý·lem 名 原生木(質)部.
sécondary xýlem 二次木部, 次生木部.

Y

-y[1] /i/

接尾辞 **1**《名詞につけて》…の(特徴を備えた), …でいっぱいの: mudd*y*, choos*y*. **2**《名詞につけて》…に似ている: fleec*y*. **3**《形容詞につけて》やや…の, …がかった: green*y*. **4**《動詞につけて》…しがちな, …しそうな: crisp*y*, runn*y*.
★ 形容詞をつくる.
★ くだけた親しみや軽蔑の響きをもつことがしばしばある.
★ 語末にくる関連形は -EY[1], -ILY.
◆ 古英 *-ig*.
[発音] 第1強勢は基語と同じで, 多くは語頭の音節; ただし, contrásty となることもある. 例外: Japanésy など.

ach·y 形 痛む, 痛みのある, うずく.
ac·id·y 形 酸性の; 酸っぱい, 酸味のある.
ack·y 形《英俗》嫌な, 汚い.
ac·tress·y 形 女優の(ような); 女優気取りの.
aer·y 形 空気の(ような).
air·y 形 新鮮な空気の入る, 風のよく当たる.
an·gry 形 腹を立てた, 怒った.
a·no·rak·y 形《英俗》マニア的な, おたくっぽい.
ants·y 形《話》じっとしていられない.
ar·row·y 形 矢のような; 矢のように速い.
art·y 形《話》(見かけばかりの)芸術家気取りの.
ash·y 形 灰色の; 〈顔(色)が〉青ざめた.
ass·y 形《米同性愛俗》意地悪な.
ba·con·y 形《英》肥満の, 脂肪太りの.
bag·gy 形 袋のような; だぶだぶの; たるんだ.
balk·y 形 〈馬・ラバなどが〉急に立ち止まる; 強情な.
balls·y 形《米俗》大胆な, 図太い.
balm·y 形 穏やかでさわやかな, 温和な.
bard·y 形《スコット》大胆な; 挑戦的な.
barf·y 形《米俗》気持ちが悪い.
bark·y 形 樹皮から成る[で覆われた].
barm·y 形 (発酵して)泡立った; 酵母質の.
bar·sy 形《英俗》正気を失った.
bar·zy 形《英俗》=barsy.
batch·y 形《俗》=batty.
ba·tey 形《英俗》激怒した.
bat·ty 形《俗》気のふれた; 風変わりな.
bawd·y 形 俗悪な, 猥褻な, みだらな.
beach·y 形 小石[砂]で覆われた.
bead·y 形 ビーズのような.
beak·y 形 (特に目立つ)くちばしのある.
beam·y 形 光(線)を発する, きらきら輝く.
bean·y 形 元気[血気盛ん]な.
beast·y 形《米俗》(カリフォルニアで)〈人が〉嫌な, むかむかさせる.
beef·y 形 牛肉の(ような).
beer·y 形 ビールの(ような).
bench·y 形《NZ》〈山・丘が〉くぼみができた.
bend·y 形 柔軟性のある, 曲げやすい.
bilg·y 形【海事】船の汚水のにおいがある.
bil·low·y 形 大波の立った, うねりの高い.
bird·y 形 鳥のような.
bitch·y 形《俗》意地の悪い, 怒りっぽい.
bit·ty 形《米話》小さい, ちっぽけな.
blad·der·y 形 気胞のある; (膀胱状に)膨らんだ.
blan·ket·y 形 毛布の(ような).
bler·ry 形《南アフリカ俗》いまいましい, くそったれの. ►bloody のなまり.
blink·y 形《米ミッドランド》〈牛乳が〉すっぱい, 腐った.
blis·ter·y 形 (ペンキ・ガラスなどが)泡のある.
block·y 形 どっしりとした, ごつい.
blood·y 形 血で汚れた, 血まみれの; 血の.
bloom·y 形 花に覆われた, 花盛りの, 満開の.
blos·som·y 形 花のような; 花の多い, 花盛りの.
blotch·y 形 しみ[あざ]のある, できもののできた.
blous·y 形 =blowzy.
blows·y 形 =blowzy.
blow·y 形 風のある, 風の強い.
blowz·y 形 〈女性が〉下品な赤ら顔の.
blub·ber·y 形 脂肪の多い; 脂肪に似た; 太った.
bluff·y 形 〈海岸などが〉絶壁のある; 険しい.
blur·ry 形 よごれた; ぼやけた.
board·y 形《話》堅い(stiff).
bodg·y 形《英俗》劣った.
bog·gy 形 沼沢性の, 低湿の; 沼の多い.
bon·ey 形 =bony.
bon·ny 形《主にスコット》美しい, かわいい.
bon·y 形 骨の, 骨質の, 骨のような.
book·sy 形《話》インテリぶった.
boom·y 形 低音が響きすぎる.
booz·y 形《話》=toxy.
bosk·y 形 樹木の茂った, こんもりした.
bos·om·y 形 〈女性が〉豊かな胸をした.
boss·y[1] 形 ボスづらする, 威張り散らす.
boss·y[2] 形 いぼ状の飾りを施した.
botch·y 形 下手な, ぶざまな, 不手際な.
bounc·y 形 〈ボールが〉よく弾む.
bous·y 形 酔っ払った, 泥酔した.
bow·er·y 形 東屋(あずまや)のある; 木陰のある.
box·y 形 (形が)箱に似た[のような]; 箱形の.
brain·y 形《話》頭のいい, 賢い.
brak·y 形 茂みの多い; (低木などの)生い茂った.
bram·bly 形 イバラの茂った; イバラのような.
branch·y 形 枝の多い, 枝の茂った.
bran·ny 形 ぬか[ふすま]の(ような, 入った).
brash·y 形 無作法な; 機転の利かない.
brass·y 形 真鍮製の, 真鍮をかぶせた.
brat·ty 形 (悪)がきの(ような), 小生意気な,.
brawn·y 形 筋骨たくましい, 屈強な, 強壮な.
breath·y 形 〈声が〉息が漏れる; 【音声】気息の, 気息音[質]の.
breez·y 形 そよ風の吹く; 風通しのよい.
brick·y 形 れんが造りの; れんがのような.
bri·er·y 形 いばらの茂った.
brig·a·ty 形 傲慢(ごうまん)な.
brin·y 形 塩水の(ような); 塩辛い.
bronz·y 形 青銅のような, 青銅質の.
brood·y 形 ふさぎ込んだ, くよくよした.
brook·y 形 〈場所が〉小川が多い.
broom·y 形 エニシダ(broom)に覆われた.
brown·y 形 茶色がかった.
brum·my 形《豪話》三流(品)の, 安ぴかの.
brush·y[1] 形 =shaggy.
brush·y[2] 形 やぶの多い, やぶに覆われた.
bub·bly 形 泡の多い, 泡だらけの, 泡立つ.
buff·y 形 淡黄[淡褐]色の.
bug·gy 形 (特に)ナンキン虫のついた.

bulg·y 形 膨れた, 膨らんだ, 隆起した.
bulk·y 形 大きい, かさばった.
bump·y 形 〈地面が〉でこぼこのある.
bunch·y 形 房のある, 房状の.
burn·y 形 《話》燃える, 燃焼している.
burp·y 形 《話》〈人が〉げっぷがよく出て.
bur·ry 形 いがでいっぱいの; ちくちくする.
bush·y 形 やぶに似た; もじゃもじゃした.
busi·ness·y 形 ビジネスマンの.
bust·y 形 《話》〈女性が〉バストの大きい.
bus·y 形 忙しい; 手がふさがっている.
butch·y 形 《俗》〈女が〉男っぽい.
but·ter·y 形 バターのような; バターを含む.
but·ton·y 形 ボタンのような.
buz·zy 形 《米俗》酔った.
cab·bag·y 形 キャベツの(ような).
cack·y 形 《方言・俗》くだらない.
cadg·y 形 《スコット》陽気な, 快活な.
cag·ey 形 《話》注意深い, 慎重な.
cag·y 形 =cagey.
cak·y 形 ケーキ状の; 塊になった, 固形の.
calm·y 形 《古》〈海・天候などが〉穏やかな.
camp·y 形 《俗》わざとらしい.
can·ny 形 用心深い, 慎重な.
can·y 形 トウ(籐)(cane)のような; トウ製の.
car·rot·y 形 (色・におい・形が)ニンジンのような.
catch·y 形 楽しくて覚えやすい.
cat·ty 形 猫のような, 猫を思わせる.
chaff·y 形 もみ殻から成る [で覆われた].
chalk·y 形 チョークの(ような), 粉っぽい.
chanc·y 形 《話》不確かな, 不安な; 危険な.
chan·ner·y 名 『地質』チャネリー, 礫(れき)層.
char·ry 形 木炭の; 木炭に似た, 木炭質の.
char·y 形 細心な, 用心深い, 用意周到な.
chasm·y 形 割れ目 [裂け目] の多い.
chat·ty 形 くだけた内容の, おしゃべり調の.
check·ed·y 形 市松模様の(checkered).
cheek·y 形 生意気な, ずうずうしい.
cheer·y 形 愉快 [陽気] な, 快活な, 上機嫌の.
chees·y 形 チーズの(ような).
chest·y 形 《話》胸郭の発達した, 胸の大きい.
chew·y 形 〈食べ物が〉よくかめない.
chinch·y 形 《米》けちな, しみったれの.
chink·y 形 割れ目 [裂け目] のある.
chin·ny 形 あご(先)の出ている.
chintz·y 形 『織物』チンツ(chintz)の(ような).
chip·py 形 『アイスホッケー』ラフプレーの.
chirp·y 形 〈鳥・虫が〉チュッチュッと鳴く.
chir·rup·y 形 チュッチュッと鳴く; 陽気な.
chok·y 形 息が詰まる, 窒息させるような.
choos·y 形 《話》好みのうるさい, 気難しい.
chop·py 形 〈海・湖などが〉三角波の立つ.
chrom·y 形 ☞
chub·by 形 まるまると太った, 丸ぽちゃの.
chuff·y 形 《スコット・方言》=chubby.
chum·my 形 《話》親しい; 人付き合いがよい. ── 名 親友.
chunk·y 形 ずんぐりした, どっしりした.
church·y 形 教会の決まりを厳守する.
clag·gy 形 《主に方言》こびりつく.
clam·my 形 じとじとして冷たい.
class·y 形 《話》上等の, 高級な; しゃれた.
cliff·y 形 崖(がけ)の多い; 崖になっている.
cling·y 形 粘着性の, くっついて離れない.
clod·dy 形 土くれのような; 泥だらけの.
clog·gy 形 邪魔になりやすい.
clot·ty 形 塊の多い.
cloud·y 形 曇った; 〈日が〉ささない.
club·by 形 《特に米》クラブ風の; 社交的な.
cluck·y 形 《豪俗》妊娠している.
clump·y 形 塊(状)の; 塊の多い.
clum·sy 形 ぎごちない; 不器用な, 下手な.
clunk·y 形 《話》扱いにくいほど重い.
coal·y 形 石炭の(ような); 石炭を含む.
cob·web·by 形 クモの巣の張った.
cock·sy 形 =coxy.
cock·y 形 生意気な, 身のほど知らずの.
col·ick·y 形 結腸の(colic).
col·or·y 形 いい色の; いい色をした.
comb·y 形 ハチの巣状(組織)の.
com·my 名 《話》共産主義者.
con·trast·y 形 『写真』硬調な, 高コントラストな.
coon·y 形 頭の切れる, 抜け目のない.
cop·per·y 形 銅の(ような); 銅を含んだ.
cops·y 形 雑木林 [低い林] の多い.
cork·y 形 コルクのような, コルク質の.
corn·y[1] 形 穀類 [トウモロコシ] の.
corn·y[2] 形 うおのめの(ような); うおのめのできた.
cot·ton·y 形 綿の; 綿のような, 柔らかい.
cow·ard·y 形 勇気のない, 臆病な.
cow·y 形 牛の(ような), 牛に関する.
cox·y 形 うぬぼれた, 生意気な.
crab·by 形 《話》すねた; 意地の悪い.
crack·y 形 ひびが入った; こわれやすい.
craft·y 形 悪賢い, 悪巧みにたけた, ずるい.
crag·gy 形 岩だらけの, 岩の多い.
crank·y[1] 形 《米・カナダ・アイル話》気難しい.
crank·y[2] 形 『海事』横揺れしやすい.
crap·py 形 《俗》汚ならしい; ひどい.
crawl·y 形 《話》這(は)う; むずむずする.
cra·zy 形 《話》頭のおかしい, 正気でない.
creak·y 形 キーキーいう; きしみやすい.
cream·y 形 クリームを含む; クリームの多い.
creas·y 形 しわだらけの, 折り目の多い.
creep·y 形 《話》ぞっとする [ぞっとさせる].
crep·ey 形 クレープ [ちりめん] 状の, 縮れた.
crep·y 形 =crepey.
crimp·y 形 縮れた; しわ [襞] になった.
crin·kly 形 しわの多い; 〈髪が〉縮れた.
crisp·y 形 〈食べ物などが〉堅いが砕けやすい.
croak·y 形 ガーガー [カーカー] 鳴く.
crock·y 形 弱い, 病弱な; 無能な; 老朽の.
cronk·y 形 《豪俗》不正直な, 腐敗した.
crotch·et·y 形 奇想にとらわれた; 気まぐれな.
croup·y 形 クループ(croup)の; クループに似た.
crud·dy 形 《俗》; よごれた, 不潔な.
cruft·y 形 劣悪な, 嫌な, 出来の悪い.
cruis·ey 形 異性をあさるには格好の.
crum·bly 形 ぼろぼろに崩れやすい, もろい.
crumb·y 形 パンくずだらけの.
crum·my 形 《俗》よごれて荒れた; みすぼらしい.
crunch·y 形 ポリポリ [パリパリ, サクサク] した [音をたてる].
crust·y 形 外皮のある [厚い, 堅い].
cud·dly 形 抱いてかわいがることのできる.
cup·py 形 カップ状 [杯状] のくぼんだ.
curd·y 形 凝乳状の; 凝乳分に富んだ.
curl·y 形 巻き毛の; カールした, 縮れ毛の.
curv·y 形 湾曲した, 曲がった.
cush·ion·y 形 クッションのような; ふんわりした.
cush·y 形 《話》〈役職・仕事が〉たやすい.
cusp·y 形 《米俗》『コンピュータ』すっきりした, エレガントな, 効率的な.
cut·ty 形 《主にスコット・北イング》短く切った, 短い, ずんぐりした.
dab·bly 形 《英俗》湿った, しっとりした.
daf·fy 形 《話》ばかな, うすのろの.
dag·gy 形 《豪・NZ 話》だらしない, 乱れた.
danc·y 形 踊る [舞う] ような; 活発で機敏な.
dash·y 形 派手な, いきな; 威勢のいい.
death·y 形 《古》死をもたらす.
dew·y 形 露にぬれた(ような), 露を帯びた.
dick·y 形 欠陥のある.
dic·ty 形 《米俗》高級な; いきな.
din·gy 形 暗い, 黒ずんだ; 薄汚い.
dink·y 形 《米話》小さな; 取るに足りない.
dip·py 形 《俗》少し気が変な, 気がふれた.

dip·sy 形 《米俗》酔っ払った; 酒びたりの.
dirt·y 形 汚くなった, よごれた; 汚い.
dish·y 形 《俗》《主に英》魅力的な.
dis·sy 形 《俗》取り乱した, 支離滅裂な.
diz·zy 形 (めまいなどで)ふらふらする.
dodg·y 形 《主に英話》ごまかしの上手な.
dog·gy 形 犬の, 犬に関する.
dom·y 形 丸屋根のある; 丸屋根状の.
dope·y 形 《話》愚かな, ばかな.
dop·y 形 =dopey.
dork·y 形 《米俗》ばかな, うすのろの.
dort·y 形 《スコット》不機嫌な, すねた.
dos·sy 形 《英話》きざな, いきな.
dot·ty[1] 形 《英話》気がふれた; 風変わりな.
dot·ty[2] 形 点を打った, 点々のある; 点在する.
dot·y 形 《主に米方言》〈木が〉朽ちた.
dough·ty 形 《文語》勇猛果敢な, 勇敢な.
dough·y 形 パン生地の(ような), 生パンの.
dow·dy 形 〈服・部屋が〉やぼったい, さえない, 流行遅れの.
down·y[1] 形 綿毛のような; ふわふわした.
down·y[2] 形 高原(性)の, 丘陵の, 起伏のある.
dow·y 形 《スコット・北イング》悲しい.
doz·y 形 眠い, 眠そうな; うつらうつらした.
draff·y 形 搾りかすの(ような); 無価値な.
draft·y 形 すき間風の入る; 通気のよい.
drag·gy 形 《話》のろのろした, だらだらした.
draught·y 形 《主に英》=drafty.
dream·y 形 夢を見ているような; 夢幻的な.
drear·y 形 悲しくさせる, わびしい.
dreg·gy 形 かす [おり] の多い, かすを含んだ.
dress·y 形 《話》〈服装が〉いきな, しゃれた.
drift·y 形 漂流する, 漂流性の; 吹きだまりの.
drip·py 形 したたる, したたりがちな.
droob·y 形 《豪俗》役立たずの.
drool·y 形 よだれを垂らした.
droop·y 形 垂れた, 垂れ下がった, 垂れがちな.
dross·y 形 ドロス(dross)の(入った).
drought·y 形 乾燥した.
drow·sy 形 うとうとしている; 眠い.
drug·gy 形 (麻)薬に冒された.
duck·y 形 《話》素晴らしい, すてきな.
dud·dy 形 《スコット》ぼろを着た.
dump·y[1] 形 ふさぎ込んだ; 落胆した; 不機嫌な.
dump·y[2] 形 〈人などが〉ずんぐりした.
dusk·y 形 =shadowy.
dust·y 形 ほこり [ちり] をかぶった.
Dutch·y 形 《米話・方言》(ペンシルベニア)ドイツ人風の, 低級な, ぼろっちい.
earth·y 形 土質の, 土性の; 土から成る.
edg·y 形 いらいらした, とげとげしい.
eel·y 形 ウナギのような; ぬるぬるした.
egg·y 形 卵入りの.
elm·y 形 ニレの多い [茂った].
emp·ty 形 〈容器が〉空の, 中身のない.
fab·by 形 《英話》すてきな, 素晴らしい.
fad·dy 形 一時的流行の(ような).
fag·gy 形 《主に米俗》ホモの [みたいな].
faint·y 形 《米南部》ふらふらした.
fat·ty 形 脂肪(質)の; 脂肪(分)の多い.
fault·y 形 欠点 [欠陥] のある, 不完全な.
fawn·y 形 子鹿色 [栗毛(ぶり)色] の.
feath·er·y 形 羽に覆われた, 羽の生えた.
feel·thy 形 《俗》卑猥な, 猥褻な.
feist·y 形 《米話》血気盛んな, 意欲満々の.
fen·ny 形 =marshy.
fern·y 形 シダの, シダでできた; シダ状の.
fid·dly 形 《話》骨の折れる, 手間のかかる.
fidg·et·y 形 落ち着かない, せかせかしている.
fier·y 形 火の(ついた), 火を伴う [含む].
fig·gy 形 イチジク入りの [に似た].
film·y 形 フィルムのような; 薄膜性の.
filth·y 形 汚物でよごれた, ひどく汚い.
fin·ick·y 形 いやにやかましい, ひどく気難しい.
fin·nick·y 形 =finicky.
fin·ny 形 《詩語》魚の; 魚の多い.
fir·ry 形 モミ(fir)の; モミ材製の.
fish·y 形 魚のような; 魚臭い, 生臭い.
fizz·y 形 泡立つ, 発泡性の.
flab·by 形 〈人の筋肉などが〉たるんだ.
flag·gy[1] 形 垂れ下がる, だらりとした.
flag·gy[2] 形 板石から成る; 板石 [薄片] 状の.
flag·gy[3] 形 ショウブの類が茂った.
flak·y 形 〈雪などが〉薄片(状)の.
flam·y 形 炎の; 〈色が〉炎のような.
flap·py 形 締まりのない, だらんとした.
flash·y 形 閃光のような, 一時的に華やかな.
flaunt·y 形 これ見よがしの, 外見を装う.
fla·vor·y 形 風味に富んだ, 香り高い.
fledg·y 形 羽毛で覆われた, 羽を持つ.
fleec·y 形 羊毛で覆われた; 白くふわふわした.
flesh·y 形 肉付きのよい, 肥えた.
flight·y 形 〈特に女性が〉気まぐれな; 軽薄な.
flint·y 形 (特に)火打ち石のように堅い.
flit·ty 形 《米俗》ホモの; めめしい.
float·y 形 浮く, 浮力のある, 浮きやすい.
flock·y 形 羊毛状の, 毛房 [毛くず] のような.
flop·py 形 ばたばたする; 柔らかい. ── 名 フロッピーディスク(floppy disk).
floss·y 形 毛羽の; 軽くふわふわした.
flounc·y 形 フラウンスで飾った [縁取りした].
flour·y 形 粉の; 粉末状の, 粉質の, 粉に似た.
flow·er·y 形 花の咲き乱れた, 花盛りの.
flue·y 形 綿毛 [けば] に覆われた.
fluff·y 形 綿毛の(ような), 綿毛状の.
fluk·y 形 《話》まぐれ当たりの, 僥倖の.
flut·ey 形 =fluty.
flut·y 形 〈音色が〉フルート [笛] のような.
foam·y 形 泡立つ, 泡だらけの; 泡状の.
fog·gy 形 霧 [濃霧] の深い [立ちこめた].
folk·sy 形 人付き合いのよい, 親しみやすい.
fonk·y 形 《米俗》感情的な, 自由奔放な.
fork·y 形 フォークに似た; 二またに分かれた.
fox·y 形 《俗》《米》〈女性が〉セクシーな.
fo·zy 形 《主にスコット》海綿状 [質] の.
freak·y 形 奇妙な, 怪奇な.
French·y 形 《話》フランス(人)風 [式] の.
fret·ty 形 いらいらする; そわそわした.
frib·by 形 《豪・NZ》(羊毛の房が)短い.
fring·y 形 房の(ある), 房飾りの; 房状の.
frisk·y 形 快活な, 陽気な; 跳ね回る.
friz·zy 形 〈毛髪などが〉細かく縮れている.
frog·gy 形 カエルの; カエルに似た.
frol·ick·y 形 陽気な, 浮かれ気分の.
fromp·y 形 =frumpy.
frood·y 形 《米俗》素晴らしい, すごい.
frost·y 形 霜の降りる; 凍るような.
froth·y 形 泡の(ような), 泡状の; 泡立つ.
frous·y 形 =frouzy.
frouz·y 形 汚くだらしのない, 薄汚い.
frowst·y 形 《英話》〈家などが〉むっとする.
frows·y 形 =frouzy.
fruit·y 形 果物に似た; 果物の味を持った.
frump·y 形 薄汚くて, 魅力のない.
fum·y 形 煙霧 [蒸気] を出す, 煙霧の多い.
funk·y[1] 形 《主に英俗》おじけづいた.
funk·y[2] 形 『ジャズ』ファンキーな.
fun·ny 形 面白い, おかしい, こっけいな.
fur·ry 形 柔毛の, 毛皮の; 柔毛 [毛皮] 状の.
furz·y 形 《英》ハリエニシダの(ような).
fuss·y 形 (ささいなことに)やかましい.
fus·ty 形 〈部屋・服などが〉かび臭い.
fuzz·y 形 毛羽 [綿毛] 状の, 毛羽 [綿毛] に似た.
gab·by 形 《話》おしゃべりな, 口達者な.
gam·my 形 《英話》足の不自由な.
gam·y 形 猟鳥獣の強いにおい [味] のする.
gan·gly 形 ぶざまなほどひょろ長い.

Y

gap·py 【形】 すき間［穴］のある；切れ切れの.
ga·rage·y 【形】 〘音楽〙ガレージっぽい；ガラージュ的な.
gar·lick·y 【形】 ニンニクの味［におい］がする.
gas·sy 【形】 ガスが充満した；ガスを含む.
gauz·y 【形】 紗のような；透き通って薄く軽い.
gawk·y 【形】 不器用な，のろまな；内気な.
geek·y 【形】 マニア的で，社会［社交］性に欠ける.
gem·my 【形】 宝石をちりばめた，宝石のついた.
germ·y 【形】 細菌だらけの.
gin·ger·y 【形】 ショウガの味の；辛い.
giv·ey 【形】《主に米南部ミッドランド》〈土が〉湿った，じくじくする.
glair·y 【形】 卵白質［状］の；ねばねばした.
glar·y[1] 【形】 ぎらぎらする，まぶしい.
glar·y[2] 【形】（氷のように）つるつる滑る.
glass·y 【形】 ガラス［鏡］のような.
glaz·y 【形】 ガラス質［状］の；光沢のある.
gleam·y 【形】 弱く光る，ちらちらと輝く.
gleet·y 【形】 〘病理〙慢性尿道炎症状の.
glit·ter·y 【形】 きらきら輝く，ぴかぴか光る.
glitz·y 【形】《米・カナダ俗》けばけばしい.
gloom·y 【形】 暗い；薄暗い；暗く陰った.
glop·py 【形】 どろりとした，粘っこい.
gloss·y 【形】 光沢のある；表面につやのある.
glue·y 【形】 膠(にかわ)のような；粘着性の.
glump·y 【形】《古》陰気な，憂鬱(ゆううつ)な.
gnarl·y 【形】《米俗》すてきな，かっこいい.
gnat·ty 【形】 gnat「ブヨ」のいる［群がる］.
goat·y 【形】 ヤギの；ヤギのような.
goof·y 【形】《俗》ばかな；風変わりな.
goon·y 【形】《俗》ばかな，とんまな；ぶざまな.
goop·y 【形】《俗》べたつく，ねばねばする.
goos·y 【形】 ガチョウのような；愚かな.
gor·y 【形】 血塗られた，血まみれの.
gos·sip·y 【形】 おしゃべり癖のある，うわさ好きの.
gout·y 【形】 痛風(性)の；痛風を患っている.
gov·ern·ment·y 【形】《カナダ話》尊大な；大げさな.
grab·by 【形】 貪欲な，がめつい；利己的な.
grain·y 【形】 粒に似た，粒状の.
grap·ey 【形】 ＝grapy.
grap·y 【形】 ブドウの；ブドウのような.
grass·y 【形】 草で覆われた，草の多い，草深い.
greas·y 【形】 脂でよごれた.
greed·y 【形】 貪欲な，欲の深い，強欲な.
green·y 【形】 緑がかった. ―― 【名】《米俗》初心者，未熟で未経験の人.
grief·y 【形】《英十代俗》気の滅入るような.
grim·y 【形】 あか［すす，ほこり］でよごれた.
grip·ey 【形】 ＝gripy.
grip·py[1] 【形】《話》流行性感冒(grippe)にかかった.
grip·py[2] 【形】《主にスコット》＝stingy[1].
grip·y 【形】 きりきり痛む.
grit·ty 【形】 ほこり［砂］だらけの，砂の入った.
griz·zly 【形】 灰色がかった，灰色を帯びた.
groad·y 【形】《米俗》粗末な，劣った，下等な.
groat·y 【形】《米学生俗》＝grotty.
grog·gy 【形】 足元がふらつく.
groob·y 【形】《俗》＝groovy.
groov·y 【形】《俗》魅力的な，かっこいい.
grot·ty 【形】《俗》不快な；気持ち悪い，汚い.
grouch·y 【形】 機嫌の悪い，むっつりした，すねた.
grout·y 【形】《スコット・北イング》汚い.
grub·by 【形】 よごれた，薄汚い；だらしがない.
gruff·y 【形】 うなるような声の.
grump·y 【形】 不機嫌な，無愛想な，むっつりした.
grunge·y 【形】 〘音楽〙〘服飾〙グランジの.
grun·gy 【形】《米俗》粗末な；荒廃した.
guck·y 【形】《米話》どろどろ［ねばねば］した.
guilt·y 【形】（特に道徳・刑法上の）罪を犯した.
gum·my[1] 【形】 ゴム(質)の；ゴム状の；粘着性の.
gum·my[2] 【形】 歯のない.
gung·y 【形】《英俗》ねばねばした，べとつく.
gunk·y 【形】 べとべと［ぬるぬる］した.
gush·y 【形】《英話》ほとばしり出る，噴出する.
gust·y[1] 【形】〈風・雨・嵐などが〉突発性の.
gust·y[2] 【形】《主にスコット》味のいい.
guts·y 【形】《話》非常に勇気［気力，胆力］のある.
gut·ty 【形】《米話》勇気［根性］のある，ガッツのある.
gyp·py 【形】（水に）石膏が混じった.
hail·y 【形】 あられ［ひょう］の(混じった).
hair·y 【形】 毛で覆われた；毛の多い，毛深い.
ham·my[1] 【形】 ハムに似た，ハムの味がする.
ham·my[2] 【形】《話》演技過剰の；大根役者の.
hand·y 【形】 手近にある，すぐ手に入る.
hap·py 【形】 ☞
hast·y 【形】〈動き・行動が〉急な，迅速な.
haugh·ty 【形】 高慢な，横柄な，傲慢な，尊大な.
ha·zy 【形】〈天候・空などが〉もやの深い.
head·y 【形】〈酒などが〉酔わせる.
health·y 【形】 健康な，健全な.
heart·y 【形】 心の温かい，愛情の深い，優しい.
heath·er·y 【形】 ヒース(heather)の；ヒースに似た.
heath·y 【形】 ＝heathery.
heav·y[1] 【形】 ☞
heav·y[2] 【形】 〘獣医〙〈馬が〉肺気腫にかかった.
hedg·y 【形】 生け垣［垣根］の多い.
heft·y 【形】《話》重い，重量がある.
hemp·y 【形】《スコット》悪事を働く，悪党の.
hen·ny 【形】 雌鳥の(ような).
herb·y 【形】 草［草本］の多い.
hick·y 【形】《話》うぶな田舎の(hick).
hid·dy 【形】《米俗》酔っぱらった.
hin·ky 【形】《米俗》うさん臭い，疑わしい.
hip·py 【形】 尻(しり)の大きい.
hitch·y 【形】 ＝jerky.
hiv·ey 【形】《米俗》（陸軍士官学校で）頭の切れる，鋭い.
hok·ey 【形】《主に米・カナダ俗》いやに涙もろい.
ho·ky 【形】 ＝hokey.
hole·y 【形】 穴のあいた；穴の多い.
ho·ly 【形】〈事物が〉神聖とされる，神聖な.
hom·ey 【形】《米話》わが家のような，家庭的な.
hom·y 【形】 ＝homey.
hood·y 【形】《米俗》不良っぽい.
hook·y[1] 【形】 鉤(かぎ)のある；鉤だらけの.
hook·y[2] 【形】《英俗》盗品の.
hop·py[1] 【形】 跳ぶような動きの，ぴょんと跳ぶ.
hop·py[2] 【形】 ホップの豊かな.
horn·y 【形】 角の，角製の，角質の.
hors·ey 【形】 ＝horsy.
hors·y 【形】 馬の(ような).
huck·er·y 【形】《NZ 話》醜い.
huff·y 【形】 怒りっぽい，短気な.
hulk·y 【形】 がっちりして不格好な.
hum·my 【形】《米黒人》（何も知らなくて）幸福な.
hump·y 【形】 こぶだらけの，こぶの多い.
hun·gry 【形】 空腹な，飢えている，ひもじい.
hunk·y[1] 【形】《米俗》満足できる，すてきな.
hunk·y[2] 【形】〈特に男性が〉たくましい.
hunk·y[3] 【形】《米俗》欲情した.
husk·y 【形】《話》（体の）がっしりした，頑丈な.
hy·drox·y 【形】 ☞
ick·y 【形】《話》不快な，嫌な，気持ち悪い.
i·cy 【形】 氷で作った，氷で覆われた.
if·fy 【形】《話》どうなるか分からない.
ik·ky 【形】 ＝icky.
in·ci·so·ry 【形】 切るのに適した，鋭利な.
ink·y 【形】 墨のように黒い，真っ黒な.
i·ron·y 【形】 鉄の，鉄製の，鉄を含む.
itch·y 【形】 かゆい，むずむずする.
jad·y 【形】〈馬が〉癖の強い.
jag·gy 【形】〈物が〉ぎざぎざの.
jam·my 【形】《英話》とても運がいい.
Jap·a·nes·y 【形】 日本風［的］な，日本式の.

jas·per·y 形 碧玉から成る [を含む].
jazz·y 形 ジャズの; ジャズ風の.
jerk·y 形 急に動く; 断続的な, 発作的な.
Jer·ry 名 《俗》ドイツ人 [兵].
jet·ty 形 黒玉(くろだま)(jet)の, 黒玉質の.
Jew·y 形 《通例軽蔑的》ユダヤ人に似た.
jig·gly 形 小刻みに揺れる, 動きが不安定な.
jit·ter·y 形 極度に緊張した, 神経過敏な.
jiv·ey 形 《俗》まやかしの, まゆつばの.
jolt·y 形 ガタガタ揺れる.
juic·y 形 汁 [水分] の多い; 湿っぽい.
jump·y 形 はっと [びくっと, ぎょっと] する.
jun·gly 形 密林の; 密林 [ジャングル] の(ような).
junk·y 形 がらくたの, 二流品の.
kick·y 形 《俗》とても楽しい, わくわくする.
kink·y 形 ひどくもつれた, よじれの多い.
kis·sy 形 《話》キスしたがる; 優しい.
kitsch·y 形 大衆の好みに合うように作られた.
klutz·y 形 《米俗》愚かな, 不器用な.
knack·y 形 こつを心得た, 器用な, 巧みな.
knag·gy 形 節くれだった, ごつごつした.
knob·by 形 節くれだった, こぶの多い.
knot·ty 形 節のある.
knub·bly 形 =nubbly.
knub·by 形 =nubby.
kook·y 形 《俗》風変わりな; 気が狂った.
lac·y 形 レースの; レースのような.
lair·y 形 《豪話》派手にめかしたきざな若者の.
lak·y[1] 形 湖の; 湖状の; 湖の多い.
lak·y[2] 形 溶血した; 深紅色になった.
lank·y 形 やせて骨張った, やせこけた.
lard·y 形 ラード(lard)状 [質] の.
lath·er·y 形 せっけん泡 [泡汗] の; 泡だらけの.
lath·y 形 木摺(きずり)のような; 細長い.
leach·y 形 水を染み通す, 多孔質の.
lead·y 形 鉛のような; 鉛色の; 鉛を含む.
leaf·y 形 葉の多い [茂った].
leak·y 形 (水・ガスなどが)漏る, 漏出する.
lear·y 形 =leery[1].
leath·er·y 形 革のような; 丈夫でしなやかな.
leav·y 形 《古》=leafy.
ledg·y 形 岩棚 [岩層, 鉱脈] のある [の多い].
leer·y[1] 形 《俗》(…に)用心深い; 疑い深い.
leer·y[2] 形 〈馬・馬車が〉荷物のない(leer).
left·y 形 《話》左利きの.
leg·gy 形 (全体の割に)脚がひょろ長い.
lem·on·y 形 レモンの味のする, レモン色の.
length·y 形 非常に長い(very long).
lim·y[1] 形 石灰から成る; 石灰を含んだ.
lim·y[2] 形 ライムの(風味をもつ).
line·y 形 =liny.
lint·y 形 糸毛羽のついた, 糸くずだらけの.
lin·y 形 線 [しわ] の多い; 線を引いた.
lip·py 形 唇の大きい [厚い], 突き出た唇の.
lith·y 形 《古》しなやかな, 柔軟な.
lit·ter·y 形 敷きわらの; 取り散らかした.
liv·er·y 形 (特に色が)肝臓に似た, 赤褐色に近い.
loft·y 形 そびえ立つ, 非常に高い.
log·gy 形 =logy.
lo·gy 形 《主に米》活気のない, 鈍い, のろい.
loop·y 形 輪 [環] (loop)の多い.
lop·py 形 だらりと垂れている.
loss·y 形 『電気』損失(loss)の多い.
loung·y 形 ぶらぶら [のんびり] するのに向いた.
lour·y 形 =lowery.
lous·y 形 シラミだらけの, シラミのたかった.
low·er·y 形 〈空などが〉陰気な, 荒れ模様の.
luck·y 形 (…とは)運のいい, 幸運に恵まれた.
lump·y 形 塊の多い, こぶだらけの.
lunch·y 形 《俗》ばかな, のろまな.
lurk·y 形 《米俗》あやしい, 信用できない.
lush·y[1] 形 生い茂った(lush).
lush·y[2] 形 《俗》酔っ払った, ほろ酔いの.
lust·y 形 元気あふれる, 活発な; たくましい.
mag·got·y 形 〈食べ物などが〉うじだらけの.
malt·y 形 麦芽の(ような); 麦芽を含む.
man·gey 形 =mangy.
man·gy 形 『病理』疥癬(かいせん)にかかった.
mank·y 形 《英俗》悪い, だめな, ひどい.
mar·bly 形 大理石のような.
marsh·y 形 じめじめした; 湿地 [沼地] の.
marv·y 形 《米俗》素晴らしい(marvelous).
mass·y 形 《古》大きな塊から成る(massive).
mate·y 形 《主に英話》親しい, 仲のよい, 友達の.
mat·ter·y 形 うみ(pus)の出る [を持っている].
mat·y 形 =matey.
ma·zy 形 迷路のような, 込み入った.
meat·y 形 肉の [ような].
mesh·y 形 網の目をした, 網目状の, 網細工の.
mess·y 形 取り散らかした, 乱雑な, 汚い.
miff·y 形 《話》怒りっぽい, 短気な.
might·y 形 強力な, 強大な; 偉大な.
milk·y 形 乳の; 乳のような, 乳状の.
mim·sey 形 《英話》取り澄ました, 堅苦しい.
min·cy 形 気取った, もったいぶった.
mint·y[1] 形 ハッカの味 [香り] を持つ.
mint·y[2] 形 《俗》ホモの; 柔弱な, めめしい.
mirk·y 形 =murky.
mir·y 形 沼地 [湿地] の(ような).
mist·y 形 霧の深い, 霧に包まれた.
mit·y 形 ダニ(mite)がはびこった.
moit·y 形 〈羊毛が〉混ざり物の多い.
mold·y 形 かびの生えた, 一面にかびた.
mood·y 形 不機嫌な, ふさぎ込んだ.
moon·shin·y 形 月光のような.
moon·y 形 夢見るような; 《英俗》気がふれた.
moor·y 形 荒れ地の; ヒースの生い茂った.
mop·ey 形 ふさぎ込んだ, 意気消沈した.
mop·py 形 〈髪が〉もじゃもじゃの.
mop·y 形 =mopey.
moss·y 形 コケが一面に生えた, コケむした.
moth·er·y 形 母液 [酢母(さくぼ)] の [を含む].
moth·y 形 ガの多い.
mould·y 形 かびた, かび臭い.
moun·tain·y 形 山の多い, 山ばかりの.
mous·ey 形 =mousy.
mous·y 形 ネズミに似ている.
mouth·y 形 《英俗》声高な; おしゃべりな.
muck·y 形 堆肥(たいひ)の(ような).
mud·dy 形 泥の多い, ぬかるんだ.
mug·gy[1] 形 〈大気・天候などが〉じめじめする.
mug·gy[2] 形 《米俗》=toxy.
munch·y 形 〈食べ物が〉ポリポリいう.
murk·y 形 真っ暗な; 薄暗い; 陰気な.
mush·y 形 粥(かゆ)に似た; どろどろした.
musk·y 形 麝香(じゃこう)の香りのする.
muss·y 形 取り散らかした, 乱雑な.
mus·ty 形 かび臭い, かびた.
nag·gy 形 しつこく小言の言う(naggish).
nap·py[1] 形 《英話》〈酒・エールが〉強い.
nap·py[2] 形 毛羽で覆われた; 綿毛の生えた.
nark·y 形 《英俗》怒りっぽい, 気難かしい.
nar·ly 形 =gnarly.
nat·ty 形 《話》スマート [こぎれい, いき] な.
naugh·ty 形 〈子供が〉手に負えない, いたずらな.
need·y 形 ひどく貧乏な.
nerv·y 形 《米・カナダ話》生意気な, 横柄な.
net·ty 形 網状の, 網目のような, 網細工の.
New Age·y 形 ニューエイジの特徴をもつ.
news·y 形 《話》ニュースに富んだ.
nif·ty 形 《話》粋な, かっこいい.
nig·gly 形 ささいな, 取るに足らない.
nip·py 形 身を切るように寒い.
nit·ty 形 シラミの卵 [幼虫] だらけの.

Y

nob·by 形 《英俗》上流風の; 品のいい.
nod·dy 形 《米俗》(麻薬に酔って)ぼうっとしている, 眠い.
nois·y 形 騒音を出す, うるさい; 騒がしい.
nook·y 形 奥まった所 [角, 隅] の多い, 多角の.
nos·ey 形 =nosy.
nos·y 形 《話》詮策好きな, おせっかいな.
nub·bly 形 小塊 [小片] 状の.
nub·by 形 こぶ [節] だらけの, 凸凹した.
nudg·y 形 うるさくせがむ, 小言を言い続ける.
num·my 形 《米俗》=yummy.
nurd·y 形 《米俗》いかさない, 「ださい」.
nuts·y 形 木の実のような味の(nutty).
nut·ty 形 堅果の多い, 木の実のなる.
oil·y 形 油を塗った [引いた]; 油でよごれた.
old-tim·ey 形 《話》古めかしい, 昔懐かしい.
on·ion·y 形 タマネギの味 [におい] のする.
oof·y 形 《主に英俗》金持ちの.
ooz·y[1] 形 〈水分などが〉だらだらたれる.
ooz·y[2] 形 ヘドロ [軟泥] の(ような).
or·ang·y 形 (味・外形・色などが)オレンジに似た.
orb·y 形 《古》球(状)の; 軌道を持つ.
out·doors·y 形 戸外(に特有)の; 屋外用の, 外出用の.
paint·y 形 絵の具 [ペンキ] の.
palm·y 形 〈過去の事・時間が〉栄光ある.
pal·try 形 〈金額が〉わずかな, はしたの.
pal·y 形 《古》血の気のない, 青白い.
pa·per·y 形 紙のような; 薄くて弱い.
pap·py 形 パンがゆ状の, どろどろの.
park·y 形 《英俗》冷え冷えする, うすら寒い.
past·y 形 (色・堅さ・外観などが)糊のような. ── 名 スパンコール, 乳首隠し.
patch·y 形 不調和な; 一様でない.
paunch·y 形 太鼓腹の, ほてい腹の.
pawk·y 形 《主に英》ずるい.
peach·y 形 桃に似た, 桃のような.
peak·y 形 青白い; やせ衰えた.
pearl·y 形 真珠のような, 虹(にじ)色の.
peat·y 形 泥炭の; 泥炭に似た.
peb·bly 形 〈浜辺・道路などが〉小石だらけの.
peck·y 形 〈材木が〉菌類により斑点ができた.
pep·per·y 形 胡椒の利いた, 辛い.
pep·py 形 《話》精力のある, 威勢のいい.
perk·y 形 元気のいい; きびきびした.
per·vy 形 《俗》変態の, 倒錯の; みだらな.
pes·ky 形 《米・カナダ話》うるさい, 厄介な.
phlegm·y 形 痰(たん)の, 痰を含む.
phys·ick·y 形 薬のような [から生じる].
pick·y 形 《米話》えり好みをする.
pil·low·y 形 枕のような; ふわふわ [ふかふか] の.
pimp·sy 形 《英俗》お茶の子さいさいの.
pine·y 形 =piny.
pin·y 形 松の多い.
pips·y 形 《英俗》=pimpsy.
pip·y 形 管状の, 円筒状の.
piss·y 形 《俗》小便臭い.
pitch·y 形 ピッチ [樹脂] の多い.
pith·y 形 〈表現などが〉核心をついた.
pit·ty 形 《米俗》ちらかった, 汚れた.
pla·guy 形 《主に米北部》厄介な, 面倒な.
plash·y 形 水たまりの多い; 沼 [湿] 地のような.
plas·ter·y 形 〖薬学〗膏薬(こうやく)状の.
plat·y 形 〖地質〗〈火成岩が〉板(ばん)状の.
pleb·by 形 《英話 / 時に軽蔑的》野卑な.
plot·ty 形 〈小説が〉筋が複雑な [入り組んだ].
pluck·y 形 勇気のある, 断固とした, 勇敢な.
plum·my 形 プラムの(ような).
plump·y 形 膨らんだ, 肉付きのいい.
plum·y 形 羽毛がある.
plur·ry 形 《豪・NZ 俗》忌まわしい.
plush·y 形 フラシ天の; フラシ天のような.
poach·y 形 ぬかるみの; 沼地の, 湿地の.
pock·et·y 形 pocket のような [を形作る].
pock·y 形 あばたの; あばたがある.
podg·y 形 《主に英》=pudgy.
point·y 形 比較的鋭い先を持った.
pok·y 形 《話》だらだらしている; のろい.
po·ley 形 《豪》〈牛が〉角のない.
pon·cy 形 《英俗》飾り立てた, ホモっぽい.
poop·y 形 《主に米俗》ばかみたいな.
pork·y 形 豚肉の; 豚肉のような.
porn·y 形 《俗》ポルノ風の.
pos·ey 形 《話》もったいぶった, 気取った.
pot·ty 形 《英話》いかれた, 常軌を逸した.
pouch·y 形 袋のある; 袋状の.
pout·y 形 膨れた, 不機嫌な.
pow·der·y 形 粉末から成る, 粉末状の.
pox·y 形 《俗》梅毒になった(ことがある).
preach·y 形 説教癖のある; 説教じみた.
preg·gy 形 《俗》妊娠している.
pret·ty 形 ☞
prick·y 形 とげの多い.
prism·y 形 プリズムのような.
pris·sy 形 いやにきちんとした; 取り澄ました.
pros·y 形 散文(体)の.
puck·er·y 形 しわの寄った, ひだのついた.
pud·ding·y 形 《主に英》プディング状の.
pudg·y 形 ずんぐりした.
puds·y 形 《英》=pudgy.
puff·y 形 突風性の, さっと吹く.
puk·ey 形 《俗》今にも吐きそうな気分の.
pu·ky 形 =pukey.
pulp·y 形 パルプの; パルプ状の, どろどろの.
punch·y 形 《主に米話》〈特にボクサーが〉パンチドランクの.
punk·y[1] 形 火口(ほくち)の(ような).
punk·y[2] 形 《俗》不良の.
pun·ny 形 地口の, 語呂合わせの.
purs·y 形 金持ちであるのを自慢する.
push·y 形 《話》厚かましい, 出しゃばりの.
pus·sy[1] 形 〖医学〗膿(うみ)状の.
pus·sy[2] 形 =pursy.
quag·gy 形 沼地 [湿地] の, ぬかるんだ.
quak·y 形 震える, 揺れる.
queen·y 形 《俗》ホモの(queenie).
quirk·y 形 癖のある; ごまかしの多い; 奇抜な.
rab·bit·y 形 ウサギのような; ウサギの多い.
rack·et·y 形 騒々しい.
rac·y[1] 形 〈話が〉きわどい, 扇情的な.
rac·y[2] 形 〈体格が〉レースに適した.
rag·ged·y 形 《主に米・カナダ話》ちょっとぼろの; だらしない; 古くさい.
rain·y 形 雨(降り)の; 雨のよく降る [多い].
ram·my 形 《米俗》欲情した.
rand·y 形 《英話》欲情した, すけべな.
rang·y 形 〈動物・人が〉手足のひょろ長い.
rasp·y 形 こする(ような), きしる, 耳障りな.
rat·ty 形 ネズミの多い, ネズミがよく出る.
read·y 形 ☞
reech·y 形 《古》すすけた.
reed·y 形 アシの多い.
rheu·mat·ick·y 形 リューマチの(rheumatic).
rheum·y 形 カタル性分泌物(rheum)の.
rib·by 形 肋骨 [あばら骨] が目立つ.
rick·et·y 形 壊れそうな, がたがたの.
ridg·y 形 畝 [背, 棟] のある; 隆起した.
rim·y 形 霜 [白霜] に覆われた, 霜で真っ白な.
rip·py 形 《英俗》優秀な, すてきな, 一流の.
risk·y 形 危険な, 危ない, 冒険的な.
ritz·y 形 《俗》《しばしば皮肉》派手な, ぜいたくな; すてきな, 上品な.
rock·y[1] 形 〈場所が〉岩石の多い, 岩ばかりの.
rock·y[2] 形 揺れやすい, ぐらつく, 不安定な.
roil·y 形 (泥・かすで)濁った; 泥だらけの.
rook·y 形 ミヤマガラスのよく集まる.
room·y 形 ゆったりした; 広々とした.
roop·y 形 《英俗》しゃがれ声の.

roots·y 形 〈音楽が〉ルーツを示す, 民族的な.
root·y 形 根の多い; 根のような.
rop·ey 形 =ropy.
rop·y 形 縄のような, ロープのように強い.
ros·y 形 ばら色の, 淡紅色の.
rotch·y 形 《米俗》嫌な.
roup·y[1] 形 ループ(roup)にかかった.
roup·y[2] 形 声がしわがれた, かすれた.
rub·ber·y 形 ゴムのような; 弾性のある; 強靱な.
rub·bish·y 形 くず[がらくた]だらけの.
rub·bly 形 粗石から成る, 石くず(状)の.
rud·dy 形 健康な血色の, 血色のよい.
rum·bly 形 低く重々しい音を連続的に出す.
rum·my 形 《英俗》奇妙な, おかしな.
run·ny 形 流れ[垂れ]やすい.
runt·y 形 発育の止まった; 小形の.
rush·y 形 イグサ[茎]の多い.
rust·y[1] 形 さびた, さびついた.
rust·y[2] 形 〈人・馬などが〉頑固な, 強情な.
rut·ty[1] 形 〈道路などが〉わだちの多い.
rut·ty[2] 形 好色な; さかりのついた.
sag·gy 形 たわんだ; ゆがんだ, 曲がった.
sag·y 形 セージで味つけをした.
sal·low·y 形 サルヤナギの多い.
salt·y 形 塩気のある, 塩辛い, 塩を含んだ.
sand·y 形 砂質の; 砂でできた.
sap·py 形 〈植物が〉樹液の多い, 多汁の.
sar·ky 形 《英俗》皮肉な, 嫌みな.
sas·sy 形 《米話》=saucy.
sat·in·y 形 繻子(しゅす)のような.
sau·cy 形 生意気な, 無礼な, ずうずうしい.
sa·vor·y 形 味[香り]のよい, 風味のある.
sa·vour·y 形 《特に英》=savory.
saw·dust·y 形 おがくずでいっぱいの.
scab·by 形 かさぶたで覆われた.
scant·y 形 不足気味の.
scar·ey 形 =scary.
scar·ry[1] 形 傷跡のついた.
scar·ry[2] 形 切り立った岩場の(多い).
scar·y 形 《話》恐ろしい, おっかない, 怖い.
scat·ty 形 《話》まぬけな; 落ち着きのない.
schiz·y 形 《話》統合失調症の.
schlep·py 形 《米俗》薄汚い.
schlock·y 形 《米俗》安物の, くずの.
schmaltz·y 形 《俗》ひどく感傷的な.
schmutz·y 形 《俗》よごれた, 染みのできた.
school·mis·tress·y 形 《話》取り澄まして気難しい.
scrab·bly 形 非常に小さい; みすぼらしい.
scrag·gy 形 やせこけた.
scrap·py[1] 形 くずでできた; 断片的な.
scrap·py[2] 形 《話》けんか好きの, 議論好きの.
scratch·y 形 キーキーいう音をたてる.
scrawn·y 形 やせた, 骨ばった.
scream·y 形 鋭く叫ぶ, 金切り声の.
screech·y 形 金切り声の(ような).
screw·y 形 《俗》気のふれた, 頭のおかしい.
scrimp·y 形 わずかな, とぼしい; 貧弱な.
scroung·y 形 くすね[たかり]癖のある, 浅ましい.
scrub·by 形 〈木などが〉低い, 発育不良の.
scruff·y 形 《話》だらしない, みすぼらしい.
scrum·my 形 《主に英話》気持ちのよい.
scrun·gy 形 《米俗》不潔な, 汚い.
scum·my 形 浮きかすの, かすの浮いた.
scun·gy 形 《豪・NZ 俗》汚い, 惨めな.
scurf·y 形 ふけのような, ふけの出る.
scur·vy 形 《話》卑しむべき.
scuzz·y 形 《俗》実に嫌な, 胸が悪くなる.
seam·y 形 嫌な, 気持ちの悪い; 裏面の.
sedg·y 形 スゲ(sedge)の多い.
seed·y 形 種子がたくさんできる, 多種子の.
see·ly 形 《古》弱い, か細い; 貧弱な.
seep·y 形 〈運動場・土地などが〉水に浸った.
ses·ky 形 《米俗》=sexy.
sex·y 形 猥褻(わいせつ)な; きわどい.
shab·by 形 着古して傷んだ, 擦り切れた.
shack·y 形 荒れ果てた, 荒廃した.
shad·ow·y 形 影のような, 影のように淡い.
shad·y 形 陰の多い; 陰になった.
shag·gy 形 長いぼさぼさの毛を生やした.
shak·y 形 揺れる, 震える, ぐらぐらする.
sheen·y 形 光る, 輝く; 光沢[つや]のある.
shell·y 形 殻(特に貝殻)の多い.
shel·ter·y 形 隠れ家を提供する, 避難所となる.
shift·y 形 《まれ》〈人が〉策に富んだ.
shin·gly 形 《主に英》小石の多い.
shin·y 形 (ぴかぴか)光る, 輝く; 磨いた.
shirt·y 形 《英俗・豪俗》いらいらした.
shit·ty 形 《卑》糞だらけの.
shiv·er·y[1] 形 震える; 震えがちの.
shiv·er·y[2] 形 すぐ粉々になる, 壊れやすい.
shlock·y 形 =schlocky.
shmaltz·y 形 =schmaltzy.
shmarm·y 形 《英俗》=smarmy.
shnaz·zy 形 《米話》=snazzy.
shoal·y 形 浅瀬の多い; 見えない危険の多い.
shon·ky 形 《豪俗》頼りにならない.
shop·py 形 〈話題などが〉商売上の, 専門の.
show·er·y 形 にわか雨の降る[降りがちな].
show·y 形 人目を引く, 目の覚めるような.
shrub·by 形 低木の, 低木の茂った.
side·y 形 《英俗》=sidy.
sid·y 形 《英俗》うぬぼれた.
silk·y 形 絹の; 滑らかな, 柔らかな.
sil·ly 形 知能の低い; 思慮のない, 愚かな.
sil·ver·y 形 銀のような; 銀色に輝く[光る].
simp·y 形 《俗》ばかな.
sin·ew·y 形 強い腱を持った; 筋骨たくましい.
sir·up·y 形 =syrupy.
siz·y 形 《古》(サイズ[陶砂]のように)どろっとした, ねばねばした.
skag·gy 形 《米俗》ぶすの; 品行の悪い.
skank·y 形 《米俗》(十代の間で)ぶすな; やせた; かっこ悪い; 嫌な.
skee·vy 形 《米俗》汚らしくて嫌な.
sketch·y 形 スケッチ(風)の, 略図的な.
skid·dy 形 〈車などが〉滑りやすい.
skimp·y 形 不十分な, 貧弱な.
skin·ny 形 骨と皮ばかりの, やせこけた.
skit·ter·y 形 〈特に馬が〉驚きやすい, 臆病な.
skrun·gy 形 《米話》むかむかさせる.
skunk·y 形 スカンクの(ような悪臭を放つ).
slag·gy 形 スラグ(状)の; スラグを含む.
slang·y 形 俗語の; 俗語的な, 俗語めいた.
slat·y 形 スレートの(ような), 石板片[質]の.
sleek·y 形 滑らかな, すべすべした.
sleep·y 形 眠い, 眠たがる, 眠り込みそうな.
sleet·y 形 みぞれの(降る); みぞれのような.
slim·y 形 泥の(ような); ぬるぬるした.
slink·y 形 こそこそした, 人目を忍ぶ.
slip·py 形 《話》つるつるする, 滑りやすい.
slit·ty 形 〈目が〉細い切れ長の.
slop·py 形 〈地面・道路などが〉泥んこの, 水たまりの多い.
slop·y 形 傾斜した.
slosh·y 形 雪解けの, ぬかるみの.
slouch·y 形 前かがみの; だらしのない.
slough·y[1] 形 ぬかるんだ; 沼地[湿地]の.
slough·y[2] 形 抜け殻の.
sludg·y 形 どろどろの, 泥のような, 軟泥の.
sluic·y 形 どっとあふれ出る, 流れ出る.
slum·ber·y 形 《古》〈人が〉眠い, うとうとした.
slum·my 形 スラムの.
slurp·y 形 《米俗》素晴らしい.
slush·y 形 雪解けの; ぬかるみの.
slut·ty 形 〈女が〉自堕落な, 身持ちの悪い.
smarm·y 形 《話》お世辞たらたらの.
smear·y 形 (油性のものなどで)よごれた.
smile·y 形 にこやかな.

smog·gy 形 スモッグの多い[かかった].
smok·y 形 煙の出る, いぶる, くすぶる.
smoo·chy 形 《英》〈音楽が〉ゆっくりしてロマンチックな.
smoth·er·y 形 息の詰まる, 息苦しい.
smudg·y 形 よごれた, 染みだらけの; にじんだ.
smutch·y 形 よごれた, 汚い; あかじみた.
smut·ty 形 すすけた, (すすで)よごれた.
snag·gy 形 〈木が〉枝の切り跡だらけの; 切り株のような; 凸凹した, 鋭く突き出た; こぶだらけの, ぎざぎざのある.
snak·y 形 蛇の.
snap·py 形 〈犬などが〉かみつく癖のある.
snark·y 形 《主に英俗》短気な, 怒りっぽい.
snarl·y[1] 形 〈犬・オオカミなどが〉すぐうなる.
snarl·y[2] 形 (糸などが)もつれた.
snatch·y 形 時々の, とぎれとぎれの, 断続的な.
snaz·zy 形 《米話》いきな, しゃれた.
sneak·y 形 こそこそする, ひそかな; ずるい.
snif·fy 形 《話》鼻であしらう, 尊大な.
snif·ty 形 《米俗》尊大な.
snip·py 形 《話》辛辣な, ぶっきらぼうな.
snitch·y 形 《英・豪》いらいらした, 気難しい.
snit·ty 形 《米俗》不機嫌な.
snitz·y 形 《俗》いきな, しゃれた.
sniv·el·y 形 鼻をすする; すすり泣く.
snob·by 形 恩着せがましい; 俗物的な.
snoop·y 形 《話》詮索好きの.
snoot·y 形 《話》俗物(根性)の, きざな.
snort·y 形 鼻息の荒い, 息をはずませる.
snot·ty 形 《俗》はなを垂らした.
snout·y 形 (豚などのとがった)鼻のような.
snow·y 形 雪の多い; 雪の積もった.
snub·by 形 しし鼻の.
snuff·y 形 かぎタバコに似た; 黄褐色の.
soap·y 形 せっけんを含んだ.
sod·dy 形 芝生[芝土]の; 芝の生えた.
sog·gy 形 水浸しになった; 湿気のある.
some·time·y 形 《米黒人俗》変わりやすい.
soo·ky 形 すねた, むっつりした.
soo·ny 形 《豪》感傷的な, 感情的な.
soot·y 形 すすの; すすだらけの.
sop·py 形 びしょびしょの, ずぶぬれの.
sor·ry 形 気の毒に思って; 残念な.
soup·y 形 スープに似た, スープ風の.
spacy 形 広々とした, 広大な.
spark·y 形 火花を発する.
spar·ry 形 〘鉱物〙スパー(spar)(性)の.
spas·sy 形 《米俗》=spazzy.
spaz·zy 形 《米俗》(十代の間で)ばかな, 変な.
speck·y 形 《主にスコット俗》眼鏡を掛けた.
speed·y 形 速い, 迅速な.
spher·y 形 球形の, 球状の.
spic·y 形 香料を入れた.
spi·der·y 形 クモのような; クモの巣のような.
spiff·y 形 《話》きちんとした; 気の利いた.
spik·y 形 大釘(くぎ)のある, 釘だらけの.
spin·y 形 〈植物が〉とげが多い, とげのある.
spir·y[1] 形 尖塔(せんとう)の形をした.
spir·y[2] 形 らせん形の, 渦巻状の.
spiv·vy 形 《主に英》=spiffy.
splash·y 形 はねを上げる, ぬかる.
spleen·y 形 不機嫌な; 悪意のこもった.
splotch·y 形 よごれのついた, 染みだらけの.
spon·gy 形 海綿状の; ふわふわした.
spook·y 形 《話》幽霊[お化け]のような.
spoon·y 形 《話》(特に女に)でれでれした.
sport·y 形 《話》けばけばしい, 派手な.
spot·ty 形 染みだらけの, まだらの.
spout·y 形 (歩くと)ピチャピチャ水がはねる.
spraun·cy 形 《英俗》ハイカラな, 派手な.
sprig·gy 形 小枝の多い; 小枝状の.
spring·y 形 ばねのような, 弾力のある, 軽快な.
spritz·y 形 《話》軽い, 軽々とした, 軽やかな.
spruc·y 形 (服装・外見が)小ぎれいな(spruce).
spud·dy 形 =pudgy.
spunk·y 形 《話》勇気のある, 元気な.
squab·by 形 =pudgy.
squash·y 形 つぶれやすい, 熟しすぎの.
squat·ty 形 ずんぐりした, 低くて幅の広い.
squawk·y 形 耳障りな, やかましい.
squeak·y 形 キーキーいう, きしる.
squidg·y 形 湿って不快な; 水っぽい.
squif·fy 形 《俗》酔っ払った.
squint·y 形 〈目・人が〉斜視の.
squirm·y 形 のたくる, もがく; もじもじする.
squir·rel·y 形 リスのような; せかせかしがちな.
squish·y 形 ぬれて柔らかい, ぐしょぐしょの.
squoosh·y 形 《米話》=squishy.
sqush·y 形 =squishy.
squush·y 形 =squishy.
stage·y 形 =stagy.
stag·y 形 舞台の; 舞台を思わせる.
stalk·y 形 茎[軸]の多い.
stank·y 形 《米俗》臭い. いやな.
starch·y 形 澱粉の; 澱粉質の; 澱粉状の.
star·ry 形 星の多い; 星明かりの.
stead·y 形 ☞
stealth·y 形 こっそりする; 人目を忍んだ.
steam·y 形 蒸気から成る; 蒸気のような.
steel·y 形 鋼の; 鋼から成る; 鋼製の.
steep·y 形 《古》険しい, 急勾配(こうばい)の.
stem·my 形 茎の多い, 茎ばかりの.
stick·y 形 粘着性のある, くっつく.
stin·gy[1] 形 けちな; 出し惜しみする.
sting·y[2] 形 《話》刺す力のある; 針[とげ]のある.
stink·y 形 悪臭のある, 嫌なにおいのする.
stock·y 形 がっしりした, 頑丈な.
stodg·y 形 〈文体などが〉重苦しい; 〈小説などが〉面白くない, 退屈な.
stom·ach·y 形 腹の突き出た, 布袋(ほてい)腹の.
ston·ey 形 =stony.
ston·y 形 石(ころ)の多い, 石だらけの.
storm·y 形 嵐の, 暴風(雨)の, 荒天の.
strag·gly 形 落後した, はぐれた.
straw·y 形 (麦)わらの[の入った, に似た].
streak·y 形 筋[縞]を成す, 筋[縞]状の.
stream·y 形 《主に詩語》流れ[川, 小川]の多い.
stretch·y 形 伸びやすい[すぎる].
string·y 形 糸[ひも, 筋]のような.
strip·y 形 筋[縞]のある, 筋[縞]をつけた.
strop·py 形 《英俗》すぐに腹を立てる.
stub·by 形 切り株のような, 切り株に似た.
stuff·y 形 風通し[換気]の悪い, 息苦しい.
stump·y 形 =stubby.
suck·y 形 《俗》嫌な, 不愉快な.
suds·y 形 《米》泡だらけの, 泡立っている.
sug·ar·y 形 砂糖の; 砂糖を含んだ.
sul·fur·y 形 硫黄の.
sulk·y 形 むっつりした, すねた, 不機嫌な.
sul·try 形 ひどく蒸し暑い, 暑苦しい.
sum·mer·y 形 夏の; 夏らしい, 夏めいた.
sun·dry 形 雑多の, さまざまな.
sun·ny 形 〈天候・日が〉日のよく照る.
surf·y 形 寄せ波の多い; 高波の寄せる.
sus·sy 形 《英俗》怪しい, 疑わしい.
swamp·y 形 湿地性の; 沼沢性の, 沼のような.
swank·y 形 《話》気取った, いきな, しゃれた.
swarth·y 形 〈人・顔などが〉黒ずんだ, 浅黒い.
sweat·y 形 汗まみれの, 汗でぬれた; 汗臭い.
sweep·y 形 〈改革・変化などが〉広範囲な.
swel·try 形 蒸暑さに苦しんでいる.
swim·my 形 めまいを起こすような.
swing·y 形 揺れる, 揺れ動く; 快活な.
swish·y 形 シューシュー[ヒューヒュー]いう.
swoon·y 形 《米俗》気が遠くなるほど魅力的な.
syr·up·y 形 シロップのような; ねばねばした.
tack·y 形 粘着性のある, べとべとする.

tak·y 形 《話》魅力ある, 魅力的な.
talk·y 形 《米・カナダ》(劇・小説などで)無駄な会話 [対話] が多い, 冗長な.
tal·low·y 形 獣脂質の; 獣脂の多い.
tan·gly 形 入り組んだ; もつれた; 混乱した.
tang·y 形 強い味 [風味, におい] のある.
tank·y 形 《米俗》=toxy.
tar·ry 形 タール(tar)の; タール状 [質] の.
tart·y[1] 形 ぴりっとした; いくらか酸っぱい.
tart·y[2] 形 売春婦の(ような).
tast·y 形 味のよい, 風味のある.
tat·ty 形 《話》安っぽい, 下等な; 俗悪な.
tear·y 形 涙の(ような).
tech·y 形 =tetchy.
tent·y 形 《スコット》用心深い, 油断のない.
tetch·y 形 気難しい, 怒りっぽい.
thew·y 形 筋骨たくましい, 筋力のある.
thing·y 形 無生物の, 物体の.
thirst·y 形 のどの渇いた.
thorn·y 形 〈木が〉とげの多い, とげだらけの.
thread·y 形 糸から成る, 糸に似た, 繊維状の.
thrift·y 形 節約する, つましい, 倹約的な.
throat·y 形 しわがれた, 喉音(こうおん)の.
thrum·my 形 切れ端の糸で作った, 毛羽立った.
thun·der·y 形 〈雲などが〉雷を起こす.
thym·y 形 ジャコウソウの [に似た, に特有の].
ti·dy 形 きれい好きな; 整頓された.
tin·der·y 形 火口(ほくち)のような; 燃えやすい.
tin·gly 形 ひりひり [きりきり, ちくちく] する.
tin·kly 形 チリンチリン [チャリンなど] と鳴る.
tin·ny 形 錫(すず)の; 錫のような.
ti·ny 形 とても小さい, ちっぽけな.
tip·py[1] 形 《話》倒れそうな, 不安定な.
tip·py[2] 形 《英》〈紅茶が〉茶芽(ちゃめ)が多く含まれた.
tiz·zy 形 《話》〈音が〉シャカシャカと耳障りな.
toast·y 形 心地よく暖かい, ほかほかと暖かい.
toe·y 形 《豪俗》〈人が〉いらいらした.
ton·ey 形 =tony.
tongue·y 形 《話》話し好きな, おしゃべりな.
ton·y 形 《米・カナダ話》上品な, いきな.
tooth·y 形 大きな歯をした, 歯をむき出しにした.
top·loft·y 形 《話》高慢な, 横柄な.
torch·y 形 トーチソング(torch song)の.
tour·ist·y 形 《話》(観光)旅行者の.
tous·y 形 《スコット》乱れた.
tow·er·y 形 塔のある.
tow·y 形 麻の繊維のような.
tox·y 形 《米話》酔っ払った.
trap·py 形 〈物・事が〉困難な, 厄介な.
trash·y 形 〈物が〉くずの, がらくたの; 役に立たない.
trem·bly 形 身震いする, おののく; 震える.
trend·y 形 《話》最新流行の, 今はやりの.
tress·y 形 《古》ふさふさした頭髪状の.
trick·sy 形 いたずら好きな, ふざける.
trick·y 形 ずるい, 油断ならない, 狡猾な.
trip·per·y 形 《英》旅行者がよく訪れる.
trip·py 形 《米・カナダ俗》(麻薬服用時のように)ぼうっとした, ラリっている.
trot·ty 形 速歩(はやあし)に似た [で行く].
trout·y 形 〈川などが〉マスが多い.
trust·y 形 《おどけて》信頼できる, 当てになる.
tub·by 形 〈物が〉桶状の; ずんぐりした.
tuft·y 形 ふさふさした, 房が多い.
tun·y 形 調子のよい, 音楽的な.
turf·y 形 芝生の, 芝で覆われた.
tur·nip·y 形 〈味・形などが〉カブのような.
tus·sock·y 形 草むら [やぶ] の多い; 房の多い.
twang·y 形 (弦をはじいたような)鋭い振動音の.
tweed·y 形 ツイード製の; ツイード風の.
twig·gy 形 小枝の; 小枝のような [に似た].
twin·y 形 撚(よ)り糸の(ような); 巻きつく.
twist·y 形 曲がりくねった, うねうねした.
twitch·y 形 ぴくつく, 引きつった.
twit·ty 形 よくさえずる.
typ·ey 形 =typy.
typ·y 形 模範的な.
va·por·y 形 蒸気状の; 蒸気の.
vast·y 形 《詩語・古》広大な, 巨大な.
vault·y 形 アーチ形の, アーチに似た.
vaunt·y 形 《スコット》自慢する; うぬぼれた.
vein·y 形 脈 [静脈] の多い; 脈の目立つ.
vel·vet·y 形 ビロードを思わせる; 滑らかな.
view·y 形 《話》《まれ》空想的な.
vin·e·gar·y 形 酢の性質を持つ; 酢に似た; 酸味の.
vin·y 形 蔓植物 [ブドウの木] の; 蔓性の.
vogue·y 形 《話》今はやりの, 人気の.
wab·bly 形 =wobbly.
wack·y 形 《俗》風変わりな, とっぴな.
wag·gly 形 揺れ動く; ふらついた.
wan·chan·cy 形 《スコット》不運な, 不幸な.
wane·y 形 =wany.
wan·y 形 欠けていく; 衰えて [減少して] いく.
warb·y 形 《豪俗》うすよごれた.
wart·y 形 いぼのある; いぼだらけの.
war·y 形 〈人が〉警戒している, 用心深い.
wash·y 形 〈飲み物が〉薄めすぎた, 水っぽい.
Wasp·y 形 WASP の [に属する].
wasp·y 形 スズメバチ [ジガバチ] のような.
wast·y 形 〈家畜・肉が〉無駄な脂肪の多い.
wa·ter·y 形 水の; 水に関係 [関連] のある.
wa·ver·y 形 揺れる, 揺らめく.
wav·y 形 波打っている, うねり [起伏] のある.
wax·y[1] 形 蝋のような, すべすべした.
wax·y[2] 形 《主に英俗》=angry.
wealth·y 形 莫大な富 [財産] を持つ, 富裕な.
wea·ry 形 ☞
weath·er·y 形 変わりやすい, お天気屋の.
web·by 形 水かき [皮膜] の(ような).
wedg·y 形 楔(くさび)形 [状] の, V 字形の.
weed·y 形 雑草の多い [生い茂った].
weep·y 形 《話》泣き悲しむ; 涙ぐんだ.
weight·y 形 相当の重さのある, 重量のある.
wench·y 形 《米学生俗》意地の悪い; 不機嫌な.
wen·ny 形 【病理】皮脂嚢腫の.
whack·y 形 《米俗》=wacky.
wheez·y 形 ぜいぜいいう, 呼吸困難な.
whif·fy 形 《英話》嫌なにおいのする.
whin·ny 形 《古》ハリエニシダの茂った.
whin·y 形 不平を言う, ぶつぶつこぼす.
whip·py 形 むちの(ような形の).
whit·y 形 やや白い, 白っぽい, 白みを帯びた.
whiz·zy 形 進歩した, 最新の.
wield·y 形 扱いやすい, 手ごろな.
wig·gly 形 《話》小刻みに揺れ動く.
wig·gy 形 《俗》風変わりな, 変わった.
wil·low·y 形 柳のような, しなやかな, 柔軟な.
wimp·y 形 女々しい, 弱虫の; 無気力な.
win·dow·y 形 窓 [開口部] の多い.
wind·y 形 風を伴う.
wine·y 形 =winy.
wing·y 形 翼 [羽] のある.
win·try 形 《古》冬の, 冬季の; 冬に特有の.
win·y 形 ワインの.
wir·y 形 針金製の.
wisp·y 形 小さい束の; ほっそりした, か細い.
witch·y 形 魔法 [魔術, 妖術] による.
wit·ty 形 機知のある, 才気煥発の.
wob·bly 形 ぶらぶら [よろよろ] する; 不安定な.
womb·y 形 《古》うつろな; くぼんだ.
won·ky 形 《英俗》ぐらぐらする, 不安定な.
woods·y 形 《話》森林の(ような).
wood·y 形 樹木の多い [茂った], 森の多い.
wool·y 形 《主に米》羊毛からなる(woolly).
word·y 形 口数の多い, くどい, 冗長な.
worm·y 形 虫のいる [わいた]; 虫に食われた.

wor·thy 形 価値がある；立派な，偉い.
-wor·thy 連結形 ☞
wound·y 形 《主に英方言》ひどい，極端な.
wrath·y 形 《話》〈人が〉激怒した.
wreath·y 形 輪状の，冠形の；花冠のような.
wrig·gly 形 のたくる；身もだえする.
wrin·kly 形 しわの寄った，しわの多い.
wrist·y 形 (スポーツで)リスト[手首]が強い；リストを利かせた[使う].
yak·ky 形 《米俗》おしゃべりな；騒々しい.
yants·y 形 《米俗》＝antsy.
yawn·y 形 あくびをする[催させる].
yeast·y 形 酵母の，酵母のような，酵母を含む.
yech·y 形 《俗》＝yucky.
yel·low·y 形 黄色がかった，黄色っぽい.
yolk·y 形 卵黄に似た[を含む].
yoof·y 形 《話》青年の，若者の.
yuch·y 形 《俗》＝yucky.
yuck·y 形 《俗》ひどくまずい；ぞっとする.
yuk·ky 形 《俗》＝yucky.
yum·my 形 《話》おいしい.
zap·py 形 《話》元気な，敏捷な.
zest·y 形 風味の強い；ぴりっとする，辛い.
zinck·y 形 亜鉛の[を含む]，亜鉛製の.
zinc·y 形 ＝zincky.
zing·y 形 活気にあふれた；生彩のある.
zink·y 形 ＝zincky.
zip·py 形 《話》元気な，活発な.
ziz·zy 形 《俗》大げさな，人目を引く.
zonk·y 形 《俗》気が変な，おかしな.
zoom·y 形 ズームレンズによる[を用いた].
zoot·y 形 《米俗》〈スタイル・外観が〉奇抜な，派手な.

-y² /i/

接尾辞 **1**《名詞・形容詞につけて》…ちゃん，お….►一音節の語幹につけて，通例，口語をつくる.►愛称や幼児語など: glanny, tummy. **2**《やや軽蔑を込めて》…さん，…もの，…ところ: cabby, hippy, preppy. **3** …な人[もの].►典型的または極端な例，通例，行為的でないものを表す: sticky, whitey. ◇人名については -Y⁵.
★ 名詞をつくる.
★ 語末にくる関連形は -EE², -EY², -IE¹.
◆ 中英 *-y*, *-i*, *-ie*(スコットランド方言)，もとは名前で使われた.

al·ky 名 《米・豪俗》酔っ払い，アル中.
al·ley 名 《主に米北東部》(大理石などの上等で大きな)ビー玉.
Ar·gy 名 《軽蔑的》アルゼンチン人(Argie).
aunt·y 名 おばちゃん(auntie).
ba·by 名 ☞
bac·cy 名 《主に英話》タバコ.►tobacco の頭音消失による.
baff·y 名 〖ゴルフ〗バッフィ.
bald·y 名 《話》頭のはげた人(baldie).
bam·my 名 《米麻薬俗》マリファナ(タバコ).
ban·ty 名 《米方言》バンタム鶏(bantam).
ben·ny 名 《米俗》質屋(pawnbroker).►ジャズメンの間で用いられた言葉.
bev·vy 名 《英俗》酒，(特に)ビール.
bic·cy 名 《幼児語》小型パン，ビスケット.
bif·fy 名 《特に米北部ミッドウェスト・カナダ俗》便所，トイレ.
big·gy 名 《俗》有力者，重要人物(biggie).
biv·vy 名 《俗》小型テント.
black·y 名 《口》黒い動物[鳥]；黒人.
blight·y 名 《NZ》white-eye「メジロ」の別称.
blu·ey 名 《豪》身の回り品・料理用具・金物などが入れてある旅行者の持つ包み.
bo·gy¹ 名 お化け，小鬼；悪霊.
bo·gy² 名 ボギー車(bogie).
Bol·shy 名 《俗》ボルシェビキ(Bolshevik).
boo·dy 名 《米俗》尻，けつ.
bos·sy 名 《呼び名として》雌牛，子牛.
both·y 名 《スコット》小屋；山小屋.
brass·y 名 〖ゴルフ〗ブラッシー，2 番ウッド(brassey).
brek·ky 名 《主に豪俗》朝食(breakfast).
brol·ly 名 《英》《話》こうもり傘.
bun·gy 名 《英俗》チーズ.
bun·ny 名 ☞
bus·sy 名 《米俗》バスの運転手.
but·ty 名 《英方言》バター付きパン.
cab·by 名 《話》タクシーの運転手(cabdriver).
Cad·dy 名 《米話》キャデラック(Cadillac).
cad·dy 名 使い走りや雑用をする人(caddie).
car·by 名 《豪話》気化器(carburetor).
cham·my 名 《米話》シャンパン.
chem·my 名 《話》シェマンドフェール(chemin de fer): トランプ競技の一種.
chief·y 名 《英軍俗》上官；上等兵曹.
chip·py¹ 名 《主に米・カナダ話》尻軽女.
chip·py² 名 シマリス(chipmunk).
chip·py³ 名 《英話》大工(carpenter).
chud·dy 名 《豪・NZ 俗》チューイングガム.
chum·my 動自 《米学生俗》吐く(chum the fich).
chut·ty 名 《豪話》チューインガム.
chuv·vy 名 《英俗》ノミ.
cig·gy 名 《話》紙巻きタバコ(cigarette).
civ·vy 名 《俗》(軍服に対して)市民服，平服.
clit·ty 名 《俗》クリトリス(clitoris).
clo·ky 名形 クロッケ(cloque): 模様，図案などを浮き彫りにした織物.
cock·y 名 《豪・NZ 話》オーストラリア地域に分布する大形で騒がしい色彩豊かなオウム科の鳥の総称(cockatoo).
col·ly 名 コリー(牧羊犬)(collie).
com·fy 形 《話》快適な，落ち着ける(comfortable).
con·chy 名 《英軍事俗》良心的兵役拒否者(conscientious objector).
conk·y 名形 《英俗》大きな鼻の(人).
con·shy 名 ＝conchy.
crop·py 名 《英》断髪党員.
cub·by 名 《米黒人俗》小さい押し入れ(cubbyhole).
cul·ly 名 《古》だまされやすい人，まぬけ.
cut·ey 名 《俗》かわいい人(cutie).
cut·ty 名 短いさじ.
cuz·zy 名 膣(ちつ)(cooze).
dad·dy 名 ☞
dark·y 名 《話》黒んぼ，黒人.
dear·y 名 《話》かわいい人，いとしい人；女.
dee·gy 名 《米俗》退廃する，衰える(degenerate).
del·ly 名 《話》デリカテッセン(delicatessen): 調理済み総菜販売店.
di·dy 名 《幼児語》(赤ん坊の)おむつ.
div·vy 動他自 《話》(…を)分ける，分配する.
dog·gy 名 ＝puppy.
do·gy 名 (牛の群れの中にいる)母なし子牛.
dol·ly 名 《話》お人形さん；わら人形.
dow·dy 名 だらしない身なりの女.
drug·gy 名 《米俗》麻薬常用者.
drunk·y 名 《俗》酔っ払い(►あだ名).
duck·y 名 《英話》《親愛・親密を表す呼びかけとして》愛する人，かわいい人.
Dutch·y 名 《俗》オランダ人，ドイツ人.
folk·y 名 《俗》フォークシンガー.
food·y 名 食いしん坊；食い道楽(foodie).
foot·y 名 《主に豪・NZ 話》フットボール(football).
French·y 名 《話》フランス(系の)人.
fund·y 名 根本主義者(fundie).
fu·ty 名 《米俗》女陰.
ger·ry 名 《英十代俗》老人.

gig·gy 名 《米俗》＝futy.
gil·ly 名 (特にサーカス・カーニバルの道具を運搬する)トラック；(車で巡業する)小サーカス，曲芸団.
gip·py 名 《俗》エジプト人；エジプト兵；《俗》ジプシー.
girl·y 名 娘，娘っ子，嬢ちゃん(girlie).
giz·zy 名 《米麻薬俗》マリファナ.
gob·by 名 《俗》沿岸警備隊員，米国の水兵.
gog·gy 名 《英学童俗》(環境に)順応できない児；みそっかす.
good·y[1] 名 《話》うまいもの，(特に)おいしい菓子.
good·y[2] 名 善人ぶった人，お利口さんぶった子供.
good·y[3] 名 《古》(社会的地位の低い，通例既婚の)おかみさん；《しばしば姓の前につけて呼びかけとして》…さん.
Gor·by 名 ゴルビー：ゴルバチョフ(Gorvachev)の愛称.
Gram·my 名 《米》グラミー賞.
gran·ny 名 《話・幼児語》《親しみを込めて》おばあちゃん.
group·y 名 ロック歌手[グループ]につきまとう女の子(groupie).
gum·by 名 《カナダ若者俗》ファッションにうとい人.
gup·py 名 【海軍】グッピー.
gyp·py 名 ＝gippy.
hal·fy 名 《米俗》両足切断者.
han·ky 名 《話》《幼児語》ハンカチ(handkerchief).
har·dy 名 【建築】角穴たがね，広刃のみ.
hen·ny 名 雌鳥のような雄鳥.
hin·ny 名 ケッテイ(駃騠)：雄ウマと雌ウマとの雑種.
hip·py 名 ヒッピー(hippie).
hoa·gy 名 《ニュージャージー・ペンシルベニア(主にフィラデルフィア)》ヒーローサンドイッチ(hero sandwich)：細長いパンに肉，チーズ，レタス，トマトなどを挟んだ大きなサンドイッチ.
hon·ky 名形 《米俗》白人(の)，「白ん坊」(の).
how·dy 名 《スコット・北イング俗》産婆.
hub·by 名 《話》夫，「ハズ」(husband).
hump·y 名 【魚類】カラフトマス(humpback salmon).
hunk·y 名㊝ 《米俗》ハンガリー出身[スラブ系，バルト系]の人，(特に)未熟な労働者.
id·dy 名 《英俗》ユダヤ人.
i·ky 名 《俗》男のユダヤ人(ikey).
In·dy 名 《話》**1** 米国 Indiana 州 Indianapolis市. **2** インディー500(Indianapolis 500)：モーターレースの一種.
jack·sy 名 尻の穴(jacksie).
Jack·y 名 水兵，船員，船乗り.
jack·y 名 《英俗》ジン(gin).
ja·lop·y 名 《話》おんぼろの自動車(jalop).
Jeb·by 名 《米俗》イエズス会士(Jesuit).
jem·my 名 《英》(強盗が用いる)短い金てこ(jimmy).
jim·i·ny 間 《驚き・感動・恐れなどを表す軽い叫び声》ひぇーっ，うひぇーっ.
jum·bly 名 《英俗》がらくた市.
kid·dy 名 《話》子供(child).
kind·y 名 《豪・NZ 話》幼稚園(kindergarten).
kit·ty[1] 名 子猫.
kit·ty[2] 名 (特定の目的の)共同積立[出資]金.
lav·vy 名 《英俗》洗面所(lavatory).
leck·y 名 《英俗》電気.
left·y 名 《話》左利きの人；左腕投手.
lep·py 名 《米西部》焼き印のない子牛.
lim·ey 名 《米・カナダ俗》英国水兵[船員].
lin·dy 名 リンディ：激しいジルバダンスの一種.
load·y 名 《俗》飲んだくれ；麻薬常習者.
loo·by 名 《英俗》でくのぼう，のろま，ぐず.
loon·y 名 《話》頭のおかしいやつ，ばか.
lop·py 名 《豪俗》(牧場の)雑役係.
luck·y 名 《スコット》＝granny.
Mal·a·gas·y 名 マダガスカル(島)人.
mam·my 名 《話》《幼児語》かあちゃん.
man·dy 名 《英麻薬俗》mandrax 錠剤(mandie).
mash·y 名 【ゴルフ】マシー，5 番アイアン.
mate·y 名 《主に英話》仲間，友達，同僚.
mick·y 名 《俗》ジャガイモ，(特に)蒸し焼きジャガイモ.
mid·dy[1] 名 《話》海軍士官(midshipman).
mid·dy[2] 名 《豪俗》中ジョッキー.
miss·y[1] 名 《話》娘，少女.
miss·y[2] 名 宣教師，伝道師.
miv·vy 名 《英俗》何かに優れた人.
mog·gy 名 《英俗》猫(cat).
mol·ly 名 《俗》ギャングの情婦(moll).
Mount·y 名 《話》カナダ騎馬警官隊員.
moz·zy 名 《英・豪俗》蚊(mossie).
mum·my 名 《主に英話》《幼児語》ママ.
munch·y 名 《米話》スナック菓子.
mus·ky[1] 名 【魚類】アメリカカワカマス(muskellunge).
mus·ky[2] 名 《英俗》マスカテル(muscatel)：マスカットから作った甘口ワイン.
myx·y 名 《話》多発性粘液腫症(myxomatosis).
nam·by 名 《英俗》環境破壊絶対反対論者.
nap·py[1] 名 (平底の)小皿.
nap·py[2] 名 《主に英》よだれ掛け.
nav·vy 名 《英》《話》(未熟練の)土木作業員.
ned·dy 名 《英話》ロバ(donkey)；ばか.
news·y 名 《話》新聞販売[配達]人.
night·y 名 《話》寝巻き.
nin·ny 名 ☞
nud·dy 名 《主に英話・豪話》《婉曲的》裸(nude).
old·y 名 昔はやった流行歌(oldie).
Pad·dy 名 《俗》アイルランド人；アイルランド系の人.
pant·y 名 婦人・子供用下ばきの総称.
pap·py 名 《米》《古風》パパ，父ちゃん(papa).
park·y 名 《話》公園管理人.
past·y 名 スパンコール，乳首隠し.
pat·sy 名 《米・カナダ俗》かも，お人よし.
pat·ty 名 《米俗》白人.
pig·gy 名 《話》小豚，子豚(piglet).
pink·y 名 ピンク：2 本マストの船尾の狭い小型船(pink).
po·gy 名 ＝porgy.
pol·y 名 《話》ポリエステル.
pooch·y 名 犬(dog)，(特に)雑種犬(pooch).
por·gy 名 地中海および大西洋沿岸産のタイの一種 *Pagrus pagrus*.
pork·y 名 《主に米北部・西部内陸部》【動物】ヤマアラシ(porcupine).
poz·zy[1] 名 (人が住める)場所.
poz·zy[2] 名 《軍俗》ジャム，マーマレード.
prep·py 名 《米話》プレッピー：prep school の学生[卒業生].
prex·y 名 《米俗》学長，総長.
pro·by 名 《英俗》保護観察官(probation officer).
pug·gy 名 よたもの，乱暴者.
pup·py 名 ☞
puss·y[1] 名 《主に幼児語》猫，(特に)子猫ちゃん(pussycat).
pus·sy[2] 名 《俗》女陰，おまんこ，プッシー.
quad·dy 名 《豪》quadrella「四重勝馬券」の短

Y

縮形.
quick·y 名 《俗》(小説・映画など)急ごしらえのもの, やっつけ仕事.
rib·by 名 《野球俗》打点(run batted in).
right·y 名 《米話》右利きの人,〖野球〗右腕投手, 右打ちバッター.
road·y 名 《米俗》地方公演マネージャー.
rook·y 名 新人選手, ルーキー(rookie).
room·y 名 《話》同宿者, 同室者; 同棲相手(roommate).
rub·bi·dy 名 《俗》パブ(rub-a-dub).
rub·by 名 《カナダ俗》消毒アルコールと安ワインを混ぜて作った酒.
rum·my 名 《俗》飲んだくれ.
Russ·ky 名 《主に米俗》ロシア人(Russki).
sam·py 名 《俗》複数の人と性的関係を続ける若者.
sau·ry 名 大西洋の温帯海域に生息するサンマ科の魚.
schme·geg·gy 名 《米俗》ばか, まぬけ; たわ言.
scul·ly 名 《米俗》人; あんた.
sec·cy 名 《俗》セコナール(Seconal): secobarbital の商品名.
sharp·y 名 (商取引などでの)詐欺師(sharpie).
shel·ty 名 《話》シェトランドポニー(Shetland pony): Shetland 諸島原産の小馬.
shme·geg·gy 名 =schmegeggy.
shoe·y 名 《英俗》(騎兵隊の)蹄鉄係.
short·y 名 《話》背の低い人(特に男子), ちび.
shug·gy 名 《英北東部》(サーカスの)(空中)ブランコ.
sick·y 名 《米俗》頭のおかしそうな人.
sis·sy 名 《話》めめしい少年, 女のような男.
skib·by 名 《米俗》日本人, 日系人.
skif·fy 名 《米俗》空想科学小説の(sci-fi).
skil·ly 名 《主に英》(オートミールの)薄粥.
skip·py 名 《米俗》日本人の女(特に売春婦).
sko·tey 名 スコーティ: 80 年代の甘やかされた子供たち.
slav·ey 名 《英俗》(特に下宿屋で雑用をする)下働き女中.
smart·y 名 《主に米話》うぬぼれの強い人.
smooth·y 名 (人をひきつける)あか抜けした人.
snug·gy 名 《米俗》セクシーで好きものの女.
sod·dy 名 〖米史〗芝の家: 芝をれんがのように積んで建てた家.
soft·y 名 《話》感傷的な人; だまされやすい人.
spark·y 名 《米俗》(市民ラジオで)電気技師.
sprouts·y 名 《米俗》菜食主義者.
stag·gy 名 《スコット》ウマ類に属する動物の雄の子(colt).
stif·fy 名 《米俗》動けないふりをするこじき.
sto·gy 名 《米話》細巻きの長い安葉巻.
stool·y 名 《俗》(特に警察の)スパイ(stool pigeon).
strip·ey 名 《英海軍俗》善行章をもらった(長年勤続の)水兵.
swab·by 名 《米俗》(海軍・沿岸警備隊の)水兵, 水夫.
swad·dy 名 《英俗》軍人, 兵士.
tank·y 名 《米海軍俗》肉屋.
tel·ly 名 《主に英話》テレビ(television).
thing·y 名 《こっけい》名前の分からない[を忘れた]もの,「あれ」.
thith·y 名 《米俗》女っぽい男.
tit·ty 名 《俗》乳首(teat).
toad·y 名 おべっか遣い, ごますり. ── 動 他 自 おべっかを遣う, へつらう.
tough·y 名 《米話》たくましい人; がんこな人.
town·y 名 (大学町で大学関係者以外の)町の人.
tran·ny 名 《英話》トランジスタラジオ(transistor).
trans·y 名 《米俗》服装倒錯者(transvestite).
tum·my 名 ☞
tush·y 名 《俗》尻.
twink·y 名 《俗》若いセクシーな人.
up·py 名 《俗》覚醒剤, 興奮剤(upper).
veer·y 名 〖鳥類〗ビリーチャツグミ.
weird·y 名 《米話》奇妙な人, 変人(weirdo).
Welsh·y 名 《話》ウェールズ人.
wheel·y 名 (自転車・オートバイなどの)後輪走行, ウィリー.
whirl·y 名 ワーリー: 南極大陸に見られる雪を伴った激しいつむじ風.
whit·y 名 《米俗》白人; 白人社会(whitey).
whoop·sy 名 《英俗》排便; うんち.
Wim·by 名 《話》ウィンブルドン(Wimbledon)(イングランドの地名).
wol·ly 名 《英俗》(制服姿の)警官, 巡査.
yip·py 名 《米》イッピー(yippie): 1960 年代の反体制的な hippie.
yum·py 名 《米》ヤンピー(yumpie): 上昇志向の強い若手の知的職業人.
yup·py 名 《米》ヤッピー(yuppie): 1940 年代末から 50 年代前半に生まれた世代で大都市郊外に住む裕福なホワイトカラー.

-y[3] /i/

接尾辞 **1** 動詞につけて動作名詞をつくる: inquiry, delivery. **2** 状態・性質を表す抽象名詞の語尾に見られる: carpentry, infamy. **3** 特定の店や品物を表す: bakery, jewelry. **4** 集合体, 集団を表す: army, soldiery. **5** 国名の語尾に見られる: Germany, Italy.
★ 名詞をつくる.
★ ラテン語の語尾 *-ia* に対応する.
◆ 中英 *-ie* ＜アングロ仏＜ラ *-ia*, *-ium*.

a·cad·e·my 名 ☞
-a·cy 接尾辞 ☞
aer·y 名 (崖や山頂にあるワシ, タカなどの猛鳥の)巣(aerie).
-a·go·gy 連結形 ☞
al·le·go·ry 名 比喩, アレゴリー.
am·nes·ty 名 〖法律〗大赦, 恩赦.
am·phib·o·ly 名 文意のあいまいさ.
am·phic·ty·o·ny 名 (古代ギリシャの)隣保同盟.
a·nat·o·my 名 ☞
-an·cy 接尾辞 ☞
-an·dry 連結形 ☞
a·nom·a·ly 名 ☞
an·thol·o·gy 名 アンソロジー, 名詩選, 詞華集.
-an·thro·py 連結形 ☞
a·pol·o·gy 名 謝罪, わび, 陳謝.
a·pos·ta·sy 名 背教, 棄教.
-ar·chy 連結形 ☞
at·a·rax·y 名 精神の安定, 平静, 落ち着き.
a·than·a·sy 名 不死, 不滅(athanasia).
at·o·py 名 〖病理〗アトピー.
au·tar·ky 名 (一国の経済的)自給自足状態.
au·to·ceph·a·ly 名 自治独立教会; (教会主教の)自主管理.
Bar·ba·ry 名 バーバリ: 北アフリカ地中海岸の旧称.
bas·tar·dy 名 非嫡出子[庶子]であること, 庶出.
beg·gar·y 名 極貧の状態[境遇], 赤貧, 貧窮.
bib·li·op·e·gy 名 製本術.
bi·gem·i·ny 名 〖医学〗二段[連]脈.
bot·a·ny 名 ☞
Brit·ta·ny 名 ブルターニュ(フランスの地名).
bry·o·ny 名 ☞
Bur·gun·dy 名 ブルゴーニュ(フランスの地名).
cac·o·dox·y 名 (宗教上の)間違った説[教え].
cal·o·ry 名 カロリー(calorie).
cal·um·ny 名 中傷, 名誉毀損, 誹謗.
card·y 名 《話》カーディガン(cardigan).

-car·py 連結形 ☞
cat·e·go·ry 名 (一般に)種類, 部類(class).
-ceph·a·ly 連結形 ☞
cham·per·ty 名 〘法律〙(利益配分約束に基づく)訴訟肩代わり.
chres·tom·a·thy 名 《まれ》(特に外国語の学習用に編纂された)名句集, 名文選集.
cler·gy 名 聖職者, 僧侶.
-cli·ny 連結形 ☞
col·o·ny 名 ☞
com·e·dy 名 ☞
com·pa·ny 名 ☞
con·tro·ver·sy 名 論争, 議論; (特に紙上での)論戦.
cop·y 名 ☞
cour·te·sy 名 礼儀正しさ, いんぎん, 丁重; 親切.
-cra·cy 連結形 ☞
-cra·sy 連結形 ☞
curt·sey 名動自 =curtsy.
curt·sy 名 (尊敬の念を表す女性の)会釈.
cus·to·dy 名 ☞
-cy 接尾辞 ☞
-dac·ty·ly 連結形 …指状.
der·ry 名 《英俗》廃屋, 無人のあばら屋.
dum·my 名 模型, 型見本.
dy·nas·ty 名 王朝.
ec·sta·sy 名 恍惚, エクスタシー.
ef·fi·cien·cy 名 ☞
ef·fi·gy 名 彫像; (貨幣面などの)肖像.
-en·cy 接尾辞 ☞
en·tel·e·chy 名 〘哲学〙エンテレケイア.
en·thal·py 名 〘熱力学〙エンタルピー.
en·treat·y 名 懇願, 嘆願, 哀願, 切願.
en·vy 名 ねたみ, 嫉妬; 羨望(せんぼう).
ep·i·zo·o·ty 名 〘生物〙動物体表生物(epizootic).
-ep·y 連結形 ☞
-er·gy 連結形 ☞
-er·y 接尾辞 ☞ -ERY[1]
et·y·mol·o·gy 名 語の由来, 語源.
eu·pho·ry 名 〘心理〙多幸症(euphoria).
eu·rhyth·my 名 律動的な運動; (建物などの)諧調(性), 律動的均整[調和].
eu·ryth·my 名 =eurhythmy.
ex·stro·phy 名 〘病理〙外反症, エクストロフィー.
fac·to·ry 名 ☞
fa·er·y 名 《古》妖精の国, おとぎの国.
fam·i·ly 名 ☞
fan·cy 名 (取り留めのない)空想, 想像.
fan·ta·sy 名 途方もない空想, 気まぐれな想像.
flu·en·cy 名 ☞
for·tu·i·ty 名 偶然(性).
fro·men·ty 名 =frumenty.
fru·men·ty 名 《英方言》フルメンティー: 小麦をミルクで溶かし, 砂糖, シナモン, 干しぶどうで味付けした料理.
fu·ry 名 激怒, 憤激; 激情.
gal·ax·y 名 ☞
-ga·my 連結形 ☞
-ge·ny 連結形 ☞
ge·od·e·sy 名 測地学.
ge·og·no·sy 名 《古》地球構造学, ゲオグノジー.
Ger·ma·ny 名 ドイツ(連邦共和国)(Federal Republic of Germany).
gi·ron·ny 形 =gyronny.
glo·ry 名 ☞
-gno·my 連結形 ☞
-go·ny 連結形 ☞
-gra·phy 連結形 ☞
-gy·ny 連結形 ☞
gy·ron·ny 形 〘紋章〙盾形を中心で偶数に放射分割した.
her·e·sy 名 (正統派の教義・通説に反する)異論, 異説, (特に宗教の)異端.
het·er·och·ro·ny 名 〘生物〙異時性.
het·er·o·dox·y 名 非正統, 異端; 非正統説信奉.
his·to·ry 名 ☞
ho·mol·o·gy 名 相応(関係), 一致(関係).
ho·mot·o·py 名 〘数学〙ホモトピー.
Hun·ga·ry 名 ハンガリー(共和国)(Republic of Hungary).
-i·a·try 連結形 ☞
ig·no·min·y 名 不名誉, 不面目, 屈辱, 赤恥.
in·ju·ry 名 傷害, けが; (…への)損傷.
in·quir·y 名 事実[情報, 知識]を求めること.
i·sos·ta·sy 名 〘地質〙アイソスタシー, 地殻均衡.
i·sot·o·py 名 〘化学〙同位体現象.
It·a·ly 名 イタリア(共和国)(Republic of Italy).
jeal·ous·y 名 ねたみ, 羨望(せんぼう); 嫉妬.
-la·try 連結形 ☞
laun·dry 名 洗濯物.
lep·ro·sy 名 〘病理〙ライ, らい, ハンセン(氏)病(Hansen's disease).
leth·ar·gy 名 無気力, 無感動; 倦怠.
lev·y 名 ☞
lob·by 名 **1** ロビー. **2** (英国下院で議案採決のとき賛否に分かれる)投票者控え室.
-lo·gy 連結形 ☞
-ma·chy 連結形 ☞
mat·ri·lin·y 名 母系制.
-meg·a·ly 連結形 ☞
mel·an·chol·y 名 憂鬱(ゆううつ), ふさぎ込み.
mem·o·ry 名 ☞
me·tab·o·ly 名 〘動物〙変形現象.
-me·try 連結形 ☞
mod·es·ty 名 謙遜, 遠慮; 慎み深さ, 控えめ.
mo·not·o·ny 名 単調さ, 変化のないこと.
-mo·ny 連結形 ☞
mu·ti·ny 名 (特に海員・兵士などの上官に対する)反乱.
-nas·ty 連結形 ☞
na·vy 名 ☞
ne·ot·e·ny 名 〘生物〙幼生生殖.
-no·my 連結形 ☞
nos·tal·gy 名 《古》郷愁, 懐旧の情(nostalgia).
-o·dy 連結形 ☞
-on·y·my 連結形 ☞
-op·so·ny 連結形 ☞
-op·sy 連結形 ☞
or·tho·dox·y 名 ☞
or·tho·prax·y 名 (行為・習慣の)正当性.
pal·sy 名 (paralysis より軽度の)不全麻痺.
pan·o·ply 名 壮大な陣立て; 壮観, 壮麗.
par·a·dox·y 名 パラドックスを含むこと, 矛盾.
-pa·thy 連結形 ☞
pat·ri·li·ny 名 父方の出自をたどること.
ped·er·as·ty 名 (一方が若者・年少者の)男色(関係).
pen·u·ry 名 ひどい貧乏, 貧困, 赤貧.
pet·a·lo·dy 名 〘植物〙弁化.
-pex·y 連結形 ☞
-pha·gy 連結形 ☞
phan·tas·ma·go·ry 名 一連の幻想, 去来する幻影.
phan·ta·sy 名動 =fantasy.
-pha·ny 連結形 ☞
phar·ma·cy 名 **1** 薬学. **2** 薬剤学.
phi·lat·e·ly 名 (趣味や投資としての)切手収集.
phil·lu·me·ny 名 マッチ(箱, レッテル)の収集.
-phi·ly 連結形 ☞
-pho·ny 連結形 ☞
phor·e·sy 名 〘動物〙(昆虫やクモの種間の…)生, 便乗.
phyl·lo·dy 名 〘植物〙葉化.
-plas·ty 連結形 ☞
plei·o·phyl·ly 名 〘植物〙多葉性, 増葉性.
pleu·ri·sy 名 〘病理〙胸膜炎, 肋膜炎
ploi·dy 名 〘生物〙倍数関係, 倍数
-ploi·dy 連結形 ☞

Y

Het·ty 名 女子の名. ►Hester または Esther の別称.
Iz·zy 名 女子の名. ►Isabel の愛称.
Jen·ny 名 女子の名. ►Jennifer の短縮形.
Jo·ey 名 男子の名. ►Joe の愛称.
Kath·y 名 女子の名. ►Katherine の愛称.
Lan·ny 名 男子の名. ►Lenny の別称.
Len·ny 名 男子の名. ►Len の愛称.
Liz·zy 名 女子の名. ►Liz(Elizabeth の短縮形)の愛称.
Lol·ly 名 女子の名. ►Laura の愛称.
Man·ny 名 男子の名. ►Emmanuel の愛称.
Marty 名 女子の名. ►Martha の愛称.
Mat·ty 名 男子または女子の名. ►Matthew, または Matilda の愛称.
Mil·ly 名 女子の名. ►Milicent, Mildred の別称.
Mon·ty 名 男子の名. ►Montague または Montgomery の短縮形.
Nan·ny 名 女子の名. ►Ann, Anna の別称.
Pat·ty 名 女子の名. ►Patience, Patricia の別称.
Reg·gy 名 男子の名. ►Reg(Reginald の短縮形)の愛称.
Rick·y 名 男子の名. ►Richard の愛称.
Rox·y 名 女子の名. ►Roxana の別称.
Ru·dy 名 男子の名. ►Rudolf の愛称.
Smit·ty 名 男子の名. ►Smith の別称.
Su·sy 名 女子の名. ►Susan, Susanna の愛称.
Tam·my 名 女子の名. ►Tamara, Tamsin の愛称.
Tru·dy 名 女子の名. ►-trud の語尾をもつ名の愛称.
Wal·ly 名 男子の名. ►Walter の愛称.
Wood·y 名 男子の名. ►Woodrow の愛称.

-y[6] /ái/

語尾 同音反復句に spy in the sky「スパイ衛星」がある.
★ 語末にくる同音形は -AI, -AY[4], -EI[2], -I[6], -IE[3], -IGH, -UY, -YE.

by[1] 前 ☞
by[2] 間 ☞
cry 動自 ☞
dry 形 ☞
dwy 名 《ニューファンドランド》(一時的な)吹き降り, 吹雪.
dy 名 腐植泥, 泥炭泥.
fly[1] 動自 ☞
fly[2] 名 ☞
fly[3] 形 《主に英話》抜け目のない; 明敏な.
fry[1] 動他 ☞
fry[2] 名 (群れている)魚の子, 幼魚, 稚魚; サケの二年子.
fy 間 《廃》《軽い不快・非難・迷惑などの感じを表して》はてさて(fie).
-fy 接尾辞 ☞
my 代 《I の所有格》私の, 僕の.
phy 名 《英俗》塩酸メタドン. ►商標名Physeptone より.
ply[1] 動他 〈道具などを〉せっせと使う.
ply[2] 名 ☞
-ply[1] 連結形 ☞
-ply[2] 連結形 ☞
pry[1] 動自 詮索する, ほじくり立てる.
pry[2] 動他 《米・カナダ》てこで上げる.
scry 動自 水晶占い(crystal gazing)をする.
shy[1] 形 ☞
shy[2] 動他自 素早く投げる.
shy[3] 名 《米俗》無慈悲な金貸し(shylock).
sky 名 ☞
sly 形 ずるい, 狡猾(こうかつ)な.
sny 名 〖造船〗(木材または厚板の)上曲がり(upward curve), (特に船尾にかけて張りつけた)側板の上曲がり.
spry 形 活発な, 元気のよい, すばしこい.
spy 名 ☞
sty[1] 名 豚小屋(pigsty).
sty[2] 名 〖眼科〗(眼病の)ものもらい(hordeolum).
swy 名 《豪》2枚の貨幣を投げて裏表のどちらが出るかを当てる遊戯(two-up).
thy 代 《古・詩語・方言》《thou の所有格》汝の, そなたの, あなたの.
try 動他 ☞
why 副 ☞
wry 形 顔(の造作)をゆがめてできる.

yacht /ját|jɔ́t/

名 ヨット, クルーザー, 快走船.

íce yàcht 氷上ヨット(ice boat).
lánd yàcht 陸上ヨット.
Róyal Yácht (英国海軍の)王室専用船.
sánd yàcht =land yacht.

yard[1] /já:rd/

名 **1** ヤード, ヤール: 英語国での長さの単位. **2**〖海事〗帆桁(ほげた).

åle·yàrd 高さ約1メートルのらっぱ形のグラス.
clóth yàrd 布ヤール: 布地の計測単位.
fóre·yàrd 名 〖海事〗フォアヤード.
hál·yard 〖海事〗ハリヤード; 揚げ索.
haul·yárd =halyard.
jáck·yàrd 〖海事〗ジャックヤード.
lán·yard 〖海事〗ラニヤード, 索, 締め綱.
máin yàrd 〖海事〗大檣(たいしょう)下桁(かこう).
sáil·yàrd 〖海事〗帆桁(ほげた).
squáre yárd 平方ヤード.
stéel·yàrd さお秤(ばかり).

yard[2] /já:rd/

名 **1** (家・公共建築物などの)構内; 中庭. **2**《主に米》(家庭)菜園, 畑. **3**《しばしば複合語》仕事場, 作業場. **4**〖鉄道〗ヤード, 操車場.

báck-ah-yárd 《カリブ英語》故郷カリブ海.
báck·yárd 裏庭.
bárn·yàrd 納屋の前庭 [周囲の庭].
bóat·yàrd 小型船造船所 [修理所], 艇庫.
bóne·yàrd 《俗》墓場.
brick·yàrd れんが工場.
chúrch·yàrd 教会堂に隣接する庭, 教会の構内.
classificátion yàrd 《米》鉄道操車場.
cóurt·yàrd (特に四方を囲まれた)中庭; 前庭.
déer·yàrd 冬にシカの集まる場所.
dóck·yàrd 造船所.
dóor·yàrd 《主に米・カナダ》玄関の前庭.
dráfting yàrd 《豪》家畜を収容するため小区画に分けた囲い地.
fárm·yàrd 農家の庭.
fóre·yàrd 前庭.
frónt yárd 前庭.
góods yàrd 《英》貨物操車場.
gráve·yàrd 墓地.
gréen·yàrd 芝生のある中庭.
hóp·yàrd ホップ(栽培)畑.
ínn·yàrd 宿屋の庭, 旅館の中庭.
júnk·yàrd くず物 [古物] 集散所, 廃品
káil·yàrd 《スコット》=kaleyard.
kále·yàrd 家庭菜園, 野菜畑.

Y

pen·tyl [名] ペンチル(基).
phen·yl [名] フェニル(基).
phos·pha·ti·dyl [名] ホスファチジン基.
pro·pe·nyl [名] プロペニル基.
pro·pyl [名] プロピル基の.
suc·ci·nyl [名] スクシニル.
sul·fan·i·lyl [名] スルファニリル基.
sul·fi·nyl [名] スルフィニル基.
sul·fo·nyl [名] =sulfuryl.
sul·fur·yl [名] スリフリル基.
tet·ryl [名] テトリル.
thi·o·nyl [名] チオニル.
tol·yl [名] トリル基.
tro·tyl [名] トリニトロトルエン.
u·ra·nyl [名] ウラニル.
vi·nyl [名] ビニル基.
xy·lyl [名] キシリル.
zir·co·nyl [名] ジルコニル.

-yl[2] /íl/

[語尾] 語末にくる同音形は -IL[1], -IL[2], -ILL, -ILLE[2].

hwyl [名][形] (ウェールズ人の特徴とされる)熱誠(の), 熱弁(の).
psyl [名] 《米俗》サイロシビン(psilocybin).

-yle /áil/

[語尾] 語末にくる同音形は -ILE[1], -ILE[2], -ILE[3].

chyle [名] 乳糜(にゅうび): 小腸内で作られる乳化脂肪などを含む乳状の液体.
gyle [名] 発酵麦芽汁; (1 回分の)ビール醸造量.
kyle [名] 《スコット》狭い海峡, 瀬戸, 水道.
style[1] [名] ☞
style[2] [名] 《古》【木工】【家具】框(かまち).
-style [連結形] ☞
tyle [動他] 〈人に〉秘密を誓わせる.

-yme /áim/

[語尾] 語末にくる同音形は -IME.

chyme [名] 糜汁(びじゅう), 粥(じゅく)状物, キームス: 胃液によって食物が分解され, 濃い灰色の液に変じたもの.
cyme [名] 【植物】集散花.
rhyme [名] ☞
thyme [名] ☞
zyme [名] 《古》発酵病(zymotic disease)の病原体と考えられた酵素.
-zyme [連結形] ☞

-ymph /ímf/

[語尾]

lymph [名] ☞
nymph [名] ☞

-ynd /áind/

[語尾] -ind[1] の異形.

rynd [名] (ひき臼の)上臼の支持用鉄片(rind).
synd [動他] 《スコット》すすぐ, ゆすぐ(syne).
wynd [名] 《主にスコット》狭い通り, 路地.

e /áin/

語末にくる同音形は -INE[1], -INE[2], -INE[3], -INE[4], -INE[5], -INE[6].

dyne [名] 【物理】ダイン: 力の cgs 単位.
-dyne [連結形] ☞
-gyne [連結形] ☞
syne[1] [副][前][接] 《スコット・北イング》=since.
syne[2] [動][他] 《スコット》すすぐ; 洗い落とす.
tyne [名] 《主に英》鋭くとがった先[歯].

yoke /jóuk/

[名] 軛(くびき). ―[動][他] 軛をかける.

defléction yòke 【電子工学】偏向ヨーク.
dis·yóke [動][他] 軛(くびき)から外す; 解放する.
ùn·yóke [動][他] …を軛(くびき)(など)から解放する.

you /júː; 《弱》ju, jə/

[代] 《人称代名詞二人称単数および複数形》《主格: 主語および補語として》君[あなた]は, 君たち[あなたがた]は[が].

all·you [代] 《カリブ英語・話》《主に呼びかけに用いて》=all of you.
d'you 《発音綴り》=do you.
see-you [名] 《米俗》(店員用語で)決まった店員を指名する客.
thank-you [形] 感謝の, 感謝を表す.

your·self /juərsélf, jɔːr- | jɔː-, juə-, jə-/

[代] 《二人称単数複合代名詞》君[あなた]自身. ⇨ SELF.

dó-it-your·sélf [形] 素人が自分でやる; 手作りの.
hélp-your·sèlf [名][形] (レストランなどの)セルフサービス(の).

-yp /íp/

[語尾] 短縮語の語尾で, 話語や俗語が多い.
★ 語末にくる同音形は -IP[2].

cryp [名] 《話》暗号解読者(cryptanalyst).
gyp[1] [動][他] 《英俗》だます, …をだまし取る(gypsy).
gyp[2] [名] 《英話》(Cambridge, Durham 両大学の)男子用務員.
gyp[3] [名] 《英話・NZ 俗》激痛, 責め苦, 拷問.
gyp[4] [名] 《米南部》雌犬.
gyp[5] [名] 《米西部》石膏(gypsum).

-ype /áip/

[語尾] 語末にくる同音形は -IPE[2].

blype [名] 《スコット》薄い皮[膜].
clype [動][自] 《スコット》告げ口をする.
hype[1] [動][他] 《話》あおり立てる, 誇大に宣伝する.
hype[2] [名] 《俗》皮下注射針(hypodermic).
kype [名] サケの雄の成魚の下顎(あご)にあるかぎ形の器官.
slype [名] 【建築】(特に教会堂のトランセプトから教会堂に通じる)屋根付き渡廊.
type [名] ☞
-type [連結形] ☞

-yph /íf/

[語尾] 語末にくる同音形は -IF[2], -IFF[3], -IFFE.

glyph [名] ☞
syph [名] 《俗》梅毒(syphilis).

Y

-yre /áiər/

語尾 語末にくる同音形は -IRE.

byre 名 《英方言》牛小屋, 牛舎.
gyre 名 輪(ring, circle).
lyre 名 リラ, 竪琴(たてごと).
-phyre 連結形 ☞
pyre 名 まき[可燃物]の山.
tyre 名 《英》(ゴム製の)タイヤ(tire).

-yst /íst/

語尾 語末にくる同音形は -IST[1], -IST[2].

cyst 名 〖病理〗嚢胞(のうほう).
-cyst 連結形 ☞
tryst 名 《文語・古》会合の約束.
xyst 名 (古代ギリシャ・ローマで)屋内散歩道.

-yte /áit/

語尾 -yte は北部やスコットランド方言に多い.
★ 語末にくる同音形は -EIGHT[2], -IGHT, -ITE[1], -ITE[2], -ITE[3].

byte 名 ☞
-cyte 連結形 ☞
flyte 動自 《スコット・北イング》(…と)口論する, 言い争う.
hyte 形 《スコット》《古》正気でない.
kyte 名 《スコット・北イング》胃, 腹.
-lyte[1] 連結形 ☞
-lyte[2] 連結形 ☞
-phyte 連結形 ☞
skyte 名 《スコット・北イング》急な一撃.
wyte 動他 《主にスコット》(人に)…の責任を負わせる, 罪を着せる.

-ythe /áið/

語尾 古英語に由来する; 特に北イングランド, スコットランド英語の語尾.
★ 語末にくる同音形は -ITHE.

kythe 動他自 《スコット・北イング》(行動によって)知らせる; 示す; 証明する.
lythe 名 《スコット》〖魚類〗ポラック.
scythe 名 (長柄の)草刈り鎌(がま), 大鎌.
stythe 名 《英》〖採鉱〗窒息性ガス.
tythe 名 《英》十分の一税: 古代の神への供物や慈善行為のために献じた財産または収穫の10分の1の税金.

Z

-zazz /zǽz/

音象徴 派手さや威勢の良さを表す.

ba·zazz 名 《英俗》=bezazz.
be·zazz 名 《俗》=pizazz.
bi·zazz 名 《米俗》=bizzazz.
biz·zazz 名 《俗》心のときめき, はなばなしさ; 活気, 活力.
pa·zazz 名 =pizazz.
pi·zazz 名 《米俗》活力, 精力, 威勢.
piz·zazz 名 =pizazz.
pzazz 名 《話》=pizazz.

ze·ro /zíərou/

名 (アラビア数字の)0, 零, ゼロ. ⇨ -O².

ábsolute zéro 〖熱力学〗絶対零度.
gróund zéro ゼロ地点: 原水爆爆発の真下 [真上] の地面または水面.
méasure zéro 〖数学〗測度零.
nòn·zé·ro 形 ゼロでない, ゼロ以外の.
pátient zéro 《米》(米国での)エイズ患者第 1 号.
pháse zéro (計画の)準備段階, ゼロ段階.
sùb-zé·ro 形 (計器が)零以下を示す [記録する], (特に)華氏零下の.
tríple zéro トリプルゼロ: 1988 年に米ソ間に交わされた包括軍縮交渉の段階の一つ.
zé·ro-zé·ro 形 〖気象〗〈大気の状態が〉水平・鉛直方向とも視程ゼロの.
Ź-zéro 〖物理〗Z ゼロ(粒子).

-zine /ziːn/

連結形 …誌, …雑誌.
★ 名詞をつくる.
◆ magazine「雑誌」の短縮形; zine, 'zine より.

cón·zine 名 《俗》(特に SF の)大会中発行の雑誌.
crúd·zìne 名 《米俗》中身のない(SF)ファン雑誌.
é-zine 名 電子通信雑誌.
fan·zíne 名 (SF 小説・幻想文学・漫画・ポピュラー音楽などの)ファン雑誌.
gén·zine 名 (特に SF の)全領域雑誌.
hý·per·zìne 名 〖コンピュータ〗ハイパーマガジン.
lèt·ter·zíne 名 (ファンクラブなどの)会報.
me·shú·ga·zìne 名 (学生などの作る)反権威的な風刺雑誌.
slásh zìne スラッシュ(同性愛小説)専門の同人誌.
téen·zìne 名 《米俗》ティーンエージャー向けの雑誌.
vìd·e·o·zíne 名 ビデオ形式の雑誌.

-zo·a /zóuə/

連結形 〖動物〗…動物, …(有機)体; 動物の分類名を示す.
★ 名詞をつくる.
★ 語末にくる関連形は -ZOAN, -ZOIC¹, -ZOIC², -ZOITE, -ZOON.
★ 語頭にくる関連形は zo(o)-: *zoo*metry「動物測定」, *zoo*plankton「動物プランクトン, 浮遊動物」.
◆ <近代ラ<ギ *zôia*(*zôion*「動物」の複数形). ⇨ -A¹.

Eu·met·a·zo·a 名 ⊛ 真正後生動物区.
Mes·o·zo·a 名 中生動物門.
Me·ta·zo·a 名 ⊛ 後生動物.
Pol·y·zo·a 名 ⊛ 《英》コケムシ(Bryozoa).
Pro·to·zo·a 名 原生動物門.
sap·ro·zo·a 名 腐生動物.
Spo·ro·zo·a 名 胞子虫綱.

-zo·an /zóuən/

連結形 …動物(の); …虫(の).
★ 名詞, 形容詞をつくる.
★ 語頭にくる関連形は zo(o)-: *zoo*metry「動物測定」, *zoo*plankton「動物プランクトン, 浮遊動物」.
◆ -ZOA または -ZOON + -AN¹.

ac·tin·o·zo·an 名 =anthozoan.
an·tho·zo·an 名 花虫(かちゅう)類動物.
bry·o·zo·an 形 外肛(がいこう)動物門の.
ec·to·zo·an 名 外部寄生虫. —— 形 外部寄生の.
en·to·zo·an 名 体内寄生動物 [虫] (回虫など).
eu·met·a·zo·an 名 真正後生動物.
he·li·o·zo·an 名 (原生動物の)太陽虫.
hy·dro·zo·an 名 (原生動物の)ヒドロ虫.
mes·o·zo·an 名 中生動物.
my·ce·to·zo·an 名 変形菌(類), 粘(菌)類.
par·a·zo·an 名 側生動物.
pol·y·zo·an 形 《英》=bryozoan.
pro·to·zo·an 名 原生動物.
scy·pho·zo·an 名 ハチクラゲ類.
spo·ro·zo·an 名 (寄生原虫の)胞子虫.

-zo·ic¹ /zóuik/

連結形 動物の生活が…様式の.
★ 形容詞をつくる.
★ 独立形は zoic「動物(生活)の」.
★ 語末にくる関連形は -ZOA.
★ 語頭にくる関連形は zo(o)-: *zoo*metry「動物測定」, *zoo*plankton「動物プランクトン, 浮遊動物」.
◆ ギリシャ語 *zōikós*「動物の」より. ⇨ -IC¹.

cy·to·zo·ic 形 細胞寄生動物の.
dip·lo·zo·ic 形 (ある種の動物が)左右 [両側] 相称の.
ec·to·zo·ic 形 外部寄生の.
en·do·zo·ic 形 〖生物〗動物体内生の
en·to·zo·ic 形 〈寄生動物が〉体内に生息する.
ep·i·zo·ic 形 〖生物〗動物体表生の.
hol·o·zo·ic 形 〖生物〗完全動物(性)栄養の.
pol·y·zo·ic 形 多虫性の, 種虫(しゅちゅう)が多い.
pro·to·zo·ic 形 〖動物〗原生動物の(protozoan).
sap·ro·zo·ic 形 〖生物〗腐生動物性の.

-zo·ic² /zóuik/

連結形 〖地質〗(ある特定の)地質時代の [に関する].

★ 形容詞をつくる.
★ 語末にくる関連形は -ZOA.
◆ ギリシャ語 *zṓ*「生命」より. ⇨ -IC[1].

Ar·chae·o·zo·ic 形 =Archeozoic.
Ar·che·o·zo·ic 形 始生代の.
Cai·no·zo·ic 形 =Cenozoic.
Ce·no·zo·ic 形 新生代の.
Cryp·to·zo·ic 形 陰生代の.
E·o·zo·ic 形 《もと》暁生代の.
Mes·o·zo·ic 形 中生代の; 中生界の.
Ne·o·zoic 形 新生代の, 中生代以後の.
Pa·le·o·zo·ic 形 古生代の, 古生界の.
Phan·er·o·zo·ic 形 顕生代の.
Prot·er·o·zo·ic 形 原生代の.

-zo·ite /zóuait/

連結形 【生物】…体.
★ 生物学に関する名詞をつくる.
★ 語末にくる関連形は -ZOA.
★ 語頭にくる関連形は zo(o)-: *zoo*metry「動物測定」, *zoo*plankton「動物プランクトン, 浮遊動物」.
◆ zo-(ギ *zôion*「動物」の連結形) + -ITE[1].

cryp·to·zo·ite 名 クリプトゾイト.
ep·i·zo·ite 名 動物体表生物.
mer·o·zo·ite 名 メロゾイト, 分裂小体.
spo·ro·zo·ite 名 【生物】種虫(しゅちゅう).
troph·o·zo·ite 名 栄養体 [型].

zon·al /zóunl/

形 帯の; 地域の. ⇨ -AL[1].

a·zon·al 形 地帯・区域に分けられていない.
bi·zon·al 形 二地区の; 二国共同統治地区の.
in·ter·zon·al 形 地域間の.
in·tra·zon·al 形 【地質】間帯の, 成帯内性の.

zone /zóun/

名 (なんらかの目的・特徴などによって隣接地域と区別された)地帯, 地域, 地区.

Antárctic Zòne 南極圏.
Árctic Zòne 北極圏.
auróral zòne オーロラ帯.
báng-zòne 超音速ジェット機衝撃音被害地域.
Bénioff zòne ベニオフゾーン: 海溝から大陸の下へ約 45 度の角度で潜り込む面.
bí·zòne 名 二国共同統治地区.
búffer zòne (津波の)緩衝地帯.
Canál Zòne パナマ運河地帯.
clóne zòne 《俗》同性愛者が集まる地域.
cómbat zòne 【軍事】作戦地帯.
cómfort zòne 【地理】快感帯.
communicátions zòne 【軍事】後方連絡地帯.
crúmple zòne 【自動車】バンパー.
crúshing zòne 【地質】破砕帯.
demílitarized zòne 非武装地帯.
dówn·zòne 動他 〈所有地を〉ダウンゾーン化する: 高密度の開発制限のため建築基準を変更すること.
dróp zòne 【軍事】降下 [投下] 地域, 降着場.
económic devélopment zòne (中国で)経済開発区.
económic zóne =exclusive economic zone.
énd zòne (アメフトの)エンドゾーン.
énterprise zòne 《英》事業区域, 企業(誘致)地区.
euphótic zòne 【海洋】有光層.
exclúsion zòne 立入禁止区域, 侵入禁止海域.
exclúsive económic zòne 【経済】排他的経済水域.
fáult zòne 【地質】断層帯.
físhery zòne 【海事】漁業専管水域.
fóreign-tráde zòne 【貿易】自由港.
frácture zòne 【海洋】【地質】断裂帯.
frée-fíre zòne 【軍事】無差別砲撃 [発砲] 地帯.
frée-tráde zòne =foreign-trade zone.
frée zòne 自由地帯, 無課税区域.
Frígid Zòne 【地理】寒帯.
gráy zòne どっちつかずの状態, あいまいな範囲.
hót zòne 【コンピュータ】(ハイフン止めにするか改行するかの決断を必要とする)行末に近い部分.
lífe zòne 生活帯, 生物分布帯.
méter-zòne パーキングメーターがある駐車可能区域.
néutral zòne (アイスホッケーの)中央氷域.
nó-flỳ zóne 飛行禁止地帯 [空域].
núclear-frée zòne 非核地帯.
párcel póst zòne 《米》小包料金同一地域.
phótic zòne 【海洋】有光層, 透光層.
póstal delívery zòne (大都市の)郵便区.
reáctor zòne (ウラン鉱山などにおける)核反応地帯.
réd zóne (アメフトの)レッドゾーン.
rè·zóne 動他 〈地所・地域などを〉再区分する.
ríft zòne 【地質】リフトゾーン, 地溝帯.
sáfety zòne 《米》(歩行者のための)安全地帯.
sáfe zòne (宗教・人種上の)少数者保護区.
schóol zòne スクールゾーン, 学校地区.
shéar zòne 【地質】剪断(せん)帯.
skíp zòne 【通信】跳躍帯, 不感地帯.
snúff zòne 禁煙区域.
Sóviet Zóne (ドイツの)ソ連占領地区.
spécial económic zòne (外国資本などの導入を目的に中国国内に設けられた)経済特区.
stórm-zòne 暴風(雨)地帯(storm-belt).
stríke zòne (野球の)ストライクゾーン.
súb·zòne 名 一地帯 [区域] の下位区分.
Témperate Zòne 【地理】温帯.
tíme zòne (標準)時間帯.
Tórrid Zòne 【地理】熱帯.
trópical zóne =Torrid zone.
twílight zòne 【海洋】弱光 [薄光] 層.
Váriable Zòne =Temperate Zone.
wár zòne 交戦地帯.

zoo /zúː/

名 動物園(zoological garden). ►zoological garden の初めの 3 字が 1 音節とみなされたもの.

ánimal zòo 《米俗》男子学生クラブ寮.
electrónic zoo 電子動物園.
még·a·zòo 名 巨大動物園.
pétting zòo 動物に触れられる動物園.

zo·ol·o·gy /zouálədʒi | -ɔ́l-, zuɔ́l-/

名 動物学. ⇨ -OLOGY.

an·thro·po·zo·ol·o·gy 名 人間動物学.
ar·chae·o·zo·ol·o·gy 名 動物考古学.
cryp·to·zo·ol·o·gy 名 未確認動物学.
e·pi·zo·ol·o·gy 名 動物流行病学(epizootiology).
pa·le·o·zo·ol·o·gy 名 古動物学.
pro·to·zo·ol·o·gy 名 原生動物学.

-zo·on /zóuan | zóuɔn/

連結形 …動物, …有機体.
★ 名詞をつくる.
★ 語末にくる関連形は -ZOA.
★ 語頭にくる関連形は zo(o)-: *zoo*metry「動物測定」, *zoo*plankton「動物プランクトン, 浮遊動物」.
◆ 近代ラ *zoon* <ギ *zôion* 動物.
[発音] 最後の音節(-on)に第 1 強勢が置かれる.

Cryp·to·zo·on 名 クリプトゾーン: カンブリア紀およびオ

ルドビス紀の絶滅藻類の一属.
cy·to·zo·on 名 細胞寄生動物.
der·mat·o·zo·on 名 皮膚寄生(微小)動物.
ec·to·zo·on 名 外部寄生虫.
en·ter·o·zo·on 名 体内寄生動物.
en·to·zo·on 名 体内寄生動物［虫］(回虫など).
ep·i·zo·on 名 動物体表(付着)生物.
he·mat·o·zo·on 名 住血原虫.
mi·cro·zo·on 名 微小動物, (特に)原生動物.
phy·to·zo·on 名 〘生物〙植中類.
pro·to·zo·on 名 原生動物.
sper·ma·to·zo·on 名 精子, 精虫.

-zy·gous /záigəs, zíg-/

連結形 接合子［体］(zygote)的構造を持つ.
★ 形容詞をつくる.
★ 語頭にくる関連形は zyg(o)-: *zygo*dactyl「対指足の」, *zyg*oid「〘生物〙接合子の」.
◆ <ギ *-zygos*(*zygón*「くびき」より). ⇨ -OUS.

az·y·gous 形 〘生物〙不対(性)の, 対をなさない.
cryp·to·zy·gous 形 〘頭骨学〙頭骨が広く顔の狭い.
het·er·o·zy·gous 形 〘生物〙異型の, 雑種性の.
ho·mo·zy·gous 形 〘生物〙ホモの, 同型の.

-zyme /zaim/

連結形 〘生化学〙…酵素.
★ 語頭にくる形は zym(o)-: *zym*genesis「酵素化」, *zymo*logy「酵素学」.
◆ ギリシャ語 *zȳ́mē*「酵素」より.
［発音］語頭の音節に第1強勢.

ab·zy·me 名 〘薬学〙アブザイム.
al·lo·zyme 名 アロザイム.
az·yme 名 〘キリスト教〙(聖餐(せいさん)式で用いる)無酵母パン.
en·zyme 名 ☞
i·so·zyme 名 アイソザイム, イソ酵素.
ly·so·zyme 名 リゾチーム.
ri·bo·zyme 名 リボザイム.

-zz[1] /z/

音象徴 機械やブザー, ハチの羽音のような振動音やざわめきの他, ちぢれを表す.
★ -z とも綴る.

buzz 名 (ハチ・機械・人の話し声などの)低いブンブンうなるような音, ざわめき, 騒音; 《擬声語》ブーン, ブンブン(ハチなどの羽音), プーン(カの羽音), ガヤガヤ(人声), ひそひそ(耳打ち), ブーッ, ビーッ(ブザーなど); 《米話》クスクス［クックッ］という笑い.
whizz 動自 ブーン［ヒュー, シュー］と音をたてる［鳴る］(whiz).
zizz 名 《英俗》睡眠, 一眠り.
zzz 間 グーグー.

-zz[2] /z/

語尾 俗語の語尾.
★ 語末にくる同音形は -ES[1], -ES[2], -S[1], -S[2], -'S[1], -'S[2].

-azz 語尾 ☞
fizz 動自 ☞
frizz 動他自 (毛髪などを［が］)ちりちりに縮らす［縮れる］.
fuzz 名 綿毛, (ラシャなどの)毛羽; 《米俗》警察, 警官.
-izz 音象徴 ☞ -IZZ[1]
mezz[1] 名 《米俗》マリファナタバコ.
mezz[2] 形 《米俗》素晴らしい, しびれる.
mozz 名 《豪俗》縁起の悪いもの; 不運(moz).
muzz 動自 猛勉強する.
scuzz 名 軽蔑すべき人.
-zazz 音象徴 ☞

Z

プログレッシブ英語逆引き辞典
〈コンパクト版〉

1999年 7月 1日　　　　　初版第1刷発行
2006年 11月 1日 〈コンパクト版〉初版第1刷発行

編者　國廣哲彌
　　　堀内克明
発行者　大澤昇
発行所　〔郵便番号101-8001〕
東京都千代田区一ツ橋2-3-1
株式会社　小学館
電話　編集　東京（03）3230-5169
　　　販売　東京（03）5281-3555
印刷所　大日本印刷株式会社
製本所　株式会社若林製本工場

Printed in Japan　　ISBN4-09-510182-2